中華人民共和國國務院批准的重大文化出版工程

國家文化發展綱要的重點出版工程項目

新聞出版總署列為「十一五」國家重大工程出版規劃之首

中華大典

文學典

鳳凰出版社

《中華大典》工作委員會

主　任：柳斌杰

金人慶

副主任：李　彦　李東生　于永湛　鄔書林　張少春

李衛紅　周和平　陳金泉　李静海

委　員：張小影　伍　杰　朱新均　吴尚之　孫　明

王家新　徐維凡　劉小琴　毛群安　遲　計

曹清堯　彭常新　王志勇　潘教峰　姜文明

王　正　石立英　安平秋　陳祖武　詹福瑞

戴龍基　宋焕起　孫　顒　陳　昕　魏同賢

王建輝　朱建綱　高紀言　莫世行　段志洪

湯漢清　何學惠　甄樹聲　馮俊科　譚　躍

羅小衛　王兆成

《中華大典》編纂委員會

總主編：任繼愈

副主編：席澤宗　程千帆　戴　逸　吴文俊　柯　俊
傅熹年

編　委：卞孝萱　任繼愈　李明富　余瀛鰲　林仲湘
郁賢皓　馬繼興　袁世碩　席澤宗　陳美東
黄永年　章培恒　張永言　張晋藩　葛劍雄
董治安　程千帆　傅世垣　曾棗莊　龐　樸
趙振鐸　劉家和　潘吉星　錢伯城　戴　逸
張海鵬　李根蟠　吴文俊　金正耀　戴念祖
柯　俊　金維諾　白化文　汪子春　周少川
孫培青　朱祖延　傅熹年　李　申　郭書春
熊月之　柴劍虹　吴子勇　寧　可　江曉原
王渝生　吴征鎰　尹偉倫　魏明孔

《中華大典》前言

《中華大典》是運用我國歷代漢文古籍編纂的一部大型工具書。其目的是爲學術界及願意瞭解中國古代珍貴文化典籍的人士提供準確詳實、便於檢索的漢文古籍分類資料。

中國是世界文明古國之一，幾千年來纂寫和聚集的文化典籍浩如烟海。我國歷代都有編纂類書的優良傳統，具有代表性的《永樂大典》等大多已佚失，現存《古今圖書集成》編就距今也已數百年。爲了適應今天和以後研究和檢索的需要，一九八八年海内外三百多位專家學者和各古籍出版社同仁倡議，在已有類書的基礎上，用現代科學方法編纂一部新的類書《中華大典》。

國務院在關於編纂《中華大典》問題的批覆中指出，編纂《中華大典》「是我國建國以來最大的一項文化出版工程」。本書所收漢文古籍上起先秦，下迄清末，約三萬種，達七億多字，分爲二十四個典，近百個分典，内容廣博，規模宏大，前所未有。

《中華大典》的編纂工作堅持科學態度和百花齊放、百家争鳴方針。儘量採用古精校精刻本，優先採用我國建國後文獻學和考古學的優秀成果。對傳統文化中重要的不同學派的資料，兼收并蓄。運用現代圖書分類的方法，對收集到的資料，精選、精編，力求便於檢索、準確可信。

這項工作從開始起就受到中共中央、國務院和有關部門的重視和支持。國家主席江澤民、國務院總理李鵬分別爲《中華大典》題詞。江澤民的題詞是：「同心同德群策群力認真編好中華大典爲建設有中國特色的社會主義服務」。李鵬的題詞是：「繼承和弘揚民族優秀傳統文化」。全國政協主席李瑞環、國務委員李鐵映也作了重要指示，要求抓緊辦理。一九九零年五月，國務院批准

《中華大典》爲國家重點古籍整理項目。一九九二年九月，正式成立了《中華大典》工作委員會和《中華大典》編纂委員會，召開了《中華大典》工作、編纂會議。自此，《中華大典》的編纂工作由試點轉入正式啓動，逐步鋪開。

編纂《中華大典》，學術性很强，工作量很大，工程十分艱巨，全賴廣大專家學者和全國各有關高等院校、科研院所、圖書館、出版單位的鼎力支持與積極參與。大家本着弘揚中華民族優秀文化的心願，發揚奉獻精神，克服各種困難，團結協作，給這部巨大類書的出版提供了根本保證。在此謹表示誠摯的謝意。

對本書的批評與建議，我們將十分歡迎。

《中華大典》編纂委員會

一九九七年四月

二〇〇六年十一月修訂

《中華大典》編纂通則

一、性質：《中華大典》（以下簡稱《大典》）是對漢文古籍（含已翻譯成漢文的少數民族古籍）進行全面的、系統的、科學的分類整理和匯編總結的新型類書，是在繼承歷代類書優良傳統、考慮漢文古籍固有特點的基礎上，借鑒和參照近代編纂百科全書的經驗和方法編纂而成。編纂《大典》的目的，是爲學術界及願意瞭解中國古代珍貴文化典籍的人士提供各種分門別類的、準確詳細的古代漢文專題資料。

二、規模和體例：《大典》所收古籍的時限，上自先秦，下迄辛亥革命。全書共收各類漢文古籍三萬餘種，七億多字。全書體例，着重汲取清代《古今圖書集成》所採用的經目和緯目相交織這一統一框架結構的模式，同時參照現代科學的學科、目録分類方法，并根據各類學科内容的實際情況，一般將每一大類學科輯爲一典，也有將幾個相關學科共輯爲一典的。對各典名稱，均以現代學科命名，對於所收入的各種古籍資料，亦儘可能納入現代科學分類體系之中。

三、經目：大典共分二十四個典，即哲學典、宗教典、政治典、軍事典、經濟典、法律典、教育體育典、語言文字典、文學典、藝術典、歷史典、歷史地理典、民俗典、數學典、物理化學典、天文典、地學典、生物學典、醫藥衛生典、農業典、林業典、工業典、交通運輸典、文獻目録典。典以下以分典、總部、部、分部分級，分部之下的標目根據各學科特點由各典自行擬定。

四、緯目：共設置九項緯目，用以包容各級經目的具體内容：

①題解：對有關學科的名稱、概念、涵義、特點等作總體介紹的資料。

②論説：有關理論部份的資料。

③綜述：有關學科或事物的系統性資料，凡有關學科或事物的性狀、制度、範疇、特點及學科地位、發展情況等具體内容均編入此緯目中。

④傳記：有關人物的傳記資料。

⑤紀事：有關學科或事物的具體活動或事例的資料。

⑥著録：重要人物或文獻的有關著作資料，如專集介紹、序跋、藏書題記，以及有關著作的成書經過、版本源流等。

⑦藝文：有關屬於文學欣賞性的散文或韵文。

⑧雜録：凡未收入以上各緯目，而又有較高參考價值的資料，均入雜録。

⑨圖表：根據有關經目的内容需要，圖與表附於相關專題之下，或集中匯總於某級經目之後。

《大典》以内容分類安排各級緯目，各級緯目的正文，一般以原書爲單位，按時代順序排列。每一條資料前標明出處，包括書名或作者名、篇名或卷次，以利讀者核對原書。

五、書目：每分典後附有該分典所收書之書目，書目包括書名、作者、時(年)代、版本等内容。時代以成書時代爲準，成書時代不詳者，以作者主要活動時代爲準，并遵從歷史習慣。

六、版本：《大典》在選用版本時儘量採用古人的精校精刻本，亦採用學術界通用的近、現代整理圈點本及現代學者校點整理本。

七、校點：爲儘可能保存古籍原貌，《大典》衹對底本中明顯的脱、訛、衍、倒進行勘正。古本中的避諱字一般不作改動，衹對缺筆字補足筆畫。後人刻書時避當朝人諱而改動的字，據古本改回。《大典》採用新式標點法。

一九九六年八月

二〇〇六年十一月修訂

《中華大典·文學典》編纂委員會

《中華大典·文學典》序

程千帆

中華民族是漢民族和蒙、回、藏、維吾爾、壯、滿等五十多個少數民族的集合體，中國文學是以漢民族文學爲主幹部份的各民族文學的共同體。

以漢語爲主要表現媒介的中國文學，是世界上歷史最悠久的文學之一，它經歷了長達三千多年的沒有中斷過的發展歷程，以其輝煌的成就和鮮明的民族特徵而成爲全人類文明史上的瑰寶，這在世界文學史上也是絕無僅有的。同時，它對於周邊國家文學的巨大影響，也使得中國文學曾在東亞文學中起過種子與核心的作用。

由於經歷了漫長的封建社會時期，并且以農業自然經濟爲主要的經濟形態，這就決定了中國文學具有穩定、凝固等特徵。中國文學雖然也處於不斷地發展變化的過程中，但這種過程較爲緩慢，有些重要的文學觀念和文學樣式延續了很長的歷史時期。前者如儒家重視文學的政治教化功能的思想，幾乎在整個封建時代都占據着統治地位；後者如文言散文和五七言詩這兩種文學樣式，分別走過了兩千多年和一千五百多年的歷程。

中國疆域遼闊，方言複雜，不同的自然環境和風俗習慣也造成了不同的文學風貌。就差异較大者言之，地域上的東西之別遠不及南北之异來得顯著。人們常常將《詩經》和《楚辭》分別作爲南北文學的代表，這雖然是一種極爲粗略的劃分，但已經顯示了人們對中國文學的地域性演變特徵的認識。文學上的南北之分，也一直延續到清代。不過，從秦漢以來基本上作爲一個大一統的中央集權的帝國，也就相應地使人們產生了大一統的政治觀念，由此而使得中國文學呈現出强烈的統一性。南北文學一方面有差异，另一方面也有交融。尤其是當國家政權處於統一而不是分裂的狀況下，文學的地域性特徵常常衹呈現在整個文學長河中的某些支流之中。

作爲文化精神的集中體現之一，中國文學具有中華民族所特有的文化特徵。首先，它具有特別鮮明的人文色彩和理性精神。即使在上古神話中，先民所崇拜的也不是如希臘、羅馬諸神那樣的天上神靈，而是具有神奇力量并建立了豐功偉績的人間英雄，如女媧、羿、大禹等神話人物，其原型就是古代杰出的氏族首領，他們的神格其實就是崇高、

偉大人格的升華。他們以巨大的力量克服了自然界的種種灾難，使人民得以安居樂業。中國古代的英雄崇拜，其實是先民對自身力量的崇拜，神話傳説則是先民對自身集體力量充份自信的藝術體現。因此，中國的古代神話多少具有史話的傾向。這種具有鮮明的人文色彩和理性精神的特徵，也貫穿於整個的中國文學。在古代中國，無論是抒情文學還是叙事文學，作家們總是把目光朝向人間而不是天國，他們關注的是現實世界中的悲歡離合，而不是屬於彼岸的天堂來世。宗教觀念在中國文學中的比重較輕，即使在佛、道二教興盛之時，它們對文學的影響也主要體現爲作家世界觀和思維方式的多元化，而没有造成文學主題在整體上偏離現實的轉移。

其次，中國文學具有强烈的教化色彩。以儒家學説爲主體的傳統思想對中國文學有着深遠的影響，建功立業、治國平天下是大多數古代作家的共同人生目標，「兼濟天下」與「獨善其身」互補的價值取向則是他們的共同心態。在這種背景下，以文學爲道德教化的功用觀成爲古代最重要的文學思想，「文以載道」是中國文學的基本精神。這種傳統對中國文學産生了正、負兩方面的重大影響：既爲中國文學注入了政治熱情、進取精神和社會使命感，使文學重視道德規範和對國家、人民群體利益的自覺維護，另一方面，它也使文學在一定程度上削弱了其主體意識，淡化了其個性自由。

第三，中國文學最重要的功能是抒情，最重要的表現手法是寫意。儘管抒情述志和叙事寫實這兩大功能在中國文學中都發展得非常充份，但中國文學最引人注目的仍是抒情：以抒情爲主要功能的各體詩歌是中國文學史上發展得最爲純熟的樣式，各種叙事體的文學也同樣具有强烈的抒情性，如史傳文學《史記》、元雜劇《西廂記》和小説《紅樓夢》等。所以中國文學既是中華民族的生活圖卷，更是他們的心靈記録，是人們瞭解中華民族文化心理的最好窗口。

第四，中國文學追求中和簡約之美。儒家倡導的中庸精神對中國文學的影響是深刻的。這被概括爲「樂而不淫，哀而不傷」，即在文學作品中有節制地宣泄感情。中國文學在批判現實時多採怨而不怒、婉而多諷的方式，在抒發内心情感時則追求委婉曲折、含蓄深沉。同時，道家思想的影響使中國文學强調簡約的表現手法，崇尚樸素自然的風貌和完整渾成的精神境界。所以中國文學在總體上具有情思宛轉、意味雋永的藝術特徵。這是中華民族平和、寬容、樸實的文化性格特徵在文學中的積澱。

第五，中國文學的主要載體是漢語言文字。漢字是一種表意文字，具有單文獨義、一字一音等特徵，所以中國文學在形式上也具有獨特之美：字詞的簡單排列能組成涵義深永的意象，對稱手法的大量運用（以駢文和律詩中的對仗

最顯著），由四聲的變化產生抑揚頓挫、迴環往復的聽覺美感，等等。中國文學中的賦、駢文和律詩、詞、曲，都堪稱世界上形式最精美嚴整的美文形式。

第六，中國文學由於作者群體及讀者群體的差异，可分爲雅文學和俗文學兩類。前者的主要作者是封建士大夫，後者則産生於平民之手。這兩類文學之間的關係雖然也有互相排斥的一面，但主要的則體現爲互相影響、互相滲透的互補關係。大致上説，源遠流長的詩和散文被視爲雅文學；而從宋元時代開始産生的白話小説和戲曲則是俗文學的主要形式，它們經過充份的發展後，終於與詩文并列而成爲中國文學中最重要的文體。

這幾個互相依存和滲透的特徵呈現在長達數千年的創作中，經歷了漫長的發展歷程，其中詩歌、散文和叙事文學各有其獨特的發展軌迹，雖然這些軌迹有時是重合交叉的。

中國最早的詩歌總集《詩經》，至遲在公元前六世紀就已編定，其形式主要是四言詩。到公元前四世紀，在中國南方興起了另一類的詩歌——楚辭，其基本形式爲雜言體。到了漢代，五言詩和七言詩開始興起，經過魏晋南北朝詩人的不斷努力，在聲律和儷偶兩方面取得了長足的進步。大分裂後形成了大統一，唐代在匯聚南北方文化的基礎上，使五、七言律詩的格律成熟了，這種格律主要着眼於以漢字四聲來諧調詩歌的聲調，體現其相間相重的形式美。唐以後又出現了詞、曲等新的詩歌樣式，在聲律和節奏方面，顯示出越來越朝向自然和自由的發展趨勢，從而最終導致二十世紀初白話新詩的出現。

中國散文的淵源可以追溯到商代的甲骨卜辭與稍後的銅器銘文。專門記録商周時代王公的言辭、政令的《尚書》，標志着古代散文的形成。《尚書》之後，散文分别向偏重於記述的歷史散文和偏重於論説的諸子散文兩個方向發展。秦漢以後的散文在形式上發展爲古文和駢文兩大類。這兩類文的發展是不平衡的。大體説來，魏晋六朝是駢文形成并逐漸占據文壇主導地位的時期，而自中唐古文運動以後，古文又漸漸地確立了其統治地位，直至近代白話文興起爲止。秦漢以後的散文除了叙事、論説之外，又增加了抒情的功能。在一些優秀的作家手中，散文的三種功能都得到很好的體現，并有機地結合在一起。

中國叙事文學的源頭可推至上古神話和史傳作品，但真正的文學創作則始於魏晋小説。到了唐代，傳奇小説奇峰突起，在情節結構、人物描寫等方面已取得了很高的成就。與此同時，民間的説話藝術也開始發展，到宋代就産生了成熟的白話話本小説。明清時代出現的優秀長篇章回小説，標志着古典小説達到了高峰。叙事文學的另一門類是戲曲，

萌芽於漢代百戲，經過唐戲弄和宋金雜劇的階段，到元雜劇而臻於成熟，以後又進一步演變爲明清傳奇和近代戲曲。

中國文學批評也具有鮮明的民族特徵。首先，中國文學批評的形式是多種多樣的，除了少數體系完整的著作如《文心雕龍》以外，大量的文學批評表現爲詩話（文話、賦話、詞話、曲話）以及形式較爲特殊的評點，論詩詩等，而歷代作家的筆記、序跋、書信中，也往往保存着重要的文學批評資料。它們雖然帶來了零散、體系性不强的缺點，但同時也具有靈活、準確、精警等優點。其次，中國的文學批評家大多數都是作家，他們的文學批評是以自己的創作經驗爲基礎的，所以與文學現象之間的關係特别密切，很少有脱離創作實際的抽象理論。這還使得中國文學批評往往以文學作品的面目出現，自身具有美文的特徵。最後，也是最重要的一點是，中國文學批評有着自己的完整體系，産生了一整套獨特的理論範疇，這些範疇往往是擬象取譬以供參悟，具有多義性和不確定性，例如「神」、「氣」、「風骨」、「意境」等等。與西方的文學批評相比，中國文學批評的範疇定義不够明確，但含義則更加豐富、微妙，它們是根據中國文學的獨特發展過程而歸納出來的，并規範和影響了中國文學的實際進程。中國文學批評特别重視審美感受，所以它和它的批評對象之間，保持着一種極爲和諧而且互相滲透的關係。

以上是對我國古代文學的一個極爲簡略的回顧。

這些文學作品及史實均由其歷代載體保存下來，先民們也已注意到如何方便地使用這些寶貴的文獻。早在三國時代，已經出現類書，從宋到清，都曾由政府主持編出規模日益宏大、編纂日益精審的這類著述。《中華大典》也是在前人工作的基礎上進行的。作爲大典的組成部份，《文學典》總體上是依照大典的體例和框架的，同時也按照本學科的特點和實際情況，作了某些調整。比起過去的類書，材料更爲豐富，結構更爲合理，檢索也更爲方便。但由於主客觀條件的限制，闕漏錯誤重複之處也還不免，希望讀者隨時見教，以便將來有機會改正。

《中華大典·文學典》凡例

一、《中華大典·文學典》以《中華大典》的編纂宗旨爲依據，匯編從先秦到清末的關於中國文學的文獻，以供文學工作者和一般讀者參考和檢索。限於篇幅，《文學典》主要收録關於作家、作品和文學理論的資料性文獻，不收作品本身。

二、《文學典》分爲六個分典，它們是：《先秦兩漢文學分典》、《魏晉南北朝文學分典》、《隋唐五代文學分典》、《宋遼金元文學分典》、《明清文學分典》、《文學理論分典》。分典之下設部，部之下設如下經目：

（一）總論：關於同一時期文學創作的系統性全面性資料。

（二）總集：以集名標目。

（三）體類：必須是約定俗成世所公認者。

對跨越兩個朝代以上的總集、體類，在最後一代朝代立目。

（四）作家：以人名標目，大體上按年代順序排列，并遵從歷史習慣。年代不詳者，置於同期作家之末。作家帶作品。

對跨越兩個朝代的作家，按其主要的創作活動時間定其歸屬。

（五）其它：對作家不詳之作品，以集名或篇名標目。

三、依照《〈中華大典〉編纂通則》，結合《文學典》的特點和實際情况，各分典設置六項緯目，用以包容各級經目的具體内容。

（一）論述：下設綜論、分論二項。對總集、體類、作家的綜合性評論資料，收録於綜論。對具體作品的評

論資料，收録於分論。分論以篇名標目。標題相同或原爲失題者，加標首句。

前人對文學作品的創作時間等方面所作的重要考證，酌收於相應的分論。

(二)傳記：下設碑志、傳狀、年譜、考證四項。碑志、傳狀均選録記載較早、較詳、較可靠者，避免内容重複。年譜篇幅較大者，可摘録或存目。此外，前人對作家的籍貫、生卒年、家世、科名、官職、交游等方面所作的重要考證，酌收於考證項下。不同的考證結論兼收并蓄。

(三)紀事：下設作家逸事、作品本事二項。作家逸事指碑志、傳狀、年譜之外關於作家各種事迹的記載，作品本事指評論之外關於作品創作背景的記載，均擇要收録。异説紛紜者，如實反映。

(四)著録：主要收録序、跋、藏書題記中關於成書經過、版本源流的資料。其中有涉及對作家、作品的評論者，收録於論述緯目。

(五)藝文：下設唱和、紀念、敷演三項。唱和的詩詞、紀念性的詩詞文章，均作精選，并區别於論述、傳記、紀事等緯目的内容。敷演指後世描摹前代人物事件，供欣賞而非實録的小説、戲曲等。以上三項，均予以摘録或存目。

(六)雜録：下設雜記、雜考二項。凡未收入以上各緯目，而又具有較高參考價值的資料，均予以編入。

以上經目、緯目，各分典有則設之，無則不設。

《文學理論分典》的經目和緯目，按理論系統另行擬定。

四、《文學典》的收録範圍，包括古代長期在中國居住的外國人用漢語寫成的，以及中國境内非漢族作家用漢語寫成的作品記述及評論，其他外國人用漢語寫成的作品不録。

五、由於《文學典》不收作品，所以凡是作品已經亡佚或作品尚存而作者姓名已經亡佚的，收録有關的記述、評論。易言之，《文學典》的收録標準不是根據作品是否存在而定，而是根據有無相關的資料而定。

六、《文學典》對於所收録的作家的資料，衹編選與文學有關的部份，凡是關於作家的政治、技藝等與文學無關

的内容，一概從略。

七、《文學典》的性質是資料選編而不是全編，所以不能涵蓋中國文學的全部作家、作品，對於已經收入的作家的資料，則按照大家取精、小家取全的原則處理。

八、資料標明出處，包括書名或作者名、篇名或卷次。對卷帙浩繁、編制複雜之巨著，兼標卷次及篇名，以利讀者查核。爲避免混淆，對异書同名者，兼標作者名。對作者、書名皆同，而内容不同者，兼標編輯者名。一書之前刻後刻内容不同者，則標明刻本。

九、校勘：脱，在方括號内中寫出補入的字。訛，將錯字寫在圓括號中，後面寫出改正的字，加上方括號。衍，將衍字寫在圓括號中。倒，將該字的正確位置按脱字的辦法用方括號補上，其錯誤的位置用圓括號作爲衍字處理。通用字、假借字和古今字，一律不改。

一〇、對古籍的省略處，用【略】標出。古籍中的原注，用圓括號標出。書名號用於正規書名、篇名及其簡稱。

一一、數字符號：對古籍的卷次，用一、二、三、四、五、六、七、八、九、〇標出，不用十、百、千、萬。

一二、以上是《文學典》六個分典的通例。各分典在必要時，可依據實際情况加以補充，并在適當地方附加說明。

中華大典·文學典

文學理論分典

主　編：張伯偉
副主編：許　結
　　　　朱恒夫

編纂説明

（一）《中華大典·文學典·文學理論分典》以《中華大典》的編纂宗旨爲依據，彙編從先秦到清末的關於中國文學理論的資料性文獻，以供文學工作者和一般讀者參考和檢索。

（二）《文學理論分典》主要收録理論性資料，對具體的作家作品的評論文字不在收録範圍之中，但屬於爲闡明某一理論而涉及到作家作品的資料，則一併收録。

（三）《文學理論分典》的經目和緯目，完全根據中國文學理論自身的特點而編纂，故不同於《文學典》的其他各分典。

（四）《文學理論分典》的經目，設緒論部、文論部、騷賦論部、詩論部、詞論部、戲曲論部、小説論部。緒論部下設兩個一級緯目：文學論、批評論。自文論部至小説論部，下設四個一級緯目：本原、法則、類別、風格。

（五）緒論部收録有關文學和文學批評的總體性論述。文學論是有關文學的起源、本質、功能、因革等總體性的理論資料。下設二級緯目有：（1）文原論，關於文學的起源和本質；（2）文德論，關於文學與道德、文品與人品的關係；（3）文用論，關於文學的社會功能；（4）因革論，關於文學的繼承和發展，以概括總論文學的資料。批評論是有關文學批評的起源、性質、形態等論述。下設二級緯目有：（1）總説，關於文學批評的起源、類別、特點等總體性論述；（2）詩話，關於詩話的起源、功能、考證、評論等資料；（3）選集，關於選集的起源、功能、考證、評論等資料。

（六）從文論部到小説論部，分别以散文、辭賦、詩、詞、戲曲和小説等文體爲中心網羅相關資料，並略依時代先後排列。

（七）本原，有關某一文體的起源、特質的論述。

（八）法則，有關某一文體的寫作規範的論述。下設五個二級緯目：（1）總説：有關文學法則的總體性論述；（2）命意：有關文學的主題、意旨等論述；（3）韻律：有關文學的聲律、用韻等論述；（4）結構：有關文學的遣詞造句、分段謀篇等論述；（5）技巧：有關文學的練字、對偶、用典等論述。

（九）類別，有關某一文體的細部分類的論述。

（一〇）風格，有關某一文體藝術風格的論述。

（一一）以上緯目根據資料實際情況，有則設，無則闕。

（一二）《文學理論分典》的收録範圍，除歷代漢族批評家的論著之外，還包括古代長期在中國居住的外國人用漢語寫成的，以及中國境内非漢族作家用漢語寫成的評論文字，其他外國人用漢語寫成的文學理論著作不在收録範圍。

（一三）由於古代没有專職的理論家，他們一般都有文學作品傳世，有關批評家的資料也大多可見於《文學典》的其他分典之中，故《文學理論分典》不設批評家傳記資料項目。

（一四）《文學理論分典》的性質是資料選編而不是全編，所以不能涵蓋中國文學理論的全部資料。鑒於各種理論資料之間的數量不平衡，對於已經收入的資料，則按照内容多者從嚴、内容少者從寬的原則進行處理。

（一五）資料標明出處，包括書名或作者名、篇名或卷次。對卷帙浩繁、編製複雜之巨著，則兼標卷次及篇名，以利讀者查核。爲避免混淆，對異書同名者，兼標作者名。

（一六）所收資料一依底本，僅改正明顯的脱訛衍倒。改正方式一依《文學典》凡例。

（一七）本書採用新式標點。對古籍的省略處，用【略】標出。古籍中的自注、原注，用圓括號標出。書名號用於正規書名（包括簡稱）、篇名及詞牌、曲牌名。對古籍卷次的書寫方式，亦依《文學典》凡例。

（一八）全書之末附主要引用書目。書目包括書名、作者（編者）、時（年）代、版本等内容。

（一九）本書爲集體編纂。主編張伯偉兼任《緒論部》、《詩論部》和《詞論部》主編，許結爲《文論部》、《騷賦論部》主編，朱恒夫爲《戲曲論部》、《小説論部》主編。其餘參與編纂的人員，前後多達百人。其工作程序是：首先由主編提出全書編纂大綱，由各部主編根據大綱完成樣稿。繼而由編纂人員分頭輯録資料，各部主編加以去取、分類並按時代先後編纂，然後再由本書主編統稿。校對人員核對原書，斟酌標點。歷時十二年，終於完成。兹將主要參加者名單列於本書之後，並在此表示衷心感謝。

（二〇）《文學理論分典》爲歷代類書所無，如何將古典文獻以現代方式作完整的、有體系的呈現，這是一次新的探索。限於主客觀條件，書中難免還存在問題，切盼學術界提出寶貴意見。

總目

緒論

文學論

文原

《易傳·繫辭下》古者包犧氏之王天下也，仰則觀象於天，俯則觀法於地，觀鳥獸之文，與地之宜，近取諸身，遠取諸物，于是始作八卦，以通神明之德，以類萬物之情。

《莊子·漁父》眞者，精誠之至也。不精不誠，不能動人。故強哭者雖悲不哀，強怒者雖嚴不威，強親者雖笑不和。眞悲無聲而哀，眞怒未發而威，眞親未笑而和。眞在內者，神動於外，是所以貴眞也。其用於人理也，事親則慈孝，事君則忠貞，飲酒則歡樂，處喪則悲哀。忠貞以功爲主，飲酒以樂爲主，處喪以哀爲主，事親以適爲主，功成之美，無一其迹矣。事親以適，不論所以矣；飲酒以樂，不選其具矣；處喪以哀，無問其禮矣。禮者，世俗之所爲也；眞者，所以受於天也，自然不可易也。故聖人法天貴眞，不拘於俗。愚者反此。不能法天而恤於人，不知貴眞，祿祿而受變於俗，故不足。惜哉，子之蚤湛於人僞而晚聞大道也。

《荀子·儒效》聖人也者，道之管也。天下之道管是矣，百王之道一是矣；故《詩》、《書》、《禮》、《樂》之歸是矣。《詩》言是其志也，《書》言是其事也，《禮》言是其行也，《樂》言是其和也，《春秋》言是其微也。故《風》之所以爲不逐者，取是以節之也；《小雅》之所以爲《小雅》者，取是而文之也；《大雅》之所以爲《大雅》者，取是而光之也；《頌》之所以爲至者，取是而通之也。天下之道畢矣。鄉是者臧，倍是者亡。鄉是如不臧，倍是如不亡者，自古及今，未嘗有也！

《韓非子·解老》禮爲情貌者也，文爲質飾者也。夫君子取情而去貌，好質而惡飾。夫恃貌而論情者，其情惡也；須飾而論質者，其質衰也。何以論之？和氏之璧，不飾以五采，隋侯之珠，不飾以銀黃，其質至美，物不足以飾之。夫物之待飾而後行者，其質不美也。是以父子之間，其禮樸而不明，故曰：「禮薄也。」凡物不並盛，陰陽是也。理相奪予，威德是也。實厚者貌薄，父子之禮是也。由是觀之，禮繁者實心衰也。然則爲禮者，事通人之樸心者也。衆人之爲禮也，人應則輕歡，不應則責怨。今爲禮者事通人之樸心，而資之以相責之分，能毋爭乎？有爭則亂，故曰：「夫禮者，忠信之薄也，而亂之首乎。」

《呂氏春秋·大樂》音樂之所由來者遠矣，生於度量，本於太一。太一出兩儀，兩儀出陰陽。陰陽變化，一上一下，合而成章。渾渾沌沌，離則復合，合則復離，是謂天常。天地車輪，終則復始，極則復反，莫不咸當。日月星辰，或疾或徐，日月不同，以盡其行。四時代興，或暑或寒，或短或長。或柔或剛。萬物所出，造於太一，化於陰陽。萌芽始震，凝潓以形。形體有處，莫不有聲。聲出於和，和出於適。和適先王定樂，由此而生。天下太平，萬物安寧，皆化其上，樂乃可成。成樂有具，必節嗜慾。嗜慾不辟，樂乃可務。務樂有術，必由平出。平出於公，公出於道。故惟得道之人，其可與言樂乎！亡國戮民，非無樂也，不樂其樂。溺者非不笑也，罪人非不歌也，狂者非不武也，亂世之樂，有似於此。君臣失位，父子失處，夫婦失宜，民人呻吟，其以爲樂也，若之何哉？凡樂，天地之和，陰陽之調也。始生人者天也，人無事焉。天使人有欲，人弗得不求。天使人有惡，人弗得不辟。欲與惡所受於天也，人不得興焉，不可變，不可易。世之學者，有非樂者矣，安由出哉？大樂，君臣父子長少之所歡欣而說也。歡欣生於平，平生於道。道也者，視之不見，聽之不聞，不可爲狀。有知不見之見，不聞之聞，無狀之狀者，則幾於知之矣。道也者，至精也，不可爲形，不可爲名，彊爲之謂之太一。故一也者制令，兩也者從聽。先聖擇兩法一，是以知萬物之情。故能以一聽政者，樂君臣，和遠近，說黔首，合宗親。能以一治其身者，免於災，終其壽，全其天。能以一治其國者，姦邪去，賢者至，成大化。能以一治天下者，寒暑適，風雨時，爲聖人。故知一則明，明兩則狂。

又《音初》凡音者，產乎人心者也。感於心則蕩乎音，音成於外而化乎內，是故聞其聲而知其風，察其風而知其志，觀其志而知其德。盛衰、賢不肖、君子小人皆形於樂，不可隱匿，故曰樂之爲觀也深矣。土弊則草木不長，水煩則魚鼈不大，世濁則禮煩而樂淫。鄭衛之聲，桑間之音，此亂國之所好，

衰德之所說。流辟誂越慆濫之音出，則滔蕩之氣、邪慢之心感矣；感則百姦衆辟從此產矣。故君子反道以修德，正德以出樂，和樂以成順。樂和而民鄉方矣。

《禮記・樂記・樂言》 夫民有血氣心知之性，而無哀樂喜怒之常。應感起物而動，然後心術形焉。是故志微噍殺之音作，而民思憂；嘽諧慢易繁文簡節之音作，而民康樂；粗厲猛起奮末廣賁之音作，而民剛毅；廉直勁正莊誠之音作，而民肅敬；寬裕肉好順成和動之音作，而民慈愛；流辟邪散狄成滌濫之音作，而民淫亂。是故先王本之情性，稽之度數，制之禮義。合生氣之和，道五常之行，使之陽而不散，陰而不密，剛氣不怒，柔氣不懾，四暢交於中而發作於外，皆安其位而不相奪也。然後立之學等，廣其節奏，省其文采，以繩德厚。律小大之稱，比終始之序，以象事行。使親疏貴賤長幼男女之理，皆形見於樂，故曰「樂觀其深矣」。土敝則草木不長，水煩則魚鼈不大，氣衰則生物不遂，世亂則禮慝而樂淫。是故其聲哀而不莊，樂而不安，慢易以犯節，流湎以忘本。廣則容姦，狹則思欲，感條暢之氣而滅平和之德，是以君子賤之也。

又《樂本》 凡音之起，由人心生也。人心之動，物使之然也。感於物而動，故形於聲。聲相應，故生變，變成方，謂之音。比音而樂之，及干戚羽旄，謂之樂。樂者，音之所由生也，其本在人心之感於物也。是故其哀心感者，其聲噍以殺；其樂心感者，其聲嘽以緩；其喜心感者，其聲發以散；其怒心感者，其聲粗以厲；其敬心感者，其聲直以廉；其愛心感者，其聲和以柔。六者非性也，感於物而後動。是故先王慎所以感之者。故禮以道其志，樂以和其聲，政以一其行，刑以防其姦。禮、樂、刑、政，其極一也，所以同民心而出治道也。凡音者，生人心者也。情動於中，故形於聲；聲成文，謂之音。是故治世之音安以樂，其政和；亂世之音怨以怒，其政乖；亡國之音哀以思，其民困。聲音之道與政通矣。宮爲君，商爲臣，角爲民，徵爲事，羽爲物。五者不亂，則無怗懘之音矣。宮亂則荒，其君驕；商亂則陂，其官壞；角亂則憂，其民怨；徵亂則哀，其事勤；羽亂則危，其財匱。五者皆亂，迭相陵，謂之慢。如此，則國之滅亡無日矣。鄭衛之音，亂世之音也，比於慢矣。桑間濮上之音，亡國之音也，其政散，其民流，誣上行私而不可止也。凡音者，生於人心者也。樂者，通倫理者也。是故知聲而不知音者，禽獸是也。知音而不知樂者，衆庶是也。惟君子爲能知樂。是故審聲以知音，審音以知樂，審樂以知政，而治道備矣。是故不知聲者，不可與言音；不知音者，不可與言樂。知樂，則幾於禮矣。禮樂皆得，謂之有德；德者，得也。是故樂之隆，非極音也；食饗之禮，非致味也。清廟之瑟，朱弦而疏越，壹倡而三歎，有遺音者矣。大饗之禮，尚玄酒而俎腥魚，大羹不和，有遺味者矣。是故先王之制禮樂也，非以極口腹耳目之欲也，將以教民平好惡，而反人道之正也。人生而靜，天之性也；感於物而動，性之欲也。物至知知，然後好惡形焉。好惡無節於內，知誘於外，不能反躬，天理滅矣。夫物之感人無窮，而人之好惡無節，則是物至而人化物也。人化物也者，滅天理而窮人欲者也。於是有悖逆詐僞之心，有淫泆作亂之事。是故強者脅弱，衆者暴寡，知者詐愚，勇者苦怯，疾病不養，老幼孤獨不得其所。此大亂之道也。是故先王之制禮樂，人爲之節：衰麻哭泣，所以節喪紀也；鐘鼓干戚，所以和安樂也；昏姻冠笄，所以別男女也；射鄉食饗，所以正交接也。禮節民心，樂和民聲，政以行之，刑以防之。禮樂刑政，四達而不悖，則王道備矣。

又《樂禮》 地氣上齊，天氣下降，陰陽相摩，天地相蕩，鼓之以雷霆，奮之以風雨，動之以四時，煖之以日月，而百化興焉。如此，則樂者天地之和也。

《淮南子・本經》 凡人之性，心和欲得則樂，樂斯動，動斯蹈，蹈斯蕩，蕩斯歌，歌斯舞，歌舞節則禽獸跳矣。人之性，心有憂喪則悲，悲則哀，哀斯憤，憤斯怒，怒斯動，動則手足不靜。人之性，有侵犯則怒，怒則血充，血充則氣激，氣激則發怒，發怒則有所釋憾矣。故鐘鼓管簫，干鏚羽旄，所以飾喜也；衰絰苴杖，哭踊有節，所以飾哀也；兵革羽旄，金鼓斧鉞，所以飾怒也。必有其質，乃爲之文。

《史記・太史公自序》 夫《詩》《書》隱約者，欲遂其志之思也。昔西伯拘羑里，演《周易》；孔子戹陳蔡，作《春秋》；屈原放逐，著《離騷》；左丘失明，厥有《國語》；孫子臏脚，而論兵法；不韋遷蜀，世傳《呂覽》；韓非囚秦，《說難》、《孤憤》；《詩》三百篇，大抵賢聖發憤之所爲作也。此人皆意有所鬱結，不得通其道也，故述往事，思來者。

崔駰《上四巡頌表》 臣聞陽氣發而鶬庚鳴，秋風厲而蟋蟀吟，氣之動也。

唐虞之世，樵夫牧豎，擊轅中韶，感于和也。臣不知手足之動音聲，敢獻頌云。

曹丕《典論·論文》 文以氣爲主，氣之清濁有體，不可力強而致。譬諸音樂，曲度雖均，節奏同檢，至於引氣不齊，巧拙有素，雖在父兄，不能以移子弟。

陸機《文賦》 佇中區以玄覽，頤情志於典墳。遵四時以嘆逝，瞻萬物而思紛；悲落葉於勁秋，喜柔條於芳春；心懍懍以懷霜，志眇眇而臨雲。詠世德之駿烈，誦先人之清芬；游文章之林府，嘉麗藻之彬彬。慨投篇而援筆，聊宣之乎斯文。

《晉書·文苑傳論贊》 夫賞好生於情，剛柔本於性。情之所適，發乎詠歌，而感召無象，風律殊製。

《宋書·王微傳》 且文詞不怨思抑揚，則流澹無味；文好古，貴能連類可悲。一往視之，如似多意，當見居非求志。清論所排，便是通辭訴屈邪？

蕭統《文選序》 式觀元始，眇覿玄風，冬穴夏巢之時，茹毛飲血之世，世質民淳，斯文未作。逮乎伏羲氏之王天下也，始畫八卦，造書契，以代結繩之政。由是文籍生焉。《易》曰：「觀乎天文，以察時變；觀乎人文，以化成天下。」文之時義遠矣哉。

《南齊書·文學傳論》 屬文之道，事出神思，感召無象，變化不窮。俱五聲之音響，而出言異句；等萬物之情狀，而下筆殊形。吟詠規範，本之雅什，流分條散，各以言區。

蕭繹《金樓子·立言》 古人之學者有二，今人之學者有四。夫子門徒，轉相師受，通聖人之經者謂之儒；屈原、宋玉、枚乘、長卿之徒，止於辭賦，則謂之文。今之儒，博窮子史，但能識其事，不能通其理者，謂之學。至如不便爲詩，如閻纂，善爲章奏，如伯松；若此之流，汎謂之筆。吟詠風謠，流連哀思者，謂之文。而學者率多不便屬辭，守其章句，遲於通變，質於心用。學者不能定禮樂之是非，辯經教之宗旨，徒能揚榷前言，抵掌多識。然而挹源知流亦足可貴。筆，退則非謂成篇，進則不云取義；神其巧惠，筆端而已。至如文者，惟須綺縠紛披，宮徵靡曼，脣吻遒會，情靈搖蕩。而古之文筆，今之文筆，其源又異。

《劉子新論·言苑》 畫以摹形，故先質後文；言以寫情，故先實後辯。無質而文，則畫非形也；不實而辯，則言非情也。紅黛飾容，欲以爲豔，而動目者稀；揮紘繁弄，欲以爲悲，而驚耳者寡。由於質不美也。質不美者，雖崇飾而不華；曲不和者，雖響疾而不哀。理動於心，而見於色；情發於中，而形于聲。

《周書·庾信傳論》 原夫文章之作，本乎情性。覃思則變化無方，形言則條流遂廣。雖詩賦與奏議異軫，銘誄與書論殊塗，而撮其指要，舉其大抵，莫若以氣爲主，以文傳意。考其殿最，定其區域，摭《六經》百氏之英華，探屈、宋、卿、雲之祕奧。其調也尚遠，其旨也在深，其理也貴當，其辭也欲巧。然後瑩金璧，播芝蘭，文質因其宜，繁約適其變，權衡輕重，斟酌古今，和而能壯，麗而能典，煥乎若五色之成章，紛乎猶八音之繁會。夫然，則魏文所謂通才足以備體矣，士衡所謂難能足以逮意矣。

《北齊書·文苑傳序》 夫玄象著明，以察時變，天文也；聖達立言，化成天下，人文也。達幽顯之情，明天人之際，其在文乎？逖聽三古，彌綸百代，制禮作樂，騰實飛聲，若或言之不文，豈能行之遠也？子曰：「文王既沒，文不在茲。」大聖踵武，邈將千載，其間英賢卓犖，不可勝紀，咸宜韜筆寢牘，未可言文，斯固才難，不其然也。【略】然文之所起，情發於中。人有六情，稟五常之秀；情感六氣，順四時之序。其有帝資懸解，天縱多能，摛黼黻於生知，問珪璋於先覺，譬雕雲之自成五色，猶儀鳳之冥會八音，斯固感英靈以特達，非勞心所能致也。縱其情思底滯，關鍵不通，但伏膺無怠，鑽仰斯切，馳騖勝流，周旋益友，彊學廣其文見，專心屏於涉求，畫繢飾以丹青，彫琢成其器用，是以學而知之，猶足賢乎已也。謂石爲獸，射之洞開，精之至也；積歲解牛，砉然遊刃，習之久也。自非渾沌無可鑿之姿，窮奇懷不移之情，安有至精久習而不成功者焉。

張說《洛州張司馬集序》 夫言者，志之所之；文者，物之相雜。然則心不可蘊，故發揮以形容；辭不可陋，故錯綜以潤色。萬象鼓舞，入有名之地；五音繁雜，出無聲之境。非窮神體妙，其孰能與乎！

李華《質文論》 天地之道易簡；易則易知，簡則易從。先王質文相變以濟天下，易知易從莫尚乎質。質弊則佐之以文，文弊則復之以質，不待其極而變之。【略】愚以爲將求致理，始於學習經史；左氏、《國語》、《爾雅》、荀、孟等家，輔佐《五經》者也。

獨孤及《毘陵集》卷一三《唐故殿中侍御史贈考功郎中蕭府君文章集錄序》

足志者言，足言者文。情動於中而形於聲，文之微也。粲於歌頌，暢於事業，文之著也。君子修其詞，立其誠，生以比興宏道，歿以述作垂裕，此之謂不朽。

顧況《華陽集》卷下《文論》　《周語》之略曰：孝敬忠信仁義智勇教惠讓，皆文也。天有六氣，地有五行，此十一者，經緯天地，叶和神人，名之爲文，其實行也。文顧行，行顧文，文行相顧，謂之君子之文。【略】且夫日月麗於天，草木麗於地，風雅亦麗於人。是故不可廢，廢文則廢天，莫可法也；廢天則廢地，莫可理也；廢地則廢人，莫可象也。郁郁乎文哉，法天，理地，象人者也。《周易》贊乾曰：「大哉乾元，萬物資始。」贊坤曰：「至哉坤元，萬物資生。」唯大者配乾，至者配坤，幽者贖鬼神，明者贖禮樂，不失於正，謂之爲文。

柳冕《與滑州盧大夫論文書》　夫文生於情，情生於哀樂，哀樂生於治亂。故君子感哀樂而爲文章，以知治亂之本。屈宋以降則感哀樂而亡雅正，魏晋以還則感聲色而亡風教，宋齊以下則感物色而亡興致。教化興亡則君子之風盡，故淫麗形似之文皆亡國哀思之音也。自夫子至梁陳，三變以至衰弱。嗟乎！《關雎》興而周道盛，王澤竭而詩不作，作則王道興矣。天其或者肇往時之亂，爲聖唐之治，興三代之文者乎！老夫雖知之不能文之，縱文之不能至之，況已衰矣，安能鼓作者之氣。盡先王之教，在吾子復而行者，鼓而生之。

又《答荆南裴尚書論文書》　夫天生人，人生情，聖與賢在有情之內久矣。苟忘情於仁義，是殆於學也；忘情於骨肉，是殆於恩也；忘情於朋友，是殆於義也。此聖人盡知於斯，立教於斯。今之儒者，苟持異論，以爲聖人無情，誤也。故無情者，聖人見天地之心，知性命之本，守窮達之分，故得以忘情。明仁義之道，斯須忘之，斯爲過矣；骨肉之恩，斯須忘之，斯爲亂矣；朋友之義，斯須忘之，斯爲薄矣。此三者，發於情而爲禮，由於禮而爲教。故夫禮者，教人之情而已。丈人志於道，故來書盡於道，是合於情，盡於禮至矣。昔顏回死，夫子曰：「天喪予」；子路死，夫子曰：「天喪予」，是聖人不忘情也久矣！丈人豈不謂然乎？如冕者，雖不得與君子同道，實與君子同心。相顧老大，重以離別，況在萬里，邈無前期，斯得忘情乎？古人云「一日不見如三秋兮」，況十年乎？前所寄拙文，不爲文以言之，蓋有謂而爲之。昔堯舜歿，《雅》、《頌》作，夫子作，未有不因於教化，爲文章以成《國風》。是以君子之儒，學而爲道，言而爲經，行而爲教，聲而爲律，和而爲音。如日月麗乎天，無不照也；如草木麗乎地，無不章也；如聖人麗乎文，無不明也。故在心爲志，發言爲詩，謂之文，兼三才而名之曰儒。儒之用，文之謂也。言而不能文，君子恥之。及王澤竭而詩不作，騷人起而淫麗興，文與教分而爲二：以揚、馬之才，則不知教化；以荀、陳之道，則不知文章。以孔門之教評之，非君子之儒也。夫君子之儒，必有其道；有其道必有文。道不及文則德勝，文不知道則氣衰。文多道寡，斯爲藝矣。《語》曰：「文質彬彬，然後君子。」兼之者，斯爲美矣！昔游夏之文章，與夫子之道通流列於四科之末，此藝成而下也。苟言無文，斯不足徵。小子志雖復古，力不足也，言雖近道，辭則不文，雖欲拯其將墜，末由也已！

又《答徐州張尚書論文武書》　夫文章者，本於教化，發於情性。本於教化，堯舜之道也；發於情性，聖人之言也。自成、康歿，頌聲寢，騷人作，淫麗興，文與教分爲二。不足者彊而爲文，則不知君子之道；知君子之道者，則恥爲文。文而知道，二者兼難。兼之者，大君子之事。上之，堯舜周孔也；次之，游、夏、荀、孟也；下之，賈生、董仲舒也。夫日月之麗，仰之愈明；金石之音，聽之彌清。故聖人感之，而文章生焉，教化成焉，哀樂形焉。逮德下衰，文章教化，掃地盡矣。噫！聖人之道猶聖人之文也。學其道不知其文，君子恥之；學其文不知其教，君子亦恥之。

又《答楊中丞論文書》　來書論文盡養才之道，增作者之氣。推而行之，可以復聖人之教，見天地之心，甚善。嗟乎！天地養才而萬物生焉，聖人養才而文章生焉，風俗養才而志氣生焉。故才多而養之，可以鼓天下之氣；天下之氣生，則君子之風盛。古者陳詩以觀人風：君子之風，仁義是也；小人之風，邪佞是也。風生於文，文生於質，天地之性也。止於經，聖人之道也；感於心，哀樂之音也。故觀乎志而知國風。逮德下衰，風雅不作；形似艷麗之文興，而雅頌比興之義廢。艷麗而工，君子恥之，此文之病也。嗟乎！天下之才少久矣，文章之氣衰甚矣，風俗之不養才病矣，才少而氣衰使然也。故當世君子學其道，習其弊，不知其病也。所以其才日盡，其氣益衰，其教不興，故其人日野。如病者之氣，從壯得衰，從衰得老，從老得死。沈綿而去，終身不悟，非良醫孰能知之。夫君子學文，所以行道。足下兄弟，今之才子，官雖不薄，道則未行，亦有才者之病。君子患不知之，既知之，

則病不能無病。故無病則氣生，氣生則才勇，才勇則文壯，文壯然後可鼓天下之動，此養才之道也。

又《答衢州鄭使君論文書》　門人云：「夫子之文章，可得而聞也，夫子之言性與天道，不可得而聞也。」卽聖人道可企而及之者文也，不可企而及之者性也。蓋言教化發乎性情，繫乎《國風》者謂之道。故君子之文必有其道。道有深淺，故文有崇替；時有好尚，故俗有雅鄭。雅之與鄭，出乎心而成風。昔游夏之文，日月之麗也，然而列於四科之末，藝成而下也。苟文不足則人無取焉，故言而不能文，非君子之儒也；文而不知道，亦非君子之儒也。逮德下衰，其文漸替，惜乎！王公大人之言而溺於淫麗怪誕之說，非文之罪也，爲文者之過也。夫善爲文者，發而爲聲，鼓而爲氣；眞則氣雄，精則氣生。使五彩並用而氣行於其中。故虎豹之文蔚而騰光，氣也；日月之文麗而成章，精也。精與氣，天地感而變化生焉，聖人感而仁義行焉。不善爲文者反此，故變風變雅作矣。六義之不興，教化之不明，此文之弊也。噫！文之無窮而人之才有限。苟力不足者，彊而爲文則蹷，彊而爲氣則竭，彊而爲智則拙，故言之彌多而去之彌遠。遠之便已，道則中廢，又君子所恥也。則不足見君子之道與君子之心，心有所感，文不可已；理有至精，詞不可逮，則不足當君子之褒。

高儉《文思博要序》　大矣哉，文籍之盛也。範圍天地，幽贊神明，用之邦國，則百官以乂；用之鄉人，則萬姓以察。非松喬而對振古，堆戶牖而覿遐方。故先王以之建極，聖人以之設教。師範百代，彌綸四海，是以刊之金石，與天壤而相弊；書之竹素，與日月而俱懸者，莫尙於此。爰自卦起龍圖，文成鳥策，墳典開其緒，邱索導其流。虞夏之書，猶旭日之始旦；殷商之誥，若覆簣之爲山。及曲阜佐周，攝政踐阼，而又闕里自衛，將聖多能，損益禮樂，極乎天而蟠乎地；祖述堯舜，繫星辰而振河海。郁郁焉鼓王風於九合，誾誾焉闢儒門於百代。旣而雅道雖廢，學者未衰，挾冊如林，遂偶縱橫之運；懷經成市，俄屬坑焚之災。下土怨咨，上天迴睠。咸洛基命，懸賞而崇儒術；曹馬御紀，疏爵而啓膠庠。人拾青紫，家握鉛素，求古文於孔壁，專門者重闡；收竹書於汲塚，異說者無遺。逮乎有隋失御，群凶競逐，辟雍蔓於荆棘，延閣殫於煨燼。孟堅九流，與川瀆而俱竭；弘度四部，隨岳敦而分崩。淹中許下，博古洽聞之生，盡殄散矣；蘭臺藏室，金簡玉匱之文，咸殘逸矣。皇帝【略】置成均之職，劉、董與馬、鄭風馳；開崇文之館，楊、班與潘、江霧集。搢紳先生聚蠹簡於內，輶軒使者採遺篆於外，刊正分其朱紫，繕寫埒於邱山。外史所未錄，旣盈太常之藏；中經所不載，盛積祕室之府。比夫軒皇宛委，穆滿羽陵，炎漢之廣內，有晋之祕閣，何異乎牛宮之水，爭浮天於谷王；蟻蛭之林，競拂日於若木也。帝聽朝之暇，屬意斯文，精義窮神，微言探賾。紆樓船於學海，獲十城之珍；駐羽蓋於翰林，搴三珠之寶。以爲觀書貴要，則十家幷馳；觀要貴博，則七略殊致。自非總質文而分其流，混古今而共其轍。則萬物雖衆，可以同類；千里雖遙，可以同聲。然則魏之皇鑒，登巨川之濫觴；梁之遍略，標崇山之增構。歲月滋多，論次逾廣，類苑耕錄，齊玉軑而並馳；要略御覽，楊金鑣而繼路。雖草創之旨，義在兼包。而編錄之內，猶多遺闕。並未能絕雲而負蒼天，杜尉羅之用；激水而縱溟海，息鈎餌之心。【略】義出《六經》，事兼百氏。究帝王之則，極聖賢之訓。天地之道備矣，人神之際在焉。昭昭若日月，代明于下土；離離若星辰，錯行于躔次。斯固墳索之苑囿，文章之江海也。是爲國者尙其道德，爲家者尙其變通，緯文者尙其溥博。諒足以仰觀千古，同羲文之爻彖；俯視百王，軼姬孔之禮樂。豈止刻石漢京，懸金秦市，比丘明之作傳，侔子長之著書而已哉！

獨孤郁《辯文》　或曰：文所以指陳是非，有以多爲貴也，其要在乎彩飾其字，而愼其所爲體也。又曰：文章乃一藝耳。是皆不知上流之文，而文之所由作也。夫天之文位乎上，地之文位乎下，人之文位乎中，不可得而增損者，自然之文也。故伏羲作八卦以象天地，窮極終始萬化無有差忒。故《易》與天地準，此聖人之文至也。但合其德而三才之道盡，後聖有作，不能使之爲五或七而九洎曲折者，是其文之至也。文字旣生，治亂旣形，仲尼作《春秋》以繩萬世而褒貶在一字，是亦文之至者乎。然則《易》卦之一畫，《春秋》之一字，豈所謂崇飾之道而尙多之意耶？夫文者，考言之具也。可以革則不足以畢天地矣。故聖人當使將來無得以筆削，果可以包擧其義，雖一畫一字其可已矣。病不能然，而曰必以彩飾之能，援引之富，爲作文之祕急，是何言之末歟。夫天豈有意於文彩耶？而日月星辰不可踰也；地豈有意於文彩耶？而山川丘陵不可如；八卦、《春秋》豈有意於文彩耶？而極與天地侔。其何故得以不可越，自然也。夫自然者，不得不然之謂也。不得不然又何體

之慎耶？夫天地八卦《春秋》，惟止於此者也，吾得定其所云。其不至於此者，惟吾何學焉，吾安能以天下之心也。是則其心卓然絶於俗者，其文不求而至也。無得子爲敎，苟於聖達之門無所入，則雖劬勞憔悴於黼黻，其何數哉。是故在心曰志，宣於口曰言，垂於書曰文，其實一也。若聖與賢則其書文皆敎化之至言也。徒見其纖靡而無根者，多紿曰文與藝。嗚呼！

武元衡《劉商郎中集序》 天運地轉，剛柔生焉，禮辯樂形，文章出焉。天之文莫麗乎日月，地之文莫秀乎山川。聖人觀象立言，用稽述作。發乎情性，形於詠歌。大則明天下之途，彌綸王化；小則舒一時之幽憤，刺見《國風》。故子夏云：「在心爲志，發言爲詩。聲成文謂之音也。固可動天地，感鬼神，則正始之道存焉。」

韓愈《昌黎先生集》卷一九《送孟東野序》 大凡物不得其平則鳴。草木之無聲，風撓之鳴；水之無聲，風蕩之鳴。其躍也，或激之；其趨也，或梗之；其沸也，或炙之。金石之無聲，或擊之鳴，人之於言也亦然。有不得已者而後言，其謌也有思，其哭也有懷。凡出乎口而爲聲者，其皆有弗平者乎。樂也者，鬱於中而泄於外者也，擇其善鳴者而假之鳴，金石絲竹匏土革木八者，物之善鳴者也。維天之於時也亦然，擇其善鳴者而假之鳴。是故以鳥鳴春，以雷鳴夏，以蟲鳴秋，以風鳴冬。四時之相推敚，其必有不得其平者乎。其於人也亦然，人聲之精者爲言，文辭之於言，又其精也，尤擇其善鳴者而假之鳴。其在唐虞，咎陶禹其善鳴者也，而假以鳴，夔弗能以文辭鳴，又自假於韶以鳴。夏之時，五子以其歌鳴，伊尹鳴殷，周公鳴周，凡載於詩書六藝，皆鳴之善者也。周之衰，孔子之徒鳴之，其聲大而遠。《傳》曰：「天將以夫子爲木鐸。」其弗信矣乎？其末也，莊周以其荒唐之辭鳴。楚，大國也，其亡也，以屈原鳴；臧孫辰、孟軻、荀卿以道鳴者也，楊朱、墨翟、管夷吾、晏嬰、老聃、申不害、韓非、眘到、田駢、鄒衍、尸佼、孫武、張儀、蘇秦之屬，皆以其術鳴。秦之興，李斯鳴之；漢之時，司馬遷、相如、揚雄，最其善鳴者也。其聲清以浮，其節數以急，其辭淫以哀，其志弛以肆。其爲言也，亂雜而無章，將天醜其德莫之顧邪，何爲乎不鳴其善鳴者也。

又卷二〇《荆潭唱和詩序》 夫和平之音淡薄，而愁思之聲要妙，讙愉之辭難工，而窮苦之言易好也。是故文章之作，恒發於羈旅草野，至若王公貴人氣滿志得，非性能而好之，則不暇以爲。

白居易《白氏長慶集》卷二八《與元九書》 夫文尚矣。三才各有文：天之文，三光首之；地之文，五材首之；人之文，《六經》首之。就六經言，《詩》又首之。何者？聖人感人心，而天下和平。感人心者莫先乎情，莫始乎言，莫切乎聲，莫深乎義。詩者根情，苗言，華聲，實義。

柳宗元《河東先生集》卷三四《答韋中立論師道書》 始吾幼且少，爲文章，以辭爲工。及長，乃知文者以明道，是固不苟爲炳炳烺烺，務采色夸聲音而以爲能也。凡吾所陳，皆自謂近道，而不知道之果近乎？遠乎？吾子好道而可吾文，或者其於道不遠矣。故吾每爲文章，未嘗敢以輕心掉之，懼其剽而不留也；未嘗敢以怠心易之，懼其弛而不嚴也；未嘗敢以昏氣出之，懼其昧沒而雜也；未嘗敢以矜氣作之，懼其偃蹇而驕也。抑之欲其奧，揚之欲其明，疏之欲其通，廉之欲其節，激而發之欲其清，固而存之欲其重，此吾所以羽翼夫道也。本之《書》以求其質，本之《詩》以求其恒，本之《禮》以求其宜，本之《春秋》以求其斷，本之《易》以求其動，此吾所以取道之原也。參之穀梁氏以厲其氣，參之孟、荀以暢其支，參之莊、老以肆其端，參之《國語》以博其趣，參之《離騷》以致其幽，參之《太史公》以著其潔，此吾所以旁推交通，而以爲之文也。

又《報崔黯秀才論爲文書》 聖人之言，期以明道，學者務求諸道而遺其辭。辭之傳於世者，必由於書，道假辭而明，辭假書而傳，要之之道而已耳。道之及，及乎物而已耳。斯取道之內者也。今世因貴辭而矜書，粉澤以爲工，遒密以爲能，不亦外乎？

牛希濟《文章論》 聖人之德也，有其位乃以治化爲文，唐虞之際是也；聖人之德也，無其位乃以述作爲文，周孔之敎是也。纂堯舜之運，以宮室車輅鐘鼓玉帛之爲文，山龍華蟲粉米藻火之爲章，亦已鄙矣。師周孔之道，忘仁義敎化之本，樂霸王權變之術，困於編簡章句之內，何足大哉！況乎澆季之下，淫靡之文恣其荒巧之説，失於中正之道。兩漢以前，史氏之學猶在；齊梁已降，《國風》、《雅》、《頌》之道委地。今國朝文士之作，有詩賦策論箴判贊頌碑銘書序文檄表記，此十有六者，文章之區別也。制作不同，師模各異，然忘於敎化之道，以妖豔爲勝，夫子之文章，不可得而見矣，古人之道，殆以中絶。賴韓吏部獨正之於千載之下，使聖人之旨復新。今古之體分而爲四：崇仁義而敦敎化者，經體之制也；假彼問對，立意自出者，子體之制

也。屬詞比事，存於褒貶者，史體之制也；又有釋訓字義，幽遠文意，觀之者久而方達，乃訓詁雅頌之遺風，卽皇甫持正、樊宗師爲之，謂之難文。今有司程式之下，詩賦判章而已，唯聲病忌諱爲切，比事之中過於諧謔，學古文者深以爲慙。晦其道者，揚袂而行，又屈、宋之罪人也。且文者身之飾也，物之華也。宇宙之內，微一物無文乃頑也，何足以觀。且天以日月星辰爲文，地以江河淮濟爲文，時以風雲草木爲文，衆庶以冠冕服章爲文，君子以言可教於人，謂之文。垂是非於千載，歿而不朽者，唯君子之文而已。且時俗所省者，唯詩賦兩途，卽有身不就學，口不知書，而能吟詠之列，是知浮豔之文，焉能臻於理道。今朝廷思堯舜治化之文，莫若退屈、宋、徐、庾之學，以通經之儒，居變理之任；以楊孟爲侍從之臣，使仁義治亂之道，日習於耳目。所謂觀乎人文可以化成天下也。

孫復《答張洞書》 夫文者，道之用也；道者，教之本也。故文之作也，必得之於心而成之於言。得之於心者，明諸內者也；成之於言者，見諸外者也。明諸內者，故可以適其用；見諸外者，故可以張其教。是故《詩》《書》《禮》《樂》大《易》《春秋》之文也，總而謂之經者，以其終於孔子之手，尊而異之爾。斯聖人之文也，後人力薄不克以嗣，但當左右名教，夾輔聖人而已。或則列聖人之微旨，或則擿諸子之異端，或則發千古之未寤，或則正一時之所失，或則陳仁政之大經，或則斥功利之末術，或則揚聖人之聲烈，或則寫下民之憤歎，或則陳天人之去就，或則述國家之安危，必皆臨事摭實，有感而作。爲論，爲議，爲書、疏、歌、詩、贊、頌、箴、解、銘、說之類，雖其目甚多，同歸於道，皆謂之文也。若肆意構虛，無狀而作，非文也，乃無用之瞽言爾。徒汙簡冊，何所貴哉！

蘇洵《嘉祐集》卷一五《仲兄字文甫說》 且兄嘗見夫水之與風乎？油然而行，淵然而留，渟洄汪洋，滿而上浮者，是水也，而風實起之。蓬蓬然而發乎大空，不終日而行乎四方，蕩乎其無形，飄乎其遠來，既往而不知其跡之所存者，是風也，而水實形之。今夫風水之相遭乎大澤之陂也，紆餘委虵，蜿蜒淪漣，安而相推，怒而相凌，舒而如雲，蹙而如鱗，疾而如馳，徐而如徊，揖讓旋辟，相顧而不前，其繁如縠，其亂如霧，紛紜鬱擾，百里若一，汨乎順流，至乎滄浪之濱，磅礴洶湧，號怒相軋，交橫綢繆，放乎空虛，綽乎無垠，橫流逆折，濆旋傾側，宛轉膠戾，回者如輪，縈者如帶，直者如燧，奔者如燄，跳者如鷺，躍者如鯉，殊狀異態，而風水之極觀備矣！故曰：「風行水上渙。」此亦天下之至文也。然而此二物者豈有求於文哉？無意乎相求，不期乎相遭，而文生焉。是其爲文也，非水之文也，非風之文也，二物者非能爲文，而不能不爲文也。物之相使而文出於其間也，故曰：此天下之至文也。今夫玉非不溫然美矣，而不得以爲文；刻鏤組繡，非不文矣，而不可與論乎自然。故夫天下之無營而文生之者，惟水與風而已。

韓維《南陽集》卷一《覽梅聖俞詩編》 乃知文章作，中與性情通。

李復《潏水集》卷五《答人論文書》 《易》曰：「觀乎天文以察時變，觀乎人文以化成天下。」夫所謂人文者，禮樂法度之謂也。上古之法，至堯而成，故孔子曰：「煥乎其有文章。」周之德，至文王而純，故《傳》稱曰：「經緯天地曰文。」此聖人之文也。後世有一善可取，亦有謂之文者。孔文子、公叔文子之類是也。此皆以其行事謂之文也。昔之君子，欲明其道，喻其理，以垂訓於天下後世，亦有言焉，以爲言之不文，不可以傳，故脩辭而達之，此言之爲文也，非謂事其無用之辭也。以載籍考之，若《書》之典、謨、訓、誥、誓、命，皆治身、治人、治天下之法，此《書》之文也；《國風》、《雅》、《頌》，歌美怨刺，皆當時風化政德，可以示訓，此《詩》之文也；廣大幽微，遠近善惡，開天地之蘊，極性命之理，以前民用，以濟民行，此《易》之文也；言約而理微，褒善而貶惡，以明周公之制，以爲將來之法，此《春秋》之文也；禮之中庸，言至誠爲善，率性之謂道，君子篤恭，而天下平，此《中庸》之文也。今觀《春秋》，則不知有《易》；觀《書》則不知有《詩》，豈相蹈襲剽竊以爲己有哉。其言之小，天下莫能破，言之大，天下莫能載，後世尊之以爲經，而無不稽焉，此其爲文，炳如日星，而光耀無窮也。自漢之司馬相如、揚雄而下，至於唐世，稱能文者多矣，皆端其精思，作爲辭語，雖其辭浩博閎肆，溫麗雄健，清新靖深，變態百出，率多務相漁獵，自謂闊步一時，皆何所補哉？亦小技而已，豈君子之文歟！苟能發道之奧，明理之隱，古人之所未言，前經之所不載，著之爲書，推之當世而可行，傳之後世而有取，雖片言之善，無不貴之矣。夫文猶器也，必欲濟於用。苟可適於用，加以刻鏤之藻，繪之以致美焉，無所不可；不濟於用，雖以金玉飾之，何所取焉。

《東坡全集》卷三四《南行前集叙》 夫昔之爲文者，非能爲之爲工，乃不能不爲之爲工也。山川之有雲霧，草木之有華實，充滿勃鬱，而見於外，夫

雖欲無有，其可得耶！

又卷一〇〇《論文》 吾文如萬斛泉源，不擇地皆可出。在平地滔滔汩汩，雖一日千里無難；及其與山石曲折，隨物賦形，而不可知也。所可知者，常行於所當行，常止於不可不止，如是而已矣。

鄒浩《道鄉集》卷三〇《策問》 夫文者，德之華藻也。有物於此，根本固存，春陽動之，以赴發生之會，然後華藻形焉。

汪藻《浮溪集》卷一八《翠微堂記》 山林之樂，士大夫知其可樂者多矣，而莫能有。其有焉者，率樵夫野叟、川居谷汲之人，而又不知其所以爲樂。惟高人逸士，自甘于寂寞之濱，長往而不顧者，爲足以得之。然自漢以來，士之遁迹求志者，不可勝數。其能甘心丘壑，使後世聞之，翛然想念其處者，亦無幾人。豈方寄味無味，自適其適，而不暇以語世耶？至陶淵明、謝康樂、王摩詰之徒，始窮探極討，盡山水之趣，納萬境于胸中。凡林霏空翠之過乎目，泉聲鳥哢之屬乎耳，風雲霧雨，縱橫合散于沖融杳靄之間。而有感于吾心者，皆取之以爲詩酒之用。蓋方其自得于言意之表也。

張元幹《蘆川歸來集》卷九《亦樂居士文集序》 文章名世，自有淵源，殆與天地元氣同流，可以斡旋造化，關鍵顧在人所鍾稟及師授爲如何。譬猶一身五官百骸，各隨形模，萬態不同，至於上下左右，則難以倒置。必也精神發揮，廼中儀矩，不然，土木偶爾。前輩嘗云詩句當法子美，其他述作，無出退之。韓、杜門庭，風行水上，自然成文，俱名活法，金聲玉振，正如吾夫子集大成。蓋確論也。國初，儒宗楊、劉數公，沿襲五代衰陋，號「西崑體」，未能超詣。廬陵歐陽文忠公初得退之詩文於漢東弊篋故書中，愛其言辨意深，已而官於洛，乃與尹師魯講習，文風丕變，寖近古矣。未幾，文安先生蘇明允起於西蜀，父子兄弟俱文忠公門下士，東坡之門，又得山谷，檃栝詩律，於是少陵句法大振。如張文潛、晁無咎、秦少游、陳無己之流，相望輩出，世不乏才。是豈無淵源而然耶？

李石《方舟集》卷一〇《李晉壽詩叙》 君子之所恃，以爲學者至大至剛之氣。氣之所蘊，不躁不競，不欺不隱，寬然一褐，巽愞如無能，雖三尺孺子得以狎而奪之。至舉其所不得施於世，發於語言文章者，如雷厲山壓，此何物使之？曰：此氣也。學而知之，其積習憂患，非驟馳於一朝一夕間也。至若少而鋭，老而衰，初而狂，終而怯，如春華秋潦，榮枯虛實之不同，得失汩其中，哀樂怵其外，此氣之所謂客者。彊粱好鬬者，足以搏而勝之，非君子之所養也。吾兄晉壽蓋豪於氣者也，其發爲語言文章，充然肆，毅然立，沛然不可禦。其所爲詩，特其一耳，非世之所謂窮人之詩也。孟郊、盧仝終身盡力於詩，其才不足當世之取舍，故其憤悱鬱屈輪寫於詩者，蓋窮之實。吾晉壽則有不窮者，迫之以事而不亂，怖之以威而不奪，所謂剛大之氣浩然盤結胸次。蓋學道君子也。

劉宰《漫塘集》卷二四《書惲敬仲詩卷後》 文章所以發天地鬼神之秘，寫風雷電雹雨露雪霜寒暑晦明之變，使人物蟲魚鳥獸無所遁其情，山川泉石草木不得私其英華偉麗，必其氣之清也，故物不得而汩之；必其氣之直也，故物不得而撓之；必其氣之和且平也，故物不得而激之；必其氣之果毅奮發也，故物不得而沮之。汩之則昏，撓之則屈，激之則偏，沮之則止，猶之牛山之木，雖日夜之所息，萌蘖生焉，終濯濯耳。故論者謂文章以氣爲主。

魏了翁《鶴山先生大全集》卷四《跋胡復半野詩稿》 古之爲文，皆以德盛仁熟流於既溢之餘，故雖肆筆脱口而動中音節，非特詩歌爲然也，《禮》辭《易》象，亦莫不然。自《離騷》作，而文辭之士與世之以聲律爲文者，傅會牽合，始與事不相麗，文士才士習焉而不之察也。

劉克莊《後林先生大全集》卷一〇六《林合詩卷》 古之善鳴者，必養其聲之所自出。靜者之辭雅，躁者之辭浮，悊者之辭暢，蔽者之辭礙，達者之辭和，狷者之辭激。蓋輕快則鄰于浮，僻晦則傷于礙，刻意則流于激。

劉一止《苕溪集》卷一六《上越帥書》 言辭者，感於情而後發，喜怒哀樂之七者之謂情，情也者，隨遇而感。有感而發亦若金石絲竹之有待而鳴也。其感發有淺深，故其辭有工拙者。人之論曰：懽愉之辭難工，窮苦之言易好。是其眞有難易之辨乎哉？《詩》之變風變雅也，大抵皆循理之說，故讀之想見乎其人，如出乎其時。有正人誼士憤切感激之氣也，有遷客逐臣羈旅流落之歎也，有室家思怨爾汝昵昵之私也，有故國舊都凄凉綿綿之情也，其言率有以感動人意而喜誦説焉。杜少陵遭時亂離，間關陝蜀，負薪採稆，餔糒不給，凡出處動息勞逸悲樂之事，一見於詩，蓋窮而益工；屈原憂愁幽思而作《離騷》；庾信以悲哀爲主，然後知懽愉之動情者淺而窮苦之感情深也。某無似生長於世五十有二年，概其平生，抱百憂而無一娱，故流離辛苦之狀間見乎辭，雖不能如古人之工，而獨知所謂感於情者深而已矣。

鄭思肖《心史自序》 文者，三綱五常之所寄也，舍是匪人也，又奚文之爲哉？幼嘗問作文作詩之法於我先君子，曰：「古未嘗有所謂文也，惟古聖賢心正、身修、德備、行粹，凡見於興居、踐履、揖遜、問答之間，無非至文之文，安事章句乎？其或紀行事之實，其或發天理之祕，不得已而託於言語，爰詔天下後世爲聖賢歸，本無作文心。此三代以上之事。自漢以來，專意詞章，言浮於理，才騁乎學，始文而爲文矣。至論古今忠臣孝子、仁人義士，頗有不達文者，其躬行之事，乃六經言也，亦偉哉！或讀書作文之士，反不若之，何耶？是故行者，本也；文者，末也。有行而無文，不失爲君子；有文而無行，終歸於小人。行者匪他，三綱五常是也。悲今之人，委身汙下，誑辭欺世，將焉取材？汝欲爲文，必本之《六經》，立身三綱五常之天，然後熟讀《左傳》、《孟子》、《莊》、《騷》、賈、董、韓、柳、歐、蘇之書，縱觀諸子、諸史、百家之說，養其氣質，老其才智，秉正大之論，揭大經大法，弘播天下，一舉斯民，同歸三綱五常之天，始無媿於爲文。若夫體製，意欲新，語欲簡古，森嚴有法度，主於理，勿流於鑿，庶不墮於綺靡卑弱。及乎出奇，直與天地萬物相爲變化於無涯，庸以波瀾其才？苟不身之以道，惟務言語爲公，是委文爲技耳，良可歎息！詩之法，祖於《三百篇》，下逮曹子建、陶淵明輩。詩之律，宗於盛唐，主以杜，兼之李，次以孟浩然、高適、王維輩。要在漱書史之潤，益其靈根，歲月至，才華吐爲天芬。其體製欲溫柔敦厚，雅潔瀏亮，意新語健，興趣高遠，追淳古之風，歸於性情之正，毋爲時之所奪焉。凡人之一言一動，皆此心之形見者也。果能先立其大者，何往不可，豈止文之與詩也耶？蓋心之爲心，廣大於天地，光明於日月，不可以小狹之，不可以物犯之，惟始終養之以正，則庶幾乎！夫如是，無言則已，有言則必可觀。汝其行之！」思肖後質諸數千百載聖賢之書，又以此衡鑒古今人事之變，乃知我先君子教我者，至哉言乎！且汗漫湖海，從天下士游，固嘗見盡法度議論精微者，然根本之論或遺之。故終身所法，惟學我父而已。

張之翰《西巖集》卷一《送耶律祭酒南歸》 言非文不行，道非文不載。二者本一途，誰作彼此界？

李俊民《莊靖集》卷八《睡鶴記》 人之情有所甚好，有所甚好而不得，則必見似之者而喜，非徒好之，蓋感而有所得焉。濠梁之魚得之樂，山陰之鵝得之書，支道林之鷹與馬，得之神俊。不有所得，夫何好焉。

元好問《遺山集》卷三六《鳩水集引》 文章雖出於眞積之力，然非父兄淵源、師友講習、國家教養，能卓然自立者鮮矣！【略】嗚呼！文章，聖心之正傳，達則爲經綸之業，窮則爲載道之器，顧所遭何如耳。

楊宏道《小亨集》卷六《送趙仁甫序》 隋唐而下，更以詩文相尚，狂放於裘馬歌酒間，故文有俠氣，詩雜俳語，而不自知也。方且信怪奇誇大之說，謂登會稽，探禹穴，豁其胷次，得江山之助，淸其心神，則詩情文思，可以挾日月薄雲霄也。於戲！吟詠情性，止乎禮義，斯詩也，江山何助焉？有德者必有言，辭達而已矣，斯文也，禹穴何與焉？

李庭《寓庵集》卷五《送荆幹臣詩序》 才質本乎天，聞見存乎人。苟聞見之不廣，雖負奇才美質，莫能有所成也。

又《雲巖先生文集後序》 干霄之木，其本必深；朝宗之水，其源必遠。古今士大夫以文顯者，鮮不自其家世學業本源中來。

又《蘭泉先生文集序》 文詞，君子之餘事。古之人癯形苦心，讀書以學聖人之道，其志蓋本于輔時澤物，見諸事業而已。惟不達而窮，奇才逸氣，噤無所施，往往自肆於山巓水涯，友雲松而狎魚鳥，至觸境感物，發於嘯歌謳吟，以寫其湮鬱不平之心。好事者或得一章一詠，諷誦不置，直謂其胸中之所素蓄不外乎此。噫！是特土苴糟粕耳。然自屈原放而《離騷》興，子昂窮而《感寓》作。下逮李、杜諸人，不可勝紀。其間英辭麗藻，千狀萬態，皆能聳動人之觀聽，是以聲譽流傳至今。故雖號爲一藝，而陸沉不遇之士舍此亦無以自見於世。使後之人誠能味其言，考其出處，因有以得其爲人，則君子之志庶幾乎不泯矣。

又《恒齋先生文集序》 士君子讀書學聖道，得之於心，發於事業，以輔時澤物爲本，所謂詞章者，特餘事耳。

王義山《稼村類稿》卷六《章貢劉愛山詩集序》 人生而靜，天之性也。感於物而動，性之欲也。性一也，有所欲則情矣。《中庸》謂「喜怒哀樂未發，謂之中，發而皆中節，謂之和」。未發，性也，既發，情也。人之情，豈能皆中節哉。昌黎韓子又充而爲喜怒哀懼愛惡欲，且謂其皆出於情。又品之而三，有上焉者，中焉者，下焉者。性者，與生俱生者也。情者，接於物而生者也。【略】夫愛，七情之一也。詩者情動於中，而形之言也。水陸草木之蕃，可愛者甚多。李唐以來，多愛牡丹，愛富貴者也，所謂下焉者。靈均愛蘭，靖節

愛菊，林逋愛梅，子猷愛竹，是數愛者移於物之偏也，所謂中焉者。然則愛上者宜何如？聞之夫子曰：「仁者樂山。」先儒謂樂，愛之至也。山，體靜。仁者，心之德，愛之理也。愛雖發於情，而靜則實根於性。其昌黎所謂情之上焉者乎？

王特升《莊靖集序》　好古樂道之士，作爲文章，豈偶然哉？蓋感物卽事，傷時懷舊，陶寫藴奥之情，涵泳無窮之意，千態萬狀，卒歸于堯舜禹湯周孔授受服行之實，學者仰之若泰山北斗，噫！非極深造之妙者，莫能至焉。

劉瀛《莊靖集序》　人得天地之秀而爲萬物之靈，有仁義禮智以根於心，故觸物感情，發而爲言，無非天下之至文也。如風行水上，自然而然，固非有力者之所強能，亦豈徒吟詠風景，模寫物象而已哉！將以經天緯地，厚人倫，美教化，貫乎道者也。

李仲紳《莊靖集序》　夫水之有源也，始焉濫觴，其流不已，派而爲川，匯而爲澤，會而爲江，瀦而爲海，波瀾呑吐，乾溢如一。乾坤涵浸，古今不竭。噫！觀水者觀至于海，觀止矣。然後乃知其水之有源也，【略】學之有本，亦猶是也。韻而爲詩章，聲而爲樂府，律而爲詞賦，賡而爲騷雅，其文愈弘，其筆愈雄，其篇愈鉅，其詞益富，蓋有本者之如是。

方回《桐江集》卷三《跋汪君若楫詩文》　中無主而不止，外無正而不明，漆園翁以言道，而虛谷翁以言詩文，詩文亦道之一也。胸襟必有自得之地，然後所謂善者聚焉而不散，存焉而不亡，故曰中無主而不止。析疑審是，從師取友，必得其人，則告我者必以善而所見的，故曰外無正而不明。

又《桐江續集》卷三二《趙西皋明叔集序》　孟子曰「我知言」，然則立言之難，又未若知言之難也。予讀西皋趙明叔詩文而嘆曰：非天下之能知言者，決不可與立言，而所以知言，又在於知道。【略】是故立言非難，知言爲難；知言非難，知道爲難。【略】嘗謂予所作有氣骨，不作江南詩人軟媚態，亦知言之一端也。其知言之大者，經史子集、百家之書無不讀，而操之以約，一言以蔽之，曰知道而已。

徐世隆《元遺山集序》　文之爲物，何物也？造物者實靳之，不輕畀人，何哉？蓋天地間靈明英秀之氣，萃聚之多，藴蓄之久，挺而爲人，則必富於才，敏於學，精於語言。能吐天地萬物之情，極其變而歸之雅。故爲詩、爲歌、爲賦、爲頌、爲傳記、爲誌銘、爲雜言、爲樂府，兼諸家之長，成一代之典。使斯文正派，如洪河大江，滔滔不斷，以接夫千百世之傳。爲造物者可得而輕畀之哉！

任士林《松鄉集》卷四《送鄧善之修撰序》　文章之尙，緣時而興。時有淳厖，則文有隆汙，其勢則然也。亦固在夫操制作之柄者，與道消息，與時翕張，于以風示當世，然後學者一趨於正也。且六經述作，如日星昭布，如四時錯行，渾渾乎山川之流峙也，挺挺乎草木之華滋也，何其渾厚而博大，倫理而音節也？千載之下，讀之者油油然雍熙，渾顥之盛，如親見之。至若莊周之荒唐，屈原之沈鬱，蘇秦、張儀、公孫衍，騶奭譎詐之談，商鞅、李斯、韓非、申不害慘礉之論，以至荀卿、揚雄醇疵之作，東方朔、司馬相如恢詭之辭，何其披靡而支離、巖嶄而澎湃也？百世之下，覽之者薾薾然，破碎磔裂之風，如新沐之。然而操觚弄翰之士，寧爲此而不爲彼，何耶？往時科舉事具，人方以言語相雄長，文字第甲乙，不旁搜以爲奇，遠引以爲博，鉤致以爲深，有不可也。今天下一家，元氣渾合，大聲洋洋。朝廷之上，躬行古人而右文之治，四海風被。山林之遠，時及睹播告之修，紀載之作，詠歌之章，渾然典謨之溫潤，風雅之清揚，將作爲一經，以襲六爲七，何其盛耶？

釋圓至《牧潛集》卷四《廬山遊集序》　夫所謂言者，氣志之形容爾。浩然溢乎中，沛然發於外，不可欺也。孟子善養氣，故其言鏗横磬辨，肆出不偏。而《禮》稱風之哀樂，亦由其志和怨。然則言者，志之動，氣之宣，無所養而敏於言，是撥其根，責其末之茂也。故觀人之道，言爲著。審其音而中之正慝見矣。

劉將孫《養吾齋集》卷一〇《譚村西詩文序》　文以氣爲主，非主於氣也，廼其中有所主，則其氣浩然流動，充滿而無不達，遂若氣爲之主耳。故文之盛也，如風雨驟至，山川草木，皆爲之變；如江河浩渺，波濤平駭，各一其勢；大之而金石制作，歌明堂而頌清廟；小之而才情婉孌，清白雪而豔陽春；古之而鼎彝幻眇，陳淳風而追泰古；時之而花柳明媚，過前川而學少年。故昌黎之古文，其小律、小絶，無不精妙。東坡之大才，其回文麗句，各極體裁。或有謂能文不能詩，能詩不能文者，皆其主弱而氣易衰也。茶陵村西譚明望寄予以其文若詩，其書、記、序、誌，浩蕩奇偉之中，有節制嚴密之意；雜著、諸賦，在古雅磅礴之外，得優游含蓄之思。詩文精整磊落，

屬對巧而寄興遠。凡其翩翩邁往而截截暢達者，豈非其得所主耶？昔韓公於東野，有「昌其詩」語，而東坡二百年後，自昌身，昌詩，昌氣，而極於昌志。予亦於氣爲主之言而竊願有所益也。主者同，而所以爲主者異。輒欲更之曰：「文以理爲主，以氣爲輔。」村西其有得於是耶？故爲村西舉此。

又《養吾齋集》卷一一《黄公誨詩序》 詩與文豈當有異道哉？子曰：「辭達而已矣。」辭而不達，誰當知者？故縮之而五七言，圈之而長篇，發之而大制作，孰非文也？要於達而止。鵬之大也，斥鷃之小也，羽翼同，心腹手足無不同，一不具則非其物矣。詎有此然而彼不然者？往往窘步者借之以蓋慚，而效矉者因之而喪我。甚可歎也！

柳貫《柳待制文集》卷一六《閻氏嘉禾堂詩序》 宇宙間粹美純和之氣，襲休發祥，固專萃於人矣。然而地之所載，神之所形，或亦間見于物，物豈能偏勝哉？殆氣之盛，而不過有倏然而相感，煥然而相符者，是則烏可誣也。始余知讀訓典，見《周書》所列《歸禾》、《嘉禾》二篇蓋亡私，則以爲成周盛際其氣之磅礴洋溢，既已萃而爲周、召、毛、畢若而人，則夫物之遇于斯時者，鳥皆鳳凰，獸皆麒麟，木皆連理，而禾皆同穎，復奚疑哉！是區區一禾之瑞，史乃屢書之，辭雖闕而下下報上之義，實猶有傳焉，則其盛而不過，又可獨歸之氣而已也？夫亦忠厚之澤，洽于品物者如此，而人不得以專之歟？

歐陽玄《圭齋文集》卷七《梅邊先生吾汶稿序》 論人行事，枚舉而稱之者，其善爲可數；論人文章，舉一以蔽之者，其善爲不可勝數也。【略】斯文者，宇宙之元氣也。幸而治平，措諸事業，則爲典謨、爲雅頌，不幸而反是，則爲《春秋》、爲《變風雅》、爲《離騷》，然正人心扶世教之功，難見於治平無事之時，而屹然可仗於流離顛沛之日；然後知斯文之所繫如是其重歟。

黄溍《金華黄先生文集》卷一八《吴正傳文集序》 溍竊聞昔人之論文，率謂文主於氣，氣命於志，志立於學者也。蓋三代而下，騷人、墨客以才驅氣，駕而爲文。驕氣盈，則其言必肆而失於誕，吝氣歉，則其言必苟而流於諂。譬如一元之運，百物生焉。觀其榮耀銷落，而氣之屈伸可知也。惟夫學足以輔其志，志足以御其氣者，氣和而聲和，故其形於言也，粹然一出於正，兹其所以信於今而貽於後歟？

又《霽峯文集序》 宇宙間清靈秀淑之氣，未有積而不發。天不能閟藏而以畀於人，人不能閟藏而復出以爲文。遭時遇主，詠歌帝載，黼黻王度，則如五緯麗天下、燭萬物。有目者孰不仰其餘光，退而託於空言，以俟來哲，則如珠捐璧委，而輝山媚川，終不可掩，蓋有得於天者，不必皆有合於人，顯晦雖係乎時，天之所不能閟藏者，人亦不能閟藏之也。此理之所必至，夫何疑焉？

虞集《道園類稿》卷一七《李景山詩集序》 古之人以其涵煦和順之積，而發於詠歌，故其聲氣明暢而溫柔，淵靜而光澤。至於世故不齊，有放臣出子、斥婦囚奴之達其情於辭者，蓋其變也，所遇之不幸者也。而後之論者，乃以爲和平之辭難美，憂憤之言易工，是直其惑之速，而激之深者爲言耳。盍亦觀於水夫？安流無波，演迤萬里，其深長豈易窮也？若夫風濤驚奔，瀧石險壯，是特其遇物之極於變者，而曰水之奇觀必在於是，豈觀水之術也哉？

又卷一八《焦文靖公彝齋存稿序》 國家興隆之運，蓋與斯文相爲表裏，民生熙洽之朝，日用而不知。帝德臣功，載在簡册，金匱石室之秘疏遠，又無得而見焉。然則治化休明之迹，可得而聞者，其在於大夫君子之文章也哉！

又卷二一《答熊萬初論文啓》 切謂古者學文貴乎端本，涵養未至，出慮多生於血氣之私；辯問弗精，立論或違乎禮律之當。必兩者之無欠，乃沛然而有餘。每嘆尋常未親師友，不知規矩準繩之至，乃在桑麻穀粟之問，甚者蔽夫意見之或偏，因以肆其才力之所至。苕間翡翠，靡慚鄭衛之淫哇；世外空青，亂剽佛老之糟粕。是吾憂也，無力振之。思得其人，共理兹事。

吴師道《禮部集》卷一五《張文忠公雲莊家集序》 人聲之發爲言，言之精者爲文，而皆出於氣也。昔人謂文不可以學而能，氣可以養而致。是氣也，孟子所謂「浩然，至大至剛，以直養而無害者」歟？夫其養充而氣完，然後理暢而辭達。孟子之言非爲作文設，而作文之法孰有過此？竊嘗以是驗之世之人，卽其文之高下，而其氣之大小、能養與否、與夫養而未至者，幷可以得之也。

潘伯修《文釋贈金華吴履》 文者，道之榮也。夫道之有文，猶火日之有光，草木之有繁澤。道之大無所不居，故文無所不著。太虛得之以爲天文，水土得之以爲地文，草木鳥獸得之以爲草木鳥獸之文。其在於人，其靈氣之所昌，菁華之所被，大之爲經緯禮樂之盛，垂之爲《易》、《詩》、《書》、《春秋》之常。載之於身，則萬物衣其光；措之於言，則萬世食其實。若其後世

之所謂文者，古之謂史，於道爲臣妾，非所謂道之榮也。且文何從興？昔庖犧氏王天下，仰觀於天而取其文，俯察於地而取其文，旁觀草木鳥獸而取其文。取其文以爲文者，八卦，歷世之共載，爲文之祖，而陶唐氏端以文稱。仲尼曰：「巍巍乎，蕩蕩乎，焕乎其有文章。」陶唐氏之文冠於書，其書之文，非所謂陶唐氏之文。有虞氏文明，夏后氏文命，皆不自爲書。書之者史。謚始周，周始西伯，西伯於謚爲文王，公旦於謚爲文公。凡雅頌之興，卿大夫士與庶民雜爲之，而西伯乃獨以文名。仲尼亦曰：「文王既沒，文不在兹乎。」如仲尼之所謂文，則又取《易》、《詩》、《書》、《禮》、《樂》、《春秋》而考定之。世言《春秋》蓋筆於聖人之手，然猶曰「其文則史」，其他傳論，盡出其門弟子也。孟氏亦然。然天下後世不謂百王之文不統會於夫子。故文莫古於庖犧，莫尊於陶唐，莫盛於周，莫宗於孔子。王道衰，聖人熄，於漢司馬遷、相如、枚皋、王褒、揚雄、班固，於唐陳子昂、李白、杜甫、元結、韓愈、柳宗元，於宋歐陽修、曾鞏、王安石、蘇洵、軾、轍，往往以自擅於世，華丹其毛皮，佐力於舟車之下，皆所謂道之臣妾。如相如、褒者，又臣妾之巫優者也。獨韓氏愈能近於道，數數以文自諱，惜也能起八代之衰，而不開群聖之緒。顧乃尊玄於雄，尊史於遷、固，尊歌詠於甫、白，而後之作者從視之決焉。此無他，周子曰：「輪轅飾而人弗庸，徒飾也。」篤其實而藝者，《書》之故通，所以讚《易》也；表《中庸》，所以叙唐虞也；箴銘，所以準抑之《詩》也；《綱目》，所以續麟經也；兆禮於士，正樂於律，所以繼周也。而無極以宗之，性命以精之，德義以涵之，神明以出之。日月不得不明，陰陽不得不變，鬼神不得不幽，而萬物又誰剝之生也。故曰文者道之榮也，猶火日之有光，草木之有繁澤。蓋至於此，而後人始不敢自擅於虛車。

陳旅《陳衆仲文集》卷四《國朝文類序》　元氣流行乎宇宙之間，其精華之在人，有不能不著者，發而爲文章焉。然則文章者，固元氣之爲也。徒審前人制作之工拙，而不知其出於天地氣運之盛衰，豈知言者哉？蓋常考之，三代以降，惟漢、唐、宋之文爲特盛。就其世而論之，其特盛者又何其不能多也？千數百年之久，天地氣運難盛而易衰乃若此，斯人之榮悴概可知矣。先民有言曰：「三光五岳之氣分，大音不完，必混一而後大振。」美哉乎，其言之也。昔者北南斷裂之餘，非無能言之人馳騁於一時，顧往往囿於是氣之衰，其言荒粗萎冗，舞足起發人意。其中有若不爲是氣所囿者，則振古之豪桀，非可以世論也。

又卷六《王文忠公文集序》　道無往而不著也。達則著之於事業之大，窮則著之於其身之所及，以文辭而著其道，則又未嘗有窮達之分也。夫德茂者業富，理充者言從。故古之君子非有意於立功，而功常被於世；非有意於立言，而人謂其言以爲法。後世以文辭名者，或不察乎理義；以政事顯者，或不明於學術；以窮經學古爲務，而文辭政事之無足觀者，亦有之矣。凡若是者，皆不足以語夫道也。何也？道則無往而不著也。

又《馬中丞文集序》　文章何與乎天地之運哉？元化之斡流，神氣之推盪，凡以之而生者，則亦以之而盛衰焉。吾嘗觀禮與樂矣，升降、揖讓、周旋、裼襲之容，屈伸、俯仰、綴兆、舒疾、廉肉之節，文之者也。而樂由天作，禮以地制，禮樂不曰天地之文乎？昔者聖人之以禮樂爲天下也，治與運會，文從而生焉。世之爲文章者，蓋亦有出於此而已矣。

許有壬《至正集》卷三四《劉楚奇惟實集序》　文章以理爲主，理以實爲主。天地之間，照臨錯布於其上，流峙森植於其下，君臣父子夫婦之秩，穀粟桑麻水火之用，參於其中者皆實理也。一或虛空冥漠，則無以爲世矣，翁其有得於此乎？且實之義非一，對虛而言者，實之反也；對華而言者，實之棄也；對名而言者，實之賓也；至於篤實崇實，又皆是理之極致。推而行之，隆古淳厚之治不外是也，況詩乎！

朱德潤《存復齋集》卷七《野雲自號序》　夫一元既剖，充塞乎天地萬物之間者，氣也。而動植飛潛之成形乎氣者，理也，而理無形焉。天高地厚，河流山峙，蓋有宣陽陰變，昏且氤氳，紛郁彌漫六合者。其氣之所爲乎！故其觸石而起，或發乎山澤，舒卷太空，蒼白成容，變化無定，時和則爲慶爲祥，歲旱則爲霖爲澤，是氣之有形者也。

鄭玉《師山先生遺文》卷一《胡孟成文集序》　以文章爲學，古無是也。六經皆文章也，而不以文名；堯、舜、周、孔皆文人也，而不以文聖，故所言皆文章也。春秋戰國之際，文章之名猶未著稱。漢之興，司馬子長始以此世其家，然猶託事以紀實，不如是空言也。自是學者聞風而起，項背相望，形立而景隨，一唱而百和矣。三國、晉、宋以至隋，又無聞焉。唐之盛時，韓昌黎、柳子厚皆以文名驚動一世，而杜少陵之詩，實《三百篇》後所未曾有。故當時同遊之士，至今傳世不朽者，至不能以一二數。蓋昌黎遂以起八代之

衰，文章之作，始濫觴矣。唐亡，天下遂大亂，士氣益卑下，詩尚晚唐，文用俳體。宋初，歐陽子首表韓文，眉山蘇氏接武而起。黄魯直、陳無己，咸以詩聲充塞宇宙，人至以少陵伯仲之。一時能文如曾子固、工詩如張文潛以下，而家數等級，粲然森列，可以車載斗量，而不可以名計。然則歐陽氏又以救五代之衰，而文體復振矣。南渡後，典雅如葉水心，豪邁如陳同甫，豐贍如洪平齋，翹傑如江古心，浩瀚如劉漫塘，跌宕如謝疊山，尖麗如方秋崖，此文士之尤也。詩人則有楊誠齋之奇特，陸放翁之雄大，范石湖之整齊，尤遂初之和平。任文章之責者，非無其人，而亡國之音作矣。皇元混一，五星聚斗，文運向明，文體爲之一變。然起衰救弊如韓、歐公者，卒未見其人焉。於是學者各以其見之所及，力之所能，家自爲學，人自爲師，以鳴於世，以俟夫後之韓、歐而是正之。

又《師山先生文集》卷三《羅鄂州小集序》 文章，與天地相爲終始，視世道之升降而盛衰者也。蓋自夫天地既判，三辰順布，五行錯出，其文著矣。伏羲畫卦，而人文始開，文王贊《易》，而文益備矣。及夫兩漢，二馬、揚、班，或以紀事蹟著于策書，或以述頌功德刻之金石，文章之作，始濫觴矣。自是而降，一代之興必有一代之制，而文章亦由是而見焉，豈唯足以傳其事功，因以觀其治亂。

李好文《雪樓文集序》 聲音與政通，文章與時高下。原其始則理與氣合，道與時合，要其歸則亦泯然而無間。三代而上，醇乎醇者也。漢猶近古，其文則雄偉渾厚，由其氣質未漓，故其發爲聲音者似之。魏晋以降，剝剖分裂，作者龐乎不淳，豈風氣乖而習弗善歟？至唐，韓、柳氏出，起弊扶弱，剗垢易新，遂爲後世作者之宗匠。宋盛於前而靡於後，金則無以議爲也。我國家以泰定初混龐之氣開闢宇宙，世祖皇帝合南北爲一家。于斯之時，人物之生譬猶春陽始達，生意奮發，甲者必坼，勾者必出，挺英揚蕤，騈榮競秀，條達暢茂，滋息雨露而收其實者也。

蔣易《鶴田蔣先生文集》卷上《存齋先生集序》 元氣塞乎天地之間，運之爲五行，布之爲四時，散之於萬物。瑞之爲卿雲，爲景星，爲豐年，爲麟鳳，爲醴泉，爲芝草，元氣之和也；祆之爲旱魃，爲彗孛，爲饑饉，爲狐蜮，爲梟獍，元氣之乖也。文章亦然。五經，元氣也；諸子百家，五行四時也。醇之爲思、孟、周、程，駁之爲荀、揚、服、鄭，正之爲仲舒、劉向，奇之爲馬遷、班固，險之爲屈原、曹、劉，暢之爲韓、柳、歐、曾，氣之沖和而清淑者也。異之爲楊、墨、老、釋，雜之爲管、商、申、韓、儀、秦、衍、怪之爲《山海》、《齊諧》、《鬼塚》、《夷堅》，氣之乖戾而舛逆者也。何以若是哉？斯文之元氣在五經，五經之元氣在聖人之道，違夫聖人之道，則乖厲之氣乘之矣。故文者，貫道之器也。自漢以來，文人别集無慮千數百家，今其存者或寡矣，無他，道不存焉爾。道苟不存，則有之不加益，無之不加損。而《通書》、《太極圖説》、《易》、《春秋》傳序，《西銘》，《近思録》，學者尊之如經，非以貫聖人之道而近元氣之脈乎？然則文章不本於五經，如人無元氣，其能久存者，否矣！【略】 蓋中和之氣涵養充積，故其所發明白而正大，皆鑿鑿眞實語。有本者固如是也。使達而在上，則舖張大業，歌頌盛德，如卿雲、景星，爲章霄漢，必能焜燿天下之耳目。而網疏麟鳳，肥遯居貞，徒使韋帶布衣之士得其片文隻字，以爲陋室之光華、江湖之榮觀，此士論之所共惜。予則以爲麟鳳在郊棷，朱草生岩戶，皆爲聖世之嘉瑞，亦何必儀韶舞石，產於齋房，然後爲貴哉！

危素《危太樸文續集》卷八《與蘇參議書》 蓋聞文爲載道之器尚矣，道弗明，何有於文哉？氣有升降，時有汙隆，而文隨之。《六經》之文，其理明，其言約，其事覈，弗可及矣。自是離文與道而爲二，斯道堊微，文遂爲儒者之末藝。雖其才之桀然，若司馬遷、揚雄、班固，後世猶有議之者。陵夷至於隋唐，其敝極矣，昌黎韓子起而振之。至於宋，敝又極矣，廬陵歐陽子起而振之。歐陽子以爲韓之功不在禹下。後之論者曰：「歐陽子之功不在韓子之下。」金之亡，其文麤而肆；宋之亡，其文卑而冗。考其時概可知矣。

余闕《青陽先生文集》卷五《送葛元哲序》 文者，物之成章者也。在天而爲三辰，在地而爲川岳，其在於人，若堯舜之治化、孔孟之道德、仲由之政、冉求之藝，一皆謂之文。今特以言辭之精爲文者。夫言之精，莫精於周公、孔子。二聖人之於言，豈有求其精而然哉？而其文何若是其蔚也？揚雄、司馬相如、韓子、歐陽子始號爲工於文者，彼其於周公、孔子之文，非不欲窮日夜之力，極一世之所好，孜孜焉追琢磨礪以求其精，而卒不能至焉。濂溪、二程夫子之學，其視揚雄、司馬相如、韓子、歐陽子，蓋有所不暇，然味其言，淵然而深，雄然而厚，粹然而醇，使得列於聖門，雖顔子、曾子將不能過。則夫言之精者，又若不待窮日夜之力，極一世之所好，孜孜焉追琢

磨礪，以求至於聖人而後已。此無他，聖賢道德之光積中而發外，故其言不期其精而自精。譬猶天地之化，雨露之潤，物之魂魄以生，葩華毛羽，極人之智巧所不能爲，亦自然耳。故學於聖人之道，則得聖人之言。學於聖人之言，則非惟不得其道，并所謂言胥不能至矣。

《傅與礪文集》卷四《孟天偉文稿序》 文與時盛衰，道斯繫也。文之論世皆曰主乎氣，蒙則謂爲有志焉，不徒謂氣也。今夫射不志乎彀，不能以中的；御不志乎綏，不能以及轍。梓匠輪輿，圓不志乎規，方不志乎矩，平直不志乎準繩，不能以成器。爲文而不志乎古之作者，而能合道鮮矣。是故志以爲主，而氣以充之，必至之道也。【略】夫南北之氣異，文亦如之。南方作者婉密而不枯，其失也靡；北方簡重而不浮，其失也俚。

戴良《九靈山房集》卷二九《密菴文集序》 文主於氣，而氣之所充，非本於學不可也。《六經》而下以文雄世者，稱孟軻氏、韓愈氏。孟軻氏曰：「我善養吾浩然之氣。」韓愈氏曰：「氣盛則言之短長、聲之高下皆宜。」然孟軻氏之養氣，則旣始之以知言，而韓愈氏之氣盛，亦惟三代兩漢之書是觀，聖人之志是存耳。文以氣爲主，氣由學以充，見之二氏，可考而知也。後之學者乃或不是之求，方貴華尙、采粉澤以爲工，適密以爲能。吁！亦末矣。是故有見於此而思務去之者，豈不謂之有志之士乎？

吳海《聞過齋集》卷二《覺是先生文集叙》 古者文以載道，非苟爲空言，亦非篤意于求工也。漢氏以來，而文始涉乎技矣。由司馬相如以濫靡之辭飾夸詉之智，舉世慕之。相承至于魏晋六代，而亂雜瑣碎，不勝其弊。至唐韓子，然後能反乎古。逮宋歐、蘇，而其氣益振。蓋雖與世升降，亦在乎人之自爲耳。然非聰明俊拔之士，學問博洽，識見精敏者，雖畢其平生之力，有不能至焉，則亦可謂難矣。

又《薛懷安文集序》 古人文不苟作，必根於理，詩不苟作，必止乎禮義，苟或不然，不如無作也。

陳德永《答張熙載論文章書》 故以爲凡古聖賢所爲文章，皆非其有意爲之。是以言之而爲天下之至文，文簡而理當，推之不窮，測之愈深，如日月列星垂象于天而終古照耀，如江河淮漢日行于地而滿盈不衰。聖賢初不自覺其然也，而望見之者自覺其然耳。後之君子道有不勝，徒事秉筆，學綴語言，弗完弗合，無益於用。故有謂文以氣爲主者，有謂文以理爲主者。嗟乎！文固有理、有氣也，不知自養於平時之素，臨時而作氣，氣烏乎充，臨時而索理，理烏乎粹。理非氣不能以自行，氣非理不能以獨盛。不知其於一本而強欲分析，祇見文章之日陋也。三代而下，司馬遷、班固、揚雄號爲傑出，然皆隨其所禀而有成就，故有善有不善。司馬《史記》成一家言，《帝紀》點竄虞夏書字，吾不知何説。班固《漢書》自纂修太史公所已道者更益雅健外，其餘所自爲，便有差等。子雲《法言》，退之所仰，子厚不服。凡此者，皆其有意於爲文者也。有意於爲文，雖司馬遷、班固、揚雄，猶不能以皆善，況下此而能必其皆善乎？此僕所以決意以務養根本也。務養根本，爲聖爲賢之路，脱有不至，亦必不與碌碌者同科。

張宇初《峴泉集》卷一《書文章正宗後》 三光五岳之氣，發而爲文，文所以載道也。文著而後道明，而必本諸氣焉。元氣行乎天地，而道所以立矣。古之有德者必有言，蓋其和順積中，英華發乎外也。非道充義明，其能見於言哉？

方孝孺《遜志齋集》卷一三《義門詩序》 孟子言：「仁言不如仁聲之入人深也。」先王導民之具詳矣。政教以約之，禮樂以正之，刑罰以威之，猶以爲未足，而復宣之以言，入之以聲。言載於書，聲感於耳，斯民之視聽莫不有所勸戒，寧有不善者乎？秦漢以來，治道湮熄，先王之澤不可復見，所存者獨《詩》爲粗完，傳於學者。孟子所謂「仁聲」，《詩》蓋爲近之。然其言雖存而不易入人，誦説者且不解其意，况於聞之者哉！蓋世遠而事異，旨微而理密，人不爲之感者固宜也。後世之詩出於一時之言，殆若可以感人矣，而病於道德不足而辭采有餘，故雖可以感人而不能使人知性情之正。夫人莫不有仁讓敬義之心也，恒患不能言之。以其心之所同然者入其耳，戾者化，悍者革，悔者至於涕泣自訟，喜者至於拊手蹈足。此仁聲之所以爲深者乎？惜夫其不見於世也久矣。

練子寧《李彦澄詩序》 余以爲，文者，士之末事，未足以盡知君也。古之人苟得其志，行其道，則無所事乎文。文者，多憤世無聊而將以傳諸其後者也。【略】雖然，古之公卿大夫於化成俗美，無以發其至治之盛，則往往作爲聲詩，奏之朝廷，薦之郊廟，頌聖神之丕績，揚禮樂之弘休，使聖君賢臣功德炳然，照耀於千載之上，則文章者固可以少歟？又何必區區窮愁之餘而侈文字之工也？

解縉《文毅集》卷七《舒嘯軒序》 聲之動也，未有不由所感也。雷霆之砰訇、風水之震蕩，聲之出於自然也。鍾鼓之鏗鏘、瓠匏之激越、竽磬之擊發，聲之出於使然也，假於器以出是聲也。人之歌呼悲號，笑嘻哭咷、噫嚶呻吟、慨然而太息、劃然而長嘯者，假於口吻喉舌鼻嚏噏呼、轉運動定以出是聲也。聲有萬不齊，感有萬不齊，齊之以不齊，而自然者出於器矣。器虛而感生焉。虛實相生，動靜相摩也。孰爲有形？氣爲之感。孰爲無心？理爲之主。彼有無、虛實、動靜皆賓來而予從，此之謂「齊之以不齊」也。

李開先《李中麓閑居集》卷六《市井艷詞序》 憂而詞哀，樂而詞褻，此今古同情也。正德初尚《山坡羊》，嘉靖初尚《鎖南枝》，一則商調，一則越調。商，傷也；越，悅也，時可考見矣。二詞譁於市井，雖兒女子初學言者，亦知歌之。但淫艷褻狎，不堪入耳。其聲則然矣，語意則直出肺肝，不加雕刻，俱男女相與之情，雖君臣友朋，亦多有托此者，以其情尤足感人也。故風出謠口，眞詩只在民間。《三百篇》太平采風者歸奏，予謂今古同情者此也。

馮夢龍《序山歌》 書契以來，代有歌謠，太史所陳，并稱風雅，尚矣。自楚騷唐律，爭妍競暢，而民間性情之響，遂不得列於詩壇，於是別之曰山歌，言田夫野豎矢口寄興之所爲，薦紳學士家不道也。唯詩壇不列，薦紳學士不道，而歌之權愈輕，歌者之心亦愈淺。今所盛行者，皆私情譜耳。雖然，桑間、濮上，《國風》刺之，尼父錄焉，以是爲情眞而不可廢也。山歌雖俚甚矣，獨非鄭、衛之遺歟？且今雖季世，而但有假詩文，無假山歌，則以山歌不與詩文爭名，故不屑假。苟其不屑假，而吾藉以存眞，不亦可乎？抑今人想見上古之陳于太史者如彼，而近代之留於民間者如此，倘亦論世之林云爾。若夫借男女之眞情，發名教之僞藥，其功於《挂枝兒》等，故錄《挂枝詞》而次及《山歌》。

張琦《衡曲麈譚・情痴寤言》 今之所稱多情，皆其匿情而獵名者也：悲憤、調笑、慰勞、寒暄，若伶人之搬演，落場卽已，掉臂去之，轉眼秦越，聚散摶沙耳，膠漆戈矛耳；其爲辭也，浮游不衷，必多雕琢虛僞之氣，欲自掩飾之而不能。心之與聲有異致乎？人之有生也，眉宇現乎外，血性注乎內，情緣煎其中，豈惟兒女子，雖彼豪傑、通儒，豁達自負者，無所感則已，一涉此途，行且靡心就其維繫，誰能漠然而遊於漭瀁之鄉哉？說者曰：「至人處靜不枯，處動不喧，居塵出塵，無縛無解，而且柳生其肘右，鳥巢其頂門，此亦冥忘泬寥之極矣，今乃以萍踪浪迹，愁病銷磨，癡矣哉！」噫，彼之忘情割河而斬筏者，人而至焉者也；我非至人，第求其至於人夫？人，情種也；人而無情，不至於人矣，曷望其至人乎？情之爲物也，役耳目，易神理，忘晦明，廢饑寒，窮九州，越八荒，穿金石，動天地，率百物，生可以生，死可以死，死可以生，生可以死，死又可以不死，生又可以忘生，遠遠近近，悠悠漾漾，杳弗知其所之。而處此者之無聊也，借詩書以閑攝之，筆墨磬瀉之，歌詠條暢之，按拍紓遲之，律呂鎭定之，俾飄飆者返其居，鬱沉者達其志，漸而濃郁者幾於淡，豈非宅神育性之術歟？余於情識淡然矣，挾一眞率有情之侶與俱，不勝其嚮往也；間一拂情，又不能違心以就世法，人亦多笑之，弗顧也。自率其情已矣，世路之間有疑吾情者，緣之艱也，吾無庸彊其信。斯情者，我輩亦能癡焉，但問一腔熱血，所當酬者幾人耳？信乎意氣之感也，卒然中之，形影皆憐；靜焉思之，夢魂亦淚。鍾情也夫？傷心也夫？此其所以癡也。如是以爲情，而情止矣！如是之情以爲歌詠、聲音，而歌詠、聲音止矣！

袁宏道《袁中郎全集》卷一《序小修詩》 且夫天下之物，孤行則必不可無；必不可無，雖欲廢焉而不能。雷同則可以不有；可以不有，則雖欲存焉而不能。故吾謂今之詩文不傳矣。其萬一傳者，或今閭閻婦人孺子所唱《擘破玉》、《打棗竿》之類，猶是無聞無識眞人所作，故多眞聲。不效顰于漢、魏，不學步於盛唐，任性而發，尚能通於人之喜怒哀樂、嗜好情欲，是可喜也。

湯顯祖《董解元西廂題詞》 余於聲律之道，瞠乎未入其室也。《書》曰：「詩言志，歌永言，聲依永，律和聲。」志也者，情也。先民所謂發乎情，止乎禮義者，是也。嗟乎，萬物之情，各有其志。董以董之情而索崔、張之情於花月徘徊之間，余亦以余之情而索董之情於筆墨烟波之際。董之發乎情也，鏗金戛石，可以如抗而如墜。余之發乎情也，宴酣嘯傲，可以以翺而以翔。然則余於定律和聲處，雖於古人未之逮焉，而至如《書》之所稱爲言爲永者，殆庶幾其近之矣。

又《湯顯祖詩文集》卷三四《宜黃縣戲神清源師廟記》 人生而有情，思歡怒愁，感于幽微，流乎嘯歌，形諸動搖。或一往而盡，或積日而不能自休。蓋自鳳凰鳥獸，以至巴渝夷鬼，無不能舞能歌，以靈機自相轉活，而況吾人。

奇哉清源師，演古先神聖八能千唱之節，而爲此道。初止爨弄參鶻，後稍爲末泥三姑旦等雜劇傳奇。長者折至半百，短者折才四耳。生天生地，生鬼生神，極人物之萬途，攢古今之千變。一勾欄之上，幾色目之中，無不紆徐煥眩，頓挫徘徊，恍然如見千秋之人，發夢中之事。使天下之人無故而喜，無故而悲，或語或嘿，或鼓或疲，或端冕而聽，或側弁而咍，或窺觀而笑，或市涌而排。乃至貴倨弛傲，貧嗇爭施。瞽者欲玩，聾者欲聽，啞者欲嘆，跛者欲起。無情者可使有情，無聲者可使有聲。寂可使喧，喧可使寂，饑可使飽，醉可使醒，行可以留，卧可以興。鄙者欲艷，頑者欲靈。可以合君臣之節，可以浹父子之恩，可以增長幼之睦，可以動夫婦之歡，可以發賓友之儀，可以釋怨毒之結，可以已愁憒之疾，可以渾庸鄙之好。然則斯道也，孝子以事其親，敬長而娛死；仁人以此奉其尊，享帝而事鬼；老者以此終，少者以此長，外戶可以不閉，嗜欲可以少營。人有此聲，家有此道，疫癘不作，天下和平。豈非以人情之大竇，爲名教之至樂也哉！

又卷四五《寄達觀》 情有者理必無，理有者情必無。眞是一刀兩斷語，使我奉教以來，神氣頓王。諦視久之，并理亦無，世界身器，且奈之何。

【略】白太傅、蘇長公終是爲情使耳。

清懶居士《序吳騷初集》 夫世間一切色相，儔有能離情者乎？顧情一耳，正用之爲忠憤、爲激烈、爲幽宛，而抑之爲憂思、爲不平、爲枯槁憔悴，至于纚纚一腔，難以自已，遂暢之爲詩歌、爲騷賦，而風雅與三閭諸篇竝重於世。昔史遷之傳三閭也，悲其値而大其志，謂足以兼《國風》、《小雅》，而班固氏亦美之曰：弘博麗雅，爲詞賦宗。此皆窺見乎情而深乎其味者。然情寧獨乎哉？佳人幽客，好事多磨，繾綣縈懷，撫時觸景，聯牀同調，兩地吊天，我輩鐘情，豈同槁木？故竅發於靈，而響呈其籟，代不乏矣。漢以歌，唐以詩，宋以詞，迨勝國而宣於曲，迄今盛焉。總之，以風雅爲宗，而憤激幽情、錦心慧口相伯仲也。南國謳唫，不減江皐，諷咏三吳豐韵，類延晉代風流，詞本於騷，而地別於楚，故因弁其騷曰「吳」。嗟嗟！今樂府濫觴極矣。自有茲帙也，洛陽紙貴，收盡陽春冰玉，蛟螭刻成天巧，豈非造物之情，至此而一暢耶。世不乏有情人，而知吳騷之足尙也。

張寧《方洲集》卷一六《吳文肅公竹洲文集序》 聖賢之文，原於性情，蘊蓄爲道德，著見爲功業，初無意於言也。然不教不行、不書不傳、不辯不明，不能不託諸言以詔天下後世。

又卷二一《陸參政北征倡和詩跋》 「詩言志」。志正，則其言也必精；志同，則其言也必協。志同而正，言協而精，必若人焉。措諸天下，事無不濟。

【略】詩固人才政化所關，非但句律之間。

程敏政《篁墩文集》卷二三《徽州府同守張公輓詩序》 嗚呼！哀樂之情出於情分所固有，感之而興，觸之而動，有不知其所以然者，而莫甚於死生之際。然人於生者或因其可樂而後樂之，惟於死者，則不問其賢否親疏，而惻然哀之無異詞焉，此《薤露》、《蒿里》之歌所由作歟！

又卷二九《丘先生文集序》 文之說何昉乎？蓋嘗考諸古矣。凡物之粲然可指者謂之文，文者道之所在也。故見於上曰天文，見於下曰人文，見於世煥乎其有迹者曰文治、曰文敎，非若中古以來指操觚染翰者謂之文也。夫文固非操觚染翰者可盡，然《詩》、《書》所載詞命之作，雅頌之篇，類非偶然卒爾者可辦，而孔門亦有文學之科。蓋道術未裂，言與行俱，本厚而末茂，詞出而文成，正大光明，敷暢條達，見於治則民格，著於教則民孚，所謂吐詞爲經，而文之盛不可及也。漢毛公、董子之徒，始以經術名，而鄒陽、枚乘之流乃專以文顯，遷、固亦岐而稱之。蓋以操觚染翰爲文，而別於經術。昉此日寖以盛，而瀾倒乎隋唐之間，雖一二名世鉅公知文之不止乎是。亦略見道之彷彿矣。顧一時談經者專訓詁，爲文者尙聲律，而上之人又以經義、詞賦更疊取士，其遠於道一也。至宋而程、朱大儒者出，斯道復明，曉然示人以徒文不足濟物，然不得任道，揆之重於斯世，則亦安能盡刊其故習而卒反之一旦哉。蓋經術、文章之流弊甚矣，不得已而爲說以通，則若之何？亦獨曰：爲毛、董而不爲鄒、枚；爲韓、李而不爲燕、許；爲歐、曾而不爲楊、劉；爲陶、杜而不爲徐、庾、溫、李，則亦庶幾可以廣道術求不倍於孔門而後可乎？

錢琦《錢子語測》 文章實關氣運，韓、柳二子生當元和之盛，歐蘇二子生逢嘉祐之盛，其文卒爲百代宗仰。余以詞人如候蟲，秋氣蕭條，何能復發春鳥之吟也。

魏校《莊渠遺書》卷三《與胡永清》 文者非他，是出于人之心也。心安從生？是出于天地之風氣也。故文格不能不與時高下，雖同時或不能齊。

王世貞《藝苑卮言》卷一 物相雜，故曰文。文須五色錯綜，乃成華采；

須經緯就緒，乃成條理。

胡祇遹《紫山大全集》卷八《贈宋氏序》 百物之中，莫靈莫貴於人；然莫愁苦於人。鷄鳴而興，夜分而寐，十二時中紛紛擾擾，役筋骸，勞志慮，口體之外，仰事俯畜。吉凶慶弔乎鄉黨閭里，輸稅應役乎官府邊戍，十室而九不足；眉顰心結，鬱抑而不得舒，七情之發不中節而乖戾者，又十常八九得一二。時安身於枕席，而夢寐驚惶，亦不少安，朝夕晝夜，起居寤寐，一心百骸，常不得其和平。所以無疾而呻吟，未半百而衰。於斯時也，不有解塵網，消世慮，熙熙皡皡，暢然怡然，少導歡適者，一去其苦，則亦難乎其爲人矣。此聖人所以作樂，以宣其抑鬱，樂工伶人之亦可愛也。樂音與政通，而伎劇亦隨時所尚，而變近代教坊院本之外，再變而爲雜劇。既謂之雜，上則朝廷君臣政治之得失，下則閭里市井父子兄弟夫婦朋友之厚薄，以至醫藥卜筮，釋道商賈之人情物理，殊方異域，風俗語言之不同，無一物不得其情，不窮其態。以一女子而兼萬人之所爲，尤可以悦耳目而舒心思，豈前古女樂之所擬倫也。全此義者，吾於宋氏見之矣。

李贄《焚書》卷三《雜述·童心説》 龍洞山農叙《西廂》末語云：「知者勿謂我尚有童心可也。」夫童心者，眞心也。若以童心爲不可，是以眞心爲不可也。夫童心者，絶假純眞，最初一念之本心也。若失却童心，便失却眞心；失却眞心，便失却眞人。人而非眞，全不復有初矣。童子者，人之初也；童心者，心之初也。夫心之初曷可失也！然童心胡然而遽失也？蓋方其始也，有聞見從耳目而入，而以爲主于其內而童心失。其長也，有道理從聞見而入，而以爲主于其內而童心失。其久也，道理聞見日以益多，則所知所覺日以益廣，於是焉又知美名之可好也，而務欲以揚之而童心失；知不美之名之可醜也，而務欲以掩之而童心失。夫道理聞見，皆自多讀書識義理而來也。古之聖人，曷嘗不讀書哉！然縱不讀書，童心固自在也，縱多讀書，亦以護此童心而使之勿失焉耳，非若學者反以多讀書識義理而反障之也。夫學者既以多讀書識義理障其童心矣，聖人又何用多著書立言以障學人爲耶？童心既障，於是發而爲言語，則言語不由衷；見而爲政事，則政事無根柢；著而爲文辭，則文辭不能達。非內含以章美也，非篤實生輝光也，欲求一句有德之言，卒不可得。所以者何？以童心既障，而以從外入者聞見道理爲之心也。夫既以聞見道理爲心矣，則所言者皆聞見道理之言，非童心自出之言也。言雖工，於我何與？豈非以假人言假言，而事假事，文假文乎？蓋其人既假，則無所不假矣。由是而以假言與假人言，則假人喜；以假事與假人道，則假人喜；以假文與假人談，則假人喜。無所不假，則無所不喜。滿場是假，矮人何辯也？然則雖有天下之至文，其湮滅於假人而不盡見於後世者，又豈少哉！何也？天下之至文，未有不出於童心焉者也。苟童心常存，則道理不行，聞見不立，無時不文，無人不文，無一樣創制體格文字而非文者。

黄汝亨《寓林集》卷一《楚辭序》 儒家談文辭，則《莊》、《騷》并稱云。問或以莊生浩蕩自恣，詭於大道，其言多洸洋幼眇不可訓。屈騷所稱古連類與經傳不合，小疵風雅。總之，文生於情，莊生遊世之外，故清濁一流，醉醒同狀，寄幻於寰中，標旨於象先。而屈子以其獨醒獨清之意沈世之內，殷憂君上，憤懣溷濁。六合之大，萬類之廣，耳目之年覽靚，上極蒼蒼，下極林林，摧心裂腸，無之非是。辟之深秋永夜，凄風苦雨，鬱結於氣，宣圖於聲，皆化工也。豈文人雕刻之末技，詞家模擬之艷辭哉！馬遷讀莊生書，而歸之寓言，此可與言騷也。已矣！宋玉而下，有其才而非其情，賈誼有其情而非其才，誼之泣以死也，又其甚者也。亦猶晋人之嫉物輕世也，莊之流也。相如因緣得意媚於主上，所爲《子虚》、《大人》之篇，都麗寥廓，乏於深婉，其情可知已。道不同不相爲謀，嗚呼！此《反騷》之所以作也。儒者探《易》之幽而參於《莊》，諷《詩》之深而參於《騷》，參於《莊》，可以群；參於《騷》，可以怨，其庶矣乎！然《莊》多善本行世，而《楚騷》獨缺，俗士罕及之。繩武博物能裁，蒐自劉、王，訖於近代，釐間合文，要於神情，斯不亦符節騷人。而升之風雅之堂哉！

顧起元《嬾眞草堂集·文集》卷一五《唾心集序》 文章之要眇，其高可以旁日月，其博可以小溟渤，其奇可以泣鬼神；非文也，心靈之所變化也。於心中有虚空，於虚空中有天地，於天地中有萬物，於萬物中有人，於人中有文章。逆而溯之，有一非心之所生者乎？飈然而馳心，馬也；突然而畫心，匠也；窔然而歌而咢心，優伶也。心能摹千古、摹六合，而千古六合不能摹心。故余嘗謂文士但能吐其心靈之所孕，而文不可勝用矣！世沾沾焉好拾古人之唾餘，而不知己之爲珠爲華者，固無盡也，可不惜哉！

何中《知非堂外稿》卷一《與詹叔厚書》 文，所以明理也。不明乎理，而惟文之求，是猶欲羨其流而不浚其源，欲沃其枝葉而不培其根本，非涸則槁。

是故人之於文，必因其理之所在，而傳之以辭，無強爲，無苟作，愈平近而不可及。蓋其本盛而源深，蟠地而參天，滔滔大川而注於海。雖然，此豈易到也哉？非惟未易到也，而亦未易觀也。漢魏勿論，唐韓柳，宋歐蘇，皆崒然立一代之表，然猶先文而後理。故其先就也，其因文而求理。及其既就也，玉不能不瑕，珠不能不纇，矧皆下此者哉？然當於何而求之乎？昔者竊聞之，文莫盛於經，而經非事乎文也，理之所寓，自然之文也。是故陰陽動靜之理著，而《易》之文幽；理義性情之理著，而《詩》之文厚；告誡忠誠之理著，而《書》之文核；褒貶賞誅之理著，而《春秋》之文嚴。如天之日星，地之山嶽，亘千萬世而不可增損。宇宙事物之理，舉不出乎其間，而文亦不外乎是。然則求文者不明乎經之理，則不足以得之矣。是以欲文之嚴，必先明乎《春秋》之理；欲文之核，必先明乎《書》之理；欲文之厚，必先明乎《詩》之理；欲文之幽，必先明乎《易》之理。理之所得有淺深，而文之高下隨之。由漢以來，灼乎其可究。故嘗以古之文重以實，今之文輕以虛。其重以實，何也？理足而已；其輕以虛，何也？理歉而已。沿而觀之，莫弊於今之文。或者謂：「文則然矣，詩與文異。今之詩不減於古，其庶幾乎？」是不然。詩、文一也。古之詩，因其性情之眞，卽其事物之理，其辭皆出於誠，而足以感發善心，懲創逸志。今之詩，不因乎性情之眞，不卽乎事物之理，愈高而愈失，愈巧而愈陋。雖痛快爛熳，鬼眼傾耳，太白、東坡，且溟涬第之而不知，識者觀之，深嘆其無知而妄作也。故又常以爲，古之詩雅而眞，今之詩浮而僞。

袁于令《玉茗堂批評〈焚香記〉序》 樂府之淫濫，無如今日矣。所稱江南勝部，自王實甫、高則誠而下，王弇州首推《拜月亭》，猶曰「所嫌者，不能使人泪下」。斯言也，眞得詞家三昧。蓋劇場卽一世界，世界只一情人，以劇場假而情眞。不知當場者有情人也，顧曲者尤屬有情人也。卽從旁之堵牆而觀聽者若童子，若瞽叟，若村嫗，無非有情人也。倘演眞不眞，則觀者之精神不動。然作者不眞，則演者之精神亦不靈。

侯方域《壯悔堂文集》卷三《答孫生書》 馬有振鬣長鳴，而萬馬皆瘖者，其駿邁之氣空之也；雖然，有天機焉，若滅若沒，放之不知其千里，息焉則止於閑，非是則踶之囓之，且泛駕矣。吾寧知泛駕之果愈於凡羣耶？此昔人之善言馬，有不止於馬者。僕以爲文亦宜然。文之所貴者，氣也，然必以神樸而思潔者御之，斯無浮漫鹵莽之失，此非多讀書，未易見也，卽讀書而矜且負，亦不能見，倘識者所謂道力者耶！惟道爲有力，足下勉矣！

錢謙益《牧齋有學集》卷一九《周孝逸文稿序》 曹子桓云：「文章以氣爲主。」李文饒舉以爲論文之要。而余取韓、李之言參之，退之曰：「氣，水也；言，浮物也。水大，而物之浮者大小畢浮；氣盛，則言之短長，與聲之高下者皆宜。」此氣之溢於言者也。習之曰：「義深則意遠，意遠則理辨，理辨則氣直，氣直則詞盛，詞盛則文工。」此氣之根於志者也。根於志，溢于言，經之以經史，緯之以規矩，而文章之能事備矣。不養氣，不尙志，翦刻花葉，儷鬬蟲魚，徒足以傭耳借目，鼠言空，鳥言卽，循而求之，皆無所有，是豈可以言文哉！

施閏章《學餘堂文集》卷三《詩原序》 有適燕而南轅、如粵而北指者，衆必笑之曰：「若迷於方也。」守溝瀆而忘海，若汎黃河之水而未溯乎崑崙，君子又笑之曰：「是逐流而昧原也。」今之爲詩者類是。不殖學而務塗其辭，不己出而事剽賊，不尙論遠采而一二近今是師，是詩盛而愈亡也。唐虞之賡歌，商周之雅頌，古之人未嘗學爲詩也，以聖賢之辭出爲聲律之言，藹然爛然，以通上下而洽朋友，播之樂章，則天神降，地祇出，鳥獸以舞，風雨以時，故太史採詩以觀政治、辨貞淫。孟子曰：「《詩》亡，然後《春秋》作。」然則詩不亡，《春秋》不作可也。詩之用宏而原遠如此，非不學無術之所能爲也。夫人之哀至而哭，樂至而嘻，智愚所同情也，今使庸夫牧豎抵掌頓足，言悲喜之狀，終日無足聽者；賢士騷人筆爲史，作爲詩，雖累千百世，人讀之無不起舞長嘯，或烏烏然泣下霑衣，其言至而情出也。《三百篇》以下，屈宋蘇李曹劉諸家之作，苟可傳者，皆是類也。人各有情，而非賢士騷人不能道，何也？沐浴芳澤者，言馥郁於蘪蘭，懷抱古今者，聲流被於金石，自然之勢也。後漢魏而雄於詩者，莫如子美。其自叙曰：「讀書破萬卷，下筆如有神。」故樂府五言諸體，不爲擬古之作，卽事命篇，意主獨造，而學集其大成，以是爲不可及。夫古今之勢不同，風雅頌已不相襲，而殊途同歸。自漢以來，善作者，大抵善述之流也。蘇子瞻嘗教人作詩曰：「熟讀《毛詩·國風》與《離騷》，曲折盡是矣。」今吾友見山編輯《詩原》，首《毛詩》以正其始，次《楚辭》以綜其變，次《選》詩以峻其體，次《選》賦以博其材，次《唐詩選》以嚴其則。詩賦之選，不盡於昭明、于鱗，而特從其本，志約也，且取選體詩賦，編次人

代如列諸掌，顧子才富而學有本，其知所先後如此。余少好誦詩，先君子命之曰：「《書》稱詩言志、歌永言，先之以直溫寬栗；孔子刪《詩》三百，以思無邪蔽之；詩之大原，其在斯乎！」發情止義，深思而兼蓄之，嚴擇而善變之，毋徒爲優孟之衣冠，則幾矣。

又卷二八《寄魏凝叔》 古之取人者，先器識而後文章；其爲文也，先根柢而後枝葉。非無枝葉也，根柢既立，枝葉萬千，重花累萼，奪繪彩而煥雲霞，皆是物也。言之不文，行之不遠，孔子蓋亦屬意於文者。近世詞人，比戶騈肩，權輿於八股，優孟於八家，求其庶幾於道者頗少。七言律，古人所難，今下筆四首、十首，五排動至百韻。又塡詞累寸，才情驅煽，前無古人，有道者私憂之。夫茗楚之華，隨風輒隕；溝澮之盈，移時立盡，其原本然也。若夫平原淺水，獨樹疎花，望之立盡，擷之無餘。又非文之大者，見近世所推一二名家，偏矯王、李之失，遽以爲冠一代而抗歐、曾；竊未敢深信，以其清眞自放，而波瀾不闊，光焰不長也。

吳偉業《雜劇三集序》 造化氤氳之氣，分陰分陽，貞淫各出。其貞氣所感，則爲忠孝節烈之事；其淫氣所感，則爲放蕩邪慝之事。二氣并行，宇宙間光怪百出，情狀萬殊，而總繇文人之筆傳之。文人之筆或寓言，或紀實，想象形容，千載如見。由是貞者傳，淫者亦傳，如《三百篇》中不刪鄭衛，聖人以爲男女情欲之事，不必過遏。詞人狂肆之言未嘗無意，貞淫并載，可以爲勸，可以爲鑒，有其文則傳其文而已。漢魏以降，四言變爲五七言，其長者乃至百韻。五七言又變爲詩餘，其長者乃至三四闋，其言益長，其旨益暢。唐詩、宋詞可謂美備矣。而文人猶未已也。詩餘又變而爲曲。

汪琬《堯峰文鈔》卷二八《計甫草中州集序》 昔太史公足蹟幾半天下，而子美、太白亦嘗戲嘔齊魯秦蜀荆湖之間，故能出其所得，名當時而傳後世。詩文之道，雖古今人常不相及，而要之以好游而益工，則固千載已來雄才傑士之所同也。

又卷二九《王敬哉先生集序》 文者，貫道之器，故孔子有曰：「文不在茲乎？」孔子之所謂文，蓋謂《易》、《詩》、《書》、《禮》、《樂》也，是豈後世辭賦章句區區儷青妃白之謂與？孔子既歿，漢儒收拾暴秦燼燬之餘，修明講習，可謂勤矣，然而言《易》者不知天人貫通之旨，而溺於納甲卦氣之說；言《詩》者不知王國盛衰之原，而溺於四始五際之說；言《書》者不知二帝三王所以致治之大本大用，而所爭者，文王改元周公踐阼之說；至於《禮》、《樂》，又往往有其義而不知習其儀，有其器而不知名其物，甚則溷以圖讖，雜以譌僞，而孔子所刪述之文，不晦卽亂。夫日月星辰，天之文也；山川草木，地之文也；《易》、《詩》、《書》、《禮》、《樂》諸經，人之文也。人之有文，所以經緯天地之道而成之者也。使其遂流於晦且亂，則人欲日熾，彝倫日斁，天地之道將何所託以傳哉！嗣後陵遲益甚，文統道統於是岐而爲二，韓柳歐陽曾以文，周張二程以道，未有彙其源流而一之者也。其間釐剔義理之絲微，鑽研問學之根本，能以其所作進而繼孔子者，惟朱徽國文公一人止耳。儻微文公論說之詳，辨晰之力，則向之晦者，幾何而不熄？向之亂者，幾何而不澌滅蕩盡也？然則使孔子之文，踰數十傳不墜，蓋文公之力居多。今距文公又五百年所矣，而繼之者無其人；或有其人矣，而琬僻處海陬，猶未有見焉。此所以日夜流連太息，不能無望於世之學者也。

又卷三二《答陳靄公論文書一》 聞儒者之言曰：「文者載道之器」；又曰：「未有不深於道而能文者。」僕竊謂此言亦少夸矣。古之載道之文，自《六經》、《語》、《孟》而下，惟周子之通書，張子之東西銘，程朱二子之傳注庶幾近之，雖《法言》、《中說》猶不免後人之議，而况他文乎？至於爲文之有寄託也，此則出於立言者之意也，非所謂道也。如屈原作《離騷》則託諸美人香草，登閬風，至縣圃，以寄其佯狂；司馬遷作《史記》，則託諸游俠貨殖，聶政荆卿，輕生慕義之徒，以寄其感激憤懣者，皆是也。今足下當浮靡之日，獨侃侃持論，以爲文非明道不可，洵乎豪傑之士超越流俗者也，而顧以寄託云云者當之，又謂惟道爲有力，則僕不能無疑。僕嘗徧讀諸子百氏大家名流與夫神仙浮屠之書矣，其文或簡鍊而精麗，或疏暢而明白，或汪洋縱恣，逶迤曲折，沛然四出而不可禦，蓋莫不有才與氣者在焉。惟其才雄而氣厚，故其力之所注能令讀之者動心駭魄，改觀易聽，憂爲之解頤，泣爲之破涕，行坐爲之忘寢與食，斯已奇矣。而及其求之以道，則小者，多支離破碎而不合；大者，乃敢於披猖磔裂，盡決去聖人之畔岸而翦拔其藩籬，雖小人無忌憚之言，亦常雜見於中，有能如周、張諸書者，固僅僅矣，然後知讀者之驚駭改易，類皆震於其才，懾於其氣而然也，非爲其於道有得也。吾不識足下愛其文將遂信其道乎；抑以其不合於道，遂并排黜其文而不之錄乎？夫文之所以有寄託者，意爲之也；其所以有力者，才與氣舉之也，於道果何與哉？古人

之爲文也，其中各有所主，有假文以明道者，有因文以求道者，有知文而不知道者。

毛奇齡《西河集》卷二九《駱叔夜詩集序》 顧《記》云詩教敦厚，而劉勰論造詩必情爲文經而詞爲理緯，故情不足以導詞，理不足以敷文，卽縟旨星雜，繁詞若綺，無以揚經緯而被文質，而浸假懽愉已甚。愁苦未聞，中鮮鬱紆之情，外無憂讒畏譏，觸類長志之槩。又何以抒情擿物，激越其心，思而暴揚其志氣？然則情由境發，而理從遇生，道固然乎！

葉燮《已畦文集》卷一三《與友人論文書》 夫文之爲用，實以載道，要先辨其源流本末，而徐以察其異軌殊途，固不可執一而論，然又不可以二三其旨也，是在正其源而反求其本已矣。今有文於此，必先徵其美與不美，其美者，則人共譽之曰美。彼文而美，固可譽也。夫固有其文之美者矣，然而未可卽謂之曰通也；固有其文之通者矣，然而未可卽謂之曰是也；固有其文之是者矣，然而未可卽謂之曰適於道也。今試舉其大者言之，以例其餘。彼美而未嘗通者，六朝之文類是也；通而未嘗是者，莊周、列禦寇之文類是也；是而未嘗適於道者，司馬遷等之文類是也。夫由文之美，而層累進之，以至適於道而止道者何也？《六經》之道也。爲文必本於六經，人人能言之矣，人能言之而實未有能知之。能知之而實未能變而通之者也。夫能知之，更能進而變通之，要能識夫道之所由來，與推夫道之所由極，非能明天下之理，達古今之事，窮萬物之情者，未易語乎此也。僕嘗有「原詩」一編，以爲盈天地間萬有不齊之物之數，總不出乎理事情三者，故聖人之道，自格物始，蓋格夫凡物之無不有理事情也；爲文者，亦格之文之爲物而已矣。夫備物者，莫大於天地，而天地備於六經，《六經》者，理事情之權輿也。合而言之，則凡經之一句一義，皆各備此三者，而互相發明；分而言之，則《易》似專言乎理，《書》、《春秋》、《禮》似專言乎事，《詩》似專言乎情，此經之原本也。而推其流之所至，因《易》之流而爲言，則議論辯說等作是也；因《書》、《春秋》、《禮》之流而爲言，則史傳紀述典制等作是也；因《詩》之流而爲言，則辭賦詩歌等作是也：數者條理各不同，分見於經，雖各有專屬，其適乎道則一也。而理者與道爲體，事與情總貫乎其中，惟明其理，乃能出之而成文，六經之後，其得此意者，則庶乎唐宋以來諸大家之文，爲不悖乎道矣。夫文之本乎經者，襲其道，非襲其辭，如以其辭，則周、秦以來三千餘年間，其辭遞變，日異而月不同，然能遞變其辭，而必不能遞變其道。蓋天下古今止有此一道，千差萬別，總不可越，非可於此外，別事旁求，用其私智，而能成一家之言，以自鳴於古今者也。卽其人之言，幸而當時稱之，後世述之，而總不可謂之爲文；卽天下有自成一家之文，斷無有自成一家之道，若有自成一家之道，天下古今豈有二道乎？而本乎道者，原非執一法以泥之、一律以格之者也，當其神明在心，變化於法，左宜右有，無所不可，而用意所根柢處，必一定而有在，譬之古帝王相傳，惟一執中，至於所尚，則有忠與質文之各不同，然豈以所尚不同，而執中之傳亦各有不同者哉？又豈以執中之傳同，而所尚亦遂必出於同者哉？故文之爲道，一本而萬殊，亦萬殊而一本者也。夫所謂成一家之言者，其獨闢此一家者乎？抑祖述彼一家者乎？若其獨闢，則古今以來數千百年，必無至今日而忽有獨闢之道，且何所據而謂之成？若其祖述，則所述之彼一家，是又一家矣，彼是道非道不可知，漫然而襲之，安得謂爲成家乎？既以襲之矣，安得稱爲一家之言乎？譬之天地間，其籟有萬，總謂爲聲，如鸞鳳之和鳴，箾韶之雅奏，聲也，寒蛩之啾嘈，蚯蚓之鳴竅，亦聲也，彼蛩與蚓，何嘗不自成其一家之聲，然與鸞鳳箾韶同類而稱其聲之成也，可乎？故一家之言，乃其人之言，非天下古今之言也，不可謂爲成也。然僕所引六朝、莊、列、司馬遷之徒，則更自有說。六朝不足論，莊、列豈非自成一家之言者，司馬遷嘗自謂成一家之言矣，安得盡非之乎？然莊、列之人與文，其力能自爲一道，而與《六經》之道爲角，才與辨皆足以濟之。如莊之外篇，叛道尤極，而其書卒不廢，蓋與道相反，而能中分以自成者，不可徒以一家稱也，但不可謂爲是而已。司馬遷之文，固知尊向六經，然徒能貌其郛廓耳，於道雖未能適，其志則道也，故其自謂成家可也。竊怪後之人，尚不能知道與非道之辨，其所爲文，又在揚雄所詘雕蟲小技之下，不識所成者何家乎？且莊、列、司馬諸人之文，爲之於周、秦、漢以前，以創闢之人爲創闢之文，稱作者可也，若後人踵而爲之於今日，則何異於芻狗！何況等而下之者乎？僕嘗論古今作者，其作一文，必爲古今不可不作之文，其言有關於天下古今者，雖欲不作而不得不作，或前人未曾言之而我始言之，後人不知言之而我能開發言之，故貴乎其有是言也；若前人已言之而我摹倣言之，今人皆能言之而我隨聲附和言之，則不如不言之爲愈也。所以古來作者有言謂之立言，以此言自我而立，且非我不能立，傍無倚

附之謂立，獨行其是之謂立，故與功與德共立而不朽也。然其爲言有端焉，有緒焉，或以質勝，或以文勝，或借援引以明，或攄才辨以見，其措諸辭有不同，總不能外乎夫子辭達之一言，要以辭達意，不以辭飾意，以辭飾意，必至剽字竊句，求異標新，不則陳陳相因，附會希合，究其初，彼原無意，即以辭爲意，問其所旨，彼且茫然不自知，世人見其斐然龐然，亦或羣然稱之，僕所謂文雖美而無如其不通何矣，可勝道哉！且夫辭達與不達，亦有淺深之不同，本無意而辭不達，無可達也；有其意而辭不達，不能達也；能造意而辭不達，不達乎道也；自以爲達乎道，而辭仍不達，非道之辭難達也，進乎此，而辭能達者，其辭皆道也。如是，以抒其志慮，發爲議論，徵諸見聞，考諸往古，平奇正側，多寡繁簡，不襲不臆，屏隱怪，黜庸腐，歸於辭達其意，意達其道而已。斯爲天地古今之言，而豈一家之言哉？於此而或有未盡善，則徐以辨其工拙，察其巧力，所爭在毫末之間，但根本既定，則無適而不可矣。此論文之極則，作文之本原。因足下之詔我，故敢竭其區區而不自知其言之罔且誕也。幸足下更有以教之！

袁枚《小倉山房文集》卷一〇《虞東先生文集序》 文章始於六經，而范史以說經者入儒林，不入文苑，似強爲區分，然後世史家俱仍之而不變，則亦有所不得已也。大抵文人恃其逸氣，不喜說經，而其說經者，又曰吾以明道云爾，文則吾何屑焉。自是而文與道離矣。不知《六經》以道傳，實以文傳。《易》稱修詞，《詩》稱詞輯，《論語》稱爲命，至於討論修飾而猶未已，是豈聖人之溺於詞章哉！蓋以爲無形者，道也，形於言謂之文矣；既已謂之文矣，必使天下人矜尚悅繹，而道始大明。若言之不工，使人聽而思卧，則文不足以明道，而適足以蔽道。故文人而不說經可也，說經而不能爲文不可也。

又卷二八《隨園隨筆序》 著作之文，形而上；考據之學，形而下，各有資性，兩者斷不能兼。

又《隨園尺牘》卷八《寄奇方伯》 大概著書立說，最怕雷同，拾人牙慧；賦詩作文，都是自寫胸襟，人心不同，各如其面，故好醜雖殊，而不同則一也。考史證經，都從故紙堆中得來，我所見之書，人亦能見；我所考之典，人亦能考。雖費盡氣力，終是疊牀架屋，老生常談。有如賈人屯貨，胥吏寫供，得人之得，而不自得其得。就使精鑿異常，亦便他人觀覽，與我何與？況詞章之學最古，始於《六經》，盛於《三傳》，皆殷周賢聖之才；考據之學最後，始於鄭馬，盛於邢孔，皆漢唐齷齪之士，甚至戴聖、歐陽歙盡贓吏矣！其拘牽附會，穿鑿佝張，殊非「大樂必易，大禮必簡」之旨。不過天生笨伯，借此藏拙清閒則可耳，有識之人，斷不爲也。

鄭忠訓《瘞雲岩序》 天地一情區也，古今一情界也，男女一情種也。無論才士英雄，即俗流傖父亦有之；無論貞姿烈質，即淫女陋婦亦有之，顧或正用之而爲深情，爲痴情；其邪者則爲縱情，爲淫情。而其情之或正或邪，用情者又不能自言也。自後世才士多情，本《國風》言情之旨，按譜選聲，倡爲歌曲，取其情之或正或邪，曲爲摹傳，惟妙惟肖，而正者流芳，邪者貽臭。寫兒女之私情，即以定正邪之公案，孰謂詞曲爲小道哉。雖其間悲歡離合類多參差，或一合而不離，或一離而旋合，或偶合而即離，而且永離情也，而數存焉。

謝堃《春草堂集》卷二《與諸弟論詩八首》 今人每論詩，愈窮而愈工。殊不知窮字，不與貧窮同。窮乃窮其源，經史須博通。吾儕豈不知，沿襲已成風。

又 古書不多讀，枵腹難爲情。讀書如不讀，爲學方有成。譬如善彈琴，絃外發新聲。彈琴與讀書，貴熟而後生。

又 吾愛杜少陵，一語最沈著。古人當自愛，今人不可薄。《離騷》、《三百篇》，孅人爲寄託。何其義山詩，任意訾文弱。

王柏心《百柱堂全集》卷三三《方友石鴻濛室詩文序》 有學士也者，有才士也者，有俊傑之士也者。三者趨不同，其立言亦迥異。治章句，守師說，考名物象數之疑似，析聲音訓詁之微茫，則學士而已矣。繁辭縟藻，靡音曼節，以博贍閎麗，矜古今而炫當世，則才士而已矣。若夫攬王霸治忽之要，苞奇正攻守之術，慨然以康屯濟否爲志，欲夷一世之以桀暴亂而返之正，其形諸言辭者，敷陳剴切，指畫明悉，動關天下大計，忠亮忼爽之氣，不可掩遏。往往達之足以摧金石，引之足以貫日星。是非俊傑之士不能。夫溺於學者拘，溺於才者僞。拘與僞不足適於用，將與之經綸世務，舍俊傑誰屬哉！然而天之生俊傑不數，俊傑之見用於時亦不數。且彼亦度其可行，則檻車牛口不爲辱；度其不可行，則萬鍾千駟不少動，進有賁育之勇，而退有隨光之介，此英豪節槩超於學士才士遠矣。即論言辭，亦絕非二家所能望。

陳璞《尺岡草堂遺集》卷一《宛湄書屋文鈔序》 爲文之所自，蓋君之文與

君之性情有相因者三焉：君邁往磊落，無委瑣握齪之態，與人交不設城府，故其文昌明洞達，澔澔汗汗如巨川之赴海焉，其相因者一也；君敦篤懇摯，急朋友之難，不避艱阻，在公懃於其職，無少曠，故其文切實深到，清剛雋上，若金石之不渝焉，其相因者二也；君處事精敏，洞燭機變，癥結隱伏，一照之無不得，故其文批郤導窾，析滯發矇，若冰雪之瑩澈焉，其相因者三也。抑君之文與君之性情又有相反者三焉：君曠達眞率，言語無飾，燕處野游，不衫不履，而其文則研鍊精整，藻麗富贍，此一反也；君直諒坦白，遇不合者，不爲詭隨，時復面折人過，而其文則雍容不迫，紆徐往復，令人意消，此二反也；君慷慨颯爽，疎節闊目，不屑細務，而其文則考訂精審，纖悉不遺，此三反也。夫相因者，天之事，性情所流露也；相反者，學之功，性情所陶冶也。天之事順而達之，學之功曲而致之。順而達之，擴充之義；曲而致之，克己之力也。知此則知君之文天分學力之備矣。

陳錦《勤餘文牘自序》 道性情一語爲千古言詩之則，亦千古言文之則。厥後曰體裁曰宗派曰氣息，言文者愈精且嚴，而爲文者亦愈拘且失，甚至塡砌詞藻以自掩其眞，而性情愈不可見矣。

郭柏蔭《退補齋文存序》 竊思文以足言，言以足志。有其志，卽有其文，本無須於間架，其文中之有曲折波瀾，是卽言中之所爲俯仰屈伸以自達其志者也。

施補華《澤雅堂文集》卷三《兪兪齋詩集序》 能詩猶能兵也。天下一切之事，可以人力致之。至於用兵，必其天之所自，有可學而不可學。詩之爲道亦然。有詩之天而人繼焉，卓然爲一家之言，有詩之天而人或繼焉或否焉，則詩純雜相半。無詩之天，强以人力求之，極其學問才氣，有韻之文而已，於詩之妙無當也。且夫奇才猛將，提挈三軍之衆，出入兩陣之間，攻瑕蹈隙，疾若風雨，機動而心應，莫能言其故。儒者誦孫吳韜略之說，眞若可信，臨陣顚倒眩惑，無所措其頭足，何則？苟其天之所有，出於心而合於古。苟非天之所有，孫吳韜略之精，無從而襲之也。夫詩亦若是而已矣。雖然，步伐進退，詩之律也；刀矛劍槊，詩之材也；金鼓鐃鐲，詩之聲也；羽毛旂旐，詩之采也。一不備不可以行兵，不可以爲詩。越女之論劍術曰：「妾非授於人也，而忽自有之天也。」記曰：蛾子時術之人也，使奇才猛將能讀孫吳韜略之書，講求而變通之，豈不出於儒生萬萬哉！夫詩亦若是而已。

梁啓超《小說叢話》 斯賓塞嘗言：「宇宙萬事，皆循進化之理，惟文學獨不然，有時若與進化爲反比例」云云（彼推原其故，謂文學必帶一種野蠻之迷信，乃能寫出天然之妙，文明愈開，則此種文學愈絶，故文學與科學之消息，適成反比例云云。其言頗含至理）。此論在中國，尤爲文家所同認而無異議者矣。故昌黎言：「非三代、兩漢之書不敢觀。」三代文學優於兩漢，兩漢文學優於三唐，三唐文學優於近世，此幾如鐵案，不能移動矣。顧吾以爲以風格論，誠當爾爾；以體裁論，則固有未盡然者。凡一切事物，其程度愈低級者則愈簡單，愈高等者則愈復雜，此公例也。故我之詩界，濫觴於《三百篇》，限以四言，其體裁爲最簡單。漸進爲五言，漸進爲七言，稍復雜矣。漸進爲長短句，愈復雜矣。長短句而有一定之腔、一定之譜，若宋人之詞者，則愈復雜矣。由宋詞而更進爲元曲，其復雜乃達於極點。曲本之詩（以廣義之名名之），所以優於他體之詩者，凡有四端：唱歌與科白相間，甲所不能盡者以乙補之，乙所不能傳者以甲描之，可以淋漓盡致，其長一也。尋常之詩，只能寫一人之意境（若《孔雀東南飛》等篇，錯落描畫數人者，不能多覯，且非後人所能學步，强學之必成芻狗），曲本內容主伴可多至十數人或數十人，各盡其情，其長二也。每劇自數折乃至數十折，每折自數調乃至數十調，一惟作者所欲，極自由之樂，其長三也。詩限以五、七言，其塗隘矣；詞代以長短句，稍進，然爲調所困，仍不能增減一字也；曲本則稍解音律者可任意綴合諸調，别爲新調（詞亦可爾爾，然究不如曲之自由）。卽舊調之中，亦可以添加所謂花指者，往往視原調一句增加至七、八字乃至十數字而不爲病，其長四也。故吾嘗以爲中國韵文，其後乎今日者，進化之運，未知何如；其前乎今日者，則吾必以曲本爲巨擘矣。嘻！附庸蔚爲大國，雖使屈、宋、蘇、李生今日，亦應有前賢畏後生之感，吾又安能薄今人愛古人哉！

文德

《論語·爲政》 子曰：「《詩》三百，一言以蔽之，曰思無邪。」

又《雍也》 子曰：「質勝文則野，文勝質則史。文質彬彬，然後君子。」

又《子罕》 子曰：「吾自衛反魯，然後樂正，雅頌各得其所。」

又《憲問》子曰：「有德者必有言，有言者不必有德。」

《禮記·樂記·樂施》昔者舜作五弦之琴，以歌《南風》。夔始制樂，以賞諸侯。故天子之爲樂也，以賞諸侯之有德者也。德盛而教尊，五穀時熟，然後賞之以樂。故其治民勞者，其舞行綴遠；其治民逸者，其舞行綴短。故觀其舞，知其德；聞其謚，知其行也。《大章》，章之也；《咸池》，備矣；《韶》，繼也；《夏》，大也；殷周之樂，盡矣。

又《樂象》凡姦聲感人而逆氣應之，逆氣成象而淫樂興焉。正聲感人而順氣應之，順氣成象而和樂興焉。倡和有應，回邪曲直各歸其分，而萬物之理各以類相動也。是故君子反情以和其志，比類以成其行。姦聲亂色不留聰明，淫樂慝禮不接心術，惰慢邪辟之氣不設於身體。使耳目鼻口心知百體皆由順正，以行其義。然後發以聲音，而文以琴瑟，動以干戚，飾以羽旄，從以簫管，奮至德之光，動四氣之和，以著萬物之理。是故清明象天，廣大象地，終始象四時，周還象風雨。五色成文而不亂，八風從律而不姦，百度得數而有常，小大相成，終始相生，倡和清濁，迭相爲經。故樂行而倫清，耳目聰明，血氣和平，移風易俗，天下皆寧。故曰：「樂者，樂也。」君子樂得其道，小人樂得其欲。以道制欲，則樂而不亂；以欲忘道，則惑而不樂。是故君子反情以和其志，廣樂以成其教。樂行而民鄉方，可以觀德矣。德者，性之端也；樂者，德之華也。金石絲竹，樂之器也。詩，言其志也；歌，詠其聲也；舞，動其容也。三者本於心，然後樂氣從之。是故情深而文明，氣盛而化神，和順積中，而英華發外：唯樂不可以爲僞。樂者，心之動也。聲者，樂之象也。文采節奏，聲之飾也。君子動其本，樂其象，然後治其飾。是故先鼓以警戒，三步以見方，再始以著往，復亂以飭歸，奮疾而不拔，極幽而不隱。獨樂其志，不厭其道；備擧其道，不私其欲。是故情見而義立，樂終而德尊；君子以好善，小人以聽過。故曰：「生民之道，樂爲大焉！」樂也者，施也；禮也者，報也。樂，樂其所自生；而禮，反其所自始。樂章德，禮報情，反始也。

又《魏文侯》夫古者天地順而四時當，民有德而五穀昌，疾疢不作而無妖祥，此之謂大當。然後聖人作爲父子君臣，以爲紀綱。紀綱既正，天下大定；天下大定，然後正六律，和五聲，弦歌詩頌，此之謂德音，德音之謂樂。《詩》云：「莫其德音，其德克明。克明克類，克長克君。王此大邦，克順克俾。俾於文王，其德靡悔。既受帝祉，施於孫子。」此之謂也。【略】鄭音好濫淫志，宋音燕女溺志，衛音趨數煩志，齊音敖辟驕志。此四者皆淫於色而害於德，是以祭祀弗用也。《詩》云：「肅雍和鳴，先祖是聽。」夫肅肅，敬也；雍雍，和也。夫敬以和，何事不行？爲人君者，謹其所好惡而已矣。君好之，則臣爲之；上行之，則民從之。《詩》云：「誘民孔易」，此之謂也。

《呂氏春秋·侈樂》人莫不以其生生，而不知其所以生。人莫不以其知知，而不知其所以知。知其所以知之謂知道，不知其所以知之謂棄寶。棄寶者必離其咎。世之人主，多以珠玉戈劍爲寶，愈多而民愈怨，國人愈危，身愈危累，則失寶之情矣。亂世之樂與此同。爲木革之聲則若雷，爲金石之聲則若霆，爲絲竹歌舞之聲則若譟。以此駭心氣、動耳目、搖蕩生則可矣，以此爲樂則不樂。故樂愈侈，而民愈鬱，國愈亂，主愈卑，則亦失樂之情矣。凡古聖王之所爲貴樂者，爲其樂也。夏桀、殷紂作爲侈樂，大鼓鐘磬管簫之音，以鉅爲美，以衆爲觀，俶詭殊瑰，耳所未嘗聞，目所未嘗見，務以相過，不用度量。宋之衰也，作爲《千鍾》。齊之衰也，作爲《大呂》。楚之衰也，作爲《巫音》。侈則侈矣，自有道者觀之，則失樂之情。失樂之情，其樂不樂。樂不樂者，其民必怨，其生必傷。其生之與樂也，若冰之於炎日，反以自兵。此生乎不知樂之情，而以侈爲務故也。樂之有情，譬之若肌膚形體之有情性也，有情性則必有性養矣。寒溫勞逸饑飽，此六者非適也。凡養也者，瞻非適而以之適者也。能以久處其適，則生長矣。生也者，其身固靜，或而後知，或使之也。遂而不返，制乎嗜欲，制乎嗜欲無窮，則必失其天矣。且夫嗜欲無窮，則必有貪鄙浮亂之心，淫佚姦許之事矣。故彊者劫弱，衆者暴寡，勇者凌怯，壯者傲幼，從此生矣。

陸賈《新語·愼微》是以君子居亂世，則合道德，采微善，絕纖惡，脩父子之禮，以及君臣之序，乃天地之通道，聖人之所不失也。故隱之則爲道，布之則爲文，詩在心爲志，出口爲辭，矯以雅僻，砥礪鈍才，雕琢文彩，抑定狐疑，通塞理順，分別然否，而情得以利，而性得以治，緜緜漠漠，以道制之，察之無兆，遁之恢恢，不見其行；不覩其仁，湛然未悟，久之乃殊。論思天地，動應樞機，俯仰進退，與道爲依，藏之於身，優遊待時。故道無廢而不興，器無毁而不治。孔子曰：「有至德要道以順天下。」言德行而其下順之矣。

《史記·屈原賈生列傳》屈平疾王聽之不聰也，讒諂之蔽明也，邪曲之害公也，方正之不容也，故憂愁幽思而作《離騷》。離騷者，猶離憂也。夫天者，人之始也；父母者，人之本也。人窮則反本，故勞苦倦極，未嘗不呼天也；疾痛慘怛，未嘗不呼父母也。屈平正道直行，竭忠盡智以事其君，讒人閒之，可謂窮矣。信而見疑，忠而被謗，能無怨乎？屈平之作《離騷》，蓋自怨生也。《國風》好色而不淫，《小雅》怨誹而不亂。若《離騷》者，可謂兼之矣。上稱帝嚳，下道齊桓，中述湯武，以刺世事。明道德之廣崇，治亂之條貫，靡不畢見。其文約，其辭微，其志絜，其行廉，其稱文小而其指極大，舉類邇而見義遠。其志絜，故其稱物芳。其行廉，故死而不容。自疏濯淖汙泥之中，蟬蛻於濁穢，以浮游塵埃之外，不獲世之滋垢，皭然泥而不滓者也。推此志也，雖與日月爭光可也。

王充《論衡·書解》或曰：「士之論高，何必以文？」答曰，夫人有文質乃成，物有華而不實，有實而不華者。《易》曰：「聖人之情見乎辭。」出口爲言，集札爲文，文辭施設，實情敷烈。夫文德世服也，空書爲文，實行爲德，著之於衣爲服，故曰德彌盛者文彌縟，德彌彰者人彌明。大人德擴其文炳，小人德熾其文斑，官尊而文繁，德高而文積。華而睆者，大夫之簣。曾子寢疾，命元起易。由此言之，衣服以品賢，賢以文爲差。愚傑不別，須文以立折。非唯於人，物亦咸然。龍鱗有文，於蛇爲神，鳳羽五色，於鳥爲君。虎猛，毛蚡蜦；龜知，背負文。四者體不質，於物爲聖賢。且夫山無林則爲土山，地無毛則爲瀉土，人無文則爲樸人。土山無麋鹿，瀉土無五穀。人無文德，不爲聖賢。上天多文，而后土多理。二氣協和，聖賢稟受，法象本類，故多文彩。瑞應符命，莫非文者。

徐幹《中論·藝紀》藝之興也，其由民心之有智乎？造藝者將以有理乎？民生而心知物，知物而欲作，欲作而事繁，事繁而莫之能理也。故聖人因智以造藝，因藝以立事，二者近在乎身，而遠在乎物。藝者所以旌智、飾能、統事、御羣也。聖人之所不能已也。藝者所以事成德者也；德者以道率身者也。藝者德之枝葉也，德者人之根幹也。斯二物者不偏行，不獨立。木無枝葉則不能豐，其根榦，故謂之瘣。人無藝則不能成其德，故謂之野。若欲爲夫君子，必兼之乎。【略】故君子非仁不立，非義不行，非藝不治，非容不莊。四者無愆而聖賢之器就矣。《易》曰：「富有之謂大業。」其斯之謂歟？君子者表裏稱而本末度者也。故言貌稱乎心志，藝能度乎德行。美在其中而暢於四支，純粹內實光輝外著。孔子曰：「君子恥有其服而無其容，恥有其容而無其辭，恥有其辭而無其行，故賓玉之山，土木必潤，盛德之士，文藝必衆。」昔在周公嘗猶豫於斯矣！孔子稱安上治民莫善於禮，移風易俗莫善於樂。存乎六藝者，著其末節也。謂夫陳籩豆，置尊俎，執羽籥，擊鐘磬，升降趨翔屈伸俯仰之數也，非禮樂之本也。禮樂之本也者其德音乎！《詩》云：「我有嘉賓，德音孔昭。視民不恌，君子是則是效。我有旨酒，嘉賓式宴以敖。」此禮樂之所貴也。故恭恪廉讓藝之情也，中和平直藝之實也，齊敏不匱藝之華也，威儀孔時藝之飾也。通乎羣藝之情實者，可與論道。識乎羣藝之華飾者，可與講事。事者有司之職也，道者君子之業也。先王之賤藝者蓋賤有司也。君子兼之則貴也。故孔子曰：「志於道，據於德，依於仁，游於藝。」藝者心之使也，仁之聲也，義之象也。故禮以考敬，樂以敦愛，射以平志，御以和心，書以綴事，數以理煩。敬考則民不慢，愛敦則羣生悅，志平則怨尤亡，心和則離德睦，事綴則法戒明，煩理則物不悖，六者雖殊，其致一也。其道則君子專之，其事則有司共之，此藝之大體也。

又《覈辯》俗士之所謂辯者，非辯也。非辯而謂之辯者，蓋聞辯之名而不知辯之實，故目之妄也。俗之所謂辯者，利口者也。彼利口者苟美其聲氣，繁其辭令。如激風之至，如暴雨之集，不論是非之性，不識曲直之理，期於不窮，務於必勝，以故淺識而好奇者見其如此也，固以爲辯。不知木訥而達道者，雖口屈而心不服也。夫辯者，求服人心也，非屈人口也。故辯之爲言別也。爲其善分別事類而明處之也；非謂言辭切給而以陵蓋人也。故《傳》稱《春秋》微而顯，婉而辯者，然則辯之言必約以至，不煩而諭，疾徐應節不犯禮教，足以相稱，樂盡人之辭，善致人之志，使論者各盡得其願而與之得解，其稱也無其名，其理也不獨顯，若此則可謂辯。故言有拙而辯者焉，有巧而不辯者焉。君子之辯也，欲以明大道之中也，是豈取一坐之勝哉？人心之於是非也，如口於味也，口者非以己之調膳則獨美，而與人調之則不美也。故君子之於道也，在彼猶在己也。苟得其中則我心悅焉，何擇於彼？苟失其中則我心不悅焉，何取於此？故其論也，遇人之是則止矣。遇人之是而猶不止，苟言苟辯則小人也。雖美說何異乎鵙之好鳴，鐸之喧譁哉？

曹丕《與吳質書》觀古今文人，類不護細行，鮮能以名節自立。而偉長

獨懷文抱質，恬淡寡欲，有箕山之志，可謂彬彬君子者矣。

又《典論·論文》 文人相輕，自古而然。傅毅之於班固，伯仲之間耳，而固小之。與弟超書曰：「武仲以能屬文爲蘭臺令史，下筆不能自休。」夫人善於自見，而文非一體，鮮能備善。是以各以所長，相輕所短。里語曰：「家有弊帚，享之千金。」斯不自見之患也。【略】常人貴遠賤近，向聲背實，又患闇於自見，謂己爲賢。

葛洪《抱朴子外篇》卷三二《尚博》 或曰：「著述雖繁，適可以騁辭耀藻，無補救於得失；未若德行不言之訓。故顔閔爲上，而游夏乃次。四科之格，學本而行末。然則綴文固爲餘事，而吾子不褒崇其源，而獨貴其流可乎？」抱朴子答曰：「德行爲有事，優劣易見；文章微妙，其體難識。夫易見者，粗也；難識者，精也。夫唯粗也，故銓衡有定焉；夫唯精也，故品藻難一焉。吾故捨易見之粗，而論難識之精，不亦可乎？」或曰：「德行者本也，文章者末也。故四科之序文不居上。然則著紙者糟粕之餘事，可傳者祭畢之芻狗，卑高之格，是可識矣！文之體略，可得聞乎？」抱朴子答曰：「荃可以棄而魚未獲則不得無荃；文可以廢，而道未行則不得無文。若夫翰迹韻略之宏促，屬辭比事之疏密，源流至到之修短，蘊藉汲引之深淺，其懸絶也，雖天外毫内不足以喻其遼邈；其相傾也，雖三光熠耀不足以方其巨細，龍淵鉛鋌未足譬其鋭鈍，鴻羽積金未足比其輕重。清濁參差，所稟有主。朗昧不同科，强弱各殊氣。而俗士唯見能染毫畫紙者，便槩之一例。斯伯牙所以永思鍾子，郢人所以格斤不運也。蓋刻削者比肩，而班狄擅絶手之稱；援琴者至眾，而夔襄專知音之難。廄馬千駟，而騏驥有邈羣之價；美人萬計，而威施有超世之容。蓋有遠過眾者也。且文章之與德行，猶十尺之與一丈，謂之餘事，未之前聞。夫上天之所以垂象，唐虞之所以爲稱，大人虎炳，君子豹蔚，昌旦定聖諡於一字，仲尼從周之郁，莫非文也。八卦生鷹隼之所被，六甲出靈龜之所負，文之所在，雖賤猶貴；犬羊之鞹未得比焉。且夫本不必皆珍，末不必悉薄。譬若錦繡之因素地，珠玉之居蚌石，雲雨生於膚寸，江河始於咫尺爾。則文章雖爲德行之弟，未可呼爲餘事也。」

又卷四五《文行》 或曰：「德行者，本也。文章者，末也。故四科之序，文不居上。然則著紙者，糟粕之餘事。可傳者，祭畢之芻狗。卑高之格，是可識矣。」抱朴子答曰：「荃可棄，而魚未獲則不得無荃。文可廢，而道未行則不得無文。若夫翰迹韻略之廣逼，屬辭比義之妍媸，源流至到之修短，韞籍汲引之深淺，其懸絶也，雖天外毫内不足以喻其遼邈。其相傾也，雖三光熠耀不足以方其巨細。龍淵鉛鋌，未足以譬其鋭鈍，鴻羽積金，未足以方其輕重。而俗士唯見能染毫畫紙，便槩以一例。斯伯氏所以永思鍾子，郢人所以格斤不運也。夫斲削者比肩，而班狄擅絶手之名。援琴者至多，而夔襄專清聲之稱。廄馬千駟，而騏騮有邈羣之價。美人萬計，而威施有超世之色者，蓋遠過衆也。且文章之與德行，猶十尺之與一丈，謂之餘事，未之前聞也。八卦生乎鷹隼之飛，六甲出於靈龜之負，文之所在雖且貴，本不必便疏，末不必皆薄，譬錦繡之因素地，珠玉之託蚌石，雲雨生於膚寸，江河始於咫尺。理誠若兹，則雅論病矣。」又曰：「應龍徐舉，顧眄而凌雲。汗血緩步，呼吸而千里。故蠖螳怪其無階而高，致駑蹇驚過己之不漸也。若夫馳驟詩論之中，周旋一經之内，以常情覽巨異，以褊量測無涯，始自髫亂，詣于振素，不能得也。又世俗率貴古昔而賤當今，敬所聞而黷所見。同時雖有追風絶景之駿，猶謂不及伯樂之所御也。雖有霄朗兼城之璞，猶謂不及楚和之泣也。雖有斷馬指雕之劍，猶謂不及歐冶之所鑄也。雖有生枯起朽之藥，猶謂不及和鵲之所合也。雖有冠羣獨行之士，猶謂不及於古人也。」

《藝文類聚》卷二五引蕭綱《誡當陽公大心書》 立身之道，與文章異。立身先須謹重，文章且須放蕩。

蕭統《陶淵明集序》 夫自衒自媒者，士女之醜行；不忮不求者，明達之用心。是以聖人韜光，賢人遁世。其何故也？含德之至，莫踰於道；親己之切，無重於身。故道存而身安，道亡而身害。處百齡之内，居一世之中，倏忽比之白駒，寄寓謂之逆旅。宜乎與大塊而盈虚，隨中和而任放，豈能戚戚勞於憂畏，汲汲役於人間。齊謳趙女之娱，八珍九鼎之食，結駟連騎之榮，侈袂執圭之貴，樂既樂矣，憂亦隨之。何倚伏之難量，亦慶弔之相及。智者賢人居之，甚履薄冰；愚夫貪士競之，若洩尾閭。玉之在山，以見珍而終破；蘭之生谷，雖無人而自芳。故莊周垂釣於濠，伯成躬耕於野，或貨海東之藥草，或紡江南之落毛。譬彼鴛雛，豈競鳶鴟之肉？猶斯雜縣，寧勞文仲之牲？至于子常、寧喜之倫，蘇秦、衛鞅之匹，死之而不疑，甘之而不悔。主父偃言生不五鼎食，死則五鼎烹，卒如其言，豈不痛哉？又楚子觀周，受折於孫滿；霍侯驂乘，禍起於負芒。饕餮之徒，其流甚眾。唐堯四海

之主，而有汾陽之心；子晋天下之儲，而有洛濱之志。輕之若脫屣，視之若鴻毛；而況於他人乎？是以至人達士，因以晦迹：或懷釐而謁帝，或被褐而負薪，鼓枻清潭，棄機漢曲；情不在於衆事，寄衆事以忘情者也。有疑陶淵明詩，篇篇有酒，吾觀其意不在酒，亦寄酒爲迹者也。其文章不羣，辭彩精拔，跌宕昭彰，獨超衆類，抑揚爽朗，莫之與京。横素波而傍流，干青雲而直上。語時事則指而可想，論懷抱則曠而且眞。加以貞志不休，安道苦節；不以躬耕爲恥，不以無財爲病。自非大賢篤志，與道汙隆，孰能如此乎？余素愛其文，不能釋手，尚想其德，恨不同時。故加搜校，粗爲區目。白璧微瑕，惟在《閒情》一賦。揚雄所謂勸百而諷一者，卒無諷諫，何足搖其筆端。惜哉！亡是可也。

《魏書・溫子昇傳》引楊愔《文德論》 古今辭人，皆負才遺行，澆薄險忌，唯邢子才、王元景、溫子昇彬彬有德素。

顏之推《顏氏家訓・文章》 夫文章者，原出《五經》：詔命策檄，生於《書》者也；序述論議，生於《易》者也；歌詠賦頌，生於《詩》者也；祭祀哀誄，生於《禮》者也；書奏箴銘，生於《春秋》者也。朝廷憲章，軍旅誓誥，敷顯仁義，發明功德，牧民建國，施用多途。至於陶冶性靈，從容諷諫，入其滋味，亦樂事也，行有餘力，則可習之。然而自古文人，多陷輕薄：屈原露才揚己，顯暴君過；宋玉體貌容冶，見遇俳優；東方曼倩滑稽不雅；司馬長卿竊貲無操；王褒過章《僮約》；揚雄德敗《美新》；李陵降辱夷虜；劉歆反覆莽世；傅毅黨附權門；班固盜竊父史；趙元叔抗竦過度；馮敬通浮華擯壓；馬季長佞媚獲誚；蔡伯喈同惡受誅；吳質詆訶鄉里；曹植悖慢犯法；杜篤乞假無厭；路粹隘狹已甚；陳琳實號麤疎；繁欽性無檢格；劉楨屈強輸作；王粲率躁見嫌；孔融、禰衡誕傲致殞；楊修、丁廙扇動取斃；阮籍無禮敗俗；嵇康凌物凶終；傅玄忿鬥免官；孫楚矜誇凌上；陸機犯順履險；潘岳乾沒取危；顏延年負氣摧黜；謝靈運空疎亂紀；王元長兇賊自貽；謝玄暉侮慢見及。凡此諸人，皆其翹秀者，不能悉紀，大較如此。至於帝王，亦或未免。自昔天子而有才華者，唯漢武、魏太祖、文帝、明帝、宋孝武帝，皆負世議，非懿德之君也。自子游、子夏、荀況、孟軻、枚乘、賈誼、蘇武、張衡、左思之儔，有盛名而免過患者，時復聞之，但其損敗居多耳。每嘗思之，原其所積文章之體，標舉興會，發引性靈，使人矜伐，故忽於持操，果於進取。今世文士，此患彌切。一事愜當，一句清巧，神厲九霄，志凌千載，自吟自賞，不覺更有傍人。加以砂礫所傷，慘於矛戟；諷刺之禍，速乎風塵。深宜防慮，以保元吉。

王通《文中子中說・事君》 子曰：「美哉乎藝也，古君子志於道，據於德，依於仁，而後藝可游也。」弼不悅而退。子謂門人曰：「矜而愎，難乎免於今之世矣！」子謂荀悅「史乎，史乎？」謂陸機「文乎，文乎？」皆思過半矣！子謂：「文士之行可見：謝靈運小人哉，其文傲，君子則謹。沈休文小人哉，其文冶，君子則典。鮑照、江淹古之狷者也，其文急以怨。吳筠、孔珪古之狂者也，其文怪以怒。謝莊、王融古之纖人也，其文碎。徐陵、庾信古之夸人也，其文誕。」或問孝綽兄弟，子曰：「鄙人也，其文淫。」或問湘東王兄弟，子曰：「貪人也，其文繁。」「謝朓淺人也，其文捷。江總詭人也，其文虛。皆古之不利人也。」子謂：「顏延之、王儉、任昉有君子之心焉，其文約以則。」

楊綰《條奏貢舉疏》 國之選士，必藉賢良。蓋取孝友純備，言行敦實，居常育德，動不違仁；體忠信之資，履謙恭之操。藏器則未嘗自伐，虛心而所應必誠。夫如是，故能率己從政，化人鎮俗者也。自叔世澆詐，茲道寖微，爭尚文詞，互相矜衒。馬卿浮薄，竟不偶於任用；趙壹虛誕，終取擯於鄉閭。自時厥後，其道彌盛，不思實行，皆徇空名，敗俗傷教，備載前史。古人比文章於鄭衛，蓋有由也。近煬帝始置進士之科，當時猶試策而已；至高宗朝，劉思立爲考功員外郎，又奏進士加雜文，明經加帖經。從此積弊，寖而成俗。幼能就學，皆誦當代之詩；長而博文，不越諸家之集。遞相黨與，用致虛聲，六經則未嘗開卷，三史則皆同掛壁。況復徵以孔門之道，責其君子之儒者哉。祖習既深，奔競爲務，矜藝者曾無媿色，勇進者但欲凌人，以毁讟爲常談，以向背爲己任；投刺干謁，驅馳於要津；露才揚己，喧勝於當代，古之賢良方正，豈有如此者乎？朝之公卿，以此待士，家之長老，以此垂訓，欲其返淳樸、懷禮讓、守忠信、識廉隅，何可得也？

劉嶢《取士先德行而後才藝疏》 國家以禮部爲孝秀之門，考文章於甲乙，故天下響應，驅馳於才藝，不務於德行。夫德行者可以化人成俗，才藝者可以約法立名。致有朝登科甲而夕陷刑辟，制法守度使之然也。陛下焉得不改而張之。至如日誦萬言，何關理體；文成七步，未足化人。昔子張學干祿，

仲尼曰：「言寡尤，行寡悔，祿在其中矣。」又曰：「行有餘力則以學文。」今舍其本而循其末。況古之作文，必諧風雅；今之末學，不近典謨。勞心於草木之間，極筆於烟雲之際，以此成俗，斯大謬也。昔之採詩以觀風俗：詠《卷耳》，則忠臣喜；誦《蓼莪》，而孝子悲。溫良敦厚詩教也，豈主於淫文哉？夫人之愛名如水之就下。上有所好，下必甚焉。陛下若以德行爲先，才藝爲末，必敦德勵行以佇甲科。豐舒俊才，沒而不齒，陳實長者，拔而用之，則多士雷奔，四方風動。風動於下，聖理於上，豈有不變者歟？

柳冕《謝杜相公論房杜二相書》 且今之文章與古之文章立意異矣。何則？古之作者，因治亂而感哀樂，因哀樂而爲詠歌，因詠歌而成比興。故《大雅》作則王道盛矣，《小雅》作則王道缺矣，雅變風則王道衰矣，詩不作則王澤竭矣。至於屈、宋哀而以思，流而不反，皆亡國之音也。至於西漢揚、馬以降，置其盛明之代，而習亡國之音，所失豈不大哉。然而武帝聞《子虛》之賦，歎曰：「嗟乎！朕不得與此人同時。」故武帝好神仙，相如爲《大人賦》以諷，上讀之飄飄然，反有凌雲之志。子雲非之曰：「諷則諷矣，吾恐不免於勸也。」子雲知之，不能行之。於是風雅之文變爲形似，比興之體變爲飛動，禮義之情變爲物色，詩之六義盡矣。何則？屈、宋唱之，兩漢扇之，魏晉江左隨波而不反矣。故蕭、曹雖賢，不能變淫麗之體；二荀雖盛，不能變聲色之詞；房、杜雖明，不能變齊梁之弊，是則風俗好尚，繫在時王，不在人臣明矣。故文章之道，不根教化，別是一技耳。當時君子恥爲文人，語曰：德成而上，藝成而下。文章技藝之流也，故夫子末之，是以四楊、荀、陳以德行經術名震海內，門生受業皆一時英俊，而文章之士不得行束脩之禮。非夫兩漢近古，猶有三代之風乎。惜也繫士風而不本於王化。至若荀、孟、賈生明先王之道，盡天人之際，意不在文，而文自隨之，此眞君子之文也。然荀、孟之學困於儒墨；賈生之才，廢於絳灌。道可以濟天下而莫能行之，文可以變風雅而不能振之，是天下皆惑，不可以一人正之。今風俗移人久矣，文雅不振甚矣，苟以此罪之，卽蕭、曹輩皆罪人也，豈獨房、杜乎？相公如變其文，卽先變其俗。文章風俗，其弊一也，變之之術，在教其心，使人日用而不自知也。伏維尊經術，卑文士；經術尊則教化美，教化美則文章盛，文章盛則王道興，此二者在聖君行之而已。

權德輿《權載之文集》卷四〇《貞元二十一年禮部策問五道》 問：言，身之文也。又曰：灼於中，必文於外。司馬相如、揚雄籍甚漢庭，其文盛矣。或奏琴心而滌器，或贊符命以投閣，其於溺情敗節，又奚事於文章耶。至若孔融、禰衡，夸傲於代，禍不旋踵，何可勝言。兩漢亦有質朴敦厚之科，廉清孝順之舉，皆本於行而遺其文，復何如哉，爲辯其說。

孟郊《送任齊二秀才自洞庭遊宣城詩序》 文章者，賢人之心氣也。心氣樂則文章正，心氣非則文章不正。當正而不正者，心氣之僞也。賢與僞見於文章一直之詞。衰代多禍，賢無曲詞，文章之曲直，不由於心氣；心氣之悲樂，亦不由賢人，由於時故。今宣州多君子，閑暇而寬，文章之曲直，纖微悉而備舉。

柳宗元《河東先生集》卷三〇《與楊京兆憑書》 今之世言士者，先文章；文章，士之末也。然立言存乎其中，即末而操其本，可十七八，未易忽也。自古文士之多莫如今，今之後生爲文希屈馬者，可得數人；希王褒、劉向之徒者，又可得十人；至陸機、潘岳之比，累累相望。若皆爲之不已，則文章之大盛，古未有也，後代乃可知之。今之俗耳庸目無所取信，傑然特異者乃見此耳。【略】天下方理平，今之文士，咸能先理，理不一，斷於古書，老生直趣堯舜之道，孔氏之志，明而出之，又古之所難有也，然則文章未必爲士之末，獨采取何如爾。【略】然彼古人亦人耳，夫何遠哉。凡人可以言古，不可以言今。桓譚亦云：「親見揚子雲，容貌不能動人」，安肯傳其書？誠使博如莊周，哀如屈原，奧如孟軻，壯如李斯，峻如馬遷，富如相如，明如賈誼，專如揚雄，猶爲今之人，則世之高者至少矣。由此觀之，古之人未始不薄於當世而榮於後世也。

又卷三四《報袁君陳秀才避師名書》 大都文以行爲本，在先誠其中，其外者當先讀六經，次《論語》、孟軻書皆經言；《左氏》、《國語》、莊周、屈原之辭，稍采取之；穀梁子、太史公甚峻潔，可以出入。餘書俟文成異日討也。其歸在不出孔子，此其古人賢士所懍懍者。求孔子之道，不於異書。秀才志於道，愼勿怪，勿雜，勿務速顯。道苟成，則慤然爾，久則蔚然爾。源而流者歲旱不涸，蓄穀者不病凶年，蓄珠玉者不虞殍死矣。然則成而久者，其術可見。

吳處厚《青箱雜記》卷八 文章純古，不害其爲邪；文章豔麗，亦不害其爲正。然世或見人文章鋪陳仁義道德，便謂之正人君子；及花草月露，便謂之邪人。兹亦不盡也。皮日休曰：「余嘗慕宋璟之爲相，疑其鐵腸與石心，

不解吐婉媚辭。及睹其文，而有《梅花賦》，清便富豔，得南朝徐庾體。」然余觀近世所謂正人端士者，亦皆有豔麗之詞。如前世宋璟之比。

《東坡全集》卷三四《王定國詩集叙》 太史公論《詩》，以爲「《國風》好色而不淫，《小雅》怨誹而不亂」。以余觀之，是特識變風、變雅耳，烏覩《詩》之正乎？昔先王之澤衰，然後變風發乎情，雖衰而未竭，是以猶止於禮義，以爲賢於無所止者而已。若夫發於性止於忠孝者，其詩豈可同日而語哉！古今詩人衆矣，而杜子美爲首，豈非以其流落饑寒，終身不用，而一飯未嘗忘君也歟。

又《邵茂誠詩集叙》 貴、賤、壽、夭，天也。賢者必貴，仁者必壽，人之所欲也。人之所欲，適與天相值實難，譬如匠慶之山而得成鐻，豈可常也哉。因其適相値，而責之以常然，此人之所以多怨而不通也。至於文人，其窮也固宜。勞心以耗神，盛氣以忤物，未老而衰病，無惡而得罪，鮮不以文者。天人之相値既難，而人又自賊如此，雖欲不困，得乎？

韋驤《錢塘集》卷一二《上王内翰書》 道之難行也，唯德可以行之；道之難明也，唯文可以明之。以德而不以文，其傳也不足以遠；以文而不以德，又可傳乎哉？二者相須而成，以爲斯道之主者，必有命世者當之。

《二程遺書》卷一八 問：「作文害道否？」曰：「害也。凡爲文，不專意則不工，若專意，則志局於此，又安能與天地同其大也？《書》云：『玩物喪志』，爲文亦玩物也。呂與叔有詩云：『學如元凱方成癖，文似相如始類俳。獨立孔門無一事，只輸顔氏得心齋。』此詩甚好。古之學者，惟務養性情，其他則不學。今爲文者，專務章句悅人耳目，既務悅人，非俳優而何？」曰：「古者學爲文否？」曰：「人見《六經》，便以爲聖人亦作文，不知聖人亦攄發胸中所蘊，自成文耳，所謂『有德者必有言』也。」曰：「游、夏稱文學，何也？」曰：「游、夏亦何嘗秉筆學爲詞章也？且如『觀乎天文以察時變，觀乎人文以化成天下』，此豈詞章之文也？」

王柏《魯齋王文憲公文集》卷九《汪功父知非稿》 萬事無不由學而至，惟詩未必盡由於學。其工可學也，其氣骨實關於人品。朱文公獨愛韋蘇州詩，以其無聲色臭味爲近道，此言不特精於論詩，尤學道者之要語也。自《三百篇》以來，獨平澹閑雅者爲難得。夫平澹閑雅者，豈學之所能至哉？惟無欲者能之。非無欲之詩難得也，正以無欲之人難得耳。

趙孟堅《彝齋文編》卷三《趙竹潭詩集序》 詩非一藝也，德之章，心之聲也。其寓之篇什，隨體賦格，亦猶水之隨地賦形。然其有淺有深，有小有大，概雖不同，要之同主忠厚，而同歸於正。自《賡歌》、《國風》、《雅》、《頌》而《離騷》，皆歸於正之詩也。杜工部詩言愛君憂國，不失此正，所以獨步於詩家者流也。由漢蘇李五言、建安七子、晉宋之清虚、齊梁之靡麗，至唐而歌行、吟謡、怨歎、詞曲，等此而律生焉，詩之體備，而詩亦變矣。然忠厚而歸於正者，未嘗絶響，東萊麗澤所次是已。今之律體是特一耳，非謂詩之能事止於是詩。

楊宏道《小亨集》卷六《題公孫長卿左氏韻語後》 《詩》三百五篇，其義庶矣。孔子以一言蔽之，曰「思無邪」，何必盡其風賦比興之理，遍數其禽獸草木之名哉！故立言者，貴乎簡而正也。

方回《瀛奎律髓》卷一九 胸中所見高，則下筆自高，此又在乎涵養，省悟之有得，不得專求之文字間也。

又卷二〇 夫詩莫貴於格高。不以格高爲貴，而專尙風韻，則必以熟爲貴。熟也者，非腐爛陳故之熟，取之左右逢其源是也。

又卷二一 詩先看格高，而意又到，語又工，爲上。意到，語工，而格不高，次之。無格，無意，又無語，下矣。

又卷三六 詩人世豈少哉？而傳於世者常少，由立志不高也，用心不苦也，讀書不多也，從師不眞也。喜爲師而終不傳，其傳不傳，蓋亦有幸不幸，而其必傳者，必出乎前所云之四事。

又卷三九 莊子曰：「令人之意也消。」有所不平焉而不能消，則褊狹矣。**【略】** 詩人多有所謂消愁遣興之作，必深達物理、世故、人情、天道者，乃能爲眞消遣之言，否則非由衷也。

熊禾《勿軒集》卷一《題童竹澗詩集序》 古之君子立身行世，節行爲上，辭藝次之。胸中有所蘊抱，非假是不能自達，故可以見情，不可以溺志，《詩》其一也。古《三百篇》，上自朝廷，下至委巷，情性之所發，禮義之所止，千載而下，誦其詩，知其人。靈均之騷，靖節、子美之詩，痛憤憂切，皆自肺肝流出，故可傳。不然，則雖嘔心冥思，極其雕鎪，泯泯何益？

袁桷《清容居士集》卷二三《贈宣城汪澤民登第歸里序》 今世論道理、詞章爲二塗。師道德之説者，毫分縷析，派其近似而刪黜之，其言博以約，據

會統宗，謂一足以總萬也。然懼其辭工而勝理，則必直致，近譬山林，頹放諺俗之語，皆於是乎取。甚者金石著述，剿其說而師倣之，莫得有議焉者矣。昔者夫子言行見記於門弟子，簡絜精粹，嘗並於《五經》。初非有意於辭也，謂不若是不足以有傳也。性與天道，不可得聞。私獨怪近世學者，參錯輩出，過子貢十百倍，將惟其所尙而然邪？抑群聖之道存於書，涵泳濡嚌，不期然而能者歟！

吳師道《禮部集》卷一一《答謝君植書》 夫古人之于文，率皆德盛而立言，中積而外形，愚何敢希望萬一。文固所好而不可名能爲文也，名能爲文且不可，而可謂之知道乎？雖然，名不能文可也，謂不知道則不可。人不知道，則無以充其形而號稱爲人，況于文乎？昔人謂文爲貫道之器，自今觀之，道能貫文，非文能貫道也。使其心果有得于道，所發必出于正，則不待求工于言語文字之間，是惟無作，作則必傳。僕雖不才，切有志于是，若其不合于世好，則已知之。蓋昔者上以文取人，士以文致顯耀，舉世翕然，而豪傑特起之士獨深愧之，曰：是科舉之文，而非古文之文也。于是立意追古，若韓退之、蘇明允之徒。然以逸羣之氣，蓋世之譽，公卿將相之知，或所至炊不及熟，或老死布衣，繼而作者亦有人焉，通顯又無幾，爲古文于用文之時，猶如此其不遇也，爲古文于不用文之世，直將何所望哉！君子之于衆人，固有分矣，所貴乎君子能篤于自信，不肯毀行爽操以隨俗而已。僕之愚，非徒欲古其文，而欲古其行。古其行者，志在古道耳。

又卷一四《張屏岩文集序》 士傳世不專以言，而言固德之符也。夫子曰：「有德者必有言。」夫德，修於身不見於言，有之矣；其見於言，則亦皆心術行事之所寄，如景之出於形耳。不然，聖人豈爲是確然深信之論哉！

陳旅《陳衆仲文集》卷六《靜方詩集序》 夫言者德之文，而詩又言之文者也。婦德、婦言，觀於其詩而知之矣。

趙琦美《趙氏鐵網珊瑚》卷四引陳謙《題文丞相詩帖》 語有之：嘻笑之怒，甚于裂眥；長歌之哀，過于慟哭。文信公之忠肝義膽，炳白當世，正不在柴市忼慨就死之日，實在夫弟妹輸寫無聊之時。其衷抱精誠，死別痛苦，固天壤之大不幸，而爲古今無敵之盛名，要不待後之人極口贊說。余嘗怪戰國之士，若侯嬴、田光輩，自負奇節，卒不過以一死爲人爲長技。噫！市井小夫感恩酬利之際，區區所謂泰山之重，鴻毛之輕，殆無足言者。以信公之慷慨於弟妹、子女，下至婢妾，從容慰藉於垂死之際，顧若辭禍而不可得者，然後眞能以義處死。蓋蹈義難，蹈白刃非難，人獨鮮能知耳。

謝肅《密菴稿·文稿》己卷《聽鶴軒記》 詩曰：「鶴鳴于九皋，聲聞于野。」茲非言夫誠之不可揜乎？《易》曰：「鳴鶴在陰，其子和之。」茲非言夫誠之感通乎？蓋誠之感通者，莫大于言行。故君子之於言行也，深加愼焉。誠之不可掩者，莫顯乎德也。故君子之德蘊於己而著見於天下焉。然德之所以能著見於天下，豈不由乎愼夫言行邪？愼言行而可以動天地，非誠有德者，其孰能與於此哉？使九皋氏求所以能與於此，則所聽之鶴，不在青田、華亭，而在乎《詩》與《易》也；而《易》、《詩》之鶴，不在聽之以耳，而在乎聽之以心也。心也者，德之宅也。言也者，心之聲也。行也者，心之迹也。九皋氏之聽夫鶴也，固將深味乎《詩》、《易》之旨，而必求有得於心者與？在自勖爾，在自勖爾。

胡廣《詩傳大全·綱領》 《大序》曰：「詩者，志之所之也，在心爲志，發言爲詩。」心之所之謂之志，而詩所以言志也。「情動於中而形於言，言之不足，故嗟嘆之，嗟嘆之不足，故永歌之，永歌之不足，不知手之舞之、足之蹈之也。」情者，性之感於物而動者也。喜、怒、憂、懼、愛、惡、欲謂之七情，形見永長也。「情發於聲，聲成文謂之音。治世之音安以樂，其政和；亂世之音怨以怒，其政乖；亡國之音哀以思，其民困。」聲不止於言，凡嗟嘆永歌皆是也。成文謂其清濁、高下、疾徐、疏數之節相應而和也。然情之所感不同，則音之所成亦異矣！「故正得失，動天地，感鬼神，莫近於詩。」事有得失，詩因其實而諷咏之，使人有所創艾興起。至其和平怨怒之極，又足以達於陰陽之氣，而致祥召災。蓋其出於自然，而不假人力。是以入人深而見功速，非他教之所及也。

楊榮《文敏集》卷一一《省愆集序》 君子之於詩，貴適性情之正而已。蓋人生穹壤間，喜愉憂鬱，安佚困窮，其事非一也。凡有感於其中，往往於詩焉發之。苟非出於性情之正，其得謂之善於詩者哉！

又《逸世遺音集序》 世之爲詩者，務爲新巧而風韻愈凡，務爲高古而氣格愈下，曾不若昔時閭巷小夫女子之爲。豈非天趣之眞與夫模擬掇拾以爲能者，固自有高下哉！

王直《抑庵文集》卷一六《蕭宗魯和三體詩序》 夫言者心之聲，而詩則聲

之成文者也。心所感有邪正，則言之發者有是非，非涵養之正，學問之充，才識之超卓，有未易能也。是以觀其言則可以知其人。

薛瑄《薛瑄全集·讀書録》卷五　詩人氣不暴戾而詞語和平，雖其一己有涵養之功，是亦先王德澤入人之深也。後世之詩有佻薄淺露者，雖其人無涵養之功，亦可以觀世變矣。

黄溥《詩學權輿》卷九　吟詠性情，如印印泥，止乎禮義，貴涵養也。思有窒礙，語有蹇澀，涵養未至也。當益以學。

葉盛《葉文莊公全集》卷五《致思堂詩序》　詩莫古於《三百篇》，其要不過乎「思無邪」之一言，蓋立身必本於立心，心思之正，可以參天地，可以齊聖賢，可以特立乎萬物之表，浩然而獨存其於顯親也大矣！

周琦《東溪日談·文詞談》　詩若只於風情月態，如白樂天、韋應物、韓愈、杜牧、蘇軾、秦少遊輩所作戲妓之吟，王安石、梅聖俞、陳後山、文與可輩所作嘲友嘲僧之吟，豈聖賢文字乎？

霍韜《霍文敏公全集》卷五下《恭題〈明良集〉後》　文之傳三：人品一也，學力二也，才格三也。以人品者，人爲世重者也；以學力者，學爲世師者也；以才格者，文由才奇者也。世之文由才傳者，吾見之矣。合才與學者，吾未之見也。合才與學蓋有之矣，合人品與才與學，我殆未之見也。故曰：文之傳也，人品也，學力也，才格也。三者具焉，上也；二具焉，次也；一焉，又次也。

又卷一〇下《家訓·蒙規三》　俗有作詩作對者，每十日以五日習之，餘五日歌詩。蓋歌詠所以啓發志意，流動精神，養其聲音，宣其湮鬱，蕩滌其忿戾之氣，培植其中和之德。習之熟，積之久，氣質潛消默化，有莫知其所然者。

邵經邦《藝苑玄機》　詩之識，蓋人精神與天地相通，隨所到而朕兆形焉。匪詩之靈，誠之著也。余弱冠時，夢中得句云：「雙鳳喝雲紅日近」，其對聯則覺而忘之矣。然其時方業舉子，未嘗有意於詩，而其理先見如此，人曰無識，吾豈信哉？

譚浚《説詩》卷上《德音》　德有盛衰，音有邪正。聲教由乎世，得失見乎詞。季札觀周樂工歌《二南》，則曰：「始基之矣，勤而不怨。」歌《衛》，則曰：「憂而不困。」歌《王》，則曰：「思而不懼。」歌《鄭》，則曰：「細甚弗堪。」歌《齊》，則曰：「泱泱乎大風也哉！」歌《豳》，則曰：「美哉！蕩乎樂而不淫。」歌《秦》，則曰：「能夏則大。」歌《魏》，則曰：「渢渢乎，大而婉，險而易。」歌《唐》，則曰：「思深而憂遠。」歌《陳》，則曰：「其能久乎？」歌《小雅》則曰：「思而不貳，怨而不言。」歌《大雅》，則曰：「廣哉，熙熙乎，曲而有直。」歌《頌》，則曰：「至矣哉！直而不倨，曲而不屈，邇而不偪，遠而不攜，遷而不淫，復而不厭，哀而不愁，樂而不荒，周而不匱，廣而不宣，施而不費，取而不貪，處而不底，行而不流。五聲和，八風平，節有度，守有序，盛德之所同也。」説《詩三百》者，孰逾此哉！德可見矣，音可知矣。

呂坤《呻吟語》卷六《詞章》　聖人不作無用文章。其論道則爲有德之言，其論事則爲有見之言，其叙述歌咏則爲有益世教之言。

屠隆《鴻苞節録》卷六《論詩文》　詩文之道，貴在品格。江都李孝若，德性溫美；子卿、屈平，節氣貞勁；淵明、貞白，蟬蛻榮祿；廣平、曲江，鳳鵠人倫；嗣宗、太白，逸韻天放；左司、右丞，清標霞散；叔夜、稚川，大有玄理；景純、子年，宿具道骨；各寫性情，不失本來，雲鳳遺音，林鶴振響，故足貴也。若伯喈、孟堅，濡迹奸雄；子雲、茂先，甘心篡逆；相如凌雲，桑中乎臨邛；延清明河，虎子于佞幸；何、鄧口譚清虛，嗜血勢利；謝、范筆掞星漢，病囈狂謀；譬之熠燿之光，生乎糞穢，蚯蚓之響發于泥塗，故品不可不重也。古高士至人，翛然清遠，弢光埋照，亭亭物表，即一字不傳，百代而不可勝欽挹矣。

伍袁萃《林居漫録多集》卷四　言以文而行，文以品而重。士君子之所不足者，非文也，品也。品之不端，焉用文之？韓柳并驅而畢竟韓珍于柳，李杜方軌而畢竟李遜于杜，故士君子欲以文章成名天下後世，則人品尚矣。

朱之瑜《舜水文集》卷一四《答安東守約雜問》　問：「作詩文？」答：「所貴乎儒者修身之謂也，身既修矣，必博學以實之；學既博矣，必作文以明之。不讀書則必不能作文，不能作文，雖學富五車，忠如比干，孝如伯奇、曾參，亦冥冥沒沒而已。故作文爲第二義。至於做詩，今詩不比古詩，無根之華藻，無益乎民風世教，而學者汲汲爲之，不過取名干譽而已。即此一念，已不可入於聖賢大學之道。故程子曰：『爲之大足喪志。』」

又卷一五《答加藤朋友問》　問：「詞章之習，害于道義乎否？」答：「即無害於道義，亦無益于身心。今之詩詞，與古人之詩遠矣。誠能如杜子美、

元次山，固自佳耳。」

馮復京《說詩補遺》卷二　夫博綜者，文章之戶牖。精鑿者，人物之權衡。故彌綸折衷，當窮千古之聞見，而不可矜一察之聞見也。當求此心之是非，而不可徇前人之是非也。予學詩既久，每見賞好各滯者，鮮克圓該。標榜己高者，不無點漏。

李邦華《李忠肅公集》卷八《郡伯吳石渠炳集序》　道學之內有詩文，而詩文之內無道學。有得於學，則日月星辰皆成文章，鳶飛魚躍何非詩料。浸假殫精於訓詁帖括，耗神於風雲月露，則作者不乏，其誰能與於道哉。

劉宗周《論語學案》卷一　子曰：「《詩》三百，一言以蔽之，曰：『思無邪。』」心之官則思，思曰睿，睿作聖。思本無邪，其卒流於邪者，弗思耳。以爲思欲無邪，非也。思無邪者，閑邪之學也。《詩》以理性情，人心之邪，只從性情流動處生來，若樂而不淫，哀而不傷，各得性情之正，何邪之有！如桑間、濮上失之淫，《小弁》、《正月》失之傷，全經臚列其間，正變之異同得失，莫不極人心之變，使讀之者即所觀感而興起，則閑邪之學，亦可躍然於言下矣，故一言足以蔽《三百》云。

王嗣奭《管天筆記》外編卷下《文學》　作詩文須先樹品，人品高而詩文能自成家，斷然傳矣。若其人無品，而欲取重于詩文，則古來名家車載斗量，我輩安所措趾耶。

孫愼行《玄晏齋文抄》卷一《詩雜論》　詩在品，品在人。李嶠作輓，稱武三思忠賢，詩又盛列之，何一時之誤，復成千載之誤。三思多詩，豈小材足稱耶？然猥瑣不足道，嶠亦復然，足知古今之具眼者少矣。許敬宗之徒想當時奸邪，煽和最所隆推，無怪猥瑣之高張也。易之昌宗，固無足異。

又　《記》曰：「詩之失愚。」要見得利巧之人易儇薄，儇薄者覩人，得失不關，遂亢焉翹過使不可當，而溫柔敦厚之意何來。宜愚不愚，其爲溫柔敦厚也。善有所以自將，而加于利巧倍矣。吾獨于子美見之。其言曰：「杜陵有布衣，老大意轉拙。」次則于昌黎見之，曰：「規模背時利，文字趣天巧。」又曰：「古心雖自鞭，世路終難拗。」宛轉熱腸，倍苦若世所傳觀流賞。飛英燁燁，寔則得失無關者，盡儇薄之徒也，即不愚何貴？

魏禮《魏季子文集》卷七《惜樹齋詩序》　或問于予曰：「詩何尚？」曰：「尚品格。」或曰：「何哉？豈其所謂宗一家之詩品爲派者乎？」曰：「雖然，蓋亦宗夫己之品也。夫種桃者，其不爲李、爲梅；種松柏者，其不爲樗柳，是固然已。然且不爲梗楠杞梓也。同爲美材，乃至爲同類，亦各見其品。蓋吾所謂品，非詩品之足以當也。徒求爲詩之品者，譬如綴李于桃，其所綴莫非李也，而萌芽之生，枝幹之未及，則居然桃矣，故必融治其性情之偏駁，立身行己，有以自成而不失，人品定，則詩品乃可得而見也。是故有淵明之品，然後有淵明之詩；有杜子美之性情，然後有忠君憂國之詩，不待假而出。」或曰：「小人冒爲君子之言，亂賊或著忠誠之論，又何居？」曰：「假言者，其辭浮，其行著，而明哲蚤見之，生百世後，能推百世以前奸僞之隱者，非然乎？」

黃宗羲《南雷文定前集》卷一《上徐果亭先生書》　今天下人才之衰，亦甚矣！而其弊在不知學術。夫古今來雖云三立，要無不本於立德者。立言不本於德，則爲剽竊之詞章；立功不本於德，則爲僥倖之事業；即如震川之文，所以稱爲有明第一者，亦因其得莊渠之學，而其文始至，寧可將三者截然分判乎？然非空談本心，便可爲學術也，必實實窮經通史，讀破萬卷，識見始高，胸襟始闊。故孔子教人必由博而歸約，蓋不博無所爲約也。今之學者，非不人人言學矣，大都空疎不學，剽取陳言。便欲詆毀前人，而越過之，此如趙括言兵，談何容易。然此風漸以成俗，是非得一二大人敦實學鵠聖賢以爲之倡，未易挽其茅靡波流也。

魏裔介《兼濟堂集》卷六《彭士報詩序》　余嘗謂欲求天下之士，必自觀其言始。其人清者則多爲澹泊之言；其人鄙者，則多爲齷齪之言；其人誕者，則多爲浮蔓不根之言；其人誠者，則多爲謹厚歷練之言，推而求之，十可八九得也。詩以言志，尤言之最顯者乎？然有學矣，而患無其才；有其才矣，又患無其性，此古今來作者雖多，而卓然自見爲千古準的者，不數人也。

朱鶴齡《愚菴小集》卷八《宗定九全集序》　嘗讀淵明詩云：「養眞衡茆下，庶以善自名。」而昭明之序其集亦曰：「語懷抱則曠而且眞。」蓋古人文章，無不以眞得傳者。有眞感傷而後有阮公、正字之詩，有眞節概而後有工部、吏部之詩，有眞豪宕而後有青蓮之詩，有眞閒適而後有左司、香山之詩，乃後之作者見諸公之成家在是也，遂相率而橅倣之，以爲名高，不情之歌哭，隨衆之祧禰，縱極嘈囋，無關性靈，何以感情激聽，叶鐘律而壯風雲也？子美云：「別裁僞體親風雅。」今之詩文，其爲僞體也多矣，能無待于別之裁之

也乎？

吳偉業《吳梅村全集》卷三《吳六益詩序》 余留京師三年，四方之士以詩文相質問者無慮以十數，其間得二人焉：於史則談孺木，於詩則吾家六益而已。孺木之於史也，考據異同，搜揚隱賾，年經月緯，條分而鉤貫之。五都之肆，斷編廢楮，腐爛蠹缺，不可復讀，孺木典衣易錢，欣然購之以去。嘗策蹇衞，襆被入西山，訪舊朝遺跡，草木蒙蔚，碑碣殘落，故老僅存之口，得一字則囊筆疾書，若恐失之。會天大雪，道阻糧盡，忍飢寒而歸，同舍生大笑之，弗顧。六益之於詩也，自漢、魏以下及三唐諸作，各窮其正變，約其指歸，取材宏博，選詞豐腴，沈鬱頓挫，鏗鍧鏜鞳，居然自成一家。或閉門蹋壁，拄頰苦吟；或伸紙搦管，刻燭立就。自居長安來，關河宮闕，郊原城市，人事之遷變，日月之消沈，無不發之於詩。此兩人者，天資樸厚，一切富貴利達，險巇憂患，皆不以入其胸中，故覃思竭精，能各造其力之所至，雖所好不同，其成就一也。

周亮工《賴古堂集》卷一四《朱靜一詩序》 世未有不退且密而能與於文章之事者。昔人謂露才而揚己，慷慨以任氣爲文章之累。似能文之士必不能退密。斯言也，吾嘗惑焉。夫文章者，載道之器，舟車之微，勝非其任，尚傾且覆。道何物，乃欲使淺薄之器有以載之，其傾覆先舟車矣。故吾常持退密之說以觀近人之詩若文，不必展帙，姸媸之辨可燭照數計也。近人之詩若文，非無可傳者，患其不聞道。不聞道則必不能退密，不能退密，其才必震動而不返，氣必飄舉而難下。驟觀之，非不洋洋焉，煜煜焉，周旋觀之，嚼蠟矣。古人之爲詩若文也，兢兢焉，藏之篋笥，待論定而議同，遲之又久，其子弟門人始爲鐫布焉。未嘗有自鐫其集者。自鐫其集自近人始。近人之爲此也，猶曰水火盜賊足虞，藉梨棗以永慧命。此其人吾不知其聞道與否。然其事足鄙其志，尚足悲也。乃有齒未凋而進方銳者，得數百章鐫布矣，數十章鐫布矣，甚有不必數百十，得三數章亦單揭以示人矣。朝成也，示不及暮。句成也，示不及篇。甚至玄晏之言多於三都之賦詅癡符，何由免誚當世哉。

李鄴嗣《杲堂文鈔》卷一《杜工部詩選序》 余撰杜工部詩，萬生允誠手錄爲四卷，請余序之。余曰：夫杜陵之詩，奚復序哉？然余謂杜公，古今善學問人也。《易》曰：「君子以虛受人。」夫子曰：「樂道人之善。」惟公有焉。蓋方公之時，海內詞人競起，山東李白與公竝驅而出者也；王中允維、襄陽孟浩然，與公分道而馳者也；高常侍適、岑嘉州參，亦與四家相顏行者也。他若常徵君之靈心，元道州之老氣，于諸公間自爲一家者也，而杜公俱極相推服，譽之亹亹若不容口，懷其人皇皇如不至，此其虛懷樂善，豈古今人所可及！是以唐人之文，盛于中葉，若柳宗元、孟郊、張籍、皇甫湜諸君，俱藉昌黎而起，而唐人之文，終推韓公爲第一。唐人之詩，盛于開天間，即如李白、王維、高、岑諸君，俱藉杜陵而起，而唐人有韻之文，終推杜公爲第一。近日竟陵鍾惺選唐詩，喜錄其不甚有名者，若王季友、孟雲卿詩最佳，不知兩君蚤經杜公品目，已著名字，然後知此老下筆有神，惟能得諸家之妙而集其成也。至後世名士則不然，觀其外驕內忌，詆訶一時文人俱齪齪不足道，若欲舉世束手而讓此一夫獨與于文章之事，使以杜公較之，其相去豈可丈尺哉！夫盛唐詩家，惟太白得與杜齊名。太白之詩，其逸才奔放，每有風流浮于句韻之間，此其獨絕；若爲律詩即疎矣。杜公于太白，傾慕尤甚，遂得其縱橫以爲長句，而太白未能降心，終于法不合。話觀兩家詩，杜公贈懷李白之作多至十餘，而供奉于杜甫纔一二見耳，此太白所以竟屈首此老之下也。然則文章家不能深服人，即太白尚有可議，況彼碌碌者哉！

葉燮《已畦文集》卷八《南遊集序》 詩文一道，在儒者爲末務。詩以適性情，文以辭達意，如是已矣。初未嘗爭工拙於尺寸銖兩間。故論者未可以詩文之工拙，而定其人之品；亦未可以其人之品，而定其詩文之工拙也。然余歷觀古今數千百年來所傳之詩與文，與其人未有不同出於一者，得其一，即可以知其二矣。即以詩論，觀李青蓮之詩，而其人之胷懷，曠達出塵之概，不爽如是也。觀杜少陵之詩，而其人之忠愛悲憫，一飯不忘，不爽如是也。其他鉅者，如韓退之、歐陽永叔、蘇子瞻諸人，無不文如其詩，詩如其文，詩與文如其人。蓋是其人，斯能爲其言；爲其言，斯能有其品。人品之差等不同，而詩文之差等，即在可握券取也。近代間有鉅子詩文與人判然爲二者，然亦僅見，非恆理耳。余嘗操此以求友，得其友，及觀其詩與文，無不合也。又嘗操此以稱詩與文，誦其詩與文，及驗其人其品，無不合也。信乎詩文一道，根乎性，而發爲言，本諸內者，表乎外，不可以矯飾，而工與拙亦因之見矣。

又《友人詩集序》 昔韓子之稱孟東野也，謂東野以其詩鳴，然則凡作詩者，皆可謂以詩鳴者也。今天下之以詩鳴者，無慮家李杜而戶曹劉，抑何鳴

詩者之多！以余觀之，其以詩鳴者同，而其所以鳴者不同也。世無人而不詩，無詩而不以鳴見，然其中有自鳴之詩，有鳴於人者之詩之異。鳴於人者，依世以爲趨，求人而喪我，其性情志慮之所出，以詩狥人，而以人援詩，於是六義之旨，皆爲浮響不根之言，或以投贈爲羔雁，或以翰墨邀貨財，即不盡是，而其亟亟於鳴者，無一非求諸人者之所爲，而天下羣然稱之曰：是人也，今之詩家也。是之謂鳴於人之詩。若以詩自鳴者則不然，環堵以爲宮，蔬食以爲飽，以詩書爲晤對，與昔賢爲交遊，興之所發，以爲詠歌，可不謂能鳴乎？然而當世之聞人，固無從知其爲詩人，即問之其人，亦不知誰爲當世之詩人也。故不求合乎天下之鳴，亦不顧天下之非我之鳴，其是非善否工拙，一聽之於心與古人而已。其鳴也，即古君子爲己之學也。是之謂自鳴之詩。嗟乎！今之鳴詩者，何鳴於人者之多，而自鳴者之少也！

袁枚《小倉山房文集》卷一八《答惠定宇書》 夫德行，本也；文章，末也。《六經》者，亦聖人之文章耳，其本不在是也，古之聖人，德在心，功業在世，顧肯爲文章以自表者耶。【略】古之文人，孰非根柢六經者，要在明其大義，而不以瑣屑爲功。【略】聞足下與吳門諸士厭宋儒空虛，故倡漢學以矯之，意良是也。第不知：宋學有弊，漢學更有弊，宋偏於形而上者，故心性之說近玄虛；漢偏于形而下者，故箋注之說多附會。

又《外集》卷二《紅豆村人詩序》 文章不妨放逸，人品故宜謹嚴。

紀昀《紀文達公遺集》卷九《詩教堂詩集序》 詩之名，始見虞書；詩言志之旨，亦即見虞書。孔子刪詩，傳諸子夏。子夏之小序，誠不免漢儒之附益；其大序一篇，出自聖門之授受，反覆申明，仍不出言志之意，則詩之本義可知矣。故後來沿作，千變萬化，而終以人品心術爲根柢；人品高則詩格高，心術正則詩體正。陶詩無琱琢之工，亦無巧麗之句，而論者謂如絳雲在霄，舒卷自如。李、杜齊名，後人不敢置優劣，而忠愛悱惻、溫柔敦厚，醉心於杜者究多，豈非人品心術之不同歟？【略】夫兩漢以後，百氏爭鳴，多不知詩之有教，亦多不知詩可立教，故晉、宋歧而玄談，歧而山水，此教外別傳者也；大抵與教無裨，亦無所損。齊梁以下，變而綺麗，遂多綺羅脂粉之篇，濫觴於《玉臺新詠》，而弊極於《香奩集》，風流相尚，詩教之決裂久矣。有宋諸儒，起而矯之，於是文章正宗作於前，濂洛風雅起於後，借詠歌以談道學，固不失無邪之宗旨；然不言人事，而言天性，與理固無所礙，而於興觀羣怨發乎情止乎禮義者，則又大相徑庭矣。王君之詩，不爲嶮巇陡絕之論，亦不爲奇怪惶惑之態，而和平溫厚，能不失聖人立教之遺意，其斯爲人品高則詩格高、心術正則詩體正歟！惜余未挹其風采，末由一論詩教也。

姚鼐《惜抱軒文集》卷四《荷塘詩集序》 古之善爲詩者，不自命爲詩人者也；其胸中所蓄，高矣，廣矣，遠矣，而偶發之於詩，則詩與之爲高廣且遠焉，故曰善爲詩也。曹子建、陶淵明、李太白、杜子美、韓退之、蘇子瞻、黃魯直之倫，忠義之氣，高亮之節，道德之養，經濟天下之才，捨而僅謂之一詩人耳，此數君子，豈所甘哉！志在於爲詩人而已，爲之雖工，其詩則卑且小矣，余執此以衡古人之詩之高下，亦以論今天下之爲詩者，使天下終無曹子建、陶淵明、李、杜、韓、蘇、黃之徒則已，苟有之，告以吾說，其必不吾非也。【略】夫詩之至善者，文與質備，道與藝合，心手之運，貫徹萬物，而盡得乎人心之所欲出，若是者，千載中數人而已。其餘不能無偏，或偏於文焉，或偏於質焉，就二者而擇之，愚誠短於識，以爲所尚者，蓋在此而不在彼，惟能知爲人之重於爲詩者，其詩重矣。

翁方綱《復初齋文集》卷四《延暉閣集序》 詩必研諸肌理，而文必求其實際，夫非僅爲空談格韻者言也，持此足以定人品學問矣。乃今於曹子儷笙詩文集發之，聖門善言德行，則文章即行事也。《樂記》聲音之道與政通，則文章即政事也。泥於言法者，或爲繩墨所窘；矜言才藻者，或外繩墨而馳，是皆不知文詞與事境，合而一之者也。

姚瑩《東溟外集》卷一《黃香石詩序》 嗟乎，自古豪傑之士成名于天下後世者，豈必其生平之所自命哉。夫人之一身，有子臣弟友之責，天地民物之事，至沒世後舉無一稱，而獨稱其文章，末矣。文章之大者，或發明道義，陳列事情，動關乎人心風俗之盛衰。乃又無一稱，而徒稱其詩，抑又末矣。然而李杜白陸竟以詩人震耀今古，稱名之偉，如日月江河者，何也？則不惟其詩，惟其人也。此三四公者，方謂天地閒所責於吾身甚衆且巨，將汲汲焉求以任之，不得已而以詩名，豈彼之所自命爲豪傑者乎。惟自命不在此，而卒迫之不得不出于此，然後以其胸中之所磅礴鬱積者一託于詩，以鳴其意。其蓄之也厚，故發之也無窮；其念之也深，故言之也愈切。誦之淵然，而聲出金石滿天地；即之奕然，而光燭千丈辟萬夫；思之愀然，聆之駭然，而泣鬼神動風雨。夫非其聲音文字之工也，是其忠義之氣、仁孝之懷、堅貞之

操、幽苦怨憤鬱結而不可申之志所存者然也。惟然，故觀其詩可得其人。其人雖亡，其名以立。今世之士徒取其聲音文字而揣摹之，輒鳴于人曰：「吾以詩名。」其與古人之自命，不亦遠哉。宋元以來，工詩者奚啻千百，而赫然見稱于世，無幾人也，亦可以思矣。本朝諸公，自阮亭標舉神韻，歸愚講求格律，後學奉之如規矩準繩，可謂盛矣。然皆以詩言詩。吾以爲學其詩不可不師其人，得其所以爲詩者，然後詩工而人以不廢。否則，詩雖工，猶糞壤也。無怪其徒具形聲而所自命者不存也。

鍾秀《觀我生齋詩話》卷一《品》 昔司空表聖有《二十四詩品》，袁簡齋謂其祇標妙境，未寫苦心，因又爲《三十二續品》，其於作詩之法，不可謂不詳且切矣，然於《三百篇》之無邪意旨無涉。蓋視詩爲喉舌間物，非性分中事，故人自人、詩自詩，而詩品與人品所爲愈趨而愈下也。孫起山論文曰：「文人可以好酒好色，而不可以好錢。蓋好酒者氣壯，必善縱横；好色者情柔，必善體貼。獨至好錢，則錙銖計較、反覆沈淪，雖有性靈，終被俗塵掩卻。故於文章爲無望。」論詩亦然。余嘗欲綜輯古今詩家，自漢、魏以及元明分爲三品：以奮發忠孝、出入風雅，足以感動人心者爲弟一品，以神味高遠、寄託遙深，尚不背風人之旨者爲弟二品，以詞色清麗、或才氣縱横，雖無望復古，亦堪動目者爲弟三品。又於三品外，其人雖無足取，而其詩已爲後世所傳誦，亦必細行小疵，尚非得罪君父、大乖名教者，姑節取以附焉。要之，以人品定高下，不以詩品爲軒輊。此外自漢魏六朝以及唐初，其叛臣逆黨能詩者正復不少，皆千古詩教中之罪人，非細行小疵可比，豈得以其能詩遂容叛逆之人爲百代詞壇之領袖哉。故於其詩，雖美不錄，並戒初學毋得入目，以端趨嚮，而立詩教之大綱。孟子曰：「詩亡，然後《春秋》作。」然則論詩之法，即《春秋》之法也。《春秋》法凡亂臣賊子，在所必誅，而尚欲誦其詩以悞天下後世，可乎？且古今以詩鳴者多矣，其風會之所趨、心力之所至，仰承俯注，靡不殊塗同軌。從未有人品不高而詩品能高者，其或自以爲高而人竟不能不以高目之，亦不過高於才，並非高於品也。況乎沿襲摹擬之作，其面目固他人之面目，其性情亦他人之性情，其高與否姑置弗辨，而其僞不已可見耶？宋、齊、梁、陳、隋間詩人最好摹擬，而當日之爲詩者固多仕二姓，其廉耻早已喪盡。無廉耻，安得有氣節？無氣節，安得有俊偉之詩，持此例以論詩，而古人詩集之可焚者多矣。本此意以爲詩，而自矜風雅者當不敢浪下筆矣。庶或可以正人心、厚風俗，而爲詩教之一助與。

又《理》 南宋人以語錄議論爲詩，開口言理，固屬可厭，然才人之詩又多背理，開口言理，失其所以爲詩，逞才背理，並失其所以爲人。夫天地間皆物也，有一物即有一理，而人周旋乎其間，有倫常之紀，有舉動之節，有邪正之辨、有是非之宜，無非以一理衡之，固作詩時所宜一一審量者也。乃名士習氣、文人客氣，領異標新，淆亂黑白，小之不過輕重失宜，大則竟至乖謬蔑理，如賢者不得志仕於伶官。《簡兮》詩曰：「云誰之思？西方美人。」何其忠厚而深婉。及唐溫庭筠下第，《過陳琳墓》詩云：「莫怪臨風倍惆悵，欲將書劍遠從軍。」隱然有遠投藩鎮之意。當時藩鎮負固拒命，貢獻不歸於朝，此唐士子所宜有澄清之志者。顧欲去順効逆，公然形之於詩，謂非背理者耶！《抑戒》詩云：「抑抑威儀，惟德之隅。」衛武公耄而好學如此。乃王維《過崔處士林亭》詩則曰：「科頭箕踞長松下，白眼看他世上人。」其玩世不恭、猖狂無禮，又何如《東門》一詩見淫奔之女也。「雖則如雲，匪我思存」等語，其矯然自拔於流俗可想而見。若萬楚《五日觀妓》詩云：「漫道五絲能續命，卻令今日死君家。」夫人即不自貴重，何至爲一妓竟不顧身，至欲爲之死。讀之殊覺可笑。子建《洛神賦》純是忠愛之意、諷託之詞，亦《離騷》中之《湘君》耳。後人至誣以爲感甄后而作，夫以魏文之殘刻，時欲殘害宗支，子建尚敢如此妄爲，必無是理。乃義山詩云：「君王不得爲天子，半爲當時賦《洛神》。」謂非文人輕薄，全不諳理者耶？他如「我逢安期生，食棗大如瓜」，「燕南雪花大如掌，冰箸懸簷一千丈」，「酒酣喝月使倒行，石破天驚透秋雨」，此皆好奇特甚，殊不知無理之奇已無足奇矣！後人重文輕詩，每謂文以載道明理，詩不過言情詠物。余則謂天下無理外之性情，更無理外之事物。適情者亦適以理也；格物者亦格以理也。詩文豈有軒輊耶？昔東坡拈出淵明談理之詩有三：一曰「采菊東籬下，悠然見南山」，二曰：「嘯傲東軒下，聊復得此生」，三曰「客養千金軀，臨化銷其寶」，皆以爲知道之言。試玩其「羲農去我久」二篇，惓惓於道統之絶續重華、孔子；念念不忘六籍無親，悠悠生歎。其於天命民彝、世道人心、榮辱死生之故爛熟胸中，故偶有感觸，寫情則極其悱惻，體物則無不入微，誠《三百篇》之苗裔也。淵明而後，惟太白、子美解此。學詩者能參透此境，從此入門，不必學李學杜，更不必學陶，而一種粗鄙淺易、放蕩妖冶之詞，自不犯其筆端矣。

方宗誠《**柏堂集外編**》**卷二**《**示馬生兄弟**》 學韓歐之文，必先學韓歐之爲人。學陶杜之詩，必先學陶杜之爲人。學顔柳之書法亦然，正其行，養其氣，而又觀玩其法，以涵泳於心，自然能得其妙。有時而見之於詩文，見之於書，不過自寫胸臆，自然滿紙天趣。若不如此，雖宗法正大，仍是摹擬而已，其去道也遠矣。

石韞玉《**獨學廬五稿**》**文卷二**《**顧仲山遺稿序**》 古人云士先器識而後文藝，然則文藝者，士之末務也。雖然，文藝亦豈易言哉！國家設科舉以網羅天下士，公卿大夫皆由此出，其身以自獻於王庭，凡高明之士，其文必磊落而英多；沈潛之士，其文必細意而熨帖。蓋言爲心聲，而文又聲之精者，藻鑒者觀其文即可以知其人焉。

趙懷玉《**亦有生齋集**》**文集卷四**《**小鈞樓詩序**》 有得乎詩之中者，有超乎詩之外者。得乎中者，沿流泝源，研聲究律，窮年矻矻，白首未已，用心之獨專也。超乎外者，生平樹立，別有表見，不斤斤章句而自工，不拘拘軌轍而自合，餘事之旁及也。今有人焉，立朝則敢言，當官則有守，而又恬於進退之分，達於浮休之理，此即弗以詩鳴，亦足不朽，而況「根情，苗言，華聲，實義」，有本者之無施不可邪！

梅曾亮《**柏梘山房文集**》**卷二**《**復鄒松友書**》 君子疾沒世而名不稱，智士無思慮之變則不樂，上者立功業，其次垂文章於將來。有自見於沒世之心，則不必當吾世而盡如吾意也。而文士失職者，每疑造物豐其才而嗇其遇；使其遇果豐焉，則亦暗口噤舌沒世而已，顧安所得材？彼席履豐厚者，苟其困焉，未必無言語文字驚駭世俗者也。生斯人而使自見其材，命也；生斯人而不使見其材，亦命也。兩途者必一出於是焉。以天下千萬人之多，而惟二途之所從出，出乎彼則入乎此矣，又安得以途之亨者爲常，困者爲變，而怏怏於其間哉！

又《**柏梘山房詩集自序**》 要津之區，才俊滿前；投贈之作，侈言無驗。或三德不振，而揄揚過乎曾、史；或九能未諳，而傅會極于屈、宋。此則腐毫之相如，卑于掃門之魏勃；陳王之八斗，賤于正平之一刺，此又一蔽也。

徐繼畬《**松龕先生全集**》**卷一**《**有不爲齋詩集序**》 古詩人多循吏，唐宋元明詩人無慮千數百家，行治不盡同，總未有以貪墨敗者。次山之守道州，左司香山東坡之守蘇杭，其較著者耳。人非得乾坤清氣不能爲詩，亦不好爲詩一行，作吏薰心非一端，朝入苞苴，暮狎聲歌焉。有閒情作此冷淡生活，故嵇阮有詩，和嶠王戎無詩。觀其嗜好而其人可知也。

張文虎《**舒藝室雜著**》**乙上**《**鐵杉吟館詩序**》 處困約而克自守者鮮矣。冠儒冠，服儒服，凡可以營勢利者，靡弗爲，見自守者，則笑之，以爲彼誠材不足以與此也。聞其言者，從而效之，於是自守者鮮矣。【略】夫內不足而外自飾焉，詩雖工，僞也。處困約之境，而壹鬱激切，以才氣凌轢人者，雖自守不可以終日也。

蔣湘南《**七經樓文鈔**》**卷六**《**朱丹木先生詩集序**》 聲音之道與政通，故古之循吏不必盡能爲詩，而眞能爲詩者，未有不爲循吏。【略】眞詩人未有不爲眞循吏也。或者疑古史循吏傳中未列一詩人，其以詩名而爲刺史守令者，史又不詳其政績。惟昌黎之驅鱷贖隸，香山之濬湖浚井，東坡之通漕擒盜，數大端著於本傳而已。豈自古才人能爲詩不必習爲吏，抑必待韓白蘇三公之才然後能相兼耶？詩者，道性情之物也。政者，達性情之事也。理一己之性，以理千萬人之性；平一己之情，以平千萬人之情。血氣既清，牛羊不驚，琴瑟爲友，風雨咸喜，此豈俗吏之所能爲！又豈尋常吟風弄月者之所能爲哉！是故古之循吏不必盡能爲詩，古之詩人不必盡能爲政，循吏不以詩名，不害其爲循吏也。詩人不以政名，殆未足爲眞詩人也。

何紹基《**東洲草堂文鈔**》**卷五雜著**《**題馮魯川小像冊**》 詩文、字畫不成家數，便是枉費精神，然成家尚不從詩文字畫起，要從做人起。自身心言動，本末終始，自家打定主意做個甚麼人，眞積力久，自然成就。或大成，或小成；爲儒，爲俠，爲和，爲峭，爲淡，爲絢爛，爲潔，爲拉遝，爲娟靜，爲縱恣，人做成路數，然後用功于文字，漸漸般移，其藝必成，適肖其人。魯公書似其忠烈，間出蕭澹，又似其好神仙。東坡書畫詩文，皆汪洋出奇，想見其人豪宕閑遠可喜也。心聲心畫，無可矯爲，然非刻苦用一番精力，雖人已成就，不見得全能搬移到紙上，所以古來名人，不是都會詩文字畫。「溫柔敦厚，詩教也。」此語將《三百篇》根氐說明，將千古做詩人用心之法道盡。凡刻薄、吝嗇兩種人，必不會做詩。詩要有字外味，有聲外韻，有題外意；又要扶持綱常，涵抱名理。非胸中有餘地，擘下有餘情，看得眼前景物都是古茂和藹，體量胸中意思全是愷悌慈祥，如何能有好詩做出來。

又 昔人論書曰：「折釵股何如屋漏痕？」屋漏痕者，以喻其無起止處

也。作詩亦如此，隨處即起，隨處可止，東坡所謂「行乎其不得不行，止乎其不得不止」者，正是如此，非量度定要如此起，如此止也。余嘗嘆山谷云：「臨大節而不可奪，謂之不俗。」此說不俗意最確，俗非壞字眼，同流合污，黏泥帶水之謂也。聖賢做事，道理所在，隨步換形，毫無沾滯，禹、顏之易地皆然，聖之清、之任、之和，大聖之時中，皆是同此理。臨大節「臨」字最妙，臨到大節時，則不可奪，此乃不俗之大本原、大體用。下至文藝事，直起直落，脱盡泥水，其不俗之所以然亦同此理，不可易視之、小視之。

又《與汪菊士論詩》 余嘗謂：山谷云「臨大節而不可奪，謂之不俗」，此說「不俗」兩字最精確。「俗」不是壞字眼。流俗污世，到處相習成風，謂之俗。人如此，我亦如此，不能離開一步，謂之俗。做人如此，焉能臨大節而不奪乎？現在做何事，便盡現在之理，故預先籌畫到大節的，往往臨時不濟，惟素位而行者，利害私見，本不存于中，臨大節時，也止是素位而行，如何可奪。行文之理與做人一樣，不粘皮帶肉則潔，不強加粉飾則健，不設心好名則樸，不橫使才氣則定。要起就起，要住就住，不依傍前人，不將就俗目，有時遇題即有詩則做，有時遇題而無詩則且不做。然道理熟，功夫熟，未有遇題而無詩者。道一本而萬殊，遇題無詩，到底是理之萬殊者，未看得博、想得穿耳。古詩家書家能不俗者，都是此法，惟山谷此語說得確，惟余體會山谷此語到文字上見得通透。是否是否？

又 正經用功，止有閉戶之一法。逢人開口談學問，其學問可知；逢人開口談詩文，其詩文可知。今人但求人知，不務自家心得，有人誇它是名士，是才子，便寵耀十分，眞是可鄙！對客揮毫，動輒累紙，間出奇語，喧然傳誦，此如飛蚊一響，豈百年安身立命之地乎？苦吟一宵，難得佳篇，即前人大家集中，罕有百篇傑出者，咄嗟而辦，果誰欺耶！況功夫內斂，則愈做愈深；道理靜求，則愈揮愈密。世間居積致富者，終年營營籌算，暗布潛謀，惟恐妻子知覺，一旦成就，則買田開市，氣象勃然，而此本人仍然樸陋如窶人子，如此方是眞致富人。此法甚佳，學者當效之。

又 是道理精神都從天地到人身上，此身一日不與天地之氣相通，其身必病，此心一日不與天地之氣相通，其心獨無病乎？病其身則知之，病其心則不知，由私意物欲蒙蔽所致耳。今想不受其蒙蔽，除卻明理，更無別說。雖然，亦有二說焉；讀書閱事，看到事物之所以然，與天地相通，是一境；清明之氣，生于寂處，心光一片，自然照澈通明，亦是一境。此二境者相爲表里，離此二境，非靜非動時，但提起此心，要它刻刻與天地通尤要請問談詩，何爲談到這里？曰：此正是談詩。

又 凡事看立志何如，若所志不過眼前名士，當世詩翁，藉圖聲譽，則但取古詩、唐詩選本，揣摩幾篇，近人詩集，涉獵幾部，止要肯做，不怕不翁。若要自走一路，自名一家，或冷淡，或兀傲，或博雅，或風韵秀婉，或山水模寫清妙，須自己要學這一路，看這一路，不雜不間，是不容易的。若想做個一代有數的詩人之詩，則砥行績學，兼該衆理，任重致遠，充擴性情之量，與天地古今相際，而用筆之法，行氣之準，如何得厚、得重、得空、得實、得精、得大。此志最高，能到不能到，自有氣數管著；而眞立此志者，蓋亦不多也。

又 立身，應世，爲學，大要不外一「藏」字，于詩道尤要尤要。說不盡，寫不盡，時時領略此理而已。

又 凡做一事，必兼做別事，此一事方得好。專做詩，詩不能工也。隨時隨事都不是詩，都是詩之所以然。

《曾文正公詩文集》文集卷一《黄仙嶠前輩詩序》 古之君子所以自拔于人人者，豈有他哉，亦其器識有不可量度而已矣。試之以富貴貧賤，而漫焉不加喜戚，臨之以大憂大辱，而不易其常，器之謂也。智足以析天下之微芒，明足以破一隅之固，識之謂也。器與識及之矣，而施諸事業有不逮，君子不深譏焉。器識之不及，而求小成于事業，末矣。事業之不及，而求有當于語言文字，抑又末矣。故語言文字者，古之君子所偶一涉焉，而不齒諸有亡者也。昔者嘗怪杜甫氏以彼其志量，而勞一世以事詩篇，追章琢句，篤老而不休，何其不自重惜若此！及觀昌黎韓氏稱之，則曰：「流落人間者，太乙一豪芒。」而蘇氏亦曰：「此老詩外，大有事在。」吾乃知杜氏之文字蘊于胸而未發者，殆十倍于世之所傳；而器識之深遠，其可敬慕又十倍于文字也。今之君子，秋豪之榮華而以爲喜，秋豪之摧挫而以爲惱。舉一而遺二，見寸而昧尺。器識之不講，事業之不問，獨沾沾以從事于所謂詩者，興旦而綴一字，抵莫而不安。毀齒而鉤研聲病，頭童而不息。以咿嚘蹇淺之語，而視爲鐘彝不朽之盛業，亦見其惑已。

又《家書・同治二年三月二十四日致沅弟》 弟讀邵子詩，領得恬淡冲融

之趣，此是襟懷長進處。自古聖賢豪傑、文人才士，其志事不同，而其豁達光明之胸大略相同。以詩言之，必先有豁達光明之識，而後有恬淡冲融之趣。如李白、韓退之、杜牧之則豁達處多，陶淵明、孟浩然、白香山則冲淡處多。杜、蘇二公無美不備，而杜之五律最冲淡，蘇之七古最豁達。邵堯夫雖非詩之正宗，而豁達、冲淡二者兼全。吾好讀《莊子》，以其豁達足益人胸襟也。去年所講「生而美者，若知之，若不知之，若聞之，若不聞之」一段，最爲豁達。推之即舜禹之有天下而不與，亦同此襟懷也。

鄭珍《巢經巢詩文集》文集卷四《郘亭詩鈔序》 段誠之云：「詩非待序而傳也。」余謂作者先非待詩以傳。杜、韓諸公苟無詩，其高風峻節，照耀百世，自若也；而復有詩，有詩而復莫踰其美，非其人之爲耶？故竊以爲古人之詩，非可學而能也；學其詩，當自學其人始。誠似其人之所學而志，則性情、抱負、才識、氣象皆其人，所語言者獨奚爲而不似？即不似猶似也。

陳衍《石遺室文集》卷九《何心與詩序》 寂者之事，一人而可爲，爲之而可常，喧者反是。故吾嘗謂：詩者，荒寒之路，無當乎利祿，肯與周旋，必其人之賢者也。既而知其不盡然。猶是詩也，一人而不爲，雖爲而不常，其爲之也惟恐不悅于人，其悅之也惟恐不競于人，其需人也衆矣；內摇心氣，外集詬病，此何爲者！一景一情也，人不及覺者，己獨覺之；人如是觀，彼不如是觀也；人猶是言，彼不猶是言也；則喧寂之故也。清而有味，寒而有神，瘦而有筋力，己所自得，求助于人者得之乎？

文用

《周易·繫辭上》 亂之所生也，則言語以爲階。

又 言行君子之所以動天地也，可不愼乎？

《論語·泰伯》 子曰：「興於詩，立於禮，成於樂。」

又《子路》 子曰：「誦《詩》三百，授之以政，不達；使於四方，不能專對；雖多，亦奚以爲？」

又《衛靈公》 子曰：「辭達而已矣。」

又《季氏》 不學詩，無以言。

又《陽貨》 子曰：「小子何莫學夫詩？詩可以興，可以觀，可以群，可以怨。邇之事父，遠之事君，多識於鳥獸草木之名。」

又 子謂伯魚曰：「女爲《周南》、《召南》矣乎？人而不爲《周南》、《召南》，其猶正牆面而立也與？」

《墨子·非命下》 今天下之君子之爲文學出言談也，非將勤勞其惟舌而利其脣呡也，中實將欲其國家邑里萬民刑政者也。

《左傳·文公七年》 《夏書》曰：「戒之用休，董之用威，勸之以九歌勿使壞。」九功之德皆可歌也，謂之九歌。

又《襄公十四年》 自王以下，各有父兄子弟，以補察其政。史爲書，瞽爲詩，工誦箴諫，大夫規誨，士傳言，庶人謗，商旅於市，百工獻藝。故夏書曰：「遒人以木鐸徇于路。官師相規，工執藝事以諫。」

《國語·周語上》 故天子聽政，使公卿至於列士獻詩，瞽獻曲，史獻書，師箴，瞍賦，矇誦，百工諫，庶人傳語，近臣盡規，親戚補察，瞽史教誨，耆艾修之，而後王斟酌焉，是以事行而不悖。

又《周語下》 夫政象樂，樂從和，和從平。聲以和樂，律以平聲。金石以動之，絲竹以行之，詩以道之，歌以詠之，匏以宣之，瓦以贊之，革木以節之。

《荀子·樂論》 夫樂者，樂也，人情之所必不免也。故人不能無樂，樂則必發於聲音，形於動靜；而人之道，聲音動靜，性術之變盡是矣。故人不能無樂，樂則不能無形，形而不爲道，則不能無亂。先王惡其亂也，故制《雅》、《頌》之聲以道之，使其聲足以樂而不流，使其文足以辨而不諰，使其曲直繁省廉肉節奏足以感動人之善心，使夫邪汙之氣無由得接焉，是先王立樂之方也，而墨子非之，奈何！故樂在宗廟之中，君臣上下同聽之，則莫不和敬；閨門之內，父子兄弟同聽之，則莫不和親；鄉里族長之中，長少同聽之，則莫不和順。故樂者，審一以定和者也，比物以飾節者也，合奏以成文者也；足以率一道，足以治萬變，是先王立樂之術也，而墨子非之，奈何！故聽其《雅》、《頌》之聲，而志意得廣焉；執其干戚，習其俯仰屈伸，而容貌得莊焉；行其綴兆，要其節奏，而行列得正焉，進退得齊焉。故樂者，出所以征誅也，入所以揖讓也。征誅揖讓，其義一也。出所以征誅，則莫不聽從；入所以揖讓，則莫不從服。故樂者，天下之大齊也，中和之紀

也，人情之所必不免也；是先王立樂之術也，而墨子非之，奈何！且樂者，先王之所以飾喜也；軍旅鈇鉞者，先王之所以飾怒也。先王喜怒皆得其齊焉。是故喜而天下和之，怒而暴亂畏之。先王之道，禮樂正其盛者也，而墨子非之！故曰：墨子之於道也，猶瞽之於白黑也，猶聾之於清濁也，猶欲之楚而北求之也。夫聲樂之入人也深，其化人也速，故先王謹爲之文；樂中平則民和而不流，樂肅莊則民齊而不亂。民和齊則兵勁城固，敵國不敢嬰也。如是，則百姓莫不安其處，樂其鄉，以至足其上矣。然後名聲於是白，光輝於是大；四海之民，莫不願得以爲師；是王者之始也。樂姚冶以險，則民流僈鄙賤矣。流僈則亂，鄙賤則爭。亂爭則兵弱城犯，敵國危之。如是，則百姓不安其處，不樂其鄉，不足其上矣。故禮樂廢而邪音起者，危削侮辱之本也。故先王貴禮樂而賤邪音。其在序官也，曰：「脩憲命，審誅賞，禁淫聲，以時順脩，使夷俗邪音不敢亂雅，太師之事也。」墨子曰：「樂者，聖王之所非也，而儒者爲之，過也。」君子以爲不然：樂者，聖人之所樂也，而可以善民心，其感人深，其移風易俗易，故先王導之以禮樂而民和睦。夫民有好惡之情而無喜怒之應，則亂。先王惡其亂也，故脩其行，正其樂，而天下順焉。故齊衰之服，哭泣之聲，使人之心悲；帶甲嬰胄，歌於行伍，使人之心傷；姚冶之容，鄭衛之音，使人之心淫；紳端章甫，舞《韶》歌《武》，使人之心莊。故君子耳不聽淫聲，目不視女色，口不出惡言，此三者，君子慎之。凡姦聲感人而逆氣應之，逆氣成象而亂生焉。正聲感人而順氣應之，順氣成象而治生焉。唱和有應，善惡相象，故君子慎其所去就也。君子以鐘鼓道志，以琴瑟樂心；動以干戚，飾以羽旄；從以磬管。故其清明象天，其廣大象地，其俯仰周旋有似於四時。故樂行而志清，禮脩而行成，耳目聰明，血氣和平，移風易俗，天下皆寧，莫善於樂。故曰：樂者樂也，君子樂得其道，小人樂得其欲。以道制欲，則樂而不亂；以欲忘道，則惑而不樂。故樂者，所以道樂也。金石絲竹，所以道德也；樂行而民鄉方矣。故樂者，治人之盛者也；而墨子非之！且樂也者，和之不可變者也；禮也者，理之不可易者也。樂合同，禮別異；禮樂之統，管乎人心矣。窮本極變，樂之情也；著誠去僞，禮之經也。墨子非之，幾遇刑也。明王已沒，莫之正也。愚者學之，危其身也。君子明樂，乃其德也。亂世惡善，不此聽也。於乎哀哉！不得成也。弟子勉學，無所營也。聲樂之象：鼓大麗，鐘統實，磬廉制，竽笙簫和，筦籥發猛，塤篪翁博，瑟易良，琴婦好，歌清盡，舞意天道兼，鼓其樂之君邪！故鼓似天，鐘似地，磬似水，竽笙簫筦籥似星辰日月，鞉柷拊鞷椌楬似萬物，曷以知舞之意？曰：目不自見，耳不自聞也，然而治俯仰詘信進退遲速莫不廉制，盡筋骨之力以要鐘鼓俯會之節，而靡有悖逆者，衆積意謘謘乎！吾觀於鄉而知王道之易易也：主人親速賓及介，而衆賓皆從之，至於門外；主人拜賓及介，而衆皆入；貴賤之義別矣。三揖至於階，三讓以賓升，拜至，獻酬，辭讓之節繁，及介省矣。至於衆賓，升受，坐祭，立飲，不酢而降，隆殺之義辨矣。工入，升歌三終，主人獻之，笙入三終，主人獻之；間歌三終，合樂三終，工告樂備，遂出。二人揚觶，乃立司正，焉知其能和樂而不流也。賓酬主人，主人酬介，介酬衆賓，少長以齒，終於沃洗者，焉知其能弟長而無遺也。降、說屨升坐，脩爵無數。飲酒之節，朝不廢朝，莫不廢夕。賓出，主人拜送，節文終遂，焉知其能安燕而不亂也。貴賤明，隆殺辨，和樂而不流，弟長而無遺，安燕而不亂，此五行者，足以正身安國矣。彼國安而天下安。故曰：吾觀於鄉而知王道之易易也。亂世之徵，其服組，其容婦，其俗淫，其志利，其行雜，其聲樂險，其文章匿而采，其養生無度，其送死瘠墨，賤禮義而貴勇力，貧則爲盜，富則爲賊，治世反是也。

《呂氏春秋・知度》至治之世，其民不好空言虛辭，不好淫學流說，賢不肖各反其質。行其情，不雕其素；蒙厚純樸，以事其上。若此則工拙愚智勇懼可得以故易官，易官則各當其任矣。故有職者安其職，不聽其議；無職者責其實，以驗其辭。此二者審，則無用之言不入於朝矣。

又《離謂》言者，以諭意也。言意相離，凶也。亂國之俗，甚多流言，而不顧其實，務以相毀，務以相譽，毀譽成黨，衆口熏天，賢不肖不分，以此治國，賢主猶惑之也，又況乎不肖者乎？惑者之患，不自以爲惑，故惑惑之中有曉焉，冥冥之中有昭焉。亡國之主，不自以爲惑，故與桀、紂、幽、厲皆也。然有王者國，無二道矣。

又《淫辭》非辭無以相期，從辭則亂。亂辭之中又有辭焉，心之謂也。言不欺心，則近之矣。凡言者，以諭心也。言心相離，而上無以參之，則下多所言非所行也，所行非所言也。言行相詭，不祥莫大焉。

《禮記・樂記・樂論》樂者爲同，禮者爲異。同則相親，異則相敬。樂

勝則流，禮勝則離。合情飾貌者，禮樂之事也。禮義立，則貴賤等矣；樂文同，則上下和矣，好惡著，則賢不肖別矣；刑禁暴，爵舉賢，則政均矣。仁以愛之，義以正之，如此則民治行矣。樂由中出，禮自外作。樂由中出，故靜；禮自外作，故文。大樂必易，大禮必簡。樂至則無怨，禮至則不爭。揖讓而治天下者，禮樂之謂也。暴民不作，諸侯賓服，兵革不試，五刑不用，百姓無患，天子不怒，如此則樂達矣。合父子之親，明長幼之序，以敬四海之內，天子如此，則禮行矣。大樂與天地同和，大禮與天地同節。和，故百物不失；節，故祀天祭地。明則有禮樂，幽則有鬼神。如此，則四海之內合敬同愛矣。禮者，殊事合敬者也；樂者，異文合愛者也。禮樂之情同，故明王以相沿也。故事與時並，名與功偕。故鐘鼓管磬，羽籥干戚，樂之器也；屈伸俯仰，綴兆舒疾，樂之文也。簠簋俎豆，制度文章，禮之器也；升降上下，周還裼襲，禮之文也。故知禮樂之情者能作，識禮樂之文者能述。作者之謂聖，述者之謂明。明聖者，述作之謂也。樂者，天地之和也；禮者，天地之序也。和，故百物皆化；序，故羣物皆別。樂由天作，禮以地制。過制則亂，過作則暴；明於天地，然後能興禮樂也。論倫無患，樂之情也；欣喜歡愛，樂之官也。中正無邪，禮之質也；莊敬恭順，禮之制也。若夫禮樂之施於金石，越於聲音，用於宗廟社稷，事乎山川鬼神，則此所與民同也。

又《樂禮》 王者功成作樂，治定制禮；其功大者其樂備，其治辯者其禮具。干戚之舞，非備樂也；孰亨而祀，非達禮也。五帝殊時，不相沿樂；三王異世，不相襲禮。樂極則憂，禮粗則偏矣。及夫敦樂而無憂，禮備而不偏者，其唯大聖乎！天高地下，萬物散殊，而禮制行矣；流而不息，合同而化，而樂興焉。春作夏長，仁也；秋斂冬藏，義也。仁近於樂，義近於禮。樂者敦和，率神而從天；禮者別宜，居鬼而從地。故聖人作樂以應天，制禮以配地。禮樂明備，天地官矣。天尊地卑，君臣定矣；卑高已陳，貴賤位矣；動靜有常，小大殊矣；方以類聚，物以羣分，則性命不同矣。在天成象，在地成形，如此，則禮者，天地之別也。【略】化不時，則不生；男女無辨，則亂升：天地之情也。及夫禮樂之極乎天而蟠乎地，行乎陰陽而通乎鬼神，窮高極遠而測深厚，樂著大始而禮居成物。著不息者，天也；著不動者，地也。一動一靜者，天地之間也。故聖人曰禮樂云。

又《樂施》 樂者，所以象德也；禮者，所以綴淫也。是故先王有大事，必有禮以哀之；有大福，必有禮以樂之：哀樂之分，皆以禮終。樂也者，聖人之所樂也，而可以善民心。其感人深，其移風易俗，故先王著其教焉。

又《樂情》 樂也者，情之不可變者也；禮也者，理之不可易者也。樂統同，禮辨異，禮樂之說，管乎人情矣！窮本知變，樂之情也；著誠去僞，禮之經也。禮樂偩天地之情，達神明之德，降興上下之神，而凝是精粗之體，領父子君臣之節。是故大人舉禮樂，則天地將爲昭焉。天地訢合，陰陽相得，煦嫗覆育萬物，然後草木茂，區萌達，羽翼奮，角觡生，蟄蟲昭蘇。羽者嫗伏，毛者孕鬻。胎生者不殰，而卵生者不殈。則樂之道歸焉耳！樂者，非謂黃鍾、大呂、弦歌、干揚也，樂之末節也，故童者舞之。鋪筵席，陳尊俎，列籩豆，以升降爲禮者，禮之末節也，故有司掌之。樂師辨乎聲詩，故北面而弦。宗祝辨乎宗廟之禮，故後尸。商祝辨乎喪禮，故後主人。是故德成而上，藝成而下，行成而先，事成而後。是故先王有上有下，有先有後，然後可以有制於天下也。

又《樂化》 君子曰：禮樂不可斯須去身。致樂以治心，則易直子諒之心油然生矣。易直子諒之心生則樂，樂則安，安則久，久則天，天則神。天則不言而信，神則不怒而威。致樂，以治心者也；致禮以治躬則莊敬，莊敬則嚴威。心中斯須不和不樂，而鄙詐之心入之矣；外貌斯須不莊不敬，而易慢之心入之矣。故樂也者，動於內者也；禮也者，動於外者也。樂極和，禮極順，內和而外順，則民瞻其顏色而弗與爭也，望其容貌而民不生易慢焉。故德煇動於內而民莫不承聽；理發諸外而民莫不承順。故曰：致禮樂之道，舉而措之天下無難矣。樂也者，動於內者也；禮也者，動於外者也。故禮主其減，樂主其盈。禮減而進，以進爲文；樂盈而反，以反爲文。禮減而不進，則銷；樂盈而不反，則放。故禮有報而樂有反，禮得其報則樂，樂得其反則安。禮之報，樂之反，其義一也。夫樂者樂也，人情之所不能免也。樂必發於聲音，形於動靜，人之道也。聲音動靜，性術之變，盡於此矣。故人不耐無樂，樂不耐無形，形而不爲道，不耐無亂。先王恥其亂，故制《雅》、《頌》之聲以道之。使其聲足樂而不流，使其文足論而不息，使其曲直繁瘠廉肉節奏，足以感動人之善心而已矣，不使放心邪氣得接焉，是先王立樂之方也。是故樂在宗廟之中，君臣上下同聽之，則莫不和敬；在族長鄉里之中，長幼同聽之，則莫不和順；在閨門之內，父子兄弟同聽之，則莫不知親。故

樂者，審一以定和，比物以飾節，節奏和以成文，所以合和父子君臣，附親萬民也，是先王立樂之方也。故聽其《雅》、《頌》之聲，志意得廣焉；執其干戚，習其俯仰詘伸，容貌得莊焉；行其綴兆，要其節奏，行列得正焉，進退得齊焉。故樂者，天地之命，中和之紀，人情之所不能免也。夫樂者，先王之所以飾喜也；軍旅鈇鉞者，先王之所以飾怒也。故先王之喜怒，皆得其儕焉。喜則天下和之，怒則暴亂者畏之，先王之道，禮樂可謂盛矣。

又《子貢》 寬而靜、柔而正者，宜歌《頌》；廣大而靜、疏達而信者，宜歌《大雅》；恭儉而好禮者，宜歌《小雅》；正直而靜，廉而謙者，宜歌《風》；肆直而慈愛者，宜歌《商》；溫良而能斷者宜歌《齊》。夫歌者，直己而陳德也，動己而天地應焉，四時和焉，星辰理焉，萬物育焉。故《商》者，五帝之遺聲也，商人識之，故謂之《商》；《齊》者，三代之遺聲也，齊人識之，故謂之《齊》。明乎《商》之音者，臨事而屢斷；明乎《齊》之音者，見利而讓。臨事而屢斷，勇也；見利而讓，義也。有勇有義，非歌孰能保此？故歌者，上如抗，下如隊，曲如折，止如槀木，倨中矩，句中鉤，累累乎端如貫珠。故歌之爲言也，長言之也。說之，故言之；言之不足，故長言之；長言之不足，故嗟歎之；嗟歎之不足，故不知手之舞之足之蹈之也。

陸賈《新語·懷慮》 夫世人不學《詩》、《書》，存仁義，尊聖人之道，極經藝之深，乃論不驗之語，學不然之事，圖天地之形，說災變之異，乖先王之法，異聖人之意，惑學者之心，移衆人之志，指天畫地，是非世事，動人以邪變，驚人以奇怪，聽之者若神，視之者如異，然猶不可以濟於厄而度其身，或觸罪□□法，不免於辜戮。故事不生於法度，道不本於天地，可言而不可行也，可聽而不可傳也，可小翫而不可大用也。

《淮南子·齊俗》 衰世之俗，以其知巧詐僞，飾衆無用，貴遠方之貨，珍難得之財，不積於養生之具，澆天下之淳，析天下之樸，牿服馬牛以爲牢，滑亂萬民，以清爲濁，性命飛揚，皆亂以營，貞信漫瀾，人失其情性。於是乃有翡翠犀象，黼黻文章，以亂其目；芻豢黍粱，荆吳芬馨，以嚂其口；於是鐘鼓管簫，絲竹金石，以淫其耳；趨舍行義，禮節謗議，以營其心；於是百姓糜沸豪亂，暮行逐利，煩挐澆淺。法與義相非，行與利相反，雖十管仲弗能治也。

又《道應》 今夫舉大木者，前呼邪許，後亦應之，此舉重勸力之歌也。豈無鄭衛激楚之音哉？然而不用者，不若此其宜也。治國在禮，不在文辯。故《老子》曰：「法令滋彰，盜賊多有。」此之謂也。

又《氾論》 王道缺而《詩》作，周室廢、禮義壞而《春秋》作。《詩》、《春秋》，學之美者也，皆衰世之造也。儒者循之，以教導於世，豈若三代之盛哉！以《詩》、《春秋》爲古之道而貴之，又有未作《詩》、《春秋》之時。夫道其缺也，不若道其全也。誦先王之詩書，不若聞得其言；聞得其言，不若得其所以言。得其所以言者，言弗能言也。故道可道者，非常道也。

又《泰族》 五行異氣而皆和，六藝異科而皆通。溫惠柔良者，《詩》之風也；淳龐敦厚者，《書》之教也；清明條達者，《易》之義也；恭儉尊讓者，《禮》之爲也；寬裕簡易者，《樂》之化也；刺譏辨議者，《春秋》之靡也。故《易》之失鬼，《樂》之失淫，《詩》之失愚，《書》之失拘，《禮》之失忮，《春秋》之失訾。六者，聖人兼用而財制之。失本則亂，得本則治。其美在和，其失在權。水火金木土穀，異物而皆任。規矩權衡準繩，異形而皆施。丹青膠漆不同而皆用，各有所適。物各有宜：輪員輿方，轅從衡橫，勢施便也。驂欲馳，服欲步，帶不厭新，鉤不厭故，處地宜也。《關雎》興於鳥，而君子美之，爲其雌雄之不乖居也。《鹿鳴》興於獸，君子大之，取其見食而相呼也。泓之戰，軍敗君獲，而《春秋》大之，取其不鼓不成列也。宋伯姬坐燒而死，《春秋》大之，取其不踰禮而行也。成功立事，豈足多哉，方指所言，而取一槩焉爾。**【略】**今夫《雅》、《頌》之聲，皆發於詞，本於情，故君臣以睦，父子以親。故《韶》、《夏》之樂也，聲浸乎金石，潤乎草木。今取怨思之聲，施之於管弦，聞其音者，不淫則悲。淫則亂男女之辨，悲則感怨思之氣，豈所謂樂哉！趙王遷流於房陵，思故鄉，作爲山木之謳，聞者莫不殞涕。荆軻西刺秦王，高漸離宋意爲擊筑而歌於易水之上，聞者莫不瞋目裂眥，髮植穿冠。因以此聲爲樂而入宗廟，豈古之所謂樂哉！故弁冕輅輿，可服而不可好也。太羹之味，可食而不可嗜也。朱弦漏越，一唱而三歎，可聽而不可快也。故無聲者，正其可聽者也。無味者，正其足味者也。吠聲清於耳，兼味快於口，非其貴也。故事不本於道德者，不可以爲儀；言不合乎先王者，不可以爲道；音不調乎《雅》、《頌》者，不可以爲樂。

《毛詩序》 《關雎》，后妃之德也，風之始也，所以風天下而正夫婦也。故用之鄉人焉，用之邦國焉。風，風也，教也；風以動之，教以化之。**【略】**

情發於聲，聲成文謂之音。治世之音安以樂，其政和；亂世之音怨以怒，其政乖；亡國之音哀以思，其民困。故正得失，動天地，感鬼神，莫近於《詩》。先王以是經夫婦，成孝敬，厚人倫，美教化，移風俗。故詩有六義焉：一曰風，二曰賦，三曰比，四曰興，五曰雅，六曰頌。上以風化下，下以風刺上，主文而譎諫，言之者無罪，聞之者足以戒，故曰風。至於王道衰，禮義廢，政教失，國異政，家殊俗，而變風、變雅作矣。國史明乎得失之迹，傷人倫之廢，哀刑政之苛，吟詠情性，以風其上，達於事變而懷其舊俗者也。故變風發乎情，止乎禮義。發乎情，民之性也；止乎禮義，先王之澤也。是以一國之事，繫一人之本，謂之風；言天下之事，形四方之風，謂之雅。雅者，正也，言王政之所由廢興也。政有大小，故有小雅焉，有大雅焉。頌者，美盛德之形容，以其成功告於神明者也。是謂四始，詩之至也。然則《關雎》、《麟趾》之化，王者之風，故繫之周公。南，言化自北而南也。《鵲巢》、《騶虞》之德，諸侯之風也，先王之所以教，故繫之召公。《周南》、《召南》，正始之道，王化之基。是以《關雎》樂得淑女，以配君子，憂在進賢，不淫其色；哀窈窕，思賢才，而無傷善之心焉。是《關雎》之義也。

《史記·樂書》 夫上古明王舉樂者，非以娛心自樂，快意恣欲，將欲爲治也。正教者皆始於音，音正而行正。故音樂者，所以動盪血脈，通流精神而和正心也。故宮動脾而和正聖，商動肺而和正義，角動肝而和正仁，徵動心而和正禮，羽動腎而和正智。故樂所以內輔正心而外異貴賤也；上以事宗廟，下以變化黎庶也。琴長八尺一寸，正度也。弦大者爲宮，而居中央，君也。商張右傍，其餘大小相次，不失其次序，則君臣之位正矣。故聞宮音，使人溫舒而廣大；聞商音，使人方正而好義；聞角音，使人惻隱而愛人；聞徵音，使人樂善而好施；聞羽音，使人整齊而好禮。夫禮由外入，樂自內出。故君子不可須臾離禮，須臾離禮則暴慢之行窮外；不可須臾離樂，須臾離樂則姦邪之行窮內。故樂音者，君子之所養義也。夫古者，天子諸侯聽鐘磬未嘗離於庭，卿大夫聽琴瑟之音未嘗離於前，所以養行義而防淫佚也。夫淫佚生於無禮，故聖王使人耳聞《雅》、《頌》之音，目視威儀之禮，足行恭敬之容，口言仁義之道。故君子終日言而邪辟無由入也。

又《孔子世家》 古者詩三千餘篇，及至孔子，去其重，取可施於禮義，上采契后稷，中述殷周之盛，至幽厲之缺，始於衽席，故曰「《關雎》之亂以爲《風》始，《鹿鳴》爲《小雅》始，《文王》爲《大雅》始，《清廟》爲《頌》始」。三百五篇孔子皆弦歌之，以求合《韶》、《武》、《雅》、《頌》之音。禮樂自此可得而述，以備王道，成六藝。

又《太史公自序》 夫《詩》、《書》隱約者，欲遂其志之思也。昔西伯拘羑里，演《周易》；孔子戹陳蔡，作《春秋》；屈原放逐，著《離騷》；左丘失明，厥有《國語》；孫子臏脚，而論兵法；不韋遷蜀，世傳《呂覽》；韓非囚秦，《說難》、《孤憤》；《詩》三百篇，大抵賢聖發憤之所爲作也。此人皆意有所鬱結，不得通其道也，故述往事，思來者。

《漢書·禮樂志》 樂者，聖人之所樂也，而可以善民心。其感人深，其移風易俗易，故先王著其教焉。夫民有血氣心知之性，而無哀樂喜怒之常，應感而動，然後心術形焉。是以纖微癄瘁之音作，而民思憂；闡諧嫚易之音作，而民康樂；麤厲猛奮之音作，而民剛毅；廉直正誠之音作，而民肅敬；寬裕和順之音作，而民慈愛；流辟邪散之音作，而民淫亂。先王恥其亂也，故制雅頌之聲，本之情性，稽之度數，制之禮儀，合生氣之和，導五常之行，使之陽而不散，陰而不集，剛氣不怒，柔氣不懾，四暢交於中，而發作於外，皆安其位而不相奪也，足以感動人之善，而不使邪氣得接焉，是先王立樂之方也。王者未作樂之時，因先王之樂以教化百姓，說樂其俗，然後改作，以章功德。《易》曰：「先王以作樂崇德，殷薦之上帝，以配祖考。」昔黃帝作《咸池》，顓頊作《六莖》，帝嚳作《五英》，堯作《大章》，舜作《招》，禹作《夏》，湯作《濩》，武王作《武》，周公作《勺》。《勺》，言能勺先祖之道也。《武》，言以功定天下也。《濩》，言救民也。《夏》，大承二帝也。《招》，繼堯也。《大章》，章之也。《五英》，英華茂也。《六莖》，及根莖也。《咸池》，備矣。自《夏》以往，其流不可聞已，《殷頌》猶有存者。《周詩》既備，而其器用張陳，《周官》具焉。典者自卿大夫師瞽以下，皆選有道德之人，朝夕習業，以教國子。國子者，卿大夫之子弟也，皆學歌九德，誦六詩，習六舞、五聲、八音之和。故帝舜命夔曰：「女典樂，教胄子，直而溫，寬而栗，剛而無虐，簡而無敖。詩言志，歌詠言，聲依詠，律和聲，八音克諧。」此之謂也。又以外賞諸侯德盛而教尊者。其威儀足以充目，音聲足以動耳，詩語足以感心，故聞其音而德和，省其詩而志正，論其數而法立。是以薦之郊廟則鬼神饗，作之朝廷則君臣和，立之學官則萬民協。聽者無不虛己竦神，說而承流。是

以海內徧知上德，被服其風，光煇日新，化上遷善，而不知所以然，至於萬物不夭，天地順而嘉應降。故《詩》曰：「鐘鼓鍠鍠，磬管鏘鏘，降福穰穰。」《書》云：「擊石拊石，百獸率舞。」鳥獸且猶感應，而況於人乎？況於鬼神乎？故樂者，聖人之所以感天地，通神明，安萬民，成性類者也。然自《雅》、《頌》之興，而所承衰亂之音猶在，是謂淫過凶嫚之聲，爲設禁焉。世衰民散，小人乘君子，心耳淺薄，則邪勝正。故《書》序「殷紂斷棄先祖之樂，乃作淫聲，用變亂正聲，以說婦人。」樂官師瞽抱其器而犇散，或適諸侯，或入河海。夫樂本情性，浹肌膚而臧骨髓，雖經乎千載，其遺風餘烈尚猶不絕。至春秋時，陳公子完犇齊。陳，舜之後，《招》樂存焉。故孔子適齊聞《招》，三月不知肉味，曰：「不圖爲樂之至於斯！」美之甚也。

又《匡衡傳》 妃匹之際，生民之始，萬福之原。婚姻之禮正，然後品物遂而天命全。孔子論《詩》以《關雎》爲始，言太上者民之父母，后夫人之行不侔乎天地，則無以奉神靈之統而理萬物之宜。故《詩》曰：「窈窕淑女，君子好逑。」言能致其貞淑，不貳其操，情欲之感無介乎容儀，宴私之意不形乎動靜，夫然後可以配至尊而爲宗廟主。此綱紀之首，王教之端也，自上世已來，三代興廢，未有不由此者也。

班固《白虎通德論・禮樂》 王者所以盛禮樂何？節文之喜怒。樂以象天，禮以法地。人無不含天地之氣，有五常之性者，故樂所以蕩滌，反其邪惡也。禮所以防淫佚，節其侈靡也。故《孝經》曰：「安上治民，莫善於禮；移風易俗，莫善於樂。」子曰：「樂在宗廟之中，君臣上下同聽之，則莫不和敬；族長鄉里之中，長幼同聽之，則莫不和順；在閨門之內，父子兄弟同聽之，則莫不和親。」故樂者，所以崇和順，比物飾節。節奏合，以成文，所以合和父子、君臣，附親萬民也。是先王立樂之意也。故聽其《雅》、《頌》之聲，志意得廣焉，執干戚，習俯仰屈信，容貌得齊焉；行其綴兆要其節奏，行列得正焉，進退得齊焉。故樂者，天地之命，中和之紀，人情之所不能免焉也夫！樂者，先王之所以飾喜也，軍旅鈇鉞所以飾怒也。故先王之喜怒，皆得其齊焉。喜則天下和之，怒則暴亂者畏之。先王之道，禮樂可謂盛矣。聞角聲莫不惻隱而慈者，聞徵聲莫不喜養好施者，聞商聲莫不剛斷而立事者，聞羽聲莫不深思而遠慮者，聞宮聲莫不溫潤而寬和者也。【略】 樂所以必歌者何？夫歌者，口言之也。中心喜樂，口欲歌之，手欲舞之，足欲蹈之。故《尚書》曰：「前歌後舞，假于上下。」【略】 樂尚雅。雅者，古正也，所以遠鄭聲也。孔子曰：「鄭聲淫」，何？鄭國土地、民人，山居谷浴，男女錯雜，爲鄭聲以相悅懌。故邪僻，聲皆淫色之聲也。

崔瑗《南陽文學頌》 昔聖人制禮作樂也，將以統天理物，經國序民，立均出度，因其利而利之，俾不失其性也。故觀禮則禮敬，聽樂則心和，然後知反其性而正其身焉。取律于天以和聲，采言于聖以成謀；以和邦國，以諧萬民，以序賓旅，以悅遠人，其觀威儀省禍福也。出言視聽，于是乎取之。民生如何，導以禮樂。乃修禮官，奮其羽籥。我國既淳，我俗既敦。神樂民則，嘉生乃繁。無言不酬，其德宜光。先民既沒，賴茲舊章。我禮既經，我樂既馨。三事不敘，莫識其形。

何休《公羊傳・宣公十五年解詁》 男女有所怨恨，相從而歌。飢者歌其食，勞者歌其事。男年六十、女年五十無子者，官衣食之，使之民間求詩。鄉移於邑，邑移於國，國以聞於天子。故王者不出牖戶，盡知天下所苦，不下堂而知四方。

王符《潛夫論・務本》 詩賦者，所以頌善醜之德，泄哀樂之情也，故溫雅以廣文，興喻以盡意。今賦頌之徒，苟爲饒辯屈蹇之辭，競陳誣罔無然之事，以索見怪於世，愚夫戇士，從而奇之，此悖孩童之思，而長不誠之言者也。

鄭玄《六藝論》 詩者，弦歌諷諭之聲也。自書契之興，樸略尚質。面稱不爲諂，目諫不爲謗，君臣之接，如朋友然，在於懇誠而已。斯道稍衰，姦僞以生，上下相犯。及其制禮，尊君卑臣。君道剛嚴，臣道柔順。於是箴諫者希，情志不通。故作詩者以誦其美而譏其過。

王充《論衡・書解》 古作書者，多立功不用也。管仲、晏嬰，功書並作；商鞅、虞卿，篇治俱爲。高祖既得天下，馬上之計未敗。陸賈造《新語》，高祖粗納采。呂氏横逆，劉氏將傾，非陸賈之策，帝室不寧。蓋材知無不能，在所遭遇：遇亂則知立功，有起則以其材著書者也。出口爲言，著文爲篇。古以言爲功者多，以文爲敗者希。呂不韋、淮南王，以他爲過，不以書有非。使客作書，不身自爲，如不作書，猶蒙此章章之禍。人古今違屬，未必皆著作材知極也。鄒陽舉疏，免罪於梁，徐樂上書，身拜郎中，材能以其文爲功於人，何嫌不能營衛其身？韓蚤信公子非，國不傾危。及非之死，

李斯始奇，非以著作材極，不能復有爲也。春物之傷，或死之也，殘物不傷，秋亦大長。假令非不死，秦未可知。故才人能令其行可尊，不能使人必法己；能令其言可行，不能使人必采取之矣。

又《對作》 或問曰：賢聖不空生，必有以用其心。上自孔、墨之黨，下至荀、孟之徒，教訓必作垂文，何也？對曰：聖人作經藝著傳記，匡濟薄俗，驅民使之歸實誠也。案《六略》之書，萬三千篇，增善消惡，割截横拓，驅役遊慢，期便道善，歸正道焉。孔子作《春秋》，周民弊也。故采求毫毛之善，貶纖介之惡，撥亂世，反諸正，人道浹，王道備，所以檢押靡薄之俗者，悉具密致。夫防決不備，有水溢之害；網解不結，有獸失之患。是故周道不弊，則民不文薄，民不文薄，《春秋》不作。楊、墨之學不亂儒義，則孟子之傳不造；韓國不小弱，法度不壞廢，則韓非之書不爲；高祖不辨得天下，馬上之計未轉，則陸賈之語不奏；衆事不失實，凡論不壞亂，則桓譚之論不起。故夫賢聖之興文也，起事不空爲，因因不妄作；作有益於化，化有補於正。故漢立蘭臺之官，校審其書，以考其言。董仲舒作道術之書，頗言災異政治所失，書成文具，表在漢室。主父偃嫉之，誣奏其書。天子下仲舒於吏，當謂之下愚，仲舒當死，天子赦之。夫仲舒言災異之事，孝武猶不罪而尊其身，況所論無觸忌之言，核道實之事，收故實之語乎？故夫賢人之在世也，進則盡忠宣化，以明朝廷；退則稱論貶說，以覺失俗。俗也不知還，則立道輕爲非，論者不追救，則迷亂不覺悟。

曹丕《典論·論文》 蓋文章經國之大業，不朽之盛事。年壽有時而盡，榮樂止乎其身，二者必至之常期，未若文章之無窮。是以古之作者，寄身於翰墨，見意於篇籍，不假良史之辭，不託飛馳之勢，而聲名自傳於後。故西伯幽而演《易》，周旦顯而制禮，不以隱約而弗務，不以康樂而加思。

曹植《與楊德祖書》 辭賦小道，固未足以揄揚大義，彰示來世也。昔揚子雲先朝執戟之臣耳，猶稱壯夫不爲也。吾雖德薄，位爲蕃侯，猶庶幾勠力上國，流惠下民，建永世之業，留金石之功，豈徒以翰墨爲勳績，辭賦爲君子哉！若吾志不果，吾道不行，則將採庶官之實錄，辨時俗之得失，定仁義之衷，成一家之言。雖未能藏之於名山，將以傳之於同好。非要之皓首，豈今日之論乎！其言之不慚，恃惠子之知我也。

桓範《世要論讚象》 夫讚象之所作，所以昭述勳德，思詠政惠。此蓋詩頌之末流矣。宜由上而興，非專下而作也。世考之導，實有勳績，惠利加于百姓，遺愛留于民庶，宜請于國，當錄于史官，載于竹帛，上章君將之德，下宣臣吏之忠。若言不足紀，事不足述，虛而爲盈，亡而爲有，此聖人之所疾，庶幾之所恥也。

摯虞《文章流別論》 文章者，所以宣上下之象，明人倫之敘，窮理盡性，以究萬物之宜者也。王澤流而詩作，成功臻而頌興，德勳立而銘著，嘉美終而誄集。祝史陳辭，官箴王闕。

又 頌，詩之美者也。古者聖帝明王，功成治定而頌聲興。於是史錄其篇，工歌其章，以奏於宗廟，告於鬼神。故頌之所美者，聖王之德也。則以爲律呂，或以頌形，或以頌聲，其細已甚，非古頌之意。昔班固爲安豐戴侯頌，史岑爲出師頌和熹鄧后頌，與魯頌體意相類，而文辭之異，古今之變也。揚雄趙充國頌，頌而似雅；傅毅顯宗頌，文與周頌相似，而雜以風雅之意。若馬融廣成上林之屬，純爲今賦之體而謂之頌，失之遠矣。

陸機《文賦》 伊茲文之爲用，固衆理之所因。恢萬里而無閡，通億載而爲津。俯貽則於來葉，仰觀象於古人。濟文武於將墜，宣風聲於不泯。塗無遠而不彌，理無微而弗綸。配霑潤於雲雨，象變化乎鬼神。被金石而德廣，流管絃而日新。

又《五等論》 臣聞赴曲之音，洪細入韻；蹈節之容，俯仰依詠。是以言苟適事，精麤可施；士苟適道，修短可命。【略】臣聞絕節高唱，非凡耳所悲；肆義芳訊，非庸聽所善。是以南荆有寡和之歌，東野有不釋之辯。【略】臣聞音以比耳爲美，色以悅目爲歡。是以衆聽所傾，非假百里之操；萬夫婉變，非俟西子之顔。故聖人隨世以擢佐，明主因時而命官。【略】臣聞傾耳求音，眡優聽苦，澄心徇物，形逸神勞。是以天殊其數，雖同方不能分其慽感；理塞其通，則並質不能共其休。

《晉書·文苑傳序》 夫文以化成，惟聖之高義，行而不遠，前史之格言。是以溫洛禎圖綠字，符其丕業；苑山靈篆金簡，成其帝載。既而書契之道聿興，鍾石之文逾廣，移風俗於王化，崇孝敬於人倫，經緯乾坤，彌綸中外，故知文之時義大哉遠矣。

劉義慶《世說新語·文學》 夏侯湛作《周詩》成，示潘安仁。安仁曰：「此非徒溫雅，乃別見孝悌之性。」潘因此遂作家風詩。

又孫子荆除婦服，作詩以示王武子。王曰：「未知文生於情？情生於文？覽之悽然，增伉儷之重。」

又孫興公云：「三都、二京，《五經》鼓吹。」

蕭統《陶淵明集序》嘗謂有能觀淵明之文者，馳競之情遣，鄙吝之意祛；貪夫可以廉，懦夫可以立；豈止仁義可蹈，抑乃爵祿可辭；不必傍游泰華，遠求柱史；此亦有助於風教也。

又《文選序》頌者，所以游揚德業，襃讚成功。吉甫有穆若之談，季子有至矣之歎；舒布爲詩，既言如彼；總成爲頌，又亦若此。次則箴興於補闕，戒出於弼匡；論則析理精微，銘則序事清潤；美終則誄發，圖像則讚興。又詔誥教令之流，表奏牋記之列，書誓符檄之品，弔祭悲哀之作，答客指事之制，三言八字之文，篇辭引序，碑碣誌狀，衆制鋒起，源流間出。譬陶匏異器，並爲入耳之娛；黼黻不同，俱爲悅目之玩；作者之致，蓋云備矣。

裴子野《雕蟲論》古者四始六義，總而爲詩。既形四方之風，且彰君子之志，勸善懲惡，王化本焉。而後之學者思存枝葉，繁華蘊藻，用以自通。

蕭綱《答張纘謝示集書》日月參辰，火龍黼黻，尚且著於玄象，章乎人事；而況文辭可止，詠歌可輟乎？「不爲壯夫」，揚雄實小言破道；非謂君子。曹植亦小辯破言，論之科刑，罪在不赦。至如春庭落景，轉蕙承風，秋雨且晴，檐梧初下；浮雲生野，明月入樓；時命親賓，乍動嚴駕；車渠屢酌，鸚鵡驟傾；伊昔三邊，久留四戰；胡霧連天，征旗拂日；時聞塢笛，遙聽塞笳；或鄉思悽然，或雄心憤薄。是以沈吟短翰，補綴庸音，寓目寫心，因事而作。

又《昭明太子集序》竊以文之爲義，大哉遠矣。故孔稱性道，堯曰欽明；武有來商之功，虞有格苗之德。故《易》曰：「觀乎天文，以察時變；觀乎人文，以化成天下。」是以含精吐景，六衛九光之度；方珠喻龍，南樞北陵之采；此之謂天文。文籍生，書契作；詠歌起，賦頌興。成孝敬於人倫，移風俗於王政；道綿乎八極，理浹乎九垓；贊動神明，雍熙鍾石；此之謂人文。若夫體天經而總文緯，揭日月而諧律呂者，其在茲乎。

蕭繹《金樓子・立言篇》諸子興於戰國，文集盛於二漢，至家家有製，人人有集。其美者則以叙情志、敦風俗；其弊者祇以煩簡牘、疲後生。往者既積，來者未已。翹足志學，白首不徧。或昔之所重，今反輕；今之所重，古之所賤。嗟我後生博達之士，有能品藻異同，删整蕪穢，使卷無瑕玷，覽無遺功，可謂學矣。

王筠《答湘東王示忠臣傳牋》竊以孝實天經，忠爲令德，百行攸先。一心靡忒，昔淮南鴻烈，事無的準。沛王通論，義止儒術，東平獲譽，良爲片言，臨淄見稱，文辭小道，孰若理冠君親，義兼臣子，謹當宣示遐邇，光揚德音。

張彝《上采詩表》竊惟皇王統天，必以窮幽爲美；盡理作聖，亦假廣采成明。故詢于芻蕘，著之周什；輿人獻箴，流于夏典。不然，則美刺無以得彰，善惡有時不達。

《周書・庾信傳論》兩儀定位，日月揚暉，天文彰矣；八卦以陳，書契有作，人文詳矣。若乃墳索所紀，莫得而云，典謨以降，遺風可述。是以曲阜多才多藝，鑒二代以正其本；闕里性與天道，修六經以維其末。故能範圍天地，綱紀人倫。窮神知化，稱首於千古；經邦緯俗，藏用於百代。至矣哉！斯固聖人之述作也。逮乎兩周道喪，七十義乖。淹中、稷下，八儒三墨，辯博之論蜂起；漆園、黍谷，名法兵農，宏放之詞霧集。雖雅誥奧義，或未盡善，考其所長，蓋賢達之源流也。

《梁書・文學傳序》經禮樂而緯國家，通古今而述美惡，非文莫可也。是以君臨天下者，莫不敦悅其義，縉紳之學，咸貴尚其道，古往今來，未之能易。

《隋書・經籍志》文者所以明言也。古者登高能賦，山川能祭，師旅能誓，喪紀能誄，作器能銘，則可以爲大夫，言其因物騁辭，情靈無擁者也。唐歌、虞詠、商頌、周雅，叙事緣物，紛綸相襲，自斯已降，其道彌繁。【略】屬以高祖少文，煬帝多忌，當路執權，逮相擯壓，於是握靈蛇之珠，韞荆山之玉，轉死溝壑之內者，不可勝數。草澤怨刺，於是興焉。古者陳詩觀風，斯亦所以關乎盛衰者也。

又《文學傳序》《易》曰：「觀乎天文，以察時變；觀乎人文，以化成天下。」傳曰：「言，身之文也。言而不文，行之不遠。」故堯曰則天，表文明之稱；周云盛德，著煥乎之美。然則文之爲用其大矣哉！上所以敷德教於下，下所以達情志於上。大則經緯天地，作訓垂範；次則風謡歌頌，匡主和民。

或離讒放逐之臣，塗窮後門之士，道轗軻而未遇，志鬱抑而不申，憤激委約之中，飛文魏闕之下，奮迅泥滓，自致青雲，振沈溺於一朝，流風聲於千載，往往而有，是以凡百君子，莫不用心焉。

王通《文中子中說·天地篇》 李伯藥見子而論詩，子不答。伯藥退謂薛收曰：「吾上陳應劉，下述沈謝，分四聲八病，剛柔清濁，各有端序，音若塤篪，而夫子不應，我其未達歟？」薛收曰：「吾嘗聞夫子之論詩矣，上明三綱，下達五常。於是徵存亡，辯得失，故小人歌之以貢其俗，君子賦之以見其志，聖人采之以觀其變。今子營營，馳騁乎末流，是夫子之所痛也，不答則有由矣。」

又 子曰：「學者博誦云乎哉，必也貫乎道；文者苟作云乎哉，必也濟乎義。」

又 子謂叔恬曰：「汝不爲續詩乎，則其視七代損益終懣然也。」子謂：「續詩可以諷，可以達，可以蕩，可以獨處，出則悌，入則孝，多見治亂之情。」文中子曰：「吾師也，詞達而已矣。」或問揚雄張衡，子曰：「古之振奇人也，其思苦，其言艱。」曰：「其道何如？」子曰：「靖矣！」

又《事君篇》 房玄齡問史，子曰：「古之史也，辯道；今之史也，耀文。」問文，子曰：「古之文也，約以達；今之文也，繁以塞。」薛收問續詩，子曰：「有四名焉，有五志焉。何謂四名？一曰化，天子所以風天下也。二曰政，蕃臣所以移其俗也。三曰頌，以成功告於神明也。四曰歎，以陳誨立誡于家也。凡此四者，或美焉，或勉焉，或傷焉，或惡焉，或誡焉，是謂五志。」子謂叔恬曰：「汝爲春秋元經乎？春秋元經於王道，是輕重之權衡，曲直之繩墨也，失則無所取衷矣！」子謂：「續詩之有化，其猶先王之有雅乎？續詩之有政，其猶列國之有風乎？」子曰：「郡縣之政，其異列國之風乎？列國之風，深以固，其人篤，曰：『我君不卒求我也，其上下相安乎？』及其變也，勞而散，其人蓋傷君恩之薄也，而不敢怨。郡縣之政悅以幸，其人慕，曰：『我君不卒撫我也，其臣主屢遷乎？』及其變也，苛而迫，其人蓋怨吏心之酷也，而無所傷焉。雖有善政，未及行也。」魏徵曰：「敢問『列國之風變，傷而不怨；郡縣之政變，怨而不傷』何謂也？」子曰：「傷而不怨，則不曰『猶吾君也，吾得逃乎』，何敢怨？怨而不傷，則不曰『彼下矣，吾將賊之』，又何傷？故曰三代之末尚有仁義存焉，六代之季仁義盡矣。何則？導人者非其路也。」子曰：「變風變雅作，而王澤竭矣；變化變政作，而帝制衰矣。」

王勃《王子安集》卷八《上吏部裴侍郎啓》 夫文章之道自古稱難。聖人以開物成務，君子以立言見志。遺雅背訓，孟子不爲；勸百諷一，揚雄所恥。苟非可以甄明大義，矯正末流，俗化資以興衰，家國繇其輕重，古人未嘗留心也。自微言既絕，斯文不振，屈宋導澆源於前，枚馬張淫風於後。談人主者，以宮室苑囿爲雄；叙名流者，以沉酗驕奢爲達。故魏文用之而中國衰，宋武貴之而江東亂。雖沈謝爭騖，適先兆齊梁之危；徐庾並馳，不能免周陳之禍。於是識其道者，卷舌而不言；明其弊者，拂衣而徑逝。《潛夫》、《昌言》之論，作之而有逆於時；周公孔氏之教，存之而不行於代，天下之文靡不壞矣。

又卷一〇《平臺秘略論藝文三》 論曰：《易》稱「觀乎天文，以察時變。」《傳》稱「言而無文，行之不遠。」故文章經國之大業，不朽之能事。而君子所役心勞神，宜於大者、遠者，非緣情體物，雕蟲小技而已。是故思王抗言詞賦，恥爲君子；武皇裁勅篇章，僅稱往事，不其然乎。至若身處魏闕之下，心存江湖之上，詩以見志，文宣王有焉。

盧照鄰《幽憂子集》卷六《樂府雜詩序》 聞夫歌以永言，庭堅有歌虞之曲；頌以紀德，奚斯有頌魯之篇。四始六義存亡播矣，八音九闋哀樂生焉。是以叔譽聞詩，驗同盟之成敗；延陵聽樂，知列國之典彝。王澤竭而頌聲寢，伯功衰而詩道缺。

楊炯《盈川集》卷三《王勃集序》 大矣哉文之時義也！有天文焉，察時以觀其變；有人文焉，立言以重其範。歷年滋久，遞爲文質，應運以發其明，因人以通其粹。

張說《上官昭容集序》 臣聞七聲無主，律呂綜其和；五彩無章，黼黻交其麗。是知氣有壹鬱，非巧辭莫之通；形有萬變，非工文莫之寫。先王以是繼天地，究人神，闡寂寞，覽幽昧，文之辭義大矣哉。

于邵《華陽屬和集序》 六義詩人之藴，雅貫三極，而正存象外，班九流而化行天下。夫然則游夏登科於孔門，獨擅文學，雖風流萬古而不易者文乎哉！且日新之謂盛德，業崇之謂不朽。

李華《李遐叔文集》卷一《贈禮部尚書清河孝公崔沔集序》 文章本乎作者，而哀樂繫乎時；本乎作者，六經之志也；繫乎時者，樂文武而哀幽厲也。

立身揚名，有國有家，化人成俗，安危存亡。於是乎觀之，宣於志者曰言，飾而成之曰文。有德之文信，無德之文詐；皋陶之歌，史克之頌，信也；子朝之告，宰嚭之詞，詐也，而士君子恥之。夫子之文章，偃商傳焉。偃商殁而孔伋、孟軻作，蓋六經之遺也。屈平、宋玉，哀而傷，靡而不返，六經之道遯矣。論及後世，力足者不能知之；知之者，力或不足，則文義寖以微矣。文顧行，行顧文，此其與於古歟。

又《揚州功曹蕭穎士文集序》 君以爲六經之後有屈原、宋玉，文甚雄壯而不能經。厥後有賈誼，文詞最正，近於理體。枚乘、司馬相如亦瓌麗才士，然而不近風雅。揚雄用意頗深，班彪識理，張衡宏曠，曹植豐贍，王粲超逸，嵇康標舉。此外，皆金相玉質，所尚或殊，不能備舉。左思詩賦，有雅頌遺風；干寶著論，近王化根源。此後夐絶無聞焉。近日，陳拾遺子昂文體最正。以此而言，見君之述作矣。君以文章制度爲己任，時人咸以此許之。

元結《次山集》卷二《二風詩論》 客有問元子曰：「子著二風詩何也？」曰：「吾欲極帝王理亂之道，系古人規諷之流。」曰：「何如也？」「夫至理之道，先之以仁明，故頌帝堯爲仁帝；安之以慈順，故頌帝舜爲慈帝；成之以勞儉，故頌夏禹爲勞王；修之以敬慎，故頌殷宗爲正王；守之以清一，故頌周成爲理王：此理風也。」「夫至亂之道，先之以逸惑，故閔太康爲荒王；壞之以苛縱，故閔夏桀爲亂王；覆之以淫暴，故閔殷紂爲虐王；危之以用亂，故閔周幽爲惑王；亡之於累積，故閔周赧爲傷王：此亂風也。訂曰：「子頌善，上不及羲、軒、湯武；閔惡，又不及始皇、哀、靈；焉可稱極帝王理亂之道？」對曰：「於戲，吾敢言極！極其中道者也。吾且不曰著斯詩也，將系規諷乎？如羲、軒之道也，久矣誰能師尊？如湯武之德，吾則不敢頌，爲規法過於是也。吾子審之。」

賈至《議楊綰條奏貢舉疏》 《易》曰：觀乎人文以化成天下。《關雎》之義曰：先王以是經夫婦，成孝敬，厚人倫，美教化，移風俗。蓋王政之所由廢興也。故延陵聽詩，知諸侯之存亡。今試學者以帖字爲精通，而不窮旨義，豈能知遷怒貳過之道乎？考文者以聲病爲是非，而務擇浮豔，豈能知移風易俗化天下之事乎？是以上失其源，而下襲其流，乘流波蕩，不知所止，先王之道，莫能行也。

又《工部侍郎李公集序》 《易》曰：觀乎天文，以察時變；觀乎人文，以化成天下。然則唐虞《賡歌》，殷周《雅》《頌》，美文之盛也。厥後四夷交侵，諸侯征伐，文王之道將墜地，於是仲尼刪《詩》述《易》作《春秋》，而叙帝王之書，三代文章，炳然可觀。洎騷人怨靡，揚、馬詭麗。班、張、崔、蔡，曹、王、潘、陸，揚波扇飆，大變風雅；宋、齊、梁、隋，盪而不返。昔延陵聽樂，知諸侯之興亡，覽數代述作，固足驗夫理亂之源也。

顔眞卿《顔魯公文集》卷一二《贈尚書右僕射孫逖文公集序》 古之爲文者，所以導達心志，發揮性靈。本乎詠歌，終乎雅頌。帝庸作而君臣動色，王澤竭而風化不行，政之興衰，實繫於此。然而文勝質則綉其鞶帨而血流漂杵，質勝文則野於禮樂而木訥不華，歷代相因莫能適中。故詩人之賦麗以則，詞人之賦麗以淫，此其效也。

獨孤及《檢校尚書吏部員外郎趙郡李公中集序》 志非言不形，言非文不彰，是三者相爲用，亦猶涉川者假舟檝而後濟。自典謨缺，雅頌寢，世道陵夷，文亦下衰，故作者往往先文字、後比興，其風流蕩而不返。乃至有飾其辭而遺其意者，則潤色愈工，其實愈喪。及其大壞也，儷偶章句，使枝對葉比，以八病四聲爲梏拲，拳拳守之如奉法令。聞皋繇史克之作，則呷然笑之。天下雷同，風驅雲趨，文不足言，言不足志，亦猶木蘭爲舟，翠羽爲檝，玩之於陸，而無涉川之用。痛乎流俗之惑人也舊矣。

李益《詩有六義賦》 夫聖人之理，原於始而執其中。觀天文以審於王事，觀人文而知其國風。故每歲孟春，採詩於道路，而獻之泮宮。有以知下之化，達人之窮。發於《關雎》之首，及乎王道之終。故曰：天明自人而視，天聽自人而聽。所謂政於內，繫一人之本；動於外，形四方之風。始於風，成於雅。失其道，或天方薦瘥；得其宜，或錫之純嘏。是人情之大寶，未有不由於斯者。爾其德以頌宣，事以類比，陳之於學校，將可以反正輟淫；播之於絲桐，何有於翦商變徵。屬辭庶因於勸戒，緣情孰多夫綺靡。《嘉魚》作而賢者進焉，《騶虞》廢而王道缺矣。至於詩之爲稱，言以全興；詩之爲志，賦以明類。亦有感於鬼神，豈止明乎禮義。王澤竭而詩不作，周道微而興以刺，俾乃審音之人，於以知風之自。洎夫代見更改也，運歷於詩祖。自天未喪斯文也，以至於皇家。於是抑文尚質，崇儉去奢。振六藝以補化，秉一言之無邪。不然，何以天地奉若，而不興雲漢之嗟。用能德馨而蘋蘩可薦，誠達而麳麰降生。雖九重歲招其諫諍，而九有日聞其頌聲。且君非五諫兮何弼？詩

匪六義兮何成？我皇乃以詩而條之，國政本乎人情，故得行於蠻貊，豈獨用之邦國？修之身則壽考不忘，垂乎後則子孫千億，乃知詩之爲教，蓋亦王猷之至極。

柳冕《與權侍郎書》 進士以詩賦取人，不先理道；明經以墨義考試，不本儒意。選人以書判殿最，不尊人物，故吏道之理天下，天下奔競而無廉耻者，以教之者末也。【略】且明六經之義，合先王之道，君子之儒，教之本也。明六經之注與六經之疏，小人之儒，教之末也。今者先章句之儒，後君子之儒，以求清識之士，不亦難乎。

又《與徐給事論文書》 文章本於教化，形於治亂，繫於《國風》。故在君子之心爲志，形君子之言爲文，論君子之道爲教。《易》云：「觀乎人文以化成天下。」此君子之文也。自屈宋以降，爲文者本於哀艶，務於恢誕，亡於比興，失古義矣。雖揚馬形似，曹劉骨氣，潘陸藻麗，文多用寡，則是一技，君子不爲也。昔武帝好神仙而相如爲《大人賦》以諷，帝覽之，飄然有凌雲之氣，故揚雄病之曰：諷則諷矣，吾恐不免於勸也。蓋文有餘而質不足則流，才有餘而雅不足則蕩；流蕩不返，使人有淫麗之心，此文之病也。雄雖知之，不能行之。行之者惟荀、孟、賈生、董仲舒而已。僕自下車爲外事所感，感而應之爲文，不覺成卷。意雖復古，而不逮古，則不足以議古人之文。噫！古人之文不可及之矣，得見古人之心在於文乎？苟無文又不得見古人之心，故未能亡言，亦志之所之也。

權德輿《唐使君盛山唱和集序》 古者采詩成聲，以觀風俗，士君子以文會友，緣情放言，言必類而思無邪，悼《谷風》而嘉《伐木》，同其聲氣，則有唱和，樂在名教，而相博約。

王仲舒《崔處士集序》 文之難爲久矣，世有執異端爲公是，驅法政爲利物。或雕刻雪月以趣佻巧，或侈衒奇詭以新聞見，或拘實而忘雄，或飾辭而契本，使曲直亂次，褒貶錯行。作者以壓溺處之，未嘗吊也。深而通，簡而茂，華而不流，純而不樸。仁義物體之序，屬辭興事之端，於大化也，粲而不殊。作者之教，吾其奉哉！由是治帝王之制度，以啓箴諫，則漢宣中興頌作焉；諷前史之闕，以貞黜陟，則翟儀贊形焉；較英雄之功伐，以傳後世，則三傑頌存焉。其餘暢賢人之德，評一時之事，不附於彼而立於才，纍然貫珠於遺體，不可備舉。

《白香山詩集》卷三《新樂府序》 篇無定句，句無定字，繫於意，不繫於文。首句標其目，卒章顯其志，《詩》三百之義也。其辭質而徑，欲見之者易諭也；其言直而切，欲聞之者深誡也；其事覈而實，使採之者傳信也；其體順而肆，可以播於樂章歌曲也。總而言之，爲君、爲臣、爲民、爲物、爲事而作，不爲文而作也。

又《白氏長慶集》卷四五《與元九書》 上自賢聖，下至愚騃，微及豚魚，幽及鬼神，羣分而氣同，形異而情一。未有聲入而不應，情交而不感者。聖人知其然，因其言，經之以六藝；緣其聲，緯之以五音。音有韻，義有類，韻協則言順，言順則聲易入；類舉則情見，情見則感易交。於是乎孕大含深，貫微洞密，上下通而一氣泰，憂樂合而百志熙，五帝三皇所以直道而行、垂拱而理者，揭此以爲大柄，決此以爲大寶也。故聞元首明、股肱良之歌，則知虞道昌矣；聞五子洛汭之歌，則知夏政荒矣。言者無罪，聞者作戒，言者聞者，莫不兩盡其心焉。洎周衰秦興，採詩官廢，上不以詩補察時政，下不以歌洩導人情，乃至於諂成之風動，救失之道缺，于時六藝始刓矣。國風變爲騷辭，五言始於蘇、李，蘇、李、騷人，皆不遇者，各繫其志，發而爲文。故河梁之句，止於傷別；澤畔之吟，歸於怨思；彷徨抑鬱，不暇及他耳。然去詩未遠，梗概尚存，故興離別，則引雙鳧一雁爲喻；諷君子小人，則引香草惡鳥爲比。雖義類不具，猶得風人之什二三焉，于時六義始缺矣。晉宋以還，得者蓋寡，以康樂之奧博，多溺於山水；以淵明之高古，偏放於田園。江鮑之流，又狹於此。如梁鴻《五噫》之例者，百無一二焉。於時六義寖微矣。陵夷至於梁、陳間，率不過嘲風雪、弄花草而已。噫，風雪花草之物，《三百篇》中，豈捨之乎，顧所用何如耳。設如「北風其涼」，假風以刺威虐也；「雨雪霏霏」，因雪以愍征役也；「棠棣之華」，感華以諷兄弟也；「采采芣苢」，美草以樂有子也。皆興發於此，而義歸於彼，反是者可乎哉！然則「餘霞散成綺，澄江淨如練」、「離花先委露，別葉乍辭風」之什，麗則麗矣，吾不知其所諷焉。故僕所謂嘲風雪、弄花草而已，于時六義盡去矣。唐興二百年，其間詩人不可勝數，所可舉者，陳子昂有《感遇詩》二十首，鮑防有《感興詩》十五首，又詩之豪者，世稱李、杜。李之作，才矣奇矣，人不逮矣，索其風雅比興，十無一焉。杜詩最多，可傳者千餘篇。至於貫穿今古，覼縷格律，盡工盡善，又過於李，然撮其《新安吏》、《石壕吏》、《潼關吏》、

《塞蘆子》、《留花門》之章，「朱門酒肉臭，路有凍死骨」之句，亦不過十三四首，杜尚如此，況不逮杜者乎！僕嘗痛詩道崩壞，忽忽憤發，或食輟哺，夜輟寢，不量材力，欲扶起之。嗟乎！事有大謬者，又不可一二而言，然亦不能不纍陳於左右。

又卷三〇《進士策問五道》 大凡人之感於事，則必動於情，發於歎，興於詠，而後形於歌詩焉。故聞《蓼蕭》之詠，則知德澤被物也；聞《北風》之刺，則知威虐及人也；聞廣袖高髻之謠，則知風俗之奢蕩也。古之君人者採之，以補察其政，經緯其人焉。夫然，則人情通而王澤流矣。

又卷四八《議文章碑碣詞賦》 問：國家化天下以文明，奬多士以文章，二百餘載，文章煥焉。然則述作之間，久而生弊，書事者罕聞於直筆，褒美者多覩其虛辭。今欲去僞抑淫，芟蕪剗穢，黜華於枝葉，反實於根源，引而救之，其道安在？ 臣謹按，《易》曰：「觀乎人文，以化成天下。」《記》曰：「文王以文理」，則文之用大矣哉。自三代以還，斯文不振，故天以將喪之弊，授我國家，國家以文德應天，以文教牧人，以文行選賢，以文學取士，二百餘載，煥乎文章，故士無賢不肖，率注意於文矣。然臣聞大成不能無小弊，大美不能無小疵，是以凡今秉筆之徒，率爾而言者有矣；斐然成章者有矣。故歌詠詩賦碑碣讚詠之製，往往有虛美者矣，有媿辭者矣，若行於時，則誣善惡而惑當代；若傳於後，則混眞僞而疑將來。臣伏思之，恐非先王文理化成之教也。且古之爲文者，上以紐王教，繫國風，下以存炯戒，通諷諭。故懲勸善惡之柄，執於文士褒貶之際焉。補察得失之端，操於詩人美刺之間焉。今褒貶之文無覈實，則懲勸之道缺矣；美刺之詩不稽政，則補察之義廢矣。雖彫章鏤句，將焉用之。臣又聞稂莠秕稗生於穀，反害穀者也。淫辭麗藻生於文，反傷文者也。故農者耘稂莠，簸秕稗，所以養穀也。王者刪淫辭，削麗藻，所以養文也。伏惟陛下詔主文之司，諭養文之旨，俾辭賦合炯戒諷諭者，雖質雖野，採而獎之；碑誄有虛美媿辭者，雖華雖麗，禁而絶之。若然，則爲文者必當尚質抑淫，著誠去僞。小疵小弊，蕩然無遺矣。則何慮乎皇家之文章不與三代同風者歟？

又《策林六十九·採詩以補察時政》 問：聖人之致理也，在乎酌人言，察人情，而後行爲政，順爲教者也。然則一人之耳，安得徧聞天下之言乎？一人之心，安得盡知天下之情乎？今欲立採詩之官，開諷刺之道，察其得失之政，通其上下之情，子大夫以爲如何？ 臣聞聖王酌人之言，補己之過，所以立理本，導化源也。將在乎選觀風之使，建採詩之官，俾乎歌詠之聲，諷刺之興，日採於下，歲獻於上者也。所謂言之者無罪，聞之者足以自誡。大凡人之感於事則必動於情，然後興於嗟嘆，發於吟詠，而形於歌詩矣。故聞《蓼蕭》之詩，則知澤及四海也；聞《華黍》之咏，則知時和歲豐也；聞《北風》之言，則知威虐及人也；聞《碩鼠》之刺，則知重斂於下也；聞廣袖高髻之謠，則知風俗之奢蕩也；聞「誰其穫者婦與姑」之言，則知征役之廢業也。故國風之盛衰，由斯而見也；王政之得失，由斯而聞也；人情之哀樂，由斯而知也。然後君臣親覽而斟酌焉，政之廢者修之，闕者補之，人之憂者樂之，勞者逸之，所謂善防川者，決之使導，善理人者，宣之使言。故政有毫髮之善，下必知也，教有錙銖之失，上必聞也。則上之誠明何憂乎不下達，下之利病何患乎不上知。上下交和，内外胥悅，若此而不臻至理，不致昇平，自開闢以來，未之聞也。老子曰：「不出戶，知天下」，斯之謂歟。

呂溫《呂衡州文集》卷一〇《人文化成論》 《易》曰：「觀乎人文以化成天下。」能諷其言蓋有之矣，未有明其義者也。嘗試論之，夫一二相生，大鈞造物，百化交錯，六氣節宣；或陰闔而陽開，或天經而地紀，有聖作則實爲人文。若乃夫以剛克，妻以柔立，父慈而教，子孝而箴，此室家之文也。君以仁使臣，臣以義事君，予違汝弼，獻可替否，此則朝廷之文也。三公論道，六卿分職，九流異趣，百揆同歸，此則官司之文也。寬則人慢，糾之以猛；猛則人殘，施之以寬；寬以濟猛，猛以濟寬，此刑政之文也。樂勝則流，遏之以禮，禮勝則離，和之以樂；與時消息，因俗變通，此教化之文也。文者蓋言錯綜庶績，藻繪人情，如成文焉以致其理。然則人文化成之義其在茲乎。而近代諂諛之臣，特以時君不能則象乾坤，祖述堯舜，作化成天下之文，乃以旂裳冕服，章句翰墨，爲人文也。遂使君人者，浩然忘本，沛然自得，盛威儀以求至理，坐吟詠而待太平，流蕩因循，敗而未悟，不其痛歟！必以旂裳冕服爲人文，則秦漢魏晉，聲明文物，禮縟五帝，儀繁三王，可曰煥乎其有文章矣，何衰亂之甚也？必以章句翰墨爲人文，則陳後主隋煬帝雍容綺靡，洋溢編簡，可曰文思安安矣，何滅亡之速也？覈之以名義，研之以情實，既如彼；校之以今古，質之以成敗，又如此。傳不云乎：經緯天地曰文；禮不云乎：文王以文治。則文之時義大矣哉，焉可以名數末流，雕蟲

小技，廁雜其間也！

柳宗元《河東先生集》卷二一《楊評事文集後序》 贊曰：文之用，辭令褒貶、導揚諷諭而已。雖其言鄙野，足以備於用，然而闕其文采，固不足以竦動時聽，夸示後學。立言而朽，君子不由也。故作者抱其根源，而必由是假道焉。作於聖，故曰經；述於才，故曰文。文有二道：辭令褒貶，本乎著述者也；導揚諷諭，本乎比興者也。著述者流，蓋出於《書》之謨訓、《易》之象系、《春秋》之筆削，其要在於高壯廣厚，詞正而理備，謂宜藏於簡册也。比興者流，蓋出於虞夏之詠歌，殷周之風雅，其要在於麗則清越，言暢而意美，謂宜流於謠誦也。茲二者，考其旨義，乖離不合。故秉筆之士，恆偏勝獨得，而罕有兼者焉。厥有能而專美，命之曰藝成。雖古文雅之盛世，不能並肩而生。

又卷二四《婁二十四秀才花下對酒唱和詩序》 君子遭世之理，則呻呼踴躍，以求知於世，而遯隱之志息焉。於是感激憤悱，思奮其志略，以效於當世，以形於文字，伸於歌詠，是故有其具而未得行其道者之爲之也。

又卷三一《答吴武陵論非國語書》 僕之爲文久矣。然心少之，不務也。以爲是特博弈之雄耳。故在長安時不以是取名譽，意欲施之事實。以輔時及物爲道。自爲罪人，捨恐懼則閑無事。故聊復爲之，然而輔時及物之道，不可陳於今，則宜垂於後。言而不文則泥，然則文者，固不可少耶。【略】夫爲一書，務富文采，不顧事實，而益之以誣怪，張之以闊誕，以炳然誘後生，而終之以僻，是猶用文錦覆陷穽也。不明而出之，則顛者衆矣。

沈亞之《序詩送李膠秀才》 歌詩之所以爲發窮，其旨甚遠。夫物情暢樂怨抑之感，吁而散之大空，還會於風雲，降于水土。包聲于陶埴之器，髣髴之變，盡搖于樂。樂之所感，微則占於音；章則見於詞。微於音者，聖人察之；章於詞者，賢人畏之。故勤人之君欲以聞其下，忠主之佐使以達其上。夫往代之詩樂，皆能沿聲諧韻。今徵其文以觀之，而其代興衰可見也。寧近世學者，固不變風從律耶？何爲其詞不聞充陳於管絃乎？

李行修《請置詩學博士書》 夫詩者，發人之蘊，故謂之風。手舞足蹈之音作，用之光祖宗，垂風聲；勞歌怨誹之音作，用之察吏理，審教化。是以四海雖大，羣生雖廣，猶民人之和氣，息乎踵，達乎顱，流乎手足，猶草木之豐澤，漸乎根，窮乎杪，被乎枝葉。上下無滯氣，內外無遁情，如此則詩得其任，風得其性也。

皮日休《正樂府序》 樂府，蓋古聖王採天下之詩，欲以知國之利病，民之休戚者也。得之者，命司樂氏入之於塤篪，和之以管籥。詩之美也，聞之足以觀乎功；詩之刺也，聞之足以戒乎政。故周禮，太師之職掌六詩，小師之職掌諷誦詩。由是觀之，樂府之道大矣。今之所謂樂府者，唯以魏、晉之侈麗，陳、梁之浮豔，謂之樂府詩，真不然矣！故嘗有可悲可懼者，時宣於詠歌，總十篇，故命曰正樂府詩。

顧陶《唐詩類選序》 在昔樂官采詩而陳於國者，以察風俗之邪正，以審王化之興廢，得芻蕘而上達，萌治亂而先覺，詩之義也大矣遠矣。肇自宗周，降及漢魏，莫不由政治以諷諭，繫國家之盛衰。作之者有犯而無諱，聞之者傷懼而鑒誡；寧同嘲戲風月，取懽流俗而已哉。晉宋詩人不失雅正，直言無避，頗遵漢魏之風。逮齊梁陳隋，德祚淺薄，無能激切於事，皆以浮豔相誇，風雅大變，不隨流俗者無幾。所謂「亡國之音哀以思」，王澤竭而詩不作。吴公子聽五音，知國之興廢，匪虛謬也。

裴延翰《樊川文集序》 文章與政通，而風俗以文移。在三代之道，以文與忠敬隨之，是爲理具，與運高下。探採古作者之論，以屈原、宋玉、賈誼、司馬遷、相如、揚雄、劉向、班固爲世魁傑。然騷人之辭，怨刺憤懟，雖援及君臣教化，而不能霑洽持論；相如、子雲，瑰麗詭變，諷多要寡，漫羨無歸，不見治亂；賈馬劉班，乘時君之善否，直豁己臆，奮然以拯世扶物爲任，纂緒造端，必不空言，言之所及，則君臣、禮樂、教化、賞罰，無不包焉。【略】故文中子曰：「言文而不及理，是天下無文也，王道何從而興乎？」嘻，所謂文章與政通，而風俗以文移，果於是以卜。盛時理具，踔三代而蔭萬古，若躋太華，臨溟渤，但觀乎積高而沓深，不知其磅礴澶漫，所爲遠大者也。近代或序其文，非有名與位，則文學宗老，小子既就其集，寐寤思慮，顛倒反覆，不翅逾年。苟墜承顧付與之言，雖晦顯兩不相解，在他人無知狀者；然以高有天，幽有神，陰有宰物者，可自抵誣，以甘罰殛邪。

吴融《禪月集序》 夫詩之作，善善則頌美之，惡惡則風刺之。苟不能本此二道，雖甚美，猶土木偶不主於氣血，何所高哉？自風雅之道息，爲五、七字詩者，皆率拘以句度屬對焉。既有所拘，則演情叙事不盡矣。且歌與詩，其道一也，然詩之所拘悉無之，足得放意取非常語、非常意，意又盡，則爲

善矣。

黃滔《答陳磻隱論詩書》　希畋示以先立行，次立言，言行相扶，言爲心師，志之所之以爲詩，斯乃典謨訓誥也。且詩本於國風王澤，將以刺上化下，苟不如是，曷詩人乎？今以世言之者，謂誰是，如見古賢焉。況其籠絡乎天地，日月出沒，其希夷恍惚，着物象謂之文，動物情謂之聲，文不正則聲不應。何以謂之不正不應？天地籠萬物，物物各有其狀，各有其態，指言之不當，則不應。繇是聖人刪詩，取之合於韶武，故能動天地，感鬼神。其次亦猶琴之舞鶴躍魚，歌之遏雲落塵，蓋聲之志也。琴之與歌苟爾，況惟詩乎。且降自晉、宋、梁、陳之來，詩人不可勝記，莫不盛多猗頓之富貴，疊隋侯之珍，不知百卷之中，數篇之內，聲文之應者幾人乎？大唐前有李杜，後有元白，信若滄溟無際，華嶽干天。然自李飛數賢多以粉黛爲樂天之罪，殊不謂《三百篇》多乎女子，蓋在所指說如何耳。至如《長恨歌》云：「遂令天下父母心，不重生男重生女。」此以刺男女不常，陰陽失倫，其意險而奇，其文平而易。所謂言之者無罪，聞之者足以自戒哉。

徐鉉《徐公文集》卷一八《文獻太子詩集序》　鼓天下之動者在乎風，通天下之情者存乎言，形於風可以言者，其惟詩乎？粤若書契肇生，《雅》、《頌》乃作。逹朝廷邦國之際，其用不窮；更治亂興替之時，其流不竭。六義浸遠，百代可知。

又《成氏詩集序》　詩之旨遠矣，詩之用大矣！先王所以通政教、察風俗，故有采詩之官，陳詩之職，物情上達，王澤下流。及斯道之不行也，猶足以吟詠性情，黼藻其身，非苟而已矣。若夫嘉言麗句，音韻天成，非徒積學所能，蓋有神助者也。

又《翰林學士江簡公集序》　士君子藏器於身，應物如響。成天下之務者，存乎事業；通萬物之情者，在乎文辭。然則日月不知，人亡政息，瞻之則渺然在羲軒之上，蹈之則肅然若旦暮之間，自非遺文餘教，則作者之道，或幾乎息矣！

徐鍇《曲臺奏議集序》　嗟夫！爲文而造情，汚準而粉纇。若夫有斐君子，含章可正，和順積中，而英華發外。周旋俯仰，金石之度彰；摛簡下筆，鸞鳳之文奮。必有其質，乃爲之文，其積習歟，何其寡也！有能一日用其本者，文遠乎哉？我欲仁，斯仁至矣！

林逋《省心錄》　華藻見於外者，謂之文；古今積於中者，謂之學。苟見道不明，用心不正，徒只以文過飾非，所以在德行、言語、政事之下。

范仲淹《范文正公集》卷七《奏上時務書》　臣聞國之文章，應於風化；風化厚薄，見乎文章。是故觀虞夏之書，足以明帝王之道；覽南朝之文，足以知衰靡之化。故聖人之理天下也，文弊則救之以質，質弊則救之以文。質弊而不救，則晦而不彰；文弊而不救，則華而將落。前代之季，不能自救，以至於大亂，乃有來者起而救之。故文章之薄，則爲君子之憂，風化其壞，則爲來者之資。惟聖帝明王，文質相救，在乎己，不在乎人。《易》曰：「窮則變，變則通，通則久。」亦此之謂也。伏望聖慈與大臣，議文章之道，師虞夏之風，況我聖朝千載而會，惜乎不追三代之高而尚六朝之細？然文章之列，何代無人，蓋時之所尚，何能獨變。

夏竦《文莊集》卷二四《廣文頌并序》　臣聞聖人仰觀乎天，俯察乎地，知文之可以經上下，緯邦國，正禮樂，移風俗。於是乎修經籍爲文之器，立庠序爲文之館，植正化之本，導仁義之源，跬步之間，失之則亂。故先王謹教勸學，博文訓士，以取輔相，以濟功業。其道充者其文盛，其政怠者其章缺。蓋文者，匠天下之器也。四代而降，文物之制莫茂於漢，莫茂於唐。自昔周道不融，青衿起刺，七雄分競，干戈日尋，道堙楊墨，辭逸談說，斯文中否，而漢氏開之。洎三國鼎峙，六朝南渡，義駮傴釋，辭放輕麗，吾道將微，而唐氏隆之。然則漢乘秦弊，去聖猶近，學欲博而益專，文欲華而自質。其取士也，故有賢良有道孝茂之舉。唐革隋命，去聖踰遠，學欲一而滋蔓，文欲典而更麗。其取士也，故有進士科目明經之選。夫漢之得人，莫盛於策問；唐之取材，莫精於辭賦。雖文質殊軌，而取捨齊致。公卿之材，忠讜之臣，論議之官，博古之士，考之二史，世不乏人。故制度可遵，歷祚皆永。暨五代宿兵，漢唐之制，廢缺垂盡。天啓有宋，拯我儒德，曾不崇朝，文明天下。我皇帝親幹文柄，指麾萬國，變爲政教，發爲號令，景德之間，坐致太平，蠻夷柔服，天下歸心，邊城夜開，五穀被野，由是益重儒術，專用文章。

石介《徂徠石先生全集》卷一八《石曼卿詩集序》　詩之作與人生偕者也。函愉樂悲鬱之氣，必舒於言，能者述之傳於律，故其流行無窮，可以播管弦而交鬼神也。古之有天下者，欲知風教之感，氣俗之變，必立官司採掇而監聽之，由是張弛其務，以足其所思，乃能享世長久，弊亂無由而生，厥後廢

官，詩不傳，在上者不復知民之所嚮，故政化顛悖治道亡矣！詩之於時亦可見大道於文字，習爲故常。但作者才致鄙迫，不能深入其域耳。

李覯《盱江集》卷二七《上李舍人書》 賢人之業，莫先乎文。文者，豈徒筆札章句而已，誠治物之器焉。其大則核禮之序、宣樂之和、繕政典、飾刑書。上之爲史，則怙亂者懼；下之爲詩，則失德者戒。發而爲詔誥，則國體明而官守備；列而爲奏議，則闕政修而民隱露。周還委曲，非文曷濟？禹、益、稷、皋陶之謨，虺之誥，尹之訓，周公之制作，咸曰興國家，靖生民矣。自周道消，孔子無位而死，而秦嬴以烈火劫之。漢由武定，晚知儒術，至今越千載，其間文教一盛一衰，大抵天下治則文教盛，而賢人達；天下亂則文教衰，而賢人窮。欲觀國者，觀文而可矣。

又《上宋舍人書》 文之於化人也深矣。雖五聲八音，或雅或鄭，納諸聽聞而淪入心竅，不是過也。嘗試從事於簡策間，其讀虛無之書，則心頹然而厭於世；觀軍陣之法，則心奮起而輕其生；味縱橫之說，則思譎詭而忘忠信；熟刑名之學，則喜苛刻而泥廉隅；誦隱遁之篇，則意先馳於水石；詠宮體之辭，則志不出於奩匣。文見於外，心動乎內，百變而百從矣。諒非淳氣素具、通識旁照，則爲其所敗壞如覆手耳。韓子有言曰：「儒以文亂德。」豈謂是乎。然則聖君賢輔將以使民遷善而遠罪，得不謹於文哉！有周而上，去古未遠，而睿哲時起，以綱領之，彬彬之盛，如天地日月，不可復譽其大而褒其明也。至於漢初，老師大儒，未盡凋落，嗣而興者，皆知稱先聖、本仁義，數百年中，其秉筆者多有可采。魏晉之後，涉於南北，斯道積羸，日劇一日。高冠立朝，不恤治具而相高佛老無用之談，世主儲王而爭誇姦聲亂色以爲才思，虛荒巧僞，滅去義理，俾元元之民，雖有耳目弗能復視聽矣。賴天相唐室，生大賢以維持之。李、杜稱兵於前，韓、柳主盟於後，誅邪賞正，方內嚮服。堯、舜之道，晦而復明；周、孔之教，枯而復榮。逮於朝家，文章之懿，高視前古者階於此也。不意天宇之廣，頹風未絕，近年以來，新進之士重爲其所扇動，不求經術而摭小說以爲新，不思理道而專雕鎪以爲麗，句千言萬，莫辨首尾，覽之若遊於都市，但見其晨而合，夜而散，紛紛藉藉不知其何氏也。遠近傳習，四方一體，有司以備官之故，姑用汎取，瑣辭謬舉，無如之何，聖人之門，將復榛蕪矣。

孔武仲《張子厚睦州唱和集序》 夫詩之用於世久矣！其言隱約，而出入於風諭比興之間，使人可以喜，可以慍。三代之際，會同燕享，必賦詩以見其志，所以察臧否、省禍福，爲國者又以此占治亂、知興亡。至於怨傷譏刺，道人情之所難言，而莫以爲忌。

《東坡全集》卷三四《鳧繹先生詩集敘》 孔子曰：「吾猶及史之闕文也。有馬者借人乘之，今亡矣夫。」史之不闕文，與馬之不借人也，豈有損益於世也哉？然且識之，以爲世之君子長者，日以遠矣，後生不復見其流風遺俗，是以日趨於智巧便佞而莫之止。是二者雖不足以損益，而君子長者之澤在焉，則孔子識之，而況其足以損益於世者乎。昔吾先君適京師，與卿士大夫遊，歸以語軾曰：「自今以往，文章其日工，而道將散矣。士慕遠而忽近，貴華而賤實，吾已見其兆矣。」以魯人鳧繹先生之詩文十餘篇示軾曰：「小子識之。後數十年，天下無復爲斯文者也。」先生之詩文，皆有爲而作，精悍確苦，言必中當世之過，鑿鑿乎如五穀必可以療饑，斷斷乎如藥石必可以伐病。其遊談以爲高，枝詞以爲觀美者，先生無一言焉。其後二十餘年，先君既沒，而其言存。士之爲文者，莫不超然出於形器之表，微言高論，既已鄙陋漢、唐，而其反覆論難，正言不諱，如先生之文者，世莫之貴矣。

又《六一居士集敘》 夫言有大而非誇，達者信之，衆人疑焉。孔子曰：「天之將喪斯文也。後死者不得與於斯文也。」孟子曰：「禹抑洪水。孔子作《春秋》。而予距楊、墨。」蓋以是配禹也。文章之得喪，何與於天，而禹之功與天地並，孔子、孟子以空言配之，不已誇乎。自《春秋》作而亂臣賊子懼，孟子之言行而楊、墨之道廢。天下以爲是固然而不知其功。孟子既沒，有申、商、韓非之學，違道而趨利，殘民以厚主，其說至陋也，而士以是罔其上。上之人僥倖一切之功，靡然從之。而世無大人先生如孔子、孟子者，推其本末，權其禍福之輕重，以救其惑，故其學遂行。秦以是喪天下，陵夷至於勝、廣、劉、項之禍，死者十八九，天下蕭然。洪水之患，蓋不至此也。方秦之未得志也，使復有一孟子，則申、韓爲空言，作於其心，害於其事，作於其事，害於其政者，必不至若是烈也。使楊、墨得志於天下，其禍豈減於申、韓哉！由此言之，雖以孟子配禹可也。太史公曰：「蓋公言黃、老，賈誼、晁錯明申、韓。」錯不足道也，而誼亦爲之，余以是知邪說之移人，雖豪傑之士有不免者，況衆人乎！自漢以來，道術不出於孔氏，而亂天下者多矣。晉以老莊亡，梁以佛亡，莫或正之，五百餘年而後得韓愈，學者以愈配孟子，

蓋庶幾焉。愈之後二百有餘年而後得歐陽子，其學推韓愈、孟子以達於孔氏，著禮樂仁義之實，以合於大道。其言簡而明，信而通，引物連類，折之於至理，以服人心，故天下翕然師尊之。自歐陽子之存，世之不説者，譁而攻之，能折困其身，而不能屈其言。士無賢不肖不謀而同曰：「歐陽子，今之韓愈也。」

又卷七五《謝梅龍圖書》 軾聞古之君子，欲知是人也，則觀之以言。言之不足以盡也，則使之賦詩以觀其志。春秋之世，士大夫皆用此以卜其人之休咎，死生之間，而其應若影響符節之密。夫以終身之事而決於一詩，豈其誠發於中而不能以自蔽邪？《傳》曰：「登高能賦，可以爲大夫矣。」古之所以取人者，何其簡且約也。後之世風俗薄惡，漸不可信。孔子曰：「今吾於人也，聽其言而觀其行。」知詩賦之不足以決其終身也，故試之論以觀其所以是非於古之人，試之策以觀其所以措置於今之世。而詩賦者，或以窮其所不能。策論者，或以掩其所不知。差之毫毛，輒以擯落。後之所以取人者，何其詳且難也。夫惟簡且約，故天下之士皆敦朴而忠厚；詳且難，故天下之士虛浮而矯激。伏惟龍圖執事，骨鯁大臣，朝之元老。憂卹天下，慨然有復古之心。親較多士，存其大體。詩賦將以觀其志，而非以窮其所不能；策論將以觀其才，而非以掩其所不知。使士大夫皆得寬然以盡其心，而無有一日之間倉皇擾亂、偶得偶失之歎。故君子以爲近古。軾長於草野，不學時文，詞語甚朴，無所藻飾。意者執事欲抑浮剽之文，故寧取此以矯其弊。

邵雍《擊壤集》卷一八《詩史吟》 史筆善紀事，長於炫其文。文勝則實喪，徒憎口云云。詩史善記事，長於造其眞。眞勝則華去，非如目紛紛。天下非一事，天下非一人。天下非一物，天下非一身。皇王帝霸時，其人長如存。百千萬億年，其事長如新。可以辨庶政，可以齊黎民，可以述祖考，可以訓子孫，可以尊萬乘，可以嚴三軍，可以進諷諫，可以揚功勳，可以移風俗，可以厚人倫，可以美教化，可以和疎親，可以正夫婦，可以明君臣，可以贊天地，可以感鬼神。規人何切切，誨人何諄諄，送人何戀戀，贈人何懃懃，無歲無嘉節，無月無嘉辰，無時無嘉景，無日無嘉賓。樽中有美祿，坐上無妖氛，胸中有美物，心中無埃塵。忍不用大筆，書字如車輪。三千有餘首，布爲天下春。

《河南程氏遺書》卷一八《伊川先生語四》 或問：「詩可學否？」曰：「既學時，須是用功，方合詩人格。既用功，甚妨事。古人詩云『吟成五箇字，用破一生心』；又謂『可惜一生心，用在五字上』。此言甚當。」先生嘗説：「王子眞會寄藥來，某無以答他，某素不作詩，亦非是禁止不作，但不欲爲此閒言語。且如今言能詩無如杜甫，如云『穿花蛺蝶深深見，點水蜻蜓欵欵飛』，如此閒言語，道出做甚？某所以不嘗作詩。今寄謝王子眞詩云：『至誠通化藥通神，遠寄衰翁濟病身。我亦有丹君信否，用時還解壽斯民。』子眞所學，只是獨善，雖至誠潔行，然大抵只是爲長生久視之術，止濟一身，因有是句。」

《二程文集》卷一〇《答朱長文書》 向之云無多爲文與詩者，非止爲傷心氣也，直以不當輕作爾。聖賢之言不得已也。蓋有是言則是理明，無是言則天下之理有闕焉。如彼耒耜陶冶之器，一不制，則生人之道有不足矣。聖人之言，雖欲已，得乎？然其包涵天下之理，亦甚約也。後之人始執卷則以文章爲先，平生所爲，動多於聖人。然有之無所補，無之靡所闕，乃無用之贅言也。不止贅而已，既不得其要，則離眞失正，反害於道，必矣。

晁補之《鷄肋集》卷三四《海陵集序》 文學，古人之餘事，不足以發身。春秋時，齊、魯、秦、晉、宋、鄭、吳、楚列國之大夫，顯名諸侯，相與聘問交接，陳詩揚禮，見於言辭，人稱之。至今想見其爲人，若不可及者。皆有他事業，尊君庇民，舉大而任重，排難而解紛，用之如穀米藥石，一日不可無，而言辭者，特以緣飾而行之耳。戰國異甚，士一切趨利邀合，朝秦而暮楚不耻，無春秋時諸大夫事業矣。而言辭始專爲賢雄夸虛張聽者爲奪，雖義理皆亡，而文章可喜，以其去三代、春秋時猶近也。其用以發身，亦不足言。至於詩，又文學之餘事。始漢蘇、李流離異域，困窮仳別之辭，魏晉益競，至唐，家好而人能之。然爲之而工，不足以取世資。而經生法吏，咸以章句刀筆致公相；兵家鬭士，亦以方略膂力專斧鉞。詩如李白、杜甫於唐用人安危成敗之際，存可也，亡可也，故世稱詩人少達而多窮。由漢而下枚數之，皆孫樵所論相望於窮者也。以其不足以發身而又多窮如此。然士有無意於取世資，或其間千一好焉，惟恐其學之而力不逮，營度雕琢，至忘食寢，會其得意，翛然自喜，不啻若鐘鼎錦繡之獲，顧他嗜好，皆無足以易此者。雖數用以取詬而得禍，猶不悔曰：「吾固有得於此也。」以其無益而趨爲之，又有患難而好之，滋不悔不反，賢乎！

張耒《柯山集》卷四〇《送秦觀從蘇杭州爲學序》　秦子善文章而工爲詩，其言清麗刻深，三反九復，一章乃成，大抵悲愁悽婉、鬱塞無聊者之言也。其于物也，秋蛩寒螿，鶗鴂猿狖之號鳴也，霜竹之風，冰谷之水，楚囚之絃，越羇之呻吟也。嘻！秦子內有事親之喜，外有朋友之樂，冬裘而夏絺，甘食而清飲，其中寧有介然者，而顧爲是耶？世之文章多出于窮人，故後之爲文者，喜爲窮人之詞。秦子無憂而爲憂者之詞，殆出此耶？吾請爲子言之。古之所爲儒者，不主于學文，而文章之工，亦不可謂其能窮苦而深刻也，發大議，定大策，開人之所難感，內足以正君，外可以訓民，使于四方，鄰國寢謀，言于軍旅，敵人聽命，則古者臧文仲、叔向、子產、晏嬰、令尹、子文之徒，實以是爲文，後世取法焉。其于文也，雲蒸雨降，雷霆之震也，有生於天地之間者實賴之，是故繫萬物之休戚于其舌端之語默。

又卷四六《答汪信民書》　古之文章，雖製作之體不一端，大抵不過記事辨理而已。記事而可以垂世，辨理而足以開物，皆詞達者也。雖然，有道詞生於理，理根於心，苟邪氣不入於心，僻學不接於耳目，中和正大之氣溢於中，發於文字言語，未有不明白條暢。盍觀於語者乎？直者，文簡事核而理明，雖使婦女童子聽之而諭，曲者，枝詞游說，文繁而事晦，讀之三反而不見其情，此無待而然也。

馬永卿《嬾眞子》卷二　詩人之言，爲用固寡，然大有益於世者，若《長恨歌》是也。明皇、太眞之事，本有「新臺」之惡，而歌云：「楊家有女初長成，養在深閨人未識。」故世人罕知其爲壽王瑁之妃也。《春秋》爲尊者諱，此歌眞得之。

周紫芝《太倉稊米集自序》　文章一小技，于道未爲尊也。使有補于世教，猶殆庶幾。不然，徒費紙札耳，不足錄。

陳俊卿《碧溪詩話序》　夫詩之作，豈徒以青白相媲、駢儷相靡而已哉！要中存風雅，外嚴律度，有補於時，有補於名教，然後爲得。

黃徹《碧溪詩話》卷一〇　山谷云：「詩者，人之情性也，非強諫爭於庭，怨詈於道，怒鄰罵坐之所爲也。」余謂怒鄰罵坐固非詩本指，若《小弁》親親，未嘗無怨，《何人斯》「取彼譖人，投畀豺虎」，未嘗不憤。謂不可諫爭，則又甚矣，箴規刺誨，何爲而作！古者帝王尙許百工各執藝事以諫，詩獨不得與工技等哉！故譎諫而不斥者，惟《風》爲然。如《雅》云：「匪面命之，言提其耳。」「彼童而角，實訌小子。」「憂心慘慘，念國之爲虐。」「亂匪降自天，生自婦人。」忠臣義士，欲正君定國，惟恐所陳不激切，豈盡優柔婉晦乎？故樂天《寄唐生》詩云：「篇篇無空文，句句必盡規。」

汪藻《浮溪集》卷二一《答吳知錄書》　孔子設四科，文與學一而已。及左丘明、屈原、宋玉、司馬遷、相如之徒，始以文章名世，自爲一家，而與六經訓詁之學分。譬均之飲食，經術者，黍稷稻粱也；文章者，五味百羞也。用黍稷稻粱之甘，以充吾所受天地之沖和，固其本矣。若遂以五味百羞，爲無補于養生，皆廢而不用，則加籩陪鼎，殽烝折俎，不當設於先王燕饗之時也，自王氏之學興，學者偃然以經術自高。曰：「吾知經矣，天下之學，復有過此者乎？彼文章一技耳，何爲者哉？」使此曹有秋毫自得于聖人之門，其誰不服膺斂衽？奈何朝夕佔畢者，類皆掇取前人咳唾之餘，熟爛繁蕪，喋喋諄諄，無一字可喜者，亦何異斥八珍不御，而以饐腐之糜彊人，曰：「此養生之本也。」其不爲人出而哇之也，則幸而已耳。又數年以來，伊川之學行，謂讀書作文爲妨道，皆絕而不爲。今有人於此，終日不食，其腹枵然，捫以示人曰：「吾將輕舉矣。」其可信乎？二先生者，天下之宗師也，其文章過人萬萬，議之者非狂則愚。然陵夷至此者，其徒學之之過也。足下才高識明，既卑去場屋舉子之文矣，力追古人而及之。豈難事哉！在乎加之意而已。藻少時蓋嘗疲精于科舉之文，顧隨人後者非吾之所學也，頗欲求所以自得者，于文見之。而年爲世故所分，徒有其志耳！既得罪屏居，則又欲捐書焚硯，不復爲文。嗚呼！過屠門而未嘗得肉也，何以屬饜足下之所嗜哉！來命秪辱，歲晚漸寒，千萬爲斯文自重。不宣。

劉一止《苕溪文集》卷九《平江試院問策》　問文者，貫道之器。道有升降，故文有變革。虞夏商周之文，均於言道，而體則三變，曰：渾渾也，灝灝也，噩噩也，典謨訓誥誓命存焉，可得而知其辨與？自漢至魏，辭人才子，文體三變，曰：善爲形似之言也，長於情理之說也，以氣質爲體也，詩賦紀傳書檄論贊存焉，可得而知其辨與？終唐之世，文之變亦有三：飾句繪章則王揚爲之伯，崇雅黜浮則燕許擅其宗，嚅嚌道眞涵泳聖涯則韓愈倡之，柳宗元等和之，今其文俱在，可考而知。不識所謂文之變者，其必因時而變歟？因人而變歟？抑時與人相待也？且所工又有所拙，所長必有所短，其在一時孰得孰失，孰強孰易，孰同孰異？《書》曰：「辭尙體要。」《語》曰：

「辭達而已矣。」虞夏商周之文雖不同，皆不害爲辭達與體要與？漢魏及唐又何如哉？顧必有能臻是者，赫然與《詩》、《書》表裏焉，不誣也。諸賢致力於斯文久矣，試摭其實，爲有司論之，無以漢魏而下爲區區不足道也。

范浚《香溪集》卷七《詩論》 孔子純取周詩，上摭商，下著魯，凡三百十一篇，又總其義而一言以蔽之，曰「思無邪」。至若遺章逸句，「素以爲絢」、「偏其反而」之類，苟有取焉，必掇拾誦說，不忍棄去。孔子於《詩》，可謂篤矣，然其爲詩之說，則不過以明大義，初未嘗深求曲取，爲穿鑿遷就之論，故其說曰：「吾於《栢舟》，見匹夫執志之不可易；於《淇澳》，見學之可以爲君子；於《考槃》，見遁世之士不悶；於《緇衣》，見好賢之心至；於《雞鳴》，見古之君子不忘欽；於《伐檀》，見賢者之先事後食。「高山仰止，景行行止」，夫子曰：「詩之好仁如此」；「天生烝民，有物有則」，夫子曰：「爲此詩者，其知道乎？」凡夫子爲詩之說，率不過以明大義，故當時從夫子學者，如卜商，如端木賜，其於爲詩，皆能因告往而知來，亦務通乎大義，後世無及者。嗚呼！深求曲取穿鑿遷就之論興，而詩之義始不明矣。今世之説詩者，必欲於是詩求是事，故不得不爲穿鑿遷就之論。是安知詩人固有婉其辭而義自見者哉！《葛生》刺晉獻公好攻戰，詩不言攻戰事，而曰「予美亡此，誰與獨處」。又四章皆言國人喪亡意，獨言國人多喪亡，是以知其君好攻戰也。《大田》刺幽王時矜寡不能自存，詩不言矜寡困窮事，而曰「彼有不穫穉，此有不斂穧；彼有遺秉，此有滯穗」。伊寡婦之利，獨言成王時寡婦有遺秉之利，是以知當時矜寡困窮也。若必於是詩求是事，豈知詩者哉！嗚呼！固於詩，則必爲穿鑿遷就之論，詩之義始不明矣。抑嘗復熟《三百篇》，而求其大義，知《詩》之志與《春秋》不殊旨也。

程泌《洺水集》卷八《書俞侍郎錦野亭詩後》 詩非徒作也，有上下風刺之義焉！亦非徒采也，聞之者必戒焉！夫苟如詞人之靡作而無補，熄先王之澤，采之而不用，則何取於作，抑何取於采哉？後唐明宗一日問宰相馮道曰：今歲豐登，百姓贍足否？道以爲豐凶皆病者唯農家爲然，且舉當時進士詩五月糶穀、二月賣絲之句。明宗悅其詩，命左右錄而諷詠之。然不聞其有所賑恤也。其聆今日因諫以述公之詩，亟寬一邑之民力可同日論哉！

曾慥《類說序》 小道可觀，聖人之訓也。余僑寓銀峰，居多暇日，因集百家之說，采摭事實，編纂成書，分五十卷，名曰《類說》。可以資治體、助名教，供談笑，廣見聞，如嗜常珍，不廢異饌，下筯之處，水陸具陳矣。

周必大《文忠集》卷五二《劉彥純和陶詩後序》 歌詩之作，在國則繫其風化，在人則繫性習。勤而不怨，憂而不困，以至泱泱乎、渢渢乎之類。識者一聞遺音，不待入國，風化固已可知。

朱熹《晦庵集》卷五〇《答潘恭叔·〈關雎〉疑周公所作》 凡言風者，皆民間歌謠，採詩者得之，而聖人因以爲樂，以見風化流行，淪肌浹髓，而發於聲氣者如此。其謂之風，正以其自然而然如風之動物而成聲耳。

羅大經《鶴林玉露》卷三 古詩多矣，夫子獨取《三百篇》，存勸戒也。吾輩所作詩，亦須有勸戒之意，庶幾不爲徒作。彼有繪畫，琱刻，無益勸戒者，固爲枉費精力矣，乃若吟賞物華，流連光景，過于求適，幾于誨淫教偷，則又不可之甚者矣。白樂天《對酒》詩曰：「蝸牛角上爭何事，石火光中寄此身。隨富隨貧且懽喜，不開口笑是痴人。」又曰：「百歲無多時壯健，一春能幾日清明。相逢且莫推辭醉，聽唱陽關第四聲。」又曰：「昨日低眉問疾來，今朝收淚吊人回。眼前見例君看取，且遣琵琶送一杯。」自詩家言之，可謂流麗曠達，詞旨俱美矣。然讀之者，將必起其頹墮廢放之意，而汲汲于此快樂惜流光，則人之職分，與夫古之所謂三不朽者，將何時而可爲哉！且如《唐風·蟋蟀》之詩，蓋勸晉僖公以自虞樂也，然才曰「今我不樂，日月其除」，即曰「無已太康，職思其居」。呂成公釋之曰：「凡人之情，解其拘者，或失于縱；廣其儉者，或流于奢。故疾未已而新復生者，多矣。信矣，《唐風》之憂深思遠也。」樂天之見豈及是乎！本朝士大夫，多慕樂天，東坡尤甚。近時葉石林，謂樂天與楊虞卿爲姻家，而不累于虞卿；與元稹、牛僧孺相厚善，而不黨于元稹、僧孺；爲裴晉公之所愛重，而不因晉公以進；李文饒素不相樂，而不爲文饒所深害。推其所由，惟不汲汲于進，而志在于退，是以能安于去就愛憎之際，每裕然而有餘也。此論固已得之，然樂天非是不愛富貴者，特畏禍之心，甚于愛富貴耳。其詩中于官職、聲名事，極其形容，殊不能掩其眷戀之意。其平生所喜者，元稹、劉禹錫輩，亦皆逐逐聲利之徒。至一聞李文饒之敗，便作詩暢快之，豈非此心未忘，猶有偏黨乎。慕樂天者，愛而知其疵可也。

王柏《魯齋王文憲公文集》卷一三《跋潘子宇還淳集》 蓋聞古人之詩也，善者興起人之良心，惡者懲創人之逸志，故可以被之管絃，薦之宗廟，感鬼

神動天地，聽之者得性情之和，綱常之正，其化民善俗，功用如此。苟作之無所益，不作非所欠，反使人之逸志肆而良心亡，其傷化悖理，爲害甚大，豈獨味漓而質饑哉。

陳藻《樂軒集》卷五《綿亭楊氏子名字序》 《詩三百》，思無邪，無邪者誠，誠者中，中者仁，此詩之至也。吾又未敢以望子誨。其次成孝敬，厚人倫，莫切於詩，若能於此而用力焉，則其本立矣。

王應麟《詩地理考序》 詩可以觀。廣谷大川異制，民生其間者異俗，剛柔輕重，遲速異齊，聲音之道與政通矣，延陵季子以是觀之。太史公講業齊魯之都，其作《世家》「於齊曰：『洋洋乎，固大國之風也！』於魯曰：『洙泗之間，齗齗如也。』」蓋深識夫子一變之意。班孟堅《志·地理》敘變風，十三國而不及《二南》，豈知詩之本原者哉！夫詩由人心生也，風土之音曰《風》，朝廷之音曰《雅》，郊廟之音曰《頌》，其生於心一也。人之心與天地山川流通，發於聲見於辭，莫不繫水土之風，而屬三光五嶽之氣。因詩以求其地之所在，稽風俗之薄厚，見政化之盛衰，感發善心而得性情之正，匪徒辨疆域云爾。

俞德鄰《佩韋齋集》卷一〇《北村詩集序》 詩之道大矣，先帝王盛時，陳詩納言，命官職之，所以觀習氣之感而知風化之變也。夫惟觀其感，知其變，和其忿厲怫鬱之氣，以導其易直子諒之心。是故化行俗美，禍亂無自而作。厥後官廢，士之詩，瞽之曲，師之箴，瞍之賦，矇之誦，工之諫，庶人之謗皆不得以上聞，而上之人亦不得以知民之好惡。于是政乖俗謬，恬不之覺，以至于壞亂而不可救。然則詩詎可以易言哉？孟子曰：「王者之迹熄而《詩》亡，《詩》亡然後《春秋》作。」知其說者，其知詩之道乎？

郝經《郝文忠公陵川文集》卷二〇《文弊解》 事虛文而棄實用，弊亦久矣。自爲己之學不明，天下之人狃於習而啗於利，是以背而馳之，力衒而爲之譔。援筆爲辭，綴辭爲書，藉藉紛紛，不過夫記誦辭章之末，卒無用於世，而謂之文人，果何文耶？俾佛、老二氏蠹於其間，文、武之道墜於地，而天下淪於非類也，宜矣。其不幸而不觀於大庭氏之先，而不見夫文之質也；不幸而不遊於孔氏之門，而不見夫文之用也；不幸而不窮夫《六經》之理，而不見夫文之實也。仰而觀，俯而察，天地之間，衆形之刻鏤，衆色之光絢，衆聲之咿喔，衆變之錯蹂，爛乎其文而若此也，不知孰爲之而熟綴之。乃規規以爲工，切切以爲巧，斐斐以爲麗，角勝而相尚，爲文而無用，何哉？三代之先，聖君賢臣，唯實是務，至於誥誓勑戒之辭，賡和之歌，皆核於實而暐於華，和順積中，而英華發外。故史臣贊曰「聰明文思」，孔子稱之曰「煥乎其有文章」，自其發見者而言，不以文爲本也。天人之道，以實爲用，有實則有文，未有文而無其實者也。《易》之文實理也，《書》之文實辭也，《詩》之文實情也，《春秋》之文實政也，《禮》文實法而《樂》文實音也，故《六經》無虛文，三代無文人。夫惟無文人，故所以爲三代，無虛文，所以爲《六經》，後世莫能及也。余常熟讀《語》、《孟》二書，意味無窮，感化不已。師弟對問之間，而文若是，豈有意於文而後言邪？聖賢之膏腴，道德之精華，發而自然耳，故所以爲孔子，所以爲孟軻，後世亦莫能及也。孔氏之門，游、夏以文學稱，未聞其執筆命題而作文也。則所謂文學者，亦異矣。後世文士，工於文而拙於實，衒於辭章而忘於道義，故班、馬不免於刑，范曄、陸機、謝靈運不免於誅，陳叔寶、楊廣不免於覆宗社，而柳柳州不免於小人，文何益耶？苟有其實矣，何患無文。三代則亦已矣，至於後世，漢高帝奮起亡秦，王有天下，功並湯、武，未嘗爲文也，如大風之歌，聲震海嶽，而光犯日月。諸葛孔明仗義興漢，委身事蜀，道合伊、呂，而他文未見也，如出師之表，與商、周命訓相上下。則有實者有文也必矣。方今道喪時弊，正氣湮塞，生民墜溺，志士振起之秋也，可拘於虛文，溺於淺淺哉？宜嘬《六經》之實，盡躬行之道，精百代之典，革虛文之弊，斷作爲之工，存心養性，磨厲以須天下之清。其行也，其達也，必不與草木並朽而無聞矣。

戴表元《剡源集》卷一〇《城東倡和小序》 余少時學《詩》，誦夫子之說，曰「可以興，可以觀，可以怨」，易知也，至於「可以羣」而難之。有老先生教余：「汝他日當自解此，非可以言語悟也。」蓋自弱冠出遊，至于今閱歷三紀，平生所過從延接，貴賤浮沈，賢愚聚散，無慮千數。至是而始略知夫交之難而尤未知羣之難也。非羣之道難於交，而交之可致，不如羣之不可致也。

吳澄《吳文正公集》卷一三《劉復翁詩序》 古之詩皆有爲而作，訓戒存焉，非徒修飾其辭、鏗鏘其聲而已。是以可興可觀，可羣可怨。漢、魏猶頗近古，齊、梁以後靡矣。流連光景，摹寫物象，斂精竭神，而情性之所發、意義之所託蔑如也。唐宋詩人如山如海，其追躡風騷者固已卓然名家，然有之靡益無之靡損者，亦總總而是。

程鉅夫《雪樓集》卷一四《王寅夫詩序》 詩所以觀民風，凡五方、九州、

十二野，如《禹貢・職方》、司馬遷《貨殖》、班固《地理》之所載，其風不一也，而一於詩見之。古者至於是邦也，必觀其詩，觀其詩，則是邦之土物習俗可知已。故曰「詩可以觀」。

蒲道源《閒居叢稿》卷一三《跋李希仁所藏王山木草書詩詞手卷》 文章翰墨，古人以爲士之餘事。蓋言其行已大方，有不在是者。然即其文以考其學問之淵源，因其字以見其心畫之勁正，則所繫固不輕矣。

唐元《筠軒集》卷一《與友人論詩因成五言奉寄稱隱府判》 有客爲余言，詩也何所用。溫柔養性眞，絃歌資詠誦。古人浩浩去，花鳥分晴弄。今人浩浩來，各自出機綜。人面詎能同，發矢必奇中。騷雅正大宗，漢魏亦群從。陶韋尙沖澹，黄杜千鈞重。平生三千篇，莎逕咽寒蛩。

盛象翁《與趙子昂書》 聞物之配於道而列於器，事有極智者之深思，而遭愚者之鄙笑，其惟文辭乎？或曰：文辭小藝，此不能文辭者之論也。夫文辭之體，原於性命，用關於政教，闡正運奇，積順發華，操之無底，詣之無涯，衍聖賢未盡之旨，洩天地難言之情，通微悃於九重，播皇猷於萬里，明之可感悟冥頑，幽之可和樂鬼神，前之千百世而如見，後乎千百世而如授，豈可以尋常小藝目之哉？今有巧思之人，日接衆技，無不精工，父母教之文學，則勞師傅、曠歲月而無成功。又有强記之人，經史百家，潰溢胸臆，使執筆爲文，非蹈襲而不擇，則枯澀而不暢。無他，蓋能爲文者，才妙天成，無規矩之可授；機斡心腑，非簡編之可習。人爲萬物之靈，能爲文者，又人之至靈者也。故一代超卓之士，百年不過數人；一時驚拔之文，平生不過數篇。豈非文者天地之奇氣，人世之至珍？或者不能不知，乃以易視之，此志士甚所不甘也。雖然，六朝之末，以對偶爲工；晚唐之末，以音律爲工；宋之末，以科場立説之異爲工。穿鑿大道，投合時好，皆文之靡者也，其鄙於人固宜。至若浩然正大之氣，藹然和平之音，則治世不可一日無者，況欲鄙之乎？但不多見耳。

劉岳申《申齋集》卷一《贈劉孟懷採詩文序》 古今能言之士多矣，其能自致必傳無疑者，能幾人哉；能傳矣，能保其久而不至澌盡泯滅者，又能幾人哉。魯叔孫豹論古之死而不朽者曰：太上有立德，其次有立功，其次有立言，是眞不朽者也。然其稱魯先大夫臧文仲既沒其言立，當時去文仲世次蓋未遠，由今觀之，求文仲一言不可得矣。今之知文仲者，以其事見於《春秋左傳》，而其名見於《論語》，雖不爲聖人所取，而猶得以不朽，至今謂之有所托以自見，則可謂之其言立，不可必如六經孔孟而後可謂之立言也，難矣。

胡炳文《雲峯集》卷三《程草庭學稿序》 《魯論》曰：「不學《詩》無以言。」父所以詔其子也。又曰：「小子何莫學夫《詩》？」師所以詔其徒也。是何孔門拳拳詩學如此哉？蓋平其心以排遣其凝滯，和其氣以消釋其鄙暴。攻溫柔敦厚之教，而觸其易直子諒之天，是詩學者能之。歌詠之，嗟嘆之，機動籟鳴，手舞足蹈，悠然躍然，有不知其所以然者。變化氣質，涵養德性，「思無邪」之功居多。姑即《魯論》一書推之，學乎切磋琢磨之詩，則貧樂富禮之理得矣。學乎倩盼素絢之詩，則繪事後素之理得矣。學乎唐棣之詩，則近思之理得矣。學乎白圭之詩，則謹言之理得矣。以之興、觀、羣、怨，而至于事父、事君，而至于移風易俗，而至于動天地、感鬼神，皆學詩之能事也。虞廷上以教冑子，下以化苗頑，皆取諸詩，是詩學者君、父、師所以爲教者歟？異哉！後世之學詩者，工句法，求字面，較聲韻之逆順，商偶對之巧拙，大抵章句學而已矣。繪畫煙霞，雕琢泉石，瑣瑣乎爲蟲魚草木寫眞。所謂「詩」者，殆與琴、棋、書、畫等爲一藝，豈復有「吟風弄月吾與點也」意思？孔門學詩，端豈若是哉！掉頭撚髭曰：將效高古於曹、劉也。筆於其手，縱迫曹、劉，何補於格致誠正？雕肝琢腎曰：將效俊逸於謝、鮑也。舉於其口，縱迫謝、鮑，何補於修齊治平？借使老語迫唐、高辭媲《選》，以政則不能達，以使則不能對，其猶正牆面而立也與。孔門學詩，端豈若是哉！勤苦其心思，巧好其言語，平時矻矻讀書止資於詩，而性分内事邈不相干。孔門學詩，端豈若是哉！嗚呼！孔門學詩，致中和也，理性情也。後世學詩，藝焉而已矣。白樂天、劉禹錫，下至李益、崔顥，皆負詩名於唐者。《長恨》一歌，褻語誨淫，豈可興、可觀者？《看花》二絶，召鬧取謗，豈可羣、可怨者？顥娶妻惟擇美者，俄復棄之；益防妻過嚴，人謂之妬，彼謂《周南》、《召南》爲何事？五言初李陵，豈不學者？而無以救叛漢降番之失；八病詳沈約，豈不學者？而無以掩叛齊歸梁之罪，彼謂「遠之事君」爲何事？蓋後世以詩爲學者，惟章句之末。心雖錦，口雖繡，而身不免爲狼疾人，吾固斷然謂「流於一藝」也。孔門學詩，端豈若是哉！

又卷三二《國朝風雅序》 夫欲觀於國家聲文之盛，莫善於詩矣。類而求焉，是爲得之。昔者，延陵季子見詩與樂於中國，心會意識，如身在其時，

而親見其人，蓋以此耳。梁昭明著《文選》，其詩不必出於一時之作、一人之手，徒以文辭之善，惟意所取而已。然數百年間，篇籍散軼，幸有此可觀焉。而衰陋之習，或取此以爲學，則已微矣。河汾君子有意於續經，漢魏之詩殆必有取。然而其書不傳，蓋非偶然也。蓋嘗聞之：「《詩》三百，一言以蔽之，曰思無邪。」又曰：「王者之迹熄，而《詩》亡。《詩》亡，然後《春秋》作。」邵子亦曰：「自從刪後更無詩。」蓋知聖人之意爾。昔者盛時學道之君子，德業盛大，發爲言詩，光著深遠。其小人蒙被德澤，風行草偃，變化融液，莫或間焉。此所以「一言以蔽之，曰思無邪」也，此所以「王者之迹熄，而後詩亡也」，此所以「刪後之無詩也」。

虞集《道園學古錄》卷三三《陳文肅公秋岡詩集序》 大夫君子所以有譽於天下而垂名於方來者，必有及人之政、傳世之文。是故騷人勝客，和墨濡翰以自悅於花竹之間，欣歎怨適，留連光景，非不流傳於一時，然於治政無所關係，於名教無所裨補，久而去之，亦遂湮沒而已，何足算哉！乃若受命天子，臨蒞斯民，【略】而懷恩服義者衆，卓然有聞，宜無不傳者矣。及其遠也，【略】遂使有志有爲之盛績，竟墮於無聞無知，則所謂言之無文，行而不遠者夫？是以無長歌之紓徐，短詠之激烈，無以陳說其志意而感動其性情，使夫人者手無可披之編，口無可吟之藝，於是聲光風彩，不能使人有所欣慕而感發於無窮者，良可惜哉！所以立行立言之不可偏廢也如此。

又《楊賢可詩序》 士大夫學於家，業成則國家取而用之，古之道也。然業成而未用於世，有其志而無其行事，則以其性情才思寓諸吟詠，見議論而已。及出而見用，則凡行事者，即前日之吟詠議論者也。說詩者引古人之語，謂可以爲大夫者九事，山川能說，登高能賦其二也。非其胸次素定，一旦起而行之，其何以哉。

黃溍《文獻集》卷五《陳茂卿詩集序》 詩之爲用，其微矣乎。輶軒之使不至，而挾飛霞、籤明月者，徒以自怡於萬物之表而已。夫音奏之悲凉，意象之荒忽，初若澶漫無屬。至其使幽人狷士有適而不懟，或者舒揚振道之益，猶有資乎覽者。顧謂其如瑤華琪樹，世所罕見；探而有之，或嗇於用。

又卷六《徐氏詠史詩後序》 孟子曰：「王者之迹熄而《詩》亡，《詩》亡然後《春秋》作。」蓋古者盛時之爲詩，薦于郊廟，則有以見其盛德；陳于朝廷，則有以知其政之廢興；施於邦國鄉人，則出於上而被於下者，又有以爲敎。及其衰也，先王之政教號令雖不行，而流風遺俗，有未盡泯。是以風雅之變，往往陳古以刺今。至於王澤竭盡而無餘，其詩始不足以使人創艾而興起。故曰：《詩》亡，聖人不得已，因魯史作《春秋》，褒善貶惡，以示勸戒。是則《詩》已亡，而其可使人創艾興起者，賴《春秋》而猶存也。後之君子有作，其文則史，其義則於《春秋》無取焉。仁人志士覽其事而有慨於心，莫不爲之發憤壹鬱，嗟嘆而詠歌之，然或因一人，或因一事以爲言，若王仲宣、曹子建之於三良，張景陽之於二疏，謝宣遠之於張子房，虞子陽之於霍將軍是已。惟左太冲所賦，頗及戰國秦漢事。未有窮搜極討上下古今，備究其得失而無遺者。唐之詩人，間有興懷陳迹、章聯句續，至於累百而止。顧其言多卑近，徒以資兒童之口耳，於名教何預乎？【略】《春秋》作於《詩》之既亡，而《詩》之能使人創艾興起者，乃復見于《春秋》絕筆千百年之後。豈非先民性情之正，有不亡者存，《詩》與《春秋》固可迭相爲用乎？

干文傳《松陵續集序》 其優柔忠厚之氣，藹然見於詞意之表，則明人倫，美教化，移風俗，於是乎在，而豈徒哉？烏乎！可以感發人之善心，可以懲創人之逸志，吟咏性情而得其正者，始可與言詩。豈若嘲風咏月之作，抽黃比白之語，誇綺麗而衒名於一時，其於詩道之助也何有？昔范文正公見王安石《明妃引》「漢恩自淺胡自深，人生樂在相知心」，直詆之曰：「今日背君父恩者，皆合其說，此所以壞天下人心者也。」其惡之之嚴如此。先輩謂：文章不關教化，雖工無益。余以詩亦云。

李存《番陽仲公李先生文集》卷二〇《安仁訟決詩卷序》 詩之有美刺，由其事之有是非也。然孟子曰：「《詩》亡，然後《春秋》作。」當是時，亦豈無詩哉！美刺不當，雖詩猶無詩也。

危素《危太樸文集》卷九《送鎦志伊采大元文乘序》 文章之有功於世尚矣，烏可以爲儒者之末技而輕之哉！自宓犧氏之先，吾不知其幾世幾年，其間雖人事簡質，風氣未開，然載籍無所稽，而鴻荒莫可詰。由後世觀之，無乃失之於野，而非先王御天下之意也。彼三墳、五典、八索、九丘，今不可得而見之矣。《詩》、《書》、《春秋》，具載四代之事，帝王之功業於是乎可考其大凡。於後歷世有史，其文人有別集，固汗牛馬而充棟宇，游於書林藝圃，沛乎有餘哉。國朝起北土而并天下，號令所加，海內臣服，昭華延喜之珍，蓋梯山航海而至，府庫盈羡而民物阜殷，古未嘗有也。至於文章之盛，視前古

宜無所媿。

歐陽玄《金臺集序》 三代而上，天地之英著爲禮樂；三代而下，禮樂之英散爲文章。禮樂文章，無處不有，無時無之。是故禮之用，莫妙於樂，文章之用，莫妙於詩。英即妙也。發舒而可見謂之英，鼓舞而莫測謂之妙。於是詩與樂之妙，可以動天地、感神明、廣聲教、移風俗也。

李祁《雲陽集》卷五《顏省原詩序》 《詩》三百篇，皆可以移風俗，動天地，感鬼神，至其可興可怨可群，最易以感發人者，莫近於十五《國風》。蓋《國風》多出於閭巷細民之口，故於人情爲尤近。自科場以通經取士，有司命題，多出《雅》、《頌》，出《國風》者，十無二三。由是而習是經者，亦惟《雅》、《頌》是精，《國風》則自二南之外，罕有能究其情而得其趣者，此學詩者之大患也。

倪瓚《清閟閣全集》卷一〇《拙逸齋詩稿序》 詩必有謂，而不徒作吟咏，得乎性情之正，斯爲善矣。然忌矜持不勉而自中，不爲沿襲剽盜之言，尤惡夫辭艱深而意淺近也。三百五篇之《詩》，刪治出乎聖人之手，後人雖不聞金石絲竹詠歌之音，煥乎六義四始之有成說，後人得以因辭以求志。至其《風》、《雅》之變，發乎情，亦未嘗不止乎禮義也。《詩》亡既久，變而爲《騷》，爲五言，爲七言雜體，去古益以遠矣。其於六義之旨，固在也。屈子之於《騷》，觀其過於忠君愛國之誠，其辭纏綿惻怛，有不能自已者，豈偶然哉？五言若陶靖節、韋蘇州之冲淡和平得性情之正，杜少陵之因事興懷、忠義激烈，是皆得三百五篇之遺意者也。夫豈流連光景，歲鍛月鍊，而爲縟麗誇大之辭者所可比哉？【略】夫子曰：「詩可以興，可以觀，可以群，可以怨。」又曰：「《詩》三百，一言以蔽之，曰思無邪。」若夫聞之者，善足以訓，不善足以省。今之爲詩雖異乎古之詩，言苟合義，聞者有以感發而興起，與古人何間焉？

又《秋水軒詩序》 或謂詩無補於學，是殆不然。風雅之音雖已久亡，而感發怨慕之情，比興美刺之義，則無時而不在也。子朱子謂陶、柳冲淡之音，得吟詠性情之正，足爲學之助矣。【略】苟窮源於《風》、《雅》，取則於六義，情感於中，義見乎辭，誦之者可以興起，則陶、韋、杜、韓豈他人哉？

胡翰《胡仲子文集》卷四《淵穎吴先生集序》 太上有立德，其次有立功，其次有立言。三者不同，苟有一焉，皆足以立乎天地之間，而無愧於爲人矣。自世之言者陋文章之習，而高德行之士，伸一人於千萬人之上。其意將以懲夫末流之敝云爾，非所以顯道神德行也。古之聖人，德脩於身矣，而又欲天下皆如吾身之脩也。豈惟天下皆如吾身之脩，而又欲後世皆如吾身之脩也。天下盡乎人矣，吾身可以及之後世，非止乎今也。吾身烏得而及之？是則吾德之所被而吾功之樹者亦斬矣。然聖人必欲使天下後世皆有以及焉，則立言其可少哉。六經，聖人之文也，所以爲天地立心，爲生民立命，爲萬世開太平者，非細故矣。由是以降，苟非申、韓之刑名，管、商之功利，儀、秦之捭闔，孫、吴之陰謀，楊朱、墨翟、老、莊、釋氏之淫辭邪說，則凡是非不詭於聖人者，其於人心世教豈盡無所裨益哉。翰嘗讀賈誼、董仲舒之文，而恨當世不能盡用。及觀揚雄之《太玄》、《法言》，又歎時人少有知者。以爲豪傑之不遇，大率如斯。故不待論其言之傳否，而深爲有國者惜之。

唐桂芳《白雲集》卷七《江村詩會跋》 《傳》曰：「君子以文會友。」未聞詩會之爲說也。言之精者爲文，文之精者爲詩。詩文果可岐而二之乎？《三百篇》經聖人刪定，有不容喙。《栢梁》聯句，庶幾乎《賡歌》之遺意。下至蘭亭，王羲之、謝安四二十人，獨獻之等罰酒，以詩不成。太白《叙宴桃李園》曰：「詩不成，罰依金谷酒數。」古人陶寫性情，其成也適然爾，不成不害其爲高。奚事營度口吻，欲以相壓如侯喜者，益可悲焉。

舒頔《貞素齋文集》卷二《夏守謙詩集序》 《詩》始於三百十一篇，孔子刪而正之，所以示政教、觀民風。世降俗偷，去古益遠，而《詩》之義不明。世之學《詩》者以組織爲工，以綺麗爲美，相與矜奇衒異，而《詩》之意益昧。噫！《詩》豈易言哉？

戴良《九靈山房集》卷二九《皇元風雅序》 昔者孔子刪詩，蓋以周之盛世，其言出於民俗之歌謠，施之邦國鄉人，而有以爲教於天下者謂之《風》；作於公卿大夫，陳之朝廷，而有以知其政之廢興者謂之《雅》。及其衰也，先王之政教雖不行，而流風遺俗，猶未盡泯，此陳古刺今之作，又所以爲《風》、《雅》之變也。然而氣運有升降，人物有盛衰，是詩之變化，亦每與之相爲於無窮。漢興，李陵、蘇武五言之作，與凡樂府詩詞之見於漢武之采錄者，一皆去古未遠，《風》、《雅》遺音，猶有所徵也。魏晉而降，三光五嶽之氣分，而浮靡卑弱之辭，遂不能以復古。唐一函夏，文運重興，而李、杜出焉。議者謂李之詩似《風》，杜之詩似《雅》。聚奎啓宋，歐、蘇、王、黄之徒，亦皆視唐爲無愧。然唐詩主性情，故於《風》、《雅》爲猶近，宋詩主議論，則其去

《風》、《雅》遠矣。然能得夫《風》、《雅》之正聲，以一掃宋人之積弊，其惟我朝乎！【略】故一時作者，悉皆餐淳茹和，以鳴太平之盛治。其格調固擬諸漢唐，理趣固資諸宋氏，至於陳政之大，施敎之遠，則能優入乎周德之未衰，蓋至是而本朝之盛極矣。繼此而後，以詩名世者猶累累焉。語其爲體，固有山林、館閣之不同，然皆本之性情之正，基之德澤之深，流風遺俗，班班而在。劉禹錫謂八音與政通，文章與時高下，豈不信然歟？

高明《琵琶記·副末開場》《水調歌頭》：秋燈明翠幕，夜案覽芸編。今來古往，其間故事幾多般。少甚佳人才子，也有神仙幽怪，瑣碎不堪觀。正是不關風化體，縱好也徒然。論傳奇，樂人易，動人難。知音君子，這般另作眼兒看。休論插科打諢，也不尋宮數調，只看子孝共妻賢。正是驊騮方獨步，萬馬敢爭先。

楊維楨《優戲錄序》 侏儒奇偉之戲，出于古亡國之君；春秋之世，陵鑠大諸侯。後代離析文義，至侮聖人之言爲劇，蓋在誅絕之法。而太史公爲滑稽者作傳，取其謹言微中，則感世道者深矣。【略】予聞仲尼論諫之義有五，始曰「譎諫」，終曰「諷諫」，且曰：「吾從者諷乎。」蓋一諷之效從容一言之中，而龍逢、比干不獲稱良臣者之所不及也。觀優之寓于諷者，如漆城、瓦衣、兩稅之類，皆一言之微，有回天倒日之力，而勿煩乎牽裾伏蒲之勃也。則優戲之伎雖在誅絕，而優諫之功，豈可少乎？

又《說郛序》 孔子述土蕢萍實于僮謠，孟子證瞽瞍朝舜之語于齊東野人，則知《瑣語》、《虞初》之流，博雅君子所不弃也。天臺陶君九成取經史傳記下迨百氏雜說之書二千餘家，纂成一百卷，凡數萬條，剪揚子語名之曰《說郛》，征予序引。閲之經月，能補予考索之遺。學者得是書，開所聞擴所見者多矣。要之其博古物，可爲張華、路、段；其覈古文奇字，可爲子雲、許愼；其索異事，可爲贊皇公；其知天窮數，可爲淳風、一行；其搜神怪，可爲鬼董狐；其識蟲魚草木，可爲《爾雅》；其紀山川風土，可爲《九丘》；其訂古語，可爲鈐契；其究諺談，可爲稗官；其資謔浪調笑，可爲軒渠子。昔應中遠作《風俗通》，蔡伯喈作《勸學篇》，史游作《急就章》，猶皆傳世，況是集之用工深而資識者大乎！其可傳于世無疑也。雖然，揚子謂：「天地萬物，郭也；五經衆說，郛也。」是五經郛衆說也。說不要諸聖經，徒旁搜泛采，朝記千事，暮博千物，其于仲尼之道何如也。孟子曰：「博學而詳說之，將以反說約也。」約則要諸道也已。九成尚以斯言勉之。

邱濬《伍倫全備記·副末開場》《鷓鴣天》：「書會誰將雜曲編，南腔北曲兩皆全，若于倫理無關緊，縱是新奇不足傳。風月好，物華鮮，萬方人樂太平年。今宵搬演新編記，要使人心忽惕然。」【略】《臨江仙》：「每見世人搬雜劇，無端誣賴前賢，伯喈負屈十朋冤，九原如可作，怒氣定冲天。」這本《伍倫全備記》，分明假托揚傳，一場戲里五倫全，備他時世曲，寓我聖賢言。《西江月》：「亦有悲歡離合，始終開闔團圓。白多唱少，非干不會把腔塡，要得看的，個個易知易見。不免插科打諢，妝成喬態狂言。戲場無笑不成歡，用此竦人觀看。」【略】近世以來，做成南北戲文，用人搬演，雖非古禮，然人人觀看，皆能通曉，尤易感動人心，使人手舞足蹈亦不自覺。但他作的多是淫詞艷曲，專說風情閨怨，非惟不足以感化人心，倒反被他敗壞了風俗。【略】近日小子新編出這場戲文，叫做《伍倫全備》，發乎性情，生乎義理，蓋因人所易曉者以感動之。搬演出來，使世上爲子的看了便孝，爲臣的看了便忠，爲弟的看了敬其兄，爲兄的看了友其弟，爲夫婦的看了相和順，爲朋友的看了相敬信，爲繼母的看了不管前子，爲徒弟的看了必念其師，妻妾看了不相嫉妬，奴婢看了不相忌害，善者可以感發人之善心，惡者可以懲創人之逸志，勸化世人，使他有則改之，無則加勉。自古以來，轉音都沒這個樣子，雖是一場假托之言，實萬世綱常之理，其於出出教人，不無小補云。

胡翰《胡仲子集》卷四《古樂府詩類編序》 周衰，禮樂崩壞，而樂爲尤甚。自制氏爲時樂官，能紀其鏗鏘鼓舞而不能言其意，則天下之知音者鮮矣，況先王之聲音度數不止其所謂鏗鏘鼓舞，其人固不能盡紀也。以是言之，豈不難哉？若聲詩者，古之樂章也。雅鄭得失存乎其辭，辨其辭，而意可見，非若聲音度數之難知。而國家之制作，民俗之歌謠，詩人之諷詠，至於後世，遂無復雅頌之音，雖用之郊廟朝廷，被之鄉人邦國者，猶夫世俗之樂耳！獨何歟？蓋詩之爲用猶史也。史言一代之事，直而無隱。詩繫一代之政，婉而微章；辭義不同，由世而異。中古之盛，政善民安，化成俗美。人情舒而不迫，風氣淳而不散；其言莊以簡，和以平，用而不匱，廣而不宣，直而有曲，體順成而和動，是謂德音。及其衰也，列國之言各殊。儉者多嗇，強者多悍，淫亂者忘反，憂深者思蹙。其或好樂而無主，困弊而思治，亦隨其俗

之所尚，政之所本，人情風氣之所感，故古詩之體，有美有刺，有正有變，聖人并存而不廢。唯所以用之郊廟、朝廷，非《清廟》、《我將》之頌，不得奏於升歌宗祀；非《鹿鳴》、《四牡》、《大明》、《文王》之雅，不得陳於會朝燕享；内之爲閨門，外之爲鄉黨，非《關雎》、《麟趾》，則《鵲巢》、《騶虞》之風，情深而文明，氣盛而化神，故可以感鬼神，和上下，美教化，移風俗。今茂倩之所次有是哉！以其所謂《郊祀》、《安世》、《黄門》、《鼓吹》、《鐃歌》、《横吹》、《相和》、《琴操》、《雜曲》考之，漢辭質而近古，其降也爲魏。魏辭温厚而益趨於文，其降也爲晉。晉之東，其辭麗，遂變而爲南北。南音多艷，北曲俗雜胡戎，而隋唐受之。故唐初之辭婉麗詳整，其中宏偉精奇，其末纖巧而不振，雖人竭其才，家尚其學，追琢襞積，曾不能希列國之《風》，而况欲反乎《雅》、《頌》之正，滋不易矣。是以郊廟祭祀，則非有祖宗之事，美盛德，告成功之實。會朝燕享，君臣之間，則非有齊莊和悦之意，以發先王之德，盡群下之情，哇聲俚曲，若秦楚之謳，巴渝之舞，伊涼之技，莫不雜出以爲中國朝廷之用。慆心盈耳，不復知其爲敎化風俗之蠹矣。夫民不幸不見先王之禮樂，考其聲詩，蓋有足言者，然以唐初之盛，不能無憾焉。吾於此見其風氣之淳，人情之泰，政治俗尚之美，皆非古矣；其治亂得失，是非邪正，雖去之千數百載，不待其言之著而今皆可見者，則詩之爲用，豈不猶史之事哉？

宋濂《宋學士文集・翰苑續集》卷六《題危雲林訓子詩後》 古之人敎子多發爲聲詩，何哉？蓋詩緣性情，優柔諷詠，而入人也最深。韓昌黎之子符讀書城南，嘗作詩送之，曲盡其意，至今讀者猶蹶然興起，豈曰小補哉！

劉基《誠意伯劉文成公文集》卷五《照玄上人詩集序》 夫詩何爲而作哉？情發於中而形於言，《國風》、《二雅》列于《六經》，美刺風戒莫不有裨於世敎。是故先王以之驗風俗察治忽，以達窮而在下者之情，詞章云乎哉！後世太師職廢，於是夸毗戚施之徒悉以詩將其諛，故溢美多而諷刺少，流而至於宋，於是誹謗之獄興焉，然後風雅之道掃地而無遺矣！今天下不聞有禁言之律，而目見耳聞之習未變，故爲詩者莫不以哦風月弄花鳥爲能事，取則於達官貴人而不師古，定輕重於衆人而不辨其爲玉爲石，惛惛怓怓，此倡彼和，更相朋附，轉相詆訾，而詩之道無有能知者矣！

又《蘇平仲文集序》 文以理爲主，而氣以攄之。理不明爲虚，文氣不足則理無所駕。文之盛衰，實關時之泰否。是故先王以詩觀民風，而知其國之興廢，豈苟然哉？文與詩同生於人心，體製雖殊，而其造意出辭規矩繩墨固無異也。唐虞三代之文，誠於中而形爲言，不矯揉以爲工，不虚聲而强聒也，故理明而氣昌。玩其辭，想其人，蓋莫非聖賢之徒知其德而聞道者也，而况又經孔子之删定乎！

又《唱和集序》 古人有言曰：「君子居廟堂則憂其民，處江湖則憂其君。」夫人之有心，不能如土瓦木石之塊然也。禹思天下，有溺者由己溺之；稷思天下，有饑者由己饑之；伊尹思天下，有一夫之不獲則心愧耻，若撻于市。是皆以天下爲己憂而卒遂其志，故見諸行事而不形於言。若其發而爲歌詩，流而爲詠歎，則必其有所沉埋抑挫，鬱不得展，故假是以攄其懷，豈得已哉！是故文王有拘幽之操，孔子有將歸之引，聖人不能免故也。故曰：「在心爲志，發言爲詩。」先王採而陳之，以觀民風，達下情，其所繫者不小矣。故祭公謀父賦《祈招》以感穆王，穆王早寤焉，周室賴以不壞，詩之力也。是故家父之誦《寺人》之章，仲尼咸取焉，縱不能救當時之失，而亦可以垂戒警於後世。夫豈徒哉？

又卷七《書紹興府達魯花赤九十子陽德政詩後》 予聞《國風》、《雅》、《頌》，詩之體也，而美刺風戒，則爲用詩者之意。故怨而爲《碩鼠》、《北風》，思而爲《黍苗》，美而爲《甘棠》、《淇澳》、《緇衣》，油油然感生於中而形爲言，其謗也不可禁，其歌也不待勸。故嚶嚶之音生於春，而惻惻之音生於秋，政之感人猶氣之感物也。是故先王陳列國之詩以驗風俗，察治忽，公卿大夫之耳可聵，而匹夫匹婦之口不可杜，天下公論於是乎在。吁，可畏哉！

王褘《王忠文公集》卷二《河朔訪古記序》 夫古之言地理者，有圖必有志。圖以著山川形勢所在，而志則以驗言語土俗、博古久遠之事。古之言詩者，有《雅》、《頌》，復有《風》。《雅》、《頌》以道政事，美盛德；而《風》則以驗風俗政治之得失。

又《張仲簡詩序》 文章與時高下，代有是言也。《三百篇》尚矣，秦、漢以下，詩莫盛於唐。而唐之詩始終蓋凡三變焉，其始也承陳、隋之餘風，尚浮靡而寡理致。至開元以後，久於治平，其言始一於雅正，唐之詩於斯爲盛。及其末也，世治既衰，日趨於卑弱，以至西崑之體作而變極矣。由是觀之，謂文章與時高下。而唐之詩始終凡三變，豈非然哉？【略】或曰：詩者，情

性之發也。夫發於情理，則非有待于外也。奈何一吟咏唱酬之際，而直以爲有係於治化乎？噫！唐虞之世，樵夫牧豎，擊轅中韶，感於心也，而况於作者之詩哉？昔人蓋有從草木文章發帝杼機，花竹和氣驗人安樂者，則詩之所見，夫豈徒然而已哉？

又卷一三《書馬易之潁川歌後》 狀物寫景之工，固詩家之極致。而係於風化，補於世治者，尤作者之至言。

又《書胡立三先生詩稿後》 詩之爲用，其託物連類，足以寓人不能宣之意；其引義止禮，足以感人不可遏之情。故自《三百篇》以後，歷世能言之士，比比有作，各自成家，而又不可廢者矣。

梁寅《詩演義原序》 《詩》，以溫柔敦厚而垂教者也。其爲言也，既平易而易知，及諷詠之也，又足以感人心而易入。然初學誦之，亦有難者焉。其所以難者，訓詁則必欲其明也，義理則必欲其正也，詩之所由作者所當究而其不可知者爲多也。吾夫子刪詩之時，未有注釋也。至漢儒以經相傳授，注釋益衆矣，而無所前聞，多爲臆度，故謬誤相襲。朱子《詩傳》獨覺夫千載之失而有以正之，至於字義尤必有據，凡其穿鑿附會者悉棄而不取。故曰訓詁之必明也。漢儒之釋經，於正理或昧。洎程、朱之言既行，駁雜之論乃黜。今之讀經者宜壹遵程、朱，難復互異。故曰義理之必正也。古人之歌詩，如今之歌曲，或頌或規，唯取大意，詩之事實多所未究。以今觀之，其作者爲何人，所指爲何事，勿問之可也。故曰其不可知者爲多也。《傳》之或簡略者，蓋章解句釋，非君子之所尚也。然幼學之士，讀經而懵於傳，讀傳而違於經，非加之意，何以究通？故余之所論者，爲幼學慮也。故博稽訓詁以啓其塞，根之義理以達其意。於其隱也，闡而使之顯；於其略也，推而使之詳。其間與傳牴牾，蓋或時有焉，而以求其是也。君子觀之，恕其僭踰，正其疵謬，則耄言之或傳也，非至幸者乎？

劉崧《槎翁文集》卷一一《三衢徐欣名詩稿序》 古有采詩之官，凡風俗之徽惡，心志之邪正，與夫政治之得失，其汎然雜出於歌謠者，皆采而錄之，以獻于天子。於是，前所謂徽惡邪正得失者，咸於燕觀而考之，而謂之風焉。而風之云者，固皆當時民俗之所爲也。豈能有如公卿大夫之才、之學、之所致者哉？而聖人卒不輕之者，亦惟以其美刺憂傷之間，謳吟詠歌之下，於凡人心天理之貞，自有不可得而掩焉者耳。《傳》曰："聲音之道與政通。"是道也，古今盛衰治亂之機，恆與之相乘於無窮而不息者也。或謂刪後之無詩，豈誠然哉。

林弼《林登州集》卷二三《書馬翰林易之楓亭女篇後》 風人之詩，譎諫以示戒，猶足以感乎上，矧使者之所采而陳者乎。

唐肅《丹崖集》卷五《詠軒記》 《詩》之篇三百十有一，夥矣，而詠之一也。《詩》之部，分十五國風、小大雅、周魯之頌別也，而詠之一也。詩之情美也、譏也。其義賦也、比也、興也。殊且雜矣，而詠之亦一也。何也？詠非徒詠而已也。詠，永言也。發於心，形於言。言不足也而嗟歎之，嗟歎不足也而詠歌之。詩之人詠歌乎千百載之上；吾則詠歌其詠歌乎千百載之下。可興也，可觀也，可群可怨也，多識也，近事父而遠事君也。詩之用也，詠則斯得之矣。夫婦之所以經也，孝敬之所以成也，人倫之所以厚也，教化之所以美也，風俗之所以移也，天地之所以感也，鬼魂之所以可動也。詩之效也，詠則思惟之矣。

朱同《覆瓿集》卷四《送副使丁士溫赴召詩序》 詩之爲教與政通，夫言之精者爲文，文之精者爲詩。甚矣，詩之未易言也。《明良》、《喜起》之歌，由來遠矣。古之聖人以法制禁令，不足止人之邪心也。是以《二南》之詩，正始之道，王化之基，用之鄉人邦國，使夫人之感發興起於歌詠之間，滌蕩消融，涵泳洞徹而不自知其遷善遠罪，此上之所資以爲教者然也，下而至於閭巷小人女子，亦莫不有作焉。雖未必當於理，而發於情之天有不能自已者，其文理音節之高下有關風化之盛衰。是以天子巡狩，則命太師陳詩以觀民風。昔吳季子觀周樂，而知諸國爲政之得失。雖其聰明絕識有過人者，而要之音韻節奏，有不純在文字之間，是以聲入心通，若是其神妙，而非後世之所能及也。

方孝孺《遜志齋集》卷一二《劉氏詩序》 道之不明，學經者皆失古人之意，而詩爲尤甚。古之詩其爲用雖不同，然本於倫理之正，發於性情之眞，而歸乎禮義之極。《三百篇》鮮有違乎此者，故其化能使人改德，厲行其效。至於格神祇、和邦國，豈特辭語之工、音節之比而已哉！近世之詩大異於古：工興趣者超乎形器之外，其弊至於華而不實；務奇巧者窘乎聲律之中，其弊至於拘而無味。或以簡淡爲高，或以繁艷爲美，要之皆非也。人不能無思也而復有言，言之而中理也則謂之文，文而成音也則謂之詩。苟出乎道，有益

於教而不失其法，則可以爲詩矣。於世教無補焉，興趣極乎幽閒，聲律極乎精協，簡而止乎數十言，繁而至於數千言，皆苟而已，何足以爲哉！世固有嗜橘柚柤梨者，然飢則必飯稻啖肉而後可以飽，稻與肉不可一日無也。適口之味爽然入乎齒舌，非不可喜，而於人何所補乎？自古以來，適口者多於五穀，而稻肉不足以悅人，斯人幾何不餒而死也。

王紳《繼志齋文集》卷上《詩辯》 聖人垂訓於方來也，其見諸言行之間者，既同且詳而盡心焉者，於「六經」尤著焉。「六經」非聖人之所作，因舊文而刪定者也：《易》因伏羲、文王之著而述之，《大傳》所以明陰陽變化之理；《書》因《典謨》、《訓誥》之文而定之，所以紀帝王治亂之跡；《春秋》因魯史之舊而修之，所以明外伯內王之分；《詩》因列國歌謠、風雅之什而刪之，所以陳風俗之得失；《禮》所以著上下之宜；《樂》所以導天地之和，皆切於日用，當於事情，而爲萬世之準則也。其於取舍用意之際，似寬而實嚴，若疏而極密，故學者捨「六經」無以爲也。奈乎秦焰之烈，燔滅殆盡。至漢嘗尊而用之，而莫得其眞，或傳於老生之所記誦，或出於屋壁之所秘藏。記誦者則失於舛謬，秘藏者未免於脫略。先儒因其舛謬脫略，復從而訂定之，務足其數，而以己見加之；其闕者或僞爲以補之，或取其已刪者而足之。其受禍之源雖同，而《詩》爲尤甚。夫詩本三千篇，聖人刪之，十去其九，則其存者必合聖人之度，皆吟咏情性，涵暢道德者也。故聖人之言曰：「興於詩。」教其子則曰：「不學詩，無以言。」與門弟子語曰：「詩可以興，可以觀，可以群，可以怨。」至於平居雅言亦未嘗忘之。詩之爲用，矇瞽之人習以誦之，詠之閨門，被之管絃，薦之郊廟，享之賓客，何所往而非詩耶？後世置之博士以謹其傳爲用，固亦大矣。則其溫厚和平之氣，皆能感發人善心可知焉。今之存者，乃以鄭、衛淫奔之詩混之，以足三百十一篇之數，遂謂聖人所刪。至如《桑中》、《溱洧》之言，皆牧豎賤隸之所羞道，聖人何所取而存耶？玩其辭者何所興言之，復何嘉耶？學之何益於德，誦之閨門，烏使其非禮勿聽耶？被之管絃，薦之郊廟，鬼神饗之，賓客意何在耶？是未可知也。且聖人又曰：「詩三百，一言以蔽之，曰『思無邪』。」然「思」且「無邪」，見於言者又何盭耶？假使聖人實存之，則其所刪又必甚於是耶？或曰，聖人存之者，蓋欲後世誦而知耻，所以懲創人之逸志，亦垂戒之意也。是故《春秋》據事直書「臣弑其君，子弑其父」，皆明言之而不隱。及其成也，皆知畏懼。《詩》之爲意，豈外是哉？嗟呼！舉善之足尚，惡者固自知其非。且《春秋》，國史也，備列國之事必欲見其葬弔、會盟、聘享、征伐、嫁娶之節，闕之則後世無所傳；無所傳，則後世無所信，故備書之，而用意之深則在明褒貶於片言間也。《詩》既爲民間歌謠之什，遺其善故不可，失其惡又烏害於道乎？由是論之，則淫奔之詩，在聖人之所刪蓋必矣，且張載子厚嘗論衛人輕浮怠惰，故其聲音亦淫靡，聞其樂，使人有邪僻之心，而鄭爲尤甚矣。夫聖人教之以孝悌忠信，恨不挽手提耳以囑之，何乃以淫靡之樂而使人起邪僻之心乎？故其論爲邦亦曰：「放鄭聲。」然則揆之於理，據之於經，考之於聖人之言，意雖有儀、秦之辨，吾知其叛於理而失聖人垂訓之意矣。

又《續連珠序》 臣聞古《詩》三百篇，或作於當時公卿大夫，或出於閭巷韋布，其體有賦、比、興之不同；而其爲用，則有因事著辭，或取譬託喻，以致勸懲之意。其後世變風移，體製亦異。至漢班固輩，始爲連珠。其辭主乎駢諧儷美，而意實寓乎規戒，庶幾古詩比興之餘意也。

楊士奇《東里文集》卷五《玉雪齋詩集序》 詩以理性情而約諸正，而推之可以考見王政之得失，治道之盛衰。三百十一篇，自公卿大夫，下至匹夫匹婦，皆有作。小而《兔罝》、《羔羊》之詠，大而《行葦》、《既醉》之賦，皆足以見王道之極盛。至於《葛藟》、《碩鼠》之興，則有可爲世道慨者矣。漢以來代各有詩，嗟嘆詠歌之間，而安樂哀思之音，各因其時，蓋古今無異焉。若天下無事，生民乂安，以其和平易直之心，發而爲治世之音，則未有加於唐貞觀、開元之際也。杜少陵渾涵博厚，追蹤《風》、《雅》，卓乎不可尚矣。一時高材逸韻，如李太白之天縱，與杜齊驅；王、孟、高、岑、韋應物諸君子，清粹典則，天趣自然。讀其詩者，有以見唐之治盛於此，而後之言詩道者，亦曰莫盛於此也。

又《東里續集》卷一五《題東里詩集序》 古之善詩者，粹然一出於正，故用之鄉閭邦國，皆有裨於世道。夫詩，志之所發也。三代公卿大夫下至閭門女子皆有作以言其志，而其言皆有可傳，三百十一篇，吾夫子所錄是已。

黃淮《介庵集》卷一一《讀杜愚得後序》 詩以溫柔敦厚爲教，其發於言也，本乎性情，而被之絃歌，於以神祇和上下，淑人心，與天地功用相爲流通，觀於《三百篇》可見矣。漢魏以降，屢變屢下，至唐稍懲末弊而振起之，而律絕之體復興焉。當時擅名無慮千餘家，李、杜首稱，而杜爲尤盛，蓋其體製

悉備，譬若工師之創巨室，其跂立翬飛之勢，巍峨壯麗，干雲霄，焜日月，而牆高數仞，不得其門而入，析而觀之，軒庶堂寢，各中程度；又析而觀之，大而楝梁，小而節梲欂櫨，皆楩柟杞梓，黝堊丹漆也。其鋪叙時政，發人之所難言，使當時風俗世故瞭然如指掌；忠君愛國之意，常拳拳於聲嗟氣嘆之中，而所以得夫性情之正者，蓋有合乎《三百篇》之遺意也。

胡廣《詩傳大全·綱領》「先王以是經夫婦，成孝敬，厚人倫，美教化，移風俗。」先王，指文武、周公、成王。是指風、雅、頌之正經。經，常也。女正乎內，男正乎外，夫婦之常也。孝者，子之所以事父，敬者，臣之所以事君。詩之始作，多發於男女之間，而達於父子君臣之際。故先王以詩爲教，使人興於善而戒其失，所以道夫婦之常，而成父子君臣之道也。三綱既正，則人倫厚，教化美，而風俗移矣。【略】「上以風化下，下以風刺上，主文而譎諫，言之者無罪，聞之者足以戒，故曰風。」風者，民俗歌謠之詩，如物被風而有聲，又因其聲以動物也。上以風化下者，詩之美惡，其風皆出於上，而被於下也。下以風刺上者，上之化有不善，則在下之人，又歌詠其風之所自，以譏其上也。凡以風刺上者，皆不主於政事，而主於文詞，不以正諫，而託意以諫，若風之被物，彼此無心，而能有所動也。

又《性理大全》卷五六《論詩》問詩可學否？程子曰：「既學詩，須是用功，方合詩人格。既用功，甚妨事，古人詩云：『吟成五個字，用破一生心。』又謂：『可惜一生心，用在五字上。』此言甚當。某素不作詩，亦非是禁止不作，但不欲爲此閑言語。」邵堯夫詩云：「梧桐月向懷中照，楊柳風來面上吹。」眞風流人豪也。石曼卿詩云：「樂意相關禽對語，生香不斷樹交花。」此詩形容得浩然之氣。

又龜山楊氏曰：「作詩不知風雅之意，不可以作詩。詩尚譎諫，唯言之者無罪，聞之者足以戒，乃爲有補。若諫而涉於毀謗，聞者怒之，何補之有？

又近世諸公作詩費工夫，要何用？元祐時，有無限事合理會，諸公卻盡日唱和而已。今言詩不必作，且道恐分了爲學工夫，然到極處，當自知作詩果無益。今人所以事事做得不好者，緣不識之故，只如箇詩，舉世之人盡命奔去做，只是無一個人做得成詩。他是不識好底，將做不好底，不好底將做好底，這箇只是心裡鬧、不虛靜之故，不虛不靜故不明，不明故不識，若虛靜而明，便識好物事，雖百工技藝做得精者，也是他心虛理明，所以做得來精。心裡鬧，如何見得？

魏驥《魏文靖公摘稿》卷五《可軒吟稿序》夫詩自《三百篇》後，歷漢魏數千年來，以至於今，其體裁節奏，蓋不知其幾變矣！中間求其如《三百篇》之作，有美、有刺、有勸、有懲者能幾人哉？且古人之詩，貴平易而不貴奇怪，惟在發乎情性而歸乎理義。使人可興、可觀、可群、可怨，被之邦國鄉人，孝敬以之而成，人倫以之而厚，教化以之而美，風俗以之而移，斯足謂之詩也！

朱權《西江詩法》卷三《詩家模範》夫詩能泣鬼神，鼓動萬有，出諸胸中，膾炙人口，長留於天地之間，傳之不朽，豈小技也哉，乃風化之首。

王直《抑庵文集》卷一六《友於軒詩序》夫詩之作必本乎性情而有關於風化，然後可以傳當時，垂後世。

葉盛《葉文莊公全集》卷五《送吳孟玉詩序》詩也有足稗益於人哉！嘗求之古詩送行者，其見於經：曰《崧高》，因其出封而作；曰《韓奕》，因其來朝而作；曰《烝民》，因其經營於外而作。其事之重且大者如此，而當時臣屬僚友之間，相爲頌美，相爲慰勉，皆於詩焉發之，況於郡之司倉者乎？予蓋於是非獨以見國家極隆全盛之日，小大之臣咸懷忠良知盡職業之美。

又《平橋稿序》古之君子立言以垂世，要之有補於世而已。夫所貴乎君子立德爲上，而立功次之，立言又次之。自夫古道既衰，志存乎功德甚少矣！立言之士，志滿氣得者，其言夸，其失也淫；困阨屈下者，其言悲，其失也怨；觀望變眩外飾非情者，其言誣，其失也野而繁。於是世俗所尙，天仙鬼怪、窮愁寒乞、欺世盜名之風作，而其於世教也，亦蕩然無幾矣！乃或嘐嘐然語人曰：「我師古人，我師古人！吾文章識體製耳，吾歌詩合音調耳。」而不知蟲魚花鳥、笙簧粉繪，於世教誠何所補？甚矣，志於古而不同於今者，其人不多見也。

又《壽少卿陳先生七十詩序》古今人不同，古今詩則無不同，詩不同而理同。詩之作，所以厚人倫、美風俗、成治化，其所繫概如此，而豈偶然哉！

韓雍《襄毅文集》卷一一《皇明西江詩選序》惟詩成文之音，可以觀世而知政者也。《禮》曰：「治世之音安以樂，其政和；亂世之音怨以怒，其政

乖。」而其風俗之美惡，教化之隆替，功德之盛衰，皆可考焉。故自《三百篇》以下，一代之興，必有一代之文人才士振其音，以鳴於其時，從而採之，著爲一代之典章。彰其休以垂永世，稽諸載籍可見已。

張寧《方洲集》卷一七《西湖百詠詩序》 孔子謂：「《詩》可以興、可以觀、可以羣、可以怨。」「多識於鳥獸草木之名。」作詩者不出此，不足以爲教；讀詩者不知此，不足以爲學。然善作者言多隱約微婉，非因辭逆志、體事得情，茫然聲韻之末，終無以達其本旨。

又卷二一《學詩齋卷跋》 孔子謂伯魚：「不學詩，無以言。」所謂「學」與「言」，通達志意，體切事理，而自有以善於言。非欲誦習其文，以資辯說也。自「觀」、「興」、「羣」、「怨」之教衰，而《三百篇》勸戒大義盡湮於聲律文詞之末。雖盛唐諸家，亦不出此。但視漢、魏以降，稍能和平雅澹，庶幾溫柔敦厚之遺意猶有存者耳。先輩謂刪後無詩，蓋自有見。或者遂洞視近古，至謂宋儒之詩爲無物，幾欲一掃而空焉者，棄本逐末，弊一至此。夫文章固各有體，聲韻亦自不同，然未有外理趣、捨經典，而可以言詩者。詩有清新者，亦有優逸者，有沈著者，有痛快流麗者，有豪宏放蕩、不可拘者，有模擬相像、捕風捉影、奇怪百變者，有淺薄掇拾、隨口滑稽、不經蹈履者，偏長彼善，自昔有之。使不切理達情、不根藝實，則淫哇巧艷，荒唐汗漫之言，過耳輒了，無復遺意，於宋詩也遠甚，況《三百篇》乎？故善詩者，必有定志高識，周知博覽，本始放聖賢之言，師意變文，涵融渾化，寓理趣於聲律之內，托著述於比興之餘。如八音協樂，五味和羹，充然有成，不見其迹。斯能兼總百家，超絕羣作。古之人有如此者，杜子美是也。余嘗記前輩有《恕齋詩》一聯云：「庭前生意留芳草，林下歸心放白鷴。」道德經典之文，於詩何礙？而薄之至此。是故欲學詩，非有得於學問之力，雖近古疏節，猶不可及，況六義之大要哉？

又《奉使錄》卷下《正月二十二日至通州驛，會故人伍公矩出〈聽雪軒詩〉卷求予題詞，因識數語如左》 太極無聲，形而後始有聲也，故陰陽開闔，而天地之聲出；呼吸運動，而人之聲出；聖人通天地、和民物，而樂之聲出。然則樂也者，聲之至也。是以律呂定而天下無餘聲。古人謂：「大聲不入於里耳。」言君子能聽之也。聲教既弛，末樂繁興，出於聖人者，既不得聞；而出於人者，又不足聞。禮樂之世，欲矯世弊而歸諸古，因假聽於天地之聲，而適其眞焉。此公矩聽雪之深意也。嗟乎！當元之時，顓蒙之世既遠，豈惟淫聲之足以害正哉！目變於紅紫，而天下之色亡；口變於醇腴，而天下之味亡；心變於利祿，而天下之性亡。世之變曷其有極，而聲奚足哉？君子曰：「聲之入人也深，耳之觸物也易。無意而遭者，惟耳有焉。」故君子尤謹之也。雖然，聲成於兩物之相遇也。故陰陽擊而爲雷霆，無擊則無聲也；事物感而爲言語，不感則無聲也。然則聲者，形器之餘耳。雖天地之聲，亦不能無變也。彼以飄蕭撲簌爲可恆也哉，必相與聽於無聲而後已。

《陳獻章集》卷二《與吳黃門世美》 小詩不足以光先德，但比於他文，此爲切實耳。凡觀人者，審於愛惡取捨去就之間，足以見之矣。所貴乎作者，謂其言之不妄，可以傳遠。若筆鋒無力，拈掇不起，則無如之何。

胡居仁《胡敬齋集》卷二《流芳詩集後序》 世之談詩者，皆宗李、杜。李白之詩，清新飄逸。比古之詩溫柔敦厚、莊敬和雅，可以感人善心，正人性情，用之鄉人邦國以風化天下者，殆猶香花嫩蕊，人雖愛之，無補生民之日用也。杜公之詩，有愛君憂國之意，論者以爲可及「變風」、「變雅」，然學未及古，拘於聲律、對偶，《淇澳》、《鳲鳩》、《板》、《蕩》諸篇，工夫詳密，義理精深，亦非杜公所能彷彿也。嗚呼，後世王道不行，教化日衰，風氣日薄，而能言之士不務養性情，明天理，乃欲專工於詩，以此名家，猶不務培養其根，而欲枝葉之盛也，其可得乎？邵康節言刪後無詩，其以此也。

周琦《東溪日談・文詞談》 詩不可廢，人性情所寓也。若詩可廢，孔子不刪，今不讀之爲經乎？但近體則壞《三百篇》旨，傷吾道矣。人有窮苦，非詩無以達；人有忠良，非詩無以顯。使可廢焉，孟郊、賈島之窮苦、杜甫之忠愛、天祥之氣節，殆將何托？詩固不可以不作也，作而從沈約近律之體制，莫若從孔子《三百篇》之體制也。

《李東陽集・文前稿》卷一四《書沈石田詩稿後》 夫形聲之在天下，皆出於自然。然亦有詩歌以爲聲、藻繪以爲形者。其大用之朝廷邦國，固未暇論，而閭巷山林之下，或不能無。若論其至，亦可以通鬼神、奪造化。降於後世，乃流爲技藝之末，而造其妙者，猶以爲難。說者謂詩爲有聲之畫，畫爲無聲之詩，二者蓋相爲用而不兩能。若詩之爲聲，尤其重且難者也。

孟洋《孟有涯集》卷一六《書關西紀行詩後》 詩上詠古以諷今，下感時而採俗，所言雖殊，其德合一也。要皆發之性情之正，引之理、道之歸。其氣

壹，故其聲同；其力適，故其辭匹。

錢琦《錢子語測》 古者選詩，述美以示勸，述制以示懲，專取其意，以備觀省，而垂鑒戒。後世但知格調詞氣而已，全無與於美刺觀省，便覺玩心於外。

崔銑《洹詞》卷一一《蘇氏詩序》 詩者文之精，本情發志，貴正而和；假物申旨，貴切而遠；託諷寓諫，貴婉而明；陳器叙事，貴要而統。若是者詩之則也，蘇子咸中焉。詩用以感時，以敷治，以作善，以懲不敏，其妙猶風之被草木，有默移而無顯功，宜漸浸而忌直訐。故慨愴之詞，惟託優柔揚摧之篇，豈待重累。而或失之綺麗，或失之繁蕪，或失之嘲俳。夫當物爲道。或乃運以文句，於是乎翰墨日富，而違之愈逖也。

孫承恩《文簡集》卷三〇《張東海先生詩集序》 詩不可徒作也。昔者聖人之叙詩也，自非厚人倫、裨風教、存勸戒、示得失者，輒斥弗錄，蓋泯焉無聞者不知幾倍所存矣！後之作者又何浩瀚不可殫紀哉。夫《三百篇》遠矣，不可幾矣！然必不背孔氏之意，而後可自附于《詩》。騷人墨客所以流連自放于禽魚花竹之間，以寓其歡欣悲戚之意，非不工且麗也，而《三百篇》之旨希矣。甚則又有爲淫褻燕昵之語，則凡端人正士諱且羞之，而謂不見斥于孔氏之門，無有也。

邵經邦《藝苑玄機》 詩之教，匪以教爲詩也，清濁之氣分而中和之道闡，越之者陵無等矣，踰之者蔽無基矣，夫是而聲音之節興焉。聲者，同也，孩提而成人一焉；音者，異也，限其度，越之者也，暢其衷，踰之者也，聖與愚，由之者也。故曰：「小子何莫學夫詩？」又曰：「興於詩。」自科舉之學興，人遂以詩爲長物，間有一二偶得，便加欣羨，其不然者，又往往斷觚裂翰，自爲道學。然則雖謂之無詩，可也。

又 或曰：斗酒百篇，謂詩無興歟？余嘗因事倦極之時，四肢百體皆困，閉目偃仰於榻，思得一詩，則衷情暢適，困倦皆忘，有非酒可以釋之者，詩之有助於性情如此。

又 詩有動人處，不必學士大夫。彼棄婦淫奔者流，如「習習谷風」，讀者莫不痛忿，後代棄婦詞殆不如也。又如「氓之蚩蚩」，聞者莫不色動，後代豔曲情詩殆不如也。不知當時作者何人，所作抑不知實有此事否？亦今之託諷者歟？

又《弘藝錄原序》 夫藝，聖人所不廢也。何以概乎其未之聞也。無已，其文翰乎？

朱廷立《兩崖集》卷三《答趙近山先生簡》 詩有信意爲之，而人讀之也興起焉，詩即道也；有盡力爲之，而人讀之也即掩卷焉，詩即藝也。詩而藝也，奚以詩爲！

楊潮觀《吟風閣雜劇序》 詞曲之名起于宋，盛于元。勝國以後，文人學士，相繼而作，其膾炙人口，傳之優孟衣冠者，大抵言情居多，或致有傷風化，求其激揚慷慨，使人感動興起，以羽翼名教，殆不可得。吟風閣者，壺伯祖笠湖公著書之室也。公嚴氣正性，學道愛人，從宦豫屬，郡邑俎豆，爲學人，爲循吏，著作甚富。公餘之暇，復取古人忠孝節義，足以動天地泣鬼神者，傳之金石，播之笙歌，假伶倫之聲容，闡聖賢之風教，因事立義，不主故常，務使聞者動心，觀者泣下，鏗鏘鼓舞，凄入心脾，立懦頑廉，而不自覺。刻成，因以吟風閣名之。以是知公之用心良苦，公之勸世良切也。

李開先《改定元賢傳奇後序》 傳奇凡十二科，以神仙道化居首，而隱居樂道次之，忠臣烈士、逐臣孤子又次之，終之以神佛、烟花、粉黛。要之激勸人心，感移風化，非徒作，非苟作，非無益而作之者。今所選傳奇，取其辭意高古，音調協和，與人心風教俱有激勸感移之功。尤以天分高而學力到，悟入深而體裁正者，爲之本也。

屠隆《白榆集》卷二《范太僕集序》 詩者，技也。其爲道也小，其爲象也假，而古今之人率馳焉。甚則畢一生之神力而爲之，曹劉、潘陸、顏謝、江鮑、徐庾、陰何、蕭范，以及三唐諸公，專門名家，其于詩譬則其飲食裘葛，固也無論。即至人玄聖，匿跡舍靈，英物大儒，崇鴻務鉅，非屑屑然爲詩者，而時或不廢。

又《曇花記序》 世間萬緣皆假，戲又假中之假也。從假中之假而悟諸緣皆假，則戲有益無損。認諸緣之假爲眞，而坐生塵勞則損；認假中之假爲眞，而慾之導，而悲之增，則又損。且子不知閻浮世界一大戲場也。世人之生老病死，一戲場中之離合悲歡也。如來豈能舍此戲場，而度人作佛事乎？世人好歌舞，余隨順其欲，而潛導之，徹其所謂導欲增悲者，而易以仙佛善惡因果報應之說，拔趙幟，插漢幟，衆人不知也。投其所好，則衆所必往也。以傳奇語闡佛理，理奧詞顯，則聽者解也。導以所好，則機易入也。往而解，

解而入，入而省改，千百人中有一人焉，功也，千百人中必不止一人也。曰：「如褻聖賢何？」曰：「非褻也。聖賢像率土木爲之，人以聖賢視土木，則土木亦聖賢也。登場者豈無當土木耶？人以聖賢視登場者，則登場者亦聖賢也；必也毛髮無信心，而直以戲視之，則褻矣。且褻聖賢，非余始也。如來大士，上帝高眞，見傳奇多矣。余褻與諸家同，而語稍入人，與諸家異。此而不入，余又奈之何？」

王驥德《曲律·雜論第三十九下》 古人往矣，吾取古事，麗今聲，華衮其賢者，粉墨其慝者，奏之場上，令觀者藉爲勸懲興起，甚或扼腕裂眦，涕泗交下而不能已，此方爲有關世教文字。若徒取漫言，既已造化在手，而又未必其新奇可喜，亦何貴漫言爲耶？此非腐談，要是確論。故不關風化，縱好徒然，此《琵琶》持大頭腦處，《拜月》祇是宣淫，端士所不與也。

譚浚《說詩》卷上《諷喻》 夫諷喻之流於謠誦，當模式乎《風》、《雅》。在順正以行義，在辟邪而存誠。罔違道以干譽，罔辨言以害經。無作聰明以亂舊章，無爲淫巧以蕩上心。昔楚襄王好女色，而宋玉賦《高唐》以喻之，楚王覽之，有神女之夢。漢武帝好神仙，而司馬相如賦《大人》以諷之，武帝覽之，有飄飄然凌雲之氣。楊子雲曰：「諷則諷矣，未免於勸也。」豈若叢挫之君，則戒之以墮惰，盤游之主，則戒之以滅亡。若《卷阿》之於君臣，《小宛》之於兄弟，《鷄鳴》之於夫婦，未嘗以侈詞爲喻、勸詞爲諷也。苟或馳騁於末流，未免受蚩於後學。如《庭燎》之篇，文雖美之，意亦箴之；張老《輪奐》之詞，文雖頌之，意亦譏之。是謂善矣。

朱孟震《朱秉器全集》卷一《刻豫章李石齋先生聞詩紀訓叙》 夫詩也者，采之閭巷歌謠，而奏朝廷享郊廟，本之家人父子，而達四海擴九州，發之心術性情，而通天地理萬物，斂之不盈掬，而充之溢宇宙，其爲教深哉。而局學者膠以字句工拙乎，窮年月日而不輟，弊甚矣。

胡應麟《詩藪內編》卷一 文章非末技也，權謀警蹕，功配生成，氣運視以盛衰，塵劫同其悠遠。語其極至，則源委於六經，溯洴於七國，浩瀚於兩都。西京下無文矣，非無文，文之至弗與也。東京後無詩矣，非無詩，詩之至弗與也。

又 自聖門學詩，大者興觀羣怨，次則多識草木鳥獸之名。然《國風》、《雅》、《頌》，篇章簡古，詠嘆悠長，或一物而屢陳言，或片語而三致意；蓋《六經》之文體要當爾。屈原氏興，以瑰奇浩瀚之才，屬縱橫艱大之運，因牢騷愁怨之感，發沈雄偉博之辭。上陳天道，下悉人情，中稽物理，旁引廣譬，具網兼羅，文詞鉅麗，體製閎深，興寄超遠，百代而下，才人學士，追之莫逮，取之不窮，史謂爭光日月，詎不信夫！

又《少室山房筆叢·九流緒論》 小說者流，或騷人墨客，游戲筆端，或奇士洽人，蒐羅宇外。紀述見聞，無所回忌；覃研理道，務極幽深。其善者，足以備經解之異同，存史官之討覈，總之有補於世，無害於時。乃若私懷不逞，假手鉛槧，如《周秦行紀》、《東軒筆錄》之類，同於武夫之刃，讒人之舌者，此大弊也。然天下萬世，公論具在，亦亡益焉。

郝敬《藝圃傖談》卷一《古詩》 聖人以詩立經垂訓，教人繕性。以平其躁而宣其滯也。《經解》曰：「詩以道性情，溫柔敦厚，詩之教也。」子云：「詩可以群，可以怨，可以興，可以觀。」故學詩卽是學道。惟知道者能知詩。此義不明，辭卿墨客以便猥爲才，以訕謗爲史，以嬉狎爲興，以狂悖爲達。詩祇爲侮世之具。故古之詩人忠信敦厚，今之詩人輕薄陝輸，所關係豈微乎？

錢肅樂《錢忠介公集》卷五《詠史十三首序》 上古之世，詩卽爲史。及《詩》亡，《春秋》作，而詩、史遂判二流矣。史以謹嚴立體，詩以婉曲樹義，然於以發揚往烈，扶助幽美，激勸後人，風厲來者，其道一也。

羅萬藻《羅文止稿》下《誦詩三百》 聖人約《詩》之用示人，而病夫徒誦者不解夫誦詩者。且《六經》之爲道也，使人高可以至於命，其次亦不失爲人用焉。夫政而能達，使而能專，其取於《三百》亦約矣，而猶未之能也。此聖人而已，吾姑取用焉。夫用而後知經之有以爲也。今卽以《詩》言之，《詩》有亡有逸，然存者蓋三百矣，豈謂不多乎？誦《詩》者之必全於三百也。夫亦謂其端錯出，狃而合之，足以深美吾才智云爾，是故有以三百爲也。且亦謂其教互存，古而精之，足以專一吾所治云爾。是故有以三百爲也。如是而授之以政，顧不達焉，何也？夫《詩》之爲政也，不既多乎，大小正變之迹具，而古今之民治可以通矣，而今且貿貿若此。如是而使於四方，顧不能專對焉，何也？夫《詩》之爲言也，不既多乎？指陳諷說之體具，而古今之使事可以統矣，而今且碌碌若此。夫政亦詩人神明之迹已耳。然以古先王觀民設教之旨推之，則所爲國奢示儉，國儉示禮者，當陳詩問俗之時，先王已示其損益之通於後世，豈謂誦《詩三百》而漫無覩於宜民之理也乎！專對亦詩人諷咏之緒

耳。然以古君子賦詩見志之實觀之，則所爲事大字小，弔災賀善者，皆古諮諏謀度之遺。先王已示其皇華之旨於後世，豈謂誦《詩三百》而漫無諳於出境之權也乎！如是而誦詩，雖多亦奚以爲哉！ 蓋風俗性情之治，詩人之教之所事而政事言語之益，誦詩者之才之所近，吾欲世人取易近之益，以明詩教之在後世，雖其次猶可以爲人用如此。而苟其猶未之能也，雖多亦奚以爲哉！

區大相《區太史文集》卷五《兩越彙草序》 夫詩者通乎政者也。政之所被而歌詠以導之，倡嘆以遂之。厚人倫，美風化，達于事變而懷其舊俗。是故先王之觀政也，必陳詩焉。

馮時可《黔中語錄·詩史》 「詩」之爲教，主於美刺，所以導善而懲邪也。風雅既衰，《春秋》作焉，因褒貶以存王道，亦《詩》意也。蓋《詩》者，盛時之史，而《春秋》，衰世之《詩》。二物者，聖王以之佐治扶衰者也。漢唐以來，采詩之官、紀事之史既廢，能詩之士役神紓靈，藻繢物色，流連景光以自娛適，懲勸之義蔑如矣。

支允堅《藝苑閒評》 文章一事，乃天人道器所統繫，初非雕蟲小技也。子雲所言，獨指賦物。然楊修嘗譏其老不曉事矣。

劉宗周《論語學案》卷四 子曰：「興於《詩》，立於禮，成於樂。」【略】《六經》之教，皆以闡人心之蘊，而示人以爲學之方也。《詩》以勸善懲惡，教主興，故人得之以興，興以人心所自興也。禮以範情約性，教主立，故人得之以立，立以人心所自立也。樂以窮神達化，教主成，故人得之以成，成以人心所自成也。《詩》、禮、樂之教，君子無日不從事焉，而所得有淺深，故所資於《六經》者若有先後之不同。如此，君子亦循序以造之而已矣。《詩》只是思無邪，禮只是敬，樂只是和。興於《詩》，興於善也；立於禮，立於敬也；成於樂，成於和也。

又卷七 子曰：「誦《詩》三百，授之以政，不達；使於四方，不能專對；雖多，亦奚以爲？」窮經將以致用也，非其用之謂也，明體而已矣。無得於身心性命之間而欲措之，天下國家無由矣。誦《詩》三百，而不達於政，不嫻於應對，則亦章句之學而已，雖多，亦奚當於用哉？甚矣，章句之學非學也。夫《六經》皆經濟之道也，而《詩》三百篇是昭代精神命脈所寄，於當世之用尤切焉。是故本之《二南》，以求其端，參之列國，以盡其變，而民情土俗之變徵矣。正之以雅，以大其規，而綱紀治亂污隆之運著矣。和之以頌，以要其正，而先王出身加民之道彰矣。此所謂達於政也。「詩言志，歌永言。」故曰：「不學詩，無以言。」此所以優於專對也。

又卷九 子曰：「小子何莫學夫詩？詩，可以興，可以觀，可以羣，可以怨。邇之事父，遠之事君；多識於鳥獸草木之名。」詩教主於興，故學詩爲小子第一義，可興又學詩第一義，而觀者因吾興之機而實證之也。可羣、可怨，事父、事君，皆反觀之地，無非得之於興者。多識於鳥獸草木之名，則窮物理之當然而得。吾心之皆備，又安往而非興起之餘事哉？故曰：「小子何莫學夫詩。」

宋孟清《詩學體要類編》卷一引《詩文發源》 詩非怒鄰罵座之爲，山谷云：詩者，人之情性也。非强諫諍於廷，怨忿詬於道，怒鄰罵座之爲也。其人忠信篤敬，抱道而居，與時乖逢，遇物悲喜，同床而不察，並世而不聞，情之所不能堪，回發爲呻吟調笑之聲，胸次釋然，而聞者亦有所勸勉，比律呂而可歌，列干羽而可舞，是詩之美也。其發爲訕謗侵陵，引頸以承戈，披襟而受矢，以快一朝之忿者，人皆以爲詩之禍，乃失詩之旨，非詩之過也。

莊元臣《叙苴子內篇》卷五 詩主自適，文主喻人。詩言憂愁婾佚，以舒己拂鬱之懷；文言是非得失，以覺人迷惑之志。故有貴於文，詩也。若詩不能適己，文不能喻人，而徒以藻繪飾其游言，是所謂朽糞土而刻朽木也。嗚呼，其於詩文之本，未之思耳！

趙宧光《彈雅·雅俗》 天地間最無用是文章，文章之最無用是詩，詩之最無用是賦景閑適之作。閑適極致至妙境，則又不可以言論，不可以理說。此則無用之用，與知者道耳，語言文字外，難向俗人言。

又《取材》 《詩原》云「使句格可傳，乃爲上乘」云云。余則以爲句格但以取人，非以取于人也。可傳二字，尤非本色，亦是後人事耳。作者何庸心哉！若謂可傳不可傳而作詩，其不可恃審矣。何也？詩是自用之物，非作他人庫藏也。「采菊東籬下，悠然見南山」之頃，方能解我語。

鄭之珍《目蓮救母勸善戲文自序》 昔夫子志三代之英，不得位以行其政教，于是假魯史作《春秋》，以褒善，以貶惡。夫善者褒之，人既樂于爲；惡者貶之，人將惲而不爲矣。故曰：「孔子成《春秋》而亂臣賊子懼。」是非懼之以勢也，以斯民之心之道也。子不云乎「斯民也，三代之所以直道而行也」。

使道非斯民之同具，此顧懼之，彼顧違之，聖人之心，吾見其窮矣。然道能懼者猶爲中人之資。若夫中人以下，愚夫愚婦懵焉而莫之懼者尤衆也。況世變江河，日不逮于古者乎。余不敏，初學夫子而志《春秋》，惜以文不趨時而志不獲遂，于是萎念于翰場，而游心于方外。時寓秋浦之剡溪，乃取目蓮救母之事編爲《勸善記》三冊，敷之聲歌，使有耳者之共聞；著之象形，使有目者之共覩。至于離合悲歡，抑揚勸懲，不惟中人之能知，雖愚夫愚婦靡不悚惻涕洟感悟通曉矣，不將爲勸善之一助乎？有客過我，嘆余詞而病其號，余應之曰：「夫夫是也。盤庚遷殷，民不適有居，于是懼之以神道，盤庚之弗獲已也。余學夫子不見用于世。于是懼之以鬼道，亦余之弗獲已也。蓋懼則悟矣，悟則改矣，改則善矣，余學夫子之心亦少慰矣。」客曰：「然則子敢自方于夫子乎？」曰：「夫子何敢當也。乃所顧則學夫子也。以獲麟之筆而擅天子之權，道隆則從而隆也。以臂鷹之手而送佛前之錢，道污則從而污也。而欲人之從善，則一也。」客笑曰：「唯唯。」因書之。

陳昭祥《勸善記叙》 蓋余讀《勸善記》，而知鄭子之心之可悲矣。夫丈夫之生也，誦法孔孟，習先王禮樂名物之教，豈不欲身律聲度，以效用于當年，以表儀于天下後世。顧乃時亦我與龍蛇斯蟄，幽憂沈思，吐詞發鬱。蓋楚平逐，而著《離騷》；左丘明退，而述《國語》；韓非擯韓，《說難》乃成；馬遷蠶室，《史記》斯就。此其人皆意有所抑鬱，不能通其道，故托之往事，著之文彩以自見也。鄭子幼爲諸生時，負高世之雄才，擅凌雲之逸響，而屢困于藝場。于是退而深惟曰：吾身不用矣，何可以名沒世而不稱也。乃今眩惑人耳目、而滌蕩人心志，以蠱害吾先王禮樂之教者，莫甚于俳優之習。至于今風靡波頽，淪心浹髓，跳踉狂瞽而胥溺者，奚翅十九，吾何以易之哉？傳不云乎，善者因之，其次整齊之，其次教誨之，最下者與之爭矣。吾聞之先王之教人也，莫深于孝。故卽目犍連救母事而編次之，而陰以寓夫勸懲之微旨焉。婉麗其辭情，而興其聽視之眞；朱玄其鬼狀，而悚其敬畏之念。使夫觀之者不曰此戲劇也，而曰吾何以置吾父母于玉堂而頗度之，吾何以殲悔吾罪戾而鬼獄吾也。此豈不有潛移默奪之者耶。嗟呼！今世侶之所嚴事而尊信之者，無佛氏踰矣。今欲勸人以善，因其所嚴事者而象教之、警之，順風而呼，不亦易乎。其爲聲邪，說者以其事誕無可徵信，蓋亦拘儒曲學內典同聞，并味玄旨，乃《南華》三十三篇，重言十七，寓言十九，豈其一言一事盡可覈實者否耶？然而至實者該矣。況乎目犍連在釋迦牟尼時，居然一大阿羅漢，稱摩訶薩，是爲耆艾，是重言也。至于救母事略，褒善罪惡諸節目，雖未盡然，所謂藉外論之者也。以法眼觀，何幻不眞？奚必盡規陳迹，泥往實，而復爲能教于世也。若鄭子者，其亦良工苦心者矣，其自謂：「誰料平生臂鷹手，挑燈自送佛前錢。」則千古英雄扼腕不平之氣也。故曰：余讀《勸善記》，而知鄭子之心之可悲矣。雖然，藉令鄭子得一官，效一職，其設施不朽之業，吾不知其得失于此何如也。

葉桱沙《〈目蓮救母勸善戲文〉篇末評語》 先儒謂文字無關于世教，雖工何益。是編假一目連，生出千枝萬葉，有開闔，有頓挫，有抑揚，有勸懲。其詞旣工，而關于世教者不小也，豈特爲梨園之絕響而已乎。

王陽明《王文成公全書·傳習錄下》 先生曰：「古樂不作久矣。今之戲子，尙與古樂意思相近。」未達，請問。先生曰：「《韶》之九成，便是舜的一本戲子。《武》之九變，便是武王的一本戲子。聖人一生實事，俱播在樂中。所以有德者聞之，便知他盡善盡美，與盡美未盡善處。若後世作樂，只是做些詞調，于民俗風化絕無關涉，何以化民善俗？今要民俗反樸還淳，取今之戲子，將妖淫詞調俱去了，祇取忠臣孝子故事，使愚俗百姓人人易曉，無意中感激他良知起來，卻于風化有益。然後古樂漸次可復矣。」

祁彪佳《孟子塞五種曲序》 子曰：「詩可以興，可以觀，可以群，可以怨。」然則詩而不可興、可觀、可群、可怨者，非天下之眞詩也。嗚呼！今天下之可興、可觀、可群、可怨者，其孰過于曲者哉？蓋詩以道性情，而能道性情者，莫如曲。曲之中有言夫忠孝節義、可忻可敬之事者焉，則雖呆童愚婦見之，無不擊節而忭舞；有言夫奸邪淫慝、可怒可殺之事者焉，則雖呆童愚婦見之，無不耻笑而唾詈。自古感人之深而動人之切，無過于曲者也。故人以詞爲詩之餘，曲爲詞之餘。而余則以今之曲卽古之詩，抑非特古之詩，而卽古之樂也。樂有歌有舞，凡以陶淑其性情而動蕩其血氣。詩亡而樂亡，樂亡而歌舞俱亡。自曲出而使歌者按節以舞，命之曰樂府。故今之曲卽古之詩，抑非特古之詩，而卽古之樂也。特後世爲曲者，多出于宣邪導淫，爲正教者少，故學士大夫遂有諱曲而不道者。且其爲辭也，可演之臺上，不可置之案頭，故譚文家言，有謂詞不如詩而曲不如詞者。此皆不善爲曲之過，而非曲之咎也。

卓人月《新西廂序》 天下歡之日短而悲之日長，生之日短而死之日長，此定局也；且也歡必居悲前，死必在生後。今演劇者，必始于窮愁泣別，而終于團圓宴笑，似乎悲極得歡而歡後更無悲也，死中得生而生後更無死也，豈不大謬也！夫劇以風世，風莫大乎使人超然于悲歡而泊然于生死。生與歡，天之所以鳩人也；悲與死，天之所以玉人也。第如世之所演，當悲而猶不忘歡，處死而猶不忘生，是悲與死亦不足以玉人矣，又何風焉？又何風焉？

胡祗遹《紫山大全集》卷八《贈宋氏序》 樂音與政通，而伎劇亦隨時所尚而變。近代教坊院本之外，再變而爲雜劇。所謂之「雜」，上則朝廷君臣政治之得失，下則閭里市井父子兄弟夫婦朋友之厚薄，以至醫藥、卜筮、釋道、商賈之人情物理，殊方異域風俗語言之不同，無一物不得其情，不窮其態。以一女子而兼萬人之所爲，尤可以悅耳目而舒心思，豈前古女樂之所擬倫也？全此義者，吾于宋氏見之矣。

陳洪綬《節義鴛鴦冢嬌紅記序》 今天子廣勵教化，誅凡衣冠而鳥獸行者。或曰：是某某者，皆道學之士所共推爲賢者也，且其人亦既讀書知理義矣，何至行同于狗彘若此？余曰：嗚呼！若人非不知理義之患也，惟知有理義而貌之以欺世，而其眞情至性與人異，故自墜于非人之類而不知也。蓋性情者，理義之根柢也，苟夫性情無以相柢，則其于君臣、父子、兄弟、朋友、夫婦之間，殆亦泛泛乎若萍梗之相值于江湖中爾。天下殘忍、刻薄、悖逆、乖睽之事，無不緣是而起。太史公推申、韓之禍，本于道德，其意亦猶是也。【略】今有人焉，聚徒講學，莊言正論，禁民爲非，人無不笑且詆也。伶人獻俳，喜嘆悲啼，使人之性情頓易，善者無不勸，而不善者無不怒。是百道學先生之訓世，不若一伶人之力也。且若前此講學解理義者，不免行鳥獸之行。而申、嬌兩人能于兒女婉孌中立節義之標範，其過之不甚遠也哉？則子塞此辭，所以言乎其性情之至也，而亦猶之乎體明天子廣勵教化之意而行之者也。若其鑄辭冶句超凡入聖，而韻叶宮商，語含金石，較湯若士欲拗折天下人嗓子者，又進一格。則猶以其詞言之耳，非子塞作此記之旨也。

錢謙益《有學集》卷一七《施愚山詩集序》 《記》曰：「溫柔敦厚，詩之教也。」說《詩》者謂《雞鳴》、《沔水》殷勤而規切者，如扁鵲之療太子；《溱洧》、《桑中》咨嗟而哀歎者，如秦和之視平公。病有淺深，治有緩急，詩人之志在救世，歸本于溫柔敦厚，一也。愚山視學齊、魯，祠伏生，旌孫明復、石介，享鐵司馬七公，噓枯吹燼，廣厲風教。敦《伐木》友生之義，哭顧夢游之喪，瓦燈繐帷，過時而悲。溫柔敦厚之教，詩人之鍼藥救世，愚山蓋身有之。《詩》有之：「神之聽之，終和且平。」和平而神聽，天地神人之和氣所由接也。其斯以同樂之苗裔而爲詩人救世之詩也與？

又卷一八《胡致果詩序》 孟子曰：「《詩》亡然後《春秋》作。」《春秋》未作以前之詩，皆國史也。人知夫子之刪《詩》，不知其爲定史。人知夫子之作《春秋》，不知其爲續《詩》。《詩》也，《書》也，《春秋》也，首尾爲一書，離而三之者也。三代以降，史自史，詩自詩，而詩之義不能不本于史。曹之《贈白馬》，阮之《咏懷》，劉之《扶風》，張之《七哀》，千古之興亡升降，感歎悲憤，皆于詩發之。馴至于少陵，而詩中之史大備，天下稱之曰詩史。唐之詩，入宋而衰。宋之亡也，其詩稱盛。皐羽之慟西臺，玉泉之悲竺國，水雲之苕歌，《谷音》之越吟，如窮冬沍寒，風高氣慄，悲噫怒號，萬籟雜作，古今之詩莫變于此時，亦莫盛于此時。至今新史盛行，空坑、厓山之故事，與遺民舊老，灰飛煙滅。考諸當日之詩，則其人猶存，其事猶在，殘篇齧翰，與金匱石室之書，並懸日月。謂詩之不足以續史也，不亦誣乎？

施閏章《學餘堂文集》卷四《江雁草序》 古未有以詩爲史者，有之自杜工部始。史重褒譏，其言眞而核；詩兼比興，其風婉以長；故詩人連類託物之篇，不及記言記事之備。《傳》曰：溫柔敦厚，詩教也。然作史之難也，以孔子事筆削，其於知我罪我，蓋惴惴焉；昌黎爲唐文臣，起衰敝，至言史官不有人禍必有天刑，引左丘明、司馬遷及崔浩、魏收等爲戒，子厚深非之，往復辨難不相下，史之難如此。詩人則不然，散爲風謠，采之太師，田夫野婦可稱咏，其王后、卿大夫微詞設諷，或泣或歌，憂憤之言寄之《萇楚》，故宮之感見乎《黍離》，吉甫以清風自稱，孟子以寺人表見，言者無罪，聞之者足以戒，其用有大於史者。風騷而降，流爲淫麗，詩教浸衰。杜子美轉徙亂離之間，凡天下人物事變，無一不見於詩，故宋人目以詩史，雖有譏其學究者，要未可槩非也。至於胸中鬱悒侘傺，卷舌不敢盡言，既言而不敢盡存。若以爲飄風驟雨之颯然過而不留也，斯其志抑已苦矣。

又卷五《房樞部文集序》 天下日競於文而文益敝，其患非徒在文章也。唐虞去上古未遠，其人渾渾爾，書辭質簡，非後世史家言天下稱文明爲獨盛。

三王相嬗，制作閎備，星陳而霞爛，文治已極，聖人之書既具，而諸子百家旁見駢出，皆自命爲作者之聖。由是莠言繁興，天下奸回猾亂，簡冊不可勝書，而變亦無所不底於極。吾夫子刪正詩書，筆削春秋，以坊天下後世，不啻摧陷廓清，而中古淳茂之風卒不可復，何者？文極而敝，固其所也，敝極則變，變極則反其本，蓋不俟筮蕢而惄乎其有憂矣。浸淫至戰國不已，卒召嬴秦焚書之禍。於乎！向使孔孟生今日，見今世之文人，其憂歎何如也！夫立言爲不朽，謂其祖經禰傳，以載道而牖民也；假令騷賦詩文，徒取雕繪浮言，曲説是非，甘謬於聖人，鞶帨雖工，卽土苴之弗若矣。

又《閔子遊草序》 詩以道性情，其次言事物，資贈答，蓋猶有四始六義之遺。逮乎今，則交遊酬酢之言居多，雖世所號爲負天下之望者，愈不免焉。於是幽人畸士，務放其奇於名山大川之間。

汪琬《堯峰文鈔》卷二七《洮浦集序》 「文章一小技，於道未爲尊。」斯言誠是也，然而古之作者，其於道也，莫不各有所得，雖所見有淺深，所從入者有彼此，顧非是則其文章不能以傳，雖傳亦不能及於久且遠。自孔孟而下，若莊騷，若荀揚，以訖於唐宋諸大家，未有不然者也，而槩以小技斥之，其可乎？

又卷三二《答王進士書》 古之所謂忠孝義烈者，其身雖亡，其容貌動止雖不可得而見，而其氣則浩浩然，落落然，流被天壤，上自名公鉅卿，下自里巷之氓，以至婦人豎子，莫不樂頌其姓氏。及其有可感者，則又相顧太息，不知涕泗之流落也。故雖愈久而愈不可磨滅，相距幾千百年，猶昭灼在人口耳，此豈繫乎文章之有無耶？然而有志之士，猶欲奮起而爲之紀載者，何哉？非謂忠孝義烈之名，恃此而後不朽也，直以文章不能無故而作，必借他人之事而發之，以稍見其胸中之奇，而取重於後世。或所遇非其人，所書非其事，則雖有上下馳騁，瑰瑋詭異之詞，決不及傳，或遇得其人矣，而行事不加恢奇，則其詞雖傳，亦決不及於久遠。故尤愼擇其所得而詳書之。昔李習之有盛名於唐，然獨自述其所叙高愍女楊烈婦，爲不在班孟堅蔡伯喈下；近世歸震川先生亦號東南大儒，尤沾沾自喜者，惟在作張氏女子神異記，亦可窺見前賢之用心矣。而流俗不察，妄相推許，遽謂文章之權，可以褒寵死者，幾欲自比於夫子之《春秋》，不亦夸而難信矣乎？

毛奇齡《西河集》卷三三《蔡子珮詩序》 夫爲詩與爲帖括同一無用，然而寧爲詩者，豈非以詩本于志，內之可以見性情，外之亦可以覘問學哉！第今之爲詩，大率單心帖括而賈其餘才，比辭摘句，其于詩固未知精神之依憑而典墳之有效也。

葉宗寶《綴白裘六集序》 詞之一體，由來舊矣，未有不登雅而斥俗，去粗而用精，每爲文人學士所玩，不爲庸夫愚婦所好也。若夫隨風氣爲轉移，任人心所感發，詞既殊于古昔，歌亦遜于疇曩，非關陽春白雪，僅如下里巴人，一時步趨，大抵皆然，亦安用剞劂爲哉？醉侶山樵曰：「否否。詞之可以演劇者，一以勉世，一以娛情，不必拘泥于精粗雅俗間也。」

時元亮《綴白裘九集序》 自開辟以來，其爲戲也多矣：巢、許以天下戲，逢、比以驅命戲，蘇、張以口舌戲，孫、吳以戰陣戲，蕭、曹以功名戲，班、馬以筆墨戲，至若偃師之戲也以魚龍，陳平之戲也以傀儡，優孟之戲也以衣冠，戲之功用大矣哉！孔子曰：「詩可以興，可以觀，可以群，可以怨。」今舉賢奸忠佞，理亂興亡，滙而成編，其功不在《三百篇》下。

張三禮《空谷香序》 文字無關風教者，雖炳耀藝林，膾炙人口，皆爲苟作，塡詞其一體也。史家傳志之文學，士大夫或艱涉臘，及播諸管弦，托于優孟，轉令天下後世觀場者，若古來忠孝賢奸凜然在目，則塡詞足資勸懲感發者亦重。

採荷老人《三星圖乩序》 古之傳奇，傳其奇而記其實。後之傳奇，幻其奇而虛其變，詭詐百出，俚言異語，飾以艷詞，鬼怪陸離，徒欲悅人之耳目，快人之心意，蓋以失傳奇之奧旨矣。夫傳奇者，乃裨史之餘，效《關雎》之意，樂而不淫，哀而不傷，忠良者獲其福報，奸邪者蒙其顯誅，賞善罰惡，絲毫不爽，乃天意之工巧，不能爲蠱惑，起人向往之心，發人忠誠之感，欲其踴躍募義者也。

尤侗《第七才子書序》 才人之作，至傳奇末矣。然元人雜劇五百餘本，明之南詞，乃不可更僕數，大半街談巷説，荒唐乎鬼神，纏綿乎男女，使人目搖心蕩，隨波而溺，求其情文曲致，哀樂移人，風以動之，教以化之者，萬不獲一也。聲山毛子曰：吾于傳奇，取《琵琶》焉。凡臣之事君，子之事父母，婦之事舅姑，以至夫婦之相規，妻妾之相愛，朋友之相恤，莫不于斯編備之。此東嘉高先生之所爲作也。今夫一閧之市，十家之村，凡屬子弟有登臺而唱《琵琶》者，每至饑荒離別，剪髮築墳之事，則田夫里嫗，牧童樵叟，

無不頰赤耳熱，涕泪覆面，嗚咽咄嗟而不能已。況于吾輩讀其書，而睹忠臣孝子貞夫烈婦之所爲，有不油然感動、喟然嘆興者乎。豈非本乎性，發乎情，止乎禮義，不自見其才，而才無不至者乎。故吾名爲第七才子書無疑也。于是取而評定之，授管于郎君序始氏，使加校訂參贊其成焉。予受而讀之，見其發明闡幽，塡詞按律，千載陳人復開生面，既嘆高先生之作者不可及，而于毛子重有感焉。

孔尚任《桃花扇小引》 傳奇雖小道，凡詩賦、詞曲、四六、小說家，無體不備。至于摹寫鬚眉，點染景物，乃兼畫苑矣。其旨趣實本于《三百篇》，而義則春秋，用筆行文，又《左》、《國》、太史公也。于以驚世易俗，贊聖道而輔王化，最近且切。今之樂，猶古之樂，豈不信哉？

李漁《閒情偶寄》卷一《戒諷刺》 武人之刀，文士之筆，皆殺人之具也。刀能殺人，人盡知之；筆能殺人，人則未盡知也。然筆能殺人，猶有或知之者；至筆之殺人，較刀之殺人，其快、其凶，更加百倍，則未有能知之而明言以戒世者。予請深言其故。何以知之？知之於刑人之際。殺之與剮，同是一死，而輕、重別焉者，以殺止一刀，爲時不久，頭落而事畢矣；剮必數十百刀，爲時必經數刻，死而不死，痛而復痛，求爲頭落事畢而不可得者，只在久與暫之分耳。然則筆之殺人，其爲痛也，豈止數刻而已哉！竊怪傳奇一書，昔人以代木鐸。因愚夫愚婦識字知書者少，勸使爲善，誡使勿惡，其道無由，故設此種文詞，借優人說法，與大衆齊聽，謂善者如此收場，不善者如此結果，使人知所趨避，是藥人壽世之方，救苦弭災之具也。後世刻薄之流，以此意倒行逆施，借此文報讎泄怨，心之所喜者，處以生、旦之位；意之所怒者，變以淨、丑之形，且舉千百年未聞之醜行，幻設而加於一人之身，使梨園習而傳之，幾爲定案，雖有孝子慈孫不能改也。噫！豈千古文章，止爲殺人而設；一生誦讀，徒備行凶造孽之需乎？蒼頡造字而鬼夜哭，造物之心，未必非逆料至此也。凡作傳奇者，先要滌去此種肺腸，務存忠厚之心，勿爲殘毒之事。以之報恩則可，以之報怨則不可。以之勸善、懲惡則可，以之欺善、作惡則不可。人謂：《琵琶》一書，爲譏王四而設，因其不孝於親，故加以入贅豪門、致親餓死之事。何以知之？因「琵琶」二字，有四「王」字冒於其上，則其寓意可知也。噫！此非君子之言，齊東野人之語也。凡作傳世之文者，必先有可以傳世之心，而後鬼神效靈，予以生花之筆，撰爲倒峽之詞，使人人贊美，百世流芬。傳非文字之傳，一念之正氣使傳也。《五經》、《四書》、《左》、《國》、《史》、《漢》諸書，與大地山河同其不朽，試問當年作者，有一不肖之人、輕薄之子廁於其間乎？但觀《琵琶》得傳至今，則高則誠之爲人，必有善行可予，是以天壽其名，使不與身俱沒，豈殘忍刻薄之徒哉！即使當日與王四有隙，故以不孝加之；然則彼與蔡邕未必有隙，何以有隙之人止暗寓其姓，不明叱其名，而以未必有隙之人，反蒙李代桃僵之實乎？此顯而易見之事，從無一人辯之，創爲是說者，其不學無術可知矣。予向梓傳奇，嘗埒誓詞於首，其略云：「加生、旦以美名，原非市恩於有託；抹淨、丑以花面，亦屬調笑於無心；凡以點綴詞場，使不岑寂而已。但慮七情以內，無境不生；六合之中，何所不有。幻設一事，即有一事之偶同；喬命一名，即有一名之巧合。焉知不以無基之樓閣，認爲有樣之葫蘆？是用瀝血鳴神，剖心告世：倘有一毫所指，甘爲三世之瘖，即漏顯誅，難逋陰罰。」此種血忱，業已沁入梨棗，印政寰中久矣。而好事之家，猶有不盡相諒者，每觀一劇，必問所指何人。噫！如其盡有所指，則誓詞之設已經二十餘年，上帝有赫，實式臨之，胡不降之以罰？茲以身後之事，且置勿論，論其現在者：年將六十，即旦夕就木，不爲殀矣。向憂伯道之憂，今且五其男二其女，孕而未誕、誕而待孕者，尚不一其人，雖盡屬景升豚犬，然得此以慰桑榆，不憂窮民之無告矣。年雖邁而筋力未衰，涉水登山，少年場往往追予弗及；貌雖癯而精血未耗，尋花覓柳，兒女事猶然自覺情長。所患在貧，貧也，非病也；所少在貴，貴豈人人可倖致乎？是造物之憫予，亦云至矣。非憫其才，非憫其德，憫其方寸之無他也。生平所著之書，雖無裨於人心世道，若止論等身，幾與曹交食粟之軀，等其高下。使其間稍伏機心，略藏匕首，造物且誅之、奪之不暇，肯容自作孽者老而不死，猶得徉狂自肆於筆墨之林哉！吾於發端之始，即以諷刺戒人，且若囂囂自鳴得意者，非敢故作夜郎，竊恐詞人不究立言初意，謬信《琵琶》王四之說，因謬成眞。誰無恩怨，誰乏牢騷，悉以塡詞泄憤，是此一書者，非闡明詞學之書，乃教人行險播惡之書也。上帝討無禮予其首，誅乎現身說法，蓋爲此耳。

又《戒荒唐》 昔人云：「畫鬼魅易，畫狗馬難。」以鬼魅無形，畫之不似，難於稽考；狗馬爲人所習見，一筆稍乖，是人得以指摘。可見事涉荒唐，即文人藏拙之具也。而近日傳奇，獨工於爲此。噫！活人見鬼，其兆不祥，矧

有吉事之家，動出魑魅魍魎爲壽乎？移風易俗，當自此始。吾謂劇本非他，卽三代以後之《韶》、《濩》也。殷俗尚鬼，猶不聞以怪誕不經之事被諸聲樂，奏於廟堂，矧辟謬崇眞之盛世乎？王道本乎人情，凡作傳奇，只當求於耳目之前，不當索諸聞見之外。無論詞曲，古今文字皆然。凡說人情、物理者，千古相傳；凡涉荒唐、怪異者，當日卽朽。《五經》、《四書》、《左》、《國》、《史》、《漢》以及唐宋諸大家，何一不說人情？何一不關物理？及今家傳戶頌，有怪其平易而廢之者乎？《齊諧》，志怪之書也，當日僅存其名，後世未見其實。此非平易可久、怪誕不傳之明驗歟？人謂：「家常日用之事，已被前人做盡，窮微極隱，纖芥無遺。非好奇也，求爲平而不可得也。」予曰：「不然。世間奇事無多，常事爲多；物理易盡，人情難盡。有一日之君臣父子，卽有一日之忠孝節義。性之所發，愈出愈奇，儘有前人未作之事，留之以待後人。後人猛發之心，較之勝於先輩者。卽就婦人女子言之，女德莫過於貞，婦愆無甚於妒。古來貞女守節之事，自剪髮、斷臂、刺面、毀身以至刎頸而止矣。近日矢貞之婦，竟有刲腸、剖腹，自塗肝腦於貴人之庭以鳴不屈者。又有不持利器，談笑而終其身，若老衲高僧之坐化者。豈非五倫以內，自有變化不窮之事乎？古來妒婦制夫之條，自罰跪、戒眠、捧燈、戴水以至撲臀而止矣。近日妒悍之流，竟有鎖門絶食，遷怒於人，使族黨避禍難前，坐視其死而莫之救者。又有鞭撲不加，囹圄不設，寬仁大度，若有刑措之風，而其夫攝於不怒之威，自遣其妾而歸化者。豈非閨閫以內，便有日異月新之事乎？此類繁多，不能枚舉。此言前人未見之事，後人見之，可備塡詞製曲之用者也。卽前人已見之事，儘有摹寫未盡之情，描畫不全之態。若能設身處地，伐隱攻微，彼泉下之人，自能效靈於我，授以生花之筆，假以蘊綉之腸，製爲雜劇，使人但賞極新極艷之詞，而竟忘其爲極腐極陳之事者。此爲最上一乘，予有志焉，而未之逮也。」

卽空觀主人《拍案驚奇序》 宋元時，有小說家一種，多采閭巷新事，爲宮闈應承談資，語多俚近，意存勸諷。雖非博雅之派，要以小道可觀。近世承平日久，民佚志淫，一二輕薄惡少，初學拈筆，便思污衊世界，廣摭誣造，非荒誕不足信，則褻穢不忍聞，得罪名敎，種業來生，莫此爲甚。而且紙爲之貴，無翼飛，不脛走，有識者爲世道憂之，以功令厲禁，宜其然也。

酉陽野史《新刻續編三國志引》 夫小說者，乃坊間通俗之說，固非國史正綱，無過消遣于長夜永晝，或解悶于煩劇憂愁，以豁一時之情懷耳。今世所刻通俗列傳并梓《西游》、《水滸》等書，皆不過取快一時之耳目。及觀《三國演義》至末卷，見漢劉衰弱，曹魏僭移，往往皆掩卷不懌者衆矣，又見關張葛趙諸忠良反居一隅，不能恢復漢業，憤嘆扼腕，何止一人？及觀漢後主復爲司馬氏所并，而諸忠良之後杳滅無聞，誠爲千載之遺恨。及見劉淵父子因人心思漢，乃崛起西北，叙檄歷漢之詔，遣使迎孝懷帝，而兵民景從云集，遂改稱炎漢，建都立國，重興繼絶。雖建國不永，亦快人心。今是書之編，無過欲泄憤一時，取快千載，以顯後關趙諸位忠良也。其思欲顯耀奇忠，非借劉漢則不能以顯揚後世，以泄萬世蒼生之大憤。突會劉淵，亦借秦爲諭，以警後世奸雄，不過勸懲來世、戒叱凶頑爾。其視《西游》、《西洋》、《北游》、《華光》等傳，不根諸說遠矣。雖使曹魏扞力諸臣有知，亦難自免事僞助逆之咎矣。客或有言曰：書固可快一時，但事迹欠實，不無虛誑渺茫之議乎？予曰：世不見傳奇戲劇乎？人間日演而不厭，內百無一眞，何人悅而衆艷也？但不過取悅一時，結尾有成，終始有就爾。誠所謂烏有先生之烏有者哉。大抵觀是書者，宜作小說而覽，毋執正史而觀，雖不能比翼奇書，亦有感追踪前傳，以解頤世間一時之通暢，并豁人世之感懷君子云。

孟芥舟等《女仙外史回評》 香泉曰：古今忠孝節義有編入傳奇演義者，兒童婦女皆能記其姓名，何者？以小說與戲文爲里巷人所樂觀也。若僅出于正史者，則懵然無所見聞，唯讀書者能知之，卽使日與世人家喻戶曉，彼亦不信。故作《外史》者，自貶其才以爲小說，自卑其名曰「外史」，而隱寓其大旨焉。俾市井者流，咸能達其文理，解其情事，夫如是而遜國之忠臣義士、孝子烈媛，悉得一一知其姓氏，如日月在天，爲世所共仰，山河在地，爲人所共由，此固扶植綱常，維持名敎之深心，《外史》之功也。雖然，亦《外史》之罪與？

西泠散人《熙朝快史序》 且夫今之所謂小說者亦夥矣！非淫詞艷說蕩人心志，則剿襲雷同厭人聽睹，欲求其自抒心裁，有關風化者，蓋不數覯矣。是書以時文三弊爲經，以康、林二人爲緯，初閲之若儗不于倫，而同所不同，不同其所同，讀者考書始終自曉然。于言雖近而旨遠，意雖奇而詞正，主文而譎諫，蓋亦竊附于言者無罪，聞者足戒之微意焉。然則小說豈易言哉！或謂作者胸有不平之事而故爲游戲之筆，自娛以娛人也。

壽亭《金榜山序》 明太祖獨稱《琵琶》如珍玉百味，富貴家不可缺者，以其有裨風教也。自是瓊台邱濬撰《五倫全備記》三本，凡二十八段，所述皆名言，雖詼諧而不失其正，蓋邱文莊公假此劇場以勸善耳。近時惟鉛山蔣心餘所刻有九種曲，【略】皆以節孝忠貞命意，能主持百世名教，不似王實甫所撰《西廂記》，李笠翁所撰十種曲，徒作艷情取快也。

李黼平《藤花亭曲話序》 《扶犁》、《擊壤》後有《三百篇》，自是而《騷》，而漢魏六朝樂府，而唐絕，而宋詞、元曲，爲體屢遷，而其感人心、移風易俗一爾。蓋文之至者，傾肺腑而出，其詞明白坦易，雖婦人孺子莫不通曉，故聞忠孝節義之事，或軒鬟而舞，或垂涕泣而道；而南北曲者，復以妙伶登場，服古冠巾，與其聲音笑貌而畢繪之，則其感人尤易入也。顧世之論曲者，不以文以律，曰「某字宜平而仄，與五聲乖也」，曰「某字宜陽而陰，與九宫戾也」。夫律則何譜之有？《三百篇》之與《韶》、《武》，不啻遠矣，而孔子絃歌以合之律，果有譜乎？予觀《荆》、《劉》、《拜》、《殺》暨玉茗諸大家，皆未嘗斤斤求合于律；俗工按之，始分出襯字，以爲不可歌；其實得國工發聲，愈增韻折也。故曲無定，以人聲之抑揚抗墜以爲定。

自怡軒主人《娛目醒心編序》 稗史之行于天下者，不知幾何矣。或作詼奇詭譎之詞，或爲艷麗淫邪之說。其事未必盡眞，其言未必盡雅。方展卷時，非不警魂眩魄。然人心入于正難，入于邪易。雖其中亦有一二規戒之語，正如長卿作賦，勸百而諷一。流弊所及，每使少年英俊之士，非慕其豪放，卽迷于艷情。人心風俗之壞，未必不由于此。可勝嘆哉！至若因果報應之書，非不足以勸人。無如侃侃之論，人所厭聞，不以爲釋老之異教，卽以爲經生之常談，讀未數行，倦而棄之矣。又何益歟？【略】名其編曰《娛目醒心》。考必典核，語必醇正。其間可驚可愕，可敬可慕之事，千態萬狀，如蛟龍變化，不可測識。能使悲者流涕，喜者起舞，無一迂拘塵腐之辭，而無不處處引人于忠孝節義之途。卽可娛目，卽以醒心。而因果報應之理，隱寓于驚魂眩魄之内。俾閲者漸入于聖賢之域而不自知。于人心風俗，不無有補焉。余故急爲梓之以問世。世之君子，幸勿以稗史而忽之也。

馮鎮巒《讀聊齋雜説》 署清令陽湖張安溪曰：「《聊齋》一書，善讀之令人膽壯，不善讀之令人入魔。」予謂泥其事則魔，領其氣則壯，識其文章之妙，窺其用意之微，得其性情之正，服其議論之公，此變化氣質、淘成心術第一書也。多言鬼狐，款款多情；間及孝悌，俱見血性，較之《水滸》、《西廂》，體大思精，文奇義正，爲當世不易之筆墨，深足寶貴。《聊齋》非獨文筆之佳，獨有千古，第一議論醇正，準理酌情，毫無可駁。如名儒講學，如老僧談禪，如鄉曲長者讀誦勸世文，觀之實有益於身心，警戒愚頑。至說到忠孝節義，令人雪涕，令人猛省，更爲有關世教之書。

靜恬主人《金石緣序》 小說何爲而作也？曰以勸善也，以懲惡也。夫書之足以勸懲者，莫過于經史，而義理艱深，難令家喻而戶曉，反不若稗官野乘，福善禍淫之理悉備，忠佞貞邪之報昭然，能使人觸目儆心，如聽晨鐘，如聞因果，其于世道人心不爲無補也。但作者先須立定主見，有起有收，回環照應，一點清眼目，做得錦簇花團，方使閲者稱奇，聽者忘倦。切忌事多直捷，意味索然，又忌人多混雜，眉目不楚。甚者說鬼談神，怪奇悖理不堪。【略】《金石緣演義》則忠孝節義、奸盜邪淫、貧賤富貴、離合悲歡，色色俱備，且徵引事迹，酌乎人情，合乎天理，未嘗露一毫穿鑿之痕，中間序次天然，聯絡水到渠成，未嘗有半點遺漏之病。雖不敢稱全璧，亦可爲勸懲之一助。閲者幸勿以小說而忽之。當反躬自省，見善卽興，見惡思改，庶不負作者一片婆心，則是書充於《太上感應篇》讀也可。

曹雪芹《紅樓夢》第一回 市井俗人喜看理治之書者甚少，愛看適趣閑文者特多。歷來野史，或訕謗君相，或貶人妻女，奸淫凶惡，不可勝數。更有一種風月筆墨，其淫穢污臭，塗毒筆墨，壞人子弟，又不可勝數。至若佳人才子等書，則又千部共出一套，且其中終不能不涉于淫濫，以致滿紙潘安、子建、西子、文君，不過作者要寫出自己的那兩首情詩艷賦來，故假擬出男女二人名姓，又必旁出一小人其間撥亂，亦如劇中之小丑然。且鬟婢開口卽者也之乎，非文卽理。故逐一看去，悉皆自相矛盾，大不近情理之話，竟不如我半世親睹親聞的這幾個女子，雖不敢說强似前代書中所有之人，但事迹原委，亦可以消愁破悶；也有幾首歪詩熟話，可以噴飯供酒。至若離合悲歡，興衰際遇，則又追踪攝迹，不敢稍加穿鑿，徒爲供人之目而反失其眞傳者。今之人，貧者日爲衣食所累，富者又懷不足之心，縱然一時稍閑，又有貪淫戀色、好貨尋愁之事，那裏去有功夫看那理治之書！

邵長蘅《青門簏稿》卷七《古詩鈔序》 成周之時，詩之用最廣，上自王公，下逮田夫紅女，皆詩人也。鉅自郊廟燕享軍旅，細至草野贈答，皆稱詩地也。

夫詩之爲敎，導情託諷，多比興焉寄，故其稱指也微，其感心也巽，正者副其誠，邪者閑其失，其用與禮樂相通，先王尚之，故漢以上無詩人，夫人而能爲詩也，蘇、李、枚乘始以詩名家，以詩名家，是詩之亡也，然婉而厚，有風人遺焉。建安、黄初猶稍近古，自是一變而潘、陸之麗也，再變而顔、謝之俳也，三變而梁、陳、隋之綺也，益靡矣，然皆有可取焉。【略】夫古詩視《三百篇》近矣，然世之人知之而嗜之者，則已寡也，蓋詩教之廢久矣。悲夫！

方苞《望溪集外文》卷四《徐司空詩集序》 詩之用，主于吟詠性情，而其效足以厚人倫、美教化。蓋古之忠臣孝子、勞人思婦，其境足以發其言，其言足以感動人之善心，故先王著爲教焉。魏、晉以降，其作者窮極工麗，清揚幽眇，而昌黎韓子，一以爲亂雜而無章，蓋發之非性情之正，導欲增悲，而不足以感動人之善心故也。唐之作者衆矣，獨杜甫氏爲之宗，其于君臣、父子、夫婦、昆弟、朋友之間，流連悱惻，有讀之使人氣厚者；其於詩之本義，蓋合矣乎？

方宗誠《柏堂集外編》卷二《示馬生兄弟》 陶詩可以養性情，溫厚和平，恬淡寧靜，近有道者氣象。杜詩可以厚性情，愛君憂國，思親念兄弟篤故舊，近於仁人之用心。李詩五古放曠，近於狂者，誦之可以擴胸次、化鄙吝。陸詩七律近於忠憤，誦之可以激昂志氣，振拔精神。古文如大蘇之論，可以開筆力；策可以長筆勢筆氣。其餘如秦漢以來奏疏書說，尤關經濟切世用。《古文辭類篹》中所選者皆宜熟讀。再如陸宣公、李忠定、朱子、王陽明奏疏封事，皆當選而讀之，最有益於世用。

李調元《雨村曲話序》 予輯《曲話》甫成，客有謂予曰：「詞，詩之餘，曲，詞之餘，大抵皆深閨永巷，春傷秋怨之語，豈堂堂學士所宜有！況夫雕腎琢肝，纖新淫蕩，亦非鼓吹之盛事也，子何爲而嘖嘖不休也？」予應之曰：「唯，然。然獨不見夫尼山刪《詩》，不廢《鄭》、《衛》；輶軒采風，必及下里乎？夫曲之爲道也，達乎情而止乎禮義者也。凡人心之壞，必先由於無情，而後慘刻不衷之禍作。若夫忠臣、孝子、義夫、節婦，觸物興懷，如怨如慕，而曲生焉，出於綿渺，則入人心脾；出於激切，則發人猛省。故情長情短，莫不於曲寓之。人而有情，則士愛其緣，女守其介，知其則而止乎禮義，而風醇俗美；人而無情，則士不愛其緣，女不守其介，不知其則而放乎禮義，而風不淳，俗不美。故夫曲者，正鼓吹之盛事也。彼瑤臺、玉砌，不過雪月之套辭；芳草、輕烟，亦祗郊原之泛句，豈足以語於情之正乎？此予之所以不能已於話也。而何誚之深也？」

宋咸熙《耐冷譚》卷三 做人須踏實地，爲學須有實功，著書須求實用，吟詩亦著述之一也，雖或以適興，或以遣愁，要必有興廉表孝之篇，隱諷微規之語，于世教有裨，人亦不得目詩篇爲小道矣。

又卷四 溫柔敦厚，詩教也。爲人能得此四字，便終身享用不盡。蓋詩以理性情，性情不治，心氣即不能和平。處事待人，動多乖盭，雖竟日長吟短詠，失作詩之本矣。

又卷一〇 立言與立德、立功並重，詩亦立言之一也。昔人謂詩不苟作，斯集不虛傳，蓋詩與史相表裏。一集之中，必須有可興可法之作，與人心風俗有關。凡山林隱逸之士，村農賢孝之人，草野節烈之女，史所不及載者，藉詩以表之。吾言不朽，其人亦不朽。若曲寫閨情，是自忘其醜而故飲之以誘人也。其摹擬風雲月露，以寫淘治性靈，是轉汨其性靈者也。烏足謂之立言？

魏源《御書印心石屋詩文錄叙》 《大雅》吉甫美中興之佐，不茹不吐，不畏不侮，而卒之曰「仲山甫永懷，以慰其心」。齊太師作君臣相悦之樂，曰《征招》、《角招》「畜君何尤」。蓋詩樂之作，所以宣上德而達下情，導其鬱懣，作其忠孝，恆與政治相表裏，故播之鄉黨邦國，感人心而天下和平。今公之承上賜，不以夸榮而以感惕，故源之編次是集也，亦不徒取善頌禱而已。見有遠近，言有文質，比物連類，指歸乎忠愛，言之不足，故長言之，永嘆之。其亦有往復低徊于君運遇合之際，而灑然動、慨然興者乎！

周星《九煙先生遺集》卷一《題移人集》 九煙曰：天下之最難移者，其惟斯人乎？禮樂移之不得，政教移之不得，甚至兵刑移之亦不得，而獨有一物焉，可以俄頃談笑而移之。一物者何？即所云釋西伯而走司寇者是也。故於《傳》有之曰：「尤物移人」，然此物安可多得，則思得近似者以充之。詩也者，文章之尤物也。孔子詔小子學詩，而曰興觀羣怨之四者以言詩，可以言尤物，亦可取尤物而比詩，殆猶西子之與西湖歟？夫古今之爲尤物者多矣。粉白黛綠，燕瘦環肥，其爲物也不一，而皆足以傾城國而眩帝天，所謂美人不同面而皆悦於目也。惟詩亦然。如《邶風》山榛隰苓之思，《楚辭》沅芷澧蘭

之賦，甯復知尤物之爲詩，詩之爲尤物乎？但詩雖與尤物同功，祇恐世有魯男子與登徒大夫，則眞無可如何耳。如其不然，吾見其從風而靡矣。若夫伯牙學琴於成連，從之東海，成連去而不返，但見海水山林羣鳥悲號，伯牙嘆曰：先生將移我情。此則姑射飛瓊之流，又不當與凡俗同觀矣。然其爲移人，甯有二乎？

馮雲鵬《掃紅亭吟稿自序》 詩以言志，在禮樂政事之上。故聖人雅言之。而其刪詩，先《國風》而後《雅》、《頌》，意良深矣。

王柏心《百柱堂全集》卷三三《黄仙嶠詩序》 世之言者謂賢哲當經世務，詩非所尚也。夫時與勢交屬而事功起焉，此有待于外者也。忽而欣戚，忽而歌咢，其來無端，其去無迹，此無待于外者也。有待者非吾所能強求，無待者適吾之適，動靜俯仰，足供求取。又其諷諭感發與夫敷陳指切者，傳之當世，貽之方來，皆有所裨益，安往非經世之意歟？即如唐代房杜李郭事功偉矣，而流離蹇躓之供奉拾遺，其述忠愛，道得失，亦懸之千餘載不能廢，與用文武表見者何異？詩亦視其有當于志言聲律否耳，四者具備，以之復古義而感人心，功誠不在經世者下。

楊恩壽《續詞餘叢話》卷二《原文續》 塡詞一道，雖爲大方家所竊笑，殊不知此中自有樂也，惟好事者始能得之。大凡功名富貴中人，大而致君澤民，小而趨炎附勢，惟日不足，何暇作此不急之需？必也漂泊江湖，沉淪泉石之輩，稍負才學而又不遇於時，既苦宋學之拘，又覺漢學之鑿，始於詩、古文辭之外，別成此一派文章，非但鬱爲之舒，慍爲之解，而且風霆在手，造化隨心，我欲作官，則頃刻之間便臻榮貴；我欲致仕，則轉盼之際又入山林；我欲作人間才子，即爲杜甫、李白之後身；我欲娶絶代佳人，即諧西子、王嬙之佳偶；我欲成仙、作佛，則西天、蓬島，即在筆牀硯匣之旁；我欲盡忠、致孝，則君治、親年，可駕堯、舜、彭籛之上，非若他種文字，欲作寓言，必須醞藉；倘或略施縱送，稍欠和平，便犯佻達之嫌，失風人之旨矣。塡詞者用意、用筆，則惟恐其蓄而不宣，言之不盡。代何等人說話，即代何等人居心。無論立心端正者，我當設身處地代生端正之想；即遇立心邪僻者，亦當舍經從權，暫爲邪僻之思。務使心曲隱微，隨口唾出，說一人肖一人，勿使雷同，勿使浮泛，若《水滸傳》之敘事，吳道子之寫生，斯道得矣。東坡以行文爲樂事。夫文之樂，吾則不知；雕蟲小技之樂，未有過於塡詞家矣。

郭嵩燾《養知書屋文集》卷五《黄海華先生玩靈集遺詩序》 詩，內原於性情，外通於政事。情感物而機應焉，而文之以言辭。聲成文而音生焉，而申之以詠歎。皇古以前，文無傳，傳者獨古歌謠，猶可推見其世，以知其治。蓋是以文字之原肇始於詩，周官以樂德樂語敎國子。興導諷誦，詩之節也。蓋自周世文盛之時，涖身課政，以詩爲衡，微惡貞淫於是見焉。而因以爲法戒，則詩者爲學，始終條理之事也。由漢以來，學士大夫下至委巷草野，莫不能詩，世愈變，文愈煥，而辭愈濫得乎性情之摯者，蓋少通知古今治亂之原，以措之事，抑又少焉。然則詩教愈昌，而所以名詩之旨，或將愈遠而愈晦矣乎！

又《蟄存蘿華山館遺集序》 《傳》曰：「誦《詩》三百，授之以政不達，使於四方不能專對，雖多奚爲？」然則詩之義上通於政教，而下盡人事之變，酌其行之宜，而勸懲立焉；極其言之文，而情僞通焉。蓋非徒敷文翫辭，理性情而已。有唐詩人如杜甫、元結、白居易，用其忠國愛民之心，經緯物變，牢籠百態，猶有詩教之遺焉。

又卷八《毛詩餘義自序》 《傳》曰：「誦《詩》三百，授之以政不達，使於四方不能專對，雖多亦奚以爲？」蓋《詩》之用廣矣，其於盛衰興廢得失之原，徵之人事，準之世變，其詞婉，其義深，夫子蓋刪而述之，以垂經世之大用。變雅詩人，涵濡文武之教澤，感念時政之日非，推論本原，究知其情狀，斟酌體要，情深而文明，悱惻而芬芳，君子讀之悲憂奮發，不能自已。

馮志沂《適適齋文集》卷二《王謙齋詩序》 漢人有言：安其所習，毀所不見。余謂非獨治經然也，今世之士，方童稺時已視富貴利達如飢渴之於飲食，而其所挾以求當於世，則惟聲調對偶之詩與排比帖括之文。而國之休戚，民之死生，漠不以措意。一旦獲所冀，出與春秋，試之文衡，則將以是進退天下士。即退居一鄉，亦必執此意，以別擇其交遊，而繩削其子若弟，設有以李杜之詩，韓歐之文進者，彼徒見其與所習者之不類，而於憂時感事之作，則愈病其有妨於進取。反詆以爲狂怪不祥，固其宜也。

蠡勺居士《昕夕閒談小叙》 予則謂小說者，當以怡神悅魄爲主，使人之碌碌此世者，咸棄其焦思繁慮，而暫遷其心于恬適之境者也。又令人之聞義俠之風，則激其慷慨之氣；聞憂愁之事，則動其凄宛之情；聞惡則深惡

聞善則深善，斯則又古人啓發良心懲創逸志之微旨，且又爲明于庶物，察于人倫之大助也。且夫聖經賢傳，諸子百家之書，國史古鑒之紀載，其爲訓于後世，固深切著明矣，而中材則聞之而輒思卧，或并不欲聞。無他，其文筆簡當，無繁縟之觀也；其詞意嚴重，無談謔之趣也。若夫小説，則妝點雕飾，遂成奇觀；嘻笑怒駡，無非至文；使人注目視之，傾耳聽之，而不覺其津津甚有味，孳孳然而不厭也，則其感人也必易，而其入人也必深矣。誰謂小説爲小道哉！雖然，執筆者于此，則不可視爲筆墨烟雲，可以惟吾所欲言也。邪正之辨不可混，善惡之鑒不可淆，使徒作風花雪月之詞，記兒女纏綿之事，則未免近于導淫，其蔽一也；使徒作豪俠失路之談，紀山林行劫之事，則未免近于誨盜，其蔽二也；使徒寫奸邪傾軋之心，爲機械變詐之事，則未免近于縱奸，其蔽三也；使徒記干戈滿地之事，逞將帥用武之謀，則未免近于好亂，其蔽四也。去此四蔽，而小説乃可傳矣。

何紹基《東洲草堂文鈔》卷五《與汪菊士論詩》 自《易》、《書》、《禮》，聖人所以教世型後者，無不至矣，所以彌縫缺漏，長善救失，在于無形，而詩作焉。故詩者，聖人教人盡頭方法也。詩所不能救，而《春秋》作焉，聖人所大不得已也。聖人務在教人爲良民，爲賢士臣，《春秋》誅賞，非所願筆之于書也。千萬世來，所以防民情僞者，法無不具，其實惟詩教爲多，但人不覺耳。《春秋》經之支流，遂爲編年紀事。歷代之史，徒冗且雜，有關懲勸者亦僅矣，而詩教亦因之衰敝，此則聖人所不及料也。學詩者不可不知此意。

余治《庶幾堂今樂自序》 古樂衰而梨園之典興，原以傳忠孝節義之奇，使人觀感激發于不自覺，善以勸，惡以懲，殆與《詩》之美刺、《春秋》之筆削無以異，故君子有取焉。賢士大夫主持風教者固宜默握其權，時與釐定，以爲警聵覺聾之助，初非徒娱心適志已也。無如沿習既久，本旨漸失。賢士大夫既不暇留心及此，一任優伶子弟顛倒錯雜于其間，所演者遂多不甚切于懲勸。近世輕狂佻達之徒，又作爲誨淫誨盜諸劇，以悦時流之耳目：演《水滸傳》則以盜賊爲英雄，而奸民共生艷羡；演《西廂記》則狹邪爲韻事，而少年群效風流。其它一切導欲增悲不可爲訓者，且紛然雜出，使觀之者蕩心失魄，以假爲眞，而古人立教之意遂蕩焉無存，風教亦因以大壞。甚矣，樂章之興廢，實人心風化轉移向背之機，亦國家治亂安危之所繫也。周子《通書》有云：「移風易俗，莫善于樂。」又云：「不復古禮，不變今樂，而欲至于治者遠矣！」竊以爲周子名世大儒，所見必非世故。古禮之復，誠非易易，若變今樂，則只在賢士大夫一反手之間耳。當有宋之初，樂章之敗壞，未有甚于今日也，誨淫誨盜之風，亦未有如今日之極也，周子已重慮及此，則今日今樂之當變更何可緩耶？余不揣淺陋，擬善惡果報新戲數十種，一以王法天理爲主，而通之以俗情，意取勸懲，無當聲律，事期徵信，不涉荒唐。以之化導鄉愚，頗覺親切有味。自知下里巴人，不足當周郎一顧，而彰善癉惡，歷歷分明，觸目驚心，此爲最捷。於以佐聖天子維新之化，賢有司教育之窮，當亦不無小補也。孟子云：「王之好樂甚，則齊其庶幾乎！」天下之禍亟矣。師儒之化導既不見爲功，鄉約之奉行又歷久生厭。惟兹新戲，最洽人情，易移風俗，于是乎在，即以是爲蕩平之左券焉，亦何不可也。名曰《庶幾堂今樂》。庶幾哉，一唱百和，大聲疾呼，其于治也，殆庶幾乎！

玩虎軒主人《琵琶記序》 論者稍稍曰：自《三百篇》之變而爲律，爲絶，爲歌，爲行，爲詞曲，詞曲之于金、元，尤稱長技哉。大抵其立意在聽者不厭，言者無罪，故巧爲靡曼，惟其滑稽，雖去古益遠，要亦一代之精神也。若東嘉高氏南曲之《琵琶》，與之王、關二氏北曲之《西廂》，即如虞音有擊以拊，唐詩有李有杜，宜庚并舉，詎謂不可無一，不可有二已乎。不佞既聞而嘻曰：論亦休矣。遂檢笥中藏本，亦按節想象而付之剞劂，庶俾攬者見子孝妻賢則思勵，見私昵暗約則思懲，而卧者鮮矣，于大道未必無少助云。

茗柯生《刻博笑記題詞》 每見傳奇家演至驚心動魄處，或令人泣下沾襟，或令髮上指冠，此亦足以明其感人之深，有出聲律外者矣。顧歡場怡彩，義取忘憂乎。資鬮忿而必務出于悲凉激烈，此亦不免傷懷。援筆矧斥古賢之名，貌正人之爲，其事愈眞者，語愈莊，而其爲褻侮也乃愈甚，豈容易之？解嘲語語挑調之爲善謔乎？

林以寧《還魂記題序》 治世之道，莫大於禮樂。禮樂之用，莫切於傳奇。愚夫愚婦，每觀一劇，便謂昔人眞有此事，爲之快意，爲之不平。於是從而效法之。彼都人士，誦讀聖賢感發之神，有所不及。君子爲政，誠欲移風易俗，則必自刪正傳奇始矣。若《西廂》者，所當首禁者也，予持此説已久。顧嘗念曹孟德欲誅一妓，以善歌留之教他妓，有能爲其歌者，乃殺之。今玉茗《還魂記》，其禪理文訣，遠駕《西廂》之上，而奇文雋味，眞足益人神智，風雅之儔，所當耽玩，此可以毁元稹、董、王之作者也。書初出時，文人學士

案頭無不置一冊。唯庸下伶人，或嫌其難歌，究之善謳者，愈增韻折也。

洪炳文《警黃鍾自序》 古人覺世，必取物之善鳴者，假之使鳴。如遒人之木鐸，即此意也。風、騷而後，最善鳴者莫如詩。宋、元以來，則以詞曲鳴，皆文人之善鳴者也。詞曲者，詩之餘，其佳者能激發人心，動人以忠愛之念。詞曲雖小道，或可爲警世之用；非鐘而亦鐘，故作者效之，而假此以鳴者也。

王先謙《虛受堂文集》卷三《壽梅山房詩存序》 昔人有言，《詩三百》發憤于不遇者甚衆。余觀漢魏以來，畸人騷客，抱負瓌異，泯然不得申，姓氏不見史冊。獨其發爲文章，流傳于若顯若晦之際，有心人得而珍護之，而亟欲其有傳于後。非惟以其文足貴，乃其志可哀也。及其傳之既久，或由此大顯。百世下諷誦而慨慕之者，誠有之矣。而伏處荒陋，行而不遠，終就滅沒。後世傳記，僅能悉其姓氏里居，文章卷帙，若此何可勝道。則又以嘆負有爲之才，文采足自表襮，而沈薶天壤，魂魄嘆憾于九原者，尤多也。凡以不遇之故，豈不悲哉！以余所交當世才儁老死不得志者，往往而有。至其著作可以覽觀，相與愛重，而思有以傳之，亦余後死者之責也。其果大顯于百世下，爲論古之士所采錄，或唯存其姓氏里居文章卷帙于不可紀極之代，余不得而知。要之哀其志而貴其文，欲其不至沈薶，以慰九原之魂魄，用意豈與古人異歟？

又《葦野詩文合鈔序》 自文字興而聖經耀，孔子集其成。其教人首稱詩，而生平所致力者，獨贊《易》以究天人性命之原，作《春秋》以肇筆削編年之體。豈不以之二者，闡天道，明人事，足以昭示無極。至于詩則吟諷感激，使人自得于性情之正，學者入道之初有取焉。而扶世翼教，未嘗專恃此也。龜山、彼婦、獲麟、泰山諸歌，夫子于勞苦哀傷之際，偶一發之，而他無聞，其不以是也歟？自漢迄明，詩人輩出，傳者無幾。其幸存而合于溫柔敦厚之教，美刺勸懲之旨者，抑又無幾。自君子視之，直玩物耳。其間名材巨儒，更世踵起，殺爲史志，精爲義理。好古而資深，有箋注考訂之學，通今而適用，有掌故經濟之書，皆稟式乎聖籍，植干乎人爲。辟若江河，萬祀不廢，其維持者大，故傳習者遠。儒者不擇途而遵之，可乎哉？

嚴復《詩廬說》 嗟夫，詩者，兩間至無用之物也！飢者得之不可以爲飽，寒者挾之不足以爲溫，國之弱者不以詩強，世之亂者不以詩治。又所謂美術之一也。美術，意造而恆超夫事境之上，故言田野之寬閑則諱其貧陋，賦女子之妍妙則掩其儚蚩。必如其言夷考其寶，將什八九無是物也。故詩之失，常誣而愚，其爲物之無用而鮮寶乃如此。雖然無用矣，而大地自生民以來，異種殊族，樊然離居，較其所以爲群者，他之事或偏有無，至于詩歌，則莫不有。且恆發于隆古，盛于挽今，調均按節，侔色揣稱，不謀而皆合。《記》曰：「十口相傳曰古。」其所傳者，大抵皆有韻之詞也。是故詩之于人，若草木之花英，若鳥獸之鳴嘯，發于自然，達于至深，而莫能自已。蓋至無用矣，而又不可無如此。嗟夫！使梓方審于前二說之間，則詩之眞形見矣。且吾聞之，世之有所爲而後爲者，其物皆奴繫而不足貴者也。術焉，器焉，得其所蘄，則皆等諸蘧廬而已。然則詩之所以獨貴者，非以其無所可用也邪？無所可用者，不可使有用，用則其眞甚焉。

丘逢甲《人境廬詩草跋》 四卷以前爲舊世界詩，四卷以後乃爲新世界詩。茫茫詩海，手辟新洲，此詩世界之哥倫布也。變舊詩國爲新詩國，慘淡經營，不酬其志不已，是爲詩人中嘉富洱；合衆舊詩國爲一大新詩國，縱橫捭闔，卒告成功，是爲詩人中俾思麥。爲哥倫布，偉矣！足以豪矣！而究非作者所自安。第此世界，能爲嘉富洱、爲俾思麥，乃竟僅使爲詩世界之嘉富洱、俾思麥。世界之國，惟詩國最足以消人雄心，磨人壯志，令人自歌自哭，自狂自聖，此而需嘉富洱、俾思麥胡爲者？乃竟若迫之不能不僅爲嘉富洱、俾思麥于詩國，天耶人耶？既念作者，行自悼耳！然在詩言詩，則已不妨前有古人，而我自爲大宗；後有來者，而我自爲初祖矣！開卷蓋如入文明之國，至其境而耳目益新，抵其都市，游其宮廷，過其府舍，無一不新者。察之，則政政畢立，而創因見焉；事事畢舉，而疏密見焉。即其治象，其國度之高下，可得而言也。

三愛《論戲曲》 戲曲者，普天下人類所最樂睹、最樂聞者也，易入人之腦蒂，易觸人之感情。故不入戲園則已耳，苟其入之，則人之思想權未有不握于演戲曲者之手矣。使人觀之，不能自主，忽而樂，忽而哀，忽而喜，忽而悲，忽而手舞足蹈，忽而涕泗滂沱，雖些少之時間，而其思想之千變萬化，有不可思議者也。故觀《長坂坡》、《惡虎村》，即生英雄之氣概；觀《燒骨計》、《紅梅閣》，即動哀怨之心腸；觀《文昭關》、《武十回》，即起報仇之觀念；觀《賣胭脂》、《蕩湖船》，即長淫欲之邪思；其他神仙鬼怪、富貴榮華

之劇，皆足以移人之性情。由是觀之，戲園者，實普天下人之大學堂也；優伶者，實普天下人之大教師也。

又　古代聖賢均習音律，如《雲門》、《咸池》、《韶》《濩》、《大武》等之各種音樂，上自郊廟，下至里巷，皆奉爲圭臬。及周朝遂爲雅、頌，劉漢以後，變爲樂府，唐宋變爲詞曲，元又變爲昆曲。迄至近二百年來，始變爲戲曲。故戲曲原與古樂相通者也。戲曲之類，分梆子、二簧、西皮三種曲調，南北通行，已非一日。若聲色俱佳，則更易感人矣。孔子曰：「移風易俗，莫善于樂。」孟子曰：「今之樂，猶古之樂也。」戲曲，即今樂也。若必云戲曲不善，而墨守尊重古樂，是猶使今人不用楷書，而代以篆體。能乎不能？不待智者而後知也。抑音樂者，亦由時而更易，今古不同。以今之人，聞古之樂，固知其莫諳；即知今之昆曲者亦寥寥也。昔時魏文侯聞古樂之聲即欲卧，而楚莊王睹優孟之狀即動心。何也？蓋亦由開古樂中之風俗言語，均與當時差異，聞之不知不識而使人生厭也。故今奏以古樂，言語曲調與今異，亦必使人生厭心；而現之西皮、二簧均用官話，人皆能知之，故遂易感人矣。若云俚俗，此即使俚俗人知之也。若云游蕩無益，則戲曲無非演古勸今之虚設事。不但此也，且有三長所焉，吾儕平日不能見，而于演戲始能見之：一即古代之衣冠，一即綠林之豪客（如《花蝴蝶》、《一枝桃》、《鬧嘉興》等類），一即兒女之英雄（如穆桂英、樊梨花、韓夫人等類）。欲知三者之情態，則始知戲曲之有益；知戲曲之有益，則始知迂儒之語誠臆譚矣。

康有爲《日本書目志識語》卷一〇　四曰幼學小說。吾問上海點石者曰：「何書宜售也？」曰：「書經不如八股，八股不如小說。」宋開此體，通于俚俗，故天下讀小說者最多也。啓童蒙之知識，引之以正道，俾其歡欣樂讀，莫小說若也。

又卷一四　易逮于民治，善入于愚俗，可增七略爲八、四部爲五，蔚爲大國，直隸王風者，今日急務，其小說乎！僅識字之人，有不讀「經」，無有不讀小說者。故「六經」不能教，當以小說教之；正史不能入，當以小說入之；語錄不能喻，當以小說喻之；律例不能治，當以小說治之。天下通人少而愚人多，深于文學之人少，而粗識之、無識之人多。「六經」雖美，不通其義，不識其字，則如明珠夜投，按劍而怒矣。孔子失馬，子貢求之不得，圉人求之而得。豈子貢之智不若圉人哉？物各有群，人各有等。以龍伯大人與僬僥語，則不聞也。今中國識字人寡，深通文學之人尤寡，經義史故，亟宜譯小說而講通之。泰西尤隆小說學哉！日人尚未及是，其《通俗教育記》、《通俗政治記》亦其意矣。其懷思奥說，若《佛國不思議》、《未來之面》、《未來之商》、《世界未來記》、《全世界一大奇書》、《世界大演說會》、《大通世界》、《月世界一周》、《新日本》、《新太平記》、《南海之激浪》，皆足以發皇心思焉。日人通好于唐時，故文學制度皆唐時風。小說之穠麗怪奇，蓋亦唐人說部之餘波，要可考其治化風俗焉。

嚴復、夏曾佑《本館附印說部緣起》　今使執塗人而問之曰：「而知曹操乎？而知劉備乎？而知阿斗乎？而知諸葛亮乎？」必僉對曰：「知之。」又問之曰：「而知宋江乎？而知吴用乎？而知武松乎？武大郎乎？潘金蓮乎？楊雄、石秀乎？」必僉對曰：「知之。」更問之曰：「而知唐明皇乎？楊貴妃乎？而知張生乎？鶯鶯乎？而知柳夢梅乎？杜麗娘乎？」必又共應曰：「知之。」又問以曹操、劉備、阿斗、諸葛亮爲何如人，則將應之曰：「曹操奸臣，諸葛亮忠臣，劉備英主，阿斗昏君。」問以宋江、吴用、武松、武大郎、潘金蓮、楊雄、石秀爲何如人，則將應之曰：「宋江大王，吴用軍師，武松好漢，武大郎懦夫，潘金蓮淫婦人，楊雄、石秀、潘巧雲之徒，則事等于武松、潘金蓮，而又大不同。」至問以唐明皇、楊貴妃、張生、鶯鶯、柳夢梅、杜麗娘爲何如人，則又無不以「佳人才子」對。至「佳人才子」之行事品目，則或以爲是，或以爲非，尤爲江湖名士與村學究所聚訟，呶呶然千載不可休者也。數千百年之事，胡、越、秦、楚懸隔千里，而又若存若亡、杳冥不可知之人，皎皎乎若親至其人之庭，親炙其爲人，而更目睹其生平前後數十年之事者，蓋莫不然。【略】舉古人之事，載之文字，謂之書。書之爲國教所出者，謂之經；書之實欲創教而其教不行者，謂之子；書之出于後人，一偏一曲，偶有所托，不必當于道，過而存之，謂之集：此三者，皆言理之書，而事實則涉及焉。書之紀人事者，謂之史；書之紀人事而不必果有此事者，謂之稗史；此二者，并紀事之書，而難言之理則隱寓焉。此書之大凡也。【略】據此觀之，其具五不易傳之故者，國史小說是矣。所謂《三國演義》、《水滸傳》、《長生殿》、《西廂》、「四夢」之類是也。曹、劉、諸葛，傳于羅貫中之《演義》，而不傳于陳壽之《志》。宋、吴、楊、武，傳于施耐庵之《水滸傳》，而不傳于《宋史》。玄宗、楊妃，傳于洪昉思之《長生殿傳奇》，而不傳于

新、舊兩《唐書》。推之張生、雙文、夢梅、麗娘，或則依托姓名，或則附會事實，鑿空而出，稱心而言，更能曲合乎人心者也。【略】夫說部之興，其入人之深，行世之遠，幾幾出于經史上，而天下之人心風俗，遂不免爲說部之所持。《三國演義》者，志兵謀也，而世之言兵者有取焉。《水滸傳》者，志盜也，而萑蒲狐父之豪，往往標之以爲宗旨。《西廂記》、「臨川四夢」，言情也，則更爲專一之士、懷春之女所涵泳尋繹。夫古人之爲小說，或各有精微之旨，寄于言外，而深隱難求；淺學之人，淪胥若此，蓋天下不勝其說部之毒，而其益難言矣。

衡南劫火仙《小說之勢力》 歐美之小說，多係公卿碩儒，察天下之大勢，洞人類之賾理，潛推往古，豫揣將來，然後抒一己之見，著而爲書，用以醒齊民之耳目，勵衆庶之心志。或對人群之積弊而下砭，或爲國家之危險而立鑒，然其立意，則莫不在益國利民，使勃勃欲騰之生氣，常涵養于人間世而已。至吾邦之小說，則大反是。其立意則在消閑，故含政治之思想者稀如麟角，甚至遍卷淫詞羅列，視之刺目者。蓋著者多係市井無賴輩，固無足怪焉耳。小說界之腐壞，至今日而極矣。夫小說爲振民智之一巨端，立意既歧，則爲害深，是不可不知也。

邱煒萲《揮麈拾遺》 余向謂自《西廂記》出，而世慕爲偷情私合之才子佳人多；自《水滸傳》出，而世慕爲殺人尋仇之英雄好漢多；自《三國演義》出，而世慕爲拜盟歃血之兄弟、斬木揭竿之軍師多。是以對下等人說法，法語巽語，毋寧廣爲傳奇小說語。巍巍武廟，奕奕文昌，稽其出典，多沿小說，而黎民信之，士夫忽之，祀典從之，朝庭信之，肇端甚微，終成鐵案。若今年庚子五、六月拳黨之事，牽動國政，及於外交，其始舉國騷然，神怪之說，支離莫究，尤《西游記》、《封神傳》絕大隱力之發見矣。而其弊足以毒害吾國家，可不慎哉！吾聞東、西洋諸國之視小說，與吾華異，吾華通人素輕此學，而外國非通人不敢著小說。故一種小說，即有一種之宗旨，能與政體民志息息相通；次則開學智，祛弊俗；又次亦不失爲記實歷，洽舊聞，而毋爲虛憍浮僞之習，附會不經之談可必也。其聲價亦視吾華相去千倍。英國有皮根氏者(舊任內閣)，小說名家也，嘗著某帙(今日本人有譯之，題以漢文，即名爲《燕代鳴翁》者是也)，紙貴一時，其原稿之値實由一大報館以一萬金鎊向之購得(外國書坊有出版專利，不許他處翻印之法律也)。其他名家類此者，亦時而有。尋常新著小說，每國年以數千種計云。觀此而外國民智之盛，已可想見。吾華縱未驟幾乎此，然欲謀開吾民之智慧，誠不可不於此加之意也。

梁啓超《變法通議·論幼學》 五曰說部書。古人文字與語言合，今人文字與語言離，其利病既縷言之矣。今人出話，皆用今語，而下筆必效古言，故婦孺農氓，靡不以讀書爲難事，而《水滸》、《三國》、《紅樓》之類，讀者反多于《六經》(寓華西人亦讀《三國演義》最多，以其易解也)。夫小說一家，《漢志》列于九流，古之士夫，未或輕之。宋賢語錄，滿紙「恁地」、「這個」，匪直不事修飾，抑亦有微意存焉。今宜專用俚語，廣著群書：上之可以借闡聖教，下之可以雜述史事，近之可以激發國恥，遠之可以旁及彝情，乃至宦途醜態，試場惡趣，鴉片頑癖，纏足虐刑，皆可窮極異形，振厲末俗。其爲補益，豈有量耶！

又《告小說家》 小說家者流，自昔未嘗爲重於國也。《漢志》論之曰：「小道可觀，致遠恐泥。」楊子雲有言：「雕蟲小技，壯夫不爲。」凡文皆小技矣，矧於文之支與流裔如小說者？然自元明以降，小說勢力入人之深，漸爲識者所共認。蓋全國大多數人之思想業識，強半出自小說，言英雄則《三國》、《水滸》、《說唐》、《征西》，言哲理則《封神》、《西遊》，言情緒則《紅樓》、《西廂》，自餘無量數之長章短帙，樊然雜陳，而各皆分佔勢力之一部分。此種勢力，蟠結於人人之腦識中，因而發爲言論行事，雖具有過人之智慧、過人之才力者，欲其思想盡脫離小說之束縛，殆爲絕對不可能之事。夫小說之力，曷爲能雄長他力？此無異故，蓋人之腦海如熏籠然，其所感受外界之業識如煙。每煙之過，則熏籠必留其痕，雖拂拭洗滌之，而終有不能去者存。其煙之霏襲也愈數，則其熏痕愈深固；其煙質愈濃，則其熏痕愈明顯。夫熏籠則一孤立之死物耳，與他物不相聯屬也；人之腦海，則能以所受之熏還以熏人，且自熏其前此所受者而擴大之，而繼演於無窮。雖其人已死，而薪盡火傳，猶蛻其一部分以遺其子孫，且集合焉以成爲未來之羣衆心理。蓋業之熏習，其可畏如是也。而小說也者，恆淺易而爲盡人所能解，雖富於學力者，亦常貪其不費腦力也而藉以消遣。故其霏襲之數，既有以加於他書矣。而其所敘述，恆必予人以一種特殊之刺激，譬之則最濃之煙也，故其熏染感化力之偉大，舉凡一切聖經賢傳詩古文辭皆莫能擬之。然則小說在社會教育界所佔之位置，略可識矣。疇昔賢士大夫，不甚知措意於是，故聽其遷流波靡，

而影響於人心風俗者則既若彼。質言之，則十年前之舊社會，大半由舊小說之勢力所鑄成也。憂世之士，睹其險狀，乃思執柯伐柯爲補救之計，於是提倡小說之譯著以躋諸文學之林，豈不曰移風易俗之手段莫捷於是耶？今也其效不虛。所謂小說文學者，亦既蔚爲大觀，自餘凡百述作之業，殆爲所侵蝕以盡。試一流覽書肆，其出版物，除教科書外，什九皆小說也。手報紙而讀之，除蕪雜猥屑之記事外，皆小說及遊戲文也。舉國士大夫不悅學之結果，《三傳》束閣，《論語》當薪，歐美新學，僅淺嘗爲口耳之具，其偶有執卷，捨小說外殆無良伴。故今日小說之勢力，視十年前增加倍蓰什百，此事實之無能爲諱者也。然則今後社會之命脈，操於小說家之手者泰半，抑章章明甚也。而還觀今之所謂小說文學者何如？嗚呼！吾安忍言！吾安忍言！其什九則誨盜與誨淫而已，或則尖酸輕薄毫無取義之遊戲文也，於以煽誘舉國青年子弟，使其桀黠者濡染於險詖鉤距作奸犯科，而摹擬某種偵探小說中之一節目。其柔靡者浸淫於目成魂與踰牆鑽穴，而自比於某種豔情小說之主人者。於是其思想習於污賤齷齪，其行誼習於邪曲放蕩，其言論習於詭隨尖刻。近十年來，社會風習，一落千丈，何一非所謂新小說者階之厲？循此橫流，更閱數年，中國殆不陸沉焉不止也。嗚呼！世之自命小說家者乎，吾無以語公等，惟公等須知因果報應，爲萬古不磨之眞理。吾儕操筆弄舌者，造福殊艱，造孽乃至易。公等若猶是好作爲妖言以迎合社會，直接阬陷全國青年子弟使墮無間地獄，而間接戕賊吾國，惟使萬劫不復，則天地無私，其必將有以報公等；不報諸其身，必報諸其子孫；不報諸今世，必報諸來世。嗚呼！吾多言何益？吾惟願公等各還訴諸其天良而已。若有聞吾言而惕然戒懼者，則吾將更有所言也。

飲冰《論小說與群治之關係》　欲新一國之民，不可不先新一國之小說。故欲新道德，必新小說；欲新宗教，必新小說；欲新政治，必新小說；欲新風俗，必新小說；欲新學藝，必新小說；乃至欲新人心、欲新人格，必新小說。何以故？小說有不可思議之力支配人道故。吾今且發一問：人類之普通性，何以嗜他書不如其嗜小說？答者必曰：以其淺而易解故，以其樂而多趣故。是固然；雖然，未足以盡其情也。文之淺而易解者，不必小說；尋常婦孺之函札，官樣之文牘，亦非有艱深難讀者存也，顧誰則嗜之？不寧唯是。彼高才贍學之士，能讀墳典索邱，能注蟲魚草木，彼其視淵古之文，與平易之文，應無所擇，而何以獨嗜小說？是第一說有所未盡也。小說之以賞心樂事爲目的者固多，然此等顧不甚爲世所重，其最受歡迎者，則必其可驚可愕可悲可感，讀之而生出無量噩夢、抹出無量眼泪者也。夫使以欲樂故而嗜此也，而何爲偏取此反比例之物而自苦也？是第二說有所未盡也。吾冥思之，窮鞫之，殆有兩因：凡人之性，常非能以現境界而自滿足者也。而此蠢蠢軀殼，其所能觸能受之境界，又頑狹短局而至有限也。故常欲于其直接以觸以受之外，而間接有所觸有所受，所謂身外之身，世界外之世界也。此等識想，不獨利根衆生有之，即鈍根衆生亦有焉。而導其根器使日趨于鈍、日趨于利者，其力量無大于小說。小說者，常導人游于他境界，而變換其常觸常受之空氣者也。此其一。人之恆情，于其所懷抱之想象，所經閱之境界，往往有行之不知、習矣不察者；無論爲哀爲樂、爲怨爲怒、爲戀爲駭、爲憂爲慚，常若知其然而不知其所以然。欲摹寫其情狀，而心不能自喻，口不能自宣，筆不能自傳。有人焉和盤托出，徹底而發露之，則拍案叫絕曰：「善哉善哉，如是如是。」所謂「夫子言之，于我心有戚戚焉」。感人之深，莫此爲甚。此其二。此二者實文章之眞諦，筆舌之能事。苟能批此窾、導此竅，則無論爲何等之文，皆足以移人；而諸文之中能極其妙而神其技者，莫小說若。故曰小說爲文學之最上乘也。由前之說，則理想派小說尚焉；由後之說，則寫實派小說尚焉。小說種目雖多，未有能出此兩派範圍外者也。抑小說之支配人道也，復有四種力：一曰熏。熏也者，如入雲烟中而爲其所烘，如近墨朱處而爲其所染。《楞伽經》所謂「迷智爲識，轉識成智」者，皆恃此力。人之讀一小說也，不知不覺之間，而眼識爲之迷漾，而腦筋爲之搖颺，而神經爲之營注；今日變一二焉，明日變一二焉；剎那剎那，相斷相續；久之而此小說之境界，遂入其靈臺而據之，成爲一特別之原質之種子。有此種子故，他日又更有所觸所受者，旦旦而熏之，種子愈盛，而又以之熏他人，故此種子遂可以遍世界。一切器世間有情世間之所以成所以住，皆此爲因緣也。二曰浸。熏以空間言，故其力之大小，存其界之廣狹；浸以時間言，故其力之大小，存其界之長短。浸也者，入而與之俱化者也。人之讀一小說也，往往既終卷後數日或數旬而終不能釋然。讀《紅樓》竟者必有餘戀有餘悲，讀《水滸》竟者必有餘快有餘怒。何也？浸之力使然也。等是佳作也，而其卷帙愈繁事實愈多者，則其浸人也亦

愈甚；如酒焉，作十日飲，則作百日醉。我佛從菩提樹下起，便說偌大一部《華嚴》，正以此也。三曰刺。刺也者，刺激之義也。熏浸之力利用漸，刺之力利用頓；熏浸之力在使感受者不覺，刺之力在使感受者驟覺。刺也者，能使人于一刹那頃，忽起異感而不能自制者也。我本藹然和也，乃讀林冲雪天三限，武松飛雲浦一厄，何以忽然髮指？我本愉然樂也，乃讀晴雯出大觀園，黛玉死瀟湘館，何以忽然淚流？我本肅然莊也，乃讀實甫之《琴心》、《酬簡》，東塘之《眠香》、《訪翠》，何以忽然情動？若是者，皆所謂刺激也。大抵腦筋愈敏之人，則其受刺激力也愈速且劇。而要之必以其書所含刺激力之大小爲比例。禪宗之一棒一喝，皆利用此刺激力以度人者也。此力之爲用也，文字不如語言。然語言力所被不能廣不能久也，于是不得不乞靈于文字。在文字中，則文言不如其俗語，莊論不如其寓言。故具此力最大者，非小說末由。四曰提。前三者之力，自外而灌之使入；提之力，自內而脫之使出，實佛法之最上乘也。凡讀小說者，必常若自化其身焉，入于書中，而爲其書之主人翁。讀《野叟曝言》者必自擬文素臣，讀《石頭記》者必自擬賈寶玉，讀《花月痕》者必自擬韓荷生若韋痴珠，讀《梁山泊》者，必自擬黑旋風若花和尚。雖讀者自辯其無是心焉，吾不信也。夫既化其身以入書中矣，則當其讀此書時，此身已非我有，截然去此界以入于彼界，所謂華嚴樓閣，帝網重重，一毛孔中萬億蓮花，一彈指頃百千浩劫，文字移人，至此而極。然則吾書中主人翁而華盛頓，則讀者將化身爲華盛頓；主人翁而拿破侖，則讀者將化身爲拿破侖；主人翁而釋迦、孔子，則讀者將化身爲釋迦、孔子，有斷然也。度世之不二法門，豈有過此？此四力者，可以盧牟一世，亭毒群倫，教主之所以能立教門，政治家所以能組織政黨，莫不賴是。文家能得其一，則爲文豪；能兼其四，則爲文聖。有此四力而用之于善，則可以福億兆人；有此四力而用之于惡，則可以毒萬千載。而此四力所最易寄者惟小說。可愛哉小說！可畏哉小說！小說之爲體，其易入人也既如彼，其爲用之易感人也又如此，故人類之普通性，嗜他文終不如其嗜小說，此殆心理學自然之作用，非人力之所得而易也。此天下萬國凡有血氣者莫不皆然，非直吾赤縣神州之民也。夫既已嗜之矣，且遍嗜之矣，則小說之在一群也，既已如空氣如菽粟，欲避不得避，欲屏不得屏，而日日相與呼吸之餐嚼之矣。于此其空氣而苟含有穢質也，其菽粟而苟含有毒性也，則其人之食息于此間者，必憔悴，必萎病，必慘死，必墮落，此不待蓍龜而決也。于此而不潔淨其空氣，不別擇其菽粟，則雖日餌以參苓，日施以刀圭，而此群中人之老病死苦，終不可得救。知此義，則吾中國群治腐敗之總根原，可以識矣。吾中國人狀元宰相之思想何自來乎？小說也。吾中國人佳人才子之思想何自來乎？小說也。吾中國人江湖盜賊之思想何自來乎？小說也。吾中國人妖巫狐兔〔鬼〕之思想何自來乎？小說也。若是者，豈嘗有人焉提其耳而誨之，傳諸鉢而授之也？而下自屠爨販卒、嫗娃童稚，上至大人先生、高才碩學，凡此諸思想必居一于是，莫或使之，若或使之，蓋百數十種小說之力，直接間接以毒人，如此其甚也(即有不好讀小說者，而此等小說，既已漸漬社會，成爲風氣。其未出胎也，固已承此遺傳焉；其既入世也，又復受此感染焉。雖有賢智，亦不能自拔。故謂之間接)。今我國民惑堪輿，惑相命，惑卜筮，惑祈禳，因風水而阻止鐵路、阻止開礦，爭墳墓而闔族械斗殺人如草，因迎神賽會而歲耗百萬金錢、廢時生事、消耗國力者，曰惟小說之故。今我國民慕科第若膻，趨爵祿若鶩，奴顔婢膝，寡廉鮮耻，惟思以十年螢雪、暮夜苞苴，易其歸驕妻妾、武斷鄉曲一日之快，遂至名節大防，掃地以盡者，曰惟小說之故。今我國民輕弃信義，權謀詭詐，雲翻雨覆，苛刻凉薄，馴至盡人皆機心，舉國皆荆棘者，曰惟小說之故。今我國民輕薄無行，沉溺聲色，綣戀床第，纏綿歌泣于春花秋月，銷磨其少壯活潑之氣，青年子弟，自十五歲至三十歲，惟以多情多感多愁多病爲一大事業，兒女情多，風雲氣少，甚者爲傷風敗俗之行，毒遍社會，曰惟小說之故。今我國民綠林豪杰，遍地皆是，日日有桃園之拜，處處爲梁山之盟，所謂「大碗酒，大塊肉，分秤稱金銀，論套穿衣服」等思想，充塞于下等社會之腦中，遂成爲哥老、大刀等會，卒至有如義和拳者起，淪陷京國，啓召外戎，曰惟小說之故。嗚呼！小說之陷溺人群，乃至如是，乃至如是！大聖鴻哲數萬言諄誨之而不足者，華士坊賈一二書敗壞之而有餘。斯事既愈爲大雅君子所不屑道，則愈不得不專歸于華士坊賈之手。而其性質其位置，又如空氣然，如菽粟然，爲一社會中不可得避不可得屏之物，于是華士坊賈，遂至握一國之主權而操縱之矣。嗚呼！使長此而終古也，則吾國前途，尚可問耶，尚可問耶！故今日欲改良群治，必自小說界革命始；欲新民，必自新小說始。

新小說報社《中國唯一之文學報〈新小說〉》 小說之道感人深矣。泰西論

文學者必以小說首屈一指，豈不以此種文體曲折透達，淋漓盡致，描人群之情狀，批天地之窾奧，有非尋常文家所能及者耶！中國自先秦以前，斯道既啓，《漢書・藝文志》已列小說家于九流；但漢唐以後，學者拘文牽義，困于破碎之訓詁，騖于玄渺之心性，而于人情事理切實之迹，毫不措意，于是反鄙小說爲不足道。夫人之好讀小說，過于他書，性使然矣。小說既終不可廢，而所謂好學深思之士君子，吐棄不肯從事，則儇薄無行者，從而篡其統，于是小說家言遂至毒天下。中國人心風俗之敗壞，未始不坐是。

海天獨嘯子《空中飛艇弁言》 小說之益：小說之益于國家、社會者有二：一政治小說，一工藝實業小說。人人能讀之，亦人人喜讀之。其中刺激甚大，感動甚深，漸而智識發達，擴充其範圍，無難演諸實事。使以一科學書，強執人研究之，必不濟矣。此小說之所以長也。我國今日，輸入西歐之學潮，新書新籍，翻譯印刷者，汗牛充棟。苟欲其事半功倍，全國普及乎？請自科學小說始。小說之於社會國家：小說者自然感情之發泄，一關于地理位置，一關于風俗習慣者也。如古代希臘、羅馬，富于文學之思想，其間名家，至今尤膾炙人口。今之世，小說著作，以法蘭西爲盛。法俗風逸淫靡，小說家善道兒女事，識者謂於此觀國風焉。我國國于東亞大陸，土地膏腴，山河秀靈，國民對此自然美麗之感情，形諸詩歌，形諸小說，形諸繪畫者，莫不雅馴文華，極一時之盛。數千年來，文人學士，沉溺于中，流而不返，而政治之基，亦以之脃。識者謂之右文之國。觀其沿革，良有以也。我國小說之力：我國說部多名家，綺麗纏綿，盛矣！觀止矣！然作者好道風流，說鬼神，勢力所及，幾爲社會之主動力，雖三尺童子，心目中皆濡染之。故其風俗，人人皆以名士自命，人人皆以風雅自命。婦人女子，慕名女美人故事，莫不有模效之心焉。至其崇信鬼神之風潮，幾于腦光印烙，牢不可破。民間爆發者輩，亦皆假此爲利器，振臂一呼，四處皆應，如先時之紅蓮、白蓮，近時之義和團，皆職是也。雖然，居蒙昧時代，得此一伸民氣，亦良佳。今者世界文明，光焰萬丈，此等網羅，允宜打破，則小說之改革尚焉。顧雖言改革矣，毋如我國民，自歐勢攔入，政府窘迫，一蹶再蹶而後，相顧失措，四望徬徨之時，腦筋之影泡頓渴。此時正宜愼選其材料，改換其方略，以注射之，使其新知新識，煥然充發，則小說之急于改革尤尚焉。日本維新之先，小說中首譯《經國美談》等一二書，非無故也。

平子《小說叢話》 小說與經傳有互相補救之功用。故凡東西之聖人，東西之才子，懷悲憫，抱冤憤，于是著爲經傳，發爲詩騷，或托之寓言，或寄之詞曲，其用心不同，其能移易人心，改良社會，則一也。然經傳等書，能令人起敬心，人人非樂就之也。有師友之督率，父兄之誘掖，不能不循之。其入人也逆，國人之能得其益者十僅一二三。至于聽歌觀劇，則無論老稚男女，人人樂就之。倘因此而利導之，使人喜，使人悲，使人歌，使人哭，其中心也深，其刺腦也疾。舉凡社會上下一切人等，無不樂于遵循，而甘受其利者也。其入人也順，國人之得其益者十有八九。故一國之中，不可不生聖人，亦不可不生才子。

浴血生《小說叢話》 竊嘗謂小說之功亦偉矣。夫人有過，莊言以責之，不如微言以刺之；微言以刺之，不如婉言以諷之；婉言以諷之，不如妙譬以喻之；而小說者，皆具此能力者也。故用小說以規人過，是上上乘也。

商務印書館主人《本館編印〈繡像小說〉緣起》 歐美化民，多由小說；榑桑崛起，推波助瀾。其從事于此者，率皆名公巨卿，魁儒碩彥，察天下之大勢，洞人類之頤理，潛推萬古，豫揣將來，然後抒一己之見，著而爲書，以醒齊民之耳目。或對人群之積弊而下砭，或爲國家之危險而立鑒，揆其立意，無一非裨國利民。支那建國最古，作者如林，然非怪謬荒誕之言，即記污穢邪淫之事；求其稍裨于國、稍利于民者，幾幾乎百不獲一。夫今樂忘倦，人情皆同，說書唱歌，感化尤易。本館有鑒于此，于是糾合同志，首輯此編。遠摭泰西之良規，近挹海東之餘韻，或手著，或譯本，隨時甄錄，月出兩期，藉思開化夫下愚，遑計貽譏于大雅。

蜕庵《小說叢話》 小說之妙，在取尋常社會上習聞習見、人人能解之事理，淋漓摹寫之，而挑逗默化之，故必讀者入其境界愈深，然後其受感刺也愈劇。未到上海者而與之讀《海上花》，未到北京者而與之讀《品花寶鑒》，雖有趣味，其亦僅矣。故往往有甲國最著名之小說，譯入乙國，殊不能覺其妙。如英國的士黎里、法國囂俄、俄國托爾斯泰，其最精心結撰之作，自中國人視之，皆隔靴搔癢者也。日本之《雪中梅》、《花間鶯》，當初出時，號稱名作，噪動全國，及今已無過問，蓋當時議院政治初行，此等書即以匡其敝者也。今中國亦有譯之者，則如嚼蠟焉爾。凡著譯小說者，不可不審此理。

俠民《新新小説叙例》　小説有支配社會之能力，近世學者論之甚詳，比年以來，亦稍知所趨重矣。故欲新社會，必先新小説；欲社會之日新，必小説之日新。小説新新無已，社會之革變無已，事物進化之公例，不其然歟？向頃所謂新者，曾幾何時，皆土鷄瓦狗視之；而現頃代起之新，自後人視之，亦將如今之視昔也。使無現頃之新，則向頃之新，或五十歲而止矣；使無後來之新，則現頃之新，或百步而止矣。

蔣觀雲《中國之演劇界》　且夫我國之劇界中，其最大之缺憾，誠如嘗者所謂無悲劇。曾見有一劇焉，能委曲百折，慷慨悱惻，寫貞臣孝子仁人志士困頓流離，泣風雨動鬼神之精誠者乎？無有也。而惟是桑間濮上之劇爲一時王，是所以不能啓發人廣遠之理想，奥深之性靈，而反以舞洋洋，笙鏘鏘，蕩人魂魄而助其淫思也。其功過之影響於社會間者，豈其微哉！昔在佛教，馬鳴大士，行華氏國，作賴吒和羅之樂，使聞者皆生厭世之想，城中五百王子，同時出家。是雖欲人悟觀空無我之理，爲弘通佛教之方便法，然其樂固當屬悲劇之列也。今歐洲各國，最重沙翁之曲，至稱之爲惟神能造人心，惟沙翁能道人心。而沙翁著名之曲，皆悲劇也。要之，劇界佳作，皆爲悲劇，無喜劇者。夫劇界多悲劇，故能爲社會造福，社會所以有慶劇也。劇界多喜劇，故能爲社會種孽，社會所以有慘劇也。其效之差殊如是矣。嗟呼！使演劇而果無益於人心，則某竊欲從墨子非樂之議。不然，而欲保存劇界，必以有益人心爲主，而欲有益人心，必以有悲劇爲主。國劇刷新，非今日劇界所當從事哉！

箸夫《論開智普及之法首以改良戲本爲先》　乃世之人往往游忽于當前，而繫戀于已往，茫昧于現象，而致慨于陳迹。彼其感情之敏速，可於觀劇時見之。當夫柝既鳴，幕既撤，滿園闃寂，萬籟無聲，群目注於場上。每遇奸雄構陷之可恨也，則髮爲之指；豪傑被難之可憫也，則神爲之傷；忠孝俠烈之可敬也，則容爲之肅；才子佳人之可羨也，則情爲之移。及演者形容盡致，淋漓跌宕之時，觀者亦眉飛色舞，鼓掌稱快。是以上而王公，下而婦孺，無不以觀劇爲樂事。是劇也者，于普通社會之良否，人心風俗之澆漓，其影響爲甚大也。中國成周優孟衣冠，爲劇之濫觴。及李唐時，梨園菊部，一時稱盛。厥後愈傳愈訛，久而漸失其眞。其所扮演者，多取材于説部稗史，綜其大要，不外寇盜、神怪、男女數端。如《水滸》、《七俠五義》，非横行剽劫，犯禮越禁一派耶？《西游》、《封神》，非牛鬼蛇神，支離荒誕一派耶？《西廂》、《金瓶梅》，非幽期密約，褻淫穢稽之事耶？在深識明達者流，固知當日作者，不過假托附會，因事寓言，藉他人酒杯，澆自己壘塊，亦視爲逢場作戲，過眼雲烟已耳。而閭閻市儈，鄉曲愚氓，目不知書，先入爲主，所見所聞，祇有此數，每于酒闌燈炧之候，豆棚瓜架之旁，津津樂道，據爲典要，且以一知半解，誇耀同儕。嗚呼！錮蔽智慧，阻遏進化，非此階之厲乎？況中國文學繁難，學界不興，下流社會，能識字閲報者，千不獲一。故欲風氣之廣開，教育之普及，非改良戲本不可。

佚名《論小説與社會之關係》　自小説有開通風氣之説，而人遂無復敢有非小説者。雖然，我今欲問小説果何爲而能開通風氣乎？解之者曰：小説之入人也易，故人咸樂觀之；樂觀之，故易傳之。又曰：投其所好者，則人之聽之也順而易；拂其所不好者，則人之聽之也逆而難。小説者，人人所共好者也，故易投之。然則我請爲之申其意曰：小説之能開通風氣者，有決不可少之原質二：其一曰有味，其一曰有益。有味而無益，則小説自小説耳，于開通風氣之説無與也；有益而無味，開通風氣之心，固可敬矣，而與小説本義未全也。故必有味與益二者兼俱之小説，而後始得謂之開通風氣之小説，而後始得謂之與社會有關係之小説。此小説與社會關係之第一解也。雖然，我尚欲問小説果何如而後始得謂之有味、有益乎？有味之説，解者固易；其立格也奇，其運思也巧，其遣詞也綺麗明達。有益之説，論者各異矣。巧辨之士，固無一不可牽合之爲有益也：記放縱之事，則曰養國民慷慨之氣也；記萎靡之事，則曰去國民粗暴之氣也；記殘酷之事，則曰恐我國民之性之不深刻也；記淫蕩之事，則曰哀我國民之性之不活潑也。而其實施之于實事者，亦誠有如此者。凡有一事，正面視之而以爲善者，背面觀之而即以爲惡。矯枉者，不能不過正；過正者，不能不有流弊。知其流弊，而用其矯正之術，是在提倡小説者之善察社會情形而已。此小説與社會關係之第二解也。雖然，我尚欲問提倡小説者，于社會情形，如何體察之，而始得謂之善乎？我聞小説之所以有益于社會者，爲其能損、益社會之過、不及，而劑之于平也。欲損益其過、不及，當先知其過、不及。故提倡小説者之體察社會，體察社會人情之過、不及而已。知其過，而後能損；知其不及，而後能益。若不知其過、不及，而漫然損益之，損其所不及，而益其所過，則是

以水濟水，以火濟火，未見其益，而先蒙其害也。雖然，理更有進者。提倡小說者之當察社會之過、不及固矣，然而所謂過，所謂不及者，其端亦甚不一也。一國之中，智愚不齊，風土亦不一。甲以此爲過焉者，乙或以彼爲過；丙以此爲不及焉者，丁或以彼爲不及。民氣當強也，又當靜，民性當活潑也，又當有節。此非彼是，其說各執，而其理又難一矣，則惟當以國民最多之數，與乎時勢最急之端，以及對于外界競爭最有用之三者，以爲之準已耳。此小說與社會關係之第三解也。知此三解，以提倡小說，小說固爲開通風氣之小說，不知此三解以提倡小說，小說或至爲閉塞風氣之小說。今者小說之出版，多于其他新書矣；愛閱小說者，亦甚于愛閱其他新書矣。小說影響之及于他日之社會，可斷然言也。今日所出版之小說，果能一一有當于以上所言三解乎？竊謂今之投筆于小說界者，亦有三解在：其一固欲借此以開通風氣也，其一則爲名者也，其一則爲利者也。夫爲名爲利，苟非木石，人安能免？第祇爲名利計，而一不爲社會計，以開通風氣之資，而致得閉塞風氣之果，竊意提倡小說者，不能辭其咎也。心有所感，不嫌固陋，貢其所見如此，作小說與社會之關係論上。小說與社會之有關係，前篇既略論之矣。然則當今日，而論我中國之社會，其于小說宜提倡之點，究當如何？試就我見所能及者，再略言其一二。其一，當補助我社會智識上之缺乏。夫我社會所以沉滯而不進者，以科學上之智識，未足故也；以物質上之智識，未有經驗故也。因之而安于固陋，入于迷信者，大半以此。若提倡小說者，而能含科學之思想，物質之經驗，是則我社會之師也，我社會之受其益者當不淺。雖然，尤有一事。我社會之所以衰弱而無力者，以國家思想之薄弱也。以己與國家無關，國家與己無與也，故一聽其腐敗滅亡而無所顧。若提倡小說者而能啓發國家之思想，振作國家之精神，是亦我社會之指導者也，我社會之受其益，亦必不淺。我社會智識之缺乏，雖不一端，而今日所最宜補助者，莫如斯二者。其一，當矯正社會性質之偏缺。夫我中國，土地不一，風俗不同，南北人之性質，判然各別。若欲矯正其偏缺，自非一端所能盡，然若論其大，實亦共本而同源。試再一一言其矯正者之所宜急，與夫性質之偏執者。其一曰深厚。夫性情之深厚，必由于智識之廣博。以我社會若是之智識，而欲求其性情之深厚，不可得也。然若我國今日社會之淺薄，實有出于意料之外者：人祇知有目前，而不顧日後；祇知有一己，而不顧大局。此欺騙苟且之事所以日多，而人心所爲不古。此惡劣之性質，宜急救藥之，不然，將爲夭折種族壽命之第一病根。其二曰精細。文明人之所以與非文明人相異者，文明人心思複雜，而非文明人心思簡單也。白色人之所以與他色人相異者，白色人性情縝密，而他色人性情粗忽也。而我國人之粗忽性，又若天成者。不知事者，醉生夢死，知事者，奔走呼號而已；不任事者，百事不問，任事者，一發難收而已。知事者與不知事者，任事者與不任事者，至其究竟，皆不能成一事者，皆此粗忽之性，賊害之也。此惡劣之性質，又宜急救藥之，不然，將爲斲喪國家元氣之第一病根。更進而論之，則有二事：其一曰無復仇之風。夫復仇，天性也。孔子之教曰：君父之仇，勿與共戴天；兄弟之仇不同國。是孔教許人以復仇也。耶穌之教曰：復仇者，至公平者也。是耶教亦許人以復仇也。吳王三呼而敗越，越人臥薪嘗膽而沼吳。人民有復仇之精神，而後其國乃能無外侮。逆來而順受，唾面而自干，苟無深心，徒招人侮。古人有言曰：夫人必自侮，而後人侮之。我得再進一義，以爲之解曰：夫人必見侮于人而無所報，而後人得無所顧忌而爭侮之。呼馬應馬，呼牛應牛，此我國人之普通性質也；其有不應者，亦表面上之自好者耳。此亦我社會性質之一大缺點。此惡劣之性質，亦宜急救藥之，不然，將爲降低人格之第一病根。其一曰無尙俠之風。夫我中國之所以腐敗而各事不舉者，以各種人于己所應爲之事，不能盡力爲之也。然又有一故，則以非己所應爲之事，不肯仗義以爲之也。而社會之性情，遂因之委靡而不振。譬如遇順境，身所不能計深遠、慮縝密者，人亦無有出而代爲之計慮；又如遇逆境，身所不能親爲報仇者，人亦無有路見而代抱不平。夫天下之事，不過己事與人之事耳。己既不自振，人又不扶助，雖欲社會上事，有一不腐敗而不可得也。此惡劣之性質，亦宜急救藥之，不然，將爲墮失人道之第一病根。今使假定一事以明言之。一事之來也，其初以智識不若人故，茫然而不知之；其繼一聞人發起，以性情粗忽故，轟然而交哄之；及事既入手，以謀慮不深遠，故雜然而無所紀；既事稍見阻害，當事者無報復之思想，不與事者無扶助之心思，忽而中止，寂然而無聞，而其事遂長此而終古。此我社會所以每遇外事，而無一不敗者也。既論小說與社會，又于我國今日之社會，而述所見如此，作小說與社會之關係論下。

中原浪子《京華艷史》第一回　他說道，小說之有益于世道人心，是要將

現在時勢局面、人情風俗一切種種實在壞處一一演說出來，叫人家看得可耻可笑。又將我腦中見得到的道理，比現在時局高尚點子的，敷衍出來，叫人家看得可羡可慕。中間又要設出許多奇奇怪怪變化出没的局面，叫人家看得可驚可喜。還有許多妙處，許多難處，實在比正經著作難多了。

俠人《小說叢話》 孔子曰：「我欲托之于空言，不如見之于行事之深切著明也。」吾謂此言實爲小說道破其特別優勝之處者也。孟子曰：「聞伯夷之風者，頑夫廉，懦夫有立志；聞柳下惠之風者，鄙夫寬，薄夫敦。」凡人之性質，無所觀感，則興起也難；苟有一人焉，一事焉，立其前而樹之鵠，則望風而趨之。小說者實具有此種神力以操縱人類者也。夫人之稍有所思想者，莫不欲以其道移易天下，顧談理則能明者少，而指事則能解者多。今明著一事焉以爲之型，明立一人焉以爲之式，則吾之思想，可瞬息而普及于最下等之人，是實改良社會之一最妙法門也。且孔子之所謂見諸行事者，不過就魯史之成局，加之以褒貶而已。材料之如何，固繫于歷史上之人物，非吾之所得自由者也。小說則不然，吾有如何之理想，則造如何之人物以發明之，徹底自由，表裏無礙，眞無一人能稍掣我之肘者也。若是乎由古經以至《春秋》，不可不謂之文體一進化；由《春秋》以至小說，又不可謂之非文體一進化。使孔子生于今日，吾知其必不作《春秋》，必作一最良之小說，以鞭辟人類也。不寧惟是，使周、秦諸子而悉生于今日，吾知其必不垂空言以詔後之人，而咸當本其學術，作一小說以播其思想，殖其勢力于社會，斷可知也。若是乎語孔子與施耐庵、曹雪芹之學術行誼，則二人固萬不敢幾；若語《春秋》與《紅樓夢》、《水滸》之體裁，則文界進化，其階級固歷歷不可誣也。小說之所以有勢力于社會者，又有一焉，曰堅人之自信力。凡人立于一社會，未有不有其自信力以與社會相對抗者也。然衆寡之勢不敵，故苟非鴻哲殊勇，往往有其力而守之不堅，久之且消磨焉，淪胥焉，以至于同盡。夫此力之所以日澌滅者，以舍我之外，皆無如是之人也。苟環顧同群而有一人焉，與吾同此心，同此理，則欣然把臂入林矣，其道且終身守之而不易矣。子曰：「德不孤，必有鄰。」蓋謂此也。古人所以獨抗其志，逖然不與俗偶者，雖無幷世之儔，而終必有一人焉，先我而立于簡册之上，職是故也。小說作，而爲撰一現社會所亟需而未有之人物以示之，于是向之懷此思想而不敢自堅者，乃一旦以之自信矣。苟不知歷史之人，將認其人爲眞有，苟知有歷史之人，亦認其書之著者，爲幷世曠世心同理同相感之人也。于是此種人之自信力，遂因之益堅，始然而蓄之于心，繼焉而見之于事。苟有流于豪暴者，人訾其強橫無理，彼固以魯智深、武二哥自居也。苟有溺于床笫者，人訾其纏綿無志，彼固以林黛玉、賈寶玉自居也。既引一書中之人爲同情之友矣，則世人雖如何非毁之、忠告之，其言終不能入，其心終不可動。有時以父母師長之力強禁之，禁其身不能禁其心也。舍其近而昵其遠，弃其實而麗于虛，雖曰爲常人之所駴乎，然水流濕，火就燥，雲從龍，風從虎，物各從其類也。此固心理問題，而非算術問題也。故爲小說者，以理想始，以實事終，以我之理想始，以人之實事終。不寧惟是，小說者固應于社會之熱毒，而施以清涼散者也。凡人在社會中所日受慘毒而覺其最苦者二：一曰無知我之人，一曰無憐我之人。苟有一人焉，于我躬所被之慘毒，悉知悉見，而其于評論也，又確能爲我辯護，而明著加慘毒于我者之非，則望之如慈父母、良師友不啻矣，以爲窮途所歸命矣。且又不必其侃侃而陳之，明目張膽以爲我之強援也，但使其言在此而意在彼，雖昌言之不敢，而悱惻沉摯，往往于言外之意，表我同情，則或因彼之知我而憐我也，而因曲諒其不敢言之心，因彼之知我者以知彼，且因知彼者以憐彼，而相結之情乃益固。故有暴君酷吏之專制，而《水滸》現焉；有男女婚姻之不自由，而《紅樓夢》出焉。雖峨冠博帶之碩儒，號爲生今之世反古之道，守經而不敢易者，往往口非梁山，而心固右之，筆排寶、黛，而躬或蹈之。此無他，人心之所同受其慘毒者，往往思求憐我知我之人，著者之哀哀長號，以求社會之同情，固猶讀者欲迎著者之心也。故一良小說之出世也，其勢力殆如水銀瀉地，無孔不入，日月有明，容光必照。使人無論何時何地，而留有一小說焉以監督之而慰藉之，此其力眞慈父母、良師友之所不能有，而大小說家之所獨擅者也。此無他，聖經賢傳之所不能詔，而小說詔之；稗官史籍之所不能載，而小說家載之，詩歌詞曲之所不能達，而小說達之；則其受人之歡迎，安得不如泥犁獄中之一光明綫也？其有一種之特別勢力也，以其爲一種之特別文學也。

松岑《論寫情小說於新社會之關係》 偉哉！小說之有不可思議之力支配人道也。吾讀今之新小說而喜，雖然，吾對今之新社會而懼。吾欲吾同胞速出所厭惡之舊社會，而入所歆羡之新社會也，吾之心較諸譯小說者而尤熱。故吾讀《十五小豪傑》而崇拜焉，吾安得國民人人如俄敦、武安之少年老成，

冒險獨立，建新共和制於南極也。吾讀《少年軍》而崇拜焉，吾安得國民人人如南美、意大利、法蘭西童子之熱心愛國，犧牲生命，百戰以退虎狼之強敵也。吾讀《秘密使者》而崇拜焉，吾安得國民人人如蘇朗笏、那貞之勇往進取，夏理夫、傅良溫之從容活潑，以探西伯利亞之軍事也。吾讀《八十日環游記》而崇拜焉，吾安得國民人人如福格之強忍卓絕，以二萬金鎊，博一千九百二十點鐘行程之名譽也。吾讀《海底旅行》、《鐵世界》而亦崇拜焉，使吾國民而皆有李夢之科學、忍毗之藝術，中國國民之偉大力可想也。吾讀《東歐女豪傑》、《無名之英雄》而更崇拜焉，使吾國民而皆如蘇菲亞、亞晏德之奔走黨事，次安、絳靈之運動革命，漢族之光復，其在拉丁、斯拉夫族之上也。吾又讀《黑奴吁天錄》而悲焉，謂吾國民未來之小影，恐不爲哲爾治、意里賽而爲湯姆也。吾又讀《風洞山》(吾友吳癯庵著，稿已寫定，尚未出版)、《新羅馬傳奇》而泣且笑焉，謂吾國民將爲第二之亡國，抑爲第二之興國，皆在不可知之數也。其他政治、外交(去年《外交報》，譯英文多佳者)、法律、偵探、社會諸小說，皆必有大影響、潛勢力于將來之社會無可疑焉。是故吾讀今之新小說而喜，雖然，吾讀今之寫情小說而懼。人之生而具情之根苗者，東西洋民族之所同；即情之出而占位置于文學界者，亦東西洋民族之所一致也。以兩社會之隔絕反對，而乃取小說之力，與夫情之一脈，溝而通之，則文學家不能辭其責矣。吾非必謂「情」之一字，吾人不當置齒頰，彼福格、蘇朗笏之艷伴，蘇菲亞、絳靈之情人，固亦兒女英雄之好模範也。若乃逞一時筆墨之雄，取無數高領窄袖花冠長裙之新人物，相與歌泣于情天淚海之世界，此其價值，必爲青年社會所歡迎，而其效果則不忍言矣。天下有至聰明之人，而受至強之迷信者，文明國之道德與法律是也。非獨文明國然，彼觀《游山》、《拷火》、《御碑亭》之劇本，與夫《聊齋志異》聶小倩、秋容、小謝之鬼使，或嘗以見色不亂，反躬而自律焉。「南山有鳥，北山張羅。」「使君有婦，羅敷有夫。」凜然高義之言，其視宓妃、神女之賦，勸百而諷一者固殊矣。故吾所崇拜夫文明之小說者，正樂取夫《西廂》、《紅樓》、《淞隱漫錄》旖旎妖艷之文章，摧陷廓清，以新吾國民之腦界，而豈復可變本而加之厲也。夫新舊社會之蛻化，猶青蟲之化蝶也，蝶則美矣，而青蟲之蠋則甚醜。今吾國民當蛻化之際，其無以彼青蟲之醜，而爲社會之標本乎！曩者少年學生，粗識「自由」、「平等」之名詞，橫流滔滔，已至今日，乃復爲下多少文明之確證：使男子而狎妓，則曰我亞猛着彭也，而父命可以或梗矣(《茶花女遺事》，今人謂之外國《紅樓夢》)；女子而懷春，則曰我迦因赫斯德也，而貞操可以立破矣(《迦因》小說，吾友包公毅譯。迦因人格，向爲吾所深愛，謂此半面妝文字，勝于足本。今讀林譯，即此下半卷內，知尚有懷孕一節。西人臨文不諱，然爲中國社會計，正宜從包君節去爲是。此次萬千感情，正讀此書而起)；精靈狡獪，惑媚男子，則曰我厄爾符利打也，而在此爲閨女者，在彼即變名而爲蕩婦矣(《雙綫記》，一名《淡紅金鋼鑽》)。歐化風行，如醒如寐，吾恐不數十年後，握手接吻之風，必公然施于中國之社會，而跳舞之俗且盛行，群棄職業學問而習此矣(西俗斗牌，頗通行于男女社會，此亦吾民俗所歡迎也)。吾東洋民族國粹，有大勝西人者數事：祖先之教盛行一也，降將不齒于軍事二也；至男女交際之遏抑，雖非公道，今當開化之會，亦宜稍留餘地，使道德法律得持其強弩之末以繩人，又安可設淫詞而助之攻也！不然，而吾寧主張夫女媧之石，千年後之世界，以爲打破情天、毒殺情種之助，謂須眉皆惡物，粉黛盡枯髏，不如一塵不染、六根清淨之爲愈也。又不然，而吾寧更遵顓頊(顓頊之教，婦人不避男子于路者，拂之于四達之衢)、祖龍(始皇厲行男女之大防，詳見會稽石刻)之遺教，厲行專制，起重黎而使絕地天之通也。嗚呼！豈得已哉！

中國老少年《中國偵探案弁言》　邇日競尚小說矣，競尚譯本小說矣。小說之足以改良社會，時彥既言之不一言矣。然其所以能改良社會者，以其能動人感情也。吾每購讀譯本小說，其足以動吾之感情者，蓋十不一二焉，此吾之所以咎譯者也。然而今之購讀譯本者，其爲我若，爲不我若，則不得而知也。小說之種類，曰：寫情也，科學也，冒險也，游記也，其種類不一。其內容之果能合于吾國之社會與否，不能一概而論定之；其能改良吾國社會與否，尤不能一概而論定之。

《新世界小說社報發刊辭》　文化日進，思潮日高，群知小說之效果，捷于演說報章，不視爲遺情之具，而視爲開通民智之津梁，涵養民德之要素；故政治也，科學也，實業也，寫情也，偵探也，分門別派，實爲新小說之創例，此其所以絕有價值也。況言論自由，爲東西文明之通例，仁者見仁，智者見智，亦華夏先哲之名言。苟知此例，則願作小說者，不論作何種小說，願閱小說者，亦不論閱何種小說，無不可也。同人有見于此，于是有《新世界

小說》之作。蓋莊言正論，不足以動人，號爲讀書之士，尚至束閣經史。往往有聖賢千言萬語所不能入者，引一俗諺相譬解，而其人即能恍然于言下。蓋口耳流傳，經無數自然之删削，乃有此美玉精金之片詞只語與經史而并存，世界不毀，則其言亦不毀。此一說也。有釋奴小說之作，而後美洲大陸創開一新天地；有革命小說之作，而後歐洲政治特辟一新紀元。而以視吾國，北人之敢死喜亂，不啻活演一《水滸傳》；南人之醉生夢死，不啻實做一《石頭記》。小說勢力之偉大，幾幾乎能造成世界矣。此一說也。官場之現形，奇奇怪怪；學堂之風潮，滔滔汩汩。新黨之革命排滿也，而繼即升官發財矣；新鄉願之炫道學、倡公理也，而繼即占官地、遂私計矣。人心險于山川，世路盡爲荆棘，則其餘之實行奸盜邪淫，與夫詐僞撞騙者，更不足論矣。耳所聞，目所見，舉世皆小說之資料也。此又一說也。

吴沃堯《歷史小說總序》 歷代史籍，無演義以爲之輔翼也。吾于是發大誓願，編撰歷史小說，使今日讀小說者，明日讀正史如見故人；昨日讀正史而不得入者，今日讀小說而如身親其境。小說附正史以馳乎？正史藉小說爲先導乎？請俟後人定論之。而作者固不敢以雕蟲小技，妄自菲薄也。

又《月月小說序》 吾執吾筆，將編爲小說，即就小說以言小說焉，可也，奈之何舉社會如是種種之醜態而先表暴之，吾蓋有所感焉。吾感夫飲冰子《小說與群治之關係》之說出，提倡改良小說，不數年而吾國之新著新譯之小說，幾于汗萬牛充萬棟，猶復日出不已而未有窮期也。求其所以然之故，曰：隨聲附和故。或曰：是不足爲病也。美之獨立，法之革命，非一二人倡于前，無數人附和于後，以成此偉大之事業耶？曰：是又不然。認定其宗旨而附和之，以求公衆之利益者，何可以無此附和？憑藉其宗旨以附和之，詭謀一己之私利而不顧其群者，又何可以有此附和？今夫汗萬牛充萬棟之新著新譯之小說，其能體關係群治之意者，吾不敢謂必無，然而怪誕支離之著作，詰曲聱牙之譯本，吾蓋數見不鮮矣。凡如是者，他人讀之不知謂之何，以吾觀之，殊未足以動吾之感情也。于所謂群治之關係，杳乎其不相涉也。然而彼且囂囂然自鳴曰：「吾將改良社會也，吾將佐群治之進化也。」隨聲附和而自忘其眞，抑何可笑也。小說之與群治之關係，時彦既言之詳矣。吾于群治之關係之外，復索得其特別之能力焉。一曰：足以補助記憶力也。吾國昔尚記誦，學童讀書，咿唔終日，不能上口。而于俚詞劇本，一讀而輒能背誦之。其故何也？深奥難解之文，不如粗淺趣味之易入也。學童聽講，聽經書不如聽《左傳》之易入也，聽《左傳》又不如聽鼓詞之易入也。無他，趣味爲之也。是故中外前史，浩如烟海，號稱學子者，未必都能記憶之，獨至于三國史，則幾于盡識字之人皆能言其大略，則《三國衍義》之功，不可泯也。雖間不免有爲附會所惑者，然既能憶其梗概，無難指點而匡正之也。此其助記憶力之能力也。一曰：易輸入知識也。凡人于平常待人接物間，所聞所見，必有無量之事物言論，足以爲我之新知識者，然而境過輒忘，甚或有當前不覺者，惟于小說中得之，則深入腦筋而不可去。其故何也？當前之事物言論，無趣味以贊佐之也。無趣味以贊佐之，故每當前而不覺。讀小說者，其專注在尋繹趣味，而新知識實即暗寓于趣味之中，故隨趣味而輸入之而不自覺也。小說能具此二大能力，則凡著小說者、譯小說者，當如何其審愼耶！夫使讀吾之小說者，記一善事焉，吾使之也；記一惡事焉，亦吾使之也。抑讀吾小說者，得一善知識焉，得一惡知識焉，何莫非吾使之也。吾人丁此道德淪亡之時會，亦思所以挽此澆風耶，則當自小說始。是故吾發大誓願，將遍撰譯歷史小說，以爲教科之助。歷史云者，非徒記其事實之謂也，旌善懲惡之意實寓焉。舊史之繁重，讀之固不易矣；而新輯教科書，又適嫌其略。吾于是欲持此小說，竊分教員一席焉。他日吾窮十年累百月而幸得殺青也，讀者不終歲而可以畢業；即吾今日之月出如干頁也，讀者亦收月有記憶之功。是則吾不敢以雕蟲小技，妄自菲薄者也。善教育者，德育與智育本相輔；不善教育者，德育與智育轉相妨。此無他，譎與正之別而已。吾既欲持此小說，以分教員之一席，則不敢不審愼以出之。歷史小說而外，如社會小說、家庭小說，及科學、冒險等，或奇言之，或正言之，務使導之以入於道德範圍之內。即艷情小說一種，亦必軌于正道，乃入選焉（後之投稿本社者，其注意之）。庶幾借小說之趣味之感情，爲德育之一助云爾。嗚呼！吾有涯之生，已過半矣。負此歲月，負此精神，不能爲社會盡一分之義務，徒播弄此墨床筆架爲嬉笑怒駡之文章，以供談笑之資料，毋亦攬須眉而一慟也夫！

佚名《論戲劇彈詞之有關於地方自治》 吾不知地方自治之性質何若也，以爲六洲一戲場耳。吾不知地方自治之規模何若也，以爲萬事一說部耳。世界通人，競談地方自治矣：劃區也；分局也；練警察也；修戶籍也；擔賦稅也；定裁判也；平道路也；興學術也；振工商也；廣樹藝也；開

水利也；防火險也；改良婚姻也；講究衛生也；施濟醫藥也；收養貧苦也；發於名家著述者，汗牛充棟，騰於大館報章者，盈街塞道。燕、許大手筆，抒詞潤金石；盧(盧梭)、孟(孟德斯鳩)大政家，陳義薄雲天。僕支那帝國小說社中之一說小說人也，好說小說，則請以小說說。地方自治，非政治家所談耶。談政治如賦大言，談小說如賦小言，證政治如奏雅樂，談小說如奏俗樂；談政治如誦正書，談小說如誦閒書；談政治如述朝議，談小說如述巷議；談政治如扮生旦，談小說如扮丑淨；談政治如唱京(京調)、崑(崑腔)，談小說如唱徽(徽調)、廣(廣調)；談政治如肅衣冠而上明堂，談小說如傅粉墨而登戲臺；談政治如歐洲大總統，揖讓而升議政院，談小說如蘇州小熱昏，跳躍而入玄妙觀。然則以小說而談地方自治，不猶以丑淨而扮生旦乎？不猶以徽、廣而唱京、崑乎？不猶以粉墨而披衣冠乎？不猶以小熱昏而作大總統乎？而求其有當于事理也，難矣。雖然，福祿特爾，法之小說家也，珠喉一囀，喚轉法國國魂；索士比亞，英之小說家也，鐵板一敲，打起英民民志。《五月花》出，而黑奴生；《兩年假》(《十五小豪傑》之原名)作，而殖民熾。小說之轉移世界也如許，何況地方。昔者東郭子問道于莊子，莊子曰：「在螻蟻。」曰：「何其下耶？」曰：「在稊稗。」曰：「何其愈下耶？」曰：「在瓦甓。」曰：「何其愈甚耶？」曰：「在屎溺。」設有問地方自治于余者，余必曰：在戲劇。余必曰：在彈詞。余必曰：在書場，在茶園，而不在於國會議院；余必曰：在說書，在唱戲，而不在於學士大夫。竹籬茅舍，帶水抱山六七家，胡琴咿呀，村姑抱子而走集，稻赤麥黃，萬頃一望，鑼鼓其鏜，鄉人釋耒。問有一村一町一區一集而無說書者乎？曰無有。問有一村一町一區一集而無演戲者乎？曰無有。事之有害於地方也，莫如戲曲；事之有益於地方也，亦莫如戲曲。聽《寄簡》、《追舟》諸戲，則歸而踰牆，而婚姻太自由矣；觀《劫法場》、《打擂臺》諸劇，則歸而厲刃，而民權太平等矣。戲曲良，則風俗與之俱良；戲曲窳，則風俗與之俱窳；戲曲退步，則風俗與之俱退；戲曲進步，則風俗與之俱進。講治地方，必自風俗始；講治風俗，必自戲劇、彈詞始。主嚴義則曰禁，主寬義則曰改；而吾謂禁之不若改之之善。戲劇哉！彈詞哉！具一切心，具一切法，一切衆生以爲眼耳口鼻色聲香味觸發，一切衆生以爲腦者也。吾若讕言，則入拔舌地獄。魏武非英主耶？《三國志》演而萬口齊罵奸臣。潘美非名將耶？《楊家將》演而千眼攢視佞帥。有《封神榜》而後有青獅、白象諸大菩薩，有《目連傳》而後有劍樹、刀山、十殿閻羅、龍爻耳蛭、水母目蝦。以今之民，具今之智，雖曰禁之，禁可盡乎？此村撤鑼，而彼村開臺矣；此巷投板，而彼巷點鼓矣。民生之好樂也，而必議損議罰以苦惱衆生；休論禁之不能盡也，縱使能盡，抑何樂于爲此耶？況小弦急則大弦絕，必有鄉曲父老，推倒柴堆，拋卻煙筒，起而與君爲難，而爲地方自治生一大阻力也。噫！大道冥冥，衆生沈沈，誨盜誨淫，繫鈴解鈴，民之迷信於戲曲也，則開民之智，仍此戲曲。吾因喧嘩喤呷曰：革命！革命！革命何物？曰革命戲劇；曰革命彈詞。以李龜年擫笛，以安金藏點板，以李天下作生旦，以淳于髡作丑末。演唱偵探小說，而民知警察之不可不練；演唱政治小說，而民知賦稅之不可不擔；演唱科學小說，而民知工藝之不可不振；演唱醫學小說，而民知衛生之不可不講；演唱言情小說，而民知婚姻之不可不文明；演唱社會小說，而民知貧苦之不可不收恤。諺云「蘇空頭」，言無腦也。豈獨蘇人然哉？支那之人，盡無腦也。甲說入，則以甲說爲腦；乙說入，則以乙說爲腦。如今則換佳腦矣，而地方自治於是而可辦。職是之故，興一政，而恐四鄉父老之不吾從也，則勸其觀新戲；創一法，而恐三村學究之訾嗷吾也，則勸其聽新書。鼓無當於五聲，五聲得之而和；水無當於五色，五色得之而彰；戲劇、彈詞，無當於地方自治，地方自治得之而緝。五百獅子吼，眇此神通；八千龍女舞，遜茲化力。論牖民智，吾不崇拜孔、墨、耶、佛，而崇拜施耐庵、孔雲亭；論育民德，吾不崇拜培(培根)、笛(笛卡兒)、邊(邊沁)、黑(黑智兒)，而崇拜帕拉姆、比得芬。良以移人之心，換人之腦，速萬倍也。至于地方自治之形式之精神，之規則，之性度，則吾三揖三讓，以請政治大名家，著作大報館之大椽筆。

覺我《小說林緣起》 余不敏，嘗以臆見論斷之：則所謂小說者，殆合理想美學、感情美學，而居其最上乘者乎？試以美學最發達之德意志徵之，黑搿爾氏于美學，持絕對觀念論者也。其言曰：「藝術之圓滿者，其第一義，爲醇化于自然。」簡言之，即滿足吾人之美的欲望，而使無遺憾也。曲本中之團圓(《白兔記》、《荊釵記》)、封誥(《殺狗記》)、榮歸(《千金記》)、巧合(《紫簫記》)等目，觸處皆是。若演義中之《野叟曝言》，其卷末之躊躇滿志者，且不下數萬言。要之不外使圓滿，而合于理性之自然也。其徵一。又曰：「事

物現個性者，愈愈豐富，理想之發現，亦愈愈圓滿，故美之究竟，在具象理想，不在于抽象理想。」「西國小說，多述一人一事；中國小說，多述數人數事。論者謂爲文野之別，余獨謂不然。事迹繁，格局變，人物則忠奸賢愚并列，事迹則巧絀奇正雜陳，其首尾聯絡，映帶起伏，非有大手筆，大結構，雄于文者，不能爲此，蓋深明乎具象理想之道，能使人一讀再讀即十讀百讀亦不厭也，而西籍中富此興味者實鮮。孰優孰絀，不言可解。然所謂美之究竟，與小說固適合也。其徵二。邱希孟氏，感情美學之代表者也。其言言之快感，謂對於實體之形象而起。試睹吳用之智（《水滸》）、鐵丐之眞（《野叟曝言》）、數奇若韋痴珠（《花月痕》）、弄權若曹阿瞞（《三國志》）、冤獄若風波亭（《岳傳》）、神通游戲如孫行者（《西游記》）、濟顛僧（《濟公傳》）、闡事燭理若福爾摩斯、馬丁休脫（《偵探案》），足令人快樂，令人輕蔑，令人苦痛尊敬。種種感情，莫不對于小說而得之。其徵三。又曰：「美的概念之要素，其三爲形象性。」形象者，實體之模仿也。當未開化之社會，一切神仙佛鬼怪惡魔莫不爲社會所歡迎，而受其迷惑。阿剌伯之《夜談》，希臘之神話，《西游》、《封神》之荒誕，《聊齋》、《諧鐸》之鬼狐，世樂道之，酒後茶餘，聞者色變。及文化日進，而觀《長生術》、《海屋籌》之興味，不若《茶花女》、《迦因小傳》之禯鬱而親切矣。一非具形象性，一具形象性，而感情因以不同也。其徵四。又曰：「美之第四特性，爲理想化。」理想化者，由感興的實體，於藝術上除去無用分子，發揮其本性之謂也。小說之于日用瑣事，亘數年者，未曾按日而書之，即所謂無用之分子則去之。而月球之環游，世界之末日，地心海底之旅行，日新不已，皆本科學之理想，超越自然而促其進化者也。其徵五。凡此種種，爲新舊社會所公認，而非余一己之私言，則其能鼓舞吾人之理性，感覺吾人之理性，夫復何疑！

摩西《小說林發刊詞》 今之時代，文明交通之時代也，抑亦小說交通之時代乎！國民自治，方在豫備期間；教育改良，未臻普及地位；科學如羅骨董，眞贋雜陳；實業若掖醉人，僕立無定；獨此所謂小說者，其興也勃焉。海內文豪，既各變其索縑乞米之方針，運其高髻多脂之方略；或墨驅尻馬，貢殊域之瑰聞；或筆代然犀，影拓都之現狀。集葩藻春，并亢樂曉，稿墨猶滋，囊金競貿。新聞紙報告欄中，異軍特起者，小說也；四方輦致，擲作金石聲，五都標懸，爍若雲霞色者，小說也；竹罄南山，金高北斗，聚珍攝影，鈔腕欲脫，操奇計贏；舞袖益長者，小說也；蓬髮學僮，蛾眉居士，上自建牙張翼之尊嚴，下迄雕面糊容之瑣賤，眡沫一卷，而不忍遽置者，小說也；小說之風行于社會者如是。狹斜拋心締約，輒神游于亞猛、亨利之間；屠沽察睫競才，常銳身以福爾、馬丁爲任；摹仿文明形式，花圈雪服，賀自由之結婚；崇拜虛無黨員，炸彈快槍，驚暗殺之手段：小說之影響于社會者又如是。則雖謂吾國今日之文明，爲小說之文明可也；則雖謂吾國異日政界、學界、教育界、實業界之文明，即今日小說界之文明，亦無不可也。雖然，有一蔽焉：則以昔之視小說也太輕，而今之視小說又太重也。昔之于小說也，博弈視之，徘優視之，甚且酖毒視之，妖孽視之，言不齒于縉紳，名不列于四部（古之所謂小說家者，與今大異）。私衷酷好，而閱必背人；下筆誤徵，則群加嗤鄙。雖如《水滸傳》、《石頭記》之創社會主義，闡色情哲學，托草澤以下民賊奴隸之砭（龔自珍之《尊隱》，是耐庵注腳），假蘭芍以塞黍離荆棘之悲者（《石頭記》成于先朝遺老之手，非曹作），亦科以誨淫誨盜之罪，謂作者已伏冥誅，繩諸戒色戒鬭之年，謂閱者斷非佳士。即或賞其奇瑰，強作斡旋，辨忠義之眞僞，區情欲之貞淫，亦不脫俗情，無當本旨（《水滸》本不諱盜，《石頭》亦不諱淫。李贄、金喟強作解事，所謂買櫝還珠者。《石頭》諸評，更等諸鄶下矣）。餘可知矣。今也反是：出一小說，必自尸國民進化之功；評一小說，必大倡謠俗改良之旨。吠聲四應，學步載途。以音樂舞蹈，抒感甄挑卓之隱衷；以磁電聲光，飾牛鬼蛇神之假面。雖稗販短章，葦茆惡札，靡不上之佳諡，弁以吳詞。一若國家之法典，宗教之聖經，學校之科本，家庭社會之標準方式，無一不賜于小說者。其然，豈其然乎？夫文家所忌，莫如故爲關係；心理之辟，尤在昧厥本來。然吾不問小說之效力，果足改頑固腦機而靈之，袪腐敗空氣而新之否也；亦不問作小說者之本心，果專爲大群致公益，而非爲小己謀私利，其小說之內容，果一一與標置者相讎否也；更不問評小說讀小說者，果公認此小說爲換骨丹，爲益智粽，爲金牛之憲章，爲所羅門之符咒否也；請一考小說之實質。小說者，文學之傾于美的方面之一種也。寶釵羅帶，非高蹈之口吻；碧雲黃花，豈後樂之襟期？微論小說，文學之有高格可循者，一屬于審美之情操，尚不暇求眞際而擇法語也。然不佞之意，亦非敢謂作小說者，但當極藻繪之工，足纏綿之致，一任事理之乖僢，風教之滅裂也。玉顱珠領，補史氏之舊聞，氣液日精，據良工所創獲，

未始非即物窮理之助也；不然，則有哲學、科學專書在。吁天訴虐，金山之同病堪憐，渡海尋仇，火窟之孝思不匱，固足收振耻立懦之效也；不然，則有法律、經訓原文在。且彼求誠止善者，未聞以玩華綉帨之不逮，而變誠與善之目的以遷就之；則從事小説者，亦何必椎髻飾勞，黥容示節，而唐捐其本質乎？嬙、施，天下之美也，鴟夷一舸，詎非明哲，青冢一抔，不失幽芬。藉令沒其傾吳宫、照漢殿之丰容，而强與孟廡齊稱，娥臺合傳，不將疑其狂易乎？一小説也，而號于人曰：吾不屑屑爲美，一秉立誠明善之宗旨，則不過一無價值之講義、不規則之格言而已。恐閱者不免如聽古樂，即作者亦未能歌舞其筆墨也。名相推崇，而實取厭薄，是吾國文明，僅于小説界稍有影響，而中道爲之安障也。此不佞所以甘冒不韙而不能已于一言也。

佚名《論小説之教育》　有專門之教育，有普通之教育，而總之皆于愚民無與也，則必須有至淺極易之教育。天下不能盡立學堂也，即能盡立學堂，吾知天下之人亦必不能盡入學堂。語言文字不相合，一也；礙于營生，二也；正言理説，格格而不入，三也；有窟宅其筋腦之迷信，非補習半日之功所能奪，四也；以道聽涂説爲習慣，見校地如囚牢，五也。然則，欲使其人不入學堂而如入學堂，使其人所居之地雖無學堂而(如)有學堂，舍小説其莫由矣。雖然，小説流行之區域，今日非不多且廣，小説組織之機關，今日非不完且備，而總之仍于愚民無與也。是何哉？是蓋關小説之心思，炫小説之文章筆力，而皆非小説之教育。小説之教育，則必須以白話。天下有不能識字之人，必無不能説話之人。出之以白話，則吾國所最難通之文理，先去障礙矣。或曰：能説話者，究未必皆能識字。然使十人之中，苟有一人識字，則其餘九人即不難因此一人而知其事。況吾民恆性，每閱小説，最喜于人前講述，則識字者固得神游之樂，不識字者亦叨耳食之功。惟自來小説，惑人者多，益人者寡，非奸盜邪淫之縱惡，即神仙鬼怪之荒唐。下流社會中雖不能讀經史等書，未有不能讀小説者；即有不讀小説，未有不知小説中著名之故事者；一言以蔽之曰：易于動人而已。惟其易于動人，即將其法而正用之，則昔以惑人者，今可以之益人。昔人謂吾民無知，既受二氏之毒，又受小説之毒，則吾民固素以小説爲教育也。今請得而正用之，演以白話，仍以小説謀教育之普及，而謂爲小説之教育，閲者盍注意焉。一以小説改良戲劇而教育之。近者京師創演杭州旗營惠興女士以身殉學之事，觀者至哭失聲。是則欲移動吾民之劣根性，莫如演各愛國、愛同胞悲壯蒼涼之劇。昔拿破崙謂：「最易感人者，莫如悲劇。」誠哉是言！睹俄人分割波蘭之慘，而不墮淚者，其心必石，其眼必肉。吾聞喜聽戲者，地球上普通之性質也。借此性質之相同，而變易之，提倡之，士大夫指導社會之責也。一以小説改良平話而教育之。直隸于通衢茶館中演説時事，吾嘗謂不如出之以小説，使説書者口講指畫，如見如聞，其感人爲易入。明末柳敬亭輩，至與朝士相往還，知其人雖祇以口技博衣食，而寔隱操教育社會之權。惟其腳本不能改良，故所造于社會者，有惡果而無善果。若一旦以有益于人之事，當衆演講，而仍不改聽書諸人之習慣，人見向所説者，皆不根之談，而今則皆人生所宜必知之事，則不啻于通衢茶館中，而立無數之學校焉，有不聞而相勸者乎？一以小説附諸圖片而教育之。其圖片先舉中國之惡俗，如纏足、吃烟之類，如迎神賽會、婚喪靡費之類，又如法人敗于師丹，以油繪敗狀，激發國耻之類。有圖有説，識字者可以閲看，是蓋不啻縮本之戲劇焉。況演一戲劇，其價不貲，則及人尤隘；購求圖片，其價甚廉，則人人得以普及乎？不然，以國民四萬萬之衆，而愚民居其大多數，愚民之中，無教之女子居其大多數，此固言教育者所亟宜從事，而寔不知所從事者也。説者謂：二十世紀之民族，必無不學而能幸存于地球之理。然則以至淺極易小説之教育，教育吾愚民，又烏可緩哉！烏可緩哉！

羅輈重《月月小説叙》　夫人類之普通性質，法言難入，巽與易受，憚莊嚴而喜詼諧，故小説使人覽之忘倦，嗜之成癖，習聞其説，久而陷溺，近朱者赤，近墨者黑，未有不染者也。中國小説，名目繁多，然自《虞初》以來，佳制蓋鮮，求其有條理、有宗旨，足以轉其風氣者，實不多見。類皆以鄙俗之文，寫淺近之事，或才子佳人，或神鬼狐怪，或綠林豪俠，大雅君子，一笑置之，庸愚之人，信以爲實。盤踞腦界，小之傷風敗俗，大之犯上作亂。今日社會中種種澆象，民智不開，程度不進，此亦一原因也。夫立憲之國，期于人人有自治心。何以使心能自治？則惟投其心之所喜而治之。吳君以高尚之思想、靈妙之筆鋒，發爲小説，雖小道，而啓人智慧、移人根性，其效最捷。余樂爲表彰之，冀其影響及于他日之社會，而收改良之效也。

新庵《胡寶玉》　大抵小説一道，言之無文，則事迹雖奇，一覽之後，無復餘蘊矣。文筆佳勝者，則自能耐人尋味，百讀不厭。雖然，余反覆閲之，

而不覺重有感焉。蓋中國自古至今，正史所載，但及國家大事而已，故說者以爲不啻一姓之家譜，非過言也。至于社會中一切民情風土，與夫日行纖細之事，惟于稗官小說中，可以略見一斑。

天僇生《中國歷代小說史論》 吾謂吾國之作小說者，皆賢人君子，窮而在下，有所不能言、不敢言，而又不忍不言者，則姑婉篤詭譎以言之。即其言以求其意之所在，然後知古先哲人之所以作小說者，蓋有三因：一曰：憤政治之壓制。吾國政治，出于在上，一夫爲剛，萬夫爲柔，務以酷烈之手段，以震蕩摧鋤天下之士氣。士之不得志于時，而能文章者，乃著小說，以抒其憤。其大要分爲二：一則述已往之成迹，若《隋唐演義》、若《列國志》諸書，言民怒之不可犯，溯國家興亡盛衰之故，使人君知所懼；一則設爲悲歌慷慨之士，窮而爲寇爲盜，有俠烈之行，忘一身之危，而急人之急，以愧在上位而虐下民者，若《七俠五義》、《水滸傳》皆其倫也。二曰：痛社會之混濁。吾國數千年來，風俗頹敗，中于人心，是非混淆，黑白易位。富且貴者，不必賢也，而若無事不可爲；貧且賤者，不必不賢也，而若無事可爲。舉億兆人之材力，咸戢戢于一範圍之下，如羊豕然。有跅弛不羈之士，其思想，或稍出社會水平綫以外者，方且爲天下所非笑，而不得一伸其志以死。既無可自白，不得不假俳諧之文以寄其憤。或設爲仙佛導引諸術，以鴻冥蟬蛻于塵壒之外，見濁世之不可一日居，而馬致遠之《岳陽樓》、湯臨川之《邯鄲記》出焉，其源出于屈子之《遠游》。或描寫社會之污穢、濁亂、貪酷、淫媟諸現狀，而以刻毒之筆出之，如《金瓶梅》之寫淫，《紅樓夢》之寫侈，《儒林外史》、《檮杌閑評》之寫卑劣；讀諸書者，或且訾古人以淫冶輕薄導世，不知其人作此書時，皆深極哀痛、血透紙背而成者也，其源出于太史公諸傳。三曰：哀婚姻之不自由。夫男生而有室，女生而有家，人之情也。然憑一父母之命，媒妁之言，執路人而強之合，馮敬通之所悲，劉孝標之所痛。因是之故，而後帷薄間，其流弊乃不可勝言。識者憂之，于是構爲小說，言男女私相慕悅，或因才而生情，或緣色而起慕，一言之誠，之死不二，片夕之契，終身靡他。其成者則享富貴，長孫子；其不成者則併命相殉，無所于悔。吾國小說以此類爲最夥。老師宿儒，或以越禮呵之，然其心無非欲維風俗而歸諸正，使內無怨女、外無曠夫焉已耳。由是以言，而後吾國小說界之價值，與夫小說家之苦心，乃大白于天下。吾嘗謂吾國小說，雖至鄙陋不足道，皆有深意存其間，特材力有不齊耳。近世翻譯歐、美之書甚行，然著書與市稿者，大抵實行拜金主義，苟焉爲之。事勢既殊，體裁亦異，執他人之藥方，以治己之病，其合焉者寡矣。今試問萃新小說數十種，能有一焉如《水滸傳》、《三國演義》影響之大者乎？曰無有也。萃西洋小說數十種，問有一焉能如《金瓶梅》、《紅樓夢》册數之衆者乎？曰無有也。且西人小說所言者舉一人一事，而吾國小說所言者率數人數事，此吾國小說界之足以自豪者也。

又《論小說與改良社會之關係》 嗚呼！小說之爲道也難矣。昔歐洲十五六世紀，英帝后雅好文藝。至伊利沙白時，更築文學之館，凡當時之能文章者，咸不遠千里致之，令諸人撰爲小說戲曲，擇其有益心理者，爲之刊行，讀者靡弗感動，而英國勢遂崛起，爲全球冠。夷考十五六世紀，適爲吾國元、明之交，宇宙俶擾靡寧宇，禮樂淪爲丘墟。暨乎有明，其壓制亦與元等。賢人君子，淪而在下，既無所表白，不得不托小說以寄其意。當時所著名者，若施耐庵，若王實甫，若關漢卿，若康武功諸人，先後出世，以傳奇小說爲當世宗。東西同時，遙相輝映，而結果則各殊者。吾嘗謂《水滸傳》，則社會主義之小說也；《金瓶梅》，則極端厭世觀之小說也；《紅樓夢》，則社會小說也，種族小說也，哀情小說也。著諸書者，其人皆深極哀苦，有不可告人之隱，乃以委曲譬喻出之。讀者不知古人用心之所在，而以誨淫與盜目諸書，此不善讀小說之過也。近年以來，憂時之士，以爲欲救中國，當以改良社會爲起點；欲改良社會，當以新著小說爲前驅。此風一開，而新小說之出現者，幾于汗牛充棟，而效果仍莫可一睹，此不善作小說之過也。有此二因，而吾國小說界，遂無絲毫之價值。雖然，以是咎小說，是因噎廢食之道也。夫小說者，不特爲改良社會、演進群治之基礎，抑亦輔德育之所不迨者也。吾國民所最缺乏者，公德心耳。惟小說則能使極無公德之人，而有愛國心，有合群心，有保種心，有嚴師令保所不能爲力，而觀一彈詞、讀一演義，則感激流涕者。雖然，是非所望今之小說家也。今之爲小說者，不惟不能補助道德，其影響所及，方且有破壞道德之懼。彼其著一書也，不曰吾若何而後驚醒國民，若何而後稗益社會，而曰：吾若何可以投時好，若何可以得重貲，存心如是，其有效益與否，弗問矣。其既發行也，廣登報章，張皇告白，施施然號于人曰：內容若何完備，材料若何豐腴，文筆若何雅贍。不惜欺千人之目，以逞一己之私。爲個人囊槖計，而誤人歲月，費人金錢不顧矣。夫

以若斯之人格，而以小說重任畀之，亦安冀有良效果哉！吾以爲吾儕今日，不欲救國也則已；今日誠欲救國，不可不自小說始，不可不自改良小說始。烏在其可以改良也？曰是有道焉。宜確定宗旨，宜劃一程度，宜釐定體裁，宜選擇事實之于國事有關者，而譯之著之；凡一切淫冶佻巧之言黜弗庸，一切支離怪誕之言黜弗庸，一切徒耗目力、無關宏旨之言黜弗庸。知是數者，然後可以作小說。雖然，知是數者，徒爲小說無益也，不可不作小說報。是何也？夫萃種種小說而櫛比之，其門類多，其取材富，其收値廉。近日所出單行本，浩如烟海。其中非無佳構；然閲者因限于貲，而顧此失彼者有之；閲不數冊，不願更閲者有之；名目煩多，無人別擇，不知何所適從者又有之。惟創爲叢報，則以上諸弊免。且月購一冊，所費甚鮮。又可隨閲者性之所近，而擇一以研究之。是不啻以一冊而得書數十種也。吾聞海上諸君子，發大願，合大力，既賡續此報，復求所以改良者，吾未嘗不爲之距躍三百，喜而不寐也。抑吾又聞今當四國協約之後，人人有亡國之懼，以圖存救亡爲心者，頗不一其人。夫欲救亡圖存，非僅恃一二才士所能爲也；必使愛國思想，普及于最大多數之國民而後可。求其能普及而收速效者，莫小說若。而該報適于是時改良，于是時出現，吾故發囈語曰：此報出現之日，即國民更生之期。吾故更爲頌辭曰：《月月小說》報萬歲！讀《月月小說》報、著《月月小說》報者萬歲！中國萬歲！

又《劇場之教育》 天僇生曰：國之興亡，政之理亂，由風俗生成。風俗之良窳，由匹夫匹婦一二人之心起也。此一二人之心，由外物之所濡，耳目之所觸，習而成焉者也。是一二人者，習於貞則貞，習於淫則淫，習於非則非，習於是則是。其始也起點於一二人，其終也被於全國。造因至微，而取效甚巨。此義也，孔子知之，司馬遷知之。孔子曰：「聲音之道，與政通矣。」司馬遷曰：「《雅》、《頌》之音理而民正，嘄噭之音興而人奮，鄭衛之音動而心淫。」是以古之聖王，設官以世守之。本之性情，稽之度數，而制爲五音，以化成天下。春秋之世，王失其綱，聖人不作，雅樂喪缺；譎諫之士，漸有扮古衣冠，登場笑謔，以諷時政者。蓋樂歌僅有聲，而演劇則兼有色，其大旨要不外懲惡而勸善。歷數千載，暨於隋氏，戲劇乃大興于時。隋謂之「康衢戲」，唐謂之「梨園樂」，宋謂之「華林戲」，元謂之「昇平樂」。元之撰劇演者，皆鴻儒碩士，窮其心力以爲之。趙子昂謂「良家子弟所扮者，謂之『行家生活』；倡家所扮者，謂之『戾家把戲』。」關漢卿亦言扮演戲劇，須士夫自爲之。蓋古人之重視演劇也如此。明承元後，作者代起，如王渼陂、康對山、梁少白、陳所聞諸人，凡所撰新劇，皆自行登場，無有敢從而非議之，呼之賤行薄伎如今世之所爲者，誠以其所關大也。至本朝雍乾中，以演劇爲大戒，士夫不得自畜聲伎。自此以降，而後移風易俗之權，乃操之於里嫗村優之手。其所演者，則淫褻也、劫殺也、神仙鬼怪也。求其詞曲馴雅者，十無一二焉；求其與人心世道有關者，百無一二焉。吾聞元人雜劇，向有十二科，忠臣烈士、孝義廉耻、叱奸罵讒、逐臣孤子，居其四，而以神頭鬼面、烟花粉黛爲最下下乘。可知戲劇之所重，固在此而不在彼也。又元人分配腳色，咸有深意存其中。曰「正末」，當場男子，能指事者也。曰「副末」，昔謂之蒼鶻。鶻者，能擊賊者也。曰「狚」，狚，狐屬，好淫；後訛爲「旦」。曰「狐」，妝官者也，後訛爲「孤」。曰「靚」，傅粉墨，供笑諂之義，後訛爲「凈」。曰「猱」，妓之通稱也。猱亦狐屬，能食虎腦，以喻少年愛色者，如虎之愛猱，非殺其身不止也。由是以觀，是古人之於戲劇，非僅借以怡耳而懌目也，將以資勸懲動觀感。遷流既久，愈變而愈失其眞。昔之所謂雜劇，寖假而爲京調矣，寖假而爲西皮、二簧矣，寖假而爲弋陽、梆子矣。於古人名作，其下者讀而不之解，其上者則以是爲娛悅之具，無敢公然張大之者。於是而戲劇一途，乃爲雅士所不道也。而世之觀劇者，不得不以婦人、孺子及細民占其多數。是三種類者，其腦海中皆空洞無物，而忽焉以淫褻、劫殺、神仙、鬼怪之說中之，施者既不及知，而受者亦不自覺，先入爲主，習與性成。觀夫此，則吾國風俗之弊，其關係於戲劇者，爲故非淺鮮矣。昔者法之敗於德也，法人設劇場於巴黎，演德兵入都時之慘狀，觀者感泣，而法以復興。美之與英戰也，攝英人暴狀於影戲，隨到傳觀，而美以獨立。演劇之效如此。是以西人於演劇者則敬之重之，於撰劇者更敬之重之。自十五六世紀以來，若英之蒿來庵，法之莫禮藹，那錫來諸人，其所著曲本，上而王公，下而婦孺，無不人手一編。而諸人者，亦往往現身說法，自行登場，一出未終，聲流全國。夫西人之重視戲劇也如此，而吾國則如彼，即此一端，可以睹強弱之由矣。吾以爲今日欲救吾國，當以輸入國家思想爲第一義。欲輸入國家思想，當以廣興教育爲第一義。然教育興矣，其效力之所及者，僅在於中上社會，而下等社會無聞焉。欲無老無幼，無上無下，人人能有國家思想，而受其感化力

者，舍戲劇末由。蓋戲劇者，學校之補助品也。今上海諸梨園，亦稍稍知改良戲曲矣。然僅在上海之一部分，而所演新劇，又爲諸劇中之一部分，即此一部分中，去其詞曲鄙劣者十之三，去其宗旨乖謬者十之三，去其所引證事實與時局無涉者十之三，則夫異日所獲之實亦僅矣。吾聞華嚴入法界品，有所謂婆須密多者，吾願吾國戲劇家咸知此義，以其一身化億萬身，以救此衆生。吾尤願吾內地十八行省，省省得志士，設劇場，收廉值，以灌輸文明思想。吾更願吾海上諸名伶，取舊日劇本而更訂之，凡有害風化、窒思想者，舉黜弗庸，以爲我民造無量幸福。僕也不才，夕夕而祝之，旦旦而祈之。

伯《義俠小說與艷情小說具灌輸社會感情之速力》 天下雖有至愚至頑之輩，手不披詩書，口不道禮義，驟語以國家之義務，忠愛之熱誠，彼必將爲過耳之秋風，拘身之桎梏。何人之無情，一至于此！及與之一游玩戲之場，活潑其天眞，鼓蕩以物力，二三父老，社前樹下，爲之談舊事，講遺聞，或叙英雄之本色，或說兒女之私情，則彼又娓娓動聽，句句留心，一若盡去其頑鈍之氣質者。伊何故哉？無他，感情之輸灌使然也。况導以小說之明白曉暢，曲折奔赴，使人之腦筋爲之一開，使人之神經爲之一暢哉！是故《三墳》、「五經」，非不古義深奥也，諸子、列史，非不文采斑博也，而求諸普通社會，能心解而神會者，又幾何哉！則誠不如小說家之鼓吹風氣，良足爲轉移社會之導引綫矣。雖然，孔教衰，微言絕，外潮起，新風動。小說時代，或章回或短構，騰現亦夥矣。然崇拜豪傑，愛慕美人，實人類原有之特性。自圖騰社會進步後，人類觀感，猶于須眉巾幗之偉迹，稱道弗衰。則今之欲挺筆濡墨，而移易社會感情，于小說時代中別高一幟者，其惟義俠小說，與艷情小說乎！夫亦曰人情之相近者，斯其感情爲較捷耳。是又讀者不可不知也。神州大地，向產英靈，不特燕趙之間，稱多感慨悲歌之士已也。然中國舊史，向無義俠名。太史公編列《游俠傳》，獨取荆軻、聶政、朱家、郭解之徒，其大旨，以仗義報仇者近是。成敗雖不足論人，然個人上之感恩知己，求其舍生敢死，關係于國家主義者，又不數睹，遂使數千年文明大陸，如東洋之武士道，能動人國家思想者，不啻流風闐(闃)寂焉。悲夫！聖經賢傳，頽人氣魄；即所謂稗官野史，又無以表彰之，又何怪哉！則雖欲不讓小說爲功臣不得也。毛宗岡編《三國演義》，金人瑞編《水滸傳》，雖其中莽夫怪狀，不無可議；而被覽蜀魏之爭，人知討賊，逼上梁山之席，俠血塡胸，社會之感情，有觸動于不自覺者。况今日者，大地交通，殉國烈士，中西輝映。而其人其事，爲小說家者，又能運以離奇之筆、傳以懇摯之思，稍有價値者，社會爭歡迎焉。故比年以來，風氣蓬勃，輕擲頭顱，以博國事者，指不勝屈。即所謂下流社會者，亦群焉知人間有羞耻事。以是爲義俠小說輸貫之力，蓋無多讓焉。艷情小說云者，非徒美人香草，柔肝斷腸，導國民于脂粉世界中，作冥思寤想之討生活已也。彼作者，固早挾一至情之主宰，借筆墨而形容之、流露之，以寄托其固結之愛情而已。蓋天下有無名之英雄，決無無情之英雄。古往今來之偉大事業，孰非本其「情」之一字造去。然則小說家之注意一女子，極寫其纏綿惻怛之意者，是誠默體社會之情，而主動其無形之輸灌力也。《西廂記》之傳奇也，其全篇結撰，注在張生之于雙文，然男才女貌一也。吾盡吾情，苦心孤詣以爲之，天下事作如是觀耳。降而《金瓶梅》也，《桃花影》也，人罵爲誨淫之書，然苟如其情以善用之，雖家國之大，民族之繁，無不可以情通達者，即無不可以情結合者。以今日小說界上大放光明，多有借男女之濃情，曲喻英雄之懷抱者，中國近事，東、西洋譯本，無以異也。又豈惟讀蘇菲亞、羅蘭夫人遺傳，始足生人愛國之心也哉！綜而言之，義俠小說也，艷情小說也，均于楮墨間喻寫其忠愛之悃忱者也，而亦即與人類普通社會性情之相近者也。夫天下惟相近者，乃能相入。有所觀感，則其頑性去；有所觸發，則其慧根生。輸灌之神速，莫有逾于此者。吾知小說愈出而愈多，則社會愈感而愈衆，有誰人不可以爲義俠，誰人不可以爲艷情耶？顧持此立論，必有誤爲過于附會者；然吾又得一比例，以旁證之。吾自念束髮受書，情竇亦不過初啓，國事之興亡，人事之忠佞，固未達也。俄而追隨伯叔諸兄，偶游劇場上，有所謂武生焉，小武焉，所演者，則狄青大戰匈奴，王允計殺董卓故事也，種族之觀念，政治之意想，若悠然生焉。及再易劇本，則有若紅拂女私奔者，有若關王廟贈金者，才士窮途，美人巨眼，感慨激昂之氣，又奮發不自知焉。謂非貫輸感情之力之確據耶！則義俠小說、艷情小說之感人，更可知矣。昔金人瑞有言：自此以往，二百年後，凡百經書，均將消滅而無可讀，惟變成一小說時代耳。嗚呼！金人瑞之言，今日何其驗也。此其所以然者，逆料古書糟粕，不可以爲轉移社會之杓柄；惟小說之鼓舞民氣，足以助成新世界之開通，而大濬其智鑰耳。吾觀各國之變政也，其國之文學家，多出其政治等等小說，以促其潮流，社會黨交贊成而歸向之，卒之潮流

泛濫，培成改革政治之效果。其輸灌社會之感情，不從可益信哉！吾于義俠小說，艷情小說，其信然夫！其信然夫！

耀《學校教育當以小說爲鑰智之利導》一國有文明之教育，而人群之進化大焉；一國有普及之教育，而愚鈍之慧力亦生焉。外維東西，科學完具，要其所以謀教育之普及，雖孜孜于學級程度，合體育、德育、智育三者，若一爐而共治，而尤必汲汲于小說部之講授者，夫豈文章游戲之消沉散悶云爾哉！一代之文學，視風氣爲轉移。風氣之所趨，總以捷于開發上、中、下流社會者，其感人爲至易，則小說其近之矣。環球大地，所稱爲文學家者，著作如林。至其著作之爲世珍者，或與歲月而俱存，或與河山而并壽。而究之心理之微，天人之奥，世之程度高者，固心領而神會；其程度低降者，或苦于抽索而不可得。是又烏足以灌鑰普通人之腦想哉！學校人材之等級猶是矣，學校教育之向道猶是矣，是故聖經賢傳，古史陳編，非不純且粹也，非不精且深也；而事實之鋪排，結構之曲折，思想之新奇，情詞之婉摯，能令閲者心爲之開，神爲之旺，腦靈激發，若有所觀感而不能已，則誠小說爲之功臣哉！亦無怪乎東亞學者，改良教育，特注重于小說一科，而群視爲鑰智之導引也。有教育之責者，亦可以審矣。十八世紀而後，歐西各教育家，熱心著書，以爲啓迪人材計；而學校之組織，日多而月盛，即小說之著作，亦日出而月新。下迄今日，教育之發達，無俟贅言矣。而名作小說之價值大獲聲譽，風氣磅礴，直渡太平洋而及東陸，社會歡迎，智識爭長，其因果有自來也。美國之《英雄救世》也，英國之《航海述奇》也，法國之《殖民娠喻》也，日本之《佳人奇遇》也，德國之《宗教趣譚》也，諸如此類，各國學校中，無不珍璧視之，甚而奉爲教科書之圭臬。尤其注意者，對于小學教育，爲之導師者，更擇小說而曲解善喻之，務使勃發其性眞，鑒導其識力，以養成國民之人材，振起靈魂之懦氣。此以知學校教育之種因所自來矣。吾聞法蘭西之革命也，初由鄉曲小學基其功；日本之維新也，亦原吉田松陰等導師，振勵小學以爲起點，是國家之所望于學校者重。而教育之爲國民造就資格者，自不能不趨就文學之風氣，俾借感觸力，而爲一般之學生，引掖其智慧之進步也。然淪智之道，舍小說其又何從哉！吾嘗入戲場，觀劇本，見座中之老老少少，男男女女，引領而俟，拭目而望。忽而忠臣孝子，思婦勞人，滿目悲觀，烟愁雲慘，則低聲嘆息，暗彈指淚者有人；俄而英雄際遇，才子奇緣，泄恨報仇，喜溢眉宇。嗚呼！何悲歡感召如是之神速哉！無他，事迹追原，繪情繪影，我之情電，已被他激發矣。小說之能鑰人智猶是也，則教育開通之電力，又孰有妙于此者乎！雖然，吾國已前之小說，亦恆有矣。而芸芸者，沈錮如是，豈中西人格之不相若耶？不然也，吾國之坐擁皋比，好爲人患者，大抵最腐敗最頑固之所謂窮措大、老學究者，實爲多數。其對于學生，無科學教育法。肄習也，以《四書》、《五經》爲卒業範圍；思想也，以試帖八股爲功名符券。嫉視一切小說，不以爲引壞心思，則以爲曠礙功課，更何望其能犧牲腦力，從事于小說部中，爲學生箴頑而覺悟也哉！其間有天性特別，好涉小說以爲快者，而素無教育，則又學非所學。《東周列國》也，觀其戰陣，而不究其交涉之詞令；《三國演義》也，賞其人材，而不喻其尊漢之大義；讀《水滸傳》也，以爲誨盜，而寄喻獨立之思不知也；讀《紅樓夢》也，以爲誨淫，而警惕驕邪之意不悟也。痛夫！以是而目小說，則小說之含冤大矣。且也，野蠻教育，糟粕小說，外人之誚我中國，爲無教育之中國，斯言豈無故哉！沿至今日，而小說之發達，尚遲遲未大進步者，皆彼輩積之厲也。有學校教育之責者，如能注意于此，抑亦庶乎有所改良矣。然或謂中國今日振興學校，無論官立民立學堂，已遍地多有，而其學生之文明裝束、翩翩柔態，招搖過市，爲世詬病。現欲起衰救弊，不患智育之缺欠，而患體育、德育之薄弱。斯言誠有所見矣。然試思環球鬬智，優勝劣敗，所恃以救國者，惟青年學生之未來主人翁耳。智慧不長，更遑論體育、德育哉！則鑰智之道，安可或昧也？負鑰智能力之小說，又安可不講也？雖然，小說爲益智之母，言之詳矣。然就現象而論，小說之著述，大都乞靈于譯本者爲多，吾國文人之苦心孤詣，負小說名譽，受歡迎于社會者，尚濫觴而未泛。則小說教育之未能普及，亦夫人知之矣。倘自今而後，學校教育，群知小說之資益，編其有密切關係于人心世道者，列爲教科，使人人引進于小說之覺路，而腦海將由此而日富。吾知讀政治小說，足以生其愛國心；讀民族小說，足以堅其自立志；即讀離奇偵探、英雄兒女諸般小說，亦足以感發其志氣激昂、情義纏綿之眞性。夫如是，而謂智力不從此而日高，吾不信也。不寧唯是，吾深維吾國人，向特患無教育耳。既有教育，則小說轉折之所形，即智慧轉折之所到。文明日進，即體育、德育，亦未有虞其不植者也，彼教育家復何疑乎？於戲！吾國丁此時代，小說潮流之澎湃，風氣正盛。今日大苗其萌芽，

異日必豐其效果。著小說者，形容其筆墨，以啓發人群；閱小說者，曲體其心思，以宏恢志願。于學校植其基礎，即舉國受其陶鎔。將來漢族江山，如荼如火，安知非由今日編輯小說鼓吹之力也哉！又安知非敝同人創辦《小說林》希望之償也哉！是爲教育家言，而又不僅爲教育家言也。懿夫！

亞羮《小說之功用比報紙之影響爲更普及》 二十世紀，社會上智識之增長，人群之進化，風俗之改良，心思之開拓，果何由而致此哉？識者必曰：功在報紙。然報紙有見聞，而鮮觀感；有紀錄，而鮮精詳。胥天下人之耳、之目、之心而融洽之，胥天下人之耳、之目、之心而融洽其趣勢，使盡于報紙而注重之。無論日報、旬報、期報、月報，非其事之足以生人感心、攝人靈魂者，過焉輒忘。故越數日，執一閱報者而問之曰：某日某報，紀何要事？彼必愕然無可對。又越數十日，執一閱報者而問之曰：某日某報，所紀之要事，其始末何若？彼亦必茫然無所對。此其咎固不在報紙，仍不得謂此人之不經心閱此報紙。報紙上有時間遇一可驚可駭可欽可敬可愛可樂之奇事怪事，閱之者雖無或遺忘，然或知其首者，尾則無聞，或知其略者，詳則無聞。日日以一節一段，一時一事，以新其眼簾，更日日以百節百段，百時百事，以新其眼簾，閱者縱有心領神會之貫通，而散而無章，文而無情，安見其耳、其目、其心，經過後而尚有其地、其事、其人在也？故報紙雖足以開拓心思，改良風俗，進化人群，增長智識，而其影響，吾謂其不若小說之普及，亦正有說。泰西各國，以小說著名者，俄則有托爾斯泰，法則有福祿特爾，英則有昔士比亞，日則有柴四郎，德則有墨克。吾不知此數人者，方之我國之金聖嘆，施耐庵，曹雪芹，蒲松齡，湯臨川，孔雲亭諸大家，其撰述之聲價何如，結構之文字又何如。而彼此皆以小說名重于時，則其受社會上之歡迎，與其爲社會上之轉移，則已中西無間，實爲普天下人之所公認。吾雖不敢謂吾國小說家，除施耐庵、蒲松齡輩，必無繼起；吾又不敢謂外國小說家，除柴四郎、墨克輩，亦必無繼起。然即若而人之見重于中外者，其影響已滿振國人之耳鼓，後有作者，其開導寧有涯哉！故即報紙與小說較，同爲啓迪性靈之助，而一則只言時事，一則考證古人；一則時事觀摩，一則現身說法；一則得諸采訪，一則按之《詩》、《書》；一則令人于時局世情感事撫時，一則令人將物理人情神游目想。不外此文、此字、此心、此德，而報紙上之情，移人者短，小說上之情，移人者長；報紙耐人尋繹，而舊則厭弃；小說耐人尋繹，而舊仍喜讀。如其人而爲盜也者，與其說報紙而生其凜處決之刑，曷若閱《水滸》而生其懷英雄之志？如其人而爲智也者，與其閱報紙而濬其聰明之念，曷若閱《三國》而引其機警之思？推此，則有情欲者，以《金瓶梅》範圍之；有邪心者，以《會眞記》救正之。味以引而彌長，情以通而遂感。其有不勃然興起，而恍然于閱歷之趨避，世態之情狀者，吾不信也。然則讀報紙與讀小說曷异乎？讀報紙如食百合，讀小說如食瓜英；讀報紙如對山妻，讀小說如擁名妓；讀報紙如游好山水，讀小說如歷五大洲；讀報紙如囊螢光，讀小說如照蟾魄；讀報紙如觀一篇八股文字，讀小說如探一個全省地圖。讀報紙者，如世界之政治家；讀小說者，如歐西之探極家。其識見不同，旨趣不同，精神不同，廣狹亦不同。蓋報紙只以言導人，而小說則直以身導人；報紙有監督權，足令人畏懼，小說則有興起權，足使人涕泣。然則閱小說，不徒勝于閱報，更勝于觀劇；不徒勝于觀劇，且勝于讀群書。眞神聖哉！其小說也。慈悲哉！其小說也。然小說之能事，不外道情。于己之情，體貼入微；即于人之情，包括靡盡。于一人之情，能曲以相近；即于普天下人之情，能平以相衡。其言事也，無一不以情傳之；其言情也，無一不以事附之。寫兒女之艷麗，着以濃情；寫英雄之事業，着以豪情。故《石頭》一記，無史湘雲則不豪；亦猶《會眞》一記，無紅娘則不艷：情之所依附者然也。世人不察，每以小說爲壞人心術之作。旨哉金聖嘆論《西廂》之言曰：淫者見之謂之淫，貞者見之謂之貞矣。準此以觀，庶幾哉，其足以語小說之道乎！夫國可滅，史不可滅。中國舊史氏之所謂史，平心而論，迨不過一皇族政治之得失林耳。社會之特徵，人物之俊傑，不獲附錄，是不求野之遺義也。不知文章之感人，以性靈之力爲最巨。小說者，陶鎔人之性靈者也。凡歷史、戰爭、艷情、怪異、詼諧、因果、偵探、傳奇，語其體，則有章回、短篇、歌曲、南音、寫眞、白話，事愈奇則筆愈警，事愈妙則筆愈佳，事愈繁則筆愈簡。其中鋪排渲染，曲折回環，起伏照應，穿插綫索，相承一氣，使論者心目，爲之爽然，神情活現。夫豈報紙區區十餘門類，幾篇撰述所可同日語哉！或者曰：「報章一紙風行，不脛而走。閱者頻頻受其激刺，日日得其新鮮，而小說則無此利便焉。」噫！爲是說者，其徒知以今人法今人，而不知以今人法後人也，且更不知后人之法后人，即所以導後人以後所法之後人也；不特不知小說，且更不知與小說同其功用者也。又何怪日人以

《水滸》、《西廂》爲講義，而吾國人反指二書爲亂淫。然亦非謂報紙之無功也，報紙之功在一時，而小說之功則在萬世。

棣《小說種類之區別實足移易社會之靈魂》晚近文學之風潮，其漸趨重於小說也尚矣。以今日爲小說界逐漸發達之時代，謂時代風氣足以使小說之發達也可，謂小說發達而足以轉移時代之風氣也，亦無不可。吾嘗有言：一代文風之宗尚，視風氣爲變遷。古稱聖賢，著書立說，今且糟粕遺經，而以爲殘廢不合時宜。使昔之咿唔呫嗶，窮年累月，而誦其詩，讀其書者，其精神大半移用于搜羅說部；又使昔之視閱小說爲廢時失事者，今更珍重焉視小說叢爲開通民智之金藏；然則風氣之通塞，小說界之盛衰，有關係焉。惟其風氣漸開通，故小說亦因之而發達。惟其發達也，而小說之種類日繁。雖別類分門，然其足以使人群之進化者，實各無軒輊，則今後小說對于社會收效之何如視此矣。孩童隨父兄入于演劇之場，見夫傀儡登臺，忠奸賢佞，神形畢肖，爲之心往神移。遇忠者愛慕之，奸者怒嫉之。演至富貴榮華，而心爲之炫；唱至生離死別，而神爲之酸。若見夫貪官污吏、土豪惡棍，魚肉鄉民，而含冤被害者，忽不覺悲咽之何從。一經報應不爽，則又以爲天眼昭昭，而心爲之大快。以觀一日之劇本，而七情幷用，均流露于自然者，何也？蓋其隨地感覺然也。又賞觀繪事，閱畫譜。人物則男婦之忠正賢良，奸淫邪盜，隱逸風流也，皆能摹寫入神，惟妙惟肖。丹青妙筆，善則凜凜有生氣焉，惡者則盡相窮形，爲禹鼎溫犀所不及。如是則閱之者，好惡之念悠然以興。若風景則山川樹木也，而一經描畫，則峰巒秀氣，江湖水景，如在目前。而閱之者性情爲之曠達，襟懷爲之活潑者，何也？蓋其隨事感覺然也。然吾則以爲劇本與畫譜之感覺力狹，小說之感覺力宏。衣冠人面，如現身說法，至劇本極矣，而節目細微處所不能透發者，惟小說筆墨得而透發之；刻劃入細，使觸景生情，至畫本極矣，而人情世故上所不能畢肖者，惟小說筆墨得而畢肖之。是其感覺力之廣狹殊矣。一篇在手，而千回百折，萬象皆呈，則自一部而一章、一回、一節、一筆、一句、一字，皆能使有以感覺吾者，且不特觀劇本與讀畫譜爲然也，即群書亦有所逮焉。即以游俠論，使徒大書曰：「豫讓刺趙襄，聶政刺俠累。」則區區二語，斷不易發人觀感之心。而有小說家以妙筆出之，當必究其所以刺趙襄之故，且如何漆身伏橋，如何擊衣濺血，而形容惟恐不盡也；不必究其所以刺俠累之故，且如何爲友復仇，如何疾趨相府，如何劃面以歿，形容唯恐不盡也。然則讀義俠之書，誠不如讀義俠之小說。由此而推諸艷情、地理、歷史、科學、哲學、家庭、教育、社會諸小說，何獨不然！準斯以談，其感覺力之宏大，如劇本、畫譜與群書，固不能望小說之肩背。即就文學之一方面觀之，群書文法之疏，更不如小說文法之密。此非特小說家之思想獨優也，蓋其起、其結、其應、其伏、其布局、其運筆、其造句，如雲錦裳焉，其剪裁針綫無迹；如常山蛇焉，其首尾回環互應。不如是不足以成小說也。若此故無論義俠、艷情、歷史、政治、地理、科學、哲學、家庭、教育、社會諸小說之名目紛紜，要其振閱者之心神，醒閱者之腦筋，皆能如響斯應，豈無故哉！實事小說歟，紀載縝密，加以曲折；理想小說歟，雖空中樓閣，究其調動筆兵墨將，皆能準酌諸人情世故之情理者。夫兩大不外以情理爲盤旋，而更從人情世故所必有者而鼓吹之，故其吸攝力皆印入社會之腦筋，而神經爲之一變。是故小說種類有區別，各視其觀感所就，而收效亦有區別。至其均能影響于社會上者，寧有區別哉！《詩》以言情，《書》以言志，《禮》以言理，此書之區別也。故讀書者如關羽好《春秋》，則以大義相繩；杜預好《左傳》，則其豪情煥發。此讀書者感覺力之區別也。然而讀子而煩，讀騷而悶，讀史而亂，則讀書誠不如其讀小說矣。吾亦有言：讀《水滸傳》，無有不愛李逵爺爺者；讀《紅樓夢》，無有不愛史湘雲者。非謂梁山泊如宋江、吳用，以權術用事，得一天眞爛熳之李逵而始愛之也；又非謂大觀園繁華奢侈，粥粥群雌，得一豪邁英爽之史湘雲而始愛之也。惟其隨地隨事隨人，而感覺力使然耳。在吾國地理、科學、哲學諸小說，自古爲稀，顧如《鏡花》之博，則地理、哲學與格致之影響也；《列國志》之精，中如陰符游說，則科學之濫觴也。心理學如《西游記》，義俠社會如《綠牡丹》、《水滸傳》，艷情如《紅樓夢》，皆已無美不備矣。然吾敢信讀《水滸傳》者，驟生其獨立不受羈壓之感情，轉瞬而使讀《紅樓夢》，必驟變其悱惻纏綿之觀念。此豈吾人腦筋之無定哉？夫亦曰：隨地隨事之感覺力使然也。其情理印人者深，斯其易性移情者益捷。蓋唯小說之種類有殊異，因而閱者腦筋之轉移，亦有所殊異。使闔一爐而冶之，則所以感覺者皆同。由是而推焉，使有百《水滸傳》焉，則生社會上之豪氣者百倍其功；又使有百《紅樓夢》焉，則生社會上之愛情者又百倍其神；更使各種小說皆日益發達焉，則凡左右人群之天君，而同時進化者，其收效益不可思擬。此吾所以日祝社會知識之進

步，而先日望各種小說之發達者歟。或曰：既云欲民智開通，莫如小說發達，則《東周列國》，實各科備焉：言政治格物者有之，紀義俠者有之，數詞令者亦有之矣。此外地理、哲學如《鏡花緣》，歷史如《兩漢》、《三國》、《隋唐》等演義，義俠社會如《水滸傳》、《綠牡丹》，艷情如《紅樓夢》，小說既備，而社會智識，猶遲遲未發達者何也？則以知重小說與不重小說之故也。以美玉爲名，則卞和不見信于時。是故金銀珠寶只一物耳，土木瓦缶，亦一物耳，重視之則其物愈珍，其愛情亦愈摯，而腦海亦爲之異。前者不知小說爲何物，閱者方以爲廢事失時，而欲社會知識，由是進化，蓋亦難矣。邇來風氣漸變，皆知外國得小說之功效，且編以爲教科書。吾國知之，而小說界遂寖盛焉。始也乞靈于譯本，繼也著作相因而發達。而試問吾國邇來社會知識之進步，較前者何如？雖其收效或不盡關夫小說，顧其影響于社會上之重大，則吾敢斷言也。過此以往，小說愈發達，民智必愈開通。故曰：「日祝社會知識之進化，而先祝小說界之日形發達。」豈妄言哉！

又《改良劇本與改良小說關係於社會之重輕》 邇來主改良劇本，以爲開通民智之助力者，衆口一詞矣。則以愚夫愚婦目不識丁，一見夫優孟衣冠，傀儡登場，敷演其事迹，做作其色相，歌唱其神情，皆足以印其人之腦筋而爲之感動故也。孩提隨其父兄入於劇場，伶人之做手如何，腔口如何，本不甚能分辨。然其裝面具，飾鬚眉，一舉一動，觀者當場，無不眉飛色舞；及觀劇既畢，隨父兄回寓，猶津津焉談道弗衰。較夫授以《詩》、《書》，使口誦心維，其過耳目而不忘者，誠不及其觀劇感情之萬一也。見夫奸邪逞勢也，爲之欲泣；平蠻誅佞也，爲之喝采。片刻間而靈魂活動，七情變用，一若爲場上諸優伶之電力所吸攝而去者。誠不料易性移情，一至如是其極哉！演者唱者，一齣之中，不必遂有其事迹，而殆實有其情理。有其情以爲即有其事，當前即是，百感隨生，而神經爲之一變。是則劇本之感人，固如是其不爽也。誠然，劇本之感人至矣。顧其能感人心，究是否有益於人心，此則吾不敢言也。其劇本與人心之關係何如，須視其劇本制造文野之何如。吾嘗有言：廣班之劇本，殆每況愈下，大都從野史摭拾一二，而參以因果禍福之說，串插而成。故一套中，不有困谷，必有過嶺；不有搶子，必有搜宮；不有諫君，必有試妻；不有劈網巾，必有寫分書。千首雷同，如出一轍。如朝臣之唱調也，寫分書、打和尙、劈網巾之口白也，又如語不離宗，人人同此演唱者。若夫穿插之橋段，則中國用兵，必先敗而後勝；忠臣際遇，必先屈後伸：舊之江湖十八本，與今之著名戲本，大約皆同。故夫吾粵戲本也，惟于平蠻討外，則誠足以觸發觀者種族之感情；而此外其有關係於民智與風氣者，吾未之見也。夫以劇本之感人如是，而當此鬬智時代，竟無少補于風氣之進步與民智之開通，則能感與不能感人等耳。然則改良劇本之說，其影響於普通社會之前途者，固亦一最當研究之問題也。劇本者，小說界之一部分也。劇本既當行改良，即爲小說當行改良之一證。雖然，今日之所謂改良劇本，不必在夫新奇，而如神權之迷信，仙佛之因緣，鬼魔妖怪之誕幻，與種種大同小異之橋段，勢不能不先去之者也。驟演唱以科學之精深，與法理之妙微，觀者聽者，尙如盲人夜里觀花耳，無當也。但使去其錮習而導以新風，如其政治之改革，種族之分限，風俗之轉移，以是爲初級之改良，即足以開國民之腦慧。然持此以爲第一級改良戲本，即可持此以爲第一級改良小說。蓋當此半開化之時代，國民之心思眼力，固宜順其程度以致開通，即著作家宜順其程度以爲立論。然準此以觀今日之新小說，固大半異夫前軌矣。特以文學之風氣，因時而遷，究其間不無矯枉過正者。或文飾其詞曰：吾之筆法，自成一家。否則曰：新世界之文字，固當如是。甚則滿紙蕪詞，絕無意境開發，意則平平庸淡，而字句間或過爲雕斲，將以是爲矜奇；而一篇之中，有散漫無結束，有鋪叙無主腦，有復沓無脈絡，前後無起伏，穿插無回應，見事寫事，七斷八續。行諸戲本，必不足發聽者觀者之神經；行諸小說，必不能辟觀者聽者之腦力。如繪事焉，調墨未知，遑論下筆？如音樂焉，腔調不合，遑論高低？總而言之，則文法不協，何足以語優劣？更何足以引人入勝？如是而欲借以開通國民之知識，烏夫信也！然則所謂改良者，因（固）不在高奇，而在去錮習而導以新思，順眼光以生其意境，如是而已。彼夫各國之著名小說，其具轉移社會之大力者，非有他也，無中國之迷信陋習耳。改良小說乎，改良班本乎，其亦知所從事哉！右之所陳，固爲改良劇本、小說之要點。然今日小說界之進步雖速，究竟改良戲本者，尙視言改良小說者爲尤夥也。由前之說，劇本固爲小說之一部分，且串戲本者，大半跟源小說而來，而其對於社會之功用，實二而一耳。觀劇者如忠奸賢佞，離合悲歡，神經既皆隨時變易，觀小說者亦然。若者英雄，爲之愛慕；若者奸邪，爲之嫉憤；若者忠良，爲之欽敬。是小說與劇本，有共同之效力，即當有共同之

改良明矣。顧效力同，而效力之大小不同也。觀劇本者聚於一堂，而觀小説者布諸四方；觀劇本者在於一時，而著小説者行論百世。有著書者即有觀書者；有説書者即有聽書者。一書風行，無遠弗屆。準此則改良小説之效力，又更宏於改良班本也。更由前之説，串劇本者既大半跟源小説而來，有新小説而後有新劇本，猶有新事而後有新戲；則小説之改良，尤爲首要矣。論者曰：有《水滸傳》出，而元末之英雄四起；有《金瓶梅》出，而西北淫澆之風，漸知畏忌。蓋其感人者深耳。今也，新風普渡，小説之價值，如驟登龍門。其進步如此，風氣亦因之而漸進。是小説之至要，固今日人群所公認；從而改良，吾知有改良者必更有進步。則此後之關係于民智，其程度速率，尚不知何如也。小説日見其多，小説亦日見其重。著作者知所別擇，即購閲者知所別擇。改良乎！改良乎！小説家其亦知所從事哉。

老棣《文風之變遷與小説將來之位置》 吾國小説發達最遲，故民智開通亦最後。彼夫晚周諸子，已隱爲小説家之濫觴。惜兩漢之間，文學之士，不知忖天下大勢之潮流，與夫社會知識之所由進，而有以擴充之耳。胡元一代，爲外族入踞版圖，施耐庵、羅貫中之徒，嫉世憤時，借抒孤憤。《水滸傳》之作，所以寄田横海島、夷齊首陽之志，而發獨立之思想也；《三國演義》之作，所以寓尊漢統、排竊據之微言也。吾常有言：能熟讀《水滸傳》與《三國演義》者，必無愚魯之人。蓋其感覺力之宏大，誠有不可思擬者。獨惜吾國學究，動以《水滸傳》爲誨盜，甚則謂男不可看《三國》。之二説也，吾不知其命意之所在，而總陷青年子弟于無知無識之中者，此罪斷不能爲若輩諱也。以施、羅二傑，卓識精心，逆知數百年後之風氣，其足以轉移社會者，非小説不爲功。乃糟粕一切文詞，決然捨去，一從力于小説，則今日之借以感覺人心者，其功非淺也。所異者，往昔文人非不知小説之重要。相傳如曹雪芹之于《紅樓夢》，李笠翁之于《金瓶梅》，皆竊他人之名著，而署以己名。果爾，則曹、李二子，非不知嗜愛小説也。苟知所愛，而求所精，何不可以自成一家，與施、羅二傑，同爲覺世之先賢。乃二子不出于此，此則吾所大惑難解矣。然觀二十年以前，凡著小説者多不署姓名。此其故，或出于所撰之書，爲當朝所忌；而尤以風氣未開，不知小説之如何重要，著者不過以涉筆成趣爲之，又于賢傳聖經，拘守繩尺，稗官野史，不列于著作之林，故反以撰小説爲辱而不以爲榮。坐是之故，如借《水滸》之片地，寄獨立之遐思，而大書特書爲「東都施耐庵撰」者，能有幾人哉！準此，則無怪開化最早之國民，至今而知識頽然落後也。謂余不信，則除憑空結撰之小説外，試問讀《東周列國演義》與讀《左傳》者，其開通知識，孰優孰絀？又試問讀《三國演義》與讀《三國志》史者，其開通知識，孰優孰絀？吾知愚者亦必曰：讀《東周列國演義》，與讀《三國演義》者，其知識進步爲較優也。夫如此比較，已淺而易見。而小説之發達獨遲者，一誤于拘迂學究，一誤于頑錮父兄，不以小説爲壞人心術，即以爲廢事失時。故閲者不多，而著者因之亦少，殆有由也。邇來風氣漸變，觀各國諸名小説，如美國之《英雄救世》，英國之《航海述奇》，法國之《殖民娠喻》，日本之《佳人奇遇》，德國之《宗教趣談》，皆借小説以振國民之靈魂。甚至學校中以小説爲教科書，故其民智發達，如水銀瀉地。自文明東渡，而吾國人亦知小説之重要，不可以等閑觀也。乃易其浸淫「四書」「五經」者，變而爲購閲新小説，斯殆風氣之變遷使然歟？惜夫前著無多，今日尚多乞靈于譯本耳。觀于此，又嘆吾國小説發達之遲遲爲可憾也。然而一代文風之所趨，當視夫社會所宗尚。則猶今視昔，以驗將來，敢決自今以往，爲灌貫知識計，勢將敝屣群書，而小説于社會上之位置，其將爲文壇盟主哉！蓋知識競爭之時代，凡風氣上之變遷，固有不得不然者也。

陶祐曾《論小説之勢力及其影響》 咄！二十世紀之中心點，有一大怪物焉：不脛而走，不翼而飛，不叩而鳴；刺人腦球，驚人眼簾，暢人意界，增人智力；忽而莊，忽而諧，忽而歌，忽而哭，忽而激，忽而勸，忽而諷，忽而嘲；鬱鬱葱葱，兀兀矻矻；熱度驟躋極點，電光萬丈，魔力千鈞，有無量不可思議之大勢力，于文學界中放一異彩，標一特色，此何物歟？則小説是。自小説之名詞出現，而膨脹東西劇烈之風潮，握攬古今利害之界綫者，唯此小説；影響世界普通之好尚，變遷民族運動之方針者，亦唯此小説。小説，小説，誠文學界中之占最上乘者也。其感人也易，其入人也深，其化人也神，其及人也廣。是以列强進化，多賴稗官；大陸競爭，亦由説部。然則小説界之要點與趣意，可略睹一斑矣。西哲有恆言曰：「小説者，實學術進步之導火綫也，社會文明之發光綫也，個人衛生之新空氣也，國家發達之大基礎也。」舉凡宙合之事理，有爲人群所未悉者，莊言以示之，不如微言以告之；微言以告之，不如婉言以明之；婉言以明之，不如妙譬以喻之；妙譬以喻之，不如幻境以悦之；而自來小説大家，皆具此能力者也。盡彼小説之

義務，振彼小說之精神，必使芸芸之人群，胥含有一種粘液小說之大原質，乃得以膺小說界無形之幸福，于文學黑暗之時代，放一綫之光明。可愛哉孰如小說！可畏哉孰如小說！學術固賴以進步，社會亦賴以文明，個人固賴以衛生，國家亦賴以發達。而導火綫也，發光綫也，新空氣也，大基礎也，介紹允當，誠非西哲之誣言，實環球萬古，莫得而移之定論也。激昂磅礴，潮流因之大揚，而囂俄、笠頓、托爾斯泰、福祿特爾、淚香小史、愛西古羅輩，皆感此宗風，先後迭起，不惜憚其理想，耗其心血，禿其筆管，染其素箋，一躍而登此莊嚴美麗之舞臺中，一奮而萃此醒聵震聾之盤渦里。事分今古，界判東西，寓言演義，開智覺迷，此小說之結構，有縱有橫，有次有序，且有應盡之義務也。英雄兒女，勝敗興亡，描摩意態，不惜周詳，此小說之叙事，無鉅無細，維妙維肖也。詞清若玉，筆大如椽，奇思妙想，掌開化權，此小說之內容，重慷慨悲歌，陸離光怪也。芸窗綉閣，游子商人，潛心探索，興味津津，此小說之引導，宜使人展閱不倦，恍如身當其境，親晤其人，無分乎何等社會也。噫！一小說之微，而竟有如斯之法律，以圭臬于著述界之前途，亦咄咄怪事，咄咄怪事！天下無不有小說之國家，亦無不有作小說之文士。吾不患作小說者無人，而特患讀小說者之無人；吾不患讀小說者無人，而特患愛小說者之無人。試調查吾支那之人群，對于小說界之觀念：今人成人以上，智識幼稚，思想胚胎。丁斯時代，愛之尤篤，閱之未久，嗜之既深；或往往爲野蠻官吏之所毀禁，頑固父兄之所訶責，道學先生之所指斥；然反動力愈漲，而原動力愈高。戀愛之性質，勃勃而莫能遏，于是多方百計以覓得之，潛訪轉懇以搜羅之，未得則耿耿于心胸，縈縈于夢寐；既得則茶之餘，酒之後，不惜糜腦力、勞心神而探索之，研求之。至其價值之優劣，經濟之低昂，固不計及也。此除別具特性、苦樂異人者外，常人之情，莫不皆然。其所以愛之之故，無他道焉，不外窮形盡相，引人入勝而已。他種文字，斷難至是，斷難至是。吾今敢上一鞏固完全之策，以貢獻于我特別同胞之前曰：欲革新支那一切腐敗之現象，盍開小說界之幕乎？欲擴張政法，必先擴張小說；欲提倡教育，必先提倡小說；欲振興實業，必先振興小說；欲組織軍事，必先組織小說；欲改良風俗，必先改良小說。同胞注意注意！昌明暗綫，誘掖國民，愼毋弁髦視之，塵羹棄之，鄙瑣忽之。其旁徵祖國之新談，匯取亞、歐之歷史，手著精繹，文俚幷行，庶幾卧倒之馴獅，奮躍雄飛于大陸；亦且半開之民族，自強獨立于神州。吾請以是爲熱心愛國者告，又以是爲主張開智者期，更以是爲放棄責任者警。

伯耀《小說之支配世界上純以情理之眞趣爲觀感》

顧或謂《五經》、列傳，如此其繁博也，百家諸子，如此其叢雜也，就其眞趣言之，決未有出乎情理之外者。若是乎情、理二字，似不能歸功于小說；即小說之有是眞趣者，亦不能專美于《水滸》、《西廂》。持此立論，可謂得駁論之闡發矣。然小說之擅勝于群書，向者言之詳矣。而就小說之範圍，昭示情理之妙諦，則言《水滸》也，言《西廂》也，已足包括一切小說矣。彼夫《金瓶梅》、《紅樓夢》者，又吾國人所多認爲淫書者也。讀《金瓶梅》者，知花子虛之下場，而後見西門慶之結局，示淫報之會有窮期也；讀《紅樓夢》者，悟柳湘連之評論，而後知賈府內之糊涂，亦淫惡之終難掩迹也。使世之讀小說者，持此意以悟會之、研究之，《水滸》也，《西廂》也，固準乎情，酌乎理；即降而《金瓶梅》也，《紅樓夢》也，均《水滸》、《西廂》等耳，又安在其爲淫也！善夫！金聖嘆評《西廂》之言曰：淫者見之謂之淫。斯言也，亦以謂善用其情理之正者矣。夫人能善用其情理之正，雖古之大宗教、大哲學、大英雄、大豪傑，要無非以情理爲準的耳。喻之以理，則愚者亦明；動之以情，則頑者亦摯。觀感之道，誠莫有捷于是者。準此以觀，則小說轉移世界之主動力，足以俯視從書而有餘妍，庶乎支配于世界上而不朽哉！二十世紀開幕，環海交通，小說之風濤，越太平洋而東渡。有新小說之騰播，而後有新世界之智慧。則吾輩適際潮流之冲擊，思欲假文筆以寫懷，托詞義以陶世，小說其救病之聖藥哉！小說其導光之引綫哉！吾常縱觀東西洋諸大著作家，如柴四郎之喚醒大和國魂也，卑相國之振起聯邦政魄也，靡不發揮小說之思濤，留傳小說之名譽，而其國人之珍璧遺編、山斗墨迹者，如草風之響應。何令人觀感之一至于是？吾敢一言以質之曰：無他，亦情理之入人腦筋，移人神經耳。不其然者，如吾國舊日之所謂《西游記》、《粉妝樓》、《隋唐演義》、《寡婦征西》，種種名目，其列于小說之欄者，幾亦汗牛充棟矣。雖其中忠臣奇事，思婦勞人，不無纏綿可愛之處，而究之規步小說之行徑，粗具小說之形式，其所展發者，本無關于人情之誠懇，與夫義理之確切。徒守離奇怪誕之議論，以暢談鋒，否則猥瑣穢褻，以求快一時之意想。其淫孽子尤甚者，則又或榮幸之以男女遇合，贊美之以神仙結果。使後之讀者，無所警覺，而反爲之迷途。眞趣既無，觀感奚

自？吾以是益知情、理二字，當推爲小說家之唯一上乘法也。

報癖《試看〈月月小說〉的益處》（一）官場中應看。小子曾聽得一件笑話兒，說有年某省乾旱，百姓們報了饑荒，官府聽着，很籌劃了一會兒，忽然對着百姓說道：「你們既沒有飯吃，何不吃肉？」這話雖形容過火，卻也是譏諷不諳民情的意思。這《月月小說》的宗旨，也重在通達民情，講求利弊。所以有幾種小說裏頭，把普通人的性情舉止，好好歹歹，都極力的描摹出來，不像那一味打官話的，輕輕淡淡的說幾句就罷了。大人老爺們，若遇着公事辦完，被那「等因奉此」的字樣，鬧昏了頭的時候，何妨拿起瞧瞧，既可以解解愁悶，又可以察察民情，豈不是公私兩益嗎？況且這報里面，還有一種《官場之秘密》，一種《後官場現形記》，和那《快升官》、《平步青雲》、《立憲萬歲》，都是專門說官場的。倘若時常去看，也好觸目驚心，截長補短，把地方整頓，把吏治改良，做一個愛民如子、保國如家的好官兒呢。（二）維新黨應看。中國自從戊戌變政之後，風氣漸開，新黨也漸漸的多了。這裏頭卻分出幾種人物，也有譯書的，也有辦報的，也有留學的，也有做生意的，也有充教員的，也有當學生的。黨派既多，人品自雜，雖不能全行抹倒，也不能一律恭維。不過到了後來，眞的還是眞，假的還是假，瞞得當時，瞞不得後世，欺得自己，欺不得別人，終久是要現出本來面目的。小子特奉勸列位講新學的朋友，既然跳到這新舞臺上來，須要做轟轟烈烈的大國民，切莫做荒荒唐唐的小騙子，才能夠稱得新世界中的人物。試瞧這《月月小說》的《新封神傳》、《上海游驂錄》兩種，眞算得照影子的兩面好鏡子，列位維新的朋友，倘到了得閑的時節，何不捧着這兩面鏡子，仔細照照自己？如果照着頭面上，衣服上，有不合格式的地方，也好即時即刻，去整齊整齊，修飾修飾哩。（三）歷史家應看。近來學術昌明，這歷史一科，也是很有關係的。但我國的史書，冊數太多，叙事甚簡，文法又過于深奥，一輩子也看不完。就是一目十行，看得很快，總不能概行記憶，一字不遺。俗話說「一部廿四史，不知從何處說起」，眞是不錯。還有一層，本子既多，價錢必貴，貧寒無力之人，又買他不起。那外國的史書，雖然分出段落，附着圖畫，卻也有事情雜亂，無頭無尾的，一時也頗難辨清眉目。所以博通史學的人，現在很少很少了。這《月月小說》，卻也注重歷史，要將正史，一概演成白話，使人家一目了然，不致討厭，因此就著出兩種小說來，一種是《兩晉演義》，一種是《雲南野乘》，都很有意思的。至于外國史的小說，卻有三種：一種名《刺國敵》，是白話體的；一種名《八寶匣》，一種名《美國獨立史別裁》，是記事體的。這兩種雖不是白話，文法又不甚深，易得領會。列位之中，如有研究歷史的，快快把這幾種小說，當做參考的書，用心去看，是再好沒有的。（四）實業家應看。現在講求農工商三門學問的，便是實業家。你看美國、比國，最重的是工藝；英國、法國，最重的是商戰；俄國、奥國，最重的是農務。無論坐車瞧戲那些事，這三項人的價錢，總比別項人要少些。又聽說各國賽起會來，這三項人陳列的物品，總比別項人的東西出色些。因爲國家富強，都靠着他們的鈎心鬭角，才能夠裝成個錦綉的河山。如今我們中國，也漸漸知道實業的益處了，就有好些人，開什麼理化社，設什麼製造廠，編什麼農學報，立什麼商務會，總要發明新理，振興實業。無奈這些人，初出茅廬，大半心無把握，又沒有什麼陳法子，去觸動他的靈機，怎能妙想天開，出人頭地呢？誰知《月月小說》里面的《新再生緣》、《飛訪木星》、《倫敦新世界》，都是提倡科學的故事。列位講求實業的，請專心去領略意義，好仿着那舊樣兒，去想新鮮的法子呵！（五）詞章家應看。現今那些喜歡詞章的，遇着淺淺顯顯的書，眼角兒瞧也不瞧，口中不住的說「無味無味」。請教他如何無味，總不過說是沒什麼花花綠綠的好字眼，響響亮亮的新腔調罷了。這《月月小說》裏面，卻有《懸嶴猿》、《寶帶緣》、《曾芳四》、《風雲會》四樣傳奇，還有《跞廛詩刪剩》、《四海神交集》、《則山簃詩餘》那些詩詞，又有《黑奴報恩》、《鄖烈士殉路》兩出戲曲，更有《賈凫西鼓詞》一種彈詞。這些文字，盡是音韻鏗鏘、揚風扢雅的。列位内中，倘是喜歡詞章的，何不趕緊架着眼鏡兒，蹺着大腿兒，拍着巴掌兒，用龍井茶，潤濕了嗓子，次一次二的，高聲哼起來，比念那《白香詞》、《西廂記》、《唐詩三百首》、《廿一史彈詞》，還有趣得很，還有益得多呢。（六）婦女們應看。我中國四萬萬同胞，女的就占了一半。婦人家，有主持家政的權柄；女孩子，正當知識初開，更覺要緊。無奈中國的女學蒙學，太不講究了，所以平日清閑無事的時候，想尋些玩意事兒，總離不了抹抹牌，瞧瞧戲，逛逛廟宇，譚譚家常，隨外面有什麼天翻地覆的事情，都一概不知道。就是有時聽着些謠言，也模模糊糊，摸不着頭腦。或者丈夫是個明白人，想要在地方上，創辦些正經事，他不獨不能幫助，反在中間作梗。這卻是個什麼緣故呢？因爲我中國的婦女們，識字的甚少。就是略略認識幾個字，也只

好去念念《三元記》、《二度梅》、《祝英臺》、《雷峰塔》那些曲本。若能夠看得《封神傳》、《捉鬼傳》、《西洋記》、《開辟演義》、《隋唐演義》等書，便算是頂有才學的了。漫說荒唐不足信，就是筆墨新奇，看了也無大益處，怎比得《月月小說》上的《醋海波》、《含冤花》、《乞食女兒》、《弱女救兒記》，都是講着家庭中倫理上的事咧！不如把那些無益的小說擱起，專看這《月月小說》，不獨能消消閑，只怕還長得許多見識，學得許多好樣呢。

鸞《小說小話》 小說之應〔影〕響于社會，固矣，而社會風尙，實先有構成小說性質之力，二者蓋互爲因果也。吾國南北兩部，風氣犁然而異。北方各行省，地斥鹵而民強悍，南人生長膏沃，體質荏弱，而習爲淫靡，故南北文學，亦因之而分，而小說尤顯著。北人小說，動言俠義；而出于南人者，則才子佳人之幽期密約。千篇一律，兒女英雄，各據其所融洽于社會者爲影本。原其宗旨，未始非厭數千年專制政體之束縛，而欲一寫其理想中之自由（俠義躬捍文網，與豪宗墨吏爲仇，破政府之專制也；幽期密約，婚姻自由，破家庭之專制也）。而思力不充，更多顧忌瞻徇，其目的仍在封拜、誥贈，一若不得君主父母之許可，終不得爲正當者。則又第二層之普通結習，潛驅陰率之而不復能顧其矛盾也。而閱小說者，但喜其情節之離奇，叙述之雋妙，不知就自由之一點，引申而整理之，故其效果，屬其北者徒誨盜，屬于南者唯誨淫。

覺我《余之小說觀·小說今後之改良》 其道有五：一、形式；二、體裁；三、文字；四、旨趣；五、價值。舉要言之，務合于社會之心理而已。然頭緒千萬，更僕難悉，吾姑即社會人類而研究之。一、學生社會。今之學生，鮮有能看小說者(指高等小學以下言)，而所出小說，實亦無一足供學生之觀覽。余謂今後著譯家，所當留意，宜專出一種小說，足備學生之觀摩。其形式，則華而近樸，冠以木刻套印之花面，面積較尋常者稍小。其體裁，則若筆記，或短篇小說；或記一事，或兼數事。其文字，則用淺近之官話，倘有難字，則加音釋，偶有艱語，則加意釋；全體不逾萬字，輔之以木刻之圖畫。其旨趣，則取積極的，毋取消極的，以足鼓舞兒童之興趣，啓發兒童之智識，培養兒童之德性爲主。其價值，則極廉，數不逾角。如是則足輔教育之不及。而學校中購之，平時可爲講談用，大考可爲獎賞用。想明于教育原理，而執學校之教鞭者，必樂有此小說，而贊成其此舉。試合數省學校折半計之，銷行之數，必將倍于今也。一、軍人社會。軍人平日，非有物以刺戟激勵其心志，必將堅忍、勇往、耐苦、守法諸美德，日即淪喪，而遇事張皇，臨機畏葸，貽國家憂者。余謂今後著譯家，所當留意，專出軍人觀覽之小說。其形式、體裁、文字、價值，當與學生所需者，同一改良；而其旨趣，則積極、消極兼取。死敵之可榮，降敵之可恥；勇往之可貴，退縮之可鄙；機警者之生存，頑鈍者之亡滅，足供軍人前車之鑒、後事之師者，一一寫之。如是則不啻爲軍隊教育之補助品，而爲軍界之所歡迎矣。一、實業社會。我國農工蠢蠢，識文字者，百不得一；小商販負，奔走終日，無論矣。吾見髫年伙伴，日坐肆中，除應酬購物者外，未嘗不手一卷《三國》、《水滸》、《說唐》、《岳傳》，下及穢褻放蕩諸書，以供消磨光陰之用，而新小說無與焉。蓋譯編，則人名地名，詰屈聱牙，不終篇而輟業；近著，則滿紙新字，改良特別，欲索解而無由；轉不若舊小說之合其心理。余謂今後著譯家，所當留意，專出商人觀覽之小說。其形式，則概用薄紙，不拘石印鉛印，而以中國裝訂；其體裁，用章回；其文字，用通俗白話，先後以四五萬字爲率，加入回首之綉像；其旨趣，則兼取積極與消極，略示以世界商業之關係、之趨勢、之競爭、之信用諸端之不可忽；其價值廉取，數冊者不逾圓。如是則漸通行於夥計朝奉間，使新拓心計，如對良朋，咸得于無意中，收其效益也。一、女子社會。其負笈入塾，隸學生籍者，吾姑勿論。即普通閨閣，茶餘飯罷，酒後燈前，若「天花藏才子書」，若《天雨花》、《安邦》、《定國》諸志，若《玉嬌梨》、《雙珠鳳》、《珍珠塔》、《三笑》諸書，舉其名不下數百，何一非供女界之觀覽者。其內容則皆才子佳人，游園贈物，卒至狀元宰相，拜將封侯，以遂其富貴壽考之目的，隳志喪品，莫此爲甚！然核其售數，月計有餘，而小說改良後，曾無一冊，合普通女子之心理，使一新耳目，足滌其舊染之污，以漸赴于文明之域者，則操觚者殊當自愧矣。余謂今後著作家，所當留意，專出女子觀覽之小說。其形式、體裁、文字、價值，與商人觀覽者略同，而加入彈詞一類，詩歌、燈謎、酒令、圖畫、音樂趨重於美的諸事；其旨趣，則教之以治家瑣務、處事大綱，巨如政治倫常，細至飲食服用，上而孝養奉親，下若義方教子，示以陳迹，動其興感。如是則流行於閨以內，香口誦吟，檀心傾倒，必有買絲羅以綉者矣。是爲小說之進步，而使普通社會，亦敦促而進步，則小說者，誠足占文學界之上乘。其影響之及於

同胞者，將見潛蓄之勢力，益益發展，將來之欲望，益益膨脹，而有毅力以赴之，耐性以守之，深情以感觸之，效用日大，斯不至爲正士所鄙夷，大義所排斥矣。其諸君子有意於是乎？

耀公《小説發達足以增長人群學問之進步》 學問之道無他，亦視其智慧之所及，以實驗其材力之所造而已。嗜古之儒，膠持其一孔之見，手執陳編，心游舊籍，恆囂囂然號於衆曰：六經以外無文章，諸史以外無精華，董、賈、班、楊以後無著作。于是窮年矻矻，甚或莊重其辭，以爲非三代以上之書不可讀。而卒之天賦穎質者，尚不失爲博學之泥儒，而其困頓弗通者，乃執拗文字，以貽世蠢。設有人焉，投以泰西譯本，及吾國向來稗官演義等之著述諸小説，彼又得貿然鄙褻，不斥爲荒唐之無稽，必慮爲聰明之誤用。嗚呼！以是之眼光如豆，靈魂早已錮閉之難鑿，遑足與言學問哉？是故六經非不深且奧也，諸史非不宏且邃也，董、賈、班、楊非不博且麗也，而普通社會，往往終日講解，而曾不一得。及導以小説家之叙事曲折，用筆明暢，無論其爲章回也，爲短篇也，爲傳奇與南音班本也，其人其事，有頓令人心經開豁、腦靈茁發者。美矣哉！奇矣哉！忽何學問增長如是之速哉！吾于是益信小説之于轉移社會，有特別之龍象力焉，未可爲昧者道也。古之所謂博學君子，吾弗暇論焉。則誠以今日之世界，一環球鬬智之世界也，歐風美雨，天地變色。雪案螢燈，《詩》、《書》粗〔糟〕粕，豈足以語大同之博覽哉？古之學問也，專而嚴，聖經賢傳範圍弗敢越也；今之學問也，顯而明，目想神游，見聞弗可略也。縱覽地球，考求哲學，如法之福祿特爾也，俄之托爾斯泰也，英之昔士比亞也，德之卑斯墨克也，日之柴四郎也，皆世人推重之、崇拜之，而無男女，無老孺，所許爲大學問者也。乃進而探求其編著，翹想其精神，則無非璀璨其小説之文筆，繁衍其小説之紀載，而卓然以大小説家名世者，用能鼓吹其國人之風氣，開導其國人之神智，振作其國人之志願。乃恍然于小説界之濫觴，因勢而利導，以積成一人之學問而有餘，即以輸灌人群之學問而無不足。然則小説之發達，其絕大關係于人群學問之進步者，固決然而可信者也。小説之爲用大矣哉！然或謂吾國當閉關自守之時代，文化之功用，且優先于各國，即法之福祿特爾等之著名小説，向未有譯本出現，以輝映吾國人之眼簾，而饋餉吾國人之腦海者，然伊古以來，吾國人以小説名世者，亦幾如汗牛之充棟。如《鏡化緣》之博，地理、哲學，即格致之影子也；如《三國志》之詳，陰符、游説，即科學之流源也。闡心理之學，則《西游記》得其恍惚焉；紀義俠之流，則《水滸傳》得其梗概焉。而艷情之作，又如《西廂》也，《紅樓夢》也；武士之風，又如《説岳》也，《楊家將》也。諸如此類。雖其中用筆間架，或不無穿鑿附會之痕迹，爲近世哲士指摘而譏評；而其用意之關合，記事之寓言，要莫非根源于學問之講求，而有益于人群觀感之助力。特風氣未開，拘守之儒，束之高閣；而一二披讀者，又不善領會只視小説爲睡媒之具；此小説之功用，所以弗彰也，其亦冤矣哉！而所幸者，西風輸入，文人記者，乃致力于小説世界，神明之，表彰之，以開人鈍根，而生人慧力。則以是而爲人群學問進步之引綫，其信然乎！此其所以然者，非小説之自能長人學問也。著小説者，既趨時勢之潮流，一改從前腐舊社會之鬼神夢寐諸陳腐；則讀小説者，亦將披尋其寄托之意思，而生發其無窮之穎想。無論小説之如何佈局，如何歸宿，如何用情，如何主義，但使心領而神會，則隨時觀念，即隨時學問，有不啻身登劇場，移易個人性情于不覺者。推而言之，讀政治小説，生其治亂的感情；讀教育小説，生其道德的感情；讀探險小説，生其冒險有爲的感情；讀義俠小説，生其豪俠奮發的感情；讀一切關于普通社會開智小説，更生一切普通智識的感情。時勢造小説耶？抑小説造時勢耶？是二者固未可決言。而小説之進步無盡藏，亦人群學問之進步無止境，則可決言矣。金人瑞之言曰：逆料二百年後，群書無可讀，且不必讀，而亦已廢盡，悉成爲小説世界已。噫！今何驗哉。吾敢一言蔽之曰：小説者，學問之渡海航也。天下惟有學問人，乃可與言小説。

又《普及鄉閭教化宜倡辦演講小説會》 或謂學堂者，教化之地也；開辦小學者，教化普及之基也。丁今日學務振興之會，廣設公立義學小學，年八歲者，一體勒令入學，準強迫教育主義，不十年間，而教化之洋溢，將遍鄉閭焉。是即普及教化之文明燒點也。是説也，固無可駁詰者。然就現象計，其弱冠而後，既逾小學之年格者，果將何自而沾教化之益也？不寧惟是，鄉閭之中，氓之蚩蚩，日方足胝手胼之弗暇，斗米斤柴之弗遑，更何能叩小學之堂，而一領略教習之高談雄論哉？以是而言普及，蓋將收效于十年以後之好果，而非就範于當今少壯一爐之共治也。是故演説小説會者，不必登講堂，寫黑板，若者天文，若者地理，若者修身而文學也；第當農隙閑暇之時，早晚聚集之頃，祠堂廟宇，即演説之大舞臺焉，樹下社前，即演説之俱樂部

焉。宣佈小說之宗旨，叙其事不厭詳也；繪演小說之神情，達其文不妨顯也。雖其人口不讀書，眼不識字，而小說中之如何哀感，如何激動，腦海之灌通，已不啻爲小說之電力吸引矣。由此推之，演義俠小說，足以生人之奮往心；演艷情小說，足以生人之羨慕心；演探險小說，足以生人之冒險心；演民族小說，足以生人之種族心；即演一切之政治、宗教等等小說，亦足以生人一切政治、宗教心。性質也，習慣也，群書所不能化者，惟小說則引而化之，擴而充之。教化之道，在是矣！熱心君子，思爲鄉閭造福，其亦贊成之乎？如其然也，吾將拜手祝曰：二十世紀之小說世界，乃有此小說演說會，神聖哉小說！寶貴哉小說！如有起而創斯會者，吾將爲鄉人歡迎之，吾更望鄉人樂成之。此非過詡小說之價值也。夫小說者，劇本之主動力也。小說爲主動，劇本居于被動矣。吾向之與鄉中二三故老、三五少年，入劇場，觀劇本，見鑼鼓叢中，歌舞角色，若歌、若哭、若離、若合、若悲、若歡、若榮、若鬱；而所謂故老、所謂少年者，感情頓生，魂氣浹洽，亦不自覺其歌焉、哭焉、離焉、合焉、悲焉、歡焉、榮焉、鬱焉之動于心，形于色，是何爲哉？現身說法之轉移，眞性有由然耳。矧夫小說者，爲劇本之所從出；而演說之者，更層折而道之，變幻而出之。以言乎理，則理之明而不晦；以言乎情，則情之眞而不僞。故不俟演說者之纏綿跌宕，已足感人而有餘矣。吾聞日之維新也，凡小學堂中，多設說部一科，且有以吾國前輩小說家之《西廂記》傳奇、《水滸》演義，編爲講義者，其亦即此意乎？準此，則鄉閭之普及教化，其又何難也！不然，未能普及，又安足以言小說世界？

又《小說與風俗之關係》

一國之風俗，視風氣爲轉移；一國之風氣，即視文字爲趨向。西漢道隆，文風不盛，董、賈之輩，雄詞彪炳，而小儒浮薄之氣爲之一開。下迄兩晉，纖巧之儒，趨靡而鬬巧，世道亦因而日就涼薄矣。有唐開科取士，習科舉業者，範圍于應制試帖，繩趨尺步而不知其非，雖韓退之等，文起八代之衰，風氣之偷終于無補。六朝金粉，嫣紅姹紫，文章根柢，掃地以盡，風俗遷變，蓋有由矣。宋明大家，力挽流趨，而性理之儒，又轉以義蘊微茫，桎梏倫紀，縱不至艱深以文淺陋，開後世腐儒道學之門，究之鄉樸寡學之流，轉視性理之言，不啻苦人之具，由是風俗之野蠻，日甚一日。其甚者，則朱熹「三綱」毒說，直流禍至今而未已。嗚呼！盲儒瞽說，民智愈昏，將何以變易風俗，俾普通社會，共沐浴于文明之進化哉？是故「五經」列史，非不深且醇也，諸子百家，非不淵且博也，而社會人群之腦想，曾無斯須之靈感，無男無女，渾渾噩噩；有反不如社前綱鑒，樹下春秋，所謂講古者流，或《三國》演義也，《水滸》傳記也，《粉妝樓》也，《楊家將》也，與夫《今古奇觀》、《聊齋志異》之種種小說也，猶可以動人之腦筋，而導人於智府也。吾因持此意以論小說。小說之命意也淺而深，其布局也寬而緊；其運筆與遣詞也，則曲折而婉轉；其翻空與鬬筍也，則離奇而接續：鮮不謂極小說之能事。擲筆六合之中，結想五洲之外，非文義精深、文理通暢者，莫喻其微，莫窺其奧矣。然吾聞日本維新，基功小學，且多以吾國著名小說家之《水滸》傳記、《西廂》演議，爲教科講義者。此何故哉？豈非以小說之事迹，能令聽者追而求；小說之情理，能令聽者味而思；小說之精神，能令聽者感而悟哉！吾國向之小說家，如羅貫中、施耐庵、曹雪芹、蒲松齡、金人瑞等等，其論著之遺傳，饋餉後人不少矣。然其時歐西風氣，尚遙隔于太平洋以西，閉關鄙塞，風氣未開。故其所爲小說，大爲社會之歡迎，未嘗不足以取裁後進；而社會風俗，終莫由改良蠻野，而同化于文明之區域者，抑又何耶？吾思之：蓋非小說無文之患；而鬼神夢幻之事，及種種陰騭報應之讕言，有以惑之之患也。如是，故難享小說之大名；如羅貫中、施耐庵輩，終未得而奏轉移風俗之效果。則可知小說之旨趣，固別有在也。二十世紀開幕，爲吾國小說界發達之濫觴。文明初渡，固乞靈于譯本；迄于今，報界之潮流，更趨重于小說。發源滬瀆，而盛于香港粵省各方面。或章回，或短篇，或箴政治之得失，或言教育之文野，或振民族之精神，或寫人情之觀感。核其大旨，要無非改良社會之風氣，而鑰導人群之智識者爲近是。故小說一門，隱與報界相維繫，而小說功用，遂不可思議矣。是非小說家之別具吸電力也，蓋道與時爲變通，風俗即隨時而進化。世界荒僻之初，固無所謂風俗。溯自圖騰社會，一變而爲游牧社會，再變而爲製造社會。至製造社會之發達，文字亦因之發達焉。降及小說之思潮澎湃，將從前風俗之如何頑錮，如何迷惑，群將視小說家之言論爲木鐸，而舊社會上之一切《詩》、《書》糟粕，直棄之如遺矣。昔金人瑞致力于批評小說，且謂逆料二百年之後，群書不可讀，而將渾然變成一小說世界。由今思之，各報社之小說，日新月盛，彼閱報者，無論其爲文人學士，官紳商賈，固樂閱小說如標本；降而勞動小販者流，亦愛聞小說，借資話柄，以覘近世界之好惡。夫亦無怪民智之暢旺，雖

愚夫愚婦，猶知風俗之改革也。然則小說與風俗之關係，其然乎！其然乎！雖然，所謂小說之與風俗關係者，當就時勢以立言。而風俗之轉移，固于感情上有特別之引導者也。吾國之舊小說家，所著各種小說，其未能收敎化社會之效者，吾前言已明言之矣。世界現象，西風輸灌，人人有文明之思想，有自强之志氣。鬼神也，而以爲迷惑；風水也，而以爲荒誕；命運也，而以爲倚賴；陰騭也，而以爲虛渺。而且吉凶之禮，力爲撙節；醮會之耗，省作公益。風俗之美滿，將由此而導其流矣。信矣乎！風俗之開明，誠小說爲之導師。然于此扶翊風俗之進步，則小說之命意、之行文，更未可苟然已也。法有福祿特爾，而革命之雄潮，浩瀚而不可遏；德有卑斯墨克，而政治之理想，灌溉而不可止。其最近之見效者，則如日本之維新也，咸以爲柴四郎之小說，有以鼓吹之、培成之，而大和魂、武士道，一種義俠風俗，得以享地球上偉大國民之好名譽。準此，則小說之神趣，其又何以加焉。吾謂小說與風俗相關係，雖有智者，不易吾言矣。顧或謂風俗之大，一國之運會所關，人事之遷移所係。就小說之範圍而論，縱結構極嚴，詞義極顯，對于誘掖人心之旨趣，極周浹而極靈通，一人之感動，未必一群之感動；一群之感動，更未必大群之感動也。嗚！是何言也。今試于家人婦子，勗以性理之精義，語以先正之格言，吾不知其何尙茫然罔覺也；迨一與之講論小說之事實，切言之以達其情，婉言之以暢其趣，激昂而頓挫言之，以順其氣，伸其機，有不自禁其悲歡離合之設身處地者。無他，小說家爲主動，則凡讀小說、聽小說者，必各居于被動矣。其感化力之神也，一家如是，一國又何莫不然哉！此愈可見風俗關係之說爲不謬也。著小說者以爲如何？閱小說者以爲何如？

老伯《曲本小說與白話小說之宜於普通社會》 小說之所以能左右世界、轉移風氣者，果何爲乎？曰爲其能感人也；爲其能感人，而灌輸社會之智慧，根觸社會之性情，合上、下流人格于一爐而共冶之也。雖然，小說之對于社會，如何進化，亦既言之詳矣；即凡社會人類之對于小說，其進化之速力，亦莫不公認之矣。今且于小說叢中，而求其最宜于普通社會之感情者，抑又致力于小說者所當研究之問題也。同一書說也，而若者言之，能令人其娓娓而動聽也；同一故事也，而若者言之，能令人其津津而有味也。是豈說書者之別有眞理，論事者之別有神趣哉？無他，就其性之所近，與其情之易通，而普通社會，自然與之同化。余也韶(髫)齡進學，束髮授書，初不知社會主義之有何關係也何。有諸父伯叔焉，有兄弟姊妹焉，余方步亦步，趨亦趨。至則有所謂劇場焉。覺舞臺之上，若者生，若者旦，若者老生而老旦；歌謳譜出，固無論其爲二簧、爲幫子也。爾時座中聽者，罔不傾耳神會曰：是某書說之劇本也。不啻現身說法之引人入勝矣。又嘗追逐乎游戲之場，躑躅乎栖息之所，則社前綱鑒，樹下春秋，有所謂講古者焉。一人據案高坐，縱談而雄辯，口語而指畫，或演英雄故事，或說兒女故事。其危難也，聲泪爲之下；其顯達也，眉目爲之霽。無男無女，聲入心通焉。嗚呼！書說也猶是，故事也猶是，而獨能使普通社會如是之觀感，抑又何哉？則曲本之哀感濃艷，與白話之明白愷切，有以速其效者，而使之然也。然曲本小說、白話小說，其要矣。曲本小說，以傳奇小說爲最多。《紅樓夢》者，吾國小說之錚錚有名者也。然其行文也，每于點染之處，多用曲本，以實諸詩詞酒令之間，而非純用曲本之宗派也。《西廂》傳記一書，純以詞曲爲詞料，崔鶯(鶯)之寫情，張君瑞之求合，紅娘之撮盟，種種傳神，幾令讀者入耳而忘倦。在吾國之舊學家者流，方群然訾議之爲誨淫之書，而不知《西廂》傳記，日人且有用以爲小學之敎科講義者。是《西廂》不以曲本而見淫，正以曲本之言情，而愈得其用情之正者也。不然，如金人瑞者，固批評《西廂》之聖手也，其言曰：淫者見之謂之淫。得此，而《西廂》誨淫之冤可雪矣。夫《西廂》者，亦舊社會上有名之小說也。觀其流傳中外，愛誦不遺婦孺，其功用已可概見矣。矧丁斯世界，新聞報社，方盛漲小說之潮流，以歌謠寄易俗之思，即于小說導文明之綫。吾知曲本小說，濫觴于《西廂》傳記，其將由此而日新月盛，漸泛溢于普通社會，殆亦時勢之所必然者矣。要而言之，小說之寄意也深，而曲本之音節動人，則無深而非淺也；小說之行文也隱，而曲本之聲情感物，則無隱而非顯也。深也，淺也，隱也，顯也，是皆由曲本小說之能事，而智愚賢不肖，悉陶熔于口誦心維之天籍間也。此其宜于普通社會者一也。白話小說者，則又于各體小說之外，而利用白話以爲方言之引掖者也。姑無論其爲章回也，爲短篇也，爲箴時與諷世也，要均以白話而見長矣。二十世紀開幕，爲吾國小說界騰達之燒點。文人學士，慮文字因緣之未能普及也，曾組設《中國白話》，而內附小說，以謀進化。揆其內容，既非單純小說之性質；而所演文字，又純用正音。以吾國省界紛歧，土音各異，其曾受正音之教育

者幾何哉？苟如是，吾料讀者囫圇莫解，轉不如各隨其省界，各用其土音，猶足使普通社會之了于心而了于口也。夫《三國》、《水滸》及《聊齋志異》諸書，吾國人稍經入塾肄業者，靡不交口而稱道。則此小說等等，蓋亦於吾國前賢著作，占有價值之名譽者也。然試問社會人群中，其能於《三國》、《水滸》、《聊齋》諸書，心領而神悟者，又幾人哉？則何如白話小說之爲愈也。小說之理境，貴涵泳而曲折，白話則顯豁而展布之；小說之詞筆，貴離奇而展拓也，白話則明白而曉暢之。政治也，教育也，現象社會之奇人與奇事也，就人民智識之程度，而以白話牖而覺之，上智既不以爲淺率之文，亦下愚不視爲高深之論。漸而化之，會而通之，其即沐浴社會、改革社會之龍象力哉！此宜于普通社會者又其一也。顧或謂歌曲足以移人，方言雖便于訓俗，而道學之儒，文藝之士，有反而嫌其繁聲，鄙爲俚語者，是安足爲普通社會之明證哉？況曲本之與白話，其詞義之整率，既相背而馳，宜乎此或不宜乎彼，則「普通」二字，似更未可強爲牽合也。惡！是何言？是未可與論小說之原理者也。小說者，現世界風氣之所趨尙也。有曲本小說，則負販之流，得以歌曲之唱情，生發思想也；有白話小說，則市井之徒，得以淺白之俚言，棖觸觀念也。此其所以爲「普通」也。且吾嘗觀于報紙之用意，而得其比例近義矣。以今日西風東漸，吾國報界之發達，日益光昌。雖莊、諧兩部，不廢歌謠；雖論說之間，不求深刻。然則單純小說之有取于曲本與白話者，抑亦開發社會之普通鑰匙矣。究其所以然，則小說者其主動者也，而聽小說、讀小說者，則又感情于主動而無形被動者也。準此，作者竭主動之精神，以增長被動者之腦力，鼓吹文明，陶淑蠻野，捨曲本小說、白話小說，其又何從哉？竊願持此以質諸論小說者。

陳去病《論戲劇之有益》　曩游東國，交接其士庶，見其習尙風俗，無一非我皇漢二百六十年前所固有之習尙風俗也。出而過於市，則吳服商店，鱗次櫛比於康莊之左，長裙縫腋，廣幅垂襟，又無一非我皇漢二百六十年前所固有之端衣法服也。退而讀其書，則「唐巾」、「唐襦」之稱，且參錯雜出而不一。乃揖其人而進之，問：「所服安乎？」則對曰：「安且吉也。」問：「與西洋孰優乎？」則對曰：「西洋不若也。」竊心焉感之。其人乃反叩吾以所服，輒慚恥囁嚅而不能對。甚者或羣聚玩弄之以爲笑，咸相怪曰：「此支那裝！此今日之支那裝！」若有不勝輕薄者。其老誠者心知其故，乃問：「如我服者，今日支那其猶有存焉否乎？」則答之曰：「無有矣。」彼輒驚歎。若曰：「今僧道猶有存者焉。今演劇益備存焉。今士夫黎庶之婚嫁老死且恆服焉。」彼時聞之，則一若有大慰者。余見之，乃益羞恥，益感傷，盡裂其冠，毀其服，而不之顧。西還，歸乎吾祖國，人民則猶是其屈伏也；風俗則猶是其委靡也；匪種之政府，且猶是其盤距而施厥專制也；我伯叔，我昆弟，我親戚故舊，固猶是冠胡冠而服胡服，以苟安其奴隸也；不寧惟是，乃且尤我，乃且罪我，謂我之不奴隸也；我不得已，冠胡冠，服胡服，以見我伯叔兄弟，接我親戚朋友，而後我伯叔、我昆弟、我親戚朋友，乃始懽然、釋然而怡然慰焉。嗚乎！生無益於宗邦，徒蒙纓笠；死莫期於旦夕，難正冠裳。而南都金粉之場，流風未沫；酣歌恆舞，粉飾方新；檀板金罇，豪情如昨；貴池、陽羨、梁園、宣城之倫，竭來馬龍車水，徜徉馳騁於春江花月之宵，相率以繼賡踵步於《燕子箋》、《桃花扇》之後塵者，固仍彷髴乎其弘光故事也。「萬事不如杯在手，人生幾見月當頭。」我青年之同胞，赤手掣鯨，空拳射虎，事終不成，而熱血徒冷。則曷不如一決藩籬，遁而隸諸梨園菊部之籍，得日與優孟、秦青、韓娥、緜駒之儔爲伍，上之則爲王郎之悲歌斫地，次之則繼柳敬亭之評話驚人，要反足以發舒其民族主義，而一吐胸中之塊壘；此其奏效之捷，必有過於勞心焦思，孜孜矻矻以作《革命軍》、《駁康書》、《黃帝魂》、《落花夢》、《自由血》者殆千萬倍。彼也囚首而喪面，此則慷慨而激昂；彼也間接於通人，此則普及於社會，對同族而發表宗旨，登舞臺而親演悲懽，大聲疾呼，垂涕以道。此其情狀、其氣概，脫較諸合衆國民在北米利堅費城府中獨立廳上高撞自由之鐘，而宣告獨立之檄文，夫復何所遜讓？道故事以寫今憂，借旁人而呼膚痛，燦青蓮之妙舌，觸黃胤之感情，吾知軒、羲有靈，其亦必將蜺旌羽葆，乘雲下降，以證斯盟也；寧直此漢族同胞拍掌叫絕表示同情而已哉？或曰：「吾輩青年，希望甚大，咄爾俳優，奚屑污我？且子縱善之，顧寧獨不聞夫韓愈之言乎？愈以六朝人文格淫靡，動以優俳目之，鄙不屑道。今中國夷禍日亟，百廢待舉。培養公德，保持國粹，研究科學，擴張知識，規其行而矩其步，駸駸乎冀以造成第一完全人格，一朝突儕於偉大軍國民之列，嶄然露頭角焉。寧有先務不急，乃墜乃落，腐敗不足，乃淪地獄？悲夫嘻哉！中國青年之志氣，應不至若斯之喪失也。」予乃輾然笑應之曰：洵如君言，吾中國萬歲，吾中國國民萬歲，吾中國國民前途萬萬歲。雖

然，吾試問吾中國今日之人羣，有無媿此國民之芳譽乎？則無有也。抑吾又試問吾中國前途之事業，有可以僅僅希望，爲目的得達之極點乎？亦未可也。夫摶摶大地，既無美人香草之踪；而莽莽中原，又絕一綫生機之望。然則，吾一般社會青年，既不仕虜廷，效楊堅、郭威之烈，又不隱山澤，逐黔布、彭越之踵；徒日擾擾奔走於通商之場，高言運動，無補當時；斷髮胡服，依然域外之民，痛飲清歌，終化泥中之絮；如鬼如祟，如夢如囈，首鼠射工，神乎其技；蓋造福不足，而敗事有餘，較其人格，爲優幾何？則吾轉不如犧牲一身，昌言墜落，明目張膽而去爲歌伶；「朝從屠沽游，夕拉騶卒飲」；逍遙跌宕，聊以自娱；亦寧非於今新學界上，燦燦爛爛，突然別起一生力軍，臨風颭颭，而高樹一獨立自由之幟乎？抑子寧薄俳優而笑之耶？則吾且與子道古。仲尼曰：「移風易俗，莫善乎樂。」孟軻氏曰：「今之樂，猶古之樂也。」彼戲劇雖略殊，顧亦未可謂非古樂之餘也。（觀《左傳》觀優魚里之事，《樂記》有「優侏儒」之語，則其所從來者遠矣。）蓋自《雅》、《頌》之聲衰，而後《風》詩以興；《風》詩興，而鄭、衛靡靡之音作；靡靡之音作，而音樂之勢力，乃且浸淫普及於一般社會之中，而變古以爲今；浸假而歌舞焉，浸假而俳優侏儒焉，而戲劇之端，肇於茲矣。是故知禮如魏文侯，而不能對古樂免於思卧；好賢若渴之楚莊王，且必待優孟而始動於其心：則今樂之移人，洵速且捷哉！何況《雲門》、《咸池》、《韶濩》、《大武》之音，以享郊廟，則雍容安雅而咸宜；以化里巷，則不敵其一兒童之笑嚱；蓋宋玉有言，「曲高和寡」，自然之理也。

俞樾《余蓮村勸善雜劇》 天下之物最易動人耳目者，最易入人之心。是故老師鉅儒坐皋比而講學，不如里巷歌謠之感人深也；官府敎令張布于通衢，不如院本平話之移人速也。君子觀于此，可以得化民成俗之道矣。管子曰：「論卑易行。」此蓮村余君所以有勸善雜戲之作也。

因革

陸機《遂志賦序》 昔崔篆作詩以明道述志，而馮衍又作《顯志賦》，班固作《幽通賦》，皆相依倣焉。張衡《思玄》，蔡邕《玄表》，張叔《哀系》，此前世之可得言者也。崔氏簡而有情；《顯志》壯而泛濫；《哀系》俗而時靡；《玄表》雅而微素；《思玄》精練而和惠，欲麗前人，而優游清典，漏幽通矣。班生彬彬，切而不絞，哀而不怨矣。崔蔡沖虛溫敏，雅人之屬也。衍抑揚頓挫，怨之徒也。豈亦窮達異事，而聲爲情變乎？余備託作者之末，聊復用心焉。

葛洪《抱朴子・外篇・鈞世篇》 或曰：「古之著書者，才大思深，故其文隱而難曉；今人意淺力近，故露而易見。以此易見，比彼難曉，猶溝澮之方江河，蟻垤之並嵩岱矣！故水不發崑山，則不能揚洪流以東漸；書不出英俊，則不能備致遠之弘韻焉。」抱朴子答曰：「夫論管穴者，不可問以九陔之無外；習拘閡者，不可督以拔萃之獨見。蓋往古之士，匪鬼匪神，其形器雖冶鑠於疇曩，然其精神布在乎方策，情見乎辭，指歸可得。且古書之多隱，未必昔人故欲難曉。或世異語變，或方言不同，經荒歷亂，埋藏積久，簡編朽絕亡失者多，或雜續殘缺，或脱去章句，是以難知，似若至深耳。且夫《尚書》者政事之集也，然未若近代之優文、詔策、軍書、奏議之清富贍麗也。毛詩者華彩之辭也，然不及《上林》、《羽獵》、《二京》、《三都》之汪濊博富也。然則古之子書能勝今之作者，何也？然守株之徒，嘍嘍所翫，有耳無目，何肯謂爾。其於古人所作爲神，今世所著爲淺。貴遠賤近，有自來矣。故新劍以詐刻加價，弊方以僞題見寶也。是以古書雖質樸，而俗儒謂之墮於天也。今文雖金玉，而常人同之於瓦礫也。然古書者雖多，未必盡美，要當以爲學者之山淵，使屬筆者得采伐漁獵其中。然而譬如東甌之木，長洲之林，梓豫雖多而未可謂之爲大廈之壯觀，華屋之弘麗也。雲夢之澤，孟諸之藪，魚肉之□雖饒，而未可謂之爲煎熬之盛膳，渝狄之嘉味也。今詩與古詩俱有義理而盈於差美，方之於士，並有德行，而一人偏長藝文，不可謂一例也。比之於女，俱體國色，而一人獨閑百伎，不可混爲無異也。若夫俱論宮室，而奚斯路寢之頌，何如王生之賦靈光乎？同說遊獵，而叔畋盧鈴之詩，何如相如之言上林乎？並美祭祀，而《清廟》、《雲漢》之辭，何如郭氏南郊之豔乎？等稱征伐，而《出車》、《六月》之作，何如陳琳武軍之壯乎？則舉條可以覺焉。近者夏侯湛、潘安仁，並作補亡詩，《白華》、《由庚》、《南陔》、《華黍》之屬，諸碩儒高才之賞文者，咸以古詩三百未有足以偶二賢之所作也。且夫古者事事醇素，今則莫不彫飾。時移世改，理自然也。至於罽錦麗而且堅，未可謂之減於蓑衣；輜輧妍而又牢，未可謂之不及椎車也。書猶言也，若入談語，

故爲知有胡越之接，終不相解。以此敎戒，人豈知之哉？若言以易曉爲辨，則書何故以難知爲好哉？若舟車之代步涉，文墨之改結繩，諸後作而善於前事，其功業相次千萬者，不可復縷舉也。世人皆知之，快於曩矣。何以獨文章不及古邪？

又《尚博篇》 或曰：「今世所爲，多不及古。文章著述，又亦如之。豈氣運衰殺，自然之理乎？」抱朴子答曰：「百家之言，雖有步起，皆出碩儒之思，成才士之手，方之古人，不必悉減也。或有汪濊玄曠，合契作者，內闢不測之深源，外播不匱之遠流，其所祖宗也高，其所紬繹也妙，變化不繫滯於規矩之方圓，旁通不凝閡於一塗之逼促，是以偏嗜酸鹹者，莫能知其味，用思有限者，不能得其神也。夫應龍徐舉，顧眄凌雲；汗血緩步，呼吸千里，而螻螘怪其無階而高致，駑蹇患其過己之不漸也。若夫馳騁於詩論之中，周旋於傳記之間，而以常情覽巨異，以褊量測無涯，以至粗求至精，以甚淺揣甚深，雖始自髫齔，訖于振素，猶不得也。夫賞其快者必譽之以好，而不得曉者必毁之以惡，自然之理也。於是以其所不解者爲虛誕，慢誠以爲爾，未必違情以傷物也。又世俗率神貴古昔，而黷賤同時：雖有追風之駿，猶謂之不及造父之所御也；雖有連城之珍，猶謂之不及楚人之所泣也。雖有疑斷之劍，猶謂之不及歐冶之所鑄也；雖有起死之藥，猶謂之不及和鵲之所合也。雖有超羣之人，猶謂之不及竹帛之所載也；雖有益世之書，猶謂之不及前代之遺文也。是以仲尼不見重於當時，大玄見蚩薄於比肩也。俗士多云：今山不及古山之高，今海不及古海之廣，今日不及古日之熱，今月不及古月之朗。何肯許今之才士不減古之枯骨，重所聞，輕所見，非一世之所患矣！昔之破琴剿弦者，諒有以而然乎！」

張融《門律自序》 吾文章之體，多爲世人所驚，汝可師耳以心，不可使耳爲心師也。夫文豈有常體，但以有體爲常，政當使常有其體。丈夫當刪詩書，制禮樂，何至因循寄人籬下。且中代之文，道體闕變，尺寸相資，彌縫舊物。吾之文章，體亦何異。何嘗顚溫涼而錯寒暑，綜哀樂而橫歌哭哉？政以屬辭多出，比事不羈，不阡不陌，非途非路耳。然其傳音振逸，鳴節竦韻，或當未極，亦已極其所矣。汝若復別得體者，吾不拘也。吾義亦如文，造次乘我，顚沛非物，吾無師無友，不文不句，頗有孤神獨逸耳。義之爲用，將使性入清波，塵洗猶沐，無得釣聲同利，舉價如高，俾是道場，險成軍路，吾昔嗜僧言，多肆法辯，此盡遊乎言笑，而汝等無幸。

蕭統《文選序》 若夫椎輪爲大輅之始，大輅寧有椎輪之質？增冰爲積水所成，積水曾微增冰之凜；何哉？蓋踵其事而增華，變其本而加厲，物既有之，文亦宜然。隨時變改，難可詳悉。嘗試論之曰：《詩序》云：「詩有六義焉：一曰風，二曰賦，三曰比，四曰興，五曰雅，六曰頌。」至於今之作者，異乎古昔。古詩之體，今則全取賦名。荀宋表之於前，賈馬繼之於末。自兹以降，源流實繁：述邑居，則有憑虛、亡是之作；戒畋遊，則有《長楊》、《羽獵》之制。若其紀一事，詠一物，風雲草木之興，魚蟲禽獸之流，推而廣之，不可勝載矣。又楚人屈原，含忠履潔，君匪從流，臣進逆耳，深思遠慮，遂放湘南。耿介之意既傷，壹鬱之懷靡愬；臨淵有懷沙之志，吟澤有憔悴之容；騷人之文，自兹而作。詩者，蓋志之所之也。情動於中，而形於言。《關雎》、《麟趾》，正始之道著；桑間、濮上，亡國之音表。故風雅之道，粲然可觀。自炎漢中葉，厥塗漸異：退傅有在鄒之作，降將著河梁之篇；四言五言，區以別矣。又少則三字，多則九言，各體互興，分鑣並驅。

蕭綱《與湘東王書》 比見京師文體，儒鈍殊常，競學浮疏，爭爲闡緩。玄冬修夜，思所不得，既殊比興，正背《風》、《騷》。若夫六典三禮，所施則有地，吉凶嘉賓，用之則有所。未聞吟詠情性，反擬《內則》之篇，操筆寫志，更摹《酒誥》之作。遲遲春日，翻學《歸藏》，湛湛江水，遂同《大傳》。吾既拙於爲文，不敢輕有掎摭，但以當世之作，歷方古之才人，遠則楊馬曹王，近則潘陸顏謝，而觀其遺辭用心，了不相似。若以今文爲是，則古文爲非；若昔賢可稱，則今體宜棄；俱爲盍各，則未之敢許。又時有效謝康樂、裴鴻臚文者，亦頗有惑焉。何者？謝客吐言天拔，出於自然，時有不拘，是其糟粕。裴氏乃是良史之才，了無篇什之美。是爲學謝則不屆其精華，但得其冗長；師裴則蔑絕其所長，惟得其所短。謝故巧不可階，裴亦質不宜慕。故胸馳臆斷之侶，好名忘實之類，方分肉於仁獸，逞郤克於邯鄲，入鮑忘臭，效尤致禍。決羽謝生，豈三千之可及；伏膺裴氏，懼兩唐之不傳。故玉徽金銑，反爲拙目所嗤；《巴人下里》，更合郢中之聽。《陽春》高而不和，妙聲絕而不尋；竟不精討錙銖，覈量文質，有異《巧心》，終愧妍手。是以握瑜懷玉之士，瞻鄭邦而知退；章甫翠履之人，望閩鄉而歎息。詩既若此，筆又如之，徒以煙墨不言，受其驅染；紙札無情，任其搖襞。甚矣哉！文之橫流，

一至於此。

蕭繹《內典碑銘集林序》夫世代亟改，論文之理非一。時事推移，屬詞之體或異。但繁則傷弱，率則恨省；存華則失體，從實則無味。或引事雖博，其意猶同；或新意雖奇，無所倚約。或首尾倫帖，事似牽課；或翻復博涉，體製不工。能使豔而不華，質而不野，博而不繁，省而不率，文而有質，約而能潤。事隨意轉，理逐言深。所謂菁華，無以間也。

《宋書·謝靈運傳論》民稟天地之靈，含五常之德，剛柔迭用，喜慍分情。夫志動於中，則歌詠外發，六義所因，四始攸繫，升降謳謠，紛披風什；雖虞夏以前，遺文不覩，稟氣懷靈，理無或異，然則歌詠所興，宜自生民始也。周室既衰，風流彌著：屈平、宋玉導清源於前，賈誼、相如振芳塵於後，英辭潤金石，高義薄雲天。自兹以降，情志愈廣，王褒、劉向、揚、班、崔、蔡之徒，異軌同奔，遞相師祖；雖清辭麗曲時發乎篇，而蕪音累氣固亦多矣。若夫平子豔發，文以情變，絶唱高蹤，久無嗣響。至於建安，曹氏基命，二祖陳王，咸蓄盛藻，甫乃以情緯文，以文被質。自漢至魏，四百餘年，辭人才子，文體三變：相如巧爲形似之言，班固長於情理之説；子建、仲宣以氣質爲體，並摽能擅美，獨映當時，是以一世之士，各相慕習。原其飈流所始，莫不同祖《風》、《騷》，徒以賞好異情，故意製相詭。降及元康，潘、陸特秀，律異班、賈，體變曹、王，縟旨星稠，繁文綺合；綴平臺之逸響，採南皮之高韻，遺風餘烈，事極江左。有晉中興，玄風獨振，爲學窮於柱下，博物止乎七篇，馳騁文辭，義單乎此。自建武暨乎義熙，歷載將百，雖綴響聯辭，波屬雲委，莫不寄言上德，託意玄珠，遒麗之辭，無聞焉爾。仲文始革孫、許之風，叔源大變太元之氣；爰逮宋氏，顔、謝騰聲：靈運之興會標舉，延年之體裁明密，並方軌前秀，垂範後昆。

《南齊書·文學傳論》五言之製，獨秀衆品。習玩爲理，事久則瀆，在乎文章，彌患凡舊。若無新變，不能代雄。建安一體，《典論》短長互出；潘、陸齊名，機、岳之文永異。江左風味，盛道家之言，郭璞舉其靈變，許詢極其名理。仲文玄氣，猶不盡除。謝混情新，得名未盛。顔謝並起，乃各擅奇。休鮑後出，咸亦標世。朱藍共妍，不相祖述。今之文章，作者雖衆，總而爲論，略有三體：一則啓心閑繹，託辭華曠，雖存巧綺，終致迂回。宜登公宴，本非準的。而疏慢闡緩，膏肓之病，典正可採，酷不入情。此體之源，出靈運而成也。次則緝事比類，非對不發，博物可嘉，職成拘制。或全借古語，用申今情，崎嶇牽引，直爲偶説。唯覩事例，頓失精采。此則傳咸五經，應璩指事，雖不全似，可以類從。次則發唱驚挺，操調險急，雕藻淫豔，傾炫心魂。亦猶五色之有紅紫，八音之有鄭、衛。斯鮑照之遺烈也。三體之外，請試妄談。若夫委自天機，參之史傳，應思悱來，勿先構聚。言尚易了，文憎過意，吐石含金，滋潤婉切。雜以風謠，輕脣利吻，不雅不俗，獨中胸懷。輪扁斲輪，言之未盡，文人談士，罕或兼工。非唯識有不周，道實相妨，談家所習，理勝其辭，就此求文，終然翳奪。故兼之者鮮矣。

《隋書·經籍志》世有澆淳，時移治亂，文體遷變，邪正或殊。宋玉、屈原，激清風於南楚；嚴、鄒、枚、馬，陳盛藻於西京。平子豔發於東都，王粲獨步於漳滏。爰逮晉氏，見稱潘陸，並翩藻相輝，宮商間起。清辭潤乎金石，精義薄乎雲天。永嘉之後，玄風既扇，辭多平淡，文寡風力。降及江東，不勝其弊。宋齊之世，下逮梁初，靈運高致之奇，延年錯綜之美，謝玄暉之藻麗，沈休文之富溢，輝焕斌蔚，辭義可觀。梁簡文帝在東宮，亦好篇什，清辭巧製，止乎衽席之間，彫琢蔓藻，思極閨闈之內。後生好事，遞相放習，朝野紛紛，號爲宮體，流宕不已，訖于喪亡。陳氏因之，未能全變其中原則，兵亂積年，文章道盡。後魏文帝頗效屬辭，未能變俗，例皆淳古。齊宅漳濱，辭人間起，高言累句，紛紜絡繹，清辭雅致，是所未聞。後周草創，干戈不戢，君臣戮力，專事經營，風流文雅，我則未暇。其後南平漢沔，東定河朔，訖于有隋，四海一統，采荆南之杞梓，收會稽之箭竹，辭人才士，總萃京師。

又《文學傳序》自漢魏以來，迄乎晉宋。其體屢變。前哲論之詳矣。暨永明、天監之際，太和、天保之間，洛陽江左，文雅尤盛。于時作者，濟陽江淹、吳郡沈約、樂安任昉、濟陰溫子昇、河間邢子才、鉅鹿魏伯起等，並學窮書圃，思極人文，縟綵鬱於雲霞，逸響振於金石，英華秀發，波瀾浩蕩，筆有餘力，詞無竭源，方諸張、蔡、曹、王，亦各一時之選也。聞其風者，聲馳景慕，然彼此好尚，互有異同。江左宮商發越，貴於清綺；河朔詞義貞剛，重乎氣質。氣質，則理勝其詞；清綺，則文過其意。理深者便於時用，文華者宜於詠歌，此其南北詞人得失之大較也。若能掇彼清音，簡兹累句，各去所短，合其兩長，則文質斌斌，盡善盡美矣！

陳子昂《陳伯玉集》卷一《修竹篇序》 文章道弊五百年矣，漢魏風骨，晉宋莫傳，然而文獻有可徵者。僕嘗暇時觀齊梁間詩，彩麗競繁，而興寄都絶，每以永歎。竊思古人，常恐逶迤頽靡，風雅不作，以耿耿也。昨於解三處見明公詠孤桐篇，骨端氣翔，音情頓挫，光英朗練，有金石聲。遂用洗心飾視，發揮幽鬱。不圖正始之音，復覩於兹；可使建安作者，相視而笑。

釋皎然《詩式》卷五《復古通變體》 評曰：作者須知復變之道。反古曰復，不滯曰變。若惟復不變，則陷於相似之格，其狀如駑驥同廄，非造父不能辨。能知復變之手，亦詩人之造父也。以此相似一類，置於古集之中，能使弱手視之眩目，何異宋人以燕石爲玉璞，豈知周客噓哂而笑哉？又復變二門，復忌太過。詩人呼爲膏肓之疾，安可治也？如釋氏頓教，學者有沈性之失，殊不知性起之法，萬象皆真。夫變若造微，不忌太過。苟不失正，亦何咎哉！如陳子昂復多而變少，沈、宋復少而變多。今代作者，不能盡舉。吾始知復變之道，豈惟文章乎？在儒爲權，在文爲變，在道爲方便。後輩若乏天機，強傚復古，反令思擾神沮。何則？夫不工劍術，而欲彈撫干將、大阿之鋏，必有傷手之患，宜其誡之哉！

獨孤及《毘陵集》卷一三《唐故左補闕安定皇甫公集序》 五言詩之源生於《國風》，廣於《離騷》，著於李、蘇，盛於曹、劉，其所自遠矣。當漢、魏之間，雖已朴散爲器，作者猶質有餘而文不足。以今揆昔，則有朱絃疎越、大羹遺味之歎。歷千餘歲，至沈詹事、宋考功始財成六律，彰施五色，使言之而中倫，歌之而成聲，緣情綺靡之功至是乃備。雖去雅寖遠，其麗有過於古者，亦猶路鼗出於土鼓，篆籀生於鳥跡也。

韓愈《昌黎先生文集》卷一八《答劉正夫書》 或問：爲文宜何師？必謹對曰：宜師古聖賢人。曰：古聖賢人所爲書具存，辭皆不同，宜何師？必謹對曰：師其意，不師其辭。又問曰：文宜易宜難？必謹對曰：無難易，惟其是爾。如是而已矣。非固開其爲此，而禁其爲彼也。夫百物朝夕所見者，人皆不注視也；及覩其異者，則共觀而言之。夫文豈異於是乎。漢朝人莫不能爲文，獨司馬相如、太史公、劉向、揚雄爲之最。然則用功深者，其收名也遠；若皆與世沈浮，不自樹立，雖不爲當時所怪，亦必無後世之傳也。足下家中百物皆賴而用也，然其所珍愛者，必非常物。夫君子之於文，豈異於是乎。今後進之爲文，能深探而力取之，以古聖賢人爲法者，雖未必皆是，要若有司馬相如、太史公、劉向、揚雄之徒出，必自於此，不自於循常之徒也。若聖人之道不用文則已，用則必尚其能者。能者非他，能自樹立，不因循者是也。有文字來，誰不爲文，然其存於今者，必其能者也，顧常以此爲説耳。

秦觀《淮海集》卷二二《韓愈論》 臣聞先王之時，一道德同風俗，士大夫無意於爲文，故六藝之文，事詞相稱，始終本末如出一人之手。後世道術爲天下裂，士大夫始有意於爲文。故自周衰以來作者班班，相望而起，奮其私知，各自名家，然總而論之未有如韓愈者也。何則？夫所謂文者，有論理之文，有論事之文，有叙事之文，有託詞之文，有成體之文。探道德之理、述性命之情，發天人之奧，明生死之變，此論理之文，如列禦寇、莊周之所作是也；别白黑陰陽，要其歸宿，決其嫌疑，此論事之文，如蘇秦、張儀之所作是也；考同異，次舊聞，不虛美，不隱惡，人以爲實録，此叙事之文，如司馬遷、班固之作是也；原本山川，極命草木，比物屬事，駭耳目變心意，此託詞之文，如屈原、宋玉之作是也；鉤列、莊之微，挾蘇、張之辯，摭班、馬之實，獵屈、宋之英，本之以《詩》、《書》，折之以孔氏，此成體之文，韓愈之所作是也。蓋前之作者多矣，而莫有備於愈。後之作者亦多矣，而無以加於愈，故曰總而論之未有如韓愈者也。然則列、莊、蘇、張、班、馬、屈、宋之流，其學術才氣皆出於愈之文，猶杜子美之於詩，實積衆家之長，適當其時而已。昔蘇武、李陵之詩長於高妙；曹植、劉公幹之詩長於豪逸；陶潛、阮籍之詩長於冲澹；謝靈運、鮑照之詩長於峻潔；徐陵、庾信之詩長於藻麗，於是杜子美者，窮高妙之格，極豪逸之氣，包冲澹之趣，兼峻潔之姿，備藻麗之態，而諸家之作所不及焉。然不集諸家之長，杜氏亦不能獨至于斯也！豈非適當其時故耶？孟子曰：「伯夷，聖之清者也；伊尹，聖之任者也；柳下惠，聖之和者也；孔子，聖之時者也。孔子之謂集大成！」嗚呼！杜氏、韓氏亦集詩文之大成者歟！

葛立方《韻語陽秋》卷一 「謝朝華之已披，起夕秀於未振」，學詩者尤當領此。陳腐之語，固不必涉筆，然求去其陳腐不可得，而翻爲怪怪奇奇不可致詰之語以欺人，不獨欺人，而且自欺，誠學者之大病也。詩人首二謝，靈運在永嘉，因夢惠連，遂有「池塘生春草」之句；玄暉在宣城，因登三山，遂有「澄江靜如練」之句。二公妙處，蓋在於鼻無堊，目無膜爾。鼻無堊，斤將

曷運？目無膜，篦將曷施？所謂混然天成，天球不琢者與？靈運詩，如「矜名道不足，適己物可忘」、「清暉能娛人，遊子澹忘歸」。玄暉詩，如「春草秋更綠，公子未西歸」、「大江流日夜，客心悲未央」等語，皆得《三百五篇》之餘韻，是以古今以爲奇作，又曷嘗以難解爲工哉！東坡《跋李端叔詩卷》云：「暫借好詩消永夜，每逢佳處輒參禪。」蓋端叔作詩，用意太過，參禪之語，所以警之云。

楊萬里《誠齋集》卷六六《答盧誼伯書》 詩固有以俗爲雅，然亦須曾經前輩取鎔，乃可因承爾。

朱熹《清邃閣論詩》 或言今人作詩多要有出處。曰：「關關雎鳩」，出在何處？古樂府只是詩中間卻添許多泛聲。後來人怕失了那泛聲，逐一聲添個實字，遂成長短句。今曲子便是。

陳造《江湖長翁集》卷二九《文以變爲法》 作文之法備於《六經》，學者矻矻他求，何哉？經於句法字律，《春秋》嚴矣，一字之變，褒貶各有在。如《詩》之每章互變，而後體備而法嚴，法嚴而後意足。

羅大經《鶴林玉露》卷三 至于詩，則山谷倡之，自爲一家，并不蹈古人町畦。象山云：「豫章之詩，包含欲無外，搜抉欲無祕，體制通古今，思致極幽眇，貫穿馳騁，工夫精到。雖未極古之源委，而其植立不凡，斯亦宇宙之奇詭也。開闢以來，能自表見于世若此者，如優鉢曇華，時一現耳。」楊東山嘗謂余云：「丈夫自有衝天志，莫向如來行處行。」豈帷制行，作文亦然。如歐公之文，山谷之詩，皆所謂「不向如來行處行」者也。

姜夔《白石道人詩集原序》 作者求與古人合，不若求與古人異；求與古人異，不若不求與古人合而不能不合，不求與古人異而不能不異。彼惟有見乎詩也，故向也求與古人合，今也求與古人異。及其無見乎詩已，故不求與古人合而不能不合，不求與古人異而不能不異。其來如風，其止如雨，如印印泥，如水在器，其蘇子所謂不能不爲者乎？

佚名《詩憲・因襲轉易》 因襲者，因前人之語也。以陳爲新，以拙爲巧，非有過人之才，則未免以蹈襲爲媿。魏道輔云：「詩惡蹈襲。古人亦有蹈襲而愈工，若出於己者，蓋思之精則造語愈深也。」轉易者，因襲之變也。前者既有是語矣，吾因而易之，雖語相反，皆不失爲佳。

元好問《遺山集》卷三七《陶然集詩序》 詩之極致可以動天地、感鬼神，

故傳之師，本之經，眞積之力久，而有不能復古者。【略】故文字以來，詩爲難；魏晉以來，復古爲難；唐以來合規矩準繩尤難。夫因事以陳辭，辭不迫切而意獨至，初不爲難，後世以不得不難爲難耳。古律歌行，篇章操引，吟詠謳謠，詞調怨嘆，詩之目既廣，而《詩評》、《詩品》、《詩說》、《詩式》亦不可勝讀。大概以脫棄凡近、澡雪塵翳，驅駕聲勢，破碎陣敵，囚鎖怪變，軒豁幽祕，籠絡今古，移奪造化爲工，鈍滯、僻澀、淺露、浮躁、狂縱、淫靡、詭誕、瑣碎、陳腐爲病，毫髮無遺。

杜仁傑《遺山先生文集後序》 自有書契以來，以文字名世得其全者幾人耳。【略】字凡經幾手，左撐右拄，橫安豎直，搓揉亦熟爛盡矣。惟其不相蹈襲，自成一家者爲得耳。

胡祗遹《紫山大全集》卷八《優伶趙文益詩序》 醯鹽薑桂，巧者和之，味出於酸鹹辛甘之外，日新而不襲故常，故食之者不厭。滑稽詼諧，亦猶是也。拙者踵陳習舊，不能變新，使觀聽者惡聞而厭見。後世民風機巧，雖郊野山林之人，亦知談笑，亦解弄舞娛嬉，而况膏腴閥閱，市井豐富之子弟？

又卷一三《跋遺山墨迹》 詩文字畫，不學前人，則無規矩準繩。規規於前人陳迹，則正若屋上架屋。

方回《桐江集》卷一《婺源黃山中吟卷序》 唐詩承陳隋流□之餘，沈、宋始概爲律體，而古體自是幾廢。然陳子昂、元次山、韋應物及李、杜、韓、柳諸公，追劉、陶、曹、謝與之伍，亦未嘗盡廢也。今之詩人，專尚晚唐，甚者至不復能爲古體。

又卷四《跋仇仁近詩集》 然則詩不可不自成一家，亦不可不備衆體。老杜詩有曹劉，有陶謝，有顏鮑，於沈宋體中沿而下之，晚唐特其一端。

又《桐江續集》卷一三《恢大山西山小稿序》 皋歌，詩之始；孔刪，詩之終；屈騷，詩之變。論今之詩，五、七言古律與絶句凡五體，五言古漢蘇李，魏曹劉，晉陶謝，七言古漢《柏梁》，臨汾張平子《四愁》，五言律、七言律及絶句自唐始盛。唐人杜子美、李太白兼五體造其極，王維、岑參、賈至、高適、李泌、孟浩然、韋應物，以至韓、柳、郊、島、杜牧之、張文昌，皆老杜之派也。宋蘇、梅、歐、蘇、王介甫、黃、陳、晁、張、僧道潛覺範，以至南渡呂居仁、陳去非，而乾淳諸人朱文公詩第一，尤蕭、楊、陸、范，亦老杜之派也。是派至韓南澗父子、趙章泉而止。別有一派曰崑體，始於李

義山，至楊劉及陸佃絶矣。炎祚將訖，天喪斯文，嘉定中忽有祖許渾、姚合爲派者，五七言古體並不能爲，不讀書亦作詩，曰學四靈，江湖晚生皆是也。嗚呼，痛哉！

鄧光薦《翠寒集序》 詩惡乎變？《三百篇》後，變乎「攜手上河梁」。下迨建安、齊梁數變至唐，洎宋季之詩，大變而絶，何邪？詩關乎風化，繫乎氣數。【略】吁！詩貴乎變，不守一律。千變萬化，變之不窮，惟子美能當之。豈惟詩，文亦然。

戴表元《剡源集》卷一一《紫陽方使君文集序》 日月五星晝夜與天錯行，而雲霆風露雨雪雹雹爲之變化不測。山起西北，與水東南馳，而外截爲海，介鱗羽毛齒角物果，寶藏之美從而蓄焉。蓋其爲物也，停涵盤薄，鬱積之者厚，則其周於用也不竭。人之精氣，蘊之爲道德，發之爲事業，而達之於言語詞章，亦若是而已矣。竊獨怪夫古之通儒碩人，凡以著述表見於世者，莫不皆有統緒。若曾、孟、周、邵、程、張之於道，屈、賈、司馬、班、揚、韓、柳、歐陽、蘇之於文，當其一時，及門承接之士，固已親而得之，而遺風餘韻傳之後來，猶可以隱隱不滅。近世以來。乃至寥落散漫不可復續，豈天地之數，有時而不齊，如適值其薄蝕震動，傾陷漏洩之，或然者耶？故嘗考之，自夫子之徒沒，言道者不必貴文，言文者不必兼道。如此幾二千年，迨新安子朱子出，學者始復不敢雜道於文。

吳澄《吳文正集》卷一五《詩府驪珠序》 嗚呼！言詩頌雅風騷尚矣。漢、魏、晉五言訖於陶，其適也，顔、謝而下勿論。浸微浸滅，至唐陳子昂而中興。李、韋、柳因而因，杜、韓因而革。律雖始於唐，然深遠蕭散、不離於古爲得，非但句工、語工、字工而可。嗚呼，學詩者靡究源流，而編詩者亦漫迷統紀。

又卷二三《張君材詩序》 作詩自成一家固難，酷似前人亦難。或有似者矣，似其一，不似其二，才氣各有偏也。能諸體畢似者鮮哉！【略】非蹈襲，非模擬，其似也天然。益豐其本，而自成一家，其不爲一代大詩人乎？

劉將孫《養吾齋集》卷九《蕭學中采詞序》 古今作者之作，流落多矣，豈獨當吾世爲可恨哉！秦少游詞勝於詩，「正銷凝，黃鸝又啼數聲」，乃其詞最勝處，然洪容齋記杜牧之「正銷魂，梧桐又移翠陰」，乃知少游所出，幾於句意倣傚，不止暗犯而已。後來「行到一溪深處，有黃鸝千百」，乃其觀化垂去，神變活脫，猶未離此窠臼，牧之要何可及哉！然予極意求其全，不可得，頃乃得之古詩雜襲中，非容齋拈出，詎復知有牧之者？文字流落人間，本泰山毫芒，復有如是不傳之恨，豈非無與采而布之之恨哉！詩以句猶有口熟而稱道不忘者，詞特散碎落落，故不傳尤甚。江湖百年，騷人墨客苦心爲之，如牧之不傳者何限？夫樊川固名家也猶爾，况於不如樊川者哉！姜白石嘗試春寒，共數客垂虹賦詞，以被蒙頭，行吟未休，逐句塗改。一詞之就，其難如此。不傳之恨，可勝嘆哉！

范椁《木天禁語·因襲轉換法》 春水船如天上坐，老年花似霧中看（祖沈雲卿「船如天上坐，人在鏡中行」。改换精神）。漠漠水田飛白鷺，陰陰夏木轉黃鸝（王維添李嘉祐二字，精神）。峽東滄州深貯月，石排紅樹巧妝秋（杜：「峽束滄江起，岩排石樹圓」）。話盡春愁雙紫燕，唤回午夢一黃鸝（陳傳道：「一鳩鳴午寂，雙燕語春愁」）。山圍故國城空在，潮打西陵意未平（劉禹錫「山圍故國周遭在，潮打空城寂寞回」）。金馬玉堂三學士，清風明月兩閑人（白居易詩：「同時六學士，五相一僧翁」）。將飛更作回風舞，已落猶成半面妝（義山云：「落時猶自舞，掃後更無香。」下句尤妙）。化行禹貢山川外，人在周書禮樂中（東坡云：「年抛造化飄陶外，春在先生杖屨中」）。花如解語迎人笑，草不知名隨意生（秋崖云：「花曾相識若含笑，鳥不知名如自呼。」又云：「野鳥傍人如解語，閑花笑客不知名。」又云：「山鳥相呼如識字，林花可愛不知名。」皆相沿襲）。三點四點映山雨，一枝兩枝臨水花（杜荀鶴云：「有時三點四點雨，到處十枝五枝花。」放翁云：「小樓一夜聽春雨，深巷今朝賣杏花。」二句達禦。古詩云：「山根一片雨，澗底百重花。」雖相祖述，自有優劣）。夜來過嶺忽聞雨，今日滿溪都是花（王平甫云：「不知疊嶂夜來雨，清曉石楠花亂飛」）。身行南雁不到處，山與北人相對愁（曹松詩：「爲客正當無雁處，故園誰送有書來。」汪龍溪云：「路行歸雁不到處，家在長安欲盡頭」）。山重水複疑無路，柳暗花明又一村（吳融詩云：「無人應失路，有樹始知村。」石又賡云：「山轉疑無徑，鷄鳴覺有村。」耿緯云：「花落疑無徑，鷄鳴覺有村。」同一意）。檢曆預尋移火日，題牆閑記種花時（祖韓致光「書牆暗記移花日，洗甕先知釀酒期。」高菊澗云：「石鼎煮茶論水品，土牆題字記花名」）。移家尚恐青山淺，隱几惟知白日長（林逋云：「山水未深猿鳥少，此生猶疑別移居。」誠齋云：「猶道山中淺，仍移水上居」）。汲水灌松私雨露，臨

池疊石幻溪山(祖「無竹栽蘆看，思山疊石爲」)。歸夢到家空自喜，痛懷戒酒反添愁(晚唐詩：「病中送客難爲別，夢裏還家未當歸」)。幾家傍水燈搖影，一榻臨風鐸自鳴(唐子西云：「風迎鐘聲雲外寺，水搖燈影酒家樓」)。黃河猶有方堪塞，白髮應無術可栽(祖黃河有曰「白髮無緣句。」放翁云：「鑄得黃金猶有術，掃空白髮定無方」)。風餐江柳下，雨過驛梅邊(東坡云：「因風飧柳下，值雨坐蓬窗。」疑法此句)。髮少何勞白，顏衰更有紅(鄭谷云：「衰鬢霜催白，愁顏酒借紅。」後山：「霜葉雖紅不是春。」坡云：「兒童誤喜朱顏在，一笑那知是酒紅。」一樣白髮紅顏字，煉字轉意不同)。井泉分地脈，砧杵共秋聲(梅堯臣云：「籬根分井口，漏壁透燈光。」于鵠云：「蒸梨常共竈，洗蒜亦同渠」同意)。流來橋下水，半是洞中雲(于武陵云：「飛來南浦水，半是華山雲」)。每於言事際，便作去朝心(唐林寬：「長因抗疏日，便作去朝心。」自然相似)。如何半年內，不見一人來。(祖「如何百年內，不見一人閑」)。

佚名《編類》 《詩》三百篇，一變而爲《離騷》，再變而爲秦漢之歌，三變而爲五言、七言、樂府，辭雖不同，音節亦異，而風雅之氣猶存。東晉以後，漸有琢句之風，以巧麗對律相誇尚，於是古意失，而律詩興於梁沈約，永明八法，至唐杜子美，律詩之體成，而大行於世。樂府自漢至唐，變而爲詞，至宋金而淫冶之風盛，但知發乎情，而能止乎禮義者鮮矣。此詩之沿革，而歷代相尙之所以不同也。然《離騷》爲詞賦之祖，而尙有六義之體。絕句出於律詩，金元之曲出於詞，而古意失之益遠。蓋由世道日益降，古風日益泯，時俗日益薄，人心日益蕩，以日降之道，日泯之風，日薄之俗，日蕩之心，而欲復古，不亦難哉！然今之作者，苟能以《三百篇》存諸心，而以爲之師，以兩漢、盛唐爲之友，正心立志，措意遣辭，雖不及古，必能遠過時人矣。

又 古詩無題，以詩中首句二字爲題，至樂府而始有題。自謝朓、沈約，席上各詠一物，始有分題。至唐而又有分韻、用韻、次韻之法，而盛行於宋金元之世。是不述己志，而牽合從人。漢魏猶有贈答倡和之法，猶是各言己志；後世倡和，宛如榻本臨帖，與人寫眞，果何關於自己哉。此詩之所以愈不若古也。

又 李太白才氣高邁，故其詩多是乘興而成，清麗痛快，灑落有餘，而沉鬱頓挫處卻不足。杜子美工夫縝密，故其詩多是苦思鍛鍊而成，窮達悲歡，各盡其趣，莊重典雅，山野富麗，濃厚纖巧，隨其所遇，各造其極，後之人學杜不成，猶在法度之內，所謂刻鵠不成尙類鶩者也。學李不成，出外規矩之外，所謂畫虎不成反類狗也。

又 韋應物詩，得淵明之沖淡，而情思自然。柳子厚詩，得淵明之句法，而志趣抑鬱，蓋其心憂愁實多，而強排遣之也。惟其所遇有不同，故其詩亦有不同也。陶、韋、柳，雖是三家，其實只是一體，學之者，舍其異，而會其同，則可以得三子之妙處。

又 陶淵明詩云：「日暮天無雲，春風扇微和。佳人美清夜，達曙酣且歌。歌竟長歎息，持此感人多。皎皎雲間月，灼灼葉中花。豈無一時好，不久當如何。」此詩是擬曹子建詩也。感時運之易失，歎青春之不再，其自悼之意，爲何如哉。子建詩云：「南國有佳人，榮華若桃李。朝浮江北岸，夕宿瀟湘沚。時俗薄朱顏，誰爲發皓齒。俯仰歲將暮，榮曜難久恃。」詞語無一字蹈襲，其意度絕相似，善於擬古者也。

又 郭泰機《雜詩》云：「迢迢牽牛星，皎皎河漢女。纖纖擢素手，札札弄機杼。終日不稱章，泣涕零如雨。」蓋心有所思，而不得見，故不能成章而悲也。此與「采采卷耳，不盈傾筐。嗟我懷人，寘彼周行」之意同，其孤臣懷君之心平。又曰：「河漢清且淺，相去復幾許。盈盈一水間，脈脈不得語。」夫河漢清淺而易涉，可以與之語矣，乃脈脈與之語焉。發乎情，止乎禮義也。此又與《河廣》之旨相似。此則比也，《河廣》則興爾。

又 李太白《擬古詩》云：「涉江玩秋水，愛比紅蕖鮮。攀荷弄其珠，蕩漾不成圓。佳人綵雲裏，欲贈南遠天。相思無由見，悵望涼風前。」此詩是擬《古詩十九首》也。《古詩》云：「涉江采芙蓉，蘭澤多芳草。采之欲遺誰，所思在遠道。還顧望故鄉，長路漫浩浩。同心而離居，憂傷以終老。」然古詩沉著，而意味深遠；太白痛快，而俊氣燁然。又如謝玄暉《玉階怨》云：「夕殿下朱簾，流螢飛復息。長夜縫羅衣，思君此何極。」太白《玉階怨》云：「玉階生白露，夜久浸羅襪。卻下水晶簾，玲瓏望秋月。」玄暉何嘗如是俊巧來。然玄暉雖質，而意卻深遠；太白雖巧，而意卻淺近矣。今之學詩者，徒尙其華，佴不求其實，此所以愈不若古也。

又 唐詩人擬古名家者，陳子昂、李太白爲稱首。子昂之《感寓》、太白之《古風》，皆自《文選》中來，往往有逼眞處。惟杜子美「熟精《文選》理」，鎔會變化，自成一家，雖出《文選》，然無一字蹈襲，此子美所以爲高歟。是知

不以摸擬爲難，而以變化爲難。如蜂之釀蜜，百花無不采焉者，及其蜜之成也，人但知味之爲甘，而不知何花之所爲也。虞伯生學士論作文，以煮肉爲喻，取汁而棄肉，亦是此意。此可與知者道，難與俗人言也。

蘇天爵《滋溪文稿》卷三〇《題孟天暐擬古文後》 夫文章務趨一時所尚，固不可也，然欲求合于古，又豈易言哉！故韓子曰，爲文宜師古聖賢人，師其意，不師其詞。歐陽公亦曰，爲文勿用造語，模擬前人，取其自然爾。

龔璛《靜春堂詩集序》 世之爲詩者，學古人欲其似，出己意欲其新，兩端而已。然似者多蹈襲，新者常崖異。唯其似而非似也，新而非新也，得之渾然，又未知古人、己意孰先孰後也，始可言詩耳。

楊維楨《東維子文集》卷七《李仲虞詩序》 删後求詩者，尚家數，家數之大，無止乎杜。宗杜者，要隨其人之資所得爾。資之拙者，又隨其師之所傳得之爾。詩得於師，固不若得於資之爲優也。詩者，人之情性也。人各有情性，則人各有詩也。得於師者，其得爲吾自家之詩哉？

王沂《伊濱集》卷一六《隱軒詩序》 余嘗怪世之宗唐詩者陋中州，是蓋不知一代之文有一代之體，猶大而忠質文之異尚，小而鹹酸之殊嗜。夫以一己之好惡，而欲人之我同，惑矣。《三百篇》以降，由楚、漢迄唐宋、金二千餘年，作者蓋盡心極力而追之，然卒莫與之並，詩豈易言哉！

貢師泰《玩齋集》卷六《陳君從詩集序》 世之學詩者必曰杜少陵，學詩而不學少陵，猶爲方圓而不以規矩也。予獨以爲不然。少陵詩固高出一代，然學之者句求其似，字擬其工，其不類於習書之模倣，度曲之塡腔者幾希。夫詩之原，創見於《賡歌》，删定於《三百篇》。漢、魏以來，雖有作者，不能去此而他求。今近捨漢、魏，遠棄《三百篇》，惟杜之宗，是猶讀經者捨正文而事傳註也。蓋《三百篇》之作，有經有緯，秩然不紊。學詩者於此而有得焉，則漢、魏諸作自可齊驅而並駕，況少陵乎！此予之所以久存於中，而未敢以告人者也。

李祁《雲陽集》卷一〇《題易子文詩卷》 詩道之趨於古，此世道之盛也。古人不可復見，而千載之下，誦其詩者，猶足以想見其爲人，使人欣戴愛慕，願尚友於千載之上。此無他，人心無古今之異故也。人心無古今之異，則夫性情之所感，音響之所會，其不相合者，寡矣。奈何世之言詩者，取足於目前習熟卑近，自以爲是，而詩之去古日遠，豈可勝歎哉！

孔暘《午溪集序》 古今詩人莫盛於唐，唐之詩莫加於杜少陵。自少陵而後，學詩者未有不以少陵爲師，然能造其藩籬者蓋鮮，況升堂入室乎？蓋少陵號集大成，不惟其古、律詩皆備，而體製雄渾，窮妙極玄，實兼前人之所長。故其語有奇偉壯麗者，有沖淡蕭散者，有高古者，有飄逸者。至論其入神處，則皆在於沈著痛快焉。學之者不辨其體製，而混然一概師之，譬之欲涉江河，罔知津渡之攸在，雖沿江河而步，彷徨竟日，終不得而濟矣。夫伯夷、柳下惠未得與吾夫子並，而得與吾夫子俱以聖稱者，以其一偏之行，亦至乎極故也。學詩者苟得少陵之一體而精焉，則可以言小成矣。

張以寧《翠屏集》卷三《釣魚軒詩集序》 詩於唐贏五百家，獨李、杜氏萃然爲之冠。近代諸名人，類宗杜氏而學焉，學李者何其甚鮮也？嘗竊論杜繇學而至，精義入神，故賦多於比興，以追二《雅》；李繇才而入，妙悟天出，故比興多於賦，以繼《國風》。闚其藩籬者，祇見其不同，而窺其閫奥，則謂其氣格渾完，骨肉匀稱，浩浩乎若元氣块圠，充兩間、周萬彙而厚且重者，適兩相埒也。學杜者固誠未易及，而間學李者率喜於飄逸，弊於輕浮，蓋知李之傑於材、高於趣，而於學之卓者，猶未悉之識也。昔者考亭朱夫子疑孔壁後出書序，不類西漢文，蓋以格致輕故也，予於學李者亦云。

又《馬易之金臺集序》 詩至於唐而盛，蓋其選無慮五百餘家，人各不同，而固同於爲唐。唐之大家，首稱杜陵氏。善學杜者，必本之於二《南》、《風》、《雅》，幹之於漢魏樂府古詩，而枝葉之以晉宋齊梁衆作，而後杜可幾也。蓋必極諸家之變態，乃能成一家之自得。不然，則恥於踵人後。志於成一家，而卒不先於古人，而愧於所謂大家者，觀於近代可鑒矣。昔唐韓子稱文章之尤，曰：「學西漢而爲之」，予謂詩亦然，何可以不學古人？而學焉者豈模擬其形似而已耶！

陳謨《海桑集》卷九《書王伯允詩稿》 學詩必自擬古始，雖李、杜亦然。擬之而不近，未也；擬之而甚近，亦未也。初若甚近，則幾矣；其終也甚不近而實無不近，則神矣。

王褘《王忠文公文集》卷五《練伯上詩序》 古今詩道之變非一也，氣運有昇降，而文章與之爲盛衰，蓋其來久矣。《三百篇》勿論已，漢以來蘇子卿、李少卿實作者之首，此詩之始變也。迨乎建安，接魏黃初，曹子建父子起而振之，劉公幹、王仲宣相爲倡和，正始之間，嵇、阮又繼作，詩道於是爲大

盛，此其再變也。自是以後，正音稍微。逮晉太康而中興，陸士衡兄弟、潘安仁、張茂先、張景陽、左太沖，皆其稱首，而陶元亮天分獨高，自其所得，殆超建安而上之，此又一變也。宋元嘉以還，三謝、顔、鮑者作，似復有漢魏風，然其間或傷藻刻，而渾厚之意缺焉，視太康不相及矣。齊永明而下，其弊滋甚，沈休文之拘於聲韻，王元長之局於褊迫，江文通之過於摹擬，陰子堅、何仲言之流於纖瑣，徐孝穆、庾子山之專於婉孌，無復古雅音矣，此又一變也。唐初襲陳、隋之弊，多宗徐、庾，張子壽、蘇廷碩、張道濟、劉希夷、王昌齡、沈雲卿、宋少連皆溺於久習，頽靡不振。王、楊、盧、駱始若開唐、晉之端，而陳伯玉又力於復古，此又一變也。開元、大曆，杜子美出，乃上薄風雅，下掩漢魏，所謂集大成者。而李太白又宗風騷而友建安，與杜相頡頏。復有王摩詰、韋應物、岑參、高達夫、劉長卿、孟浩然、元次山之屬，咸以興寄相高，以及錢、郎、苗、崔諸家，比比而作。既而韓退之、柳宗元起於元和，實方駕李、杜，而元微之、白樂天、杜牧之、劉夢得咸彬彬附和焉。唐世詩道之盛，於是爲至，此又一變也。然自大曆、元和以降，王建、張籍、賈浪仙、孟東野、李長吉、溫飛卿、盧仝、劉叉、李商隱、段成式，雖各自成家，而或淪於怪，或迫於險，或窘於寒苦，或流於靡曼，視開元遂不逮。至其季年，朱慶餘、項子遷、鄭守愚、杜彦夫、吳子華輩，悉纖弱鄙陋，而無足觀矣，此又一變也。宋初仍晚唐之習，天聖以來，晏同叔、錢希聖、楊大年、劉子儀，皆將易其習而莫之革。及歐陽永叔，乃痛矯西崑之弊，而蘇子美、梅聖俞、王禹玉、石延年、王介甫，競以古學相尚。元祐間，蘇、黄挺出，而諸作幾廢矣，此又一變也。建炎之餘，日趨於弊，尤延之之清婉，朱元晦之沖雅，楊廷秀之深刻，范致能之宏麗，陸務觀之敷腴，固粲然可觀，抑去唐爲已遠。及乎淳祐、咸淳之末，莫不音促局而器苦窳，無以議爲矣，此又一變也。元初承金氏之風，作者尚質樸而鮮辭致，至延祐、天曆，豐亨豫大之時，而范、虞、揭以及楊仲弘、元復初、柳道傳、王繼學、馬伯庸、黄晉卿諸君子出，然後詩道之盛，幾跨唐而軼漢，此又其一變也。【略】余嘗聞之楊公之言曰：「詩當取材於漢魏，而音節以唐爲宗也。」黄公之言曰：「詩貴乎平實而流麗也。」嗟乎！言詩之要，無易於此矣。

唐桂芳《白雲集》卷七《黄季倫詩跋》 世道卑猥，意思荒落。讀今人詩，不逮古所爲，而迫近古人者，惟君之詩乎？《三百篇》經聖人刪定，不敢以格律之。漢、魏、晉、宋不得爲商周，唐、宋不得爲漢、魏、晉、宋，亦時使之然也。君之詩典雅有似《十九首》者，冲淡有似謝宣城者，高邁有似李翰林者，雄偉有似杜工部者。舉筆模寫，動效古人，蓋融會多，鍛鍊熟，殆非臨事草草，流連光景而已也。

烏斯道《春草齋集》卷八《王敏公詩集序》 世之論詩者，孰不曰凡工詩必擬諸古人。古人之中孰長於某詩，某詩必擇而擬之，則庶幾乎音節體裁有彷彿焉。余曰不然。今之人信可以擬諸古，古之創於詩者又擬諸何哉。夫心欲有言則形之於詩，詩者代言之音也。人之不能已其言而白於人者，必有倫有理，有開有合，不勞焉自若爾也。否則狂惑而已矣。詩之作亦然，奚必翦翦焉以擬諸古哉。昔優孟學孫叔敖抵掌談笑無不似者，及審而觀之，終非孫叔敖也。魯男子以己之不可，學柳下惠之可，誰不仰焉。孔子稱其善學柳下惠者也。詩之欲擬諸古與否者，豈不亦猶是耶！

王行《半軒集》卷八《題孫敏詩》 自《國風》再變而爲《楚辭》，又變而爲樂府。樂府之變，去詩人之意遠矣。樂府近性情之正者，亦多音節短促，少實厚和平之韻，起讀者淫佚哀傷之思，古人所謂不足以諷而適以勸也。惟《古詩十九首》不大遠，有詩人之意，爲後人所當宗。然其閫域高深，又非初學之士所能入。此詩又所以不易也。晦庵先生教人學詩必從韋、柳始，以其猶間有古詩之遺意。然韋得之多，而柳得之少，韋之所必當從也。

張宇初《峴泉集》卷二《雲溪詩集叙》 孟子之言曰：「王者之跡熄而詩亡，詩亡然後《春秋》作。」夫詩豈易言哉？自《三百篇》古賦之下，漢之蘇、李，魏之曹、王、劉、應，去風雅未遠，始有以變之。晉初阮、陸、潘、左之徒，尤未湮墜。逮六朝鮑、謝、顔、張出，而音韻柔熳，體格綺麗，則風雅之淳日漓矣。暨唐初宋、杜、陳、劉，盛唐韋、柳、王、孟作，而氣度音節，雄逸壯邁，度越於前者也。而集大成者，必曰少陵杜氏。在當時，如高、李、岑、賈，亦莫之等焉。則杜氏之於窮達忻戚，發乎聲歌者，有合乎風雅，而足爲楷法矣。唐末風俗侈靡。宋之稱善者，蘇子瞻、梅聖俞、石延年、王介甫，歐、蘇、朱、楊而已。及元范、楊、虞、揭輩，倡遺音於絶響之餘，直追盛唐，一時禁林之儒生，四方之士人，莫不宗師之。凡江東西之間，言能詩者尤盛，蓋得乎己者。高而宇宙山川之大，近而卉木禽蟲之微，無鉅細妍醜之辨，接於目者會於心。其操辭運思，若江海之奔，而不可遏矣。故代之

辭人墨客，以是名者，駢華競秀，櫛比鱗次。及求之大章全帙，可以躋古而式後者，復幾何人哉？然則《三百篇》之删取，雖出於庸人愚婦之言者，其風刺美怨，皆足以薦之廊廟，裨之政化，而王澤具存焉。其曰詩既亡而以《春秋》續之，則爲詩者，必欲繼其亡者焉。是以後之學者，苟不操源溯流，發乎性靜之正，資養之實，務趨於模測雕飾，竊古人之餘膏剩馥，惟將和鉛吮墨，剽獵纖辭，騁駕於蘭苕月露之頃，以誇時自足，是豈足與言詩也哉？

朱權《西江詩法》卷三《詩家模範》 嘗觀沈約詩已似唐人，韓昌黎詩已似宋人，何歟？由悟入有邪正。韓非不求至沈，自不期而然者也。且詩家者流，各有師效，謂少陵愛何遜，太白類陰鏗，豈無旨哉。苟得其矩度，則閉門造車，天下合轍矣。

黄溥《詩學權輿》卷五 杜審言，子美之祖也。則天時以詩擅名，與宋之問相唱和。其詩有「綰霧青條弱，牽風紫蔓長」、「寄語洛城風月道，明年春色倍還人」之句，若子美：「林花帶雨臙脂濕，水荇牽風翠帶長。」又云：「傳語風光共流轉，暫時相賞莫相違。」雖不襲取其意，而語脈蓋有家法矣。

又 杜紫微云：「南山與秋色，氣勢兩相高。」蓋亦本乎杜子美「千崖秋氣高」，蓋入語領略盡秋色也。至若「木落洞庭秋」，或云蹈襲「楓落吳江冷」，語第變冷，爲秋則氣象自不同，此淵源自《楚騷》中來。《九歌》云：「洞庭波兮木葉下」，其陶寫物象，庶幾宏放。

又卷八 「詩言志，歌永言。」後世則效之以爲歌也。「一曰風，二曰賦。」後人則擬之以爲賦也。「吟詠性情」，則轉而爲吟，「故嗟嘆之」，則易而爲嘆。自詩變而爲樂府之後，孔子作《龜山操》，伯奇作《履霜操》，牧犢子作《雉朝飛》，即或憂或思之詩也。自詩變爲《離騷》之後，賈誼之《吊湘賦》，揚雄之《畔牢愁》，即或哀或愁之詩也。凡此，皆詩之體製源流也。

周琦《東溪日談録》卷一六 世之稱文詞者曰：揚雄作《太玄》以準《易》，《法言》以準《論語》，作賦箴皆有所準；班孟堅作《二京賦》擬《上林》、《子虚》；左太冲作《三都賦》擬《二京》；屈原作《九章》而宋玉述《九辯》；枚乘作《七發》而曹子建述《七啓》；張衡作《四愁》而王仲宣述《七哀》；陸士衡作《擬古》而江文通述《雜體》。華藻隨時而體律相仿。李唐羣英，唯韓文公之文，李太白之詩務去陳言，多出新意。至於盧仝、賈島輩效其顰，張籍、皇甫湜輩學其步，則怪且醜，僵且僕矣。然退之《南山》詩乃類杜甫之《北征》，《進學解》乃同子雲之《解嘲》；《鄆州》、《溪堂》之什依於《國風》；《平淮西碑》之文近於《小雅》；則知其所本矣。近代歐公《醉翁亭記》步驟類《阿房賦》；《晝錦堂記》議論似《盤谷序》；東坡《黄鶴樓賦》氣力同乎《晉問》；《赤壁賦》卓絶近於雄風，則知有自來矣。而韓文公《廟記》、鍾子翼《哀詞》時出險怪，蓋遊戲三昧，間一作之也。夫以文詞比論文詞，猶以枝葉較枝葉之榮瘁，根本不問也，則亦荆公譏昌黎詩之謂矣。

李東陽《麓堂詩話》 文章固關氣運，亦繫於習尚。周、召二南，王、豳、曹、衛諸風，商、周、魯三頌，皆北方之詩。漢魏西晉亦然。唐之盛時稱作家在選列者，大抵多秦晉之人也。蓋周以詩教民，而唐以詩取士，畿甸之地，王化所先，文軌車書所聚，雖欲其不能，不可得也。荆楚之音，聖人不録，實以要荒之故。六朝所製，則出於偏安僭據之域，君子固有譏焉。然則東南之以文著者，亦鮮矣。本朝定都北方，乃爲一統之盛，歷百有餘年之久。然文章多出東南，能詩之士，莫吳越若者，而西北顧鮮其人。何哉？無亦科目不以取，郡縣不以薦之故歟？

王紳《繼志齋集》卷五《楊宗彝詩集序》 嗚呼！夫詩豈易言哉？自《三百篇》而下，歷漢魏晉宋以來，至於唐、於五代、於宋、元，作者不可以數計，而以之名家者，百不一二焉。何則？蓋工於辭者，每戾於理；而得於理者，必嗇於辭。况又因之以世運之隆污，氣習之衰盛，格製之變易，而態故百出，無復古人之遺意矣。此世之談詩者各拘於所溺之偏，人或詰之，則必指古人以自誣，且曰：「吾學某者也。」嗚呼！是猶學射於逢蒙，而用其故鏃；習醫於扁鵲，而竊其遺方，所謂得其末而遺其本。若此者是可以言詩乎哉？

何景明《何大復集》卷三八《雜言十首》 經亡而騷作，騷亡而賦作，賦亡而詩作。秦無經，漢無騷，唐無賦，宋無詩。

郎瑛《七修類稿》卷一八《文盛乃衰》 古人云：詩盛於唐，乃衰於唐也。字盛於晉，乃衰於晉也。蓋以詩雖至唐而警拔，閭里之人不知矣，字雖至晉而神變，巧媚之態極矣，其於明白古拙何有哉。

楊慎《升庵集》卷六《答重慶太守劉嵩陽書》 詩歌至杜陵而暢，然詩之衰颯，實自杜始；經學至朱子而明，然經之拘晦，實自朱始，是非杜朱之罪也。玩瓶中之牡丹，看擔上之桃李，效之者之罪也。

茅一相《題詞評〈曲藻〉後》 夫一代之興，必生妙才；一代之才，必有絶

藝：春秋之辭命，戰國之縱横，以至漢之文、晉之字、唐之詩、宋之詞、元之曲，是皆獨擅其美而不得相兼，垂之千古而不可泯滅者。雖然，即是數者，惟詞曲之品稍劣；而風月烟花之間，一語一調，能令人酸鼻而刺心，神飛而魄絶，亦惟詞曲爲然耳。大都二氏之學，貴情語不貴雅歌，貴婉聲不貴勁氣，夫各有其至焉。覽是編者，可以參二氏之三昧矣。

王驥德《古雜劇序》 後《三百篇》而有楚之騷也，後騷而有漢之五言也，後五言而有唐之律也，後律而有宋之詞也，後詞而有元之曲也。代擅其至也，亦代相降也，至曲而降斯極矣。然《三百篇》之有尼父也，騷之有紫陽也，五言之有選也，律之有高棅氏諸家也，詞之有草堂也，非恃傳者，恃傳之者也。而獨元之曲，類多散逸，而世不盡見。國以初猶及以北曲名家者，而百年來率尚南之傳奇，業已視爲芻狗，即有其傳之者，而浸假廢閣，終無傳也。夫元之曲，以摹繪神理，殫極才情，足抉宇壤之秘。三閭而上無論，即令蘇、李、沈、宋、秦、黄諸君子而在，與之按節度曲、角技勝場，未知孰爲左袒。千載而後，語樂于俳諧者，誰能廢之也。嗟夫！新聲代變，古樂幾亡。今傳奇之家，無慮充棟，然率多猥鄙，古法掃地，每令見者掩口。是編也，即未竟大全，顧典刑具在，庶幾吾孔氏存餼羊意耳。

譚浚《説詩》卷上《遷革》 事有新故，法有因革。善述者明，丕變者達。有反其意而用之者，謂之翻案，駁文。誠齋云：「羞將短髮還吹帽，笑倩傍人爲正冠。孟嘉以落帽爲歡，老杜翻異爲羞。有用句而不用意，謂之脱胎换骨。」復齋云：太白《俠客行》「事了拂衣去，深藏身與名。」元稹《俠客行》「事成不肯藏姓名」。

又《沿襲》 徵《經》訓而古式者善沿，酌《風》、《雅》而富言者善襲。竊語非《經》者，拙鈍無能而淺露。竊意换詞者，假事用情而善避。竊勢殊意者，才巧意精而無迹。則沿濁而更清，襲故而彌新，如杜甫用庾信詩也。

又卷中《仍倣》 《騷》云：「啓《九辯》與《九歌》。」言啓承禹樂，辨九州之物，歌九功之德。屈平仍名《九歌》，則有十一篇。宋玉又仍名《九辯》。又仍古作《招魂》。景差又作《大招》。《楚騷》有《惜誦》、《惜往日》，賈生遂有《惜誓》。漢樂府曲，效題盛矣。《騷》托漁父、太卜問答，後世傚之。相如有子虚、烏有先生、亡是公。揚雄有翰林主人、子墨客卿。班固有西都賓、東都主。張衡有馮虚公子、安處先生。左思有西蜀公子、東吳王孫、魏國先生。至六朝而後，遞相祖述矣。

李贄《焚書》卷三《童心説》 詩何必古選，文何必先秦。降而爲六朝，變而爲近體，又變而爲傳奇，變而爲院本，爲雜劇，爲《西廂曲》，爲《水滸傳》，爲今之舉子業，大賢言聖人之道皆古今至文，不可得而時勢先後論也。故吾因是而有感于童心者之自文也，更説甚麼《六經》，更説甚麼《語》、《孟》乎？

王世懋《藝圃擷餘》 唐律由初而盛，由盛而中，由中而晚，時代聲調，故自必不可同。然亦有初而逗盛，盛而逗中，中而逗晚者。何則？逗者，變之漸也。非逗，故無繇變。如《詩》之有變風變雅，便是《離騷》遠祖。子美七言律之有拗體，其猶變風、變雅乎？唐律之由盛而中，極是盛衰之介。然王維、錢起，實相倡酬，子美全集，半是大曆以後，其間逗漏，實有可言，聊指一二，如右丞「明到衡山」篇，嘉州「函谷」「磻溪」句，隱隱錢、劉、盧、李間矣。至于大曆十子，其間豈無盛唐之句？蓋聲氣猶未相隔也。學者固當嚴于格調，然必謂盛唐人無一語落中，中唐人無一語入盛，則亦固哉其言詩矣。

胡應麟《詩藪内編》卷一 四言變而《離騷》，《離騷》變而五言，五言變而七言，七言變而律詩，律詩變而絶句，詩之體以代變也。《三百篇》降而騷，騷降而漢，漢降而魏，魏降而六朝，六朝降而三唐，詩之格以代降也。上下千年，雖氣運推移，文質迭尚，而異曲同工，咸臻厥美。《國風》、《雅》、《頌》，溫厚和平；《離騷》、《九章》，愴惻濃至；東西二京，神奇渾璞；建安諸子，雄贍高華；六朝俳偶，靡曼精工；唐人律調，清圓秀朗，此聲歌之各擅也。風雅之規，典則居要。離騷之致，深永爲宗。古詩之妙，專求意象。歌行之暢，必由才氣。近體之攻，務先法律。絶句之構，獨主風神。此結撰之殊途也。兼裒總挈，集厥大成；詣絶窮微，超乎彼岸；軌筏具存，在人而已。

又 裂周而王者，七國也。閏漢而統者，六朝也。竊唐而君者，五代也。七國所以兆漢，六朝所以開唐，五代所以基宋。然七國六朝變亂斯極，而文人學士，挺育實繁。屈、宋、唐、景，鵲起於先，故一變爲漢，而古詩千秋獨擅。曹、劉、陸、謝，蟬連於後，故一變爲唐，而近體百世攸宗。五季亂不加於戰國，變不數於南朝，而上靡好文，下曠學古，故自宋至元，歷年三百，莫能自拔。非天開明德，宇宙其無詩哉。

黄諄耀《陶菴全集》卷二《董聖褒房稿序》 世之論文者恆曰：「某某能開

宗，某某能復古。」余以爲不然，夫文未有不復古而能開宗者也。詩至於李、杜，文至於韓、柳，天下之所稱開宗者也，然李、杜以前，盧、駱、沈、宋，雖稱作者，而不無尙沿齊梁之餘波。至少陵一則曰風騷，再則曰陶、謝；太白亦慨然以大雅不作爲己任。是李、杜之於詩，不過能復古而已。前乎韓、柳者，燕、許稱大手筆，然其體制駢偶，去古甚遠，至昌黎始能本原三代兩漢，力追孟、荀、遷、固之文，而子厚亦云參之《穀梁》、參之《孟》、《荀》，參之《莊》、《老》、《國語》、《離騷》、太史諸書而後爲文，是韓、柳之於文，亦不過能復古而已。復古以爲詩文，而詩文之能事盡，天下後世之言詩文者皆範圍焉，吾故曰文未有不復古而能開宗者也。

陸時雍《詩鏡總論》 絶去故常，劃除塗轍，得意一往，乃佳。依傍前人，改成新法，非其善也。豪傑命世，肝膽自行，斷不依人眉目。

又 前不啓轍，後將何涉？前不示圖，後將何摹？詩家慣開門面，前有門面，則後有塗轍矣。不見《雅》、《頌》、《風》、《騷》何人擬得？此眞人所以無迹，至言所以無聲也。

張愼言《泊水齋文鈔》卷一《萬子馨塡詞序》 余讀萬子馨所刻塡詞，蓋吟詠低徊者久之，有文章叔降之慨焉。詩之降也，流爲塡詞，漢魏以來樂府、舞歌、子夜、讀曲，雖奧古，去塡詞遠甚，然已微露其聲氣。迨至齊梁以後，綺靡纖麗之極，不得不流而爲塡詞也。至塡詞而之於元之曲，蓋如決水於千仞之谿矣。故塡詞者，在唐以後爲詩之終，在元以前爲曲之始。然詞之至佳者，入曲則甚韻，而入詩則傷格。風會浸淫，雖作者亦不自知也。然今之樂猶古之樂，箜篌、鐃歌、觱栗、笳吹，皆可以被金石，享人鬼，而况詞與曲乎？但曲以後，再不得復有濫觴矣。《三百篇》，柔情蒨語暨古樂府，率用方言巷謠，而傳之至今，膾炙不厭者，何也？故余以爲塡詞者，用俚用俗，若雜若諧。以塡詞之格而一持以古樂府白紵、舞歌、子夜、讀曲之聲氣，子馨雅能辨此矣。若元之曲再降，益不可知，識者憂之。

謝肇淛《小草齋詩話》卷一 百工技藝皆有師，而詩獨無師。學百工技藝者皆專精苦思，殿最工程，而學詩者獨摹擬剽竊，苟且了事，此世之所以爲詩也。

袁宏道《瓶花齋集》卷一〇《答李元善》 文章新奇，無定格式，祇要發人所不能發，句法字法調法，一一從自己胸中流出，此眞新奇也。近日有一種新奇套子，似新實腐，恐一落此套，則尤可厭可惡之甚。然弟所期於兄，實不止此。

袁宗道《白蘇齋類稿》卷二〇《論文》上 口舌代心者也，文章又代口舌者也。展轉隔礙，雖寫得暢顯，已恐不如口舌矣，况能如心之所存乎？故孔子論文曰：「辭達而已」。達不達，文不文之辨也。唐、虞、三代之文，無不達者。今人讀古書，不卽通曉，輒謂古文奇奧，今人下筆不宜平易。夫時有古今，語言亦有古今。今人所詫謂奇字奧句，安知非古之街談巷語耶？【略】左氏去古不遠，然傳中字句，未嘗肖《書》也。司馬去左亦不遠，然《史記》句字，亦未嘗肖《左》也。至於今日，逆數前漢，不知幾千年遠矣，自司馬不能同於左氏，而今日乃欲兼同左、馬，不亦謬乎！中間歷晉、唐，經宋、元，文士非乏，未有公然撏撦古文，奄爲己有者。【略】空同不知，篇篇模擬，亦謂反正。後之文人，遂視爲定例，尊若令甲，凡有一語不肖古者，卽大怒，罵爲野路惡道。不知空同模擬，自一人創之，猶不甚可厭。迨其後以一傳百，以訛益訛，愈趨愈下，不足觀矣。【略】或曰：「信如子言，古不必學耶？」余曰：「古文貴達，學達卽所謂學古也，學其意不必泥其字句也。」

許學夷《詩源辯體》卷三四 或問：詩與書畫一也。學書者摹倣古人，謂之書家奴，學詩者烏得亦冒此名耶？曰：詩無象而書畫有形，有形者易於似，無象者難於似也。今觀獻吉、昌穀五言律，仲默五、七言律，體製聲調，靡不唐也，而命意措辭，則己出也。若并變其體製聲調而爲詩，則野狐外道矣。今學書者點畫鍾、王也，結構鍾、王也，何者爲己出，烏得爲非襲乎？故國朝書家多變，而詩則未嘗變也。畫則在詩、書之間矣。

鄧雲霄《冷邸小言》 說者謂一代有一代詩，一人有一人作，何必效顰風騷魏晉，學步初盛唐人，還當自創奧堂，顧甘拾人餘唾？予以爲不然。詩有自然之情，有自然之法，有自然之韻，非學古人，學天地間不得不然者也。如欲創奧堂矣，可不用前人木石，不可不用前人規矩準繩。恥拾人餘唾矣，能不取音於舌根，轉聲於齒齶，以足語，以手呼，得乎？故用古人已用之句，是蹈襲也。用古人自然之情、之法、之韻，雖用古而實自用也。何也，我實有之也。反是，則病狂譫語耳。如花月人所共賞也，今歲之花非昔歲之花，而花樣不殊；今夕之月卽前夕之月，而月境忽別，是以屢賞而不厭。如曰是花也，月也，前夕前年曾看過，別討一花月而觀之，必夢入鬼道而後可。

今之工蹇澀、索奇僻，無景無情無聲無韻，是入鬼道而已，何取焉！

又 古詩如秦漢鼎彝，不得雜以時樣。又如白地明光錦，雖文采燦然而無繪藻。今人所不能作古詩者，以有六朝、唐時宿物先入胸中故也。唐人雖擬古，畢竟是唐人家數耳。惟近體是其自創，故克盡所長，譬閩作魯音，終露本相，若說鄉音，則純熟流轉，唐人妙近體是唐人說唐音，安得不佳？

王夫之《薑齋文集》卷三《詩傳合參序》 學，效也。聞之說曆者曰：「用郭守敬之曆，而不能用其法，非能效守敬者。」善夫其以善言效也。故易曰：「擬議以成其變化。」擬議變化，如目視之與手擧，異用而合體。變化所以擬議也。知擬議其變化，則古人之可效者畢效矣。然而不知擬議者，其於變化，猶幻人之術也，眩也，終古而弗能效也。以詩言之，朱子生二千年之後，易子夏氏而爲之傳，奚效乎，效子夏氏爾。子夏氏於素絢之詩，同堂而異意，故能效夫子之變化以俟朱子。朱子於《三百篇》正變貞淫之致，同道而異詮，故能效子夏之變化，以俟後人。善效朱子者，可以知所擬議矣。伯兄石厓先生曰：「吾以序言詩，而於生平諷誦所蓄疑而未安者，自覺爲之豁如。」覺其豁如者，覺也。覺者，天理之舍，古今之府，以效古人而自覺者也。故一曰學，覺也。覺生於擬議，而效成乎變化，斯以悅心研慮而無所疑。

錢謙益《有學集》卷三九《與遵王書》 古人論詩，研究體源。鍾記室謂李陵出于《楚辭》，陳王出于《國風》，劉楨出于《古詩》，王粲出于李陵，莫不應若宮商，辨如蒼素。獨孤及謂沈、宋既沒，崔司勳、王右丞崛起開、寶之間，得其門而入，皇甫補闕數人而已。今之論古詩者，曹劉陸謝，能一一知其體源否？論盛唐者，祖禰李、杜二家，亦知司勳、右丞開寶間別有流派否？中年學詩，聞先生長者緒言，頗知撥棄俗學，未克窮究聲律，精研風雅。泝流而下，自韓、劉、皮、陸，以訖于宋之廬陵、眉山，金之遺山，而已知盡能索矣。更遡而下之，淈其流而揚其波，殆將往而不返，非所望于高明也。元、白二公，往復論詩，司空表聖《與李生書》，皆作者之津涉，後人之鍼藥也。留心揀擇，但見其上，勿氾濫末流，爲有識所笑。

又《與方爾止》 古人詩暮年必大進。詩不大進必日落，雖欲不進，不可得也。欲求進，必自能變始，不變則不能進。陸平原曰：「其爲物也多姿，其爲變也屢遷。」又曰：「謝朝華于已披，啓夕秀于未振。」皆善變之說也。近代思變杜者，以單薄膚淺爲中唐，五言律中兩聯不對謂之近古，此求變而轉下者也。唐人如岑嘉州、王右丞、錢考功皆與杜老爭勝毫芒。晚唐則陸魯望、皮襲美，金源則元裕之，風指穠厚，皆能橫截衆流。足下論詩以杜、白爲第宅，亦不妨以諸家爲苑囿也。

吴喬《圍爐詩話》卷一 漢、魏之詩，正大高古。漢，謂自枚乘至中郎（枚詩十九首，其中亦有東漢人詩也）；魏，謂思王至阮公。正，謂不淫不傷；大，謂非嘆老嗟卑；高，謂無放言細語；古，謂不束于韻，不束于粘綴，不束于聲病，不束于對偶。如是之謂雅，不如是之謂俗；而俗又有微甚之辨。兩晉之詩漸有偶句，至沈、宋而極。齊、梁始有聲病，至唐律而極。宫體始淫，至晚唐而極。休文作韻，其時詩人亦不遵用，唐以立功令始用于詩，至步韻而極。五柳以小言寓意，晚唐爲甚，至宋而極。餘則互有之。此詩道古今之大端也。詩道不出乎變復。變，謂變古；復，謂復古。變乃能復，復乃能變，非二道也。漢、魏詩甚高，變《三百篇》之四言爲五言，而能復其淳正。盛唐詩亦甚高，變漢、魏之古體爲唐體，而能復其高雅；變六朝之綺麗爲渾成，而能復其挺秀。藝至此尚矣！晉、宋至陳、隋，大曆至唐末，變多于復，不免于流，而猶不違于復，故多名篇。此後難言之矣！宋人惟變不復，唐人之詩意盡亡；明人惟復不變，遂爲叔敖之優孟。二百年來非宋則明，非明則宋，而皆自以爲唐詩。試讀金正希擧業文，不貌似先正而最得先正之神，以其無逢世之俗情，惟發己意故也。詩可知矣。無智人前莫說，打你頭破額裂。

毛奇齡《西河集》卷四五《王舍人選刻宋元詩序》 昔昭明選文，謂文有變，本不相仍襲，譬之椎輪爲大輅所始，而大輅不必爲推輪；增冰爲積水所加，而增冰不必皆積水。審如是，則漢魏六季升降甚懸，然猶不能存漢魏而去六季，而欲以三唐之詩一擧。夫宋金元五六百年之所作而盡去之豈理也哉！夫唐之必爲宋金元者，水之爲冰也。然而猶爲唐，則冰之仍可爲水也。宋金元之大異于唐者，鉛之爲丹也；然而不必爲唐者，丹卽不爲鉛，而亦未嘗非鉛也。曩時，嘉隆間，論詩太嚴，過于傾宋元，而竟至于亡宋元。夫宋元必不能亡，而欲亡宋元，遂致竟陵公安競相篡，處勢不至于傾唐不止。今之爲宋元之說者過于重宋元而抑明。夫明必不可抑，而過于抑明，而重宋元，其勢亦不至于傾宋元不止。

汪琬《堯峰文鈔》卷二六《唐詩正序》 《詩》風雅之有正變也，蓋自毛鄭之

學始。成周之初，雖以途歌巷謠而皆得列於正；幽厲以還，舉凡諸侯夫人公卿大夫閔世病俗之所爲，而莫不以變名之。正變之云，以其時，非以其人也。故曰：志微噍殺之音作，而民憂思；嘽諧慢易之音作，而民康樂；順成和動之音作，而民慈愛；流僻邪散狄成滌濫之音作，而民淫亂。夫詩，固樂之權輿也。觀乎詩之正變，而其時之廢興治亂汚隆得喪之數可得而鑒也。史家所志五行，恆取其變之甚者，以爲詩妖詩孽，言之不從之徵。故聖人必用溫柔敦厚爲教，豈苟然哉？吾嘗由是説以讀唐詩。有唐三百年間，能者相繼。貞觀、永徽諸詩，正之始也，然而琱刻組績，殆不免陳隋之遺焉。開元、天寶諸詩，正之盛也，然而李、杜兩家並起角立，或出於豪俊不羈，或趨於沈著感憤，正矣有變者存。降而大曆以訖元和貞元之際，典型具在，猶不失承平故風，庶幾乎變而不失正者歟？自是之後，其辭漸繁，其聲漸細，而唐遂陵夷以底於亡。説者蓋比諸鄶曹無譏焉。凡此，皆時爲之也。當其盛也，人主勵精於上，宰臣百執趨事盡言於下，政清刑簡，人氣和平，故其發之於詩，率皆沖融而爾雅，讀者以爲正，作者不自知其正也。及其既衰，在朝則朋黨之相訐，在埜則戎馬之交訌，政煩刑苛，人氣愁苦，故其所發，又皆哀思促節爲多，最下則浮且靡矣。中間雖有賢者，亦嘗博大其學，掀決其氣，以求篇什之昌，而訖不能驟復乎古。讀者以爲變，作者亦不自知其變也。是故正變之所形，國家之治亂繫焉，人才之消長，風俗之汚隆繫焉，後之言詩者顧惟取一字一句之工以相夸尚，夫豈足與語此！

李漁《名詞選勝序》 時卽運也，桃李之運在春，芙蕖之運在夏，梅菊之運在秋冬。文之爲運也亦然。經莫盛于上古，是上古爲《六經》之運。史莫盛于漢，是漢爲史之運。詩莫盛于唐，是唐爲詩之運。曲莫盛于元，是元爲曲之運。運行至斯，而斯文遂盛。爲君相者，特起而乘之，有若或使之者在，非能強不當盛者而使之盛也。不知者曰：唐以詩掄才而詩工；宋以文衡士而文勝；元以曲制舉而曲精。夫元實未嘗以曲制舉，是皆妄言妄聽者耳。夫果如是，則三代以上未聞以作經舉士，兩漢之朝不見以編史制科，胡亦油然勃然，自爲興起，而莫之禁也。文運之氣數驗于此矣。

葉燮《原詩·內篇》上 詩始於《三百篇》，而規模體具於漢。自是而魏，而六朝、三唐，歷宋、元、明，以至昭代，上下三千餘年間，詩之質文體裁格律聲調辭句，遞升降不同。而要之，詩有源必有流，有本必達末；又有因流而溯源，循末以返本。其學無窮，其理日出。乃知詩之爲道，未有一日不相續相禪而或息者也。但就一時而論，有盛必有衰；綜千古而論，則盛而必至於衰，又必自衰而復盛。非在前者之必居於盛，後者之必居於衰也。乃近代論詩者，則曰：《三百篇》尚矣；五言必建安、黃初；其餘諸體，必唐之初、盛而後可。非是者，必斥焉。如明李夢陽不讀唐以後書；李攀龍謂「唐無古詩」，又謂「陳子昂以其古詩爲古詩，弗取也」。自若輩之論出，天下從而和之，推爲詩家正宗，家絃而戶習。習之既久，乃有起而掊之，矯而反之者，誠是也；然又往往溺於偏畸之私説。其説勝，則出乎陳腐而入乎頗僻；不勝，則兩敝。而詩道遂淪而不可救。由稱詩之人，才短力弱，識又矇焉而不知所衷。既不能知詩之源流本末正變盛衰，互爲循環；並不能辨古今作者之心思才力深淺高下長短，孰爲沿爲革，孰爲創爲因，孰爲流弊而衰，孰爲救衰而盛，一一剖析而縷分之，兼綜而條貫之。徒自詡矜張，爲郛廓隔膜之談，以欺人而自欺也。於是百喙爭鳴，互自標榜，膠固一偏，剿獵成説。後生小子，耳食者多，是非淆而性情汩。不能不三歎於風雅之日衰也！

又 蓋自有天地以來，古今世運氣數，遞變遷以相禪。古云：「天道十年而一變。」此理也，亦勢也，無事無物不然；寧獨詩之一道，膠固而不變乎？今就《三百篇》言之：《風》有《正風》，有《變風》；《雅》有《正雅》，有《變雅》。《風雅》已不能不由正而變，吾夫子亦不能存正而刪變也；則後此爲風雅之流者，其不能伸正而詘變也明矣。漢蘇李始創爲五言，其時又有亡名氏之《十九首》，皆因乎《三百篇》者也；然不可謂卽無異於《三百篇》，而實蘇李創之也。建安、黃初之詩，因於蘇李與《十九首》者也。然《十九首》止自言其情；建安、黃初之詩，乃有獻酬、紀行、頌德諸體，遂開後世種種應酬等類；則因而實爲創。此變之始也。《三百篇》一變而爲蘇李，再變而爲建安、黃初。建安、黃初之詩，大約敦厚而渾樸，中正而達情。一變而爲晉，如陸機之纏綿鋪麗，左思之卓犖磅礴，各不同也。其間屢變而爲鮑照之逸俊，謝靈運之警秀，陶潛之澹遠。又如顏延之之藻繢，謝朓之高華，江淹之韶嫵，庾信之清新。此數子者，各不相師，咸矯然自成一家。不肯沿襲前人以爲依傍，蓋自六朝而已然矣。其間健者如何遜、如陰鏗、如沈炯、如薛道衡，差能自立。此外繁辭縟節，隨波日下，歷梁、陳、隋以迄唐之垂拱，踵其習而益甚，勢不能不變。小變於沈、宋、雲、龍之間，而大變於開元、天寶、高、

岑、王、孟、李。此數人者，雖各有所因，而實一一能爲創。而集大成如杜甫，傑出如韓愈，專家如柳宗元、如劉禹錫、如李賀、如李商隱、如杜牧、如陸龜蒙諸子，一一皆特立興起。其他弱者，則因循世運，隨乎波流，不能振拔，所謂唐人本色也。宋初，詩襲唐人之舊，如徐鉉、王禹偁輩，純是唐音。蘇舜卿、梅堯臣出，始一大變；歐陽修亟稱二人不置。自後諸大家迭興，所造各有至極。今人一概稱爲「宋詩」者也。自是南宋、金、元，作者不一。大家如陸游、范成大、元好問爲最，各能自見其才。有明之初，高啓爲冠，兼唐、宋、元人之長，初不於唐、宋、元人之詩有所爲軒輊也。自「不讀唐以後書」之論出，於是稱詩者必曰唐詩；苟稱其人之詩爲宋詩，無異於唾罵。謂「唐無古詩」，並謂「唐中、晚且無詩也」。噫！亦可怪矣！今之人豈無有能知其非者；然建安盛唐之説，錮習沁入於中心，而時發於口吻，弊流而不可挽，則其説之爲害烈也。

又　原夫作詩者之肇端而有事乎此也，必先有所觸以興起其意，而後措諸辭、屬爲句、敷之而成章。當其有所觸而興起也，其意、其辭、其句，劈空而起，皆自無而有，隨在取之於心。出而爲情、爲景、爲事，人未嘗言之，而自我始言之，故言者與聞其言者，誠可悦而永也。使即此意、此辭、此句雖有小異，再見焉，諷詠者已不擊節；數見，則益不鮮；陳陳踵見，齒牙餘唾，有掩鼻而過耳。譬之上古之世，飯土簋，啜土鉶，當飲食未具時，進以一臠，必爲驚喜；逮後世臛臇炰膾之法興，羅珍搜錯，無所不至，而猶以土簋土鉶之庖進，可乎？上古之音樂，擊土鼓而歌《康衢》；其後乃有絲、竹、匏、革之制；流至於今，極於九宫南譜。聲律之妙，日異月新，若必返古而聽《擊壤》之歌，斯爲樂乎？古者穴居而巢處，乃制爲宫室，不過衛風雨耳；後世遂有璇題瑤室，土文繡而木綈錦。古者儷皮爲禮；後世易之以玉帛，遂有千純百璧之侈。使今日告人居以巢穴、行禮以儷皮，孰不嗤之者乎？大凡物之踵事增華，以漸而進，以至於極。故人之智慧心思，在古人始用之，又漸出之；而未窮未盡者，得後人精求之，而益用之出之。乾坤一日不息，則人之智慧心思，必無盡與窮之日。惟叛於道、戾於經、乖於事理，則爲反古之愚賤耳。苟於此數者無尤焉，此如治器然，切磋琢磨，屢治而益精，不可謂後此者不有加乎其前也。彼虞廷「喜」「起」之歌，詩之土簋、擊壤、穴居、儷皮耳。一增華於《三百篇》；再增華於漢；又增華於魏。自後盡態極妍，爭新競異，千狀萬態，差別井然。苟於情、於事、於景，於理隨在有得，而不戾乎風人「永言」之旨，則就其詩論工拙可耳，何得以一定之程格之，而抗言風雅哉？如人適千里者，唐虞之詩，如第一步；三代之詩，如第二步；彼漢魏之詩，以漸而及，如第三、第四步耳。作詩者知此數步爲道途發始之所必經，而不可謂行路者之必於此數步焉爲歸宿，遂棄前途而弗邁也。且今之稱詩者，祧唐虞而禘商周，宗祀漢魏於明堂，是也；何以漢魏以後之詩，遂皆爲不得入廟之主？此大不可解也。譬之井田封建，未嘗非治天下之大經；今時必欲復古而行之，不亦天下之大愚也哉！且蘇李五言與亡名氏之《十九首》，至建安、黄初，作者既已增華矣；如必取法乎初，當以蘇李與《十九首》爲宗，則亦吐棄建安、黄初之詩可也。詩盛於鄴下，然蘇李、《十九首》之意，則寖衰矣。使鄴中諸子，欲其一一摹倣蘇李，尚且不能，且亦不欲；乃於數千載之後，胥天下而盡倣曹劉之口吻，得乎哉？或曰：「『溫柔敦厚，詩教也』。漢、魏去古未遠，此意猶存，後此者不及也。」不知「溫柔敦厚」，其意也，所以爲體也，措之於用，則不同；辭者，其文也，所以爲用也，返之於體，則不異。漢、魏之辭，有漢、魏之「溫柔敦厚」，唐、宋、元之辭，有唐、宋、元之「溫柔敦厚」。譬之一草一木，無不得天地之陽春以發生。草木以億萬計，其發生之情狀，亦以億萬計，而未嘗有相同一定之形，無不盎然皆具陽春之意。豈得曰若者得天地之陽春，而若者爲不得者哉！且「溫柔敦厚」之旨，亦在作者神而明之；如必執而泥之，則《巷伯》「投畀」之章，亦難合於斯言矣。從來豪傑之士，未嘗不隨風會而出，而其力則嘗能轉風會。人見其隨乎風會也，則曰：其所作者，眞古人也！見能轉風會者以其不襲古人也，則曰：今人不及古人也！無論居古人千年之後，即如左思去魏未遠，其才豈不能爲建安詩耶？觀其縱橫躑踏，睥睨千古，絶無絲毫曹劉餘習。鮑照之才，迥出儕偶，而杜甫稱其「俊逸」；夫「俊逸」則非建安本色矣。千載後無不擊節此兩人之詩者，正以其不襲建安也。奈何去古益遠，翻以此繩人耶？且夫《風雅》之有正有變，其正變繫乎時，謂政治、風俗之由得而失，由隆而污。此以時言詩；時有變而詩因之。時變而失正，詩變而仍不失其正，故有盛無衰，詩之源也。吾言後代之詩，有正有變，其正變係乎詩，謂體格、聲調、命意、措辭、新故升降之不同。此以詩言時；詩遞變而時隨之。故有漢、魏、六朝、唐、宋、元、明之互爲盛衰，惟變以救正之衰，故

遞衰遞盛，詩之流也。從其源而論，如百川之發源，各異其所從出，雖萬派而皆朝宗於海，無弗同也。從其流而論，如河流之經行天下，而忽播爲九河；河分九而俱朝宗於海，則亦無弗同也。歷考漢魏以來之詩，循其源流升降，不得謂正爲源而長盛，變爲流而始衰。惟正有漸衰，故變能啓盛。如建安之詩，正矣，盛矣；相沿久而流於衰，後之人力大者大變，力小者小變。六朝諸詩人，間能小變，而不能獨開生面。唐初沿其卑靡浮豔之習，句櫛字比，非古非律，詩之極衰也。而陋者必曰：此詩之相沿至正也。不知實正之積弊而衰也。迨開寶諸詩人，始一大變。彼陋者亦曰：此詩之至正也。不知實因正之至衰變而爲至盛也。盛唐諸詩人，惟能不爲建安之古詩，吾乃謂唐有古詩。若必摹漢魏之聲調字句，此漢魏有詩，而唐無古詩矣。且彼所謂陳子昂「以其古詩爲古詩」，正惟子昂能自爲古詩，所以爲子昂之詩耳。然吾猶謂子昂古詩，尚蹈襲漢魏蹊徑，竟有全似阮籍《詠懷》之作者，失自家體段；猶訾子昂不能以其古詩爲古詩，乃翻勿取其自爲古詩，不亦異乎！杜甫之詩，包源流，綜正變。自甫以前，如漢魏之渾樸古雅，六朝之藻麗穠纖、澹遠韶秀，甫詩無一不備。然出於甫，皆甫之詩，無一字句爲前人之詩也。自甫以後，在唐如韓愈、李賀之奇奡，劉禹錫、杜牧之雄傑，劉長卿之流利，溫庭筠、李商隱之輕艷，以至宋、金、元、明之詩家，稱巨擘者，無慮數十百人，各自炫奇翻異；而甫無一不爲之開先。此其巧無不到、力無不舉，長盛於千古，不能衰，不可衰者也。今之人固群然宗杜矣；亦知杜之爲杜，乃合漢、魏、六朝並後代千百年之詩人而陶鑄之者乎！唐詩爲八代以來一大變。韓愈爲唐詩之一大變；其力大，其思雄，崛起特爲鼻祖。宋之蘇、梅、歐、蘇、王、黃，皆愈爲之發其端，可謂極盛。而俗儒且謂愈詩大變漢魏，大變盛唐，格格而不許。何異居蚯蚓之穴，習聞其長鳴，聽洪鐘之響而怪之，竊竊然議之也！且愈豈不能擁其鼻、肖其吻，而效俗儒爲建安、開、寶之詩乎哉！開、寶之詩，一時非不盛；遞至大曆、貞元、元和之間，沿其影響字句者且百年，此百餘年之詩，其傳者已少殊尤出類之作，不傳者更可知矣。必待有人焉起而撥正之，則不得不改絃而更張之。愈嘗自謂「陳言之務去」，想其時陳言之爲禍，必有出於目不忍見、耳不堪聞者。使天下人之心思智慧日腐爛埋沒於陳言中，排之者比於救焚拯溺，可不力乎！而俗儒且栩栩然俎豆愈所斥之陳言，以爲秘異而相授受，可不哀耶！故晚唐詩人，亦以陳言爲病；但無愈之才力，故日趨於尖新纖巧。俗儒即以此爲晚唐詬厲，嗚呼，亦可謂愚矣！至於宋人之心手日益以啓，縱橫鉤致，發揮無餘蘊。非故好爲穿鑿也；譬之石中有寶，不穿之鑿之，則寶不出。且未穿未鑿以前，人人皆作模棱皮相之語，何如穿之鑿之之實有得也。如蘇軾之詩，其境界皆開闢古今之所未有，天地萬物，嬉笑怒罵，無不鼓舞於筆端，而適如其意之所欲出。此韓愈後之一大變也，而盛極矣。自後或數十年而一變；或百餘年而一變；或一人獨自爲變；或數人而共爲變；皆變之小者也。其間或有因變而得盛者；然亦不能無因變而益衰者。大抵古今作者，卓然自命，必以其才智與古人相衡，不肯稍爲依傍，寄人籬下，以竊其餘唾。竊之而似，則「優孟衣冠」；竊之而不似，則「畫虎不成」矣。故寧甘作偏裨，自領一隊，如皮陸諸人是也。乃才不及健兒，假他人餘焰，妄自僭王稱霸，實則一土偶耳。生機既無，面目塗飾，洪潦一至，皮骨不存。而猶侈口而談，亦何謂耶？惟有明末造，諸稱詩者專以依傍臨摹爲事，不能得古人之興會神理，句剽字竊，依樣葫蘆。如小兒學語，徒有喔咿，聲音雖似，都無成說，令人噦而卻走耳。乃妄自稱許曰：「此得古人某某之法。」尊盛唐者，盛唐以後，俱不掛齒。近或有以錢劉爲標榜者，舉世從風，以劉長卿爲正派。究其實不過以錢劉淺利輕圓，易於摹倣，遂呵宋斥元！又推崇宋詩者，竊陸游、范成大與元之元好問諸人婉秀便麗之句，以爲秘本！昔李攀龍襲漢魏古詩樂府，易一二字，便居爲己作；今有用陸范及元詩句，或顛倒一二字，或全竊其面目，以盛誇於世，儼主騷壇，傲睨今古，豈惟風雅道衰，抑可窺其術智矣！

又《內篇》下 或曰：「先生之論詩，深源於正變盛衰之所以然，不定指在前者爲盛，在後者爲衰。而謂明二李之論爲非，是又以時人之模棱漢魏、貌似盛唐者，熟調陳言，千首一律，爲之反覆以開其錮習，發其憒蒙。乍聞之，似乎矯枉而過正；徐思之，眞膏肓之針砭也。然則，學詩者，且置漢魏初盛唐詩勿卽寓目，恐從是入手，未免熟調陳言，相因而至，我之心思終於不出也；不若卽於唐以後之詩而從事焉，可以發其心思，啓其神明，庶不墮蹈襲相似之故轍，可乎？」余曰：吁！是何言也？余之論詩，謂近代之習，大概斥近而宗遠，排變而崇正，爲失其中而過其實，故言非在前者之必盛，在後者之必衰。若子之言，將謂後者之居於盛，而前者反居於衰乎？吾見歷來之論詩者，必曰：蘇李不如《三百篇》，建安、黃初不如蘇、李，六朝不如

建安、黄初，唐不如六朝。而斥宋者，至謂不僅不如唐，而元又不如宋。惟有明二三作者，高自位置，惟不敢自居於《三百篇》，而漢、魏、初盛唐居然兼總而有之，而不少讓。平心而論，斯人也，實漢、魏、唐人之優孟耳。竊以爲相似而僞，無寧相異而眞，故不必泥前盛後衰爲論也。夫自《三百篇》而下，三千餘年之作者，其間節節相生，如環之不斷；如四時之序，衰旺相循而生物、而成物，息息不停，無可或間也。吾前言踵事增華，因時遞變，此之謂也。故不讀「明」「良」《擊壤》之歌，不知《三百篇》之工也；不讀《三百篇》，不知漢魏詩之工也；不讀漢魏詩，不知六朝詩之工也；不讀六朝詩，不知唐詩之工也；不讀唐詩，不知宋與元詩之工也。夫惟前者啓之，而後者承之而益之；前者創之，而後者因之而廣大之。使前者未有是言，則後者亦能如前者之初有是言；前者已有是言，則後者乃能因前者之言而另爲他言。總之，後人無前人，何以有其端緒；前人無後人，何以竟其引伸乎！譬諸地之生木然：《三百篇》，則其根；蘇李詩，則其萌芽由蘖；建安詩，則生長至於拱把；六朝詩，則有枝葉；唐詩，則枝葉垂蔭；宋詩則能開花，而木之能事方畢。自宋以後之詩，不過花開而謝，花謝而復開。其節次雖層層積累，變換而出；而必不能不從根柢而生者也。故無根，則由蘖何由生？無由蘖，則拱把何由長？不由拱把，則何自而有枝葉垂蔭、而花開花謝乎？若曰：審如是，則有其根斯足矣，凡根之所發，不必問也。且有由蘖及拱把，成其爲木，斯足矣，其枝葉與花，不必問也。則根特蟠於地而具其體耳，由蘖萌芽僅見其形質耳，拱把僅生長而上達耳；而枝葉垂蔭，花開花謝，可遂以已乎？故止知有根芽者，不知木之全用者也；止知有枝葉與花者，不知木之大本者也。由是言之：詩自《三百篇》以至於今，此中終始相承相成之故，乃豁然明矣。豈可以臆劃而妄斷者哉！大抵近時詩人，其過有二：其一奉老生之常談，襲古來所云忠厚和平、渾樸典雅、陳陳皮膚之語，以爲正始在是，元音復振，動以道性情、托比興爲言。其詩也，非庸則腐，非腐則俚。其人且復鼻孔撩天，搖唇振履，面目與心胸，殆無處可以位置。此眞虎豹之鞟耳！其一好爲大言，遺棄一切，掇採字句，抄集韻腳。覩其成篇，句句可劃；諷其一句，字字可斷。其怪戾則自以爲李賀，其濃抹則自以爲李商隱，其澁險則自以爲皮陸，其拗拙則自以爲韓孟。土苴建安，弁髦初盛。後生小子，詫爲新奇，競趨而效之。所云牛鬼蛇神，夔蚿魍魎，揆之風雅之義，風者眞不可以風，雅者則已喪其雅，尚可言耶！吾願學詩者，必從先型以察其源流，識其升降。讀《三百篇》而知其盡美矣，盡善矣，然非今之人所能爲；即今之人能爲之，而亦無爲之之理，終亦不必爲之矣。繼之而讀漢魏之詩，美矣，善矣，今之人庶能爲之，而無不可爲之；然不必爲之；或偶一爲之，而不必似之。又繼之而讀六朝之詩，亦可謂美矣，亦可謂善矣，我可以擇而間爲之；亦可以恝而置之。又繼之而讀唐人之詩，盡美盡善矣，我可盡其心以爲之，又將變化神明而達之。又繼之而讀宋之詩、元之詩，美之變而仍美，善之變而仍善矣；吾縱其所如，而無不可爲之，可以進退出入而爲之。此古今之詩相承之極致，而學詩者循序反覆之極致也。原夫創始作者之人，其興會所至，每無意而出之，即爲可法可則。如《三百篇》中，里巷歌謠，思婦勞人之吟詠居其半。彼其人非素所誦讀講肄推求而爲此也，又非有所研精極思、腐毫輟翰而始得也；情偶至而感，有所感而鳴，斯以爲風人之旨，遂適合於聖人之旨而刪之爲經以垂敎。非必謂後之君子，雖誦讀講習，研精極思，求一言之幾於此而不能也。乃後之人，頌美、訓釋《三百篇》者，每有附會。而於漢、魏、初盛唐亦然，以爲後人必不能及。乃其弊之流，且有逆而反之：推崇宋元者，菲薄唐人；節取中、晚者，遺置漢、魏。則執其源而遺其流者，固已非矣；得其流而棄其源者，又非之非者乎！然則，學詩者，使竟從事於宋、元近代，而置漢、魏、唐人之詩而不問，不亦大乖於詩之旨哉！

又《外篇》下　《三百篇》如三皇五帝，雖法制多有未備，然所以爲君而治天下之道，無能外此者矣。漢魏詩如三王，已有質文治具，煥然耳目，然猶未能窮盡事物之變。自此以後，作者代興，極其所至，如漢祖唐宗，功業炳燿，其名王，其實則霸。雖後人之才，或遜于前人，然漢唐之天下，使以三王之治治之，不但不得王，並且失霸。故後代之詩，爲王則不傳，爲霸則傳。漢祖唐宗之規模，而以齊桓晉文之才與術用之，業成而儼然王矣。知此，方可登作者之壇，紹前哲，垂後世。若徒竊漢唐之規模，而無桓文之才術，欲自雄于世，此宋襄之一戰而敗，身死名滅，爲天下笑也。

又　漢魏之詩，如畫家之落墨于太虛中，初見形象。一幅絹素，度其長短、闊狹，先定規模；而遠近濃淡，層次脫卸，俱未分明。六朝之詩，始知烘染設色，微分濃淡；而遠近層次，尚在形似意想間，猶未顯然分明也。盛

唐之詩，濃淡遠近層次，方一一分明，能事大備。宋詩則能事益精，諸法變化，非濃淡、遠近、層次所得而該，刻畫掉換，無所不極。又嘗謂漢魏詩不可論工拙；其工處乃在拙，其拙處乃見工，當以觀商周尊彝之法觀之。六朝之詩，工居十六七，拙居十三四；工處見長，拙處見短。唐詩諸大家、名家，始可言工；若拙者則竟全拙，不堪寓目。宋詩在工拙之外，其工處固有意求工，拙處亦有意爲拙；若以工拙上下之，宋人不受也。此古今詩工拙之分劑也。又漢魏詩，如初架屋，棟樑柱礎，門戶已具，而窗櫺楹檻等項，猶未能一一全備，但樹棟宇之形製而已。六朝詩始有窗櫺楹檻、屏蔽開闔。唐詩則于屋中設帳幃床榻器用諸物，而加丹堊雕刻之工。宋詩則製度益精，室中陳設，種種玩好，無所不蓄。大抵屋宇初建，雖未備物，而規模弘敞，大則宮殿，小亦廳堂也。遞次而降，雖無製不全，無物不具，然規模或如曲房奧室，極足賞心；而冠冕闊大，遜于廣廈矣。夫豈前後人之必相遠哉！運會世變使然，非人力之所能爲也，天也。

又 六朝詩家，惟陶潛、謝靈運、謝朓三人最傑出，可以鼎立。三家之詩不相謀：陶潛澹遠，靈運警秀，朓高華。各闢境界，開生面，其名句無人能道。左思、鮑照次之。思與照亦各自開生面，餘子不能望其肩項。最下者潘安、沈約，幾無一首一語可取，詩如其人之品也。齊梁駢麗之習，人人自矜其長；然以數人之作，相混一處，不復辨其爲誰，千首一律，不知長在何處！其時膾炙之句，如「芙蓉露下落，楊柳月中疎」、「亭皋木葉下，隴首秋雲飛」等語，本色無奇，亦何足豔稱也！謝靈運高自位置，而推曹植之才，獨得八斗，殊不可解。植詩獨《美女篇》，可爲漢魏壓卷；《箜篌引》次之，餘者語意俱平，無警絶處。《美女篇》意致幽眇，含蓄雋永，音節韻度，皆有天然姿態，層層搖曳而出，使人不可髣髴端倪，固是空千古絶作。後人惟杜甫《新婚別》可以伯仲，此外誰能學步？靈運以八斗歸之，或在是歟！若靈運名篇，較植他作，固已優矣；而自遜處一斗，何也？

又 陶潛胸次浩然，吐棄人間一切，故其詩俱不從人間得。詩家之方外，別有三昧也。遊方以內者，不可學；學之猶章甫而適越也。唐人學之者，如儲光羲、如韋應物。韋既不如陶；儲雖在韋前，又不如韋。總之，俱不能有陶之胸次故也。

又 六朝諸名家，各有一長，俱非全璧。鮑照、庾信之詩，杜甫以「清新」「俊逸」歸之，似能出乎類者；究之拘方以內，畫於習氣，而不能變通。然漸闢唐人之戶牖，而啓其手眼，不可謂庾不爲之先也。沈約云：「好詩圓轉如彈丸。」斯言雖未盡然，然亦有所得處。約能言之，及觀其詩，竟無一首能踐斯言者，何也？約詩惟「勿言一樽酒，明日難重持」二語稍佳；餘俱無可取。又約《郊居賦》初無長處，而自矜其「雌霓連蜷」數語，謂王筠曰：「知音者稀，眞賞殆絶，僕所相邀，在此數語。」數語有何意味，而自矜若此！約之才思，於此可推。乃爲音韻之宗，以四聲八病、疊韻雙聲等法，約束千秋風雅，亦何爲也！

又 李白天才自然，出類拔萃；然千古與杜甫齊名，則猶有間。蓋白之得此者，非以才得之，乃以氣得之也。從來節義、勳業、文章，皆得於天，而足於己；然其間亦豈能無分劑！雖所得或未至十分，苟有氣以鼓之，如弓之括力至引滿，自可無堅不摧：此在彀率之外者也。如白《清平調》三首，亦平平宮豔體耳；然貴妃捧硯，力士脱靴，無論懦夫於此，戰慄趦趄萬狀；秦舞陽壯士，不能不色變於秦皇殿上，則氣未有不先餒者，寧暇見其才乎！觀白揮灑萬乘之前，無異長安市上醉眠時，此何如氣也！大之卽舜禹之巍巍不與；立勳業可以鷹揚牧野；盡節義能爲逢比碎首。立言而爲文章，韓愈所言「光焰萬丈」，此正言文章之氣也。氣之所用不同，用於一事則一事立極，推之萬事，無不可以立極。故白得與甫齊名者，非才爲之，而氣爲之也。歷觀千古詩人，有大名者，舍白之外，孰能有是氣者乎！

又 盛唐大家，稱高、岑、王、孟。高岑相似，而高爲稍優；孟則大不如王矣。高七古爲勝，時見沉雄，時見沖澹，不一色；其沉雄直不減杜甫。岑七古間有傑句，苦無全篇；且起結意調，往往相同，不見手筆。高岑五七律相似，遂爲後人應酬活套作俑。如高七律一首中，疊用巫峽啼猿、衡陽歸雁、青楓江、白帝城；岑一首中疊用雲隨馬、雨洗兵、花迎蓋、柳拂旌：四語一意。高岑五律，如此尤多。後人行笈中攜《廣輿記》一部，遂可吟詠徧九州，實高岑啓之也。總之以月白、風清、鳥啼、花落等字，裝上地頭一名目，則一首詩成，可以活板印就也。王維五律最出色，七古最無味。孟浩然諸體，似乎澹遠，然無縹緲幽深思致；如畫家寫意，墨氣都無。蘇軾謂「浩然韻高而才短，如造內法酒手，而無材料」，誠爲知言。後人胸無才思，易於衝口而出，孟開其端也。總而論之，高七古，王五律，可無遺議矣。

又　王世貞曰：「十首以前，少陵較難入；百首以後，青蓮較易厭。」斯言以蔽李杜，而軒輊自見矣。以此推之，世有閱至終卷皆難入，纔讀一篇卽厭者，其過惟均。究之難入者可加工，而卽厭者終難藥也。白居易詩，傳爲「老嫗可曉」。余謂此言亦未盡然。今觀其集，矢口而出者固多；蘇軾謂其「局於淺切，又不能變風操，故讀之易厭」。夫白之易厭，更甚於李；然有作意處，寄托深遠。如《重賦》、《不致仕》、《傷友》、《傷宅》等篇，言淺而深，意微而顯，此風人之能事也。至五言排律，屬對精緊，使事嚴切，章法變化中條理井然，讀之使人惟恐其竟，杜甫後不多得者。人每易視白，則失之矣。元稹作意勝於白，不及白春容暇豫。白俚俗處而雅亦在其中，終非庸近可擬。二人同時得盛名，必有其實，俱未可輕議也。

又　李賀鬼才，其造語入險，正如蒼頡造字，可使鬼夜哭。王世貞曰：「長吉師心，故爾作怪，有出人意表；然奇過則凡，老過則稚，所謂不可無一，不可有二。」余嘗謂世貞評詩，有極切當者，非同時諸家可比。「奇過則凡」一語，尤爲學李賀者下一痛砭也。

又　論者謂「晚唐之詩，其音衰颯」。然衰颯之論，晚唐不辭；若以衰颯爲貶，晚唐不受也。夫天有四時，四時有春秋。春氣滋生，秋氣肅殺。滋生則敷榮，肅殺則衰颯。氣之候不同，非氣有優劣也。使氣有優劣，春與秋亦有優劣乎？故衰颯以爲氣，秋氣也；衰颯以爲聲，商聲也。俱天地之出於自然者，不可以爲貶也。又盛唐之詩，春花也；桃李之穠華，牡丹芍藥之妍豔，其品華美貴重，略無寒瘦儉薄之態，固足美也。晚唐之詩，秋花也；江上之芙蓉，籬邊之叢菊，極幽豔晚香之韻，可不爲美乎？夫一字之褒貶以定其評，固當詳其本末；奈何不察而以辭加入，又從而爲之貶乎！則執盛與晚之見者，卽其論以剖明之，當亦無煩辭說之紛紛也已。

又　開宋詩一代之面目者，始於梅堯臣、蘇舜欽二人。自漢魏至晚唐，詩雖遞變，皆遞留不盡之意。卽晚唐猶存餘地，讀罷掩卷，猶令人屬思久之。自梅蘇變盡「崑體」，獨創生新，必辭盡於言，言盡於意，發揮鋪寫，曲折層累以赴之，竭盡乃止。才人伎倆，騰踔六合之內，縱其所如，無不可者；然含蓄渟泓之意，亦少衰矣。歐陽修極服膺二子之詩，然歐詩頗異於是。以二子視歐陽，其有「狂」與「狷」之分乎！

又　古今詩集，多者或數千首，少者或千首，或數百首。若一集中首首俱佳，並無優劣，其詩必不傳。又除律詩外，若五、七言古風長篇，句句俱佳，並無優劣，其詩亦必不傳。卽如杜集中，其率意之作，傷於俚俗率直者頗有。開卷數首中，如《爲南曹小司寇》作「惟南將獻壽，佳氣日氤氳」等句，豈非累作乎！又如《丹青引》，眞絕作矣，其中「學書須學衛夫人，但恨無過王右軍」，豈非累句乎！譬之於水，一泓澄然，無纖翳微塵，瑩淨徹底，清則清矣，此不過澗沚潭沼之積耳！非易竭，卽易腐敗，不可久也。若大海之水，長風鼓浪，揚泥沙而舞怪物，靈蠢畢彙，終古如斯，此海之大也。百川欲不朝宗，得乎？

又　詩文集務多者，必不佳。古人不朽可傳之作，正不在多。蘇李數篇，自可千古。後人漸以多爲貴，元白《長慶集》實始濫觴。其中頹唐俚俗，十居六七；若去其六七，所存二三，皆卓然名作也。宋人富於詩者，莫過於楊萬里、周必大。此兩人作，幾無一首一句可采。《陸游集》佳處固多，而率意無味者更倍。由此以觀，亦安用多也！王世貞亦務多者，覓其佳處，昔人云「排沙簡金，尙有寶可見」。至李維楨、文翔鳳諸集，動百卷外，益「彼哉」不足言矣！

又　作詩文有意逞博，便非佳處。猶主人勉強徧處請生客，客雖滿坐，主人無自在受用處。多讀古人書，多見古人，猶主人啓戶，客自到門，自然賓主水乳，究不知誰主誰賓。此是眞讀書人，眞作手。若有意逞博，搦管時翻書抽帙，搜求新事、新字句，以此炫長，此貧兒稱貸營生，終非己物，徒見蹴踖耳。

又　學詩者，不可忽略古人，亦不可附會古人。忽略古人，麤心浮氣，僅獵古人皮毛。要知古人之意，有不在言者；古人之言，有藏於不見者；古人之字句，有側見者，有反見者。此可以忽略涉之者乎？不可附會古人：如古人用字句，亦有不可學者，亦有不妨自我爲之者。不可學者：卽《三百篇》中極奧僻字，與《尙書》殷盤、周誥中字義，豈必盡可入後人之詩！古人或偶用一字，未必盡有精義；而吠聲之徒，遂有無窮訓詁以附會之，反非古人之心矣。不妨自我爲之者：如漢魏詩之字句，未必盡出於漢、魏，而唐及宋、元，等而下之，又可知矣。今人偶用一字，必曰本之昔人。昔人又推而上之，必有作始之人；彼作始之人，復何所本乎？不過揆之理、事、情，切而可，通而無礙，斯用之矣。昔人可創之於前，我獨不可創於後乎？古之

人有行之者，文則司馬遷，詩則韓愈是也。苟乖於理、事、情，是謂不通。不通則杜撰。杜撰，則斷然不可。苟不然者，自我作古，何不可之有！若腐儒區區之見，句束而字縛之，援引以附會古人，反失古人之眞矣。

又《巳畦文集》卷八《百家唐詩序》 自有天地，即有古今。古今者，運會之遷流也。有世運，有文運。世運有治亂，文運有盛衰，二者各自爲遷流。然世之治亂雜出遞見，久速無一定之統。孟子謂天下之生，一治一亂，其遠近不必同，前後不必異也。若夫文之爲運，與世運異軌而自爲途，統而言之曰文；分而言之，曰古文辭，曰詩賦。二者又異軌而自爲途。自羲皇造一畫之文，而文於是乎始。三代以前無論，由先秦諸子百家，歷漢、魏、六朝、唐、宋、元、明諸作者，文之爲運，可得而論也。自賡歌喜起而爲詩，而詩於是乎始。三代以前無論，由風雅騷賦，歷漢、魏、六朝、唐、宋、元、明諸作者，詩之爲運，可得而論也。二者相爲表裏，各不相謀，而總各歷乎其時以爲運。吾嘗上下百代，至唐貞元、元和之間，竊以爲古今文運詩運，至此時爲一大關鍵也。是何也？三代以來，文運如百谷之川流，異趣爭鳴，莫可紀極，迨貞元、元和之間，有韓愈氏出，一人獨力而起八代之衰，自是而文之格之法之體之用，分條共貫，無不以是爲前後之關鍵矣。三代以來，詩運如登高之日上，莫可復踰，迨至貞元、元和之間，有韓愈、柳宗元、劉長卿、錢起、白居易、元稹輩出，羣才競起，而變八代之盛，自是而詩之調、之格、之聲、之情，鑿險出奇，無不以是爲前後之關鍵矣。起衰者，一人之力專，獨立砥柱，而文之統有所歸；變盛者，羣才之力肆，各途深造，而詩之尚極於化。今天下於文之起衰，人人能知而言之，於詩之變盛，則未有能知而言之者。此其故，皆因後之稱詩者，胸無成識，不能有所發明，遂各因其時以差別號之曰中唐，又曰晚唐。不知此中也者，乃古今百代之中，而非有唐之所獨得而稱中者也。中既不知，更何知詩乎？

周亮工《賴古堂集》卷一五《何省齋太史詩序》 而太史之言曰：束古今人文章，使出於一，其勢有所不能合。古今人不一之文章，使劃然各守其一其事，亦有所不必也。文之有周秦有漢魏有六朝唐宋，非必有意期爲是體也，亦非初有是體，而規規焉有所程量而爲之也。質文之相生，繁簡之遞變，行乎其所不得不然，而矯乎其所不得不止。舉數千百年之手筆，若一人爲之華實，一文爲之源流者，豈非兼鎔並茹氣運之流變無方，即使更翻迭出亦各成一氣運者乎？而後世之士，惟見已然，取前古之製作，而衡量之曰：若者爲周秦，若者爲漢魏，若者爲六朝、唐宋，以至龍門、扶風、子山、孝穆、昌黎、廬陵諸家，紛紛同異，共相犄角，若涇渭之不可淆，而蒼素之不可亂。作爲文字，規模往轍，爲周秦者，若不許人更爲漢魏。爲六朝，若不許人更爲唐宋。而通方之論則又曰：方其爲唐宋，不可雜六朝一筆，方其爲漢魏，不可雜周秦一筆；因使執筆爲文詞，未暇抒思，先期嚴體。方尺之楮，若限鴻溝，惟恐一字之稍踰出乎此，而即入乎彼者，豈復有凌雲吐虹之致度，足以俯視一世者乎！

宋犖《漫堂說詩》 詩者，性情之所發，《三百篇》、《離騷》尚已。漢、魏高古，不可驟學；元嘉、永明以後，綺麗是尚，大雅寖衰；獨唐人諸體咸備；鏗鍧軒昂，爲風雅極致。顧篇什浩繁，別裁不易，高廷禮《品彙》，庶幾大觀；廷禮又拔其尤者爲《正聲》一編，近代庶常館課與《文章正宗》並誦習之，蓋詩家之正軌也。學者從此入門，趨向已定；更盡覽《品彙》之全編，考鏡三唐之正變。然後上則遡源於曹、陸、陶、謝、阮、鮑六七名家，又探索於李、杜大家，以植其根柢；下則汎濫於宋、元、明諸家，所謂取材富而用意新者，不妨瀏覽以廣其波瀾、發其才氣。久之，源流洞然，自有得於性之所近，不必橅唐，不必橅古，亦不必橅宋、元、明，而吾之眞詩觸境流出，釋氏所謂信手拈來，莊子所謂螻蟻、稊稗、瓦甓無所不在，此之謂悟後境。悟則隨吾興會所之，漢、魏亦可，唐亦可，宋亦可，不漢、魏、不唐、不宋亦可，無暇模古人，並無暇避古人，而詩候熟矣。不則胸無定見，隨波而靡；譬一盲導之於前，羣盲隨之於後，曰左曰右，莫敢自必。烏虖！可哀也已。

又《西陂類稿》卷二四《西江詩社宗派圖錄序》 聞之余友劉山蔚之言曰：詩有統有派。統猶水行於地，匯於歸墟，而總爲天一之所生，非支流別派所得偏據以爲名。至於四瀆百川之既分，分而溢，溢而溯其所由出，然後稱派以別之。派者，蓋一流之餘也。居仁之名山谷，殆以一流小之，非尊之也，而自附於一流，抑又自小之甚矣。

田雯《古歡堂集》卷二五《龍𦘦集序》 今夫學者之論詩也，必泝其源流，考其正變，而後詩之道乃全。歷代已來，作者幾千百家矣。古逸、樂府、河梁十九首，非《三百篇》之續響乎。建安而後，不可無嗣宗矣。六朝而後，不

可無子昂、太白矣。退之之《琴操》，可叶元音。韋郎之五字，直追正始。鍾嶸《詩品》，徐陵《新詠》，唐人選唐詩，下暨高廷禮之《品彙》，馮北海之《詩紀》，諸書分門別苑，沿波討瀾，其道至今日而大備。設執一卷之書，守偏家之説，以求風雅之彷彿，非不自負通才，究亦木偶人之衣文錦耳。

又《訒齋詩集序》 詩之變而日新也，誰昔然矣。作詩者之心思，猶山川之出雲，晴陰朝暮不同，而各成其峰巒烟雨之態。不然，沿襲故常，徒拾前人牙後慧，是無異繪雲於壁，而異其峰巒煙雨飛動無已時也，烏可得乎。以樂府論之，漢魏歌辭，唐山夫人十七章，駸駸乎商周之頌。迨蘇李五言一出，詩體遂變，雖六朝之鮑照，唐之張籍、王建，尚沾沾規摹乎古，總不敵昌黎之《琴操》十首爲變而更奇也。厥後元楊廉夫、明李西涯輩，別闢新境，渠非瑰意雄響哉。李太白工於樂府矣，杜少陵何以不作，乃變爲《兵車行》、《哀江頭》、《前後出塞》、《石壕吏》諸篇，大槩可知也。再以截句論，太白之作，擅美詞場。少陵並生於盛唐，不得不矯枉爲之，獨創一格。寧甘飯顆之誚，務避雷同之跡。因以知西子之笑顰、邯鄲之跬步，今與昔一丘之貉，皆作者所夷然弗屑也。

姚培謙《松桂讀書堂詩話》 《國風》好色而不淫，讀「南有喬木」二章，方悟風人之妙。三章詩未嘗着字，而江山清空，人物閑靚，光景恍然可想。屈子《九歌》中二《湘》頗得其意，宋玉《高唐》、《神女》殊愧師門矣。此詩首四句自應以休字、求字作韻，息字實思字之誤。《大招》、《招魂》句末用只字，些字祖此。此詩作于江漢之間，自是楚騷之祖，即謂之楚風可也。或謂江漢之間，周初豈即楚地耶？夫服屬有時而移，土風千載不易。雖導民者之邪正不同，要其得于江山之氣者深矣。楚騷自是詩人別派，《周南》「南有喬木」二章，便是騷之濫觴。至屈子而大暢，宋玉繼之，猶爲肖子。以漢後詩人論之，樂府古詩又分二派。樂府時有騷意，古詩從騷出者寡矣。

又 平子《四愁》固是奇格創調，亦是《三百篇》疊章體。每咏衛詩「投桃」之章，每章只換一字，而言愈簡，意愈長。少一章不得，多一章不得，後人便覺詞盡意竭。古人詩浩浩落落，字字從胸臆中流出。亦有與前人神似處，不是從前人脱胎，緣其靈台丹府中無所不有，自然若合符契也。如老杜《玉華宮》詩凌跨百代，然《選》詩繆襲《挽歌》詩一章云：「生時游國都，死沒棄中野。朝發高堂上，暮宿黄泉下。白日入虞淵，懸車息駟馬。造化雖神明，安能復存我。形容稍歇滅，齒發行當墮。自古皆有然，誰能離此者。」氣格雄放，已開其先。至宋人擬之，則蹊徑宛然矣。大抵古人語，後人祖述不少。子建《當來日大難》篇結云：「今日同堂，出門異鄉。別易會難，各盡杯觴。」太白以一語括之，云「欲行不行各盡觴」，彌覺雋妙。杜詩：「人生能几何，常在羈旅中。」自是驚魂動魄語，乃從《古詩》「憂傷以終老」五字出。鮑明遠《東門行》：「食梅常苦酸，衣葛常苦寒。絲竹徒滿座，憂人不解顔。」似從古詩《飲馬長城窟》脱胎，而俊爽之與渾厚，自爾懸絶。陸士衡《吴趨行》：「楚妃且勿嘆，齊娥且莫謳。四坐并清聽，聽我歌吴趨。吴趨自有始，請從閶門起。閶門何峨峨，飛閣跨通波。」康樂擬之作《會吟行》，云：「六引緩清唱，三調佇繁音。列筵皆靜寂，咸共聆會吟。會吟自有初，請從文命敷。」全襲其調，而謝之雕飾不及陸之自然遠矣。大抵有意效前人，必不能與前人并也。

又 六朝人詩至鮑、謝二公，已登絶品。謝如威鳳在霄，風日輝映；鮑如天馬縱轡，掣電追云。學者急宜從此濬發心源。太白詩風力似明遠，神韻似元暉。特其天資豪放，有揮斥八極之概，遂能超越前人。正如東坡之學劉夢得，才氣誠十倍于劉，然往往有微露藍本處。亦禪家所謂「熟處難忘者」歟？

又 昌黎云「惟陳言之務去」，此語便是千古文人秘訣。即以詩論，若只是人人道過的言語，便不消道得。偶舉義山集中《杜工部蜀中離席》一首，其中聯云：「坐中醉客兼醒客，江上晴雲雜雨雲。」二語若順文看去，不過就席中寫事寫景，有何奇特？不知奇處正在「兼醒客」、「雜雨雲」六字。蓋通篇是惜別留賓語。夫客醉則可以別，然「兼醒客」則未可別也。雲晴則又可以別，然「雜雨雲」則又未可別也。何等沉着痛快！然讀者初若不覺。又如昌黎《答張十一功曹》頷聯云：「篔簹競長纖纖笋，躑躅閑開艷艷花。」驟看之，亦只是寫湘湖間景物，乃其奇處全在「競長」、「閑開」四字。蓋此二句是反興五六句。夫篔簹猶競長纖纖之笋，今「未報恩波知死所」，是忙既無可忙；躑躅則閑開艷艷之花，今且于「炎瘴送生涯」，是閑又閑不過也。眼前景致，口頭語，豈容村夫子藉口！

韓菼《有懷堂文稿》卷四《心遠堂明文選序》 詩之風雅，有正變焉。《二南》，風之正也；十三國，變也；變《大雅》始于《民勞》，變《小雅》始于《六月》，大較區以其時之盛衰。而新寧高氏乃取有唐三百年之詩，限爲初盛中

晚，蓋從其屢變而論之，而又學韓孟兩家爲正中變、變中正，其說詳矣。虞山錢氏以爲未安，蓋以排訐夫當時之剽竊規橅盛唐者，抑余嘗論之曰：夫太初既分，循環二氣，消長升降，時變動于莫之爲之中。日出三商，以至于虞淵，一日之初晚也；次于娵訾，而既于玄枵，一歲之初晚也，而含生之類、肖翹之物，老穉枯菀其間，是皆然矣。言，心聲也，心，感物而動，先王愼所以感之，故曰治世之音安以樂，亂世之音怨以怒。謂不可以時限，是曹檜可以比西方，而《鹿鳴》可以儕《板》、《蕩》也，且不聞夫邵子之言乎？觀春則知《易》，觀夏則知《書》，觀秋則知《詩》，觀冬則知《春秋》，是合皇帝王霸爲初盛中晚矣，而特其間又有《易》之《易》、《易》之《書》、《易》之《詩》、《易》之《春秋》，以有唐之詩論之，如必謂初之中必無晚，晚之中必無初，此固與失之愚者等，而要不可謂無春秋冬夏之別也。

邵長蘅《青門賸稿》卷四《研堂詩稿序》 楊子之言曰：今天下稱詩慮亡不祧唐而禰宋者。予曰：然，詩之不得不趨于宋，勢也。蓋宋人實學唐而能覂逸唐軌，大放厥辭。唐人尙醞藉，宋人喜逕露。唐人情與景涵，才爲法斂；宋人無不可狀之景，無不可鬯之情，故負奇之士不趨宋，不足以泄其縱橫馳驟之氣，而逞其瞻博雄悍之才，故曰勢也。

陳玉璂《學文堂文集》卷三《申鳧盟聽山堂詩集序》 余嘗讀古人詩，自漢魏而後至于唐，無不各求其意旨之所在，詠歌歎賞，而每憾其不能兼，如枚、蔡之詩不能爲曹、劉，潘、陸之詩不能爲陶、謝，李、杜之詩不能爲元、白。夫以古人之才，何不可兼而爲之，乃千古而下，溯其源流，皆各不相襲如此。若近世之爲詩者，莫不人自爲集，集之所載，往往欲薈萃古人之體而無乎不兼，噫！今人之才，非果足以勝古人乎？既而思今人之才，豈果能勝古人，蓋古人詩之所以傳，正以能不兼耳。江文通《雜體》三十首，意欲兼古人矣，然亦卽古人之詩而各擬之，未嘗欲合古人而爲文通之詩也；況觀其所擬，止田居爲似陶，從軍爲似李，其他皆不相似，究之于陶、李甚似之中，而仍有不相似者，可知欲兼古人如文通究不過成其文通之詩，何嘗襲乎？今之人取古人之詩，規規而步趨之，既求其聲，又求其貌，爲枚、蔡矣，復欲爲曹、劉；爲潘、陸、陶、謝矣，復欲爲李、杜、元、白，縱極似，仍然爲古人之詩，況萬不能似邪？然余所謂不必兼者，又非耑求于一家之謂也。使必耑求一家，則枚、蔡、曹、劉諸君子，其先何所求乎？大凡詩之爲道，必機杼獨出，無所依傍，卓然自成一家，而後可傳，亦非必盡棄古人；惟日習于古人之中，而不爲古人所役。

又《顧伊人集唐詩序》 作詩莫不善于竊，竊之善者，每能竊古人意以爲我之詞；然竊古人之意，雖竄易其詞，仍爲古人之詩；若直用古人詞而運以我之意，則無不可爲我之詩。唐太宗作《聖敎序》，命僧懷仁集王羲之書，搜羅徧天下，若狐腋之裘，寸寸而累其成也，如出一狐之腋，求襞績之迹而無有。柳子厚《梓人傳》曰：羣材畢聚，羣工畢會，執斧斤刀鋸者環立。梓人左持引，右持杖，量宇度木，曰斧曰鋸，曰斲曰削，羣工悉視其色，以爲意指。

又《顧脩遠松鶴詩序》 古人詩之所以傳者，以其能創也。唐虞之世有《賡歌》，至商周始創爲《三百篇》之詩，漢則創樂府，又創五言詩，所傳蘇李枚乘諸詩是也。自是以至六朝，率相因而不敢變。至唐復創爲近體排律七言古歌行絕句之屬，而詩之體大備。今雖有智者，不能更創一格，爭勝千古人，而有志之士往往窮研極思，必欲與之爭勝後已，卽不能變乎古人之體，于古人體中，恆求所以小變之，以成一家之言。

又《許九日詩集序》 今日詩之所以亡者，以未明于體也。若九日，可謂知體者乎！詩之有體，自風、雅、頌而已分，厥後漢、魏、晉、宋、齊、梁、陳、隋、唐，莫不各自爲體而不相襲。今人之爲詩，不審其體，或學漢魏，雜以唐；或學唐，雜以漢魏，是猶大布之衣綴以綺縠，不則同爲綺縠而朱紫雜施，亦不成其爲衣矣。古人治詩，恆曰斅某代某體，故江淹擬詩皆識前人姓氏；迨其後，或擬陶、擬謝、擬長慶，紛紛以出。至明萬曆間，則有云濟南、太倉體，崇禎間則有云竟陵、雲間體，而體遂不足道。雖然，吾人作詩之道，必拘拘于體之弗失，將遂工乎哉？古人既往，以土木衣冠之，不可卽謂古人；而優孟過焉，復謂不迨我之能顰笑歌哭，嗚呼！優孟亦豈遂得爲古人？惟能辨乎體，而不囿于體，出入變化，翺翔于運會，如郢之斲、庖丁之解牛、佝僂之蜩，心手相習，無一非體，而不可執名之曰何體，然後可自成吾體。

沈德潛《歸愚文鈔》卷一五《與陳耻菴書》 詩之風氣，隨人變遷久矣，其間有變而盛者，有變而衰者，大約衰極必盛，既盛復衰；然盛之流於衰，非理當衰也，無人焉防維之，使之日流於衰也。明以前無論，明初雖沿元季餘

習，然如劉伯溫、高季迪輩，颺然自異，亦一時之盛；洪宣以後，疲茶無力衰矣，李獻吉、何大復奮然挽之，邊庭實、徐昌穀諸人輔之，古體取法八代，近體取法盛唐，雖未盡得古人之眞，而風格遒上，彬彬大盛；後王、李繼述，亦稱蔚然，而擬議太過，末學同聲，冠裳劒珮，等于土偶，盛者漸趨於衰。公安袁氏有心矯弊，失之於俚；竟陵鍾、譚立意標新，失之於魔，衰極矣！於是錢受之意氣揮霍，一空前人，於古體中揭出韓、蘇，於近體中揭出劒南。受之之學，高于衆人，而又當鍾、譚極衰之後，錢氏之學，行於天下，較前此爲盛矣。然而推激有餘，雅非正則，相沿既久，家務觀而戶致能，有詞華，無風骨，有隊仗，無首尾，甚至譏誚他人，則曰此漢魏、此盛唐；耳食之徒，有以老杜爲戒者。弟弱冠時，猶聞此語。受之之意，未嘗云爾，而流弊則至於此也。邇者士知向方，不迷於途，受之之燄已熸，而復不受公安、竟陵之毒，雖無有大聲疾呼如受之諸公者，出而矯弊，而趨向寖復近□，就目前言之，似乍歸于盛矣。夫由衰而盛之會，有心者宜力爲防維，不當恃一時習氣，使之矯枉以過於正。歐陽子曰：「善醫者，不攻其疾而務養其氣，氣實則病去。」不易之論也。詩道之實其氣，在根柢於學，以唐人言之，少陵之詩，穿穴經史；太白之詩，浸淫莊、騷；昌黎之詩，原本漢賦，推此而上，若顏、謝、阮、陶、曹、劉諸人，蔑弗盡然。蓋能根柢於學，則本原醇厚，而因出之以性情之和平，將卓爾樹立，成一家言；吾不受風氣之轉移，而可轉移乎風氣，此實其氣之說也。假使王、李以後有人焉，溯古人之眞，而不襲古人之迹，以自授其隙，公安、竟陵之徒何自而置其喙哉？今也不然，謂古體宜漢、魏，某章不似漢、魏，非詩也；近體宜盛唐，某句不似盛唐，非詩也。詩之宗法在神理，而不在形似，乃棄神理而取形似，執己見以齊人人，東坡之超曠，放翁之淵博，不可盡沒也；或至取爲誚讓之詞，與前時之貶漢、魏、盛唐者，異途一轍，究其流極，仍必畫西施之貌，規孟賁之日，而入於剽割仿佛之一途；設使其時復有有力之人，如公安、竟陵，受之者，大聲疾呼，以力矯之，勢必靡然相從，而風會又趨於壞，曾見有元氣削弱、徒攻其疾而不受傷者哉？論詩道於今日，固方盛之勢，亦易衰之勢也。

厲鶚《樊榭山房集》卷三《查蓮坡蔗塘未定稿序》 詩不可以無體，而不當有派。詩之有體，成於時代，關乎性情，眞氣之所存，非可以剽擬似，可以陶冶得也。是故去卑而就高，避縟而趨潔，遠流俗而嚮雅正。少陵所云「多師爲師」，荆公所謂「博觀約取」，皆於體是辨；衆製既明，鑪鞴自我，吸攬前修，獨造意匠，又輔以積卷之富，而清能靈解，即具其中。蓋合羣作者之體，而自有其體，然後詩之體可得而言也。自呂紫微作西江詩派，謝皐羽序睦州詩派，而詩於是乎有派。然猶後人瓣香所在，強爲臚列耳。在諸公當日，未嘗斷斷然以派自居也。迨鐵崖濫觴，已開陋習；有明中葉，李、何揚波于前，王、李承流於後，動以派別概天下之才俊，噉名者靡然從之，七子、五子，疊牀架屋。本朝詩教極盛，英傑挺生，綴學之徒，名心未忘，或祖北地、濟南之餘論，以錮其神明；或襲一二鉅公之遺貌，而未開生面。篇什雖繁，供人研玩者，正自有限，於此有卓然不爲所惑者，豈非特立之士哉！

袁枚《小倉山房詩集》卷二〇《除夕讀蔣苕生編修詩即倣其體奉題三首》 仰天但見有日月，搖筆便知無古今。宣尼果然用韶樂，未必敷衍笙鏞音。俗儒硜硜界唐宋，未入華胥先作夢。先生有意喚醒之，矯枉張弓力太重。滄溟數子見即嗔，新城一翁頭更痛。我道不如掩其朝代名姓只論詩，能合吾意吾取之。優孟果能歌白雪，滄浪童子皆吾師。否則《三百篇》中嚼蠟者，聖人雖取吾不知。吁嗟乎！崑崙太華山自高，終日孤踞殊寂寥，其下瀟湘武夷亦足供遊遨。

又《小倉山房文集》卷一七《答沈大宗伯論詩書》 嘗謂詩有工拙而無今古，自葛天氏之歌至今日，皆有工有拙，未必古人皆工，今人皆拙，即《三百篇》中頗有未工不必學者，不徒漢晉唐宋也。今人詩有極工極宜學者，亦不徒漢、晉、唐、宋也。然格律莫備於古，學者宗師自有淵源，至於性情遭際，人人有我在焉，不可貌古人而襲之，畏古人而拘之也。今之鶯花，豈古人之鶯花乎？然而不得謂今無鶯花也；今之絲竹，豈古之絲竹乎？然而不得謂今無絲竹也。天籟一日不斷，則人籟一日不絕。孟子曰：「今之樂，猶古之樂。」樂即詩也。唐人學漢魏，變漢魏；宋學唐，變唐。其變也，非有心於變也，乃不得不變也；使不變，不足以爲唐，亦不足以爲宋也。子孫之貌，莫不本於祖父，然變而美者有之，變而醜者有之。若必禁其不變，則雖造物有所不能。先生許唐人之變漢魏，而獨不許宋人之變唐，惑也！且先生亦知唐人之自變其詩，與宋人無與乎？初盛一變，中晚再變，至皮、陸二家，已浸淫乎宋氏矣。風會所趨，聰明所極，有不期其然而然者。故枚嘗謂變堯舜者，湯武也；然學堯舜者，莫善於湯武，莫不善於燕噲。變唐詩者，宋元也；然學

唐詩者，莫善於宋元，莫不善於明七子，何也？當變而變，其相傳者，心也；當變而不變，其拘守者，迹也。鸚鵡能言，而不能得其所以言，夫非以迹乎哉！大抵古之人先讀書而後作詩，後之人先立門戶而後作詩。唐宋分界之說，宋元無有，明初亦無有，成宏後始有之。其時議禮講學，皆立門戶，以爲名高。七子狃於此習，遂皮傅盛唐，搤掔自矜，殊爲寡識。然而牧齋之排之，則又已甚，何也？七子未嘗無佳詩，卽公安竟陵亦然，使掩姓氏，偶舉其詞，未必牧齋不嘉與，又或使七子湮沉無名，則牧齋必搜訪而存之無疑也。惟其有意於摩壘奪幟，乃不暇平心公論，此亦門戶之見。

又《答施蘭垞論詩書》 足下見僕答沈宗伯書，不甚宗唐，以爲大是，蒙辱讜言，欲相與昌宋詩以立教。嘻，子之惑更甚於宗伯，僕安得無言！夫詩，無所謂唐宋也。唐宋者，一代之國號耳，與詩無與也。詩者，各人之性情耳，與唐宋無與也。若拘拘焉持唐宋以相敵，是子之胸中有已亡之國號，而無自得之性情，於詩之本旨已失矣。子與人歌而善，必使反之，而後和之。其歌者爲齊人歟？爲魯人歟？孔子不知也。其所歌者，爲夏聲歟？爲商聲歟？孔子又不知也。但曰善則愛之而和之。聖人之和人歌，聖人之教人學詩也。雖然，物必取其極其者而稱之，詩人稱唐，猶曰宋之斤、魯之削云爾。僕之不甚宗唐，不欲逼天下之人盡遷居於宋於魯，而後爲斤削也。然宋斤魯削之善，不可誣也。子之不欲尊唐，是欲逼居宋居魯之人，遠適異國，而後許其爲斤削也，則好惡拂人之性矣，是奚可哉！來書云：唐詩舊，宋詩新。更不然也。夫新舊可以年代計乎？一人之詩，有某首新、某首舊者；一詩之中有某句新、某句舊者。新舊存乎其詩，不存乎唐宋。且子之所謂新舊，僕亦知之。前有人焉，明堂奧房，襜襜焉盛服而居；後又有人焉，明堂奧房，襜襜焉盛服而居，子慮其雷同而舊也，將變而新之，則宜更華其居，更盛其服，以相壓勝矣，乃計不出此，而忽窪居窟處，衣昌披而服藍縷，曰吾以爲新云爾，其果新乎？抑雖新而不如其不新乎？五尺之童，皆能辨之。揚子曰：斲木爲棋，梡木爲鞠。皆有法焉。唐人之法本乎漢晉，宋人之法本乎三唐。終宋之世，無斥唐人者。子忽欲尊宋而斥唐，是率其子弟，攻其父兄也。恐詩未作，而教先敗也已！

又卷二五《笑賦》 至於誦習詩書，曠覽宇宙，何必鉱刳苛碎，淸矑似豆，披膩顔袷，逐康成後，黨枯骨以死爭，抱陳編而苦鬭，卒之古人不生，長夜不晝，徒相毆於昏黑，終不知誰之勝負。亦有囿於習而心昏，縛於教而自束，繩趨溝衷，龜腸蟬腹，理不經於心，見不出於獨，寧顯悖夫周孔，懼小違於濂洛，如蠹蟲之藉角作耳，如水母之以蝦爲目。

又卷三一《與稚存論詩書》 文學韓，詩學杜，猶之遊山者必登岱，觀水者必觀海也，然使遊山觀水之人，終身抱一岱一海以自足，而不復知有匡廬武夷之奇，瀟湘鏡湖之妙，則亦不過泰山上一樵夫、海船中一舵工而已矣！【略】昔人笑王朗好學華子魚，惟其卽之過近，是以離之愈遠，董文敏跋張卽之帖，稱其佳處不在能與古人合，而在能與古人離，詩文之道，何獨不然。

又《隨園尺牘》卷五《與梅衷源》 《書》曰：「德無常師，主善爲師。」子貢曰：「夫子焉不學，而亦何常師之有？」杜少陵曰：「轉益多師是我師。」皆極言師法之不可不寬也。【略】且詩中題目甚多，而古人之擅長不一。如：廟堂宜沈宋；風月宜王孟；登臨宜李杜；言情宜溫李；屬辭比事宜元白；巖棲谷飲宜陶韋；詠古器物宜昌黎。在古人名成而去，原各不相謀。我輩宜兼收而並畜之，到落筆時，相題行事，方不囿於一偏，迨至眞積力久，神明變通之後，其中又有我在焉。自成一家，令人莫測其所由來，則於斯道盡之矣。董文敏公論書法云：「其初須與古人合，其後須與古人離。」詩文字畫，皆一理也。

又卷一〇《答祝芷唐太史》 蓋夢樓詩從晉、唐入手，故能取篇外神韻，凡所逗點之句，尤爲細緻。甌北、心餘，從蘇、黃入手，故專尚氣力，鬭巧賭狠，替人校讎，未免忽略。施太常則又拘於陳規舊格，而不能窮詩之變，收取太寬。【略】古人如韓、杜諸集，自始至終，光景如一，觀者竟不能辨其少壯盛衰，想是晚年陶鑄之功。讀閣下詩，如噉蔗尾，愈老愈甘。少年詩有才多詞費之累，溫子昇云：文章易作，逋峭難爲。

又 孔子曰：「三人行，必有我師焉。」子貢曰：「夫子焉不學，而亦何常師之有？」杜陵云：「轉益多師是我師。」師豈有一定哉？堯問路於牧童，則牧童卽堯之師；孔子愛童子滄浪之歌，則童子卽孔子之師，此聖人之所以爲大也。閣下之師，專取杜韓白蘇四家，而其他付之自鄶無譏，有託足權門、自負在太師門下之意，則身分似峻而反卑，門戶似高而反仄矣。況非天寶之時世，而強爲呻吟；無起衰之文章，而徒襲聲欬抑末也？古作家最忌寄人籬下，陸放翁云：「文章切忌參死句。」陳後山云：「文章切忌隨人後。」周亮

工云：「學古人只可與之夜中通夢，不可使之白晝現形。」顧寧人答某太史云：「足下胸中總放不過一韓一杜，此詩文之所以不至也。」董香光論書法亦云：「其始要與古人合，其後要與古人離，凡此皆作家獨往獨來，自樹一幟之根本，亦金針度世之苦心。」閣下詩有大似韓蘇處，一開卷便是，後人讀者既讀眞韓眞杜之詩，又誰肯讀似韓似杜之詩哉？

又《答孫倩之》 夫文章猶草木也。草木之性：先有春華，方有秋實；聖人之教：先須博文，然後約禮。今足下未發春華，先求秋實；未博於文，先思約禮，此其所以氣不能充其體，筆不能宣其意，字字臥於紙上，奈何！**【略】**詩文之道，總以出色爲主，譬如眉目口耳，人人皆有，何以女美西施，男美宋朝哉？無他，出色故也。余嘗謂：人不和平不享福；文不奇峭不動目。尤忌一題到手，有許多人云亦云之語，陳陳相因之話頭，尤宜掃而空之，凡事皆然，不獨詩文。

紀昀《紀文達公遺集》卷九《愛鼎堂遺集序》 三古以來，文章日變，其間有氣運焉，有風尚焉。史莫善於班馬，而班馬不能爲《尚書》、《春秋》；詩莫善於李、杜，而李、杜不能爲《三百篇》，此關乎氣運者也。至風尚所趨，則人心爲之矣，其間異同得失，縷數難窮，大抵趨風尚者三途：其一，厭故喜新；其一，巧投時好；其一，循聲附和，隨波而浮沉。變風尚者二途：其一，乘將變之勢，鬭巧爭長；其一，則於積壞之餘，挽狂瀾而反之正。若夫不沿頹敝之習，亦不欲黨同伐異，啓門戶之爭，孑然獨立，自爲一家以待後人之論定，則又於風尚之外，自爲一途焉。明二百餘年，文體亦數變矣。其初金華一派，蔚爲大宗，由三楊以逮茶陵，未失古格，然日久相沿，羣以庸濫膚廓爲臺閣之體；於是平北地、信陽出焉，太倉、歷下又出焉，是皆一代之雄才也，及其弊也，以詰屈聱牙爲高古，以抄撮餖飣爲博奧，餘波四溢，滄海橫流，歸太僕斷斷爭之弗勝也。公安、竟陵，乘間突起，幺絃側調，僞體日增，而汎濫不可收拾矣。汝陽傅莊毅公，當羣言淆亂之時，獨稽古研精，學有根柢，深知文章正變之源流，徒以國步方難，急需幹濟，務其大者遠者，不遑與詞章之士爭筆墨之短長，而案牘之餘，不廢著作，莫不吐言天拔，蟬蛻塵囂，非所謂我用我法，不隨風尚爲轉移者歟？蓋公天性孤介，遇義所不可爲者，雖觸忤權貴不少避。言，心聲也。其人不諧時趨，其文亦不諧時趨，固其所矣。

又《冶亭詩介序》 冶亭宗伯以所編詩介示余，人不求備，詩不求多，蓋唐人《河岳英靈集》例也。適客至，共讀。客慨然曰：美哉！七子之餘響乎？余曰：子於七子有歎耶？夫文章格律，與世俱變者也，有一變必有一弊，弊極而變又生焉，互相激、互相救也。唐以前毋論矣。唐末詩猥瑣，宋楊、劉變而典麗，其弊也靡。歐、梅再變而平暢，其弊也率。蘇、黄三變而恣逸，其弊也肆。范、陸四變而工穩，其弊也襲。四靈五變，理賈島、姚合之緒餘，刻畫纖微；至江湖末派流爲鄙野，而弊極焉。元人變爲幽艷，昌谷、飛卿遂爲一代之圭臬，詩如詞矣。鐵崖矯枉過直，變爲奇詭，無復中聲。明林子羽輩，倡唐音；高青邱輩，講古調，彬彬然始歸於正。三楊以後，臺閣體興。沿及正嘉，善學者爲李茶陵，不善學者遂千篇一律，塵飯土羹，北地，信陽挺然崛起，倡爲復古之說，文必宗秦漢，詩必宗漢魏盛唐，踔厲縱橫，鏗鏘震耀，風氣爲之一變，未始非一代文章之盛也。久而至於後七子，剿襲摹擬，漸成窠臼，其間橫軼而出者，公安變以纖巧，竟陵變以冷峭，雲間變以繁縟，如塗塗附，無以相勝也。國初變而學北宋，漸趨板實，故漁洋以清空縹緲之音，變易天下之耳目，其實亦仍從七子舊派：神明運化而出之。趙秋谷掊擊百端，漁洋不怒；吳修齡目以清秀李于鱗，則銜之終身，以一言中其隱微也。故七子之詩，雖不免浮聲，而終爲正軌，吐其糟粕，咀其精英，可由是而盛唐，而漢魏。惟襲其面貌，學步邯鄲，乃至如馬首之絡，篇篇可移；如土偶之衣冠，雖繪畫而無生氣耳。冶亭此集，大旨以新城之超妙，而益以飴山之劖刻，誠得七子佳處，而毫不染其流弊者。如以七子末派併其初祖而疑之，則學杜者杈枒，學李者輕剽，亦將疑李杜乎哉？客憮然而去。會冶亭索余爲序，因書以質於冶亭。然歟？否歟？冶亭諒有以教我也。

又《雲林詩鈔序》 揚雄有言：「詩人之賦麗以則，辭人之賦麗以淫。」爲賦言也，其義則該乎詩矣。風人騷人，遐哉邈矣，非後人所能擬議也，而流別所自，正變遞乘，分支於《三百篇》者爲兩漢遺音，沿波於屈宋者爲六朝綺語，上下二千餘年，刻骨鏤心，千彙萬狀，大約皆此兩派之變相耳。末流所至，一則標新領異，盡態於江西；一則抽祕騁妍，弊極於《玉臺》、《香奩》諸集，左右斷斷，更相笑也。余謂西河卜子傳詩於尼山者也，大序一篇，確有授受，不比諸篇小序，爲經師遞有加增，其中「發乎情，止乎禮義」二語，實探風雅之大原，後人各明一義，漸失其宗。一則知止乎禮義，而不必其發乎

情，流而爲金仁山《濂洛風雅》一派，使嚴滄浪輩激而爲「不涉理路、不落言詮」之論。一則知發乎情，而不必其止乎禮義，自陸平原「緣情」一語，引入歧途，其究乃至於繪畫橫陳，不誠已甚與！夫陶淵明詩，時有莊論，然不至如明人道學詩之迂拙也；李杜韓蘇諸集，豈無艷體，然不至如晚唐人詩之纖且褻也。酌乎其中，知必有道焉。

又《田侯松巖詩序》 同一書也，而晉法與唐法分；同一畫也，而南宋與北宋分，其源一而其流別也。流別既分，則一派之中，自有一派之詣極，不相攝，亦不相勝也。惟詩亦然。兩漢之詩，緣事抒情而已，至魏而宴游之篇作，至晉、宋而游覽之什盛，故劉彥和謂「莊老告退，山水方滋」也。然其時門戶未分，但一時自爲一風氣，一人自出一機軸耳。鍾嶸《詩品》陰分三等，各溯根源，是爲詩派之濫觴。張爲創立《主客圖》，乃明分畦畛。司空圖分爲二十四品，乃辨別蹊徑，判若鴻溝，雖無美不收，而大旨所歸，則在清微妙遠之一派；自陶、謝以下，逮乎王、孟、韋、柳者是也。至嚴羽《滄浪詩話》，始獨標「妙悟」爲正宗。所謂「如空中音，如相中色，如鏡中花，如水中月，如羚角無迹可尋」，即司空圖所謂「不著一字，盡得風流」也。沿及有明，惟徐昌穀、高叔嗣傳其衣鉢，王敬美謂「數百年後，李、何或有廢興，高、徐必無絶響」，斯言當矣。虞山二馮顧詆滄浪爲囈語，雖防微杜漸，欲戒浮聲，未免排之過當，執肴蒸折俎爲古禮，而欲廢專羹；取朱絃疏越爲雅樂，而盡除清笛，不能謂其説無理，然實則究不可行。況「課虛無以責有，叩寂寞而求音。」陸平原言之；「思君如流水，既是即目；清晨登隴首，羌無故實。」鍾記室言之；「山沓水匝，樹雜雲合，目既往還，心亦吐納。春日遲遲，秋風颯颯，情往似贈，興來如答。」劉舍人亦言之，則此論不倡自儀卿也。飴山老人堅執馮説，而漁洋山人獨篤信而不移，其亦有由歟？

又《鶴街詩稿序》 在心爲志，發言爲詩，古之風人特自寫其悲愉，旁抒其美刺而已。心靈百變，物色萬端，逢所感觸，遂生寄託；寄託既遠，興象彌深，於是緣情之什，漸化爲文章。如食本以養生，而八珍五鼎緣以講滋味；衣本以禦寒，而纂組錦繡緣以講工巧，相沿而至，莫知其然，而亦遂相沿不可廢。故體格日新，宗派日別，作者各以其才力學問，智角賢爭，詩之變態，遂至於隸首不能算。然自漢、魏以至今日，其源流正變，勝負得失，雖相競者非一日，而撮其大槩，不過擬議變化之兩途。從擬議之説，最著者無過青邱，做漢魏似漢魏，做六朝似六朝，做唐似唐，做宋似宋，而問青邱之體裁如何，則莫能舉也；從變化之説，最著者無過鐵崖，怪怪奇奇，不能方物，而卒不能解文妖之目，其亦勞而鮮功乎？余嘗謂古人爲詩，似難尙易；今人爲詩，似易實難。余自早歲受書，即學歌詠，中間奮其意氣，與天下勝流相倡和，頗不欲後人；今年將八十，轉瑟縮不敢著一語，平生吟稿亦不敢自存，蓋閲歷漸深，檢點得意之作，大抵古人所已道；其馳騁自喜，又往往皆古人所撝呵，撚鬚擁被，徒自苦耳。

又《四百三十二峯草堂詩鈔序》 詩日變而日新。余校定四庫，所見不下數千家，其體已無所不備，故至嘉隆七子，變無可變，於是轉而言復古，古體必漢、魏，近體必盛唐，非如是不得入宗派。然摹擬形似，可以駭俗目，而不可以炫眞識，於是公安、竟陵乘機別出，幺絃側調，纖詭相矜，風雅遺音迨明季而掃地焉。論者謂王李之派，有擬議而無變化，故塵飯土羹；三袁、鍾、譚之派，有變化而無擬議，故偭規破矩。蓋必心靈自運，而後能不立一法，不離一法，所謂神而明之，存乎其人也。

又卷一一《書韓致堯翰林集後》 陽和陰慘，四序潛移；時鳥候蟲，聲隨以變。詩隨運會，亦莫知其然而然。論詩者不逆挽其弊，則不足以止其衰；不節取其長，則不足以盡其變。詩至五代，駸駸乎入詞曲矣，然必一切繩以開、寶之格，則由是以上，將執漢、魏以繩開、寶，執詩騷以繩漢、魏，而《三百》以下，且無詩矣，豈通論哉？就短取長，而纖靡鄙野之習則去太去甚焉，庶幾乎酌中之制耳。

趙翼《甌北詩話》卷五 以文爲詩，自昌黎始；至東坡益大放厥詞，別開生面，成一代之大觀。今試平心讀之，大概才思橫溢，觸處生春，胸中書卷繁富，又足以供其左旋右抽，無不如志。其尤不可及者，天生健筆一枝，爽如哀梨，快如并剪，有必達之隱，無難顯之情：此所以繼李、杜後爲一大家也。而其不如李、杜處，亦在此。蓋李詩如高雲之游空，杜詩如喬嶽之矗天，蘇詩如流水之行地。讀詩者於此處著眼，可得三家之眞矣。

又 元遺山《論詩》云：「蘇門若有功臣在，肯放公詩百態新！」此言似是而實非也。「新」豈易言！意未經人説過，則新；書未經人用過，則新。詩家之能新，正以此耳。若反以新爲嫌，是必拾人牙後，人云亦云；否則，抱杜守株，不敢踰限一步：是尙得成家哉？尙得成大家哉？

又《甌北集》卷二八《論詩》 滿眼生機轉化鈞，天工人巧日爭新。預支五百年新意，到了千年又覺陳。

又 李杜詩篇萬口傳，至今已覺不新鮮。江山代有才人出，各領風騷數百年。

又卷三九《讀杜詩》 杜詩久循誦，今始識神功。不創前未有，焉傳後無窮。一生爲客恨，萬古出羣雄。吾老方津逮，何由羿彀中。

厲志《白華山人詩說》卷一 所謂「不薄今人愛古人」者，此須活看，古之中亦有今在，不必盡取今人也。如漢、魏以逮陳、隋，漢、魏、晉、宋是古，齊、梁、陳、隋是今。全唐之詩，初盛是古，中晚是今。學古體詩者，就古之古學之；學近體詩者，就古之今學之。自兹以下，亦竟非無可取法者，但間有可取法者，仍是從古之古、古之今來也。學古人最難，須以我之性情學問，暗暗與古人較計，所爭在神與氣，貌襲者不足道也。

又 任著一口氣，逞著一管筆，滔滔寫來，自爲大才，亦殊非不佳，只是去古遠了。人讀太白詩，曰此李詩也。讀少陵詩，曰此杜詩也。不知李、杜仍不是自己生造出來，不過古人善于學古，無甚痕跡，細心求之，其鍼綫分明在也。阮步兵《詠懷》詩，有說是本《雅》，有說是本《騷》，皆言肖其神耳。於此可以悟前人學古之妙。

又 或謂文家必有濫觴，但須自己別具面目，方佳。予謂「面目」二字，猶未確實，須別有一種渾渾穆穆的眞氣，使其融化衆有，然後可以獨和一組。是氣也，又各比其性而出，不必人人同也。體會前人詩便知。學古詩最要有力，有力則堅，堅則光焰逼人，讀之只覺其筆下自有古氣，不覺其是學古得來，此方是妙手。無力則鬆，鬆則筋絡散漫，讀之興味索然，只覺其某句是從某處脱來，某字是從某處竊去，此便不佳。

又 嘗觀榴樹花葉之穠麗，極能動人深情，故蔡中郎以之興《翠鳥》，曹思王以之興《棄婦》，各出精心，並獲佳構。由其采色之寓於目者獨殊異，而意志之感於內者益悱惻也。赤董氏曰：「揣摩諸先正，要若蜂取衆花之蕊，釀而成蜜，方是自己家貨。」詩家之設色，要如稺子以丹砂飼絡緯，身體本青色，漸變爲朱色。其光彩晶晶然從皮肉內發越于外，不是向外面塗抹上去，方是眞色。

又卷二 學古人須要學得著古人情意極盡處，我的心思知處，一直要追到古人極盡處，此方是學著。

又 人謂我將學李，我將學杜。要知李、杜就古人學，而不能便爲古人，因而成爲李、杜。今人就李、杜學，必不能便爲李、杜，不能爲李、杜，將復爲今人矣。學李、杜，亦學其所學可乎？

又 古人用意遠勝今人，人須學古人用意，非直用古人意。近時頗有學古人者，讀其詩竟是古人。此由極力摹古，但求逼似，當時本無己意，空襲古人之意，拈弄筆墨已爾。

又 唐之詩人盈千累百，而其有眞氣、有靈氣者，亦不過數十人。其餘特鋪排妥適而已。有明諸公皆力摹唐賢，但苦其概而學之，未能擇其有眞氣、有靈氣者耳。蓋所謂眞氣靈氣，以意見不以詞見，能師法古人用意之妙，何至有「優孟衣冠」之誚耶！

又 有觀古人太難者，有觀古人太易者。太難者，到底或能成功；太易者，萬無一成也。凡人作詩須求與古會，勿急與今通。急與今通，必絶與古會，而今終亦不通。

黃承吉《夢陔堂詩集》卷一七《又題遺山詩集》 紛紛虞趙何足數，陵川秋澗堪共語。太原衣鉢幾人傳，自有方員疊規矩。從來領悟重師承，一點靈犀續絲縷。他人能實不能虛，元代元門知半古。

又《夢陔堂文集》卷三《與焦里堂書》 僕以爲言詩者固當溯源風騷，浸淫漢魏，下逮六朝三唐諸家，靡不細心參究，俾了然洞悉其所以盛衰之故，而追逐企及之，然後可以爲詩。而或者反以是爲老生常談，聞此之言，則曰以高深文其淺陋耳。此詩學之所以壞也。有宋諸家，蘇黃稱首。黃則過作艱深，蘇則徒爲博肆，自謂足以似風騷凌漢魏矣。而其致力愈深，去古愈遠；其得意處，皆古人之所不肯道者。此意今之人豈復有知之者哉。今人言必宗經，而其於詩則皆昧乎《尚書》志言聲永之旨，魯《論》興觀羣怨之文，曾不是求，而竊竊焉以博引爲能事，以創論爲妙構。質之古人，當必啞然而失笑矣。夫作《關雎》者，何嘗有意於典切？詠《葛覃》者，何嘗有心於立異哉？五言之興，倡於蘇李。觀《文選》數詩，實足爲漢魏之先導。蘇詩有云：「俯觀江漢流，仰視浮雲翔。」李善注之以爲江漢流不息、浮雲去靡依，以喻良友各在一方，播遷而無所託，可謂得詩人之本意矣。乃東坡謂其在長安作，不應言俯觀江漢，以爲後人僞託。而洪景盧更附會其說，云漢法觸諱者死，李陵詩言

「獨有盈觴酒」，盈字觸惠帝諱，其僞無疑。僕嘗徧檢漢代著作，觸諱者不一而足。而韋孟諷諫詩，至云「實絕我邦」，我邦既絕，若以此致死，則其罪不更大於李陵十倍哉！何以後之人更無有疑其僞者也？蓋詩至宋，而古詩人之義既失，區區於一字一句之間絜短較長，遂援此以定其眞僞。此耳食之論，非僕之所敢知也。且其詩果屬後人僞作，彼豈不知長安之與江漢相懸，而故致此誤，以滋後人之疑耶？吾知其斷不出於此也。

方苞《望溪集外文》卷四《蔣詹事牡丹詩序》 余性好誦古人之詩，而未嘗自爲之，蓋自漢、魏到今，詩之變窮，其美盡矣，其體製大備而不能創也，其徑塗各出而不能闢也；自賦景歷情，以及人事之叢細、物態之妍媸，凡吾所矜爲心得者，前之作者，已先具焉。故騖奇鑿險，不則于古，則弔詭而不雅；循聲按律，與古皆似，則習見而不鮮。以此知詩之難爲也。

謝堃《春草堂集》卷二《與諸弟論詩八首》 太古不好名，或恐知姓氏。三代已下人，紀傳傳其事。今人非古人，今藝非古藝。所以孟東野，借詩鳴於世。

又 長吉豈鬼語，太白豈仙才。不過篇什中，仙鬼借言懷。古人有深意，各立一門楣。區區抱菲薄，強派何爲哉？

又 三月多嬌花，春風發桃李。金菊與芙蓉，豔豔秋光裏。花開故有時，此亦自然理。須知宋元詩，乃風氣所使。

陳世鎔《瑣說》 治世之音嘽緩而和平，衰世之音趣數而纖細。文章關乎國運，雖上哲亦潛移而不自知，此初盛中晚之分，若天實爲之界限也。孔子取《二南》，不刪曹、檜；錄《鹿鳴》、《文王》，不黜《民勞》、《祈父》。是選薈萃三百年作者，盛則爲宣豫導和，衰則爲憂時閔俗。境地既別，感發自殊，要期不強笑以爲歡，不飾哀而佯哭，何分時代，各有千秋。後人斷斷格調，謂某聯在神龍以前，某句落大曆以後，此等習氣，無異夏蟲語冰，所望同志一切破除。

梁紹壬《兩般秋雨盦隨筆》卷四《詩宗唐音》 詩宗唐音，固也。然使自唐至今，千篇一律，有何意味？且宋之爲宋，元之爲元，正以其各具面目，方見天地文運，變化無窮。若必盡法乎古，則何不一一而繩以漢魏六朝，且何不一一而繩以《三百篇》、《十九首》乎？昔人謂詩盛於唐，壞於宋。劉後村則云：「宋詩突過唐人。」斯言亦未免偏激。方正學詩云：「前宋文章配兩周，盛時詩律亦無儔，今人未識崑崙派，卻笑黃河是濁流。」「大曆諸公製作新，力排舊業祖唐人，麤豪未脫風沙氣，難詆熙豐作後塵。」正學瓣香東坡，故有此語，然足以鍼砭墨守盛唐者。

李肇增《江上集書後》 詩至《三百篇》以降，意象聲律，亦數數乎變之窮矣。然師其意者不必事其事，肖其禪者不必襲其貌，風會其使然哉。漢魏六朝三唐諸作者，後人類舉之以爲法，規規於其體貌，而不通其意指之所存，雖窮摹極擬，不失纖末，亦猶捧心效嚬，適爲西家子所嘔噱也。明代何、李諸公，才大學博，蹈其迹夫且訾其後，況其他乎！

鄒弢《三借廬贅譚》卷一《謬贊》 詩關風化，隨氣運爲轉移。自《三百篇》後，歷漢魏六朝唐宋，以至於今，家派之分別，作法之精嚴，幾令畏難者望而卻步。其中一代有一代之詩，一人又有一人之詩。今之評詩者，動曰逼近唐人，神似劍南，而作者亦居之不疑，抑何可笑！夫果近唐人，不過唐人之詩；果似劍南，不過劍南之詩：非本朝自己之詩也。昔李義山、白居易喜學少陵之詩，而集中全不似少陵。蓋入手必須由古人，所以有範圍；成功不可泥古人，所以能脫化：此詩訣也。

秦瀛《小峴山人詩文集》文集卷三《樹經堂詩集後序》 詩有派乎？無派也。善言詩者，不必求異乎古人，亦不必求合乎古人。惟不求異而面目自異，不求合而法度無不合。則不言派，而無之非派也。

林昌彝《射鷹樓詩話》卷一一 宋詩之不及唐者，以其少沈鬱頓挫耳，然亦自成爲一代之詩，不可偏廢也。昔人謂詩盛於唐，壞於宋，及劉後邨謂宋詩突過唐人，皆非確論。方正學詩：「前宋文章配兩周，盛時詩律亦無儔。今人未識崑崙派，卻笑黃河似濁流。」所論亦未的。

梅曾亮《柏梘山房文集》卷三《復鄒松友書》 夫文章之事，不好之則已，好之則必近於古而求其工。不如是，則古文詞與括帖異者，特其名耳，又果足樂乎否也？今雖居文學之職，其用心習技必以古爲師，是習鐘鼎文以書試卷，必不售矣。居是職而不稱其職不可也；稱其職矣，則所爲者又能合乎古而有樂乎心耶？不足以樂乎心，則所爲之妨於吾所樂者。文章之敗人意與簿書一也。

又卷五《李芝齡先生詩集後跋》 詩至今日，難言工矣。言唐者容，言宋者肆，漢魏者木，齊梁者綺。矜其所尚，毀所不見，舌未乾而名磨滅者，不

可勝數也。然則孰探其所從生？曰：空而善積者，人之情也。習而善變者，物之態也。積者日故，變者日新，新故環生，不得須臾平。而激而成聲，動而成文，故無我不足以見詩，無物亦不足以見詩，物與我相遭，而詩出於其間也。今以吾一人之身，俄而廊廟，俄而山水，俄而齋居，俄而觴詠，將拘拘然類以居之，派以別之，取古人之所長而分擬之，是知有物而不知有我也。若昧昧焉不揣其色，不別其聲，而好爲大，曰不則其境隘；好爲莊，不則其體俳；好爲悲，不則其情蕩：是知有我而不知有物也。知有物而不知有我，則前乎吾後乎吾者皆可以爲吾之詩，而吾如未嘗有一詩；知有我而不知有物，則道不肖乎形，機不應乎心，日與萬物遊，而未嘗識其情狀焉，謂千萬詩如一詩可也。然則詩惡乎工？曰：肖乎吾之性情而已矣，當乎物之情狀而已矣，審其音，玩其辭，曉然爲吾之詩，爲吾與是物之詩，而詩之眞者得矣。夫水之恃源也，飲一勺而知海味，其性全也。日月旁魄於三十八萬七千里之外，而一隙容其光，神不窮於分也。

王柏心《百柱堂全集》卷三三《汪韻和詩序》 究論爲詩之略，蓋其大要有三：曰宗主，曰變化，曰獨至。不得宗主，終泛駕也，不解變化，猶役隸也，從事於宗主變化矣，而無獨至之境，是偶人寓車，索索無眞氣者也。

丁杰《衣讔山房詩集後序》 作詩之道，必自成爲一己之詩，而絕其摹仿依附之習，乃可以追踪古人，傳示後世。然非盡讀古人詩不能成此，非盡忘古人詩亦不能成此。且非胸羅萬軸，足歷萬里，識越萬古，仍不能成此也。

程先甲《帶耕堂遺詩序》 詩可廢乎？曰：惡乎可。吾之所謂詩者，乃漢魏六朝唐宋以來相傳之詩，非世俗之所謂新體詩也，惡可廢。或謂漢魏六朝唐宋以來詩集塞棟充宇，指不勝僂，繼此者可弗作，作亦可弗傳乎？曰：惡乎可。夫詩猶貌也，千百其貌者，斯千百其心，千百其心者，斯千百其言，千百其言者，斯千百其詩。漢魏六朝唐宋之詩人各有其貌其心其言，斯各有其詩；繼此者，各有其貌其心其言，斯亦各有其詩。是故詩不可弗作，作不可弗傳。雖然，有山林之詩，有臺省之詩。山林士流不過析聲病，揣宜忌，課工拙而已；至臺閣倫輩，則堂皇坋雜，簿書鞅掌，觀詩者不必斷斷于聲病宜忌工拙，而當以衡量政治爲先務，政而窳，詩無足稱。政而良，詩始足述。

方濬頤《二知軒文存》卷一六《杜之華軒詩草序》 予往論詩云，五七律當專宗唐人，五七古則宜出入於漢魏唐宋之間。又謂詩以言情，性靈勝於標格，彼專以雕琢字句爲能者仍是門外漢。故有前輩詩人問予：「此生作何歸宿？」予茫然無以應之。《三百篇》兼采里巷歌謠，不必皆詩人也。大率天籟自鳴，無意求工而自然中節，夫亦何嘗有所規仿哉！予之不作詩話也，以此。詩與文無二道，文既不可言派，詩則何獨不然。嘗謂學詩者不必讀宋以後詩，非宋以後無詩也，宋以後詩舉不能出漢魏唐宋人範圍。吾之學力足以造之，亦猶書家之貴取法乎上也。

朱鑒成《隨山館猥稿序》 詩之弊至今而極，枵其中而荒其外者，無論矣，老師宿儒，以成家爲極致，於是因性之所近，守先入之言，一成而不可變，擷其集首迄卒無甚異也。乃囂囂然曰詩必如此而後爲成家，且以命夫後之學者。噫！成家者固若是之寡乎？吾謂凡所謂家者，其宮室則有廟，有堂，有前榮後寢，有賓客之所，有庖湢之區，溢而爲園囿，則有臺，有榭，有池，有亭；明者爲牕，暗者爲櫺；奇者曰戶，偶者曰門。其用物，則有案榻几席，簾幙毾㲪，籩豆簠簋，盤盂釜甑刀匕之屬；其閨門，則有粉黛衾裯釵鏡箕帚，其飲食，則有饘粥酒醴果蔬魚肉；其人，則有家督，有子弟，有賓客戚友，臧獲婢妾。家大小豐嗇不同，而所有則未始一可缺。非如是，不可謂之成家。詩之體不一，用亦不一，廟堂田里，邊塞風寒，高山大川之登臨，一邱一壑之游泳，儒冠高論，壯士悲歌，曲房密室，美人彈箏，羈宦流民，道路嗟歎，浮屠老子，寂滅荒怪。接於目者恆異，感於心者無窮。若之何能以一律應也！唐以來，李杜爲其冠，讀者先具一李一杜於胸中，遂覺判然不相合。然余讀少陵詩有絕類太白者，如《寄韓諫議》、《送孔巢父》之類是也，彼「大雅不作，吾衰誰陳」云云，運筆結響，能與少陵異乎？蘇文忠爲有宋第一，其西山野梅之作，則太白也；洛陽相君之詠，於杜又何辨焉。學者誠取諸大家，平心而察之，溫、李、冬郎且無弗有此，未可更僕數也，必如是而後家可成。今使有撫一木一石者，曰此吾家也；抱一器而告於人曰吾家具胥備於是，得不笑其傎矣乎！夫詩者，人之性情也；性情者，根於心者也。心之不同，如其面焉。人面目雖甚相肖，亦必有毫髮之異，其萬不能異者，同於天而豈襲取於人哉！然則家之大小何以分？曰貧家之享客也，竭其力以供張，一日未始不足，二日三日羸立見矣。大家則不然，食客數千人，畢世從之而無虞其乏也。大小之分，其不在美善之多寡與。

寶廷《偶齋詩草·筆記一則》 言詩者動言《三百篇》，此門面語耳。三代

下詩已成小道，不過書畫之流，詩人強援以示重，殊可笑也。聖人選三代下詩必別有取法，雖李杜名篇亦未必盡取也。謹按《三百篇》原無意求工，所謂「詩言志」也。後世詩則有意求工，雖李杜詩之工者，亦未必盡合《三百篇》。而詩之不工者，卻頗有合者。作詩者欲自高其詩品，動援《三百篇》以標門面，而實不能首首宗之；取詩者亦欲自高其詩教，動援《三百篇》以標門面，而實亦不能首首以爲衡而取之。今詩與古詩已成兩道，而大家同以門面語，自欺而欺人，誠可笑也。余嘗謂於今取詩當分兩種，一專取合《三百篇》者，不必論其工不工，乃合聖人詩教；一專取其工，但得不大悖《三百篇》卽可取，不必強作門面；若害理傷教之作，雖極工亦不可取，庶免爲詩教罪人。作詩亦當以此爲法。雖不能首首宗《三百篇》，亦不可但求工以悅俗而致敗詩教。

何紹基《東洲草堂文鈔》卷三《符南樵寄鷗館詩集叙》 烏乎！不變則不進，不脫則不成，從此擺盡窠臼，直透心光，將一切牢騷語、自命語、摹古語、隨便語、名士風情語、勉強應酬語，概從刊落，戛戛獨造，本根乃見。鄙見雖偏，然自家用功命意如此，卽所貢于知我者亦如此。請共勉焉。可乎？

黃遵憲《人境廬詩草》卷一《雜感》 大塊鑿混沌，渾渾旋大圜，隸首不能算，知有幾萬年？羲軒造書契，今始歲五千。以我視後人，若居三代先。俗儒好尊古，日日故紙研，六經字所無，不敢入詩篇。古人棄糟粕，見之口流涎。沿習甘剽盜，妄造叢罪愆。黃土同摶人，今古何愚賢？卽今忽已古，斷自何代前？明窗敞流離，高爐爇香烟。左陳端溪硯，右列薛濤箋。我手寫我口，古豈能拘牽。卽今流俗語，我若登簡編，五千年後人，驚爲古斕斑。

又 造字鬼夜哭，所以示悲憫。衆生殉文字，蚩蚩一何蠢！可憐古文人，日夕雕肝腎，儷語配華叶，單詞畫蚯蚓，古近辨詩體，長短成曲引。洎乎制義興，卷軸車連軫，常恐後人體，變態猶未盡。吁嗟東京後，世茶文益振，文勝失則弱，體竭勢已窘。後有王者興，張網羅賢俊，決不以文章，此語吾敢信。但念廢棄後，巧拙同泯泯，欲求覆醬瓿，已難拾灰燼。我今展卷吟，徒使後人哂。

又《劉甔庵詩序》 韓退之之銘樊宗師也，曰：「惟古于詞必己出，降而不能乃剽竊。」其答李翊書又曰：「惟陳言之務去。」以昌黎之文起八代之衰，而攝其要乃在去陳言而不襲成語，知此可與言詩矣。自風雅變而爲楚辭，騷些變而爲五七言詩。上溯漢魏，下逮有明，能以詩名家者，大抵率其性之所近，縱其才力聰明之所至。創意命辭，各不相師。倡之者一二巨子，和之者群兒。大張其徽幟，以號以衆，曰某體，曰某派，沿其派者，近數十年，遠至數百年，千餘年，而其體不易。士生古人之後，欲于古人範圍之外成一家言，固甚難；卽求其無剿說，無雷同者，吾見亦罕。

丘逢甲《嶺雲海日樓詩鈔》卷四《說劍堂集題詞爲獨立山人作》 劍龍出海辭延津，千年龍性猶難馴。南天星斗避紫氣，下有按劍獨立之山人。山人亦自號老劍，海山蒼茫起光焰。手收劍氣入詩卷，萬朵芙蓉劍花艷。九霄太乙窺鑄詞，山人說劍當說詩。詩中亦有東來法，七萬里外稱西師。柏林城小詩壇大，西方美人壇下拜。偶將劍訣傳處女，花雨漫天動光怪。歸來香海修詩樓，山人說劍樓上頭。直開前古不到境，筆力橫絕東西球。山人之才無不可，但博詩名計何左？豈知卽詩亦難及，騰躍百家中有我。只今耆舊無張(南山先生)黃(香石先生)，中原旗鼓誰能強？粵詩獨得古雄直，賴此巨刃摩天揚。只憐說劍無人解，老淚如潮溢滄海。況復雷雨驅雙龍，雌劍升天雄劍在。吁嗟乎！手提三尺歌大風，千秋絕唱隆準公。青蛇袖里朗吟去，便須首數仙才雄。公孫劍器語雖妙，只許詩人詫高調。此外異說空紛紜，十萬橫磨帝羓笑。竟山人說劍劍膽粗，倚天手把玉鹿盧。羅浮風雨自離合，空山卧抱詩龍珠。竟隱珠光騰劍氣，不顧世眼駭相畏。繫余劍俠入道人，獨撫瑤華解珍貴。九龍城隔滄溟青，倚樓想見吟寒星。何時攜劍就說法，諸天雲立群龍聽。

又《論詩次鐵廬韻》 新築詩中大舞臺，侏儒幾輩劇堪哀。卽今開幕推神手，要選人天絕代才。

又 北派南宗各自誇，可能流響脫淫哇？詩中果有眞王在，四海何妨共一家！

文廷式《文道希先生遺集．論詩》 《風》《雅》而還讀《楚辭》，紉蘭佩芷不相師。洪壚自有陶鈞術，怕看人間集字詩。

鄭獻甫《答友人論詩書》 嘗論盛世之詩，多壞於臺閣，諸公創爲官體，衰世之詩，多壞於山林，諸公創爲野體，平世之詩，則壞於門戶，諸公欲各自爲體。我朝承平數百年，作者數十家，其已享大名者勿論。近世臺閣之上，孜孜贊贊，未有稱詩者。偶然酬應，多半假手，而山林伏處，田夫野老，亦非復遺逸，則所憂者，獨門戶而已耳。然間有自相標榜主持壇坫者，一賤丈

夫出，大呼而叱之，遂不知爲何許人，而平生交游所遇士大夫，亦不聞有人言出某門下，得某宗旨，受某家法者。

陳衍《石遺室文集》卷九《劍懷堂詩草序》 吾閩詩人，至宋而大昌，至明而力足以左右天下風氣；清則茶然以衰，甌香、雁水後，莘田、荔鄉以風韻勝，檀河、亨甫以才氣稱，此外驅馳中原，爲海內所指數者，未數數然也。今之人，喜分唐詩、宋詩，以爲浙派爲宋詩，閩派爲唐詩，咎同、光以來，閩人舍唐詩不爲而爲宋詩。夫學問之事，惟在至與不至耳，至則有變化之能事焉，不至則聲音笑貌之爲爾耳。唐人之聲貌至不一矣：曰開、天，元和，一其人，一其聲貌，所以爲開、天，元和也；開、天之少陵、摩詰，元和之香山、昌黎，又往往一人不一其聲貌。故開、天、元和者，世所分唐、宋詩之樞幹也。廬陵、宛陵、東坡、臨川、山谷、後山、無咎、文潛，岑、高、杜、韓、劉、白之變化也；簡齋、止齋、滄浪、四靈，王、孟、韋、柳之變化也。子孫雖肖祖父，未嘗骨肉間一一相似，壹壹化生，人類之進退由之，況非子孫，奚能刻意蕲肖之耶！天地英靈之氣，古之人蓋先得取精而用宏矣。取之而不能盡，故《三百篇》、漢、魏、六朝而有開、天、元和，元祐以至於無窮，在爲之至與不至耳。

批評論

總　說

《易傳・繫辭上》 子曰：「書不盡言，言不盡意。」然則聖人之意，其不可見乎？子曰：「聖人立象以盡意，設卦以盡情僞，繫辭焉以盡其言，變而通之以盡利，鼓之舞之以盡神。」

又《繫辭下》 夫《易》彰往而察來，而微顯闡幽，開而當名，辨物正言，斷辭則備矣。其稱名也小，其取類也大。其旨遠，其辭文。其言曲而中，其事肆而隱。因貳以濟民行，以明失得之報。

又 將叛者其辭慙，中心疑者其辭枝，吉人之辭寡，躁人之辭多，誣善之人其辭游，失其守者其辭屈。

《左傳・襄公二十九年》 吳公子札來聘，【略】請觀於周樂。使工爲之歌《周南》、《召南》，曰：「美哉，始基之矣，猶未也，然勤而不怨矣。」爲之歌《邶》、《鄘》、《衛》，曰：「美哉！淵乎！憂而不困者也。吾聞衛康叔、武公之德如是，是其《衛風》乎？」爲之歌《王》，曰：「美哉！思而不懼，其周之東乎？」爲之歌《鄭》，曰：「美哉！其細已甚，民弗堪也，是其先亡乎？」爲之歌《齊》，曰：「美哉，泱泱乎！大風也哉！表東海者，其大公乎！國未可量也。」爲之歌《豳》，曰：「美哉，蕩乎！樂而不淫，其周公之東乎？」爲之歌《秦》，曰：「此之謂夏聲。夫能夏則大，大之至也，其周之舊乎？」爲之歌《魏》，曰：「美哉！渢渢乎！大而婉，險而易行，以德輔此，則明主也。」爲之歌《唐》，曰：「思深哉！其有陶唐氏之遺民乎？不然，何憂之遠也。非令德之後，誰能若是？」爲之歌《陳》，曰：「國無主，其能久乎！」自《鄶》以下無譏焉。爲之歌《小雅》，曰：「美哉！思而不貳，怨而不言，其周德之衰乎？猶有先王之遺民焉。」爲之歌《大雅》，曰：「廣哉，熙熙乎！曲而有直體，其文王之德乎？」爲之歌《頌》，曰：「至矣哉！直而不倨，曲而不屈，邇而不偪，遠而不攜，遷而不淫，復而不厭，哀而不愁，樂而不荒，用而不匱，廣而不宣，施而不費，取而不貪，處而不底，行而不流，五聲和，八風平，節有度，守有序，盛德之所同也。」見舞《象箾》、《南籥》者，曰：「美哉！猶有憾。」見舞《大武》者，曰：「美哉！周之盛也，其若此乎？」見舞《韶濩》者，曰：「聖人之弘也，而猶有慚德，聖人之難也。」見舞《大夏》者，曰：「美哉！勤而不德，非禹其誰能修之？」見舞《韶箾》者，曰：「德至矣哉！大矣，如天之無不幬也，如地之無不載也，雖甚盛德，其蔑以加於此矣。觀止矣！若有他樂，吾不敢請已！」

《莊子・天道》 世之所貴道者書也，書不過語，語有貴也。語之所貴者意也，意有所隨。意之所隨者，不可以言傳也，而世因貴言傳書。世雖貴之，我猶不足貴也，爲其貴非其貴也。故視而可見者，形與色也；聽而可聞也，名與聲也。悲夫，世人以形色名聲爲足以得彼之情！夫形色名聲果不足以得彼之情，則知者不言，言者不知，而世豈識之哉！

又《知北遊》 天地有大美而不言，四時有明法而不議，萬物有成理而不

說。聖人者，原天地之美而達萬物之理，是故至人無爲，大聖不作，觀於天地之謂也。

又《外物》 荃者所以在魚，得魚而忘荃；蹄者所以在兔，得兔而忘蹄；言者所以在意，得意而忘言。吾安得夫忘言之人而與之言哉！

《孟子·公孫丑上》 詖辭知其所蔽，淫辭知其所陷，邪辭知其所離，遁辭知其所窮。

又《萬章上》 咸丘蒙曰：「舜之不臣堯，則吾既得聞命矣。《詩》云：『普天之下，莫非王土；率土之濱，莫非王臣。』而舜既爲天子矣，敢問瞽瞍之非臣，如何？」曰：「是詩也，非是之謂也；勞於王事而不得養父母也。曰：『此莫非王事，我獨賢勞也。』故說《詩》者，不以文害辭，不以辭害志。以意逆志，是爲得之。如以辭而已矣，《雲漢》之詩曰：『周餘黎民，靡有孑遺。』信斯言也，是周無遺民也。孝子之至，莫大乎尊親；尊親之至，莫大乎以天下養。爲天子父，尊之至也；以天下養，養之至也。《詩》曰：『永言孝思，孝思維則。』此之謂也。《書》曰：『祇載見瞽瞍，夔夔齊栗，瞽瞍亦允若。』是爲父不得而子也？」

又《萬章下》 孟子謂萬章曰：「一鄉之善士，斯友一鄉之善士；一國之善士，斯友一國之善士；天下之善士，斯友天下之善士。以友天下之善士爲未足，又尚論古之人。頌其詩，讀其書，不知其人，可乎？是以論其世也。是尚友也。」

《荀子·非相》 君子必辯。凡人莫不好言其所善，而君子爲甚焉。是以小人辯言險，而君子辯言仁也。言而非仁之中也，則其言不若其默也，其辯不若其吶也。言而仁之中也，則好言者上矣，不好言者下也。故仁言大矣：起於上所以道於下，政令是也；起於下所以忠於上，謀救是也。故君子之行仁也無厭。志好之，行安之，樂言之，故言君子必辯。小辯不如見端，見端不如見本分。小辯而察，見端而明，本分而理。聖人士君子之分具矣。有小人之辯者，有士君子之辯者，有聖人之辯者：不先慮，不早謀，發之而當，成文而類，居錯遷徙，應變不窮，是聖人之辯者也。先慮之，早謀之，斯須之言而足聽，文而致實，博而黨正，是士君子之辯者也。聽其言則辭辯而無統，用其身則多詐而無功，上不足以順明王，下不足以和齊百姓，然而口舌之均，噡唯則節，足以爲奇偉偃卻之屬，夫是之謂姦人之雄。聖王起，所以先誅也，然後盜賊次之。盜賊得變，此不得變也。

《國語·周語下》 夫樂不過以聽耳，而美不過以觀目。若聽樂而震，觀美而眩，患莫甚焉。夫耳目，心之樞機也，故必聽和而視正。聽和則聰，視正則明。聰則言聽，明則德昭。聽言昭德，則能思慮純固。以言德於民，民歆而德之，則歸心焉。上得民心，以殖義方，是以作無不濟，求無不獲，然則能樂。夫耳內和聲，而口出美言，以爲憲令，而布諸民，正之以度量，民以心力，從之不倦。成事不貳，樂之至也。口內味而耳內聲，聲味生氣。氣在口爲言，在目爲明。言以信名，明以時動。名以成政，動以殖生。政成生殖，樂之至也。若視聽不和，而有震眩，則味入不精，不精則氣佚，氣佚則不和。於是乎有狂悖之言，有眩惑之明，有轉易之名，有過慝之度。出令不信，刑政放紛，動不順時，民無據依，不知所力，各有離心。上失其民，作則不濟，求則不獲，其何以能樂？三年之中，而有離民之器二焉，國其危哉！**【略】** 琴瑟尚宮，鍾尚羽，石尚角，匏竹利制，大不踰宮，細不過羽。夫宮，音之主也。第以及羽，聖人保樂而愛財，財以備器，樂以殖財。故樂器重者從細，輕者從大。是以金尚羽，石尚角，瓦絲尚宮，匏竹尚議，革木一聲。夫政象樂，樂從和，和從平。聲以和樂，律以平聲。金石以動之，絲竹以行之，詩以道之，歌以詠之，匏以宣之，瓦以贊之，革木以節之。物得其常曰樂極，極之所集曰聲，聲應相保曰和，細大不踰曰平。如是，而鑄之金，磨之石，繫之絲木，越之匏竹，節之鼓而行之，以遂八風。於是乎氣無滯陰，亦無散陽，陰陽序次，風雨時至，嘉生繁祉，人民龢利，物備而樂成，上下不罷，故曰樂正。今細過其主妨於正，用物過度妨於財，正害財匱妨於樂。細抑大陵，不容於耳，非和也。聽聲越遠，非平也。妨正匱財，聲不和平，非宗官之所司也。夫有和平之聲，則有蕃殖之財。於是乎道之以中德，詠之以中音，德音不愆，以合神人，神是以寧，民是以聽。若夫匱財用，罷民力，以逞淫心，聽之不和，比之不度，無益於教，而離民怒神，非臣之所聞也。

《呂氏春秋·適音》 耳之情欲聲，心不樂，五音在前弗聽。目之情欲色，心弗樂，五色在前弗視。鼻之情欲芬香，心弗樂，芬香在前弗嗅。口之情欲滋味，心弗樂，五味在前弗食。欲之者，耳目鼻口也；樂之弗樂者，心也。心必和平然後樂，心必樂然後耳目鼻口有以欲之，故樂之務在於和心，和心

在於行適。夫樂有適，心亦有適。人之情，欲壽而惡夭，欲安而惡危，欲榮而惡辱，欲逸而惡勞。四欲得，四惡除，則心適矣。四欲之得也，在於勝理。勝理以治身則生全，以生全則壽長矣。勝理以治國則法立，法立則天下服矣。故適心之務在於勝理。夫音亦有適。太鉅則志蕩，以蕩聽鉅則耳不容，不容則橫塞，橫塞則振。太小則志嫌，以嫌聽小則耳不充，不充則不詹，不詹則窕。太清則志危，以危聽清則耳谿極，谿極則不鑒，不鑒則竭。太濁則志下，以下聽濁則耳不收，不收則不特，不特則怒。故太鉅、太小、太清、太濁皆非適也。何謂適？衷音之適也。何謂衷？大不出鈞，重不過石，小大輕重之衷也。黃鐘之宮，音之本也，清濁之衷也。衷也者適也，以適聽適則和矣。樂無太，平和者是也。故治世之音安以樂，其政平也；亂世之音怨以怒，其政乖也；亡國之音悲以哀，其政險也。凡音樂通乎政，而移風平俗者也，俗定而音樂化之矣。故有道之世，觀其音而知其俗矣，觀其政而知其主矣。故先王必託於音樂以論其敎。《清廟》之瑟，朱弦而疏越，一唱而三嘆，有進乎音者矣。大饗之禮，上玄尊而俎生魚，大羹不和，有進乎味者也。故先王之制禮樂也，非特以歡耳目、極口腹之欲也，將以敎民平好惡、行理義也。

《淮南子・原道》 所謂樂者，豈必處京臺章華，游雲夢沙邱，耳聽《九韶》、《六瑩》，口味煎熬芬芳，馳騁夷道，釣射鷫鷞之謂樂乎？吾所謂樂者，人得其得者也。夫得其得者，不以奢爲樂，不以廉爲悲，與陰俱閉，與陽俱開，故子夏心戰而臞，道勝而肥。聖人不以身役物，不以欲滑和，是故其爲懽不忻忻，其爲悲不惙惙，萬方百變，消搖而無所定。吾獨慷慨遺物，而與道同出，有以自得也。喬木之下，空穴之中，足以適情，無以自得也。雖以天下爲家，萬民爲臣妾，不足以養生也。能至于無樂者，則無不樂，無不樂則至樂極矣。

又《說林》 佳人不同體，美人不同面，而皆悅於目。梨橘棗栗，不同味，而皆調於口。

《詩汎歷樞》 《詩》無達詁，《易》無達言，《春秋》無達辭。

趙岐《孟子章句》 文，詩之文章，所引以興事也。辭，詩人所歌詠之辭。志，詩人志所欲之事。意，學者之心意也。孟子言說詩者當本之，不可以文害其辭，文不顯乃反顯也。不可以辭害其志，辭曰「周餘黎民，靡有孑遺」，志在憂旱災，民無孑然遺脫不遭旱災者，非無民也。人情不遠，以己之意逆詩人之志，是爲得其實矣。

又 好善者以天下之善士爲未足極其善道也。尚，上也，乃復上論古之人。頌其詩，詩歌國近，故曰頌。讀其書者，獨恐未知古人高下，故論其世以別之也。在三皇之世爲上，在五帝之世爲次，在三王之世爲下，是爲好上友之人也。

曹丕《典論論文》 文人相輕，自古而然。傅毅之於班固，伯仲之間耳，而固小之，與弟超書曰：「武仲以能屬文爲蘭臺令史，下筆不能自休。」夫人善於自見，而文非一體，鮮能備善。是以各以所長，相輕所短。里語曰：家有弊帚，享之千金。斯不自見之患也。【略】蓋君子審己以度人，故能免於斯累而作論文。【略】常人貴遠賤近，向聲背實。又患闇於自見，謂己爲賢。

曹植《與楊德祖書》 世人之著述，不能無病，僕嘗好人譏彈其文，有不善者，應時改定。昔丁敬禮常作小文，使僕潤飾之，僕自以才不過若人，辭不爲也。敬禮謂僕：「卿何所疑難？文之佳惡，吾自得之。後世誰相知定吾文者耶？」吾嘗歎此達言，以爲美談。昔尼父之文辭，與人通流，至於制《春秋》，游、夏之徒乃不能措一辭。過此而言不病者，吾未之見也。蓋有南威之容，乃可以論於淑媛，有龍泉之利，乃可以議於斷割，劉季緒才不能逮於作者，而好詆訶文章，掎摭利病。昔田巴毀五帝，罪三王，訾五霸於稷下，一旦而服千人，魯連一說，使終身杜口。劉生之辯，未若田氏，今之仲連，求之不難，可無歎息乎！人各有好尚，蘭茝蓀蕙之芳，衆所同好，而海畔有逐臭之夫；《咸池》《六莖》之發，衆人所共樂，而墨翟有非之之論，豈可同哉！

歐陽建《言盡意論》 夫天不言，而四時行焉。聖人不言，而鑒識存焉。形不待名，而方圓已著。色不俟稱，而黑白以彰。然則名之于物，無施者也。言之于理，無爲者也。而古今務于正名，聖賢不能去言。其故何也？誠以理得于心，非言不暢。物定于彼，非言不辯。言不暢志，則無以相接。名不辯物，則鑒識不顯。鑒識顯而名品殊，言稱接而情志暢。原其所以，本其所由。非物有自然之名，理有必定之稱也。欲辯其實，則殊其名。欲宣其志，則立其稱。名逐物而遷，言因理而變。此猶聲發響應，形存影附，不得相與爲二矣。苟其不二，則言無不盡！吾故以爲盡矣。

葛洪《抱朴子・博喻》 抱朴子曰：「郢人美《下里》之淫鼃，而薄《六莖》之和音。庸夫好悅耳之華譽，而惡利行之良規。故宋玉舍其延靈之精聲，智

士招其獨見之遠謀。」

又《廣譬》抱朴子曰：「不覩瓊琨之熠爍，則不覺瓦礫之可賤；不覿虎豹之彧蔚，則不知犬羊之質漫。聆白雪之九成，然後悟巴人之極鄙。識儒雅之汪濊，爾乃悲不學之固陋。」【略】抱朴子曰：「貴遠而賤近者，常人之用情也。信耳而疑目者，古今之所患也。是以秦王歎息於韓非之書，而想其爲人；漢武慷慨於相如之文，而恨不同世。及既得之，終不能拔。或納讒而誅之，或放之乎冗散。此蓋葉公之好僞形，見眞龍而失色也。」

又《辭義》抱朴子曰：「五味舛而並甘，衆色乖而皆麗。近人之情，愛同憎異，貴乎合己，賤於殊途。夫文章之體，尤難詳賞。苟以入耳爲佳，適心爲快，尟知忘味之九成，雅頌之風流也。所謂考鹽梅之鹹酸，不知大羹之不致；明飄飆之細巧，蔽於沈深之弘邃也。其英異宏逸者，則網羅乎玄黃之表；其拘束齷齪者，則羈紲於籠罩之內。振翅有利鈍，則翔集有高卑；騁迹有遲迅，則進趨有遠近，駑銳不可膠柱調也。文貴豐贍，何必稱善如一口乎？不能拯風俗之流遯，世塗之凌夷，通疑者之路，賑貧者之乏，何異春華不爲肴糧之用，茝蕙不救冰寒之急？古詩刺過失，故有益而貴；今詩純虛譽，故有損而賤也。」

又 抱朴子曰：「屬筆之家，亦各有病。其深者則患乎譬煩言冗。申誡廣喻，欲棄而惜，不覺成煩也。其淺者則患乎妍而無據，證援不給，皮膚鮮澤而骨鯁迴弱也。繁華暐曄，則並七曜以高麗；沈微淪妙，則儕玄淵之無測。人事靡細而不浹，王道無微而不備。故能身賤而言貴，千載彌彰焉。」

又《應嘲》夫制器者珍於周急，而不以采飾外形爲善。立言者貴於助教，而不以偶俗集譽爲高。若徒阿順諂諛，虛美隱惡，豈所匡失弼違醒迷補過者乎。慮寡和而廢白雪之音，嫌難售而賤連城之價，余無取焉。非不能屬華豔以取悅，非不知抗直言之多吝，然不忍違情曲筆，錯濫眞僞，欲令心口相契，顧不愧景，冀知音之在後也。否泰有命，通塞聽天，何必書行言用榮及當年乎！夫君子之開口動筆，必戒悟蔽。式整雷同之傾邪，磋礱流遁之闇穢。而著書者徒飾弄華藻，張磔迂闊，屬難驗無益之辭，治靡麗虛言之美，有似堅白厲修之書，公孫刑名之論。

又《喻蔽》抱朴子曰：「余雅謂王仲任作《論衡》八十餘篇，爲冠倫大才。有同門魯生難余曰：『夫瓊瑤以寡爲奇，磧礫以多爲賤。故庖犧卦不盈十而彌綸二儀；老氏言不滿萬而道德備舉。王充著書，兼箱累袠，而乍出乍入，或儒或墨，屬詞比義，又不盡美，所謂陂原之蒿莠，未若步武之黍稷也。』」抱朴子答曰：「且夫作者之謂聖，述者之謂賢。徒見述作之品，未聞多少之限也。吾子所謂竄巢穴之沈昧，不知八紘之無外；守燈燭之宵曜，不識三光之晃朗。遊潢洿之淺狹，未覺南溟之浩汗；滯丘垤之位埤，不寤嵩岱之峻極也。兩儀所以稱大者，以其函括八荒，緬邈無表也；山海所以爲富者，以其包籠曠闊，含受雜錯也。若如雅論，貴少賤多，則穹隆無取乎宏燾，而旁泊不貴於厚載也。夫迹水之中，無吞舟之鱗；寸枝之上，無垂天之翼。蟻垤之巔，無扶桑之林；潢潦之源，無襄陵之流。巨鰲首冠瀛洲，飛波淩乎方丈。洪桃盤於度索，建木竦於都廣。沈鯤橫於天池，雲鵬戾乎玄象。且夫雷霆之駭，不能細其響；黃河之激，不能局其流。騏騄追風不能近其迹；鴻鵠奮翅不能卑其飛。雲厚者，雨必猛；弓勁者，箭必遠。王生學博才大，又安省乎？吾子云：『玉以少貴，石以多賤。』夫玄圃之下，荆華之顛，九員之澤，折方之淵，琳琅積而成山，夜光煥而灼天，顧不善也。又引庖犧氏著作不多，若夫周公既繇大《易》，加之以禮樂；仲尼作《春秋》，而重之以十篇。過於庖犧，多於老氏，皆當貶也。言少則至理不備，辭寡即庶事不暢，是以必須篇累卷積，而綱領舉也。羲和昇光以啓旦，望舒曜景以灼夜。五材並生而異用，百藥雜秀而殊治。四時會而歲功成，五色聚而錦繡麗。八音諧而簫韶美，羣言合而道藝辨。積猗頓之財，而用之甚少，是何異於原憲也；懷無銓之量，而著述約陋，亦何別於瑣碌也。音爲知者珍，書爲識者傳。瞽曠之調鍾，未必求解於同世；格言高文，豈患莫賞而減之哉！且夫江海之穢物，不可勝計，而不損其深也；五嶽之曲木，不可訾量，而無虧其峻也。夏后之璜，雖有分毫之瑕，暉曜符彩，足相補也；數千萬言，雖有不豔之辭，事義高遠，足相掩也。故曰：『四瀆之濁，不方瓮水之清；巨象之瘦，不同羔羊之肥矣。』子又譏云：『乍入乍出，或儒或墨。』夫發口爲言，著紙爲書。書者所以代言，言者所以書事。若用筆不宜雜載，是論議當常守一物。昔諸侯訪政，弟子問仁，仲尼答之，人人異辭。蓋因事託規，隨時所急，譬猶治病之方千百，而針灸之處無常。卻寒以溫，除熱以冷，期於救死存身而已。豈可詣者逐一道如齊楚，而不改路乎？陶朱白圭之財不一物者，豐也。雲夢孟諸所生萬殊者，曠也。故淮南《鴻烈》，始於《原道》、《俶眞》，而亦有《兵略》、《主

術》，莊周之書，以死生爲一，亦有畏犧慕龜，請粟救飢。若以所言不純，而棄其文，是治珠翳而剜眼，療濕痹而刖足，患荑莠而刈穀，憎枯枝而伐樹也。」

劉義慶《世說新語・文學》 郭景純詩云：「林無靜樹，川無停流。」阮孚云：「泓峥蕭瑟，實不可言。每讀此文，輒覺神超形越。」

江淹《雜體詩序》 夫楚謠漢風，既非一國；魏製晉造，固亦二體。譬猶藍朱成采，雜錯之變無窮；宮角爲音，靡曼之態不極。故蛾眉詎同貌？而俱動於魄；芳草寧共氣？而皆悅於魂，不其然歟？至於代之諸賢，各滯所迷，莫不論甘則忌辛，好丹而非素，豈所謂通方廣恕，好遠兼愛者哉！乃致公幹仲宣之論，家有曲直；安仁士衡之評，人立矯抗。況復殊於此者乎？文貴遠賤近，人之常情；重耳輕目，俗之恆蔽。是以邯鄲託曲於李奇，士季假論於嗣宗，此其效也。

劉勰《文心雕龍・序志》 詳觀近代之論文者多矣，至於魏文述典，陳思序書，應瑒文論，陸機《文賦》，仲治《流別》，弘範《翰林》，各照隅隙，鮮觀衢路。或臧否當時之才，或銓品前修之文，或汎舉雅俗之旨，或撮題篇章之意。魏典密而不周，陳書辯而無當，應論華而疏略，陸賦巧而碎亂，《流別》精而少巧，《翰林》淺而寡要。又君山、公幹之徒，吉甫、士龍之輩，汎議文意，往往間出，並未能振葉以尋根，觀瀾而索源，不述先哲之誥，無益後生之慮。

鍾嶸《詩品序》 陸機《文賦》，通而無貶；李充《翰林》，疏而不切；王微《鴻寶》，密而無裁；顏延論文，精而難曉；摯虞《文志》，詳而博贍，頗曰知言。觀斯數家，皆就談文體，而不顯優劣。至於謝客集詩，逢詩輒取；張隲《文士》，逢文即書。諸英志錄，並義在文，曾無品第。

《南齊書・文學傳論》 文章者，蓋情性之風標，神明之律呂也。蘊思含毫，遊心內運，放言落紙，氣韻天成。莫不稟以生靈，遷乎愛嗜，機見殊門，賞悟紛雜。若子桓之品藻人才，仲治之區判文體，陸機辨於《文賦》，李充論於《翰林》，張眎摘句褒貶，顏延圖寫情興，各任懷抱，共爲權衡。

盧照鄰《幽憂子集》卷六《南陽公集序》 古今之士，遞相毀譽，至有操我戈矛，啓其墨守。三都既麗，徵夏熟於上林；九辯已高，責春歌於下里。踳駁之論，紛然遂多！近日劉勰《文心》、鍾嶸《詩評》，異議蜂起，高談不息。人慚西氏，空論拾翠之容；質謝南金，徒辯荆蓬之妙。拔十得五，雖曰肩隨；聞一知二，猶爲臆說。僉曰未可，人稱屢中，化魯成魚，曷云其遠。非夫妙諧鍾律，體會風騷，筆有餘妍，思無停趣。作龜作鏡，聽歌曲而知亡；爲龍爲光，觀禮容而識大。齊魯一變之道，唐虞百代之文，懸日月於胸懷，挫風雲於毫翰。含今古之制，扣宮徵之聲，細則出入無間，麤則彌綸區宇。逶迤綽約，如玉女之千嬌；突兀峥嶸，似靈龜之孤樸。乘槎上漢，誰問坳堂之淺深；荷戟入秦，寧議長安之遠近。是非未定，曹子建皓首爲期；離合俱傷，陸平叔終身流恨。超然若此，適可操刀，自茲已降，徒勞舉斧。八病爰起，沈隱侯永作拘囚；四聲未分，梁武帝長爲聾俗。後生莫曉，更恨文律繁苛；知音者稀，常恐詞林交喪。雅頌不作，則後死者焉得而聞乎！

《李太白集》卷二《古風》 郢客吟白雪，遺響飛青天，徒勞歌此曲，舉世爲誰傳，試爲巴人唱，和者乃數千。吞聲何足道，嘆息空淒然。

柳宗元《河東先生集》卷三一《與友人論爲文書》 古今號文章爲難，足下知其所以難乎？非謂比興之不足，恢拓之不遠，鑽礪之不工，頗類之不除也；得之爲難，知之愈難耳。苟或得其高朗，探其深賾，雖有蕪敗，則爲日月之蝕也，大圭之瑕也，曷足傷其明，黜其寶哉。且自孔氏以來，茲道大闡，家脩人勵，刓精竭慮者，幾千年矣。其間耗費簡札，役用心神者，其可數乎？登文章之籙，波及後代，越不過數十人耳。其餘誰不欲爭裂綺繡，互攀日月，高視於萬物之中，雄峙於百代之下乎？率皆縱臾而不克，躑躅而不進，力蹶勢窮，吞志而沒。故曰：得之爲難。嗟乎，道之顯晦，幸不幸繫焉；談之辯訥，升降繫焉；鑒之頗正，好惡繫焉；交之廣狹，屈伸繫焉；則彼卓然自得以奮其間者，合乎否乎，是未可知也。而又榮古陋今者，比肩疊跡，大抵生則不遇，死而垂聲者衆焉。揚雄沒而《法言》大興，馬遷生而《史記》未振，彼之二才，且猶若是，況乎未甚聞著哉？固有文不傳於後祀，聲遂絕於天下者矣。故曰：知之愈難。而爲文之士，亦多漁獵前作，戕賊文史，抉其意，抽其華，置齒牙間，遇事蠭起，金聲玉耀，誑聾瞽之人，徼一時之聲，雖終淪棄，而其奪朱亂雅，爲害已甚，是其所以難也。

孫光憲《白蓮集序》 風雅之道，孔聖之刪備矣；美刺之說，卜商之序明矣。降自屈、宋，逮乎齊、梁，窮詩源流，權衡辭義，曲盡商榷，則成格言，其惟劉氏之《文心》乎！後之品評，不復過此，有唐御宇，詩律尤精，列

姓字，掇英秀不啻十數家，惟丹陽殷璠，優劣升黜，咸當其分，性之深於詩者，謂其不誣，顧我何人，敢議臧否，苟成美有闕，得非交遊之罪邪？

張載《經學理窟二·詩書》 古之能知詩者，惟孟子爲以意逆志也。夫詩之志至平易，不必爲艱險求之。今以艱險求詩，則已喪其本心，何由見詩人之志。

又卷一三《雜詩·題解詩後》 置心平易始通詩，逆志從容自解頤。文害可嗟高叟固，十年聊用勉經師。

胡仔《苕溪漁隱叢話前集》卷七引《蔡寬夫詩話》 「愁思忽而至，跨馬出北門，舉頭四顧望，但見松柏荆棘鬱樽樽。中有一鳥名杜鵑，言是古時蜀帝魂。聲聲哀苦鳴不息，羽毛憔悴似人髡。飛走樹間逐蟲蟻，豈意往日天子尊。念此死生變化非常理，中心惻愴不能言。」此鮑明遠詩也，與子美《杜鵑行》語意極相類。或云：此詩子美爲明皇作，理宜當然。韓退之《三星行》亦與《古詩》「南箕北有斗，牽牛不負軛，良無磐石固，虚名復何益」之意頗近。大抵古今興比所在，適有感發者，不必盡相回避，要各有所主耳。此亦説詩者不以辭害意之義也。

又卷五五引《蔡寬夫詩話》 唐末五代，流俗以詩自名者，多好妄立格法，取前人詩句爲例，議論鋒出，甚有師子跳擲，毒龍顧尾等勢，覽之每使人拊掌不已。大抵皆宗賈島輩，謂之賈島格，而于李、杜詩不少假借。李白：「女媧弄黄土，摶作愚下人。散在六合間，濛濛若埃塵」，目曰調笑格，以爲談笑之資。杜子美「冉冉谷中寺，娟娟林外峰。欄干更上處，結締坐來重」，目爲病格，以爲言語突兀，聲勢蹇澀。此豈韓退之所謂「蚍蜉撼大木，可笑不自量」者邪？

又《苕溪漁隱叢話後集》卷五引《明道雜誌》 讀書有義未通而輒改字，最學者大病也。杜詩「黄精無苗」，後人所改也。舊乃黄獨，讀者不知其義，因改爲「精」，其實黄獨自一物也。本處謂之土芋，根唯一顆而色黄，故名黄獨。饑歲土人掘以充糧食，故老杜云耳。

《東坡全集》卷七四《答毛滂書》 今時爲文者至多，可喜者亦衆，然求如足下閑暇自得，清美可口者，實少也。敬佩厚賜，不敢獨饗，當出之知者。世間唯名實不可欺。文章如金玉，各有定價，先後進相汲引，因其言以信於世，則有之矣。至其品目高下，蓋付之衆口，決非一夫所能抑揚。軾於黄魯直、張文潛輩數子，特先識之耳。始誦其文，蓋疑信者相半，久乃自定，翕然稱之，軾豈能爲之輕重哉！非獨軾如此，雖向之前輩，亦不過如此也，而況外物之進退。此在造物者，非軾事。

又卷一〇〇《慎改竄》 近世人輕以意改書，鄙淺之人，好惡多同，故從而和之者衆，遂使古書日就訛舛，深可忿疾。孔子曰：「吾猶及史之闕文也。」自予少時，見前輩皆不敢輕改書。故蜀本大字書皆善本。蜀本《莊子》云：「用志不分，乃『疑』於神。」此與《易》「陰『疑』於陽」、《禮》「使人『疑』汝於夫子」同。今四方本皆作「凝」。陶潛詩：「採菊東籬下，悠然見南山。」採菊之次，偶然見山，初不用意，而境與意會，故可喜也。今皆作「望南山」。杜子美云：「白鷗没浩蕩，萬里誰能馴。」蓋滅没於烟波間耳。而宋敏求謂予云「鷗不解『没』」，改作「波」字。二詩改兩字，便覺一篇神氣索然也。

《説郛》弓八一引《東坡詩話·題淵明飲酒詩後》 「採菊東籬下，悠然見南山」，因採菊而見山，境與意會，此句最有妙處。近歲俗本皆作「望南山」，則此一篇神氣都索然矣。古人用意深微，而俗士率然妄以意改，此最可疾。

《山谷集》卷一七《大雅堂記》 由子美以來，四百餘年斯文委地，文章之士隨世所能，傑出時輩，未有升子美之堂者，況室家之好耶？余嘗欲隨欣然會意處箋以數語，終以汨没世俗，初不暇給。雖然，子美詩妙處乃在無意於文，夫無意而意已至。非廣之以國風、雅、頌，深之以《離騷》、《九歌》，安能咀嚼其意味，闖然入其門耶？故使後生輩自求之，則得之深矣。使後之登大雅堂者能以余説而求之，則思過半矣。彼喜穿鑿者，棄其大旨，取其發興，於所遇林泉人物草木魚蟲，以爲物物皆有所託，如世間商度隱語者，則子美之詩委地矣！

陳師道《後山詩話》 余評李白詩，如張樂於洞庭之野，無首無尾，不主故常，非墨工槧人所可擬議。吾友黄介讀《李杜優劣論》曰：「論文正不當如此。」余以爲知言。

楊時《龜山先生語録》卷三 仲素問詩如何看？曰：詩極難卒説。大抵須要人體會，不在推尋文義。在心爲志，發言爲詩，情動於中而形於言，言者情之所發也。今觀是詩之言，則必先觀是詩之情如何。不知其情，則雖精窮文義，謂之不知詩可也。子夏問：「『巧笑倩兮，美目盼兮！』何謂也？」子

曰：「繪事後素。」曰：「禮後乎？」孔子以謂可以言詩。如此全要體會。何謂「體會」？且如《關雎》之詩，詩人以興後妃之德，蓋如此也。須當想象雎鳩爲何物，知雎鳩爲摯而有別之禽；則又想象「關關」爲何聲，知「關關」之聲爲和而通，則又想象「在河之洲」是何所在？知「河之洲」爲幽閒遠人之地，則知如是之禽，其鳴聲如是，而又居幽閒遠人之地，則后妃之德可以意曉矣。是之謂「體會」。惟體會得，故看詩有味，至於有詩，則詩之用在我矣。

范溫《潛溪詩眼》 子厚詩尤深遠難識，前賢亦未推重。自老坡發明其妙，學者方漸知之。余嘗問人：「柳詩何好？」答云：「大體皆好。」又問：「君愛何處？」答云：「無不愛者。」便知不曉矣。識文章者，當如禪家有悟門。夫法門百千差別，要須自一轉語悟入。如古人文章直須先悟得一處，乃可通其他妙處。向因讀子厚《晨詣超師院讀禪經》詩一段，至誠潔清之意，參然在前，「眞源了無取，妄跡世所逐，微言異可冥，繕性何由熟」。眞妄以盡佛理，言行以盡薰修，此外亦無詞矣。「道人庭宇靜，苔色連深竹」，蓋遠過「竹徑通幽處，禪房花木深」。「日出霧露餘，青松如膏沐」，予家舊有大松，偶見露洗而霧披，眞如洗沐未乾，染以翠色，然後知此語能傳造化之妙。「澹然離言說，悟悅心自足」。蓋言因指而見月，遺經而得道，於是終焉。其本末立意遣詞，可謂曲盡其妙，毫髮無遺恨者也。《哭呂衡州》詩，足以發明呂溫之俊偉；《哭凌員外》詩，書盡凌準平生；《掩役夫張進骸》，既盡役夫之事，又反覆自明其意，此一篇筆力規模，不減莊周、左丘明也。劉夢得《傷愚溪》三首，有「溪水悠悠春自來，草堂無主燕飛回」，又「殘陽寂寞出樵車」，又「柳門竹巷依依在，野草青苔日日多」，謂之佳句，正如今之海語，於子厚了無益，殆《折楊》、《黃華》之雄，易售於流俗耳。

許顗《彥周詩話》 東坡詩，不可指摘輕議，詞源如長河大江，飄沙卷沫，枯槎東薪，蘭舟繡鷁，皆隨流矣。珍泉幽澗，澄澤靈沼，可愛可喜，無一點塵滓，只是體不似江湖，讀者幸以此意求之。

又 古人文章，不可輕易，反覆熟讀，加意思索，庶幾其見之。東坡《送安惇落第詩》云：「故書不厭百回讀，熟讀深思子自知。」僕嘗以此語銘座右而書諸紳也。東坡在海外，方盛稱柳柳州詩。後嘗有人得罪過海，見黎子雲秀才，說海外絕無書，適渠家有柳文，東坡日夕玩味。嗟乎，雖東坡觀書，亦須著意研窮，方見用心處耶！

又 詩人寫人物態度，至不可移易。元微之《李娃行》云：「髻鬟峨峨高一尺，門前立地看春風」，此定是娼婦；退之《華山女詩》云：「洗妝拭面著冠帔，白咽紅頰長眉青」，此定是女道士；東坡作《芙蓉城詩》亦用「長眉青」三字，云「中有一人長眉青，炯如微雲淡疏星」，便有神仙風度。

張邦基《墨莊漫錄》卷二 蔡絛約之《西清詩話》云：「人之好惡固自不同。杜子美在蜀作《悶》詩，乃云：『捲簾惟白水，隱几亦青山。』若使予居此，應從王逸少語：『吾當卒以樂死』，豈復更有悶乎？」予以謂此時約之未契此語耳。人方憂愁亡聊，雖清歌妙舞滿前，無適而非悶。子美居西川，一飯未嘗忘君，其憂在王室，而又生理不具，與死爲鄰，其悶甚矣。故對青山，青山悶；對白水，白水悶。平時可愛樂之物，皆寓之爲悶也。約之處富貴，所欠二物耳。其後竄斥，經歷崎嶇險阻，必悟此詩之爲工也。

蔡絛《西清詩話》卷下 詩至李杜，古今盡廢。退之每敘詩書以來作者，必曰李白、杜甫。又曰：「李杜文章在，光焰萬丈長。」至楊大年億，國朝儒宗，目少陵村夫子。歐陽文忠公每教學者，先李不必杜。又曰：「甫於白得二節耳。天才高放，非甫所能到也。」王文公晚擇四家詩以貽法，少陵居第一，歐陽公第二，韓文公次之，李太白又次之。然歐陽公祖述韓文而說異退之，王文公返先歐公，後退之，下李白，何哉？後東坡每述作，崇李、杜尊甚，獨未嘗優劣之。論說殊紛糾，不同滿世。嗚呼！李、杜著矣，一時之傑，立見如此，況屑屑餘子乎！余謂：「譬之百川九河，源流經營，所出雖殊，卒歸於海也。」

陳善《捫蝨新話》上集卷一 文章似無定論，殆是由人所見爲高下爾。只如楊大年、歐陽永叔皆不喜杜詩，二公豈爲不知文者，而好惡如此。晏元獻公嘗喜誦梅聖俞「寒魚猶著底，白鷺已飛前」之句，聖俞以爲「此非我之極致者」，豈公偶得意於其間乎？歐公亦云：「吾平生作文，惟尹師魯一見展卷疾讀，五行俱下，便曉人深意處。」然則于餘人當有所不曉者多矣。所謂文章如精金美玉，市有定價，不可以口舌增損者，殆虛語耶？雖然，《陽春》、《白雪》而和者數人，《折楊》、《黃華》則嗑然而笑，自古然矣。吾觀昔人於小詩皆句鍛月煉，至謂「吟安一個字，撚折數莖鬚」者，其用意如此。乃知老杜曰：「更覺良工心獨苦」，不獨論畫也。

又下集卷三 予每論詩，以陶淵明、韓、杜諸公皆爲韻勝。一日見林倅

於徑山，夜話及此。林倅曰：「詩有韻有格，故自不同。如淵明詩是其格高，謝靈運『池塘春草』之句乃其韻勝也。格高似梅花，韻勝似海棠花。」予時聽之，矍然若有所悟。自此讀詩頓進，便覺兩眼如月，盡見古人旨趣。然恐前輩或有所未聞。

張九成《橫浦心傳》卷下　古人作詩，所以吟咏情性，如《三百篇》是也。後之作者，往往務爲精深之辭，若出於不得已而爲之者，非古人吟咏之意也。

王之望《漢濱集》卷九《上宰相書》　某聞善論詩者，不專取其文詞，必觀其志而聽其音。《傳》曰：「在心爲志，發言爲詩。」又曰：「情發於聲，聲成文謂之音。」若七子所賦，韓起知其吉凶，觀其志也。列國之風，季札察其治否，聽其音也。惟是二者有氣焉行乎其間，氣之感志與音，必應之。是氣也，非一人爲，實與天地萬物相爲流通。顧所感者如何耳？治世所感，其氣和；亂世所感，其氣厲。是以善觀詩者，於音志之外，又觀其氣焉。且詩本以厚人倫，美教化，而變風變雅往往因一己之不得其所，而發爲憤懣，以譏刺其上，孔子何取焉？蓋世當亂亡，人懷哀思怨怒之氣，賢人君子，特因己所遇，聲之於詩，觀其詩，則當時之所感者可知。夫聽倉庚者知春之和，聞蟋蟀者知秋之肅，此物理之公，天道之自然也。詩之美刺，大率如此。是故樂而不爲淫，哀而不爲傷，美而不爲諛，譏而不爲誹，喜怒通乎四時，合乎一氣，觀其所感，而天地萬物之情可見矣。若以一己之屈伸而反其所感，則小丈夫之作矣，君子無取焉。屈原放逐，作爲《離騷》，幽憂感憤雖出於一己，而楚之風氣著焉。不然，揚己露才，上非其君，下譏同列，乃名教之罪人，豈足以爭光於日月哉？賈誼當漢文治平之時，以近臣出傅長沙，年少名盛未爲不遇，而沈湘吊屈，悽然有《離騷》之風，吾固知誼之不長也。孟浩然在開元中，詩名亦高，本無宦情，語亦平淡，及北闕南山之詠，作意爲憤躁語，此不出乎情性，而失其音氣之和，果終棄于明主。本朝石守道，作《聖德頌》於慶曆間，詞工意直，眞一代名筆，但語激訐而氣不平，無寬裕優游之風，卒之身罹讒毀而幾成朋黨之禍，殆與吉甫「穆如清風」之作異矣。當時梅聖俞以詩名家，交游傾一時，而仕宦不達，其詩乃怡愉溫厚，不失治世之音，故歐陽文忠、王文公諸賢皆以《三百篇》擬之。然則爲詩者，非通天下之志而協乎聲音之道，未足與言詩也。

呂祖謙《麗澤論說集錄》卷三《門人所記〈詩〉說拾遺》　凡觀詩，須先識聖賢所說大條例，如孟子言：「不以文害辭，不以辭害志」；又《大序》言：「言之不足，故嗟歎之」；又橫渠言：「置心平易始知詩」之類皆是。

張戒《歲寒堂詩話》卷上　論詩文當以文體爲先，警策爲後。若但取其警策而已，則「楓落吳江冷」，豈足以定優劣？孟浩然「微雲淡河漢，疏雨滴梧桐」之句，東野集中未必有也。然使浩然當退之大敵，如《城南聯句》，亦必困矣。子瞻云：「浩然詩如內庫法酒，卻是上尊之規模，但欠酒才爾。」此論盡之。

徐鹿卿《清正存稿》卷五《跋杜子野小山詩》　口之於味，有同嗜焉。苟同矣，其爲美無疑也。「短長肥瘦各有態，玉環飛燕誰敢憎」，要當作如是觀。若夫五穀以主之，多品以佐之，則又在吾心自爲持衡。少陵，五穀也；晚唐，多品也；學詩，調味者也；評詩，知味者也。孟子有言：「至於味，天下期於易牙。」

羅大經《鶴林玉露》卷八　杜少陵絕句云：「遲日江山麗，春風花草香。泥融飛燕子，沙暖睡鴛鴦。」或謂此與兒童之屬對何以異。余曰不然，上二句見兩間莫非生意，下二句見萬物莫不適性。于此而涵泳之，體認之，豈不足以感發吾心之眞樂乎！大抵古人好詩，在人如何看，在人把做甚麼用，如「水流心不競，雲在意俱遲。」「野色更無山隔斷，天光直與水相通。」「樂意相關禽對語，生香不斷樹交花」等句，只把做景物看，亦可把做道理看，其中亦儘有可玩索處。大抵看詩，要胸次玲瓏活絡。

姚勉《雪坡舍人集》卷三七《詩意序》　《孟子》曰：「說詩者，不以文害辭，不以辭害志。以意逆志，是爲得之。」文之爲言，字也；辭之爲言，句也；意者，詩之所以爲詩也。在心爲志，發言爲詩。詩者，志之所之也。《書》曰：「詩言志。」其此之謂乎？古今人殊，而人之所以爲心，則同也。心同，志斯同矣。是故以學詩者今日之意，逆作詩者昔日之志，吾意如此，則詩人之志必如此矣！《詩》雖三百，其志則一也。雖然，不可以私意逆之也。橫渠張先生曰：「置心平易始知詩。」夫惟置心於平易，則可以逆志矣！不然，鑿吾意以求詩，果詩矣乎？

衛宗武《秋聲集》卷五《秋巖上人詩集序》　觀古人評詩率皆引類取譬，以狀其情思體制氣象，故有以流風回雪落花飛草爲喻者矣，有以水之遙遙、春之盎盎爲喻者矣。而近世文士品歷代名世之作，自幽燕老將、三河少年以下，

莫不各有其目。蓋不如是，則無以覈其精微，究其功力所到。

俞德鄰《佩韋齋集》卷一〇《紀德緯詩序》 雖然，詩難言也，平易者近淺，艱深者近怪，事謬則語難，理誣則氣餒，斯皆詩之所忌，而非周游萬里，涉獵萬卷者不能知也。

戴栩《浣川集》卷九《跋初機集》 每怪文無異道，而評文多異說，何也？文蓋言之黼藻云爾。世之方譚俚，彼我相命，猶有不能通其意。開以端倪者，或昧於所宿；授以指嚮者，或倚於所趨。甚而認杪爲本，迷朔爲南，言之難知如此，又從而黼藻焉，宜其愈不易知也。夫以文人不易知，而操翰染牘者，或體未周而辭先焉，趣既狹而辭勝焉，或覆之以艱深，或張之以孟浪。往往文皆出於言之表，宜不知者因以爲詬，否則影褒響贊而已。然則古今評文者不勝其異說，亦各其見然歟？

陳藻《樂軒集》卷六《詩》 詩，情性也，情性，古今一也。說詩者，以今之情性，求古之情性，則奚有諸家之異同哉。

舒岳祥《閬風集》卷一〇《俞宜民詩序》 作詩難，評詩尤難也。必具眞識而後評之當，必全正氣而後評之公。故富貴者不能評，貧賤者不足評，少銳者不可評，衰老者不敢評。夫富貴者不能評，固也，而貧賤者亦莫之評，何哉？少銳者不可評，固也，而衰老者亦莫之評，又何哉？蓋富貴者眞識懵然，夫以科舉寸晷之長，躐取顯仕，一生學問不出是矣，安能劑量詩人之銖兩也？貧賤者正氣索然，酤邊炊畔，毀譽失實，安能爲人軒輊乎？不特評之者不妄，而求之者亦甚微薄矣！少銳者眞識未定，新涉筆墨行間，安知古人要眇？鷁鳥習飛，自謂已冥鴻舉矣。肆口談論，固先生長者之所羞也。衰老者正氣已耗，方畏人之議己，而求所以自媚於後生者，故立論多恕，而擬人非倫。故非有眞識不能以知人，非有正氣易至於失己。

李庭《寓庵集》卷八《跋陶淵明年譜序》 詩家之有年譜，尚矣。所以著出處之實，記述作之由，千載之後，使人誦其詩而知其志，不煩注釋，意義朗然。

郝經《郝文忠公陵川文集》卷三〇《朱文公詩傳序》 古之爲詩也，誦歌絃舞，斷章爲賦而已矣。傳其義者則口授，傳注之學未有也。秦焚《詩》、《書》，以愚黔首，三代之學，幾於墜沒。漢興，諸儒掇拾灰燼，墾荒闢原，續六經之絕緒，於是傳注之學興焉。秦焚《詩》、《書》尤重，故傳之者鮮。《書》則僅有濟南伏生。《詩》之所見、所聞、所傳聞者頗爲加多，有齊、魯、毛、韓四家而已。而源遠末分，師異學異，更相矛楯。如《關雎》一篇，齊、魯、韓氏以爲康王政衰之詩，毛氏則謂后妃之德，《風》之始。蓋毛氏之學，規模正大，有三代儒者之風，非三家所及也。卒之三家之說不行，《毛詩》之詁訓傳獨行於世。惜其闊略簡古，不竟其說，使後人得以紛更之也。故滋蔓於鄭氏之箋，雖則云勤，而義猶未備；總萃於孔氏之疏，雖則云備，而理猶未明。嗚呼！《詩》者，聖人所以泰天下之書也。其義大矣。性情之正，義理之萃，已發之中，中節之和也。文、武、周、召之遺烈，治亂之本原，王政之大綱，中聲之所止也。天人相與之際，物欲相錯之間，欣應翕合，純而無間。先王以之審情僞，在治忽，事鬼神，贊化育，尊天位，而全天德者也。觀民設教，閑邪存誠，聖之功也。所過者化，所存者神，聖之用也。正適于變，變適于正，《易》之象也。美而稱誦，刺而譏貶，《春秋》之義也。故《詩》之爲義，根於天道，著於人心，膏於肌膚，藏於骨髓，厖澤渥浸，浹於萬世。雖火於秦，而在人心者未嘗火之也。顧豈崎嶇訓辭鳥獸蟲魚草木之名，拘拘屑屑，而得盡之哉？而有司設規，父師垂訓，莫敢誰何。以及于宋，歐陽子始爲《圖說》，出二氏之區域。蘇氏、王氏父子繼踵馳說。河南程氏、横渠張氏、西都邵氏，遠探力窮而張皇之。逮夫東萊呂伯恭父，集諸家之說爲《讀詩記》，未成而卒。時晦庵先生方收伊、洛之横瀾，折聖學而歸衷，集傳注之大成，乃爲《詩》作《傳》，近出己意，遠規漢、唐，復《風》、《雅》之正，端刺美之本，釐訓詁之弊，定章句、音韻之短長差舛，辨大、小序之重複，而《三百篇》之微意，「思無邪」一言，煥乎白日之正中也。其《自序》，則自孔孟及宋諸公格言具載之，毛、鄭以下不論，其旨微矣。

胡祗遹《紫山大全集》卷二〇《讀〈楚辭〉雜言》 無前賢之心思，不能讀前賢之辭章。予少時，讀《楚辭》輒昏睡不能終篇。蓋無屈原愛君憂國、幽深鬱結、清苦惸獨，終天無窮難明之悲思。痛甚則聲哀，情苦則辭深。非若得意歡暢之言，津津然洋溢於外也。今歲方悟。若讀《楚辭》，當句句緩讀，求言外意。如問病人弔孝子，恤其情而哀其苦，庶幾得原文言意。

方回《桐江集》卷一《曉窗吟卷序》 漢淮南子評《離騷》曰：「《國風》好色而不淫，《小雅》怨誹而不亂。若《離騷》者，可謂兼之矣。」予謂斯言也未瑩。色至於好，怨至於誹，淫與亂不難也，今變風、變雅可考也。子曰：「《關

雎》樂而不淫，哀而不傷。」淮南蓋集用其語而意不醇者。然世之處人倫事會之際，鮮舒多慘，樂而淫不無之，哀而傷比比皆是也。《易》一泰卦耳，而曰屯、曰訟，曰剝，曰否，其卦不一。制禮樂，文太平，周公盛矣，猶不免賦「予羽」、「予室」之詩，則夫枯謠悴咏上不見答，豈止一屈原而已哉。原之著《離騷》也，深契乎《三百篇》之六義，而淮南淺之。其于鬼神變化，草木芳穢，男女乖合，國家成敗，言抑揚，意開闔，惟澹菴胡公句句而析之，十有九蘊焉。其曰「滿堂兮美人，忽獨與予兮目成」，此托辭也，於色也豈有所謂好。其曰「已矣哉，國無人莫我知兮」，此直辭也，於怨也豈有所謂誹。由原之作，推原之心，雖進之正風、正雅及頌，皆可也。

又《瀛奎律髓》卷一四 愛而知其惡，憎而知其善，君子於待人宜然，予之評詩亦皆然也。

黄仲元《四如集》卷三《姚野庵詩解序》 心，活動物也，詩亦活動物也，豈可以言語求哉！惟不說者爲上。夫子絃歌，而取三百十有一篇，斷之以「思無邪」一語，卽詩論詩，它無文字。

趙文《青山集》卷一《李叔登詩序》 謝公問子弟：《詩》中何句最佳，遏稱「昔我往矣，楊柳依依。今我來思，雨雪霏霏」以對。謝公乃獨愛「訏謨定命，遠猷辰告」。今之談詩者，豈以謝公之說爲然哉！要之詩六義，異今人所喜，獨在風比興爾。大率前輩尙渾含，後生喜流麗。宜謝公所賞，與遏輩異也。

又《陳竹性刪後贅吟序》 詩之爲教，必悠揚諷詠乃得之。非如他經可徒以訓詁爲也。古之學詩者，必先求其聲，以考其風俗，本其情性。後世學詩者，不復知所謂聲矣，而訓詁日繁，去詩寖遠。漢人稱說詩解人頤，詩非癡物，說詩者必使人悠然，有得於眉睫之間，乃爲善爾。近世横渠以詩說詩，蓋得之，然不過十數章止。横渠蓋姑爲之例爾。竹性陳君取風雅語，一用横渠例，謂之《刪後贅吟》。余讀之，毛、鄭以來奇書也。釋氏之徒，演說大意，敷陳既竟，復五七其辭，謂之偈言，不必皆有韻也。讀之往往能使人悟入異教，自不當與吾書並論。要之教人方便，是或一道。吾欲取竹性吟，使童兒知習，卽他詩傳可束閣。竹性徵余題吟後，輒用竹性例繫之以吟：觀詩妙處在吟哦，解說紛紛意轉訛。記得富陽明月夜，篷窗閑聽竹聲歌。

又《高敏則采詩序》 宦學於靖節之鄉而采詩，猶采珠於海，采玉於山，未有不得者也。雖然，詩與珠玉異，珠，珠而已爾，玉，玉而已爾。至於詩，不可以一體求。采詩於彭澤，而曰非靖節之詩不采，是絶天下以爲無詩，而亦不必采也。人之生也，與天地爲無窮，其性情亦與天地爲無窮。故無地無詩，無人無詩。采詩與刪詩異，刪詩，非夫子誰敢當之？以夫子刪詩，田夫野人之作，宜無足以當夫子之意。吾觀於《詩》，而後知夫子之大也。方其觀於《風》也，不知其有《雅》也，及其觀於《雅》也，不知其有《頌》也。歌《二南》，春風醇酎之濃鬱也。歌《邶鄘》，雁烟蛩雨之凄斷也。歌《王》，如故家器物，雖敝壞零落，而典刑尙存，見之能使人感傷也。歌《鄭》、《衛》、《陳》，如行幽遠閒曠，采蘭拾翠，閑情動盪而禮防，終可畏也。歌《齊》、《秦》，如與山東大猾，關西壯士語，獵心劍氣，不覺飛動也。歌《唐》，如聽老人大父相與蹙額而談往事也。歌《魏》、《曹》、《鄶》，如楚舞短袖，雖欲回旋曲折而不可得也。歌《豳》，如行阡陌間，所見無非耘夫、桑女，亦不知世有長安狹斜也。吾以是知夫子之大也。故采詩者眼力高，而後去取嚴；心胸闊，而後包括大。今之所謂采詩者，大抵以一人之目力、一人之心胸，而論天下之詩，要其所得，一人之詩而已矣。而况或怖於名高，或貪於小利，則私意顛倒，非詩道，直市道而已。

牟巘《陵陽集》卷一三《唐月心詩序》 唐以詩取士，士皆工於詩，蓋有工而不遇者矣。場屋既廢，爲詩者乃更加多。然工拙深淺有定評，名實之間，要不可眩，正不待決得失於一夫目也。

戴表元《剡源集》卷九《魁師詩序》 藝之於人，有好之而不厭者，以其樂也。苟所樂之在此，他雖有可樂者，不好之矣。千金之家，終日吹彈棋踘，而窮閻窶夫，皇然摩鐦灑削雕鍛，利贏餘以給妻子。此二途所爲樂不同，而樂於所自養者同。故當其疲精神、窮昏晝、忘饑渴而爲之，雖使師襄放叟歌《周南》，誦《離騷》於其側，有不能暇聽。何者？所樂不存焉故也。浮屠氏之枯空淡泊，草衣而木食，煢居而野游，無富貴繁華之美於其心，無貧賤急迫之勞於其體。其於人世一切之累，舉不可以相及。而詩之爲藝，出於人之精能虛覺，勞不撓形，淸不膠物，又非若吹彈棋踘之鄙褻而難成，摩鐦灑削雕鍛之喧煩而爲美也。則樂而好之，是固其職。

黄澤《荆川稗編》卷一〇《辨說詩之失》 古者重聲教，故采詩以觀所被之淺深。然今《三百篇》有出於太師所采者，《周南》、《召南》是也；有錄於史官而非太師所采者，《豳風》及周大夫所作是也；其餘諸國風多是東遷以後之

作，率皆諸國史官所自記錄。方周之盛，美刺不興，《漢廣》、《江汜》諸詩，雖足以見諸侯之美，而風化之原，實繫於周。其後天子不能統一諸侯，諸侯善惡皆無與於周，故不論美刺皆謂之變風，以其不繫於二南而各自爲風也。《周禮》王巡守則太史太師同車，又其官屬所掌皆有奠世繫之説。方采詩之時，太師掌其事，而太史錄其時世，及巡守禮廢，太師不復采詩，而後諸國之詩，皆其國史所自記錄，以考見風俗盛衰，政治得失。若《左傳》於高克之事，則曰「鄭人爲之賦《清人》」；莊姜之事，則曰「衛人爲之賦《碩人》」，必有所據矣。故《大序》曰：「國史明乎得失之迹，傷人倫之廢，哀刑政之苛。吟詠情性，以諷其上，達於事變，而懷其舊俗。」是説詩者不可不辨采詩之時世也。《黍離》降爲《國風》，此時王澤猶未竭也，故人民忠愛其君，猶能若此。其後聽者既玩，而言者亦厭，遂與之相忘，則雖《國風》亦不可復見。至此，則書契以來文治之迹，始剗絶矣。以時考之，《國風》止於《澤陂》，在頃王之世，當魯文公之時。故曰：「王者之迹熄而詩亡。」故説詩者尚論其世也。

鄒奕《居竹軒詩集序》 古人評詩，必觀出處之大節，與其所遭之時，而後人之賢否，不離於性情，文字之間，已可見矣。大抵治平之時，其聲和而婉，顯榮之人，其氣舒以安。不然，則太息於干戈擾攘之際者，多迫切之詞；呻吟於牛衣鶴埕之下者，多憤激之態；其去温柔敦厚之教，益以遠矣。何足以垂於不朽乎？

楊維楨《東維子集》卷七《趙氏詩錄序》 評詩之品無異人品也。人有面目、骨體，有情性、神氣，詩之醜好、高下亦然。《風》、《雅》而降爲《騷》，《騷》而降爲《十九首》，《十九首》而降爲陶、杜，爲二李，其性情不埜，神氣不群，故其骨骼不庳，面目不鄙。嘻！此詩之品在後無尚也。下是爲齊梁，爲晚唐、季宋，其面目日鄙，骨骼日庳，其情性神氣可知已。嘻！學詩於晚唐季宋之後，而欲上下陶、杜、二李以薄乎騷雅，亦落落乎其難哉！然詩之情性神氣，古今無間也。得古之情性、神氣，則古之詩在也。然而面目未識，而謂得其骨骼，妄矣；骨骼未得，而謂得其情性，妄矣；情性未得，而謂得其神氣，益妄矣。

又《劉彥昺集序》 賦詩難，而知詩爲尤難。蓋能知者，固不在於必賦；而能賦者，固在於必知也。永嘉李季和氏，嘗與予論古今人詩，亦曰：「千里馬常有，而伯樂不常有。」信矣哉！

虞集《雍虞先生道園類稿》卷一七《鄭氏毛詩序》 聖門之教人，蓋以詩爲學矣。孔子説《烝民》之詩曰：「爲此詩者，其知道乎？」故「有物必有則，民之秉彝也，故好是懿德。」「戰戰兢兢，如臨深淵，如履薄冰。」曾子之所以終身也。「鳶飛戾天，魚躍於淵。」子思子之所以明道體也。「不以文害辭，不以辭害意，以意逆志，是爲得之。」孟子之所以説詩也。是以程子之於詩也，嘗點掇一兩字而誦之，使人自解。又曰：「今之學者，未見意趣，必不樂學。欲以《三百篇》教之歌舞，恐未易曉。欲別作詩，令朝夕歌之，似當有助其意一也。」聖賢之於詩，將以變化其氣質，涵養其德性，優游厭飫，詠歎淫泆，使有得焉。則所謂温柔敦厚之教，習與性成，庶幾學詩之道也。漢儒有保存遺經之功，而亦不無專門訓詁之失。儒先君子，知豈不足以知之，而罕見於言者，豈非有得於此，則彼穿鑿纏繞之説，自有所不得行乎。諸經皆然，蓋不止於《詩》也。齊、魯、韓《詩》不傳，而毛氏獨存。言詩之家，千數百年守此而已。至宋歐陽子，疑《詩序》之非，而著《本義》。蘇欒城亦疑而去之，不免猶存其首句。譬諸山下之泉，其初出也，壅塞底滯，而端亦微見矣。漸而清通，沛如江河，後因於先而廓之，而水之源流達矣，亦有其時也。至於朱子《詩傳》之出，然後悉屏去大小《序》，別爲一編，存而不廢，以待考辨，卽經以求其故，自爲之説，而天下學者從之，國家定以爲是，然後其説與聖賢之言詩者合，而學者有所用功矣。

梁寅《詩演義原序》 《詩》，以温柔敦厚而垂教者也。其爲言也，既平易而易知，及諷詠之也，又足以感人心而易入。然初學誦之，亦有難者焉。其所以難者，訓詁則必欲其明也，義理則必欲其正也，詩之所由作者所當究而其不可知者爲多也。吾夫子删詩之時，未有注釋也。至漢儒以經相傳授，注釋益衆矣，而無所前聞，多爲臆度，故謬誤相襲。朱子《詩傳》獨覺夫千載之失而有以正之，至於字義尤必有據，凡其穿鑿附會者悉棄而不取。故曰訓詁之必明也。漢儒之釋經，於正理或昧。洎程、朱之言既行，駁雜之論乃黜。今之讀經者宜壹遵程、朱，難復互異。故曰義理之必正也。古人之歌詩，如今之歌曲，或頌或規，唯取大意，詩之事實多所未究。以今觀之，其作者爲何人，所指爲何事，勿問之可也。故曰其不可知者爲多也。《傳》之或簡略者，蓋章解句釋，非君子之所尚也。然幼學之士，讀經而懵於傳，讀傳而違於經，非加之意，何以究通？故余之所論者，爲幼學慮也。故博稽訓詁以啓其塞，

根之義理以達其意。於其隱也，闡而使之顯；於其略也，推而使之詳。其間與傳牴牾，蓋或時有焉，而以求其是也。君子觀之，恕其僭踰，正其疵謬，則耄言之或傳也，非至幸者乎？

羅倫《一峰文集》卷三《敬菴詩集序》 莫論其高深，莫論其淺近，通乎性情，止乎禮義而已。夫奇高深而卑淺近，論詩之通病也。以性情禮義爲主，而不論其高深淺近焉，達於論詩者也。

劉崧《槎翁文集》卷一〇《劉以震詩序》 聞師曠之琴瑟者，知其非下俚之音。睹昆山之璞玉者，知其非泥塗之質。蓋其美也，必有所自鍾。其和也，必有所自發。而況於詩乎？

楊士奇《東里續集》卷一四《滄海遺珠序》 詩本性情，關世道，《三百篇》無以尚矣。自漢以下歷代皆有作者，然代不數人，人不數篇，故詩不易作也。而尤不易識，非深達六義之旨而明於作者之心，不足以知而言之。

《陳獻章集》卷一《批答張廷實詩箋》 首章似胡文定解《春秋》，以義理穿鑿。二章發揮道理極致，非所敢當，然此心亦自不能已，願與公共勉之。三章仙術多門，姑置勿論，然興致高遠者，非此無以托。古有留意於《參同契》而爲詩，則斥以盜竊。四章箋得之，余清老《唱道歌》云「世間膏火，煎熬可厭」，亦在其中。五章要看第二句與第四句相應親切。六章醉以溷俗，醒以行獨。醒易於醉，醉非深於《易》者不能也。漢郭林宗、晉陶淵明、唐郭令公、宋邵堯夫，善醉矣夫！七章其失與首章同。黄涪翁《大雅堂記》似爲此箋發者，正詩家大體所關處，不可不理會。大抵詩貴平易，洞達自然，含蓄不露，不以用意裝綴，藏形伏影，如世間一種商度隱語，使人不可模索爲工。欲學古人詩，先理會古人性情是如何，有此性情，方有此聲口，只看程明道、邵康節詩，眞天生溫厚和樂，一種好性情也。至如謝枋得，雖氣節凌厲，好說詩而不識大雅，觀其《註唐絕句》諸詩，事事比喻，是多少牽強，多少穿鑿也。詩固有比體，然專務爲之，則心已陷於一偏。將來未免此弊，不可不知。八章不知馬，其失在人不在馬，少知進退去就而已者，亦未以馬稱也。平湖之進，吾惜之。九章珠珮用鄭交甫事。十章箋得之，詩從後定本統論好，非但拙作所能當，持以論詩可矣。概觀所論，多只從意上求，語句、聲調、體格尚欠工夫在。若論詩家，一齊要到。莊定山所以不可及者，用句、用字、用律極費工夫。初須倣古，久而後成家也。今且選取唐宋名家詩數十來首，諷誦上下，效其體格、音律，句句字字一毫不自滿，莫容易放過。若於此悟入，方有蹊徑可尋。

徐渭《南詞叙錄》 聽北曲使人神氣鷹揚，毛髮灑淅，足以作人勇往之志，信胡人之善於鼓怒也，所謂「其聲噍殺以立怨」是已；南曲則紆徐綿眇，流麗婉轉，使人飄飄然喪其所守而不自覺，信南方之柔媚也，所謂「亡國之音哀以思」是已。夫二音鄙俚之極，尚足感人如此，不知正音之感何如也。

李東陽《麓堂詩話》 劉會孟名能評詩，自杜子美下至王摩詰、李長吉諸家，皆有評。語簡意切，別是一機軸。諸人評詩者皆不及。及觀其所自作，則堆疊飽飣，殊乏興調，亦信乎創作之難也。

又 詩之爲妙，固有咏歎淫泆，三復而始見，百過而不能窮者。然以具眼觀之，則急讀疾誦，不待終篇盡帙，而已得其意。譬之善記者，一目之間，數行可下，然非其人，亦豈可強而爲之哉。

又 文章如精金美玉，經百鍊歷萬選而後見。今觀昔人所選，雖互有得失，至其盡善極美，則所謂鳳凰芝草，人人皆以爲瑞，閱數千百年幾千萬人而莫有異議焉。如李太白《遠別離》、《蜀道難》，杜子美《秋興》、《諸將》、《咏懷古跡》、《新婚別》、《兵車行》，終日誦之不厭也。蘇子瞻在黄州，夜誦《阿房宮賦》數十遍，每遍必稱好。非其誠有所好，殆不至此。然後之誦《赤壁》二賦者，奚獨不如子瞻之於《阿房》及予所謂李杜諸作也邪？

邵經邦《藝苑玄機》 詩要見識，如「季札觀周樂」，便知是興是亡。當時豈是篇篇歌過，又豈是章章辨驗，無非他心中理會得多。未聞樂時，先知《唐風》如此，《衛風》如彼，一聞之間即贊其美，知其興亡。今人陳、杜、沈、宋不能熟記，王、楊、盧、駱亦未全知，便議人優劣，如何使得？

皇甫汸《解頤新語》卷一 夫詩匪作之難，知之惟難；匪知之難，論之尤難。識美延陵，庶其能聽，起予商賜，可與晤言。

薛應旂《方山先生文錄》卷九《詩說自序》 夫詩何爲者也？宣六情，通百物，止僻坊邪，論功頌德，實感天地而動鬼神者也。豈易說哉？故曰：「不以文害辭，不以辭害志，以意逆志，是爲得之。」於乎，說詩之義備矣。以是爲訓，而牽於文辭，溺於志意者，猶未免焉。故齊、韓、毛、鄭之說，去子夏之世尚近，其所傳授，庶幾影響。而王仲淹猶且病之。矧自是以後，而欲以己意懸斷於千百年之下，吾未敢謂其能說詩也。

譚浚《說詩序》《易》曰：「文明以說。」說者，說也。說詩而解頤，說心而研慮。得其說者，知其本矣。何四始六義之說乎？猶述百家之說爲篇者，欲以慎其始也。義在其中矣。其感發而興於詩者，尙慎旃哉！

又《評品》觀意不以人，擬人必以倫。徇聞者衆，知音者希。異于己則忌，符其意則取。劉勰曰：「貴古賤今者，二王也；崇己抑人者，班曹也；信僞迷眞者，樓護也。」《詩》云：「其詩孔碩，其風肆好。」《騷》云：「衆不知余之異采。」皆自誇其美。杜甫《戲爲六絕》，擬議時作。李白云：「大雅久不作」，褒貶異代。如杜以陰鏗比李白，非其當也。云「庾文過屈、宋」，浮于實也。蓋隱惡揚善者，忠厚之君子；操戈入室者，名教之罪人矣。

又《取尙》自古取詩，以精爲尙。作者不以多而重，知者不以少而忽，遇之者非以大而顯。夫《詩三百》，孔子獨取「思無邪」之一言。南容三復「白圭」之章，子路終身誦「不忮不求」之句。靈運以「池塘生春草」之言、玄暉以「澄江淨如練」之句，王勃以「秋水」「長天」之聯，崔佑以「吳江風落」之句，崔顥以《黃鶴樓》之詩見重于後世。相如以《子虛》之賦、杜牧以《阿房》之篇見顯于當時。皆非多而大也。

《來瞿唐先生日錄》卷五《省事錄》豪傑之士不得於時者，每於詩歌言其志、寄其興。某所以說詩最難解。今之解杜詩者，每每因其字句而解之，而言外之意則未之發。間有發者，易至于鑿。

又人情好尙不同，唐李洞慕賈島爲詩，銅鑄其象，事之如神。自今觀之，賈島之詩未爲高也。人情之僻如此。

王世貞《弇州山人四部稿》卷六六《劉諸暨杜律心解序》孟氏曰：「以意逆志，得之哉！得之哉！」夫所謂意者，雖人人殊，要之其觸於境，而之於七情，一也。

又《藝苑卮言》卷三 實境詩於實境讀之，哀樂便自百倍。

孫鑛《唐詩品》神者，情也；妙者，趣也；能者，語也；具者，格也；逸者，思也；奇者，才也。不知所自來者，神品也；可以意求者，妙品也；人巧極天工錯者，能品也；具體而未工者，具品也；備神之骨而肉不稱者，逸品也；不拘常格者，奇品也。

馮從吾《少墟集》卷一三《森玉館集序》夫今之詩人理學多枘鑿不相入，此正坐不講之過。詩云：「鳶飛戾天，魚躍於淵。」卽善說詩者不過以爲點景之妙耳。而孰知其言上下察，維天之命於穆不已，於乎不顯文王之德之純。卽善說詩者，又不過以爲言天言文耳，而孰知其言天之所以爲天，言文王之所以爲文也。夫論理而至於上下察，至於天之所以爲天，文之所爲文，其精微奧妙亦至矣，盡矣，蔑以加矣，而皆於詩中發之，詩豈易言哉。

溫純《溫恭毅集》卷七《詞致錄序》大都善相馬者，惟求筋骨；善評文者，惟貴神情。神情內會，而意興各有寄托，其體裁以時易之，要未可槩其世代生平也。宋廣平玉性金腸，賦梅花不免婉媚；晏元獻清標澹質，祖西崑止見便儇；王濬仲嗜進納污，持論每超玄致；柳子厚甘諛溺詭，立言輒附經常。如以其文而已，廣平、元獻呫呫漫漫者耳，而濬仲、子厚不庶幾哉？

焦竑《澹園集》卷一六《青谿山人詩集序》古今稱詩，莫盛于李、杜者。誦其詩，莫不思論其世，至爲譜其年以傳。蓋自毛、鄭以來皆然，不知《羔羊》、《兔罝》、《考槃》、《碩人》，其人之進退隱顯，往往自見於詩，有不待譜而知者。故李、杜之詩，編年爲序，豈獨行役之往來、交游之聚散，與夫文藝之變幻，犂然可考，而時之治亂升降，亦略具焉。味者取其編，門分類析，而因詩以論世之義日晦，余嘗歎之。

又《弗告堂詩集序》夫詩以微言通諷諭，以溫柔敦厚爲教，不通于微不底于溫厚，不可以言詩。

屠隆《鴻苞節錄》卷六《論詩文》氣運尙隨世遞遷，天地有刼，滄桑有改，而況詩乎？故論詩者，政不必區區以古繩今，各求其至可也。論漢魏詩，當就漢魏求其至處。不必責其不如《三百篇》。論六朝詩，當就六朝求其至處，不必責其不如漢魏。論唐人詩，當就唐人求其至處，不必責其不如六朝。

姚舜牧《重訂詩經疑問》卷四《鹿鳴》凡說詩，宜先討求大旨，不徒泥其章句。如此篇大旨在求教示之益，專重「人之好我」二句。然此二句不卽指嘉賓說，詩人意本謂我有嘉賓，須具堂上下之樂，筐篚之將。此何以故？蓋人求教示之益，必先得此人之心，人之好我，方示我以周行耳。次因說「我有嘉賓，德音孔昭」云云，正謂此嘉賓有可以教示我，必用旨酒而式燕以敖可也。次又說今我幸有嘉賓，而必備琴瑟之樂致和樂之湛，正將以此燕樂嘉賓之心，庶乎嘉賓之不棄而示我以周行耳。如此看，語意始相承，而血脈亦流貫。若謂首章是示我以大道，次謂不待言語之間而其所以示我者深，又次謂安樂其心，則非止養其體娛其外而已，則初之示我周行者專在言語耶？旨酒式燕以

敔者止是養其體娛其外耶？且章首原說人之好我，不說賓之好我，意甚明白，敢正高明。

又卷八《皇矣》 凡讀詩，須先討求個大旨，大旨既得，橫東豎西，無不合着。如此詩大旨在「監觀四方，求民之莫」二句上，乃所謂莫民者，只在明明德之人。故叙大王，說個「帝遷明德」；叙王季，說個「其德克明」；叙文王，說個「予懷明德」。而中間稱「上帝耆之」、「帝省其山」、「帝度其心」、「帝謂文王」，不一而足，總見上天爲民求一賢君若此其切。爲人君者必明明德于天下，然後可對天下仰望之心，可不負上天立君之意。此詩人立言之大旨也。不是之求，而徒求之文詞間，是章句之儒，而非吾所望于說詩者。

胡應麟《詩藪內編》卷四 論詩最忌穿鑿，「朝廷燒棧北，鼓角滿天東。」燒與滿氣勢相應，而元晦以爲「漏天」。「關山同一照，烏鵲自多驚。」照與驚偶麗相當，而用脩以爲「一點」。二君非不知詩者，朱乃偶爾失忘，楊則好尚新僻。

周齊曾《囊雲文集》補遺《始可與言詩序》 子貢曰：「貧而無諂，富而無驕，何如？」子曰：「可也。未若貧而樂，富而好禮者也。」子貢曰：「《詩》云『如切如磋，如琢如磨』，其斯之謂歟？」子曰：「賜也，始可與言《詩》已矣。告諸往而知來者。」子夏問曰：「『巧笑倩兮，美目盼兮，素以爲絢兮』，何謂也？」子曰：「繪事後素。」曰：「禮後乎？」子曰：「起予者，商也，始可與言《詩》已矣！」夫彼事此事不一也，偶觸於中，通類而一之，何便許其「可與言《詩》」？言《詩》固若是其易乎？然當時門弟子多矣，何獨二子是許？又若不易言者《詩》也。四十餘年來，似喉間有物，咽不能下，欲吐又不得。今春取向所摘《詩歸》再四讀，有題與詩是者，有全不是者，有一截是一截不是者，有祇一句是者，有祇一字是者。初以不同於諸作，錄摘本中，或僅會得其粗迹，未盡領作者意。卽會得，亦錯，況不會、徒以其不同於諸作而錄之耶？至此知古人無苟作，其使人讀之不卽領者，正法之甚微而出之甚深也。蓋題在題中，故詩不離題。題不在題，則題中無詩，詩在題外。又雖題在題中，而從其題前一段，故詩不至題，置其本位；從其題後一段，故詩不自題，置其由來。又不從題前題後，而題正面，實寓傍情，故詩卽就題正面。總之，詩不盡於有字句處，亦不盡於無字句處，變而莫測，不可執一端而盡其多端也。由是觀之，孔子之以言《詩》許二子，許其不爲一端所泥，而能達其變而莫測者，以隨我所會而無往不合也。如是，凡天地間之所有，將無一不可作詩解，而詩亦無一不可作天地間之所有解矣。孔子烏能不許二子？我四十餘年來喉間物始一旦吐，卻不意《三百篇》後古詩人已不可見。卽我數日注兩目，凝神靜氣，想古詩人忽立我前詔教我，且不特目前有古詩人，我身、我心無不是古詩人，我手亦無不是古詩人，以與几上一筆一墨相接作，是以每一詩卽有數語評注，要卽古人自評注自詩，我無與也。然只可錄以藏之枕中，不可令今之號爲詩家者見。壬寅五五前一日，無髮居士題於囊雲靜室。

黃諄耀《陶菴全集》卷二一《陶菴自監錄三》 謝康樂「池塘生春草」得之夢中，評詩者或以爲尋常，或以爲淡妙，皆就句中求之耳。單拈此句，亦何淡妙之有？此句之根在四句之前，其云「臥痾對空林，衾枕昧節候」，乃其根也。「褰開暫窺臨」下歷言所見之景，而至於池塘草生則臥痾前所未見者，其時流節換可知矣。此等處皆淺淺易曉，然其妙在章而不在句，不識讀詩者何必就句中求之也。

錢肅樂《錢忠介公集》卷一《馮子詩序》 有詩者，有未始有詩者；有既始有詩者，有既始有詩而仍夫未始有詩者。此中妙趣，如數夢中珠玉，聽者能聞之，不能懷而去之。詩之妙，難言哉！【略】引情以入者，慧也；引情以出者，學也。學與慧交，資而化其偏，則稷下、竟陵無所庸其奴主矣。

金鉉《金忠潔集》卷一《觀上齋紀程》 說詩者言愈多則愈支，且令學者意味薄，不若專主一家，反覆涵泳，自然有得。

方以智《通雅詩說》 有讀千載上之一言而下泣者矣，有誦千載上之一言而起舞者矣，此自當人之所志所造不同耳。「前不見古人，後不見來者，念天地之悠悠，獨愴然而涙下。」涙下不亦誕乎？彈琴而見文王，魂來而愁蛟龍，月明而嘯峰頂，謂之誕，皆不免乎誕。

又 宋後好註詩，詩有不必註者。「挂席拾海月」，海月爲江蜐柱，使風帆而拾蚌，是何況耶？「竹林爲我啼淸晝」、「王母晝下雲旗翻」，竹林、王母鳥名，襲王、蔡、魯、黃之解，且曰：「不讀萬卷，不行萬里，不能知老杜。」嗟乎，老杜之破萬卷，豈在此乎？此宋景濂所歎揎攘而叢脞者也。一飯不忘君，有之矣。率爾詠歎，遷就而爲之說，則所不必。

穀齋主人《獨鑒錄》 「文章千古事，得失寸心知。」文成競賞，則其文危；文成獨賞，則其人亦危。然必自照精，而後共賞出焉。美人之臨粧也，修容飾黛，對鏡自憐，於是察道者盡爲驚魄，致笑顰而唐突也。石公曰：「不必

他人看斷腸，鏡前每日銷魂死」，獨覽之謂也。

劉宗周《論語學案》卷五 「唐棣之華，偏其反而。豈不爾思？室是遠而。」子曰：「未之思也，夫何遠之有？」聖人聞《滄浪》之歌而啓自取之機，觸《唐棣》之詩而及不遠之道，皆得意忘言，化朽腐爲神奇。斯道散殊耳目之表，一經指點，頓令生意躍躍。風人之旨，意在言外，聖人之説《詩》，亦意在言外，如鏡花水月，不容擬議，恰證無上妙道。悟風人之旨，可以言道矣。悟聖人之説《詩》，可以言學矣。

李魯《重編燼餘集》卷一《讀書法》 讀書之法，穩坐寬心，朗誦徐思。拈讀一首，則細看其如何命意、如何疏理、何處駕虛、何處徵實、何處順叙，何處逆轉。務令爛熟，在我口頭、在我眼裏，食息戲謔，時如見之。積累既久，自然有得。切不可心忙意亂，馳東奔西，欲得此，恐失彼，鹵莽貪多，揜卷茫然也。世閒書誰人讀得了？但要所讀有會耳，然切須凝心靜氣，打個一二手程限，看取功效何如，不可躁急計功，強探力索，致傷元神，一生疾病也。

張次仲《待軒詩記》卷首《學詩小箋總論》 觀詩人意思，好是如何，不好是如何，觀其土俗人情，觀其時勢物態。如讀《伐檀》詩，便見淸高之意，看《碩鼠》詩，便見暴斂之意。好是如此，吾心油然興起，不好如彼，心下著槍相似，然後能得詩意，有裨身心。今人只將己意包籠中間，委曲折旋之意盡不曾理會，寧有濟乎？且未看諸家注解，先熟讀本文，玩味其語氣，千遍萬過，方見得其中好處。其中好處方出，方見得精徹而無遺耳。此亦貪多不得，若讀一篇便思讀第二篇，則一二日可盡，何用逐日捱得數章，尚未徹透耶？故讀此篇，恨不得常熟此篇，如無第二篇，始可精進而無鹵莽之咎。如入城郭，須逐街坊里巷、屋廬臺榭、車馬人物見過，方是眞知；今人在外望見城是如此，便説我知之矣，豈善讀詩者哉！

又 余讀《易》，謂《易》本言天道，而總歸人事，其人爲君臣父子之倫，其理爲盈虛消息之幾，其端在身心家國之間，而其體在戒懼慎獨，其用在通經達變。自語默動靜之微以及治亂興亡之大，無不由之。是卦有六十四卦，爻有三百八十四爻，皆以理數象變救正人事也。今於詩亦然。其體風雅頌，其義賦比興，其俗有東西南朔之殊，其事有朝野大小之異，其音有宮商角徵羽之辨，其旨有正反常變美刺勸懲之不同，其引類有天地時數山川人物之繁夥。而究其所歌咏者，喜怒哀樂之情，家庭骨肉之事；所告誡者，興亡理亂之由，悲歡離合之故；所稱述者，開國承家之業；頌禱者，凝庥永命子孫長久之謨；極之忠臣義士、怨婦勞人，咨嗟太息以盡其痛哭流涕者，皆不外此。則詩之爲詩，不獨聲音合律，文章葩美，而聖人所以垂經著敎者，可以思矣。

張燧《千百年眼》卷三《孟子善言詩》 「不以文害辭，不以辭害志。」學詩之法，孟子兩語盡之矣。蓋詩人之意，寄興取喻，含蓄不盡。故言之者無罪，而聞之者足以戒。如刺淫亂，則曰「雝雝鳴雁，旭日始旦」，而昏冒之意，自在言外。憫流民，則曰「鴻雁於飛，哀鳴嗷嗷」，而凄凉之景，如在目前。傷暴斂，則曰「維南有箕，載翕其舌」，而誅求無厭之慘，已不可勝言。孟子論與民偕樂，而獨言鼓樂田獵，深識此意。如《詩》有：「民之秉彝，好是懿德。」孟子釋之曰：「民之秉彝也，故好是懿德。」未嘗費辭而理自明。使宋儒爲之，不知添多少詮釋矣。又如《書》曰：「刑故無小，宥過無大。」有作者解曰：「刑故無刑小，宥過無宥大。」只添二字，而語意明白。訓詁家須作如是觀。

馮復京《説詩補遺》卷一 夫緣情有作，感遇之道萬殊，睿體無方，化裁之容千變，經首桑林，奏刀妙中，疾徐甘苦，巧斵自知。予所能言者，薄示筌蹄，所不可言者，能窮罔象乎哉！請問諸獨照之匠，玄解之宰矣。

又卷六 予能辨詩格，不喜解詩義。蓋古人興寄幽遠，非自注本末，後人測擬，暗中摸索，徒自紛呶。如《蜀道難》，或以爲因明皇幸蜀而作，味「所守或匪親，化爲狼與豺」，豈因西狩作哉？杜集諸句，如：「獨鶴歸何晚，昏鴉已滿林。」「微升古塞外，已隱暮雲端。」誠有似托喻隱刺時事者，遂爲腐儒口實。然直作晚景初月觀可也。

又 杜詩佳處，有雄壯語，痛快語，秀麗語，蒼老語，忠厚語，平典語。累處有粗豪語，村俗語，險瘦語，庸腐語，鬼怪戲劇語，強造生澀語。蓋此老胸中壁立，無一體不自運天矩，「語不驚人死不休，恐與齊梁作後塵」，是其一生本領。然竊攀屈宋，熟精《文選》，亦自明言其所得。如河潤千里，必本星宿之源，所以利鈍雜陳，涇渭並泛，終不失爲大家。古今不可無一，不可有二。其詩不可不讀，亦最不易讀，非具天眼者，未有不墮霧隨塲者也。然予得一讀杜詩捷法，但看宋人詩話，所甚口贊歎者，非老杜極佳之詩，即

係其極惡之詩，以此參之，十不失一。劉須溪旁門小乘，間或窺斑，然終溺宋人見解，閱者大須甄擇，勿誤祈嚮。

又 宋人不解詩，尤不解古詩，以其數典忘祖。子昂李杜之上，更不知漢魏六朝也。以兩漢體引繩杜詩，則杜乃村僕傖童，壞家法者耳。如劉須溪評「始知衆星乾」，云：「窮而不澀」。評「齊魯青未了」，云：「雄蓋一世」。評「心清聞妙香」，云：「便爾超悟」。梅聖俞評「少人多虎」句，云：「含蓄不可模倣」。杜之所以尙遜陶謝者，弊正坐此。宋人所讃仰，以爲不可及者，亦正在此。嗚呼，宋人誤認子美乎？子美誤導宋人乎？如「盪胸生層雲」、「決眥入歸鳥」之奇險，「義和鞭白日」、「巨顙折老拳」之怪俗，昌黎一生險句諢句不出此境。嗚呼，子美又誤昌黎矣。

又卷八 唐人評盛唐者殷璠，評中唐者高仲武，俱影響間耳，記纂篇句，冗濫不精。張爲《主客圖》，以白樂天爲廣大敎化主，孟雲卿高古奧逸主，李益清奇雅正主。又立上入室，入室、及門之目，義例乖僻，所取蟬噪蛙鳴，徒聒惱人聽，何物幺麼，作此怪事？杼山談論，頗有一二處堪採，而標句多謬。

郝敬《藝圃傖談》卷三《唐體》 平易語，後人以險刻求之。如杜甫《宿龍門寺》詩「天闕象緯逼，雲卧衣裳冷」，祇是高處夜景，宮殿兀突，故云。「天闕」與「雲卧」正對，猶「雲際、日邊」云爾。「闕」字用得變幻，猶言天門，甚言高耳。後人遂猜作「天閱」、「天闚」，迂鑿多類此。

又《小山草·孟子說詩解》 故詩不在文辭而在意與志相通。《韓嬰外傳》博採古今事，廣譬曲喩，正是不以辭、以意逆志之法。如《論》、《孟》引詩，何嘗據辭，皆有意逆之，非無心迎候之也。若不自必，但聽於彼，則咸丘蒙之說《北山》，亦可謂得解矣。如是，則三百篇止可貼三百事，一句不可那移，那移便是郢書燕說。如《淇澳》之切磋，與貧富何預？《碩人》之巧笑，與禮何預？夫子稱爲知來。孟子引《柏舟》「憂心悄悄」爲孔子；引《肆》「不殄厥愠」爲文王，皆郢書燕說矣。聽其自至，終不至矣。惟不以辭，得其志而後可以觀，可以興也。興者，情之動也，詩之有興，如林風水月，可以象彷，而不可以形求。諺云：「詩有別趣，非關理也。」故興不離辭，亦不執辭。不得志，則不知興之所寄。得其志，諷其辭，然後興可知也。後世詩變爲辭，楚人之《離騷》是也。詩以志爲辭，志勝而辭達，騷以辭爲志，辭勝而志隱。騷辭雖曼衍，其志本忠憤，鬱悒無聊之情，婉轉於物象事理、文義聲律之外。使人悲愴嗚咽而不可讀者，興之謂也。故興不可以辭執也，必得其志而後興可風。從來說詩者，誤以比爲興，故詩爲絶學，皆坐以辭害志之蔽。如《楚辭·天問》一篇，辭甚詼詭，惟以仰籲其不平，何須得答。柳宗元以辭答，已是添足。朱元晦又以事理辨其是非。諺所謂「打破沙鍋者」耳。解詩之誤率由此。

又《談經·毛詩》 或謂予《詩解》大略，予惟原夫作者之志而已矣。夫詩，志也。志明卽辭易曉。子云：「興於詩」。詩有興，猶易有象也。象在辭外，興亦在辭外。【略】古人引詩，不必本事，不必泥辭，貴興而已。不得其興，辭雖詳與性情無涉。故無興不可以爲詩，得志斯得興矣。孟子曰：「以意逆志，是謂得之。」古之詩，皆志也，後世之詩，皆辭也。詩所以爲絶學也。

徐光啓《毛詩六帖講義》卷一《木瓜》 黃葵峰曰：「解經固難，解詩經尤難。」蓋詩發乎人之性情，本乎人之心志。人之性情心志固有身相與處，而有未能悉其底裏者。況古今相去，以意迎之安能一一盡得其旨哉？若此篇集傳所云，則朱子之詩耳！愚謂詩人之意，有因事而賦者，而事在詞外；有托物而興者，而興在物外；有因物而比者，而意在言表。今徒揣其詞，以贈答語類私情，地是鄭衛，一槩有心求之，以爲淫詩，失之遠矣！

又《騶鐵》 大抵說詩，固要析肌分理，但其條理脈絡，頗與他書不同。他書記述古人議論、事迹，其對待照應，言下粲然。詩則記古人聲音，其對待分析，只論其音律，不宜論其事理。風雅之體，大率二句爲一節，惟三頌稍有變體，然如常爲多，要其大都全要認取韻角。審其用韻，但可得其節奏。如此詩末章，園與閑叶，鑣與驕叶，則上下二句，斷然各爲一節。若將遊於北園，以人作主，而下車馬分對，以犬帶說。此等分析，在他書則可以之，說詩決然非是。又如四方既平四句，平定爭寧一韻，而兩兩自相呼應，斷然各兩句爲一節，四句對說爲是。若以四方爲頭，王國定時靡爭爲對，而歸重於王心，豈爲無見。然決非詩人之旨也。自韻學久廢，盛用英才老叶音，雖朱子未免據此。此義寥寥，千古絶響矣！嗚呼，目前近事，至易至簡，而數百年來遂無知者，豈不可惜？豈不可笑？詩義不明，又復安足怪乎？

又卷三《烝民》 詩人之作，因事立言。後人引詩，斷章取義。歷觀古人所述，多是借詩之辭，發己之意。如《韓詩外傳》，雖爲詩傳，全與詩意無干。蓋在假以立言，卻不應以彼之言，遂用爲詩人之旨也。卽如此章，孟子因見

本文有物，則字好字、懿德字，遂引之爲性善之證，此正是斷章取義之法。若論吉甫當日作詩之意，何嘗是說性善。後來不曉說此四句，亦用性善之意，便屬謬誤可笑。卽如此說，下面全無關應，豈不牽強？不知詩人此作，以美山甫之德爲主，懿德卽是山甫之德，好懿德卽是好山甫之德。首四句泛言民生，同出於天理，故有好德之情。【略】凡雅頌之詩，皆出一時如椽之筆。春容大雅，結構關捩，種種不足，不比《國風》里巷沿情之作。說者正當考其條理，玩其脈絡，尋其事情，以會其意旨。拘攣牽合，最害於義，不可不戒也。

又《瞻卬》 凡古人之文，辭義逐一圓滿，原無虧欠，不待後人注腳，此自諸經皆然。然諸經意盡於辭。至於讀詩，全要領其不言之旨。如孟子說詩之法，切中肯綮。趙岐所謂尤長於詩書，非妄言也。若一切粘皮帶骨，全非詩理，不了此義，未可與讀傳注也。

又《駉》 思無邪是本，凡思出於正，便無厭斁，便不淺近。舊說如此，看來亦未必然。爲此說者亦因夫子一言以蔽之之義，遂欲歸重此句。殆所謂伯樂一顧，價增什倍，豈非矮人看場可笑之甚也？不知夫子所云，亦斷章取義之法。大凡古人引詩，都是借詩爲用。不宜以彼之說，便謂詩人之旨。譬如清泉於此，或爲羹、或爲酒，任汝用去。若欲求水，卻要尋取清泉，不容殘汁剩醨便作水看成也。

又卷四《四牡》 風人之言，大都托言以見志，如美正刺淫間。或摹畫其詞以懲勸，皆不必正爲其人之言也。且雅之體視《國風》爲嚴，王者勞下，尙托爲其下之言。或以擬議情事，感動人心。而《國風》諸詩，獨斷以本文爲正。

又《正月》 凡讀詩宜作三等，《國風》里巷歌謠之什，寂寥短章，含情無限。正《雅》三《頌》並一時載筆之臣所作，高文大牘，條理粲然。二變《雅》者，一時賢人君子憫時悼俗之所爲，纏綿凄愴，層見疊出，刺譏懲創，錯綜反覆，文必盡言，言必盡意。讀者應領其大旨，會其語脈，不必分章析句，以文辭牽合也。

又《甫田》 詩人作詩，不比史官作史。史家編年敘事，不容錯亂。若詩人之旨，一章自爲一義。或順時述事、或錯舉成文、或預道將來、或追稱往昔、或更端別敘、或重言復說，或因枝振葉、或沿波討源，換章則換事，換韻則換義。變化錯綜如春山夏雲，頃刻異態，不可拿捏，初非拘拘以時月爲先後也。

許學夷《詩源辯體》卷一 詩與文章不同，文顯而直，詩曲而隱。風人之詩，不落言筌，（意在言外。）曲而隱也。風人有寄意於詠歎之餘者，《關雎》、《漢廣》、《麟之趾》、《何彼襛矣》、《騶虞》、《簡兮》、《緇衣》、《蒹葭》是也；有意全隱而不露者，《凱風》、《匏有苦葉》、《碩人》、《河廣》、《清人》、《載驅》、《猗嗟》、《株林》、《隰有萇楚》、《蜉蝣》是也；有反言以見意者，《陟岵》是也；（說見於後。）有似怨而實否者，《載馳》是也；有似疑而實信者，《二子乘舟》是也；有似好而實惡者，《狡童》是也；有似嘲而實譽者，《簡兮》是也（朱子以爲賢者仕於伶官而作，若自譽而實自嘲。予則以爲詩人之作，似嘲而實譽也）。有似謔而實刺者，《新臺》是也。此皆所謂不落言筌者也。孟子謂「以意逆志」，得之（詩雖以不落言筌爲尙，然唐人又以氣格爲主，故與論國風，漢、魏不同說）。

又 嚴滄浪云：「論詩如論禪，禪道惟在妙悟，詩道亦在妙悟。」此本謂學詩者當悟，然自《三百篇》至唐，讀者尤宜悟也。今人既昧於詩，復昧於禪，不落言筌，詩與禪通論也。風人之詩，多詩人託爲其言以寄美刺，而實非其人自作。至如《汝墳》、《草蟲》、《靜女》、《桑中》、《載馳》、《氓》、《丘中有麻》、《女曰鷄鳴》、《豐》、《溱洧》、《鷄鳴》、《綢繆》等篇，又皆詩人極意摹擬爲之。說詩者以風皆爲自作語，皆爲實際，何異論禪者以經盡爲佛說，事悉爲眞境乎？唐張繼詩「夜半鐘聲到客船」，宋人以夜半無鐘聲，紛紛聚訟。胡元瑞云：「無論夜半是非卽鐘聲，聞否未可知也。」此足以破語，皆實際之惑，不惟悟詩，且悟禪矣（唐傅奕云：「佛入中國，其後模象老、莊，以文飾之。」朱子亦言：「佛說盡出老、莊。」朱子早年洞究釋典，故能得其要領，貪癡者則抵死不悟）。

又卷一九 古今說杜詩者不能悉舉，大要多穿鑿附會，淺妄支離。蓋其人興趣既少，而於唐人玲瓏透徹、渾圓活潑之妙既不能知，其質性庸下，於少陵沉雄含蓄、渾厚悲壯之處又不能得，徒以耳食慕少陵，不得已而求之篇格之間，字句之末，故不免於支離穿鑿耳。王元美云：「王允寧（王維禎，字允寧）生平所推伏者獨杜少陵，其所好談說以爲獨解者，七言律耳。大要貴有照應，有開闔，有關鍵，有頓挫。其意主興，主比；其法有正插，有倒插。要之杜詩，亦一二有之，不必盡然也。」山谷亦云：「彼喜穿鑿者，棄其大旨，取其發興。於所遇林泉人物、草木魚蟲，以爲物物皆有所託，如世間商度隱

語者，則子美之詩委地矣。」愚按：說詩至此，自是子美厄運。至國朝弘正諸子學杜，則杜學始昌也。

又卷三四 古今人論詩，論字不如論句，論句不如論篇，論篇不如論人，論人不如論代。晚唐、宋、元諸人論詩，多論字論句，至論篇、論人者寡矣，況論代乎？予之論詩，多論代、論人，至論篇、論句者寡矣，況論字乎？

又卷三五 古今詩賦文章，代日益降，而識見議論，則代日益精。詩賦文章，代日益降，人自易曉；識見議論，代日益精，則人未易知也。試觀六朝人論詩，多浮泛迂遠，精切肯綮者十得其一；而晚唐、宋、元，則又穿鑿淺稚矣。滄浪號爲卓識，而其說渾淪，至元美始爲詳悉，逮乎元瑞，則發竅中竅，十得其七。繼元瑞而起者，合古今而一貫之，當必有在也。蓋風氣日衰，故代日益降；研究日深，故代日益精。亦理勢之自然耳。

趙宧光《彈雅・雅俗一》 有字字可賞而爲低品，有不可加點而爲高格。

又 詩話云：詩有別才非關書。此故妙境，然多誤人，不可不忖。惟學可以道此，不學之詩，求雅成木[illegible]，求新成鄙俚，求穩成塵腐，求奇成野狐。但學有二：一文字，一詩學。以文字說詩，反障其詩；以詩學說詩，方能透詩。

又《格制三下》 《詩原》云：「若後生初入門時，便欲取法李、杜盛唐，不免有錯等之患」云云。余則以爲大不然也。凡學詩有二路，深求者須從風雅，漢魏、盛唐無論矣。淺求者，直取盛唐入門。令盛唐人詩如布帛尗粟，然後可讀初唐歌行、漢魏古體、泛濫中晚。而唐調始知向方。《詩原》之說，大爲誤事。況「李杜盛唐」四字連說，尤不可解。盛唐是統攝之作，李、杜是偏長之詩。李、杜二家，又絕然兩途。不先杜是矣，不先李尚可。不先盛唐，不謬不然。《詩原》云「太白七絕。一氣貫成最得歌行之體」云云。余則以爲反之矣。何不曰：歌行須具絕句之勢，絕句非一氣不成章也。其或杜甫指四絕之句爲絕句者，猶之「春水滿四澤」，別是一體，未可以概言古今之絕也。有選大曆律詩者，凡涉「青山」「白雲」、「春風」「芳草」等字，悉黜不錄。予謂苟不選大曆則已，欲選大曆，正不當以此論也。國朝嘉隆諸子，多用「百年」「萬里」、「風塵」「氣色」等字，其所長正在于此。必舍此而求，卽非諸子本相，勿用可也。采風謂何？選者左矣。

又 《詩原》引高秀實云：「元氏艷詩，麗而無骨。韓偓香奩，麗而無骨。」伯淸云：「詩名香奩，奚必求骨。」云云。余曰：此失言矣，似是而非。詩無骨乃大病，脂粉詩作，用意靡弱耳。至于詩體，豈因題而降格乎？但謂以此弛心之人，勢必至于無骨。若謂香奩奚必求骨，則不然也。凡詩話，論詩不論題，論文不論德。

又《麈言七》 摘句詩。但資門聯堂聯之用而已，于詩道大可恨也。卽使果佳，必須于全篇中點出，方見其妙。若直抄十四字，略無資味，而詩話每每人取數十聯。如此箸述，而可與于說詩之人乎？余采麈言，全不錄此。

李日華《紫桃軒雜綴》卷二 宋嚴羽卿論詩、姜堯章論書，皆精刻深至，具有卓見，及所自運，顧遠出諸名家後。大抵議論與實詣確然兩事。議論者識也，實詣者力也。力旺者能蔑識，識到者又能消力。語云識法者懼，每多拘縮，天趣不能泛溢也。觀白石書，咏滄浪詩，自當得之。

鍾惺《隱秀軒集》卷二三《詩論》 詩，活物也。游、夏以後，自漢至宋，無不說《詩》。不必皆有當於詩，而皆可以說詩。其皆可以說《詩》者，卽在不必皆有當於詩之中，非說《詩》者之能如是，而詩之爲物，不能不如是也。何以明之？孔子親刪《詩》者也，而七十子之徒，親受《詩》於孔子而學之者也。以至春秋列國大夫與孔子刪《詩》之時，不甚先後，而聞且見之者也。以至韓嬰，漢儒之能爲詩者也。且讀孔子及其弟子之所引詩，列國盟會聘享之所賦詩，與韓氏之所傳詩者，其詩、其文、其義，不有與詩之本事、本文、本義絕不相蒙，而引之、賦之、傳之者乎？既引之，既賦之，既傳之，又覺與詩之事、之文、之義未嘗不合也。其故何也？夫詩，取斷章者也。斷之於彼，而無損於此；此無所予，而彼說之。說《詩》者盈天下，達於後世，屢遷數變，而詩不知；而詩固已明矣，而詩固已行矣。然而詩之爲詩自如也，此《詩》之所以爲「經」也。今或是漢儒而非宋，是宋而非漢，非漢與宋而是己說，則是其意以爲《詩》之指歸，盡於漢與宋與己說也，豈不隘且固哉？漢儒說《詩》據《小序》，每一詩必欲指一人、一事實之。考亭，儒者，虛而愼，寧無其人、無其事，而不敢傳疑，故盡廢《小序》不用。然考亭所間指爲一人、一事者，又未必信也。考亭注，有近滯者，近癡者，近疏者，近累者，近膚者，近迂者。考亭之意，非以爲詩盡於吾之注，卽考亭自爲說《詩》，恐亦不盡於考亭之注也。凡以爲最下者，先分其章句，明其訓詁。若曰有進於是者，神而明之，引而伸之，而吾不敢以吾之注，畫天下之爲詩者也。故古之制禮者，

從極不肖立想，而賢者聽之；解經者從極愚立想，而明者聽之。今以其立想之處，遂以爲究極之地，可乎？國家立《詩》於學宮，以考亭注爲主。其亦曰：「有進於是者，神而明之，引而伸之」云爾。予家世受《詩》。暇日，取《三百篇》正文流覽之，間拈數語，大抵依考亭所注，稍爲之導其滯，醒其癡，補其疏，省其累，奥其膚，徑其迂。業已刻之吳興，再取披一過，而趣以境生，情由目徙，已覺有異於前。友人沈雨若，今之敦詩者也。難予曰：「過此以往，子能更取而新之乎？」予曰：「能。以予一人心目，而前後已不可強同矣。後之視今，猶今之視前，何不能新之有？」蓋詩之爲物，能使人至此，而予亦不自知，乃欲使宋之不異於漢，漢之不異於游、夏，游、夏之說《詩》，不異於作《詩》者，不幾於刻舟而守株乎？故說《詩》者散爲萬，而《詩》之體自一；執其一，而《詩》之用且萬。噫！此《詩》之所以爲「經」也。

又《毛詩解序》 《六經》有解乎？《六經》而無解，不名其爲《六經》矣。《六經》有一定之解乎？《六經》而有一定之解，不成其爲《六經》矣。《易》自伏羲畫卦，而文王、周公、孔子皆解也。《春秋》自孔子筆削，而左丘明、公羊、穀梁皆解也。或相發明，或各有指，未嘗一詞，而皆參其微。匪獨《易》與《春秋》，雖《詩》亦然。夫《易》，象書也，言陰陽，其理奥；《春秋》，權書也，寓褒貶，其旨嚴。嚴與奥，故受解。至於《詩》，事有所指，詞有所屬，似可一言而明，何以子夏、子貢親見孔子刪《詩》者也，而所解猶然異辭，遂開漢宋諸儒紛紛之論？豈所見異辭，所聞異辭，所傳聞異辭，在當時已不可考耶？若然，則孔子何所據而取之也？非然也。蓋孔子取其義理與道通，而事與詞非其至也。何以知之？以孔子引《詩》知之。子貢論貧富，而忽引「如切如磋」爲證；子夏問「素絢」，而悟及禮後：孔子皆謂「可與言《詩》」。夫「切磋」之詩，美衛武公也，與論貧富何與？「素絢」，逸詩也，玩其詞，亦非爲禮而作。二賢何以引之，而孔子又何以稱之哉？《小雅·緡(綿)蠻》之篇曰：「緡(綿)蠻黄鳥，止於丘隅。」《商頌·玄鳥》之篇曰：「邦畿千里，惟民所止。」孔子第取其善言止也，而曰：「於止知其所止」，未嘗執其追叙商人，而悲其微賤勞苦也。他如《伐柯》、《旱麓》等篇，不能盡舉，大都類此。繇此觀之，則《小序》與《詩傳》不同，而漢宋諸儒各有所解，無怪矣。雖然，子貢、子夏尚矣，而後世諸儒窮遺經於迹熄。然則解者是乎？《詩》亡而哀樂之情不亡，後世諸儒解者而非是，則六經止爲上古聖賢設矣。諸儒學有淺深。然則解者皆是乎？曰：仁者見仁，智者見智。諸儒解者不皆是，則六經止爲一人作矣。解者皆是，則古今解者衆矣。或謂興爲比，或謂比爲賦，或解者有意，而詩無其詞，甚且反淫爲貞，《詩》若是乎無定解耶？曰：《詩》之理至足而義無窮。《關雎》，説者謂興矣，然以雎鳥指后妃，雖謂之比可也。《螽斯》，説者謂比矣，然美周室之多男，雖謂之興亦可也。孟子曰：「不以詞害志」，則詩之意有在於詞外者可知，烏得泥之哉！至於淫奔之詩，尤多可原。《召南》之詩曰：「無感我帨兮！無使尨也吠！」《鄭》之詩曰：「無踰我里！無折我樹杞！」玩其詞如一口，此則貞，彼則淫，無亦謂其《召南》與《鄭》耳？孔子曰：「鄭聲淫。」所謂「淫」者，或言聲也。《野有蔓草》一詩，非孔子引而贈故人，亦將指爲淫奔矣。安在詩不若是乎？無定解也。曰：解者若斯之無定，則學《詩》者宜何尊？曰：宜尊紫陽。曰：紫陽之紕繆若此，尊之奈何？曰：紫陽道其正也，非紕繆也。學者因聖言以求道耳。孔子曰：「《關雎》樂而不淫，哀而不傷。」卽言微意遠，學者所宜究心，而解者敢爲後世訓疑耶？孔子曰：「鄭聲淫。」解曰：「不淫。是開他途之惑也。」《螽斯》雖可謂興，究竟比意居多。《關雎》卽不妨謂比，終當以興爲是。詩意雖有在詞外者，詞尚未解，矧詞外之意乎？予故曰：紫陽道其正也。曰：紫陽道其正，尊一紫陽足矣，奚又集古名儒之解？曰：不觀衆水之歸，不識滄海之大；不聆八音之奏，不知大樂之成。孔穎達有言曰：「欲知源流清濁之所處，則循其上下而省之；欲知風化芳臭氣澤之所及，則旁行而觀之。」守一家言，而遂謂《詩》之道在是，豈不陋哉！予故集諸儒之解，以補紫陽之未備，俾學《詩》者匯觀之。將見此解也，彼亦解也，皆有意義，或有觸於興觀羣怨，或有感於事父事君，或有得於鳥獸草木之名，精者精之，粗者粗之。則孔子取其義理與道通，而事與詞非其至之意見矣。苟得此意，解可也，不解可也，千百皆解而終無一解可也。匪《詩》也，《易》也、《春秋》也，可與讀六經矣。

黄廷鵠《詩冶·凡例》 詩不可着解，獨名物字義有難廢詮釋者，至諸家微言不乏，啓予安見，非莊休之子玄、臨川之孝標乎？兹去胼拇之繁，仍存金篦之導，差有苦心焉。

王昌會《詩話類編》卷三《名論下》 昔人謂「詩有別才，非關書也」，誠然；謂「詩有別趣，非關理也」，則未是。杜詩所以冠唐者，以理勝也。彼以風容色澤、放蕩情懷而吟寫性靈，爲流連光景之辭者，豈《三百篇》之者哉！

近唐寅《送下第》詩云：「王家空設網，儒子尙懷珍。」唐荆川爲有怨意，因舉唐人詩曰：「明主既不遇，青山胡不歸？」似此胸次，方無繫累也。此見詩之命意，當主於理矣。都穆《咏節婦》詩曰：「白髮眞心在，青燈淚眼枯」，沈石田以爲「句則佳矣，一字未穩。《禮》曰：『寡婦不夜哭。』『燈』字改作『春』字。」此見詩之用字，當主於理矣。

王文祿《詩的》 詩的者，詩之準也。非中的，則非詩也。而中的者鮮矣，惟律詩尤難中的。的何也？律卽的也。是故射有的，兵刑有律。律，猶的也，所以爲準也。準，的也。唐科以詩取士，士之攻詩衆矣，而中的者亦鮮焉，他可推也。惟知的者鮮，是以中的者亦鮮。予乃不計僭妄，表而出之，所以示之的也。的也者，心之的也。在心悟焉，可與言詩也。心悟，則知予言之非僭妄云。

吳應箕《樓山堂集》卷一五《答陳定生書》 弟嘗謂張侗初之評時義，鍾伯敬之評詩，茅鹿門之評古文，最能埋沒古人精神，而世反效慕恐後，可歎也。彼其一字一句，皆有釋評；逐段逐節，皆爲圈點；自謂得古人之精髓，開後人之法程，不知所以冤古人誤後生者正在此。而時無深心大雅之士爲之救正，故其書行而流禍深，詩文所以日亡也。

謝肇淛《小草齋詩話》卷二《外篇》上 古今談詩如林，然發皆破的，深得詩家三昧者，昔惟滄浪，近有昌穀而已。其他諸子非不援引辯博，窮心駴目，然皆隨人說長短耳。且於往哲則極力掄究掊擊不遺，而於近代則曲筆阿詞，揄揚過實，寧欺冷灰於地下，不挑勍敵於詞壇，此近來立論者之通病也。

又 強記者胸橐載籍而心未必融貫，雄談者口恣雌黃而腕未必能運。嚴儀卿論詩勃窣理窟，深得三昧。高廷禮選唐，揚搉精當，境界無遺。近代楊家《丹鉛》、胡氏《詩藪》品藻百代，游刃有餘，而攷其著述，略不爾爾，迺知鑒裁自運，原屬兩途，抑或明於旁觀，迷於當局。

顧起元《懶眞草堂集·文集》卷四《脞論十二首》 《詩》之爲道也，與四經異，主文而譎諫，比物而托悰，遊夷要眇。其詞惟達者能得其意於言之外，而固者或反失其意於言之內，故曰：「以意逆志，是謂得之。」逆之者之得之，明夫順之者之失之也。而顧有亘千百年未睹其秘，未發其覆者，則以世儒守毛、鄭之訓詁爲功令，而不能逆探作者之心於千載以上，以是承訛襲舛，遞相臚傳，而終不悟，可嘆也。宋儒誤認夫子「鄭聲淫」之一言，遂謂《鄭風》所存，皆爲男女期會奔佚之情、謔浪啁哳之語。其失固已不得待辯矣。乃若《周南》之《漢廣》、《野有死麕》，《邶》之《谷風》，《衛》之《氓》，其語皆爲婦人女子，而解之者遂眞以爲人之道婦人女子，與婦人女子自道也。夫是諸詩，皆所謂採於太史，獻於天子，肄於樂正，奏於房中，歌於賓筵者也。西漢以下，《鐃歌》、《鼓吹》已爲非古，而旨必雅正，詞多典則，不聞以閭巷纖詞領於天子之樂官也。曾謂三代之盛，而乃以後世《秋胡》之行、《孔雀東南飛》之曲，與《清廟》之朱弦疏越分曹而奏者哉？古之賢人君子，有不得志於君臣朋友之間，或思有所諷焉，以匡其失，或思有所諭焉，以白其衷，而其意又未可以頌言而無諱也。於是托悰於閨閫，以寄吾蹇產悱惻之思。

劉世偉《過庭詩話》卷上 看詩先以格調爲主，合是漢魏，合是盛唐，各有着落，故古詩着律詩一句不得，律詩着古詩一句亦不得。

庸愚子《三國志通俗演義序》 文不甚深，言不甚俗，事紀其實，亦庶幾乎史，蓋欲讀誦者，人人得而知之，若《詩》所謂里巷歌謠之義也。書成，士君子之好事者，爭相謄錄，以便觀覽。則三國之盛衰治亂，人物之出處臧否，一開卷，千百載之事豁然于心胸矣。其間亦未免一二過與不及，俯而就之，欲觀者有所進益焉。予謂誦其詩，讀其書，不識其人，可乎？讀書例曰：若讀到古人忠處，便思自己忠與不忠，孝處，便思自己孝與不孝。至于善惡可否，皆當如此，方是有益。若只讀過而不身體力行，又未爲讀書也。

蔡元放《東周列國志讀法》 《列國志》與別本小說不同，別本都是假話，如《封神》、《水滸》、《西游》等書，全是劈空撰出，卽如《三國志》，最爲近實，亦復有許多做造在內。《列國志》卻不然，有一件說一件，有一句說一句，連記事實也記不了，那里還有功夫去添造。故讀《列國志》，全要把作正史看，莫作小說一例看了。小說是假的好做，如《封神》、《水滸》、《西游》諸書，因是劈空捏造，故可以隨意補截，聯絡成文。《列國志》全是實事，便只得一段一段，各自分說，沒處可用補截聯絡之巧了。所以文字反不如假的好看，然只就其一段一段之事看來，卻也是絕妙小說。

又《水滸後傳讀法》 本傳四十回大書，上而神仙帝王、忠臣義士，下而廝養乞丐、奸佞凶殘；大而禮樂征伐，揭地掀天，小而飲食起居，細微瑣屑；中國外國，男子婦人，件件寫到，可謂如火如錦，無所不備矣！然則皆是烏有先生，乃作者憑空撰出，以娛後人耳目。恐讀者誤認爲眞，故于結

末團圓時寫一演戲，而其戲卻恰與李俊作對照，使讀者知此傳不過是一本戲文。讀者當賞其文，不可認爲眞事，將作者費無限慘淡經營結構出來之妙文，盡行埋沒也。作者又恐看官譏其荒誕不經，故借演戲將虬髯公來做個比例，見得當年確曾實有其人，實有其事，正與此傳相符。可見作者不是瞞天造謊，故于演戲時，在李俊及諸臣口中，節節點明，處處映出，尤妙在説先要點一本《邯鄲夢》，將來做個影子，以見人生榮枯得失。雖變態萬端，而究竟不過是一出戲文，一場春夢，不足深較，將本傳數十回大書，盡付虛空了結也。

傅山《杜遇餘論》 既謂之「遇」，不必貪多。此老每於才名之間，必三致意焉。吾雖遇之，以此未必遇也。庶幾遇之，凡人間圈者，此以單點點之。但炤有黑圈者，再抄一本來，好略加一、二批語。良以此公詩，何不可選？若欲見博，自有全集在。譬如以杜爲迦文，佛人想要做杜，斷無抄襲杜字句而能爲杜者。卽如僧，學得經文中偈言，卽可爲佛耶？凡所內之領會，外之見聞，機緣之觸磕，莫非佛，莫非杜，莫非可以作佛作杜者。靠學問不得，無學問不得；無知見不得，靠知見不得，如《楞嚴》之狂魔，由於凌率超越；而此中之狂魔，全非超越之病，與不劣易知足魔同耳。法本法無法，法尚應捨，何況非法？非法非非法。如此知，如此見，如此信，解不生法相。一切詩文之妙，與求作佛者界境最相似。高手畫畫，作寫意人，無眼鼻而神情舉止生動可愛。寫影人，從爾莊點刻畫，便有幾分死人氣矣。詩文之妙亦爾。若一七、八尺體面大漢，但看其背後，豈不偉然，掉過臉來，模模糊糊，眼不成眼，鼻不成鼻，則拙塑匠一泥人耳。微七、八尺，卽十丈何爲。韓文公五言，極力鍛煉，誦之易見其義。杜先生五言，全不事鍛煉，放手寫去，粗樸蕭散，極有令人不著意處，而卻難盡見其義。然予人神解，不在字句中，此處正是才之所關，文公必不能也。曾有人謂我曰：君詩不合古法。我曰：我亦不曾作詩，亦不知古法。卽使知之，亦不用。嗚乎，古是個甚？若如此言，杜老是頭一個不知法《三百篇》底。看宋葉氏論《八哀詩》，眞令人噴飯。吾嘗謂古文、古詩之不可測處，囫圇敎宋儒胡嚷鬧壞也。然本不可壞，解者至今在，終不隨不解者瞎圪塔去。近來覺得畢竟是劉須溪、楊用修、鍾伯敬們好些，他原慧，他原慧。董潯陽亦不甚差。風雲雷電，林薄晦冥，驚駭膈臆，蓮蘇問：文章家有此氣象否？余曰：《史記》中尋之，時有之也。至於杜工部五言、七言古中，正自多爾。眉曰：五言排律中猶多。余頷之。文記事體，不得全無面目。詩寫胸臆間事，得以叱吒斜拏耳。然此亦僅見之工部，他詞客皆不能也。七言古中，晚唐如盧仝、馬異，亦自命雄奇矣，卻無風雲晦冥處。其所以然處，不無撐拳努肚之意，而本非天地陰陽之轇輵也。若有老先生見吾此説，又要摘我説詩不得性情之正，吾亦知之，吾亦知之。此因論文章中有此一要氣勢耳，豈專云詩俱當爾耶！具只眼人説杜工部不會點景。我説爾錯抬舉他了，他會那個來，只不會點景？我老盲摸揣，只覺好，卻又醒不得聽者。又有説不好底，我又醒不得。奈何奈何。句有專學老杜者，卻未必合；有不學老杜，慜合。此是何故？只是才情氣味在字句橅擬之外。而內之所懷，外之所遇，直下拈出者，便是此義。不但與外人説不得，卽里邊之外人，愈説不得。

又《與戴楓仲》 杜詩越看越輕弄手眼不得，不同他小集，不經多多少少人評論者。若急圖成書，恐遺後悔。愼重爲是。非顚倒數十百過不可，是以遲遲耳。曾妄以一時見解加之者，數日後又覺失言，往往如此。且從容，何如？草復。

又《枯木堂讀杜詩》 詩王譬伽文，詞人亂佛子。云山花鳥逢，眼耳心手以。高才一觸磕，直下道者是。好手擬中的，活語被參死。莊嚴非莊嚴，不似乃眞似。可憐無寸心，得失傍故紙。非非法非法，一燈室則邇。

又 「史」之一字，掩卻杜先生，遂用記事之法讀其詩。老夫不知「史」，仍以詩讀其詩。世出世間，無所不有。「水流心不競，雲在意俱遲」，何其閑遠，如高僧妙悟。而人非西喻蜀興、在北坑趙，又天吏逸德也，奇哉！

魏際瑞《與子弟論文》 同一肉也，而烹與燔之味則大異焉；同一烹燔也，而剛與糜之味則又異焉；以及蒸煮炒瀹，各有其義，極而至于批割之厚薄，舂剁之整碎，與夫切削之橫直，其味無不分也。故同爲一語，而出之藴藉者，則腴而有味；出之室率者，則俚而無倫。極而至于同此一語，喜者足寫其喜，怒者足寫其怒，贊者以此，詈者亦以此，此必由閱歷世情，養鍊氣候，而始足辨之也。人之于情，則固有怒而笑、喜而泣者，此亦可以推矣。

魏禮《魏季子文集》卷七《滄霞詩序》 言詩者，必論詩與不必論詩，皆不足與論詩，是故詩之外有詩，而不離乎內而有以涵泳乎外也。故論詩者，論其所自得，其得于己與得於古今人者，率有所以然之故，已則超超焉，躍躍焉，而不知其所以然；人之誦之者，則悠然遠，穆然深，愵然不能以自已。

故寫照者在傳其神，老子曰：「當其無，有車之用，有室之用也。」

錢謙益《有學集》卷一七《申比部詩序》 昔者歐陽永叔譜洛陽之花，以謂花之極其美，與夫癭木臃腫之極其惡，醜好雖異，而得分氣之偏，爲元氣之病則均。予甚以爲不然。造化吉祥之氣，與國家休明之運，旁薄結轖，而鍾美于人物，必有奇絶殊尤者出於其間，草木之華，亦中氣之分也，而可以爲病乎？《卷阿》之九章，言鳳皇之鳴也，必曰「于彼高岡」，言梧桐之生也，必曰「于彼朝陽」。説詩者謂高岡集止之地，以喻國家陽被溫仁之氣，亦君德也。謂天地之正氣，不宜限而自私者，亦過也。文定之事我神祖，《卷阿》之鳳凰也。比部則其長離鸑鷟也。來歌矢音，再世而其詩益昌，其爲草木之華也亦大矣，由是而益知永叔之非通論也。

又卷四八《香觀説書徐元歎詩後》 隱者告曰：「吾語子以觀詩之法，用目觀，不若用鼻觀。」余驚問曰：「何謂也？」隱者曰：「夫詩也者，疏瀹神明，洮汰穢濁，天地間之香氣也。目以色爲食，鼻以香爲食。今子之觀詩以目，青黄赤白，烟雲塵霧之色，雜陳于吾前，目之用有時而窮，而其香與否，目固不得而嗅之也。吾廢目而用鼻，不以視而以嗅。詩之品第，略與香等。或上妙，或下中，或斲鋸而取，或煎笮而就，或熏染而得。以嗅映香，觸鼻即了。而聲色香味四者，鼻根中可以兼舉，此觀詩方便法也。」余異其言而謹識之。【略】雖然，吾向者又聞呵香之説。昔比丘池邊經行，聞蓮花香，鼻受心著。池神呵曰：「汝何以捨林中禪凈，而偸我香？」俄有人入池取花，掘根挽莖，狼藉而去，池神弗呵也。有學詩者于此，駢花鏤葉，剟芳拾英，犯棗昏餧俗之忌。此掘根挽莖之流也，神之所棄而弗呵也。杼山論詩，科偸句爲鈍賊，是以應以盜香結罪。下視世人，逐伊蘭之臭，胖脹衝四十由旬，諸天惡而掩鼻者，其又將若之何？雖犯尸羅戒，吾以爲當少假焉。少陵之詩曰：「燈影照無睡，心清聞妙香。」韋左司曰：「燕寢凝清香。」之二公者，于香嚴之觀，其幾矣乎？雪北香南，清齋晏晦，願與元歎共之，用以證成隱者鼻觀之法，不亦可乎？

黄宗羲《南雷文定前集》卷一《張心友詩序》 詩不當以時代而論，宋元各有優長，豈宜溝而出諸於外，若異域然。即唐之時，亦非無蹈常襲故，充其膚廓，而神理蔑如者，故當辯其眞與僞耳。徒以聲調之似，而優之，而劣之，揚子雲所言：伏其幾，襲其裳，而稱仲尼者也。此固先民之論，非余臆説。聽者不察，因余之言，遂言宋優於唐。夫宋詩之佳，亦謂其能唐耳，非謂舍唐之外，能自爲宋也。於是縉紳先生，間謂余主張宋詩。噫！亦冤矣！且唐詩之論，亦不能歸一，宋之長鋪廣引，盤摺生語，有若天設，號爲豫章宗派者，皆原於少陵，其時不以爲唐也；其所謂唐者，浮聲切響，以單字隻句計巧拙，然後謂之唐詩。故永嘉言唐詩廢久，近世學者，已復稍趨於唐；滄浪論唐，雖歸宗李杜，乃其禪喻，謂「詩有別材，非關書也；詩有別趣，非關理也」，亦是王孟家數，於李杜之海涵地負無與。至有明北地，摹擬少陵之鋪寫縱放，以是爲唐，而永嘉之所謂唐者亡矣。是故永嘉之清圓，謂之非唐不可，然必如是而後爲唐，則專固狹陋甚矣。豫章宗派之爲唐，浸淫於少陵，以極盛唐之變，雖有工力深淺之不同，而概以宋詩抹摋之可乎？

又《南雷文定後集》卷一《寒邨詩稿序》 古今之言詩者，多不從受病之處，徒抄販其流注之害，此其説之所以愈長也。近時疏敕諸家，莫如牧齋，然知白沙之爲詩人，而深怪定山，猶是執呂以毁律也。痛惡者竟陵，稍寬者公安，夫竟陵公安，豈能自別爲家？竟陵學王孟而失之者也，公安學元白而失之者也，根孤伎薄，不過流注之害耳。詩之爲道，從性情而出，性情之中，海涵地負，古人不能盡其變化，學者無從窺其隅轍，此處受病，則注目抽心，無非絶港，而徒聲響字腳之假借，曰此爲風雅正宗，曰此爲一知半解，非愚則妄矣。上天下地曰宇，古往今來曰宙，自有此宇，便不能不宙。今以其性情下徇家數，是以宙滅宇也；又障其往來者，而使之索是非於黄塵，是以宙滅宙也。今人論詩，大概如是。

賀貽孫《詩筏》 詩家化境，如風雨馳驟，鬼神出沒，滿眼空幻，滿耳飄忽，突然而來，倏然而去，不得以字句詮，不可以迹相求。如岑參《歸白閣草堂》起句云：「雷聲傍太白，雨在八九峰。東望白閣雲，半入紫閣松。」又《登慈恩寺》詩中間云：「秋色從西來，蒼然滿關中。五陵北原上，萬古青濛濛。」不惟作者至此，奇氣一往，即諷者亦把捉不住，安得刻舟求劍，認影作眞乎？近見註詩者，將「雨在八九」、「雲入紫閣」、「秋從西來」、「五陵」、「萬古」語，強爲分解，何異癡人説夢。

朱鶴齡《愚菴小集》卷七《輯注杜工部集序》 子美沒已千年，而其精誠之照古今殷金石者，時與天地之噫氣、山水之清音，嶒竑響答于溟涬澒洞、太虛寥廓之間。學者誠能澄心祓慮，正己之性情，以求遇子美之性情，則崆峒

仙仗之思，茂陵玉盌之感，與夫杖藜丹壑倚棹荒江之態，猶可儼然晤其生面，而揖之同堂，不必以一二隱語僻事，耳目所不接者爲疑也。

又 且子亦知詩有可解有不可解乎？指事陳情，意含風喻，此可解者也；託物假象，興會適然，此不可解者也。不可解而強解之，日星動成比擬，草木亦涉瑕疵，譬之圖罔象而刻空虛也；可解而不善解之，前後貿時，淺深乖分，欣忭之語反作誹譏，忠剴之詞幾隣懟怨，譬諸玉題珉而烏轉舄也。二者之失，注家多有，兼之僞撰假託，疑誤後人，瞽說支離，襲沿日久，萬丈光燄，化作百重雲霧矣。今爲剪其繁蕪，正其謬亂，疏其晦塞，諮諏博聞，網羅秘卷，斯亦古人實事求是之指，學者所當津逮其中也。

又卷八《王吏部西樵詩集序》 昔杜樊川論文以意爲主，氣爲輔，辭采爲兵衛，而其序李長吉詩，則以爲「騷之苗裔，理雖不及，詞則過之」。又曰：「使少加以理，奴僕命騷可也。」夫樊川所云理，豈非謂命意期于淳深，而無取踳駮乎？鼓氣期於緜聯，而無取梗澀乎？摛詞擷采，期於雅馴，期于麗則，而無取詭僻塡綴乎？指事陳情，不有天然之杼軸乎？籠形挫物，不有日新之鑪鞲乎？長吉之詩，天才瑰異，而陶冶之功未至，程之以理，則蕪音累氣，往往而見，樊川所以深致惜乎斯人也。嘗觀杜陵之論詩矣，一則曰「意愜關飛動，篇終接混茫。」一則曰「妙取筌蹄棄，高宜百萬層。」一則曰「毫髮無遺憾，波瀾獨老成。」杜陵之言愜、言高、言老成，即樊川之所謂理也。是主之以奴僕命騷者也。論至於此，自非別裁僞體，轉益多師，掣鯨魚於碧海者，其孰能備美無憾？雖長吉猶難言之，況如盧仝、馬異輩之孑孑自異者哉！

李鄴嗣《杲堂文鈔》卷二《慰弘禪師集天竺語詩序》 宋人嚴羽卿論詩當從妙悟入，盛唐諸公爲得上乘，詩家斥其說，謂不當以禪說詩，若後世宗門諸老，俚言俗偈，從衡而出，而于詩別置一冊，謂不得以詩說禪。余謂兩家持論，俱非通議也。南朝高僧，率與諸名士共論大易老莊，余謂老莊，誠所謂小乘以下人耳，若大易，則于義無不通，惟詩亦然。儒者可舉一爻說易，亦可斷一章說詩，正測旁推，其理畢貫，所謂仁者見之謂之仁，智者見之謂之智，而奚獨不可以禪說詩？至釋氏自一祖而後，正法遞傳，凡一默一言，一呼一笑，俱可合宗門微旨，契敎外之眞機，舞笏吹毛，亦堪演唱，而奚獨不可以詩說禪？余故謂迦葉見華破顏，此卽尊者妙解之文也，而不得耑謂之禪；天竺菩提謂諸門人曰：汝得吾肉，汝得吾髓。此卽西來傳宗之文也，而不得耑謂之禪；盧行者非樹非臺，此卽曹溪轉句之文也，而不得耑謂之禪。試屈從上諸祖作有韻之文，定當爲世外絕唱。卽如唐人妙詩，若《游明禪師西山蘭若》詩，此亦孟襄陽之禪也，而不得耑謂之詩；《白龍窟泛舟寄天台學道者》詩，此亦常徵君之禪也，而不得耑謂之詩；《聽嘉陵江水聲寄深上人》詩，此亦韋蘇州之禪也，而不得耑謂之詩。使招諸公而與默契禪宗，豈不能得此中奇妙？且余讀諸釋老語錄，每引唐人詩單章隻句，雜諸杖拂間，俱得參第一義，是則詩之于禪，誠有可投水乳于一盂，奏金石于一室者也。

毛奇齡《西河集》卷三〇《淮陰馬西樵詩集序》 詩無分地也，而齊秦唐鄭風以國殊，遂謂吳音靡夸，楚音接捷，非也。淮南王招八公作流淫之章，枚皋生淮不嘗與梁園諸君作麗賦乎？西樵主淮陰風雅者幾二十年，其詩雅詩也，乃間作歌行，殊有似乎楚騷者，騷亦雅也。曾謂雅騷而竟限之以楚乎？夫詩分時不分地也。其分時何也？古以琱爲樸，譬之器，追琢繁重，先彝也，今以俚爲質，譬之冕儉純者，時也。維文亦然，先古文多飾，謂之爾雅；今文多質，則嘗爲爾雅之釋。夫爾雅飾文也，釋爾雅者質文也，飾旣爲雅，飾易之以質而不爲俚乎！則尙爲古乎？吾見人之知言古，而不知言雅也。西樵雅好古，其爲人爲文爲詩無一不古。其古也，以其樸也，然而吾愛其能雅，則未嘗不以其雅也。所謂古器者，琱之樸也，若其聲律風格之變化則固有主之者也。

又卷五一《映雪堂賸篇序》 西河自言曰：吾生平有三幸：一不爲繼子，一行文無宋人論體，一無負郭田作衣租食稅男兒。夫宋人論體則亦何害于行文而惡之，若是以爲好翹人過，吹毛索瘢，有害心術，故翻成案，變亂黑白，有害是非，搖脣鼓舌，抵掌言事，有害文筆。自三唐以前，並無此體，而宋人倡爲之而害不可道人。

費經虞《雅倫》卷二二《瑣語》 觀古人詩，鹵莽誦過，不加深詳，如何知得古人妙處？又有一種訓詁之學，極細而古人妙處亦未嘗見得，不可不曉。

又 可解，非以訓詁通其意也，不可解，非以聲牙隱僻亂其法也。不必解，非不求要領，彷佛規模也，可以神會，不可以言傳。此先輩可解、不可解、不必解之旨耳。

又 人人皆以詩爲佳，不必喜也，眞正詩家以爲佳，斯可喜矣；人人皆以詩爲不佳，不必恨也，眞正詩家以爲不佳，斯足恨矣。緜佳而更入，則益

深，繇不佳而思改，則得法。眞正詩家須得全局，不是一知半解，要人同己，鋪張門庭。

又　文章是千古公共之物，有一定之公是公非，卻隨他意見，自以爲是；又卻要人同來說是說非，深可哀憫。

施閏章《學餘堂文集》卷四《沈鏡天詩序》　往讀唐諸家詩，怪劉眘虛詩甚工，所傳僅十四首，歎其易盡。鍾伯敬謂其高自位置，選而後作，不聽人選；又竊疑其言近隘，非眘虛指也。夫人挾其才力，鏤繪萬物，揚厲風騷，即亡取雕蟲自矜，亦何事剗削太盡哉？或作者篇什頗富，選者缺焉，存什一於千百；或藏之名山，子孫失守；或盜發其籯篋，災於水火，而滅沒於殘編斷碣之間者，不可一二數也。詩之傳不傳，蓋有幸不幸焉，安知眘虛之不多見者，非其遇使然邪？

趙士喆《石室談詩》卷上《總論》　自古詩人，有紙上不傳之意。孟子云：「以意逆志」，又曰：「頌其詩，必知其人」。選者評者俱當於此著眼，庶可以旦暮遇之。如陶公不止高節，蓋幾於聞道者。其《臨終》詩云：「但恨在世上，飲酒不得多。」元美曰：「此謔詞耳。得此一語，陶公胸次朗然，正見無罣礙之極。」老杜有云：「江流石不轉，遺恨失吞吳。」人皆以爲恨不得吳，東坡獨以爲失在伐吳之謀。此定論也。岑參《送人尉南海》結句有云：「此鄉多寶玉，愼勿厭淸貧。」語氣凜然，眞朋友贈言之義。批點唐音者，乃以爲鄙，其意以爲莫怨地方苦寒，自待待人，皆處於何等乎。晚唐有「別僧騎馬入紅塵」，雖不甚佳，乃自愧未能脫俗。伯敬云：「笑盡俗僧，則以爲僧騎馬。此或因忙中之差，與不解岑詩者不同。若老杜空谷佳人，乃國風季女斯饑之旨。」其末云：「侍婢賣珠回，牽蘿補茅屋。天寒翠袖薄，日暮倚修竹。」原本評云：「似悲似訴，自誓自言，妖麗端莊，矜持慷慨，畫所不能如，論所不能及」，可謂得作者之神。伯敬乃云：「非貪暴者，不知此境則以賣珠爲實事，可爲駭矣。」伯敬絕世聰明，其所評往往出人意表。《詩歸》之所以可傳者以此。然評語太繁，未能皆善，吾嘗欲嚴加澄汰，存其十分之六者以此。

汪琬《堯峰文鈔》卷二六《詩說序》　詩獨主志，所爲「主文譎諫」與「言之無罪，聞之足戒」者。其詞則隱，其旨則微。有美有刺，有似美矣而實刺，往往從百世之下，涵泳抽繹，踰數十過而未悉其所以然。

又卷二七《國朝詩選序》　試問思九所以刪存去留之意，知其用唐開元大曆爲宗，則又告之曰：古之爲詩者，問學必有所據，依章法句法字法必有所師承，無唐宋一也。今且區唐之初盛中晚而四之，繼又區唐與宋而二之，何其與子所聞異也。且宋詩，未有不出於唐者也，楊、劉則學溫李也，歐陽永叔則學太白也，蘇、黃則學子美也，子由、文潛則學樂天也，宋之與唐，夫固若壎篪之相倡和，而駏蛩之相周旋也，審矣。且吾子獨不見夫庖人乎，均之肉也，或切之爲胾，或粉之爲臠，爲菹，或捶而暴之爲脯，烹之爲羹，其若精若麤，若濡若乾之質不同也，而味同；其若酒若酏若糝若蓼若醯醢若桂薑，所以佐之之味不同也，而其爲肉則又無不同。一旦薦諸几席，或嗜或否者，何與此非肉之果有異也？蓋羣一坐之口與其齒舌爲庖人之工拙所易故也。詩道亦然，善於選者，其猶吳人之善爲庖者也，於以易學詩者之耳目，導其心志，而轉移其風氣，皆在是矣。洵如是也，雖專宗唐之開元、大曆可也。

又卷三二《與梁御史論〈正錢錄〉書》　別後再讀吳氏《正錢錄》，其例甚嚴，其詞甚辨，誠有功斯文不小。然琬竊謂學者之讀書也，不可以無和平之心，周詳博大之識也，斯二者既具，而又能爲之往復，曲折於其中，然後作者之是非可得而論定矣。若但盛氣以相攻擊，而商榷未安，則必有偏駁之病；考證未悉，則必有鹵莽疏漏之病。我以我之說，而彼又以彼之說，紛紜攘臂，訖無所止，此雖如柳子之《非國語》，吳縝之《唐書糾謬》，猶不免於後人之議而況其下此者乎？譬之有大盜於此，有司既獲其人，必當考求其贓證，推原其出沒之蹤，窩藏之處，各得其實，然後殺之，而不敢爲異詞；假使無原贓，無見證，出入不知其蹤，窩藏不得其處，不俟其案之定，而上諸司敗，是終爲疑獄也，能保無人焉爲之平反哉？今此書非不例嚴而詞辨，然而其中所列，尚有不合，殆有如前之所謂偏駁疏漏者，得毋盛氣以相攻擊，而未暇商榷考證與？恐不可謂之定案也。

又《與梁曰緝論類稿書》　今之讀某文者，不曰祖廬陵，即曰禰震川也，其未讀某文者，亦附和云云，悠悠耳食之論，某聞之未嘗心服而首肯也。何也？凡爲文者，其始也必求其所從入，其既也必求其所從出，彼句剽字竊，步趨尺寸以言工者，皆能入而不能出者也。古今人雖不相及，然而學問本末莫不各有所會心，與其所得力者，即父子兄弟猶不相假借，而況廬陵、震川乎？以某之文上視二君子，其氣力之厚薄，議論之醇疵，局法之工拙，固已

大相區絶矣。至其得力會心之所在，可以自喻，不可以語人，亦豈能驅之使盡同古人邪？某嘗自評其文，蓋從廬陵入，非從廬陵出者也，假使拘拘步趨，如一手模印，辟諸輿臺皁隸且不堪爲古人臣妾，況敢與之揖讓進退乎？宜乎譽某而某不之許也。今蒙先生云云，實爲獎借過當。至謂原流派別出於南渡諸家，苟非知己不能深悉其本末，洞然如此也。彼耳食附和之輩，駢足林立，果有當於某否耶？又某初不解作詩，十年以來信口率筆，尤與唐人相濶。近以數詩示人，其人報之曰盛唐盛唐。某駭詢其故。則曰此某公之言也。士大夫往往類此，姑述之以助左右一笑。

孔尚任《湖海集》卷一〇《酣漁詩序》 求友之道多端，惟詩爲最近。詩也者，性情之音，倡予和汝，而性情各見；較之縞紵贈答，以儀物相尚者，蓋有久暫之分焉。雖然，余與廣陵諸子初交也，莫不以詩。凡投詩在門者，詩之工拙不暇問，而又必先觀其人。蓋人之賢不肖，相去倍蓰，非詩無以聚其類；詩之工不工，相去又倍蓰，執詩亦何以概其行。昔人誦詩讀書，而又必尙論其人，豈非以詩則其易，而人則其難者乎？

又《環翠軒詩選序》 今人所爲詩，不歌於朝廟燕饗，雖體有古近之別，皆風也。謂之風，則是抒懷寫志之物，而非稱功頌德之文，凡勞人思婦，遺老孤臣，適意爲之，取足以達情而止，後世之傳不傳，且不問，況時人之讀不讀乎？每見時人不好讀人之詩，而好論人之詩，且好竊人之論以論人之詩。久之，即有好讀人之詩者，因此詩已爲時論所不取，竟亦信耳而不信目，豈不深可慨哉！

葉燮《原詩·外篇上》 《虞書》稱「詩言志」。志也者，訓詁爲「心之所之」，在釋氏，所謂「種子」也。志之發端，雖有高卑、大小、遠近之不同，然有是志，而以我所云才、識、膽、力四語充之，則其仰觀俯察、遇物觸景之會，勃然而興，旁見側出，才氣心思，溢於筆墨之外。志高則其言潔，志大則其辭弘，志遠則其旨永。如是者，其詩必傳，正不必斤斤爭工拙於一字一句之間。乃俗儒欲炫其長以鳴於世，於片語隻字，輒攻瑕索疵，指爲何出，稍不勝，則又援前人以證。不知讀古人書，欲著作以垂後世，貴得古人大意，片語隻字，稍不合，無害也。必欲求其瑕疵，則古今惟吾夫子可免。《孟子》七篇，欲加之辭，豈無微有可議者！孟子引《詩》《書》，字句恆有錯誤，豈爲子輿氏病乎！詩聖推杜甫，若索其瑕疵而文致之，政自不少，終何損乎杜詩！俗儒於杜，則不敢難；若今人爲之，則喧呶不休矣。今偶錄杜句，請正之俗儒，然乎否乎？如：「自是秦樓壓鄭谷」（俗儒必曰：「秦樓」與「鄭谷」不相屬，「壓鄭谷」何出）。「愚公谷口村」（必曰：愚公，谷也，從無「村」字，押韻杜撰）。「參軍舊紫髯」（必曰：止有髯參軍，紫髯另是一人，杜撰牽合）。「河隴降王欵聖朝」（必曰：「降」則「欵」矣。「欵」則「降」矣，字眼重出，湊句）。「王綱尙旒綴」（必曰：綴旒倒用，何出）。「不聞夏殷衰，中自誅褒妲」（必曰：褒妲是殷周，與夏無涉；遺卻周，錯誤甚）。「前軍蘇武節，左將呂虔刀」。（必曰：蘇武前軍乎？呂虔左將乎）。「第五橋邊流恨水，皇陂亭北結愁亭」（必曰：「恨水」、「愁亭」何出？牽「橋」「陂」，尤杜撰）。「蘇武看羊陷賊庭」（必曰：改「牧」作「看」，又「賊庭」俱錯）。「但訝鹿皮翁，忘機對芳草」（必曰：鹿皮翁「對芳草」事，何出）。「舊諳疎懶叔」（必曰：懶是嵇康，牽阮家不上）。「囚梁亦固扃」（「固扃」押韻，何出）。「歷下辭姜被，關西得孟鄰」（必曰：姜被，孟鄰，豈歷下、關西事耶）。「處士禰衡俊」（必曰：禰衡稱「俊」，何出）。「斬木火井窮猿呼」（必曰：「斬木」一事、「火井」一事、「窮猿呼」一事，硬牽合）。「片雲天共遠，永夜月同孤，落日心猶壯，秋風病欲蘇」（必曰：言「片雲」、言「天」、言「永夜」、言「月」、言「落日」、言「秋風」，二十字中，重見叠出，無法之甚）。「永負蒿里餞」（必曰：「蒿里餞」何出）。「不見杏壇丈」（必曰：函丈耶？可單用丈字耶？抑指稱孔子耶）。「侍祠恧先露」（必曰：「恧先露」不成文，費解）。「涇渭開愁容」（必曰：涇渭亦有「愁容」耶）。「氣劘屈賈壘，目短曹劉牆」（必曰：「屈賈壘」、「曹劉牆」何出）。「管寧紗帽淨」（必曰：改「皂」爲「紗」，取叶平仄，杜撰）。「潘生驂閣遠」（必曰：散騎省曰「驂閣」，有出否）。「豺遘哀登楚」（必曰：王粲《七哀》詩「豺虎方遘患」，登荊州樓五字何異「蛙翻白出闊」耶）。「楚星南天黑，蜀月西霧重」（必曰：「楚星」、「蜀月」、「西霧」何出）。「孔子釋氏親抱送」（必曰：杜撰，俗極）。「傾銀注玉驚人眼」（必曰：銀瓶邪？玉盌耶？杜撰，不成文，且俗）。「郭振起通泉」（必曰：郭元振去「元」字，何據）。「嚴家聚德星」（必曰：簡嚴遂州以「聚德星」屬嚴家，則一部《千家姓》家家可聚德星矣）。「把文驚小陸」（必曰：小陸何人耶？若指陸雲，何出）。「師伯集所使」（必曰：據注，雨師、風伯也，杜撰極）。「先儒曾抱麟」（必曰：即泣麟耶？「抱」字何出）。「修文將管輅」（必曰：「修文」非管輅事）。「莫徭射雁鳴桑弓」（必曰：「桑弧」

曰「桑弓」，有出否)。「悠悠伏枕左書空」(必曰：「左」字何解)。「只同燕石能星殞」(必曰：隕石也，稱「燕石」何出)。「涼憶峴山顛」(必曰：峴山之「涼」有出乎)。「名參漢望苑」(必曰：博望苑去「博」字，何出)。「馮招疾病纏」(必曰：左思詩「馮公豈不偉，白首不見招」。曰「馮招」可乎？以疾病屬馮，尤無謂)。「韋經亞相傳」(必曰：韋玄成稱「亞相」，有出否)。「舌存恥作窮途哭」(必曰：不是一事，牽合)。「投閣爲劉歆」(必曰：劉歆子棻事，借叶韻可乎)。「嫌疑陸賈裝」(必曰：馬援薏苡嫌疑，陸賈裝有何嫌疑乎)。「穀貴沒潛夫」(必曰：王符以穀貴沒乎)。以上偶錄杜句，余代俗儒一一爲之評駁。其他若此者甚多，亦何累乎杜哉！今有人，其詩能一一無是累，而通體庸俗淺薄，無一善，亦安用有此詩哉？故不觀其高者、大者、遠者，動摘字句，刻畫評駁，將使從事風雅者，惟謹守老生常談爲不刊之律，但求免於過，斯足矣，使人展卷，有何意味乎？而俗儒又恐其説之不足以勝也，於是遁於考訂證據之學，驕人以所不知，而矜其博。此乃學究所爲耳；千古作者心胸，豈容有此等銖兩瑣屑哉！司馬遷作《史記》，往往改竄《六經》文句，後世無有非之者，以其所就者大也。然余爲此言，非教人杜撰也。如杜此等句，本無可疵；今人惑於盲瞽之説，而以杜之所爲無害者，反嚴以繩人，於是詩亡，而詩才亦且亡矣。余故論而明之。詩之工拙，必不在是，可無惑之。

又 杜句之無害者，俗儒反嚴以繩人，必且曰：「在杜則可，在他人則不可。」斯言也，固大戾乎詩人之旨者也。夫立德與立言，事異而理同。立德者曰：「舜何人也，予何人也，有爲者亦若是。」乃以詩立言者，則自視與杜截然爲二，何爲者哉！將以杜爲不可學邪？置其孅之可而不能學，因置其瑕之不可而不敢學，僅自居於調停之中道，其志已陋，其才已卑，爲風雅中無是無非之鄉願，可哀也！將以杜爲不足學邪？則以可者僅許杜而不願學，而以不可者聽之於杜而如不屑學，爲風雅中無知無識之冥頑，益可哀已！然則，「在杜則可，在他人則不可」之言，舍此兩端，無有是處。是其人既不能反而得之於心，而妄以古人爲可不可之論，不亦大過乎！

又「作詩者在抒寫性情」。此語夫人能知之，夫人能言之；而未盡夫人能然之者矣。「作詩有性情必有面目」。此不但未盡夫人能然之，並未盡夫人能知之而言之者也。如杜甫之詩，隨舉其一篇，篇舉其一句，無處不可見其憂國愛君，憫時傷亂，遭顛沛而不苟，處窮約而不濫，崎嶇兵戈盜賊之地，而以山川景物友朋盃酒抒憤陶情：此杜甫之面目也。我一讀之，甫之面目躍然於前。讀其詩一日，一日與之對；讀其詩終身，日日與之對也。故可慕可樂而可敬也。舉韓愈之一篇一句，無處不可見其骨相稜嶒，俯視一切；進則不能容於朝，退又不肯獨善於野，疾惡甚嚴，愛才若渴：此韓愈之面目也。舉蘇軾之一篇一句，無處不可見其凌空如天馬，游戲如飛仙，風流儒雅，無入不得，好善而樂與，嬉笑怒罵，四時之氣皆備：此蘇軾之面目也。此外諸大家，雖所就各有差別，而面目無不於詩見之。其中有全見者，有半見者。如陶潛、李白之詩，皆全見面目。王維五言，則面目見；七言，則面目不見。此外面目可見不可見，分數多寡，各各不同；然未有全不可見者。讀古人詩，以此推之，無不得也。余嘗於近代一二聞人，展其詩卷，自始至終，亦未嘗不工；乃讀之數過，卒未能覩其面目何若，竊不敢謂作者如是也。

又 杜甫之詩，獨冠今古。此外上下千餘年，作者代有，惟韓愈、蘇軾，其才力能與甫抗衡，鼎立爲三。韓詩無一字猶人，如太華削成，不可攀躋。若俗儒論之，摘其杜撰，十且五六，輒搖唇鼓舌矣。蘇詩包羅萬象，鄙諺小說，無不可用。譬之銅鐵鉛錫，一經其陶鑄，皆成精金。庸夫俗子，安能窺其涯涘！並有未見蘇詩一斑，公然肆其譏彈，亦可哀也！韓詩用舊事而間以己意易以新字者，蘇詩常一句中用兩事三事者，非騁博也，力大故無所不舉。然此皆本於杜。細覽杜詩，知非韓蘇創爲之也。必謂一句止許用一事，如七律一句，上四字與下三字，總現成寫此一事，亦非謂不可；若定律如此，是記事冊，非自我作詩也。詩而曰「作」，須有我之神明在內。如用兵然：孫吳成法，懦夫守之不變，其能長勝者寡矣；驅市人而戰，出奇制勝，未嘗不愈於教習之師。故以我之神明役字句，以我所役之字句使事，知此，方許讀韓蘇之詩。不然，直使古人之事，雖形體眉目悉具，直如芻狗，略無生氣，何足取也！

又 詩是心聲，不可違心而出，亦不能違心而出。功名之士，決不能爲泉石淡泊之音；輕浮之子，必不能爲敦龐大雅之響。故陶潛多素心之語，李白有遺世之句，杜甫興「廣廈萬間」之願，蘇軾師「四海弟昆」之言。凡如此類，皆應聲而出。其心如日月，其詩如日月之光。隨其光之所至，即日月見焉。故每詩以人見，人又以詩見。使其人其心不然，勉強造作，而爲欺人欺世之語；能欺一人一時，決不能欺天下後世。究之閱其全帙，其陋必呈。其人既

陋，其氣必薾，安能振其辭乎！故不取諸中心而浮慕著作，必無是理也。

又 古人之詩，必有古人之品量。其詩百代者，品量亦百代。古人之品量，見之古人之居心；其所居之心，卽古盛世賢宰相之心也。宰相所有事，經綸宰制，無所不急，而必以樂善、愛才爲首務。無毫髮娼嫉忌忮之心，方爲眞宰相。百代之詩人亦然。如高適、岑參之才，遠遜於杜；觀甫贈寄高岑諸作，極其推崇贊嘆。孟郊之才，不及韓愈遠甚；而愈推高郊，至低頭拜東野，願郊爲龍身爲雲，四方上下逐東野。盧仝、賈島、張籍等諸人，其人地與才，愈俱十百之；而愈一一爲之歎賞推美。史稱其「獎借後輩，稱薦公卿間，寒暑不避」。歐陽修於詩，極推重梅堯臣、蘇舜欽。蘇軾於黃庭堅、秦觀、張耒等諸人，皆愛之如己，所以好之者無不至。蓋自有天地以來，文章之能事，萃於此數人，決無更有勝之而出其上者。及觀其樂善愛才之心，竟若欿然不自足。此其中懷闊大，天下之才皆其才，而何娼嫉忌忮之有！不然者，自炫一長，自矜一得，而惟恐有一人之出其上，又惟恐人之議己，日以攻擊詆毀其類爲事：此其中懷狹隘，卽有著作，如其心術，尚堪垂後乎！昔人惟沈約聞人一善，如萬箭攢心；而約之所就，亦何足云！是猶以李林甫、盧杞之居心，而欲博賢宰相之名，使天下後世稱之，亦事理所必無者爾！

又 詩之亡也，亡於好名。沒世無稱，君子羞之，好名宜亟亟矣。竊怪夫好名者，非好垂後之名，而好目前之名。目前之名，必先工邀譽之學，得居高而呼者倡譽之，而後從風者羣和之，以爲得風氣。於是風雅筆墨，不求之古人，專求之今人，以爲迎合。其爲詩也，連卷累帙，不過等之揖讓周旋、羔雁筐篚之具而已矣！及聞其論，則亦盛言《三百篇》、言漢、言唐、言宋，而進退是非之，居然當代之詩人；而詩亡矣。

又 詩之亡也，又亡於好利。夫詩之盛也，敦實學以崇虛名；其衰也，媒虛名以網厚實。於是以風雅壇坫爲居奇，以交遊朋盍爲牙市，是非淆而品格濫，詩道雜而多端，而友朋切劘之義，因之而衰矣。昔人言「詩窮而後工」，然則，詩豈救窮者乎！斯二者，好名實兼乎利。好利，遂至不惜其名。夫「三不朽」，詩亦「立言」之一，奈何以之爲壟斷名利之區！不但有愧古人，其亦反而問之自有之性情可矣！

又 詩道之不能長振也，由於古今人之詩評雜而無章，紛而不一。六朝之詩，大約沿襲字句，無特立大家之才。其時評詩而著爲文者，如鍾嶸、如劉勰，其言不過呑吐抑揚，不能持論。然嶸之言曰：「邇來作者，競須新事，牽攣補衲，蠹文已甚。」斯言爲能中當時、後世好新之弊。勰之言曰：「沈吟鋪辭，莫先於骨，故辭之待骨，如體之樹骸。」斯言爲能探得本原。此二語外，兩人亦無所能爲論也。他如湯惠休「初日芙蓉」、沈約「彈丸脫手」之言，差可引伸；然俱屬一斑之見，終非大家體段。其餘皆影響附和，沈淪習氣，不足道也。唐、宋以來，諸評詩者，或概論風氣，或指論一人，一篇一語，單辭複句，不可殫數。其間有合有離，有得有失。如皎然曰：「作者須知復變；若惟復不變，則陷於相似，置古集中，視之眩目，何異宋人以燕石爲璞。」劉禹錫曰：「工生於才，達生於識，二者相爲用而詩道備。」李德裕曰：「譬如日月，終古常見，而光景常新。」皮日休曰：「才猶天地之氣，分爲四時，景色各異；人之才變，豈異於是？」以上數則語，足以啓蒙砭俗，異於諸家悠悠之論，而合於詩人之旨爲得之。其餘非戾則腐，如聾如瞶不少。而最厭於聽聞，錮蔽學者耳目心思者，則嚴羽、高棅、劉辰翁及李攀龍諸人是也。羽之言曰：「學詩者以識爲主，入門須正，立意須高，以漢、魏、晉、盛唐爲師，不作開元、天寶以下人物。若自退屈，卽有下劣詩魔，入其肺腑。」夫羽言學詩須識，是矣。旣有識，則當以漢、魏、六朝、全唐及宋之詩，悉陳於前，彼必自能知所決擇、知所依歸，所謂信手拈來，無不是道。若云漢、魏、盛唐，則五尺童子，三家村塾師之學詩者，亦熟於聽聞，得於授受久矣。此如康莊之路，衆所羣趨，卽瞽者亦能相隨而行，何待有識而方知乎？吾以爲若無識，則一一步趨漢、魏、盛唐，而無處不是詩魔；苟有識，卽不步趨漢、魏、盛唐，而詩魔悉是智慧，仍不害於漢、魏、盛唐也。羽之言何其謬戾而意且矛盾也！彼棅與辰翁之言，大率類是；而辰翁益覺惝怳無切實處。詩道之不振，此三人與有過焉。至於明之論詩者，無慮百十家。而李夢陽、何景明之徒，自以爲得其正而實偏，得其中而實不及，大約不能遠出於前三人之窠臼。而李攀龍益又甚焉。王世貞詩評甚多，雖祖述前人之口吻，而掇拾其皮毛，然間有大合處。如云：「剽竊摹擬，詩之大病，割綴古語，痕迹宛然，斯醜已極。是病也，莫甚於李攀龍。」世貞生平推重服膺攀龍，可謂極至；而此語切中攀龍之隱，昌言不諱。乃知當日之互爲推重者，徒以虛聲倡和，藉相倚以壓倒衆人；而此心之明，自不可掩耳。夫自湯惠休以「初日芙

蓉」擬謝詩，後世評詩者，祖其語意，動以某人之詩如某某：或人、或神仙、或事、或動植物，造爲工麗之辭，而以某某人之詩一一分而如之。泛而不附，縟而不切，未嘗會於心，格於物，徒取以爲談資，與某某之詩何與？明人遞習成風，其流愈盛。自以爲兼總諸家，而以要言評次之，不亦可哂乎！我故曰：歷來之評詩者，雜而無章，紛而不一，詩道之不能常振於古今者，其以是故歟！

薛雪《一瓢詩話》評論詩文，品題人物，皆非美事，亦非易事。倘不能洞悉其優劣，且就好處一邊說，愼勿率意雌黃。鍾伯敬、譚友夏二人，錢牧齋先生僅以「昏氣」二字評之，可見前輩厚道。

費錫璜《漢詩總説》《三百篇》後，漢人創爲五言，自是氣運結成，非人力所能爲。故古人論曰：蘇、李天成，曹、劉自得。天成者，如天生花草，豈人翦裁點綴所能仿彿；如鑄就鐘鏞，一絲增減不得。解此方可看漢詩。

又 詩惟漢詩最難學最難讀。極頂才人，到漢人輒不能措手，輒不能解隻字；有强解者，多屬皮裏膜外，止堪捧腹。漢詩卽贊歎亦難盡，高古雄渾等語，俱贊不著也。然則將置之乎？曰：正於此要著一明眼。讀漢詩不可看作三代衣冠，望而畏之；須看得極輕妙，極靈活，極風豔，極悲壯，極典雅，凡後人所謂妙處，無不具之。卽如《陽關》一曲，唐人送别絶調，讀李陵三詩，知從此化出；《陌上桑》、《董嬌嬈》，卽張、王、李、韓輕豔之祖也；「紅塵蔽天地」、「十五從軍征」，李、杜悲壯之祖也；「冉冉歲云暮」，駱賓王、白樂天皆祖之；《郊祀》諸詩，顔、謝、昌黎皆祖之。大抵六朝、唐、宋名家，多祖漢詩，不能盡述也。

又 屈原將投汨羅而作《離騷》，李陵降胡不歸而賦别蘇武詩，蔡琰被掠失身而賦《悲憤》諸詩，千古絶調，必成於失意不可解之時。惟其失意不可解，而發言乃絶千古。下此則嵇康臨終，杜甫遭亂，李白投荒，皆能繼響前賢。外此則吾未之見也。

又 樂府有三等：《房中》、《郊祀》，典雅宏奥，中學難窺，爲最上品；《陌上桑》、《羽林郎》、《東門行》、《西門行》、《婦病行》、《孤兒行》等詩，有情有致，學者有徑路可尋，的是詩家正宗，才人鼻祖，爲第二品；謠諺等作，詞氣雖古，未免俚質，爲第三品。

又 學詩須從第一義著腳，如立泰華之巔，一切培塿，皆在目中。何謂第一義？自具手眼，熟讀楚騷漢詩，透過此關，然後浸淫於六朝、三唐，旁及宋、元近代。此據上流法，單從唐人入手，猶屬第二義，況入手於蘇、陸乎？齊梁間人喜言音調，平仄互用，不可紊亂，訾前賢未覩此理；然以沈約、謝脁詩與《十九首》並讀，勿問其他，耑言音調，相去已遠。蓋元氣全則元音足，古詩惟《十九首》音調最圓，子建、嗣宗猶近之，宋、齊則遠矣；律詩惟沈、宋音調最圓，錢、劉猶近之，中唐則遠矣；詞家秦、柳最圓，南宋則遠矣。且《國風》惟《二南》最圓，十三國似微有不同，味之自見。

又 讀書到不能解處，正須沈思；讀書到不可學處，正要追步，方有出人頭地。今人見漢詩輒畏阻，見人稱漢詩、樂府，輒以爲不必爾；此終無進境。吾爲世人指出長安大路，江湖源頭，一片苦心，欲有志之士，努力追步；不惟古詩得力，卽律詩絶句亦得力也。

又 讀漢詩須讀漢文漢賦，會通其意，始漸有解處。《淮南》、《史》、《漢》、《太玄》、《易林》諸書，不可不讀，而《楚辭》尤爲漢詩祖禰。

又 詩至宋、齊，漸以句求；唐賢乃明下字之法。漢人高古天成，意旨方且難窺，何況字句？故一切圈點，槩不敢用，亦不必用。

又 漢詩有絶不可解者，如《聖人制禮樂》篇之類；惟《鐃歌》在可解不可解之間，似不純是聲詞雜寫？偶思得近似者附註於下，非敢云必是也。曹子建云：「漢曲訛不可辨。」在魏且然，況今日哉？

又 聖賢學問，極斂約縝栗而萬物不能過。周詩斂約之至，縝栗之至；惟漢詩尚存此氣味，所以百世不逮；晉、宋漸入於文，漸取清雅，言之文實詩之衰也。後世有志復古，不深入漢人壁壘，猶入室而不由門也。

又 漢詩有前後絶不相蒙者，如：「東城高且長」、「天上何所有」、「青青河畔草」，未可强合，亦不必以後人貫串法曲爲古人斡旋。疑此等詩有前解後解之别，可分可合。如「十五從軍征」在《古詩三首》內，則至「淚落沾我衣」爲一首，在樂府則分爲數解；《十九首》内分入樂府散爲解者甚多。他如《白頭吟》、《塘上行》，或增或減，多讀古詩自得之。今小曲每割諸曲合唱，亦是此意。

又 樂府之有解何也？自是歌調中節奏。如竹之有節，合之則爲一竿，分之則爲數節，實是一竹。「十五從軍征」本一詩也，分四語爲一解。謂四語爲一解則可，謂四語爲一首則不可也。如《子夜》等歌，謂四語爲一首則可，

謂四語爲一解則不可也。

又《十九首》、《五首》、《三首》諸詩，多非爲一人一事而作，讀之久自能感人。有能解此語者，吾當與天下共推之。

又 世之說漢詩者，好取其詩，牽合本傳，曲劭隱微。雖古人託辭寫懷，固當以意逆志；然執詞指事，多流穿鑿。又好舉一詩，以爲此爲君臣而作，此爲朋友而作，此被讒而作，此去位而作，亦多擬度，失本詩面目。余說漢詩先去此二病。

又 讀漢詩只如見前輩人，恪恭不敢置一語，唯唯而退，不敢議之，亦未嘗樂與之親。作如是觀者，此其人未嘗讀漢詩也。

又 讀漢詩若有所解，僅存數章，以爲擬體之首。作如是觀者，此其人亦未嘗讀漢詩也。

又 讀漢詩須手舞足蹈，觸得妙境，更不忍釋。作如是觀者，方謂之善讀漢詩。

又 讀漢詩如登山造極，溯水得源，見衆山皆培塿，江河皆支派，一切唐、宋皆屬雲礽，覺語近而味薄，體卑而格俚。作如是觀者，方謂之善讀漢詩。

又 讀漢詩要見蘇、李、班、張輩皆如在目前，爲我兄事師事之人。作如是觀者，方謂之善讀漢詩。

又 余說漢詩，要在示人以法門，使學者有入路，有依據，令其欲喜欲驚，俾天下俱向此中尋味。至所不能解者，余不敢強解之。非尋章摘句，一味贊美，作寬冒語也。

王士禛《趙怡齋詩序》 論詩當先觀本色，《碩人》之詩曰：「巧笑倩兮，美目盼兮。」而尼父有「繪事後素」之說，卽此可悟本色之旨。彼黃眉黑妝，折腰齵齒，非以增妍，祇益醜耳，矧效西子之顰，學壽陵之步者哉！

田雯《古歡堂集》卷二四《兼隱堂詩序》 詩有源流正變，學者於古人一家之詩，含英咀華，輒詡負其才伎，以成篇章，非不自號作者，而爲之沿波討瀾，尋端竟委，則實難言之。蓋詩之爲道，上下數千百年，作者林立，必按其人代，考其源流根柢，而詩始出。如黃河然，歷積石，踰流沙，探崑崙之墟，而後西折九派，以曁乎尾閭歸海是也。不然，可與作詩，必不可與論詩。

邵長蘅《青門簏稿》卷七《杜詩臆評序》 古今注杜詩者，亡慮數百家，其

蔽大約有二：好博者謂杜詩用字必有依據，捃摭子傳稗史，務爲泛濫，至無可援證，則僞譔故事以實之，其蔽也窒塞而難通；鉤新者謂杜詩一字一句皆有寄託，乃穿鑿其單辭片語，傅會時事，而曲爲之說，其蔽也支離而多妄。蓋杜詩之亡久矣，杜詩未嘗亡也？其眞亡也。故愚以謂必盡焚杜注，然後取杜詩讀之，隨其人之性情所近，與其才分之偏全淺深工拙，而皆可以有得。

姚培謙《松桂讀書堂詩話》 古人詩中妙句，必親歷方知。「細動迎風燕，輕隨逐浪鷗」，杜句也。余嘗以荒秋八月中泊舟浦上，忽風起雨來，此境現前，方知細字、動字、輕字、隨字，不但爲鷗燕傳神，而四方上下迷離蕭瑟之況俱現，豈非神手？友人舉老杜「掉頭紗帽側，曝背竹書光」二語問何解。余謂詩意起二語已道盡，三、四承首句。「掉頭紗帽側」見髮稀，「曝背竹書光」見眼暗。髮禿眼暗豈做得禮樂中人？所謂「攻吾短」也。五、六承次句，風落則有松子可收，天寒則有蜜房可割。山林樂事如此，所謂「引興長」也。結句又言，不但爾爾，卽遇些些紅翠，亦且駐屐徘徊。卽「醉把茱萸仔細看」之意。友人以此解爲然。每愛古人形容雨勢語。老杜云：「行雲遞崇高，飛雨靄而至。」十字中字字有意，卻如探喉而出，雖神工妙手圖畫不來。若許渾「溪雲初起日沉閣，山雨欲來風滿樓」，下句亦有神助。又老杜：「風吹滄江去，雨灑石壁來。」凡大雨，必風過而雨隨之，雨至則風歇矣。呼應全在「去」字、「來」字。妄人欲改去字作樹字，豈非謬乎！東坡：「亂云欲霾山，勢與飄風南」，語亦絕妙。原其鼻祖，總在《三百篇》「有渰淒淒，興雨祁祁」八字也。摩詰「居庸城外」一篇，弇州謂其若非兩「馬」字重複，此詩應爲衆唐人七律壓卷。余謂兩「馬」字重見何害？但此詩妙處，解者實未甚了了。竊謂此詩定當爲當日寵任祿山而作。上半首見蕃軍驕橫已有不可羈束之勢，五、六見明皇貪功外夷，落句見明皇之寵賜優渥終已不悟也。史稱祿山歸范陽後，奏所部將士討奚契丹等勛功甚多，乞超資加賞，除將軍者五百餘人，中郎將者二千餘人，所謂「護軍校尉朝乘障，破虜將軍夜度遼」也。祿山辭歸范陽，上解御衣賜之。十四載，祿山請以番將代漢將，從之，更遣中使輔璆琳賜以珍果，所謂「玉靶寶弓珠勒馬，漢家將賜霍嫖姚」也。杜詩亦云：「借問大將誰，恐是霍嫖姚。」嫖姚，漢倖臣，故二公皆以之比祿山。凝碧池頭事，摩詰蓋早已料知矣。杜詩《三絕句》：「楸樹馨香倚釣磯，斬新花蕊未應飛。不如醉里風吹去，可忍醒時雨打稀？」「門外鸕鶿久不來，沙頭忽見眼相猜。從今以後

知人意，一日須來一百回。」「無數春筍滿林生，柴門密掩斷人行。會須上番看成竹，客至從嗔不出迎。」三詩大抵感交游不一類而發。第一首言君子，不易遇，遇亦易散；第二首是庸人；第三首則惡客也。《詩林廣記》極言解詩穿鑿之弊。要之古人必無漫寫景物之詩，但寄托之旨須以自然爲宗耳。昌黎詩：「喚起窗全曙，催歸日未西。」山谷爲兒時每哦此詩，不解其意；自出峽來，年五十八矣，時春晚，方知「喚起」、「催歸」乃二鳥名。古人小詩用意精妙如此。余謂凡詩中用典實作巧對，須藏意外意爲佳。若唐人「芳草平仲綠，清夜子規啼」、盧延遜詩「樹上咨諏批頰鳥，窗間壁剝叩頭蟲」等，意味便淺，後人效顰，易成惡道。

又　古人說詩，各有心得，不隨人腳跟轉，然亦有穿鑿無意味者。如劉夢得《生公講堂》詩云：「生公說法鬼神聽，身後空堂夜不扃。高坐寂寥塵漠漠，一方明月可中庭。」此是夢得作禪語。蓋生公在時，法不曾增，生公死後，法不曾減。第四句正用禪家指月話頭。謝疊山詩話謂此是笑生公身後略無神通，唯有「一方明月」可以周遍「中庭」。夫身後神通，豈是高禪所屑？且此可字本活用，今作死煞字解，有何意味？此亦是宋儒斥佛見解，或假托謝公，未可知也。

又　義山《錦瑟》詩本係悼亡之作，以錦瑟起興，非賦錦瑟也。通首着眼在「無端」二字，大意謂世間姻緣無非幻合，只如既有錦瑟，便有五十弦，既有五十弦，便鼓出許多哀怨來。夫婦之道亦如是矣。至于事過景遷，蝴蝶夢覺，杜宇魂歸，無端而聚者，亦無端而散。此聯內已具結聯惘然之意。中聯卻是追憶從前緣起極得意時事。月滿珠圓，日融玉暖，本屬自無而有，利根人當此晌眼穠華，早知有水流花謝，何待今日而始惘然哉！義山多艷體詩，世几以浪子目之，不知其人極深于禪，如此篇實從禪悟中得力。注家紛紛，總屬無謂。

沈德潛《歸愚文鈔》卷一四《七子詩選序》　予惟詩之爲道，古今作者不一，然攬其大端，始則審宗旨，繼則標風格，終則辨神韻，如是焉而已。予曩有古詩、唐詩、明詩諸選，今更甄綜國朝詩，嘗持此論，以爲準的。竊謂宗旨者，原乎性情者也；風格者，本乎氣骨者也；神韻者，流於才思之餘，虛與委蛇，而莫尋其迹者也。譬諸山有山脈，泉有泉源，峙而嶙嶒突怒，流而漾澔濔淪，極宇宙之大觀，而攬其金光黛色、澄練浮天，使人目愜心怡，而不能名其所以然，知有神明變化之妙，流行於山水之間。

吳雷發《說詩菅蒯》　詩須得言外意，其中含蘊無窮，乃合風人之旨。故意餘於詞，雖淺而深；辭餘於意，雖工亦拙；詞盡而意亦盡，皆無當於風人者也。

又　詩貴寓意之說，人多不得其解。其爲庸鈍人無論已；即名士論古人詩，往往考其爲何年之作，居何地而作，遂搜索其年、其地之事，穿鑿附會，謂某句指某人，某句指某事。是束縛古人，苟非爲其人、其事而作，便不得成一句矣。且在是年祇許說是年話，居此地祇許說此地話；亦幸而爲古人，世遠事湮，但能以意度之耳。若今人所處之時與地，昭然在目，必欲執其詩而一一皆合，其尚可逃耶？難乎免矣！

又　古人宮閨詩固多寄託，然即事言情，亦無不可。惟命意要得風人之旨，辭須矜貴。其襲舊者固不可，求新而類詩餘，尤不可也。

又　詩亦有淺深次第，然須在有意無意之間。向見註唐詩者，每首從始至末，必欲強爲聯絡，遂至妄生枝節，而詩之主腦反無由見，詩之生氣亦索然矣。

《四庫全書總目》卷一九五　文章莫盛於兩漢，渾渾灝灝，文成法立，無格律之可拘。建安、黃初，體裁漸備，故論文之說出焉，《典論》其首也。其勒爲一書傳於今者，則斷自劉勰、鍾嶸。勰究文體之源流，而評其工拙。嶸第作者之甲乙，而溯厥師承，爲例各殊。至皎然《詩式》，備陳法律。孟棨《本事詩》，旁采故實。劉攽《中山詩話》、歐陽修《六一詩話》，又體兼說部。後所論著，不出此五例中矣。宋、明兩代，均好爲議論，所撰尤繁。雖宋人務求深解，多穿鑿之詞；明人喜作高談，多虛憍之論。然汰除糟粕，採擷菁英，每足以考證舊聞，觸發新意。《隋志》附總集之內，《唐書》以下，則並於集部之末，別立此門。豈非以其討論瑕瑜，別裁眞僞，博參廣考，亦有裨於文章歟？

翁方綱《七言詩三昧舉隅》　漁洋於唐賢撰《三昧集》矣。其爲《五七言詩鈔》則皆三昧也；皆三昧，則皆舉隅也，奚又擇諸？曰：擇其最易見者，擇其隅之最易反者而已。客曰：然則子所不舉者，其皆三昧乎？非乎？曰：請循其本。夫漁洋先生，既不得不以杜、韓、蘇、黃爲七言之正矣，因於初唐諸作，僅取數篇，曰：此其氣格高者。夫所謂氣格高者，以神乎？

以貌乎？說者必曰以神，非以貌也。然則有明李、何之徒，文必西漢，詩必盛唐，必杜者，亦曰以神，非以貌也。吾安能必執以爲漁洋是而李、何非乎？吾故曰：神韻者，格調之別名耳。雖然，究竟言之，則格調實而神韻虛，格調呆而神韻活，格調有形而神韻無迹也。七言視五言，又開闊矣。是以學人才人，各有放筆騁氣處。氣盛則言之短長聲之高下皆宜。先生又惡能執一以裁之？夫是以不得已而姑取短章也，爲其騁之尚未極也。然而仁知見矣，浮沈判矣，眞贋雜矣，微乎危乎，不可以不慎也。原先生之意，初不謂壯浪馳騁者，非三昧也；顧其所以拈示微妙之處，則在此不在彼也。卽先生述前人之言曰：「不著一字，盡得風流。」此豈僅言短章乎？曰：「羚羊挂角，無迹可求。」此豈僅言短章乎？知其不僅在此，而姑舉此以爲一隅先也，或有合於先生之意歟？凡錄十四家詩二十六首，請吾學侶印證之。所以必拈取七言者，五言多含蓄，七言則疑於縱矣，故不得不舉隅證之。且愚所爲舉隅者，直就漁洋先生所舉之隅言耳。若先生於五言兼取杜、韓以下也，則吾亦奚憚更拈取之乎！ 鮑明遠《代白紵舞歌辭》(四首之第三)：「三星參差露霑溼，絃悲管清月將入，寒光蕭條候蟲急。荆王流歎楚妃泣，紅顔難長時易戢。凝華結藻久延立，非君之故豈安集！」附錄李翰林《烏棲曲》：「姑蘇臺上烏棲時，吴王宫裏醉西施。吴歌楚舞歡未畢，青山欲銜半邊日。銀箭金壺漏水多，起看秋月墜江波。東方漸高奈樂何！」太白此篇亦漁洋所鈔，而云附者，正不欲求備之意也。古人各有極至，豈敢有所軒輊？然而言各有當，願吾學侶共質之。 後魏《咸陽王歌》：「可憐咸陽王，奈何作事誤！金牀玉几不得眠，夜踏霜與露。洛水湛湛彌岸長，行人那得渡！」北齊《敕勒歌》：「敕勒川，陰山下。天似穹廬，籠蓋四野。天蒼蒼，野茫茫，風吹草低見牛羊。」舉此一篇，則後來如坡公「大孤小孤江中央」等篇之類，何煩悉舉矣！王右丞《夷門歌》：「七國雄雌猶未分，攻城殺將何紛紛。秦兵益圍邯鄲急，魏王不救平原君。公子爲嬴停駟馬，執轡愈恭意愈下。亥爲屠肆鼓刀人，嬴乃夷門抱關者。非但慷慨獻奇謀，意氣兼將身命酬。向風刎頸送公子，七十老翁何所求！」所謂「羚羊挂角」「不着一字」者，舉此一篇足矣。此乃萬法歸原處也。 《隴頭吟》：「長城少年遊俠客，夜上戍樓看太白。隴頭明月迥臨關，隴上行人夜吹笛。關西老將不勝愁，駐馬聽之雙淚流。身經大小百餘戰，麾下偏裨萬戶侯。蘇武纔爲典屬國，節旄空盡海西頭。」 此則空際振奇者矣，與前篇之平實敍事者不同也。愚所以說但舉前一篇已足也。

又 平實敍事者，三昧也；空際振奇者，亦三昧也；渾涵汪茫千彙萬狀者，亦三昧也，此乃謂之萬法歸原也。若必專舉寂寥沖淡者以爲三昧，則何萬法之有哉？漁洋之識力，無所不包；漁洋之心眼，抑別有在？卽如後來空際振奇之作，無過元遺山。遺山奇情健筆，揮斥八極，處處可作三昧參也。然而漁洋平生所追摹者，只得「誰山寒食泰和年」一句耳。

又 右丞云：「來不語兮意不傳，作暮雨兮愁空山。」又云：「忽雲收兮雨散，山青青兮水潺潺。」此漁洋所未鈔也。就其所鈔者：「子午山裏杜鵑啼，嘉陵水頭行客飯」、「霧中遠樹刀州出，天際澄江巴字迴」、「平明閭巷掃花開，薄暮漁樵乘水入」、「春來遍是桃花水，不辨仙源何處尋」，則已舉之不勝舉矣。 王少伯《城旁曲》：「秋風鳴桑條，草白狐兎驕。邯鄲飲來酒未消，城北原平掣皁鵰。射殺空營兩騰虎，迴身卻月佩弓弰。」漁洋取韋蘇州詩云：「遙知郡齋夜，凍雪封松竹。時有山僧來，懸燈獨自宿。」又嘗取高敖曹詩云：「壠種千口牛，泉連百壺酒。朝朝圍山獵，夜夜迎新婦。」並非二理。學子參之。 李翰林《金陵城西樓月下吟》：「金陵夜靜涼風發，獨上江樓望吴越。白雲映水搖空城，白露垂珠滴秋月。月下沈吟久不歸，古來相接眼中稀。解道『澄江淨如練』，令人長憶謝玄暉。」太白詩無一首不可作三昧觀。獨舉此者，亦不求備之意。

又 且如「大雅久不作，吾衰竟誰陳！正聲何微茫！哀怨起騷人」，此以爲五言之正，不必言矣。至於「前水復後水，古今相續流。新人非舊人，年年橋上遊」，至於「秦人相謂曰，吾屬可去矣。一往桃花源，千春隔流水」，而亦以爲五言之正。先生乃又云：「太白有古調，有唐調。」其實神來氣來，何古調、唐調之可分耶？而七言復何區別之有？

又 義山云：「李杜操持事略齊，三才萬象共端倪。」青蓮、少陵所以齊名千古者，此二語道盡矣。漁洋先生乃謂古今詩家齊名者，惟太白與子美不相似，豈猶未見及此乎！若義山之論，可謂眞能知詩，眞能知李、杜者矣。至於漁洋所謂三昧，其說出於嚴滄浪，雖以此義言李、杜，亦無不可，而實未足以盡李、杜耳。

又 漁洋極不喜人作騷體，然如太白之《遠别離》、《夢遊天姥吟》亦未嘗不取之。此亦見先生之不滯於一見也。

又　先生論詩絕句，取太白懷謝朓及王維畫孟浩然二事。爲之注者，於孟浩然一首但敷衍本事而已，未知其意所在也。愚按先生《香祖筆記》云：或問：「不著一字，盡得風流」是如何？ 先生舉二詩答之曰：「牛渚西江夜，青天無片雲。登高望明月，空憶謝將軍。余亦能高詠，斯人不可聞。明朝挂帆去，楓葉落紛紛。」「挂席幾千里，名山都未逢。泊舟潯陽郭，始見香爐峯。常讀遠公傳，永懷塵外蹤。東林不可見，落日空聞鐘。」此前一首雖與謝朓事不同，然先生之意，大約如此。愚今爲補注此一條，直可作先生全部詩集之總注耳。杜工部《曲江》(三章之第三。凡數首內選第幾首，皆當於題下注出，此書應重刊之體例也，今姑舉此一處)：「自斷此生休問天，杜曲幸有桑麻田，故將移住南山邊。短衣匹馬隨李廣，看射猛虎終殘年。」此在杜只偶然耳，在先生則以爲三昧也。《丹青引(贈曹將軍霸)》：「將軍魏武之子孫，於今爲庶爲清門。英雄割據雖已矣，文采風流猶尚存。學書初學衛夫人，但恨無過王右軍。丹青不知老將至，富貴於我如浮雲。開元之中常引見，承恩數上南薰殿。凌烟功臣少顏色，將軍下筆開生面。良相頭上進賢冠，猛將腰間大羽箭。褒公鄂公毛髮動，英姿颯爽來酣戰。先帝天馬玉花驄，畫工如山貌不同。是日牽來赤墀下，迥立閶闔生長風。詔謂將軍拂絹素，意匠慘澹經營中。斯須九重眞龍出，一洗萬古凡馬空。玉花卻在御榻上，榻上庭前屹相向。至尊含笑催賜金，圉人太僕皆惆悵。弟子韓幹早入室，亦能畫馬窮殊相。幹惟畫肉不畫骨，忍使驊騮氣凋喪！將軍畫善蓋有神，必逢佳士亦寫眞。即今飄泊干戈際，屢貌尋常行路人。途窮反遭俗眼白，世上未有如公貧。但看古來盛名下，終日坎壈纏其身。」此詩豈得僅以漁洋之三昧論者。然即以漁洋之三昧論之，則亦舉此一篇足矣，此乃萬法歸原處也。

又　漁洋選《唐賢三昧集》，不錄李、杜，自云仿王介甫《百家詩選》之例，此言非也。先生平日極不喜介甫《百家詩選》，以爲好惡拂人之性，焉有仿其例之理。以愚竊窺之，蓋先生之意，有難以語人者，故不得已爲此託詞云爾。先生於唐賢獨推右丞、少伯以下諸家得三昧之旨。蓋專以沖和淡遠爲主，不欲以雄鷙奧博爲宗。若選李、杜而不取其雄鷙奧博之作可乎？吾窺先生之意，固不得不以李、杜爲詩家正軌也；而其沈思獨往者，則獨在沖和淡遠一派，此固右丞之支裔，而非李、杜之嗣音矣！其論某體格當用某家也，曰：「亂離敍述，宜用老杜。」然則先生意中，豈不竟以變風變雅視杜矣？杜雖生於兵燹播遷之際，似竟一生言愁者，然此其面目耳，非其神髓也。設若杜公當周、召之遭逢，則《時邁》、《思文》之《頌》，《皇矣》、《旱麓》之《雅》，舍此其誰也？歐陽子論詩，亦曰：「窮而益工。」吾最不許此言。若依漁洋之論杜，準以歐陽子語，則必評杜曰，變而不失其正乎！夫見其時勢之艱，則以爲詩之窮，見其敍述之苦，則以爲詩之變，此惡可與言詩也哉？經曰：「溫柔敦厚，詩教也。」人之爲志，有不必繁言以含蓄爲正者，亦有必以發抒詳實爲正者；所謂言豈一端而已，達而已矣，各指其所之而已矣。今漁洋之論詩，以漢魏五言無過十韻者，恨後人言之太盡，遂以崔德符語，疑《八哀》之蕪累。充此類也，則《北征》、《奉先》、《詠懷》與陶、謝、阮、陳竟劃然分界乎？其果孰爲溫柔敦厚之正？則必推陶、謝、阮、陳，而杜公不得與焉矣。愚嘗論文章之正變，初不盡以繁簡濃淡之外貌求之，如「於穆清廟」、「維清緝熙」，《周頌》也，而篇章極簡古；「小球大球」、「來享來王」，《商頌》也，而篇章極暢達。夫值其當含蓄之時，而徒事繁縟者，非也；值其不能含蓄之時，而故爲斂抑者，亦非也。故曰：「行乎其所不得不行，止乎其所不得不止。」不求與古人離，而不能不離；不求與古人合，而不能不合，此古今文之總括也。不惟七言不能以此分界，即五言體尚質實，而《北征》、《奉先》、《詠懷》實繼《二雅》而作，溫柔敦厚之旨，所必歸之者也。七言則不但《悲陳陶》、《哀江頭》皆溫柔敦厚也；即《長恨歌》、《連昌宮》、《望雲騅》，亦皆溫柔敦厚之至者也；香山樂府，亦皆溫柔敦厚之至者也。然而漁洋先生方且矜矜持擇於盛唐四十二家之間，焚香鼓琴於陶、韋之際，吾安敢旁贊一辭乎？昔唐文皇評右軍書，亦曰：「勢似欹而反正。」然後人學其欹乎？抑學其正乎？夫他書勿論已，《蘭亭》，篆勢也，豈其欹；夫他詩勿論已，《丹青引》，正聲也，豈其變！使漁洋選《三昧集》而專舉杜之一篇，固若乖其例也。吾則深測先生之意揣似焉而專舉此一篇，又奚不可之有？

又　漁洋先生不喜詩有龍虎鉛汞氣，其於太白此等處，亦微有別擇焉。是故「蓬萊織女」、「倒景瀟湘」之篇，吾未敢輒舉之。先生又不喜多作刻畫體物語，其於昌黎《青龍寺》前半，蓋因「炎官火傘」等句，微近色相而弗取也。是故《麗人行》後半之妙，眞三昧神境矣，而前半有寫物比擬之語，吾亦未敢舉之。至於《公孫大孃弟子舞劍器行》後半一往不收之音，尤爲神妙。然而四如之調，吾尚未揆先生意中何如矣？

又 先生又不喜詩中用經語。如杜公《槐葉冷淘》篇之類，往往意弗善之。然至於「丹青不知老將至，富貴於我如浮雲」，則是水中着鹽，點化之妙，正三昧神理也。

又 此篇古今膾炙人口，其臨摹翻本，則李獻吉送劉大夏云：「九重移楊數召見，夾城日高未下殿。英謀祕語人不知，左右惟聞至尊羨。」此僅以貌非以神，不待辨矣。近日朱竹垞贈鄭簠云：「平山堂成蜀岡湧，百里照耀連雲榱。工師斵扁一丈六，觀者歎息相瞠眙。斯須望見簠來至，井水一斗研險麋。由來能事在獨得，筆縱字大隨手爲。觀者但妬不敢訾，五加皮酒浮千鴟。」此段亦臨摹此篇而不襲貌者矣。然「由來」句既滑弱似時文語，「井水一斗」句最好，「五加皮酒」亦但旁襯而已，只剩得「斯須」二字有臨摹之迹，而相較何啻萬千也？又近日查初白《廬山五老峯海綿歌》云：「背負碧落蓋地圓，尺吴寸楚飛鳥邊。初看白縷生棲賢，樹杪薄冒兜羅綿。移時騰涌覆八埏，四旁六幕一氣連。滔滔滾滾浩浩然，混沌何處分坤乾？」此段並不仿此篇，而「移時」二字，可以彷佛「斯須」二字之勢矣。然又苦「六幕」與「八埏」究竟犯複而出之「柏梁體」，以捷急取勢，亦非可與此篇並論者也。甚矣，此事不得存一毫摹擬之見也。今由漁洋所講三昧之理，澄定觀之，原不使人稍存摹擬之見，而既經拈取，又誠恐學者執迹而尋也，故爲極言臨摹之不易，庶幾其深造而自得之乎！然則千古以來，此段神理，竟無繼踵者耶？曰：太史遷叙鉅鹿之戰，至「當是時楚兵冠諸侯」一段，後來實無第二，則或以「昆陽屋瓦皆震」一段，略可仿之。此篇中間一段是斷不能仿者，則或如東坡《鳳翔八觀》內《王維吴道子畫》一篇略可髣髴乎？此亦不求合而自合之一驗也。漁洋先生述其與友人論詩，似亦即是此理？但於此篇專取「一洗萬古凡馬空」一句，於坡詩專取「筆所未到氣已呑」一句，則似欲於此二處各挈其渾括一語，以爲居要，蓋猶是時文家言也。且以東坡才力之富健，於《石鼓》中間用力摹寫，亦何難直造昌黎堂室。然亦只得「勳勞至大不矜伐，文武未遠猶忠厚」爲昌黎未道，而已着議論矣。焉能有「快劍蛟鼉」、「鸞翔鳳翥」一段光芒乎？此畫家所謂筆虛、筆實二義，皆一毫勉強不得也。歐陽文忠《明妃曲和王介甫作》：「胡人以鞍馬爲家，射獵爲俗。泉甘草美無常處，鳥驚獸駭爭馳逐。誰將漢女嫁胡兒？風沙無情面如玉。身行不遇中國人，馬上自作思歸曲。推手爲琵卻手琵，胡人共聽亦咨嗟。玉顔流落死天涯，琵琶卻傳來漢家。漢宮爭按新聲譜，遺恨已深聲更苦。纖纖女手生洞房，學得琵琶不下堂。不識黃雲出塞路，豈知此聲能斷腸？」《再和明妃曲》：「漢宮有佳人，天子初未識。一朝隨漢使，遠嫁單于國。絕色天下無，一失難再得。雖能殺畫工，於事竟何益！耳目所及尚如此，萬里安能制夷狄？漢計誠已拙，女色難自誇。明妃去時淚，灑向枝上花。狂風日暮起，飄泊落誰家？紅顔勝人多薄命，莫怨東風當自嗟。」先生《香祖筆記》以「耳目所及」二句，議論近腐，與高季迪作同譏。而此篇卻鈔入《七言詩》者，何也？

又 自嚴儀卿以不落言詮爲詩家上乘，漁洋力宗其說，以爲三昧在此；此其所見固超矣，而亦有未可槩論者，須相其氣體神理也。況此篇「耳目所及」二句，正是唱嘆節族耳，何嘗是議論乎？此乃眞所謂不着一字之妙，而何以云近腐耶？蓋漁洋先生豈無一二未定之論，而後人一槩奉爲圭臬，則失之矣。

又 歐陽公嘗自言吾詩《廬山高》，他人莫能，惟李白能之；《明妃曲》後篇則李白亦不能，惟杜甫能之；至《明妃曲》前篇，則杜甫亦不能，惟吾能之也。據此則歐公自以爲前篇勝後篇矣。然二篇之妙，皆非言詮所能及也。

蘇東坡《王維吴道子畫》（《鳳翔八觀》詩之第三）：「何處訪吴畫？普門與開元。開元有東塔，摩詰留手痕。吾觀畫品中，莫如二子尊。道子實雄放，浩如海波翻。當其下手風雨快，筆所未到氣已呑。亭亭雙林間，彩暈扶桑暾。中有至人談寂滅，悟者悲涕迷者手自捫。蠻君鬼伯千萬萬，相排競進頭如黿。摩詰本詩老，佩芷襲芳蓀。今觀此壁畫，亦若其詩清且敦。祇園弟子盡鶴骨，心如死灰不復溫。門前兩叢竹，雪節貫霜根。交柯亂葉動無數，一一皆可尋其源。吴生雖妙絕，猶以畫工論。摩詰得之於象外，有如仙翮謝籠樊。吾觀二子皆神俊，又於維也斂衽無閒言。」必合讀其全篇，而後「筆所未到氣已呑」一句之妙乃見也。若但舉此一句，似尚非知言者。《維摩像唐楊惠之塑在天柱寺》（《鳳翔八觀》之第四）：「昔者子輿病且死，其友子祀往問之。跰𨇤鑒井自歎息，造物將安以我爲！今觀古塑維摩像，病骨磊嵬如枯龜。乃知至人外生死，此身變化浮雲隨。世人豈不碩且好？身雖未病心已疲。此叟神完中有恃，談笑可卻千熊羆。當其在時或問法，俛首無言心自知。至今遺像兀不語，與昔未死無增虧。田翁里婦那肯顧？時有野鼠銜其髭。見之使人每自失，誰能與詰無言師？」《和子由送將宮梁左藏仲通》：「雨足誰言春麥短，

城堅不怕秋濤卷。日長惟有睡相宜，半脫紗巾落紈扇。芳草不動當戶長，珍禽獨下無人見。覺來身世都是夢，坐久枕痕猶着面。城西忽報故人來，急掃風軒炊麥飯（徐州所出）。伏波論兵初矍鑠，中散談仙更清遠。南都從事亦學道，不恤腸空誇腦滿。問羊他日到金華，應許相將遊閬苑（黄初平之兄尋其弟於金華山）。」此詩轉以前半消納後半，是千古未有之奇格。《郭綸》（綸本河西弓箭手，屢戰有功，不賞。自黎州都監官滿，貧不能歸，今權嘉州監稅）：「河西猛士無人識，日暮津亭閱過船。路人但覺驄馬瘦，不知鐵槊大如椽。因言西方久不戰，截髮願作萬騎先。我當憑軾與寓目，看君飛矢集蠻氈。」此在漁洋先生以爲「羚羊挂角」之妙，而東坡少年時特以無意偶然得之。

又　陳思王云：「素服開金縢，感悟求其端。公旦事既顯，成王乃哀歎。」東坡亦云：「慷慨桓野王，哀歌和清彈。攬衣起流涕，始知使君賢。」然東坡却是無意中偶得之也。黄山谷《王充道送水仙花五十枝欣然會心爲之作詠》：「凌波仙子生塵襪，水上輕盈步微月。是誰招此斷腸魂，種作寒花寄愁絕？含香體素欲傾城，山礬是弟梅是兄。坐對眞成被花惱，出門一笑大江橫。」不特「山礬是弟梅是兄」是着色相語也；即「含香體素欲傾城」亦已是着色相語也。惟其用此等着色相語，所以末二語，更覺破空而行，點睛飛去耳。此淮陰侯背水陣，所謂：「此在兵法，顧諸君不識」者也。或乃套襲其體物語以爲工麗，則笨伯矣。

又　山谷《浯溪碑詩》：「臣結春秋二三策，臣甫杜鵑再拜詩。」此乃字字沈痛，不作珮玉瓊琚之詞觀也明矣。然而平生半世玩賞拓本，即一二文士亦孰不咀其詞句者？則於次山文字一段正面，究竟未能消卻也。故於此下用推宕之筆出之，曰：「安知忠臣痛至骨？世上但賞瓊琚詞。」此「瓊琚詞」三字，乃擲筆天外，粉碎虛空矣，正與此篇末句妙處相似；此即所謂不着一字盡得風流者也。漁洋先生深知「羚羊挂角」之旨，是以能賞此篇之妙。而其於《浯溪碑詩》亦云：「道州刺史昔漫叟，振筆大放瓊琚詞。」直以「瓊琚詞」三字作正面呆用，猶之其作《甘泉未央瓦詩》云：「兄視羽陽弟銅雀。」亦即將此詩語作正面用者，皆非先生之眞境，學者所當分別觀之者也。

又　杜詩：「江上被花惱不徹，無處告訴只顛狂。」此在江畔步行，特爲尋花而出，所以顛狂被花惱也；今乃靜中欣然會心，似無被花惱之譏矣，而孰知坐對乃眞犯此病哉？此其所以捲卻前半，消納通身也。愈見前半之粘，愈見末句之脫。《簡履中南玉》：「鎖江亭上一樽酒，山自白雲江自橫。李侯短褐有長處，不與俗物同條生。經術貂蟬續狗尾，文章瓦釜作雷鳴。古來寒士但守節，夜夜抱關聽五更。」凡山谷詩實處即其空處，粘處即其脫處，而此較之東坡《梁左藏》、《郭綸》等篇更爲易見耳。

又　凡詩取料處皆即其見神韻處也，亦不但山谷如此。晁具茨《送一上人還滁州瑯琊山》：「上人法一朝過我，問我作詩三昧門。我聞大士入詞海，不起宴坐澄心源。禪波洞澈百淵底，法水蕩滌諸塵根。迅流速度超鬼國，到岸捨筏登崑崙。無邊草木悉妙藥，一切禽鳥皆能言。化身八萬四千臂，神通轉物如乾坤。山河大地悉自說，是身口意初不喧。世間何事無妙理？悟處不獨非風旛。羣鵝轉頸感王子，佳人舞劍驚公孫。風飄素練有飛勢，雨注破屋空留痕。惜哉數子枉元解，但令筆畫空騰騫。君看瑯琊釀泉上，醉翁妙語今猶存。向來溪壑不改色，青嶂尚屬僧家緣。（集本此下云：「君行到此知此意，辨才第二文中尊。西江一口盡可吸，雲夢八九何勞吞。他年一瓣爐中香，此老與有法乳恩。」六句，蓋漁洋刪之。凡此書所選詩，原本某處尚有幾句經漁洋所刪者，皆應照此詳注於下，今舉此以當發凡。）」此篇可作漁洋先生《三昧集》總序。

又　具茨詩自不能居無咎之上。漁洋乃謂一鱗片甲高出無咎者，專指此一篇言之耳。

又　大約漁洋所說三昧之理，不宜於道家鉛汞語，而宜於禪家語，然又不盡是如此，此所在乎善參活句者矣。

又　三昧有山水語，有禪悅語，有邊塞語，要之其理則一也。即如放翁「大梁二月杏花開」一篇，亦漁洋所謂三昧也。漁洋先生極不喜詩作大盡致語，所以於唐人不喜白公，甚至戒初學不可輕看白詩，此雖太過之言，亦實即其三昧之所以爲三昧也。若放翁則全以淋漓盡致爲能事，而漁洋未嘗不於放翁有取焉者，此義是也。元遺山《湘夫人詠》：「木蘭芙蓉滿芳洲，白雲飛來北渚游。千秋萬歲帝鄉遠，雲來雲去空悠悠。秋風秋月沅江渡，波上寒烟引輕素。九嶷山高猿夜啼，竹枝無聲墮殘露。」蘇、黄之後，放翁、遺山二家並騁詞場，而遺山更爲高秀。若夫三昧之旨，則二家未免稍麄矣。然視後來之吳立夫、楊鐵厓、王梧溪諸家，則已爲深厚矣。略舉一篇以印證漁洋法乳，要亦於神骨辨之。

又 漁洋先生平生追摹元遺山，只在「雎山寒食泰和年」一句，此一三昧之發凡也。

又 漁洋嘗舉昔人所云「蕭蕭馬鳴，悠悠旆旌」不及「訏謨定命，遠猷辰告」，此理誰能喻之！虞道園《子昂畫馬》：「憶昔從公侍書殿，天閑過目如飛電。池邊儘有吮毫人，神駿誰能誇獨擅？公今騎鯨隘九州，人間空復看驊騮。惟應馭氣可相逐，黃竹雪深千萬秋。」杜詩：「天下何曾有山水？人間不解重驊騮。」此用其語意而更翻出下二句來，是從「驊騮」二字又得路也。

又 似是「馭氣」承「騎鯨」、「黃竹」承「驊騮」，而要之渾淪不可湊泊也。

又 尋常故實，一入道園手，則深厚無際；蓋所關於讀書者深矣。南宋已後，程學、蘇學，百家融液，而歸於靜深澄澹者，道園一人而已。《題柯敬仲畫》：「予先世居隆州州治之後山。石室翁守郡時，隆爲陵州。州事簡，時來就吾家，拾故紙背作茅蘭竹木之屬，所得頗多。吾幼時尚收得數紙，今亦亡之。丹邱生用法作竹木，而坡石過之。近又以新意作墨花，甚妙。從子悅有眉山學官之行，邱爲作此，予愛而賦之。昔者老可守陵州，守居北山吾故邱。太守時來看山雨，每畫紙背成滄洲。老蒲松烟色過重，揮霍陰崖交劍矛。百年離亂亡故物，敝篋江南誰復收？新圖篔簹枝葉脩，使我不樂思昔侯。碧鷄祠前杜鵑叫，玉女井上叢篁幽。棠梨樹高青子落，碧花翠蔓縈牽牛。揚雄無家不歸老，蠨蛸蟋蟀寒相求。丹邱先生東海客，何以見我空山秋。蕭條破墨作清潤，殘質刊落精英留。陂陀重複分細草，山石縈紆生亂流。眉山學官莫厭冷，言歸故鄉非遠遊。石田茅屋儻可得，萬里欲上東吳舟。百花潭深濯新錦，持報以比珊瑚鈎。」漁洋讀道園詩，但舉「青山一髮是江南」一句，尚不若此篇句句是三昧也。《題灤陽胡氏雪溪卷》：「去年予與侍御史馬公同被召，出居庸未盡，東折入馬家甕，望縉山，度龍門百折之水，登色澤嶺，過黑谷，至於沙嶺乃還。道中奇峯秀石，雜以嘉木香草，輦道行其中。予二人按轡徐行，相謂頗似越中，但非扁舟耳。適雨過流潦如奔泉，則亦不甚相遠。郭熙《畫記》言：「畫山水數百里間，必有精神聚處，乃足記，散地不足畫。」此曲折有可觀，惜不令郭生見之！灤陽胡太祝乃以雪溪自號，豈所見與予二人同乎？然灤水未秋冰已堅，尋常已不可舟，況雪時耶？當具溪意云爾！因爲賦詩云：「平沙積雪陰山道，射虎殘年不知老。豈識船如天上坐？翠竹爲帷樹爲葆。昔乞鏡湖苦不早，白髮如絲照清潦。他年此地若相逢，應著漁蓑脫貂帽。」末句乃眞雪溪也。「脫貂帽」卷卻前半，所以必合其序讀之，乃知詩之頓挫。《爲汪華玉題所藏長江萬鴉圖》：「雲巢幽人愛江渚，抽思揮毫寫橫素。波瀾不驚潦水盡，秋氣晶明絕煙霧。征帆去棹不相襲，岸曲洲旋總堪賦。孤郵城市僅如蟻，百丈牽江直如縷。蕭蕭木葉洞庭波，歷歷晴川漢陽樹。蒹葭宿雁天欲霜，叢葦寒鴉日云莫。就中樓殿何王宮？想見華年貯歌舞。丹青倒景駭靈怪，粉黛含情怨幽阻。青春游子澹忘歸，白日冷風帳中語。人間遺迹何足留？最惜精思墮塵土。郭熙平遠無散地，小米蒼茫託天趣。銛鋒鋋戟不破墨，刻畫晶熒昔誰苦？渤海細書藝文草，精絕戈波絕回互。南唐後主萬鴉圖，點點晨光動毛羽。昔年曾見今目昏，雖復逢之亦難覩。汪侯此卷出故家，相示摩挲極愁予。香奩犀軸見者稀，漫錄餘情示來許。」此乃眞神韻也。嚴儀卿所謂：「空中之音，相中之色，水中之月。」卻何嘗不從實地托出？《題黃都事仲綱山居溪閣二首》：「出山作官十載餘，聊託筆墨懷幽居。連雲一一列眉黛，細雨往往逢樵漁。鄰家父老每載酒，隔屋弟兄皆讀書。我久居山不待畫，獨念稚子扶犂鉏。閣前流水秋愈深，故人東來還見尋。方舟直過彭蠡澤，把釣坐對香爐岑。雲中煙樹差可辨，江上鄉關誰與吟？我欲芳蘭寄遠者，日莫天際多輕陰。」《在朝稾賦程以文竹雨山房》二首：「春雨過山竹，幽泉遶舍鳴。燕泥書帙晚，魚浪釣絲晴。奉席從孫子，連牀總弟兄。舊聞林下叟，讀《易》到天明。」「遊子聞春雨，思親望故園。竹間開几席，花底注山尊。累世書連屋，頻年稻滿邨。卜鄰淳朴地，絕學欲重論。」此雖近體，視此二首之神韻夐出者，似微有間然。附錄之以見道園根柢，讀書深意。夫辭也者，各指其所之，要以樸學爲歸耳，豈僅於「羚羊挂角」之悟而已？方綱在江西日，與學侶研尋山谷、道園二先生得力之所以然，因以谷園名其書屋。舉山谷二言曰：「以古人爲師，以質厚爲本。」今雖僅爲漁洋偶拈三昧，仍日三復斯義云爾。庚戌九月十八日燈下記。漁洋先生拈取三昧，蓋專在王、孟一派，與道園之深詣本不同調；然其錄道園詩，則能知道園者矣。卽此具見漁洋詩眼之不可及。吳淵穎《次韻傅適道虎陂鬧舟中》：「少年醉唱邯鄲曲，惟有垂楊夾堤綠。夜來誰弄焦尾琴？彈作東風雉登木。虎陂鬧裏水生烟，荆門山頭星照船。爭似揚州春十里？一雙鸞信待君傳。」《淵穎集》，漁洋少時所服膺者。取材極博，而肌理稍麄。其雄秀天然處，則亦漁洋所謂三昧者也。

又《漁洋詩髓論》 予來山東，亟與學人舉漁洋論詩精詣，而其間有不得不剖析者。蓋昔之推漁洋者太過，而今之譏漁洋者又太甚，二者相權，則無甯過推之矣。其過推者，蓋由未識漁洋心眼造微處，故稱引徒博而不衷於所安；其實漁洋固未嘗必以李、杜自任也。昨以《三昧集》不錄韋、柳，而五言不鈔王、孟，欲觀齊、魯士人所得，乃竟有援趙秋谷語疑漁洋之選未當者，此則大不可也。詩者忠孝而已矣，溫柔敦厚而已矣，性情之事也。秋谷之論詩，其與漁洋孰正孰畸，姑無辨；第其意在於齮齕漁洋而已，使學人由此長傲而啓矜焉。性情之謂何？溫柔敦厚之謂何？愚所以不敢不辨也。客曰：「漁洋自言與海內論詩得髓者，惟一吳天章耳。所謂詩髓者，非太白耶？」予應之曰：「果如是，是以目論矣。蓮洋之詩，正在興象超詣，此亦三昧之眞境也，豈必執以爲學李哉？漁洋平生於後起之秀，特取二人：曰蓮洋，曰丹壑。皆舉其興象言之，而深處抑更有在也。」客曰：「子言詩於齊、魯，則滄溟、華泉，其詩髓所系歟？」曰：「是有辨也。華泉專以絕句與信陽、北地爭勝毫氂，而滄溟學杜，雖接何、李，然五言詩初不鈔及之，而特以徐、高並錄者，此漁洋之深意也。」客曰：「子窺漁洋之意，於遺山、道園何如？」曰：「卓哉漁洋之識也！蓋平生職志在遺山，而於道園尤能得其微意。其論少陵曰：『子美與孟襄陽不同調，而能眞知之。』故漁洋與道園不同調，而亦能眞知之；與山谷亦不同調，而能眞知之，視竹垞之譏黃詩者何如矣！」客曰：「所安、深裏若何？」曰：「先生於元不推楊而推吳者，猶之高視《長慶集》耳。陳所安之於道園，奚能並論乎？此則不必以初唐專取短章爲疑矣。」客曰：「然則於蘇若何？」曰：「蘇律可以補李之闕，而先生置之，然於《郭綸》一篇，遂以爲司空王官之遺也。是又先生別具神理云爾。」客曰：「然則推是以言杜可乎？」曰：「愚固嘗極言三昧不錄李、杜之故矣，此愚所不敢質言者也。然而杜之神理，亦惟漁洋能識之。善夫，玉溪之言詩也，曰：『李杜操持事略齊，三才萬象共端倪。』元相亦云：『鋪陳終始，排比聲律。』而遺山顧詆娸之者，此亦漁洋不求備之說也。至於嚴滄浪之論詩，上接王官遺意，先生蓋亦偶借拈之，非直以此槩千載詩家也。而秋谷第援馮氏以爲辭者，豈非矜氣之過乎？二李言格調，而先生言神韻；格調化而爲神韻，則千彙萬狀，皆歸大冶，而豈傷於執一乎？漁洋於五言言陶、謝，言韋、柳，而於七言乃言《史》、《漢》。昔東坡亦教人熟讀《三百篇》及《楚騷》耳。然則由漁洋之精詣，可以理性情，可以窮經史，此正是讀書汲古之蘊味。而所謂不涉理路，不落言詮者，乃專對貌爲唐賢之滯迹者言之。其鈔五七言，則《三百篇》之正路也；其選《萬首絕句》，則樂府之息壤也；其《三昧十選》，則《十籤》之發凡也。學者及此時熟復先生言詩之所以然，而加以精密考訂之功，從此充實涵養，適於大道，殆庶幾矣！其僅執選本以爲學先生，與夫執一端以議先生者，厥失均也。愚將綜理《池北》、《石帆》卷目，析而究之。」

《小倉山房詩集》卷二五《題宋人詩話》 元聖雖不作，何王不衮裳。終日嗜菖蒲，未必皆文王。孔子所以聖，豈在不撤薑。我讀宋詩話，嘔吐盈中腸。附會韓與杜，瑣屑爲夸張。有如倚權門，淩轢衆老蒼。又如據泰華，不復遊瀟湘。丈夫貴獨立，各以精神強。千古無臧否，于心有主張。肯如轅下駒，低頭傍門牆。

又卷三三《品味》 平生品味似評詩，別有酸鹹世不知，第一要看香色好，明珠仙露上盤時。

《小倉山房文集》卷一〇《蘭陔堂詩序》 讀詩者，得古人所言，不如得古人所不言。

又卷一九《答戴敬咸孝廉書》 從來人心之不同，論古尤甚。【略】鄙意以爲：尙論者，必發千古不可不發之難，而後可以自存其說，其他小小是非，有傷賢者，則或爲時代所隔，或因稗史而訛，我輩疑於心，不必見於口，見於口，不必形於筆，不必垂爲文。

又《與郡厚庵太守論杜茶村文書》 詩文之道，寧苟作，毋苟許，不知而作，烏知其不後有進也；非所許而許焉，將惑於是矣。是不可不辨也。枚嘗核詩寬，而核文嚴，何則？詩言志，勞人思婦都可以言，《三百篇》不盡學者作也，後之人，雖有句無篇，尙可采錄。若夫始爲古文者，聖人也，聖人之文而輕許人，是誣聖也。

又卷二八《程綿莊詩說序》 作詩者以詩傳，說詩者以說傳，傳者傳其說之是，而不必其盡合於作者也，如謂說詩之心，即作詩之心，則建安、大曆，有年譜可稽，有姓氏可考，後之人猶不能以字句之迹追作者之心，矧《三百篇》哉！不僅是也，人有興會標舉，景物呈觸，偶然成詩，及時移地改，雖復冥心追溯，求其前所以爲詩之故而不得，況以數千年之後，依傍傳疏，左支右吾，而遽謂吾說已定，後之人不可復有所發明，是大惑已！

厲志《白華山人詩說》卷二　甚矣讀詩之難也！昔時觀杜、岑二公《慈恩寺塔詩》，覺杜不如岑。又數年，覺杜亦不下于岑。比來細視之，岑只極題中之妙，而杜之所包者甚廣。凡人平素鬱抱，每值登臨，輒欲抒寫。少陵胸中所積無盡，所歷又極高險，寫登望境界，祇題面耳。故其前半曰「翻百憂」，曰「追冥搜」，至「回首」以下，皆其「憂」也，皆其「冥搜」也。其生平皆于此而會也。「叫虞舜」者，觸于「蒼梧」也。其下若可解，若不可解，非解所能解，是卽三閭大夫之苦衷也。中間用「羲和」、「少昊」，與「虞舜」隱隱相關動，讀之了若無意，吾恐其皆有苦心在也。若以嘉州之作方之，不誠有小大之殊乎？

趙翼《甌北集》卷二八《論詩》　隻眼須憑自主張，紛紛藝苑漫雌黄。矮人看戲何曾見，都是隨人說短長。

又卷四六《論詩》　作詩必此詩，定知非詩人。此言出東坡，意取象外神。羚羊眠掛角，天馬奔絶塵。其實論過高，後學未易遵。詩文隨世運，無日不趨新。古疎後漸密，不切者爲陳。譬如覂駕馬，將越而適秦。灞滻終南景，何與西湖春？又如寫生手，貌施而昭君。琵琶春風面，何關苧蘿顰？是知興會超，亦貴肌理親。吾試爲轉語，案翻老斲輪。作詩必此詩，乃是眞詩人。

焦循《雕菰集》卷一四《答黄春谷論詩書》　《毛詩序》曰：「在心爲志，發言爲詩。」又曰：「情動於中，而形於言。」古人本事親從兄之樂，而至於手舞足蹈，不幸遭值變故，牢愁哀怨，不可告人，均發於聲音而爲詩，故其哀樂之致，不必盡露於辭，而常溢於言外。譬之於琴，指已離弦，而音猶在耳，是非寄托遥深，何以有此？是故孟子論說詩之法，在以意逆志，而不以辭。辭，外也。意志，内也。說詩者徒以辭謂之，固作詩者徒以辭，又何以爲詩哉？【略】雖然，僕又思之，意餘於辭，辭遂於意，辭有不明，意終爲晦，故徒以辭者，辭不必明也，明其辭而詩益索也。辭遂於意者，辭不可不明也，明其辭，其情益見也。

陳文述《頤道堂文鈔》卷一《王小村江亭論詩圖叙》　余惟古今詩人衆矣，論詩之說亦夥矣。漢魏簡質，齊梁綺麗，三唐匯其大宗，兩宋衍其別派，金元諸家，前明七子，國朝以來，於斯爲盛。說詩者率因時代爲轉移，或高麗以炫才，或澄澹以永趣。復古者主格律，懷新者尙性靈，大約偏勝之弊多，酌中之論尠焉。

陳世鎔《瑣說》　孟子曰：「王者之迹熄而《詩》亡，《詩》亡然後《春秋》作。」詩與史相爲表裏，故知小序《狡童》刺忽，《墓門》刺陀，晦翁必欲翻然反之，非篤論也。第風人之旨，比物連類，主文譎諫，未易窺尋，要在知人論世者得諸意言之表。是選遇有疑滯，略取時事疏通證明，以意逆志，要必由是說而後安。穿鑿附會，則無所取。

謝鳴盛《範金詩話》卷下　王文定謂：「漢儒於經殘之餘，則《三百篇》之數有不足，取刪放之詩留傳於習俗者，從而補之。」此最爲有識之言，馬端臨諸儒謂《鄭風》解者，篇篇說作淫奔，聖人斷無絶其聲於樂而登其詞於詩之理，亦深足中傳注之弊。然謂古序非傳授有源，孰能億料當時指意之所歸。以予觀之，殊未確也。《禮記》尚多漢儒附會，奚有於古序乎！總之，訓詁肝腸多涉穿鑿，善讀書者自有不解之解，領悟於語言文字之外，試問如古序如傳注，卽所解之悉當，苟無會心，於我何益！

邊連寶《病餘長語》卷一　阮亭于表聖《詩品》中最喜「不著一字，盡得風流」八字，余則不然，余所最喜者「返虚入渾，積健爲雄」，及「惟性所宅，眞取弗羈」十六字耳。阮亭又云「採採流水，蓬蓬遠春」二語形容詩境亦絶妙，正與戴容州「藍田日暖，良玉生烟」同旨。余按阮亭所取總不離「神韻」二字宗旨，余所取者乃在「大風捲水，林木爲摧」耳，坐清宴之堂，發從容之論，嘆老不得，嗟卑尤不得，了無感慨，絶少激昂，非遁入神韻之中，無所庸其伎倆，此神韻二字爲達官貴人藏身之固也。

又卷一〇　董子云「詩無達詁」，此言害道不淺，詁而不達，非詁也，詩而不可以達詁，非詩也，孟子曰「以意逆志，是爲得之」，既可以得其志，何不可達之于詁哉？後世「不落言筌，不墮理障」、「詩之妙在可解不可解之間」，種種妄說皆從此出，甚矣，其害道也。

惲敬《大雲山房文稿二集》卷三《聽雲樓詩鈔序》　夫聖人之作也，必正名百物焉。自百家出，而夢可言覺、覺可言夢者有之；生可爲死、死可爲生者有之；卵有毛，丁子有尾，白馬非馬，臧三耳，皆此說也。古人有言：爲兩耳甚易，而實是也，爲三耳甚難，而實非也。至佛氏之書沿之，而音可觀，林木可聞焉，未已也，自文人沿之，而天可問，風可雌雄焉；自詩人沿之，而雲可養，日月可沐浴焉。近世且有以聽月名者，若是則子晉聽雲之說，何獨不然？雖然，雲之中萬籟未嘗息也，則所聽者，非雲也，蓋淺之乎言聽

也。夫天下之動者，必有聲。形與形值，則有聲；氣與氣值，則有聲；形氣相值，則有聲；雲在形氣之間而動者也。夫人之耳，不可執不可恃也。蟻動而以爲牛鬭，蜻蝏翼而以爲曳大木，震雷發乎前，而聾者不聞，使鯱俞師曠之徒，側耳於氤氳變滅之中，必有如水流之滃然，如火炎之爆然者矣。若是，則子晋聽雲之說，何獨不然！然而聖人必正名百物者，何也？爲兩耳甚易，而實是也；爲三耳甚難，而實非也。是故爲詩必言其易與是者，勿言其難與非者焉。知此，則唐、宋、元、明諸詩人之大小得失，見矣。

諸聯《紅樓評夢》 《石頭記》一書，膾炙人口，而閱者各有所得：或愛其繁華富麗，或愛其纏綿悲惻，或愛其描寫口吻一一逼肖，或愛隨時隨地各有景象，或謂其一肚牢騷，或謂其盛衰循環，提矇覺聵，或謂因色悟空，回頭見道，或謂章法句法本諸盲左腐遷。亦見淺見深，隨人所近耳。

天目山樵《儒林外史新評》 《外史》用筆實不離《水滸傳》、《金瓶梅》範圍，魅力則不及遠甚，然描寫世事，實情實理，不必確指其人，而遺貌取神，皆酬接中所頻見，可以鏡人，可以自鏡。中材之士喜讀之；其有不屑讀者，高出于《外史》之人；有不欲讀者，不以《外史》中下材爲非者也。是書特爲名士下針砭，卽其寫官場、僧道、隸役、娼妓及王太太輩，皆是烘雲托月，旁敲側擊。讀者宜處處回光返照，有則改之，無則加勉，勿負著書者一肚皮眼淚，則批書者之所望也。

周昌基《春陵館詩話》卷上 讀書要有定見，不可有成見。定見者，準以至當不易之理，而不以成敗得失論，卽孔子所謂中庸也。成見者，衡以一己之好惡，而不憑乎天下之公理，一切節行文章，舉無一是矣。范蔚宗曰：「能識同體之善，而忘異量之美。」至哉是言。今之論詩文者，大率不免蹈此一病。譬如己寫顏字，遇學右軍者輒毀之；己寫蘇、黃者，遇董、趙字輒笑爲甜俗不生辣。互相誹謗，患在有成見也。聆音識曲，自古爲難，所以莊、惠觀魚，鍾期流水，艷稱千古也。予平生論詩，每遇藻思芊綿，醰醰有味，讀之使人意消者，輒不能釋手。若槎枒粗硬，自謂矯健，或寒砌塡榼，死氣滿楮，閱之使覺昏昏欲睡。予甚服莊子蔽於古而不知今，此言可爲死守前人門面，而汩沒自家性靈者下腦後針也。

潘煥龍《臥園詩話》卷四 說詩須是以意逆志。子輿氏謂周詩「靡有孑遺」之句，不可拘泥，深得論詩之妙。太白詩「白髮三千丈，緣愁似箇長」，杜老詩「猶有淚成河，經天復東注」，苟非妙於解悟，髮何能若是之長？淚何能若是之多乎？

方東樹《昭昧詹言》卷一 古人用意深微含蓄，文法精嚴密邃。如《十九首》、漢、魏、阮公諸賢之作，皆深不可識。後世淺士，未嘗苦心研說，於詞且未通，安能索解。此猶言其當篇用意也。若夫古人所處之時，所值之事，及作詩之歲月，必合前後考之而始可見。如阮公、陶公、謝公，苟不知其世，不考其次，則於其語句之妙，反若曼羨無謂；何由得其義，知其味，會其精神之妙乎？故吾於陶公、謝公，皆依事大概，移易前後題目編次，俾其語意諸事明曉，而後得以領其妙，及其語言之次第（如「首夏猶清和」「猶」字，承《南亭》「朱明」句來。「客程倦水宿」承《初往桐廬》、《富春渚》、《七里瀧》、《道路憶山中》來。否則此「倦」字不著力，無精神，信手塡凑，若今人所爲矣。姑舉此以隅反可也）。

又 孟子曰：「誦其詩，讀其書，不知其人可乎？是以論其世也。」此爲學詩最初之本事，卽以意逆志之敎也。若王阮亭論詩，止於掇章稱咏而已，徒賞其一二佳篇佳句，不論其人爲何如，又安問其志爲何如也？此何與於詩敎也？

又 古人文字淵奧，非精思冥會，不能遽通。思之既通，則見其情文併合，辭理扼要，變化曲折，甘苦難易之分齊，愜心滿志。直是可歌可泣，可興可觀，可羣可怨，可以事父與君，可以勵志風世，味之彌旨而不可厭。僻者學之，非淺則僞；深隱則如設覆射謎；矜露爲奇則如牛鬼蛇神，全失蘊韻。其氣骨輕浮而麤硬，其意味短淺而不通。

又 求通其辭，求通其意也。求通其意，必論世以知其懷抱。然後再研其語句之工拙得失所在，及其所以然，以別高下，決從違。而其所以學之之功，則在講求文、理、義。此學詩之正軌也（又有文、理、義皆得，而不必求其意，論其世，第如鳥獸好音之過耳，亦爲人所愛賞而不欲廢者，如齊、梁人及唐韋、柳、王維是也。此禪家別傳，無關志持者耳）。

又 讀古人詩文，當須賞其筆勢健拔雄快處，文法高古渾邁處，詞氣抑揚頓挫處，轉換用力處，精神非常處，清眞動人處，運掉簡省、筆力嶄絕處，章法深妙，不可測識處。又須賞其興象逼眞處：或疾雷怒濤，或淒風苦雨，或麗日春敷，或秋清皎潔，或玉佩瓊琚，或蕭慘寂寥，凡天地四時萬物之情

狀，可悲可泣，一涉其筆，如見目前。而工拙高下，又存乎其文法之妙。至於義理淵深處，則在乎其人之所學所志所造所養矣。文字忌語雜氣輕，既無根柢，又無功力，尚不能深清雅潔，無論奇偉。

又　讀古人詩，須觀其氣韻。氣者，氣味也；韻者，態度風致也。如對名花，其可愛處，必在形色之外。氣韻分雅俗，意象分大小高下，筆勢分強弱，而古人妙處十得六七矣。

又　曹子建、孫過庭皆曰：「家有南威之容，乃可論於淑媛；有龍泉之利，然後議於斷割。」以此意求之，如退之、子厚、習之、明允之論文，杜公之論詩，殆若孔、孟、曾、思、程、朱之講道說經，乃可謂以般若說般若者矣。其餘則不過知解宗徒，其所自造則未也。如陸士衡、劉彥和、鍾仲偉、司空表聖皆是。既非身有，則其言或出於揣摩，不免空華目翳，往往未諦。若夫宋以來詩話諸書，指陳褊隘，雅俗雜糅，任意抑揚，是非倒置，由己本未深詣精解也。

又　王厚齋云：「蘇子由評品文章，至佳者，輒云不帶聲色。」何義門云：「不帶聲色，則有得於經矣。」愚謂此二說有得有失，須善參之，否則徒高無當。如《唐書》論韓休之文，如太羹玄酒，有典則而薄滋味。竊謂經者道之腴也，其味無窮，何止但有典則；矧經亦自有極其聲色者在也。王、何皆非深於文事者，皮傅之論耳。

又　昔休文以子建《函京》、仲宣《灞岸》、子荆《零雨》、正長《朔風》並稱。董塢先生云：「此沈所云以音律調韻，取高前式者也。」又云：「古人賞好去取之旨，亦所未喻。」余按仲宣《灞岸》，誠爲冠古獨步。《函京》篇非子建極作，而高深嚴重，故非凡子所及。正長《朔風》，原本《風雅》，韻律似《十九首》，然無甚警妙。若子荆《零雨》，非所知也。姚先生云：「子荆以喪妻而歸，故其詞云爾。」余謂即如是，而篇中無一言交代明白。「三命」十句，與起處詞意不相貫接，何足取乎？

陳瑚《陸桴亭先生詩序》　今之論詩者亦多矣。其最有得者，莫如司空表聖。嘗自擇其詩而論之曰：飲食之味必資鹽梅，而其美則在鹹酸之外。今其詩具在，誠如其云。顧其所論者詩焉而已，而未嘗關於性情學問之微，天下國家之大也。表聖蓋唐末之有道君子，要其所見止於如此，不可以例其餘乎？然則使桴亭與古今人角立於詞壇之上，出其偏師，賈其餘勇，即足以摧鋒陷敵，制勝千里。譬猶齊晉之君主盟中夏，雖強如秦楚，且不敢與之匹敵，而况於曹滕邾莒乎？學者即其詩而求之，庶幾乎得其詩之本焉。

秦瀛《小峴山人詩文集・文集》卷二《詩測序》　古之善言《詩》者，莫孟子若也。孟子曰：「不以文害詞，不以詞害志，以意逆志，是爲得之。」讀《詩》之法盡是矣。蓋《詩》以言志，《詩》之爲道，非他經比。《易》主乎理與數，《書》道政事，《春秋》據事直書，《禮》詳制度軌物，其言皆質，而《詩》則賦少而比興多，輶軒所採，太師所掌，類不必定其爲何人之詩，而又託諸勞人思婦，鳥獸草木，以自隱其意，長言之，咏歎之，往往旨趣所存，令讀者自得之於語言文字之外。自漢以來，《詩》有韓、魯、齊三家，而《毛傳》特著。鄭康成先通韓詩後箋《毛傳》，今所傳《小序》則一以爲子夏，一以爲衛宏。宋朱子集註出而又多與《小序》異。遵朱註者，或不遵《小序》；信《小序》者，或不信朱註。紛紜轇轕，言詩之家幾如禮家之聚訟。余嘗謂詩無定體，言詩亦無定解，讀詩者以己之性情，通詩人之性情，即以詩人之性情，通己性情，而千載以下之人，恍然與千載以上之人相晤對，讀詩者如無詩，而又何有於《小序》箋註云乎哉！

朱方增《春山叔詩序》　古今論詩之弊，大抵尙性靈則昧風格，尙風格則捨性靈，不知性靈風格固一以貫之者也。自六朝陶、謝、嵇、阮、庾、鮑，以逮唐之王、楊、盧、駱、燕、許、李、杜、元、白、王、孟、郊、島、皮、陸，下至東坡、劍南，各有風格，各有性靈，貌不襲而其體實無殊。今使別陶謝以降孰爲風格，孰爲性靈，恐陶、謝諸賢必竊竊然笑爲囈語也。蓋作詩之道必通達古今治忽之原，博採山川風俗之異，抒其忠孝哀樂之誠，明乎邪正清濁之辨，非有上下千古之識，不足以言詩也。彼目不窺龍威鴻寶之藏，足不越鄉曲闤闠之細，而漫然剽竊一二詞華。互相標榜，輒謂某六朝，某唐，某宋，某風格，某性靈，豈知無根柢而詡塗飾識者，早以東施相待矣。

張澍《代盧厚山制軍刻紀文達公批文心雕龍序》　昔摯虞纂《文章流別》、任昉作《文章緣起》，剖析裁製，義蘊無遺。梁、陳之閒，鍾嶸《詩品》，袁昂《書評》，究其一端，揚厥芳芬，體斯狹矣。獨劉彥和《文心雕龍》殫各體之軌範，標衆作之源流，誠操觚家之金鑣也。

張文虎《鼠壤餘蔬・徐古春耆舊詩存序》　昔先外舅姚堅香先生嘗持論以交道比詩，謂交以見性，詩以言情，一言以蔽之，曰：眞。交以眞而久，詩

以眞而傳（見所作《熊露蕤海棠巢詩序》）。誠哉是言也！蒙尤謂選詩與擇交無二致。蓋人之才質學問與其境地，吾既不能使之皆同，其見之詩又豈能縣一格以相限。要之，讀其人之詩，卽若與其人聚處一室言談議論，則詩之眞可知也。不甯惟是，登山臨水，則若與之共游歷也；升沈榮瘁，則若與之共憂樂也；險阻艱難，則若與之共坎坷也；目擊心傷，拔劍起舞，則若與之共仰天嗚嗚，感慨欲絕也。詩非一格，人非一境，而性情之流露蓋有不自覺其同歸一轍者，知此則可以論交，可以論詩已。

龍元僖《集義軒咏史詩鈔序》 今冬病稍間，深山短景，兀坐無聊，偶拈一卷翻閱，則淡然而清，盎然而和，雍容紆裕而不迫，所謂奮迅激昂者無有也，反覆抑揚，或但取一二軼事諷詠，而其人如繪焉。卽偶一著議，若不得已爲之，所謂議論上下馳騁者無有也。夫烟雲草樹，望之蔚然，蒼潤而深秀，及尋其鉤勒皴點，則若有而若無，此畫家之神品也。專主含蓄，意寓於言表，言雖止而意則靡窮，此盛唐中唐詩家之妙境也，咏史何獨不然？故夫別創新解，或翻案，務爲可驚可愕者，是史論也。極其至也，不惟醒睡漢而起病夫，幷可驚風雨而泣鬼神。至於長言，詠歎沁人心脾，使讀者能感發善心，懲創逸志，則和平中正之音其爲功也，爲較大矣。

郭嵩燾《養知書屋文集》卷四《毛西原杜詩心會序》 自古詩人託物起興，皆意有所鬱結，不得發攄，而託之詩歌以寫其纏綿哀怨之旨。唐杜甫氏出，指事類情，推陳始末，天下利病得失，生民之休戚，親故之離合，身世之榮悴悲忻，言之必達其志，慮之必窮其變，然後詩之藴乃旁推交通曲盡而無遺。當時論者，以爲集詩家之大成，無有異議。顧或以其忠愛之誼，尋章摘句，附會而遷就之。讀杜詩者，轉累於箋注之煩茫，然莫得其指歸。明高氏棅、胡氏應麟、王氏世貞乃專取其律法、音節，會其微妙，開示學者。國初新城王文簡以詩學倡天下，考論杜詩，標其新異，摘其繁累，意尤美焉。嗣後五家評本出，學者循其說以求杜詩之義，淺者見淺，深者見深，犂然各有以當其意。巴陵毛西原又稍以意折衷之，簡杜詩之善者爲四卷，悉採諸家之說，證以己見，而辨論其不合者，命曰《杜詩心會》。夫通其辭而不達其意者有矣，未有求達其意而先不能究其辭者也。自唐以來，詩人推宗杜甫氏，以至今日，而其義例之精，變化之妙，章章而比之，字字而析之。辨之久而其精日出，宜西原所得之深也。往者山陽潘德輿嘗述朱子之言：讀李詩如士人治本經，不宜有去取；杜詩之原於風雅，發於性情之正，讀者皆能望其崖略，而其深亦未易引而盡也。西原之於杜詩未知視彥輔所論何如？要其持論之詳與其辨證諸家得失最有裨益於學者。

文廷式《隨山館猥稿序》 嘗讀鍾嶸《詩品》，於諸家之詩必實其源自何人，論者或疑其附會，不知此古人分別流派之盛心也。然予猶惜其能辨文章之流別而未能辨學術之流別，是以淵明之詩，儒家之言也，其意淡泊而有守；子建之詩，雜家之言也，其氣蕩佚而無制。許詢近於道家，王儉近於禮家，如斯之流，未之分晰，遂使千載而下，篇章既佚，考索爲難，斯讀者可以深慨矣。

又《琴風餘譚》 本朝詩學，沈歸愚壞之。體貌粗具，神理全無。動以別裁自命，淺學之士爲其所刦，遂至千篇一律，萬喙雷同。至紀文達公之批蘇詩，逞我肥談，損人天趣，風雅道喪，非此種議論職其咎乎？姚薑塢《援鶉堂筆記》謂歸愚以帖括之餘，研究風雅，可謂助我張目者也。

何紹基《與汪菊士論詩》 聖人說「詩可以興，可以觀，可以群，可以怨」說《三百篇》也。學詩不學《三百篇》可乎？作詩不可以興、觀、群、怨可乎？「興、觀、群、怨」四字，藴藉深厚之至矣，猶曰可以、可以、可以、可以者，聖人之深于詩也。「不學詩，無以言。」

林紓《讀新小說法》 泰西學術，有政治之哲學家，有格致之哲學家，有地理之哲學家，有歷史之哲學家；而中國金聖嘆氏，實小學之哲學家也。所評諸記，類例、讀法數十則，善哉善哉！林氏本之以讀《莊》，馮氏本之以讀《左》，似乎陋矣。竊以爲諸書或可無讀法，小說不可無讀法；小說或可無讀法，新小說不可無讀法。既已謂之新矣，不可不換新眼以閱之，不可不換新口以誦之，不可不換新腦筋以綉之，新靈魂以游之。讀新小說，而不以讀舊小說之法讀，猶唐突吾新小說；讀新小說而仍以讀舊小說之法讀，愈唐突吾新小說。然則讀法之作，又烏可以已耶？惟《七發》既成，乃奏《七命》；《九歌》不作，因續《九思》。竊恐聖嘆見之，必又曰：「何用作？何可作？何必作？汝偏要作，便看汝作。」我昔怪夫舊世界反對小說之人，惡讀小說，以冷落我極熱鬧之舊小說；我今怪夫新世界崇拜小說之人，喜讀小說，以污穢我極潔凈之新小說。小說固不許淺人讀得耶？不識廬山，妄喜妄惡，臧、穀亡羊，所失相伍，其弊在於不知讀法。有李卓吾而後可以讀《西廂》、《拜月》，

有金人瑞而後可以讀《西游》、《水滸》，有拿破侖而後可以讀布爾特奇之《英雄傳》，有瑪志儂而後可以讀沙伯里昂之《流血記》。沉沉支那不受小說之福，而或中小說之毒，無讀人耳。小說固所以激刺人之神經，挹注人之腦汁。神經不靈，腦汁不富，欲種善因，翻得惡果。其弊在於不知讀法。新小說宜作史讀。《雪中梅》，日史也。《俄宮怨》，俄史也。《利俾瑟》、《滑鐵盧》，法史也。歷史有官性，故只寫表面之情狀；小說無官性，故并寫里面之情狀。歷史有國界，故只寫一方面之情狀；小說無國界，故并寫各方面之情狀。托兒女以英雄，感不平於千載。其文詞則艷於史，其事實則詳於史。不能讀史，安能讀吾新小說？新小說宜作子讀。《伊索寓言》，一莊、列之遺也。《卑妻謾言》，一鄧、惠之遺也。如聽口伎，聲百出而不窮；如觀影戲，影一瞥而即逝。必執實事以求之，則馬或化人，狐方語犬，不幾爲三家村語乎？文有奇而實正，理無幻而非眞。不能讀子，安能讀吾新小說？新小說宜作志讀。讀通志，人苦之；讀小說，人樂之。小說雖無通志之艱深，小說却有通志之博大。讀《世界末日》，勝於讀《五行志》：一理想的，一非理想的也。讀《環球旅行》，勝於讀《輿地志》：一世界的，一非世界的也。六合以內，通志所游；六合以外，小說所游。其文淺，其旨深；其詞約，其義大。不能讀志，安能讀吾新小說？新小說宜作經讀。唯其名耶，則經固揚雄《太玄》所不可擬，束晳「笙詩」所不可補，何況小說？唯其實耶，則經所以正人心，小說亦所以正人心；經所以明庸德，小說亦所以明庸德。次安乾蠱，《無名之英雄》可與言孝；批茶放奴，《五月花》可與言仁。新小說又欲擬經矣。不能讀經，安能讀吾新小說？匪直此也。飛仁揚義，發揮道德，可作《人譜》讀。剖皮解肌，推闡生理，可作《內經》讀。朝四暮三，慨嘆社會，可作《風俗通》讀。天動地岋，指陳軍情，可作兵法志讀。抉摘官闈秘密，可作唐宋遺事讀。描摹兒女愛情，可作齊梁樂府讀。魯濱孫漂流之記，維廉濱冒險之編，可作殖民志讀。大彼得遺謀之發現，俾斯麥外交之狼狽，可作國際史讀。埃及之塔，奢們之洞，岣嶁所不能鐫，琅嬛所不能記，可作《金石錄》讀。王大俠之刀，蘇非亞之彈，公孫弘失其詐，梅特涅失其奸，可作《劍客傳》讀。以小說讀小說，則思想所有之事，不必世界所無之事；小說又宜以非小說讀。以非小說讀小說，則世界所有之事，不必思想所有之事；小說又宜以非非小說讀。因其所有而有之，則萬物莫不有，唯知幻觀之無非實觀也，方可讀吾新小說。因其所有而無之，則萬物莫不無，唯知實觀之無非幻觀也，方可讀吾新小說。文章固非吾輩所重耶？卽論文章，新小說之感人也亦摯矣。以言其繕性也：常者登山陟水，如《尋親記》，讀之可令人敬；奇者萬死一生，如《歷險記》，讀之可令人奮；平者布帛粟肉，如《小公子》，讀之可令人正；幻者翻雲覆雨，如《女人島》，讀之可令人淡；以《退累馬克》(法國小說，費納龍氏所著)之餘波，收蘇格拉底之效果，則作性理書讀，又何不可？以言其懺情也：顯明如《啞旅行》，冷嘲熱罵，讀之可令人笑；含蓄如《賽金花》，窮形盡相，讀之可令人嘆；孤潔如《白云塔》，萬金脫屣，讀之可令人羨；委瑣如《可憐娘》，一燈豆暗，讀之可令人慘；以致悲慨如《新羅馬》，讀之可令人拔劍而舞；纏綿如《雙碑記》，讀之可令人停鍼以思；拗曲如《偵察案》，讀之可令人目眩而神迷離；正大如《經國談》，讀之可令人心曠而神爽拔；慘淡如《人肉樓》，讀之可令人八萬四千寒毛孔，一時起栗；富麗如《繁華記》，讀之可令人三百六十窮骨節，滿室生春。人感文耶？文感人耶？僕嘗一室一人，一燈一卷，一哭一笑，一歌一叫，而不知其何以哭，何以笑，何以歌，何以叫也。翻廣長舌，醒大衆生，則作《楞嚴經》讀，又何不可？善讀之，則雅鄭不異其聲，堇荼不異其味。微特《三國志》可讀，《桃花扇》可讀，卽污穢如《金瓶梅》，亦何嘗不可讀？微特《吁天錄》可讀，《美人手》可讀，卽荒唐如《吾妻鏡》，亦何嘗不可讀？不善讀之，則指白可以作黑，看朱可以成碧。微特《金瓶梅》不可讀，卽司馬子長之史、歐陽永叔之志，亦何嘗可讀？微特《吾妻鏡》不可讀，卽孟德斯鳩之哲理、斯賓塞爾之學說，亦何嘗可讀？窮天地，亘古今，其爲人也恆河沙數。窮天地，亘古今，其爲書也恆河沙數。而善讀書却無幾人。《阿含》四經，《華嚴》十論，試問是何眞詮？何物惡僧，演而爲暮鼓晨鐘、趺坐膜拜諸惡像，唯不善讀佛典故。谷神不死，流沙化胡，試問是何妙諦？何物惡道，演而爲燒丹煉鼎、捏訣宣咒諸惡狀，唯不善讀道經故。孔、墨尙實，老、莊尙虛，試問是何哲理？何物惡儒，演而爲規行矩步、孝廉方正諸惡相，唯不善讀儒書故。韓、蘇毗陽，歐、曾毗陰，試問是何文章？何物惡奴，演而爲詩賦策論、「且夫」「嘗謂」諸惡拍，唯不善讀漢文故。達爾文天演之祖，黑智爾唯心之宗，何學術哉？何物惡少年，演而爲眼懸金鏡、嘴銜雪茄、一口「阿那大」「密西斯」諸惡腔，唯不善讀西文故。湯臨川「四夢」文，李笠翁《十種曲》，何劇本哉？何物惡伶倫，演而爲胡琴咿呀、

拍版咭咶一派，爲皇帝坐江山諸惡調，唯不善讀戲曲故。耐庵明義而作《水滸》，雨苟(法國大文豪)言情而作戀書，何文學哉？何物惡學究，演而爲才子佳人、狀元伯爵，一味引火導欲、誨盜誨淫諸惡罵，唯不善讀新舊小說故。無格致學不可以讀吾新小說。新小說有奪瓦特之錘，以造新器者：天上可以鼓輪，海底可以放槍，上碧落而下黃泉，幻言也，見諸實事。不解此理，則讀《地心旅行》，必以爲土行孫復出矣；讀《空中飛艇》，必以爲孫悟空復出矣；讀《游行月球》，必以爲葉法善復出矣。驚人工爲仙術，指至理作危言：恍惚迷離，無有是處，辜負吾新小說。無警察學不可以讀吾新小說。新小說有奪滑震之觚，以造新文者：量足印於鴻泥，認齒痕於蘋果；境則曲而復曲，事則歧之又歧。不解此理，則睹乎爾唔斯之假面，得非謂楊戩化身乎？誦馬丁休脫之奇文，得非謂張角天書乎？挾《洗冤錄》，以驗《眼中留影》；按《大清律》，以繩《火里罪人》：方鑿圓枘，無有是處，辜負我新小說。無生理學不可以讀吾新小說。新小說有奪亞當之爐，以造新人者：發電術之奇，靈魂可盜；則陸判換心，不足奇也。抉人種之秘，怪齒頓生；則女媧摶土，不足異也。移三光，倒九泉，神乎技哉！不解此理，則求金鷄那於《本草》，比庫雷唉以仲景：盲探瞎索，無有是處，辜負吾新小說。無音律學不可以讀吾新小說。新小說有奪擺倫之席，以造新曲者：一聲菲立般，血海生花；半闋《瑪拉頓》，蕪城入夢。銅琵鐵板，有此慨慷；殘月曉風，無其淒楚。以平、上、去、入之音，求徒、來、米、發之譜，難矣。不解此理，別請姜白石以正《渣阿亞》之弦，寄《西江月》以填《端志安》之調(《渣阿亞》、《端志安》，擺倫詩篇名)：移宮換羽，無有是處，辜負吾新小說。無政治學不可以讀吾新小說。政論有三界，而新小說亦有三界。《獨立史》，言既往也；《活地獄》，言現在也；《新中國》，言未來也。以但丁之腦，寫盧梭之魂，托實事於空言，心焉傷矣。不解此理，則「寡頭體」、「多頭體」是何名詞，「山岳黨」、「燒灰黨」是何徽號，不將以新小說作《革命軍》乎？如啞子之說戲文，指天劃地，無有是處，辜負吾新小說。無論理學不可以讀吾新小說。論理有「眞」、「申」(二詞名見嚴譯《名學》)，而新小說亦有「眞」、「申」。因是因非，因非因是，其眞詞也；非馬喻馬，非指喻指，其申詞也。《文明小史》，其眞詞也；《天方夜談》，其申詞也。不解此理，則妖魔攝人以入洞，姹女遇仙而墜井，不將以新小說作《封神榜》乎？如盲人之談骨董，驚奇道怪，無有是處，辜負吾新小說。以論讀地：其寫戀愛也，宜對月讀；其寫高潔也，宜對雪讀；其寫富麗也，宜對花讀；其寫孤憤也，宜對酒讀；其寫道德也，宜整襟書齋危坐而讀；其寫義俠也，宜掉舟絕壁之下長嘯而讀；其寫史乘也，宜倚紅袖剪燭而同讀，而決不可於市廛所會，囂塵而睹讀；其寫社會也，宜招同胞四萬萬人，登百尺臺而宣讀，而決不可於三家兩舍，埋頭縮頸而偷讀。以論讀人：《現形記》出，可令官場讀；《發財記》出，可令志士讀；《叩閽記》出，可令文人讀；《雙碑記》出，可令倩女讀；《無名英雄》出，可令賣國奴讀；《秘密使者》出，可令保皇黨讀；《茶花女遺事》出，可令普天下善男子、善女人讀；而獨不許浪子讀，妒婦讀，囚首垢面之販夫讀，秤薪量水之富家翁讀，胸羅「四書」、「五經」、腹飽「二十四史」之老先生讀。要而言之，舊小說，文學的也；新小說，以文學的而兼科學的。舊小說，常理的也；新小說，以常理的而兼哲理的。讀舊小說，須具二法眼藏，一作如是，一作如彼觀。吾恨不令漆園老叟鑿我渾沌人，以觀遍四千年來之舊小說。讀新小說，須具萬法眼藏，社會的作社會觀，國家的作國家觀，心理的作心理觀，世界的作世界觀。吾只得求吾佛慈悲，生萬眼，生萬手，生萬口，以閱遍持遍讀遍無量劫無量數之新小說。雖然，木不能只有長松翠柏，而不有枳棘；物不能只有麒麟鳳凰，而不有梟獍；人不能只有西施、南威，而不有無鹽、嫫母；文不能只有韓海蘇潮，而不有牛鬼蛇神。世非無托西籍以欺人，博花酒之浪費；連篇累牘，不外伯爵夫人、男爵夫人之頭銜；倒篋傾筐，不外男女交合、婚姻指南之生活。言女權，必致一妻多夫；言平等，必致父不能有其子，子不能有其父。其崇拜則金錢而已，其敷衍則唾餘而已，其希望則無賴少年、嗜淫大腹賈而已。讀之令人頭痛，讀之令人發上豎，讀之令人慨慨欲睡，讀之令人欲嘔不能，欲瀉不能，其氣直向下部出。梁啓超見之曰：殺！殺！殺！余則曰：不必殺，不必殺。讀優美小說，如登天堂一通，瓊樓玉宇，固羽化而登仙；讀齷齪小說，如入地獄一通，馬面牛頭，眼界何曾不廓？人能讀優美小說，而不能讀齷齪小說，如能居天堂，而不能居地獄也。仍是梁啓超之不善讀！仍是梁啓超之不善讀！噫吁嘻！豈惟讀之而已哉？吾將請李龜年點版，柳敬亭扣弦，以彈唱之；吾將請優孟被衣冠，亞子傅粉墨，以歌演之。豈惟演唱而已哉？吾將請昆提倫(羅馬大雄辨家)登演說臺以宣講之。豈惟演說而已哉？吾將開小說學堂以教課，策其進步；吾將開小

說科舉以考試，定其出身。客曰：「足矣！毋再混說爲。此皆迂談也，此皆妄說也，此皆痴人說夢也。汝新世界小說社中人耶？仍還汝小說社，輯小說報，以騙人去。毋再混說爲！」迂與不迂，妄與不妄，痴與不痴，此大問題，請以質之讀者，請以質之讀《讀新小說法》者。

觚庵《觚庵漫筆》人無不喜讀小說者，然善讀者實鮮。余最佩聖嘆先生所論讀法中，有急讀、緩讀之二法。急讀者，即自始至終，窮日夜之力，而一氣讀畢之。如行軍然，必合其前鋒、後應、左右翼、中堅，及偵探隊、工程隊、輜重隊、衛生隊，若何支配，若何調遣，若何變化，一一綜核之，所以必待戰事告終，始擊節嘆賞曰：「此良將也。」行文亦然，必合其前引、後結、中段、開合起伏，及人物、事實、境地、時間，若何鋪叙，若何省略，若何配置，一一羅列之，所以必待全卷告終，始擊節嘆賞曰：「此良書也。」使支支節節讀之，鮮有能領悟及此者矣。是小說之所以宜急讀也。緩讀者，就其一章、一節、一句、一字，低徊吟諷，細心領味，使作者當日之精神脈絡貫注經營，無不若燭照數計，心領神會，即此一章、一節、一句、一字，亦且擊節嘆賞曰：「此妙筆也。」使囫圇吞棗讀之，鮮有能體會入微者矣。是小說之所以宜緩讀也。作小說難，讀小說亦不易。率爾操觚者，固不足入著作林；而還珠買櫝，亦爲作者所深痛也。《水滸傳》、《儒林外史》，我國盡人皆知之良小說也。其佳處，即寫社會中，殆無一完全人物。非閱歷世情，冷眼旁觀，不易得此眞相。視尋常小說，寫其主人公，必若天人者，實有聖、凡之別，不僅上、下床也。

王國維《玉溪生詩年譜會箋序》善哉！孟子之言詩也。曰：「說《詩》者不以文害辭，不以辭害志；以意逆志，是爲得之。」顧意逆在我，志在古人，果何修而能使我之所意，不失古人之志乎？引其術，孟子亦言之曰：「誦其詩，讀其書，不知其人，可乎？是以論其世也。」是故由其世以知其人，由其人以逆其志，則古詩雖有不能解者，寡矣。漢人傳詩，皆用此法，故四家詩皆有序。序者，序所以爲作者之意也。《毛序》今存，魯詩說之見於劉向所述者，於詩事尤爲詳盡。及北海鄭君出，乃專用孟子之法以治詩。其於《詩》也，有譜、有箋。譜也者，所以論古人之世也；箋也者，所以逆古人之志也。故其書雖宗毛公，而亦兼采三家，則以論世所得者然也。又《毛詩序》以《小雅》《十月之交》、《雨無正》、《小旻》、《小宛》四篇，爲刺幽王作，鄭君獨據《國語》及緯候以爲刺厲王之詩，於譜及箋，并加厘正。爾後王基、王肅、孫毓之徒，申難相承，洎於近世，迄無定論。逮同治間，函皇父敦出於關中，而毛、鄭是非，乃決于百世之下。【略】信乎論世之不可以已也。故鄭君序《詩譜》曰：「欲知源流清濁之所處，則循其上下而省之；欲知風化芳臭氣澤之所及，則旁行而觀之。」治古詩如是，治後世詩亦何獨不然？余讀吾友張君孟劬《玉溪生年譜》，而益信此法之不可易也。有唐一代，惟玉溪生詩，詞旨最爲微晦。遺山論詩，已有「無人作鄭箋」之嘆。三百年來，治之者近十家，蓋未嘗不以論世爲逆志之具。然唐自大中以後，史失其官，《武宗實錄》亦亡於五季。故新、舊二書，於會昌後事，動多疏舛。後世注玉溪詩者，僅求之於二書，宜其於玉溪之志多所扞格也。君獨旁搜遠紹，博采唐人文集說部及金石文字，以正劉、宋二書之失。宋次道之補亡，吳廷珍之糾繆，君殆兼之而一寄於此譜。以古書例之，朱、馮諸君之書，齊、魯、韓、毛之序也；君書則鄭君之譜及箋也。其所考定者，固質諸古而無疑，其未及論定者，亦將得其證於百世之下。鄭君說《十月之交》，其已事也。

詩話

歐陽修《六一詩話》居士退居汝陰，而集以資閑談也。

司馬光《溫公續詩話》詩話尚有遺者，歐陽公文章名聲雖不可及，然紀事一也，故敢續書之。

許顗《彥周詩話序》詩話者，辨句法，備古今，紀盛德，錄異事，正訛誤也。若含譏諷，著過惡，誚紕繆，皆所不取。

又《彥周詩話》李邯鄲公作《詩格》，句自三字至九字、十一字，有五句成篇者，盡古今詩之格律，足以資詳博，不可不知也。

范溫《潛溪詩眼・鍊字》世俗所謂樂天《金針集》殊鄙淺，然其中有可取者，「鍊句不如鍊意」，非老於文學不能道此。又云「鍊字不如鍊句」，則未安也。好句要須好字，如李太白詩「吳姬壓酒喚客嘗」，見新酒初熟，江南風物之美，工在「壓」字。老杜《畫馬》詩「戲拈禿筆掃驊騮」，初無意於畫，偶然天成，工在「拈」字。柳詩「汲井漱寒齒」，工在「汲」字。工部又有所喜用字，如

「脩竹不受暑」、「野航恰受兩三人」、「吹面受和風」、「輕燕受風斜」，「受」字皆入妙。老坡尤愛「輕燕受風斜」，以謂燕迎風低飛，乍前乍卻，非「受」字不能形容也。至於「能事不受相促迫」、「莫受二毛侵」，雖不及前句警策，要自穩愜爾。

曾敏行《獨醒雜誌》卷二 蔡絛約之好學知趨向。爲徽猷閣待制時，作《西清詩話》一編，多載元祐諸公詩詞文采。臣寮論列，以爲絛所撰私文，專以蘇軾、黄庭堅爲本，有誤人學術，遂落職勒停。

楊萬里《誠齋詩話》 《金針法》云：「八句律詩，落句要如高山轉石，一去無回。」予以爲不然。詩已盡而味方永，乃善之善也。子美《重陽》詩云：「明年此會知誰健，醉把茱萸仔細看。」《夏日李尚書期不赴》云：「不是尚書期不顧，山陰野雪興難乘。」唐人詩：「葛溪浸淬干將劍，卻是猿聲斷客腸。」又《釣臺》：「如今亦有垂綸者，自是江魚賣得錢。」唐人《長門怨》：「錯把黄金買詞賦，相如自是薄情人。」崔道融云：「如今卻羡相如富，猶有人間四壁居。」

韋居安《梅磵詩話》卷中 建安魏醇父慶之，號菊莊，有吟稿行於世，所著《詩人玉屑》，編類精密，諸公多稱之。

方回《桐江集》卷七《漁隱叢話考》 《苕溪漁隱叢話》前六十卷，後四十卷，吾州績溪胡仔元任所著也。仔父舜陟，號三山老人，仕至待制廣西帥，死於靜江府獄中，實秦檜殺之也。而羅鄂州願《新安志略》不書。回嘗見其族孫示予家傳六大袠《靖康圍城中奏議》，戰守事甚多，故詆郭京尤力，後兩帥廬州文臣之善用兵者也。檜之殺之，殆以此故。元任寓居霅上，謂阮閲閎休《詩總》成於宣和癸卯，遺落元祐諸公，乃增益纂集。自國風、漢魏、六朝，以至南渡之初最大家數，特出其名，餘入雜紀，以年代爲先後。回幼好之，先君所藏川本，在八叔父元圭家，回師也，晝夕竊觀，學詩實自此始。後又求麻沙本觀之，一再亡，一再買，不一本矣。閎休《詩總》舊本予求之不能得，今所謂《詩話總龜》者，刪改閎休舊序，合《古今詩話》與《詩總》，添入諸家之説，名爲《總龜》，標曰益都褚斗南仁傑纂集，前後續刊七十卷。麻沙書方，捏合本也。元任以閎休分門爲未然，有湯岩起者，閎休鄉人，著《詩海遺珠》，又以元任爲不然。回聞之吾州羅任臣毅卿所病者，元任紀其自作之詩，不甚佳耳。以其歷代詩人世次爲先後，非不善也。於諸家詩話有去有取，間或斷以己説。視《皇朝類苑》中槪取而並書者，豈不爲優。近回著《名僧詩話》，實用元任條例。元任歷官事迹，當俟續書。

又《古今類總詩話考》 《古今類總詩話》五十卷，題曰左宣教郎任舟集録，録有紹興丙寅年序，婺板也。序文似非深於詩者。其第一卷曰詩體，二曰詩論，三曰詩評，至四卷詩仙以下，多不述出處，必不得已曰某人云，他則若出於己所云者，不如胡元任《叢話》，明寫出處以告人也。

又《詩話總龜考》 《詩話總龜》前後續刊七十卷，改阮閎休舊序冠其首。閎休《詩總》不可得，而閎休舊序全文，在《漁隱叢話》後集第三十六卷中可考。閎休謂宣和癸卯官郴江，類得一千四百餘事，分四十六門，而《總龜》今序刪去此語。如「栗炮燒氈破，猫跳觸鼎翻」，所引六聯，卽今序，猶襲用之。按今《總龜》又非胡元任所見閩本《總龜》矣，元任所見全去閎休舊序。今予所見序，乃間用閎休語，而文甚不佳。序之尾曰「歲在屠維赤奮若」，卽當是紹定二年己丑書坊本也。書目引《南軒東萊集》，便知非乾道五年己丑。所謂作序人華陽逸老者，書坊僞名。所謂集録益都褚斗南仁傑者，其姓字不芳，中間去取不當，可備類書談柄之萬一。初學詩者，恐不可以此爲準也。

又《詩海遺珠考》 《詩海遺珠》九卷，凡六百二十七條，九華湯岩起夢良分教潭陽日所集也。阮閎休家池州之桐陵縣，夢良乃其鄉人。謂胡元任《叢話》爲非，不當廁以己作，説固然矣。閎休在宣和末，以時禁略去元祐諸公，而元任益入《叢話》，此豈可謂爲佞哉。夢良自序，蓋淳熙十三年丙午。取閎休家所有書，抄録而成，曾慥《宋百家詩選》中語或全抄入。其人家標總，書宋詩人一百六十餘人，有蘇仲豫而無叔黨，有江端友而無端本，清江三孔、昭德諸晁皆不與，王立之父王棫非詩人也，張山人作十七字詩者，詩之優伶也，則皆書之。予初疑是有其事卽書，無者不書，然中間亦各有其事。且凡他人詩話，皆不標出其名，如以爲己所云者，舛剌如此，殆未可輕訾胡元任也。如山谷《荆州十詩》「閉門覓句陳無己，對客揮毫秦少游」。正字不知溫飽味，西風吹淚古藤州」，謂後山惡其人，以生人對死人，未幾果卒。不云是何人語。按是年建中靖國元年辛巳七月，東坡卒於常州，而山谷未知，有云「玉堂若要眞學士，須得儋州禿鬢翁」，前輩謂之不敬，回則謂山谷詩更有犯時忌處，如「死者已死黄霧中，三事不數兩蘇翁」，使見任宰執見此，豈不嗔忌？而指坡穎爲難駕馭，又豈不爲坡穎之累。

少游死，無己生，聯以爲對，此却不妨，古人初無忌諱。適是年十二月二十九日，後山亦卒，故有後來之論云。

又《詩苑類格考》 《詩苑類格》三卷，李邯鄲淑所著也。上卷冠以眞宗五七言八篇，次以沈約、鍾嶸、王通、上官儀、劉允濟、孫翌、殷璠、釋皎然、元微之、孟郊、李翺、姚合、杜牧、皮日休、司空圖、顧陶、釋虛中、李慮、徐生、徐衍、邱旭、張洎二十有二人議論。中卷采古詩雜體爲三十門，下卷別錄詩格六十七門，蓋亦有可觀者。如魯國孔融文舉，拆六字爲四言詩二十四句，曰離合體，謔浪之所爲耳。回謂詩亦本不拘體，體其形似而已。山谷之嚴，東坡之活，猶之禪也，全在飽參。淑所引有「風織池間字，蟲穿葉上文。」「僧房嵩岳色，公府洛河聲。」「乘舟向野寺，着屐到人家。」「洞庭秋葉落，天目暝雲飛。」「蝶飛逢草住，魚戲見人沉。」一句如「院開松裏雪」、「廚牕燕往來」，此等新語，看之如易，而得之甚難。在學者苦思多作，悟解成就，自不見痕迹也。淑字獻臣，李康靖公若谷之子，屢入翰林，歐陽公集中具見劾文，平生招人言不一，又以鄭州爲周陵詩，有「不知門外倒戈迴」之語，爲包拯、吳奎論奏。《西清詩話》謂其後爲人所戲，謂令祖能作詩者是也。

又《瑤池集考》 《瑤池集》，通議大夫徽猷閣待制秦鳳路經略安撫使知秦州郭思所著，蓋詩話也。一曰詩之六義，二曰詩之諸名，三曰詩之諸體（與李叔詩格相類，凡八十一體可無述），四曰詩之諸式（凡二十九式），五曰詩之景，以至十五曰詩之諸説。舉歐陽公與王荆公對言，而曰：「歐陽永叔情實而葩華，此文之全於才者也。王舒王誠意而粹熟，此文之全於道者也。」予一讀此語，便見其繆。元祐黄、陳、晁、張、秦少游、李方叔諸公，無一語及之，惟引蘇長公「軟飽黑甜」一聯，及「筆頭上挽得數萬斤」語，於歐、蘇皆字之，而於荆公獨王之，蓋宣靖間時好。荆公詩雖工密，然格不高，立言命意有頗僻處，又焉得謂之全於道。南渡後諸家詩話，未有一人拈出此集者。予得之錢塘書肆，乃士夫家錄本也。「行人問宮殿，耕者得珠璣」，劉貢父以爲蜀人楊諤詩，而此謂之黄子思詩。如謂拗聲拗字大爲不可，卽是暗排山谷。且郭多主老杜，杜詩有拗聲拗字者甚多，此非公論也。張芸叟婿司馬朴一聯「滿地烟含芳草綠，倚欄露泣海棠紅」，書以爲詩之景。芸叟集煞有好詩，卻不書，足見此人全是惡元祐者。自書己作一聯「猿戲山花暖，人行塞柳青」，全無滋味。其他所書佳句亦多，然二十九式曰渾成、曰雄特、曰雅健、曰和熟之類，與分杜詩爲神聖工巧者，又何以異哉。此人無詩集傳世，屢稱先子，其父乃善畫山水人郭熙，坡、谷皆有詩稱其畫，河陽溫人。

又《張天覺律詩格考》 《無盡居士集》七十卷，律詩格上下在第六十八、六十九卷，本江西僧明鑑所編，有曹輔子方紹聖三年序。是時無盡方以左司謫金陵，起帥南昌，至大觀而後爲相。此所謂律詩格者，決非無盡所作。商英之爲人雄辯詭譎，自謂得兜率悦之傳，天下號爲相公禪，其立朝首爲章子厚所引，元祐間以呵佛罵祖語斥，偶以代蔡京，稍反其政，遂得人望，疵百而醇毫毛耳。其於詩雖不深，其論詩亦不當如是之陋也。何謂陋？其論六義比興有曰：「興者乘興而作，故謂之興。」予故曰此決非無盡所作也。無盡好爲人題畫像贊，言博而肆，以此推之，其肯作此等律詩格哉？「邢者得之邢公美大夫處」，殆後人不識文字者誤增入耳。

又《詩人玉屑考》 《詩人玉屑》二十卷，建安魏慶之醇甫所集也。淳祐四年甲辰黄易叔暘爲序。魏號菊莊，黄號玉林。黄亦有詩話及《中興絕妙詞選》行世。序謂《玉屑》勝《漁隱叢話》，不然也。《漁隱》編次有法，先書前賢詩話、文集，然後間書己見，此爲得體。他人與《玉屑》，往往刊去前賢標題，若己所言者，下乃細注出處，使人讀之如無首然。又或每段立爲品目，殊可憎厭。况又不能出《漁隱》度外，其前載諸賢詩評，不過增南渡以後諸公議論，如朱文公、楊誠齋、趙章泉語，吾無間然，嚴滄浪、姜白石評詩雖辨，所自爲詩不甚佳。凡爲詩不甚佳，而好評詩者，率是非相半，晚學不可不知也。其詩體、句法之類，與李淑、郭思無異。其後歷叙《三百篇》、漢魏，以至南渡，人別爲異，卽《漁隱》條例耳。閩人有非大家數者，特書之，亦可刪也。

又《竹莊備全詩話考》 《竹莊備全詩話》二十七卷，開禧二年丙寅處州人新德安府教授何汶所集也。第一卷載諸家詩話議論，第二十六、二十七卷摘警句，中皆因諸家詩話爲題，而載其全篇，不立己見己説，蓋已經品題之詩選也。《木蘭詩》、《焦仲卿詩》，見古樂府。鄭愚《津陽門》詩、劉義《冰柱》、《雪車》詩諸名輩大篇，膾炙人口者俱在，可資話柄，亦似類書。乾淳以來鉅公詩則未有之。汶、群、從、澮等七人登科，洋、湇同慶元丙辰榜。

又《可言集考》 《可言集》前後二十卷，金華魯齋王公栢字會之之所著也。魯生慶元三年丁巳，祖師愈嘗登龜山之門，後與朱、張、呂三先生交，仕至中奉大夫、直煥章閣，爲乾淳名卿，文公銘墓。父澣師呂，亦逮事朱，仕至

朝奉郎，主管建昌軍仙都觀。魯齋年十五喪父，初自號長嘯，其詩文曰《長嘯醉語》。紹定二年己丑，年三十三矣，始棄科舉之學，見撝堂劉公炎。端平元年甲午，以長嘯爲非持敬之道，改號魯齋。二年乙未，見船山楊公與立，始聞何公基北山之名而見焉。基字子恭，勉齋先生黄公高弟，遂北面師之。平生著述精確峻潔，鑽研文公諸書良苦，足爲勉齋嫡孫無忝也。咸淳甲戌七月初九日卒，年七十八。此集專以評詩，故曰《可言》。前集七卷，一、二、三卷取文公文集語録等所論三百五篇之所以作，及詩之敎、之體、之學，而及於騷。四、五、六、七卷取文公所論漢以來至宋及題跋近世諸公詩，皆擷撲不破之説也。後集十三卷，各專一類，而論其詩者二十三人，曰濂溪、曰横渠、龜山、羅豫章、李延平、徐逸平、胡文定、致堂、五峰、朱韋齋、劉屏山、潘默成、吕紫微、曾文清、文公、宣公、成公、黄穀成、黄勉齋、程蒙齋，徐毅齋、劉篁𡼖、劉漫塘。附見者五人，曰劉靜春、曾景建、趙章泉、方伯謨、李果州。其第十五卷，本是續集一卷，專取漢唐山夫人《房中樂》，然則其立論可謂嚴矣。予嘗私評章泉詩，當在漫堂上，欲擇其精者，別出示人。近人無能及者。顧此亦未足泥。文公、成公於「思無邪」，各爲一説，前輩謂之未了公案。「《詩》三百，一言以蔽之，曰思無邪」，自古及今皆謂作詩者皆思無邪，文公獨不謂然。《論語集註》謂「凡詩之言善者，可以感發人之善心；惡者，可以懲創人之逸志」。觀此固已謂詩人之言，有善有惡，作詩之人不皆思無邪矣。猶未太痛快也。文集第七十卷《讀東萊詩紀》乃有云：「孔子之稱思無邪也，以爲《詩》三百篇勸善懲惡，雖其要歸，無不出於正，然未有若此言之約而盡者耳。非以作詩之人所思皆無邪也。」今考東萊所説，見《桑中》詩後，謂詩人以無邪之思作之，學者以無邪之思讀之。文公則辨之曰：彼雖以有邪之思作之，而我以無邪之思讀之。二公之説不同如此。又「雅、鄭」二字，文公謂《桑中》、《溱洧》卽是鄭聲衛樂，二《雅》乃雅也。成公謂《桑中》、《溱洧》亦是雅聲，彼桑間濮上已放之矣。予嘗詳録二先生異説於思無邪章。今魯齋但紀文公之説，而不紀成公之説，雖引成公《讀詩記》所説十有三條，而《桑中》詩後一條不録，無乃以文公之説爲是耶。別見《魯齋詩説》，則謂今之三百五篇，豈盡夫子之三百五篇？秦法嚴密，詩豈獨全。竊意刪去之詩，容有存於閭巷浮薄之口。漢儒病其亡逸，概謂古詩，取以足數。小序又文以他辭，而後儒不敢議，欲削去淫奔之詩三十有二，以合於聖人放淫之大訓。予晚進，未敢遽從，竊謂《桑中》、《溱洧》非淫奔者自爲之詩，彼淫奔者有此事，而傍觀之人有羞惡之心，故形爲歌咏以刺譏其醜，譬如今之鄙俚，如賺如令，連篇累牘，形容狹邪之語，無所不至，豈淫者自爲之乎？傍觀者爲之也。文公以淫奔之詩出於淫奔者之口，故不惟不信小序，而大序「止乎禮義」之言亦致疑焉。蓋謂《桑中》、《溱洧》等作，未嘗止乎禮義也。予妄意以爲采詩觀風，詩亦史也。鄭衛之淫風盛矣，其國豈無君子者與好事者察見其人情狀，故從而歌咏之。其所以歌咏之，蓋將以揚其惡，雖近乎戲狎，而實亦足以爲戒也。文公以爲淫奔者自爲是詩，則其人亦至不肖，太無恥矣，惡人之尤也，聖人何以録焉。成公謂《詩》，雅樂也，祭祀朝聘之所用也。桑間濮上之音，鄭衛之樂也，世俗之所用也。《桑中》、《溱洧》諸篇，作於周道之衰，雖已煩促，猶止於中聲。孔子嘗欲放鄭聲，豈有刪詩示萬世，乃收鄭聲以備六藝乎？此説不爲無理。而文公則謂鄭風、衛風若干篇，卽是鄭衛，大雅、小雅若干篇，卽是雅。《二南》正風，房中之樂也，鄉樂也。《二雅》之正，朝廷之樂也。商周之頌，宗廟之樂也。變雅無施於事，變風特里巷之歌謡，必曰《三百篇》皆祭祀朝聘之所用，則未知《桑中》、《溱洧》之屬，當以薦何等之鬼神，接何等之賓客耶？予謂此□説者，內翰尚書王應麟與予屢商略之矣。作詩不必皆思無邪，讀詩則皆當思無邪，文公之説也。作詩之人、讀詩之人，兩皆思無邪，成公之説也。因是遂辨「雅、鄭」二字，而及於《三百篇》，或用爲樂，或不用爲樂，三節不同，所以謂之未了公案，學者不可不細考也。予考十家所裒詩話，始於胡苕溪，博也，終於王魯齋，約也，欲學詩者觀是足矣。

趙文《青山集》卷一《郭氏詩話序》　古之爲詩者，率其情性之所欲言，惟先王之澤在人，斯人情性一出於正，是則古之詩已。尹吉甫自謂穆如清風，蘇公自謂作此好歌，當其意到語適，自清自好，亦不知見刪於聖人而傳於後世也。夫子之於《詩》，刪之而已，無所論説也，亦間有所發明，如「爲此詩者，其知道乎」？孟子又申之曰：「故有物必有則。民之秉彝也，故好是懿德。」而詩話始此矣。《三百篇》後，建安以來，稍有詩評。唐益盛，宋又盛，詩話盛而詩愈不如古。此豈詩話之罪哉！先王之澤遠，而人心之不古也。舊見胡仔《漁隱叢話》，雖其間不無利鈍，亦觀詩之一助。又有《總龜》，俗甚。黄氏《玉屑》最後出，大抵掇《漁隱》之緒餘而已。

吳澄《吳文正公集》卷二一《蒼山曾氏詩評序》 宋末江右之能詩者，若章貢、若廬陵、若臨川、若盱江、若清江，皆有人焉。所入、所造雖殊，而各有可取。其學識，則章貢曾子實爲諸詩人之冠。《詩評》一篇，乃其同鄉之士黎希賢所輯，可與朱子《答鞏仲至》一書相並，而又發其所未發，備評諸家詩，未有若是其的切周悉者也。得此不惟可以見前輩觀書之眼目，抑眞可以爲後進之階梯。

范梈《木天禁語》 唐人李淑，有《詩苑》一書，今世罕傳。所述篇法，止有六格，不能盡律詩之變態。今廣爲十三，檃括無遺。猶六十四卦之動，不出於八卦，八卦之生，不離奇偶，可謂神矣。目曰「屠龍絕藝」。此法一洩，大道顯然。

卞永譽《式古堂書畫彙考》卷二《李君實評帖》 宋嚴羽卿論詩，姜堯章論書，皆精刻深至，具有卓見。及所自運，顧遠出諸名家後。大抵議論與實詣，確然兩事。議論者識也，實詣者力也。力旺者能蔑識，識到者又能消力。語云：「識法者懼，每多拘縮。」天趣不得泛濫也。觀白石書，詠滄浪詩，自當得之。

李東陽《懷麓堂詩話》 唐人不言詩法，詩法多出宋，而宋人於詩無所得。所謂法者，不過一字一句對偶雕琢之工，而天眞興致，則未可與道。其高者失之捕風捉影，而卑者坐于黏皮帶骨，至于江西詩派極矣。惟嚴滄浪所論超離塵俗，眞若有所自得，反覆譬說，未嘗有失。顧其所自爲作，徒得唐人體面，而亦少超拔警策之處。予嘗謂識得十分，只做得八九分，其一二分乃拘于才力，其滄浪之謂乎？若是者，往往而然。然未有識分數少而作分數多者，故識先而力後。

謝榛《四溟詩話》卷二 鍾嶸《詩品》，專論源流，若陶潛出應璩，應璩出於魏文，魏文出於李陵，李陵出於屈原。何其一脈不同邪？

又卷四 嚴滄浪謂作詩譬諸劊子手殺人，直取心肝。此說雖不雅，喻得極妙，凡作詩須知道緊要下手處，便了當得快也。其法有三：曰事，曰情，曰景。若得緊要一句，則全篇立成，熟味唐詩，其樞機自見矣。

都穆《正德尹刊本滄浪嚴先生吟卷序》 作詩難，論詩尤難。古人之論詩者多矣，然皆泛略不同，鮮有定識，求其精切簡妙，不襲故常，足以指南後學，如《滄浪先生吟卷》者，豈非詩家之至寶乎？先生之言曰：「論詩如論禪，禪道唯在妙悟，詩道亦在妙悟，盛唐諸公透徹之悟也。」推源漢魏以降，而截然以盛唐爲法。夫詩而至於妙悟，詩之道無以加矣。後之詩人，無識者固不足道，過高者乃多法漢魏，蔑視盛唐，殊不知詩之衆體至唐始備。唐之不能爲漢魏，猶漢魏之不能爲唐也。冠裳而服，豆籩而食，裀席而坐，可以行諸三代而不可行於後世者，非三代之法不善也，時不同也。詩亦若是而已矣。先生之論又曰：「詩有別材，非關書也。詩有別趣，非關理也。盛唐諸人專主意興，而理在其中，故其詩如空中之音，水中之月，鏡中之象，言有盡而意無窮也。」美哉論乎！人惟詩無實見而求入唐人之室，往往以平日之業舉子，談道德者韻之爲詩，彼固自以爲是，而世之好之者乃曰此誠詩也，此詩之有理而非光景流連者也，遂翕然從而效之。嗚呼！詩而至是，詩之道不幾於厄乎？唐姑置之，詩以《三百篇》爲經，其首篇自「關關雎鳩」至「君子好逑」，理初未之及也，而至理寓焉。孔子曰：「人莫不飲食也，鮮能知味。」又曰：「百姓日用而不知。」日用飲食非道，而所以爲道者不外是也。知此，可以觀先生之詩矣。

和春《正德王氏本滄浪嚴先生吟卷跋》 《詩辨》等作，其識精，其論奇，其語峻，其旨遠，斷自一心，議定千古。至於指妙悟爲入門，取上乘爲準則，陋餘子爲聲聞，評辨考證，種種詣極，故談者尙焉。【略】噫，識詩者宋季以來無逾滄浪。

楊愼《升庵集》卷六五《瑣語》 文，道也；詩，言也。語錄出，而文與道判矣；詩話出，而詩與言離也。

文徵明《南濠居士詩話序》 詩話必具史筆，宋人之過論也。玄辭冷語，用以博見聞、資談笑而已，奚史哉？所貴是書，正在識見耳。若拾錄闕遺，商訂古義，不爲無裨正史，而雅非作者之意矣。

顧起元《懶眞草堂集·文集》卷一六《芸林詩話序》 昔鍾參軍有《詩品》，皎然有《詩式》，其於掎摭利病，標示軌度，可謂具矣。至宋而說詩之錄益繁，蓋笥不易藏，而讀不勝乙。其推案之嚴，苛於用筆；攻刺之巧，憯於墨兵。是誠掞咏之金科，而摛詞之玉律也。夫以悄焉動容，神通萬里；寂然凝慮，思接千秋。東坡先生有云：「急追而赴之，如兔起鶻落，少縱焉則逝矣！」何暇計夫四聲八病十二格之得失，覷覷焉趨且避爲哉！雖然李廣之簡易，自號「飛將軍」，而程不識治刁斗、遠斥堠，亦自可以不敗。【略】士誠繇說而悟詩

之法，繇法而悟詩之意，情變所孕，神用無方，物以貌求，心以理勝，工倕旋而蓋規矩於以墨守而有餘矣。博學而詳說之，豈不彬彬然興於詩哉！

皇甫汸《解頤新語》卷四《詮藻》 魏文帝《詩格》：六志、八對、三例、八病。其說拘泥，恐出僞託。

又 鍾嶸《詩品》，歷叙作者，每人明其源所自出，蓋辭有或沿波而討源。

胡應麟《少室山房集》卷一〇六《題庚溪詩話後》 詩話最盛于宋，當未渡南日，不啻數十家，而知詩者曾弗一二。至南渡末，而劉會孟、嚴羽卿出，遂以譚藝雄古今。

《詩藪·内編》卷二 嚴氏以禪喻詩，旨哉。禪則一悟之後，萬法皆空，棒喝怒呵，無非至理。詩則一悟之後，萬象冥會，呻吟咳唾，動觸天眞。然禪必深造而後能悟，詩雖悟後，仍須深造。自昔瑰奇之士，往往有識窺上乘，業阻半途者。

又 嚴羽卿論詩，六代以下甚分明，至漢魏便鶻突。由此處勘覈，未破黄檗，所謂融大師横說豎說，尚未得向上關捩子也。昌穀始中要領，大暢玄風。

又 嚴謂建安以前，氣象渾淪，難以句摘，此但可論漢古詩。若「高臺多悲風」、「明月照高樓」、「思君如流水」，皆建安語也。子建、子桓工語甚多，如「丹霞夾明月」、「華星出雲間」、「秋蘭被長坂」、「朱華冒綠池」之類，句法字法，稍稍透露，仲宣、公幹以下寂寥，自是其才不及，非以渾淪難摘故也。

又 宋末嚴儀卿識最高卓，而才不足稱；謝皋羽才頗縱横，而識無足取。

又 蕭統之《選》，鑒别昭融；劉勰之評，議論精鑿。鍾氏體裁雖具，不出二書範圍。至品或上中倒置，詞則雅俚錯陳，非蕭、劉比也。明則昌穀《談藝》，可并《雕龍》；廷禮《正聲》，無慚《文選》。

又卷五 嚴羽卿云：「詩有别才，非關書也；詩有别趣，非關理也。」十六字在詩家，即唐虞精一語不過。惟杜老難以此拘，其詩錯陳萬卷亡論。至說理如「寂寂春將晚，欣欣物自私」之類，每被儒生家引作話柄。然亦杜能之，後人蹈此，立見敗缺。益知嚴語當服膺。

又《外編》卷二 嚴氏云：「漢魏尚矣，不假悟也；康樂以至盛唐，透徹之悟也。」此言似而未核。漢人直寫胸臆，斵削無施，嚴氏所云，庶幾實錄。建安以降，稍屬思惟，便應懸解，非緣妙悟，曷極精深。觀魏文《典論》，極贊文章之無窮；陳思書牘，欲以翰墨爲勳績。點竄相屬，筆削不遑，鍛鍊推敲，殆同後世，豈直曰悟而已。吾爲易曰：兩漢尚矣，不假悟也。曹、劉以至李、杜，透徹之悟也。

又 《詩品》云：「陳思魏邦之傑，公幹、仲宣爲輔。士衡晋室之英，安仁、景暘爲輔。康樂宋代之雄，顔延年爲輔。」亦頗得之。然公幹、仲宣非魏文比，安仁、景暘非太冲比，延之非明遠比，錯綜諸集，參伍群言，鍾所剖裁，似難僉允。至嗣宗介魏、晋間，元亮介晋、宋間，品格位置，可謂天然，無容更議也。

又 昌穀之論五言古極有會，惟四言不甚究心，謂韋孟諸篇，捃縛不蕩。弇州非之，是矣。至舉曹公「月明星稀」，子建「來日大難」爲四言法，此尤非也。二詩雖精工華爽，而風雅典刑幾盡。在五言古則爲齊、梁，在七言律則爲大曆，實四言之一變也。韋孟諸作後，惟陳思《責躬》一首可繼，識者知之。

又卷四 嚴羽卿之《詩品》，獨探玄珠；劉會孟之《詩評》，深會理窟；高廷禮之《詩選》，精極權衡。三君皆具大力量，大識見。第自運俱未逮，嚴極稱盛唐，而調仍中、晚。劉甚尊李、杜，而格僅黄、陳。高稍能作初唐語，亦才影響耳。然不可以是掩其所長，如近李于鱗選唐詩，與己所作略無交涉。若並波及其詩，則非公論也。

又《雜篇》卷二 唐人詩話入宋可見者：李嗣眞《詩品》一卷，王昌齡《詩格》一卷，皎然《詩式》一卷、《詩評》一卷，王起《詩格》一卷，姚合《詩例》一卷，賈島《詩格》一卷，王叡《詩格》一卷，元兢《詩格》一卷，倪宥《龜鑑》一卷，徐蜕《詩格》一卷、《騷雅式》一卷、《點化秘術》一卷、《詩林句範》五卷，《杜氏詩格》一卷，徐氏《律詩洪範》一卷，徐衍《風騷要式》一卷，《吟體類例》一卷，《歷代吟譜》二十卷，《金針詩格》三卷。今惟《金針》、《皎然》、《吟譜》傳，餘絶不覩，自宋末已亡矣。近人見宋世詩評最盛，以爲唐無詩話者，非也。《金針集》題白樂天，宋人皆以爲僞，想當然耳。（宋梅聖俞又有《金針集》，亦僞作。）

又 唐人好集詩句爲圖，今惟張爲《主客》，散見類書中，自餘悉不傳，漫記其目：《古今詩人秀句》二十卷，元兢編。《泉山秀句》二十卷，黄滔編。《文場秀句》一卷，王起編。《賈島句圖》一卷，李洞編。《詩圖》一卷，倪宥編。

《寡和圖》三卷，僧定雅編。《風雅拾翠圖》一卷，惟鳳編。宋則呂居仁有《宗派圖》，高似孫有《選詩句圖》，尚存。

又　唐人詩話今傳者絶少，孟棨《本事詩》，小説家流也。惟殷璠、高武頗有論斷。張爲《主客圖》，義例迂僻，良堪噴飯。然其所詮，亦自有意，特創爲主客之説，與鍾嶸謂源出某某者，同一謬悠耳。無名氏有《續本事詩》，今不傳，盧瓌有《抒情集》，亦本事詩類也（會昌侯氏一詩，云載《抒情集》，可見）。

又卷五　南渡人才，遠非前宋之比，乃談詩獨冠古今。嚴羽卿崛起爐餘，滌除榛棘，如西來一葦，大暢玄風。昭代聲詩，上追唐、漢，實有賴焉。惟自運不稱，故諸賢略之。

王世貞《藝苑卮言》卷三　吾覽鍾記室《詩品》，折衷情文，裁量事代，可謂允矣，詞亦奕奕發之。第所推源出於何者，恐未盡然。邁、凱、昉、約，濫居中品，至魏文不列乎上，曹公屈第乎下，尤爲不公，少損連城之價。吾獨愛其評子建「骨氣奇高，詞采華茂，情兼雅怨，體被文質」；嗣宗「言在耳目之內，情寄八荒之表」；靈運「名章迥句，處處間起。麗典新聲，絡繹奔會」；越石「善爲淒戾之詞，自有清拔之氣」；明遠「得景陽之詭俶，含茂先之靡嫚，骨節強於謝混，驅邁疾於顔延。總四家而擅美，跨兩代而孤出」；玄暉「奇章秀句，往往警遒。足使叔源失步，明遠變色」；文通「詩體總雜，善於摹擬，筋力于王微，成就於謝朓」。此數評者，贊許既實，措撰尤工。

又《弇州山人四部稿》卷一一八書牘《汪伯玉》　舊有《卮言》六卷，自謂藝圃鷄肋，偶有便手，聊刻成帙，然不敢多示人。今奉備一夜之覽，其痛刪之。

又《弇州山人續稿》卷四一《蒼雪先生詩禪序》　詩禪無詩，自蒼雪翁而後有詩也。夫以代定格，以格定乘者，嚴儀氏也。詩自爲格，格自爲乘者，蒼雪翁也。蒼雪翁之於詩，采不能六代，體不能五七言古，姑卽唐之律、絶，以近易曉學人。大指「意趣在養，格調在審」三語盡之。而所謂「神來者，從容中道；氣來者，觸處而發；情來者，悠然而得」，則嚴儀氏未前發也。當蒼雪翁之論詩在仁、宣者，學士大夫尚侵淫於勝國之習而不自覺，乃欲以數語抉造化之秘而振起之，不亦偉杰丈夫哉！

又卷一八一《李仲之能茂》　若説詩者，亡慮十餘家。往往可采，而獨蘭谿胡元瑞氏，最爲博識宏覽。所著《詩藪》，上下數百千年，雖不必字字破的，人人當心，實藝苑之功臣，近代無兩。渠必欲僕序之，亦以避標榜之訾。

又卷一九六書牘《答邢知吾》　胡元瑞《詩藪》亦見否？其采可謂博，而持論可謂精，尚不免有偏枯處。

又卷二〇六書牘《答胡元瑞》　僕故有《藝苑卮言》，是四十前未定之書。于鱗嘗謂：「中多俊語，英雄欺人。」意似不滿，僕亦服之。第渠所棄取，却未盡快人意。得足下《詩藪》，則古今談藝家盡廢矣。

又　後得一書，知以《詩藪》序爲急；第三書亦如之。足下于詩，緣世定格，緣格定品，以故秩然經緯；而至于本性之情，窮極窈眇，因常究變，曲盡劌劇。昔人所謂「上下三千年，縱横一萬里，前無古人，後無繼者」，殆非虚也。足下意此序非僕不可。僕生平不自愛其文，卽三家之社如君家釘鉸者，亦且應之。而今得遂以《卮語》爲《詩藪》前驅，豈非至幸極快。雖然兄説之盡矣，何所復贅！且足下于有明作者，雖極爲假借，以彰一代之盛，然猶不盡惜雌黄，而至僕獨過垂飾奬，幾遂超何、李之乘；許及亡弟，亦在雁行。竊懼世人之笑我，以我互相標榜也。

陳繼儒《偃曝談餘》卷下　嚴滄浪云：「學漢魏晋與盛唐詩者，臨濟下也。學大曆以還之詩者，曹洞下也。」此老以禪論詩，瞠目霄外。不知臨濟、曹洞，有何高下？而乃勤其門庭影響之語，抑勒詩法，眞可謂杜撰禪。

茅一相《詩訣》　古今談詩無慮數百家，近讀王子《卮言》，則囊括天地，驅策古今，由屈宋而下，咸承顔聽命于筆札之間，如庖丁解牛，造父御驂，惟其所之而無不中的矣。嘗聞匡鼎説詩，人爲解頤，余所錄，雖不盡于王，而要能使人解頤也。微斯人，吾誰與歸？其次迪功，司勛乎？餘弗論也。後學茅一相跋。

許學夷《詩源辯體》卷三五　世傳魏文帝《詩格》，其淺稚卑鄙無論，乃至竊沈約「八病」之説，又引齊、梁詩句爲法，蓋村學盲師所爲，不足辯也。

又　沈約論詩有「八病」之説，鍾嶸、皎然、滄浪、元美已嘗詆之，不必致辯。然此乃變律之漸，無足怪也。

又　劉勰《文心雕龍序》，述大略得其要領。

又　鍾嶸《詩品》以三品定士，其上品無愧，下品獨屈曹公，惟中品多可上下者。其言陳思爲建安之傑，公幹、仲宣爲輔；陸機爲太康之英，安仁、景陽爲輔；謝客爲元嘉之雄，顔延年爲輔：乃當時衆論所同，非一人私見

也。至論源流所自，率多謬誤，元美、元瑞亦嘗詆之。惟言古詩，曹植其源出於《國風》，陸機、靈運其源出於陳思，爲不謬耳。

又　鍾嶸與王融、謝朓、沈約同時，而論詩不爲所惑，良可宗尚。其論三子云：「曹、劉、陸、謝不聞宮商之辨，四聲之論，三祖之詞，文或不工，而韻入歌唱，此重音韻之義也，與世之言宮商者異矣。文製本須諷讀，不可蹇礙，但令清濁通流，口吻調利，斯爲足矣。平、上、去、入，余病未能。蜂腰、鶴膝，閭里已甚」云云。此論堪爲吐氣。

又　世傳上官儀、李嶠、王昌齡各有《詩格》，昌齡又有《詩中密旨》，白居易有《金針集》，又有《文苑詩格》，賈島有《二南密旨》，淺稚卑鄙，俱屬僞撰。予曩時各有辯論，以今觀之，不直一笑。蓋當時上官儀、李嶠、王昌齡、白居易俱有盛名，而賈島爲詩，晚唐人亦多慕之，故僞撰者託之耳，亦猶今世刻《詩學大成》，託名李攀龍也。宋人言之而有未盡，今更詳之。

又　皎然《詩式》，有「百葉芙蓉，菡萏照水」例、「龍行虎步，氣逸情高」例、「寒松病枝，風擺半折」例，率皆穿鑿附會。又有不用事、作用事、直用事等格，其所引詩句亦多謬妄。大抵皆論句不論體，故多稱齊、梁而抑大曆耳。

又　司空圖論詩，有「梅止於酸」等二十四字，得唐人精髓。其論王摩詰、韓退之、元、白正變，各得其當，遠勝皎然《詩式》，東坡、元瑞皆稱服之。

又　齊己有《風騷旨格》，虛中有《流類手鑑》，文或亦有《詩格》。齊己「十勢」之說，倣於皎然，虛中倣於《二南密旨》，文或「十勢」又倣於齊己，大抵皆穿鑿淺稚，互相剽竊。《桂林詩評》略言大體，較前三家稍爲有見。中有象外句格、當句對格、當字對格、十字句格、十字對格，雖非本要，未爲穿鑿。又有假色對格、假數對格、盤古格、騰驤格，則又穿鑿鄙陋矣。

又　徐寅、徐衍、李慮、徐生、王夢簡、王叡、王玄論詩，俱屬卑鄙。徐寅多出齊己。王玄引韓熙載、廖融詩，蓋五代時人。按：齊己詩於晚唐最下，餘十人亦無聞，其論應爾，不必致辯。

又　宋梅堯臣有《續金針詩格》，又有《梅氏詩評》，亦屬僞撰。

又　宋人詩話種種，不能殫述。然率多紀事，間雜他議論，無益詩道。

又　敖器之評詩，自魏武而下，人各數語。其評陶彭澤、鮑明遠、李太白、王右丞、韋蘇州、柳子厚、韓退之、白樂天、孟東野、李義山正變，各得其當，則似有兼識者。元美、元瑞雖極淵源，然於淵明、韋、柳已不能知。至於韓、白諸子，則瞢然矣。

又　《劉後村詩話》與諸家稍異，中雖亦紀事，間雜他議論，然亦有關於詩教。但其論卑者，仍爲宋人高者，得於影響。至其尊蘇卑黃，其意見超宋諸家一等。

又　嚴滄浪論詩，有詩辯、詩體、詩法、詩評、考證等目，唐、宋人論詩，至此方是卓識。其拈出妙悟、興趣二項，從古未有人道。胡元瑞云：「宋以來評詩不下數十家，皆喨囈語耳。刬除荆棘，獨探上乘者一人，嚴儀卿氏」（滄浪字儀卿。已上元瑞語）。近編《名家詩法》止錄其詩體，而諸論略附數則，其精言美語刪削殆盡，良可深恨！

又　滄浪論詩之法有五：一曰體製，二曰格力，予得之以論漢、魏；三曰氣象，予得之以論初唐；四曰興趣，予得之以論盛唐；五曰音節，則予得之以槩論唐律也。

又　滄浪論詩與予千古一轍，然今人於滄浪不復致疑，而於予不能無惑者，蓋滄浪之說渾淪，而予之說詳悉。滄浪云：「論詩如論禪，漢、魏、盛唐第一義也。大曆以還，小乘禪也，已落第二義矣。晚唐則聲聞辟支果也」（聲聞辟支果，即小乘禪，滄浪誤言之）。此論孰敢不從？若予詳論漢、魏、盛唐之妙，既非今人之所能知；至論大曆、晚唐之病，尤世人之所惡聽。此猶諱疾忌醫，而徒慕和、扁也。

又　古今論詩者，往往有絕到之語，及觀其取捨，考其製作，每多與議論不合，蓋其說本是據理揣摩，初未有眞得也。滄浪云：「詩道惟在妙悟。」又云：「盛唐諸人惟在興趣。」故於孟浩然取其妙悟，於崔顥《黃鶴樓》稱爲唐人七言律第一，是其取捨相合也。又言：「學者以盛唐爲師，不作開元、天寶以下人物。」故其詩悉出盛唐，而樂府歌行又似太白，是其製作相合也。故古今論詩者不得不以滄浪爲第一。

又　滄浪論詩獨爲詣極者，匪直識見超越，學力精深，亦由晚唐、宋人變亂斯極，鑒戒大備耳，正猶《孟子》一書，發憤於戰國也。

又　魏醇甫《玉屑》、阮宏休《總龜》，皆類次舊說，實無己見。然純駁不齊，雅俗相混，而《總龜》則直詩話耳。

又　《詩林廣記》撮要所編唐宋諸人而外，冠以淵明。每人先輯諸家評論，

繫之以詩，中亦多紀事，間雜他議論，亦猶宋人詩話耳。且初唐王、楊、盧、駱、陳、杜、沈、宋及盛唐高、岑諸公皆不及之，而晚唐杜荀鶴、薛能、王駕、王播反多採錄，其淺陋不足辯矣。俞仲蔚復稍損益，加以漢、魏、六朝，題曰《名賢詩評》，以爲己書，正可謂鈍賊耳(疑亦假託)。

又　《歷代詩體》題曰《江湖詩社聚編》，不知出於何時。其首卷詩訣，采沈休文「八病」、上官儀「六對」，及李虛、徐生之法，卑鄙無足致辯。次述《詩體》，取滄浪詩體而增益之。其采諸家詩，漢、魏、晉人止一篇，淵明而後，篇什稍多，而實非本相。每人略摘前人評語，而略無己見，蓋道聽而塗說耳。觀其所采，稱宋朝而不及元，故知是書出於元初也。

又　陳繹曾《詩譜》二卷，予搜訪有年，近見於馮珣《詩紀別集》，然止論《三百篇》、楚騷、漢、魏、六朝，唐人以下評論未見。周詩自《周南》至《商頌》，其論近經生家言。自《離騷》至江淹，得其大體，寡心得之語，然亦有全不相類者。其言「東都以上主情，建安以下主意」，卷中惟此論最妙，前人未嘗道破。至言「凡讀《三百篇》，要會其情不足性有餘處。情不足，故寓之景；性有餘，故見乎情。」此謂國風出於詩人之美刺也。見乎情，謂美刺者之情。又言齊、梁以下「七言，乃多古製，韻度獨出盛唐人上一等」，則謬甚矣！

又　楊仲弘論詩，止言大體，便有可觀。其論五、七言古，似亦有得；至論律詩，於登臨、贈別、詠物、讚美而云起句合如何，二聯、三聯合如何，結語合如何，則又近於舉業程課矣。李西涯云：「律詩起承轉合，不爲無法，但不可泥。泥於法而爲之，則撐拄對待，四方八角，無圓活生動之意。」深得之矣。

又　范德機《木天禁語》，論七言律有十三格，謂「一字血脈，二字貫穿，三字棟梁，數字連叙，中斷，鈎鎖連鐶，順流直下，雙拋，單拋，內剝，外剝，前散，後散」，其所引詩率皆穿鑿淺稚。又云：「用字琢對之法，先須作三字對，或四字對，然後粧排成句，不可逐句思量。」其淺陋爲甚，僞撰無疑。又有《詩學禁臠》，論七言律有十五格，其所引詩多晚唐庸劣之作，亦僞撰也。觀下傳與礪述德機之意爲正論，則二書之僞可知。

又　傅與礪《詩法正論》，述范德機之意而作。首言《詩》權輿於《擊壤》、《康衢》，演迤於《卿雲》、《南風》，製作於《國風》、《雅》、《頌》；次言《國風》、《雅》、《頌》，歌行引吟謠曲之體；又次言蘇、李五言及魏、晉以來之詩，而并引德機之語，庶得其大體矣。其言「唐人以詩爲詩，主達情性，於《三百篇》爲近；宋人以文爲詩，主立議論，於《三百篇》爲遠」，甚當。又言「達情性者，《國風》之餘；立議論者，《雅》、《頌》之變。」未易優劣，則正變不分，烏在其爲正論乎？又言「作詩成法有起承轉合，起處要平直，承處要春容」，謂「李、杜歌行皆然」，則謬戾甚矣！

又　揭曼碩論詩有五事：一曰詩本，二曰詩資，三曰詩體，四曰詩味，五曰詩妙。謂「養性以立詩本，讀書以厚詩資，識詩體於源委正變之餘，求詩味於鹽梅薑桂之表，運詩妙於神通遊戲之境」，可謂得其要領。但中引文中子言「謝靈運小人哉，其文傲；沈休文小人哉，其文冶」等語，則近於宋儒理學之談矣。

又　《詩家一指》出於元人，中有十科四則二十四品。十科一曰意，二曰趣，三曰神，四曰情。言作詩先命意，如構宮室，必法度形製已備於胸中，始施斤斧，予謂此作文之法也。《三百篇》之風，漢、魏之五言，唐人之律、絕，莫不以情爲主。情之所至，即意之所在，不主情而主意，則尚理求深，必入於元和、宋人之流矣。四則一曰句，二曰字，三曰法，四曰格，又失本末輕重之分。二十四品以典雅歸揭曼碩，綺麗歸趙松雪，洗鍊清奇歸范德機，其卑淺不足言矣。《外篇》又竊滄浪諸家之說而足成之，初學不知，謂滄浪之說出於《一指》，不直一笑。

又　《沙中金》一書亦出於元人，其法有實字作眼、響字作眼、拗字作眼、倒字押韻、虛字妝句、流水句、錯綜句、折腰句、句中對、扇對、巧對等，既非本要；又有交股對、借韻對、歇後句等，則又涉於淺稚矣。

又　黃澄濟《詩學權輿》二十二卷，皆類次晚唐、宋、元人舊說，而多不署其名，其署名者又多謬誤。蓋彼但見纂集之書，初未見全書也。其論以名物爲義者既多穿鑿(如論歌行篇引之類是也。與論漢、魏樂府五言參看)。以字句相尚者又入細碎，其他卑鄙不能一一悉舉(如以李太白「冰舂雲母碓，風掃石楠花」，孟浩然「廚人具雞黍，稚子摘楊梅」爲借對。又以日月比君后，雨露比德澤，雷霆比刑威，山河比邦國等)。間有一二正論，又與前後相反，蓋彼但類次舊說，初未有己見也。中錄嚴滄浪論，以嚴滄浪誤爲蘇滄浪，故或稱蘇子美，或稱蘇滄浪(蘇舜欽，字子美，號滄浪)。又引陳去非、葉少蘊之論，而誤爲杜牧之，尤爲可笑。十卷以後，皆錄古人歌詩，然以李、杜與韓

退之、白樂天、馬子才、宋諸公并錄，略不識正變之體，而註釋又多穿鑿。至以陸龜蒙「丈夫非無淚」爲五言律，杜子美「紈袴不餓死」爲五言排律，蓋亦類次舊編，不足辯也。澄濟自序云：（成化五年）「是編蓋自早歲已嘗著之，以課家塾，名曰《詩學權輿》。每患其疎略未詳，至是重加纂集，頗爲明白。仍其舊名而不改者，良以後先所述，雖有詳略不同，而其爲初學行遠升高之助，初亦未嘗異也。」後《冰川詩式》等書類次種種，不復致辯。

又 李賓之《懷麓堂詩話》，首正古、律之體，次貶宋人詩法，而獨宗嚴氏，可謂卓識。其所引詩句雖多鄙拙，勿論也。

又 徐昌穀《談藝錄》總論詩之大體與作詩大意，中間略涉《三百篇》、漢、魏而已，六朝以下，弗論也。然矯枉太過，鮮有得中之論。又其書作於少年，正其詩宗晚季之時，故其言浮而不切，泛而寡要，非實證實悟者。且詞勝而意常窒，所謂隔靴搔癢耳。

又 皇甫子循《解頤新語》疎淺浮漫，且務以儷語爲工，殊無省發，較之《談藝錄》不逮遠甚。中載杜子美「夜闌更秉燭」，誦者瘧已；郭元振「久戍人偏老」，書之妖滅；及劉希夷「年年歲歲」句，宋之問欲奪爲己作，以土囊壓殺之，直齊東野語耳。

又 楊用修《譚苑醍醐》考證多而品隲少，大抵宗六朝尚西崑，而昧於正變。觀其所引唐人詩句，則又似全不知詩者。

又 何元朗《四友齋叢話》，首言孔子刪《詩》，正於六義有闕者。又謂世稱盛唐風骨，正是性情六義，誕謬爲甚！其他多得於影響，無足省法。

又 《詩法源流》一書，乃嘉靖間王用章取元人論述古人詩增廣而成者。古詩採自《十九首》，至陶淵明共九十九首。律詩採杜子美五言九首、七言四十二首。其所引元人語，純駁不齊，而略無己見。後附《詩法源流舊序》，乃楊仲弘作。仲弘言：少從叔父楊文圭遊西蜀，抵成都，遇杜工部九世孫杜舉（工部至仲弘時初非九世），求先生所藏《詩律》。舉言：吾鼻祖審言，以詩名世。審言生閑，閑生甫，又以詩鳴，至於今，源流益遠。然甫不傳諸子，而獨於門人吳成、鄒遂、王恭傳其法。予傳之三子，因以授仲弘。及觀用章所採杜七言律，中有吳氏、鄒氏、王氏所解，而每詩之下，定以篇格之名，蓋《詩法源流》之始也。此宋人僞撰相欺而舉不知，仲弘又深信而傳之。宋、元人淺陋，大率類此。或疑仲弘論詩多有可觀，此序當爲僞撰，蓋因文圭曾遊西蜀故也。當時虞、楊、范、揭俱有盛名，故淺陋者托之耳。

又 王敬美《藝圃擷餘》，首論《十九首》及曹子建，次論孟浩然及國朝徐昌穀、高子業，俱有獨得之見。至論七言絶，言言中竅。其他多與乃昆相契。

又 謝茂秦《詩家直說》凡四百十六條，較別刻大同小異，蓋時有竄易故耳。實悟者十得二三，浮泛者十居七八，間有賞識，得失相半。惟言今人作詩，忽立許大意思，束之以句則窘，此內出者有限，所謂辭前意也；或意隨筆生，興不可遏，入乎神化，殊非思慮所及，此外來者無窮，所謂辭後意也：此論妙絶。至因讀李長吉詩，愛其奇古，因以奇古爲骨，平和爲體，欲取初、盛唐合而爲一，不知李、杜正中之奇乃可合一，長吉乃詩體大變，安可與初、盛唐合一乎？又引孔文谷言「初唐張說、張九齡擅其宗，長篇以李嶠《汾陰行》爲第一，近體以張說《侍宴隆慶池》爲第一」，憒謬益甚！

又 茂秦好竄易古人詩句，果於自信，如錢仲文《送李評事》、白樂天《昭君詞》，竄之誠當；如岑嘉州《犍爲作》，自不必竄；至子美《少年行》、戴叔倫《除夜宿石頭驛》、皎然《啼猿送客》、鄭谷《淮上與友人別》，不免點金成鐵矣。

又 胡元瑞《詩藪》，自《三百篇》、騷賦、漢、魏、六朝以至唐、宋、昭代之詩，靡不詳論，最爲宏博。然冗雜寡緒，《內編》十得其七；《外編》、《雜編》，誇多衒博，可存其半。其論漢、魏、六朝五言，得其盛衰。論唐人歌行、絶句，言言破的。惟於唐律化境，往往失之。至盛譽諸先達，則有私意存耳。大抵晚唐、宋、元諸人論詩，多失之不及，而國朝昌穀、元美，時失之過，惟元瑞庶爲得中。

又 馮元成《藝海泂酌》兼論古今詩文雜著，最爲繁雜。其論詩浮泛瑣屑，而實悟者少，間涉訓釋，大多穿鑿。至引古人詩句，則又似全不知詩者。又意在師心，耻於宗古，故盛推韓、蘇，而無所避，此中郎之先倡也。但其資高學博，故於漢、魏、晉人大體，間亦有得。

又《詩源辯體·後集纂要》卷一 胡元瑞云：「詩之觔骨，猶木之根幹也；肌肉，猶枝葉也；色澤、神韻，猶花蕊也。觔骨立於中，肌肉、色澤榮於外，神韻充溢其間，而後詩之美善備。猶木之根幹蒼然，枝葉蔚然，花蕊爛然，而後木之生意完。斯義也，盛唐諸子庶幾近之。宋人專用意而廢詞，若枯枿槁梧，雖根幹屈盤，而絶無暢茂之象。元人專務華而離實，若落花墜

蕊，雖紅紫嫣熳，而大都衰謝之風。」又云：「宋人調甚駁，而才具縱橫，浩瀚過於元；元人調頗純，而才具局促，卑陬劣於宋。然宋之遠於詩者材累之，元之近於詩亦材使之也。故蹈元之轍，不失爲小乘；入宋之門，多流於外道矣。」愚按：元瑞此論妙甚，但言宋人用意，當言宋人尚格爲妥。宋人雖用意，而意不可言觔骨也。又元人律詩，亦多出於中、晚正派，今言「元人專務華而離實」云云，或未見諸家全集，姑以理勢斷之耳。俟諸公全集出，更爲定論。

又　儀卿識見有餘，涵養未至，故其諸體雖刻意範古，寡自然之致，而神韻亦有未揚。故五言律讓昌穀，七言律讓仲默，七言絶讓于鱗。元瑞乃謂「滄浪亟稱盛唐而調仍中、晚」，元瑞初未識盛唐也。

劉世偉《過庭詩話》卷上　後學看詩話，當以嚴滄浪爲準，最可惡者慧洪《冷齋夜話》爾。蓋漢魏盛唐好詩不曾理會得，壹勿其所論者，皆蘇黄之惡詩，又復爲之牽引出處，妄起羨嘆，蓋墮於習染而不自知耳。大抵宋詩遠不逮唐，亦由蘇黄二公壞之，慧洪又二公之牙儈也，其誤後學尤甚。

又　兩漢六朝，去古未遠，氣尚淳樸，故其爲詩猶可別其源流，鍾嶸《詩品》，可謂抽攬洪緒，總稽眞贋矣。嚴滄浪謂顔不如鮑，鮑不如謝，與文中子所論不合，蓋顔失之巧麗，而謝則風流自然耳。湯惠休曰：謝詩如芙蓉出水，顔詩如錯彩鏤金，固滄浪之見，而文中子獨取博雅，未論格調耳。

胡震亨《唐音癸籤》卷三二《集錄》　詩話在集部，與文史同類，用以標成法，摧往篇，備瑣聞，一切資長吟功，此焉在，不可無錄。第作者篇目泛濫，多雜糅小説家言中，難以區析。今但據唐、宋各志及焦氏《國朝經籍志》所載《詩話》一目諸書，稍加評隲列後，遺者俟博識補焉。

又　唐人詩話：《詩品》一卷，李嗣眞撰。《評詩格》一卷，李嶠撰。《詩格》一卷，元兢、宋約撰。又一卷，王維撰。又二卷，《詩中密旨》一卷，並王昌齡撰。《詩式》五卷，《詩議》一卷，並皎然撰。《金針詩格》三卷，《文苑詩格》一卷，並白居易撰。《詩格》一卷，《二南密旨》一篇，凡十五門，並賈島撰。《大中新行詩格》一卷，王起撰。《詩例》一卷，姚合撰，亦名《極玄律詩例》。《炙轂子詩格》一卷，王叡撰。《文章玄妙》一卷，任藩言撰。《緣情手鑑詩格》一卷，李弘宣撰。《主客圖》一卷，張爲撰。立詩家六人爲主，餘分入室、升堂、及門爲客。白居易廣大敎化主，上入室楊乘，入室張祜、羊士諤、元稹，升堂盧仝、顧況、沈亞之，及門費冠卿、皇甫松、殷堯藩、施肩吾、周元範、況元膺、徐凝、朱可名、陳標、童翰卿。孟雲卿高古奥逸主，上入室韋應物，入室李賀、杜牧、李餘、劉猛、李涉、胡幽貞，升堂李觀、賈馳、李宣古、曹鄴、劉駕、孟遲，及門陳潤、韋楚老。李益淸奇雅正主，上入室蘇郁，入室劉畋、僧淸塞、盧休、于鵠、楊洵美、張籍、楊巨源、楊敬之、僧無可、姚合，升堂方干、馬戴、任蕃、賈島、厲玄、項斯、薛濤，及門僧良乂、潘誠、于武陵、詹雄、衛準、僧志定、喻鳧、朱慶餘。孟郊淸奇僻苦主，上入室陳陶、周樸，及門劉得仁、李溟。鮑溶博容宏拔主，上入室李羣玉，入室司馬退之、張爲。武元衡瓌奇美麗主，上入室趙嘏，長孫佐輔、曹唐，升堂盧頻、陳羽、許渾、張蕭遠，及門張陵、章孝標、雍陶、周祚、袁不約。各錄其詩一二聯，如近世所云詩派者然。《集賈島句圖》一卷，李洞撰。《國風正訣》一卷，鄭谷撰。《玄機分明要覽》一卷，《風騷指格》一卷，并僧齊己撰。《流類手鑑》一卷，僧虚中撰。《詩體》一卷，倪宥撰。《雅道機要》二卷，前卷不知何人，後卷徐夤撰。《本事詩》唐孟棨撰，纂詞人緣情感事之詩，敍其本事，凡七類，爲一卷。《續本事詩》二卷，僞吳處常子依孟棨類續篇。《抒情集》二卷，盧瓌撰。

又　以上詩話，惟皎師《詩式》、《詩議》二撰，時有妙解，餘如李嶠、王昌齡、白樂天、賈島、王叡、李弘宣、徐夤及釋齊己、虚中諸撰，所論並聲病對偶淺法，僞托無疑。張爲《主客》一圖，妄分流派，謬僻尤甚。唐人工詩，而詩話若此，有不可曉者。

又　宋元人詩話：《賓朋宴語》三卷，丘昶撰。昶，南唐進士，仕宋。著此書十五篇，敍唐以來詩賦源流。《風騷要式》一卷，徐衍述。《詩格要律》一卷，王夢簡撰。《詩格》一卷，沙門神彧撰。《處囊訣》一卷，僧保暹撰。《詩評》一卷，僧德淳撰。《詩中旨格》一卷，王玄撰，亦名擬皎然十九字。《詩律大格》一卷，徐蜕撰。《詩鑑》一卷，許文貴撰。《詩式》十卷，僧辭遠撰。《楊氏筆苑句圖》一卷，黄錫編。蓋楊億大年所嘗舉者，李義山、唐彦謙之句爲多。又《續句圖》一卷。《續金針詩格》一卷，梅堯臣撰。《吟牕雜詠》三十卷，莆田蔡傳撰。取諸家詩格詩評之類集成之。又爲《吟譜》，凡魏、晉而下能詩之人，皆略具本末，總爲此書。今本蒙以陳學士應行之名，分五十卷。《詩苑類格》三卷，李淑撰。《詩點化秘術》一卷，任傳撰。《風雅拾翠圖》一卷，僧惟

鳳撰。《詩林句範》五卷。《騷雅式》一卷。《吟體類例》一卷。《律詩洪範》一卷，徐三極撰。《風騷格》五卷，閻東叟撰。《寡和圖》三卷，僧定雅撰。《古今名賢警句圖》一卷，蔡希蘧撰。《潛溪詩眼》一卷，范溫元實撰。《天廚禁臠》三卷，惠洪撰。《韻語陽秋》二十卷，葛立方撰。《漁隱叢話》六十卷，《後集》四十卷，胡仔撰。仔自號苕溪漁隱。《聲律發微》一卷，胡源撰。《藝苑雌黃》二十卷，嚴有翼撰。《王禹玉詩話》一卷，王珪撰。《六一詩話》一卷，歐陽修撰。《詩話》一卷、《續詩話》一卷，並司馬光撰。《中山詩話》三卷，劉攽撰。《東坡詩話》二卷，蘇軾撰。《後山詩話》二卷，陳師道撰。《歸叟詩話》六卷，王直方撰。《石林詩話》二卷，葉夢得撰。《許彥周詩話》一卷，許顗撰。《南宮詩話》一卷，葉凱撰。《艇齋詩話》一卷，曾季貍撰。《西清詩話》三卷，題無名子撰。或曰，蔡絛使其客爲之也。《環溪詩話》一卷，吳沆集。《庚溪詩話》二卷。《葉正則詩話》二卷。《䂬溪詩話》十卷，黃徹常明撰。《觀林詩話》一卷，吳聿撰。《洪駒父詩話》一卷。駒父名芻。《蔡寬夫詩話》二卷。《呂東萊詩話》一卷，呂祖謙撰。《山陰詩話》一卷，李兼撰。《李希聲詩話》一卷，希聲名錞。《後村詩話》一卷，劉克莊撰。《誠齋詩話》一卷，楊廷秀撰。《隱居詩話》一卷，魏泰撰。《竹坡詩話》一卷，周紫芝少隱撰。《二老堂詩話》一卷，周必大撰。《珊瑚鉤詩話》三卷，張表臣撰。《續廣本事詩》五卷，聶奉先撰。《詩人玉屑》二十卷，內品藻唐人詩二卷，魏慶之撰。《滄浪詩話》一卷，嚴羽撰。《全唐詩話》六卷，尤延之撰，從《紀事》中摘編者。《詩話總龜》前集四十八卷，後集五十卷，阮一閱編。《古今詩話錄》七十卷，李頎撰。《新集詩話》十五卷。不知集者姓名。《唐宋名賢詩話》二十卷。《詩談》十五卷。《吟譜》一卷，元陳繹曾撰。《詩林要語》一卷，范梈德機撰。《詩學禁臠》一卷，不知撰人。《詩家一指》一卷。《古今詩法》一卷，楊載仲弘撰。《詩法源流》一卷。劉會孟《七家詩評》評王維、李白、孟浩然、杜甫、韋應物、孟郊、李賀七家詩。

又 宋人詩不如唐，詩話勝唐。南宋人及元人詩話，又勝宋初人。如嚴之《吟卷》，劉之《詩評》，解會超矣。餘雖不免蕪雜，遇所獨得，未少起予片益在。胡元瑞評諸家云：「歐、陳率是記事；司馬君實大儒，是事別論；劉貢父滑稽渠率；王直方拾人唾涕；葉夢得非知詩，臆或有中；呂本中自謂江西衣鉢，所記甚寥寥；唐子西雖有致語，未可盡憑；葛常之頭巾亹亹，讀之患其難竭；許彥周迂腐老生；洪覺範誕妄浮屠，在彼法當墮無間獄；《竹坡》、《西清》，種種蕪脞；《漁隱》、《總龜》、《玉屑》，但類次前聞；《珊瑚鉤》獨評己作，尤堪抵掌。」取快譏曶則然，不乃近於夸酷？惟論嚴氏謂：「如西來一葦，剗除荆棘，獨暢玄風。」論辰翁謂其「玄鑒邃覽，往往絕人，雖道越中庸，自是教外別傳，騷場巨目。」此則語堪千載，我無以易之矣。元瑞又云：辰翁評詩有妙理。如杜：「日月低秦樹，乾坤繞漢宮。」云此語投贈中有氣，若登高覽勝則俗矣。王維《早朝》：「九天閶闔開宮殿，萬國衣冠拜冕旒。」云帖子語頗不癡重。如此類皆有深致。余每謂千家註杜，猶五臣註選；辰翁解杜，猶郭象解莊。即與作者語意不盡符，而玄言玄理，往往角出，盡拔驪黃牝牡之外。昔人苦杜詩難讀，辰翁註尤不易省也。

又 國朝詩話：瞿宗吉《詩話》三卷。《冰川詩式》四卷。都玄敬《詩話》二卷。《南谿詩話》二卷。《懷麓堂詩話》一卷。《黃勉之詩法》八卷。《蜩笑集》一卷。陳石亭《拘虛詩談》一卷。楊升庵《詩話》二卷。又《詩話拾遺》二卷。皇甫汸《解頤新語》八卷。徐昌穀《談藝錄》一卷。《名賢詩評》二十卷。王元美《藝苑卮言》八卷。又《藝苑卮言》四卷。以上據焦氏《經籍志》錄入。《焦志》各書頗備，於詩話一類獨寥寥。豈以本朝人著撰，論尚未定，不欲濫載耶？容更採補。胡應麟《詩藪》，《內編》、《外編》、《雜編》，二十卷。

又 明興，說詩者以博推楊用修，以雅推徐昌穀，以儁推王弇州。用修之書，搜隱摘奇，往往任胸援引，非必盡確，後賢嘗駁正未已。昌穀所論，止於五言，不及近體，習漢魏者之偏撰，習唐音者之樸學也。弇州《卮言》，通論文筆，唐詩特其一二，其論初、盛諸家，儘多解頤，至中、晚，草草塞責矣。嘗疑之，未敢置喙，後見其末年自悔者曰：「吾爲此書時，年未四十，語不甚切而傷獧，未爲定論，恐誤人。」乃益爽然服歎此老之未易窺也。胡《詩藪》自《騷》、《雅》、漢、魏、六朝、三唐、宋、元以迄今代，其體無不程，其人無不騭，其程且騭，亦無弗衷。唐詩，其論詩中之一也，而論定於是。元美才地高，書所腹也。元瑞見地實，書所目也。即元美亦稱其上下千古，周密無漏而刻深，成說詩一家言。此可徵矣。吾嘗謂近代談詩集大成者，無如胡元瑞。其別出勝解者，惟鄭繼之《老杜詩評》。可與劉辰翁諸家詩評並參。吟人從此入，庶不誤歧嚮爾。

謝肇淛《文海披沙》卷二《詩話》 詩話當以滄浪爲最，竹坡老人故當最劣。竹坡於詩，極尊少陵，而口坡谷不置，政未脫宋人口吻耳，何得夢見儀卿腳

後耶。以「梨花枝上雨」一語，爲點鐵成金，以「調鼎論花語」爲「可使和靖作衙官」，改滕元發「直與水相連」，爲「自與水相連」，以王觀《遊俠曲》爲似太白，引《史記・天官書》釋杜詩「影動搖」句，大似嗅囈中語耳。至評魯直《食筍》詩，似并《高力士傳》未之見者，豈所謂不讀萬卷書，看不得杜詩者耶！

又《小草齋詩話》卷一《内篇》 三代無詩人，漢魏無詩法，非無之也，夫人而能之也。蓋詩法始於晚唐，而詩話盛於宋。然其言彌詳而去之彌遠，法彌密而功彌疎，至今日則童能言之，白紛如矣。夫何故？入門不正，則蹊逕皆邪，學力未深，則摸剽皆幻。

黄宗羲《南雷文定》三集卷一《錢退山詩文序》 慨自唐以前，爲詩者極其性分所至，怵心劌腸，畢一生之力，春蘭秋菊，各自成家，以聽後世之品藻。如鍾嶸之《詩品》，辨體明宗，固未嘗墨守一家，以爲準的也。

趙士喆《石室談詩》卷上《總論》 《巵言》論詩、文、書、畫無不中款，其詩尤妙，自風騷樂府近體古風各得其要領，而指陳入路，眞可謂後學之梯航。余朝夕服膺，未嘗有間。後見謝茂秦論詩，大抵詳於近體，而尤工於字句，似亦初學之不可忽者。固欲取王、謝、鍾、譚四家言爲後人式。但鍾、譚評語既散在各詩不易輯，謝氏之可采亦苦不多。惟《巵言》之辨體裁者，必不可廢，《詩歸》之標機趣者，亦有可參。其各有所偏，又不可無以折衷也。若曰摘前人之失而自炫其長，則吾豈敢。

又 或問於余曰：「于鱗之選，茂秦之論，其不及元美也審矣。《詩歸》評品與《巵言》孰優？」余曰：「是未可輕言也，《巵言》所論字字當家，如老農之談稼穡，先達之談舉業，確乎爲後學之必遵。其所短者，深於法而淺於情，重於詞而輕於理，止取於留連光景之資，於所謂興觀羣怨者，未曾着眼。鍾譚二子乃出豪傑之識，一掃文人之窠臼，略體格而遵性靈，詩人之妙，有在於牝牡驪黄之外者。弇州不能識，而彼獨識之，其所評詩，有通於性命經濟之旨者，弇州不能言，而彼獨言之。所云弇州之不逮者此也。然意存矯枉，太涅偏鋒，又長於論古詩，而短於論近體，即如七言律一種，寂寥數篇，又未能盡善，『無食無兒』，老杜之絶不成語者亦選之，毋乃以詩爲戲乎？余以此道譬之八股，師弇州者高可決科，次者亦有聲庠序。師鍾、譚者，高則垂世，下則不保其青衿矣。故學詩未成者，不可不服膺元美；詩格稍就者，不可不參酌鍾、譚。」

馮班《鈍吟雜錄》卷五《嚴氏糾謬》 嘉靖之末，王李名盛，詳其詩法，盡本於嚴滄浪。至今未有知其謬者，今備論之如左：【略】（何焯評：自宋末以來，大抵多爲所誤。《詩人玉屑》開卷即載其詩評，不待王李也。攻之極當。錢牧翁作《唐詩英華序》亦采其大略，然不若此核論未足袪後學之惑也。）

又《詩辨》 以禪喻詩，滄浪自謂親切透徹者。自余論之，但見其漫漶顛倒耳。具疏之如左：滄浪曰：「禪家者流，乘有大小，宗有南北，道有邪正。學者須從最上乘，具正法眼，悟第一義。若小乘禪，聲聞辟支果，皆非正也。論詩如論禪，漢、魏、晉與盛唐之詩，則第一義也。大曆已還之詩，則小乘禪也，已落第二義矣。晚唐之詩，則聲聞辟支果也。學漢、魏、盛唐之詩，臨濟下也。學大曆已還之詩，曹洞下也。」糾曰：「乘有大小」，是也。聲聞辟支，則是小乘。今云大曆已還是小乘，晚唐是聲聞辟支，則小乘之下別有權乘，所未聞一也。初祖達摩自西域來震旦，傳至五祖忍禪師，下分二枝：南爲能禪師，是爲六祖，下分五宗；北爲秀禪師，其徒自立爲六祖，七祖普寂以後無聞焉。滄浪雖云宗有南北，詳其下文，都不指喻何事，卻云臨濟、曹洞。按臨濟元禪師，曹山寂禪師，洞山价禪師，三人並出南宗，豈滄浪誤以二宗爲南北乎？所未聞二也。臨濟、曹洞，機用不同，俱是最上一乘。今滄浪云「大曆已還之詩，小乘禪也」，又云「學大曆已還之詩，曹洞下也」，則以曹洞爲小乘矣。所未聞三也。凡喻者，以彼喻此也。彼物先了然於胸中，然後此物可得而喻。滄浪之言禪，不惟未經參學南北宗派大小三乘，此最是易知者，尙倒謬如此，引以爲喻，自謂親切，不已妄乎？至云「單刀直入」，云「頓門」，云「活句」「死句」之類，剽竊禪語，皆失其宗旨，可笑之極（何焯評：劉後村有云：「詩家以少陵爲祖，其説曰『語不驚人死不休』。禪家以達摩爲祖，其説曰『不立文字』。詩之不可爲禪，猶禪之不可爲詩。」此論足使羽卿輩結舌）。滄浪云：「不落言筌，不涉理路。」按此二言似是而非，惑人爲最。夫迷悟相覺，則假言以爲筌；邪正相背，斯循理而得路。迷者既覺，則向來之言還歸無言；邪者既返，則向來之路未嘗涉路。是以經教紛紜，實無一法可説也。此在教家已自如此；若教外別傳，則絶塵而奔，誠非凡情淺見所測，吾不敢言也。至於詩者言也，言之不足故長言之，長言之不足故詠歌之，但其言微不與常言同耳，安得有不落言筌者乎！詩者，諷刺之言也。憑理而發，怨誹者不亂，好色者不淫，故曰思無邪。但其理玄，或在

文外，與尋常文筆言理者不同，安得不涉理路乎！滄浪論詩，止是浮光略影，如有所見，其實腳跟未曾點地，故云盛唐之詩「如空中之色，水中之月，鏡中之象」，種種比喻，殊不如劉夢得云「興在象外」一語妙絕。又孟子言：「說詩者不以文害辭，不以辭害志。以意逆志，是爲得之。」更自確然灼然也。嗚呼！可以言此者寡矣。滄浪只是興趣言詩，便知此公未得向上關捩子。

又《詩體》 滄浪一生學問最得意處，是分諸體製。觀其《詩體》一篇，於諸家體製渾然不知。今列之於後：滄浪云：「以時而論，則有建安體」云云。按此一段雖無大謬，然憒憒無所發明，多有疎贅。建安體云：「漢末年號，魏曹子建父子及鄴中七子詩。」按一代文章，惟須舉其宗匠，爲後人慕效者足矣。泛及則爲贅也。子建、公幹，文章之聖，仲宣、休璉，多有名作。仲宣《七哀》《從軍》，休璉《百一》，皆後人之師也（何焯評：閻丈百詩云，休璉是七子中人。休璉《百一》作於曹爽專政之時，乃是正始中。定老列之建安，亦微誤）。若元瑜、孔璋，書記翩翩，不以詞賦爲稱。子建有「孔璋不閑詞賦」之言，建安詩體似不在此人，不當兼言七子也。又五言雖始於漢武之代，盛於建安，故古來論者止言建安風格。至黃初之年，諸子凋謝不存，止有子建兄弟，不必更贅言又有黃初體也（何焯評：特主綺靡，尤多麗偶，士衡之出，體實少異於建安之質，宜分太康體。玄風盡革，山水入詠，宜分元嘉體。按：此嚴書已有，但不能舉其人，覈其變）。永明體、齊梁體。永明之代，王元長、沈休文、謝朓三公皆有盛名於一時，始創聲病之論，以爲前人未知。一時文體驟變，文字皆避八病。一簡之內音韻不同，二韻之間輕重悉異。其文二句一聯，四句一絕，聲韻相避，文字不可增減（何焯評：文字不可增減者，似謂前人文字，多未叶宮商，故須增減而後入樂。今則輕重悉異，則無不叶，音韻不同又無相犯，以被管絃，更不煩增減也）。自永明至唐初，皆齊梁體也。至沈佺期、宋之問變爲新體，聲律益嚴，謂之律詩。陳子昂學阮公爲古詩，後代文人始爲古體詩。唐詩有古律二體，始變齊梁之格矣。今敘永明體，但云「齊諸公之詩」，不云自齊至唐初，不云沈、謝，知其胸中憒憒也。齊時如江文通詩不用聲病，梁武不知平上去入，其詩仍是太康、元嘉舊體，若直言齊梁諸公，則混然矣。齊代短祚（何焯評：齊武帝以永明紀元，凡十一年）。王元長、謝玄暉皆歿於當代，沈休文、何仲言、吳叔庠、劉孝綽皆一時名人，並入梁朝。故聲病之格，通言齊梁，若以詩體言，則直至唐初，皆齊梁體也。白太傅尙有格詩，李義山、溫飛卿皆有齊梁格詩，但律詩已盛，齊梁體遂微。後人不知，或以爲古詩。若明辨詩體，當云齊梁體創於沈謝，南北相仍，以至唐景雲、龍紀始變爲律體。如此方明，此非滄浪所知。

元和體。東坡云：「詩至杜子美一變。」按大曆之時，李杜詩格未行，至元和、長慶始變，此亦文字一大關也。然當時以和韻長篇爲元和體。若以時代言，則韓、孟、劉、柳、韋左司、李長吉、盧玉川，皆詩人之赫赫者也。云「元白諸公」，亦偏枯。大略滄浪胸中不了了，每言諸公，不指名何人爲宗師，參學之功少也（何焯評：白公《秦中吟》，貞元中作。昌黎貞元進士，則貞元已變矣。韋左司詩，齊梁舊體也；柳儀曹亦然）。以人而論云云。按此一段，漏略疎淺之甚。摽星宿而遺羲娥，知此人胸中不通一竅，不識一字，東牽西扯而已。建安以後詩，莫美於阮公《詠懷》，陳子昂因之以創古體，何以不言阮嗣宗體（何焯評：鍾記室《詩體品叙》中亦不列阮公，但滄浪在既定《文選》後，爲可怪耳）。潘、張、左、陸文章之祖，前言太康體，似矣；以人言，則何以缺此四君！文章之變，潘、張、左、陸以後，清言既盛，於時詩人所作，皆老莊之讚頌。自顏謝鮑始革其製。元嘉之詩，千古文章於此一大變。請具論之：漢人作賦，頗有模山範水之文，五言則未有，後代詩人言山水，始於謝康樂也。陸士衡對偶已繁，用事之密，始於顏延之，後代對偶之祖也（何焯評：劉越石、郭景純，不囿於俗者也，殷仲文謝益壽，始變其體，至元嘉而始大）。《三百篇》言飲酒，雖云不醉無歸，然以成禮合歡而已。彼醉不臧，則有沈湎之刺。詩人言飲酒不以爲諱，陶公始之也。《國風》好色而不淫，近代朱子始以鄭衛爲男女相悅之詞，古人不然。《楚詞》美人以喻君子，五言既興，義同《詩》、《騷》，雖男女歡娛幽怨之作，未極淫放。《玉臺新詠》所載可見。至於休、鮑，文體傾側（何焯評：傾抄本作輕），宮體滔滔，作俑於此。永明、天監之際（何焯評：宜云大同以後），鮑體獨行，延之、康樂微矣（何焯評：梁武代齊，歲在壬午，以天監紀元者十八年，庚子改元普通，丁未又改元大通。三年，辛亥，昭明太子薨，立簡文帝爲皇太子，時徐摛爲家令，屬文好爲新變，不拘舊體，春坊盡學之，宮體之號自斯而始，則距天監已踰一終矣。不得謂天監已後獨行也。況永明哉）。今謝康樂之後，不言顏延之，則梁人□之，又不言沈謝，則齊梁聲病之體，不知所始矣。不言

鮑明遠，則宮體紅紫之文，不知所法矣。雖言徐庾，是忘祖也。於時詩人，灼然自名一體者，有吳叔庠，邊塞之文所祖也。又如柳吳興、劉孝綽、何仲言，皆唐人所法（何焯評：柳文暢恐未能立家）。何以都不及？子美頗學陰何，又云「李侯有佳句，往往似陰鏗」，則子堅之體不可缺（何焯評：言庾則子堅似可該）。齊梁已來，南北文章，頗爲不同。北多骨氣，而文不及南，鄴下才人盧思道、薛道衡皆有盛譽，自隋煬有非傾側之論，徐庾之文少變於時，文多正雅。薛道衡氣格清拔，與楊處道酬唱之作，李義山極道之（何焯評：義山《謝河東公和詩啓》，特以越公比仲郢，而以道衡自儗，義取倡和，非舉爲宗師，何足據耶）。唐初文字，兼學南北，以人言之，道衡亦不可缺（何焯評：此條略本《北史·文苑傳叙》。然多骨氣而文不及南者，乃指溫邢未出以前。且通論有韻無韻者，安得巧附立說！鄴下才人亦皆宗仰江左。故祖珽謂沈任之是非，乃邢魏之優劣。思道樂府諸篇，道衡《昔昔鹽》《戲場》諸篇，孰非南朝體乎？魏鄭公《隋書·文學傳叙》云：「江左宮商發越，貴於清綺；河朔詞義貞剛，重乎氣質。氣質則理勝其詞，清綺則文過其意，理深者便於時用，文華者宜於詠歌。」則鄭公立論，雖頗裁大同之淫放，至連絕所長，未有不以南朝詞人爲尸盟耳。《北史·文苑傳》特著諸公者，蓋以北方風雅，實始盛於齊季鄴下，以爲自是乃可希風江左，非謂宮體革自盧薛也。盧沒於開皇之代久矣！唐初詩歌，承隋之後，輕側淫麗，於是稍止。然率宗師徐庾，上泝沈謝，無聞別有北宗。若道衡特標一體，反屬杜撰矣）。宋人頗學唐人，滄浪叙唐人差整，彼有所受之也。然沈宋之前，不云李嶠、蘇味道；王右丞以後，不言錢郎、劉隨州；李商隱之下不言溫飛卿；元白之下不言劉夢得，皆缺也。又有所謂選體云云。此一段叙論駁雜譌亂，不可盡正。云玉臺體。滄浪注云：「《玉臺》徐陵所集，漢魏六朝之詩皆有之。或者但謂纖艷者爲玉臺體，其實不然。」案梁簡文在東宮，命徐孝穆撰《玉臺集》。其序云「撰錄豔歌，凡爲十卷」，則專取豔詩明矣。又其文止梁朝（何焯評：無陳隋則止四朝耳），今云「六朝」，皆有謬矣。觀此，則於此書殆是未讀也。云西崑體。注云：「即李義山體。然兼溫飛卿及楊、劉諸公而名之。」按《西崑酬唱集》是楊、劉、錢三君倡和之作，和之者數人；其體法溫、李，一時慕效，號爲西崑體。其不在此集者尚多（何焯評：屬和者又十五人：李宗諤、陳越、李維、劉隲、丁謂、刁衎、任隨、張詠、錢維濟、舒雅、晁迥、崔遵度、薛映、劉秉，其一人則傳寫逸其名氏也）。至歐公始變，江西已後絕矣。及元人爲綺麗之文，亦皆附崑體。李義山在唐與溫飛卿、段少卿號三十六體，三人皆行第十六也。於時無西崑之名。按此則滄浪未見《西崑集序》也（何焯評：其誤始於《冷齋夜話》。金源時此書流於北方，如李屏山《西巖集序》，元遺山《論詩絕句》，率指義山爲崑體。玉溪不掛朝籍，飛卿淪於一尉，安得廁迹冊府耶？楊文公序云：「取玉山冊府之名，命之曰《西崑酬唱集》」）。云有一句之歌。注云：「《漢書》『枹鼓不鳴董少年。』」按《漢書》「董少平」，不作「少年」。鳴、平是韻，二句之歌也。又云「侯非侯，王非王，千乘萬騎上北邙。」是三句，不是一句。滄浪讀誤本《漢書》，又健忘，所言童謠，失卻二句，可笑。云有琴操。注云：「古有《水仙操》，辛德源作；《別鶴操》，商陵牧子作。」按琴操豈止二篇？水仙操亦不始辛德源。觀此則滄浪不知琴操也。《琴操》，今此書雖亡，然《樂府詩集》所載可見。云有八病。注云：「作詩正不必拘此，敝法不足據也。」按八病出於沈隱侯，古人亦有非之者。然齊梁體正以聲病爲體，律詩則益嚴矣。滄浪既云「有近體」、「有律詩」，又云「不必拘」，不知律詩律字如何解！蓋聲病之學，至宋而譌。故阮逸注《文中子》云「八病未詳也。」如今《金鍼詩格》及周密所言，皆以意妄測，誤也。已經考證，此不具。今人則但以對偶爲律矣（何焯評：今人作詩，至不識雙聲何事）。云「有古詩全不押韻者，古《採蓮曲》是也。」按云「江南可採蓮，蓮葉何田田，魚戲蓮葉間。」田、蓮是韻，間字古韻通，何言全無韻也。

云「有後章字接前章者」。注云：「曹子建《贈白馬王彪詩》。」按《三百篇》已有此體。云「有絕句折腰者，有八句折腰者」。按律詩有粘，不知所起，有偏格正格之論，是其說也。今云，折腰，而不言何謂折腰，亦漏略也。折腰者，如絕句平仄平仄，或仄平仄平，不用粘者是也（何焯評：《中興間氣集》中，特標崔峒一絕，注云：折腰體。似指第四句第三字，非不用粘之謂）。

又《詩法》云「用事不必拘來歷」。按此語全不可解。安有用事而無來歷者！云「參活句，勿參死句。」按禪家言死句活句，與詩法全不相涉也。禪家當機煞活，有時提唱，有時破除，有時如擊石火，閃電光，有時拖泥帶水。若刻舟求劍，死在句下，不得轉身之路，便是死句。詩人所謂死活句，全不

同，不可相喻。詩有活句，隱秀之詞也。直敘事理，或有詞無意，死句也。隱者，興在象外，言盡而意不盡者也。秀者，章中迫出之詞，意象生動者也。禪須參悟，若「高臺多悲風」、「出入君懷袖」，參之亦何益。凡滄浪引禪家語，多如此，此公不知參禪也。云「詩之是非不必爭，試以己詩置之古人集中，識者觀之不能辨，則眞古人矣。」滄浪之論，惟此一節，最爲誤人。滄浪云「於古今體製若辨蒼素」，又云「作詩正須辨盡諸家體製。」滄浪言古人不同，非止一處。由此論之，古之詩人，既以不同可辨者爲詩，今人作詩，乃欲爲其不可辨者，此矛盾之說也。

又《考證》 云《古詩十九首·行行重行行》，《玉臺》作兩首，自「越鳥巢南枝」以下，別爲一首。當以《選》爲正。」按《玉臺集》，北宋本正作一首。永嘉陳玉甫本誤耳(何焯評：今趙氏所刊乃陳本，然仍通爲一首也)。云「《仙人騎白鹿》之篇，予疑「苕苕山上亭」已下，其義不同，當又別是一首。郭茂倩不能辨也。」按此本二詩，樂工合之也。樂府或一篇詩，止截半首，或合二篇爲一，或一篇之中增損其字句。蓋當時歌謠，出於一時之作，樂工取以爲曲，增損以協律，故陳王、陸機之詩，時謂之乖調，未命樂工也。具在諸史樂志。滄浪全不省，乃云「郭茂倩不辨耶」？

又《詩評》 云「楚詞惟屈宋諸篇當讀之。外惟賈誼《懷長沙》、淮南王《招隱操》。」又云：「《九章》不如《九歌》，《九歌·哀郢》尤妙。」按《九章》有《懷沙》，賈太傅無《懷沙》也。《招隱士》亦非操。《哀郢》是《九章》。《九歌》是祀神之詞，何得有《哀郢》？滄浪云「須熟《楚詞》」，今觀此言，《楚詞》殊未熟，亦恐是未曾看。彼聞賈生爲長沙王傅，自傷而死，遂以爲有《懷長沙》，不知《懷沙》非長沙也。彼知屈子不得志於懷、襄而死，意《哀郢》必妙，不知《九歌》無《哀郢》也。望影亂言，世爲所欺，何哉？

毛先舒《詩辯坻·雜論》 嚴儀卿生宋代，能獨睹本朝詩道之誤，謂「近代諸公乃作奇特解會，遂以文字才學議論爲詩，于一唱三嘆之音，有所歉焉。其末流甚者，叫噪怒張，乖忠厚之風」。論眉山、江西，亦可稱沈著痛快，眞夐絕之識，其書之足傳宜也。

又 滄浪《吟卷》云「發端忌作舉止」，貴高渾也；「收拾貴在出場」，須超遠也。

鄧原岳《邵武本滄浪嚴先生吟卷序》 詩話之流，莫盛於宋，由晚唐而五季，間亦有之。宋人布侯於杜陵，議論爲宗。差之毫釐，謬之千里。迨宋之將社也，衣冠之裔，十九化於腥羶，鴂舌侏離，於正聲何有？蓋國統垂絕，而詩統亦亡矣。獨甌閩之間有嚴儀卿者，別具心腎，嘐嘐反古，禘漢唐而祖初盛，慶曆而下禁勿譚，從最上乘，具正法眼，其斯爲先覺也乎哉？儀卿之言曰：「詩有別才，非關書也；詩有別趣，非關理也。」論詩者未嘗不沐浴其言。夫昌穀之爲《談》也，奧而奇；元美之爲《卮》也，辯而核；元瑞之爲《藪》也，博而麗。自三子之書出，而嚴氏若左次矣。要以功在反正，延如綫之脈，以俟後人。如一葦西來，玄風大闡，亦安能竟廢之。

周容《春酒堂詩話》 「詩有別材，非關書也；詩有別趣，非關理也。」此嚴滄浪之言，無不奉爲心印。不知是言誤後人不淺，請看盛唐諸大家，有一字不本於學者否，有一語不深於理者否？嚴說流弊，遂至竟陵。

賀貽孫《詩筏》 嚴滄浪《詩話》，大旨不出「悟」字；鍾、譚《詩歸》，大旨不出「厚」字。二書皆足長人慧根。然誦滄浪詩亦有未盡悟者，閱鍾、譚集亦有未至厚者，以此推之，談何容易。

又 嚴滄浪《詩辨》有云：「發端忌作舉止，收拾貴在出場。」又云：「詩難處在結裹。譬如番刀，須用北人結裹，南人便非本色。」此數語最得之。

又 嚴滄浪云：「唐人與宋人詩，未論工拙，直是氣象不同。」此語切中竅要。但余謂作詩未論氣象，先看本色，若貲郎效士大夫舉止，暴富兒效貴公子衣冠，縱氣象有一二相似，然村鄙本色自在。宋人雖無唐人氣象，猶不失宋人本色，若近時人，氣象非不甚似唐人，而本色相去遠矣。

賀裳《載酒園詩話·嚴羽》 讀嚴滄浪詩，眞如諸于繡镼中獨見司隸將吏，且喜其言行相顧，不爲鸚鵡之效人語也。古詩亦甚用功于太白，惜氣力不逮耳。短律有沈雲卿、岑嘉州之遺，長律于高適、李頎尤深。獨樂府不能入古，彼自得力于盛唐也。

又 以嚴之精于紀律，有功詩學不少，吾終不推爲第一，獨屬之介甫。昔黃梅令學人悉誦神秀偈子，衣則授于盧能。滄浪素以禪論詩，余故爲下此轉語。千載有知，當亦一笑。

吳喬《圍爐詩話自序》 嚴滄浪學識淺狹，而言論似乎玄妙，最易惑人。

又《圍爐詩話》卷一 嚴滄浪云：「詩禁五俗：俗體、俗意、俗句、俗字、俗韻，皆不可犯。」此言最善。學問安可無師？無師則杜譔。而書家貴學

師，舍短取長。詩學李、杜，正道也。李之「座中若有一點紅，斗筲之量成千鍾」、杜之「袖中有舊筆，興至時復援」，其可學乎？學字先得敗筆，學詩先得累句，莫若之何！

又卷二 嚴滄浪云「西崑即義山體，而兼溫飛卿及楊、劉諸公以名之。」馮定遠云：「《西崑酬唱》是楊、劉、錢三人之作，和者數人，取法溫、李，一時慕效，號爲西崑體。不在此集者尚多。永叔始變之，江西以後絶矣。元人爲綺麗語，亦附西崑體。而義山詩實無此名。」余注義山《無題》詩，名曰《西崑發微》，正嫌滄浪之粗漏也。

又卷五 詩于唐人無所悟入，終落死句。嚴滄浪謂「詩貴妙悟」，此言是也。然彼不知興比，教人何從悟入？實無見于唐人，作玄妙恍惚語，說詩、說禪、說教，俱無本據。

又《答萬季野詩問》 問：「嚴滄浪之說詩，耑貴妙悟，如何？」答曰：「作詩者於唐人無所悟入，終落宋、明死句。貴悟之言是也，但不言六義，從何處下手而得悟入？彼實無見於唐人，作玄妙恍惚語耳。且道理之深微難明者，以事之粗淺易見者譬而顯之。禪深微，詩粗淺，嚴氏以深微者譬粗淺，既已顛倒；而所引臨濟、曹洞等語，全無本據，亦何爲哉？」

薛雪《一瓢詩話》 司空表聖《詩品》二十四則，無一毫賸義，學詩不可不熟讀深思。余選《全唐正雅集》，所以將此二十四則列之於首。

又 司空表聖學行俱高，不可思議于《詩品》二十四則，及居王官谷，寇亦不敢入其境見之。

王士禛《帶經堂詩話》卷二 余於古人論詩，最喜鍾嶸《詩品》、嚴羽《詩話》、徐禎卿《談藝錄》，而不喜皇甫汸《解頤新語》、謝榛《詩說》。又云：弇州《藝苑卮言》，品隲極當，獨嫌其黨同類，稍乖公允耳。

又 鍾嶸《詩品》，余少時深喜之，今始知其踳（《蠶尾續文》作「舛」）謬不少。嶸以三品銓叙作者，自譬諸九品論人，七略裁士。乃以劉楨與陳思並稱，以爲「文章之聖」。夫楨之視植，豈但斥鴳之與鯤鵬耶？又置曹孟德下品，而楨與王粲反居上品。他如上品之陸機、潘岳，宜在中品；中品之劉琨、郭璞、陶潛、鮑照、謝朓、江淹，下品之魏武，宜在上品；下品之徐幹、謝莊、王融、帛道猷、湯惠休宜在中品。而位置顛錯，黑白淆譌，千秋定論，謂之何哉？建安諸子，偉長實勝公幹，而嶸譏其「以莛扣鐘」，乖反彌甚。至以陶潛出於應璩，郭璞出於潘岳，鮑照出於二張，尤陋矣，又不足深辨也。

又 古人同調齊名，大抵不甚相遠。獨劉楨與思王並稱，予所不解。建安七子，自孔文舉不當與諸人同流，此外如陳琳之《飲馬長城窟行》，阮瑀之《定情詩》，徐幹之《室思》，皆有漢人風矩。唯楨詩無一語可采，而自古在昔，竝稱「曹劉」，未有駁正其非者。鍾嶸又謂其「仗氣愛奇，動多振絶；思王而下，楨爲獨步」，殊似囈語。豈佳處今不傳耶？乃秦少游亦云：「五字一何工，妙絶冠儔匹。」殆亦耳食之習。

又 皇甫百泉（汸）《解頤新語》，殊不能啓發人意，非徐昌國（禎卿）《談藝錄》之比。

又 徐昌國《談藝錄》云：「未睹鈞天之美，則北里爲工；不詠《關雎》之亂，則《桑中》爲儁。」當是既見空同之後，深悔其吳歈耳。而牧翁顧力揚其少作，正弇州所云，舞陽、絳、灌既貴後，稱其屠狗吹簫，以爲佳事，寧不泚顙者也。

又 謝在杭肇淛《小草齋詩話》，殊多憒憒，啓發人意處絶少。如云：「詩境貴虛，故仙語勝釋，釋語勝儒。」夫仙語如《步虛辭》等，最易厭，釋語入詩最近雅，今乃反之，豈非強作解事者？唯所云「王右丞律選歌行絶句種種臻妙，圖繪音律獨步一時，尤精禪理，晚居輞川，窮極山水園林之樂。唐三百年詩人僅見此耳。」如云：「明詩遠過于宋。」又云：「本朝僅數名家，力追上古，然刻畫摹擬，已不勝其費力矣。其他作者，雖復如林，上乘雋語，人不數篇。要其究竟，尚不及宋；宋人有實學，而本朝多剽竊故也。」右二條自相矛盾，當以後論爲允。又云：「國初詩，林鴻、高啓尚矣。鴻一意盛唐，而啓雜出元、白、長吉。」夫鴻之爲盛唐，贋鼎耳，安得與啓並稱，而且語有軒輊，此眞齊人之知有管晏而已。又云：「李西涯樂府，野狐外道。」夫西涯樂府雖變體，自是天地間一種文字，弇州晚年尚爾服膺，遽斥之爲「野狐外道」，可乎？約略駁正數端，以例其餘。至外篇、雜篇以下，多載晚唐、五代、宋、元詩，無可采者，正與《劉後村詩話》同耳。

又 胡元瑞論歌行，自李、杜、高、岑、王、李而下，頗知留眼宋人，然於蘇黃妙處，尚未窺見堂奧。在嘉隆後，可稱具眼。

又 胡應麟病蘇黃古詩不爲《十九首》、建安體，是欲紲天馬之足作轅下

駒也。

又 嚴滄浪《詩話》借禪喻詩，歸於妙悟。如謂盛唐諸家詩，如鏡中之花，水中之月，鏡中之象，如羚羊挂角，無迹可求，乃不易之論。而錢牧齋駁之，馮班《鈍吟雜錄》因極排詆，皆非也。

又 常熟馮班字定遠，著《鈍吟雜錄》，多拾錢宗伯牙慧，極詆空同、滄溟，於弘、正、嘉靖諸名家多所訾謷。其自爲詩，但沿《香奩》一體耳。教人則以《才調集》爲法。余見其兄弟(兄名舒。)所評《才調集》，亦卑之無甚高論。乃有皈依頂禮，不啻鑄金呼佛者，何也？(宗柟按：《談龍錄》自序云：「弱冠入京師，聞先達名公緒論，心怦怦焉，每有所不能愜。既而得常熟馮定遠先生遺書，心愛好之，學之，不復至于他人。」此條末數語，蓋謂趙氏也。至用《張釋之傳》語，山人乃亦誤同流俗耶？)

又 嚴滄浪論詩，特拈「妙悟」二字，及所云「不涉理路，不落言詮」，又「鏡中之象，水中之月，羚羊挂角，無跡可尋」云云，皆發前人未發之秘。而常熟馮班詆諆之不遺餘力，如周興、來俊臣之流，文致士大夫，鍛鍊周内，無所不至，不謂風雅中乃有此《羅織經》也。昔胡元瑞作《正楊》，識者非之。近吴殳修齡作《正錢》，余在京師亦嘗面規之。若馮君雌黄之口，又甚於胡吴輩矣。此等謬論，爲害於詩教非小，明眼人自當辨之。至敢詈滄浪爲「一竅不通，一字不識」，則尤似醉人駡坐，聞之唯掩耳走避而已。

又 前輩大家，各有本末，非後生小子一知半解所得擅議，近代如陳晦伯、胡元瑞之《正楊》是也。吴人吴殳字修齡，予少時友，其人嘗著《正錢録》以駁牧齋，予極不喜之。觀洪文敏《容齋五筆》所載嚴有翼者，著《藝苑雌黄》，頗務譏詆坡公，名其篇曰《辨坡》，文敏以爲蚍蜉撼大樹，乃知此等不度德不量力，古人亦有之矣。

又卷一八 《載酒園詩話》丹陽賀裳著。其持論有不可解處，如范石湖之視陸放翁何啻霄壤，而賀則云：至能有驊騮騄耳過都歷塊之能；又云務觀才具無多，意境不遠，唯善寫眼前景物，音節琅然可聽。如山谷千古奇作，於杜、韓、蘇之外自闢一宗，故爲江西初祖，而賀謂其所得不如楊劉，并疵其「春網薦琴高」之句，豈曹瞞「何以解憂，唯有杜康」之句亦未嘗寓目耶？更捨其汪洋大篇，而取其二三律句，此如乞兒輕議波斯賈胡，足發一笑耳！其論晁具茨亦然。大抵所取率晚唐窕巧之語，以爲雋異，豈得輙衡量大家耶！

又 今世俗所傳《吟窗雜錄》最紕繆可笑，如第一卷《詩格》，曰魏文帝撰，而有雙聲、叠韻、迴文之類，豈建安之代已先有沈約四聲及《璿璣圖詩》耶？

又《帶經堂集·蠶尾續文》卷二《畫溪西堂詩序》 嚴滄浪以禪喻詩，余深契其說，而五言尤爲近之。如王、裴輞川絶句，字字入禪，他如：「雨中山果落，燈下草蟲鳴。」「明月松間照，清泉石上流。」以及太白「卻下水精簾，玲瓏望秋月。」常建「松際露微月，清光猶爲君。」浩然「樵子暗相失，草蟲寒不聞。」劉眘虚「時有落花至，遠隨流水香。」妙諦微言，與世尊拈花、迦葉微笑等無差别。通其解者，可語上乘。

杭世駿《道古堂全集》文集卷一〇《沈沃田詩序》 自滄浪有「詩有别才，不關學問」之説，江西之派盛於南渡而宋弱，永嘉四靈之派行於宋末而宋社遂屋，然則詩非一人一家之事。

沈德潛《説詩晬語》卷下 嚴儀卿有「詩有别才，非關學也」之説，謂神明妙悟，不專學問，非教人廢學也。誤用其説者，固有原伯魯之譏。而當今談藝家，又專主漁獵，若家有類書，便成作者，究其流極，厥弊維鈞。吾恐楚則失矣，齊亦未爲得矣。

王應奎《柳南續筆》卷三 嚴滄浪《詩話》一書，有馮氏爲之糾繆，而疵病盡見。即起滄浪於九原，恐亦無以自解也。然拈「妙悟」二字，實爲千古獨闢之論。馮氏并此而詆之，過矣。夫妙悟非他，即儒家所謂左右逢原也，禪家所謂頭頭是道也。詩不到此，雖博極群書，終非自得之境，其能有句皆活乎？其能無機不靈乎？滄浪又云：「詩有别腸，非關書也。」此言雖與妙悟之説相表裏，而又須善會之。惟錢圓沙先生云：「凡古人詩文之作，未有不以學始之，以悟終之者也，而於詩尤驗。」此論雖本滄浪，而「以學始之」一語，實可圓「非關書也」之説，尤足爲後學指南耳。

紀昀《紀文達公遺集》文集卷九《雲林詩鈔序》 余謂西河卜子，傳《詩》於尼山者也，《大序》一篇，確有授受，不比諸篇小序，爲經師遞有加增。其中「發乎情，止乎禮義」二語，實探風雅之大原。後人各明一義，漸失其宗。一則知「止乎禮義」，而不必其「發乎情」，流而爲金仁山《濂洛風雅》一派，使嚴滄浪輩激而爲「不涉理路，不落言銓」之論。

又《田侯松岩詩序》 鍾嶸《詩品》陰分三等，各溯根源，是爲詩派之濫觴。

張爲創立《主客圖》，乃明分畦畛。

宋大樽《茗香詩論》 同林異條，異苔同岑，君子以同而異。且迫而視之，有湍際不可得見，指揮不可勝原者。必曰某源出於某，此《詩品》之皮相也。

孫枝蔚《溉堂文集》卷一《葉思庵龍性堂詩序》 自鍾記室作《詩品》，謂某詩源出於某，後乃又有江西詩派。曰源，曰派，皆不過論其門戶耳。【略】故有信《詩品》之説者，其失也，巧者爲優孟之衣冠，拙者爲東施之捧心矣。有信詩派之説者，其失也，善者太伯逃荆蠻之鄉，不善者公孫作井底之蛙矣。

李重華《貞一齋詩説·詩談雜録》 鍾嶸所論，是強别源流；表聖所評，亦粗排品類。能者須於言外領略，原未辦入門階級。

又 嚴滄浪以禪悟論詩，王阮亭因而選《唐賢三昧集》，試思詩教自尼父論定，何緣墮入佛事？

葉矯然《龍性堂詩話初集》 嚴儀卿論詩，人所習解。其云：「雜唐人詩於古今人集中，望其題引而即知爲唐人，不必全讀詩。」此最妙論。

又 宋人稱詩，前推蘇、黄，後推陳、陸，不及滄浪。

翁方綱《石洲詩話》卷四 《讀唐人及半山詩》云：「半山便遣能參透，猶有唐人是一關。」此與嚴滄浪論半山之語相合，豈滄浪用此耶！然誠齋之參透半山，殊似隔壁聽耳，又不知所謂唐人一關在何處也。

又 自唐之司空表聖、宋之敖器之，皆精於評語，爲譚藝家所推，而所自作，皆未能與所評相稱。若嚴滄浪五言數篇，稍與所談微中，《閨怨》、《懊儂》諸小詩，亦不減唐賢風味，但惜不多見耳。

陸奎勛《松桂讀書堂詩話跋》 詩話盛于宋代，余所及見者有百數十家。然自歐、蘇、山谷外，不過就所窺見，敷衍成帙，非能于六詩源流心解神會也。國朝詩話，我浙如毛西河、朱竹垞兩太史，徵事既博，持論極工，而新城王司寇則取材尤富，觀者蔑不心醉焉。鱸香居士讀詩之餘，心有悟入，隨筆詮次，直能于漢魏六朝三唐宋元諸家，窮微闡奥。諸詩老不得雄踞于前矣。

何文煥《歷代詩話序》 詩話於何昉乎？《賡歌》紀於《虞書》，六義詳於古序，孔孟論言，别申遠旨，《春秋》賦答，都屬斷章。三代尚矣，漢魏而降，作者漸夥，遂成一家之言。洵是騷人之利器，藝苑之輪扁也。

又《歷代詩話考索》 鍾常侍評鮑參軍云：「嗟其才秀人微，取湮當代。」夫明遠之才，爵位微矣，猶然未彰，矧下此者哉！然而其詩其名，故不磨也。人微乎哉！勉之。

又 齊諸暨令袁嘏，自詫「詩有生氣，須捉著，不爾便飛去」。此語雋甚！坡仙云：「作詩火急追亡逋。」似從此脱化。

又 皎然《詩式》云：「五言周時已濫觴。」按一言至九言，《三百五篇》皆具，不止五言也。

又 釋氏寂滅，不用語言文字，《容齋隨筆》記《大集經》著六十四種惡口，載有大語、高語、自讚歎語、説三寶語。宣唱尚屬口業，況製作美詞？乃皎然論謝康樂早歲能文，兼通内典，詩皆造極，謂得空王之助。何自昧宗旨乃爾？

又 晝公論涸没格云：「如夏姬當壚，似蕩而貞。」無論夏姬無當壚故實，且安得云貞？想是文君之訛。然閲諸本皆同，未敢擅改。

又 考晝公《詩式》有五卷，又有《詩評》三卷，今非全本矣。中有云：「注於前卷，後卷不復備舉。」訛脱之一證也。

又 司空表聖《二十四詩品》，仿書評而别具體裁，氣味可步柴桑四言後塵。

又 《全唐詩話》記虞世南不和太宗宫體詩，微特政治攸關，亦文藝中争友也，惟太宗容之。降若後世，即朋友間難相得矣。

又 唐宣宗《弔白樂天詩》云：「童子解吟《長恨曲》，胡兒能唱《琵琶篇》。」按「琵」當作入聲讀。洪邁《容齋隨筆》記樂天詩，以「琵」字作入聲讀，如「四弦不似琵琶聲，亂寫眞珠細撼鈴」、「忽聞水上琵琶聲」是也。又以「相」字作入聲，如「爲問長安月，誰教不相離」是也。「相」字之下自注云：「思必切。」以「十」字作平聲，如「在郡六百日，入山十二回」、「緑浪東西南北路，紅欄三百九十橋」是也。以「司」字作入聲，如「一爲州司馬，三歲見重陽」、「四十著緋軍司馬，男兒官職未蹉跎」是也。宣宗弔詩，蓋即用樂天字句。

又 《全唐詩話》云：「武后詩文，率元萬頃、崔融輩爲之。」按武后有《懷如意君詩》，雖出小説，可與楊叛兒歌同調，則所作不盡出崔、元輩手也。

又 「蓬生麻中，不扶自直」。張説之爲小人而不至大謬，賴有良朋。雖相業文學，彬彬可觀。《全唐詩話》載其作《上官昭容文集序》，居然搦管，恬不知耻。非邪媚之一斑邪？

又 唐中宗狎暱近臣，宴集令各獻伎爲樂。張錫爲談容娘舞，宗晉卿舞

渾脱。按《教坊記》云：「談容娘本名踏謠娘。北齊時有酗酒輒毆其妻者，妻銜悲訴於鄰里，時人弄之，丈人著婦人衣，徐步入場行歌，每一疊，旁人齊聲和之云：『踏謠和來，踏謠娘苦和來。』以其且步且歌，故謂之『踏謠』。」《杜陽雜編》云：「妓女石火胡養女五人，纔八九歲。火胡立於十重朱畫牀子上，令諸女迭踏至半，手中皆執五綵小幟。俄而，手足齊舉，謂之『踏渾脱』。歌呼抑揚，若履平地。」

又 尤公記王右丞《終南山詩》，云或謂維譏時，此等附會大可恨。李鄴侯賦楊柳，蘇長公詠柏，賴明皇神宗不受時相讒，亦幾殆矣。

又 元載夫人王韞秀《寄諸姊妹詩》云：「家風第一右丞詩。」《全唐詩話》謂是王縉相公之女。蓋據范氏《雲溪友議》也。仁和趙松谷箋注《右丞集》，考《唐書》，韞秀乃王忠嗣女，不知范氏何據而云然。豈因「家風」句邪？余按范氏所記，前云：「王相公鎮北京以嫁元載。」復云：「元相敗，上令入宮，備彤管之任。韞秀歎曰：『二十年太原節度使女，十六年宰相妻，誰能書得長信、昭陽之事？』」考王縉亦無二十年太原節度事。前人小說，概難盡信也。

又 章八元《慈恩塔詩》，有「如穿洞」、「似出籠」句，深爲阮亭王氏所誚。又崔峒「流水聲中視公事，寒山影裏見人家」。意境直同山鬼游魂，眞下劣詩魔也。

又 裴思謙及第後，宿平康里詩云：「銀釭斜背解明璫，小語偷聲賀玉郎。從此不知蘭麝貴，夜來新染桂枝香。」或云：「按《堯山堂外紀》『賀』作『喚』，蓋賀非私事，何事偷聲小語？惟『喚玉郎』故爾。」余謂作「賀」亦可，緣郎新貴不得不賀，卻是無限嬌羞。若背燈解璫，猶然待喚，此郎亦太呆相。不似遊平康里郎君矣。」相與一笑，各存原本可耳。

又 尤延之引段成式《酉陽雜俎》中遊佛寺數條，辭句艱澁，想多脱誤，恨無善本悉爲校正。中記通政坊寶應寺，有齊公所喪一歲子，漆之如羅睺羅。考《洛陽伽藍記》云：「于闐王不信佛法。有商胡將一沙門石毘盧旃，在城南杏樹下，向王伏罪云：『今輒將異國沙門來，在城南杏樹下。』王忽聞，怒。即往看毘盧旃。旃語王云：『如來遣我來，令王造覆盆浮圖一軀，使王祚永隆。』王言：『使我見佛，當即從命。』毘盧旃鳴鐘聲告佛。即遣羅睺羅變形作佛，從空而見。王五體投地。即於杏樹下置立寺舍，畫作羅睺羅像，忽然自滅。」又《乾淳歲時記》云：「七夕節物，多尚果食茜雞及泥孩兒，號『摩睺羅』，有極精巧飾以金珠者。」按此云添一歲子，則是如泥孩，當作「摩睺羅」。乃毛氏《汲古閣本》作「羅睺羅」，未知孰是？

又 李洞「藥杵聲中搗殘夢，茶鐺影裏煮孤燈」，及褚載《賀趙觀文重試及第詩》，宜不免後人之誚。至衛準「莫言閒話是閒話，往往事從閒話來」、「何必剃頭爲弟子，無家便是出家人」，則又甚焉。眞錄之汙筆，見之汙目。

又 或謂《全唐詩話》似是尤公草創之書，不無訛雜。明楊升菴深嗤之，盍刪正焉。余謂刪之誠快目，恐無以爲好作惡詩者戒，姑存以寓彰癉。

又 韓偓《香奩集》，傳是和凝之作。蓋因和魯公亦有集名《香奩》，不知曲子相公之集，亦屬詞曲，前人辨之詳矣。《全唐詩話》尚沿沈氏《筆談》之誤。

又 僧清塞《贈王道士》云：「關西往來熟，誰得水銀銀。」《贈李道士》又云：「擬歸太華何時去？他日相逢乞藥銀。」欲得現成受用，募緣本相也。

又 六一居士《詩話》載：「呂文穆公未第時，爲胡大監旦所薄。有譽其工詩者，舉及『挑盡寒燈夢不成』之句。胡笑以爲渴睡漢。」按此篇未知何題，若賦閒情，大是寒儉，殊不似狀元及第者。胡之薄之也故宜。

又 晏元獻於梅聖俞詩，所賞皆非其極致。可知知己良難。梅、晏尚如此，況素不謀面，與千百年前古人之詩邪？

又 六一居士謂詩人貪求好句，理或不通，亦一病也。如「袖中諫草朝天去，頭上宮花侍宴歸」，奈進諫無直用草稿之理。「姑蘇臺下寒山寺，夜半鐘聲到客船」，奈夜半非打鐘時云云。按「諫草」句不無語病，其餘何必拘？況不以文害辭，不以辭害志，孟子早有明訓，何容詞費！

又 司馬溫公《續詩話》云：「鮑當爲薛映掾。薛嘗暑月詣其廨，當狼狽入易服，忘其幞頭。久之月上，顧見髮影，乃大慚，以袖掩頭而走。」余謂此何傷，視手版支頤風落帽者，量懸殊矣。

又 《中山詩話》謂：「嚴維『柳塘春水漫，花塢夕陽遲』爲未善。夕陽遲繫花，春水漫不須柳也。」夫柳塘之下，自春水瀰漫，何可瑕疵？

又 中山又謂杜少陵「蕭條九州內，人少豺虎多。人少慎莫投，虎多信所過。飢有易子食，獸猶畏虞羅」。爲含蓄深遠。盡言若此，尚云含蓄邪。

又 《中山詩話》，《郡齋讀書志》謂有三卷。曾辨其言蕭何未嘗掾功曹爲誤。今毛氏汲古閣刊本合爲一，不識全否？惜無善本可正。

又 《後山詩話》，《郡齋讀書志》云有二卷，論詩七十餘條。今據毛氏汲

古閣刊本，條數不減，其卷亦合爲一矣。

又 文人相輕，自古皆然。昌黎之文，不能置一辭，轉而詆其詩，且造作言語，以毁其行。如後山謂退之亦有絳桃、柳枝二妓，且卒也以藥死云云。殊不知數語解圍，蹈不測之地，曾無懼色，氣節不亞於眞卿。淮西之役，幾先李愬成功。書生事業，如此止矣，何不好成人之善若此哉？

又 文人造語，半屬子虛。後山辨《高唐賦》，以爲「欲界諸天，當有配偶」云云。醜甚！

又 陳後山謂陶淵明之詩，切於事情而不文。以不文目陶，亦大奇事。

又 山谷詞云：「斷送一生惟有，破除萬事無過。」蓋用韓詩「斷送一生惟有酒」、「破除萬事無過酒」。後山以爲才去一字，對切而語益峻。余謂此眞歇後，非「彎六鈞」「捐三尺」比也。

又 《後山詩話》記：「柳三變遊東都南北二巷，作新樂府，骫骳從俗，天下詠之。」按「骫」音「委」，「骳」音「被」，又音「靡」。《枚乘傳》云：「其文骫骳。」注云：「猶言屈曲也。」

又 魏泰《詩話》，據《讀書敏求記》云，是一卷。余所得刊本其論詩共三十餘條，似是全者。然見他書所引，此中有不載者，可知尚有脱遺。

又 《臨漢隱居詩話》云：「鼎澧道中有甘泉寺。天禧末寇萊公南遷，題名寺壁。天聖初，丁謂南遷，復題名而行。其後范諷爲湖南安撫，有詩云：『平仲酌泉方整轡，謂之禮佛又南行。層巒下瞰炎荒路，轉使高僧薄寵榮。』」竊謂士君子直節事君，豈顧利害？況寇公與丁謂不可同日語，范諷之詩，烏足録哉！宋黄徹曾深駁其非。

又 竹坡論履道詩云：「『不見牛醫黄叔度，即尋馬磨許文休。』琢句雖工，奈牛醫是叔度之父。」不覺爲之失笑。蓋即以家學論，恐叔度亦未必不諳此技。

又 竹坡稱集句之工，推王荆公爲得此中三昧。余謂只是記覽熟耳，云何「三昧」？山谷所謂眞堪一笑者也。且攻乎此，去詩道益遠。

又 竹坡云：「淵明賦《閒情》，想其於此不淺。有坐客問『淵明有侍兒否？』一人戲云：『雍端年十三，不識六與七』，豈非有侍兒邪？」按淵明未始無妾，其與子儼等疏云：「爾等雖不同生，當思四海皆兄弟之語」，是五子乃異母生。又詩云：「弱冠逢世阻，始室喪其偏。」則早年嘗悼亡妾矣。

又 《竹坡詩話》云：「少陵之子宗武，以詩示阮兵曹，兵曹答以斧一具，謂『不斷斷其手，天下詩名又在杜家矣。』」信然，不雅馴莫甚焉。若以贈無知好作惡詩者，卻正合當。

又 竹坡謂：「韓退之『紅皺曬檐瓦，黄團繫門衡。』不知少陵《北征詩》『或紅如丹砂，或黑如點漆』，頗是省力。」夫詩人喜好各別，至以點漆丹砂爲妙，殊難理會。

又 竹坡謂：「荆公詩如『濃緑萬枝紅一點，動人春色不須多』、『春色惱人眠不得，月移花影上欄干』等篇，皆平甫作，非荆公詩也。」以其太艷耳。《關雎》思窈窕之淑女，《東山》詠其新之孔嘉，文王周公不害爲聖人。惟學究腐儒，屏絶綺語。一或有之，必爲之辨，深可厭也。

又 少隱論滕元發詩：「『野色更無山隔斷，天光直與水相連』，一『直』字著力，便覺近俗，擬改作『自』字。」不知校原本更弱矣。何不云「野色曠無山隔斷，天光遠與水相連」邪？

又 每恨少年習氣，浮華不實。《紫微詩話》舉楊道孚詩云：「東平佳公子，好學到此郎。別去今幾日，結交皆老蒼。」旨哉是言。好結交老蒼，乃是眞實好學人。

又 《彦周詩話》謂：「退之詩『銀燭未銷窗送曙，金釵欲醉坐添香。』殊不類其爲人。」余謂鐵心石腸，工賦《梅花》，《閒情》一賦，何傷靖節？正恐慣説鍾庸大鶴，卻一動也動不得耳。

又 《李夫人序》：「是邪？非邪？立而望之，翩何珊珊其來遲。」「非」、「之」、「遲」叶韻。彦周引之，「翩」作「偏」，連上作一句，并謂「退之『走馬來看立不正』，即祖其意」。豈古人句讀不同，抑別有據邪？

又 杜詩「萬里戎王子」，諸本皆同。惟彦周引之作「明玉子」，且云：「不曉何物？」可廣異聞。

又 彦周誚杜牧之《赤壁》詩「社稷存亡都不問，只恐捉了二喬，是措大不識好惡」。夫詩人之詞微以婉，不同論言直遂也。牧之之意，正謂幸而成功，幾乎家國不保。彦周未免錯會。

又 詩人諛杜，通國然矣。葉石林謂禪家有三種語，老杜詩亦然。如「波漂菰米沉雲黑，露冷蓮房墜粉紅」，爲函蓋乾坤語；「落花游絲白日靜，鳴鳩乳燕青春深」，爲隨波逐浪語；「百年地僻柴門迥，五月江深草閣寒」，爲截

斷衆流語。余謂杜詩誠有此三種，如葉云云，未免強作解人。

又 《石林詩話》云：「唐彦謙《題漢高廟》云：『耳聞明主提三尺，眼見愚民盜一抔。』蘇子瞻云：『買牛但自捐三尺，射鼠何勞挽六鈞。』語皆歇後。一抔六鈞，事無兩出，或可略土字弓字。如三尺，則三尺律、三尺喙皆可，何獨劍乎？」余謂既曰「明主提」「買牛」「捐三尺」，下諒無別解。信如所評，則王介甫詩「含風鴨綠鱗鱗起，弄日鵞黄裊裊垂」。「鴨綠」「鵞黄」，究屬何語？乃於王獨不置一辭，反多詼言，何與？

又 《石林》記「王介甫有惡馬，蹄齧不可近。蔡天啓捉其騣，一躍而上，不用銜勒，馳數十里。荆公大喜，贈詩云：『身著青衫騎惡馬，日行三百尚嫌遲。心源落落堪爲將，卻是君王未備知。』時遂盛傳公以將帥許之，依附者屢欲用以爲帥。」嘻，偶然贈句，豈得認真？會騎馬堪爲將，會搦管即可知制誥邪？宋人眞不識好惡也。

又 王介甫只是堅僻，未有斥其奸邪者。《石林詩話》載：「中書南廳壁間，舊有晏元獻《詠上竿伎詩》云：『百尺竿頭裊裊身，足騰跟挂駭旁人。漢陰有叟君知否？抱甕區區亦未貧。』當時固必有謂。文潞公在樞府，一日與荆公行至題下，遲留誦詩久之。他日，荆公復題一絶於後曰：『賜也能言未識眞，誤將心許漢陰人。桔槔俯仰何妨事，抱甕區區老此身。』」《石林》記此，亦不置一辭。余謂觀此，介甫之心術見矣，此老亦難得有此破綻。

又 《韻語陽秋》云：「梅聖俞於時未嘗輕許人，每有投卷，答詩必因其短而教誨之。東坡喜獎進後學，一言之善，必極口褒賞，使有聞於世而後已。受其賞者，亦踴躍自勉，終成令器。」嗚呼！如二公者，安得世有其人？

又 王介甫詩云：「功謝蕭規慚漢第，恩從隗始詫燕臺。」或疑「恩」字於出處本無，王舉孟郊詩以對。孟詩可當出處邪？用事只取意合，字句本可弗泥。葛公引之，推爲用法之嚴，固哉！

又 李太白云：「白髮三千丈，緣愁似箇長。」王介甫襲之云：「繰成白髮三千丈」，大謬。髮豈可繰？盧仝云：「草石自親情」，黄山谷沿之云：「小山作朋友，香草當姬妾。」讀之令人絶倒。《韻語陽秋》以爲得換骨法，我不信也。

又 按沿襲古人句，縱使語妙，杼山偷句，已有明條，云何換骨？

又 王介甫罷詩賦，取經義。嗣後，奸黨指詩賦爲元祐學術。政和中，著令士庶習詩賦者杖一百，可笑可恨。按王阮亭《分甘餘話》云：「建言者，御史李彦章也。意本在黄、秦、晁、張四學士，并劾及前代淵明、子美太白。定律令則何執中也。」

又 《韻語陽秋》證韓昌黎之臨薨不亂，引《宣室志》小説云云，殊爲失當。

又 東坡詩：「他年一舸鴟夷去，應記儂家舊姓西。」常之以爲韻所牽。余疑「姓」或是「住」字，殆傳寫之訛。昔人亦曾辨之。

又 葛常之引李太白詩云：「何當赤車使，再往召相如。」不可謂無心仕進者。然慢侮力士，略不爲身謀，旋致貶逐，使欲仕之心切，必不如是。謬哉！士非不欲仕，又惡不由其道，胸中無理義，何可妄論古人。

又 樂天《詠史》云：「良時足可惜，亂世何足欽？」乃孔子「邦有道，貧且賤焉」、「危邦不入，亂邦不居」之義。又云：「乃知汨羅恨，未抵長沙深。」亦猶昌黎所云，非中國即夷狄矣，非若屈子可之齊、之韓、之趙魏也。葛氏以爲「信如斯，是以亂世爲不足振」云云，未免太固。

又 王介甫云：「今人未可非商鞅，商鞅能令政必行。」《韻語陽秋》雖非之，卻謂有激而云。不知新法之行，排屏正人，不遺餘力，邪心正是如此。

又 淵明達識，葛常之引其《自祭文》及《自挽詞》云云，以爲第一達磨援儒入釋，甚無理也。

又 又常之詳論唐宋諸公精通禪理，并謂歐陽公不奉佛，因感夢遂信奉云云。直同寱語。

又 《韻語陽秋》辨精舍乃儒者教授生徒之處。「晉孝武立精舍於殿內，引沙門居之。故今皆以佛寺爲精舍。」按《事物紀原》曰：「漢明帝於東都門外立精舍，處攝摩騰竺法蘭，即白馬寺也。騰始自西域以白馬馱經來止鴻臚寺，遂取寺名，創置白馬寺，即僧寺之始也。」又曰：「周穆王尚神仙，召尹軌、杜沖居終南山尹眞人草樓之所，因號樓觀，蓋道觀之始也。」則寺觀俱屬釋道借稱，微獨精舍然。

又 按《分甘餘話》引《雒陽伽藍記》及《石林燕語》，辨寺之始同。又引《雲麓漫鈔》云：「漢元帝被疾，召方士漢中，送王仲都處之昆明觀。故後世道士所居皆曰觀。」

又 元次山愛身後名，吾其山，吾其溪，吾其亭，亦自吾作古云爾。葛公深斥之，殆入禪魔。

又 韓昌黎云：「凡爲文詞，宜略識字。」又詩云：「阿買不識字，頗知書八分。」葛公又云：「顔魯公有《干祿字樣》行世，恐學書者不識字也。」按識字亦大難，微特古文奇字，即如「王」「玉」、「剌」「刺」，以及畫同而音義別者，非素講明，良多錯誤。豈若舉子業，可率爾操觚。

又 張曲江爲《荔枝賦》，葛公謂楊妃之嗜，或公啓之。按《三百五篇》，詠禽獸、果木、池臺、服玩、美色、音聲，不一而足，皆末世荒淫之媒邪？

又 寇忠愍知巴東縣，有詩云：「野水無人渡，孤舟盡日横。」乃襲「野渡無人舟自横」句。葛公謂其以公輔自期，强作解矣。

又 王逢原寄王介甫詩云：「天門廉陛鬱巍巍，勢利寧無濇泊譏。豈與跖徒爭有道，盍思吾黨自言歸。古人踽踽今何取，天下滔滔昔已非。終見乘桴去滄海，好留餘地許相依。」葛公引之，謂「識度之遠，又過荆公」。按當日朝政國勢，未爲甚失。措辭乃爾，大是背逆。詩句惡劣，又無論矣。不知葛公是何肺腸，反稱道之。

又 王右丞私邀孟浩然於苑中，明皇微特不之罪，反使誦詩，千載奇逢。至詩句忤旨，乃其命也。葛常之謂右丞不於此時力解明皇之慍，爲忌其勝己，故不肯薦。請問「不才明主棄」句如何解？此等論言，眞以小人之心，度君子之腹。

又 韓昌黎答崔立之詩云：「幾欲犯嚴出薦口，氣象硉矹未可攀。」夫韓公豈不敢犯嚴薦人者，想是人或性行不諧於世故爾。葛公遂斥其「隱情惜己，殆同寒蟬」，過矣。

又 姜白石云：「凡作大篇，當首尾停匀，腰腹肥滿。每見人前面有餘，後面不足，前面極工，後面草草。」按此病雖或不經意，然亦難勉强。凡精神不能滿幅者，非夭折即窮困，作文寫字，往往然也。

又 白石云：「小詩精深，短章醞藉，大篇有開闔，乃妙。」余謂小律短章，豈無開闔？凡文字，一啓口便有起落之勢，亦開闔也。如《論語》首章説一「學」字，下用「而」字轉出「時習」，不已具開闔勢邪？

又 予嘗戲云：「我輩不可作俚杜文章。」蓋謂俚鄙杜撰也。嚴滄浪云：「押韻不必有出處，用事不必有來歷。」殆未免是邪。

又 《滄浪》謂讀《騷》者，須歌之抑揚，涕淚滿襟，乃識《騷》之眞味。不知涕淚滿襟，殊失雅度。恐當日屈子未必作是形容也。

又 《滄浪詩話》，考《讀書敏求記》云是二卷，并駁其論禪、論騷之誤。今毛氏鐫本合爲一卷矣。

又 《山房隨筆》載：「道君直北某州有題壁詩云：『徹夜西風撼破扉，蕭條孤館一燈微。家山回首三千里，目斷山南無鴈飛。』」按此詩音嘶氣咽，與前明建文帝金竺長官司羅永菴題壁同調。士人有此，難膺厚福，況於國主，宜不復也。

又 《山房隨筆》記：「林觀過年七歲，鬻詩於市。或令戲詠轉失氣，云：『視之不見名曰希，聽之不聞名曰夷。不啻若自其口出，人皆掩鼻而過之。』試神童科，不甚達。」余謂侮聖經，瀆文字，罪莫大焉。不達而無奇禍，猶其幸也。

又 《山房隨筆》記：「黨懷英《孔子廟詩》結句：『不須更問傳家遠，泰岱參天汶泗長。』」《稗海》原本，卻作「汾水長」。余改正作「汶泗」。按「汶」音「問」。《水經注》云：自桃鄉四分，當其派别之處曰四分口，與蜀之「汶江」音「岷」、遼東之「汶城」音「文」，各別。

又 《山房隨筆》記南康神童鄧文龍一節，中有云：「太守及諸公，衹服褙子。文龍以綠袍末坐，供茶，故以托子墮地。諸公戲以失禮。對曰：『先生衩衣，學生落托。』按《篇海》云：『衩衣，袒也。』《釋名》云：『褙，襲也。』覆上之言也。據此則『袒』與『襲』相反也。」余刻改作「褙子」，「褙」音「背」。《類篇》云：「襦也。」想是衫外繫襦，不更著袍，故云「衩衣」。

又 《丹鉛總錄》云：「苻堅時，姜平子侍宴，獻詩，内丁字直而不屈。堅問故。答云：『屈下者不正，未足以獻。』堅大悦。」按：「丁」即古文「下」字，平子所云，小朝廷妄學。升菴謂「與劉晏『朋』字未正之對相似。」殆未免過許。

又 升菴謂杜牧好用數目，垛積成句。按句法亦不外《三百篇》，如「于三十里」、「三百維羣」、「九十其犉」、「終三十里」、「十千維耦」等句，蓋不一而足矣。

又 「八角磨盤」一則，内有「赤角律」三字，不知何語？

又 好字多出經傳。升菴論孟襄陽，「待到重陽日，還來就菊花」。「就」字之妙，歷引古詩證其出處，不知「處士就閒晏」，《國語》早先之矣。

又 太白詩「酣歌一夜送泉明」，爲高祖諱也。不知者改作「泉聲」。升菴

非之。按近日詩文亦有用「泉明」者，豈爲私避邪？不則今人代唐諱也。

又「千里鶯啼緑映紅，水村山郭酒旗風。南朝四百八十寺，多少樓臺烟雨中。」此杜牧《江南春詩》也。升菴謂：「千應作十。蓋千里已聽不著看不見矣，何所云『鶯啼緑映紅』邪？」余謂即作十里，亦未必盡聽得著，看得見。題云「江南春」，江南方廣千里，千里之中，鶯啼而緑映焉。水村山郭，無處無酒旗，四百八十寺，樓臺多在烟雨中也。此詩之意既廣，不得專指一處，故總而命曰「江南春」。詩家善立題者也。

又升菴恃其淵博，逞詼詭之論，萬一不無錯誤。前明陳文燿之《正楊》，胡應麟之《藝林學山》，直與前輩爲讎，肆厥訾議，過矣。

又子思子云：「聖人亦有所不知。《大雅》曰：『先民有言，詢於芻蕘。』」故余於詩話，考故實，各述所聞見，論是非，折衷於聖經，于古人無彼我也。若前明晦伯、元瑞之於升菴，各挾己見，所論又未盡允確，難免蚍蜉撼樹之譏。

又解詩不可泥，觀孔子所稱可與言《詩》，及孟子所引可見矣，而斷無不可解之理。謝茂秦創爲可解、不可解、不必解之説，貽誤無窮。

又謝山人《四溟詩話》以唐律、六朝詩爲是女工，眞堪一笑。

又茂秦引《詩法》曰：「《事文類聚》不可用，蓋宋事多也。」余謂宋事何不可用？街談巷語，皆可入詩，唯在鑪錘手妙。

又劉禹錫詩曰：「舊時王謝堂前燕，飛入尋常百姓家。」妙處全在「舊」字及「尋常」字。四溟云：「或有易之者曰：『王謝堂前燕，今飛百姓家。』點金成鐵矣。」謝公又擬之曰：「王謝豪華春草裏，堂前燕子落誰家？」尤屬惡劣。

又余嘗論賦詩須稱地位，少壯而言衰病，飽煖而説困厄，平安而發感慨，皆不祥也。四溟山人亦云：「學子美者摹擬太甚，殊失性情。」

又《四溟詩話》云「游環脅驅，陰靷鋈續。鉤膺鏤錫，鞹鞃淺幭」等語，艱深奇澁，殆不可讀。韓柳五言有法此者，後學當以爲戒。余謂詩各有體，以學《三百篇》爲戒，奇語也。

又謝山人以懽、紅爲韻不雅，以愁、青爲韻佳。不知自在琢句，豈關韻字邪？

又吾人詩文一道，非秘密藏也，特恨不肯來學耳。謝山人論詩，李于鱗責其太洩天機，殆風雅中小人哉。

又製作繫乎聲名。茂秦有「詩忌」、「詩奸」、「詩諂」三則，足爲惡俗針砭。

又謝公與時輩論詩，自云是夕夢見李、杜。嘻，可入笑譜。

又四溟山人於知己，不免以詩句隙末。故余謂贈答詩不作可也。

又前代詩話，皆先哲名言，小子後生何敢妄議！雖然，所見異辭，所聞異辭有之，考故實，索謬訛，讀書者之本分也，遂成《考索》凡百有一條。

章學誠《文史通義》卷五《詩話》 詩話之源，本於鍾嶸《詩品》。然考之經傳，如云「爲此詩者，其知道乎？」又云：「未之思也，何遠之有？」此論詩而及事也。又如「吉甫作誦，穆如清風。其詩孔碩，其風肆好」，此論詩而及辭也。事有是非，辭有工拙，觸類旁通，啓發實多。江河始於濫觴。後世詩話家言雖曰本於鍾嶸，要其流别滋繁，不可一端盡矣。【略】《詩品》之於論詩，視《文心雕龍》之於論文，皆專門名家勒爲成書之初祖也。《文心》體大而慮周，《詩品》思深而意遠。蓋《文心》籠罩群言，而《詩品》深從六藝溯流别也（如云某人之詩，其源出於某家之類，最爲有本之學。其法出於劉向父子）。論詩論文而知溯流别，則可以探源經籍，而進窺天地之純，古人之大體矣。此意非後世詩話家流所能喻也（鍾氏所推流别，亦有不甚可曉處。蓋古書多亡，難以取證，但已能窺見大意，實非論詩家所及）。【略】《詩品》、《文心》，專門著述，自非學富才優，爲之不易，故降而爲詩話。沿流忘源，爲詩話者不復知著作之初意矣。

又《校讎通義》卷一《宗劉》 評點之書，其源亦始鍾氏《詩品》、劉氏《文心》。然彼則有評無點，且自出心裁，發揮道妙。又且離詩與文，而别自爲書，信哉其能成一家言矣。自學者因陋就簡，即古人之詩文，而漫爲點識批評，庶幾便於揣摩誦習。而後人嗣起，囿於見聞，不能自具心裁，深窺古人全體，作者精微，以致相習成風，幾忘其爲尙有本書者，末流之弊，至此極矣。然其書具在，亦不得而盡廢之也。

湯成彦《洪稚存先生北江詩話序》 蕭梁之世，鍾嶸《詩品》第詩人之甲乙，溯厥淵源，詩話實權輿於此。

方薰《靜居緒言》 鍾仲偉之《詩品》，語多影響，以其論建安之際言之，其他可知。如魏文、王粲原于李陵，陳思原於《國風》，劉楨原於古詩。鄴下

諸子，同源異派，要亦曹氏之風耳。一一分限，殊未必然。

韓菼《有懷堂文稿》卷五《五大家文稿序》 梁鍾嶸品詩，謂「吟詠性情，多非補假，皆由直尋。」然必曰某詩之源出於某。唐之《主客圖》亦其遺意。蓋主者專家之謂，客則如歸其家云爾。【略】蓋古之作者，原原本本，筋力成就必有所自。若煙墨無不言，任其驅染，不復可定其何家，是鹵莽於斯道者也。

姜曾《三家詩話序》 或謂自鍾嶸《詩品》而後，詩話充棟，大都妄下雌黃，無裨詩教。然觀吳札觀樂，不廢美譏；子夏序詩，並論哀樂，即詩話之濫觴也。豈可議其無裨哉！

陸以湉《冷廬雜識》卷一 鍾記室《詩品》，自漢迄梁百三人，別本一百二十二人。上品十一人，中品三十九人，下品七十二人。漢七人，魏十一人，晉三十八人，宋二十六人，齊三十人，梁十人。漢四百餘年只得七人，宋、齊以下僅百年而得六十餘人。蓋五言之學，六朝始盛，抑略於遠而詳於近，理則然也。惟同時昭明太子《文選》詩六十二家，《詩品》所述者五十一人。韋孟、東皙、應貞四言，張衡七言，既不列於品，若漢之蘇武、應瑒，晉之盧諶、司馬彪、王康琚，宋之徐悱、劉鑠皆以五言著稱，乃亦見遺，然則所取殆猶未備歟？又如以劉楨列上品，陶潛列中品，徐幹、阮瑀列下品，品第違失，昔人多議及之。然其鋪觀列代，撮舉同異，實能推究淵源，闡明旨趣。且百餘人之詩，今不盡存，尚賴此以流傳，俾得考見得失，誠于詩教有功，可爲後學之津梁也。

潘煥龍《卧園詩話》卷五 作詩話者，有詩而無話則是選詩，非話詩也。蕉雨刺史謂予曰：「君《詩話》之佳，佳在詩，佳尤在話也。」長白鍾雲亭(祥)方伯曰：「讀君所話，知於此道中三折肱矣。」撫寧王紫瀾(瑞徵)比部曰：「著書者，使人閱之而厭其多，書必不佳。君所著《詩話》，令人讀之而惜其少，此所以爲佳也。」

孫均《靈芬館詩話序》 詩話之作，昉於六朝，衍於唐，盛於宋，流波及於元、明。

謝啓昆《樹經堂詩初集》卷一一《讀全宋詩仿元遺山論詩絕句二百首》 滄浪逋客論詩法，第一禪宗數盛唐。海內橫流誰傑出，大乘法眼是蘇黃。

黃承吉《偶題滄浪詩話》 我愛滄浪善說詩，上乘纔證即低眉。世人但識嵯峨好，爭見須彌納芥時。

又 嵯峨莫道是眞峰，峰在須彌第幾重。不是牟尼眞慧眼，誰知突兀萬芙蓉。

又 虞山嗤爾劣詩魔，彼自聲聞淺渡河。到得新城緣覺果，賞心偏道愛君多。(牧齋極詆滄浪以譽漁洋，而漁洋論詩乃云最喜《滄浪詩話》，固知所造有淺深矣。)

又《前詩示客輒復論及諸家詩話乘醉又作》 幾輩學詩尋話悟，豈知因話反誣詩。荒唐盡出無稽外，嘮囈終成不了時。精詣六朝文士在，坦途千古聖經垂。從來識近中人上，尚有滄浪一卷辭。

林昌彝《射鷹樓詩話》卷五 昔人謂詩話作而詩亡，此論未免太過。近臨川大學李君宗瀛柬粵西王少鶴詩，有「論詩口訣傳都贅」之句，亦以詩話爲不必作，蓋以唐人無詩話而詩存，宋人有詩話而詩亡。不知唐人無詩話，至晚唐風格卑弱，已幾於亡；宋人始有詩話，而宋詩至東坡、山谷、渭南，雄視一代，而蒼然入古，是詩至宋而未嘗亡。詩之存亡，關一代之運會，不關於詩話之作與不作也。近代竹垞、西河、愚山、漁洋、秋谷、確士、甌北、簡齋、雨村、四農，皆有詩話。竹垞之婷雅，四農之精確，則詩話必不可不作，是有詩話而古詩存。確士之專取風格，簡齋之一味濫收，則詩話不必作可也。簡齋詩話尤滋學者之惑，爲詩話之蠹。余謂詩話之作，其弊有五：一則無識，二則偏見，三則濫收，四則徇情，五則好異。去此五者，其於詩話之作，思過半矣。

又 凡涉論詩，即詩話體也。詩必愈論則愈精，昔人謂詩話作而詩亡，豈通論乎？《東坡集》與其子蘇過論詩人寫物云：「詩人有寫物之功，『桑之未落，其葉沃若』，他木殆不可以當此。林逋《梅花》詩云『疎影橫斜水清淺，暗香浮動月黃昏』，決非桃李詩。皮日休《白蓮花》詩云『無情有恨何人見，月曉風清欲墮時』，決非紅蓮。此乃寫物之功。若石曼卿《紅梅》詩云『認桃無綠葉，辨杏有青枝』，此至陋語，蓋村學中體也。」東坡此書，蓋即詩話之例耳。

又卷二二 宋襄邑許彥周(顗)著《彥周詩話》，其論詩話大旨云：「詩話者，辨句法，備古今，紀盛德，錄異事，正訛誤也。若含譏諷，著過惡，誚紕繆，皆所不取。」余謂凡著書須有關係，詩話亦其一也。余所爲詩話，意專主於射鷹，及有關風化者次錄焉，其備古今，紀盛德，及辨句法，正訛誤，又次焉，體段與彥周同，而大旨又與彥周異。

潘德輿《養一齋詩話》卷一　嚴羽《滄浪詩話》，能於蘇、黄大名之餘，破除宋詩局面，亦一時傑出之士，思挽回風氣者。第溯入門工夫，不自《三百篇》始，而始於《離騷》，恐尚非頂䫌上作來也。然訾滄浪者，謂其專以妙悟言詩，非溫柔敦厚之本。是又不知宋人率以議論爲詩，故滄浪拈此救之，非得已也。且滄浪謂漢魏不假妙悟，夫不假妙悟，性情之中聲也。漢魏尚不假妙悟，況《三百篇》乎？知詩之本者，非滄浪其誰？雖然，以妙悟言詩，猶之可也，以禪言詩則不可。詩乃人生日用中事，禪何爲者？此則文士好佛之結習，非言詩之弊也。晚宋詩人遂以「學詩渾似學參禪」爲七絶首句，互相賡和，纍纍不休，明人亦復效顰。噫，異矣！

陳僅《竹林答問》　問：嚴滄浪有云：「律詩難於古詩，七律難於五律。」此語頗似駭俗。答：滄浪此語，深得詩中三昧，學者自昧昧耳。管韞山曰：「五律人可頓悟，七言非積學攻苦不能致也。論者謂『如挽百石弓，非腕中有神力者，止到八九分地位』。此言最善於名狀。」吾鄉先輩薛千仞先生曰：「七言律法度貴嚴，紀律貴整，音調貴響，不易染指。余見初學後生無不爲七言律，似反以此爲入門之路，宜其欲入而自閉其門，終身不得窺此道藩籬，無怪也。」

又　問：有謂詩不關學力者，其言何如？答：滄浪言：「詩有別材，非關書也；詩有別趣，非關理也。然非多讀書，多窮理，則不能窮其至。」其語本自無病，後人截其前四句語，爲藏身之固耳。以太白之天才，擬《文選》至三度，悉摧燒之；少陵尚謂「讀書破萬卷，下筆如有神」，況不如李、杜者乎！

又　問：滄浪「結句好難得，發句好尤難得」，然與？答：鄙意結句爲難。入手時一鼓作氣，可以自主，至結句鼓衰力竭，又須從上生意，一有不屬，全篇盡棄，故好者尤尠。梁、陳之詩無結句，唐末詩亦然。此雖關於運會，亦當時但爭工字句，故不免作強弩之末也。

又　問：白石云「一篇全在末句，有辭意俱盡、辭盡意不盡、辭意俱不盡之分」，其說何如？答：此最有妙理。宋人詩話，惟《白石道人詩說》可取，次則《滄浪詩話》，大醇小疵。餘當節取而已。

又　問：鍾嶸《詩品》爲千古評詩之祖，而記室之詩不傳，豈善評詩者反不能詩乎？答：非特善評詩者不能詩，即善吟詩者多不能評詩。

朱庭珍《筱園詩話》卷一　滄浪主妙悟，謂：「詩有別材，非關學也，詩有別趣，非關理也。然非多讀書，多窮理，則不能極其至。」是言詩中天籟，仍本人力，未嘗教人廢學也。竹垞謂「必儲萬卷於胸，始足以供驅使」，意主於學，正可與嚴説相參。何必執片語以詆古人，而不統觀其全文哉！

又　嚴滄浪謂用典使事之妙，如鏡中之花、水中之月，可以神會，不可言傳。又謂如著鹽水中，但辨其味，不見其形。所喻入妙，深得詩家三昧。大抵用典之法，在融化剪裁，運古語若己出，毫無費力之痕，斯不受古人束縛矣。

劉熙載《藝概》卷二　「思無邪」，「思」字中境界無盡，惟所歸則一耳。嚴滄浪《詩話》謂「信手拈來，頭頭是道」，似有得於此意。

又卷四　司空表聖云：「梅止於酸，鹽止於鹹，而美在鹹酸之外。」嚴滄浪云：「妙處透徹玲瓏，不可湊泊，如水中之月，鏡中之象。」此皆論詩也，詞亦以得此境爲超詣。

姚瑩《東溟文集》外集卷一《松坡詩説序》　昔鍾記室作《詩品》，討原辯委，定其上下位置。名流或疑未允，要藝苑之雅談也。顧詳於品藻，未盡旨趣。劉舍人《文心雕龍》，乃區分體裁，鈎抉元奥，擴士衡《文賦》之篇，蔚成鴻製。自是作者，罕能躪其藩焉。然不專論詩也。司空表聖作《二十四詩品》，義取彦和，名因記室，會心獨妙，就體研辭，粹然淵雅之宗。詩人妙趣，極盡擬議矣。而當時更有釋子皎然作《詩式》，亦復可觀。宋人詩話最多，最爲蕪雜。部帙之多，莫如《苕溪漁隱叢話》，所云披沙揀金者也。惟嚴滄浪、姜白石乃時窺祕旨耳。元明以降，論益紛繁。門戶既分，大都偏僻，足繼曩哲者，其昌穀之《談藝錄》乎。若胡元瑞之《詩藪》，王敬美之《秇圃擷餘》，亦其亞也。《卮言》則嫌繁穢矣。國朝詩人，不必首推阮亭。乃其鑒詣之精，持論之允，固古今詩人一大總匯也。余自束髮，即好爲詩，苦無師授，乃取諸家詩説觀之，稍得要領。自是泛濫古人名集，溯自漢魏，以迄本朝，作者數千，皆嘗考其元要，究其得失。始歎諸家之説，容有未盡。蓋疆域日開，後來流變，昔人不及見也。而世之君子，或囿于耳目，邪説叢滋，頗難擴闢。良由人心好新尚異，箏笛盛則琴瑟無音，燕趙陳則姬姜無色，漫陳古義，誰則悦之？又自勝國諸賢，或遺神取貌，勦襲堪嗤，其戒斯途，遂以法古爲恥。由是淫哇俚唱，競出馳聲，詩道極壞，曾莫之悟。譬猶懲誤劑而廢醫，見噎者而輟

食，未有不至于飢病且死者，不亦舛哉！余竊悼然，以所覽古人之義，條其本末，究彼匠心，奧窔悉陳，幽元斯啓，邪正自得，眞僞判然。匪以方軌前賢，庶遺作者，明所用心而已。

陳世鎔《琑説》 詩話興而詩道陊。宋明人意識自障，議論橫生，每於一代之中標舉數首，一人之集摘取數篇，拾道韞之唾餘，仰鍾嶸之溲泄，詩家原本，概乎未窺。《虞書》曰：「詩言志。」《小序》曰：「詩者，志之所之也，情動於中而形於言。」當其情景適會，意興忽來，天機之動不能自知。至於意有慘舒，詞有工拙，亦視其人才分所至，各不相掩，何煩千載以下，操玉尺以量甲乙哉！是選不欲學者錮其靈源，故於諸說一槩不登，廓清之功比於武事。

鍾駿聲《養自然齋詩話自序》 詩話權輿於小序，濫觴於《韓詩外傳》，其名則始於宋。

張之洞《輶軒語·語學》 《文心雕龍》、鍾嶸《詩品》，爲詩文之門徑。

劉師培《文說序》 昔《文賦》作於陸機，《詩品》始於鍾嶸，論文之作，此其濫觴。

又《收集文章志材料方法》 劉氏《文心雕龍》，集論文之大成，鍾氏《詩品》，集論詩之大成。

孫德謙《六朝麗指》 吾最愛讀鍾氏《詩品》，以其於每一家詩能究其淵源所自。

袁枚《歷代賦話序》 唐以後，詩有話，詩餘有話，獨賦無話。【略】柳愚先生創賦話一書，溯厥源流，考其義意。【略】凡正史稗官，遺文墜典，有涉於賦者，無不鱗羅而布列之。桓君山教人能讀千賦，自優爲之。今之學者能觀此書，又豈止千賦而已乎！其爲藝苑之津梁無疑也。

孫士毅《歷代賦話序》 柳愚《歷代賦話》一書，述而兼作者也。柳愚嘗再閱二十二史，【略】摘其中作賦之人爲賦話十四卷，又彙平生所錄諸家文集，旁及說部中之言賦者爲《續賦話》十四卷，其去取之精，搜羅之廣，蓋五易稿而後成。【略】其顯微闡幽，功豈淺鮮哉！

楊宗岱《歷代賦話序》 《歷代賦話》正續集二十八卷，附《復小齋賦話》二卷，吾友嘉善浦君柳愚之乙稿也。柳愚之學根柢六經，而嚌胾於百氏。【略】此書已上下二千餘歲，羅古作者晤言一室之內，序述其志，而得其含毫綿邈寄興深微之趣，間有疑誤，按以己意，精核而博辯之。【略】讀是集者毋徒賞其發前人之所未發，以補詩話詞話之缺，原原本本，溯河瀆而知滄海焉。

浦銑《歷代賦話自序》 宋汝陰王銍性之撰四六話一卷，自序云：「詩話、文話、賦話各別見。」顧賦話未見其書也，豈爲之而未成歟？抑失其傳歟？夫詩話之作夥矣，賦則錯見於諸書，未有集其成者。【略】予年來稍稍綴輯，漸成卷帙，上自戰國，下逮元明，載在正史者爲一集，一十四卷，博采他書者爲一集，一十四卷，名曰《歷代賦話》。

又《凡例》 賦以話名，必其信而有徵者，或關於國家之典故，或識其生平之梗概，標題摘句，皎若列眉，但云某有能賦聲，某幾歲能作賦，如此類概從刪削。

孫福清《復小齋賦話跋》 文之有話，始於劉舍人之《文心雕龍》；詩之有話，始於鍾記室之《詩品》。下至四六話、詞話、曲話，話日出而不窮，從未有話及於賦者。有之自近人孫梅始。然其書世少傳本。吾邑浦柳愚先生，績學工文，雅好辭賦。【略】所輯《歷代賦話》正續集，取精用宏，允足津梁後學。惟搜羅務博，卷帙較繁，往往難於別擇。不若此二卷獨出新意，一掃陳言，尤足見先生用功之深，不惜金針暗度也。

李調元《賦話序》 古有詩話、詞話、四六話，而無賦話。徐鉉之集唐宋律賦爲《賦苑》二百卷，李魯之《賦選》五卷，楊翱之《典麗賦》六十四卷，唐仲友之《後典麗賦》四十卷，馬偁之《賦門魚鑰》五卷，搜輯則該博矣，決擇則精粹矣。然只帖括之津梁，而非作賦之法門也。故雖體物瀏亮，爲士人佔畢之具，而其中有緼奧焉，尚隱而未發也。故亦不可以賦話名。予視學粵東，經藝之外，與諸生講論，尤津津於聲律之學。【略】見杭郡湯稼堂前輩刻有《律賦衡裁》一書，頗先得我心。爰出予少時芸窗所藝習者，並列案頭，以日與諸生相指示。時用紙條摘錄其最典麗者各數聯，以敎之使知法；而又間以稼堂所評騭者，拈出之以定其歸，庶幾乎溯流窮源，不至斷港絕潢，而悉如百川之至於海也。新舊所得漸多，因彙爲一集，名曰賦話。

選集

《隋書·經籍志》：總集者，以建安之後，辭賦轉繁，衆家之集，日以滋廣。晉代摯虞，苦覽者之勞倦，於是採擿孔翠，芟剪繁蕪，自詩賦下各爲條貫，合而編之，謂爲《流别》。是後文集總鈔，作者繼軌。屬辭之士，以爲覃奧而取則焉。

元兢《古今詩人秀句序》：晚代銓文者多矣。至如梁昭明太子蕭統與劉孝綽等，撰集《文選》，自謂畢乎天地，懸諸日月。然於取舍，非無舛謬。方因《秀句》，且以五言論之，至如王中書「霜氣下孟津」，及「游禽暮知返」，前篇則使氣飛動，後篇則緣情宛密，可謂五言之警策，六義之眉首。棄而不紀，未見其得。及乎徐陵《玉臺》，僻而不雅；丘遲《鈔集》，略而無當。

高仲武《中興間氣集序》：詩人之作，本諸于心；心有所感，而形於言；言合典謨，則列於風雅。暨乎梁昭明載述已往，撰集者數家，推其風流，正聲最備。其餘著錄，或未至焉。何者？《英華》失於浮游，《玉臺》陷於淫靡，《珠英》但紀朝士，《丹陽》止錄吳人，此由曲學專門，何暇兼包衆善，使夫大雅君子所以對卷而長嘆也。【略】且夫微言雖絕，大制猶存，詳其臧否，當可擬議。古之作者，因事造端，敷弘體要；立義以全其制，因文以寄其心；著王政之興衰，表國風之善否。豈其苟悦權右，取媚薄俗哉。今之所收殆革前弊，但使體狀風雅，理致清新。觀者易心，聽者竦耳，則朝野通載，格律兼收；自鄶以下，非所敢隸焉。凡百君子，幸詳至公。

顧陶《唐詩類選序》：物無全工，而欲篇詠盈千，書爲絕唱，其可得乎？雖前賢纂錄不少，殊途同歸，《英靈》、《閒氣》、《正聲》、《南薰》之類，朗照之下，罕有孑遺，而取捨之時能無少誤。未有游諸門而英菁畢萃，成篇卷而玷類全無，詩家之流語多及此，豈識者寡擇者多？實以體詞不一，憎愛有殊，苟未通而覽之，焉可盡其善者。由是諸集悉閱，且無情勢相託，以雅直尤異，成章而已。或聲流樂府，或句在人口，雖靡所記錄而闕切時病者，此乃究其姓家，無所失之；或風韵標特，譏興深遠，雖已在他集，而汨沒於未至者，亦復掇而取焉。或詞多鄭衛，或音涉巴歈，苟不虧六義之要，安能間之也。既歷稔盈篋，搜奇略罄，終恨見之不遍，無慮選之不公。

鄭谷《雲臺集》卷中《讀前集》：殷璠裁鑒《英靈集》，頗覺同才得旨深，何事後來高仲武，品題《間氣》未公心。

韋莊《又玄集序》：謝玄暉文集盈編，止誦「澄江」之句；曹子建詩名冠古，唯吟「清夜」之篇。是知美稼千箱，兩岐爰少；繁絃九變，大濩殊希。入華林而珠樹非多，閱衆籟而紫簫唯一。所以擷芳林下，拾翠巖邊。沙之汰之，始辨辟寒之寶；載雕載琢，方成瑚璉之珍。故知頷下採珠，難求十斛；管中窺豹，但取一斑。自國朝大手名人，以至今之作者，或百篇之內，時紀一章，或全章之中，唯徵數首。但掇其清詞麗句，錄在西齋；莫窮其巨派洪瀾，任歸東海。【略】蓋詩中鼓吹，名下笙簧。繫凫氏之鐘，霜清日觀；淬雷公之劍，影動星津。雲間分合璧之光，海上運摩天之翅。奪造化而雷雲湧，役鬼神而風雨奔馳。但思其食馬留肝，徒云染指；豈慮其烹魚去乙，或至傷鱗？自慙乎鼴腹易盈，非嗜其熊蹯獨美。然則律者既採，繁者是除。何知黑白之鵝？強識淄澠之水。左太冲十年三賦，未必無瑕；劉穆之一日百函，焉能盡麗。是知班、張、屈、宋，亦有蕪辭；沈、謝、應、劉，猶多累句。雖遺妍可惜，而備載斯難。亦猶執斧伐山，止求嘉木；挈瓶赴海，但汲甘泉。等同於風月煙花，各是其樝梨橘柚。【略】記方流而目眩，閱麗水而神疲。魚兔難存，筌蹄是棄。所以金盤飲露，唯採沆瀣之精；花界食珍，但享醍醐之味。非獨資於短見，亦可貽於後昆。採實去華，俟諸來者。

王義山《稼村類藁》卷四《黃草塘詩選序》：「曾經聖人手，議論安可到」，《三百篇》之選也。雖然，有疑焉。《詩》七百餘篇，删之餘，止三百一十一篇，而又逸其六。果逸歟？亦在所不選歟？考之《論語》：「巧笑倩兮，美目盼兮，素以爲絢兮。」而《碩人》一詩，不載「素以爲絢兮」一句，在所不選歟？「唐棣之華，偏其反而」一章，豈此一章亦不在所選歟？去聖逾遠，於何折衷哉！王介甫編《四家詩選》，以少陵爲首，是已然少陵之詩，《三百篇》以後大家數也，介甫敢選哉！選詩如作《春秋》，筆則筆，削則削。誠齋謂工部聖於詩，介甫敢筆削吾工部詩哉？然夔州以後，不煩繩削而規矩自合，涪翁亦敢於議吾甫夔州以前之詩。

又卷六《趙文溪詩序》：西山編《文章正宗》以詩歌一門屬後村，且約以天理民彝爲主。如仙釋、閨情、宫怨等作皆勿取。後村所編，西山去其半。嚴

矣哉！西山之筆也。

吴澄《吴文正公集》卷九《鄧性可删稿序》 《國風》、《雅》、《頌》列於經，説者云自三千删之而三百爾。「曾經聖人手，議論安敢到？」漢魏以來，諸詩入蕭選者删非不嚴，而識者有遺憾焉。然則詩固不易，而删亦未易也。唐人佳篇，世共嗟賞。觀其全集，輒令人弛然。雖詩中數大家，猶不無可揀擇去取。

又卷一三《黄養浩詩序》 世所選諸家詩，每令人手披口誦不忍釋。及閲其全集，則又不然。雖李、杜大家，亦不篇篇可人意，于以見詩之不易爲也。

李祁《雲陽集》卷三《元朝詩選序》 人人有詩，人人有見。見有高下，而詩隨之。惟選亦然。惟選者之見與作者合，乃能得其佳處。

梁寅《梁石門先生集》卷二《古今風雅序》 宋眞西山集古之詩文，曰《文章正宗》。其於詩，必關風敎然後取。廬陵趙儀可論詩，因譏之曰：「必風敎云乎？何不取六經端坐而誦之？而何必於詩？詩之妙者，正在於艷冶跌宕。」余嘗辨趙之言爲非，而人或不吾是也。今觀李隱君持義古今詩之選，亦曰「必關於風教」。嗚呼！斯誠知詩之爲教者也。古《詩經》三百五篇，《國風》之變者咸取焉，其間淫泆之辭，非賢士大夫爲之也，蓋出於閭巷淫夫淫婦之爲，而存之不削，所以垂鑒戒者也。若漢建安以後之詩，固降於二《南》、《雅》、《頌》，然猶爲近古也，猶爲可法也。逮於南朝之徐、庾，則弊矣。唐之李、杜，兼建安以後而過楊、駱、沈、宋，亦猶爲近古也，猶爲可法也。逮於唐季之溫、李，又敝矣。今之號爲賢士大夫者，或乃棄漢、魏、盛唐而惟徐、庾之慕，惟溫、李之尚，豈亦謂詩之妙正在於艷冶跌宕耶？

張以寧《翠屏集》卷三《經世明道集序》 天地元氣之精英，鍾於人而爲文，作者固甚難，選者尤難爾。何難乎爾？蓋詞與理俱而無遺憾之難也。六經之文，非有意於爲之，而二者俱至，煥然天地之文，後之極意而爲者，終莫幾及。非吾聖人删之定之，贊而修之，詎臻是耶？

又《送魯伯理歸省序》 《詩》三百篇古矣，漢蘇、李五言及《十九首》次之，建安逮陶、阮又次之，謝宣城以下盛極矣，君子所不敢知也。唐數大家振六朝而中興之，然視古寧無少媿乎。予蚤見宋滄浪嚴氏論詩取盛唐，蒼山曾氏又一取諸古《選》，心甚喜之，及觀其自爲，不能無疑焉。故嘗手鈔唐以上詩，繇蘇、李止陶、阮，鈔七言大篇，主李、杜二氏，近體專主杜，竊庶幾志乎古也。

烏斯道《春草齋集》卷八《乾坤清氣詩序》 余嘗見良賈焉，凡古圖畫彝鼎玉石之類，由見之稔而考之詳，故定其是非臧否，瞭然弗之眩也。苟或不爾，寧有不貽笑於賞識之士哉！良賈且然，況選擇古今詩以取信當世者乎！夫詩有典有則，有興有比，得《三百篇》之旨也。混淪沖融，慷慨頓挫者，得《十九首》之風也。窮渣滓，神變化，鏗然金宣而玉奏者，得盛唐之體也。加之理膩而思深，脈貫而辭暢，若明珠美玉無毫髮瑕累者，始可中選擇也。故選詩者必知是，己所作又造乎是，然後用心選擇，如衡平鑑明而弗之失也。苟或不爾，寧有不貽笑於賞識之士哉！

謝肅《密菴稿·文稿》庚卷《選詩補註序》 惟穆淸生人莫不有志，志之形於聲文謂之詩。詩於周爲極盛，而傳者止三百五篇。下此爲楚人之辭，又下此爲漢魏以降之五言，而詩再變矣。然《三百篇》則聖人所删，善惡畢備，以示勸懲。楚辭則朱子所校録，亦其發於性情，關於風教者，不則雖好而弗載。五言，則蕭昭明所選，編次無序而決擇不精，果能合夫聖人、朱子之删校之法乎？不惟不能合乎删校之法，而諸家之註果能合夫朱子註《詩》、《楚辭》之法乎？

王行《半軒集》卷六《唐律詩選序》 選詩者非知詩者也。孔子之删詩，取其既足以感發懲創，又足以被夫絃歌者，非以工拙計也。蓋工非詩之所必取，而拙非詩之所必棄。工而矜莊，是未免夫刻畫；拙而渾樸，是不失其自然也。苟棄其拙而取其工，則是遺自然而尙刻畫，豈足與言溫柔敦厚之敎也哉？故曰選詩者非知詩者也。然則是編何以「選」名也？是編也，蓋有不得不然者也。何也？三百篇之詩，非有一定之律也。漢、魏以來，始漸爲之制度，其體已趨下矣。降及李唐，所謂「律詩」者出，詩之體遂大變。謂之「律詩」者，以一定之律律夫詩也；以一定之律律之，自然蓋幾希矣。自然鮮而律既嚴，則不能不計其工拙也。計其工拙，又烏能不爲之取捨哉？故曰不得不然也。雖不得不然，其間固有法焉。蓋拙而渾樸同乎工，工而刻畫同乎拙，終不遺夫自然也。此取捨之大要也。其次乃論其言之工、語之工、聯屬之工、篇章之工。工多而拙少者取之，拙多而工少者不取也。均之律詩，其變又有四焉：曰初唐，曰盛唐，曰中唐，曰晚唐。有盛唐人而語偶近乎晚唐者，晚唐人而語有似乎盛唐者。晚唐似盛唐取之，盛唐似晚唐不取，蓋亦貴夫自然也。此又是編之例也。例則然矣，而復有説焉。世之爲學者，未有不由規矩

準繩而能至乎自然者也；欲造乎自然之地而不事乎規矩準繩，則將何所用其力哉？惟學詩也亦然。夫詩，其浩博淵深如烟海也，其變化運行如元氣也，未易摹擬窺測也。今之學者，能先於其有律者求之，進進不已，則所謂如淵海如元氣者可以漸而入，至與之俱化，則自然之地，綽乎其有餘裕矣。溫柔敦厚之教，豈外是哉？

張綸《林泉隨筆》 楊伯謙《唐詩》，「正音」、「始音」、「遺響」諸體咸備，其用心亦勤矣。邵庵虞公叙猶嘆其知音之難。蓋作詩雖難而選詩尤難，非有過人之鑒裁者不敢當此任也。夫自《三百篇》、楚騷之後，歷漢魏晋以至於唐，而詩體大備，和平清麗，有風雅之遺意。又歷晚唐五季及宋，作者往往辭不勝理，而唐之音節於此焉變矣。元人雖變宋習，而又過於工巧，所謂氣運使然，非偶爾也。其間雖有追尚古作不隨俗而遷變者，又在學者善擇焉而已。

李東陽《麓堂詩話》 選詩誠難，必識足以兼諸家者，乃能選諸家；識足以兼一代者，乃能選一代。一代不數人，一人不數篇，而欲以一人選之，不亦難乎？選唐詩者，惟楊士弘《唐音》爲庶幾。次則周伯弜《三體》，但其分體於細碎。而二書皆有不必選者。趙章泉絶句，雖少而精。若《鼓吹》，則多以晚唐卑陋者爲入格，吾無取焉耳矣。

王世貞《弇州山人續稿》卷五三《唐詩類苑序》 詩而以類稱者何昉乎？昉自梁蕭統氏統之類也。大較則文據十之八，而詩僅得一二；普通以後，弗之及已，天監之前，倦于采而勤于汰，識者往往遺憾焉。宋之《文苑英華》，名爲倣蕭氏，而弗偏弗擇，則又其下駟矣。嘉靖間，有宦于楚者，偏取其詩梓之曰《苑詩類選》，友人卓澂甫讀而嘆曰：「是可以已乎哉！」夫詩之體，莫悉于唐，而唐莫熾于初盛。自武德而景隆者，初也；自開元而至德者，盛也；大曆之半割之矣。初則由華而漸斂，以態韵勝；盛則由斂而大舒，以風骨勝。然其所遘之變潮多，而用亦益以漸廣。今者獲寓目焉，萃而爲書，一有所需，隨叩而足，燦若指掌。譬如大將軍將十萬衆，部別壘置，旌旄異色；璧之賈胡亘肆，珠瑶服賨，各安其所。二者唯主之所用之，固不必卷蒐人閲，而左右逢源，不亦快哉！且夫事同者，工拙自露，情一者，深淺迥別，時代之升降，才伎之長短，亦可以傍通而曲引，固不必鍾記室之品，高廷禮之正而後辨也。【略】夫詩取適情，主淡泊爲上乘足矣，胡至齷齪徵事如《華林》、《北堂》與白僕等伍也？是不然。孔子刪詩而分別《雅》、《頌》、《國風》之屬，有賦、比、興之異，故其語曰：「可以興，可以群，可以怨。」而終之以多識鳥獸草木之名。使孔子而廢博也則可，孔子而不廢博，何以難卓氏《類苑》爲？

胡應麟《詩藪外編》卷二 六代選詩者，昭明《文選》，孝穆《玉臺》。評詩者，劉勰《雕龍》，鍾嶸《詩品》。劉、鍾藻隲，妙有精理，而製作不傳。孝穆詞人，然《玉臺》但輯閨房一體，靡所事選。獨《昭明》鑒裁著述，咸有可觀。至其學業洪深，行義篤至，殊非文士所及。自唐以前，名篇傑什，率賴此書。功德詞林，故自匪淺。宋人至以五臣匹之，何其忍也。

又卷三 《河嶽英靈》不取拾遺，《間氣》、《極玄》兼遺供奉，宋人謂必有意，非也。《英靈》集於天寶，杜詩或未盛行。《間氣》俱中唐，姚大半晚唐，惟《國秀》盛唐頗備，而不及二公。總之，當時議論未定，如莊生道術不及仲尼，尊與？貶與？未可測也（後楊伯謙選唐音，不收李、杜，則有意尊之矣）。

朱長春《選杜詩序》 海內習杜詩今特盛。吳有鄭子、王子特異，其習也若不習也，非世謂習也。蓋兩子習十年餘矣。而得余特起，若旦暮然。余蓋見鄭子所自抄《杜詩序》云：其言曰：「道性情者詩之本。古有詩無法，今有法無詩，因陳天下學杜詞家三病，語截截有致也。」余讀而歎曰：「何其憂乎？憤世之言也。故曰吾明詩之本也。」詩安得無法？今夫瘖者、嘶者舌木者、齒豁者、唇缺者、鼻齆者，皆不可歌，此皆失其元聲者也。若以令神巧輔清喉童兒授之篇數，不教以亢如墜纍纍等法，直張口而呼烏烏，則巷中里下頑兒婦女接手蹋足延聲相和之曲，不比而登於堂上也。又不工者也。詩安得無法？吾所謂法，非沈約之法，蓋詩在成、周始盛，而孔子刪二代列國朝里雜唱歌什，定篇三百，其法始嚴。蓋嘗曰：「《關雎》樂而不淫，哀而不傷。」樂，樂情性也，不淫、不傷，非法何以得乎？要以情性爲主，法爲輔，輔具而主善，大約歸之和，乃可協焉。自騷聲、賦誦、廟曲、樂府、歌謠、長短參差變方，屈、宋、蘇、李、栢梁、鄴中諸流未有遺法；而况至於律，則音節諧和，從風不舛，法久益嚴，自然之勢也。杜氏蓋備衆體，而律爲最。其於詩，蓋乃法家深文無害者哉。嘗訂其法有四，非自杜始古法也。四法者，由性情設，還爲性情制。介冑之夫，賁起章甫之士，脩容草莽之子，夷率山林之客，逍遙入朝，極辯履險多危，思婦悲銜，逐臣恨飲，別旅興致，集讌增懷，戚俗無容，朋遊感義。其於情也有理，理不可棼。其法在體，聲

過則厲，調過則離，情過則柔，理過則贅。太亢而比殺，太宛而比慢，太流而比濫，太苦而比數。豪心者蕩焉，拘節者嗇焉，榮華之人麗焉，靡靡者淫焉，俗夫鄙焉，溺無制焉。其於情也有僻，僻不可任，其法在格。首尾合以亭也，骨脈通以王也，節奏諧以中也，布置當以匀也。不穠、不枯、不局、不踰、不律，是法也；細，詳矣。今取其詩篇，一一按前四法，無不應性情者，故可備式。因論其指夫衣者抒而爲疋，剪而爲幅，縫而合之，緣而餙之，成而服之。狷狷猱無異陳襲，然使人裸而毁服被褐之，博立中朝，則童子笑之矣。故由前則無性情之喻，由後則無法之喻也。詩安得無法？鄭子明詩之本也。予以此言也示王子，王子曰然。故當兩行之，因序於後。

鍾惺《古詩歸序》 選古人詩而命曰《詩歸》，非謂古人之詩，以吾所選爲歸，庶幾見吾所選者，以古人爲歸也。引古人之精神，以接後人之心目，使其心目有所止焉，如是而已矣。昭明選古詩，人遂以其所選者爲古詩，因而名古詩曰「選體」。唐人之古詩曰「唐選」。嗚呼！非惟古詩亡，幾併古詩之名而亡之矣。何者？人歸之也。選者之權力能使人歸，又能使古詩之名與實俱徇之，吾豈敢易言選哉？嘗試論之：詩文氣運，不能不代趨而下，而作詩者之意興，慮無不代求其高。高者，取異於途徑耳。夫途徑者，不能不異者也；然其變有窮也；精神者，不能不同者也，然其變無窮也。操其有窮者以求變，而欲以其異與氣運爭，吾以爲能爲異而終不能爲高。其究途徑窮，而異者與之俱窮，不亦愈勞而愈遠乎？此不求古人眞詩之過也。今非無學古者，大要取古人之極膚、極狹、極熟便於口手者，以爲古人在是。使捷者矯之，必於古人外，自爲一人之詩以爲異。要其異，又皆同乎古人之險且僻者，不則其俚者也。則何以服學古者之心？無以服其心，而又堅其說以告人曰：「千變萬化，不出古人。」問其所爲古人，則又向之極膚、極狹、極熟者也。世眞不知有古人矣。惺與同邑譚子元春憂之。內省諸心，不敢先有所謂學古不學古者，而第求古人眞詩所在。眞詩者，精神所爲也。察其幽情單緒，孤行靜寄於喧雜之中，而乃以其虛懷定力，獨往冥遊於寥廓之外。如訪者之幾於一逢，求者之幸於一獲，入者之欣於一至。不敢謂吾之說非卽向者千變萬化不出古人之說，而特不敢以膚者、狹者、熟者塞之也。

許學夷《詩源辯體》卷三五 詩可作不可選，可選不可言。夫淺深精粗，隨所造而就焉。可作也，而選則未易能也。然苟有中正之識，則凡漢、魏、初、盛唐雅正之詩，或可選也。若夫言詩得其中者必遺其偏，明於正者多昧於變，能於《三百篇》、漢、魏、六朝，初、盛、中、晚唐各得其正變而論之者，鮮矣，況能於淵明、元結、韋、柳、元和諸公各極其至面是論之耶？善乎江文通之論曰：「世之諸賢，各滯所迷，莫不論甘而忌辛，好丹而非素，豈所謂通方廣恕好遠兼愛者哉？」斯可與言詩矣。

又 李于麟《唐詩選序》，本非確論，冒伯麐極稱美之，可謂惑矣。序曰：「唐無五言古詩，而有其古詩。陳子昂以其古詩爲古詩，弗取也。」愚按：謂子昂以唐人古詩而爲漢、魏古詩弗取，猶當謂唐人古詩非漢、魏古詩，而皆弗取則非（漢魏、李杜各極其至。見李杜總論）。觀其所選，唐人五言古僅十四首，而亦非漢、魏之詩，是以唐人古詩皆非漢、魏古詩，弗取耳。曰「七言古太白縱橫，往往強弩之末」；太白光焰萬丈，古今懾伏，不知于鱗視爲何物？曰「五言律、排律諸家槩多佳句」。曰「多佳句」則無佳篇，可知不太罔耶？曰「七言律體諸家所難，王維、李頎頗臻其妙。」予意嘉州未可少也。

又《澄江詩選序》 竊嘗與念先論選詩者，其要有三：一曰識，非識則蒼素混淆，淄澠莫辨，無以決千古之是非；二曰斷，非斷則名實相疑，貴賤奪志，無以定一代之取舍；三曰公，非公則愛惡由衷，黜陟無當，無以息一時之聚訟。念先相視而笑，莫逆於心，遂屏迹幽軒，不通造請，殫精竭力，歷五六年所。於是以古證今，不眩於俗，而是非始決；以勇折疑，不惑於承，而取舍方定；以虛應物，不囿於私，而聚訟乃息。至若諸公調有偏而格有降，念先則因其所長就其所造而兼采之。蓋各具一家言，亦猶唐詩之有品匯也。【略】大抵先輩以質勝，故蒼骨自高而古體常優；後進以文勝，故秀色爭麗而律體獨擅。先輩才力寬洪，不飾修飾，卽不無玷缺，而有杰作可觀。後進資性明敏，更假琢磨，較多完善而無大篇可取，蓋亦理勢之自然耳。先是，淡泉王公將匯集諸家之詩，窮搜博訪，歷十餘年所，約成數帙。公既歿，燼於回祿。至是，念先繼起，復肆意匯獵鴻公名士，殆無有遺，其它所得或不如王公之博，而因人采擇，功實過之。惜乎！中郎一倡，海內同聲。佻佻公子，卽晚近之語已爲陳言，又烏知有先輩典型耶？又或疑念先以後進縫掖，輒欲提衡先輩，縱采擇詳審，恕不能折服後人。是大不然，國家以經義取士，而詩歌黜爲末羽，故經義在朝而詩歌在野。公車之文非縉紳先生不能品程，一代詩歌韻語，雖草莽之士亦得而評準焉。何則？業有所獨長而識有

所獨至也。念先學力既邃，藻鑑復精，又能虛己。諮諏不遺下劣。卽予之淺鄙，亦得以寸長是效。然則念先此編將復何疑？若謂某宜錄，某不宜錄，某宜多，某宜損，請以其詩質之，抑又何疑？詩云：「謀夫孔多，是用不集。」念先能自信，不必信人。倘終不能間讒慝之口，予敢以身任其咎。

傅山《霜紅龕集》卷二四《與戴楓仲》 《詩歸》再鈔，便非於唐詩起見，似於選《詩歸》者起見矣。不必諛，不必梗，商量發揮出手眼上之手眼，乃不罔此一番心力。若爾公之辨，單是尋著與人作駁耳。若不自己從他論注上開生面，又何必鈔？但此書行之既久，海內耳食衆矣。妄有譏評，爲鍾、譚不得。爲不鍾、譚不得，愼之哉！眞正個中人，慧眼平心，可與何、李、王、李、鍾、譚，共坐一堂之上，公公當當，做一樹義調御師，令各家伎倆一齊放下，乃得。不然，任他辨才，總是偏見。作者有心，看者有心，作者有時，看者有時，變何易盡，論何勝騰。

葉燮《已畦文集》卷三《選家說》 古文辭賦之有選也，自梁昭明始。昭明之選，其去取雖或未盡當，後人有訾之者，然其出乎一己之成見，初非有所附會。從實而不從名，而不以名假實。夫自周秦下逮蕭梁，操觚之家當以萬計，昭明不求諸人，而求諸文，因文以見人，而人可屈指數，文亦可屈指數，後世亦未嘗議其不備也。自後唐宋人亦皆有選，率就文言文，未嘗於文之外別有所騖也。竊怪近今之選家則不然，名爲文選，而實則人選。文選一律也，人選則不一律也。或以趨附，或以希求，或以應酬交際，其選以人衡，何暇以文衡乎？不以文衡，於是文章多棄人，天下多棄文矣。選家欲合人文而爲一，實岐人文而爲千百矣。然則何以正之？正之以文之一，而人之不一者自一，然後實乃不假乎名。至於選古人之文，則又異是。古來固有傳人，而無傳文者。人不待文以重，則以文爲斷，不必援人以入其文。古來固有文傳，而人附以傳者，文自足傳也；又有傳文而文實不足傳者，文不可假也。二者亦一以文爲斷。如是，則文歸於一，而人從之，而名乃不掩乎實。夫正之以文之一，而一以文爲斷矣，然尚有二失：一在趨時尚。胸中本無所有，拾他人之齒牙，爲我之筆舌，自以爲得風氣，可哂也。一在騁博覽。胸亦無成見，是非去取，茫然於中，專事蒐羅仄奧以取備示異，究之所蒐羅者，味同嚼蠟，人與文且兩失之，是不可以已乎。吾嘗謂夫子刪詩止三百，國風止十五，此就魯國故府之所有者刪之，所無者不外求也。周初千八百國，其後見於《春秋經傳》者，猶一百二十四國，若刪詩而求其風之備，則必徧訪諸邦而後可，夫子不然。故邶鄘不見於《春秋》，卽衛也，不妨列爲三。有大小雅，而仍錄王風，不厭重也。陳蔡，比肩也，風有陳無蔡，杞宋，二王後也，宋存頌而杞并無風。曹滕皆文之昭也，有曹風，無滕風。虞虢，周親也，皆無風。夫子以寓諸目者刪之，否者闕之。其寓諸目而不可入刪者逸之，非有所詳略也，總歸於當而已矣。若今人爲之選家，必議其固陋弇鄙，充其意必盡千八百國，如庸蜀羌髳微盧彭濮等國盡列於風，蒐其單辭片句，以爲秘本，於發凡起例中，鳴其苦心，矜其博覽，而不知已見哂於識者矣。吾願選古之家，自不能效法聖人，其亦不失梁昭明之意，斯亦可矣。

宋犖《漫堂說詩》 明自嘉、隆以後，稱詩家皆諱言宋，至舉以相訾謷；故宋人詩集，庋閣不行。近二十年來，乃專尚宋詩。至余友吳孟舉《宋詩鈔》出，幾於家有其書矣。孟舉序云：「黜宋者曰腐，此未見宋詩也。」今之尊唐者，目未及唐詩之全，守嘉、隆間固陋之本，陳陳相因，千喙一倡，乃所謂腐也。」又曰：「嘉、隆之謂唐，唐之臭腐也，宋人化之，斯神奇矣。」蓋意主救弊，立論不容不爾。顧邇來學宋者，遺其骨理而撏扯其皮毛，棄其精深而描摹其陋劣，是今人之謂宋，又宋之臭腐而已，誰爲障狂瀾於既倒耶？

又 李于鱗《唐詩選》，境隘而辭膚，大類已陳之芻狗；鍾、譚《詩歸》，尖新詭僻，又似鬼窟中作活計，皆無足取。蓋詩道本廣大，而彼故狹小之；詩道本靈通變化，而彼故拘泥而穿鑿之也。近日王阮亭《十種唐詩選》與《唐賢三昧集》，原本司空表聖、嚴滄浪緒論，所謂「言有盡而意無窮」、「妙在酸鹹之外」者。以此力挽尊宋祧唐之習，良於風雅有裨。至於杜之海涵地負，韓之鼇擲鯨呿，尚有所未逮。

沈德潛《說詩晬語》卷下 唐詩選自殷璠、高仲武後，雖不皆盡善，然觀其去取，各有指歸。唯王介甫《百家詩選》，雜出不倫；大旨取和平之音，而忽入盧仝《月蝕》；斥王摩詰、韋左司，而王仲初多至百首，此何意也？勿怖其盛名，珍爲善本。

又 韋穀《才調集》選，固多明麗之篇，然如《會眞詩》及「拂牆花影動」等作，亦采入太白、摩詰之後，未免《雅》《鄭》同奏矣。奈何闡揚其體，以教當世耶？

又 方虛谷《瀛奎律髓》，去取評點，多近凡庸，特便於時下捉刀人耳。

《鼓吹》一書(嫁名元遺山者)，尤爲下劣。學者以此等爲始基，汩沒靈臺，後難洗滌。昔康崑崙學琵琶，段師令其十年不近樂器，洗盡邪雜，方許受教。作詩家毋誤入路頭，爲康崑崙之續也。司空表聖云：「不著一字，盡得風流。」「采采流水，蓬蓬遠春。」嚴滄浪云：「羚羊挂角，無跡可求。」蘇東坡云：「空山無人，水流花開。」王阮亭本此數語，定《唐賢三昧集》。木玄虛云「浮天無岸」，杜少陵云「鯨魚碧海」，韓昌黎云「巨刃摩天」，惜無人本此定詩。

袁枚《隨園詩話》卷一四　選家選近人之詩，有七病焉：其借此射利通聲氣者，無論矣。凡人全集，各有精神，必通觀之，方可定去取；倘捃摭一二，並非其人應選之詩，管窺蠡測，一病也。《三百篇》中，貞淫正變，無所不包；今就一人見解之小，而欲該羣才之大，于各家門戶源流，並未探討，以己履爲式，而削他人之足以就之，二病也。分唐界宋，抱杜尊韓，附會大家門面，而不能判別眞僞，採擷精華，三病也。動稱綱常名教，箴刺褒譏，以爲非有關係者不錄；不知贈芍采蘭，有何關係？而聖人不刪。宋儒責蔡文姬不應登《列女傳》；然則《十七史》列傳，盡皆龍逢、比干乎？學究條規，令人欲嘔，四病也。貪選部頭之大，以爲每省每郡，必選數人，遂至勉強搜尋，從寬濫錄，五病也。或其人才力與作者相隔甚遠，而妄爲改竄，遂至點金成鐵，六病也。徇一己之交情，聽他人之求請，七病也。末一條，余作詩話，亦不能免。

又《小倉山房文集》卷一七《再與沈大宗伯書》　聞《別裁》中，獨不選王次回詩，以爲艷體不足垂教，僕又疑焉。夫《關雎》即艷詩也，以求淑女之故，至于展轉反側，使文王生于今，遇先生，危矣哉！《易》曰：「一陰一陽謂之道。」又曰：「有夫婦，然後有父子。」陰陽夫婦，艷詩之祖也。傅鶉觚善言兒女之情，而臺閣生風，其人君子也；沈約事兩朝，佞佛，有綺語之懺，其人小人也。次回才藻艷絶，阮亭集中時時竊之。先生最尊阮亭，不容都不考也。選詩之道，與作史同，一代人才，其應傳者，皆宜列傳，無庸拘見而狹取之。宋人謂蔡琰失節，范史不當置《列女》中，此陋說也。夫《列女》者，猶云女之列傳云爾，非必貞烈之謂，或賢或才，或關係國家，皆可列傳；猶之傳公卿，不必盡死難也。詩之奇平艷樸，皆可采取，亦不必盡莊語也。杜少陵聖於詩者也，豈屑爲王、楊、盧、駱哉？然尊四子，以爲萬古江河矣；黄山谷奧於詩者也，豈屑爲楊劉哉？然尊西崑以爲一朝郛郭矣；宣尼至聖，而亦取滄浪童子之詩。所以然者，非古人心虛，往往舍己從人；亦非古人愛博，故意濫收之。蓋實見夫詩之道大而遠，如地之有八音，天之有萬竅，擇其善鳴者，而賞其鳴足矣，不必尊宫商而賤角羽，進金石而棄絃匏也。且夫古人成名，各就其詣之所極，原不必兼衆體，而論詩者則不可不兼收之，以相題之所宜。即以唐論，廟堂典重，沈、宋所宜也，使郊、島爲之，則陋矣；山水閒適，王、孟所宜也，使溫、李爲之，則靡矣；邊風塞雲，名山古迹，李、杜所宜也，使王、孟爲之，則薄矣；撞萬石之鐘，鬭百韻之險，韓、孟所宜也，使韋、柳爲之，則弱矣；傷往悼來，感時記事，張、王、元、白所宜也，使錢劉爲之，則仄矣；題香襟，當舞所，絃工吹師，低徊容與，溫、李、冬郎所宜也，使韓、孟爲之，則亢矣。天地間不能一日無諸題，則古今來不可一日無諸詩人，學焉而各得其性之所近。要在用其所長，而藏己之所短則可；護其所短，而毀人之所長則不可。艷詩宫體，自是詩家一格。孔子不刪鄭衛之詩，而先生獨刪次回之詩，不已過乎！至于盧仝、李賀險怪一流，似亦不必擯斥；兩家所祖，從《大招》《天問》來，與《易》之龍戰，《詩》之天妹同波異瀾，非臆撰也。一集中不特艷體宜收，即險體亦宜收。然後詩之體備，而選之道全。謹以鄙意私于先生，願與門下諸賢共詳之也。

翁方綱《石洲詩話》卷三　吳序云：「萬曆間李蓘選宋詩，取其遠宋而近唐者。」曹學佺亦云：「選始萊公，以其近唐調也。以此義選宋詩，其所謂唐終不可近也。而宋詩則已亡矣。」此對嘉、隆諸公呑剝唐調者言之，殊爲痛快。但一時自有一時神理，一家自有一家精液，吳選似專於「硬直」一路，而不知宋人之「精腴」，固亦不可執一而論也。且如入宋之初，楊文公輩，雖主「西崑」，然亦自有神致。何可盡祧去之？而晏元獻、宋元憲、宋景文、胡文恭、王君玉、文潞公，皆繼往開來，肇起歐、王、蘇、黄盛大之漸，必以不取濃麗，專尚天然爲事，將明人之呑剝唐調以爲復古者，轉有辭矣。故知平心易氣者難也。

又卷四　談理至宋人而精，說部至宋人而富，詩則至宋而益加細密。蓋刻抉入裏，實非唐人所能囿也。而其總萃處，則黄文節爲之提挈，非僅「江西派」以之爲祖，實乃南渡以後，筆虛筆實，俱從此導引而出。善夫，劉後村之言曰：「國初詩人如潘閬、魏野，規規晚唐格調；楊、劉則又專爲『崑體』；蘇、梅二子，稍變以平澹豪傑，而和之者尚寡，至六一公，巋然爲大家，學

者宗焉。然各極其天才筆力之所至，非必綴鍊勤苦而成也。豫章稍後出，會粹百家句律之長，究極歷代體製之變；蒐討古書，穿穴異聞，作爲古律，自成一家。雖隻字半句不輕出，遂爲本朝詩家宗祖。」按此論不特深切豫章，抑且深切宋賢三昧。不然而山谷自爲「江西派」之祖，何得謂宋人皆祖之？且宋詩之大家，無過東坡，而轉祧蘇祖黄者，正以蘇之大處，不當以南北宋風會論之，舍元祐諸賢外，宋人蓋莫能望其肩背。其何從而祖之乎？呂居仁作《江西宗派圖》，其時若陳後山、徐師川、韓子蒼輩，未必皆以爲銓定之公也。而山谷之高之大，亦豈僅與厭原一刻，爭勝毫釐！蓋繼往開來，源遠流長，所自任者，非一時一地事矣。論者不察，而于《宋詩鈔》品之曰：「宋詩宋祖。」是殆必將全宋之詩境，與後村立言之旨，一一研勘也。觀其所鈔，則又不然，專以平直豪放者爲宋詩，則山谷又何以爲之宗祖？蓋所鈔全集，與其品山谷之言，初無照應，非知言之選也。

紀昀《紀文達公遺集》卷九《瀛奎律髓刊誤序》 文人無行，至方虛谷而極矣，周草窗之所記，蓋幾幾不忍卒讀也；而所選《瀛奎律髓》，乃至今猶傳。其書非盡無可取，而騁其私意，率臆成編，其選詩之大弊有三：一曰矯語古淡，一曰標題句眼，一曰好尚生新。夫古質無如漢氏，沖淡莫過陶公，然而抒寫性情，取裁風雅，朴而實綺，清而實腴，下逮王、孟、儲、韋，典型具在；虛谷乃以生硬爲高格，以枯槁爲老境，以鄙俚粗率爲雅音，名爲尊奉工部，而工部之精神面目迥相左也，是可以爲古淡乎？「朱華冒綠池」，始見子建，「悠然見南山」，亦曰淵明，響字之說，古人不廢，暨乎唐代，鍛鍊彌工，然其興象之深微，寄託之高遠，則固別有在也。虛谷置其本原，而拈其末節，每篇標舉一聯，每句標舉一字，將率天下之人而致力於是，所謂溫柔敦厚之旨，蔑如也；所謂文外曲致，思表纖旨，亦茫如也。後來纖仄之學，非虛谷喈之厲也耶？贊皇論文，謂「譬如日月，終古常見，而光景常新」，人生境遇不同，寄託各異，心靈濬發，其變無窮，初不必刻鏤瑣事以爲巧，捃摭僻字以爲異也。虛谷以長江、武功一派，標爲寫景之宗，一蟲一魚，一草一木，規規然摹其性情，寫其形狀，務求爲前人所未道；而按以作詩之意，則不必相涉也。騷雅之本旨，果若是耶？是皆江西一派先入爲主，變本加厲，遂偏駮而不知返也。至其論詩之弊，一曰黨援。堅持一祖三宗之說，一字一句，莫敢異議，雖茶山之粗野，居仁之淺滑，誠齋之頹唐，宗派苟同，無不袒庇；而晚唐崑體、江湖四靈之屬，則吹索不遺餘力，是門戶之見，非是非之公也。一曰攀附。元祐之正人，洛閩之道學，不論其詩之工拙，一槩引之以自重；本爲詩品，置而論人，是依附名譽之私，非別裁僞體之道也。一曰矯激。鐘鼎山林，各隨所遇，亦各行所安，巢、由之遁，不必定賢於皋、夔；沮溺之耕，不必果高於洙泗，論人且爾，況於論詩！乃詞涉富貴，則排斥立加；語類幽棲，則吹噓備至，不問人之賢否，併不論其語之眞僞，是直詭語清高，以自掩其穢行耳，又豈論詩之道耶？凡此數端，皆足以疑誤後生，瞀亂詩學，不可不亟加刊正。然其書行世有年，村塾既奉爲典型，莫敢訾議，而知詩法者，又往往不屑論之，繆種益蔓延而不已；惟海虞馮氏嘗有批本，曾於門人姚考工左垣家借鈔。顧虛谷左袒江西，二馮又左袒晚唐，冰炭相激，負氣詬爭，遂併其精確之論，無不深文以詆之，矯枉過直，亦未免轉惑後人。因於暇日細爲點勘，別白是非，各於句下箋之，命曰《瀛奎律髓刊誤》。雖一知半解，未必遽窺作者之本源，且卷帙浩繁，牴牾亦難自保，而平心以論，無所愛憎於其間，方氏之僻，馮氏之激，或庶乎其免耳。

焦循《雕菰集》卷一四《答羅養齋書》 循往年家居，每歲詩不過數首，去年遊齊魯，半年得詩五十首。今遊吳越，半年得六七十首。蓋山川舊蹟與客懷相摩蕩，心神血氣頗爲之動，動則詩思自然溢出，境與時不同，則詩思亦異。嘗取十數年詩稿統觀之，前後筆墨不可彊合，然則一人之詩少壯老已不能無異，況一邑乎？又況天下乎？孔子錄十五《國風》，二《南》之詩自異於《邶》、《鄘》、《衛》，《邶》、《鄘》、《衛》，自異於《齊》、《秦》，《齊》、《秦》自異於《曹》、《檜》。其下爲漢魏，爲六朝，爲唐，爲宋，爲金，爲元，而六朝中又爲晉宋，爲齊梁，爲周隋；唐分爲初，爲盛，爲中晚；宋分爲西崑，爲西江，爲永嘉。而其每代之人，各成一派。陳思之於魏文，兄弟而殊科；必簡之於少陵，祖孫而異轍，不能同，亦不必同。昭明選文，始用己意，以定去取。竊謂選詩之法，當就一人之身，先論其所處之境，究其所學之派，然後就其派而求之，以存一家之學。若立一成見，比天下而從之，其本然之面目既失，而一己之見，烏保其不偏？故論作詩之法，不可因人；選詩之法，不可因己。足下以爲然否？足下選詩之意，有同然者否？若夫定中正之規，一天下之風氣，此朝廷之事，非士大夫所敢效矣。

魏憲《詩持三集自序》 作詩非難也，選詩難；選亦非難也，選今人之詩

難。同生天壤，不能無所愛憎，而去取實愛憎之媒，一難；閨戶自修，深山養晦，篋中之秘，覓之無由，二難；詩學日替，名實不敷，我以名收，世以實求，無其實焉，匪阿則瞽，三難；載贄而來，紹介以近，忤之不可，許之不能，四難；縱筆譏嘲，觸冒忌諱，作固有罪，選亦與均，五難；本屬名流，或嫻無韻，不嫻有韻，因無韻而及有韻，快於人而不快於己，六難；幅員之廣，詞人無數，得者一而失者百，七難；甚至不爲詩而掄詩，名似愛才，心實網利，妒與謗交，八難。

陳世鎔《瑣說》 唐詩之有選，自殷璠高仲武而後，無慮數十百家，好尙不同，棄取各異。講格律者或失在膖肛，談性情者多流於率易，不知二者相須爲用，離之兩傷。無性情則爲優孟偃師，無格律則爲腐木濕鼓，是選意無偏主，兼收並蓄，總以質而不俚，婉而成章，無戾於溫柔敦厚之旨，可以爲興觀羣怨之資，宗指斯在。

又 詩有萬口傳誦，自今觀之不滿人意者，如襄陽之「氣蒸雲夢澤，波撼岳陽城」，後人以配子美。然實意盡句中，境象亦復狹小。子美送翰林張司馬南海勒碑：「詔從三殿去，碑到百蠻開。」殊爲凡近。「野館濃花發，春帆細雨來。」預計前途景物，水陸並舉。雖粵中花盛，海上雨多，不免滯於句下。收語「不知滄海上，天遣幾時回。」乃似送人遷謫矣。至賈島「僧敲月下門」，以偶「鳥宿池邊樹」，更索然無味。昌黎誘進，特欲使返墨歸儒耳。是選於此等處，去取不肯苟同，非敢輕議前賢，亦示學者當自具手眼，勿徒隨人作計。

又 阮公《詠懷》八十餘首，昭明僅取十七，後人讀之，覺只此已足，不必更求其全。蓋選者之精神，與作者之懷抱，遙相印證，使彼自爲去取，亦必心心念所選之外，可以就刪，故無割裂之傷，而有剪裁之妙。是選於射洪《感遇》、太白《古風》、工部《出塞》、白傅《秦中》等篇，皆竊取斯義，雖未必馬羣遂空，亦私意驪珠無漏。學者如存見少，則全詩具在，可以縱觀。《古詩十九首》，非一人之作，及昭明掇拾叢殘，合併爲一耳；後人有謂其首尾相銜，增一首不得，少一首不能者，井蛙之見，不足與談也。

又 高廷禮《唐詩品彙》，區別等差，不可謂非詩家正軌。然有得有失，未能悉饜人心，方領矩步，法外之意，蓋未窺也。文章之妙，變化無方，惟心通造化者揮斥八極，非有塗轍可尋。唐一代惟太白、少陵、退之、香山爲得此意，故是選所采最多。餘如射洪、曲江、東川、達夫、右丞、嘉州、襄陽、左司，淸規雅裁，亦甄錄略具。其孰爲大家，孰爲名家，則俟學者自領。閒有評論，各附本篇之下。智過於師，方堪傳授，不立語言文字，媿謝未能。

陸鎣《問花樓詩話》卷一 唐人佳作林立，選家以愛憎爲去取，遂失廬山眞面。先廣文嘗云：「讀古人詩，須讀全集；選本最誤人。中唐詩人如劉夢得、杜牧之、張文昌，皆卓然成家。夢得詩如《棼絲瀑》、《秋螢引》、《生公講堂》樂府絕句，《杜司空席上》諸作，宛有六朝風致。律詩至晚唐，義山而下，牧之爲最。宋人評其詩：『豪宕奇麗，排偶中時有奔逸之氣。』蓋確論也。文昌擬樂府諸詩，綽有妙緒。五言近體如《聽泉》、《夜到漁家》、《山中贈日南僧》、《酬韓庶子》，七言如《贈王祕書》、《謝裴司空寄馬》、《贈茆山楊判官》、《哭丘長史》諸作，東野所謂『一卷冰雪文，避俗常自攜』者也。選家無識，隨意去取，古人之眞，日就湮沒，可勝歎哉！」

俞樾《春在堂雜文》四編卷八《李憲之仿潛齋分體詩鈔序》 詩集以分類、分體爲古，編年其最後也。昭明選古人之詩，如公讌、祖餞之類，分類者也，如樂府雜詩之類，分體者也。後世諸大家之詩，如杜如蘇，其始無不依類編纂，一遵古法，雖由後人所輯，然如《白氏長慶集》固公所手定，存東林寺、南禪寺諸經藏者，而樂府詩、古體詩、律詩、格詩皆以體分，可見古集之體例矣。自施武子注蘇詩，極詆永嘉王氏分門別類之非，於是後之編詩者始以編年爲正。余謂二者不可偏廢。何者？古之詩隸於史官，《詩序》云「國史明乎得失之迹」，「吟詠情性以諷其上」是也。故詩與史相表裏，詩之分體也，如二十四史之紀、傳、表、志，各自成書者也。詩之編年也，如通鑑綱目之年經月緯，取法麟經者也。使不編年則無以考見其出處進退之大節，悲愉欣戚之至情，爲後世論世知人者告，使不分體則不知其某詩出某家，某詩近某派，而無以明其得力之所由。然則分體編年烏可偏廢哉！

蕭穆《敬孚類稿》卷二《劉海峰先生歷朝詩約選後序》 惟此書僅有標錄而無序例，全編評語僅百餘條，老輩相傳原編本有序例一卷，其後轉寫遺落，或云此編徵君手錄自玩，無意傳世。考徵君與姚比部手札，有生平。看古人書亦多有標錄而少批評，以批評則滯於語句之下，不能盡文字之妙云云。今此編有標錄而少批評，即是此意。姚比部亦嘗言圈點啟發人，意勝於解說，與徵君所見正同。其五言律詩卷一小序明云，使學者摘句而玩索之不得，云手錄自玩，無意傳世也。

文論部

主編：許結

目次

本原

《左傳·襄公二十五年》言以足志，文以足言。

《鬻子》故夫言者善，則謂之智矣；言者不善，則謂之愚矣。故智愚之人有其辭矣。

《墨子·非樂上》子墨子言曰：仁之事者，必務求興天下之利，除天下之害，將以爲法乎天下，利人乎卽爲，不利人乎卽止。且夫仁者之爲天下度也，非爲其目之所美，耳之所樂，口之所甘，身體之所安；以此虧奪民衣食之財，仁者弗爲也。是故子墨子之所以非樂者，非以大鐘、鳴鼓、琴瑟、竽笙之聲以爲不樂也；非以刻鏤華文章之色以爲不美也；非以犓豢煎炙之味以爲不甘也；非以高臺厚榭邃野之居以爲不安也。雖身知其安也，口知其甘也，目知其美也，耳知其樂也；然上考之不中聖王之事，下度之不中萬民之利。是故子墨子曰：爲樂非也。

《莊子·胠篋》故絕聖棄知，大盜乃止。【略】擢亂六律，鑠絕竽瑟，塞瞽曠之耳，而天下始人含其聰矣。滅文章，散五采，膠離朱之目，而天下始人含其明矣。

《孟子·公孫丑上》敢問夫子惡乎長？曰：我知言，我善養吾浩然之氣。敢問何謂浩然之氣？曰：難言也。其爲氣也，至大至剛，以直養而無害，則塞于天地之閒。其爲氣也，配義與道；無是，餒也。是集義所生者，非義襲而取之也。行有不慊于心，則餒矣。【略】何謂知言？曰：詖辭知其所蔽，淫辭知其所陷，邪辭知其所離，遁辭知其所窮。

《列子·湯問》瓠巴鼓琴而鳥舞魚躍，鄭師文聞之，棄家從師襄游。柱指鈞弦，三年不成章。師襄曰：「子可以歸矣。」師文舍其琴，嘆曰：「文非弦之不能鈞，非章之不能成。文所存者不在弦，所志者不在聲。內不得于心，外不應于器，故不敢發手而動弦。」

《荀子·正名》今聖王沒，天下亂，姦言起，君子無埶以臨之，無刑以禁之，故辨說也。實不喻然後命，命不喻然後期，期不喻然後說，說不喻然後辨。故期命辨說也者，用之大文也，而王業之始也。名聞而實喻，名之用也。累而成文，名之麗也。用麗俱得，謂之知名。名也者，所以期累實也。辭也者，兼異實之名以論一意也。辨說也者，不異實名以喻動靜之道也。期命也者，辨說之用也。辨說也者，心之象道也。心也者，道之工宰也。道也者，治之經理也。心合於道，說合於心，辭合於說，正明而期，質請而喻，辨異而不過，推類而不悖；聽則合文，辨則盡故。以正道而辨姦，猶引繩以持曲直；是故邪說不能亂，百家無所竄。有兼聽之明，而無奮矜之容；有兼覆之厚，而無伐德之色。說行則天下正，說不行則白道而冥窮，是聖人之辨說也。《詩》曰：「顒顒卬卬，如珪如璋，令聞令望，豈弟君子，四方爲綱。」此之謂也。

又《禮論》故曰：性者，本始材樸也；僞者，文理隆盛也。無性，則僞之無所加；無僞，則性不能自美。性、僞合，然後成聖人之名，一天下之功于是就也。

又《儒效》聖人也者，道之管也。天下之道管是矣，百王之道一是矣，故《詩》、《書》、《禮》、《樂》之歸是矣。《詩》言是其志也，《書》言是其事也，《禮》言是其行也，《樂》言是其和也，《春秋》言是其微也。故《風》之所以爲不逐者，取是以節之也；《小雅》之所以爲《小雅》者，取是而文之也；《大雅》之所以爲《大雅》者，取是而光之也；《頌》之所以爲至者，取是而通之也。

又《樂論》夫樂者，樂也，人情之所必不免也。故人不能無樂，樂則必發於聲音，形於動靜；而人之道，聲音動靜，性術之變盡是矣。故人不能不樂，樂則不能無形，形而不爲道，則不能無亂。先王惡其亂也，故制雅頌之聲以道之，使其聲足以樂而不流，使其文足以辨而不諰，使其曲直繁省、廉肉節奏足以感動人之善心，使夫邪汙之氣無由得接焉；是先王立樂之方也。【略】夫聲樂之入人也深，其化人也速，故先王謹爲之文。【略】樂者，聖人之所樂也，而可以善民心，其感人深，其移風易俗，故先王導之以禮樂而民和睦。夫民有好惡之情而無喜怒之應，則亂。先王惡其亂也，故修其行，正其樂，而天下順焉。故齊衰之服，哭泣之聲，使人之心悲；帶甲嬰軸，歌於行伍，使人之心傷；姚冶之容，鄭衛之音，使人之心淫；紳端章甫，舞《韶》歌《武》，使人之心莊。故君子耳不聽淫聲，目不視女色，口不出惡言，此三者，君子愼之。凡姦聲感人而逆氣應之，逆氣成象而亂生焉。正聲感人

而順氣應之，順氣成象而治生焉。唱和有應，善惡相象，故君子慎其所去就也。【略】亂世之徵，其服組，其容婦，其俗淫，其志利，其行雜，其聲樂險，其文章匿而采，其養生無度，其送死瘠墨，賤禮義而貴勇力，貧則爲盜，富則爲賊。治世反是也。

又《非相》凡言不合先王，不順禮義，謂之姦言；雖辯，君子不聽。【略】故君子之於言也，志好之，行安之，樂言之。故君子必辯。凡人莫不好言其所善，而君子爲甚。故贈人以言，重於金石珠玉；觀人以言，美於黼黻文章；聽人以言，樂於鐘鼓琴瑟。故君子之於言無厭。鄙夫反是，好其實，不恤其文，是以終身不免埤污傭俗。

《商君書・慎法》民釋實事而誦虛詞，則力少而非多，君人者不察也，以戰必損其將，以守必賣其城。

又《外內》奚謂淫道？爲辯知者貴，游宦者任，文學私名顯之謂也。

《韓非子・解老》夫恃貌而論情者，其情惡也；須飾而論質者，其質衰也。何以論之？和氏之璧不飾以五采，隋侯之珠不飾以銀黃，其質至美，物不足以飾之，夫物之待飾而後行者，其質不美也。

又《問辯》亂世則不然：主上有令，而民以文學非之，官府有法，〔而〕民以私行矯之，人主顧漸其法令而尊學者之智行，此世之所以多文學也。夫言行者，以功用爲之的彀者也。夫砥厲殺矢而以妄發，其端未嘗不中秋毫也；然而不可謂善射者，無常儀的也。設五寸之的，引十步之遠，非羿、逢蒙不能必中者，有常也。故有常則羿、逢蒙以五寸的爲巧，無常則以妄發之中秋毫爲拙。今聽言觀行，不以功用爲之的彀，言雖至察，行雖至堅，則妄發之說也。是以亂世之聽言也，以難知爲察，以博文爲辯；其觀行也，以離羣爲賢，以犯上爲抗。人主者說辯察之言，尊賢抗之行，故夫作法術之人，立取舍之行，別辭爭之論，而莫爲之正。是以儒服帶劍者衆而耕戰之士寡，堅白無厚之詞章而憲令之法息。故曰：上不明則辯生焉。

又《六反》學道立方，離法之民也，而世尊之曰文學之士。【略】語曲牟知，僞詐之民也，而世尊之曰辯智之士。【略】言不用而自文以爲辯，身不任而自飾以爲高，世主眩其辯，濫其高而尊貴之，是不須視而定明也，不待對而定辯也，喑盲者不得矣。明主聽其言必責其用，觀其行必求其功，然則虛舊之學不談，矜誣之行不飾矣。

又《八說》書約而弟子辯，法省而民訟簡。是以聖人之書必著論，明主之法必詳事。

《呂氏春秋・知度》至治之世，其民不好空言虛辭，不好淫學流說。賢不肖各反其質，行其情，不雕其素，蒙厚純樸，以事其上。

又《精諭》聖人相諭不待言，有先言言者也。

又　故至言去言，至爲無爲。

又《離謂》言者以諭意也。言意相離，凶也。

又　夫辭者，意之表也。鑒其表而棄其意，悖。故古之人得其意則舍其言矣。聽言者，以言觀意也，聽言而意不可知，其與橋言無擇。

又《淫辭》非辭無以相期，從辭則亂。亂辭之中又有辭焉，心之謂也。言不欺心，則近之矣。凡言者以諭心也。

李斯《議燒詩書百家語》古者天下散亂，莫之能一，是以諸侯并作，語皆道古以害今，飾虛言以亂實，人善其所私學，以非上之所建立。

陸賈《新語》卷上《道基》禮義不行，綱紀不立，後世衰廢；于是後聖乃定五經，明六藝，承天統地，窮事察微，原情立本，以緒人倫，宗諸天地，纂脩篇章，垂諸來世，被諸鳥獸，以匡衰亂，天人合策，原道悉備，智者達其心，百工窮其巧，乃調之以管弦絲竹之音，設鐘鼓歌舞之樂，以節奢侈，正風俗，通文雅。

又　夫謀事不並仁義者後必敗，殖不固本而立高基者後必崩。故聖人防亂以經藝，工正曲以準繩。

《淮南子・本經》太清之始也，和順以寂漠，質眞而素樸，閑靜而不躁，推而無故，在內而合乎道，出外而調于義，發動而成于文。

又《主術》言不得過其實。

又《繆稱》故心哀而歌不樂，心樂而哭不哀。

又　失諸情者，則塞于辭矣。

又　文者，所以接物也，情，繫於中而欲發外者也。以文滅情則失情，以情滅文則失文，文情理通，則鳳麟極矣，言至德之懷遠也。

又《詮言》歌舞而不事爲悲麗者，皆無有根心者。

又《說山》人無言而神，有言者則傷。無言而神者載無，有言則傷其神。

又《説林》　至言不文，至樂不笑，至音不叫。

又《人間》　故繁稱文辭，無益於説，審其所由而已矣。

又《脩務》　所謂言者，齊於衆而同于俗。

又　通於物者不可驚以怪，喻於道者不可動以奇，察於辭者不可燿以名，審於形者不可遯以狀。世俗之人，多尊古而賤今，故爲道者，必託之於神農、黄帝而後能入説。

又《要略》　夫道論至深，故多爲之辭以抒其情，萬物至衆，故博爲之説以通其意。辭雖壇卷連漫，絞紛遠緩，所以洮汰滌蕩至意，使之無凝竭底滯，捲握而不散也。

司馬遷《報任安書》　古者富貴而名摩滅，不可勝記，唯俶儻非常之人稱焉。蓋西伯拘而演《周易》；仲尼厄而作《春秋》；屈原放逐，乃賦《離騷》；左丘失明，厥有《國語》；孫子臏脚，《兵法》修列；不韋遷蜀，世傳《吕覽》；韓非囚秦，《説難》《孤憤》。《詩》三百篇，大氐賢聖發憤之所爲作也。此人皆意有所鬱結，不得通其道，故述往事，思來者。及如左丘明無目，孫子斷足，終不可用，退論書策以舒其憤，思垂空文以自見。僕竊不遜，近自託於無能之辭，網羅天下放失舊聞，考之行事，稽其成敗興壞之理，凡百三十篇，亦欲以究天人之際，通古今之變，成一家之言。草創未就，適會此禍，惜其不成，是以就極刑而無愠色。僕誠已著此書，藏之名山，傳之其人通邑大都，則僕償前辱之責，雖萬被戮，豈有悔哉！然此可爲智者道，難爲俗人言也。

《禮記·樂記》　樂者，心之動也。聲者，樂之象也。文采節奏，聲之飾也。君子動其本，樂其象，然後治其飾。是故先鼓以警戒，三步以見方，再始以著往，復亂以飭歸，奮疾而不拔，極幽而不隱，獨樂其志，不厭其道；備舉其道，不私其欲。是故情見而義立，樂終而德尊，君子以好善，小人以聽過。故曰：生民之道，樂爲大焉。

又　凡音之起，由人心生也。人心之動，物使之然也。感于物而動，故形于聲。

又　樂者，音之所由生也，其本在人心之感于物也。是故其哀心感者，其聲噍以殺；其樂心感者，其聲嘽以緩；其喜心感者，其聲發以散；其怒心感者，其聲粗以厲；其敬心感者，其聲直以廉；其愛心感者，其聲和以柔。六者非性也，感于物而後動。情動于中，故形于聲。聲成文，謂之音。是故治世之音安以樂，其政和；亂世之音怨以怒，其政乖；亡國之音哀以思，其民困。聲音之道，與政通矣。

又　凡音者，生于人心者也。樂者，通倫理者也。是故知聲而不知音者，禽獸是也。知音而不知樂者，衆庶是也。唯君子爲能知樂。是故審聲以知音，審音以知樂，審樂以知政，而治道備矣。

又　夫民有血氣心知之性，而無哀樂喜怒之常；應感起物而動，然後心術形焉。是故志微噍殺之音作，而民思憂；嘽諧、慢易、繁文、簡節之音作，而民康樂；粗厲、猛起、奮末、廣賁之音作，而民剛毅；廉直、勁正、莊誠之音作，而民肅敬；寛裕、肉好、順成、和動之音作，而民慈愛；流辟、邪散、狄成、滌濫之音作，而民淫亂。

又《表記》　子曰：「情欲信，辭欲巧。」

又　子曰：「君子不以辭盡人，故天下有道，則行有枝葉；天下無道，則辭有枝葉。」

又《緇衣》　大人不倡游言。

又《儒行》　言談者，仁之文也。歌樂者，仁之和也。

揚雄《法言·學行》　學，行之上也，言之次也，教人又其次也，咸無焉，爲衆人。

又《問道》　吾焉開明哉！惟聖人爲可以開明，它則苓。大哉！聖人言之至也。開之，廓然見四海；閉之，閛然不睹牆之里。聖人之言似于水火。或問：水火。曰：水，測之而益深，窮之而益遠；火，用之而彌明，宿之而彌壯。

又《問神》　或問：聖人之經不可使易知與？曰：不可。天俄而可度，則其覆物也淺矣。地俄而可測，則其載物也薄矣。大哉天地之爲萬物郭，《五經》之爲衆説郛。

又　言不能達其心，書不能達其言，難矣哉！惟聖人得言之解，得書之體。白日以照之，江河以滌之，灝灝乎其莫之御也。面相之，辭相適，捈中心之所欲，通諸人之嚍嚍者，莫如言。彌綸天下之事，記久明遠，著古昔之嗜嗜，傳千里之忞忞者，莫如書。故言，心聲也。書，心畫也。聲畫形，君

子小人見矣。聲畫者，君子小人之所以動情乎？

桓譚《新論》 賈誼不左遷失志，則文彩不發。淮南不貴盛富饒，則不能廣聘駿士，使著文作書。太史公不典掌書記，則不能條悉古今。揚雄不貧，則不能作《玄》、《言》。

王充《論衡·超奇》 或曰：「著書之人，博覽多聞，學問習熟，則能推類興文。文由外而興，未必實才學文相副也。且淺意于華葉之言，無根核之深，不見大道體要，故立功者希。安危之際，文人不與，無能建功之驗，徒能筆說之效也。」曰：此不然。周世著書之人，皆權謀之臣；漢世直言之士，皆通覽之吏。豈謂文非華葉之生，根核推之也。心思爲謀，集札爲文，情見於辭，意驗於言。商鞅相秦，致功於霸，作耕戰之書。虞卿爲趙，決計定說行，退作春秋之思，起城中之議。耕戰之書，秦堂上之計也。陸賈消呂氏之謀，與《新語》同一意，桓君山易鼂錯之策，與《新論》共一思。觀谷永之陳說，唐林之宜言，劉向之切議，以知爲本，筆墨之文，將而送之；豈徒雕文飾辭，苟爲華葉之言哉？精誠由中，故其文語感動人深。是故魯連飛書，燕將自殺，鄒陽上疏，梁孝開牢。書疏文義，奪於肝心，非徒博覽者所能造，習熟者所能爲也。

又《佚文》 文人宜遵《五經》、六藝爲文，諸子傳書爲文，造論著說爲文，上書奏記爲文，文德之操爲文。立五文在世，皆當賢也。造論著說之文，尤宜勞焉。何則？發胸中之思，論世俗之事，非徒諷古經，續故文也；論發胸臆，文成手中，非說經藝之人所能爲也。周秦之際，諸子並作，皆論他事，不頌主上，無益於國，無補於化。造論之人，頌上恢國，國業傳在千載，主德參貳日月，非適諸子書傳所能並也。上書陳便宜，奏記薦吏士，一則爲身，二則爲人；繁文麗辭，無上書文德之操，治身完行，徇利爲私，無爲主者。夫如是，五文之中，論者之文多矣，則可尊明矣。【略】天文人文，豈徒調墨弄筆，爲美麗之觀哉？載人之行，傳人之名也。善人願載，思勉爲善；邪人惡載，力自禁裁。然則文人之筆，勸善懲惡也。謚法所以章善，即以著惡也。加一字之謚，人猶勸懲，聞知之者莫不自勉。況極筆墨之力，定善惡之實，言行畢載，文以千數，傳流於世，成爲丹青，故可尊也。

又《書解》 或曰：「士之論高，何必以文？」答曰：夫人有文，質乃成；物有華而不實，有實而不華者。《易》曰：「聖人之情見乎辭。」出口爲言，集札爲文。文辭施設，實情敷烈。夫文德，世服也。空書爲文，實行爲德，著之於衣爲服。故曰：德彌盛者文彌褥，德彌彰者人彌明。大人德擴，其文炳；小人德熾，其文斑。官尊而文繁，德高而文積。華而睆者，大夫之簀，曾子寢疾，命元起易。由此言之，衣服以品賢，賢以文爲差，愚傑不別，須文以立折。非唯於人，物亦咸然：龍鱗有文，於蛇爲神；鳳羽五色，於鳥爲君；虎猛，毛蚡蜦；龜知，背負文；四者體不質，於物爲聖賢。且夫山無林，則爲土山；地無毛，則爲瀉土；人無文，則爲僕人。土山無麋鹿，瀉土無五穀，人無文德，不爲聖賢。上天多文，而后土多理。二氣協和，聖賢稟受，法象本類，故多文彩。瑞應符命，莫非文者。晉唐叔虞、魯成季友、惠公夫人號曰仲子，生而怪奇，文在其手。張良當貴，出與神會，老父授書，卒封留侯。河神故出圖，洛靈故出書。竹帛所記怪奇之物，不出潢洿。物以文爲表，人以文爲基。棘子成欲彌文，子貢譏之。謂文不足奇者，子成之徒也。著作者爲文儒，說經者爲世儒，二儒在世，未知何者爲優？或曰：「文儒不若世儒。世儒說聖人之經，解賢者之傳，義理廣博，無不實見，故在官常位，位最尊者爲博士，門徒聚衆，招會千里，身雖死亡，學傳於後。文儒爲華淫之說，於世無補，故無常官，弟子門徒，不見一人，身死之後，莫有紹傳，此其所以不如世儒者也。」答曰：不然。夫世儒說聖情，共起並驗，俱追聖人。事殊而務同，言異而義鈞。何以謂之文儒之說無補於世？世儒業易爲，故世人學之多；非事可析第，故官廷設其位。文儒之業，卓絕不循，人寡其書；業雖不講，門雖無人，書文奇偉，世人亦傳。彼虛說，此實篇，折累二者，孰者爲賢？案古俊乂著作辭說，自用其業，自明於世；世儒當時雖尊，不遭文儒之書，其跡不傳。周公制禮樂，名垂而不滅；孔子作《春秋》，聞傳而不絕。周公、孔子難以論言。漢世文章之徒，陸賈、司馬遷、劉子政、揚子雲，其材能若奇，其稱不由人。世傳《詩》家魯申公，《書》家千乘歐陽、公孫，不遭太史公，世人不聞。夫以業自顯，孰與須人乃顯？夫能紀百人，孰與廑能顯其名？

王符《潛夫論·贊學》 先聖之智，心達神明，性直道德，又造經典以遺後人。試使賢人君子，釋于學問，抱質而行，必弗具也；及使從師就學，按經而行，聰達之明，德義之理，亦庶矣。是故聖人以其心來造經典，後人以經典往合聖心也，故修經之賢，德近于聖矣。

又《務本》教訓者，以道義爲本，以巧辯爲末；辭語者，以信順爲本，以詭麗爲末。【略】守本離末則仁義興，離本守末則道德崩。

又 夫教訓者，所以遂道術而崇德義也。今學問之士，好語虛無之事，爭著彫麗之文，以求見異于世，品人鮮識，從而高之，此傷道德之實，而或矇夫之大者也。詩賦者，所以頌善醜之德，泄哀樂之情也，故溫雅以廣文，興喻以盡意。今賦頌之徒，苟爲饒辯屈蹇之辭，競陳誣罔無然之事，以索見怪于世，愚夫戇士，從而奇之，此悖孩童之思，而長不誠之言者也。

又《述赦》人之情皆見乎辭。

又《邊議》是故不疑之事，聖人不謀；浮游之說，聖人不聽。

又 且夫議者，明之所見也；辭者，心之所表也。

又《交際》世有可患者三，三者何？曰：情實薄而辭稱厚，念實忽而文想憂，懷不來而外克期。不信則懼失賢，信之則詿誤人。此俗士可厭之甚者也。是故孔子疾夫言之過其行者，《詩》傷「蛇蛇碩言，出自口矣。巧言如簧，顔之厚矣」。

又《叙錄》夫生于當世，貴能成大功，太上有立德，其下有立言。

又 中心時有感，援筆紀數文，字以綴愚情，財令不忽忘。

荀悅《申鑒·雜言下》《易》稱乾道變化，各正性命，是言萬物各有性也。觀其所感，而天地萬物之情可見矣。是言情者，應感而動者也。昆蟲草木，皆有性焉，不盡善也；天地聖人，皆稱情焉，不主惡也。又曰：「爻、彖以情言。」亦如之，凡情意心志者，皆性動之別名也。情見乎辭，是稱情也；言不盡意，是稱意也；中心好之，是稱心也；以制其志，是稱志也。惟所宜各稱其名而已。情何主惡之有？故曰：「必也正名。」

袁淑《吊古文》賈誼發憤于湘江，長卿愁悉于園邑，彥眞因文以悲出，伯喈衒史而求入，文舉疏誕以殃速，德祖精密而禍及。夫然，不患思之貧，無苦識之淺。士以伐能見斥，女以驕色貽遣。以往古爲鏡鑒，以未來爲針艾。書余言于子紳，亦何勞乎蓍蔡。

應瑒《文質論》蓋皇穹肇載，陰陽初分，日月運其光，列宿曜其文，百穀麗于土，芳華茂于春。是以聖人合德天地，稟氣淳靈，仰觀象于玄表，俯察式于群形，窮神知化，萬物是經。故否泰易趨，道無攸一，二政代序，有文有質。若乃陶唐建國，成周革命，九官咸乂，濟濟休令，火龍黼黻，暐曄于廊廟；袞冕旂旒，舄弈乎朝廷。冠德百王，莫參其政。是以仲尼嘆煥乎之文，從鬱鬱之盛也。夫質者端一，玄靜儉嗇，潛化利用，承清泰，御平業，循軌量，守成法。至乎應天順民，撥亂夷世，摛藻奮權，赫奕丕烈，紀禪協律，禮儀煥別，覽墳丘于皇代，建不刊之洪制，顯宣尼之典教，探微言之所弊。若乃和氏之明璧，輕縠之袿裳，必將游玩于左右，振飾于宮房。豈爭牢僞之勢，金布之剛乎？且少言辭者，孟僖所以答郊勞也；寡智見者，慶氏所以困相鼠也。今子棄五典之文，暗禮智之大，信管望之小，尋老氏之蔽，所謂循軌常趍，未能釋連環之結也。且高帝龍飛豐、沛，虎據秦、楚，唯德是建，唯賢是與。陸、酈摛其文辯，良、平奮其權譎，蕭何創其章律，叔孫定其庠序，周、樊展其忠教，韓、彭列其威武。明達天下者非一士之術，營宮廟者非一匠之矩也。逮自高后亂德，損我宗劉，朱虛軫其慮，辟強釋其憂，曲逆規其模，酈友詐其游。襲據北軍，實賴其疇。冢嗣之不替，實四老之由也。夫諫則無儀以陳，問則服汗沾濡，豈若陳平敏對，叔孫據書，言辨國典，辭定皇居，然後知質者之不足，文者之有餘。

徐幹《中論》辭人美麗之文，并時而作，曾無闡宏大義，敷散道教，上求聖人之中，下救流俗之昏者。

曹丕《典論·論文》文以氣爲主，氣之清濁有體，不可力強而致。譬諸音樂，曲度雖均，節奏同檢，至於引氣不齊，巧拙有素，雖在父兄，不能以移子弟。

陸機《文賦》伊兹文之爲用，固衆理之所因。恢萬里而無閡，通億載而爲津。俯貽則於來葉，仰觀象乎古人。濟文武於將墜，宣風聲於不泯。塗無遠而不彌，理無微而不綸。配霑潤於雲雨，象變化乎鬼神。被金石而德廣，流管絃而日新。

《北堂書鈔》卷九五引《傅子》或問劉歆、劉向孰賢。傅子曰：向才學俗而志忠，歆才學通而行邪。《詩》之《雅》《頌》，《書》之《典》《謨》，文質足以相副。玩之若近，尋之若遠，陳之若肆，研之若隱，浩浩乎其文章之淵府也。

《太平御覽》卷六六引《傅子》典籍文章之言也。治出于天，辭宣于仁。

又卷三七六引《傅子》心有管籥，須言而發。

《意林》引《傅子》夫文彩之在人，猶榮華之在草。

摯虞《文章流别論》 文章者，所以宣上下之象，明人倫之敘，窮理盡性，以究萬物之宜者也。王澤流而詩作，成功臻而頌興，德勳立而銘著，嘉美終而誄集。祝史陳辭，官箴王闕。

葛洪《抱朴子·外篇·尚博》 故通人總原本以括流末，操綱領而得一致焉。古人歎息於才難，故謂百世爲隨踵。不以璞非崑山，而棄耀夜之寶；不以書不出聖，而廢助教之言。是以閭陌之拙詩，軍旅之鞫誓，或詞鄙喻陋，簡不盈十，猶見撰錄，亞次典誥。百家之言，與善一揆。譬操水者，器雖異而救火同焉；猶鍼灸者，術雖殊而攻疾均焉。

宗炳《明佛論》 夫秋毫處滄海，其懸猶有極也，今綴彝倫于太虛，爲藐胡可言哉？故世之所大，道之所小，人之所遐，天之所邇，所謂軒轅之前，遐哉邈矣者。體天道以高覽，蓋昨日之事耳。《書》稱知遠，不出唐虞，《春秋》屬辭，盡于王業，《禮》、《樂》之良敬，《詩》、《易》之溫潔，今于無窮之中，煥三千日月以列照，麗萬二千天下以貞觀，乃知周、孔所述，蓋于蠻觸之域，應求治之粗感，且寧乏于一生之内耳，逸乎生表者，存而未論也。若不然也，何其篤于爲始形，而略于爲神哉？登蒙山而小魯，登太山而小天下，是其際矣。且又墳典已逸，俗儒所編，專在治迹，言有出于世表，或散沒于史策，或絶滅于坑焚。若老子、莊周之道，松、喬、列、眞之術，信可以洗心養身，而亦皆無取于《六經》。而學者唯守救粗之闕文，以《書》、《禮》爲限斷，聞窮神積劫之遠化，炫目前而永忽，不亦悲夫？嗚呼，有似行乎層雲之下，而不信日月者也。

又《畫山水序》 聖人含道應物，賢者澄懷味象，至于山水，質有而趣靈，是以軒轅、堯、孔、廣成、大隗、許由、孤竹之流，必有崆峒、具茨、藐姑、箕首、大蒙之游焉，又稱仁智之樂焉。夫聖人以神發道，而賢者通，山水以形媚道，而仁者樂，不亦幾乎？余眷戀廬、衡，契闊荆、巫，不知老之將至。愧不能凝氣怡身，傷跕石門之流。於是畫象布色，構茲雲嶺。夫理絶於中古之上者，可意求於千載之下；旨微於言象之外者，可心取於書策之内。況乎身所盤桓，目所綢繆，以形寫形，以色貌色也。且夫崑崙山之大，曠子之小，迫目以寸，則其形莫睹。迥以數里，則可圍於寸眸，誠由去之稍闊，則其見彌小。今張綃素以遠映，則崑閬之形，可圍於方寸之内。竪劃三寸，當千仞之高，横墨數尺，體百里之迴。是以觀畫圖者，徒患類之不巧，不以制小而累其似。此自然之勢，如是，則嵩華之秀，玄牝之靈，皆可得之於一圖矣。夫以會目會心爲理者，類之成巧，則目亦同應。心亦俱會，應會感神，神超理得，雖復虛求幽岩，何以加焉？又神本亡端，栖形感類，理入影迹，誠能妙寫，亦誠盡矣。於是閑居理氣，拂觴鳴琴，披圖幽對，坐究四荒，不違天勵之叢，獨應無人之野。峰岫嶢嶷，雲林森渺，聖賢映於絶代，萬趣融其神思。余復何爲哉！暢神而已。神之所暢，孰有先焉。

顏延之《清者人之正路》 觀書貴要，觀要貴博，博而知要，萬流可一。詠歌之書，取其連類合章，比物集句，采風謠以達民志，《詩》爲之祖。褒貶之書，取其正言晦義，轉制衰王，微辭豈旨。貽意盛聖，《春秋》爲上。《易》首體備，能事之淵。馬、陸得其象數，而失其成理；荀、王舉其正宗，而略其數象。四家之見，雖各爲所志。總而論之，精理出于微明，氣數生于形分。然則荀、王得之于心，馬、陸取之于物，其無惡迄可知矣。夫象數窮則太極著，人心極而神功彰。若荀、王之言《易》，可謂極人心之數者也。

杜弼《上老子道德經注表》 竊唯《道》、《德》二經，闡明幽極，旨冥動寂，用周凡聖。論行也清淨柔弱，語迹也成功致治。實衆流之江海，乃群藝之本根。

王僧虔《書賦》 情憑虛而測有，思沿想而圖空。心經于則，目像其容，手以心麾，毫從手從，風搖挺氣，妍嫿深功。

蕭衍《孝思賦序》 想緣情生，情緣想起，物類相感，故其然也。

蕭統《文選序》 式觀元始，眇覿玄風。冬穴夏巢之時，茹毛飲血之世，世質民淳，斯文未作。逮乎伏羲氏之王天下也，始畫八卦，造書契，以代結繩之政，由是文籍生焉。《易》曰：「觀乎天文，以察時變；觀乎人文，以化成天下。」文之時義遠矣哉！若夫椎輪爲大輅之始，大輅寧有椎輪之質；增冰爲積水所成，積水曾微增冰之凜。何哉？蓋踵其事而增華，變其本而加厲，物既有之，文亦宜然。

蕭綱《昭明太子集序》 竊以文之爲義，大哉遠矣。故孔稱性道，堯曰欽明，武有來商之功，虞有格苗之德，故《易》曰：「觀乎天文，以察時變；觀乎人文，以化成天下。」是以含精吐景，六衛九光之度；方珠喻龍，南樞北陵之采，此之謂天文。文籍生，書契作，咏歌起，賦頌興，成孝敬于人倫，移風俗于王政，道綿乎八極，理浹乎九垓，贊動神明，雍熙鐘石，此之謂人文。

若夫體天經而總文緯，揭日月而諧律呂者，其在茲乎！

又《上昭明太子集別傳等表》 臣聞無懷、有巢之前，書契未作，尊盧、赫胥之氏，墳典不傳。若夫正少陽之位，主承祧之則，口實爲美，唯稱啓誦。自茲厥後，罕或聞焉。

蕭子顯《自序》 余爲邵陵王友，忝還京師，遠思前此，卽楚之唐、宋，梁之嚴、鄒，追尋平生，頗好辭藻，雖在名無成，求心已足。若乃登高目極，臨水送歸，風動春朝，月明秋夜，早雁初鶯，開花落葉，有來斯應，每不能已也。前世賈、傅、崔、馬、邯鄲、繆、路之徒，並以文章顯，所以屢上歌頌，自比古人。【略】每有制作，特寡思功，須其自來，不以力構。

又《南齊書·文學傳論》 文章者，蓋情性之風標，神明之律呂也。蘊思含毫，遊心內運，放言落紙，氣韻天成，莫不稟以生靈，遷乎愛嗜，機見殊門，賞悟紛雜。

劉孝綽《昭明太子集序》 若夫天文以爛然爲美，人文以煥乎爲貴，是以隆儒雅之大成，游雕蟲之小道，握牘持筆，思若有神，曾不斯須，風飛雷起。至于宴游西園，祖道清洛，三百載賦，該極連篇，七言致擬，見諸文學。博逸興咏，幷命從游，書令視草，銘非潤色。七窮煒燁之說，表極遠大之才，皆喩不備體，詞不掩義，因宜適變，曲盡文情。

蕭繹《金樓子序》 先生曰：余于天下，爲不賤焉。竊念臧文仲旣歿，其言立于世。曹子桓云：「立德著書，可以不朽。」杜元凱言：「德者非所企及，立言或可庶幾。」故戶牖懸刀筆，而有述作之志矣。常笑淮南之假手，每嗤不韋之托人。由是年在志學，躬自搜纂，以爲一家之言。【略】氣不遂文，文常使氣；材不値運，必欲師心。霞間得語，莫非撫臆；松石能言，必解其趣。風雲元感，儻獲見知。

顧野王《虎丘山序》 若乃九功六義之興，依永和聲之制，志由興作，情以詞宣，形言諧于韶夏，成文暢于鐘律，由來尙矣。未有登高能賦，而韜斐麗之章；入谷忘歸，而忽鏗鏘之節。故總轡齊鑣，競雕蟲于山水；雲合霧集，爭歌頌于林泉。

阮孝緒《七錄序》 日月貞明，匪光景不能垂照；嵩華載育，非風雲無以懸感。大聖挺生，應期命世，所以匡濟風俗，矯正彝倫，非夫丘索墳典，詩書禮樂，何以成穆穆之功，致蕩蕩之化也哉！故洪荒道喪，帝昊興其爻畫；結繩義隱，皇頡肇其文字。自斯以往，沿襲異宜，功成治定，各有方冊，正宗既殄，樂崩禮壞，先聖之法，有若綴旒。故仲尼嘆曰：「大道之行也，與三代之英，丘未逮也，而有志焉。」夫有志，以爲古文猶好也，故自衛反魯，始立素王。于是删詩書，定禮樂，列五始于《春秋》，興《十翼》于《易》道。夫子既亡，微言殆絕，七十幷喪，大義遂乖。逮于戰國，殊俗異政，百家競起，九流互作。嬴政嫉之，故有坑焚之禍。至漢惠四年，始除挾書之律，其後，外有太常太史博士之藏，內有延閣廣內秘室之府，開獻書之路，置寫書之官。

劉勰《文心雕龍·原道》 文之爲德也大矣，與天地並生者何哉！夫玄黃色雜，方圓體分，日月疊璧，以垂麗天之象；山川煥綺，以鋪理地之形，此蓋道之文也。仰觀吐曜，俯察含章，高卑定位，故兩儀既生矣。惟人參之，性靈所鍾，是謂三才，爲五行之秀，實天地之心。心生而言立，言立而文明，自然之道也。傍及萬品，動植皆文：龍鳳以藻繪呈瑞，虎豹以炳蔚凝姿。雲霞雕色，有踰畫工之妙；草木賁華，無待錦匠之奇。夫豈外飾，蓋自然耳。至於林籟結響，調如竽瑟；泉石激韻，和若球鍠。故形立則章成矣，聲發則文生矣。夫以無識之物，鬱然有彩，有心之器，其無文歟！人文之元，肇自太極，幽讚神明，易象惟先。庖犧畫其始，仲尼翼其終。而乾坤兩位，獨制文言。言之文也，天地之心哉！若廼河圖孕乎八卦，洛書韞乎九疇，玉版金鏤之實，丹文綠牒之華，誰其尸之，亦神理而已。自鳥跡代繩，文字始炳，炎皞遺事，紀在三墳，而年世渺邈，聲采靡追。唐虞文章，則煥乎始盛。元首載歌，既發吟詠之志；益稷陳謀，亦垂敷奏之風。夏后氏興，業峻鴻績，九序惟歌，勳德彌縟。逮及商周，文勝其質，雅頌所被，英華日新。文王患憂，繇辭炳曜，符采複隱，精義堅深。重以公旦多材，振其徽烈，制詩緝頌，斧藻羣言。至夫子繼聖，獨秀前哲，鎔鈞《六經》，必金聲而玉振；雕琢情性，組織辭令，木鐸啓而千里應，席珍流而萬世響，寫天地之輝光，曉生民之耳目矣。爰自風姓，暨於孔氏，玄聖創典，素王述訓，莫不原道心以敷章，研神理而設教，取象乎河洛，問數乎蓍龜，觀天文以極變，察人文以成化；然後能經緯區宇，彌綸彝憲，發輝事業，彪炳辭義。故知道沿聖以垂文，聖因文而明道，旁通而無滯，日用而不匱。《易》曰：「鼓天下之動者存乎辭。」辭之所以能鼓天下者，廼道之文也。贊曰：道心惟微，神理設教。光采玄聖，炳燿仁孝。龍圖獻體，龜書呈貌。天文斯觀，民胥以傚。

又《徵聖》 夫作者曰聖，述者曰明，陶鑄性情，功在上哲，夫子文章，可得而聞，則聖人之情見乎文辭矣。**【略】** 夫鑒周日月，妙極機神：文成規矩，思合符契；或簡言以達旨，或博文以該情，或明理以立體，或隱義以藏用。故《春秋》一字以褒貶，喪服舉輕以包重，此簡言以達旨也。《邠》詩聯章以積句，儒行縟說以繁辭，此博文以該情也。書契斷決以象夬，文章昭晰以象離，此明理以立體也。四象精義以曲隱，五例微辭以婉晦，此隱義以藏用也。故知繁略殊形，隱顯異術，抑引隨時，變通會適，徵之周孔，則文有師矣。是以子政論文，必徵於聖；稚圭勸學，必宗於經。《易》稱「辨物正言，斷辭則備」；《書》云「辭尚體要，弗惟好異。」故知正言所以立辯，體要所以成辭，辭成無好異之尤，辯立有斷辭之義。雖精義曲隱，無傷其正言；微辭婉晦，不害其體要。體要與微辭偕通，正言共精義並用；聖人之文章，亦可見也。顔闔以爲仲尼飾羽而畫，徒事華辭。雖欲訾聖，弗可得已。然則聖文之雅麗，固銜華而佩實者也。天道難聞，猶或鑽仰；文章可見，胡寧勿思。若徵聖立言，則文其庶矣。贊曰：妙極生知，睿哲惟宰。精理爲文，秀氣成采。鑒懸日月，辭富山海。百齡影徂，千載心在。

又《宗經》 三極彝訓，其書言經。經也者，恆久之至道，不刊之鴻教也。故象天地，效鬼神，參物序，制人紀，洞性靈之奧區，極文章之骨髓者也。皇世三墳，帝代五典，重以八索，申以九丘，歲歷綿曖，條流紛糅，自夫子刪述，而大寶咸耀。於是《易》張十翼，《書》標七觀，《詩》列四始，《禮》正五經，《春秋》五例，義既極乎性情，辭亦匠於文理，故能開學養正，昭明有融。然而道心惟微，聖謨卓絶，牆宇重峻，而吐納自深。譬萬鈞之洪鍾，無錚錚之細響矣。夫《易》惟談天，入神致用。故繫稱旨遠辭文，言中事隱，韋編三絶，固哲人之驪淵也。《書》實記言，而詁訓茫昧，通乎爾雅，則文章曉然。故子夏歎《書》，昭昭若日月之明，離離如星辰之行，言昭灼也。《詩》主言志，詁訓同《書》，摛風裁興，藻辭譎喻，溫柔在誦，故最附深衷矣。禮以立體，據事制範，章條纖曲，執而後顯，采掇片言，莫非寶也。《春秋》辨理，一字見義，五石六鷁，以詳略成文；雉門兩觀，以先後顯旨：其婉章志晦，諒以邃矣。《尚書》則覽文如詭，而尋理卽暢；《春秋》則觀辭立曉，而訪義方隱。此聖人之殊致，表裏之異體者也。至根柢槃深，枝葉峻茂，辭約而旨豐，事近而喻遠。是以往者雖舊，餘味日新，後進追取而非晚，前脩文用而未先，可謂泰山偏雨，河潤千里者也。故論說辭序，則《易》統其首；詔策章奏，則《書》發其源；賦頌歌讚，則《詩》立其本；銘誄箴祝，則《禮》總其端；紀傳銘檄，則《春秋》爲根。並窮高以樹表，極遠以啓疆，所以百家騰躍，終入環內者也。若稟經以製式，酌雅以富言，是仰山而鑄銅，煮海而爲鹽也。故文能宗經，體有六義：一則情深而不詭，二則風清而不雜，三則事信而不誕，四則義直而不回，五則體約而不蕪，六則文麗而不淫。揚子比雕玉以作器，謂《五經》之含文也。夫文以行立，行以文傳，四教所先，符采相濟，勵德樹聲，莫不師聖，而建言脩辭，鮮克宗經。是以楚艷漢侈，流弊不還，正末歸本，不其懿歟！贊曰：三極彝道，訓深稽古。致化歸一，分教斯五。性靈鎔匠，文章奧府。淵哉鑠乎，羣言之祖。

又《情采》 聖賢書辭，總稱文章，非采而何！夫水性虛而淪漪結，木體實而華萼振，文附質也。虎豹無文，則鞹同犬羊；犀兕有皮，而色資丹漆，質待文也。若乃綜述性靈，敷寫器象，鏤心鳥跡之中，織辭魚網之上，其爲彪炳，縟彩名矣。故立文之道，其理有三：一曰形文，五色是也；二曰聲文，五音是也；三曰情文，五性是也。五色雜而成黼黻，五音比而成韶夏，五情發而爲辭章，神理之數也。《孝經》垂典，喪言不文，故知君子常言未嘗質也。老子疾僞，故稱美言不信；而五千精妙，則非棄美矣。莊周云「辯雕萬物」，謂藻飾也。韓非云「艷采辯說」，謂綺麗也。綺麗以艷說，藻飾以辯雕，文辭之變，於斯極矣。研味李老，則知文質附乎性情；詳覽莊韓，則見華實過乎淫侈。若擇源於涇渭之流，按轡於邪正之路，亦可以馭文采矣。夫鉛黛所以飾容，而盼倩生於淑姿；文采所以飾言，而辯麗本於情性。故情者，文之經，辭者，理之緯；經正而後緯成，理定而後辭暢，此立文之本源也。昔詩人什篇，爲情而造文；辭人賦頌，爲文而造情。何以明其然？蓋風雅之興，志思蓄憤，而吟詠情性，以諷其上，此爲情而造文也。諸子之徒，心非鬱陶，苟馳夸飾，鬻聲釣世，此爲文而造情也。故爲情者要約而寫眞，爲文者淫麗而煩濫。而後之作者，採濫忽眞，遠棄風雅，近師辭賦，故體情之製日疎，逐文之篇愈盛。故有志深軒冕，而汎詠皋壤，心纏幾務，而虛述人外，眞宰弗存，翩其反矣。夫桃李不言而成蹊，有實存也；男子樹蘭而不芳，無其情也。夫以草木之微，依情待實，況乎文章，述志爲本，言與志反，文豈足徵！是以聯辭結采，將欲明理；采濫辭詭，則心理愈翳。固知翠綸桂餌，

反所以失魚。言隱榮華，殆謂此也。是以衣錦褧衣，惡文太章，賁象窮白，貴乎反本。夫能設謨以位理，擬地以置心，心定而後結音，理正而後摛藻，使文不滅質，博不溺心，正采耀乎朱藍，間色屏於紅紫，乃可謂雕琢其章，彬彬君子矣。贊曰：言以文遠，誠哉斯驗。心術既形，英華乃贍。吳錦好渝，舜英徒艷。繁彩寡情，味之必厭。

又《序志》 夫文心者，言爲文之用心也。昔涓子琴心，王孫巧心，心哉美矣，故用之焉。古來文章，以雕縟成體，豈取騶奭之羣言雕龍也。夫宇宙緜邈，黎獻紛雜，拔萃出類，智術而已。歲月飄忽，性靈不居，騰聲飛實，製作而已。夫有肖貌天地，稟性五才，擬耳目於日月，方聲氣乎風雷，其超出萬物，亦已靈矣。形同草木之脆，名踰金石之堅，是以君子處世，樹德建言，豈好辯哉，不得已也！予生七齡，乃夢彩雲若錦，則攀而採之。齒在踰立，則嘗夜夢執丹漆之禮器，隨仲尼而南行；旦而寤，迺怡然而喜。大哉聖人之難見也，乃小子之垂夢歟！自生人以來，未有如夫子者也。敷讚聖旨，莫若注經，而馬鄭諸儒，弘之已精，就有深解，未足立家。唯文章之用，實經典枝條，五禮資之以成，六典因之致用，君臣所以炳煥，軍國所以昭明，詳其本源，莫非經典。而去聖久遠，文體解散，辭人愛奇，言貴浮詭，飾羽尚畫，文繡鞶帨，離本彌甚，將遂訛濫。蓋周書論辭，貴乎體要，尼父陳訓，惡乎異端；辭訓之異，宜體於要。於是搦筆和墨，乃始論文。

潘徽《韻纂序》 文字之來尚矣。初則羲皇出震，觀象緯以法天；次則史頡佐軒，察蹄迹而取地。于是八卦爰始，爻文斯作，繩用既息，墳籍生焉。至如龍策授河，龜威出洛，綠綈白檢，述勛、華之運，金繩玉字，表殷、夏之符，銜甲示于姬壇，吐卷徵于孔室，莫不理包遠邇，迹會幽明，仰協神功，俯照人事。其制作也如彼，其祥瑞也如此，故能宣流萬代，正名百物，爲生民之耳目，作後王之模範，頌美形容，垂芬篆素。

李諤《上書正文體》 臣聞古先哲王之化民也，必變其視聽，防其嗜欲，塞其邪放之心，示以淳和之路。五教六行爲訓民之本，《詩》、《書》、《禮》、《易》爲道義之門。故能家復孝慈，人知禮讓，正俗調風，莫大于此。其有上書獻賦，制誄鐫銘，皆以褒德序賢，明勛證理。苟非懲勸，義不徒然。降及後代，風教漸落。魏之三祖，更尚文詞，忽君人之大道，好雕蟲之小藝。下之從上，有同影響，競騁文華，遂成風俗。江左齊、梁，其弊彌甚，貴賤賢愚，唯務吟咏。遂復遺理存異，尋虛逐微，競一韻之奇，爭一字之巧。連篇累牘，不出月露之形，積案盈箱，唯是風雲之狀。世俗以此相高，朝廷據茲擢士。祿利之路既開，愛尚之情愈篤。于是閭里童昏，貴游總丱，未窺六甲，先制五言。至如羲皇、舜、禹之典，伊、傅、周、孔之說，不復關心，何嘗入耳。以傲誕爲清虛，以緣情爲勛績，指儒素爲古拙，用詞賦爲君子。故文筆日繁，其政日亂，良由棄大聖之軌模，構無用以爲用也。損本逐末，流變華壤，遞相師祖，久而愈扇。

王通《中說·天地篇》 學者博誦云乎哉，必也貫乎道；文者苟作云乎哉，必也濟乎義。

又《問易篇》 志以成道，言以宣志。

李淵《令諸州舉送明經詔》 六經茂典，百五仰則；四學崇教，千載垂范。【略】夫安上治民，莫善於禮，出忠入孝，自家刑國，揖讓俯仰，登降折旋，皆有節文。

李世民《修晉書詔》 是知右史序言，繇斯不昧，左官詮事，歷茲未遠。發揮文字之本，導達書契之源。大矣哉，蓋史籍之爲用也。自沮誦攝官之後，伯陽載筆之前，易代史臣，皆有刪著。仲尼修而採檮杌，倚相誦而闡邱墳。降自西京，班、馬騰其茂實；逮於東漢，范、謝振其芳聲。蕞爾當涂，陳壽敷其國志；眇哉有宋，沈約裁其帝籍。至若梁陳高氏，朕命勒成，惟周及隋，亦同甄錄。莫不彰善癉惡，振一代之清芬；褒德懲凶，備百王之令典。惟晉氏膺運，制有中原，上帝啓元石之圖，下武代黃星之德。及中朝鼎謝，江右嗣興，並宅寰區，累重徽號。足以飛英麗筆，將美方書。但十有八家，雖存記注，而才非良史，書虧實錄。榮緒煩而寡要，行思勞而少功。叔寧課虛，滋味同于畫餅；子雲學海，涓滴堙于涸流。處叔不預于中興，法盛莫道于創業。洎乎干、陸、曹、鄧，略紀帝王；鸞、盛、廣、松，才編載記。其文既野，其事罕傳。遂使典午清塵，韜遺芳于簡策；金行曩誌，闕繼美于驪騵。遐想寂寥，深爲嘆息。

歐陽詢《藝文類聚序》 夫九流百氏，爲說不同。延閣石渠，架藏繁積。周流極源，頗難尋究。披條索貫，日用宏多。卒欲摘其菁華，採其旨要，事同游海，義等觀天。皇帝命代膺期，撫茲寶運，移澆風於季俗，反淳化於區中。戡亂靖人，無思不服；偃武修文，興開庠序。欲使家富隋珠，人懷荊

玉。以爲前輩綴集，各抒其意。流別文選，專取其文；皇覽偏略，直書其事。文義既殊，尋檢難一。爰詔撰其事，且文棄其浮雜。刪其冗長，金箱玉印，比類相從，號曰《藝文類聚》。

魏徵《群書治要序》近古皇王，時有撰述，並皆包括天地，牢籠群有。競採浮艷之詞，爭馳迂誕之說。騁末學之傳聞，飾雕蟲之小技。流蕩忘反，殊途同致。雖辯周萬物，愈失司契之源；術總百端，彌乖得一之旨。

王勃《平臺秘略論十首·文藝三》論曰：《易》稱「觀乎天文，以察時變」；《傳》稱「言而無文，行之不遠」。故文章經國之大業，不朽之能事。而君子所役心勞神，宜于大者遠者，非緣情體物，雕蟲小技而已。是故思王抗言詞訟，耻爲君子，武皇裁出篇章，僅稱往事。不其然乎！至若身處魏闕之下，心存江湖之上，詩以見志，文宣王有焉。

又《上吏部裴侍郎啓》夫文章之道，自古稱難。聖人以開物成務，君子以立言見志。遺雅背訓，孟子不爲。勸百諷一，揚雄所耻。苟非可以甄明大義，矯正末流，俗化資以興衰，國家由其輕重，古人未嘗留心也。自微言既絶，斯文不振，屈、宋導澆源於前，枚、馬張淫風於後。談人主者，以宮室苑囿爲雄；叙名流者，以沈酗驕奢爲達。故魏文用之而中國衰，宋武貴之而江東亂。雖沈、謝爭騖，適足兆齊、梁之危；徐、庾並馳，不能止周、陳之禍。於是識其道者卷舌而不言，明其弊者拂衣而徑逝。《潛夫》《昌言》之論，作之而有逆于時；周公孔氏之教，存之而不行于代。天下之文，靡不壞矣。國家應千載之期，恢百王之業，天地靜默，陰陽順序，方欲激揚正道，大庇生人，黜非聖之書，除不稽之論。牧童頓顙，思進皇謀，樵夫拭目，願談王道。崇大廈者非一木之材，匡弊俗者非一日之衛。衆持則力盡，真長則僞銷。自然之數也。

李善《進文選表》故羲繩之前，飛葛天之浩唱；媯簧之後，掞叢雲之奥詞。步驟分途，星躔殊建，球鍾愈暢，舞詠方滋。楚國詞人，御蘭芬於絶代；漢朝才子，綜鞶帨於遙年。虚元流正始之音，氣質馳建安之體。長離北度，騰雅詠於圭陰；化龍東騖，煽風流於江右。爰逮有梁，宏材彌劭，昭明太子業膺守器，譽貞問寢，居肅成而講藝，開博望以招賢。搴中葉之詞林，酌前修之筆海。周巡緜嶠，品盈尺之珍；楚望長瀾，搜徑寸之寶。故撰斯一集，名曰《文選》。後進英髦，咸資準的。

張說《唐昭容上官氏文集序》臣聞七聲無主，律吕綜其和；五綵無章，黼黻交其麗。是知氣有壹鬱，非巧辭莫之通；形有萬變，非工文莫之寫。先王以是經天地，究人神，闡寂寞，鑑幽昧。文之辭義大矣哉！

張九齡《陪王司馬宴王少府東閣序》古之君子，推其分，養其和，仲尼得之以弦歌，傅說因之以版築。至若《詩》有怨刺之作，《騷》有愁思之文，求之微言，匪云大雅。王六官志其大者，司馬公引而申之。讁居何心，不欲賈生之投吊；窮愁非我，安用虞卿之著書。

顔真卿《尚書刑部侍郎贈尚書右僕射孫逖文公集序》古之爲文者，所以導達心志，發揮性靈，本乎歌詠，終乎雅頌。帝庸作而君臣動色，王澤竭而風化不行，政之興衰，實繫於此。然而文勝質，則繡其鞶帨，而血流漂杵；質勝文，則野於禮樂，而木訥不華。歷代相因，莫能適中。故「詩人之賦麗以則，詞人之賦麗以淫」，此其效也。漢魏已還，雅道微缺，梁陳斯降，宮體聿興。既馳騁于末流，遂受嗤於後學。是以沈隱侯之論謝康樂也，乃云靈均已來，此未及覩。盧黄門之序陳拾遺也，而云道喪五百歲，而得陳君。若激昂頽波，雖無害於過正，権其中論，不亦傷於厚誣。何則？雅鄭在人，理亂由俗。桑間濮上，胡爲乎緜古之時；正始皇風，奚獨乎凡今之代。

李華《贈禮部尚書清河孝公崔沔集序》文章本乎作者，而哀樂繫乎時。本乎作者，《六經》之志也，繫乎時者，樂文武而哀幽厲也。立身揚名，有國有家，化人成俗，安危存亡，於是乎觀之；宜于志者曰言，飾而成之曰文。有德之文信，無德之文詐。皋陶之歌，史克之頌，信也。子朝之告，宰嚭之詞，詐也。而士君子耻之。夫子之文章，偃、商傳焉，偃、商殁而孔伋、孟軻作，蓋《六經》之遺也。屈平、宋玉哀而傷，靡而不返，《六經》之道遯矣。論及後世，力足者不能知之，知之者力或不足，則文心漸以微矣。文顧行，行顧文，此其與於古歟。

梁肅《補闕李君前集序》文之作，上所以發揚道德，正性命之紀；次所以財成典禮，厚人倫之義；又其次所以昭顯義類，立天下之中。三代之後，其流派別。炎漢制度以霸，王道雜之，故其文亦二。賈生、馬遷、劉向、班固，其文博厚，出於王風者也；枚叔、相如、揚雄、張衡，其文雄富，出於霸塗者也。其後作者，理勝則文薄，文勝則理消，理消則言愈繁，繁則亂矣；文薄則意愈巧，巧則弱矣。故文本於道，失道則傳之以氣，氣不足則飾

之以辭。蓋道能兼氣，氣能兼辭，辭不當則文斯敗矣。

權德輿《唐御史大夫贈司徒贊皇文獻公李栖筠文集序》 辰象文于天，山川文于地，肖形最靈。經緯敎化，鼓天下之動，通萬物之宜，而人文作焉，三才備焉。命代大君子，所以序九功，正五事，精義入神，英華發外。著之話言，施之憲章，文明之盛，與天地準。

韓愈《答陳生書》 蓋君子病乎在己，而順乎在天。待己以信，而事親以誠。所謂病乎在己者，仁義存乎內，彼聖賢者能推而廣之，而我蠢焉爲衆人。【略】所謂事親以誠者，盡其心，不夸於外，先乎其質，後乎其文也。盡其心不夸於外者，不以己之得於外者爲父母榮也，名與位之謂也。先乎其質者，行也；後乎其文者，飲食甘旨，以其外物供養之道也。誠者，不欺之名也。待於外而後爲養，薄於質而厚於文，斯其不類於欺與？

又《送孟東野序》 大凡物不得其平則鳴。草木之無聲，風撓之鳴；水之無聲，風蕩之鳴。其躍也或激之，其趨也或梗之，其沸也或炙之。金石之無聲，或擊之鳴。人之於言也亦然，有不得已者而後言，其歌也有思，其哭也有懷。凡出於口而爲聲者，其皆有弗平者乎！樂也者，鬱於中而泄於外者也。擇其善鳴者而假之鳴。金石絲竹、匏土革木八者，物之善鳴者也。惟天之於時也亦然，擇其善鳴者而假之鳴。是故以鳥鳴春，以雷鳴夏，以蟲鳴秋，以風鳴冬，四時之相推敓，其必有不得其平者乎。其於人也亦然，人聲之精者爲言，文辭之於言，又其精也，尤擇善鳴者而假之鳴。

又《答李翊書》 李生足下：生之書辭甚高，而其問何下而恭也？能如是，誰不欲告生以其道？道德之歸也，有日矣，况其外之文乎？抑愈所謂望孔子之門牆而不入於其宮者，焉足以知是且非耶？雖然，不可不爲生言之。生所謂立言者是也，生所爲者與所期者，甚似而幾矣。抑不知生之志，蘄勝於人而取於人耶？將蘄至於古之立言者耶？蘄勝於人而取於人，則固勝於人而可取於人矣。將蘄至於古之立言者，則無望其速成，無誘於勢利，養其根而竢其實，加其膏而希其光。根之茂者其實遂，膏之沃者其光煜。仁義之人，其言藹如也。抑又有難者，愈之所爲，不自知其至猶未也。雖然，學之二十餘年矣，始者非三代、兩漢之書不敢觀，非聖人之志不敢存。處若忘，行若遺，儼乎其若思，茫乎其若迷。當取於心而注於手也，惟陳言之務去，戛戛乎其難哉！其觀於人，不知其非笑之爲非笑也。如是者亦有年，猶不改，然後識古書之正僞，與雖正而不至焉者，昭昭然白黑分矣。而務去之，乃徐有得也。當其取於心而注於手也，汩汩然來矣。其觀於人也，笑之則以爲喜，譽之則以爲憂，以其猶有人之說者存也。如是者亦有年，然後浩乎其沛然矣，吾又懼其雜也，迎而距之，平心而察之，其皆醇也，然後肆焉。雖然，不可以不養也。行之乎仁義之途，游之乎《詩》《書》之源，無迷其途，無絕其源，終吾身而已矣。氣，水也；言，浮物也。水大而物之浮者大小畢浮，氣之與言猶是也。氣盛則言之短長與聲之高下皆宜。雖如是，其敢自謂幾於成乎？雖幾於成，其用於人也奚取焉？雖然，待用於人者，其肖於器耶？用與舍屬諸人。君子則不然，處心有道，行己有方，用則施諸人，舍則傳諸其徒，垂諸文而爲後世法。如是者，其亦足樂乎？其無足樂也。有志乎古者希矣。志乎古，必遺乎今，吾誠樂而悲之。亟稱其人，所以勸之，非敢褒其可褒而貶其可貶也。問於愈者多矣，念生之言不志乎利，聊相爲言之。

柳宗元《報袁君陳秀才避師名書》 大都文以行爲本，在先誠其中。其外者當先讀《六經》，次《論語》、孟軻書皆經言；左氏、《國語》、莊周、屈原之辭，稍采取之；穀梁子、太史公甚峻潔，可以出入；餘書俟文成，異日討也。其歸在不出孔子，此其古人賢士所懍懍者。求孔子之道，不於異書。秀才志於道，愼勿怪、勿雜、勿務速顯；道苟成則勃然爾，文則蔚然爾。源而流者歲旱不涸，蓄穀者不病凶年，蓄珠玉者不虞殍死矣。然則成而久者，其術可見，雖孔子在，爲秀才計，未必過此。

韋處厚《上宰相薦皇甫湜書》 文章心靈之造形也。著誠居業，本隱以之顯；觀心擇術，自粗以之微。以是而求，則坐決萬方之內，立斷百代之下。其術既定，其道甚明。

劉禹錫《唐故尚書主客員外郎盧公集紀》 心之精微發而爲文，文之神妙詠而爲詩，猶夫孤桐朗玉，自有天律，能事具者，其名必高，名由實生，故久而益大。

又《唐故衡州刺史呂君集紀》 五行秀氣，得之居多者爲俊乂，其色瀲灩於顏間，其聲發而爲文章，天之所與，有物來相，彼由學而致者，如工人染夏，以視羽畎，有生死之殊矣。

又《唐故尚書禮部員外郎柳君文集紀》 八音與政通，而文章與時高下。三代之文，至戰國而病，涉秦漢復起。漢之文，至列國而病，唐興復起。夫

政厖而土裂，三光五嶽之氣分，大音不完，故必混一而後大振。初，貞元中，上方嚮文章，昭回之光，下飾萬物，天下文士，爭執所長，與時而奮。粲焉如繁星麗天，而芒寒色正。

柳冕《與滑州盧大夫論文書》 夫文生於情，情生於哀樂，哀樂生於治亂。故君子感哀樂而爲文章，以知治亂之本。屈宋以降，則感哀樂而亡雅正；魏晉以還，則感聲色而亡風教；宋齊以下，則感物色而亡興致。教化興亡，則君子之風盡。故淫麗形似之文，皆亡國哀思之音也。自夫子至梁、陳，三變以至衰弱。嗟乎！《關雎》興而周道盛，王澤竭而《詩》不作，作則王道興矣。

崔元翰《與常州獨孤使君書》 天之文以日月星辰，地之文以百穀草木。生於天地而肖天地。聖賢又得其靈和粹美，故皆含章垂文，用能裁成庶物，化成天下。而治平之主，必以文德致時雍；其承輔之臣，亦以文事助王政。而唐堯、虞舜、禹、湯、文、武之代，則憲章、法度、禮樂存焉；皋陶、伯益、傅、周、召之倫，則誥命、謨訓、歌頌傳焉。其後衛武、召穆、吉甫、仍叔，咸作之詩，並列於雅。孔聖無大位，由修《春秋》、述《詩》、《易》，反諸正而寄之治。而素臣邱明、游、夏之徒，又述而贊之。推是而言，爲天子大臣，明王道，斷國論，不通乎文學者，則陋矣；士君子立於世、升於朝，而不繇乎文行者，則僻矣。然患後世之文，放蕩於浮虛，舛馳於怪迂，其道遂隱。謂宜得明哲之師長，表正其根源，然後教化淳矣。

白居易《策林·忠敬質文損益》 忠敬質文，百代循環之教也。【略】救詭莫若文。故周之教尚文。文本於天，天道垂文，而人則之。故曰文者天之教也。文之弊其人僿，救僿莫若忠。然則三王之所不同者，非欲自異而相反也。【略】而質與文，俱致於理。【略】具舉而兼行，可謂文質協和，禮樂明備之代也。【略】是以周之文弊，今有遺風。故人鮮樸而忠，俗猶利而巧。伏願陛下以繼周爲己任，以行夏爲時宜，稍益質而損文，漸尚忠而救僿。斟酌於教，經緯其人。

又《救學者之失·禮樂詩書》 學者教之根、理之本。國家設庠序以崇儒術，張禮樂而厚國風。師資肅以尊嚴，文物煥其明備。【略】國家刪定六經之義，裁成五禮之文，是爲學者之先知，生人之大惠也。【略】俾講《詩》者以六義風賦爲宗，不專於鳥獸草木之名也；讀《書》者以五代典謨爲旨，不專於章句詁訓之文也；習《禮》者以上下長幼爲節，不專於俎豆之數、裼襲之容也；學《樂》者以中和友孝爲德，不專於節奏之變、綴兆之度也。夫然，則《詩》、《書》無愚誣之失，《禮》、《樂》無盈減之差。

又《與元九書》 夫文尚矣，三才各有文。天之文三光首之，地之文五材首之，人之文《六經》首之。就《六經》言，《詩》又首之。何者，聖人感人心而天下和平。感人心者，莫先乎情，莫始乎言，莫切乎聲，莫深乎義。

又《故京兆元少尹文集序》 天地間有粹靈氣焉，萬類皆得之，而人居多。就人中，文人得之又居多。蓋是氣凝爲性，發爲志，散爲文。粹勝靈者，其文冲以恬；靈勝粹者，其文宣以秀；粹靈均者，其文蔚溫雅淵，疏朗麗則。檢不扼，達不放，古淡而不鄙，新奇而不怪。

又《唐故武昌軍節度處置等使正議大夫檢校戶部尚書鄂州刺史兼御史大夫賜紫金魚袋贈尚書右僕射河南元公墓誌銘并序》 又觀其述作編纂之旨，豈止於文章刀筆哉？實有心在於安人治國，致君堯、舜，致身伊、皋。

武元衡《劉商郎中集序》 天運地轉，剛柔生焉。禮辯樂形，文章出焉。天之文莫麗乎日月，地之文莫麗乎山川。聖人觀象立言，用稽述作，發乎情性，形於咏歌。大則明天下政途，彌綸王化；小則舒一時幽憤，刺見《國風》。故子夏云：「在心爲志，發言爲詩。」聲成文謂之音也，固可動天地，感鬼神，則正始之道存焉。

崔祐甫《齊昭公崔府君集序》 天以日月經緯爲文，地以邱陵山川爲文，剛柔雜也。其施於人也，鐘磬笙竽文其樂，九章三贊文其禮，典謨詠歌文其言。周之大臣，業參政本，發揮皇王之道，必由於文。故虞有皋陶洎益稷以嘉言啓迪，舜禹以降，伊傅周召，訓命策誥，并時而興。秦之李斯，著事而僻，自茲厥後，蜀丞相孔明有《出師表》，晉司空茂先《鷦鷯賦》，皆輔臣之文也。財成陶冶，于是見焉。

于邵《華陽屬和集序》 六藝詩人之蘊雅，貫三極而正存象外，班九流而化行天下。夫然，則游、夏登科于孔門，獨擅文學，雖風流萬古而不易者，文乎哉！

獨孤郁《辯文》 或曰：「文所以指陳是非，有以多爲貴也，其要在乎彩飾其字，而慎其所爲體也。」又曰：「文章乃一藝耳。」是皆不知上流之文，而文之所由作也。夫天之文位乎上，地之文位乎下，人之文位乎中。不可得而增損者，自然之文也。故伏羲作八卦以象天地窮極終始萬化，無有差忒。故

《易》與天地準此聖人之文至也。但合其德，而三才之道盡。後聖有作，不能使之爲五或七而九洎曲折者，是其文之至也。文字既生，治亂既形。仲尼作《春秋》以繩萬世，而褒貶在一字，是亦文之至者乎？然則《易》卦之一畫，《春秋》之一字，所謂崇飾之道而尙多之意耶！夫文者，考言之具也，可以革，則不足以畢天地矣。故聖人當使將來無得以筆削，果可以包舉其義，雖一畫一字，其可已矣。病不能然，而曰必以彩飾之能，援引之富，爲作文之秘訣，是何言之末歟？夫天豈有意於文彩耶？而日月星辰不可踰，地豈有意於文彩耶？而山川邱陵不可加；八卦、《春秋》豈有意於文彩耶？而極與天地侔，其何故得以不可越？自然也。夫自然者，不得不然之謂也。不得不然，又何體之愼耶？夫天地、八卦、《春秋》，惟止於此者也，吾得定其所云。其不至於此者，惟吾何學焉？吾安能以天下之心也？是則其心卓然絶於俗者，其文不求而至也。無得子爲教，苟於聖達之門無所入，則雖劬勞憔悴於黼黻，其何數哉？是故在心曰志，宣於口曰言，垂於書曰文，其實一也。若聖與賢，則其書文皆教化之至言也。徒見其纖靡而無根者多，紿曰文與藝，嗚呼！

李翺《雜說上》 日月星辰經乎天，天之文也；山川草木羅乎地，地之文也；志氣言語發乎人，人之文也。志氣不能塞天地，言語不能根教化，是人之文紕繆也。山崩川涸，草木枯死，是地之文裂絶也；日月暈蝕，星辰錯行，是天之文乖釐也。天文乖釐，無久覆乎上；地文裂絶，無久載乎下；人文紕繆，無久立乎天地之間。故文不可以不愼也！夫毫釐分寸之長，必有中焉；咫尺尋常之長，必有中焉；百千萬里之長，必有中焉。則天地之大，亦必有中焉。居之中，則長短大小高下雖不一，其爲中則一也。是以出言居乎中者，聖人之文也。倚乎中者，希聖人之文也。近乎中者，賢人之文也。背而走者，蓋庸人之文也。中古以來至於斯，天下爲文，不背中而走者，其希矣。豈徒文背之而已？其視聽識言，又甚於此者矣。凡人皆有耳目心口。耳所以察聲音大小清濁之異也，目所以別采色朱紫白黑之異也，心所以辨是非賢不肖之異也，口所以達耳之聰，導目之明，宣心之智，而敦教化風俗，期所以不怍天地人神也。然而耳不能聽聲，惡得謂之耳歟？目不能辨色，惡得謂之目歟？心不能辨是非好惡，惡得謂之心歟？口不能宣心之智，導目之明，達耳之聰，惡得謂之口歟？四者皆不能於己質形，虛爲人爾，其何以自異於犬羊麋鹿乎哉？此皆能己而不自用焉，則是不信己之耳目心口，而信人之耳目心口者也。及其師曠之聰，離婁之明，臧武仲之智，宰我之言，則又不能信之於己，其或悠然先覺者，必謂其狂且愚矣！

龐嚴《對賢良方正能直言極諫策》 所謂文者何哉？文采而已。【略】經緯古今，文之業也；用之於武，武之德也。禁暴戢兵，武之業也；用之于文，文之輔也。

韋籌《文之章解》 垂日月所以爲天也，光盛而形物於地，備禮樂所以成人也。言成而著訓於簡。由是而光者，燭龍爟火亦光矣。非是而言者，狂童詖子亦言矣。【略】是以堯文思章於典，舜文明亦章於典。文王性堯、舜之文也，文治於西伯，章於《詩》、《易》。仲尼性堯、舜、文王之文，而弗帝弗伯也，盛章於禮樂經記。回性仲尼之文也，文不及章。偃商學仲尼文而之於人也，故學章武城民而經章魏國君。伋性其祖者也，參以學而章於《中庸》。軻性伋者也，勤其道而章於七篇。由偃至軻，無有禮樂者乎？是必由人文而章者也，未見不由而章者也。人視影於地者，仰而見爝火，而不見日月，必曰非天文之章也。視辭章於簡者，久而見狂濫，而不見禮樂，則不曰非人文之章也，浸有不自文而章。《易》曰：「觀乎人文，以化成天下。」使章不自人文也，天下孰觀而孰化？

符載《寄徐泗張大夫書》 大凡人之有生，處而道德不滋於身者，竊兩曜之光明也；出而功烈不被於世者，偷大君之珪組也。況乎屬一詞，屯一事，上不陳教化，次不叙志意，皆游言也，豈曰文爲？一昨諷公之製，聳文豪爽，立意健激，首則見定忠固義之分，末則存策勳樹績之心。

王眞《道德經論兵要義述表》 臣聞昔者庖犧氏作，承天地，理萬物，猶以爲皇道不足，故寂然思化，精義感通。然則天既不言而生，地既不言而育，故河出龍圖，洛出龜書，所以示其文也。由是得以畫卦象，制文字焉。逮夫智慧萌生，眞樸潛消，則文字之理又不足。故載誕我元元皇帝，以代天地而言，將善救其弊者也。是以諄諄然五千之文，殷勤懇惻，斯亦至矣。可謂啓道德之根源，絶言語之枝葉。比之文章，則三辰昭回於天也；擬乎動植，則萬物充盈於地也；論其教戒，則百行全備於人也。何爲禮者亂之首？亂猶理也。亂矣，非禮則無以理之，故曰亂之首也。夫文者武之君也，武者文之備也，斯蓋二柄兼行，兩者同出，常居左右，孰可廢墜。

牛希濟《文章論》 天以日月星辰爲文，地以江河淮濟爲文，時以風雲草木爲文，衆庶以冠冕服章爲文，君子以言可教於人謂之文。垂是非於千載，殁而不朽者，唯君子之文而已。且時俗所省者，唯詩賦兩途，即有身不就學，口不知書，而能吟詠之列，是知浮豔之文，焉能臻於理道。今朝廷思堯、舜治化之文，莫若退屈、宋、徐、庾之學，以通經之儒，居燮理之任，以楊孟爲侍從之臣，使仁義治亂之道，日習於耳目，所謂觀乎人文，可以化成天下也。

《舊唐書》卷一六六《元稹白居易傳》 史臣曰：舉才選士之法，尚矣。自漢策賢良，隋加詩賦，罷中正之法，委銓舉之司。由是爭務雕蟲，罕趨函丈，矯首皆希於屈、宋，駕肩並擬於《風》、《騷》，或侔箴闕之篇，或效補亡之句。咸欲錙銖《採葛》，糠粃《懷沙》，較麗藻於碧雞，鬬新奇於白鳳。暨編之簡牘，播在管絃，未逃季緒之詆訶，孰望《子虛》之稱賞？迨今千載，不乏辭人，統論六義之源，較其三變之體，如二班者蓋寡，類七子者幾何？至潘、陸情致之文，鮑、謝清便之作，迨於徐、庾，踵麗增華，纂組成而耀以珠璣，瑤臺構而間之金碧。國初開文館，高宗禮茂才，虞、許擅價於前，蘇、李馳聲於後。或位昇台鼎，學際天人，潤色之文，咸布編集。然而向古者傷於太僻，徇華者或至不經，齷齪者局於宮商，放縱者流於鄭衛。若品調律度，揚搉古今，賢不肖皆賞其文，未如元、白之盛也。昔建安才子，始定霸於曹、劉；永明辭宗，先讓功於沈、謝。元和主盟，微之、樂天而已。臣觀元之制策，白之奏議，極文章之壼奧，盡治亂之根荄。非徒謠頌之片言，盤盂之小說，就文觀行，居易爲優，放心於自得之場，置器於必安之地，優游卒歲，不亦賢乎。

又卷一九〇上《文苑傳序》 臣觀前代秉筆論文者多矣。莫不憲章《謨》、《誥》，祖述《詩》、《騷》，遠宗毛、鄭之訓論，近鄙班、揚之述作。謂「采采芣苢」，獨高比興之源；「湛湛江楓」，長擅詠歌之體。殊不知世代有文質，風俗有淳醨，學識有淺深，才性有工拙。昔仲尼演三代之《易》，删諸國之《詩》，非求勝於昔賢，要取名於今代。實以淳朴之時傷質，民俗之語不經，故飾以文言，考之絃誦。然後致遠不泥，永代作程，即知是古非今，未爲通論。夫執鑒寫形，持衡品物，非伯樂不能分駑驥之狀，非延陵不能別《雅》、《鄭》之音。若空混吹竽之人，即異聞《韶》之歎。近代唯沈隱侯斟酌二《南》，剖陳三變，攄雲、淵之抑鬱，振潘、陸之風徽。俾律呂和諧，宮商輯洽，不獨子建總建安之霸，客兒擅江左之雄。爰及我朝，挺生賢俊，文皇帝解戎衣而開學校，飾賁帛而禮儒生，門羅吐鳳之才，人擅握蛇之價。靡不發言爲論，下筆成文，足以緯俗經邦，豈止雕章縟句。韻諧金奏，詞炳丹青，故貞觀之風，同乎三代。高宗、天后，尤重詳延，天子賦横汾之詩，臣下繼柏梁之奏，巍巍濟濟，煇爍古今。如燕、許之潤色王言，吳、陸之鋪揚鴻業，元稹、劉蕡之對策，王維、杜甫之雕蟲，並非肄業使然，自是天機秀絶。若隋珠色澤，無假淬磨，孔璣翠羽，自成華彩，置之文苑，實煥緗圖。

徐鉉《翰林學士江簡公集序》 士君子藏器於身，應物如響，成天下之務者，存乎事業；通萬物之情者，在乎文辭。然則日月不知，人亡政息，瞻之則渺然在羲軒之上，蹈之則肅然若旦暮之間，自非遺文餘教，則作者之道或幾乎息矣。嗟夫，天地長久，英靈超忽，鄴中才子，與樂事以俱淪；江左名臣，及玄譚而共盡。清流可挹，勝氣猶生，閱蠹簡以凄涼，撫絶韋而慷慨。斯文未喪，何代無人。

又《故兵部侍郎王公集序》 君子之道，發於身而被於物，由於中而極於外。其所以行之者，言也；行之所以遠者，文也。然則文之貴於世也尚矣。雖復古今異體，南北殊風，其要在乎敦王澤，達下情，不悖聖人之道，以成天下之務。如斯而已矣。至於格高氣逸，詞約義微，音韻調暢，華采繁縟，皆其餘力也。

張咏《答友生問文書》 天地闢，聖人作，太朴散，禮義興。謂乎五常，所以佑天地之功；謂乎六籍，所以抉天地之塞。萬古而下，其誰異諸？故君臣父子，非文言無以定其分；朝會揖讓，非文言無以格其體；政以正文，非文言無以導其化；樂以和之，非文言無以節其變。咸邇于行事，播爲文章。嘻，聖人之道，我也有旨哉！故鼎有銘而樂有詩，禮有誄而書有誥，紛綸衆製，六籍悉備焉。周漢已降，代不乏賢，視文之否臧，見德之高下，若以偶語之作，參右正之辭，辭得異而道不可異也。故謂好古以戾，非文也；好今以蕩，非文也。

又《進文字表》 文章興于邃古，文物備于三代，前聖有作，後聖所因，著之簡編，流爲國典，誠萬代不易之道也。率由齊上下之儀，定人倫之序，正教所設，作生民之坦途；五常所施，爲濟用之樞紐。是故聖君順指于上，賢彥馳騖于下，文士之筆斟酌于中，陳布道德，張弛風化，有以懲，有以勸，

有以規，有以諷。正議不回，則皇猷允若；書法不隱，則奸邪洗心。行以踐言，文以見志，千狀萬態，不失乎忠信助治之大端，豈止垂諸空言而已。

柳開《上王學士第三書》 觀乎聖人文章可見也。天之文章，有其神，非則變是晷；聖人之文章，有其神，從則興，棄則亡。天之文章，日月星辰也；聖人之文章，詩書禮樂也。天之性者，生即合其道，不在乎學焉，學爲存也，欲世存存之矣。《孟子》十四篇，軻之書也；揚之《太玄》、《法言》，雄之書也；王氏六經，通之書也。焉學能至哉！韓氏有其文，次乎下也，非其生而知之，則從於俗矣，寧有於斯乎能至乎此者，然未達焉。然異於斯矣，仁義禮智信可行也。【略】言文章者，華而不實，取其刻削爲工，聲律爲能。刻削傷於樸，聲律薄於德，無樸與德，於仁義禮智信也，何其故在於功之學焉。無其天之性也，自不足於道也。以用而補之，苟悅其耳目之翫，君子不由矣。君子之翫，視必正，聽必正，文哉文哉，可苟也已。如可苟也已，則《詩》、《書》不刪去其僞者也。大達必小遺，小達必大忘，似有在乎天之性與師之功者焉。小遺不棄於學，大忘不可得於道，文章爲道之筌也，筌可妄作乎？筌之不良，獲斯失矣。女惡容之厚於德，不惡德之厚於容也。文惡辭之華於理，不惡理之華於辭也。理華於詞，則有可觀世，如本用之，則審是而已耳。

又《上王學士第四書》 文不可遽爲也，由乎心智，而出於口。君子之言也度，小人之言也翫。號令於民者，其文矣哉。心正則正矣，心亂則亂矣。發於內而主於外，其心之謂也；形於外而體於內，其文之謂也。心與文一者也。君子用己心以通彼心，合則附之，離則誘之，咸然使至於善矣。故《六經》之用於時，若是也。或曰：「今之文異於子之言，統其事而無不幹者，亦何經哉？」曰：「幾於苟矣。於身適其取舍之便，於物略其緩急之宜，非製乎久者。」曰：「亦自得於心矣，惡不可久乎？」曰：「裁度以用之，搆累以成之，役其心求於外，非由於心以出於內也。」曰：「雜乎經史百家之言，苦學而積用，不有其功且大乎？」曰：「如是小矣。君子之文簡而深，淳而精，若欲用其經史百家之言，則雜也。始於心而爲若虛，終於文而成乃實，習乎古者也。始於心而爲若實，終於文而成乃虛，習乎今者也。習古所以行今，求虛所以用實，能者知之矣，不能者反是。猶乎假彼之物，執爲已有，可乎？重之以華飾，爲僞者乎，德何良哉！」曰：「始如不好於習古，子又何爲言乎古？」曰：「世非不好也，未有其能者也。人好其所能也，不好其所不能也，世之習，於今有能者，尚皆好之矣。設有能於古者不好者哉！若是能之，其倫於經乎。」曰：「不可倫於經，倫則亂也；下而輔之，張其道也。」曰：「子之文何謂也？有志於古未達矣。某不度鄙陋，近獻舊文五通，書以喻於道也，序以列其志也，疏以刺其事也，箴以約其行也，論以陳其義也。言疏而理簡，氣質而體卑，用於時不足爲有道之資，納於人不足爲君子之觀，妄而貢於執事者，自知其過大矣。執事苟不擯斥，而時得容進於門，而今而後益知其幸也。」

又《答臧丙第二書》 文取于古，則實而有華；文取于今，則華而無實。實有其華，則曰經緯，人之文也，政在其中矣。華無其實，則非經緯，人之文也，政亡其中矣。政亡其中，則理世不足以觀之也。《六經》之文，各有其政，得而行之者鮮矣。未有不得而行之者也，吾之於文得而行之也有時矣。

又《與李宗諤秀才書》 賢愚之生無擇其所處也，惟其人在乎心別耳。文章之所主道也。古之爲學，公卿大夫士之子弟立身行道，取位與名，必用之。後之公卿大夫士之子弟，惟取位爲豐逸之具，乃罕學焉。其學者，非章句淺末之類，求第有司，進明天子者也。

王禹偁《答張扶書》 夫文，傳道而明心也，古聖人不得已而爲之也。且人能一乎心，至乎道，修身則無咎，事君則有立。及其無位也，懼乎心之所有不得明乎外，道之所畜不得傳乎後，於是乎有言焉。又懼乎言之易泯也，於是乎有文焉。信哉，不得已而爲之也。既不得已而爲之，又欲乎句之難道邪？又欲乎義之難曉邪？必不然矣！請以《六經》明之：《詩》三百篇，皆儷其句，諧其音，可以播管弦，薦宗廟，子之所熟也。《書》者，上古之書，二帝三王之世之文也。言古文者，無出於此。則曰：「惠迪吉，從逆凶。」又曰：「德日新萬邦。惟懷志自滿，九族乃離。」在《禮儒行》者，夫子之文也。則曰：「衣冠中動，作愼大讓，如慢小讓，如僞云云」者。在《樂》則曰：「鼓無當於五聲，五聲不得不和；水無當於五色，五色不得不彰。」在《春秋》則全以屬辭比事爲教，不可備引焉。在《易》則曰：「乾道成男，坤道成女，日月運行，一寒一暑。」夫豈句之難道邪？夫豈義之難曉邪？今爲文而捨《六經》，又何法焉。

又《送孫何序》 天之文，日月五星；地之文，百穀草木；人之文，六

籍五常。捨是而稱文者，吾未知其可也。咸通以來，斯文不競，革弊復古，宜其有聞。國家乘五代之末，接千歲之統，創業守文，垂三十載，聖人之化成矣，君子之儒興矣。然而服勤古道，鑽仰經旨，造次顛沛，不違仁義，拳拳然以立言爲己任，蓋亦鮮矣。

又《送譚堯叟序》 文學本乎《六經》者，其爲政也必仁且義，議理之有體也。文學雜乎百氏者，其爲政也，非貪則察，涉道之未深也。

趙湘《本文》 靈乎物者，文也；固乎文者，本也。本在道而通乎神明，隨發以變，萬物之情盡矣。詩曰：「本支百世禮。」謂行有枝葉，皆固本也。以括二者，故細大幽闡，咸得其分。由是發其要爲仁義孝悌禮樂忠信，俾生民知君臣父子夫婦之業，顯顯焉不混乎禽獸。故在天地間，介介焉示物之變。日月星辰之於天，百穀草木之於地，參然紛然，司蠢植性，變以示來，罔有遯者。嗚呼，其亦靈矣，其本亦無邪而存乎道矣。聖人者，生乎其間，總文蓋聖神者，若伏羲之卦，堯舜之典，大禹之謨，湯之誓命，文武之誥，公旦公奭之詩，孔子之禮樂，丘明之褒貶，垂燭萬祀，赫莫能滅，非固其本，則湮乎一息焉。一息之湮，本且搖矣，而況枝葉能爲後世之蔭乎？而況能盡萬物之情乎？《周禮》之後，孟軻、揚雄頗爲本者，是故其文靈且久。太史公亦漢之尤者也，揚雄呼其文爲實錄，道之所推耳。又曰：「若孔門之用賦者，則賈誼升堂，相如入室，奈孔門之不用乎。」然則揚子之言，非不用也，本有所不固爾。傳曰：「夫子之文章，可得而聞也；夫子之言性與天道，不可得而聞也。」大哉！夫子之言皆文也，所謂不可得而聞者，本乎道而已矣。後世之謂文者，求本於飾，故爲閱玩之具，競本而不疑，去道而不耻，淫巫蕩假，磨滅聲教，將欲盡萬物之情性，發仁義禮樂之根蒂，是郄克爲長萬之行，吾不見其易矣。或曰：「古之文章所以固本者，皆聖與賢，今非聖賢，若之何能之？」對曰：「聖與賢不必在古，而在今也，彼之狀亦人爾。其聖賢者，心也，其心仁焉、義焉、禮焉、智焉、信焉、孝悌焉，則聖賢矣。以其心之道，發爲文章，教人於萬世，萬世不泯，則固本也。今學古之文章，而不求古之仁義之道，反自謂非聖賢不能爲之，是果中道而廢者，果賊於儒術者，爲蠹敎之物者。古之人將敎天下，必定其家，必正其身，將正其身，必治其心，將治其心，必固其道。道且固矣，然後發辭以爲文，無凌替之懼，本末斯盛。雖曰未敎，吾必謂之敎矣。」

孫復《答張洞書》 夫文者，道之用也。道者，教之本也。故文之作也，必得之於心，而成之於言。得之於心者，明諸內者也；成之於言者，見諸外者也。明諸內者，故可以適其用；見諸外者，故可以張其教。是故《詩》、《書》、《禮》、《樂》、《大易》、《春秋》之文也，總而謂之經者，以其終於孔子之手，尊而異之爾，斯聖人之文也。後人力薄，不克以嗣，但當左右名教，夾輔聖人而已。或則列聖人之微旨，或則擿諸子之異端，或則發千古之未寤，或則正一時之所失，或則陳仁政之大經，或則斥功利之末術，或則揚聖人之聲烈，或則寫下民之憤歎，或則陳大人之去就，或則述國家之安危，必皆臨事摭實，有感而作。爲論，爲議，爲書、疏、歌、詩、贊、頌、箴、辭、銘、說之類，雖其目甚多，同歸於道，皆謂之文也。若肆意搆虛，無狀而作，非文也，乃無用之瞽言爾，徒汚簡册，何所貴哉！【略】自西漢至李唐，其間鴻生碩儒，摩肩而起，以文章垂世者衆矣。然多楊、墨、佛、老虛無報應之事，沈、謝、徐、庾妖艷邪哆之言，雜乎其中，至有盈編滿集，發而視之，無一言及於敎化者，此非無用瞽言，徒汚簡册者乎。至於始終仁義不叛不雜者，惟董仲舒、揚雄、王通、韓愈而已。由是言之，則可容易至之哉！若欲容易而至，則非吾之所聞也。

釋智圓《答李秀才書》 夫論文者多矣，而皆駁其妖蠱，尙其淳粹，俾根柢仁義，指歸道德。不爾，而但在文之辭，似未盡文之道也。愚竊謂文之道者三：太上立德，其次立功，其次立言。德，文之本也；功，文之用也；言，文之辭也。德者何？所以畜仁而守義，敦禮而播樂，使物化之也。功者何？仁義禮樂之有失，則假威刑以防之，所以除其菑而捍其患也。言者何？述其二者以訓世，使履其言，則德與功其可至矣。然則本以正守，用以權既，辭而闢之，皆文也。故曰「仲尼祖述堯舜，憲章文武」焉。堯舜非德邪？文武非功邪？故愚嘗以仁義之謂文，故能兼于三也。以三者，豈越仁義哉？或曰：「經天緯地曰文。」聖人之說也，子以仁義，不亂其非聖邪？曰：夫仁義者，在天曰陰陽，在地曰柔剛。非夫仁義，則胡以經乎天？非夫仁義，則胡以緯乎地？是故率天地之性而生者，心必則乎德義之經，口必道乎訓格之言。言之所施，期乎救弊。且句句警策，言言箴戒，尙慮無益于世，而代人競以淫辭媚語，聲律拘忌，夸飾器用，取悅常情，何益于教化哉！何益于教化哉！然則用心存公，性其情者，然後可立于言。苟心之不公，情之不性，

雖艱其句，險其辭，必有反經非聖之說者。故率情之所爲，未見有益于教也。或曰：情動于中，而形于言，何率情之非乎？曰：有是哉！節情以中則可。噫，立言者莫不由喜怒哀樂內動乎。夫喜而不節，則其言佞；怒而不節，則其言訐；哀而不節，則其言懦；樂而不節，則其言淫。樂不至于淫，哀不至于懦，怒不至于訐，喜不至于佞，惡則貶而懲之，善則褒而勸之，本之以道德，守之以淳粹，則播于百世，流乎四方，踵孟肩揚，諒無慚德矣。故曰：「喜怒哀樂之未發謂之中，發而皆中節謂之和。中也者，天下之大本也；和也者，天下之達道也。」故愚以庶乎中和爲立言之大要也，則德乎功乎，可踐言而至也。

又《送天台長吉序》 或曰：子見夏雲秋濤，必觀焉，何謂也？曰：愛雲之奇也，如斷崖疊嶂焉，非以華彩而爲奇也；濤之壯也，如振鷺飛雪焉，非以其險溺而爲壯也。遂夫天之生人，故有如夏雲秋濤者；人之立言，亦有如夏雲秋濤者。且君子以端身履道爲奇，非素隱行怪也；以勇仁敦義爲壯，非瞋目治難也。及其言也，以溫柔敦厚爲奇，非炳炳琅琅也；以諷上伏下微有旨而爲壯，非狂懷訕時也。吾所以觀夏雲之奇、秋濤之壯焉，思得其人而交之，思得其辭而翫之。曩者長吉師至自天台，訪吾于孤山之下。訊其人，乃知其精浮圖書，復善騷雅，其爲人，其立言，悉所謂如夏雲秋濤者。于是得其人而交也，得其辭而翫也。

又《送庶幾序》 夫所謂古文者，宗古道而立言，言必明乎古道也。古道者何？聖師仲尼所行之道也。昔者仲尼祖述堯舜，憲章文武，《六經》大備。要其所歸，無越仁義五常也，仁義五常謂之古道也。若將有志於斯文也，必也研幾乎！五常之道，不失於中，而達乎變。變而通，通則久，久而合道。既得之于心矣，然後吐之爲文章，敷之爲教化，俾爲君者如勛華，爲臣者如元愷，天下之民如堯舜之民。救時之弊，明政之失，不順非，不多愛。苟與世齟齬，言不見用，亦冀垂空言于百世之下，闡明四代之訓，覽之者有以知帝王之道可貴，霸戰之道可賤。仁義敦，禮樂作，俾淳風之不墜，而名揚於青史，蓋爲文之志也。古文之作，誠盡此矣，非止澀其文字，難其句讀，然後爲古文也。果以澀其文字、難其句讀爲古文者，則老、莊、楊，墨異端之書亦何嘗聲律耦對邪？以楊、墨、老、莊之書爲古文可乎？不可也。老、莊、楊、墨棄仁義，廢禮樂，非吾仲尼祖述堯舜，憲章文武之古道也。故爲文入于老莊者謂之雜，宗于周孔者謂之純。馬遷、班固之書，先黃老，後《六經》，抑忠臣，飾主闕，先儒文之雜也；孟軻、揚雄之書排楊墨，罪霸戰黜浮僞，尙仁義，先儒文之純也。吾嘗試論之，以其古其辭而倍於儒，豈若今其辭而宗於儒也。今其辭而宗於儒，謂之古文可也；古其辭而倍於儒，謂之古文不可也。雖然，辭意俱古，吾有取焉爾。且代人所爲聲耦之文，未見有根仁柢義，模賢範聖之作者，連簡累牘，不出月露風雲之狀，諂時附勢之談，適足以傷敗風俗，何益于教化哉！夫爲文者，固其志，守其道，無隨俗之好惡而變其學也。

范仲淹《尹師魯河南集序》 予觀堯典、舜歌而下，文章之作，醇醨迭變，殆無窮乎？惟抑末揚本，去鄭復雅，左右聖人之道者難之。近則唐貞元、元和之間，韓退之主盟于文，而古道最盛。懿、僖以降，寖及五代，其體薄弱，皇朝柳仲塗起而麾之，髦俊率從焉。仲塗門人，能師經探道有文於天下者多矣。洎楊大年以應用之才，獨步當世，學者刻辭鏤意，以希髣髴，未暇及古也。其甚者，專事藻飾，破碎大雅，反謂古道不適於用，廢而弗學者久之。洛陽尹師魯，少有高識，不逐時輩，從穆伯長游，力爲古文。而師魯深於《春秋》，故其文謹嚴，辭約而理精，章奏疏議，大見風采，士林始聳慕焉。復得歐陽永叔，從而振之。由是天下之文一變而正，是大有功於道也！

富弼《與陳都官書》 旨暢而辭密，氣勁而志堅，上發經蘊，旁照世弊，森矗明白，其文章之偉歟！【略】夫書籍所載，皆聖賢所行之道，然未有不深其本而敷其末，隱其原而揚其流。其本深則其末茂，其原隱則其流遠，此聖賢制則之要也。凡今之人觀書者，不究其本，不詳其原，惟末流是習，是故不見聖人之心之所存。矧又未盡末流之學，隘近淺薄，陷爲小人。謂讀書不爲人，專以爲己也，於是以爵位爲梯身之具而忘乎其君，以祿利爲肥身之資而忽乎其民。然有尙未能梯肥其身者，則有蹈捷急之徑，趨邪枉之門，貨賄公行，交結相尙，千姦萬亂，亡所不至，生偷一時之樂，死爲後世之誚而不顧也。僕謂市販之貪，奴隸之猥，亦或耻而不肯爲，而彼人者洋洋自以爲計之得，己之勝，吁，可哀也！

石介《上趙先生書》 介間居嘗讀《唐文粹》及《昌黎集》，觀其述作，炳然有三代兩漢遺風，殊不類今之文。曰詩賦者，曰碑頌者，曰銘贊者，或序記，或書箴，必本於教化仁義，根於禮樂刑政，而後爲之辭。大者驅引帝王之道，

施於國家，及於人民，以佐神靈，以浸蟲魚；次者正百度，叙百官，和陰陽，平四時，以舒暢元化，緝安四方。今之爲文，其主者不過句讀妍巧，對偶的當而已。極美者，不過事實繁多，聲律調諧而已。彫鎪篆刻傷其本，浮華緣飾喪其眞，於教化仁義禮樂刑政，則缺然無髣髴者。《易》曰：「文明以正，觀乎人文，化成天下。」《春秋傳》曰：「經緯天地曰文。」堯則曰：「欽明文思。」禹則曰：「文命敷於四海。」周則曰：「郁郁乎文哉。」漢則曰：「文章爾雅，訓辭深厚。」今之文何其衰乎！去唐百餘年，其間文人計以千數，而斯文寂寥缺壞久而不振者，非今之人盡不賢於唐之人，蓋不能爲唐之文也。蓋其弊由於朝廷敦好，時俗習尙，漬染積漸，非一朝一夕也。【略】唐之文章，所以坦然明白，揭如日月，渾渾灝灝，浸如江海，同於三代，駕於兩漢者，吏部與數十子之力也。今天子繼明守成，道德高厚，功業巍然，直與唐並。今卿士大夫垂紳曳組，森森布列，行義超然，直與唐比。獨斯文邈乎不可覗於唐。居上者點畫語言，組織章句，如彼畫工不知繪事後素以爲質，但誇其藻火之明，丹漆之多，如彼追師不知良玉不琢以爲美，但誇其雕刻之工，文理之繆，載毫囊筆，窮山刊木，模刻其文字，布於天下，以爲後進式。後進耳所習聞聲名赫奕，位望顯盛者，惟是不知前人有孟軻、揚雄、董仲舒、司馬相如、賈誼、韓吏部、柳宗元之才之雄也。目所常見制作淫麗文辭侈靡者，唯是不知前世有三代、兩漢、鉅唐之文之懿也。

又《上蔡副樞書》 夫有天地故有文，天尊地卑，乾坤定矣。卑高以陳，貴賤位矣。動靜有常，剛柔斷矣。方以類聚，物以羣分，吉凶生矣。在天成象，在地成形，變化見矣。文之所由生也，天垂象，見吉凶，聖人象之；河出圖，洛出書，聖人則之。文之所由見也。觀乎天文，以察時變，觀乎人文，以化成天下，文之所由成也。三皇之書，言大道也，謂之三墳五帝之書，言常道也。謂之五典，文之所由迹也。四始六義存乎《詩》，典謨誥誓存乎《書》，安上治民存乎《禮》，移風易俗存乎《樂》，窮理盡性存乎《易》，懲惡勸善存乎《春秋》。文之所由著也，文之時義大矣哉！故《春秋傳》曰：「經緯天地曰文。」《易》曰：「文明剛健。」《語》曰：「遠人不服，則脩文德以來之。」三王之政曰：「救質莫若文。」堯之德曰：「煥乎其有文章。」舜則曰：「濬哲文明。」禹則曰：「文命敷於四海。」周則曰：「郁郁乎文哉。」漢則曰：「與三代同風。」故兩儀，文之體也；三綱，文之象也；五常，文之質也；九疇，文之數也；道德，文之本也；禮樂，文之飾也；孝悌，文之美也；功業，文之容也；教化，文之明也；刑政，文之綱也；號令，文之聲也。聖人職文者也，君子章之，庶人由之，具兩儀之體，布三綱之象，全五常之質，叙九疇之數。道德以本之，禮樂以飾之，孝悌以美之，功業以容之，教化以明之，刑政以綱之，號令以聲之，燦然其君臣之道也，昭然其父子之義也，和然其夫婦之順也。尊卑有法，上下有紀，貴賤不亂，內外不瀆，風俗歸厚，人倫既正，而王道成矣。今夫文者，以風雷爲之體，花木爲之象也，辭華爲之質，韻句爲之數，聲律爲之本，雕鎪爲之飾，組繡爲之美，浮淺爲之容，華丹爲之明，對偶爲之綱，鄭衛爲之聲，浮薄相扇，風流忘返，遺兩儀、三綱、五常、九疇而爲之文也，棄禮樂、孝悌、功業、教化、刑政、號令而爲之文也。

又《與張秀才書》 吾觀足下之文五六萬言，如觀於天，吾見萬象森布羅列於上，吾不見日行之有道焉，月行之有次焉，星行之有躔焉。其水汗漫中夏，其泛也，其廣也，其出必有源焉，其歸必有海焉，出不於其源，歸不於其海，則爲中國之患焉，豈得所以爲水之道哉！伏羲、神農、黄帝、堯、舜、禹、湯、文、武、周公、孔子之道也，由是道則爲中國之正人矣，離是道不夷則狄矣，不佛則老矣，不莊則韓矣。足下爲文始宗於聖人，終要於聖人，如日行有道，月行有次，星行有躔，水出有源，亦歸於海，盡爲文之道矣。

又《送龔鼎臣序》 夫與天地生者性也，與性生者誠也，與誠生者識也。性厚則誠明矣，誠明則識粹矣，識粹則其文典以正矣。然則文本諸識矣。聖人不思而得，識之至也；賢人思之而至，識之機也。《詩》、《易》、《書》、《禮》、《春秋》，言而爲中，動而爲法，不思而得也。孟、荀、揚、文中子、吏部，勉而爲中，制而爲法，思之而至也。至者，至於中也，至於法也。至於中至於法，則至於孔子也，至於孔子而爲極矣。其不至焉者，識雜之也。甚者爲楊、墨，爲老、莊，爲申、韓，爲鬼、佛，識雜之爲害也。如此輔之爲學，爲文，厚乃性，明乃誠，粹乃識，確乎不可移，嚴乎不可譁也，直乎不可屈也。一志於聖人，則妖惑邪亂之氣無隙而入焉。於斯文也其庶幾矣。

范鎮《上蜀帥王密學書》 竊以文者宣言之器也，行者處身之基也。有其器無其基，身不得進；有其基無其器，言不得達。天下承平之日久，尙簡易，崇教化。發乎途巷，被乎絃管，無非文也；稱於宗族，著於金石，無非

行也。生今之世，捨文與行，而欲處身宣言於公侯大人門下者難矣！

余靖《宋太傅尤川雜撰序》 夫文者，經世之具也。六籍坦明，萬代之法。自戰國而下，諸子紛紛，各挾所長之術，以成一家之作，文章之道，於是判矣。近世以詩賦取士，士亦習尚聲律，以中其選。署第之後，各圖進取，或以吏才成績，或以民政疚懷，或因簿領之煩，或耽燕私之樂，迴顧筆硯，如長物耳。其能業官之暇，孜孜文以究當世利害，著之篇牘，豈非懷文抱質，未盡其用，精力有餘，不忘於學者乎？

張方平《貢院請誡勵天下舉人文章》 臣聞文章之變，蓋與政通，風俗所形，斯爲教本。國體攸繫，理道存焉。况今官才，專取辭藝，士惟性資之敏，而學問以充之，故道義積乎中而英華發于外。以文取士，所以叩諸外而質其中之藴者也。

歐陽修《送徐無黨南歸序》 予讀班固《藝文志》、唐《四庫書目》，見其所列自三代、秦、漢以來著書之士，多者至百餘篇，少者猶三四十篇，其人不可勝數，而散亡磨滅百不一二存焉。予竊悲其人文章麗矣，言語工矣，無異草木榮華之飄風，鳥獸好音之過耳也。方其用心與力之勞，亦何異衆人之汲汲營營而忽焉以死者，雖有遲有速，而卒與三者同歸於泯滅，夫言之不可恃也蓋如此。今之學者，莫不慕古聖賢之不朽，而勤一世以盡心於文字間者，皆可悲也。

又《答吳充秀才書》 蓋文之爲言，難工而可喜，易悅而自足。世之學者往往溺之，一有工焉，則曰吾學足矣。甚者至棄百事不關於心，曰：「吾文士也，職於文而已。」此其所以至之鮮也。昔孔子老而歸魯，六經之作，數年之頃爾。然讀《易》者如無《春秋》，讀《書》者如無《詩》，何其用功少而至於至也。聖人之文，雖不可及，然大抵道勝者，文不難而自至也。故孟子皇皇不暇著書，荀卿蓋亦晚而有作。若子雲、仲淹，方勉焉以模言語，此道未足而强言者也。後之惑者，徒見前世之文傳，以爲學者文而已，故愈力愈勤而愈不至。此足下所謂終日不出於軒序，不能縱横高下皆如意者，道未足也。若道之充焉，雖行乎天地，入於淵泉，無不之也。

又《答祖擇之書》 學者當師經，師經必先求其意，意得則心定，心定則道純，道純則充於中者實，中充實則發爲文者輝光，施於世者果致，三代、兩漢之學不過此也。

《新唐書・文苑傳序》 夏之政尚忠，殷之政尚敬，周之政尚文，然則文與忠敬，皆統人之行也。是故前代以文取士，本行也，由詞以觀行，則及詞也。宣父稱「顔子不遷怒，不貳過」，謂之「好學」，至乎修《春秋》，則游、夏不能措一辭，不亦明乎！間者禮部取人，有乖斯義。試學者以帖字爲精通，而不窮旨義，豈能知「遷怒」「貳過」之道乎？考文者以聲病爲是非，唯擇浮豔，豈能知移風易俗化天下之事乎？

釋契嵩《論原・人文》 三代之道，有質焉，有文焉，曰文而亡質，王道其可盡乎？故曰：質文者，聖人之所以適變而救敝也。質文本正而末敝也，質如不敝，何以文爲？文如不正，何以質爲？故吾所謂文者，蓋言文治之正也。孔子曰：「虞、夏之質，殷、周之文，至矣。」曰：「言文將無用乎？」曰：「孰不用也。」人文至焉，言文次焉，以言文而驗其人，人其廋哉？以人文而驗其世，世其廋哉？故人文者，天下之道之所存也；言文者，聖賢之志之所寓也。先天下而後聖賢者，聖賢發己也，天下至公也，故公者至而己者次也。孰曰言文其無用乎！

又《雜著・紀復古》 原古文之作也，所以發仁義而辨政教也。堯舜文武，其仁義至，其政教正。孔子以其文奮而揚之後世，得其法焉，故爲君臣者有禮，爲國家者不亂。方周道衰，諸侯强暴相欺，上下失理，孔子無位於時，不得行事，故以之用褒貶，正賞罰，故後世雖有姦臣賊子，懼而不敢輒作。及戰國時，合從連衡之説以傾天下，獨孟軻、荀况以文持仁義，而辨政教，當時雖不甚振，而學者仰而知有所趨。漢興，賈誼、董仲舒、司馬遷、揚雄輩以其文倡之，而天下和者響應，故漢德所以大，而其世所以久也。隋世王通，亦以其文繼孔子之作。唐興，太宗取其徒發而試之，故唐有天下大治，而韓愈、柳宗元復以其文從而廣之，故聖人之道益尊。今諸儒爭以其文奮則我宋祖宗之盛德鴻業益揚，天子之仁義益著，朝廷之政教益辨，然而卿士大夫内觀其文，知所以脩仁義而奉上，正政教而涖百姓萬邦。百姓外觀其文，知所以懷仁義而附國家，聽教令而罔敢不從。四夷八蠻觀其文，以信我祖宗之德業，知可大而可久也，使其望而畏之曰：「宋多君子，用其文以行古道，中國之禮樂將大脩，理不可不服也。」《易》曰：「文明以正，人文也。」又曰：「觀乎人文，以化成天下。」彼戎狄叛命兇慝之邊鄙，今朝廷當行征伐以誅其不廷，而文之興也，郁郁乎如此，是亦止亂不專在於威武，明文德而懷之也。

君子觀之，謂其化成天下也，宜與堯舜文武較其道德也哉！夫社稷之靈長久，歷數之無窮，雖漢唐之盛美，而奚足以比並。

又《文説》 天下治在乎人文之興，人文資言文發揮，而言文藉人文爲其根本。仁義禮智信，人文也；章句文字，言文也。文章得本，則其所出自正，猶孟子曰取之左右逢其原。歐陽氏之文，大率在仁信禮義之本也，諸子當慕永叔之根本可也，胡屑屑徒模擬詞章體勢而已矣。周末列國嬴秦時，孰不工文，而聖人之道廢，人文不足觀也，蓋其文不敦本乃爾。孔子無位，其道不行，病此不得已，徒以《六經》、《春秋》之文，載之以遺後世。故曰：「我欲載之空言，不如見於行事之深切著明也。」聖人豈特事其空文乎？君臣父子，師徒朋友，其文詞有本，仁義禮信藹然，天下不治，未之有也。《易》曰：「觀乎人文，則天下化成。」豈不然哉！

陳襄《與知台州元絳屯田書》 某聞性有五：善充之曰德，迪德之行曰行，信出之曰言，言成章曰文，行與德爲端本，文與言爲實華。

蔡襄《再答謝景山書》 夫辨道莫若言，傳言莫若文。言者，道之所由；而文者，言之所存。道充乎中，造次而言，無有不極於文也。其道餒焉，而其文雖工，終亦莫之至也。某前書云：「由道而學文，道至焉文亦至焉；由文而之道，困於道者多矣。」此所謂學者，先於學道而後於學文耳。而景山謂《六經》之道皆由文而後明，未聞先由文而失道者。

周敦頤《通書·文辭》 文所以載道也。輪轅飾而人弗庸，徒飾也，況虛車乎。

又 文辭，藝也；道德，實也。篤其實而藝者書之，美則愛，愛則傳焉。賢者得以學而至之，是爲教。故曰：「言之無文，行之不遠。」

又 然不賢者，雖父兄臨之，師保勉之，不學也。強之不從也。

又 不知務道德而第以文辭爲能者，藝焉而已。噫！弊也久矣。

劉攽《公是先生集序》 傳曰：「情深而文明，氣盛而化神。」惟深故能通天下之志，以極萬物之理。則文有不明者乎？盛如四時煦育，賦予雕刻衆形，萌芽夭條，無有不備，是之謂神。故古今之士，智有所不周，文有所不明，由其情之蹇淺也。知其一不知其二，善于此不善于彼，由其氣窾而化狹也。

王安石《上邵學士書》 夫誠發乎文，文貫乎道。仁思義色，表裏相濟者，其孰能至於此哉？【略】某嘗患近世之文辭弗顧於理，理弗顧於事，以襞積故實爲有學，以雕繪語句爲精新，譬之擷奇花之英，積而玩之，雖光華馨采，鮮縟可愛，求其根柢濟用，則蔑如也。

又《上人書》 嘗謂文者，禮教治政云爾。其書諸策而傳之人，大體歸然而已。而曰「言之不文，行之不遠」云者，徒謂辭之不可以已也，非聖人作文之本意也。自孔子之死久，韓子作，望聖人於百千年中，卓然也。獨子厚名與韓並。子厚非韓比也，然其文卒配韓以傳，亦豪傑可畏者也。韓子嘗語人以文矣曰云云，子厚亦曰云云，疑二子者徒語人以其辭耳，作文之本意不如是其已也。孟子曰：「君子欲其自得之也，自得之則居之安，居之安則資之深，資之深則取諸左右逢其原。」孟子之云爾，非直施於文而已，然亦可託以爲作文之本意。且所謂文者，務爲有補於世而已矣；所謂辭者，猶器之有刻鏤繪畫也，誠使巧且華，不必適用，誠使適用，亦不必巧且華。要之以適用爲本，以刻鏤繪畫爲之容而已。不適用，非所以爲器也，不爲之容，其亦若是乎？否也。然容亦未可已也，勿先之其可也。

呂陶《陳傳正退居類稿序》 夫君子之學，始於治性修身，而終于事業，豈特規規於辭采章句而謂之文乎？積於中乃發於外，藴其實乃形於言，表裏之相符，本末之相濟，而後能也。譬夫輝山之玉，不責功於琢刻，撫之則溫潤，擊之則清越；躍冶之金，不資巧於鍜鍊，舉之則堅重，扣之則鏗鍧，皆本其所有而見焉。

蔣之奇《都官集原序》 傳曰：「辭達而已矣。」此言文者所以傳道，而辭非所尚也。自天子王侯，中國言六藝者，折衷於夫子，其文章可謂至矣。然豈尚辭哉！自建武以還，迄於梁陳之間，綴文之士，刻彫纂組，甚者至繡其鞶帨，則辭非不華也，然體制衷落，質幹不完，缺然於道何取焉。

《二程遺書》卷一八 凡解文字，但易其心，自見理。理只是人理，甚分明，如一條平坦底道路。《詩》曰「周道如砥，其直如矢」，此之謂也。且如隨卦言「君子向晦入宴息」，解者多作遵養時晦之晦，或問作甚晦字，曰：「此只是隨時之大者，向晦則宴息也，更別有甚義？」或曰：「聖人之言，恐不可以淺近看佗。」曰：「聖人之言，自有近處，自有深遠處，如近處怎生強要鑿教深遠得。」揚子曰：「聖人之言遠如天，賢人之言近如地。」某與改之曰：「聖人之言其遠如天，其近如地。」學者不泥文義者，又全背卻遠去，理會文義

者，又滯泥不通。如子濯孺子爲將之事，孟子只取其不背師之意，人須就上面理會事君之道如何也。又如萬章問舜完廩浚井事，孟子只答佗大意，人須要理會浚井如何出得來，完廩又怎生下得來。若此之學，徒費心力。

又《二程外書》卷六　奢自文生，文過則爲奢，不足則爲儉。文者稱實而爲飾，文對實已爲兩物，奢又文之過，則去本遠矣。儉乃文不足，此所以爲禮之本。

蘇嶠《東坡全集序》　成一代之文章，必能立天下之大節；立天下之大節，非其氣足以高天下者，未之能焉。孔子曰：「臨大節而不可奪君子人與。」孟子曰：「我善養吾浩然之氣，以直養而無害，則塞乎天地之間。」蓋存之於身謂之氣，見之於事謂之節，節也，氣也，合而言之道也。以是成文，剛而無餒，故能參天地之化，開盛衰之運。不然，則雕蟲篆刻，童子之事耳，焉足與論一代之文章哉！

蘇轍《上樞密韓太尉書》　太尉執事：轍生好爲文，思之至深，以爲文者，氣之所形，然文不可以學而能，氣可以養而致。孟子曰：「我善養吾浩然之氣。」今觀其文章，寬厚宏博，充乎天地之間，稱其氣之小大。太史公行天下，周覽四海名山大川，與燕趙間豪俊交游，故其文疎蕩，頗有奇氣。此二子者，豈嘗執筆學爲如此之文哉！其氣充乎其中而溢乎其貌，動乎其言而見乎其文，而不自知也。轍生十有九年矣，其居家所與游者，不過其鄰里鄉黨之人，所見不過數百里之間，無高山大野可登覽以自廣，百氏之書雖無所不讀，然皆古人之陳迹，不足以激發其志氣。恐遂汩沒，故決然捨去，求天下奇聞壯觀，以知天地之廣大。過秦漢之故都，恣觀終南、嵩、華之高，北顧黄河之奔流，慨然想見古之豪傑，至京師，仰觀天子宫闕之壯與倉廩府庫城池苑囿之富且大也，而後知天下之巨麗。見翰林歐陽公，聽其議論之宏辯，觀其容貌之秀偉，與其門人賢士大夫遊，而後知天下之文章聚乎此也。

孔武仲《南齋集稿序》　文章于學者之事末矣。昔之賢人，有達而在上者，其言甚簡，而錄於《尚書》，皋陶是也；有窮而在下者，其言甚簡，而錄於《論語》，顔淵是也。彼其粹美積於中，輝光發於外，一言出，四海傳之以爲師法，遂以不朽于無窮，豈區區自異于文墨耶？後世著書者，莫多於蕭梁父子。當其盛時，布於四方，盈衍竹帛，及其寖久，寖以零落，求一語之傳不可得，卒與愚者均於沒世而無聞。然則文章豈可恃而久長哉？

李復《答人論文書》　《易》曰：「觀乎天文，以察時變；觀乎人文，以化成天下。」夫所謂人文者，禮樂法度之謂也。上古之法，至堯而成，故孔子曰：「煥乎其有文章。」周之德至文王而純，故《傳》稱曰：「經緯天地曰文。」此聖人之文也。後世有一善可取，亦有謂之文者，孔文子、公叔文子之類是也，此皆以其行事謂之文也。昔之君子欲明其道，喻其理，以垂訓於天下後世，亦有言焉，以爲言之不文，不可以傳，故脩辭而達之，此言之爲文也，非謂事其無用之辭也。以載籍考之，若《書》之典謨訓誥誓命，皆治身治人治天下之法，此《書》之文也。國風雅頌歌美怨刺，皆當時風化政德可以示訓，此《詩》之文也。廣大幽微，遠近善惡，開天地之藴，極性命之理，以前民用，以濟民行，此《易》之文也。言約而理微，褒善而貶惡，以明周公之制，以爲將來之法，此《春秋》之文也。《禮》之《中庸》，言至誠爲善，率性之謂道，君子篤恭而天下平，此《中庸》之文也。今觀《春秋》，則不知有《易》，觀《書》，則不知有《詩》，豈相蹈襲剽竊以爲己有哉！其言之小，天下莫能破，言之大，天下莫能載，後世尊之以爲經，而無不稽焉，此其爲文炳如日星，而光耀無窮也。自漢之司馬相如、揚雄而下，至於唐世，稱能文者多矣，皆端其精思，作爲辭語，雖其辭浩博閎肆，溫麗雄健，清新靖深，變態百出，率多務相漁獵，自謂闊步一時，皆何所補哉，亦小技而已，豈君子之文歟！苟能發道之奥，明理之隱，古人之所未言，前經之所不載，著之爲書，推之當世而可行，傳之後世而有取，雖片言之善，無不貴之矣。夫文猶器也，必欲濟於用，苟可適於用，加以刻鏤之藻繪之，以致美焉，無所不可。不濟於用，雖以金玉飾之，何所取焉？

毛滂《上時相書》　某聞仁義之塗，詩書之府，有氣也泠然而清，煒然而光，璀璨而徜徉中之者，能使其言炳然而成章，不知此果何氣也？然鐘鼓膏粱之地，綺襦紈袴之間，迎之則釋然散，取之則漠然空，獨山林枯槁之士，餓夫逐客羈旅之時乃得之。至與之寫孤憤，道阨窮，發物理之精微，論古今之成敗，俯仰上下，隨其筆端，亹亹令人不能自休。異哉，此果何氣也？中之者無乃反爲病癖不幸乎！雖然，清廟之歌，玉牒之文，其所以黼藻德音，丹青盛節者，是必薰釀涵浸於此氣者也。至是亦能使人離疏釋蹻，凌厲清浮，故結綬金馬之庭，高議石渠之上，是氣也，蓋常與人並遊矣。追觀往古，此氣未嘗不爛熳陸離於其間，所謂聲音以揚之，詩書以光之，蓋出乎此也。凡

詩書六藝之文，特其氣之最爲純粹光明者。班固曰：「唐虞三代，詩書所及，世有典籍，雖堯舜之盛，必有典謨之篇，然後揚名於後世，冠德於百王。」故曰：巍巍乎其有成功，焕乎其有文章。

鄭俠《譚文初字序》 天之初至高而已矣，微日星寒暑雲風雷雨之行以神其化，則徒高不能以自施，而萬物之資始者有所不大矣。故日星、寒暑、雲風、雷雨之行，此天之文也。地之初至厚而已矣，微山川、陵谷、原隰、阪險之錯以靈其變，則徒厚不能以自育，而萬物之資生者有所不至矣。故山川、陵谷、阪險之錯，此地之文也。天地之文，固其自然，然而未聞其所以文者，爲有以掩其初也。人之文亦如此而已矣。厥初巢居血茹，無君臣上下，典章彝則之設，蓋朝野腥臊，禮義墁圬，人相爲類，而與禽獸無擇也。是以聖人惡其荒而懼其亂之不可已也，故爲之仰觀於天，俯察於地，觀鳥獸之文與物之宜而制作焉。爲之宫室，以易其巢穴之居也；爲之饔餮，以易其毛血之茹也。民皆悦之，而後爲之君臣、父子、夫婦、兄弟、朋友之别，詩、書、禮、樂、政、刑、律度、量衡之具，進退、辭受、跪揖、拜起、蹈舞之節，有經有權，有報有施，蓋自伏羲至於堯舜，歷夏、商、周而後大備焉。孔子曰：「周監於二代，郁郁乎文哉，吾從周。」夫其歷數十君，相去千餘祀，然後有周之盛，而傳之於今，亦特其迹之可見者耳，豈其所以迹哉。若其所以跡者，蓋與夫人偕來，亦與之偕去矣。父子之於親也，君臣之於敬也，夫婦之於義也，兄弟之於愛也，朋友之於信也，是皆人所不能以與我，我亦不能以與人者，自盡其誠而已矣。此之謂天資之善也。故誠，内也；文，外也。恃夫所以誠於内者以往而無其外，此野人之道也；恃夫所以文於外者以往而無其内，此胥史之道也。故曰：「質勝文則野，文勝質則史。」然則人之初，至善而已矣。微君臣上下、典章彝則之設，以經其政，則徒善而不能自治，而萬物之所仰以安者，有所不得矣。故君臣上下、典章彝則之設，此人之文也。由是觀之，天地人所以爲文者不同，而所以文之者則一，以文其初而已矣。故文有所起，有所止。文起於至質，而止於與人之誠相副，惟至人然後能成夫天循於故，無以故滅命，無以人滅天，亦無以其成於天之命者，而放夫循於人之故者。天與人不相勝，然後文不勝質，質不勝文，文質彬彬。然後以爲君父，則堯舜之君父也；以爲臣子，則臯陶之臣子也。故曰：「文質彬彬，然後君子。」夫然後治上下，合天人，和同高卑之際，而使之無間也。故日星、寒暑、雲風、雷雨得以順其道，而天之施者以之大也；山川、陵谷、原隰、阪險得以安其德，而地之育者以之大也；君臣上下、典章物則得以循其故，而人之治者以之得也。天以之清，地以之寧，人以之成，夫是之謂經緯之道。故曰：「天地設位，聖人成能。」大哉文乎其用，足以爲君子之治，而微妙玄深，至於不可知之神也。其初則明君臣上下之分，而終則經緯天地，以成變化，而行鬼神也。使文而忘其初，猶之爲日星、寒暑、雲風、雷雨之行，而遺天也；無所麗矣；爲山川、陵谷、原隰、阪險之錯，而遺地也，無所附矣。無所附麗，則無以自立，而徒生成變化無窮如是哉。故至誠者，人之所附麗而自立者也，可不務乎！

張耒《賀方回樂府序》 文章之於人，有滿心而發，肆口而成，不待思慮而工，不待雕琢而麗者，皆天理之自然而情性之至道也。

又《投知己書》 古之能爲文章者，雖不著書，大率窮人之詞，十居其九，蓋其心之所激者，既已沮遏壅塞而不得肆，獨發于言語文章，無掩其口而窒之者，庶幾可以舒其情，以自慰于寂寞之濱耳。【略】夫文章之于人心，其理之相近，與夫工人之于技則有間矣。某之區區，蓋已盡佈于此，則世之高明博達之君子，俯而聽之，蓋有不待夫疑而問，問而後知其心也。

畢仲游《文議》 世之謂文者不繫于德，謂德者不繫于文。夫文章之士，雖不繫于有德無德，而無德者不能爲有德之文，有文之人不皆有德，有德之人不皆有文，而有文者無德，則不盡其善。奚以知其然耶？今人之言文者，其任蓋小矣，希名幸世，取合當時。而古之人言文者，其任不小，善惡欲明，是非欲辨，久遠欲傳，勸戒欲信，非獨名位而已也。故雖有精金良帛，沈器重物，非車輿則無以輸遠。雖有奇功偉德，元凶大惡，非文章則無以取信。車輿不壯，則雖載而必敗；文章不著，則雖傳而必惑，故文章蓋美惡之車輿也。自六國以前，孔子所定，不敢輕議。嘗竊觀六國以後，西漢之前，號綴文之士者，類皆過人，而過人之遠者，賈誼、董仲舒、司馬遷、相如、劉向、揚雄。此數子之文也，蓋善惡能明，是非能辨，久遠可傳，勸戒足信，雖有議論間未合于聖人，然詞采條貫，如親聽其談説，而精神意氣，可以想見其爲人，使後世識者心知其所異，而口不能亟喻其何如，此數子之文也。然此數子者，豈特文而已？事君必忠，修身必正，趨嚮必厚，議論必公，其所存之德既已過人，則其發見于文章者，豈不過人哉！在唐三百年，韓愈號爲文

師，而忠厚公正之德，亦著于天下。自韓愈以來，文章之德散，科場之弊生，使夫英雄俊才，老死不顯而寡聞。淺識之徒，乃始支離攘臂自奮于其間，私取近世之陳說，而公爲傲倖之論；善惡不能明，是非不能辨，久遠不可傳，勸戒無足信，言今則近陋，議古則近愚；而其甚者，鑿是爲非，飾惡成善，借平常之易事，爲紜紛之轉詞，以熒惑天下。天下之人，莫知其非，故公則見信于有司，退則受知于朋友，而彼也遂直以爲能，此有志之士所以扼腕而太息也。

呂南公《與汪秘校論文書》 蓋所謂文者，所以序乎言者也。民之生，非病啞吃皆有言，而賢者獨能成存於序，此文之所以稱。古之人以爲道在己，而言及人，言而非其序，則不足以致道治人，是故不敢廢文。堯舜以來，其文可得而見，然其辭致抑揚上下，與時而變，不襲一體，蓋言以道爲主，而文以言爲主，當其所值時事不同，則其心氣所到亦各成其言，以見於所序，要皆不違乎道而已。商之書，其文未嘗似虞夏，而周之書，其文亦不似商書。此其大概。若條件而觀之，則《謨》不類《典》，《五子之歌》不類《禹貢》，《盤庚》不類《說命》，《微子》又不類《伊訓》。至於《泰誓》、《洪範》、《大誥》、《周官》、《呂刑》之文，皆不相類也。蓋古人之於文，知由道以充其氣，充氣然後資之言以了其心，則其序文之體，自然盡善，而不在準倣。自周之晚，《六經》始集，七十子之徒，雖不以誦經爲功，然其尊仰孔子，盛於前世。及孟子、荀卿相望而出，益復尊孔子而小衆家。故秦火既冷，而漢代諸生爲辭，不敢自信其心，而曰我歌頌帝王盛德與夫論述世故，皆出入《六經》，峻有師法，不可庇類。此西漢文所以見高於世，而東京以下，學士不易其說也。雖然，亦其說如此。劉向之文未嘗似仲舒，而相如之文未嘗似馬遷，揚雄之文亦不傚孟子也。張衡、左思等輩，於道如從管間窺豹，故其所作文賦，緊持揚、馬襟袖而不敢縱其握，自是文章世衰一世，幾於童子之臨模矣。繇揚雄至元和，千百年而後韓、柳作。韓、柳之文，未嘗相似也。而前此中間寂寞無足稱，豈其固無人，其患起於不知由道以充氣，而置我心以覗傚他人，故雖勞猶不能傑然自立。去元和至吾宋，又數百年，而有歐、王之盛，宗其學者，文辭往往奇特，然至今者又已少貶。蓋文之爲道，由東京以下，始與經家分兩岐，其弊起於氣不足以序言之，人恥無所述因，乃瑣屑解詁，過自封殖，且高其言以欺耀後生，曰文者虛辭，非吾所取，吾當釋經以明道而已。疲輭人喜論銷兵，是故相師而成黨。嗟乎，從之者亦不思矣。夫揚、馬以前，文章何嘗失道之旨哉！今之學士，抑又鼓倡爭言，韓、柳未及知，道不足以與明，不如康成、王肅諸人稍近議論。噫，又過矣。夫所爲知道者，果將何爲？必將善於行事而有益於世也。不識康成、王肅之行事，有以大過人乎？如以爲行事因時，難相比責，則所以去取重輕者，無乃謂學經貫穿衆說，難於立意成篇乎，是又非吾所信。且天下孰有能飲千鍾而不能三爵者！彼解詁章句，三爵之才而已。陸澄非不能說經，而當時有書廚之譏，此足以見爲文難於解詁。夫使韓、柳爲澄之解，而有不能乎？彼韓、柳者，蓋知古人之學不如此，是以略其不足爲者，精於其可爲者耳。說者又云：「吾不論說經爲文之難易，但經術明，則道可行，吾故趣於此。」此亦不然。夫康成、王肅之時，大亂數百年而後止，此時學者豈不知宗本王、鄭經術耶？道何以不行也？孔孟以前，學者未嘗解經，而言治者每稱三代，且先王所謂明道者，豈解詁章句之謂乎！後人欲追治古經，而按此以進焉，吾不知其與捕風者何異矣。天下治亂有常勢也，儒者之才不務見於事功以助爲國者之福，而希世沽名，苟爲家說，以亂古書，自稱高妙，此何所補。陸淳豈不明《春秋》，希聲豈不明《易》，祝欽明豈不明三《禮》，然此徒於當時治亂爲有補乎？否也！而後生方倚此論功，不自信其心，以思自古文學道德之變，而更紛紛輕視文人，且文章豈足爲儒者之功，即能之，固不必恃然解詁，人輕之亦錯矣。是飲千鍾者，不自以爲能酒，而三爵者反笑千鍾之醉也。某不佞，少年時浪事慷慨，欲以文學自立，二十有餘，猶不得其緒，以爲能事止於時文而已。蓋至於二十四五，然後克有所見，於列莊見道之書，於六經見道之訓，於百家見道之所以文，而文之所以得，於十八代史見道之所以變，沈酣而演繹之。竊以誠心自許，私嘗以爲文學之事，雖使聖人復生不得廢。吾所是而遭時不偶，有前之云云，天下滔滔，未易同志，唯當勒成一家，俟之百世焉耳。秘校才高而識敏，亟從時俊之列，超拔入官，而問學淹該，如不自足，方用謙屈，乃以及於鄙文，且某何敢愛哉！但竊有所疑者，當今文與經家分黨之際，未知秘校所取何等之文耳？若堯、舜以來，揚、馬以前，與夫韓、柳之作，此某所謂文者；若乃場屋詭僞劫剽穿鑿猥冗之文，則某之所恥者，往時嘗爲之矣，然未嘗以之比數於文也。譬猶美女時花，細麗艷妖，朝盛而夕衰焉，目雖偶游，不足以爲榮觀，必若黃河泰山，峻厚高簡，渾灝奔注與天地

齊同，而日月不能老之者，此某之所以究心未識，所取亦在此否？

劉弇《上運判王司封書》　故曰：文章以氣爲主，豈虛言哉！孔子之氣，周天地，該萬變，故六經無餘辭焉，而其小者，猶足以叱夾谷之強齊。孟子芥視萬鍾，小晏嬰、管仲，而其自養，則有所謂浩然者，故其書卒貽後世。語賦者，莫如相如，相如似不從人間來者，以其慕藺也。語史者，莫如子長，瑰瑋豪爽，視古無上者，以其上會稽，探禹穴，闚九疑，浮沅湘，以作其氣也。唐之文章，固無出退之者，其入王庭湊軍也，視若軒渠乳兒，則足以知其氣矣。若夫持正褊中，禹錫浮躁，元稹緣宦人取寵，呂溫茹便僻求進，而宗元戚嗟於放廢之湘南，皆其氣之不完者，故其文章終餒和理，亦其勢然也。

邵驥《崧庵集跋》　文妙物也，以變故奇。煙雲杳靄之有無，江濤出沒之荒忽，魚鳥飛潛之下上，晦冥朝暮，姿態呈豁，愈變而愈無窮，玆亦奇已。而文之爲物，實與之俱。爰自鴻荒以還，厥裁不一，畫焉而神，疇焉而章，筆焉而信，歌詠焉而莊，皆以自然之天，錯綜經緯，而萬物之變形焉，非特不能不爲之，亦莫之爲而爲者也。然則文之由來尚矣。世去古遠，人不克聖，而物之精華，不可以終秘。梁臺之選，吳興之粹，蟬嫣舄奕，代有作者，燦然珠琲之溢目，冷然笙簫之入耳也。源派雖殊，終會于一。至於枚別諸家，銖考殿最，若十指然，其短長洪纖，卒不可得齊，豈人之有能否，抑其習有工拙與。建安七子，時有所取，李杜文章，羣兒謗焉，要以其全者，責之故難也。雖然，不更三聖，無以見集成之大；不歷三變，無以知一出於正者之爲粹。然我朝當五季之橫流，質窮弗反，承乾棟，絕坤維，摧陷廓清之功，與文俱高。崑體雖張，不能柅其駕使勿馳也。於是穆伯長、尹師魯、歐陽永叔輩爲之導流揚波，而古文篇章始得助而中興，列聖相承，重熙累盛。

李綱《道鄉鄒公文集序》　文章以氣爲主，如山川之有煙雲，草木之有英華，非淵源根柢所蓄深厚，豈易致邪？士之養氣，剛大塞乎天壤，忘利害而外生死，胸中超然，則發爲文章，自其胸襟流出，雖與日月爭光可也。孟軻以是著書，屈原以是作《離騷經》，與夫小辨曲說絺章繪句以祈悅耳目者，固不可同年而語矣。唐韓愈文章號爲第一，雖務去陳言，不蹈襲以爲工，要之操履堅正，以養氣爲之本。

又《古靈陳述古文集序》　唐史論文章，謂天之付與，於君子小人無常分，惟能者得之。信哉斯言也！雖然，天之付與固無常分，而君子小人之文則有辨矣。君子之文務本，淵源根柢于道德仁義，粹然一出于正。其高者裨補造化，黼黻大猷，如星辰麗天，而光彩下燭，山川出雲，而風雨時至，英莖韶濩之諧神人，菽粟布帛之能濟人之饑寒，此所謂有德者必有言也。小人之文務末，雕蟲篆刻，絺章繪句，以祈悅人之耳目。其甚者朋姦飾僞，中害善良，如以丹青而被糞土，以錦繡而覆陷穽，羊質而虎皮，鳳鳴而鷙翰，此所謂有言者不必有德也。君子既自以功業行實，光明于時，而其餘事，發爲文章，後世讀書想望而不可及此，豈特其文之高哉，人足仰也。小人乃專以利口巧言，鼓簧當世，既不足以取信于人，而恃才傲物以致禍敗者多矣。由是言之，文以德爲主，德以文爲輔，德文兼備與夫無德而有文者，此君子小人之辨也。

【略】昔孔子告子夏曰：「女爲君子儒，毋爲小人儒。」夫儒之道通天地人，使小人爲之，則將有訐儒以爲姦者，而況于文乎。經緯天地曰文，雖周公之才之美，謚不過文。而小人假文以爲利，則與夫儒以詩禮發冢者同科，自古文士多陷浮薄而爲弄筆生，無足怪也。

唐庚《上蔡司空書》　文章於道，有離有合，不可一概忽也。唐世韓退之、柳子厚，近世歐陽永叔、尹師魯、王深父輩，皆有文在人間，其詞何嘗不合於經，其旨何嘗不入於道。行之於世，豈得無補，而可以忽略都不加意乎？

【略】所謂古文，雖不用偶儷，而散語之中暗有聲調，其步驟馳騁，亦皆有節奏，非但如今日苟然而已。

又《送王觀復序》　文生於氣，氣熟而文和，此理之決然，無足怪者。蓋涪翁所告者，法也；余所論者，理也。

程俱《答鄭教授》　古之所爲講學者，行與文而已。蓋文之用于世尚矣。六經百氏皆文也，世之人有以經誼文辭判爲二，是既其文，未既其實也。且六經者，義理之所在也。文而不根于理，何足謂之文哉！文固不可以易言之也。昔之作者，自六經、百氏、世傳之史、方外之書無不讀之，而後取舍是非，了然于心也。探其原，撮其英華，而摭其實，汪洋閎肆，充然于內也。而後時發于文辭，故不詭于聖人之道。經世而行遠者，皆是物也；其粲然者，我之文也；而資焉者，實六經百氏載籍之傳，而吾自得者也。然而莫見其迹也。

張元幹《亦樂居士文集序》　文章名世，自有淵源，殆與天地元氣同流，可以斡旋造化，關鍵顧在人所鍾稟及師授爲如何。譬猶一身五官百骸，各隨

形模，萬態不同，至於上下左右，則難以倒置，必也精神發揮，廼中儀矩，不然土木偶爾。前輩嘗云：詩句當法子美，其他述作，無出退之。韓、杜門庭，風行水上，自然成文，俱名活法，金聲玉振，正如吾夫子集大成，蓋確論也。國初儒宗，楊、劉數公，沿襲五代衰陋，號「西崑體」，未能超詣。廬陵歐陽文忠公初得退之詩文於漢東弊篋故書中，愛其言辨意深，已而官於洛，乃與尹師魯講習，文風丕變，寖近古矣。未幾，文安先生蘇明允起於西蜀，父子兄弟，俱文忠公門下士，東坡之門，又得山谷檃栝詩律，於是少陵句法大振。如張文潛、晁無咎、秦少游、陳無己之流，相望輩出，世不乏才，是豈無淵源而然耶？

汪藻《鮑吏部集序》 古之作者無意於文也，理至而文則隨之，如印印泥，如風行水上，縱橫錯綜，燦然而成者，夫豈待繩削而後合哉？六經之書，皆是物也。逮左氏傳《春秋》，屈原作《離騷》，始以文自成爲一家，而稍與經分。漢公孫弘、董仲舒、蕭望之、匡衡以經術顯者也，司馬遷、相如、枚乘、王褒以文章著者也，當是時已不能合而爲一，況淩夷至于後世，流別而爲六七，靡靡然入于流連光景之文哉，其去經也遠矣！本朝自熙寧、元豐，士以談經相高，而黜雕蟲篆刻之習，庶幾其復古矣。然學者用意太過，文章之氣日衰。

又《答吳知錄書》 孔子設四科，文與學一而已。及左丘明、屈原、宋玉、司馬遷、相如之徒，始以文章名世，自爲一家，而與六經訓詁之學分。譬均之飲食，經術者，黍稷稻粱也；文章者，五味百羞也。用黍稷稻粱之甘，以充吾所受天地之沖和，固其本矣。若遂以五味百羞爲無補于養生，皆廢而不用，則加籩陪鼎殽蒸折俎不當設于先王燕饗之時也。自王氏之學興，學者偃然以經術自高曰：「吾知經矣。天下之學，復有過此者乎？彼文章一技耳，何爲者哉。」使此曹有秋毫自得于聖人之門，其誰不服膺斂衽，奈何朝夕佔畢者，類皆掇取前人咳唾之餘。熟爛繁蕪，喋喋諄諄，無一字可喜者，亦何異斥八珍不御，而以饐腐之糜，彊人曰此養生之本也。其不爲人出而哇之也，則幸而已耳。又數年以來，伊川之學行，謂讀書作文爲妨道，皆絕而不爲，今有人于此終日不食，其腹枵然，捫以示人曰：「吾將輕舉矣。」其可信乎？

胡寅《洙泗文集序》 《洙泗集》者，龍谿陳君元忠以後世文體之目，求諸《論語》，得其義類分明而編之，以爲文章之祖也。丐予爲之序。予嘉其述，乃序之曰：文生于言，言本于不得已。或一言而盡道，或數千百言而盡事，猶取象于十三卦，備物致用爲天下利，一器不作，則生人之用息。乃聖賢之文，言也，言非有意于文，本深則末茂，形大則聲閎故也。周衰道喪而文浮，孔子蓋甚不取，嘗曰：「孝弟謹信，泛愛而親仁，行有餘力，則以學文。」又曰：「文，吾不若人也，躬行君子，則吾未之有得。」學士大夫千百成羣，行彼六者，誰有餘力？行之未有餘力，是夫人未可以學文矣。汲汲學文而不躬行，文而幸工，其不異于丹青朽木、俳優博笑也幾希，況未必能工乎？游、夏以文學名，表其所長也。然《禮運》，偃也所爲，《樂記》，商也所爲，華實彬彬，亞於經訓。後之作者，有能及邪？從周之文，從其監于二代忠質之致也。文不在兹者，經天緯地，化在天下，非吮筆書簡，祈人見知之作也。《離騷》妙才，太史公稱其與日月爭光，尚不敢望風雅之階席，況一變爲聲律衆體之詩，又變而爲雕蟲篆刻之賦，槩以仲尼刪削之意，其弗畔而獲存者，吾知其百無一二矣。是則無之不爲損，有之非惟無益，或反有所害，乃無用之空言也。夫竭其知思，索其技巧，蘄于立言，而歸于無用，果何爲哉！然自隋唐已來，末流每下，擇才論士，皆按以爲能否升沉之決，而欲夫人通經知道，守節秉義，有君子之行，不亦左乎！陳君蓋疾夫末流忘本，得已而不已者，可見好古篤實之趣矣。聖門問答教詔，本言也，而成文，雖文也，特一時之言耳。豐而不餘，約而不失，其法備于《論語》，能熟環而體識之，必不敢易于爲文。深之又深，知其有無窮之事業在焉，必不復以文爲志。道果明，德果立，未有不能言者。孟子曰，仁義禮智根于心，其生色也。睟然見于面，盎于背，施於四體，四體不言而喻，此《洙泗集》之本原也。

周必大《毛拔萃洵文集序》 文者，才也；孝者，行也。全賦於天鮮矣。制科時所重，聲名世所貴，天之與人又加鮮焉。

又《臨江軍三孔文集序》 行有餘力，則以學文。聖人之言，萬世是程。或疑文、行、忠、信之序，是不然。四科有先後，四教非先後，特因其材而進德焉。繪事後素，不容紊也。

又《王致君司業文集序》 志氣不強，不足以言文；學問不博，不足以言文。司業王君吾能言之，志氣強者也，學問博者也，故其文章贍而不失之泛，嚴而不失之拘，議論馳騁于千百載之上，而究極於四方萬里之遠。其爲歌詩，慷慨憂時，而比興存焉。他文閎辯該貫，直欲措諸事業，所謂援古證今，黼黻其辭，特餘事耳。

又《張文靖公文集序》 德之盛者必有言，言之文則行也遠。肇自帝王之世，皋陶邁種德尹，躬享天心，即其人也。昔者孔子定《書》，舉皋陶矢厥謨於三謨之首，賡帝之歌，至於一再，而《伊訓》、《咸有一德》、《太甲》上、中、下，千有餘言，並載百篇之中，以其可爲萬世法也。揚雄，漢儒之傑然者，嘗賦《甘泉》，稱頌人主，搜逑索耦，豈無他人，獨曰：「皐伊之徒，冠倫魁能。」其深知聖人之意也歟！後世文士平居道古今，官達掌制命，論議於侍從，訏謨於廊廟，暇則作爲詩歌，以寓比興，體雖不一，要皆出謨訓。然德有差等，言有精粗，其傳久近，亦必隨之。

唐瑑《唯室集序》 予嘗謂古之聖賢，未始爲文，其見於語言者，皆以明斯道也。故曰辭達而已。後世文勝質，學者以文字相矜耀，世亦以是重之，故擿章繪句，駢四儷六，競爲浮華之文，而去道日遠矣。

晁公遡《眉州起文堂記》 書於其牘，粲然以爲華，是以謂之文者。惡覩古聖賢之有作於斯世，煥乎其有文章者哉！禹之謨，皋陶之謨，益稷之篇，伊尹以告太甲，傳說以告高宗者，君子顧不獨以文稱焉。而巫咸、甘盤、閎夭、泰顛之徒，又無一言以傳諸其人，豈其不足於文歟！戰國之時，始以著書爲責，士各大肆於文，高者爲虛無，下者爲縱橫，則凶於其國，害於其徒，而天下後世祖其說益巧。其爲虛無者，不謂虛無，而曰黃帝吾師也；爲縱橫者，不謂縱橫，而亦曰堯舜吾師也。於是有行不顧言，色厲而內荏者焉。蓋不可以文論古聖賢人。夫以文論古聖賢人，其猶論嬀汭、塗山、有娀、有莘、姜原、任姒以色，則妹喜、妲己、褒姒亦在可論也。《傳》曰：「有德者必有言。」吾之尙德，則其於言也兼之矣。

林之奇《觀瀾集前序》 觀水有術，必觀其瀾。瀾，活水也。水惟其活，是以智者得師焉。文乎，文乎，澹泊而有遺味，發越而有遺音者，非活不能也。

王十朋《蔡端明文集序》 文以氣爲主，非天下之剛者莫能之。古今能文之士非不多，而能傑然自名於世者亡幾，非文不足也，無剛氣以主之也。孟子以浩然充塞天地之氣，而發爲七篇仁義之書，韓子以忠犯逆鱗勇叱三軍之氣，而發爲日光玉潔表裏六經之文。故孟于闢楊、墨之功，不在禹下；而韓子觝排異端，攘斥佛老之功，又不在孟子下，皆氣使之然也。若二子者，非天下之至剛者歟！

洪邁《容齋隨筆》卷一六《文章小伎》 「文章一小伎，於道未爲尊」，雖杜子美有激而云，然要爲失言，不可以訓。文章豈小事哉！《易》賁之彖言：「剛柔交錯，天文也；文明以止，人文也。觀乎天文，以察時變；觀乎人文，以化成天下。」孔子稱帝堯「煥乎有文章」，子貢曰：「夫子之文章可得而聞。」《詩》美衛武公，亦云有文章。堯、舜、禹、湯、文、武、成、康之聖賢，桀、紂、幽、厲之昏亂，非《詩》、《書》以文章載之，何以傳？伏羲畫八卦，文王重之，非孔子以文章翼之，何以傳？孔子至言要道，託《孝經》、《論語》之文而傳。曾子、子思、孟子傳聖人心學，使無《中庸》及七篇之書，後人何所窺門戶？老、莊絕滅禮學，忘言去爲，而五千言與內外篇，極其文藻。釋氏之爲禪者，謂語言爲累，不知大乘諸經可廢乎？然則詆爲小伎，其理謬矣！彼後世爲詞章者，逐其末而忘其本，翫其華而落其實，流宕自遠，非文章過也。杜老所云「文章千古事」、「已似愛文章」、「文章日自負」、「文章實致身」、「文章開突奧」、「文章憎命達」、「名豈文章著」、「枚乘文章老」、「文章敢自誣」、「海內文章伯」、「文章曹植波瀾闊」、「庾信文章老更成」、「豈有文章驚海內」、「每語見許文章伯」、「文章有神交有道」，如此之類，多指詩而言，所見狹矣。

吳儆《答吳益深書》 某嘗聞之，文之本源與其體制，猶天造地設，不可易也。夫子之《六經》，其道一貫，而詞異施，古之深於文者，蓋知之矣。

汪應辰《徐壽卿集序》 古之學者，非有意於爲文也。其於天下之義理，講習之明，思索之精，蘊積之富熟，既已昭晰而無疑，從容而自得，其發於文字言語也，如指白黑，如取諸左右，如楚人之爲楚語，齊人之爲齊語，亦不期然而然矣。後之人讀其書，誦其言，見其明白純粹，美善幷具，而不可幾及也。則掇拾其遺餘，摹寫其彷彿，苦心焦思，求所以爲之，雖或近似，而終非是也。於是有以文爲諸儒倡者，則曰文當以仁義詩書爲本，此雖異於世之逐末者，然其意則主於爲文，蓋亦未得其本也。

又《豹隱堂記》 所謂君子之文章者何也？其惟優游厭飫，閱天下之義理，而極其要歸，存於心而安措於身，而宜發爲英華，流爲潤澤，而有不可掩者也，非外此而又有所謂文也。自孔子之前，聖賢之說可知也，而未嘗有以文與質兩立而並言者。單襄公曰：「文去質。」文去質也而曰文，此後世所疑也。蓋古之遺言如此矣。世衰道微，乃始有文似而質非者，淩雜於君子之

間，而莫能辨也。於是孔子始別白而言之曰：「文勝質則史，質勝文則野，文質彬彬，然後君子。」夫質猶文也，文猶質也，實一而名二。又或至偏勝焉者，疑非聖人之言。蓋言之不如是，則無以辨彼之不然，而明此之非有二也。使文與質而果異也，則夫敏而好學，不恥下問，自後世觀之，是爲質耶？文耶？蓋聖人之時，道之難明，辭之煩悉，則已如此矣。況又至於後世，習其名不察其實，物我異觀，體用殊致，其亦無足怪也已。

楊萬里《默堂先生文集序》 其辭質而達，其意坦而遠，其氣暢而幽。至於立朝廷，當言責，正君心，排權臣，蹇蹇不折也，是豈今之所謂文哉？蓋道學之充乎其中而溢乎其外，形乎其躬而聲乎其言者歟！【略】然士之鶩於文也，至於今亦極矣，文彌工，道彌邈，極甚必反，其不待於先生此書乎。

又《新刊盧陵誠齋楊萬里先生錦繡策》 問「本朝歐蘇二公文章」：嗟乎，爲文章而無益於實用，是特輕浮小兒販名一技耳，何貴於文章哉！甚矣文章之弊也。世之才人文匠未有不溺於浮華者，彼其泚筆點畫鐫肝鏤心，孰不齒嚼冰霜眼染雲烟，思所以平步作者之壇，潛達造化之柄哉！是故夸其健則必欲如風檣陣馬，鬭其艷則必欲如趙舞燕歌，逞其奇則必欲如峻峰激流，競其美則必欲如金輿玉輦，甚至刮一字之奇，鍊一言之巧，必欲聱牙屈曲，鏗鏘琮琤，使人戛戛難讀，然後愜其意。甚者目視飛鴻，氣如虹蜺，自謂可以虎踞詞林，鳳翥文囿，價壓機、雲而香薰賈、馬，牙官屈、宋而奴隸《離騷》矣。嗚呼，美則美矣，施之於用何所補耶？是獨未知聖賢君子之文章也。昔者孔子未嘗有意於爲文也，以聖道之蠹蝕於是而有《六經》；孟子未嘗有意於文也，以仁義之榛蕪於是而有七篇，使聖道明而仁義行，則孔孟豈有是哉！下至漢之賈誼、董仲舒、劉向、揚雄，唐之韓昌黎、陸宣公，是數子雖不足以望孔、孟，然亦非縭繪其文爲浮華者也。今取而讀之，若《治安》之策，若三篇之文，若《新序》、《說苑》之作，若《太玄》、《法言》之書，若《原道》之論，若奏議之集，無非道德性命之理，君臣父子之教，禮樂政治之法，其意純而深，其文典而雅，充乎其如五穀之飽人也，溫乎其如布帛之暖體也。是其文之有實而可用爲何如。嗚呼，傳斯文之正脈，得斯文之骨氣，上以窺孔孟之堂奧，下以躡諸公之軌轍，非吾宋歐陽六一、眉山東坡，誰足以當其任哉！

又 問「古今文章」：工以器爲主，賈以財爲主，文章以氣爲主，甚矣文章之作。步驟馳騁，抑揚高下，無非氣使之然也。其氣充者，其文傑以壯；其氣餒者，其文局以卑。輕浮而驕吝者，必無渾厚之辭；褊刻而峭急者，必多險譎之語。汪洋大肆，決非膚淺之人；磊落不羈，決非骫熟之輩也。是故文章不關於所學而關於所養，人君欲成一代之文，必先教養其文氣。君子欲自爲一家之文，必先涵養其文氣。切譬天地之於萬物，風以噓之，日以烜之，雨之所潤，露之所滋，生育長養，各極其至，然後萬物林林以生矣。一代之文係乎君之教養者，似之人之於一身調其飲膳防其邪僻，順陰陽以出納，時晝夜以寢興，呼吸榮衛，各得其宜，而後四體怡然以適也。一家之文，係乎君子之涵養者，似之昔者三代之時，有學校以樂育，有師儒以訓迪，有仁義以漸磨，奇言在所禁懼，或有以隳其氣也；異行在所誅懼，或有以汩其氣也。彼其一時之文，《書》而爲誥、誓，《詩》而爲《雅》、《頌》，自今觀之，有如太虛寥廓，萬象畢陳，滄溟渺漫，衆流畢會，豈不全且盡哉。孟子之心，不爲富貴之所淫，不爲貧賤之所移，不爲威武之所屈，鄙桓文而不道，懼有以駁吾氣也；羞管晏而不爲，懼有以卑吾氣也。彼其七篇之文，包羅天地，轇轕上下，自今觀之，有如雲掃長空，略無微翳，埃空明鑒，絕無纖疵，豈不醇且粹哉！惜乎三代而降，世無教養之君，故文章之氣缺裂而不全，孟氏而後，世無涵養之人，故文章之氣駁雜而不粹。議者乃曰：後世之文所以不三代如者，非文之偏，時不古也；後世之文所以不孟氏如者，非文之靡，人不軻也。嗚呼，古今有異世，而文章之資世者初無先後之殊；天下有異人，而文章之在人者初無賢否之別，直顧其胸中所養何如耳。【略】唐以辭章取人，其鶴膝蜂腰，錦心繡口，非不可喜也，然取青媲白，駢四儷六，則破天下之文氣矣。漢以經術造士，其敷暢儒雅，緣飾吏事，非不有得也，然阿附取容，諂諛順旨，則弱天下之文氣矣。噫，文章缺裂一至於此，不如三代之全且盡無惑也。孟氏而後，操修涵養之人幾何人哉。

陸游《周益公文集序》 天之降才，固已不同，而文人之才尤異。將使之發册作命，陳謨奏議，則必畀之以閎富淹貫溫厚爾雅之才，而處之以帷幄密勿之地，故其位與才常相稱。然後其文足以紀非常之事，明難喻之指，藻飾治具，風動天下，書黃麻之詔，鏤白玉之牒，藏之金匱石室，可謂盛矣。若夫將使之闡道德之原，發天地之秘，放而及於鳥獸蟲魚草木之情，則畀之才亦必雄渾卓犖，窮幽極微。又畀以遠遊窮處，排擯斥疎，使之磨礲齟齬，瀕於寒餓，以大發其藏，故其所賦之才與所居之地，亦若造物有意於其間者。

雖不用於時，而自足以傳後世。此二者，造物豈眞有意哉？亦理之自然，古今一揆也。

楊時《二程粹言》卷上　子曰：理者，禮也，文也。禮者，實也，本也；文者，華也，末也。理文若二，而道一也。文過則奢，實過則儉，奢自文至，儉自實生，形影之類也。

又　或問：爲文有害於大學之道乎？子曰：是其爲業也，不專則不工也。專則志局於此，斯害也已。學以養心，奚以文爲？五經之言，非聖人有意於文也，至蘊所發，自然而成也。

朱熹《與汪尚書》　去春賜教，語及蘇學，以爲世人讀之，止取文章之妙，初不於此求道，則其失自可置之。夫學者之求道，固不於蘇氏之文矣。然既取其文，則文之所述有邪，有正，有是，有非，是亦皆有道焉，固求道者之所不可不講也。講去其非以存其是，則道固於此乎在矣，而何不可之有。若曰惟其文之取，而不復議其理之是非，則是道自道，文自文也。道外有物，固不足以爲道，且文而無理，又安足以爲文乎！蓋道無適而不存者也。故即文以講道，則文與道兩得，而一以貫之。否則，亦將兩失之矣。中無主，外無擇，其不爲浮誇險詖所入而亂其知思也者幾希。況彼之所以自任者，不但曰文章而已。既亡以考其得失，則其肆然而談道德於天下，夫亦孰能禦之。

又《答張敬夫》　心譬之水，是因知言，有此言而發。然性情既有動靜，善惡既有順逆，則此言乃自然之理，非用意差排也。人無有不善，此一言固足以具性情之理，然非所以論性情之名義也。若論名義，則如今來所說，亦無害理，不費力，更推詳之太極圖立象盡意，剖析幽微，周子蓋不得已而作也。觀其手授之意，蓋以爲唯程子爲能受之。程子之祕而不示，疑亦未有能受之者爾。夫既未能默識於言意之表，則道聽塗說，其弊必有甚焉。

又《答林擇之》　文之不可無質，猶質之不可無文。若質而不文，則虎豹之鞹猶犬羊之鞹矣。鞹須依舊說，細看來喻，卻覺文義不通。天以誠命萬物，萬物以誠順天，此語固有病。而所改云，天命萬物，萬物奉天，誠也。亦枯槁費力。若曰：天之命物也，以其誠，誠之在物也，謂之天，不知如何？

又《讀唐志》　歐陽子曰：「三代而上，治出於一，而禮樂達於天下；三代而下，治出於二，而禮樂爲虛名。」此古今不易之至論也。然彼知政事禮樂之不可不出於一，而未知道德文章之尤不可使出於二也。夫古之聖賢，其文可謂盛矣，然初豈有意學爲如是之文哉。有是實於中，則必有是文於外，如天有是氣，則必有日月星辰之光耀；地有是形，則必有山川草木之行列。聖賢之心，既有是精明純粹之實，以旁薄充塞乎其內，則其著見於外者，亦必自然條理分明，光輝發越而不可揜。蓋不必托於言語，著於簡册，而後謂之文。但自一身接於萬事，凡其語默動靜人所可得而見者，無所適而非文也。姑舉其最而言，則《易》之卦畫，《詩》之詠歌，《書》之記言，《春秋》之述事，與夫《禮》之威儀，《樂》之節奏，皆已列爲《六經》，而垂萬世。其文之盛，後世固莫能及，然其所以盛而不可及者，豈無所自來而世亦莫之識也。故夫子之言曰：「文王既沒，文不在兹乎。」蓋雖已決知不得辭其責矣，然猶若逡巡顧望，而不能無所疑也。至於推其所以興衰，則又以爲是皆出於天命之所爲，而非人力之所及，此其體之甚重，夫豈世俗所謂文者所能當哉！孟軻氏沒，聖學失傳，天下之士背本趨末，不求知道養德以充其內，而汲汲乎徒以文章爲事業。然在戰國之時，若申、商、孫、吳之術，蘇、張、范、蔡之辨，列禦寇、莊周、荀況之言，屈平之賦，以至秦漢之間韓非、李斯、陸生、賈傅、董相、史遷、劉向、班固，下至嚴安、徐樂之流，猶皆先有其實，而後託之於言，唯其無本，而不能一出於道，是以君子猶或羞之。及至宋玉、相如、王褒、揚雄之徒，則一以浮華爲尙，而無實之可言矣。雄之《太元》、《法言》，蓋亦《長楊》、《校獵》之流，而粗變其音節，初非實爲明道講學而作也。東京以降，訖于隋唐，數百年間，愈下愈衰，則其去道益遠，而無實之文，亦無足論。韓愈氏出，始覺其陋，慨然號於一世，欲去陳言以追《詩》《書》六藝之作，而其弊精神，縻歲月，又有甚於前世諸人之所爲者。然猶幸其略知不根無實之不足恃，因是頗泝其源而適有會焉，於是《原道》諸篇始作。而其言曰：「根之茂者其實遂，膏之沃者其光曄，仁義之人其言藹如也。」其徒和之，亦曰：「未有不深於道而能文者，則亦庶幾其賢矣。」然今讀其書，則其出於諂諛戲豫放浪而無實者，自不爲少。若夫所原之道，則亦徒能言其大體，而未見其有探討服行之効，使其言之爲文者皆必由是以出也。故其論古人，則又直以屈原、孟軻、馬遷、相如、揚雄爲一等，而猶不及於董、賈；其論當世之弊，則但以詞不己出，而遂有神徂聖伏之嘆。至於其徒之論，亦但以剽掠僭竊爲文之病，大振頹風，教人自爲，爲韓之功，則其師生之間傳受之際，蓋未免裂道與文以爲兩物，而於其輕重緩急本末賓主之分，又未免於倒懸而

逆置之也。自是以來，又復衰歇數十百年，而後歐陽子出。其文之妙，蓋已不愧於韓氏，而其曰治出於一云者，則自荀、揚以下皆不能及，而韓亦未有聞焉，是則疑若幾於道矣。然考其終身之言與其行事之實，則恐其亦未免於韓氏之病也。抑又嘗以其徒之說考之，則誦其言者，既曰吾老將休，付子斯文矣；而又必曰，我所謂文，必與道俱。其推尊之也，既曰今之韓愈矣，而又必引夫文不在茲者以張其說。由前之說，則道之與文，吾不知其果爲一耶？爲二耶？由後之說，則文王、孔子之文，吾又不知其與韓、歐之文，果若是其班乎？否也？嗚呼，學之不講久矣，習俗之謬，其可勝言也哉！

《朱子語類》卷一三九《論文上》 有一等人專於爲文，不去讀聖賢書。又有一等人知讀聖賢書，亦自會作文，到得說聖賢書，卻別做一箇詫異模樣說。不知古人爲文，大抵只如此，那得許多詫異！韓文公詩文冠當時，後世未易及。到他上宰相書用「菁菁者莪」，詩注亦齊都寫在裏面。若是他自作文，豈肯如此作？最是說「載沉載浮，沉浮皆載也」，可笑！載是助語，分明彼如此說了，他又如此用。

又 才卿問：「韓文李漢序頭一句甚好。」曰：「公道好，某看來有病。」陳曰：「文者，貫道之器。且如《六經》是文，其中所說皆是這道理，如何有病？」曰：「不然。這文皆是從道中流出，豈有文反能貫道之理？文是文，道是道，文只如喫飯時下飯耳。若以文貫道，卻是把本爲末，以末爲本，可乎？其後作文者皆是如此。因說蘇文害正道，甚於老佛，且如《易》所謂『利者義之和』，卻解爲義無利則不和，故必以利濟義，然後合於人情。若如此，非惟失聖言之本指，又且陷溺其心。」先生正色曰：「某在當時，必與他辯。」卻笑曰：「必被他無禮。」

又 今人作文，皆不足爲文。大抵專務節字，更易新好生面辭語。至說義理處，又不肯分曉。觀前輩歐、蘇諸公作文，何嘗如此？聖人之言坦易明白，因言以明道，正欲使天下後世由此求之。使聖人立言要教人難曉，聖人之經定不作矣。若其義理精奧處，人所未曉，自是其所見未到耳。學者須玩味深思，久之自可見。何嘗如今人欲說又不敢分曉說，不知是甚所見。畢竟是自家所見不明，所以不敢深言，且鶻突說在裏。

又 道者，文之根本；文者，道之枝葉。惟其根本乎道，所以發之於文，皆道也。三代聖賢文章，皆從此心寫出，文便是道。今東坡之言曰：「吾所謂文，必與道俱。」則是文自文，而道自道，待作文時，旋去討箇道來入放裏面，此是它大病處。只是它每常文字華妙，包籠將去，到此不覺漏逗。說出他本根病痛所以然處，緣他都是因作文，卻漸漸說上道理來，不是先理會得道理了，方作文，所以大本都差。歐公之文則稍近於道，不爲空言。如唐《禮樂志》云：「三代而上，治出於一；三代而下，治出於二。」此等議論極好，蓋猶知得只是一本。如東坡之說，則是二本，非一本矣。

又 一日說作文，曰：不必著意學如此文章，但須明理。理精後，文字自典實。伊川晚年文字如《易傳》，直是盛得水住！蘇子瞻雖氣豪善作文，終不免疎漏處。

陳造《題六君子古文後》 古不以文名，而其文垂後邈不可及，人非學而能何，道使然哉！後之人有志於古，必力學僅自立，學雖力而不至焉者，皆是也。古文衰于東京，至唐韓、柳則盛，未幾復衰，至本朝歐公復盛，起衰爲盛，非學力深至不能。予是焉學，久未有愜于心，乃取六君子文類而讀之，如昌黎之粹而古，柳州之辨而古，六一之渾厚而古，河南之簡切而古，南豐之密而古，後山之奇而古，是皆可仰可師。

陸九淵《與吳子嗣》 文字之及條理燦然，弗畔於道，尤以爲慶。第當勉致其實，毋倚於文辭，不言而信，存乎德行。有德者必有言，誠有其實，必有其文。實者，本也；文者，末也。

又《策問》 問：古不以科舉取士，天下之從事者不專於文。至漢始射策決科，然仕進者不一途，習其業者未始專且重也。綿延以至於唐，進士爲重，選習其文者，殆遍天下，至於今不變，文宜益工於古。然六經之文，先秦古書，自漢而視之已不可及，由漢以降，視漢之文又不可及矣。唐三百年，文章宗伯惟韓退之，其次柳子厚，而二人皆服膺西漢之文章，恨悼當世鮮有能共興者，何耶？夫文一也，豈科舉之文與古之文固殊而不可同耶？何其習之者益專且衆，而益不如也。言而不文，行之不遠。子以四教，文與居一焉，文固聖人所不廢也。然夫子四科，善言德行者，不在言語之科，而言語又不與文學。自小應對，至于會同之相，四方之使，言語之用，亦重矣，而反不與文學。則所謂文學者，果何所習而何所用耶？科舉取士，未遽可變，而諸公于科舉之習，亦未能遽免。方將朝夕從事於文，其所以爲文者，可不深知乎。

陳亮《復吳叔異》 亮聞古人之於文也，猶其爲仕也。仕將以行其道也，文將以載其道也。道不在我，則雖仕何爲？雖有文，當與利口者爭長耳。韓退之《原道》無愧於孟、荀，而終不免以文爲本，故程氏以爲倒學。況其止於馳騁語言者，固君子所不道。

黃裳《上黃學士書》 道德之失，其弊害法；文章之失，其弊害道。世之爲文章者，採摭襲蹈，苟致文華，文章之所自來者曾不及知之，則其害道也，何可勝言哉！論文章者，謂氣之所寓，此固是也。而氣之所以寓乎文章，未有能言者。嘗謂氣之高下，自夫學之遠近，古人之學由心而見性，由性而見天，由天而見道，然後其志高明，其氣剛大，出乎萬物之表。我無物而交之，物無我而引之，故其氣之來也，本乎性天，發乎德機，而形見乎聲色。聲色不足寓之也，一寫於文辭也。與萬物之理相得於無窮，與萬事之變相適於無常，有如泉源自山之幽，決爲長江大河，時于平流之中，湧爲洪瀾驚湍，出人不意，開悟其耳目，然後滔滔其東下，豈非其志高明，其氣剛大，世氣俗趣不足以係累其靈臺者耶。不然，義理之感物，何其愈有而不可盡也。向之默也，其氣復爲至精；今之言也，其氣散爲太和。誦而思之，則育天下之德；舉而行之，則集天下之事。載道而之後世也，雖發於名數中而自得之者，其意未始有盡焉。蓋文生於性實，而性實出乎誠心之虛一，故其爲文章也，迹方而意圓，迹實而意虛，非才人之文也，有道者之文耳。嘗謂有道者之氣，其猶天元也歟。當夫杳冥而未發也，萬物之理含孕乎其中，及其天行也，葩華枝莖發出於草木，好音幽情發出於禽鳥，天理自現在人之視聽，使人欣然愛之，烏知其造之者耶。然而春之華萬物也，豈常用意於其間哉！太和之氣，其來遠矣，性天高明，空空無物，隨所感寓，發爲辭章者，無以異乎天元之華萬物也。豈徒華之哉，華之所以求其實焉，非文其言也，言理而文之耳。其文者，理則實存焉，以之思則育天下之德，以之行則集天下之事，無以異乎天元之實萬物也。有是道者，其孔子歟。性與天道，孔子寓乎文章者也。人之學未能由心而見性，由性而見天，由天而見道，則聖賢所以言者，其誰得之哉！是以子貢曰：「性與天道，不可得而聞也。」楊子曰：「子貢得其言矣，未得其所以言也。未得其所以言者，其性與天道之所在歟！」聖人所傳，其後子思得之；子思所傳，其後孟子得之。是以《中庸》七篇其言身，夫性天而寓之中，而高約，而詳源，源其來不知其得之易也。世習物累，不得傷其氣而病其文，則性與天道，二子見之矣。二子之後學者，失其傳焉。其性無天，其心無官，其志無君，其氣無帥，是以物物入而累之言辭之間，徇物而用其氣。短於氣者，無才以運動之；俗於氣者，無德以高明之；豪於氣者，無道以虛靜之。且夫率性而合之則有道，充性而長之則有才德，而彼方與物競者，未足以見性，則其氣特發於胸間耳。是以譏娛調談，窮愁憂憤，鄙俚陳舊，一發于文辭，及索其實用，則其言廢矣。荀卿、司馬遷、揚雄、王通、韓愈，當斯文寂寥中特起而言焉，更想著書以見於後世。然而荀之文繁多豪縱，聖人言而盡者，荀至譊譊而未之得也。文久而息，節奏久而絶，荀以殺詩書，幽思而無說，閉約而無解，荀以非孟子，彼不知約者，所以爲詳，無說乃實有說耳。予嘗謂子游之學，其後荀卿尊之，荀卿之後，叛而爲李斯，聖人所以言者，蓋自子游已不及矣，其後爲荀卿之學，豈足怪哉！雖然，荀以一言殺《詩》《書》，而李斯輒乘其說而禍之，荀所謂暴其氣者也。遷之文，採摭涉獵上下數千載間，有才而富於學者也，無一以貫之，疏略牴牾，未始有擇焉。此其文也，其文之理，乃至進姦雄以亂正，羞貧賤以害義，其志之君，不靜故也。然而文章之休，至雄而少全焉。王通曰：「其思苦，其言艱。」其思不苦，亦安得其所以爲雄哉！惟其思苦，此雄之氣所以從性天之中來耳。道德之意多見于《法言》，及其行也，趨蹶於閤下，此亦思苦之不達歟！有思焉不必苦，而得之則於幽疑之間，感忽之際，其理甚明，視死生尤覺夢耳，安得暴其氣哉。王通之文，無道以虛靜之，故僭聖人；無才以運動之，故剽竊《論語》，無足取者。退之有才者之文耳，其廢黜也，不知有命；其取與也，不知有義，迹爲道之大方，喪於此矣。才華之可愛，何足尚哉！退之曰：「荀揚大醇而小疵。」而予謂：大疵而小醇者，其退之歟！無他，世習物累，得以傷其氣，而病其文耳。數子之聰明，其失如此，鄙俚陳舊，一寫于文辭者，可勝計哉！不必議也。故予觀人之文章，竊知其爲人，其人之可愛者，嘗曠數百歲而莫之遇也。嘗欲深遠其氣，使夫世習物累，不能輒然搖動於聲色，有物感觸其虛一，然後肆筆而書之，古意瀰漫，浩無津涯，則著爲議論；風思飄逸，不可禁止，則發爲歌思；如春盛時，天理之中，萬物自動，縱筆而書之，未嘗私一言焉，然後爲得耳。雖然，不肖者有志于此，而未之到者也。其氣方當致養之時，而或爲事物相感不能自禁，遂見於訓解序記之中，雜出于歌詠，凡數萬言，未敢以望子思、孟子，而鄙俚陳舊

一發於文辭者，僕所不願道也。

趙汝讜《水心集原序》 蓋周典孔籍之奥不傳，左册馬書之妙不續，詩迄韋張，騷降景宋，華與質始判，正與奇始分，道失其統緒久矣。世遂以文爲可玩之物，爭慕趨之，騁馳以其力，雕鎪以其巧，彰施以其色，暢達以其才，無不自托於文，而道益離矣。豈能言易，知言難歟。或者反之，則曰吾亦有道焉爾，文奚爲哉？夫子不云乎：「言之不文，行之不遠。」六藝非萬世之文乎？以詞爲經，以藻爲緯，文人之文也。以事爲經，以法爲緯，史氏之文也。以理爲經，以言爲緯，聖哲之文也。本之聖哲，而參之史，先生之文也，乃所謂大成也。

葉適《周南仲文集後序》 夫文者，言之衍也。古人約義理以言，言所未究，稍曲而伸之爾。其後俗益下，用益淺，凡隨事逐物，小爲科舉，大爲典册，雖刻穠損華，然往往在義理之外矣，豈所謂文也。君子於此寄焉，則不足以訓德；學者於此習焉，則定以害正。力且盡而言不立，去古人不愈遠乎！

王柏《發遣三昧序》 文章有正氣，所以載道而記事也。古人爲學，本以躬行講論，義理融會貫通，文章從胸中流出，自然典實光明，是之謂正氣。後世專務辭章，雕刻纂組，元氣漓矣。間有微見義理，因得以映帶點綴於言語之中，是之謂倒學。至於書疏尺牘，亦日用之不可缺者，尤宜爾雅。筆勢欲圓而暢，筆力欲簡而嚴，非學問不足以至之。學得其本，此爲易事。

曾豐《答劉師董書》 兄之叩我者，時文也。歐蘇之門，無道時文之學者，無已則古乎？曷謂古？曰：自我作古，眞古也；自人作古，假而已矣。假之不勝乎眞，固也。必不得已爲假歟？雖然，率未易入也，沿波討源，必也韓、柳乎？文章之作，譬則醞醴也。韓之麴糵，惟其中而已矣，熟未熟，聽其自然，故其熟也醇；柳之麴糵傷矣，故其易熟而暴。夫所謂暴醴者，初飲而醉，過醉而病。至於醇酎，人之飲之初若無力，久而後醉，醉則莫知所以然而非病。韓、柳氏沒，歐、蘇氏作，歐之麴糵醇乎韓，蘇之麴糵雜乎柳。韓、柳、歐、蘇，蓋兄之麴糵。雖然，韓、歐難入，柳、蘇易入，易入者先入，而難入者後入，則先入者爲主，後入者爲客，客之不敵主也，勢也，權其主客之勢，而制其中，三柳而七韓，四蘇而六歐可也。反是則傷矣。嗚呼，甚矣文氣之難調哉！一失手焉，終身不救。其以兄之顯拔，自我作古，夫豈難。或者退遜未遑，則四君子之文，兄宜假途焉。孟子曰：「久假而不歸，烏知其非有也。」雖然，假人之爲，當先去己之病，文章之病，不于其他，于浮、于碎、于偶，如斯而已矣。去浮、去碎、去偶，是謂妙天下之文，而韓、柳、歐、蘇之麴糵不止也，是亦教玉人雕琢玉哉！

陳騤《文則》卷上 《六經》之道，既曰同歸，《六經》之文，容無異體。故《易》文似《詩》，《詩》文似《書》，《書》文似《禮》。《中孚·九二》曰：「鳴鶴在陰，其子和之；我有好爵，吾與爾靡之。」使入《詩》雅，孰别《爻辭》？《抑》二章曰：「其在于今，興迷亂于政，顛覆厥德，荒湛于酒，汝雖湛樂從，弗念厥紹，罔敷求先王，克共明刑。」使入《書》誥，孰别《雅》語？《顧命》曰：「牖間南嚮，敷重篾席，黼純，華玉仍几。西序東嚮，敷重底席，綴純，文貝仍几。東序西嚮，敷重豐席，畫純，雕玉仍几。西夾南嚮，敷重筍席，玄紛純，漆仍几。」使入《春官·司几筵》，孰别《命》語？

姚珤《崇古文訣原序》 文者，載道之器。古之君子非有意於爲文，而不能不盡心於明道，故曰辭達而已矣。能達其辭於道，非深切著明，則道不見也。此文之有關鍵，非深於文者，安能發揮其藴奥，而探古人之用心哉！

王質《于湖集序》 文章非人之所爲，天地之氣發露而爲英華，而人隨其淺深能否得之。世運風俗轉移遷流，愈降而愈薄，此可以觀氣之盈虧。自混淪以前，其略見于釋氏之《長含經》，而開闢以後，其詳見于邵氏之《皇極經世》，此文章所以有高下，而亦奚獨文章也。司馬子長、班孟堅，世以爲匹，觀張騫之贊，子長、孟堅增損之語，可以見人情之廣狹。枚乘，漢之劣，而柳子厚雄于唐者也。觀乘之《七發》與子厚之《八問》，可以見物態之厚薄。【略】世之風俗與天地之氣俱爲消息盈虛，而吾之心未嘗有所虧盈也。自三代而降，《中庸》、《大學》之旨不傳，而危微精一之學遂廢，世徒以智力精神與萬物相抗，而奪其情狀，爲吾之文章，不知吾之智力精神與氣運風俗同流，而我弗能制也。若是，何怪道愈降文益衰。夫惟至誠不息之功全，而克己復禮之力厚，自爲主宰，不爲氣運風俗所遷，吾之智力精神返而與泰定之光相合，不隨古今之變而常新無窮，則三代之文章，居然可致也。林間之夫，漢上之女，與今之學士大夫，其賢愚工拙，宜至相絶矣。而《兔罝》、《漢廣》之聲，非後世可吐，此惟其有莫不好德之心，故其音純；有無思犯禮之念，故其音正。世溺于勢利聲名而方寸之地，爲萬物往來馳騁之塗，蹂踐吾之精靈，

其力至淺鮮矣。叙事而有《大禹》、《臯陶》、《益稷》之謨，論諫而有《說命》、《旅獒》、《立政》之書，諭衆而有《梓材》、《多方》之訓，析理而有《洪範》之文，此非可以取必于其辭，而其存諸中者。如玉在石，珠在淵，溫純明湛之輝，因物顯容，而自莫如此，天下之至文也。

林亦之《伊川子程子論》 堯、舜、禹、湯、文、武、周公、仲尼之道，吾於程子不敢有毫釐異同之論。然伊川之門謂學文爲害道，似其說未必然也。蓋自有天地以來，文章、學問並行而不相悖。周公、仲尼其兼之者乎。自是而後，分爲兩塗，談道者以子思、孟軻爲宗，論文者以屈原、宋玉爲本，此周公、仲尼之道所以晦而不明，闕而不全者也。請以《六經》言之：《六經》之道，窮情性，極天地，無一毫可恨者。《六經》之文，則春容蔚媚，簡古險怪，何者爲耳目易到之語，是古之知道者，未嘗不精於文也。苟工於文章而不知學問，則大道根源必闇，然無所識；通於學問而不知文章，則古人句讀亦不能無窒礙，是皆未可以談六經也。故太史遷、司馬相如、揚子雲、韓愈之徒，文非不工也，而道德之奥茫昧無所見，其不可以談《六經》也明矣。程子以學文爲害道，則於《六經》淵源，雖極其至，而鼓吹天地，謳吟情性，又將何所託也？是安得謂之集大成者乎！故《六經》句讀，亦不能無窒礙也。孟軻氏以來，千有餘年，乃得一程子，惜夫恥於論文，故《六經》事業，亦或有闕而未備者。信乎此道之難也！學者欲無愧於《六經》，無慙於周公、仲尼，則學問固爲大本，而文章亦不得爲末技也。

樓鑰《答綦君更生論文書》 來書謂長江東流，不見其怪，瞿塘灩澦之所迫束，而後有動心駭目之觀，誠是也，然豈水之性也哉！水之性本平，彼遇風而紋，遇壑而奔，浙江之濤，蜀川之險，皆非有意于奇變，所謂湛然而平者，固自若也。灩澦之立中流，或謂其乃所以爲平，此言尤有深致。故樂之未亡也，與天地同和，可以感發人之良心。而其既亡也，史紀其精者，謂能使人歎息悽愴，至泣下霑襟者，然後以爲聲之妙，曾不知哀以思者，乃亡國之音，所謂安以樂者何在耶？淸廟之瑟，一唱而三嘆，其亦異于後世之樂矣。妄意論文者，當以是求之，不必惑于奇而先求其平。唐三百年，文章三變而後定，以其歸于平也。而柳子厚之稱韓文公，乃曰文益奇。文公亦自謂怪怪奇奇。二公豈不知此，蓋在流俗中以爲奇，而其實則文之正體也。宋景文公知之矣，謂其粹然一出于正，至其所自爲文，往往奇澀難讀，豈平者難爲工，而奇者易以動，文人氣習，終未免耶。典謨訓誥，無一語之奇，無一字之異，何其渾然天成如此。文人欲高一世，或挾戰國策士之氣，以作新之，誠可以傾駭觀聽，要必有太過處。嗚呼，如伊川先生之《易傳》，范太史之《唐鑑》，心平氣和，理正詞直，然後爲文之正體，可以追配古作。而遽讀之者，未必深喜波平水靜，過者以爲無奇，必是高崖懸瀑而後快。韓文公之文，非無奇處，正長江數千里，奇險時一間見，皆有觸而後發，使所在而然，則爲物之害多矣。故古文之感人，如淸廟之瑟，若孟郊、賈島之詩，窮而益工者，悲憂憔悴之言，雖能感切，不近于哀以思者乎？

袁說友《成都文類序》 天地之祕藏，發而爲名山大川，山川之秀靈，騐而爲文章華藻，二者相爲頡頏而光明者也。《兩京》、《三都》之賦，摹寫天地，繪繡山川，絢道德，揆天庭，潤金石，諧韶濩，與乾坤造化，周流盛大於宇宙之間，千百萬世下，而知有《兩京》、《三都》者，以此文也。然則天地山川而可無此文哉！而可以不傳此文哉！益，古大都會也，有江山之雄，有文物之盛，奇觀絕景，僊游神迹，一草一木，一丘一壑，名公才士，騷人墨客，窺奇吐芳，聲流文暢，散落人間，何可一二數也。

王炎《鱅溪老人集序》 文與行相符，亦與行相異。《酒德》一頌，可以知劉伯倫之曠達；《陳情》一表，可以知李令伯之純孝，此文與行符者也。陶靖節之冲淡，宋廣平之毅，而《閒情》、《梅花》兩賦，詞旨婉麗，若非二君子所道之語，此文與行異者也。

劉爚《日湖文集序》 夫文者，技之末爾，而以定君子小人之分，何耶？蓋嘗思之，雲和之氣，不生茨棘之林；儀鳳之音，不出烏鳶之口。自昔有意于文者，孰不欲媲典謨，儷風雅，以希後世之傳哉！卒之未有得其彷彿者。蓋聖人之文，元氣也，聚爲日星之光耀，發爲風霆之奇變，皆自然而然，非用力至也。自是以降，則眡其資之薄厚與所蓄之淺深，不得而遁焉。故祥順之人其言婉，峭直之人其言勁，慢肆者亡莊語，輕躁者亡確詞，此氣之所發者然也。家刑名者，不能新孟氏之仁；義祖權譎者，不能暢子思之中庸。沈涵六藝，咀其精華，則其形者亦不可揜，此學之所本者然也。是故致飾語言，不若養其氣，求工筆札，不若勵于學。氣充而學粹，則雖崇德廣業亦自此進，況其外之文乎！此人之所可用力而至也。持偏駁之資，乏眞積之力，而區區以一鍤擬江河，寧有是哉？

又《漳泉科舉論士》 文章者，精神之所發見者也。和平其心，清明其氣，猶恐心手未能相應，況於喧譁嗷躁，奔走頓撼之餘，精神氣血交擾於內，非終日不能以定，而欲下筆之際，詞采煥然，義理條達，難矣。

王正德《餘師錄》卷一 柳宗元作《楊評事集序》云：「文有二道：辭令褒貶，本乎著述者也。導揚諷諭，本乎比興者也。著述者流，蓋出於《書》之謨、訓，《易》之象、繫，《春秋》之筆削，其要在於高壯廣厚，詞正而理備，謂宜藏於簡册者也。比興者流，蓋出於虞夏之詠歌，殷周之《風》、《雅》，其要在於麗則清越，言暢而意美，謂宜流於謠誦者也。茲二者，考其旨義，乖離不合，故秉筆之士，恆偏勝獨得，而罕有兼者焉。厥有能而專美，命之曰藝成，雖古文雅之盛世，不能並肩而生。唐興以來，稱是選而不怍者，梓潼陳拾遺，其後燕文正以述作之餘，攻比興而莫能極；張曲江以比興之隟，窮著述而不克備，其餘各探一隅，相與背馳於道者，其去彌遠。文之難兼，斯亦甚矣。」

史堯弼《蓮峰集》卷三《策問》 問：甚哉文章之變，其得喪之關於天，而盛衰之關於世也。孔子曰：「天之將喪斯文也，後死者不得與於斯文也。天之未喪斯文也，匡人其如予何！」文之用否其大矣哉！三代之盛，訓誥誓命之文，風賦雅頌之作，道德仁義禮樂寓于其中，聖賢之心術，天下理亂之幾微皆在，得非關於天者哉？至其衰季，孔子出焉，刪定繫述之文作，而其用被于千萬世，何其甚盛也，豈亦禹、湯、文、武有以作成之歟！漢司馬相如輩所作，而班固遂以爲漢文章與三代同風，其果信然耶？然固之論，如賈誼、司馬遷、揚雄不在其列，何也？唐文自太宗以來，猶未改六代浮靡之習，大曆、貞元間，韓愈、李翺、柳宗元出，而唐文始復古，亦可以庶幾三代之文否也。漢唐之文，君亦有以作成之歟！恭惟吾宋二百餘年，文物之盛，跨絕百代，蓋其始盛於慶曆、嘉祐、治平，而後一振於元祐，文采述作，論議術學，衆多繁夥，又非漢唐之所可幾及矣。然則祖宗之所以作成之者，亦以何道哉！夫得喪之關天，盛衰之關世，千百年之間，其盛不過漢與唐與吾宋三而已。但吾宋之文章，其所從興與其所從盛者何由？與三代與漢與唐何辨？作成之道何由？斷而論焉，一王之法，爲百世之鑑可也。

王舜玉《北溪大全集原序》 道之顯者謂之文，措辭艱深，造語險怪，文云乎哉？《六經》，乾坤也；《四書》，日月也。矢口成言，下筆成書，惟盤誥雜以方言，初未嘗艱深險怪也。

陳淳《答蔡廷傑二》 聖賢學問，實未嘗有妨於科舉之文，蓋理義明則文字議論益有精神，光采耀然，從肺腑中流出，自切人情，當物理，爲天下之至文，而非常情所及者。

又《答徐懋功二》 講明是道，則爲學；實踐是道，則爲行；實得是道，則爲德；舉而措之天下，則爲事業；而發達於言詞，則爲文章。故道與文，非二物也。是則吾道豈日用人事之外，別爲一等幽微玄妙之説，而文即是理之所形見，豈能有外乎道哉！道者，文之根本；文者，道之枝葉華實。道即體，文即用，彌中而彪外，和順積而英華發。《六經》，孔子之文也，而實孔子之道，所以渾然一本者，流行貫通也。七篇，孟子之文也，而其大本自性善而來，故醇醇乎仁義王道之談。荀卿惟不識大本，故其文偏駁而不純。揚雄惟善惡無別，故其文淺短而艱晦。董子最得聖賢之意，故三篇之策純如也，惟其見道不甚明白，故其失也緩而不切。韓子惟有見乎堯、舜、禹、湯、文、武、周、孔之傳，故其文雄深雅健，最爲近古，惟其知用而不及體，故無精微縝密之功。歐陽之文步驟最學韓，而欠韓之健，不免淺弱而少理致，由其不事性學，無韓之淵源。眉山之文，老蘇波瀾最爲雄健，然縱橫偏駁，原於戰國之學，歐陽子以爲似荀卿，其偏駁者相似也。東坡雄健大不及其父，然節氣所充亦英發，但揆之理，則不十語必差，未能改家學縱橫之舊。至子由則弱矣，又不及其兄，然其致頗近理而少繆，又似過於兄，惟所學以虛無爲宗，皆非有聖賢之淵源者也。若濂溪關洛諸儒宗不爲文，惟其道體昭明，間有著書遺言一二篇，實與聖經相表裏，爲萬世之至文。歷考古今其文之粹者，未有不根本於道，而多駁不純者，皆由是理之不明者也。若今科舉之文，至爲陳腐爛熟，浮虛卑薾，不足以古人前輩論，然其所以爲文，亦豈能外天理人物，離身心萬事而爲説哉！既不能外天地人物，離身心萬事爲説，則所以行乎天地人物之中，身心萬事所當然之理，古今所共由而不可離者，正所以資文之精采，而發文之波瀾，何有妨於文哉！雖今之文不本於道，而文中之傑者，蓋亦有與道暗合，由之而不知者也。況國家法令，何嘗禁人爲理致之文，而有司程度，亦豈必取夫無理之文哉？學者惟窮理之不精，而見義之不明爾。理義決非害人之具，果能窮格工夫，至到胸中昭融洞徹，無一毫之少蔽，則於吐詞論事，如冰融凍釋，如破竹迎刃而解，如春陽著物，隨所至無不敷榮條暢，又何艱深蹇塞之爲乎？故凡狀物意之不切者，由其見物理之

不眞也；論事情之不白者，由其燭事理之不瑩也。然則理義於文章，果不相爲悖，而世儒交攻卑陋之說，無足惑，亦無足責也。

又《北溪大全集》卷三八《答問》 問夫子之文章：文是條理相錯，章是彰著可觀。

又 問文章性天道：文章固是性天道之發，然聖人敎不躐等，平時只是教人以文章，到後來地位高，方語以性天道爾。

程珌《賜名清湘書院記》 道以文而後名，文以道而爲古。

又《李文昌表箋集序》 文以氣爲主，學充之，辭緣之。至梁昭明以體爲的，而後其論大備。蓋眞宰散淋漓清濁之氣，人得之則能吐英奇，陶物象而爲文，然則有體也，不以體焉，夫人可能也。體以爲的，則駑車不得後，騄龍不敢先矣。怡軒先生亡他嗜，獨與書爲神交，根本《六經》，貫穿百氏，牛醫馬經，亡所不窺，發而爲文，則汪洋浸漬，聯綿縹緲，若太虛霏霏而不結，明河澹澹而流光。乃若見之章奏，則又明白整嚴，純正懇惻，與他文輒不類，蓋章奏之體當然也。

劉本《初學記原序》 聖人在上而經制明，聖人在下而述作備。經制之明，述作之備，皆本於天地之道。聖人體天地之道，成天地之文，出道以爲文，因文以駕道。達而在上，舉而措之，其見於刑名度數之間者，禮樂之文，所以明經制也；窮而在下，卷而懷之，其藏於編籍簡册之間者，詩書之文，所以備述作也。禮樂之文，炳若丹青；詩書之文，潤於金石。非吾聖人直爲是炳炳琅琅者，以誇耀於千萬世之人也。由是以載其道，而濟千萬世之人者也。《傳》曰：「經天緯地之謂文。」聖人措斯文於禮樂，以化成於天下者，莫若乎文王，故曰：「周監於二代，郁郁乎文哉！」乃若文王，則可謂之文也已矣；聖人藏斯文於詩書，以化成於後世者，宜莫若乎孔子，故曰：「天之未喪斯文也！」乃若孔子，則可謂之文也已矣。禮樂之文，隨世而存亡，不見其大全，惟是詩書垂世，煥乎其可觀者，皆貫道之器，非特雕章繢句，以治聾俗之耳目者也。學者不問古人之文爲貫道之器，誦其詩，讀其書，往往獵取其新奇壯麗，以駕其道聽塗說。入乎耳，出乎口者，發爲一切之文，自許高風逸氣，可以跨越乎古今；峻峯激流，可以眺駭乎觀聽。謂天地造化之工皆在其筆端，而聖人之用心處爲盡在此矣。所謂郁郁之文，可以明經制；未喪斯文，可以備述作。當年天下，異時來世，所賴以濟者，未嘗過而問焉，可勝惜哉！嘗謂人生而不學，與無生同；學而不能文，與不學同；能文而不載乎道，與無文同，文之不可以已也！如此，是以近世有摘《六經》諸子百家之言而記之，凡三十卷。開卷而上下千數百年之事，皆在其目前。可用以駢四偶六，協律諧呂，爲今人之文，以載古人之道，眞學者之初基也。愚願學者摭此以成文，因文以貫道，祈至於文王、孔子之用心處而後止，毋爲獵取其新奇壯麗之語，雕章繢句以治聾俗之耳目焉，乃善學者也。

何希之《石遠叔集序》 文章視其一時風聲氣俗所爲，而巧拙則存乎人，亦其所養有薄厚，故激揚沈抑，或侈或廉，穠纖不同，各有態度，常隨其人性情剛柔靜躁辯訥，雖甚愛悅，其致不能以相傳。

魏了翁《大邑縣學振文堂記》 子所謂文者，清便婉轉，點綴映媚，姑以玩物肆情者乎？傅會假託，竄移編綴，苟以譁衆取寵者乎？爲堂南鄉，厥位爲離，吾恐君之所以望于士者，將不止此也。君曰：何以語？我曰：吾請試言。夫所謂文者，而子姑聽之。且動靜互根而陰陽生，陽變陰合而五行具，天下之至文，實始諸此。仰觀俯察，而日月之代明，星辰之羅布，山川之流峙，草木之生息，凡物之相錯而粲然不可紊者，皆文也。近取諸身，而君臣之仁敬，父子之慈孝，兄弟之友恭，夫婦之好合，朋友之信睦，凡天理之自然而非人所得爲者，皆文也。堯之蕩蕩，不可得而名，而僅可名者，文章也。夫子之言性與天道，不可得而聞，而所可聞者，文章也。然則堯之文章，乃蕩蕩之所發見，而夫子之文章，亦性與天道之流行。謂文云者，必如此而後爲至。文王既沒，文不在兹。孔聖後死，斯文未喪，此非後世所謂文也。【略】聖人所謂斯文，亦曰斯道云耳，而非文人之所以玩物肆情，進士之所以譁衆取寵者也。

又《坐忘居士房公文集序》 文云者，亦非若後世譁然從衆取寵之文也。遊於藝以博其趣，多識前言往行以蓄其德，本末兼該，內外交養，故言根於有德，而辭所以立誠。先儒所謂篤其實，而藝者書之，蓋非有意於爲文也。

又《游誠之默齋集序》 文乎，文乎，其根諸氣，命於志，成於學乎？性寓於氣，爲柔爲剛，此陰陽之大分也。而柔剛之中，有正有偏，威儀文詞之分，常必由之。昔人所謂昭晰者無疑，優游者有餘，其根若是，其發也必不可揜。然而氣命於志，志不立則氣隨之；志成於學，學不講則志亦安能以立？是故威儀文詞，古人所以立誠定命莫要焉。

又《楊少逸不欺集序》 人之言曰，尙詞章者乏風骨，尙氣節者窘辭令。某謂不然。辭雖末伎，然根於性，命於氣，發於情，止於道，非無本者能之。且孔明之忠忱，元亮之靜退，不以文辭自命也。若表若辭，肆筆脫口，無復雕績之工，人謂可配訓誥雅頌，此可強而能哉？唐之辭章稱韓、柳、元、白，而柳不如韓，元不如白，則皆於大節焉觀之。蘇文忠論近世辭章之浮靡，無如楊大年，而大年以文名，則以其忠淸鯁亮，大節可考，不以末伎爲文也。眉山自長蘇公以辭章自成一家，歐、尹諸公賴之以變文體，後來作者相望，人知蘇氏爲辭章之宗也，孰知其忠淸鯁亮，臨死生利害而不易其守，此蘇氏之所以爲文也。

又《攻媿樓宣獻公文集序》 今之文，古所謂辭也。古者，即辭以知心，故即其或慙或枝，或游或屈，而知其疑叛，知其誣善與失守也。即其或詖或淫，或邪或遁，而知其蔽陷，知其離且窮也。蓋辭根於氣，氣命於志，志立於學，氣之薄厚，志之小大，學之粹駁，則辭之險易正邪從之，如聲音之通政，如蓍蔡之受命，積中而形外，斷斷乎不可掩也。

又《師友雅言》上 迂叟有言，今人所謂文，古之所謂辭也。古之所謂文，如柔來文剛分，剛上而文柔，蓋剛柔交錯而成文，則天文也；文明以止，人文也。觀乎天文，以察時變；觀乎人文，以化成天下。豈辭章之謂哉！如堯之文思，文王之所以爲文，此聖人之文也。下此則敏而好學，不恥下問，爲孔文子之文。

陳宓《跋饒司理文稿》 以文載道，則文足經世；以文相夸，則文爲末技。饒君之文論理義則不悖於聖賢，爲歌詩則有關於風化。大篇短章，華而質，簡而盡，可謂得爲文之法矣。

眞德秀《文章正宗·綱目》 正宗云者，以後世文辭之多變，欲學者識其源流之正也。自昔集錄文章者衆矣，若杜預、摯虞諸家，往往堙沒弗傳，今行於世者，惟梁昭明《文選》、姚鉉《文粹》而已。繇今眡之，二書所錄果皆得源流之正乎？夫士之於學，所以窮理而致用也。文雖學之一事，要亦不外乎此。故今所輯，以明義理，切世用爲主，其體本乎古，其指近乎經者，然後取焉。否則，辭雖工亦不錄。

又《西山文集》卷三一《問答·問文章性與天道》 「文章」二字，非止於言語詞章而已。聖人盛德蘊於中，而輝光發於外，如威儀之中度，語言之當理，皆文也。堯之文思，舜之文明。孔子稱堯曰「煥乎其有文章」，子貢曰「夫子之文章」，皆此之謂也。至於二字之義，則五色錯而成文，黑白合而成章。文者燦然有文之謂，章者蔚然有章之謂。章猶條也，《六經》、《論語》之言，文章皆取其自然形見者，後世始以筆墨著述爲文，與聖賢之所謂文者異矣。

談愷《妙絶古今序》 文以載道也。孔子曰：「文不在茲乎」，言道也。周末文勝，於是有離道而爲文者。秦以上書，漢以對策，唐以詩賦取士，於是學者以文爲進取計，而離道益遠矣。梁蕭統《文選》、唐姚鉉《文粹》自謂時更七代，理貫六籍，略蕪集英，掇菁擷華，後有作者不可爲已。由今觀之，其皆載道之文乎？抑否乎？考之聖門，游、夏以文學名，而列之四科之末，故子貢曰「夫子之文章可得而聞也，夫子之言性與天道，不可得而聞也」。豈游、夏從於陳、蔡之間，性與天道尙未得聞之與？要之，文而離道，藝焉而已。柳柳州言，少爲文章，以辭爲工，及長，乃知文以明道。是故抑之欲其奧，揚之欲其明，疏之欲其通，應之欲其節，激而發之欲其淸，固而存之欲其重，此吾所以羽翼夫道也。本之《易》、《詩》、《書》、《禮》、《春秋》以取道之原，參之孟、荀、莊、老、《穀梁》、《國語》、《離騷》、太史，旁推交通，而以之爲文，其文似矣，其果合於道乎！後之論柳州者，謂其於道何如也！

王廷幹《妙絶古今後序》 夫理道載於六籍，文學著於四科，聖人教人以文，欲其因文以入道也。然教以博文爲先，而文以體要爲尙，若畔經而離道，文雖工而弗庸矣。自秦以後，士多有離道而爲文者，雖求古文於孔壁，收竹書於汲冢，家握鉛素，未嘗不勤求其發明理道，而習翼聖經者，蓋未多見其人焉。即梁昭明《文選》、姚鉉《文粹》二書所錄傳者，果皆理道之正乎？茲《妙絶古今》一書，蓋宋人所選，謂文章之精絶者，一代不數人，而一人不數篇，自《春秋》而迄歐、蘇氏，得七十有九首，蓋千載之英華萃矣。觀其所載，多左氏、《國語》、莊、列、荀、揚、韓、柳之詞，其體近乎古，而其義切於用者，然後取之。其與後之騁虛詞而亡實用者異矣！夫吾道本中庸，而聖人無絶德。其云妙絶古今者，謂文章必有法程，而凡操觚染翰者，固當究心乎體要歟！

林希逸《陳西軒集序》 士莫難於知道，文直寄焉爾。因其所寄，而後知者存焉。然則文亦不可忽也，茫茫宇宙，知道者能幾，苟有矣，存而用不見

於時，沒而文不垂於後，是非尚論人物者所惜哉？

吳泳《陳侍郎文集序》：離，文明之象也，而曰「黃離元吉」。賁，文柔之卦也，而曰「白賁無咎」。矜詞章以爲富，負言語以爲奇，皆文人之病也。古之人抱道含章，閟鴻音於窈窕，宿至味於澹泊，未嘗務爲炳炳烺烺，求以眩俗驚世。如邵謇詛楚，呂相絕秦，子產對晉，臧孫辰告齊，樂毅報燕，皆沛然如肝肺中流出一片議論。當其放言援筆時，曷嘗有意於祈當世之知，卜後世之傳哉？亦不過曰辭達而已矣。

陳耆卿《上樓內翰書》：某竊以文於天地間，爲物最鉅，放之則橫八極，斥四海，充塞乎宇宙之外；畜之則入秋毫，卷一握，揜閟于塵块之內；抗之則翻沆瀣，披鴻濛，引星辰而上也；抑之則洞山嶽，達河漢，決土壤而下也。其清也，則澄波月明，寒松露滴，孤鶴唳空，驚鴻叫夕，乙乙冥冥，韻韶武而雜咸英也。其壯也，則崩濤裂山，獰飈摺石，雷車響空，鐵騎臨敵，震震慄慄，絕甬道而赴趙壁也。其慘然而思也，則荒域悲風，空山暮景，遠客懷歸，孤嫠弔影，戚戚悽悽，歌楚些而賦湘纍也。其薰然而和也，則春來東郊，氣回寒谷，發秀山川，敷榮草木，欣欣懌懌，登春臺而歌壽域也。窅窅乎其深，彰彰乎其明也；愔愔乎其古，而肅肅乎其澤也。倏幽而忽彰，驟鉅而遽細，怳乎其不可名也。遠能見之近，晦能揭之著，泛乎其不可形也，是非文之體歟！論文之至《六經》，爲至經者，道之所寓也。故經以載道，文以飾經，文近則經弗傳，經弗傳而道即不存也。《書》之質，《詩》之變，《易》之動，《禮》之宜，《樂》之和，《春秋》之嚴，蓋與天地均闔闢，與日月爭光明，優優乎大哉，必如是而後爲天下之至文也已。子思氏得之而中庸，孟軻氏得之而醇，屈原得之而幽，莊周得之而博，降是則有太史公之潔，賈生之明，相如之富，揚雄之雅，班固之典，韓愈之閎深，柳宗元之健，元結之約，李白之逸，杜甫之工，門庭軌轍，不能一槩。某少小讀書，猥欲以文詞自命，每一篇出，同流歎譽之，頗亦自以爲不可及也。年來悔悟懲創，又自謂其可厭，返求之《六經》，又求之諸子，既久爽然自失，知向之學，乃時文之學，而非《六經》、諸子之學也。更以《六經》、諸子涵泳演繹，蚤夜不懈，既久乃覺其胸中與曩者異，把筆行墨，稍洋洋然，視時文之學，或自謂遠過之矣。然已以爲然，而人則不謂然。退之云：「小稱意則人小怪之，大稱意則人大怪之。」然則怪之者是歟？怪於人者是歟？以怪者爲是，是稱意不足道也；以怪於人者爲是，則愈怪愈可賀也。有一時之毀譽，有千載之是非，君子常懼夫千載之非，不懼夫一時之毀，使可以耀生前，而不可以垂死後，君子不由也。又況天下之文章，苟合乎古，必不合乎今，合乎今，必不合乎古，學者其求合於今乎？其求合於古乎？

又《上蔡侍郎書》：夫古之文，非綴緝絺繪之謂也，必有根株醞釀豐碩，而後葩藻蔚然隨之。使徒以糟粕眩世，而索之則窮，摧之則敗，此流俗之文。

歐陽守道《送曲江侯清卿序》：況文章，特學之餘事乎？子，韶人也，予將假舜之韶以與子論文。夫《韶》，舜之至文也；金、石、絲、竹、匏、土、革、木，舜之所以爲韶也；八物之雜而聲成文，鳥獸率舞，鳳凰來儀，韶之大成也。雖然，舜世之樂，孰有外是八物者哉！今爲子取所謂管者，簫者，柷敔者，笙鏞者，琴者，瑟者，石之可擊拊者也，固不乏工之知音律者，皆可能也。然而器具矣，而非韶，韶似矣，而非舜，何也？八物者，舜樂之寄也。原舜樂之所自本乎父子慈愛之間，推而達諸宇宙民物之生意，油然天眞之發見，而動乎不自已之機，此樂之不能不韶也。不於其心而於其器，則韶獨舜哉！文之有聲音節奏，不猶樂之聲音節奏歟。而今之文，則正聲罕矣。鄙賤猥惡者，下里巴人之曲；靡曼幻眇者，桑間濮上之音也。彼豈不用意於文，而卒之非吾所謂文，理不明於心，而徒治其言語之末，俗而不雅，淫而不貞，有由也，理之難明久矣。安能使吾胸中豁然無所滯礙，得之心而應之口與手者，一不悖於理，如古人之文乎！《易》之文微也，《中庸》之文粹也，《六經》之文，予不能遍舉，子取二書讀之，愈索而愈不窮，如山海之寶藏，隨其所得，皆足以致富。而山海之所有不爲之損，顧吾力有窮焉耳，不然，何莫非吾取富之資。富資於山海，文資於理，理資於學，子歸矣，於予所謂理之明於心者用力焉。本之於經，而質之於先儒之訓說，立吾心以爲主，而凡方册之內，有言理者畢赴焉。使天地萬物之情狀盡至於吾前，而往古聖賢之心事盡契於精神之表，則吾見文思溢出欲已不能，而何待於握筆引紙，日孳孳焉以求工也。

羅大經《鶴林玉露》卷一：「文章一小技，於道未爲尊」，此論後世之文也；「文者，貫道之器」，此論古人之文也。天以雲漢星斗爲文，地以山川草木爲文，要皆一元之氣所發露，古人之文似之；巧女之刺綉，雖精妙絢爛，纔可人目，初無補於實用，後世之文似之。

衛宗武《秋聲集自序》鴻濛既判，三才既奠，斯文肇焉。象緯森布，雲漢昭回，形而上者，爲天之文。山川峙流，草木華實，形而下者，爲地之文。乾苞呈河，坤符出洛，聖作明述，而化成天下者，皆人之文。秀而爲士，繇方寸精微發爲辭，演爲章，又所以題拂乎天地人之文者也。學以本之識，以充之才，以融之索之，浩浩冥冥，出無涯而入無淪。其思也，嘘爲風霆，震厲飄蕩，而嵩華若可搖動；其氣也，怒濤驚湍，一瞬千里，斂之則恬夷淵靜；其勢也，擢犀拔象，舉鼎盪舟，而猶有餘勇；其力也，雪月光潔，雲烟綿聯，疊嶂層巖，衒奇競秀；其標度也，若夫鵬運而無跡，龍化而莫名，毫端膚寸，可使上宇下宙，庶類百爲，被其光彩膏潤，此則至精入神，不可規尋之妙用也。或正，或奇，或雅，或麗，或恢詭而辨博，或峻潔而幽深，或宏衍而雄健，其體不一，而大要不出於此數者。善用之而造其極致，則謂之藝成。藝成而遠邁衆流，雄峙百代，登文章之籙者，漢魏而下，能幾人斯？而率不免或者之譏評。則文之爲文，不其難乎！然而昔之作者泯矣，復有踵接者焉；前之詞藻不可加矣，復有軼出者焉，是故何歟？蓋善割而中其肯綮，斯無全牛；而甘苦疾徐得心應手，於輪何有？文亦猶是也。經之文以載道，傳以明道，諸子詩集皆陳義以習翼夫道者也。文而不根於道，雖彫琢鍛鍊盡其工，芬芳靡曼極其華，亦奚取此。故曰：「文者，貫道之器也。」士而言幾乎道，其庶矣乎。

戴栩《跋初機集》每怪文無異道，而評文者多異說，何也？文蓋言之黼藻云爾。世之方譚俚語，彼我相命，猶有不能通其意開以端倪者，或昧於所宿授以指嚮者，或倚於所趨，甚而認杪爲本，迷朔以南，言之難知，如此又從而黼藻焉，宜其愈不易知也。夫以文之不易知，而操翰染牘者，或體未周而辭先焉，趣既狹而辭勝焉，或覆之以艱深，或張之以孟浪，往往文皆出於言之表，宜不知者因以爲詬，否則影褒響贊而已。然則古今評文者，不勝其異說，亦各其見然歟？

文天祥《西澗書院釋菜講義》辭之義有二：發於言則爲言辭，發於文則爲文辭。子以四教：文、行、忠、信。雖若歧爲四者，然文行安有離乎忠信？有忠信之行，自然有忠信之文，能爲忠信之文，方是不失忠信之行。子曰：「言忠信，行篤敬。」行篤敬，則忠信進德之謂也。言忠信，則修辭立誠之謂也。未有行篤敬而言不忠信者，亦未有言不忠信而可以語行之篤敬者也。天地間只一箇「誠」字，更攧撲不碎。觀德者，只觀人之辭，一句誠實，便是一德，句句誠實，便是德進，而不可禦人之於其辭也。

又《熙明殿進講敬天圖·周易賁卦》臣竊惟天一積氣耳。凡日、月、星、辰、風、雨、霜、露，皆氣之流行而發見者，流行發見處有光彩，便謂之文。

陳普《石堂先生遺集》卷九《字義·文章》文者，百禮衆善，經曲相錯，成禮成象可觀，猶陰陽、晝夜、四時、草木之相文以成天道也。章猶節也，一體成而多以成一年也，孟子不成章不達是也。文者，章之備；章者，文中之各一節。文樂之翕如、純如、繹如，章所謂皦如也。

熊禾《佩韋齋集序》文者道之用也，天地間惟道可以立國，惟文可以經世。儒者一身，三綱五常之道所寄也，而可以徒文哉？唐宋以來，文章大家數不爲少矣，其立言之卓然不可泯者，惟韓、柳、歐、蘇最著。柳固不敢望韓，蘇之於歐，亦未易同日語。過江來朱眞粹矣。同甫、正則，一時擅名江左，取節焉可也。南北混一，以文鳴世，不過數家，其間卓然能不悖名教、有補倫紀者，亦無幾焉。【略】宋三百年以儒道治世，以科舉文章取士。逮其亡也，錄死節之臣二十有三，而文臣居三之二，大抵由科舉其選。而其表表者，讀《四書》，通經博史，多自洛、建門庭中來。風聲氣習，漸涵演迤，百餘年間，詩人文士情性之所發，禮義之所止，一言一詠，猶足起人悠然深長思，蓋豐芑菁莪之澤遠矣。嗚呼，文章何負於人國哉！道理豈空虛無用之物哉！

龔昱《樂菴語錄》卷一子貢嘗曰：「夫子之文章可得而聞也，夫子之言性與天道，不可得而聞也。」子貢非特不聞性與天道，夫子之文章，亦未之聞。日月星辰，天之文也；山川草木，地之文也；威儀文辭，人之文也。天地一元之氣，亭毒於覆載之間，故著爲日月星辰，散爲山川草木，聖人之盛德充實而有光輝，故見面盎背施於四體，發而爲威儀文辭，文章之與性、天道，豈二物哉！

王朋壽《類林百篇贊·經典篇》大朴既散，澆漓失眞。斯文未喪，天生聖人。明於物理，著以人倫。五常百行，典籍斯陳。君臣以別，父子以親。日星同耀，萬世彌新。

又《講說篇》聖經玄奧，講說能通。詮文論義，雅正期從。文學導志，理以折衷。不僻不陋，率取中庸。

又《文章篇》 文章貫道，琢磨不成。日星雲漢，煥然彰明。詩傳雅頌，書歌載賡。褒揚休功，紀述太平。繡紋霞綺，玉價金聲。播之千古，騰躍飛英。

劉將孫《天下同文集序》 唐劉夢得叙柳子厚之集曰：「文章與時高下，政厖而土裂，三光五嶽之氣分，大音不完，故必混一而後振作者，概以為知言。」予獨嘗謂夢得之辭則高矣、美矣，以其時考之則未也。唐之盛時，在貞觀、開元間，其時稱歐、虞、褚、薛，最後稱燕許大手筆，今其文可睹也。至貞元、元和來，以韓、柳著，比至德為盛，而去混一之初，則有間矣。才未必皆福，福亦何必其才，因使人思易，所謂吉人辭寡者，其福未易量也。此則所謂時也，吾取以叙安成周南瑞所刻《天下同文集》甚宜。嗚呼，文章豈獨可以觀氣運，亦可以論人物。予每讀漢初論議，盛唐詞章，乃東京諸老文字，三千年間，混一盛時僅此耳。彼乍合暫聚者，其萎弱散碎，固不得與於斯也。然此盛時作者，如渾河厚嶽，不假風月為狀；如偃松曲柏，不與花卉爭妍。風氣開而文采盛，文采極而光景消，夢得之言之也，不自知其盛者已及於極也。

又《譚村西詩文序》 文以氣為主，非主於氣也，廼其中有所主，則其氣浩然流動，充滿而無不達，遂若氣為之主耳。故文之盛也，如風雨驟至，山川草木皆為之變；如江河浩渺，波濤平駭，各一其勢。大之而金石制作，歌明堂而頌清廟；小之而才情婉變，清白雪而豔陽春。古之而鼎彝幼眇，陳淳風而追泰古；時之而花柳明媚，過前川而學少年。故昌黎之古文，其小律小絶，無不精妙；東坡之大才，其回文麗句，各極體裁。或有謂能文不能詩，能詩不能文者，皆其主弱而氣易衰也。【略】昔韓公於東野，有昌其詩語，而東坡二百後，自昌身、昌詩、昌氣，而極於昌志。予亦於氣為主之言，而竊願有所益也。主者同而所以為主者異，輒欲更之曰：文以理為主，以氣為輔！

又《須溪先生集序》 蓋嘗竊觀於古今斯文之作，惟得於天者不可及，得於天者不矯厲而高，不浚鑿而深，不斲削而奇，不鍛鍊而精。若人之所為，高者虛、深者蕪、奇者怪、精者苦，三千年間，惟韓、歐、蘇獨行而無並。兩漢以來，六朝南北盛唐名家，豈不稱雄一時，而竟莫之傳者，天分淺而人力勝也。

徐世隆《元遺山集序》 文之為物，何物也？造物者實靳之，不輕畀人，何哉？蓋天地間靈明英秀之氣，萃聚之多，蘊蓄之久，挺而為人，則必富於才，敏於學，精於語言。能吐天地萬物之情，極其變而歸之雅。故為詩、為歌、為賦、為頌、為傳記、為誌銘、為雜言、為樂府，兼諸家之長，成一代之典。使斯文正派，如洪河大江，滔滔不斷，以接夫千百世之傳。為造物者可得而輕畀之哉！

盛象翁《與趙子昂書》 聞物之配於道而列於器，事有極智者之深思，而遭愚者之鄙笑，其惟文辭乎？或曰：「文辭小藝，此不能文辭者之論也。」夫文辭之體，原於性命，用關於政教，闡正運奇，積順發華，操之無底，詣之無涯，衍聖賢未盡之旨，洩天地難言之情，通微悃於九重，播皇猷於萬里，明之可感悟冥頑，幽之可和樂鬼神，前之千百世而如見，後乎千百世而如授，豈可以尋常小藝目之哉？今有巧思之人，日接衆技，無不精工，父母教之文學，則勞師傅、曠歲月而無成功。又有強記之人，經史百家，潰溢胸臆，使執筆為文，非蹈襲而不擇，則枯澀而不暢。無他，蓋能為文者，才妙天成，無規矩之可授；機斡心腑，非簡編之可習。人為萬物之靈，能為文者，又人之至靈者也。故一代超卓之士，百年不過數人；一時驚拔之文，平生不過數篇。豈非文者天地之奇氣，人世之至珍？或者不能不知，乃以易視之，此志士甚所不甘也。雖然，六朝之末，以對偶為工；晚唐之末，以音律為工；宋之末，以科場立說之異為工。穿鑿大道，投合時好，皆文之靡者也，其鄙於人固宜。至若浩然正大之氣，藹然和平之音，則治世不可一日無者，況欲鄙之乎？但不多見耳。

烏斯道《趙寶峰先生文集序》 《易》曰：「風行水上，渙天文也。」天文者，莫之為而為者也，惟有道者能之。有道之言如之何？《六經》是矣。後世之文得乎是者十一，不得乎是者十九。故以馳騁為贍，以雕鏤為工，以峻直為蒼，或肆意於淫蕩，或放情於謔浪，或遣興於花鳥。讀之者善形乎顏面，樂形乎手足，是謂文之奇偉，名當世而不及也。而不知非有道之言，非天文之自然也。

閻復《藏春集原序》 《易》曰：「觀乎天文，以察時變；觀乎人文，以化成天下。」大哉文乎，在天為日月之著明，雲漢之昭回，星辰之錯綜；在人為三綱五常之道，禮樂刑政之方，典章法度之美。文乎，文乎，章句云乎哉！

郝經《文說送孟駕之》或者嘗曰，彼作文不工，彼工於作文。愚竊聽而惑之。蓋文可順而不可作也，天地有眞實正大之理，變而順，有通明純粹不已之文，是其所以爲之，非矯揉造鑿而然也。唯其變，是以有文；唯其順，是以不已，皆自然也。故陰陽得以文乎天，剛柔得以文乎地，仁義得以文乎人，羽毛鱗介、苞葉根荄得以文乎物，清濁高下得以文乎聲，升降舒綴得以文乎節，麗縟華采得以文乎色，禮、樂、射、御、書、數得以文乎藝，德刑、殿最、號律得以文乎政，城聚、都鄙、廬井得以文乎居，華蟲藻火、山龍黼黻得以文乎服，易其無有，利其興革，化而新之，至至終終，爲神道之極致，亦得其本然之理而已。焉有作爲之贅哉！大庭氏而上，文有理而無名；大庭氏而下，文有名而無書。陶唐氏而下，文有書而無法；仲尼氏而下，文有法而無作。仲尼之門，游、夏以文學稱，未聞其執筆命題而作文也。物感於我，我應之以理而辭之耳，豈校其辭之工拙哉！是以《六經》之文，經天地，貫萬世，與博厚高明並而不朽也。仲尼氏沒，本散而末分，源遠而流別，文晦於理而文於辭，作之者工於辭而悖於理。故莊、列以之文虛無，儀、秦以之文狙詐，申、韓以之文慘覈，屈、宋以之文怨懟，卒致呂政焚書之厄。西漢古學文學之分，其弊則極于江左冗矯之談，浮屠之法，玉樹後庭之曲；而荐秦元魏高齊而下，血漂禹跡，寄斯文於霆擊之餘，風燼之外，邈乎莽于九原也。厥後有唐，杜氏文乎詩，而風雅復萌；韓氏文乎儒，而《六經》方燗。又屬以晚唐弊俗，五季繁運，而有宋氏興，歐、蘇、周、邵、程、張之徒，始文乎理，而復乎本，猶不能比隆三五，去殺勝殘，致頌聲興禮樂者，百千祀之蔽不可一日而擴也。幸其用力之勤，俾斯文不遂滅，而吾民不爲狐蟲非類爾。由是而言，天地萬物之文，未之或變，而文人如是之窮，作之者不工賊工矣。然而如是者何？《易》曰：「物相雜故曰文。」文不當，故吉凶生焉；文何嘗不當？作爲者之過也。不作不爲，萬理皆備，推而順之，文在其中矣。故文作於人而窮於人，人亦作於文而窮於文。

又《原古錄序》自書契以來，載籍所著，莫不以文稱。天曰天文，人曰人文，堯曰文思，舜曰文明，禹曰文命，西伯曰文王，周公曰文公，仲尼之以道自任也。曰文王既沒，文不在茲乎，皆言文而不及道，則道即文也。觀夫揭日月，運寒暑，翳雲霓，干星漢，組布綦列，煥乎有文，覆冒磨盪庶物出焉，則天之道可知矣；載太華，振河海，敷原隰，固谿壑，涵負崛岉，穆若有章，發育蕃衍，庶物生焉，則地之道可知矣；家焉而生聚教育，國焉而經理安定，耕鑿疆畛之有限，宮室車服之有數，貴賤親疏之有敍，爵祿上下之有分，曲則采物，粲然有法，庶事治焉，則人之道可知矣。非是，則三極之道，莫得而見也。則文即道也，道非文不著，文非道不生。自有天地，即有斯文，所以爲道之用，而經因之以立也。故文之大端，本於太極，而經之法制，成於聖人。天之文本然而固有矣，其推步曆象，始於黃帝而成於堯，於是乎履端舉正，敬授人時，而天之經立矣。地之文亦本然而固有矣，其荒度疏治，始於后土而成於禹，於是乎地平天成，蒸民乃粒，而地之經立矣。人之文麗乎兩間，畀賦蘊畜，尤所固有也。其裁成制作，始於伏羲之畫卦，見於唐虞之傳心，備於周公之制禮，成於仲尼之修經，於是乎推本四象，貫三爲一，盡兼天地之文。元亨利貞，乾有四德；直方大利，坤有四體；仁義禮智，性有四端；《易》、《書》、《詩》、《春秋》，而人有四經。萬世有統，萬物有紀，萬事有制，太極之統體昭著，而道之大用無窮。是以仲尼氏沒，大經與天地並爲至文，巋爲名教，至於今而不可易也。

陳鳳梧《陵川集序》文所以載道，道一也，而文則隨時而變焉。有唐、虞、三代之文，有先秦、兩漢之文，有魏、晉之文，有唐人之文，有宋人之文，有元人之文。唐、虞、三代之文，簡古不可尚已。秦漢而下，愈變則愈繁，至於元，而文之變極矣。文雖以時異，而道未嘗不寓焉。其言比于道者，文之粹者也；其言盭于道者，文之駁者也。

程端學《陵陽集原序》文者，言語之精華也，因吾道以有傳。然古者，文以道傳；後世，道以飾文。古之人有是道然後托於文以達之，道若斯，文亦若斯，故其言約以實，是謂文以傳道，《易》、《詩》、《書》、《春秋》、《論》、《孟》是也。後世不必皆以其道，亦欲爲文以自見，道若斯，文不若斯，故其言支以虛，是謂道以飾文，文士之文是也。然則終不復古乎？復古有道，道弸乎中不得已而有言，文斯復古矣。故周、程、張、朱數君子者出，而《太極圖說》、《西銘》、《易傳》、《語類》諸書不在《中庸》、《孟子》下，誰謂文不可復古乎？亦在實之而已矣。西漢之文，道雖不醇，大略言由事發，猶近古也。自餘隨其人品以爲重輕，若諸葛孔明、陶元亮、杜子美、陸敬輿、韓退之、歐陽永叔、蘇子瞻、曾子固數子者，其忠義直諒，磊磊落落，有以自顯於世，而其文亦可相爲不朽。至如司馬相如、揚雄、柳宗元、王安石之流，其聲音

步驟，蓋亦無媿乎數子，然予不知讀其言者，視其人何如也？由是觀之，傳道之文與天地悠久，其次與其重輕，下此猶榮華飄風，而殫一世之力而爲之者，惑也。

王惲《禮部尚書趙公文集序》 士君子之學，文章德業，名爲兩塗，其實一致。有以事業而垂世，有以文章而名家者。傳曰：「我欲載之空言，不如見諸行事之深切著明也。」吾儕孰不欲得時行道，使利澤施於人，名聲昭於代？蓋有幸不幸遇不遇者焉。如仕宦利達，復擅文雅，以事業盛而掩其所謂文者，從其重焉可也。若文彩絺紩，竟不得以片善及物者，其或曰若何克爲一文士而已，此眞爲妄人，尚何知兩塗一致之理者哉！

戴表元《紫陽方使君文集序》 日月五星，晝夜與天錯行，而雲霆風露，雨雪電雹，爲之變化不測。山起西北，與水東南馳，而外截爲海，介鱗羽毛，齒角物果，寶藏之美，從而蓄焉。蓋其爲物也，停涵盤薄，鬱積之者厚，則其周於用也不竭。人之精氣，蘊之爲道德，發之爲事業，而達之於言語詞章，亦若是而已矣。竊獨怪夫古之通儒碩人，凡以著述表見於世者，莫不皆有統緒。若曾、孟、周、邵、程、張之於道，屈、賈、司馬、班、揚、韓、柳、歐陽、蘇之於文，當其一時及門承接之士，固已親而得之，而遺風餘韻傳之後來，猶可以隱隱不滅。近世以來，乃至寥落散漫，不可復續，豈天地之數有時而不齊，如適值其薄蝕震動、傾陷漏洩之或然者耶！故嘗考之，自夫子之徒沒，言道者不必貴文，言文者不必兼道，如此幾二千年，迨新安子朱子出，學者始復不敢雜道於文。

又《陸元章字序》 物之麗乎文者，皆曰章。倬彼雲漢，爲章於天；其在水清濁，錯而成文，曰漳水；在玉器合而有文，曰璋玉；在木理合而有文，曰樟木；其在人爲士而有文，曰文章。首有文，曰章甫之冠；身有文，曰章服，然皆以文其外。夫爲文而外之不止，將令人輕學而文，亦有時而渝。虎豹之炳然，其存也，人畏其威，其獲之也，猶愛其皮；君子之爲文章者取之，然使非虎豹而生蒙其皮，則不若是畏愛之矣。故君子貴質，質也者，所以出其文章者也。

陸文圭《文說》 西州史敬輿嘗爲余言：「漢、唐、宋以來，良相能吏、謀臣武將，代不絶書，獨文章之士鮮得。漢董、賈，兩司馬，劉向、揚雄、班氏父子而止耳，王褒、崔寔而下不論也。唐韓、柳，宋歐、曾、王、蘇而止耳，李翺、皇甫、晁、秦而下不論也。宋渡江後，詞章愈盛，古體逾遠。獨朱子詩賦本騷選，文視韓、蘇而理勝之，其餘葉正則以下各自名家，六十年來影響殆絶，將盛極而衰歟？抑待乎其人也。」敬輿此論，上探前修，下期來哲，余聞而太息焉。然嘗論之，古之所謂文章，非言語之謂也，道德仁義之精華，禮樂法度之彰著，皆其具也。然典謨、訓誥、誓命之書，坦明溫厚，已非秦漢經生講師所能道，而《三百篇》章句，皆出於微臣、寡婦、寺人、伶官之口，何其粲然而成章也？蓋周、召而上，文章皆實用，孔、曾而下，文章皆空言。空言者，言而不見用，非無用之空言也。以無用之空言而後世能言之士，如向晨之星，稀疏絶少，豈不大可怪也哉！自唐以來，朝廷百司用人無方，惟翰苑非文章之士不預，所以承恩寵備，顧問參謀，議職諫諍，位親而地禁，非止典誥代言以風天下而已。唐以陸贄、李絳爲之，宋以歐陽修、蘇軾爲之，則人品可知也。夫文本於理，根於識，昌於氣，兼之者賈、董而下諸人。雖不居翰苑，名猶著也。翰苑創於唐開元間，六百餘年，學士名不著者何限。然則視文章之能否，知翰苑之盛衰。居是職者，學宜益懋，行宜益修，名宜益著，故居之而不怍，不然，則昌黎氏必傲之矣。

趙孟頫《劉孟質文集序》 文者，所以明理也。自《六經》以來，何莫不然。其正者自正，奇者自奇，皆隨其所發而合於理，非故爲是平易險怪之別也。後世作文者，不是之思，始誇詡以爲富，剽疾以爲快，詼詭以爲戲，刻畫以爲工，而於理始遠矣。故嘗謂學爲文者，皆當以《六經》爲師，舍《六經》無師矣。【略】夫《六經》之爲文也，一經之中，一章不可少，一句一字不可闕，蓋其謹嚴如此，故立千萬年爲世之經也。

陳櫟《夏君文稿贊》 文氣所形，尤貫道器，氣信豪放，道更精詣，集義生氣，氣配道義，道氣合一，文響天地。

又《試文》 問：子以四教，文行忠信。又曰：行有餘力，則以學文。行先於文歟？文先於行歟？對：子以四教，文行忠信，先文而後行。弟子記夫子之教也，行有餘力，則以學文，先行而後文。夫子之言，所以教爲人弟子者也。《集註》於《四教章》曰：「教人以學文修行，而存忠信也。」於《行有餘力章》曰：「文謂詩書六藝之文，德行本也，文藝末也。窮其本末，知所先後，可與入德矣。」愚竊謂文行忠信之文，與君子博學于文、博我以文之文同。凡天地間事事物物之理，皆文也，其所該甚廣大，先文而後行，其先博文，

而後約禮，先格物致知，而後誠意正心脩身之意歟。則以學文之文，不過指詩書六藝之文而言，乃文藝之末耳，其所該不及文行之文之廣大矣。蓋有感于時之爲人弟子者，徒事文藝之末，而忽德行之本，故欲其先孝弟等而後文藝歟！以爲學之大端言，則當先文而後行；以文藝之輕重言，則當先行而後文。意固各有攸在也。

譚景星《柳子厚論》 君子之於文也，明理載道，非所謂馳騖於文辭而已也。知理與道之所在，則可以文而至之矣。知之不如好之，好之不如樂之。知之者，知有是道，欲其至之也。好之者，好之而未得也。樂之者，有所得而樂之也。故知則好，好則樂。其樂之則忘其所謂好矣，好之則忘其所謂知矣。知而至於好，好而至於樂，樂者必先於好，好者必先於知。是以古之爲文者，其學力足以至之，而常患其不至；其資材足以及之，而常患其不及，所務於造理與道而後已。文其章句之云乎？嘗以子厚其近者言之，《斷刑論》云：「賞以春夏，刑以秋冬，而謂之至理者，僞也。使秋爲善者，必俟春夏而後賞，爲善者必怠。春爲不善者，必俟秋冬而後罰，爲不善者必懈。」吁，子厚之言謬矣。夫賞以春夏者，蓋有取於春夏之義，以謂賞非有待春夏而後賞之也。刑以秋冬者，蓋有取於秋冬之義，以謂罰非有待秋冬而後罰之也。至《時令論》云：「非春無以省囹圄，賜貧窮。非夏無以贊俊傑，遂賢良。非秋無以任有功，誅暴慢。非冬無以賞死事，恤孤寡。則其缺政亦以繁矣，斯固不俟時而行之也。」斯言殆庶乎！而又無象時之義以行之之謂。故夫子之作《春秋》也，其賞之也如春，其罰之也如秋，固非所謂必以春賞而秋罰之也，所以象天道也。夫知道者必理明，若子厚謂知道之士乎？何理之未明也。欲圖度而爲之宜，其與叔文之黨無疑矣。其於文辭，間有喜取浮屠之說者。吾名教中，自有其樂，又何必取於彼耶？果未知道而未明理歟？退之知之而未至，故詆異端而愈力。子厚度之而未知，故不能詆，又從而爲之辭。如人適遠未知蹊徑，度而行之，其至幾希矣。知而未行，至亦希矣。知而行之，其至必矣。夫不知者度之過，則不知所以行。知之者知之過，則以爲不足行。烏乎，道其不明矣夫！

吳澄《別趙子昂序》 盈天地之間，一氣耳。人得是氣而有形，有形斯有聲，有聲斯有言。言之精者爲文，文也者，本乎氣也。人與天地之氣通爲一氣，有升降，而文隨之。畫《易》造《書》以來，斯文代有。然宋不唐，唐不漢，漢不春秋、戰國，春秋、戰國不唐、虞、三代，如老者不可復少，天地之氣固然。必有豪傑之士出於其間，養之異，學之到，足以變化其氣，其文乃不與世而俱。今西漢之文最近古，歷八代浸敝，得唐韓、柳氏而古，至五代復敝，得宋歐陽氏而古。嗣歐而興，惟王、曾、二蘇爲卓卓。之七子者，於聖賢之道未知其何如，然皆不爲氣所變化者也。宋遷而南，氣日以耗，而科舉又重壞之。中人以下，沉溺不返，上下交際之文往往沽名釣利而作，文之日以卑陋也無怪。其間有能自拔者矣，則不絲麻、不穀粟，而罽毯是衣、蜆蛤是食，倡優百戲、山海萬怪畢陳迭見，其歸欲爲一世所好而已。夫七子之爲文也，爲一世之人所不爲，亦一世之人所不好。志乎古，遺乎今，自韓以下皆如是。噫！爲文而欲一世之人好，吾悲其爲文；爲文而使一世之人不好，吾悲其爲人。

又《東麓集序》 詩文以理爲主，氣爲輔，是得其本矣。其詩不尚纖穠，不拘拘於法度，以文爲詩者也。其文不尚俳麗，不屑屑於言辭，以質爲文者也。

又《元復初文集序》 儒者以文章爲小技，然而豈易能哉？能之不易，而或視以爲易焉，昌黎韓子之所不敢也。且其爲不易何耶？未可以一言盡也。非學非識，不足以厚其本也；非才非氣，不足以利其用也。四者有一之不備，文其能以純備乎？或失則易，或失則艱，或失則淺，或失則晦，或失則狂，或失則萎，或失則俚，或失則靡，故曰不易能也。

又《送郭以是序》 或曰：爲文不可以不讀書，杜詩、韓文蓋無一字無所本。或曰：聲之精爲言，言之精爲文。如噫氣之號萬竅，隨所觸而喁于有自然之籟，奚以古人已陳之糟魄，爲二說孰近？夫所貴乎讀書者，非必襲其語以爲吾文也。蜂之釀蜜，不採取于花可乎？融液渾成而無滓，人見其爲蜜，而不見其爲花也。世有博記覽者，其發于聲，形于言，乃或窒塞而不通，固滯而不化，觀者厭之，則謂曾不若空疏者之諧協暢達也。

虞集《廬陵劉桂隱存稿序》 嗟夫，以文應時者，雖有古今所取以爲文者，古今無有異也。以高才博識專業而肆志，求諸昔之人者，五六十年，其應於今者，合否不足論也。吾故曰：山林之日長，得以極其力之所至；學問之志專，則有以達其智之所及。知其背於塗轍之正者，即有所不爲，知其可以傳諸方來者，則言之而無隱。論古今成敗，無所蹈襲，而出人意表，觀乎瀧

岡之麓，青原之波，不亦善於達本而遡源者乎！

許衡《魯齋遺書》卷一《語錄上》 論古今文字，曰二程、朱子，不說作文，但說明德新民。明明德，是學問中大節目。此處明得三綱、五常、九法，立君臣父子，井然有條，此文之大者；細而至於衣服飲食起居灑掃應對，亦皆當於文理。今將一世精力，專意於文，鋪叙轉換，極其工巧，則其於所當文者，闕漏多矣。今者能文之士，道堯、舜、周、孔、曾、孟之言，如出諸其口，由之以責其實，則霄壤矣。使其無意於文，由聖人之言求聖人之心，則其所得，亦必有可觀者。文章之為害，害於道。優孟學孫叔敖，楚王以為眞叔敖也，是寧可責以叔敖之事。文士與優孟何異？上世聖人何嘗有意於文，彼其德性聰明，聲自為律，身自為度，豈後世小人筆端所能模倣。德性中發出，不期文而自文，所謂出言有章，止在於事物之間，其節文詳備，後人極力為之有所不及，可知無聖人之心為聖人之事，不能也。或論凡人為詩文出於何，而能若是。曰：出於性。詩文只是禮部韻中字，已能排得成章，蓋心之明德使然也。不獨詩文，凡事排得著次第，大而君臣父子，小而鹽米細事，總謂之文。以其合宜，又謂之義。以其可以日用常行，又謂之道。文也，義也，道也，只是一般。

又卷二《語錄下》 文之一字，後世目詞章為文，殊不知天地人物，文理粲然，不可亂也。孔子稱斯文也，豈詞章而已矣。三代聖人，立言垂訓，皆扶持斯文者也。君臣父子五教，人文之大者也。下至事物，皆有文。人有事不順者曰錯了，既曰錯，是文理差舛故也。既文理差舛，則事不成矣。

李仲紳《莊靖集序》 夫水之有源也，始焉濫觴，其流不已，派而為川，匯而為澤，會而為江，瀦而為海，波瀾呑吐，乾溢如一。乾坤涵浸，古今不竭。噫！觀水者觀至于海，觀止矣，然後乃知其水之有源也。若夫雨集而溝澮盈潦，停而蹄涔漲，潮滿夕除，涸可立待，是惡足以為水哉？學之有本，亦猶是也。韻而為詩章，聲而為樂府，律而為詞賦，廣而為騷雅，其文愈弘，其筆愈雄，其篇愈鉅，其詞益富，蓋有本者之如是。其視落霞秋水，畏日薰風，一聯一詠，雖膾炙人口，然器小易盈，敵大則怯，是惡足以為學哉？

劉瀛《莊靖集序》 夫文之為文，其來尚矣，與造化一氣俱生者也。日月照臨，星辰輝映，天之文也；山川流峙，草木敷榮，地之文也。人得天地之秀而為萬物之靈，有仁義禮智以根於心，故觸物感情，從而為言，無非天下之至文也。如風行水上，自然而然，固非有力者之所強能，亦豈徒吟詠風景，模寫物象而已哉！將以經天緯地，厚人倫，美教化，貫乎道者也。

馬祖常《卧雪齋文集序》 夫人之有文，猶世之有樂焉。樂之有高下節奏，清濁音聲，及和平舒緩，焦殺促短之不同，因以卜其世之休咎，象其德之小大。人之於文亦然，然不能強為也。則天地中和之氣，而又充之以聖賢之學，大順至仁，浹洽而化，然後英華之著見於外者，無乖戾邪僻，忿懥淫哇之辭，此皆理之自然者也。非惟人之於文也，雖物亦然。華之大艷者必不實，器之過實者必不良，必也稱乎？求乎稱也，則舍詩書六藝之文，吾不敢它求焉。

王沂《周剛善文稿序》 昔之為文者，大之如天地，而人不敢以為遠；幽之如鬼神，而人不敢以為深；文之為珠璣珪璧，而人不敢以為華；質之為瓦棺古篆蕢桴土鼓，而人不敢以為樸，是皆得於自然之理，有所不能自已而作者。後之人見其然，莫知其所由然，於是殫精畢力而追之。其雕鏤藻繢、刻畫破碎之工益多，而文益下，詎有意為之者，未必造其妙；而造其妙者，在於無意而為之者歟？傳稱禹之治水，行其所無事也，文豈異是哉！

歐陽玄《梅邊先生吾汶稿序》 蓋嘗論之斯文者，宇宙之元氣也。幸而治平，措諸事業，則為典謨，為雅頌；不幸而反是，則為《春秋》，為變「風雅」，為《離騷》。然正人心扶世教之功，難見於治平無事之時，而屹然可仗於流離顛沛之日，然後知斯文之所繫如是其重歟！

吳師道《答謝君植書》 夫古人之子，文率皆德盛而立言，中積而外形，愚何敢希望萬一。文固所好，而不可名能為文也，名能為文且不可，而可謂之知道乎？雖然，名不能文可也，謂不知道則不可。人不知道，則無以充其形而號稱為人，況于文乎？昔人謂文為貫道之器，自今觀之，道能貫文，非文能貫道也。使其心果有得于道，所發必出于正，則不待求工于言語文字之間，是惟無作，作則必傳。僕雖不才，切有志于是，若其不合于世好，則已知之。蓋昔者上以文取人，士以文致顯耀，舉世翕然，而豪傑特起之士，獨深愧之曰：「是科舉之文，而非古文之文也。」于是立意追古，若韓退之、蘇明允之徒，然以逸羣之氣，蓋世之譽，公卿將相之知，或所至炊不及熟，或老死布衣，繼而作者亦有人焉通顯，又無幾為古文于用文之時，猶如此其不遇也。為古文于不用文之世，直將何所望哉！

許有壬《江漢集序》 夫文以明道而假乎辭也。文而不至道，將焉傳？故

有待於成焉。本於經以立其體，參乎傳而暢其支，而必力於多以熟其途，而後可以語成也。孔明《出師》、令伯《陳情》，照耀宇宙，動盪古今，固不在多。予欲光遠之多者，多則熟，熟則自得，而後有以約於寡也。多而不能約於寡者有之矣，未有不多而能約於寡者也。東坡言，詩非甚習不工，要須日作一首，文猶是也。坡之名世，其亦以是也哉！

又《劉楚奇惟實集序》 文章以理爲主，理以實爲主。天地之間，照臨錯布於其上，流峙森植於其下，君臣父子夫婦之秩，穀粟桑麻水火之用，參於其中者，皆實理也。或虛空冥漠，則無以爲世矣。翁其有得於此乎？且實之義非一，對虛而言者實之反也，對華而言者實之棄也，對名而言者實之賓也。至於篤實充實，又皆是理之極致，推而行之，隆古淳厚之治不外是也。

又《題歐陽文忠公告》 文與道一，而天下之治盛；文與道二，而天下之教衰。經籍而下，士之立言，力非不勤也，辭非不工也，施之於用，卒害其政者，與道二焉爾。昔蘇子以韓愈配孟子，而以歐陽子配韓愈，天下以爲知言，後世無敢有異議者。韓也，歐陽也，推而達於孔氏之道也。歐陽子曰：「三代而上，治出於一，而禮樂達於天下；三代而下，治出於二，而禮樂爲虛名。」又曰：「我所謂文必與道俱。」嗚呼，此歐陽子之所以爲文，而先儒謂自荀、揚以下，皆不能及者也。

黄溍《霽峰文集序》 宇宙間清靈秀淑之氣，未有積而不發，天不能閟藏而復出以爲文。遭時遇主，詠歌帝載，黼黻王度，則如五緯麗天，下燭萬物，有目者孰不仰其餘光；退而託於空言，以俟來哲，則如珠捐璧委，而輝山媚川，終不可揜。蓋有得於天者，不必皆有合於人。顯晦雖繫乎時，天之所不能閟藏者，人亦不能閟藏之也。此理之所必至，夫何疑焉！

傅若金《孟天偉文稿序》 文與時盛衰，道斯繫也。文之論世，皆曰主乎氣，蒙則以爲有志焉，不徒謂氣也。今夫射不志乎彀，不能以中的；御不志乎綏，不能以及轍；梓匠輪輿圓不志乎規，方不志乎矩，平直不志乎準繩，不能以成器；爲文而不志乎古之作者，而能合道鮮矣。是故志以爲主，而氣以充之，必至之道也。

余闕《送葛元哲序》 文者，物之成章者也。在天而爲三辰，在地而爲川岳，其在於人，若堯舜之治化，孔孟之道德，仲由之政，冉求之藝，一皆謂之文。今特以言辭之精爲文者，夫言之精莫精於周公、孔子，二聖人之於言，豈有求其精而然哉？而其文何若是其蔚也！揚雄、司馬相如、韓子、歐陽子，始號爲工於文者，彼其於周公、孔子之文，非不欲窮日夜之力，極一世之所好，孜孜焉追琢磨礪以求其精，而卒不能至焉。濂溪、二程夫子之學，其視揚雄、司馬相如、韓子、歐陽子蓋有所不暇，然味其言，淵然而深，雄然而厚，睟然而醇，使得列於聖門，雖顔子、曾子將不能過，則夫言之精者，又若不待窮日夜之力、極一世之所好，孜孜焉追琢磨礪以求至於聖人而後已。此無他，聖賢道德之光，積中而發外，故其言不期其精而自精，譬猶天地之化，雨露之潤，物之魂魄，以生葩華毛羽，極人之智巧所不能爲，亦自然耳。故學於聖人之道，則得聖人之言；學於聖人之言，則非惟不得其道，并所謂言胥不能至矣。

邵亨貞《題錢素菴所藏曹雲翁手書龍眠述古圖序文》 道在天地間，惟文乃能載之。苟無文，則道將不能以言傳。雖傳，亦不能久遠。古先聖賢所貴乎文字者，以其爲載道之器也。自三墳五典，群經衆史，諸子叢集以降，而爲法書、墨蹟、片言、隻字，莫非載道者，故歷代寶之，久則愈貴，以見今之不及於古焉。

李好文《雪樓集原序》 聲音與政通，文章與時高下，原其始，則理與氣合，道與時合，要其歸則亦泯然而無間。三代而上，醇乎醇者也。漢猶近古，其文則雄偉渾厚，由其氣質未灕，故其發爲聲音者似之。魏晉以降，剝剖分裂，作者厖乎不醇，豈風氣乖而習弗善與？至唐韓、柳氏出，起弊扶弱，剗垢易新，遂爲後世作者之宗匠。宋盛於前而靡於後，金則無以議爲也。我國家以泰初混龐之氣，開闢宇宙，世祖皇帝合南北爲一家，于斯之時，人物之生辟，猶春陽始達，生意奮發，甲者畢坼，勾者畢出，挺英揚蕤，駢榮競秀，條達暢茂，滋息雨露而收其實者。

陳旅《國朝文類序》 元氣流行乎宇宙之間，其精華之在人，有不能不著者，發而爲文章焉。然則文章者，固元氣之爲也。徒審前人制作之工拙，而不知其出於天地氣運之盛衰，豈知言者哉！蓋嘗考之三代以降，惟漢、唐、宋之文爲特盛，就其世而論之，其特盛者，又何其不能多也。千數百年之久，天地氣運難盛而易衰，乃若此斯人之榮悴，槩可知矣。先民有言：三光五岳之氣分，大音不完，必混一而後大振。美哉乎其言之也！昔者南北斷裂之餘，非無能言之人馳騁於一時，顧往往囿於是氣之衰，其言荒粗萎冗，無足

起發人意，其中有若不爲是氣所囿者，則振古之豪傑，非可以世論也。我國家奄有六合，自古稱混一者，未有如今日之無所不一，則天地氣運之盛，無有盛於今日者矣。建國以來，列聖繼作，以忠厚之澤，涵育萬物，鴻生儁老出於其間，作爲文章，龐蔚光壯，前世陋靡之風於是乎盡變矣。孰謂斯文之興，不有關於天地國家者乎？

又《宋景濂文集序》 大哉文乎，不可無淵源乎？西京而下，唯唐宋爲盛。宋姑不論，以吳興姚鉉所集《唐文粹》觀之，奚啻三百餘姓，雖張、蘇、蕭、李、常、楊之流，氣逸辭雄，各自名家，終不能返於古何哉？無所宗也。獨韓愈氏吐詞持論，一本之《六經》，然後斯文煥然可觀。故凡經其指授者，往往以文知名於一世。夫渾涵彌綸之道，淳龐沖雅之音，欲藉是以宣揚之，使其文字各從職而不紊，苟不傳之於師奚可哉。

又《鄭濤字序》 嘗冥觀水之文矣，初踰錢塘，見怒濤自海門來，神怪隳突，不可具狀，縱者，横者，趨者，迎者，昂者，俯者，衝而鬭者，欲升而復偃者，奮將擊而回薄者，雷霆方驚而風雨至者，萬騎哀甲乘秋風而疾驅者，予竊意水之文已止於此，而他水不能皆然也。及渡大江也亦然，非惟大江也，及泝黄河也亦然。江與河雖不如錢塘之潮汐，有時而水之文相與衝激，而成則無少異。予又竊意天下之水，唯相激然後成文，不激則不能文也。及休沐之餘，與鑾坡諸公遊西山大湖間，風挾水作聲勢，無異於昔時所見者，迨夫天開風定，向之怒濤舒而爲平夷，一碧萬頃，雲光下映，塵埃不驚，翔禽游魚，飛泳左右，靡不粲然可觀。予方悟水之至文，原在此而不在彼也。天下文之妙者，其能越是乎？是知駕風鞭霆，噴沙裂石者，乃文之粗；冠冕佩玉，屹然山立，動中矩度者，方爲文之至者也。今以濤之名若字言之，雖韓愈氏復生，論文之妙，亦不過此。濤但當如司馬子長泝淮浮洛，歷觀海內名山川以昌其文氣，則天下文之妙者，將在濤矣，惡用予文爲哉！

又《王文忠公文集序》 道無往而不著也。達則著之於事業之大，窮則著之於其身之所及，以文辭而著其道，則又未嘗有窮達之分也。夫德茂者業富，理充者言從，故古之君子非有意於立功，而功常被於世；非有意於立言，而人謂其言以爲法。後世以文辭名者，或不察乎理義；以政事顯者，或不明於學術；以窮經學古爲務而文辭政事之無足觀者，亦有之矣。凡若是者，皆不足以語夫道也。何也？道則無往而不著也。【略】 夫道之在人也爲事業，則著於事業；爲文辭，則著於文辭。道豈有二哉！

陳高《顧氏文錄序》 太上立德，其次立功，其次立言。古之君子死而不死者，有所立也。立德、立功尚矣，而言之可傳於世，夫豈易乎哉！言之不文，則其傳也不遠，此君子所以貴乎文也。文之載乎道者，蓋難言之矣。指事陳辭，摛章摘句，雖若異乎古之立言者，然其稱述議論，往來唱酬，藻思縱横，才華發越，有以誇美於人而流傳於後，固亦當世之所重也。

吳善《牧庵集序》 文章有一代之宗工。其出也，秉山川之靈，關天地之運，所謂百年幾見者也。漢四百年，惟司馬遷父子、揚雄、班固四人；兩晉魏隋之間則無聞矣；唐三百年，惟韓愈、柳宗元二人；宋三百年，惟歐陽修、蘇軾二人。當是時，非無作者雜出其間，與三四君子相與度長而挈大，並駕而齊驅焉，然皆掇拾剽竊，不能成一家之言，負當代宗工之任。此山川之氣，天地之運，誠有時而或息。

蔣易《存齋先生集序》 元氣塞乎天地之間，運之爲五行，布之爲四時，散之於萬物。瑞之爲卿雲，爲景星，爲豐年，爲麟鳳，爲醴泉，爲芝草，元氣之和也；祆之爲旱魃，爲彗孛，爲饑饉，爲狐蜮，爲梟獍，元氣之乖也。文章亦然。《五經》，元氣也；諸子百家，五行四時也。醇之爲思、孟、周、程，駁之爲荀、揚、服、鄭，正之爲仲舒、劉向，奇之爲馬遷、班固，險之爲屈原、曹、劉，暢之爲韓、柳、歐、曾，氣之沖和而清淑者也。異之爲楊、墨、老、釋，雜之爲管、商、申、韓、儀、秦、爽、衍，怪之爲《山海》、《齊諧》、《鬼塚》、《夷堅》，氣之乖戾而舛逆者也。何以若是哉？斯文之元氣在《五經》，《五經》之元氣在聖人之道，違夫聖人之道，則乖厲之氣乘之矣，故文者，貫道之器也。自漢以來，文人別集無慮千數百家，今其存者或寡矣，無他，道不存焉爾。道苟不存，則有之不加益，無之不加損。而《通書》、《太極圖說》、《易》、《春秋》傳序，《西銘》、《近思錄》，學者尊之如經，非以貫聖人之道而近元氣之脈乎？然則文章不本於《五經》，如人無元氣，其能久存者，否矣！

鄭玉《餘力稿序》 孟子既沒，學者各以己見爲學，文章爲道，故韓退之、柳子厚、歐陽永叔、蘇子瞻輩，咸以此名世。作者既曰，足以盡斯道之傳，後之尊之者又曰，是皆所謂傳而得其宗者也，塗天下之耳目，置斯民於無聞見之地。然則道之不明，文章障之也；道之不行，文章尼之也。文章之弊可

勝言哉！宋初河南程氏兄弟者出，天下號爲兩程夫子，始知斯道之傳不在語言文字之間，而具於吾性分之內；不在虛無高遠之際，而行乎日用常行之中。以此窮理，以此明道，以此淑身而傳後，以此解惑而覺迷，文章之作，遂一廢而爲無用之物。譬之霆雨初霽，復見天日，而無有魑魅魍魎也。至吾新安朱夫子集諸儒之大成，論道理則必著之文章，作文章則必本於道理，昔之厄者行障者明矣。信乎有德之必有言，文章爲貫道之器，而非虛言之謂也。余年十數歲時，蒙昧未有知識，於前言往行無所擇，獨聞人誦朱子之言，則疑其出於吾口也；聞人言朱子之道，則疑其發於吾心也。好之既深，爲之益力，不惟道理宗焉，而文章亦於是乎取正，久而浸熟，不知我之學古人，而疑古人之類我也。人有笑而問者曰：「文章宗韓、柳，道理宗朱、程，此萬世一論也，子之爲學不亦謬乎？」余曰：「道外無文，外聖賢之道而爲文，非吾所謂文；文外無道，外六經之文而求道，非吾所謂道。吾於朱子折衷焉。」問者曰：「吾過矣，吾過矣，子之言是也。」余懼問者之煩而應者之勞也，廼書其意而以白夫世之疑者，且名曰《餘力稿》，以見吾學之不專於文辭而當有本也。

又《胡孟成文集序》 以文章爲學，古無是也。六經皆文章也，而不以文名；堯舜周孔皆文人也，而不以文聖，故所言皆文章也。

魯貞《古今文典序》 太乙肇判，天地萬物之理不能以自明，惟其言能宣之。人惟能言而不知其理，猶不言也。聖人知其理而能言之，而後天地萬物之理昭晰於天下，而人文之由始也。伏羲畫卦而《易》作，二帝授受而《書》興，太史觀風而《詩》集，夫子正王道而《春秋》成，言出而理明，不飾而自文。所以爲天地立心，爲生民立命，爲萬世立天極也。自是而後，理必學而後明，言必飾而後文，蓋有聖人開之於前也。若曾子、子思、孟子能飾其言以明其理，亞夫經者也。自是而變，於是乎有若左氏之雍容，莊生之飄逸，戰國之明辨，賈誼之雄偉，太史公之質實，皆能飾其言者。言能明其道，而古文亡矣，是雖未足以明理，而能達其所言之意者也。變若東漢，若三國，若六朝，文不能飾其言，言不能明其道，而古文亡矣。至唐韓愈氏出，文能飾其言，言能明其理。宋歐陽子和之，而後大行，復遠前人之盛。然恨其明理者少，而達意者多也。若柳子厚，若二蘇，若曾子固，皆致飾其言以爲文，而違其意，所能言者，明理雖未而文足以繼乎前人。予暇日，自《五經》而下，取凡作者，編爲《古今文典》。謂之古文者，非謂上古也，以其奇辭異體，人所不能道，如天球河圖，而不可數見者也。自愼到止怪石供，凡若干篇爲古文典。謂之今文者，非謂今日也，以其叙事論理人所不能無者也，如盆盂衣服，人資以用，而不可缺者也。自絕秦王止曾子固，凡若干篇爲今文典。典，故法也，欲學者以爲法也，甚矣文之難也。自孟子以下至於今日二千餘年間，號爲能者，止此十許人耳，是二百餘年而得一人也。若唐之韓子，則三百年矣，夫以三百年有一人，何其少也。惟其少也，是以難也。規矩周密，體制備具，後有作者，如匠石之能循規矩也。或曰：作者衆矣，今日止此十許人者，若過矣。然文不足以飾其言，言不能以達其意，上不能以承乎古，下不能以垂於後，非吾之所謂文，故不取也。吾之所取，止於此矣。復乎前人之美，則予之所望也，有能由是而求作文之標準。若屈原之《離騷》別爲一集，則程、朱之文學，自當讀之，茲以取文，故不及也。言必飾而後文，不飾不可以爲文；欲飾其言必由於學，而文所由以作也。文既作者，世之飾其言者何其多也，然皆達其意之所欲言，而不能以明理，而四維之文，於是乎息矣。

李國鳳《貢禮部玩齋文集序》 夫人之生則有聲，聲通乎心。其宣諸口者，謂之言，言中於理。倫比之而有章者，謂之文。則文乃言之尤，其可傳而不泯者，又文之尤也。蓋言以宣意，文以立言，可傳而不泯者，以其中理而載夫道也。道也者，貫古今而不可易，則文之用可得而泯乎？三代而上，文與理具，《六經》之文是也。三代而下，文自文，理自理，言之不能措諸文者有之矣，文之而戾乎理者亦有之矣。道何自而明乎？間有作者，刮其浮習，欲舉一世而甄陶之，雖鼓舞奮迅於一時，終亦轇轕於故常，而不克大有所振者，可勝歎哉。至於我朝元貞、延祐之間，天下久安，人材輩出，其見於文者，雖一言之微，亦本於理，累辭之繁，必明夫道。有溫醇忠厚之懿，無脆薄蹇淺之失，其流風遺韻，漸涵浹濡，蓋將澤百世而未艾。烏乎，文章之盛其斯時歟！自世故日變而士氣不揚，故老凋謝而師承無法，辭之儷乎古者不多見也，況其可傳而不泯者哉！

鄭泳《潛溪別集後序》 陰陽之所以爲造化者，氣而已矣。是氣也，充乎宇宙，鼓盪運旋，感而爲雷霆，暢而爲風雨，著而爲日月星辰。煦而春，長而夏，斂而秋，閉而冬。凡所以生成萬彙，隨物賦形者，氣爲之也。故氣完則固，氣微則餒，氣散則漓。巨細精粗，妍媸美惡，氣之不齊，物所不同也。

惟人也得氣之全，又能養而至于大全，則其蓄于中者既久，而著于外者自然有英華光輝之文。若《易》之奇麗，《書》之雅奧，《春秋》之謹嚴，下而至于《史》、《漢》之後，奇偉雄贍，蓋各不同而未嘗不同也。不同者文之體，同者文之氣，氣之所至，文之所著也。故善于文者，大篇短韻，書論賦歌，隨所願而各適其宜，體雖不同而氣則無不同，猶陰陽之于萬彙者乎？所謂妙造化之功者，文之謂也。先生以聰敏之資通究百氏書，蓄學之久，發而爲文，俯仰開闔，出入變化，千變萬狀，有未易形容者。至于詞嚴義正，理當情深，大而聖學體用之方，小而賦韻聲律之節，尤爲精到。旁及老佛之説，方伎之事，鬼神之異，皆所不棄而盡見于文，亦猶氣之所至，隨物賦形，雖體不同而未嘗不同也。豈若譾譾焉補綴彌縫，滯于一偏，拘于一體，而不能變通者。故讀先生之文，熙熙然若春陽之入人，不見其跡而睟面盎背也；粲粲然若珠玉之盈眸，不暇遍觀而愜心悦意也；凜凜然若迅雷驚霆，不及掩耳而肅容戰色也。非極天下之理，窮造化之妙，而至于大全者，孰能與于此乎？

劉壎《答諶桂舟論銘文書》 託文章以傳者，又必其人德義志節無忝銘筆，乃幸或恃以傳。韓、歐、曾、王，節行配古人，德業著當世，世託之傳者以此也，乃亦不獨文章也。近世陋俗，以名位求文章，不揣其本，署銜位，列名氏，直寸晷矜寵，終不傳也。則又不若山林枯槁德義志節之士，大公至正，誅姦發潛，如是而爲之銘，乃足恃以必傳也。夫其富貴權力之不足恃，而賴金石以傳，金石不足恃，而賴書册以傳，必傳矣，顧非德義志節有足恃，文章亦不傳也。

又《隱居通議》卷一八《經文妙出自然》 經文所以不可及者，以其妙出自然，不由作爲也。左氏已有作爲處，太史公文字多自然。班氏多作爲，韓有自然處，而作爲處亦多。柳則純乎作爲，歐、曾俱出自然，東坡亦出自然，老蘇則皆作爲也。荆公有自然處，頗似曾文，惟詩也亦然。故雖古作者俱不免作爲，淵明所以獨步千古者，以其渾然天成，無斧鑿痕也。韋、柳法陶，純是作爲。故評者曰：「陶彭澤如慶雲在霄，舒卷自如。」

劉賡《紫山大全集原序》 文章以氣爲主，其爲氣也，至大至剛，以直養而無害，則塞乎天地之間。

胡祗遹《郁文堂記》 文之爲言，淵乎焕乎，聖人屢言之矣。奈何後世學者，不求文之所以爲文有本。「文不在茲乎」。「天之將喪斯文也，後死者不得與於斯文也；天之未喪斯文也，匡人其如予何。」又曰，「君子以文會友，以友輔仁。」又曰，「燦然有文以相接。文之爲文，於斯可見。」又曰，「周監於二代，鬱鬱乎文哉。」又曰，「夏尚忠，殷尚敬，周尚文。」忠也，敬也，文也，分之則三，合之則一。誠篤乎中心，形於威儀，則嚴恭寅畏。嚴恭寅畏，則語言揖讓登降，進退起居，莫不有自然之節次，輕重疾徐，貴賤長幼，先後之次叙，是之謂文。周視夏殷，文武君乎上，周召臣乎下，內則宗廟朝廷，百司庶府，外則方伯連帥，鄉邑閭里，朝覲會同，冠昏喪祭，忠敬實乎心，文華鬱乎體，方之夏殷，燦然具備。天理昭著，人倫焕明，夫婦别，父子親，君臣義，長幼序，朋友信，本既立矣，貴則玉帛贄答，賤則榛栗贈遺，賓主之間，莫不成文，此吾夫子美周之文也。周之末世，忠敬澆漓，文存實亡，故聖人爲之嘆曰：「禮云，禮云，玉帛云乎哉！」陵夷至於叔世，君父師長，不自知其職，不學古明經，不窮理盡性，不修身齊家，不知建極明倫之爲己任，化民成俗之爲己責，軒軒然以地位年齒驕蹇於上，間有好學者，不過乎執經問難爲章句儒，措辭爲淫麗新奇語。吁，人之以是爲文，波流風靡，詩降而爲律，字畫流而爲行草，散文變而爲四六，歌詠轉爲市聲里曲。父師之責子弟，時君世主之進退臣下，以是爲才不才，文至於此，何以爲之文哉！《易》曰：「觀乎天文，以察時變；觀乎人文，以化成天下。」又曰：「君子豹變，其文蔚也；大人虎變，其文炳也。」文之訓詁昭昭矣。然則爲人子，爲人弟，入孝出弟，謹信汎愛親仁，而力有餘，從事於文者，更深思之。

又《紫山大全集》卷二六《語録》 欲學古人之言藝，當先學古人之德性心術。無是心而學是藝，愈勞苦而愈不近似。然則何以識其心哉？因言語文章行事之著於外者，知其心之必若是也。故曰，有德者必有言，言者，心之聲也。東坡論畫竹，當先得成竹於胸中，執筆熟視，乃見其所畫者，急起從之，振筆直遂，以逮其所見，如兔起鶻落，少縱則逝矣。余因以類推：凡學前人文章字畫功業德行，皆當得古人全體於胸中，與爲一而無間，庶幾髣髴。故韓文公亦曰：「不得其心而逐其跡，吾未見其能旭也。」【略】三代之學，學爲文辭乎？曰：若今之生徒，執筆操紙，受題措辭，則不經見所見，誦詩讀書，習禮明樂射御書數而已。雖然，如子夏之門人，小子學灑掃應對，進退應對，則習其辭也，進退則習其文也。孔鯉過庭，訓以學詩曰：不學詩，無以言。則非辭而何？學禮，則非文而何？又曰：使於四方，不能專對。

專對，非辭而何？又曰：言語：宰我、子貢。言語，即辭也。蓋古之所謂文辭者二事，辭則言語應對，文則威儀進退。禮樂刑政，父子君臣，朋友賓主之間，粲然可觀，秩然有序者，皆謂之文，非其辭之謂也。後世指以辭語爲文章，則誤矣。文學子游、子夏，豈若今之所謂文學也歟！古之學辭，始於應對，中於學詩，終於專對。其先後次第，皆自養德性，博古今，明義理，以精其辭。今之學不養德性，不博古今，不明義理，今日入學，明日付以紙筆，使之措辭爲文，豈理也哉！故至老師宿儒，動筆數千言而能不謬於義理精粹可採者，幾何人哉？蓋亦失其本矣！

釋圓至《廬山遊集序》夫所謂言者，氣志之形容爾。浩然溢乎中，沛然發於外，不可欺也。孟子善養氣，故其言鏗横磬辨，肆出不懾，而禮稱風之哀樂，亦由其志和怨。然則言者，志之動，氣之宣，無所養而敏於言，是撥其根責其末之茂也。故觀人之道，言爲著，審其音，而中之正慝見矣。

姚燧《樗庵集序》夫讀其書，必知其人。質者拘窘，採者游誇，近者膚卑，豪者峻宕，剛者麤厲，而弱者氣乏，與夫徇今者陳茶，戾古者無法，葩艷者遠實，喜異者艱崎，失志者詆訕，躁淺者迫切，而挾數者詖傾，其失非盡乎此也。惟所性中正宏厚者，故能優柔而明炳，洞暢而溫醇，斯大雅君子，言符其德者也。

程文海《答何端奇書》文者何也？猶之卉木之葩華，氣之所鍾，鬱勃充盎，故其所發輪囷紛鬱，不主一態，然皆出於有本有原，初不期然而然者。世俗因倣而爲之，雖形色肖象，無一不如，人之見之者，亦未始不以爲如也。然即而求其神氣，流行潤澤，則漠然者，何耶？其故可知已。今之爲文者類此，故未有無表之景也，亦未有不式其表而惟景之取也。蓋聞古之測景者，或於陽城，於滑臺，於交州，必有定所，而後以考寒暑之中。若持竿而行，仰而俯視，曰是亦景也而可乎？

李庭《蘭泉先生文集序》文詞，君子之餘事。古之人癯形苦心讀書，以學聖人之道，其志蓋本於輔時澤物，見諸事業而已。惟不達而窮，奇才異氣襟無所施，往往自肆於山巔水涯，友雲松而狎魚鳥，至觸境感物，發於嘯歌謳吟，以寫其湮鬱不平之心。好事者或得一章一咏，諷誦不置，直謂其胸中所素蓄不外乎此。噫，是特土苴糟粕耳。然自屈原放而《離騷》興，子昂窮而《感遇》作，下逮李杜諸人，不可勝紀。其間英辭麗藻，千狀萬態，皆能聳動人之觀聽，是以流傳至今。故雖號爲一藝而陸沉不遇之士，舍此亦無以自見于世，使後之人能味其言，考其出處，因有以得其爲人，則君子之志庶幾乎不泯矣。

徐明善《周自昭文集序》唐人謂心正則筆正，豈獨筆哉！言者心之聲也，聲者言之衍也，雅正之文，必君子能之爾。其義趣氣和，其趣偭不差，其憂歡得失，不異其規矩，繩墨不犯，斯足尚也。若君文是也。近比以文鳴者，往往浮險蕩譎，後進靡然尚之，蓋人心之變，有足慨者，豈文當爾耶！

又《疎齋盧公文後集序》《易》坤爲文，而《書》云「天命弗僭，賁若草木」，草木麗乎坤者也。春流八埏，華映九州，雕葩傳色，錦重綺錯，掇而視之，無遺巧焉。夫天命即理也，斯文理之形著也。或者執枯槁以疑穠灼，曰理不若是弗思耳矣。夫子之言文，曰炳，曰蔚，曰煥，曰郁。又曰：「言之無文，行之不遠。」文不賁若乎哉！

又《槃澗先生文集序》《易》曰：「天下文明。」又曰：「觀乎人文，以化成天下。」所謂文者，《禮》、《樂》、《書》、《詩》、《易》與夫記事之史是也。明者，人無不習而粲然，日用常行間，所謂化成也。周、程繼孔、孟，朱子集大成，聖經賢傳，自漢以來，穿鑿傅會，爲之一洗，若揭日月。宋之所以度越漢、唐，斷斷在此。摛章繪句云乎哉！善論文者，莫如南豐，謂自唐虞以來，至秦漢之際，異人殊世，其文數萬，而其所發明更相表裏，猶一人之説理當故無二也。然則文明而天下化成者，其不以此乎？後之作文者，篇爲新説，説有新語，然觀者不足以畜德，習者遂至於喪志，此則建洛之所斥者。

又《寬居胡先生文集序》辭所以析理，辭修而理明，是以謂之文也。後乃有追琢組繡以爲工者，未若四十年來詭經反理，鉤棘斷續，駡譏調笑之甚也。【略】夫萬形皆有弊，而況空言。苟無理以本之，欲其不朽得乎？

徐起《聞過齋集原序》文以道輕重，自昔有是言也。由古訖今，其文之行後者，莫不皆然。舍道而論文，則其人品之高下，何由而見哉！夫言者，心之聲，而文又言之精者也。心明乎道，故其言皆可法，昧乎道者反是。是故理明而辭達，文之上也；理勝乎辭，文之次也；辭勝乎理，不足謂之文矣。況磔裂靡陋，以趨時好者乎？

李繼本《題獨菴外集後》予因請於師曰：浮屠人冲虛而無外，渾涵而無涯，瑩乎其無緇，而迥出其無鄰，一源湛乎中而放之於無垠，諸有生乎想而

會之於無心，萬變至乎前而屏之於無聞。師之學蓋自得其得，而非積盛致然也，師何汲汲於文辭爲哉？古之作者，著之《六經》，而散之九流百氏，與夫天文律曆山經地誌，下至稗官小說，紛紛籍籍，汗牛而充棟，天地一糟粕也。苟或窮日力而繙閱焉，貫穿上下而淬礪焉，鏤肺雕肝鉥心劌目以耗其精魄焉，吾懼其淆濁吾性海，冥迷吾法界，非學也。矧吾祖師言佛，非由語言文字，性在是耳，師何汲汲於文辭爲哉？師囅然而笑曰：「世徒知有言之言，著之文辭，而不知無言之言，默契乎道妙；知雕蟲篆刻之爲文之境出，而不知不得已而有言之文之獨得也。故天不言，而日月之照臨，雲漢之昭回，皆文也；聖人不言，而道德之光輝，經緯天地，皆文也。故能言之士，以其不言之言，吐其精華，而炳耀乎篇帙。其始也，運乎沖漠之虛，而窮乎泱漭之野；其終也，超乎筆墨畦徑之外，而貫乎萬象呈露之中。不敷暢而究其旨歸，不階梯而闖乎堂奧，不繪繡而黼黻其文，不宮徵而韶濩其聲。其多也，聯編累牘，而莫有紀極；其簡也，一轉語而三千大千，盡其模擬，此之謂不言之言也。」予聞其說，則復於師曰：「師之文，出有而入無，予何庸置喙其間哉！予將訥其舌而絕其言矣。」

甘復《與伯寔先生書》《六經》之文，皆所以明道。道以文著，文以道傳。得古人之道，然後能爲古人之文。古人之文，非執筆而爲之也，道充於心見之於言不自已也。以意則暢達而深微，以氣則和平而溫厚，無奇邪險詭以相齟齬其間，雖百世之下，誦其文有以得其心。後之作者，不急於求道，惟文之務，辭雖工，時與道戾，故文愈多而道愈不明。要之，爲文蘄以明道，於道無明，而惟藻繢琢削，以聲音文采相矜耀於時，工力有餘，於古無足取也。執事言文主於明道，故凡所作多有合於古，年加老矣，而氣愈和，道且充矣，而文愈峻。

又《贈陳氏子序》士有出於一世人之識見，然後能爲一世人所不及之文章。文章非難，識見爲難爾。夫天下至大也，萬世至遠也，事變至無窮也，然通之有道。得其道，天下不知其大也，萬世不知其遠也，事變不知其無窮也。存之於心，施之於事，奮而見之於文章，上有以發聖賢之微，下有以啓將來之惑。至於先王禮樂之奧，古今得失治亂之幾，人物賢不肖之別，莫不爲世取法焉。然後知文章之用之大，非苟焉可傳於時，有聞於後也。世無文章久矣，藻飾以耀其能，刻鏤以矜其工，原之以道，一無至焉者。文章果以戲設乎哉？宜世之益下，而彼淺陋者之不知也。

佘璉《徐仙翰藻跋》文者，包三材而爲體，散萬有而爲用。鴻濛混而文未生，鰲極判而文漸露。天不愛道，故出圖書於河洛。寄之包犧神禹，封而入之，壽而九之，而人之始顯。既泄於天而授之人，天上玉樓，亦將假筆而長吉之手，今又授而之神，神得以騁其能矣。然未有如靈濟之神，下筆數千言，錄而集之，名曰《徐仙翰藻》。或曰：神之盛則人之哀，此陸雲玄學必得於冢中之談《易》；《滕王閣記》，必得於長蘆之効靈。非扶肘擘口，文未必工。取筆還錦，文思頓減。人聽命於神耶？神聽命於人耶？驅瘧除魅等作，惟昌黎公足以當之。如是謂人之文，至於王知遠《易總》、郭公《青囊書》造物所甚秘者焉，得不求之於神？誦神之文，驗神之靈，信乎言事，驗爲文富也。雖然，驟語《易》者必玩神，神而明之存乎人。神固不可盡洩於人，人亦不可盡諉於神。蓋神無方而有知也，文之靈也固宜。然神之靈也不可知，不可知則其謂之怪也亦宜。苟神矣，何怪乎？怪於神，孔子不語也。是以太公之《陰符經》、圯上之老人篇，苟非人則不傳，神亦豈易語人哉！愚故謂神之文，非誇奇鬪異也，自述一記，可以考神系之願，未摭之韓昌黎作《嫗王廟碑》，信有證也，無徵不信矣！且其言曰：婉婉嫗王，惟道之耽。人思王恩，記王之孫。是知鼻祖，仁義一脉。世有大功，故其流澤蕃衍，或克至於今日。休識者猶謂昔廟於衢，今廟於閩，王之不戰，不之彭城之越。斯廟焉，又何有於閩？

潘伯修《文釋贈金華吳履》文者，道之榮也。夫道之有文，猶火日之有光，草木之有繁澤。道之大無所不居，故文無所不著。太虛得之以爲天文，水土得之以爲地文，草木鳥獸得之以爲草木鳥獸之文。其在於人，其靈氣之所昌，菁華之所被，大之爲經緯禮樂之盛，垂之爲《易》、《詩》、《書》、《春秋》之常。載之於身，則萬物衣其光；措之於言，則萬世食其實。若其後世之所謂文者，古之謂史，於道爲臣妾，非所謂道之榮也。且文何從興？昔庖犧氏王天下，仰觀於天而取其文，俯察於地而取其文，旁觀草木鳥獸而取其文。取其文以爲文者，八卦，歷世之共載，爲文之祖，而陶唐氏端以文稱。仲尼曰：「巍巍乎，蕩蕩乎，煥乎其有文章。」陶唐氏之文冠於書，其書之文，非所謂陶唐氏之文。有虞氏文明，夏后氏文命，皆不自爲書。書之者史。謚始周，周始西伯，西伯於謚爲文王，公旦於謚爲文公。凡雅頌之興，卿大夫

士與庶民雜爲之，而西伯乃獨以文名。仲尼亦曰：「文王既沒，文不在兹乎。」如仲尼之所謂文，則又取《易》、《詩》、《書》、《禮》、《樂》、《春秋》而考定之。世言《春秋》蓋筆於聖人之手，然猶曰「其文則史」，其他傳論，盡出其門弟子也。孟氏亦然。然天下後世不謂百王之文不統會於夫子。故文莫古於庖犧，莫尊於陶唐，莫盛於周，莫宗於孔子。王道衰，聖人熄，於漢司馬遷、相如、枚臯、王褒、揚雄、班固，於唐陳子昂、李白、杜甫、元結、韓愈、柳宗元，於宋歐陽修、曾鞏、王安石、蘇洵、軾、轍，往往以自擅於世，華丹其毛皮，佐力於舟車之下，皆所謂道之臣妾。如相如、褒者，又臣妾之巫優者也。獨韓氏愈能近於道，數數以文自諱，惜也能起八代之衰，而不開群聖之緒。顧乃尊玄於雄，尊史於遷、固，尊歌詠於甫、白，而後之作者從䏰之決焉。此無他，周子曰：「輪轅飾而人弗庸，徒飾也。」篤其實而藝者，《書》之故通，所以讚《易》也；表《中庸》，所以叙唐虞也；箴銘，所以準抑之《詩》也；《綱目》，所以續麟經也；兆禮於士，正樂於律，所以繼周也。而無極以宗之，性命以精之，德義以涵之，神明以出之。日月不得不明，陰陽不得不變，鬼神不得不幽，而萬物又誰剝之生也。故曰文者道之榮也，猶火日之有光，草木之有繁澤。

戴良《密菴文集序》 文主於氣，而氣之所充，非本於學不可也。《六經》而下，以文雄世者，稱孟軻氏，韓愈氏。孟軻氏曰：「我善養吾浩然之氣。」韓愈氏曰：「氣盛，則言之短長，聲之高下皆宜。」然孟軻氏之養氣，則既始之以知言，而韓愈氏之氣盛，亦惟三代兩漢之書是觀，聖人之志是存耳。文以氣爲主，氣由學以充，見之二氏，可考而知也。後之學者，乃或不是之求，方貴華尚采，粉澤以爲工，遒密以爲能，吁，亦末矣。

程國儒《青陽先生文集序》 文莫盛於三代，而三代無以文名者，其名不以文也。漢以降，始有以文得名，而其文已不復三代之盛矣。嗚呼，豈惟文哉！文者德之華，行之表，德行之不足而名能文者，亦僞耳。是故山之寶氣結爲龍文，日之回光散爲霞采。十圍之木上干霄漢，秀色而繁陰，必其節榦勁堅，根柢深固，非風雨所能搖振者。

陳德永《答張熙載論文章書》 故以爲凡古聖賢所爲文章，皆非其有意爲之。是以言之而爲天下之至文，文簡而理當，推之不窮，測之愈深，如日月列星垂象于天而終古照耀，如江河淮漢日行于地而滿盈不衰。聖賢初不自覺其然也，而望見之者自覺其然耳。後之君子道有不勝，徒事秉筆，學綴語言，弗完弗合，無益於用。故有謂文以氣爲主者，有謂文以理爲主者。嗟乎！文固有理、有氣也，不知自養於平時之素，臨時而作氣，氣烏乎充？臨時而索理，理烏乎粹？理非氣不能以自行，氣非理不能以獨盛。不知其於一本而强欲分析，秖見文章之日陋也。三代而下，司馬遷、班固、揚雄號爲傑出，然皆隨其所禀而有成就，故有善有不善。司馬《史記》成一家言，《帝紀》點竄虞夏書字，吾不知何說。班固《漢書》自纂修太史公所已道者，更益雅健外，其餘所自爲，便有差等。子雲《法言》，退之所仰，子厚不服。凡此者，皆其有意於爲文者也。有意於爲文，雖司馬遷、班固、揚雄，猶不能以皆善，況下此而能必其皆善乎？此僕所以決意以務養根本也。務養根本，爲聖爲賢之路，脫有不至，亦必不與碌碌者同科。足下以僕之言爲然否乎？

薛致《道德眞經藏室纂微開題科文疏鈔序》 天地萬物之一，會於聖人之心，明於聖人之言。觀聖人之言，不察其所從出，無惑乎！事物之多，紛紛藉藉，有萬不同而莫能爲之總持而兼攝也。夫道生於一，散於萬，不知萬之歸於一者，皆推本窮源之學不講也。老子《道德經》之所從出者，一而已矣。曰上經，曰下經，似不一也，未嘗不一也。曰八十一章，曰五千言，似不一也，未嘗不一也。蓋以天地萬物之一，寓於上下經、八十一章、五千言之中，使天下後世，由於一而知夫一也。夫一之理，廣大渾淪，難乎擬議形容也。謂之有邪，則不得於言；謂之無邪，則不離乎物。方天地萬物未形之先，是一也，已萌乎其中。及天地奠位、萬物品彙之後，是一也，無所往而不在。天地得一而爲天地，萬物得一而爲萬物。聖人得天地萬物之一，開悟天下後世，蓋非一言一論所能究悉，此老子《道德》五千言所由以作也。

危素《與藝恭議書》 蓋聞文爲載道之器，尚矣。道弗明何有於文哉？氣有升降，時有污隆，而文隨之。《六經》之文，其理明，其言約，其事覈，弗可及已。自是離文與道而爲二。斯道湮微，文遂爲儒者之末藝。雖其才之傑然若司馬遷、揚雄、班固，後世猶有議之者。凌夷至于隋唐，其敝極矣。昌黎韓子起而振之。至于宋，敝又極矣，廬陵歐陽子起而振之。歐陽子以爲韓之功不在禹下，後之論之者曰歐陽子之功不在韓子之下。金之亡其文，麗而肆；宋之亡其文，卑而冗，考其時，概可知矣。

宋濂《文獻集序》 天地之氣日新而無窮，文辭亦與之無窮，蓋其升降翕

張，俯仰變化，皆一神之所爲。神也者，形之而弗竭，用之而彌章，氣之樞，文之所囿也。成周而上，六藝興焉，《禮》不同乎《春秋》，《春秋》不同乎《詩》，《詩》不同乎《書》，《書》不同乎《易》。成周以下，諸家言雖不能如經，亦各以所學鳴。龍門則異於河汾，河汾則異於昌黎，昌黎則異於廬陵，廬陵則異於伊洛，夫豈欲騁異哉？文與氣資神以生，其勢則然也。

又《重校黃文獻公詩文集序》 古之立言者，必深於道德，不得已而後言，故其言爲不朽，而操觚吮墨之士，往往背本趨末，不知求道養德，以充於內，而惟以文章爲事業，蓋道德文章之出於二也久矣，如宋玉、相如之徒，競尚浮華，非無工妙可喜之辭，而昔人則比之於鄭衛，至於《法言》、《中說》，非聖人而作經，初無探討服行之實，而效之於形似影響之間，昔人則又比之於吳、楚，其他淺者固不根無實，而其深者，亦未能反之於身，而一出於道，雖傳之後世，讀者有取其言，而終不能無憾於其本，此何異朝華夕秀之乍啓乍披，候蟲時鳥之自鳴自止哉！

又《蘇平仲文集序》 古之爲文者，未嘗相師，鬱積於中，攄之於外，而自然成文。其道明也，其事覈也。引而伸之，浩然而有餘，豈必竊取辭語以爲工哉！

又《朱葵山文集序》 文不貴乎能言，而貴於不能不言。日月之昭然，星辰之煒然，非故爲是明也，不能不明也。江河之流，草木之茂，非欲其流且茂也，不能不流且茂也。此天地之至文，所以不可及也。惟聖賢亦然，三代之《書》、《詩》，四聖人之《易》，孔子之《春秋》，曷嘗求其文哉！道充於中，事觸於外，而形乎言，不能不成文爾。故四經之文，垂百世而不謬，天下則而準之。自夫斯道不明，學者覩聖賢之文，而悅其不朽，于是始摹倣其語言以爲工，而文愈削矣。夫天之生此人也，則有是道也，有是道也，則有此文也。苟能明道而發乎文，則將孰禦乎，而能者寡矣。斯後世之文，所以不逮古也。後世之文，加之以百言，而不知其有餘，損其十言，而不見其不足，以不本於道故爾。此非發於不能不言，而強言之弊也。聖賢之經，其所不言也，益以片辭則多矣；其所言也，刪其一言則略矣。以其不志於文，此文所以卒莫能過也。故志於文者，非能文者也，惟志於道者能之。

又《恭題御製文集後》 臣聞有德者必有言，蓋有德者和順積中，英華發外，無非天然之文，不待勉強而後成。譬猶大化流行，融液通暢，而萬物發舒，各得生生之妙，精神充衍，無往不在。故大舜作五弦之歌，湯爲盤銘，武王造起居之誡，皆燦然成文，此揚子雲所謂「聖人之言，炳若丹青」也。

又《文說》 明道之謂文，立教之謂文，可以輔俗化民之謂文。斯文也，果誰之文也？聖賢之文也？非聖賢之文也？聖賢之道充乎中，著乎外，形乎言，不求其成文，而文生焉者也。不求其成文而文生焉者，文之至也。故文猶水與木然，導川者不憂流之不延，而恐其源之不深；植木者不憂其枝之不蕃，而慮其本之不培。培其本，深其源，其延其蕃也孰禦？聖賢未嘗學爲文也，沛然而發之，卒然而書之，而天下之學爲文者，莫能過焉，以其爲本昌，爲源博也。彼人曰：「我學爲文也。」吾必知其不能也。夫文，烏可以學爲哉？彼之以句讀順適爲工，訓詁艱深爲奇，窮其力而爲之，至於死而後已者，使其能至焉，亦技而已矣，况未必至乎？聖賢非不學也，學其大不學其細也。窮乎天地之際，察乎陰陽之妙，遠求乎千載之上，廣索乎四海之內，無不知矣，無不盡矣。而不特乎此也，反之於身，以觀其誠，養之於心，而欲其明，參之於氣，而致其平，推之爲道，而驗其恒，蓄之爲德，而俟其成。德果成矣，視於其身，儼乎其有威，確乎其有儀，左禮而右樂，圓規而方矩，皆文也。聽乎其言，溫恭而不卑，皎厲而不亢，大綱而纖目，中律而成章，亦皆文也。察乎其政，其政莫非文也；徵乎其家，其家莫非文也。夫如是，又從而文之，雖不求其文，文其可晻乎？此聖賢之文，所以法則乎天下，而教行乎後世也。今之爲文者則不然，僞焉以馳其身，昧焉以汩其心，擾焉以乖其氣，其道德蔑如也，其言行棼如也，家焉而倫理謬，官焉而政教泯，而欲攻乎虛辭以自附乎古，多見其不察，諸本而不思也。文者，果何由而發乎？發乎心也。心烏在？主乎身也。身之不修而欲修其辭，心之不和而欲和其聲，是猶擊缶而求合乎宮商，吹折葦而冀同乎有虞氏之簫韶也，決不可致矣！曷爲不思乎？聖賢與我無異也，聖賢之文若彼，而我之文若是，豈我心之不若乎？氣之不若乎？否也，特心與氣失其養耳。聖賢之心，浸灌乎道德，涵泳乎仁義，道德仁義積而氣因以充，氣充欲其文之不昌，不可遏也。今之人不能，然而欲其文之類乎聖賢，亦不可得也。嗚呼盛矣，今之人惑也！聖賢之爲學，自心而身，自身而家，其爲事亦多矣，而未嘗敢先乎文。今之人未暇及乎他，自幼以至壯，一惟文焉是學，宜乎今之文勝於古之聖賢而終不及者，豈無其故邪？不浚其源而揚其瀾，不培其本而抽其枝，弗

至於槁且涸不止也。然則何爲而後可爲文也？蓋有方焉。聖賢不可見矣，聖賢之爲人，其道德仁義之説存乎書，求而學焉，不徒師其文，而師其行；不徒識諸心，而徵諸身。小則文一家，化一鄉，大則文被乎四方。漸漬生民，賁及草木，使人人改德而易行，親親而尊尊。宣之於簡册，著之於無窮，亦庶幾脩道而立教，輔俗而化民者乎？

又《文學》 于房論文有曰：「陽開陰闔，俯仰變化，出無入有，其妙若神。」何其言之善也！蓋文主於變，變而無迹之可尋，則神矣。

又 天地之間，至大至剛，而吾藉之以生者，非氣也耶？必能養之而後道明，道明而後氣充，氣充而後文雄，文雄而後追配乎聖經。不若是，不足謂之文也。何也？文之所存，道之所存也。

又《朱悦道文稿後題》 辭章之弊久矣，梔蠟爲葩以逞妖艷，非不眩人目睛。比之元氣流行，千紅萬紫徧發洛陽名園，固自弗侔。何也？生意動盪，與死色之不澤者，其可以並論也哉？蓋古人之於文，以躬行心得者著爲言，言有醇疵但繫乎學之淺深耳。後世則不然，以文學文，皆億度想像而爲之，知道君子未嘗不一笑擲之也。今悦道之文，論議尤本諸經而翼以濂洛關閩之説。既履康衢矣，長安雖遠，惡有不至者哉？其視顛連榛莽之蹊，而虎豹蛇虺縱横交於前者，奚翅萬萬？悦道非惟見諸空言，又思踐履以驗之，此尤度越於人人。

又《文原》 余諱人以文生相命，丈夫七尺之軀，其所學獨文乎哉？【略】人文之顯，始於何時？實肇於庖犧之世。庖犧仰觀俯察，畫奇偶以象陰陽，變而通之，生生不窮，遂成大地自然之文。非惟至道含括無遺，而其制器尚象，亦非文不能成。如垂衣裳而治取諸「乾」「坤」，上棟下宇而取諸「大壯」，書契之造而取諸「夬」，舟楫牛馬之利而取諸「渙」，隨杵臼棺槨之制而取諸「小過」、「大過」，重門擊柝而取諸「豫」，弧矢之用而取諸「睽」，何莫非粲然之文。自是推而存之，天衷民彝之叙，禮樂刑政之施，師旅征伐之法，井牧州里之辨，華夷内外之别，復皆則而象之。故凡有関民用及一切彌綸範圍之具，悉囿乎文，非文之外别有其他也。然而事爲既著，無以紀載之，則不能以行遠，始託諸辭翰，以昭其文。略舉一二言之。禹敷土隨山刊木奠高山大川既成功矣，然後筆之爲《禹貢》之文。周制聘覲燕享餽食昏喪諸禮，其升降揖讓之節既行之矣，然後筆之爲《儀禮》之文。孔子居鄉黨，容色言動之間從容中道，門人弟子既習見之矣，然後筆之爲《鄉黨》之文。其他格言大訓亦莫不然。必有其實而後文隨之。初未嘗以徒言爲也。譬猶聆衆樂於洞庭之野，而後知聲音之抑揚綴兆之舒疾也。習大射於矍相之圃，而後見觀者如堵牆序點之揚觶也。苟踰度而臆決之，終不近也。昔者游、夏以文學名，謂觀其會通而酌其損益之宜而已，非專指乎辭翰之文也。嗚乎，吾之所謂文者，天生之，地載之，聖人宣之。本建則其末治，體著則其用彰。斯所謂乘陰陽之大化，正三綱而齊六紀者也。亘宇宙之始終，類萬物而周八極者也。嗚乎，非知經天緯地之文者惡足以語此。

劉基《蘇平仲文集序》 文以理爲主，而氣以攄之。理不明爲虚文，氣不足則理無所駕，文之盛衰，實關時之泰否。是故先王以詩觀民風，而知其國之興廢，豈苟然哉。文與詩，同生於人心，體製雖殊，而其造意出辭，規矩繩墨，固無異也。唐、虞三代之文，誠於中而形爲言，不矯揉以爲工，不虚聲而强聒也。故理明而氣昌，玩其辭，想其人，蓋莫非聖賢之徒，知德而聞道者也。而况又經孔子之删定乎！漢興，一掃衰周之文敝，而返諸樸，豐沛之歌，雄偉不飾，移風易尚之機，實肇於此。而高祖、文帝制詔天下，咸用簡直，於是儀、秦、鞅、斯縣河之口，至此幾杜。是故賈疏、董策，韋傅之詩，皆妥帖不詭，語不驚人，而意自至，由其理明，而氣足以攄之也。周之下，享國延祚，漢爲最久，蓋可識矣。武帝英雄之才，氣蓋宇宙，而司馬相如又以夸逞之文侈之，以啓其夜郎、邛筰、通天、桂館、泰山、梁甫之役，與秦始皇帝無異致，勤持斧之使，封富民之侯，下輪臺之詔，然後僅克有終，文不主理之害，一至於斯，不亦甚哉！相如既沒，人猶尚之，故揚子雲用是見知成帝，然而漢家樸厚之尚，已成其根，未嘗拔也。故趙充國，將也，有屯田之奏；劉更生，宗室子也，有封事之言，往復開陳，周旋辨析，誠意懇至，理明辭達，氣暢而舒，非汲汲以鴻生碩儒爭名當代者，所能及也。豈非習尚有源，而得之於自然乎！嗚呼，此西漢之文所以爲盛，國祚絶而復續，如元氣之不壞，而乾坤不死也。後之人論不及此，而以相如、子雲爲稱首，不亦悲哉！東漢班孟堅之外，雖無超世之文，要亦不改故尚，故亦不失西京舊物。下逮魏晋，降及于隋，駁雜不一，而其大槩，惟日趨于綺靡而已。是故非惟國祚不長，而聲教所被，亦不能薄四海、觀國風者，盍於是乎求之哉？繼漢而有九有，享國延祚最久者，唐也。故其詩文有陳子昂，而繼以

李、杜，有韓退之，而和以柳，於是唐不讓漢，則此數公之力也。繼唐者宋，而有歐、蘇、曾、王出焉，其文與詩追漢唐矣。而周、程、張氏之徒，又大闡明道理，于是高者上窺三代，而漢唐若有歉焉。故以宋之威武，較之漢、唐弗侔也，而七帝相承，治化不減漢唐者，抑亦天運之使然與。是故氣昌而國昌，由文以見之也。元承宋統，子孫相傳，僅逾百載，而有劉、許、姚、吳、虞、黄、范、揭之儔，有詩有文，皆可垂後者，由其土宇之最廣也。今我國家之興，土宇之大，上軼漢唐與宋，而盡有元之幅員，夫何高文宏辭未之多見，良由混一之未遠也。金華蘇平仲起國子學錄，遷翰林編修，以其所爲詩文示予，予得以諦觀之，見其辭達而義粹，識不凡而意不詭，蓋明於理而昌於氣者也。

陶安《張文道名字説》 道之顯者爲文，文與道異名而同出也。夫禮樂典章，紀綱法政，焕然施於天下者，皆文也。必有當然不易之理，可常行而無弊，是乃所謂道也。

朱右《文統》 文與三才並貫，三才而一之者，文也。日月星漢，天文也；川嶽草木，地文也；民彝典章，人文也。顯三才之道，文莫大焉。羲軒之文，見諸圖畫，唐虞稽諸典謨，三代具諸《書》、《詩》、《禮》、《春秋》，遭秦燔滅，其幸存者，猶章章可睹。故《易》以闡象，其文奥；《書》道政事，其文雅；《詩》發性情，其文婉；《禮》辨等威，其文理；《春秋》斷以義，其文嚴。然皆言近而指遠，辭約而義周，固千萬世之常經，不可尚已。孔思得其宗，言醇以至；孟軻識其大，言正以辯；若左氏多誇，莊周多誕，荀卿多雜，屈宋多怨，其文猶近古，世稱作者。漢興，賈誼、董仲舒、劉向窺見圖經，冀闡其道；相如、揚雄大昌厥辭，然皆有志於斯文者。獨司馬遷父子，頗采經傳國史，集羣哲之大成，抽一家言，載諸簡編，爲史氏宗，其文雄深多奇；班固繼作，頗就雅馴，以倡來學。二氏之文，遂足爲後世之準程也。魏晉日流委靡，唐韓愈上窺姚、姒，馳騁馬、班，本經參史，制爲文章，追配古作，宋歐陽修又起而繼之，文統於是乎有在。其間柳宗元、王安石、曾鞏、蘇軾，亦皆遠追秦、漢，羽翼韓、歐，然未免互有優劣。嗚呼，文豈易言哉！

又《文山文集序》 或問立言。曰：言以理帥，以氣行，不由此者妄也。氣與理相會，渾渾乎發乎聲，文深於言者也。故曰：「言之無文，行而不遠。」言其可易忽哉！

又《新編六先生文集序》 文所以載道也。立言不本於道，其所謂文者妄焉耳。夫日星昭布，雲霞絢麗，天文也；川嶽流峙，草木華實，地文也；名物典章，禮樂教化，人文也。三才之道備，文莫大焉。

又《元朝文潁序》 氣化流行之謂道，道之顯著之謂文。道有升降，故文有盛衰，而國家之氣化繫焉。

又《秦漢文衡序》 文莫古於《六經》，莫備於《史》、《漢》。《六經》蔑以尚矣，《史》、《漢》之文，庸非後世之準衡也歟。【略】嘗竊觀古人制作，一發乎情，情見乎辭，氣與理會，文從字順，各職其職，秦漢以上皆若此。後之作者，不浮則俚，不膚則嗇，甚至事與理悖，辭與意違，競相師師，悉趨世尚，求其可爲文章家準衡，百無二三。吁，文章可謂難矣！

又《南堂錄序》 文所以載道也。文爲藝而道爲實，篤其實藝者書之，美則愛，愛則傳焉。故曰：「言之無文，行而不遠。」

王褘《送鄭君序》 夫文者，才與氣爲之也。三代而下，詞章之士，鮮不以才驅氣駕而爲文，非才與氣不足以爲文，然徒恃乎才驅氣駕，則歲慆月邁，氣有時而衰，才有時而盡，而文亦有時而躓矣。蓋才命於氣，氣稟於志，志立於學者也。孔子曰：「吾十有五而志於學。」我學不厭，所謂志立於學也。孟子曰：「我善養吾浩然之氣。」志壹則動氣，所謂氣稟於志也。苟非有志以基之，有學以成之，氣有不衰，才有不盡，而文有不躓然者，未之有也。抑聖賢之基乎志以成乎學者，非徒欲見於文而已也。文者，聖賢不得已而託之以垂世者也。

又《司馬相如解客難》 相如喟然嘆焉，乃應客曰：嗟乎陋哉，子之言文也！子以爲章句之間，言辭之末，爲足以盡夫文乎？文之時義大矣哉！經緯天地，黼黻造化者，固文之至也。《易》曰：「文明剛健。」《語》曰：「遠人不服，則修文德以來之。」三王之政曰：「救質莫若文。」堯之德曰：「焕乎其有文章。」舜則曰：「濬哲文明。」禹則曰：「文命敷於四海。」周則曰：「郁郁乎文哉。」此皆文之謂也。是故兩儀，文之體也；三綱，文之象也；五常，文之質也；九疇，文之數也；道德，文之本也；禮樂，文之飾也；孝弟，文之美也；功業，文之容也；教化，文之明也；刑政，文之綱也；號令，文之聲也。聖人職乎文者也，君子章之，庶人由之者也。由斯觀之，文之爲

道，可謂閎矣。《六經》之所著，其無以易此矣。【略】若夫風雲以爲體，花木以爲象，辭華以爲質，屬句以爲數，音律以爲本，雕鏤以爲飾，組繡以爲美，浮淺以爲容，華丹以爲明，偶對以爲綱，鄭衛以爲聲，瑋麗以夸誕，淫泆而侈靡，風流忘返，誇詡於章句言辭云云者，此特文之一節也。

又《文訓》 華川王生學文於豫章黃太史公，三年而不得其要，倀倀焉食而不知其味，皇皇焉寢而不安其居，望望焉如有求而不獲也。太史公一日進生而訓之曰：「子之學文有年于兹，志則勤矣，吾聞天地之間，有至文焉，子豈嘗知之乎？夫雲漢昭回，日星宣朗，烟霞卷舒，風霆鼓蕩者，天文之所以暢；山嶽錯峙，江河流行，鳥獸蕃衍，草木茂榮者，地文之所以成；天地之文不能以自私，誕賦於人，人則受之，故聖賢者出，以及瓌人畯士，相繼代作，莫不大肆於厥辭。蓋自孔氏以來，兹道大闡，家修人勵，致力於斯，其間鞠明究曛，疲弊歲月，刓精竭思，耗費簡札者，紛趨而競馳，孰不欲爭裂綺繡，斥攀日月，高視萬物之表，雄峙百代之下，卓然而有爲。然而躑躅而不進，骫骳而不振，思窮力蹙，吞志而沒者，往往而是。而能登名文章之籙者，其實無幾，則所謂至文者，固夫人所罕知。是故文有大體，文有要理，執其理則可以折衷乎羣言，據其體則可以剸裁乎衆製。然必用之以才，主之以氣，才以爲之先驅，氣以爲之內衛，推而致之，一本於道，無雜而無蔽，惟能有是，則統宗會元，出神入天，惟其意之所欲言而言之，靡不如其意，斯其爲文之至乎。」

又 生曰：「聖人之文，厥有《六經》。《易》以顯陰陽，《詩》以道性情，《書》以紀政事之實，《春秋》以示賞罰之明，《禮》以謹節文之上下，《樂》以著氣運之虧盈。凡聖賢傳心之要，帝王經世之具，所以建天衷，奠民極，立天下之大本，成天下之大法者，皆於是乎有徵。斯蓋羣聖之淵源，九流之權衡，百王之憲度，萬世之準繩。猶之天焉，則昭雲漢而揭日星，布煙霞而鼓風霆；猶之地焉，則山嶽峙而江河行，鳥獸蕃而草木榮。故聖人者，參天地以爲文，而《六經》配天地以爲名。自書契以來，載籍以往，悉莫與之京，斯其爲文，不亦可以爲載道之稱也乎？」太史公矍然而驚，喟然而嘆曰：「盡之矣，其蔑有加矣。此固載道之器，而聖人之至文矣。嗟乎，世之學者，無志乎文則已，苟有志焉，舍是無以議爲矣。是故本之《詩》以求其恒，本之《易》以求其變，本之《書》以求其質，本之《春秋》以求其斷，本之《樂》以求其通，本之《禮》以求其辨。夫如是，則《六經》之文爲我之文，而吾之文一本於道矣。故曰：經者，載道之文，文之至者也。後聖復作，其蔑以加之矣。今子知及乎此，則於文也，其進孰禦焉，特在加之意而已矣。」生於是再拜謝曰：「謹受教，敢不拳拳服膺是則是効，以無忝夫子之訓告。」

又《卮辭》 雲漢昭回，景緯宣著，其天之文乎；山川流峙，草木繁滋，其地之文乎；經緯天地，黼黻萬化，其聖人之文乎。

又《文原》 天地之間，物之至著而至久者，其文乎。蓋其著也，與天地同其化；其久也，與天地同其運。故文者，天地焉相爲用者也。是何也？曰：道之所由託也。道與文不相離，妙而不可見之謂道，形而可見者之謂文。道非文，道無自而明；文非道，文不足以行也。是故文與道非二物也，道與天地並，文其有不同於天地者乎！載籍以來，《六經》之文至矣，凡其爲文，皆所以載夫道也。陰陽之變化載於《易》，帝王之政事載於《書》，人之情性、草木鳥獸之名物載於《詩》，君臣華夷之名分、人事之善惡載於《春秋》，尊卑貴賤之等級以節文乎天理者，則《禮》載焉，聲容之美以建天地之和者，則《樂》載焉。此其爲道，實至著至久，與天地同化而同運者，而皆託於文以見。則其爲文，固亦至著而至久，無或不同於天地矣。嗚呼，此固聖人之文也歟！然而經非聖人不能作，而聖人不世作也。後世作者，豈遂不足以言文乎？曰：非然也。道在天地間，萬古一日，無或敝也。世有作者，舍聖人則無所爲學，其爲文也，苟以載夫道，雖未至於聖人之文，其必不謬於聖人者矣。三代而下，漢有董子，其文曰《三策》焉，唐有韓子，其文曰《原道》焉；至宋，則周子有《太極圖說》，張子有《西銘》，程子有《易》、《春秋》序，歐陽子有《本論》，蓋其立言，皆幾於經矣。等而上之，亦何愧於聖人之文乎！故曰：爲文苟以載夫道，雖未至於聖人之文，固可謂不謬於聖人者也。由是論之，文不載道，不足以爲文，凡世之以雕章繪句爲務競華藻而逞妍巧者，曾不翅淫聲冶色之悅人，其不眩耳目而蠱心志者幾希。此則文之爲敝，而有志乎學聖人者之所不屑道也。盱江王君伯昭，其志於爲文，而學聖人者乎？余嘗與之論文而有契，遂定交焉。君間屬予記其恒山書舍，未果而言別，因書所嘗與伯昭論者作文原以爲贈，用以志吾二人者其所論文，非苟然而遂已也。

張以寧《陳漢臣文集序》 《傳》稱久而不朽者有三焉，而立言居德與功之

次。古之立言者，豈易然哉！後其言而先其德，其德盛則其言醇，其言醇則其傳永。德不至焉而蘄其言之至，而後之傳也，否矣。

謝肅《吳遊稿序》 文豈易言哉！堯、舜、文、武、周公之文，禮樂政治皆是也。蓋其道之充乎中而發於外者，無非文。如天之有氣，則有日月星辰之光耀；如地之有形，則有山川草木之行列。文實道之顯，不可岐而二之也。則子游之所以爲學也，諸子各以所見著書，則不獨文與道二，而道之裂也已無有純全者。惟董仲舒氏曰：「正其誼，不謀其利；明其道，不計其功。」揆其行事不戾，斯言可不謂其文與道一者乎。而韓愈氏曰：「所志於古，不惟其辭之好，好其道焉耳。」是亦知夫道之與文不可二矣。然以實而考之，則其文固未能一出於道，況其下者乎。文而一出於道，惟周、程、張、朱數君子耳。且以《太極圖説》、《通書》觀之，其簡妙精粹，幾並聖經，以其得孔、孟不傳之學，故能若是，豈嘗拘拘學爲文哉！

貝瓊《唐宋六家文衡序》 嗚呼！形氣相軋而有聲，而聲出於人者爲言。雷霆之擊非不烈也，海濤之升非不大也，笙竽琴瑟之奏非不和也，皆莫過於人之純。聖人之經，又純之至也。故歷千萬世之久，雖善於言者，惡能擬而爲之哉！戰國以來，孟軻、揚雄氏發揮大道，以左右《六經》，然雄之去孟軻，其純已不及矣。降於六朝之浮華不論也。昌黎韓子倡於唐，而河東柳氏次之，五季之敗腐不論也。廬陵歐陽子倡於宋，而南豐曾氏、臨川王氏及蜀蘇氏父子次之。蓋韓之奇，柳之峻，歐陽之粹，曾之嚴，王之潔，蘇之博，各有其體，以成一家之言，固有不可至者，亦不可不求其至也。余嘗讀之若《原道》、《原毀》，由孟軻之後，諸子未之能及。至宗元《守原議》、《桐葉封弟辨》，鑿鑿乎是非之公，使聖人復作，無以易之。其他馳騁上下，先後相發，誠樂之而不厭。信言之異乎雷霆海濤，笙竽琴瑟，氣與形之相軋相成者矣。世之狃於所習，苟趨一時之好者，既不足以語此。或知師古爲事者，又梏於昏愚怠惰，而不暇進其閫奧焉，此余之所深痛也。【略】嘗聞先儒君子之論文者，務合於道，非徒以其詞高一世爲工也。若六家者，雖於道有淺深，皆本諸經爲說，鑱駁而復純，於此求之，其至於古無難者，是伯賢之志也。

蘇伯衡《染說》 天地四方，草木翟雀之色，二氣之精華，天之所生也，天下之至色也。布帛之色，假乎物采，人之所爲也，非天下之至色也。學士大夫之於文亦然。經之以杼軸，緯之以情思，發之以議論，鼓之以氣勢，和之以節奏，人人之所同也，出于口而書于紙，而巧拙見焉。巧者有見於中，而能使了然於口與手，猶善工之工於染也；拙者中雖有見，而詞則不能達，猶不善工之不工於染也。天下之技，莫不有妙焉，而況於文乎？不得其妙，未有能入其室者也。是故三代以來，爲文者至多，尙論臻其妙者，春秋則左丘明，戰國則荀況、莊周、韓非，秦則李斯，漢則司馬遷、賈誼、董仲舒、班固、劉向、揚雄，唐則韓愈、柳宗元、李翺，宋則歐陽脩、王安石、曾鞏及吾祖老泉、東坡、潁濱，上下數千百年間，不過二十人爾，豈非其妙難臻故其人難得歟？雖然之二十人者之於文也，誠至于妙矣，其視《六經》，豈不有逕庭也哉！《六經》者，聖人道德之所著，非有意於爲文，天下之至文也，猶天地四方草木翟雀之爲色也。左丘明之徒，道德不至，而其意皆存於爲文，非天下之至文也，猶布帛之爲色也。學者知詞氣非《六經》，不足以言文。玄非天，黃非地，青非東方，赤非南方，白非西方，黑非北方，夏非翟，緅非雀紅，綠非草木，不足以言色，可不汲汲於道德，而惟文辭之孜孜乎！

又《王生子文字序》 惟其自然，此天下之至文，必歸諸水也。嗟夫，大凡物之有文者，孰不出於自然，獨水乎哉！是故日月星辰，雲霞煙霏，河漢虹霓，天之文也；山林川澤，丘陵原隰，城郭道路，草木鳥獸，地之文也；君臣父子，夫婦長幼，郊廟朝廷，禮樂刑政，冠婚喪祭，蒐狩飲射，朝聘會同，人之文也。而莫非天下之至文也。夫是以可以觀時變，可以化成天下。其在人也，則堯之文思，舜之文明，禹之文命，文王、周公、孔子之所以爲文，此文也。其在經也，則《易》之卦爻辭象，《書》之典謨訓誥誓命，《詩》之風雅頌賦比興，《春秋》之賞善罰惡，內中華而外四夷，此文也。不然，則何以經天而緯地，凝庶績而植人極，垂訓萬代而爲百王法式哉！古人之所謂文者如此，豈辭翰可儗哉！奈何後世區區以辭翰而謂之文耶？自夫以辭翰爲文也，文之用末矣，彼殫一生之精力，從事於其間者，音韻之鏗鏘，采色之炳煥，點畫之嫵媚，則自以爲至文矣，而烏在爲文也。嗟夫，文而止於辭翰而已，則世何貴焉？而於世抑何補焉？音韻鏗鏘而足以爲文也，則文又何難焉？采色炳煥而足以爲文也，則文又何難焉？點畫嫵媚而足以爲文也，則文又何難焉？此之謂文，其去文也不已遠乎。

劉剛《胡仲子集後序》 孔子曰：「有德者必有言。」夫言，心聲也。心涵乎德，而言發諸口，非能言之謂也。是故君子之行道，心苟得之，言則發之，

得乎深者發之弘，得乎精者發之確。唐虞三代之盛，聖賢並作，德之發於言者，渾渾噩噩，不可涯涘。

錢宰《自序》 文者，道之寓也。文豈易言哉！風霆日星，天文也；海岳河江，地文也；《六經》之道，著之書者，人文也。聖人以經天緯地，參贊化育，建三極焉，夫豈易言哉！自吾聖人刪定之後，惟孟軻氏得其宗，荀卿、董仲舒、揚子雲、王通、韓愈之數子，升其堂焉。彼楚騷泆蕩怪神過於中，蒙莊繆悠荒唐戾於道，固未暇論。若漢賈生、司馬相如、遷、固之于史，劉更生父子之于經，唐柳河東、宋歐陽廬陵、王臨川、曾南豐、蘇文安、東坡、潁濱皆以文章大家名世，而春陵、河南、橫渠、新安五先生，又深造于道焉。後之作者，代非一人，猶不敢與漢、唐以來諸名家並稱，後學乃欲以文鳴于時，何其不自量耶！雖然，道之著于外者，謂之文。風霆日星之著于天，海岳河江之著于地，六學之著于經，固天地聖人之文之大全也。未聞著于事物之微者，非文也。彼鳶也而戾于天，非文乎？彼魚也而躍于淵，非文乎？蹄涔之水而風行焉，丘垤之草而春生焉，螢爝之微而光燁焉，蚊蟲之細而聲砰焉，亦皆其文之著也。夫豈謂文之大全乎？先王之世，汙尊抔飲，固禮之始也；蕢桴土鼓，固樂之萌也。彼稗官巷語，芻蕘俚辭，先王不棄焉，亦取其間有合于道耳。

又《博文齋記》 博文哉，天地萬物之彙，古今萬事之殊，將以一心縱觀而洽聞焉。雖智如管、晏勿能窮，勇如賁、育勿能極，行如冉、閔勿能周，辨如儀、秦勿能志。古之人顏氏之子，其殆庶幾乎？其言博我以文，蓋服膺聖人之訓而勿失之矣。余也，勿升其堂，勿嗜其胾者也，何足與語博文哉！風霆日星，天之象也；海嶽河江，地之儀也；鬼神之著也，草木、禽獸、昆蟲之微也，文之麗乎物也。禮樂政刑，國之經也；綱常倫理，民之行也；古今之運也，升降抑揚進退之節也，文之麗乎事也。《六經》子史百家之言，文之麗乎書也。《六經》之文，合天地萬物之理，備古今萬事之情，而無不載焉。故君子欲窮致夫事物之文，舍《六經》何以哉？本之《書》以求其實，本之《詩》以求其情，質之《禮》以驗其常，稽之《易》以窮其變，考之《春秋》以明其邪正；參之子史百家，以別其是非得失。於是而充焉，擴焉，使天地事物之情，無不博焉，則庶幾矣。徒藏書之富，無益也。雖然是文也，窮于天，極于地，散殊于萬物，布列于經史傳記百家之言，而理則具于人心，徒博文而不知約，則汗漫而無所要歸矣。

方孝孺《與鄭叔度》 承吾子意厚，過稱僕之文有足觀者，慚愧彌日，不能自解，非謬逆盛意以辱知己，顧私情有異於此者，鬱而不發，無以答吾子一笑，故敢略說其一二。僕聞古之人未嘗以文爲學也，唐、虞、夏、商遠不可徵，然觀於《詩》、《書》數十篇中，紀四代之功德，固若耳聞而目見。至周制作大備，孔子稱其文，特言其禮樂憲章之盛耳。故雅頌之所陳，誥命之所述，易禮之所論著，崒然而崇，淵然而深，炳然而章明，肆然而易直端大，斯謂之文矣，而豈有意而爲之哉！譬如登泰山之巔，極乎目之所至，而水則江漢淮泗，山則嶤嶧龜蒙，周、秦、齊、魯、滕、薛、梁、鄭、衛、趙、韓、魏人民之繁鮮，土地之廣狹，皆得之於心，故言之而不誣，問之無不知。澤中之夫，升尋丈之丘而望焉，所見不過東阡北陌，鷄犬牛羊蹤跡，輒逞智以談於人，終不暢達而順適。何者？所見高下之不同也。故人有知道與否，而文何以異此？自漢以來，天下莫不學爲文，若司馬相如、揚雄亦其特者，而無識爲已甚。夫屈原之《離騷》憂世，憤戚呼天，目鬼神自列之辭，其語長短舒縱，抑揚闔闢，辯說詭異，雜錯而成章，皆出乎至性，忠厚介潔，得風人之義，然務以忠情達志，非拘拘執筆凝思而爲之也。至於其徒，寖失師意，流於淫靡，而相如與雄復慕而效之，窮幽極遠，搜輯艱深之字，積累以成句，其意不過數十言，而衍爲浮漫瑰怪之辭，多至於數千言，以示其博，至求其合乎道者，欲片言而不可得，其至與澤中之夫何異哉！自斯以後，學者轉相襲倣，不特辭賦爲然，而於文皆然。迨夫晉宋以後，萎弱淺陋，不復可誦矣。人皆以爲六朝之過，而安知實相如之徒首其禍哉！向非唐韓愈氏洗濯刮磨而力去之，文殆未易言也。僕少讀韓氏文，而高其辭，然頗恨其未純於聖人之道，雖排斥佛老，過於時人，而措心立行，或多戾乎矩度，不能造顏、孟氏之域，爲賢者指笑，目爲文人。心竊少之從總角輒自誓，懲以爲雖不易至孔子之堂奧，而顏、孟之事，皆在所願學者，苟循其路而望其廬，烏有不至哉。復以欲知古人之道，必識古人文字，故時習章句，凡有所感觸，亦間發之，其意在明斯道，非爲文也。而吾子猥譽其文爲可觀，此僕之所深懼而不敢居者也。雖然，吾子見其可而稱之，乃愛僕之至，而樂其有所成名，豈有過哉，顧失者僕耳。僕奉先人之遺體二十有二年，學雖未至，而知其味者亦已數年矣，而身不能由之，口不能以告，乃徒假紙筆爲事，宜乎吾子之以文稱我也。

僕今而後，其知過乎。夫人不生則止，生而不能使君如唐虞，致身如伊周，宣天地之精，正生民之紀，次之不能淑一世之風俗，揭斯道於無極，而竊取於文字間，受訾被垢，加以文士之號，不亦羞聖賢、負七尺之軀哉！僕齒年尚富，又受君子之誨，自謂不至此不止，而儕侶之中，無誰與語。吾子明達敏慧，乃肯降屈爲僕友，此眞僕所願而未獲者也。夫道有可言者，而不言則何以見愚陋之心，冀盡所懷，不覺近於誇大，惟諒之勿怪。

又 可以明道者，果誰之文乎！謂其文爲道，可乎？獨唐之韓愈，稍知其大者，而不能究其本，故其文亦未能皆出乎正。是以僕竊少之，而願學孔子，亦不爲過也。使漢以下之文，皆能不背乎道，僕何敢譽之有？今文之所載，非諛死人而徼其賂，則媚權貴有氣勢之人以致其身，求其有益於世者，十無一二焉。文與道判裂不相屬如此，何以謂文？僕所以畏文士之名而避之者，欲明斯道以爲文，而反招俗之陋也。夫道者，根也；文者，枝也。道者，膏也；文者，焰也。膏不加而焰紓，根不大而枝茂者，未之見也。故有道者之文，不加斧鑿而自成，其意正以醇，其氣平以直，其陳理明而不繁，決其辭肆而不流，簡而不遺，豈竊古句探陳言者所可及哉！文而效是，謂之載道可也。若不至於是，特小藝耳，何足以爲文。僕之意，蓋病此而願務其本耳。然不可以易爲也，而亦不可以語人也，貴自得之耳。

又《與舒君》 蓋文與道相表裏，不可勉而爲。道者，氣之君；氣者，文之帥也。道明則氣昌，氣昌則辭達，文者，辭達而已矣。然辭豈易達哉？《六經》，孔、孟道明而辭達者也。自漢而來二千年中，作者雖有之，求其辭達蓋已少見，況知道乎？夫所謂達者，如決江河而注之海，不勞餘力，順流直趨，終焉萬里，勢之所觸，裂山轉石，襄陵蕩壑，鼓之如雷霆，蒸之如煙雲，登之如太空，攢之如綺縠，廻旋曲折，抑揚噴伏，而不見艱難辛苦之態，必至於極而後止，此其所以爲達也，而豈易哉！漢之司馬遷、賈誼，其辭似可謂之達矣，若揚雄則未也。唐之韓愈、柳子厚，宋之歐陽修、蘇軾、曾鞏，其辭似可謂之達矣，若李觀、樊宗師、黄庭堅之徒則未也。於道則又難言也。嗟乎，此豈可與昧者語哉！

又《張彥輝文集序》 雖然不同者辭也，不可不同者道也。譬之金石絲竹不同也，有聲則同；江河淮海不同也，蓄水則同；日月星火不同也，能明則同；人之文不同者，猶其形也，不可不同，天下之道根於心者一也。故立言而衆者，文之隸也；明其道不求異者，道之域也。人之爲文，豈故爲爾不同哉。其形人人殊，聲音笑貌人人殊，其言固不得而強同也，而亦不必一拘乎同也，道明則止耳。然而道不易明也，文至者道未必至也，此文之所以爲難也。嗚呼，道與文俱，至者其惟聖賢乎！聖人之文著於諸經，道之所由傳也；賢者之文盛於伊洛，所以明斯道也。而其文未嘗相同，其道未嘗不同，師其道而求於文者，善學文者也；襲其辭而忘道者，不足與論也。然斯豈易易哉！世有自謂不師其辭者，則剽生抉怪，雜取艱深之辭，敷錯成文，以飾其鄙陋之意，至於不可句讀，使人誦之而不曉其意，以爲文故如是；或者懲其病，則弛慢不思，輯陳蹈故，混不加修，甚則取里談巷語猥褻嘲笑之辭，書之編簡，以爲明道，文與道割裂爲二，互相訾詆；又或見其然，遂放言而攻之，以爲古之道不可釋以今之文，今之文不當學古之辭，三者雖異，而俱失之。不師古，非文也，而師其辭，又非也，可以爲文者，其惟學古之道乎？道明則氣昌，氣昌文自至矣。文自至者，所謂類其人而不悖乎道者也。其人高下不同，而文亦隨之，不可強也。嘗執此說，竊觀天下之文，爲三者之歸者多矣，而無愧於古者，亦有矣。

又《劉樗園先生文集序》 學術視教化爲盛衰，文章學術相表裏，豪傑之士固不待教化而後知也。然先生所以孜孜爲先之而不敢忽者，以爲天下之人不能皆生而有聞，明吾教于天下，使過者抑而就中，不及者企而求至，道德既一，則萬事治矣。當周盛時，微而閭巷之人，遠而產乎遐方絶域，肆口所成，皆合乎仁義之旨。及其已久而衰，著書之士以千百計，雖不能皆概乎道，而宏博深玄，咸有所自得。辟諸黍稷稻粱，雖爲味不同而皆可以醉飽，未嘗假竊剽襲、浮談虚言如後世文士之爲也。自周以來，教化詳明，得先王之意者莫如宋，故宋之學術最爲近古。大儒碩生既皆深明乎道德性命之理，遠追孔孟之迹，而與之爲徒。其他以文辭馳于時者，亦皆根據六藝，理精而旨遠，氣盛而説詳，各有所承傳而不肯妄相沿踵，蓋教化使然也。有元百年之間，宋之遺政銷滅殆盡，士之能言者不爲不多，辭采音節不爲不工，及觀其所至，不過攘取舊説以爲言，求其學術之所自得，豈惟不及宋之名世者哉？凡生于其時，及見宋之遺風者，自以爲不可及也。寧海在宋特爲詩書文物之邑，去南渡國都爲近，故士之顯聞于世者甚衆。宋之衰也，兵刑不振，而教化猶存，取士之法稍弊而風俗不壞，故其文章雖不能不降于盛時，而學術之醇終不能

甚愧于古。

王紳《峴泉集序》 天地間至精至微者，道也；至明至著者，文也。道非文不明，文非道不立，析而言之，雖爲二，要而歸其實一也。乾坤之所以覆載，陰陽之所以變化，寒暑之所以代謝，日月之所以往來，山川之所以流峙，草木之所以榮悴，無非道也，無非文也，其可離而二哉，又可以強而合哉？故聖人者作，因其自然之道著爲自然之文，未嘗以一毫己意加之也。是故因其變化之理而成《易》，因其訓詁之體而成《書》，因其治化之蹟而成《詩》，因其褒貶之法而成《春秋》，因其節文之實而成《禮》，因其和暢之用而成《樂》，此《六經》之文，所以終天地，亘古今，而不易者，以其出於自然也。後之言文者，舍是何適焉？

程通《峴泉集序》 嘗聞有其道者必有其文也。日月星辰，天之文也；山川花木，地之文也；禮樂制度，人之文也。蓋道爲體，文爲用，儒先謂文章爲貫道之器，不其然乎！

張宇初《書文章正宗後》 三光五岳之氣，發而爲文，文所以載道也。文著而後道明，而必本諸氣焉。元氣行乎天地，而道所以立矣。古之有德者必有言，蓋其和順積中，英華發乎外也，非道充義明，其能見於言哉！

王洪《序文》 《六經》之文至矣，周秦而下，子史百氏可以觀其變焉。《易》之道變，《書》之道治，《詩》之道志，《禮》之道分，《春秋》之道法，孰不以爲天下之至文。然聖人之心，非特爲文設也，爲天地廓，爲人道極，爲萬世學者之準也。故身行之，口宣之，策書之，苞諸天地而彌綸之，探諸鬼神而微顯之，叙諸君臣父子夫婦長幼而惇勑之，著諸禮樂刑政而齊一之，稽諸吉凶成敗盛衰而警勵之，博諸鳥獸昆蟲百物而區別之，其言之所立，其道之所傳，仰乎百世之上，昭乎百世之下，性而由之者聖，求而復之者賢，悖而絶之者愚。而人君用之精則王，駁則伯，棄之則滅，斷斷乎不可易。此聖人爲天下後世之心，雖不爲文，而自不能不爲文也。

金鉉《文雅序》 文莫尚於《六經》，非身心是圖，則家國天下是究，舍是二者而欲求聖人一辭不可得，豈聖人不欲盡天地之光華哉！ 蓋聖人非立意爲文者也，行成德充，翕則自強，而闢則載物，不得已而筆之書，誠以詔後之學者有所取衷，而不致歎於迷途之遠也。迺後之學者則異矣，不循其本而徒欲矜藻繢之言，榮華觀者之耳目，求於自性物情，裨益毫髮，而不可得。先民云文所以載道，嗚呼！其所載者何道哉？夫道者，則身心家國天下之道是也。明是義而讀經，然後不以文視經，直視爲四時百物，華實不齊，而皆現其易簡生成之德。明是義以爲文，然後不以經異文，雖至於斂筆束楮，默識不言，而自著其文質班班之理。自孔子沒而微言絶，上下千有餘載，諸子百家之文日益多。其少有表見於世者，率多風雲月露之詞，自適悦人，不足爲世所有亡者。其甚者則不論德之崇卑，學之至否，惟以其曾列高位，便次其生平筆墨勒爲大册以自炫，至欲求一語幾於道不可得。嗚呼，弊也久矣！知此意者，宋之眞西山氏，近之唐荆川氏，茅鹿門氏，其於古文章各有選本。予讀三書而好之，然猶惜其不明以身心家國天下之旨，質之古作者家，存其大益於是者，去其無關於是者，以教天下學者，專其術於爲文之本。其有待於後之人歟！

楊榮《頤菴文集序》 天地間一元氣之流行，惟人得其正，而至理具焉。善養是氣，足以配乎道義，而後發之爲文章，《六經》卓矣。後之作者醇正莫如孟子，雄健莫如司馬子長，辨博宏深莫如昌黎韓子，其文之所至，亦各從其氣之所至也。故曰：氣，水也；言，浮物也。氣盛言從，江河之水浩然充溢，而物之小大莫不浮，此其可見矣。

胡廣等《性理大全書》卷五六《學十四·論文》 聖人文章自然，與學爲文者不同。如繫詞之文，後人決學不得。譬之化工生物，且如生出一枝花，或有剪裁爲之者，或有繪畫爲之者，看時雖似相類，然終不若化工所生，自有一般生意。孟子論王道便實，徒善不足爲政，徒法不能自行，便先從養生上説將去，既庶既富，然後以飽食暖衣而無教爲不可，故教之也。孟子而後，却只有《原道》一篇，其間語固多病，然要之大意儘近理。若《西銘》則是《原道》之宗祖也，《原道》却只説到道，原未到得《西銘》意思。據子厚之文，醇然無出此文也，自孟子後蓋未見此書。韓退之文不可漫觀，晚年所見尤高。

又 《六經》，先聖所以明天道，正人倫，致治之法也。其文自堯、舜歷夏、商、周之季，興衰治亂，成敗之跡，救敝通變，因時損益之理，皆焕然可考。網羅天地之大，文理象器幽明之故，死生終始之變，莫不詳論，曲譬較然，如數一二，宜乎後世高明超卓之士，一撫卷而盡得之也。予竊怪唐虞之世，六籍未具，士於斯時，非有誦記操筆綴文然後爲學也，而其蘊道懷德，優入聖賢之域者何多耶？其達而位乎上，則昌言嘉謨足以亮天工，而成大

業，雖困窮在下，而潛德隱行，猶足以經世勵俗，其芳猷美績，又何其章章也。自秦焚詩書，坑術士，六藝殘缺，漢儒收拾補綴，至建元、元狩之間，文詞粲如也。若賈誼、董仲舒、司馬遷、相如、揚雄之徒，繼武而出，雄文大筆，馳騁古今，沛然如決江漢，浩無津涯，後雖有作者，未有能涉其波流也。然賈誼明申韓，仲舒陳災異，馬遷之多愛，相如之浮侈，皆未足與議，惟揚雄爲庶幾於道，然尚恨其有未盡者。積至於唐文籍之備，蓋十百前古，元和之間，韓、柳輩出，咸以古文名天下，然其論著不說於聖人蓋寡矣。自漢迄唐千餘歲，而士之名能文者，無過是數人，及考其所至，卒未有能唱明道學，窺聖人閫奧如古人者。然則古之時六籍未具，不害其善學，後世文籍雖多，亡益於得也。

又　人有語及爲文者，和靖尹氏曰：「嘗聞程先生云：『聖人文章載爲《六經》，自左丘明作傳，文章始壞，文勝質也。』」

又　歐陽子云：「三代而上，治出於一，而禮樂達於天下。三代而下，治出於二，而禮樂爲虛名。」此古今不易之至論也。然彼知政事禮樂之不可不出於一，而未知道德文章之尤不可使出於二也。夫古之聖賢，其文可謂盛矣，然初豈有意學爲如是之文哉！有是實於中，則必有是文於外。如天有是氣則必有日月星辰之光耀，地有是形則必有山川草木之行列。聖賢之心，既有是精明純粹之實，以旁薄充塞乎其內，則其著見於外者，亦必自然條理分明，光耀發越而不可掩，蓋不必託於言語，著於簡册，而後謂之文。但自一身接於萬事，凡其語默動靜，人所可得而見者，無所適而非文也。姑舉其最而言，則《易》之卦畫，《詩》之詠歌，《書》之記言，《春秋》之述事，與夫《禮》之威儀，《樂》之節奏，皆已列爲《六經》，而垂萬世，其文之盛，後世固莫能及。然其所以盛而不可及者，豈無所自來而世亦莫之識也？故夫子之言曰：「文王既沒，文不在茲乎？」蓋雖已決知不得辭其責矣，然猶若逡巡顧望而不能無所疑也。至於推其所以興衰，則又以爲是皆出於天命之所爲，而非人力之所及，此其體之甚重，夫豈世俗所謂文者所能當哉！孟軻氏沒，聖學失傳，天下之士背本趨末，不求知道養德以充其內，而汲汲乎徒以文章爲事業。然在戰國之時，若申、商、孫、吳之術，蘇、張、范、蔡之辨，列禦寇、莊周、荀況之言，屈平之賦，以至秦漢之間韓非、李斯、陸生、賈傅、董相、史遷、劉向、班固下至嚴安、徐樂之流，猶皆先有其實，而後託之於言。唯其無本，而不能一出於道，是以君子猶或羞之。及至宋玉、相如、王褒、揚雄之徒，則一以浮華爲尚，而無實之可言矣。雄之《太玄》、《法言》，蓋亦《長楊》、《校獵》之流而粗變其音節，初非實爲明道講學而作也。東京以降，訖于隋唐數百年間，愈下愈衰，則其去道益遠，而無實之文，亦無足論。韓愈氏出，始覺其陋，慨然號於一世，欲去陳言以追詩書六藝之作，而其弊精神，縻歲月，又有甚於前世諸人之所爲者。然猶幸其略知不根無實之不足恃，因是頗泝其原而適有會焉。於是《原道》諸篇始作，而其言曰：「根之茂者其實遂，膏之沃者其光燁，仁義之人其言藹如也。」其徒和之亦曰：「未有不深於道而能文者，則亦庶幾其賢矣。」然今讀其書，則其出於諂諛戲豫放浪而無實者，自不爲少。若夫所原之道，則亦徒能言其大體，而未見有探討服行之效，使其言之爲文者，皆必由是以出也。故其論議古人，則又直以屈原、孟軻、馬遷、相如、揚雄爲一等，而猶不及於董、賈。其論當世之弊，則但以詞不已出而遂有神徂聖伏之嘆，至於其徒之論，亦但以剽掠潛竊爲文之病。大振頹風，教人自爲，爲韓之功；則其師生之間，傳受之際，蓋未免裂道與文以爲兩物，而於其輕重緩急本末賓主之分，又未免於倒懸而逆置之也。自是以來，又復衰歇數十百年，而後歐陽子出。其文之妙，蓋已不愧於韓氏，而其曰治出於一云者，則自荀、揚以下，皆不能及，而韓亦未有聞焉，是則疑若幾於道矣。然考其終身之言，與其行事之實，則恐其亦未免於韓氏之病也。抑又嘗以其徒之說考之，則誦其言者，既曰吾老將休，付子斯文矣；而又必曰，我所謂文必與道俱。其推尊之也，既曰今之韓愈矣，而又必引夫文不在茲者以張其說。由前之說，則道之與文，吾不知其果爲一耶？爲二耶？由後之說，則文王、孔子之文，吾又不知其與韓、歐之文果若是其班乎？否也？嗚呼，學之不講久矣，習俗之謬，其可勝言也哉！吾讀《唐書》而有感，因書其說以訂之，因言文士之失曰：今曉得義理底人少，間被物欲激搏，猶自一強一弱，一勝一負，如文章之士，下稍頭都靠不得。且如歐陽公，初間做《本論》，其說已自大段拙了，然猶是一片好文章，有頭尾，他不過欲封建井田與冠婚喪祭、蒐田燕饗之禮，使民朝夕從事於此。少間無工夫，被佛氏引去，自然可變其計，可謂拙矣。然猶是正當議論也。到得晚年，自做《六一居士傳》，宜其所得如何，却只說有書一千卷，《集古錄》一千卷，琴一張，酒一壺，棊一局，與一老人爲六，更不成說話，分明是自納敗闕。如東坡一生，

讀盡天下書，說無限道理，到得晚年過海，做《昌化峻靈王廟碑》，引唐肅宗時一尼恍惚升天見上帝，以寶玉十三枚賜之，云中國有大灾，以此鎮之。今此山如此，意其必有寶。更不成議論，似喪心人說話。其他人無知，如此說尚不妨，你平日自視爲如何說盡道理，却說出這般話，是可怪否？觀於海者難爲水，游於聖人之門者難爲言，分明是如此了，便看他們這般文字不入。

又 慈湖楊氏曰：孔子謂「巧言鮮仁」。又謂「辭達而已矣」。而後世文士之爲文也異哉！琢切雕鏤，無所不用其巧，曰「語不驚人死不休」。又曰「惟陳言之務去」。夫言惟其當而已矣，繆用其心，陷溺其意至此，欲其近道，豈不大難！雖曰無斧鑿痕，如太羹玄酒，乃巧之極工，心外起意，益深益苦，去道益遠。如堯之文章，孔子之文章，由道心而達，始可以言文章。若文士之言，止可謂之巧言，非文章。

又 或論凡人爲詩文出於何，而能若是？曰：出於性。詩文只是禮部韻中字，已能排得成章，蓋心之明德使然也。不獨詩文，凡事排得著次第，大而君臣父子，小而鹽米細事，總謂之文。以其合宜，又謂之義。以其可以日用常行，又謂之道。文也，義也，道也，只是一般。

唐文鳳《文會堂記》 夫在天之文，日月星辰也；在地之文，山川草木也；在人之文，禮樂刑政也。貫三才而不息，亘萬古而不窮，彌綸乎宇宙，炳耀乎古今，文之與道，三極並存於遠矣。故曰：「言之不文，何以行遠。」是以人心之精微，動而宣於言，言之精者爲文，文之精者爲詩。夫《六經》載道之文，其理醇而正；諸子翊道之文，其理駁而雜。孔子曰：「君子以文會友。」朋友之際，盍簪之頃，非文無以輔友道之益也。

解縉《廖自勤文集序》 充充乎文哉！詩書六藝之文，禮樂法度之文，與凡立言垂訓之文堪以載道者，皆可謂之經天緯地之文也。所以維持人心，扶植世教，事事物物，各有條理，非苟爲是無用之具而已。故皆自聖人發之，後世學焉，譬諸由道以入國，所由入者正大深遠而不可測，則其出也無窮。昔者仲尼於詩書六藝，禮樂法度，立言垂訓，皆由下學上達，以入於文王周公之道，以至乎堯舜，集其大成，吐辭爲經，尚懼夫天下後世學者不知所從入也。刪詩書，定禮樂，贊《周易》，修《春秋》，以爲學文者所歸往，舍是而他求者，非惟不足經天緯地，而且有害焉。莊周之學入於遯世，其出也荒唐而已；申、韓之學入於刑名，其出也慘刻而已；蘇、張之學入於利害，其出也縱横而已；其爲天下之害，可勝言哉！莊周簧鼓老氏之說，因以起虛無之教，而賈誼亦學申、韓之文，觀其《鵩賦》，已深有釋氏之微意，豈非人心世教之害，至於今尤烈歟！若夫學聖人之文者，沛然而莫能禦，粹然而入於正，鄒孟氏而已耳。其他所入者可量，則其出也有限，駁而無以議爲也。譬諸商人，身歷遠方珍怪之所，象犀珠貝之物，知之不密，得之不多，其出有限，而應無窮，則又假雜贗以欺人耳目，非其文之善爲雜也，由其學之淺少，無以應人之求也。近世爲文者，尤甚患此。反從事史漢戰國百家方外之書，剽竊奇漏，縱横腐敗，神鬼荒忽，極其鐫巧形容，以爲此古文也，論及性理，則以時文鄙之，援及詩書，則以經生目之，是將爲天地人心世教之害，有不勝言者。此予之所甚憂也！

李時勉《文說》 志於道，則昔之所學者固無悖焉，而文不外是矣。如惟事乎其外之文，而不究其實焉，則雖學之勤，而求之切，吾未見其得也。夫《六經》之所載者，皆聖人之言，未嘗有心於爲文，而文從之者，其道在焉耳。讀其書則思所以窮其理，誦其言則思所以行其道，由乎仁義之塗，而不汩於利誘之私，使其氣充而理得，則其發於文者，自優然而及於古，豈有異術哉！雖然，王荆公嘗云：「文章當先體製，而後工拙。」必知乎體格變態之高下，於是從而由之，則庶不眩瞀而流於卑弱。不知乎古，而能有及乎古，蓋未之見焉。堯、舜、三代辭簡而理備，渾然深以厚，不可尚矣。先秦、兩漢去古未遠，雄壯博雅未易及也。自是而降，至於唐宋作者益衆，然能追蹤乎古人者，不過數人耳，是皆道明德立之士，其言足以垂世而立教，豈偶然哉！下至魏晉、六朝、五代之間，流於磔裂，而純駁相雜者，要在愼取之耳。至於今之所謂時文者，特掇科求仕者假是以進焉，雖其文體輕浮疎淺，而於道則未嘗戾也。道在是而不戾，則由是而進於古也不難矣。

劉球《雙峰先生文集序》 有令德其中者，不能不文於外，文者，宣播其德之具也。不有其德，而曰文足以追古作，名後世，非誣卽謬，皆不足與言文也。有追古名後之文，浩乎與江河同其流，皦乎與雲漢爭其輝，鏗乎與金石抗其音者，皆非末沿外襲所能爲，必有德焉爲之本。德有大小，而文之淺深高下隨之，故曰有德者必有言。

又《文會說》 文者，士君子所憑以探夫道之具，不講求其文而能通乎道者，未之有焉。

倪謙《艮菴文集序》文言之成章者也，道理之無形者也，道非託于言，其理不能自明；言非載夫道，其文不能行遠。周子曰：「文所以載道也。」輪轅飾而人弗庸，徒飾也，況虛車乎？《六經》之文，唐、虞、三代帝王之道所載，孔子之聖所刪定，萬世祖之，不可尚矣。戰國秦漢而下，學士大夫躡塵嗣響者，代有聞人，然求其言不畔道，文不悖經者，漢則董子，唐則韓子，宋則歐、曾及濂洛諸子，元則虞邵菴焉。上下數千載間，文章大家不過十數人，斯亦難矣。蓋文運與世運相關，文章之盛者，世道之盛也。

韓雍《文山先生文集序》古今論文者，僉曰觀文可以知人。夫文者，言之精華，而言則心之聲也。心之所存有邪正，則發言爲文有純駁，而人之忠否見焉。故讀《出師》二表，而知諸葛孔明之忠；讀《天門掉臂》一詩，而知丁謂之不忠，卒之皆如其言。信乎，人可以言而觀。然《校獵》、《長楊》等作，雖工且美，而其爲人終不能無可議，又若難觀以言。蓋必心有定志，則言有定論，而後見諸行事有定守。

岳正《浙水較文詩序》文，士之末也，不深於道者，不足以知之，知文亦難矣。莫如善者之文，《易》、《詩》、《書》、《春秋》、《禮》、《樂》皆載道之器，語曰，學者守一經，皓首不能窮，不能窮者，不深於其道也。道不深而強自誣曰：我知文。我知文，何異乎審音以聵，鑒色以盲，其不白黑而濁清者，亦幸中而偶得耳，夫何恃而可信哉！試嘗論之世之能文者，孰加於周公、孔子？周公傳《易》，孔子繫之，孔子作《春秋》，游、夏不能爲一辭之贊，則知雖賢者猶不足以知聖人，況以不賢而知賢者乎？是故皓首不窮之談，非誣人者也。雖然周公、孔子不可尚矣，漢以還作者甡然，而獨名揚雄、韓退之爲能文，雄作《太元》、《法言》，張伯松不肯一觀，劉歆觀之，詆爲覆物，雄之名蓋終漢世而後顯。退之凡三黜於禮部，而自訟曰：「爲文而爲舉世之所不好。」退之之書，自宋歐陽永叔始以雄，退之之作者倘暗於當時，而有俟於後來，又況其下者乎？其或見推致與於流輩時俗者，非借重於高譽，託筆於時名，如左思之賦，張華之詩，則亦下里巴人之唱和，非如體道者眞有所見聞，而黑白清濁於去取之間也。嗟夫，作者代有，而具目者不多見，知文之難，其亦信矣哉！

張寧《梅溪書屋序》書所以載道也，其至者有《六經》、《四書》之文，其言皆弘妙而淵懿，周密而精純，渾渾焉，噩噩焉，而相爲備具，未始致意於文字也。後世不深於其道，而務學爲其文，且求與並傳也。爰始立異爲高，祛陳爲新，稱矛盾，執枘鑿於門戶之外者，日且數人，非不知是之難能也，其心以爲不若是，則無以成一家言，而寘喙於作者之列。是以尚虛無者，其說誕；言功利者，其說競；名道術者，其說僭；專藝文者，其說浮；務記誦者，其說冗。其有不違於道者，非《六經》之羽翼，則《四書》之藩籬也。

邱濬《雲菴集序》古之言文者，必與人俱。《易》之賁卦，以人文並言，兹《六經》言文之始。彖曰：「文明以止，人文也。」人與文合而爲一，後世言文者歧而二之。

李東陽《馬石田文集序》天地氣化，流行而不息。故凡運乎上者，非獨和風麗日之爲美，而陰晨曀夕，風雲之變態，雷電之光烈，亦時有之；列乎下者，高山大川之流峙，固也，雖窮崕絕谷，亦必有草樹之爲奇，羽毛鱗介之爲瑞，欲泯之而不可得。惟人亦然。雖其時與地有治亂美惡之殊，而文章功業，隨所寓以自見，是果曷爲其然哉？氣化爲之也。當其機緘之，操縱橐籥之啟閉，鳴而爲聲，絢而爲色，凝聚而爲實，揚播而爲芬，彼所謂物皆囿乎其間，亦不自知其所以然者。惟人之靈小者變氣質，而大者幹化機，其所以立身垂訓，揚聲光于不朽者，固亦有道矣。而代不數見，地不多產，其澌盡而泯滅者何限？故論者卒以歸之氣化之間，豈得已哉？于其澌滅之易，而不朽之難。隨時與地，必取其文章功業之著者，表而傳之，使之不溷于物。

又《篁墩文集序》文之見於世者，惟經與史。經立道，史立事，載道之文，《易》、《書》、《詩》、《春秋》、《禮》、《樂》備矣。《書》與《春秋》雖亦紀事，而道固存焉。

又《黎文僖公集序》蓋文章之與事業，大抵皆氣之所爲。氣得其養，則發而爲言，言而成文爲聲者，皆充然而有餘。措而爲行，行而爲事功者，亦毅然而不可奪。顧養在我，而用不用係乎時。故韓昌黎、蘇眉山之氣見於文章，韓忠獻、富文忠之氣見於功業，雖所就不同，其在天下皆有不可泯者。

羅倫《南豐文集序》夫聖賢之學，心乎道，非心乎文也，道成于己，而文自顯也。文人之學，心乎文，非心乎道也，學文而因窺乎道也。道成而文自顯者，文與道爲一也；因文而窺乎道者，道與文爲二也。道也者，天命之性，本諸吾心，散諸萬事，其大者君臣、父子、夫婦、兄弟、朋友之倫，其小者威儀、文辭、食息、起居之節，其達諸家國天下尊卑貴賤相接之體制，

度文爲之，著其筆之於書，以詔後世。則《易》、《詩》、《書》、《春秋》、《禮》、《樂》之文，皆聖賢之文也。聖賢非有心於文也，道成而文自顯也。孔子曰：「文王既沒，文不在茲乎？」孟軻氏沒，而斯文不傳矣。後數百年，而得董仲舒焉，得揚雄氏焉，仲舒惑於災異，未醇乎道；揚雄失於黄老，《美新》之文，君子羞之，其能與於斯文乎？揚雄氏沒，又數百年而後得韓愈氏焉，道之大用亦庶乎矣。然急於富貴，而檢身之道不及，其能與於斯文乎？又數百年而後得歐陽氏出焉，學者宗之，以配韓愈，然因其言以求其道，亦未免乎韓氏之病也。當是時也，其徒倡而和之者，眉山蘇氏、臨川王氏、南豐曾氏其尤也，二氏之説，淫於老佛者有矣，唯曾氏獨得其正，而猶未得與於斯文何也？其用心者韓愈、歐陽之文，非文王、孔子之文也。當是時也，濂溪之周子、河南之程子、横渠之張子，三子者之用心文王、孔子之文也。使曾氏而得其門焉，則其所立其如斯而已乎？新安朱子所以與其文之正，而惜其未見夫道之大原也。於戲！數子者之文，率數百年而後得一人焉，其心專而力勤，終其身也而卒不得與於斯文者，心乎文而非心乎道也。昔孔子之門生通六藝者七十人，獨如愚之顔子，莫有能及者，非惟當時羣弟子莫能及，而天下後世卒莫有能及者，心乎道也。孔子告顔淵，以非禮勿視聽言動，心乎道者之所事也。心乎文者，有至有不至；心乎道者，無不至矣。故孔子曰：未之思也，夫何遠之有？言心乎道者，無不至也。雖然，曾氏之文不得與於文王、孔子之文矣，然亦豈非百世之士乎？

程敏政《明文衡原序》 文之來尚矣，而後世詞華之習蠹之，故近有爲道學之談者，曰必去而文，然後可以入道。夫文，載道之器也。惟作者有精粗，故論道有純駁，使於其精純者取之，粗駁者去之，則文固不害於道矣。而必以焚楮絶筆爲道，豈非惡稗而并剪其禾，惡莠而并揠其苗者哉！【略】或曰：「朱子嘗譏文自文，而道自道者，其語甚力。然則近世道學之談，未易非也，子之是舉無乃勞乎？」走曰：「不然。考朱子之云，蓋爲蘇氏之文駁故耳，至于楚詞、韓文，注釋校訂，不遺餘力，則我先正固嘗以文爲意矣。必如子説，則是釋家不立文字之敎，走豈敢以爲是乎？」

又《丘先生文集序》 文之説何昉乎？蓋嘗考諸古矣。凡物之粲然可指者，謂之文，文者，道之所在也。故見於上曰天文，見於下曰人文，見於世焕乎其有迹者曰文治，曰文教，非若中古以來，指操觚染翰者謂之文也。夫文固非操觚染翰者可盡，然詩書所載，詞命之作，雅頌之篇，類非偶然卒爾者可辨。而孔門亦有文學之科，蓋道術未裂，言與行俱，本厚而末茂，詞出而文成，正大光明，敷鬯條達，見於治，則民格，著於教，則民孚，所謂吐詞爲經，而文之盛不可及也。

賀士諮《張生文亨字説》 文一也，古今所指不同，古所謂文，非今之所謂文也。今之文，科第詞章之謂，無本之文也。無本之文，烏可謂之道哉？文而謂之道，古之所謂文也。《易》之所謂人文，《書》之所謂乃文，《詩》之所謂思文，《論語》之所謂斯文，是也。

林俊《容春堂集後序》 文如三精，象垂衆湊，效乎其職，皆化機自默，根諸道而發諸氣者也。故曰：「觀乎人文，以化成天下。」《六經》，羣聖人之藴，經緯天地，綱紀人倫，立萬世常行之矩，其根深，其充養浩然，其化機在我，文之至也。

又《楓山先生遺文序》 文本諸心，而根之於道。主張人文，鋪叙皇極，感人心而裨治化，後世抉奇搜博，以繢藻雕飾爲工。文云文云乎哉！

邵寶《叩虚集序》 夫文至韓子而盛，以其原於《六經》也。其在當時，變而之古，功亦大矣。然而唐末五季至於宋初，猶不能盡變焉。至歐陽子出始尊用韓文，而後復古之效乃至於今。蓋歐陽之後，有程、朱二子出焉，以明《六經》之道。《六經》之道明，則文之出於《六經》者，固不得而易也。歐陽倡《六經》之文，程、朱倡《六經》之道，道於斯則文於斯，顧論功者以道，而文不與焉。然則文之在天下爲之難，論之亦豈易哉！

張吉《書遜志先生送平元亮序後》 余觀遜志先生與平元亮論文，其間有曰魏氏迄乎唐初，天下之言文者，誒乎人而已矣，宜乎時而已矣，何有於道哉？唐之中世，昌黎氏嘗一反之，而道不足以逮文。宋之盛時，程氏嘗欲拯之，而文不能以勝道。歐氏、蘇氏學韓氏者也，故其文昌，朱氏、張氏師程氏者也，故其道醇，合二者而有之，庶幾不愧於古乎，而天下未見其人也。余始聞其説而喜之，既而不能無疑，何則？窮天地，亘古今，而不易者，其惟道乎。若夫發而爲文，則其膚理脈絡，聲音態度，自不能無肥瘠浮沉、輕重疾徐之辨，或隨風氣以變遷，或與世道爲升降，如燕人之御狐貉，越人之業絺麻，雖有莊、列之談，儀、秦之辯，不能論之使必同也。市井之人其詞夸，鄉里之人其詞質，彼豈惡同而好異哉？勢使之然也。故程、朱之文，不

能同於孔、孟，孔、孟之文，不能同於周公，亦其勢有不得不然者。聖賢何心哉？然其道固未始不同。文以明道，道苟同矣，文雖不同，庸何傷？今責爲程、朱之道者曰：胡不兼乎韓、歐之文？是猶責行王道之人曰：胡不兼乎五霸之術也。吾恐霸者之術，未必能兼，識者有以窺見其淺深矣。道者，水之源也；文者，水之流也。其源深以清，其流浩以潔者，周公、孔子是已，後世惟二程、朱子抑或可以當之，復何不足，而他俟乎？韓、歐、蘇氏平生精力敝於爲文，而謀道鹵莽，故其蔚然成章，非無可觀，而槩以精義入神之説，其有合者鮮矣。有志於程、朱者，勿爲他歧之所惑，其庶幾乎？

羅欽順《月湖文集序》學莫先於明道也。道苟明焉，日新而不已，則積之而爲和順之德，發之而爲炳蔚之文，措之而爲正大光明之業，由體達用，沛然有餘，蓋學之有得於心者然也。然自孟子沒而聖學不傳，千數百年之間，道術四分五裂，上焉者，類以佛老之似亂孔孟之眞；下焉者，記誦詞章而已。惟漢之董子、揚子，唐之韓子，宋之歐陽子，頗皆號爲知道，然所見者大意，而於精微之際，容亦有未察焉。故其著書立言，所以闢異端，扶世教，淑人心，雖未嘗不合於孔、孟，而弗精弗詳之病，均有所不能免也。求其克紹孔、孟相傳之學，粹然一出於正，其惟濂、洛、關、閩諸君子之於道也。極無聲無臭之妙，而不離乎日用之常；窮天地萬物之遠，而皆攝於方寸之地，表裏洞徹，左右具宜。凡其形之於言，筆之於書，莫不明白而淵深，縝密而通暢，精粗隱顯，一以貫之。所謂語大天下莫能載，語小天下莫能破，斷非漢唐以來諸儒，所可同年而語也。

顧清《道德文章不可出於二論》愚讀書觀三代之盛與漢唐而下之人才，未嘗不感世道之變也。何也？三代而上，道德之與文章出于一，而漢唐而下者出于二也。方其出於一也，雖閭巷之微，女婦之賤，而其歌謠諷詠，莫不皆有先王之遺風；及其出于二也，則雖宗工鉅儒，卓然名世者，亦皆狃於詞章而不知其本。此古今世道升降之大端，不可以不察者也。何謂道德？人之所共，由我之所心得，若父子君臣、夫婦、長幼、朋友之倫是也。何謂文章？得之於吾心，宣之於吾口，書之竹帛，以垂示於無窮，若《易》、《書》、《詩》、《禮》、《春秋》之類是也。古之聖賢，於前數者知之明，行之至，如目視而耳聽，如手持而足行，充滿而盈溢，發越而光輝，然後從而書之，凡簡策之所形，皆心得之眞味，如影之於形，如響之於聲，從之則治安，違之則喪亂。所謂布帛之文，菽粟之味，天地間不可一日而無之者也。若乃後之所謂道德文章者，吾惑焉。蓋其視道德也曰：此聖賢所以垂世而立教者也；其視文章也曰：此吾所以華國而潤身者也。離之爲二事，析之爲二物，而不知其本之不然也。然方其爲文章也，未嘗不言道德矣，顧爲文章而及道德，非以道德而發之文章也。嗚呼，此所謂二也，此所謂漢唐而下之人才也，抑不思有道德而後有文章。譬枝葉之於本根也，爲文章而不本於道德，是剪采以爲花，形色雖似，而精神生意索然矣。嗚呼，是豈可哉！吾觀歐陽子得韓文於壞爛之餘，刻意追復，以振起五代之頹風，亦不可謂無功於世道者，而於道德則未聞。考亭斯言，雖若譏之，而實以惜之也。賢如歐陽，文如歐陽，而非道德，則不免於譏議，故君子不貴於空言。

王守仁《送宗伯喬白巖序》大宗伯白巖喬先生將之南都，過陽明子而論學。陽明子曰：「學貴專。」先生曰：「然。予少而好奕，食忘味，寢忘寐，目無改觀，耳無改聽，蓋一年而詘鄉之人，三年而國中莫有予當者，學貴專哉！」陽明子曰：「學貴精。」先生曰：「然。予長而好文詞，字字而求焉，句句而鳩焉，研衆史，覈百氏，蓋始而希迹於宋、唐，終焉浸入於漢、魏，學貴精哉！」陽明子曰：「學貴正。」先生曰：「然。予中年而好聖賢之道，奕吾悔焉，文詞吾媿焉，吾無所容心矣。子以爲奚若？」陽明子曰：「可哉！學奕則謂之學，學文詞則謂之學，學道則謂之學，然而其歸遠也，道大路也，外是荆棘之蹊，鮮克達矣。是故專於道斯謂之專，精於道斯謂之精，專於奕而不專於道，其專溺也；精於文詞而不精於道，其精僻也。夫道，廣矣，大矣，文詞技能於是乎出，而以文詞技能爲者，去道遠矣。是故非專則不能以精，非精則不能以明，非明則不能以誠，故曰：『惟精惟一。』精，精也；專，一也。精則明矣，明則誠矣。是故明精之爲也，誠一之基也，一天下之大本也，精天下之大用也。知天地之化育，而况於文詞技能之末乎！」

鄭岳《彭惠安公文集序》古名世之賢，操修德行，韜養性靈，而充之以學識，其或出其緒餘爲文，固異夫世之文人之文也。世之所謂文者，模倣以擬古，鉤棘以立奇，搜抉僻隱以衒博，非不足以擅能一時，然稽之於道，則詭矣；施之於政，則盭矣。甚至飾辨文奸，貢諛希寵，而爲世之大害，亦奚取於文爲哉！

顧璘《嚴太宰鈐山堂集序》文章之道與政同也，其具質文而已矣。質以

立體，文以澤用，本末相維，貴適其中。然義有輕重，故取舍擇焉。質過則野，文過則華，與其華也寧野，故治先尚忠，禮貴反本，孔子之從先進，其義一也。道喪俗敝，然後色澤雕鏤之文興，豈不艷哉！本之則無，卒歸浮僞而已矣。夫浮僞者，士之惡也，顧引以爲業也何居？又爲大者曰《六經》。夫《六經》，聖人之學，不可以強幾也，有強焉者，浮僞之類耳，君子不視。常聞君子之教曰：騷賦期楚，文期漢，詩期漢、魏，其爲近體也，期盛唐。此數則者，文以質化，言由性成，古今同軆，所謂適中，豈非詞教之正宗，文流之永式乎？苟操筆者，斷斷乎不可舍此他適矣。今人士論文於宋、齊、梁、陳之間，率皆醜其不振，徐取其業觀之，則盡是物也，猶曰第師其辭，不師其體。嗚呼，辭既然矣，體又安所求哉？是罔人而已矣！

王廷相《近言序》 載道之典，至文也。文不該於道，繁則贅，麗則俳矣，故君子鄙之。嘗觀唐、虞、三代之典，卽事命辭，而文生焉，蓋道爲主而文爲客也。魏晉以降，卽辭撰事而文飾焉，蓋文爲主而道爲客也。是故異端讖緯之事作，而先王淳正之道離矣；誣怪謬幽之論興，而古聖眞實之旨塞矣；俗儒曲士之書出，而時君經治之術闇矣。

又《何氏集序》 古今論曰「文以代變」，非也。要之存乎人焉耳矣。唐、虞、三代，禮樂敷教，詩書弘訓，義旨溫雅，文質彬彬，體之則德植，達之則政修，實斯文之會極也。漢魏而下，殊矣，厥辭繁，厥道寡，厥致辯，厥旨近，日趨於變然爾，若所謂代變也，及考夫董、賈、揚、馬、李、杜、韓、柳諸賢，各運機衡，以追往訓，當世文軌，靡得而拘，今綜八子視之，殆自致羽翩，凌駕文囿者矣。非存乎其人，何哉？

又《廣文選序》 文者載道之器，治迹之會歸也。故曰「文王既沒，文不在兹乎。」言文卽道，治卽文矣。是故古人之文，莫不弘於學術之所趨，莫不實於治功之有成。但好尚異其門途，則品局遂分高下，秉知言之選者，不可以不辯矣。乃惟大人碩儒，探元挈要，先之修性體道以敦其本，又能察於君臣之政，觀夫天下之勢，達乎民物之情，則文之質具矣。

李夢陽《空同集》卷六一《六箴·文》 古之文以行，今之文以葩，葩爲詞腴，行爲道華，嗟彼千鈞一髮，奈何。

又卷六六《論學》 宋儒興而古之文廢矣，非宋儒廢之也，文者自廢之也。古之文，文其人，如其人便了，如畫焉，似而已矣。是故賢者不諱過，愚者不竊美。而今之文，文其人，無美惡，皆欲合道傳志，其甚矣。是故考實則無人，抽華則無文。故曰：宋儒興而古之文廢。或問：何謂？空同子曰：嗟，宋儒言理，不爛然歟！童稚能談焉，渠尙知性行有不必合邪。

邊貢《書博文堂册後》 古之君子之於文也，非徒務其博而已也，彼固有所取焉也。傳曰：「文以載道。」又曰：「文者貫道之器。」則是君子之取於文者，固將以求道也。

康海《淩川文集序》 夫言者，心之聲；文者，言之章者也。士自始學以及於其老，莫不唯道焉是致，道不可以無著也；莫不唯文焉是業，君子所以布其心志於天下後世者，文而已也。然天下後世讀其書，則有以考其德；考其德，則有以識其人，是文之所以爲文者，以學而不以誇，以所能至而不以其所徒聞。故周公、孔、孟之文，當時誦之，後世仰之，其體如是也。故以其可守而善，弗久而敝也，故謂之經。經者，常也，盡人倫之常者也。故濁世莫能蝕，盛世莫能加，巧者毋賁，知者毋變也。【略】夫文有三等，聖人所不易而學者所未諳也：上焉者，惠猷啓績，若唐虞咨俞之美焉；中焉者，弘道廣訓，若孔孟删序之微焉；下焉者，序理達變，若雅頌諷託之妙焉。三者不具，雖文何觀？其故在所以養之者厚，而毋淆純，而毋駁而已。

舒芬《與友人論文書》 文章家辱不以芬無似詔以作文法。是欲引而升諸莊、騷、太史、韓、歐之堂，意則盛矣。然芬竊有見焉。《典論》失大本莫適主也，不足爲文章家稱說。唐人不知韓子曰：「愈以《六經》之文爲諸儒倡，雖愈何敢望《六經》之文哉！」宋儒祖是論，紫陽明公亦云《六經》治世之文，豈不知易之興也當商之末世，而風雅多夷王以下詩乎？《春秋》則又遠矣。目之以文且不可，況槩論以治世乎？老兄之論，要亦未離此義。恐古文當始於《逍遙遊》諸篇，而昌黎則大成矣。《六經》未可以文法摹倣也。書禮紀述，卽事見道，風雅咏歌，以聲和律，曾何句法章法不類之顧耶？《易》始伏羲，不知六畫奇耦，其句法章法果安在耶？《春秋》，仲尼所筆削也，簡者一字，繁者僅三十五字，其句法章法果安在耶？故今之論文者動稱《六經》，則亦前人誤之耳。愚嘗以《六經》當以道論，不當以文論此也。惟是記誦不勤，體認不明，躬行不誠，而求文擅作者之塲未之有也。蓋無記誦則古今、上下、禮樂、名物、器數無所證據。無體認則天命人心之微，王道霸術之幾無所適從。無躬行則施設注措之略，操縱闔闢之權，欲布之筆札之間，而信於宇宙環海之

內，必一出一入而無親切有味之辭也。韓子曰：「本之茂者其實遂，膏之沃者其光燁，仁義之人，其言藹如也。」吾取以爲法。

崔銑《文答》 夫備事而言謂之虛，感事而言謂之實，言虛者莫辯乎《易》爻，則卽事以著象；言實者莫辯乎《詩》辭，則假物以章情。昔者聖人觀天地之宜而作《易》，察草木之性而制醫，聆金石之鳴而作樂，故不探物之賾者，不可以言行也；不履物之變者，不可以言文也。是故諸子之辭偏，異端之辭蕩，狂士之辭踈，躁人之辭浮，腐儒之辭拘，靡士之辭億。

楊愼《升菴集》卷五二《陸韓論文》 陸機《文賦》云：「謝朝華於已披，啓夕秀於未振。」韓昌黎云：「惟陳言之務去，戛戛乎其難哉。」李文饒曰：「文章如日月，終古常見，而光景常新。」此古人論文之要也。近世以道學自詭而掩其寡陋，曰吾不屑爲文，其文不過抄節宋人語錄，又號於人曰，吾文布帛菽粟也。予常戲之曰：菽粟則誠菽粟矣，但恐陳陳相因，紅腐而不可食耳。

又《李華論文》 李華曰：「文章本乎作者，而哀樂繫乎時。本乎作者，《六經》之志也；繫乎時者，樂文武而哀幽厲也。有德之文信，無德之文詐，臯陶之歌、史克之頌信也，子朝之告、宰嚭之詞詐也。夫子之文章，偃、商傳焉，偃、商沒而伋、軻作焉，蓋《六經》之遺也。屈平、宋玉哀而傷，靡而不遠，《六經》之道遯矣。淪及後世，力足者不能知之，知之者力或不足，則文義浸以微矣。」愼謂華之論文簡而盡，韓退之與人論文諸書，遠不及也。特難爲褊心狹見者道耳。

陸深《古文會編後序》 夫文者，質之餘也，猶本之有華也。古之人質，厚重而本盛大，是故其言必文而必傳。夫質可變也，本可培也，力變其質以豐培其本，其何古之難復！議者曰：古今時也，文實隨之，古之文不可還也。深竊惑焉。夫時以氣化，文由道同，道苟同矣，胡時之隨？且古之人何限也而以文傳者，僅僅固有時不能爲者矣，其能之者繫其學也。士知所以學士大夫有師長之道者，知所以倡，亦何爲而不成。嗚呼，獨文也哉？

鄭善夫《與黃後峰雜論》 夫言者，心之聲也；文者，言之精也。大言炎炎，小言詹詹，淳言質仁，亢言凌厲，崇而飾者窮奇，謔謔謞謞者蒐慝，斤斤者察，詖者蔽，淫者諂，不蹟而康，饕餮固也。

林文俊《送林君世觀宰黃陂序》 朱子論文章道德不可出於二。以予觀之，政事文章，亦未嘗不出於一也。何也？理在天下，一而已矣。蘊之爲道德，發之爲文章，施之爲政事者，皆是物也。是故明於道者，其爲文也簡以瑩，而其政必達；昧於道者，其爲文也浮以詖，而其政必乖。夫文也者，君子於是觀人焉，於是考政焉，槩指爲末技，則悞矣。

張岳《秬洲文集叙》 文章高下，繫乎人之所養。養盛者，其發爲文章，如至人之息，以踵而聲，由於丹田神用不匱，而應變無方，長短大小，惟其所至而止。揚子雲曰：「虞夏之書渾渾爾，商書灝灝爾，周書噩噩爾。」三代道化之醇，其見於文章者如此。秦漢而後，氣化寖醨矣。然其卓然爾雅者，亦自名家。今世操觚之士，莫不凌跨唐、宋，欲追作者於秦、漢之上，搜獵鍛鍊，類以難讀不易曉爲工，其弊也浮華而乏滋味。其誕者，則又指切端緒，超然於言語文字之表，以自附於所謂心學者，其術彌高，其爲浮華巧曲亦益以甚。二者蓋皆失之。

朱淛《秋崖方先生文集序》 文章隨世高下，不其然乎？夫言因氣機之動而爲之者也。人之氣與天地之氣相爲流通，天地氣運方隆，而生于其時者，其稟受深厚，器度大雅，而見於言語文字，亦多肖其爲人。

歸有光《項思堯文集序》 余謂文章天地之元氣，得之者其氣直與天地同流，雖彼其權足以榮辱毁譽其人，而不能以與于吾文章之事。而爲文章者，亦不能自制其榮辱毁譽之權，于己兩者背戾而不一也久矣。故人知之過于吾，所自知者不能自得也；己知之過于人之所知，其爲自得也。方且追古人于數千載之上，太音之聲，何期于折楊皇華之一笑。

又《雍里先生文集序》 文者，道之所形也。道形而爲文，其言適與道稱。謂之曰：其旨遠，其辭文，曲而中，肆而隱，是雖累千萬言，皆非所謂出乎形而多方，駢枝於五臟之情者也。故文非聖人之所能廢也。雖然，孔子曰，天下有道，則行有枝葉；天下無道，則言有枝葉。夫道勝，則文不期少而自少；道不勝，則文不期多而自多。溢于文，非道之贅哉！

王愼中《萃英錄序》 文藝之名，何從生哉？成之則眞之下，而無可處之位；游之則殿乎末，而無可先之等；執之有其器，陳之有其數，孰不出於道哉？而爲道之器也，孰不有其義哉？而爲義之數也，是所謂藝者也。文之爲藝何居？蔽於其實而溺於其名，於是學者以其治於文者爲藝，而世之相目於藝也以文。夫所爲敎士以文，而還以論而取之者何哉？爲其通乎道者之能得其意，明其義者之能識其情，由是以其所得者而爲言，言雖不足以盡，

而要意之所存也。以其所識者而爲詞，詞雖有所不該，而要情之攸見也。

皇甫汸《文選雙字類要後序》《易》曰：「觀乎天文，以察時變；觀乎人文，以化成天下。」文之時義大矣哉！若代謝羲繩，書契攸造，時滋芑篇，載籍彌彰。至乃金玉三墳，筌簣五典，矧郁存姬監，斐妙尼裁，玄風寖揚，麗藻逾蔓，家稱成誦，人尚含章，莫不踵其事而增華，緣諸情而綺靡。

又《楊忠愍公集序》昔人有云：文以氣爲主，而才以昌之。王充著養氣之篇，劉勰廣程才之論，柳冕謂才多而養之，可以鼓天下之氣，天下之氣生，則君子之風盛。斯又世道關焉，而文之時義大矣。

唐順之《與茅鹿門主事書》蓋謂學者先務，有源委本末之別耳。文莫猶人躬行，未得此一段公案，姑不敢論，只就文章家論之，雖其繩墨布置，奇正轉折，自有專門師法。至於中間一段精神，命脉骨髓，則非洗滌心源，獨立物表，具今古隻眼者，不足以與此。今有兩人，其一人心地超然，所謂具千古隻眼人也，卽使未嘗操紙筆呻吟，學爲文章，但直據胸臆，信手寫出，如寫家書，雖或疎鹵，然絶無煙火酸餡習氣，便是宇宙間一樣絶好文字。其一人猶然塵中人也，雖其顓顓學爲文章，其於所謂繩墨布置，則盡是矣，然翻來覆去，不過是幾句婆子舌頭話，索其所謂眞精神與千古不可磨滅之見，絶無有也，則文雖工，而不免爲下格。此文章本色也！【略】本色卑，文不能工也，而況非其本色者哉！且夫兩漢而下，文之不如古者，豈其所謂繩墨轉折之精之不盡如哉！秦漢以前，儒家者有儒家本色，至如老莊家有老莊家本色，縱橫家有縱橫家本色，名家、墨家、陰陽家皆有本色，雖其爲術也駁，而莫不皆有一段千古不可磨滅之見。是以老家必不肯勦儒家之説，縱横必不肯借墨家之談，各自其本色而鳴之爲言，其所言者，其本色也，是以精光注焉，而其言遂不泯於世。唐宋而下，文人莫不語性命，談治道，滿紙炫然，一切自託於儒家，然非其涵養畜聚之素，非眞有一段千古不可磨滅之見，而影響勦説，蓋頭竊尾，如貧人借富人之衣，莊農作大賈之飾，極力裝做，醜態盡露，是以精光枵焉，而其言遂不久湮廢。然則秦漢而上，雖其老、墨、名、法、雜家之説，而猶傳今，諸子之書是也；唐宋而下，雖其一切語性命，談治道之説，而亦絶不傳，歐陽永叔所見唐《四庫書目》，百不存一焉者是也。後之文人欲以立言爲不朽計者，可以知所用心矣。然則吾之不語人以求工文字者，乃其語人以求工文字者也。

又《巽峰林侯口義序》子貢求性與天道於文章之外，聖人懼其離而無得也，而曰一以貫之，言文章卽性與天道也。今之爲形聲、文字、訓詁之學者，皆是矣。君子懼其滯而無得也，爲之説曰：「盍反而求之乎心也？」此所謂有逐末之學，而後有反本之論者也。而學者緣此遂以爲必絶去形聲、文字與訓詁，求之窈窈冥冥，而後可以爲至道，二者本末，則必有分矣。然而皆聖人之所不與哉！

又《又與洪芳洲》近來覺得詩文一事只是直寫胸臆，如諺語所謂開口見喉嚨者，使後人讀之如眞見其面目，瑜瑕俱不容掩。所謂本色，此爲上乘文字。揚子雲閃縮譎詭，欲説不説，不説又説，此最下者，其心術亦略可見。眉山子極有見，不知韓子、荆國何取焉。近來作家如吹畫壺，糊糊塗塗，不知何調。又如村屠割肉，一片皮毛，斯益下矣。

王立道《與友人論文書》吾子不以某不佞，而望以文章相麗，益謂非有意於某不可也。故忘其淺鄙，爲足下誦其所聞。夫自三代而下，能文者非一士，論文者非一家，要之能者未必論，論者又未必能也。夫文之所以爲高下，夫人而能言之然，而作者往往戾焉。故逖探冥搜者傷於虛，雕琢絺繪者傷於麗，詰屈聱牙者傷於奇，而奇之失爲甚焉。夫文何自而始也？效諸天也。《易》曰：「觀乎天文，以察時變。」日月星辰，天之所以爲文也。其光有常明，其運有常度，其經緯次舍有常所，故能廣覆照，經四時，成萬物，而天下古今仰焉。一或薄蝕之不得其明，朓朒之不順其運，盈縮隱見之不安其所，甚者孛飛彗流，出於耳目之所創見，則人莫不指而異之，何者？非天文之正也。今且爲廋詞怪語，鉤章棘句，險僻艱澀，不可識測，而欲以示諸天下，傳諸後世，則人有不指而異之者乎！故奇譎之文，則亦天之彗孛之類耳，非盛世之所宜有也。昔人有言文非能爲之爲工，乃不能不爲之爲工，《六經》尚矣，古之文皆不能不爲者也。今之好奇之士，則惟以能爲爲工耳。夫是以作之日益多，而傳之日益寡，作而不傳，周子所謂輪轅飾而人弗庸者也，亦奚以文爲哉！大抵知德者無詭言，淺於道者多艱説，古之君子內足而外章，德至而言立，莫不平易正達，溫純爾雅，不雕繪而巧，不探搜而遠，無詰屈而奇，不期於文而天下後世之能文者，莫加焉矣。後之人德則不至而求諸辭，辟諸塗刻繪畫，以爲龍蛇鬼神不瓌詭其形，變惑其勢，則不足以駭觀者，而眩愚俗，然而識者過焉，則固土木之而已，其奇果何爲哉！故曰：「仁義之

人，其言藹如。」三代而上，所謂文章之士，卽道德之徒也。自夫岐而二之，而後世始無文矣。昔魏氏《典論》號善論文，大略謂「奏議宜雅，書論宜理，銘誄尙實，詞賦欲麗」，而曰「文以氣爲主」，是皆辨其末而未探其本，內無所得而虛爲之辭，吾弗與也。且文如兵，其作之者猶將也，將賢而謀豫，則操縱出入，隨應而不窮。故左右什伍，紀律嚴明，則其法立；威蓄而勢銳，如風發河決，則其氣充；可攻可守，可進可退，頃刻異用，而機妙百出，則其變備。要之，必主於正，而後奇以濟之，此將之良也。苟廢正而一徇其奇，則其軍鮮不僨焉，而世必以爲無能之將矣。故兵無常形，以正勝者什九；文無常體，以奇善者什一。盤誥之文，則《六經》之什一耳，效而似者，猶未可爲常，而況其萬不類也哉！吾子於今之時，不謂無志於文，而恐其溺於奇，不繇其道，則愚之所不能默默也。然愚固亦論而未能者，吾子其毋以爲費於辭。

茅坤《唐宋八大家文鈔原叙》 孔子之繫《易》曰「其旨遠，其辭文」，斯固所以教天下後世爲文者之至也。然而及門之士顏淵、子貢以下，並齊魯間之秀傑也。或云身通六藝者，七十餘人，文學之科並不得與，而所屬者，僅子遊、子夏兩人焉，何哉？蓋天生賢哲，各有獨稟，譬則泉之溫，火之寒，石之結綠，金之指南，人於其間以獨稟之氣，而又必爲之專一以致其至。伶倫之於音，裨竈之於占，養由基之於射，造父之於御，扁鵲之於醫，僚之於丸，秋之於奕，彼皆以天縱之智，加之以專一之學，而獨得其解，斯固以之擅當時而名後世，而非他所得而相雄者。孔子沒，而游夏輩各以其學授之諸侯之國，已而散逸不傳，而秦人燔經坑學士，而六藝之旨幾輟矣。漢興，招亡經，求學士，而鼂錯、賈誼、董仲舒、司馬遷、劉向、揚雄、班固輩，始乃稍稍出，而西京之文，號爲爾雅，崔、蔡以下，非不矯然龍驤也。然六藝之旨漸流失。魏、晉、宋、齊、梁、陳、隋、唐之間，文日以靡，氣日以弱，強弩之末，且不及魯縞矣，而況於穿札乎！昌黎韓愈首出而振之，柳柳州又從而和之，於是始知非《六經》不以讀，非先秦、兩漢之書不以觀。其所著書、論、叙、記、碑、銘、頌、辯諸什，故多所獨開門戶，然大較並尋六藝之遺略，相上下而羽翼之者。貞元以後，唐且中墜，沿及五代兵戈之際，天下寥寥矣。宋興百年，文運天啟，於是歐陽公修從隋州故家覆瓿中偶得韓愈書，手讀而好之，而天下之士始知通經博古爲高，而一時文人學士彬彬然附離而起。蘇氏父子兄弟及曾鞏、王安石之徒，其間材旨小大，音響緩亟，雖屬不同，而要之於孔子所删六藝之遺則，共爲家習而戶眇之者也。由今觀之，譬則世之走騕褭騏驥於千里之間，而中及二百里、三百里而輟者有之矣，謂塗之薊而轅之粤則非也。世之操觚者，往往謂文章與時相高下，而唐以後且薄不足爲。噫！抑不知文特以道相盛衰，時非所論也。其間工不工，則又係乎斯人者之稟，與其專一之致否何如耳。如所云，則必太羹旨酒之尙，茅茨土簋之陳，而三代而下，明堂玉帶雲罍犧樽之設，皆駢枝也已。孔子之所謂其旨遠，卽不詭於道也；其辭文，卽道之燦然若象緯者之曲而布也。斯固庖犧以來，人文不易之統也。而豈世之云乎哉！我明弘治、正德間，李夢陽崛起北地，豪雋輻輳，已振詩聲，復揭文軌，而曰吾左、吾史與漢矣，已而又曰吾黃初、建安矣。以予觀之，特所謂詞林之雄耳，其於古六藝之遺，豈不湛淫滌濫，而互相剽裂已乎。

黃省曾《漁石集序》 文章之道，與運俱流，漢氏遐軌，淪久不作。入我天代，全風大氣，郁爲人文：洪武、永樂間，明渾雄雅；迨至弘治，鴻化洋暢；延於嘉靖，則法模姬秦，彬彬乎文質備矣。故以文章名家者，接耀于天下，雖林曲草牖窮棲之士，亦能高善鉛槧，而況公卿大夫委蛇廟朝意昌情達者乎？然而英華翹炳，升堂卽奧者，亦未嘗不闊希難遘也。蓋性靈昭朗，仁義藹如，蹈清者言粹，業良者語芳，固斧藻之本也。否則，餒澀瑕病紛紛矣。或曰：率意吐造，卽可以文，乃廢博羅六籍，目左記爲衰淺，以騷選爲雕靡，眇就觚爲細習，藝苑衆妙，一切捐置，又何以鎔貫神理錯綜變化蘊浸組織之哉！且不需其成，不出於盈，強拾轃綴，猶提嬰而爲壯夫之武，鮮不躓矣。又聞之：江山令人發秀，故尼孟周環，馬遷登遊，觀覩廣遠，是以宣之科牒，富如元黃，無所不有矣。文章之道，必具是而可立以傳也，不其難哉！不其難哉！

唐龍《王氏家藏集序》 上德忘言，至教欲默，然而立言而謂之不朽者，何哉？謂其貫道也！謂其達政也！是故道者，言之實也；政者，言之幹也。君子之言，惟道與政而已矣。其植也若挺其本，其發也若揚其光，夫不朽固宜。

宗臣《論文》 夫《六經》而下文豈勝談哉？左、馬之古也，董、賈之渾也，班、揚之嚴也，韓、柳之粹也，蘇、曾之暢也，咸炳炳朗朗千載之所共嗟也。然其文，馬不襲左而班不襲揚也，柳不襲韓而曾不襲蘇也，何也？不

得不同者，文之精也，不得不異者，文之迹也。論文而至于舉業，其視文既已遠矣。文而襲者，舛也。況拾世俗之陳言庸語而掇以成文，又舛之舛者也。

【略】人性之有文也，是時時生焉者也，非以他人之陳言庸語而借之于我也，是故古之言文者得之心而發之文也，其理之瑩也，如金之精，如玉之粹，而天下之人莫之敢損益也。

沈鍊《文賦》 竊以綜學無方，修文有術，一篇既就，應知陸子之才；千賦難淹，永愧揚雄之筆。爾其援題布目，託始造端，析理則精微洞達，遣詞則毫末俱完。展器宣歌，似瞽師之奏樂；陳軍出令，若大將之登壇。運一心之精妙，揚萬物之波瀾，源流兼達，首尾並攢，算無遺策，思有餘歡。然後抽毫擬議，揮翰沉吟，循規按矩，據律諧音。結篇章則如雲如漢，練句字則如玉如金，單行如元氣之獨馭，雙發如日月之並臨，亦有三分象鼎足之列，四通類駟馬之駸，五馳六驟，七縱八擒，愈出愈奇，稟生生以不息，有源有委，流渾渾以益深。起而承之，若珠就貫而不輟；轉而合之，若蛇顧首而還尋。引援則因文以證義，譬喻則即物以會心。是以文必有爲而作，義必有益而箴。或慨嘆於往古，或諷切於當今，苟不關於世教，曾何貴於詞林。亦如天文以星辰顯象，地理以山水成章，華實相副，名實並揚，故能發揮理義，比合宮商。悲歌則聞之者凄切，警策則聽之者慨慷，剪截則整齊而不亂，貫通則流轉而無疆，精明則如四時之順序，藻麗則如五色之煇煌，沉雄則萬夫之勇，典雅則三代之良。稽之於度，而長短不爽；較之於量，而多寡相當。非夫悟出巧心，習成妙手，曠耳婁目，錦腸繡口，總流略於百家，徹精微於萬有。德富五廚，才踰八斗，孰能闡妙理於無窮，垂奇名於不朽。嗟夫，伏羲觀馬圖而畫卦，蒼頡察鳥跡以制文，神農知醫於草木，軒轅造陣於風雲，既興丘索，爰有典墳，暨周官之列六職，司馬之序三軍，雅頌不作，禮樂既分，時有孔子，大聖不羣，亦有孟軻，克振舊聞。洒上追夫渾噩，始一正乎紛紜。三代既往，六籍荒蕪，雖焚燒於秦火，亦淆亂於漢儒。蟲雕虎觀，鳥跡鴻都，崔、蔡才劣，班、馬道徂，文章正於韓、柳，道術訂於歐、蘇。於是諸生斂衽而進，張翼而趨，曰聖不可作矣，文不在茲乎！君子遂撫膺而踧踖，還掩卷而踟躕。

王世貞《藝苑卮言》卷一 物相雜故曰文。文須五色錯綜，乃成華采；須經緯就緒，乃成條理。吾嘗論孟、荀以前作者，理苞塞不喻，假而達之辭。後之爲文者，辭不勝，跳而匿諸理。《六經》也，四子也，理而辭者也；兩漢也，事而辭者也，錯以理而已；六朝也，辭而辭者也，錯以事而已。

又《劉侍御集序》 夫言，人心之聲，而詩文乃其精者。韻而詩，匪韻而文，其用本不相遠，而其究乃不能相通，以故攻之者不能兼造其奧而發其樞。自西京以還，至於今千餘載，體日益廣，而格則日以卑，前者毋以盡其變，而後者毋以返其始。嗚呼，古之不得盡變，寧古罪哉？今之不能返始，其又何辭也已！

胡直《瑞泉南先生文集序》 予自童喜攻文詞，騖爲奇詭不肯休，頗自矜嚴以號於人曰：古詩文法當爾也。比壯，有先生長老訓之曰：「若小子，奈何以萬鎰珠彈飛肉不可，還以連城湛盧闘錦石，不折則闕，寧不慳乎！今夫人至靈者心也，而道出焉，可以三天地，首庶物，自陶唐氏得之以協萬邦，有虞氏得之以光海隅，三王得之以式九圍，淸四海，尹陟得之格皇天，周公得之興禮樂，孔子得之卒爲萬世師。繫其大哉，奚啻萬鎰連城，而子小用之奚翅彈飛肉，掘錦石，吾不暇爲子笑，且爲哀之。」予始聞，捷焉若有阻也，而問曰：「文終不可爲乎？」曰：「文者，聖人之所有事也。吾告子以協萬邦，光海隅，式九圍，淸四海，格皇天，興禮樂，師萬世，文亦至矣，聖人奚不爲文哉！且子之所謂文，是猶女歸刺繡文之工，而未覩山龍火藻之從生；是猶宋人雕楮葉之奇，而未知徂來新甫之松栢之爲眞也。是奚足語文？子不見自漢司馬相如工富麗，中人心髓，延及魏晋六朝，凡數百年，劫奪不可已，甚矣哉，其禍天下萬世之蠱毒也！子尙攘攘焉慕之，以夸嚴於人，仁者固樂爲乎？」予於是惶然汗下，口禁不能言，又怳焉若有醒也。已而悔棄所習，凡有年矣，雖未得於道，然灼然知蠱毒不可近，又未嘗不自哀且以哀人。

又《趙浚谷先生文序》 自《易》象以風水語文，而文之變備矣。彼水至大者莫如海，鄒孟氏嘗以海况聖言，海固不易談已，其次莫若江河。予嘗浮彭蠡，絕淮泗，固江河之巨匯也，方其微風颺波，紆紆容容，涵雲霞之麗，抱日月之晶，睹者固已盪胸臆，皇耳目矣已。而噫氣噴薄，轟雷震霆，踶萬馬，舞三軍，鬬虬螭，而咆熊虎，睹者震掉，不敢正視，頃之則又恬如寂，如放乎無有，凡此不出晷刻，而其變不可窮詰。非獨彼水與風不得知，雖造物者亦不知其然而然也。此非天下之至神，其孰與之？自鄒孟氏以後，其文之盡變有若此者，唯莊、荀、司馬太史、韓、蘇數子擅之，柳、歐以下亦頗得其

七八，然予又觀江河下上有三峽龍門，其變不在風而在石，彼其石之巉嶙崱屴，與波舂撞，天下希奇也，而莊、荀、太史數子間極其變，亦或有似之。然不常有也，何則？使天下水咸爲三峽龍門，則利涉者阻矣。故三峽龍門，謂江河間出之奇可也，非所以語於文之大凡也。

又《論文二篇答瞿睿夫》 古今論文，若揚子雲、劉勰、范曄、顔之推、歐陽永叔、黄魯直等，無慮數十家，然予獨喜陸士衡、韓退之、殷璠、蘇子瞻四子者語最確。士衡《文賦》詳矣，然獨曰「石韞玉而山輝，水懷珠而川媚」，則知文當求之色澤之表。韓退之曰：「氣，水也；言，浮物也。水大則物之浮者亦大。」又曰：「仁義之人，其言藹如。」則文當先養氣，而仁義實致養之原。以是則小慚，蒙謂小好；大慚，蒙謂大好。小稱意而小怪，大稱意而大怪。果惡足以惑軌轍哉？殷生曰：「文有神來，氣來，情來。」則知摹畫於步驟者，神躓；彫刻於體句者，氣局；組綴於藻麗者，情涸。蘇子曰：「吾文如萬斛源泉，隨物賦形，嘗行於不得不行，止於不得不止。」夫行止由己者，文之至難者也，而非絶世好者莫能與。近世唐應德有喉中轉氣，管中轉聲之喻，凡皆可謂善語文矣，而未逮文之從生。予少不自揆，見當時語文，唯推先子長，自謂當稅駕子長氏之廷。長大涉道之藩，然後知士非不學文之弊，而不知己重之可憂，嘗致書知己者曰：士不知己重，則無所爲易時，而爲時所易，無可爲命世，而爲時所命，遠損萬世之猷，而近貪一時之利，內薄天壤之身，而外厚蠅蝸之名，苟患失之無所不至，故抒爲文辭，皆唯奉習聞以應求，遵成語以塞問，童誦於家，長獻於國，白首身退，問之而不知其指。間有鶩古之士，則亦不過摽掠其標格，而追逐其聲響，寸而寸之，不敢以語尺，尺而尺之，不敢以語丈，甚則借笑爲欣，雖百娛笑不足以爲樂；盗哭爲戚，雖百號哭不足爲悲。以若所爲，卽令字字語語同於子長，其無所用之明矣。故嘗以爲今之時文辟鏤冰，今之古文辟剪綵。鏤冰者壽時，剪綵者壽歲，二者有間，其不足行遠均矣。而士猶孳孳頊頊，相矜相嚴，以終其世，愚竊笑而恥之。嗟夫，士之知道亦難矣。道者，非善其一身已也，繇一家以逮天地羣物，皆吾大一身也。自大一身言，則以家族准心腹，以民庶准四體，以天地准頭足，羣物准毛甲。故家族不得其任，則殘心腹；民庶不得其任，則殘四體；天地不得其任，則殘頭足；羣物不得其任，則殘毛甲。故君子和其家族使睦，理其民庶使平，相其天地使寧，適其羣物使若皆所以調燮其身，俾得其任而不殘也。夫士以一身任羣物天地之大，則以己易時，時不得而易之，以己命世，世不得而命之，如此則士之於己重矣。士有重於此，則雖山彼金璧，莫能滑也；雖立取卿孤，莫能誘也；雖刀鑊臨之，志不可易也；雖有璇閨綺閣，姣顔膩理，仙仙之舞，靡靡之音，極都麗之觀；雖有汧渭之駿，渥洼之龍，躪飛兔而殪豻兕，窮騰鶩之樂，曾不足引其盼，回其聽也。雖使近而一家，遠而天下，咸諾諾焉；近而一家，遠而天下，咸諤諤焉，曷足以易其作止也，又尚何利祿爲有無哉！故士得其時則發，其和家族，理民庶，相天地，通羣物之道於上，而謨、訓、誥、戒、狀、疏、表、劄之文著；不得其時則發，其和家族，理民庶，相天地，通羣物之道於下，而論譔記述褒頌譏刺之文著。蓋皆輸其成算，而出其素有；稽諸口實，而申其事情。當時用則治，不用則亂，後世循則成，不循則壞。譬之雷霆之鳴于春，雖欲不鳴不可得也；星辰之明于夜，雖欲不明不可得也；儉歲之膏粱，寒年之縑帛，雖欲不適于用不可得也。故《六經》、《語》、《孟》之語是非也，若探其根，而善敗之應也，若見其果。至若子長氏之爲言也，雖未能望孔、孟之藩，然猶發其中心之誠然者，故欲爲子長要亦有本末，非今之士苟然茫然，盗人哭笑以爲悲樂者之能之也。予當時著此，書語涉冗，今隳括大略，讀者可以知文之從生矣。

又《談言下》 或曰：聖人用文乎？洞先子曰：文非聖人，不能用也，聖人用文，爲道與法。孟子曰：「上無道揆，下無法守。」道揆法守，不可一日寢，則文亦不可一日弛。是故文者，聖人所以壽道法教萬世如一日也。孔子曰：「言之無文，行之不遠。」蓋爲教也，彼能言者，乃不知聖人之爲教，乃徒頊頊焉鶩爲文采，表見于後世。且曰：《易》與《春秋》，皆聖人發憤所爲作。嘻，其左矣！于是有不得勢，則窮愁而爲著書；有得勢，則招集遊談者而爲著書；咸以徼後世名，彼其畔道圮法已甚。後之讀者，鮮不醜其德而腥其人，卽不醜不腥，亦何足以肉枯骨血遺齒哉！今之世尤喜稱詞客文人，曾不知此優伶工耳。優伶愈稱于人，則愈工。當其愈工也，雖嗾之魑魅，卽工爲魑魅；嗾之犬彘，卽工爲犬彘。三尺之子，鮮不詬優伶，彼巍丈夫乃不自知爲優伶，且將決性命而蹈之，其不謚曰倒置之民乎？魏文帝曰：「文章者，不朽之盛事。」彼其父子雖好文，然畔道圮法，後世所醜而腥者至也，其不朽也奚在？故曰：文非聖人不能用也。

又《誠意新建二先生文選序》 文章當自我命令之上焉者，無意爲之，而不能不爲；行乎其天，而不與乎其人。自孟子而下，若莊、騷、太史、韓愈、蘇子瞻之徒，近之也。其次若揮三軍金鼓作止，雖深谿曠原，部勒由己，則賈、董、班、楊、柳、歐、曾、王，數公當之。其下模擬追逐，若優孟之學叔敖，不欲一失其態。

何良俊《吳山人後集序》 凡物不兩大，造化無兼美。孔翠之肉不登於俎，澤其羽也；桃李之材不中題榱，繁其華也。故文質偏勝，雖孔子猶病之。【略】學者僅能操觚，即詆訶韓、柳爲不知文，李、杜、元、白爲不知詩。及究其中之所存，則文章徒鉤棘其辭，初不根於理道；詩徒組繢其句，亦無關於性情。由是識者病之，以爲反不如祖宗時。剷文就質，直陳胸臆者是也。嗚呼，是豈文之病哉？則過於文者之病也。故仲尼之用禮樂，欲從先進。莊子曰：「文滅質，博溺心，民始惑亂，無以反其性情。」夫文猶足以滅質，而況鉤棘組繢之辭，其於理道情性何如哉！

馮從吾《濂洛文抄序》 夫道一而已矣。三代以前，以理學爲文章，故《六經》、四子之書，爲萬世文字之祖。三代以後，信理學者，或天資筆力不能爲文章，而能文章者，或恃才傲世不肯信理學，此理學、文章所以分而爲二也。是分而爲二者，乃能文者不信學之過，豈理學之過哉！或謂宋人講學而文章遂不逮古，不知唐人不講學而文章不如漢，漢人不講學而文章又不如秦，又不如《左》、《國》，何也？《六經》、四子之書，純是理學，而文章又非秦、漢、《左》、《國》之所能及，又何也？此理甚明，正坐學者未之講耳。宋儒如濂洛諸子之文，無論發理精微，直接唐虞鄒魯之統，即文章筆力，亦自卓爾不羣。鳳翔張心虞氏慨世之能文而不信學者衆，且併其所爲文者亦非也，因刻《濂洛文抄》以救之。嗚呼，學者讀此而有悟，則理學、文章庶幾可合而爲一矣。

劉珝《馬先生文集序》 君子所以有譽於今後者，亦曰言之是託。言之精者爲文，文豈易哉？弗遭其時弗文也，弗養其氣弗文也，弗克其學弗文也。粵自造書契以來，世有升降而文與之俱。宋不唐，唐不漢，漢不春秋、戰國，春秋、戰國不三代、唐、虞，如老者不可復少，勢不得然也。況文以氣爲主，所養者正，則英華之發見者亦正，苟失所養，不易則艱，不隱則怪，不晦則誕，不悝則誇，其弊至於不可言者。

周用《菽粟文章頌序》 士相聚而爲學，凡以資爲文章也，舍文章而不爲專業，今之所謂廢其學者也，若是焉者，上之人將以是求乎我，我將以是應其求也。是故歲大比，則其平日能文章辦進取者爲之主司，群聚天下之習爲文章者而考其業，不惟其人惟其文，期三月以往則出其文而拔其人，操鬼神速化之術倏忽而不可測識，旬日能使傳海內以徧，若電發而霆擊訇然也，若雲變而霞舒爛然也。有有識者曰：茲文章也耶，古人之所謂文者，殆不如是之易且靡也。今其言曰古之人，古之人似矣，他日觀其人或不相似也，向之訇然爛然者，響滅迹絕，索然矣，是之謂玩春華而忘秋實者，欲人謂之菽粟文章可不可也。

呂柟《前溪文集序》 竊謂文不徒然也，必本諸行達諸政而後成。是故其行敦者其文實以切，其政平者其文簡以明，其行與政躁而浮者其文夸詖而支離，嘗持是以觀往古，雖碩人鉅卿莫能掩也。

靳貴《元遺山文集後序》 予惟古君子之所謂文者，得志則以之化成天下，不得志則以之左右《六經》，而覺斯世斯其爲文耳矣，則又奚徒以辭爲哉？惟夫發難顯之情傳不朽之績，世必賴之，故辭雖非所急，而亦不得而廢也。

黃福《楊大理文集序》 文章在天地間不可一日而不存也，文章存則道存，文章熄則道熄，前輩以爲載道之器誠爲確論，是文章所係豈小小也哉？且士生斯世，幸有聖明在上，治教興崇，誦詩讀書，窮理盡性，人皆以士君子目而自亦以士君子與。若所蘊之德行，所行之事業，苟不發於心、宣諸口、筆於楮，則幼學壯行爲幻事，立言行道爲虛談。道之所在何以取信於後乎？文章所係如此可容不作乎？

霍韜《震澤集序》 文之傳三：人品一也，學力二也，才格三也。以人品者，人爲世重者也；以學力者，學爲世師者也；以才格者，文由才奇者也。世之文由才傳者，吾見之矣，合才與學者，我未之見也，合才與學蓋有之矣，合人品與學與才，我殆未之見也。故曰：文之傳也，人品也，學力也，才格也。三者具焉，上也；二具焉，次也；一焉又次也。

汪宗元《皇明文選引》 唐宋以來，得之者振起乎藝林，失之者風靡于衰草，此文章當以時論，亦當以人論也。自我高皇開天，崇重文學，首聘眞儒，一時鉅工摛藻修詞，如未雕之玉，未吐之華，渾弘博大，論者以爲有淳古之風；宣德、天順以後，人自爲藝，淳風少更；逮至弘治之間，儒教聿興，

藝文相尚，一時作者雖體裁不同，博大偉麗，迄今稱之。至我皇上御極，超三邁五，制禮作樂，敬一垂訓，道久化成，士爭自濯磨，文治蔚然興矣。夫明興百八十餘年，承平日久，士不榮躍馬之勳，各競操觚之業，摛翰之士代有其人，以文名家者亦歷歷可數。然體製不同，規裁不一，是故巨者日融，小者星列，長者江流，微者河浸，自程篁墩先生選後，無繼之者。【略】自國初以及于今，凡詔、制、誥、册以代言也，頌、贊以告君也，箴、銘、論、議、説、解、辨、對以訓世也，傳、原、雜著、紀、序、跋、引以紀事也，碑、誌以彰微也。夫代言之體先于渾，告君之體先于忠，訓世之體先于規，紀事之體先于正，彰微之體先于實。夫渾則不慾，忠則不阿，規則不違，直則不偏，實則不僞；渾也、忠也、規也、正也、實也，皆禮之善物也，予取以爲則焉。况文也者，所以經緯天地、詔敘倫紀、闡發幽微、彰宣靈性者也，皆賢人君子精神心術之所寓也，采而集之，亦足以彰我明文治之盛，而立言之精華亦因以傳也。

鍾化民《文章正論序》 夫文道之顯而心之華也。道不正則非道，心不正則非心，故曰三代無文人，《六經》無文法，彼其世道清夷，人心粹白，吐辭爲經，矢音依永，無之而非文，無之而非正也。世衰道喪，文乃滅質，雕鏤以爲工，刻削以見奇。

劉祜《文章正論序》 孔子曰：「言之無文，行之不遠。」文固聖人所不廢也。然文以載道，外道非文，故王通氏云，「言文不及於理，是無文也」。葉氏亦云，「文章不關世教，雖工何益」。其孔子之所謂文者在斯乎？

王漸逵《嶺南耆舊遺傳序》 予嘗讀管幼安、王彥方傳，乃知漢末猶有斯人，使生于孔子之前，必不居于三仁之後矣。而或者尤以未嘗立言短之。夫言者，文也。道以文顯，亦以文散，是故予懼夫道之在于人，而文之耗之也。夫天地未闢，而日月星辰、河海山岳之文，固在也，而謂無文可乎？君子之道，本諸身，徵諸人，雖無事于文，而文固在也，而謂少文可乎？君子之道，譬諸木則根焉，行則枝幹焉，文譬則萌申花蕊焉。故木之生意至萌申則盛，花蕊則衰矣。故花蕊也，其盛之極，而衰之始乎？三皇者，道之根也，五帝者，道之幹也，夏、商者，道之枝也，周，道之萌申花蕊也。故文至周而盛，道至周而衰。于是言詞興而太朴散矣。【略】俾知道爲本，文爲末。而鄉之先輩懿行之昭，乃文之至而非後進之所爲文也。嗟夫！天地淳龐之道，有漓有復，其在于時與人乎？是故道嘗漓于春秋戰國矣，至西漢而復，漓于南北朝矣，至李唐而復，漓于五代矣，至趙宋而復，漓于元季矣，至我朝而復。故國初之耆舊，其遺風流俗，猶有存者，吾尚及見之也。今天下之漓，亦甚矣，能反其樸，而會其漓，其惟賢者乎？若猶以文言，是則予之所滋懼也。

焦竑《與友人論文》 竊謂君子之學，凡以致道也。道致矣，而性命之深窅與事功之曲折，無不瞭然於中者，此豈待索之外哉！吾取其瞭然者而抒寫之，文從生焉。故性命事功其實也，而文特所以文之而已。惟文以文之，則意不能無首尾，語不能無呼應，格不能無結構者，詞與法也，而不能離實以爲詞與法也。《六經》、四子無論已，即莊、老、申、韓、管、晏之書，豈至如後世之空言哉！莊、老之於道，申、韓、管、晏之於事功，皆心之所契，身之所履，無絲粟之疑，而其爲言也，如倒囊出物，借書於手，而天下之至文在焉，其實勝也。

唐時升《答雷何思吉士書》 蓋文章爲經世大業，大而三才，小而庶物，無所不載。中古以前，吾不能知，若伊、呂之治國，賈、晁之論事，孫、吳之言兵，苟其闕如，皆不可以稱作者。若夫書、疏、傳、誌、碑、記之類，皆與世酬酢人事不可已者，方杼柚于懷，豈不尋其條理于茫昧之表，索其端緒于棼亂之中。及其得之于心，而出之于手，則見者以爲固然，但人不能知而我能言之耳。

葉向高《黄離草序》 當代以作者鳴，可指數也。弘正之世，首推李、何，彼用創爲功，與其詩顯耳，文則胡稱焉。七子代興，遞相引重，其人往矣，遺言可徵？【略】吾以爲文章者，神明之所寓也，萬有之所肖也，名物事變之所綜也，忠臣、孝子、奇人、高士，微情奧衷之所托也。吾意有所欲言而窘于舌，舌有所欲言而窘于手，慘縱伸縮不能自主，則吾方寸中且壅閼未暢，安能使千百歲後誦其文如目睹其事？

孫慎行《原文》 今夫文生于變，變生于有所不盡，故造化不盡，而人發之。古所不盡，而後之人發之，聖賢所不盡而發之，奇人偉士文人又不盡，而田夫野老發之，斯變之至也。曩令造化而果足盡也，即造化之文章或幾乎窮。文之在人也，曰修意，曰修辭。其在修辭者必紬意，文固不以意盡也。即修意則亦必紬辭，不然則文亦以辭而盡也。即辭意合矣，而俶詭正平茁軋

清夷韜黯漫衍遞相絀無已，又其甚也。高者下，卑者昂，清者溷，洿者揚，即絀而無當，未始盡也。夫佳不盡，而後見文也不盡。故鼓舞無端而變愈以煩。且吾一心耳，而昔之所是今或非之，昔之所非今或是之。其將謂昔盡乎？今盡乎？即吾觀之往時嗛然不盡者，豈果彼之未工，此之已得乎？倘令還而觀之，彼未嘗不自爲盡也，是我之觀又益之不盡者乎。夫卵之毛，雞之三足，世無有也，海外九州不得而觀也，車之入穴不可以致思也，然而人心皆及之者，變固不盡也。獨文異哉！莊周云：「天籟之鳴，吹而不息。」此亦一無窮，彼亦一無窮。蓋士衡不能賦其原，昭明不能闢其藩，希元不能正其末矣。吾獨怪世之持一察迷大觀也。其一察也，而文且病，雖然惟一察也，而各私智能不相爲下矻矻焉，窮敝日力，逞流極支，而文乃相靡相衍于無窮。況大觀者，其變之不可盡，更如何？吾于是有覺焉。

陳懿典《尊師焦澹園先生文集序》傳曰：「通天地人曰儒。」而世乃分析言之曰：「有道德之儒，有功業之儒，有文學之儒。」夫通則合三才，寧有偏致之用，獨勝之場哉？自三立分途，文士以文爲經國大業，而學道者嗤以爲雕蟲小技。談道講學，皆習爲拙僿語，而詞賦文章之士，侈然以絺章琢句，擅爲登壇之主盟，後世競效爲之。衣冠形似，神情不傳，無論學失其宗，而文章詞賦亦失其眞久矣。夫豈有不知學而能文者乎？又豈有通天人而文不足傳者乎？周公孔子，彖繫易卦，出入鬼神，條析周禮，删述詩書，麗若日星，何嘗不極文之妙用？又何嘗以德業爲大而遂廢文章？特未嘗如後世之沾沾摹倣以求工耳。而當時如史佚、丘明，亦有能窺其藩者乎？自漢至宋，稱文者自爲文，言學者自爲學，獨韓、歐、曾、王、蘇氏諸君子，知本之《六經》以爲文，有志於聖人之學而不肯爲徒文之士，庶幾足傳，而學猶未能知性，是以猶未免於文人之名。

文翔鳳《儀部張先生文集序》文章殆兼禮樂之用，國運之權衡與？典謨叶於禮，風雅叶於樂。周公兼六代而制作，孔父衷六藝而删定。肆孔業論文有前輩典雅之目，匪典匪雅，焉尙詩書？昔人觀韓陵片石，即知梁魏終遊於江東，歌南風一闋，即知荆楚不競於上都。文章之道，亦復如是。一代之國運大且遠，其元氣必發靈于哲匠之輩，以吐其光爛而表相堂皇。元氣有混淪、豐厚、疏達、龐雜之異，則文亦唯肖。如漢孫周，東漢孫西，唐孫漢，宋孫唐，而靡極於隋，淫極於元。六朝何其駢複，五代何其寥落也！其體不喻，辭命、序事、議論、詠歌，而總出之以元氣。故之三代則混淪，之兩漢則豐厚，之唐宋則疏達，其他則龐雜而元氣放絶矣。迂子陋人毁爲雕蟲，靡關治體性情，華札劃之使二，至不可莊讀，知道者以爲大詬。明興百六十年而古道始矯超，自李獻吉氏其辭命序事方漢，歌詠方唐，惟議論差不逮元，氣則豐厚，而疏達矣。使有知道者，不懈而造經之典雅，繩詞人之濫觴，振理學之弱爾，孔樂殆復作。雖知聖之事未竟條理，然嗣者尙不失爲漢唐。

黄道周《小草自序》仁義之教衰，則文行之途塞；文行之途塞，則聖賢之言無以命的于天下。古之君子，本仁于身，修義以及人，然後布爲文辭。其高者繫于精微，其堅者以藥石天下，其平易通曉使治忽善敗，循之共白也。【略】故白者，以白其道，章其志；未之白者，以探其繫，深其義。故學問之道不廢也。今之君子，爲利以考文，爲文以飾行，苟取習俗以誣聖賢，以愚黔首，以誑天子。其稍有意義者，選妙徵雋，自命而已。其平易通曉，則里巷之所周譬，揆于古今治忽善敗，則蒙然未覩。見之而喜，去之不思，自是而學問之道可廢也。

陳弘緒《博依堂文集序》文章不能與時代高下，而文之至者，要非時代之所能限。匪獨不能限之已也！戰國無司馬子長，東漢無韓退之，晉、魏無蘇子瞻，蓋又有後起而凌跨乎前哲者焉。王元美曰：「子長不絶也，其書絶矣。千古而有子長也，亦不能更有《史記》。」元美之意，徒慨嘆于西京以還，封建、宫殿、官師、郡邑，其名不雅馴，而又以史記之書薈蕞。《尙書》、《毛詩》、《左氏》、《國策》、韓非、呂不韋，乃能獨絶。元美之言似也，然遂謂有子長亦不能更有《史記》，則誤矣。夫古今作者，要皆各有獨至之處，以傳於無窮，固不在于區區名物象數，詞章字句之間。退之、子瞻之同乎子長，而子長不能挾之以自異者，恆在此不在彼。且以元美之言論之，封建、宫殿、官師、郡邑，當其時狎聞之則常，易世而或更其號焉，未見其陋於曩昔。是故今之交泰、仁智，猶古之未央、儲元也；今之順天、河間，猶古之京兆、扶風也。至于史家之體勢，不能不臚列前人之載籍。然灌夫、竇嬰、《游俠》、《貨殖》諸傳，未嘗有《尙書》、《毛詩》、《左氏》之採錄也。今其傳又豈出於五帝紀，齊魯世家之下哉？夫世患無子長，設有子長出焉，一切名物象數俱可以鞭驅而點染之，雖猥鄙如使酒罵坐之事，與夫市肆簿帳之料，俱可以錯綜縱橫，而成風行水上之文。有子長何憂無《史記》之書哉！夫退之、子瞻不屑

以沿襲見長，故其能爲子長也者，廼其不爲子長者也。元美非勦拾櫛比，或遂不能操觚，乃以勦拾櫛比而求子長，子長之亡久矣。無怪乎輕後世而崇往古，囿于時代而卒不悟也與！

章世純《半舫齋稿序》 治古之世，道德一，風俗同。其人自朝廷邦國，守土食采，師臣素王，與夫山林巖穴、農夫婦孺，其人無不學，而其學無不本于道。于是乎，文行于其間。【略】其學既本于道，而其才又足以見乎其詞，雖無意于爲文，而其高深典麗，終非後世能言之士之所能及。士生其間者，雖或其才未必能見乎其詞，而以其有得于道，則亦有以知本末内外之分，而不惑于偏曲駁雜之說，則先王之敎有以使之然也。

羅萬藻《胡克岐兄弟制藝序》 文之爲道也，有天有人。天與人未嘗不並具於人之身。然當其爲文字之時，一脫腕便已各形其所勝，勝成於心而嗜好鍾焉。有終老不能移其力以相爲者矣，學者或以此爲病，而予獨不謂然。夫克以其天至者，人固於是乎至，克以其人至者，天亦於是乎至也。

劉鴻訓《原文》 夫文，天之經，地之緯，人道之錯綜，則亦肖其章於天，麗於地，交錯於倫物者而止。故善爲文者，曰明理，曰比事，曰達衷。爲文不同，總之，因其鉅而鉅之，因其細而細之，與情俱開，與意俱盡，而毫無驅駕浮游詰曲之意以奸乎其間，夫然後不可已不可強之妙，庶幾左右逢之耳。

萬時華《遯齋近稿序》 自秦漢以來，世所謂文人，皆處于不足之分，未有恢然而自有餘者也。夫今古文章與天地之氣相爲盛衰，世既中古，能爲不足，不能爲有餘。氣日淫日薄，文人代變，化于其際而不自知元會之數，固然。然總計數百年間，亦必有一人焉，擅其有餘以示于世，此天地之氣不盡，而文章之道所以不衰爾。

卓發之《天柱集序》 天下山川匡谷，鳥獸蟲魚，草木之花實，日月列星，風雨水火，莫不具有至文。而文人之文，往往令醒者欲卧，懽者輒煩，悶而不懌。使其原本山川，極命草木，比物屬辭，而天下自有之至文。遂不知渙然從何以去，則以理事爲礙，而性情不眞故也。然則世之模擬竄竊，取青媲白，肥皮厚肉，柔筋脆骨，以爲辭者，其不得比于樵歌牧唱也，而瑯琊歷下，主世代升降之說，視古修詞以爲雄長。【略】夫惟有至性者，然後有至文。屈子之忠被謗，信見疑也；司馬之觸主上喜怒，交游莫救視也；漆園之游戲汙瀆，洸洋自恣也。之三者，天下之眞悲喜也。

茅元儀《傳遠度四部文序》 天地之間皆文章也，陽則爲朝廷，爲軍陳，爲人倫，爲山，爲川，爲風，爲雲，爲日。陰則爲佛，爲仙，爲鬼，爲神，爲穴，爲壑，爲雨，爲雪，爲星，爲辰，亦唯人之所取而已。取其近于陽者，則高冠大帶矣，小之則舞女豪賓，皆治世之文也。近于陰者，則古筇野寉矣，小之則幽花奇草，皆弄世之文也。《六經》俱治世之文，《詩》亡而《騷》作，漸近於陰陽之變化，自質而縟，自簡而繁，自勁而和，而其弊也，氣日漓，骨日摧，神日弊。於是陰者有以勝之，如月之勝夕陽，星之勝瞑色也。陰之變化，色愈剝則愈新，思愈入則愈幻，調愈轉則愈聳，而其弊也，奇爲詭，曠爲放，高爲怪。而陰之窮復思陽，如夜之思旦，翳之思暘，不啻飢食而渴飲也，而世遂目陰爲癖爲徑。夫夏不以冬爲癖，晝不以夜爲徑，奈何文而徑癖之？但當論其所至耳。至不及而欲借陰以飾陽之陋，如惡貌，惡而避于奥也，其可得乎？

范鳳翼《拙存堂逸稿序》 夫人心之日月是文章，而元神之鼓吹是詩賦。文章亦有光之鼓吹，而詩賦亦有聲之日月也。故詩賦與文章固二而一者也。顧觀人以志，而諭志以詩，非惟山川草木不死之性情，天地聖賢不朽之精靈，皆于乎在。而諭志觀人，則德人之言純，鄙夫之言雜，高人之氣勁，僂子之氣漓，端人之華質，邪輩之華浮，偉人之詞博。凡流之辭淺，誠中形外，人焉廋哉！

陳仁錫《韓文序》 文本原本《六經》，《六經》原本德行。三代以下，知此者鮮矣。是以秦漢之文一變，而典、謨、訓、誥之體遂不可復。夫其氣非不昌，其格非不嚴，體裁非不勁也，以未聞乎聖人之道也。故曰韓文起八代之衰。雖然，公如遇濂溪之純，程伯子之粹，羅豫章、李延平之靜，必北面事之，以其術聞乎聖人之道也。

又《纍瓦編序》 文章之道，情性爲主。知塗巷之歌可風，不知可雅可頌，皆是物也。兩司馬才情一也，子長情至，長卿情侈，夫能使人主讀之凌虛，而文章之道不尊，難言哉。

郭朴《居敬堂集序》 文之爲道，菁華蔚麗，根于性靈者也；情理淵奥，由于學力者也。兩者皆得，其文必極。

郭正域《葉進卿文集敘》 夫文章家，亦才難耳。調可聲氣求也，格可字句鍊也，色可絲縷織也。若乃因物賦象，隨地班形，風雲雷雨，應筆而至。

出有入無，信心而成，大小方圓，青黃赤白，從口而説，冠冕珮玉，戈矛劍戟，隨照而寫。是才也，非人力也。蓋不侫上下數百載，文則西京，詩則大曆，非不代有其人，而才則未敢輕許。今已屬進卿矣。國初文字之才傷于調靡，浮于格萎，枯于色悴；近代文字之才，陋于調窮，遁于格同，膩于色濃。有才而善用之，時離時合，可喜可愕，無不有，無不妙，在進卿矣。夫道一而已矣，言之而文，行之而遠，寧有館閣自爲一道乎？古人文字，言其所有；今人文字，言其所無。古人言所欲言，言所能言；今人言所不欲言，言所不能言。即使莊叟、丘明，降而爲今祝誕諛墓之詞；太白、子美，勉而爲今獻諛無情之詩。吾知其不能工也，何有于神妙哉？文體日卑，道愈離矣。

陶望齡《徐文長三集序》　夫物相雜曰文。文也者，至變者也。古之爲文者，各極其才而盡其變，故人有一家之業，代有一代之製，其窪隆可手模而青黃可目辨。古不授今，今不蹈古，要以屢遷而日新，常用而不可敝。然微跡其緒系，書如草隸變矣，而篆籀之法具存其間，非深於書者莫能變也。

錢士升《吳文恪公文集序》　夫文之道大矣，其精以爲性命，其實際以爲天下國家。孔子尚辭達，而《文言》之論修詞也，本之立誠，達其誠也。誠乃仁，仁乃公，公乃合天下爲一已。故立言若無與德功，而匪德功則言無由立。舍德功而稱修詞，此餘食贅行，速朽之業爾。

李長祥《與董文友龔介眉書》　文人必有其心，論人之文必論其人之心，心之不正，發而爲文必不正。以不正之心爲不正之文，以不正之文爲古文，遠矣。【略】欲正天下之文，在正天下之文心。文心正則不敢苟作，不敢苟作，其作之也必正矣。正則當矣，是古之文矣。

黃汝亨《歇菴集序》　夫人具天地之心，虛而已，虛躍而爲靈，靈通而爲道，道演而爲經，經散而爲文，而詩賦、傳記、序述之篇溢矣。故文者道之器，而虛靈者才之籥也。文不明道，不發乎虛靈之源，即鐫金石爛雲霞，垂不朽之業，聲施後世，亦才子之文耳已。然而風氣所幟，擅才斯霸，波流所扇，偏理而王。故才矜其道者，秦漢之文也；理掩其才者，宋文也。

李應昇《萬貯山房近藝序》　文章之大母曰怒曰喜，二者而已。才人欽頤巨魄，意高調苦，乘文之險，潰文之毒，而鼓天下之動其氣，未有不怒者。以此爆聾發瞶，攘大科而稱絕席之雄不少。然使三年未鳴，六翮小挫，趾滅而月寒，神枯而香杳，形似有餘而風雅不足，且皤然自念其前覆矣，而懲轘藥之禍者，急以喜救之，切脈則筆有深姿，選詞則思有定檢，曲終奏雅，言外署情，不叛不孤，必隱必秀。譬之色喜者，其意平，其聲靜，而其溢而爲言也，自無洊雷之烈，薑桂之辛，李贊皇所謂文之爲物，靈□恍惚而來。蓋得之于喜者居多，而要其時，已無復有寫炤窮豆儀毫失牆之事，飲羽者往往望乏于此，而百不失一也。故士以才爲命，以怒爲才，而以喜爲用，怒，用才之本。今之善用怒者或寡矣。

繆昌期《從野堂存稿》卷二《原文》　近世之稱文者，再變矣。其始以復古修辭爲宗，非西京、大曆不稱，合作見謂雄勝可喜。沿至于雷同抄襲，令人厭穢欲嘔。而一二輕敏之士，起而掊之，乃以信心信腕，不受束縛爲宗。然其學儉，其氣薄，其脈亂，究也失漢唐得宋元，失餖飣而得俚俗，而有識之士浸浸反唇矣。此皆知文之文，而不知文之所以文，故兩失之。夫文之所以文，此文之原也。乃世之原文者多矣，吾取兩家焉。顏之推曰：「文章者，原出《五經》。詔命策檄，生于《書》者也。序述議論，生于《易》者也。歌咏賦誦，生于《詩》者也。祭祀哀誄，生于《禮》者也。書奏箴銘，生于《春秋》者也。」此原夫文之所由也。柳宗元曰：「本之《書》以求其質，本之《詩》以求其恆，本之《禮》以求其宜，本之《春秋》以求其斷，本之《易》以求其動。」此原夫作文者之所由也。雖然，自有宇宙便有文章，如必待六籍而後有，則虞、夏、商、周之上，結繩以前，六籍安在哉？是故謂六籍爲文之標準則是，爲文之本原則非。且不觀天之高地之下，日月星辰雲霞之爛然而麗天，山川草木飛走之樊然而附地者，孰非文章，孰非六籍之經緯乎？然謂聖人之經與天地相輝印則是，謂後人摹聖人而聖人摹天地則又非。蓋所謂化工之筆者，化工而已矣，必一一取肖于化工，豈化工也哉！故不如反而求吾心。《易》以道化，吾心之化也；《詩》以達意，吾心之意也；《書》以道事，吾心之事也；《禮》以節人，《樂》以發和，吾心之節、和也；《春秋》之道義，吾心之義也。後之作者，道化不必如《易》，達意不必如《詩》，道事不必如《書》，節人、發和不必如《禮》、《樂》，道義不必如《春秋》。而是數者可已乎？不可已乎？必不可已。而陰陽五行鬼神之變化，廟堂閭里、忠臣孝子、征夫怨婦之致思，明君良宰、勞臣任士之經營，朝會聘享、效祀天人之作述，理亂邪正之褒誅，筆舌得之心而應之手，能無聲乎？能無色乎？宮商能一之不調，玄黃能一

之不錯乎？下上千古內外六合能一之不該不備乎？無名無始，幽深微眇能一之弗窮弗極乎？由此言之，文生于必不可已。而蕭統所謂「踪其事而增華，變其本而加厲」者，亦迫于不可不增，不可不加云爾。是故周、秦、漢、魏、唐、宋以至于勝國之文，皆文也。即矯勝國以唐、宋，矯唐、宋以漢、魏、周、秦，與矯漢、魏、周、秦以唐、宋，矯唐、宋以勝國，其爲矯一也，總無與于吾心之文。若吾心之文，論其無也，不惟無周、秦以下而且無五帝、三王之書，無庖羲之畫；論其有也，不惟不能無唐、宋且不能無勝國，抑且不能無今日。蓋無以立體，故能制空中之繡而機杼日新。有以致用，故能傳不盡之薪而精光狎出。立言不朽，斯之謂也。若此者，不盡由于天，亦不盡由于人，蓋天與人半焉。才也，識也，天也；學也，養也，人也。然而學可力勉，才有奇授，惟識惟養，殆難言之。儻僅以今人之有，有前人之格套，是名蹈襲不名醞釀。以今日之無，無前人之典型，是名鄙倍不名自然，乃鄙倍之毒人也尤甚。夫必信心而出信腕，而運街談巷語以爲謨訓，俳劇謔優以當風謠，而曰文在茲乎，則孟子所謂「蔽淫邪遁」，亦可謂之不得已之鳴。

又卷三《邑劉侯康谷文序》 夫文之繁約、清濁、沉浮、高下之數與政通者也，政不與文通而心通焉，讀其文而見其心，見其心則知其政矣。夫人之有至心者，必有孤悁鬱積，煩然不獲已之思，故其取資也必約，其比物也必芳，其持己也必競。而文耻粉澤，政耻鋪張，此未可與俗學俗吏言也。

魏說《古文讀編序》 修辭家曷嘗不以《六經》爲的哉。蓋道寓於文而後章，文固緯道之物也。《六經》皆文也，道也，而文體之盛衰，世道之窳隆繫焉。

王志堅《四六法海・凡例》 文章趨向，大抵時運使然，質文損益，自相乘除，非必後人之勝於前人也。韓、柳不輕王、駱，歐、蘇不輕楊、劉，豈惟厚道，直是虛心。讀詩未有劉長卿一句「已呼阮籍爲老兵」，則皇甫氏已痛心而嫉之矣。或云文人相輕，余謂但恐未是文人耳。若是文人，見得古人眞處，方將低回翫味之不暇，況敢相輕乎？不佞生而少文，不敢闌入詞場，然于相輕之習，深覺其無味。

顧錫疇《周文歸序》 衡文家每云文以道爲盛衰，而時非所論。余謂文以道爲盛衰固然，而時亦不可不論。軒轅時昧昧耳，文字運未開；唐虞時噩噩耳，粵若啓運而未茂；夏之時野，商之時鬼，故夏書渾灝未詳，商詩明肅多厲；若秦，若漢，若魏晉，若唐宋，時漸下，文乃漸薄。上下其際，惟周郁郁稱最盛。夏商以前不得稱盛者，樸太勝，結蕾未華也；秦漢以後不得稱盛者，樸太漓，澌盡無餘也。

艾南英《與夏彝仲論文書》 至于以山水平遠，衢街坦直，爲文之極者。弟何嘗有此語。得毋見拙刻中有《平遠堂社序》，而舉其一說以相難乎？此因題發義，且爲近日作時文詭僻者論耳，非論古人也。然即就兄論究之，則山之巉險壁立，紆而度，棧而行，水之怒濤飛沫，此惟一氣爲萬物母者能之，蓋元氣磅礴，隨物賦形，東坡所謂非平淡也，絢爛之極也。此豈崇飾句字所能得，又況乎古？所謂辭者，非崇飾句字之所能盡乎！

姜寶《趙文肅公文集序》 有不世出之人，斯有不世出之文。不世出者世不常出，亦不常有之謂也。而人與文每相因，文出於心，心以神明乎人；人品之高下，文因之。觀乎文，因亦可以觀人焉。古稱孔子文之宗，老釋二氏其文亦並行天壤間，可傳而不可廢。予蓋嘗論之孔子之文，文之足以經世者也；老釋二氏之文，文之出世者也。道若不同，端亦若異矣。

王宗沐《吉陽先生文集序》 夫所謂文者，不外於道，所謂道者，不出於心。徒以其氣之所極爲才，而以其資之所近者爲體，不根於心則不合於道，即有合焉，亦不過一時悲懽感遇之適，而於千載之幽統密趣無所發明。是宜談道者之薄不爲也。

趙時春《明山姚先生文集序》 天有文，七政緯錯，煥其經矣；地有文，海嶽流峙，昭其靈矣；人有文，墳典方籍，蔚其英矣。然則孰爲之，天乎？地乎？不可渝也。文之經也，人則緯焉，縉紳先生修而葺之，因物變異隨在成形，以相天地，以詔來世，世以爲準，有所繼述而文流於無窮矣。

莫如忠《答呂侍郎沃州》 夫文以載道，其言出自拘學。若孔子則曰：「文以足志。」又曰：「辭達而已矣。」夫文者，言之辨而有理緒之謂也。《易》「觀乎天文，以察時變」，此理緒之辯乎經緯者也；「觀乎人文，以化成天下」，此理緒之辯乎德業者也。彼各有當爾。如必求文于發揮性命之原，潤飾太平之烈，而後爲合軌，不已隘乎！故《六經》載道，亦即載事者也。諸史載事，亦即載道者也。百家技藝，各載其學術，純駁雖不同科，而槩以達辭足志云爾，則惡可廢也。【略】若但泥于載道，則自《六經》以來，文闕有間，而至宋儒訓詁之言出，其語性情心體特詳焉。若曰文在茲矣，即賈、董、韓愈氏之作僅以數語合道，而倖存其不屏棄者幾何？此其說之未暢者也。

又《古文原叙》 夫文行之列於世久矣，而行之不可以槩文，猶文之不可以槩行也，是故君子存焉，當其語行則不言擧也，當其語文則不人廢也。何者？犄角之勢，兩存之則兩完，兩責之則兩缺，今無論行即文闕有間矣，談者往往師心懸解，評隲無倫，持載道之言，遙斷於千載之上。【略】故文之爲言也，有曰經緯天地也者，有曰威儀文辭也者，至文無文，別之經緯，今所談者文辭也。而經緯之察毋亦贅與？嘗讀梁昭明之選六朝，議者悼文之衰，幾涇於辭，何知載道？至宋大儒眞西山之編《正宗》，一洗六朝之舊是已，而不無矯枉之過，膠於理格，以隘作者之途，及其濫觴而輯古者蠭出。

郭汝霖《古文奇矩序》 郭子曰：言以宣志，言之斐然成章，文也。自書契興而文日盛，所以發揮造化，亟洩鬼神，旁通人物，闡道撰德者也。昔孔子曰辭達而已。文莫吾猶人，蓋少之，然善子產入陳之對，謂言之無文，行之弗遠，《春秋》之作，歎游夏莫贊一辭，孰謂文而可少哉？聖人要不欲學者溺心於是耳。今夫《六經》，天地聖人之心之所寓，不可以文論，即以文論何至也？《六經》而下，代有名家，體裁既殊，音調亦異，繽紛雜出，豈惟良工之難，而識者亦弗易矣。

李維楨《胡文部集序》 文者，言之精也，言不文，何足試哉？以文論人，余聞之王仲淹、劉彥和。仲淹曰：「鮑照、江淹，狷人也，其文急以怨；吳均、孔珪，狂人也，其文怪以怒；顔延之、王儉、任昉，有君子之心焉，其文約以則。」彥和曰：「賈生俊發，故文潔而體清，長卿傲誕，故理侈而辭溢。」【略】由後觀前，人與文較若畫一，而况生同其時，操官人之權者，可不以文士爲之乎？

王時槐《穀似先生集序》 世恆以詩文爲希奇珍怪譎異非常之事，必探玄摹古，稱物引類，雕章琢句，疲精剔慮而後僅能之。故凡學爲詩文者，必顓顓焉忘寢食，摧腎腸，睥睨古人之近似，剽掠百家之棄餘，曼衍於荒忽謬悠，掩襲於艱澀險奧，自以爲工詩文矣。然其述作竟湮墜以不傳，何哉？彼其中誠未之有也。予嘗讀孔子所删《三百篇》，往往出於閨房貞女巖壑幽人之手，而濯纓本孺子之吟，設科爲館人之語，乃皆附七篇以傳，至如方外之徒，南能不識一字，及吐詞爲偈，雖近俚俗而垂世不刊。彼固未嘗顓顓焉苦心握管爲也。顧能傳若是，何哉？彼其中誠有之也。蓋詩文者，言之寄而心之影也，心有所未至而強飭於言，以爲至人將即其言之似至者，而測其中之所未至，固昭昭乎？不可掩也。

駱文盛《率峰文稿序》 文也者，人之鑒也。夫文華於言者也而有本焉，維心之神矣乎！是故其神凝者其文敷以鬯，其神完者，其文宏以闡。古之善觀文者，因以槪人之生平榮悴短脩，鮮勿驗者。故曰：文也者，人之鑒也。

孔天胤《重刻文章正宗序》 六籍所載皆聖人之道。道者，正宗之謂也。惟學者以道求之，則凡文章皆聖學。若止以文求之，則必支離乎道，將亡羊多歧，喪珠赤水，遂使神理微滅，聽聽焉日見虛華而悦之。夫虛華者，無宗之文也。凡物無宗，猶之乎不繫之舟與行潦之水，易爲飄蕩，故人悦之，無不飄蕩其心志者，直欲假之以要紆青紫耳。即玆意已不成章，尚奚復他文有耶？昔子貢以文章學聖人，而謂聖人者多聞人也，多知識人也。及見其與顔子而默之，則知聖人非多聞而無弗聞也，非多知識而無弗知識也，廼有宗焉。而擧物不能出之，於是乎反之而貫於一。故曰：夫子之文章，可得而聞也；夫子之言性與天道，不可得而聞也。是言可得而聞者，正不可得而聞者也。合一語也，是爲得聖人之宗，惟得其宗，則載籍之間皆性道，性道之外無文章矣。西山曰：「士之於學，所以窮理而致用也。」文雖學之一事，要亦不外乎此。

章袞《贈魏於田歸建寧序》 文者，言之華也。昔之君子，豈有意於華其言哉？養盛而道充，見明而象著，感深而情殷，鬱積磅礴欲遏而不可得，於是發之於文，以極其志之所藴，天機流行，豐約有倫，雖變化無窮，而視其志莫或增飾焉。其或末也，則亦反而求之，明諸心，養諸氣，軌諸聖哲，擴而大之以盡其量，濬而瀦之以全其神，優游饜飫以俟其天倪之自發而不以人爲撓之，玆豈但學爲文哉？所以學道也。道之造也日深，文之發也日盛，或道有未至，則文亦隨之。故觀文可以知人矣。

劉昌《中州名賢文表原序》 文之行世，不猶水之行地中乎？河洛淮濟，天下之水之盛者也，其行於地中，或數千里以至萬里而入於海，茫乎沛然，孰得而禦之，何哉？有源故也。賢者之於文亦然。仁義以爲本，禮樂以爲用，詩書以爲輔，騷史以爲飾，矩度以爲準，開闔以爲勢，鋪張以爲體，其言主乎立敎，其志將以求合於聖人之言，故曰觀於海者難爲水，遊於聖人之門者難爲言。夫言之非難，其將以求合於聖人者之難也。而賢者乃獨務其難，

卒使其言垂世而立教者，何哉？有本故也。惟修辭立誠，以益充仁義之本，斯言不戾於聖人，猶水之有源，則其出也必盛。此理之常，無足怪者。

汪循《上程詹事》 取《六經》、《四書》及諸子百家之文章，探肆討求合于一，功積力久，一旦豁然，若有所得，始知經書之外無文章。彼艱澀險怪之文，予昔所歆畏者，頓覺其非爾，何也？天之所以賦於人者，莫不各有當然之理，人得於天而循其所以當然之理而行之，如由路然。故聖人名之曰：道如君之仁、臣之敬、父之慈、子之孝、夫婦之别、長幼之序、朋友之信，是也。然道之隱微者難知，道之曲折者難行，道之權變者難定，道之廣大者難盡。聖人欲人人之盡體其道，至於徧天下，及後世，而復患其不能也，不得已而以躬行心得之餘者著之於言，于以推其隱微，通其曲折，酌其權變，約其廣大，俾一歸于中庸。而使愚夫愚婦咸能知能行焉，此文章之所由作也。

又《跋張石嶺文集後》 文章末技耳，世之學者多攻習之，冒名以爲儒，儒固不能舍文以傳，而以文名儒，斯末矣。然則帝王之謨訓，聖賢之著作非邪？曰：此遵道養德見諸行事之餘者，載之簡册謂之文，非後世之所謂文者也。何以異哉？古人之爲文，無意乎文者也，後世之爲文，有意乎文者也，此文體世習日趨日下，屢變而爲一技，去古遠矣。

張琦《見素林先生文集序》 堯禹咨兪成，典謨出史官贊述之文，《中庸》、七篇爲子思、孟氏所作，非其當時方言謂語粗發而成章，遽若是乎其懿也。是故，言者文之形也，文者言之精也。自夫問辨淺則見古之深，習識陋則見古之粹，條理疏則見古之密，曰彼其時然而言然耳。高視尚古，伀俔下處，以爵之噪，終莫爲鳳之吟，逐流駛駛，姑辭酬物，於是乎望其復古，以圖不朽，難矣。

林右《全室文集序》 合衆人之耳，可謂至音乎？曰合衆人之耳是通天下之音也，非爲至音。合衆人之口可謂至味乎？曰合衆人之口是通天下之口也，非爲至味。豈合師曠之耳者爲至音，合易牙之口者爲至味乎？曰二子不過知有音之音，有味之味，而不知無音無味爲音味之至也。邵子曰：玄酒味方淡，大音聲正希。味味矣，而未嘗有味也，而爲萬物之祖；音音矣，而未嘗有音也，而爲萬音之母。雖師曠、易牙且不能知，况衆人乎？音味至於衆人所同知其爲音味也，末矣。古之爲文者亦然。縱横上下，馳騁開合，使人鼓舞其中，如聽鄭衛之音，如享九鼎之味，曰非是不足爲文者。君子不謂之文也，惟不文於文而後至文者出焉，譬如繁音已去，衆味不存，一念之間，皆爲至音至味。世之人有弗及知之者矣。

又《靜學齋文集序》 文章之士，探造化之原，窮聖人之理，究古今人事之得失，推有于無，生無于有，世之顯者可使之沒，世之沉淪者可使之顯。馳騁所至，雖英雄不可得而議，鬼神不可得而知，浩浩乎與天地爭功能。蓋天地非聚夫至精至純之氣，不足以生斯人于世，雖欲不惜之而不可得也。生之也難，故惜之也甚，故生之于世也少，理數然也。今夫生數百萬于天下者，何損天地之氣？而天地之氣必因文人而洩，將欲不惜之可乎？世之能文章之士，不知天所甚惜之意，一處草莽則呼號于人；見夫豪官勢人，甘于奔走不暇，殊不思彼可尊，我可賤也？天何生彼之多，生我之少？則我尊于彼也久矣。雖在飢寒之間，猶爲可貴。而乃爲彼屈抑，何不自惜之甚哉？余觀古今文人，其不屈者鮮矣。雖韓文公之賢，猶不免此。吾未嘗不爲之太息也。

陳敬宗《大理少卿李公文集序》 文章以理爲主，自天地陰陽五行萬事萬物之理，與夫古今治亂興衰之迹，具載《六經》。根本乎《六經》，以發諸文章，斯爲不苟作矣。是故本之於《易》，以求羲文姬孔之奧義；本之於《書》，以求虞夏商周之治道；本之於《詩》，俾知俗尚之美惡，治亂之得失焉；本之於《春秋》，俾知隆君抑臣、尊王賤霸與褒貶與奪之大法焉；本之於《禮》，俾知君臣父子尊卑長幼隆殺之節文焉。然後會之於一心，措之於述作，則其言謹嚴而不誕，其理篤實而不誇。大篇之舂容，短章之精潔，以之用於朝廷，則足以黼黻治道之盛；用之於宗廟，則足以歌咏盛德之形容；用之於鄉黨閭巷，則足以篤彝倫，厚風俗，感發善心，而禁革其淫邪者焉。

又《大司馬孫公文集序》 夫文章與政事相資，文非政事則無以善其實，政事非文則無以傳諸後。《五經》之文，道德政事之所寓，百世仰之，不可尚矣。下逮兩漢唐宋若賈、董、司馬遷、韓、柳、歐、蘇諸君子之作，皆當時致君澤民切實政事之言，足爲後世法則。

姚夔《劉文介公文集序》 古今文章家無慮數十百，求其有裨於道而不爲空言者，漢董仲舒、賈誼、司馬子長、唐韓退之、宋歐陽永叔數人而已。夫文章，載道之器，不深於道，而言文章是徒言也。惡在乎其爲文章哉？日月星辰，天之文章，以其能照臨也；山川草木，地之文章，以其能生養也；《六經》，聖人之文章，以其能明人倫資治道也。是爲文章之本原，道之至極

者也。若董，若賈，若司馬，若韓，若歐陽諸賢，其文章或以闡道鳴，或以衛道著，或因文以見道，或於道不相悖，咸能發天地之藴奥，嚅囁聖經之膏腴，是乃文章之精華，所謂有裨於道而不爲空言者也。漢以下千有餘年，文章可稱道而遵信者，不過是數人，其他作者非無浩瀚博洽、崛奇古怪，而去道或遠，君子不之取焉。

彭時《劉忠愍公文集序》 自昔學聖賢之學者，先道德而後文辭也，蓋文辭藝也，道德實也。篤其實而藝者書之，必有以輔世明教，然後爲文之至，實不足而工于言，言雖工非至文也。彼無其實而強言者，以靡麗爲能，以艱澀怪僻爲古，務悦人之耳目，而無一言幾乎道，是不惟無補於世，且有害焉，奚足以爲文哉？以是觀之，其文傳不傳，槩可見矣。

桑悦《倣庵稿序》 文者道之英，古人體道於身而宣之於文，非徒文也，然所謂文者，自動作威儀以至發之於功名事業皆是也。曰詞章也者，特文之一事耳，是故見其人不見其文可也，見其文不見其人不可也。如孔子之《六經》、孟子之七篇，皆世不我用，暮景廼成，故遊孔子之門者，不求孔子於《六經》，遊孟子之門者，不求孟子於七篇。孔孟既沒，《六經》七篇之傳，所以續其亡以施教也。苟讀孔孟之書而不潛心其爲人，不爲徒讀也耶？

呂坤《呻吟語摘》卷下《詞章》 《六經》之文，不相師也，而後世不敢軒輊。後之爲文者，吾惑矣。擬韓臨柳，效馬學班，代相祖述，竊其糟粕，謬矣！夫文以載道也，苟文足以明道，謂吾之文爲《六經》可也。何也？與《六經》不相叛也。否則發明申韓之學術，飾以《六經》之文法，有道君子以之覆瓿矣？

又 艱語深辭，險句怪字，文章之妖，而道之賊也。【略】路本平而山谿之，日月本時而雲霧之，無異理，有異言，無深情，有深語，是人不誠而是書不焚，有世教之責者之罪也。若曰其人學博而識深，意奥而語奇，然則孔孟之言，淺鄙甚矣。

陳與郊《刻八大家集序》 文有元理、元氣、元聲。故百昌遂而谷風應，然後知肖楮葉者不爲工；爽籟發而微波生，然後知□急湍者不爲諧；齊語協而書同文，然後知譯侏離者不爲正。故斵削之病于理也，豪暴之病于氣也，軋茁鈎棘之病于語也。非體也，是世儒之所以在下風，而八家之所黜而不道者也。

吳中行《四進士文稿序》 語云：「文章與世高下。」蓋言時運所移，有不可得而知者。又云：「仁義之人，其言藹如也。」蓋言原本所繇，有不可強而能者，信然哉！

王文祿《文脈》卷一《文脈總論》 一元清明之氣畀於心，以時洩宣，名之曰文。文之脈蘊于冲穆之密，行於法象之昭，根心之靈，宰氣之機，先天無始，後天無終。譬山水焉，發源于崑崙也；譬星宿焉，稟耀于日也；譬榮衛焉，包絡於心也，是謂之脈，未嘗絶也。粤開闢而文顯，羲農黄嚳，肇造文原；唐虞都俞，賡歌亮采，文之一大聚也，是謂文脈之泰。文王拘羑演《易·象》，武王伐商告《武成》，箕子釋縲矢《範》《疇》，姬公返東詠《豳》《雅》，又文之一大聚也。周末孔子生，侯甸軌環，杏壇鐸振，雲從多士，雨化譽髦，修《六經》，著《魯論》，祖帝謨，立師極，又文之一大聚也。孟子繼出，崇純王之正，斥雜霸之偏，紹三聖之微，闡七篇之述，又文之一大聚也。由是渙漫無紀，九流七略之學興焉。陽翟巨賈，亦知文貴，致客衍《呂覽》之纂，文之一聚于私室也。荆楚小邦，且展文規，屈宋創騷些之摛，文之一聚於夷方也。荀卿執信不精，訓迪匪徒，李斯勸秦坑焚，文之大厄也，是謂文脈之否。壁藏塚瘞，腹記口傳，豈能盡焚哉？炎漢除挾書之律，增寫書之官，遣求書之輶，廣獻書之路。石渠、天祿、虎觀、蘭臺，群萃英儒，表章聖學。別有菟園之藪，淮南之儲，亦文之一大聚也。莽、卓喪亂，典籍淪消，曹氏父子，延鄴下七才，倡爲黄初體，亦文之一聚也。六朝浮豔，江左綺風逸于竹林，放于麈柄。竟陵之招納，昭明之選編，亦文之一聚也。王仲淹龍門聿啓，函丈彌盈，希聖續經，匡君陳策，又文之一聚也。唐興，太宗右文，房杜作輔，貞觀、開元，蔚然炳乎。韓退之友子厚，授籍湜，湜授之來無擇，無擇授之孫樵，又文之一聚也。五季革命，五星纏奎，文運重光焉。周、程、張、朱以窮理，歐、蘇、曾、王以達詞，金溪、横浦以尊性，涑水、金華以攻史，冀方以探數，彰永康以諳兵勝，又文之一大聚也。胡元易世，宋學猶存，容城之高標，魯齋之弘任，草廬之該博，鐵崖之藻思，亦文之一聚也。惟我大明鼓舞神睿，赫濯聲靈，劉郁離、宋潛溪、王華川、劉簡迪，御閣門，侍内苑，同遊賡和，又文之一大聚也。接一元之文脈，指人心之文原，美矣，至矣。近若河津、白沙，一峯，有志而未遂；空同、大復、昌穀有言而未深，陽明、甘泉聚矣而未久，不若魯鄒、河汾、濂洛、關閩之聚也。夫文之聚不一也，隨時變焉，心一也。是故聖學息而變縱横，縱横變爲經術，經術變爲

名節，名節變爲清談，清談變爲詩賦，詩賦變爲學究，明經又變爲道學，故曰人心圓巧，審變爭名。若繪粧萬模，質本完素，豈曰某文道某文非道？夫脈以貫道，道原于心，迨心溺而氣漓，孔子傷之矣，惡鄉願，賤鄙夫，進狂狷也。夫狂狷澄清明之氣，能延文脈者也。鄉願習威容而滅質，鄙夫軌利欲而違忠，濁清明之氣斬文脈者也。噫，文初生也，猶人初生也，初則氣化，無生有也，既乃形化，有生有也，夫有生有也，偶見不生，曰：絶矣，曷知人也？使偶見文之散與焚也，曰文脈絶，可乎？觀心不亡則脈不亡，脈不亡則文脈不亡，再混沌而開闢，此脈不亡，此心不亡也。夫文也者，否泰循環，生命世才，爲宰爲輔，提酌文衡。又生爲閏餘，爲導引，護留文譜。是故《六經》文原也，子史集文支也。是以析理丕《六經》，騁奇淆諸子，紀事括諸史，摛辭贍諸集。昭明《文選》，文統也，恢張經子史也。選文不法《文選》，豈文乎？五季歷元，文運極否，我明出而夷攘夏整，泰交否休，儲積渟涵，篤生多士，是宜我明之文越宋駕唐，超秦軼漢，作配三代矣。皇陵碑文，體用六朝，氣雄兩漢，文華也實見，六朝後不足法也。夫六朝之文，風骨雖怯，組織甚勞，研覃心精，累積歲月，非若後代率意疾書，頃刻盈幅，皆俚語也。夫惟俚語爲文也，見文奇者譏曰：艱深綺靡之文；見文俗者誇曰：明體適用之文，無怪文日卑也。是以論文者，稱兩漢焉，不特近古，取士善也，射策獻賦，宜文之古也。唐詩賦失也淺，流爲輕薄之文；宋經義失也滯，流爲粗略之文；元加古賦，雖多博雅之士，奈尙夷疑夏，不能盡取大用之遺。待我明用也，若唐宋取士，爭效合式，幼習壯成，先入主之也，匹漢得乎？今變復古，必選歷代之文定其格。夫《文選》尙矣，莫及焉。選諸史之文，不可也。簡短不華之文，刪去可也。劉氏《廣文選》，選子史之文，不可也；《續文選》未選，可也；遺隋文不可也，補隋文可也。《唐文粹》遺甚多也，《宋文鑑》取甚濫也，《元文類》識甚陋也，《皇明文衡》編甚泛也，《文鑑》不及紹興後之文，《文類》不及至正後之文，《文衡》多元遺儒之文，亦程氏未定之選也。況文運必積百年後興，今其時也，一倣《文選》之例增選之。自《六經》後，始曰《戰國先秦文選》，曰《三國文選》，曰《六朝文選》，曰《唐文選》，五代附之；曰《宋文選》，曰《元文選》，遼金附之；我朝曰《皇明文選》。噫，人文之成，須在位聖人欲請于朝聚文學之士成之，草莽細臣無由上達，如選矣，一代成歷代之美，文運之光乎！

又 文顯于目也，氣爲主；詩詠于口也，聲爲主。文必體勢之壯嚴，詩必音調之流轉，是故文以載道，詩以陶性情，道在中矣。

又卷三《文脈新論》 古之文也簡而質，明心也，誠也；今之文也繁而虛，昧心也，僞也。明心也，學至而言，言必據己；昧心也，好勝而言，言必欺人，匪心得也。試觀之草木華而後實，實結而後華零。文譬華，道譬實，使未華而望實，未實而去華，斁也。羲畫孔述非文哉？無文則道曷見也！是以因文見道，道成而文自忘。今未見道而先舍文，文非文，道非道，故曰：考實則無道，抽華則無文。

劉迪簡《答孟左司書》 余年二十餘，慕爲古文，即悟其人有古道，本能爲古文。所謂古文，狀其人平生所好之古道耳。及年愈大，益悟文乘氣而有也。是故紬繹心思，乘氣以綴文，而註之簡册之上，猶如人騎善行馬，援轡在手，盤辟往復于羊腸蟻封之間也。年少時，志不足以勝氣，爲氣所驅使，未免用壯，其勢突兀。後乃取舊所爲文視之，甚可羞赧。因又悟氣充滿一身，倘或縱其所之，如龍驤虎躍，能排軋萬物，必也持志內收，施銜勒爲採御，後歷都過闕，步驟中節，鏗鏘乎和鸞之聲，與乎曲水之側。于斯際也，發而形諸語言，則爲節制之文，仁義之學矣。然人生稟氣，其清明入高品者，最不易得。而文人御氣，無促數之患，周旋折旋中規矩者，又不易得。是故三代以後，漢唐宋之文人，稟氣秀出于藝文之科，御氣無前于天下之士者，如司馬子長，神情散逸，最喜明姦利，又善爲人寫生，諸生、王子、王妃、將軍、文吏，情態兼窺，求猥褻陰私，靳不失其神類，言常人所不欲言者。班孟堅似懲司馬氏微傷蕩佚，乃本左氏，謹忍不放，庶幾冠佩長者氣象，而其創體，張布廣遠，如深山大澤，龍蛇生焉。韓退之稱物肖形，斤斤樽節，不妄許與，如霍大將軍出入禁闥，進退有尺寸，望之衣冠儼然，視瞻不凡，信其爲古之立言君子。歐陽永叔蔓延宛轉，繭筋柳骨，如神于縫者，滅盡針線之跡，但覺織成一片。蘇子瞻用其天生旬然之材，置身九仞之高，下視城中煙火，雞犬啾啾，舉皆凡近，無足道者。此數君子稟氣間生，御氣合度，固已長鳴于百世矣。又不知未來天下百千萬年所生文士，其情狀設施，與前文人又何若也。夫氣，最善變者也。故萬有不齊，難得駕馭，凡文人御氣以作則者，可貴，乘氣以加人者，不足貴。古今稱文人無行，正謂乘氣以加人，號呼跳躑，有狂蕩之態也。若夫調伏之氣，始由一縷，馴致絪緼，屈曲縈連，

或爲東西，或爲南北，其爲人也，必然尊尚道德，樂于政事，虛己而下人，蕪心而憂世。志常帥氣，百行其旋，則可修辭以立誠，垂文以作則，載道以傳後之人矣。此慕乎古之道者所爲文也。

劉春《見素先生文集序》 文章之論著，豈易易哉！世故有勤一世于佔畢間矣，然心無所操，氣不得其養，則其論著雖工，有謂之不識節義者。其于世教亦何所損益哉！然心之操，氣之養，亦非聲音笑貌可爲也。學之正，積之久，而後能眞知獨見中有所主。于是而行，了無留礙，譬如火燃泉達，不可禁御，其視世之窮通得喪，舉無足以動于中者。故其言之成文也，理到而辭自達，修于身而體無不立，發于政而用無不行。若此者，豈易易哉！

方鳳《南溟文集序》 昔人謂文章與身窮達。達而在上，則頌揚流布；窮而在下，雖善必塞焉。此俗論也。孔孟厄陳蔡，不遇于齊梁，而其文萬世不泯。下至班、馬、韓、柳、歐、蘇未達時，咸以文顯。文之窮達果係于身乎哉！

黄淳耀《金懷節時義序》 蓋文者，質之餘也。子孫之文，祖父之質之餘也。祖父以文教，文勝則質漓矣。夫子孫之質日漓，則子孫將不能有其文。是故韓愈之文，比於荀、揚，而其子有不識字之誚；李、杜之詩上規風、雅，而宗武、伯禽無聞焉，文勝故也。夫惟祖父以質教，而子孫以文應，則質有其文；質有其文，則文之行於世也益遠。

又《陶菴自監録三》 文章小道耳，然以氣爲主，氣弱者雖爲之不至也。試看古人擺落萬物，高蹈獨往，文章安得不妙。張文潛曰：「學文之端，急於明理，如知文而不務理，求文之工，世未之有也。」夫決水於江河淮海也，順道而行，滔滔汩汩，日夜不止，衝砥柱，絶呂梁，放於江湖，而納之海，其舒爲淪漣，鼓爲波濤，激之爲風飈，怒之爲雷霆，蛟龍魚黿，噴薄出沒，是水之奇變也。水之初豈若是哉？順道而決之，因其所遇而變生焉。溝瀆東決而西竭，下滿而上虛，日夜激之，欲見其奇，彼其所至者，蛙蛭之玩耳。江河淮海之水，理達之文也，不求奇而奇至矣。激溝瀆而求水之奇，此無見於理，而欲以言語句讀爲奇，反覆咀嚼，卒亦無有，此最文之陋也。

又 韓子曰：「氣盛，則言之短長與聲之高下皆宜。」言氣得所養，則律度自我出，文斯妙矣。柳子亦曰：「文以氣爲主。」

又 文字從肺腑中流出，自然峻拔不羣。

薛應旂《龍湖先生文集序》 夫道以文而顯，亦以文而晦；文以人而傳，亦以人而泯。古今之爲文者多矣，上下千百年間號稱名家者亦無慮數十輩，而其遂傳而不泯者，非其人品卓越，必其言幾于道者也。然而譏評指摘者，亦既有所無免矣。其諸于道無所發明，人不足爲世輕重，鉛槧甫釋而影響罔聞，竭一生之力而曾不足以與春花朝露比榮者，又豈可以一二數哉！

又《霞洲文集序》 今之論文者，動謂先秦兩漢，又謂韓、柳、歐、蘇、王、曾七大家。嗚呼，是則然矣。夫使爲文者于理道有所發明，于世教有所裨益，而文又如其所尚，文不足尚哉！惟其無當于理道，無關于世教，而徒剽竊，口耳假借，形似影響，而曰吾秦漢矣，吾秦漢矣。七大家以下勿論也，群稱共和，豈不足以炫飾觀聽哉！然不過叔敖之優孟耳，君子不謂之文也。

尹襄《尹汝文字序》 天下之文皆自然，而其顯者莫若天。《易》曰：「觀乎天文，以察時變。」蓋天以陰陽之氣，經緯交錯，而自有不可掩者，非有期於文也。古之君子知此，故不刻意於爲文，而務深造之以道，道充而文自至，法乎天也。古今論文者衆矣，獨韓愈氏之言曰：「養其根而俟其實，加其膏而希其光。仁義之人，其言藹如。」此天下名言也。

朱荃宰《文通》卷一《明道》 宋景濂曰：人文之顯，始於何時？實肇於庖犧之世。庖犧仰觀俯察，畫奇偶以象陰陽，變而通之，生生不窮，遂成天地自然之文。非惟至道含括無遺，而其制器尚象，亦非文不能成。如垂衣裳而治取諸《乾》、《坤》；上棟下宇而取諸《大壯》；書契之造而取諸《夬》；舟楫牛馬之利而取諸《渙》、《隨》；杵臼棺槨之制而取諸《小過》、《大過》；重門擊柝以取諸《豫》；弧矢之用以取諸《睽》，何莫非粲然之文。自是推而行之，天衷民彝之叙，禮樂刑政之施，師旅征伐之法，井牧州里之辨，華夷内外之别，復皆則而象之。故凡有關民用及一切彌綸範圍之具，悉囿乎文。非文之外别有其他也。然而事爲既著，無以紀載之則不能以行遠，始託諸辭翰以昭其文。略舉一二言之：禹敷土隨山刊木奠高山大川既成功矣，然後筆之爲《禹貢》之文；周制聘覲燕享餽食昏喪諸禮，其升降揖讓之節既行之矣，然後筆之爲《儀禮》之文；孔子居鄉黨，容色言動之間從容中道，門人弟子既習見之矣，然後筆之爲《鄉黨》之文。其他格言大訓，亦莫不然，必有其實而後文隨之，初未嘗以徒言爲也。譬猶聆衆樂於洞庭之野，而後知音聲之抑揚，綴兆之舒疾也；習大射於矍相之圃，而後見觀者如堵牆，叙點之揚觶也。苟

踰度而臆決之，終不近也。昔者游、夏以文學名，謂觀其會通而酌其損益之宜而已，非專指乎辭翰之文也。嗚呼！吾之所謂文者，天生之、地載之、聖人宣之，本建則其末治，體著則其用彰。斯所謂乘陰陽之大化，正三綱而齊六紀者也；亘宇宙之始終，類萬物而周八極者也。嗚呼！非知經天緯地之文者，惡足以語此。其下篇曰：爲文必在養氣。氣與天地同，苟能充之，則可配叙三靈，管攝萬彙。不然，則一介之小夫爾。君子所以攻內不攻外，圖大不圖小也。力可以舉鼎，人之所難也，而烏獲能之，君子不貴之者，以其局乎小也。智可以搏虎，人之所難也，而馮婦能之，君子不貴之者，以其騖乎外也。氣得其養，無所不周，無所不及也。攬而爲之文，無所不參，無所不包也。九天之屬，其高不可窺，八柱之列，其厚不可測，吾文之量得之。規燬魄淵，運行不息，基地萬熒，躔次弗紊，吾文之敍得之。崑崙玄圃之崇清，層城九重之嚴邃，吾文之峻得之。南桂北瀚，東瀛西溟，杳渺而無際，涵負而不竭，魚龍生焉，波濤興焉，吾文之深得之。雷霆鼓舞之，風雲翕張之，雨露潤澤之，鬼神恍惚，曾莫窮其端倪，吾文之變化得之。上下之間，自色自形，羽而飛，足而奔，潛而泳，植而茂，若洪若纖，若高若卑，不可以數計，吾文之隨物賦形得之。嗚呼！斯文也，聖人得之，則傳之萬世爲經；賢者得之，則放諸四海而準。輔相天地而不過，昭明日月而不忒，調燮四時而無愆，此豈非文之至者乎？天道湮微，文氣日削，騖乎外而不攻其內，局其小而不圖其大，此無他，四瑕、八冥、九蠹有以累之也。何謂四瑕？雅鄭不分之謂荒，本末不比之謂斷，筋骸不束之謂緩，旨趣不超之謂凡，是四者賊文之形也。何謂八冥？訐者將以賊夫誠，擶者將以蝕夫圜，庸者將以溷夫奇，瘠者將以勝夫腴，粗者將以亂夫精，碎者將以害夫完，陋者將以革夫博，昧者將以損夫明，是八者傷文之膏髓也。何謂九蠹？滑其眞，散其神，糅其氛，狥其私，滅其知，麗其蔽，違其天，昧其幾，爽其貞，是九者，死文之心也。有一於此，則心受死，而文喪矣。春葩秋卉之爭麗也，鵾號林而蛩吟砌也，水湧蹄涔而火炫螢尾也，衣被土偶而不能視聽也，蠛蠓死生於甕盎不知四海之大、六合之廣也，斯皆不知養氣之故也。嗚呼！人能養氣，則情深而文明，氣盛而化神，當與天地同功也。與天地同功，而其智卒歸之一介小夫，不亦可悲哉！

又《本經》王子充曰：予嘗學文於豫章黃太史，三年而不得其要，倀倀焉食而不知其味，皇皇焉寢而不安其居，望望焉如有求而不獲也。太史公一日進生而訓之曰：「子之學文，有年于茲，志則勤矣。吾聞天地之間有至文焉。子豈嘗知之乎？夫雲漢昭回，日星宣朗，烟霞卷舒，風霆鼓蕩者，天文之所以暢；山岳錯峙，江河流行，鳥獸蕃衍，草木榮茂者，地文之所以成。天地之文，不能以自私誕賦於人，人則受之。故聖賢者出，以及瓌人畯士相繼代作，莫不大肆於厥辭。蓋自孔氏以來茲道大闡，家脩人勵，致力於斯。其間鞫明究曛，疲弊歲月，刓精竭思，耗費簡札者，紛趨而競馳，孰不欲爭裂綺繡，牙攀日月，高視萬物之表，雄峙百代之下，卓然而有爲。然而躑躅而不進，骫骳而不振，思窮力蹙，呑志而沒者，往往而是。而登名文章之籙者，其實無幾。則所謂至文者，固夫人所罕知。是故文有大體，文有要理，執其理則可以折衷乎群言，據其體則可以剸裁乎衆製。然必用之以才，主之以氣，才以爲之先驅，氣以爲之內衞，推而致之，一本於道，無雜而無蔽。惟能有是，則統宗會元，出神入天。惟其意之所欲言，而言之靡不如其意，斯其爲文之至乎？凡吾之說，子豈嘗知之。苟知之，其試以語我。」生曰：「文之爲物，貴適時好，粲然相接，合喜投樂。有如正始不完，文氣遂偏，俗尚化遷，而排偶之習興焉。四屬六比，驪諧儷聯，抽黃對白，調朱施鉛。五采相宣，八音相便，握擒穠纖，啍呀寒暄，豐腴醲酣，眩麗媚妍，珠璣溢緘，膾炙滿篇。凡慶函與賀牘，咸累幅而疊番。王公之門，下逮閭閻，彛儀縟典，往來交際，率奉之以周旋。又如大雅既遠，詩歌日變，《玉臺》、西崐其流也，漸支爲詞曲。爭嫩競艷，字分輕重，句協長短。浮聲切響，清濁和間，羽振宮潛，商流徵泛，笙簧觸手，錦繪迷盼，風月流連，鶯花淩亂，振妙韻於沉冥，托葩辭於清婉，性情因之而暢宣，光景因之而呈獻。好會暌離，歡忻悲歎，莫不假是以託情，固無間於貴賤也。若是者其爲文何如？」太史公曰：「古語變而四六，古聲變而詞曲，文之弊也甚矣！請置勿道，爲言其他。」生曰：「命鄉選士之法廢，而科舉乃興。以文取士，設爲範程。漢有射策，唐有明經，復有詩賦。逮宋日益增，經衍爲義，而三篇以明；賦本於律，而八韻以成。咸各專其科，各精其能。其義則意融指切，言粹辭達，枝語蔓引，叢論英發。剟聖秘而立辯，斡天機而生說。其賦則句鍊字戛，音覈韻軋，藻秀春擷，花艷晴掇，較妍醜於錙銖，品抑揚於毫髮。它若宏辭制舉，六科別設，文法靡不該，文格罔弗列。又必學稱博極，才號宏傑，乃能攻其業。凡

習於斯者，皆賈勇詞塲，角雄藝圃。不厲兵而白戰，爭奪弧而先拔。若工若拙，三年是力；若勝若劣，一日而決。及其中文衡，入文彀，則遂圍棘聲徹，榜金名揭。上賢書於天府，承洪恩於帝闕。乃躋膴仕，乃展遐轍，若卿若相，鮮不由兹而出矣。上以此而求賢，士以此而致身，文之用世，信不可誣也歟！」太史公曰：「科舉之文，趨時好以取世資，特干祿營寵之具耳。學古之君子耻言之。」生曰：「文之古者，登諸金石，記誌頌銘，具有成式。或鍾鼎是勒，或琬琰是刻，或鐫於麗牲懸綍之碑，或鑱在封嶽磨厓之壁，莫不炫燿崇勳，烜焯茂德。載丕丕之嘉猷，紀赫赫之休績。然皆一筆之力，九鼎可扛，一字之價，千金是直。爾其宏奥之思，雅健之姿，瑰瑋之辭，攄摭馬、班，凌厲蔡、陳，蹂躪韓、柳。玉采金聲，焜焜煌煌，鍧鍧鏘鏘；袞章綉紋，炳炳焞焞，繽繽紜紜。詭然而蛟龍翔，蔚然而虎鳳昂，翕然而律呂張。正音諧韹韺，變態類雲霆，勁氣排甲兵。沈冥以之而開褰，幽閟以之而著宣，邈遠以之而綿延。然非儒林宗匠，藝營宿將，道德爲世之模楷，名位爲國之儀望，堂堂焉，章章焉，擅鴻筆，攬魁柄，稱文章之大家者，孰當仁而不讓？宜其媲美古昔，傳信今後，照四裔以無倫，垂千載而不朽。此其爲文也，不亦古乎？」太史公曰：「文至於是謂之古，宜也。雖然，其爲用殆不止是已。」生曰：「朝廷之上有巨文焉。典謨誓誥，制册令詔，藹爲王言，渙爲大號，而帝王之制作存焉。灝灝噩噩，渾渾洋洋，凌厲蓬孛，揮霍奮揚，或溫潤而精粹，或宏偉而秀雄，或嚴肅而簡重，或衍裕而深長。經緯天地，橐籥陰陽，黼黻萬化，轇轕三光。封職則氣含陰雨之潤，授官則義炳重離之明，勑戒則吐星漢之華，治戎則揚洊雷之轟，肆赦則垂滋於春露，明罰則示烈於秋霜。一字之褒，沛漏泉於下地；一言之感，被挾纊於黎蒸。朝出九重，暮行四方。如風動而草偃，如山鳴而谷應。奮迅乎宇外，旁薄乎域中，皷舞乎夷夏，陶鎔乎帝王。文章之用，蓋與造化而侔功矣。若是何如？」太史公曰：「《禮》曰：『王言如絲，其出如綸。』《詩》曰：『辭之輯矣，民之協矣；辭之繹矣，民之莫矣。』文之爲用，誠莫盛于此也。姑舍是，豈非復有可聞者乎？」生曰：「文之難者，莫難於史。故良史之才，古今或無。皇道帝德，王略霸圖，運祚興衰，治道隆汙，將相卿士，武烈文謨，賢智忠孝，兇慝奸諛，天文五行，地理河渠，禮樂兵刑，食貨賦租，選舉職官，冕服車輿，蠻夷戎狄，遐方異區，恍惚詭變，俗怪習殊。凡一代之本末，皆載乎史，故曰史者一代之成書。是故事以實之，辭以給之，法以立之，例以律之，作史之要必備乎此。然非其能足以通古今之體，明足以周萬事之理，智足以究難知之意，文足以發難顯之義者，曾烏足以稱良史。蓋自紀表志傳之制，馬遷創始，班固繼作。綱領昭昭，條理鑿鑿。三代而下，史才如二子者，可謂特起拔出，雋偉超卓。後之爲者，世仍代襲，率莫外乎其榘矱。論者以爲遷、固之書，其與善也隱而彰，其懲惡也直而寬，其賤夷也簡而明，其防僭也微而嚴。是皆合乎聖人之旨意，而非庸史之敢干。及乎范曄、陳壽之流，則遂肆意妄纂，曲筆濫箋。曖昧其本旨，而義駁以偏；破碎其大體，而辭謭以纖。况乎曄、壽之不若者，則又卑陋而無足觀矣。故史所以明乎治天下之道，而爲之者亦必天下之才，然後勝其任。兹其所爲難乎！」太史公曰：「噫！史之爲文，誠難乎其盡美矣；文而爲史，誠極天下之任矣。抑吾聞之文有二：有紀事之文，有載道之文。史者，紀事之文，於道則未也。」生曰：「聖人既沒，道術爲天下裂。諸子者出，設戶分門，立言以爲文。是故管夷吾氏以霸略爲文，鄧析氏以兩可辯說爲文，老聃氏以秉要執本、持謙處卑爲文，列禦寇氏以黃老清淨無爲爲文，墨翟氏以貴儉、兼愛、上賢、明鬼、非命、上同爲文，公孫龍氏以堅白名實爲文，莊周氏以通天地之統、叙萬物之性、達死生之變爲文，慎到氏以刑名之學爲文，申不害氏、韓非氏復流於深刻之文，尹文氏又合黃老刑名爲文，鬼谷氏以捭闔爲文，蘇代氏、張儀氏因肆爲縱橫之文，孫武氏、吳起氏以軍形兵勢、圖國料敵爲文，荀卿、揚雄氏則以明先聖之學爲文，淮南氏則以總統道德仁義、而蹈虛守靜、出入經道爲文。凡若此者，殆不可遽數也。雖其文人人殊，而於其道則未始不有明焉。譬猶水火相滅亦以相生，和敬相反亦以相承。《易》所謂『天下一致而百慮』、『同歸而殊途』者，言本於一揆而已。文以載道，其此之謂乎？」太史公曰：「諸子之文，皆以明夫道，固也。然而各引一端，各據一偏，未嘗揆夫道之大全。人奮其私智，家尚其私談，支離頗僻，馳騁鑿穿，道之大義益以乖，大體益以殘矣。此固學術之弊，而道之所以不傳也。」生曰：「聖人之文，厥有《六經》。《易》以顯陰陽，《詩》以道性情，《書》以紀政事之實，《春秋》以示賞罰之明，《禮》以謹節文之上下，《樂》以著氣運之虧盈。凡聖賢傳心之要，帝王經世之具，所以建天衷，奠民極，立天下之大本，成天下之大法者，皆於是乎有徵。斯蓋群聖之淵源，九流之權衡，百王之憲度，萬世之準繩。猶之天焉，則昭雲漢而

揭日星，布烟霞而皷風霆；猶之地焉，則山岳峙而江河行，鳥獸蕃而草木榮。故聖人者，參天地以爲文，而《六經》配天地以爲名。自書契以來，載籍以往，悉莫與之京。斯其爲文不亦可以爲載道之稱也乎？」太史公矍然而驚，喟然而嘆曰：「盡之矣，其蔑有加矣。此固載道之器而聖人之至文矣。嗟乎！世之學者無志乎文則已，苟有志乎文，舍此無以議爲矣。是故本之《詩》以求其恒，本之《易》以求其變，本之《書》以求其質，本之《春秋》以求其斷，本之《樂》以求其通，本之《禮》以求其辨。夫如是，則《六經》之文爲我之文，而吾之文一本於道矣。故曰：經者，載道之文，文之至者也。後聖復作，其蔑以加矣。」

又《文極》 《罪知錄》曰：夫含靈結秀，唯在斯人。身所苞藏，心情理氣。及其心動情之，自鳴于口。口之所發，理氣偕形，如理直而氣英，則音調而辭美。旁尋物類，厥趣實同。故鳳鳴中乎宮商，梟聲噪於鬼蜮，絲清而響振，革濡而韻沉。是以聖后藹都俞之和，獷夫厲喑嗚之吼，何莫不由中也？然而生知者本備，學聚者宜力，所以云修辭立誠，尙體貴達，有其訓矣。文也者，非外身以爲之也。心動情之，理著氣達，宣齒頰而爲言，就行墨而成文。文卽言也，言卽文也。上古之人，言罔匪文，文匪餙言。由其理足而氣茂，故自然也。然而志趣所建，崇尙沉實，豪頴之宣，須求藻麗。譬之于木，必根直而柯樛，葉敷而花豔，豈徒枸株櫱蘖而可以謂之木哉？有如乾坤，曷不卽名之曰健順？元首股肱，何不便呼之爲頭脚？或使歌曰「頭顱明哉」、「臂脚良哉」，則成言詞也乎？故知聲之成章，雖文質相須，語厥爲體，必摛文被質，所以謂之文，而不稱曰質，必然者也。文體既立，其狀自殊，則有齊停整截，句句平鋪者，如「欽明文思，允恭克讓，乾剛坤柔，比樂師憂」是也；有嵬巉險阻，廉稜峭刻者，如「不惕予一人」、「困於葛藟，於臲卼」、「則病者乎？噫」是也；有深沉緻密，韞匿寡重者，如「弔由靈朋，盍簪叙欽」是也；有紆遲宛約，風調窈窕者，如「吾將仕矣」、「我弔也與哉，專以禮許人，獨吾君也乎哉」是也；有方嚴凜冽氣厲色莊者，如「非吾徒也」、「老而不死是爲賊」、「狄滅衛」是也；有散野儻蕩，不粘甲乙者，如「不其或稽」、「雲土夢作乂」、「則豈不得以，其毋以嘗巧者乎」是也；有明白洞達，皦露腎腸者，如「以爾車來，以我賄遷」、「其爾萬方有罪，在予一人，予一人有罪，無以爾萬方」是也；有縈紆纏糺，反復鉤連者，如「女曰觀乎？士曰既且。且往觀乎」、「念茲在茲，釋茲在茲，名言茲在茲，允出茲在茲」是也；有鮮采華絢，豔麗妍媚者，如「日月星辰，山龍華蟲」、「宗彝藻火，粉米黼黻」、「螓首蛾眉」、「笑倩粉盻」是也；有冷語慢詞，口此心彼者，如「女安則爲之」、「吾得已乎哉」、「吾死也」、「吾亡也」是也；有至簡者，如「螽」、「烝」、「柴嘗」、「立孫」、「今蠢」、「美而豔」是也；有至繁者，如「無乃使人疑夫不以情居瘠者乎哉」、「苟無禮義誠慤忠信之心以涖之」是也；有衍簡而繁者，如「自古在昔，先民有作」、「古者在昔，昔曰先民」、「疾大漸，惟幾，病日臻。既彌留」是也；有束博而約者，如「安驪姬」、「爾惟風，下民惟草」、「盾，夏日之日」、「衰，冬日之日」是也。此其大都也，曷嘗偏用枯瘠，盡削鉛黃，而以爲文之本體者哉！夫子之世，羣言膠轕，舊典混淆，子乃芟刈條緒，以成六籍。凡古今之文，鍵樞治教者，畢集于茲，而爲文之體要貌態，亦斯咸備。然非夫子之各創而騁奇也，皆先後君臣士庶婦稚之所爲，其製自殊而固具也。惟《春秋》人云聖筆，然而本史文也。時存其故，而筆削者多爾。亦固有之體也。《六經》而後，百氏遞興，雖其理有粹疪，而辭無別致，總厥大歸，無越乎宣父之六編者矣。時則三傳、莊、屈，稍樹乎籓牆，兩漢班、馬，亦自築蹊隧。從茲以降，百才踵生，千英坌起，雲蒸霧滃，木蔚禽鳴。有此宇宙，安能瘖墨？遂至堆垛簡編，充咽棟梲，孰不學步九經，攀援三史？或馳轡莊雅，或蜚聲俊逸，或以奥澀鳴，或以纖豔著，其間蕪聲纇句，恒居過半。卽如今人所病，魏晋之浸衰，陳隋之極靡，道其理氣，斯誠然矣。然皆按規而造輪，持矩以搆室，思逐景于羲娥，願迹塵于[illegible]卨，誰非擬諸經籍者哉！所以爲是萎遲者，良由其理局氣猥，乃至音澌步躓，非過文之罪也。猶之士未論崇卑，必五章以朝，玄端章甫，韠紳璧珮，藻火黼黻，斯以成士。猶之女無論妍醜，必衣裳以處，副笄六珈，耳瑩手帨，纓囊茝蘭，斯以成女。惡有裸裎秉笏，鞠躬敷奏，而曰吾爲良臣；袒跣蓬垢，侍養定省，而云我乃淑女者乎？吾所以云文肇體極乎經而底乎唐，學文宜由唐以求至于經，誠自以爲不疑，而寧賈誚于衆夫也。奈何近士從唐而降，乃有異談，實錮衆懷，獨傷余臆。其議辯之詳，存諸後簡，此姑引前說而申之、以終狂斐。

又卷七《藝文》 伏羲已降，文籍始備，逮於戰國，共書五車，傳之無窮，是曰不朽。班《漢》定其流別，編爲《藝文志》，論其妄載，亦同諸志。《續漢》已還，祖述不暇。夫前志已錄而後志仍書，何異以水濟水，誰能飲之者乎？

且《漢書》之志天文、藝文也，蓋欲廣列篇名，示存書體而已。文字既少，被閱易周，故雖乖節文，而未甚穢累。其流日廣，騁其繁富，百倍前修。愚謂宜除此篇，必不能去，當變其體，唯取當時撰者可耳。「雖有絲麻，無棄管蒯」，如宋孝王《關東風俗傳》、《墳籍志》，庶免譏嫌矣。

又卷二八《文論》顧況曰：《周語》之略曰：孝、敬、忠、信、仁、義、智、勇、教、惠、讓，皆文也。天有六氣，地有五行，此十一者，經緯天地，叶和神人，名之爲文，其實行也。文顧行，行顧文，文行相顧，謂之君子之文，爲龍爲光。上古云：「言之無文，行之不遠。」堯之爲君，「聰明文思」。「文王既沒，文不在兹乎？」文王之代，草木鳥獸皆樂。文王之沼曰「靈沼」，文王之臺曰「靈臺」。虞、芮不識文王，入文王里，所見耕者讓畔，行者讓路，班白不提挈，自相謂曰：「吾黨之小子，不可治於君子之庭。」詩人美之云：文王斷虞芮之訟。晉文與楚子戰而覇，謚曰「文公」。夫以伏羲之文造書契，黄帝之文垂衣裳，重華之文除四凶、舉八元，周公之文布法于象魏，夫子之文，木鐸狗路。此其所以理文也。伊尹之文放太甲，霍光之文廢昌邑，呂尙之文殺華士，穰苴之文斬莊賈，毛遂之文定楚從，藺相如之文奪趙璧，西門豹之文引漳水、沉女巫。建安、正始，洛下、鄴中，吟咏風月，此其所以亂文也。夫以文求士，十致八九。理亂由之，君臣則之。舜、堯、禹、湯有文，桀、紂、幽、厲無文；太顛、閎夭有文，飛廉、惡來無文。昔霍去病辭第曰：「匈奴未滅，無以家爲。」於國如此，不得謂之無文。范蔚宗著《後漢書》，其妻不勝珠翠，其母唯薪樵一廚，於家如此，不得謂之有文。且夫日月麗于天，草木麗於地，風雅亦麗于人，是故不可廢。廢文則廢天，莫可法也；廢天則廢地，莫可理也；廢地則廢人，莫可象也。郁郁乎文哉！法天，理地，象人者也。《周易》贊《乾》曰：「大哉乾元，萬物資始。」贊《坤》曰：「至或（哉）坤元，萬物資生。」唯大者配乾，至者配坤，幽者贖鬼神，明者贖禮樂。不失於正，謂之文。

袁黄《游藝塾續文規》卷一《陽明王先生論文》《答張元夫書》：夫文，非藝也。本之吾心而發之于言，不可僞爲也。故看書明白，則詞措而理顯；養得深厚，則興至而格立。神定者其力專，理精者其意徹。學也，而文在其中。故論文卽道也。執事之文，字字中肯綮，句句發妙義，然而終非本色語。蓋以時文爲時文，而不以我去爲時文。終日翻來覆去，只是幾句舊時文中說話，未嘗自闢一乾坤，自設一爐冶，雖竭精殫力，終不能出人頭地也。

又《荆川唐先生論文》《答廖東雩》：文與道非二也。更願兄完養神明，以探其本源，浸淫《六經》之言，以博其旨趣，而後發之，則兄之文益加進矣。

又《與馮午山》：必秀才作文，不論工拙，只要眞精神透露，如有眞精神，雖拙且滯，必是英俊奇偉之士。不然，雖其文煒然，斷非君子。公考試看文，不必論奇，論平，論穠，論淡，但默默窺其眞精神所向。如宜說理，宜用意，必是眞實舉子；如無理無意，而但掇取浮華以眩主司之目，必是作僞小人。此是閱卷大關鍵。

又《昆湖瞿先生論文》文者，心之聲也，故閱其文可以知其人。吾初未識荆川、方山之面，而但讀荆川之文，根據理路，正大明顯，則想見其人必樂道坦中，智在物先者也。讀方山之文，爽塏迅發，沉着痛快，則想見其人必高睨濶步，眼空一世者也。已而得接其人，各如其文焉。然荆川墨卷，和平雅澹，極有廟堂風度。而所刻《窗下》諸作，則不免有精思苦鍊之跡。方山墨卷亦佳，而其餘諸作，不免有發揚蹈厲之氣。今觀二公之文，各當以墨卷爲主。蓋我朝自三楊當國，所尙文體，皆平正渾融，謂之臺閣體。凡有斧鑿痕未化與怒張之氣未除，皆非入彀文字。

又《方山薛先生論文》近來時文專脩詞藻，全無體認工夫，海内學者皆然，而浙江爲甚。作文全不傍理，亦不用意，惟收拾殘言剩字，裝點成章。如講仁，則曰惻隱之心，慈愛之理；講義，則曰直方之動，裁制之宜；講敬，則曰顒若之觀，威如之言；講德，則曰躬行之著，心得之微；講學，則曰遜志之篤，時敏之勤。諸如此數，不一而足，總之皆陳言腐語，可厭可憎，如貧家請客，借人器皿，竭力供辦，而進退粗俗，醜態盡見。又如倡優衍戲，登場歌舞，祗欲博人一笑，而悲懽離合，種種非眞。令主司觀之，不待拆卷尋名，而已知爲浙江惡套矣。今宜痛革此弊，全要發揮題意。玲瓏透徹，如水中之月，鏡中之花，佳境儼然在目，而無一毫色相可著。昔嚴滄浪謂禪家一味妙悟，詩家亦一味妙悟，盛唐之詩所以爲佳者，以其從悟處得來，如羚羊掛角，無迹可尋。舉業雖卑，亦須凝神定慮，用幾個月無滲漏工夫，使胸中豁然有省，然後從而作文，信手拈來，頭頭皆是矣。所謂既得本，莫愁末也。

又卷二《靜臺杜先生論文》一認理：盈天地間皆道也。道之條理謂之

理，如山中之石璞皆有脉理可尋也。斯理也，統之爲太極，分之爲陰陽，播之爲五行，行之爲四時，生之爲百物，命之于人之謂性，性卽人之太極也。分而剛柔，剛柔卽人之陰陽也；播而爲仁、義、禮、智、信之五常，五常卽人之五行、四時也；生而爲百行，百行卽人之百物也。人性之條理，于是乎備矣。主之者心也，萌之者意也，形之者身也。身之親而近者，其家之人乎；其漸疎而漸遠者，國之人乎；其愈疎而愈遠者，天下之人乎。意心身家國天下謂之物，不露而自然明覺謂之知。斯理也，人皆有之也，非獨聖人有之也。惟聖人生知乎斯理無不致，而物無不格，故其于意也，不求誠而自誠于心也，不求正而自正于身也，不求脩而自脩。舉而措之家，則家無不齊；舉而措之國，則國無不治；舉而措之天下，則天下無不平。其在賢人，知乎物之有本末也，于是格物以致其知。故意必求誠，心必求正，身必求脩。推此于家，則求其齊焉；推此于國，則求其治焉；推此於天下，則求其平焉。蘊之爲德行，發之爲事業，堯、舜、禹、湯、文、武之爲明君者，此理也；皋、夔、稷、契、伊、傅、周、召之爲良相者，亦此理也；孔子之所以爲大聖者，此理也；顔、曾、思、孟之所以爲大賢者，亦此理也。如天之有日月星辰，煥然于上；如地之有山川草木，粲然于下，無非太極自然之文也，豈必著之《五經》、《四書》而後爲文哉？雖然，天下萬世之人，未必皆明良也，未必皆聖賢也。【略】是故古之明良聖賢者，吐辭而爲經，然後天下有《五經》之方；册而爲書，然後天下有《四書》。《五經》者，經此理也；《四書》者，書此理也。理不在辭，亦不在方册也。譬之天文圖，圖天之象而已矣，而天之日月星辰，不在此圖也。輿地圖，圖地之形而已矣，而地之山川草木，不在此圖也。不知天地者，求天地之理于圖，則天地之理愈遠而難明。不知人之理者，求明良聖賢之理于經書，則人之理愈茫然而不可解。今之爲文者將以發揮乎理也，不知其所謂理者果何在耶？其在古之明良聖賢耶？其在《五經》、《四書》耶？抑亦在我耶？爲文者不難乎發理，而難乎認理。理載于經書，非載于我也。理出于明良聖賢之口筆，非出于我也。如之何其認之也？曰體認之而已矣。何謂體認？曰設以身體處其時而親認識之也。如言誠意，則必反身而默識之曰，我之意如何，我將何以誠之也。此之謂體認正心之理也。如觀天之日月者，則必身察乎璣衡之器，而實見其遲速之象，斯其爲體認天文之理矣。如觀地之山川者，則必身立乎登臨之境，而實見其流峙之形，斯爲體認輿地之理矣。理之體認既眞，則其生雖生于千載之下，而其心如遊于明良聖賢一堂之上；其言雖載于《五經》、《四書》之中，而其理如在于吾身心目之間。雖未下筆爲文，以求其格局辭氣之善，然理定而格自定，理足而辭自足，理順而氣自順，不必苦思力索，而天下之至文于此乎出矣。否則，理之不認，認之不體，雖有作焉，終爲紙上之陳言，而無胸中之心得。猶閉戶披圖而未睹夫天地太極之妙者也，何以文爲？是故有斐君子，必以認理之爲貴。二定宗：文之有宗也，猶民之有尊也。民有大君，猶文之有大家也。爲民而不尊大君，非民也；爲文而不宗大家，豈得謂之文哉！今海內舉業之文，吾不知其幾矣。脩之于燈窗者曰窗稿，拔之于小考者曰考卷，程式于主司者曰程文，中式于硃墨者曰墨卷，非無可宗也，然未必如大家之正宗也。海內牧民之長，吾不知其幾矣。邑有令，郡有守，藩臬有司官，撫察有臺臣，非無可尊也，然未必如大君之至尊也。是故民得其尊，則雖雜屬于守令司臺之百官，而不失爲一統；不得其尊，則雖兼屬于兩地之長，而不失爲偏安。文得其宗，則雖遍閱窗、考、程、墨、百家之文，而不害其爲純；不得其宗，則雖兼閱兩家之文，而不害其爲雜。今作文者，其有所宗耶？其無所宗耶？其所宗者果純然定于大家耶？抑亦不免紛然雜于百家耶？知爲民則知爲文矣，知民之所尊，則知文之所宗矣。是故有斐君子，必以定宗之爲貴。

又卷三《了凡袁先生論文》 王元美作文章九命：一曰貧困、二曰嫌忌、三曰玷缺、四曰偃蹇、五曰流竄、六曰刑辱、七曰夭折、八曰無終、九曰無後。後又作惡病爲十命，渠謂文人多窮，其質情誠有合者。貧老愁病，流竄滯留，人所謂不佳者也，然而入詩文則佳；富貴榮顯，人所謂佳者也，然而入詩文則不佳，是一合也。泄造化之秘，則眞宰默讎，擅人羣之譽，則衆心未厭，是二合也。而歷引古人以證之，余竊不敢謂然。夫善相馬者，得其神，牝牡驪黃可略也；善論文者，亦論其神而已矣。故文舒者其神必泰，文溫者其神必和，文淸者其神必雋，文冠冕者其神必軒豁，文條達者其神必通暢，文蘊藉者其神必停蓄。若影之于形，脩短曲直，未有不似之者也。人之貧富、窮達、順逆、壽夭，皆神之所爲。故晨得美食，宵有佳夢，神告之也；凶禍將至，其事未發，先惕惕弗寧，亦神啟之也。今如所引古人，弗敢妄論。卽如近世桑民懌、唐伯虎、王稚欽輩，讀其文，或浮而躁，或肆而狂；其佳

者，或促如急管，或淒若繁絃，其神固颺。颺不附體矣，安得不窮？安得不缺？又安得不夭也哉？伊尹、周公，身爲先覺，位居冢宰，既壽且昌，福及萬國，文又安能窮之乎？雅頌之篇，推駢臻之福，咏萬年之壽，又何嘗不佳乎？吾願文章之士，廣其胸襟，平其意氣，勿騁其所有餘，而務養其所未至。一毫乖戾勿著于心，使詞氣所出，鏗然如金，溫然如玉，儼然如端人正士之立于朝端，此所謂臺閣之文也。經綸在抱，到處坦途，遇之或順或逆，如空中華，夢中境，勿論可也。

又《與于生論文書》 文有詞有理，而理爲之主。故理明則詞顯，理密則詞精，理當則詞確。理譬則主人也，詞譬則奴僕也。未有主人精明而奴僕不從令者。人惟不知窮理，而徒求工于詞句之間，故用盡苦心，終不能出人頭地耳。然窮理之學，不可全靠他人講貫，須深造而自得之。遇題目難處，不得放過，如孤軍遇敵，猝意向前；又如漢廷老吏，斷獄推勘到底。一處精，則其餘皆得其精矣。

又卷四《了凡袁先生論文》 文章小技也，然精神不聚則不工，識見不高則不工，理路不熟則不工，涵養不到則不工，有一毫俗事入其肺腑則不工。故習之者，必遠塵冗，屏嗜欲，綿綿焉束心一路，精神全注于文，而不復知其他。既而束心漸熟，妄念漸消，併文字之得失，亦不復置之胸中。如仲尼好學，憤心一發，寢食都忘，直須造三月忘味之境。其習之而未成也，如雞抱卵，如龍養珠，雖未脫化，亦足以收吾之放心。習之而既成也，如庖丁解牛，如大匠斲輪，不離技藝，而超然有心領神會之趣。以此習文章，亦以此養性命，又何間焉？性命文章，合而爲一。故人得其皮，我得其髓；人勞多而功遲，我薄施勞而厚取。【略】聚則精專，分則蕩漾，精專則深入，蕩漾則淺收。此必然之理也。

又卷七《洪陽張先生論文》 文所以發心之精蘊也。心不靜不文，心不純不文，心不達不文。

又《蓮岡季先生論文》 夫束合肢骸，肖像聲貌，果且爲我乎哉？曰我而未始爲我也。有天倪焉，而神注之，舍元氣，通萬靈，獨在肢骸聲貌之外，此謂我。夫綺麗豔說，藻飾辯雕，果且爲文乎哉？曰文而未始爲文也。有天倪焉，而神注之，舍元氣，通萬靈，獨在豔說辯雕之外，此謂文夫？文與我天倪同、神脉同也，故我爲文，天欲合而神欲凝。是以陶鈞文思，貴在虛靜。虛以攝境，靜以澄心，用志不分，乃凝于神，然後元氣混合而無端，萬靈員通而不隔，躍名理于眉睫，鎔今古于俄頃。意在筆先，情生景外，隨物授形，而物忘我，機緘在我，而我且亦自忘我。此謂我與文，以天合天，而器之以器，凝神也。

又《寓庸黃先生論文》 文期合道，而不期應世。其中養性靈，會神理，志一則氣動，膏沃而光燁。有天機行焉，然以語干枹鼓戰陣之士，謂迂濶而遠，名實不願聽也。二三友生過吾廬而叩者無已，姑撮三要以答之，倘亦有牛鼎之意乎？文之有氣，如人身之有血脉，壅則病矣。塲中作文，于風簷寸晷中，而覽者如風之過樹，無暇論理，論意，論識，論格。讒厄塞斷絕，堆垛冗雜，便棄去矣。氣貴清，貴雄，貴達，貴溜，貴足，高文有高之氣，卑文有卑之氣。志分氣亂不蹶，則趨寂寞之氣，無于風雲，亦猶巢許不與人事。故曰戰以氣勝，即使一時虛驕，亦自有虛驕之氣。但心清學術端，則爲醇正之氣；躁心淺見，則爲浮邪之氣。其需于氣則一。自古及今，氣不一而戰勝者，未之嘗聞。蘇氏兄弟之文，橫絕一世者，以氣而已。曰行乎其所不得不行，止乎其所不得不止，是純氣之守也。氣以專聚，以激發。

又《太初董先生論文》 人，靈物也；文，靈氣也。造化舉一切種種之靈，授之人；人又舉一切種種之靈，授之文。倘非此中眞有一段千古不可磨滅之靈，而第借耳傭目拾瀋履遺，此夫陳人載腐肉朽骨以行，縱其時貴洛陽之紙，終不免覆成都之瓿耳。故夫千古而上之文，能開千古而下之樸，千古而下之文，能見千古而上之心。臭味生韻，若造化生成，不假雕刻，乃可以稱大業而托不朽。舉業即小技，然要以寫聖賢之神，通今昔之變，則非胸中別具一機竅，筆下別覓一生活，未易妙得其解。夫所云機竅、生活者，政千古不可磨滅之靈。而李文饒所謂自然靈氣，惚怳而來，或如千兵萬馬，風恬雨霽，寂然無聲；或如日月終古常見，光景常新者也。余獨喜唐應德言古來文章家，各自有本色，因悟舉業故耳。尼父有尼父本色，顏曾有顏曾本色，思孟有思孟本色。以至《易》奇而法，《詩》正而葩，《尙書》之奧衍，麟經之謹嚴，無不各自有本色。先輩爲文，非有他奇巧，政如其本色而止。而時輩則直吊詭抉奇，爲不可究詰之語，非不怵心駭目，然于本色離矣。故肖其本色，卽臭腐皆神奇；離其本色，卽神奇亦臭腐。

又卷八《武叔卿論文》 夫神何物也？如水中之鹽味，色裏之膠靑，睹之

雖不見形，不可以無形而謂其非有也。卽以身喻，四肢九竅以形用矣，而皆恃神爲主宰。無神則耳目孰與視聽？手足孰與持行？形悉委形耳矣。故神之在文，雖無形也，而能形形。血脉得之而流貫，筋骨得之而聯屬，色澤得之而光潤。以至氣得之而運行，機得之而動盪，意得之而融洽，詞得之而暢達，皆是物也。文而無神，殆如枯槁之枝，幹雖存，生意已散；沉痼之人，眉目雖具，精氣不屬。卽燦如雲錦，皆戹詞贅語焉耳，何足貴乎？文者，心之精也，而神所爲也。神有淸濁，則文有純雜；神有靜躁，則文有雅俗；神有昏明，則文有顯晦。有諸內必形諸外，若表影相符，未有或爽者也。故脩文之士，先務凝神。神完則精固，精固則氣充，氣充則志強。天下事無不可爲者，況區區文字乎？卽如庖丁解牛，輪扁斲輪，梓慶削鐻，痀瘻承蜩，彼皆一藝之微。然而凝神不二，用志不分，亦自有得心應手，天動神隨之妙。況文字原出于性靈，若凝神從事，而有不工，吾不信也。恒言文字之妙，如有神助，非神助之也，由自家神至，有莫知其所以然而然者。袁了凡云：神到之文，盎然而出，隨物鑄形。或緩若朱絃，而淡中有味；或急若發括，而至理躍如。按之則泰山，縱之則流水。步驟超脫，殆非人力。夫非人力，便如神所爲矣。凝神之道，不外乎收放心。心者，神之舍也。心定則神凝，心馳則神散，此一定之理。然人心出入無時，最爲易放。所以古人喻心曰猿，喻意曰馬，謂其奔走馳鶩，拴縛控馭之難也。使不有物維繫之，則忽焉在此，忽焉在彼，忽焉歸方寸，忽焉踰千里。心既恍惚而不寧，神豈能凝然內含而不潰亂乎？吾輩要維此心，不必他求，只去讀書作文，便是收攝之方。譬如好弈棋者，終日與人對弈，心無他思，目無他瞬，甚至人事俱廢，寢食都忘，此雖無益小數，然專心致志，精神亦有不雜。若將此心專用之于讀書，豈復有他物可以分奪者乎？心有安頓，則神有歸宿，凝神之道，誠莫要于此矣。

又　文生于情者也，情暢則文佳，情鬱則文苦。若源之發流，淸濁隨之。故操觚之家，凝神爲主，平情次之。夫情生于心性既動之後，無之而非是者。見之才，則曰才情；發之思，則曰情思；溢之趣，則曰情趣；布之景，則曰情景。是情之爲物，活潑周流，效力于文字者甚廣。情不平，文安得佳乎？然平情之道，不可絕物，絕物，則空粘而無據，情且索然矣。不可著物，著物則凝滯而不化，情且蕩然矣。必緣物以生情，不逐物以蕩情。卽喜怒哀樂，人所時有，豈能不動于念？但來時順應，過卽消釋，勿使少有蒂芥，以生乖戾，如此而情斯平矣。故蘇文忠公謂，君子可以寓意于物，而不可以留意于物。寓意于物，雖微物足以爲樂，雖尤物不足以爲病；留意于物，雖微物足以爲病，雖尤物不足以爲樂。此善于平情者也。

又　大抵情況不佳，須借物以陶之。或登臨山水，以寄其幽遐之趣；或吟美風月，以暢其曠達之懷；或周旋于魚鳥花木之間，以觸其活潑之思；或游衍于琴書圖畫之中，以適其豪邁之興；或假聲歌以鼓其機，或托壺觴以盪其氣。達觀君子，當自得之矣。

又　昔人謂文生于情，情生于文。夫文生于情，固矣；而情生于文，亦時有之。一言愜志，意興爲之超然；片語投機，手足爲之舞蹈。試驗文字做到得意處，眞有欣然欲罷而不能者，謂之情生于文，非乎？學者不可不知。

又　氣之出言，猶水之浮物。水大則物之大小畢浮，氣盛則言之長短皆宜。故作文主于養氣，深根固蒂之道也。然氣者，體之充也。欲藏，欲固，惟藏且固，則氣實而體充。天下事何重不可勝？何遠不可到？況文字乎！若氣餒而不充，則體弱而志隳，困頓顚踣，無所不至矣。試看朋輩中，委靡者其氣昏弱，浮華者其氣虛蕩，輕薄者其氣躁動，鹵莽者其氣粗豪。發洩若此，渙散若此，均之颺颺不附體矣，安望其聚精會神而工于文字乎？根不深則葉不茂，此必然之理也。

又　蘇子由云：「文者氣之所形，文不可以強而能，氣可以養而盛。」謂太史公行天下，周覽四海、名山大川，與燕趙間豪傑交遊，故其文疏蕩頗有奇氣。又自謂：「求天下奇聞壯觀，以知天地之廣。過秦漢之故都，恣觀終南嵩華之高；北顧黃河之奔流，慨然想見古之豪傑。至京師，仰觀天子宮闕之壯，與倉廩、府庫、城池、苑囿之高且大也，而後知天下之巨麗。見翰林歐陽公，聽其議論之宏辨，觀其容貌之秀偉，與其門人賢士大夫遊，而後知天下之文章聚乎此。」夫氣，體之充耳，何以借資于外哉？蓋吾輩胸中，原有盛大磅礴之氣，但束于耳目之未廣，局于聞見之未博，故跼蹐齷齪，氣遂因之以餒耳。若長遊遠睇，隨所見聞，收之以壯吾懷，其氣當自有超然者。今士子雖不能壯遊，亦須廣大其胸襟，恢廓其志意。卽如四時之代謝，風雷之變化，日月星辰之燦爛，山川草木之敷布，舉凡天地間形形色色，生生化化，無不可取之以爲吾助者。若能隨處觀覽，油然會悟于心目，則胸中亦自有觸發者矣。此養氣之一道也。

又 欲養本來眞氣，功又不從襲取。孟子曰：「我善養吾浩然之氣。」夫浩然之氣，眞氣也。要養眞氣，還從集義來。氣之本體，原自盛大流行。惟有以沮之，而盛大者始屈，流行者始滯。試驗之吾身日用之間，念頭時時在天理上，行事件件在道理上，則反之于心，無所愧怍；語之于人，無所回護。其氣自然舒展，自然充盛，眞有千萬人必往者。若所行有一事不合于理，則人未及知而自反有疚，卽暗室屋漏之中，不勝慚悔；清夜夢寐之間，不勝驚惕。心安得自慊？而氣又安得不餒乎？故養氣之道，必自立心行事始。此吾輩持身作事之實功，不但能工文字而已也。

又 作文先認理，然理無定在者也。在吾心有本然之理，在事物有當然之理。理或不然矣，而情又有不能不然者。情之所在，亦理也。情或不然矣，而勢又有不得不然者。勢之所在，亦理也。可見理無定在，認理非死法，凡遇題目到面前，須先揆以吾心之理，度以事物之理，而又通之以情，酌之以勢，然後盡理之變。所以古人務窮理。窮之云者，參伍錯綜，以盡其變之謂也。如孟子桃應一章，便是聖賢窮理之法。夫瞽瞍殺人，皋陶執之，此理之當然矣；然以子爲天子，而不庇其父，情豈能安乎？則舜之逃父而曲法，又情之所不能不然者也。皋陶執法而坐視罪人之竊逃，情之所不然矣；然舜既以父之故而棄天下，勢豈容復追乎？則皋陶之聽其逃而不問，亦勢之所不得不然者也。卽此一事，便見理是理，理窮而通之以情，情亦理；情窮而酌之以勢，勢亦理。由此而推天下事皆如此，窮理可無難矣。作文務造理。造者，卽而有所至焉之謂也。杜靜臺謂如觀天之日月者，則必身察乎璣衡之器，而實見其遲速之衆，斯爲體認天文之理。觀地之山川者，則必身立乎登臨之境，而實見其流峙之形，斯爲體認輿地之理。此所謂造也。夫天地間無往而非理，無往而非所當造者。乾坤有剛柔之理，陰陽有升降之理，鬼神有屈伸之理，男女有化生之理，日月星辰有運行之理，四時寒暑有推遷之理，山川有流峙之理，昆蟲草木有飛潛動植之理。以至世運有興衰之理，政治有得失之理，人事有善敗之理，而情有淑慝之理。大而父子、君臣、兄弟、夫婦、朋友，有親義序別之理；小而耳、目、口、體，有視聽言動之理；遠而家國天下，有齊治均平之理；近而身心意知，有誠正格致之理。諸如此類，皆天地間自然之理，亦吾心所自有之理。若能一一而研窮之，一一而深造之，斯在內無遺知，在外無遺理，措之于文，鮮有不合乎理者矣。

又 文字要有天然之致。夫風行水上，無心于文而文自生。試觀天地鼓鑄萬物，形形色色，莫不各極其巧，而造化者初非有心雕琢之。物各付物，而天下之巧莫加焉，此至文也。卽以詩喩，《詩》三百篇，大都出于里巷歌謠，不假雕琢而情景宛篤，義意切至。何等天然！後世按法度，較聲律，思索愈苦，推敲愈工，而情景愈遠，義意愈離。始知文字推敲非工，不推敲而工者，乃天下之極工者也；鏤刻非巧，不鏤刻而巧者，乃天下之極巧者也；藻繪非麗，不藻繪而麗者，乃天下之最麗者也。袁了凡云：「文字過而無過，行而無行，伏而忽起，斷而若絕。」蘇東坡云：「行乎其所不得不行，止乎其所不得不止。」文而至是，卽晴雲卷舒于空中，落花蕩漾于水面，不能喩其天然矣。荆川先生謂文字，非但做之爲高，而所不做亦爲高。大做之高，則工夫推琢之致也；而不做之高，則神化自然之致也。

又 五色錯綜乃成華采，經緯就緒乃成條理，此文章之所由名也。故文必有采。文之有采也，猶金之有成色，玉之有寶氣也。金無成色，與銅鐵奚殊？玉無寶氣，與瓦礫奚異？文無光彩，是亦銅鐵瓦礫之類也，何足貴乎？嗚呼，劍埋豐城，氣衝牛斗，文有精采，豈不射人！

又卷九《顧仲恭論文》 悖，曷言乎文？戒之以悖爲首也。曰文以釋經爲主，故當于經者，美之首也；悖於經者，惡之首也。當於經也甚難，而悖于經也甚易。此雖名家，有不免者，而何以責之人人也？曰此極論其致耳。若今所謂不悖，則傍理而說，據意而書，不必求暢于經之旨，而求達於吾之意。此一庸人能之耳。其有悖者，蓋由意昏于俗，思失于馳。操筆之際，手不應心，乃有斯弊。然細求之，卽如「昆湖尺地，莫非其有」文，世所傳誦。起云：天下有尺地之非其有，則其勢孤。夫人之有廣土者，猶得而抗之云云。天下止有此地此民，吾僅失尺地，人那得廣土？吾僅失一民，人那得衆民？雖曰不悖，吾不信也。

余孟麟《文章辨體序》 夫文以道其心之所欲言，曷爲而有體也。文之有體，夫卽樂之有倫乎？樂之爲音，起于蕢桴土鼓，成于大章雲門，而疏于流商刻羽。究其指極，則曰無相奪倫。聲者，不得振；振者，不得聲。何其犁然辨耶？今夫道以麗事，言以因時，載在往籍，如畫卦叙疇亡論已。自朝廷矢謨，閭巷托詠，與夫勒之彝鼎、陳之諷諭，以極於儒生墨卿之所屬詞，而引類爲賦，爲序，爲贊，爲書，諸不可枚舉。總之，則出乎至情而發之，當

物皆文也。劉勰氏曰：「表章序記，則羽儀乎典雅；贊頌歌詩，則楷式於清麗。」豈所謂體固然耶？古之作者言人人殊，然選義按部，考辭就班，大都各率其體。是樂之聲者聲，振者振，皙乎不可紊，彎乎不可廢也。晚近世操觚濡藻之士，非不鞏然踵接，顧師心自用，斤斤不喜剿說而擿埴冥行，去先王仁義禮樂之道且詭而遠。非夫文辭多變，不識其體乎？奈何鼓宮以角應，叩角以宮應也。鮮不悖矣！

賀貽孫《答友人論文二》　為文元本于樸誠，而後隨境所觸，隨筆所之，旁見側出，主客變換，恍惚離奇，鬼神莫測。譬如鏡中西施，身影皆麗，雪夜梅花，香色難分。以是為文，則假乃即真之謂，而非反真之謂。

傅山《文訓》　文者，情之動也；情者，文之機也。文乃性情之華，情動中而發于外，是故情深而文精，氣盛而化神，才摯而氣盈。氣取盛而才見奇，文章未有高而不簡，簡而不摯者。

又《雜記》　「物相雜，故曰文。」只此六字，可盡文義。

錢謙益《李君實恬致堂集序》　文章者，天地英淑之氣，與人之靈心結習而成者也。與山水近，與市朝遠；與異石古木哀吟清唳近，與塵埃遠；與鍾鼎彝器法書名畫近，與時俗玩好遠。故風流儒雅，博物好古之士，文章往往殊邈於世，其結習使然也。

又《王元昭集序》　古今作者之異，我知之矣。古之作者，本性情，導志意，讕言長語，《客嘲》、《僮約》，無往而非文也；塗歌巷舂，春愁秋怨，無往而非詩也。今之作者則不然，矜蟲魚，拾香草，駢枝而儷葉，取青而妃白，以是為陳羹像設斯已矣，而情與志不存焉。昔有學文于熊南沙者，南沙教以讀《水滸傳》。有學詩于李空同者，空同教以唱《瑣南枝》。二公于古學不知何如，而其言則可以教世。嗚呼！是可為今人道哉？

徐世溥《答錢牧齋先生論古文書》　來教曰：龍門、昌黎安身立命在何處？竊觀古之作者，莫不期于自達其性情，而止要以廣讀書善養氣為本，根極至性，源委《六經》，所以立命；貫穿百代，上下古今，縱橫事理，使物莫足礙之，所以安身也。子長之自叙，退之之《答李翊書》，其致可槩見矣。如必曰某處為龍門所安身，是即非龍門；某處為昌黎所立命，是即非昌黎矣。**【略】**　若云諸家各有門庭，則各以其所熟為其所出。竊嘗論之，韓出于《左》，柳出于《國》，永叔出于西漢，明允父子出于戰國，介甫出于注疏諸文，子固出于東漢諸書疏。當其合處，無一筆相似。故韓無一筆似《左》，歐無一筆似史遷，書家所謂書通即變。

朱鶴齡《傳家質言》　文必學秦、漢，詩必學漢、魏，猶言治而必欲復井田封建也。非秦、漢之文不可學，以學秦、漢者，究必歸於八家也。崆峒、圭峰學秦、漢者也，而所詣何如王濟之？弇州、于鱗亦學秦、漢者也，而所詣何如王道思、歸熙甫，此可以得其大都矣。近時海內羣推芝麓，芝麓之文長於論史，陶練古今，氣昌詞贍，惜其行太通，學太雜，交太濫，應太冗。芝麓亦嘗向余蹙頞言之。然而知古文之深者，未有如芝麓也。

黄宗羲《明文案序》上　凡情之主者，其文未有不至者也。則天地間街談巷語，邪許呻吟，無一非文，而游女田夫，波臣戍客，無一非文人也。

又《謝皋羽年譜游錄注序》　夫文章，天地之元氣也。元氣之在平時，昆侖旁薄，和聲順氣，發自廊廟而暢浹于幽遐，無所見奇。逮夫厄運危時，天地閉塞，元氣鼓蕩而出，擁勇鬱遏，坌憤激訐，而後至文生焉。

方以智《文章薪火》　《譚苑醍醐》曰，辭達而已矣，恐人溺于辭而忘躬行也。淺陋者借之《易傳》、《春秋》，孔子之特筆，其言玩之若近，尋之益遠，陳之若肆，研之益深。天下之至文也，豈止達而已哉！夫意有淺言之而不達，深言之而乃達者；詳言之而不達，略言之而乃達者；正言之而不達，旁言之而乃達者；俚言之而不達，雅言之而乃達者。故東周、西漢之文最古，而其能道人意中事最徹。今以淺陋為達，是烏知達哉！夫脫于口謂之言，爻于文謂之辭。《書》曰：「政貴有恒，辭尚體要。」以言乎政令之辭也。《儀禮·聘記》曰：「辭多則史，少則不達，辭苟足以達，義之至也。」以言乎禮聘之辭也。《左傳》曰：「辭之不可以已也，如是非文辭不為功，慎辭哉。」以言乎使命之辭也。《記》曰：「有其容，則文以君子之辭；遂其辭，則實以君子之德。」又曰：「情欲信，辭欲巧。」以言乎相接相示之文辭也。凡謂之辭，未有不貴達者，亦未有達而猶貴枝葉者也。夫子惡巧言，而曰辭欲巧，則知辭非言例也。《易》有聖人之道四焉，以言者尚其辭，聖人之情見乎辭，脩辭立其誠，所以居業也。韋編三絕，鐵擿三折，漆書三滅，曰假我數年，若是我於《易》則彬彬矣。彬彬者，辭達之謂也。繫終六辭，盡天下之情哉！《藝苑巵言》云：「吾嘗論孔荀以前作者，理苞塞不喻，假而達之辭。後之為文者，辭不勝跳而匿諸理。《六經》，理而辭者也。兩漢，事而辭者也，錯以理

而已。」自儒林、道學歧分，而經義、帖括爲剝啄之瓦，賢者捨經，而樓上駕樓，以講道高自標目。而不肖者滉漾自恣，莫可窮詰矣。鄧潛谷曰：「宋賢等文學于功利，於根本固篤，而苛求多拂物理，徒生其鷹擊颺去之心。」虛舟子曰：「尼父轍環，至老終以志事託之斯文，安萬世之火於竈，使之可羣，樂業而薰陶自化。聽上者之通神明，類萬物，次亦各食其力，各消其智。或依循，或達材，皆鼓舞不能自已。掃除者無乃暗倣別傳乎！曾知爲宋元王造閉解閉之滑疑哉！」虞叟曰：「正嘉以剿襲傳訛相師，而士以通經爲迂。萬季以繆妄無稽相夸，而士以讀書爲諱，至今俗學晦蒙，繆種膠結，胥天下爲鬼語而不知其所從來。噫！」瀫草曰：「好學者理明事正，辭自然達，惟詖遁之辭不達，方且以不達詒人。」浮山之孤曰：「學必悟而後能變化，悟必藏於學而後能善用，同人達辭之道亦然。通其故則不爲所惑，不爲所惑，則善用之皆藥矣。學足識盡而用其才，行乎不得不行，止乎不得不止，秩叙變化，同時中節，知達之神者乎？不以辭害意，言近而指遠，吾無隱乎爾！造適不及笑，知達之本者乎？」

陸世儀《曹頌嘉漫園文稿序》 夫言以足志，文以足言。文者載道之器也，古之人道足于中，發于外而爲言，言之成章，故名之曰文。羲文之《易》，所以述天人，卽後世性理諸書是也；虞夏商周之《書》，孔子之《春秋》，所以紀政事，卽後世史傳諸書是也；商周之《雅》《頌》，十五國之《風詩》，所以言性情，卽後世樂府詩歌之類是也。周公之《周禮》、《儀禮》，漢儒之《禮記》，所以載典禮，卽後世八書十志之類是也。然而在古則謂之經，在今則概謂之詩與文，蓋有說焉。古人之詩文，先有道而後有言者也，可以爲萬世法，故謂之經；後人之詩文，則詩文而已矣，求一言之幾于道而不可得，卽或有煌煌大言如韓之《原道》，歐之《本論》，亦庶幾乎聖人之徒矣，而程朱猶謂之倒學，蓋先有文而後有道。學爲文而規模乎前哲，求其不信乎道而冀其文之或傳也，乃後世之學爲韓歐八大家之文者，并其所謂倒學者而忘之，而日馳鶩于體格、氣局、詞令、才情之末。夫所謂體格、氣局、詞令、才情者，如化工之于品物，天風之于水波，皆自然者也。若徒爲叔敖優孟，則剪彩爲花，壘石爲邱而已，于古人何有焉？故君子之于道也，盡其志而學焉，內觀乎身心性命之微，外觀乎天地民物之大，從容而踐履之，優游充積而發抒之，燦然而理明，油然而辭順，無意于文，而天下之窮老盡氣流汗奔走而爲文者，退然莫敢與之爭，夫是之謂至文。

又《思辨錄輯要》卷五 韓、歐之文皆與道相近，然而終隔一層者，以其志在爲文，欲借道以傳文，非借文以發揮吾道也。此際主客之分，自有毫釐千里之辨。

又 韓、歐之文極意依傍吾道，然終有客氣，以其有要好的意思在故也。若聖賢爲文，只是隨手寫去，祇取理明辭順而已，然人已自不可及。

杜濬《敦宿堂集序》 歐陽子稱文章之作必由于羈旅草野窮人之詞，斯何謂哉？說者以爲單寒崛起之士，其用力也專，其積思也精，故勝也。審如是，則是有才如陳思，亦將以其華貴而擯之矣。不然也。他不具論，卽以文章最著如漢之馬、班，唐之韓、柳，歌詩最著如晉之陶潛，唐之杜甫，考其先世，皆非布素，則歐陽子之論，誠何所見而云然耶？吾原其意，蓋有見于古之作者多出于大家世族之才子弟，顧其好學深思，又必嘗經挫折偃蹇，或身世牴牾，或仕宦蹉跌，甚而至于飢寒困頓，飄蓬泛梗，其拂逆動忍一如寒畯，而後有以激發其聰明，鍛鍊其才格，其立言始足以傳焉。然則歐陽子之論，固不專爲單寒崛起之輩有羈旅草野窮人之素，而正謂大家世族之才子弟，求詩若文之工，必其有羈旅草野窮人之遭也。

錢澄之《問山堂文集序》 昌黎韓子之論文也以氣，曰：「氣，水也；言，浮物也。水大，而物之浮者大小畢浮。」「氣盛，則言之短長與音之高下皆宜。」夫氣者才爲之，而非才也，所以行吾之才者是也。才有長短，音有高下，必一以氣充之，則自然節奏無不合宜。是以貴乎養也。而養之之術，韓子謂行之乎仁義之途，游之乎詩書之源，其說甚高，要不過讀書窮理而已。夫讀書窮理，非以爲文也，而文至焉。於《六經》之奧義，無有不探史籍所載，無有不窺於古今是非邪正之辨。時勢之推遷，物理之變易，人事之得失，一切無有不究，洞洞矚矚，無所(凝)滯於其中，於是放之爲文，直述己見，發前人之未發，而不以爲僭，言前人之已言，而不以爲襲，復有何囁嚅瞻顧以沮吾一往之氣哉！【略】理者，氣之源也。有眞理而後有眞氣，而因之以有眞詞。舍理以爲氣，虛氣也；舍理以爲詞，浮詞也。

又《匏野集序》 《禮》曰：「詞苟足以達，義之至也。」聖人曰：「詞達而已矣。」達之之說，惟如其義而止，蓋有少一語而失之晦，多一語而失之支者，此非讀書窮理之至，未易以與於斯也。不讀書，則詞不足以給意；不窮理，

則意不足以役詞，是不達之一端也。若夫不讀書，則於古今得失之故，事變之宜，名物器數之異，罔所周知，而欲出其方隅之見，以行其固陋之文，言之雖長，動成礙窒，章已不成，庸有達乎？若讀書而不窮理，則見解爲章句所牽，志趣爲先儒所阻，其爲文也，依經傍傳，不能自出一語，遵大家之矩矱，襲古人之陳言，是其言非己之言，而人之言也已。無其言，達於何有？是故學者亦求明理而已。理明則識定，識定則氣壯，洋洋灑灑，自我言之，不求合於古人，而古人之言自合於我。惟其理合也，恃理以往，固有多一語不得、少一語不得者，又何斤斤古人之是法哉？漢、唐、宋諸家之文，傳者未有不由此也。

顧炎武《日知錄》卷一九《文須有益於天下》 文之不可絕於天地間者，曰明道也，紀政事也，察民隱也，樂道人之善也。若此者，有益於天下，有益於將來，多一篇多一篇之益矣。若夫怪力亂神之事，無稽之言，勦襲之說，諛佞之文，若此者，有損於己，無益於人。

又《修辭》 典、謨、爻、象，此二帝三王之言也。《論語》、《孝經》，此夫子之言也。文章在是，性與天道亦不外乎是。故曰：「有德者必有言。」善乎游定夫之言曰：「不能文章而欲聞性與天道，譬猶築數仞之牆，而浮埃聚沫以爲基，無是理矣。」後之君子，於下學之初，即談性道，乃以文章爲小技，而不必用力。然則夫子不曰「其旨遠，其辭文」乎？不曰「言之無文，行而不遠」乎！曾子曰：「出辭氣，斯遠鄙倍矣。」嘗見今講學先生從語錄入門者，多不善於修辭。或乃反子貢之言以譏之曰：「夫子之言性與天道，可得而聞；夫子之文章，不可得而聞也。」

歸莊《黃藴生先生文集序》 文章之道難矣！世之爲詩古文者多患才短；才贍矣，又患體雜；體醇矣，又患旨卑。立言之士，必有瓌異卓絕之才，得雅馴正大之體，而又議論關于名教，意旨合於聖賢，然後可以名世而傳後。若此者，固已難矣。然而文章之道未盡也，蓋有本原在焉。立德者，立言之本原也。苟但求工於文辭，而不思立德，考其行事，有與文辭不相似者，雖下筆語妙天下，不過文人而已，君子不貴也。

方孝標《龔介眉文集序》 天下有文，有所以文。文者，文也，所以文者，非文也。《易》曰：「觀乎天文，以察時變；觀乎人文，以化成天下。」天之文何在乎？天之文在乎人，在乎人則亦文耳。何以能化天下而底之於成？此豈詞章氣法云爾乎？是故《太極》、《通書》者，周子之文也；《皇極經世》者，邵子之文也。程子以《易傳》、《春秋說》爲文，朱子以《章句》、《集注》爲文，杜甫氏以詩爲文，司馬氏以《通鑒》爲文。此皆得其所以文者也。故身死而心常在，時久而道愈新。盡古今之人，取其文以爲文，而其源不竭。若止以文爲文者，則屈原之《離騷》也，賈誼、司馬相如之賦也，揚雄之《太玄》也，王通之《玄經》也，沈約、任昉以後之詩，范曄、陳壽以下之史也。此數公者，氣非不盛也，法非不備也，然而進不足有益於當時，退不足有爲於後世，得志則驕，失志則憂愁拂鬱以死，是即化成一身且不足，況天下乎？是以得其所以文者，則不言文而文成。止以文爲文者，雖日磨琢以爲文，而不可爲文也。

又《癡龍文集序》 古所謂文者，道德云爾，政治教化云爾，非直辭也。使其辭之巧且華，而無適於道德、政治、教化之用，君子不以爲文。然而無文者，或又藉口於道德、政治、教化之是務，無暇於文章，威儀已耳，簿書已耳，究之文章，不殖將落，而於道德、政治、教化亦無所補。此其弊不在文章，在不知道德與政治、教化乃文章之本，而文章即道德、政治、教化之華也。

又《與謝獻庵書》 僕嘗謂天下有文，有所以文。文者，文也。所以文者，無適非文，非必託諸語言，載諸簡册，而後謂之文也。《六經》，孔子之文，理也。古之聖賢，初非有意於文，不過理積於中，而文著於外。四支事業，非後世所可及，其所以不可及，豈無所自來？自孟子殁，聖賢失傳，天下背本趨末，不知窮理講學以充其內，而汲汲乎徒事文章。夫徒事文章，則文章日衰，故雖韓氏、歐陽氏，獨喜自負，而亦不能起之也。

陳恭尹《與魏冰叔》 所示爲文云道，皆弟意中所悉也。然弟自病，更有三端：不養心，不窮理，不熟古今之變。不養心，故其氣不昌；不窮理，故其源不寬；不熟古今之變，故其議不辯。

毛奇齡《傳生時義三刻序》 色之美者，必辨於目；聲之善者，必解於耳。惟文無聲色，是以不能有所視聽。或青黃不分，洪纖瞀然，向使色與聲亦皆有命，則未必青之不淆而爲黃，洪之不變而爲纖也。故曰：「物之憑乎人，則物之不能自有其天也。」文章有其天，故雖人事，而亦實若有天焉主之。【略】予思文雖有命，然技至而命立，人盡而天見。故杜少陵云：「文章千古

事，得失寸心知。」夫惟文在千古，故文之得失心知之，而命之得失，文亦知之。

萬斯同《寄范筆山書》 古文一道，實難言之，非盡讀天下之書而竭一生之精力，必不能以傳後。若但涉獵藝文，摹倣前軌，便欲自命作者，吾恐縱有一時之譽，未必卽有千載之名也。

吳偉業《陳百史文集序》 夫文者，古人以陳謨矢訓、作命敷告，教世化俗者之所爲，非僅以言辭爲工者也。有一代之興，必有一代之文以爲之重。當夫禮樂未行，紀綱未定，得其文以諷諭天下，無不翕然從風，及其成功而道洽，薦之郊廟，布之聲歌，可謂盛矣。乃其學不專一能，書不名一家，奇衺踳駁之弊，無自而起，蓋繇垂敎之人卽其謀國之人，故因事立言，取其明體適用，浮詞勦說不得而入也。三代而下，人材薄，學術廢，草昧之功，類不始於儒者。迨乎昇平累葉，文事乃興，用以粉飾鋪張，而無所緩急，不得已借瓌異詭僻之辭，以自見其有卓然越於流俗者。漢賈誼、董仲舒、司馬遷、劉向之屬，皆在高、惠以後；韓、柳則當唐之既衰；有宋慶曆、嘉祐之間，歐、曾並起，此數君子者，各成一代之文，聲施後祺。余所惜者，以彼其才，使之生於開創之初，親見其行事，所著當不止此。

又《王茂京稿序》 夫文有文有質，質以原本經術，根極理要，文以發皇當世之人才。

湯斌《黃庭表集序》 竊謂學者爲文，必內本於道德，而外足以經世，始不徒爲空言，可以法今而傳後。否則，詞采絢爛，如春花柔脆，隨風飄揚，轉眼蕭索，何足貴也？西漢儒者，湛深經術，不爲百家所惑，莫如董江都；通達治體，議論深切於事情，莫如賈長沙，而好爲淫靡綺麗之辭，不根據理道，莫如司馬長卿。此固人所易辨，非甚深遠難知者。乃韓退之號稱知道，而叙述古今文章之盛，自孟、荀、屈、莊以至相如、揚雄之倫詳矣，而賈、董曾不一及焉，何歟？宋儒以退之爲文人之雄，未可言知道，其殆以此歟！夫相如之賦，義在諷諫，有爲而作，君子猶有取焉。若近世自命作者，輕俳浮薄，搜集稗官野乘繁淫怪誕之辭，妃青儷白，補綴成篇，其意可數十字畢者，率衍爲千百言而不休，徒以示我之高才博聞，爲譁世取寵之具，將古人立言之體，蕩然無復存矣。安能望相如之眉睫哉！

魏裔介《與弟辯若論文》 文者，心之所顯也，故必先養其心。心定而氣足，氣足而神全，則文之能事畢矣。今文古文，非有二義。

又《古文欣賞集序》 古文者，天地之符瑞，宇宙之菁華也。自伏羲畫卦，倉頡作字，而大文啓矣。《易》曰：「觀乎天文，以察時變；觀乎人文，以化成天下。」於是乎《易》以象之，《書》以記之，《禮》以秩之，《詩》以詠之，《春秋》以正之，然後天下萬事萬物之理備焉。故《五經》者，萬世文章之祖，而夫子刪詩書，定禮樂，功高堯舜以此已。嗣是則推《左傳》、《國語》，戰國秦季，縱橫捭闔，其言漸雜，兩漢稍稍復古，賈誼、董仲舒、司馬遷、班固其最也。六朝綺靡日甚，唐宋之閒有韓、歐諸君子，起衰振弊，蓋必得經之意以爲文，而後其文足以傳。此文之所以與立德、立功而並垂不朽也。

施閏章《李叔則集序》 古之立言者，先養氣，氣充於中，淵淵渾渾，莫知其端，有觸而動，如蹈伏弩，決河隄，一發而不可禦。日月星辰，天之文也；山川草木，地之文也。其間雲霞風雨，雷霆霜雪，鳥獸蟲魚，人物之類，鉅細萬變，彫繪無所施其工，陶冶無所用其力，曆算無所窮其數，燦然而在上者垂，殺然而在下者列，不知其誰尸者，氣爲之也。

又《海岱人文序》 文者，載道之器也。孔子曰：「修辭立其誠。」「言之不文，行之不遠。」子桓氏稱爲「經國大業」、「不朽盛事」。非無本也。【略】至於文質參錯，風會推移，厭粱肉者思藜藿，衣裋褐者不可登廊廟，因時折衷，要期至當。不觀諸山海乎？海涵渟百川，汪洋浩汗，魚龍蛟蜃，光怪萬變；五嶽則屹然重鎭，蒸雲霧，戛星辰，草木鳥獸花石之珍異，莫不畢備，此天下之大文也。

毛先舒《吳樸齋集序》 夫文者，聲也。天地之聲，唯雷與風，百音託之，亡論人聲與群生物之嘷鳴也。抨擊而鳴者，亦雷類也；摩而鳴者，摩則熱，熱爲火，火者雷與風之由生者也。雖然，其始一耳。而俄而假諸人，有細大焉，則又有拙工焉。工之至者，極於文章焉而止。而工必兼大，不大不能工也。然而工可爲也，大不可爲也。天授之器大，故聲亦大。溪流瀄汨，江波澒洞，故溪之文縠，而江之文潮，皆聽聲而可以得者也。

又《文論三》 嵇康云：「人無志，非人也。」余亦曰：文無志，非文也。雖然，難已。義理明則性情正，性情正則道勝，道勝則志立，立而不移則明見是非。蓄之爲德，發之爲文，吾未見志未有定而能爲文者也，況無志乎？世之爲文者，吾滋大惑。中無定論，隨物高下，贈顯仕則笑訕寂默，貽隱者

則非薄軒冕，送客歸田便獎恬退，餞人之任又稱榮進，譽文章之士則譏樸魯，贊篤守之子更黜浮華，題退之、元晦之書則推其闢佛功高，作寺碑塔記等文，又嘆説空王理妙，茫無定著，東西隨靡，一人之説，俄頃參差，一卷之書，自相攻掊，此無他，無志故也。如是，則雖爛若星華，壯若河注，豈有文哉！昔唐韓氏亦庶幾有立志者也，觀其文章之操論，確乎有見而不可拔，然以諫佛骨貶而在潮，更上疏請封禪，封禪佛骨相去幾何？惜乎其猶爲外遇所遷，志移而自奪，所見如此，况其他乎？則文能尙志，豈不難哉！嗟乎！彼無志者文亡論已，人苟讀書知道理，則出言皆能應乎禮義，所患裏與表不符，行與言不顧，終與初不謀耳。君子必期立志以命文，志不違道，則文不更指，而表裏言行初終一以貫之，「僶焉日有孳孳」，沒身而已，徒文也哉！噫！唐韓氏何如人也？

又《答文體策》 文章藉氣而行者也。然言，心聲也，而文又言之精于理者，故文章之運與民風國俗相表裏，此其間實有天地之氣以主之。而扶衰救弊之功，儒者亦與有其權焉。以愚論之，蓋不越理與心而已。

汪琬《文戒示門人》 昌明博大，盛世之文也；煩促破碎，衰世之文也；顚倒詩謬，亂世之文也。今幸値右文之時，而後生爲文，往往昧於辭義，叛於經旨，專以新奇可喜，囂然自命作者。嗟乎，人文與天文、地文一也。日月星辰，天之文也；山川草木，地之文也。假令如日夜出，兩月並見，日中見斗，又令山湧川鬭，桃冬花，李冬實，夫豈不震耀耳目，超於常見習聞之外，其可喜孰甚焉？而經史書之不曰新，而曰妖，不曰奇，而曰變。然則今之作者，專主於新奇可喜，倘亦曾南豐所謂亂道，朱晦翁所謂文中之妖與文中之賊是也。

又《王敬哉先生集序》 夫日月星辰，天之文也；山川草木，地之文也；《易》、《詩》、《書》、《禮》、《樂》諸經，人之文也。人之有文，所以經緯天地之道而成之者也。使其遂流於晦且亂，則人欲日熾彝倫，日斁天地之道，將何所託以傳哉！嗣後陵遲益甚，文統道統，於是岐而爲二。韓、柳、歐陽、曾以文，周、張、二程以道，未有彙其源流而一之者也。其間釐剔義理之絲微，鑽研問學之根本，能以其所作進而繼孔子者，惟朱徽國文公一人止耳。

又《答陳靄公論文書一》 嘗聞儒者之言曰：「文者，載道之器。」又曰：「未有不深於道而能文者。」僕竊謂此言亦少夸矣。古之載道之文，自《六經》、《語》、《孟》而下，惟周子之《通書》，張子之《東、西銘》，程、朱二子之傳注，庶幾近之。雖《法言》、《中説》，猶不免後人之議，而况他文乎！至於爲文之有寄託也，此則出於立言者之意也，非所謂道也。如屈原作《離騷》，則託諸美人香草，登閬風至縣圃，以寄其佯狂；司馬遷作《史記》，則託諸游俠、貨殖，聶政，荆卿輕生慕義之徒，以寄其感激憤懣者皆是也。今足下當浮靡之日，獨侃侃持論，以爲文非明道不可，洵乎豪傑之士超越流俗者也，而顧以寄託云云者當之，又謂惟道爲有力，則僕不能無疑。僕嘗徧讀諸子百氏大家名流與夫神仙浮屠之書矣，其文或簡鍊而精麗，或疏暢而明白，或汪洋縱恣，逶迤曲折，沛然四出而不可禦，蓋莫不有才與氣者在焉。惟其才雄而氣厚，故其力之所注，能令讀之者動心駭魄，改觀易聽，憂爲之解頤，泣爲之破涕，行坐爲之忘寢與食，斯已奇矣。而及其求之以道，則小者多支離破碎而不合，大者乃敢於披猖磔裂，盡決去聖人之畔岸，而剪拔其藩籬。雖小人無忌憚之言，亦常雜見於中，有能如周、張諸書者，固僅僅矣。然後知讀者之驚駭改易，類皆震於其才，懾於其氣而然也，非爲其於道有得也。吾不識足下愛其文，將遂信其道乎？抑以其不合於道，遂幷排黜其文而不之錄乎？夫文之所以有寄託者，意爲之也；其所以有力者，才與氣舉之也，於道果何與哉！古人之爲文也，其中各有所主，有假文以明道者，有因文以求道者，有知文而不知道者。足下好古博文，孜孜肆志於詞章之學，積歲年於此，儻又能因之以闚見大道之端倪，則雖以僕之陋劣衰耗，且將欣然執鞭之不暇。如曰吾所寄託皆道也，僕未讀足下之文，不知其視周、張諸書醇疵得失相距幾何？而立説云云，則無乃近於如前之所述儒者之夸辭乎哉！故終不能無疑。僕之疑足下，亦猶足下之疑僕也。文雖小技，然而其原不深者，其流不長，古人所以取喻於江海也。誠欲進求作者之指要，則上之《六經》，三史具在，次之諸子百氏，下訖唐、宋大家諸集亦具在，足下習之既久，而翫之既熟矣，其詳擇而審取焉可也。

魏際瑞《與子弟論文書》 作文貴有本心，有良心。本心者，不自爲支離，不因境苟且是也。良心者，不任意狂恣，不矯誣奪理是也。不深原道情，則不可以爲體，不更歷世情，則不可以爲用。不入于法，則散亂無紀；不出于法，則拘迂而無以盡文章之變。

又 仙人之術何難治疾，而鐵拐之像至今跛足，蓋不必諱其本質也。烏

獸草木之怪，變化無端，要不離其本形，以爲變化。蓋離本質卽非此怪矣。古文大家各不諱其偏弊，故足自成一家。

又《答友人論文書》 文章必有所以爲文者。夫所以爲文者非他，則情是也。文乃極天下之虛，變化神妙，不可方物，而所以本而發之，發而達之，而盈於天地之間者，則非有至實之物無以相致。故夫人之涕唾便溺也，必有氣焉以充之，而後出草木之華；鳥獸之羽毛也，必有脈焉以貫之而後榮。故曰無情者，不得盡其辭，情者，辭之本也。本不立而末具焉，天下無斯物也。《書》曰：「辭尚體要。」《易》曰：「聖人之情見乎辭。」夫既有體有要，而見之乎情矣，故凡託爲浮華雕飾而矜誕敷衍以成其章者，是皆情之不足者也。愚嘗爲之言曰：不患文章之不工，惟患性情之不至。蓋嘗觀於愚夫愚婦號泣歌舞之誠，其言初不足以爲文，而其出之口者，雖聖於文章之士，往往極其工致，而無以遇之。蓋其情極意誠，精神皆赴，是爲源盈而溢之候，必將洋洋充滿，心手相得，以成其章；操觚搦管之士，逆而遡焉，不可得而幾也。【略】故爲文者，能於日用行事，處心積慮之間，力反眞樸，以立文章之本，而後涵詠古人，資其體法以成之，雖使泣鬼神動天地，確然無餘致矣，而何章句之足云。

魏禧《研隣偶存叙》 古今之文，有有意爲之而工，有無意爲之而工。古人有言，文至無心乃傳，其說何也？天下未有以無心而爲文者，故曰言者心之聲。使其無心則文之可不作也久矣，而惡乎勤勤然著之爲書，且以傳於天下後世？然後知所謂無心乃傳，無意於傳之，而非無意于作之也。有意於必傳，則將歆然有求知於天下後世之心，求知於天下後世，則其爲文也，必將就其所好，避其所惡，而不敢毅然孤行其意於天地，又或故爲詭特駭異之說，以懾天下後世之人。嗟乎！是二者之文，雖使幸傳於世，而自有道之士視之，則亦猶夫駢枝贅疣之附於身已矣。

又《陸懸圃文叙》 今夫山屹然崱屴，終古而不變，此山之法也；瀉水於盂，盂方則方，盂員則員者，水之法也。山以不變爲法，水以善變爲法。今夫山，禽獸孕育飛走，草木生落，造雲雨，色四時，一日之間而數變；今夫水，瀉於平地，必注於龜，流其所不平，瀉之萬變而不失。今夫文何獨不然？故曰變者法之至者也。此文之法也。

又《文瀫叙》 水生於天而流於地，風發於地而行於天。生於天而流於地者，陽下濟而陰受之也；發於地而行於天者，陰上升而陽蓄之也。陰陽互乘，有交錯之義，故其遭也而文生焉，故曰風水相遭而成文。然其勢有彊弱，故其遭有輕重，而文有大小。洪波巨浪，山立而洶湧者，遭之重者也；淪漣漪瀫，皴蹙而密理者，遭之輕者也。重者人驚而快之，發豪士之氣，有鞭笞四海之心；輕者人樂而玩之，有遺世自得之慕，要爲陰陽自然之動。天地之至文，不可以偏廢也。

又《兪右吉文集叙》 才足任天下事者，肆應不窮，整暇而若無事，然必剛氣以爲之本。無剛氣而自託和平，卽不爲鄉愿必且萎薾游移，臨大節不能守，當大難不能濟，遇大疑不能決，至於見善而用之不力，見惡人去之不盡。人於文章亦然。文以宣道義，著事功，其論旨必歸和平。夫和平者，剛氣之盡也。竹箭之生，直幹挺利，其質可以陷堅，矢人則爲之相苛察羽，均其燥濕輕重。使和平焉而用之，若揉蒿以貫蹲甲，雖良工必不能。

又《日錄論文》 作文須先爲其有益者，關係天下後世之文。雖名立言，而德與功俱見，亦我輩貧賤中得志事也。

魏禮《託素齋文集序》 古之爲詩古文者，蓋有其本矣。其所表見於天下後世，必有道德政治之歸，足以敷澤於斯民，舉而措諸具於其素，是故由本而溢發於文章，不由文章而外美其辭也。外美其辭者，如酌水江河，雖積之盈缶沼，若是焉而止爾；有本者則不然，崑崙岷山，延袤千萬里，而其發愈大，澎湃浩瀚，勢莫可禦，施浸溉九有之功，通舟楫之利，魚龍弗鬱而波瀫委折亦生焉。蓋由本以發之也。是故文章之盛者，則政治與盛，往往爲古今名臣。姑以八大家論之，莫不著經國治民之猷。明允雖未仕，而識議審固，如《辨奸論》、《名二子說》，卒符其言，儻授以事，必有可表見。王安石所治郡縣有聲，及爲相，以學術誤人家國，要不可謂無本；柳宗元失身叔文貶謫，未及展布，然亦嘗爲郡矣，所可紀如贖子之政，寥寥史策，乃其文章亦未得與七家方駕，何者？其素所蓄積者然也。八家之中韓文公與兩文忠尤著，而蘇文忠爲人坦白，無矯飾，岸然見其肺腸，故其文章亦然。

戴名世《與劉言潔書》 竊以爲文之爲道，雖變化不同，而其旨非有他也，第在率其自然而行其所無事，卽至篇終語止，而混茫相接，不得其端。此自左、莊、馬、班以來，諸家之旨未之有異也。蓋文之爲道難矣！今夫文之爲道，未有不讀書而能工者也，然而吾所讀之書而吾舉而棄之，而吾之書固已

讀而吾之文固已工矣。夫是故一心注其思，萬慮屏其雜，直以置其身於埃壒之表，用其想於空曠之間，遊其神於文字之外，如是而後能不爲世人之言。不爲世人之言，斯無以取世人之好，故文章者莫貴於獨知。今有人於此焉，衆人好之，則衆人而已矣；君子好之，則君子而已矣。是故君子恥爲衆人之所好者，以此也。彼衆人者，耳剽目竊，徒以雕飾爲工，觀其菁華爛熳之章，與夫考據排纂之際，出其有惟恐不盡焉，此其所以枵然無有者也。君子之文，淡焉，泊焉，略其町畦，去其鉛華，無所有乃其所以無所不有者也。

又《程偕柳稿序》 昔者余亡友方百川氏之論文也，曰：「文之爲道，須有魂焉以行乎其中，文而無魂焉，不可作也。」余嘗推其意而論之曰：「凡有形者謂之魄，無形者謂之魂。有魄而無魂者，則天下之物皆僵且腐，而無復有所爲物矣。今夫文之爲道，行墨字句其魄也，而所謂魂也者，出之而不覺，視之而無迹者也。人亦有言曰：『魂亦出歌，氣亦欲舞。』此二言者，以之形容文章之妙，斯已極矣。嗚呼！文章生死之幾，在於有魂無魂之間，而執魂之一言以觀世俗之文，則雖洋洋大篇，足以譁世而取寵，皆僵且腐者而已，而豈可以謂之文乎。」

又《答伍張兩生書》 蓋余昔嘗讀道家之書矣，凡養生之徒從事神仙之術，滅慮絶欲，吐納以爲生，咀嚼以爲養，蓋其説有三，曰精，曰氣，曰神。此三者鍊之，凝之，而渾於一，於是外形骸，凌雲氣，入水不濡，入火不爇，飄飄乎御風而行，遺世而遠舉，其言云爾。余嘗欲學其術而不知所從，乃竊以其術而用之於文章。嗚呼，其無以加於此矣！古之作者未有不得是術者也。太史公纂《五帝本紀》，「擇其言尤雅者」，此精之説也。蔡邕曰：「鍊余心兮浸太清。」夫惟雅且清則精，精則糟粕、煨燼、塵垢、渣滓，與凡邪僞剽賊，皆刊削而靡存，夫如是之謂精也。而有物焉，陰驅而潛率之，出入於浩渺之區，跌宕於杳靄之際，動如風雨，靜如山嶽，無窮如天地，不竭如江河，是物也，傑然有以充塞乎兩間，而蓋冒乎萬有。嗚呼，此爲氣之大過人者，豈非然哉！今夫語言文字，文也，而非所以文也。行墨蹊徑，文也，而非所以文也。文之爲文，必有出乎語言文字之外，而居乎行墨蹊徑之先。蓋昔有千里馬牝而黄，伯樂使九方皋視之，九方皋曰：「牡而驪。」伯樂曰：「此眞知馬者矣。」夫非有聲色臭味足以娛悦人之身目口鼻，而其致悠然以深，油然以感，尋之無端而出之無迹者，吾不得而言之也。夫惟不可得而言，此其所以爲神也。今夫神仙之事，荒忽誕漫不可信，得其術而以用之於文章，亦足以脱塵埃而游乎物外矣。

陳廷敬《張氏合刻家稿序》 古之文，近於古之制科之文，故工之易；今之文，遠於今之制科之文，故工之難。此今之文所由以大遠於古之文歟！雖然，文者載道之器，道無古今，文無古今也。以今之制科之文論之，所重者厥惟經義。經者，聖人之文，而聖人之道載之之器也。今夫人自少而長，亦既服習其器矣，其擬諸其心而出諸其言也，猶未遠於聖人之道。故古今取士之法，由宋迄今更數百年，其法不可變，而經義卒不可廢。

彭孫遹《趙子策稿序》 文者，心聲也。其昌明博大，和平肆好者，聲之正者也；其雄放離奇，汪洋自恣者，聲之變者也。得聲之正者，爲大呂黄鐘，爲金宣玉節，若是者宜明堂，宜清廟；得聲之變者，爲山林畏佳，爲皐壤搖落，若是者宜藪澤，宜江湖。聲異也，而人之遇合卽因之，豈非根於心而發於言者，固有不期然而然者耶！

朱彝尊《禹峯文集序》 青與赤謂之文，赤與白謂之章，雜四時五色之位彰施之。一染謂之縓，再染謂之赬，三染謂之纁，五入爲緅，七入爲緇，而後顔采備具。觀乎人文，分陰分陽，剛柔迭用，其功用固有次序矣。以言乎天地大文則不然。雲之起於山川也，無定形也；秦之行人也，周之輪也，宋之車也，魯之馬也，衛之犬也，趙之牛也，魏之鼠也，韓之布也，齊之絳衣也，蜀之倉囷也，無心而象焉者也。水之趨于壑也，無定勢也：正出而爲濫，縣出而爲沃，仄出而爲氿，尾出而爲瀵，小波淪，大波瀾，直波涇，無心而異焉者也。夫惟無心成文，辭必己出，革勦説雷同之弊，宜以天地自然之音，洵斯文之英絶者矣。

潘天成《又示諸生》 昔有一士子問於老先生曰：「余有志爲文，當讀何文而後可。」先生曰：「何必讀文也。吾有蓋世文章在吾談吐笑怒間，子從而聽之，庶幾知爲文之法矣。吾嘗陳詩書，述禮樂，道古先之盛，子聽之爲文，可使雍容博雅，渾噩冲夷。又嘗稱英雄豪傑，横絶一世，忠臣烈士，稱快千秋，子聽之爲文，可使雄猛壯烈，奇快縱横。又嘗稱名臣宰相，優游廊廟，張膽明廷，子聽之爲文，可使昌明博大，弁冕一世。又或述溪山之勝，花草靈異，鳥獸珍奇，子聽之爲文，可使清新而艶麗。又或述江海之奇，魚龍變怪，風濤奔湧，子聽之爲文，可使奔放而多變。又或自吐胸臆，激昂慷慨

豪邁自恣，子聽之爲文，可使痛快沉雄，有魁梧奇傑之氣。又或感慨時事，憂傷鬱結，憤懣不平，子聽之爲文，可使愷切眞摯，有沉鬱蒼深之致。由是推之，凡人一言一動，一笑一罵，可以使吾畏，使吾愛，使吾恨者，莫不可以爲文，又奚必讀文而後可哉！」

姜宸英《尊聞集序》 韓退之集序：「文者，貫道之器。」先儒駁其本末倒置是已。然所以謂文爲末者，文不與道俱故也。善乎濂溪之言曰：「文所以載道也。」文非道，何以載道，輪轅飾而不爲虛車者，以其所載者道也，其載之者亦道也。文特其形而下者耳，豈得謂道自道，文自文乎。然車不載物，始謂之虛車，任有物焉充之，斯不虛矣。文不載道，而詭譎誕漫，淫艷剽竊之詞勝，雖有載焉，豈得不謂之虛言哉！既謂之虛言，夫其離道愈遠也。

蔡世遠《薛敬軒先生文集序》 文以載道也。古之人，文與道合，而爲一；今之人，文與道離，而爲二。合而爲一者，本之躬以立言，發乎邇，見乎遠；離而爲二者，馳騁以爲工，靡富以爲博，骫骳險僻，使人割斷難句，以爲此眞古文也，不知其離乎道也遠矣。聖賢之文，如日月經天，江河行地，由其根柢深厚，故其發於言者，不求工而自工。

藍鼎元《藝文小序》 道之顯者謂之文。子瞻言爲文，必與道俱。朱子非之，謂其視文與道二也。後世以學文、學道爲兩途，如冰炭之不相入。雕琢辭華，鏤金錯采，靡然於倫理經術之外，而命之曰文，自以爲登韓、柳之堂，排歐、蘇之闥矣。或摭古字，使人難識，掇拾梵音，矜心高妙，由君子觀之，曾涕唾之不若耳。潮中文學，有昌黎爲開風氣，自是名賢接踵，極嶺外文章之盛。輓近學者，多規模六朝，排砌瑰麗，振秀揚華，人人家有千里馬，若夫經世理物，發揮至道，有益於天下國家身心性命之文，與夫起衰式靡古雅高清之韻，海潮雄浩之觀，則所望於此邦作者匪細也。

又《長兒雲錦字說》 文之大者，在天爲日月星辰，在地爲山川草木，而在人爲綱常名教，臣忠子孝，兄友弟恭，立身行己，待人接物，莫不燦然秩然有法有則。所謂道之顯者謂之文，非浮夸粉飾，欺人媚世之謂也。勝質之文，不可爲文，風雲月露，雕繪詞章之文，詹詹渺小，亦非吾所謂文也。

唐彪《讀書作文譜》卷一《文源》 武叔卿曰：文者，心之精也，而神所爲也。神有清濁，則文有純雜；神有靜躁，則文有粗細；神有昏明，則文有顯晦；有諸內必形諸外，若表影相符未有或爽者也。故修文之士，先務凝神，神完則精固，精固則氣充，氣充則志強，天下事無不可爲者，況區區文字乎？若凝神從事而文有不王，吾未之信。雖然，凝神亦難言矣，必掃除外好，歸并一路，收攝此心，綿綿密密，無絲毫間斷，而神始得凝焉。豈營營者能妄希哉！

又《讀書舉要》 諸虎男曰：人盡知文章多讀不如多做。然而不爲者何哉？學無根柢，識不高，遠不能置身題上，一題到手無處非難，安得不畏其弊在？幼時無人指點，未曾多讀正經書史及佳美古文耳，若曾多讀而又得父師良友指點，則書中義理與作文法度，了然於心，握筆構思，時有確然見解、天然議論出於心中，何至苦難畏憚而不願爲哉！

又《時文有取用自撰兩端》 唐彪曰：作文原不必勦襲，自己做得熟時，詞調自然輻輳，筆底滔滔，不知從何處得來。是何以故？蓋文章者，性之華也，性之精華，取不窮而用不竭，第無以引之，則亦無由發現。惟多做而熟者能通其路。

金之俊《會墨法定本序》 文章之道，以理爲主，氣爲輔，而不可離乎法。所謂理者，盡寓經書傳注中，必參之以博聞強記之學，質之以稽天窮地之思，直與孔、孟、程、朱，印心源于數千載之間，不失累黍針芒，而理出焉。所謂氣者，譬江、淮、河、漢之水，行于地中，騰瀾怒濤，噴漩逆折，浩乎莫御，放乎無垠，雖蛟魚百怪，出沒洶涌，而不知其所以汩乎其中，尺幅之內，有呼吸千里之勢，而氣盎焉。然理勝于氣，則病爲艱深，爲板實；氣勝于理，則病爲膚莽，爲散漫。理與氣交受其病者，法不足故也。法者何？如日月星辰之運于天，經緯次舍，遲留伏逆，有一定不爽之度。又如古名將用兵，或多多益善，或以寡勝衆，或堂堂正正，鉦鼓旌旗，耀日震天；或乘間出奇，枕席度師，千軍萬馬，寂不聞聲。多寡奇正，惟所用之，總不失律，此所謂法也。法一成而不亂，則理明氣昌，醇正典雅，雄渾博大之文出矣。

王弘《文可序》 蓋文必有本。自禪興，而經蝕，而本雜矣。文必有法，自剽竊摹襲之術工，而先民之樸喪，則講法者，衆而法之所以亂也。文之衰也，夫孰非其學爲之乎？【略】求之《六經》以爲本，則可，軼于禪，則不可。求之先民以爲法，則可，習于剽竊摹襲，則不可。必使今之所爲質諸古而不謬，傳諸後而不敝，斯可矣。

李光地《榕村語錄・詩文一》 看文章如看堪輿：山川有一段秀氣，便要

發人；文章有一段秀氣，便有成就。此卻在牝牡驪黃之外。詩文派頭斷絶久了，如今且莫評論他是唐是宋，且字核實，說這人是這箇人，稱情稱事，不過分量，纔好論他風骨之高，學問之深，不然，無從論起。不是不要風骨學問，如一般銅器，必竟有幾片朱砂翡翠瘢點，方可耐人摩挲。只是詩文之本不在此，且此事要推到志向上去。韓、柳、歐陽諸人，都有自命不凡的意思，有此一段，纔有些光景氣魄。

李紱《榕村文集目錄序》 文與道無二也。孔子畏於匡，以斯文自任，斯文也即斯道也。子貢謂「夫子之文章，可得而聞，夫子之言性與天道，不可得而聞」，豈文與道二耶？既曰言，何不可聞之有？蓋子貢親受無言之訓，聖不言而無行不與，天不言而時行物生，其不言者皆其言性與天道者也。故曰不可得而聞也。性與天道不可得聞，所得聞者文章而已。文章即道之發見焉耳，後世雕章繪句之文始與道二，又其甚者，或至破道，則不得復謂之文矣。

又《馮夔颺時文序》 天下之理，一而已矣。文辭者理之託於言之精者也。言則理附於氣，故吹萬不同，而不可繩之以一律，非夫人之故爲恢詭譎怪以立異，蓋雖聖人有不能齊者，氣之所至固如是也。《易》、《詩》、《書》、《禮》、《樂》、《春秋》，其辭皆不相同，一經之中又各自不同，不害其爲聖人之言者，氣所發者異，而理則同也。自左氏、莊、騷而下至於今立言之士，學焉而得其性之所近，故各囿於一偏。其爲古文而盡得古今之體勢者，昌黎韓子而已。

又《白漊文集序》 孔子謂有德者必有言，而曾文定以畜道德能文章并稱，何耶？蓋有德者躬行而心得，其述其心之所有，固非他人所及，若極夫著述之能事，通貫古今，議論上下，鋪張家國之猷，與夫抒寫性情，流連光景，發諸心手之間，靡不如志，則必降才殊，又充以積學者而後能與焉。

又《論文》 爲文須有學問，學不博不可輕爲文。

汪紱《與陳凌遠論時文書》 嘗謂情之至者，文亦至焉；理之精者，法自密焉。然人知文之生於情，而不知法之本於理，知法之本於理，而不知理之裕於學也。天地之生物也，一理而已。理桀氣機以動而數行焉，數之節次以氣成形而理寓乎其中，則文彰焉。是故生物者，天地之大理也，氣數者，天地之大法也，萬物者，天地之大文也。由斯以談，而爲文之本不大略可睹乎？顧理散於萬殊，非學無以聚之，非問無以辨之，非靜存無以居之，非貫通無以行之。

徐乾學《計甫草文集序》 夫文章之道，非浸淫于《六經》、諸史、百家，不足以大其源流；非養其氣使內足于己，而後載其言以出則病。學醇而氣足，猶必廣之以名山大川，覽古人之陳迹，又益以交游議論之助，使盡天下之變，而後求之前人所以裁制陶鎔之法，以歸于簡潔，乃始爲文之成。

愛新覺羅·玄燁《御製古文淵鑒序》 夫經緯天地之謂文，文者，載道之器，所以彌綸宇宙，統括古今，化裁民物者也。是以乾苞坤絡，非文不宣；聖作賢述，非文不著；其爲用也大矣。書契以後，作者代興，簡册充盈，體製不一，約而論之，靡不根柢於羣聖，權輿於六籍。如論說之類，以疏解爲主，始於《易》者也；奏啓之類，以宣述爲義，始於《書》者也；賦頌之類，以諷喻爲指，始於《詩》者也；傳序之類，以紀載爲事，始於《春秋》者也。引而伸之，觸類而通之，雖流別各殊，而鎔裁有體。於是能言之士，抒寫性情，賁飾詞理，同工異曲，以求合乎先程，皆足以立名當時，垂聲來葉，彬彬郁郁，稱極盛焉。然而代不乏人，著作既富，篇什遂繁，不有所裒輯，慮無以觀其備也；不有所銓擇，慮無以得其精也。古來采核之家，載在四部，名目滋多，類皆散佚，其流布人區者，自蕭統《文選》而外，唐有姚鉉之《文粹》，宋有呂祖謙之《文鑑》，皆限斷年代，各爲一編。夫典章法度粲然，一王之制前不必相師，後不必相襲，此可限以年代者也。至於文章之事，則源流深長，今古錯綜，盛衰恆通於千載，損益非關於一朝，此不可限以年代者也。諸家之選，雖足鳴一代之盛，豈所以窮文章之正變乎？朕留心典籍，因取古人之文自春秋以迄於宋，擇其辭義精純可以鼓吹《六經》者，彙爲正集，即間有瑰麗之篇，要皆歸於古雅。其綺章秀製弗能盡載者，則列之別集。傍采諸子，錄其要論，以爲外集。煌煌乎，洵秉文之玉律，抽牘之金科矣。夫帝王之道，質文互用，而大化以成；聖賢之業，博約並施，而性功以備。是書也，雖未足以盡文章之勝，於聖人游藝之旨，亦庶乎其有當也夫。

張謙宜《絸齋論文》卷一 古文不振，古人之道不行也。古人得《六經》之要旨，修身慎行，不得已而有言，天下信之，君子許之，然後可以命世而行遠。方其措思，一準乎天理人心之正；及其下筆，又有千仞壁立不可搖奪之勢。富貴聲氣不足以動其心，顛沛流離不足以易其守。是非必取法於《春秋》，去取必折衷於先儒。以是而言，臨文但見其冰霜滿面，手掣風雷，庶幾登作

者之壇，列儒林之班矣。

又　文人無行，自昔爲病，故學者必先立志。讀書明理時，便須與聖賢爲徒，不耑以文自喜。文自發生未落筆時，自己撿點。此言一出，必有關於名教，必有益於民生，必有當於勵名節，正人心，必能闡經文未暢之藴，必能破迂曲邪雜之見，如此乃得古文之益。若先自處卑瑣，不敢傷觸古人，又懼忤犯時貴，傴㖃囁嚅不敢自出機杼，舒洩意氣，則是陪堂婢妾奴隸乞丐之言。何足以辱古文哉！

又　以文求名利，固是下品。以文博官職，以文免禍患，以文拚罪愆，獨得爲高行乎？古人書「陳橋」一事，天雷劈案而不懾；書「枋頭」一敗，嚇以湛族而不悔。具此定力，吾許之爲著作乎。

又　文品以人品爲本。學識并到筆下，能擇能捨。立言務取矜貴，其品自高。雖八家大作手，文品有時而低。或貪用麗詞，偶得小巧，少一偏注，便爲文累。又有周旋貴人，有名無實者，當時後世不免學者嗤笑。尤爲低品。

又　文以載道明理，不止效其聲響說話。如昌黎見得頗正，歐陽又說得委婉，南豐得其典雅，然只得其粗，不能造微。蘇家談經，一味強口奪正詞，說到中庸性命，支離舛錯，徒增嗤笑耳。後學莫看老莊佛書，自添業障。

又　理學文章，天似設立兩界以限人。理路深，光芒必須外歛；文采盛，道理一定粗疎。蓋仁義禮智之書，必伏下身子穩住思路，非平鋪砍剁不可，一平鋪則波瀾俱息，氣燄全無，文不足以言文矣。有志者思所以自立可也。

又　年友昝白村患吾每篇文必占地步。夫地步者，一生所居之是處也。如昌黎一生闢佛，雖與浮屠遊，未嘗以彼爲聖人之徒。蓋地步者，人之心術品行所在，若因爲文必求諧俗，遂舉生平而盡喪之，文雖傳，其人已見棄於君子，況不傳乎？是說予不敢從，且自勉焉。

又　文無巨細，其理一也。古人於極沒要緊處，皆鄭重嚴毅，絕不草率。所謂修辭立誠也。

方伸《鐵立文起叙》　《易》之《賁》文，有天人之別，至於《革》文，有炳蔚之分。大哉言矣！寧僅區區字句間云乎？雖然，即以文辭論，亦未易易矣。必也命世之才，曠代之識，博綜今古之學，而後可以權衡人物，司命文章，而無復有餘議。故爲之者與論之者，稱二難焉。予謂爲文難，而論文尤難。夫盡一己之長，以見諸篇章，祗自成一家言可也。評著述之正變，集古今之大成，既欲公聽並觀，又欲盡態極工，使人各如己心所欲出，仍如鍾司徒書，中有意外奇妙，非復恆情可得而測識，斯稱論文僅事矣。往觀摯虞《流別》、昌穀《談藝》諸書，非不輝煌前後，而使覽者終有偏而不舉之遺憾焉。今觀王子懋公《鐵立文起》，遠爲往哲微顯闡幽，近爲承學深思長計，凡所以裨益文事者，無之不盡也。故有體製以定其規模，有家數以辨其源流，有世次以叙其升降，有羣書以著其博達，有意匠以盡其變化。吳延陵曰：「觀止矣。若有他樂，吾不敢請已。」其是之謂乎？懋公著書等身，美言可市，而顧以弁首屬予，則姑舉杜老語復之曰：「豈有文章驚海內，漫勞車馬駐江干」云爾。

王之績《鐵立文起》卷首《文體統論》　汪苕文《答陳藹公書》曰：嘗聞儒者之言曰：「文者，載道之器。」又曰：「未有不深于道而能文者。」僕竊謂此言亦少夸矣。古之載道之文，自《六經》、《語》、《孟》而下，惟周子之《通書》、張子之《東西銘》，程朱二子之傳註，庶幾近之。雖《法言》、《中說》，猶不免後人之議，況他文乎？至於爲文之有寄託也，此則出於立言者之意也，非所謂道也。如屈原作《離騷》，則託諸美人香草，登閬風，至縣圃，以寄其佯狂。司馬遷作《史記》，則託諸游俠貨殖，聶政荊卿，輕生慕義，以寄其感激憤懣者皆是也。今先生當浮靡之日，獨侃侃持論，以爲文非明道不可。【略】先生孜孜肆志於詞章之學，倘又能因之以窺見大道之端倪，則雖以僕之陋劣衰耗，且將欣然執鞭之不暇。如曰吾所寄託皆道也，僕未讀先生之文，不知其視周張諸書，醇疵得失，相距幾何？而立說云云，則毋乃近於如前之所述儒者之夸詞乎哉！

又　王懋公曰：詩古文之體不一，皆範圍於《五經》。《五經》有文有詩，最爲完備。後世之子、史、集，詩、詞、曲，乃其云仍耳。今學者當以經爲體，而以史爲用。有用無體，則文基不立；有體無用，則文境未窮。故韓昌黎嘗自謂「約《六經》之旨而成文」，而史亦稱南豐文章本《六經》，程子又有「觀史一字不輕放過」之語。雖不爲詩文說法，文事要莫外焉。誠能宗經，而參以史氏之精華，古今是非得失成熟於胸，見之言語，自廣而有據，施之筆墨，亦俊而不纖，所謂大家，其在斯乎？至諸子、集，則總在經史之下，猶可緩也。鍾竟陵又曰：「取諸經以折理，取諸史以證事，取諸子以辨學，取諸集以敷文。」其言亦自周匝可從。

袁枚《答友人論文第二書》夫物相雜謂之文。布帛菽粟，文也；珠玉錦綉，亦文也；其他濃雲震雷、奇木怪石，皆文也。足下必以適用爲貴，將使天地之大，化工之巧，其專生布帛菽粟乎？抑能使有用之布帛菽粟，貴于無用之珠玉錦綉乎？人之一身，耳目有用，鬚眉無用。足下其能存耳目而去鬚眉乎？是亦不達于理矣。韓退之晚列朝參，朝廷有大著作，多出其手。如《淮西碑》、《順宗實錄》等書，以爲有絶大關係，故傳之不衰。而何以柳州一老，窮兀困悴，僅形容一石之奇、一壑之幽，偶作《天説》諸篇，又多譎詭悖傲，而不與經合；然其名卒與韓峙，而韓且推之畏之者，何哉？文之佳惡，實不係乎有用與無用也。

又《虞東先生文集序》文章始于《六經》，而范史以説經者入《儒林》，不入《文苑》，似强爲區分。然後世史家俱仍之而不變，則亦有所不得已也。大抵文人恃其逸氣，不喜説經。而其説經者，又曰：「吾以明道云爾，文則吾何屑焉？」自是而文與道離矣。不知《六經》以道傳，實以文傳。《易》稱「修詞」，《詩》稱「詞輯」，《論語》稱「爲命」，至于「討論」、「修飾」，而猶未已，是豈聖人之溺于詞章哉？蓋以爲無形者道也，形于言謂之文。既已謂之文矣，必使天下人矜尚悦繹，而道始大明。若言之不工，使人聽而思卧，則文不足以明道，而適足以蔽道。故文人而不説經可也，説經而不能爲文不可也。

王鳴盛《王戇思先生文集序》夫天下有義理之學，有考據之學，有經濟之學，有詞章之學。譬諸木然，義理其根也，考據其幹也，經濟則其枝條，而詞章乃其葩葉也。譬諸水然，義理其屬也，考據其委也，經濟則疏引溉灌，其利足以澤物，而詞章則波瀾淪漪，瀠洄演漾，足以供人翫賞也。四者皆天下之所不可少，而能兼是者，則古今未之有也。孰爲重？義理爲重。天下未有無根之木、無原之水而能久長者也。雖然，豫章之材，刈其幹而徒存其本，可乎哉？執湔氐而曰江盡是，執泑澤而曰河盡是，是豈不爲大愚乎？是故義理之與考據，常兩相須也。若夫經濟者，事爲之末；詞章者，潤色之資，此則學之餘緒焉已爾。

《四庫全書總目》卷一五三《公是集》故其文湛深經術，具有本原。攽序稱其合衆美以爲己用，超倫類而獨得，瓌偉奇特，放肆自若。又稱其考百子之雜博，《六經》可以折衷，極帝王之治功，今日可以案行，學聖人而得其道，所以優出於前人。友于之情，雖未免推揚太過，然曾肇《曲阜集》有《敞贈特進制》曰：「經術文章，追古作者。」朱子《晦菴集》有《墨莊記》曰：「學士舍人兄弟，皆以文章大顯於時而名後世。」《語録》曰：「原父文才思極多，湧將出來，每作文，多法古，絶相似，有幾件文字學《禮記》，春秋説學《公》、《穀》。」又曰：「劉侍讀氣平文緩，乃自經書中來。」

又卷一五四《寶晉英光集》蓋其胸次既高，故吐言天拔，雖不規規繩墨，而氣韻自殊也。

又卷一六五《佩韋齋文集》蓋文章一道，關乎學術性情，詩品、文品之高下，往往多隨其人品。

又卷一八九《四六法海》秦漢以來，自李斯《諫逐客書》，始點綴華詞，自鄒陽《獄中上梁王書》，始叠陳故事，是駢體之漸萌也。符命之作則《封禪書》、《典引》，問對之文則《答賓戲》、《客難》，駸駸乎偶句漸多。沿及晉、宋，格律遂成，流迨齊、梁，體裁大判，由質實而趨麗藻，莫知其然而然。然實皆源出古文，承流遞變。

紀昀《香亭文稿序》孫樵謂文章如面，諒哉斯言！夫天下之人同是耳目口鼻也，而百千萬億之中，曾無一二貌相肖，即偶一二相肖，而審諦細微，亦必有終不肖者，豈物物而雕刻耶？氣化而成形，萬物一太極，故同稟一氣則同形。一物一太極，故各分一氣則各貌，皆自然而然耳，豈如模造面具，一一毫釐畢肖哉？心之成文亦猶氣之成形也。才力之殊無論矣，即學問不殊，而所見有淺深，則文亦有淺深。故同一明道，而聖人之言、賢人之言、大儒之言，吾黨能辨。同一説法，而佛語、菩薩語、祖師語，彼教亦能辨。

王猷定《與友人論文書》耳目四肢皆具，始可以爲人；根荄枝葉皆備，始可以爲木也。然則辭固有體，而氣乃行于體之中者也。【略】夫體何自？出理而已矣。張文潛曰：「理勝者文不期工而工，理愧者巧爲塗澤而隙間百出。」【略】故氣之充，充于立體，而體之所急，急于明理。仁義中正之旨，理亂得失之林，灼然見其本末，而後静虚以澄之，精明以致之，優柔以畜之，廣博以貫之，範古以弘之，峻潔以行之，宛轉以暢之，有承蜩之專，有貫虱之巧，有解牛之神。故天下見其言，望而可畏，究而不可測，隱然長江大河，一瀉千里，而灧澦龍門，時時激發，奇壯曠然，大行九坂，造父飛轡越之而行空也。而其大旨光明，如陶冶秉耜，不可一日而闕；如黼黻丹黄，可以一望而曉。豈非體具而氣足哉！

田蘭芳《虛直堂文集序》 言以形其心也：心之正者其言確，心之達者其言暢，心之密者其言周，心之深者其言摯。昔聖之心不可得而見矣，而其所以形其心者孔備。大抵開物成務，以前民用而已，不立規格，不塗粉澤，探之則淵邃而不可測也，咀之則雋永而未易盡也。雖不可以文名，其殆天下之至文乎？

王崇簡《答楊商賢》 文所以載道也，舍道何以文爲？而今之爲文者，其于道也何居？既不知道，何以知文？求其知道，必窮諸經以立其基，而復參之史以觀其變。今之爲文者他不具論，如從唐宋大家以上遡于《史》、《漢》者，亦徒以文而已，豈知其所以不朽者，有道之言也。

湯來賀《涂宜振文集序》 文章經世大業，不朽盛事，非清心寡欲者不能爲，即勉強爲之，而亦不能工。彼豈不欲工哉？其志卑而氣靡也。何以知其然也？蓋志存乎富貴，而利祿足以誘之。其始繫戀于微名，浸淫既久，則必爲聲色之所淆，必爲貨賄之所溺。衆欲雜焉以攻之，而求文之淵然深識，超然遠覽，豈可得哉！

又《燕臺制藝序》 夫文章之道，發乎性情，而由于學問，宜其與政事相通也。而永叔乃曰：「文章止以潤身，政事乃可及物。」是分而二之矣。此其故何哉？蓋取士以文，則人皆殫力于詞章，而不究心民瘼，不豫籌乎治道。嗟乎！素未講求，而一旦膺其任，欲其不習而自能也，斯已難矣！

陶孚尹《文體論》 夫文之大體，在於有定無定間也。其爲有定者，文以明道，謂其根于理也，而理有約言之而明者，有約言之而不必明，必待比擬往復，千百言之而後明者。抑且理以分之而愈有，文以析之而愈多。至於臨文之際，行其所不得不行，止其所不得不止，因心作則，又非可以古人之成轍拘也。【略】人之於文，其爲有定乎？無定乎？吾不得而知也。但觀天地終古之氣化，迭運而常新，無一時一日之相同者，則宇內無陳因之化工，人心無宿腐之神智也。由有定以生其無定，由無定以還於有定。根於道，循於理，資於才，鼓於氣，以我性情而爲欣喜憂戚，以我學力而爲發揮揚詡，傚法古人而能鎔鑄。夫古人，牖迪今人而不波靡于今人，是誠能合衆體而爲一體矣。

又《與邵子湘書》 夫文者不自爲形，而以道爲形；亦不自爲氣，而以道爲氣，蓋根柢於道而還以載道者也。陰陽剛柔之變化，載於《易》；帝王之政事，載於《書》；人之性情綸紀，都邑山川，草木禽獸之名類，載於《詩》；君臣內外之名分，人事之善惡載於《春秋》；高卑貴賤之等級，以節文乎天理者，則《禮》載焉；聲容之美善，建天地之中和者，則《樂》載焉。惟其道，故《六經》之文與日月而並明，江河而並流也。

劉餘祐《司馬溫公文集序》 武檄、晉問、鏤冰、畫脂，千古聲氣，不死于文章，死于人品矣。品之至者，嶽峙淵澄，弘碩深靜，奚問髗骨血墨也？又奚問黥腐劓枯，燔蔓刖肥也？意不在文，文不期傳，然而性命不能閟，旋乾轉坤之經濟，激蕩其神智，而文章之精靈生焉。劉子所謂天地助其氣，日月助其光，風雨雲雷助其變者，殆是哉？雖千百世後，猶將鏤器而朔之，朔之匪第以其文也，人也。

錢肅潤《文瀫初編自序》 或問《文瀫》之義於余，曰：「何以謂之文瀫也？」余應之曰：瀫者，水之文也，在《易·渙》之象，曰風行水上。《渙》言風水之行，披離解散，爲散之象也。夫散有聚之機，終可聯合而得《亨》，故曰《渙》、《亨》。然則由散而聚而文生焉矣。況夫《渙》之下則《坎》也，上則《巽》也，《坎》爲水以外暗也，其實陽匿陰中，有韜光之意；《巽》爲風以內伏也，兼之沈潛縝密，有深長之思。化裁妙運，有高遠之識，合《坎》、《巽》而成《渙》，豈非文之至者乎！乃余讀蘇明允《文甫字說》而更有會也。文之出於有心者，非其至也。明允之言曰：「其爲文也，非水之文也，非風之文也，二物者非能爲文而不能不爲文也。物之相使而文出於其間也，此天下之至文也。今夫文有機焉，有法焉，有神理焉，三者皆無心而出之，而自有觸處成文之妙，此其象亦如風水之不相求而適相遭也。文安得不至也。」余所爲《文瀫》之義如是而已。或曰：「然則文瀫之義其有進與？」曰有。韓昌黎有言：「氣，水也，言，浮物也，水大而物之浮者大小畢浮，氣之與言猶是也。氣盛則言之短長與聲之高下皆宜。」夫文猶水也，水以氣爲主，吐納潮汐不漏不溢氣爲之也。至于激龍門泓呂梁其漾也，如瀫其飛也，如瀑其噴也，如珠璣其磯也，如戰鬥其排擊也，如雷霆極天之至變以形其吐納之能，此瀫之從氣而出也。陳後山曰：「善爲文者因勢以出奇，如江湖之行順下而已，自爾觸山赴谷風搏物激盡天下之變。」夫文而得勢，則奇致自生文之瀫，夫亦勢之所出也。東坡自評云：「吾文如萬斛泉源在平地，滔滔汨汨，雖一日千里無難；及其與山石曲折，隨物賦形而不自知也。」此探源之論也。夫水必有源，河之

源其昆侖乎？源發於昆侖而流見於積石，其潛伏者深也；江漢之源其岷嶓乎？源發於岷嶓而流匯於彭蠡，其停蓄者厚也。文之源始於《六經》而後及於《史》、《漢》，及於六朝，及於唐宋諸大家，其流有不盡出於源者乎？故三王之祭川也，皆先河而後海，或源也，或委也，此之謂務本。噫，人之爲文者可不於本是務哉？不於本是務而徒於文之是求，是猶忘其源而究其委也。

李敬《與某論文書》 文章之成就，有學之數十年或數年，即不幸以歲月計，亦間有傳者，要未有不先於立志。孔子曰：「吾十有五而志於學。」志定，猶適燕者不之越，登車者不乘舟也。《六經》以上，非所及已。彼如莊、列之滉漾，蘇、張之縱橫，申、韓之峭刻，董、賈之通達，韓、歐論事而兼有其理，朱、程論理而兼有其事，至其所以著書立言之實，無非欲明吾志而止。即千載之下讀其書者，亦未嘗不欲揣合古人之志也。是故馳騖事功，發皇道德，由之者沾，背之者亂。即下至于佛老之書，其惑世誣民可以不攻而破，然其辨逾哆，其志愈申，所以能與吾儒之道抗衡比附而傳。儒者攻之甚疾，而卒未見其顛躓不復起者，志不可奪故也。

張習孔《章宗季集序》 蘇潁濱曰：「文者氣之所爲，文不可以學而能，氣可以養而致。」知言哉！吾異夫今之爲文若詩者，類皆謂可以學而能也。擷典實于古帙，襲秀采于時言，規萬準量，摹畫刻鏤，蓋有窮終身之學而祗成其爲今人之文，是皆于詩文求之，而不知有所以爲詩文者，則其氣先失也。凡詩文之傷于氣，其弊皆由于求美與合，逆折其一往之興，而徽纆其自得之懷，即美矣合矣，以視宋人之楮葉，何如也？若夫詩文之可傳者，驟而觸之，必有生意，芾然可以神遇而不可言求，如叢篁灌木，參差歷落，雖不無疎密不齊之處，要其爲天然也勝矣。

龐塏《世恩堂集序》 志有所動而宣之言曰文，文也者，性情之端，而道之所由託也。古人有其志而形於言，後人因其言以明其道，由《五經》子史以迄詞賦百家之文，未有志不中出，言由外入而可以幾幸於傳者也。

陳至言《丁琴溪文稿序》 士之立言者，往往多牢落不偶，或窮愁患難，遭遇放棄，至萬萬無可如何之處，而後思以其文章垂諸後世，庶幾其名與人相藉以不朽，若屈原、虞卿、司馬遷、杜甫、柳宗元之徒是已。顧亦有本其性之所嗜，如飲食饑渴之不可易，雖席富貴壽考，視之若小年經生，不稍稍自足，積之歲月以抒其生平之所至，日與古聖賢精思妙理漸濡吻合，而莫之或解，君子謂其能得乎文章之眞樂而不以名也。

江闓《文律序》 粵自弁州鴻鳥，洛汭靈龜，既出天地之至文，勢已不能終秘。下逮書契文字之造，扶徠、解愠，且復之歌，猶其後者。由是古今賢豪疊興，凡所爲文種類事事殊。即一人一手，亦神明變化，莫可方倪紀極。然其不可方倪者，文情文思，暨其蘊蓄發皇之氣，其間終有不容變易者。所貴乎解人自得，未易與俗人言。昔人謂作史須有三長，予謂屬文亦然。人之才大而學識淺者，其失則野；人之學識優而才短者，其失則拘。拘與野皆文人膏肓痼疾，梁、唐、宋、元、明代有辨之者，惜採焉而不備，語焉而不精。

釋成鷲《論文》 巖頭奯云：從門而入，不是家珍；胸中流出，蓋天蓋地。此通宗妙旨，亦作文家秘密陀羅尼也。今人作文多從門入，譬如乞鄰美服，非不炫耀可觀，究之長短廣狹，無一稱體。果屬己有，自然冬裘夏葛，熨貼得宜，何必九章十二旒，自取不衷之災乎？吾輩爲學但得胸次灑然，便有一篇現成文字，滔滔流出，如三峽之水不可禁制，所謂蓋天蓋地也。

陳僖《與孫生論文書》 大約文也者，以道爲本，而行之以氣，規模乎古人而不襲也。文不本之於道，則無光明俊偉之致發見於外。所謂道者，不止不悖乎聖賢，即通乎人情，達乎世變，皆是也。至於發爲辭章，行乎其所不得不行，止乎其所不得不止，則氣耳，非故爲漫引之謂也。大匠不能廢繩尺以稱巧，故爲文須規模乎古人。然像物取其肖，爲文取其不肖。肖則文章優孟耳。優孟似叔敖，終非叔敖也，假也。此唐宋八家各有所本，而各不襲也。【略】文之佳處，在無字句處見深厚，顯蘊藉，在不接而接處見錯落，見力量，見其步武，一絲不亂。【略】此中微妙，多讀書，厚養氣，沉酣於《史》、《漢》唐宋之文，當自得之，非論說所能盡也。

又《答衛秀才論文書》 蓋古之人，實有一段纏綿篤摯，不可解結之情存乎中。故其所爲文，得之於誠到、氣到、神到，遂有一種句外之情，字外之義，透入紙背，發出墨表，使讀者傍徨夷懌，尋繹不倦，而又不得其處，此其所以傳也。

又《與汪比部論文書》 夫文也者，人爲之。人之所以爲文者，必有所寄託而後成也。有寄託，則眞精神出。眞精神出，然後能透入紙背，一字一句，鏘然有聲，爛然有光，歷千百世而不可磨滅。故凡爲文者，必中有寄託而後求之法，法備矣，而後成章；章成矣，而後可以論氣骨，觀氣象，定品格，

審辭令。如無寄託，而專求之章法辭令，則亦木偶之形，侏儒之音而已。雖然，《六經》者，文之祖。而《六經》則明道之書也，文非明道不可，然則有寄託而眞精神出。所謂道，力者，非耶？惟道爲有力，然歟？否歟？

又《再與汪比部論文書》 愚不謂爲文之力，非才與氣也。足以壯其雄才，而沛其厚氣，則道爲之也。何者？夫人之胸中，未有忸怩愧怍，而發之於言，磊落光明，有神采者。昔人有言曰：「惜拘於流俗之見，不能盡其才。」若是乎才之必本於道矣。又曰理直氣壯。若是乎氣之必出於道矣。故天下之眞才，未有不本於道者，不本於道，斯僞才耳；天下之直氣，未有不出於道者，不出於道，斯客氣耳。僞才客氣，數武而蹶，安能摧鋒陷敵以制勝哉！大約文之所貴者，氣也；能御夫氣者，才也。而氣之達於理，而無鄙倍之病；才之盡乎變，而無回惑之迹者，道也。

又《答戴滄州書》 大凡文章，根據《六經》，規模先正，卻要自出機軸，不宜寄人籬下作生活。摹古人而似，與不摹古人而全不似，皆非所以爲文。然不多讀書深講究，積精蓄思，不能自至境地，雖曰抛卻醫書，方做得盧、扁，然亦不聞未見醫書之盧、扁也。

魯之裕《殷尊一時文序》 時文，藝也，非道也，而予則以爲是藝也，非有道者不能。《六經》四子之書，皆往昔大賢闡道之文也，而藝之可乎？時文何獨不然。其不然者，並不可以藝。夫藝，則道存其間矣。予竊以爲業於是者，必其人魁然而有超乎一世之行，不浼於俗，而期同揆乎古人，如是者其質高；必其人勤學好問，彊識博聞，盡古今之聞道先，而善洩其所蓄者之言，冥搜默討，各心契其所以然，而黑白毫釐之不可得蒙焉，如是者其識洞然以深，而其爲材也亦富。然而不可以我馭也，必取夫有明以來諸先正之所爲規而圓、矩而方者，悉若吾心之於臂指使焉，如是而可以肆矣。未也。蓋懼吾學之僅如吾質之所近，或剛柔曲直之未中，而陰陽舒慘之未適於和也。於是《左》焉而汰其夸，《史》焉而抑其豪，莊焉而繩其蕩，韓、屈、賈、董而互易其刻激蒼直之所偏，昌黎、柳州、廬陵、老泉則各極其詣之獨至者宗之，而餘則鄶以下無譏焉。夫如是其亦自得之矣乎？猶未也。蓋我之去聖賢也遠矣，不自量其遠，而欲起而代之言，則不徒審視其顯微輕重、疾徐揚抑之旨之爲貴也。貴諦聽其聲焉，尤貴聽其既希之聲焉，夫而後鏤吾心之精，追而躡之。當其時，息不知其何以屏也，目不知其何以注也，雷霆不知其震，而冬夏寒燠之不知其寒燠也，夫而後聖賢之蘊吾蘊焉，聖賢之神吾神焉，聖賢之氣度景象，一皆吾氣度景象焉。蓋至於是，而吾精蝜蝜乎其僊矣，吾年亦將於是老焉矣。

又《陳喬山文集序》 人何取乎有文？不得已也。匪文則事物之理無以明，事物之理無以明，則人方眩於其心，而踵而行之，即足以爲患於家國天下，此文之所以不可已也。然而文愈辯而理愈謬，理愈謬而人心愈眩於所從，則文之貽患於家國天下也愈烈，審是而有文，不若無文之得矣，而胡弗已也。將以爲名乎？蘄於名而徑於文，則襲焉已矣，襲者敗道也。【略】古昔神聖賢人以文著者衆矣，躬行其志而不懈，以止乎其所，於是不得已而宣其蘊，以昭於萬世，故其爲文也一言而囊括乎宇宙，百世之下循其說焉，自可以泝而窮乎源，襲焉者異是矣。仁義道德之弗積則基傾，詩書禮樂之弗積則蓄嗇，古今名物象數之未晰其端，理亂盛衰時勢安危之未究其極，則智蔽而無以判天下之是非。其爲文也，艱深以飾僻，餖飣以夸多，萎苶渙蔓，依倚穿鑿以期附於文藝之林，而不知其適以自彰其剽剟，然則人亦不幸而有是文矣。

馬榮祖《文頌上·體源》 浩浩黃河，來自天上，濫觴在初，流衍彌壯。泰山之雲，膚寸出雨，曾不崇朝，已徧九土。體正源清，派遠而明，耳孫鼻祖，玉振金聲。

儲大文《雜文·尚簡》 文何以尙簡也，近世以來操筆爲文詞者，其詞日益多，而道日以喪，文日以敝。故尙之或曰：「子言道可也，古之志於不朽而立言者多矣，或衷於道而不傳，或不衷於道而傳，是多不出於簡。簡安所用諸？」曰：「天下有離道而可以爲文者乎？無之。六藝亡論，文之傑然名於世，唐宋以來莫若韓、柳、歐陽、蘇、曾、王，此數君子者，謂其無與於道則可，謂其文盡無與於道，此不知道也。柳州品最後，然文率依倚於道，若無所依倚，則直等於近世之文。枵然無有者，不可以爲文。又如遷謫後諸記，決不能清迥深靜，令人可長感也。吾之所謂簡者如此。蘇氏之文，人率美之曰暢。予謂蘇氏蓋能簡者，何則？事理明而氣實，假令出其策議書疏之意，令近人引紙道之，決不循行輒止，然文忠文至黃州而益簡，至惠州昌化軍而又益簡，蓋有得於清迥深靜之旨，而非止諸家之工於言者。故其道雖不醇，而若槩不知道，則必不可以爲簡。」或曰：「此言靜也，非簡也。」夫文未有不靜而能簡者，亦未有不能簡而造於工者。蓋古之詞極煙波嗚咽，峻體嵯

峨之勝，而未嘗不於簡者發之。今之治古文辭者多見及此，而未及此則不能無所執，甚且號於天下曰：我知道也。噫，士不知此，吾知其不可以治古文，不可以入堯舜之道。

愛新覺羅・弘曆《皇清文穎序》 《易》曰：「觀乎人文，以化成天下。」蓋自有天地，而人經緯乎其間，士君子之一言一行，國家之制度，文爲禮樂刑政，布之爲教化，措之爲事功，無非文也。乃其菁英所萃，蔚爲國華，詞以發之，聲以永之，律以和之，諧協六同，彰施五色，典謨作焉，雅頌興焉。詩不云乎，「追琢其章，金玉其相」，文之盛也！

又 昔之論文，以代爲次者，於漢則有《西漢文類》，唐則有《文苑英華》、《唐文粹》，宋則有《文海》、《文鑑》，元則有《文類》，明則有《文衡》，皆博綜一代著作之林，無體不備。今是編惟取經進之作，朝廷館閣之篇，與諸書小異，然以觀斯文風尚，當有取焉。在《易・渙》之象曰：「風行水上。」善立言者，以爲天地自然之文，而序卦受之以節，言文之不可過也。繼之以中孚，言有實也。節而不流，徵之以信，有典有則，可久之道其在斯乎！

又《御選唐宋文醇序》 不朽有三，立言其一。言之無文，行而不遠。若是乎言之文者，乃能立於後世也。文之體不一矣，語文者說亦多矣，羣言淆亂，衷諸聖當必以周、孔之語爲歸。周公曰：「言有序。」孔子曰：「辭達而已矣。」無序，固不可以達，欲達其辭而失其序，則其爲言，奚能雲粼波折，而與天地之文相似也？然使義則戔戔，而言有枝葉，妃青媲白，雕琢曼辭，則所謂八代之衰已，其咎同歸於無序而不達。抑又有進焉，文所以足言，而言固以足志，其志已荒，文將奚附？是以孔子又曰：「言有物。」夫序而達，達而有物，斯固天下之至文也已。昌黎韓愈生周漢之後幾五百年，遠紹古人立言之軌，則其文可謂有序而能達者。然必其言之又能有物，如布帛之可以暖人，菽粟之可以飽人，則李瀚所編七百篇中，猶且十未三四，況昌黎而下乎？甚矣，文之至者不易得也。明茅坤舉唐宋兩朝中昌黎、柳州、廬陵、三蘇、曾、王八大家，薈萃其文各若干首，行世迄今，操觚者膾炙之。本朝儲欣謂茅坤之選，便於舉業，而弊即在是，乃復增損之，附以李習之、孫可之爲十大家，欲俾讀者興起於古，毋祗爲發策決科之用，意良美矣。顧其識之未衷，而見之未當，則所去取與茅坤亦未始徑庭。朕讀其書，嘉其意而亦未嘗不懲其失也。夫十家者，謂其非八代駢體云爾，駢句固屬文體之病，然若唐之魏鄭公、陸宣公，其文亦多駢句，而辭達理詣，足爲世用，則駢又奚病？日月麗乎天，天之文也；百穀草木麗乎土，地之文也；化工之所爲有定形乎哉！化工形形而不形於形，而謂文可有定形乎哉！顧其言之所立者何如耳？

又《韓文公文集序》 夫文，亦天下之一藝也。精其術可奉爲師法者，周有左氏，漢有賈誼、董仲舒、馬遷、相如、劉向，此數子者，雖非見道之文，要皆卓自樹立，不合流俗，而其文之古樸，亦非浮華澆漓者所能及。迨自五代剖分，文弊質窮，天下之言文者，務以藻繢爲事，娓娓如婦人言，世道衰微，人心由之僞薄。至唐幷天下，蔚興文教，殆百餘年，而後昌黎以《六經》之文鳴天下。由是言之，文之繫於世道人心亦大矣。

張廷玉《古文雅正原序》 文辭之興，非偶然也。發天地之精華，而根之性命。《易》之道陰陽，《詩》之道志，《書》之道事，《禮》之道行，《春秋》之道名分。要而論之，皆性命之文也。周秦以後，文士代興，顧其流之藝苑，載之典籍者，是非純駁，不能以無辯。昔人之論古文也，其類有四：曰辭命，曰議論，曰論事，曰論理。究之辭命、議論、論事，莫不貫於理。唯貫於理，則內有以關乎身心意知之微，而外有以備乎天下國家之用。故夫性命之文，約而達，贍而精，奧博而有體要，他若俶詭幻怪，卮詞蔓衍，與夫月露風雲，連篇累牘，大雅弗尚也。予自通籍後，備員秘省，敬誦聖祖仁皇帝《周易折衷》、《性理精義》、《古文淵鑒》諸書，闡發微言，蒐羅正學，丹黃甲乙，炳如日星，雖片義單詞，悉歸理要，其爲世道人心計，至深遠矣。皇上即位，作述相承，潛心道奧，綸音疊涣，以崇實學、敦名教爲先務，凡以期海內文學之士，不騖聲華而衷諸性命也。【略】故曰：「文所以載道也。」又曰：「言之無文，行而不遠。」蓋非載道，不足以爲文，雖欲行遠，烏可得哉！

曹學詩《文體》 今夫文以載道，而言爲心聲，道不足而強爲文者，枝葉之學也；心不純而強爲言者，剽竊之功也。蓋在下則係乎士風之漓薄，而在上則關乎氣運之虧隆，是必以正人心，移風會爲要務。然而學術不明，人心不可得而正也；教化不興，風會不可得而移也。則其所以鼓舞而濯磨之者，其機端在於上矣。【略】蓋讀書多，則文自醞釀而深厚；窮理熟，則文自剴切而詳明；養氣深，則文自溫醇而後偉。此固非勉強旦夕之功，而務爲揣摩之所致也。

吴省欽《白華前稿自序》作者之意，必與道不遠，而以法準之。舉古人之規矩繩墨，循循焉不敢少放，操之既久，養之漸熟，繼且文成法立而不自知，所謂自此入，非自此出也。然其所謂作者不出兩端，一曰學，一曰才。才浮於學，則爲策士之縱横，而記載或同小説；學囿於才，則爲學究之訓詁，而徵引或似類家。特縱横之病較甚於訓詁，彼不根於道，抑且并其糟魄而失之。矯其病者，又不求之道，而第求之短長離合之間。孔子曰：「辭達而已矣。」達者，達其理，非達其意也。吾之意達，而吾之理未達，則質既不立，文亦不光。

李果《沈確士歸愚文稿序》言必求之道，理必衷之經，而後研窮史傳以達其識，博觀諸大家之言以馭其氣。識老氣鉅，而其行其止如有神焉，如是以爲文，而文乃可以行遠。

沈廷芳《南雷文定五集序》文所以載道，道之不存，惘然厠身述作之林，蟠螭刻鳳，以爲妍巧，雖欻吸其氣，張王其辭，烜赤其色，按之根元，其中固無有也。故移時而散飄風飈浮埃矣。惟與道俱者，始能傳世而行遠。

徐用錫《顧嗣宗帆湘集序》爲文者欲文之進於古，而第於文求之，恐終不能至。昌黎於此言之爲詳。人必志其遠者，大者，篤於人倫，務正學明其理，博覽精思，通古今經世之要，區別人物之高下，復講切于文之體律，與所以修詞之法，及爲之也必有爲而爲。所以爲之者，緣物稱情，而毫無所溢飾，庶可企及於古之作者。

張仁熙《與王昊廬太史論文書》僕竊以爲文章家言宜原本《六經》，沈酣《左》、《史》，闌渾灝灝，蒼莽沈鬱，粗枝大骨，跌蕩怪奇。絳洞若大河之下三門，崩矗如太白武功之逼天闕耳，非盡爲廬陵、太僕兩家也。

藍千秋《饒幼仙集序》文章，天地之菁英，故以文名世者，必鍾山川之秀異以生。既鍾其秀矣，而其爲文章，又必曠攬冥搜，感觸靈異，然後有以發其胸中之奇，而文爲之益工。是以才人之生也，必有其地，而至於經歷山川，以爲筆墨之助，則又視乎其所遭而不可必焉。

吴玉綸《文論》文以載道，自古言之。或曰三代以後，文與道離也久矣學究習氣動曰「明道」，將認門面語爲眞諦，持論必庸。然斯言也，賢知之過也。不知文先不知道，道者理而已矣。有當然，有所以然，順其理以行之，而道猶路也；本其行之理以言之，而文乃生焉。故道者文之菁華，文者道之權輿。裕其理於文之先，曰「修詞立其誠」；通其理於文之中，曰「情見乎詞」。詞以達情，情以積誠，誠以窮理，理以明道，如日月麗天，江河行地，布帛菽粟之於日用飲食，《六經》皆載道文也。

又 夫物者道而已矣，有是非眞僞之辨，有淺深精粗之分，如濂溪《西銘》、《太極圖説》，二程氏《遺書》，張子《正蒙》與考亭《學庸章句》、《論孟集注》，固宋儒本道爲文。即賈茂、董醇，振嚮於忠武《出師》，昌黎起衰，而柳柳州、李翺、皇甫湜頡頏其間，歐、曾繼之，皆多羽翼經傳之功。深者言深，精者言精，是文以道重也。如見之淺而故深言之，是之粗而故精言之，語雖工妙，義蘊無多，道之醞釀有限，文之品題可知矣。他如尙縱横，尙功利，尙刑名，尙虛無，或背而馳，或襲而僞，奚用文爲哉！凡物物而不物於物，不以迹而以神也。文尤神明而變化者乎？然不滯於迹，以得其神，亦不能離乎迹以求其神。若以則古稱先爲門面語，而以厭故喜新爲眞諦，是舍形體而求精神也。古今有好奇之文，天下無不庸之道，吾不知或所謂得人之得與自得其得，所得於文果安在耶？

夏之蓉《興藝錄序》文，心之聲，道之倪也。韓昌黎有言，水盛而物之細大畢浮，氣盛而音之高下皆宜。非謂文主於氣乎？李習之有言，義深則意遠，意遠則理辨，理辨則詞盛，非謂文根於義乎？要之不考義不能養氣，不養氣亦不能屬文。

姚鼐《海愚詩鈔序》吾嘗以謂文章之原，本乎天地；天地之道，陰陽剛柔而已。苟有得乎陰陽剛柔之精，皆可以爲文章之美。陰陽剛柔，並行而不容偏廢。有其一端而絶亡其一，剛者至於僨強而拂戾，柔者至於頹廢而闇幽，則必無與於文者矣。然古君子稱爲文章之至，雖兼具二者之用，亦不能無所偏優于其間，其故何哉？天地之道，協合以爲體，而時發奇出以爲用者，理固然也。其在天地之用也，尙陽而下陰，伸剛而絀柔，故人得之亦然。文之雄偉而勁直者，必貴於溫深而徐婉；溫深徐婉之才，不易得也。然其尤難得者，必在乎天下之雄才也。

又《述菴文鈔序》鼐嘗論學問之事，有三端焉：曰義理也，考證也，文章也。是三者苟善用之，則皆足以相濟；苟不善用之，則或至于相害。今夫博學強識而善言德行者，固文之貴也；寡聞而淺識者，固文之陋也。然而世有言義理之過者，其辭蕪雜俚近，如語錄而不文；爲考證之過者，至繁碎繳

繞，而語不可了當，以爲文之至美，而反以爲病者何哉？其故由於自喜之太過，而智昧於所當擇也。夫天之生才雖美，不能無偏，故以能兼長者爲貴，而兼之中又有害焉。豈非能盡其天之所與之量，而不以才自蔽者之難得與？

又《復汪進士輝祖書》 夫古人之文，豈第文焉而已，明道義、維風俗以詔世者，君子之志；而辭足以盡其志者，君子之文也。達其辭則道以明，昧於文則志以晦。

又《復魯絜非書》 天地之道，陰陽剛柔而已。文者，天地之精英，而陰陽剛柔之發也。惟聖人之言，統二氣之會而弗偏，然而《易》、《詩》、《書》、《論語》所載，亦間有可以剛柔分矣，值其時其人，告語之體，各有宜也。自諸子而降，其爲文無弗有偏者。其得於陽與剛之美者，則其文如霆，如電，如長風之出谷，如崇山峻崖，如決大川，如奔騏驥。其光也如杲日，如火，如金鏐鐵。其於人也，如憑高視遠，如君而朝萬衆，如鼓萬勇士而戰之。其得於陰與柔之美者，則其文如升初日，如清風，如雲，如霞，如煙，如幽林曲澗，如淪，如漾，如珠玉之輝，如鴻鵠之鳴而入寥廓。其於人也，漻乎其如歎，邈乎其如有思，暖乎其如喜，愀乎其如悲。觀其文，諷其音，則爲文者之性情形狀舉以殊焉。且夫陰陽剛柔，其本二端，造物者糅而氣有多寡進絀，則品次億萬，以至於不可窮，萬物生焉。故曰：「一陰一陽之爲道。」夫文之多變，亦若是已。糅而偏勝可也，偏勝之極，一有一絕無，與夫剛不足爲剛，柔不足爲柔者，皆不可以言文。

又《稼門集序》 天下所謂文者，皆人之言，書之紙上者爾。言何以有美惡？當乎理，切乎事者，言之美也。今世士之讀書者，第求爲文士，而古人有言曰：「一爲文士，則不足觀。」夫靡精神銷日月以求爲不足觀之人，不亦惜乎！徒爲文而無當乎理與事者，是爲不足觀之文爾。

錢維喬《與趙味辛書》 夫文章之道，理與氣而已。聖人之言曰「修辭立其誠」，又曰：「辭達而已矣。」不詭於理之謂誠，能行其氣之謂達。昌黎之言曰：「文無難易，惟其是耳。」曰：「氣盛則言之短長與聲之高下者皆宜。」惟其是則誠立矣，氣盛則能達矣。夫所謂誠者，豈必深微淵懿，衷諸性命不可易之旨哉？吾爲此言而足以闡明事物之故，不蹈虛渺，誠也；吾爲此言而抒所心得，非口出之而中違之，亦誠也。所爲達者豈有一定之則，使人循循於是哉？吾之意如是而已盡，則少而達也；吾之意如是而未盡，則多而達也；吾之意直遂言之而已顯，則質而達也；吾之意鋪張潤色言之而始顯，則華而達也。是故各因乎情事，各協乎體製。三代以上之文簡樸，以言理而其辭達；三代以下之文詳麗，以言理而其辭亦達，所謂唯其是也。至于世運升降，而人之學力復差分于其中，此厚薄醇疵所由異，而要之果能無失乎？二者則必有其可以傳，何也？里巷謠諺，豈識體格，而史策載之者，其于理當而意甚明也。雖然，二者之中又有法焉。譬之于御，理者御之意也，氣者馬足之力也，而磬控縱送，如琴如舞，則賴轡以馭之。法者，所以馭理與氣者也。是故古文之道，欲盡吾所欲言，又欲不盡吾所欲言。盡所欲言者，平原直壤，策而馳之，可以瞬息而千里；不盡所欲言者，交衢曲阪，則必抑勒之，旋折之，不使一逸徑去，然後人馬相謀，暢乎其所欲之而無所揵。蓋法者行于理與氣之間，而不可以意求，不可以迹合，因其自然，如是而已。

又《孫後齋時文跋》 聖賢之文，所以載道；學人之文，所以抒才。古與今無二致。取經傳之辭敷衍闡述，而爲科舉之業，此今日之所謂時文也。然文何有今古？假令塗羹土飯，陳腐握齱，是直不足以爲文；否則能養其氣，不詭於理，戛戛然有意義存焉，時文即古文也，即非古聖賢之文，亦今日才人之文也。

又《管韞山續刻時文序》 文章與政事有二道乎？曰：有之。其爲文也，不軌于理，惟詞華是尚，是無可措諸實用也。古文與今文有致乎？曰：有之。其爲文也，揣摩爲工，期弋取科第而止。是言之無物，非古作者之旨也。夫取士以四書文，四書皆聖賢之言，所以垂教萬世。學問經濟備焉，而謂詮發而闡明之無益于身心，可乎？果無益焉，是末流之庸腐，而咎不關體制也。

又《范我亭時文序》 夫文人動筆，關乎性靈學問。若志，立言之本旨，但希弋獲榮辱，欣戚之念戰于中，先耗心力而卒之，所以得失者，仍歸冥冥，亦何爲耶！

孫梅《四六叢話叙》 文之爲言，合天人以炳耀；選之爲道，從精義以入神。選而不文，非他山之瑜瑾；文而非選，豈麗制之淵林。若乃懸衡百代，揚榷群言，進退師於一心，總持及乎千載，吾於昭明氏見之矣。【略】揆厥所長，大體有五：曰通識：《五經》紛綸而通釋訓詁者有《爾雅》；諸史肸蠁而通述紀傳者有《史記》，選之爲書，上始姬宗，下迄梁代，千餘年間藝文備矣。

質文升降之故，風雅正變之由，雲間日下，接迹於簡編；漢妾楚臣，連衡於辭翰。其長一也。曰博綜：自昔文家尤多派別，《文志》表江左之盛，《典論》詮鄴下之賢，選之所收，或人登一二首，或集載數十篇，詩筆不必兼長，淄澠不必盡合。咏懷擬古，以富有爭奇；元虛簡栖，以單行示貴。其長二也。曰辨體：風水遭而斐亹作，心聲發而典要存，敬禮工爲小文，長卿長於典册。體之不圖，文於何有？分區別類，既備之於篇；溯委窮源，復辨之於序。勿爲翰林主人所嗤，匪供兔園册子之用。其長三也。曰伐材：文字英華，散在四部，窺豹則已陋，祭獺則無工。惟沈博絕麗之文，多左右采獲之助。王孫驛使，雅故相仍，天鷄蹲鴟，繽紛入用。是猶陸海探珍，鄧林擷秀也。其長四也。曰鎔範：文筆之富，浩如淵海，斷制之精，運於爐錘，使漢京以往，弭抑而受裁，正始以還，激昂而競響。雖禊序不收，少卿僞作，各有指歸，非爲謬妄，謂小兒強解事，此論未公；變學究爲秀才，其功實倍。其長五也。

又《四六叢話》卷二八 文之時義遠矣，侈言博物，積卷徵長，刻意爲文，清言入妙，尚心得者，遺雕僞以爲堆垛無工；富才情者，忽神思則曰空疏近陋。各競所長，人更相笑，僕以爲齊既失之，而楚亦未爲得也。夫一畫開先，有奇必有偶；三統遞嬗，尚質亦尚文。翦綵爲花，色香自別。惟白受采，眞宰有存。【略】善夫東坡之論曰：「入都市而總百貨，必有一物以攝之。」故文以意爲之統宗，則是宜僚弄丸而兩家之難解也。山谷之論曰：「織回文而成七襄，必得錦機以就之。」故文以機爲之驅駕，則是秋御執綏而交衢之舞作也。極而論之，行文之法，用辭不如用筆，用筆不如用意。虎頭傳神，添毫欲活；徐熙沒骨，著手成春，此用筆之妙也。言對爲易，事對爲難，反對爲優，正對爲劣，此用意之長也。

彭紹升《復魯絜非書》 天地之大德曰生，其流行于物者爲元氣。是氣也，根極于一，淆于萬，其來無方，其應無迹，得之者與天地合其德，開物成務，冒天下之道，生生不窮，而利賴及于萬世。是惟文王、周公、孔子之文，始足以當之。自兹以降，思、孟之深醇，董、韓之閎達，程、朱之精詳，陸、王之易簡，類能契天地之心，故其文與天地之元氣相輪貫，相望于數千載之中。繼聖人而命世，其它二千年間，百家諸子以文自名者，仁者見仁，智者見智，各分畛域，不能相通。然使其言誠有濟于時，適于用，當于人心，足以止惡而進善，則君子取之。取之者何也？謂其文足以效能于天地也。

又《顧亭林先生餘集叙》 文之至者，必根于天性。古之人全忠孝之實以成其身，外感于所遇以成其行，明而爲日月，怒而爲雷霆，流而爲江湖，其氣充乎天地，故天地之氣之所之，即莫非其氣之所之也。其有不容已，予言以宣其忠孝之實，而其言亦遂與天地之氣上下同流，亘古今不息。

又《與大紳書》 理窮，則文之本末無不盡；知致，則文之微顯無不周。《六經》、《論》、《孟》之書可證也。知未致，理未窮，其文或謬于義，或不足于辭，皆病也。

任啓運《與友論文書》 觀鬬蛇而精書，蛇非書也；觀舞劍而精畫，劍非畫也。心於書者不見有書，故非書皆書也；心於畫者不見有畫，故非畫皆畫也。然則求文於文者，夫豈有文哉？【略】伏惟君子優而游之，會而通之，本之《六經》以正其源，推之子史以盡其變，反之身心以悟其眞。於天地得其大，於日月得其明，於泰岱得其高，於滄海得其深。【略】則文也，幾於道矣。

秦瀛《華師道先生集序》 古今之文章本於《六經》，《六經》者聖人之書也。賈誼、董仲舒、司馬遷、劉向、韓愈、歐陽修、曾鞏之徒，其言之精者必合於道，必原於經。六朝綺麗之文，浮薄不足稱，蓋於聖人立言之旨無當也。即有志於聖人之立言，而植之不厚，築之不崇，則其發之也淺，而其行也亦不遠。故文之淺深醇駁，皆視其中之所得，而不可以強爲。

崔述《文說上》 畫所以貌物，黑白之色，方圓曲直之勢，皆合焉，謂之畫；文所以載道，是非得失之故，賢人哲士之事實，皆合焉，謂之文。物者形，道者理，形者然，理者其所以然。其事之大小，品之高下雖殊，其理一也。馬焉而狗其足，花焉而竹其幹，山焉而波，水焉而岫，求之天下，無是物也，可謂之工於畫乎？何以異爲文而詖其說，謬其理者也。累朱攢青，曲直雜設，非人非樹，非山非屋，見者不能名其物，可謂之工於畫乎？何以異爲文而晦其辭，亂其章？讀之而不能通其意者也。然而彼且曰吾工畫，世且曰彼工畫，問其所畫之物，則曰：「吾工畫而已，不知物也。」何以異爲文而離乎道，且自負文士？世亦以文士目之者也。凡論畫之美者，曰毫髮畢似，曰尺寸千里。然則爲文而能了然於口與手，簡而明，約而盡，使讀者釋然，有以知夫是非得失之故，豈不可謂工於文乎？然而世之爲畫者，不求之物，

而徒册上之横斜疏密是問，此所以無工畫者也。爲文者不求之道，而徒古人之文之長短、難易、逆順是問，此所以無工文者也。【略】賢人君子明理之士，固有不工文者，然未有於道茫然，無牖隙之見，而能文者也。

又《文説下》 道也者，物之理也，其於人也爲情，其於事也爲義，爲勢。大之而天地聖人之所不能盡，小之而愚夫愚婦之所可知。一草一木之所以消長，皆道也。文也者，載此者也。其義顯，其事悉，其情通，是文而已矣。精而論之，雖大賢之言，不能皆醇；粗而論之，雖百家技藝之書，亦各有其道焉，莊周、韓非是也。【略】雖然，道有醇駁，則文有高下，孟子所謂詖淫邪遁者也。是故二子之文，非天下之至美也，適投乎世好耳。天下之言道者，亦非無駁於二子者也，適不爲世所詬病耳。譬諸飲食，道其物也，文其味也。《六經》，稻粱之味也。孟與韓，魚肉之味也。班、馬、歐、柳之言，間有羶腥焉。有其道而文不美焉者，失飪者也。摭拾《六經》之遺文，勦竊詿疏之成説，以爲明道焉者，食饐而餲，魚餒而肉敗者也。莊周、韓非非聖人之道，而見美於世，猶葱菱椒蒜、獐鹿驢贏之肉，非味之正，而人喜食者多也。然視烹土煮泥以求味者，則不可謂無物，視世之心無所得，而摹擬古人之言以爲文者，則不可謂無道。余所謂文以載道者以此。夫韓退之、柳子厚，世所謂文士也；周茂叔，世所謂儒者也，然其言皆曰文以明道。獨近代之文士，則曰文自文，道自道，何者？彼以摹擬語勢爲文，以摭拾陳言爲道，非文之與道異也，彼所謂文與道者異也。

盛大士《與蕭梅江論文書》 竊謂文章之事，邃于經，精于子，汎濫于諸史百家，尤必通達時勢，詳折掌故。凡朝廷制詔功令，因革損益，筆之于書，原委秩如，出而與海内名公卿賢士大夫切劘往復，薈稡衆益，于是言文而行遠，身没而言立。若私持臆見，一得自憙，是謂鄉黨自好之文，非婷群雅之文也。

管同《與友人論文書》 文之大原，出於天得，其備者渾然如太和之元氣，偏焉而入於陽，與偏焉而入於陰，皆不可以爲文章之至境。然而自周以來，雖善文者亦不能無偏。僅謂與其偏於陰也，則無寧偏於陽，何也？貴陽而賤陰，信剛而絀柔者，天地之道，而人之所以爲德者也。孔子曰：「吾未見剛者。」曾子曰：「士不可以不宏毅，任重而道遠。」聖賢論人，重剛而不重柔，取宏毅而不取巽順，夫爲文之道，豈異於此乎？古來文人陳義吐辭，徐婉不失態度，歷代多有；至若駿桀廉悍稱雄才而足號爲剛者，千百年而後一遇焉耳。甚矣，陽之足貴也。然僕以爲是有天焉，有人焉。得天之剛，世亦無幾，其餘必進之以學。進之以學者，孟子所云「以直養而無害」是也。曰蓄吾浩然之氣，絶其卑靡，遏其鄙吝，使夫爲體也常宏，而其爲用也常毅。則一旦隨其所發，而至大至剛之概，可以塞乎天地之間矣。如此則學問成而其文亦隨之以至矣。取道之原，《六經》其至極也，而論其從入之塗，則《公羊》、《國策》、賈誼、太史公皆深得乎陽剛之美者，誠熟復之，當必更有所進耳。

又《贈汪平甫序》 天地之間物變以形，而人變以情。爵爲蛤雉，爲蜃鷹，爲鳩，而鳩復爲鷹，以形變者也。士爲賢爲聖，聖爲天，以情變者也。文也者，在外者也。在外也者，春華而雲麗，鐘鏗而琴和，炳然訇然，皆形耳，而豈情也哉！是故科舉之文，凡物之形也；駢麗之文，佳物之形也；司馬遷、韓愈之文，異物尤物之形也。雖然，皆形而已矣，以言情則未也。

方東樹《切問齋文鈔書後》 夫文字之興，肇始易繩。迹其本用，原以治百官，察萬民，豈有空言無因而爲一文者乎？特三代以上，無有文名，執簡記事者，皆聖賢之徒，賡歌謨明者，皆性命之旨，文與道俱，言爲民則。洎孔氏之門，始以文爲教；四科之選，聿有專能。自是以來，文章之家，傑然自爲一宗而不可沒，固爲其能載道以適於用也。淩夷至於秦、漢，道德泯然絶矣；而去古未遠，文章猶盛。往與姬傳先生言，西漢文字，皆官文書，而何其高古雄肆若彼？魏、晉以降，道喪文敝，日益卑陋。至唐韓子始出而復於古，號爲起八代之衰；八代者，東漢、魏、晉、宋、齊、梁、陳、隋也。故退之論文，自《六經》、《左》、《史》、《莊》、屈、相如、子雲數人而外，其他罕稱焉。於是重古文者，以文爲上，非祖述《六經》、《左》、《史》、《莊》、屈、相如、子雲者，不得登於作者之籙。重用者，以致用爲急，但隨時取給，不必以文字爲工：二者分立，交相持世。淺識之士，眩瞀惶惑，莫知所宗，苟事調停，終未得理。間嘗折衷斯義，以爲必重古文而後爲之文乎，則自東漢以來至於今，又將以至於萬世而無窮，天下所用以治百官察萬民者，一日不可無，而安侍之遙遙不世出之作者乎？謂隨時取給之文，但使有用，卽與作者無異，則自東漢至於今，工爲致用之文，不知幾千百人，而何以都不傳於後，而獨此寥寥數作者，光景常新，久而不敝，而爲人所循誦法傳乎？可知文章之道，別有能事，而不得以不知而作者強預之也。

又《答葉溥求論文書》 文之所以不朽天壤萬世者，非言之難，而有本之難。若夫所以爲之之方，可一朝講而畢也，然而群喙鳴動，蓄心各異，是其所非，非其所是，顛倒妒惑，昧沒不返，後學之士欲求聞古人之眞，舉一世空無人焉。夫古之人以其本而發之爲文，軌迹不侔，家自爲則，其人已亡，不能復起自言其心，俗士淺學，各蔽其愚，人各云云，吾亦云云，則烏知吾言之獨是邪？人言之且非邪？就令吾言是矣，而古人已死，其孰從而定之？且人之言曰，爲文宜何若？何去？何取？吾弗過而問焉。吾之言曰爲文宜何若，何去，何取，人亦弗過而問焉。【略】吾取不詭古人，不迷來學，自足吾心而已。【略】文章之道，必師古人而不可襲乎古人，必識古人之所以難，然後可以成吾之是。善因善創，知正知奇，博學之以別其異，研說之以會其同，方其專思壹慮也。崇之無與爲對，信之無與爲惑，務之無與爲先，掃群議遺毀譽，彊植不可回也，貪欲不可已也。及乎議論既工，比興既得，格律音響既肖，而猶若吾文，未足追配古作者而無媿也。於是委蛇放舍，緜緜不勤，舒遲黯會，時忽冥遇，久之乃益得乎古人之精神而有以周知其變態。是故文章之難，非得之難，爲之實難。道德以爲體，聖賢以爲宗，經史以爲質，兵刑政理以爲用；人事之陰陽善惡，窮通常變，悲愉歌泣，凌雜深賾以爲之施； 天地風雲，日星河嶽，草木禽獸，蟲魚花石之高曠夷險，清明黲露，奇麗詭譎，一切可喜可駭之狀，以爲之情；及其營之於口，而書之於紙也，創意造言，導氣扶理，雄深駿遠，瓌奇宏傑，蟠空直達，無一字不自己出，而後吾之心胸面目、聲音笑貌，若與古人偕出沒，隱見於前。而又懼其似也，而力避之；惡其露也，而力覆之；嫌其費也，而力損之。質而不俚，疏而不僿，陰陽蔽虧，天機闔開，端倪萬變，不可方物，蓋自孟、韓、左、馬、莊、騷、賈誼、揚雄、韓、歐以來，別有能事，而非艱深險怪禿削淺俗與夫餖飣勦襲，所可襲而取之者也。夫文亦第期各適一世之用而已，而必劌心刳肺，斷斷焉以師乎古人若此者，何也？以爲不如是則不足以爲文也，此固無二道也。

方宗誠《古文簡要叙》 文之事本一，而其用三：曰晰理，曰紀事，曰抒情。理之原具於人心，而散見於事事物物。不有文以晰之，則自身心性情之近，以至家國天下之遠，自日用行習之常，以至患難死生之變。凡夫喜怒哀樂之節，視聽言動之宜，子臣弟友之經，出處進退取舍之義，牧民禦衆之方，制敵禦侮之策，致治保邦、移風易俗、禁姦弭亂之訏謀碩畫，所謂裁成輔相，以左右民，與夫息邪距詖，以承先聖之統者，其理千條萬緒，變變化化，不可端倪，是是非非，混淆雜出，皆將無以明諸心而處其當。至於上古以來，聖君賢臣平地成天之績，良將循吏撥亂反正之功，暴君汚吏、小人憸士惑世誣民之事，國家興亡治亂之由，以及忠臣、義士、孝子、貞婦之畸行苦節，高人逸士之流風餘韻，可以廉頑而立懦者，苟非有文以紀之，則又何以昭法戒，而使後之人多識多聞以畜其德。且夫人生而靜者，天之性也，感於物而動，而情生焉。君臣、父子、夫婦、昆弟、朋友之交，違順、苦樂之境，存亡、聚散、盛衰之遇，操心慮患、怨慕離憂、呼天向隅之鬱積，非抒之以文，則又何以發憤宣悲，寫人情之所難言，而泣鬼神，動天地。是三者，文之大用也。雖然，有其本。今夫日月星辰、風雲雷雨之成象於上，變化而無方者，天之文也，而天非有心而文之焉。山峙川流、草木蕃庶、鳥獸率舞之成形於下，變化而不窮者，地之文也，而地非有心而文之焉。《詩》以道志，《書》以道事，《禮》以道行，《樂》以道和，《易》以道陰陽，《春秋》以道名分，爲經於中，變化而不可易者，聖人之文也。而聖人非有心而文之焉，至誠之道充於中，而以時發見於外而不得已也。是故學者不可不求其本。理明於心，事曉暢於心，情出於心之正，動於心之自然，而皆非有所穿鑿而矯飾。則發爲晰理之文，自能辨是非，判疑似，別眞僞，不徇一己之私見，而當於人心之所同然。讀其文者，可以啓聰牖明，沃心發慮，開物而成務。發爲紀事之文，則自能謹闕文，具本末，刪繁提要，詳略有倫，紀其事而幷傳其神，誌其人而並狀其氣象；後之讀者，雖在千百載之下，而如生千百載之上，親炙其人，目見其事，感動興起於不容已。發爲抒情之文，則自能道故舊，述今昔，叙悲歡離合之迹，傳幽憂宛結之思，或含畜而深婉，或沈鬱而頓挫，令讀其文者，不覺一唱三歎，唏噓欲泣，情爲之篤而氣爲之厚。有本者如是，是豈徒剽賊古人，揣句讀、摩音節而爲之者哉！《六經》尚矣。周末諸子，秦、漢以來文章之士，號爲善晰理、紀事、抒情之文者，雖有駁有醇，而要皆各有其本。雖然，文章之本具於心，而第求之於心，則又不可。昔者，伏羲氏繼天立極之聖也，然其作《易》也，必仰以觀於天文，俯以察於地理，觀鳥獸之文，與地之宜，近取諸身，遠取諸物，於是始作八卦，以通神明之德，以類萬物之情。孔子至聖也，祖述堯、舜，憲章文、武，信而好古，敏以求之，

然後刪《詩》、《書》，定《禮》、《樂》，繫《易傳》，作《春秋》，以詔萬世。孟子大賢也，知言養氣，深造以道，博學而詳說之數十年，然後叙《詩》、《書》，述仲尼之意，作《孟子》七篇。蓋文之事，有本有法。本具於心，而法備於古，忘本者不可矣。師心自用，不知法古，則又無以明理於心，曉事於心，厚其心之性情，而言之可爲天下後世法。法不備則用不周，亦理勢然也。嗟乎！文之敝久矣。余嘗惡夫三代而下，文之多離夫道也，取周、程、張、朱以來大儒之文十餘篇，可以上配《六經》者，列爲一書，曰《斯文正脈》。蓋欲學者反求其本，而不可溺於文。本明則所以爲文之法具載於書，而不必更言之，以失於贅。今友人張君宗翰以爲文之法，學者亦不可不知也，而泛觀古人之文，則又博而寡要，且懼夫貪多務得，而遂溺於文。取韓、歐八家之文，命余簡取之，以爲初學法。余因取其晰理之明辨而不支者，紀事之詳簡而有體者，抒情之篤厚而不欺者爲一册，以復於張君。雖然，此法也，而非本也。君第遊心於斯籍，以明其理，曉其事，厚其情，而不溺其心於文焉，而文將不可勝用矣。

石韞玉《與王念豐論文書》 竊謂文章之道，性命、經濟兩途而已。聖人既殁，道統失傳，性命則罕言之矣。若夫經濟，則代有經文緯武之才，胸中有確然不可奪之見，發爲文章，可以傳世而行遠，如是立言言之，所以與功德而不朽也。

龔景瀚《尹某四書文叙》 文以氣爲主，韓子曰：「氣盛則言之短長與聲之高下皆宜。」蘇長公曰：「行乎其所不得不行，止乎其所不得不止。」此言氣之足以生乎法也。氣之純雜厚薄，視其所養之深淺，富貴貧賤毁譽榮辱，凡所謂人之見悉屏而無存，然後其心能深入乎古。故古人之學必求其得乎心，積之久，其氣之剛大者沛然而有餘，而其和平者挹之而不盡，夫如是，不必有意於爲文也，道其胸中之所自得者而文成，而法立也。

陳用光《復魯賓之書》 凡爲文，以氣爲主，氣非學古于何生？有法而無氣，則土偶之官骸而已，以學古而至于裂規矩、棄繩墨，則尤不當。

又《與管異之書》 夫古文辭傳之于世，必才與學兼備而後能有成，才不可強能，而學則可勉致。然學有二，其存乎修辭者，異乎南北朝人之所學，爲古文而得其途者知之矣。其存乎學而銖積寸累，以求其義理。爲古文而得其途者，其所得又有淺深之分焉。得于此者深，雖修辭之功不至，而固可自立；得于此者淺，雖修辭之功至，而未必其能自立也。

又《龔海峰文集序》 世或謂考證之學足以累文辭，是不然。將由夫搜擧細碎，矜名物之偶獲以爲美與？是爲考證，學者之所不取也，豈徒病其文，固已病其學。將由夫明辨審問以助篤行與？是君子之所以畜德也，既已有其學，自必有其文。學也者，土也；文辭者，其土所生之物也。土美則生物必茂，不資土而詡其華，是剪繒綴帛之枝葉也。物固有資於土而爲黃茅白葦者矣，以茅葦而笑蘭蕙，是不察其質之殊，而姑欲抗擧夫剪繒綴帛之枝葉也。

李兆洛《駢體文鈔序》 少讀《文選》，頗知步趨齊、梁。後蒙恩入庶常，臺閣之製，例用駢體，而不能致工。因益搜輯古人遺篇，用資時習，區其鉅細，分爲三編，序而論之曰：天地之道，陰陽而已；奇偶也，方圓也，皆是也。陰陽相並俱生，故奇偶不能相離，方圓必相爲用。道奇而物偶，氣奇而形偶，神奇而識偶。孔子曰：「道有變動故曰爻，爻有等故曰物，物相雜故曰文。」又曰：「分陰分陽，迭用柔剛。」故《易》六位而成章，相雜而迭用。文章之用，其盡於此乎！《六經》之文，班班具存。自秦迄隋，其體遞變，而文無異名。自唐以來，始有古文之目，而目六朝之文爲駢儷。而爲其學者，亦自以爲與古文殊路。既歧奇與偶爲二，而於偶之中，又歧六朝與唐與宋爲三。夫苟第較其字句，獵其影響而已，則豈徒二焉三焉而已？以爲萬有不同可也。夫氣有厚薄，天爲之也；學有純駁，人爲之也；體格有遷變，人與天參焉者也；義理無殊途，天與人合焉者也。得其厚薄純雜之故，則于其體格之變，可以知世焉；於其義理之無殊，可以知文焉。文之體，至六代而其變盡矣。沿其流極而泝之，以至乎其源，則其所出者一也。吾甚惜夫歧奇偶而二之者之毗於陰陽也！毗陽則蹶剽，毗陰則沉膇，理所必至也，於相雜迭用之旨均無當也。

顧廣圻《半樹齋文集序》 文之爲道，不尚於能工，而尚於可貴。俗之論者曰：「工則貴耳。」此甚不知文者也。夫使其文也讀之而無益，雖工奚貴焉；讀之而無益，而又有損，則彌工而去可貴者彌遠矣。

潘德輿《答魯通甫書》 夫文，于士大夫之行爲末，曷足以求士？然文乃氣之所爲也：一人之文，觀一人之氣，一世之文，觀一世之氣。假使一世之文至于婉孌纖仄，悉無直氣，則其士大夫可知，而其世亦可知也。是故士大夫之行詳密不勝擧，而莫先于尊崇其廉恥，培養其直氣以自振，且以振

天下。

阮元《文言說》 古人無筆硯紙墨之便，往往鑄金刻石，始傳久遠，其著之簡策者亦有漆書刀削之勞，非如今人下筆千言，言事甚易也。許氏《說文》：「直言曰言，論難曰語。」《左傳》曰：「言之無文，行之不遠。」此何也？古人以簡策傳事者少，以口舌傳事者多，以目治事者少，以口耳治事者多。故同爲一言，轉相告語，必有愆誤，（《說文》言從口從辛，辛，愆也。）是必寡其詞，協其音，以文其言，使人易於記誦，無能增改，且無方言俗語雜於其間，始能達意，始能行遠，此孔子於《易》所以著《文言》之篇也。古人歌詩箴銘諺語，凡有韻之文皆此道也。《爾雅·釋訓》主於訓蒙，「子子孫孫」以下用韻者三十二條，亦此道也。孔子於乾坤之言，自名曰「文」，此千古文章之祖也。爲文章者不務協音以成韻，修詞以達遠，使人易誦易記，而惟以單行之語從橫恣肆，動輒千言萬字，不知此乃古人所謂直言之言，論難之語，非言之有文者也，非孔子之所謂文也。《文言》數百字幾於句句用韻，孔子於此發明乾坤之蘊，詮釋四德之名，幾費修詞之意，冀達意外之言。《說文》曰：「詞，意內言外也。」蓋詞亦言也，非文也。（《文言》曰：「修辭立其誠。」《說文》曰：「修飾也。」詞之飾者乃得爲文，不得以詞即文也。）要使遠近易誦，古今易傳，公卿學士皆能記誦以通天地萬物，以警國家身心，不但多用韻，抑且多用偶。【略】凡偶皆文也，於物兩色相偶而交錯之，乃得名曰文，文即象其形也。然則千古之文，莫大於孔子之言《易》，孔子以用韻比偶之法錯綜其言，而自名曰文，何後人之必欲反孔子之道而自命曰文，且尊之曰古也？

又《四六叢話後序》 昔考工有言，青與白謂之文，赤與白謂之章。良以言必齊偕，事歸鏤繪，天經錯以地緯，陰偶繼夫陽奇。故虞廷采色，臣鄰施其璪火；文王壽考，詩人美其追琢。以質雜文，尙曰彬彬；以文被質，乃稱緎緎。文之與質從可分矣。懿夫人文大著，肇始《六經》，典墳邱索，無非體要之辭；禮樂詩書，悉著立誠之訓。商瞿觀象於文言，邱明振藻於簡策，莫不訓辭爾雅，音韻相諧。至于命成潤色，禮舉多文，仰止尼山，益知宗旨，使其文章正體，質實無華。是犬羊虎豹，翻追棘子之談；黼黻青黃，見斥莊生之論也。周末諸子奮興，百家並騖，老、莊傳清淨之旨，孟、荀析善惡之端，商、韓刑名，呂、劉雜體，若斯之類，派別子家，所謂以立意爲宗，不以能文爲本者也。至于縱橫極於戰國，春秋紀於楚漢，馬、班創體，陳、范希踪，是爲史家，重於序事，所謂傳之簡牘，而事異篇章者也。夫以子若彼，以史若此，方之篇翰，實有不同。是惟楚國多才，靈均特起，賦繼孫卿之後，詞開宋玉之先，隱耀深華，驚采絕艷，故聖經賢傳，六藝於此分途；文苑詞林，萬世咸歸圍範矣。洎夫賈生、枚叔，並轡漢初；相如、子雲，聯鑣西蜀。中興以後，文雅尤多，孟堅季長之倫，平子、敬通之輩，綜兩京文賦諸家，莫不洞穴經史，鑽研六書，耀采騰文，駢音麗字。故雕蟲繡帨，擬經者雖改修途；月露風雲，變本者妄執笑柄。建安七子，才調輩興，二祖、陳王，亦儲盛藻，握徑寸之靈珠，享千金於荆玉。至于三張、二陸、太沖、景純之徒，派雖弱於當途，音尙聞夫正始焉。文通、希範，並具才思；彥升、休文，肇開聲韻。輕重之和，擬諸金石；短長之節，雜以咸韻，蓋時會使然，故元音盡泄也。孝穆振采於江南，子山選聲於河北，昭明勒選六代，範此規模；彥和著書千古，傳茲科律。迄於陳隋，極傷靡敝，天監、大業之間，亦斯文升降之會哉！唐初四傑，並駕一時，式江、薛之靡音，追庾、徐之健筆。若夫燕、許之宏裁，常、楊之巨制，會昌一品之集，元、白長慶之編，莫不抃掞龍文，聯登鳳閣。至于宣公翰苑之集，篤摯曲暢，國事賴之，又加一等矣。義山、飛卿以繁縟相高，柯古、昭諫以新博領異。駢儷之文，斯稱極致。趙宋初造，鼎臣大年，猶沿唐舊，歐、蘇、王、宋，始脫恆蹊，以氣行則機杼大變，驅成語則光景一新。然而衣辭錦繡，布帛傷其無華；工謝雕几，簴業呈其樸鑿。南渡以還，浮溪首倡，野處西山，亦稱名集；渭南北海，並號高文，雖新格別成，而古意浸失。元之袁、揭，冕弁一世，則又揚南宋餘波，非復三唐雅調也。載稽往古，統論斯文，日月以對待耀采，草木以錯比成華。玉十瑴而皆雙，錦百兩而名匹。明堂斧藻，視晝繢以成文；階戺笙鏞，聽鏗鋐而應節。自周以來，體格有殊，文章無異。若夫昌黎肇作，皇、李從風，歐陽自興，蘇、王繼軌，體既變而異今，文乃尊而稱古。綜其議論之作，並升孟、荀之堂，核其叙事之辭，獨步馬、班之室，拙目妄譏其紕繆，儉腹徒襲爲空疏，實沿子史之正流，循經傳以分軌也。考夫魏文《典論》，士衡賦文，摯虞析其流別，任昉溯其原起，莫不謹嚴體制，評騭才華，豈知古調已遙，矯枉或過，莫守彥和之論，易爲眞氏之宗矣。

王引之《蕭山王晚聞先生文集序》 文章之源出於經訓，故《六經》者，文章之祖也。其次則先秦諸子，兩漢遺書，皆無意爲文而極。天下之文之盛，

不本乎此而欲爲文，則薄而已矣，俗而已矣，雷同而已矣。

梁章鉅《退庵論文》 古言儒行必曰近文章，今之自命爲儒者乃不以無文爲恥，甚可怪也。魏文帝《典論》云：「文章經國之大業，不朽之盛事。年壽有時而盡，榮樂止於其身，二者必至之常期，未若文章之無窮。而今人多不強力，貧賤則懾於饑寒，富貴則流於逸樂，遂營目前之務而遺千載之功。日月逝於上，體貌衰於下，忽與萬物遷化，斯志士之大痛也。」此段文字至爲沈痛，足以動人，後學當書之座右以資警省。選文但宜以秦漢爲斷，近選輒把《檀弓·考工記》、《左》、《國》壓卷，實乖體裁。而論文則必溯源於經傳，以端其本。古之善論文者，莫如柳子厚，然所云「本之《詩》以求其恆，本之《禮》以求其宜，本之《易》以求其動，參之《穀梁》以厲其氣，參之《孟》、《荀》以暢其支，參之《國語》以博其趣。」此數語分貼處，實未能深切著明。今欲指引初學，只須淺淺言之，如要典重則學《書》，要婉麗則學《詩》，要古質則學《易》，要謹嚴則學《春秋》，要通達則學《戴記》，要博辨則學《左》、《國》，各就其性之所近，斯於得其意，微會其通，自然不同於世俗之爲文矣。

錢儀吉《張積石文鈔序》 君子之爲學，窮禮踐禮，終其身已矣。理之不窮，學無本；禮之不踐，學無實。孔子讀《烝民》之詩曰：「爲此詩者，其知道乎？」故有物必有則，民之秉彝也，故好是懿德。物則者，理所著也；好德者，禮所生也。文莫大於《六經》，其言所以立，不外此二者：記政事，道性情，舉若是爾。理該於天地民物，而節文於人，斯謂禮亦一而已矣。道喪文敝，執枝葉以爲本，馳聲華而亡實，有志之士將反而求之於經，而一時論學者又徒斷斷然持漢宋諸儒鴻溝畫之，本末之不貫，虛實之相病，門戶歧而黨伐紛，黨伐紛而大道晦久矣。噫！非豪傑特立，孰能一之？

余廷燦《原文》 文者，肇於太極，胎於陰陽奇偶，產於圓頂方趾，四肢五臟，端倪於惻隱、羞惡、辭讓、是非，炳蔚於君臣、父子、夫婦、昆弟、師友、賓主，散見於谿谷、牝牡、華實、珠璣、跂行、喙息、蠉飛、蝡動，薈萃於《易》象、《詩》、《書》、《禮》、《樂》、《春秋》、《孝經》、《論語》、《孟子》。文其不可以已而自流行者。【略】 後人謂文以明道，謂文以載道，又謂文士浮華，無與於道。夫文外無道，文即道也。孔子言道則不言文，言文則不言道。彼淺之測文者，文之不知矣，於道復何有？

梅曾亮《李芝齡先生文集序》 功名也，節義也，文章也，皆人之動乎天機者也。是機也，峙而爲山，流而爲川，發斂之而爲草木之花實，亦皆動於天而不知其所以然。君子見大水必觀焉，山林皋壤則欣欣然樂之，是之謂以天合天。以天合天，又安往而不得吾文者？是則以人塞天。容一心之得喪而不足也，況能容天地萬物之蕃變者哉？然則古君子所以善其文者無他，勿夭閼其天機而已。所以全其天機者無他，超然於榮觀而已。

又《太乙舟山房文集敘》 見其人而知其心，人之眞者也；見其文而知其人，文之眞者也。人有緩急剛柔之性，而其文有陰陽動靜之殊，譬之楂梨橘柚，味不同而各符其名，肖其物；猶裘葛冰炭也，極其所長而皆見其短，使一物而兼衆味與衆物之長，則名與味乖，而飾其短則長不可以復見，皆失其眞者也。失其眞，則人雖接膝而不相知；得其眞，雖千百世上，其性情之剛柔緩急見於言語行事者，可以坐而得之。蓋文之眞僞，其輕重於人也固如此。

張穆《使黔草序》 古人之文、之詩、之書，所以能造極詣微，隨其才大小卓然自成一家者，無它，各本學問識力所到，而正出之，奇出之，迂迴出之，務肖其性情，無所謂法而法自立，無所謂格而格自高。自摹擬規倣之說興，於是學者不事讀書養氣，饜飫性情，而矯揉造作，尋聲覓響，詡詡然曰此於古爲某家，此於古爲某格，如此則爲文、爲詩、爲書，不如此則非文、非詩、非書也。嗚呼！操是說也，天下寧復有眞文詩書邪？優孟衣冠，縱復一一似之，吾固將舍旃而古人與居，亦復何苦敝有用之聰明材力，爲是傀儡之戲邪？雖然，建九成之臺，毫無憑籍，一木一石，躬自營運，非積數十年之力固不能。舍古人而獨成其爲我，則何如摹擬規倣者之取徑託地高，見信於人速也？然則世之甘於逐人嚬笑，以爲喜慍者，乃便於空心高腹之祕計，夫又何怪其然乎？

朱駿聲《群玉山堂文集序》 余謂文者，古人以陳謨矢訓，扶氣類明志節，宏道而教俗，非直以言詞爲工也。矜纂組薈蕞儷青媲白之長，弊弊焉從事于無所用，以取悅庸衆人之耳目，志于道者誠鄙而夷之。

黃承吉《夢陔堂文說》卷一 天下古今聖狂賢不肖之故，別於心之邪正而已。人心無由而達，則必以文辭達之，人心達不一達，則文辭中又必以衆體達之。如《易》、《書》、《詩》、《禮》、《春秋》即文辭也，惟達不一達，故體不一體。後世文辭不得不流爲各體，雖與經異，而皆經之餘緒。若流者不可流，則源者豈能徒源。總之，胥爲文辭。然文辭者，主於達人心之正，而非以導

人心之邪。心正則情事之所至無不可達，卽任文辭無不可爲，不正則雖不爲文辭，而亦不正。若爲文辭，則何不可飾託於正。如謂必掇群經之形迹以著書，而後可以爲正，而遂可以自別於文辭之外，以託於正，其餘之作爲文辭者皆不正，安有是理乎！豈著書獨非文辭乎！是必明乎凡涉筆之一切皆爲文辭，而後可以立論。夫心，內也；文辭，外也。內之不臧，於外何咎？若內既已臧，則於外更何咎？況并未辨乎心之臧否，甚或文辭亦臧，而何反誣之，概以文辭爲咎。乃從來有無端設論，輒以無咎之咎歸於文辭，因是而群相率。若爲輕文辭，賤文辭，而直以文辭爲不可爲之，卽罹於輕賤，其積蔽也已久，而要有所以致蔽之故，非探始不足以明是，非祛蕘不足以辨非。今爲先論之曰：文者，與天地俱生者也。《易》有太極，不見其文也，而文實孕之，是生兩儀，則文出矣。庖犧畫卦，法天地之始，卽爲文字之始，有天地則有文，故曰通其變遂成天地之文。天地設位，而易行乎其中，《易》者，卽一陰一陽，變易錯畫之所由起。然則萬事萬物，無非天地之文也。法天地之文，由卦畫而爲文字，亦無非天地之文也。事物之變無盡極，故文字之變亦無盡極。文字者，附麗於事物而無已焉者也。夫惟萬事萬物無不根於天地，故天地之所至，卽文之所至，於是乎有德之文，有象之文，有事之文，有禮之文，有聲之文，有辭之文。文不同，而其必有文焉則一也；必有文，而其皆爲天地之文則同也。故文辭之文，相傳以爲載道之器，其言猶後，蓋直天地自然之故，本根於道，而非徒著其辭以明道之謂也。

又　然則文辭之與天地無窮，更有何說以易此言也。且夫文辭之爲道至大，更有卽其稱名而已可見者，試以文之名義論之。夫文者，物相雜也，物非必文字也；文者，錯畫也，畫亦非必文字也。庖犧之卦畫，至後人乃宗爲文字之始，當畫之時無所謂文字，則所畫者物而已矣。所謂物相雜也，卽倉頡初作書，亦不過依類象形而謂之文，其時創文，而非乳字，曰形曰類，則亦不過物之而已矣。是以《書·益稷》謂觀象於古人，正指以前之書畫，而其山龍藻火之屬，在《左傳》則以爲九文，在《周禮》則謂之名物，是則書畫卽象，象卽文，而文仍卽物也。蓋作書之始，與後世之畫繪不分，不過象形、指事，而指事仍卽象形。故庖犧渾物而圖之，倉頡又逐物而象之，其時尚不知有後世孳乳之文字，安知其有絢麗之文辭而著之。其所以謂之文者，不過見凡物皆可著文，而遂以文名乎此物。易結繩之簡質，創迒迹之新稱，在倉頡固未嘗以文之一字專屬之象畫也。至於文辭，則起於後世，原於書畫，畫以辭滋，辭因畫盛，由是文字稱文，文辭亦稱文，其流若二，其源則一，要之皆歸於文辭之類而已矣。然文之爲義，非止於文字文辭也，是以德、象、事、禮、聲數者，皆莫不稱文，而諸書之言文者至賾，以其賾也，故凡書中之一切言文者，皆必有語焉成之，然後知其何屬。如內文明而外柔順，德也，要必有內外柔順之語以成之，而後明其文之屬於德也。火龍黼黻昭其文，象也，要必有火龍黼黻之語以成之，而後明其文之屬於象也。凡此之例，悉可類推。良以義既分形，則語須各付，博稽往籍，從未有句中孤稱文之一字，前無所依，後無所助，而直以之專屬於文辭文字者，卽後人承倉頡而以書畫爲文，而其所謂文者。如云文：止戈爲武，皿蟲爲蠱，反正爲乏，以及所稱古文、籀文之類，亦必有止戈、皿蟲、反正、古籀之語以成之，而後明其文之屬於書畫也。且卽如《樂記》所謂使其文足論而不息，《國語》所謂大不從象，小不從文，其義皆主於文辭矣。要亦必有其上文《詩》、《書》雅頌之語以成之，而後明其所謂文者之爲文辭也。自孔子以前，間有孤標一字曰文，語無依助，而偏以之爲文辭、文字之定名者乎？無有也。然則文之爲義，實爲德、象、事、禮、聲、辭六者之所統同，其不能爲一端之所獨擅，以指而目之也。自古然矣，群書具在，可一一詳驗而知也。惟我孔子統群聖之傳，垂萬世之緒，乃始以自有天地以來之文之屬於諸端者，而專以屬之文字、文辭。當贊《易》之時，既於乾、坤二卦，別繫以言，而謂之曰文，然其下猶綴以言字也。至《論語》所記夫子之言，則直於《詩》、《書》典籍，篇章辭句，孤標其字，而稱之爲文。曰「則以學文」，曰「文莫吾猶人」，曰「文不在茲」，曰「文獻不足」，以及《儒行》對哀公之「多文以爲富」，弟子所記之「文行忠信」，顏子所稱之「博我以文」，皆但舉一文字，而絕無一語之旁助，無一字之相成，顯然卽已爲文章典籍，單形孑出，竟若文之一字，別無他屬，乃專屬之於文字、文辭者。此前聖之所無，而夫子之所獨揭也。夫文之爲詁本虛，爲用至雜，故於德、象、事、禮、聲、辭諸端，無不可以分屬。自夫子揭之，則以此字專屬之篇章典籍，而雜者忽藉爲一定之主名，虛者乃執爲當前之實物，迄今天下後世，設有舉一文字而詢人爲何名何物者，則無不知其爲文字、文辭，而凡古之一切言文，其渾然分屬於德、象、事、禮、聲數者之中者，轉如旁出之義矣。非旁出也，蓋夫子以象、事、禮、聲非辭不達，卽德亦非辭不明，是篇章典

籍實統貫乎數者之中，而一切之文皆由此著也，是以特顯其稱，以徧錫乎篇章典籍，可見之實物而尊其道，以全乎天下萬世不易之主名也。此文之稱名，千古相沿，而不知其發自我孔子者也。然則文辭之道，豈不大哉！而說者曰：此聖人之文，非後世之文也。此其說似是而實非也。夫文辭生於文字，文字生於卦畫，然則文辭已含於卦畫之中也。夫子繫《易》曰：「觀其變，遂成天地之文。」天地者，非獨畫卦時之天地，乃萬古之天地也。成天地之文，則卦畫貫乎天地，文辭含於卦畫，則天地卽貫乎文辭，若謂文辭非卽此文，何以天地之文必藉卦畫而彰，而卦畫所滋必至文辭而極也。是故舍文辭，無以全卦畫，卽無以全乎天地之文。前古之卦畫爲體，則後世之文辭爲用，天地之文爲體，則卦畫含文辭爲用，體無盡則用亦無盡，未有後世之用不全而能全乎本然之體者，未有不全乎體用而能全乎天地者也。然則後世之所謂文辭者，仍《易》之所謂天地之文也。辭雖視聖人不足，而文常與天地有餘，此文辭之理之必當與天地爲無窮者也。至於聖人由畫卦而文字而文辭，爲之非一時，而皆聖人，聖人之所以層遞爲之者，所以明萬事萬物，卽所以體天也。事物必層遞而出，故天亦必層遞而明。事物者，天地之文也，天文也；所以明之者，聖人法天地之文也，人文也。天之文既層遞而出，不能至三代之時而終，卽人之文亦必層遞而生，不能至三代之聖人而止。蓋不明乎事物，聖人何取乎明天下？不充乎人文，天何爲而充事物？故聖人以文先天下，而非以盡天下也。夫子曰：「文不在茲。」後人解之，莫不謂卽文爲道者，夫苟不明其故，而但曰卽文爲道，則曷不直曰「道不在茲」，而必曰「文」，蓋其所以言文者，正以萬事萬物皆繫於文。夫萬事萬物，卽聖人之道也。聖人初未嘗舍事物而空談性命以爲道也。聖人周乎事物，故體道而謂之文，卽恆人不能體道，而循乎事物亦謂之文。

又　蓋文者，道之所生，聖人立乎道中，卽常人亦不能出乎道外也。故夫子之所以言文在茲，而惟恐其喪者，正以文之盡人可與，而待夫後死者之無窮也，非專據夫文以爲必已在也。文不離乎事物，後世不能但事物而不文，事物必盡乎文，聖人亦豈能獨據夫文而使後世徒事物。夫後世之文，本於聖人，而辭不足者也。然辭雖不足，而文乃益張，則窮神極貌以彌耀乎聖人之辭與天地之文者，皆後世之人也。若非本於天地，其文之五色變態從何而來？若非傳之聖人，其辭之終古折衷從何而得？夫惟變態，故天地之文之未形者必賴之以形；惟折衷，故聖人之辭之既往者遂因之不往也。然則後世需聖人，而聖人亦需後世也。此以言文事之必當與聖人爲無窮者也。而說者又以爲文辭之道，盡於《六經》；或又曰後人非輔翼《六經》之文不可作，此其言似是而其實亦非也。夫謂道備於《六經》可也，謂文辭盡於《六經》不可也。

又　蓋道者，本根也；文辭者，枝葉也。文之理原含於本根，而文之迹必見於枝葉。譬之於木，則《六經》爲總幹，而後世其繁條，條必附幹而生，幹必藉條而鬯，條非幹不立，幹非條不揚也。然《六經》之所以不盡其條者，條有續生之序，天地不能早綴其華，幹爲特立之標，聖人不能過逾其質，故必留餘以待於後世也。故以《六經》爲文辭之盡，不可也。至謂爲文當輔翼《六經》，原爲正論，然謂非輔翼之文必不可作，則不然也。蓋彼之所謂輔翼《六經》者，乃見諸迹象之輔翼也。顧予以爲輔翼《六經》有二義焉：其一說，竊謂後世之文未有不輔翼《六經》者何也？《六經》者，本於道德，發於倫常，顯於措施天下之事業。自學者知尊周、孔，後世秉筆爲文之士，其大而著於邦國者，無非述夫禮樂政刑，卽小而繫之鄉閭者，亦莫敢自外於孝弟忠信。夫禮樂政刑，孝弟忠信，豈非《六經》之所涵濡發育也。是故古今之天下其蘊蓄乎文采而不覺者，一天地之文之天下也；其被覆於經訓而不知者，一聖人《六經》之天下也。後世之文，統於《六經》其源遠；《六經》之文，散於後世其流長。流非源不生，源亦非流不達。夫至資之以達，則卽皆輔翼也。若非後世皆堪輔翼天地，何爲而開此文？脫令宇宙但有《六經》，天地亦復難全其事。故天地之周乎事物，而使人心風俗相繫於無窮者，正以人競爲文，乃以日濬聖言而不輟，不啻爲《六經》繪色而摹聲也。此輔翼《六經》之說之統合乎神明者也。其一說，則自昔相傳，所謂輔翼《六經》者也。大抵顯持名教，謂如佛老之言惑世，則昌黎之《原道》大聲而呼。「胞與之事在人」，則橫渠之《西銘》精心以撰。故儒者之値乎事物當風俗人心之變，乃特爲木鐸金鏡之昭懸，以振聾而起聵，不啻爲《六經》刮垢而磨光也，此輔翼《六經》之說之實徵諸迹象者也。輔翼之二義如此，若所云非輔翼之文不可作者，則專指後之一義也。夫輔翼《六經》之文，誠可重矣，然若謂非此則皆不可作，爲此言者，其蓋未之思乎。夫人適値而著非常之文，則必有其當時情事出於不容已者，正所謂當前之事物也，若必待此文而後作，卽以若人而論，豈其前此皆未習爲文，而遽能操觚染翰乎？若已習之，則前作將棄之何所也？且卽以若文而論，

豈其故爲之而曰「吾將以輔翼《六經》乎」？若曰非故爲，而必値其宜而後爲，設不値其宜，則卽若文而亦不爲矣，則是終身不爲文矣。若然，則前此之習爲操觚染翰之能者究何爲也？是其說窮也，此就一人而言之者也。且君子立言以教人也，必使天下後世人人可率由此言也。今謂必輔翼《六經》之文而後可爲，其謂一二人爲此輔翼《六經》之文乎？抑人人爲此輔翼《六經》之文乎？若謂一二人爲之，則置天下萬世無窮之人於何地也！將使人人但誦讀《六經》而別一無事事乎，無是理也！將使人人盡詮釋《六經》而日爲箋註訓詁辨證之辭乎？亦無是理也！夫盈塞乎天地之間者，皆文學之人也，其何以處人也。而若謂人人盡爲之，則置天下萬世無窮之文於何地也？將使人人盡爲說經之文乎，不可勝也；將使人人盡爲明道之文乎，亦不可勝也；則必致盈塞乎天地之間者，皆依樣之文也，其何以處文也？是其說又窮也，此通乎大概而言之者也。

又 然則其所謂非輔翼《六經》之文不可作者，乃必無之理，必無之事，其亦不審而漫爲高論也。故有謂有宋一代之文，止《太極圖》、《西銘》、《詩傳序》、《春秋傳序》四篇者，有謂昌黎若止作《原道》、《原毁》數篇，而他文皆不作，則誠可爲泰山北斗者，此皆偏執矯誣之見，足以誤天下後世者也。夫自有此文必輔翼《六經》之說，而後來之習爲此論者衆矣。要其所以持此論者，或則自居於儒學之尊，而過以矜莊重己；或則自畫於文章之奧，而反以弇陋輕人。古則猶非，而今先不達，徒使後之人信其夸大之辭，而愈不知文章所以然之故，則亦似是而非之弊矣。蓋彼但知輔翼之迹象，而不知輔翼之神明。神明者，天地之神明也，聖人之神明也。天地貫於《六經》，《六經》貫於後世，故曰後世之文，未有不輔翼《六經》者也。《記》曰：「流而不息，合同而化。」則神明之輔翼也；《易》曰：「作《易》者其有憂患。」則迹象之輔翼也；審是而二者之義昭然矣。總之，卽道爲文，卽文爲道，曰一曰二，前聖遂以開天；爲伍爲參，後聖因之贊《易》。道之謂也，文之謂也，正不必拘文牽義，而後以爲道在是也。蓋不知文之初義，則但以爲辭，而紛紛辨道之言出矣，究乎辭之本始，則雜成於畫，而歷歷興文之理明矣。故文者，根於天地，而形於事物，啓於聖人，而衍於後世也。夫固天地無窮之蘊，而與天下萬世相爲絪緼摩蕩者也。

又 然則後世之文，又豈與天地聖人有間哉！夫後世未有舍《六經》而能爲文者也。《六經》者，如日月之經天，無所不照，承其照者，則旭室千光，澄潭萬影，隨畛得象，遇物成形，故尸子謂聖人以盈尺日圓，所燭彌綸六合。然則一切之文，無非《六經》之所注而形焉者也。設非《六經》所注，則不獨後世之辭義無自而生，卽後世之體格亦無憑而得，不知從何而有論、策、賦、頌、箴、銘等一切之名類。故《文心雕龍》謂：「論說、辭序統於《易》，詔策、章奏發於《書》，賦頌、歌贊本於《詩》，銘誄、箴祝總於《禮》，紀傳、移檄根於《春秋》。」劉氏說主宗經，彼以爲百家騰躍，終入環內，旨哉乎其言也！所謂無得而逾也。夫既在環內，則環於何極？承乎日月，則日月於何窮？而或者顧執環内之境，而以爲非環；睹日月分見之光，而以爲非日月；訾而毁之，排而汰之，可乎？不可乎？而說者又曰：文辭之說固矣，然夫子曰辭達而已，究何尙乎文也？曰：夫子之言，未有與夫子自相刺謬者也。《左傳》載仲尼曰：「志有之，言以足志，文以足言，言之無文，行而不遠。」蓋言不文，則志不達，而行不遠，明明夫子之言也；且曰文辭不爲功，明明夫子之言也；且夫子於乾、坤二卦，特著其言爲《文言》，設其所謂辭達而已者，實以爲言之可不文，夫子何以文言之，而又顯揭之也？蓋《文言》者，正以言之不可不文，而故發其端於天地，則正映對乎《繫辭》所謂天地之文者，以明乎聖人之文之參乎天地也。故《文心雕龍》又云：「乾、坤兩位，獨制文言。言之文也，天地之心哉！」又云：「《易》之文，繫聖人之妙思也。序乾四德，則句句相銜；龍虎類感，則字字相儷；乾坤易簡，則宛轉相承；日月往來，則隔行懸合。」卽此數言，足以見聖辭之大概矣。非予之專據夫《雕龍》爲其言之本，是而無可易也，其不合者，則固未能是之也。夫聖人之所以取定《六經》者，原知後世不復有《六經》，故立此以爲萬世法也。法之者，法其道，亦卽法其文也。故聖人所明者，雖道德，雖禮義，而其辭不得不文，夫豈好爲夸飾哉？蓋辭不文則言不足，且無以行遠而垂久，將并道德禮義而不彰。是故《六經》之文，乃組織風華之至者也。姑無論其他也，其不煩言而解者，如《易》、《書》、《禮》三經，體異於詩歌，無用韻之例也，若實可不文，則原可不韻也。乃《易》則彖象雜卦無不韻，而《文言》則多以有韻之辭，間隔而成變化；至《書》則首開堯典，已有族睦邦雍，不待益稷賡歌之載；《禮》則乍展周官，卽見監參伍輔，豈惟儀禮加醮之三。凡此以韻成辭，卽辭成韻，核其體例，是豈不可以已者，正以辭之不得不文，是以不可以已也。由是推之，

則聖人之參伍彰施，幾微比附，權衡準的，藻繢神情，不音而自宮商，不數而成奇偶，正不知幾經杼軸而後成書，簡編具在，可玩而知，固非徒質言之而已也。

又　然則夫子之所謂「辭達而已」者，又何說也？蓋辭必先有義理，而後有采色，理發於內，采著於外，內外交足，而後成辭，所謂「素以爲絢」也。夫子所謂辭達而已者，謂義理也，謂取乎義理之明而不可艱深不達，非謂卽可不傳采色也。蓋辭而艱深不達，則其義理必不足，卽其采色必不安，其何以爲辭！夫惟理達乃正，以全其采色而後成辭也。若曰非然者，學者試取《六經》觀之，其果惟取達意而竟質朴無華者乎？夫人而知其不然也。然則夫子辭達之說，可以深思而知其故矣。且言苟無華，則辭必不達，卽夫子之所謂文以足言者，不文則言且不足，而何達之有也。此卽以夫子之言，證夫子辭達之說之非謂不文也。且試取諸經，而聊舉其卷端之一二論之。卽如《易》之飛龍牝馬，《書》之孳尾氄毛，《詩》之友瑟樂鐘，《禮》之實簞抽韇，《春秋》之歸賵考宮，其理不可謂不達，其言不可謂不文，然苟非言之文，何由得理之達？設非言之文而理之達，其辭何以炳耀至今？此則夫子所謂言之無文，行而不遠者也。故必明乎夫子辭達之說之所以然，然後知其言實相通而幷非刺謬也。然則正不得掇夫子辭達之一言，以塞後世爲文者之口，而使之不振也。夫後世爲文，其塞乎口而不振也久矣，乃塞之者不塞於夫子辭達之言，而顧塞於揚雄「雕蟲篆刻」之一語，爲可異矣夫。夫子辭達之言，允爲萬世矜式，雖註之者未明，然註者之意則甚正也。孔安國註似以辭屬於言語，而朱子集注則說主於文辭，以二註觀之，雖未盡聖人之旨，要不外乎聖人之心也。

又　文者，始則孕於天地之文德，終則極乎人世之文辭。惟天地之德孕乎文，夫是以有德之文，由文德而形著，夫是以有象之文，有事之文，有禮之文，有聲之文，此皆出於天地之自然者，而於人尚無所與也。及聖人出，觀乎天地之文之如是，於是制爲文字，以體而達之。包羲之畫卦，無所不形，實原無所不孕，逮由制字而分別爲六書，則象之文者，卽象形矣；事之文者，卽指事矣；禮之文者，卽會意矣；聲之文者，卽諧聲矣。天地如是，卽文字自然如是，初非涉於附會，若轉注假借，則屬於人制爲文字以後之事，而於其朔體天地之文者無與焉。惟文爲天地所孕毓，故乾坤易蘊，一包乎德之文；惟文爲天地所孕毓，而自然無不形著，故萬物散殊，而自然有象之文、事之文、禮之文、聲之文。惟聖人體天地之孕毓，故聖人先裕乎德之文；惟聖人體天地之孕毓而形著，故所以治此散殊之萬物者，亦自然有象之文、事之文、禮之文、聲之文。然天地不言而功成，聖人則必待言而後功成，言於何傳，則不得不傳於文字，乃雖曰字也，而原是文。蓋字者，謂是文之孳乳，而其實文也，夫如是之謂文字，不然則字也而何以謂之文。夫非文之必屬於字也，乃字之必不得不屬於文何也？文者，天地之道，不必待人而後具；字者，聖人所以表天地之道，若非文而何所形。是故文者天地之所之無不盈，字者聖人之所之無不極，聖人體天地而後就其文以爲字，原非文之卽是字也。惟文原非屬於字，是以古者言文不主於文字，更不主於文辭，乃凡物相雜者皆謂之文。若結繩錯畫，亦正是物相雜，此所以浸成爲字，而亦謂之文。夫文字非卽文辭也，而亦卽是文辭，何也？古者之文不待辭而後著，但觀文字而辭卽在其中，蓋制字每一點畫，必有一點畫之義，一音聲，必有一音聲之故，明於其義其故，卽顯然辭在其中，故一點畫可以抵後世之千言，一音聲可以得凡事之百緒。則以言自性生，字從言制，是以古者辭簡，卽字而可明。凡事義多，非聲而莫辨，大凡訓詁未有不本於聲音，大凡聲音未有不協乎訓詁，此所以文之中有聲。物相雜謂之文，形也，事也，意也，聲成文謂之音者，聲也，其實合之，而後乃爲文矣。故但以形迹求六書者，可以言六書之迹，而不可以言文字之故。要之，莫外乎文之一字。聖人制字以印合天地之文，於是乎有聲音卽有訓詁，然聲音無形，而訓詁則出之，以迹其所以然，一皆寄於字之筆畫。故制一點，則其字已如是解，更益一畫，則湊赴其字爲如是解，逮一字之筆畫皆成，而其字乃實成其如是解矣。則卽一字之中，不待辭而辭已具，此卽《說文解字》探源之精義。許氏聲未殫極，而詁至精微，蓋說其文，而文先具於字中；解其字，而字乃適如其分內。夫說之者以辭，而解之者乃原是字，聖人制字之時，無待說而自解，解者乃一筆一畫解拆之之謂，非如人意中之卽以解當說也。夫如是，制字者制一字而辭已備，觀其字者見一字而辭已明，此古之文辭原卽寓於字中者也。此其於字則爲本義，於音則爲本聲，古者事簡而音不遷流，故能如是。後世事增繁雜，語逐推移，若凡字拘守本義，則字有不敷；凡音拘守本聲，則音有不値；然後不得不有轉注假借之二者出，然後乃益著爲文辭。而文辭之枝葉日興，卽文字之本根浸隔，此由古漸今必然之理勢，而要無非皆以表著天地之文。

天地之文日益出，卽文辭日益出，而我夫子之始以文之一字專屬於辭者，正爲此矣，卽《繫辭》凡言辭之句，至於二十有五者，正爲此矣。則甚矣，辭之不可以已也！

又 蓋文者，始於天之文德，而極乎人之文辭，正前所謂舍文辭無以全卦畫，卽無以全乎天地之文。在上古不得不卦畫，中古不得不由卦畫而文字，後世不得不由文字而文辭。天地無盡，則文無盡，卽辭亦無盡。形而上者其本，形而下者其末，德成而上者其本，藝成而下者其末，而皆非文辭不能形著。且天地者，道也，而萬事萬物皆天地之所生，卽皆道之所生，道不能有本而無末，則文辭之所以發抒萬事萬物者，何一而非道，卽何一而非天地之文之始終本末。此固不必盡執仁義道德形迹之語而後爲文辭也。若謂必襲仁義道德之語而後爲文辭，則藝成形下者，豈其非天地所以付畀乎人，而爲人所當爲之事，夫既爲其事，則卽自有其文辭矣。若云但可有其事而不可有其辭，有之則成壯夫不爲之雕篆，安有是理？設人世間無藝成形下之事，天地成何體用？則卽人世間無發抒藝成形下之辭，聖學亦成何體用？蓋非藝成形下，無以全乎德成形上，其精微乃一，皆繫於文字。聖人每制一字，卽藝成形下在其中，所謂合外內之道者，聖人卽於聲音文字中著之。古者無道外之文字，卽後世無道外之文辭。後世雖不能喻古人之文字，而源流自合。要之，但能措辭不詭於正，則皆文耳，則其辭皆與天地爲無窮耳。

姚瑩《再與梅伯言書》 文之至者，固皆深明于天人事物之理，與夫古今學術人才政治是非得失之故，宏通精實，蓄之既深且久，然後提要鈎元，無所不當。此古大家之文，所以異於世俗浮淺之作也。

又《重刻山木居士集序》 古人文章所重於天下者，一以明道，一以言事。理義是非不精則道弊，利害得失不覈則事乖。然理義可以空持，利害必以實驗，故言事之文爲尤難也。

魏源《定盦文錄叙》 昔越女之論劍曰：「臣非有所受於人也，而忽然得之。」夫忽然得之者，地不能囿，天不能嬗，父兄師友不能佑。其道常主於逆，小者逆謠俗，逆風土，大者逆運會，所逆愈甚，則所復愈大。大則復於古，古則復於本。若君之學，謂能復於本乎？所不敢知，要其復於古也決矣。陰陽之道，偏勝者強。自孔門七十子之徒，德行、言語、政事、文學已不能兼誼；其後分散諸國，言語家流爲宋玉、唐勒、景差，益與道分裂。荀況氏、揚雄氏亦皆從詞賦入經術，因文見道，或毗陽則駮於質，或毗陰則憒於事，徒以去聖未遠，爲聖古人，故至今其言猶立。矧生百世之下，能爲百世以上之語言，能騁宕百世以下之魂魄，春如古春，秋如古秋，與聖詔告，與王獻酬，躪勒、差而出入況、雄，其所復詎不大哉！

蔣湘南《與田叔子論古文第三書》 夫文章者，國運精華之所萃也，文章盛則人才盛，人才盛則儒術盛，儒術盛則治道盛。自古偏霸之世之文章，斷不能盛于一統之世之文章，日星河嶽之氣，鍾之厚而毓之奇也。

又《唐十二家文選序》 道以文明，文以道費，不明不費，古聾今聵，故何也？道一而二，曰陰曰陽，陽變陰化，奇隻偶雙。奇偶相間，律中宮商。物相雜，聲成音，皆謂之文，蓋猶規矩之於圓方，是以《六經》之語，有奇有偶，文不竄而道大光也。三代以後之文，或毗於陽，或毗於陰，升降之樞，轉自唐人。唐以後之文主奇，毗於陽而道歆，此歐、蘇、曾、王之派所以久而愈漓。唐以前之文主偶，毗於陰，而道忸，此潘、陸、徐、庾之派所以浮而難守。唐之文凡三變，初則王、楊、盧、駱，沿六朝之格，而燕、許爲大宗。繼則元、梁、獨孤牽東漢之緒，而蕭、李爲最雄。至昌黎韓先生出，約《六經》之旨，然後炳焉與三代同風，雖以子厚之雄深雅健，亦俯首而居於附庸。於戲！文外無道，不誠日在天中也哉。唐文之有昌黎，猶詩之有少陵。昔人謂學少陵者須從義山入，蒙則謂學昌黎者須從牧之入。學杜從義山入，免生硬槎枒之病；學韓從牧之入，免架空掉虛之病也。牧之之外又十一家，皆文質相宣，具矯駢反古之力。試觀次山、至之開昌黎之先，而氣已旁薄，夢得，和叔與昌黎同時，而境漸恢廓，持正、習之傳昌黎之法，而派不空鑿，復愚、可之諸人聞昌黎之風而興，而各以其才相拓，高而不柧，華而不縟，雄而不矜，元而不剷，馬、班以還，知者落落。故以此十一家佐牧之，以牧之導昌黎，非宋代諸大家之所能角也。今夫天之所授爲才，心之所積爲言，中宮、中商、中角、中徵、中羽之異，由於和言、危言、徐言、疾言之分，發喉出響，清濁各陳，故引上引下，許君以之作《說文》也。西漢之世，天葩日新，子長以奇，枚叔、長卿以偶，雖不黨而相犖，合文筆而各盡其致者，厥惟子雲。降及東漢，犖峴繽紛，遂開靡麗之習，使豪傑之士望古而嚬。唐代之復古，亦天地之會，自然氤氳矣。諸君子不毗於陽，不毗於陰，金相玉振，言雅氣馴，於以醒天下之聾聵，俾之變，文以載道之云，蓋文之奇偶卽

道之陰陽，瞀儒判道於文外者，非古之聞。

孫衣言《介庵文集序》 夫文章之妙，具於人心，而其精深變化之故，皆可以學而能也。

又《題馬生其昶文卷》 桐城馬生其昶以文來見，喜其簡古有體。【略】生年甫二十，而已有意介甫，它日豈可量哉！雖然，文章固有本焉，讀書必多，蓄理必博，涵之爲千仞之淵，而崇之爲萬仞之嶽，則介甫不足爲也。抑又聞之，少年爲文字，須有春夏氣，而生之文秋氣爲多，將有鬱而不舒之患，則收斂之過也，宜稍縱弛之，於生之年爲宜。

馮桂芬《復莊衛生書》 竊謂文者所以載道也，道非必天命率性之謂，舉凡典章制度，名物象數，無一非道之所寄，即無不可著之於文。有能理而董之，闡而明之，探其奧賾，發其精英，斯謂之佳文。故長於經濟者，論事之文必佳，宣公奏議未必不勝韓、柳；長於考據者，論古之文必佳，貴與考序未必不勝歐、蘇。文之佳者，隨其平奇、濃淡、短長、高下而無不佳，自然有節奏，有步驟，反正相得，左右咸宜，不煩繩削而自合。稱心而言，不必有義法也；文成法立，不必無義法也。

曾國藩《致劉孟容》 故國藩竊謂今日欲明先王之道，不得不以精研文字爲要務。【略】即書籍而言道，則道猶人心所載之理也，文字猶人身之血氣也。血氣誠不可以名理矣，然舍血氣則性情亦胡以附麗乎？今世雕蟲小夫既溺于聲律繢藻之末，而稍知道者又謂讀聖賢書當明其道，不當究其文字，是猶論觀人者當觀其心所載之理，不當觀其耳目言動血氣之末也，不亦誣乎？知舍血氣無以見心理，則知舍文字無以窺聖人之道矣。周濂溪氏稱文以載道，而以虛車譏俗儒。夫虛車誠不可，無車又可以行遠乎？孔孟沒而道至今存者，賴有此行遠之車也。吾輩今日苟有所見，而欲爲行遠之計，又可不早具堅車乎哉！故凡僕之鄙願苟于道有所見，不特見之，必實體行之；不特身行之，必求以文字傳之後世。雖曰不逮，志則如斯。其于百家之著述，皆就其文字以校其見道之多寡，剖其銖兩而殿最焉。于漢、宋二家構訟之端，皆不能左袒，以附一鬨；于諸儒崇道貶文之説，尤不敢雷同而苟隨。極知狂謬，爲有道君子所深屏，然默而不宣，其文過彌甚。

李元度《國朝先正文略》 文運與國運相表裏也。豈文章能移氣運哉！氣運隆，斯文章因以盛耳。

又《古文話序》 道外無文，文所在即道所在矣。文之升降盛衰，實與世運相表裏，故一代之風氣，其源流正變，往往迭出爲勝。然而萬古日月，光景常新，至變中要自有不變者存焉。

張裕釗《贈范生當世序》 夫文必有其本，匪第以文而已。生獨不見夫雲乎？軋忽輪囷，滃然起于山川之間，潢洋浩渺，旁魄乎大地。及其上于天也，鴻絧縝紛，駢闐膠輵，瓣若層臺，矗若崇墉，滄乎若波，崒乎若峰，旁唐日光，與風駭碭，倏忽萬變，光色照爛，爣閬澔汗，蟉若龍者，騰若猱者，蹲若虎者，奔若驥者，翥若鴻者，厲若隼者，漾若翛者，罨若蓋者，揚若旆者，曳若帶者，棨若菌者，縈若藻荇者，曄若葩華，摻若長松，爛若黼繡，媥若鼎鐘，嫿若美姝，嶷若列仙，奇變俶詭，千匯億形，不可殫陳。久立騁望，震炫敞網，蕩精駴神。至其施利澤于天下也，罩牢宙合，綿絡天地，歕岱欱海，乘駭猋驅，疾雷砰震，雹雨九野，植百昌，昭蘇品彙，覆幬無外，恩渥澤覃，風止雨霽，不一瞚而倏歸于無有，積之無垠，出之無窮，舒之無方，斂之若亡，然後知鬵之所爲一變化于自然，而皆其餘也。

又《與黎蒓齋書》 夫文章之事，非資才敻絶，而程功致力之深且久者，則必不能以至。才優而力深矣，其能至以幾于成與不能成，則亦有天焉。

袁翼《元遺山文選跋後》 文章與天地元氣相離合，國家運祚相盛衰。

王柏心《沈棠溪古文序》 在古唯有言而已。其不朽者則謂立言，初未專以文稱也。後世鶩華之士輩出，乃標名曰「文」，歷久而創爲體者愈多，布爲法者愈密，且尊之曰「古文」，然揆諸古立言之旨，則當焉者罕。夫古之立言者，其考道問德也久矣，精義入神也深矣，推古今之變而見天下之賾也博矣。發而爲言，窮理切事，質前聖待後世不謬不惑也。繁殺曲折，高下難易惟所施。無意於體，體自成；無意於法，法必備。望之若喬嶽穹窿，亘終古不騫也；察之若偃虹之梁，凌雲之欀，負栟幪承廣廈也；諷之若考鐘鼓奏琴瑟，疾徐亢墜，咸中倫也。夫然後而立言可不朽。【略】嗟乎！聰明才辨不世出之士，竭畢生精力，希聖賢立功業，何不足者？顧溺於詞章，智盡能索，徒使人視之與技藝等，豈不重可惜哉？此無他，古求之本，今探之末；古充之內，今耀之外；古植之根幹，今攬之枝葉。愈工愈不肖，何當於立言之旨哉？

吳敏樹《羅念生古文序》 夫文字者，篇章之始也。書契作而有文，屬其

文而爲辭，因以形狀萬物，紀天下之事，通生人之情。故文辭之道，雖至今可知也。苟明乎爲言之理，斟酌本末，因質而敷，繁簡廉肉，惟所取之，歸於有章而已，安有乎秦、漢、唐、宋之分哉？

又《與朱伯韓書》 夫文章之道，主乎其氣。氣竭矣，雖欲強而張之，不可得也。氣誠不餒而盛矣，雖欲強而抑之，亦不可得也。氣盛而用之其學與其才，故其文莫高焉。閣下以才學名天下，又將以氣特聞如是，而加之以好善，則其爲道將不止于古文。

又《與左季高》 乃今幸讀此書，益信文章之自有眞也。蓋爲文之道，在誠其中。中誠而後其氣實，其辭盡。否則，矜氣而已，游辭而已。先生擬陸士衡《文賦》，盡言爲文者之用心，而歸于大《易》「修辭立誠」之旨，可謂得文之至要者。今以其文，察其辭，審其氣，信非誠者不能爲也。閣下每相與論文，以爲其文必其人之爲之，卽誠之謂也。由先生之文以窺其爲人，有反身刻厲之功，有經世遠大之謀，有惻隱閎閣之憂，有慷慨節烈之氣，如是數者，他人之文亦時時若見之，而余以謂先生果有之者，誠也。誠不可以僞爲之也。然則先生豈直文人而已者哉！

又《書孟子別錄後上》 古之傳文者曰：「文者，以明道也。」斯言也，惟孟子與韓子當之。韓子之文，未專乎道也，專乎道者，孟子而已矣。前乎孟子者，唐虞三代以及于孔氏之門，其爲書《尚書》、《詩》、《易》、《禮》、《春秋》、《論語》。然其時聖人在焉，道固明于天下，而聖人垂之于書以爲道之著焉而已。故《書》以志其事，《詩》以導其情，《易》以盡其神，《禮》以秩其物，《春秋》以正其法，而《論語》者門人記孔子之語，蓋始有論說，未暇至乎辨也。自孔子沒至于戰國，道術大裂，天下之人承晚周之文弊，其風氣已極，而爭騁于言辭，其爲書皆能自張其說，而難敵家之論，雄奇詭博，千態萬類。今諸子之書僅有傳者，尚可見其大概，而當時固何如也。然則其時之學者，固未易決其是非之所從矣。孟子于其時獨倡舉先聖王之道，發文著議以曉天下之人，而天下之人卒皆逡巡易志喪失其所執，而惟吾道之歸。噫！孟子之道固全矣，而亦其文之功也。【略】今而讀孟子之書，如家人常語，然豈不以其文之善乎？然則所謂文以明道者，必如孟子而可焉。不然，吾恐道之未足以明而或且幽之也，其不然乎？其不然乎？

謝章鋌《論文上篇贈李少棠》 言不誠，其究必壞人心；文不誠，其終必喪心。成一文，其情甚摯，其意甚高，其義又甚精，但使稍藻繪焉，誠亡其一二矣。藻繪而遂塗澤，誠亡其四五矣。藻繪塗澤之不足，因而剽竊摹擬，誠亡其七八矣。然而藻繪者或以爲典雅，塗澤者或以爲矞皇，剽竊摹擬者或以爲包羅百家，能盡文之美而極其變。嗚呼！夫所謂載道者而如是耶？是故古文非古其貌也，將返心於古也。古之文不盡醇，顧吾聽其言知其善如是也，其未善若彼也。行其言，吾決其利若是也，其損如彼也。古人不區區以文爲言其心而已，吾得而窺之也。後之文多醇，其嚴重若聖若賢，其沖容若縉紳長者，其善下姁若老婦，似有善而無惡矣。然而其言行或迂鎖不當於事情，或支離而爲世大病，求美於文，日梏其心而不知者也，吾不得而窺之也。其文愈大，其心愈不古，其人或遂悠謬狂動而不可窮詰，蓋不誠之害如此。誠能讀書窮理養氣，以古人之心存心，蓄之久，藏之固，不得已而發之文焉。夫知以不得已之心爲文，則其文傳矣。嗚乎！此修辭立誠之道也。

吳汝綸《與楊伯衡論方劉二集書》 夫文章以氣爲主，才由氣見者也，而要必由其學之淺深，以覘其才之厚薄。學邃者，其氣之深靜使人饜飫之久，如與中正有德者處，故其文常醇以厚，而學掩才。學之未至，則其氣亦稍自矜縱，驟而見之，卽如珍羞好色，羅列目前，故其文常閎以肆，而才掩學。若昌黎所云「先醇後肆」者，蓋謂既醇之後，卽縱所欲言，皆不失其爲醇耳，非謂先能醇厚，而後始求閎肆也。今必以閎肆爲宗，而謂醇厚之文爲才之不贍，抑亦過矣。夫才，由氣見者也。

又《答陳靜潭》 來示謂「自少好經世大略，無以爲養，始刻意于文，實用爲深耻。」具見志意雄雋。「文章一小技，于道未爲尊」，執事用心近似古人矣，至「用爲深耻」則似矯枉過正。鄙意文患不工耳，誠工矣，則雖將相之尊，旗常之績，不足以易吾樂，夫何不足而當用爲耻乎？

又《復齋滕木》 敝國《六經》傳記所遺留之倫理學，實立國不刊之典。【略】來示謂「世與文俱逝，則遺骸相與語」，洵英雄快論。僕以爲文之至者，則世逝而文不與俱逝，其逝焉者乃近日所新出之西文；明日出一新書，則今日之書頓廢矣。若吾國聖哲之文，則不得謂遺骸對語，蓋其人去我已數千載，而語笑動作若在吾目中，是其人之精神永存于簡策間，不可得廢毁，故足貴也。【略】今歐美諸國皆自詡文明，明則有之，文則未敢輕許。僕嘗以爲周、孔之教，獨以文勝。周、孔去我遠矣，吾能學其道，則固卽其所留之文而得

之。故文深者道勝，文淺則道亦淺。後世失治，由君相不文，不能知往昔聖哲精神所寄，固非吾聖哲之道之不足以治國也。特今世富強之具不可不取之歐美耳。得歐美富強之具，而以吾聖哲之精神驅使之，此爲最上之治法。

又《答張廉卿》 近肯堂爲一文，發明聲音之故，推本《韶》、《夏》而究極言之，特爲奇妙。竊嘗以意求之：才無論剛柔，苟其氣之既昌，則所爲抗隊、詘折、斷續、斂侈、緩急、長短、申縮、抑揚、頓挫之節，一皆循乎機勢之自然，非必有意于其間，而故無之而不合，其不合者，必其氣之未充者也。

施補華《復吳摯父書》 古來文章之佳者，必有偏激不平之氣。屈原、莊周、韓愈氏其尤最也。雖視世俗小夫戚戚於貧賤，怨天尤人，與夫反乎此者，睥睨一切，譏罵笑侮，不復自爲羈檢，其感憤之指不同，而按其文詞，要不得謂悉中於和節。然而三子者之於道，概乎有所聞焉者也。愚謂執是說也不獨三子爲然，雖孔子亦有之：「匪兕匪虎，率彼曠野。」「吾道非耶？」閔窮也；「吾衰也久矣，吾不復夢見周公。」歎老也；「手無斧柯，奈龜山何。」嗟卑也。豈得謂非不平之鳴哉！然所爲閔窮者，閔道之窮耳。所謂歎老而嗟卑者，道在於其躬，以歲之不與，而權之不屬，堯、舜、禹、湯、文、武之傳，將自此而泯耳。此如天地之氣，陽鬱陰凝，久而不泄，發爲風雷而一鳴焉。自然之應，非別有偏激而然也。夫人喜怒哀樂涵於性而著於情，發而中節，皆謂之和，其無不中節者，孔子也。三子者文章誠有偏激不平之氣，取其合於道者，所謂怒與哀之和，無戾於孔子者也。補華前說亦懲世俗二者之感憤耳。若夫人心世運與吾身之進退相係，憂道之君子有所感憤而託之於文章，而又迎而距之，遏其詞而揉其氣，是亦怒與哀之和，爲吾性中所自具。雖三子去今遠矣，長言咏歎，其精神固流通於千百載之間，而文章之佳無今古一也，豈有頑然情索，薾然氣盡，反爲有得於道哉！

王闓運《八代文粹序》 昔良史總略羣書，本于六藝，豈獨折衷于聖典，蓋亦探究其淵原。書契之興，肇于羲畫；文聲之比，成于詩樂。同天則《尚書》《春秋》，治人則威儀經曲，文之盛也。斯人之所以參天地乎！夫方有殊音，故文不同體；音有楚夏，則方有古今。孔子贊《易》曰「修辭」，《聘記》論詞曰「足達」。又曰「辭足以達，義之至也」。然則不修者不足以達，達而不已者，又修之不誠也。玄聖既沒，文不在人，散之羣賢，乃成一代。是以古之文則聖聖同揆，後之人則世世殊風。

鄧繹《藻川堂譚藝·唐虞篇》 韓愈之論文章曰：「水盛，而物之大小畢浮；氣盛，則言之短長與聲之高下皆宜。」其言文章之氣先于骨幹、詞采，似矣，而不推原于帥氣之志，則猶未爲知本者也。

又《三代篇》 文章之生于道德，猶木本之有花葉然。絢爛之極，歸于平淡；花葉之盛，還生果實；文章之茂，還爲道德。是以孔門施教，博文約禮，循環無窮。兩漢通儒，至于唐、宋，能知此者，不過數人而已。紫陽立論，合道德文章而一之，而譏韓、歐氏之判道裂文爲非是，其言似矣。然知文章之本在道德，而不知文章之還爲道德。故謂孔子以斯文自任，爲謙不敢當之辭，而于孔門并列四科之意，猶未能深探其所以然也。

又 韓退之曰：「仁義之人，其言藹如也。」歐陽永叔《送徐無黨南歸序》，先道德而後辭章，皆近于知本者，非判道與文而二之者也。紫陽乃深譏韓、歐之裂道與文，蓋持門戶之見，而以勝心爲主耳。不然，夫豈不知孔門四科，皆可羽翼斯文之統，必排宰、端、游、夏于顏、冉諸賢之外，而以爲無與于聖人之道乎？

又《比興篇》 歐陽永叔曰：「道勝者，文不難而自至。」斯言得文之本，所以步趨昌黎，其氣沛然，其本卓然。蓋因文見道者，端木、卜氏之學，溫故而知新也；道勝于文者，曾、思、孟子之學，知言而養氣也。歐公可謂取法乎上矣。

郭嵩燾《國朝十家四六文鈔序》 文章緣始，取資根柢，品事類情，理體畢呈，流派區分，軌轍斯異。尋求兩漢之作，樹幹爲骨，錯綜經緯，輔之以辭，非博覽無以厚其藏，非精思無以析其理。異制繁興，摛辭無二，六代波流，漸趨繁縟，遂乃排比爲工，陶染爲富。至唐四傑出，華贍豐靡，無復餘蘊，揚雄氏已古今之學者，非但爲之華藻，又從而綉其鞶帨。蓋世愈降，而文亦愈靡矣。昌黎氏起而振之，抗兩漢而原本《六經》，創爲古文之名，六代文體判分爲二，夫誠有涵濡《六經》之功，斯爲美矣。而舍鉛華以求倩盼，去纂組而習委它，勞逸差分，豐約殊旨，俗學虛枵，波蕩以從之，則矯之于古者，抑亦轉而就衰之徵乎。國朝文治昌明，曠越前代，駢儷之文，跨徐、庾而追潘、陸。陶冶性情，杼柚尺素，爲不乏矣。

王先謙《國朝十家四六文鈔序》 夫今樂前陳，而賢侯忘倦；流徵間雜，

則和人彌寡。文章道歧，何莫不然。是以學美者侈繁博，才高者喜馳騁，往往詞豐意瘠，情竭文浮，奇詭競鳴，觀聽彌眩，軌轍不修，風會斯靡。故駢散二體，厥失維均，而駢之爲累，尤劇于散。或乃仲宣體弱，不起其文；休文調律，反甚其弊。蕃蕪塞塗，罕見枝幹之挺；平原埃積，邈無川岳之秀。主文客氣，玉貌蓬心，論者遂喻蜩螗以齊、梁，伍俳優于皋、朔，病至此乎，嘻其過矣。夫詞以理舉，肉緣骨附，無骨之肉，不能運其精神；寡理之詞，何以發其韻采。體之不尊，道由自敝。

林紓《春覺齋論文・忌險怪》幼年聞古人「文以載道」之語，初不甚解。近十五年來，方知古文一道，非學不足以造其奧，非道不足以立其幹。但觀歐、曾之文，平易極矣，有才之士，幾以爲一蹴而幾，乃窮老盡氣，恆不能得，何者？平易不由艱辛而出，則求平必弱，求易必率。弱與率類于平易，而實非平易。不由于學，則出之無本；不衷于道，則言之寡要。以無本寡要之文，胡能自立于世？

又《國朝文序》古文惟其理之獲與道無悖者，則味之彌臻于無窮。若分劃秦、漢、唐、宋，加以統系派別，爲此爲彼，使讀者炫惑其目力，莫知其從，則已格其途而左其趣矣。雖然，獲理適道，亦不惟多讀書、廣閲歷而然，尤當深究乎古人心身性命之學，言之始，衷于理且與道合。乃經生之文樸，往往流入于枯淡；史家之文，則又隳突恣肆，無復規檢：二者均不足以明道。惟積理養氣，偶成一篇，類若不得已者。【略】必意在言先，修其辭而峻其防，外質而中膏，聲希而趣永，則庶乎其近矣。

又《與姚叔節書》古人因文以見道，匪能文卽謂之知道。蓋古文之境地高，言論約，不本于經術，爲言弗腴，不出于閲歷，其事無驗。唐之作者林立，而韓、柳傳；宋之作者亦林立，而歐、曾傳。正以此四家者，意境義法，皆足資以導後生而進于古，而所言又必衷于道，此其所以傳也。

又《韓文研究法》讀昌黎「五原」篇，語至平易。然而能必傳者，有見道之能，復能以文述其所能者也。宋之道學家，如程、朱至矣，問有論道之文習誦于學者之口者耶？亦以質過于文，深于文者原遂不目之以文，但目之以道。道可喩于心，不能常宣于口，理無傳耳。昌黎于《原道》一篇，疏浚如導壅，發明如燭暗，以足于中，造語復衷之法律，俾學者循其塗軌而進，卽可因文以見道。黃山谷曰：「文章必謹布置。」每見後學，多告以《原道》命意曲折。

劉熙載《藝概・文概》「出辭氣，斯遠鄙倍矣」，此以氣論辭之始。至昌黎《與李翊書》、柳州《與韋中立書》，皆論及於氣，而韓以氣歸之於養，立言較有本原。自《典論・論文》以及韓、柳，俱重一「氣」字。余謂文氣當如《樂記》二語曰：「剛氣不怒，柔氣不懾。」文貴備四時之氣，然氣之純駁厚薄，尤須審辨。韓昌黎《送陳秀才彤序》云：「文所以爲理耳。」《答李翊書》云：「氣，水也；言，浮物也。水大而物之浮者大小畢浮，氣盛則言之短長與聲之高下者皆宜。」周益公序《宋文鑒》曰：「臣聞文之盛衰主乎氣，辭之工拙存乎理。昔者帝王之世，人有所養而教無異習。故其氣之盛也，如水載物，小大無不浮；其理之明也，如燭照物，幽隱無不通。」意蓋悉本昌黎。文要與元氣相合，戒與盡氣相尋。翕聚、僨張，其大較矣。

薛福成《季弟遺集序》余少與季懷以問學相切劘。季懷好攻古文辭，覃思不暇，余詰以「時變方殷，士無論遇不遇，當蘄以有用之學，表見于時，胡爲矻矻于文藝之末？」季懷曰：「不然。夫文之至者通乎道，古文于文體最尊，且自古夷艱濟世之偉人無文不行，如賈誼之疏，董仲舒之策，諸葛武侯《出師表》，陸宣公《奉天改元大赦制》，其所以斡旋世運，鼓動倫類者，獨非文章之力邪？而賤之也？」余乃稍稍致力古文辭，季懷亦漸講經世學，凡余所觀之書無不觀。其後，余佐曾文正公幕府，攜季懷同往，聞公論文之旨，以謂聖門四教冠以文，文者，道德之鑰而經濟之輿也。故其尙論古今與求賢之法，一以文爲之的。

鄭由熙《晚學齋文集自序》夫文以載道，道在天地間不可須臾離，倘無文以闡之，則智愚賢不肖輩奚從識其本末精粗，故文尙焉。余非知文者，聞道更淺。【略】今檢行篋，錄爲一編，于道尙未之見，何足以言文。然一息尙存，此志不容稍懈。世有有道君子，匡我不逮，以進于道焉，應幾日在堯天舜日之中，不徒爲含哺鼓腹之人歟！

黎庶昌《答趙仲瑩書》惟獨文章一事，余意以爲尙留未盡之境以待後人。而因文見道之說，僕尤篤信不惑。何也？蓋文以載道，周子固嘗言之也。古之善爲文，莫盛于司馬遷、班固、韓愈、歐陽修。韓、歐之文，世頗以道歸之矣，而馬、班則未也。獨蘇明允稱之曰：「遷、固雖以辭勝，然亦兼道與法而有之，時得仲尼遺意焉。」望溪方氏推尊子長，曾文正公則兼及班氏，謂

其經世之典、六藝之旨、文字之源、幽明之情狀，粲然大備，是豈逐世俗爲毁譽哉！【略】夫道與文幷至者，孔、孟是也，下此見道有淺深，言道有醇駁，而皆由文字悟入，則自漢、唐以來無或異也。

唐才常《論文連珠十首》 蓋聞淸角奏而風雨至，琴之感以末；銅山傾而洛鐘應，拌之發蓋神。聲者，天地之自然；氣者，造化之樞紐。是以託纏綿於尺素，《風》、《雅》傳正變之音；發忠孝爲文章，屈、賈乃精誠之洩。

又 蓋聞龍門之桐高矗，百尺無枝；《陽春》之曲既奏，千人皆廢。是以言爲心聲，文因人重。故右軍灑脫，遠軼諸王之藩籬；淵明高潔，蕭然衰世之巢、許。

陶曾佑《論文學之勢力及其關係》 有物焉，蟠據於光榮之大陸，其有無不關於生命，其盈絀不足爲富貧，聽之而無聲，嗅之而無氣，人之視之，究不若對於名譽、思想、金錢、主義之懇切也；然而地球中之先覺者，莫不服從之，崇拜之，震懾之，歡迎之，珍爲第二之靈魂，實爲無形之軀殼，舉凡政治也，法律也，經濟也，軍事也，國際也，實業也，過去之歷史也，現在之大勢也，未來之問題也，莫不藉之以傳播，以鼓吹，以淘汰，以支配，以改革，以變遷，斤斤然而希望其進化；用之而不敝，取之而不竭，賢不肖之所得，各隨其才，仁智之所見，各隨其分；用之於善，則足以正俗扶風，造於百年之幸福，而涵養性質，培植人格，增益智識，孕育輿論，尤其小焉者也；用之於不善，實足以滅國絶種，伏億萬里之病根，而蕩佚意志，錮蔽見聞，淆混是非，銷沉道德，又其微焉者也。咄！此何物？此何物？其氣質之物耶？其固質之物耶？抑流質之物耶？吾同胞誌之，其最高尚、最尊樂、最特別之名詞，曰文學。彼西哲所謂形上之學者，非此文學乎？倍根曰：「文學者，以三原素而成，即道理、快樂、裝飾各一分是也。」洛理斯曰：「文學者，世界進化之母也。」和圖和士曰：「文學者，善良淸潔之一世界也。」然則，諸哲之於此文學，志意拳拳，其故安在？蓋載道、明德、紀政、察民，胥於此文是賴；含融萬彙，左右羣情，而吐焉、納焉、臧焉、否焉，生焉、滅焉，惟兹文學始獨有此能力。恃利喙鋒牙吸噬膏髓之禽獸勢力，未足與之角；挾黑鐵赤血操縱生命之戰鬭勢力，莫敢與之京；施祈禱舞蹈灌輸迷信之宗教勢力，具聖言令歌獨裁政體之君主勢力，不克以駕馭之，而反屈服於其下。文學！文學！爾之勢力可不謂偉矣哉？

又 俯視千春，橫眺六極，無文學不足以立國，無文學不足以新民，此吾敢斷言者也。大塊無私，假以文明之要素；洛陽有日，博來優美之公評。翻文海之波瀾，除學界之荆棘。夕治半稿，朝出全編；壓倒一時，喧騰萬里；縱橫筆陣，烈焰烘烘。丁夫雨後更闌，酒酣耳熱，才思泉湧，逸興雲飛；忽而雷霆怒號，忽而河山震動，忽而神出鬼沒，忽而花笑鳥歌；呼罵自如，發揮盡致，莊諧咸備，纖鉅靡遺，一面菱花，普映大千世界。即以此觀，而吾國可親、可愛、可敬、可畏、可希望、可馨香之列列文豪，亦足據以侈矜夫當世，而睥睨一切者也。文者，天下人心中固有之物也。文豪，文豪！吾願爾之毋自輕，毋自卑，毋自棄，毋自賤，毋自欺！文豪！文豪！吾願衆生毋輕爾文豪，毋卑爾文豪，毋棄爾文豪，毋賤爾文豪，毋欺爾文豪！文豪！文豪！吾尤願萃吾巴科民族，從爾馳騁，憑爾驅使，資爾誘掖，荷爾陶鎔，挾爾作無量化身，普及吾四千餘年四百餘兆之可憐蟲，莫不鼓蕩此源泉，居文豪之尊位置！文豪！文豪！吾更願舉吾藻麗神州，著作如雲，翻譯如霧，報章電掣，典籍風行，家家業印刷之科，處處設圖書之館，機關滿地，權勢薰天，團合吾二三殖民十八行省之乾淨土，莫不標呈此特色，成文豪之天演場！平地一聲，昭蘇萬象。沒字之頑石乎？野蠻之寫眞乎？將與黃鶴齊飛，澌滅於無何有。

陳衍《石遺室論文》卷四 其「氣，水也；言，浮物也」數語，譬喻曲肖，作散文者斷莫能外。蓋多讀書、多見事，理足而識見有主。然後下筆吐辭之際，淺深反正，四通八達，百折不離其宗。如山之有脈，如水之有源，如木之有本，則峰巒之高下，港汊之短長，枝葉之疏密，無不有自然之體勢。蘇詩所謂「一一皆可尋其源」者也。昌黎專喻以水，則求其造語之妙，言氣而未言理耳。言氣而理亦在其中，此即韓文之「短長高下皆宜」處。必兼言理，則質實而乏語妙矣。

譚嗣同《思篇·二十八》 夫浩然之氣，非有異氣，即鼻息出入之氣。理氣此氣，血氣亦此氣，聖賢庸衆皆此氣，辨在養不養耳。得養靜以盈，失養暴以歉。氣行于五官百骸，形而爲視聽言動，著而爲喜怒哀樂，推而究之，齊治均平，所由出也。其養之也，又非吐納屈伸之謂也。懲忿窒欲固其體，極深研幾精其用。懲與窒，斯不憂不懼繼之矣；極與研，斯盡性至命繼之矣。故善養氣者，喜怒哀樂視聽言動之權，皆操之自我者也。操之自我，而

又知言以辨其得失，于是無有能惑之者，而不動心之功成矣。

章炳麟《國故論衡・文學總略》 文學者，以有文字著于竹帛，故謂之文；論其法式，謂之文學。凡文理、文字、文辭，皆稱文。言其采色發揚謂之彣，以作樂有闋，施之筆札謂之章。《說文》云：「文，錯畫也，象交文。」「章，樂竟爲一章。」「彣，䰼也。」「彰，文彰也。」或謂「文章」當作「彣彰」，則異議自此起。《傳》曰：「博學于文。」不可作「彣」。《雅》曰：「出言有章。」不可作「彰」。古之言文章者，不專在竹帛諷誦之間。孔子稱堯、舜，「煥乎其有文章」，蓋君臣、朝廷、尊卑、貴賤之序，車輿、衣服、宮室、飲食、嫁娶、喪祭之分，謂之文；八風從律，百度得數，謂之章。文章者，禮樂之殊稱矣。其後轉移施于篇什，太史公記博士平等議曰：「謹案詔書律令下者，文章爾雅，訓辭深厚。」（《儒林列傳》）此寧可書作「彣彰」耶？獨以五采彰施五色，有言黻、言黼、言文、言章者，宜作「彣彰」。然古者或無其字，本以「文章」引伸。今欲改「文章」爲「彣彰」者，惡夫沖淡之辭，而好華葉之語，違書契記事之本矣。孔子曰：「言之無文，行而不遠。」蓋謂不能舉典禮，非苟欲潤色也。《易》所以有《文言》者，梁武帝以爲「文王作《易》，孔子遵而修之，故曰《文言》」。非矜其采飾也。夫命其形質曰文，狀其華美曰彣，指其起止曰章，道其素絢曰彰，凡彣者必皆成文，凡成文者不皆彣，是故推論文學，以文字爲準，不以彣彰爲準。

又《文學說例》 叙曰：爾雅以觀於古，無取小辯，謂之文學。文學之始，蓋權輿於言語。自書契既作，遞有接構，則二者殊流，尚矣。漢世相如、雄、固之屬，皆嘗纂《凡將》，訓《蒼頡》，故其文辭閎雅，知言之選。唐時樂文采者，猶云「宜略識字」；至賦詩言「餻」，矜慎不舉。兩宋以降，斯道漸普，然有所述作，猶號曰古文辭，其稱謂不能無取於墳籍。既昧雅訓，則謁躋狂舉者衆。昔王仲任有言：「能說一經者爲儒生，博覽古今者爲通人，采掇傳書以上書奏記者爲文人，能精思著文連結篇章者爲鴻儒。故儒生過俗人，通人勝儒生，文人踰通人，鴻儒超文人。」（《論衡・超奇篇》）夫漢人自《史篇》、《蒼頡》，齔齒以上，大抵從師受誦。逮其成立，劣能守文則曰儒，草創述作則曰文，誠其第次當如是也。今則文墨辭說之士，乃往往不逮經儒遠甚。姚姬傳欲事東原，猶被謝斥，何有其錄錄者？校其功實，非通小學與不通小學之效歟？夫炎、耑而上，結繩以治，則吐言爲章可也。既有符號，斯殺雜異語，非通古今字知先代絕言者，無能往來，況夫審別流變耶？世有精練小學拙於文辭者矣，未有不知小學而可言文者也。今爲說例，率取文學與雅故神恉相關者，觀其會通，都爲一牒，以俟達者云爾。

陳澹然《晦堂文鑰・作文辨》 古人所以爲文者何哉？大則明內政兵事外交，以治天下；小則明尋常日用，以結人群而已。然其事無不貫之以理。理者何？若木之有細紋，肌膚之有理腠。大匠斲木，斧至則開；庖丁解牛，迎刃而解，皆以中其理也。故凡有一事必有一理，即事求理，理積則文自生，乃不至空言無用。豈若宋儒日言天理性理，令人無可尋求。此求文之始也。即以文論，皆有至理貫乎其中，觀其變化屈伸，陰陽開合，極之音響節奏，何一非理之自然？文之未精，即理之未至，此求文之終也。求文之法，始於尋常日用，逐事研求。由一身之政推之一家，由一家之政推之一國，內政明而識見定矣；一身之禦外侮，一家之禦強鄰，推之即一國兵事也，兵事明而志氣雄矣；一身之結納，一家之往來，推之即列國外交也，外交明而規模遠矣。僕濫竊文名，時以文人自恥，實則平生所學，乃在內政兵事外交。自少至今，於古人之文未嘗一讀。偶有所作，即以內政兵事外交之法行之，久之而變化自出。故平生著述，此三者外，未嘗一託之文。將來課士，要不外此。竊意文與事合爲一途，其人乃爲有用。孔子有言，是亦爲政。明乎此，則文即事矣。文云乎哉！

又《古棠塾言・文源第八》 集也者，子之遺也。魏晉六朝，集則多而文實寡，惟王羲之、陶潛、高允、蘇綽，誼高識遠，故韻潔一時。顧體弱不足嚴海內之宗，而親者卒鮮。唐重詩賦，成體尤艱，雖李杜雄才，不免規摹六代。而集之盛，莫若昌黎，其氣體實足括囊萬彙，柳則精鑿勝而廣大遜之。此中幾微，尤爲性情福澤、風俗人心之所係。治古文者，必先嚴其徑而自養其源。斯二者，漢以後文之盛軌也。自斯而下，李翺、張籍，類皆具體；昌黎、杜牧、孫樵，大都浸尋子厚。惟顏眞卿《廟諡議》、元結《中興頌》，二篇嶷然自立。兩家之外，高風峻骨，獨步千秋，而其他蓋罕。宋承五代文敝，俗衰韓、柳，寂無宗嗣。惟尹師魯、歐陽修慨焉興起，一以考論古今典章治亂爲斷斷，於是曾、王倔自西江，三蘇起自西蜀，文章之盛郁，爲賢才仁英之間，郅治幾乎文景，蓋學專其要，則抉理自明；理致其精，則爲文自峻。發諸言則蹈今而不違乎古，措諸事自達權而不失乎經，風氣鼓盪於無形，才

智奮興於不覺，而後達者行其力，窮者行其言，天下不期治而自治。歐公遠窺道要，近拔人才，馴致宋室，賢材儼同周氏，以此歎古文詞之力無窮，歐氏之功爲獨遠也。然歐學昌黎，而其才實多未逮，子固、子由學歐，而其力益衰，惟子瞻才力卓然，自成變化，而繁累或近於歐。老泉、介甫才力雅近於韓，而氣姿皆駁，惟張耒遠游蘇氏，清穆冠時，而才力或與歐、曾爲近。石介自成勁骨，而涵養未純，乃知昌黎渾穆，眞乃間氣之雄，而歎瓌材之不數覯也。之數子者，號爲八家，外則君實、稚圭，較爲雄朴，范文正文多經世，而氣體或累東吳。他若道學諸賢，則濂溪《圖說》、《通書》，伯子疏議，横渠《正蒙》，醇質乃近群經，而《正蒙》尤爲雄穆。故黨論不作，吾道於以寖昌，此不得以集論者也。伊川氣隘而質醇，觀二程粹言，則固大賢之亞也。朱學南豐，其博大乃如歐氏，而平率或多，其餘眞、魏之徒，大都一本程、朱，而其才亦遜象山兄弟，超挹群賢，意度乃近濂溪伯子。龍川縱横王霸，晚出爲豪，其《酌古錄》，蓋兼明允、子瞻，出入周秦諸子。然《與何博士談兵》，皆雄而未厚，類雜時或乘之。後世乃以此二家未守考亭圍範，而概屏之，不已甚哉。

又 大抵文章一道，全視天姿學養爲程。即後來道學流風，義歸矯飾，顧眞精難昧，其文已挾其心術以俱來。君子所由自驗其文，而竦然滋懼者也。

又 自時藝之興，而文字之原幾絕。明代號崇正學，而古文一道，僞體殊多。七子雄才，遺神襲貌，遂開晚季僞子釋經浮藻之風。於是龐囂詭異，中於清流，而黨禍竟亡其國。始基擇術，故君子尤兢兢焉。惟方正學論治，翕古達今，而行事或多滯古，其文實雅近伊川。陽明天才奇犖，其學遠宗孟氏而文亦類之，於明代實爲砥柱。歸震川獨守八家，遠宗遷史，然久居鄉曲鉅制爲稀。至明代之衰，文宇(字)益乖駁而幾乎息。惟顧、黄、王、魏四賢，獨求經世於朱陸空談之後，恢才偉學，實啓我朝文治之先。至我朝則侯壯悔、王於一、姜西溟三家，各稱雄長。惟韓慕廬遠宗歐氏，倡古學而振人才，其文亦浩然澤古。於是方、戴、李、姚、曾、張、魯、惲、胡、左、郭、王諸賢，蔚然海内。而經世之術，則以方、左、胡、郭爲得其宗，人才實已並驅周宋，故治且類之。以此見人才消長，實爲國家政治升降之機，而學問文章之盛衰，實爲一代人才之樞鑰。

又《文指第九》 凡此固皆文學之士所必深咀冥索，以得其精華。驟而乘之，或苦茫無津涘，然以求論說，則遠需自邇，高必自卑。首賈氏《過秦》、史公諸序，韓氏《原道》，柳氏《封建》，而下逮歐、蘇，以立其宗，則程功實約，然後參之何博士、陳龍川，以雄其體，博之王船山史論以廓其精，擴之顧、黄、魏以閎其運量，約之方正學、靈皋、姚惜抱以靜其天倪，必使縱横變化，離合精雄，神明法度之中，而超然自逸於法度之外，一若神龍舒卷絳霄，不可方物，斯爲得之。此論之大略也。論明而策若義，但須博觀群籍，以廣其源而無勞矣。此何故哉？其波瀾意度之極於自然，蓋無一不根諸論也。奚事紛紛泛鶩者爲哉？然此特科制徑簡之圖，未足語立言之大者也。循此而縱覽百家以宏其趣，又懼其泛而無統也。約諸《管》、《老》、《列》、《莊》、《淮南》、《關尹》、《鶡冠》、《孫》、《商》、《韓》、《荀》、《墨》、《申鑒》、《中說》，湛之唐宋諸子，以深其變，凝之《太極》、《通書》、《正蒙》，以穆其神。又懼其標而不留也。精之《左》、《史》、《語》、《策》記叙之淵微，以曲達其奥窔，然後反諸《六經》以求其極致，而宿其指歸而道成矣。道成，而後特慮詞氣之微。緩則迂，而抗則激，剛柔燮劑，非沈浸醞釀，莫由自際於高深。惟咀濡泳味於葩經、《左氏》、《離騷》、《太史》，發其憂世憫俗之誠，潔其精而幽其韻味，湛其意而毋滯其悲詫之詞，久之而深精蘊結，神采且蔚焉彬郁之中。何則？君子爲文，本期明世，而近世迂儒之習，既無以起天下之人心，策士之風或轉以致衰時之黨禍。惟抱此孤芳曠感之忱，時深天命人心之懼，無令憤嫉悲愴之氣蕩我幽懷，則詞旨之中自有忠愛怛摯之誠，惻惻與天人相感召，雖雄奸巨慝，亦將感吾說而不至生怨激之私。故立言要旨，全恃眞氣鼓蕩，其閒必内焉可對吾心，外焉可盟天地，乃可自立其誠。而論事大端，尤在度所能爲，而無事炫奇駭俗，此何爲哉？夫君子所爲立言者，凡以爲天下耳。自來叔季之時，恆多疑忌。一言之激，禍輒隨之，身且不存於天下，何有夷考？漢、唐、宋、明，黨禍未始，非諸賢有以激之，此其義微特施諸中和廣大之途，則誠至而無不動者矣。文云乎哉？惜乎賈、蘇之未足以躋此耳。大抵學問之淺深，各視其人之志量，而無能強以相從。特不明其峻極之程，則爲此者，視爲弋科應舉之資，弊且與時文等，而害輒過之。將使古聖賢垂教之大端，由此而卑於天下，而道且亡矣，何者？時文之弊不過一得，自封群安固陋，論策則治之未深，將人人有非堯舜、薄湯武之意，天下之禍且自此無窮也。故特略明綱紱，以俟達者之自爲，此立言之大略也。

又 吾友謝退谷嘗與余論文，多篤實心得之語。一日謂余曰：「文有三理，善言德行者，道理足也；達於時務者，事理足也；筆墨變化者，文理足也。三者俱無，則《昭明文選》之文而已。」余初聞之，即覺其言之過，已而退谷筆之書矣，此則不可不辨者也。姑無論諸葛武侯之《出師表》，李令伯之《陳情表》，束廣微之《補南陔白華詩》，爲千古言忠孝者之識志；卜子夏之《毛詩序》，杜元凱之《左氏傳序》，劉子駿之《移太常博士書》，開後來論經學者之津塗，即陸士衡之《文賦》，古今之言文章者，亦豈能外之？且如屈子之《離騷》，李少卿、司馬子長之書，可謂之文理不足，而筆墨不變化乎？司馬長卿之《諫獵》、《難蜀父老》，枚叔之《諫吳王》，班叔皮之《王命論》，可謂之事理不足而不達於時務乎？崔子玉之《座右銘》，宏韋嗣之《博奕論》，張茂先之《勵志詩》、《女史箴》，可謂之道理不足而不善言德行者乎？大抵退谷喜講心性之學，所最服膺者，眞文忠公之《文章正宗》，其於《文選》未嘗全部審讀，故不自覺其失言。阮芸臺先生曰昭明所選，名曰《文選》，蓋必文而後選，非文則不選删者也。凡以言語著之簡策，不必以文爲本者，皆經也、子也、史也，皆不可專名之爲文。專名曰文者，自孔子《易・文言》始，實爲萬世文章之祖。此篇奇偶相生，音韻相和，如青白之成文，如咸韶之合節，非淸言質說者比也，非振筆縱書者比也，非佶民屈澀語者比也，是故昭明以爲經也、子也、史也，非可專名之爲文也。專名爲文，必沈思翰藻而後可也。自齊、梁以後，溺於聲律，彥和《雕龍》，漸開四六之體，至唐而四六更卑，然文體不可謂之不卑，而文統不可謂之不正。自唐宋韓蘇諸大家，以奇偶相生之文，爲八代之衰而矯之。於是昭明所不選者，反皆爲諸家所取。故其所著者，非經即子，非子即史，求其合於《昭明文選序》所謂文者鮮矣，合於班孟堅《兩都賦序》所謂文章者，更鮮矣。其不合之處，蓋分於奇偶之間，經史子多奇而少偶，故唐宋八家不尚偶；《文選》多偶而少奇，故昭明不尚奇。如必以比偶非古而卑之，則孔子自名其言曰文者，一篇之中，偶句凡四十有八，韻語凡三十有五，豈可以爲非文之正體而卑之乎？況班孟堅《兩都賦序》及諸漢文，其體皆奇偶相生者乎？《兩都賦序》白麟、神雀二比，言語、公卿二比，即開明人八比之先路。明人號唐宋八家爲古文者，爲其別於四書文也，爲其別於駢偶文也，然四書之體，皆以比偶成文（《明史・選舉志》曰：四子書命題，代古人語氣、體用、排偶，謂之八股），不比不行。是明人終日在偶中而不自覺也，是四書排偶之文眞乃上接唐宋四六爲一脈，爲文之正統也。然則今人所作之古文，當名之爲何？曰凡說經講學皆經派也，傳志記事皆史派也，立意爲宗皆子派也，惟沈思翰藻乃可名之爲文。非文者尙不可名爲文，況名之曰古文乎？又曰：古人無筆硯紙墨之便，往往鑄金刻石，以期傳之久遠。其著之簡策，亦有漆書刀刻之勞，非如今人下筆千言，言事甚易也。許氏《說文》「直言曰言，論難曰語」，《左傳》曰「言之無文，行之不遠」，此何也？古人以簡策傳事者少，以口舌傳事者多；以目治事者少，以口耳治事者多。故同爲一言也，轉相告語必有愆誤（《說文》：「言」，從口、從辛、辛愆也）。是必寡其詞，協其音，使人易於記誦，無能增改。且無方言俗語雜於其間，始能達意而行遠。此孔子於《易》所以著《文言》，此千古文章之祖也。《爾雅》釋訓主於訓蒙，而子子孫孫以下，用韻者三十二條，亦此道也。爲文章者，不務協音以成韻，條詞以達遠，使人易誦，易記，而惟以單行之語縱橫恣肆，動輒千言萬字，不以爲煩，不知此乃古人所謂「直言之言，論難之語」，非言之有文者也，非孔子之所謂文也。《文言》數百字，幾於句句用韻，孔子於此發明乾坤之蘊，詮釋四德之名，幾費修詞之意，冀達意外之言（《說文》曰：詞意內外，言也。蓋詞亦言也，非文也。《文言》曰：修辭立其誠；《說文》曰：修飾也，詞之飾者，乃得爲文，不得以詞，即文也）。要使遠近易誦，古今易傳，公卿學士皆能記誦，以通天地萬物，以警國家身心，不但多用韻，抑且多用偶。即如樂行憂違，偶也；長人合禮，偶也；和義幹事，偶也；庸言庸行，偶也；閑邪善世，偶也；進德修業，偶也；知至知終，偶也；上位下位，偶也；同聲同氣，偶也；水濕火燥，偶也；雲龍風虎，偶也；本天本地，偶也；無位無民，偶也；勿用在田，偶也；潛藏文明，偶也；道□位德，偶也；偕極天則，偶也；隱見行成，偶也；學聚問辨，偶也；寬居仁行，偶也；合德合明，合序合吉凶，偶也；先天後天，偶也；存亡得喪，偶也；餘慶餘殃，偶也；直內方外，偶也；通理居體，偶也。凡偶皆文也，於物兩色相偶而交錯之，乃得名曰文，文即象其形也（《考工記》曰：靑與白謂之文，赤與白謂之章；《說文》曰：文，錯畫也，象交也）。然則千古之文，莫大於孔子之言《易》。孔子方以用韻比偶之法錯綜其言，而自名曰文，何後人熟視而無睹乎？

又 或疑文必有韻之語爲不盡然，不知此劉彦和之説也。《文心雕龍・總術篇》云：「今之常言有文有筆，無韻者筆，有韻者文。」彦和精於文理者，豈欺人哉？近人中知此理者頗鮮。阮芸臺先生曾詳言之曰：「所謂韻者，乃章句中之音韻，非但句末之韻腳也。」六朝不押韻之文，其中奇偶相生，頓挫抑揚，皆有合乎宫羽，故沈休文作《謝靈運傳論》曰：「五色相宣，八音協暢，由乎元黄律吕，各適物宜，欲使宫羽相變，低昂舛節，若前有浮聲，則後須切響，一簡之内，音韻盡殊，兩句之中，輕重悉異，妙達此旨，始可言文。」言之最爲曉暢。昭明所選亦不盡有韻腳之文，而奇偶相生，宫羽悉異，溯其原本，乃出於經。孔子自名其言《易》者曰文，此千古文章之祖。《文言》固有韻矣，而亦有平仄聲音焉，即如「濕、燥、龍、虎」，睹八句上下，何等聲音無論。「龍虎」二句不可顛倒，若改作「龍虎燥濕」，睹即無聲音矣。「無論其德、其名、其序、其吉凶」，四者不可錯亂，若倒「不知退」於「不知亡不知喪」之後，即無聲音矣。《文言》以後，以時代相次，則用於卜子夏之《詩大序》。《序》曰：「性發於聲，聲成文，謂之音」。又曰：「主文而譎諫」。又曰：「長言之不足則嗟歎之」。鄭康成釋「聲成文」爲宫商上下相應，釋「主文」爲與樂之宫商相應。此子夏直指詩之聲音爲文，不指翰藻也。凡文在聲爲宫商，在色爲翰藻，即如《文言》「雲龍風虎」一節，乃千古宫商奇偶之祖；「非一朝一夕之故」一節，乃千古嗟嘆成文之祖；子夏《詩序》「性發聲成」一節，乃千古聲韻性情之祖。故曰，韻者即聲音也，聲音即文也。然則今人所便單行之文，極其奥衍奔放者乃古之筆，非古之文也。沈休文之説，或可横指爲八代之衰，孔子、子夏之文體豈亦衰哉！

又 王夢樓（文治）嘗言詞章之學，見之易盡，搜之無窮。今聰明才學之士，往往薄視詩文，遁而窮經注史。不知彼所能者，皆詞章之皮面耳，未吸神髓，故易於決舍。如果深造有得，必愁日短心長，孜孜不及，焉有餘力旁求考據乎？袁簡齋亦云：「人才力各有所宜，要在一縱一横而已。鄭、馬主縱，崔、蔡主横，斷難兼得。」余嘗考古官制，檢搜群書，不過兩月之久，偶作一詩，覺神思滯塞，亦欲於故紙堆中求之。方悟著作與考訂兩家鴻溝界限，非親歷不知。或問兩家孰優，曰：天下先有著作而後有書，有書而後有考據，著述始於三代，《六經》考據始於漢唐注疏。考其先後，知所優劣矣。著作如水，自爲江海；考據如火，必附柴薪。作者之謂聖，詞章是也；述者之謂明，考據是也。

劉師培《文章原始》 積字成句，積句成文，欲溯文章之緣起，先窮造字之源流。上古之時，有語言而無文字。凡字義皆起于右旁之聲，任舉一字，聞其聲即知其義；凡同聲之字，但舉右旁之聲，不必舉左旁之迹，皆可通用（此係黄春谷先生説。先生言小學蓋有二説：一謂凡字之義象，皆繫屬乎聲，惟聲同故義象同，惟聲義象皆同，故可通假；二謂諧聲之字，必兼有意，而意皆起于聲。由黄氏之例推之：一曰造字之源，音先而義後；二曰考字之用，音同則意通。蓋古代之字，只有右旁之聲，而未有左旁之形。後世恐無以區别也，乃加以左旁之形，以爲區别。故右旁之聲，綱也；左旁之形，目也。如凡字從「寺」者，皆有「獨」字字義；凡字從「贊」者，皆惡字而非美字；凡字從「火」者，皆有幽暗之義；凡字從「音」者，皆有深暗之義；凡字從「侖」者，皆有文理有秩序之義：皆音義通之證，亦即古字以右旁之聲爲綱之證也。蓋既爲此聲，即爲此義，右旁之聲義如此，則彼字右旁同于此字右旁者，其聲義亦必如此，固彰彰可考也）。且字義既起于聲，并有不舉右旁爲聲之本字，任舉同聲之字，即可用爲同義（按王氏《經義述聞》云：「右字通用，存乎聲音。」阮氏《釋門數》篇：「余謂古音相通之字，義即相同。」而黄先生亦曰：「明乎右旁聲義之説，皆凡同聲之字，多可通用。」又云：「凡爲同聲是以同義。且凡同一韻之字，其義皆不甚相遠」）。予按《文選注》于某字即某字者，皆云某字與某字古通，大抵以聲近通用。而錢竹汀《説文答問疏證》于經典古字相同者，則曰某即某書之某字，大抵皆聲音相近者。且古字相通者，可名曰通，而不可名曰假借（假借者，有孰爲正字，孰爲借字之分；通用者無孰爲正字，孰爲借字之分，數字同一音義，互相通用，亦可名假借也）。故一義僅有一字。其有一義數字，一物數名者，半由方言不同。由語言而造文字，而同義之字，聲必相符（上古之時，未有字形，先有字聲，故有語言而無文字。而南北東西之方言，不能盡同，故有同一義，而所言不同者；亦有所言同，而音之出于喉舌不同者。及有文字時，乃各本方言造文字；故義同而形不同者，音皆相近。音近義同之字，在未有文字前，僅爲一字。如《爾雅・釋詁》篇「哉」、「基」、「胎」三字，皆訓爲「始」，然與「始」音相近。「洪」、「旁」、「龐」、「弘」、「戎」、「穹」六字，皆訓爲「大」，而音皆相近。可知義通之字，音必相近。其一義數字，則以方言不同，各本其義以造字耳。

而《釋名》以聲解聲，明義由聲起之義。蓋上古一物只一名，其一物數名者，亦即由同聲之字，輾轉相通。而《爾雅・釋草、鳥、獸》如：「蒺藜」爲「茨」、「扁竹」爲「蓄」，皆以切語爲名；而「蒚」、「蕾」、「萑」、「蓷」之類，亦皆音近之字，互相解釋，是一物數名，皆由于言語之遞轉矣）。由是言之：文字者，基于聲音者也。上古未造字形，先有字音，（言語發見，爲人群進化之初級。日本岸本氏《社會學》之言曰：「人當始有言語，未若今日之復雜也。呼吸之官，進而益調達，思慮之官，進而益深長，而後語言復雜。」其說甚確。）以言語流傳，難期久遠，乃結繩爲號，以輔言語之窮。及黄帝代興，乃易結繩爲書契，而文字之用以興。故「字」訓爲「飾」（字，本謂之名，猶人之先有名，而後有字，出于口者謂之名，著于書者謂之字；故古曰名，今曰字也。《禮記》：「冠而字之，敬其名也。」注云：「名者，質，所受于父母，冠成人益文，故敬之。」以質勵名，即以文屬字，質先而文後也。字由後起，故《說文序》曰：「孳乳浸多謂之字。」《廣雅》、《玉篇》并言：「字，飾也。」《廣韻》注引《春秋緯說題詞》亦云：「字，飾也。」可見古人以字爲文飾之義，飾即文也），與「文章」之訓相同（文章取義于藻繪，言有組織而後成文也。《易》言：「書契既作，百官以治，萬民以察，蓋取諸夬。」即言有文明之象也）。足證上古之初，言與字分，以字爲文。然文字雖興，勒書簡畢，有漆書刀削之勞，抄胥匪易，傳播維艱。故學術授受，仍憑口耳之傳聞。又慮其艱于記憶也，必雜于偶語韻文，以便記誦（阮氏《文言說》云：「古人以簡策傳事者少，以口舌傳事者多；以目治事者少，以口耳治事者多；故同爲一言，轉相告語，必有愆誤。是必寡其詞，協其音，以文其言，使人易于記誦，無能增改，且無方言俗語，雜于其間，始能達意，始能行遠」），而語言之中有文矣（故《易》言「文言」）。即以語言著書冊，而書冊之中亦有文。是則上古之前，文訓爲字（故許書稱《說文》）；中古以降，「文」訓爲「章」，故出言之有章者爲文（《詩》曰：「出言有章」），著書之有章者亦曰文。吾觀三代之書，諺語箴銘，實多韻語，若六藝之中：《詩》篇三百，固皆有韻之詞，即《易》、《書》二經，亦大抵奇偶相生（阮氏《文言說》謂：「《乾卦文言》，多用偶句。」予謂《尚書》若《堯典》諸篇，亦多用偶，如：「九旌既睦」與「百姓昭明」偶，「賓于四門」與「納于百揆」偶，而《堯典》「分命羲仲」四節，亦互相爲偶），聲韻相叶（《易》叶韻，見顧氏《音學五書》，而《尚書》中亦多叶韻。如：「九族」與「既睦」叶韻，「百姓」與「昭明」叶韻，「萬邦」與「時庸」叶韻，「象傚」與「以孝」叶韻，皆其證也。而《禹貢・冀州》中，亦多韻語）。而《爾雅・釋訓》，用韻者亦三十條（「子子孫孫」以下）。惟《戴禮》、《周官經》，言詞簡質，不雜偶語韻文，則以昭書簡冊，懸布國門，猶後世律例公文，特設專門之文體也，故與文言不同。此古代文字之沿革也。降及東周，直言者謂之言，論難者謂之語（見許氏《說文》），修詞者謂之文（《易經》曰：「修詞立其誠。」《說文》曰：「修飾也。」詞之飾者乃得爲文，不飾詞者不得謂之文）。不獨言與文分，亦且言與語分。故出言亦分文質：言之質者，純乎方言者也（方言者，猶今俗語也。《說文序》云：「秦代以前，諸侯各邦，文各異形，言各異聲。」是三代以前，各邦之中，皆有特別之語言文字矣）；言之文者，純乎雅言者也（儀徵阮氏曰：「雅言者，猶今官話也，『雅』與『夏』通，夏爲中國人之稱，故雅言即爲中國人之言。《爾雅》者，乃方言近于官話者也」）。春秋之時，言詞惡質，故曾子斥爲鄙詞（曾子曰：「出詞氣，斯遠鄙倍矣」），荀子譏爲俚語，而一語一詞，必加修飾。《左傳》曰：「言之無文，行而不遠。」又曰：「非文辭不爲功。」文辭，猶言文言也（《說文》曰：「詞，意內言外也。」是詞與言同。文言者，即文飾之詞也。孔子言：「詞達而已。」即不文飾之詞也。言「詞達而已」，不言「文達而已」，足證與文不同。詞，非文也）。蓋當此之時，文字流傳未廣，仍煩記憶之功，故以語言相授受。《禮》曰：「記問之學，不足爲人師。」是古人論學，特設記問一門也（俞氏蔭甫以《周易序卦傳》，即古人記問之學，又引揚子《法言・問神》篇論《書序》之言，以見《序卦》之功，其說甚確）。觀孔子作《春秋》，于事稍久遠者，則曰：「所聞世」、「所傳聞世」；而《公羊》一經，不著竹帛，但煩口授（故《公羊》文章最善）。漢儒以口傳經（如《公羊》至胡毋生始著竹帛，以前皆煩口授，伏生使其女以《書經》授晁錯，皆其證也），其遺法也。至春秋時代之書冊，亦大抵文與語分：文近于經，語近于史，故曾子作《孝經》（觀《孝經》雖無韻詞，而偶語實多，如：「加于百姓」、「刑于四海」，「非法不言」、「非道不行」，「口無擇言」、「身無擇行」，皆偶語也。其語句互爲相偶者尤多），老子作《道德經》（其中多韻文，亦多偶句。揚氏《太玄經》亦然），屈原作《離騷經》，以及醫經藥經（如《太素靈樞經》等書，皆多偶句韻文也），皆雜用偶文韻語者也。若《春秋左氏傳》以及《國語》、《國策》諸書，乃史官記言記事之遺，非雜用偶文韻語者也。至諸子之書，有文有語：荀子《成相》篇，墨

子《經上下》篇，皆屬于文者也。莊、列、孔、孟、商、韓，皆屬于語者也。文猶後世之文詞，語猶後世之演稿（猶今世之演說也）。縱橫者流，騰爲口舌，語學之派別也（即所謂游說也）。後世史書，特立文苑，文學之派別也。惟古人言詞，一經書册之記載，或加潤飾之功，致失本書之舊（俞氏蔭甫謂：「《左氏》一書，由丘明潤色，非其本文之舊也」），則語而飾以文矣。又古代之初，虚字未興（上古造字之次第，僅有實字；由虚字假爲半虚實字，是爲假借第一期；又由實字假爲虚字，是爲假借第二期。故虚字無本訓，皆由實字借訓，如「之」字、「于」字、「而」字、「所」字、「則」字、「其」字、「云」字、「不」字、「以」字是也），罕用語助之詞（惟《堯典》「嚚訟可乎？」用一「乎」字）；故典謨誓誥，無抑揚頓挫之文。後世以降，由實字假爲虚字，渾噩之語，易爲流麗之詞，文士互相因襲，致偶文韻詞之體，亦稍變更（然不過偶一雜用，非若八家之古文也），則文而涉于語矣（當此之文，亦有稍雜俗語者，如《公羊》多齊言，《離騷》多楚語，而《史記》亦有「夥涉」之詞，則以當時言文未盡分歧也）。西漢代興，文區二體：賦、頌、箴、銘，源出于文者也（故多偶語叶音）；論、辯、書、疏，源出于語者也（論與議同貴口才，皆爲古人互相問難之詞；書、疏二體，亦以己之意遠之于人者也）。然揚、馬之流，類皆湛深小學（如相如作《凡將》篇，揚雄通奇字，皆精于小學之證也），故發爲文章，沉博典麗，雍容揄揚；注之者既備述典章，箋之者復詳徵訓故；非徒詞主駢儷，遂足冠冕西京。東京以降，論、辯、書、疏諸作，亦雜用排體，易語爲文（西京之時，論、疏各文，亦多以單行之體而用排偶之詞）。魏、晉、六朝，崇尚排偶，而文與筆分：偶文韻語者謂之文，無韻單行者謂之筆（至是語文二體，以體爲分，不以類爲別；以體爲分者，據文之形式以分單行偶語二體也；不以類爲別者，謂書、疏、論、辯，亦爲偶詞，致語雜于文也）。觀魏、晉、六朝諸史各列傳中，多以文筆幷言（自《漢書·樓護傳》號曰谷子雲筆札，爲筆與文分之始。而《晉書·蔡模傳》、《齊書·顔延之傳》、《傅亮傳》、《北史·魏高帝紀》、《魏書·溫子升傳》、《齊書·李廣傳》、《陳書·陸增傳》、《劉師知傳》、《徐伯陽傳》，皆文筆幷稱。《南史·孔珪傳》、《陳書·岑之敞傳》，皆詞筆幷稱。足證筆與文詞不同。而《梁書·劉潛傳》、《南齊書·晉安王子勉傳》、《梁書·庾肩吾傳》、《北史·蕭圓傳》，皆以詩與筆對舉。蓋詩亦有韻之文也）；則當時所謂筆者，乃直樸無文之作也；或用之記事之文（王充《論衡》云：「須鳴筆之臣即記事之臣也。」《唐書·蔣楷傳》：「踵修國史，亦世稱良筆。」亦爲記事之文。唐張說稱大手筆，亦指其善修史及作碑版耳，亦記事之文也。故孔子作《春秋》必言筆削），或用之書札之文（《漢書》稱「谷永善筆札」，而《晉書》亦言「樂旨潘筆」，皆指書札之文言之也），體近于語，復與古人之語不同（蓋魏、晉之時尚淸談，即古人所謂語也。而筆則著之書册，故又與古人之語不同）。梁元帝《金樓子》云：「至于不便爲詩如閻纂，善爲章奏如伯松，若此之流，泛謂之筆；吟咏風謠，流連哀思者謂之文。」（《立言》篇）劉彦和《文心雕龍》：「今之常言，有文有筆；無韻者筆也，有韻者文也。」文筆區分，昭然不爽矣。故昭明之輯《文選》也，以沉思翰藻者爲文；凡文之入選者，大抵皆偶詞韻語之文，即間有無韻之文，亦必奇偶相成，抑揚咏嘆，八音協唱，默契律呂之深（見儀徵阮氏《文韻說》所引《宋書·謝靈運論》及沈約《答陸厥書》，甚爲的當）。故經子諸史，悉在屏遺（陸機《文賦》不及傳志碑版之文，蓋以此爲史體，非可入之于文也）。是則文也者，乃經史諸子之外，別爲一體者也。齊、梁以下，四六之體漸興；以聲色相矜，以藻繪相飾，靡曼纖冶，文體亦卑。然律以沉思翰藻之說，則駢文一體，實爲文體之正宗。降及唐代，韓、柳嗣興，始以單行易排偶，由深趨淺，由簡入繁，由駢儷相偶之詞，易爲長短相生之體，與詩歌易爲詞曲者，其理相同（詩由四言而五言，由五言而七言，由七言而有長短句，遂爲詞曲）。昔羅馬文學之興也，韻文完備，乃有散文，史詩既工，乃生戲曲（見澀江保《羅馬文學史》）。而中土文學之秩序，適與相符；乃事物進化之公例，亦文體必經之階級也（事物之理，莫不由簡而趨繁，何獨于文字而不然乎）。韓、柳之文，希踪子史，即傳志碑版之作，亦媲美前賢。然繩以文體，特古人之語，而六朝之筆耳。故唐代之時，亦稱韓文爲筆，劉禹錫《祭韓侍郎文》云：「子長在筆，予長在論，持矛舉盾，卒不能困。」（《中山集》）趙璘《因話錄》曰：「韓文公與孟東野友善，韓公文至高，孟長于五言，時號爲孟詩韓筆。」是唐人不以散行者爲文也。至北宋蘇軾推崇韓氏，以爲「文起八代之衰」。明代以降，士學空疏，以六朝之前爲駢體，以昌黎諸輩爲古文，文之體例莫復辨，而文之制作不復睹矣。近代文學之士，謂天下文章，莫大乎桐城，于方、姚之文，奉爲文章之正軌；由斯而上，則以經爲文，以子史爲文（如姚氏、曾氏所選古文是也）。由斯以降，則枵腹蔑古之徒，亦得以文章自耀，而文章之眞源失矣。惟歙縣凌次仲先生，

以《文選》爲古文正的，與阮氏《文言說》相符。而近世以駢文名者，若北江、容甫，步趨齊、梁；西堂、其年，導源徐、庾。即穀人、羿軒、稚威諸公，上者步武六朝，下者亦希踪四傑。文章正軌，賴此僅存。而無識者流，欲別駢文于古文之外，亦獨何哉！

又《文學出於巫祝之官說》 《說文》「詞」字下云：「多文詞也。」蓋詞從司聲，兼從文詞之詞得義。古代祠祀之官，惟祝及巫。《說文》「祝」字下云：「祭主讚詞者。」（輔行記第七之四引作祭主申讚辭者也。）從示，從幾口，一曰從兌省。《易》曰：「兌爲口爲巫。」「巫」字下云：「巫，祝也，又曰舞，古文巫如此。」案，古文巫字蓋從兩口，即《周易》兌爲口爲巫之義。虞翻注《周易》「大有」云：「大有，上卦爲兌，兌爲口，口助稱祐。口助者，祝之職也。」與說文祠多文詞之誼，互相詮明。蓋古代文詞，恆施於祈祀。故巫祝之職，文詞特工。今即周禮祝官職掌考之若六祝六祠之屬，文章各體多出於斯。又頌以成功告神明，銘以功烈揚先祖，亦與祠祀相聯。是則韻語之文，雖匪一體，綜其大要，恆由祀禮而生。欲考文章流別者，曷溯源於清廟之守乎？

又《廣阮氏文言說》 阮氏《揅經室集》列《文言說》，以儷詞韻語爲文言。又徵引六朝文筆之分以成其說。今考《說文》云：「文，錯畫也，象交文。」又云：「彣，䰍也。」《廣雅·釋詁二》云：「文，飾也。」《釋名·釋言語》云：「文者，會集衆采以成錦繡，會集衆字以成詞誼，如文繡也。」是文以藻繢成章爲本訓。《說文》「䰍」字下云：「有彣彰也。」蓋彣彰即文章別體，猶而與耏同，丹與彤同也。厥後始區二字，彣訓爲䰍，與文訓錯畫，其義互明。觀青與赤謂之文，經緯天地亦曰文。則訓飾訓錯，義實相兼。故三代之時，凡可觀可象，秩然有章者，咸謂之文。就事物言，則典籍爲文，禮法爲文，文字亦爲文。就物象言，則光融者爲文，華麗者亦爲文。就應對言，則直言爲言，論難爲語，修詞者始爲文。文也者，別乎鄙詞俚語者也。《左傳》曰：「言之無文，行之不遠。」又曰：「非文辭，不爲功。」言語既然，則筆之於書，亦必象取錯交，功施藻飾，始克被以文稱。故魏、晉、六朝，悉以有韻偶行者爲文，而昭明《文選》亦以沈思翰藻爲文也。兩漢之世，雖或以筆爲文，然均指典册及文字言，非言文體。如《史記·太史公自序》：「春秋文成數萬，論次其文。」《論衡·超奇篇》「文以萬計」是也。不得據是以非阮說，惟阮於許、張、劉諸故訓推闡弗詳，故略伸其說，以證文章之必以彣彰爲主焉。

又《文說·耀采篇》 昔《大易》有言：「道有變動故曰爻，爻有等故曰物，物相雜故曰文。」《考工》亦有言：「青與白謂之文，白與黑謂之章。」蓋伏羲畫卦，即判陰陽；隸首作數，始分奇偶。一陰一陽謂之道，一奇一偶謂之文。故剛柔交錯，文之垂于天者也；經緯天地，文之列于謚者也。三代之時，一字數用，凡禮樂法制，威儀言辭，古籍所載，咸謂之文。是則文也者，乃英華發外，秩然有章之謂也。由古迄今，文不一體，然循名責實，則經史諸子，體與文殊；惟偶語韻詞，體與文合。昔孔美唐堯，特著「煥乎」之喻；《詩》歌衛武，亦標「有斐」之稱。以文雜質，則曰「彬彬」；舍質從文，乃稱「郁郁」。觀于「文」字之古義，可以識文章之正宗矣。況《易》以六位而成章，《書》爲四言之嚆矢，太師采詩，咸屬韻語，宣尼贊《易》，首肇文言，遐稽六藝之書，半屬偶文之體。（觀《尚書·堯典》之文，「分命羲仲」四節，文筆相似，「九族既睦，平章百姓，百姓昭明，協和萬邦」，句法已成對待，「慎徽五典」四句亦然，「流共工」二句亦然。《禹貢》以下，偶語尤多。《易》、《詩》之用偶語者，則更不知凡幾矣。）是猶工繪事者，必待五采之彰施；聆樂音者，必取八音之迭奏。惟對待之法未嚴，平側之音未判，乃偶寓于奇，非奇別于偶。雖句法奇變，長短參差（如《書經》、《易經》之文是也），然對偶排列者甚多，然音律克諧，低昂應節（見《和聲》篇）。故訓辭爾雅，抽句匪單，或運用疊詞（古籍之文，多取雙字雙義用之，以厚其氣），或整列排語（如《書經》及《禮記》、《易繫詞》是），三代文體，即此可窺。況復鄭修詞命，子產于焉潤色；晉主盟會，仲尼以爲多文。直情徑行，戎、狄之道乃如此（《檀弓》）；言不雅馴，縉紳先生所難言。道集于躬，出詞氣斯遠鄙倍；言以足志，非文辭不克爲功。是則文章一體，與直言殊。故艷采辯說，韓非首正其名；翰藻沉思，昭明復標其體。詩賦家言，與六藝九流異類；文苑列傳，共儒林道學殊科。自古以來，莫之或爽也。

又《論文雜記》 中國三代之時，以文物爲文（如《易經·賁卦》云：「剛柔交錯，天文也；文明以止，人文也。觀乎天文，以察時變；觀乎人文，以化成天下。」《明夷卦》云：「內文明而外柔順。」蓋古之所謂文明者，即光融天下之謂也），以華靡爲文（孔子曰：「周監于二代，郁郁乎文哉，吾從周。」而《公羊傳》復言：「舍周之文，從殷之質。」蓋以文爲華靡，以質爲儉樸。故中

國古代皆尙質，不尙文，以爲舍質用文，則民智日開，民心日漓，與背僞歸眞之説相背，故不尙華靡也），而禮樂法制（《論語》曰：「文王既歿，文不在茲乎？天之將喪斯文也，後死者不得與于斯文也。天之未喪斯文也，匡人其如予何？」注以禮樂制度稱之。又云：「煥乎其有文章。」亦指帝堯之禮樂法度言也），威儀文辭（《詩・淇澳序》云：「美武公之有文章也。」而《大雅・抑》篇亦武公所作，其詞曰：「愼爾出話，謹爾威儀。」則文章當指威儀文詞言矣。觀《左傳》襄三十一年所載北宮文子與子太叔之論威儀，可見。又《論語》曰：「夫子之文章，可得而聞。」文章者，亦即威儀之詞也），亦莫不稱爲文章。推之以典籍爲文（如《論語》言「文獻不足故也」，《孟子》言「其文則史」是也），以文字爲文（如《史記・太史公自序》言「《春秋》文成數萬」，猶言字成數萬也。又如許君字學之書，名曰《説文解字》，亦此例也），以言辭爲文（如《左傳》「言之無文，行之不遠」，又「言非文詞不爲功」是也）。其以文爲文章之文者（即後世文苑、文人之文也），則始于孔子作《文言》。蓋「文」訓爲「飾」，乃英華發外，秩然有章之謂也。故道之發現于外者爲文，事之條理秩然者爲文，而言詞之有緣飾者，亦莫不稱之爲文。古人言文合一，故借爲文章之文。後世以文章之文，遂足該文字之界説，失之甚矣（唐甄《潛書・非文》篇云：「古之善文者，根于心，矢于口，徵于事，博于典，書于策簡，采色焜燿。以此言道，道在襟帶；以此述功，功在耳目。故可尙也。漢乃謂之文，失之半矣；唐以下盡失之。」其説甚精，惟未窮文字之訓）。夫文字之訓，既專屬于文章，則循名責實，惟韻語儷詞之作，稍與緣飾之訓相符。故漢、魏、六朝之世，悉以有韻偶行者爲文，而昭明編輯《文選》，亦以沉思翰藻者爲文。文章之界，至此而大明矣。降以唐代，以筆爲文，如昌黎言「作爲文章，其書滿家」（見《進學解》），夢得言「手持文柄，高視寰海」（見劉禹錫《祭韓退之文》）是也（李習之論韓文云：「後進之士，有志于古文者，莫不視以爲法。」是儼然以韓文爲古文，而不復稱之爲筆矣）。以詩爲文，如杜詩「文章憎命達」（杜詩之言文章者，大抵皆指詩言，如「文章千古事」、「已似愛文章」、「文章一小技，于道未爲尊」、「文章日自負」、「文章實致身」、「文章開宅奧」、「名豈文章著」、「文章敢自誣」，大抵皆指詩言。如「文章千古事」一首，下文皆係論詩之語，此工部以詩爲文章之證也。若杜詩所言「海內文章伯」、「豈有文章驚海內」、「每言見許文章伯」、「文章有神交有道」，似亦指詩而言。若「枚乘文章老」、「文章曹植波瀾闊」、「庾信文章老更成」、「王楊盧駱當時體，輕薄爲文哂未休」，則文章當指駢文言），韓詩「李杜文章在」（韓詩云：「李杜文章在，光焰萬丈長。」《新唐書・杜甫傳贊》亦云：「昌黎韓愈于文章重許可，詩獨推李、杜，曰：『李杜文章在，光焰萬丈長。』誠可信云。」則文章指詩歌而言，明矣。又昌黎《感春詩》有云：「近憐李杜無檢束，爛漫長醉多文詞。」則文詞亦指詩歌言也）是也。夫詩爲有韻之文，且多偶語，以詩爲文，似未盡非（唐、宋以下，又別詩于古文之外。如人之有專集者，悉分文集與詩集爲二，即詩文匯刻一集，亦必標其名曰「某某詩文集」若干卷，此詩別于文之確證也）；若以筆爲文，則與古代文字之訓相背矣。而流俗每習焉不察，豈不謬哉？

田北湖《論文章源流》 世間之故，非文弗宣；生人之道，非文弗著。是以紛頤之交，往來之序，旨存於中，行斯其遠，窮極口舌之形容，不逮紙墨之委曲。況移時則境失，歷轍則迹亡，不有所託，曷以爲資？自叙彝倫，胥納軌物，覃研精思，發揚光采，名實既準，順理而成章；情意相通，糅條而鋪緒。仰觀俯察，明義開宗，鼇秩典要，垂布型範，摹繪蟲鳥之微，羅列竹帛之上，不過六體之採摭，單詞之傅會，接片附寸，懸識腠理，一指同歸，肆響如應。故雖五方別聲，會無異讀；百王易制，未嘗廢流。上而經國，下以涉身，通諸其郵，方之有物。蓋草昧大闢，竹書方備，納言委巷，受職史官，芻説鄙談，以簡樸爲美；聯句積章，以串貫爲度；搜集謠諺，則《爾雅》之濫觴，包兼夏冬，則屬詞之秘鑰。修明既久，著錄益宏，彙其體裁，標以題目，新篇競尙，古意漸離，然不外乎記事、記言二端而已。顧質勝則野，華甚則淫，表裏之間，風格遞嬗，莫或混合，觀其構造耳。洎夫繁蕪失實，流宕忘返，行之於世，則一概相蒙；傳之於後，則無徵弗信。遂使俳優召詆，風雅竟歇，雕蟲小技，壯夫不爲，巨魚千均，一筌期得，駢枝貽累，塵垢終汚，祇受失言之愆，致毀載道之器。由是通無遠識，罕能追效前人，陳義日卑，述志自晦，鞶帨尤繡，準的無覩，襲流俗爲談助，迷津逮之修途。況復屈守咫聞，謬承家法，遘茲痼疾，憎其異己，而後虛憍所蔽，振拭不暇矣。乃者旁通殊化，不嫌同文，後生小子，習非勝是，其趨愈歧，罔知所屆，中土之菁英，儒林之經緯，蕩然劫燼，遏此元音，無裨治理，滋敗學術，斯尤君子所深戚也。嗟乎！師説之傳譌，論衡之不當，曠千年而莫寤，豈今日

之過哉？近末歸本，我則懷古焉。

又 事物周旋，必有稱謂：何者爲形，何者爲質，何者爲義，何者爲理，鑒其狀態，權其分劑，而名立焉。天地上下，窮變易化，觸類引申，含旨深遠。歸宿同赴，康莊不迷，雖易聞見，詎爽識別？生人之道，盡情於斯。蓋自有知，即以相殉，莫能踰閾，遑云削迹哉？故夫文者，聚靈府之能力，綜萬端之異名，藉以表見精神者也。最古之民，冥然罔覺，偏隅爲固，八風不通。智慧漸進，彼此殊效，各受水土之氣，自習鳥獸之音，格磔鉤輈，獨鳴天籟。聖哲特出，知畛域之必有合也，於所以交易習俗化裁情性者，開物正名，而成百務；謂語言無強同之音，制作無整齊之術，乃即目前之現象，寫簡端之餘影，點畫偏旁，隨意指名，而字體具焉。符號雜陳，記纂特備，託始諷誦，轉相授受，識其通音，辨其用法，取而聯絡，輒成章句，紀載所及，已缺無虞，是心之聲，應手而傳，而文成焉。然則語言者，文字之音響，文字者，語言之形迹乎！蓋文從字順，即於大同，凡諸語言之不同者，皆由文字爲契合，耳聞猶傳其疑，指畫乃遵其軌；語言文字者，一本之繫，觸機而發，其則不遠，其效至神。惟初太史，但異其名，何嘗有所分也？象者，天所生也；數者，物所呈也；字者，人所制也。列象數而成字形，乃斯文之起源。人既役物矣，其最早之工作，祇屬禽獸之羽毛皮骨，茹飲所餘，取資材用，是爲骨器時代(西人謂太古石器，不知其先用骨，考古甚疏)。故折骨以爲衛(骨折鋒利，磨礪爲鏃，弓矢之制，由骨鏃而石鏃，而金鏃，後世不用石鏃，猶有骨鏃，古意存焉。《爾雅》：「金鏃剪羽謂之鍭，骨鏃不剪羽謂之志。」可見骨鏃之制，愈古愈粗。「鏃」本作「族」，不從「金」。《說文》解「鏃」，有古時石族)，晝骨以記數(今之骨牌是也。余謂骨牌爲野蠻時代算數之物，彼時骨用甚廣，欲知數目，但染血於骨端，又別爲二色記號；其算法有加減，有正負。自後人借爲博具，考古家不屑詮釋，忘其祖矣。或惑於宋人河圖洛書之僞說，謂其原本如此，毋乃穿鑿？余別有篇)。及知識大進，解用竹木，則有制梃之兵，結繩之事焉。書契者，晝骨結繩之變也。由錐鑿一點，雕刻一晝，引長其縱橫，鉤勒而曲直之，摹擬動植諸物，以肖厥象，削竹書漆，定訓與聲，命之曰字，即凡物之圖而已。其他指事，按索可得，相因相生，互爲左證，則又萬事之記也。於一音，有一說，不達註釋，可以達用，則又有形之聲也。古者有實義而無助語，裁取數字，則聯母

可誦，上下相顧，則接續尤密。擇精述詳，故無費詞剩意，雖曰質直，其曲能達。今以爲高格古調，莫與嗣響矣。夫古人文字之妙，能傳當日之語言耳。洎乎人習空疎，語尙琱琢，掇拾難字，雜入古典，強顏飾意，至淺極薄，徒瞀人目，而去古愈遠，背古愈甚。古今文之不相及，豈有他哉？况天喪斯文，字書殘缺，通行定數，曾不逾萬；僅僅往來於紙上，一字一義，不足於用，從而假借之，使兼數訓；漸至運掉不靈，欲傳語尾餘音之神，則別擇實字，虛設相助(古無虛字，行文亦不用語助，今通行之虛字，如：雖、焉、爲、猶之類，禽獸字也；若、夫、蓋、即之類，草木字也；之、而、也、胡之類，身體字也；其、者、斯、所之類，器用字也。皆有實意)；盈篇累牘，而不知其譾陋，此其大蔽歟？古人造字，尙未卒業，爲部首者，五百四十；依其昔例，互乘參錯，一一比配，益以顛倒反側，窮體制之變，宜得十萬字，庶合孳生之義。人事日雜，生物日繁，尤非九千三百所能斷定者也。而古文不知其數，學人莫罄其用。更狃於先王法言，天子考文，弗敢隨時造作，私與增補。每見異文，不曰《說文》所無，字書不收，即曰後人新字，鄙儒靦然筆削，暴君付之灰燼，俗師小吏，相持干祿，自漢以降，芟夷益多，今世別體，剿說雷同，甘即狹隘。以有限之文字，馭無窮之語言，由是舉世之語言，不獲投諸文字，以程其功。強分眞率者僞俗語，其字不錄於典册，附會者爲文言，其字務反乎口舌；文字語言，背道以馳，遂一分而不可復合。

又 昔以文字當語言，今以文字代語言，取材云竭，造端攸分；惟務枝離，貌求髣髴，古今何獨異致？文字乃其分途也。昔者紀實，純用直筆；今則旁流，託之寫意乎！繆戾相守，已忘其眞；本意所存，疇能稱述？文字肇興之日，歌詠先導其流，墳典已無篇牘，里巷猶聞謠諺，此章句之元始也。采之輶軒，納之盟府，而典謨訓誥作焉。於其人爲文，於其國爲史，記事記言，分爲二體，君民交贊之掌故，而非一姓一家之史臣所可私守，載話載言，彬然可觀。不加鍛鍊，組儷於自然；不事借助，盤旋於硬語。其魄力深厚，其條理周密，爰尋異采，若鑄神工。鄙夫無學，輒病其佶屈聱牙，不知古誠無文，但云集字，比類賦詞，順流而作，非如後之刻意潤色，空結奇字也。解詁不明，數典弗暇，太古之籍，一隙難窺，知寶不明，望洋而歎，良足菲薄，蓋有由來。夫古之作者，擇言以對待，援義以比例，雖在約舉，

罔不昭灼。是以奇偶必稱，單複必齊，俯承其仰，斷者自續，兩兩間合，節節遞轉，頓挫抑揚，尤省虛字。未有單詞隻義，可以爲句者；亦未有一語孤立，可以爲章者。文生於聯珠之字，成於駢峙之體，舍茲排偶，是謂不文。豈其屬思之精，實由用字之當。蓋因形定聲，造字之巧也。六條一指，往往自相依附，一成而不易，示人以能知，整齊單複，拘絞繁簡，凡所纂紀，一若譜錄，能知駢字之用，庶得行文之方矣。故夫駢字者，權輿爲文，第未成篇章耳。歷變既多，茲旨已晦，枝派蕪雜，言之無物，遂復強分門戶，析名駢散，文之與字，不能一貫之過也。

又 夫文字相屬，未可離畔，文非字不表其意緒，字非文不盡其周旋，是以舍文無字，舍字無文。明乎訓詁之理，斯稱文章之情已。人事多變，綱紀不張，芟削字數，改易故訓：而後文之爲派，愈歧愈壞；字之爲用，愈絀愈狹；愈複雜，愈單簡。取之無類，制之無方：其位置也，不能相當；其形容也，不能精審。故語言則今不通古，文字則今不逮古。推其所以不相合，毋亦言語文字分之途歟？由一而二，由二而四，昔惟語言與文字異，今日文與字異焉。隆污遞降，習尚相侵，文字失眞，即於鄙俚蕪穢；但摭拾別解，比附古典，湊集而成章；亦卑弱，亦粗率，每况而愈下。尤貌爲襲取以模擬奧衍乎！語言無以合文字之通而馭其窮，文字不能求語言之是而應其變，雖摘句尋章，自詡爾雅，靡然僞體，益刺目而不可掩。文與字離畔之效，固如是昭且著矣。學術師承，本實先撥，欲從而究詰焉，迎之不見其首，從之不見其尻，古訓有獲，先民是從，豈無補救之道哉？我思在昔，未聞於字外求文者也。夫正名備物者，造字之源也；循理詮義者，用字之準也。覃研精思，包舉無遺，以留布於茲世。

又 今地球萬國，異文並列，審音、解字、聯句、纂文之難易，截然歧途，不可混合：西方諸文，切音成字，較速於我國；及一一詮解，則離物形名理而孤立，執字譜以比集二字，弗相配偶，弗相移易，弗相參錯，欲畢其業，且數倍於吾之學期。非若中文之逐字可解，逐字相加，一脈之承，交互成物。而字句語意，又得任意顚倒，細密曲折，條理有致，廣包兼括，取材無窮：鎔五金於一爐，調五味於一簋，化合化分，自爲出入，本無一定之程式，與一定之位置也。蓋文因字成，字因文立，中國合之，他國分之，孰偏孰全，孰優孰絀，不待智者，可以決焉。况他國之所謂字，拼母得音，即音成句，有專指而無兼義，求音誠捷矣，而解義殊繁。故其所謂文，則又別有體裁，自成格律，次第之先後，尤不可以錯亂。於是取道紆遠，割裂成幅，彼自以爲曲盡其妙，不知膚淺鄙陋，曾不值吾人之一笑也。中文先拙而後巧，西文先易而後難，優劣之判，奚啻天淵。豈非造字者之精神智慮，大遜於吾國哉？四千年來，郁郁斑斑，蔑以加矣。此所以究心譯學者，能入西國之堂奧，而在外人，鮮識吾之門徑也夫。

又 國與國之階級，有文明之程度焉：視其文字之精粗美惡，以定優劣耳。故無文字不能立國，野蠻是已，未有人民進化，疏於文字者也。中國文字之作，較諸他國，最早最高，今文化之盛，久而弗衰，雖人事萬變，世局日新，莫得改易，烏能廢棄哉？去古既遠，治體不振，生當其時，手足罔措，輒欲爭效異國，不以師人爲恥，偶見章句之大殊，喜其文法之一定，忘其鄙且拙，而謂新且異焉。舍金鼎而寶瓦缶，舍文錦而竊裋褐，吾恐神明聖哲之所留遺，漸附於地，水蕩火燼，淪胥以亡，使煌煌之典要，彬彬之辭令，無可觀采，則我中國將爲不文之國，夫何說以辭耶？文明不居，貿然降格，毋乃後進少年，不學無術者，未嘗誦習先民之載籍，一旦援筆操簡，言之無物，屬思冥索，莫知所云。非徒甘受其蔽，又從而遯入焉左右文野之間，以飾其醜，根據之失，不恤蔑祖，忍令四千年之奇光異采，瞬息澌滅乎！誰與陳述經典，修明法程，抉文府之秘，啓藝林之鑰，廣我學途，挽此末流，則游心於茲者，庶幾窺其美富，正所趨向也。

又 洪荒之際，渾渾噩噩，未有知識，更無書記之具，故從前之迹，不得其傳。神明間出，民智牖進，迨於三五，典則明備；其壤土不廣，生聚未審，易與爲理，翕然齊一。蓋結繩既易，人人皆通六書，其時一物初創，舉世驚其神奇，喜其便利，風靡向化，爭傳習之不暇，而斯道大昌。此則文教所由來歟！顧文教以往，何以前民？樞機之微，發端於聲教。聖人察民之情，將導以成俗，知教之不可不設也，思以和平弭鬬爭，制爲禮樂焉。而禮樂之次第，莫先乎樂。夫鳥獸雜處，角力以養生，彝倫未叙，強弱往來，日孜孜於飲食男女，競奪而無窮期。然而休暇聚處，相對歡然，抒寫天眞，輒有徒歌之樂，土鼓蕢桴，此唱彼和，不涉猜疑，與物俱化。聖人知聲音之道，足以感人也，拊石截竹，八音克諧，定其律呂，授以節奏，調攝志氣，宣暢性情，使聞其聲者，油然愉快，游神宇下，含履中和，於是飲食男女之事，

漸就範圍，各盡其分，各安其義，議或踰閾，以逞其私欲。既呈治平之幾，遂操弛張之術，乃有鬼神之祠禱，揖讓之禮儀，拘制其容止，合於吟咏舞蹈，而不相奪倫。蓋無禮不足以爲教，而非樂作不能成禮，此聲教所以爲萬化之基也。洎乎文教既設，廣被於人人，一本聲教之遺意，舉其舊典，爲盡人所記憶最熱，而饜飫於心胸者，首傳其聲，俾易書錄，則謠諺著矣。文教之成立，實發揮於精神，豈非聲教之所致哉？

又 立乎世界之上，人類所以組織者，會事物之理而通其情耳。以簡馭繁之道，有自然焉，有人事焉。區宇宙合，何端何倪，凡遇吾人之耳目，皆納諸文字之間。文字相生，始於人事，而終於自然；雖由人意爲形容，而眞理充積，流露於無形，如鏡攝影，不爽毫芒，於人力何有哉？字者，物之質體也；文者，人之心思也。分言之，則質爲自然，而文爲人事；及融合之，則字不離乎人事，而文實成乎自然矣。造字以備書記，即預爲行文之地，固無文之專名，亦無文之定率；振筆直下，而體不與焉。上古之文，莫知所始。墳典邱索，具目無書。雜引圖讖，斷簡殘篇，僅僅見於道家者流，非祝史之辭，即卜筮之繇，荒誕不經。大抵術數之學，述自口說，筆削尤多，古意佚文，得其髣髴而已；況儒家所斥，即此疑似之迹，幾幾絕乎！今可考可據，曰謠曰諺。然而謠諺者，猶在未有文字之前，習於委巷下里，傳於婦人孺子，人心之聲，鳴其天籟，隨機感觸，獨得眞趣，人人舞蹈之，時時咏歎之。肇有書契，無文可習，首記其字，以爲學書之具，未嘗稍有改訂，不過當時之語言耳。自今觀之，按律叶韻，文義沈博，已與典謨訓誥，並采爭先，爲淵懿樸茂極高極古之文，初無分乎記事與言，別立裁製也。純乎自然，弗假藻飾，故其句讀，絕無牽強，以質爲文，蔚然華實，比字成句，積句成章，自有文字以代言語之傳者，此其起源也。歷人歷事，派異枝分，曷能背此，以求宗主？夫惟元首，型範大雅，故生乎其後，無由繼聲。縱欲摹形繪狀，從事步趨，復拘拘於字句之間，聲調之末，習非所誦，烏得當其萬一哉？夫上古文字，謂之書契。書契云者，書之爲字，即與其事其言纖悉符合，不相出入，是之謂契。精神所貫注，融會其形迹，奇情逸響，表於簡端，借字之用，寫其已成之文，未有執意選詞，始爲文章者也。

又 古者人人識字，即人人能文，彼所謂文，充其記憶之力，盡其抒寫之能而已矣，今以爲古文，當時固不自以爲文也。古者之文，陳說古詞語句，出於已然，乃因字以成文。今所謂文，構思結撰，出於未然，乃因文以記字。故古無文之名，非無文也，文字不分言也，凡識字者皆能爲文。故古有記載，而無著作，非若後世爲儒生之專業，運其靈思也。自禮樂有官，各用其本朝之樂，采諸輶軒，奏諸矇瞍，太史書之，藏吏守之。而里巷之嘔吟，不列於國典；野人所稱道，不錄於世說。往日私家之故書，悉付刪訂，即各因俗語，偶製新音，無復備之記載。是以操簡濡墨，事無所施，久而忘之，流致不學之蔽；欲書其字，措詞無方，甚覺煩難，不似從前之簡易，可以率爾成章矣。且民生日衆，人事日淆，兵農工商之職業，汲汲窮年，更無暇於文藝，雖就傅受教，亦及長而廢讀，但能識字，不畢其業，所知之數不多，可通之義尤狹，況執筆書記，構思爲文乎？夫文書之掌，專諸其人，民間誦習，遂頹其風，古意改觀，於斯爲斷。史官之文，乃與所謂謠諺者異其體焉。三代相屬，師儒講授，用能出言有章，苟非專門，謂爲鄙野，而後文章之道，褎然學術。史降爲經，導百家之先流，其記事記言，獨得史家之餘緒。述而不作，胚胎於古昔謠諺；揚扢餘韻，而終於《國風》、《變雅》。其他諸經，有所論贊，往往援引名言，斷章取義，輒假一二古詩，以爲左證。故其教人曰：「不學詩，無以言。」言者，文也；謂不學詩，即不能學文矣。詩人之旨，發其微於羣經，《春秋》既作，上古最初之軌，其迹至此而盡熄，不再見於後世矣。此尤古今人文之大關鍵也。後之文士稱經爲古文，至於上古之章句，視爲奇觀，孤詣高文，則已茫乎不可解。蓋其所習者表示己說，令人一覽而即會其意，其構造實異乎遠古，故莫由相入，又未能人人識字，人人通文，而文章之道，益爲人事之美談歟！

又 自《爾雅》之學絕，令人罕通其文義，乃任舉經典，輾轉相解；但謂字列爲義，無復章句，書名僻愚，義旨隱奧。解經之家，尤以郭璞爲據，苟所未識，則缺而不論。夫《爾雅》之難解，自古然矣。今人習於今體，不見虛字語助之聯絡，不名曰文；其于《爾雅》，非惟難解，更謂難讀，遂以爲無文之書。不知古人爲文，純用實義，今人爲文，專借虛字，而古今文大判焉。《爾雅》者，實義直接，而不以虛字間接者，古訓遺文，洵乎深且奧矣。然在古人視之，義旨直截，趣味深厚，顧不合于今之耳目而已。文體遞變，字之用亦多，世無好學深思之士，悉心潛研，對之昏瞀，其苦實甚。不能辨其字義，遑暇考其文體哉？夫古文之法程，以《爾雅》爲著，縱覽殘缺不完之古

書，其發爲文章，貫穿入理，未有高於《爾雅》、深於《爾雅》、微於《爾雅》，妙於《爾雅》者。蓋積字成句，積句成文，所以成句與文，皆集實字而羅列之、次第之、先後之，按其位置，寄其心思，顯其意指，字必對舉，猶尚排偶，綰合上下，以承中間之轉注；文章諸體，無有出此範圍者，豈非濫觴於《爾雅》哉！欲辨其文，求之於義理，從而分析其次序，則得之矣。三千年來，莫識爲文法之祖，編列失據，且附之於《孝經》，謬誤不正。是以文章之家，不稱《爾雅》，《爾雅》非眞無文也，吾得曰：學術淺薄，不思之蔽也。《爾雅》爲上古之書，確無疑義矣。惟其最古，文義最高，撰述亦最雜。故時代與人名，無可指實，約在文字足用而後，未立史官以前，不出一人之手，尤非一人之作。集錄成篇，必備百物，總一體例，以齊方言，使通行於國中，而史氏據以記事，學人藉以廣智。然而發端爲文，則史家嬗其統，而抽其緒於儒家，逮史變爲經，又以茲書爲二家之鍵鑰焉。《爾雅》但記語言名物，不列人世交涉之政事；史家乃窮其原委，別著爲書。儒家從事於文字，辨理決論，更爲一家之言，自立經學。舉史氏之遺軌，依《爾雅》之末流，兼循途徑，不失規則。於是分門異戶，各具體格。吾求文章之源，至於《爾雅》，未嘗不歎觀止也。古文著於謠諺，則零詞賸義也；及乎《爾雅》，體制乃備，則長篇巨牘也。後之爲文，明乎發原於經史，亦明乎經出於史；至其何以成文之故，則又茫然於史之本原。師生授受，知其當然，而不知其所以然。雖執義求詞，一似甚有來歷者，入門窺戶，不見其主，而《爾雅》之義微矣。

又 自《爾雅》備物，綜覈名實，既樹記言之準，遂資記事之材。《文言》有作，足給取求，妙選典則，能達靈思，融會貫通，動中體要；散諸簡端，以代直說，抒藻繪之情，傳流俗之口。蓋四方殊音，未由紀述，藉此通訓，一其歧趨，辟徑程途，開宗明義。於是文章之道，漸著端倪：雜史爭衡，首致其用，察於天地，識於人物；小說巵言，各從其志，陳迹遺風，光昭日月；博物君子，更拾其緒，廣見洽聞，假借表彰，文質密合，宣其表衷。顧茲載筆，惟學立言，直樸簡當，萬事不隳，非於言外求文，潤色爲業也。一王執政，總師九有，因勢利導，權柄上移；吏事受命，起就條理，並掌世間之故，以通神人之交，而史官立焉。邃初之際，事鬼敬天，邀福禳禍，決是辨非，篤於災異祥瑞，託徵休咎，以叙彝倫，而定民志。其有包藏二心者，莫不怵於神道之說，循茲大常，納民軌物。設教立政之原，何嘗不構基於此哉？故太卜、太祝，共居宮府之中，鑄言必堅，發策尤秘，敷陳古往之訓，調劑窮變之局，世說有本，取信自徵。用能億萬耳目，奉其口舌，以爲蓍蔡，祝告幽而卜知顯，惟恃修詞之誠，繫邦之微，守文綦重，各極淵源，隸於世官。農家、道家，弗相越俎，枝流廣狹，浸成盛衰。太卜之文，狃於恆談，兆曰繇曰，無非按索陳編；太祝之文，實臨大事，以禱以頌，獨能裁製新語。約而言之，則卜爲記事之祖，祝爲記言之流。祝習口助，遂益工文，揚意摩情，傳詞應變，言語一科，因以授記，諭德觀風，視其辭令。清廟之守，兼乘輶軒，出從行人之官，入給太史之職。翰墨所被，駸駸修明，祝之正派，褎然史裁，列爲專官，宏總國典，左言右事，尤以文學擅長。而卜氏式微，商、周之際，亦惟備位具官，不聞述作。洎乎春秋，其子孫僅有存者，抱殘守缺，奔走龜筮，往日遺文，罕有及見者矣。

法則

總說

《論語·雍也》 子曰：「質勝文則野，文勝質則史。文質彬彬，然後君子。」

《墨子·修身》 言無務爲多而務爲智，無務爲文而務爲察。

又《大取》 立辭而不明于其所生，妄也。今人非道無所行，唯有強股肱而不明于道，其困也，可立而待也。夫辭以類行者也，立辭而不明于其類，則必困矣。故浸淫之辭，其類在鼓栗。

又《非命中》 子墨子言曰：凡出言談，由文學之爲道也，則不可而不先立義法。若言而無義，譬猶立朝夕于員鈞之上也，則雖有巧工，必不能得正焉。然今天下之情僞，未可得而識也，故使言有三法。三法者何也？有本之者，有原之者，有用之者。于其本之也，考之天鬼之志，聖王之事；于其原之也，徵以先王之書；用之奈何，發而爲刑。此言之三法也。

又《非命下》 子墨子言曰：凡出言談，則必可而不先立儀而言。若不先

立儀而言，譬之猶運鈞之上而立朝夕焉也。我以爲雖有朝夕之辯，必將終未可得而從定也。是故言有三法。何謂三法？曰：有考之者，有原之者，有用之者。惡乎考之？考先聖大王之事；惡乎原之？察衆之耳目之請；惡乎用之？發而爲政乎國，察萬民而觀之。此謂三法也。

《管子・牧民》 故省刑之要，在禁文巧。

又《五輔》 《五經》既布，然後逐姦民，詰詐僞，屏讒慝，而毋聽淫辭，毋作淫巧。

又《侈靡》 故信其情者傷其神，美其質者傷其文。

《列子・仲尼》 得意者無言，進知者亦無言。用無言爲言亦言，無知爲知亦知。無言與不言，無知與不知，亦言亦知。亦無所不言，亦無所不知；亦無所言，亦無所知。如斯而已。

《荀子・非相》 有小人之辯者，有士君子之辯者，有聖人之辯者。不先慮，不早謀，發之而當，成文而類，居錯遷徙，應變不窮，是聖人之辯者也。先慮之，早謀之，斯須之言而足聽，文而致實，博而黨正，是士君子之辯者也。聽其言則辭辯而無統，用其身則多詐而無功，上不足以順明王，下不足以和齊百姓；然而口舌之均，噡唯則節，足以爲奇偉偃卻之屬：夫是之謂姦人之雄，聖王起，所以先誅也，然後盜賊次之。盜賊得變，此不得變也。

又《禮論》 故至備情文俱盡；其次，情文代勝；其下，復情以歸大一也。

又《正名》 君子之言，涉然而精，俛然而類，差差然而齊。彼正其名，當其辭，以務白其志義者也。彼名辭也者，志義之使也，足以相通則舍之矣；苟之，姦也。故名足以指實，辭足以見極，則舍之矣。外是者謂之訒，是君子之所弃，而愚者拾以爲己寶。故愚者之言，芴然而粗，嘖然而不類，誻誻然而沸。彼誘其名，眩其辭，而無深於其志義者也。故窮藉而無極，甚勞而無功，貪而無名。

《韓非子・五蠹》 今人主之於言也，說其辯而不求其當焉；其用於行也，美其聲而不責其功焉。是以天下之衆，其談言者務爲辯而不周於用，故舉先王言仁義者盈廷，而政不免於亂；行身者競於爲高而不合於功，故智士退處巖穴，歸祿不受，而兵不免於弱。

又《解老》 夫君子取情而去貌，好質而惡飾。夫恃貌而論情者，其情惡也；須飾而論質者，其質衰也。何以論之？和氏之璧，不飾以五采；隋侯之珠，不飾以銀黃。其質至美，物不足以飾之。夫物之待飾而後行者，其質不美也。

又《外儲說左上》 今世之談也，皆道辯說文辭之言。人主覽其文而忘其用。墨子之說，傳先王之道，論聖人之言，以宣告人。若辯其辭，則恐人懷其文忘其直，以文害用也。此與楚人鬻珠、秦伯嫁女同類。故其言多不辯。

董仲舒《春秋繁露・玉杯》 志爲質，物爲文。文著于質，質不居文，文安施質？質文兩備，然後其禮成。文質偏行，不得有我爾之名。俱不能備，而偏行之，寧有質而無文。

《淮南子・氾論》 是故聖人以文交于世，而以實從事于宜。

又《詮言》 文勝則質掩。

又 見其文者蔽其質。

又《要略》 凡屬書者，所以窺道開塞，庶後世使知舉錯取舍之宜適，外與物接而不眩，內有以處神養氣，宴煬至和，而已自樂所受乎天地者也。故言道而不明終始，則不知所倣依；言終始而不明天地四時，則不知所避諱；言天地四時而不引譬援類，則不知精微；言至精而不原人之神氣，則不知養生之機；原人情而不言大聖之德，則不知五行之差；言帝道而不言君事，則不知小大之衰；言君事而不爲稱喻，則不知動靜之宜；言稱喻而不言俗變，則不知合同大指；已言俗變而不言往事，則不知道德之應；知道德而不知世曲，則無以耦萬方；知氾論而不知詮言，則無以從容；通書文而不知兵指，則無以應卒；已知大略而不知譬喻，則無以推明事；知公道而不知人間，則無以應禍福；知人間而不知脩務，則無以使學者勸力。欲強省其辭，覽總其要，弗曲行區入，則不足以窮道德之意。

揚雄《法言・吾子》 好書而不要諸仲尼，書肆也；好說而不要諸仲尼，說鈴也。君子言也無擇，聽也無淫。擇則亂，淫則辟。述正道而稍邪哆者有矣，未有述邪哆而稍正也。

又 或曰：「人各是其所是而非其所非，將誰使正之？」曰：「萬物紛錯，則懸諸天；衆言淆亂，則折諸聖。」或曰：「惡覩乎聖而折諸？」曰：「在則人，亡則書，其統一也。」

又　或曰：「女有色，書亦有色乎？」曰：「有！女惡華丹之亂窈窕也，書惡淫辭之淈法度也。」

又　或問：「君子尚辭乎？」曰：「君子事之爲尚。事勝辭則伉，辭勝事則賦，事辭稱則經。足言足容，德之藻矣。」

又　或曰：「有人焉，自云姓孔而字仲尼，入其門，升其堂，伏其几，襲其裳，則可謂仲尼乎？」曰：「其文是也，其質非也。」敢問質？曰：「羊質而虎皮，見草而說，見豺而戰，忘其皮之虎矣。」

又　聖人虎別，其文炳也。君子豹別，其文蔚也。辯人狸別，其文萃也，狸變則豹，豹變則虎。

又《學行》　習乎習！以習非之勝是，況習是之勝非乎！於戲！學者審其是而已矣。或曰：「焉知是而習之？」曰：「視日月而知衆星之蔑也，仰聖人而知衆說之小也。」

又《修身》　《禮》多儀。或曰：「日昃不食肉，肉必乾；日昃不飲酒，酒必酸。賓主百拜而酒三行，不已華乎？」曰：「實無華則野，華無實則賈，華實副則禮。」

又《問神》　聖人之辭渾渾若川。順則便，逆則否者，其惟川乎？

又　書不經，非書也；言不經，非言也。言、書不經，多多贅矣。

又　或問經之艱易。曰：「存、亡。」或人不諭。曰：「其人存則易，亡則艱。延陵季子之於樂也，其庶矣乎？如樂弛，雖札末如之何矣。如周之禮樂庶事之備也，每可以爲不難矣。如秦之禮樂庶事之不備也，每可以爲難矣。」

又《寡見》　或曰：「良玉不彫，美言不文。何謂也？」曰：「玉不彫，璵璠不作器；言不文，典謨不作經。」

又《君子》　或問：「君子言則成文，動則成德，何以也？」曰：「以其弸中而彪外也。般之揮斤，羿之激矢，君子不言，言必有中也；不行，行必有稱也。」

又　或問：「聖人之言，炳若丹青，有諸？」曰：「吁！是何言與？丹青初則炳，久則渝。渝乎哉？」

王充《論衡·案書》　夫俗好珍古不貴今，謂今之文不如古書。夫古今一也，才有高下，言有是非，不論善惡而徒貴古，是謂古人賢今人也。案東番鄒伯奇，臨淮袁太伯、袁文術，會稽吳君高，周長生之輩，位雖不至公卿，誠能知之囊橐，文雅之英雄也。觀伯奇之《元思》，太伯之《易章句》，文術之《咸銘》，君高之《越紐錄》，長生之《洞曆》，劉子政、揚子雲不能過也。蓋才有淺深，無有古今；文有僞眞，無有故新。廣陵陳子迴、顏方，今尚書郎班固，蘭臺令楊終、傅毅之徒，雖無篇章，賦頌記奏，文辭斐炳，賦象屈原、賈生，奏象唐林、谷永，並比以觀好，其美一也。當今未顯，使在百世之後，則子政、子雲之黨也。韓非著書，李斯采以言事；揚子雲作《太玄》，侯鋪子隨而宣之。非、斯同門，雲、鋪共朝，睹奇見益，不爲古今變心易意，實事貪善，不遠爲術併肩以跡相輕。好奇無已，故奇名無窮。揚子雲《反離騷》之經，非能盡反，一篇文往往見非，反而奪之。

又《自紀》　充書違詭於俗。或難曰：文貴夫順合衆心，不違人意，百人讀之莫譴，千人聞之莫怪。故管子曰：「言室滿室，言堂滿堂。」今殆說不與世同，故文刺於俗，不合於衆。答曰：論貴是而不務華，事尚然而不高合。論說辯然否，安得不譎常心，逆俗耳？衆心非而不從，故喪黜其僞而存定其眞。如當從衆順人心者，循舊守雅，諷習而已，何辯之有？孔子侍坐於魯哀公，公賜桃與黍，孔子先食黍而啖桃，可謂得食序矣。然左右皆掩口而笑。貫俗之日久也。今吾實猶孔子之序食也，俗人違之，猶左右之掩口也。善雅歌，於鄭爲人悲；禮舞，於趙爲不好。堯、舜之典，伍伯不肯觀，孔、墨之籍，季孟不肯讀。寧危之計，黜於閭巷；撥世之言，訾於品俗。有美味於斯，俗人不嗜，狄牙甘食；有寶玉於是，俗人投之，卞和佩服。孰是孰非？可信者誰？禮俗相背，何世不然？魯文逆祀，畔者五人，蓋猶是之語，高士不舍，俗夫不好；惑衆之書，賢者欣頌，愚者逃頓。

荀悅《申鑒·俗嫌》　內有順實，外有順文。文實順，理也。

又　言必有用，術必有典，名必有實，事必有功。

又《雜言下》　權爲茂矣，其幾不若經；辯爲美矣，其理不若絀；文爲顯矣，其中不若樸；博爲盛矣，其正不若約。

又　或曰：「辭達而已矣。」聖人以文，其隩也有五：曰玄，曰妙，曰包，曰要，曰文。幽深謂之玄，理微謂之妙，數博謂之包，辭約謂之要，章成謂之文。聖人之文，成此五者，故曰不得已。

王符《潛夫論·讚學》　是故工欲善其事，必先利其器；士欲宣其義，必

先讀其書。《易》曰：「君子以多志前言往行以畜其德。」是以人之有學也，猶物之有治也。【略】而况君子敦貞之質，察敏之才，攝之以良朋，教之以明師，文之以《禮》、《樂》，導之以《詩》、《書》，讚之以《周易》，明之以《春秋》，其不有濟乎？

又《考績》 辭言應對，各緣其文，以覈其實，則奉職不解，而陳言者不得誣矣。

又《交際》 微言相感，掩若同符。

又 士貴有辭，亦憎多口。

陸機《文賦》 佇中區以玄覽，頤情志於典墳。遵四時以嘆逝，瞻萬物而思紛；悲落葉於勁秋，喜柔條於芳春。心懍懍以懷霜，志眇眇而臨雲；詠世德之駿烈，誦先人之清芬；游文章之林府，嘉麗藻之彬彬。慨投篇而援筆，聊宣之乎斯文。其始也，皆收視反聽，耽思傍訊，精騖八極，心遊萬仞。其致也，情曈曨而彌鮮，物昭晣而互進，似羣言之瀝液，潄六藝之芳潤；浮天淵以安流，濯下泉而潛浸。於是沈辭怫悅，若遊魚銜鈎，而出重淵之深；浮藻聯翩，若翰鳥纓繳，而墜曾雲之峻。收百世之闕文，採千載之遺韻，謝朝華於已披，啓夕秀於未振，觀古今於須臾，撫四海於一瞬。然後選義按部，考辭就班，抱景者咸叩，懷響者畢彈。或因枝以振葉，或沿波而討源，或本隱以之顯，或求易而得難，或虎變而獸擾，或龍見而鳥瀾，或妥貼而易施，或岨峿而不安。罄澄心以凝思，眇衆慮而爲言，籠天地於形內，挫萬物於筆端。始躑躅於燥吻，終流離於濡翰，理扶質以立幹，文垂條而結繁，信情貌之不差，故每變而在顔。思涉樂其必笑，方言哀而已嘆。或操觚以率爾，或含毫而邈然。伊兹事之可樂，固聖賢之所欽，課虛無以責有，叩寂寞而求音，函緜邈於尺素，吐滂沛乎寸心。言恢之而彌廣，思按之而逾深，播芳蕤之馥馥，發青條之森森，粲風飛而猋竪，鬱雲起乎翰林。

又 其爲物也多姿，其爲體也屢遷。其會意也尚巧，其遺言也貴妍。暨音聲之迭代，若五色之相宣。雖逝止之無常，固崎錡而難便。苟達變而識次，猶開流以納泉。如失機而後會，恆操末以續顛，謬玄黄之秩序，故淟涊而不鮮。

又 普辭條與文律，良余膺之所服。練世情之常尤，識前修之所淑。雖濬發於巧心，或受欰於拙目。彼瓊敷與玉藻，若中原之有菽。同橐籥之罔窮，與天地乎並育。雖紛藹於此世，嗟不盈於予掬。患挈缾之屢空，病昌言之難屬。故踸踔於短韻，放庸音以足曲。恆遺恨以終篇，豈懷盈而自足。懼蒙塵於叩缶，顧取笑乎鳴玉。若夫應感之會，通塞之紀，來不可遏，去不可止。藏若景滅，行猶響起。方天機之駿利，夫何紛而不理。思風發於胸臆，言泉流於脣齒。紛葳蕤以馺遝，唯毫素之所擬。文徽徽以溢目，音泠泠而盈耳。及其六情底滯，志往神留，兀若枯木，豁若涸流，攬營魂以探賾，頓精爽而自求。理翳翳而愈伏，思軋軋其若抽。是故或竭情而多悔，或率意而寡尤。雖兹物之在我，非余力之所勠。故時撫空懷而自惋，吾未識夫開塞之所由也。

何邵《荀粲傳》 粲諸兄幷以儒術論議，而粲獨好言道，常以爲子貢稱夫子之言，性與天道，不可得聞，然則六籍雖存，固聖人之糠秕。粲兄俁難曰：「《易》亦云『聖人立象以盡意，繫辭焉以盡言』，則微言胡爲不可得而聞見哉？」粲答曰：「蓋理之微者，非物之象所舉也。今稱立象以盡意，此非通于意外者也；繫辭焉以盡言，此非言乎繫表者也。斯則象外之意，繫表之言，固蘊而不出矣。」及當時能言者不能屈也。

李充《翰林論》 容象圖而讚立，宜使辭簡而義正，孔融之讚楊公，亦其美也。

葛洪《抱朴子・鈞世》 或曰：古之著書者才大思深，故其文隱而難曉；今人意淺力近，故露而易見。以此易見，比彼難曉，猶溝澮之方江河，蟻垤之並嵩岱矣。故水不發崑山，則不能揚洪流以東漸；書不出英俊，則不能備致遠之弘韻焉。抱朴子答曰：夫論管穴者，不可問以九陔之無外；習拘閡者，不可督以拔萃之獨見。蓋往古之士，匪鬼匪神，其形器雖冶鑠於疇曩，然其精神布在乎方策，情見乎辭，指歸可得。且古書之多隱，未必昔人故欲難曉。或世異語變，或方言不同，經荒歷亂，埋藏積久，簡編朽絕，亡失者多；或雜續殘缺，或脫去章句，是以難知，似若至深耳。且夫《尚書》者，政事之集也，然未若近代之優文詔策、軍書奏議之清富贍麗也。《毛詩》者，華彩之辭也，然不及《上林》、《羽獵》、《二京》、《三都》之汪濊博富也。【略】然守株之徒，嘍嘍所翫，有耳無目，何肯謂爾！其於古人所作爲神，今世所著爲淺，貴遠賤近，有自來矣。故新劍以詐刻加價，弊方以僞題見寶也。是以古書雖質樸，而俗儒謂之墮於天也；今文雖金玉，而常人同之於瓦礫也。然古書者雖多，未必盡美，要當以爲學者之山淵，使屬筆者得采伐漁獵其中。

然而譬如東甌之木，長洲之林，梓豫雖多，而未可謂之爲大廈之壯觀，華屋之弘麗也。雲夢之澤，孟諸之藪，魚肉之雖饒，而未可謂之爲煎熬之盛膳，渝狄之嘉味也。【略】若夫俱論宮室，而《奚斯》、《路寢》之頌，何如王生之賦《靈光》乎？同說遊獵，而《叔畋》、《盧鈴》之詩，何如相如之言上林乎？並美祭祀，而《清廟》、《雲漢》之辭，何如郭氏《南郊》之豔乎？等稱征伐，而《出車》、《六月》之作，何如陳琳《武軍》之壯乎？則舉條可以覺焉。近者夏侯湛、潘安仁並作《補亡詩》：《白華》、《由庚》、《南陔》、《華黍》之屬，諸碩儒高才之賞文者，咸以古詩三百，未有足以偶二賢之所作也。且夫古者事事醇素，今則莫不彫飾，時移世改，理自然也。至於罽錦麗而且堅，未可謂之減於蓑衣；輜軿妍而又牢，未可謂之不及椎車也。書猶言也，若入談語，故爲知音，胡、越之接，終不相解，以此教戒，人豈知之哉？若言以易曉爲辨，則書何故以難知爲好哉？若舟車之代步涉，文墨之改結繩，諸後作而善於前事，其功業相次千萬者，不可復縷舉也。世人皆知之快於曩矣，何以獨文章不及古邪？

又《尚博》 漢、魏以來，羣言彌繁。雖義深於玄淵，辭贍於波濤，施之可以臻徵祥於天上，發嘉瑞於后土，召環雉於大荒之外，安圜堵於函夏之內，近弭禍亂之階，遠垂長世之祉；然時無聖人目其品藻，故不得騁驊騄之迹於千里之塗，編近世之道於三墳之末也。拘繫之徒，桎梏淺隘之中，挈瓶訓詁之間，輕奇賤異，謂爲不急。或云小道不足觀，或云廣博亂人思，而不識合鎦銖可以齊重於山陵，聚百十可以致數於億兆，羣色會而衮藻麗，衆音雜而韶濩和也。

又 若夫翰迹韻略之宏促，屬辭比事之疏密，源流至到之修短，蘊藉汲引之深淺。其懸絶也，雖天外毫內，不足以喻其遼邈；其相傾也，雖三光熠耀，不足以方其巨細；龍淵鉛鋌，未足譬其鋭鈍；鴻羽積金，未足比其輕重。清濁參差，所稟有主，朗昧不同科，強弱各殊氣。

范曄《獄中與諸甥侄書》 文患其事盡于形，情急于藻，義牽其旨，韻移其意。雖時有能者，大較多不免此累，政可類工巧圖繢，竟無得也。常謂情志所托，故當以意爲主，以文傳意。以意爲主，則其旨必見；以文傳意，則其詞不流。然後抽其芬芳，振其金石耳。此中情性旨趣，千條百品，屈曲有成理。自謂頗識其數，嘗爲人言，多不能賞，意或異故也。

謝靈運《答王衛軍問辨宗論書》 靈運白：一悟理質以經誥，可謂俗文之談。然書不盡意，亦前世格言。幽僻無事，聊與同行道人共求其衷。猥辱高難，詞徵理析，莫不精究，尋覽彌曰，欣若暫對。輒復更伸前論，雖不辨酬釋來問，且以示懷耳。

沈約《與范述曾論竟陵王賦書》 夫眇泛滄流，則不識涯涘；雜陳鐘石，則莫辨宮商。雖復吟誦回環，編離字滅，終無所辨。仰酬睿旨，微表寸長。

陸厥《與沈約書》 意者亦質文時異，古今好殊，將急在情物，而緩于章句。情物，文之所急，美惡猶且相半；章句，意之所緩，故合少而謬多。義兼于斯，必非不知明矣。

王微《與從弟僧綽書》 吾少學作文，又晚節如小進，使君公欲民不偷，每加存飾，酬對尊貴，不厭敬恭。且文詞不怨思抑揚，則流澹無味。文好古，貴能連類可悲，一往視之，如似多意。當見居非求志，清論所排，便是通辭訴屈邪？爾者眞可謂眞素寡矣。其數旦見客小防自來盈門，亦不煩獨舉吉也。此輩乃云語勢所至，非其要也。弟無懷居今地，萬物初不以相非，然魯器齊虛，實宜書紳。今三署六府之人，誰表裏此內，儻疑弟豫有力，于素論何如哉？則吾長扼不死，終誤盛壯也。

朱廣之《咨顧歡夷夏論》 論云：佛教文而博，道教質而精，精非粗人所信，博非精人所能。疑曰：夫博聞強識，必緣照遠廣；敦修善行，必因理入微。照明則理無不精，理精則明無不盡。然則精博同功，相爲利用。博猶精也，豈粗人所能信；精猶博也，豈弘通所獨闕。

崔祖思《陳政事啓》 古者左史記言，右史記事，故君舉必書，盡直筆而不污；上無妄動，知如絲之成綸。今者著作之官，起居而已；述事之徒，褒諛爲體。世無董狐，書法必隱；時闕南史，直筆未聞。

張融《門律自序》 吾文章之體，多爲世人所驚，汝可師耳以心，不可使耳爲心師也。夫文豈有常體，但以有體爲常，政當使常有其體。丈夫當刪《詩》、《書》，制禮樂，何至因循寄人籬下。且中代之文，道體闕變，尺寸相資，彌縫舊物。吾之文章，體亦何異，何嘗顛溫涼而錯寒暑，綜哀樂而橫歌哭哉？政以屬辭多出，比事不羈，不阡不陌，非途非路耳。然其傳音振逸，鳴節竦韻，或當未極，亦已極其所矣。汝若復別得體者，吾不拘也。吾義亦如文，造次乘我，顛沛非物。吾無師無友，不文不句，頗有孤神獨逸耳。

裴子野《雕蟲論》古者四始六藝，總而爲詩，既形四方之氣，且彰君子之志，勸美懲惡，王化本焉。後之作者，思存枝葉，繁華蘊藻，用以自通。若悱惻芳芬，楚騷爲之祖；靡漫容與，相如和其音。由是隨聲逐影之儔，棄指歸而無執。賦詩歌頌，百帙五車，蔡邕等之俳優，揚雄悔爲童子。聖人不作，雅鄭誰分。其五言爲家，則蘇、李自出，曹、劉偉其風力，潘、陸固其枝葉。爰及江左，稱彼顔、謝，箴繡鞶帨，無取廟堂。宋初迄於元嘉，多爲經史，大明之代，實好斯文，高才逸韻，頗謝前哲，波流相尚，滋有篤焉。自是閭閻年少，貴游總角，罔不擯落六藝，吟詠情性。學者以博依爲急務，謂章句爲專魯。淫文破典，斐爾爲功，無被於管絃，非止乎禮義。深心主卉木，遠致極風雲，其興浮，其志弱。巧而不要，隱而不深，討其宗途，亦有宋之風也。若季子聆音，則非興國，鯉也趨庭，必有不敢。荀卿有言：「亂代之徵，文章匿而采。」斯豈近之乎。

蕭衍《寶亮法師涅槃義疏序》非言無以寄言，言即無言之累，累言則可以息言，言息則諸見競起。

蕭綱《誡當陽公大心書》汝年時尚幼，所闕者學，可久可大，其唯學歟！所以孔丘言：「吾嘗終日不食，終夜不寢，以思，無益，不如學也。」若使牆面而立，沐猴而冠，吾所不取。立身之道，與文章異，立身先須謹重，文章且須放蕩。

又《答張纘謝示集書》綱少好文章，于今二十五載矣。竊嘗論之，日月參辰，火龍黼黻，尚且著于玄象，章乎人事，而況文辭可止，咏歌可輟乎！不爲壯夫，揚雄實小言破道；非謂君子，曹植亦小辯破言。論之科刑，罪在不赦。至如春庭落景，轉蕙承風，秋雨且晴，檐梧初下，浮雲生野，明月入樓，時命親賓，乍動嚴駕，車渠屢酌，鸚鵡驟傾，伊昔三邊，久留四戰，胡霧連天，征旗拂日，時聞塢笛，遙聽塞笳。或鄉思凄然，或雄心憤薄。是以沈吟短翰，補綴庸音，寓目寫心，因事而作。

又《與湘東王書》若夫六典三禮，所施則有地，吉凶嘉賓，用之則有所。未聞吟咏情性，反擬《內則》之篇；操筆寫志，更摹《酒誥》之作。遲遲春日，翻學《歸藏》，湛湛江水，遂同《大傳》。吾既拙于爲文，不敢輕有掎摭。但以當世之作，歷方古之才人，遠則揚、馬、曹、王，近則潘、陸、顔、謝，而觀其遺辭用心，了不相似。若以今文爲是，則古文爲非；若昔賢可稱，則今體宜棄，俱爲盍各，則未之敢許。又時有效謝康樂、裴鴻臚文者，亦頗有惑焉。何者？謝客吐言天拔，出于自然，時有不拘，是其糟粕。裴氏乃是良史之才，了無篇什之美。是爲學謝則不屆其精華，但得其冗長；師裴則蔑絕其所長，惟得其所短。謝故巧不可階，裴亦質不宜慕。故胸馳臆斷之侶，好名忘實之類，方分肉于仁獸，逞卻克于邯鄲，入鮑忘臭，效尤致禍。決羽謝生，豈三千之可及；伏膺裴氏，懼兩唐之不傳。故玉徽金銑，反爲拙目所嗤，巴人下里，更合郢中之聽。陽春高而不和，妙聲絕而不尋，竟不精討錙銖，核量文質，有異巧心，終愧妍手。是以握瑜懷玉之士，瞻鄭邦而知退；章甫翠履之人，望閩鄉而嘆息。詩既若此，筆又如之。徒以烟墨不言，受其驅染；紙札無情，任其搖襞。甚矣哉，文之橫流，一至于此！

又《莊嚴旻法師成實論義疏序》夫事秉文辭，理通氣象，涉之者尚迷，求之者或躓。是以問《玄經》于揚子，且云不習；奏古樂于文侯，猶稱則睡。歷校清臺，壽王之課不密；氣現斗牛，南昌之地或爽。況乎慧門深邃，入之者固希；法海波瀾，泛之者未易。自使河濟混淆，魔塵紛糾，皎皎毒霜，童童苦樹。善田之苗不吐，意華之彩詎發，無常之樓互起，暗室之火無暉。是以餐密挫糟，俱珍異論，持牛卧棘，競起邪宗。

蕭繹《金樓子・立言》古人之學者有二，今人之學者有四。夫子門徒，轉相師受，通聖人之經者，謂之儒。屈原、宋玉、枚乘、長卿之徒，止於辭賦，則謂之文。今之儒，博窮子史，但能識其事，不能通其理者，謂之學。至如不便爲詩如閻纂，善爲章奏如伯松，若此之流，泛謂之筆。吟詠風謠，流連哀思者，謂之文。而學者率多不便屬辭，守其章句，遲於通變，質於心用。學者不能定禮樂之是非，辯經教之宗旨，徒能揚推前言，抵掌多識，然而挹源知流，亦足可貴。筆退則非謂成篇，進則不云取義，神其巧惠，筆端而已。至如文者，惟須綺縠紛披，宮徵靡曼，脣吻遒會，情靈搖蕩。而古之文筆，今之文筆，其源又異。至如象、繫、風、雅、名、墨、農、刑，虎炳豹鬱，彬彬君子。卜談四始，劉言七略，源流已詳，今亦置而弗辨。潘安仁清綺若是，而評者止稱情切，故知爲文之難也。曹子建、陸士衡，皆文士也，觀其辭致側密，事語更明，意匠有序，遺言無失，雖不以儒者命家，此亦悉通其義也。

又《內典碑銘集林序》夫披文相質，博約溫潤，吾聞斯語，未見其人。

班固碩學，尚云贊頌相似；陸機鈎深，猶聞碑賦如一。唯伯喈作銘，林宗無愧，德祖能誦，元常善書，一時之盛，莫得係踵。【略】夫世代亟改，論文之理非一；時事推移，屬詞之體或異。但繁則傷弱，率則恨省；存華則失體，從實則無味。或引事雖博，其意猶同；或新意雖奇，無所倚約；或首尾倫帖，事似牽課；或翻復博涉，體制不工。能使艷而不華，質而不野，博而不繁，省而不率，文而有質，約而能潤，事隨意轉，理逐言深，所謂菁華，無以間也。

劉勰《文心雕龍·神思》 古人云：「形在江海之上，心存魏闕之下。」神思之謂也。文之思也，其神遠矣。故寂然凝慮，思接千載；悄焉動容，視通萬里。吟詠之間，吐納珠玉之聲；眉睫之前，卷舒風雲之色；其思理之致乎。故思理爲妙，神與物遊。神居胸臆，而志氣統其關鍵；物沿耳目，而辭令管其樞機。樞機方通，則物無隱貌；關鍵將塞，則神有遯心。是以陶鈞文思，貴在虛靜，疏瀹五藏，澡雪精神。積學以儲寶，酌理以富才，研閱以窮照，馴致以繹辭。然後使玄解之宰，尋聲律而定墨；獨照之匠，闚意象而運斤；此蓋馭文之首術，謀篇之大端。夫神思方運，萬塗競萌，規矩虛位，刻鏤無形。登山則情滿於山，觀海則意溢於海，我才之多少，將與風雲而並驅矣。方其搦翰，氣倍辭前，暨乎篇成，半折心始。何則？意翻空而易奇，言徵實而難巧也。是以意授於思，言授於意，密則無際，疏則千里，或理在方寸而求之域表，或義在咫尺而思隔山河。是以秉心養術，無務苦慮，含章司契，不必勞情也。人之稟才，遲速異分，文之制體，大小殊功：相如含筆而腐毫，揚雄輟翰而驚夢，桓譚疾感於苦思，王充氣竭於思慮，張衡研京以十年，左思練都以一紀，雖有巨文，亦思之緩也。淮南崇朝而賦騷，枚皋應詔而成賦，子建援牘如口誦，仲宣舉筆似宿構，阮瑀據案而制書，禰衡當食而草奏，雖有短篇，亦思之速也。若夫駿發之士，心總要術，敏在慮前，應機立斷；覃思之人，情饒歧路，鑒在疑後，研慮方定。機敏故造次而成功，慮疑故愈久而致績。難易雖殊，並資博練。若學淺而空遲，才疏而徒速，以斯成器，未之前聞。是以臨篇綴慮，必有二患：理鬱者苦貧，辭溺者傷亂，然則博聞爲饋貧之糧，貫一爲拯亂之藥，博而能一，亦有助乎心力矣。若情數詭雜，體變遷貿。拙辭或孕於巧義，庸事或萌於新意，視布於麻，雖云未費，杼軸獻功，煥然乃珍。至於思表纖旨，文外曲致，言所不追，筆固知止。至精而後闡其妙，至變而後通其數，伊摯不能言鼎，輪扁不能語斤，其微矣乎！贊曰：神用象通，情變所孕。物以貌求，心以理應。刻鏤聲律，萌芽比興。結慮司契，垂帷制勝。

又《定勢》 夫情致異區，文變殊術，莫不因情立體，即體成勢也。勢者，乘利而爲制也。如機發矢直，澗曲文回，自然之趣也。圓者規體，其勢也自轉；方者矩形，其勢也自安；文章體勢，如斯而已。是以模經爲式者，自入典雅之懿；效騷命篇者，必歸艷逸之華；綜意淺切者，類乏醞藉；斷辭辨約者，率乖繁縟；譬激水不漪，槁木無陰，自然之勢也。是以繪事圖色，文辭盡情，色糅而犬馬殊形，情交而雅俗異勢，鎔範所擬，各有司匠，雖無嚴郛，難得踰越。然淵乎文者，並總羣勢；奇正雖反，必兼解以俱通；剛柔雖殊，必隨時而適用。若愛典而惡華，則兼通之理偏，似夏人爭弓矢，執一不可以獨射也。若雅鄭而共篇，則總一之勢離，是楚人鬻矛譽盾，兩難得而俱售也。是以括囊雜體，功在銓別，宮商朱紫，隨勢各配。章表奏議，則準的乎典雅；賦頌歌詩，則羽儀乎清麗；符檄書移，則楷式於明斷；史論序注，則師範於覈要；箴銘碑誄，則體制於弘深；連珠七辭，則從事於巧艷：此循體而成勢，隨變而立功者也。雖復契會相參，節文互雜，譬五色之錦，各以本采爲地矣。桓譚稱文家各有所慕，或好浮華而不知實覈，或美衆多而不見要約。陳思亦云：「世之作者，或好煩文博採，深沉其旨者；或好離言辨白，分毫析釐者。所習不同，所務各異，言勢殊也。」劉楨云：「文之體指實強弱，使其辭已盡而勢有餘，天下一人耳，不可得也。」公幹所談，頗亦兼氣，然文之任勢，勢有剛柔，不必壯言慷慨，乃稱勢也。又陸雲自稱往日論文，先辭而後情，尚勢而不取悅澤，及張公論文，則欲宗其言。夫情固先辭，勢實須澤，可謂先迷後能從善矣。自近代辭人，率好詭巧，原其爲體，訛勢所變，厭黷舊式，故穿鑿取新，察其訛意，似難而實無他術也，反正而已。故文反正爲乏，辭反正爲奇。效奇之法，必顛倒文句，上字而抑下，中辭而出外，回互不常，則新色耳。夫通衢夷坦，而多行捷徑者，趨近故也；正文明白，而常務反言者，適俗故也。然密會者以意新得巧，苟異者以失體成怪。舊練之才，則執正以馭奇；新學之銳，則逐奇而失正；勢流不反，則文體遂弊。秉茲情術，可無思耶！贊曰：形生勢成，始末相承。湍迴似規，矢激如繩。因利騁節，情采自凝。枉轡學步，力止襄陵。

又《事類》：事類者，蓋文章之外，據事以類義，援古以證今者也。昔文王繇《易》，剖判爻位，《既濟》九三，遠引高宗之伐；《明夷》六五，近書箕子之貞：斯略舉人事，以徵義者也。至若《胤征》羲和，陳正典之訓；《盤庚》誥民，叙遲任之言：此全引成辭，以明理者也。然則明理引乎成辭，徵義舉乎人事，迺聖賢之鴻謨，經籍之通矩也。《大畜》之象，君子以多識前言往行，亦有包於文矣。觀夫屈宋屬篇，號依詩人，雖引古事而莫取舊辭。惟賈誼《鵩賦》，始用鶡冠之說；相如《上林》，撮引李斯之書：此萬分之一會也。及揚雄《百官箴》，頗酌於詩書；劉歆《遂初賦》，歷叙於紀傳：漸漸綜採矣。至於崔、班、張、蔡，遂捃摭經史，華實布濩，因書立功，皆後人之範式也。夫薑桂同地，辛在本性，文章由學，能在天資。才自內發，學以外成，有學飽而才餒，有才富而學貧。學貧者，迍邅於事義；才餒者，劬勞於辭情：此內外之殊分也。是以屬意立文，心與筆謀，才爲盟主，學爲輔佐，主佐合德，文采必霸，才學褊狹，雖美少功。夫以子雲之才，而自奏不學，及觀書石室，乃成鴻采。表裡相資，古今一也。故魏武稱張子之文爲拙，然學問膚淺，所見不博，專拾掇崔杜小文，所作不可悉難，難便不知所出，斯則寡聞之病也。夫經典沈深，載籍浩瀚，實群言之奧區，而才思之神皋也。揚、班以下，莫不取資，任力耕耨，縱意漁獵，操刀能割，必裂膏腴，是以將贍才力，務在博見，狐腋非一皮能溫，雞蹠必數千而飽矣。是以綜學在博，取事貴約，校練務精，捃理須覈，衆美輻輳，表裏發揮。劉劭《趙都賦》云：「公子之客，叱勁楚令歃盟；管庫隸臣，呵強秦使鼓缶。」用事如斯，可謂理得而義要矣。故事得其要，雖小成績，譬寸轄制輪，尺樞運關也。或微言美事，置於閒散，是綴金翠於足脛，靚粉黛於胸臆也。凡用舊合機，不啻自其口出，引事乖謬，雖千載而爲瑕。陳思，群才之英也，《報孔璋書》云：「葛天氏之樂，千人唱，萬人和，聽者因以蔑韶夏矣。」此引事之實謬也。按，葛天之歌，唱和三人而已。相如《上林》云：「奏陶唐之舞，聽葛天之歌，千人唱，萬人和。」唱和千萬人，乃相如接人，然而濫侈葛天，推三成萬者，信賦妄書，致斯謬也。陸機《園葵詩》云：「庇足同一智，生理合異端。」夫葵能衛足，事譏鮑莊，葛藟庇根，辭自樂豫；若譬葛爲葵，則引事爲謬；若謂庇勝衛，則改事失眞；斯又不精之患。夫以子建明練，士衡沉密，而不免於謬。曹仁之謬高唐，又曷足以嘲哉！夫山木爲良匠所度，經書爲文士所擇，木美而定於斧斤，事美而制於刀筆，研思之士，無慙匠石矣。贊曰：經籍深富，辭理遐亘。皜如江海，鬱若崑鄧。文梓共採，瓊珠交贈。用人若己，古來無懵。

又《總術》：今之常言，有文有筆，以爲無韻者筆也，有韻者文也。夫文以足言，理兼詩書，別目兩名，自近代耳。顏延年以爲筆之爲體，言之文也；經典則言而非筆，傳記則筆而非言。請奪彼矛，還攻其楯矣。何者？《易》之文言，豈非言文，若筆不言文，不得云經典非筆矣。將以立論，未見其論立也。予以爲發口爲言，屬筆曰翰，常道曰經，述經曰傳。經傳之體，出言入筆，筆爲言使，可強可弱。分經以典奧爲不刊，非以言筆爲優劣也。昔陸氏《文賦》，號爲曲盡，然泛論纖悉，而實體未該。故知九變之貫匪窮，知言之選難備矣。凡精慮造文，各競新麗，多欲練辭，莫肯研術。落落之玉，或亂乎石；碌碌之石，時似乎玉。精者要約，匱者亦鮮；博者該贍，蕪者亦繁；辯者昭晳，淺者亦露；奧者複隱，詭者亦典。或義華而聲悴，或理拙而文澤。知夫調鐘未易，張琴實難。伶人告和，不必盡窕槬之中；動用揮扇，何必窮初終之韻；魏文比篇章於音樂，蓋有徵矣。夫不截盤根，無以驗利器；不剖文奧，無以辨通才。才之能通，必資曉術，自非圓鑒區域，大判條例，豈能控引情源，制勝文苑哉！是以執術馭篇，似善弈之窮數；棄術任心，如博塞之邀遇。故博塞之文，借巧儻來，雖前驅有功，而後援難繼，少既無以相接，多亦不知所刪，乃多少之並惑，何妍媸之能制乎！若夫善弈之文，則術有恆數，按部整伍，以待情會，因時順機，動不失正。數逢其極，機入其巧，則義味騰躍而生，辭氣叢雜而至。視之則錦繪，聽之則絲簧，味之則甘腴，佩之則芬芳，斷章之功，於斯盛矣。夫驥足雖駿，纆牽忌長，以萬分一累，且廢千里。況文體多術，共相彌綸，一物攜貳，莫不解體。所以列在一篇，備總情變，譬三十之輻，共成一轂，雖未足觀，亦鄙夫之見也。贊曰：文場筆苑，有術有門。務先大體，鑑必窮源。乘一總萬，舉要治繁。思無定契，理有恆存。

劉孝綽《昭明太子集序》 竊以屬文之體，鮮能周備，長卿徒善，既累爲遲。少孺雖疾，俳優而已。子淵淫靡，若女工之蠹；子雲侈靡，異詩人之則。孔璋詞賦，曹祖勸其修今；伯喈笑贈，摯虞知其頗古。孟堅之頌，尚有似贊之譏；士衡之碑，猶聞類賦之貶。深乎文者，兼而善之，能使典而不埜，遠而不放，麗而不淫，約而不儉，獨擅衆美，斯文在斯。假使王朗報箋，

卞蘭獻頌，猶不足以揄揚著述，稱贊才章，況在庸才，曾何彷彿？然承華肇建，濫齒時髦，居陪出從，逝將二紀。譬彼登山，徒仰峻極，同夫觀海，莫際波瀾。但職官書記，預聞盛藻，歌咏不足，敢忘編次。

顏之推《顏氏家訓・文章篇》 學問有利鈍，文章有巧拙。鈍學累功，不妨精熟；拙文研思，終歸蚩鄙。但成學士，自足爲人；必乏天才，勿強操筆。吾見世人，至無才思，自謂清華，流布醜拙，亦以衆矣，江南號爲詅癡符。近在并州，有一士族，好爲可笑詩賦，誂擎邢、魏諸公，衆共嘲弄，虛相讚説，便擊牛釃酒，招延聲譽。其妻，明鑒婦人也，泣而諫之。此人歎曰：才華不爲妻子所容，何況行路！至死不覺。自見之謂明，此誠難也。

又 學爲文章，先謀親友，得其評裁，然後出手。愼勿師心自任，取笑旁人也。自古執筆爲文者，何可勝言？然至於宏麗精華，不過數十篇耳。但使不失體裁，辭意可觀，便稱才士。要動俗蓋世，亦俟河之清乎？

又 凡爲文章，猶人乘騏驥，雖有逸氣，當以銜策制之，勿使流亂軌躅，放意塡坑岸也。

又 文章當以理致爲心胸，氣調爲筋骨，事義爲皮膚，華麗爲冠冕。今世相承，趨末棄本，率多浮豔。辭與理競，辭勝而理伏；事與才爭，事繁而才損。放逸者流宕而忘歸，穿鑿者補綴而不足。時俗如此，安能獨違，但務去泰去甚耳。必有盛才重譽，改革體裁者，實吾所希。

李概《達生丈人集序》 達生丈人者，生于戰國之世，爵里姓名無聞焉。爾時人揆其行己，強爲之號，頗好屬文，成輒弃稿，常持論文云：「古人有言：『性情生于欲。』又曰：「人之性靜，欲實汩之。然則性也者，所受于天，神識是也，故爲形骸之主。情也者，所受于性，嗜欲是也，故爲形骸之役。」由此言之，性情之辯，斷然殊異，故其身泰。則均齊死生，塵垢名利，縱酒恣色，所以養情，否則屏除愛著，擯落支體，收視反聽，所以養識。是以遇榮樂而無染，遭厄窮而不悶，或出人間，或栖物表，逍遙寄託，莫知所終。

衛元嵩《三易異同論》 夫尙質則人淳，人淳則俗樸。樸之失，其弊也蠢，蠢則變之以文；尙文則人和，人和則俗順，順之失，其弊也諂，諂則變之以質。質以變文，文以變質，亦猶寬以濟猛，猛以濟寬，此聖人之用心也。豈苟相反背？而妄有述作焉。

李昶《答徐陵書》 繁霜應管，能響豐山之鐘；玄雲觸石，又動流泉之奏。矧伊物候，且或冥符，況乃衿期，相忘道術。楚齊風馬，吳會浮雲，行李無因，音塵不嗣。殷御正銜命來歸，嘉言累札。江南橘茂，薊北桑枯，陰慘陽舒，行止多福。足下泰山竹箭，浙水明珠，海內風流，江南獨步。扶風計吏，議折祥禽，平陵李廉，辦酬文約。況復麗藻星鋪，雕文錦縟。風雲景物，義盡緣情，經綸憲章，辭殫表奏。久已京師紙貴，天下家藏，調移齊右之音，韻改河西之俗。豈直揚雲藻翰，獨留千金，嗣宗文雅，唯傳好事。僕世傳經術，才謝劉歆，家有賜書，學匪班嗣。弱年有意，頗愛雕蟲；歲月三餘，無忘肄業。戶牖之間，時安筆硯，顰眉難巧，學步非工，恆經牧孺之譏，實愧栖桐。豈若邯鄲舉袖，唯聞變曲，協律飛塵，必應不顧。是以日南寶貝，屢被陳思之誚，羞逢仲子，類居山之鼓琴；屢覓子將，同本初之車服。不謂遙望歸秦，合浦文犀，更希還漢。芳春行獻，驚其鳴矣，懸豫章之牀，置長安之驛。厚築牆垣，思逢鄭僑之聘；工歌周頌，佇奏延陵之樂。書繪有復，道意無伸。

劉憑《內外旁通比校數法序》 世之道藝，有淺有深，人之稟學，有疏有密。故尋籌之用也，則兼該大術，其不思也，則致惑三隅。

王通《中說・天地篇》 文中子曰：「吾師也，詞達而已矣。」

《隋書・文學傳論》 魏文有言「古今文人，類不護細行，鮮能以名節自立」，信矣！王胄、虞綽之輩，崔儦、孝逸之倫，或矜氣負才，遺落世事，或學優命薄，調高位下，心鬱抑而孤憤，志盤桓而不定，嘯傲當世，脫略公卿。是知跅弛見遺，嫉邪忤物，不獨漢陽趙壹、平原禰衡而已。故多離咎悔，鮮克有終。然其學涉稽古，文詞辨麗，並鄧林之一枝，崐山之片玉矣。有隋總一寰宇，得人爲盛，秀異之貢，不過十數。正玄昆季三人預焉，華萼相耀，亦爲難兄弟矣。

又《經籍志四》 文者，所以明言也。古者登高能賦，山川能祭，師旅能誓，喪紀能誄，作器能銘，則可以爲大夫。言其因物騁辭，情靈無擁者也。唐歌虞詠，商《頌》、周《雅》，敍事緣情，紛綸相襲，自斯已降，其道彌繁。世有澆淳，時移治亂，文體遷變，邪正或殊。【略】其後南平漢、沔，東定河朔，訖于有隋，四海一統，采荊南之杞梓，收會稽之箭竹，辭人才士，總萃

京師。屬以高祖少文，煬帝多忌，當路執權，逮相擯壓。於是握靈蛇之珠，韞荆山之玉，轉死溝壑之內者，不可勝數，草澤怨刺，於是興焉。古者陳詩觀風，斯亦所以關乎盛衰者也。

謝偃《玉牒眞記》 龜文發而八封成，鳥跡命而六體備，于是書契著焉，文籍興焉。是以褒貶定于一言，美惡在乎千里。或揖讓以崇文德，或干戈而擅武功，雖五運代昌，三正更襲，質文殊軌，馳驟異規，莫不詳諸典策，可備而言矣。

陸德明《經典釋文序》 夫書音之作，作者多矣。前儒撰著，光乎篇籍。其來既久，誠無間然。但降聖已還，不免偏尙，質文詳略，互有不同。漢魏迄今，遺文可見，或專書己意，或祖述舊音，各師成心，製作如面。加以楚夏聲異，南北語殊，是非信其所聞，輕重因其所習。後學鑽仰，罕聞指要，夫筌蹄所寄，惟在文言。差若毫釐，謬便千里。夫子有言，必也正名乎，名不正則言不順，言不順則事不成。故君子名之必可言也，言之必可行也。斯富哉言乎！大矣盛矣，無得而稱矣！然人稟二儀之淳和，含五行之秀氣，雖復挺生天縱，必資學以知道。故唐堯師于許由，周文學于虢叔。上聖且猶有學，而況其餘乎？至于處鮑居蘭，翫所先入。染絲斵梓，功在初變。器成采定，難復改移。一薰一蕕，十年有臭，豈可易哉！

長孫無忌《進五經正義表》 詠歌明得失之迹，雅頌表興廢之由，實刑政之紀綱，乃人倫之隱括。昔雲官司契之后，火紀建極之君，雖步驟不同，質文有異，莫不開茲膠序，樂以典墳。敦稽古以宏風，闡儒雅以立訓，啓含靈之耳目，贊神化之丹青。姬、孔發揮于前，荀、孟抑揚于後。馬、鄭迭進，成均之望鬱興，蕭、戴同升，石渠之業愈峻。歷夷險其敎不墜，經隆替其道彌尊。斯乃邦家之基，王化之本者也。

楊炯《王勃集序》 大矣哉，文之時義也。有天文焉，察時以觀其變；有人文焉，立言以重其範。歷年滋久，遞爲文質。應運以發其明，因人以道其粹。【略】鼓舞其心，發洩其用，八紘馳騁于思緒，萬代出沒于毫端。契將往而必融，防未來而先制。動搖文律，宮商有奔命之勞；沃蕩詞源，河海無息肩之地。以茲偉鑒，取其雄伯。壯而不虛，剛而能潤。雕而不碎，按而彌堅。大則用之以時，小則施之有序。徒縱橫以取勢，非鼓怒以爲資。長風一振，衆萌自偃。遂使繁綜淺術，無藩籬之固，紛繪小才，失金湯之險。積年綺碎，一朝清廓，翰苑豁如，詞林增峻。反諸宏博，君之力焉；矯枉過正，文之權也。

張說《洛州張司馬集序》 夫言者志之所之，文者物之相雜。然則心不可蘊，故發揮以形容；辭不可陋，故錯綜以潤色。萬象鼓舞，入有名之地；五音繁雜，出無聲之境。非窮神體妙，其孰能與於此乎。【略】自大夫之頌成室，太史之賦京都，魏則十龍儒雅，晉則三陽藻綴，朝分南北，運迄周隋，文人才子，重世間出。豈止柟榴體物，陳琳得以示人；鷦鷯寄辭，阮籍稱其王佐。

劉知幾《自叙》 昔漢世劉安著書，號曰《淮南子》，其書牢籠天地，博極古今，上自太公，下至商鞅，其錯綜經緯，自謂兼于數家，無遺力矣。然自淮南已後，作者無絕，必商搉而言，則其流又衆。蓋仲尼既沒，微言不行，史公著書，是非多謬。由是百家諸子，詭說異辭，務爲小辨，破彼大道。故揚雄《法言》生焉。儒者之書，博而寡要，得其糟粕，失其菁華。而流俗鄙夫，貴遠賤近，傳茲牴牾，自相欺惑。故王充《論衡》生焉。民者冥也，冥然罔知，率彼愚蒙，牆面而視。或訛音鄙句，莫究本源；或守株膠柱，動多拘忌。故應劭《風俗通》生焉。五常語稟，百行殊軌，能有兼偏，知有長短。苟隨才而任使，則片善不遺；必求備而後用，則舉世莫可。故劉邵《人物志》生焉。夫開國承家，立身行事，一文一武，或出或處。雖賢愚壞隔，善惡區分，苟時無品藻，則理難銓綜。故陸景《典語》生焉。詞人屬文，其體非一，譬甘辛殊味，丹素異彩。後來祖述，識昧圓通，家有詆訶，人相掎摭。故劉勰《文心》生焉。若《史通》之爲書也，蓋傷當時載筆之士，其義不純，思欲辨其指歸，殫其體統。夫其書雖以史爲主，而餘波所及，上窮王道，下掞人倫，總括萬殊，包吞千有。自《法言》以降，迄于《文心》而往，固以納諸胸中，曾不蒂芥者矣。夫其爲義也，有與奪焉，有褒貶焉，有鑒誡焉，有諷刺焉。其爲貫穿者深矣，其爲網羅者密矣，其所商略者遠矣，其所發明者多矣。

獨孤及《唐故殿中侍御史贈考功郎中蕭府君文章集錄序》 足志者言，足言者文。情動于中而形于聲，文之微也；粲于歌頌，暢于事業，文之著也。君子修其詞，立其誠，生以比興宏道，歿以述作垂裕，此之謂不朽。【略】嘗謂揚、馬言大而迂，屈、宋詞侈而怨。沿其流者，或文質交喪，雅鄭相奪，盍爲之中道乎？故夫子文章，深其致，婉其旨，直而不野，麗而不艷。

又《檢校尚書吏部員外郎趙郡李公中集序》志非言不形，言非文不彰。是三者相爲用，亦猶涉川者假舟楫而後濟。自典謨缺，雅頌寢，世道陵夷，文亦下衰。故作者往往先文字後比興，其風流蕩而不返。乃至有飾其詞而遺其意者，則潤色愈工，其實愈喪，及其大壞也，儷偶章句，使枝對葉比，以八病四聲爲梏拲，拳拳守之，如奉法令。聞皋繇史克之作，則呷然笑之。天下雷同，風驅雲趨。文不足言，言不足志，亦猶木蘭爲舟，翠羽爲檝，翫之于陸而無涉川之用。痛乎流俗之惑人也舊矣！帝唐以文德旉祐于下，民被王風，俗稍丕變，至則天太后時，陳子昂以雅易鄭，學者浸而嚮方。

尚衡《文道元龜》文道之興也，其當中古乎？其無所始乎？【略】夫卦始乎三畫，文章之閫，大抵不出乎三等，斯乃從人而有焉。工與不工，各區分有之。君子之文爲上等，其德全；志士之文爲中等，其義全；詞士之文爲下等，其思全。其思也可以綱物，義也可以動衆，德也可以經化。化人之作，其惟君子乎？君子之作，先乎行。行爲之質，後乎言，言爲之文。行不出乎言，言不出乎行。質文相半，斯乃化成之道焉。志士之作，介然以立誠，憤然有所述，言必有所諷，志必有所之。詞寡而意懇，氣高而調苦，斯乃感激之道焉。詞士之作，學古以攄情，屬詞以及物，及物勝則詞麗，攄情逸則氣高。高者求清，麗者求婉。恥乎質，貴乎情，而忘其志，斯乃頽靡之道焉。【略】君子也，文成而業著，志士也，文成而德喪。然今之代，其多詞士乎。代由尚乎文者，以斯文而欲軌物範衆，經邦叙政，其難致乎化成。

李華《質文論》天地之道易簡。易則易知，簡則易從。先王質文相變，以濟天下。易知易從，莫尚乎質，質弊則佐之以文，文弊則復之以質。

又《故翰林學士李君墓誌銘》夫仁以安物，公其懋焉；義以濟難，公其志焉；識以辯理，公其博焉；文以宣志，公其懿焉。

元結《文編序》是以所爲之文，可戒可勸，可安可順。【略】故所爲之文，多退讓者，多激發者，多嗟恨者，多傷閔者。其意必欲勸之忠孝，誘以仁惠，急于公直，守其節分。如此，非救時勸俗之所須者歟。

顧況《文論》《周語》之略曰：「孝、敬、忠、信、仁、義、智、勇、教、惠、讓，皆文也。」天有六氣，地有五行。此十一者，經緯天地，叶和神人，名之爲文。其實行也，文顧行，行顧文，文行相顧，謂之君子之文，爲龍爲光。上古云：「言之無文，行之不遠。」堯之爲君，聰明文思。文王既沒，文不在兹乎。文王之代，草木鳥獸皆樂，文王之沼曰靈沼，文王之臺曰靈臺。虞芮不識文王，入文王里，所見耕者讓畔，行者讓路，班白不提挈，自相謂曰：「吾黨之小子，不可治於君子之庭。」詩人美之云：「文王斷虞芮之訟。」晉文與楚子戰而霸，謚曰文公。夫以伏羲之文造書契，黄帝之文垂衣裳，重華之文除四凶，舉八元，周公之文布法於象魏，夫子之文木鐸徇路，此其所以理文也。伊尹之文放太甲，霍光之文廢昌邑，吕尚之文殺華士，穰苴之文斬莊賈，毛遂之文定楚從，藺相如之文奪趙璧，西門豹之文引漳水沈女巫。建安、正始，洛下、鄴中，吟咏風月，此其所以亂文也。夫以文求士，十致八九。理亂由之，君臣則之。舜、堯、禹、湯有文，桀、紂、幽、厲無文；太顛、閎夭有文，飛廉、惡來無文。昔霍去病辭第曰：「匈奴未滅，無以家爲。」於國如此，不得謂之無文。范蔚宗著《後漢書》，其妻不勝珠翠，其母唯薪樵一廚。於家如此，不得謂之有文。且夫日月麗乎天，草木麗乎地，風雅亦麗於人，是故不可廢。廢文則廢天，莫可法也；廢天則廢地，莫可理也；廢地則廢人，莫可象也。郁郁乎文哉！法天理地象人者也。《周易·贊乾》曰：「大哉乾元，萬物資始。」《贊坤》曰：「至哉乾元，萬物資生。」唯大者配乾，至者配坤，幽者賾鬼神，明者賾禮樂，不失於正，謂之爲文。

梁肅《送前長水（一作安）裴少府歸海陵序》夫道勝則遇物而適，文勝則緣情而美。

又《祭獨孤常州文》文章可以假道，道德可以長保。華而不實，君子所醜。

又《常州刺史獨孤及集後序》夫大者天道，其次人文。在昔聖王以經緯百度，臣下以之弼成五教。德又下衰，則怨刺形於歌詠，諷議彰乎史册。故道德仁義，非文不明；禮樂刑政，非文不立。文之興廢，視世之治亂；文之高下，視才之厚薄。

又《丞相鄴侯李泌文集序》予嘗論古者聰明睿智之君，忠肅恭懿之臣，叙六府三事，同八風七律，莫不言之成文，歌之成聲。然後浹於人心，人心安以樂；播於風俗，風俗厚以順。其有不由此者，爲理則麤，在音則煩，麤之弊也悖，煩之甚也亂。

又《祕書監包府君集序》文章之道，與政通矣。世教之汙崇，人風之薄厚，與立言立事者邪正臧否皆在焉。故登高能賦，可以觀者，可與圖事。誦

《詩》三百，可以將命，可與專對。若子產入陳，以文辭爲功；仲尼弟子，用文學命科。文學者或不備德行，德行者或不兼政事。於戲，才全其難乎。

周愿《牧守竟陵因遊西塔著三感說》古人之文，有旌物而爲者，歌功而爲者，詭時而爲者，感舊而爲者。旌物諡也，歌功形也，詭時詐也，感舊情也。若乃折裂金石，騷牢鬼神，莫尙乎感也。

權德輿《右僕射贈太子太保姚公集序》文章者，其士之蘊耶。微斯文，則士之道不彰不明，又況宗公大君子。綱紀百度，琢磨九德，以至于經大猷，斷大事。不由此塗出者，猶瞽之無相歟。蓋修之有本末，得之有厚薄耳。

又《徐泗濠節度使贈司徒張公文集序》昔有虞以濬哲文明理天下，故有諧八音，陳九德，賡歌康哉之臣。周宣王修文武之業以開中興，故有歌烝人、賦韓奕、清風大雅之什。春秋之際，諸侯列卿大夫，感物造端，能賦可以圖事，稱詩可以諭志，然則元侯宗工，作爲文章，本于王化，繫于風俗，亦其志氣之所發也。

又《兵部郎中楊君集序》周家忠厚，文章備乎二代。先師有鬱鬱之歎。故周任、史克，仍叔、吉甫之論生焉。漢氏剗煩苛，宏利澤，訓辭深厚，議論宏大，故賈誼、揚雄、司馬遷、相如之才出焉。唐興幾二百歲，紹聞周漢之逸軌，以人文華國，猶雲漢之爲章于上，江漢之爲紀于下，九功成焉，百度貞焉，王澤浹洽，故斯文煥發。秉筆之士，皆欲泝末流而挹清源，坱埃壒而棲顥氣。至若詞合雅，言中倫，疏通而不流，博富而有節，潔靜夷易，得其英華者，其宏農楊君歟！

又《比部郎中崔君元翰集序》《易》賁之彖曰：「觀乎人文，以化成天下。」故闕里之四教，門人之四科，未有遺文者。荀況、孟軻，修道著書，本于仁義，經術之枝派也。迨夫騷人怨思之作，游士縱横之論，刺譏捭闔，文憲陵夷。至漢廷賈誼、劉向、班固、揚雄、司馬遷、相如之倫，鬱然復興，有古風烈。然則文之用也，横三才之中，經紀事物，章明統類，不可已也。殷之三說命，周之命君陳君牙，楚射父之訓詞，鄭東里之潤色，天子諸侯告命之文也。張老之輪奐，史克之駉駜，吉甫之清風，伯喈之無愧，賢士大夫頌述之文也。至若夫子紀延陵墓，叔向寓子產書，董仲舒射策書天人相與之際，阮元瑜書記翩翩之任，觸類滋多，非文不彰。後之人力不足者，詞或侈靡，理或底伏，文之難能也如是。

又《中嶽宗元先生吳尊師集序》道之于物，無不由也，無不貫也。而況本于元覽，發爲至言。言而蘊道，猶三辰之麗天，百卉之麗地。平夷章大，恬淡溫粹，飄飄然軼八紘而泝三古，與造物者爲徒。其不至者，遣言則華，涉理則泥，雖辨麗可嘉，采眞之士不與也。【略】故屬詞之中，尤工比興。觀其自古王化，詩與大雅吟、步虛詞、遊仙、雜感之作，或遐想理古，以哀世道；或磅礴萬象，用冥環樞；稽性命之紀，達人事之變，大率以嗇神挫銳爲本。至于奇采逸響，琅琅然若戛雲璈而凌倒景，崑閬松喬，森然在目。

李覯《與膳部陳員外書》文之難言也久矣。是使爲文者紛綸，無人察其否臧焉。雷同相從，隨聲是非，遂令怨咨之音作，苟且之道開。荆璆無價，珷玞有輝。

韓愈《答陳商書》愈白：辱惠書，語高而旨深，三四讀尙不能通曉，茫然增愧赧，又不以其淺弊。無過人知識，且喻以所守，幸甚。愈敢不吐情實，然自識其不足補吾子所須也。齊王好竽，有求仕於齊者，操瑟而往，立王之門，三年不得入。叱曰：「吾瑟鼓之，能使鬼神上下。吾鼓瑟，合軒轅氏之律呂。」客罵之曰：「王好竽而子鼓瑟，雖工如王不好何？」是所謂工於瑟而不工於求齊也。今舉進士於此世，求祿利行道於此世，而爲文必使一世人不好，得無與操瑟立齊門者比歟？文雖工，不利於求；求不得，則怒且怨，不知君子必爾爲不也。

又《送陳秀才彤序》讀書以爲學，纘言以爲文。非以誇多而鬬靡也。蓋學所以爲道，文所以爲理耳。

又《答尉遲生書》夫所謂文者，必有諸其中，是故君子愼其實。實之美惡，其發也不掩。本深而末茂，形大而聲宏，行峻而言厲，心醇而氣和。昭晰者無疑，優游者有餘。體不備不可以成人，辭不足不可以成文。

又《南陽樊紹述墓誌銘》不襲蹈前人一言一句，又何其難也。必出入仁義，其富若生蓄，萬物畢具，海含地負，放恣横從，無所統紀，然而不煩於繩削而自合也。【略】惟古於詞必己出，降而不能乃剽賊。後皆指前公相襲，從漢迄今用一律。寥寥久哉莫覺屬，神徂聖伏道絶塞。既極乃通發紹述，文從字順各識職，有欲求之此其躅。

又《題歐陽生哀辭後》愈之爲古文，豈獨取其句讀不類於今者耶？思古人而不得見，學古道則欲兼通其辭。通其辭者，本志乎古道者也。古之道，

不苟譽毀於人。

柳宗元《答吳武陵論非國語書》 僕之爲文久矣，然心少之，不務也，以爲是特博奕之雄耳。故在長安時，不以是取名譽，意欲施之事實，以輔時及物爲道。自爲罪人，捨恐懼則閑無事，故聊復爲之。然而輔時及物之道，不可陳於今，則宜垂於後。言而不文則泥，然則文者固不可少耶。拘囚以來，無所發明，蒙覆幽獨，會足下至，然後有助我之道。一觀其文，心朗目舒，炯若深井之下，仰視白日之正中也。足下以超軼如此之才，每以師道命僕，僕滋不敢，每爲一書，足下必大光耀以明之，固又非僕之所安處也。若《非國語》之說，僕病之久，嘗難言於世俗。今因其閑也而書之，恆恐後世之知言者，用是詬病，狐疑猶豫，伏而不出累月，方示足下。足下乃以爲當，僕然後敢自是也。呂道州善言道，亦若吾子之言，意者斯文殆可取乎。夫爲一書，務富文采，不顧事實，而益之以誣怪，張之以闊誕，以炳然誘後生，而終之以僻，是猶用文錦覆陷穽也。不明而出之，則顛者衆矣。僕故爲之標表，以告夫遊乎中道者焉。僕無聞而甚陋，又在黜辱，居泥塗若螾蛭然，雖鳴其音聲，誰爲聽之？獨賴世之知言者爲準，其不知言而罪我者，吾不有也。僕又安敢期如漢時列官以立學，故爲天下笑耶！是足下愛我厚，始言之也，前一通如來言以污篋櫝，此在明聖人之道，微足下，僕又何託焉？

又《與呂道州溫論非國語書》 近世之言理道者衆矣，率由大中而出者咸無焉。其言本儒術，則迂迴茫洋，而不知其適，其或切於事，則苛峭刻覈，不能從容，卒泥乎大道。甚者好怪而妄言，推天引神，以爲靈奇，恍惚若化，而終不可逐。故道不明於天下，而學者之至少也。吾自得友君子，而後知中庸之門戶階室，漸染砥礪，幾乎道眞。然而常欲立言垂文，則恐而不敢。今動作悖謬，以爲僇於世，身編夷人，名列囚籍，以道之窮也，而施乎事者無日，故乃挽引，強爲小書，以志乎中之所得焉。嘗讀《國語》，病其文勝而言尨，好詭以反倫，其道舛逆。而學者以其文也，咸嗜悅焉。伏膺呻吟者，至比《六經》，則溺其文，必信其實，是聖人之道翳也。余勇不自制，以當後世之訕怒，輒乃黜其不臧，救世之謬，凡爲六十七篇，命之曰《非國語》。既就，累日快快然不喜，以道之難明，而習俗之不可變也。如其知我者果誰歟？凡今之及道者，果可知也已。後之來者，則吾未之見，其可忽耶？故思欲盡其瑕纇，以別白中正。度成吾書者，非化光而誰？輒令往一通，惟少留視役慮，以卒相之也。往時致用作《孟子評》，有韋詞者告余曰：「吾以致用書示路子。路子曰：『善則善矣，然昔人爲書者，豈若是摭前人耶？』」韋子賢斯言也。余曰：「致用之志，以明道也，非以摭《孟子》，蓋求諸中而表乎世焉爾。」今余爲是書，非左氏尤甚。若二子者，固世之好言者也，而猶出乎是，況不及是者滋衆，則余之望乎世也愈狹矣，卒如之何！苟不悖於聖道，而有以啓明者之慮，則用是罪余者，雖累百世，滋不憾而恧焉，於化光何如哉！激乎中必厲乎外，想不思而得也。

又《與友人論爲文書》 古今號文章爲難，足下知其所以難乎？非謂比興之不足，恢拓之不遠，鑽礪之不工，頗纇之不除也，得之爲難，知之愈難耳。苟或得其高朗，探其深賾，雖有蕪敗，則爲日月之蝕也，大圭之瑕也，曷足傷其明、黜其寶哉！且自孔氏以來，茲道大闡。家脩人勵，刓精竭慮者，幾千年矣。其間耗費簡札，役用心神者，其可數乎？登文章之籙，波及後代，越不過數十人耳，其餘誰不欲爭裂綺繡，互攀日月，高視於萬物之中，雄峙於百代之下乎？率皆縱臾而不克，躑躅而不進，力蹶勢窮，吞志而沒。故曰得之爲難。嗟乎！道之顯晦，幸不幸繫焉；談之辯訥，升降繫焉；鑒之頗正，好惡繫焉；交之廣狹，屈伸繫焉。則彼卓然自得以奮其間者，合乎否乎，是未可知也。而又榮古陋今者，比肩疊跡，大抵生則不遇，死而垂聲者衆焉。揚雄沒而《法言》大興，馬遷生而《史記》未振，彼之二才，且猶若是，況乎未甚聞者哉！固有文不傳於後祀，聲遂絕於天下者矣。故曰知之愈難。而爲文之士亦多漁獵前作，戕賊文史，抉其意，抽其華，置齒牙間，遇事蠭起，金聲玉耀，誑聾瞽之人，徼一時之聲。雖終淪棄，而其奪紫亂雅，爲害已甚，是其所以難也。間聞足下欲觀僕文章，退發囊笥，編其蕪穢，心悸氣動，交於胸中，未知孰勝，故久滯而不往也。

又《與楊誨之疏解車義第二書》 今將申告子以古聖人之道。【略】若果以聖與我異類，則自堯、舜以下，皆宜縱目卬鼻，四手八足，鱗毛羽鬣，飛走變化，然後乃可。苟不爲是，則亦人耳。而子舉將外之耶！若然者，聖自聖，賢自賢，衆人自衆人，咸任其意，又何以作言語、立道理，千百年天下傳道之。是皆無益於世，獨遺好事者藻繢文字，以矜世取譽，聖人不足重也。故曰「中人以上，可以語上，唯上智與下愚不移。【略】吾未嘗爲佞且僞，其旨在於恭、寬、退、讓，以售聖人之道及乎人。」【略】聖人之禮讓，其且爲

僞乎？爲佞乎？今子又以行險爲車之罪，夫車之爲道，豈樂行於險耶？【略】夫君子亦然，不求險而利也。【略】今子書數千言，皆未及此，學古道爲古辭，尨然而措於世，其卒果何爲乎？是之不爲，而甘羅、終軍以爲慕，棄大而錄小、賤本而貴末、夸世而釣奇，苟求之於後世，以聖人之道爲不若二子，僕以爲過矣。【略】足下所爲書言文章極正，其辭奧雅，後來之馳於是道者，吾子且爲蒲捎駃騠，何可當也。其説韓愈處甚好，其他但用《莊子》、《國語》文字太多，反累正氣。果能遺是，則大善矣。憂閔廢錮、悼籍田之罷，意思懇懇，誠愛我厚者。吾自度罪大，敢以是爲欣且戚耶？【略】時時讀書，不忘聖人之道。

又《與楊京兆憑書》 今之世言士者，先文章。文章，士之末也，然立言存乎其中。即末而操其本，可十七八，未易忽也。自古文士之多莫如今，今之後生爲文，希屈、馬者，可得數人；希王褒、劉向之徒者，又可得十人；至陸機、潘岳之比，累累相望。若皆爲之不已，則文章之大盛，古未有也。後代乃可知之。今之俗耳庸目，無所取信，傑然特異者，乃見此耳。文人以文律通流當世，叔仲鼎列，天下號爲文章家。今又生敬之，敬之，希屈、馬者之一也。天下方理平，今之文士，咸能先理。理不一斷於古書老生，直趣堯舜之道、孔氏之志，明而出之，又古之所難有也。然則文章未必爲士之末，獨採取何如爾。宗元自小學爲文章，中間幸聯得甲乙科第，至尚書郎，專百官章奏，然未能究知爲文之道。自貶官來，無事，讀百家書，上下馳騁，乃少得知文章利病。去年吳武陵來，美其齒少，才氣壯健，可以興西漢之文章，日與之言，因爲之出數十篇書，庶幾鏗鏘陶冶，時時得見古人情狀。然彼古人亦人耳，夫何遠哉？凡人可以言古，不可以言今。桓譚亦云：「親見揚子雲，容貌不能動人，安肯傳其書？」誠使博如莊周、哀如屈原、奧如孟軻、壯如李斯、峻如馬遷、富如相如、明如賈誼、專如揚雄，猶爲今之人，則世之高者至少矣。由此觀之，古之人未始不薄於當世，而榮於後世也。若吳子之文，非丈人無以知之。獨恐世人之才高者，不肯久學，無以盡訓詁風雅之道，以爲一世甚盛。若宗元者，才力缺敗，不能遠騁高厲，與諸生摩九霄、撫四海，夸耀於後之人矣。何也？凡爲文以神志爲主。自遭責逐，繼以大故，荒亂耗竭，又常積憂恐，神志少矣。所讀書隨又遺忘，一二年來，痞氣尤甚，加以衆疾，動作不常，眊眊然騷擾內生，霾霧填擁慘沮，雖有意窮文章，而病奪其志矣。

又《送韋七秀才下第求益友序》 所謂先聲後實者，豈唯兵用之，雖士亦然。若今由州郡抵有司求進士者，歲數百人，咸多爲文辭，道今語古，角夸麗，務富厚。有司一朝而受者，幾千萬言，讀不能十一。即偃仰疲耗，目眩而不欲視，心廢而不欲營，如此而曰吾能不遺士者，僞也。唯聲先焉者，讀至其文辭，心目必專，以故少不勝。京兆韋中立，其文懿且高，其行願以恆，試其藝益工，久與居，益見其賢。然而進三年連不勝，是豈拙於爲聲者歟？或以韋生之不勝，爲有司罪。余曰：非也。穀梁子曰：「心志既通，而名譽不聞，友之過也；名譽既聞，而有司不以告，有司之過也。」人之視聽有所止，神志有所不及。古之道，名譽未至，不以罪有司，而況今乎？今韋生樂植乎內，而不欲揚乎外，其志非也。孔子不避名譽以致其道，今韋生仗其文，簡其友，思自得於有司，抑非古人之道歟？

又《楊評事文集後序》 文之用，辭令褒貶導揚諷諭而已。雖其言鄙野，足以備於用，然而闕其文采，固不足以竦動時聽，夸示後學。立言而朽，君子不由也。故作者抱其根源，而必由是假道焉。作於聖，故曰經；述於才，故曰文。文有二道，辭令褒貶，本乎著述者也；導揚諷諭，本乎比興者也。著述者流，蓋出於《書》之謨訓、《易》之象繫、《春秋》之筆削，其要在於高壯廣厚、詞正而理備，謂宜藏於簡册也。比興者流，蓋出於虞夏之詠歌，殷周之風雅，其要在於麗則清越，言暢而意美，謂宜流於謠誦也。兹二者，考其旨義，乖離不合，故秉筆之士，恆偏勝獨得，而罕有兼者焉。厥有能而專美，命之曰藝成。雖古文雅之盛世，不能並肩而生。唐興以來，稱是選而不怍者，梓潼陳拾遺。其後燕文貞以著述之餘，攻比興而莫能極，張曲江以比興之隙，窮著述而不克備，其餘各探一隅，相與背馳於道者，其去彌遠。文之難兼，斯亦甚矣。

又《上河陽烏尚書重胤欲獻文啓》 小子久以文字進身，嘗好古人事業，專當具筆札，拂縑緗，贊揚大功，垂之不朽。

又《報崔黯秀才論爲文書》 辱書及文章，辭意良高，所嚮慕不凡近，誠有意乎聖人之言。然聖人之言，期以明道，學者務求諸道而遺其辭，辭之傳於世者，必由於書。道假辭而明，辭假書而傳。要之，之道而已耳。道之及，及乎物而已耳，斯取道之內者也。今世因貴辭而矜書，粉澤以爲工，遒密以

爲能，不亦外乎？吾子之所言道，匪辭而書，其所望於僕，亦匪辭而書，是不亦去及物之道愈以遠乎？僕嘗學聖人之道，身雖窮，志求之不已，庶幾可以語於古。恨與吾子不同州部，閉口無所發明，觀吾子文章，自秀士可通聖人之説。今吾子求於道也外，而望於余也愈外。是其可惜歟！吾且不言，是負吾子數千里不棄朽廢者之意，故復云爾也。凡人好辭工書者，皆病癖也。吾不幸蚤得二病，學道以來，日思砭鍼攻熨，卒不能去，纏結心腑牢甚，願斯須忘之而不克，竊嘗自毒。今吾子乃始欽欽思易吾病，不亦惑乎？斯固有潛塊積瘕，中子之內藏，恬而不悟，可憐哉。其卒與我何異？均之二病，書字益下，而子之意又益下，則子之病又益篤。甚矣，子癖於伎也。吾嘗見病心腹人，有思啗土炭，嗜酸鹹者，不得則大戚。其親愛之者不忍其戚，因探而與之。觀吾子之意，亦已戚矣。吾雖未得親愛吾子，然亦重來意之勤，有不忍矣。誠欲分吾土炭酸鹹，吾不敢愛，但遠言其證不可也。

又《答韋中立論師道書》　始吾幼且少，爲文章，以辭爲工，及長，乃知文者以明道，是固不苟爲炳炳烺烺，務采色，夸聲音而以爲能也。凡吾所陳，皆自謂近道，而不知道之果近乎，遠乎？吾子好道而可吾文，或者其於道不遠矣。故吾每爲文章，未嘗敢以輕心掉之，懼其剽而不留也；未嘗敢以怠心易之，懼其弛而不嚴也；未嘗敢以昏氣出之，懼其昧沒而雜也；未嘗敢以矜氣作之，懼其偃蹇而驕也。抑之欲其奧，揚之欲其明，疏之欲其通，廉之欲其節，激而發之欲其清，固而存之欲其重，此吾所以羽翼夫道也。本之《書》以求其質，本之《詩》以求其恆，本之《禮》以求其宜，本之《春秋》以求其斷，本之《易》以求其動，此吾所以取道之原也。參之穀梁氏以厲其氣，參之孟、荀以暢其支，參之莊、老以肆其端，參之《國語》以博其趣，參之《離騷》以致其幽，參之太史公以著其潔，此吾所以旁推交通而以爲之文也。凡若此者，果是耶，非耶？有取乎，抑其無取乎？吾子幸觀焉擇焉，有餘以告焉。苟亟來以廣是道，子不有得焉，則我得矣，又何以師云爾哉？取其實而去其名，無招越蜀吠怪，而爲外廷所笑，則幸矣。

又《讀韓愈所著〈毛穎傳〉後題》　自吾居夷，不與中州人通書，有來南者，時言韓愈爲《毛穎傳》，不能舉其辭，而獨大笑以爲怪，而吾久不克見。楊子誨之來，始持其書，索而讀之，若捕龍蛇搏虎豹，急與之角而力不敢暇，信韓子之怪於文也。世之模擬竄竊，取青媲白，肥皮厚肉，柔筋脆骨，而以爲辭者之讀之也，其大笑固宜。且世人笑之也，不以其俳乎？而俳又非聖人之所棄者。《詩》曰：「善戲謔兮，不爲虐兮。」《太史公書》有《滑稽列傳》，皆取乎有益於世者也。故學者終日討説答問，呻吟習復，應對進退，掬溜播灑，則罷憊而廢亂，故有「息焉游焉」之説。不學操縵，不能安絃，有所拘者，有所縱也。大羹玄酒，體節之薦，味之至者。而又設以奇異小蟲、水草、樝梨、橘柚，苦鹹酸辛，雖蜇吻裂鼻，縮舌澀齒，而咸有篤好之者。文王之昌蒲葅，屈到之芰，曾晳之羊棗，然後盡天下之奇味以足於口。獨文異乎？韓子之爲也，亦將弛焉而不爲虐歟？息焉游焉而有所縱歟？盡六藝之奇味以足其口歟？而不若是，則韓子之辭，若壅大川焉，其必決而放諸陸，不可以不陳也。

劉禹錫《獻權舍人書》　今道未施於人，所蓄者志；見志之具，匪文謂何？是用顓顓懇懇於其間，思有所寓，非篤好其章句，沈溺於浮華，時態衆尚，病未能也。故拙於用譽，直繩朗鑒，樂所趨也，故鋭於求益。

又《答柳子厚書》　禹錫白：零陵守以函置足下書爰來，屑末三幅，小章書僅千言，申申亹亹，茂勉甚悉。相思之苦懷，膠結贅聚，至是泮然以銷，所不如晤言者無幾。書竟，獲新文二篇，且戲余曰：「將子爲巨衡，以揣其鈞石銖黍。」余吟而繹之，顧其詞甚約，而味淵然以長。氣爲幹，文爲支，跨躒古今，鼓行乘空，附離不以鑿枘，咀嚼不有文字。端而曼，苦而腴，佶然以生，癯然以清。余之衡誠懸於心，其揣也如是。子之戲余，果何如哉！夫矢發乎羿彀，而中微存乎它人，子無曰必我之師而能我衡。苟然，則譽羿者皆羿也，可乎？

又《答連州薛郎中論書儀書》　蓋三代之尚，未嘗無弊。【略】竊觀今之人，於文章無不慕古，甚者或失於野，於書疏獨陋古而汩於浮。二者同出於言而背馳，非不能盡如古也。蓋爲古文者得名聲，爲今書者無悔吝。

又《唐故相國贈司空令狐公集序》　咫尺之管，文敏者執而運之，所知皆合。在藩聳萬夫之觀望，立朝賁羣寮之頰舌，居內成大政之風霆，導畎澮於章奏，鼓洪瀾於訓誥，筆端膚寸，膏潤天下。文章之用，極其至矣。

又《唐故相國李公集序》　天以正氣付偉人，必飾之使光耀於世，粹和絪緼於中，鏗鏘發越形乎外。文之細大，視道之行止。故得其位者，文非空言。咸繫於訏謨宥密，庸可不紀，惟唐以神武定天下，羣慝既讋，驟示以文。韶

英之音，與鉦鼓相襄。故起文章爲大臣者，魏文貞以諫諍顯，馬高唐以智略奮，岑江陵以潤色聞。無草昧汗馬之勞，而任遇在功臣上。唐之貴文至矣哉。後王纂承，多以國柄付文士。【略】詞賦詔誥，封章啓事，歌詩贈餞，金石颺功，凡四百餘篇，勒成二十卷。上所以知君臣啓沃之際，下所以備風雅詩聲之義。洪鐘駭聽，瑤瑟清骨。其在翰苑，及登臺庭，極言大事，誠貫理直。感通神祇，龍鱗收怒。天日回照，古所謂一言興邦者，信哉！

又《唐故衡州刺史呂君集序》 五行秀氣，得之居多者爲雋人。其色瀲灩於顔間，其聲發而爲文章。天之所與，有物來相。彼由學而致者，如工人染夏以視羽畎，有生死之殊矣。初貞元中，天子之文章，煥乎垂光，慶霄在上，萬物五色，天下文人，爲氣所召，其生乃蕃。靈芝蓮蒲，與百果齊坼。然煌煌翹翹，出乎其類，終爲偉人者幾希矣。

又《唐故尚書禮部員外郎柳君集紀》 八音與政通，而文章與時高下。三代之文，至戰國而病，涉秦漢復起。漢之文至列國而病，唐興復起。夫政厖而土裂，三光五嶽之氣分，大音不完，故必混一而後大振。初貞元中，上方嚮文章，昭回之光，下飾萬物，天下文士，爭執所長，與時而奮，粲焉如繁星麗天。而芒寒色正，人望而敬者，五行而已。河東柳子厚，斯人望而敬者歟。

裴度《寄李翺書》 愚謂三五之代，上垂拱而無爲，下不知其帝力，其道漸被於天地萬物，不可得而傳也。夏殷之際，聖賢相遇，其文在於盛德大業，又鮮可得而傳也。厥後周公遭變，仲尼不當世，其文遺於册府，故可得而傳也。於是作周、孔之文，荀、孟之文，左右周、孔之文也。理身理家理國理天下，一日失之，敗亂至矣。騷人之文，發憤之文也，雅多自賢，頗有狂態。相如、子雲之文，譎諫之文也，別爲一家，不是正氣。賈誼之文，化成之文也，鋪陳帝王之道，昭昭在目。司馬遷之文，財成之文也，馳騁數千載，若有餘力。董仲舒、劉向之文，通儒之文也，發明經術，究極天人。其實擅美一時，流譽千載者多矣，不足爲弟道焉。然皆不詭其詞，而詞自麗，不異其理，而理自新。若夫典謨訓誥，文言繫辭，《國風》、《雅》、《頌》，經聖人之筆削者，則又至易也，至直也。雖大彌天地，細入無間，而奇言怪語，未之或有。意隨文而可見，事隨意而可行，此所謂文可文，非常文也。其可文而文之，何常之有？俾後之作者有所裁準，而請問於弟。謂之何哉？謂之不可。非僕敢言，謂之可也，則大學之道，在明明德，在止至善矣。能止於止乎？若遂過之，猶不及也。觀弟近日製作大旨，常以時世之文，多偶對儷句，屬綴風雲，羈束聲韻，爲文之病甚矣。故以雄詞遠志，一以矯之，則是以文字爲意也。且文者，聖人假之以達其心，達則已理，窮則已非，故高之下之，詳之略之也。愚欲去彼取此，則安步而不可及，平居而不可踰，又何必遠關經術，然後騁其材力哉？昔人有見小人之違道者，恥與之同形貌、共衣服。遂思倒置眉目，反易冠帶以異也。不知其倒之反之之非也。雖非於小人，亦異於君子矣。故文人之異，在氣格之高下、思致之淺深，不在磔裂章句，隳廢聲韻也。人之異，在風神之清濁、心志之通塞，不在於倒置眉目、反易冠帶也。試用高明，少納庸妄。若以爲未，幸不以苦言見革其惑。唯僕心慮荒散，百事罷息，然意之所在，敢隱於故人耶。

柳冕《與徐給事論文書》 文章本於教化，形於治亂，繫於國風。故在君子之心爲志，形君子之言爲文，論君子之道爲教。《易》云：「觀乎人文，以化成天下。」此君子之文也。自屈、宋以降，爲文者本於哀豔，務於恢誕，亡於比興，失古義矣。雖揚、馬形似，曹、劉骨氣，潘、陸藻麗，文多用寡，則是一技，君子不爲也。昔武帝好神仙，而相如爲《大人賦》以諷，帝覽之，飄飄然有凌雲之氣。故揚雄病之曰：「諷則諷矣，吾恐不免於勸也。」蓋文有餘而質不足則流，才有餘而雅不足則蕩，流蕩不返，使人有淫麗之心，此文之病也。雄雖知之，不能行之，行之者惟荀、孟、賈生、董仲舒而已。

又《答荆南裴尚書論文書》 堯舜歿，雅頌作；雅頌寢，夫子作。未有不因於教化，爲文章以成國風。是以君子之儒，學而爲道，言而爲經，行而爲教，聲而爲律，和而爲音。如日月麗乎天，無不照也；如草木麗乎地，無不章也；如聖人麗乎文，無不明也。故在心爲志，發言爲詩，謂之文。兼三才而名之曰儒。儒之用，文之謂也。言而不能文，君子恥之。及王澤竭而《詩》不作，《騷》人起而淫麗興，文與教分而爲二。以揚、馬之才，則不知教化；以荀、陳之道，則不知文章。以孔門之教評之，非君子之儒也。夫君子之儒必有其道，有其道必有其文。道不及文則德勝，文不知道則氣衰。文多道寡，斯爲藝矣。語曰：「文質彬彬，然後君子。」兼之者斯爲美矣。昔游夏之文章，與夫子之道通流，列於四科之末，此藝成而下也。苟言無文，斯不足徵。

又《答徐州張尚書論文武書》 夫文章者，本於教化，發於情性。本於教

化，堯舜之道也；發於情性，聖人之言也。自成康歿，《頌》聲寢，《騷》人作，淫麗興，文與教分爲二。不足者彊而爲文，則不知君子之道；知君子之道者，則恥爲文。文而知道，二者兼難。兼之者大君子之事，上之堯、舜、周、孔也，次之游、夏、荀、孟也，下之賈生、董仲舒也。夫日月之麗，仰之愈明；金石之音，聽之彌清。故聖人感之，而文章生焉，教化成焉，哀樂形焉。逮德下衰，文章教化，埽地盡矣。噫。聖人之道，猶聖人之文也。學其道，不知其文，君子恥之；學其文，不知其教，君子亦恥之。

又《答楊中丞論文書》 天地養才而萬物生焉，聖人養才而文章生焉，風俗養才而志氣生焉，故才多而養之，可以鼓天下之氣。天下之氣生，則君子之風盛。古者陳《詩》以觀人風。君子之風，仁義是也。小人之風，邪佞是也。風生於文，文生於質，天地之性也。止於經，聖人之道也；感於心，哀樂之音也。故觀乎志而知《國風》，逮德下衰，《風》、《雅》不作，形似豔麗之文興，而《雅》、《頌》、比興之義廢。豔麗而工，君子恥之，此文之病也。嗟乎！天下之才少矣，文章之氣衰甚矣，風俗之不養才病矣，才少而氣衰使然也。故當世君子，學其道，習其弊，不知其病也。所以其才日盡，其氣益衰，其教不興，故其人日野。如病者之氣，從壯得衰，從衰得老，從老得死，沈綿而去，終身不悟，非良醫孰能知之。夫君子學文，所以行道。

又《答衢州鄭使君論文書》 「夫子之文章，可得而聞也。夫子之言性與天道，不可得而聞也。」即聖人道可企而及之者文也，不可企而及之者性也。蓋言教化發乎性情，繫乎《國風》者，謂之道。故君子之文，必有其道。道有深淺，故文有崇替；時有好尚，故俗有雅鄭。雅之與鄭，出乎心而成風。昔游夏之文，日月之麗也，然而列於四科之末，藝成而下也。苟文不足，則人無取焉。故言而不能文，非君子之儒也。文而不知道，亦非君子之儒也。逮德下衰，其文漸替，惜乎王公大人之言，而溺於淫麗怪誕之說。非文之罪也，爲文者之過也。夫善爲文者，發而爲聲，鼓而爲氣，眞則氣雄，精則氣生，使五彩並用，而氣行於其中。故虎豹之文，蔚而騰光，氣也；日月之文，麗而成章，精也。精與氣，天地感而變化生焉，聖人感而仁義生焉。不善爲文者反此，故變《風》、變《雅》作矣。六義之不興，教化之不明，此文之弊也。噫。文之無窮，而人之才有限。苟力不足者，彊而爲文則蹷，彊而爲氣則竭，彊而成智則拙。故言之彌多，而去之彌遠。遠之便已，道則中廢，又君子所恥也，則不足見君子之道與君子之心。心有所感，文不可已；理有至精，詞不可逮，則不足當君子之褒。

又《謝杜相公論房杜二相書》 且今之文章，與古之文章，立意異矣。何則？古之作者，因治亂而感哀樂，因哀樂而爲詠歌，因詠歌而成比興。故大雅作，則王道盛矣；小雅作，則王道缺矣；雅變風，則王道衰矣；《詩》不作，則王道澤竭矣。至於屈宋，哀而以思，流而不反，皆亡國之音也。至於西漢，揚馬以降，置其盛明之代，而習亡國之音，所失豈不大哉？然而武帝聞《子虛》之賦，嘆曰：「嗟乎！朕不得與此人同時。」故武帝好神仙，相如爲《大人賦》以諷之，讀之飄飄然，反有凌雲之志。子雲非之曰：「諷則諷矣，吾恐不免於勸也。」子雲知之，不能行之。於是風雅之文，變爲形似。比興之體，變爲飛動。禮義之情，變爲物色，詩之六義盡矣。何則？屈宋唱之，兩漢扇之，魏晉江左，隨波而不反矣。故蕭曹雖賢，不能變淫麗之體；二荀雖盛，不能變聲色之詞；房杜雖明，不能變齊梁之弊。是則風俗好尚，繫在時王，不在人臣明矣。故文章之道，不根教化，別是一枝耳。當時君子，恥爲文人。語曰：「德成而上，藝成而下。文章技藝之流也。」故夫子末之。是以四楊、荀、陳，以德行經術，名震海內，門生受業，皆一時英俊。而文章之士，不得行束修之禮，非夫兩漢近古，由有三代之風乎？惜乎繫王風而不本於王化。至若荀、孟、賈生，明先王之道，盡天人之際，意不在文，而文自隨之，此眞君子之文也。然荀、孟之學，困於儒、墨；賈生之才，廢於絳、灌。道可以濟天下，而莫能行之；文可以變風雅，而不能振之。是天下皆惑，不可以一人正之。今風俗移人久矣，文雅不振甚矣，苟以此罪之，即蕭曹輩皆罪人也，豈獨房杜乎？相公如變其文，即先變其俗，文章風俗，其弊一也。變之之術，在教其心，使人日用而不自知也。伏維尊經術，卑文士，經術尊則教化美，教化美則文章盛，文章盛則王道興。此二者，在聖君行之而已。

白居易《策林四·六十八議文章·碑碣詞賦》 問：國家化天下以文明，獎多士以文學，二百餘載，文章煥焉，然則述作之間，久而生弊。書事者罕聞於直筆，褒美者多覩其虛辭，今欲去僞抑淫，芟蕪剗穢，黜華於枝葉，反實於根源，引而救之，其道安在？臣謹按：《易》曰：「觀乎人文，以化成天下。」《記》曰：「文王以文理，則文之用大矣哉！」自三代以還，斯文不振，

故天以將喪之弊，授我國家。國家以文德應天，以文教牧人，以文行選賢，以文學取士，二百餘載，焕乎文章。故士無賢不肖，率注意於文矣。然臣聞大成不能無小弊，大美不能無小疵。是以凡今秉筆之徒，率爾而言者有矣，斐然成章者有矣。故歌詠、詩賦、碑碣、讚誄之制，往往有虚美者矣，有媿辭者矣。若行於時，則誣善惡而惑當代；若傳於後，則混眞僞而疑將來。臣伏思之，恐非先王文理化成之教也。且古之爲文者，上以紉王教，繫國風；下以存炯戒，通諷諭。故懲善惡之柄，執於文士褒貶之際焉；補察得失之端，操於詩人美刺之間焉。今褒貶之文無覈實，則懲勸之道缺矣；美刺之詩不稽政，則補察之義廢矣。雖雕章鏤句，將焉用之。臣又聞稂莠秕稗生於穀，反害穀者也；淫辭麗藻生於文，反傷文者也。故農者耘稂莠，簸秕稗，所以養穀也；王者删淫辭，削麗藻，所以養文也。伏惟陛下詔主文之司，論養文之旨，俾辭賦合炯戒諷諭者，雖質雖野，採而奬之。碑誄有虚美媿辭者，雖華雖麗，禁而絶之。若然，則爲文者必當尙質抑淫，著誠去僞，小疵小弊，蕩然無遺矣。則何慮乎皇家之文章，不與三代同風者歟？

獨孤郁《對才識兼茂明於體用策》 故禹拜昌言而嘉猷罔伏，漢徵極諫而文學稍進，匡時濟俗，罔不率繇。厥後相循，有名無實。而又設以科條，增求茂異，捨斥已之至論，進無用之虚文。指切著明，罕稱於代。玆朕所以嘆息鬱悼，思索其眞，是用發懇惻之誠，咨體用之要，庶乎言之可行，行之不倦。上獲其益，下輸其情，君臣之間，驩然相與。【略】臣聞天發生以雷雨，聖人發生以號令，天道帝道，並行於上，羣僚庶物，感遂於下。伏惟陛下與天爲仁，與雷作解，則臣蠢動之一物也。氣下乃出，安知其由？比於金石草木，物之無心者也，和之或大鳴小鳴，終始相生，清濁雜作。變而爲文者，以聖人擊考之，不得藏其聲也。

李翺《百官行狀奏》 蓋亦爲文者，又非游、夏、遷、雄之列。務於華而忘其實，溺於辭而棄其理。故爲文則失《六經》之古風，記事則非史遷之實録，不如此，則辭句鄙陋，不能自成其文矣。由是事失其本，文害於理，而行狀不足以取信。若使指事書實，不飾虚言，則必有人知其眞僞不然者，縱使門生故吏爲之，亦不可以謬作德善之事而加之矣。

又《答朱載言書》 列天地，立君臣，親父子，別夫婦，明長幼，浹朋友，《六經》之旨也。浩浩乎若江海，高乎若邱山，赫乎若日火，包乎若天地。掇章稱詠，津潤怪麗，《六經》之詞也。創意造言，皆不相師。故其讀《春秋》也，如未嘗有《詩》也；其讀《詩》也，如未嘗有《易》也；其讀《易》也，如未嘗有《書》也；其讀屈原、莊周也，如未嘗有《六經》也。故義深則意遠，意遠則理辯，理辯則氣直，氣直則辭盛，辭盛則文工。如山有恆、華、嵩、衡焉，其同者高也，其草木之榮，不必均也。如瀆有淮濟河江焉，其同者出源到海也，其曲直淺深色黄白，不必均也。如百品之雜焉，其同者飽於腹也，其味鹹酸苦辛，不必均也。此因學而知者也，此創意之大歸也。天下之語文章，有六說焉。其尙異者，則曰文章辭句，奇險而已；其好理者，則曰文章叙意，苟通而已；其溺於時者，則曰文章必當對；其病於時者，則曰文章不當對；其愛難者，則曰文章宜深不當易；其愛易者，則曰文章宜通不當難。此皆情有所偏，滯而不流，未識文章之所主也。義不深不至於理，言不信不在於教勸，而詞句怪麗者有之矣，《劇秦美新》、王褒《僮約》是也。其理往往有是者，而詞章不能工者有之矣，【略】故義雖深，理雖當，詞不工者不成文，宜不能傳也。文理義三者兼并，乃能獨立於一時，而不泯滅於後代，能必傳也。仲尼曰：「言之無文，行之不遠。」子貢曰：「文猶質也，質猶文也。虎豹之鞟，猶犬羊之鞟。」此之謂也。陸機曰：「怵他人之我先。」韓退之曰：「唯陳言之務去。」假令述笑哂之狀曰「莞爾」，則《論語》言之；曰「啞啞」，則《易》言之；曰「粲然」，則《穀梁子》言之矣；曰「攸爾」，則班固言之矣；曰「囅然」，則左思言之矣。吾復言之，與前文何以異也？此造言之大歸也。吾所以不協於時而學古文者，悅古人之行也。悅古人之行者，愛古人之道也。故學其言，不可以不行其行；行其行，不可以不重其道；重其道，不可以不循其禮。古之人相接有等，輕重有儀，列於經傳，皆可詳引。如師之於門人則名之，於朋友則字而不名。稱之於師，則雖朋友亦名之。子曰：「吾與回言。」又曰：「參乎吾道一以貫之。」又曰：「若由也，不得其死然。」是師之名門人驗也。夫子於鄭兄事子產，於齊兄事晏嬰平仲。傳曰：「子謂子產有君子之道四焉。」又曰：「晏平仲善與人交。」子夏曰：「言游過矣。」子張曰：「子夏云何？」曾子曰：「堂堂乎張也。」是朋友字而不名驗也。子貢曰：「賜也，何敢望回？」又曰：「師與商也孰賢？」子游曰：「有澹臺滅明者行不由徑。」是稱於師雖朋友亦名驗也。

又《寄從弟正辭書》 知爾京兆府取解，不得如其所懷，念勿在意。凡人

之窮達所遇，亦各有時爾，何獨至於賢丈夫而反無其時哉？此非吾徒之所憂也。其所憂者何？畏吾之道未能到於古之人爾。其心既自以爲到，且無謬，則吾何往而不得所樂，何必與夫時俗之人，同得失憂喜，而動於心乎？借如用汝之所知，分爲十焉，用其九學聖人之道，而知其心，使有餘以與時世進退俯仰。如可求也，則不啻富且貴也；如非吾力也，雖盡用其十，祇益勞其心爾，安能有所得乎？汝勿信人號文章爲一藝。夫所謂一藝者，乃時世所好之文，或有盛名於近代者是也。其能到古人者，則仁義之辭也，惡得以一藝而名之哉？仲尼、孟子殁千餘年矣，吾不及見其人，吾能知其聖且賢者，以吾讀其辭而得之者也。後來者不可期，安知其讀吾辭也，而不知吾心之所存乎？亦未可誣也。夫性於仁義也，由仁義而後文者性也，由文而後仁義者習也，猶誠明之必相依爾。貴與富，在乎外者也，吾不能知其有無也，非吾求而能至者也，吾何愛而屑屑於其間哉？仁義與文章，生乎內者也，吾知其有也，吾能求而充之者也，吾何懼而不爲哉？汝雖性過於人，然而未能浩浩於其心，吾故書其所懷以張汝，且以樂言吾道云爾。

皇甫湜《答李生第一書》 來書所謂今之工文或先於奇怪者，顧其文工與否耳？夫意新則異於常，異於常則怪矣；詞高則出於衆，出於衆則奇矣。虎豹之文不得不炳於犬羊，鸞鳳之音不得不鏘於烏鵲，金玉之光不得不炫於瓦石。非有意於先之也，廼自然也。必崔嵬然後爲嶽，必滔天然後爲海。明堂之棟，必撓雲霓；驪龍之珠，必錮深泉。

又《答李生第二書》 湜白：生之書辭甚多，志氣甚横流，論説文章不可謂無意。若僕愚且困，廼生詞競於此，固非宜。雖然，惡言勿從，不可不卒，勿怪。夫謂之奇，則非正矣，然亦無傷於正也。謂之奇，即非常矣。非常者，謂不如常者，謂不如常，乃出常也。無傷於正，而出於常，雖尚之亦可也。此統論奇之體耳，未以文言之失也。夫文者非他，言之華者也，其用在通理而已，固不務奇，然亦無傷於奇也。使文奇而理正，是尤難也，生意便其易者乎？夫言亦可以通理矣，而以文爲貴者非他，文則遠，無文即不遠也。以非常之文，通至正之理，是所以不朽也。生何嫉之深耶？夫繪事後素，既謂之文，豈苟簡而已哉？聖人之文，其難及也，作《春秋》，游、夏之徒不能措一辭，吾何敢擬議之哉？秦漢以來，至今文學之盛，莫如屈原、宋玉、李斯、司馬遷、相如、揚雄之徒，其文皆奇，其傳皆遠，生書文亦善矣。比之數子，似猶未勝，何必心之高乎？傳曰：「言之不出，恥躬之不逮也。」生自視何如哉？《書》之文不奇，《易》之文可謂奇矣，豈礙理傷聖乎？如「龍戰於野，其血元黄」、「見豕負塗，載鬼一車」、「突如其來如，焚如，死如，棄如」，此何等語也！生輕宋玉，而稱仲尼、班、馬、相如爲文學，按司馬遷傳屈原曰：「雖與日月爭光可矣。」生當見之乎？若相如之徒，即祖習不暇者也，豈生稱誤耶？將識分有所至極耶？將彼之所立卓爾，非强爲所庶幾，遂讐嫉之耶？其何傷於日月乎？生笑「紫貝闕兮珠宫」，此與詩之「金玉其相」何異？天下人有金玉爲之質者乎？「被薜荔兮帶女蘿」，此與「贈之以芍藥」何異？文章不當如此説也。豈爲怒三四而喜四三，識出之白而性入之黑乎？生云「虎豹之文非奇」，夫長本非長，短形之則長矣。虎豹之形於犬羊，故不得不奇也，他皆倣此。生云「自然者非性」，不知天下何物非自然乎？生又云「物與文學不相侔」，此喻也。凡喻必以非類，豈可以彈喻彈乎？是不根者也。生稱以知難而退爲謙，夫無難而退，謙也；知難而退，宜也，非謙也。豈可見黄門而稱貞哉？生以一詩一賦爲非文章，抑不知一之少便非文章耶？直詩賦不是文章耶？如詩賦非文章，《三百篇》可燒矣。如少非文章，湯之《盤銘》是何物也？孔子曰：「先行其言。」既爲甲賦矣，不得稱不作聲病文也。孔子曰：「必也正名乎。」生既不以一第爲事，不當以進士冠姓名也。夫煥乎郁郁乎之文，謂制度非止文詞也，前者捧卷軸而來，又以浮艷聲病爲説，似商量文詞，當與制度之文異日言也。

李漢《唐吏部侍郎昌黎先生諱愈文集序》 文者貫道之器也。不深於斯道，有至焉者不也。《易》繇爻象，《春秋》書事，《詩》詠歌，《書》、《禮》剔其僞，皆深矣乎！秦漢以前，其氣渾然，迨乎司馬遷、相如、董生、揚雄、劉向之徒，尤所謂傑然者也。至後漢曹魏，氣象萎薾；司馬氏已來，規模蕩盡。悉謂《易》已下爲古文，剽掠僭竊爲工耳。文與道蓁塞，固然莫知也。

楊嗣復《丞相禮部尚書文公權德輿文集序》 唐有天下二百二十載，用文章顯於時，代有其人。然而自成童就傅，以及考終命，解巾筮仕，以及鈞衡師保，造次必於文，視聽必於文。采章皆正色而無駁雜，調韻皆正聲而無奇邪。滔滔然如河東注，不知其極。而又處命書綸綍之任，專考覈品藻之柄。參化成輔翊之勳，初中終全而有之，得之於相國文公矣。【略】大則發德音、修典册，灑朝廷之利澤，增盛德之形容；小則褒才能、叙官業，區分流品，

申明誠勸。無誕詞，無巧語，誠直溫潤，眞王者之言。【略】其他千名萬狀，隨意所屬。牢籠今古，窮極微細，周流於親愛情理之間，磅礴於動賢久大之業。不爲利疚、不以菲廢，本乎道以行乎文，故能獨步當時。

李德裕《文章論》 魏文《典論》稱「文以氣爲主，氣之清濁有體」，斯言盡之矣。然氣不可以不貫，不貫則雖有英辭麗藻如編珠綴玉，不得爲全璞之寶矣。鼓氣以勢壯爲美，勢不可以不息，不息則流宕而忘反，亦猶絲竹繁奏必有希聲窈眇，聽之者悅聞；如川流迅激，必有洄洑逶迤，觀之者不厭。從兄翰常言文章如千兵萬馬，風恬雨霽，寂無人聲，蓋謂是矣。近世誥命，唯蘇廷碩叙事之外自爲文章，才實有餘，用之不竭。

李商隱《上崔華州書》 愚年二十五年矣，五年誦經書，七年弄筆硯。始聞長老言：「學道必求古，爲文必有師法。」常悒悒不快，退自思曰：「夫所謂道，豈古所謂周公、孔子者獨能邪？蓋愚與周、孔，俱身之耳。以是有行道不繫今古，直揮筆爲文，不愛攘取經史，諱忌時世。百經萬書，異品殊流，又豈能意分出其下哉？」

孫樵《罵僮志》 凡爲文章，拈新摘芳，鼓勢求知，取媚一時，則必擺落尖新，期到古人，上規時政，下達民病；句句淡澀，讀不可入，徒乖於衆，孰適於用？

又《與賈希逸書》 物之精華，天地所秘惜，故蒙金以沙，錮玉以璞。珊瑚之叢，必藏重溟；夜光之珠，必頷驪龍。抉而不知已，積而不知止。不窮則禍，天地讐也，文章亦然。所取者廉，其得必多；所取者深，其身必窮。《六經》作，孔子削迹不粒矣。孟子述，子思坎軻齊魯矣。馬遷以《史記》禍，班固以西漢禍，揚雄以《法言》、《太元》窮，元結以《浯溪碣》窮，陳拾遺以《感遇》窮，王勃以《宣尼廟碑》窮，玉川子以《月蝕詩》窮，杜甫、李白、王江寧，皆相望於窮者也。天地其無意乎？

又《與王霖秀才書》 儲思必深，擴詞必高，道人之所不道，到人之所不到。趨怪走奇，中病歸正。以之明道，則顯而微；以之揚名，則久而傳。前輩作者正如是。譬玉川子《月蝕》詩，楊司城《華山賦》，韓吏部《進學解》，馮常侍《清河壁記》，莫不拔地倚天，句句欲活，讀之如赤手捕長蛇，不施控騎生馬，急不得暇，莫可捉搦；又似遠人入太興城，茫然自失。

又《與友人論文書》 嘗與足下評古今文章，似好惡不相闊者，然不有所竟。顧樵何所得哉？古今所謂文者，辭必高然後爲奇，意必深然後爲工。煥然如日月之經天也，炳然如虎豹之異犬羊也。是故以之明道，則顯而微；以之揚名，則久而傳。今天下以文進取者，歲叢試於有司，不下八百輩，人人矜執，自大所得。故其習於《易》者，則斥艱澀之辭；攻於難者，則鄙平淡之言。至有破句讀以爲工，摘俚句以爲奇。秦漢已降，古人所稱工而奇者，莫如揚、馬，然吾觀其書，乃與今之作者異耳。豈二子所工，不及今之人乎？此樵所以惑也。當元和、長慶之間，達官以文馳名者，接武於朝，皆開設戶牖，主張後進，以磨定文章，故天下之文，薰然歸正。洎李御史甘以樂進，後士飄然南遷，由是達官皆闔關齚舌，不敢上下後進。宜其爲文者得以盛任，其意無所取質，此誠可悲也。足下才力雄健，意語鏗耀，至於發論，尙往往爲時俗所拘，豈所謂以黃金注者昏邪！顧頑樸無所知曉。然嘗得爲文之道于來公無擇，來公無擇得之皇甫公持正，皇甫持正得之韓先生退之。其於聞者，如前所述，豈樵所能臆說乎？

皮日休《請韓文公配饗太學書》 降及貞觀、開元，其傳者醨，其繼者淺，或引刑名以爲文，或援縱橫以爲理，或作詞賦以爲雅。文中之道，曠百祀而得室授者，惟昌黎文公焉。文公之文，蹴楊墨於不毛之地，蹂釋老於無人之境，故得孔道巍然而自正。夫今之文，千百世之作，釋其卷，觀其詞，無不裨造化，補時政，繫公之力也。公之文曰：「僕自度若世無孔子，僕不當在弟子之列。」設使公生孔子之世，公未必不在四科焉。國家以二十二賢者，代用其書，垂於國胄，並配饗於孔聖廟堂，其爲典禮也大矣美矣。苟以代用其書，不能以釋聖人之辭，箋聖人之義哉！況有身行其道，口傳其文，吾唐以來，一人而已。

又《文藪序》 賦者，古詩之流也。傷前王太佚，作《憂賦》；慮民道難濟，作《河橋賦》；念下情不達，作《霍山賦》；憫寒士道壅，作《桃花賦》。《離騷》者文之菁英者，傷於宏奧，今也不顯《離騷》，作《九諷》；文貴窮理，理貴原情，作《十原》；太樂既亡，至音不嗣，作《補周禮九夏歌》；兩漢庸儒，賤我左氏，作《春秋決疑》。其餘碑銘讚頌，論議書序，皆上剝遠非，下補近失，非空言也。

黃滔《與王雄書》 夫儷偶之辭，文家之戲也，焉可竇其戲於作者乎？是若揚優喙，干諫舌，啼妾態，參婦德，得不爲罪人乎？是乃掃降聲律，直寫

一二。【略】夫以唐德之盛，而文道之衰，嘗聆作者論近日場中，或尚辭而鮮質，多閣下能揭元次山、韓退之之風。

牛希濟《文章論》 聖人之德也有其位，乃以治化爲文，唐虞之際是也；聖人之德也無其位，乃以述作爲文，周孔之教是也。纂堯舜之運，以宮室車輅鐘鼓玉帛之爲文，山龍華蟲粉米藻火之爲章，亦已鄙矣。師周孔之道，忘仁義教化之本，樂霸王權變之術，困於編簡章句之內，何足大哉？况乎澆季之下，淫靡之文，恣其荒巧之説，失於中正之道。兩漢以前，史氏之學猶在；齊梁以降，《國風》、《雅》、《頌》之道委地。今國朝文士之作，有詩、賦、策、論、箴、判、贊、頌、碑、銘、書、序、文、檄、表、記，此十有六者，文章之區別也。制作不同，師模各異。然忘於教化之道，以妖豔爲勝，夫子之文章，不可得而見矣。古人之道，殆以中絶，賴韓吏部獨正之於千載之下，使聖人之旨復新。

又《表章論》 人君尊嚴，臣下之言，不可達於九重；表章之用，下情可以上達，得不重乎？歷觀往代策文奏議，及國朝元和以前名臣表疏，詞尚簡要，質勝於文，直指是非，坦然明白，致時君易爲省覽。夫聰明睿哲之主，非能一一奥學深文，研窮古訓，且理國理家理身之道，唯忠孝仁義而已。苟不踰是，所指自合於典謨，所行自偕於堯舜，豈在乎屬文比事。況人君以表疏爲急者，竊以爲稀，況覽之茫然，又不親近儒臣，必使旁詢左右，小人之寵，用是爲幸。儻或改易文意，以是爲非，逆鱗發怒，略不爲難。故《禮》曰：「臣事君，不援其所不及。」蓋不可援引深僻，使夫不喻。且一郡一邑之政，訟者之辭，蔓引數幅，尚或棄之。況萬乘之主，萬幾之大，焉有三復之理？國史以馬周建議，不可以加一字，不可以減一字，得其簡要。又杜甫《嘗雪房琯表》，朝廷以爲庾辭，倘端明易曉，必庶幾免於深僻之弊。夫僻事新對，用以相誇，非切於理道者，明儒尚且抒思移時，豈守文之主可以速達。竊願復師於古，但實於理，何以幽僻文煩爲能也。

徐鍇《曲臺奏議集序》 三代之文既遠，兩漢之風不振。懷芬敷者聯袂，韻音響者比肩。《子虛》文麗用寡，而末世學者，以爲稱首；《兩京》文過其心，後之才士，企而望之。嗟夫！爲文而造情，污準而粉顙。若夫有斐君子，含章可正，和順積中，而英華發外。周旋俯仰，金石之度彰；擒簡下筆，鸞鳳之文奮。必有其質，乃爲之文。其積習歟，何其寡也。有能一日用其本者，文遠乎哉？

徐鉉《翰林學士江簡公集序》 士君子藏器於身，應物如響，成天下之務者，存乎事業；通萬物之情者，在乎文辭。然則日月不知，人亡政息，瞻之則渺然在羲軒之上，蹈之則肅然若旦暮之間。自非遺文餘教，則作者之道或幾乎息矣。嗟夫！天地長久，英靈超忽。鄴中才子，與樂事以俱淪。江左名臣，及元譚而共盡。清流可挹，勝氣猶生，閱蠹簡以淒涼，撫絶韋而慷慨。斯文未喪，何代無人？

田錫《貽陳季和書》 夫人之有文，經緯大道，得其道則持政於教化，失其道則忘返於靡漫。孟軻、荀卿得大道者也，其文雅正，其理淵奥。厥後揚雄秉筆乃撰《法言》，馬卿同時，徒有麗藻。邇來文士頌美箴闕，銘功贊圖，皆文之常態也。若豪氣抑揚，逸詞飛動，聲律不能拘於步驟，鬼神不能秘其幽深，放爲狂歌，目爲古風，此所謂文之變也。李太白天付俊才，豪俠吾道，觀其樂府，得非專變於文歟。樂天有《長恨歌》、《霓裳曲》五十，諷諫出人意表，大儒端士誰敢非之！何以明其然也？世稱韓退之、柳子厚，萌一意，措一詞，苟非美頌時政，則必激揚教義，故識者觀文於韓柳，則警心於邪僻，抑末扶本，躋人於大道可知矣。然李賀作歌，二公嗟賞，豈非豔歌不害於正理，而專變於斯文哉！

又《貽宋小著書》 稟於天而工拙者，性也；感於物而馳騖者，情也。研《繫辭》之大旨，極《中庸》之微言，道者任運用而自然者也。若使援毫之際，屬思之時，以情合於性，以性合於道，如天地生於道也，萬物生於天地也。隨其運用而得性，任其方圓而寓理，亦猶微風動水，了無定文，太虚浮雲，莫有常態。則文章之有聲氣也，不亦宜哉！【略】以是觀韓吏部之高深，柳外郎之精博，微之長於制誥，樂天善於歌謠，牛僧孺辨論是非，陸宣公條奏利害，李白、杜甫之豪健，張謂、呂溫之雅麗，錫既拙陋，皆不能宗尚其一焉。但爲文，爲詩，爲銘，爲頌，爲箴，爲贊，爲賦，爲歌，氤氳胳合，心與言會，任其或類於韓，或肖於柳，或依希於元、白，或髣髴於李、杜，或淺緩促數，或飛動抑揚，但卷舒一意於洪濛，出入衆賢之閫閾，隨其所歸矣。使物象不能桎梏於我性，文彩不能拘限於天眞，然後絶筆而觀，澄神以思，不知文有我歟，我有文歟。

柳開《應責》 古文者，非若辭澁言苦，使人難誦讀之，在於古其理，高

其意，卒隨言短長，應變作制，同古人之行事，是謂古文也。子不能味吾書，取吾意，今而視之，今而誦之，不以古道觀吾心，不以古道觀吾志，吾文無過矣。吾若從世之文也，安可垂教於民哉，亦自愧於心矣。欲行古人之道，反類今人之文，譬乎游於海者，乘之以驥可乎哉？苟不可，則吾從於古文。吾以此道化於民，若鳴金石於宮中，衆豈曰絲竹之音也，則以金石而聽之矣。食乎粟，衣乎帛，何不能安於衆哉。苟不從於吾，非有不幸也，是衆人之不幸也。我豈以衆人之不幸，易我之幸乎？縱我窮餓而死，死即死矣，吾之道豈能窮餓而死之哉！吾之道，孔子、孟軻、揚雄、韓愈之道；吾之文，孔子、孟軻、揚雄、韓愈之文也。

孫何《答朱嚴書》文之繁久矣，源于《離騷》，派于《子虛》、《上林》，汗漫于晉、魏，懷襄于齊、梁已降，今之世尤甚焉。何則？師道喪而詞人衆也。師道喪則簡易之理亡，詞人衆則朋黨之譽起。故往往激昂自負曰：「我工于手筆，薄于小文而不爲。」騰口相和，以成其名。洎索而觀之，則支離重複，孟浪荒唐之詞，無所不有，古非古，律非律。既不能刊正經史之誤，復不能明白仁義之奥，但披說蔓語，駢章贅句，長其編，大其軸，以多爲貴耳。斯實蠹敎賊文之巨者也。【略】夫古聖賢光照後世，邈不可攀者，非他，蓋始于信道篤而自知明，不顧時之毁譽，然後能成一家之書，以左右大敎。未有與俗上下，而能奮乎百代，不腐其名者。《法言》曰：「群言亂則折諸聖。」又曰：「大人之學爲道，小人之學爲利也。」

祖無擇《河南穆公集序》積于中者之謂道，發于外者之謂文，有道有文，然後可以爲君子。道有用舍，文有否泰，然用舍否泰，在命不在道與文也。君子不以其命之窮而輟于爲道，道之不行而不廢于學文，故雖身厄于當時而名顯于後世者繇此也。

歐陽修《薛簡肅公文集序》君子之學，或施之事業，或見於文章，而常患於難兼也。蓋遭時之士，功烈顯於朝廷，名譽光於竹帛，故其常視文章爲末事，而又有不暇與不能者焉。至於失志之人，窮居隱約，苦心危慮，而極於精思，與其有所感激發憤，惟無所施於世者，皆一寓於文辭。故曰：窮者之言易工也。

又《代人上王樞密求先集序書》某聞《傳》曰：「言之無文，行而不遠。」君子之所學也，言以載事，而文以飾言，事信言文，乃能表見於後世。《詩》、《書》、《易》、《春秋》，皆善載事而尤文者，故其傳尤遠。荀卿、孟軻之徒，亦善爲言，然其道有至有不至，故其書或傳或不傳，猶繫於時之好惡而興廢之。其次楚有大夫者善文，其謳歌以傳。漢之盛時，有賈誼、董仲舒、司馬相如、揚雄能文，其文辭以傳。由此以來，去聖益遠，世益薄或衰。下迄周隋，其間亦時時有善文其言以傳者，然皆紛雜滅裂不純信，故百不傳一，幸而一傳，傳亦不顯，不能若前數家之焯然暴見而大行也。甚矣，言之難行也！事信矣須文，文至矣，又繫其所恃之大小，以見其行遠不遠也。《書》載堯舜，《詩》載商周，《易》載九聖，《春秋》載文武之法，荀、孟二家載《詩》、《書》、《易》、《春秋》者，楚之辭載風雅，漢之徒各載其時主聲名文物之盛以爲辭。後之學者，蕩然無所載，則其言之不純信，其傳之不久遠，勢使然也。至唐之興，若太宗之政，開元之治，憲宗之功，其臣下又爭載之以文其詞，或播樂歌，或刻金石，故其間鉅人碩德，閎言高論，流鑠前後者，恃其所載之在文也。故其言之所載者大且文，則其傳也章；言之所載者不文而又小，則其傳也不章。某不佞，守先人之緒餘，先人在太宗時以文辭爲名進士，以對策爲賢良方正，既而守道純正，爲賢待制，逢時太平，奮身揚名，宜其言之所載，文之所行，大而可恃以傳也。然未能甚行於世者，豈其嗣續不肖，不能繼守而泯沒之，抑有由也。夫文之行，雖繫其所載，猶有待焉。《詩》、《書》、《易》、《春秋》待仲尼之删正，荀、孟、屈原無所待，猶待其弟子而傳焉。漢之徒亦得其史臣之書。其始出也，或待其時之有名者而後發；其既歿也，或待其後之紀次者而傳其爲之紀次也。非其門人故吏，則其親戚朋友，如夢得之序子厚，李漢之序退之也。

李覯《上宋舍人書》竊謂文之於化人也深矣，雖五聲八音，或雅或鄭，納諸聽聞，而淪入心竅，不是過也。嘗試從事於簡策間，其讀虛無之書，則心頹然而厭於世；觀軍陣之法，則心奮起而輕其生；味縱橫之說，則思譎詭而忘忠信；熟刑名之學，則喜苛刻而泥廉隅；誦隱遁之篇，則意先馳於水石；詠宮體之辭，則志不出於奩匣。文見於外，心動乎內，百變而百從之矣。諒非淳氣素具，通識旁照，則爲其所敗壞，如覆手耳。韓子有言曰，「儒以文亂德」，豈謂是乎？然則聖君賢輔，將以使民遷善而遠罪，得不謹於文哉？有周而上，去古未遠，而濬哲時起，以綱領之，彬彬之盛，如天地日月，不可復譽其大而褒其明也。至于漢初，老師大儒未盡凋落，嗣而興者

皆知稱先聖，本仁義，數百年中，其秉筆者，多有可采。魏、晉之後，涉于南北，斯道積羸，日劇一日。高冠立朝，不恤治具，而相高老、佛無用之談，世主儲王而爭誇。姦聲亂色，以爲才思；虛荒巧僞，滅去義理。俾元元之民，雖有耳目，弗能復視聽矣。賴天相唐室，生大賢以維持之。李、杜稱兵於前，韓、柳主盟於後，誅邪賞正，方内嚮服。堯、舜之道，晦而復明；周、孔之教，枯而復榮。逮於朝家，文章之懿，高視前古者，階於此也。不意天宇之廣，頹風未絶。近年以來，新進之士，重爲其所扇動，不求經術而摭小説以爲新，不思理道而專雕鎪以爲麗。句千言萬，莫辨首尾。覽之若游於都市，但見其晨而合，夜而散，紛紛藉藉，不知其何氏也。遠近傳習，四方一體。有司以備官之故，姑用汎取，瑣辭謬舉，無如之何，聖人之門，將復榛蕪矣。所幸明后在阼，賢臣在位，慨然興念，思遏其波。凡曰有識，孰不抃慰？然詢於輿人，則僉謂執事與禁掖數公，謀救斯弊，用心最切至。觀，僻遠之民也，獲聞是語，信之不疑。誠以執事負大才業，角馳英俊之場，壘爲天下第一。遭時結主，坐致嚴近。苟協咨同僚，翊起正道，鑿吾人之胸，而歸以中和之氣，固其職矣。雖然，世俗之仕，難以道諭，易以名誘。誘之之術，不在辭費。胡不於廣衆之中，擇其好古知道有出於人者，浴其塵垢，被以羽翼，使奮飛於天衢，庶夫聞見之者，知所勸勉乎？《記》曰：「以義度人，則難爲人；以人望人，則賢者可知矣。」若必求德行如顔、閔，文學如游、夏者而後取之，則是待飛兎腰褭而乘車也。

陳襄《答劉太博啓》 文者，載道之舟。事之在文，如舟之載物，必將以利乎濟也。有工人者善作舟，其材力足以勝其任矣，又能致人之載，以涉河海。不善作者，其材力不足勝其任矣，又以汩人之載。文亦如之。善作者，其材力足以勝其任矣，又能致人之事業以見後世。不善作者，其材力不足勝其任矣，又以覆人之事業。古之人有大畜者，始有文辭，發乎身而名揚後世，必先知之確乎，不憂其不傳也。孔子自謂「文王既沒，文不在茲」，但其徒弟子因得附于言辭之末，猶且名見後世，況有所作耶？其次，作者雖其材不若孔子，抑其發之小大，其應之遠近，各有在焉。若魯之《論語》、《檀弓》之二篇，司馬遷之紀傳，韓愈之碑誌，至於今，所載人事，昭如日月，名聲不朽。夫善人君子之事業，若得附于作者之手，庶幾不忘。

蔡襄《送呂祕校序》 予嘗思古人力學爲文，莫不欲著見於後世。然傳者少，而磨滅者多，非至工之詞，至當之論，不可以久也。豈天嗇乎才，何其工且當者鮮耶。及觀後世之學者，有文病三焉：或喜自高賢，或過相稱譽，或與時遷移。積是三病，故不至焉，豈天嗇哉！夫道至遠，苟非聖智，未有不由近而之者，況自病乎。

又《謝昭文張相公牋》 今之學文章者，或屬聯簡編，挾持以趨大人之門，祈倡一言得名譽加衆人上，取顯重於當世，及臨政官民，則曰吾業者文章，吏事吾無與也。謾不肯省視案牘，以自爲高，俗亦莫之怪，而反指其人曰某文章士，責以材用，不爲宜也。嗚呼，所謂文章者，豈期爲速進之資耶，又豈其與民政異耶。是必不然，是必爲之，皆偷者也。然則其尤能於文章，愈不宜爲此，況某之不能，孰敢務取名而怠事者哉。

司馬光《答孔司戶文仲書》 然則古之所謂文者，乃詩書禮樂之文，升降進退之容，絃歌雅頌之聲，非今之所謂文也。今之所謂文者，古之辭也。孔子曰：「辭達而已矣。」明其足以通意斯止矣，無事於華藻宏辯也。必也以華藻宏辯爲賢，則屈、宋、唐、景、莊、列、楊、墨、蘇、張、范、蔡皆不在七十子之後也。顔子不違如愚，仲弓仁而不佞，夫豈尚辭哉！

又《趙朝議文稿集序》 在心爲志，發口爲言，言之美者爲文，文之美者爲詩，如鼓鐘者，聲必聞於外；灼龜者，兆必見於表。玉蘊石而山木茂，珠居淵而岸草榮，皆物理自然，雖欲掩之不可得已。

曾鞏《王子直文集序》 至治之極，教化既成，道德同而風俗一。言理者雖異人殊世，未嘗不同其指，何則？理當故無二也。是以《詩》、《書》之文，自唐虞以來，至秦魯之際，其相去千餘載，其作者非一人，至於其間嘗更衰亂，然學者尚蒙餘澤，雖其文數萬，而其所發明，更相表裏，如一人之說，豈非盛哉！自三代教養之法廢，先王之澤熄，學者人人異見，而諸子各自爲家，不知時世之遠，作者之衆也。嗚呼！上下之間，漸磨陶冶，至於如此，豈非豈其固相反哉？不當於理，故不能一也。由漢以來，益遠於治，故學者雖有魁奇拔出之材，而其文能馳騁上下，偉麗可喜者甚衆，然是非取舍不當於聖人之意者，亦已多矣。故其說未嘗一，而聖人之道未嘗明也。士之生於是時，其言能當於理者，亦可謂難矣。由是觀之，則文章之得失，豈不繫於治亂哉！

蘇軾《南行前集叙》 夫昔之爲文者，非能爲之爲工，乃不能不爲之爲工

也。山川之有雲霧，草木之有華實，充滿勃鬱而見於外，夫雖欲無有，其可得耶？

又《送人序》 夫學以明禮，文以述志，思以通其學，氣以達其文。古之人道其聰明，廣其聞見，所以學也；正志完氣，所以言也。

又《謝歐陽內翰書》 自昔五代之餘，文敎衰落，風俗靡靡，日以塗地。聖上慨然太息，思有以澄其源，疏其流，明詔天下，曉諭厥旨。於是招來雄俊魁偉敦厚樸直之士，罷去浮巧輕媚叢錯采繡之文，將以追兩漢之餘，而漸復三代之故。士大夫不深明天子之心，用意過當，求深者或至於迂，務奇者怪僻而不可讀，餘風未殄，新弊復作。大者鏤之金石，以傳久遠；小者轉相摹寫，號稱古文。紛紛肆行，莫之或禁。蓋唐之古文，自韓愈始，其後學韓而不至者爲皇甫湜，學皇甫湜而不至者爲孫樵，自樵以降，無足觀矣。

《二程遺書》卷一八 問：「出辭氣，莫是於言語上用工夫否？」曰：「須是養乎中，自然言語順理。今人熟底事說得便分明，若是生事，便說得蹇澀，須是涵養久便得自然。若是愼言語，不妄發，此却可著力。」

又 問：「作文害道否？」曰：「害也。凡爲文不專意則不工，若專意則志局，於此又安能與天地同其大也。《書》云：『玩物喪志。』爲文亦玩物也。呂與叔有詩云：『學如元凱方成癖，文似相如始類俳。獨立孔門無一事，只輸顏氏得心齋。』此詩甚好。古之學者惟務養性情，其佗則不學。今爲文者，專務章句，悅人耳目，既務悅人，非俳優而何！」曰：「古者學爲文否？」曰：「人見《六經》，便以爲聖人，亦作文不知聖人亦攄發胸中所蘊，自成文耳。所謂有德者必有言也。」曰：「游、夏稱文學何也？」曰：「游、夏亦何嘗秉筆學爲詞章也。且如觀乎天文，以察時變；觀乎人文以化成天下，此豈詞章之文也。」

黃庭堅《答洪駒父書三首》 凡作一文，皆須有宗有趣，終始關鍵，有開有闔，如四瀆雖納百川，或匯而爲廣澤汪洋千里，要自發源注海耳。【略】古之能爲文章者，眞能陶冶萬物，雖取古人之陳言入於翰墨，如靈丹一粒，點鐵成金也。文章最爲儒者末事，然索學之，又不可不知其曲折，幸熟思之。至於推之使高如泰山之崇，崛如垂天之雲；作之使雄壯，如滄江八月之濤，海運吞舟之魚，又不可守繩墨，令儉陋也。

又《與王觀復書三首》 南陽劉勰嘗論文章之難云：「意翻空而易奇，文徵實而難工。」此語亦是。沈、謝輩爲儒林宗主，時好作奇語，故後生立論如此。好作奇語，自是文章病。但當以理爲主，理得而辭順，文章自然出羣拔萃。觀杜子美到夔州後詩，韓退之自潮州還朝後文章，皆不煩繩削而自合矣。往年嘗請問東坡先生作文章之法，東坡云：「但熟讀《禮記・檀弓》當得之。」既而取《檀弓》二篇讀數百過，然後知後世作文章不及古人之病，如觀日月也。文章蓋自建安以來，好作奇語，故其氣象衰薾，其病至今猶在，唯陳伯玉、韓退之、李習之，近世歐陽永叔、王介甫、蘇子瞻、秦少游，乃無此病耳。

李之儀《折渭州文集序》 師曠之聰，離婁之明，非得之天，則豈能見之於視聽。庖丁之解牛，輪扁之斵輪，非得之心，則豈能應之於手。其用雖不同，要之非勉強而至者也。昔之能文之士，亦莫不然。司馬相如、揚雄之於詞賦，司馬遷、劉向之於叙事，李陵、蘇武之於詩，是以其所長自得，而因其所自得者，發之於言耳。至於離婁之視不能代師曠之聰，輪扁、庖丁不能互任其手，故能叙事者未必工於詩，而善詞賦者未必達於叙事，蓋各有所專，而其他雖通，終不得而勝也。

慕容彥逢《論文書》 夫文章自古爲難，非爲之難也，知之難矣；非知之難也，得之難矣；非得之難，自得之難矣。古之人無意於文，或以明道，或以叙事，以爲默則不足以自達，則宣之以言，言必有紀，則述之以文。故古人之文，渾然天成，罔有凝滯，猶渾金璞玉，不見有追琢之跡。後世不然，務華者以侈靡爲麗，務巧者以雕刻爲工，務怪者以險僻爲高，務豪者以馳騁爲壯，各揣所好，互相標目，其不淪於俗者，蓋無幾也。故斯文陵夷，無復古人之盛。孔子之門人，顏回亞聖，而文章不少見。孟子著書七篇，貫穿古昔，上下數千百年，而曰距楊、墨，放淫辭，予豈好辯哉，予不得已也。故古之人可以無言，則文與之俱熄，有感於物而言，則文與之從事焉。緣督而言，因言而文，此古君子所以異於後世也。

陳師道《答江端禮書》 言以述志，文以成言，約之以義，行之以信，近則致其用，遠則致其傳，文之質也；大以爲小，小以爲大，簡而不納，盈而不餘，文之用也。

張耒《送秦觀從蘇杭州爲學序》 秦子善文章而工于詩，其言清麗刻深，三反九復，一章乃成，大抵悲愁悽婉鬱塞無聊者之言也。其于物也，秋蛩寒蛩，鶗鴂猿狖之號鳴也；霜竹之風，冰谷之水，楚囚之絃，越羈之呻吟也。

嘻！秦子內有事親之喜，外有朋友之樂，冬裘而夏絺，甘食而清飲，其中寧有介然者而顧爲是耶？世之文章多出于窮人，故後之爲文者，喜爲窮人之詞。秦子無憂，而爲憂者之詞，殆出此耶？吾請爲子言之：古之所謂儒者，不主于學文，而文章之工，亦不可謂其能窮苦而深刻也。發大議，定大策，開人之所難惑，內足以正君，外可以訓民，使于四方，鄰國寢謀；言于軍旅，敵人聽命。則古者臧文仲、叔向、子產、晏嬰、令尹子文之徒，實以是爲文。後世取法焉，其于文也，雲蒸雨降，雷霆之震也，有生于天地之間者實賴之，是故繫萬物之休戚于其舌端之語默。嗟夫，天地發生，雷雨時行，子獨不聞之而從草根之蟲，危枝之翼，鳴呼以相求，子亦窮矣。

又《答李推官書》 抑某之所聞，所謂能文者，豈謂其能奇哉？能文者，固不能以奇爲主也。夫文何謂而設也，知理者不能言，世之能言者多矣，而文者獨傳。豈獨傳哉？因其能文也，而言益工；因其言工，而理益明。是以聖人貴之。自《六經》以下，至于諸子百氏，騷人辯士論述，大抵皆將以爲寓理之具也。是故理勝者，文不期工而工；理詘者，巧爲粉澤，而隙間百出。此猶兩人持牒而訟，直者操筆不待，累累讀之如破竹，橫斜反覆，自中節目；曲者雖使假詞于子貢，問字于揚雄，如列五味而不能調和，食之于口無一可愜，況可使人玩味之乎？故學文之端，急于明理。夫不知爲文者，無所復道，如知文而不務理，求文之工，世未嘗有是也。夫決水于江河淮海也，水順道而行，滔滔汩汩，日夜不止，衝砥柱，絕呂梁，放于江湖而納之海，其舒爲淪漣，鼓爲波濤，激之爲風飆，怒之爲雷霆，蛟龍魚黿，噴薄出沒，是水之奇變也。而水初豈如此哉？是順道而決之，因其所適而變生焉。溝瀆東決而西竭，下滿而上虛，日夜激之，欲見其奇，彼其所至者，蛙蛭之玩耳。江河淮海之水，理達之文也，不求奇而奇至矣。激溝瀆而求水之奇，此無見于理，而欲以言語句讀爲奇之文也。《六經》之文，莫奇于《易》，莫簡于《春秋》，夫豈以奇與簡爲務哉？勢自然耳。《傳》曰：「吉人之詞寡。」彼豈惡繁而好寡哉？雖欲爲繁，不可得也。自唐以來至今，文人好奇者不一，甚者或爲缺句斷章，使脈理不屬，又取古書訓詁希于見聞者，撏扯而牽合之，或得其字不得其句，或得其句不得其章，反覆咀嚼，卒亦無有，此最文之陋也。

孫覿《浮溪集原序》 天下有能事，而文章爲難工。由漢訖唐千有餘歲，一時大手筆作爲文章閎麗精深傑然，視天下而自立而不朽者，蓋幾人而已。杜子美詩格力自天，雄跨百代，爲古今詩人之冠，至他文輒不工。荀卿所謂藝之至者不能兩，信矣。夫道喪文弊，作者衆矣，詞句儇淺，益不逮前，其間心競力取，馳騁上下，欲一蹙以造古人之域，而擇之不精，守之不固，殉名而媮，習鄙而陋，固不足與于斯文。左太沖積十年之勤，僅成一賦，劉伯倫以一《酒德頌》終其身，而一能之善，一語之工，亦遂列于作者之林，而名後世。

張守《答晁公爲顯謨書》 君子處世，必居一於斯二者矣。達則行道，窮則立言，其志一也。道行則有益於當時，立言則有益於後世，其爲效亦一也。故達者不以功業自多，而窮者不以文章自少，然後安於義命，而無苟免倖得之心。雖然達則文章無聞，窮則功業不著，如日南而景北，晝長而宵短，天之賦與，殆有定乎，疑不得兼也。

鄧肅《答黃德美》 某聞志在一邦者，當恤一邦之毀譽，志在天下者勿恤也；志在天下者，當顧天下之重輕，志在萬世者不顧也。德美來書，尚介於一邦，此非僕所知也。孟軻之文雄於戰國，韓愈之文妙於李唐，惟能不介其小者，故能若是其大也。蘇、黃之文，幾於比肩，及其絕塵，黃且瞠若，豈筆力之罪耶。然東坡謫居海外若不復振者，而剛大之氣尚充塞乎天地之間，山谷稍不得意則作小偈以贊王介甫，間於東坡，微有譏焉。則生死富貴，已懾其氣爾。所以爲山谷者，果安在哉！

汪藻《蘇魏公集序》 所貴于文者，以能明當世之務，達羣倫之情，使千載之下讀之者如出乎其時，如見其人也。若夫善立言者不然，文雖同乎人，而其所以爲文，有非人之所得而同者。孟子七篇之書，叙戰國諸侯之事，與夫梁齊君臣之語，其辭極于辯博，若無以異乎戰國之文也。揚子之書數萬言，言秦漢之際爲最詳，簡雅而閎深，若無以異乎西漢之文也。至其推性命之隱，發天人之微，粹然一歸于正，使學者師用，比之《六經》，則當時所謂儀、秦、谷永、杜欽輩，豈惟無以望其門牆，殆冠履之不侔也。宋興百餘年，文章之變屢矣。楊文公倡之于前，歐陽文忠公繼之于後，至元豐、元祐間，斯文幾千古而無遺恨矣。

劉一止《平江試院問策》 文者，貫道之器，道有升降，故文有變革。虞夏商周之文，均於言道，而體則三變：曰渾渾也，灝灝也，噩噩也。典謨訓誥，誓命存焉，可得而知其辨與？自漢至魏，辭人才子，文體三變，曰善爲

形似之言也，長於情理之說也，以氣質爲體也。詩、賦、紀、傳、書、檄、論、贊存焉，可得而知其辨與？終唐之世，文之變亦有三：飾句繪章，則王、楊爲之伯；崇雅黜浮，則燕、許擅其宗；嚅嚌道眞，涵泳聖涯，則韓愈倡之，柳宗元等和之。今其文具在，可考而知，不識所謂文之變者，其必因時而變歟？因人而變歟？抑時與人相待也？且所工又有所拙，所長必有所短，其在一時，孰得孰失，孰強孰易，孰同孰異。書曰：「辭尚體要。」語曰：「辭達而已矣。」虞、夏、商、周之文雖不同，皆不害爲辭達與體要歟。漢、魏及唐又何如哉。顧必有能臻是者，赫然與詩書表裏焉，不誣也。諸賢致力於斯文久矣，試摭其實，爲有司論之，無以漢魏而下，爲區區不足道也。

李正民《與祝師龍書》 若夫聖人之術，固在於躬行，亦豈敢謂僕之自得哉。孔子曰：「文莫吾猶人也，躬行君子，則吾未之有得。」又曰：「行有餘力，則以學文。」雖然文非學者之先務，而聖人之術，亦非文不傳。韓愈亦云：「僕之爲古文，學古人，而不得見，則兼通其辭。」通其辭者，本於志也。

李流謙《上王制置書》 竊謂斯文神物也，然自中智以下，恃而取敗者有之。故或指爲一伎，嗟乎，文乎未可以一伎名之。蓋自書契以來，聖君哲輔，建立設施，其微至于具道德之要眇，其博至于應事物之繁沓，用而爲謀謨策略，陳而爲典章品式，著而爲勳庸德業，與夫高人、貞士、淑女、令婦，峭節偉行，可以軌世範俗，巖巖若玉雪者，非有文焉。傳而述之，彰其幽隱，而侈其煒奕，使千百世之下，焯然如觀目前，則視無知之氓，飽腹暖軀，衡衝而活，泯泯而滅，則何以異耶。又況一人之尊，九州四海之廣，羣吏百僚之衆，蠻夷荒服之遠，敷號布令，以誓以戒，以訓以告，而無以達其欲言之意，宣暢其彰善癉惡惠利養生之心，則上下漠然，猶禽犢之相視。嗟乎文乎未可以一伎名之。堯、舜、三代之治，至今赫然，《詩》與《書》之力也。渾沌既殞，道之微指不可見，伏羲氏以象畫之，世未盡知也。文王、周公以辭，孔子以彖、象，又以文言，又以大傳，人始得因其言以索其意，而道託以不泯。夫以文文治可也，以文文道，道之奥亦固藉於文乎？而數聖人必用之，則文之不可已固若此。自漢唐以來，非復古之所謂文，然當時之人亦必用以濟於事。唐德宗涇卒之變，狼狽跳奔，藩侯環守而不赴，將帥恬視而不驚，當此時人情渙離，國勢彫削，天下若無唐矣。及奉天一詔，武夫悍卒爲之流涕，彼亦舍宗廟社稷之奉，去宮闕陛衞之尊，蹈兵戈戰伐之危，歷奔迸淩逼之辱，未嘗一悟，及讀于公異露布「鍾簴不移，廟貌如故」，則泫然泣下。李德裕相武宗，平澤潞功第一，至謂無官可酬，一時錫賚之渥，除拜之寵，貴震天下，然德裕不以自矜，讀封敖之詞，言皆予同，謀不他惑，則喜形於色，親解玉帶遺之。韓退之《平淮西碑》推原破賊之本旨，識憲祖任人之意，專美裴度，他將負戰伐，譁然不服，雖扑其石，然度之功竟由碑以顯。夫奉天之詔，不烈於李晟諸將之兵；建中之幽辱，不減於異露布之悲楚。澤潞之功無封，生之詞固自若，淮西之碑不出，退之亦必傳于世，然數君子皆汲汲於是，若眞不可少者。豈其發明事情，披剝物理，足以動悟觀聽，震輝古今，其用果於是急乎。然則名之伎亦云過矣。雖然致斯言也，亦有由矣。淺夫猥子無所持，畋漁書傳，竊其糟粕，如閨窻弱女，粘綴繪翠，聯績繡組，璀爛目睫，而誑欺童兒，因偃然自以爲文，忘其據坎之陋，肆行無忌以之矜己，以之敖物，甚至誣天而瀆神，干紀而亂法。而人始不堪之，酒深排痛擊曰：「文皆如是，嗚呼！疾其人併及其文，人則罪矣，而文何罪？又況其文非吾之所謂文哉！使是文也而出於君子，文其可廢乎？恭惟某人以高文擢上第，如董如晁，繼而代王言，司帝制，渾渾噩噩，有三代之風，而如常如楊者，殆未足數，雖其自得於聖賢閫域之妙，天人精祲之微，以之位兩儀、育萬物者，固不在是。

林光朝《艾軒集》卷四《策問一十八首》 陳詩以觀民風，納賈以知好惡，此先王厚風俗之意也。文體之變，其風俗之所係邪。是故讀虞夏之書，則有渾渾之氣，商書灝灝，周書噩噩，內外相形，虛實相應，不可以僞爲也。戰國尚縱橫，其文也巧而善辨；西漢尚經術，其文也質而有理；晉尚淸談，唐尚辭章，而文亦隨之。學者之所知也。三代以還，淳澆樸散，其間有可人意者，數代而止耳。齊、梁、魏、隋、五代之間，事以俗變，氣卑弱而不伸，文浮張而少實，君子無取焉。信哉，文章之繫於風俗也。【略】聖賢之文，雖體制不同，大體與《六經》相爲表裏。刻玉剪綵，駢花儷葉，爲耳目觀聽之具，此圍碁擊劍之技爾，何以文爲？騷人之辭幽愁憤悶，非若《六經》之簡且易也。識者謂其與日月爭光何耶？仲尼既歿，後世之所取信者《六經》也，同之而未必是，異之而未必非，同異之間，其必有說也。若曰聖賢之學，不在於無用之空言，則千百載之下無《六經》，無諸子，無百家傳記，而能得古聖賢之用心者，又不知其何事也。

又《覆論議》議曰：文以氣爲主，氣之不充，文奚取焉。自古以文名者多矣，至若實夷險，等得喪，勁節孤標，能自拔於風塵之表，如古柏寒松，凌霜雪而不改柯易葉者，能幾人哉！如柳宗元、劉禹錫輩，其屬辭比事，巧麗淵博，足以手揖古賢，氣喬時輩，文則文哉。而蹈道不謹，昵近小人，自貽大節，羞此無他，氣餒云耳。惟昌黎韓公以日光玉潔之文，澤於道德仁義，佛骨一表，忠犯人主之怒，雖投之荒裔而不顧。東坡蘇公文字言語，歷刼贊揚，有不能盡，實爲我朝宗工巨擘，用之則金馬玉堂，不用則珠崖儋耳，一是一非，曾不足以挽其挺挺之守，此其剛大所充浩然天地間，豈區區掉鞅於文章之囿者與！

胡寅《零陵郡學策問》文之爲用大矣。堯、舜、禹、文王之聖，咸以文稱，曰文思，曰文命。説者曰：「經天緯地之謂文，其用之大乃如此。」仲尼曰：「文王既沒，文不在兹乎。」蓋以斯文爲己任矣。自孟子而後，左氏、荀卿、太史公、司馬相如、揚雄、劉向、班固之流，各擅文章之譽，後世莫得班焉。如唐韓愈、柳宗元，皆竭力希慕，僅成一家。夫此八九子者，其建立與古所謂文同耶？異耶？如其同，則經天緯地之效安在？如不謂之文，則末世執筆綴言之士，皆師法於八九子者，自謂文之至矣，而未嘗知堯、舜、禹、湯、文王、仲尼之大業。有潛心於堯、舜、禹、湯、文王、仲尼之大業，則笑之曰：「是古學耳。」安得爲文夸多鬬靡，至于支青配白，駢四儷六，極筆烟霞，流連光景，舉世好之，有司亦以是取士。爲日久矣，其得失是非，願從二三子聞之，且觀所志。

孫奕《文説·作文法》艮齋先生謝公昌國自起部丐祠歸渝，上嘗往謁焉，春容浹日，無所不論，因求作文之法。先生曰：「余少時讀昌黎文，得四字取爲文法，平生用不盡。」乃跽而請曰：「四字謂何？」答曰：「奇而法，正而葩。《易》、《詩》之體盡在是矣。文體亦不過是然。文貴乎奇，過於奇則艷，故濟之以法；文貴乎正，過於正則朴，故濟之以葩。奇而有法度，正而有葩華，兩兩相濟，不至偏勝，則古作者不難到，況今文乎。」

又嘗得尚書張公茂獻文箴曰：作文有三病：意到而辭不達，如訟者抱直理口訥莫伸，一病；辭達而調不工，如委巷相爾汝俚鄙厭聞，二病；調工而體不健，如堂堂衣冠美丈夫而無精神，三病。又曰：非積氣之清，以爲日月星辰，則日月星辰不足以爲天下之文；非馭氣之正，以爲充實之文，則文雖文，不足以議自然之文。是説也，雖詩人之優遠，騷客之靚深，史家之詳贍，一舉而兼之，又豈特舉子之文而已哉！

周必大《東牟集序》文章以學爲車，以氣爲馭。車不攻積，中固敗矣；氣不盛，吾何以行之哉。

又《王元勃洋右史集序》文章以學爲車，以氣爲馭，車不攻積，中固敗矣，氣不盛，吾何以行之哉！東牟王公之文，吾能言之。以《六經》爲美材，以子史爲英華，旁取騷人墨客之辭潤澤之，猶以爲未也；挾之以剛大之氣，行之乎忠信之塗，仕可屈，身不可屈，食可餒，道不可餒，如是者積有年，浩浩乎胸中，滔滔乎筆端矣。賦大禮，則麗而法；傳死節，則贍而勁；銘記則高古粹美；奏議則切直忠厚。

又《曾南夫提舉文集序》夫文亦多術矣。以要言之，學不富則辭不典，氣不充則辭不壯，才不高則辭不贍，三者一有長焉，足以名家，況兼之乎！

又《皇朝文鑑序》臣聞文之盛衰主乎氣，辭之工拙存乎理。昔者帝王之世，人有所養，而教無異習，故其氣之盛也，如水載物，小大無不浮；其理之明也，如燭照物，幽隱無不通。國家一有殊功異德，卓絶之跡，則公卿大夫下至於士民，皆能正列其義，飫飾而彰大之。載於書，詠於詩，略可考已。後世家異政，人殊俗，剛大之不充，而委靡之習勝，道德之不明，而非僻之説入，作之弗振也，索之易窮也。譬之盪舟於陸，終日馳驅，無以致遠；摶土爲像，丹青其外，而中奚取焉。此豈獨學者之罪哉！上之教化，容有未至焉爾。時不否則不泰，道不晦則不顯。天啓藝祖，生知文武，取五代破碎之天下而混一之，崇雅黜浮，汲汲乎以垂世立教爲事，列聖相承，治出於一。援毫者知尊周、孔，游談者羞稱楊、墨，是以二百年間，英豪踵武，其大者固已羽翼《六經》，藻飾治具，而小者猶足以吟詠情性，自名一家。蓋建隆、雍熙之間其文偉，咸平、景德之際其文博，天聖、明道之辭古，熙寧、元祐之辭達。雖體制互興，源流間出，而氣全理正，其歸則同。嗟乎，此非唐之文也，非漢之文也，實我宋之文也，不其盛哉！【略】大率事辭稱者爲先，事勝辭則次之；文質備者爲先，質勝文則次之。

周麟之《論變文格》臣聞文章經國之大業，體尚不一，從古而然。故論世者，以是識風俗之盛衰；觀人者，以此別材智之遠近。猶所謂見禮聞樂，而知德政不可不察也。西漢二百年，名儒鴻生，蜂起間作，雍容揄揚，著錄

于後，則炳然與三代同風。唐有天下，文亦三變，至於美才輩出，嚅嚌道奧，反刓劉僞，薰醲涵浸，然後天下化之，粹然一出于正，何其盛哉！我國家恢儒右文，列聖一揆，取士之制，不過曰經義、詩賦，然或偏廢而獨舉，或兩存而並行，或兼用而通試，三者所向雖異，及夫得人，則奏賦擅場者無不精其能，談經析理者靡不臻于奧，累朝名臣，悉由此出，致治之美，固已遠邁前世。

洪邁《容齋隨筆》卷一《張呂二公文論》 張文潛誨人作文，以理爲主，嘗著論云：「自《六經》以下，至於諸子百氏、騷人辯士論述，大抵皆將以爲寓理之具也。故學文之端，急於明理，如知文而不務理，求文之工，世未嘗有是也。夫決水於江、河、淮、海也，順道而行，滔滔汩汩，日夜不止，衝砥柱，絶呂梁，放於江湖，而納之海，其舒爲淪漣，鼓爲濤波，激之爲風飆，怒之爲雷霆，蛟龍魚鼈，噴薄出沒，是水之奇變也。水之初，豈若是哉！順道而決之，因其所遇而變生焉。溝瀆東決而西竭，下滿而上虛，日夜激之，欲見其奇，彼其所至者，蛙蛭之玩耳！江、河、淮、海之水，理達之文也，不求奇而奇至矣。激溝瀆而求水之奇，此無見於理，而欲以言語句讀爲奇，反覆咀嚼，卒亦無有，此最文之陋也。」一時學者仰以爲至言。予作史，采其語，著於本傳中。又呂南公云：「士必不得已於言，則文不可以不工。蓋意有餘而文不足，則如吃人之辯訟，心未始不虛，理未始不直，然而或屈者，無助於辭而已矣。觀書契以來，特立之士未有不善於文者。士無志於立言則已，必有志焉，則文何可以卑淺而爲之。故毅然盡心，思欲與古人並。」此南公與人書如此，予亦載之傳中。

楊萬里《李去非愚言序》 人異異習，世異異承，文之遠者傳必僞，不必先秦之書也。李、杜之詩，韓、柳之文，亦近爾猶病乎僞也。然予嘗以爲是無足病，足病者蓋有之矣，僞不在人者，是眞足病也。吾嘗學爲文矣，吾書吾口，不曰異世，吾目吾心，不曰異人，然心傳之口，口傳之書，其於眞也邈矣，而病人之僞乎哉！雖然文技也，至於道，天授之聖，聖授之後世，其授無象，其傳無器，又非若文而已也。

《朱子語類》卷一三九《論文上》 古人文章，大率只是平說而意自長。後人文章務意多而酸澀。如《離騷》初無奇字，只恁說將去，自是好。後來如魯直恁地著力做，却自是不好。

又 鄭文振問：西漢文章與韓退之諸公文章如何？某說：而今難說。便與公說某人優，某人劣，公亦未必信得及。須是自看得這一人文字某處好，某處有病，識得破了，却看那一人文字，便見優劣如何。若看這一人文字未破，如何定得優劣。便說與公優劣，公亦如何便見其優劣處？但子細自看，自識得破。而今人所以識古人文字不破，只是不曾子細看。又兼是先將自家意思横在胸次，所以見從那偏處去，說出來也都是横說。又曰：人做文章，若是子細看得一般文字熟，少間做出文字，意思語脈自是相似。讀得韓文熟，便做出韓文底文字；讀得蘇文熟，便做出蘇文底文字。若不曾子細看，少間却不得用。向來初見擬古詩，將謂只是學古人之詩。元來却是如古人說「灼灼園中花」，自家也做一句如此；「遲遲澗畔松」，自家也做一句如此；「磊磊澗中石」，自家也做一句如此；「人生天地間」，自家也做一句如此。意思語脈，皆要似他底，只換却字。某後來依如此做得二三十首詩，便覺得長進。蓋意思句語血脈勢向，皆效它底。大率古人文章皆是行正路，後來杜撰底皆是行狹隘邪路去了。而今只是依正底路脈做將去，少間文章自會高人。又云：蘇子由有一段論人做文章自有合用底字，只是下不著。又如鄭齊叔云，做文字自有穩底字，只是人思量不著。横渠云：發明道理，惟命字難。要之，做文字下字實是難，不知聖人說出來底，也只是這幾字。如何鋪排得恁地安穩！然而人之文章，也只是三十歲以前氣格都定，但有精與未精耳。然而掉了底便荒疏，只管用功底又較精。向見韓無咎說，它晚年做底文字，與他二十歲以前做底文字不甚相遠，此是它自驗得如此。人到五十歲，不是理會文章時節，前面事多，日子少了。若後生時，每日便偷一兩時閑做這般工夫。若晚年，如何有工夫及此！或曰：人之晚年，知識却會長進。曰：也是後生時都定，便長進也不會多。然而能用心於學問底，便會長進。若不學問，只縱其客氣底，亦如何會長進？日見昏了。有人後生氣盛時，說盡萬千道理，晚年只恁地闒颯底。或引程先生曰：人不學，便老而衰。曰：只這一句說盡了。又云：某人晚年日夜去讀書。某人戲之曰：吾丈老年讀書，也須還讀得入。不知得入如何得出？謂其不能發揮出來爲做文章之用也。其說雖粗，似有理。

又 諸公文章馳騁好異。止緣好異，所以見異端新奇之說從而好之。這也只是見不分曉，所以如此。看仁宗時制詔之文極朴，固是不好看，只是它

意思氣象自恁地深厚久長；固是拙，只是他所見皆實。看他下字都不甚恰好，有合當下底字，却不下，也不是他識了不下，只是他當初自思量不到。然氣象儘好，非如後來之文一味纖巧不實。且如進卷，方是二蘇做出恁地壯偉發越，已前不曾如此。看張方平進策，更不作文，只如說鹽鐵一事，他便從鹽鐵原頭直說到如今，中間却載著甚麽年，甚麽月，後面更不說措置。如今只是將虛文漫演，前面說了，後面又將這一段翻轉，這只是不曾見得。所以不曾見得，只是不曾虛心看聖賢之書。固有不曾虛心看聖賢書底人，到得要去看聖賢書底，又先把他自一副當排在這裏，不曾見得聖人意。待做出，又只是自底。某如今看來，惟是聰明底人難讀書，難理會道理。蓋緣他先自有許多一副當，聖賢意思自是難入。因說：陳叔向是白撰一箇道理。某嘗說，教他據自底所見恁地說，也無害，只是又把那說來壓在這裏文字上。他也自見得自底虛了行不得，故如此。然如何將兩箇要捏做一箇得？一箇自方，一箇自圓，如何總合得？這箇不是他要如此，止緣他合下見得如此。如楊、墨，楊氏終不成自要爲我，墨氏終不成自要兼愛，只緣他合下見得錯了。若不是見得如此，定不解常如此做。楊氏壁立萬仞，毫髮不容，較之墨氏又難。若不是他見得如此，如何心肯意肯？陳叔向所見咤異，它說「目視己色，耳聽己聲，口言己事，足循己行」。有目固當視天下之色，有耳固當聽天下之聲，有口固能言天下之事，有足固當循天下之行，他却如此說！看他意思是如此，只要默然靜坐，是不看眼前物事，不聽別人說話，不說別人是非，不管別人事。又如說「言忠信，行篤敬」一章，便說道緊要只在「立則見其參於前，在輿則見其倚於衡」。問道：見是見箇甚麽物事？他便說：見是見自家身己。某與說，「立」是自家身己立在這裏了，「參於前」又是自家身己，「在輿」是自家身己坐在這裏了，「倚於衡」又是自家身己，却是有兩箇身己！又說格物做心，云：格住這心，方會知得到。未嘗見人把物做心，與他恁地說，他只是自底是。以此知，人最是知見爲急。聖人尙說：學之不講，是吾憂也。若只恁地死守得這箇心便了，聖人又須要人講學何故？若只守這心，據自家所見做將去，少間錯處都不知。

又　前輩文字有氣骨，故其文壯浪。歐公、東坡亦皆於經術本領上用功。今人只是於枝葉上粉澤爾，如舞訝鼓然，其間男子、婦人、僧、道、雜色，無所不有，但都是假底。舊見徐端立言，石林嘗云：「今世安得文章！只有箇減字換字法爾。如言『湖州』，必須去『州』字，只稱『湖』，此減字法也；不然，則稱『霅上』，此換字法也。」

又　問：「要看文以資筆勢言語，須要助發義理。」曰：「可看《孟子》、韓文。韓不用科段，直便說起去至終篇，自然純粹成體，無破綻。如歐、曾却各有一箇科段。却曾學曾，爲其節次定了。今覺得要說一意，須待節次了了，方說得到。及這一路定了，左右更去不得。」又云：「方之文有澀處。」因言：「陳阜卿教人看柳文了，卻看韓文。不知看了柳文，便自壞了，如何更看韓文！」

又　因論文曰：「作文字須是靠實，說得有條理乃好，不可架空細巧。大率要七分實，只二三分文。如歐公文字好者，只是靠實而有條理。如《張承業》及《宦者》等傳自然好。東坡如《靈壁張氏園亭記》最好，亦是靠實。秦少游《龍井記》之類，全是架空說去，殊不起發人意思。」

又　文章要理會本領。前輩作者多讀書，亦隨所見理會，今皆倣賢良進卷胡作。

又　凡人做文字，不可太長，照管不到，寧可說不盡。歐、蘇文皆說不曾盡。東坡雖是宏闊瀾翻，成大片滾將去，他裏面自有法。今人不見得他裏面藏得法，但只管學他一滾做將去。

又《答許順之》　古今人情不相遠，文字言語只是如此，但有所自得之人，看得這意味不同耳。其說非能頓異於衆，也不可只管立說求奇，恐失正理，却與流俗詭異之學無以異也。只據他文理反覆玩味，久之自明。

又《答胡季隨》　大率講論文字，須且屏去私心，然後可以詳考文義，以求其理之所在。若不如此，而只欲以言語取勝，則雖累千萬言，終身競辨，亦無由有歸著矣。

又《跋余巖起集》　熹少時猶頗及見前輩而聞其餘論，睹其立心處己，則以剛介質直爲賢；當官立事，則以強毅果斷爲得；至其爲文，則又務爲明白磊落，指切事情，而無含胡臠卷、睢盱側媚之態，使讀之者不過一再，卽曉然知其爲論某事，出某策，而彼此無疑也。近年以來，風俗一變，上自朝廷搢紳，下及閭巷韋布，相與傳習，一種議論，制行立言，專以醞藉襲藏圓熟軟美爲尙，使與之居者，窮年而莫測其中之所懷，聽其言者，終日而不知其意之所鄉。回視四五十年之前，風聲氣俗，蓋不啻寒暑晝夜之相反。

呂祖謙《東萊外集》卷六《策問》文之時用大矣哉。「觀乎天文，以察乎時變；觀乎人文，以化成天下。」所謂文者，殆非繪章彫句者之爲也。子以四教：文、行、忠、信，冠文於四教之首，而行則次焉。至於行有餘力，則以學文，則行先文後，參兩說而並峙，抑將何所取正耶？後世以文士名者，一觴一詠，互相標榜，傲誕縱弛，至自以不護細行自居。嗚呼，文與行果兩物，而文之所以爲文，既於是歟？《記》曰：「文王之所以爲文也，純亦不已。」學者盍深繹之。

又《古文關鍵・總論》看文字法：學文須熟看韓、柳、歐、蘇，先見文字體式，然後遍考古人用意下句處。蘇文當用其意，若用其文，恐易厭。蓋近世多讀：第一看大概主張，第二看文勢規模，第三看綱目關鍵。如何是主意首尾相應，如何是一篇鋪叙次第，如何是抑揚開合處。第四看警策句法。如何是一篇警策，如何是下句下字有力處，如何是起頭換頭佳處，如何是繳結有力處，如何是融化屈折剪截有力，如何是實體貼題目處。看韓文法：簡古，一本於經。學韓文簡古，不可不學他法度，徒簡古而乏法度，則朴而不華。看柳文法：關鍵，出於《國語》。當學他好處，當戒他雄辨，議論文字亦反覆。看歐文法：平淡，祖述韓子，議論文字最反覆。學歐平淡，不可不學他淵源，徒平淡而無淵源，則枯而不振。看蘇文法：波瀾，出於《戰國策》、《史記》。亦得關鍵法，當戒他不純處。看諸家文法：曾文專學歐，比歐文露筋骨。子由文太拘執。王文純潔，學王不成遂無氣焰。李文太煩，亦粗。秦文知常而不知變。張文知變而不知常。晁文粗率。自秦而下三人皆學蘇者。

又 論作文法：文字一篇之中，須有數行齊整處，須有數行不齊整處。或緩，或急，或顯，或晦。緩急顯晦相間，使人不知其爲緩急顯晦，常使經緯相通，有一脈過接乎其間也。蓋有形者綱目，無形者血脈也。筆健而不粗，意深而不晦，句新而不怪，語新而不狂，常中有變，正中有奇。題常則意新，意常則語新，結前生後，曲折斡旋，轉換有力，反覆操縱，有用文字，議論文字。爲文之妙，在叙事狀情，辭源浩渺，不失之冗，意思新轉處，多則不緩。上下、離合、聚散、前後、遲速、左右、遠近、彼我、一二、次第、本末、明白、整齊、緊切、的當、流轉、豐潤、精妙、端潔、清新、簡肅、清快、雅健、立意、簡短、閎大、雄壯、清勁、華麗、縝密、典嚴。

又 論文字病：深、晦、怪、冗、弱、澀、虚、直、疎、碎、緩、暗、塵俗、熟爛、輕易、排事、說不透、意未盡、泛而不切。

陳造《江湖長翁集》卷二九《文以變爲法》作文之法備于《六經》，學者矻矻他求，何哉？經於句法字律，《春秋》嚴矣，一字之變，褒貶各有在。如《詩》之每章互變，而後體備而法嚴，法嚴而後意足。

又《文法》古人妙於文，惟妙故健。文有順而健，有逆置而彌健，遷、固多得此法，必我也爲漢，患者必湯也。令天下重足而立，側目而視，必我也，必湯也，置之于上，其語彌健而法，作文至此妙矣。

楊簡《慈湖遺書》卷一五《家記九》孔子謂巧言鮮仁，又謂辭達而已矣，而後世文士之爲辭也異哉。琢切雕鏤，無所不用其巧，曰「語不驚人死不休」，又曰「惟陳言之務去」。夫言惟其當而已矣，謬用其心，陷溺至此，欲其近道，豈不大難。雖曰無斧鑿痕，如大羹元酒，乃巧之極功，心外起意，益深益苦，去道愈遠。是安知孔子曰天下何思何慮？是安知文王不識不知順帝之則？如堯之文章，孔子之文章，由道心而達，始可以言文章。若文士之言，止可謂之巧言，非文章。

又 文士有云：「惟陳言之務去。」又有云：「文意切忌隨人後。」近世士大夫，無不宗主其說，不知幾年於兹矣。書曰：「辭尚體要，不惟好異。」商俗靡靡，利口惟賢，餘風未殄。近世王風，好意滋甚。以某言，平常易以他語，及世效之者浸多，則又易之所務新奇無有窮也，不思乃利口惟賢之俗士大夫胡爲不省？不告諸上而痛革之，乃相與推波助瀾。

陳亮《龍川集》卷一一《變文法策》古人重變法而變文，尤非變法所當先也。天下之士，豈不欲自爲文哉。舉天下之文，而皆指其不然，則人各有心，未必以吾言爲然也。然不然之言，交發並至，而論者始紛紛矣。紛紛之論既興，則一人之力決不能以勝衆多之口，此古人所以重變法，而尤重於變文也。然則文之弊終不可變乎？均是變也，審所先後而已矣。夫文弊之極，自古豈有踰於五代之際哉。卑陋萎弱，其可厭極矣。藝祖一興，而恢廓磊落，不事文墨，以振起天下之士氣，而科舉之文，一切聽其所自爲，有司以一時尺度律而取之，未嘗變其格也。其後柳仲塗以當世大儒，從事古學，卒不能麾天下以從己。及楊大年、劉子儀因其格而加以瑰奇精巧，則天下靡然從之，謂之崑體。穆修、張景專以古文相高，而不爲駢麗之語，則亦不過與蘇子美兄弟唱和於寂寞之濱而已。故天聖間，朝廷蓋知厭之，而天下之士亦終未能從

也。其後歐陽公與尹師魯之徒，古學既盛，祖宗之涵養天下，至是蓋七八十年矣。故慶曆間，天子慨然下詔書，風厲學者以近古，天下之士亦翕然丕變，以稱上意，於是胡翼之、孫復、石介以經術來居太學，而李泰伯、梅堯臣輩又以文墨議論游泳於其中，而士始得師矣。當是時學校未有課試之法也，士之來者至接屋以居而不倦，太學之盛蓋極於此矣。乘士氣方奮之際，雖取三代兩漢之文，立爲科舉取士之格，奚患其不從，此則變文之時也。藝祖固已逆知其如此矣。然當時諸公變其體而不變其格，出入乎文史而不本之以經術。學校課士之法，又往往失之太略，此王文公所以得乘間而行其說於熙寧也。經術造士之意非不美，而新學字説何爲者哉？學校課試之法非不善，而月書季考何爲者哉？當是時士之通於經術者，神宗作成之功，而非盡出於法也。及司馬溫公起相元祐，盡復祖宗之故，而不能參以熙寧經術造士之意，取其學校課試之大略，徒取快於一時而已。則夫士之工於詞章者，皆祖宗涵養之餘，而非必盡出於法也。紹聖、元符以後，號爲紹述熙、豐，亦非復其舊矣。士皆膚淺於經，而爛熟於文，其間可勝道哉！中興以來，參以詩賦經術，以涵養天下之士氣，又立太學，以聳動四方之觀聽，故士之有文章者，德行者，深於經理者，明於古今者，莫不各得以自奮，蓋亦可謂盛矣。然心志既舒，則易以縱弛；議論無擇，則易以浮淺。凡其弊有如此問所云者，固其勢之所必至也。議者思所以變之，其意非不美矣，而其事則藝祖之所難，而嘉祐之所未及也。夫三年課試之文，四方場屋之所係，此豈可以一朝而變乎？然學校之士於經，則敢爲異説而不疑；於文，則肆爲浮論而不顧。其源漸不可長，此則長貳之責，而主文衡者，當示以好惡而不在法也。昔慶曆有胡翼之學法，熙寧有王文公學法，元祐有程正叔學法，今當請諸朝廷參取而用之，不專於月書季考，以作成大學之士，以爲四方之表儀，則祖宗之舊可以漸復，豈必遽變其文格以驚動之哉！古人重變法，而尤重於變文，則必有深意矣。

吳子良《荆溪林下偶談》卷二　文有正氣素質：文雖奇，不可損正氣；文雖工，不可掩素質。爲文大槩有三：主之以理，張之以氣，束之以法。

又卷三　和平之言難工，感慨之詞易好，近世文人能兼之者，惟歐陽公。如《吉州學記》之類，和平而工者也；如《豐樂亭記》之類，感慨而好者也。然《豐樂亭記》意雖感慨，辭猶和平。至於《蘇子美集序》之類，則純乎感慨矣。乃若憤悶不平如王逢原，悲傷無聊如邢居實，則感慨而失之也。

又《篔窗續集序》　文有統緒，有氣脈。統緒植於正，而綿延枝派旁出者無與也；氣脈培之厚，而盛大華藻外飾者無與也。六籍尚矣，非直以文稱，而言文者輒先焉。不曰統緒之端，氣脈之元乎！

楊雲翼《閑閑老人滏水集序》　學以儒爲正，不純乎儒非學也，文以理爲主，不根於理非文也。自魏晋而下，爲學者不究孔孟之旨，而溺異端，不本於仁義之説，而尚夸辭，君子病諸？

楊溥《魯齋集序》　孔子曰：「禮云禮云，玉帛云乎哉。樂云樂云，鐘鼓云乎哉。」文之爲文，關乎道也。古之聖賢得時行道，若堯、舜、禹、湯、文、武之爲君，皐、夔、稷、契、伊、傅、周、召之爲臣，善政嘉謨，載之方册，夫是之謂文。或聖賢之徒，不見用於時，窮極天人之理，考古帝王經世之道，若孔子而下，顏、曾、思、孟删定著述，開示後世，夫是之謂文。是皆不倚於物，而能與天地日月同悠久者，係乎道也。下逮戰國，能言之士各以所見，立爲議論，或戾乎聖賢之道者，君子有所擇焉。漢唐以下，代有作者，揆之於道，醇乎醇者，殆亦鮮矣。宋濂、洛、關、閩諸君子出，然後性理之學，天開日朗，學者有所依據，文章議論一歸於正道之明也，辭則存乎人也。

王柏《答王栗山》　後世文章之所以不古者，止不本諸經而已。苟能於《大學》以求其用，於《論語》以求其教，於《孟子》以求其通，於《中庸》以求其原，如是則義理沛然，此文章之元氣也。此四書者，固非爲文章設也，乃經天緯地之具，治世文教之書，潛心涵泳，有自然之文故也。近世之文大壞於舉業，浮而誕，鑿而誣；其次壞於駢儷，弱而鄙，麗而諛；間有厭今而嗜古者，不過求於奇詭艱澀，以掩其淺陋空虚。固亦有出入史、漢，根蔕韓、柳者，終不免墮於博而寡要，勞而無功之中，此病沈痼，莫能藥也。

沈作喆《寓簡》卷八　爲文當存氣質，氣質渾圓，意到辭達，便是天下之至文。若華靡淫艷，氣質彫喪，雖工不足尚矣。此理全在心識通明。心識不明，雖博覽多好無益也。古人謂文滅質，博溺心者，豈特爲儒之病哉，亦爲文之弊也。

陳騤《文則》卷上　《易》之有象，以盡其意；《詩》之有比，以達其情。文之作也，可無喻乎？博采經傳，約而論之，取喻之法，大槩有十，略條於後：一曰直喻：或言猶，或言若，或言如，或言似，灼然可見。《孟子》曰：「猶緣木而求魚也。」《書》曰：「若朽索之馭六馬。」《論語》曰：「譬如北

辰。」《莊子》曰：「凄然似秋。」此類是也。二曰隱喻：其文雖晦，義則可尋。《禮記》曰：「諸侯不下漁色。」《國語》曰：「殁平公軍無秕政。」又曰：「雖蝎譖焉避之。」《左氏傳》曰：「是豢吳也夫。」《公羊傳》曰：「其諸爲其雙雙而俱至者與。」此類是也。三曰類喻：取其一類，以次喻之。《書》曰：「王省惟歲，師尹惟日，卿士惟月。」歲日月一類也。賈誼《新書》曰：「天子如堂，羣臣如陛，衆庶如地。」堂陛地一類也。此類是也。四曰詰喻：雖爲喻文，似成詰難。《論語》曰：「虎兕出於柙，龜玉毁於櫝中，是誰之過歟！」《左氏傳》曰：「人之有牆，以蔽惡也；牆之隙壞，誰之咎也。」此類是也。五曰對喻：先比後證，上下相符。《莊子》曰：「魚相忘乎江湖，人相忘乎道術。」《荀子》曰：「流丸止於甌臾，流言止於智者。」此類是也。六曰博喻：取以爲喻，不一而足。《書》曰：「若金，用汝作礪；若濟巨川，用汝作舟楫；若歲大旱，用汝作霖雨。」《荀子》曰：「猶以指測河也，猶以戈舂黍也，猶以錐飧壺也。」此類是也。七曰簡喻：其文雖略，而意甚明。《左氏傳》曰：「名德之輿也。」揚子曰：「仁宅也。」此類是也。八曰詳喻：須假多辭，然後義顯。《荀子》曰：「夫耀蟬者，務在其明乎火，振其木而已，火不明，雖振其木(樹)無益也；今人主有能明其德，則天下歸之，若蟬之歸明火也。」此類是也。九曰引喻：援取前言，以證其事。《左氏傳》曰：「諺所謂庇焉而縱尋斧焉者也。」《禮記》曰：「蛾子時術之，其此之謂乎。」此類是也。十曰虛喻：既不指物，亦不指事。《論語》曰：「其言似不足者。」《老子》曰：「飂兮似無所止。」此類是也。

又 文有交錯之體，若纏糾然，主在析理，理盡後已。

又 夫樂奏而不和，樂不可聞；文作而不協，文不可誦；文協尚矣。是以古人之文，發於自然，其協也亦自然；後世之文，出於有意，其協也亦有意。

又 事以簡爲上，言以簡爲當。言以載事，文以著言，則文貴其簡也。文簡而理周，斯得其簡也。讀之疑有闕焉，非簡也，疎也。

又卷下 文有數句用一類字，所以壯文勢，廣文義也。然皆有法。韓退之爲古文覇，於此法尤加意焉。如《賀册尊號表》用「之謂」字，蓋取《易·繫辭》，《畫記》用「者」字，蓋取《考工記》，《南山詩》用「或」字，蓋取《詩·北山》，悉注于後，孰謂退之自作古哉！

又 春秋之時，王道雖微，文風未殄，森羅辭翰，備括規摹。考諸左氏，摘其英華，别爲八體，各繫本文：一曰命婉而當，二曰誓謹而嚴，三曰盟約而信，四曰禱切而慤，五曰諫和而直，六曰讓辨而正，七曰書達而法，八曰對美而敏。作者觀之，庶知古人之大全也。

劉克莊《退菴居士集序》 自先朝設詞科，而文字日趨於工，譬錦宫之機錦，玉人之攻玉，極天下之組麗瑰美，國家大典册必屬筆於其人焉。然雜博傷正氣，絺繪損自然，其病乃在於太工。

又《王南卿文集序》 文惡蹈襲，其妙在於能變，惟淵源者能之。

李耆卿《文章精義》 學文切不可學怪句，先明白正大，務要十句百句祇如一句，貫串意脈。說得通處，儘管說去，說得反覆，竭處自然佳。所謂行乎其所當行，止乎其所不可不止，眞作文之大法也。古人文字，規模間架聲音節奏，皆可學，惟妙處不可學。譬如幻師塑土木偶，耳目口鼻，儼然似人，而其中無精神魂魄，不能活潑潑地，豈人也哉！此須是讀書時，一心兩目，痛下工夫，務要得他好處，則一旦臨文，惟我操縱，惟我捭闔，此謂一莖草化丈六金身。此自得之學，難以筆舌傳也。

陳傅良《止齋集》卷五二《文章策》 三代無文人，《六經》無文法。非無文人也，不以文論人也；非無文法也，不以文爲法也。是故文非古人所急也，古者道德同而風俗一，天下未嘗惟文之尚也。學校進士，無文教也；鄉黨選士，無文科也；朝廷爵士，無文品也。士之有文，皆涵養之素，而談笑之發，蹈履之熟，而議論之，及非有意也。是故雖其所出而非其所爲，雖其所有而非其所知，文之在天下郁郁矣。昔者嘗疑夫子於《詩》之三百篇，斷之一辭，則曰：「思無邪。」夫《易》也，《書》也，《春秋》、《禮》、《樂》也，皆其無邪思也，而聖人獨及夫《詩》，蓋思而得之，聖人謂是，以爲天下之文也。出於數人之手，非一人也；出於數十國之風，非一國也；出於數百載之間，非一世也。或出小夫賤隸，非止於學士大夫也；或出於暴政虐世，非止於寬時暇日也。而其辭其義，粹焉一軌，上之化深，下之化厚，固如是也。嗚呼，道盛則文俱盛，文盛則道始衰矣。射策之晁錯，不如木強之申屠；談經之公孫，不如戇愚之汲黯。自漢以來，甚矣文之日勝而士之俗日漓，人才之日乏，而國家之日不理也。華藻之厚，而忠信之薄也；詞辯之工，而事業之陋也；學問之該，而器識之淺也。吾不意夫文之爲天下患如此也。漢之文，揚雄其

尤，美新之作，庸人恥之；唐之文，韓愈其尤，諛墓之誚，在當時固不免。嗚呼，他何望哉！

王炎《見張南軒》 今世論道學，所傳學者，往往曰自孟子之後，漢有揚氏，唐有韓氏。然揚子以言語求道，韓子以文章求道。惟以言語求道，故爲《法言》曰：吾以擬《論語》也，爲《太玄》曰：吾以準《易》也。無西子之美而效其顰，亦增其醜而已矣。惟以文章求道，故爲之説曰：《易》奇而《詩》葩，盤誥聱牙，而《春秋》謹嚴，與莊、騷、太史一槩而論之，而《六經》之旨晦矣。且言語非不可以求道，而道則非言；文章非不可以求道，而道則非文。何者？不落其華，不探其實也。炎之所謂學者，不過舉子事業云爾，言語之辨也，文章之工也，而其技極矣，道則未之有見也。夫《易》始於伏羲，明於文王，《書》始於堯舜，《詩》始於商周，而《春秋》筆削於夫子，方其未有《易》《書》《詩》《春秋》也，而禹、皋陶、伊、周之徒，其學何從得之？數君子者，爲聖爲賢，靜而正心誠意，動而開物成務，天下之故不能眩其所見之明，成敗死生不能搖其所立之固也。則其學固有超乎言語文章之外，而得之心傳默授者。

王正德《餘師錄》卷三 李朴《書鍾陵集》云：「文章取足於辨理。詞有餘而意不足者，如人之附贅愈多而愈病，非有簡質者乏步驟，泛濫者夸侈麗也。蓄之厚則徑省而不浮，養之薄則亂雜而無統，不可以相能也。張元淳出其父仲通《鍾陵集》若干卷以示余，余見而異之曰：斯文也，其辨理之文歟！粹而溫，簡而嚴，徑直而優游，辨析而有體，不爲虚辭濫説以取世俗之嗜好，而終始曲折要必出入於仁義，以扶導於教化，因物寓意，發爲歌詩，可諷可勸，可興可感。至五言古風，尤澄澹峻拔，讀之如與幽人烈士正冠而道古，使人竦然生愛敬之意。表奏論議，切情近事，以道人之所難言，與夫治亂安危之隱而未見者，無不審訂規畫而反覆之，凛凛乎忠義之氣，溢於中而形於外者也。」《謁顧子敦侍郎書》云：「文章涉秦漢而病。夫《六經》之於道，譬猶一氣之運，產出萬化，孟軻、揚雄爲之五行四時之用。蓋《書》道治亂興廢之迹，故其辭顯；《春秋》賞善絶惡歸諸正，故其辭微；《易》以四象告吉凶，故其辭深而通；《禮》以齋莊恭敬之心達於籩豆玉帛，故其辭典而嚴；《詩》以君臣父子之情，詠於竹絃於絲，故其辭婉而順。下三代而道德之意不傳，在戰國則蘇秦、張儀以縱横病，韓非、申、商以刑名病，莊周、列禦寇又取仁義法度而掊提絶滅之，爲窈茫荒怪之説，漢司馬遷得其汪洋峻逸之氣以馳騁上下數千載，而顛倒横斜，識不逮理。歷晉、魏、齊、梁而光沉氣塞，埋藏腐蝕，頹波横流，淫靡一轍。唐興，三光五嶽之氣不分，文風復起，韓愈得其温淳深潤，以爲貫道之器；柳子厚得其豪健，雄肆飄逸。果決者僅足窺馬遷之藩鍵，而類發於躁誕。下至孫樵、杜牧，峻峯激流，景出象外，而裂窘邊幅。李翺、劉禹錫刮垢見奇，清勁可愛，而體乏雄渾。皇甫湜、白居易閑澹簡質，斲去雕篆，而拙迹每見，回宫轉角之音，隨時間作，類乏韶夏，皆淫哇而不可聽。某駑鈍，竊亦有志於古者。側聞閣下以德行文章取名於時，士之有志於道者爭出所長，來筮駑駿，聽於下風。竊自增氣，不識龍門之下，可以枉草褐而一叩乎。」

又卷四 李方叔云：「文章之不可無者有四：一曰體，二曰志，三曰氣，四曰韻。述之以事，本之以道，考其理之所在，辨其義之所宜，庳高巨細，包括并載，而無所遺；左右上下，各有其職，而不亂者，體也。體立於此，折衷其是非，去取其可否，不狥於流俗，不謬於聖人，抑揚損益，以稱其事，彌縫貫穿以足其言，行吾學行之力，從吾制作之用者，志也。充其體於立意之始，從其志於造語之際，生之於心，應之於口，心在和平，則溫厚典雅；心在恭敬，則矜莊威重；大焉可使如雷霆之奮鼓舞萬物，小焉可使如絡脈之行出入無間者，氣也。如金石之有聲，而玉之聲清越；如草木之有華，而蘭之臭芬薌；如鷄鶩之間，而有鶴清而不羣；犬羊之間，而有麟仁而不猛；如登培塿之邱，以觀崇山峻嶺之秀色；涉潢汙之澤，以觀寒溪澄潭之清流；如朱絃之有遺音，太羹之有遺味者，韻也。文章之無體，譬之無耳目口鼻不能成人。文章之無志，譬之雖有耳目口鼻而不知視聽臭味之所能，若土木偶人，形質皆具，而無所用之。文章之無氣，雖知視聽臭味而血氣不充於內，手足不衛於外，若奄奄病人，支離顛頓，生意消削。文章之無韻，譬之壯夫，其軀幹枵然，骨強氣盛，而神色昏瞢，言動凡濁，則庸俗鄙人而已。有體、有志、有氣、有韻，夫是謂成全。四者成全，然後於其間各因天姿才品，以見其情狀。故其言迂疎矯厲不切事情，此山林之文也。其人不必居藪澤。其間不必論巖谷也。其氣與韻則然也；其言鄙俚猥近，不離塵垢，此市井之文也。其人不必坐廛肆，其間不必論財利也。其氣與韻則然也；其言豐容安豫，不險不陋，此朝廷卿士之文也。其人不必列官寺，其間不必論

職業也。其氣與韻則然也。其言寬仁忠厚，有任重容天下之風，此廟堂公輔之文也。其人不必位台鼎，其間不必論相業也。其氣與韻則然也。正直之人，其文敬以則；邪諛之人，其言夸以浮；功名之人，其言激以毅；苟且之人，其言懦而愚；捭闔縱橫之人，其言辯以私，刻核忮忍之人，其言深以盡。則士欲以文章顯名後世者，不可不謹其所言之文，不可不謹乎所養之德也如此。」

員興宗《九華集・陳子昂韓退之策》國初深於道者，其惟柳子乎？開之自名曰：「吾將開天下之耳目也，明先王之道於時也。」一代之文，開於今也。故柳之文一傳而爲穆修，穆修傳於尹洙，尹洙傳於先正歐陽公，人知者以古文非柳倡之，實肇於歐陽，不知歐陽之本承於柳也。斯亦善原文哉！夫唐之文，亦猶是也。所謂歐陽，則韓愈似之；所謂柳氏，則子昂似之。文傳太原盧藏用，藏用傳蘇源明，源明則退之之所師友也。不知者以退之倡古文於唐，知者以爲無陳而無以爲之也。故其言非苟也，爲可傳也；其道非妄也，爲可繼也。故盧藏用曰：「道喪百五歲而起子昂，其此之謂與！」雖然，君子獨行則無徒也，獨唱則無和也，其後善繼，則退之之力也。故杜牧曰：「唐三百歲而有退之，其此之謂與！」蓋常辯之：學正則識正，識正則文無往而不正也。故子昂貽夷碣爲辨議之正，徐君之議爲箋表之正，神鳳之章爲辭章之正，其《感遇》則正於詩者也。蓋子昂之文，惟正則取，不正不學也。然則相承而至退之，亦其有力哉。故退之亦畏之，蓋嘗曰：唐興，陳子昂、蘇源明、元結、杜甫、李白，皆其善鳴者，此之謂也。雖兩君之才，縱橫顛倒，而卒亦可貶，何者？以其才可窮也。退之窮於識，子昂窮於權。窮於識，其弊也講之不精；窮於權，其弊也處之不智。講之不精，故知斥佛老，不知斥墨也；處之不智，故不死於國，而死於下吏也。

曹彦約《黄西坡文集序》切磋於經籍章句之精微，而泛濫於莊、騷、太史、子雲、相如之藴奥，發而爲文，各究其體，見於行事，各得其當，由博而入於約，有萬而歸於一。然後取證於儒宗，眞積於日用，故其講明也易，而持守也固，非泛然傳口耳。

程珌《洺水集》卷五《策問・歷代文章》夫文以氣爲主，以意爲輔，以詞爲衛，彼所謂籠天地於形內，挫萬物於筆端。

又卷八《吳基仲詩集序》洙泗論學文之序，在於入孝出悌，愛衆親仁之後，然則非本不立，非文則無以行之耳。

又卷九《書皇朝文鑑後》文以鑑爲言，非苟云爾也。上焉者取其可以明道，次則取其可以致治，又次則取其可以解經評史，又次則取其辭高義密，而可以追古作者，以模楷後學。

又卷一四《尺牘・趙廷評》文章，道之末也，而世之好者，亦鮮甚矣，君子之有意於斯也。然後世之敝，大抵在於舍實而采華，舍易而取險，舍樸而從醲。無以養其源，而欲浚其流；不能深其膏，而欲曄其光。故枝葉益繁，氣象日落，求其爲先漢不可得矣，而況戰國以上乎！

又《高校書》惟天生卓異之才，賦之以清淑之氣，必使之倡一代之文，以鳴國家之盛，必不使之抱膝幽吟於寂蔑之濱而遂已也。世之續《離騷》，詩窮愁，聯編累簡，流傳於古今宇宙間，亦何可勝算，然是皆賦予之薄，氣候之偏。至若全氣所鍾，號爲英賢，夫豈徒生之而已哉。

魏了翁《彭忠肅公止堂文集序》某聞之程子曰：「聖賢之言不得已也。有是言則是理明，無是言則天下之理有闕焉。」又曰：「後之人始執卷則以文爲先。平生所爲，多於聖人，然有之無補，無之無闕。」竊嘗以是讀聖賢之書，如《易》、《書》、《詩》、《春秋》篇具一體，不相襲沿，至於曾子、子思、孟子，亦皆孔氏不言之意，非爲是以求聞於世也。不則，無以宅天衷，奠民極，障人欲，祛世迷。凡不得已而有言也。自靈均而後，始有文辭之士，或競相承擬，或刊落陳言，千七百年何啻數千百家，然而所謂無是言則理有闕者，自漢毛、董而後，至近世諸儒宗，蓋可屈指，而所謂有之無補，無之無闕者，則不知其幾千百家矣。

又《唐文爲一王法論》天下惟一王之法，最足以一天下之趨向，彼其慶賞刑威之用於天下，而天下莫與之抗者，以其法之所存故也。君子任斯道於一身，以正天下之不正，裁節矯揉，而不使之差跌於吾規矩準繩之所不能制，則一王之法，豈獨有天下者司之，而斯文獨無之哉。聖人不作，學者無歸往之地，重之以八代之衰，而道喪文敝，後生曲學之於文，僅如偏方小伯，各主一隅，而不睹王者之大全。或主於王、楊，或主於燕、許，非無其主也，然特宗於伯爾。有韓子者作，大開其門，以受天下之歸，反刓剗僞，堂堂然特立一王之法，則雖天下之小不正者，不於王將誰歸？史臣以唐文爲一王法，而歸之韓愈之倡，是法也，惟韓愈足以當之。天下莫不有所主，江海能

爲百谷主也，而後百川歸之；太山能爲羣嶽主也，而後羣目仰之。天下之分，自敵己以上，毫髮不可妄踰，而况於道之所統，其去取予奪，可無王法以裁正之乎！孔、孟一賓人爾，魯史記一書，孔子何爲傲然立一王之法，以刑賞天下之諸侯，而當時謂之素王。七篇之書，孟子胡爲司距放之權，而天下亦謂爲亞聖。孔子豈不知華衮鈇鉞，施之列國則爲僭，而禹周公執天下之勢，孟子亦豈不知與己大相遼絶乎。書以載道，文以經世，以言語代賞罰，筆舌代鞭撲，其所立之法，雖儼然南面之尊，有不能與之爭衡者，然後知一王之法。吾孟孔立之以垂世久矣，非用空言而徒爲記載也。不幸聖人沒而王法絶，火於秦，黄、老於漢，佛於晉、宋、齊、梁之間，間有文人才士以主持斯文，攘臂鼓吻以自立其説，然目《離騷》爲奴婢，指屈、宋爲衙官，罵宋玉爲罪人，呼阮藉爲俗吏，其標立氣勢，則有之矣，而王法則吾不知也。有唐之興，絺章繪句，尚存江左之失。未宗燕、許，如翠微宫之頌，啟母碣之銘，洛寳書之頌，周受命之頌，皆迎合揣摩之文也；未得王、楊，則韓休之薄滋味，張九齡之窘邊幅，王勃之多玷缺，許景先之乏風骨，皆未能粹然一出於正也。是何也？主王、楊之伯，主燕、許之宗，則蕞爾之國不足以一天下之異也。有昌黎韓愈者出，刊落陳言，執《六經》之文以繩削天下之不吾合者，《原道》一書汪洋大肆，《佛骨》一表生意凛凛，正聲勁氣，巍然三代，令王之法且遜之。其始也，王、楊爲之伯，天下安其伯而不敢辭，以爲文章之法出於王、楊也。及其久也，燕、許爲之宗，則天下宗其文而不敢異，以爲文章之法出於燕、許也。最後愈之爲文，法度勁正，迫近盤誥，宛然有王者之法，下視燕、許諸人，直猶殘陋之曹、檜，皆大國之一方爾。則凡天下之爲文者，誰敢不北面厥角以聽王法之予奪哉！雖然天下之習沉涵浸漬之久，則其弊非一朝之可革。變齊僅可以至魯，變魯僅可以至道，以聖人之才量，豈不能直變一齊，而且革之以漸焉。况唐之文敝漸靡，晉、宋之餘習，自貞觀後黜，王師旦、張昌齡、裴盧、駱賓王等輩，雖太宗、高宗主之，而斯文之弊且不能盡革，使文章之變，非燕、許諸人爲之先，則一韓愈，豈能以一髮挽千鈞哉。雖然，立一王之法以裁天下之異習，此上之人爲之，愈何與焉。大曆、貞元徒事姑息，而元和、長慶戾吾道尤甚焉，立唐文章之王法不出於時君，而出於愈，愈亦甚不得已也。雖然，史臣之説，雖論愈也，亦規唐也。

吴泳《答唐伯玉書》　性情義理之學，人皆謂二程子發之，而不知自胡安定、石守道、孫明復以來，已有其漸。古文之學，人皆謂歐陽子倡之，而不知柳仲塗、穆伯長諸人，已近於古。文以理爲主，體次之，學而無統則悖，言而無法則支。而古今文人學士見諸紀載者，不知其幾，而文公獨取古靈先生《天台孔子廟記》、曾南豐《宜黄》及《筠州》二學記，蓋華藻之辨易工，而義理之文難好也。至若文正公《子陵祠堂記》，胡文定父子極所稱道，而文公獨疑先生之心出乎日月之上，光武之量，包乎天地之外，未免傷粗而不密。欒城晚年作《待月軒記》，自以爲見理最高，而文公獨謂其軒是人身，月是人性，未免假外而合内。東坡文字任氣，有疵病處最多，《安南學記》説古人於射時，因觀者羣聚，遂行選士之法，却似因人之聚場，命之以作角觝戲，無甚義理。蘇、范尚爾，豈可以易心臨文哉。矧如朱先生祠堂文，許大題目，使某輩當此筆也，須是浸灌義理，根極體要，將文公所説古靈先生、曾南豐體段，置之胸中，又須觀文正公、東坡、欒城疵病生在甚處，養其膏而俟其光，耘其莠而望其實，雖然如此，猶不敢輕下筆。本之以黄離，尚之以白賁，體之以含章之坤，順之以養正之蒙，博之以畜德之大畜，韜之以用晦之明夷，原頭上浹洽，則流之所出，自霶霈莫能禦矣。此皆先民教人之標準，某輩常遵守而勿失。

許應龍《玉堂集序》　文章，經國之大業，政化之黼黻，其所繫蓋甚重也。然辭尚體要，不惟好異。奏議宜雅，書論宜理，詩綺靡而頌炳蔚，銘温潤而箴頓挫，其體固自不侔。乃若制誥，則又所以導達德意，使萬民和悦而感戴。言必洪雅，辭必温麗，坦然明白，不匿厥旨，然後足以鼓動天下。苟辭尚艱深，意或隱晦，則何以使癃老之夫扶杖而願觀，武夫悍卒感泣而思奮哉！翰苑之職，昔人謂非文章不可爲，然居其選者最難，其人必純厚明切如元稹，體要典麗如裴度，辭旨豐美、得中和之氣如景先，庶可追典誥之風，而當絲綸之任。

李曾伯《陳可齋文集序》　文有足以名世者，有姑以應世者。名世則實爲世教之輕重，應世則直爲世用之醻酢，同謂之文，而如是不同焉。

杜仁傑《遺山先生文集後序》　自有書契以來，以文字名世得其全者幾人耳。《六經》諸子，在所勿論，姑以兩漢而下至六朝及隋、唐、前宋諸人論之，上下數千載間，何物不品題過，何事不論量了？大都幾許不重複字？凡經幾手左搊右揞，横安豎置，挼揉亦熟爛盡矣。惟其不相蹈襲，自成一家者爲

得耳。噫！後之秉筆者，亦訒乎其爲言哉。今觀《遺山文集》，又別是一副天生爐鞴，比古人轉身處，更覺省力。不使奇字，新之又新；不用晦事，深之又深；但見其巧，不見其拙；但見其易，不見其難。如梓匠輪輿各輪技能，可謂極天下之工；如肥濃甘脆疊爲餖飣，可謂併天下之味。從此家跳出，便知籍、湜之汗流者多矣。必欲努力追配，當復積學數世，然後再議。

方岳《送許允傑序》 往時許太空見予竹西，纔洛陽賈生之年耳，得其文一通，怪怪奇奇，坐人盡驚。亡何，以其怪奇者取巍科，怪奇何負于文哉！後二十年，太空以書介其從子允傑來見，讀其編則亦怪怪奇奇，問其年則亦僅僅陸機入洛之歲，是何許氏之多英妙而怪奇也。予方老退，不得與于斯文，見所謂怪怪奇奇，則驚而異耳。固嘗問太空曰：昌黎謂《易》奇而法，文奇可也。山谷謂奇是文章一病，文奇可乎？法而不奇，程衛尉之治簿書也，縱無勝亦無敗；奇而不法，李將軍之不擊刁斗也，不大勝則大敗矣。其曰文章一病，非與若歸。盡取《六經》以來，至于諸子百氏以及稗官小說騷人賦客之所論著，反覆熟之，當自見左氏怪奇于《春秋》，莊、騷又怪奇于左氏，子雲、相如，同工異曲者，又怪奇于莊、騷。愈降而下之，則文人相高，務爲艱澀，難字生語，棘人喉吻，而以不能句讀爲古，則亦陋矣。子其毋文勝而理負，毋言深而意淺，毋論卑而氣弱，毋思殆而學罔，則怪怪奇奇，將又無負于子矣。

李春叟《文溪集原序》 天地之精英，人得之以爲文，可以黼黻朝廷，芬芳宇宙，存乎胸中，必有浩然獨立乎萬物之表者，此天地之正氣也。故論人之文，當先觀其人之所養。

歐陽守道《代通內翰書》 昔人謂文章與時高下，在某殊不謂然。時之高下，文實爲之爾，從古雖甚，不足道之。世必有以文自任之人，其人不達則已，其人達，其文顯，昭蘇衆聽，鼓舞羣動，時事當復有可觀者。春秋之鄭，宜無子產之文，而子產之文，足以起鄭。唐之中世，宜無陸宣公之文，而宣公之文，足以重唐。二人辭令詔誥，至今讀之，猶有生氣，文之能爲時高下政若此。使在安平無事之世，而斯文所屬，靡靡不競，則氣象衰颯，國亦隨之。今之文在學校，在舉朝之議論，士大夫之文，而所謂翰苑天子之文也。天子溫厚則有德，嚴重則有威，理以開人心，氣以張國勢，所謂大哉王言，一出而天下響應者，此天下莫大之文也。學校之士與舉朝士大夫之文，所學所見，蓋人人殊，不能齊一，是故其高其下不盡關於世道。惟天子之文，人以一字定從違，國以單言判輕重，而其文體所尚，播告之下，亦復翕然化之，代言之選，何可輕屬。某無似竊嘗妄論今世，以爲必得深厚雄渾光明俊偉之才，以爲深厚雄渾光明俊偉之文，而助成夫國家深厚雄渾光明俊偉之氣象。【略】

又《四益齋記》 無益之文勿觀，不必曰惑世誣民之文而後勿觀也。曰無益之文勿作，謂出乎己之文也。古人之文，至於今百世，惟其有益，故常存也。今競詩文，誇四六，敏者既以所嗜不自休，鈍者亦復抽揠窮日以取妍，此人通知其無益，而甘爲之者。

陳鵠《耆舊續聞》卷二 學文須熟看韓、柳、歐、蘇，先見文字體式，然後更考古人用意下句處。

又 學者須做有用文字，不可盡力虛言。有用文字，議論文字也。議論文字，須以董仲舒、劉向爲主，《周禮》及《新序》、《說苑》之類皆當貫串熟考，則做一日，便有一日工夫。

又 作文不可強爲，要須遇事乃作，須是發於既溢之餘，流於已足之後，方是極頭。所謂既溢已足者，必從學問該博中來也。

陳模《懷古錄》卷下 前輩云，文章只如作家書方是。韓退之《祭十二郎文》，其叙情雖已自然，然猶有做作處。至如歐公《論尹師魯墓誌》，未嘗作文，而文字亦自然好。蓋歐公晚年收斂之文字多如此。樽齋云：「韓、柳尚可學，歐文則難學。」蓋韓、柳以其做作，有迹可尋，而歐文則自然之中有許多〔佳〕處，故難學。

又 劉斯立《學易堂記》固是好。樽齋云：「文法好處只用得一回新，蓋常用則腐。」然豈特文法之體，亦不可守常用一律。且如文字簡古底，須要時出一二篇光明俊偉者參錯乎其間方好看。邵伯溫云：「《六經》皆經孔聖手，然讀《書》者如未嘗有《詩》，讀《詩》如未嘗有《易》。《六經》者各自一般氣象。」嘗謂一經之中，亦自氣象不同。《典謨》之雅奧，《禹貢》之嚴整，《五子之歌》、《伊訓》、《說命》、《太甲》等之明暢，周《誥》、殷《盤》之聱牙佶屈，亦自不同。《詩》之《風》、《雅》、《頌》，亦氣象不同。是以退之之文難及者，以其備諸體，杜詩難及者，亦以備諸體。

又 善畫者曰石老而潤，蓋氣象雖老蒼，而又有滋潤可愛者方好。如退之《進學解》、墓銘之類，一見雖若嶄岩，而細觀之，自有可使人愛翫處。故

凡專作減字鉤章棘句之文者，其實中無所得，以此欺眩世俗。謂以艱深之辭，文淺陋之說，一讀雖能鉤棘人喉舌，仔細翫嚼，則枯槁全無意味。豈特他人厭之。彼若是再讀，亦自厭之矣。

又　文字不可使古書全句，須着與他添減，或轉幾字方是。賈誼《新書》四十餘篇，被馬遷紐聚意思，自做一篇括了，王稱作《東都事略》，每於傳中只詳叙官爵，歷任官無發越，惟於東坡傳，把《萬言書》融減，自作一段，不用其辭，而用其意，却得作史之法。馬遷八《書》筆力非細動是下一字，三五板方照應，且是文勢趕到後，一氣不歇滅，內中不可添減一段。東坡《萬言書》似覺中間文氣略索處了。

又　文字又有洋洋地平説，忽然回頭來，變作千斤兩許。東坡《晁錯論》「夫以七國之彊而驟削之，其爲變豈足怪哉」！又云：「乃爲自全之計，欲使天子自將而己居守。」却從下而忽起一句云：「且夫發七國之難者誰乎？」東萊批云：「如平波淺瀨中，忽跳起一浪。」

又　歐公吉州有成方收拾，如此頓挫，蓋於平淡中有頓挫處，有雄健處，又時乎有寬大氣象，開一步説處，又時乎有句句轉處。蓋其晚年所見愈高，不作文而自不能不文，不用字照當，而其血脉有自然之照當。曾南豐得歐文之反覆處，却無那雄健頓挫；陳同父得歐文之寬大處，却無歐文之拙而好處。然歐文亦自霜降水涸，自然收斂到平淡，所以於其□有許多好處。若才用功而便要學其中平淡，則先失之易矣。

又　樽齋云：「作古文須要不法度而自法度。」

又　曾樽齋云：「文字須要自我作古，其次師經，師古文又次之。」

又　文章只須平平説起，至下面漸緊。只以一行看，須要重在前；以數行看，須要重在後；以一篇看，須要重在尾方是。若只起頭驚人，後面無以副之，則只山澗水相似，在山闞闞聲纔震出，到前面却又泯然無聲，則文字不奈看。

又　歐公《答徐無黨書》云：「〔然〕作文之體，初欲奔馳，久當收斂，使簡重嚴正，或時放肆以自舒，勿爲一體，則盡善矣。」此數語眞作文之大訣。如今作文章，不可一樣平平，須要參之十二段，雄健頓挫方好。謝艮齋云：「謗因讀《進學解》《易》奇而法，《詩》正而葩」，遂悟作文之法，蓋要奇中有正，正中有奇。如作騷亦不可一樣學騷語，須要參入些己意，或長或短，變態自放肆些子方好。」

陳仁子《秋山余按察文稿序》　文章與世運相脈絡，文氣有盛衰，世亦隨之。故讀《雅》、《頌》而知周之爲西，讀變《風》而知周之必東，非獨運化然也。**【略】**唐儒劉禹錫嘗評文與時高下。夫與時而高下者非文也，時之高下乃文爲之也。世盛則簫韶九奏以鳴熙皞之和，世衰則筆削一編以返蒼姬之轍，斷珮爲璞，補罅支欹，而豈徒文乎哉！

趙秉文《跋山谷草》　文章不蹈襲前人，最是不傳之妙。

王若虛《文辨》　李翺與王載言書論文云：「義雖深，理雖當，辭不工，不能成文。」陸機曰：「怵他人之我先。」退之曰：「惟陳言之務去。」假令述笑哂之狀，曰莞爾，則《論語》言之矣；曰啞啞，則《易》言之矣；曰粲然，則穀梁子言之矣；曰逌爾，則班固言之矣；曰囅然，則左思言之矣。吾復言之，與前文何以異？予謂文貴不襲陳言，亦其大體耳，何至字字求異，如翺之説，且天下安得許新語耶？甚矣，唐人之好奇而尙辭也。

又　吾舅周君德卿嘗云：「凡文章巧于外而拙于內者，可以驚四筵，而不可適獨坐，可以取口稱，而不可得首肯。」至哉，其名言也！杜牧之云：「杜詩韓筆愁來讀，似倩麻姑癢處抓。」李義山云：「公之斯文，若元氣先時已入人肝脾。」此豈巧于外者之所能耶！

又　凡文章，須是典實過于浮華，平易多于奇險，始爲知本。末世之作者，往往致力于其末，而終身不返，其顛倒亦甚矣。

又　或問：「文章有體乎？」曰：「無。」又問：「無體乎？」曰：「有。」「然則果何如？」曰：「定體則無，大體須有。」

何亮《答孫沖書》　紹述之于儒，其用心勤矣，而其文可廢也。不然，誤後人之無窮乎。《法言》云：「萬物紛錯則縣諸天，衆言肴亂則折諸聖。」惡睹聖人？曰：「在則人，亡則書。」夫聖人而亡，其書可以正衆言之肴亂，則無出周公、孔子者也。其書則《詩》、《書》、《易》、《禮》、《春秋》是也。今以紹述之文，質諸周、孔、《詩》、《書》、《易》、《禮》、《春秋》，而無一言髣髴于其間，則是非昭昭矣。其文可廢，亦昭昭矣。周、孔而下，孟軻、揚雄爲大儒，而觀軻、雄之書，則煥若日星。獨《太玄》爲隱奧而深者，雖未能盡其義，必能通其詞，不若紹述之詞與義俱昧懵混沌，若覘鴻荒之野，榛棘草莽，不知其際也。以至老子、莊周之徒，怪誕恍惚之書，而亦未嘗若此。嗚呼，紹述

之于儒，吾悲其用心之勤，而欲必廢其文，使無誤後人也。

元好問《鳩水集引》 文章雖出於眞積之力，然非父兄淵源、師友講習、國家教養，能卓然自立者鮮矣。自隋唐以來，以科舉取士，學校養賢，俊逸所聚，名卿才大夫爲之宗匠，琢磨淬礪，日就作新之功。以德言之，則士君子之所爲也；以文言之，則鴻儒碩生之所出也；以人物言之，則公卿大臣之所由選也。【略】文章聖心之正傳，達則爲經綸之業，窮則爲載道之器，顧所遭何如耳。

方回《讀篔簹荊溪集跋》 答謂以學致道，不以道致學，道學之名，起於近世儒者。其意曰：「舉天下之學，皆不足以致道，獨我能致之云耳。」回則謂朱、張、呂三大儒，未嘗有是說也。出於其門，名爲舉鼎而實未嘗舉，以之欺世，未有事久而論不定者。顧何患焉？篔簹爲文已成，而印可於水心，初稿是也。續稿學水心文，造語用字全似蹈襲，則不可矣。《薛叔似墓誌》云：「刮皮脫澤，晶熒流通。時永嘉經制宗薛士隆，理學宗鄭景望，公既叔事薛，且師事鄭，又與陳君舉數公博籌廣檻，得其粹完。」陳無己學南豐文、山谷詩，不如此模倣也。水心爲侂胄一再出，有可議，而篔簹自寶慶召試，至端平不遠引，亦可憾也。荊溪祠天台六先賢於學，篔簹亦與，謂陳公之滯於三館也，鄉人囑以祠記諂權相，則謝不爲；相所親啖以兩制而索其文，則拒不與；陛對失人心一疏，則觸忌諱不顧；端平用兵之議，則衆辨之，不隨也。回謂不爲、不予、不顧三事，未爲極節，不隨一事，端平初舉朝一辭也。永嘉諸人，嘉泰、開禧間出處乖剌，謂文足掩行，未也。嘉定亦不同端平者多矣，篔簹之心迹亦未也。荊溪之文稍不及篔簹，各爲哭水心詩十，力量輕重不見。荊溪有云「韓、柳詞空偉，歐、曾見未親」，回則謂水心之見，尤其未親，而於韓、柳得一班耳。又云「受用終無盡，文詞莫太工」，回謂水心文惟其太工，所以不盡及古，何其言之戾也。篔簹祭水心有云「始見阜陵，則末年之冉冉；再遇光廟，則初元之忽忽。」荊溪祭篔簹又云「聯東闕兮，十年之冉冉。貳監冑兮，數月之忽忽」。水心誌篔簹母云「左腕乳褓，右手縫緝」，荊溪母事狀云「左提抱，右縫紉；左乳哺，右沐櫛」。文章機杼，果脫罄而已耶？歐公云「韓文雖高，不必似之」，荊溪嘗舉是言而自背之，何耶？水心文，予已取其記序、誌文評之，篔簹、荊溪皆長於銘墓及序記，如四六、疏文之類，皆可刪。水心多以廋辭險語詆朱文公，尤不取象山，二人無此膽此弊，而荊溪於隆興張、呂、陸之祠，強爲融會之說。祠之者，尊敬之也。爲記文以示學者入門，則朱、張、呂爲是，而陸爲未然，不可以無別也。近世諸人，往往畏江西之黨，如包恢無知爲《三陸祠記》，公然記九韶語，謂無極乃老子之學，非周子之言。夫論學且爾，則爲政而行公田，宜其無忌憚也。四明、江西合爲一，排文公之學，或者屈而調護之，過矣。然近人文，未有能過篔簹、荊溪者。

又《跋程君（師中）時文贄卷》 唐人應舉，必以文贄見諸鉅公。本朝試賢良以論策各二十五篇爲進卷，然後中書召試六論，而上親策之。時則其文也必古。其後試宏博，擬爲箴、銘、贊、頌、書、檄、制、誥等，謂之詞業，尤以繳進，始分試三場六題，時則其文也必工。今之進士曰經義者，流弊已極，冗腐穿鑿，不古也，不工也。甚者，巧而已矣。故或場屋魁彥，致位卿相，奏議無一篇可觀，以時文之習誤之也。

李治《滹南遺老集引》 夫言生於人心，心既不同，言亦各異，其在彼也一是非，其在此也一是非。左右佩劍，其誰能正之？必有大人者出，獨立當世，吐辭立論，掃流俗之所徇，取古今天下之所共與者與諸人，有以塞其口而厭其心，而後吺吺之說息矣。自秦火以來，漢武帝表章《六經》，不謂無功於聖人。然諸儒曲學，往往反爲所汩。陵遲至於唐宋，人自爲說，雖其推明隱奧爲多，其間踳駁淆混，詿誤後生，蓋亦不少。顧《六經》且如是，況百家乎！子長實錄也，劉子玄黜其煩；孟堅鉅筆也，劉貢父刊其誤；子京俊才也，劉器之病其略。顧史氏且如是，況雜述乎！然則有人於此，品藻其是非，覼縷其得失，使惑者有所釋，鬱者有所伸，學者有所適從，則其澤天下也，不既厚矣乎。

劉將孫《天下同文集序》 方今文治方張，混一之盛，又開闢所未嘗有，唐盖不足爲盛。搢紳先生創自爲家，述各爲體，功德編摩，與《詩》、《書》相表裏，下逮衢謠，亦各有烝民立極之學問。南瑞此編，又得之鉅公大筆，選精刻妙，則觀於此者，豈可以尋行數墨之心胸耳目爲足以領此哉！自《文選》來，唐稱《文粹》，宋稱《文鑑》，皆類萃成書，他日考一代文章者，當於此取焉。

魏初《送王國賓序》 君子非無名之患，無令名實難。名，身之文也；言，名之輿也。言之不辟，名之不遠，宜哉！昔叔孫豹有言：「太上立德，

其次立功，其次立言。」德，上也；功，次也；言，又次也。咸無焉，爲衆人，生爲五穀蠹，死與草木朽，何沒沒也？夫或曰：言，以駕說者也。學者將務駕其說，則冥行擿埴，道莫之索，其次用何如也？曰：中天下而立，定四海之民，君子樂之存乎命。故堯、禹躬行，仲尼皇皇，非命乎？非命乎？堯、禹不言之孔子，孔子能言之堯、禹，非堯、非禹。余以《春秋》、《論語》爲贅疣，梲之藻童子之雕刻，施之天下壯夫，不爲末也。末可勝乎？是以華而不實、蕩而不法，君子耻諸。余友生王子國賓有志於言，將以是鳴於世者也。余願子以孝敬爲冠履，謙讓爲襟帶，《中庸》、《詩》、《禮》爲佩服，則其言之出也，鏗乎球琳琅玕之戛焉，燦乎絺綌綿繡之錯焉，於以補造化，於以變風俗，於以參天地之盛衰。不然，何名之多言足貴哉？

郝經《答友人論文法書》 經白：書來惠問作文法度、利病，何吾子過於巽下，以能問不能，猶以工師審繩墨於匠人也，何倒置若是之甚哉！然切磋之義不可廢，非吾子之言，何以發經之蒙覆，動某之狂言哉！二帝、三王無文人，仲尼之門，雖曰文學，亦無後世篇、題、辭、章之文，故先秦不論文。騷人作而辭賦盛，故西漢始論文，時則有揚雄之書。東漢復論文，時則有蔡邕之書。建安以來，詩文益盛，語三國則有魏文帝、陳思王之論，語晉、宋則有陸機、沈約之作，折衷南北七代，則有文中子之說。至李唐，則韓、柳氏爲規矩大匠，如韓之《答李翊》、《上于襄陽》、《答尉遲生》、《與馮宿》，柳之《與楊京兆》、《答韋中立》、《報陳秀才》、《答韋珩》、《復杜溫夫》及《與友人》等作，加之以李翺之《答王載言》、《寄從弟正辭》，皇甫湜之《答李生》、《復答李生》，下逮歐、王、蘇、黄之論議，則窮原極委，無所不至其極，無法復可說，百世有餘師矣。經何人也，而敢復論文章之法乎？顧有一焉不敢告也。爲文則固自有法，故先儒謂作文，體制立而後文勢成。雖然，理者法之源，法者理之具，理致夫道，法工夫技，明理，法之本也。吾子所謂法度、利病，近世以文爲技，與求夫法，資於人而作之者也。非古之以理爲文，自爲之意也。古之爲文也，理明義熟，辭以達志爾。若源泉奮地而出，悠然而行，奔注曲折，自成態度，匯於江而注之海。不期於工而自工，無意於法而皆自爲法。故古之爲文，法在文成之後，辭由理出，文自辭生，法以文著，相因而成也，非與求法而作之也。後世之爲文也則不然。先求法度，然後措辭以求理，若抱杼軸，求人之絲枲而織之，經營比次，絡繹接續，以求端緒，未措一辭，鈐制夭閼於胸中，惟恐其不工而無法。故後之爲文，法在文成之前，以理從辭，以辭從文，以文從法，一資於人而無我，是以愈工而愈不工，愈有法而愈無法，祇爲近世之文，弗逮乎古矣。夫理，文之本也；法，文之末也。有理則有法矣，未有無理而有法者也。《六經》，理之極，文之至，法之備也。故《易》有陰陽奇耦之理，然後有卦畫爻象之法；《書》有道德仁義之理，而後有典謨訓誥之法；《詩》有性情教化之理，而後有風賦比興之法；《春秋》有是非邪正之理，而後有褒貶筆削之法；《禮》有卑高上下之理，然後有隆殺度數之法；《樂》有清濁盛衰之理，而後有律呂舒綴之法。始皆法在文中，文在理中，聖人制作裁成，然後爲大法，使天下萬世知理之所在而用之也。自孔、孟氏沒，理寖廢，文寖彰，法寖多。於是左氏釋經而有傳注之法，莊、荀著書而有辨論之法，屈、宋尚辭而有騷、賦之法，馬遷作史而有序事之法，自賈誼、董仲舒、劉向、揚雄、班固，至韓、柳、歐、蘇氏，作爲文章而有文章之法。皆以理爲辭，而文法自具，篇篇有法，句句有法，字字有法，所以爲百世之師也。故今之爲文者，不必求人之法以爲法，明夫理而已矣。精窮天下之理，而造化在我。以是理爲是辭，作是文成是法，皆自我作，志帥行權，多多益善。標識根據，不偏不倚，中天下、準四海以爲正；輝光照耀，炳烈粲發，引日星、麗霄漢以爲明；造微入妙，探賾索隱，極九地、築底裏以爲深；包括綿長，籠罩遐外，塵天地、芥太極以爲大；龍驤虎步，瞰眺八極，登風雲、厲威震以爲雄；躋攀倚拔，窮原無上，棄形器、脫凡邇以爲高；莽蒼闊越，混涵太樸，鬱鴻荒、全渾沌以爲古。震雷霆，開昏塞，節八音，鳴萬籟，有始有卒，如律如呂以爲聲；通一元，貫四時，塞天地，鼓萬物，噴薄動盪，生成化育以爲氣。挈矩布算，撙節量度，徑圍天地，位置六合，規萬世以爲格；巍岸磊落，欲顛欲立，墮疊太華，推移日觀，屹萬仞以爲形；敷布振迅，欲斂欲溢，排闢孟門，疏鑿灩澦，決萬里以爲勢。爲門爲庭，爲堂爲殿，爲樓爲閣，以爲間架；爲甲爲乙，爲首爲尾，爲腹爲背，以爲鋪叙；爲閉爲錮，爲構爲締，爲聯爲屬，爲橐爲鑰，以爲關鍵；爲囷爲廩，爲庾爲倉，爲筐爲篚，爲裹爲囊，以爲含蓄；爲坐爲作，爲進爲退，爲折爲還，爲舒爲疾，以爲步驟；爲莊爲嶽，爲逵爲軌，爲途爲路，爲縱爲横，以爲馳騁；爲經爲緯，爲端爲緒，爲錯爲綜，爲織爲紝，以爲機杼。鍊金鎔錫以爲精，礱石磨玉以爲潔，去陳剝爛以爲新，茸漏塞罅以爲密，

昭布森列以爲博，旁搜遠紹以爲邃，依違諱避以爲婉，紆餘曲折以爲態，容與平坦以爲易，遏塞險澀以爲難，澄湛靜斂以爲清，激揚蹈厲以爲節，優游不迫以爲暇，頓放妥帖以爲安，建置強崛以爲固，鼎峙山立以爲重，持綱挈要以爲簡，塡委充塞以爲富，穿徹沈著以爲快，警策峻緊以爲偉，恣睢徜徉以爲肆，齊莊謹肅以爲嚴，翦截裁制以爲整，超卓頓挫以爲壯，擁衛倚疊以爲厚，脫暢便利以爲通，一唱三歎以爲感，剴切訐忤以爲激，咀嚼雋永以爲味，深長奧衍以爲趣，音節中適以爲和，抑揚起伏以爲變，瑰詭譎怪以爲奇，雕鎪無跡以爲巧。成就而無作爲，順理而不生事以爲化。耳目口鼻四體衣冠具，不痞不痺，活而不死以爲備。不知其所以然而然，莫非自然以爲神。則法亦不可勝用，我亦古之作者，亦可爲百世師矣。豈規規孑孑，求人之法，而後爲之乎！故先秦之文則稱《左氏》、《國語》、《戰國策》、《莊》、《荀》、屈、宋，二漢之文則稱賈誼、董仲舒、司馬遷、劉向、揚雄、班固、蔡邕，唐之文則稱韓、柳，宋之文則稱歐、蘇，中間千有餘年，不啻數千百人，皆弗稱也。騷、賦之法則本屈、宋，作史之法則本馬遷，著述之法則本班、揚，金石之法則本蔡邕，古文之法則本韓、柳，論議之法則本歐、蘇，中間千有餘年，不啻數千百文，皆弗法也。何者？能自得理而立法耳，故能名家而爲人之法。苟志於人之法而爲之，何以能名家乎？故三國、六朝無名家，以先秦、二漢爲法，而不敢自爲也。五季及今無名家，以唐、宋爲法，而不敢自爲也。韓文公每語人以力去陳言，當自作，但識字，言從字順，識職而已，不當蹈襲故爛，謂宏詞詞賦爲俳優，皆此意也。然則前人不足法歟？文有大法，無定法。觀前人之法而自爲之，而自立其法。彼爲綺，我爲錦；彼爲榭，我爲觀；彼爲舟，我爲車，則其法不死，文自新而法無窮矣。近世以來，紛紛焉求人之法以爲法，玩物喪志，闚竊模寫之不暇，一失步驟，則以爲狂爲惑，於是不敢自作。不復見古之文，不復有《六經》之純粹至善，孔、孟之明白正大，左氏之麗縟，莊周之邁往，屈、宋之幽婉，無復賈、馬、班、揚、韓、柳、歐、蘇之雄奇、高古、清新、典雅、精潔、恣肆、豪宕之作，總爲循規蹈矩決科之程文，卑弱日下，又甚齊、梁、五季之際矣。嗚呼！文固有法，不必志于法。法當立諸己，不當尼諸人。不欲爲作者，則已欲爲作者。名家而如古之人，舍是將安之乎？是經之志也，故敢以爲復，然未知其是且非也，吾子幸復惠教焉。

又《文弊解》：事虛文而棄實用，弊亦久矣。自爲己之學不明，天下之人狃於習而陷於利，是以背而馳之力，衒而爲之課。援筆爲辭，綴辭爲書，藉藉紛紛，不過夫記誦辭章之末，卒無用於世，而謂之文人，果何文耶？俾佛、老二氏蠹於其間，文、武之道墜於地，而天下淪於非類也，宜矣。其不幸而不觀於大庭氏之先，而不見夫文之質也；不幸而不遊於孔氏之門，而不見夫文之用也；不幸而不窮夫《六經》之理，而不見夫文之實也。仰而觀，俯而察，天地之間，衆形之刻鏤，衆色之光絢，衆聲之咿喔，衆變之錯蹂，爛乎其文而若此也，不知孰爲之，而孰綴之。乃規規以爲工，切切以爲巧，斐斐以爲麗，角勝而相尚，爲文而無用，何哉？三代之先，聖君賢臣，唯實是務，至於誥誓勅戒之辭，賡和之歌，皆核於實而曄於華，和順積中，而英華發外。故史臣贊曰「聰明文思」，孔子稱之曰「煥乎其有文章」，自其發見者而言，不以文爲本也。天人之道，以實爲用，有實則有文，未有文而無其實者也。《易》之文實理也，《書》之文實辭也，《詩》之文實情也，《春秋》之文實政也，《禮》文實法，而《樂》文實音也。故《六經》無虛文，三代無文人。夫惟無文人，故所以爲三代，無虛文，所以爲《六經》，後世莫能及也。余嘗熟讀《語》、《孟》二書，意味無窮，感化不已。師弟對問之間，而文若是，豈有意於文而後言邪？聖賢之膏腴，道德之精華，發而自然耳。若所以爲孔子，所以爲孟軻，後世亦莫能及也。孔氏之門，游、夏以文學稱，未聞其執筆命題而作文也。則所謂文學者，亦異矣。後世文士，工於文而拙於實，衒於辭章而忘於道義，故班、馬不免於刑，范曄、陸機、謝靈運不免於誅，陳叔寶、楊廣不免於覆宗社，而柳柳州不免於小人，文何益耶？苟有其實矣，何患無文。三代則亦已矣，至於後世，漢高帝奮起亡秦，王有天下，功並湯、武，未嘗爲文也，如《大風》之歌，聲震海嶽，而光犯日月。諸葛孔明仗義興漢，委身事蜀，道合伊、呂，而他文未見也，如《出師》之表，與商、周命訓相上下。則有實者有文也必矣。方今道喪時弊，正氣湮塞，生民墜溺，志士振起之秋也，可拘於虛文，溺於淺淺哉？宜攝《六經》之實，盡躬行之道，精百代之典，革虛文之弊，斷作爲之工，存心養性，磨厲以須天下之清。其行也，其達也，必不與草木並朽而無聞矣。

王惲《遺安郭先生文集引》：文章雖推衍《六經》，宗述諸子，特言語之工，而有理者乎。然必需道義培植其根本，問學貯蓄其穰茹，有淵源精尚，其辭

體爲之不輟，務至於圓熟，以自得有用爲主，浮艷陳爛是去，方能造乎中和醇正之域，而無剽切撈攘滅裂荒唐之弊。故爲之甚難，名家者亦不多見。

又《古今文難易不同說》 訓、誥、誓、命等，文體固不同，要本聖賢以彝典明天理、本人情、統群心而已。然古今辭文，有難易相反者，先儒論難終未明瞭。以予度之，書之爲策，須史氏潤色隱括，既出衆手，性異好尚，學有深淺，才有高下，筆有强弱，而辭有澀易故也。九峰疑其勝女口傳者，偏記其難；孔壁後得者，返爲平易。反覆究說，似遠而泥。謂如尹之訓賢君也，當深而易；庚之誥民庶也，當易而深。又《周書》五誥，聱牙詰曲，叮嚀委曲，有不易曉者，此無他，一繫夫當時人情，勢有不得不然者。更值夫史氏之尚奇者，一向艱澀，韜其幽光，以成噩噩灝灝之體耳。蔡氏復以紀實難工、雅辭易好爲辯，是亦主其措辭爲言，然不辨此，恐杜後來者詳說，使學者躍如求于耳目聞見之外也。

又《文辭先後》 文之作，其來不一：有意先而就辭者，有辭先而就意者。意先而就辭者易，辭先而就意者難。意先辭後，辭順而理足；辭先意後，語離而理乖。此必然理也，學者最當知之。

陸文圭《文說》 古之所謂文章，非言語之謂也，道德仁義之精華，禮樂法度之彰著，皆其具也。然典謨訓誥，誓命之書，坦明溫厚，已非秦漢經生講師所能道，而《三百篇》章句，皆出於微臣寡婦寺人伶官之口，何其粲然而成章也。蓋周、召而上，文章皆實用，孔、曾而下，文章皆空言。空言者，言而不見用，非無用之空言也。以無用之空言，而後世能言之士，如向晨之星，稀踈絶少，豈不大可怪也哉。自唐以來，朝廷百司用人無方，惟翰苑非文章之士不預，所以承恩寵，備顧問，參謀議，職諫諍，位親而地禁，非止典誥代言以風天下而已。唐以陸贄、李絳爲之，宋以歐陽修、蘇軾爲之，則人品知也。夫文本於理，根於識，昌於氣，兼之者，賈、董而下諸人，雖不居翰苑，名猶著也。翰苑創於唐開元間，六百餘年，學士名不著者何限，然則視文章之能否，知翰苑之盛衰。

陳櫟《勤有堂隨錄》 文所以明理，必明理然後能作文，必講學然後能明理。講學當於何下手？不出乎讀《六經》、《四書》而已。《六經》非大儒不能盡通，初學且先通一經，《四書》亦當讀之有次序。文公定法：先《大學》，次《語》，次《孟》，末及《中庸》。今皆當按此用功，精熟以看《四書》，窮一經，然後讀官樣典雅程文以則傚之，又求之古文以助其文氣，曉其文法，雖大儒教人，亦不過如此而已。

袁桷《甬山集序》 「文章與時爲高下」，誠哉是言也。宋祚將亡，國學考文，其悲哀促急，不能以一朝居。四方翕然取則，凌躐上第。至今殘編斷牘讀之令人歎恨不已。蓋士生斯時，能自拔以表見者，不一二數。有一人焉，則又韜匿冲晦，與世若不相接。

吳澄《張達善文集序》 昔之爲文者，曰不蹈前人一言一句，或曰，此文人之文爾，儒者之文不如是。儒者託辭以明理，而非有意於文也。雖然周子之《太極圖》、《易通》，張子之《訂頑》、《正蒙》，程子、邵子之《易傳序》、《定性書》、《觀物篇》，前無是也，朱子祖述周、程、張、邵，而辭莫有同者焉，誰謂儒者之文不文人若哉。彼文人工於詆訶，以爲洛學興而文壞。夫朱子之學，不在於文，而未嘗不力於文也。奏議倣陸宣公而未至，書院學記曼衍繚繞，或不無少損於光潔，若他文，則韓、柳、歐、曾之規矩也，陶、謝、陳、李之律呂也。律之，呂之，規之，矩之，而非陶，非謝，非陳，非李，非韓，非柳，非歐，非曾也。是豈區區剽掠掇拾者，而猶有詆訶者乎！

又《題貢仲章文稿後》 理到氣昌，意精辭達，如星燦雲爛，如風行水流，文之上也。初不待倔強其言，蹇澁其句，怪僻其字，隱晦其義，而後工且奇。

又《送虞叔當北上序》 文者，士之一技耳，然其高下與世運相爲盛衰，其能之者，非天之所與不可得，其關係亦重矣哉！東漢至於中唐六百餘年，日以衰敝。韓、柳二氏者出，而文始革。季唐至於中宋二百餘年，又日以衰敝。歐陽、王、曾三氏者出，而文始復。

又《張氏自適集序》 古之文自虞、夏、商、周，更秦歷漢，至後漢而弊，氣日卑弱，莫可振起。唐韓、柳，宋歐、曾、王、蘇七子者作，始復先漢之風。他豈無人，要皆難與七子者並，以文論人則然也。歐、曾、王、蘇同時有若司馬文正公，豈出數子上哉？然讀者不肯釋手，何歟？蓋其心術正，倫紀厚，持守嚴，踐履實；積中發外，辭氣和平，非徒言之爲尚。以人論文則然也。河南張仲美名道濟，修潔士也。小官微祿，韜隱遠方垂三十年，屢空而不戚。身外之物，一物不苟取；天下之人，一人不輕與。爲詩爲文，一本諸中言，言必麗於理。世之絢采色，調聲響，炳炳琅琅以飾其於外者，能如是乎？故余不以文論其人，而以人論其文。

又《知非堂稿原序》：夫言之秩然次序條理者謂之文，文無待於作也。後之人，口之所言，雜亂無紀，則必締搆於思，撰造其辭，而後筆之於簡牘。古人雖不作文，孔子嘗云「辭達而已矣」，此固作文之大法也。

程端禮《讀書分年日程》卷二：學作文：看此要識文體之佳耳。其短於理處極多，亦可以爲理不明，而不幸能文之戒。如欲叙事雄深雅健，可以當史筆之任，當直學《史記》、《西漢書》。先讀眞西山《文章正宗》及湯東澗所選者，然後熟看班、馬全史，此乃作紀載垂世之文，不可不學。後生學文，先能展開滂沛，後欲收斂簡古甚易。若一下便學簡古，後欲展開作大篇難矣。若未忘場屋欲學策，以我平日得於《四書》者爲本，更守平日所學文法，更略看漢唐策、陸宣公奏議、朱子封事書疏、宋名臣奏議、范文正公、王臨川、蘇東坡萬言書、策略、策別等，學陳利害，則得矣。況性理、治道、制度三者，已下工夫，亦不患於無以答所問矣。雖今日時務得失，亦須詳究。欲學經問，直以《大學》、《中庸》。或問爲法，平日即讀《四書註》及讀看性理文字，又不患於無本矣。欲學經義亦倣。或問文體，用朱子貢舉私議中作義法爲骨子，方今科制明經以一家之說爲主，兼用古註疏，乃是用朱子貢舉私議之說。按《貢舉私議》云：「令應舉人各占兩家以上，將來答意則以本說爲主，而旁通他說，以辯其是非，則治經者不敢妄牽己意，而必有據依矣。」又云：「使治經者必守家法，命題者必依章句，答義者必通貫經文，條舉衆說，而斷以己意，當更寫卷之式明。著問目之文，而疏其上下文通，約三十字以上，次列所治之說，而論其意。次又旁引他說，而以己意反覆辨析，以求至當之歸。但令直論聖賢本意，與其施用之實，不必如今日分段破題對偶敷衍之體，每道只限五六百字以上。至於舊例經義禁引史傳，乃王氏末流之弊，皆當有以正之。此私議之說也。」竊謂今之試中經義，既用張庭堅體，亦不得不略倣之也。考試者是亦不思之甚也。張庭堅體已具冒原講證結，特未如宋末所謂文妖經賊之弊耳。致使累舉所取程文，未嘗有一篇能盡依今制。明舉所主所用所兼用之說者，此皆考官不能推明設科初意，預防末流輕淺虛衍之弊，致使舉舉相承，以中爲式。今日鄉試經義，欲如初學方希願禮記義者，不可得矣。科制明白不拘格律，蓋欲學者直寫胸中所學耳，奈何陰用冒原講證結格律死守而不變，安得士務實學，得實材爲國家用，而爲科目增重哉！因著私論於此，以待能陳於上者取焉。如自朝廷議修學校教法以輔賓興之制，則此弊息矣。假如書義倣張體，以蔡傳之說爲終篇主意（如論破然），如傳辭已精緊而括盡題意，則就用之爲起，或略而泛，則以其意自做次略衍開，次入題發明以結之。次原題題下，再提起前綱主意，歷提上下經文而歸重此題，次反覆敷演，或正演，或反演，或正引事證，或反引事證，繳歸主意。次結或入講腹，提問逐節所主之說，所以釋此章之意（如孔穎達疏文釋註之體）。逐節發明其說，援引以證之。繳歸主意，後節如前。又總論以結之，如易又旁通所主次一家說，又發明其異者而論斷之，又援引以證之結之。次兼用註疏，論其得失而斷之證之結之。平日既熟讀經傳，又不患於無本矣。此亦姑言其大略耳。在作者自有活法，直寫平日所得經旨無不可者。元設科條制，既云作義不拘格律，則自可依《貢舉私議》法，此則最妙。如不得已，用張庭堅體，亦須守傳註議論，確實不鑿不浮可也。欲學古賦，讀《離騷》已見前，更看讀《楚辭後語》並韓、柳所作句法韻度，則已得之。欲得著題命意，間架辭語縝密，而有議論爲科舉用，當擇《文選》中漢魏諸賦、《七發》及《晉問》熟看。大率近世文章，視古漸弱，其運意則縝密於前，但于《文選》、《文粹》、《文鑑》觀之便見。欲學古體制誥章表，讀《文章正宗》辭命類及選看王臨川、曾南豐、蘇東坡、汪龍溪、周平園宏辭總類等體，四六章表以王臨川、鄧潤父、曾南豐、蘇東坡、汪龍溪、周平園、陸放翁、劉後村及宏辭總類爲式，其四六表體，今縱未能盡見諸家全集選鈔，亦須得舊本翰苑新書觀之，則見諸家之體，且幷得其編定事料爲用。

虞集《答熊萬初論文啓》：伏承專訪，兼致儷辭。獲觀撰集之言，用識進修之志。樂取諸善，借聽於聾。切謂古者，學文貴乎端本。涵養未至，出慮多生於血氣之私；辯問弗精，立論或違乎禮律之當。必兩者之無欠，乃沛然而有餘。每嘆尋常未親師友，不知規矩準繩之至，乃在桑麻穀粟之問，甚者蔽夫意見之或偏，因以肆其才力之所至。苕問翡翠，靡慚鄭衛之淫哇；世外空青，亂剽佛老之糟粕。是吾憂也，無力振之，思得其人，共理玆事。共惟某人年與學俱富，才與氣並高。蟬聯柬册之成章，璀璨珠璣之溢目。幽險不作，從容可觀。平波漫流，勢必至於達海；深根厚植，時自可以昂霄。而尤撝謙，特賜下問。某困始知學，老已見侵。思寡過而未能，於及人乎何有？由濂洛而溯洙泗，顧範我之馳驅；規姚姒而逮莊騷，尚啓予於切琢。庶幾互益，不負枉才。謹奉啓陳謝。

又《劉應文文稾序》 江西之境，其山奇秀而水清瀉。委折演注，至於南昌，則山益壯，水益大。故生人稟是氣者，多能文章。而其爲文，又能脱略其鄙樸之質，振作其委靡之體。故言文者，未有先於江西。然習俗之弊，其上者，尚以怪詭險澀、斷絶起頓、揮霍閃避爲能事，以竊取莊子、釋氏緒餘，造語至不可解爲絶妙。其次者，泛取耳聞經史子傳，下逮小説，無問類不類，勦剽近似而雜舉之，以多爲博，而蔓延草積，如醉夢人，聽之終日不能了了。而下者，廼突兀其首尾，輕儇其情狀，若俳優諧謔，立此應彼，以文爲事。嗚呼！此何爲者哉？大抵其人於學無所聞，於德無所蓄，假以文其寡陋，而從之者亦樂其易能，無怪其禍之至此，不可收拾也。嗚呼！爲文章者，未暇縱論古今天下也。即江西論之，歐陽文忠公、王文公、曾南豐，非其人乎？執筆之君子，亦嘗取其書讀之。凡己之所爲，合於此三君子否也？苟不合，則己謬可知已，而曾不出此何也？蓋三君子之文，非徒然也，非止發於天資而已也。其通今博古，養德制行，所從來者遠矣。宜乎樂爲寡陋而爲能者，不知思也。此三君子之文，猶不足以知之，況三君子之上，有當知者尚遠也，豈復知之乎？如此，而欲以文自名，則亦惜乎委氣之委者矣。悲夫！豈獨學者之咎哉？豈獨學者之咎哉？

劉鶚《齊安河南三書院訓士約》 文體之宜正也。程夫子云：「立言之道，不使知德者厭，無德者惑。」孟氏亦云：「言近而指遠者，善言也。」蓋其言不近，則衆人亦惑；其旨不遠，則君子易厭。此聖賢立言之法，萬世操觚者所必宗焉者也。試看《論語》、《孟子》，其言何等平易，其意何等精深，使人觀之顯然，味之無極矣。

劉岳申《答宜春秀才趙民信論文書》 韓公所謂不知直似古人，亦何得於今人也。每誦此言，可爲深悲至慨。僕於文字，本非所長，徒願學，則有志久矣，然每不敢輒有所出，何者？誠知其未易。以爲知者，固不可常遇，而遂謂世無知者尤不可，苟一遇之，則百醜敗露矣。趙岐稱孟子辭不迫切，而意已獨至，此文章至妙處，然安可得。岐，可謂知者，古人不可及，正在此。今人急言極論，愈雜亂紛糾，但覺古人不勞餘力，而旁通曲暢，無所不有，何其易也。《春秋》之稱微而顯，夫微，即不顯；顯，即不微。君子之道淡而不厭，簡而文，夫淡即厭，不厭即不淡，簡即不文，文即不簡。每讀《左傳》、《史記》、《漢書》，去之數千年，其事其人，委曲詳悉，皆如當日親見，而高古要妙，去人愈遠，又何也？寓從容於簡寡，藏曲折於平易，欲以整見暇，以少爲多，非不欲髣髴近似，而終不可到。故有至樸而巧者不能及，有至約而博者不能盡，有至顯白而深晦者不能近，此古人所以可師也。

王構《修辭鑑衡》卷二文引《童蒙訓》 繁簡：文有以繁爲貴者，若《檀弓》石祁子沐浴佩玉，《莊子》之大塊噫氣，用者字，韓子《送孟東野》用鳴字，《上宰相書》至今稱周公之德，其下又有不衰二字，凡此類，則以繁爲貴也。文有以簡爲貴者，若《舜典》至於南岳如岱，《禮》西岳如初，《孟子》獻子之友五人，其三人則予忘之，《史記》事在某人傳，凡此類，則又以簡爲貴也。但繁而不厭其多，簡而不遺其意，乃爲善也。

又 爲文養氣：韓退之《答李翊》、老泉《上歐陽公書》，最見爲文養氣之妙。

王沂《王叔善文稿序》 《易》曰：「公用射隼於高墉之上。」孔子之訓曰：「隼者，禽也；弓矢者，器也；射之者，人也。」其簡易明白若此，故曰「辭達而已矣」。韓退之言，其始爲文，非三代兩漢之書不敢觀，非聖人之志不敢存，處若忘，行若遺，戛戛乎難矣。及年益老而學益成，則曰「文無難易，惟其是耳」。退之之是，孔子之達也，文至於是辭至於達而已。余幼時侍先子官江南時，宿儒老先生尚在，聽其議論，讀其文辭，如是而充拓之遠也，如是而含容之深也，如此其精麗也，如此其雄深也。然其論者實理，其序者實事，又以悟文之果止於是，而辭之果止於達也。心既識其所以然，及其自爲之則不至焉。既而曰：「夫既識其所以然而未至焉者，不學之過也，事皆然，獨文乎哉！」其後年長而涉世，不得殫歲月盡心力，追古之作者爲並，而足其所好慕其僅有之者，未敢自謂能至焉也。

又《爲范慶元芳潤堂記》 昔人論作文之法曰：「長袖善舞，多財善賈。」生取古人書劇讀而精思之，浩乎其川流，薰乎其蘭馥，研索日以富，則陸機所謂「漱六藝之芳潤」者，可言矣。雖然，辭章之靡麗者易工，而義理之精微者難究，其益思所以務學乎。致飾語言，不若養其氣；求工筆劄，莫若勵於學。氣完而學淬，則雖崇德廣業，亦自此進，況其外之文乎。

歐陽玄《潛溪後集序》 三代而下，文章唯西京爲盛。逮及東都，其氣寖衰。至李唐復盛，盛極又衰。宋有天下百年，始漸復于古。南渡以還，爲士者以從焉無根之學，而荒思於科試間，有稍自振拔者，亦多誕幻卑冗，不足

以名家，其衰又益甚矣。我元龍興，以渾厚之氣變之，而至文生焉。中統、至元之文龐以蔚，元貞、大德之文暢而腴，至大、延祐之文麗而貞，泰定、天曆之文贍以雄。涵育既久，日富月繁，上而日星之昭晰，下而山川之流峙，皆歸諸粲然之文，意將超宋、唐而至西京矣。【略】先民有言曰：「知言，聖賢之能事；立言，學問之極功。」不學知言，不能明理；不學立言，不能成文。

又《桂隱文集原序》 有一定之法，而蔑一定之用者，聖人之於規矩也；有無窮之言，而懷無窮之巧者，造物之於文章也。是故巧能爲文章，不能爲規矩，偭故常而爲規矩者，狂之於巧者也。法能爲規矩，不能爲文章，守故常而爲文章者，狷之於法者也。今余讀劉先生之文，溫柔敦厚，歐也；明辯疎雋，蘇也；至論其妙，初豈相師也哉！又豈不相師也哉！或曰：「妙可聞乎？」曰：「妙可意悟耳。」試從鎦先生求之，蓋有不可得以言傳者矣，而況余乎？雖然余所謂規矩，蔑一定之用，文章懷無窮之巧者，庶乎近之。

黃溍《吳正傳文集序》 某竊聞昔人之論文，率謂文主於氣，氣命於志，志立於學者也。蓋三代而下，騷人墨客以才驅氣，駕而爲文，驕氣盈則其言必肆，而失於誕；吝氣歉則其言必苟，而流於諂。譬如一元之運，百物生焉，觀其榮耀銷落，而氣之屈伸可知也。惟夫學足以輔其志，志足以御其氣者，氣和而聲和，故其形於言也，粹然一出於正。茲其所以信於今，而貽於後歟！

吳師道《張文忠公雲莊家集序》 人聲之發爲言，言之精者爲文，而皆出於氣也。昔人謂文不可以學而能，氣可以養而致。是氣也，孟子所謂浩然至大至剛，以直養而無害者歟！夫其養充而氣完，然後理暢而辭達。孟子之言，非爲作文設，而作文之法，孰有過此？竊嘗以是驗之世之人，卽其文之高下，而其氣之大小，能養與否，與夫養而未至者，幷可以得之也。

許有壬《林春野文集序》 貢舉未行，士之力學者積厚資深，發而爲文章，決江河，涇溝池，至卽盈溢。利祿一啓，人重得失，始有欲速而求捷者。假步蹈律，寸跬模倣，釁而始耀，規規乎其不裕也。今試格一日之目，有古賦，有詔誥、章表。近循習多用賦，則賦當日盛，上不追騷，下亦不失爲漢魏矣，而世反有今不逮昔之歎，何哉？蓋昔之人有式不擬，直以所學充之，後之人無學可充，而惟式是擬也。

又《青崖魏忠肅公文集序》 天地淸淑之氣，鍾於士而發爲文章，宜無時無地不得其正也。然世運有離合，教法有隆汙，而經術之道有晦明之不同，雖有異質，不能不汩而變焉。金源氏之有中土也，設科取士，治號尙文，而天下分裂，羣言亂哤，士之氣習，文之體裁，有欲醇而不能不疵者也，有欲實而不能不浮者也。力雖勞，而趨則近；業雖工，而道則虧。豈非聲教有限，而義理之學未興邪！我元一文軌，然後程朱之學大明於世，造詣深者，蔚爲名賢，推緒餘爲文章，亦莫不度越世習，蓋理勝則文在其中矣。

余闕《待制集序》 天地之化物，類人事之理，久則敝，敝則革，革則章。非敝無革，非革無章。吾何以知其然也？在《易》之「革」。「革」之卦，貞離而兌悔。離，文也，時至於革，則其敝也久矣。夫兌，離所勝者也，物敝當革，雖所勝者，熄之，故兌革離。夫惟革其故，而後新可取，故革其文者，乃所以成其文也。近取諸物，若虎豹之文，非不彪然炳也，及久而敝，則黮昧龐雜，曾不若狌狸之革而章者也。四離之終，而革之時也；五與上，革之功也。故五爲虎變，而上爲豹變。以其世考之，成周之文，唐虞以降之所未有也，至孔子之時，乃大敝矣。周公，聖人也，曷不爲是勿敝之道，以貽其子孫，以傳之天下後世，使之守而無變哉？蓋物久而敝，理也。理之必至，聖人亦未如之何也。孔子之作《春秋》，或者以爲絀周之文、崇商之質，夫豈盡然？以其告顏子四代之制與夫後進禮樂者觀之，則其所損益者可知也。由周而來，亦可概見。漢之盛也，則有董子、賈傅、太史公之文。東都而下，則敝而不足觀也。唐之盛也，則有文中子、韓子之文，中葉而下，則敝而不足觀也。宋之盛也，則有周子、二程子、張子、歐、曾之文，南遷而下，則敝而不足觀也。夫何以異于虎豹之文，彪然炳也，及久而敝，則黮昧龐雜，曾不如狌狸之革而章者哉？文之敝，至宋亡而極矣。故我朝以質承之，塗彩以爲素，琢雕以爲朴。當是時，士大夫之習尙，論學則尊道德而卑文藝，論文則崇本實而去浮華。蓋久而至于至大、延祐之間，文運方啓，士大夫始稍稍切磨爲辭章，此革之四而趨功之時也。

鄭玉《羅鄂州小集序》 文章與天地相爲終始，視世道之升降而盛衰者也。蓋自夫天地既判，三辰順布，五行錯出，其文著矣。伏羲畫卦，而人文始開；文王贊《易》，而文益備矣。及夫兩漢二馬、揚、班，或以紀事蹟著於策書，或以述頌功德刻之金石，文章之作，始濫觴矣。自是而降，一代之興，

必有一代之制，而文章亦由是而見焉。豈唯足以傳其事功，因以觀其治亂。

陳繹曾《文說》 陳文靖公問爲文之法，繹曾以所聞於先人者對曰：一養氣，二抱題，三明體，四分門，五立意，六用事，七造語，八下字。養氣法：肅。朝廷之文宜肅，聖賢道德宜肅。壯。長江大海之文宜壯，軍陣英雄之文宜壯。清。山林之文宜清，風月貞逸宜清。和。宴樂之文宜和，通人達士宜和。奇。鬼神之文宜奇，俠客高士宜奇。麗。宮苑之文宜麗，富貴美人宜麗。古。遊覽古迹之文宜古，上古人事宜古。遠。登高眺遠之文宜遠，大功業人宜遠。右養氣之法，宜澄心靜慮，以此景此事此人此物，默存于胸中，使之融化，與吾心爲一，則此氣油然自生。當有樂處，文思自然流動，充滿而不可遏矣。切不可作氣，氣不能養而作之，則昏而不可用，所出之言，皆浮辭客氣，非文也。氣之變化無方，當以此類推之。抱題法：開題。以題中合說事，逐一分析開寫，於篇中各間架內，次其先後所宜，逐一說盡。或以意化之，或以情申之，或以實事紀之，或以故事彰之，或以景物叙之。一篇之內，變換雖多，句句切題也。此作文入門之法，非其至者也。合題。亦以題中合說事逐一開寫，卻將意融會作一片，一口氣道盡，然忌直率。卻於間架中要意思曲折，此高於開題也。括題。只取題中緊要一節作主意，餘事輕輕包括見之，此最徑捷也。影題。並不說正題事，或以故事，或以他事，或立議論，挨傍題目而不着迹。題中合說事，皆影見之，此變態最多。反題。題目或悖義理，則反意說之。救題。題目雖悖義理，而以強辭奪正理解救之。引題。別發遠意，使人不知所從來，忽然引入題去，卻又親切痛快，此要筆力似影題而實異也。影題從題中來，此自題外來。蹙題。題繁乃蹙其文使甚簡，而不漏脫題中一事。衍題。題虛無可說，乃衍其意使甚多，而無一事題外來。招題。將題目熟涵泳之，使胸中融化消釋，盡將題中合說粗話掃去，就其中取出精華微妙之意，作成文章。超出題外，而不離題中，此作文之極功也。明體法：頌宜典雅和粹，樂宜古雅諧韶，贊宜溫潤典實，箴宜謹嚴切直，銘宜深長切實，碑宜雄渾典雅，碣宜質實典雅，表宜張大典實，傳宜質實，而隨所傳之人變化。行狀宜質實詳備，紀宜簡實方正，而隨所紀之人變化。序宜疏通圓美，而隨所序之事變化。論宜圓折深遠，說宜平易明白，辨宜方折明白，議宜方直明切，書宜簡要明切，奏宜情辭懇切，詔宜典重溫雅，謙沖惻怛之意藹然。制誥宜峻厲典重。分間法：頭起欲緊而重，大文五分腹，二分頭額；小文三分腹，一分頭額。腹中欲滿而曲折多，欲健而快。尾結欲輕而意足，如駿馬注坡，三分頭，二分尾。凡文，如長篇古律詩、騷古辭、古賦、碑碣之類，長者腹中間架，或至二三十段，然其要亦不過作三節而已。其間小段，間架極要分明，而不欲使人見其間架之迹，蓋意分而語串，意串而語分也。立意法：景。凡天文地理物象皆景也，景以氣爲主。意。凡議論思致曲折皆意也，意以理爲主。事。凡實事故事皆事也，事生於景則眞。情。凡喜怒哀樂愛惡欲之眞趣皆情也，意出於情則切。凡文體雖衆，其意之所從來，必由於此四者而出。故立意之法，必依此四者而求之，各隨所宜，以一爲主，而統三者於中。凡文無景則枯，無意則粗，無事則虛，無情則誣。立意之法，必兼四者。戴帥初先生曰：「凡作文發意，第一番來者陳言也，掃去不用；第二番來者正語也，停之不可用；第三番來者精意也，方可用之。韓子所謂陳言之務去，戛戛乎其難哉！其法如此。」戴先生又云：「作文須三致意焉。一篇之中三致意，一段之中三致意，一句之中三致意。」先尚書云：「文章猶若理詞狀也，一本事，二原情，三據理，四按例，五斷決。本事者，認題也；原情者，明來意也；據理者，守正也；按例者，用事也；斷決者，結題也。五者備矣。」辭貴簡切而明白。用事法：正用。故事與題事正用者也。反用。故事與題事反用者也。借用。故事與題事絕不類，以一端相近而借用之者也。暗用。用故事之語意而不顯其名迹。對用。經題用經事，子題用子事，史題用史事，漢題用漢事，三國題用三國事，韓柳題用韓柳事，佛志題用佛志事，此正法也。扳用。子史百家題用經事，三國題用周漢事，此扳前證後，亦正法也。比用。莊子題用列子，柳文題用韓文，亦正用之變也。倒用。經題用子史，漢題用三國，此有筆力者能之也。泛用。于正題中乃用稗官小說俗語戲談異端鄙事爲證，非大筆力不敢用，變之又變也。凡用事，但可用其事意，而以新語融化入吾文，三語以上，卽不可全寫。造語法：正語。《尚書》曰：「若稽古帝堯，曰放勳。」帝舜曰：「重華，協于帝。」大禹曰：「文命敷于四海。」皋陶曰：「允迪厥德，謨明弼諧。」《春秋》：「六鷁退飛過宋都，隕石于宋。」皆正其事而語之。拗語。《楚辭》：「吉日兮辰良」，不言「吉日兮良辰」。「蕙殽蒸兮蘭藉，奠桂酒兮椒漿」，不曰「蒸蕙殽兮蘭藉」。《莊子》「樂出虛蒸成菌」，不言「虛出樂」，倒一字句法便健十倍。反語。《論語》「學而時習之，不亦說乎」，又曰「愛之能勿勞乎」，

與《尚書》「俞哉衆非，元后何戴」，此皆反其意而道，使人悠悠致思焉。累語。《尚書》「寬而栗」，老子「長短相形」等語，皆累句也。孫武子「利而誘之，亂而取之」一節，語雖累而辭意句句有妙者。聯句。《尚書》「以親九族，九族既睦」，《大學》「知止而後有定，定而後能靜」，《檀弓》「人喜則斯陶」，皆聯語也。歇後語。《論語》「禮云禮云，玉帛云乎哉」，「曾謂泰山不如林放乎」，此皆不說破正意，歇後所當語而使人自思之。答問語。《論語》「吾何執？執御乎，執射乎」，孟子「王何必曰利，亦有仁義而已矣」，《詩》云「鷄既鳴矣，朝既盈矣，匪鷄則鳴，蒼蠅之聲」，《公羊》、《穀梁》尤極其變。變語。《堯典》「宵中星虛」，《舜典》「如西禮正月上日月正，元日正月朔旦」是也。省語。《舜典》「至于南岳，如初禮儀，禮其他如，皮弁之儀」，此省語也。助語。《檀弓》「南宮縚之妻之姑之喪」，一句纍三之字；《詩大序》「不知手之舞之，足之蹈之」，纍四之字；《莊子》尤多。《論語》「學而時習之，不亦說乎。」但「學、時、習、說」四字是實，「而、之、不、亦、乎」五字是助語。「其諸異乎人之求之歟」，但「異、人、求」三字是實，「其、諸、乎、之、之、歟」六字是助語。孟子「然而無有乎爾，則亦無有乎爾」，兩字是實，八字是助語。當用則不嫌多也。實語。《尚書》及《易》彖辭、爻辭用助語極少，《春秋》、《儀禮》皆然，此實語也。凡碑碣傳紀等文，不可多用助語字。序論辨說等文，須用助語字。對語。《尚書》「命羲和仲叔」四節，長對也；「威侮五行，怠棄三正」，正對也；「天聰明，自我民聰明；天明畏，自我民明威」，此對語不對字也；「衆非元后何戴，后非衆罔與守邦」，此對意不對字也；「天叙五典，天秩有禮，下間以五禮有庸哉，五服五章哉，佑賢輔德，下間以邦乃其昌」，散文用對語，必以散語間之也。隱語。《論語》「割鷄焉用牛刀」，「有美玉於斯，求善價而沽」，「諸虎兕出於柙，龜玉毁於櫝中」；《孟子》「城門之軌，兩馬之力歟」，皆隱語也。《小雅·鶴鳴》、古樂府《藁砧》，全篇隱語。莊、列尤多。婉語。《論語》陽貨言「日月逝矣，歲不我與」，子曰「諾，吾將仕矣」，此語直而意婉也。《春秋》「天王狩于河陽」，此語婉而意直也。凡造語皆自然，當如此則好。有意爲之，非也。下字法：諧音。凡下字有順文之聲而下之者，若音當揚，則下響字；若音當抑，則下嘔字。審意。凡下字有詳文之意而下之者，意當明，則下顯字；意當藏，則下隱字；意當尊，則下重字；意當卑，則下輕字。如此之類，變化無方。襲古。凡下字於平穩處，宜用古人曾下好字面，須求其的當平寔者用之。取新。凡下字于出奇處，宜用新字面，須尋不經人道語之的當新奇，而不怪僻，令讀之若出于自然，乃善。

又《文筌序》 文者，何理之至精者也。三代以上行於禮樂刑政之中，三代以下明於《詩》、《書》、《易》、《春秋》之策。秦人以刑法爲文，靡而上者也；自漢以來，以筆札爲文，靡斯下矣。烏乎，經天緯地曰文，筆札其能盡諸。戰國以上，筆札所著，雖與歌巷謠牛醫狗相之書，類非漢魏以來高文大策之所能及，其故可知也。彼精於事理之文，假筆札以著之耳，非若後世置事理於精神之表，而惟求筆札之華者也。【略】文將以見道也，豈其以筆札而害道哉！且余聞之，《詩》者情之實也，《書》者事之實也，《禮》有節文之實，《樂》有音聲之實，《春秋》有褒貶，《易》有天人，莫不因其實而著之筆札，所以《六經》之文不可及者，其實理至精故耳。

又《文筌·古文譜》 養氣法：一、澄神：屏欲棄染，息慮澄神，靜定瑩徹，此心光明普遍，如青天白日，上也；虛明圓瑩，如澄秋皎月，次也；清泠淵靜，如萬頃寒潭，又其次也；如清池，如明鏡，則可小用而已。以此照物，何物不燭；以此照理，何理不明；以此役神，何神不妙；以此屬辭，何辭不精。上智君子，敬之敬之。欲：如要好，求勝求工求麗，干名效諂之類皆是；染：如習韓、習柳、習歐、習蘇，執一偏而不圓通皆是；慮：身事家事國事，不可撥置，則勿作文，作文便當撥置；神：妙萬物而主吾心，須先識此，須令屬我，須令我與之爲一，須令不復有我而我卽神，第一工夫也。二、養氣：肅：朝廷題、聖賢題；壯：河岳題、武功題；清：山林題、仙隱題；和：宴樂題、通人題；奇：怪神題、豪俠題；麗：園榭題、美人題；古：上古題、雅勝題；遠：登眺題、功業題。澄神矣。將此題中，此景此事此情此意，一一由根生榦，由榦生節，由節生枝；生葉生花，枝枝葉葉，無則不可強生，有則不可脫漏。一一將此題此景此事此情，如青天白日照燭，纖悉明白凈盡，卻將此景此事此情此意都掃除，無纖毫存於心目之間。只有此題此氣，肅者凜然，壯者巍然，清者泠然，和者溫然，奇者屹然，麗者爛然，古者澹然，遠者廓然。一片眞境存於胸中，而此景此事此情此意融化於中，變態蠭生，取其精者、切者、要者、妙者而用之，須是自然存於胸中，不可著想；著想之即入客氣，徒勞終日，無所用之。料景：景：是題中實有本身及相連諸物；事：是題中動用處；情：

是題中喜怒哀樂愛惡欲之情狀；意：是題中事物及情合說意思，及吾所以處置之意與古人曾有處置之意。取精：精：是理之至者；切：是辭之切題者；要：是事之要領者；妙：是意之高妙者。養存：存：是眞題中自然於胸中生出此景此事此情此意；想：是看題浮沉卻於自胸中別生出他景他事他情他意也。三、立本。【略】四、清識、天理。須精究《二典》、《三謨》、《大雅》、《周頌》、《易繫辭》、《大學》、《中庸》、《論語》、《孟子》、《通書》、《太極》、《西銘》、《經世書》，心得其妙，方爲眞識；物理：眼前物理須一一就眼前窮究，不可專倚書籍，眼前所無物理，則須博采古今書，以考諸言，將求圖譜以詳其形，方爲眞識；事理：今事須於自家自心歷練處體驗人情事理，十分切實老成，即以此心去度量他家事理，雖不中，不遠矣。古事只要看來蹤去迹，言行著實處體聽他古人議論，休據古人字樣，懷洗千古冤抑照百代奸欺之心以臨之，自家的見識定，然後看古人議論以商榷之可也，如此則爲眞識；神理：自家先澄吾神，明明白白，見此主宰妙理，則其他天神地祇人鬼物怪，有者無者是者非者可得而照矣。自家不識自神，而欲妄意窺測，政恐魑魅罔兩輩竊笑耳。識自家神以照彼神一也，方是眞識。右萬理不同，同歸於是，謂之至理。至理本一，其變無方，謂之衆理。至理唯當心解處，不可以言求，以言求者是謂無識。衆理必須根榦枝葉脈絡紋理纖悉推究，目無不知見，心無不眞知，口無不可以眞言之，方可謂之眞識。眞識之目四：一曰其然（目可見耳可聞之實理），二曰當然（心可知身可行之正理），三曰所以然（口不可言心不可思而理勢自然之所必至），四曰不然（正理之外所當防戒百種邪僻者是也）。每題中景意事理皆當分四目推研之，庶幾可以見理矣。五、定志：心性必欲通神明，量度必欲包宇宙，聰明必欲察毫釐，裁處必欲合聖賢，識趣必欲度先秦，變化必欲備百家，體製必欲像韓、柳，格力必欲造屈、馬。

又《古文矜式》 一培養：養心：地步高則局段高；【略】見識高則意度高：文者言之精也，天下精妙之言，非識見高者能之乎。【略】欲識見高何法而可？曰：此心之靈與神明通，默而識之，遊於造化之祖。天機出入陟降左右，則妙與神明通矣。神慮周密，照物精切，纖毫曲折，必盡其情，則精與神明通矣。淸圓妙用，與造化者爲一，然而識見不高者，吾未之見也；氣量高則骨格高：文章與人品同，自古大聖大賢非有英雄氣量者不能到也。【略】欲氣量高何法而可？曰：熟讀《孟子》以昌吾氣，細看《堯典》以恢吾量，參以《史記》諸紀、世家、列傳以博其趣。大要只是要有英雄擔負天地之氣，有英雄包含古今之量。養力：讀書多則學力富：古文者古人之文章也，不得古人之心，不知古人之事，不明古人之天文地理萬物之變，不辯古人之城郭宮室車旂器物之制，乃欲操而爲古人之文，無是理也。欲讀書多何法而可？曰：讀經以明聖人之用，讀子以擇百家之善，讀史以博古今之變，讀集以究文章之體，讀其實，無讀其虛，三才萬物之體用謂之實，議論文章之末流謂之虛，今人讀書多忽其實而取其虛，是倒置也。夫議論文辭末也，苟得其實則變化在我，何必資於彼哉。資於彼是乃蹈襲而已，韓子唯陳言之務去，此之謂也；歷世深則材力健：文所以記事也，自家涉歷世故不深，則於人情事理不諳練，發之筆則涉近陳腐，不足以警世動物。文人傑作往往出於幽憂患難之餘。養氣：養元氣以充其本。【略】養題氣以極其變：朝廷之題其氣肅，軍旅之題其氣壯，山林之題其氣清，宮苑之題其氣麗，鍾鼎之題其氣古，關河之題其氣遠，宴樂之題其氣和，豪俠神異之題其氣奇。此皆舉一隅言之，其餘可以類推也。凡養氣先將題中合說，此景此事此情此意一一推究，枝枝節節不可脫漏，須令眼中明不如見胸中朗然與之神會，悲歡離合之情了然如身履目擊，其間更加詳察而研究之，而鼓舞之。須與題中本然之氣油然自生於吾胸中矣。此氣既生，擇其精而不僻新而不尖者，淘之汰之濾之漉之，而吾文得之矣。

又《文式》 第十「總論文」陳氏曰：「讀集義理，先觀體制，次分間架，次看發意，次觀造語。義理或經或史或子，隨題所宜，若有所取，能識破四者，便能作文矣。」

又《古今文章精義》：文章不難於巧而難於拙；不難於曲而難於直；不難於細而難於粗；不難於華而難於質。

又 作世外文字須換過境界，《莊子》寓言之類是空境界文字；靈均《九歌》之類是鬼境界文字（宋玉《招魂》亦然）；子瞻《大悲閣記》之類是佛境界文字；《芙蓉城》、《黃鶴樓詩》之類是仙境界文字。惟退之則不然，一切以正大行之，未嘗造妖捏怪，此所以不可及也。

又 做文字須放胸襟如太虛始得。太虛何心哉？輕清之氣旋轉乎外，而山川之流峙，草木之榮華，禽獸昆蟲之飛躍，游乎重濁渣滓之中而莫覺。其

所以然之故，人放得此心，廓然與太虛相似，則一旦把筆爲文，凡世之治亂，人之善惡，事之是非，某字(一作事)合當如何書，某句合當如何下，某段當前，某段當後，如妍醜之在鑒，低昂之在衡，決不至顛倒錯亂，雖進而至之聖經之文可也。今之作文，動輒先立主意，如經、論、賦、策，不知私意偏見不足以包盡天下之道理，及主意有所不通，則文勉強遷就，求以自申其說，若是者皆時文之陋習也，不可不戒。

楊植翁《金石例原序》 文章先體製，而後論其工拙。體製不明，雖操觚弄翰于當時，猶不可，況其勒于金石者乎！陸士衡《文賦》論作文體製，大略可見。由先秦以來，迄于近代，金石之所篆刻，具有體製，好古博雅之士，皆不可以不之考也。然而自上徂下，貴賤有等，名器亦因之而異數。叙事紀實，抑揚予奪，必當有所法，自非類聚而通考之，何以見之哉。

潘昂霄《金石例》卷九 論作文法度：立本論，前說備矣。本者既立，必學問充就，而後識見造詣，凡見之議論言語者，皆正大純粹。如冠冕佩玉入宗廟之中，人自起敬。學力既到，體製亦不可不知。如記、贊、銘、頌、序、跋，各有其體。不知其體，則喻人無容，雖有實行，識者幾何人哉！體製既熟，一篇之中，起頭結尾，繳換曲折，轉折反覆，照應關鎖，綱目血脈，其妙不可以言盡，要須助自得於古人。

又 凡作文字，先要知格律，次要立意，次要語贍。所謂格律，但熟考總類可也。所謂立意，如學記泛說尚文，是無意，也須就題立意，方爲親切。**【略】** 所謂語贍，如韓退之《南海神廟文》「乾端坤倪，軒豁呈露」一段，老蘇《兄渙字序》「說風水」一段，是也。

姚燧《盧威仲文集序》 余嘗熟玩其文之一二，大抵體根于氣，氣根于識。識正而氣正，氣正而體正，故勁特而偉健，明白而洞達，激烈而懇到，望而知其爲威仲之文，蓋君子之文也。抑余有聞：年有少壯老之不侔，氣有明昏僡之殊致，故爲善于少壯之日則易，而自立于衰暮之節則難，惟學則一而已矣。

蘇天爵《題魯齋先生遺書後》 嗚呼，言語文字，果君子之所尚乎？沈淪於言語文字者，常背馳於賢聖之道。言語文字，果君子之所絕乎？舍棄夫言語文字者，又何以求聖賢之心？自洙泗、伊洛之教行，蓋未有絕此而不習，以從事于空無所援者，而世不察，皆曰言語文字末也，此不足治也，曾不知千載而下，去聖益遠，舍此吾何從而求哉！乃曰吾惟躬行云爾。嗚呼，吾未聞學之不博而有以爲致思之地者，吾未聞言之不文而可以傳精微于久遠者。

程文《孟君文集序》 文者車也，故善御車者必範其馳驅，善爲文者必正其法度。爲文而不正其法度，猶以詭遇御車而不能行遠也審矣，況虛其載乎？今世人莫不能爲文，大概有三：託物連類，因事賦情，語麗辭贍，悅可人意，是曰應世之文；識高志遠，論議卓絕，發菽粟之至味，振金石之逸響，使一世之人皆服，曰名世之文；編之乎詩書之册而不愧，措之乎天地之間而不疑，聖人復生不易吾言，千載之下有好之者，所謂傳世之文也。有志於文者，亦莫不欲傳世，而至於名世者已不可多得，往往應世而止耳。然則文豈易言哉！山高而雲興焉，井深而泉冽焉，枝葉暢沃，其木百圍，蓋積於中者厚，則其發於外者大，如斯而已矣。

倪士毅《作義要訣》 宏齋曹氏(涇)曰：「文字大概，以純者爲合格，健者爲有氣。合格者中程度，有氣者起人眼目。然今人作文，於二者皆易有病，蓋似純者無氣燄，則率略委靡，又不足以起人眼目；似健者多草野，則夾雜怪僻，又不可以合有司程度。如愚所見，當於規矩之中，用老蒼之體，庶幾合格，則不爲有司所擯；出奇，則又非低手可及。必識此意，乃可進步。」

楊維楨《潛溪後集序》 文一也，達而在上者必信，窮而在下者必詘，勢則然也。然今之信者，或後詘；詘於今者，或大信於後。何也？理也。勢不勝乎理，文章之器斯定矣。孔子《六經》之言，塞於《春秋》之君相，而不能不大行於萬世之長。孟軻、荀況不能與一時談辯之客，爭勝負於細席之上，而千禩之後，兩家之書各數萬言，有不得而鬱也。詘信於勢與理者固如此。

又《王希賜文集序》 干將之器，利可剸鍾，然其利之司於人者，有當不當焉。君子以禦寇，利也；盜持以殺人，亦利也。文章，大利器也，而妄庸者輕用之世，無時分寸利，而危至於殺人。吁，可不慎諸？故司文者不以輕屬妄庸，戛戛乎難其人者，誠以利器之雄偉不常而有推陷廓清之功者也。

又《再序》 我朝文章肇變爲劉、楊，再變爲姚、元，三變爲虞、歐、揭、宋，而後文爲全盛。以氣運言，則全盛之時也，盛極則亦衰之始。自天曆來，文章漸趨委靡，不失於蒐獵破碎，則淪於剽盜滅裂，能卓然自信，不流於俗者，幾希矣。吾嘗以近代律令之文，僅得與曾鞏、蘇轍、王安石、李清臣、陳無己之流，相追逐相亡而中衰也，已不得步武於陸游、劉克莊、三洪，矧

葉適、陳傅良、戴溪乎？不得步武於葉適、戴溪、陳傅良，矧晁、張、秦、黄乎？不得步武於晁、張、秦、黄，矧二蘇、歐陽乎？時則舉子之伎興矣，不惟代無作者，而鑑識衡定爲之先者，無其人也，亦久矣。吁，吾於此求夫篤於自信，不爲流俗所移者，東浙之士僅四三人，曰王廉氏，其一也。其爲文不諧於人，人則以鑑識衡定者屬於吾，吾每爲之起畏，諗其追古作者，則西京而上，秦與燕也，楚之《騷》也，春秋之《國語》也，班固、崔駰而下弗論也。若是者，其時於一己之獨，不以一代之氣運盛衰爲高下者也，豈不偉歟？

梁寅《傅與礪文集原序》　文章之興也，觀之《六經》可概見。迨後之作者，或善於叙述，或優於論議，往往以偏長見稱，矧詠歌之辭，必聲韻之叶而音節之諧，又非徒貴于辭達，宜兼之之難也。自昔鉅儒若唐之韓、柳，宋之歐、蘇、王、陳，元之虞、揭，于文與詩皆兼精焉，繇其學之富、才之全，是以能人所不能而名高於一世。

俞焯《成性齋文集序》　自采詩之政廢，而詩之美刺以微。晉漢以來非無作者，往往有以情性之正，而終不能粹然一出于古，純然以復其初。臨川宋君體仁生于本朝，取古之所謂「成性存存，道義之門」，而心以爲是者，所當身體而力行之，遂題其詩文曰《成性齋文集》。則體仁固有道之士，行其家者固不待論，而不及用于時，使其陳力而就列，則其所贊，卽其所行者也。是故秀實之揮笏雖出于憤烈，而謂乃有所未安。孔褒之爭死，則貶其未知倫理之輕重。王導之勸謝，則斥其位居元老而柔邪。是皆所以引人反求諸己而歸之于性者。嗚呼！此豈徒模寫物態，流連光景爾哉？體仁績學而爲文，理到而詞約，下筆神會，心得有妙于斲輪不能以喻者，非詡詡以求售于人，如凡近一輩也。

又《存復齋文集序》　朱澤民爲童子師時，以文墨故，與予交三十餘年間，得許道寧畫，謾爾塗抹，適臻其能。在仁廟時，瀋王器其才，引對于嘉禧殿，授征東提學以歸！人不知其於鞭辟近裏，尤用功也。藝於聖門，固曰小學之能事，然以欲觀古人之象，與夫繪事後素，可與言詩者推之，其於指畫之形，有切近於書者。聖人於藝以游，而言儕於道德與仁而四之。一以小物不遺，動息有養故耳。況夫以山水言，亦仁知之所樂者，於進而吾往也，逝而不舍晝夜也。爲學、學道，一以體其重厚不遷，周流無間，凡得想象而求以似之，何藝非道耶？使刻意於文字，不有以載道，而追逐於月露風雲之狀，庸何愈於藝成而下者，此《詩》之「國風」所以出於民俗之歌謠，後儒極力無能彷彿也。澤民績學而爲文，理到而詞不凡，下神會心，得有妙於斲輪不能以喻諸子者，非詡詡以求售於人如凡近一輩也。天下之物，無影無形，難以儗諸形容者，曰惟風聲。莊子噫氣之論，一以可聞而不可見者「之翏翏」、「之調調」、「之刁刁」，曰「獨不聞」，曰「獨不見」貌，出「天籟」一節，子露無遺，則亦深於文字者，曰精於藝耳。不然，孰無一畫筆，能神於化工耶？澤民藝能而妙，由妙而神，神有幾於天者。言之精者爲文，由精而超於自得，則有配天於無言者。德、藝兩忘，道術無蹟，神而明之，亦存乎人。澤民可與語道矣，有不合天人于一耶？登峰造極，風詠言歸，聖賢氣象，相與往來於文字，以狀出之，山立揚休，不無悠然於一見者，姑將以爲序。

吴海《覺是先生文集叙》　古者文以載道，非苟爲空言，亦非篤意于求工也。漢氏以來，而文始涉乎技矣。由司馬相如以濫靡之辭，飾夸詼之智，舉世慕之。相承至于魏、晉、六代，而亂雜瑣碎，不勝其弊。至唐韓子，然後能反乎古。逮宋歐、蘇，而其氣益振。蓋雖與世升降，亦在乎人之自爲耳。然非聰明俊拔之士，學問博洽，識見精敏者，雖畢其平生之力，有不能至焉，則亦可謂難矣。國朝自程、吴諸公以來，凡十餘人，相繼擅爲文章，或號簡古，或推富贍，或稱溫雅，或宏肆浩汗，或魁壘多奇，或敷腴清潤，或恬淡淵永，莫不各得其趣，自成一家。若公之文，宏健雅肆，其叙事明潔，類太史公；其運意精深，類柳子厚；其遺詞不滯，類蘇子瞻。其視國朝諸公，固不多讓，或與並駕而爭進也。昔公嘗與予論古今人文章上下，予試問曰：「公乃自比何人？」公笑曰：「能爲東坡乎！」是雖一時戲笑之言，亦其內有所信而人不知者。

戴良《玉笥集序》　古者學成而用，故其爲志在乎行事而已。然方未用時，有其志而無其行事，則以其性情之發，寓諸吟咏之間焉。及其既用也，而前日之吟咏，乃皆今日行事之所資，則所以發諸性情以明吾志之有在者，夫豈見之空言而已哉？此登高賦詩，所以觀乎大夫之能否者，其所由來遠矣。後世學不師古，而詩之與事，判爲二途。於是處逸樂者則流連光景，以自放於花竹之間而不知返。不幸而有飢寒之迫，擯斥摧挫流離窮厄之至，則嗟窮悼屈，感憤呼號，莫有紀極於其中。然於時政無所繫，於治道無所補，則徒見

諸空言而已耳。是故有見於此而思務去之者，豈不謂之有志之士乎？

趙汸《潛溪後集序》 修辭以爲文，非古也，其起於漢之西京乎？太史公傳司馬相如，吾丘壽王、東方朔、枚皋、王褒之屬，以善屬文見知人主，然皆不得列於儒林。而孔子弟子別爲傳，謂修辭而文不本於經，蓋昉於此。至唐韓子、宋歐陽公、曾子固相繼而出，始考諸經以立言，其器識之大，學問之博，志節之固，又足振而興之。文辭之用，於是爲貴。雖諸子續周、程之緒，猶且誦法表章，而不敢忽焉。葉正則顯於東南，當道學復明之世，刻意修辭，不踐故跡，而乖離侵畔，自窒其源，其視韓、歐特起於千載之下，而知所宗尙者，爲何如也！是以君子尙論浙東先達，必以東萊呂公爲歸，豈非以其博而知要，能自得師，雖擬諸孔門游、夏之倫而無媿也乎！若夫辭達理明，不繳繞於陳言而固與之合，則百年間，其善於侍講黃公者矣！景濂父生呂公之鄉，而嘗遊於黃公之門，其學以經爲師，而尤長於《周禮》，其博極羣書，鉤深索隱，益將以自致爲文，直以才高思敏，舒之斂之，不宜而未嘗有意於爲作也，而不但資爲文辭也。當其發憤擇術，直詆辭章爲淫言，葩藻爲宿機，期於剗削刊落，以徑趨乎道德之途，而於呂公尤惓惓詠思嘆慕，若不能自已於言者。則其輕重之類，得失之機，察其明矣！別集之行，豈徒欲以文辭名世者哉！蓋汸所知於景濂父者如此。若夫陳公謂爲文必傳諸師而後可者，景濂父既不以自多，而汸又不足以言之。顧嘗聞之，袁公伯長嘗問虞公伯生：「爲文當何如？」虞公曰：「子，浙人也。子欲知爲文，當問諸浙中庖者。予，川人也，何足以知之？」袁公曰：「庖者何用知文乎？」虞公曰：「川人之爲庖也，麤塊大臠，濃醯而厚醬，非不果然屬饜也，而飲食之味微矣！浙中之庖者則不然。凡水陸之產，皆擇取柔甘，調其湆齊，澄之有方，而潔之不已，視之冷然水也，而五味之和各得所求，羽毛鱗介之珍不易其性。故余謂爲文之妙，惟浙中庖者知之。」袁公蓋矍然稱善也。自虞公爲是言，學者竊論，以爲非黃公之文不足以當之。衆仲嘗學於虞公，而景濂父、黃公之徒也。二公之所指授，有異於他門哉！善觀斯集，則得之矣。

陶宗儀《輟耕錄》引盧摯《文章宗旨》 古今文章大家，數甚不多見，《六經》不可尙矣。戰國之文，反覆善辨，孟軻之條暢，莊周之奇偉，屈原之清深，爲大家。西漢之文，渾厚典雅，賈誼之俊健，司馬之雄放，爲大家。三國之文，孔明之二表，建安諸子之數書而已。西晉之文，淵明《歸去來辭》、李令伯《陳情表》、王逸少《蘭亭敘》而已。唐之文，韓之雅健，柳之刻削，爲大家。夫孰不知？然古文亦有數。漢文司馬相如、揚雄名敎罪人，其文古。唐文韓外，元次山近古，樊宗師作爲苦澀，非古。宋文章家尤多，老歐之雅粹，老蘇之蒼勁，長蘇之神俊，而古作甚不多見。蓋淸廟茅屋謂之古，朱門大廈謂之華屋可，謂之古不可。太羹玄酒謂之古，八珍謂之美味可，謂之古不可。知此者，可與言古文之妙矣。夫古文以辨而不華，質而不俚爲高。無排句，無陳言，無贅辭。夫記者所以紀日月之遠近，工費之多寡，主佐之姓名，敘事如書史法，《尙書·顧命》是也。敘事之後，略作議論以結之，然不可多，蓋記者以備不忘也。夫敘者次序其語，前之說勿施於後，後之說勿施於前，其語次第不可顚倒，故次序其語曰敘。《尙書敘》、《毛詩序》，古今作序大格樣。《書序》首言畫卦書契之始，次言皇墳帝典三代之書，及夫子定書之由，又次言秦亡漢興求書之事；《詩序》首言六義之始，次言變風變雅之作，又次言二南王化之自。碑文惟韓公最高，每碑行文言道，人人殊面目，首尾決不再行蹈襲。神道碑揭於外，行文稍可加詳，埋文壙記最宜謹嚴。銘字從金，一字不泛用，善爲文者宜如古詩雅頌之作，行實之作當取其人平生忠孝大節，其餘小善寸長，書法宜略。爲人立傳之法亦然。跋取古詩「狼跋其胡」之義，犯前則躐其胡，跋語不可多，多則冗，尾語宜峻峭，以其不可復加之意。說則出自己意，橫說豎說，其文詳贍，抑揚無所不可，如韓公《師說》是也。眞公編次古文，自西漢而下他並不錄，迄唐惟尊韓公四記、柳公游西山六記而已。古文之難，豈其然乎！

倪中《白雲稿序》 先輩稱文章盛衰關乎世運，愚竊以爲未必然也。彼見歐、蘇、王、曾諸子以文迭興而適當宋祚之隆，故因得以爲說，至若唐貞觀、開元之治，豈下於慶曆、元豐間哉？然文習弊陋，未聞有能掘起之者，及韓、柳輩出，辭章始復於古，而唐室之政日就衰亂，何在其能關世運哉？我朝政化之弘遠過前代，延祐以降可謂極治者矣，是以選舉法行，得人爲盛，然數十年中名公鉅人往往由科目而進其能，作爲文章，以上尊孔、孟而下襲揚、馬者，顧多在於賤窮之士。吁！是又不可詰矣。《傳》曰：「豪傑之民雖無文王猶興，豈文章之出尤無所待於人歟？」【略】然愚聞之，君子修學以立己，纘言以明道，己立而道明，豈復有待於外哉？

方道叡《思臺文集敘》 晦菴朱先生著《韓文考異》，述蘇子之言有曰：

「歐陽子嘗云，晉無文章，惟陶淵明《歸去來》一篇。吾亦謂唐無文章，惟韓昌黎《送李愿歸盤谷序》。屢欲效其作，執筆輒罷，未能也。」余三復斯言，竊歎文章之難，非一也。言之難，傳之世難，傳之世久而無弊爲尤難。是以古之善立言者，不得已而後言。故言發而成文，必有關于世敎也。成文而傳必眞，人之足稱而言之有實也。非有關于世教，則其文可無作也。非其人之足稱，而言之有其實，則其文亦不能以獨傳也。雖或傳，而久之不能無弊也。噫！人不易知也！言不易立也！不難傳而難于言者，其惟隱君子之德乎？今夫陶之辭，韓之序，天下傳之，後生小子莫不誦而習焉。然孰知夫彭澤之不仕非異乎人也，義之所當盡也。孰知夫盤谷之終隱非逃乎世也，命之不可以強求也。行之有義，安之有命，進退出處，不失其正者，士君子立身大義也。徵于言，無尤怨迫促之病；考之行，無苟賤卑污之恥。反觀其所存，悠然自得之妙，蟬蜕而春融，非有見于道者未能及此也。宜乎後之能文君子，推而稱之，以爲獨擅一代之盛，而自視欲然，有以知其不足也。則其言之，傳之，所謂文章者，果可空言無補、託之以爲高乎？

黃鎮成《陳克明一笑集序》　宇宙間生人無窮，學者相望，立言以攄藴，著書以傳世，人各自爲集，蓋已不勝其浩穰矣。然其間傳不傳，亦有幸不幸焉。自秦以上，繇載籍外旁及諸子百氏，今存者有幾？自秦以下，著述者又不知其幾人？六朝煙燼之後，今存者又不知有幾？烏虖！《六經》，元氣也。孔、曾、思、孟之書，日月也。諸子百氏或醇或疵，猶列星之有祥祲也。下及史策文章賦詠紀述之徒，大者如龍吟虎嘯，呼吸變化，小者如時禽候蟲，亦各觸機應籟而不能自已者也。作者無涯，傳者有限，祇可爲古今一大嘅已。

唐桂芳《白雲集自序》　夫《六經》皆文也。獨《進學解》曰：「《春秋》謹嚴，《易》奇而法。」謹嚴尚能知之，奇而法，非知道者孰能言之！《易》曰「日中見斗」，有其象而無其理也；「載鬼一車」，無其象而有其理也。《易》雖奇而貴於有法，所以爲經。三代而降，《莊》、《騷》非不奇也，而昧於有法。荀、揚非不謹也，而失於有嚴。唐推韓退之奇而且法，柳子厚謹而且嚴；宋歐陽永叔正則正矣，而近於奇；曾子固謹則謹矣，而近於嚴。陳腐則不奇，詭怪則不法，放恣則不謹，齷齪則不嚴，戛戛乎其難矣。所以詖辭、淫辭、邪辭、遁辭，而知其所蔽、所陷、所離、所窮，豈特言哉！言之精者爲文，文之精者爲詩，初無異理也。

危素《送劉志伊采大元文乘叙》　文章之有功于世，尚矣。烏可以爲儒者之末技而輕之哉。自宓羲氏之先吾不知其幾世幾年，其間雖人事簡質，風氣未開，然載籍無所稽而鴻荒莫可詰。由後世觀之，無乃失之于野而非先王御天下之意也。彼三墳、八索、九丘今不可得而見之矣。《詩》、《書》、《春秋》具載四代之事，帝王之功業，于是可考其大凡于後。歷世有史，其文人有別集，固汗牛馬而充棟宇，游于書林藝圃，沛乎有餘哉？

又《白雲稿序》　余嘗怪爲古文者多用險語，以文義句讀異於時爲工，非有合於古道者也。古之人爲言辭少文致，又時語不類，故爲訓詁等文，似難爲解，大約使通上下之情而已，非故爲其辭異於時也。然其宣布號令，君臣之等，天倫之重，性情之懿，義理所在，炳如日星，含蓄萬變，無所不備。後之人雖劇於文辭，欲著論其説者不爾過，故其傳久不衰，而人宗師之。下逮漢唐，以至今日，文之升降率與時等。卽其簡策之存而傳者讀之，豈故爲其辭而爲是異哉？又嘗怪業進士者多自稱爲時文，言古文字異學，不知古文又何乖於今之人也？唐因隋法，有明經進士，自是取士者必設是科。其間達人志士用以自見者亦甚衆，其爲經義詞賦果可盡傳於人人耶？又其人間有爲史官，秉筆爲典策，載國家事盛衰傳後世者，其叙彝典，明善惡，果外於天人性命、仁義道德之説耶？文古今誠不同，不外是理。理明辭達，今與古不異也。

宋濂《剡源集序》　辭章至于宋季，其弊甚久，公卿大夫視應用爲急，俳諧以爲體，偶儷以爲奇，靦然自負其名高。稍上之則穿鑿經義，檃括聲律，孳孳爲譁世取寵之具；又稍上之剽掠前修語錄，佐以方言，累千百而弗休。且曰：「我將以明道，奚文之爲？」又稍上之騁宏博，則精粗雜糅而略繩墨；慕古奧，則删去語助之辭而不可以句。顧欲矯弊而其弊尤滋。私自念辭章在世，如日月之麗乎天，雖疾風暴雨，動作無時，將不能蔽蝕其精明。獨怪夫當時之士，奚爲乏一人障其狂瀾邪？復念豪傑之士何代云無？第區區所見孤陋，故鮮能知之，非誠然也。及覽先生之文，新而不刻，清而不露，如晴巒出雲，姿態横逸而連翩弗斷，如通川縈紆，十步九折而無直瀉怒奔之失。嗚呼，此非所謂近于豪傑之士邪！

又《華川書舍記》　嗚呼，文豈易言哉！日月照耀，風霆流行，雲霞卷舒，變化不常者，天之文也。山嶽列峙，江河流布，草木發越，神妙莫測者，

地之文也。羣聖人與天地參，以天地之文，發爲人文，施之《卦》《爻》，而陰陽之理顯；形之《典》《謨》，而政事之道行；咏之《雅》《頌》，而性情之用著；筆之《春秋》，而賞罰之義彰；序之以《禮》，和之以《樂》，而扶導防範之法具。雖其爲教有不同，凡所以正民極，經國制，樹彝倫，建大義，財成天地之化者，何莫非一文之所爲也。自先王之道衰，諸子之文，人人自殊，管夷吾氏則以霸略爲文，鄧析氏則以兩可辨説爲文，列禦寇氏則以黃老清淨無爲爲文，墨翟氏則以貴儉、兼愛、尚賢、明鬼、非命、尚同爲文，公孫龍氏欲屈衆説，則又以堅白名實爲文，莊周氏則又以通天地之統、序萬物之性、達死生之變爲文，愼到氏則又以刑名之學爲文，申不害氏、韓非氏宗之，又流爲深刻之文，鬼谷氏則又以捭闔爲文，蘇秦氏、張儀氏學之，又肆爲縱横之文，孫武氏、吳起氏則又以軍刑、兵勢、圖國、料敵爲文，獨荀況氏粗知先王之學，有若非諸子之可及，惜乎學未聞道，又不足深知羣聖人之文。凡若是者，殆不能悉數也。文日以多，道日以裂，世變日以下，其故何哉？蓋各以私説臆見，譁世惑衆，而不知會通之歸，所以不能參天地而爲文。自是以來，若漢之賈誼、董仲舒、司馬遷、揚雄、劉向、班固，隋之王通，唐之韓愈、柳宗元，宋之歐陽修、曾鞏、蘇軾之流，雖以不世出之才，善馳騁于諸子之間，然亦恨其不能皆純，揆之羣聖人之文，不無所愧也。上下一千餘年，惟孟子能闢邪説，正人心，而文始明。孟子之後，又惟舂陵之周子、河南之程子、新安之朱子，完經翼傳，而文益明爾。嗚呼，文豈易言哉！自有生民以來，涉世非不遠也，歷年非不久也，能言之士非不夥且衆也，以今觀之，照耀如日月，流行如風霆，卷舒如雲霞，惟羣聖人之文則然；列峙如山嶽，流布如江河，發越如草木，亦惟羣聖人之文則然。而諸子百家之文，固無與焉。故濂謂立言，不能正民極，經國制，樹彝倫，建大義者，皆不足謂之文也。士無志於古，則已有志于古，舍羣聖人之文，何以法焉！

又《曾助教文集序》 天地之間，萬物有條理而弗紊者，莫非文。而三綱九法，尤爲文之著者何也？君臣父子之倫，禮樂刑政之施，大而開物成務，小而褆身繕性，本末之相涵，終始之交貫，皆文之章章者也。所以唐虞之時，其文寓于欽天勤民，明物察倫之具，三代之際，其文見於子丑寅之異，建貢助徹之殊，賦載之於籍，行之於當時，其大本既備，而節文森然可觀。傳有之，三代無文人，《六經》無文法。無文人者，動作威儀，人皆成文；無文法者，物理即文，而非法之可拘也。秦漢以下，則大異於斯。求文於竹帛之間，而文之功用隱矣。雖然，此以文之至者言之爾，文之爲用，其亦溥博矣乎，何以見之？施之於朝廷，則有詔、誥、册、祝之文；行之師旅，則有露布、符檄之文；託之國史，則有記、表、志、傳之文。他如序、記、銘、箴、贊、頌、歌、吟之屬，發之於性情，接之於事物，隨其洪纖，稱其美惡，察其倫品之詳，盡其彌綸之變，如此者要不可一日無也。然亦豈易致哉？必也本之於至靜之中，參之於欲動之際，有弗養焉，養之無弗充也；有弗審焉，審之無不精也。然後嚴體裁之正，調律呂之和，合陰陽之化，攝古今之事，類人己之情，著之篇翰辭旨，皆無所畔背。雖未造於至文之域，而不愧于適用之文矣。

又《徐教授文集序》 曹丕有言：「文章者，不朽之盛事。」其故何哉？夫山之巍然，有時而崩也；川之泓然，有時而竭也；金與石至固且堅，亦有時而銷泐也。文辭所寄，不越乎竹素之間，而謂其能不朽者，蓋天地之間，有形則弊，文者，道之所寓也，道無形也，其能致不朽也宜哉！是故天地未判，道在天地；天地既分，道在聖賢；聖賢之歿，道在《六經》。凡存心養性之理，窮神知化之方，天人感應之機，治忽存亡之候，莫不畢書之。皇極賴之以建，彝倫賴之以叙，人心賴之以正，此豈細故也哉。後之立言者，必期無背於經，始可以言文，不然，不足以與此也。是故揚沙走石，飄忽奔放者，非文也；牛鬼蛇神，佹誕不經而弗能宣通者，非文也；桑間濮上，危絃促管，徒使五音繁會，而淫靡過度者，非文也；情緣憤怒，辭專譏訕，怨尤勃興，和順不足者，非文也；縱横捭闔，飾非助邪，而務以欺人者，非文也；枯瘠苦澀，棘喉滯吻，讀之不復可句者，非文也；庾辭隱語，雜以詼諧者，非文也；事類失倫，序例弗謹，黃鐘與瓦釜並陳，春穠與秋枯並出，雜亂無章，刺昧人目者，非文也；臭腐塌茸，厭厭不振，如下俚衣裝，不中程度者，非文也。如斯之類，不能偏舉也。必也旋轉如乾坤，輝映如日月，闔闢如陰陽，變化如風霆，妙用同乎鬼神，大之用天下國家，小而天下國家用，始可以言文。不然，不足以與此也。故所貴乎文者，前乎千萬世而不見其始，後乎千萬世而不知其終，有不可一刻而離去者，其能致不朽也宜哉！丕也，烏足以知之？徒以魯國孔融等七子，學無所遺，辭無所假，足以令聲名傳後而已，安知其文哉。《傳》有之：「言以足志，文以足言。」言之無文，

行之不遠。」此則文之至者也。文之至者，文外無道，道外無文，粲然載於道德仁義之言者，即道也；秩然見諸禮樂刑政之具者，即文也。道積于厥躬，文不期工而自工，不務明道，縱若蠹魚出入于方册間，雖至老死，無片言可以近道也。夫自孟氏既沒，世不復有文。賈長沙、董江都、太史遷，得其皮膚；韓吏部、歐陽少師，得其骨骼；舂陵、河南、横渠、考亭五夫子，得其心髓。觀五夫子之所著，妙斡造化而弗違百世以俟聖人而不惑斯文也，非宋之文也，唐、虞、三代之文也；非唐、虞、三代之文也，《六經》之文也。文至于《六經》，至矣盡矣，其始無愧于文矣乎。世之立言者，奈何背而去之？

又《白雲稿序》 劉勰論文有云：「論説辭序，則《易》統其首；詔策章奏，則《書》發其源；賦頌歌讚，則《詩》立其本；銘誄箴祝，則《禮》總其端；紀傳文檄，則《春秋》爲之根。」嗚呼，爲此説者固知文本乎經，而濂猶謂其有未盡焉何也？《易》之彖象有韻者，即《詩》之屬；《周頌》敷陳而不協音者，非近於《書》與？《書》之《禹貢》、《顧命》，即序紀之宗；《禮》之《檀弓》、《樂記》，非論説之極精者；與況《春秋》謹嚴，諸經之體又無所不兼之與。錯綜而推，則《五經》各備文之衆法，非可以一事而指名也。蓋蒼然在上者，天也，天不能言，而聖人代之，經乃聖人所定，實猶天然。日月星辰之昭布，山川草木之森列，莫不繫焉，覆焉，皆一氣周流而融通之。苟欲强索而分配，非愚則惑矣。夫經之所包廣大，如斯世之學文者，其可不尊之以爲法乎。

又《文原·下篇》 爲文必在養氣。氣與天地同，苟能充之，則可配序三靈，管攝萬彙，不然，則一介之小夫爾。君子所以攻內不攻外，圖大不圖小也。力可以舉鼎，人之所難也，而烏獲能之，君子不貴之者，以其局乎小也。智可以搏虎，人之所難也，而馮婦能之，君子不貴之者，以其騖乎外也。氣得其養，無所不周，無所不極也。攬而爲文，無所不參，無所不包也。九天之屬，其高不可窺，八柱之列，其厚不可測，吾文之量得之；規燬魄淵，運行不息，基地萬熒，纏次弗紊，吾文之燄得之；崑崙元圃之崇清，層城九重之嚴邃，吾文之峻得之；南江北瀚，東瀛西溟，杳渺而無際，涵負而不竭，魚龍生焉，波濤興焉，吾文之深得之；雷霆鼓舞之，風雲翕張之，雨露潤澤之，鬼神恍惚，曾莫窮其端倪，吾文之變化得之；上下之間，自色自形，羽而飛，足而奔，潛而泳，植而茂，若洪若纖，若高若卑，不可以數計，吾文之隨物賦形得之。嗚乎，斯文也，聖人得之則傳之萬世爲經，賢者得之則放諸四海而準，輔相天地而不過，昭明日月而不忒，調燮四時而無愆。此豈非文之至者乎！天德湮微，文氣日削，騖乎外而不攻其內，局乎小而不圖其大，此無他，四瑕、八冥、九蠹有以累之也。何謂四瑕？雅鄭不分之謂荒，本末不比之謂斷，筋骸不束之謂緩，旨趣不超之謂凡。是四者，賊文之形也。何謂八冥？訐者將以賊夫誠，橢者將以蝕夫圜，庸者將以混夫奇，瘠者將以勝夫腴，觕者將以亂夫精，碎者將以害夫完，陋者將以革夫博，昧者將以損夫明。是八者，傷文之膏髓也。何謂九蠹？滑其眞，散其神，糅其氛，狥其私，滅其知，麗其蔽，違其天，昧其幾，爽其貞。是九者，死文之心也。有一于此，則心受死而文喪矣。春葩秋卉之爭麗也，鵾號林而蛩吟砌也，水湧蹄涔而火炫螢尾也，衣被土偶而不能視聽也，蠛蠓死生于甕盎不知四海之大六合之廣也，斯皆不知養氣之故也。嗚乎，人能養氣則情深而文明，氣盛而化神，當與天地同功也。與天地同功而其智卒歸之一介小夫，不亦可悲哉。

徐一夔《陶尚書文集序》 國家之興，必有魁人碩士，乘維新之運，以雄辭鉅筆出，而敷張神藻，潤飾洪業，鏗乎有聲，炳乎有光，聳世德於漢唐之上。使郡國聞之，知朝廷之大；四夷聞之，知中國之尊；後世聞之，知今日之盛。然後見文章之用，爲非末技也。

王褘《朱元會文集序》 君子之於文，止於理而已矣。是故理明則氣充而辭達。氣也者，理之寓也；辭也者，理之載也。孔子曰：「辭達而已矣。」孟子曰：「我善養吾浩然之氣。」氣至於浩然，辭至於達，皆理之明致之也。苟爲文者不明諸理，而徒欲驅駕以氣，馳騁以辭，氣有不餒，而辭有不蹇者，未之有也。故曰：「文以理爲主。」理明矣，氣不求充而自充，辭不求達而自達，而始足以言文矣。

又《文訓》 生曰：「文之古者，登諸金石，記誌頌銘，具有成式。或鐘鼎是勒，或琬琰是刻，或鐫于麗牲懸縴之碑，或鑱在封嶽磨厓之壁，莫不炫燿崇勳，烜焯茂德，載丕丕之嘉猷，紀赫赫之休績，然皆一筆之力，九鼎可扛；一字之價，千金是直爾。其宏奧之思，雅健之姿，瑰瑋之辭，攟摭馬、班，凌厲蔡、陳，蹂躪柳、韓，玉采金聲，焜焜煌煌，鍧鍧鏘鏘，衮草繡紋，炳炳焞焞，繽繽紜紜，詭然而蛟龍翔，蔚然而虎鳳昂，翕然而律呂張，正音諧譆韺，變態類雲霆，勁氣排甲兵，沈冥以之而開褰，幽閟以之而著宣，逖

遠以之而綿延。然非儒林宗匠，藝營宿將，道德爲世之模楷，名位爲國之儀望，堂堂焉，章章焉，擅鴻筆，攬魁柄，稱文章之大家者，孰當仁而不讓。宜其媲美古昔，傳信今後，照四裔以無倫，垂千載而不朽，此其爲文也，不幾於古乎？」太史公曰：「文至於是，謂之古宜也。雖然，其爲用殆不止是已。」生曰：「朝廷之上有巨文焉。典謨誓誥，制册令詔，藹爲王言，渙爲大號，而帝王之制作存焉。灝灝噩噩，渾渾洋洋，稜厲蓬孛，揮霍奮揚。或溫潤而精粹，或宏偉而秀雄，或嚴肅而簡重，或衍裕而深長。經緯天地，橐籥陰陽，黼黻萬化，轇轕三光。封職則氣含陰雨之潤，授官則義炳重離之明，勅戒則吐星漢之華，治戎則揚洊雷之轟，肆赦則垂滋於春露，明罰則示烈於秋霜，一字之褒，沛漏泉於下地；一言之感，被挾纊於黎蒸。朝出九重，暮行四方，如風動而草偃，如山鳴而谷應，奮迅乎宇外，旁薄乎域中，鼓舞乎夷夏，陶鎔乎帝皇，文章之用，蓋與造化而侔功矣。若是何如？」太史公曰：「《易》曰：『王言如絲，其出如綸。』《詩》曰：『辭之輯矣，民之協矣，辭之繹矣，民之莫矣。』文之爲用，誠莫盛於此矣。姑舍是，豈無復有可聞者乎？」

又《卮辭》 文本於才，才命於氣，氣帥於志，志立於學。學以基之，志以成之，文不期工而自工矣。苟徒驅之以才，駕之以氣，則才有時而盡，氣有時而衰，文能久而不躓乎？

又《鳴道集說序》 古者立言之君子，皆卓然有所自見，其學術不苟同於衆人，而惟道之是合，故其言足以自成一家，有託以不朽。是故聖人沒，道術爲天下裂，諸子者出，言人人殊，然要其指歸，未始不合乎道。夫苟合於道矣，而其言有不傳者，未之有也。【略】世之學者知守經以篤信，而不知會通以求道，故有以一人之見而決千載之是非者，鮮不群疑而衆駭之。

又《宋景濂文集序》 文章所以載乎學術者也。昔之聖賢，其學可謂至矣，其於三才萬物之理，仁義道德、禮樂制度，治亂是非，顯隱鉅細之際，凡天人傳心之妙，帝王經世之略，無弗察而通也。其眞知實踐，既有得於內矣，於是將以自見而淑諸人也，然後託於文章，以推其意之所欲言。故程子以謂：「聖賢之言，不得已也。有是言，則是理明，無是言，則天下之理闕焉。」又謂：「後之人始執卷，則以文爲先，平生所爲多於聖人，然有之無補，無之無闕也。」由是論之，所貴文章之有補者，非以其明夫理乎？理之明，不由其學術有素乎？然而古今文章作者衆矣，未易悉數也。姑自吾婺而論之。宋南渡後，東萊呂氏紹濂洛之統，以斯道自任，其學粹然，一出於正。說齋唐氏則務爲經世之術，以明帝王爲治之要。龍川陳氏又修皇帝王霸之學，而以事功爲可爲。其學術不同，其見於文章，亦各自成其家。而香溪范氏、所性時氏，先後又間出，皆博極乎經史，爲文溫潤縝練，復自成一家之言。入國朝以來，則浦陽柳公、烏傷黃公，並時而作。柳公之學博而有要，其爲文也，閎肆而淵厚；黃公之學精而能暢，其於文也，典實而周密。遂皆羽翼乎聖學，黼黻乎帝猷。踵二公而作者，爲吳正傳氏、張子長氏、吳立夫氏。吳氏深於經，張氏長於史，而立夫之學尤超卓，其文皆可謂善於馳騁者焉。然當呂氏、唐氏、陳氏之並起也，新安朱子方集聖賢之大成，爲道學之宗師，於三氏之學，極有異同。其門人曰勉齋黃氏，實以其道傳之北山何氏，而魯齋王氏、仁山金氏、白雲許氏，以次相傳。自何氏而下皆婺人，論者以爲朱氏之世適，故近時言理學者婺爲最盛然。爲其學者上而性命之微，下而訓詁之細，講說甚悉，其頗見於文章者，亦可以驗其學術之所在矣。

張以寧《思存稿序》 今夫纂組勝者，飾之傷；雕鏤巧者，玉之病。人恆云：「六經未始有文法。」抑豈知夫未始規規於有法，而未始不妙於有法者，斯其爲文之至者也。

又《潛溪集序》 世率言《六經》無文法，是大不然。《六經》之文，固未始必於有法，而未始不妙於有法，斯其爲文之至者。後乎《六經》，孟子輿氏之醇，司馬子長氏之雄，弗可企已。後乎二氏，則唐韓退之氏，牢籠并包，靡一不具，正取諸孟，而奇取諸馬爲最多。譬海之鉅潮無涯涘，氣和景明，萬里一平，纖瀾弗驚，力傾喬嶽，畜之沈沈，而自然其文，層波鱗鱗，渙散紛紜，乍合俄分，千姿萬態，巧莫能繪，浩乎一與風値，則浪波起伏，如山如屋，魚龍並作，怵人心目，此其無心於變也。

貝瓊《唐宋六家文衡序》 《唐宋文衡》總三百三十篇，天台朱伯賢氏之所選也。文不止於此，而特約之爲學文之法，如物平於衡有不得而高下云。嗚呼！形氣相軋而有聲，而聲出於人者爲言。雷霆之擊非不烈也，海濤之升非不大也，笙竽琴瑟之奏非不和也，皆莫過於人之純。聖人之經，又純之至也，故歷千萬世之久，雖善於言者惡能擬而爲之哉？戰國以來，孟軻、揚雄氏發揮大道，以左右《六經》。然雄之去孟軻，其純已不及矣。降於六朝之浮華不論也。昌黎韓子倡於唐，而河東柳氏次之。五季之敗腐不論也。廬陵歐陽子

倡於宋，而南豐曾氏、臨川王氏及蜀蘇氏父子次之。蓋韓之奇、柳之峻、歐陽之粹、曾之嚴、王之潔、蘇之博，各有其體，以成一家之言，固有不可至者，亦不可不求其至也。余嘗讀之若《原道》、《原毁》，由孟軻之後諸子未之能及，至宗元《守原議》、《桐葉封弟辯》，鑿鑿乎是非之公，使聖人復作，無以易之。其他馳騁上下，先後相發，誠樂之而不厭，信言之異乎雷霆、海濤、笙竽、琴瑟，氣與形之相軋相成者矣。世之狃於所習，苟趨一時之好者，既不足以語此。或知師古爲事者，又梏於昏愚怠惰，而不暇進其閫奧焉。此余之所深痛也。伯賢工文三十餘年，實倍於余，其定《六家文衡》，因損益東萊呂氏之選，將刻之梓，使子弟讀之。而曾曲阜所作四篇，則采前人所遺，以附南豐之後，其用心可謂勤矣。間嘗挾之過予成均，與之商榷累日，且俾序其首。余何敢爲之妄議邪？抑嘗聞先儒君子之論文者，務合於道，非徒以其詞高一世爲工也。若六家者，雖於道有淺深，皆本諸經。爲說鏟駁而復純於此，求之其至於古無難者，是伯賢之志也。若夫振起於下，不爲蹈襲，固有望於絕人之豪傑，豈專取乎《文衡》也哉？

又《東吳先生文集序》　古昔君子之立言，其亦有不得已者乎？孔子曰：「余欲無言。」孟子曰：「予豈好辯哉！」則其爲書者，莫非憂世而作。若諸子好爲異同，祈勝於人者，言雖繁而道益晦，固不足貴矣。余讀東吳先生五論得失、辯邪正論而深取之焉。世之講《春秋》者非一，胡文定公謂聖人以典禮命討之權任諸己，而於諸侯，或進或退，示一王之法。樸鄉呂氏，則以聖人作《春秋》以尊王，豈專進退諸侯哉？二家各伸所見而有不同如此，而先生盡發胡氏之說，以斥呂氏之非，亦豈有所左右邪？孔子蓋曰：「知我者其惟《春秋》乎？罪我者其惟《春秋》乎？」而范寧亦以一字之褒，寵踰華衮之榮；片言之貶，辱過市朝之撻。則聖人進退諸侯無疑，顧一時窮經之士弗之考耳。至於佛氏倡禍福以恐人，而天下靡然向之，唐、宋諸儒攻之不能勝。降於元季，而其徒尤熾矣。先生極論邪正於風從瀾倒之餘，其爲扶樹世道何如也。蓋所謂不得已而言者，使《春秋》之大義既明，中國之人心無惑，吾可以忘言矣。嗚呼，抑豈淺之爲儒者所及哉！余來中都，數從其子禮部員外伯宗遊，獲見所編遺稿，無慮數百篇，喜其無險怪之病，而有紆徐曲折之勢，而二論尤可觀也。周子曰：「文所以載道也。輪轅飾而人弗庸徒飾也，況虛車乎。」若先生之文，非載道者歟？

鄭眞《跋王以文文卷》　人聲之精者爲言，言而成文，其有弗精者乎。【略】文之難也尙矣。思致少則質俚勝，華美尙則眞實希，守規矩則失之拘，背繩墨則失之放。文乎，句讀云乎哉？昔歐陽子論謂有山林之文，有臺閣之文，山林之文其氣枯槁，臺閣之文其氣溫潤。

方孝孺《與趙伯欽》　書之所陳，謂近世文辭不能比隆於唐宋而有取於僕，僕無能之詞，豈能過於近世哉。使眞有以過乎人，則亦藝焉而已，而足下安取乎是。且近世所以不古若者，足下知其故乎？非其辭之不工也，非其説之不詳也。以文辭爲業，而不知道術，雖欲庶乎古不能也。知道若行路然，至愈遠則見愈多，而言自異。今欲至乎窮谷者，言其所見不過泉石、樹木、禽鳥、蟲魚之狀而已。比之遊乎雄都巨邑者，見宮室之壯麗，車馬之蕃庶，人民物產之瑰異變怪，其言豈不有間哉。故聖賢文辭，非有大過於今人，其所以不可及者，造道深而自得者。遠恆言卑論亦可爲後世法，非剽襲以爲説者之淺也。唐之諸儒惟韓子爲近道，其他俱不若宋。宋之士以言乎文，固未必盡過乎唐。然其文之所載，三代以來未之有漢，何足以方之。今人多謂宋不及唐，唐不若漢，此自其文而言耳，非所以考道德之會通而揆其實也。僕嘗謂求學術於三代之後，宋爲上、漢次之、唐爲下、近代有愧焉。斯道之盛衰，其端微矣，非明智睿達不能知之。

又《與舒君》　僕性愚憨，竊以爲古人之言，有是有非。是其是，而非其非，乃爲得之。若以古人爲皆然，則不可也。識者殊少，未免爲俗人所笑。今足下乃病陸士衡《文賦》淺狹而有作，竊窺叙述大意，甚美。士衡于道未有知，所賦者特當時相尙之文，固有志者所不讓，足下病之誠宜。第其中有不易之論，如曰：「謝朝華于已披，啓夕秀于未振。」又曰：「怵他人之我先。」彼未爲無見，但立志有非。前人之意，乃不然耳。然其言之善者，亦不可不取。世人或不察其立辭之説，而徒取其所謂襲凡蹈故、綴緝成篇者，使論誦之盡氣率不得其句，則不知士衡之論故也。

又《與郭士淵論文》　蓋斯文之在人，如造化之於物，歲異而日新，多態而善變，使人觀之而不厭，用之而無窮，不失榮悴消長之常理，乃足爲文。而世之人，多不能與此。樂蹇澀者，以艱言短語爲奇；好平易者，以腐熟冗長爲美。或採摭異書怪説，以爲多聞，或蹈襲庸談俚論，以爲易曉。而不知文之美，初不在是也。古之名世者，具可見矣。以僕言之，秦漢以下，大率

多記載講論之文耳，求如古之立言者，未之多有也。聖人之言不可及，上足以發天地之心，次足以道性命之源，陳治亂之理，而可法于天下後世，垂之愈久而無弊，是故謂之經。立言者必如經而後可。而秦漢以下無有焉。然而猶足以名世者，其道雖未至，而其言文。人好其文，故傳其言，雖不文，而於道有明焉，人以其明道，故亦傳。二者俱至者，其傳無疑也。二者俱不至者，其不傳亦無疑也。以僕觀于今之人，求其成文而可誦者，且不易得，況望其明道乎。

又《與樓希仁》 文豈易爲耶。詞之美惡，人之好惡繫焉，人之好惡，世之傳否繫焉。而人以易爲之，甚可笑也。近見他人文數篇，讀之漫不成句，得其句，意不能屬，得其意，辭不能馴。正與楚粵間人，僻處山谷，不入中國者，與之言，果何人耶。足下之文，譬如趙人與梁人語，聲音已不大相遠，雖時或失口，尙有趙音。然終是能言者，非吃吃不暢者比也。然僕有一説，能言與否，固爲人之好惡，又在審乎所言者何事。韓非、商鞅書正無與比，然所言皆刑罰督責之術，君子羞聽之。揚雄、文中子書，雖儗古人，不甚暢，而所言多近道，世猶有取焉。豈非能言爲難，而合乎道者尤難也耶。

又《答胡懷秀才》 文章於士子，最爲末事，然非有得于古聖賢之意者不能。世之學者衆矣，其用志不專，探索不精，聞見不博，攻習不久，而能得聖賢之意者，無有也。是以吾少而好觀人文，非止以其文，蓋將因其文而察其所存，與之共進于斯道也。

又《答王秀才》 凡文之爲用，明道立政二端而已。道以淑斯民，政以養斯民，民非養不能羣居以生，非敎不能别於衆物。故聖人者出，作爲禮樂敎化刑罰以治之，修其五倫六紀天衷人極以正之，而一寓之於文。堯、舜、禹、湯、周公、孔子之心，見於《詩》、《書》、《易》、《禮》、《春秋》之文者，皆以文乎此而已，舍此以爲文者，聖賢無之。後世務焉，其弊始於晉、宋、齊、梁之間，盛於唐，甚於宋，流至於今，未知其所止也。唐之士，最以文爲法於後世者，惟韓退之，而退之之文言聖人之道者，舍《原道》無稱焉，言先王之政而得其要者，求其片簡之記，無有焉。舉唐人之不及退之者，可知也；舉後世之不及唐者，又可知也。漢儒之文，有益於世，得聖人之意者，惟董仲舒、賈誼，攻浮靡綺麗之辭，不根據於道理者，莫陋於司馬相如，退之屢稱古之聖賢文章之盛，相如必在其中，而董、賈不一與焉，其去取之謬如此，而不識其何説也？苟以其文未粹耶，則艱險之元結，俳諧之李觀，且在所取矣，如之何其去二子也？苟以其所述者王霸之道，不敢列之於文人之後邪，則孔子、孟子固與荀卿、屈原、李斯並稱矣，安在其能尊二子也？退之以知道自居，而於董、賈獨抑之，相如獨進之，則其所知者果何道乎！然相如雖陋，其辭賦猶皆有爲而作，非虛語也。近世則不然，一室之微，號之以美名，輒從而文之，視其名紛然雜出，皆古之所未聞，考其辭輕俳巧薄，皆古人之所未有。而求者以是望於人，作者以是夸於時，似有所爲，使相如之奴隸見之，且將棄去，而今之士莫以其爲非，此又退之之時所無有者也。

又《蘇太史文集序》 天下之事，出於智巧之所及者，皆其淺者也。寂然無爲，沛然無窮，發於智之所不及知，成於巧之所不能爲，非幾乎神者，其孰能與於斯乎。故工可學而致也，神非學所能致也，惟心通乎神者能之。神誠會於心，猶龍之於雨，所取者涓滴之微，而可以被八荒，澤萬物；無所得者，辟之抱甕而灌，機械而注，爲之不勝其勞，而所及僅至乎尋丈之間。莊周之著書，李白之歌詩，放蕩縱恣，惟其所欲而無不如意，彼豈學而爲之哉，其心默會乎神，故無所用其智巧，而舉天下之智巧莫能加焉。使二子者有意而爲之，則不能皆如其意，而於智巧也狹矣。莊周、李白，神於文者也，非工於文者所及也。文非至工，則不可以爲神，然神非工之所至也。當二子之爲文也，不自知其出於心而應於手，況自知其神乎？二子且不自知，況可得而效之乎？效古人之文者，非能文者也，惟心會於神者能之。

楊士奇《王忠文公文集序》 古之爲士者，文行皆備，而必行爲之本。故三代以上，文最高古，而無以文名者，其所本不係於文也。秦漢以來，士始有專以文名，如或違道畔義，君子不道也，揚子雲《劇秦美新》是已。若斷斷焉發於忠君愛親之誠，讀之使人感激奮發，希慕之不置，雖去之千載，猶目前然者，諸葛武侯之《出師》、李令伯之《陳情》是已。近數百年來，士多喜讀韓文公、歐陽文忠公、蘇文忠公之文，要皆本其立朝大節，炳炳焉有以振發人心者也。

胡廣等《性理大全書》卷五六《學十四・論文》 程子曰：聖賢之言不得已也。蓋有是言，則是理明；無是言，則天下之理有闕焉。如彼耒耜陶冶之器一不制，則生人之道有不足矣。聖賢之言，雖欲已得乎，然其包涵盡天下之理，亦甚約也。後之人始執卷，則以文章爲先，平生所爲，動多於聖人，然

有之無所補，無之靡所闕，乃無用之贅言也。不止贅而已，既不得其要，則離眞失正，反害於道必矣。

又 象山陸氏曰：「文以理爲主，荀子於理有蔽，所以文不馴雅。」

吳訥《文章辨體凡例》 文辭以體制爲先。古文類集今行世者，惟梁昭明《文選》六十卷、姚鉉《唐文粹》一百卷、東萊《宋文鑑》一百五十卷、西山前後《文章正宗》四十四卷、蘇伯修《元文類》七十卷爲備。然《文粹》、《文鑑》、《文類》惟載一代之作；《文選》編次無序，如第一卷古賦以《兩都》爲首，而《離騷》反置於後，甚至揚雄《美新》、曹操《九錫文》亦皆收載，不足爲法。獨《文章正宗》義例精密，其類目有四：曰辭命，曰議論，曰叙事，曰詩賦。古今文辭，固無出此四類之外者。然每類之中，衆體並出，欲識體而卒難尋考。故今所編，始於古歌謠辭，終於祭文，每類自爲一類，各以時世爲先後，共爲五十卷。仍采先儒成說，足以鄙意，著爲序題，錄於每類之首，庶幾少見制作之意云。

又 作文以關世教爲主。上虞劉氏有云：「《詩》三百篇，有美有刺，聖人固已垂戒於前矣。後人纂輯，當本《二南》、《雅》、《頌》爲則。」今依其言，凡文辭必擇辭理兼備，切於世用者取之；其有可爲法戒而辭未精，或辭甚工而理未瑩，然無害於世教者，間亦收入；至若悖理傷教，及涉淫放怪僻者，雖工弗錄。

又 命辭固以明理爲本，然自濂、洛、關、閩諸子闡明理學之後，凡性命道德之言，雖孔門弟子所未聞者，後生學子，皆得誦習；若不顧文辭題意，概以場屋經訓性理之説，施諸詩賦及贈送雜作之中，是豈謂之善學也哉？故西山眞氏前後《文章正宗》，凡《太極圖説》及《易傳序》、《東西銘》、《擊壤詩》等作，皆不復錄。今亦遵其意云。

又 古人文辭，多有辭意重複或方言難曉。晦翁《綱目》及迂齋、疊山古文，若賈生《政事書》之類，皆節取要語。今亦從之。

又 歷代制册詔誥，蓋皆王言。《文選》、《文章正宗》，止書世代而已。至《文鑑》、《文類》，始列代言名氏。今依前例，悉皆不書。若夫天朝詔誥，豈敢與臣庶文辭同錄，今亦弗載。

又 洪武之初，作者輩出，區區孤陋，弗能博訪盡載。考之《文章正宗》，凡同時及年近諸大老之作，皆不敢錄，以避去取之嫌。今循其例，以俟後之君子。

又 卷中文辭，凡古帝王所作，則稱謚號；餘則稱字稱號。若於表奏之下及不知其字者，則復稱名，非敢有所優劣也。

又 四六爲古文之變，律賦爲古賦之變，律詩雜體爲古詩之變，詞曲爲古樂府之變。西山《文章正宗》，凡變體文辭，皆不收錄；東萊《文鑑》，則並載焉。今遵其意，復輯四六對偶及律詩、歌曲共五卷，名曰《外集》，附於五十卷之後，以備衆體，且以著文辭世變云。

彭時《文章辨體序》 天地以精英之氣賦於人，而人鍾是氣也，養之全，充之盛，至於彪炳閎肆而不可遏，往往因感而發，以宣造化之機，述人情物理之宜，達禮樂刑政之具，而文章興焉。

又 三代以下，名能文章者衆矣。其有補於世教可與天地同悠久者，代不數人，人不數篇，可不精擇而愼傳之歟！今傳於世，若梁昭明《文選》、《唐文粹》、《宋文鑑》，固已號爲掇其英、拔其粹矣。然《文粹》、《文鑑》止錄一代之作；《文選》雖兼備歷代，而去取欠精，識者猶有憾焉。至宋西山眞先生集爲《文章正宗》，其目凡四：曰辭命，曰議論，曰叙事，曰詩賦。天下之文，誠無出此四者，可謂備且精矣。然衆體互出，學者卒難考見，豈非精之中猶有未精者耶？

又 海虞吳先生有見於此，謂文辭宜以體製爲先。因錄古今之文入正體者，始於古歌謠辭，終於祭文，釐爲五十卷；其有變體若四六、律詩、詞曲者，別爲《外集》五卷附其後：名曰《文章辨體》。辨體云者，每體自爲一類，每類各著序題，原制作之意而辨析精確，一本於先儒成説，使數千載文體之正變高下，一覽可以具見，是蓋有以備《正宗》之所未備而益加精焉者也。非先生學之博、識之正、用心之勤且密，寧有是哉？先生之孫淳爲監察御史，嘗攜是編至京。今都憲萬安劉公顯孜，昔與淳同官，獲一見焉，而愛好之不忘。至是奉命巡撫南畿，訪求於先生仲子銓、曾孫木得之，親爲校正訛謬，將刻諸梓，以廣其傳。於是邑人之尙義者，爭捐貲爲助，而板刻遂成。刑部陸員外昶，於先生爲邑後進，樂聞其書得傳，屬予爲之序。

又 嗟夫！文章，天下公器也。自昔志勤於集錄者，孰不欲名當時而傳後世？然有不幸或堙沒焉者，殆未遇知而好之者公其傳於衆也。今先生是編，家藏之久，乃得都憲劉公篤好而表章之，豈非幸歟！抑非獨先生之幸，

實學者之幸也。繼自今學者得而誦之，具見諸家之體而力追古作，於以黼黻皇猷，恢弘治理，使斯文超兩漢而追三代之盛，端自此始，豈不尤爲世道幸哉？然則先生是編，雖幸賴公以傳，而公之名亦將與先生並傳於無窮也。

朱夏《答程伯大論文》 古今能言之士，孰不欲雄峙百代之上，而垂聲乎百世之下哉。然而卒抱奇志而不見，泯泯以老死者，何其多也。豈非才識之不逮，故不能成一家之言，以至此耳。三代之後，卓然成一家之言者，纔十數人而止，其餘皆磨滅澌盡。則信乎得之于天者，非超然而不羣，則難乎其以文章自命矣。比辱賜書，大抵未能達夫雄深雅健之作，而務爲浮薄靡麗之文而已，此甚不可也。僕聞古之爲文者，必本于經，而根于道。其紀、志、表、傳、記、序、銘、贊，則各有其體，而不可以淆焉。而莫之辨也，至其發言遺辭，又奚以剽賊爲工哉。今不本于經，不根于道，而雜出于百家傳記之說，則其立論不自其大，而自其細，固已自小矣，尚何能與古人齊驅並駕哉！老蘇之文，頓挫曲折，蒼然鬱然，巉刻峭厲，幾不可與爭鋒。然而有識之士，猶有譏焉者，良以其立論之駁，而不能盡合乎聖人之道也。今無蘇公之才，而立論又下蘇公甚遠，則何望其言之立而不仆焉。古之用兵，其合散進退，出奇制勝，固神速變化而不可測也。至其部伍行陣之法，則繩繩乎其弗可以亂。爲文而不法是，猶用師而不以律矣。古之論文，必先體制，而後工緻。譬諸梓人之作室也，其棟梁榱桷之任，雖不能以大相遠也，而王公大人之居，與浮屠老子之廬，官司之署，庶人之室，其制度固懸絕而不相侔也。使記也而與序無異焉，則庶民之室，將同于浮屠老子之祠，亦可乎。鑄劍而肖于刀，且猶不可，斲車而肖于舟，不猶以爲迂且拘乎。韓子之于文也，惟陳言之務去，今雖全未能如韓子，亦宜少刊落矣。乃悉古書奇字，而馴集鱗次焉，不幾于天吳紫鳳，顛倒裋褐也耶。蘇子謂錦綉綺縠，服之美者也，然尺寸而割之，錯而紉之以爲服，則綈繒之不若。今先生乃欲集羣英以爲華爲好，其亦異于作者之見矣。世有婁人，爲睹其鄰之富也，日夜攻鑽而剽之，幸而得其貨寶財賄，以爲得計矣。一日，徼者獲之，則薾然盗也，而至死不悟，且役役焉。割裂而綴緝之，則其氣固已薾然矣，又何能渾浩如江河而有排戞之力哉。故夫蘭苕翡翠，又烏睹夫掣鯨也。且古之爲文非有心于文也，若風之于水，適相遭而文生也。故鼓之而爲濤，含之而爲漪，盛之而爲縠，澄之而爲練，激之而爲珠璣，非水也，風也，二者適相遭而文生也。天之于物也，獨不然乎。織者、穠者、丹者、堊者，莫不極其美麗，而造物者豈物物而雕之哉。物各付物，而天下之巧莫加焉。【略】且文猶樂也，太古之音和平雅淡，而風俗以淳，人心以正；桑間濮上，淫哇煩趣，而人心風俗蕩而忘返。使先生而與聞制作將安取乎則，何獨疑于文也。

柯暹《與徐景琛書》 文者，載道之器，聖賢之明乎斯道者，必深乎斯文也。爲聖賢之徒，舍文無以，謂非君子之所尚可乎。文謂之文，字謂之字，固不可以相通名，然學文者不害其工于字，學字者不害其工于文，可以交致其力而並進。不若公私善惡，判然爲兩途，而不可以並進也。雖不可判爲兩途，亦不可視爲一律。如「仁義」二字，三尺童子可識可書，仁義之理，非聖人不能盡。而謂字之工足以深乎道，不待于文者，豈理也哉。文固難言也，固難學也，然不悖于理，則可謂之文。非必聖賢其意，淵源其理，高古其詞，而後謂之文也。自孔孟至于程朱、《六經》傳記之文凡幾類，皆聽其傳于世，其不得傳者，必與孔孟程朱《六經》傳記之文大相謬戾。苟有于此惓惓焉，惟孔孟程朱《六經》傳記之文是法焉，窮耳目心思之力以圖之，雖區區庸愚，亦或可學。學有不得，不能傳于世，亦可稱于人。曰：「文何可以不能學而不學也。」或曰：「文必工而後可，否則莫爲。然今之論文者，率宗于韓，曰識見博，議論正，地步高，章法句法字法不苟。然其言亦未必能《六經》也。韓子學聖人，未《六經》其言而亦言之，則今之學韓者，必俟其至于韓而後敢言也。俟其至而後敢言，則韓之後，文寡矣，今之時，又寡矣。執事常爲文，自以爲與韓何如。何其于己則輕以約，于人則重以周與。」或又曰：「與其文不工而不傳，不若字之工而可傳。」某則曰：「寧學而不工，不可懼其不工而不學。學冀乎成志也，不成者，才之罪也。某寧爲此，而不爲彼也。且文雖無孔孟之善，更千萬世、千萬人傳之，皆可見其眞也。字雖善如鍾王，勒之金石，一更其摹，已不復見其眞矣。是故今之誦《蘭亭》之文者，皆是識《蘭亭》之墨者，曾幾何人哉。況古之善書如逸少、歐陽詢、虞世南、顔眞卿、趙子昂之數君子，未嘗不能文，不但模寫成書，與人爲謄錄而已。」

童軒《答丁鳳儀書》 軒聞之，古今之爲文者不一，言人人殊，有滄海之文，有江漢之文，有川澤之文，有溪壑之文，不可一律齊也。是故《六經》之爲書，載堯、舜、禹、湯、文、武、周公、孔子之道，昭如日星，所以扶綱常，闡倫理，繼天立極，垂憲萬世而無弊，所謂文章之滄海也。下及西漢，

司馬遷之《史記》，劉向之《説苑》，賈誼之《新書》，所以述時事，敷王道，以明治化之本，實文章之江漢也。唐韓愈之《原道》、《原人》等篇，柳宗元之《守官》、《四維》等論，所以正人心，救時弊，以推治道之迹，實文章之川澤也。宋有歐陽修之《本論》，曾子固之《洪範傳》，三蘇父子之雜著章疏，所以陳鑒戒，明得失，以備爲治之具，又非文章之溪壑乎。他若莊周、列禦寇、韓非、鄧析之書，雖時時有合于道，其視《六經》之文，殆猶滄海之于蹄涔爾，烏足以語道哉。然學者要必蘊《六經》以立其本，貫諸子以資其用，蒐百氏以充其才，旁及天文、地志、律曆、兵制之書，又所以博其趣也。嚮使棄其本而不求，則亦潢潦無根，盈朝涸夕，雖有器用之良，才識之富，其能免于蠡測之患乎。故軒以爲，向道者必以《六經》爲之本也。《六經》皆古聖賢之言也，所謂文章之滄海也。舍《六經》而惟子氏之求，其殆韓子所謂「航斷港絶潢，以望入于海」其不可也。【略】然科舉之學，同本于《六經》，同出于子史百氏，而其所以不同者，非直以其文有古今之殊。蓋以業其文者，率多陋儒小夫，惟欲記誦口耳之學，竊科名以階顯榮，逐利祿以活妻子故耳。使其誠能以道德事業爲高，則今之學卽古之學也，又何科舉之足恥哉。

又 故文必以養氣爲主，氣盛則理充，向使不言則已，言則蔚然而成章，犂然而中度，綱目相因，首尾相應，不猶善醫者必主元氣，善匠者必因其材，以適諸用乎。彼有號文章家者，務剽賊以爲奇，工斲削以爲巧，元氣日傷，材性日失。曰：「吾之文，孟軻、楊雄之文也，吾之道，孟軻、揚雄之道也。」噫，不亦優孟之似孫叔敖乎！

李賢《楊文定公文集序》 古之君子有事業者，未嘗無文章，蓋事業所以伸平生之志，文章所以著平生之學，事業而濟之文章則益顯，文章而本之事業則益重。若徒有事業而無文章，譬之植木，但有質榦而無花葉，則爲枯槁之木矣。士生斯世，亦何嘗不欲事業、文章之兼得也。然而兼之者鮮焉，何哉？由學與命之不同也。夫事業可述，而文章不著者，是其學之疎也；文章可述，而事業不著者，是其命之蹇也。學必優焉，命必通焉，事業、文章斯可以兼得矣。

倪謙《書抱呆子集後》 盈天地間，凡物之有聲而鳴者，皆軋於一元之氣使然。若雷之轟訇，風之刁蕭，水之砰湃，木之吟號，獸之吼，鳥之嚶，蟲之噪，其聲之發爲氣所軋，雖欲不鳴而不可得也。他若竅於竹、絙於絲、虛於金、冒於革，其爲聲也，雖假於人以鳴，謂非軋於是氣不可也。惟人也，得是氣而理寓焉，情鬱於中則聲必發於外，其音響節奏，長短疾徐，亦皆出於自然，而不容不鳴者也。故其爲聲，可歌，可誦，可喜，可愕，上而朝廷學士大夫鳴國家之盛，下而委巷肖夫女婦自鳴其情者，何莫非是氣之所爲乎！此君子所以貴養其氣，氣得其養，則聲之鳴者，自不涉於凡近矣。

張寧《吳文肅公竹洲文集序》 聖賢之文，原於性情，蘊蓄爲道德，著見爲功業，初無意於言也。然不敎不行，不書不傳，不辯不明，不能不託諸言以詔天下後世，於今可見者。《六經》、《四書》之文是已，若反其本，則皆聖賢備於身之事也。是故聖人之文達乎天，賢者之文達乎聖，儒者之文擬乎賢，詞人之文歷乎儒，而出入乎古今。下此則旁異曲末，支離不根，非吾所謂文也。秦漢以來，聖人之文不復作，賢儒之文不多見，世之名能文詞者，醇疵正變，得失相沿，莫之反本者，亦久且甚矣。至宋濂、洛、關、閩諸大儒出，遡流窮源，塞岐闢路於《六經》，孔、孟之文心通力體，炳焉同歸，自古聖賢斯文統系，至是蓋一理也。

張詡《見素集序》 文章以救時爲貴。中古來文若韓退之之《佛骨表》，歐陽永叔之《朋黨論》，胡澹庵之《乞斬秦檜疏》；詩若杜少陵之《八哀》，石守道之《慶曆聖德》之作之類，排異端，崇正道，斥奸諛，百世之下讀之猶使人毛髮森竦，恨不生並時而願爲之執鞭也。下此則鬭富誇巧，雖極其工緻，第取悅人耳目，而于綱常世道無所關繫焉。

楊循吉《贈南潯人丁叟序》 士所以學者，將以爲天下用也。無以自見而又恐人之弗信。故以其所有者之爲文，蓋志之曰：吾之用也。必若是，此乃士之所以爲文者而非虛言也。及後世求士不以文，好士之文者甚少，而士之文益賤，抱其文無所于售。公卿之視之者以爲潤色紛采之具，不以此重于士之文可以無作矣。幸而有無勢之人，不得志之友，間復好之而士聊亦以此自慰藉，相與出其心志之所得者，一共讀之以爲樂。然豈士之願也哉！予少爲士切有志于學，學未至而莫敢以文謁人，不知今天下之好文與否也。

黃仲昭《省軒存稿序》 歐陽文忠公有言，文章足以潤身，政事足以及物。蓋文章所以立言，政事所以立功，二者雖若不同，而皆根本於吾心。心存乎道，則其發於文者爲德言，施於民者爲德政，豈判然爲二哉。

王鏊《震澤長語》卷下《文章》 世謂《六經》無文法，不知萬古義理、萬古

文字皆從經出也。其高者，遠者，未敢遽論，卽如《七月》一篇叙農桑稼圃，《內則》叙家人寢興烹飪之細，《禹貢》叙山水脈絡原委，如在目前，後世有此文字乎？《論語》記夫子在鄉、在朝、使擯等容，宛然畫出一箇聖人，非文能之乎？昌黎序如書，銘如詩，學《書》與《詩》也，其它文多從《孟子》，遂爲世文章家冠。孰謂《六經》無文法！

又 爲文必師古，使人讀之不知所師，善師古者也。韓師孟，今讀韓文不見其爲孟也；歐學韓，不覺其爲韓也。若拘拘規倣，如邯鄲之學步，里人之效顰，則陋矣。所謂師其意不師其詞，此最爲文之妙訣。

又 聖賢未嘗有意爲文也，理極天下之精，文極天下之妙。後人殫一生之力以爲文，無一字到古人處，胸中所養未至耳。故爲文莫先養氣，莫要窮理。

又《孫可之集序》 凡爲文必有法，揚子雲斷木爲棊，梡革爲鞠，亦皆有法焉，況文乎哉！近世文章家，要以昌黎公爲聖，其法所從授，蓋未有知其所始者，意其自得之於經，而得之鄒孟氏尤深。同時自柳州外，鮮克知者。昌黎授之皇甫持正，持正授之來無擇，無擇授之可之，故可之每自詫得吏部爲文眞訣。可之卒，其法中絕。其後歐、蘇崛起百年之後，各以所長振動一世，其天才卓絕，顧於是有若未暇數數然者，而亦多脗合焉。其時臨川荆公得之獨深，考其儲思注詞無一弗合，顧視韓差狹耳。而後之爲文者，隨其成心，無所師承，予竊病之。

又《匏菴家藏集序》 文章不難於奇麗，難於醇，難於典則。雖然，醇與則可能也，醇而不俚則而能暢，殆有非力所至，而至者焉，其必由養乎，是難能也。

林俊《林文安公文集叙》 文根諸理，發諸氣，而昌之以詞，賁飾從施，眞質猶故。迨從横之習勝，而渾重澹雅之體衰，至搥提仁義而絕滅之。貞元啓會，大音載完，起息興衰，道隆替與焉。漢之盛，司馬子長以豪健鳴；唐之盛，昌黎退之以雄深鳴；宋之盛，歐陽永叔以雅潔鳴。同時班、柳、蘇、王聯聲遞響，名名家，嗣是作者日衆，詞徒長而氣以弱，理亦爲之晦。甚至驅駕才華，搜奇捕怪，樸以采紛，雅以俗亂，藻製瓌調，未必不足譁世而賈名，而稽諸典謨訓誥遠矣。

顧清《答聶文蔚論文體書》 堂記主清貞，集序主理氣，皆至當議論，無可易者。但體製之説，鄙懷尚有所疑。譬之作屋，體製則規模品式，如門塾堂寢，廒庫庖湢，迴廊曲館，涼軒奧室，各適其宜者是也。理則其棟梁基礎也，氣則所以運用施設而成是室者也。若柱石誠堅壯，運用誠有力，而間架瑣碎，位置失所，宜下而高，當明而晦，不識觀者以爲何如。

顧璘《答友人論文》 夫文章，士之業也。孔子修《六經》以建百世之則，而百世弗能述。蓋折衷理道之極，經緯天地之章，子淵不能得其止，游、夏不能贊其辭。身沒響絕，亦其然耳。下是左氏蜚聲於東周，莊生逸響於蒙土，靈均哀鳴於漢上，太史建議於西京，誼、舒、子卿、淵、雲、褒、向揚芳攡藻，前後相屬，而漢之文章炳然於金馬、石渠之署。雖純疵相形，遐邇異趣，要皆作者之殊別也。烏可訾之哉！

劉永澄《論文》 作文先須會理，猶相人必觀其神，局陣關鑰，身之筋骨也；經緯藻飾，貌之色澤也。神有餘，故筋骨不膠而固，色澤不藻而華。神不足則筋萎骨枯，色乾澤涸。雖善爲矯飾，莫匿其眞。夫文亦然。文雖小技，枝節萬端，要使我爲主，文爲僕；我司倡，文司隨。然豈強文從我之謂哉！批其郤，握其珠，入之愈難，出之愈易。莊子曰：「視而可見者，形與色也；聽而可聞者，名與聲也。有不視不聽者，而後視且聽出焉。世以形色名聲探人之情，其于視聽也遠矣。」嗟夫！制科以來，作者非一，其確然宇宙于今不朽者，大都神傳于意，意傳于理。神傳于意，故天藻逸流；意傳于理，故神情淵著。至其編貫成局，錘鑄成響，乃理暢而機自聯，情至而采自絢，所謂與時新故，非關匠心，卑卑者不抉其深，苟安其易同。

萬廷賢《求正集略序》 韓退之稱子厚窮不極，文必不傳，使子厚富貴爲將相，其失得必有辨者。永叔亦云詩必窮而後工，世謂知言，予惟言者言所志，傳者傳其道也。士君子所難者志，志之所難者道。誠志道矣，則辭有所必修，修則工，工則傳矣。死生貴賤誰能易之，且窮人所工，窮者之辭，道之細耳，故有在有不在。若君子所志，則天命人心之正，聖賢經世之謨，仁義禮樂忠信孝弟之大道，自身及家國天下，自富貴貧賤至夷狄患難，自瞬息至千古一也。道在，志無不存；志存，言無不得。墜之九淵之下不益其深，抗之雲霄之上不益其高。故閭閻畎畝之稱述，卽金匱石室清廟明堂之紀載；金匱石室清廟明堂之紀載，亦何間於閭閻畎畝者所稱述哉。何者？博大精微之理，撰於吾所得言者，既無二致，精研沈繹之思，本爲吾所能言者，自無

異趣。故文之工拙在志，志在道，而窮達非所論矣。惟是，達則矢謨揚烈，極帝王之淵懿美盛，開經緯之文，章多弘顯。窮則畏天悲人，發情止義，陳古是以裁今，闡微言以正學，文多深婉。體或異致，然大旨不得殊也。故其傳一也。典謨雅頌，豈窮者之詞？《易》雖以憂患作，非必待憂患而工。藉令孔孟爲將相如伊周，彖翼之奥，筆削之嚴，性善之旨，豈詎泯沒無傳哉。左丘明不窮必傳《春秋》，司馬遷不下蠶室必作《史記》，志素定故也。惟是山海之遐，煙雲之變，鳥獸草木之詭譎，必待山林之士，然後能窮本極命，發精眇之思，非榮遇者所暇及。然所謂窮者之辭，道之細耳，無甚關於理性，安人之大致亦何貴於其傳。則文之不待窮而後工，且傳必矣。區區較失得於富貴將相之間，不亦繆乎。

姚世華《玄晏齋選稿序》　文各適其適，任乎天倪以各至其至，游于嗓然之途而已。覆視曩古，簡複相望，華質相調，相爲用而不相欣厭。蓋子休洸洋自恣之數十萬言，豈能如伯陽之五千文；而子長之博奥宏肆，必不低眉于孟堅之整率。

王廷相《廣文選序》　嗟乎！文之體要難言也。援古炤今，可知流委矣。《易》始卦、爻、彖、象，《書》載典、謨、訓、誥，《詩》陳國風、雅、頌，厥事實，厥義顯，厥辭平，厥體質，邈兮古哉，蔑以尚矣！自夫崇華飾詭之辭興，而昔人之質散；自夫競虛夸靡之風熾，而斯文之致乖；言辯而罔詮，訓繁而寡實。於是君子惟古是嗜矣。梁昭明太子統，舊有《文選》之編，自今觀之，頗爲近古，然法言大訓，懿章雅歌，漏逸殊多。詞人藻客，久爲慨惜，然未有能繼其舊貫者。【略】浚川子曰：文者，載道之器，治跡之會歸也。故曰：「文王既沒，文不在兹乎！」言文卽道，治卽文矣。是故古人之文莫不弘於學術之所趨，莫不實於治功之有成。但好尚異其門途，則品局遂分高下，秉知言之選者，不可以不辯矣。乃惟大人碩儒，探元挈要，先之脩性體道以敦其本，又能察於君臣之政，觀夫天下之勢，達乎民物之情，則文之質具矣。從而立言，其道眞，其業實，無誕美，無虛飾，參諸《六經》之旨，靡所差別，不亦天下之至文乎！由是而觀，君子脩辭，雖雄深博雅，力總羣言，而無當於脩己經國之實者，自負曰文，去文萬里矣。

又《何氏集序》　古今論曰文以代變，非也，要之存乎人焉耳矣。唐、虞、三代，禮樂敷教，詩書弘訓，義旨溫雅，文質彬彬，體之則德植，達之則政修，實斯文之會極也。漢魏而下殊矣，厥辭繁，厥道寡，厥致辯，厥旨近，日趨于變，然爾若所謂代變也。及考夫董、賈、揚、馬、李、杜、韓、柳諸賢，各運機衡以追往訓，當世文軌，靡得而拘。今綜八子視之，殆自致羽翮，凌駕文囿者矣，非存乎其人何哉？

李夢陽《駁何氏論文書》　子擿我文曰：「子高處是古人影子耳，其下者已落近代之口。」又曰：「未見子自築一堂奥，突開一戶牖，而以何急於不朽？」此非仲默之言短僕，而諛仲默者之言也。短僕者必曰：「李某豈善文者，但能守古而尺尺寸寸之耳。」必如仲默出入由己，乃爲舍筏以登岸。斯言也，禍子者也。古之工如倕如班，堂非不殊，戶非同也，至其爲方也，圓也，弗能舍規矩何也？規矩者，法也。僕之尺尺而寸寸之者，固法也。假令僕竊古之意，盜古形，剪截古辭以爲文，謂之影子誠可，若以我之情，述今之事，尺寸古法，罔襲其辭，猶班圓倕之圓，倕方班之方，而倕之木，非班之木也，此奚不可也。夫筏我二也，猶兔之蹄，魚之筌，舍之可也。規矩者，方圓之自也，卽欲舍之烏乎舍？子試築一堂，開一戶，措規矩而能之乎？措規矩而能之，必并方圓而遺之可矣，何有於法，何有於規矩。故爲斯言者，禍子者也；禍子者，禍文之道也。不知其言禍己與禍文之道，而反規之於法者，是攻子，亦謂操戈入室者矣。子又曰：「孔、曾、思、孟不同言，而同至誠，如尺寸古人，則詩主曹、劉、阮、陸足矣，李杜卽不得更登於詩壇。」詩云：「人知其一，莫知其他。」予之同法也堯舜之道，不以仁政不能平治天下者也。子以我之尺寸者言也，覽子之作於法焉，筏矣，宜其惑之靡解也。阿房之巨，靈光之巋，臨春、結綺之侈麗，楊亭、葛廬之幽之寂，未必皆倕與班爲之也，乃其爲之也，大小鮮不中方圓也，何也？有必同者也。獲所必同，寂可也，幽可也，侈以麗可也，巋可也，巨可也。守之不易，久而推移，因質順勢，融鎔而不自知，於是爲曹，爲劉，爲阮，爲陸，爲李，爲杜，卽今爲何大復，何不可哉？此變化之要也。故不泥法而法嘗由，不求異而其言人人殊。《易》曰：「同歸而殊途，一致而百慮。」謂此也。非自築一堂奥，自開一戶牖，而後爲道也。故予嘗曰：「作文如作字，歐、虞、顏、柳，字不同而同筆，筆不同非字矣。」不同者何也？肥也，瘦也，長也，短也，疎也，密也。故六者勢也，字之體也，非筆之精也。精者何也？應諸心而本諸法者也。不窺其精，不足以爲字。而矧文之能爲，文猶不能爲，而矧能道之爲。仲默曰，夫

爲文有不可易之法，辭斷而意屬，聯物而比類，以茲爲法，宜其惑之難解，而訣之者易搖也。假令僕卽今爲文一通，能使辭不屬，意不斷，物聯而類比矣，然於中情思澀促，語嶮而硬，音生節拗，質直而麤，淺譾露骨，爰癡爰枯，則子取之乎？故辭斷而意屬者，其體也，文之勢也。聯而比之者，事也；柔澹者，思含蓄者，意也；典厚者，義也；高古者，格宛亮者，調也；沈著雄麗，清峻閒雅者，才之類也。而發於辭，辭之暢者，其氣也，中和者，氣之最也。夫然又華之以色，永之以味，溢之以香，是以古之文者，一揮而衆善具也。然其翕闢頓挫，尺尺而寸寸之未始無法也，所謂圓規而方矩者也。且士之文也，猶醫之脈，脈之濡弱緊數遲緩，相似而實不同。前予以柔澹沈著含蓄典厚諸義，進規於子，而救俊亮之偏，而子則曰，必閒寂以爲柔澹，濁切以爲沈著，艱窒以爲含蓄，俚輳以爲典厚，豈惟謬於詩義，幷俊語亮節悉失之矣。吾子於是乎失言矣。子以爲濡可爲弱，緊可爲數，遲可爲緩邪？濡弱緊數遲緩不可相爲，則閒寂獨可爲柔澹，濁切可爲沈著，艱窒可爲含蓄，俚輳可爲典厚耶！

又《答吳謹書》 讀論文一篇，僕竊疑焉。足下之意，不過執以艱深之詞，文淺易之見耳。恐不然，夫文自有格，不祖其格，終不足以知文。今人有左氏遷乎，而足下以左氏遷律人邪？歐、虞、顏、柳字不同，而同一筆，其不同特肥、瘦、長、扁、整、流、疎、密、勁、溫耳，此十者，字之象也，非筆之精也。乃其精，則固無不同者，夫文亦猶是耳。足下謂遷不同左氏，左氏不同古經，亦其象耳。僕不敢謂然，幸足下思之。

徐禎卿《與同年諸翰林論文書》 碧雲蘭若坐聽泉聲淙淙，西山秋色間與公等譚及千秋殊快，僕與公等幸際盛世，職在詞曹，其愼毋牽泥于朝會應制諸什，阿狗耳目，爲咋舌不盡，茲削牘竟其說。蓋有諗于僕者曰：「詩必《三百》、《十九》、建安、黃初，文必先秦、兩漢。故北郡讀書斷自漢魏以上，作而合，合而傳，傳而可法之難如此。子愼毋作近時人語其幾乎。」僕曰：「非也。凡猝然出于田畯、紅女、漁樵、牧子、擔夫之口者，皆詩也。商賈經年去家萬里，居者備述其家事覼縷，幷勞其風波險阻，在外勞苦，安否行者，度贏息幾倍，忖歸期久近，囑家人謹視門，蓋各題平安以相貽，皆天下之至文也。何者？詩不必叶韻，文不必成章，道其性情肝膈之要而止也。僕故近時人，那不作近時人語，而三代兩漢爲？」於是客有率然進曰：「近時某某詩人也，某某能文，某某兼能。」僕又曰：「非也。僕謂那不作近時人語，非謂他人，謂身乃近時人耳。嘗試論之、少陵而後無詩矣，自昌黎而後無文矣。入大明弘治間，李獻吉始一振之，當是時信陽何子心競李，力不敵也。故名並李，實不埒也。昌穀偏師也，薛鄭老師費財者也，邊靡靡熊其瑣瑣者也。其在詞曹，則王穉卿、王允寧其最傑乎。故僅工五律尺牘語耳，又寥寥不數篇。楊用修其學與著作至富，而才則稚。此外無論窮達顯晦，凡其生存者，其軒輊吾不敢論。大都自古迄今，代不數人，又多阮公廣武之歎，而子稱某某詩、某某文何也。」客于是大駭曰：「子之言何矛盾也。子前所言太叔之弛也，子後所言商君之酷也，子爲政民奚所措手足乎。且李、杜、韓、柳而後，其撰述積案充棟者何物也。近時之能詩文者，豈盡出耕牧漁樵紅女下也。子之言何矛盾也。」僕曰：「不也。若亦知人巧之不敵化工乎？譬之草木，地之所植，雨露所濡，堅勁爲松栢梗柟豫章，艷爲桃李，芬馥爲蘭蕙。自典謨風雅以逮我朝，李獻吉是也。其山茨野芳蔓草，則耕牧漁樵負販委巷婦孺之猝然出口，賈豎之家書寒暄，語語實際。若夫剪綴繒綵成花，爲牡丹，爲芍藥，固不若蔓草之出化工，則今之詩若文是也。故曰：畫西施之面美而不可說，規孟賁之目大而不可畏。曾不若醜女之能娠、怯夫之作力也。是故僕于三代兩漢且不欲爲，而況近世時流之詩若文乎？古人爲古人，今人爲今人，人自爲人，吾自爲吾，世人不曉事漫曰吟詩屬文，嘻其陋也。即詩不吟，即吟不詩，即文不屬，即屬不文。若亦知化工乎！」于是客無以難也。

王雲鳳《書德華文章正宗辯後》 宋西山眞氏集古人詩文作《文章正宗》，蓋爲專攻文詞者設，與《昭明文選》、姚鉉《文粹》用心無異。至其自序乃曰：學者所以窮理而致用也，文雖學之一事，要亦不外乎此。故今所取以明義理切世用爲主，則以儒者體用之學濟其說，而未免岐而二之。夫聖賢所以相傳者，道而已。是道也，其功用極於育萬物贊天地，而其實不外乎用行事之間。故聖人既有是道于身，則自日用行事，以至所以育萬物而贊天地者，因已煥然，其明盛而不可揜矣。若堯、舜、禹、湯、文、武、周、孔之禮樂制度、威儀言辭與凡見諸事，形諸外者皆文也。孔子曰：「文王既沒，文不在茲乎。」文者，道之可見者也。而言辭者，尤文之可見者也。故《六經》、《四書》，儒者謂之文。誦說其文以求其道，而體之於己，儒者謂之學，學者誠知所以學，而得夫道，則所謂文者將復自我出，豈特言辭而已哉。若以文爲學之

一事，則是孔門之徒皆將操筆學爲文詞，而不知儒者之學固未始有意於文，而徒學爲文者，因不得竊學之名也。蓋自三代之教廢，而儒者之學不講，世之人徒見聖賢言辭之無弊，流傳之無窮，心慕而竊效之，然不知深探其本。于是乎秉筆締思，日積月累，久而既多，編之成書，則自視以爲天下之文不吾過矣。轉相授受，放效成風，千有餘年，使才質高明者，不得進爲德義之儒，而資質庸下者，不得守爲謹愿之士。至於有宋，眞儒迭起，講明聖學，一洗其陋，其友輔之，其徒和之，所見雖有淺深，所就雖有高下，要皆能辨於二者之間，而知所取舍矣。眞氏生於諸儒之後，號爲大儒，而不能自拔於文詞陷溺之中，反又從而文之。孟子曰：「惡紫之奪朱。」似是而非，有誤後學。非若昭明、姚鉉爲淺薄之士，而《文選》、《文粹》出於文家之手，固不足重輕也。其辭命議論、叙事，德華辯之悉矣。其詩賦曰：三百五篇之《詩》，正言義理者無幾云云。

吾謹《與方思道論文書》 近世嗜作文者，卒模習《春秋》內外傳辭句以爲奇古，卒至牽綴餖飣，短促澀滯，不但辭之不足以舒其志意，而且并與其所謂理者失之，可不悲耶！三代之季，能文者莫若左丘明，彼其于虞夏之書非不能誦習而彷彿之也，而卒自爲左氏之語。由丘明而下則莫若司馬遷，彼亦非不能依步左氏之語也，而卒自爲司馬氏之書。由遷而下持文柄雄視海內者多，不下十餘家，然皆人自爲書，而不相師蹈沿習，故亦能矜重一時，而流百代之譽。至後之評者，乃曰或似內外傳，或似《史記》，要亦其機括圓精，有不煩刻削而自脗契之者。彼固曷嘗規規于左氏、史遷之詞之句哉。今舍其意而師其詞，棄其詞而摹其句，是繪眞者不得其人之神俊，而徒貌其體膚；又不得其體膚之完，而徒貌其肢節。其于肖也終不得矣，況才富氣鋭，而且佐之以學之贍也。其于文章，固當憂其駃驟之過，而或至于不檢，非憂其氣勢之短促而不足以拓之也。乃顧不免此病者，豈自慮其將過于洶湧洪汗而先爲約束以制之耶？抑亦徒見近時士人之競爲酸澀苦辛之味，足以爽口馳譽，姑徇所好而逐之耶？夫近世士人必務爲此類之語，皆惑之深者。彼其于古人所就之妙，實未嘗得諸心而應之手也。故以飲食至味爲不足，乃旁取其間出之奇者，咀之以爲常，卒亦何免。夫以艱辛之辭，文淺易之說之謂哉！且文章固宜考其原本，求古人制作之始意，特在述事理布旨趣而已。而飾之以辭者，欲其潤暢焉耳，過此而有所謂奇者，皆後世文之勝也。而況乎益之艱澀不可句之語，不亦薄乎。

又《與李空同論文書》 謹之始論，特以今之爲文者，固著書遺意。夫著書者，蓄而有得而後洩而爲言，故必自創而成一家之說，苟師蹈沿襲他人，烏在其爲立言哉。而執事以書法喻之，類例甚明。顧謹之所謂弗同者，正謂其象耳。肥、瘦、長、扁、流、整、疎、密、勁、溫，十者書之象也，古之善書者精無不同，而十者之象則異。惟精無不同也，故同謂之善書；惟象無不異也，故各謂之名家。精苟同矣，而象亦無不同，是亦臣僕於人而已矣，奚其善？夫文亦何異於是。理道旨趣，猶書之精也；辭致體格，猶書之象也。古之善文者，理道旨趣無不同，而辭致體格則異。惟理道旨趣無不同也，故同謂之善文；惟辭致體格無不異也，故亦各謂之名家。理道旨趣苟同矣，而辭致體格亦無不同，是亦臣僕於人而已矣，奚其善？今槩論其本之同，而不察其末之異，是猶論天地萬物之理同，而不論其形氣之異也。無乃或幾於惠施、公孫龍之説乎？譬之人焉，精神運諸中者同矣，耳目形諸外者同矣，而貌各弗同。夫精神耳目之不同，固不足謂之人。而貌皆一人焉，又可謂造物之深功巧妙哉！史遷弗同於左氏，左氏弗同於古經，殆亦人貌之不同乎？而學之過者，直欲貌之同而中之弗同，弗計也。夫中與貌兼同，且未爲善化，矧得其貌而遺其中，或并其貌而失之者哉？故篇中曰：「舍其意而師其詞，棄其詞而模其句，是繪眞者不得其人之神俊，而徒貌其體膚。又不得其體膚之完，而徒貌其肢節，其於肖也終不得矣。」謹意言，師其意固無不可，而徒模習其詞句，是亦止得肢節之細，而遺其全體之眞，非善肖人者也。豈其文之晦，而弗足以達厥意歟？

崔銑《研岡缶音序》 夫文以適用，用以弘道，無古無今，孰難孰易。義精則言愈簡，蹈實則旨自遠，達於理而多變，發其嘖而轉幽，由是隱化昭乎？顯行神乎？談之廓廓乎？動之躍躍乎？味者反是，怪以亂夫精，鄙以庸其雅，淺以混於明，艱以迷乎奥，文之見輕，有由來矣。論者曰：經無文法，言其無文而非法也，猶曰天無度，言其無度而非動也。今夫大匠之適造宮者之家，持墨負斤，餘無所費，而大小之度，豐約之齊，固密之工，長短堅蠹之材，各以其制，惟心妙其巧，惟運圓於手，不參以我，即物曲成。是故君子有無文之文焉。

楊愼《丹鉛續錄》卷五《評文》 孔子云：「辭達而已矣。」恐人之溺於脩辭

而忘躬行也，故云爾。今世淺陋者，往往借此以爲說，非也。《易傳》、《春秋》，孔子之特筆其言，玩之若近，尋之益遠，陳之若肆，研之益深，天下之至文也，豈止達而已矣哉！譬之老子云「美言不信」，而五千之言豈不美邪？其言美言不信，正恐人專美言而忘信也。佛氏自言不立文字，以綺語爲罪障，然《心經》六如之偈，後世談空寂者，無復有能過之矣。予嘗謂漢以上其文盛，三教之文皆盛；唐宋以下其文衰，三教之文皆衰。宋人之語錄，去荀、孟何遠，猶《悟眞篇》比于《參同契》，《傳燈錄》比于《般若經》也。

又《升菴集》卷五二《古人文法有祖》　古人文法皆有祖。韓非《內儲說》曰：「門人求水而夷射誅，濟陽自矯而二人罪，鄭袖言鼻惡而新人劓，費無忌教郤宛而令尹誅，陳需殺張壽而犀首走，燒芻廥而中山罪。」班固《漢書》曰：「子罿謀桓而魯隱危，欒書搆郤而晉厲弒，豎牛奔仲叔孫卒，郈伯毀季昭公逐，費忌納女楚建走，宰嚭譖胥夫差喪，李園進妹春申斃，上官譖屈懷王執，趙高敗斯二世縊，伊戾坎盟宋痤死，江充造蠱太子殺，息夫作姦東平誅。」宋景文《唐書》效之爲姦臣贊曰：「三宰嘯凶牝奪辰，林甫將蕃黃屋奔，鬼質敗謀興元蹙，崔柳倒持李宗覆。」東坡贈宋壽昌詩用此法，又奇矣。

又《古人多譬況》　秦漢以前書籍之文，言多譬況，當求於意外。如《尙書》云：「說築傅巖之野。」築之爲言居也，後世猶有卜築之稱，求其說而不得，遂謂傅說起於版築。雖孟子亦誤矣。「伊尹負鼎以干湯」，謂尹有鼎鼐之才也，猶《書》曰迓衡云耳。橫議者遂謂伊尹爲庖人，若然，則衡秤也，尹曰迓衡，其亦舞秤權之市魁乎。子貢多學而識，故孔子曰：「賜不受命，而貨殖焉。」莊子便謂子貢乘大馬，中紺表素之衣，太史公立《貨殖傳》，便首誣子貢，如此，則子貢一猗頓耳。聖門四科，子貢善言語，太史公信戰國策士之說，載子貢一出，存魯、亂齊、破吳、強晉而霸越，其文震耀，其辭辯利，人皆信之，雖朱文公亦惑之。獨蘇子由作《古史考》而知其妄。考《左傳》齊之伐魯，本于悼公之怒季姬，而非田常；吳之伐齊，本怒悼公之反覆，而非子貢，其事始白。若如太史公之言，則子貢一蘇秦耳。《毛詩》曰：「漢有游女，不可求思。」韓嬰曲爲之說曰：「孔子南行至楚之阿谷，見女子有佩瑱而浣者，使子貢挑之不得。」如韓嬰之言，則孔子乃一馬融，而子貢不如盧植遠矣。又《論語》「爲命裨諶草創之」，左氏遂謂裨諶謀于野則獲，蓋因草之一字誣之也。「孔父正色而立朝」，左氏遂謂孔父之妻美而艷，蓋因色之一字誣之也。例此以往，則《國語》謂「驪姬蝎譖申生」，必將如吉甫之掇蜂；《禮》所云「諸侯漁色于下」，卽小說家謂西施因網得之類矣乎。姑發此以諗知者。

黃佐《眉軒存稿序》　成化以前，道術尙一，而天下無異。習學士大夫視周、程、朱子之說如四體然，惟恐傷之，以故詞雖往往弗華，而每根于理質。惟亡大斷而氣亦霈然以昌，其風俗朴茂，可想見也。【略】夫文也者，文也，由中而見之外者也。其法欲顯不欲晦，欲典不欲詭，欲淺不欲邃。天垂日星，地形河嶽，夫誰能蔑視之，而以詰曲鬼瑣爲哉？是故前之三代，歷夏殷而文成于周；後之三代，歷漢唐而文成于宋。

馬一龍《答陳魯太史論唐人詩文》　古之作者，文若《六經》、孔、孟，詩若《三百篇》、《離騷》，又何如其次也。漢、魏以下，韓昌黎、柳柳州之文辯博雄肆，李謫仙、杜少陵之詩豪邁雋逸，唐人粗可傳誦，使天下後世不敢美惡置喙者，惟是四子而已。【略】余每見古人製作，妙在意與趣耳。意趣之妙，復所得有最次。若柳州意在文，而昌黎無文，文以達意而意不留。少陵趣在詩，而謫仙無詩，詩以發趣而趣自成。故凡意趣自然之適，若決河防，橫潰四出，而其縱橫、曲直、廣狹、淺深，無所往而不洋溢瀠回以爲湍瀦，以爲滓凝，澄爲淵沚，衝激爲淙，決之殊西東，摶之而使上下，變不一而體各足，此無他，其本裕而其出無窮，其用不竭，其機不息，其勢不可遏。有如此者，故古人之不可及在意趣。意趣所至，而充其才以張弛造化，出入古今，貴其在我者有本也。本之不裕，則吾奔走受役于章句聲韻之末，牽引附合，勞攘百倍，而觔力憊矣。蓋吾身與象物等，而心統衆理，爲天地萬物所同出之原，其體至虛，包涵受納，無物不備，宇宙之大，日月星辰，山川草木，鳥獸蟲魚，昭著于上下者，皆吾身之所有取。其所有以爲適感者，應則感無常而應常裕本之在我。爲意爲趣，而物與我自相參焉。然意發于內，其機觸于有感；趣得于外，其妙通于罔覺。故有感之機動于天，罔覺之妙入于神。惟神惟天，斯可以言作者。否則，文焉詩焉，或狃於意而不化，或狥于趣而自若。其下相禪以爲能家，所竊不過古人糟粕，無復有自其心出者。此猶借西江之水汲以盈轍，而引之使流，其進不能踰井繘所緒，出者不能蔽牛跡。方寸之葦，汩刺其中，則往過者不能續，何也？非其所自有也。所得幾何哉！

許相卿《悔言序》　夫辭尙體要。【略】夫羅獵理亂，稽證古始，而以辯博

悟上，上書陳事之忠也；鋪比蔚贍，賦之則也；白發事理，往復究盡，論議之制也；語焰談鋒，張皇撼動，說士捭闔之術也；擷葩萃英，采錯爛如，詞人之習也；頌德贊功，誇諛浮實，佞人利口容悅之態也；搜隱窮奥，哳吻棘喉，務異求勝，敦銘冢簡之奇也；警意麗詞，逞新衒巧，經生誇藝攫雋之餌也。至如旨易辭艱，以深飾淺，壯夫羞稱焉。然以之投世耳目，亦多快意動容，藏去爲玩，然皆非其體，何也？去眞遠耳，餖飣支離，尙奚簡爲。

張岳《答聶雙江巡按》大抵今之論文章者必曰秦漢，蓋以近時之軟熟餖飣爲可厭也。講讀者必曰自得，亦以傳註之拘滯支離，學之、未必有得也。夫眞能以秦漢之文發其胸臆，獨得之見洋洋乎通篇累牘，而於根本淵源之地，稍有異於今之軟熟者爾，實亦無以異也。暗欝而不章，煩複而無體，奔走學者於譎誕險薄之域，反不若淺近平易猶得全其未盡之巧之爲愈也。秦漢之文未必實有得焉，君子未敢以作者歸之也。况所謂秦漢者，乃不出晚宋之尖新，見於班、馬氏所載多矣，其深厚醇雅之氣，明白正大之體，曾有一言一字譎誕乎哉。今之自託爲秦漢者，恐未必于班、馬之書有得也。有得於中，則其發也，必不掩矣。乃欲厚自與而疑學者，其亦可悲也。夫自得之言出于孟子，其意亦曰漸漬積累，自然有得爾。夫豈必於排擯舊說，直任胸臆所裁而謂之自得哉。三代而下，數聖人之經，秦火之後，人自爲說，至程朱始明矣。雖其言或淺或深，或詳或畧，然聖人遺意往往而在，學者不讀之則已，如其讀之也，豈可不深造而致其詳。詳讀古人之書而有得其淺深詳畧之所存，意有未安姑出已見爲之說，期於明是理以養心而已矣，不在創意立說以駭人耳目也。有是心而言又未或當，其自蔽也甚矣。嗚呼，學之不講久矣，文章議論，古人講學不以爲先也，今也窮日力以從事於此，猶不得其要領，况其遠且大者乎。

劉繪《答祠郎熊南沙論文書》孔子曰：「辭達而已矣。」文緣理道，疏其性情，其有述陳引喻，或散或偶，雜撰不同。要之，抽思就班累數千百言，期於明己意使信諸人也。藻麗研深，實盛華茂，自不能無使已。意既達不必繁辭，勦說務爲馳騁。若理性不明而搜索異籍，反爲文之瘴也。【略】今有謂達者，但曰直陳去雕飾，甚非旨也。夫文章雕飾，自不可少，深厚爾雅，乃其要焉。《詩》曰：「追琢其章，金玉其相。」言文質也。若夫艱深詰澀，不可句讀，又文之僻也。殷盤周誥，書多脫簡，間有後人摻入。劉子駿謂朽折散絕，博士集而讃之是也。弟又疑世之慧靈奇士，詞雖不僻，然過學韓蘇，紆徐太多，沈辭鈎思，營魄游心，令人讀之，少不體察則景滅響伏，而不得其意趣。此雖天機逮意，其綿邈寂寞，終非示我周行之義。馬遷微婉處，最稱玄澹，然省文超徑，非人所及也。今學士大夫與人談文，有謂必搆集異書多少，至列書目示人曰某與某未能見，惡能爲文哉。弟蒙陋，謂此爲以虛聲呵喝人可也？謂此爲心有闇蝕亦可也。弟誠非自委庸媮，仰思先哲有可據焉。古今文士，大者如莊周、太史、韓退之、柳子厚，其自叙所學，皆止六籍而下逮諸子。蘇子瞻在海上以抄得《漢書》爲樂，當時《漢書》士夫見者且少，彼謂搜搆異書收藏，備學者格物一事可也，假令必謂盡見世所藏書，而後下筆爲文，取異籍所載資以粉飾侈麗，則世有英妙弱齡之士，無能錯采凝玄，先飛聲藝籍之林者矣。仙釋二氏，弟愚益不喜讀，蓋以非聖之書。吾既不從其道，却欲借彼之言爲吾之資，不知所謂文者將何爲乎。秦漢以前，佛書未入中國，文士辭采煒煒，後莫倫比。石渠、白虎諸儒，各抱一經，皆能垂光百世。故知爲文史二氏語者，此唐宋間雜學之弊也。昌黎不道二家語，其與二家言，亦舉《六經》之言，告之子厚，謂其秀才作文多引莊、列，頗奪正氣。此論凜凜。至與二家言，便盛稱其教，而雜諸戒律、毗尼之說，此卻不自覺也。蘇氏記大悲勝相諸作，盡入纂言，復爲偈語準《楞嚴》、《法華》，張皇博譬，此子瞻濡曼乃不宜傳。曾子固亦以此謝荆公也。弟愚謂今之英哲鴻儁，但抱殘經究其宏緒，而屬文列事，能準荀、孟以下若賈誼、董仲舒、馬遷、劉向，則文可逼古人也。

又《與王翰林槐野論文書》文不切所用，則聖賢且渾爾噩爾，安所尙文哉。故主須以理，充須以氣，其說尙矣。弟謂辭者，文之質也，理匪辭不達，氣匪辭不졸，三者不可闕一焉。而體格在其中矣。是以文之體格無定，眡三者所究耳。古今之辭盡於《六經》，理相統一。韓子曰：「《易》奇而法，《詩》正而葩，《春秋》謹嚴，《左氏》浮誇。」正道氣與辭也。天地之理，中正焉已矣。其氣深厚和平，其辭大雅宏暢，則聖人之文也，《六經》是已。孔子删述，自謂：「文王既沒，文不在玆乎。」善學孔氏者，惟孟軻一人。其後諸子，理不足而任於氣，故其辭醇疵相雜。荀卿以下，《莊》、《騷》、太史、董仲舒、賈誼、劉向、揚雄諸人，窮理盡性，雖不能如聖人，而纂辭摹像，則標準《六經》。故旨趣各隨所見，而篇章音欵莫有踰焉。東京煒煒，猶能相匹，延及

魏、晉以後，而雅道漸以陵夷。至唐獨得韓愈敏悟，自言見時文忸怩不寧。今讀其辭，出入孟、荀，而風骨類馬遷、劉向，蔓然其品也。藝苑英少，亦有輕訾詆者，蓋未深究耳。其後才桀之儔各殊其辭以求勝，欲自勒一家騖高者，玄亢而無據。崇實者質塞而無華，令《六經》之辭邈乎莫追，求賈、馬、匡、劉不可復得矣。仲尼曰：「文質彬彬，然後君子。」蓋謂文焉。弟又思漢以下至趙宋能文者，雖各異辭，要皆變於《六經》。且如董仲舒、京房、焦延壽、揚雄變於《易》也，賈誼、晁錯、司馬遷變於《書》也，匡衡、劉向下逮班固、崔駰、馬融、蔡邕變於《詩》也。臨諸子所著，體而察之，當自見矣。蓋《六經》，文之海嶽具焉，後之士雖稱瓌奇而極駿雄，莫能出其軌矣。故惟狂蕩之辭，洸洋淫靡之辭，纖細峭刻之辭，慘礉短長之辭，是其理蔽，其氣衰，非聖人之書不可讀也。弟又思：建安諸子雖號靡麗，然典峻不可少，當稱爲《小雅》之變。二應以後，六朝如二陸、三謝，至任彦升、顔延年、沈休文、薛道衡輩，世人往往俱以纖綺眂之。然鑄景凝華，隱隱十二《國風》之變也。宋儒詳於理學而辭則又落一格，乃有古文今文之遼絶。吁，殆難語矣！周茂叔《通書》，程伯子《定性書》，張子厚《西銘》、《正蒙》，則亦變於《易》者也。歐陽永叔《本論》，程叔子《漢州策問》數篇，朱文公學庸二序，疏明純正，則亦變於《書》者也。是以古今明文咸托辭以傳。若雕藻剪綵爛然者，斯可美也。周子曰：「美則愛，愛則傳。」《詩》曰：「追琢其章，金玉其相。」謂錯采修辭也。兄謂見偶語多者輒不喜，此信然矣。專攻偶對令氣不疏，非文之佳矣。但弟思天地之數，奇偶而已。八卦九章，皆相對待。是以乾坤日月、星辰霜露，江海之支派、山嶽之峰巒，男女形像，耳目鼻兩孔口齒上下四肢百骸種種，相對不爽，蓋自然理數也，豈於聲音之道，獨散漫而無合。是以聖賢之文，雖不專工偶對，而屬辭比義，有不得不然者。晦菴謂鄒陽書是作對字，彼方陳愬梁王，欲自發穎慧鬱思，求動其王，而解於難也。乃謂西京之文衰自陽始，謅之過焉。

歸有光《文章指南》 總論看文法：第一看大概主張。第二看文勢規模。第三看綱目關鍵（如何是主意首尾相應，如何是一篇鋪叙次第，如何是抑揚開合處）。第四看警策句法（如何是一篇警策，如何是下句下字有力處，如何是起頭換頭處，如何是繳結有力處，如何是融化曲折翦裁有力處，如何是實體貼題目處）。

又 論作文法：文字一篇之中，須有數行整齊處，有數行不整齊處，或緩或急，或顯或晦，相間使人不知其爲緩急顯晦，常使經緯相通，有一脈過接乎其間然後可。蓋有形者綱目，無形者血脈也。有用文字，議論文字是也。妙在叙事情狀，筆健而不粗，意深而不晦，句新而不怪，語新而不狂，常中有變，正中有奇，題常則意新，意常則語新，結前生後，反覆操縱，詞源浩瀚而不失之冗，意思新轉折多則不緩。上下、離合、聚散、前後、遲速、左右、遠近、彼我、一二、次第、本末、明白、整齊、緊切、的當、流轉、豐潤、精妙、端潔、清新、簡肅、清快、雄健、宏大、簡短、雄壯、清勁、華麗、縝密、典嚴。論文病：深、晦、怪、冗、弱、澀、虚、直、踈、碎、緩、暗、塵俗、熟爛、輕易、推事、說不透、意不盡、泛而不切。

羅洪先《答陳雨湖》 竊以爲文有源委，非人之所能强爲也。夫子不云乎，辭達而已。是辭其後也，將以達意，意實先之。故有蓄意而不盡形之辭者矣，未有辭至而意不足者也。意不足，辭無所于至。譬之于水，混混有源以出之矣，然後舂擊而爲濤，渟涵而爲淵，迅駛而爲湍，瀠迴而爲瀾，衍迤而爲波。光浮紋蹙，沫濺洑射，隨其所遇，各效奇巧以盡變態，而又晶熒澄澈不入滓穢。至其經流之連絡，又且詰屈宛復，自源達委，靡有斷絶，使人迫而觀之，心神昭曠，徘徊而不能舍。夫文不可以强爲也，何以異于是。古之人有能之者，必其中有自得，實見此道之流行橫斜曲直小大清濁，無所不在于是。觸機發微，或緣彼而歸此，或即古以顯今，細則取巨，巨則取細，常藏于變，變藏于常，紛紜轇轕不可終窮。欲不爲波濤湍瀾之類不可得也。辭盡其變而意始融，意融而後辭乃益至。雖欲文之無傳，亦不可得也。

王慎中《與項甌東》 文之爲道，固博取而曲陳。惟其所以取之者，雖博而未嘗不會於吾之極，故謂之約。其陳之雖曲，而其義有中，則曲而不爲雜。【略】今稱述必在乎經，援引必則古先王，如書生科舉之文者，豈不爲正，而豈可以爲文，而亦豈可以謂之知道者哉。有甚似而實非，有太反而正合，非獨文然。

又《曾南豐文粹序》 極盛之世，學術明于人人，風俗一出乎道德，而文行于其間。自銘器賦物，聘好贈處，答問辯說之所撰述，與夫陳謨矢訓，作命，敷誥施于君臣政事之際，自閨詠巷謠，託興蟲鳥，極命草木之詩，與夫作爲雅頌奏之郊廟朝廷，薦告盛美，諷諭監戒，以爲右神明動民物之用。其

小大雖殊，其本於學術，而足以發揮乎道德，其意未嘗異也。士生其時，蓋未有不能爲言。其才或不能有以言，而于人之能言，固未嘗不能知其意。文之行于其時，爲通志成務，賢不肖愚知共有之能，而不爲專長，一人獨名一家之具。噫，何其盛也。周衰學廢，能言之士始出于才，由其言以考，于道德則有所不至。故或駁焉而不醇，或曲焉而不該，其背而違之者又多有焉。以彼生于衰世，各以其所見爲學，蔽于其所尙，溺于其所習，不能正反而旁通。然發而爲文，皆以道其中之所欲言，非掠取于外，藻飾而離其本者。故其蔽溺之情，亦不能掩于詞，而不醇不該之病所由以見，而蕩然無所可尙。未有所習者徒以其魁博誕縱之力，攘竊于外。其文亦且怪奇瑰美，足以誇駭世之耳目，道德之意不能入焉。而果于叛去，以其非出于中之所爲言，則亦無可見之情，而何足以議于醇駁該曲之際！由三代以降，士之能爲文莫盛于西漢，徒取之于外，而足以悅世之耳目者，枚乘、公孫弘、嚴助、朱買臣、谷永、司馬相如之屬，而相如爲之尤；能道其中之所欲言而不能免于蔽者，賈誼、董仲舒、司馬遷、劉向、揚雄之屬，而雄其最也。於是之時，豈獨學失其統而不能一哉？文之不一，其患若此。其不能爲言者，既莫之能知，由其不知之衆則爲之，而能者又益以鮮矣。四海之廣，千歲之久，生人之多，而專其所長以自名其家者，於其間數人而已。道德之意，猶因以載焉，而傳于不泯。雖其專長而獨名，爲有愧于盛世。既衰之後，士之能此，豈不難哉！由西漢而下，莫盛于有宋。慶曆、嘉祐之間，而傑然自名其家者，南豐曾氏也。觀其書，知其于爲文，良有意乎。折衷諸子之同異，會通于聖人之旨，以反溺去蔽，而思出于道德。信乎能道其中之所欲言，而不醇不該之弊亦已少矣。

皇甫汸《司直兄少玄集叙》 兩儀奠位，二曜揚輝，經緯其間，書契攸作，文之時義遠矣哉。雖有懿德鴻勳，非假典謨，曷由宣闡，故壽不固於金石，而名可齊於霄壤者以此。世之談理學者，詆爲末藝，守吏局者，謂非適用，殆猶茹藜糗者，難與道踳腴之美，蒙旃毳者，不足與語綺縠之華也。矧言本心聲，詩緣情靡，游心內運，應物外感，性機妙發，氣運天成。爰稽作者，良亦艱矣。匪作之艱，知之惟艱；匪知之艱，言之惟艱。此輪扁不能臚斲，而伯牙終於輟彈者也。

楊爵《楊忠介集》卷六《語錄·論文》 文章以理爲主，以氣爲輔，所論純是一段義理。是以理爲主，辭氣充盛渾厚，不覺軟弱；是以氣爲輔，須胸中正大，不以偏曲邪小之見亂其心。又廣讀聖賢格言，以充養之，如此則舉筆造語，皆自胸中流出，其吐辭立論，愈出愈新而無窮也，如取之左右逢其源也。其騰匯洩蓄，流轉渾厚，波瀾汪洋，如決江河，沛然莫之能禦也。其光燄發揚，照耀昭灼，如日月中天，深谷窮崖之幽，花石草木之微，青者自青，白者自白，仰之以生輝，觸之而成色也。

唐順之《董中峰文集序》 喉中以轉氣，管中以轉聲，氣有湮而復暢，聲有歇而復宣。闔之以助開，尾之以引首，此皆發于天機之自然。而凡爲樂者，莫不能然也。最善爲樂者則不然，其妙常在于喉管之交，而其用常潛乎聲氣之表。氣轉于氣之未湮，是以湮暢百變而常若一；氣轉于聲之未歇，是以歇宣萬殊而常若一聲。使喉管聲氣融而爲一，而莫可以窺，蓋其機微矣。然而其聲與氣之必有所轉，而所謂開闔首尾之節，凡爲樂者莫不皆然者，則不容異也。使不轉氣與聲，則何以爲樂？使其轉氣與聲而可以窺也，則樂何以爲神？有賤工者，見夫善爲樂者之若無所轉，而以爲果無所轉也。于是其氣與聲而出之，戛戛然一往而不復，是擊腐木濕鼓之音也。言文者何以異此！漢以前之文，未嘗無法，而未嘗有法。法寓于無法之中，故其爲法也，密而不可窺。唐與近代之文，不能無法，而能毫釐不失乎法，以有法爲法，故其爲法也，嚴而不可犯。密則疑于無。所謂法嚴則疑于有法而可窺。然而文之必有法，出乎自然而不可易者，則不容異也。且夫不能有法，而何以議于無法？有人焉，見夫漢以前之文，疑于無法，而以爲果無法也，于是率然而出之，決裂以爲體，餖飣以爲詞，盡去自古以來開闔首尾經緯錯綜之法，而別爲一種臃腫儇澀浮蕩之文。其氣離而不屬，其聲離而不節，其意卑，其語澀，以爲秦與漢之文如是也，豈不猶腐木濕鼓之音？而且詫曰吾之樂合乎神！嗚呼，今之言秦與漢者，紛紛是矣，知其果秦乎漢乎？否也。

又《文編原序》 聖人以神明而達之於文，文士研精於文以窺神明之奧。其窺之也，有偏有全，有小有大，有駁有醇，而皆有得也，而神明未嘗不在焉。所謂法者，神明之變化也。《易》曰：「剛柔交錯，天文也；文明以止，人文也。」學者觀之，可以知所謂法矣。

尹臺《送東沔康子令漳浦序》 夫文學政事，相助成者也。是故必原本道德之推用，極其所至，而昭曠之業垂焉。士修之以建立，則能自託於無窮矣。

【略】文學者，言之軌也，通之政事或窒，則辭章徒麗，不察理要之實矣。政事者，功之輿也，揆之文學或盭，則法術徒深，不程訓猷之經矣。蓋古之君子，秉道執德，立其所自有，而益求底乎至極。其文學也，宣其自立者於言也，故無意於言，然出則天下訓之。其政事也，成其自立者於功也，故無意於功，然施則天下利之。

王立道《擬重刊文章正宗序》 夫自孔子沒而斯文湮，《六經》之道熄而微言絕，數千百年之間，所謂鉅人宗工以文章鳴者，蓋彬彬焉。然而盛衰存乎運，醇疵存乎道，精粗存乎功，則其高下取舍，殆有不能逃於尙論者之權衡矣。今夫三代皆文人，《六經》皆文法，而君子以爲不然，豈非至文不華，德立而言該者哉！是故其中粹以和，其外燦以光，不期於文，而天下後世莫復以文爭雄焉。自今觀之，或播告以暢旨，或敷陳以析義，或紀載以該往，或詠歌以攄情；旨暢則民可明也，義析則變可盡也，往該則故可覈也，情攄則志可章也。然豈有意而爲之哉？如日月之光華，如星辰之經緯繁麗，如雲霞朝夕之瓌奇絢赫，倏忽萬狀，莫非自然而然，故聖人之文，天之文也。乃若後世之所謂文者，吾惑焉。非絺繪藻飾，悅耳目以爲佳，則或剽盜陳言，熟爛可厭；非窮探冥搜爲荒唐不經之語，則鄙俚而無足觀。而不然者，又或鉤章棘句，奇澀鼇牙，險讐神鬼，高媲皇墳，務以劌目鉥心，駭眩愚俗，而實則假艱深文其淺近。夫是以言愈工而道愈離，作之愈多，而不可以爲文之正也。豈《六經》之外，三代而下，獨無文乎？抑亦氣運致然，人不得而與也。雖然，河海之深，挹流者不一源而取潤；日月之照，遡光者隨小大而皆明；聖人之道，猶之河海日月也。故學術之士，詞藝之賢，以其明資博識，宏才雅思，操觚搦管，亦往往而有得焉。雖醇疵異致，精粗靡一，苟掇其精而采其醇，要之不詭於《六經》云爾，斯於河海爲正源，於日月爲正明，而聖人之所不棄也。然代存制作，家傳簡冊，汗牛塞宇，實浩以繁，懼覽者或昧焉矣。迨宋儒眞德秀氏，乃獨於茲而究心焉，於是盡取古人之文，自春秋以歷漢唐，掇而采之。於詩，則又上及順則之謠，解阜之歌，以《詩》《書》所軼，存乎古也。序以世次，體以類分，而總其凡例有四：爲辭之不可以已也，故首之以辭命；爲議之可以見天下之心也，故次議論；爲古記事之別有史也，故次叙事；爲詩所以言志也，故以詩賦終焉。夫則其辭命，可以明民；法其議論，可以盡變；效其叙事，可以覈故；模其詩賦，可以章志。四體具，而天下之文無餘法矣。而必皆依於古，不繆於先王，合於《六經》，而庶幾哉爲載道之作。夫是以殊世並美，異人同工，麗而不靡，近而指遠，高不淪於虛，奇不過其則，約而盡豐而弗餘，一展卷而諸子心之精，言之華，皆於是乎在。間又識其下方，以明取舍之意，而總其集以《文章正宗》名焉，於是乎可以見西山之用心矣。曰宗者，以見其猶日月之明，河海之源；曰正者，以見其非旁流末光，而天下後世之欲爲文，未有不由之者，匪是悉邪也，不可以爲宗也，是以至於今而業文者宗焉。

茅坤《與蔡白石太守論文書》 屈、宋之于賦，李陵、蘇武之于五言，馬遷、劉向之于文章傳記，皆各擅其長，以絕藝後代。然竟不能相兼者，非不欲也，力不足也。故李、杜詩聖而韓、歐文匠，其間不自量力揚蹀蹀躞而進者，獨魏晉曹、劉，二陸，及唐元、白、柳宗元之徒稍稍侈心焉，然亦疲矣。使宗元獨以其文與韓昌黎爭雄，當未辯孰劉孰項，而曹、劉獨縱其詩聲于武陵之間，又未必降爲黃初之音也。故曰：人各有能、有不能。【略】昔人嘗謂善詩者畫，善畫者詩，僕謂其于文也亦然。今夫天地之間山川之所以寥廓，日月之所以升沉，神鬼之所以幽眇，草木之所以蕃翳，鼪鼯之所以悲嘯，九州之所以聲名文物，四裔之所以椎髻被髮，以及聖帝明王、忠賢孝子、羈臣寡婦、讒夫佞倖、幽人處士、釋友仙子之異其行，禮樂、律曆、兵革、封禪、天官、卜筮、農書、稗史之異其術，宴歌、游覽、行旅、蒐狩、問釋、譏嘲、詠物、賦情、弔古、傷今、成敗得失之異其感，彼皆各有其至，而非借耳傭目所可紊亂增葺于其間者，學者苟各得其至，合之于大道而近之于中，出而肆焉，則物無逆于其心，心無不解于其物，而譬釋氏之說佛法，種種色色，逾玄逾化矣。嗚呼盛矣！此庖羲氏畫卦以來相傳之秘，所謂其旨遠，其辭文，其言曲，而中固非專一，以致其至者，不可與言也。

又《文訣五條訓緇兒輩》 神者，文章中淵然之光，窅然之思，一唱三嘆，餘音嫋娜，即之不可得，而味之又無窮者也。【略】須于草稿完後，便當再三暗誦，將篇中得失處，徹首徹尾審訂一番，當刪者刪之，當改者改之，當擴充者擴充而馳驟之，務令文之神王而煙波無盡，不可草率了事。

王世貞《五嶽黃山人集序》 語有之：豐玉荒穀，明貴與用之不易兼也。又有之，春華秋實，明文與質之不相爲用也。天下之言文者，則歸孔氏，曰辭達而已矣。意若弁髦其法而棄之，乃其叙述墳典，犧易麟史，抑何彪炳爾

雅也。多學而識，不如一貫空空者，託而逃焉。然至於陳廷之隼，防風氏之骨，商羊之儛，而龍威丈人之祕文，又若探篋而取對者何也？古之君子收天地萬物之精，而歸於吾之聰明，而始有學；出吾之聰明，以與天地萬物之界會，而始有言。博而約，而謂之學；造理而備法，而謂之言；内極於貴，外極於用，文質稱而謂之君子。大者經，小者傳，心者謨，跡者史，和而頌，怨而騷，性而雅，情而風，其言即人人殊，要之，未有不通於德與功者也。

張鳳翼《與人論文書》 文章與時高下，千古名言，雖有仁聖，無所施其巧力。三王非不仁聖也，生非帝世則不能以家天下者，而爲官亦不能舍其征誅者而爲揖遜。何也？時爲之也。日月麗中天亘萬古如斯矣，而長短遲速不能無改於曆法。流峙有常矣，而桑田可海，海可爲桑田，陵谷變遷，莫非時爲之也。是故生今之世，反古之道，傳有明訓焉。何天下之工爲文者，浮慕乎古而秉丘乎今。動則曰：吾能爲《左》、《國》，爲《謨》、《誥》，爲《莊》、《騷》，爲《史》、《漢》，遂至沮澀而不可讀，險詖而不可爲句。淺識者視之若以爲天書語，莫不嘖嘖稱歎，而矮人看場者又徒而和之，淆混士風，變亂文體。欲眩人之俗目而不思先已壞己之心術，欲從人之觀聽而不思先已失己之故步，遂至業佔俾應制科者亦皆從風而靡，而宰文柄者亦因之以爲去取。環海之内，貿貿焉將胥溺於南無波羅之語，而莫覺其爲非。夫文以載道也，閱其文而理滋晦焉，烏用文爲哉！昔人謂窮經而經絶，非謂無取乎窮經也，謂好異尚奇，騁臆見支離蔓延淆亂乎先王之法言，故云絶經也。今之爲文章者，豈不欲無詭於先王之道哉，而其流之弊，乃與秦之焚坑等。使賈誼不死，其所痛哭者莫先於此矣。苟操觚者但寫胸臆，而無意於立門戶，法古者師其意義，而不效其口脗，論文者玩其所可解，而不眩其所難識，敦和平而黜詭誕，尚顯易而略艱深，又烏知今文之不爲古乎。

孫應鼇《古文集序》 古之爲文者，信有法也。夫斲木爲棊，梡革爲鞠，尚必遵法，文獨無法耶。惜後世爲文因陋就寡，欲以煩言碎辭取要功緒，其以多靡自售，則又若涉水，若獵獸。轉騰瀲洌，横潰四出，無所統紀，法之蔑極矣。大復之梓是集，意遠已哉。雖然，吾又惜後世爲文之泥于法也。爲文欲合于法，與繪事欲肖于形，奚異？形肖矣，以擬草木人物之生生其神采若何？故繪事絲髮不忒進熟於精極，不如本其一色之至眞也。然古今人睹繪事之精極，必曰不啻生生而草木人物有可覽採，又必曰不啻繪事，此又何以謂焉。豈非所謂羿之射，大匠之規矩，所謂不可傳之巧爲可合妙造化。相語曰法，相語曰非法。爲神明之在人者，非耶。揚子曰：「不合乎先王之法，君子不法。」吾第于是取其至眞，庶以合于巧而又何泥焉。

李贄《與友人論文》 凡人作文，皆從外面攻進裏去，我爲文章，只就裏面攻打出來。就他城池，食他糧草，統率他兵馬，直衝横撞，攪得他粉碎，故不費一毫氣力而自然有餘也。凡事皆然，寧獨爲文章哉！只自各人自有各人之事，各人題目不同，各人只就題目裏滾出去，無不妙者。如該終養者，只宜就終養作題目，便是切題，便是得意好文字。若捨卻正經題目不做，卻去別尋題目做，人便理會不得，有識者卻反生厭矣。

胡直《刻喬三石先生文集序》 文章之作，何近代品議之異乎。蓋近代作者，闇於大道，而專倣子長以稱勝，其語人曰，是規矩在焉，其實襲也。夫古之文衆矣，子長與莊、荀、孫、韓、老、左凡六七家，咸未嘗相襲，等而上之，讀彖象者，若未知有典謨；讀雅頌者，若未知有訓誥；讀語孟者，若未知有繫辭，何則？彼文者道法之所出，不得而襲焉故也。譬之爲居，棟角肖也，然各一其材，今曰阿房、靈光材最古，乃採截而益之，亦曰規矩在焉，可乎？今夫規矩各一，物自巧匠，運之爲規，而員出焉，横之爲矩，而方出焉，故規矩者，方員之母也。而方員豈規矩哉！是故道法者，聖人之規矩也；道法備而文言之以詔諸世，此聖人由規矩出方員之跡也。方員之跡，無定體，故爲典謨，爲彖象，爲訓誥雅頌，不可窮極，執之則窒。子長之雄健，則亦方員之跡見乎一體而已。

又《論文二篇答瞿睿夫》 古今文不一體，學文者亦不能以一體局，聖人之文大都在道，其次在法，法所以維道也。翺翔道法，因物成體者，非獨時習，亦正變者之自然也。今夫文之有正變，猶兵家之有正奇，織家之有經緯，雖《六經》不能違也。變之中不一體，猶奇之中不一機，緯之中不一色，此雖《六經》亦不能違也。是故《易》有《易》之體，而玩《易》者若不與《書》謀，《書》有《書》之體，而讀《書》者若不與《詩》謀，《詩》有《詩》之體，而誦《詩》者若不與三禮、《春秋》謀，彼其不相謀者非意也，自然而然者變也。自非有大觀若孔子者，通《易》、《詩》、《書》、《禮》、《春秋》爲一致，則局《易》者必詆《書》，局《書》者必詆《詩》，局《詩》者必詆三禮、《春秋》，匪獨相詆，且交相紬矣。是故必有孔子，然後知所以盡變。孔子非好變也，其道法通也。繇是推之，

苟有近于道法，則《易》之變爲玄，爲老，爲南華，沖虚，參同，爲後之論説傳註不一體；《詩》之變爲成相，爲《離騷》，爲琴操，樂府，爲後之賦頌，五七言，古近不一體；《書》與《春秋》之變爲左氏，公，穀，爲子長《史記》，爲漢紀，歷代史，列國志，爲後之書，奏，記，述，碑，銘，傳，贊不一體；《周禮》、《儀禮》、《王制》、《月令》變爲《白虎通》、《獨斷》、《通典》，爲後之通考諸書不一體；《學》、《庸》、孟氏變爲荀、韓以下諸子，爲漢、唐、宋之論議不一體；《論語》變爲《法言》、《中説》，爲後之語録不一體。假令有孔子者作，當必有所擇，不有所局。又繇是推之，漢爲漢體，唐爲唐體，宋爲宋體，而宋尤道法最近者也。則亦豈當爲孔子局且詆哉！然則孔子奚詆？詆在道法離焉而已。故道法離，雖鄭、衛出于春秋，詞非不工也，而聖人必刪而絀之；道法合，雖秦誓出於戎狄，詞非獨工也，聖人反存之列《六經》之中，援之綴《大學》之末。若是，則聖人所爲文，其大槩可知已。嘗試譬之，今天下九州所共聞者唯華音，而擅諳華音唯優伶，然優伶之言不貴于時者，非其音不純華也。舜，東夷人，文王，西夷人，舜與文王豈必脱然於諸馮岐周之音哉。而其言貴千萬世者，非其音純華也。然則孔子所詆者，亦猶時之不取優伶焉已矣。孔子未嘗詆文之變體爲也。今天下文盛矣，然語者惟祖秦漢而忘《六經》，推子長而薄孔、孟，韓、蘇之文實孔、孟出也，則尤今世之所深詆。自北郡倣傚子長，不欲一離黍米，而後之相師成風，亦唯知榮一家之體，崇一代之辭，引篇掔紙，獨眡有秦漢，子長咳唾餘澌，則相詫高之。假令誠有孔子之文，而體涉《六經》，辭近韓、蘇，則曰此別立門戶，甚則爲鄭衛赤幟，優伶左袒，而貽宕後生，大半贅道法而斥棄之。然則塗天下耳目，浸入六朝，靡有旭旦，非斯人之徒而誰歟！嗟嗟，予將不暇憂文而憂斯世。予少雖喜文，後自審才詘，竟自捨置，然於古今作者微有辨。夫道法備于身，而籠挫于百家，囊括於羣體者，中也，莊、荀、屈子、子長、揚雄、韓、蘇以下諸子是也，是謂文人；贅視道法，唯摹畫于步驟，彫刻于體句，組綴于藻豔者，下也，相如、鄒、枚、曹、劉、潘、陸、顔、謝以下，及近世詞家是也，是謂詞人。然近世非獨局一體，其實襲也。予嘗作《喬氏文序》箴之，其略曰：「古之文衆矣，司馬子長與莊、荀、孫、韓、老、左凡六七家，咸未嘗相襲。等而上之，讀彖象者，若未知有典謨；讀雅頌者，若未知有訓誥；讀繫辭者，若未知有語、孟，何則？文者道法之所出，不得而相襲故也。辟之爲居棟桷肖也，然各一其材，今曰阿房、靈光材最古，乃截古以益今，而曰規矩在焉，可乎？今夫規矩特一物，自巧匠運之爲規，而員出焉，横之爲矩，而方出焉，故規矩者，方員之母也。而方員豈規矩哉？是故道法者，聖人之規矩也。道法備而文言之，以詔後世，此規矩出方員之跡也。方員之跡無定體，故爲典謨，爲訓誥，爲雅頌，不可窮極，執之則窒。子長之豪健瓌瑋，則亦方員之跡見於一體而已，何乃跂跂焉執子長以爲規矩而襲用之，遂至廢百家、眇《六經》，是焉知規矩？」是序蓋與前意相出入，乃予又作《羅文恭集序》曰：「文者，聖人不得已而用之。是故文非聖人不能柄，自孟氏沒，道術大裂，文王、孔子之文，湮閟不著，百氏雜出，竄竊工巧，而文柄遂旁落於能言者之家。近代儒者所著《易通》、《訂頑》、《答定性序》、《易傳》，彼能言者，無容喙矣，降是則不免於萎薾嚄唶而近俚，彼傑然好言者且唾之矣，惡能使繹而行之。何者？道述不一，而枝末之析太繁也。」讀予是序，則知文之弊，其責又有歸矣。予嚮者曰：不暇憂文而憂世，至是則不暇憂世且憂道矣。噫，安得有主宰道法，正本達末，以柄斯文，則世在其中。

張時徹《皇明文範序》 夫範者，以範範金也，文而云範，何以範範文也？金之爲器也，有短有長，有員有方，有平有側，有曲有直，有鋭上而侈下，有殺本而隆末，有縱，有横，有縮，有贏，百爾不齊，然而無範則莫之能成矣。惟文亦然，或約或豐，或婉或雄，或以喻志，或以暢情，或以彌違，或以糾慝，或以導滯，或以宣和，以孚上下，以格幽明，以稽往昔，以信將來，百爾不齊，然而無範，則莫之能善矣。

沈鯉《正文體疏》 言者心之聲，而文者言之華也。其心坦夷者，其文必平正典實；其心光明者，其文必通達爽暢；其不然者反是，是文章之有驗於性術也。唐初尚靡麗，而士趨浮薄；宋初尚鈎棘，而人習險誦，是文章之有關於世教也。憲宗諭詹事黎淳曰：「出題刊文，務依經按傳，文理純正者爲式。故今鄉會試進呈錄文，必曰中式，則典雅切實，文理純正者，祖宗之式也。」今士子之爲文何式乎？自臣等初習舉業，見有用《六經》語者，其後引用《左傳》、《國語》矣，又數年而引用《史記》、《漢書》矣。《史》、《漢》窮而用諸子，諸子窮而用百家，甚至取佛經道藏，摘其句法口語而用之，鑿樸散淳，離經叛道，文章之流弊，至是極矣。其文體尤恥循矩矱，喜創新格，以清虚

不實講爲妙，以艱澀不可讀爲工，用眼底不常見之字謂爲博聞，道人間不必有之言謂爲玄解。苟奇矣，理不必通；苟新矣，題不必合。斷聖賢語脈，以就己之鋪叙；出自己意見，以亂道之經常。白日青天之下，爲杳冥魍魎之談，此世間一怪異事也。夫出險僻奇怪之言，而謂其爲正大光明之士；作玄虚浮蔓之語，而謂其爲典雅篤實之人也可乎？如謂人自人而言自言，則以文取士者，獨以其文而已乎？抑孟子之所謂生於其心，害於其政者，豈爲無稽之言乎！

胡應麟《少室山房集》卷一〇〇《第一首》 問：士稱文章學問尚矣。顧前代以文章稱者，其途有二；以問學稱者，其途有四。其目可悉陳與？其人之專門名家者，可悉數與？三代而下，有能總括而薈萃之者與？明養士二百餘載，理學事功無論，亦有文與學名者與？亦有能兼此二端者與？近世有詆文章學問爲枝葉，而託之乎空虚性命者，以覈於周公、仲尼之道然與？否與？【略】答：夫士也，艷稱于世，非以其椎朴無文，執鋤犁，規什一，下同于畊農坐賈也；又非以其浮誇無實，絶文采，屏見聞，竄迹于黄冠梵流也。蓋古今言士，自道德事功外，其途轍概有二焉，執事所課文章，所謂學問是已。文章者，上而皇帝王霸之謨，下而神聖賢哲之撰，遠之而彌綸宇宙，幽之而感格鬼神，亡弗賴焉，其功用若是大也。士亡貴乎文，即《六經》咸虚説矣。問學者，上下古今之迹，百家衆技之方，禮樂聲明事物之煩，鳥獸昆蟲草木之細，無弗貫焉，其統括若是備也。士無貴于學，即六藝咸虚文矣。夫文以闡乎學，學以博乎文，二者未始不交相用。顧天之生才有限，士各以其性質所近而專門名家，于是工撰述者以文章名，務淹貫者以學問名，而其途始分。而文章之體非一，爲之者往往極于力之所到，而時之弗及乘，于是或剽意詩歌，或殫精紀述，而文章之途復析而爲二。學問之道非一，爲之者往往困于資之難兼，而日之弗暇給，于是或以經學名，或以史學名，或以典章經制名，或以百家小説名，而學問之途復析而爲四。以文章之士言之，春秋則擅場左史、公、穀、荀卿、韓非、屈原、宋玉，漢則賈誼、董仲舒、司馬遷、相如、揚、班、枚、李，六朝則曹、劉、阮、陸、潘、左、陶、謝，唐則王勃、李白、杜甫、韓愈、陳子昂、柳宗元，宋則歐陽修、王安石、曾鞏、蘇洵、軾、轍、黄庭堅、陳師道，是皆卓乎以文章師百代者也。然或長于叙事，而短于持論；或工于古選，而詘于聲詩；或富于大篇，而艱于小絶。即文章一體，尚不能會其全，而各極其趣，况兼二者而時出之也。而欲以其餘而究極乎學，又可知矣。以學問之士言之，春秋則公孫僑、萇弘、倚相，漢則東方朔、劉向、歆、馬融、鄭玄，六代則張華、束皙、郭璞、皇甫謐、王肅、陸澄、劉炫、劉峻，唐則孔穎達、虞世南、歐陽詢、顔師古、李善、杜佑，宋則徐鉉、徐鍇、劉敞、沈括、鄭樵、馬端臨、王應麟，皆赫然以學問著一時者也。然或優于經術，而典故未詳；或核于史書，而幽隱未洽；或博于徵事，而名理未精。即學問一道，且不能該其二以及其三兼四者而悉備之也。而欲以其餘而肆力于文，又可知矣。即其中若史遷之紬繹金匱，劉向之直諒多聞，揚雄之究心奇字，韓愈之博極羣書，非不羅百氏于文辭也，而吟咏則非長。若陳思之綜核天人，景純之注釋蟲魚，子安之辭邃五雲，杜公之書破萬卷，非不蒐羣彙于詩賦也，而紀綴則未極。是數君子者，上下千秋，最爲傑出，其得其失，且較然若此，而况乎其下此者也。明興，聖化作新，人才蔚朗，醇備于國初，優游于宣化，勃興于弘正，博大于嘉隆。若伯温、季迪、仲默、昌穀、子業、于鱗、敬美、助父、明卿之于詩，子允、希直、平仲、賓之、克勤、仲凫、德涵、允寧、道思、伯玉之于文，以絜古作者之途，亦既纚纚乎可觀矣。若介夫、仲深、元明、應德、才伯、窒甫之于經、于史，子淵、用修、子元、子衡、非言、叔心之于子、于集，以較諸古學者之途，亦既琅琅乎可述矣。顧其所就，猶之乎各擅一長，自名一家，未有能總括前人，超軼往代者也。至于浦陽之文稱博洽矣，而勝國餘風，纖艷未掃，尚慊于詩。北地詩文，稱並孅矣，而六代以還典籍未睹，何有于學。瑯琊崛起吴會，文則根極漢史，而出入貞元；詩則風骨建安，而鎔情大曆，以至邃古之遐踪，昭代之經制，蟲魚之瑣屑，科斗之瑰奇，無弗肆而覈，曲而通焉；庶幾乎齊驅左、馬、杜、韓，追美僑、弘、向、朔矣，惜其于文則尚缺于史，于學則未暇于經也。夫獨造而不能兼該，固前人之所短，自開一堂奥，自立一門户，亦明代之所闕也。蓋前人當特起之運，天肇其機，人殫其力，故偏至非難，而兼長並茂爲難。明文承累代之餘，蹊徑無餘，矩矱備極，故總統非難，而特出創造爲難，時也，勢也，亦莫非才也。然此特論于三代之下也。等而上之，不有元聖如周公其人乎，材美冠天下，而驕吝不形；藝能高一代，而吐握不暇；《多士》、《無逸》諸篇，委縟而眞，至《七月》、《東山》諸什，典厚而沉深。《周禮》一書，四方百物之具陳，何其肆而隱

也。《爾雅》諸訓，草木昆蟲之備舉，何其賾而該也。不有大聖如孔子其人乎，經天緯地以爲文，致知格物以爲學，《風》、《雅》之陳，《爻》、《象》之係，詞人皓首弗能窺；《書》、《禮》之刪，《春秋》之作，文士一詞弗能贊；而問禮、問官、學琴、習射、對商、羊辯、萍實，讀泰岱之奇文，識防風之巨骨，神遊六藝之精，而統括之無外；心通萬物之表，而周晰之無遺。是二聖人者，誠命世之眞才，萬古之全才，文章、學問之極，而士所亟當誦法者也。廼漢、唐以後諸君子，亦豈可遽少哉！精凝于一而志于必傳，神運于先而矢于必達，網羅百氏以爲業，羽翼羣聖以爲功，其自信于中，有俟之百世之後而不惑；其自得于己，有投之千乘之重而弗顧。其造詣雖有淺深，其成就雖有鉅小，均之無負眞才之名，永肩不朽之寄，誠桀紂之威武不能屈，祖龍之烈焰不能焚者也。奈何近日冒士之名者，畏惡其能，而且自揣其弗能，至乃欲以虛名高之，遠宗主靜之禪機，近述良知之觓說，以詞章爲雕餙，以文字爲浮華。《詩》《書》名物，問之茫然，曰《六經》皆注腳也；秦漢君臣，詰之莫對，曰諸史皆陳編也；其意若甚玄而可喜，其言若甚簡而易循，其自處若高于子貢、有若，而究其指歸，探其蘊奧，曾不足以焚香洗鉢于小乘之門，伐薪汲泉于外道之側，而方且居之不疑，岸然左氏，所謂太上欲羣天下之豪傑而下之，嘻，其亦甚矣！其亦悖于周公仲尼之道矣。吾意二聖人多材多藝，多能多識，當不若是之牆而面、膚而立也。藉使二聖者，《詩》、《書》、《易》、《雅》之無傳，《禮》、《樂》、《春秋》之無作，而吾且信其能爲而能弗爲也，何也？彼其天聰明之盡，決非椎樸無文、玄虛無實者倫也。謂二聖之道盡于文與學乎，固不可；謂文與學而無與于二聖人之道乎，則尤不可。繇今之道，則《大易》所謂往行前言，顏之所謂博文，曾之所傳格物，思之所稱問學，孟之所推詳說，皆一舉廢矣；下而子貢、游、夏之文學，況、雄、通、愈之著述，其於聖門堂廡，無復步武之望矣。爲之說者，求其故而不得，于是陸氏、楊氏以周公、仲尼其過不可枚舉，王氏輩以文王、孔子遠出堯舜之下，其說愈新，其詞愈誕，使天下之人敢怒而不敢言，大駭而不敢致詰，甘爲之下而習聞其論者，狂易反走，飛揚跋扈，而莫知底極，有志之士太息，流涕痛哭，欲究正其故，而往往阻于其道之不相入。嗚呼，彼誠惡夫周公、仲尼開文學之端，文王之謚而爲文，孔子之大而能博，不若堯舜之精一執中也，吾不知堯舜之精一于庖羲氏之畫卦，庖羲氏之有畫于天皇氏之無言，而上而盤古而混沌，其等可一二差別耶！若是，則秦始之焚書，功烈當首乎三皇；漢高之不學，道術上崇乎五帝；梁武之餓臺城，遠勝放勳之殂落；蕭繹之談老子，迴邁杏壇之設教；而即其羣剽而陰習者，老氏何以有道德五千之文？釋氏何以有大藏五千之富也？吾聞老聃氏之史柱下，藏書溢于九丘；吾聞瞿曇氏與外道角各習其道而勝之，而大弟子阿難以多聞爲第一。彼其說則誠異端，其才亦必有過絕于人者，未聞有所弗能，有所弗知，而後謂之上乘絕詣也。吾聞老聃、莊周、列禦寇之文，簡奧而宏深，洸洋而奇肆，吾聞《法華》、《華嚴》、《楞嚴》、《圓覺》維摩氏之書，博大而要眇，周遍而精微，彼其中亡意于文，然而曷嘗不文也；其道弗專于博，然而曷嘗不博也。今之儒者，自佔俾世資外，茫乎昧乎，含哺鼓腹太平之世，則亦已矣，何至視筆札爲仇讐，以載籍爲疣贅，摽同伐異，造作名字，冥心閉目，樹徒扇黨，其流相引而不已，其禍循環而無端，不至于楊、墨之横議，代、厲之縱横弗止也。此雖東晉清談諸君子，且未能揖讓其間，而況江都、河汾之閫域，伯淳、元晦之緒餘哉。若是，則爲今之士宜何若而可？曰：周公、仲尼其道大，其德備，其才全，士之極也。漢唐而下，諸君子其業精，其見確，其才眞，士之次也。近世之高談性命以自文而中無所有者，士之贋也，才之蠹也。士也以贋者爲戒，以眞者爲師，以全者爲極，文章則發攄道術，學問則翊衛聖經，不用則寄之，立言而道統明，用世則飭之吏治而功業起，庶幾乎周公、仲尼之徒在，是彼空談性命者，將自愧自艾之不暇，而詖淫邪遁，不得以說爲天下禍矣。

馮從吾《與友人論文書》 今天下蓋稱文盛矣，學士大夫搦管抽思，摛葩掞藻，人虵珠而家荆玉，豈不彬彬質有其文哉。顧縱横滋而樸茂散，虛無熾而大雅微，其流弊有出文詞外者，關係人心世教，匪細故也。起弊維風，是在足下，僕敢略陳其愚，而足下察焉。夫《六經》尚矣，下此談文者，不曰《國策》，則曰秦、漢，不曰佛、老，則曰莊、列，建安而下，率置貶辭矣。然其間如昌黎、廬陵輩，猶或寓目焉，曰此詞人之雄也。如濂、洛、關、閩見謂迂遠，而闊于事情，曰此宋頭巾語耳，不翅瓦礫置之矣。夫宋之文，載于性理一書，其雕章琢句，焜燿耳目，不逮《國策》諸書，僕不敢強爲左袒。但其析理闡義，羽翼聖經，亡論韓、歐，即秦、漢有之乎？亡論秦、漢，即《左》、《國》有之乎？子輿氏以來，此爲正印，奈何以瓦礫置之也。僕嘗讀

《國策》、秦、漢諸書，其詞旨高古閎深不具論，論其中所載事，多縱橫捭闔之術，其機械變詐，至不可方物，佛、老、莊、列諸書，判經非聖，倡爲虛無寂滅之談，其不雅馴處，薦紳先生難言之。【略】蓋常人溺于所聞，曲士局于所見，讀縱橫捭闔之書，不覺流而爲機械變詐之人，讀虛無寂滅之書，不覺流而爲放縱恣肆之人。其始也，止艷羨其文詞；其既也，耳濡目染，不知不覺併以移易其心術，而瑕纇其人品，可不慎哉！雖然，探縱橫虛無之弊者，在于明理，上而《六經》、孔、孟，下而濂、洛、關、閩，夫非理學之淵藪，而脩詞之標的與。試取此諸書讀之，猶令人鄙吝消融，心胸開朗，勃然有正人君子之思，即不然而亦不至于爲縱橫，爲虛無也。故曰：文章以理爲主，願足下之熟計之也。或又謂文章、理學原不相能，以理學爲文章，不迂則腐，僕斷以爲不然。夫談理者莫如《易》，而《六經》中稱最奇者亦莫如《易》；談理者莫如孟子，而戰國時稱最奇者，亦莫如《孟子》。但今人未之深思耳！然今人爲文，其主意與古人異，古人爲文，主意在發理而翼聖；今人爲文，主意在炫辭而博名。主意在理，故讀理學諸書易入而易信；主意在辭，故不得不剽取《國策》、莊、列以塗人耳目，詎知浸淫之久，其弊有出于文詞外哉！然則爲文者宜何如？僕以爲《六經》、孔、孟其正鵠也，濂、洛、關、閩其嚆矢也，注精凝神于此，務必至于解悟而後已，則此心確有主意，而後間取《國策》、秦、漢及諸子百家之書讀之，以爲射疏及遠之一助，使不至詭遇以獲禽，庶幾乎返縱橫爲樸茂，挽虛無爲大雅，乃稱藝苑良工哉。

婁堅《書雜錄唐宋諸家論文簡牘後》　予自中年後，頗知好古。讀古人之文，知其所自得，皆高雅不同于流俗。又證以所聞於長者，乃知近世所號爲古文詞，直以應俗而已，未可言文也。凡爲此者，失不能識眞故耳。

又《與文文起太史書》　東漢六朝之文至韓、柳而一振，唐末五代之文至歐、蘇、曾、王而一振。今讀其文雖此數公者亦各自爲詞，未嘗相襲。世乃有謂古文之法亡于韓者，彼不知也，曷足怪乎？獨怪夫耳！而目之者，輒因而肆其猖狂耳。凡爲文章但意高識遠而味長，古今一而已矣。其有不同者，遣詞布格之間耳。

又《張伯隅稿序》　予嘗論制舉之文，意不必創而依於傳注，法不必古而束於俳偶。然而能者，亦往往微見其胸中之奇，讀之知爲傑然者也。非好學深思需之以歲月，而中有所自得，則莫能爲之。若夫勝人而取于人。斯有不得而必者矣。自學術日衰，世多以貪，常嗜瑣得之，遂謂文固宜然，烏用好古而不適于時爲哉！而炫奇之士則又托玄虛以爲高，爭鈎棘以爲工，群聚而姍笑曰：文何必雅馴。而坐令自困若此。夫濬發巧心，受嗤拙目，從古以然。而乃以區區之得失定其工拙，亦過甚矣。

周用《吳江稿序》　文也者，所以文其言也，莫非言也。夫惟積之也弘，發之也時，是則言之不可以已。其言之精者也，精則博而辯，豐而能裁，婉而成章，不求其文而亦不能以不文。

霍韜《叙文恪公集》　文之傳三：人品一也，學力二也，才格三也。以人品者，人爲世重者也；以學力者，學爲世師者也；以才格者，文由才奇者也。世之文由才傳者，吾見之矣；合才與學者，我未之見也；合才與學，蓋有之矣，合人品與學與才，我殆未之見也。故曰：文之傳也，人品也，學力也，才格也。三者具焉上也，二具焉次也，一焉又次也。

王越《東魯許先生文集序》　形聲雖具，有言不文，奚以古焉？且文所以古者，非取其辭不同於今，意不同於人，特以其道有合於古人爾，古人之道順理而已。氣充則辭達，辭達則理順，理順則道與古人不相背，是以三代而下，司馬遷充是氣而文古於漢，韓退之、柳宗元充是氣而文古於唐，歐陽永叔、蘇子瞻充是氣而文古於宋。

李璣《重刻曾南豐先生文集序》　夫文辟則水也，隨地賦形，用至不一矣，莫不有道焉。學未明乎其道，則言各狃于見之所及，而不見于所不及，或失則偏，或失則駁，詞旨紕繆，亦何所籍于發明。而其甚又果于叛道，挾其捭闔之口，徒以攘襲于其外，是則古謂虛車。雖以覆瓿焉可也。乃或陶鑄，既凡才非天授，則內見雖融，詞不足達，而強顏譔述，斯尤無足觀也。己求以行遠，奚可哉？向余讀學中秘，蓋嘗覽觀古今之際，莫不代有作者，而究其才若學幷，吾于宋得曾氏南豐焉。南豐之文才，天授者也。意念所注，詞必達焉，頃刻千言，成章有斐而彬彬焉。衍裕雅㴱，誠足自名其家矣。及詳其書而味之，則又統一道德，上本《六經》，詞有厥源，異乎攘襲。是故書數之作，婉而確；論序之作，辨而則；而優言諸制，又皆詞嚴理正，參之典謨無愧焉。蓋孟學不傳之後，程學未顯之前，言美而傳，而絕無偏駁之弊者，如公蓋寡矣。嗚呼，是豈可以易言乎？

丁自申《中筍集序》　昔之論文者曰：「文章與時高下。」夫文章高下，因

人者也。虞、夏、商、周之書無論已。今學士大夫言文，人人率宗西京，豈不謂西京去古未遠，有雄渾宕博之氣，觀其文，知其世然。如司馬、賈、董數子，可謂炳炳然西京者矣。然子長之文奇，相如之文麗，賈誼之文激發。大要以其周流歷覽，比類寓詞，與夫少年之英邁，據其才情性術，各有所至，而言人人殊矣。由數子而他，可考而知也。惟仲舒氏以其下帷發憤之學，其言最爲近古。不惟天人三對，考見學術，而正誼明道，寥寥二語，世孰有加之也？仲舒非所謂西京獨冠者耶？數子者，生其時與相先後，而文則人致相遠。今所稱西京文者，直取子長以下，句比而字肖之，輒以爲入漢堂奧，而曰古在是，古在是，不知漢文之所以近古者，爲有仲舒不背《六經》宗旨也，其淵源最近古云。稍後劉向、匡衡者出，皆相繼明經術，爲儒者宗。以彼《極諫封事》與《治性戒妃匹》諸疏，何其言論淵懿。有《六經》之遺則，文章信以人爲高下，槩委于時者，非也。必若西京四百年後，其文已降，則韓歐生于唐宋，乃爲力追古作，其時之漢與不漢奚計哉？雖漢時，亦有傑然獨出，其文不群者，如仲舒、衡、向是已。

萬士和《二妙集序》 天地與人，一精神也，天地不言，而人代之言。傳天地之精神者人，傳人之精神者言。言有條理脈絡，謂之文，韻其文而中于音響，謂之詩。詩者，文之變，其條理脈絡，傳精神于不朽，一也。精神在內，不可不同；文詞在外，不必盡同。雖其不同，而條理脈絡不失分毫，乃所以爲同也。自有文字以來，凡專門名家，未嘗一一摹擬古人。豈徒不摹擬而已，乃曰汲汲乎陳言之務去；曰文章最忌隨人後，其于古人已言，辟之芻狗弗陳也。然而文之條理脉絡，高古典雅，視古人如出一轍。良以精神作用，千變萬化不可捉摸；靈光發露，照曜古今，蓋其機神矣。不得于此者，雖依憑假借之工，然而終不近也。造化之生人，面目毛髮無一相似。其生草木也，枝枝葉葉，千態萬狀，然不害其同。刻畫以像人，剪綵以爲花，其有同乎否也？詩自《三百篇》後變爲《離騷》，又變爲五言、古選，其體不一，而縱橫變化，條理脈絡未之有改，故載其精神以傳。唐人承六朝風雲月露之習，變而爲律，其中卓絕自得者固不乏人。然浸淫花柳，流連景致，于自家性情漸不干涉，故其義淺，其體方，觀者不待終篇，而命詞遺意可以揣而知矣。獨老杜出，讀書萬卷，下筆有神，變化不測，詞格高古，足以軼漢魏而追騷雅。後之談詩者，不此之求，猶憑籍于花柳光景之間，而曰此唐句也。甚者倡爲詩有別趣，而非關理之說。夫天地間不過一理，理益邃則趣益深，若不關理，則精神既少，意味索然，趣何從生？說者謬妄如是，而世踵焉惑矣。吾師荆川先生【略】嘗曰詩文俱有丹頭，又曰作詩文者要得圓機，又曰學者須先辨雅俗，一入俗語，最不可轉。但得丹頭圓機在手，則不患其不雅。不然，雖極力依倣，愈近愈差，終不免委靡而俗；又曰文字俱有一脈相傳，韓、歐、蘇、曾輩之傳班、馬，山谷、荆公輩之傳老杜，眞親受業弟子。如禪家之正法眼，印證不差。余時進曰：「所謂丹頭者，精神也；圓機者，精神之用也，一脈相傳者，傳其精神骨髓也。」先生首肯之曰：「精神骨髓固同，須知其詞語古雅，亦無分毫差卻，乃爲盡之。」余因謂天地間只有一精神充滿，仙佛之徒全挾此誇世。雖一技一藝，如解牛、斵輪，非此則不奇絕。下至妖狐、山鬼，能作怪幻者亦是。盜此一隙靈光簸弄，不然，則泯泯焉爾。先生曰：「得之矣！」

徐師曾《臨川王氏文粹序》 古今以文章名家者，其學術才能高出于世，世亦共推讓焉。而識者論之則曰：彼能道其中之所欲言者而已。夫唯中之所藏有邪正，故言之所發有醇疵。至于其言之或暢而不閼，或鬱而不宣，則才之有工拙也。工于文者，立意命辭，咸有法度。故有開闔、抑揚、縱橫、起伏、淺深、奇正、曲折反覆之變，凡欲道其中之所欲言而非苦人以不可入之法也。

顧爾行《刻文體明辨序》 嘗謂陶者尙型，冶者尙範，方者尙矩，圓者尙規，文章之有體也，此陶冶之型範，而方圓之規矩也。是故敷奏以婉切勝，叙事以約暢勝，紀載以該核勝，美刺以微中勝；體所從來，非一日矣。弔詭之士，妄意高刻；鶩博之士，私擬牽合。代降風漓，莫可窮詰。雖力追古哲，號稱雅馴，而終不免浸淫也。體既溺矣，烏用文之？是編出而堂寢殊構，宮商異調，判若蒼白，剖若玄黃，回狂瀾于既倒，指斗極于方中，先生惠來學，豈淺鮮乎？雖然，文有體，亦有用。體欲其辨，師心而匠意，則逸轡之御也。用欲其神，拘攣而執泥，則膠柱之瑟也。《易》曰：「擬議以成其變化。」得其變化，將神而明之，會而通之，體不詭用，用不離體，作者之意在我，而先生是編爲不孤矣。不然，而徒曰某體某體，摹倣雖工，情神未得，是父老之擬新豐，而優孟之效叔敖也。奚裨哉？奚裨哉？

趙孟麟《文體明辨序》 上古之世，樸茂未漓，結繩而治，無所謂文也。

自書契易，人文著，「三墳」「五典」，昭雲漢而炳日星，先王所以經世垂則化成天下者，其道尚已。秦棄詩書，至漢惠五禩，始除挾書律，遺書往往出孔壁間。於時天下文學材智之士，雅嚮儒術，浸登博洽。及後世醇駁紛紜，不能粹然壹稟於正。國朝洗羶風，尚經術，郁郁乎文，稱大備矣。然文盛而體不及格者，往往有之。不佞髫齡時，仍其家學，即從鄉先進論文。已廼厭苦淫靡，妄意漁獵古今，綜及聖經賢傳諸子百家之言，極人文之致者，不可勝數。竊不自量，求辯其理，而幼困鉛槧，今困簿書，未遑也。迨移令吳江，邑有聞人徐伯魯先生，當世廟時，讀書中秘，拜夕郎，早歲懸車，杜門著述。因同郡吳文恪公訥所纂《文章辨體》，廣爲《文體明辨》，分爲八十四卷，自叙簡端，既文而覈。其取類也肆，其辯析也精。凡文之爲制誥，爲疏劄，爲書文表贊之類；詩之爲樂府，爲古風，爲近體之類；與夫雜體附錄，總命曰文。昭藝林之矩矱，標制作之堂奧，千古人文，一覽具見，先生之孳掇誠勤，而用心良苦矣。然終先生之身，成勞未獻，今始得睹其全書。於是喟然嘆曰：渢渢乎是編也！其埴之有方圓乎！木之有鉤繩乎！善治陶者而非方圓則何以中規矩？善治木者而非鉤繩則何以中曲直？爲文者亦若是而已矣。奈何輓近爲文者，不泰縵也夸，則攣卷也剬；不馮閎也肆，則弔詭也僻；不淖約也慱，則劌割也嵺。甚者勦厥涔蹏，辯解連環，捷過炙轂，自眩以動矇瞽之色，識者直敝帚棄之。此不假道于體，而徒潰潰焉以自放，譬如陶人之廢方圓，而匠氏之棄鉤繩也，是何足以言文哉？說者又以文之爲用也，縱發橫決，游矯騰踔，方其騁思而極巧也，固馳騀無方而神運莫測，何以體爲哉？雖然，《易》不云乎：「擬議以成其變化。」無變化者用也。所以爲之擬議者體也，體植則用神，體之時義大矣哉，而胡可以弗辯也！故世之薦紳學士，啓函而識體，因體而會心，加以吸英咀華，漱芳籔秕，游乎骨理之內，超乎形骸之外，內足于意，外足于象，意象衡當，發以天倪，當必如蜩若掇、鐻有神、斤成風、庖合舞者矣，惡得遽以糟粕少之哉？

李流芳《從子緇仲庚辛草序》 文至於瀼而難工也，已有意於瀼而不能工，則反不若鹵莽無顧忌者，得以才力自見於世，是故利鈍分焉。夫文至於瀼，而其中之甘苦疾徐，言之甚微，非知者不能言，而非操之熟者不能至也。予蓋知之而不能至者，惟其不能至而言之，故其言亦有所不能盡。

范景文《來禽館文集叙》 或曰：「文章一道，與世運爲升降者也。」余應之曰：「非也，各隨其耳目之習尚移之。屈宋辱於芊衰，丘明後乎麟獲，唐之季也，韓、柳代興，宋之終也，文、謝崛起，安在其世之爲升降也。匪特世無升降，即文亦未有升降，善作者各極其精神之所到而已矣。《易》曰：『物相雜，故曰文。』此言夫文之貴乎雜也。然則厭綺靡而惟取夫拙朴，黜組練而惟遵夫淺易，是黼黻之觀不如裋褐之飾，而鳳麟之質無以與於牛羊之皮也，豈不悖哉！湯臨川每言，自有此道，前人業已登峰造極，後有作者度無有能過之，稱能而已。此誠可謂知言！其無能者，隨人步趨，如優人之行，鄉飲獻酬，秩秩未免俳氣；能者則才及於格，情軌於法，躊躇滿志，不極不止，此豈升降爲梔蠟者哉。」

又《王質行制義序》 文章一事，天下賢豪雄俊之士，大都以精氣相取，暗中索摸，必得其人以宏通氣誼，如導師傳衣，一語當心，便授麈尾。當闈中燈火青熒，神氣往來時，已一一心識，固無俟發策探名而已。

葛應秋《制義文箋》 今之病者，不知于身內求藥，但于世上求藥，所以藥無損于病。有能于身內求藥者，不但無病而已。今之學者，不知于心裏求文，但于書上求文，所以書無益于文。有能于心裏求文者，不但有文而已。眞正文字，不在作文時得之。在不作文時得之。《易》云「擬之而後言」，《記》云「致知在格物」是也。

沈懋孝《文喻一首》 今夫仙宮梵宇，色色摩尼纓絡，靡不玄超。帝闕明堂，瓊琚丹碧。是處峩然冠冕。西清武幕，戈戟如雪霜，大旂爲雲鳥，氣雄紫塞，萬里橫行。學士玉堂，紫薇月下，翠雲簾前，左琴右棋，前圖後史，片梅危坐，五色起於毫素之中。庾亮南樓，右軍淸集，清風明月，其列賓一觴一咏，其勳業揮羽拂麈，高論乎羲軒上，抱中自以無千古。信陵平原之門，皆當代英流；劇辛鄒子之臺，盡一時名勝。義薄雲天，氣寒白日，寧痛飲而友夷吾，不拘攣而爲原憲。凡如斯類，練合精微，皆從一節上起。以斯喻文，倘采精有術，可意想而推焉。

又《論文之奇正》 文非徒詞之謂，乃天地人物之燦然者，此亦天之道，其常其變自然然耳。其所宜言，天下之人皆謂之固然；其所微言，非上哲誰能領此？故云愚不肖可使與知，聖人有所不知。可共知者，所謂明之也；不可知者，所謂神之也。握其神出其明，用其明復藏其神，存乎其人耳。即正爲奇，即奇是正，亦奇亦正，且正且奇，亦無正亦無奇，奇正不可得而原

也。譬之日月五緯，其杪忽皆可布算以知之。然詰其所以運行之故，則容成總章，自昔難言之矣。若晦明寒燠，風霆雲物之變，即云莫可端倪乎？彼洞靈士，猶能循其直日之列宿，亦可以推卜預知之，歷然無少忒焉。烏識奇正之果一定乎哉？吾之意，以爲文之正者猶兵之陣法部伍，使人人洞曉，以爲九攻不可破之法；文之奇處猶兵臨敵變，合常操於耳目外。以其不可測者鬭須臾之捷。奇正本合其用，乃分。分之而合，復無奇正，以其正而不泥，得變化之妙，故有奇之名，非好爲奇而詭於正也，詭正則不奇矣。大都正常之理，時時隨萬變疏通之，以適於道。【略】以其常者上觀千古，以其變者運用一心，正如衡平而權活，置權於衡之中，星則萬變皆合。舍衡上百分之星，亦無可見權之用者矣。故奇兵在呼吸，頃不可先傳，其可以旌麾金鼓，三五申之者，皆正法也。教卒者難用奇，必以正。其反正出奇，變正爲奇，猶奇兵者自將出耳。奇不能傳，亦不可令，顧用之乃見，既發始知，如淮陰使人萆山望趙軍，謝安石止用三千人當百萬者，皆人人所不喻也。嗟乎！人之心靈有萬變，天下事彙交至錯來，亦有萬變。古今氣運人文相祖述，相反相勝，相救相成，又有萬變通其變，使人不倦，謂之鼓舞盡神，必曰墨守紙上物，規規用一先生之摹者，成安泜上軍耳，烏知淮陰之仙才乎哉！

又《論文有五綜五緯》 文入圓渾深沉之境，豈一歲之力？鑪之以日月，磨之以夙宵，積之以歷紀，此珪瓚流黃所以珍於世也。

又《小淇林雜言上》 文有不粧而甚麗，不矜而甚嚴，不洗而甚清，不多而甚富，不抗而甚高，不闞而飲人以和，不咨嗟而使人愁絕，皆得其致故也。能言之妙，不費纖豪(毫)力。左丘明、司馬子長、屈平、莊蒙其流也，唐宋下空千載如無人。

羅萬藻《吳震生近藝序》 昔人云：「文章有神有分。」夫神者，性之合也；分者，才之得也。先正性情淡，自不累於繳繞，故常與聖賢自然之理似而不違其所似。而不違者如元氣，同物有體，受無從來，化性而獨以其不可知爲言，故謂之神，非有鬼神之謂耳。至世人所謂才，往往皆附入於氣。夫氣，性之蔽也。知性者知之難，知之而取以爲言尤難之難。難即之旨，復間以楮墨之物，其奔犇浮蕩，體煩制亂，雖有急旨，不得遽出者，非不欲出也，氣蔽其外不能急入，而賴以出之也。然則性合法生，神存象止，得意之語，緩急淺深皆有其處，此先正以才見妙，妙存乎不多而得之耳。不多而得之者，雖極天下之智勇，而躋攀之級已絕，此予所謂才，而昔人之所謂分也。

焦竑《與友人論文》 近世之文，吾不知之矣。彼其所有者，道邪？德邪？事功邪？蔑其實而欲妄爲之詞，身居一室而指顧寰海之圖，家蓋屢空而侈談崇高之饗，非獨實不中竅，乃其中疑似影響，方不自快，又安能瞭然於口與手乎？夫詞非文之急也，而古之詞又不以相襲爲美。《書》不借采於《易》，《詩》非假塗於《春秋》也。至於馬、班、韓、柳乃不能無本祖，顧如花在蜜，蘗在酒，始也不能不藉二物以胎之，而脫棄陳骸，自標靈采，實者虚之，死者活之，臭腐者神奇之，如光弼入子儀之軍，而旌旗壁壘皆爲變色，斯不謂善法古者哉？近世不求其先於文者，而獨詞之知，乃曰以古之詞屬今之事，此爲古文云爾，韓子不云乎，「惟古於詞必己出，降而不能乃剽賊」。夫古以爲賊，今以爲程，故學者類取殘膏剩馥以相鱗次，天吳紫鳳，顛倒裋褐，而以炫盲者之觀，可不可也？蘇子云，「錦繡綺縠，服之美者也，然尺寸而割之，錯雜而紐之，則綈繒之不若」，今之敝何以異此？以一二陋者爲之，不足怪也。乃悉群盲以趨之，謬種流傳，浸以成習，至有作者當其前，反忽視而不顧，斯可怪矣。學古者知有道而已，道之能致文，不文皆無意也，而況苟以冀人之知乎？

蘇濬《蔡可泉文集序》 昔春秋列卿，遭時逢適，類以踔絕，殊尤之勳，屹然表見，乃其辭命章疏，至今讀之爛然。遂使立功立言兼垂並重，何綦隆哉！輓近世功名文章，岐爲兩涂。故潤皇猷者，力單于修詞，工雕蟲者，業恥于壯夫。即有志之士，亦苦于不能兼，固其技之巧拙殊也。

葉向高《鄒孚如先生集序》 世之論文者曰才、曰法，兩者遞相勝也。衷之者曰：才不欲騁而範於法，法不欲束而暢於才，兩者交相用也。夫此猶離才與法而二之也。子瞻之言曰：「吾之爲文行乎其所不得不行，止乎其所不得不止。」夫不得不行，不得不止者，法也；而能行能止者，才也。故夫才與法相待而後成，相合而無迹者也。然世之文人，常患於無才而不患於無法，法之所極，能尺尺寸寸、規方畫圖，以毋失其形象。而才之所極，能鞭霆掣電，經日月，走江河，如鬼神之體物，同化工之肖形，言之一時，而千載如見，出之一手，而萬人暢心。不言法而法自合，不合法于已然之迹，而合法於必然不可已之神，此亦天之所授非人力也。嗟夫，吾見夫詘于才而逃之法者矣，未見才高而戾法者也。

孫愼行《記論文》江右四山鄒公，工文章辨别邪正，以爲自古及今，實有正氣一脈眞傳，自史漢及唐宋八大家，雖調格不同，其得是訣竅一也。自昭明有選，此脈遂大壞。及眞西山有正宗稍爲一淸，然世反有艶選薄正宗者，至出入選宋間，漫無白黑，如紛紛諸選下已。他姑爲酬應無所稟裁者，則又勿論。然世之名能文者，半係姑爲酬應輩。嘗細總古今爲文彙，分别各體，以爲文章一脈在是。又從中間抽出一二篇，謂奇特。余初爲諸生弗甚曉，迨後十餘年殫力工琢，又數年搜義理，又數年涉世事，勃抒所欲吐，然復閲前所抽出一二篇，覺弘深老大，去世猶百數武，蓋文之難知如此。因思史漢及八大家，昔人見爲文辭容耳，今細探之，其胸中道術良有深見，浩蕩無涯矣。而徐發其一二，故足傳也。史遷曰：「《春秋》推見至隱，《易》本隱以之顯，大雅言王公大人而德建黎庶，小雅譏小已已之得失，其流及上，其經術深湛如是。」老泉云：「天之與我豈偶然哉。千金之子，天子之宰相，求一言之幾乎道而不可得。」今文中曾不知所謂幾道者，何指聖門道術。首言學文，雖非世文辭之文，而文辭未必非其流緒焉。今世俗講學家不及文章，文章家畏言理學，兩失之矣。

黄道周《應本序》修其文而不足以明天下，則不若蓬巷而處；修其質而不媿于天下，則不如椎髻而舂。皐、傅之爲文，以視天下皆蓬巷而處；夷、施之爲質，以視天下皆椎髻而舂。信其言，則涇舟之側無有譽毛，有噲之田無有娟婦；不信其言，則狸斑與豹蔚爭坐，隴廉與娵孟同宫。是兩者，皆説之無定者也。亦有定説，神農爲帝不能使五穀貴于金玉，堯禹佐之不能使疏冪尊于絺繡。五穀貴于金玉，疏冪尊于絺繡，則土塊掬飯皆爲鼎烹，人脯鬼血，雜糅于道矣。故三家之子不能爲金玉絺繡，則必寶其糠覈鍼錐。寶其糠覈鍼椎，以爲尊于金玉絺繡，此亦恆情。明主不誅，以爲用其道可以治天下，可使鉛松不御，金玉齊價，是則大呰，明王之所惡也。故仁義者，精微之產也；禮樂者，奥博之致也。奥博精微著于心貌，而施于文章。在生者之身，猶是疏冪五穀也。而少見者多怪，多怪者重創。明主亦因之，以爲必屏圭璧蕩金錫，而後可爲治于天下，則是燧皇卻竈結繩復作也。三家之子，苟其才不至于作剽，智不至于竊盜，見人金玉絺繡則歛手屏氣，正容卻立，退而視糠覈鍼錐，雖無艶志，亦有安色，是石戶之農所引避于庭堅，涓成務光所賈心于莘野也。必使英娥挾刃以伺夷光，胥靡感圖以譟版築，則情慮不至，古今絶類。繇斯以談，予見鴻寶則不復談文章，亦不復談易，豈爲漫乎？予之蓬巷而椎髻，固亦久矣。

郭孔建《文論上》文章關乎氣運，氣盛則盛，氣衰則衰耳。文章與時高下，時高則高，時下則下耳。善爲國者，果能盡人事以回氣運，而曰文章不醇雅，吾不信也。

孫鑛《與吕甥玉繩論詩文書》作文大率以整大闊達爲上，不能此乃於字句求工，圖粉飾耳。文中生新字多，亦非大雅。凡用新字者穩妙上，奇次之。若不穩又非奇，乃是呼驢作衛，無甚意味，不若雅字爲善也。又難字用於排比大股中猶可，若起頭及轉換處，尤不宜用，可平心斟酌之。

又《與李于田論文書》文章要領惟在法，精腴簡奥，乃文之上品。古人無紙，汗青刻簡，爲力不易，非千鍾百鍊，度必可不朽，豈輕以灾竹木。宋人云三代無文人，《六經》無文法，弟則謂惟三代乃有文人，惟《六經》乃有文法。周尚文，周末文勝，萬古文章，總之無過周者。《論語》、《左氏》、《公》、《穀》、《禮記》最有法。《公羊》子夏弟子，《禮運》出於子游，其餘似多係二賢高弟所撰，此皆是孔門文字。《國策》而後乃大變，莊列、荀、屈、韓、吕諸家，變態極矣。子長承之，祖《論語》，沿戰國餘風，更以奇肆出之，遂爲後代文豪。其實法窮而縱以詞。周秦之後即唐宋之蘇氏也。浸淫至於六朝，及唐惟務綺靡，法益亡。昌黎氏力振之，直探原於經，法乃更出。近人不知，乃顧以縱肆者爲古，規矩者爲今，此迷於初始矣。

顧大韶《文章關乎世運論》或謂文章關乎世運，有之乎？曰有之。然則盛世之文必盛，衰世之文必衰乎？曰非也。文之盛衰，非與世運合者也，乃與世運反者也。何以明之？三代以前，吾不得而知已。春秋之時，文莫盛于魯，而魯日以削；戰國之時，文莫盛于楚，而楚懷客死，頃襄東走于陳。文士之聚莫盛于齊之稷下，而齊湣至擢筋廟梁；秦燔詩書，尚耕戰，遂以混一六國；漢之文莫盛于孝武，而海内虚耗，文、景之業替焉。成、哀之世，書、疏、賦、頌爛然也，而漢鼎爲大盜移矣。靈帝尚詞賦，建鴻都之學，而東漢遂亡。建安之七子，足以旗古今矣，而魏祚竟不永。自晉、宋以迄梁、陳，幾于人握靈珠，而南風卒不競。唐之文，一盛于開元，而玄宗有安史之阨；再盛于元和，而憲宗有不得正其終之恨。宋之文，莫盛于熙、豐之際，而黨禁遂起，宋業以衰，徽宗著博古圖，鑄鼎作樂，而舉族有北轅之禍。元

之興也，初無文字，逮至正之季，文乃彌盛，此往事之彰明較著者也。國朝聖德神功，奚啻跨漢、唐而上之，而論文乃遠出宋、元之下。弘正之際，稍增氣色，而武廟幾致大亂。嘉隆而後，國運浸昌，文運浸晦；萬曆之末，文體敗壞極矣，章奏穢雜，蓋童稺皆唾駡之，而神廟之享國久長，古今未有。由斯以譚，則今之公卿不好士，後進不悅學，古雅散佚，俚淺流傳，蓋皆聖主萬壽之徵，國祚無疆之驗，所當用爲觀慶，不足慨息也。

熊明遇《延喜堂集叙》 夫文章之道有才有法，無法何文？無才何法？才者作於法前，法必可述；述於法後，法若始作。游於法中，法不病我；軼於法外，我不病法。

陳仁錫《續古文奇賞序》 文章有殺生而無奇正，殺生，奇也。奇外無正。文，兵也；兵，禮也。始武經，繼戴禮終，《文苑英華》以此，蓋武事之不張，繇文心之不足，故兵以武爲植，以文爲種，兵法有之，人人正正辭辭火火，又曰世能祖祖鮮能下下。夫火火，文士之武心也；下下，武士之文心也。尊文賤武，吾茲不信。今實無文士，安得而尊之？實無武夫，安得而賤之？古今無不繇案之文人，亦無空讀兵書之武士。李衛公斷劉、項皆非將將之君，而陣圖陣法皆可廢，不出多方以誤之，致人而不致于人而已，此善繇案者也。生殺在乎吸呼，則文章自於喉舌間倏奇倏正，佹虛佹實，敵雖對面，莫測吾奇正所在矣。故有殺生而無奇正，至文也。大概密靜多內力焉，徒誦空文，爲敵所誘，是以章句易性命耳。

又《四續古文奇賞序》 文有二病，在好貨，在好色。剿文之多，汰文之色，則文傳。或曰：「多可去，色不可去。」然松柏仆爲萬世之用，而合身可以棟明堂，賞其榦非賞其色。自古奇人易敗，奇文易腐，未有不銷亡于斯二者，病不學。誦《論語》有感，一誦切磋琢磨奪其多，再誦君親賢友易其色。夫聰明盡而人力顯，悟境窮而苦工現，孔子與焉。

又《昭華琯叙》 文字，山水也；評文，遊人也。夫文字之佳者，猶山水之得風而鳴，得雨而潤，得雲而鮮，得遊人閒懶之意而活者也。遊人有一種閒懶之意，則評文之一訣也。天公業案惟胡亂評文字爲最，何也？山水遇得意之人固妙，遇失意之人亦妙。緣其人閒懶之意而山水活者，亦必不因其人憔悴之意而山水即死。總于山水無損也，借他人唾餘，裝自己咳笑，而妄以咳笑乎山水，山水不大厭苦之乎？

又《閱張仲子試卷與細論文書》 而細推之：品詩則清新俊逸，品文則雄渾博大，非雅言也耶。然杜入雄渾矣，李入博雅矣，清新俊逸，聊次兩家詩格，非律令也。又有謂作山林之文不如作廟堂之文，以山林雅近寒儉，故夫寒儉之意不可行于廟堂，而施諸山林詎不可哉。且山林奚寒儉之有，請與子遡前辛未而及甲戌、庚辰諸會元之妙，妙于雄其神武而不殺乎孫，棘棘于雄而渾雅自在。渾則博，博則大，進此以往，必從清新俊逸入矣。入于博大渾猶一間也，雄可望渾也。入于鬆麗清淺，而詭怪百出以勝之。亦有逕從博大入而大者壯也，用斯罔矣。大者過也，載斯撓矣。似與雄渾近，去之彌遠，又不如清新俊逸之可無咎也。上者定心氣，次者協音聲，次者調步驟。所謂與高才約法三章，總以雄爲主。彼號爲意見、議論、氣燄、精彩奧妙，皆雄之仇也。何與焉？請再與子細論韓、歐正文體一事，而子細推之。二公之文不相襲也，其釐正之德之功亦不相沿。以唐之時濫學古文，枯木腫而不生，官骸滯而不動，于是韓子以氣噓之，其功起八代之衰。宋之時濫學時文，板重寒淡如土木偶人，對坐而不語，于是歐公以頓挫轉折點動生氣，稍化鬓眉之顔笑之，其功起一代之衰。使歐公亦學韓公，文體奚自正乎。且宋曷有奇險之士，刻厲之文哉。韓公漸近一雄，而歐陽子度其力與其相遭之人與文未能也，勉爲清新俊逸而已矣。

趙維寰《掌園稿序》 夫文章與經濟非二事也，士有經濟而乏文章，其作用必純任揮霍，而不必有鎮靜安閒之致。即倖徼成事，神不足以馭之，再鼓氣靡，必非眞經濟矣。然工文章者，亦每乏經濟，當其吮筆含毫，亦既思入重玄，神遊象罔，而竟令經術無當世用，又豈得爲眞文章乎？

趙南星《王惟則時義序》 今天下以文章取士，高才有志者，皆以文章自負，而明理者甚少。彼其泉湧而雲鬱，豈不以爲博達辯智哉。然而無當於理也，何者？非吾聖賢之所謂理也。其談空說幻欲超出吾聖賢之上，試與之以近代諸大儒之書，略觀輒棄去。曰：是不足知，然實未嘗知也。彼以都試選舉，故讀孔孟之書。不然，則亦棄去之矣。如是而爲文章，豈足道哉！舉業固不足爲文章，然出於我而示天下人，亦何得漫漫，而支離浮誕，猥隨俗尙，曰揣摩成而得科第已耳。然則其所謂舉業者亦非也。總之，以不明理，不明理則不知言，不知言則不知人，不知人則不知政事，即都大位，亦何益於天下哉！

又《呂輔季制義序》余嘗謂古之聖人，其才德皆同，而文章亦不能無異。周如周公之詩之綺婉、之文、之古奧，即孔子不能及也。故孔子稱其才美。周家之制作，成於周公，孔子以爲郁郁乎文哉矣。迨其後世，猶以爲野人，而自謂君子，則其所謂文者可知也。我朝之時義，至成、弘、嘉、隆間，亦可謂郁郁矣。逮其後作者以爲野人語也，其談理必極盡，其布格必極奇，其造詞必極新，而其取材必極廣，遂至於雜，一切禪家鍊士之邪說，謠俗之俚語，吏胥之文奏，與墳典丘索，並入篇章，此亦何可令前輩諸君子見也。數年來漸多寤者，日就於沖澹閒雅。然天地間渾厚淳朴之氣，亦幾於盡矣，此亦識者之所深憂也。

又《張緯典時義序》天下自上古之至人眞人，以至於今之人，自上古渾噩醇雅之文，以至於今之所謂時文，猶播丸於高山之上，轉而之下，不至於深澗絕壑不止也。以今之文，取今之人而用之，以治天下，欲以比於隆古，必不可得也。夫古取士之科，不可復矣，則何不掄其有道義文學者而用之。

湯顯祖《王季重小題文字序》時文字能于筆墨之外言所欲言者，三人而已。歸太僕之長句，諸君燮之緒音，胡天一之奇想，各有其病，天下莫敢望焉。以今觀王季重文字，殆其四之。而季重以能爲古文詞詩歌，故多風人之致，光色猶若可異焉。

又《答張夢澤》丈書來，欲取弟長行文字以行。弟平生學爲古人文字不滿百首，要不足行於世。其大致有五：弟十七八歲時，喜爲韻語，已熟騷賦六朝之文，然亦時爲舉子業所奪，心散而不精。【略】不足行一也。我朝文字，宋學士而止。方遜志已弱，李夢陽而下，至琅邪，氣力強弱巨細不同，等贗文爾。弟何人，能爲其眞不眞？不足行二也。又其贗者，名位頗顯，而家通都要區，卿相故家求文字者道便，其文事關國體，得以冠玉欺人。且多藏書，纂割盈帙，亦借以傳。弟既名位沮落，復住臨、樊僻絕之路。間求文字者，多邱翁寒儒小墓銘時義序耳。常自恨不得館閣典制著記。餘皆小文，因自頹廢，不足行三也。不得與於館閣大記，常欲作子書自見。復自循省，必參極天人微窈，世故物情，變化無餘，乃可精洞弘麗，成一家言。貧病早衰，終不能爾。時爲小文，用以自嬉，不足行四也。元以前文字，除名人外，不可多見。頗得天下郡縣志讀之，其中文字不讓名人者，往往而是。然皆湮沒無能爲名。【略】故時有小文，輒不自惜，多隨手散去，在者固不足行，五也。

董其昌《畫禪室隨筆》卷三《評文》文字最忌排行，貴在錯綜其勢，散能合之，合能散之，左氏晉語云。賈誼政事疏，太子之善在于早諭教，與選左右早諭教，選左右是兩事，他卻能以二事雖作兩段，全不排比。自六朝以後，皆畫段爲文，少此氣味矣。作文要得解悟時，文不在學，只在悟，平日須體認一番，纔有妙悟。妙悟只在題目腔子裏思之，思之不已，鬼神將通之，到此將通時，纔喚做解悟了。解時只用信手拈來，頭頭是道，自是文中有神動人心竅，理義原悅人心，我合着他自是合着人心。

又 文要得神氣。且試看死人活人，生花剪花，活雞木雞，若何形狀？若何神氣？識得眞，勘得破，可與論文。如閱時義，閱時令吾毛竦色動，便是他神氣逼人處。閱時似然似不然，欲丟欲不丟，欲讀又不喜讀，便是他神索處。故窗稿不如考卷之神，考卷之神薄，不如墨卷之神厚。魁之神露，不如元之神藏，試之自有解入處。脫套去陳，乃文家之要訣。是以剖洗磨煉，至精光透露，豈率爾而爲之哉！必非初學可到。且定一取捨，取人所未用之辭，捨人所已用之辭，取人所未談之理，捨人所已談之理，取人所未佈之格，捨人所已佈之格，取其新，捨其舊，不廢辭卻不用陳辭，不越理卻不用皮膚理，不異格卻不用卑瑣格，得此思過半矣。

又 文家要養精神。人一身只靠這精神幹事，精神不旺，昏沉到老，只是這個人須要養起精神。戒浩飲，浩飲傷神；戒貪色，貪色滅神；戒厚味，厚味昏神；戒飽食，飽食悶神；戒多動，多動亂神；戒多言，多言損神；戒多憂，多憂鬱神；戒多思，多思撓神；戒久睡，久睡倦神；戒久讀，久讀苦神。人若調養得精神完固，不怕文字解悟無神氣，自是矢口動人，此是舉業最上一乘。

何喬遠《古文解》凡文藝之事，予以爲有二端焉，同此字書也。書之屏几卷軸流快人目者一書也，勒之金石垂示後世者又一書也。同此詩律也，即席詠賦，對客揮灑，帖括便習，新麗可喜者一詩也，質任遠蔚，無造次之意，翫之而愈有味，久之而後人能知者一詩也。同一文也，華箋而筆之，泥幛而張之，軒窗窈窕，堂序爲奕，文采芳縟，鋪敘有章，嘉賓奪目，賢主快心者，一文也。篇不數詞，詞不數字，闔肆之辨，捉之而不可使寡，寂寥之篇，拓之而不可使長者，一文也。是以李華、李邕文名當時而垂後者，必歸之韓、

柳。韓公曰：以爲不好，則世人好之矣。

郭正域《葉進卿文集叙》宋時文章之士，盡在館閣。彼諸曹大夫，無問鉅細，皆應其選。故琬琰之士，盡羅詞林。明興二百年來，士成進士，即選中秘，遂與諸曹大夫顓若兩塗。而所爲詩若文者，亦顓若兩塗。國初館閣體大半模擬宋人，期乎明白條暢而已。世之擬古者，遂不勝其凌厲誶語，大略用漢人唐人，以勝宋人。合諸縉紳，暨草澤以勝詞林，詞林奪于其氣，不無少謝。行之數十年，而所爲漢唐人語者，轉相倣效。向之臭味皆成食餘，糟粕易盡，神理無有矣。先是姗笑宋人，且浸淫而陰用之。霜降水落，興盡悲來，塗抹可厭，心反眞常，自然之理也。夫詞林文字，視諸作者，槩不能同。彼大旨不出山川草木，離合感慨，雄豪自命，自放自廢。而此則絲綸黼黻，禮樂刑政，小致不能殫，孤懷不能述也。彼氣有必伸，才有必放，此氣不盡伸而要之和平，才不盡放而閟之軌物，解羈靮而鳴和鸞，其步殊矣。彼之色澤，山珍海錯，烏羽蚌胎，無不輻湊，而此之色澤，非山龍日月不施于杼，非牢醴馨香不登于俎。蓋論文于詞林，難以成一家言也。

楊兆京《與沈朗倩書》竊以爲天下之至文，大抵生于意而已。意之所至而法生焉，其于古人自爲合度。世之論者，或泥古而拙，或師心而鄙，所以無兩得而有兩失也。即以《三百篇》言之，賦隨意敷文，不必言矣。興者，感時觸物，意之動于無端，而不自知者也。比者，意之形乎此，而寓乎彼，甚或有所不忍言，不敢言，假象于物以使後人尋繹，聽其知與不知而不問者也。此何一非意之所爲哉。而爲詩之法未有外于此矣。靈均自是至性人，憂讒畏譏，忠君愛國，别有一腔悲憤。故《離騷》、《九歌》，遂成千古絕調；《十九首》高情逸態，洵乎敻絕風流，因詩而可見其人矣。樂府時兼數代，體亦萬殊。燕皇天而陳郊祀，感從軍而奏橫吹，或燕會以志喜，或怨思以自傷，情之變無方也。山林人物，惟靖節爲領袖，故得其一語，勝逸氏高士傳百篇。黃初、建安之間，人自爲格，家自爲調，惟彼胸臆中各有雲山千叠，煙霞百態，故至今逸氣如生、鮮華未落。至唐人而旨趣益難言矣。彼其運意在虛無縹緲之中，故其取格在有神無象之際，其爲體既非一，然體異則格因體而生變。格定則意隨格而運奇。此皆創前人之所無，師心匠之獨得，以成一代之風氣者也。至若少陵氏以間世之才，身遭離亂，觸目傷心，憂思不下屈平，故發而爲詩。世所稱「才奪蘇李、氣吞曹劉、掩顏謝之孤高、雜徐庾之流麗」者。彼目中豈復有古人，然古人之妙盡是矣。大曆而下，余何復詳論哉。愚所以上觀往哲，迄于今茲，以爲耽于古者，其人必有深情發乎情者，其言自堪作古意之與法，如鳥之雙翼、車之兩輪，二而未始非一也。今騷壇之士罔論溯厥源流，與之言七子輒笑爲膚，與之言獻吉輒譏爲腐，尚何知漢、魏、三唐也哉。

陶望齡《登第後寄君奭弟書》今人不曉作文，動言有奇平二輙，言奇言平，詿誤後生。吾論文亦有二種：但以内外分好惡，不作奇平論也。凡自胸膈中陶寫出者，是奇是平爲好；從外剽賊沿襲者，非奇非平是爲劣。骨相奇者以面目，波濤奇者以江河。風恬波息，天水澄碧，人曰此奇景也；西子雙目兩耳，人曰此奇麗也。豈有二哉？但欲文字佳勝，亦須有勝心。老杜言：「語不驚人死不休。」陸平原云：「謝朝華于既披，啓夕秀于未振。」昌黎曰：「惟陳言之務去，戛戛乎其難哉！」自古不新不足爲文，不平不足爲奇，鎔範之工，歸于自然，何患不新不古，不平不奇乎！時文雖小伎，然有神機須悟得之。

又《湯君制義引》文有意到，有語到，古之人蓋亦有意至而語未至者矣，夫瞭然於心胸之間而詞不能宣，故繁而不約，偏而不圓。繁似博，偏似奇。凡博與奇者，亦古人之病也，而其善不在焉。今之效爲古詞者，焉能詞哉？詞者意之極，而淡者詞之極也。其入深者其出必淺，其造端也甚難，其成章也似易，不知者率然而讀之，未能知其工也。

董説《文章形勢玉符》拔地而出者，文章之山也；流行灌注者，文章之水也；厚重而平衍者，文章之地也；出於山而揚布者，文之煙雲也；磊磊出沒於水之中者，文之石也；茂密而采著者，文之草樹也；歷然前後有車轍馬跡者，文章之道路也。其或展或縮，山之屈申也；或正或反，山之向背也；或主或客，山之通變也；或隱或見，山之遠對也；或絕或續，山之行止也；或往或反，山之首尾也。或飛或伏，山水之相生也；或順或逆，山水之以克爲用也。或通或塞，水之行其所當行也；或暗或明，水之緣勢而更也；或流或聚，水之情性也；或大爲河海，或小爲渠澗，水之呼吸也；或滴爲香露，或飛流瀑布，水之操縱也。此數者文章之玉符也。

葛芝《柴集勳文集序》文章之道，才與法二者而已。才者本之天者也，譬之於木則豫章楩楠之材，百仞而後有枝幹，重霄而直上也；譬之于馬則騏

驥騄耳之流，隅目肉騣，腕促蹄高而後能瞬息千里也。若法則本之人而已，雖有嘉木，必引之繩之，附之削之，而後可以登明堂而任柱石也。雖有良駟，必燒之剔之，連以羈馽，編以皁棧，而後可以八天閑而稱渥注也。然二者蓋不可偏廢。才矣而非法，是輪囷離奇之材與蹄齧泛駕之馬也；法矣而非才，是取滿液之木而丹漆之，取駑駘之馬而拂拭之，曰：吾將超崑崙而矗雲日，不亦相視而一笑哉！雖然，是二者終不能畢備于一人之身，則將安取？曰維其才。蓋法可以貌襲而才不可以強致也，故曰維其才也。

方應祥《與子將論文》 大凡文章之運，十年一變，而皆視乎所主。乙酉以前，主於司衡者之程義，其精神之用，挾權之重以行於世，至者足以奔走一世，游其彀中，即不必至，亦兢兢繩墨，累黍之度而無所非，何也？其權在焉，而精神傳之以行也。顧其權尊矣，而勢處孤豫，爲工則虞啓前泄之竇猝，爲辨則慮授明覬之鑑，故易而用士子之文，吾向謂文章之統散而權不盡歸上者，此也。心心有主，躍冶自快，風斯以靡，十餘年間，濂、洛、關、閩之旨，國家所功令懸之者，無所不顯跳，竺乾柱下，一切稗官小說之言，無所不闌入，而文之壞極矣。上之禁戒日以勵習，日謷而不可返，譬之洪波放舟，槁師失柁，乘舟之人殫力叫嚎，徒任風水之擊宕，以聽浮沉之自至爾已，何也？精神散于下，而無所以統之故也。自卜八房之刻，而變抑又奇矣。此天也，非人之慮所及也。其權尊而不虞貳，其勢衆而不虞孤，合天下之是以制天下，其道精而不虞，其有至有不至，文變之權不必總于上，亦未始散于下，事勢之流，相激使然，而王事出焉。天下欲不由其中而不可得，故曰天也。

又《莊尚之北遊草引》 文章之道，節度淺深之所至，莫不各馮其光與澤以爲候。澤者，精之所茹也；光者，神之所迸也。人之生也，四肢百骸，總之灌輸于一氣之津潤，以能和柔其骨節，而通理于動息。其焄蒿悽愴，發揚昭著于空，與形之互相爲摩盪。執途之子而問之，至于聖人無以異也。乃其中節度淺深之懸別，極于霄壤而不可算數，所攝受于天地萬物之精神有至有不至焉耳。故曰：文有可爲而不可爲，此即世之工于文者，未必辨也。

袁宏道《雪濤閣集序》 文之不能不古而今也，時使之也。妍媸之質，不逐目而逐時。是故草木之無情也，而鞓紅鶴翎，不能不改觀於左紫溪緋。唯識時之士，爲能隄其隤而通其所必變。夫古有古之時，今有今之時，襲古人語言之迹而冒以爲古，是處嚴冬而襲夏之葛者也。【略】夫法因於敝而成於過者也。矯六朝駢麗飣餖之習者，以流麗勝，飣餖者，固流麗之因也。

袁中道《答蔡觀察元履》 近閱《陶周望祭酒集》，選者以文家三尺繩之，皆其莊嚴整栗之撰，而盡去其有風韻者，不知率爾無意之作，更是神情所寄。往往可傳者，託不必傳者以傳，以不必傳者易于取姿，炙人口而快人目，班馬作史，妙得此法。今東坡之可愛者，多其小文小說，其高文大冊，人固不深愛也，使盡去之，而獨存其高文大冊，豈復有坡公哉？大賓水陸之席，有時以爲苦，而偶然酒核，有極成歡者，此之謂也。偶檢平倩及中郎諸公小札戲墨，皆極其妙。石簣所作，有遊山記及尺牘，向時相寄者，今都不在集中甚可惜。後有別集，未可知也。此等慧人，從靈液中流出，片語隻字，皆具三昧，但恨不多，豈可復加淘汰，使之不復存于世哉。

又《花雪賦引》 天下無百年不變之文章。有作始，自有末流，有末流，還有作始。其變也，皆若有氣行乎其間。創爲變者，與受變者，皆不及知。是故性情之發，無所不吐，其勢必互異而趨俚。趨于俚，又將變矣，作者始不得不以法律救性情之窮；法律之持，無所不束，其勢必互同而趨浮。趨于浮，又將變矣，作者始不得不以性情救法律之窮。夫昔之繁蕪，有持法律者救之；今之剽竊，又將有主性情者救之矣。此必變之勢也。變之必自楚人始，季周之詩變于屈子，三唐之詩變于杜陵，皆楚人也。夫楚人者，才情未必勝于吳越，而膽勝之。當其變也，相沿已久而忽自我鼎革，非世間毀譽是非所不能震撼者，烏能勝之？湘中周伯孔詩文抒自性靈，清新有致。近以《花雪賦》示予，予嘆曰：湘水澄碧，赤岸若霞，石子若樗蒲，此騷材所從出也。其中孕靈育秀，宜有慧人生焉。其人皆能不守故常，而獨出新機者。有首爲變者出，則不憚世之毀譽是非，而褰裳從之矣。

湯賓尹《齊進士稿序》 凡爲文者，必有文章之骨，意象峻嶒，孤來瘠往，寧與一世人違其好惡，而倔強磊塊之氣，時時凸出於襟項間，此文骨也。有文章之趣，樂山樂水，吐納具有風流，非黛非鉛，淑姿生于盼倩，此文趣也。有文章之識，奕抵一先，不爭數于多寡，神傳阿堵，毋□□于肥羸，此文識也。具斯三者以語于天下曰文人，其亦庶乎？

又《歸愚庵初學集序》 有才人，有學人，有文人。文人未有無才者也，以鈍腕操枯竹，不靈也。文人未有無學者也，以貧腹供薄躚，不贍也。雖然

文須才須學，而才人之才，學人之學，終不可試以幾于文，豈惟不幾，且裂也滋甚。文之耦無端而變無倪，鈍思之士，沈頓揣摩于起伏進退間，或一遇焉。才人耳目聰明，手口滑利，咄嗟之會，驅風走雨。徐理之風雨者無存，而揚塵飛墖，蚤已眯一世人之睫，而易位東西。故才者文家之魅也。經也，子也，言胸之所有；史也，各言世代之所有；文如是止矣。昔之日已往而不來，纘疏故曆可以當歲乎？廼腐之味不濯於胃，可復鮮乎？謂金玉貴，削金而食，緝玉而衣，可乎？故學者文家之瘍也。自有才人，有學人，而文章一器不白於天下，故曰其裂滋甚。雖然，吾以懲高才宿學之士，非爲庸陋者設之牖也。

繆昌期《楊育原稿序》 每謂文賦千言，不如辭達一語。達者如水流行，初無定質，故夫靜渚淪漪，澄湖泓渟，與夫怒浪驚濤，山崩石觸，風旋雲亂，水之態百變以獻其奇，而無所不達，非必平夷漫衍滔滔一瀉之謂達也。然而滔滔者，水性固然。或激之，或束之，或颺之，而後奇變出，其於水性，或少違矣。東坡作《灩澦堆賦》，謂蜀江險悍，將盡銳於瞿塘之口，若先齟齬其間，而後使之滔滔入峽，安行而不怒。始悟夫爲文而有倒，有轉，有翻，有縮，有側，有突，皆故作勢以巧取達者也。育原氏之文具在靜渚乎，澄湖乎，山崩石觸，風旋雲亂者乎，種種有之而吾不盡知，知其能自爲達。夫幽不必窮境而境有餘，妍不必盡態而態有餘。作者不留筆，觀者不留睫。吾讀育原氏之文，而自悔其鑿也。且天下之言文也，則利而已矣，何以鑿爲？雖然育原之在吾師門最少，且雋舉一達而何以厭少。雋心不曰出崑崙、下岷峨、衝巫峽、循淮漢、注五湖、灌三江而放大海，斯奇變之無窮而水懷之巨麗者哉。育原可以莞爾矣。

又《邑劉侯康谷文序》 夫文之繁約清濁，沈浮高下之數與政通者也。政不與文通，而心通焉。讀其文而見其心，見其心則知其政矣。夫人之有至心者，必有孤悁鬱積，頩然不獲已之思，故其取資也必約，其比物也必芳，其持己也必克。而文恥粉澤，政恥鋪張。此未可與俗學、俗吏言也。

王衡《古文品外錄序》 陳子喟然嘆曰：人莫不飲食也，鮮能知味也。先正模重，于古人之文類論而不議雌黃，而去取之自《昭明文選》始。昭明以降，選者莫煩于宋。然昭明以六朝選古文也，猶之乎六朝也。宋諸公之以宋選古文也，猶之乎宋也。要之乎，世囿文，文囿識矣。非但自囿其識，遞耳而遞目之。抑且囿百世以下讀者之識，抑百世以前作者之神情笑貌筋骸脈絡種種生動之妙亦囿焉，而不得出矣。人第知窮餓者之苦，而不知弊飽之過也。今夫稻粱魚肉，天下之至美也，抑以口食，不以舌食，如澠如坻，若嗛若嚥。于是不羹之梅，未漿之茗，含卒之薺，禁火之餳，皆得而奪其好。迨于一嚼甘再嚼醒，予之以稻粱魚肉而後知其羨也。新陳之相化，其亦何常之有。至于新者，陳而陳者，乃始復爲新民之好，新甚矣。不使之日新于虛談小慧剽剝離歧之學，而使日新其好于古人之文章，亦猶尙論之遺意也。

鄒觀光《答鄒爾瞻》 大集謬加丹鉛，然無能贊一辭。自理學先生土苴文詞，修詞之士亦反唇譏之，則理學文林判而爲二，而文章中曰議論曰敘事，其體又若相岐，而不能相兼。爾瞻之文，根極理道，原本性命，蓋載道之文而非文人之文也。然其開闔抑揚、縱橫變化不囿于法，而無一語不合于法。即剷琢其詞者，蔑以加焉。丈必欲以纖埃助高泰岱，願于周秦以上，渾渾灝灝之氣，一加之意耳。弟嘗謂本朝自弘正而後有三大文章，以理學爲文章，則王文成破洪荒而超块圠，而河津開其先。以氣節爲文章，則李獻吉凜秋霜而勁烈日，而仲默爲之翼。以文章爲文章，則王司寇成經緯而沛江河，而毗陵爲之翼。司寇、毗陵分道而馳，若敵國然，而乃推而佐之。司寇自喜其文于意無所不達，夫能達其意而亦不廢法，則毗陵能耳。若乃鑱心刻腎，雕鏤于字句，而見爲奇如世所尸祝，僕不敢耳。

鍾惺《東坡文選序》 或曰：「東坡之文似戰國。」予曰：「有東坡文，而戰國之文可廢也。」何以明之？戰國之言非縱橫則名法，于先王之仁義道德、禮樂刑政，無當焉。而其文終古不可廢者，以其雄博高逸之氣，紆回峭拔之情，常存于天地之間也。使戰國人舍其所爲縱橫名法，而以爲仁義道德、禮樂刑政之言，則其心手不相習，志氣不相隨，必不能如是雄博，如是高逸，如是紆回峭拔，以成其爲戰國之文。故文之存，理之亡也。夫必亡理而後存文，則是理者事詞之祟而文之賊也。豈有是哉？今且有文如此，能全持其雄博高逸之氣，紆回峭拔之情，以出入於仁義道德，禮樂刑政之中，取不窮而用不敝，體屢遷而物多姿，則吾必舍戰國之文從之，其惟東坡乎？今之選東坡文者多矣。不察其本末，漫然以「趣」之一字盡之。【略】夫文之於趣，無之，而無之者也，譬之人，趣其所以生也，趣死則死。人之能知覺運動以生

者，趣所爲也。能知覺運動以生，而爲聖賢爲豪傑者，非盡趣所爲也。故趣者，止於其足以生而已。今取其止於足以生者，以盡東坡之文，可乎哉？是故《老》、《莊》者，出世之文之妙者也，毅然斥之不疑。《商》、《韓》者，經世之文之妙者也，竟鄙其人陋其說而已。夫東坡而非文人也則可，東坡而文人也，豈有不知其文之妙者哉？以爲吾舍此自有眞學問，眞文章，理義足乎中，而氣達乎外，膽與識謖謖然於筆墨之下，取戰國之風調，易以己所欲言，而其淵源相去遠矣。世有病戰國之文無當於道，而愛其文終不能廢者，吾請以東坡之文代之。

艾南英《再答夏彝仲論文書》 大約時文不論高卑皆可逢世，若古文一道則兄卽千蹊萬徑，水窮山盡，終不能逃。弟範圍人中，于時文近日名流中，無此辣手，無此靈異，若其所作古文，所論古文，則一臭腐卑陋，勦襲塗抹之學而已。願兄敎之也。【略】願兄澄心靜氣日取《史記》、《左傳》反覆讀之，看古人所以爲古人者何如？然後日取韓、歐兩集，看兩公之所以摹古人者何如？然後泛及于宋餘諸公，則不待比擬而皆合矣。然後又泛及于有明諸公，又泛及于近日荆川、遵岩、震川諸公，然後以較王、李，眞若一入芝蘭之室，雖非古清廟明堂，而芳潔自在，一若入糞廁屠肆，腥穢撲鼻。吾知兄之于王李吐棄之不暇，何暇與弟爭乎。大約古文一道，自《史記》後東漢人敗之，六朝人又大敗之。至韓、柳而振，至歐、曾、蘇、王而大振，其不能盡如《史記》者勢也。然文至宋而體備，至宋而法嚴，至宋而本末源流遂能與聖賢合。恐太史公復生不能不撫掌稱快。至元與明初，而有振有不振，至嘉隆之王、李而大敗，得震川、荆川、遵巖救之，而稍振。此確論也。雖太史公復生不能踰吾言，願人中細思之耳。但見兄所抹震川一二道學語，則此又一說。道學語入之古文序記傳誌中則不可，入之上執政等大書則不可，若入之平常柬牘中則無妨。蓋平常柬牘半雜方言，半雜恢諧，古人且有用小說及《世說新語》者矣。選柬牘又當別論也。

又《再與周介生論文書》 弟前書中大約謂：海內今日尊崇大士大力者，更不知其渾古高朴，師法《六經》秦、漢者何在，而僅撫拾其一二。輔嗣、子玄幽渺詭俊之談，相與雕琢模糊，甚至學《繁露》者竟以杜撰爲《繁露》，習郭註者竟以杜撰爲郭註。稍進者亦僅留心句字，使其俊詭，而先秦、西漢高古拙淡之氣亡矣。使人究大士大力爲晉魏抄手，猶可言也。使人置《六經》秦漢不道，而降爲六朝之卑弱纖俊，軟靡巧儷之文，向時韓、歐大家所擲棄不屑而力排之者，今反奉爲蓍龜，又見之制舉業，則文氣之卑乃自吾輩始之。兄以爲此罪將安歸乎！善乎兄之言曰：「世之將治，其文多仁孝忠厚之言；世之將亂，其文多陰謀詭放之譚。」此語非特謗吾輩者不知，卽尊奉吾輩者亦不知也。再論風氣之遷，有極有漸。極者，勢之所畏，而漸者，機之所當。【略】承示經翼一選，宜早行之。弟當極揚其旨，使我輩之文與三代同風。卽弟有文定文待二選，不可以弟故而滯兄之傳。蓋弟選意在存一代之文，使人得觀制藝中後先升降之變。兄以授翼題篇，宜簡核而精，志在存經，不在備選也。【略】弟意嘗謂告人以古文，人必不能盡知千古文章獨一史遷，史遷而後千有餘年能存史遷之神者，獨一歐公。歐公之文每提耳面命之，人不知也。况欲其遍讀古人之書而知好乎。弟于歷代詩文及皇明古文定二書外，又有文勦、文妖、文腐、文冤、文戲五書，以爲正告人以古人不能知取文之無當者。告之，則人知避矣。人人知避，必發憤讀書，讀書然後知古人高深誠拙之所在，不復爲浮華補綴無根本之言矣。

又《四與周介士論文書》 夫學古人而不知方嚮，已非古矣。況于古所無而嘐嘐自命爲古乎。夫師古文犹師古人也，古人有羿奡，有莽操，有林甫盧杞，必皆古人可師，則彼亦古人也。古人之文何以異此。經籍而後，必推秦漢爲其古雅、質樸、典則、高貴，序裁生動，使人如睹然。以其去古未遠，名物方言不甚近人，必盡肖之，則勢必至節去語助，不可句以爲奧，疎枝大葉；離合隱見，寓法于無法之中，必盡肖之，則必決裂體局，破壞繩墨，而至于無法。故韓、歐、蘇、曾數大家存其神而不襲其糟粕，二千餘年，獨此數公能爲秦漢而已。至于今之爲古者，不獨不知此意，併不能成其一家言。儷騈俊句，極窮幽渺，以魏晉清談爲古，猶曰此當附之。六朝叫號怪囂，塡寫《史》、《漢》，猶曰此近代王、李，蓋二者似古而非，人所易惑。至于棘喉鉤吻，險澀鄙誕，則古之人未之聞也。

又《序王子巩觀生草》 其文曰：「昔歐陽公有言，君子之學求其是而已，非爲異也。使天下皆爲異，則安見好異者之獨爲異也。」予以其言而摘其尤者論之。今之言文必尊兩漢，然兩漢之士獨董子明天人，賈生識時務而已。《上林》、《子虛》、《兩京》、《三都》，讀其文不過如今之學究摭《通考》類。要之，書分門搜索相襲爲富，求其一言一字出于其心之所自得無有也。《客難》、《解

嘲》、《賓戲》、《七發》、《七啟》、《七辨》、《七徵》之類，前創後師，命辭遺意，如出一轍，此與今之稚子執筆爲八股文字摹倣抄襲有何差異？讀其文不終卷而使人厭惡。鄒陽獄中一書，已開六朝駢偶庸穢之習，雖太史公以千古一人，亦爲其艷冶所惑而錄之。故吾嘗謂兩漢之文不必盡古，而極衰之文亦未嘗不自兩漢始也。原其所以，是數子者非有見于道德性命之旨，能言其中之所自得。中無所得，故遂以浮華爲異，而效之者又以爲異而趨之。故其文至于庸靡臭腐而不可讀。由是觀之，文之好爲異者，未有不至于同。而文之不爲異者，雖欲同之而不能也。文至于同，則雖以兩漢詞人之雄而不免爲稚子之執筆，況其次乎。制藝自震澤、毘陵，高步成、嘉之際，如規矩之於方員，蓋文之能事畢矣。萬曆之季，此風浸遠，一二輕薄少年，中無所得而以浮華爲尚，相習成風。其文非經、非史、非韓、柳、歐、曾諸大家之言。其人皆登館閣臺省，則自南宮之試，至兩畿各道所爲典試校分闈者，又皆其人主之居高而呼其應愈衆。而近日十八房稿之文爲甚。于是制藝中大都以里巷之語代聖賢之言，遂至于庸靡臭腐而不可讀者。原其初，皆起于中無所得，乃以浮華爲異，而至于不能爲異也。予與陳大士、羅文止三人者起而振之，以《易》、《詩》、《書》、《春秋》、《禮》、《樂》之言代《語》、《孟》之文，以古雅深醇之詞洗里巷之習，一時後輩從風丕變。夫爲文而根《六經》，本道德，亦聖人之門所當然耳，非有異也。而一二少年又從而效之，舉予三人之文摹倣抄襲，蓋予三人者，雖不爲異而亦浸懼不能爲異矣。

又《答陳人中論文書》 夫秦漢去今遠矣，其名物、器數、職官、地理、方言、里俗皆與今殊，存其文以見于吾文，能獨存其神氣耳。役秦漢之神氣而御之者，舍韓、歐奚由。譬之于山，秦漢則蓬山絕島也，去今既遠，猶之有大海隔之也，則必借舟楫焉，而後能至。夫韓、歐者，吾人之文所由，以至于秦漢之舟楫也，由歐、韓而至于秦漢者無他，韓、歐得其神氣而御之耳。若僅取其名物、器數、職官、地理、方言、里俗而沾沾然，遂以爲秦漢，則足下之所極賞于元美、于鱗者耳。不佞方由韓歐以師秦漢。足下乃謂不當舍秦漢而求韓、歐，不佞方以得秦漢之神者尊韓、歐。而足下乃以窃秦漢之句字者尊王、李，不亦左乎。足下曰舍舟不登而取舟中之一艦一艪，濡裳而泳之曰：「吾不藉津筏而舟渡也！」不可也。以爲藉韓、歐而至《史》《漢》，猶之乎一艦一艪也，是不然。吾既得其神氣而御之矣，何津筏之有。昌黎摹史遷尚有形迹，吾姑不論。足下試取歐陽公碑誌之文及五代史論贊讀之，其于太史公，蓋得其氣度于長短瘦肥瘠之外矣，猶當謂之有迹乎，猶謂之不能徑渡乎。若乃竊《史》、《漢》之字句自以爲《史》、《漢》在是矣，是今之王、李。乃足下所謂一艦一艪舟中之一物耳。足下又曰：「宋文好新而法古，好易而失雅，夫文之法最嚴，孰過于歐、曾、蘇、王者。」荆川有言曰：「漢以前之文，未嘗無法而未嘗有法，法寓于無法之中，故其爲法也，密而不可窺。唐與宋之文，不能無法而能毫釐不失乎法。以有法爲法，故其爲法也，嚴而不可犯。」予嘗三復，以爲至言。然不佞極推宋大家之文，以其有法而其稍病。宋大家之文亦因其過于尺寸銖兩而毫釐不失乎法，視《史》、《漢》風神如天衣無縫爲稍差者，以其法太嚴耳。宋之文由乎法而不至于有迹，而太嚴者歐陽子也。故嘗推爲宋之第一人，不佞方以法太嚴稍病宋人。而足下謂其無法，足下讀古人書潦草如此，不亦可笑乎。若乃王、李之文，徒見夫漢以前之文似于無法也，竊而效之，決裂以爲體，餖飣以爲詞，盡去自宋以來開闔首尾、經緯錯綜之法，而別爲一種臃腫窘澀浮蕩之文。其氣離而不屬，其意卑，其語澀，乃眞無法之至者。而足下以爲有法可乎？足下以賦病宋人，誠是矣。然天下安有兼材？必欲論賦，則奚獨宋人。自屈平而後，漢賦已不如矣。楚以下皆可病也。然則足下悄心賦何不直登屈氏之堂而乃甘退處于六朝排對塡事，柔靡粉澤，如是而譏宋賦，恐宋人不受也。宋之記誠有如賦如文者，然亦其一二耳，以此而病全宋，是猶見燕趙之醜婦，而遂謂北方無美女；見吳之粗繒敗絮，而遂謂江南無美錦等耳。如是而以變亂古法罪宋人，宋人不受也。足下又引李于鱗之言曰：宋人憚于修辭，理勝相掩，以爲宋文好易之證。然予則曰：孔子云，「辭達而已矣。」未聞辭之礙氣也，辭之礙氣，爲東漢以後駢麗整齊之句言耳。彼以句字爲辭，而不知古之所謂辭命辭章者，指其首尾結撰而通謂之辭，非如足下之以矜句飾字爲辭也。故曰：「辭尚體要。」則章旨之謂也。足下必以好易病宋，而以文之最者必難，遂謂《易經》時代最上古，其文最難，《詩》、《書》次之，《春秋》又次之。《禮經》出漢儒，故其文最條達，居《六經》末。以是爲經之差等，以是爲時代之升降，審如此，足下誤矣。【略】文各有所主，各有時代。唐宋之不肯襲秦漢句字，猶孔子之語必不爲《易》、《書》、《詩》也。如此論文，足下必當以揚雄《太玄》、唐樊宗師、劉幾之文爲最矣，無怪足下之貿貿然無所之也。然足下尊奉空峒、鳳洲，

乃正嘉近時人，則似不必遠語上古也。足下又云：「唐後于漢，故唐文不及漢。宋後于唐，故宋文不及唐。」如此，則我明便當不及宋，又何以有陳人中又何以有人中嘐嘐然所尊奉之王、李耶。宋之詩誠不如唐，若宋之人則唐人未及也。唐獨一韓、柳，宋自歐、曾、蘇、王外，如貢父、原父、師道、少游、補之、同甫、文潛、少蘊數君子，皆卓卓名家。【略】夫今之論文者，譬之論水，不必論瞿塘，不必論金焦，當論其有源耳。江水惟有源，故至瞿塘而能險激，至金焦而能洄洑，至海而能汪洋浩渺，魚龍百怪。學之有源者，何不可之。有自北地濟南之文出，學者束書不觀，止取《左》、《國》、《史》、《漢》句字名物編類入門，率爾成篇，套格套辭，浮華滿紙，如今市肆賣壽軸祭文文字者。【略】將反足下之言而告足下曰：獻吉、于鱗、元美譬則兒童也，群從而嬉甚樂也，父師督責之以《詩》、《書》，則蹙額相向，何則？束於法也。彼畏宋人首尾開闔抑揚錯綜之嚴，而不能爲也。畏宋人之古質朴淡，所謂如海外奇香，風水齧蝕，木質將盡，獨眞液凝結而不能爲也。國無法則亂，家無法則譁，故即以此語勸人中立身立文於聖賢禮義之中而已。足下又痛詆當代之推宋人者如荆川、震川、遵岩三君子。嗟乎，古文至嘉、隆之間，壞乱極矣，三君子當其時天下之言不歸王則歸李，而三君子寂寞著書，傲然不屑，受其極口醜詆，不少易志，古文一綫，得留天壤，使後生尙知讀書者，三君子之力也。足下何故而苛求之？其文縱不能如韓如歐，乃遂不如王、李，受足下一盼耶。且足下于三君子中，稍恕遵岩，謂其少師秦漢。此言亦謬矣。遵岩少時抄襲秦漢句字，其後悔之，乃更作古文。其少作今無一字在集中矣，足下何從見之。遵岩以其少作爲臭腐，而足下追嘆之，然則足下乳臭時更勝足下今日耶。至于宋景濂佐太祖皇帝定制度，修前史，當時大文字皆出其手，我朝文章大家，自應首推其文。或以應制，故不甚暢其所言，或一二率爾應酬出自門人編錄者，則誠有之。要之，師摹歐、曾不可誣也。

倪元璐《吳來之進士近藝序》 今文之高者，根柢仁義，綜絡經制，體用沛然，抗裁古昔，循此不已，日變而上，精則已尊，粗亦不陋也。然而求者之心不厭，論者不以爲正，天下之意以爲是以仁義經制就文章，文章以就科舉，科舉所謀是爲富貴，則豈有其誠然者乎？若使吾平虛而論才士，窮能造思，揮常選特兀枯豁涸，走甕擊壺。當此之時，殺割俱聽，豈必有富貴之心哉？凡天下之務爲高文者，其心不甚醜貧賤，既自孤引，以爲調高和希。又矜負必得富貴，雖悖愚不然。要其求畢文章之分，使名立可傳則已耳。而天下以爲如此，卽亦以仁義經制爲黃葉，不可恃也。雖然，今士所從受仁義之談，經制之論，不於墳象，則在典謨。奇文奧章，古之聖人先爲之矣。必此可疑，則彼亦難信。

黃輝《刻八家文集序》 《六經》之文，不主一家。爲一家言者，諸子也。其下不及家矣。人欲爲家，乃大家稱焉，自唐宋始也。故梓八大家集，斷自昌黎氏，而爲之序。叙曰：文章與時高下，信乎。乃推挽犄角之故，豈不以人哉？東京以還，靡于六代，俳于五季，而砥柱于元和、嘉祐。蓋五百餘歲而得韓子，又三百歲而得歐陽子，柳、蘇、曾、王，鞭弭者相隨屬也。前者唱于，後者唱喁，自然之勢也。當其沉淫而不近也，豈無一二材士思陸粱其間？然唱而不和，卒不能弘厲。于國藩之外，元結、穆修是也。惟其才不二子若，而摧陷廓清之功，卒爲二子有。雖然，欲變未變之初，靡曼鈎棘輩，怪哭搖抗者何限。彼非惟不隨衆而已，且必以其文易天下而後止。逮天下之翕然從也，而頡頏並世，使前人失步而後進却立者，亦僅僅數子止矣。彼其各成一家言，豈偶然哉？而近世高視之士，一切薄漢以下，至謂文之法亡于昌黎，非先秦、西京不可也。尺寸摹度，詡詡然曰：「吾畸于今而侔于古。」夫業已膺爲岑鼎，而抵掌乎叔敖矣，即惡得言獨造也？苟強項于後世，而甘心于丏竊于古人。藉令古人有知，不且笑賸篋而悔慢歲耶！且夫八子者之爲文，未嘗不秉程于秦漢也。語曰：「巧者不過習者之門。」要在得其不傳，而自運于糟粕之表。道固有近之而遠，遠之而近，即不襲古之詞，亦猶行古之道也。無乃之數子之所出耶！就令聚此數子者，議一事，名一理，離合遠近，不可知其戛戛乎！去陳言而杼獨見也，皆未易澌滅于後世者也。閉門而造車，出門而合轍，百工能自必之。若夫方員、曲直、工拙、樸巧之狀，與工俱百而無害乎矩矱之同，必欲援古姍今，則將笑顓帝之不能紀遠，而曰：曷不爲龍神火官也邪？吾觀自古國家之數，一升一降，一晦一明，亂者定，離者合，醞釀之極，未有底滯而不發者。唐之文，不盛于貞觀、開元，而盛于元和；宋之文，不盛于雍熙、乾興，而盛于嘉祐。則吾未知靡曼鉤棘者，不爲方盛之始也。今儻亡其時哉！善貌人者，先其笑語神情，而後其形狀。摹度者，徒形狀而已，苟欲因摹度之似而並得乎！

馮琦《于宗伯集序》 夫詩以抒情，文以貌事。古人立言終不能外人情事

理而他爲異，而後之作者往往求之情與事之外，求之彌深，失之彌遠，則求之者之過也。【略】故知詩以抒情，情達而詩工；文以貌事，事悉而文暢，古人之言盡於此矣。

劉文卿《尚友堂文稿序》 夫文盡，理止矣，是淵、雲所欲稽首耳，余安知夫？色澤之不今而古也，質之不新而故也。《檀弓》之爲法，《天問》之爲衰，《墳》、《汲》之爲典，非今所稱，萬世而無以相譏者乎！彼豈必有百世以前者而摹之。《桑間》、《載馳》、《桂裳》、《里巷》之諧，其何以當于采訪之節士，今亦莫哂其故也。恒河之見，髮盡鬚白而不改；六籍之教，玄黄相攘而不易。血氣心知之倫，無訝亦無厭。焕哉，天下之至文也。其復以世系祖述相比咤歟！

姜寶《履菴萬公文集序》 古者文不作於無用。有用之文，每以眞實心吐眞實語，切於用，當於事情，口之所言皆其心之所有，未嘗不工，未嘗不古。然未嘗組麗爲工，詰曲聱牙爲古也。文之有用者如此。

周思兼《梅谿集序》 崔子曰：「其秦漢乎？秦之文直而壯，猶有商周之遺焉；漢之文騁，而不厭秦之舊也，晉魏其次也。晉魏之文富而澤，其次莫若韓、柳，韓之文典，其失也緩；吾其柳州乎？柳州以下無譏焉。夫大道之華也，道有文有情，情鬱於中而辭以發之，載道以行，合而成文。今之文，中實不足而外彊之，標竊之務工，雕刻之務勤，勦說雷同，是謂不度，不度之文，非其情也，文不由情，將焉用文。文之靡也甚矣，以辭勝也。夫文以彰道，道之不章，胡可文也？文其弊乎？」周子曰：「善哉！今而後知文之難也，非殫其力，孰能至此？」崔子曰：「不穀聞之，夫文猶兵也，善兵者先之以謀，謀定而後戰，是以能克，易此必敗。是以文貴務思，思而得之，莫可禦也，然後文隨之，文如其所思焉，是以文成而人傳之，後世以爲楷。夫文不可強也，短長疾徐小大煩簡，先有定形焉，而後辭可□也。」周子曰：「善哉！文其有專師乎？夫文無師則不一，不一則散，文之弊也。恒必由之，文其可廢師乎？」崔子曰：「以不穀所聞，夫文何常師之有？夫文猶賈焉，賈之於貨財無所不蓄也，而後可以待人。故文無常師，師於典謨侯敎令也，師於三傳備記載也，師於戰國法論難也，師於易卜述道德也，師於詞賦象諷諫也，師於牋表豫章疏也。【略】夫師不可專，專之則匱，夫物之所感無恒也，而匱以應之，鮮不備矣。」

彭輅《文論》 曹子桓曰：「文章經國之大業，不朽之盛事。」因著《典論》詳列衆文之體，又取建安諸子而褒刺其利病，其爲論美矣，不可以復易矣。【略】昔周之東也，文不在名物而盡在於觚牘之間，天下學士各恣所欲言而無射策狗人之累，故自周衰迄於先秦，文章之作於斯爲盛。【略】故文章之於世，實有幸不幸也。余謂先秦逼古，不可以學也；而子長有本，可以學力到也。但其文騁鶩縱横押闔變化，所叙謀臣健將刺客俠士之蹟，皆曲悉其情態，斲輪所謂得之心，應之手，詞波未至，而意已歕湧横陳於先矣。故讀快意事，則令人躍然喜；讀不平事，則令人裂眦豎髮怫然怒；讀志操政行之淑，則欣欣而慕欲與同游；讀讒夫邪佞之陷人誤國，則切齒蓄憾欲投畀豺虎。如國工者之貌人，形神從筆端躍出凡人乎？其書者其人久而猶生，固文之一奇也。而本之《戰國策》之洄瀾疏節，非出自創爲，則遷之奇亦有自也。而次遷者其班孟堅乎？班之《漢書》，蓋過半竄掠遷史，其餘則乃父叔皮氏與曹大家爲之，而固躬所摛撰僅十之二三。【略】噫！宋其無文乎？嘗試論之：先秦、西京之文，秦中太華也；東都六朝者，峨眉劍閣也；唐人者金陵錢塘也。西京之於先秦，其伯季乎？東都六朝之於西京，其父子乎？唐人之於兩漢，其祖孫乎？緜宋而視唐以上，則孫之遠裔與？主人之臧獲矣。而近之談者乃曰論文貴略其眉髮，而究其神髓，不知有秦中太華之形容，必有秦中太華之精神氣魄，彼峨眉劍閣之屹阻不能舒而爲天府者，其精神悍而蹙也；金陵錢塘之卑坦，不能突而爲崇岡峻嶺者，其精神緩而衰也。

林希元《劉執齋先生稿錄序》 客有就予論文者曰：「文必秦漢已乎？」曰：「然。」曰：「今之爲屈詰聱牙之語者，秦漢矣乎？」曰：「否。秦漢之文，雄渾典則，而得於自然變化飛動不可捉摸也。今之作者辭壞於割裂，氣傷於斲削，意屈於拘牽，困苦偏枯，弊也甚矣。烏乎秦漢！」「然則若何而可秦漢乎？」曰：「噫！淺哉！文章關氣運，氣運有登降，文與時遷，何秦漢之拘乎？文以載道，道窮於春秋，文止於孔孟，戰國而下陋矣，何秦漢之尚乎？」「然則將奚從？」曰：「吾奚從？從於道耳。夫文有五要：門戶要正，取材要博，尺度要定，步驟要重，氣勢要壯。文有三利：辯是析非，利於明；比物引類，利於切；陳事說理，利於盡。文有四惡：用意惡奇，立論惡迂，用字惡僻，造語惡陳。文有五弊：深也或弊而晦，顯也或弊而淺，高也或弊而亢，卑也或弊而諂，激也或弊而怒。經之以五要，發之以三利，屏

四惡，懲五弊，文之法於是乎盡矣，道於是乎著矣。吾何從？」客聞予言，再拜而去。

汪循《復汪侯春》 大抵古之詞宗文匠，善爲文者莫不中有所見，特假文辭以敷鬯之，故不求工而自無不工，而後世學之鮮有過之者也。如韓退之有見於明道不計功也，故於《進學解》發之；嫉夫當世患得患失以濟其欲，貪邪亡道以來其身者，故於圬者傳發之。柳宗元假種樹而明官理之法，假梓人而喻居相之體；范文正公有先憂後樂之志，發而爲《岳陽樓記》；朱文公有扶正嫉邪之心，發而爲《陳同父文集序》。若此者識趣之正，故其議論之高，筆法之嚴，故其制作之美，敷之有關于倫理，施之有裨于世教，此其所以見重于當時，傳誦于後世，莫有或議之者也。如僕不肖何足以知之。但平生爲文，未嘗不求知道養德以充內，博學審問以明理，而以朱子論文之法爲師，雖曰知識庸暗，筆力綿弱，方之古人之文，猶以溪壑狀海，以盤燭規日，相去懸絶，然形貌流光彷彿肖似，豈至如冰炭晝夜之相反者哉？

林右《操縵稿序》 嘗聞之，物有五色，五色之變不可勝窮也；物有五味，五味之變不可勝盡也。色味在物，其變在人，人之才智不同，物各隨其人而變此，所以無窮盡也。文章之在天下，亦猶是也。其大經大法，本于聖人，其淺深、精粗、高下、輕重，則各隨乎其人。故自古以來，歷代雖遠，作者雖衆，然體制迭異，意氣代殊。譬如人也，均有其面，而面面之貌不同，非各極其變之所在歟？由是而觀，則知守色味而不變者，非善文者也。修德之爲文不詭不隨，惟正是守；不泥不專，惟義是宜。此其文有過于人者，其亦可謂善變矣乎。雖然，吾聞古之君子變已非難，使天下皆有所變爲難。文自前代以降，千人一律，如刻符信，讀之厭矣，則變而通者，有不在修德與諸君子哉！

葉盛《東里續集序》 論文者有言：《六經》而下，凡文章之可法，于人可傳于後者，其所自大率有三：曰人品，曰家學，曰世運是已。世運之復，文從而復，家學之醇，文從而醇，人品之高，文從而高之言也。

王與《知菴集序》 文章與時高下，海宇混一，三光五嶽之氣完而文始振。三代尚矣，繼之者曰漢唐宋，漢有董、賈，唐有韓、柳，宋有歐、蘇、王、曾諸名家。雖生有先後，學有純駁，然皆能以博大深淳之氣，發而爲汪洋閎肆之文，以奮起一時，力追古先。故曰：吾文宋矣不唐若乎，唐矣不兩漢若乎，漢矣不三代若乎。舍是而他求焉，有不風靡于時以雜于戰國，流蕩于晉魏齊梁，分裂于五季者，鮮矣。

夏鍭《石壁諫垣稿序》 文章經世之具，六籍尚矣。後之作者，其文論、傳、序、記、碑銘等，方其出新意，吐生氣，揚厲鼓舞，消息進退，以致其文傳代名家，宜無不可而未可以言經世，必有裨於政理，有關於教化，然後經世可幾，而文章之能事亦畢矣。若其用專憂國而尤不可緩者，對君之言夫君之明暗、國之治亂、民之紓困，言不言，直不直，聽不聽，是其由也。至論其勢之便出口入耳而効生俄頃，而回君心，旬日而徧天下。非若論、傳等文，姑載諸空言，待其人遇其事，而後得之勢不便也。

謝鐸《愚得先生文集序》 昔人有言文之用二：明道、紀事而已矣。《六經》之文若《易》若《禮》，明道之文也，而未嘗不著於事；若《書》若《春秋》，紀事之文也，而未嘗不本於道。後世若濂、洛、關、閩，則明道之文，《原道》、《復性》，蓋庶幾乎是者也。司馬遷、班固則紀事之文，唐隋五代史，蓋因襲乎是者也。舍是而之焉，非文之弊則文之贅也，斯甚矣。乃若雖不主於明道而於道不可離，雖不專於紀事而於事不可緩，是固不得已於言而其用亦不可缺，故上而郊廟朝廷，下而鄉黨邦國，近之一家，遠之天下，皆未有一日舍是而爲用者也。特幸而遇焉，則用之爲制誥，爲典章，爲號令征伐，而其文遂以大顯於天下；不幸而不遇焉，則用之爲家訓，爲學則，爲諭俗之文，則其用有限而其文不能以大顯。然幸而用之郊廟朝廷天下矣，而行媿其言，事戾乎道，茲顯也所以爲辱也，奚貴哉？君子所貴乎文者，體道不遺言，顧其行有益於實用，而不可缺焉。

呂坤《呻吟語摘》卷下《詞章》 聖人不作無用文章，其論道則爲育德之言，其論事則爲有見之言，其叙述歌詠則爲有益世教之言。

又 文章有八要：簡、切、明、盡、正、大、溫、雅。不簡，則失之繁冗；不切，則失之浮泛；不明，則失之含糊；不盡，則失之疎遺；不正，則理不足以服人；不大，則失冠冕之體；不溫，則暴厲刻削；不雅，則鄙陋淺俗。廟堂文要有天覆地載，山林文要有仙風道骨，征伐文要有呑象食牛，奏對文要有忠肝義膽。諸如此類，可以例求。

周弘禴《西塘王先生春煦軒集序》 世人有志見，欲樹立者，輒薄文章曰：是技雕蟲耳！惡能于時爲重輕？而文章家則沾沾喜傲，翹翹標指曰：

卒此爲大業。彼楊子雲云雕蟲之技，壯夫弗爲。壯夫弗爲，而聖賢而豪傑可知。子雲豈不稱文章家而何自貶損也！抑《太玄》諸書非雕蟲耶？此其故，吾得而縷數之矣。蓋文章之道與心通也，與行俱也。心通而言謂之妙解，行俱而言謂之實際，上索典、謨、風、雅，與夫伊訓、魯論，以及思孟之徒，類有創作，何不通之心，俱之行乎？第解有深淺，際有遠近。要之，解不可謂之不妙，際不可謂之不實。子雲之書，縱未能窺究深微，敷陳平易，管之所見，豈無一斑？斑無全豹，而要亦見之，見之則語眞，語眞則言立，言立則不朽。嗣是，王通之著述，杜甫之篇什，類能欲多衆而垂永世者，亦以于心自有所通，于行自有所俱耳。馬遷之雄，未解其領要；太白之敏，未際其眞誠。惟以健筆綜核于存亡興衰之會，仙材縱橫于烟霞雪月之間，故讀馬遷之《史記》，則道往昔于聞睹；誦太白之諸詩，則生風雲于几席。而後之論文者止馬遷，論詩者止太白，不復知有《典》、《謨》、《風》、《雅》矣。是文章之一變也。顧馬遷太白之文章，豈苟作哉？融以神，運以意，貫以事，繪以章，定以格，承以調，響以聲，錯以句，潤以字。而其神也，意也，事也，章也，格也，聲也，調也，字也，句也。文復與詩異，蓋酌所不得已而各出之以當，如和五味焉。然馬遷曉其文，而于詩有不徹；太白曉于詩，而于文有弗工。技之制也，亦見名家之難也。唐昌黎氏起而兼之，自謂直接羲皇、周、孔，而實只能繼馬遷、太白耳。能繼馬遷、太白，而且兼之，亦異矣。顧昌黎間能洩全祕，違時宜，庶幾所謂心通行俱者，則昌黎氏未可少也。宋元來名詩文者，吾惑甚焉。掠馬遷及諸漢人所爲文，而補砌組織；羅太白及諸唐人所爲詩，而裁割綴縫。驟目之則字句漢也，唐也；聲調漢也，唐也。彼自謂馬遷、太白，人亦從而馬遷、太白之。彼其字句，其聲調，眞漢眞唐矣，眞太白、馬遷矣，何也？固漢唐人所已語者也，其糠粕也。萃薈其字之奇穎，句之險異者，而爲字句；摹擬其調之飛揚，聲之儆動者，而爲聲調。固字句則信，無弗類聲調，得千百之一二耳。所謂格以條章，章以授事，事以達意，意以出神，吾誠不知若何。或者得億萬之一二，則已傲視唐昌黎而下之矣，謂昌黎無足與語，是豈知昌黎亦心通行俱者？擬上古作者實弗逮，何至讓馬遷、太白？第各有所入，不相盜襲耳。人惟心所不通，行所不俱，更面貌而語，固弗達此。

陳與郊《柳宗元文之有理論》 文之所從來遠矣。論者至謂代不數人，人不數首，此其故何哉？非文之難也，以文之比于理者難也。何也？天下之至理，以爲淺乎而按之彌深，以爲近乎而恢之彌廣。澹而無奇，醇而無棘，質焉而無脂澤鎪礪。而工不得，無以爲工；農圃不得，無以爲農圃；治天下者不得，無以治天下。然而目得而擊，意得而存，口得而言。至于言而意，僅十六七耳。況至于文，則非才不構，而才勝則鑿；非氣不運，而氣勝則偏；非辭不達，而辭勝則靡。故夫古之作者衆矣，孰不欲爭裂綺綉，互攀日月？其軼骸而不振，躑躅而不前者，不論也。卽雄峙百代之上，高視萬物之表者，豈不稱炳炳烺烺乎！而質之聖人，或合或離，雖艷若春華，騁若秋駕，雋永若膾炙，而以理提衡之，其不在繩墨之外者，亦少矣。

陸雲龍《徐文長先生小品引》 文章可以窮達論，可以大小分乎哉？第士當其達，擁高座，列食客，嚮落蟻承，聲蛬蜩和，順風之呼，自氣遠而聲宏，不章之書，遂懸國門，一字不敢易。若寒士一腔牢騷，不平之氣恆欲洩之筆端，爲激爲懣，爲詆侮，爲嘲謔，類與世枘鑿，且買名無資，吹譽寡黨，無心之水乳，可聳主知，可券奕世，偏不能快同時之嗜。卽文長之文，未知則擬爲荆川，既識其人，則病其後之弱，向使當日幅短而讀易竟，讀者當北面矣。文無窮達相，世有窮達見，爲且奈何？吾因取其短章之佳者評騭之，寄吾悲悼之意，若夫不以窮達易目，使柯亭之殘篠流聲，子雲遂有沒世知己，尊之詡之，有中郎諸先生在，予亦何必益羽毛于凌霄月翮哉！

又《四先生文選序》 文章得以橫行中原，映照千古。非學博，不能大吾之儲；非才高，不能備衆之體；非識奇，論議不足以扶理之關鍵；非心穎，思維不足以透人之肝膈。四者缺一，不可云文。然而，四者得一，亦足以王。

方揚《刻方齊東公遺文序》 語有之：「言以足志，文以足言。」志，衷也；言，外也。當于外謂之言，理于言謂之文，誠其衷有合矣。斯二者，存可也，亡可也。衷之弗存，二于何有？譬彼澤虆炳然虎章哉。誠發蒙而視之耽耽，謂何耳？斯非衷之謂也。【略】故予謂文之難，非其文之難也，有其文無其人焉之難也。得其人矣而莫之文，此韓論也。故予所謂難者二焉：從其志則野，從其藝則史。甚矣，夫文之難言也。

王文祿《文脈》卷一 周公，元聖也。《易》象書誥，《詩》豳風、雅頌，《周禮》，何文也？孔子，大聖也。《魯論》、《家語》、《孝經》、《易》十翼，何文

也？道德文章之大成也。故孟子曰：「君子之志于道也，不成章不達。」漢唐諸儒，文或有成章者，宋若周子《易通》、《太極説》，張子《西銘》、《正蒙》，邵子《皇極經世》，可希經也。自外，文非漢唐，道非周孔，安望成章哉！

又 楊慈湖曰：「韓昌黎陳言務去，杜少陵語必驚人，皆巧言也。孔子曰：巧言鮮仁。予因今人尚文，引之入道，約其精神以全仁也。釋氏且戒綺語，況儒哉？」或曰：「孔子四科，列文學何也？」曰：「子游、子夏，傳經明道，非虛文也。」曰：「釋典《廣弘明集》何綺也？」曰：「末流也，文勝極矣。醫書中有天地國脉，圖曰：氣趨東南，文章太盛，是亦天地一病。」曰：「何醫也？」曰：「科試行鄉舉里選之法，自《六經》以後，選歷代之文，類成一書，餘不焚，久轉消矣。是謂一道德而同風俗也。」

又 司馬子長《史記》，雖纂述成之，雄逸跌宕，類其爲人，是以文由性生也。《孔子論贊》曰：「高山仰止，知所宗也」；《晏子論贊》曰：「願爲執鞭，知所好也。」是以文高由識高也。《律書》曰「子者，兹也；丑者，紐也」之類，則訓詁而失之鑿矣。

又 或曰：「後世無《孟子》七篇，何也？」曰：「孰養浩然之氣也。故曰：文以氣爲主。有塞天地之氣，而後有垂世之文。」或曰：「文盛世必衰。」曰：「非也。世衰而後文盛也。蓋人才不效用于上，而遺棄于下，則精神不敷于實行，而光彩徒耀于空言，惜夫！」

又卷二 近世官高科第高，卽稱文高，若布衣，雖高文弗稱也。左氏素臣，《春秋》傳，何高也？宋潛溪景濂在前元布衣耳，後危素薦之，亦不仕，《潛溪集》至正丙申梓行。余廷心，官高科第高者也，當兵亂時，柬劉彥昺曰：「景濂宋先生集寄惠爲幸。蓋不以布衣輕潛溪，亦不以官與科第自恃，好學之篤，卒成忠節之名也。」蓋前元取士，中場用古賦，以故多博雅之士。今舉業盛行，視古學爲棄物矣，此世道之一變也。

又 春秋，戰國文華矣。宋玉答問，李斯《諫逐客書》，枚乘《七發》，傳毅《連珠》，賈誼《過秦論》，孔稚圭《北山移文》，後遞相效法，精彩炳蔚也。夫文也者，文也；華者也，霞天花苑，錦章也。彼不文，爲文自附于古作者，豈文乎？

又 秦漢三國六朝作文不苟，鑄偉詞不實見，擇而存之，一人不過數篇。心精完而文多傳，惟沈隱侯集百餘卷，今亦鮮傳。後若《長慶集》、《懷麓堂稿》，過多矣。是故文集貴精不貴多，何、李集精選之可也。

金實《周職方文集序》 文章本于才而資于學。才高而學不足，則病于空疏；學博而短于才，則汩于陳腐。二者不可缺一焉。猶匠氏之爲室也，尋引既精，規矩既定，楝桷宗棟之材，取之左右，長短細大任其所須，而大廈斯構無不宜矣。或當用而無其材，則不免于苟就；與有之而不能用，則必至於枉材。欲求其室之盡美，胡可得哉！夫學在人而才出于天。在人者可以力致，而在天者無庸以力求也。既得于天而又盡力于人，則所嚮無前矣。此古之文章大家名世傳後者，未始不由是而致然也。

謝廷授《續文章緣起序》 文有萬變，有萬體，變爲常極，體爲變極，變不極則體亦不工。工者，起之歸而絶之會也。夫三才何日不常，任其所趨而變生。變以日異，任其所就而體成，體成而後工，工太甚則復拙。故工者，起之歸而絶之會也。伏羲極古今三才之變而《易》以工，堯舜極天下人文之變而《典謨》以工。故《書》起于《易》者也，《詩》起于《書》者也，《春秋》起于《詩》者也。《春秋》體極而《春秋》絶，《詩》體極而《詩》絶，《書》體極而《書》絶，《易》體極而《易》絶。《易》雖絶而如綫之脈，猶寄于《書》、《詩》之文。《書》讀《詩》詠，理躍神傳，玩《易》者有遐思焉。《書》、《詩》絶而《易》絶，《易》既絶而秦漢唐宋之文起，其體又萬變矣。極其變而其體始備，體既備而其文始工。任彥升先生錄其所緣起，備其體者也。陳無功續其所緣起，極其變者也。余讀無功詩，而知其志遠，其憂深。若不求工而無不工。彥升《緣起》書，既爲之註而復爲之續，豈虞文之不工哉。長夜之萬事，千秋之逝波，孰工孰拙，起爲止根，絶爲續根，《詩》、《易》、《典謨》、《春秋》之續，無人久矣。秦漢唐宋之文絶，洙泗氏之文，其有興乎。無功文章緣起之續，續洙泗者也。

何吾騶《蓮鬚閣文鈔序》 文章以氣骨爲主。而詞采音采，猶夫人之依體質以行者也。史稱司馬子長文有名山大川之氣，司馬相如之文，漢王讀之，飄飄有凌雲氣。夫多遊名山大川而人見其氣，容止閒雅甚都而人又見其氣。使兩司馬別有以爲氣者，不愈懿鑠乎。故夫文章者，氣骨之輿也；氣骨者，人之輿也。有氣骨載人以行，而後可與天下豪傑千古聖賢相見。有文章挾氣骨以出，而後可與聖賢豪傑低昂。千古之文章，三代以後，人皆稱諸葛孔明前後《出師表》，可與《伊訓》、《説命》相表裏，豈《出師表》之聲華遂能壓倒天下後世哉。韓愈文章能起八代之衰，豈昌黎文華遂高於初盛諸君子哉。夫句

句而飾之，字字而櫛之，按絃而比韻，接竹以選聲，雖二君子亦千人中之一人，衆軌中之一軌也。如其衷於忠孝之歸，立身之概，堅強獨立無懼之壘。斯固已大海洄瀾，平原千里矣。余生平於文章，止此「氣骨」二字。而吾友黎美周氏獨能揭斯言以行天下。其與人交也，其歸臥青山索居一室也，握手肺肝，聲光照耀，氣骨之在文章，如醍酪之於玄水，冰屑之在晶盤，不可以意象窺測也。徐爲吟咏，諦其神采，習其友聲，斯或得於衣冠抵掌之外矣。學者覽其文，當如川流之赴壑，羣木之知秋，毋但從字句間比擬也。說者曰：美周文絕似蘇長公。余笑是誠有然。顧美周自有所本，不斤斤一先生之言，若但謂東坡居士，恐學人不得所以，將併求居士於詞采音吐之間也。

黎遂球《蓮鬚閣文鈔·正文體策》 今夫文之華而失體，則其氣之不昌；氣之不昌，則其識之不足；識之不足，則其學之不貫。文與人其品相因，斯豈誣耶？唐韓愈文起八代之衰，其爲人何如者？宋以歐陽修知貢舉，當時所取者，蘇軾、曾鞏之流，一時諸士致聚譁於馬前。而其後卒不可及，且咸稱道之。此無他，能以文識其人者也。隋王通稱言文而不及理，王道何由而興？夫得理之文，則非庸淺膚率之謂也。理有以順而顯者，有以逆而後明著者，故得則昌黎之《毛穎傳》，不妨與《原道》諸篇並傳。而失則唐太宗之《帝京篇》，卒無以救宫體之靡。失則揚雄《太玄》之尚白，而得則朱程《語錄》之皆精。我太祖以文取人，特重制義，爲其依於聖賢之旨以立言，故可因之以觀乎其爲理，誠悠久之規、興王之本也。而邇者競飾奇巧以悅目，取雞蹠乎諸經，選狐腋於往典，見髮美思斷續以爲髢，好袖大則全疋以裁帛。抑反是，又無以別於其爲空踈者。蓋昔之相文者深於理，今之相文者蒙於詞。士不爲文則已，爲文而使他人之詞得以蒙之，則又不得不鄭重其所以喻於理者，而風會所趨，不覺已甚。皇上行《孝經》，小學復鄉射，申飭文體，天下宜化而成矣。而效若未睹，愚以爲今之爲文者，務枝葉而失本根，多剽襲而失所由來耳。誠下尺一之詔，使上而太學，下而御史，各學臣與諸士立程課，悉心講求，月明一經，歲卒業一史，或天文、地理、兵刑、錢穀之類，分期考辨，按部別門。或人人各占一類，務令於時事有裨，而朱陸之辨，必究其異同。諸如《皇極經世》之說，必能悉其本末。是以事理之端，洞然於中，可以據臆以對，津然有餘味，何事剪隋宫之綵，鬪風雲月露之華哉。且夫文體之關於治道，誠非淺小也。侈《玉樹後庭》之歌，妬「空梁燕泥」之句，至如不醉無歸，則江總當湛露；夜珠明月，則上官當采風。莫不生於其心，害於其政，訶者以爲風俗教化使然。夫國家所用皆正人，所行皆正事，則天下之士莫不傾心向意，而思以賡喜起之歌，崇典謨之訓，故發而爲文，皆昌言之氣。而不然者，其賢者畏觸時忌，則且有託而逃之，其發而爲文，或祇徊反覆，而近於卑靡，或比事連類以見意，而似乎藻飾，而其不肖者，乃趨而習之。以至於淫嫚，以諧世取容。今崇文雅興王業，固在乎抑揚輕重之權，而皇上方躬行教化，正朝廷以正臣工，以還醇振俗何難？固不繫乎諸士也。執事法歐陽文忠，請從今日始矣。

黃淳耀《董聖褒房稿序》 世之論文者恒曰：某某能開宗，某某能復古。余以爲不然。夫文未有不復古而能開宗者也！詩至於李、杜，文至於韓、柳，天下之所稱開宗者也。然李、杜以前，盧、駱、沈、宋雖稱作者，而不無尚沿齊、梁之餘波，至少陵一則曰風、騷，再則曰陶、謝，太白亦慨然以大雅不作爲己任，是李杜之於詩，不過能復古而已。前乎韓、柳者，燕、許稱大手筆，然其體制駢偶，去古甚遠，至昌黎始能本原三代、兩漢，力追孟、荀、遷、固之文，而子厚亦云參之《穀梁》，參之孟、荀，參之莊、老，《國語》、《離騷》、太史諸書，而後爲文，是韓、柳之於文，亦不過能復古而已。復古以爲詩文，而詩文之能事盡，天下後世之言詩文者，皆範圍焉。吾故曰：文未有不復古而能開宗者也。二十年來，制舉業之文凡數變，始剽諸子，繼塡《六經》，繼又傅會諸史，近則六朝之丹雘粉澤，無不竊焉。其作俑者，咸自以爲奇創，不移時而聲色俱腐，讀者嘔噦從之矣。此無他，惟其不能復古耳。毘陵震澤諸先正之文，所謂古也，得先正之理法氣機，而變通生焉，所謂復古也。董子聖褒起於毘陵，其爲文精於理而嚴於法，厚於氣而靈於機，齋房九莖之芝，清廟三歎之瑟，神采流渙而音節霏微，以方其鄉荆川、方山諸公，風流彌卲，神理一也。甚矣，聖褒之能復古也。今年聖褒舉於鄉，其文爲四方所尸祝，吾知後數十年學者之宗師聖褒，亦如聖褒之宗師前哲無疑也。聖褒爲人澹泊堅靜，在貧如客，頃過疁城，與余數共晨夕，汪然不見涯涘，吾又以知聖褒之文，皆本於聖褒之人也。然則以聖褒之文，爲能開宗能復古者，其猶輕量已夫。

又《陶菴自監錄三》 爲文於未握筆，先橫一畏難之念於胸中，困苦堙鬱，精采氣勢皆消鑠矣，安得有文？曩日婁子柔先生謂予曰：子文太精緻，不

如放縱，爲之使氣昌詞流，則必勝矣。

又杜牧之序兵法謂：盤中走丸，丸之走盤，横斜圜直，繫於臨時，不可盡知。其必可知者，丸不出盤也。蘇子瞻論文如萬斛泉源，不擇地皆可出於平地，滔滔汩汩一日千里，及與山石曲折隨物賦形而不可知也。所可知者常行於所當行，常止於所不可不止，如是而已矣。二公所論事不同，而比擬之意甚似，知用兵之法則知行文之法矣。吾人拘拘爲時俗之文，觸地罣碍如著敗絮行荆棘中，其故安在？當思之。

又《葉念菴先生遺稿序》世之好古辭者，多薄時義不爲。夫時義之與古辭，異者邊幅爾。若其苦心致力以參古聖賢之旨，《六經》百家之説，涵瀹深微不誣不游，則雖厖然稱古辭者，所得未嘗或異焉。陸務觀曰：「前輩以文知人，非必鉅篇大筆也，殘章斷稾憤譏戲笑之詞，皆足知之。故時義小物也，而爲之者之心氣浮實，學問淺深，可求而得也。」吾不及見念菴先生，閒嘗取先生之文而讀之，見其於古聖賢之旨，《六經》百家之説，無之而不涵瀹焉，無之而不深微焉。悚然歎曰：此非先生之文也，先生之人也。其人深，故其文抑之而奥；其人通，故其文揚之而明；其人寬，故其文廓之而大；其人潔，故其文澄之而清。先生之於文，可謂稾厚而發遲，志慤而得精者矣。

薛應旂《答熊元直檢討》古昔先王未嘗有意於爲文，《六經》之作所以闡天地之藏，發心性之藴，紀綱人事，維持世道，眞如生人之飲食裘葛，不可一日闕焉者，皆不得已而有言，非無用之空言也。孔孟繼作，亦若是焉而已。戰國秦漢之文，人始各逞其辭説以馳騖於天下，中間雖不無可觀，而要之至理，率多悖繆，蓋皆無得於心而有意於爲文。徒以華世鼓譽而無益於民生日用，是豈先聖賢之所謂文哉。唐宋數家，雖其風容色澤略貶於秦漢，而意義所存，則或有庶幾於道者。奈何今之爲文者，動稱秦漢，而修詞造語依傍影響，如小兒之學舌，優孟之作叔敖，而自己之肺腸心膂得之於稟受者，反若爲其所剗，而噤不能自出一語，可笑也。其有稍知此義者，則又高自標致，務爲杜撰，而於古人之成法一切抹撥，自謂成一家言。擺脱習氣乃顧爲支辭蔓説，反有晦於明白簡切之理，則又幾於因噎廢食者矣。然則必何如而後可？孔子曰「辭達而已」，此千古爲文之準則也。故爲文者，若胸中眞有一段意思，直是見得透徹不得不發者，惟據吾所見而直書之，意盡言止，不較工拙，自是有用文字。使本無可言，或言而必欲隱伏避忌，則固當涵泳停蓄，正不必綴緝支吾而虚費精力，爲此無益之事。

又《宋方文語引》古之以文名家者多矣，其論文之語載于類書者，更僕不能悉數。我明啓運，文教聿興，潛溪宋公實擅其宗，而遜志方公乃其高第弟子，故一時文章方軌並駕，號稱獨盛，邁古作者。自是迄今，二百年來，名能文者無慮什百。余嘗究而觀之，唯陽明王公會文切理，庶幾近之，其諸斷未有如二公者。邇或高自標致，競相誇詡，儕類雲滃，議論風生，俯視國朝前輩，皆所不屑。動曰左、國、史、漢，莊、騷、蘇、李、曹、劉，摩其篇章，轉折長短舒抑，而肖其音聲於唇吻之間。又或詰曲鉤棘，鼇牙咋舌而不能句讀，不啻優孟抵掌于叔敖，東婦效顰于西子，祗獻笑增醜，曷能類之？就使逼眞亦何益于理道也？奈何清才英質之士轉相傚傚，而文體日壞，余竊憫焉。蓋文也者，以時而論，關氣運之盛衰；以人而論，關心術之邪正。此豈細故也哉？

朱荃宰《文通》卷一《叙學》至於作文，《六經》之文尚矣，不可企及也。先秦古文可學矣：《左氏》《國語》之頓挫典麗，《戰國策》之清刻華峭，莊周之雄辨，《穀梁》之簡婉，《楚詞》之幽博，太史公之疏峻。漢而下其文可學矣，賈誼之壯麗，董仲舒之冲暢，劉向之規格，司馬相如之富麗，揚子雲之邃險，班孟堅之宏雅。魏而下陵夷至于李唐，其文可學矣：韓文公之渾厚，柳宗元之光潔，張燕公之高壯，杜牧之之豪縟，元次山之精約，陳子昂之古雅，李翺、皇甫湜之温粹，元微之、白樂天之平易，陸贄、李德裕之經濟。李唐而下陵夷至於宋，其文可學矣：歐陽子之正大，蘇明允之老健，王臨川之清新，蘇子瞻之宏肆，曾子固之開闔，司馬温公之篤實。下此而無學矣。學者苟能取諸家之長，貫而一之，以足乎己，而不蹈襲捆束，時出而時晦，以爲有用之文，則可以經緯天地輝光日月也。

又《文極》夫經文之所以爲至者，何也？以其篇無無用之句，句無無用之字，一字有一字之義，一句有一句之情，一篇有一篇之旨。由其道廣理充，氣厚情實，所以自然豐茂，初非冗疊，亦如五采作會，而袞禕之製無贅；八音繁奏，而肆堵之數有倫。抑乃雍邕舒暇，非如公牒貨籍，密積而徑注也。以言其質，則典重莊慤，不佚于空浮，以言其文，則秀粲英鮮，不墮於蠢惷。凡後世之所慕，若莊雅者莫如之，雋逸者莫如之，奥僻者莫如之，葩麗者莫如之，高莫如之，大莫如之，深莫如之，富莫如之，清莫如之，峻莫如之，

潔莫如之，古莫如之，奇莫如之，介莫如之，和莫如之，嚴莫如之，泰莫如之，險莫如之，平莫如之，放莫如之，約莫如之，宛委莫如之，條遂莫如之，威勇莫如之，蹈厲莫如之，含蘊莫如之，興發莫如之，沉潛莫如之，諧隱調詭莫如之，一唱三歎餘永不窮莫如之。蓋所謂時，然後言從宜以發，人見其然，而非有意作異以然也。後人所以不及者，又非句句字字都不及也。得其定者而不得其時者，得其偏者而不得其全者，于是一切歸于整比堆垛，纖細豔麗，遂令後來獨見其繁靡稚弱，亦足憐也。若是者雒都甚於兩京，當塗浮於後漢，六代加於魏朝，所以唐室之中因有矯而更張之者，然又焉能外六籍三史而度越之，又安能盡捐故習而背馳也。其諸名家，如所稱王楊盧駱、燕許陳梁、權呂元白、四李（華、翰、觀、邕）獨孤之徒，又如稱李杜、又如稱籍湜翺詹等，凡其標而出之，固亦爲然，然至其他從事于斯，武德以降，天復以升，三百載中，弗可枚數。統而論之，此優彼劣，甲短乙長，又焉可都謂其滌濯不盡六代脂粉，而果遂奴僕於上之數君哉？今擇唐之尤者，卽若數子，以及前後他名篇等，而擬諸六代，雖若凌芻，或同篾粃，瞻之在前，忽焉在後，縱當推讓，初非絕懸，而何談之容易乎哉？嘗觀往哲之述，平章翰苑若士衡之賦、彥和《雕龍》之類，與凡唐前有談及斯道者，往往與吾意合，至乎邇來之議，如陳騤之倫，稍得豹班，他則塗目伎耳，黨汙狗淺，猥腐可嗤。夫文出乎天造，而主於明道，誰則不知？何必攀援河洛，乾引天地，動輒凌駕世道，自炫高遠，及至究其歸止，竟逐目睫耳輪之接，止于孟韓以下數人而已。腐頰爛吻，觸目可憎。噫嘻！何哉？吾竊哂之。果志于斯，曷不策勵我實勳，當自超卓。彼所援者吾且置之，不借之以表高彼所究者，吾則自信，不狥之以僨志。曷爲實勳，理務窮之，氣務完之，皆令其博而不局，高而不卑，清而不污，遠而不促，大而不細，精而不蕪，粹而不駁，深而不淺，密而不漏，厚而不漓，潔而不類，重而不漂，沉而不浮，順而不梗，腴而不陋，豐壯而不寒，鏘鳴而不咽。於是窮披丘墳，精研竹素，根本乎《五經》，平攬乎十代（秦、漢、魏、晉、宋、齊、梁、陳、隋、唐）俾聖膏哲髓，蟠蔚吾襟。于是擷華搴英，澄泥汰濁，心師手匠，中萌表觸，不得自墨而隨吐之。時雅而雅，時奇而奇，時繁而繁，時簡而簡。凡諸體狀，皆隨意以賦形。志釐暇，則自出于堯文之戶；欲嚴切，則自立乎魯史之牆。迨及他製，罔弗流形，無偏於質，若近代之一於枯瘠，弗黷于文。如昔人之劣而叢挫，必滿而不溢也，高而不危也，逸而不僨也，麗而不靡也。金石殊懸，宮商自協，玄黃烜篚而經緯不紕。夫如是，亦可以爲成文矣。夫人生而動，所以利用安身賡對萬有，至夫佑弼家邦，裁成化育，心情理氣，厥惟攸主，耳目口鼻，乃用之機。機之施受，聲色臭味作爲而已；其施與受，正大高明而爲君子。否則反之，其用大矣。然余謂文者，非特聲之一道而已，推之餘道，實爲兼總。故黼黻王略絺繡之倫，昭明玄緯分布地宜，煙霞草樹作其妍姣，丹黃鉛黛錯其綵絢，是則色之具也；谷蘭巖桂襲其芬也，谿菁沚藻揚其韻也，海沉龍腦凝其薰也，降眞丁霹迅其烈也，挹玩而不能舍，珮昵而永有聞，斯則香之有也。適口甘唇，劇熊魴之腴鮮；沃心飫腸，屬膏粱之厭雋，和神助氣，廣體胖中，是變味之類也。至夫拱揖執持，周旋舞蹈，雲行山立，天戴地履，一是作爲，威儀惟肖，文之攝乎四體用者如此也。其盡聲之本事，則口之而爲言，手之而曰文，罔不惟仁義之布、禮樂之達、忠信之行、行業之舉、政治之效，暨乎顯道長世，最萬靈、參三才，有序而成章，中律而合度，察變化成，洋洋孔嘉，文從志以必達，行因言而必顧，信斯言也，豈惟文哉？亦可以爲成人矣。

又卷三《刺謬》《罪知錄》曰：從唐而降，乃有異談者，四家六家之云是也。嗚呼，誰生厲階，至今爲梗！蓋自蘇軾言韓文起八代之衰，贊唐史者亦謂三變而文極。從是耳學膠懷高下一流矣，士號知文者，其所選輯無慮數家，莫不隨聲逐景，無復尋索。村塾書坊，亦復紛紜。至于茲辰，八齡三尺之蒙，父師詔之，子弟承之，未識世間有何典籍。話及文章，輒已能道韓、柳、歐、蘇之目。略上者卽稱六家已，咎言四家之寡陋矣。比及少長，目未接蕭之《選》、姚之粹，聞評古作，便贊秦漢之高古，斥六代之綺靡，其意以爲前人論定，何更權量。四家六氏無復加尙，猶五嶽四瀆與？三變而來無復遷易，猶三綱五典與？祇應千古守轍，終生服膺而已。嗚呼！茲吾所謂誤人也。又如言學則指程朱爲道統，語詩則奉杜甫爲宗師，談書則曰蘇黃，評畫就云馬夏。凡厥數端，有如天定神授，畢生畢世不可轉移，宛若在胎而生知，離母而故解者，可勝笑哉！可勝歎哉！夫其所謂三變，則誠變矣。然非前已歷變，至唐而又三也。自有文字以來，上昉六籍，下薄五代，大抵一貌，少有優劣高卑爾。直自韓而後乃一變之，遂至于今改形易度，雖其所斥韓前未變之作，亦自古昔相承，漸偏而靡，非若後之頓別而懸殊也。且就其說而究

之：其所以病之者，謂其比偶也，謂其綺麗也，謂其縟積也，謂其故實也，謂其奧澀也，謂其迂頓也，謂其豔冶也。噫！斯見也，亦可知其迷昧倫類也已。凡是目者若不善也，然而文之本體所具者也，如據而反之，若反對以散，反麗以朴，積以疏、實以虛、奧以淺、頓以經、豔以素，若善也，然以文之本體所具也。由其爲不善者以偏重而過，偏重而過而墮于不善。假令從其所反，偏重而過，則又寧能以獨盡善乎？夫文之爲物，本末偕建，華質雙形，并苞而不遺，並用而不悖，踞中以攬邊，握要以延博，時質而質，時華而華；理欲其質，詞欲其華，骨欲其質，貌欲其華，是豈余之私哉？聖哲所示，居然可稽。是故曰「繪事後素」，不曰「徒素止爾，無庸繪也」；曰「斐然成章，不知所以裁之」，不曰「勿斐勿章，無事裁也」。子貢曰「文猶質也，質猶文也，虎豹之鞟猶犬羊之鞟」，至于夫子亦曰「質勝文則野，質文勝則史。文質彬彬然後君子」。嗚呼！元聖上賢，貽訓昭晰，繽繽學子，亦曷爲是滮漫耶？

又　故知文之爲物無所不該，而其體無所不具。由有書契以來其範備矣。雖古人貴質，而後代多華，然智創巧述，或浸流別，質華二道兼施並發，誰得而廢諸。不知近代之所謂華，適古人之所謂中爾。且夫七竅四支，天所賦予，故不能以多異；衣裳宮器，人所造搆，與生俱有，亦安得而大殊？今以千百載相承相畀之文，何獨不能隨時相宜？小小矯削，令其協大中歸哲范，以成完體，而翻欲枉度詘謨，搆奇追俗，顓務偏枯，更稱反本，鈞衡顛懸，名實倒戾，豈非大繆也乎？夫古人之爲衣服也，無事于華質而起也，以障軀也。冠令韜髮可爾，曷爲而危其頂，博其周，又益之以梁武，輔之以帶翼，爲是其紛煩耶？衣足束骸可爾，曷爲而袂容數肘齊垂及趾，又縟之以襞積，尚之以絺繡，爲是攢遝耶？非過華也，後質也，是物理之宜焉。又喻之于身：文之理義，骨骼也；辭句，肌膚也；華采，毛髮也。人肉必倍於骨，鬢髮必浮於膚，自然之勢也。不如是不足以爲身。身若是，聖人且以爲鄙野而被以冕裳，鳴以金石，作以舞蹈，何獨於言而不然？苟取一人褫厥衣冠，裼其四體，已不可以目矣，又欲刲剔其膚革，翦薙其毛髮，一髑髏枯腊于前，尚爲人也否乎？所以謂斯見斯譚，妄繆誤人，豈不然哉！然而亦寧是六子，必令人然，以至於若今之隤弊也，然而六子者始之也。其初韓、柳之變，變其大凡，謂八代偏墮綺弱，所謂過華，因矯其甚，殆以防風之腯而思衛玠之癯，令中庸耳。矯之少過，猶弗能以盡服當時之心。故其徒二三子外，從者終鮮。孫樵、羅隱少復近之，其外猶故習也。沿洄四季，大槩一機，其間勝者如陶秀實、徐鼎臣等，亦粲然大章，乃至穆修、尹洙、張景、柳開、石介之流，自任知言，乃始以爲追武韓、柳，上薄秦漢，然實捐章甫而就褐毳，擯甘脆而咀蓼荼。是用全改在昔之成模，卽呈今日之異貌，卽弊文之職由也。於是歐陽氏、蘇氏、曾氏、王氏競爲趨逐，而機斯膠矣，四人情狀亦殊，而大歸一致。要爲過矯，墜偏枯瘠刻削而弗準於中庸矣。顧且軒視自擅，以爲砥絕狂瀾，高陟聖域，遂令餘子揭裳從之，溺而不返，目陷沮洳，千古人文，一朝彫槁。今姑試卽六氏評之：永州雖不盡用八代完規，猶亦不爲一時世態，少過質而尚豐，不掌合而猶偶，與古未甚胡越，亦厥特高者也。昌黎斯已甚矣！又傷易而近儇，形鸁而情霸，其氣輕，其心昂，其志悍，其態矯，其口誇，其主好勝，其發疎躁，先王聖賢淸和融暢之風，溫醇深潤之澤，飄涸或幾乎盡矣。廬陵逾務純素，轉立孤迥，如人畢生持喪，終身不被衮繡。蓋自謂近宗一愈，遠祖軻、遷，其豈然乎？眉山更作儇浮，的爲利口，發不顧理，而主于必勝；出或誕妄，而要人決從。譁獷之氣肆溢舌表，全非長者，適比儀秦，雅宜鄉儇里冶之子，所以使其犇迸狂顛而不息，固應爾也。曾、王爲語，縮縮如有循焉，既脫衣裳，并除爪髮，觀其酸寒苦刻，迫促隘急，謂之文乎？謂之質乎？

又《淵源經史》　吾嘗論孟、荀以前作者，理苞塞不喩，假而達之辭，後之爲文者，辭不勝，跳而匿諸理。《六經》也，四子也，理而辭者也；兩漢也，事而辭者也，錯以理而已；六朝也，辭而辭者也，錯以事而已。

又卷二八《六過四弊》　頫仰古今，而求文之所以高下，以爲其相習而不察者，其過有六，而詞不與焉；其相推而不可已者，其弊有四，而文亦不與焉。六過者，繳繳然在文之中；而四弊者，墨墨然出乎文之外。所謂可知而不可言者也，嘗言其似。夫文者，器也。器各有體，體方圓也。彼莊生論議之文也，故雖徵之以寓言，而不可謂之史。馬遷叙事之史也，故雖濟之以談說，而不可謂之文。今不思遷之爲史也，而槩模之以爲文，是猶慕璧之圓而規瓚之邸也，失其裁矣。是何也？不辨體之過也。大塊噫而萬竅皆號，比竹者一一而吹之，以稱于天籟，則遠矣。春氣生而百昌皆遂，雕玉者葉葉而鐫之，以稱于天巧則迂矣，文而肖此至陋也。是何也？不練氣之過也。夫握徑

寸之珠，而衣褐入市，不以爲寠。家有弊帚，享之千金，而過者無不笑也。君子誠有高世之識，則辭之所運，縱橫曲直，無所不可。若必求工于偏解，矜激乎一致，而以片語單辭仰模作者，雖精不逮矣。是何也？不廣識之過也。梓慶之爲鐻也，十年而不敢懷非譽巧拙。栗林父之承蜩，不以天地萬物易蜩之翼。彼篤于物者猶若是。若乃夫績文之士，逐時以爲工，偶世以爲好，失己者也。是何也？不定志之過也。夫五味調鼎，而和羹之啜不辨酸鹹；五音成文，而咸池之奏如出一管。是故古之爲文者，沉涵百氏，醖釀千古，汇乎泱泱而不知其門。若夫學一先生之言，讀之而可辨也，則下矣。是何也？不儲學之過也。夫文者以神會者也。得其事而未眞，是胡寬之營新豐也；得其眞而未化，是優孟之學叔敖也。古有以舞劒而悟書者，入神矣。若乃不求其所以言，而丹青藻綠，惟其色之是肖，不亦遠哉！是何也？不神會之過也。是故文有六過，而辭之工拙不與焉。此世之所習而不察也。雖然，未足憂也，世之所憂者，在于頹波橫流，不知紀極。視之若甚緩，而其關于世道之升降，不啻影響，故不可弗之思矣。請畢其說：夫古之人非不能艷采辨說，窮極瑰麗以駭里耳也。以爲文而至于夸，則太優而無統，元氣漓矣，故弗爲也。又非不能哀歌忼慨，眦裂髮指，若彈鋏擊筑之流也。以爲文而至于悲，非治世之音，太和散矣，故弗爲也。又非不能離析堅白，連類要眇，若晝工之圖鬼魅也，以爲文而至于怪。是陋者之所託，雅道流矣，故弗爲也。又非不能雕鏤刻晝，棘喉滯吻，以呈其工也。以爲文而至於巧，言華道隱，太朴鑿矣，故弗爲也。此四者古人之所謂弊也，乃今講藝之士，盛稱引以爲高，舉天下而羣赴之若鶩，不知其比于夸與悲，而以爲壯麗也；不知其近于巧與怪，而以爲瓌奇也。得非有所推而不已者乎！夫六者之過也，過于文之中，憂在文而不在世；四者之弊也，弊于文之外，憂在世而不在文。此遠識之士所謂察機于微眇，而口不得言者也。

袁黄《游藝塾文規》卷一 前輩論文雖衆，其當理愜心者，大略不過如此。孔子曰「修辭立其誠」，諸公所談，雖極玄奥，總之皆修辭之法耳，「立誠」二字未之及也。誠者眞也，作文之法其遺詞也，須出自眞情。其叙事也，須直逼眞境。談理性，便當直透本源。說工夫，便可措之實踐。陳治道眞可用之經世，論人事眞能曲盡人情。

又 文貴自得：從矩出方，固當遠遵先範，而含珠吐瑞，尤當出自性靈。《易》曰：「擬之而後言，議之而後動，擬議以成其變化」，此便是學文樣子。始不擬議，則邪魔野徑，驅斥爲難；終不變化，則邯鄲之步，穢態可憐。故須始于擬議，終於變化。【略】句法字法，各有源派，而不爲古役；篇法章法，極合繩墨，而不墮蹊徑。宋儒謝顯道解《孟子》云：「自然而得者乃爲自得。」楊龜山解云：「得之于己者乃爲自得。」朱晦翁合而訓之曰：「自得者，自然而得之于己也。」惟其自然，乃可得之于己，故須從容涵泳，眞積潛思，恍然有得，則啓口容聲皆妙境矣。

又 文有根本：文者枝葉也，其根本在心。故心無穢念則文清，心無雜想則文純，心不暴厲則文和，心不崎嶇則文平，心能空廓則文高，心能入微則文精。如印之沙，如模出物，靡不相肖。故欲工文，先當治心，治心之法，非必謝事離塵，一無所膺，其念慮也。又非必閉目危坐，求息念以歸眞也。《孟子》曰：「學問之道無他，求其放心而已矣。」倘一以求放心爲主，只讀書作文，亦是眞正工夫。

又 文貴說理：萬形有敝，惟理難磨，凡文之可傳者，皆其說理者也。【略】理有眞，有僞，有淺，有深，有虛，有實，有微，有顯，有半，有滿，有偏，有正。只就題中尋覓，說本有之理，而談之歷歷可聽，此眞理也；理雖成章而於題不肖，乍看斐然，細尋轉遠，此僞理也；人所常言，亦人所共知，此淺理也；揣摩不能到，耳目不能及而愈闡愈精，此深理也；如談學問而實可見之修爲，談治道而實可措之行事，此實理也；可言而不可行，止資口吻，全無實用，此虛理也；意中覓意，奇外生奇，拆精意於毫芒，呈巧思於罔象，此微者也；昭如日星而萬古不易，坦如大道而日用常行，此顯者也；闖其藩而未窺其奥，涉其麓而未登其巔，自謂深造尚滯半途，所謂半也；見徹底裏語必十成，一言刺心，全體皆現，所謂滿也；論有而遺無，語體而遺用，只通一路不見大全，所謂偏也；以眞詞發眞理，以實意寫實情，坐斷兩邊，獨由中道，所謂正也。大抵要識見高則理路透，要學問洽則理路明，要精神聚則理路專，要工夫到則理路熟。

又 文貴養氣：文之詞可以精修而工，意可以深思而得，獨氣不可強。其渾然者不可以力鑴，其浩然者不可以襲取，此須善養而致之。養得氣和，文始雍容而大雅；養得氣壯，文始充實是稱雄；養得氣清，文始澄潔而無穢。養氣之訣，備於孟子，曰：「夫志，氣之帥也。氣，體之充也。」

又 文有十忌：作文須知疵病，須識避忌，一一爲汝陳之：一忌頭巾氣。【略】二忌學堂氣。【略】三忌訓詁氣。【略】四忌婆子氣。【略】五忌閨閣氣。【略】六忌乞兒氣。【略】七忌武夫氣。【略】八忌市井氣。【略】九忌隸胥氣。【略】十忌野狐氣。

又《游藝塾續文規》卷一《答陳直卿書》 文有源委，非人所能强爲也。夫子不云乎，「辭達而已矣」。是辭其後也，將以達意，意實先之。故有蓄意而不盡形之辭者矣，未有辭至而意不足者也。辭不足意，無所於至。譬之于水混混，有源以出之矣，然後春擊而爲濤，渟涵而爲淵，迅駛而爲湍，縈迴而爲瀾，衍迤而爲波，光浮紋蹙，沫濺狀射，隨其所遇，各效奇巧以盡變態。而又晶融澄徹，不入滓穢。至其經流之連絡，又且曲屈往復，自源達委，靡有斷絶。使人迫而觀之，心神昭曠，徘徊而不能舍。夫文之不可强爲也，何以異于是？前輩有能之者，必其中有自得實見。此理之流行，横斜曲直，小大清濁，無所不在。於是觸幾發微，或緣彼而歸此，或即顯而探微，細則取巨，巨則取細，常藏于變，變藏于常，紛紜轇轕，不可終窮，雖欲不爲波濤湍瀾之類，不可得也。辭盡其變而意始融，意融而後辭乃益至，雖欲文之無工，不可得也。不見丹訣禪偈乎？辭若鄙俚，然而終必傳者，其中誠有之也。兄之文脱去往日蹊徑，駸駸上進，而造辭之工，則沉滯穠腴，句殲字刮，使讀者停思而後能悟其措意。以此自娱則可，以此應試則非利器矣。至于《孟子》諸作，立論正大，無復可議，獨欠專欠斷。時復野戰，雖多淵瀾，卻于經流，不免分殺其勢。此僕之所未滿也。

又《答俞教諭》 夫業無定習，而心有轉移。苟眞有萬物一體之志，則雖從事于舉業以進身，未嘗不爲義塗也。若使有獨爲君子之心，則使從事于飭躬勵行以退處，未嘗不爲利途也。經義策試之陋，稍有知者莫不深動之矣。雖然春誦夏絃，秋禮冬書，固古之舉業也，固未嘗去誦與書也。苟無爲己之心，則絃誦禮書，亦祗爲干祿之具；苟眞有爲己之心，則經義策試，亦自可正學以言。昔人妨功奪志之辨，此定論也。

又《昆湖瞿先生論文》 作文須要從心田中流出，句句字字，都要作不經人道語。韓退之云：「戛戛乎，惟陳言之務去。」陸士衡云：「謝朝華于已披。」此皆眞實不誑語。今之後生專去翻閲腐爛時文，託命既專，用工愈久，譬之方技俱通而痿痹不恤，甘心于服鴆而自以爲神劑，悮矣。且以隨用隨足之體，而取給于他人口吻之間，至樂不尋，至寶不惜，而惟拾殘羹棄唾，以爲活命之資。如失路人之忘歸，如喪家子之乞食。吾見其流離奔逐，而淪胥以死也。豈惟如此，纔遇一題，輒取舊文以爲式樣，初時以爲省力，不知耳目增垢，心志轉昏，自家本來靈知反被封閉，不得出頭。即能成文，都是奴才家數，不能自作主張矣。

又《方山薛先生論文》 文字有正有偏，有正中偏，有偏中正，皆當細辨。句句自肺腑流出，而字字着題者正也；不認題目而修飾文采者，偏也；通篇摹寫題意，而間有出入者，此正中偏也；專繪飾詞氣，而偶有一二語直逼本眞者，此偏中正也。大概只要認題爲主，倘認眞作文，而題意看不明白，雖幸而得勝，亦非上乘文字。

又卷三《了凡袁先生論文·與于生論文書》 鄙人嘗論作文之法，大概有五：一曰存心，二曰養氣，三曰窮理，四曰稽古，五曰透悟。夫文出于心，心粗則文粗，心細則文細。其心欝者，其文塞；其心淺者，其文浮；其心詭者，其文虚；其心蕩者，其文不檢。歴歴驗之，若蓍龜然。願吾弟掃除外，好歸併一路，收攝此心，綿綿密密，無絲毫間斷，使腔子内精神常聚，生意常活，此秀才本領工夫也。杜牧之論文，以氣爲先，蓋氣和則文平，氣充則文暢，氣壯則文雄。凡欲作文須先養氣，毋輕喜，懼氣之揚也；毋暴怒，懼氣之拂也；毋多言，懼氣之躁也；毋妄動，懼氣之失常也。動静語默，端詳閑泰，常使太和元氣周流于四體。間發爲文章，自我盎然者出之而已矣。

又《與鄧長洲》 讀書之法，必先整襟危坐，收斂元神，開卷伏讀。優游尋玩，其未得也，綿綿密密，如雞之抱卵，意氣專一，而百慮俱空；其既得也，一言會心，是非雙遣，如龍之騰空，而翛然于塵垢之表。作文之法，在涵泳性靈，使心苗常活；不在躁急心熱，欲速求工。在打透機括，使詞源沛然；不在餖飣掇拾，疲精役氣。不論作文不作文，常要凝定心神，屏除雜念，眼、耳、鼻、舌、身、意，都要在題目上。凝之久久，則文機自活，文竅自通。譬之植木者然，根深則枝茂，乃氣實生華，而非襲取者也。

又卷四《了凡袁先生論文》 文字最忌有下俚氣味，須包容六合，渺視古今。高者薄青冥，下者徹重泉，庶可壓倒元、白。然此不必希慕高遠，只要心地超然，光明潔淨。亦不必別立門戶，只于日用飲食，語默取與之際，時

求合理，惟公惟恕，便不爲鄙穢所染矣。

又 人之才情萬品，約之惟有兩端，非過卽不及也。作文而才情不及者，須抗之使高，縱之使遠，目盡八荒，胸含萬象，庶幾不爲繩墨所窘。若才情稍過者，須範我馳驅，不失尺寸，猶人乘騏驥，逸氣勃如，當以御勒制之，勿使流亂軌躅也。

又 善作文者，須要以有限之詞，寫無窮之意。自首至尾，紆徐委曲，如行九折之河，前顧後盼，令人應接不暇。要有含蓄如維磨丈室，而三千世界俱在裡許。要首尾貫串，如有理供狀，一直到底，無一懶散字。又如岳家軍人人奉法，無不以一當百。

又 文須實詣，乃親切。嵇叔夜作《琴賦》有云：「器和，故響逸；張急，故聲清；間遼，故音痺；絃長，故徽鳴。」句句皆是琴之實用。楊和顔攘皓腕以至變態無窮，數百語極其形容。蓋叔夜善于琴，故言之親切而有味也。

又 作文者專煉句，煉字，而不知煆煉之訣以涵養爲主，推敲次之。琢痕未化，則傷渾融；句調過奇，則傷步驟。此皆養之不厚，而出之不純也。故章法之妙，有不見句法者；句法之妙，有不見字法者。老子云：「已雕已琢，復還于朴。」知此乃識煆煉之法矣。

又 文有神到，有氣到，有意到。神到之文盎然而出，隨括鑄形，或緩若朱絃，而淡中有味；或急如發括，而至理躍如。按之則泰山，縱之則流水。步驟超脱，殆非人力。氣到之文，或浩然不可禦，或渾然不可鑄，或溫然有養，或充然有餘叶。意到之文，思人之所不能思，發人之所未嘗發。或沿枝而尋根，或因拙而索巧，或卽無而生有，或責假而求眞。妙騁心機，出人意妙。有意到而氣不到者，有氣到而神不到者，有俱到俱不到者，須細察之，則人品之高下不能逃矣。

又 作文須要有大方家數。試看前輩文字，雖疎疎莽莽，而局面雅正，日能雄勝諸方。如米元章父子作畫，略施數筆而物態儼然，定非舐筆描丹者所能彷彿也。蓋離小之謂大，凡一切小見識，一切小聰明，一切小議論，盡情刷去。而獨依傍名理，把定規繩如大匠作室，握得規矩停當，而千門萬戶，不勞而定也。又如王者行師，堂堂之陣，正正之旗，而見者自然辟易也。又有所包涵之謂大，凡措詞説理，要醒藉涵蓄，以近而涵遠，以淺而涵深，以淡而涵濃，以一而涵萬。如李龍眠作尺幅山水，不盈數寸，悠然有長江萬里之勢。又雅正之謂大，凡山林寒薄之氣，不可施之廟堂；傖父倨野之風，不可進之禮樂。須要一字一句，正大和平，如端人正士，垂紳正笏，而立于朝廷之上。又無所不通之謂大，文字上要通法眼，下要通俗眼，深要通理窟，淺要通世情。

又卷六《緱山王先生論文》 文章之法，總不離于人情。情生于題，情之用在勢，要不出于鹿門所謂認題布勢數條。顧涇陽、袁了凡更詳言之，可不具論。論其大者，認題以題爲主，題有定法，書法所謂朋字當側，止字當扁，點畫必重，引帶必輕，執之欲緊者也。布勢以我爲主，我無定法，書法所謂一字之體，定于初下筆。就一字中，又有許多變。如此起者，當如此應，運之欲活者也。其外爾我相形之法，總屬認題開闔相生之法，總屬布勢得題得勢者。如西方聖人不假幻師外道，但□其耳輪目廓，而六通之用自神。蓋題中本色，詞意驅使不盡，豈藉他求？惟夫題不分明，勢不在我，而始不免馳騖于題外爲奇，搜剔于題中爲奇，是皆病在不足，非有餘也。而人遂眞以爲奇，過矣。且文者代吾之言，而并以代聖賢之言者也。凡人之言，胸中了了者，必直捷簡易；而憒憒者，必艱澀支離。理直者，必開口見心；而理曲者，必齰齒縮舌。算定者，必寬舒徐緩；而率爾者，必急遽周張。傳實者，必援甲證乙；而駕虛者，必指天畫地。勸諭者，必和顔下氣；而恐喝者，必怒目睜眉。誓衆者，必巷語街談；而召鬼者，必胡音梵字。門高者，必直道家世；而單寒者，必粧點貴游。厚積者，必自諱豪奢；而暴富者，必侈言得意。遠識者，必沉默處後；而淺見者，必議論風生。知言之情，則今日之號爲奇者，病在有餘乎？不足乎？可以媿矣！

又《涇陽顧先生論文》 三曰博古。文中詞意，必須根據，方見有本之學。所以行文貴讀古書，如上自《五經》、《左》、《國》、《呂覽》諸史列傳、六子、九流之言，下自歷代綱目性理諸名家文集策論，俱要揀閲。精粹者，一一讀記，不惟後場該博，而時義中自無杜撰疎脱之病。予觀近來舉子，僅讀《文章軌範》數篇，自以爲胸中有物，此管窺蠡測之見，徒令識者掩口耳。

又 四曰集成。予觀何仲默先生有言：「漢之文人，工于文而昧于道，故其言雜而不可據，疵而不可訓；宋之大儒，知乎道而嗇乎文，故長于循轍守訓，而不能比事聯類，開其未發。故嘗病漢之文其道駁，宋之文其道拘。」

噫，此確論也。所以今之學者，博古之後，當集其成而用之。如《呂覽》、《國策》，則法其高古，如六子，則法其玄博；如四大家，則法其華裕；如程朱，則法其性學。羅百家精髓而時出不窮，令人莫可端倪。譬之富人之家，隨取隨足，斯其爲善屬文者矣。

又 五曰涉趣。文機活潑潑地，非胸中有瀟洒不窮之趣，則爲文不免煙火塵氛，迷障人目。邇來士子拘拘讀舉業書，最是困人，人一困則意趣便不森發。故予嘗謂讀書之暇，當觀四十家唐詩，與《蔡中郎傳》、《北西廂記》。蓋古之律詩，卽今之排比。所以學詩者，不惟得其嚴整，而其含蓄感慨之趣，每每令人醉心。至《蔡中郎傳》，情思逶迤；《北西廂記》，興致流麗。學者細味而吟咏之，則描神寫景處，自有一種仙風道骨。恐不減四家之文矣。且讀書漏深時，令童子烹苦茗焚香，或撫瑤琴，或弄簫管，或朗誦《楞嚴經》一卷，此中若泠然。噓我以清風，而不自知者，其所謂牽纏困縛之態，舒釋盡矣。孰謂涉趣之無補于文哉？涉者，言乎博而不有也。予爲此言頗誕，彼不知者聞之，將縮頸吐舌矣。而在高品同調者，必頓足許我也。然予亦以俟高品同調者，而豈爲不知者言也。

又 六曰化格。看書作文，兩事不同。看書死煞處多，員活處少；作文員活處多，死煞處少。若天分高，學力到，則死煞中求出員活，員活中求出死煞，變化如游龍，不可捉模矣。予觀古人作文，每爲書旨縛住手脚，不得轉舒，所以下筆都是纏擾牽合，絕無化工天趣。如吳江杜靜臺是何等學者，荆川、方山之道，俱賴此君闡揚。大有加惠晚輩之功，只緣他以看書工夫作文，所以理趣雖多，僅學得宋朝文字。故士子須將題格融化，凡提掇呼應，關鎖起伏諸法，一氣渾成，絕無痕迹，方是高手。

又 七曰繼功。文義乃是理學，生活最忌心粗。若功夫間斷，則精神意氣便覺收攝不來，搆思則枯而無味，泛而不切；遣辭則俚而不文，晦而不達。故士子當講貫之暇，卽宜命題爲文，日就一二草。久之則文機自然熟爛，理趣自然橫溢矣。

又 八曰詣極。文章家□□有奇古，有雄傑，有渾厚，有豐潤，有雅逸，有清爽，先儒所謂習焉而各得其性之所近者是也。然莫不有極□之地。士子造詣，必須隨其質之優爲者，而各造其極。若秦青之謳，韓娥之歌哭，甘繩之射，泰豆氏之御，方成一家。是故兩司馬之文，漢文之極者；程朱之文，宋文之極者也。其文不同，而要于成名則一也。邇來士子專爲應試之文，求合主司之目，雖幸博一第，而文章絕不足爲世法。甚至負英邁之質者，因亟于狗時，降爲齷齪卑瑣，而尤終身不得有所成就，亦足悲矣。予嘗謂出處有時，而文章不可加損。苟詣其極，則精之所通，天必佑之，未有不爲世用者也。況仰棄高明，而俯就卑暗，卽相過且捫心媿矣。昔老蘇文雄當代，卒爲眉山布衣，天遂大發，甚二子而其名亦以聞于世。嗚呼，天亦何負于能文者，而必欲拘拘爲狗時計哉！

又《論作文》 文字不論奇正何如，先以說題瑩透爲主。說題既透，然後觀其運用之活與不活，神氣之厚與不厚。若先自支吾兩可，則雖有聰明才思，不過點綴眉目以爲工，抹塗影響以藏拙，豈能逃識者肺肝之見哉？然要說得題到，須先識題。夫有題之皮膚，有題之觔骨。吾舍其皮膚而操其觔骨，故片言而有餘。不然費盡心力，只成一篇訓詁。如辛未會場「先進」題，從「先進」字面，此題之皮膚也；而「先進」之所以當從，則題之觔骨也。程講云：「禮樂所以養德也，而養德者宜處其實，不宜處其華。所以維風也，而維風者宜居其厚，不宜居其薄，以求諸實，先進有焉。有其實，則用以治心而心平，用以治身而身正。周公之懿範猶存，固吾所夢想者也。雖戾于俗，奚恤乎以求諸厚？（云云）」正解從先進字面，只吾所夢想，雖戾奚恤二句，餘皆解先進所以當從處寫，得十分精神，所謂得其解者，故爲從來程文之冠。

又《思白董先生論文》 賓。昔洞山禪立四賓主：主中主，賓中賓，賓中主，主中賓。故曰我向正位中來，爾向賓位中接。又曰忌十成死語。文章亦然。一部《莊子》，莫非寓言，並無一句犯正位。然未嘗一句離正位。若一犯正位，則如《逍遙》、《齊物》、《秋水》諸篇，正意不過數句可竟，何得蔓衍恢奇乃爾？何謂正位？正位者，主也。正位如君王拱默威嚴，外人莫睹，而三公九卿六部五府，皆承天子威光，建立功業。若必要天子口倡手捉，濟得甚事？《詩》則賦爲主，比興皆賓也。《易》則義畫爲主，六爻皆賓也。以時文論，題目爲主，文章爲賓；實講爲主，虛講爲賓。兩股中或一股賓，一股主；一股中或一句賓，一句主；一句中或一二字賓，一二字主。明暗相參，生殺互用，文之妙也。故或進前一步，或退後一步，皆謂之賓。或斤斤講，而題意乃不透露，是高品、俗品之分。蘇子瞻《表忠觀碑》，惟敘蜀漢抗衡不服，而錢氏順命自見，此以賓形主也。此皴毋論，前輩大家名家，但執管者，

卽已游于其中，自不明瞭耳。往往有單門淺學而蚤取科第者，彼雖不知所以，要未嘗不暗合。若有不合，則永斷入路耳。第能合之則拍，拍成令。雖文采不章，而機鋒自契。今夫農人之歌，豈知聲律，然一唱衆和，前輕後重，若經慣習，雖善歌者不能易之。于此見人心，有自然之節奏，以此機相感，洒然善矣。但不可作賓中賓，謂于題目旁意中又入旁意，則是臣子不奉天子威光，擅自稱制，乃野狐禪也。惟賓中有主，主中有賓，步步戀着正意，而略不傷觸，乃爲賓字法門。且如有《王者必世而後仁》，講者曰：「如有王者躬膺帝命，應五百之昌期；統繼神明，開兩間之泰運。」此著實依題目「王者」二字講，乃犯主也。中間二比云：「聖王之精神雖易達，而欲使天下固結于吾之精神；必其精日運而世與民相貫徹焉，然後耳目一而渾然其大同也。明王之德澤雖易孚，而欲使天下融液于吾之德澤；必其澤日流而世與民相涵濡焉，然後心志聯而怡然其共適也。」此依題講「世」字、「仁」字，乃犯主也。會元則云：「治之極于仁尚矣，天下無一日不以仁望于王者。」「乃王者則未嘗以旦夕而求仁于天下。」此賓也。「吾試度之，如有王者作也，其必世而後仁乎？」惟此是主也，自此以下云「道至于王，固轉移之下有神機」，賓也。「而治至于仁則大化之成，無速效」，主中賓也。「德教所敷不崇朝，而通天下可矣」，此賓也；「然可以遍天下，不可以深入乎天下」，此主中賓也；「試舉一世而時雍之」，是賓也；「是必世而後能也」，此主也；「王者日以其精神心術與天下相流貫」，此賓也；「而至于一世」，此主也；「則所隆施久矣」，此賓也；「天下所以咸若其化也」，此主也；「不然非悠遠而求博厚能乎哉」？此賓也。「信乎未至于世雖欲有恭，恭之績而亦不可得也，功深則弗可驟也」，此賓也；「既至于世雖欲無熙熙之俗，而不可得也，化積則弗可掩也」，此主也；「而曰雖欲無，曰不可得」，是主中賓也。以此推類，靡文不有。

又卷七《洪陽張先生論文》 作文是替聖賢說話。必知聖賢之心，然後能發聖賢之心。有一毫不與聖賢語意相肖者，非文也。譬之傳神然，眉目鬚髮有一毫不逼眞者，非爲良工。

又 作文要知所忌，則文自工。忌粗、忌俗、忌庸、忌泛、忌弱、忌冗、忌生、忌空、忌踈、忌促、忌險、忌穉、忌滯、忌板、忌晦、忌混、忌淡、忌顚倒、忌斷絶、忌雕琢、忌詭、忌啞、忌贅、忌澀、忌杜撰、忌套、忌合掌、忌叠床架屋。精則不粗，雅則不俗，俊則不庸，切則不泛，健則不弱，潔則不冗，熟則不生，實則不空，密則不踈，暢則不促，平則不險，鍊則不穉，順則不滯，活則不板，顯則不晦，醒則不混，有味則不淡，妥貼則不顚倒，貫通則不斷絶，自然則不雕琢，正則不詭，音律明亮則不啞，便則不贅，滑則不澀，典則不杜撰，清新則不套，流水則不合掌，詞意變換則不叠床架屋。

又 今人作文，多爲艱險之句，自謂新奇，而不知其爲怪；多爲鈎深之意，自謂精透，而不知其爲詭；多爲蔓衍之調，自謂昌大，而不知其爲浮；多爲生澀之語，自爲莊健，而不知其爲枯；多爲輕佻之談，自謂員逸，而不知其爲野；多爲庸俗之詞，自謂平正，而不知其爲腐。此皆嫫母而效顰西施者也，誤矣。題常則意欲新，意常則語欲新。顯典淺三字，顯與典人則知之，獨淺字人不知，則失于太淡。蓋淺非膚淺，對艱深而言耳。

又《石簣陶先生論文》 文有意到，有語到，古之人蓋亦有意至而語未至者矣。夫瞭然于心胸之間，而詞不能宣，故繁而不約，偏而不員。繁似博，偏似奇，凡專與奇，殆亦古人之病也，而其善不在焉。今之效爲古詞者，烏能詞哉？詞者意之極，而淡者詞之極也。其入深者，其出必淺，其造端也甚難，其成章也似易。不知者率然而讀之，未能知其工也。蘇子瞻云：「揚雄好爲艱深之詞，以文淺易之說。」若正言之，則人人知之矣。文有以艱深而眞淺易者，揚子雲是也；則豈無似淺易而眞艱深者乎？蘇子瞻是也。今之爲古詞者，已未能病，而易古人病病焉。轉相易以爲舉業，而陋益甚。累篇連牘而已，未嘗置一語，吾何由窺其意哉？而又自喜以爲奇博爲艱深。噫，其亦過矣。

又《定宇鄧先生論文柬一通》 文章家有正有奇。如此題應上下做，虛實做，輕重做，對做，串做，斷做，不牽不強，詞平氣平，此便是正。但做得有把捉，有挑剔，有點綴，有起伏照應，有休認發揮，不俗不浮，理到意到，此便是奇。今人以淺薄踈庸爲正，却喚做水平箭，豆腐湯；以險怪迂誕爲奇，却喚做打空拳，說鬼話。不知文章家正不如此。所謂智者賢者過之，愚者不肖者不及也。

又《鄰初顧先生論文》 文章之妙，不在排比鋪張，第一義在認題說理。題認眞，卽一二語當足，使亂者解，隱者顯。它人卽煩其詞說，終不勝也。其行文之妙，不在實景，在虛景；不在比語，在冷語。色飛頤解，政如西

子、太眞，卽其位帷昵枕，雖復淫靡，餘味索然，不若無意中停眸一盼，反使人神情欲死耳。

又《寓庸黃先生論文》 文之有機，如弩之有機，善射者握之，箭箭相當，鋒鋒相值。作者之巧與覽者之玄相觸，而動如磁石之引鍼，皆機之爲也。有氣而無機，則氣爲死煞直徑之物，入口易竟，便如嚼蠟矣。機貴虛，貴動，貴迅，貴旋，忌板，忌實，忌重。高文有高之機，卑文有卑之機。有篇中之機，有股中之機。取全于開闔起伏，而妙于一句一字。轉盼交睫之間，如水魚雲鳥，翔泳不已。然機不在氣外，卽行乎氣之中，而與萬竅合者，語所謂搔着癢處是也。氣屬力，機屬巧，孟子曰其至爾力其中，非爾力也。機以靜悟，亦以習熟，莊子運斤承蜩之言，可以爲喩。

又卷八《武叔卿論文》 文字妙意，全在題外，然須索之題中，方能得之題外。若遽索之題外，則又失之題中。如荆川先生《惟君所行也》講云：「或進而與先王同其善也，雖曰諫行而言聽，臣與有榮焉，然而善則歸于君也。或退而與後世同其陋也，雖曰諫不行而言不聽，臣與有辱焉，然而過則歸于君也。」此等意在題外，然細玩口氣，則又本之題中。妙體心曲，可爲晏子傳神。此先輩作文之旨趣也。

又 善爲文者脩意，不善爲文者脩詞。脩意者意到而詞自工，脩詞者詞勝而意反隱。如王緱山「三軍可奪帥也」一節，講云：「使人而可恃，天下孰有強于三軍之帥者哉！然帥且寄命于三軍，而何得以有其軍？三軍且懸命于敵國，而又何暇于衛其帥？故有兵將相疑而爲敵資，亦有兵將相用而爲敵擒者。此其奪之誠易，而時強時弱，誠不可必矣。」此等會文切理，初若不脩詞者，然意既懇到，詞亦精工，以是知脩意之爲上也。

又 做文字第一要理路熟，熟則胸中無滯礙，筆下無齟齬。伸紙揮毫有如遊利刃于脆物之中，驅輕車于熟路之上，更無有難之者。若理路不熟，則竅竅必塞，竅竅既塞，則筆意必阻，阻則艱澀舛錯之病，無往而非是矣。文豈能通達而無弊乎？夫理何以路言也？卽如四海九州方域各異，而路未始不通。要歷九州，須素習其道里之遠近，夙諳其山川之險夷，熟識其途路之出入。然後舉足走去，到處可通。若有一處不熟，行至中途，必費躊躇。纔去尋問，便遷延紆迴，躭悞時日矣。夫道路不熟，不能行遠也；而理路不熟，獨奈何爲文乎？

又 詞必根委于《六經》，少潤色以子史，然後高而不失之玄，奇而不失之詭。今之修詞者，厭常喜新是矣。但《六經》棄之弗遵也，傳註屏之弗用也。始用子史之雅馴者，今則撮取怪僻矣。始竊老莊之近似者，今則顯用空玄矣。附會穿鑿，離經叛道，經義之弊于斯爲極。有志者不可不痛懲之也！

又 豎立者，骨也；而聯屬者，筋也。筋附于骨，骨維于筋，相須而不離者也。但骨之爲物也堅，堅則能植而不能動；筋之爲物也柔，柔則能屈而亦能伸。故效骨之用者，必有賴于筋也。文字豎立擔當，骨之力居多；而聯絡斡旋，筋之用最要。學者不可不察也。

又 質者，所受于天之資，是聰明才辨之所自生也。質之生文，猶素之受采。其元元本本，根柢之極致乎？故質者，本也；文者，末也。質者，實也；文者，華也。末而根之于本，華而茂之以實，斯不野不史，彬彬然質有其文。若質不足，而文徒工焉，則繁文耳，靡文耳，所謂務華絶根者也。故善繪者先敦素，善文者先培質，培質所以培文之基也。

又 質所以基文，而學所以變質。故袁了凡謂善作文者先正其心，善竄文者先改其習。此正表澄源之道也。奈何輕薄子，反藉口文士不羈之説，以肆其猖狂妄誕之習，不知士先器識，而後文藝。器識不足，卽盧、駱、王、楊尚不得爲佳士，況其下乎？此輩縱負才名，多挫折不發，縱發亦不能遠大，所爲承受無地耳。吾願學者，務虛心以牧己，勿傲氣以凌人；務充養其所不足，勿矜詡其所有餘。恂恂默默，冲虛自守，斯質可還醇而文不難變也。

又 品格者，天分中之等級也。高者不能抑之使卑，卑者不能亢之使高。且如世間貧賤人，自有貧賤之品格，富貴人自有富貴之品格，仙佛家又自有仙佛之品格。品格一定，則貧賤者決做不得富貴，富貴者決做不得仙佛。此稟受之定體，非力所能移也。故文章家亦有神品，有妙品，有能品，有具品。神品者，脱于塵凡入于化境，猶人之所謂仙人聖人也，品之上焉者也。妙品者，饒于才情，精于義理，猶人之所謂賢人君子也，品之次焉者也。能品者，工于推琢，善于組織，猶人之所謂才人藝士也，品之又次者也。具品者，才不過人，詞僅達意，猶人之所謂等夷齊民也，品之凡焉者也。文品不同若此，至于庸腐者，粗俗者，卑鄙者，陋劣者，皆下品也。下品則廝隸輿皂之屬，斯無品矣。

又 文之有法也，猶器之有規矩準繩也。離婁雖明，公輸子雖巧，然而

舍規矩則不能爲方員，外準繩則不能爲平直。何者？無法則無所恃以用其明巧也。爲文而不以法，是制器而不以規矩準繩也。即有聰明心思，無所用之矣。

又 夫法者，何也？猶導水者之有堤防，用兵者之有部勒，所以整齊約束而納之範圍者也。導水無堤防，必有衝決之患；用兵無部勒，必有潰亂之虞；行文無法律，必有氾濫之病。故縱橫者勢也，馳驟者步也，而所以制其勢而不使之蕩，閑其步而不使之軼者，法也。反覆者，意也；變化者，格也；而所以約其意而歸之于中，裁其格而歸之于正者，法也。是法者，尺尺寸寸，高者不得有所增，卑者不得有所減也。

又 大法有四：曰篇法也，股法也，句法也，字法也。四法不明，文不可得工也。要之篇法如製錦，要在綜理分明；股法如弄丸，要在轉移員妙；句法如敲金，要在音節響亮；字法如琢玉，要在刻畫精工。此大概也。然而字法在句法之內，句法在股法之內，股法在篇法之內。篇法妙，則股法自員；股法妙，則句法自穩；句法妙，則字法自工。一以貫之，非有二也。至于破承有法，起講有法，提掇、過接、小講、大講、收繳、束結，俱各有法。詳載了凡觳率中，學者一一窮之，斯不乖于法矣。

又 要法有六：曰操縱也，闔闢也，抑揚也，起伏也，頓挫也，錯綜也。何謂操縱？弓之一張一弛者是也。何謂闔闢？戶之一閉一啟者是也。何謂抑揚？舉之一卑一高者是也。何謂起伏？鳧之一出一入者是也。何謂頓挫？砌叠者之勢陡更易，縫相參差者是也。何謂錯綜？組織者之一左一右，一低一昂者是也。文字千變萬化，雖無定法，大要不越是六者。能盡六者之變，縱筆所如，無有或差者矣。

又 法要謹嚴，亦不要太嚴。繩削太過，則筆勢必窘。法嚴累氣，理所必然耳。譬如鶴舞空庭，則翩躚可愛，而樊欄太窄，則羽翮不揚矣。驤騁康莊，則追逐如風，而御勒太急，則步驟不舒矣。大抵法不嚴，則文不整栗；法太嚴，則文不疏蕩。寬嚴相濟，操縱兼施，斯善用法者也。

又 法之體方，而法之用員。故立法欲死，用法欲活。如輪扁斵輪，豈能不循規矩？至其甘苦疾徐，得之心而應之手，則又巧運規外，而法極無跡者也。文字安排布置，雖有一定繩墨。至于操縱闔闢之盡變，離合出入之盡神，非活法不能。若執極而不變，則拘泥而不通矣。故用法而不泥于法，斯巧于用法者也。

又 杜靜臺備論諸格，而又撮其難者六格：一曰一滾格，二曰連珠格，三曰中紐格，四曰兩（活扇）格，五曰兩扇遙對格，六曰影喻格。推原引喻可謂深切明著矣。余意初學，欲窮變化須從單題下手。蓋單題有提有反，有小講，有大講，有繳，有束，而其中操縱闔闢抑揚起伏與錯綜頓挫之法，挑剔轉折之勢，無不畢具。能盡單題之變，其餘則舉而措之耳。大抵單題體分八比，勢難一直到底，須層叠其意，反覆其詞，馳騁其步驟，紆迴其波瀾。如登層臺上，一層更有一層，而委曲周旋有無限轉折，如泛江河，行一灣、更有一灣，而蕩漾縈洄有無窮波浪，斯爲盡制。郭青螺云：「單題貴前不突，後不竭，如溪壑之水漸入江淮，江淮之水漸入河海，其中激灎滔騰，叠見層出。始稱奇觀，若突然起、蹶然涸，便不佳矣。」前輩唐瞿諸名公得其宗旨，厥後源流相承，益窮變態。如金聞野舊令尹「之政」三句，張小越「魯衛之政兄弟也」，余漢城「有童子以黍肉餉」，黃葵陽「彌子之妻」，顧涇陽「孟子見梁惠王」，郝楚望「于子有其芬苑主」，緱山「有求全之毁」等篇，詞意層叠，如雲蒸霞變，可謂曲盡小題之妙境矣。初學熟讀細玩，自當有得。

又 文字格局，各像其胸襟。胸不同襟，則格不同局。大凡有一樣提掇，必有一樣應接；有一樣鋪叙，必有一樣收拾。裁制天成，不可移易。如辛未會試「生財有大道」一節，鄧定宇于中四句不用提掇，故四比分做，黃葵陽用提掇，故二比合做。鄧既于中間做四比，則末句不得不做二大比。若更作四比，則瀾散矣。黃既于中間做二比，則末句不得不做四小比，若復比二比則窘束矣。此裁制自然之局，不可得而移易也。格有須鍊而後成者，有不假鍊而自成者。鍊而後成者，人力結構之巧也；不鍊而自成者，化工渾成之妙也。大抵會元卷格法，多是自然天成，即有鍊者而渾融純雅，初無鍛鍊之迹。若魁卷便鑿鑿逞巧，咄咄露奇，雖見匠心，終乏天致。讀鄧定宇、李九我會試卷，便知元之所以爲元矣。

又 文字須輕徐敷衍方有致。若操持太急，筆削太嚴，則風神拘窘，致安從生？故善作文者，惟于關鍵所在，如提掇過接收繳處，極力結構。其餘只隨手稱意，平平衍去，便覺步驟舒徐，風神瀟灑，且見文字有操縱。若一步一趨，一句一股，皆要着力，則束縛困苦之狀，滿篇皆是矣。如人威儀舉止，當于見賓承祭時費些矜嚴，其他平常起居，亦必安閑舒散。若時刻都要

矜持，雖恭而不泰矣。卽夫子在朝廷，則色勃足躩，及燕居，則申申夭夭，是何等風致。

又 文字要玲瓏，全在寫景，然景由境生者也。欲臻妙景，須履實境。如山水自有山水之景，草木自有草木之景，雲霞自有雲霞之景。須以身涉其趣，神契其妙，方能形容逼眞。然謂之曰景，又不可以形迹言也。須以虛境游衍，以微詞點綴。若有若無，若遠若近，如畫工圖物，望之色相儼然，而卽之形質無有，斯爲佳耳。若直露形迹，番成麤淺。前輩謂鏡花水月，可玩而不可捉，此善言景者也。

又 景由境生，亦由情會。此自人懷抱中來，故光景要好，須意興要佳，而意興要佳，須胸襟要大。且如蘇長公《赤壁》二賦，抽寫光景，何等逼眞。而要其當時襟次，眞有齊萬物爲一體，通古今爲一息者。若非有此胸襟，安得有此光景？可見文章出自襟懷，彼齷齪者安能佳？景不必求之太深。天地間事事物物，各有自然色態，各有天然景致。能以意會，卽輕風淡月，淺水蘆花，亦自成景。故曰目前之景，爲景更眞。

又卷九《武叔卿論文》 文字謂之做。做者，工夫造作之謂也。玉石雕琢始成器，綺錦組織始成章，事詞結撰始成文。故有一筆寫成，不加點竄而自工者，此神到之文，尙矣。其次須精思細改，如大意草創已定，便從頭至尾一一點檢。理有不合處，須會之使合；意有不肖處，須協之使肖；氣有不順處，須疏之使順；機有不圓處，須煉之使圓；血脉有不貫處，須融之使貫；音節有不叶處，須調之使叶。如此仔細推敲，自然萬無一失。倘一時潦草，便爾苟安，微有瑕疵，人得指摘。昔歐陽公爲文既成，則書而傳之屋壁，出入觀省，數自竄易，至有不留李初一字者。先輩精審如此，今人率爾塞白，謾矜倚馬，是不知用工夫也。

又 讀書作文，先要正其師法。王元美先生云，李獻吉勸人勿讀唐以後文，吾始甚狹之，今乃信其必然耳。記問初雜下筆之際，自然于筆端攪擾驅斥爲難，余謂做舉業亦然。若初時門路不正，趨向不端，一切記問穢雜，盤塞胸臆。後來卽欲更生新警，却被舊聞纏結不得出頭。如此苟安，便自誤了一生。此有志者不可不早圖而亟反之也！

又 文字未有不法古而得者。雖作時文，亦必取法古文，然後格不卑，調不俗。蓋文字骨格調法，盡備之古文中。不讀古文，卽俗氣稚氣不能脫，安得有卓識高論哉？噫，此可爲好學深思者道，難爲寡聞淺見者言也。讀古文，要在借之以渾其氣，蒼其格，高其調，秀其色，脫體換骨。出入于古文，而不自覺，方爲善法古。今士子不讀古文者，勿論矣，間有讀古文者，不知求合于精神，切會于骨理，而徒爭肖字句之間，依希影響之似。雖規模畢肖，神情竟別，是又效西子之顰，而學邯鄲之步者也。何足貴乎？甚者不論書理，輒參以老莊玄寂之談；不諳題旨，概飾以子史詭僻之句，尤謬之甚者也。善乎郭青螺之言曰：「《史記》非不可讀，而以史繹聖語則謬；諸子非不可讀，而以子文經旨則盭。」故必本之《六經》以正其宗，參之性理以端其趨，旁搜諸史以蒼其格，偏採諸子以華其色。舉子業如是足矣。法雖取諸古人，機必本之自得。故李于鱗謂不以規矩，不能成方員。擬議成變化，日新富有。自謂于古，摭其華而裁其衷，琢字成辭，屬辭成篇。王元美又稱其于法不必有所增益，而能縱其夙授，神解于法之表。句得而爲篇，篇得而爲句，卽所稱古作者其已至之語出入于筆端，而不見跡。未發之語爲天地所秘者，創出于胸臆而不爲異。嗚呼，斯擬議以成其變化，可謂善於法古者矣。

又 文字氣格欲古，詞意欲新。故韓子爲文，惟陳言之是去。非不法古也，去古之陳言，正所以法古之精蘊也。宗子相不云乎，人性之有文，猶天之雲霞，地之草木。雲霞之麗于天也，是日日生焉者也，非以昔日之殘雲斷霞而布之今日也；草木之麗于地也，是歲歲生焉者也，非以今歲之萎葉枯株而布之來歲也。人性之有文也，是時時生焉者也，非以他人之陳言庸語而借之于我也。由此觀之，可見人心靈變無窮，生意日新未已。只是人沿襲舊套，不肯殫精極思，故隨波逐流，不能振立。若能一洗陳言，獨攄警策，盡刬庸腐，變爲新奇，豈不斲輪手段？以是知擬古者非能法古，變古者，乃眞能法古者也。

又 石韞玉而山暉，水懷珠而川媚。文字俗淺，皆因蘊藉不深；蘊藉不深，皆因涵養未到。涵養之文，氣骨自然渾厚，丰彩自然朗潤。理有餘趣，神有餘閑，詞盡而意不窮，音絶而韻未已。所謂淵然之光，蒼然之色者是也。程明道謂子長著作，微情妙旨，寄之文字蹊徑之外。此無他，惟其涵養到，蘊藉深，故其情旨深遠若此。至若無涵養之文，神躁動而不寧，氣粗浮而不雅，機阻塞而不通，語鄙俚而不細。或褊淺無邊幅，或跼蹐無風致，或情景不宛篤，或義意不切至。觀其傾吐若此，便可概其中藏，窗下工夫可無問矣。

又 文字要入堂奧，須用實詣工夫。不然，擬議於形迹，想像于門外，未有能際其閫者也。譬如有人于此，要圖京師一幅眞景，須實詣京師，將彼中景物一一歷遍，熟于目，識于心，無分毫差爽，然後圖寫出來，纔得逼眞。若身未曾到，或到而歷覽未曾遍，便去模寫，必有錯謬而不合，滲漏而不周者，此必然之勢也。是以吾輩讀書，先務格物窮理。以之闡理道，必析其性命之精；以之議政事，必究其施爲之略；以之評人物，必極其臧否之辨。舉凡天地間事事物物，無巨細，無精粗，無一不從身心中體驗過。卽如讀一部書，看一篇文字，必須原始要終，詳究其精神心術之所在。如此着實造去，然後做出文字，方是以眞見寫眞境。若平日不用實功，臨時纔去以臆見揣厚（摩），不是理路不明，便是意思不到；不是情景不眞，便是語句不切。縱有凌空駕虛之才，終是捉風捕影之見，欲以涉藩籬而窺堂奧，難矣！

又《顧仲恭論文》 昔孔子稱君子有三戒，而佛氏亦言戒如平地。戒之爲言，非其至者，然所以揭迷途而垂永鑒，不可易也。至於時義，宜亦有之。余潛心斯業約有數載，偏閱今昔諸名公之作，非不妙析奇致，異錦同工。其能一臻正度，粹然無瑕者，蓋亦鮮矣。揆厥所蔽，源流實繁：或濫觴于先哲，或創見于流輩。迺至充塞憯莫之懲，遂令承學之士濡染成風，沉淪惡道不能自脫，予是用憫焉。觀覽之暇，輒復論辨。先其易者，後其卽目，爲時藝三十戒，置之座隅，用以自儆。因使夫適道者不惑，聞義者樂遷。若以爲雌黃先輩，彈射名流，則吾不敢也。又篇中多所參駁，罕所直指者，蓋病候既審，自知救藥之方；旁蹊盡塞，無復周行之示。過此以往，自在能者得之，不可以筆舌傳也。

又 死。文之悖者無論已，其不甚悖者，則當論其筆機之死與活。夫世豈無淺學陋品而早取科第者？然粗粗看之，若非有一種輕薄，必有一種腥膻。輕薄近於瓏鬆，腥膻近于生發。卽此二種，皆生機之不斷絕者，所以按庸人之好也，若併此機而絕之，雖盲者亦見而棄之矣。曰枯木古石，反有見而愛之者何？曰：此亦必有一段光景，令人會心者耳。大枯楊之根，柱礎之石，未有見而愛之者也，文章死活之辨如此矣。然極論活之妙，雖使王唐復生，未必能盡其致也。

又 誤。有誤于字者，有誤於旨者，皆不讀書之過也。凡此兩誤，累紙難盡。如舉其略，如「舛」與「踳」一字也，或改「踳」爲「蹐」，而有「舛蹐」之文。「創」與「剏」亦一字也，或讀「剏」爲「幷」，而有「剏創」之語。「密勿」二字讀爲「黽勉」，韓詩「密勿同心」，《漢書》「密勿從事」可證，何乃與「九重」、「五位」等語同用。《楚辭》「圓鑿方枘」，以方圓不相入也，何乃改「枘」爲「柄」，而云「枘鑿不相入」。《莊子》「莽蒼」，註云「近郊也」，而或以爲倉卒之義。《在宥篇》中，意義自明，而或以爲寬宥之解。此等皆誤于字者也。《泰伯》端冕以洽《周禮》，而稱其斷髮文身。公孫衍、張儀皆衡人，而稱其或從或橫；接輿，楚狂字，而或解爲接孔子之輿；膠鬲之魚鹽，在未事紂之先，而或作箕子。膠鬲文云魚鹽之事未興，晉國天下莫強，正在梁惠王初年，而多認爲未分之晉。不親迎贅婿也，而多解爲殺禮之說。見孟子雪宮，而以爲館孟子於雪宮。孔子實爲陳侯、周臣，見《闕里志》，而屬之司城貞子。至于詩義，斯弊益繁，如「蜎蜎者蠋」，蟲之孤獨者也，而皆以物之聚居反興人之獨宿。「有棧之車」，卽士所乘棧車也，而以爲兵車。如斯之流，不可勝載，此皆誤于旨者也。乃若匏瓜不食，爲其共濟，而以爲不飲食。長者折枝義同折腰，而以爲折草木。碩鼠之非，有五技夏屋之不爲屋室。鄂不之字當爲蕚，跗竊脂之義宜作淺白，則皆誤。起于前人，謬仍乎既往，予未暇此辨也。嗚呼，安得多聞闕疑者而與之正斯文之譌乎？

又 弄。得文之妙者，必能遊戲三昧，出入自如。此猶沒人之操舟，劍俠之飛步，皆由神巧而得之，非強以爲戲也。而輕薄之士，高自誇詡，未立而欲行，獻常而索幻。或創變體以見奇，或聊寓意以博笑。以明經之語爲戲玩之具，亦可嗤也。著之爲好事者之戒。

又 傚。今之文人，或主于法成弘者，蓋由于貴耳賤目，淡見甘聞，厭時刻之陋，而不知昔人之偏也。不知昔之與今各有短長。今人所短者，因于文章法度多置焉不講，故其體日至敗壞。昔人則縱不得其妙，亦不失其體耳。至王辰玉學藝初言必欲極貶今人，而盛稱昔人，其詞非不爛然可聽，然亦嘗細細評論，唯王唐諸大家或足當之耳。其他名家而外，多犯今時之弊。而今之名家，反多得古人之妙者，未可以一概論也。大抵古之人善用實，今之人善用虛。兩言足以蔽之矣。若復捨今人之虛，而傚古人之實，棄其所長，用其所短。譬之學邯鄲之步，未有不兩失之者也。近有一文人欲刻畫先輩，但未得其骨而僅得其皮。且不復成弘之體，而沿正嘉之末，其所爲文雜穢難近，而自擬于名家，吾不解其謂何也。

又衍。知古人之長而棄其短，識今人之短而取其長，則文之虚衍也必矣，曷言乎？衍之當戒也。曰虚衍之與敷衍，毫釐千里，不可不辨。

又掇。語雜之病，起于掇拾。凡好學之士，其文自博洽。譬如富貴之家爲客開宴，雖珍異錯陳而燦然若一。《詩》所謂「惟其有之，是以似之」也。有等輕薄之子，手披文籍，則瞶然恐寐目眩，疑義則痛若疾首。乃至操觚之際，輒欲以博爲名，以多爲貴，亟搜纂要之書，旁掇論策之語。苟摭近似，莫暇闕疑。故其語意多雜，其引用多誤。譬如丐兒之橐，無所不收；貧士之衣，多方補綴，此正其空乏之極。而俗目無識，便擬爲多聞廣記之士，眞可恨也。若其不由掇拾，本自肥胖者，亦所當戒。

又膚。談文之家，必曰顯淺。蓋其致微而能暢之使顯，其入深而能出之以淺，乃文章之眞境，非末學之浮辭也。而出人不解，便以深沉爲異，膚陋爲常。言仁則曰太空，言義則曰變通，言性則曰淸虚，言知則曰講明。若此之謬，相沿莫革。如吳會元首義，可謂興到之文，至收處二比，強欲融會，便多皮傅之語矣。凡膚之屬，以僞益眞者，謂之飾；以字失意者，謂之影；以語冠題者，謂之套；取彼附此者，謂之幫。各有辨。

又套。凡文相機而爲體，則無套格；隨題而發意，則無套語。弘正以前不爽斯則，迨嘉靖之末，文體卑讓，紛紛惡套出焉。按《升菴集》所載，破題謂之馬籠頭，處處可用也。又謂舞單鎗，兔一跳而上也。起語百餘言，謂之壽星頭，長而虚空也。其中例用「存乎、存乎」，「謂之、謂之」，「此之謂、此之謂」，「有見乎、無見乎」，名曰救命索。不論與題合否，篇篇相襲。師以此授徒，上以此取士，不知何所抵止也。當時之文，可謂套之極矣。賴隆萬之初，肅然再淸，至于今日，此風復熾。拾《史》、《漢》之陳言，勦《莊》、《列》之僻字，一人狂吠于前，千人承餘于後，互相沿襲以爲美談。逢陣便擺，不復揀擇。每眥學者至則累牘書而禁之，而卒不能止也。文字之套一至此，又豈止如用。

賀貽孫《二周古文合刻序》 文章之道，譬之畫家，氣韻本之居體，神彩生于運筆，然而有得于居體運筆之先者矣。【略】 熙朝以舉業爲時文，士子應舉者束于排比格律，而解衣盤礴之致始亡矣。其間或有不羈之士，以其才思，旁出于序記書論諸體，別其名曰古文，而科場事迫，歲月難給，父兄師友，動色相戒，以爲舍本逐末，有妨進取。迨至登第服官以後，英華果鋭，消磨已盡，然後勉強應酬，以充筐篚饋牽之具，而解衣盤礴之致又亡矣。

又《徐巨源制義序》 夫古文有古文之律令，所謂開闔操縱是也；時文有時文之律令，亦所謂開闔操縱是也。若夫程之以排偶，拘之以功令，繫籍之以聖賢之名理，則爲時文難，而以古文合時文尤難。以古文合時文者，離合無端，其多爨鼎而夏造冰乎？其調瑟音廢一于堂而宮角皆應乎？其改調一絃于五音無當，而二十五絃皆動乎？此其變化出入，蓋有不期合而合者矣。

又《與友人論文書四》 足下云大家古文，所以過人者，厚也，秀也，遠也，肆也，是則然矣。雖然，更有進于是者，足下知之乎？如均一厚也，而有高厚焉，有博厚焉。太華千仞，崱屴無垠，呼吸天門，環抱日月，若是者高厚也；屈注天池，倒連溟渤，蛟龍萬怪，變眩莫測，若是者博厚也。此二厚者不可不辨也。均一秀也，而有美秀焉，有隱秀焉。春蘭始香，夏榴初笑，天然冶麗，不設繪絢，若是者美秀也；玉氣藏虹，珠胎含月，烟籠霧縠，劍埋龍文，若是者隱秀也。此二秀者不可不辨也。均一遠也，而有幽遠焉，有平遠焉。寒碧數疊，黛山一髮，古洞無人，微泉獨響，若是者幽遠也；長尋高眺，惟水與空，人烟斷續，歸鴻滅沒，若是者平遠也。此二遠者不可不辨也。均一肆也，而有豪肆焉，有醇肆焉。神龍出淵，搖鬣直上，掣電奔雷，莫可夭閼，若是者豪肆也；劍舞霜飛，渾脫瀏離，手調技熟，出神入鬼，若是者醇肆也。此二肆者不可不辨也。高以崇其體，博以壯其勢，美以華其色，隱以全其神，幽以邃其境，平以適其度，豪以鼓其氣，醇以圓其機。夫其所謂體也，勢也，神也，色也，境也，度也，氣也，機也，得意疾書，其出之手者同也；及其高也，博也，美也，隱也，幽也，平也，豪也，醇也，微茫錙銖，所成于性者異也。以吾之手就吾之性，以吾之才就吾之學，引而伸之，觸類而通，則異者可同，二者可一也。凡此皆古文之蘊，而爲時文者所不可不知也。

周琦《文詞談》 今人作文字，何必直學老、莊，尙其詞之老蒼。尙其詞者，必害理，故老、莊不入聖賢之道。何不學之經傳？經若《檀弓》，傳若《孟子》，詞理皆勝可觀，又何必直學韓、柳。韓之與柳，詞客而已。何不學之周、張、程、朱？其皆理學，文章縱不能及，亦不害理。若學韓、柳不能及之，其理既害，其詞亦失，卒至於韓不韓，柳不柳，詞理胥失矣。文章以氣爲主。所謂氣者，乃道義之氣，非血氣之氣。若血氣之氣，發而爲文，其

詞多呼號叱咤，雕琢巧媚，識道者之所不取。若道義之氣，發而爲文，其詞多正大和平，不過高無實，雕刻巧媚之言必不吐之筆舌矣。今之人少有喜慶，便序以和之；少有興作，便記以志之。喜褒譽，厭箴規，喜期望，厭沮抑，一凶字不用，一貶詞不贅，雖韓、柳、歐、蘇無不如此，何望其學經術乎！韓子之文，固朱子所愛，嘗爲之考異，復繫荆公譏韓文詩於其末曰：「紛紛易盡百年身，舉世無人識道眞，力去陳言誇末俗，可憐無補費精神。」何邪？蓋亦詞章而已，不能識道，無補於世故也。彼以朱子敬其人，愛其文，獨以詩酒浮華，志在利祿，輒有嘆息之詞者，此豈知朱子者哉！

又 世之稱文詞者曰：揚雄作《太玄》以準《易》，《法言》以準《論語》，作賦箴皆有所準。班孟堅作《二京賦》擬《上林》、《子虛》，左太冲作《三都賦》擬《二京》，屈原作《九章》而宋玉述《九辯》，枚乘作《七發》而曹子建述《七啓》，張衡作《四愁》而王仲宣述《七哀》，陸士衡作《擬古》而江文通述《雜體》，華藻隨時，而體律相倣。李唐羣英，唯韓文公之文，李太白之詩，務去陳言，多出新意。至於盧仝、賈島輩效其顰，張籍、皇甫湜輩學其步，則怪且醜，僵且仆矣。然退之《南山詩》乃類杜甫之《北征》，《進學解》乃同子雲之《解嘲》，《鄆州溪堂》之什，依於國風，《平淮西碑》之文，近於小雅，則知其所本矣。近代歐公《醉翁亭記》步驟類《阿房賦》，《晝錦堂記》議論似《盤谷序》，東坡《黄鶴樓賦》氣力同乎《晉問》，《赤壁賦》卓絶近於雄風，則知有自來矣。而韓文公廟記、鍾子翼哀詞，時出險怪，蓋遊戲三昧間一作之也。夫以文詞比論文詞，猶以枝葉較枝葉之榮瘁，根本不問也，則亦荆公譏昌黎詩之謂矣！

又 文章不關世教，不發義理，道無補焉。必關世教，發義理，則能羽翼乎道，有用之言也。

文德翼《觀文大社序》 文能垂一代之制，不能成一代之書。何哉？學無純師故也。學無純師則其法不可傳，其心不可爲也。心者所以成文之具，而法則受之者也。爲文而法不可傳，心不可爲矣。終身學爲浮巧，取譽當世，巋然登明卿鉅公之列，而所爲文如春之縋華，秋之隕葉，雖欲以術留之而終不可得也。蓋嘗勤思其故矣。心者，人之所自有，而法者，心之所自不無也。舍心而他是圖，學之未終日而輒棄去。相棄無已時，相學無已時，其孰能以典嘗作之師乎？以余所見十年來，始爲周末諸子之學，既而棄之曰俊詭，乃變而爲擬經補亡之學；既而棄之曰割裂，又變而爲唐宋諸人之學；既而棄之曰散佚，又變而爲西京建武之學；既而棄之曰莽蕪，今且聞變而爲魏、晉、宋、齊、梁、陳之學矣。安知不既而棄之曰：排麗也？未十年而凡變者五焉。則後乎此者，其變將安極？與世言其變。余猶執其嘗其變者，法外之浮巧也；其不變者，法與心也。而不見夫織者乎，方儡之登簇也。軋軋於山而素練纚焉，織者引而置之機焉，一縮之，一衡之，縮者錯衡，衡者綜縮，錯者經綜，綜者緯錯，然後其文成焉。織之能浮巧者市不勝閧，無嘗所也。然卒不能不一縮之一衡之，以有加于素絲也。豈非以法之所不在乎，而況無素絲而能書空以爲紈者乎？夫素絲者，文心也；一縮之一衡之者，文法也；閧市之浮巧者，文之五變者也。余故曰：能垂一代之制不能成一代之書，學無純師故也。然師之道式微已久，匡衡、王通、韓愈之徒，能言之而終不能行，況處十年五變之世，而敢妄言師哉。余李於越之禾素有人文書院，諸君子之所材也。進八膠庠之爲君子者而觀焉，取其無忤于法與心者而載觀焉，可謂文之成也已矣。雖然，人文之爲義也，於何取之？取之賁也，賁，飾也，無色也。剛柔交錯也，飾而無色，素絲之謂矣。剛柔交錯，一縮之一衡之之謂矣。心與法備焉。

傅山《文訓》 凡人養性作人，皆有一安身立命之所，即文章小技亦然。爾兩小子皆讀《左氏春秋》，其中犯教傷義大節目，一眼便知，不待講解也。至于文章之妙，大段大段，細曲細曲，鋪張組織，補輯波瀾，前人多少評論，總不能盡。爾小子若有眼色，讀之既久，自得悟入，別生機軸，依傍不依傍，熏習變化，全非我所得與爾拈出者。以後凡遇古人用此法、論此義者，莫要置之，皆須留心分析。明經處到不甚難，以其是非邪正顯然易見。而文心掂播簸譃，實鏖糟所難得窺測。爾們便將此書作一安身立命之所，作人、養性、學文，都向此中求之。每事相與辯論，所謂「奇文共欣賞，疑義相與析」也。文者，情之動也；情者，文之機也。文乃性情之華，情動中而發于外。是故情深而文精，氣盛而化神，才摯而氣盈，氣取盛而才見奇。文章未有高而不簡，簡而不摯者。

又《失笑辭》 天地幻無而有，有人；人幻無而有，有文。跌空亭而失笑，哇鏖糟之奴論；何可之之自詡，衍秘訣于韓門。忽撟首乎高樹，攬青霄之片雲。巖巒樓閣，華鬘輪囷。爰詢屏緊，誰爲繽紛？且道此雲爲《邱》、《索》、《墳》、《典》之雲耶？抑先秦、兩漢之雲耶？蓋太虛無印版，而豐隆

有才情。時非先秦、兩漢矣，雲實無異于兩漢、先秦。時非《典》、《墳》、《邱》、《索》矣，文不全乖于《邱》、《索》、《典》、《墳》。氤氳變化，無古無今，無模擬之天使，圖彩本于皇神。何物主氣也，何物主理也？何物炤應也？何物法度也？卽如《客難》偶成，《解嘲》繼起，《賓戲》、《釋疑》之類，亦復焉底？若以陳思《七啓》爲有所本，則枚生《之（七）發》，可謂無所師承，不知妄作而已。奴評婢譏，噂沓滿紙。嗚呼，奇書奥牒，盡灰秦燄。卽《左氏春秋》，不爲宋儒尹焞之所焚，亦幸矣。峥嶸乎？寥落哉？軒昂懿濞之高才之爲文也，其如黄河之水天上來，受萬川而澎湃，挾太灝之風雷，虬龍乎手，鴻鵠其眼，虚空以爲識，廣漢以爲膽，不憚震人使之聾，豈復窒宲瞻以變！赤曇索雯，瀰漫霄漢；染人丹青，不覺其黯；獅筋霹靂，象弦皆斷；此其倜儻豪雄之概也。至于風流駘僾，波瀾小溢，分支别派，或出而復入，或歧而他會；亦有希微澹瀞，沙沈澤匯，邁長往而不顧，乍迴復以縈帶。漢之潛也，江之沱也，濆于汝也，洵于過也。筆舞漣漪，蟬蜒佗傺，意之縹渺，妙不多也。是義也，惟《太史公書》中往往遇之。唐宋以來，諶杵邊幅，唱嘆之微，寐不吡矣。若夫思極而濬，沒焉如遯，尋莫測其所之，俄展轉而流映，微彰鄭重，一篇之中，三致意者，蓋忠孝瓌偉之士，高深無徑，感時翫物，抑揚至性，猶沈水之三見三伏，不覺其吐，不覺其吞者也。鳥飛準繩，向背縱横，譢充不變，頓挫反經，是所以之秦，似迷復而朋從。馮臆獨往，特達粤峰。可以風雲月霧，亦可以處女脱兔；方楊柳而芙蓉，忽鷹揚而虎怒。靡綺者嫌其判偷，拘腐者不知其所趨步。一線漂蓬，嫿然于中，孤情稠遂，連犿西東。勁不可撓，撓之不濁；糅不可渾，渾之不清，殆如河濟，既入于海，乖蠻隔夷，回亙萬里，而直造乎仙檻大逢者耶？投筆盧胡，伐冢無珠。文章滿世，黼黻臺輿安取？得鮊父之魚，已老子之歐歟！

又《十六字格言》　字與文不同者，一筆不似古人卽不成字，文若爲古人作印板，尚得謂之文耶？此中機變，不可勝道，最難與俗士言。

又《佛經訓》　挺生之人，見解定有異於常人，非讀書講學之人所可至者。作文、作詩、講學，皆須造語，語旨而允，乃能傳，所謂言之不文，不能行遠也。

錢謙益《趙文毅公文集序》　文中子曰：「謝靈運小人哉！其文傲，君子則謹。沈休文小人哉！其文治，君子則典。甚矣，君子小人之文可辨而知也。」王氏之論之詳矣，而吾以爲又有要焉者。君子之文必剛，小人則柔；君子之文必陽，小人則陰。上下數千年，未有以易此者也。

又《題吴太雍初集》　古人之詩文必有爲而作，或託古以諷諭，或指事而申寫，精神志氣抑塞磊落，皆森然發作于行墨之間，故其詩文必傳，傳而可久。

又《復李叔則書》　文章途轍，千途萬方，符印古今，浩刦不變者，惟眞與僞二者而已。僞體玆多，稂莠煩殖。有以獵《兔園》，拾餖飣爲經術者矣，有以開馬肆、陳芻狗爲理學者矣，有以拾斷爛、黨枯朽爲史筆者矣，有以造木鳶、祈土龍爲經濟者矣。眞文必淡，而陳羹醨酒、酸薄腐敗者亦曰淡。眞文必質，而盤木焦桐、卷曲枯朽者亦曰質。眞文必簡，而斷絲折線、尺幅窘窄者亦曰簡。眞文必平，而涔蹄牛踪、行潦紆餘者亦曰平。眞文必變，而飛頭歧尾、乳目臍口者亦曰變。眞則朝日夕月，僞則朝華夕槿也。眞則精金美玉，僞則瓦礫糞土也。不待比量而區以别矣。

又《鄭孔肩文集序》　近代之僞爲古文者，其病有三：曰僦，曰剽，曰奴。寠人子賃居廊廡，主人翁之廣廈華屋，皆若其所有，問其所託處，求一茅蓋頭曾不可得，故曰僦也。椎埋之黨，銖兩之奸，夜動而晝伏，忘衣食之源而昧生理，韓子謂降而不能者類是，故曰剽也。傭其耳目，囚其心志，呻呼嚬蹙，一不自主，仰他人之鼻息，而承其餘氣，縱其有成，亦千古之隷人而已矣，故曰奴也。百餘年來，學者之於僞學，童而習之，以爲固然。彼且爲僦，爲剽，爲奴，我又從而僦之，剽之，奴之。沿僞踵繆，日新月異，不復知其爲僦，爲剽，爲奴之所自來，而況有進于此者乎？

《答唐訓導（汝諤）論文書》　夫文之必取法于漢也，詩之必取法于唐也，夫人而能言之也。漢之文有所以爲漢者矣，唐之詩有所以爲唐者矣。知所以爲漢者而後漢之文可爲，曰爲漢之文而已，其不能爲漢可知也；知所以爲唐者而後唐之詩可爲，曰爲唐之詩而已，其不能爲唐可知也。

陳鑑《操觚十六觀》　浮屠修淨土，有十六觀，雲間陳仲醇仿之，作讀書十六觀。予謂士之有文章，如山川之有煙雲，草木之有華滋，操觚其可苟乎。唐時張旭善草書，嘗觀公孫大娘舞劍器，渾脱瀏漓，遂得低昂迴翔之妙。吴道子爲裴旻畫鬼神，使旻軍粧纏結，馳馬舞劍，激昂頓挫，因用其氣以壯畫思。觀於物，得於心，應於手，詎獨書畫哉？操觚摛文亦然。因取往事，作

《操觚十六觀》。詹何對楚王曰：「臣聞先大夫之言，蒲苴子之歌也，弱弓纖繳，乘風振之，連雙鶬於青雲之際，用心專，動手均也。臣因其事，倣而學釣，五年始盡其道。當臣之臨河持竿，心無雜慮，惟魚之念。投綸持竿，手無輕重，物莫能亂，魚見臣之釣餌，猶沉埃聚沫，吞之不疑。所以能以弱制強，以輕制重也。」操觚當作如是觀。【略】凌歊臺工匠精巧，先秤量衆材輕重，然後造構，乃無錙銖相負？揭臺雖高峻，常隨風搖動，而終無傾倒之理。魏明帝登之，懼其勢危，別以大材扶持之，樓卽穨壞。論者謂其輕重力偏也。操觚當作如是觀。黄知微嘗欲於大慈寺壽寧院壁作湖灘水石四堵，營度經歲，終不肯下筆。一日倉皇入寺，索筆墨甚急，奮袂若風，須臾而成，作輪瀉跳蹙之勢，洶洶欲崩屋也。操觚當作如是觀。【略】黄魯直云：「凡書畫當觀韻。往李伯時爲予作李廣奪胡兒馬，挾兒南馳取胡兒弓，引滿以擬追騎，觀箭鋒所值，發之人馬皆應弦也。使俗子爲之，當作中箭追騎矣。」此與畫「萬綠叢中紅一點」，及「踏花歸去馬蹄香」同一機軸。操觚當作如是觀。

朱鶴齡《傳家質言》 昌黎之論文曰：「紆餘爲妍，卓犖爲傑。」今人多不解此二語。卓犖者，卽《文賦》所云「立片言而居要，乃一篇之警策」也；紆餘者，卽子美所云「毫髮無遺憾，波瀾獨老成」也。文少波瀾，便偪窄無餘地。昔吾友語人以作文之法曰：「敘事外敘事，議論外議論，人知以議論、敘事爲文，而不知敘事更有敘事，議論更有議論。」此正紆餘與波瀾之說也。

黄宗羲《金石要例》 論文管見：所謂陳言者，每一題必有庸人思路，共集之處，纏繞筆端，剝去一層，方有至理可言，猶如玉在璞中，鑿開頑璞，方始見玉，不可認璞爲玉也。不知者求之字句之間，則必如曹成王碑，乃謂之去陳言，豈文從字順者，爲昌黎之所不能去乎。

又 言之不文，不能行遠。今人所習，大概世俗之調，無異吏胥之案牘，旗亭之日曆，即有議論敘事，敝車羸馬，終非鹵簿中物。學文者須熟讀三史、八家，將平日一副家當盡行籍沒，重新積聚竹頭木屑，常談委事，無不有來歷，而後方可下筆。顧傖父以世俗常見者爲清眞，反視此爲脂粉，亦可笑也。

又 作文雖不貴模倣，然要使古今體式無不備于胸中，始不爲大題目所壓倒。有如女紅之花樣，成都之錦，自與三村之越異其機軸。今人見歐、曾一二轉折，自詫能文。

又 敘事須有風韻，不可擔板。今人見此，遂以爲小說家伎倆，不觀《晉書》、《南北史》列傳，每寫一二無關係之事，使其人之精神生動，此頰上三毫也。史遷伯夷、孟子、屈賈等傳，俱以風韻勝，其塡《尙書》、《國策》者，稍覺擔板矣。

又 文必本之《六經》，始有根本。唯劉向、曾鞏多引經語，至於韓、歐融聖人之意而出之，不必用經，自然經術之文也。近見巨子動將經文塡塞，以希經術，去之遠矣。

又 文以理爲主，然而情不至，則亦理之郛廓耳。廬陵之志，交友無不嗚咽；子厚之言，身世莫不悽愴。郝陵川之處眞州，戴剡源之入故都，其言皆能惻惻動人，古今自有一種文章不可磨滅，眞是「天若有情天亦老」者。而世不乏堂堂之陣，正正之旗，皆以大文目之，顧其中無可以移人之情者，所謂刳然無物者也。

又 作文不可倒却架子，爲二氏之文，須如堂上之人分別堂下臧否，韓、歐、曾、王，莫不皆然。東坡稍稍放寬。至於宋景濂其爲《大浮屠塔銘》，和身倒入，便非儒者氣象。王元美爲《章篔誌》，以刻工例之。徵明、伯虎、太函傳查八十，許以節俠，抑又下矣。

又 所謂文者，未有不寫其心之所明者也。心苟未明，劬勞憔悴於章句之間，不過枝葉耳，無所附之而生。故古今來不必文人始有至文，凡九流百家以其所明者，沛然隨地涌出，便是至文。故使子美而談劍器，必不能如公孫之波瀾；柳州而敘宮室，必不能如梓人之曲盡。此豈可強者哉！

方以智《文章薪火》 《灊草》曰：性道猶春也，文章猶花也，砍其枝，斷其榦，而根死矣；併掘其根，以求核中之仁，而仁安在哉？言掃除者權奪也，欲人之讀眞書耳，非必懲咽廢食也。固陋託以誇毗，而絃誦反自廢耶？夫核仁入土，而上芽生枝，下芽生根，其仁不可得矣，一樹之根株花葉皆全仁也。聖人知之，故老任斯文，刪述大集，與萬世共熏。性與天道，豈憂其斷乎？既知全樹全仁矣，不必避樹而求仁也明甚。既知全樹全仁矣，培根也，護榦也，除蠹也，收實也，條理灌輸，日用不離也明甚。以冬煉夏，乃貫四時，則無寒無暑之在寒暑中也明甚。《無妄》、《大畜》，一多相貫，兩間森羅，無非點畫，俯仰遠近，皆備于我矣。文明以止，用光得薪，雷雨出雲，有開必先。羲文周孔，不能違時，酬酢佑神，此最上之神于文章者乎？道統且置，姑就文章論文章。

又　黃溍言文章非應用，應用非文章。著論本本，而布嚴雍容者，澄湖不波，一碧萬頃。魚龍潛伏不動，而澒洞不可犯云。

又　讀書必開眼，開眼乃能讀書。三才之槖籥，萬理之會通，有所以然者存。不明所以然中之各各當然，而用當然之所以然，則百家堅白同異之舛午，何一不可疑我，我則惑矣；支離動賾之象數，何一不可難我，我則惡之。非白首紛糾，則芒芒蟲豸，非飾陋巧通，則強銲馮河。安能不狥不遺，物物而不物于物乎？由此言之，茍非專精深幾，眼何能開？又況閉而開之，開而閉之，習此坎窞，喪身失命，故知不少。雖然如此，亦視其人。

又　李文饒謂氣不可以不息，不息則流蕩而忘返。李翰言文如千兵萬馬，寂然無聲。曹子桓謂氣之清濁有體，不可力強而致。然小大異量，各自完吾分耳。陳龍川曰君子行權於正，用智以理，過於智而不以仁義禮信行之，則賊矣。昔人謂胸中先有《六經》、《語》、《孟》，然後讀前史，史既治則讀諸子，是古人治心積學之方，往往有叙有要，奈何涉獵凌闖於尺幅間。況非史非子，徒以凌闖之氣壞吾人乎？合從連衡熾而六國入秦，顧廚俊及標而漢祚爲墟。繇斯卽至濂洛諸君子倡明理學，厥力不細，而韓侂胄猶誣爲僞學而殘噬之。今以觀，豎一說者伏一敵，至乎各樹其說，並對一敵，而天下事不可爲矣。今時流輩，大率淵源無素，愛奇者聞詭而驚聽，浮慧者觀綺而躍心，迂疏者以淺俚爲古朴，塡砌者以六朝爲治麗。此由胸智不多，未更老成故也。【略】以生平之魄力，收古人之精英，久而出之，古人與我鬱勃而不可已。心醒而口咀，迫而吐之，其聲乃流，至於泣風雨，驚鬼神，歌舞憤涕，不形于外而洋溢于毫端。如是者謂之能盡其才，能盡其才而養之，方爲貴耳。

又　動則曰「唐宋大家」，抑知唐宋大家皆有深造之火候乎？今欲一蹴而偃襲之，唐宋大家未許也。韓退之答李翺曰：「古立言者，無望其速成，無誘于勢利，養其根而竢其實，加其膏而希其光。學二十餘年矣，非聖人之志不敢存。處若忘，行若遺，儼乎若思，茫乎若迷。注于手也，惟陳言之務去，戞戞乎難哉！如是有年，識古書之正僞，徐有得也，汩汩來矣。人笑之則喜，譽之則憂，猶有人之說者存也。如是有年，浩乎沛然矣。平心察之，其皆醇也，然後肆焉。然不可不養也。水大而物之浮者大小畢浮，氣盛則言之短長與聲之高下皆宜。雖如是，敢自謂成乎？處心有道，行己有方，用則施諸人，舍則傳諸其徒，垂空文而爲後世法，亦足樂乎！志乎古，必遺乎今。吾誠樂而悲之。」柳子厚曰：「吾少以辭爲主。及長，乃知文以明道，不苟爲炳炳烺烺、采色夸聲也。未敢輕心掉之，懼其剽也；未敢怠心易之，懼其弛也；未敢昏氣出之，懼其雜也；未敢矜氣作之，懼其驕也。本諸《書》以求質，《詩》以求恆，《禮》以求宜，《春秋》求斷，《易》以求動，此取道之原也。參之《穀梁》厲氣，《孟子》暢支，《老》、《莊》肆端，《國語》博趣，《離騷》致幽，《太史公》著潔。此旁推交通而以爲文也。」李習之曰：「《六經》創意造言，皆不相師。故讀《春秋》也，如未嘗有《詩》；讀《詩》也，如未嘗有《易》；讀《易》也，如未嘗有《書》；讀屈原、莊周也，如未嘗有《六經》。義深意遠，理辯氣厚，則辭盛而文昌。今尙異者曰『奇險而已』，好理者曰『叙意而已』，溺時者曰『文當對』，病時者曰『文不當對』，愛難者曰『宜深不宜易』，便易者曰『宜通不宜難』。此皆情有便滯。古人深于義，當于理，文之以其辭而已，不知其對與否，易與難也。學古文者，說古人之行，愛古人之道也。持己莫如恭，自責莫如厚，接衆莫如宏，用心莫如直，進德莫如勇，受益莫如擇友，好學莫如改過。」蘇明允曰：「孟子之文，語約而意盡，不爲巉刻斬絕之言，而其鋒不可犯。韓子之文，如長江大河，渾浩流轉，魚黿蛟龍，萬怪惶惑，而抑遏蔽掩，不使自露而人望見其淵然之色，亦自畏避不敢迫視。歐陽子之文，紆餘委備，往復百折而條達疏暢，無所間斷。氣盡語極，急言竭論，容與簡易，無艱難勞苦之態。此三者，斷然自爲一家之文也。惟李翺之文，俯仰揖讓，其味黯然而長，其光油然而幽，其別有以服之乎！」又曰：「二十七始知讀書，後困甚，覺古人之出言用意與己大異。時復內顧，其才則又似夫不止於是而已者。盡燒曩時所爲文，取《論語》、《孟子》、韓子，介然端坐，讀之者七八年。久之，豁然以明，若人之言固當然者。試書之，渾渾乎來之易矣。若或啓之，若或相之，詩人之優柔，騷人之清深，孟、韓之溫淳，遷、固之雄剛，孫、吳之簡切，投之所嚮，無不如意。然未敢以爲是也。」潛谷曰：「子瞻名理類莊，治體類賈、陸，其嘻笑怒罵，猝然憤然，皆成文可書。其大者，馳騁縱逸如行雲流水，渾淪光怪，雄視百代，所自得爲多矣。子由深思澄蓄，汪洋澹泊，不願人知，如其人，然秀傑之氣不可掩。」謝疊山曰：「東坡自《莊子》覺悟來。」袁中郎曰：「坡評道子畫如燈取影，橫見側出，逆來順往，各相乘除。余謂公文亦然，舞女走竿，市兒弄丸，橫心所出，腕無不受，其至者如晴空鳥迹，水面風痕，有天地來一人而已。」阮霧靈曰：「坡長

於馳阪，而短於頓鬱，故惡揚之艱深。今學蘇者，平衍易襲，而精奧不傳矣。必學《六經》、《史》、《漢》，僅乃韓蘇。」愚者曰：極深研幾，因象數而會通之，斯文錯綜之本乎！宋人好平易一往，其時尚然也。故韓魏公不與永叔言《易》，子厚非《月令》、《國語》，執道之變動相詰難，彼烏知有統類秩叙之端幾哉！放翁曰：「東坡嶺外喜子厚文，及北歸，《與錢濟明書》乃痛詆子厚《時令》、《斷刑》、《四維》、《貞符》詩篇，可見學問轉變，好尚頓異，未可以殺活語也。」好學不已，歷年必變，平而奇，奇而平。不好學而依趣彷彿，即執一而不變矣。極深變盡之後，無深無淺，然後知聖人之文章，皆致中和。如未至此，或平或奇，聽人之才，亦可互救，以為鼓舞。要期於自成節奏，遠鄙倍而已。

陸世儀《王登善房稿序》 文章一道，其傳者理也，其所以售者氣也，其壓倒一世無知愚賢不肖莫敢不帖然俯首，為之下者才也。

又《思辨錄輯要》卷五 文字須看其源頭，屈原《離騷》纏綿蔓衍於文辭，而意在忠藎，則朱子取之。韓子《原道》特以明道德仁義，而意在為文，則程子以為倒學，立心異也。

顧炎武《日知錄》卷一六《程文》 文章無定格，立一格而後為文，其文不足言矣。唐之取士以賦，而賦之末流最為冗濫。宋之取士以論策，而論策之弊亦復如之。明之取士以經義，而經義之不成文，又有甚於前代者。皆以程文格式為之，故日趨而下。

侯方域《與任王谷論文書》 大約秦以前之文主骨，漢以後之文主氣。秦以前之文若《六經》，非可以文論也。其他如老韓諸子，《左傳》、《戰國策》、《國語》，皆斂氣于骨者也。漢以後之文若《史》若《漢》，若八家，最擅其勝，皆運骨于氣者也。斂氣于骨者，如泰華三峰，直與天接，層嵐危蹬，非仙靈變化，未易攀陟，尋步計里，必蹶其趾。姑舉明文如李夢陽者，亦所謂蹶其趾者也。運骨于氣者，如縱舟長江大海間，其中煙嶼星島，往往可自成一都會，即颶風忽起，波濤萬狀，東泊西注，未知所底，苟能操柁覘星，立意不亂，亦自可免漂溺之失。此韓歐諸子所以獨嵯峩于中流也。

萬斯同《與錢漢臣書》 大凡儒者讀書，必有先後。當先經而後史，先經史而後文集。就文集而論，當先秦漢而後唐宋，先唐宋而後元明，此不易之序也。誠使通乎經史之學，雖不讀諸家之集，而筆之所至，無非古文也。何也？經者文之源也，史即古文也。誠使得乎宋以前之法，雖不讀元以後之集，而筆之所至，亦無非古文也。何也？元以後之文要本于宋以前之文也。若乃先文集而後經史，先元明而後唐宋秦漢，則是得流而忘源也。

又《李杲堂先生五十壽序》 學者之以古文詞鳴世也，非騁其才力之為難，乃審其法度之為難。

吳偉業《陳百史文集序》 夫文者，古人以陳謨矢訓、作命敷告、教世化俗者之所為，非僅以言辭為工者也。有一代之興，必有一代之文以為之重。當夫禮樂未行，紀綱未定，得其文以諷諭天下，無不翕然從風；及其功成而道洽，薦之郊廟，布之聲歌，可謂盛矣。乃其學不專一能，書不名一家，奇衺踳駁之弊無自而起，蓋繇垂教之人即其謀國之人，故因事立言，取其明體適用，浮詞勦説不得而入也。

魏裔介《孫鍾元先生歲寒居文集序》 文亦難言矣。古今之為文者，奚啻數千百人，而傳於世者固寥寥也。左丘明、司馬遷、班固、范曄以及陳、阮、潘、陸、任、沈、邢、魏，此皆有意為文者也。今世所尚者，惟此唐宋八大家之文耳。八大家之中，昌黎能因文以見道，然亦未免有意乎為文也。若夫無意於文而文自工者，惟周、程、張、朱數子耳。周子之太極，程子之《易傳》，張子之《西銘》，朱子之奏議論序，皆不事鞶帨藻飾，而燦然犂然，理至者，文自不可易也。子曰：「辭達而已矣。」説者以為文不離質，得其中也。而世之學者，鏤心鉥目，搜奇考異，每薄濂、洛、關、閩，以為此特説理之言，文則必如左丘明、司馬遷、班固、范曄之疎宕典蔚也，不則如陳琳、阮瑀、潘岳、陸機等之華贍駢麗也，不則當如韓昌黎、柳柳州、歐廬陵、蘇眉山之錯綜變化也。是則知其一，不知其二，見雕繢黼黻之美，而遂謂裘褐非衣之適乎？聞笙鏞柷敔之音，而頓忘土桴之非樂乎？

又《金息齋先生文集序》 文章自《六經》、《語》、《孟》而外，當首推左丘明、屈原、司馬遷、班固為嫡派，而韓文公起衰八代，歐、曾、三蘇繼之，茅鹿門先生遂有八大家之選，自是海內操觚之士，咸知所崇尚焉。譬諸山，《六經》崑崙也，左、屈、班、馬五岳也，韓、歐諸家則亦峨眉、九華、天台、雁宕之屬矣。譬諸水，《六經》星宿海也，左、屈、班、馬四瀆也，韓、歐諸家則亦涇、渭、汾、汴之屬矣。其他風雲月露，軋茁險怪，迂腐餖飣，散漫悠謬，號為文者，不可勝紀，要之不可以言文也。【略】 先生之言曰：文以

理爲主，氣爲輔，而不可離乎法。又曰：文之不朽於天地間者，理爲之主，法爲之輔而已矣。又曰：法度之文，如大將用兵，如士師用刑。又其序李習之全集曰：「以仁義之旨求之，庶幾不失作者之意。」序尹河南文集曰：「文貴簡，而能爲簡者非易言。」嗚呼，讀此可以知先生之文，繩準於八家，而陶鍊於左、屈、班、馬，究其原本，實出於《六經》、《語》、《孟》，錯綜變化，有倫有則，卓然稱古文辭焉。

毛先舒《文論一》 文以理爲主，以法爲輔，理有義，有事，有情，有辭。義統于理，無詩義矣。文家標義務新奇，不軌于正，以務相攻奪，失理以爲之統故也。事得理以統之，則無夸，事因物而傳之，文以各肖其形，卑不爲抗，高不爲抑，大不爲尅，小不爲張，是中理也。情統于理則情不溢，故哀所親與哀所疏者有辨，頌所尊與頌次于所尊者有辨，皆可類是而推之。辭統于理則無蕪辭焉，語必中于道，淺而見深，故而長新，斯辭之極于理者乎？

又《文論二》 文者理也，而後世言理之文，每不足以爲文者，知理以爲文，而不知法以爲文也。【略】故虛者，實之藏也；無用者，有用之藉也。故言理之文，必不徒理，巉之以爲骨，勁之以爲氣，宕之以爲調，雋之以爲采，俳之散之以爲整亂，促之寬之以爲步驟，揚而抑之，聯而劈之，正而側之，安行也而撥之，養之既深，追之既精，理益外伸，而中湊于微，故足尙也。【略】《詩》云：「有物有則。」文理既立，法亦隨生，此物必有則也，然則不知文之法者，其果于見理也哉？

又《與柴虎臣書三》 昔河東云：「參之太史公以著其潔。」自今觀之，子長包括甚富，而河東稱其潔。惟損之而不得，乃已有所損矣，此之謂潔也。凡不可損者，卽累數千百言，不害爲潔；其可損者，卽可以一字了之，而增爲二字，亦爲不潔矣。【略】總之，古來文章，《六經》而外，則《左》、《國》爲一派，《史》、《漢》爲一派，大家爲一派。要知此三派之沿革，何以相師而不相襲，何以殊致而復同工，則古人增損因造之法與其心可盡得矣。

薛熙《明文在・凡例》 選文務要合法，法者，一意到底，起承轉合秩然不亂，如人之有耳目口鼻也。耳目口鼻不全者，不合法者也。全者又必姿韻溢出紙上，然後讀之可以移人。姿者何，卽昌黎所謂言詞之短長也；韻者何，卽昌黎所謂音聲之高下也。

魏際瑞《與子弟論文》 詩文不外情、事、景，而三者情爲本。然置頓不得法，則情爲章句所暱。尤貴善養其氣，故無窘窒懈累之病。古人爲文，雖有偉詞俊語，亦刪而舍之者，正恐累氣而節其不勝也。收結恆須緊束，或故爲散弛懈緩者，亦如勞役之際，閉目偃倚，乃不至于困竭也。

又 孟浩然：「氣蒸雲夢澤，波撼岳陽城。」杜工部：「吳楚東南坼，乾坤日夜浮。」力量氣魄，已無可加，而孟則繼之曰：「欲濟無舟楫，端居恥聖明。」杜則繼之曰：「親朋無一字，老病有孤舟。」皆以索寞幽眇之情攝歸至小。兩公所作不謀而合，可見文章有法。若更求博大高深者以稱之，必無可稱，而力竭反蹶，無完詩矣。咏物專事刻畫，卽事極力鋪叙，是皆不可以語詩也。

又 人之爲人，有一端獨至者，卽生平得力所在。雖曰一端，而其人之全體著矣。小疵小癖，反見大意，所謂「頰上三毫，眉間一點」是也。今必合衆美以譽人，而獨至者反爲浮美所掩。人精神聚于一端，乃能獨至。吾之精神，亦必聚于此人之一端，乃能寫其獨至。太史公善識此意，故文極古今之妙。

又 幾于七十二峯本位無有一字，乃其叙次本位寬然有餘，懸厓撒手，尺水揚波，是何法何力哉？作文不知法，遇如此題，任是萬斛長才，應一籌莫展矣。定大家文，當在其平平無奇處。小家必藉新異乃能措手。大家雖無一語可以刮目，而平易博厚，氣體居然，小家所望而卻走也。人之才能亦須于事之至平至雜處觀之。蓋奇事本少，而奇才暫應不足憑矣。

又 大家文如故家子弟，雖破巾敝服，體氣安貴。小家文如暴富傖父，渾身盛服，反增醜態。非盛服不佳，服者賣弄矜持，反失其故吾也。

又 眼前景口頭語，當時情意中事，神妙莫過于此，應付莫便于此。

又 文有四說：一曰說，一曰不說，一曰說而不說，一曰說而又說。

又 古人嘗有不通處，正古人大通處，不必斤斤，得其意、識其事而已矣。今人嘗有大通處正今人不通處，牽強附會，苟爲同，矯爲異而已矣。

又 字有不老不馴不雅必不可用者，亦有改句中他字，而此字卽老卽雅馴者。

又 作文如作瘿瓢籐杖，本色不雕一毫，水磨又極精細。此任元朴者，粗惡不堪，專事工夫者，矯揉無味也。

又 讀書有死工夫，無活工夫。通而至于不通，將大通矣。熟而至于不熟，將極熟矣。通者之熟易于忘，而不通者不忘。明者錯于歧路，而瞽者勿

錯也。作文流便而至于矜慎，不改而至于能改。甚或閟窒而終不能作。

又 蓋非苟然而至乎斯境也。斯文未善，作之至再或至十焉。他所作者無弗善也。故曰識得一萬事畢，專而攻一，其一必破。不破而置之，百攻焉而不破也（謂攻百物不能破一）。攻其難，易者無足攻矣。

又 文有大佳而可謂大不通者，不知體者也。刑官榜示獄卒者，有「郭井之魂，鵠亭之骨，齊車之矢，姚宫之針」，爲語非不典麗，而要非獄卒所能解矣。

又 本欲提起至天，力量不足便須塌地放倒。若只提至半天，神力氣格俱敗矣。善唱者知此理。

又 文章大意大勢正如霧中之山，雖未分明，而偏全正側，胚胎已具。作者保此意勢經營出之，便與初情相肖。若另結構，未免刓員方竹也。

又 有出口條理而出手無緒者，便可以出口爲書家朽筆。此法至捷而妙。

又 粗做到細，細做到粗，文章定妙。

又 畫家醜須極醜，容不得一筆俊，俊亦不容一醜。文章亦然。

又 文章必有所以然處。所以然者在文章之意。然非謂文章以忠孝爲意，便處處應接忠孝。蓋幾微之先，精神眼光興會有獨得一處者。故言忠孝反不必斤斤忠孝之言，人之感之無往而非忠孝也。文章有耿疚在心，不可舉以示人，并不即能自喻者，正其所以然處，得此而情境所發，蓋亦不可窮矣。

又 文章有宜簡者，《孟子》「河東凶亦然」是也。有不宜簡者，「今王鼓樂于此」、「先生以利説秦楚之王」是也。鼓樂者憂喜不同情，説秦楚者義利不同效。情相比而苦樂著，效相較而利害明。兩軍相遇將卒各鬭也。移民移粟述事而已，事止語畢，複則無味也。又有宜簡而不得不詳者，如《舜典》「二月東巡狩，五月南，八月西，十有一月朔」，典例所存，四時四方，不可偏廢也。禮制皆同，不煩重叙，而約之曰：「如岱禮變之曰：『如初』，又變之曰：『如西禮』委宛屈軼，斐然成章也。文有自然之情，有當然之理，情著爲狀，理著爲法，是斷然而不容穿鑿者也。」

又 作文貴有本心有良心。本心者不自爲支離、不因境苟且是也。良心者不任意狂恣、不矯誣奪理是也。不深原道情，則不可以爲體；不更歷世情，則不可以爲用。不入于法，則散亂無紀；不出于法，則拘迂而無以盡文章之變。

又《答石公論文書》 夫文者在勢，大抵逆則聳而順則卑，逆則奇而順則庸；逆則強而順則弱。形家以順龍爲奴龍，播家以逆勢爲霸勢，是故一逆不已而再逆，故一波未平而再波。虛多于實則實益榮，如果木之實一而葉則倍蓰什百是也。且虛多于實者，非虛多于實，蓋以攻實之不可攻，而發實之所不及發。天下之實一而已矣，一必有三，其二者虛也。天下之順亦一而已，雉矢而墮，鷹終日飛而麗天者，雉不能矯，鷹飛矜持激蕩而翔倨也。出題入題之際，貴于翔而後攫焉。翔而攫，攫必中。翔則屢也，攫一而已，逆不嫌其兩作洊至也，順一而已，非無平衍大雅之章，不事拏擊，足盡亹亹之致，然其中亦必自爲轉折，自爲波瀾，由淺入深，而以虛引實。伏讀浸潤膚受之篇，竊謂文章之道，亦具二者。蓋紆徐委宛，鈎索而入情者，浸潤之道，其若怪若驚，縱横崩湃，矜挾嚚訟，飜騰而不可止者，則膚受之愬之道也。識力之文，力或不繼，則不能盡識之才用，其或者舍逆而取順，實有所專而虛不能相啟乎？夫人之相鬭，未有相抱而可得志者也。我雖抱彼而四體見拘，無所得施，猶之彼之抱而困我而已。

魏禧《答施愚山侍讀書》 愚嘗以謂爲文之道，欲卓然自立于天下，在于積理而練識。【略】所謂練識者，博學于文，而知理之要，練于物務，識時之所宜。理得其要，則言不煩而躬行可踐，識時宜則不爲高論，見諸行事而有功。是故好奇異以爲文，非眞奇也。至平至實之中，狂生小儒皆有所不能道，是則天下之至奇已。故練識如練金，金百練則雜氣盡而精光發，善爲文者，有所不必命之題，有不屑言之理。譬猶治水者沮洳去則波流大，爇火者穢雜除而光明盛也。是故至醇而不流于弱，至清而不流于薄也。

又《宗子發文集序》 今天下治古文衆矣，好古者株守古人之法，而中一無所有，其弊爲優孟之衣冠；天資卓犖者師心自用，其弊爲野戰無紀之師，動而取敗。蹈是二者，而主以自滿假之心，輔以流俗諛言，天資學力所至，適足助其背馳，乃欲卓然並立於古人，嗚呼！難哉！雖然師心自用，其失易明，好古而中無所有，其故非一二言盡也。吾則以爲養氣之功在於集義，文章之能事在於積理。今夫文章，《六經》、《四書》而下，周秦諸子兩漢百家之書，於體無所不備，後之作者不之此則之彼，而唐宋大家則又取其書之精者，參和雜糅，鎔鑄古人以自成，其勢必不可以更加，故自諸大家後，數百年間，未有一人獨創格調，出古人之外者。然文章格調有盡，天下事理日出

而不窮，識不高於庸衆，事理不足關係天下國家之故，則雖有奇文與左史韓歐陽並立無二，亦可無作。古人具在，而吾徒似之，不過古人之再見，顧必多其篇牘以勞苦後世耳目，何爲也？且夫理固非取辦臨文之頃，窮思力索，以求其必得。鍾太傅學書法曰：「每見萬彙，皆畫象之。」韓退之稱張旭書：「變動猶鬼神，不可端倪。」「天地事物之變，可喜可愕，一寓於書。」人生平耳目所見聞，身所經歷，莫不有其所以然之理，雖市儈優倡、大猾逆賊之情狀，竈婢丐夫米鹽淩雜鄙褻之故，必皆深思而謹識之。醖釀蓄積，沈浸而不輕發，及其有故臨文，則大小深淺各以類觸，沛乎若決陂池之不可禦。辟之富人積財，金玉布帛竹頭木屑糞土之屬，無不豫貯。初不必有所用之，而當其必需，則糞土之用，有時與金玉同功。

魏禮《孔英尚文集序》 夫文之有資于游者非一也，而弊于游亦非一，是故泉之在山窪，不盈數尺，達而出之，彌遠而彌大。江河之所以能成浩瀚之勢，資舟楫之用者，固非岷山之麓，朵甘思之西鄙有然也。然而横潰四出，壅城廬漂禾麥，流殺人民，糞濁腐惡之物，莫不廁錯于其中。然在山之泉未嘗有是。是故子長南游，得烟雲之氣多，而其文益宕蕩可喜。蘇潁濱亦暢其説于書目。夫學問之道，未有封己而能成者也，然而失己者又胥失之。是故吾江西地瘠而民朴，鮮淫巧之技，蕩心之貨，質勝乎文，禮義廉恥有短垣不敢自踰，然而廣己造大，必資于大國名區，人文輻湊之處，情僞萬有，覽風土時物之正變，拓一己固隘之拘虚，然而浮足以蕩吾朴者有之，文足以漓吾質者有之，跅弛之士或先末而後本，氣矜之夫或尚成而遺義，風波之民見事風生，鑿空而架構，皆不可不察也。是故善游者集衆思廣衆益，收效于無窮，不善游者破其故美，蕩析無遺，集衆弊于一身。噫！行則爲世之弊人，文則爲世之敝文而已，惡足尚哉？

又《阮疇生文集序》 夫述作而無我，我何爲而作哉？人之貌不同，以各有其我，人之詩文競出而不窮，以其有我也。是故以古人之氣格識法而成其我，徒我不成，猶必具五官、百骸、神血、鬚眉、髮爪而成人，人人皆同而皆不同，各我其我也。優孟之非孫叔敖，無叔敖之我也，有優孟之我。故以孫叔敖之賢，楚相之貴，楚王垂涕而思，終不得變優孟之我，何也？眞我也。夫嫫母刁父至醜矣，使有欲劚其面，蒙以閻娵子奢之至妍，彼必且號走，逃空谷匿重邱，以謀全其我。雖然，莊生曰：「吾喪我，泠然善矣。」然喪我者吾，吾者何耶？蓋所謂法者，古人之法，亦我之法，會古以忘我，我足以忘乎古。譬如流潦江河，率趨於海，而四者並存而不可廢，夫豈惟文哉！

魏世傚《屈翁山文外序》 文章之道，曰氣，曰法，曰格。氣之至者，法與格生焉，是非氣之能生格法也。不多讀書，則不能以養氣。故氣足而格法備也。蓋不善用其氣者，判格法與氣以爲二，而善用之以全其氣者，有必不可分之勢。今夫受天地陰陽之氣以生人，人受氣以成也。五官百骸四肢者，格也；手持足行目視耳聽口言者，法也，則莫非氣也。或胼拇枝指，或一舉而輕千鈞，一日而之千里者，出於常，亦氣也。然且或不引而千鈞舉，不行而千里至，不視不聽而無不見聞者，則亦氣之入于理于神使然也。然如是而不當夫理法之極，則是矔離朱之目，捩工倕之指，而刖夸父之足，背倉公華佗之醫藥，終于病且死，則反不若世之步則步，趨則趨者，氣行而亂也。故夫六經者，天地之人也；秦漢者，手持足行目視耳聽口言，無不得其自然者也。唐宋而下，則教人以當行當視之道，而不至于矔目、捩指，刖足以病且死也。

魏世儼《與朱奕瞻書》 夫文章之道，在于造識而積理。【略】多學以培氣。【略】然則積理造識培氣，豈不在于多讀書乎？夫不多讀書則何以爲文也？然竊見博聞之士，其所爲文章不足滿天下人之心，而所謂理識事晦，累而不能出，連篇累牘，而不知其居要之何在，再讀之岑岑欲寐者，其故何也？愚妄意博聞之士，其弊有三：蓋彼以博綜爲務，則在于多識窮搜，不暇求古人立言之故，此其一；志既在博綜矣，則極日夜之力，考駁是正，一字之舛，一語之可論，必援引鉤索以盡其類，或恃其博綜，而下視古人立言之故，此其二；博綜者學積既廣，隨事觸物，牽證無休，旁達四會，甚至強傅複説以合其謬，此其三也。且夫作文者在于多讀書，此必然之事矣。多讀書而不求之造識積理培氣，與古人立言之故，蔓累以傷其氣，則博綜者爲學之過也。劉貢父誚歐九不讀書，而貢父之傳不及永叔；楊升菴博極群書，而爲文不及熙甫諸公遠甚，此其明徵也。

戴名世《再上韓慕廬大宗伯書》 名世平居讀書，考文章升降之際，竊見夫文章之事，未有不上與下合而能至於極盛者也。上與下合而風氣之權操自上，上之人懸其令以倡率之，而下之人莫不奔走恐後，而不敢有異議於其間。若夫上之人所操者不足以厭服乎下之心，而下之人紛然嚚然各持其説，各挾

其技，而有非薄乎上之心，考校之文一出而心非巷議，嗤點流傳，共指以爲笑，於是乎上之與下，兩相訾謷，齟齬扞格，截然而分爲二，而文體遂不可振。

朱彝尊《答胡司臬書》 古文之學不講久矣。近時欲以此自鳴者，或摹倣司馬氏之形模，或拾歐陽子之餘唾，或局守歸熙甫之緒論，未得古人之百一，輒高自位置，標榜以爲大家，然終不足以眩天下之目而塞其口，集成而詆諆隨之矣。僕之於文，不先立格，惟抒己之所欲言，辭苟足以達而止。恆自笑曰：「平生無大過人處，惟詩詞不入名家，文不入大家，庶幾可以傳於後耳。」雖然，僕之爲此，非名是務也，實也；其於文也，非作僞也，誠也。來教謂法乎秦、漢，不失爲唐；法乎唐，不失爲宋。於理誠然。若僕之所見秦、漢、唐、宋，雖代有升降，要文之流委，而非其源也。顏之推曰：「文章者，原出五經。」而柳子厚論文亦曰：「本之《書》以求其質，本之《詩》以求其恆，本之《禮》以求其宜，本之《春秋》以求其斷，本之《易》以求其動。」王禹偁曰：「爲文而舍《六經》，又何法焉？」李塗曰：「經雖非爲作文設，而千萬代文章從是出。」是則《六經》者，文之源也。足以盡天下之情、之辭、之政、之心，不入於虛僞，而歸於有用。執事誠欲以古文名家，則取法者莫若經焉爾矣。經之爲教不一，六藝異科，衆説之郛，大道之管，得其機神而闡明之，則爲秦，爲漢，爲六朝，爲唐宋，爲元明，靡所不有，亦靡所不合。此謂取之左右而逢其原也。

又《秋水集序》 文之有源者，無畔于經，無窒于理，本乎自得，抒中心所欲言，固不在襲古人以求同，離古人以自異也。

張英《歸孝儀制義序》 文章之於遇合，甚無取乎躁而獲也。夫躁而獲者，惑憑其才思之飇發，鋒鍔之犀利，以取悅於一時，經有識者按之，其氣必不能沈，其力必不能厚，其識必不能精，其格律必不能完渾，其理解必不能純粹。是以博學深思之士，以文章顯天下者，其於遇合之際，造物者若稍遲之，以待其聚精會神，含英而咀華，閎中而肆外，卓然自成一家之文。一出而傳誦海內，非文章之以遇合重，而遇合之以文章重也。

潘天成《評某生文》 作文有四要：一要意透，二要局整，三要氣灝，四要機流。然雖有四要，其實只要意透。意不透，欲局整必板，欲氣灝必浮，欲機流必滑矣。文要練局，然練局又不必專揣摹文字得來，只看本題上所輕的字，重的字，實的字，虛的字，又所起的字，轉的字，住的字，細細推究，細細體認。又當諷詠多遍，將此題中字字神情，津津口中，躍躍目前，了了心中，下筆自能如天造地設，一往而去，首尾相顧，接換相連，有環轉無窮之妙。

唐彪《讀書作文譜》卷一《文源》 袁坤儀曰：「文章小技也。然精神不聚則不工，識見不高則不工，理路不熟則不工，涵養不到則不工，有一毫俗事入其肺腑則不工。故習之者必遠塵冗，屏嗜欲，綿綿焉束心一路，精神全注于文，而不復知其他，既而束心漸熟，妄念漸消，并文字之得失，亦不復置之胸中，天君湛然。以此習文章，即以此養性命，二者合而爲一，故人得其皮我得其髓，人功勞而效鮮，我功逸而效多。大抵修業之道，寂寂者常聚，營營者常分，聚則精專，分則蕩散，精專則深入，蕩散則淺收，此必然之理也。」袁坤儀曰：「作文有三昧。先須掃除胸中鄙穢，不染一塵，靜坐三四月或半年，縱不能，亦須隨事遣情。于念中息念，將妄心妄見減得一分，便有一分受用，習之久，自然塵氛漸退，淡泊虛融，然後再取經史大家之文次第讀之，口誦心維，優游涵泳，令其漸積汪洋，由是握筆爲文，隨機應副，自然成一家言矣。」

又《讀書總要》 唐彪曰：科舉之學，除經書外，以時文爲先務，次則古文。竊謂所讀之時文貴于極約，不約則不能熟，不熟則作文時神氣機調皆不爲我用也。閱者必宜博經史與古文時文，不多閱則學識淺狹，胸中不富，作文無所取材，文必不能過人。由此推之，科舉之學，讀者當約，閱者宜博，博約又可分兩件也。

又卷六《時文有取用自撰兩端》 顧涇陽曰：「文章家數不同，有奇古，有雄傑，有渾厚，有豐潤，有雅逸，有清爽。先儒所謂習焉而各得其性之所近者是也。然莫不有極至之地，士子造詣，必須隨其質之優爲者而各造其極，不必捨自己之長，而強學他人之所長也。」

又 唐彪曰：則能作者誠不如能用者，故曰爲功名起見也。人生讀文多者不過三百餘篇，少者不過二百餘篇，保無有或遇一二題。所讀之文竟無可用，仍須自己經營，更或久久倚傍他人，一旦無所依倚，雖竭力構思，終不能出人頭地，則能用者又不如慣作者之有把握也。故曰爲文章起見也。如是則二說皆有當，不可偏廢。彪有折衷之論焉，文章自出機杼，則文品高，而

傳後亦久。既作一題，必宜竭力經營，不當先思勦襲，以用爲輔，遇可用者，不妨借用，如兵家之因糧于敵，如此則并行而不相左矣。

又卷七《文章諸法·總論》 先輩云：文章大法有四：一曰章法，二曰股法，三曰句法，四曰字法。四法明而文始有規矩矣。四法之中，章法最重，股法次之，句法、字法又次之。重者固宜極意經營，次者亦宜盡心斟酌也。

又《文章諸要·筆姿》 唐彪曰：文章勝人，全藉筆姿，筆姿勝者，同此看書命意與人無異，及其落筆，抑揚頓挫之間，翩躚飛舞、文雅秀逸，迥異于人，閱之者自不覺心爽神怡矣。筆姿鈍者，看書未嘗不透，命意未嘗不深，及其落筆，或板滯，或平庸，則理雖透而若不透，意雖深而若不深，卽不能令人擊節。胡正蒙曰：「文章有格同意同而高下得失異者，其辨只在毫釐之間。」蓋指此也。又嘗論之，學人所讀之文不專在于理勝，理雖至精而筆不雋異，必不宜讀也。學人筆鈍者尤當取筆勝之文，沉潛體會，涵濡既久，或能少變化之，此則人定勝天之理矣。

王弘《秦漢文鈔序》 文以理爲主，氣爲輔。其衰也，則浮耳蕩耳。浮且蕩，奚文之能爲？夫六經尙已，先秦兩漢之文皆尙實，故動在當時，名垂後世焉。彼綵舟木騮所以不適于用者，其實非也。

顧景星《張石虹集序》 造化之用主散，至人之用主合。天高地下，萬物散殊，造化之用也；流而不息，合同而化，至人之用焉。萬物之有性命，雖造化不能一之，亦不能并十人百人之氣力壽考于一人，而至人合千萬億人之用于一心，以爲神勇，以爲智壽，所謂心用也。非天下之至神，孰能與于此？詩文者心用之至神也。嘗與張子石虹論心用曰：凡物有質則滯于用，惟心之用如風，風無質者也，視無形，聽無聲，颺蒹莩之炲而搖蠶口之絲，蓬飈號飈，山嶽波濤，地如匽橰，及其細也，嘶罅歕孔，吹萬雷同，物不能自聲，而風聲之，此風之用也。又如火，火無質者也，托體而興焉。星星熛熛，陽爲蕭丘，陰爲海燃，燎原炎岡，遇物而化，其炖非炖也，而熸非熸焉，物不能自燭，而火燭之。此火之用也。心之用如斯二者。【略】心用者不滯于質，故喻諸風火。風有模乎？火有範乎？以模範言詩文，是猶模風而範火也。模風範火以語天下之至神，吾與石虹不信也。

陳維崧《四六金鍼》 四六之興，其來尙矣。駢詞儷語，《六經》多有之。至漢乃從典謨誓命，而加之潤色。一篇始末，皆以對偶成文，諧協其聲，以便宣讀，俾聽者易曉，斯亦古文之一體也。元陳繹曾言四六之法，其要有四：一曰約事，二曰分章，三曰明意，四曰屬辭。務在詞簡而意明，此唐人四六之故規，而蘇子瞻之所取則也。後世益以文華，喜工緻而新奇，於是以用事親切，屬對巧的爲精妙。變而爲法凡六：曰熟，曰剪，曰截，曰融，曰化，曰串。能者得之，兼古通今，此宋人四六之新規，而王介甫之所取則也。以云「四六金鍼」，不外是矣。今參考其說，開具二法於後，而以目、體、製、式、格五者附焉。噫，吾於斯道用力十餘稔，庶有一得，願與二三子共之，尙其勿輕以畀人而可哉。

趙吉士《萬青閣文訓·總論》 行文之病甚多，總其大端則有四，約之則有二，更約之則惟一耳。四者惟何？一曰正意發不出，一曰閒文刪不淸，一曰古文請不來，一曰時調推不去。然正意不足則閒文必多，古文不來則時調必集，一定之理。所謂約之爲二也，要之只一，苟且不肯用心而已。不用心之病，平日在讀，臨時在做，假如題目到手，須先將大意解明，隨於大意之中，分出每股意思，既立股頭，便要想此一股中如何起，如何承，如何開，如何闔。有不妥處，有未盡處，必不輕放，務須求妥求盡而後止。譬如對敵者必破堅擒賊，然後旋師。如此何患意思不足？至於用筆卽如對敵時，器械務要便捷爽快，動中窾會，方能刀刀見血，克敵制勝。今作文者大抵每股合掌，未必有意。卽有意思只是股頭數語，到得要緊處，却又力量不濟，竟自歇了，反於沒要緊處刺刺不休。尤可恨者，要緊所在正要一語道破，却又字句拖沓，意思雖好說來畢竟一場沒趣，最敗人意。譬如臨敵時一戰可破，偏費盡周折，弄得半尷不尬，及力量不濟卽便虛掩一刀，抽身而走，倒在無敵處支手舞脚，拖刀弄劍，其有不大敗者乎？經史古文，俱是聖賢先儒闡明事物之理，其理與四子相通，旨趣最深，文字最妙，眞是採木於鄧林，探珠於合浦，取之不窮，用之不竭。臨文時須將題意解明，隨於古文中想取結搆議論，機調字句則自然無一不佳。至於時文，不過備格式習法度而已。卽其佳者，亦必自古文得來，豈可將古文概置度閣。而所取時文又皆庸惡陋劣者，止求其便，不求其美，其亦不思之甚矣。然得力處全在讀時用心。譬如用兵者須於平日訓練，或正兵，或奇兵，或水攻，或火攻，或多，或寡，或分，或合，天時地利，金鼓號令，步伐止齊之法，一一熟習，使千萬之耳目手足，俱聽命於一人之心，如臂使指，投之所向，無不如意。以此衆戰，誰能禦之。

若使平日全不訓練，不過執簿呼名，臨時豈能調發，倉卒無計，只得將打馬草、馱帳房、供樵爨一班火頭軍支應搪塞，然而不敗者未之有也。所以然者，只是苟且門面，不肯用心之故。夫「門面」二字，挪得來固難，打得破尤難。若一被他挪定，則終身墮坑落塹，永無出頭之日矣。

屈大均《無悶堂文集序》 吾嘗謂文人之文多虛，儒者之文多實。其虛以氣，其實以理故也。天下至實者理而已耳，至虛者氣而已耳。爲文者能以理而主其氣，則氣實，否則氣虛。故有謂文以氣爲主者，非也。儒者之道舍窮理之外無餘事，窮理所以盡其性，盡其性所以至其命。命至矣，性盡矣，如是而發爲文，廣大爲外，精微爲內，高明爲始，中庸爲終。其造詣有非文人之所敢望者，噫嘻！豈非文之至乎其極者哉！

又《黄太史文集序》 文之至者，莫妙于自然。自然之至者，不見其氣，并不見其理，如日月之光，然光可見也，而其所以光不可見也。光，氣也；理者，所以光者也。不見其所以光而理化，理化而其氣與之俱化，是之謂天地至文。先生之能行其自然也，蓋用力之久，窮極變化，故能曲折縱橫無不如其意，體與格百出而不窮。子瞻所謂「行乎其所不得不行，止乎其所不得不止」。

李光地《榕村語錄》卷二九《詩文一》 作古文要歸於眞實，不爾，心先不古，文何能古？東坡作《韓文公廟碑》，便稱其攘斥佛老之功，張皇誇大，及作大悲閣、諸浮圖記，又稱佛之妙，窮天極地，却是一口兩舌。其歸談儒，儒亦不精；談禪，禪亦不精；只落得要做好文章，卒至文章亦不好。所以聖人說修辭立其誠。

又 爲文有本有末。所謂本，非必定是聖賢道理，本人所見透處，便是本。

又 作文且未須說得體製法度，第一先要明白，若那事考究得十分明白，據事直書，自然不煩刪減而閒文自去，詞必古矣。

又 古文近頗知其作法，但不暇做工夫。問如何？曰：其本自然，要以經書道理爲主，文字却不要規摹那一家。教人看得似那一家便非。其至短者，要有意思；長者，要有裁剪。柳州與楊誨之說車書凡數千言，字字琢鍊，又是一氣流出，連虛字要換他一箇亦不得，即寒溫語皆妙。大都韓、柳動筆，即一兩行都是留意無苟作者，到後信筆寫來，無不入妙。又字眼亦要緊當，取材於兩漢，若字眼不古雅，文字便減色。古文內著不得工麗對句。古詩對句太多，亦六朝始然，唐初尙襲其餘習，至工部始洗脫。

方苞《又書貨殖傳後》 《春秋》之製義法，自太史公發之，而後之深於文者亦具焉。義，即《易》之所謂「言有物」也；法，即《易》之所謂「言有序」也。義以爲經而法緯之，然後爲成體之文。

李紱《古文辭禁八條》 有明嘉靖以來，古文中絕，非獨體要失也，其辭亦已弊矣。曾子謂「出辭氣斯遠鄙倍。」文則辭氣之精者也。鄙且倍，其可乎？余約其弊之類凡八條，俾初學之士自檢所作，別擇而汰之，庶乎韓子去陳言之意，于聖朝文治或有少裨焉。一禁用儒先語錄。語錄一字，始見于學佛人錄龐蘊語，相沿至宋始盛。其體雜以世俗鄙言如「麻三斤」、「乾矢橛」之類，穢惡不可近。而儒者弟子無識，亦錄其師之語爲語錄，并倣其體，全用鄙言，如「彼、此」字自可用，乃必用「這、那」字，「之」字自可用，乃必用「的」字，「矣」字自可用，乃必用了字，無論理倍與否，其鄙亦已甚矣。《魯論》具在，孔門弟子記聖人之言，曷嘗作如是鄙語哉！南宋以還，并以語錄入古文，展卷憮然，不能解其爲何等文字也。一禁用佛老唾餘。《內典》、《道藏》，本自晉、唐以來浮薄文人竊取《莊》、《列》荒唐之言，妝點文飾以爲書，其言類爲杳渺不可解之說，以爲高深。不知聖人論辭以達爲主，彼乃以不可達爲妙，此蘇氏譏揚雄所謂「以艱深文其淺陋」者也。明季文弊，好用二氏書，至國初錢牧齋而極。有志學古者亟宜避之。一禁用訓詁講章。自儒行不修，而講學盛行，《六經》三傳尋章摘句，以口治不以身治，固已陋矣。世乃有所謂講章者，專爲時文而作，尤陋之陋，始于《蒙存》、《淺達》諸書，而三家村中蒙師俗子，經字未能全識，皆欲哆然說書，庸惡陋劣，經義爲之晦蝕，乃或引用其說入古文，此如取糞壤以充幃，苟非逐臭之夫，烏能佩之？如古文中必欲援引經傳，則漢注唐疏，差爲近古耳。一禁用時文評語。古人題跋書後，于文與事必有發明，雖寥寥數語，亦卓然可傳。時文根柢既淺薄，選家尤多庸陋，信手塡綴，陳言滿紙，不過淸新俊逸，典貴高華等字，識者望而生厭。作古文辭稱人文，學者乃亦鈔而用之，其文之不堪，亦不必卒讀而知之矣。一禁用四六駢語。凡古文皆直書其事，直論其理，而駢體則皆餖飣浮詞，駢句又傷文體。歐公「竹簟」「暑風」之語，猶有議者，不知公乃爲兩制序文，故兼一二駢語耳，他文則從不相犯也。或謂經傳亦有駢語，然皆四字短句，氣

質古健，若駢儷長句則斷然無有矣。一禁用頌揚套語。古人作文稱人之美，銖稱黍量，片語不溢。使後世得據爲定論，此韓、歐、曾、王家法也。世俗應酬文字，擬人不以其倫，行必曾史，文必馬班，詩必李杜，蓋乞兒口語，豈可施之古文？一禁用傳奇小說。小說始于唐人，鑿空撰爲新奇可喜之事，描摹刻酷，鄙瑣穢褻，無所不至，若《太平廣記》是也。宋元而下，泛濫斯極。然既爲小說，士君子不觀，吾無責焉耳，若古文則經國之大業也，小說豈容闌入？明嘉隆以後，輕雋小生自詡爲才人者，皆小說家耳，未暇數而責之。一禁用市井鄙言。詩有俗謠，若《子夜歌》、《竹枝詞》，多用諺語，至于古文，必須典雅，《戴記》謂：「言必則古，昔稱先王。」子長亦謂：「言不雅馴，縉紳先生難言之。」昌黎約《六經》之旨以成文，柳州謂：「盡六藝之奇味以足其口。」庶可免市井之陋。

汪由敦《陳月溪制義序》　人秉天地之清氣以生，而以其菁英發而爲文。則亦以至清者爲足貴。游之乎《詩》《書》之原，所以養其清也；惟陳言之務去，所以衛其清也。古人爲文之大端，不外乎是。

劉大櫆《論文偶記》　行文之道，神爲主，氣輔之。曹子桓、蘇子由論文，以氣爲主，是矣。然氣隨神轉，神渾則氣灝，神遠則氣逸，神偉則氣高，神變則氣奇，神深則氣靜，故神爲氣之主。至專以理爲主者，則猶未盡其妙也。蓋人不窮理讀書，則出詞鄙倍空疏。人無經濟，則言雖累牘，不適於用。故義理、書卷、經濟者，行文之實，若行文自另是一事。譬如大匠操斤，無土木材料，縱有成風盡堊手段，何處設施？然即土木材料，而不善設施者甚多，終不可爲大匠。故文人者，大匠也；神氣、音節者，匠人之能事也；義理、書卷、經濟者，匠人之材料也。

又　古人文字最不可攀處，只是文法高妙。

又　神者，文家之寶。文章最要氣盛；然無神以主之，則氣無所坿，蕩乎不知其所歸也。神者氣之主，氣者神之用。神只是氣之精處。古人文章可告人者惟法耳。然不得其神而徒守其法，則死法而已。要在自家於讀時微會之。李翰云：「文章如千軍萬馬；風恬雨霽，寂無人聲。」此語最形容得氣好。論氣不論勢，文法總不備。

又　神氣者，文之最精處也；音節者，文之稍粗處也；字句者，文之最粗處也。然論文而至於字句，則文之能事盡矣。蓋音節者，神氣之迹也；字句者，音節之矩也。神氣不可見，於音節見之；音節無可準，以字句準之。

徐乾學《曹峨眉文集序》　說者謂唐太宗雄才盛略，致治太平，幾及三代，而文章不能革六代之陋。其後百餘年，王孟李杜輩出，始以詩盛于開元、天寶之間。及元和之際，韓退之、柳子厚與其徒創爲古文，根柢《六經》，馳驟班馬，于是齊梁綺麗之習無一存者，天下至今宗之。而方其始也，以房、杜、王、魏之相業，虞、褚、歐、薛之文學，而終不能與于文章之事，則毋乃文之興也，亦有其時，雖有聖君賢相相與極力推挽，而不遇其時焉，則亦終於無所濟。

張謙宜《絸齋論文》卷一　文品以人品爲本，學識幷到，筆下能擇能捨，立言務取矜貴，其品自高。

又　作各體文，原本經術，根極理要，儒者之風也。縱令英爽豪俊，不溢繩墨。若憑恃聰明，雜以世情異教，故爲譸張矯激之詞，忿口放言，無所忌憚，直里巷小人中識字弄筆者耳，何足道哉。

又　爲文必須理正，予之奪之，不敢有私心，下筆期於理通，抑揚反覆行乎不得不然，而非以媚世。

又　凡爲古文先掃去世情，以我識見議論爲主，周旋則黏滯纏繞不得自快矣。

又　文以載道明理，不止效其聲響說話。

又　文字一眞，便兼衆妙。

又　詞古不如意古，意何以古？循理明義，不迎合畏避，一如古人之立身而已。

又　古文不在字句，而在立意。言必關乎名教，不委曲徇人者，古人立身立言之根本也。

又　古文雖尚蘊藉，不許平衍，雖貴揮霍，不得狂暴，雖宜典雅，勿事餖飣。

又　古文以無套數爲佳。

又　古文妙處全在有澀味，澀者其嶄然不滓，時文所不能汩者也。文有陡勢頗好，然須有放平處。字字陡豎，不成文體矣。古人文字峭古，是骨格挺拔煆煉精嚴音頭節奏俱以無心入妙。

又 爲官作文一要辣，二要冷。面帶霜威，筆如巨石之墜於山，方可脫俗。

又 古文各有家門，體製遞相仿效，如《客難》、《賓戲》、《進學解》所自來也，其妙全在不甚似。若《文選》中《七發》、《七啓》、《演連珠》，令人厭觀。

又 書要只管讀，理要只管析。蓄之洊多，所見透底，可以言矣。且勿輕出。遲之又久，如饑鷹掣臂，如秋水崩堤，浩浩勃勃，禁止不住，斯爲得之。蓋文心初茁，勢尚嫩軟，一有摧折，不能復生故也。學者勿急於見長，勿急於求名，一有此病，終身無成。戒之戒之。

又 孫思邈曰：「膽欲大而心欲小。」此行文之格言也。膽大則能創獲，心小則能入細。膽雖大而心不小，或是粗莽；心雖小而膽不大，必至萎葸。惟明理足以壯吾膽，惟有識足以擴充吾膽，惟養氣足以推行吾膽。合而一之，然後言人所不敢言，而心不懾，言人所不能言，而衆不疑。此豈小生伎倆哉！

又 古人當其位，行其事，或指斥奸佞，或論民生利病，皆不得不言。又生當無諱之世，受知遇之恩，本身之學問品行久孚於公論。然後感慨淋漓，一往傾瀉，其文亦鬱勃魁磊，與日月爭光，自非然者。遵言遜之戒，守含章之貞，相時立言，自有尺度已。

又 人之本質，譬如素練，看是何色打底子。若是理學開頭，腐鈍之癖恐難展拓；若從文字入手，跳浪之氣未易驅除。必不得已，博學於文章，約之以正理，使才調英發而心志端正，庶乎不錯。此自己體貼而得者，先儒必以爲倒說，於救時或是折肱之語。

又 說道理不得帶冬烘味，頌官人萬勿效篾片態，贊神功又全非巫覡語。除此三病，再質諸古人。【略】迎合時君，諂諛宰相，此古人必不肯做之事。未做文時，先存古人之心，方有根柢。不然於字句聲調上求之，只似戲子登臺，學說官話耳。

又 文必直抒所見，然後可傳。必八面周旋，都無是處。

又 論人、論事、論世，皆理也，不可歧視。文必準乎理，已是作手。至意從理出，氣由理充，則希世一見者也，惟方正學能之，歸震川次之。

又 古人言之有物，能見其大，雖遊戲假託之文，亦成局面。後人猥瑣拘曲，所重不過字畫、園亭、飲食、聲伎，儘力支撐，無非嗜欲，其文如一擔燈草，燒灰不及數合，何足道哉。

又 古人筆意轉換處，反正錯綜，乃見古趣，正不在字句也。後生所謂古色古貌，鈍賊最低手耳。

又卷六 學古人文，當先立志。如歐陽公既已成進士爲美官，而舊本韓文未嘗去手，刻苦摹擬，脫落皮毛。有此精神力量，自足千古，文章所以必傳也。

又 明理非以爲文，而文實從此出。方其初入，不免苦澁，久而洊甘，又久而融汁，又久而弩芒生葉，勢勃勃而無所發。其必發於文乎？當其搆思，思卽理也。已而造意，意卽理也。以至湊機布勢，波瀾橫溢，蓋無一非理。其實心與理俱忘，手與心相忘，莫知其然。吾之好惡予奪，已不謬於聖賢矣。

又 學文者先求有所見，再求達其所見。任臆而行，自有轉換，自有低昂起伏承接斷續，皆非有心爲之，自然中節。至其句法長短，字法生熟，章法駢散，總期於趁手快心。而未嘗豫設成法於胸中，此則效古文之妙諦也。

王之績《鐵立文起》卷首《文體統論》 王懋公曰：「予向辨別詩文，體製後有家數、世次、羣書、意匠四類。家數云何？如汪彥章謂：「左氏、屈原，始以文章自爲一家，而稍與經分。所謂一代大作手是也。」又如昔人云：「神人之言微，聖人之言簡，賢人之言明，衆人之言多，小人之言妄。」古今文章家，能出此數語耶？世次云何？如昔人謂：「先秦兩漢詩文具備，晉人清談、書法，六朝人四六，唐人詩、小說，宋人詩餘，元人畫與南北劇，皆是獨立一代。」又曰：「西漢自王褒以下，文字專事詞藻，不復簡古。而谷永等書，雜引經傳，無復己見，而古學遠矣。」所以讀書不可不論世也。羣書云何？如漢人稱楊雄工賦，王君大習兵，桓譚欲從二子學。子雲曰：「能讀千賦則善賦。」君大曰：「能觀千劍則曉劍。」嗟夫，學者既知文章體製，而又博極羣書，則多錢善賈，有必然者。猶患不能出人頭地哉。雖然，神而明之，存乎其人。如宋呂本中云：「須令有所悟入，則自然度越諸子。悟入之理，正在工夫勤惰間耳。如張長史見公孫大娘舞劍器，頓悟筆法。如張者專意此事，未嘗少忘胸中。故能遇事有得，遂造神妙，使他人觀舞，有何干涉？」故論文而終之以意匠，所謂運用之妙在一心。蓋兵法卽文機也。

又 鍾伯敬曰：「士必平日博於讀書，深於觀理，厚於養氣。發而爲文，

各有以見其才之所不相借，情之所不容已，神之所不可強，志之所不能奪者，而後可以言體。已乃隨其純疵、離合、偏全之數而損益焉，斯之謂正，非一日之積也。吾願求乎文者，姑勿言其正與不正，而先論其體。體者何？讀書觀理養氣，得其才情神志所在而已。此不求正而自正之道也。

又　王懋公曰：《逸雅》既釋文矣，何獨於章而遺之？按《六書精蘊》云：「章，樂之一成也。字意從音從十，條理自始而終也。」章與文同。文也者，其輝光也；章也者，其節奏也。節訓止，奏訓進，取進止不越軌度之義。於此可悟行乎其所不得不行，止乎其所不得不止，正文家大章法也。章法具而後成文，亦猶條理全而後成樂。

又《後編》卷五《策論通論》　文章本於氣骨而成於學力，眞能古人自命，便可奴隸百家。若得其字句而遺其神理，陋矣。故今但以文章氣局爲主，拾千家之殘瀋，團百氏之敗絮，而以爲工，吾不信也。

又卷六《論》　作論之法，須依於忠厚，止于理義。可標駁羣彥，不可戲薄聖賢。可攄理陳詞，不可以強詞奪正理。衆毁而吾獨譽之，發吉人之心事，抒千古之幽光，若衆譽則不可輕毁也。有過處可求無過，無過而求有過，則刻矣。文章之微，關係心術，學者愼之。

又　論貴古，賈生《過秦》其最也；論貴圓，蘇氏兄弟稱絶調焉。故學論者，取材于古，而猶當暢之以蘇文。

袁枚《與孫俌之秀才書》　夫古文者，卽古人立言之謂也，能字字立於紙上，則古矣。今之爲文者，字字卧於紙上。夫紙上尚不能立，安望其能立於世間乎？不知者，動引隋柳虬之言，以爲時有古今，文無古今。唐、宋之不能爲漢、秦，猶漢、秦之不能爲三代也。此言是也。然而《韶》，舜樂也，孔子云：「樂則《韶》舞。」使夫子得邦家，則《韶》樂未必不可復。文章之道，何獨不然！僕以爲欲奏雅者先絶俗，欲復古者先拒今。俗絶不至，今拒不儳，而古文之道思過半矣。韓子非三代、兩漢之書不觀，柳子自言所得亦不過《左》、《國》、《荀》、《孟》、《莊》、《老》、《太史》而已。當唐之時，所有之書，非若今之雜且夥也。然而拒之惟恐不力，況今日之僕邀相從，紛紛喋喋哉？

紀昀《香亭文稿序》　自前明正德嘉靖間，李空同諸人始以摹擬秦漢爲倡，於是人人皆秦漢，而人人之秦漢實同一音。茅鹿門諸人以摹擬八家爲倡，於是人人皆八家，而人人之八家又同一音。模造面具，其斯之謂歟？久而自厭，漸闢別途，於是鍾伯敬諸人，以冷峭幽渺求神致於一字一句之間。陳卧子諸人更沿溯六朝，變爲富麗，左右佩劍相笑不休，數百年來，變態百出，實則惟此四派迭爲盛衰而已。夫爲文不根柢古人，是偭規矩也；爲文而刻畫古人，是手執規矩不能自爲方圓也。孟子有言：梓匠輪輿能與人規矩，不能使人巧。是雖非爲論文設，而千古論文之奥，具是言矣。夫巧者心所爲，心所以能巧，則非心之自能。爲學不正則雜，學不博則陋，學不精則膚，雜而兼以陋且膚，是惡能生巧？卽恃聰明以爲巧，亦巧其所巧，非古人之所謂巧也。惟根本《六經》而旁參以史、子、集，使理之疑似，事之經權，了然于心，脱然於手，縱横伸縮，惟意所如，而自然不悖於道，其爲巧也不有不期然而然者乎？

《四庫全書總目》卷一五〇《李元賓文編》　希聲之序則謂文以理爲本，而詞質在所尚。元賓尚於詞，故詞勝於理；退之尚於質，故理勝其詞。退之雖窮老不休，終不能爲元賓之詞，假使元賓後退之死，亦不及退之之質。

又卷一五二《宋景文集》　至於舉陸機之謝花啓秀，韓愈之陳言務去，以爲爲文之要，則其生平得力，具可想見矣。

又《騎省集》　《讀書志》稱其文思敏速，凡有撰述，常不喜豫作，有欲從其求文者，必戒臨事卽來請，往往執筆立就，未嘗沉思。常曰文速則意思敏壯，緩則體勢疏慢。

又卷一六六《桂隱文集》　考集中有與揭曼碩書，稱文章期於古而不期於襲，期於善而不期於同，期於理之達、神之超、變化起伏之妙，而不盡期於爲收斂平緩之勢。若以委怯爲和平，迂撓爲春容，如學西施者僅得其顰，學孫叔敖者僅得其衣冠談笑，非善學者也。蓋其文章宗旨，主於自出機軸，而不以摹擬字句爲古。

又卷一六九《宋景濂未刻集》　蓋文章一道，隨事立言，與訓詁經義，排纂語錄，其例小殊。

又卷一九四《斯文正統》　然三代以前，文皆載道，三代以後，流派漸分。猶之衣資布帛，不能廢五采之華，食擧菽粟，不能廢八珍之味。必欲一掃而空之，於理甚正，而於事必不能行。

尤侗《己丑眞風序》　文者，與世變者也。天地以大文造世。合觀前史，三皇爲破，五帝爲承，三王爲講，漢爲起，晉爲虛，唐爲中，宋爲後，明爲

束，而其間七雄、三國、六朝、五季皆其起伏呼應，斷續波瀾之妙。且卽一代爲一篇，而章法、股法、句法、字法無不具焉。故文莫變于天地。人以天地之文造文，文與天地始，與天地中，與天地終。天地變而世變，世變而文變。使世而不變，則揖讓之後無征誅，征誅之後無封建，封建之後無郡縣，郡縣之後無割據矣。使文而不變，則典謨之後無誓誥，誓誥之後無論策，論策之後無詩賦，詩賦之後無詞曲，詞曲之後無制義矣。吾所憂者，天地無窮不變之時，亦無變不窮之理。多藏者厚亡，喜新者易故，題目既完好，文難續耳。然而造化大奇，非可意測，方其未變，不知其變者至也；及其變，不知其變者又至也。

又《牧靡集序》 當世作者，甲自以爲昌黎，乙自以爲廬陵，且不屑有漢，無論晉魏，況六朝乎？【略】 文人相輕，自古已然，文心之不同如其面焉。尺有所短，寸有所長，未可執此而棄彼，舉一而廢百也。今使驅天下之人盡出于昌黎、廬陵之門，則兩漢以下，六朝以上，千百年間，其人必皆化爲異物，而其文亦如冷烟荒草，隨風飄滅于無何有之鄉，然後可耳。若既有一代之人，則自有一代之文。假令班、揚、潘、陸、顔、謝、徐、庾諸子聚一堂之上，分毫比墨，有如宫商相宣，絲竹迭奏，唱予和女，相視而笑者矣。雖有韓、歐在座，必不齟齬而詆譏也。而今人顧爲拘墟之見，何其夸而自小乎？

申涵光《與朱錫鬯書》 夫古文之難，又非詩比。左、國、史、漢，韓、柳、歐、蘇，法備矣，斤斤摹之，則爲效顰，跳而别圖，便墮惡道。故有明三百年有名篇無名集，職是故也。

彭賓《茹吉社文序》 大槩文章一道，不當論末而當論本，必如何而古法，必如何而先輩，皆末也。古人所傳者皆其一時之機杼，偶然而成，而本不傳焉。學有源流，漸漬於《六經》、子、史，非一朝夕之事。今人不學先輩之所學，而學先輩一時偶然而成之言，宜其舛謬鄙固不知變通也。譬之大賈然，其所販之物必販之於所産之地，待時而鬻焉，得時則貴，所獲無算矣。小賈泛泛，朝而販之於塗，暮而鬻之于塗耳。今人之勦襲遺瀋以飾觀聽者，小賈之類也，又何深求焉？

又《文稿可久序》 今夫文之所以不可久者，何也？以其胸無成見，因人之好尚以希倖一時之喜，僅取乎人而勝乎人也。磨之而加瑩，雕之而增文，則枉屈紆繞者多矣！大槩先輩之文，有當時見爲平淡，久之而不能易，必代有數人，人有數篇，卽一科之中，英絶領袖者，其文多有可觀，亦非曰某某之文皆可久也。故作文者而期于可久，作者難矣！

又《馮函輝文序》 文章之道，必因其時之可乘而急取之。年方舞象，志既遐邁，氣復雄舉，如李廣之射石，不知其爲石輒飲羽矣。年漸大者，心膽漸怯，知其爲石，則就其知之之時，一往之氣已奪，宜其不復飲羽也。

易學實《王山文集序》 夫卽今之人爲今之文，輒命之曰古，豈非以其取古體裁，役古神氣以爲今人之文，而遂可合于古人之文乎？然古人則未嘗有一定之體裁也。《六經》、《語》、《孟》、《左》、《國》、秦漢以至唐宋大家之文具在，學者取而思之，其體譔爲何如耶？至謂役古人之神氣以爲神氣，斯言也又似是而不可以不辨者也。子輿氏有言，是集義所生者，非義襲而取之也。古人浩然之氣得之善養，善養浩然之氣，得之集義，苟以爲道德之氣與文章之氣殊塗異轍，則《易》之修詞立誠，昌黎之文以貫道，莫不横流今古，充塞天地，有二義哉？然則謂役古人之神氣爲我之神氣，獨不可卽我之神氣爲横流今古充塞天地之神氣乎？且夫古人之神氣，極其所至，亦不過如日星明没，風雲變態於渾涵灝氣中耳，吾何能執而役之？亦何必執而役之哉？

安致遠《漁村文集序》 詩文者，與風會爲轉移者也。而世有作者，則常以詩文轉移夫風會，何也？詩文之變不可勝窮，爲於舉世所共爲之日，則其勢同而易；爲於舉世所不爲之日，則其勢獨而難。乃有志之士，每爲其獨且難者，屹然于風會波靡之日，此非不惑于流俗者不能也。

潘耒《錢飲光八十壽序》 自昔人有立言不朽之論，而士之不遇於時者，多藉文辭以傳。文之爲物，不金石而堅，不江河而流，其力能使作之者與天壤同壽。然古今來盡心於文辭者，不知凡幾，而卓然名世者，可指而數也，或傳或不傳，其故安在？夫子曰：「辭達而已矣。」昌黎云：「唯古於詞必己出。」夫唯必己出，而後能達，必達而後能行遠。古之爲文若詩者，皆有獨至之見，孤行之氣，不可解之情，鬱於中而宣於外，縱横高下，一一從胸襟流出，浩乎沛然，無施不可。今也本無所見，而尺寸規模古人，徒依彷其音節，揣摩其波瀾意度以爲工，離是而索其所以爲文者枵然無有也，欲不速朽得乎？

李驎《若菴集序》 文無定則，縱横變化，不可以一律繩也。而可以一律

繩者，曰不詭於道而已。子思子曰：「天命之謂性，率性之謂道。」道本乎性情者也，而性情之所極則文生焉。文生於性情則雅則潔，而離於性情則鄙則雜。

陳僖《與龐霽公論文書》 凡文章之不可不講者有八，八者何？體也，理也，氣也，法也，情也，韻也，辭也，宗也。詞賦傳誌，記序碑銘，各不相侔，一篇之中，前後巨細，左右上下，各若有職而不亂者，體也。述之以事，本之以道，折衷其是非，去取其可否，不悖乎人情，不謬於聖人，理也。推之使高如泰山之崇，崛如垂天之雲；作之使雄壯如滄江八月之濤，海運吞舟之魚；大焉使如雷霆之奮，鼓舞萬物；小焉如脉絡之行，出入無間，則氣也。若夫法也者，繩墨也，開闔起伏，虛實照應是也。得乎法，如豆泰氏持策攬轡，圓旋中規，方折中矩，如環人之車，駕以駃騠，驅通道，上峻岅，無所不可，否則倒行逆施，康莊皆險阻矣。情也者，心之所思，意之所感，發舒於語言文字，讀之者皆可逆得其悲歡好惡之微，雖欲自掩而不可得者，此工樂者能使喜慍見於聲，工舞者能使欣戚見於容也。至於篇有含蓄，句有蘊藉，墨中之鏗鏘，言外之風致，餘章末句，留味無窮，如朱絃之有遺音，太羹之有遺味，所謂韻也。文章無韻，譬之壯夫骨強氣盛而神色昏瞢，言動凡濁，亦庸俗鄙人已耳。夫文何爲而設也？以傳理耳。知理者不能言，世之能言者多矣，而文者獨傳，豈獨傳哉？因其能文也。言之不文，不可以行遠，因其能文而言益工，因其言工而理益明，則辭尚焉。所謂辭者，非艱澁險怪，必如科斗鳥跡所記弦匏之歌，鐘鼎之文也。期於典則簡潔而已，不典則，則無氣象；不簡潔，則不雅馴。堆砌綺靡，失之遠矣。宗者何？一篇之立義是也。凡作一文，必有一義，始終關鍵，皆繫於此，如四瀆雖納有百川，或匯而爲廣澤，汪洋千里，要自發源江海耳。此文之不可無宗，而宗之不可不趨也。能講究乎此，則超然懸解，躐等頓造，徑至妙處。不然，即研精苦思，捫隙發罅，究不得窺其門戶矣。

黄始《聽嚶堂四六新書序》 日星麗乎天而光華常旦，川嶽附乎地而經緯恆新，是日星川嶽天地之大文也。使天有其日星而無雲霞爲之披拂、雨露爲之濡潤，則天亦頹然其光華爾；使地有其川嶽而無波濤爲之瀠洄、草木爲之掩映，則地亦龐然其經緯爾，曷以窮生態之奇，宣物華之盛哉！文章之道亦然。西京而下暨唐宋諸大家之文，文之日星川嶽也，魏晉而下自六朝以迄唐初諸子比耦之文，文之雲霞雨露波濤草木也。龍門、昌黎、歐、蘇諸家發其光華，彰其經緯，而無徐、庾、謝、鮑、王、楊、盧、駱諸子爲之披拂焉、濡潤焉、瀠洄而掩映焉，則文之體終未備，文之奇終未宣，文之精英光怪終未畢呈而暢露。故大家之文與比耦之文不可不并傳也。或者曰，大家之文起伏呼應，賓主開闔，莫不有法，故行乎其所不得不行，止乎其所不得不止，若夫比耦之文，不過選聲諧律，句櫛字比，雕蟲小技，壯夫弗爲耳。嗚呼，是未知大家之文固貴乎法，而比耦之文亦未始離乎法也。大家之有起伏呼應賓主開闔，則選聲諧律，句櫛字比之中，未始無起伏呼應賓主開闔也。序事則有起伏，有呼應，而虛實之法備焉矣；用事則有賓主，有開闔，而反正之法備焉矣。況乎敘述而後先有次，敷陳則輕重有體，箴則有諷有規，頌亦無諛無濫。掇景而風雲起其筆端，摛情則啼笑生於字裏，莫不極天人之奧義，寫物類之妍思，則誠哉比耦之文與大家之文，不得不相輔而并傳也。

蔣永修《華容孫氏七葉文集序》 大凡詩文主乎氣，氣博則優，氣厚則久，凝則用不竭而浩然者，雖數世有光。剽竊者客氣也，膚靡者浮氣也，謔浪者散氣也，幽靈慧辨纖材刻機，則氣之盡者也。惟博則不客，厚則不浮，凝則不散，浩然則不盡。

田同之《西圃文說》卷三 文章家繩墨、布置、奇正、轉折，自有專門師法，至於中間一段精神命脈骨髓，則非洗滌心源獨立物表者，不足以與此。觀秦漢以前之文，每家各有本色，且莫不各有一段千古不可磨滅之見。是以老家必不肯勦儒家之說，縱橫家必不肯借墨家之談，各自其本色而鳴之爲言，雖爲術襍駁，要皆本色也。故精光所注，歷久而不泯於世。兩漢而下之文之所以不如者此也。迨唐宋而下文人莫不語性命，談治道，自托於儒家之言，然究無一段千古不可磨滅之見。【略】文以意爲主，主立則氣勝，氣勝則鏘洋精采從之而生。

又 立言之道有六難：學難乎淵該，事難乎綜覈，詞難乎雅健，氣難乎冲和，識難乎通融，志難乎沉澹。【略】予謂淵該、綜覈、雅健、冲和、通融五者，固屬難兼，猶不絶響，至志難沉澹一語，則幾於道矣。【略】王文恪云：爲文必法古，使人讀之不知所師，善師古者也。若拘拘規倣如邯鄲之學步、東施之效顰，則陋矣。所謂師其意不師其詞者，此最得爲文之妙訣。

又 文章雖不要蹈襲古人一言一句，然古人自有奪胎換骨法載在篇章，

歷可指數，此實不傳之秘。【略】文章以體製爲先，精工次之，失其體製，雖浮聲切響，抽對白黄，極其精工，不可謂之文。文章不使事最難，使事多亦最難。不使事難於立意，使事多難於遣辭。能立言者未必能造語，能遣詞者未必能免俗，此又其最難者。

又 文章以氣韻爲上乘，氣韻不足，雖有詞藻，豈稱佳作。

楊繩武《論文四則》 清眞雅正，皇上聖諭，實爲千古論文之極則也。凡學者遵循是旨，深造有得，乃可以登作者之堂。而要其從入之路，必在於多讀書，有原本，彌中瀑外，篤實光輝，乃能矯陋式靡，以造于清眞雅正之域。譬之長江大河，發源萬里，細流不擇，魚龍百怪出沒其中，而其實淆之不濁，所謂清也。若夫溝渠之水雨集易盈，頃刻便盡，終爲藏垢納污之所而已。天地之氣，流而爲川，峙而爲山，翼者能飛，趾者能走，得其秀者爲人。雷雨時至，百卉盡放，皆有生意貫徹于其中，是之謂眞。若使刻木爲人，翦綵爲花，圖繪之山川鳥獸，雖窮形極相，生意已盡，焉得爲眞有人於此？被服容貌不能動人，而胸有數百卷書，舉止吐屬自然雅令。一旦執市儈之夫，草野之子，與之揖讓談論，雖厚自矜飾強作解事，亦俗不可耐而已。武侯陣圖，陣間容陣，隊間容隊，風雲蛇鳥，變化不測，而實出于陰陽、奇偶、天地、自然之數，所謂正也。若驅率市人，漫無紀律，或拘牽陳轍，不識變化，則如房琯之車戰，宋襄之不阻不禽。方敗績覆壓是懼，焉得爲守正乎？韓退之曰孟子醇乎其醇；柳子厚曰本之太史以著其潔。孟子之文縱横恣肆，不可方物而謂之醇；太史公之文怪奇瑋噩，無所不有而謂之潔。知孟子之所以爲醇，太史公之所以爲潔，可以得清眞雅正之所從入矣。

又 古人所以必嚴文章流别也，大抵文章之道，未論妍媸，先别高下。果其根柢盤深，氣骨厚重，筆力堅剛，雖間有未醇，無傷大雅。若骨少而肉多，詞豐而意弱，力量既薄，根柢亦浮，縱完好可觀，不登上乘。然或欲避平鈍，轉入離奇，牛鬼蛇神，鼍頭鼠目，則又在所必禁。

魯之裕《王若巖時文序》 文載道者也，非藝也。道精粗純駁，而文之境候即因焉，不可得而飾者也。雖然，天下之積力於文者衆矣，道果載於其內歟？載之則文也即道也，不可以藝視之者也。雖然，道無窮盡，無方體者也。載之之文亦不可以方體窮盡之者也。是故才子之文華，學士之文博，近於仁者醇而實，近於智者穎而新，浮而入者膚焉，躐而跂者躓焉。苦心鋭志，以密研乎義理之精微，斂氣抑情，以就範於法律之嚴細，而又博搜廣覽乎古今賢智，深造自得之所爲，優游縱恣於天地山川，創見異聞之名物景況，夫而後潛心以鑄其局，肖神以遣乎詞，奮迅以赴乎其機，和平以達之於氣度，而更鏗鏘絢染以發皇於聲容作止之間，變化洗濯，以超軼於流品恆情之外。是文也，謂曰藝焉可也，謂曰道焉可也。

馬榮祖《文頌上・養氣》 磅礴混茫，中是何物？有夫吸噓，靈風披拂。春雷未鳴，衆萬沈鬱。應龍蚓藏，奇葩含菀。胎息淵深，根柢盤屈。恍乎惚乎，窮於髣髴。

李來泰《邱海石楚村集序》 至於文，古之所謂治具也。《六經》之所載者，載此而已，非若後世浮濫乎文也。浮濫之文，古未有也。古之所謂文者，文生於情，情生於文，於儀章度數之間或損之，或益之，莫不就夫厥中，使體用之相資，而本末之兼該也。

黄越《退谷文集》卷一四《辛未十一則》 向來時文世所謂佳者，率多經簏史鈔，今日之爲文者，略知涉獵宋儒理學，其失又在以語錄爲時文，理非無本，而氣則已舊。夫講學與爲文不同，講學無語氣，而務闡發其精理，則本義之所有，本義之所無，皆可縱横推廣。時文則有語氣，以講學語爲時文，語多見其不合也。況理本日新，不務融會貫通，取其語氣以恰當乎題款，顧肆爲附會抄撮，其亦何以異于經簏史鈔乎？

劉肇虞《元明八大家古文十三卷序》 夫文不一家，瑰瑋絶特之士各持所得類能爲之。然有其道必本於六藝，濂、洛、關、閩之所折衷，有其法必本於《史》、《漢》，韓、柳、歐、曾之所變化。以濂、洛、關、閩之旨運韓、柳、歐、曾之機，而後謂之大家。道不精則其言膚，雖或提掇綱領，把握機鍵，中於尺度矣，而非其至也。法不正則其途支離，雖或幽思渺義，雄情偉論，出人意表矣，而非其至也。

高珩《象六先生文集序》 蓋古人未嘗有意爲文也，彼其經緯倫物之則，秩然其有序矣，而垂之以訓典，樹之以風聲，故天地以是平章，而風猷于焉惇叙。【略】然則文固有其廣被，學固有其要旨，指斯世于三代之隆，指顧而收，名卿才相之所難，亦直易易也。天下文章，孰大于是乎？乃後世之命爲文學者不然，儷事搽華，或爲韓歐之篇章，王杜之歌咏，鞶帨而粉題，依希優孟，伐鼓而矜于衆曰：是已足爲文人矣。及其施諸有位也，五典之不敦，

五福之不錫，三德六德之未乂用，泯泯紛紛，橫目冠帶之倫，將謂豺狼鬼魅而方肆然于慆德之上，曰，是亦足以稱隆業矣。嗚呼！何其小吾文小吾治，而離之于仁且學也。是隋苑之剪彩，皆可以埒七政三光，而群猰貐封豕之磨牙于宇下者，皆曰無殊率舞也。有是理乎？如是以爲治，姚姒之佐將揚觶而退之，而其所侈韓、柳、王、孟之文者，其爲名卿才相束諸高閣不爲過也。

夏之蓉《答張解元世犖論古文書》 文章之道，與時爲升降者也。唐之視漢遠矣。宋之視唐，明之視宋，抑又遠矣。要其覃思研精，各有所至，未可以形模論也。

又《正味集序》 昔人謂能文難，知文尤難，何也？文之聲音采色，美之外見者也。若夫直追所見，以寸心剖析乎毫釐分寸之間，而含英咀華，蘊藉深遠，則文之以味勝者也。此其文，苟非閲者自以其心窮乎作者之心，與之爲行，與之爲止，有不知所云者矣。故曰作者難，知者尤難。然則文之以味勝者，凡皆可以爲至與？曰：非然也。楂梨橘柚，味不同而各適於口者，篤於偏至也。文王之芹，屈到之芰，曾晳之羊棗，中於人之僻嗜者也。此各有所當而非天下之至當也。文之於味亦若是則已矣。今夫古聖賢微言所在，其精深淵妙，不可窺尋，而苦心孤詣之士，自能於千載下會其義而發之爲言，是故起伏頓挫開闔變化之法，不極之古文大家，則辭不達。天人性命之端，古今治亂成敗得失之故，不求之《六經》子史，則義不該，而其卒與題遇也，又非獨義與辭而已，必將虛其心志，與爲委蛇，求之乎聖賢所對之人，所述之事，與其立言輕重之指歸，涵泳從容，意趣浹洽，以此爲文之至，味之正而已矣。

鄒炳泰《午風堂叢談》 古之人非著書立言論建利害，未嘗特爲文也。碑誌序平生，記序記一時。雖韓、柳大家創制作稱古文，亦各隨事輕重、大小止，未至紆餘浩蕩，春容大篇，出議論于事外，發理趣于意表，如後來所見也。

錢大昕《與友人書》 夫古文之體，奇正濃淡詳略，本無定法，要其爲文之旨有四：曰明道，曰經世，曰闡幽，曰正俗。有是四者而後以法律約之，夫然後可以羽翼經史，而傳之天下後世。至于親戚故舊聚散存沒之感，一時有所寄托而宣之於文，使其姓名附見集中者，此其人事迹原無足傳，故一切闕而不載，非本有可紀而略之，以爲文之義法如此也。【略】文有繁有簡，繁者不可減之使少，猶之簡者不可增之使多。左氏之繁勝于公穀之簡，《史記》《漢書》互有繁簡，謂文未有繁而能工者，非通論也。

姚椿《南宋文範序》 夫以文載道之說，始于韓子，而歐陽子承之，至朱子而其道益光。同時諸賢，莫不質有其文，彬彬乎韓、歐之緒餘也。【略】或曰：南宋文氣冗弱，上不能望漢、唐、北宋，而下亦無以過元、明。夫道德之言，不專主乎文，而亦未始不有其文。故自韓、歐以來，一則曰文者貫道之器，一則曰文與道俱。此雖其才不逮前人，猶將過而存之，以爲學者勸，而況其人與文之光明俊偉若是者乎！

彭紹升《論文》 文之爲用有三：曰明天德，陳王道，辨物情。而所以行之者四：曰惻隱之心，羞惡之心，是非之心，辭讓之心。是四者，根于性，效于情，而成于才。才者性情之所由達也。而泥注疏之體者則曰無事才，方惡人之以才汩之也，不知才不盡惻隱羞惡是非辭讓之心，不可得而著也。後之讀其文者，惻隱羞惡是非辭讓之心不可得而興也，若是者不作可也。

又 經義之病有三：一曰腐，二曰酸，三曰俗。天之肖物，日新而不窮，是有本焉，而不可以已也。輪扁之爲輪，得之手，應之心，口不能言，有數存焉于其間。其于文也何獨不然？拙者爲之，取已陳之糟魄而求味焉，索然矣。故一在去腐。《書》有之：「無偏無黨，王道蕩蕩。無黨無偏，王道平平。」奈何不由其蕩蕩者，平平者，日崎嶇于幽崖絶壑之中，得一卉一石樂之忘年。將欲躋泰山之高，窮滄海之大，不亦左乎？故二在去酸。朱子之言學也，曰：脱棄凡近，以游高明。其言詩也，必先滌除腸胃辛穢之氣，而後可以漱六藝之芳潤，苟辛穢不除，妄談六藝，譬猶爇旃檀于鮑魚之肆，聞者掩鼻而趨矣。善爲文者，空諸所有，一字不立，如是久之，客氣既消，天明斯復，古昔聖賢所以爲言之旨乃可得而窺也。誠得其所以爲言之指，而有不能爲聖賢之言者乎？故三在去俗。

又 去俗者，立心之要也；去酸者，修辭之要也；去腐者，明理之要也。理既明，則心可得而立矣；心既立，則辭可得而修矣。兼是三者，質有其文焉，可以與于君子之林矣。雖然，文之用盡于斯乎？「觀乎天文，以察時變；觀于人文，以化成天下。」聖人之所以爲文者，有如是也。「天何言哉！四時行焉，百物生焉。天何言哉！」天之所以爲文者，有如是也，知道者默而成之，庶矣乎？

又《震川文録叙》夫文之爲道，微矣。顧自南宋以來，知言之士，取足以達意而止。卽達，亦未始非聖人之訓。然而主文譎諫，風人之旨也；朱弦而疏越，一倡而三嘆，古樂之遺也。是則達之爲言，殆未足以盡文之變也。

王昶《與彭晉函論文書》 夫所謂文者，理與詞已耳。詞非理不立，理非詞不達。爲古文辭必反覆紬繹其理，必旁推交通，不致有缺略滲漏，以蘄裨於世教。而時文限之以題，理常有所不可盡，而義多有所不獲宣。甚者乃爲逆探鉤取，若吐若茹，以詫其靈敏儇巧，名爲闡聖賢之言，實於聖賢立言大旨，轉相悖戾。蓋其不同如此。

趙懷玉《存素堂文初鈔序》 文章之道，各聽人之自詣，而非有限之者也。然處崇高綏厚之地，欲與老師宿儒白首佔畢者爭其長於一日，則勢有所甚難。何則？窮而下者枕葄經史，舍是無它嗜好，故得爲顓門名家。達則官守勞其心，紛華蠱其志，縱汲汲於古，而奪之者衆，其難一也。窮而下者自治其業而已，達則操陶冶之柄，當以衆人之文爲文，而未可私爲一己之事。古公卿説士之甘不啻口出，而天下奉爲宗匠，苟聞見有未周，精神或稍怠，則觖望多而令名遂損，其難二也。窮而下者同類切劘，人樂攻其短，達則分位既尊，貢諛日至，雖其儕列亦不敢遽肆譏彈，故有失而終身或不能自覺，其難三也。

汪縉《作文三關》 作文有三關。三關者，三見斷，三性通也。第一關在斷人之見，無人之見者存則透一關矣，文乃入手。第二關在斷文之見，無文之見者存則透二關矣，文方入妙。第三關在斷理之見，無理之見者存則透三關矣，文自入神。三關頓透，在通乎人之性、文之性、理之性而已。三性未通，其爲斷也，偭規背矩而已矣。

焦循《文説一》 學者以散行爲古文。散行者，質言之者也。其質言之何也？有所以言之者而不可以不質言之也。夫學充於此，而深有所得，則見諸言者自然成文，如江河之水隨高下曲折以爲波濤，水不知也。倘無所以言之者而徒質言之，諄諄於字句、開合、呼應、頓挫之間，是揚行潦以爲瀾，列枯骨朽荄吹嘘之以爲氣，勦襲雷同，犐觪可憎，試思所欲質言者何在而爲是喋喋也。是故學爲古文者，必素蓄乎所以言之者而後質言之，古文者，非徒質言之者也。

又《與王欽萊論文書》 天下之物各適於用，文何用？有用之一身者，有用之天下者，有用之當時者，有用之百世者。科舉應試之文，用之一身者也；應酬交際之文，用之當時者也。二者之於文皆無足重輕。若夫朝廷之誥，軍旅之檄，銘功紀德之作，興利除弊之議，關於軍國之重，民物之生，是文之用於天下也。然必仕而在上，有才藝足以達者任之。布衣之士窮經好古，嗣續先儒，闡彰聖道，竭一生之精力，以所獨得者聚而成書，使詩書六藝有其傳，後學之思有所啟發，則百世之文也。乃總其大要，惟有二端：曰意曰事。意之所不能明，賴文以明之，或直斷，或婉述，或詳引證，或設譬喻，或假藻績，明其意而止。事之所在，或天象算數，或山川郡縣，或人之功業道德，國之興衰隆替，以及一物之情狀，一事之本末，亦明其事而止。明其事患於不實，明其意患於不精，學者知明事之難於明意矣，以事不可虛，意可以縱也。

劉開《復陳編修書》 夫文之本出於道，道不明則言之無物。文之成視乎辭，辭不修則行之不遠。識足以見之，學足以至之，氣足以舉之，才與力足以斡旋之，如是而已。所貴乎學者，爲其能以一而致四者之美也。致此有道，爲之以漸，不亟不徐，勿舍其鉅而圖其細，勿事其末而置其本。今夫水，掘之平地，雖費千人之勞，其流不敵溪曲，其用不過灌溉。若夫出自大河江漢，挾百川，奔四海，動而爲波瀾，瀦而爲湖澤，激蕩瀠洄，初無待乎人力，是何也？其所積者厚，所納者衆，而所發者之有本也。夫古人之潛心德藝而不徒規規於文字間也，其知此矣。彼蓋於天地萬物，無一不獲爲己有，誦百家浩渺奇博之言，以富其所蓄，遠取乎八荒之殊狀異態，以開其壅蔽而破其拘墟，使己之性與物通，神與境化，而後八風七音之入乎耳，九文六采五章之接乎目，二氣四時群變萬化之觸於心者，皆可得之以爲文焉。自唐宋以降，世之考文辭者，不可勝數，然終身爲之而不知其法者，比比皆是。求有人焉得前人意義，不失古文矩矱，已罕遇，可貴矣，而能奪其才力，傾其蘊蓄，出其陸離光怪，洩其悲憤幽鬱，以自成爲一家之言，前後不必同轍，彼此不妨異趣，於以明聖人之道，窮造化之微，極人情物態之變者，蓋數百年之間未之多見也。是豈氣運有昇降，而天地生才亦有所限而不輕出與？抑豈識不足以立其本，學不足以擴其基，氣不足以充其辭與？將才與力有工拙厚薄大小之不同，而所造亦隨爲進退與？夫八家未出之前，法未備而文日益奇；八家既行之後，法愈密而文日益下。非法之足妨文也，衆美既具，奇無可加。夫如是，故取境也難。且古賢獨擅之長，既不可與爭雄，兼取各家之長以歸

一人之鎔鑄，則力又有所不逮。於是偏於才者或縱横求異，不知古人之去取裁制，而決裂乎法外；偏於學者或平易近理，不知古人之波瀾變化，而拘守於法中。曾子固醇而不肆，蘇明允肆而不醇，兼之者僅昌黎也。此在昔人尚以爲難，況後世之嗇於才而弱於學者哉？夫文猶兵也，善用之達於精微，不善用之卽泥於往迹。【略】文無定法，故聖人云：「神而明之，存乎其人。」韓退之曰：「氣盛則言之短長與聲之高下皆宜。」苟不能潛心德藝，以養其氣，而徒規規於文字之末，是猶掘地求水，而不溯源於大河江漢也。

又《與阮芸臺宮保論文書》 夫天下有無不可達之區，卽有必不能造之境；有不可一世之人，卽有獨成一家之文。此一家者，非出於一人之心思才力爲之，乃合千古之心思才力變而出之者也，非盡百家之美，不能成一人之奇，非取法至高之境，不能開獨造之域，此惟韓退之能知之，宋以下皆不講也。五都之市，九達之衢，人所共由者也，崑崙之高，渤海之深，人必不能至者也，而天地之大有之；錦繡之飾，文采之輝，人所能致者也，雲霞之章，日星之色，人必不能爲者也，而天地之大有之。夫文亦若是而已矣，無決隄破藩之識者，未足窮高邃之旨；無摧鋒陷陣之力者，未足收久遠之功。縱之非忘，操之非勤。夫宇宙間自有古人不能盡爲之文，患人求之不至耳。衆人之效法者，同然之嗜好也，同然之嗜好，尚非有志者之所安也。

管同《又答念勤書》 夫論詩與古文，前人之説已備矣。要而言之，體不直不可以爲傑，勢不曲不可以爲姸，如長江大山，千里萬仞，而峰巒島嶼，層見疊起，望之茫然，而卽之竦然。是故養氣必盛而儲思必深。思深矣而氣不盛，弱焉而已爾；氣盛矣而思不深，平焉而已爾。今夫爲文一篇，其始終必貫以一意，此不待能者而後知也。然而按文之首而可測其尾，讀文之上而便知其下，其陳義遣辭，縱使明當，而欲執以論文章之奇妙，遠矣！世之爲文者亦皆知文章貴乎奇妙，而所爲卒至於弱且平者，何哉？讀之不精，而臨文時不知迎而距之之説也。

方東樹《切問齋文鈔書後》 《易》之《家人》曰：「言有物。」《艮》曰：「言有序。」夫有物則有用，有序則有法。有用尚矣，而法不可偝。必有以矯而正之，講明切究，遵乎軌跡，以會其精神，使夫古人音響之節，律法之嚴，學者有所望而取則焉；豈可以隨俗恆言，任意驅役楮墨乎？作者之徒，宜謹之於此。韓子曰：「記事者，必提其要；纂言者，必鉤其玄。」非要非玄，而冗長並錄，是《書》不止百篇，《詩》不止三百。非惟汗牛充屋，不能盡載，且適以罔道迷人。故曰白黑分矣，而務去之，乃徐有得也。纂輯之家，宜謹之於此。若都不能，則但取經事，不與論文可也，《三通》是已。

又《答友人書》 夫文章小技，然必有入理之功，經世之用，開拓其心胸，遺棄乎淺俗，出入乎經子，游觀於事物，深究乎古今文家之變，而後以其雄直之氣，瑰傑之詞以求中乎法律，逼肖乎古人而不襲其貌，嗚呼！是亦難矣。若乃恃古人往矣，不復能言矣，於是家自以爲遷、固，人自以爲向、雄，漫相矜附，以贋爲眞，其稍有知者，又往往得少自足，己既不疑，評者又失，此蘇子瞻所以有捫燭叩槃之喻也。

又《姚石甫文集序》 文章如面，萬有不同，而苟求古人深妙之心，則雖千載之遠，如出一手；不得其心，往往好彊同其面，同其面而深妙之心亡矣！優人之肖人，歌泣悲愉足移觀者之耳目，有識見之，必不以爲眞古人也。夫文亦若是焉則已矣。本之以經濟以求其大，本之以義理以求其醇，表章紀事然後重，陶鑄性情然後眞，不如是則浮、則龐、則輕、則泛。然使不得古人深妙之心，則言經濟而冗，陳道義而迂，表章紀事蕪累而失輕重，抒寫情抱鄙俚而乏雅馴。唐宋而後，陳政事之文果足與漢齊肩與？而何論周秦。宋元以後，闡道義之文果足與孟、荀、楊、韓並美與？而何論《六經》。班、范以來，紀事之文不絕，而剪裁棄取，識大小輕重體要者幾人？惟獨性情之製，自《三百篇》、《騷經》而降，作者差多，是知文章之事，別有淵源授受。韓子曰：「不登其堂，不嚌其胾。」固非妄庸高名所可劫而有之矣。夫文章之體，如人之體，體不備不可爲人，胼拇枝指，隆背垤胸，亦不可爲姸體。今人於筋骸肌膚之間，偶觸風邪，則痺痪不仁，以爲其氣與脈病也。至於爲文，則昧焉。一事之書，惟恐閲者之不明，剌剌然不啻自作疏解，及義理應有思不能周，轉多欠闕。人之才迫窘詰屈爲不足，恣肆變化爲有餘，譬江河之匯衆流，其匯愈多者，其波瀾益大，而才豪氣猛，易於語言者，又患其冗費，繁而不能殺。是故有文矣而或無章，或知有章矣而又無文，降而不文不章，而後稍知集字者始封已自雄，作之者得少自足，閲之者以贋爲眞，客氣虛憍，苟相夸奉，家自以爲遷、固，人自以爲向、雄，而古人深妙之心愈亡而不可見。是故覽其篇什，平岡曼陀，無奇境異勢者，非文；誦其言辭，指前相襲，率意漫書，無創語造句者，非文；徵其議論，糟粕常談，掇拾筐

篋，駭新銜博，無元解眞理者，非文。餖飣奇古以夸俗，不可以爲華，巷說乃諺而易通，不可以爲質，詔之以主理而腐，告之以求法而拘，導之以尙氣，猖狂妄行而無節制。文章之道，欲其靜而不躁，重而不輕，要而不泛，畏而不肆，節而不蕩，審而後言，言不失本原，若是者斯其於爲文也當矣。見今時無工文者，並無知文者，道思不深不能工文，經義不明不能工文，質性不仁不能工文，故古之工於文者，必有仁義之質，如不得已而後言，而後其言傳，而其致力之始，又必深求古人，沉潛反覆翫誦研說之久，然後古人之精神面目與我相覿，而我之精神面目亦自以見於天下後世。以此衡之，唐宋以來，韓、歐、蘇、曾、王而外，作者如林，曾不多覯其匹。獨明歸熙甫氏出，始有以得夫古人深妙之心而以續夫數百年不傳之祕，日久論定，無異喙矣。若夫知文與知道同，必以覺言覺，以知言知，而後言之淺深高下無非是也。如以水洗水，溼性同而其流自合。今之論道論文者則不然，以未覺言覺，以未知言知，影響揣似勦說雷同，以己凡淺，測彼高深，如以泥洗水，質味所入，清流亦濁，在黃帝之告歧伯是已。

又《書惜抱先生墓志後》 夫唐以前無專爲古文之學者，宋以前無專揭古文爲號者。蓋文無古今，隨事以適當時之用而已，然其至者，乃並載道與德以出之，三代秦漢之書可見也。顧其始也，判精麤於事與道，其末也，乃區美惡於體與詞；又其降也，乃辨是非於義與法。噫！論文而及於體與詞、義與法，抑末矣。而後世至且執爲絕業專家，曠百年而不一覯其人焉，豈非以其義法之是非，詞體之美惡，卽爲事與道顯晦之所寄，而不可昧而雜、冒而託邪？文章者道之器，體與詞者，文章之質。範其質使肥瘠修短合度，欲有姸而無媸也，則存乎義與法。

孫梧生《妙復軒評石頭記叙》 書中以僕既告以古文之弊，宜復示以古文之法。夫古文之法非他，卽在矯古文之弊而已。昌黎矯唐文之弊，而唐之古文興；永叔矯宋文之弊，而宋之古文興。韓、歐不自名其法，而其法自足以範後人，文成則法自立也。且夫論古文而專以法，仍此僞八家所恃以劫持天下者，不破除此等俗見，必不能以讀古書；不讀古書，何能爲古文？下無一本之文固若是哉！文章者，性情之華也。性情不深者，文章必不能雄奇恣肆，猶根底不固者，枝葉必不暢茂條達也。【略】然作者難，識者不易。自得妙復軒評本，然後知是書之所以傳，傳以奇，是書之所以奇，實奇而正也。

楊芳燦《樊學齋文集序》 文以識爲主，而才與情輔焉。識不卓無以達其才，識不遠不能宣其情，是以萃百家于毫楮，納萬彙于襟靈者，才也；隔千里而遐慕，曠百世而相感者，情也；握寸管而權衡邃古，不下堂而周知宙合者，則識也。

陳用光《睿吾樓文話序》 古人作文無一字無來歷，今人則往往有出於杜撰者。非獨隸事之不核也。蓋凡文皆有體裁，苟體裁不合，則前人所謂以注疏爲記序，以詞賦爲書狀，格既乖迕，詞鮮切當。雖廣搜摭，皆得謂之杜撰也。是故欲免杜撰之病，必切究爲文之法，然有斤斤於法而於法仍不合者，非法之難合，殆知文法之難其人也。陸士衡《文賦》已略見古人論文之旨，而《文心雕龍》一書則溯流討源，尤爲大備。嗣是而後，文士代出，體制日新。魏晉之文既異秦漢，則唐宋之文亦異魏晉，元明之文又異唐宋。時勢不同，詞事俱別，然其不離乎法，則無或異也。余每苦先哲論文之語，各散見本集中，不能徧舉以語學者。今讀慈水葉君琴樓所著《睿吾樓文話》，而深歎先得我心也。夫古今詩話多矣，文話則未之聞。學者戾能卽葉君之書而玩索之，庶幾可以得爲文之法也夫。

又《與魯賓之書》 夫爲文非立言也。立言之道，非周公、孔子、曾子、子思、孟子莫屬。自漢以來，惟程朱諸儒誠有紹絕學之功，是以可謂之立言焉。若夫釋經訓，詳考典則及詞章之善言情事，猶故老之述舊聞，時鳥好花之娛於耳目，備采擇而已，曷足以云立言？雖然，文具而事顯，藝精而道合，事足以察古今，道足以資愚智，燦著者其迹也，鏗鏘陶冶者其情也，其質足以媲周任、史佚之所稱，而其詞足以鼓舞學者，使之趨於道德而不倦。蓋喜爲文者，聲華榮利之事，其鮮得而干之也。則推其功而謂之立言，夫孰曰不宜？夫古樂之存於今者希矣。今之鐘鼓弦管，五音繁會，其遂足以云樂乎？樂莫尙乎琴，然使今之善鼓琴者進而言太古之音，其必無幾矣。君子禮樂不可斯須去身，吾嘗謂古樂無以求，求諸文則足以當樂，求諸文以當樂，詩歌其小成也，古文辭其大成也。樂不可遺器數，故爲古文辭者不徒尙乎聲而必求所以實之。今夫噫氣之鼓萬竅，怒號者其聲耶？然而山林之畏佳，大木百圍之竅穴，其必有所激矣。風而厲氣之逆也，其各以時至而無傷於物，歲序之所以不忒也。爲古文辭而博稽乎載籍，調劑其心氣者何以異是？

李兆洛《駢體文鈔序》 天地之道，陰陽而已。奇偶也，方圓也，皆是也。

陰陽相並俱生，故奇偶不能相離，方圓必相爲用。道奇而物偶，氣奇而形偶，神奇而識偶。孔子曰：「道有變動，故曰爻，爻有等，故曰物，物相雜，故曰文。」又曰：「分陰分陽，迭用柔剛。」故《易》六位而成章，相雜而迭用。文章之用其盡於此乎？六經之文，班班具存，自秦迄隋，其體遞變，而文無異名。自唐以來始有古文之目，而目六朝之文爲駢儷，而爲其學者亦以是爲與古文殊路。既歧奇與偶爲二，而於偶之中又歧六朝與唐與宋爲三。夫苟第較其字句，獵其影響而已，則豈徒二焉三焉而已，以爲萬有不同可也。夫氣有厚薄，天爲之也；學有純駁，人爲之也；體格有遷變，人與天參焉者也；義理無殊途，天與人合焉者也。得其厚薄純雜之故，則于其體格之變，可以知世焉；于其義理之無殊，可以知文焉。文之體至六代而其變盡矣，沿其流極而泝之，以至乎其源，則其所出者一也。

董士錫《亦有生齋文集叙》 《易》曰：「言有物。」又曰：「言有叙。」夫心有不容閟者，發而爲言；言有不容紊者，次而成文。故情文相生，偕于自然。文者經緯相交之形。《説文》曰：「文，錯畫也。」蓋質之輔也，道之輿也，事之迹也，言之範也。《傳》曰：「言之無文，行之不遠。」信哉！古之立言者皆成至文，《尚書》記言，《春秋》記事，其體有二。三代以下，文有消長而二體不易。雖屈原、宋玉、司馬相如，其原出于六詩，其後且別爲駢儷之體，要其歸則亦左右史之志也。後世叙事之文，司馬遷、班固、陳壽、范蔚宗歐陽修爲優，韓愈、柳宗元、蘇洵、軾、轍、曾鞏、王安石、歸有光則又自有其所論著，沿史論之體，恢張周秦諸子之趣，以變賈誼、曹植、陸機之舊，又獨稱最。是故文之體不可執，有物，則不相襲，佳，相襲亦佳。而文之法無盡，有叙，則辭簡當，辭繁亦當。古人爲文，必極交錯之致，或義立于此，言起于彼；或辭止于是，意見于佗。古人之言，必有所主，而以類相坿；古人之文，意之所在，必互見而不必交盡其辭。《論語》曰：「辭達而已矣。」蓋言叙也，夫言以足意，機以成之，氣以行之，韻以節之，神以動之，味以永之，五者備，而後所謂敍者盡其善，則又有進于法者在歟。

吳德旋《初月樓古文緒論》 戚鶴泉謂古文不可有古文氣，其説非也。前明多誤於此論，故自震川而外，鮮有成就者。

又 章有章法，句有句法，字有字法。到純熟後，縱筆所如，無非法者。

汪廷珍《實事求是齋遺稿》 《安徽試牘立誠編文序附條約十八則》制義代聖賢立言，選詞宜雅，凡史書中後世語、語錄中俚俗語、訓詁語、詩賦語、詞曲語、小説語、二氏語、官文書語、尺牘語、後儒自造語、注疏中後人語、時文中杜撰語及子書中語言，不雅馴者闌入時文，皆從屏置。

梁章鉅《退庵論文》 作文之法，有已標舉于經傳之中者，如《易》言「修辭立誠」，《書》言「辭尚體要」，《詩》言「穆如清風」，《戴禮》言「達而勿多」，《左氏》言「辭之無文，行之不遠」。合而觀之，作文之本末備舉，後人千言萬語，恐不能出其範圍。（閻百詩云《論語》「爲命」一章，其示人以作文之法乎？「小子」一章，其示人以作詩之法乎？）作文自然以道理經書爲主，而取材不可不富，辨體不可不精。《史記》、《漢書》，兩家乃文章不祧之祖，不可不熟讀。其次，則莫如蕭《選》，熟此三部，然後再讀徐、庾各集，及唐初四傑、燕、許諸公，而以韓、柳作歸宿。彭文勤公（元瑞）嘗言，蕭《選》行而無奇不偶，韓集出而有横皆縱。蓋古今文體，此兩語足以該之，亦陰陽對待之理，不能偏廢也。今之耳食者，鄙薄蕭《選》而復不敢輕議《史》、《漢》，不知蕭《選》中半皆《史》、《漢》之文，且有《史》、《漢》以前之文，隨聲附和，不值與辨。昔唐李德裕家不置《文選》，謂其不根藝實，蓋自古有此耳食之徒矣。

又 南渡以後文字，自以朱子爲一大宗。李文貞公嘗言：「記得某人説，學古文須從朱子起。」此言却好。朱子之文何能上比馬、班、韓、柳？但理足便顛撲不破。朱子初學曾南豐，到後來却不似。其少作有古文氣調，朱子正不欲其似古文也。又是一句有一句事理，即疊下數語皆有疊下數語著落，一字不肯落空。入手作文，須得如此。

又 讀書以熟爲貴，作文亦然。昔有問歐陽公作文之法者，公曰：「吾於賢豈有吝惜，只是要熟耳，變化姿態，皆從熟出也。」毛稚黄云：「或疑文亦有生而佳者，此必熟後之生也。熟後之生必佳，若未熟之生則生疎而已，焉得佳乎？」

又 朱子嘗言：「文須錯綜見意，曲折生姿。」李習之嘗教人看韓公《獲麟解》，一句一轉，可悟作文之法。而不教人看《原道》，以其稍直也。」近魏叔子言「古文之妙只是説而不説，説而又説，是以極吞吐往復、參差離合之致。」袁簡齋亦言「天上有文曲星，無文直星」，雖是戲言，亦自有致。

又 黄梨洲謂：「作文不可倒却架子，爲二氏之文，須如堂上人分別堂下臧否。韓、歐、曾、王皆然，東坡稍稍放寬，至宋景濂爲《大浮屠塔銘》，

和身倒入，便非儒者氣象矣。」按：作文架子至韓公始立，所謂「起衰」也。

包世臣《與楊季子論文書》 說者曰：言道者，言之有物者也；言法者，言之有序者也。然道附于事，而統于禮。【略】其離事與禮而虛言道以張其軍者，自退之始，而子厚和之。至明允、永叔乃用力于推究世事，而子瞻尤爲達者。然門面言道之語，滌除未盡，以致近世治古文者，一若非言道則無以自尊其文。是非世臣所敢知也。【略】夫事無大小，苟能明其始卒，究其義類，皆足以成至文，固不必悉本忠孝，攸關家國也。凡是陋習，染人爲易，而熙甫、順甫乃欲指以爲法，豈不謬哉！

又《再與楊季子書》 夫《文選》所載，自周、秦以及齊、梁，本非一體。八家工力至厚，莫不沉酣于周、秦、兩漢、子史百家；而得體勢于《韓非子》、《呂覽》者爲尤深，徒以薄其爲人，不欲形諸論說。然後世有識，飲水辨源，其可掩耶？自前明諸君泥子瞻「文起八代」之言，遂斥《選》學爲別裁僞體。良以應德、順甫、熙甫諸君，心力悴於八股，一切誦讀皆爲制舉之資，遂取八家下乘，橫空起議、照應鉤勒之篇，以爲準的。小儒目眯，前邪後許，而精深閎茂，反在屏棄。於是有反其道以求之者，至謂八家淺薄，務爲藻飾之詞，稱爲《選》學，格塞之語，詡爲先秦。夫六朝雖尚文采，然其健者則緩急疾徐，縱送激射，同符《史》、《漢》，貌離神合，精彩奪人。至于秦、漢之文，莫不洞達駘宕，劌目怵心；間有語不能通，則由傳寫譌誤及當時方言。以此爲師，豈爲善擇。退之酷嗜子雲，碑版或至不可讀，而書說健舉渾厚，宜爲宗匠。子厚勁厲無前，然時有摹擬之迹，氣傷縝密。永叔奏議怵怛明暢，得大臣之體，翰札紆徐易直，眞有德之言，而序記則爲庸調。明允長于推勘辨駁，一任峻急。介甫詞完氣健，饒有遠勢。子固茂密安和，而雄強不足。子瞻機神敏妙，比及暮年，心手相忘，獨立千載。子由差弱，然其委婉敦縟一節獨到，亦非父兄所能掩。足下試各取其全集讀之，凡爲三百年來《選》家所遺者，大抵皆出入秦、漢而爲古人眞脈所寄也。其與《選》學，殊途同歸。

又《雲都宋月臺（維駒）古文鈔序》 蓋文之盛者，其言有物；文之成者，其言有序。無序而勉爲有序之言，其既也可以至有序；無物而貌爲有物之言，則其弊有不可勝說者。夫有物之言，必其物備于言之先。然言之無序，則物不可見；物即可見，而言不可以行遠。故治古文者，唯求其言之有序而已。讀書多，涉事久，精心求人情世故得失之原，反之一心而皆當，推之人人之心而無不適焉，于是乎言之而出之以有序，此間世之英古所謂立言之選也。其能深求古人文法，而以吾身入其中，必使其言爲吾所可言，所當言，又度受吾言者，所可受，所當受，而後言之，而言之又循乎程度，是則可以爲有序矣。是故有物之言，時文有時可與古文同；有序之言，則古文有必不能不與時文異者，此之不可不察也。

鄧顯鶴《萬孺廬全集序》 有才人之言，有學人之言。才人之言夸，夸近於肆；學人之言質，質近於俚。肆則於道渝，俚則於道歉。渝與歉皆不可爲道也。有道之言則於情，彝於性，軌於禮法，充識於學，鍊氣於養，而要本之躬行心得。故無言則已，言必衷諸道；不言則已，言必信今而傳後。否則塗飾爲工，彪炳爲富，言之無物，猶弗言也。聯綴箋疏，剽拾語類，言之無文，言弗尚也。若是一淺才一俗學皆能之，非所語於古之立言者也。

梅曾亮《答朱丹木書》 竊以爲文章之事，莫大乎因時。立吾言於此，雖其事之至微，物之甚小，而一時朝野之風俗好尚，皆可因吾言而見之，使爲文於唐貞元、元和時，讀者不知爲貞元、元和人，不可也。爲文於宋嘉祐、元祐時，讀者不知爲嘉祐、元祐人，不可也。韓子曰：「惟陳言之務去。」豈獨其詞之不可襲哉！夫古今之理勢固有大同者矣，其爲運會所移，人事所推演而變異日新者，不可窮極也。執古今之同而概其異，雖於詞無所假者，其言亦已陳矣。閣下前任劇邑治悍民，不尚黃老，今官督糧道，乃尚黃老，此持權合變者也。文之隨時而變者亦如是耳。

又《與孫芝房書》 夫古文與他體異者，以首尾氣不可斷耳。有二首尾焉，則斷矣。退之謂六朝文雜亂無章，人以爲過論。夫上衣下裳，相成而不複也，故成章。若衣上加衣，裳下有裳，此所謂無章矣。其能成章者一氣者也。欲得其氣，必求之於古人。周秦漢及唐宋人文，其佳者皆成誦乃可。夫觀書者用目之一官而已，誦之而入於耳，益一官矣，且出於口，成於聲而暢於氣。夫氣者吾身之至精者也，以吾身之至精，御古人之至精，是故渾合而無有間也。國朝人文，其佳者固有得於是矣。誦之而成聲，言之而成文，而空疎寡情實者，蓋亦有焉，則聞見少而蓄理不富也。故詩之道，性近者皆能工之，古文而成體，非博學心知其意者不能。

魯一同《與左君論文書》 夫文章無他，徵理於實，從實入微，從微得彰，因彰得暢，制暢以約，調約以和，六者無戾，文乃大昌。故辨而不實，浮游

之理也；實而不微，疏纚之致也；微而不彰，怳惚之詞也；彰而不暢，轖結之章也；暢而不約，奔逸之品也；約而不和，微茫之累也。實以始之，和以終之。夫文之有實，譬射有的，射於空虛之處，何知巧拙？已射有百中歸於一的，的可百移，惟實不移。先發命中，在手與目，手巧萬端，非目不行。龍文魚目，天下之駿也；伏櫪三月，夜秣晨刷，臨風振尾，蒙其兩目，據鞍而三鞭之，倏息數百里，抑吾不知其至齊耶？抑吾不知其至楚耶？時乎？通馗騁彼逸足，亦有山陵，曲折川谷，茫乎一放，斷筋折髆者有矣。

【略】奇文生於至精，雄文生於至靜，麗文生於至樸，險文生於至平。至精故不多，至靜故不煩。太多故不奇，太煩故不雄。夫足下終日仰屋馳思八極，再撫四海，以求所爲文，文豈在茲乎？莫若多蓄而少發，卽事而後作。無事不作。夫事者天地之所日出而無窮也，因之而成吾文，亦無窮也。無事而習文，必窮之道也。

黃承吉《夢陔堂文說》卷一　夫文之在德者，道之體也，其爲象，爲事，爲禮，爲聲，爲辭者，道之用也。道之體用，天地之體用也。體全而後散爲用，用缺一則無以全乎體。是以聖人本之以爲經，於德亦謂之文，於象亦謂之文，於事亦謂之文，於禮亦謂之文，於聲亦謂之文，於辭亦謂之文。諸經之言文者至不一，而其根於天地自然之故則一也。文莫先於德，諸經之言文者，如曰「欽明文思安安」，曰「濬哲文明」，曰「君子以懿文德」，曰「其德剛健而文明」。凡此之言文者，乃德之文也。由是而著爲象，則爲象之文。如曰「觀乎天文」，曰「坤爲文」，曰「爻有等故」，曰「物物相雜謂之文」，曰「青與赤謂之文」，凡此之言文者，則象之文也。由是而發爲事，則爲事之文。如曰「文命敷於四海」，曰「揆文敎」，曰「文明以止」，曰「矢其文德，洽此四國」，凡此之言文者，則事之文也。由是而著爲禮，則爲禮之文。如曰「先王之制禮也，有本有文」，曰「制度文章，禮之器；周還裼襲，禮之文」，曰「文之以禮樂」，曰「節文斯二者」，凡此之言文者，則禮之文也。由是而形於聲，則爲聲之文。如曰「聲成文謂之音」，曰「文之以琴瑟」，曰「文之以五聲，播之以八音」，曰「廣其節奏，省其文采」，凡此之言文者，則聲之文也。由是而布於辭，則爲辭之文。如曰「文言」，曰「其旨遠，其辭文」，曰「言，身之文也」，曰「多文以爲富」，凡此之言文者，則辭之文也。夫文一而已矣。而所以言文者不一，要之皆爲天地之文而已矣。故諸經既言文德，而又於象、事、禮、聲、辭諸端之散殊者，而一皆以文貫之，蓋五者缺一不足以成天地之文，卽不足以成天地之德也。何也？五者雖散殊，而皆本於文德。德者，體也，所謂顯諸仁，藏諸用，鼓萬物而不與聖人同憂者也。象、事、禮、聲、辭五者，用也，乃聖人發天地所藏之用而爲之者，所謂聖人之憂也。此五者，皆聖人之所爲，而實根乎天地。故天地備其體，聖人亦備其體。言，文德也，天地藏其用，而聖人必發其用，則卽此象、事、禮、聲、辭，五者缺一不能全其用，卽缺一不能全其體也。夫象，何以亦謂之用？象者，萬物之形象也。孔氏《易·繫辭·正義》謂：「形雖處於道器兩畔之際，然不在道而在器。」其言至當。故曰：「天垂象，聖人象之」，則亦聖人之用也。」故凡諸經之言文者，必屬之德與象、與事、與禮、與聲、與辭，文非六者莫傳，卽文非六者不全也。夫惟五者之文，一皆本於文德。故「日月合明，追琢其章」，則象焉，而卽文德也。「平章百姓，思輯用光」，則事焉，而卽文德也。「釋回增美，天地爲昭」，則禮焉，而卽文德也。「清明廣大，式昭德音」，則聲焉，而卽文德也。「出言有章，其風肆好」，則辭焉，而卽文德也。凡此五者，人也，實天地也。天地彌綸於五者之內，而五者實交互於文德之中，聖人能承天地，故既具天地之德，而一切皆以遂天地之文。卽常人不能承天地，然既處乎天地之德之內，則一切亦不得不從天地文。然則文者，乃天地與人爲無窮，非聖人存之，而常人卽可去之也。蓋天地不多生聖人，而無一息非文，若謂文必待聖人而後著明，則天地息息之文，終古將奚屬乎？況文自聖人明之，則常人終古守之，然則卽常人之文，仍聖人之文也，仍天地之文也。故象、事、禮、聲、辭五者之文，實皆本於文德，而與天地爲無窮者也。

又　今試舍乎辭而言之：夫象者，萬物之形象也；事者，天下之事務也；禮者，人世之禮儀也；聲者，百類之聲響也。此四者，制器尙象，開物成務，修禮達義，審聲知音，古之人創之，後之人因之，其固然矣。然後人所見之象，非卽前古之故物也；所行之事，非卽前古之陳務也；所習之禮，非卽前古之舊儀也；所聞之聲，非卽前古之往音也。然則古人有象，有事，有禮，有聲，後人亦有象，有事，有禮，有聲，前之人本於文，後之人未嘗不本於文也。蓋後人卽本前人之所本也。以道之大原而論，則一成不變；以時之代易而論，則百世可知。前之人不能豫爲後人之事功，後之人無從泥執古人之形迹，於是古自爲古，今自爲今，其勢不得不然。故後世之變

易乎象事與禮與聲者，雖復與古懸殊，然莫不人盡相安，絕無故外其身，轉相訾毀，以爲此四者，古則是而今必非，古制則當有而今式則不如無者。夫四者之以文起義，按之經傳，正無異於文辭。若以古律今，豈無差別，而顧任其得以變易於古今之天壤，而莫或毀棄者，則以其無名可爭，無情可掩，且身所必被，又復無境可逃，故亦遂平心視之，蓋正以爲時代之當然，天地之自然也。卽或有等妄儒，於此四者之中，泥古非今，謬談經濟，在言之者必其利害無涉於己之事，在聽之者，不過視爲可否無關於世之條斷，未有無端創一詖僻之談，一人倡之，百代和之，俛首帖足，遂奉爲千古之定論者也。此以言象、事、禮、聲四者之文雖變易，而實相安於今古也。試更合乎辭而言之：夫吾以象、事、禮、聲、辭五者配屬乎文，而以爲皆本於文德，似若發前人所未言，實則爲諸經所共貫。蓋諸經之言文者，散殊而非一致，讀之者隨取各義，從來未有要歸。嘗見諸經，此亦曰文，彼亦曰文，幾於無端不屬。又疑文者，可見之迹，聲非可見，何以成文，而始謂之音，乃反覆求之，乃知文者不過經緯二字之謂，非經緯不得爲文。卽凡物必有經緯，故《易·繫辭》云「物相雜謂之文」，言交錯也；《說文》云「文，錯畫也，象交文」，亦言交錯也。交錯者，一從一橫，卽經緯也。經緯者，統乎虛實而言之，是以聲不可見，而亦謂之文也。聲者，樂也，聲不止於樂，故繫之聲，必待比音而後謂之樂也。因而思交錯二字之本義，所包至廣，未容稍涉偏端，於是博取諸經之言文者，從而約之，乃知德爲文體，而其用必歸於象、事、禮、聲、辭五端。則德者，文之綱；五者，文之目，增一不能，缺一不可，如是而諸經之言文者備矣。何以曰增一不能？諸經言文，止此六者，若增一目，則目中更無別可附著之經也。何以曰缺一不可？諸經言文，實有六者，若缺一目，則經語必有無可附著之目也。多一目，則目浮於經；少一目，則經浮於目。群經具在，觀者試一一按之，卽可知事、象、禮、聲、辭五者，爲文德之用，之目，殆如五行、五色、五音、五事之出於一定，所謂天經地義矣。然天地間，萬事萬物，要不越此五端，則可知文之遍滿氣機而無所不在也。

又 是故文德者，乃天地之經緯，故人之備德者，則爲經緯天地之文；而五者，爲天地經緯所成，故凡屬於文者，亦無一不爲天地之經緯；經緯無一息不在，卽五者無一息不在，是則與天地無窮之文，必有五焉者也。然而五者之文，又莫大於辭矣。何也？夫《六經》之所以載德者，辭也。《易》主於象，《書》與《春秋》主於事，《禮》主於禮，《詩》與《樂》主於聲，而皆非辭不明，則辭乃統乎《六經》。然則德者體之全，而辭者用之全，卽德亦必待辭而後著也。此以言諸經之分屬乎象、事、禮、聲，而必皆以辭發之者也。經莫先於《易》，莫備於《易》，故他經皆主言人事，惟《易》則主言天，而與明人事。庖犧之畫卦，畫天也。天者，德之本也；畫者，辭之本也。然庖犧不能自畫，而天先畫之，河圖、洛書，天之所畫以授聖人者也。天不畫，則聖無所師；聖不畫，則天無所洩；是故畫者，天與聖合爲之者也。天非畫不明，卽徒畫而天猶不明，於是卦辭、爻辭出焉，彖辭、象辭、繫辭、文言等辭又出焉，而天始明，卽萬事萬物亦無不因之以明。則辭者，卽畫之所出也。畫者以天含事物，自繫以辭，而遂皆以事物合天。夫天而何以以事物合之？蓋天本無言，何待畫辭而後著？其所以爲畫爲辭者，乃爲與天地無窮之萬事萬物而作也。然則聖人之作《易》，爲民，非爲天也，此《易》之所以前民用也。孔子釋乾坤二卦，以天地統乎文德，而特冠以文言，其於繫辭，自繫辭焉，而明吉凶，以下凡言辭之句二十有五，聖人所以諄諄於辭之不可已者。蓋《易》之爲書，廣大悉備，卽象、事、禮、聲四者，一一皆列於卦爻彖象之中，而皆非辭莫著，故反覆於辭之道大以詔天下後世，而使之曲成而不遺正，所謂聖人之情見乎辭也。此言《易》又統乎諸經之象、事、禮、聲，而必待辭以明之者也。夫《易》者，群經之綱領也，《易》之辭，亦卽衆辭之綱領也。庖犧之畫卦，文王、周、孔之制辭，皆爲萬事萬物而作。聖人以辭傳事物，卽不能使事物不傳辭，事物無時而終，則辭亦不能有時而止，故不必論其他也。卽以經言之，《詩》之前無詩也，《書》之前無書也，《禮》之前無禮，《樂》之前無樂，《春秋》之前無春秋也。凡此數經者，畫卦造書契之時所不及料也，乃忽然而有諸經者，則以其事物之日增，故文辭之無已也。說者謂諸經固皆聖人所作，其辭與後世不同。夫不同誠不同矣，然當造字制辭之初，爲事物而設，非專爲聖人而設也，聖人不能豫言後人之事物，故聖人遇事物則爲聖人之文辭，後世遇事物則卽爲後世之文辭而已。其辭者，事物也；其文者，經緯也。天地無一息不事物，則無一息不辭；天地無一息不經緯，則無一息不文。事物者，卽象、事、禮、聲皆在其中，而後世文辭之又必折衷於前聖者，則天地之文德與盡人無已焉者也。是故諸經之言文者，於德、象、事、禮、聲、辭六者之外，既別無所謂文其間。統而言之，則德爲體，而五者爲用；若析而

論之，則辭又爲德、象、事、禮、聲五者之大用。蓋象、事、禮、聲、辭五者，文德實貫之；而德、事、象、禮、聲五者，必文辭然後貫之也。

姚瑩《復陸次山論文書》 夫文無所謂古今也，就其雅馴高潔，根柢深厚、關世道而不害人心者爲之，可觀可誦，則古矣。非是而急求華言以悦世人好譽，爲之雖工，斯不免俗耳。唐以前論文之言如曹子桓《典論》、陸士衡《文賦》、虞摯《文章流別》、劉彦和《文心雕龍》，非不精美，然取韓昌黎、柳子厚、李習之諸人論文之言觀之，則彼猶俗諦，此未易爲淺人道也。大抵才學識三者，先立其本，然後講求于格、律、聲、色、神、理、氣、味八者以爲其用，而尤以絶嗜欲澹榮利，盪滌其心志，無一毫世俗之見于乎其中，多讀書而久爲之，自有獨得，非歲月旦夕所可幾也。

又《復楊君論詩文書》 抑嘗論之，才與氣二者有得於天，有得於人。才之大如江如海，至矣；氣之盛如霆如雷，至矣！然江漢猶必納衆水以匯其流，雷霆不能擊鐘鼓以助其勢者，其充之有漸，其積之甚厚故也。孟子曰：「觀於海者難爲水。」又曰：「配義與道。」斯言也，不爲詩文言之，吾以爲詩文之道，無以易此矣。【略】夫詩之與文，其旨趣不同矣，顧欲善其事者，要必有囊括古今之識，胞與民物之量，博通乎經史子集以深其理，遍覽乎名山大川以盡其狀，而一以浩然之氣行之，然後可傳於天下後世，豈徒求一韻之工，争一篇之能而已哉！且夫文章莫大於《六經》，風雅典謨既昭昭矣，説者謂善學者得其道，不善學者獵其文，吾以爲不得其道，即文亦烏可得哉？夫文者將以明天地之心，闡事物之理，君臣待之以定，父子賴之以親，夫婦朋友賴之以叙其情而正其義，此文之昭如日月者，《六經》所以不廢。爲文苟求其不廢，舍斯道無由也。【略】故夫《六經》者，海也。觀於《六經》，斯才大矣。詩文者，藝也，所以爲之善者，道也。道與藝合，斯氣盛矣。文與《六經》無二道也，詩之與文尤無二道也。凡此皆有得於天而又得於人者，是也。

又《復方彦聞書》 竊謂文章一事，盛于周秦，衰于建安。自士衡《文賦》、子桓《典論》出，而斯道爲之極變矣。周秦以上惟《六經》之文大純無疵，諸子亦各出其瓌瑋之言，大抵義豐辭約，氣固神完，以道爲標，以志爲的，探其一言，終身可行，究其全歸，六合不盡，是以繁簡微顯，蕩志愜心，凡所修辭，立誠爲本。自賈、董、揚、馬恢張閎肆，已覺詞勝于義，氣王于神。建安以來，則專精辭瞻，而高古堅樸之意盡矣。然風骨矯騫，神氣遒邁，創語造意，廉傑精奇，誓不相襲，蓋道衰而文盛，亦升降之大端也。唐宋諸賢有見于斯，然望道未至，果于自矜，修辭之工，或反不逮，特其取義甚正，立體尤嚴，譬諸樂然，雖非清明廣大之奏，已絶煩數淫濫之音矣。先正論文，所以必主八家者，非謂文章極于八家，謂八家乃斯文之塗軌耳，斤斤一先生不敢失其趨蹌謦欬，又豈八家之意哉！

龔自珍《壬癸之際胎觀第三》 古之世，語言出于一，以古語古，猶越人越言，楚人楚言也。後之世，語言出于二，以後語古，猶楚人以越言名，越人以楚言名也。雖有大人生于霸世，號令弗與共，福祿弗與偕，觀其語言，弗可用。號令與共，福祿與偕，觀其語言，卒弗可用。于是退而立大人之語言，明各家之統，慕聖人之文，固猶將生越而楚言也。

又《績溪胡戸部文集序》 古之民莫或強之言也。忽然而自言，或言情焉，或言悟焉，或言事焉，言之質弗同，既皆畢所欲言而去矣。後有文章家，強尊爲文章祖，彼民也生之年，意計豈有是哉？且天地不知所由然，而孕人語言；人心不知所由然，語言變爲文章。

又《四先生功令文序》 其爲人也惇博而愈夷，其文從容而清明，使枯矐之士，習之而知體裁，望之而有不敢易視先達之志。盛世之盛，唐之開元、元和，宋之慶曆、元祐，明之成化、弘治，尚近似之哉！尚近似之哉！其人多深沈惻悱，其文叫嘯自恣，芳逸以爲宗，則陵遲之徵已。夫莊周、屈平、宋玉之文，別爲初祖，而要其羨周任、史佚、尹吉甫之生，而願游其世，居可知也。

魏源《國朝古文類鈔叙》 文章與世道爲污隆，南宋之文必不如北宋，晚唐之文必不如中唐，兩晉、六季之文必不如兩漢，而東漢之文又不如西京。矧我聖清皥皥二百載，由治平、升平而進于太平，元氣長于漢，經術盛于唐，兵力、物力、幅員雄于宋，列聖御製詩文集、康熙《圖書》、乾隆《四庫》官書尤富轢萬古。生其間者，其氣昌明，其聲宮喤，其見聞瑰軼而混芒，則其文不當駕兩漢、兩晉、三唐而上乎！其進退去取，不亦視漢、晉、三唐更難乎！故曰：百川止于海，百家筦乎道。畸于虛而言之無物，畸于實而言無心得，是皆道所不存，不可以爲文，即不可以權衡一代之文。

蔣湘南《與田叔子論古文書》 夫古文之弊，自八家始也，非八家之弊古文，乃學八家者之弊八家也。八家之名起自元靜海朱氏，其錄本不傳，傳者

明毛氏。本其所標伸縮剪裁諸法，大概皆爲功令文之法，歸震川、唐荆川、李大泌諸君子，孰非工於功令文者？諸君子以八家之法爲功令文，故其功令文最古；諸君子遂以功令文之法爲古文，故其古文最不古。若今代之古文家，則又揚不古之餘波而扇之者也，故曰古文之失傳業五百年也。夫名之爲古文，則不得不別於今文；欲別於今文，則不得不讀古書。書之古者，句法字法與功令文鑿枘不入，於是舍其難者，就其易者，專以八家爲主，且以明人所錄之八家爲主。夫明人所錄之八家，未嘗非古文也，而數百年來所爲八家之文，則非古文也。韓皂歐臺，沾沾自喜，語助星羅，呑吐否唯，其弊也奴；未識麟經，先罵盲左，嚇彼走卒，立僵而跛，其弊也蠻；黃茅白葦，彳亍河干，飢腸雷隱，忍俊無餐，其弊也丐；瓠規植矩，比葫畫瓢，皐蘇律令，不如蕭曹，其弊也吏；凡胎御風，自標仙度，殺馬毁車，騰空覓路，其弊也魔；井底看天，豈無珠斗，轉笑岱頂，空立搔首，其弊也醉；道聽程朱，塗詈許鄭，龍門未登，蘭臺已病，其弊也夢；庾語欹後，或續或斷，有聲無音，呻吟莫辨，其弊也喘。然而門徑既成，壇坫相高，天下群然追逐，合其轍者爲正宗，異其途者爲左道，空疎無具之徒，皆得張空拳以樹八家之幟，是古文之愈失，由於爲古文之太易也。

又《與田叔子論古文第二書》 音節取其鏗鏘，辭句貴乎華麗，事出沉思，義歸翰藻，雄才博學，神明于聲音成文之故，始能創新題而闢奇格，豪傑之士從而和之，似範其貌，實取其神，用心既久，由鈍入鋭，然後浩乎沛然，成其文而有餘，成其筆而亦無不足，則模擬非古人用功之法乎？東漢之世，文盛于筆，兼茂者班、蔡兩人，魏晉以後，文弊而成駢體，徐庾雖工，豈足當班、蔡之輿儓？况乎有文無筆，筆失而文猶能得乎哉？唐興，沿六朝餘習，惟元次山、梁敬之、獨孤至之、蕭穎士、李遐叔諸人，欲變筆以矯文，而心知其意，未能大暢厥旨。至韓文公約旨《六經》，古道然後盡復，而當時但稱爲韓筆，以其力矯者在文，則其偏重者不能不在筆也。雖偏重于筆，而其造端必從事于文，故往往有六朝字句流露行間，淺儒但震其起八代之衰，而不知其吸六朝之髓也。自是厥後，筆長文短，宋代諸公，變峭厲而爲平暢，永叔情致紆徐，故虛字多；子瞻才氣廉悍，故間架闊，後世功令文之法，大半出于兩家，即作古文者，亦以兩家爲初祧。由宋逮元，有筆無文，弊與六朝反，而適相等，蓋其去古益遠，不知古人文筆之分，且不知古人用功先文而後筆也。夫由文入筆，其勢順；由筆反文，其勢逆。自古有工于文而不工于筆者，豈有不工文而能工于筆者哉？明七子不喻此旨，欲皮膚秦漢以矯宋元之弊，土偶木神，毫無靈響，惟弇州才力雄健，通史法，熟掌故，史料中本色文字，遠逴歐蘇之上，而其他篇之模擬《史》、《漢》者，撏字撦句，以爲崔錯，贋鼎之光，空嚇腐鼠，是又不知古人模擬之法，在移神不在範貌耳。然惟其模擬于文者深，故其抑揚于筆者當，他人則不能矣。論者謂弇州贊熙甫有「余豈異趨，久而自傷」之語，遂以熙甫上弇州，此則目睫之論也。熙甫之弊在于有筆無文，就歐曾支派而論，其規行矩步，亦自成一邱一壑之山水，弇州老而懷虛，龍門已矗，又何妨自貶以揚之？後人盱衡往哲，當據兩家之根柢以定其規模，不當因一己之愛憎以分其優劣，若優孟衣冠之説，更不足以服弇州，僞八家詎非優孟乎？【略】夫才有大小，天之所爲；學有純駁，人之所爲；氣有厚薄，時代之所爲。而由文入筆之功，爲古人文質相宣之故，唐以後無有能明之者。

林昌彝《誦清閣文集序》 文必師古，非摹古也，異乎古者則必偭規裂矩，其失也放；循乎古者則必逐影尋聲，其失也局。去乎放與局之失，則於爲文之道思過半矣。夫師古之文與學問互相爲用者也。不學則文無本，不文則學不宣。

曾國藩《湖南文徵序》 竊聞古之文，初無所謂法也。《易》、《書》、《詩》、《儀禮》、《春秋》諸經，其體勢聲色，曾無一字相襲。即周秦諸子，亦各自成體。持此衡彼，畫然若金玉與卉木之不同類，是烏有所謂法者。後人本不能文，強取古人所造而摹擬之，于是有合有離，而法不法名焉。若其不俟摹擬，人心各具自然之文，約有二端：曰理，曰情。二者人人之所固有。就吾所知之理而筆諸書而傳諸世，稱吾愛惡悲愉之情而綴辭以達之，若剖肺肝而陳簡策。斯皆自然之文。性情敦厚者，類能爲之。而淺深工拙，則相去十百千萬而未始有極。自群經而外，百家著述，率有偏勝。以理勝者，多闡幽造極之語，而其弊或激宕失中；以情勝者，多悱惻感人之言，而其弊常豐縟而寡實。自東漢至隋，文人秀士，大抵義不孤行，辭多儷語。即議大政，考大禮，亦每綴以排比之句，間以婀娜之聲，歷唐代而不改。雖韓、李鋭志復古，而不能革舉世駢體之風。此皆習于情韻者類也。宋興既久，歐、蘇、曾、王之徒，崇奉韓公，以爲不遷之宗。適會其時，大儒迭起，相與上探鄒魯，研討

微言。群士慕效，類皆法韓氏之氣體，以闡明性道。自元明至聖朝康雍之間，風會略同，非是不足與于斯文之末。此皆習于義理者類也。

又《送周荇農南歸序》 天地之數以奇而生，以偶而成。一則生兩，兩則還歸于一。一奇一偶，互爲其用，是以無息焉。物無獨，必有對，太極生兩儀，倍之爲四象，重之爲八卦，此一生兩之説也。兩之所該，分而爲三，淆而爲萬，萬則幾于息矣。物不可以終息，故還歸于一。天地絪緼，萬物化醇；男女構精，萬物化生。此兩而致于一之説也。一者陽之變，兩者陰之化。故曰：一奇一偶者，天地之用也。文字之道，何獨不然？六籍尚已。自漢以來，爲文者，莫善于司馬遷。遷之文，其積句也皆奇，而義必相輔，氣不孤伸，彼有偶焉者存焉。其他善者，班固則毗于用偶，韓愈則毗于用奇。蔡邕、范蔚宗以下，如潘、陸、沈、任等比者，皆師班氏者也。茅坤所稱八家，皆師韓氏者也。傳相祖述，源遠而流益分，判然若白黑之不類。于是刺議互興，尊丹者非素，而六朝隋唐以來駢偶之文，亦已久王而將厭。宋代諸子乃承其敝，而倡爲韓氏之文。而蘇軾遂稱曰「文起八代之衰」。非直其才之足以相勝，物窮則變，理固然也。豪傑之士所見類不甚遠。韓氏有言：「孔子必用墨子，墨子必用孔子。不相用，不足爲孔墨。」由是言之，彼其于班氏相師而不相非明矣。耳食者不察，遂附此而抹殺一切。又其言多根《六經》，頗爲知道者所取，故古文之名獨尊，而駢偶之文乃屏而不得與于其列。數百千年無敢易其説者，所從來遠矣。

又《日記·道光二十二年十一月十七日》 凡作詩文，有情極眞摯，不得不一傾吐之時。然必須平日積理既富，不假思索，左右逢原，其所言之理，足以達其胸中至眞至正之情，作文時無鐫刻字句之苦，文成後無鬱塞不吐之情，皆平日讀書積理之功也。若平日蘊釀不深，則雖有眞情欲吐，而理不足以適之，不得不臨時尋思義理，義理非一時所可取辦，則不得不求工于字句，至于雕飾字句，則巧言取悦，作僞日拙，所謂修詞立誠者，蕩然失其本旨矣！以後眞情激發之時，則必視胸中義理何如，如取如攜，傾而出之可也。不然，而須臨時取辦，則不如不作，作則必巧僞媚人矣。

又《咸豐九年九月十七日》 夜，溫韓文《柳州羅池廟碑》，覺情韻不匱，聲調鏗鏘，乃文章中第一妙境。情以生文，文亦足以生情；文以引聲，聲亦足以引文。循環互發，油然不能自已，庶漸漸可入佳境。

又《咸豐十一年二月卅日》 溫《古文·傳志類》。思作書之道：寓沉雄于靜穆之中，乃有深味。「雄」字須有長劍快戟，龍拿虎踞之象，鋒鋩森森，不可逼視者爲正宗；不得以「劍拔弩張」四字相鄙，作一種鄉愿字，名爲含蓄深厚，舉之無舉，刺之無刺，終身無入處也。作古文、古詩亦然，作人之道亦然，治軍亦然。

又《咸豐十一年九月十二日》 大抵作字及作詩古文，胸中須有一段奇氣盤結于中，而達之筆墨者卻須遏抑掩蔽，不令過露，乃爲深至。若存絲毫求知見好之心則眞氣渫泄，無足觀矣。

劉熙載《藝概·經義概》 文不外理、法、辭、氣。理取正而精，法取密而通，辭取雅而切，氣取清而厚。有題之理法，有文之理法。以文言之，言有物爲理，言有序爲法。

方濬頤《文論》 今之爲文者動曰有派，蒙竊惑焉。夫所謂派者，不在周、秦、兩漢、唐、宋之文也。吾皖有桐城派，吳中有常州派。近則常州衰而桐城盛，天下宗之莫敢異議。桐城之文固皆取法於周、秦、兩漢、唐、宋，而嚴其體例，區其門徑，兢兢焉恪守古人法度繩尺者。桐城之文非不可學，學桐城者入於窠臼而罕能振拔也。學士大夫空疏固陋，標榜成風。尊宋薄漢，一唱百和，心目中但知有方、劉、姚三先生，拾其唾餘，鋪張滿紙，試取而讀之，大氐老生常談及公家門面語，十居六七，非奄奄無氣，即格格不吐。蓋專以字句拗澀爲能，詞意枯淡爲高。吾視之直優孟衣冠，陳羹土飯耳，奚足言文。今夫日月星雲，霜露雨雪，天之文也。山川草木，鳥獸蟲魚，地之文也。試觀乾坤以内，孰綱維是，孰主宰是，而瑩然、爛然、燦然、斑然、秩秩然、斌斌然備五色，順四序，不期然而然，而卒無不然，斯爲大文，斯爲至文焉。人之文亦若是而已矣。文從質出，性情主之，學問輔之，行以灝氣，運以精思，振筆直書，洋洋纚纚。舉凡所謂依門傍戶，蹈矩循規，效顰學步，描頭畫角，一切人云亦云之陋習掃而空之。自攄胸臆，雖連篇累牘不爲多，雖片語單詞不爲少。彼其初，固未嘗有心摹擬周、秦、兩漢、唐、宋之文也，而閉門造車出門合轍，不假緣飾，動中自然。要唯平日多讀周、秦、兩漢、唐、宋之文，以擴其靈機，長其才力，斯蓄之既久，發之必豪，即周、秦、兩漢、唐、宋之文亦不必專學一家，專工一格也。何況桐城，何況常州哉！文之有派，自明人作俑，互相排抵，延至我朝，師承各異，習染更深。

若常州則竟取周、秦、兩漢、唐、宋之文爲之，分別家數，辨所從入，眞爲聾瞽之見。桐城分體纂輯，示後學以作文之法，固亦可爲標準。然必以今人著錄埒於古人之後，儼然自命爲文章正宗，抑又隘已。江河之派有九，而歸海則一，當其分支旁出，洪波巨浸，汪洋演迤，不名一狀。江河之外更有江河，不能執一江一河以例百川也。胡獨於文而拘拘言派哉。言派則文限於派之內，宗一家而必不成家；不言派則文出於派之外，不宗一家而反可成家也。且今之爲文者有四：說經，說理，說前代，說時事。說經者失之鑿，說理者失之膚，說前代者失之刻，說時事者失之迂。卽所謂派也。不作有派之文，庶足以開拓心胸，推倒豪傑。然而吾所見者蓋亦鮮已。

王棻《答王子裳書》 夫詩文一道，固隨風會爲轉移，實因學問而變化。少陵之學深於詩，而不深於文，故詩極變化而文成澀體。昌黎之學深於文而未深於詩，故文極渾古而詩或率直。宋、方之詩不如其文，李、何之文不如其詩，亦由是也。朱子之文借徑南豐，原本經術，其詩實出陶、杜，胸次最高，均未可以輕議。王、李之文，流爲僞體，鍾、譚之詩，本未成家，衰世之言，亡國之音，等之自鄶以下可也。國朝學派，遠勝前代，故其詩文，博大精深，無體不備。惟乾、嘉以來，考據之學盛行，詩文或傷蕪累，然不害其大體也。綜而論之，開國之初，以朱竹垞爲大宗；全盛之時，以姚姬傳爲大宗；中興之世，以曾文正爲大宗。此三子者，皆文宗韓、歐，詩宗李、杜，義理之學宗程、朱，考據之學宗許、鄭，兼取漢、唐、宋諸儒之長而舍其所短，蓋千古之通儒，非一朝之作手也。江西一派，源出少陵，桐城一派，實兼漢學。閣下訾桐城爲「空虛」，指江西爲「別派」，果何所見而云然耶？且所謂「立乎古人之後，而欲求勝於古人，此必不可得者」，亦未盡然。夫唐、宋八家，後人固無有過之者。然漢、魏、六朝之文，則韓昌黎過之矣。曹、劉、鮑、謝之詩，則杜子美過之矣。宋儒程、朱之學，後人固無有過之者。若漢儒許、鄭之學，則本朝考據諸家，如高郵王氏父子輩已過之矣。學者立志，不宜自畫。古人所以勝於我者，學焉而已；則我所以求勝於古人者，亦學焉而已，豈可讓賢於古人耶？夫文章之盛衰，關乎氣運；然如彭澤之詩，昌黎之文，則非風會所能限也。夫詩文之學，至於風會不能限，又何古人之不可勝之有哉？《易》曰：「擬議以成其變化。」蓋未有變化而不由於擬議者，亦未有擬議而不求其變化者；此一塗也，謂之兩塗可乎？若以摹倣爲擬議，漢儒無此說，宋儒亦無此說也。況摹倣而不變化，此未成之學耳，謂之一塗可乎？足下震於紀文達之名，而襲其不通之論，且又取以論文，可謂無識也已。

王韜《三島中洲文集序》 余謂文運之盛衰，固有時繫乎國運之升降，平世之音多寬和，亂世之音多噍殺，若由一人之身以前後今昔而判然者，則境爲之也。

黎庶昌《續古文辭類纂叙》 文章之道，莫大乎與天下爲公，而非可用一人一家之私議。自劉向父子總《七略》，梁昭明太子集《文選》，而後先古文章始有所歸。宋歐陽氏表章韓愈，明茅順甫錄八家，而後斯文之傳若有所屬。姚先生興於千載之後，獨持灼見，總括羣言，一一衡量其高下銖黍之得，毫釐之失，皆辨析之，醇駁較然，由是古今之文章謬悠殽亂，莫能折衷一是者。得姚先生而悉歸論定，卽其所自造述，亦浸淫近復於古。然百餘年來，流風相師，傳嬗賡續，沿流而莫之止，遂有文敝道喪之患。至湘鄉曾文正公出，擴姚氏而大之，並功德言爲一塗，挈攬衆長，轢歸掩方，跨越百氏，將遂席兩漢而還之三代，使司馬遷、班固、韓愈、歐陽修之文，絕而復續。豈非所謂豪傑之士大雅不羣者哉！蓋自歐陽氏以來一人而已。余今所論纂，其品藻次第，一以昔聞諸曾氏者述而錄之。曾氏之學蓋出於桐城，固知其與姚先生之旨合，而非廣己於不可畔岸也。循姚氏之說，屏棄六朝駢麗之習，以求所謂神、理、氣、味、格、律、聲、色者，法愈嚴而體愈尊。循曾氏之說，將盡取儒者之多識格物博辨訓詁，一內諸雄奇萬變之中，以矯桐城末流虛車之飾。其道相資無可偏廢。故既叙述略例，亦明夫不敢封己抱殘，守一先生家言，暖暖姝姝而私自悅以足也。然遂欲執涂之人而強同，則是又大惑已。

又 唐以前《史》、《漢》並尊，自昌黎韓氏「太史、子雲、相如」之論出，遂若不及孟堅，而馬、班始有軒輊。其後柳子厚、李習之之倫，祖述其言，遂若斯文之傳，孟堅擯不得與。此與以耳食何異。獨蘇明允稱之曰：「遷、固雖以辭勝，然亦兼道與法而有之，時得仲尼遺意焉，而惜乎其少信從也。」余謂子長網羅百代，孟堅紀述一朝，義法固自有當，未可執彼議此。且班書典雅宏贍，微特元明人莫能爲，卽唐宋諸賢，昌黎而外亦未有能幾之者。曾文正公略師班氏，其文規恢閎闊，遂崒然直躋兩漢，況進於此者邪。故今斷以馬、班、韓、歐爲百世不祧之宗云。

唐才常《論文連珠十首》 蓋聞木槿敷榮，雖華不久；浮萍逐浪，雖美無根。何則？文扶質而垂條，理探本而立幹。是以桓譚論文，陋虛談于華葉；南豐搦管，必根柢乎《六經》。

龍啟瑞《與書院諸生論文諭帖》 近時文章通病，大約經籍之溫習未熟，史册之探討未深，專於時墨數篇尋討生活，以故根柢淺薄，所作之文，卑者則塵俗腐爛，不堪入目，高者亦不過機局流暢，皮膚光華。細索其中，有如醫家所謂蔥脈外浮中空，按之毫無實際。楚北鍾靈，江漢黃岡鍾陵並峙其間，其文之精實雄厚，夫復何如？近日風會所趨，實有今不如昔之歎。本院忝司文柄，細思文風與世運相維之理，良用惕然，深願文風之日進於博大昌明，則世運乃日見夫鴻龐敦厚，而此中相維相繫之旨，則必以諸生之作養爲先。

李元度《移芝室文集序》 叔孫穆子論三不朽，首立德，次立功，又其次立言。而歐陽公則曰：修之身矣不施於事可也，況於言乎。然使世無《六經》四子書，人將不知有堯舜孔孟。是德且恃言以傳，功無論已。顧《六經》四子不可以文言，而古文實立言者之一體。歐陽公所云特爲勤一世以盡心於文字，而於世毫無損益者悲耳。豈以概天下古今之立言者哉！竊嘗論古文家因言以見道，其體至正，其途至狹，其義法至嚴，自周秦以來，若左氏、賈、董、晁、劉、馬、班，以逮唐之韓、柳、孫、李，宋之歐陽、蘇、曾、王，能成一家言者，不過十數人，可謂艱矣。元明作者廡列，求能闖八家之堂奧，或尚歉焉。方侍郎云：「此雖小道，失其傳者七百年。」直綜北宋後言之也。孟子之序道統也，由堯舜至孔子皆五百年而一興，最後乃得宋五子，合前後計之，蓋十數人耳。而古文家之難，其人乃適與之埒。彼漢唐下屠沽刀筆之徒，乘時會以立功名，秉旄節胙茅土者，乃反不可畢數，其難易抑又殊矣。然則當吾世有志於古文，必豪傑之士，能自立而獨爲其難者也。

羅汝懷《與馬岱青書》 古人之文，皆以達其學問，道其行誼，學足以裨匡濟，行足以式鄉閭，斯其文亦有用而可貴，初無所謂古文之學，所謂古文之學者以法言之耳。周秦以前，文體遞變，樸巧日殊，未嘗不有法在而不以文自命。至唐人而論文之說始繁，然後世論昌黎者只取《原道》、《佛骨》數篇，而欲廢其他作，於河東尤多遺議。然則工如韓柳且不能塞後人之望，後人更何能以此達命安身？吾輩於文亦第達吾之意寫我之心，而不必以專治古文自爲標目乎。

吳敏樹《與篠岑論文派書》 文章藝術之有流派，此風氣大略之云爾，其間實不必皆相師效，或甚有不同，而往往自無能之人，假是名以私立門戶，震動流俗，反爲世所詬厲，而以病其所宗主之人。如江西詩派，始稱山谷、後山，而爲之圖列，號傳嗣者，則呂居仁。居仁非山谷、後山之流也。今之所稱桐城文派者，始自乾隆間姚郎中姬傳稱私淑於其鄉先輩望溪方先生之門人劉海峯，又以望溪接續明人歸震川，而爲《古文辭類纂》一書，直以歸、方續八家，劉氏嗣之，其意蓋以古今文章之傳，繫之已也。如老弟所見，乃大不然。姚氏特呂居仁之比爾，劉氏更無所置之；其文之深淺美惡，人自知之，不可以口舌爭也。自來古文之家，必皆得力於古書。蓋文體壞而後古文興，唐之韓、柳，承八代之衰，而力挽之於古，始有此名。柳不師韓，而與之並起。宋以後則皆以韓爲大宗，而其爲文所以自成就者，亦非直取之韓也。韓尚不可爲派，況後人乎？烏有建一先生之言，以爲門戶塗轍，而可自達於古人者哉！弟生居窮鄉，少師友見聞之益，亦幸不遭聲習濡染之害。自年二十時，輒喜學爲古文。經子《史》《漢》外，惟見有八家之書，以爲文章盡於此爾；八股文獨高歸氏。已乃於村塾古文選本中見歸氏一二作，心獨異之。求訪其集於長沙書肆中，則無有，因託書賈購之吳中。既得其書，別鈔兩卷，甲辰入都，攜之行篋。不意都中稱文者，方相與尊尚歸文，以此弟亦妄有名字與在時流之末。此兄之所宿知也。又見《望溪文集》，亦欲鈔之，而竟未暇。蓋歸氏之文，高者在神境，而稍病虛，聲幾欲下；望溪之文，厚於理，深於法，而或未工於言。然此二家者，皆斷然爲一代之文，而莫能尚焉者也。其所以能爾者，皆自其心，得之於古，可以發人，而非發於人者。往時見功甫喜尋時人之論，稱姚、劉之學，以爲習於名而未稽其實，私欲進之；其於論詩，述梅伯言之說，云當自判公入，尤爲害道。此等言議，殆皆得之陳廣專。廣專才雖高，不能爲文士，而論說多未當於人心。今侍郎序文不過借時俗流派之語牽涉多人，以自騁其筆墨，所稱諸人學文本末，皆大略不謬。獨弟素非喜姚氏者，未敢冒稱，而果以姚氏爲宗，桐城爲派，則侍郎之心，殊未必然。然弟豈區區以侍郎之言爲枉，而急自明哉？惜乎不及與功甫究論之爾。

陳澧《與馮鐵華書》 古人論文云：「行乎其所不得不行，止乎其所不得不止。」然則亦變乎其所不得不變而已。變乎其所不得不變，則亦不變乎其所不得變。觀馬、班之史傳，文人者必載其文章，如鈔書者，篇篇不變也。

【略】王介甫集中碑誌書其人諱字里貫祖父，顛之、倒之、斷之、續之，篇篇不同，此何關于文之工拙而爲此耶？徒見其有意求變而已矣。有意求變，則能變亦不足尚矣。昔有友人傳說古文四句訣云：「篇篇換樣，事事搜根，句句生造，字字有來歷。」澧以爲此四句者，惟末句是眞訣耳，餘三句皆有意而爲者也。有意換樣，則必有顛倒之病矣；有意搜根，則必有穿鑿傅會之病矣；有意生造，則必有鄙誕之病矣。文章所貴，貴乎自然，豈在乎變與不變哉！

又《復黄芑香書》 前在南園，足下問作文法，今得來書，問之益切。至夫作文之法，前人言之者多矣，僕不必贅言。惟昔時讀《小雅》「有倫有脊」之語，嘗告山舍學者，此卽作文之法，今舉以告足下，可乎？倫者，今日老生常談，所謂層次也；脊者，所謂主意也。夫人必其心有意而後其口有言，有言而其手書之於紙上則爲文。無意則無言，更安得有文哉！有意矣，而或不止有一意，則必有所主，猶人身不止一骨，而脊骨爲之主，此所謂有脊也。意不止一意而言之何者當先，何者當後，則必有倫次。卽止有一意而一言不能盡意，則其淺深本末又必有倫次，而後此一意可明也。【略】且作文必先讀文，凡讀古人文，每篇必求其主意而標識之，尋其倫次而分畫之，明乎古人之文有倫有脊，而後我之作文能有倫有脊也。雖然，倫猶易爲也，脊不易爲也。必有學有識而後能有意，是在乎讀書，而非徒讀文所可得者也。

謝章鋌《與魏子安書》 竊以古文一道，結於篇幅者爲氣體，見於字句者爲義法，誠能服膺古人而又能好學深思，則氣體未有不高，義法未有不精。然亦有時不盡如吾意者，則往往爲篇目所窘。

又《論文下篇贈李少棠》 說者曰或剛或柔，或莊或肆，或平或峭，或進或退，所以成文者亦多術矣，將不講乎？然而此文之體也，非文之精神也。今有人血脈不華，心氣内訌，雖有七尺之軀，衣冠非不偉，瞻視非不矜嚴，卽之索索然，則亦土木偶而已矣，是必藏精固神乃能樂生，乃能行世。而誠者，精神之所從出也，積於中者確厚，必不張皇於外以求工。剛之柔之，莊之肆之，平之峭之，進之退之無不宜。蓋有不期然而然者矣。記物則物無遁形，斷事則事無匿理，論人必得其要領，言情必纏綿曲折而可以歌泣，意發於此，而振動及於天下後世，非至誠而能若是乎？於是不敢不讀書，不敢不窮理，不敢不養氣，更不敢不修身以求吾誠之所在，以推吾誠之所至。誠立然後其人非廢人，其文非廢文。若區區於外體求之，是則華士膚學之所爲也。

李慈銘《越縵堂讀書記》卷八《文學·明文授讀》 古文爲天地之元氣，關乎運數。宋文最高者歐、曾、王三家，然已不能及唐之韓氏。歐、王毗于柳子厚，曾毗于李習之，蘇氏老泉最勝，東坡次之，然僅毗于杜樊川，而筆力且不逮焉，子由則又次矣。遺山、牧庵皆學韓而不得其意，道園學歐而不得其神，此固氣運爲之，雖有豪傑之士，不能強也。

強汝洵《文集類序》 大矣哉文之爲用也。聖經賢傳，微言大義，非文不垂。記載古事，治亂興亡，得失善惡，可法可戒，非文不著。禮樂制度，法律典式，非文不明。詔誥號令，條教簿書，非文不行。奏疏論議，箴規主德，指陳庶政，薦賢斥佞，非文不達。師儒說經，論道，授業，解惑，非文不詳。親友相違，書牘相問，非文不通。故文者聖人重之，《六經》之文簡嚴易直，固其道至，亦有修辭之功焉。孔子曰：「辭達而已矣。」又曰：「言之無文，行而不遠。」曾子曰：「出辭氣斯遠鄙倍矣。」假令以方言俚語垂之簡策，則人不之重也。不重斯不傳，不傳則惡能爲益于天下後世哉。漢之文最爲近古，魏晉以下靡然日頽，流爲駢體。唐韓氏宋歐陽氏相繼振之，號爲古文。學者翕然慕效至于今不衰。夫所貴乎古文者，豈獨以句讀之異于駢體云爾哉，必將有所取也。韓歐陽氏之文誠善也，彼固有見于道，其行略能踐之而又能言之，故爲學者所宗。藉令不然而專存其酬應游戲之文，其果有當乎今。或曰：治古文者，貴乎法耳，不惟其道，而惟其法。于是以蔓衍無實之辭，而貌若韓歐陽氏之爲者，則曰是所謂古文耳。以名于身，以教于人，苟不如其法，則雖古賢人君子垂世之文，毅然擯之，以爲不足道。嗚呼，誠如是則文與道判然爲二，不可復合。斯蓋韓、歐陽氏之所羞稱，又烏足以窺聖人之所謂文哉。傳曰：「形而上者謂之道，形而下者謂之藝。」文也者藝也，而道所載也。今無所載而徒以其藝，則與駢體何以相勝。雖爲之甚工，曾不若巫醫之有益于世，不亦悲夫。故儒者之於文，非以爲名也，將以濟用也。引而申之，欲其達也。迎而節之，欲其簡也。修之懼其鄙也，修而不飾懼其靡也。可用則止不致力焉。懼其溺也，故不知文之本者求於文，知文之本者求於道，其道得矣，無意于文而文善也。求於文者未有能至者也。自漢以來爲文者多矣，而傳者不及什一，得非無得于道，而求工於文者衆歟。

施補華《與人論文書》 吾輩文字所以不及古人，信乎！術業淺，才力弱

也。其大失在一篇之出，必求勝於今人。伸紙把筆，悉心營度，於意於詞之近且易者務盡去之，用以奇古取勝。及乎文字之成，反與事理相違。夫文字動人正在能盡事理耳。事理具於人心，或不能詳之於口。取於人心，注於我手，勝彼口所自道焉，則天下之至文在是矣。若與事理相遠，文字雖工，如剪綵耳，蟲魚草木安有生機哉！【略】自後吾輩作文，先治矜心勝氣，推究事理，力求其是，斯得耳。鄙近易而慕奇古，殆觀乎其外者也。

吳汝綸《與姚仲實》 桐城諸老，氣清體潔，海內所宗，獨雄奇瑰瑋之境尚少。蓋韓公得揚、馬之長，字字造出奇崛。歐陽公變爲平易，而奇崛乃在平易之中。後儒但能平易，不能奇崛，則才氣薄弱，不能復振，此一失也。

又 說道說經，不易成佳文。道貴正，而文者必以奇勝。經則義疏之流暢，訓詁之繁瑣，考證之該博，皆于文體有妨。故善爲文者，尤慎于此。

賀濤《答宗端甫書》 聲者，文之精神，而氣載之以出者也。氣載聲以出，聲亦道氣以行。聲不中其竅，則無以理吾氣，氣不理則吾之意與義不適，而情之侈斂，詞之張縮皆違所宜，而不能犂然有當於人之心。質幹義法可力索而具也，聲不能強挖而得也。【略】後之學者將取合乎古，必取古人之文，長吟反覆，而會其節奏，其徐有得也。含而咀之，毋操毋忘，薰炙浸灌而漸而進焉，以契乎其微而幾於自然，然後吾之氣與古人之氣相翕合，而吾之文乃隨其意之所嚮，措焉而皆得其安，此之不能羅列纂排，章摹而句仿之，其精神意象豈有合哉！

陳作霖《與朱子期論駢文書》 竊以駢體之爲文也，端莊流麗，較散尤難；悱惻纏綿，以情爲主。沿傳既久，眞宰不存，掉以輕心，遂多流弊。其有務在飣餖，失其指歸，言未次鱗，語皆合掌，或辭繁而意晦，因骨少以肉多。複水重山，其途易誤；疊椽架屋，無理可尋。集錦才長，撏撦雖云富有；成虹氣短，開闔何能自如？此一弊也。又或五車未讀，偶語強爲，不持寸鐵而來，欲截碎金以去。尟右有左宜之妙，多肘見踵決之形。干戈叢中，空拳獨戰；冠裳域裏，袒裼亦來。雖作畫南宮，原有白描之法；而修辭東里，究非潤色之才，此二弊也。至若自矜該博，專炫新奇，用上古難信之書，引小說無稽之語，舍正路而趨荆棘，廢六書而返結繩。光怪陸離，縱誇獺祭，鉤輈格磔，孰辨鴃音，此三弊也。他如背戾先型，規摹風尙，學時世之妝束，順江河之下流。作札裁箋，唯畫胡盧舊様；褒衣博帶，翻矜館閣新裁。一唱三嘆，遺音安在？千篇一律，伎倆如斯，此四弊也。於是精神盡失，風格日卑，等於俳優，群相詬病。每謂雕蟲小技，難合大人；遂學司馬溫公，不爲此體。抑知陰陽配合而萬物始生，日月重光而大文乃耀。「覯閔受侮」，《詩》亦儷言；「類帝禋宗」，《書》猶偶語。溯其緣起，實出秦漢以前；暢厥支流，乃在齊梁之後。卽宋人之運用經史，幾同無縫之衣；變化體裁，別成拔戟之隊。亦何可厚非哉？是必胸藏邱錦，筆燦李花，以立意爲宗，而典籍輔之；以行氣爲事，而範圍拘之。其勢則水湧瀾翻，其辭則金聲玉振，班、張骨力，徐、庾才華，譬諸風馳雨驟之雄師，加以節制則不擾；粗服亂頭之美女，飾以塗澤而尤妍。

王先謙《駢文類纂序例》 文章之理，本無殊致，奇偶之生，出於自然。麗辭所肇，通變所宜，彥和辨之究矣。引其端緒，尙可略言。古今文詞，遞相祖述，胎化因重，具有精理。魏文賦寡婦，安仁擬之。朱穆論絕交，孝標廣之，祖其題也。翰林墨客，續《子虛》以代興，梁王陳思，共楚襄而迭起，祖其體也。長卿《上林》云：「追怪物，出宇宙。」子雲《校獵》云：「追天寶，出一方。」孟堅《西都》云：「仰悟東井之精，俯協河圖之靈。」明遠《河清頌》云：「仰應龍木之精，俯協龜水之靈。」祖其句也。安仁《秋興賦》云：「善夫宋玉之言，曰悲哉秋之爲氣也，草木搖落而變衰。」錢新梧《段公遺愛碑》云：「昌黎韓子有言矣，事有曠世而相感者，忽不自知其何心。」祖其語也。宋玉《高唐》云：「纖條悲鳴，聲似竽籟，清濁相和，五變四會。」《上林》云：「猗柅從風，藰莅芔歙。蓋象金石之聲，管籥之音。」太沖《吳都》云：「鳴條律暢，飛音響亮。蓋象琴築並奏，笙竽俱唱。」祖其意也。案造句但可偶摹，無滯迹象；采語緣於興到，純任天機，意之爲用，其出不窮，貴在與古爲新，因規入巧。《上林》云：「視之無端，察之無涯，日出東沼，月生西陂。」馬融《廣成》云：「天地虹洞，固無端涯，大明出東，月生西陂。」雖增改數字，變亦不善矣。彥和《神思》云：「伊摯不能言鼎，輪扁不能語斤，其微矣乎。」子元敘事云：「能損之又損，而元之又元。輪扁所不能語斤，伊摯所不能言鼎也。」則直鈔成文，索然意盡矣。苟得其妙，如屈平《遠遊》云：「下崢嶸而無地兮，上寥廓而無天。視儵忽而無見兮，聽惝恍而無聞。」長卿《大人》全祖是篇，兼取四語，而指各有適，文無相害。此意匠工拙之辨也。諸體成章，靡不相襲，雜文一類，繼者難工。自子建《七啟》，歸美當代，後賢有作，故步相追，詞

攄華腴，義病重疊。華亭吳對，名去實存，稚存《七招》，性含變化，丞伯《七居》，超然意遠，其七家之高致乎。至於隸事之方，則亦有說。夫人相續而代異，故文遞變而日新。取載籍之紛羅，供儒生之采獵。或世祺懸隔，巧成偶儷；或事止常語，用始鮮明。譬金在鑪，若舟浮水。化成之功，直參乎造物，槖籥之妙，靡間於含靈者也。漢息夫躬劾伍宏云：「霍顯之謀，將行於杯杓；荆軻之事，必起於帷幄。」晉鍾會檄蜀云：「投跡微子之蹤，措身陳平之軌，則福同古人，慶流來裔。」取人隱事而意旨躍如，此最優矣。自餘佳對，指不勝僂，義乖事舛，往往而是。《校獵》云：「齊桓不使扶轂，楚嚴未足驂乘，尊皇抑霸，允矣慎旃。」其它虛美之詞，不過曰「登三咸五、甄殷陶周」而已。若簡文《馬寶頌》云：「堯舜不足憲章。」孝穆《代貞陽侯書》云：「湯武方於兒戲。」此屬詞失當也。其《與王太尉書》云：「霜戈雪戟，無非武庫之兵。」專耀齊威，非夸王衆。而子安《滕王閣序》云：「紫電青霜，王將軍之武庫。」以電易雪，指齊爲王，此繹文不審也。檿弧箕服，實喪周邦，二龍降庭，何預夏事？而駱賓王《代徐敬業檄》云：「龍漦帝后，識夏庭之遽衰。」此使典差繆也。長卿賦奏《大人》，則漢武意淩雲氣。厥初楊意之薦，惟見《子虛》之文。而《滕王閣序》云：「楊意不逢，撫淩雲而自惜；鍾期既遇，奏流水以何慚。」徒取對工，罔顧文義，此杜撰不經也。蘇老泉作《木假山記》，戴顒以黃鸝爲俗耳鍼砭。而戴帥初《通蘇教授書》美以木假山之家世。陳其年《戴無忝詩序》稱爲「鸝砭名家，夫木山小文，何關世緒」，鸝砭雅語，詎涉家聲。此任意牽附也。袁簡齋《賀盪平伊犁表》云：「金山擒車鼻，本文皇漏網之魚；渭橋謁單于，慰高祖平城之憾。」平城之憾，漢史可徵，漏網之魚，唐書未見。此隨筆增竄也。亦或調律太和，翻失古節，琢句凡近，便成律賦。凡此諸弊，大傷文格，鄙生沿習，未知所厎。又如子山《司馬裔碑銘》，趙武李燮兩見；鼎臣《武成王碑銘》，春蘭秋菊重出。昔有兹式，蓋不相妨。苟其效顰，實鄰寒陋。若此之類，理貴善推。是故甄引舊編，取證本事，必義例允協，銖黍無爽，合之兩美，則觀者雀躍，儗不於倫，則讀者恐臥。可以印心源於三古，通慧業於萬流。《雕龍》謂「言對爲易，事對爲難」，亦極思之論也。至詞氣之兼資，乃駢儷之總轄。漢魏之間，其詞古茂，其氣渾灝，縱筆驅染，文無滯機。六朝以還，詞豐氣厚，羨文衍溢，時病煩蕪。宋元以降，詞瘠氣清，成語聯翩，祇形剽滑。明初劉宋略倣小文，自時厥後，道益榛蕪。雖七子大家，闕爲斯式，華亭崛起晚末，抗志追摹，詞采既富，氣體特高。明史稱工，非溢美矣。昭代右文，材賢踵武，格律研而逾細，風會啟而彌新。參義法於古文，洗俳優之俗調。選詞之妙，酌穠纖而折中，行氣之工，提樞機而內轉。故能洸洋自適，清新不窮。儷體如斯，可云絕境。

又《十家四六文鈔序》 夫今樂前陳而賢侯忘倦，流徵閒雜則和人彌寡。文章道歧，何莫不然？是以學美者侈繁博，才高者喜馳騁。往往詞豐意瘠，情竭文浮，奇詭競鳴，觀聽彌眩，軌轍不修，風會斯靡。故駢散二體，厥失維均，而駢之爲累，尤劇於散。或迺仲宣體弱不起其文，休文調律反甚其弊。蕃蕪塞涂，罕見枝幹之挺，平原埃積，邈無川岳之秀。主文客氣，玉貌蓬心，論者遂喻蜩螗以齊梁，伍俳優於臯朔。病至此乎？噫，其過矣。夫詞以理舉，肉緣骨附，無骨之肉，不能運其精神；寡理之詞，何以發其韻采？體之不尊，道由自敝。

林紓《春覺齋論文·述旨》 論文之言，猶詩話也。顧詩話采擷諸家名句，可以雜入交際談詼；若古文，非莊論莫可。且深於古文者，亦未嘗多作議論。昌黎精語，已盡於《答李翊》一書，其餘但間出數言，隱約其詞而已。此非昌黎之短於言說，特昌黎所趨之蹊逕，雖獨孤常州，裴晉公猶與異趣，況在其他；因之憤鬱不平，鄙時輩而不之語。故文愈高者，議論乃愈不可得聞；凡後之喋喋自命爲大師者，所論均未必皆中肯綮。章實齋著《文史通義》，可云解得文中甘苦矣；然亦患主張太過，且往往自亂其例。其譏歸震川用五色筆評《史記》也，甚其辭曰「若者爲全篇結構，若者爲逐段精采，若者爲意度波瀾，若者爲精神氣魄，以例分類，便於拳服揣摩，號爲古文秘傳」云云，意實不以爲可。愚則謂震川之評《史記》，用聯圈處，其妙尚易見（卽原本丹硃筆）。若每句用三角形加於其旁者（原本黃筆），始爲震川之用心處，亦爲《史記》文法之宜研究處；且其連用三角形者，或提醒文之命脈，或點清文之筋節；至於單句之上用單三角形者，尤震川獨得之秘訣。余著《震川史記平點發明》，大要卽標舉文中之頂筆，或遙醒文中之伏綫耳。震川深識文中三昧，評騭之本，安可厚非？至於《通義》中《匡謬》一門，痛斥問答體，然下文卽有《答客問》三篇，亦正作問答體，何也？須知問答一體，古賦中咸用之，尤不若《鹽鐵論》之有偉力。實齋言：「問答之體，問者必淺，而答者必深。」然《鹽鐵論》中大夫之言，咸節節有條理，而文學所答，尤跨大夫之上，此亦

不盡問淺而答深；惟理足者，言之始精，不能以深且是者自許，以淺且非者歸人也。

又 王充之言曰：「論貴是而不務華，事尚然而不高合。」然書之極是而不華者，《論語》也。世惟聖人蘊天地古今之理，出言簡而當要，雖融會貫通，本於一是，而逐條皆有不可磨滅、不相複沓之道存焉。《論衡》一書，蔡中郎儲爲談助，已開西晉清談之風。謂其節節皆是，語語不華，確耶？但以充書言之，有《福虛》、《禍虛》之目，其辯似確。其言福虛也，斥楚惠王呑蛭之謬；其言禍虛也，辨顔淵早夭、子路醢死之事，不關於陰騭：咸有至理，是矣。然何必復爲《紀妖》、《定鬼》二篇？妖鬼原不待辯，又多引事實以助其馳騁，則又近華矣。至於「尚然而不高合」一語，原爲特立之見；顧自以爲然，而不合於理，則亦未足以樹義。平心而論，名爲文者，無所不華；名爲筆者，則當求其是。然不讀書明理，則又從何處而取是？蓋文者，運理之機軸；理者，儲文之材料。不先求文之工，而先積理，則亦未有不工者。

又 《文心雕龍·徵聖第二》有曰：「正言所以立辯，體要所以成辭。」是言一本於《易》，一本於《書》，推而言之，則知此者，作文乃無死句，論文亦得神解。何謂正言？本聖人之言，所以抗萬辯也。何謂體要？衷聖人之言，所以鑄偉辭也。然亦有難言者。文至於語錄，成萬古正言之鵠，皆能一一施之文間耶？無論語錄，卽理學先儒之與書，語語靡不當，要觀朱考亭與陸象山、陳同甫諸先生書，無語不精，亦無語不要，而淺人恆苦其邃。豈朱、陸之言尚不衷於名理，而至索人之神志？紓曰：論道之書質，質則或絀於采；析理之言微，微則坐困於思。古之文章家，本盡備各體，不必各體中皆寓以理學之言。劉勰之贊此篇，亦曰：「精理爲文，秀氣成采。」大率析理精，則言匪不正；因言之正，施以詞采，秀氣自生。司馬文正不以文名於北宋，而亦無意於爲文，而文皆精貴近理，不必施采，而自琅琅可誦，亦不必恃口辯，而人自不能屈。韓昌黎作《諱辯》，靈警機變，時出雋語，然而人猶以爲矯激。非昌黎之辯窮也，時人以不舉進士爲李賀之孝，固人人自以爲正，昌黎之言雖正，而辯亦不立。若爲昌黎計者，可以不作此辯；果有所見於中，淘淅以先聖之理，詎無文字可爲？《孟子》一書，與門人辯論者十可五六，然皆切於時變，關乎正學。至勸人犯物議以就科名，吾知決非孟子之所忍出。然故作文須求好題目，有正言，亦易於立幹，易於傅色。眞能古文者，固不輕易爲文也。

又《氣勢》 文之雄健，全在氣勢。氣不王，則讀者固索然；勢不蓄，則讀之亦易盡。故深于文者，必斂氣而蓄勢。然二者皆須講究于未臨文之先，若下筆呻吟，于欲盡處力爲控勒，于宜伸處故作停留，不惟流爲矯僞，而且易致拗晦。蘇明允《上歐陽內翰書》稱昌黎之文「如長江大河，渾浩流轉，魚鼈蛟龍，萬怪惶惑，而抑遏蔽掩，不使自露」。此眞知所謂氣勢，亦眞知昌黎之文能斂氣而蓄勢者矣。

又 惟理足者神始王，法精者明始徹；文中雖未見氣勢，胸中已具有氣勢矣。

又 北齊顔之推曰：「凡爲文章，猶人乘騏驥，雖有逸氣，當以御勒制之，勿使流離軌躅，放意塡坑岸也。」解得顔氏之語，卽知斂氣蓄勢之妙用。譬諸作畫，遠山知映帶以雲物，按之與近山之脈不連；高山知極狀以崔巍，按之與岡巒之基無托；寫瀑不先寫高澗之泉，則下洩無根，不縈迴以溪澗之石筍，則細流不曲。此雖作畫之氣勢，亦可悟作文之氣勢。

陳三立《嵩龕類稿序》 竊維天地萬物之精英，形諸文字，各從其類，不可掩焉。有能者出，因而存之，曲肖而達之，而其眞乃永於人心，相續而不敝。學者不察，或溢於奇邪浮剽，苟以爲名，皆汩其眞而速其敝者也。先生是編，所得於天與人淺深高下，自有論定之者，獨就所爲文詩詞爲余所及知推之，吐辭結體，一出於沖淑爾雅，盎然粲然，蓋導引自具之性情，以與古之能者相迎，討原究變，溉澤典籍，衷於物則，不誣其志，庶幾尤爲滔滔斯世所繫之能者歟？

范當世《與蔡燕生論文第一書》 古人佳文大抵必多所磊砢不平，而含蓄不露；意思稠疊，而隨手包裹，不礙於奔放；著字數百，而旁見側出之虛影不啻數千；空明澄澈，而萬怪惶惑於其間。此皆可遇而不可求，熟於古人之文境，可以先機影射而四遠爲之羅，亦不能知其必獲否也。所尤難者，在乎罵譏王侯將相而敬愼不渝，與下輩麤解文字縱情牢騷者，判若天壤。文章雖極詼嘲，而定有一種淵穆氣象，望而知爲儒人之盛業，與雜家小說不同。此則所謂胸襟不至豪傑，不足談古文，德器不類聖賢，亦不足以俯笑一世耳。

姚永樸《答方倫叔書》 夫氣者，人之精神著于外焉者也。餒于內而欲其外之盛，豈可得哉？舉聲華榮利之所在，皆不足以動其中，然後其心靜。心

靜矣則氣自生，此韓氏所以欲「養其根加其膏」，歐陽氏所以謂「道勝者文不難自至也」。

姚永概《裴伯謙詩序》 余嘗謂文章之成也有三：賦之自天者曰才，造之于人者曰學，惟境也者天與人交致，而不可缺一。天予以特殊之境矣，或不勝其艱困，無復聊賴，甚至墮其氣而隕其身，不善于承天足以昌其才與學者，轉自負之，是豈天之咎與？天寶之亂，杜子美以稷、契自命，而流離饑寒，卒不得一效，故發爲詩歌，光怪變幻，不可方物，冠于有唐。其後蘇子瞻以宰相之才，安置黄州者五年，已老復有儋耳萬里之逐，故子瞻之詩文亦以海外爲極盛。向使彼二子者不能亨其心以順天，則其境固非生人所堪，亦與尋常之徒太息悲憂以至于死而止矣，烏得有鴻博純麗之文以見于今乎？余又以知有境乃可成其才，亦惟有學乃可用其境，則義理不可一日去身，即求之文章而亦然也。

又《歷朝經世文抄序》 言所以達意，文所以飾言。言者意之表也，文者言之精也。是故國于天地，必有文字載其政教，由近以及遠，本今以垂後。文字不存，國云滅矣。

陳衍《如不及齋文草叙》 昔昌黎論文，謂古者詞必己出，降而不能，乃用剽賊。剽賊者，間用古人成語，已出則自三數字以上，必自己構造。凡古人已聯絡成句者，概不假借。是說也，唐人李習之、皇甫持正、杜牧之、孫可之諸家，北宋歐、曾、王、蘇輩皆宗之。清則方苞氏、姚姬傳氏尤奉爲科律，偭越者在所不齒，世所指目爲桐城派者也。昌黎之言固歸於至當無弊。然文以載道，當其氣盛言宜，惟求詞達，有不暇規規於一字一句必磨洗鍛鍊而後成者，宋代朱文公、眞西山之文是已。臨海項冰夫先生，自少至老，醰心於性理之學，讀其集中說理之作，無不理足詞暢，不規規於一字一句之磨洗鍛鍊，雖未敢遽語學文公、西山，固宗仰文公、西山之文以爲文也。至於山水遊記，亦欲追考亭、雲谷、南嶽、百丈山諸作。讀者動擬以柳州、六一，非其神似處矣。

黄人《國朝文匯序》 有一代之政教風尚，則有一代之學術思想，蜕故孳新，瞤息不可復省，而有爲之攝影者曰史，而有爲之留聲者曰文。俾後人若聽睹其際，得以識世運消長，人才純駁之故，非僅恣泛覽，供粉飾焉。

又 夫以吾國文學之雄奇奥衍，假罄其累世之儲蓄，良足執英、法、德、美壇坫之牛耳。而一入本朝，則又兼收幷蓄，大會細入，兩京、三唐，不免積薪之媿，姬、孔之際，于斯爲盛。【略】此本社所以有《國朝文匯》之選輯也。存錄一千餘家，爲文一萬餘首，不名一家，不拘一格。雖網羅未廣，疏漏正多，尚有俟海內方聞，勉爲增益。要之二百數十年中之政教風尚，所以發達變化其學術思想者，循是或可得其大概，而爲史氏徵文攷獻者效負弩之役。

章炳麟《文學說例》 言語不能無病，然則文辭愈工者，病亦愈劇。是其分際，則在文言、質言而已。文辭雖以存質爲本幹，然業曰文矣，其不能一從質言可知也。文益離質，則表象益多，而病亦益甚。斯非獨魏、晉以後然也，雖上自周、孔，下逮嬴、劉，其病已不訾矣。「湯、武革命」而及「黄牛之革」，「皿蟲爲蠱」而云「幹父之蠱」。《易》者象也，表象大著，故治故訓言引伸者必始自《易》，而病質亦於今爲烈焉。雖然，人未有生而無病者，而病必期其少。瀸汗漬染，寧知所届。荀氏有言：「亂世之徵，文章匿采。」（《樂論》）焉可長也？又近世奏牘闞移，語本直核，所以無當於文辭者，正以漸離其質爾。案一事也，不云「纖悉畢呈」，而云「水落石出」。排一難也，不云「禍胎可絶」，而云「斧底抽薪」。表象既多，鄙倍斯甚。是皆庸妄賓僚，俶造斯語。若純出史胥，則語猶質直，雖登於元凱《善文》、仲治《流別》可也。夫言苛則曰「吹毛求疵」，喻猛則曰「鷹擊毛鷙」，遷、固雅材，有其病矣。厚味臘毒，物極必反，遂於文格最爲傭下。是則表象之病，自古爲昭。斲雕爲樸，亦尚故訓求是之文而已。自昔文士，不錄章句。而劉彦和獨云：「注釋爲詞，解散論體，雜文雖異，總會是同。」（《文心雕龍·論說篇》）斯固文辭之極致也。若鄭君之註《毛詩》，賈氏之疏《士禮》，武子之訓《穀梁》，輔嗣之明《周易》，師法義例，容有周疏，其文辭則皆彧然信美矣。當文學陵遲，躁人喋喋，而欲救以淳質，非此莫由也。

又 《史通·雜說》篇云：「積字成文，由趨聲對。」然則，有韻之文，或以數字成句度，不可增損，或取協音律，不能曲隨己意，強相支配，疣贅實多，故又有訓故常法所不能限者。如古詞《鷄鳴高樹顛》云：「黄金絡馬頭，耿耿何煌煌。」耿耿、煌煌，義無大異，而中間以「何」字，直以取足五言耳。亦有當時常語，非訓詁所能解剖者。魏武帝《蒲生篇》、東阿王《明月篇》皆云：「今日樂相樂。」魏文帝《朝日篇》云：「朝日樂相樂。」是「樂相樂」爲當時

常語也。斯二者必求其文義，則窒閡難通，誠以韻語異於他文耳。《詩·卷阿》言「亦集爰止」，「集」「止」義一也；（《鴇羽》傳：「集，止也。」）「爰」有「于」、「於」、「曰」三訓（《釋詁》），間於「集」「止」之間，皆不安聑，斯非「耿耿何煌煌」之例耶？《式微》言「式微式微」，《傳》云：「式，用也。」「用微用微」，語難燎矣。斯非「樂相樂」之例耶？雖然，類是者亦千百之什一而已。不通斯例，則古義不完，逐流忘返，則繆說滋起。世有妄人，憙言讀書，不求甚解，故不得以余說爲杓秉也。

又 古人文義，與今世習用者或殊，而世必以近語繩之。或舉《孟子·萬章篇》「親之欲其貴也，愛之欲其富也」，謂「之」「其」同義，而用之不得不異，此未通古訓也。《康誥》「孟侯朕其弟小子封」，「朕其弟」卽「朕之弟」也。《書序》「虞舜側微，堯聞之聰明」，卽「堯聞其聰明」也。《左》定二年傳「奪之杖以敲之」，「奪之杖」卽「奪其杖」也。夫何不可代用乎？蓋「之」「其」「是」「者」四字，古實同義互用，特語有輕重，則相變耳。《鴻範》「曰時五者來備」，《宋世家》作「五是來備」，以「是」同「者」義矣。且「五是」亦「時五」之倒語也。《藝文志》「儒家者流」、「道家者流」等語，以今世文義言之，「者」字甚詰詘難通。尋《說文》：「者，別事詞也。」《喪服》注：「者者，明爲下出也。」故「者」義與「是」與「此」相類。元人有「者番」、「者回」等語，至今猶然。「儒家者流」，「儒家」宜讀，「者流」爲句。「者流」，猶言「此流」也。《釋訓》：「之子者，是子也。」故「之」亦與「是」、「此」義同。比類觀之，知古人於普通代名詞，通言互用，不得以《孟子》「之」、「其」偶異，而謂詞氣異施矣。

又 夫琴瑟專一，不可爲聽；分間布白，鄉背乃章。故儷體之用同訓者十無一二，而非同訓者擅其全部矣。辭氣不殊，名物異用，於是乎辭例尙焉。雖然，辭例又不可執也。若言「上下無常，進退無恆」（《易文言》），「處而不底，行而不流」（《左》襄二十九年傳），斯二事者，一則同趣，一則僢馳，要其辭例則一，詞性亦同，義有正負，而度無修短者也。至如《墨子·經說下》云：「白馬多白，視馬不多視。」白馬、視馬，辭例一也；而白爲具體，視爲抽象：觀念既殊，則詞性亦殊矣。謝惠連《雪賦》云：「皓鶴奪鮮，白鷴失素。」奪鮮、失素，辭例一也；而素爲舉性，鮮爲加性：觀念既殊，則詞性亦殊矣。若膠執辭例，而謂準度兩語，分寸無差，至於白視、素鮮，亦必穿穴形聲，爲之改字易訓，則是削性以適例也。雖似渙釋，方更窮詰，抑亦賢智之過歟。

又《與鄧實書》 蓋博而有約，文不奄質，以是爲文章職墨，流俗或未之好也。定文者以僕與譚復生、黃公度耦。二子志行，顧亦有可觀者，然學術既疏，其文辭又少檢格。復生氣體駿利，以少習儷語，不能遠師晉、宋，憙用彫琢，悰而失粹，輕俠之病，往往相屬。公度憙言經世，其體則同甫、貴與之儕，上距敬輿，下摧水心，猶不相逮。僕雖樸陋，未敢與二子比肩也。近世文士王壬秋，可謂游於其藩，猶多掩襲聲華，未能獨往。康長素時有善言，而稍譎奇自恣。僕亦不欲與二賢參儷。謂宜刊削鄙文，無令猥廁大衍之數，虛一不用，亦何傷於蓍卦哉？故非欲掎摭利病，汎慓時彥以自崇也。以爲文生於名，名生于形。形之所限者分，名之所稽者理。分理明察，謂之知文。小學既廢，則單篇摦落，玄言日微，故儷語華靡。不揣其本而肇其末，人自以爲卿雲，家相譽以潘陸，何品藻之容易乎？僕以下姿，智小謀大，謂文學之業，窮于天監，簡文變古，志在桑中。徐庾承其流，澹雅之風，于茲沬矣！燕許諸公，方欲上攀秦漢，逮及韓、柳、呂、權、獨孤、皇甫諸家，劣能自振。晚唐變以譎詭，兩宋濟以浮夸，斯皆不足卲也。將取千年朽蠹之餘反之正則，雖容甫、申耆猶曰采浮華棄忠信爾，皋文、滌生尙有諼言，慮非修辭立誠之道。夫忽略名實，則不足以說典禮；浮辭未翦，則不足以窮遠致。言能經國，絀於籩豆有司之守；德音孔膠，不達形骸智慮之表。故篇章無計簿之用，文辯非窮理之器。彼二短者，僕自以爲絕焉。所以塊居獨處，不欲奇羣彥之數者也。夫代文救僿，莫若以忠，撰錄文辭，諒非急務。然彼之爲是，亦云好尙所至而已。遂事既不可諫，僕之私著，出內在我。宜告以鄙懷，無令署錄，玉石朱紫，庶其有分。

又《國故論衡·文學總略》 自晉以降，初有文筆之分。范曄自述其《後漢書》曰：「文患其事盡於形，情急於藻，義牽其旨，韻移其意，政可類工巧圖繢，意無得也。手筆差易，文不拘韻故也。」《文心雕龍》云：「今之常言，有文有筆，有韻者文也，無韻者筆也。」然《雕龍》所論列者，藝文之部，一切并包。是則科分文筆，以存時論，故非以此爲經界也。昭明太子序《文選》也，其于史籍，則云「不同篇翰」；其于諸子，則云「不以能文爲貴」。此爲裒次總集，自成一家，體例適然，非不易之定論也。【略】誠以文筆區分，《文選》所集，無韻者猥衆，寧獨諸子？若云文貴其彣邪？未知賈生《過秦》、魏文《典

論》，同在諸子，何以獨堪入錄？有韻文中，既錄漢祖《大風》之曲，卽《古詩十九首》亦皆入選，而漢晉樂府，反有慭遺。是其于韻文也，亦不以節奏低卬爲主，獨取文采斐然，足耀觀覽，又失韻文之本矣。是故昭明之說，本無以自立者也。

又 近世阮元以爲孔子贊《易》，始著《文言》，故文以耦儷爲主，又牽引文筆之說以成之。夫有韻爲文，無韻爲筆，是則駢散諸體，一切是筆非文，藉此證成，適足自陷。既以《文言》爲文，《序卦》、《說卦》又何說焉？且文辭之用，各有體要。《彖》、《象》爲占繇，占繇故爲韻語；《文言》、《繫辭》爲述贊，述贊故爲儷辭；《序卦》、《說卦》爲目錄箋疏，目錄箋疏故爲散錄。必以儷辭爲文，何緣《十翼》不能一致，豈波瀾既盡，有所謝短乎？【略】或舉《論語》言「辭達」者，以爲文之與辭，較然異職。然則《文言》稱文，《繫辭》稱辭，體格未殊，而題號有異，此又何也？董仲舒云「春秋文成數萬」，兼彼經傳，總稱爲文，猶曰今文家曲說云爾；《太史公自序》亦云「論次其文」，此固以史爲文矣。又曰：「漢興，蕭何次律令，韓信申軍法，張蒼爲章程，叔孫通定禮儀，則文學彬彬稍進。」《藝文志》言：「秦燔滅文章，以愚黔首。」文章者，謂經傳諸子，遷、固所稱，半非耦儷之文也。屈、宋、唐、景所作，既是韻文，亦多儷語，而《漢書·王褒傳》已有《楚辭》之目。王逸仍其舊題，不曰楚文，斯則韻語耦語，亦既謂之辭矣。《漢書·賈誼傳》云：「以屬文稱于郡中。」其文云何，以爲賦邪？《惜誓》載于《楚辭》，文辭不別，以爲奏記條議，適彼之所謂辭也。《司馬相如傳》云：「景帝不好辭賦。」《法言·吾子》云：「詩人之賦麗以則，辭人之賦麗以淫。或問君子尚辭乎？曰，君子事之爲尚，事勝辭則伉，辭勝事則賦，事辭稱則經。」以是見韻文耦語，并得稱辭，無文辭之別也。且文辭之稱，若從其本以爲部署，則辭爲口說，文爲文字。古者簡帛重煩，多取記憶，故或用韻文，或用耦語，爲其音節諧適，易于口記，不煩記載也。戰國從横之士，抵掌搖唇，亦多積句，是則耦麗之體，適可稱職。乃如史官方策，有《春秋》、《史記》、《漢書》之屬，適當稱爲文耳。由是言之，文辭之分，反覆自陷，可謂大惑不解者矣。

又《論式》 編竹以爲簡，有行列艑理，故曰「侖」。「侖」者，思也。《大雅》曰：「于論鼓鐘。」論官有司士之格，論囚有理官之法，莫不比方。其在文辭，《論語》而下，莊周有《齊物》，公孫龍有《堅白》、《白馬》，孫卿有《禮》、《樂》，呂氏有《開春》以下六篇，前世著論在諸子，未有率爾持辯者也。九流之言，擬儀以成變化者，皆論之儕。《別錄》署《禮記》，亦有通論，不專以顯名爲質。其辭精微簡練，本之名家，與縱横異軌。由漢以降，賈誼有《過秦》，在儒家。東方朔設《非有先生之論》，朔書二十篇，則于雜家著錄。及王褒爲《四子講德》，始別爲辭人矣。晚周之論，內發膏肓，外見文采，其語不可增損。漢世之論，自賈誼已繁穰，其次漸與辭賦同流，千言之論，略其意不過百名。楊子爲《法言》，稍有裁制，以規《論語》；然儒術已勿能擬孟子、孫卿，而復忿疾名、法：「或問：公孫龍詭辭數萬以爲法，法與？曰：斷木爲棋，捖革爲鞠，亦皆有法焉。不合乎君子之道者，君子不法也。」(《吾子》篇)「或曰：刑名非道邪？何自然也？曰：何必刑名，圍棋擊劍，反目眩形，亦皆自然也。由其大者作正道，由其小者作姦道。」(《問道》篇)今以楊子所云云者，上擬龍、非，則跛鱉之與騏驥也。漢世獨有石渠議奏，文質相稱，語無旁溢，猶可爲論宗。後漢諸子漸興，訖魏初幾百種，然其深達理要者，辨事不過《論衡》，議政不過《昌言》，方人不過《人物志》。此三家差可以攀晚周，其餘雖嫺雅，悉腐談也。自《新語》、《法言》、《申鑒》、《中論》，爲辭不同，皆以庸言爲故，豈夫可與酬酢，可與右神者乎？當魏之末世，晉之盛德，鍾會、袁準、傅玄皆有家言，時時見他書援引，視荀悅、徐幹則勝。此其故何也？老、莊、形名之學，逮魏復作，故其言不牽章句；單篇持論，亦優漢世。然則王弼《易例》、魯勝《墨序》、裴頠《崇有》，性與天道，布在文章，賈、董卑卑，于是謝不敏焉。經術已不行于王路，喪祭尚在，冠昏朝覲，猶弗能替舊常，故議禮之文亦獨至。陳壽、賀循、孫毓、范宣、范汪、蔡謨、徐野人、雷次宗者，蓋二戴、聞人所不能上。施于政事，張裴《晉律》之序，裴秀地域之圖，其辭往往陵轢二漢。由其法守，朝信道矣，工信度矣。及齊、梁猶有繼迹者，而嚴整差弗逮。夫持論之難，不在出入風議，臧否人群，獨持理議禮爲劇。出入風議，臧否人群，文士所優爲也；持理議禮，非擅其學莫能至。自唐以降，綴文者在彼不在此，觀其流勢，洋洋纚纚，卽實不過數語。又其持論不本名家，外方陷敵，內則亦以自償，惟劉秩、沈既濟、杜佑，差無盈辭。持理者，獨劉、柳論天爲勝，其餘并廣居自恣之言也。宋又愈不及唐，濟以嘩讀。近世或欲上法六代，然上不窺六代學術之本，惟欲厲其末流，江統《徙戎》、陸機《辨亡》、干寶《晉紀》，以爲駿極不可上矣。自餘能事，

盡于送往事居，不失倨侮，以甄名理，則僻違而無類；以議典憲，則支離而不馴。余以爲持誦《文選》，不如取《三國志》、《晉書》、《宋書》、《弘明集》、《通典》觀之，縱不能上窺九流，猶勝于滑澤者。嘗與人書，道其利病，曰：「文生于名，名生于形，形之所限者分，名之所稽者理，分理明察，謂之知文。小學既廢，則單篇瓠落；玄言日微，故孋語華靡。不竱其本，以之肇末，人自以爲楊、劉，家相譽以潘、陸，何品藻之容易乎？僕以下姿，智小謀大，謂文學之業，窮于天監。簡文變古，志在桑中，徐庾承其流化，平典之風，于茲沫矣。燕、許有作，方欲上攀秦、漢。逮及韓、呂、柳、權、獨孤、皇甫諸家，劣能自振，議事確質，不能如兩京；辯智宣朗，不能如魏晉。晚唐變以譎詭，兩宋濟以浮誇，斯皆不足邵也。將取千年朽蠹之餘，反之正則，雖容甫、申耆，猶曰采浮華，棄忠信爾。皋文、滌生，尚有諼言，慮非修辭之誠之道。夫忽略名實，則不足以說典禮；浮辭未翦，則不足以窮遠致。言能經國，詘于籩豆有司之守；德音孔膠，不達形骸智慮之表。故篇章無計簿之用，文辯非窮理之器，彼二短者，僕自以爲絕焉。所以塊居獨處，不欲奇群彥之數者也。如鄙者一二耆秀，皆浮華交會之材，嘩世取寵之士，嘘枯吹生之文，非所謂文質彬彬者也。故曰：「亡而爲有，虛而爲盈，約而爲泰，難乎有恆矣。」（以上《與人書》）或言今世慕古人文辭者，多論其世，唐、宋不如六代，六代不如秦、漢。今謂持論以魏、晉爲法，上遺秦、漢，敢問所安？曰：夫言亦各有所當矣。秦世先有韓非、黃公之倫，持論信善；及始皇併六國，其道已隘。自爾及漢，記事韻文，後世莫與比隆，然非所及于持論也。漢初儒者，與縱橫相依，逆取則飾游談，順守則主常論，游談恣肆而無法程，常論寬緩而無攻守。道家獨主清靜，求如韓非《解老》，已不可得；《淮南鴻烈》，又雜神仙、辭賦之言。其後經師漸與陰陽家并，而論議亦多牽制矣。漢論著者，莫如《鹽鐵》；然觀其駁議，御史大夫、丞相史言此，而文學、賢良言彼，不相剴切。有時牽引小事，攻劫無已，則論已離其宗。或有却擊如罵，侮弄如嘲，故發言終日，而不得其所凝止，其文雖博麗哉，以持論則不中矣。董仲舒《深察名號》篇，略本孫卿，爲己條秩，然多傳以疑似之言。惜乎劉歆《七略》，其六錄于《漢志》，而《輯略》俄空焉。不然，歆之謹審權量，斯有倫有脊者也。今漢籍見存者，獨有王充，不循俗跡，恨其文體散雜，非可諷誦。其次獨有《昌言》而已。魏、晉之文，大體皆埤于漢，獨持論仿佛晚周。氣體雖異，要其守己有度，伐人有序，和理在中，孚尹旁達，可以爲百世師矣。然今世能者，多言規摹晉、宋，惟汪中說《周官》、《明堂》諸篇，類似禮家，阮元已不相逮。至于甄辨性道，極論空有，概乎其未有聞焉。典禮之學，近世有餘；名理之言，近世最短。以其短者施之論辯，徒爲繳繞，無所取材，謙讓不宣，固其慎也。長者亦不能自發舒，若凌廷堪《禮經釋例》，可謂條理始終者，及爲儷辭，文體卑近，無以自宣其學，斯豈非崇信文集、異視史書之過哉！

又 然今法六代者，下視唐、宋；慕唐、宋者，亦以六代爲靡。夫李翺、韓愈，局促儒言之間，未能自遂。權德輿、呂溫及宋司馬光輩，略能推論成敗而已。歐陽修、曾鞏，好爲大言，汗漫無以應敵，斯持論最短者也。若乃蘇軾父子，則佞人之箋箋者。凡立論欲其本名家，不欲其本縱橫。儒言不勝，而取給于氣矜，游獷怒特，蹂稼踐蔬，卒之數篇之中，自爲錯牾，古之人無有也。法晉、宋者，知其病徵，宜思有以相過，而專務溫藉，詞無芒刺。甲者譏乙，則曰「鄭聲」；乙者譏甲，又云「常語」。持論既莫之勝，何怪人之多言乎！夫雅而不核，近于誦數，漢人之短也；廉而不節，近于彄鉗，肆而不制，近于流蕩，清而不根，近于草野，唐、宋之過也；有其利無其病者，莫若魏、晉。然則依放典禮，辯其然非，非涉獵書記所能也。循實責虛，本隱之顯，非徒竄句游心于有無同異之間也。效唐、宋之持論者，利其齒牙，效漢之持論者，多其記誦，斯已給矣；效魏、晉之持論者，上不徒守文，下不可御人以口，必先豫之以學。文章之部，行于當官者，其原各有所受：奏疏、議駁近論，詔冊、表檄、彈文近詩；近論故無取紛綸之辭，近詩故好爲揚厲之語。漢世作奏，莫善乎趙充國，探籌而數，辭無枝葉。晉世杜預議攷課，劉毅議罷九品中正，范甯議土斷，孔琳之議錢幣，皆可謂綜核事情矣。然王充于漢獨稱谷永。谷永之奏，猶似質不及文，而獨爲後世宗，總之不離平徹者近是。《典論》云：「奏議宜雅，書論宜理。」亦得其辜較云。若夫詔書之作，自文、景猶近質，武帝以後，時稱《詩》、《書》，潤色鴻業，始爲詩之流矣。武帝冊三王，上擬《尚書》，至潘勖冊魏公，爲枚頤《尚書》本，晉以下代用其律，比于《崧高》、《韓奕》，徒無韻耳。漢世表以陳情，與奏議異用，若《薦禰衡》、《求自試》諸篇，文皆琛麗，煒曄可觀。蓋秦、漢間上書，如李斯《諫逐客》、鄒陽《獄中上梁孝王》已然。其後別名爲表，至今尚辭，無取陳

數，亦無韻之風也。彈文始不可見，任昉、沈約詆人罪狀，言在法外。蓋自宋世荀伯子善爲彈文，醜詞巧詆，辱及祖禰。今雖不著，明其爲任、沈法。《詩》之惡惡，莫如《巷伯》，然猶戮及其身；今指斥及于腐骨，其疾惡甚于詩人矣。《文選》不錄奏疏、議駁，徒有書、表、彈文之流，爲其文之著也。檄之萌芽，在張儀檄楚相，徒述口語，不見緣飾。及陳琳、鍾會以下，專爲恣肆。顔竣檄元凶劭，其父延之，覽書而知作者，亦無韻之賦也。大抵近論者取于名，近詩者取于縱横，其當官奮筆一也，而風流所自有殊。覽文者，觀于《文選》之有無，足以知其好尚異也。

梁啓超《中國地理大勢論》 燕趙多慷慨悲歌之士，吳楚多放誕纖麗之文，自古然矣。自唐以前，于詩，于文，于賦，皆南北各爲家數。長城飲馬，河梁攜手，北人之氣概也；江南草長，洞庭始波，南人之情懷也。散文之長江大河一瀉千里者，北人爲優；駢文之鏤雲刻月善移我情者，南人爲優。蓋文章根于性靈，其受四圍社會之影響特甚焉。自後世交通益盛，文人墨客，大率足跡走天下，其界亦寖微矣。【略】大抵自唐以前，南北之界最甚，唐後則漸微，蓋「文學地理」常隨「政治地理」爲轉移。自縱流之運河既通，兩流域之形勢，日相接近，天下益日趨于統一，而唐代君臣上下，復努力以聯貫之。貞觀之初，孔穎達、顔師古等奉詔撰《五經正義》，既已有折衷南北之意。祖孝孫之定樂，亦其一端也。文家之韓、柳，詩家之李、杜，皆生江河兩域之間，思起八代之衰，成一家之言。書家如歐（歐陽詢）、虞（世南）、褚（遂良）、李（邕）、顔（眞卿）、柳（公權）之徒，亦皆包北碑南帖之長，獨開生面。蓋調和南北之功，以唐爲最矣。由此言之，天行之力雖偉，而人治恆足以相勝。今日輪船鐵路之力，且將使東西五洲合一爐而共冶之矣，而更何區區南北之足云也。

陳澹然《晦堂文鑰·鍊氣》 氣而苟眞，無待於鍊。岳忠武少苦兵間，身經百戰，豈暇文字詩詞？而文字詩詞獨雄千古者，何也？眞氣爲之也。然天才至寡，豈可苛求？其次則非鍊氣不可。史載金正希少臨峭壁，俯視懸崖，同行皆戰色，正希獨出半足試其危，曰：「鍊吾膽也。」鍊氣之法何獨不然？自外患紛乘，內憂日迫，見聞所及，眞有瞻烏誰屋之傷。孟子曰：「生於憂患，死於安樂。」夫憂患何以生？借憂患以鍊吾氣，乃生機也。史公得名山大川長其奇氣，彼當憂承平無事危難不生，故可借山川險阻以激其懷抱。今則俯仰身世，無一不在憂患之中。以憂患爲山川，其氣必較史公爲更壯，此鍊氣至精之術，特非豎儒所及知耳。顧鍊氣之方，要自有辨，沈潛剛克，高明柔克，必各視其天質以爲轉移。豪邁則鍊以深沉，激烈則鍊之坦易，此其上也。中材以下，質多優柔，則必鍊之，以歸雄健。雖在學堂，目營四海，則其心自遠，其量自宏，其氣自有不可一世之概。今日爲文，可以縱横八表；異時任事，必能雄視五洲；即不幸百折千磨，亦可著書，自成千古，不傍前人。而其事必自立志始，天下未有志不立而氣能振者，即未有氣不振而能成一事者，況乃文章不朽之盛業哉！

又《鍊識》 識生於內而根由於外，一在論事，一在讀書。泰西哲家有實驗、懷疑二派。實驗莫捷於論事，懷疑莫切於讀書。一事見端，吾先決其成敗，不必問流俗之褒譏，究之或成或敗，與先時之見何如，或有無窮之變化，一實驗而吾識精矣；一書至目，吾獨決其是非，不必問前人之論說，究之或是或非，與古人之言何若，自有不易之定憑，一懷疑而吾識愈精矣。久之，論事一如讀書，讀書一如論事。實驗、懷疑交資互用，而吾識愈精矣。儲備於未文之先，然後執筆，爲文自有無窮妙趣。吾嘗謂天下皆文章，惟文章中無文章，即此義也。後世不知此義，日拘拘焉步趨韓、柳，繩墨歐、王，即稍有所成，亦不過如近世所稱桐城派、陽湖派而已。自來豪傑爲文，皆在不得志時聊爲寄託，其著書條理即辦事規模，文字精神即用兵方略，識之所至，文即至焉。陽明知行合一，不外是矣。何暇與庸鄙書生論家法哉！

又《古棠塾言·文法》 爲文之法，首以無平無弱爲歸，循之十年，久則自歸平易。故其始，要在雄渾浩博，變化横奇。括之則以曾湘鄉「聲調」二字爲極則，其氣象當以漢賦體度爲規模，而琢句摛詞則惟遠規韓氏，近法湘鄉，一屏魏、晉、六朝浮豔。譬若名將出塞，萬騎無譁，刁斗森嚴，旌旗肅穆，其風趣必若寒梅古鶴，獨抱神姿，老柏穹崖，時涵蒼翠，則舉筆灑然，自有無窮樂趣，而福澤隨之，久則骨重神寒，巍然天廟。迺可一洗宋、元、明之單弱，不局桐城家法之中，斯可與言文矣。惟文體之判，要在幾希，稍縱即蹈詞章之習。蒙疲勞文事已三十年，備歷此中甘苦。始焉縱求時文詩賦，取媚時趨，謂天下學者如是耳。已弱冠，偶見揚子雲自道雕蟲小技，壯夫不爲，遂絕意不作，而慨焉有志於古文。久之，家貧謀養，輒見當代名流競言駢儷，靦而效之，於是兼及選騷漢賦，鋭求古字奇文，不屑下窺唐宋，如是者蓋六

七年。【略】至若古文一術，經綸大略，寧復在斯？惟深見天下萬事萬物之繁，舍此竟莫由闡其微，而起人心之哀樂。治之既至，實足挽人心風俗而存天命於幾希。弱冠卽謬懷斯旨，今斯文既衰，不得不畢吾生以求其或至，而他務固有所未遑。莊生所謂「用志不紛，乃凝於神」者也。且宣聖有言：「言之不文，行之不遠。」故惜抱姚氏輒令人求諸氣味神韻之微，而曾氏徒云聲調，兩相權度，姚則精而曾則粗。然嘗細味群經，何一語不歸諸聲調？而聲調所極，何一不出諸氣味神韻之中？卽曾以漢賦氣體爲宗，而斷斷詞采一若淺乎詞章之末，而無當精微。顧以視群經之篤實光輝，又何一而非詞采？特不若騷選，而後滯諸形質，轉足累其氣而無可自伸耳。明乎此，乃知孔氏之所謂文者，固有在也。詞賦云乎哉？且古稱讀書必觀氣象。夫所云漢賦爲體者，良以文章極軌，莫盛於經，漢賦體近群經，固可層累而上，略觀氣象。卽可雄吾魄而厚吾神，無事漫勞記誦，初非溺其詞也。獨惜曾氏深明文字大原，而所鈔詞賦一門，乃盈十卷，遂並六朝浮靡而亦存之，於是流風既頹，詞章益熾。而吾則以後來文字遠隔群經，假此上躋群經，以求通諸道，始焉不過卽此以廓規模，與曾氏實相懸絕，豈好文哉？道體固然不如是不足凝吾氣，而湛吾理也。故凡求文者，始焉取漢賦爲體勢而終遺之，然後鬱乎《騷》，情乎《史》，韻乎《詩》，《左》而神化乎《莊》，其於爲文，思過半矣。其始基奈何？則必自《孟氏》《國策》始，此講求文法之大略也。

劉師培《文説序》　昔《文賦》作于陸機，《詩品》始于鍾嶸，論文之作，此其濫觴。彥和紹陸，始論《文心》；子由述韓，始言文氣。後世以降，著述日繁，所論之旨，厥有二端：一曰文體，二曰文法。《雕龍》一書，溯各體之起源，明立言之有當，體各爲篇，聚必以類，誠文學之津筏也。若夫辨論文法，書各不同，或品評全篇，或偶舉隻語，或發例以見凡，或標書以志義；至于纂類摘比之書，標識評點之冊，本爲文之末務，豈學文之階梯？自蘇評《檀弓》，歸評《史記》，五色標記，各爲段落，乃舍意而論文，且蹈虛以避實，以示義法，以矜秘傳，因一己之私心，作萬世之法程，由是五祖傳燈，靈素受籙，師承所在，罔敢或遺，可謂文章之桎梏矣。或謂規矩方圓，非言克傳，文本天成，妙手偶得。其言雖異，其失則同。震旦文人，會心言外，或知其當然，昧其所以，而字類分區，文詞綴繫，咸矜自得，罕識本源，學者憾焉。

又《論文雜記》　英儒斯賓塞耳有言：「世界愈進化，則文字愈退化。」夫所謂退化者，乃由文趨質，由深趨淺耳。及觀之中國文學，則上古之書，印刷未明，竹帛繁重，故力求簡質，崇用文言。降及東周，文字漸繁；至于六朝，文與筆分；宋代以下，文詞益淺，而儒家語錄以興，元代以來，復盛興詞曲：此皆語言文字合一之漸也。故小説之體，卽由是而興，而《水滸傳》、《三國演義》諸書，已開俗語入文之漸。陋儒不察，以此爲文字之日下也。然天演之例，莫不由簡趨繁，何獨于文學而不然？故世之討論古今文字者，以爲有淺深文質之殊，豈知此正進化之公理哉？故就文字之進化之公理言之，則中國自近代以來，必經俗語入文之一級。昔歐洲十六世紀，教育家達泰氏以本國語言用于文學，而國民教育以興。蓋文言合一，則識字者日益多。以通俗之文，推行書報，凡世之稍識字者，皆可家置一編，以助覺民之用。此誠近今中國之急務也。然古代文詞，豈宜驟廢？故近日文詞，宜區二派：一修俗語，以啓瀹齊民；一用古文，以保存國學，庶前賢矩範，賴以僅存。若夫矜夸奇博，取法扶桑，吾未見其爲文也。

又　唐人以筆爲文，始于韓、柳。昌黎自述其作文也，謂沉潛穠郁，含英咀華，作爲文章，上規姚、姒、《盤》、《誥》、《易》、《詩》、《春秋》、《左氏》，下逮《莊》、《騷》、太史、子雲、相如，以閎中肆外(見《進學解》)。而子厚亦有言，謂每爲文章，本《書》、《詩》、《禮》、《春秋》、《易》，參之《穀梁》以厲其氣，參之《孟》、《荀》以暢其支，參之《莊》、《老》以肆其端，參之《國語》以博其趣，參之《離騷》以致其幽，參之太史以著其潔。此韓、柳爲文之旨也。夫二子之文，氣盛言宜(韓氏《答李生書》云：「氣盛則言之短長皆宜。」此韓文之要旨)，希踪子史。而韓門弟子有李翺、皇甫湜諸人，偶有所作，咸能易排偶爲單行，易平易爲奇古(李習之《答朱載書》云：「《六經》創意造言皆不相師。」又云：「天下之語文章有六説焉：其尚異者曰，文章詞句奇險而已；其好理者曰，文章叙意苟通而已；溺于時者曰，文章必當對；病于時者曰，文章不當對；愛難者曰，宜深不當易；愛易者曰，宜通不當難。」觀于此言，則當時文體之紛爭，一在平奇，一在奇偶，一在淺深。此則韓、柳之作異于當時者也)，復能務去陳言，辭必己出(韓氏《答李生書》云：「惟陳言之務去。」《樊宗師墓銘》云：「惟古于辭必己出。」韓文與當時之文不同者以此)。當時之士，以其異于韻語偶文之作也(唐代重詩賦，故以韻語偶文者爲今文)，遂群然目之爲古文。以筆爲文，至此始矣(唐代仍以韓文爲筆)。而昌黎之作，

尤爲學者所盛推（如夢得之稱韓文也，謂「手持文炳，高視寰海，權衡低昂，瞻我所在」，李習之稱韓文也，謂「撥去其華，得其本根，包劉越嬴，并武同殷，《六經》之風，絶而復新」，皇甫持正之論韓文也，謂「扶經之心，執聖之權，尚友作者，跂邪觝異，以扶孔子，存皇之極，茹古涵今，無有端倪」；又曰「姬氏以來，一人而已」。李漢論韓文曰：「周情孔思，千態萬貌，卒澤于道德仁義，炳如也。」韓文爲當時所推如此）。宋代之初，有柳開者，文以昌黎爲宗（張景《柳開行狀》云：「爲文章以韓爲宗，當時韓之道獨行于公，遂名肩愈，字紹先。韓之道大行于今，自公始也。」案開爲宋初人）。厥後蘇舜欽、穆伯長、尹師魯諸人，善治古文，效法昌黎，與歐陽修相唱和（修《書韓文後》云：「官于洛陽，而尹師魯之徒皆在，遂相與爲作古文，因出所藏《昌黎集》而補綴之，其後天下學者亦漸趨于古。」《蘇子美集序》云：「天聖之間，子美獨與兄才翁及穆參軍爲雜文，時人頗共非笑之。」穆修《柳集序》云：「予少嗜韓、柳二家之文。」皆其證也）。而曾、王、三蘇咸出歐陽之門，故每作一文，莫不法歐而宗韓（大抵王介甫多效法柳文，然集中所載論文之作，亦盛稱昌黎。東坡亦然，至稱爲文起八代之衰）。古文之體，至此大成。卽兩宋文人，亦以韓、歐爲圭臬。試推其故，約有三端：一以六朝以來，文體益卑，以聲色詞華相矜尚，欲矯其弊，不得不用韓文；一以兩宋鴻儒，喜言道學，而昌黎所言，適與相符，遂目爲文能載道，既宗其道，復法其文（韓文如《原道》、《原性》諸作，以及李習之《復性書》，皆宋儒所景仰，遂以開聖道、辟異端之功，歸之昌黎。實則昌黎言理之文，所見甚淺，何足謂之載道哉）；一以宋代以降，學者習于空疏，枵腹之徒，以韓、歐之文便于蹈虚也，遂群相效法。有此三因，而韓、歐之文，遂爲後世古文之正宗矣。世有正名之聖人，知言之君子，其惟易古文之名爲雜著乎。

又　三代文詞，句簡而語文。《書》言「辭尚體要」，《禮》言「辭無支葉」（《禮記》：「天下無道，則詞有支叶」），貴簡之證也（《禮記》引孔子曰：「夏道未瀆詞。」是孔子以殷、周之詞爲已瀆也。孔子又曰：「辭達而已矣。」荀子曰：「亂世之徵，文章匿采。」此亦就辭無體要者言也。韓昌黎亦曰：「由周公而下其說長」）。孔尚文言（孔子曰：「其旨遠，其詞文。」又曰：「言之無文，行之不遠。」又曰：「非文詞不爲功」），曾戒鄙詞（曾子曰：「出詞氣，斯遠鄙倍矣」），尚文之證也（顧亭林曰：「典謨爻象，此二帝三皇之言也。《論語》、《孝經》，此夫子之言也。文章在是，性與天道亦在是。故曰：『有德者，必有言』」）。夫簡近于質，文近于繁，而古代之文，獨句簡而語文者，其故何歟？蓋竹帛煩重，學術授受，咸憑口耳，非語文句簡，則記憶良難。且三代之文，與後世殊：或意浮于言，有待後人之演繹（古人之文，一曰蘊藉，一曰奥曲。蘊藉者，凡說一事，或舉其偏，不舉其全，以俟智者之舉一反三；如《莊子》「夔憐蚿」一節，止解夔、蚿、風之句是也。奥曲者，凡說一事，以一字代數字之用，以俟後人之注釋；厥證甚多，觀江都汪氏《釋三九》中篇，可以知矣。且古人作文，必留不盡之意于言外。如郭象注《莊子》「工人無爲于刻木」數語，柳子演爲《梓人傳》一篇。《毛傳》「漣風行水成文」一語，眉山演爲《仲兄文甫說》一篇，皆演繹之證也），或詞無語助（詞無語助，故其文整齊），非若後世之冗長（必待後人之注釋）。簡而不繁，文而不質，此之故與。秦、漢以降，文與古殊，由簡而繁（顧亭林曰：「文以少而盛，以多而衰。以二漢言之，東都之文，多于西京，而文衰矣。春秋以降之文，多于《六經》，而文衰矣。」又云：「二漢文人，所著絶少。今人著作，以多爲富。夫多則必不能工，卽工亦不能皆有用于世，其不傳宜矣。」蓋三代以下，多游戲之文，而文章不盡有用之文矣。文士日多，而作文者未必眞能文之士矣。此文章所由日趨于繁也），至南宋而文愈繁（宋代奏疏，每至萬餘言，而行狀、墓銘，亦有數萬字者。如朱子作張浚行狀，四萬字猶以爲少。而元人修《宋史》，李全一傳亦六萬餘言，蓋沿宋人撰著之舊也）；由文而質，至南宋而文愈質。蓋由簡趨繁，由于駢文之廢，故據事直書，不復簡約其文詞（駢文序一事，必簡約其詞而出之。散文行而此法亡矣）。由文趨質，由于語錄之興，故以語爲文，不求自別于流俗（語錄一體始于唐，然但佛門弟子用之，卽達摩不立文字之說也。宋儒作語錄，卽本于此。明儒亦然。然「常惺惺」、「渾然」等語，既非文言，又非俗語。顧亭林曰：「今講學先生，從語錄入門者，多不善于修詞。乃或反子貢之言而譏之曰：『夫子之言性道，可得而聞；夫子之文章，不可得而聞也』」）。此雖文字必經之階級，然君子之學，繼往開來，舍文曷達（《孟子》曰：「不成章不達」）？若夫廢修詞之功，崇淺質之文，則文與道分（呂氏編《宋文鑒》，朱子謂其有時于文雖不佳，而事理可取者。蓋宋儒之論文如此），安望其文載道哉（錢竹汀曰：「君子之出詞氣，必遠鄙倍；語錄行，則儒家其鄙倍之詞矣。有德者必有言；語錄行，則有德而不必有言矣。」姚姬

傳曰：「唐世僧徒，不通文章，乃書其師語以俚俗，謂之語錄。宋世儒者弟子效之，以弟子記先師，懼失其眞，猶有取也。明世自著書者，乃亦效其詞，此何取哉」）？則崇尚文言，刪除俚語，亦今日釐正文體之一端也（若夫以俚俗之文，著之報章，以啓瀹愚氓，亦爲覺民之一助。惟既曰文詞，則文體不得不法古文，否則不得稱爲文矣）。

又 近世以來，正名之義久湮。由是于古今人之著作，合記事、析理、抒情三體，咸目爲「古文辭」（如姚氏選《古文辭類纂》，其最著者也）。不知「辭」字本義，訓爲「獄訟」。《說文》「辛」部云：「辭，訟也；從𤔔，𤔔猶理辜也。𤔔，理也。」又有「𤔲」字，下云：「籒文：辭，從司。」是辭專指獄訟言，故與「辠」、「辜」等字并列（故《大學》言「無情者不得盡其辭」也）。此「辭」字之本義也。又《說文》「司」部下云：「詞，意內而言外也；從司，從言。」是「詞章」、「詞藻」諸字，皆作「詞」而不作「辭」。而「詞」字又訓爲語助（《文選》劉楨賦云：「揚葯陳詞。」注云：「惟、曰、兮、斯之類，皆語句詞。」是詞爲語助也。近儒高郵王氏作《經傳釋詞》，其自序云：「說經者于語詞之例，略而不究，或即以實義釋之，使其文捍格而意亦不明。竊謂不知語助者，猶不知實義也。蓋實義不外乎文字通用，明于通用，則語詞自無窒礙矣。」是王氏亦以詞爲語助也。蓋詞爲語助，故引伸其義，則一切言論文章，皆稱爲詞）。凡古籍「言辭」、「文辭」諸字，古字莫不作「詞」，特秦、漢以降，誤「詞」爲「辭」耳。《易・繫辭》釋文云：「辭，說也；辭本作詞。」《禮記・曲禮》篇釋文並同。《周禮》大行人職云：「辭協命。」鄭注云：「故書作叶詞命。」《詩・大雅》云：「辭之輯矣。」《說文》引作「詞之輯矣」。是「詞」字爲古文，而「辭」字則係傳寫之誤。其所以誤「詞」爲「辭」者，則由「辭」字籒文作「𤔲」，與「詞」字之形相近，故因形近而相訛。實則字各一義，非古代通用之字也（《漢書・敘傳》《音義》云：「詞，古辭字。」是「辭」字古文當作「詞」字之證）。後世習俗相沿，誤「詞」爲「辭」，俗儒不察，遂創爲「古文辭」之名，豈知「辭」字本古代獄訟之稱乎？甚矣，字義之不可不明也。

又《論近世文學之變遷》 宋代以前，義理考據之名未立，故學士大夫莫不工文。六朝之際，雖文與筆分，然士之不工修詞者鮮矣。唐代之時，武夫隸卒均以文章擅長，或文詞徒工，學鮮根柢。若夫于學則優，于文則絀，唐代以前未之聞也。至宋儒立「義理」之名，然後以語錄爲文，而詞多鄙倍（顧亭林《日知錄》曰：「典謨爻象，此二帝三王之言也，《論語》、《孝經》，此夫子之言也，文章在是，性與天道亦在是，故曰：『有德者必有言。』善乎游定夫之言曰：『不能文章而欲聞性與天道，譬猶築數仞之牆而浮埃聚沫以爲基，無是理矣。』後之君子，于下學之初即談性道，乃以文章爲小技而不必用力，然則夫子不曰『其旨遠，其辭文』乎？不曰『言之無文，行之不遠』乎？曾子曰：『出詞氣，斯遠鄙倍矣。』嘗見今講學先生從語錄入門者，多不善于修詞，或乃反子貢之言以譏之曰：「夫子之言性與天道可得而聞，夫子之文章不可得而聞也。」又引楊用修之言曰：「文，道也，詩，言也。語錄出而文與道判矣，詩話出而詩與言離矣。」又錢竹汀曰：「釋子之語錄始于唐，儒家之語錄始于宋，儒其行而釋其言，非所以垂敎也。君子之出詞氣必遠鄙倍，語錄行而儒家有鄙倍之詞矣。有德者必有言，語錄行則有德而不必有言矣。」）至近儒立「考據」之名，然後以注疏爲文而文無性靈。夫以語錄爲文可宣于口而不可筆之于書，以其多方言俚語也；以注疏爲文可筆于書而不可宣之于口，以其無抗墮抑揚也。綜此二派咸不可目之爲文。何則？周代之時文與語分，故言語、文學區于孔門。降及戰國，士工游說，縱橫家流列于九家之一，抵掌華屋，擅專對之才，泉涌風發，辯若懸河，雖矢口直陳，自成妙論。及筆之于書，復經史臣之修飾，如《國語》《國策》所載是也，在當時雖謂之語，自後世觀之則語而無異于文矣。若六朝之時禪學輸入，名賢辯難，間逞機鋒，超以象外，不落言詮，善得言外之旨，然此亦屬于語言，而語錄之文蓋出于此。且所言不外日用事物，與辭旨深遠者不同。其始也講學家口述其詞，弟子欲肖其口吻之眞，乃以俗語筆之書以示徵實。至于明代，凡自著書者亦以語錄之體行之，而書牘序記之文雜以俚語，觀其體製與近世演說之稿同科，豈得列之爲文哉？若考據之作，則漢魏之箋疏均附經爲書，未嘗與文學相混。惟兩漢議禮之文，博引數說，以己意折衷，近于考據。然修詞貴工，無直情徑行之語。若石渠、白虎觀之議則又各自爲書。唐宋以降，凡考經訂史之作咸列爲筆記，附于說部之中，誠以言之無文未可伺于文學之列也。近世以來，乃崇斯體。夫臚列群言，辨析同異，參互考驗，末下己意，進退衆說以判是非，所解之書雖各不同，然篇成萬千，文無異軌，觀其體製又略與案牘之文同科，蓋行文之法固不外徵引及判斷二端也。昔陽湖孫氏分著述與考據爲二，以考訂經史者爲考據，抒寫性靈者爲著作。立說雖疏（已爲焦理堂所駁），然

以考據之作與抒寫性靈者不同，則固不易之確論。此亦不得謂之文者也。乃近世以來學派有二：一曰宋學，一曰漢學。治宋學者從語錄入門，治漢學者以注疏入門。由是以語錄爲文，以注疏爲文，及其編輯文集也，則義理考訂之作均列入集部之中，目之爲文。學者互相因襲，以爲文能如是，是亦已足，不復措意于文詞，由是學日進而文日退。古人謂文原于學，汲古既深，摛辭斯美（如杜詩「讀書破萬卷，下筆如有神」是），所謂讀千賦者自善賦也。今則不然，學與文分，義理考證之學迥與詞章殊科，而優于學者往往拙于爲文，文苑、儒林、道學遂一分而不可復合，此則近世之異于古代者也。故近世之學人，其對于詞章也所持之說有二：一曰鄙詞章爲小道，視爲雕蟲小技，薄而不爲；一曰以考證有妨于詞章，爲學日益則爲文日損（如袁枚之箴孫星衍是）。是文學之衰不僅衰于科舉之業也，且由于實學之昌明（證以物理之學，則各物均有不相容性，實學之明以近代爲最，故文學之退亦以近代爲最，此即物理家所謂不相容也。《左傳》亦曰「物莫能兩大」），此文學均優之士所由不數覯也。然近世之文亦分數派。明代末年復社、幾社之英以才華相煽，敷爲藻麗之文（如陳臥子、夏考功、吳駿公之流是）。順、康之交易堂諸子競治古文，而藻麗之作，易爲縱橫。若商丘侯氏、大興王氏（昆繩）、劉氏（繼莊）所爲之文悉屬此派。大抵馳騁其詞，以空辯相矜，而言不軌則，其體出于明允、子瞻。或以爲得之蘇、張、史遷，非其實也。余姚黃氏亦以文學著名，早學縱橫，尤長叙事，然失之于蕪辭多枝葉，且段落區分牽連鈎貫，仍蹈明人陋習。浙東學者多則之。季野、榭山咸屬良史，惟斐然成章，不知所裁，然浩瀚明鬯，亦近代所罕覯也。時江、淮以南，吳、越之間文人學士應制科之徵，大抵涉獵書史，博而不精，諳于目錄、詞章之學。所爲之文以修潔擅長，句櫛字梳，尤工小品。然限于篇幅，無奇偉之觀。竹垞、次耕其最著者也，鈍翁、漁洋、牧仲之文亦屬此派。下迨雍、乾，堇浦、太鴻猶沿此體，以文詞名浙西，東南名士咸則之，流派所衍固可按也。望溪方氏模仿歐、曾，明于呼應頓挫之法，以空議相演，又叙事貴簡，或本末不具，舍事實而就空文。桐城文士多宗之，海內人士亦震其名，至謂天下文章莫大乎桐城。厥後桐城古文傳于陽湖、金陵，又數傳而至湘、贛、西粵。然以空疏者爲之則枯木朽荄，索然寡味，僅得其轉折波瀾。惟姬傳之豐韻，子居之峻拔，滌生之博大雄奇，則又近今之絕作也。若治經之儒，或治古文家言，或治今文學言，及其爲文遂各成派別。東原說經，簡直高古，逼近《毛傳》，辭無虛設，一矯冗長之習，說理記事之作，創意造詞浸以入古，唐宋以降罕見其匹。後之治古學者咸宗之，雖詁經考古遠遜東原，然條理秩如，以簡明爲主，無復枝蔓之詞。若高郵王氏，儀徵阮氏是也。故樸直無文，不尚藻繪，屬辭比事自饒古拙之趣。及掇拾者爲之，則剿襲成語，無條貫之可尋，侈徵引之繁，昧行文之法，此其弊也。常州人士喜治今文家言，雜采讖緯之書，用以解經，即用之入文，故新奇詭異之詞足以悅目。且江南之地，詞曲尤工，哀怨清遒，近古樂府，故常州之文亦詞藻秀出，多哀艷之音，則以由詞曲入手之故也。莊氏文詞深美閎約，人所鮮知；其以文詞著者則陽湖張氏、長洲宋氏，均工綿邈之文，其音哀而多思，其詞則麗而能則，蓋徵材雖博，不外讖緯、詞曲二端。若典阜孔氏，亦工儷詞，雖所作出宋氏之上，然旨趣略與宋氏同，則亦治今文之故也。近人謂治《公羊》者必工文，理或然歟。若夫旨乖比興，徒尚麗詞，朝華已謝，色澤空存，此其弊也（近人惟譚仲修略得張、宋之意）。數派以外，文派尤多。江都汪氏熟于史贊，爲文別立機杼，上追彥昇。雖字酌句斟，間逞姿媚，然修短合度，動中自然，秀氣靈襟，超軼塵壒，于六朝之文得其神理。或以爲出于《左傳》、《國語》，殆譽過其實。厥後荆溪周氏編輯《晉略》，效法汪氏，此一派也。邵陽魏氏、仁和龔氏亦治今文之學，魏氏之文明暢條達，然刻意求新，故雜奇語以駭俗流。龔氏之文自矜立異，語差雷同，文氣佶聱，不可卒讀，或語求艱深，旨意轉晦，此特玉川、彭原之流耳。或以爲出于周秦諸子，則擬焉不倫，此又一派也。若夫簡齋、稚威、仲瞿之流，以排奧自矜，雖以氣運辭，千言立就，然俶亂而無序，泛濫而無歸，華而不實，外強中乾，或怪誕不經，近于稗官家言，文學之中斯爲僞體，不足以言文也。近代文學之派別大約若此。然考其變遷之由，則順、康之文大抵以縱橫文淺陋，制科諸公博覽唐、宋以下之書，故爲文稍趨于實。及乾、嘉之際通儒輩出，多不復措意于文，由是文章日趨于樸拙，不復發于性情，然文章之徵實莫盛于此時。特文以徵實爲最難，故枵腹之徒多託于桐城之派以便其空疏，其富于才藻者則又日流于奇詭。此近世文體變遷之大略也。近歲以來，作文者多師龔、魏，則以文不中律，便于放言，然襲其貌而遺其神。其墨守桐城文派者亦囿于義法，未能神明變化。故文學之衰，至近歲而極。文學既衰，故日本文體因之輸入于中國。其始也譯書撰報，據文直譯以存其眞，後

生小子厭故喜新，競相效法。夫東籍之文，冗蕪空衍，無文法之可言，乃時勢所趨，相習成風，而前賢之文派，無復識其源流，謂非中國文學之厄歟？

命意

《莊子・天道》世之所貴道者，書也。書不過語，語有貴也。語之所貴者，意也。意有所隨。意之所隨者，不可以言傳也，而世因貴言傳書。世雖貴之，我猶不足貴也，爲其貴非其貴也。故視而可見者，形與色也；聽而可聞者，名與聲也。悲夫！世人以形色名聲，爲足以得彼之情。夫形色名聲，果不足以得彼之情，則知者不言，言者不知，而世豈識之哉？

王充《論衡・超奇》文有深指巨略，君臣治術，身不得行，口不能紲，表著情心，以明己之必能爲之也。孔子作《春秋》以示王意，然則孔子之《春秋》，素王之業也；諸子之傳書，素相之事也。觀《春秋》以見王意，讀諸子以睹相指。故曰：「陳平割肉，丞相之端見；孫叔敖決期思，令尹之兆著。」觀讀傳書之文，治道政務，非徒割肉決水之占也。足不彊，則跡不遠；鋒不銛，則割不深。連結篇章，必大才智鴻懿之俊也。

又《對作》是故《論衡》之造也，起衆書並失實，虛妄之言勝眞美也。故虛妄之語不黜，則華文不見息；華文放流，則實事不見用。故《論衡》者，所以銓輕重之言，立眞僞之平；非苟調文飾辭，爲奇偉之觀也。其本皆起人間有非，故盡思極心，以譏世俗。世俗之性，好奇怪之語，說虛妄之文。何則？實事不能快意，而華虛驚耳動心也。是故才能之士，好談論者，增益實事，爲美盛之語；用筆墨者，造生空文，爲虛妄之傳。聽者以爲眞然，說而不舍；覽者以爲實事，傳而不絕。不絕則文載竹帛之上，不舍則誤入賢者之耳。至或南面稱師，賦姦僞之說；典城佩紫，讀虛妄之書。明辨然否，疾心傷之，安能不論？孟子傷楊、墨之議大奪儒家之論，引平直之說，褒是抑非，世人以爲好辯。孟子曰：「予豈好辯哉？予不得已！」今吾不得已也。虛妄顯於眞，實誠亂於僞，世人不悟，是非不定，紫朱雜廁，瓦玉集糅，以情言之，豈吾心所能忍哉！衛驂乘者，越職而呼車，惻怛發心，恐上之危也。夫論說者，閔世憂俗，與衛驂乘者同一心矣。愁精神而幽魂魄，動胸中之靜氣，賊年損壽，無益於性，禍重於顏回，違負黃、老之教，非人所貪，不得已，故爲《論衡》，文露而旨直，辭姦而情實。其《政務》言治民之道。《論衡》諸篇，實俗間之凡人所能見，與彼作者無以異也。若夫九虛、三增、《論死》、《訂鬼》，世俗所久惑，人所不能覺也。人君遭弊，改教於上；人臣遇惑，作論於下。實得則上教從矣。冀悟迷惑之心，使知虛實之分，實虛之分定，而華僞之文滅；華僞之文滅，則純誠之化日以孳矣。

又《自紀》充書形露易觀。或曰：「口辯者其言深，筆敏者其文沉。案經藝之文，賢聖之言，鴻重優雅，難卒曉睹，世讀之者，訓古乃下。蓋賢聖之材鴻，故其文語與俗不通。玉隱石間，珠匿魚腹，非玉工珠師，莫能採得。寶物以隱閉不見，實語亦宜深沉難測。《譏俗》之書，欲悟俗人，故形露其指，爲分別之文；《論衡》之書，何爲復然？豈材有淺極，不能爲深覆，何文之察，與彼經藝殊軌轍也？」答曰：「玉隱石間，珠匿魚腹，故爲深覆；及玉色剖於石心，珠光出於魚腹，其猶隱乎？吾文未集於簡札之上，藏於胸臆之中，猶玉隱珠匿也；及出荴露，猶玉剖珠出乎！爛若天文之照，順若地理之曉，嫌疑隱微，盡可名處。且名白，事自定也。《論衡》者，論之平也。口則務在明言，筆則務在露文。高士之文雅，言無不可曉，指無不可睹。觀讀之者，曉然若盲之開目，聆然若聾之通耳。三年盲子，卒見父母，不察察相識，安肯說喜？道畔巨樹，塹邊長溝，所居昭察，人莫不知；使樹不巨而隱，溝不長而匿，以斯示人，堯舜猶惑。人面色部七十有餘，頰肌明潔，五色分別，隱微憂喜，皆可得察，占射之者，十不失一；使面黝而黑醜，垢重襲而覆部，占射之者，十而失九。夫文由語也，或淺露分別，或深迂優雅，孰爲辯者？故口言以明志；言恐滅遺，故著之文字。文字與言同趨，何爲猶當隱閉指意？獄當嫌辜，卿決疑事，渾沌難曉，與彼分明可知，孰爲良吏？夫口論以分明爲公，筆辯以荴露爲通，吏文以昭察爲良。深覆典雅，指意難睹，唯賦頌耳。經傳之文，賢聖之語，古今言殊，四方談異也。當言事時，非務難知，使指閉隱也。後人不曉，世相離遠，此名曰語異，不名曰材鴻。淺文讀之難曉，名曰不巧，不名曰知明。秦始皇讀韓非之書，嘆曰：「猶獨不得此人同時！其文可曉，故其事可思。如深鴻優雅，須師乃學，投之於地，何嘆之有？夫筆著者，欲其易曉而難爲，不貴難知而易造；口論務解分而可聽，不務深迂而難睹。孟子相賢，以眸子明瞭者；察文，以義可曉。」

又 充書既成，或稽合於古，不類前人。或曰：「謂之飾文偶辭，或徑或迂，或屈或舒；謂之論道，實事委瑣，文給甘酸。諧於經不驗，集於傳不合，稽之子長不當，內之子雲不入。文不與前相似，安得名佳好，稱工巧？」答曰：「飾貌以強類者失形，調辭以務似者失情。百夫之子，不同父母；殊類而生，不必相似；各以所稟，自爲佳好。文必有與合然後稱善，是則代匠斲不傷手，然後稱工巧也。文士之務，各有所從，或調辭以巧文，或辯僞以實事。必謀慮有合，文辭相襲，是則五帝不異事，三王不殊業也。美色不同面，皆佳於目；悲音不共聲，皆快於耳。酒醴異氣，飲之皆醉；百穀殊味，食之皆飽。謂文當與前合，是謂舜眉當復八采，禹目當復重瞳。」

又 充書文重。或曰：「文貴約而指通，言尚省而趨明。辯士之言要而達，文人之辭寡而章。今所作新書，出萬言，繁不省，則讀者不能盡；篇非一，則傳者不能領。被躁人之名，以多爲不善。語約易言，文重難得。玉少石多，多者不爲珍；龍少魚衆，少者固爲神。」答曰：「有是言也。蓋寡言無多，而華文無寡。爲世用者，百篇無害；不爲用者，一章無補。如皆爲用，則多者爲上，少者爲下。累積千金，比於一百，孰爲富者？蓋文多勝寡，財富愈貧。世無一卷，吾有百篇；人無一字，吾有萬言，孰者爲賢？今不曰所言非，而云泰多；不曰世不好善，而云不能領。斯蓋吾書所以不得省也。夫宅舍多，土地不得小；戶口衆，簿籍不得少。今失實之事多，華虛之語衆，指實定宜，辯爭之言，安得約徑？韓非之書，一條無異，篇以十第，文以萬數。夫形大，衣不得褊；事衆，文不得褊。事衆文饒，水大魚多。帝都穀多，王市肩磨。書雖文重，所論百種。按古太公望，近董仲舒，傳作書篇百有餘，吾書亦纔出百，而云泰多，蓋謂所以出者微，觀讀之者，不能不譴呵也。河水沛沛，比夫衆川，孰者爲大？蟲繭重厚，稱其出絲，孰爲多者！」

桓範《世要論·序作篇》 夫著作書論者，乃欲闡弘大道，述明聖教，推演事義，盡極情類，記是貶非，以爲法式，當時可行，後世可修。且古者富貴而名賤廢滅，不可勝記，唯篇論俶儻之人，爲不朽耳。夫奮名於百代之前，而流譽於千載之後，以其覽之者益，聞之者有覺故也。豈徒轉相放效名作書論，浮辭談說而無損益哉？而世俗之人，不解作體，而務泛溢之言，不存有益之義，非也。故作者不尚其辭麗，而貴其存道也；不好其巧慧，而惡其傷義也。故夫小辯破道，狂簡之徒，斐然成文，皆聖人之所疾矣。

徐幹《中論·治學》 故六籍者，群聖相因之書也。其人雖亡，其道猶存。今之學者，勤心以取之，亦足以到昭明而成博達矣。凡學者大義爲先，物名爲後。大義舉，而物名從之。然鄙儒之博學也，務于物名，詳于器械，矜于詁訓，摘其章句，而不能統其大義之所極，以獲先王之心。此無異乎女史誦詩，內豎傳令也。

又《貴驗》 言莫棄乎無徵。

又《藝紀》 其猶人之于藝乎？既修其質，且加其文，文質著然後體全，體全然後可登乎清廟，而可羞乎王公。

歐陽建《言盡意論》 有雷同君子問于違衆先生曰：「世之論者，以爲言不盡意，由來尚矣。至乎通才達識，咸以爲然。若夫蔣公之論眸子，鍾傅之言才性，莫不引此爲談證；而先生以爲不然，何哉？」先生曰：「夫天不言而四時行焉，聖人不言而鑒識存焉；形不待名而方圓已著，色不俟稱而黑白以彰。然則名之于物，無施者也；言之于理，無爲者也。而古今務于正名，聖賢不能去言，其故何也？誠以理得于心，非言不暢；物定于彼，非言不辯。言不暢志，則無以相接；名不辯物，則鑒識不顯。鑒識顯而名品殊，言稱接而情志暢。原其所以，本其所由，非物有自然之名，理有必定之稱也。欲辯其實，則殊其名；欲宣其志，則立其稱。名逐物而遷，言因理而變。此猶聲發響應，形存影附，不得相與爲二矣。苟其不二，則無不盡，吾故以爲盡矣。」

葛洪《抱朴子·尚博》 或有汪濊玄曠，合契作者，內闢不測之深源，外播不匱之遠流，其所祖宗也高，其所紬繹也妙，變化不繫滯於規矩之方圓，旁通不凝閡於一塗之逼促。是以偏嗜酸醎者，莫能知其味；用思有限者，不能得其神也。夫應龍徐舉，顧眄凌雲，汗血緩步，呼吸千里，而螻螘怪其無階而高致，駑蹇患其過己之不漸也。若夫馳騁於詩論之中，周旋於傳記之間，而以常情覽巨異，以褊量測無涯，以至粗求至精，以甚淺揣甚深，雖始自髫齔，訖於振素，猶不得也。夫賞其快者必譽之以好，而不得曉者必毀之以惡，自然之理也。於是以其所不解者爲虛誕，慺誠以爲爾，未必違情以傷物也。

《太平御覽》卷五九九引《抱朴子》 曰：「秦時不覺無鼻之醜，陽翟憎無癭之人。陸君深疾文士放蕩流遁，遂往不爲虛誕之言，非不能也。陸君之文，

猶玄圃之積玉，無非夜光也。吾生之不別陸文，猶侏儒測海，非所長也。」

張輔《名士優劣論》世人論司馬遷、班固才之優劣，多以固爲勝，余以爲失。遷之著述，辭約而事舉，叙三千年事唯五十萬言；固叙二百年事乃八十萬言，煩省不敵，固之不如遷一也。良史述事，善足以獎勸，惡足以鑒戒，人道之常。中流小事，亦無取焉，而班皆書之，不如二也。毀敗晁錯，傷忠臣之道，不如三也。遷既造創，固又因循，難易益不同矣。又遷爲蘇秦、張儀、范雎、蔡澤作傳，逞詞流離，亦足以明其大才也。故述辯士則辭藻華靡，叙實錄則隱核名檢，此眞所以爲良史也。

劉勰《文心雕龍·鎔裁》情理設位，文采行乎其中。剛柔以立本，變通以趨時。立本有體，意或偏長；趨時無方，辭或繁雜。蹊要所司，職在鎔裁，隱括情理，矯揉文采也。規範本體謂之鎔，剪截浮詞謂之裁。裁則蕪穢不生，鎔則綱領昭暢，譬繩墨之審分，斧斤之斲削矣。駢拇枝指，由侈於性；附贅懸肬，實侈於形。一意兩出，義之駢枝也；同辭重句，文之肬贅也。凡思緒初發，辭采苦雜，心非權衡，勢必輕重。是以草創鴻筆，先標三準：履端於始，則設情以位體；舉正於中，則酌事以取類；歸餘於終，則撮辭以舉要。然後舒華布實，獻替節文，繩墨以外，美材既斲，故能首尾圓合，條貫統序。若術不素定，而委心逐辭，異端叢至，駢贅必多。故三準既定，次討字句。句有可削，足見其疏；字不得減，乃知其密。精論要語，極略之體；遊心竄句，極繁之體。謂繁與略，適分所好。引而申之，則兩句敷爲一章；約以貫之，則一章删成兩句。思贍者善敷，才覈者善删。善删者字去而意留，善敷者辭殊而義顯。字删而意闕，則短乏而非覈；辭敷而言重，則蕪穢而非贍。昔謝艾王濟，西河文士，張俊以爲艾繁而不可删，濟略而不可益，若二子者，可謂練鎔裁而曉繁略矣。至如士衡才優，而綴辭尤繁；士龍思劣，而雅好淸省。及雲之論機，亟恨其多，而稱淸新相接，不以爲病，蓋崇友于耳。夫美錦製衣，修短有度，雖翫其采，不倍領袖，巧猶難繁，況在乎拙。而《文賦》以爲「榛楛勿剪，庸音足曲」，其識非不鑒，乃情苦芟繁也。夫百節成體，共資榮衛，萬趣會文，不離辭情。若情周而不繁，辭運而不濫，非夫鎔裁，何以行之乎！　贊曰：篇章戶牖，左右相瞰。辭如川流，溢則泛濫。權衡損益，斟酌濃淡。芟繁剪穢，弛於負擔。

韓愈《答劉正夫書》或問：「爲文宜何師？」必謹對曰：「宜師古聖賢人。」曰：「古聖賢人所爲書具存，辭皆不同，宜何師？」必謹對曰：「師其意，不師其辭。」又問曰：「文宜易宜難？」必謹對曰：「無難易，惟其是爾。」如是而已。非固開其爲此，而禁其爲彼也。夫百物朝夕所見者，人皆不注視也。及睹其異者，則共觀而言之，夫文豈異於是乎？漢朝人莫不能爲文，獨司馬相如、太史公、劉向、揚雄爲之最。然則用功深者，其收名也遠。若皆與世沉浮，不自樹立，雖不爲當時所怪，亦必無後世之傳也。【略】夫君子之於文，豈異於是乎？今後進之爲文，能深探而力取之，以古聖賢人爲法者，雖未必皆是，要若有司馬相如、太史公、劉向、揚雄之徒出，必自於此，不自於循常之徒也。若聖人之道，不用文則已，用則必尙其能者。能者非他，能自樹立，不因循者是也。

劉肅《大唐新語·總論》史册之興，其來久矣。蒼頡代結繩之政，伯陽主藏室之書。晉之董狐，楚之猗相，皆簡牘椎輪也。仲尼因魯史成文，著爲《春秋》；尊君卑臣，去邪歸正，用夷禮者無貴賤，名不達於王者無賢愚，不由君命者無大小，人邪行正棄其人，人正國邪棄其國，此《春秋》大旨也。故志曰：「仲尼成《春秋》而亂臣賊子懼。」又曰：「撥亂世反諸正，莫近《春秋》。」《春秋》憑義以制法，垂文以行教，非徒皆以日繫月，編年叙事而已。後之作者無力，病諸司馬遷意在博文綜敷疏略，後《六經》而先黃老，賤處士而寵姦雄。班固序廢興則褒時而蔑祖德，述政教則左理本而右典刑，此遷、固之蔽也。然遷辭直而事備，固文贍而事詳。若用其所長，蓋其所短，則升堂而入室矣。范曄絀公才而採私論，捨典實而飾浮言。陳壽意不逮文，容身遠害，既乖直筆，空紊舊章。自茲以降，漸已陵替也。國家革隋之弊，文筆聿修。貞觀、開元，述作爲盛，蓋光於前代矣。自微言既絶，異端斯起。莊、列以仁義爲芻狗，申、韓以禮樂爲贅疣。徒有著述之名，無裨政教之闕。聖人遺訓，幾乎息矣。昔荀爽紀漢事可爲鑒戒者，以爲漢語。今之所記，庶嗣前修。不尙奇正之謀，重文德也；不褒縱橫之書，賊狙詐也。刊淫靡之詞，歸正也；損術數之略，抑末也。理國者以人爲本，當厚生以順天；立身者以學爲先，必因文而輔教。纖微之善，罔不備書。百代之後，知斯言之可復也。

皇甫湜《答李生第三書》生言天象形象，非常者，皆爲妖妄，如天出景星，地出醴泉。蓋非常，謂之妖，可乎？假如妖星熒惑，天所常懸；牛溲馬勃，地所常有，足尙乎？生何窒？生以松柏不艷比文章，此不知類也。

凡比必於其倫，松柏可比節操，不可比文章。大人虎變，君子豹變，此文章比也。有以質爲貴者，有以文爲貴者。引茅屋越席，易黼藻元黄之用，可乎？生云奇與易，作者何別？在所爲耳。請考之於實，生爲易矣，試爲僕作難者，視何如相如、揚雄也？恐生乃不能，非不爲也。《楚詞》、《史記》、《太元》之不朽也，豈爲資笑謔乎哉？如鳥雀啁啾，聲斷便已，人如不聞爾，何足貴也。所言《詩》、《書》之文不奇，舉多言之也。易處多，奇處少爾。《易》文大抵奇也，易處幾希矣。

王眞《進〈道德經論兵要義述〉狀》 至於上明天道，中酌人情，下稽地理，莫不竭盡臣子之誠，冀報君父之德。惟《詩》也三百，義必在於無邪；惟《經》也五千，理必歸於至正。

杜牧《答莊充書》 凡爲文以意爲主，氣爲輔，以辭彩章句爲之兵衛。未有主強盛而輔不飄逸者，兵衛不華赫而莊整者。四者高下圓折，步驟隨主所指，如鳥隨鳳，魚隨龍，師衆隨湯武，騰天潛泉，橫裂天下，無不如意。苟意不先立，止以文彩辭句，繞前捧後，是言愈多而理愈亂。如入闤闠，紛然莫知其誰，暮散而已。是以意全勝者，辭愈樸而文愈高；意不勝者，辭愈華而文愈鄙。是意能遺辭，辭不能成意。大抵爲文之旨如此。

華鎮《上侍從書》 意非言不傳，言非文不立，文章之興與天地並，故序《易》之美則曰「其辭文稱」，大夫之善則曰「登高能賦」，此言有取乎聖人也。古之文章，載在方冊，至於今不忘者，若舜《五子之歌》，禹皋陶之謨，仲虺之誥，伊尹之訓，箕子之《洪範》，周召之詩書，仲尼之《春秋》是也。此非聖人，則皆大賢者，咸有高明微妙深不可識之道。其次亦皆體純全精粹之德，通乎天人而達乎理義，兼衆善而無適不至，故其言簡而備，肆而法，易直而旨遠，多方而無忤，不期乎文而成章，粲然若日月星辰之在乎天，蔚然若山川草木之麗乎地，不雕不刻，不施丹素，經萬世而不見其故，此有德者之言也。自靈均以來，士之殫聰明，畢思慮，妙齡潛心，放乎皓首，以文爲事而不知倦者多矣。至於融結二氣，發爲英榮，混然天成，小大具體，意新語工，不蹈陳迹，自成一家之言，淳深溫雅之質內凝，而俊采雲興，逸響玉振者，千載之間，數人而已。在六國，則有若景差、唐勒、宋玉；在西漢，則有若賈傅、董相、司馬遷、相如、揚子雲；在東京，則有若班叔皮、孟堅、馬融、張衡、蔡中郎；在鄴下，則有若曹氏父子、應、劉、陳、阮；在晉，則有若機、雲、張華、左太冲；在唐，則有若燕、許、李、杜、韓退之、柳子厚，其餘如邢、盧、顔、謝、江、鮑、徐、庾之流，未足班也。可謂盛矣！然數君子者，或以賦頌鳴，或以歌詩顯，或騰芳於誥命，或絶塵於書檄，或敷揚條暢，達於政理，或清婉詳實，妙於紀傳，兼善衆制者，蓋未見矣。而又屈原溺於怨思，宋玉蕩於荒淫，子長雜而簡疎，孟堅靡而辭費，長卿麗而用寡，子雲約而未暢，此皆辭林之雄者也。然猶未能無蔽脱於譏詆，况其次哉。

唐庚《文録》 蘇黄門云：「人生逐日胸次須出一好議論，若飽食煖衣，唯利欲是念，何以自別於禽獸。余歸蜀，當杜門著書，不令廢日。祗效溫公《通鑑》樣，作議論商略古人，歲久成書，自足垂世也。」

胡仔《苕溪漁隱叢話前集》卷七 非唯文章，書亦如是。歐陽文忠言：「用筆當使指運而腕不知。方其運也，左右前後，不免欹側；及其定也，上下如引繩，此之謂筆正。」山谷稱：「公主擔夫爭道，其手足肩背皆有不齊，而輿未嘗不正。」指與擔夫，則如遺詞；腕與輿，則如命意。故唐文皇稱右軍書云：「煙霏雲斂，狀若斷而還連；鳳翥龍盤，勢如斜而反直。」與文章眞一理也。今人不求意處關紐，但以相似語言爲貫穿，以停穩筆畫爲端直，豈不淺近也哉！

陸游《楊夢錫集句杜詩序》 文章要法，在得古作者之意。意既深遠，非用力精到，則不能造也。前輩於《左氏傳》、《太史公書》、韓文、杜詩，皆熟讀暗誦，雖支枕據鞍間，與對卷無異，久之，乃能超然自得。

《朱子語類》卷一三九《論文上》 每論著述文章，皆要有綱領。文定文字有綱領，龜山無綱領，如《字說》、《三經辨》之類。

呂祖謙《近思録》卷三 伊川先生曰：「凡看文字，先須曉其文義，然後可求其意。未有文義不曉，而見意者也。」

黄裳《言意文集序》 道本於心，以性爲體，以情爲用。志者存於心而行者也，意者思於心而作者也，言者發於心而應者也。著述之士，雖累千百萬言，反本而求之，則貫乎一而已。言意之爲書，識性爲之根蒂，才性爲之文飾，記性爲之證據。合是三性，而本於心，稟其可否，著爲羣言，猶之讀書萬卷，歷歷可引，其文義胸間洞然，曾無一點實乎其中，善觀夫言意亦如是而已。彼我之心一也，有道則通乎一。

魏天應編，林子長箋解《論學繩尺・論訣》 認題：凡作論之要，莫先於體認題意。故見題目，則必詳觀其出處上下文，及細玩其題中有要切字，方可立意。蓋看上下文，則識其本原，而立意不差；知其要切字，則方可就上面著工夫。此最作論之關鍵也。

又 立意：凡論以立意爲先，造語次之，如立意高妙而遣辭不工，未害爲佳論；苟立意未善而文如渾金璞玉，亦爲無補矣。故前輩作論，每先於認題意者，蓋欲其立意之當也。立意既當，造語復工，則萬選萬中矣。

又 諸先輩論行文法：陳公(亮)云：「大凡論不必作好語言，意與理勝，則文字自然超衆。故大手之文，不爲詭異之體，而自宏富；不爲險怪之辭，而自典麗。奇寓於純粹之中，巧藏於和易之內，不善學文者，不求高於理與意，而務求異於文彩辭句之間，則亦陋矣。故杜牧之云：『意全勝者辭愈朴而文愈高，意不勝者辭愈華而文愈鄙。』山谷云：『好作奇語，自是文章一病。』但當以理爲主，理得而辭順，文章自然出羣拔萃。」

又 林公(執善)云：「作論當如文與可畫竹，皆先有成竹於胸中。若胷中無一篇成說，逐步揣摩，旋生議論，安有渾成氣象？」

姚勉《送黄強立序》 文之不古久矣，士之號能古文者，艱其辭，怪其字，蹇其句讀耳。以是爲古，如之何其古也？文之所以妙者，意也。意不足而文有餘，不若文有盡而意無窮也。夫意無窮而後文有味，意非文之所以妙乎？雖然，意必至于理，理至焉，意次焉。唐韓退之理勝于辭，李元賓辭勝於理，或謂使天假元賓年，必與退之埒。是不然，元賓年愈高，辭當愈勝，決不勝退之之理也。抑退之之理，亦未爲至也。以博愛言仁，以三品言性，以外形骸，以理自勝，爲識道理，理云乎哉！

龔昱《樂菴語錄》卷四 文章以意爲主，亦以誠爲主。苟不出於誠，意便是亂道。且如做詩，老便說老，貧便說貧，若未老說老，不貧說貧，便不是誠意。

趙秉文《竹溪先生文集引》 文以意爲主，辭以達意而已。古之文不尙虚飾，因事遣詞，形吾心之所欲言者耳。間有心之所不能言者，而能形之于文，斯亦文之至乎。譬之水不動則平，及其石激淵洄，紛然而龍翔，宛然而鳳蹙，千變萬化，不可殫窮，此天下之至文也。亡宋百餘年間，唯歐陽公之文，不爲尖新艱險之語，而有從容閒雅之態，豐而不餘一言，約而不失一辭，使人讀之者亹亹不厭，蓋非務奇之爲尙，而其勢不得不然之爲尙也。

王惲《辨說・文辭先後》 文之作其來不一，有意先而就辭者，有辭先而就意者。意先而就辭者易，辭先而就意者難。意先辭後，辭順而理足；辭先意後，語離而理乖。此必然理也，學者最當知之。

劉壎《隱居通議》卷一八《詩文取新》 語意不塵，詩文之一妙也。【略】夫《南華經》與《楚辭》二書，經千有餘年，然一展讀，則煥爛如新。學文者能取《莊》、《騷》玩味之，又取《世説新語》佐之，則塵腐之疾去矣。

王構《修辭鑑衡》卷二引《宋子京筆記》 爲文不可蹈襲：文章必自名家，然後可傳不朽。若體規畫圓，準方作矩，終爲人之臣僕。古人譏屋下架屋，信然！陸機曰：「謝朝華於已披，啓夕秀於未振。」韓愈曰：「惟陳言之務去。」此乃爲文之要。

又引《廬陵文集》 文不可拘一體：歐陽公云，作文之體，初欲奔馳，久當撙節，使簡重嚴正。或時放肆以自舒，勿爲一體，則盡善矣。

又引《麗澤文説》 文要紆餘有首尾：鼓氣以勢壯爲美，勢不可以不息，不息則流宕而忘返。亦猶絲竹繁奏，必有希聲窈眇，聽者悅聞。如川流迅激，必有洄洑逶迤，觀者不厭。

又 文字用意爲上，文章貴曲折斡旋。

陳繹曾《文式》卷上・第五「立意法」 景，凡天文地理物象皆景也，景以氣爲主；意，凡議論思致曲折皆意也，意以理爲主；事，凡實事故事皆事也，事生於景則眞；情，凡喜怒哀樂愛惡之眞趣皆情也，意出於情則切。凡文體雖衆，其意之所從來，必由於此四者而出。故立意之法必依此四者而求之，各隨題之所宜，以一爲主，而統三者於中。凡文無景則枯，無意則粗，無事則虚，無情則誣，故立意之法必兼四者。

又第十「總論文」 程氏曰：作文以主意爲將軍，轉換開合如行軍之法，必由將軍號令，句則其裨將，字則其兵卒，事料則其器械，當使兵隨將轉，所以東坡《荅江陰葛延之萬里徒步至儋耳求作文秘訣》曰：「意而已。」作文之事料散在經史子集，惟意足以攝之，正此之謂。

又卷下《古今文章精義》 蘇伯衡述文法：凡遇題目須先命意，大意既立，又須區處如何起，如何承接，如何收拾，此之謂布置既定，抑揚以達其辭，反覆以致其意，血脈之流通，首尾之照應，則善矣。欲作文字且未可下

筆，先取古人文章熟讀詳味，再三諷詠，使心有所感觸，思有所發動，方可運意。卻又著題目與古人何篇相似，以爲體式，依倣而作間架措辭，如此日久自然馴熟，七擒七縱，皆可如意，不拘拘於準繩，而亦不越於規矩矣。下筆之時，且須專心冥思，一篇大概已具於胸中，方可措辭，又當一鼓鑄成，方可觀也。若逐段逐句而爲之，則非所以爲文矣。

胡祗遹《紫山大全集》卷二六《語錄》 立言寫字，全在命意作氣。命意高遠，作氣正大剛直，則辭翰必不凡下。意氣復從器識中出，器宏大，識高明，不讀《語》、《孟》、《六經》，不學聖人，惡能充塞天地，明並日月。故曰：其爲氣也，配義與道，無是餒也。

倪士毅《作義要訣》引曹涇語 主張題目，第一要識得道理透徹，第二要識得經文本旨分曉，第三要識得古今治亂安危之大體，然後一見題目，胸中便有稱量。然又須多看他人立意，及自知歷練，則胸中自然開廣，又不要雷同。

金鉉《高中孚年兄制義序》 文徵莫大於神志，神志者一代之山火也。定天下之命，而屹然以寧，神所貞也。《易》以象山，老氏稱之曰「谷」，所謂用而弗勤者與？及乎炎炎隆隆，麗中正於重明，而觀我生於日月卿雲之旦，其象爲火，而取諸志。志，心之火也，止之中有光明焉。故山火合而天下化。夫三代之典尚矣，漢文帝布詔令，山東民之老羸癃疾者扶杖往聽，知德化將成，願少須臾毋死以見之，非獨至誠惻怛有以入民耳。其文固確然隤然得天下之理，維時左右執筆者之光華，決不凡近，未必盡出天子手也。宋紹興中澹菴上封事，而金人募以千金，駛突維喙，視百萬師威甚。彼章句纖纖耳，曷能動人如此其遠且宏哉？識《艮》、《離》之旨矣！今制義因乎排比，以視人情咸與之大間者，靡音駮義，好莠自口，矜嫛積而遺神明，學步邯鄲之步，而詰其志趣，噎與龐幷，自此而望其言功之立，遵耿介，布異采，庸鳳遐邇之心，而贊聖人致治之美於無斁，蓋未知何如也。

田汝成《重刻文選序》 蓋能文固先于立意，而立意者未必專于爲文。故議關國是，事載史官，雖董、賈之言亦所不採。若體屬詞章，思歸藻翰，即揚雄符命，又何擇焉？大抵《選》例崇葩華而略簡澹，執規觚而齊體裁。是以考辭按部，璨若連珠。大篇短章咸歸穠郁，詩如淵明，文如《蘭亭》，非不皎然清逸也。第使掇入集中，揆之諸家，覽非一色矣。

王格《書臨川集後》 夫介甫曠世之逸才也。議者徒見其非薄宋制，創立新法，卒之黨同己，排異議，以釀成靖康之禍，遂從而詆訶之，若寇讐然，亦過矣。夫世之士學古纂言，竊仁義道德之腴，以悅澤其辭而取祿位者，其自待雖孔孟無以過之。及攷其所樹立，往往脂韋勢利，視其言百不一酬，如是者古今不少也。余觀介甫之人，亦採摭百家，蹂躪群籍，而自舉己意。以鍵制之，其所稱說憂憤，動必依于先王，而奇辭遠旨，多有世儒所未窺者。

茅坤《文訣五條訓緡兒輩》 一曰認題。題須從一章本旨處識得眞種子，因而一句一字以求其雋永之深。我嘗謂孔子所見，與群弟子顏、曾而下，迥有不同，即如子貢、季路、子張、子游、子夏輩種種見解，種種話頭。至於孟子，又自一番光景矣。

又 三曰格調。格調者，譬則風骨也。【略】 箇中風味，須于先秦兩漢書疏與韓、蘇諸大家之文，涵濡磅礴于胸中，將吾所爲文打得一片湊泊處，則格自高古典雅。即如不能高古，至于「典雅」二字，決不可少。

又《與蔡白石太守論文書》 近代以來，學士大夫操觚爲文章無慮數十百家，其以雲吻霧噏，虎嚙鶯攫之材揚聲藝林者，亦星見踵出。然於其所謂萬物之情各有其至者，或在置而未及也。近獨從荊川唐司諫上下其論，稍稍與僕意相合。僕少喜爲文，每謂當跌宕激射似司馬子長，字而比之，句而億之，苟一字一句不中其纍黍之度，即慘惻悲悽也。唐以後若薄不足爲者，獨怪荊川疾呼曰：「唐之韓猶漢之馬遷，宋之歐、曾、二蘇猶唐之韓子，不得致其至而何輕議爲也。」僕聞而疑之，疑而不得，又蓄之於心，而徐求之，今且三年矣。近廼取百家之文之深者按覆之，卧且吟，而餐且噎焉，然後徐得其所謂萬物之情自各有其至。而因悟曩之所謂司馬子長者，眉也，髮也。而唐司諫與僕所自持，始兩相印而無復同異。今僕不暇博喻，姑取司馬子長之大者論之。今人讀《游俠傳》即欲輕生，讀《屈原賈誼傳》即欲流涕，讀《莊周魯仲連傳》即欲遺世，讀《李廣傳》即欲力鬭，讀《石建傳》即欲俯躬，讀《信陵平原君傳》即欲好士，若此者何哉？蓋各得其物之情而肆於心故也，而固非區區句字之激射者。昔人嘗謂：「善詩者畫，善畫者詩。」僕謂其於文也亦然。今夫天地之間，山川之所以廖廓，日月之所以升沉，神鬼之所以幽眇，草木之所以蕃翳，鼪鼯之所以悲嘯，九州之所以聲名文物，四裔之所以椎髻被髮，以及聖帝明王、忠賢孝子、羈臣寡婦、讒夫佞倖、幽人處士、釋友傴子之異其

行，禮樂律曆，兵革封禪，天官卜筮，農書稗史之異其術，宴歌游覽，行旅蒐狩，問釋譏嘲，咏物賦情，弔古傷今，成敗得失之異其感，彼皆各有其至，而非借耳傭目可紊亂增葺于其間者。學者苟各得其至，合之於大道，而迎之於中，出而肆焉，則物無逆於其心，心無不解於其物。而譬釋氏之説佛法能種種色，逾玄逾化矣。嗚呼盛矣！此庖羲氏畫卦以來相傳之秘，所謂其旨遠，其辭文，其言曲而中，固非專一以致其至者，不可與言也。

李贄《童心説》 夫童心者，眞心也。【略】夫童心者，絶假純眞，最初一念之本心也。若失却童心，便失却眞心；失却眞心，便失却眞人。人而非眞，全不復有初矣。童子者，人之初也；童心者，心之初也。夫心之初曷可失也？然童心胡然而遽失也？蓋方其始也，有聞見從耳目而入，而以爲主于其內，而童心失；其長也，有道理從聞見而入，而以爲主于其內，而童心失；其久也，道理聞見日以益多，則所知所覺日以益廣，於是焉又知美名之可好也，而務欲以揚之，而童心失；知不美之名之可醜也，而務欲以掩之，而童心失。夫道理聞見，皆自多讀書、識義理而來也。古之聖人曷嘗不讀書哉？然縱不讀書，童心固自在也；縱多讀書，亦以護此童心而使之勿失焉耳，非若學者反以多讀書、識義理而反障之也。夫學者既以多讀書、識義理障其童心矣，聖人又何用多著書立言以障學人爲耶？童心既障，於是發而爲言語，則言語不由衷；見而爲政事，則政事無根抵；著而爲文辭，則文辭不能達。非內含以章美也，非篤實生輝光也，欲求一句有德之言卒不可得，所以者何？以童心既障，而以從外入者，聞見道理爲之心也。夫既以聞見道理爲心矣，則所言者皆聞見道理之言，非童心自出之言也。言雖工，於我何與？豈非以假人言假言而事假事、文假文乎？蓋其人既假，則無所不假矣。由是而以假言與假人言，則假人喜；以假事與假人道，則假人喜；以假文與假人談，則假人喜。無所不假，則無所不喜；滿場是假，矮場何辯也？然則雖有天下之至文，其湮滅于假人而不盡見于後世者，又豈少哉？何也？天下之至文，未有不出于童心焉者也。苟童心常存，則道理不行，聞見不立，無時不文，無人不文，無一樣創制體格文字而非文者。詩何必古選，文何必先秦，降而爲六朝，變而爲近體，又變而爲傳奇，變而爲院本，爲雜劇，爲《西廂曲》，爲《水滸傳》，爲今之舉子業，大賢言聖人之道，皆古今至文，不可得而時勢先後論也。故吾因是而有感于童心者之自文也，更説甚麽《六經》，更説甚麽《語》《孟》乎？

王樵《省庵先生集序》 蓋先哲之論文也，曰不須模擬前人，孟、韓文雖高，不必似之也。夫能之而不必似之，不必似之而得其妙者，乃善爲古者也。司馬子長、班孟堅雄于文者也，至其述《書》《春秋》及班氏用子長語時，或損易其言，輒劣于前人。至其縱横變化，馳騁如意，曲盡其妙者，乃不必于模倣而得古人之神情意款者也。

李鴻《葛中翰遺集原跋》 論事之文以識爲主，而氣以行之。識不正則浮，氣不充則靡，浮而且靡，文雖工弗貴也。而惟忠臣義士，其志在扶危定亂，則其識明；其意存乎忘身爲國，則其氣壯。故其發而爲文，不必修飾鍛鍊，求合於古人之法，而自無不傳。

李濂《跋屠僉憲潤州公餘稿後》 大凡文章之造奇，必藉佳山水以發其趣。司馬子長南浮江淮，登會稽，探禹穴，闚九疑，足迹半天下而《史記》雄筆爲千古良史；張燕公謫岳州，徘徊洞庭，詩愈悽惋，人謂得江山之助。

朱衡《自知堂集序》 古今修辭之士，何其多也。力研苦攻，附于作者之林，自謂握瑾襲珠矣，而曾不旋踵，向隨人徂。其或寄聲問于後世者，百不一二耳。及稽其類，率多曲材，靡所總揖，狃乎其嗜，成乎力之所至。而論述諷詠之致，未必兼有。而出即不至，與繁華好音同澌盡。顧以語乎鴻裁妙緒，揚幟立言之範，則戛乎難矣。大都有三：韜櫝經訓，服膺道術，合符囊眞，潛朗通微，感之而成，迫之而始應者。【略】其次窺經傳之餘，覽流家之故，夜兼忘寢之勤，晝騁鑽玄之思。攻文者靡事音響，窮詩者未遑叙議，攬意鑄詞，互臻厥妙。譬則九官群牧，分治晝封，職思其居，咸竭心力，均之可以通政，可以感人矣。至于剽竊支言，採華捐實，窮年操觚，經旬覓句，志不輟著述之策，口不釋雅誦之什，擬議焉，模倣焉，厥志愈辨，厥旨愈離。此則訟者之具白理司與皂，揣摩塞長官之對爾。其詞雖工，而其意已僞。僞不足觀也已。夫當其力研苦攻之時，豈欲自局于其下，而識與力之所限，卒未嘗不至斯焉者。甚哉，立言之難也？

徐師曾《臨川王氏文粹序》 古今以文章名家者，其學術才能高出于世，世亦共推讓焉。而識者論之，則曰彼能道其中之所欲言者而已。夫惟中之所藏有邪正，故言之所發者有醇疵。至于其言之或暢而不閎，或鬱而不宣，則才之有工拙也。工于文者，立意命辭咸有法度，故有開闔、抑揚、縱横、起

伏、淺深、奇正、曲折、反覆之變。凡以道其中之所欲言，而非若人以不可入之法也。世之知其法者既鮮，或知矣，而未能入，則夫能道其中之所欲言，而傑然自名其家者，豈易得哉？三代盛時，教隆俗美，人才衆多，上自學士大夫，下至農夫獵豎，旁及婦人女子，矢口吐辭，莫不本乎學術，通乎道德，中乎法度，而人人能道其中之所欲言。詩書所稱不可尙矣，周衰教失，道術不明，士各以其所見爲學，故其發爲文章，類多疵駁之言。然讀其文者，猶能因其言之疵，而知其學之蔽，則意雖去古，而于所謂能道其中之所欲言者固未嘗異也。由漢迄今，乃有離本眞之實，而掠藻飾之辭，假艱深之言，以文淺易之意者，世之人徒見其組織繢繡，怪奇瑰麗，以爲無異于古文。而不知其背畔剽竊古意，澌以盡矣。千餘年間，工文章者僅數家，若漢之賈誼、董仲舒、司馬遷、劉向，唐之韓愈、柳宗元，宋之歐陽修、蘇軾父子、曾鞏、王安石是已。數家之文，或蔽而不醇，或醇而不該，然能道其中之所欲言，而免于剽竊文飾之弊，則一也。宋之四家，並生于世，互相推獎，獨蘇氏父子與王公不合，遂詆其文。以爲今日文字之衰，其源出于王氏。噫，其亦過矣。今世尊歐、蘇者甚衆，而于曾氏之文鮮有好者。近日知言之士始能崇尙而表章之，然後其書盛行。至若王公之文，雖與曾氏並傳，而好者尤鮮。豈因其相業與夫蘇氏之論，而遂廢其言與？余以謂公之相業雖多訾議，然其感遇思奮，欲行其學以致主于三代之隆，而不自知其任用之偏。其志斯以奇矣。視世之姍婀怙寵，浮沉逐利，靡然無所建立，而足以陰亂天下者，大有間矣。及論其文，又皆疏鬯剴切，紆徐委備，本乎己之學術，而疵駁之病亦不以自掩焉。信乎能道其中之所欲言，而揆之古文，其不合者寡。奚顧可以其人而廢之邪？

葛應秋《谿南課友約言》古人文字，欲于一句一字之間，尋覓其好處不得，通篇諷誦，自覺有餘味，及解之又失之矣。

又 凡文章有其盡處，有嫌其盡處，蓋盡則盡矣，而不盡乃爲盡之也。

又 文之所貴虛者何？不虛則題不醒，不虛則理不膩，不虛則神不暢，不虛則意不疊，不虛則詞不逸，不虛則氣不和，不虛則筋不柔，不虛則骨不藏，不虛則情不婉。大哉虛乎！先之以本題之神情，後之以宗匠之規矩者乎！

又《制義文箋》不知詣理，不知鍊格，非深于文者也。是故以淺見爲入門，文氣之漓，躬行之薄，傷之也。故涵養純則其氣自厚，實詣到則其文自眞。

又 發意無正反則不明，修詞無正反則不達，而又通乎輕重之宜，賓主虛實之辨，呼吸分合之機，錯綜變幻，隨物賦形，其于文也，思過半矣。

又 或問：「意之于文何如？」曰：「意在象中者爲佳。」或問：「詞章得非象乎？」曰：「凡膚格色澤氣勢皆象也，皆是意態。」「然則欲意象合，亦有訣乎？」曰：「能于題上虛處取意，又能于題上實處取象，則意自不逞，象自不浮，不期合而自合者也。今文之佳者，強半出于逞意，然終是淺露。一至淺露，雖其懸倒九河，雄掃三軍，氣格終屬弱品，不但卑薾結轖，絕無發揮者，始爲弱耳。」

又 文有眞得，得有眞境。得不在境，亦不在心。心與境合，而吾莫知其所以得，故謂之眞。善學者愼勿對境錯過，而文心具足者，亦自然色色成趣，當自得之。有從靜榻得者，冥然運眞，一往不返。白日陰陰，精氣渾沌，直是身已死亡，形骸四肢都無有，獨有魂靈與此神理，朧朧曈曈，融結流通，似癡非癡，似思非思，如是者得眞。

沈懋孝《小淇林雜言上》文有空闊處，不在用意塡幅，疏妙更佳。如上臨九霄，遠眺長河，高曠之興，正在山林色相外，故繪事有空地，文字有遠襟。

又 珠小而珍者，圜也；泉細而清者，活也；龍大而神者，變也；鵬飛而運者，高也。文無小大，神凝則濁，氣超則靈。

羅萬藻《曾行可制藝序》文章以氣爲主，世頗傳之，而不精於其說。夫輕重緩急之所踞者理也，而貴賤雅俗之所陳者氣也。語理者必兼氣，語氣者顧不知氣之所兼，此不獨離理，亦以累氣之說而已。夫所謂氣之所至小大畢浮，此大地江河氣也；而縹緲蕩漾，曦微掩映，此輕清上居之氣，其位全於天，世人無不尊天而狎地者，則文字之氣，貴賤雅俗之辨必自有說矣。

又《王子涼小序》古今奇文生於奇才，奇才生於奇情，奇情生於激，激生於世，此大致然也。昔人有言曰：「酒醴之末，自然澆漓；學術之末，自然淺近。」此激之大者。士生千百世之後，事事有激，顧庸者無動耳。《五經》之文莫奇于《易》，伏羲當文字草昧之日，寄意於畫，彼其情寧非有愴然而後典者？三代聖人並當變動之會，其文字別見有矣，而憂患之旨並演於《易》，

故《易》激之大者。其附晝而起多不過數語，要爲善學羲耳，故曰「易奇而法」。

胡維霖《與友人論文書》 文發於氣，氣有仙凡；文生於情，情有雅俗。人但言奇，而不知奇；人但言古，而不知古。藐姑射之山有神人居焉，肌膚若冰雪，綽約若處子，奇乎不奇乎？落落長松，不與凡卉爭妍；日星雲霞，舉目皆是，光景常新，古乎不古乎？故求奇者，須求之情，而不當求之文；求古者，須求之心，而不當求之筆。

陶望齡《方布衣集序》 古之人于道蓋有所至矣，其爲言歷千百年不知幾何，人而合之，出乎一辭，虞夏殷周之盛是也。然古非襲古，聖不師聖，趨同的歸並塗，如川瀆縱横，要乎海耳。周季道歧，而立言者各直遂其見，不能相師襲以自著，其紕繆舛錯，故其人之精意，亦至今有可闚焉。漢唐以來，其文足名後者，無不遵《六經》，而稱説堯、舜、孔子。道或不足自信，而援託古聖，以依據其語。聽之純雅，過諸子，而其暢宣蘊奥抑稍遜焉。然獲于古而時有發，均也。嘻，古人之爲文，其取夫稱心而卑相襲也。皆然已無契乎？獨知而古是摹，雖程意襲矩，猶謂之盜，況翦翦文句之末哉？韓退之曰：「古之爲詞必己出，降而不能廼剽賊。」嗚呼，何其陋也。且贈遺題目之文，非古也。自唐宋作者，尙或縱奪自持，降此其不附人而發者蓋鮮，至今日靡靡矣。而轢宋駕唐，秦漢自命者何多耶！夫舍情與詞則無文，剽古而依今，詞則歸諸古人，情則傳諸流俗，己不一與焉，而謂之文，吾且得信之乎！

方應祥《洪爾還四書義序》 夫人之爲文，未有不自肖其心而能直赴于其腕者也。相士以文，牛領毛骨，恍然在鑑之中，況懸六籍爲之鑑，而各以其所質取肖焉者乎？甚矣制舉之文，善摹人也。道德性命之理，平正通達而無嶮巇，聖賢之言博大精醇，易簡切直而絕傍仄，旨于聖，制于帝，神于心，偕存于所不得遁，而文之觀止矣。此豈跉踔爲奇操，勝耳目之際者所辨哉！

袁宏道《答李元善》 文章新奇，無定格式，只要發人所不能發，句法、字法、調法，一一從自己胸中流出，此眞新奇也。近日有一種新奇套子，似新實腐，恐一落此套，則尤可厭惡之甚。然弟所期於兄，實不止此。

袁中道《淡成集叙》 天下之文，莫妙于言有盡而意無窮，其次則能言其意之所欲言。《左傳》、《檀弓》、《史記》之文，一唱三嘆，言外之旨藹如也，班孟堅輩其披露亦漸甚矣。蘇長公之才，實勝韓、柳，而不及韓、柳者，發洩大盡故也。

方震孺《張異度文集序》 古昔聖賢矢口爲文，皆就胸中之所見，與身之所歷出之，無意於傳而究與三光同久，後世不得其本，而追於書之所有，銖銖寸寸，積累爲詞，間有偶弋於理者，非眞也。夫竊理而行，猶以爲非眞，而況高自標舉，視古修詞寧失諸理者乎？文彌工而道彌悖，聖賢之學不傳，皆文人之爲也。昌黎始云文以明道，是能起衰八代。緣兹而下，八大家之文傳焉。夫豈傳散而廢整，傳長而廢短，傳空而廢實，亦傳其言道者已矣。之數子者之言，非有合乎爲道者，而有類道之言，故爲文者必準則焉。若夫道也者，不可名物也。自夫學者交之以百物，盡之以羣情，推之以億數，紀之以方名，求之以衆事，而不揆之于一理，聞見之得多，性靈之得寡。豈知夫子之道，忠恕而已乎？忠者，人心至當不易之則；恕者，人心靈變不窮之機。至當不易也，而後能藏納天壤；靈變不窮也，而後能推求事物。上而五紀，下及八埏，以至吉凶往復，草木蟲魚之數，俱于至當、靈變求之而靡不得矣。

倪元璐《叙蕭爾重盆園草》 文章之味，螫口慘腹，吾見亦苦矣。而或占其氣以爲其道可樂。以爲其道可樂者，是有見於其獻蒸翔泳之時，力盡而靈出。然若此者，非其劌心鉥腎，幾竭性命則不可得遇也。凡物之靈宅深而趨苦，苟嘻怡笑歌而求之，則遁而走于淵。李贄皇之論文也，曰恍惚而來，不思而至，贄皇之意以爲是道則蜃與嬰兒也。嬰兒不造啼得啼，不造笑得笑；蜃蠕蠕蠢蠢，沉於深泥，與螺同息，不知其上則詭爲宫闕，怪爲人馬。故爲天下選不思之則，陳恍惚之觀，莫若是二者矣。然是二者，其宰不存，其脈不見；其宰不存，其脈不見，則其體不足以持；其體不足以持，則其器不貴也。聖人之未有情，不如傑者之致其性。故平林之呱，不如蘇門之嘯；蘇門之嘯，不如華山之鼾。呱者，人寐；嘯者，天寤。鼾之調中於函鍾，極人於寤而致天于寐焉。蜃之宫闕人馬者，不如注汞而出其眉笏，宫闕人馬無意而眉笏有思也。故贊皇之學不及長沙，長沙之悟發於平原。劉長沙之言曰，勤意之時噫咳並失，祗祗畏畏，如臨上帝；陸平原之言曰，收視反聽，耽思旁訊，兀若枯木，豁若涸流。如二子之論，視其中豈有可樂者乎？

詹事講《余聯峰先生文集序》 嗟乎，立言非難，立言而道德爲難。夫君子不言躬行，言何庸貴哉？然感時賦事，境會神生，不得已而言出，要以自

適其適耳。顧眞趣溢流，性靈攄發，上以翼聖經，下以開來學，自有傳之遠且久者。

萬道光《才情》 才情不論遲敏，貴刻微抉遠。不識者見操錐立就，駭爲飛將，竟莫辨其工拙何如。豈知《子虛》百日，《三都》十年。語曰：「寧取十年兩句，何用頃刻千言。」

鄒迪光《南音集序》 自古蒙難履晦，而發爲文詞以見志者，莫若屈平氏，次賈傅，次柳子厚、韓昌黎之屬。其人皆以艷詞藻思而宣其侘傺顑頷之懷，悒鬱不啚之氣，與夫惓惓係戀君國之心，益使天下後世讀其詞能而益慕其爲人。【略】夫怨，非道也。夫怨，即其詞能通靈均，驅鵩鳥，泣山魈，啼木魅，開蠻烟瘴癘，而禮義之未止，于聖賢乎弗之取也。

王文祿《文脈》卷一 文之高勝者必命世才，自出新機，不蹈陳轍，用發吾胸中之蘊，槩以文人小之，可乎？是以不達性命之故，則文無源而不透；不諳經濟之略，則文無實而不揚。謂之命世，驅一世而命之也。故曰作者。

又 爲文須有文心，始可與言文。蓋識見高明，不染利欲，若莊周、屈平及李太白，超然塵外，百代無繼之。匪文難，文心難也。心或夾雜，本失矣，詞華曷生哉？且爲文如蠶口抽絲作繭，一聞響則口停而絲腸斷矣，使亂乃心，文焉得妙？

朱長春《與黄玄之公子論文書》 平居讀一古人書，未有不察其注心所索其指歸，眡其體格，因論其世次，乃知文章與時高下之說虛語耳。夫士畜文心，吐結成章，意致高卑，醞釀濃薄，工力深淺，才情卓潦，此都在人爲之。即質文簡煩，未免隨世乎，終不宜詞理剖判如晦明人鬼之別也。

楊廉《舫齋文集序》 文章以理爲主，理在天下。自孔孟以來，千有餘年，始大明于宋。當時有謂洛學起而文字壞，有謂二三大儒之詩，乃經義策論之有韻者。

朱荃宰《文通》卷二〇《題命》 夫名以定體，爲實之賓。苟失其途，有乖至瑰。上古有《墳》、《典》、《丘》、《索》、《春秋》、《尚書》、《檮杌》、志乘，《史》、《漢》而下，其流漸繁，大抵多以書記爲主，區域有限，莫踰於此焉。至孫盛有《魏氏春秋》，孔衍有《漢魏尚書》，陳壽、王邵曰志，何之元、劉璠曰典，此又厭俗習舊。雖云稽古，未達從時。推而論之，其編年月日者謂之紀，列記傳者謂之書。如呂陸（不韋、賈）二書，不繫時月，而皆號曰《春秋》。魏、梁二史，巨細畢載，而俱牓之以「略」。若乃史傳立號，諒無恆規。如傳皇后而以外戚命章，夫外戚憑皇后以名，猶宗室因天子而顯。若編皇后而曰外戚傳，則書天子而曰宗室紀可乎？班固《人表》以「古今」爲目，古誠有之，今則安在？子長《史記》，別創八書。孟堅既以漢爲書，改書爲志，而何氏《中興》，易志爲記，斯亦貴於革舊者矣。夫雄雌未決，則宜別立科條。至如陳、項諸雄，寄篇漢籍，董、袁群賊，附列魏志，既同臣子之例，孰辨彼此之殊？惟《東觀》以平林下江諸人，列爲《載記》。顧後來作者，莫之遵效。逮《新晉》始以十六國主特《載記》表名，可謂擇善而行，巧於師古者矣。今姑舉列傳論之。文少者則具出姓名，若司馬相如、東方朔是也。字煩者惟書姓氏，若毋將、蓋、陳、衛、諸葛是也。必人多而姓同者，則結定其數，若二袁、四張、二公孫是也。范曄始全錄姓名，歷短行於卷中，叢細字於標外，子孫附注於祖先，廼藥草經方，煩碎俗猥之至矣。魏收因之，抑又甚焉。題司馬以僭晉，目劉宋爲島夷。萬世之公，其究安在乎？蓋法令滋章，古人所愼，苟忘彼大體，好玆小數，難與議夫一字之褒貶，婉而成章者矣。

袁黄《游藝塾續文規》卷二《鹿門茅先生論文》 一曰認題，題中精神血脈處，學者須先認得明白了了，印之心中，方可下筆，然後句句字字，洞中骨理。予嘗論舉子業，淺視之則世所剿襲，帖括亦可掇一第。苟于中得其深處，謂之傳聖賢之神可也。孔孟學問，宗旨雖同，其間深淺小大，亦自迥別。學者苟以孟子論學之言而攙入孔子，便隔一層矣。予故論爲文須首認題。今之學者于題，類多鶻突，焉能入解？他如問答題、議論題、叙事題，其間千條萬竅，難以備述。其總要專以描寫虛字眼處爲生色，譬如掉百尺之帆，特在篷眼上轉腳；懸千鈞之弩，特在弩機上覷的。

又《微弦徐先生論文》 大意。文者，言之有章也。自起至繳，一篇文字，如從頭至尾，一翻言語也。今對人說話，要講一件事，必不突然就講，先須緩緩的說將來，一程一節，漸說到懇切處，臨了用幾句拴縛的話收成。把這件事說的玲玲瓏瓏，不滲漏，不纏繞，不打跎蹬，自然好聽，作文亦然。說話全在開口轉移收成處緊要，作文全在起講過文及束結上要緊。且小講不宜與承破同意，束結不宜與大講同意，初學旨悟此言，其不長于文者鮮矣。

又卷五《了凡袁先生論文》 立意高，說理透，不爲玄言奇語而見者自然屈服。如虢國夫人有天然國色，但澹掃娥眉，而三千粉黛一時低首，此文之

最高者也。詞理兼修，華實並茂者。次之意見庸庸，專事造語，此最卑，而最可賤者也。近來時論本色愈卑而修飾愈勝，專欲藉文采動人，自造語外別無工夫矣。汝須擴充眞見，洞透至理，見得親切，自然斷得分明，理既高遠，自然言得出衆。講性理而洞徹精微，論治道而深究利害，便是大文字。

又卷六《涇陽顧先生論文》 一曰鑄意，文之妙未易言也，而其原皆起于意。意不立則行文不失之枯，必失之淡矣。是故有奇意，有古意，有玄意，有理意，有巧意。自破入結，即一句一字不可無意。然得意不同，有興致所得意，如湧泉而至者，是化工之意也。其或題旨牽纏，一時未就，必須極力尋思。未得則求其得，已得則求其妙。如金錫之數經火力，鍛煉精純，庶可耐咀嚼，而免枯淡之病矣。

又 文有不新而新，不奇而奇，不高曠而高曠者，無他，議論卓然，精神發越耳。夫荆棘其詞，與模糊其意，二者皆文所禁也。文章增十分聞見，不如增一分識。識愈高則文愈澹，識愈卑則伎倆愈多。至于伎倆愈多，而品愈下，內不足故外有餘，此理自然無足怪者。夫戶必有樞，船必有柁，文必有一段最緊關處。【略】據此最緊關處，拿縛得定。臨時信手拈來，頭頭是道，整容斂襟而上。亦可嘻笑怒罵而語，亦可雄猛如鉅鹿一戰，亦可閒暇如圍棋賭墅，亦可簡峻如片言折獄，亦可一滚而出如萬斛之泉，亦可循規蹈矩，亦可忽入九天，忽潛九地，亦可橫行直撞，不離這箇。區區左顧右盼，無所用之。故夫無脩詞之擾，無敷衍補綴之勞，省除一切煩苛，而歸諸至易至簡者，無如識。識之于文也，一綱舉而萬目張之道。其墮落脂粉者，三年而成一葉之說也。操觚者奈何不務一了百當，顧屑屑焉趨其所爲，用力多而成功寡者哉。故術不可不愼也。

又 或問辭調之于文何如？余應之曰，辭者不得已而用之者也。着一分辭，便掩一分意。意思到時，只須直寫胸臆，家常說話，都是精光閃爍，何以辭爲？向者辭醜極矣，佳者爲善用脂粉，而不佳者爲魍魎。晝見魍魎固太陽之所不容，脂粉亦本來面目之賊也。至于頓挫屈伸，自是文中絕不可少。然此是文勢大段變化，倏而坦然平麓，倏而峭壁摩天，起者不得不起，而伏者不得不伏。豈區區句字詞調爲哉？

又卷八《武叔卿論文》 文字原爲達意，而設意不達，則無爲貴文矣。故作文一以意爲主，然意生于思者也。梅聖俞云：「思之工者寫難狀之景，如在目前；含不盡之意，見于言外。」袁了凡亦云：「意制之文，思人之所不能思，發人之所未嘗發。或沿枝而尋根，或因拙而索巧，或即無而生有，或即假而求眞。妙騁心機，出人意表。夫意至此，可謂至矣。若不殫精極思，何以有此？」

又 意有在筆之後者，有在筆之先者。意在筆先，則化工之意，而非思索之意也。人心從太虛而來，空洞不着一物，而萬物森然具備。所謂放下了，了無物，提起色，色俱在，此心之本體也。人惟物交之後，爲私欲所蔽，即向學之士，又爲見聞所溺，是以本來靈明之竅，因之閉塞耳。若將此心養得虛明洞達，無所障礙，靜而見天地萬物之理，皆吾一體；動而見化育流行之迹，皆吾生機。即取聖賢經傳，玩索涵泳，亦罔非吾心散殊之懿。神識在此，則胸中時有一個鑪錘，一遇操筆，便如成誦在心，僭書于手。蓋吾心原有一篇成熟文字，不過僭他人題目以發之耳。先輩謂題爲我使，我不爲題所制。又云，主張要在題目外，皆從此處得之。

又 題中有大意，有小意，有正意，有旁意。大率會元卷過人者，只緣別人用小用旁，渠能用大用正耳。如丙戌「故君子名之必可言也」一節，十八魁講無所苟處，儘有奇思警句，但仔細看來，多是小意，旁意。袁會元講云，思內庭廣衆，其耳目最難掩，而兢兢乎擬之後言，惟恐名與實違。或上乖乎國紀，思天下後世，其聽睹爲至公，而惕惕乎慮，然後發，惟恐實因名紊，或下拂乎人心。曰內庭廣衆，曰天下後世，曰國紀，曰人心，皆是正大議論。且地步占得廣，自然包涵得多，較之他卷便自冠場。

又 文字有實意，有虛意。窮形盡象，實意居多，而點景寫衷，虛意爲勝。大抵意實則顯露，露多有粘皮帶骨之患；意虛則渾含，含卻有涵泳不盡之旨。虛實相須，意斯至矣。王元美云：「有意無意之說，都是文章妙用。」夫有意，斯其意不墮空虛；無意，斯其意不着色相。此虛實之用，所以爲妙也。

又 文字雖以意爲主，然詞亦不可不脩。蓋詞以達意，詞不脩，則意或不能達矣。故詞之粗者，須脩之而細。俗者，須脩之而雅。陳腐者，須脩之而清新。嫩弱者，須修之而蒼勁。音拗者，須修之而諧和。句硬者，須脩之而順暢。大抵辭貴典顯，貴簡確，貴流麗，忌深晦，忌冗蔓，忌鄙俚。率易而不精，不琢煉之過也；荒蕪而不潔，不淘洗之過也。操觚之士，愼毋草草。

朱鶴齡《愚菴小集·傳家質言》 杜樊川論文以意爲主，氣爲輔，詞采爲兵衛。然意有不同，必衷之於理始無弊。方正學先生云：「文本乎理，行乎意，而導乎氣。氣欲其昌，不昌，則破碎斷裂而不成章；意欲其貫，不貫，則乖離錯揉而繁以亂；理欲其無疵，有疵，則氣澀詞慙，雖工而於世無所裨。」此數言足以盡文章之變。余竊有志焉，而力則未逮也。

方以智《文章薪火》 宋九青曰：「先輩豈生今而薄今耶？時未至也，其智之變亦不暇至此也。不學，則前人之智非我有矣。學而狗迹引墨，不失尺寸，非《鹽鐵論》所謂呻吟枯簡，誦死人之句乎？柳子謂《淮西碑》有帽子習，楊大年謂杜陵爲村夫子，子美謂太白少縝密，太白謂子美困琱鐫，秦少游謂《醉翁亭》用賦體，尹師魯以《岳陽樓》用傳體。大約才人各伸其所獨至。少陵欲倣漢、魏不難，子瞻欲摹周、秦亦易，惟不肯蹈襲耳。然末世之空腹高心，不能茹吐古今者，率其鄙倍，亦曰我不蹈襲也，未可藉口。」智謂世以智相積而才日新，學以收其所積之智也，日新其故。其故愈新，是在自得，非可襲掩。

又 文章之先，當知所以爲文章者。文章成列，當知爲何等之文章。或大或小，或正或奇，或中或偏，是其人皆可，不是其人皆浮逐也。不知爲不知，而就事言事皆可。未得爲得，而專作誇己掃人之詞，又不如藏拙矣。《易》奇而法，謂因物之天然而衍之者也。方圓密顯，同時變化，人能讀此書者尠矣。龍馬狐豕，杞瓜葛藟，圭紱黃矢，躋陵涉川，有謂無謂乎？無謂有謂乎？滄澥寶珠，隨人變色，揚眉舉步，何非雷雨日風？

又 馬存《贈蓋邦式序》曰：「子長之文章不在書，以書求之，則終身不知其奇。予有《史記》一部，載天下名山大川，壯麗奇怪之處，將與子周遊而歷覽之，庶幾可以知文矣。子長生平喜遊，將以盡天下之大觀，以助吾氣，然後吐而爲書。」

毛奇齡《青門文稿序》 人亦有言曰：豐乎遇者嗇乎詞，文有所達，則時有所違，是故同一文也，而應世者目文爲時，不應世者不目文爲時。然且習時既久，即未嘗應世，而亦若有時焉移其中者，此無他，誠以今之爲古文者，即皆今之爲時文者也。夫文無成法，隨在可見，而時則以成法糾畫其間，不予文以文，而予文以法然。且曰：入乎此則是，出乎此則否。夫必立意以造喙，析股以建體，吁噏其初，終而曳銜乎首尾者，此他文之所通，而帖括之所守也。故行文百變，帖括居一，而乘時之家，耑守一得，即拘文牽義，撿行攝墨，第恃其孱胸而已，可自附于古昔大家之列。此宜超世肆志者之所不爲，而世爭稱之。

魏際瑞《與子弟論文》 凡文須有主意，而作無謂之文，尤不可不另立主意議論似借此人事實點綴吾文。雖不臻妙，亦能鋪叙終篇，成一體段。否則支吾補綴，立自躓矣。文主於意而意多亂文，議論主于事而事雜亂議。然亦有意多事雜之文，必有法以束之。不然則如蒙師離塾，叫喊跳踢，閧然一屋矣。

又 文章首貴識，次貴議論。然有識則議論自生，有議論則詞章不能自已。何者？人得一見必伸其說，發之未罄，說必不得止也。夫忿怒冤抑之意積于中，則慨慷激烈之言沛然而莫禦。作文而憂詞之不足，皆無識之病耳。

魏禧《日錄論文》 作論有三不必，二不可：前人所已言，衆人所易知，摘拾小事無關係處，此三不必作也；巧文刻深以攻前賢之短而不中要害，取新出奇以翻昔人之案而不切情實，此二不可作也。作論須先去此五病，然後乃議文章耳。

又 凡作文，須從不朽處求，不可從速朽處求。如言依忠孝，語關治亂，以眞心樸氣爲文者，此不朽之故也。浮華鮮實，妄言悖理，以致周旋世情自失廉隅者，此速朽之故也。今人作文，專一向速朽處著想著力，而日冀其文之不朽，不亦惑乎！

魏禮《于南文稿序》 文章無一定之格，作者之意是也，意當如是，出而筆之焉，此之謂格。無一定之體，作者之事是也，事當如是，發而辭赴焉，此之謂體。然則格與體者，皆作者當時之意之事所固有，乃其悠然躍然以出之時，作者亦莫自知而待求于己也。意與事互異，則體與格互變，不可以窮極其意事之萬有，則幻眩徜徉曲矯幽奧浩瀚之觀靡弗呈，夫借奇於他境，索精妙于意事之表者，吾未見其有得也。雖然，求古人之體格易，自有其體格者甚難，即具超絕之資，淹該之學問，必根夫聖賢大道以立本，會諸家以養其氣，極深研幾攻苦，積歲月，使境與境化，而化與境生，然後能自有也。且夫求古人之體格者，舟車也，無舟車之用，吾何以致遠？車堅馬良，舟楫備利，吾遵道而行，則惟吾所欲之而無底滯，然而其所致者吾身也，吾止其所則舟車反矣。是故古人之書可賴以爲用，而不可恃以爲吾身根原者也。然

賴其用也，不能以不精遇之，故曰下人不精不得其眞。

唐彪《讀書作文譜》卷一《文源》 瞿昆湖曰：舉業文字不患意見不高，理路不徹，只患心粗氣揚，不能潛心會悟，以體貼當日聖賢眞實意旨，故文不能工也。吾自靜養百日以後，始覺夜氣清明，良心漸復，然愈不敢不加意收斂。日間雖不能不應酬，而每以無事處之，不敢疾行一步，亦不敢高聲說話，即待童僕亦未嘗輕加怒詈。故執筆爲文能言乎人所不能言，發人之所未及發，我之勝于人者以此，人之不及我者亦以此耳。

李光地《榕村語錄》卷二九《詩文一》 作文要一意到底，有結構，說到後來，還與起處相照。

劉大櫆《論文偶記》 作文本以明義理，適世用。而明義理，適世用，必有待於文人之能事；朱子謂「無子厚筆力發不出」。

張謙宜《絸齋論文》卷一《統論》 見箇道理了，忍不住，張眉努目，擦掌磨拳，惟恐說不盡，此便是少涵養。何以治之？潛心理路，氣質自和，和平而有公忿公論，雖發越自有蘊藉，雖排擊不傷大雅。此所謂君子之言也。

又 詞古不如意古。意何以古？循理明義，不迎合畏避，一如古人之立身而已。

又 古文不在字句，而在立意。言必關乎名教，不委曲狥人者，古人立身立言之根本也。必有其實，然後文成而人信之。

又 凡古人已定之案，登峯造極之作，不必強爲翻駁，與之爭勝，徒增笑話，枉費心思，何益之有？如邱濬說岳飛必不能恢復，秦檜有再造之功，卽此可知其心術邪僻。

又 文字有意思，方有議論，不然，只是裝飾塗抹而已。然意思，又要有根柢。

又 無中生有，不可支離妄誕，不可含血噴人。必是揆情度理，勢所必至，然後挑剔設想，或不甚差。

又 設身處地代爲劈劃固佳，然時勢或有不同，材力或有不齊，此難執自己意見，誣罔前人。

又 雞豬魚蝦，通國所同，而滋味有美有不美，其做手不同也。何謂做手？心思烹鍊是也。

又卷二《細論》 凡文之未成，胸中先有箇緣故。文機一動，心中先定箇主意。文筆一動，手要有箇節制。或縱或斂，忽斷忽續，自設關鎖，自己能開；自入險地，自能救轉。事理未暢，萬言非多；意思已盡，十行非少。兩漢八家之外，皆可印證取法。

又 文字無論雅俗，皆須先定主意。主意已定，然後用虛實、反正、開闔、照應以發之。惟其祇是一箇主意，故曲折變化而不離乎宗，所謂一片渾成也。其不能者，原是主意立不起，故分不開耳。

又 文之主宰，如五臟之有心，其肝肺腸胃，皆護衛而爲之用者。若腔子中止有一心，內裏便不實，外體亦不充矣。行文先定大局，其中之平行側行，翻腰掉尾，總是一氣。如生龍活虎，渾身有力。

又 開端須想接手如何，伏身便想跳起如何，進步先留餘地，旁撐須照攔頭。

又 每讀古人文，到結尾分外留心。或冷或淡，或翹或煞，要回看全篇，看他收住收不住。

又 照應法是文字血脈流通處，拙手止於交絡首尾，幾成爛套。惟王道思神明此法，通身俱是筋節，步步回顧，處處勾連。或以應爲發揮，或以應爲咏嘆，或以應爲關攔，或以應爲申繳，或以應爲催趲，或以應作餘波，顛倒縱橫，各極其妙。

又 曾家文法，要步步聯絡，如治絲之散鈎總攝，故反覆蹈藉，而不嫌于複。此法宜知。

又 文趨渾厚一路，恐其凝結不流。故頻頻提掇以醒之，此南豐、道思家法也。

又 文章一氣孤行，又須時時換手，不換則板滯矣。如駢散之相間，疾徐之相權，曲直之相接，皆換手也。然語換而意必貫，調換而機自流，又無容雜亂。凡古人傳文，皆可細驗。

又 栽樹必相去四五尺，不則枝葉長成，互相妨礙，此文家所以貴疎也。祇看《史記》落落寫大意，不稠濁堆排處，皆疎之妙也。

又 古人文字，多於前面暗立主意，行至中間，忽然折回一照，又拖下去。此如山盤水繞，一氣磅礴，王道思集中有此法。

又 凡效古文，祈暢吾意，用筆起伏，布置錯落，當師古人。若襲其詞，仿其調，下之下也。

又卷五《評品》 朱子有言：「西漢文字皆疏枝大葉。」此語妙矣，而解者頗少。夫疏枝大葉，非簡略之謂，能於緊要處著精神，遂不暇及瑣屑也。且以《史》《漢》證之，《高祖本紀》凡狀貌意氣度量，無一不具，然不害爲疏枝大葉者，通篇皆從此釀也。又如《呂后本紀》，呂氏及諸侯王及漢大臣各有本謀，而逗成一事，此所以嚴覈嶄嶄也。他如鉅鹿之戰，寫項羽不過數筆，而紙上岌岌如山崩海嘯，其得力乃在「楚戰士無不一以當十」、「楚兵呼聲動天」、「諸侯軍無不人人惴恐」等句。若單叙項羽匹馬衝突，所至披靡，非不足見其勇，而所謂八千子弟皆勒馬旁觀，如土木偶人耶。古文無他奇，但於事情所必有者，一兩行內，提掇得有聲有色耳。譬之名手破筆作折枝花，神韻天然，卽不煩碎渲染。曾於《霍光傳》見廢昌邑王一段，寫太后珠襦，盾郎夾陛，可謂大設色。而主意只在廢立大事，特地鄭重，何害其爲疏枝大葉哉？每於閒處一點，抵他人百語鋪叙，讀古人書而得如此訣，爲文思過半矣。

王之績《鐵立文起》後編卷六《論》 論祖曰：凡作論之要，莫先于體認題意。故見題目，必詳觀出處上下文，及細玩其題中有要緊字，方可立意。蓋看上下文，則識其本原而立意不差。知其有切要字，則方可就上面着工夫也。此最作論之關鍵也。凡論以立意爲先，造語次之。如立意高妙，而遣辭不工，未害爲佳論。苟立意未善，而文如渾金璞玉，亦爲無補矣。故前輩每先于體認題意者，蓋欲其立意之當也。立意既當，造語復工，則萬選萬中矣。然立意亦不拘于一律，要使易于遣文。今之名家爲論，如題目在議論處出，則多以議論立意；在建明處出，則多以建明立意；在答問處出，則多以答問立意。凡論包一議論建明問答意，則易遣文矣。

又卷七《論篇法》 或曰：認題分明，然後立箇大主意。如何起，如何轉，如何鋪叙，如何推廣收煞，一氣呵成，自然文華壓衆。但要一步深一步，首尾相應，過接有脈耳。

《四庫全書總目》卷一五三《潞公集》 葉夢得序稱其「未嘗有意於爲文，而因事輒見，操筆立成，簡質重厚，經緯錯出。譬之賁鼓鏞鐘，音節疏緩，雜然幷奏於堂上，不害與嘒嘒簫韶，舞百獸而諧八風也」，斯言允矣。

又卷一六〇《水心集》 適嘗自言「譬如人家觴客，雖或金銀器照座，然不免出於假借，惟自家羅列者，卽僅瓷缶瓦杯，然都是自家物色。」其命意如此，故能脫化町畦，獨運杼軸。韓愈所謂文必己出者，殆於無忝。

又卷一七一《羅圭峰文集》 陳洪謨序稱，聞其爲文，必嘔心積慮，至扃戶牖，或踞木石，隱度逾旬日，或逾歲時，神生境具，而後命筆，稍涉於萎陋詘誕之微，雖數易稿不憚。

又卷一八一《水田居士文集》 其《與艾千子書》云：「文章貴有妙悟，而能悟者必於古人文集之外別有自得。」

王岱《楊子全集叙》 詩文一道，成才者以年，而永年者以氣。氣不足，雖才多而不成，歷久而不永。故士之具才有大名于時者，其初必有不可一世之氣。氣異則立意不苟，出語不腐；氣足則命篇不促，造句不竭。于是博覽群書以養其氣，歷閲山川以大其氣，經跋險阻以鍊其氣，然後披其堂奧，久而彌光，傳之百世而若新脫諸口，皆氣爲之也。

陳僖《答衛秀才論文書》 文有裁制，或構樓造堂，正大軒敞，或銅山東崩，洛鐘西應，或草蛇灰線，轍迹暗伏，大約閒處、冷處、纖碎處，務要摩寫發揮，盡情極致。至於大關目，人人能稱道者，不過數語便了，又須於筆陣縱橫快意時，務留餘地，師於含蓄，一瀉而盡，便不耐味。修詞設色，又必須顯易簡潔，此揚子雲之艱澀見譏，柳子厚所謂「本之太史以著其潔」也。

又 若夫文之品，視其寄託之高下而已；文之致，隨其蘊藉之淺深而已；文之旨，依其命義之遠近而已。

田同之《西圃文說》 秦以前之文主骨，漢以後之文主氣。主骨者若《六經》之文，非可以文論者，其他若老、韓、左、國皆斂氣於骨者也。若史漢八家，皆運骨於氣者也。斂氣於骨者，如泰華二峰，直與天接，層嵐危磴，非仙變化未易攀陟，尋步計里，必蹶其趾。【略】運骨於氣者，縱舟長江大海間，其中煙嶼星島，往往可自成一都會，卽颶風忽起，波濤萬狀，東泊西注，未知所底，苟能操柁瞻星，立意不亂，亦自可免漂溺之患。此韓、歐諸子所以獨嵯峨於中流也。

馬榮祖《文頌上·神思》 冥冥濛濛，忽忽夢夢，沈沈脈脈，洞洞空空。莫窺眹兆，伊誰與通？神遊無端，思抽有緒。躡電追風，知在何許？倏忽得之，目光如炬。

又《意匠》 衆萬根荄，蟠胸如縷。意境欲開，心花競吐。鐫劖混沌，神工鬼斧。龍樓湧出，不階寸土。天風飄搖，鱗鬣飛舞。千古寂寥，良工心苦。

又《運氣》 蜿蜿蜒蜒，睒睒蝡蝡。伏蟄驚甦，神皋倦轉。憤盈鬱勃，出橫

亘奧衍。一綫孤懸，微於抽繭。矯首空冥，晴雲繾綣。遊絲百尺，并刀莫翦。

姚鼐《答翁學士書》 夫道有是非，而技有美惡。詩文皆技也，技之精者必近道，故詩文美者命意必善。文字者，猶人之言語也，有氣以充之，則觀其文也，雖百世而後，如立其人而與言於此；無氣，則積字焉而已。意與氣相御而爲辭，然後有聲音節奏高下抗墜之度，反復進退之態，彩色之華。故聲色之美，因乎意與氣而時變者也，是安得有定法哉！自漢、魏、晉、宋、齊、梁、陳、隋、唐、趙宋、元、明及今日，能爲詩者殆數千人，而最工者數十人。此數十人，其體製固不同，所同者，意與氣足主乎辭而已。人情執其學所從入者爲是，而以人之學皆非也；及易人而觀之，則亦然。

吳德旋《初月樓古文緒論》 作文立志要高。北宋大家，雖不可以不學；然志僅及此，則成就必小矣。《史》、《漢》及唐人，須常在意中也。

又 作文遇好題目，自易動人；然此乃偶然湊手，非己所能主張。惟有相題行文，還他質而不俚，是能自主者。亦不必刻意求奇。往往通篇祗可單點，卻是好文章，便可入集。若無可寄慨而必要感慨，無可援引而必要援引，反支離矣。

又 古人文章，似不經意，而未落筆之先，必經營慘淡。如永叔《與尹師魯書》直似道家常，若不先有一番琢鍊，何以能如此古雅？

包世臣《書韓文後上篇》 過鄱陽陳伯游家，見《韓文考異》，夙聞爲善本，假歸讀之。目力猶不賴，然日輒盡兩卷，既三過，乃知「文從字順各識職」一語，退之實自道破窔奧。蓋文家關鍵，必在審勢，文以從爲職，字以順爲職。勢之所至，有時得逆以濟順，而字乃健；得違以犯從，而文乃峻。不此之識，徒以從、順爲事，則文字不得其職。

張裕釗《答吳至甫書》 古之論文者曰：「文以意爲主。」而辭欲能副其意，氣欲能舉其辭，譬之車然，意爲之御，辭爲之載，而氣則所以行也。欲學古人之文，其始在因聲以求氣。得其氣，則意與辭往往因之而并顯，而法不外是矣。是故契其一而其餘可以緒引也。蓋曰意，曰辭，曰氣，曰法，之數者非判然自爲一事，常乘乎其機而混同以凝于一，惟其妙之一出于自然而已。自然者，無意于是而莫不備至，動皆中乎其節，而莫或知其然。日星之布列，山川之流峙是也。寧惟日星山川，凡天地之間之物之生而成文者，皆未嘗有見其營度而位置之者也，而莫不蔚然以炳而秩然以從。夫文之至者，亦若是焉而已。觀者因其既成而求之，而後有某者某者之可言耳。夫作者之亡也久矣，而吾欲求至乎其域，則務通乎其微，以其無意爲之而莫不至也。故必諷誦之深且久，使吾之與古人訢合于無間，然後能深契自然之妙而究極其能事。若夫專以沉思力索爲事者，固時亦可以得其意，然與夫心凝形釋，冥合于言議之表者，則或有間矣。故姚氏暨諸家因聲求氣之說，爲不可易也。

嚴開書《上叔父草庵公》 文章當適意時，其爲道也屢遷。有時滔滔莽莽，覺古人一字半句都入不進，一入便不佳者；有時言思曠絕，偶舉古人一語一義與本文邈不相關，自然妙合者，就其妙合所繇，亦絕非古人本指也。

謝章鋌《梁禮堂文集序》 修辭立其誠，誠者，天道也。古所謂誠，今所謂眞也。人有眞氣，千夫皆廢；文有眞情，百刼不磨。人文合修，眞存則我立，我立則天全。取善貴無我，舍己從人也；進修貴有我，萬物皆備也。

吳汝倫《答嚴幾道》 來示謂行文欲求爾雅，有不可闌入之字，改竄則失眞，因仍則傷潔，此誠難事。鄙意與其傷潔，毋寧失眞。凡瑣屑不足道之事，不記何傷？若名之爲文，而俚俗鄙淺，薦紳所不道，此則昔之知言者無不懸爲戒律，曾氏所謂「辭氣遠鄙」也。

賀濤《送吳先生序》 意有所寄而爲文，而意之所寄恆視其人所遭之時與所處之境。

林紓《春覺齋論文·忌陳腐》 蓋「文以載道」之說，蘇文忠恆述歐陽文忠語詔人矣。孫明復謂「文爲道之用」。張文潛謂「學文之端，急于明理」。愚按「道理」二字，實純備于爲文之先，斷不關係于臨文之下。若秉筆爲文，即思某者合理，某者中道，拘攣桎梏，不期趨入于陳腐矣。【略】平心而論，古文無不由道理而出，當先辨此道理是否陳腐。有道理本非陳非腐，一出冬烘手筆，即成陳腐者。亡友吳摯甫先生謂馬通伯：「說理之文，最不易作。」是說蓋本于曾文正。先輩深洞文中甘苦，知以文明道，大非易事。唯醇故不陳，唯精故不腐。雖然，「精醇」二字，能于故紙中尋索之否？吾人平日熟讀經史及儒先之書，須熔化爲液，儲之胸中。臨文，以簡語制斷之，務協于事理，此便是道；然斷非剽襲僞託，始臻此詣。

又《意境》 文章唯能立意，方能造境。境者，意中之境也。譬諸盛富極貴之家兒，起居動靜，衣着食飲，各有習慣，其意中決無所謂甕牖繩樞、啜菽飲水之思想。貧兒想慕富貴家饗用，容亦有之，而決不能道其所以然，即

使虛搆景象，到底不離寒乞。故意境當以高潔誠謹爲上着，凡學養深醇之人，思慮必屏卻一切膠轕渣滓，先無俗念塡委胸次，吐屬安有鄙倍之語？須知不鄙倍于言，正由其不鄙倍于心。意者，心之所造；境者，又意之所造也。朱子曰：「國初文字，皆嚴重老成，其詞謹勑，有欲工不能之意，所以風俗渾厚。至歐公文字，好底便十分好，猶有甚拙底。」此卽後文采而先意境之說也。

又 文字之謹嚴，不能僞託理學門面，便稱好文字。須先把靈府中淘滌乾淨，澤之以《詩》《書》，本之于仁義，深之以閱歷，馴習久久，則意境自然遠去俗氛，成獨造之理解。朱子又言：「作文字須是靠實，說得有條理」，可見唯有理解，始能靠實。理解何出？卽出自《詩》《書》、仁義及世途之閱歷。有此三者爲之立意，則境界焉有不佳者？

又 雖然，理而曰解，卽庖丁解牛之解。游心于造化，故能不觸于肯綮。唯入手處須有審擇工夫。《容齋四筆》述坡公語，謂「天下之事，散在經史中，不可徒使，必得一物以攝之，然後始爲己用。所謂一物者，意是也」。此語雖深實淺，不言析理於經史中，但言使事于經史中，顧能加以議論，則爲鎔裁，但取其事實，便成糟粕。且所謂攝之以意者，亦主驅駕而言，不爲探本之論。吳氏《林下偶談》：「爲文大概有三：主之以理，張之以氣，束之以法。」言「主」言「束」，是也；言「張」則非是。主之以理矣，則心靜神肅，氣胡自張？

又 故主理之說，實行文之所不能外。凡無意之文，卽是無理。無意與理，文中安得有境界？譬諸畫家，欲狀一淸風高節之人，則茅舍枳籬，在在咸有道氣；若加之以豚柵雞栖，便不成爲高人之居處。講意境者由此着想，安得流于凡下？

又 雖然，有意矯揉，欲自造一境，固亦可以名家；唯舍芻豢而饜螺蛤，究不是正宗文字。故鄭師山《與洪君實書》曰：「所假《皇甫集》，連日細看，大抵不愜人意。其言理敘次，都是着力鋪排，往往反傷工巧。」「工巧」二字，亦文中一種伎倆；惟云言理，以工巧行之，自然至于着力。

又 須知意境中有海闊天空氣象，有淸風明月胸襟。須講究在未臨文之先，心胸朗徹，名理充備，偶一着想，文字自出正宗；不是每搆一文，立時卽虛搆一境。蓋臨時之搆，局勢也。一篇有一篇之局勢，意境卽寓局勢之中。此亦無難分別，但觀立言之得體處，卽本意境之純正。故《麗澤文說》倪正父曰：「文章以體製爲先。」試問若無意者，安能造境？不能造境，安有體製到恰好地位？方望溪《與孫以寧書》曰：「古之晰于文律者，所載之事，正與其人之規模相稱。」此何謂也？非意爲之經，還他恰好地位，求稱難矣。

姚永樸《答方倫叔書》 意則必衷諸道，言則必出于己。不衷諸道，則其意荒；不出于己，則其言陳。【略】意之荒與言之陳，其于行遠皆不可得也。

章太炎《與人論文書》 僕聞之，修辭立其誠也。自諸辭賦以外，華而近組則滅質，辯而妄斷則失情，遠于立誠之齊者，斯皆下情所欲棄捐，固不在奇耦數。徒論辭氣，太上則雅，其次猶貴俗耳。俗者謂土地所生習（《地官·大司徒》注），婚姻喪紀，舊所行也（《天官·太宰》注），非猥鄙之謂。孫卿云「有雅儒者，有俗儒者」，李斯云「隨俗雅化」。夫以俗爲縵白，雅乃繼起，以施章采，故文質不相畔。世有辭言襲常，而不善故訓，不綦文理，不致隆高者，然亦自有友紀，窕僈側媚之辭，薄之則必在繩之外矣，是能俗者也。

陳澹然《晦堂文鑰·鍊意》 文生於意，意生於心，必鍊心乃能鍊意。鍊心之法，先使喜怒哀樂無令過情，然後動而能靜。吾生平不談道學，然艱苦數十年，無一息不鍊心於患難，此中甘苦，可質鬼神，非若釋家空寂也。夫鍊心之道，必在平時，一至爲文，則如臨大敵。輕視其題者妄，重視其題者卑。毋妄毋卑，乃可超然獨出，此鍊心之實驗，非可強爲，而其事必自倫常操守始。未有篤於倫常而心不厚，嚴於操守而心不剛。既厚且剛，必能不侮鰥寡，不畏強禦，出入生死而不搖，尙何區區文字之有？此鍊心之說也。鍊意奈何？此非實驗、懷疑不得矣。夫一題有一題之理，意則萬變而無窮，譬之屠牛，或以斧，或以斤，或以電氣，此則人之自爲，非題之所能限也。叔向賀貧，柳子厚賀人失火，夫貧與火，朋友所宜弔也，而獨賀之，何哉？此則古人鍊意之精，有非後世所能夢想者。大抵一題之出，驟思一意，必與衆同，同何由勝？作文如戰鬭，老子有言：「以正治國，以奇用兵。」天下安有正兵而能戰者？嘗笑秦謀六國與六國拒秦，皆由函谷，劉、項戰守不出滎陽，袁、曹交攻不離官渡，皆不可謂知兵。卽此而文之鍊意可知已。今環球尙武，吾國獨儒，何由自保？豪傑之才，大之必定天下，小之必保一鄉，皆非知兵不可。有志者盍先於文之鍊意求之。

韻律

范曄《獄中與諸甥侄書》性別宮商，識清濁，斯自然也。觀古今文人，多不全了此處，縱有會此者，不必從根本中來。言之皆有實證，非爲空談。年少中謝莊最有其分，手筆差易，文不拘韻故也。

沈約《報劉杳書》君愛素情多，惠以二贊。辭采妍富，事義畢舉，句韻之間，光影相照，便覺此地，自然十倍。故知麗辭之益，其事弘多，輒當置之閣上，坐卧嗟覽。別卷諸篇，并爲名制。又山寺既爲警策，諸賢從時復高奇，解頤愈疾，義兼乎此。

又《答陸厥書》宮商之聲有五，文字之別累萬。以累萬之繁，配五聲之約，高下低昂，非思力所學，又非止若斯而已也。十字之文，顛倒相配，字不過十，巧歷已不能盡，何況復過於此者乎？靈均以來，未經用之於懷抱，固無從得其髣髴矣。若斯之妙，而聖人不尚，何耶？此蓋曲折聲韻之巧，無當於訓義，非聖哲立言之所急也。是以子雲譬之雕蟲篆刻，云壯夫不爲。自古辭人，豈不知宮羽之殊，商徵之別？雖知五音之異，而其中參差變動，所昧實多。故鄙意所謂此祕未睹者也。以此而推，則知前世文士，便未悟此處。若以文章之音韻，同弦管之聲曲，則美惡妍蚩，不得頓相乖反。譬猶子野操曲，安得忽有闡緩失調之聲？以《洛神》比陳思他賦，有似異手之作，故知天機啓則律呂自調，六情滯則音律頓舛也。士衡雖云炳若縟錦，寧有濯色江波，其中復有一片是衛文之服？此則陸生之言，即復不盡者矣。韻與不韻，復有精麤，輪扁不能言，老夫亦不盡辨此。

劉善經《四聲論》夫四聲者，無響不到，無言不攝，總括三才，苞籠萬象。劉滔云：「雖復雷霆疾響，蟲鳥殊鳴，萬籟爭吹，八音遞奏，出口入耳，觸身動物，固無能越也。」唯當形聲之外，言語道斷，此所不論，竟蔑聞於終古，獨見知於季代，亦足悲夫。雖師曠調律，京房改姓，伯喈之出變音，公明之察鳥語，至於此聲，竟無先悟。且詩書禮樂，聖人遺旨，探賾索隱，亦未之前聞。

陸法言《切韻序》欲廣文路，自可清濁皆通；若賞知音，即須輕重有異。【略】凡有文藻，即須聲韻。

李德裕《文章論》沈休文獨以音韻爲切，重輕爲難，語雖甚工，旨則未遠。夫荆璧不能無瑕，隋珠不能無纇，文旨既妙（一作高妙），豈以音韻爲病哉？此可以言規矩之內，不可以言文章外意也。較其師友，則魏文與王、陳、應、劉討論之矣。江南唯于五言爲妙，故休文長于音韻，而謂「靈均以來，此祕未睹」，不亦誣人甚矣！古人辭高者，蓋以言妙而適情不取于音韻（曹植《七哀詩》有徊、泥、諧、依四韻，王粲詩有攀、原、安三韻；班固《漢書贊》及當時辭賦多用協韻，猗、與、元、勛、包、田、舉、信是也）。意盡而止，成篇不拘于隻耦（《文選》詩有五韻、七韻、十一韻、十三韻、二十一韻者，今之文字四韻、六韻以至百韻，無有隻者）。故篇無定曲，辭寡累句，譬諸音樂古詞，如金石琴瑟，尙于至音。今文如絲竹鞞鼓，迫于促節，則知聲律之爲弊也甚矣。世有非文章者，曰：「辭不出于風雅，思不越於《離騷》，模寫古人，何足貴也。」余曰：「譬諸日月，雖終古常見而光景常新。此所以爲靈物也。」余嘗爲《文箴》，今載于此，曰：「文之爲物，自然靈氣；惚恍而來，不思而至；杼柚得之，澹而無味；琢刻藻繪，彌不足貴；如彼璞玉，磨礲成器；奢者爲之，錯以金翠；美質既雕，良寶所棄。」此爲文之大旨也。

孫覿《送刪定姪倅趙序》聲律之學，盛于楊、劉，號西崑一體，時學者師慕駢四儷六，枝青配白，撚鬚鬣，琢肺腑，鐫磨鍛鍊，以求合均度，故有言浮于其意，意有不盡於言。如夏英公牋表，皆是物也。逮慶曆、嘉祐間，歐陽文忠公以古文倡，而王荆公、蘇東坡、曾南豐起而和之，文章一變醇深雅麗，追復古初，文直而事核，意盡而言止，譬之行雲流水，遇物賦形，體質自然，不見刀尺，于是天下翕然以爲宗師。

陳繹曾《文筌·古文譜七》律：一、音聲：宮（穩）、商（響）、角（起）、徵（細）、羽（嘔）；右五聲，於讀先秦古文時，以「平、響、起、細、嘔」五字調切之，久當心解矣。二、律調：【略】右於夜中靜虛時，聽十二月天地本然之聲，聽其耳熟，則文中之律自然能辨矣。若有風聲間之，則驗八方來處，而定十二辰之方位，以還宮法推之，便知是本律中何調，若不應還宮法，即是姦聲也。如此則文中之調可識矣。

茅坤《與蔡白石太守論文書》琴瑟柷敔，調各不同，而其中律一也。律者，即僕曩所謂萬物之情各有其至者也。

沈懋孝《長水先生文鈔·四餘編·論文有五綜五緯》 文家以唇吻爲律呂，筆墨爲管弦。沉宮振羽，輕撥細彈，正不知鳳皇胡然而來下。舌將之，手弄之，蔚宗所稱以文傳意，以手送文，虛妙之音，泠泠從空中自發自止。今人善書者，縱腕揮灑；善歌者醉墨淋漓，一本天機，都不干思索上事。

宋林澄《辯文章五聲》 昔余友人陸大行、楊宮諭嘗讀余所爲文，輒語人曰：「他年綠綟人也。」是人以聞之余，余獨曰：「否。余當以客終。」或曰：「子何以知其然？」曰：「貴人之詞多宮聲，而余詞多羽。」故清商，清徵之詞，爲優，爲賈，爲富人，而君臣則屬之宮聲，羽詞多客，而藝工農圃，每諧角調。《六經》之文章，宮也，韓、柳、歐、蘇亦然。近世館閣，咸宮之遺也。鄒陽之文，枚叟之詩，悉羽音也，不特荆卿也。或曰：「何以謂之羽？」曰：「君不聞鳥獸之音乎？獸之聲多宮，而禽多羽，以獸能爲主而禽善客也。就禽別之，鷄處而燕翔，故鷄屬宮而燕屬羽。矧羽之爲聲，其思窘，其辭迫，關山悽愴之象，非遊子不能領略之。彼絳節黃旛之夫，雖老于行，亦能以宮而文其羽，況高議蕓臺之上乎？」或曰：「然則居養相移，孟氏殆欺人哉？」「彼非欺人也。有宮以招其將來之貴，有羽以徵其未然之賤，造物限之，弗能奪也。拾遺老于西川，始未嘗宮而終亦弗離羽也，上智之不移也。供奉喧于軍馬而寂于夜郎，其居養之變乎？然而，羽較多也。黨于羽者也，必以羽終者也。昌黎羽于始而終于宮，其亦有移之者乎？」

吳偉業《古文彙鈔序》 古文之名何昉乎？蓋後之君子論其世，思以起其衰，不得已而強名之者也。先儒謂三代無文人，春秋以降始有子產、叔向用文詞爲功，而莊周、列禦寇遂以名其家。西京以下班班矣，其時有《古文尚書》、《古文孝經》者，以六書難字爲考正而已，初非以其文名之也。自魏晉六朝工於四六駢偶，唐宋鉅儒始爲黜浮崇雅之學，將力挽斯世之頹靡，而軌之於正，古文之名乃大行。蓋以自名其文之學於古耳，其於古人之曰經、曰史者，未敢遽以文名之。南宋後，經生習科舉之業，三百年來以帖括爲時文，人皆趨今而去古，間有援古以入今，古文、時文，或離或合，離者病於空疎，合者病於剽竊。彼其所謂古文，與時文對待而言者也。

朱荃宰《文通》卷二三《章句》 《六經》之道，既曰同歸，《六經》之文，容無異體。故《易》文似《詩》，《詩》文似《書》，《書》文似《禮》。《中孚》九二曰：「鳴鶴在陰，其子和之。我有好爵，吾與爾靡之。」使入《詩》雅，孰別爻辭？《抑》三章曰：「其在于今，興迷亂於政；顛覆厥德，荒湛於酒。女雖湛樂從，弗念厥紹，罔敷求先王，克共明刑。」使入《書》誥，孰別雅語，《顧命》曰：「牖間南嚮，敷重篾席，黼純華玉仍几；西序東嚮，敷重底席，綴純文貝仍几；東序西嚮，敷重豐席，畫純雕玉仍几；西夾南嚮，敷重筍席，玄粉純漆仍几。」使入《春官·司几筵》，孰別命語？

又 夫樂奏而不和，樂不可聞；文作而不協，文不可誦，文協尚矣。是以古人之文，發於自然，其協也亦自然。後世之文，出於有意，其協也亦有意。《書》曰：「任賢勿貳，去邪勿疑。疑謀勿成，百志惟熙。」《易》曰：「乾剛坤柔，比樂師憂。臨觀之義，或與或求。」《禮記》曰：「玄酒在室，醴醆在戶。粢醍在堂，澄酒在下。陳其犧牲，備其鼎俎。列其琴瑟，管磬鐘鼓。脩其祝嘏，以降上神。與其先祖，以正君臣。以篤父子，以睦兄弟。以齊上下，夫婦有所。是謂承天之祜。」若此等語自然協也。《書》曰：「無偏無黨，王道蕩蕩。無黨無偏，王道平平。」《詩》曰：「不明爾德，時無背無側；爾德不明，以無陪無卿。」二者皆倒上句，又協之一體也。

又 韻氣一定，故餘聲易遺；和體抑揚，故遺響難契。宋詞元曲，皆於仄韻用和音以叶平韻，蓋以平聲爲一類，而上去入三聲附之。如東董是和，東中是韻也。

又 《說文》解「豉」字云：「配鹽，幽菽也。」《三蒼》解「𧯛」字云：「𧯛，冥果青色也。」蓋「豉」本豆也，以鹽配之，幽閉於甕盎中所成，故曰幽菽。冥果，密煎果也，以銅青浸之，加密而冥於缶中，故曰冥果。「幽菽」「冥果」，取名於「幽」「冥」，見其與生菽生果異也。解詁之妙有如此，誰謂文章不在換字乎？「鳧脛雖短，續之則憂；鶴脛雖長，斷之則悲。」《檀弓》文句，長短有法，不可增損。

又 長句法，如「毋乃使人疑夫不以情居瘠者乎哉？」「孰有執親之喪而沐浴佩玉者乎？」「蕢尚不如杞梁之妻之知禮也。」「苟無禮義忠信誠慤之心以蒞之。」

又 短句法，「華而睆。」「否？」「立孫。」「畏厭溺。」《春秋》文句，長者踰三十餘言，短者止於一言。如「季孫行父臧孫許叔孫僑」，如「公孫嬰齊帥師會晉郤克衛孫良父曹公子首及齊侯戰于鞌」之類，是長句也。如「螽」之類，是短句也。《詩》之文句，長者不踰八言，短者不減二言。八言者如「我不敢效我友自

逸」之類是也。摯虞云：「詩有九言，『泂酌彼行潦挹彼注兹』是也。」然此當爲二句，其說非也。二言者若「祈父」之類。《春秋》主於褒貶，《詩》則本於美刺。立言之間，莫不有法。

劉大櫆《論文偶記》 文章最要節奏，譬之管絃繁奏中，必有希聲窈渺處。

又 音節高則神氣必高，音節下則神氣必下，故音節爲神氣之跡。一句之中，或多一字，或少一字；一字之中，或用平聲，或用仄聲；同一平字仄字，或用陰平、陽平、上聲、去聲、入聲，則音節迥異，故字句爲音節之矩。積字成句，積句成章，積章成篇，合而讀之，音節見矣；歌而詠之，神氣出矣。

又 近人論文，不知有所謂音節者；至語以字句，則必笑以爲末事。此論似高實謬。作文若字句安頓不妙，豈復有文字乎？但所謂字句音節，須從古人文字中實實講貫過始得，非如世俗所云也。

王之績《鐵立文起》後編卷八《表通論》 表有聲有律。平仄相間，宮商迭宣，朗然可誦者，聲也；對偶精切，分毫不爽者，律也。如古表云：「自朱耶之狼狽，致赤子之流離。」以「耶」對「子」，謂耶與爺同音也。又「狼狽」獸名，「流離」鳥名，其精工如此。

又 行文皆用四六，必調平仄。如上對是平而仄，則下對必仄而平；上對仄而平，則下對必平而仄。一篇之內，音韻盡殊；兩句之中，輕重各別乃可。如長對則不此限。不調平仄，其病有四：曰平頭，如「巍巍龍鳳之姿，明明天日之表」是也(謂兩句起頭便同韻)。曰犯尾，如「剛健中正居九重而凝命」是也(下句命字犯上句正字)。曰雙聲(謂互護爲雙聲)，詩曰：「螮蝀在東。」又曰：「鴛鴦在梁。」此雙聲之所由起。曰疊韻(謂傲碻爲疊韻)，古詩：「月影侵簪冷，紅光逼履清。」此疊韻之所由來，作表最忌有此。

又 趙潛修曰：「四六句須用蜂腰鶴膝法承遞，始得體。」

又 趙運靈曰：「四六之外，須一對甚長，一對甚短。所忌者，氣脈斷而不續，詞語俚而不清耳。」

馬榮祖《文頌上·結音》 嬰兒墮地，聆音已悟。氣始黃鍾，音隨氣布。按律靈臺，騰響豪素。高下疾徐，曲折呈露。時或換氣，宮商暗度。泠泠泛聲，空外韶濩。

阮元《文韻說》 福問曰：「《文心雕龍》云：『今之常言，有文有筆。以爲無韻者筆也，有韻者文也。』據此，則梁時恆言有韻者，乃可謂之文，而《昭明文選》所選之文，不押韻腳者甚多，何也？」曰：「梁時恆言所謂韻者，固指押腳韻，亦兼謂章句中之音韻。卽古人所言之宮羽，今人所言之平仄也。」福曰：「唐人四六之平仄，似非所論于梁以前。」曰：「此不然。八代不押韻之文，其中奇偶相生，頓挫抑揚，詠歎聲情，皆有合乎音韻宮羽者，詩騷而後莫不皆然。而沈約矜爲創獲，故于《謝靈運傳論》曰：『夫五色相宣，八音協暢，由乎元黃律呂，各適物宜。欲使宮羽相變，低昂舛節，若前有浮聲，則後須切響。一簡之內，音韻盡殊；兩句之中，輕重悉異。』妙達此旨，始可言文。」又曰：「自靈均以來，此秘未睹，至于高言妙句，音韻天成，皆暗與理合，匪由思至。又沈約《答陸厥書》云：『韻與不韻，復有精粗。輪扁不能言之，老夫亦不盡辨。』休文此說，乃指各文章句之內，有音韻宮羽而言，非謂句末之押腳韻也(卽如雌霓連蜷，霓字必讀仄聲是也)。是以聲韻流變而成四六，亦祇論章句中之平仄，不復有押腳韻也。四六乃有韻文之極致，不得謂之爲無韻之文也。昭明所選不押韻腳之文，本皆奇偶相生有聲音者。所謂韻也，休文所矜爲創獲者。謂漢魏之音韻乃暗合于無心，休文之音韻乃多出于意匠也。豈知漢魏以來之音韻，溯其本原，亦久出于經哉。孔子自名其言《易》者曰文，此千古文章之祖。《文言》固有韻矣，而亦有平仄聲音焉。卽如濕燥龍虎睹上下八句，何等聲音。無論『龍虎』二句不可顛倒，若改爲『龍虎燥濕睹』，卽無聲音矣。無論『其德』『其明』『其序』『其吉凶』，四句不可錯亂。若倒『不知退』于『不知亡』不知喪之後，卽無聲音矣。此豈聖人天成暗合，全不由于思至哉？由此推之，知自古聖賢屬文時，亦皆有意匠矣。然則此法肇開于孔子，而文人沿之，休文謂靈均以來此秘未睹，正所謂文人相輕者矣。不特《文言》也。《文言》之後，以時代相次，則及于卜子夏之《詩大序》。《序》曰：『情發于聲，聲成文謂之音。』又曰：『主文而譎諫。』又曰：『長言之不足則嗟歎之。』鄭康成曰：『聲謂宮商角徵羽也。』聲成文者，宮商上下相應。主文，主與樂之宮商相應也。」此子夏直指詩之聲音而謂之文也，不指翰藻也。然則孔子《文言》之義益明矣。蓋孔子之《文言》、《繫辭》亦皆奇偶相生，有聲音嗟歎以成文者也。聲音卽韻也。《詩·關雎》鳩洲逑，押腳有韻，而女字不韻。得服側押腳有韻，而哉字不韻。此正子夏所謂「聲成文」之宮羽也。此豈

詩人暗與韻合，匪由思至哉？子夏此序，《文選》選之，亦因其中有抑揚詠歎之聲音，且多偶句也。綜而論之，凡文者在聲爲宮商，在色爲翰藻。即如孔子《文言》「雲龍風虎」一節，乃千古宮商、翰藻、奇偶之祖；「非一朝一夕之故」一節，乃千古嗟歎成文之祖。子夏《詩序》「情文聲音」一節，乃千古聲韻、性情、排偶之祖。吾固曰：「韻者卽聲音也，聲音卽文也。然則今人所便單行之文，極其奥折奔放者，乃古之筆非古之文也。沈約之說，或可橫指爲八代之衰體。孔子、子夏之文體，豈亦衰乎？是故唐人四六之音韻，雖愚者能效之，上溯齊梁，中材已有所限，若漢魏以上至于孔、卜，此非上哲不能擬也。」

吴汝綸《答張廉卿》　承示姚氏於文，未能究極聲音之道，弟於此事更未悟入。往時文正公言：「古人文皆可誦。近世作者如方、姚之徒，可謂能矣，顧誦之而不能成聲。」蓋與執事之說若符契之合。近肯堂爲一文，發明聲音之故，推本《韶》、《夏》而究極言之，特爲奇妙。竊嘗以意求之：才無論剛柔，苟其氣之既昌，則所爲抗隊、詘折、斷續、斂侈、緩急、長短、申縮、抑揚、頓挫之節，一皆循乎機勢之自然，非必有意於其間，而故無之而不合；其不合者，必其氣之未充者也。執事以爲然乎？

林紓《春覺齋論文·情韻》　《玉篇》：「聲音和曰韻。」《正韻》：「風度也。」然必有性情，然後始有風度；脱性情暴烈嚴激，出語多含肅殺之氣，欲求其情韻之綿遠，難矣。譚格謂李于鱗「才高而不大，所乏者深情遠韻」。愚謂惟其資地高，記誦博，似行文非塗飾不爲工，非詰屈不爲古，俾讀者索然，則所謂情韻者又胡從出？須知情者發之於性，韻者流之於辭，然亦不能率焉揮灑，情韻遂見。

又　《丹鉛總錄》謂歐陽文忠文「清音幽韻，如飄風急雨之驟至」。夫飄風急雨，豈能謂之韻？或且見歐公山水廳壁諸記，多懷古傷今之作，動作哀音，遂以飄風急雨目之，過矣。凡情之深者，流韻始遠；然必沈吟往復久之，始發爲文。若但企其風度之凝遠，情態之纏綿，指爲信筆而來，卽成情韻，此寧知歐文哉？善乎，明顧元慶之言曰：「歐陽文忠晚年常日竄定平生所爲文，用思甚苦。夫人胥氏止之曰：『何自苦如此？當畏先生嗔邪？』公笑曰：『不畏先生嗔，卻怕後生笑。』」觀此，則歐文之情韻，決非輕易措筆，明矣。

又　蓋述情欲其顯，顯當不鄰於率；流韻欲其遠，遠又不至於枵。有是情，卽有是韻。體會之，知其懇摯處發乎心本，緜遠處純以自然，此才名爲眞情韻。

又　獨孤常州爲《殿中侍御史文章集錄序》曰：「文情動於中，而形於聲，文之微也。」夫聲卽韻也，又何以謂之微？言微，則語由中發；凡性情不正者，決亦不能有此正聲。故世之論文者恆以風神推六一，殆卽服其情韻之美。顧不治性情，但執筆求六一髣髴，茅鹿門卽坐此病。紀文達譏鹿門刻意摹六一，喜跌宕激射。所謂激射者，語所不盡，而眼光先到之謂。六一文中憑弔古人，隱刺今事，往往有之。然必再三苦慮，磨刔吐棄，始鑄此偉詞；若臨文時故爲含蓄吞咽，則已先失自然之致矣，何名情韻？

又　雖然，文之有情有韻者，寧一歐陽哉？《宋書·謝靈運傳》稱「相如巧爲形似之言，班固長于情理之説」。實則《漢書》中之情韻，雖偶然涉筆，亦斷非他史所及。孟堅喜用「矣」字，「矣」字之下恆蓄無窮之思；愚嘗於論用字中詳言之，今不復贅。但舉《貢禹》一傳言之：天子報禹曰：「朕以生有伯夷之廉，史魚之直，守經據古，不阿當世，孳孳于民，俗之所寡，故親近生，幾參國政。今未得久聞生之奇論也，而云欲退，豈意有所恨與？將在位者與生殊乎？往者嘗令金敞語生，欲及生時祿生之子，既已諭矣。今復云子少。夫以王命辨護，生家雖百子何以加？傳曰：『亡懷土，何必思故鄉？』生其強飯愼疾以自輔！」此雖制詔之詞，不出之班筆，然能采入其書，則孟堅之尚情韻，雖不必其自出，竟與其本書沆瀣實一氣也。觀此詔中語，宛轉濫裕，若慰若勉，數行中迴環往復，挹之無盡，情韻何若，讀者當自知之。

又　總言之，欲使韻致動人，非本之眞情，萬無能動之理。宋濂曰：「身之不修而欲修其詞，心之不和而欲和其聲，是猶擊缶而求合乎宮商，折葦而冀同乎有虞之簫韶也。」

又《聲調》　時文之弊，始講聲調，不知古文中亦不能無聲調。蓋天下之最足動人者，聲也。試問易水之送荆軻，聞變徵之聲，士何爲泣？及爲羽聲，士又何爲怒？本知荆軻之必死，一觸徵聲，自然生感；本惡暴秦無道，一觸羽聲，自然生怒耳。

又　故孔子言詩，興、觀、羣、怨，列之以四「可以」。所云「可以」者，能移人必至於是之謂也。《變風》、《變雅》之淒厲，鄙人每於不適意時，閉戶

讀之；家人雖不知詩中之意，然亦頗肅然爲之動容。則知行文之不宜無聲調也。今但以《邶》之《簡兮》一章言之，已極抑揚頓挫之妙：自「簡兮」至「在前上處」，此但叙伶官之教子弟也，忽接入「碩人俁俁」。《毛傳》：「碩人，大德也。俁俁，容貌大也。」以大德偉貌之人，乃徒使之在宗廟公庭而演舞，當時之用人可知。遂聲明之曰：「有力如虎，執轡如組。」《毛傳》：「組，織組也。武力如虎，可以禦亂御衆。有文章，言能治衆，動於近，成於遠也。」作如此寫法，高擡伶官身分至於極地。忽跌入執籥秉翟之賤役，所得賞者不過一散，則敗興之事，令讀者索然。此時忽插入「山有榛，隰有苓」數句，高唱入雲，直有渾良夫叫天氣概。所云「西方美人」，則思周室之賢者；「彼美人兮」，即稱頌伶官。至「西方之人兮」，則謂此伶官宜在王室爲輔，如何屈居賤役。此種聲調，不有從前三章遏抑而下，亦斷不能叫號如此之悲。觀杜牧《阿房宮賦》，把以上秦人之種種暴虐奢靡事塡咽極滿，用「獨夫之心，日益驕固」作瑣筆，其下忽頂入「戍卒叫，函谷舉，楚人一炬，可憐焦土」四句，聲調雖不如「山隰榛苓」之激越，然亦善於爲悲壯之聲矣。

又 愚謂古來名家之作，無不講聲調者。但以《史記·聶政傳》言之：政姊聞政死時，以婦人哭愛弟，其悲涼固不待言。然試問從何入手？而曰：「其是吾弟歟！」「其」字一頓，「是吾弟」一頓，「歟」字是指實而不必立決之辭。繼之以「嗟乎」二字，實矣。「嚴仲子知吾弟」五（六）字，直聲滿天地矣。呼嚴仲子者，姊弟同感嚴仲子也。「知吾弟」，吾弟斷不能不爲之死；但說一「知」字，便將聶政之死，全力吸入「知」字之內。故其下無他言，但書「立起如韓之市」。故善爲聲調者，用字不多，至復耐人吟諷。《漢書·趙皇后傳》：「宮讀書已，曰：『果也，欲姊弟擅天下。我兒，男也，額上有壯髮，類孝元皇帝。今兒安在？危殺之矣。奈何令長信得聞之！』」長信者，太后東朝也。宮呼長信，猶冀以祖母憐孫之意，能救此兒。孟堅下筆時，似爲曹宮呼冤，故不期聲調悲涼高抗至此。至吾丘遵之謂籍武，惡宮中御幸生子者輒死，亦曰：「奈何令長信得聞之！」此則怒極叫號之詞。同一句法，遵之聲音乃不如曹宮之切摯，然亦見老吏天良發見處。皆爲體物之工，故能至是。

又 韓昌黎《答李翊書》言：「氣盛，則言之長短，聲之高下皆宜。」張濂亭先生恆執「因聲求氣」之言用以誨人。實則，講聲調者，斷不能取古人之聲調揣摩而摹仿之；在乎情性厚，道理足，書味深，凡近忠孝文字，偶爾縱筆，自有一種高騫之聲調。試觀《離騷》中句句重複，而愈重複愈見其悲涼，正其性情之厚，所以至此。

章炳麟《文學說例》 等是人言，出諸唇吻，而據實而書，不更潤色者，則曰口說；鎔裁刪刊，緣質構成者，則曰文辭。彼戰國陳說，所以異子羽之爲命，觀射父之訓辭矣。遷、固所錄，若蒯徹說信，伍被諫安，仍其本語，無所增損，如鞫獄之錄辭，此所謂口說也。至《景十三王傳》載中山王泣樂對，語皆耦立，復施韻言，酒次讌談，亮非如是。蓋勝既率意奏陳，退而撰次本言，施以藻采，史官傳述，遂若造膝所陳，語本若爾。此所謂文辭也。由魏逮唐，分異文筆。余以文既異筆，而口說復與文筆大殊。策士飛箝之辯，宜與宋儒語錄、近人演說同編一秩，見其與文學殊塗，而工拙亦異趣也。（《文選》不錄口說，此後人所宜法。惟錄宋玉《對楚王問》，蓋與《漁父》、《卜居》同爲設難，非具有此對，故獨有取爾。）效戰國之口說以爲文辭者，語必傖俗，且私徇筆端，苟炫文采，浮言妨要，其傷實多；唐世杜牧，其最著也。然則，溝分畛域，無使兩傷，在文辭則務合體要，在口說則務動聽聞，庶幾調適上遂乎！至乃上溯《尙書》，誥誓諸篇，亦由口說。《顧命》「陳教則肄肄不違」，江氏集注音疏謂：「重言肄者，病甚氣喘而語吃。」其說是也。夫以劇氣蹇吃，猶無刪削，是知佗篇記言，皆捃書本語，無一字出於史官潤色，與《堯典》、《禹貢》殊矣。《尙書》詞語閎雅，誠非戰國時可比。然辨章科目，所謂傳之簡牘，事異篇章者，又未始出其族類也。

又 駢儷爲言，獨在中夏。而希臘文辭，務在對稱，亦如神社造像，肥瘠適均（本《希臘羅馬文學史》）。固知人情所必至，初無間於東西也。原其始造，必非文字單純之世。何者？皇世語言簡樸，或徒有義訓，未造正文。逮及姬周，則有一訓而數文者。若《釋詁》所陳，三十餘言，總持一義，雖多同聲通借，而本字亦不少矣。誠以八代殊名，方國異語，靡不集合焉爾。《方言》列訓「大」者十二語，訓「至」者七語，而云：「初別國之言，不相往來。舊書雅記故俗語，不失其方。今則或同。」是知閉關裹足之世，人操土風，名實符號，局於一言，則文亦抱蜀也。若《史通·雜說》載姚最《梁後略》述高祖語曰：「得既在我，失亦在予。」而謂：「變我稱予，互文成句，求諸人語，理必不然。由儷辭盛行，語須偶對故也。」此於儷辭，故傷繁鄭。然《莊子·山木篇》已云「吾無糧，我無食」矣（近世多謂「我」爲「餓」借。然使辭遊繁複，則但

云「吾無糧」足矣，亦不必有「餓無食」三字。《釋文》云「我一本作餓」者，亦當由文人臆改。《齊物論》云：「今者吾喪我。」「吾」、「我」互易，則「吾無糧，我無食」未必非互文也）。使祇有「我」字，而無同訓之「予」，則斯語不得就也。臧洪《與陳琳書》曰：「足下徼利於意外，吾子託身於盟主。」尋其辭例，是亦同揆；使稱人者祇有「吾子」，而無「足下」之號，則斯語亦不得就也。爰在《柏舟》，則「覯閔既多，受侮不少」，義趣兩同，而表裏各異，非一訓數文之限。若乃素王《十翼》，《老子》一經，捶句皆雙，儷辭是昉，尋其文義，獨多對待。然《老》云「爲天下谿」、「爲天下谷」，谿谷大同。（《釋水》：「水注川曰谿，注谿曰谷。」此廣陋之異。《釋山》：「山瀆無所通谿。」《說文》：「泉出通川爲谷。」此通塞之異。而《廣雅釋山》則直云：「谿，谷也。」故謂大同。）孔云：「危者使平，易者使傾。」（《繫辭》）義有正負，文實互施（「危」、「傾」同義，「平」、「易」同義。《晉語》韋解：「傾，危也。」《釋詁》：「平，易也。」陸績說此，卽云：「易，平也」）。非有一訓數文，亦不得爲斯語矣（析言則谿、谷有殊，危、傾、平、易亦有小異。然施於是處，無取其異也。又今《老子》本作「知其白，守其黑，爲天下式。」與《莊子·天下篇》引作「知其白，守其辱，爲天下谷」不同，蓋六國時傳本各異也）。雖然，儷體爲用，固由意有殊條，辭須翕闢，孑句無施，勢不可已。所以晉、宋作者，皆取對待爲工，不以同訓爲尚。儀徵推崇斯體，上溯《文言》（義自《文心雕龍·麗辭篇》出），信哉其見之卓也。若夫華質之分，貞濫之辨，斯於散句，故無低昂。百年以來，亦既明晳。夫承天《籌邊》，固比肩於晁令；周朗《應詔》（見《宋書》本傳），亦雁行於賈生。馬、劉二代，斯類實繁。體若駢枝，語反簡覈；豈與夫蘇軾、陳亮苟爲辭費者同年而校乎？至大同以後，徐、庾、金樓之屬，流宕失居，義無機要，亦不足與於作者也。

陳澹然《晦堂文鑰·鍊調》 調起於聲，聲起於字。字者，人心之所寄也。字有平仄調其輕重緩急，而善用之則調在是矣，故夫調者，調也。未有不調而能爲聲，卽安有不調而能爲調者？此其道深之則通於樂律，貫乎陰陽，淺之則文從字順而已。姚惜抱之論文也，極其精則曰神曰味。夫神味，至無形者也，故曾文正以「聲調」二字易之。其法則曾淺而姚深，實則聲調之精無神味何由而出？與其深而莫由考驗，莫若淺之猶可尋求。故寧舍姚取曾，舍深取淺，欲求聲調則自出辭氣，遠鄙倍始孔子之論樂也，曰「翕如，純如，皦如，繹如」，孟子之論聖也，曰「金聲玉振」，按之於文，卽調也。《戴記》有言：「大禮與天地同節，大樂與天地同和。」調而苟精，卽天地節和在是矣。吾三十年前與人書，卽謂三代以上，禮樂興，天下治亂繫乎禮樂；三代以下，禮樂廢，天下治亂繫乎文章。《六經》四子之於文，至矣。默而求之，無不各成聲調；從容諷詠，皆有天地節和之義貫乎其中，特非文人所及知耳。今道雜言龐，文字久成譙殺，翰林愚陋，乃欲以承平雅頌飾之，而文氣益激。不有豪傑，安能振一國囂亂隤頹之氣，導之廣大深沈之域哉？

劉師培《南北文學不同論》 夫聲律之始，本乎聲音。發喉引聲，和言中宮，危言中商，疾言中角，微言中徵、羽。商角響高，宮羽聲下，高下既區，清濁旋別。善乎《呂覽》之溯聲音也，謂涂山歌于候人始爲南音，有娀謠乎飛燕始爲北聲，則南聲之始起于淮漢之間，北聲之始起于河渭之間。故神州語言，雖隨境而區，而考厥指歸，則析分南北爲二種（大抵北方語言河西爲一種，則陝甘是也。河北爲一種，則山西、直隸、安徽北境是也。界乎南北之間者，則淮南爲一種，則江蘇、安徽之中部及湖北東境是也。漢南爲一種，則湖北中部、西部及四川東部是也。南方語言則分五種，金陵以東爲一種，則江蘇南境、浙江東北境是也。金陵以西爲一種，則安徽南部及江西北部是也。湘贛之間爲一種，則湖南全省及江西南境是也。推之閩廣各爲一種，廣西、雲、貴爲一種。然論大旨，則南音北音二種，其大綱也）。陸法言有言：「吳楚之音時傷清淺，燕趙之音多傷重濁。」此則言分南北之確證也（大抵時愈古則音愈濁，時愈後則音愈清；地愈北則音愈重，地愈南則音亦愈輕）。聲能成章者謂之言，言之成章者謂之文。古代音分南北（如《說苑·修文篇》言，「舜以南風、紂以北鄙之音」，互相不同；又《家語》言，「子路鼓瑟，有北鄙殺伐之聲」；而《左傳》又言，「楚鍾儀鼓琴操南音」。亦古代音分南北之證），河濟之間古稱中夏，故北音謂之夏聲（《左襄·襄二十九年》），又謂之雅言（《論語》言「子所雅言」，雅卽夏也）；江漢之間古稱荆楚，故南音謂之楚聲，或斥爲「南蠻鴃舌」（《孟子》）。《荀子》有言：「君子居楚而楚，居夏而夏。」夏爲北音，楚爲南音，音分南北，此爲明征。

又《文說·和聲篇第三》 物失其平則鳴，情動於中則言；情感於物，則形於聲；聲能成文，斯謂之音。故音訓爲飲（《白虎通》云：「音，飲也，言其剛柔清濁和而相飲也」），聲訓爲鳴（《白虎通》曰：「聲，鳴也」）。上古未有

文字，先有語言，物各一名，言各一義，或循天籟（如一二、天地、父母、我彼諸字音是），或效物音（如牛羊、竹木、鴉鵲蛙諸字音是），或因形定聲，或因聲見義。故心同此理，卽同此音，目爲元音，誰曰不宜？

又 太古之文，有音無字。謠諺二體，起源最先。謠訓「徒歌」，諺訓「傳言」。蓋言出於口，聲音以成，是爲有韻之文，咸合自然之節。則古人之文，以音爲主。故和聲依永，八音于焉克諧；六律五聲，五言于焉出納。聲音之道，與政通矣。

又 況三代之時，學憑記誦。師儒之學，口耳相傳；經典之文，聲韻相叶。故聲教記於《禹貢》，文言著於羲經，太學錫成均之名，四教爲樂正所掌。試觀《周易》六爻，《尚書》二典，老聃傳《道德》之經，屈子作《離騷》之賦，以及箴銘垂訓，鐘鼎鏤詞，凡茲古籍，半屬韻文。況詩以調律，樂以播音，嗟嘆永歌，引宮刻羽，用之邦國，被之管弦，審音之精，此其證矣。

又 且古用韻文，厥有二故：一則創字之原，音先義後；解字之用，音近義通。古人作文，比類合義，韻既相叶，義必相符。一則奇字硬語，佶屈聱牙；惟韻語偶文，便於諷誦。故外史諭書名，臣籀作《史》篇，使呫畢之儒，事半功倍。綜斯二因，遂崇偶體：或抑揚以協律，或經緯以成章，或間協音（阮芸臺《文韻說》曰：「《詩·關雎》鳩、洲、逑押腳有韻，而女字不韻，得、服、側押腳有韻，而哉字不韻；此正子夏所謂聲成文之宮羽也」），或隔章而轉韻（《詩經》之韻不可一律齊，有四句兩韻，又轉而兩韻者，《關雎》次章之類是也；有四句而各兩韻者，《伯兮》首章之類是也；有八句而四韻者，《碩鼠》之類是也；有十二句而六韻者，《小明》首章之類是也；有三句而兩韻者，《采葛》之類是也；有三句而皆韻者，「十畝閑閑」之類是也。餘可類求），或用韻不拘句末（王懷祖曰：「《三百篇》用韻，有字字相對極密，非後人所有者，如有瀰，有鷕，濟盈，雉鳴，不，求，其軌，其牡，鳳凰鳴矣、梧桐生矣，於彼高岡，於彼朝陽，奉奉，雍雍，萋萋，喈喈，無一字不相韻。」予案《詩經》有本句自叶之法，如「于嗟乎不承權輿」，乎、輿爲韻；「于嗟乎騶虞」，乎、虞爲韻；又如「于嗟麟兮」，嗟讀爲齊，與兮爲韻；「于胥樂兮」，胥讀爲西，與兮爲韻；「其樂只且」，樂讀爲羅，與且爲韻，是用韻不拘句末也），或協聲卽在語端（此例爲前人所未發，如《易經》「積善之家，必有餘慶」，積與必韻；《書經》「冀州，既載壺口，治梁及岐，既修太原，至於岳陽」，冀與既、治、至三字韻；此例《詩經》尤多，《老子》、《楚詞》亦有之，不具引），或益助詞以足句（如《詩·關雎篇》用「之」字，《十畝之間》用「兮」字是也，是卽《詩大序》所謂「言之不足，故嗟嘆之，嗟嘆之不足，故永歌之也。」屈、宋用「兮」及「些」字，亦卽此旨），或譜古調以成音（例如「彼候人兮」、「季女斯飢」，本古樂音，見《呂覽》，而《曹風》又用之，此卽譜古調以成音也。與後世古詩篇多用「飲馬長城窟」、「青青河畔草」爲首句同。又如《詩經》之中，多用「彼其之子」句，則此句亦當日所傳之古音也。又漢代樂府有《朱露》，卽出於《魯頌》之《振露》，亦其證也），此句中之韻也。至於觸物抒情，侔色揣稱，或掇雙聲之字，或采疊韻之詞（如《關雎》之詩，「參差」、「優游」，卽雙聲也，「窈窕」、「輾轉」，卽疊韻也，餘可類推。至於唐人猶有用此例者，如杜少陵詩云：「奮飛超等級，容易失沈淪。」白樂天詩云：「荏苒星霜換，回環節候遲。」「奮飛」、「容易」、「荏苒」、「回環」，皆雙聲也。杜詩云：「卑枝低結子，接葉暗巢鶯。」「低枝」、「接葉」卽疊韻也。餘證甚多，見去歲《論文雜記》中），或用重言（如「關關」、「喈喈」、「萋萋」之類），或用疊語（如「王室如毀，雖則如毀」，以及「伐柯伐柯」之類是），此字中之音也。況音區輕重（《山海經》郭注云：「藷藇，今江南單呼爲藷，音儲，語有輕重耳。」《顏氏家訓》云：「其間輕重清濁，猶未可曉。」而《廣韻》有辨四聲輕清重濁法，《通志·七音略》亦謂：「內轉之清，有輕中重、輕中輕、重中重、重中輕諸法，外轉亦然」），言判疾除（《韓非子》曰：「疾呼中宮，徐呼中商。」韋昭《國語注》曰：「疾呼則茅蒐成韎。」而《顏氏家訓》亦有徐言疾言之語），聲音之學，自古有之。雖四聲未辨，字無平仄之分（如《堯典》：「平章百姓，百姓昭明。」「姓」字爲仄音，「明」字爲平音。《易·坤卦》：「積善之家，必有餘慶，積不善之家，必有餘殃。」「慶」字爲仄音，「殃」字爲平音。《詩·甫田》云：「我田既臧，農夫之慶。」《假樂》云：「保佑命之，自天申之。」《子衿》云：「青青子佩，悠悠我思。」《鷄鳴》云：「蟲飛薨薨，甘與子同夢。」《蓼蕭》云：「其德不爽，壽考不忘。」臧、申、思、薨、忘皆平音，慶、命、佩、夢、爽皆仄音。又如《老子》云：「五味令人口爽，馳騁田獵令人心發狂。」《太玄經》云：「嘻嘻自懼，忘彼徭虞。」亦平韻仄韻互協之證。蓋古代清濁平仄之分，尚未大別，故古無四聲，蓋愈古則音愈簡）；而兩語相承，音有低昂之判。是以長言短言，見於

《公羊》之注(《公羊傳》：「《春秋》伐者爲客，伐者爲主。」何注云：「伐人者爲客，讀伐，長言之；見伐者爲主，讀伐，短言之。」顧氏亭林曰：「今之平仄，卽古之長短言」)；開口合口，詳於《廣韻》之書(《廣韻》末附《辨十四聲例法》：「一開口聲，二合口聲。」江愼修曰：「開口卽內言，卽外轉，合口卽外言，卽內轉。」內言外言，亦見《顏氏家訓》)。觀風虎雲龍，音殊高下(阮芸臺《文韻說》曰：「《文言》固有韻，亦有平仄聲音，卽如『濕燥龍虎』八句，何等聲音，無論『龍虎』二句，不可顚倒，若改爲『龍虎濕燥睹』，卽無聲音矣，此豈聖人天成暗合，全不由於思至哉」)；氣求聲應，語判洪纖。章句之間，各叶宮羽。雖曰音韻天成，暗與理合(此二句見沈約《宋書·謝靈運傳論》)，然口舌相調，形氣相軋(張子《正蒙》云：「聲者，形氣相軋而成」)，洞合天然之律，亦由意匠之工(阮芸臺曰：「自古聖賢屬文，時亦皆有意匠」)。此則沈約所謂「韻與不韻，各有精粗」者矣(《答陸厥書》)。

又 秦、漢以降，文體日滋。然集字爲句，駢異而同，抽句匪隻，擒詞非單，而駢字以音爲主，偶文以韻爲宗(《文心雕龍》曰：「有韻者文也，無韻者筆也」)。然水土氣別，則音分清濁；古今代嬗，則聲有異同。同一字而音韻互歧，同一音而形體各判。故「讀如」「讀若」，半爲譬況之詞；「當作」「當爲」，亦屬旁通之證。然施之於文，則言各有當。觀漭沆、彪鴻，一音相轉，而平子、長卿用之各別(平子《西京賦》云：「滄池漭沆。」長卿《封禪文》云：「湛恩彪鴻。」案「漭沆」、「彪鴻」，四字音近義同，而一用漭沆，一用彪鴻者，則以聲音有高下之殊耳)；崴嵬、潫瀤，二字相通，而太沖、景純用之各殊(太沖《吳都賦》云：「隱賑崴嵬。」景純《江賦》云：「沍淪潫瀤。」案此四字亦音近義同，而用之各殊，亦以聲音有輕重之分耳)。蓋音有小大之區，語有翕張之異；若用字偶失，則音節相乖：屬文之士，不可不察也。

又 若夫《上林》之作，易「逍遙」爲「消搖」；《長楊》之篇，以「桔隔」代「戛擊」。「千眠」(《文賦》)、「盱瞑」(《南都賦》)，音義相同；「漫衍」(《甘泉賦》)、「曼延」(《西京賦》)，言辭靡別。則以洪荒字簡，一字兼數字之音；後代義明，數字歸一字之用。審音惟取相符，用字不妨偶異。蓋音同字異，亦可旁通；而音異字同，不容相假。則作文以音爲重，彰彰明矣。

又 厥後孫炎注經，始言反切(《顏氏家訓》曰：「孫叔言創《爾雅音義》，是漢末人獨知反語。」陸德明《經典釋文》曰：「孫炎始爲反語，魏朝以降漸繁。」張守節《史記正義》同)；曹植論韻，暗合梵音(曹植感魚山神，制四十二契，慧皎以爲「梵響無授，始陳思王」，見李氏《音鑒》)。而《聲類》編於李登(魏李登撰《聲類》十篇)，《韻集》成於呂靜(晉呂靜因《聲類》而撰《韻集》，始有韻書之稱)，以累萬之字，配五聲之音(《魏書·江式傳》曰：「靜作《韻集》五卷，宮商角徵羽，各爲一篇。」唐封演《聞見記》曰：「魏李登撰《聲類》十卷，凡一萬一千五百二十字，以五聲命字。」是五聲之分，始於李、呂，在齊、梁之前)，尋聲推韻，自此始矣。

又 及齊、梁之間，文士輩出，盛解音律，始制四聲(《南齊書·陸厥傳》曰：「汝南周顒，善識音韻，沈約、謝朓、王融，文皆用宮商，以平上去入爲四聲，以此制韻，不可增減，世呼爲永明體。」《梁書·沈約傳》云：「撰《四聲譜》，以爲在昔詞人，累千載而不悟。高祖嘗問周舍曰：『何謂四聲？』舍曰：『天子聖哲是也。』然帝竟不遵用。」封演《聞見記》曰：「周顒好爲體語，因此切字皆有紐，紐有平上去入之異，永明中，沈約文詞精拔，善解音律，遂撰《四聲譜》。」案沈氏之書一卷，見於《隋書·經籍志》，此後則言者愈衆矣)，雖仄韻知區去入(顧亭林《音論》曰：「今考江左之文，自梁天監以前，多以去入二聲通用，以後則若有界限，絕不相通，是知四聲之論，起於永明，而定於梁、陳之間也」)，而平音未判陰陽(考約等只言平上去入，而未分陰平陽平，故只言四聲，而不言五聲也)。然諸家之文，善識聲韻，五字之中，音韻悉異；兩句之內，角徵不同(以上見《南齊書·陸厥傳》。鄒漢勛《五韻論》曰：「五字之中，音韻悉異者，音目同紐，韻謂同類，言五字詩一句之中，非正用重言連語，不得復用同韻同音之字，犯之卽爲病；兩句之內，角徵不同者，考五聲大小之次，宮爲大，商角次之，徵羽又次之。平聲本有陰陽四聲，本於五音，咸出於自然，稍知呼吸文字，卽能辨之。」又云：「宮商猶言平仄，爲文皆用宮商，猶言爲文皆用平仄，兩句之內，角徵不同，猶言兩句住句之字，一平一仄耳。」又「案《文心雕龍·聲律》篇云：『凡聲有飛沉，響有高下，雙聲隔字而每舛，疊韻雜句而必睽。』此亦『五字之中，音韻悉異，兩句之內，角徵不同』之證，足徵南朝文士，其論文章之聲病，固不減於沈隱侯也。」此論最精)。又謂前有浮聲，後須切響，律呂各適物宜，低昂奚容舛節，一簡之內，音韻盡殊，偶語之中，輕重悉異(沈約《宋書·謝靈運傳論》曰：「夫五色相宜，八音協暢，由於玄黃律呂，各適物宜，欲使宮羽相變，低昂舛

節，若前有浮聲，則後須切響，一簡之內，音韻盡殊，兩句之中，輕重悉異。妙達此旨，始可言文。」阮芸臺作《文韻説》，亦引此語爲證。案此語亦精，所謂「前有浮聲」者，卽平韻也，所謂「後須切響」者，卽仄韻也，此亦文分平仄之證）。蓋叶韻貴調，必同聲相應；而摛辭貴偶，必異音相從。是猶簫管之音，首貴克諧；而琴瑟之音，不可專一。特語末韻詞，有譜可憑；句內聲病，涉筆易犯。故往往閲之斐然，而誦之拗格。推其失致，厥有二因：一則以拗詞自矜，致聲失其節；一則以連語相貫，致音涉於同（連語者，卽一語之中多用雙聲及疊韻之各字也）。故宣之於口，或音涉鈎輈，若繩之以文，則體乖排偶。此則彦和所謂「作韻甚易，選和至難」者矣（見《文心雕龍・聲律》篇）。

又　隋、唐之際，韻學日精，易四聲爲五音（齊、梁之間，僅以平上去入爲四聲，而平聲未分陰陽，然《隋書・經籍志》云：「梁有《五音韻》一卷。」五音之説，亦發明於六朝，特唐人始分陰陽爲二），合衆字爲一韻（如《廣韻》、《唐韻》諸書是，是爲韻書之祖）；審聲有唇舌喉齒之殊（《玉篇》末附《五音聲論》云：「東方喉聲，西方舌聲，南方齒聲，北方唇聲，中央牙聲。」《廣韻》亦曰：「唇聲清，舌聲清，齒聲，牙聲，喉聲俱濁。」《釋名》云：「天，坦也，以舌頭言之。」又「天，顯也，以舌腹言之。」又曰：「開唇言之，風，放也；合唇言之，風，氾也。」則舌聲唇聲之説，中國古籍亦有言之者矣。其説在六朝之前），合音有徵角宫商之異（《玉篇》末附《五聲論》云：「欲知商，開口張；欲知宫，舌居中；欲知角，舌縮卻；欲知徵，舌柱齒；欲知羽，撮口聚。」其説本於《管子》。鄒漢勛謂「上爲宫，陰陽平爲商角，去入爲徵羽。」引字調音，各有清濁；孫氏《唐韻》曰：「引字調音，各自有清濁」）。分類別等，咸造精微（分類者，卽同紐之字也，凡同紐之字，皆爲同類；別等者，卽同韻之字也，凡同韻之字，皆爲同等。故音韻有四等，一等洪大，二等次大，三四皆細，而四尤細，皆見江愼修《四聲清切韻》）。然音學愈明，斯文韻愈密。故陰、何詩什，遂開近體之先；徐、庾文篇，無復單行之體。賦必叶律，送迎互換其聲；文必成章，進退遞新其格。推之沈、宋之詩，音中群雅；溫、李之文，勢若轉圜。或拗韻以協聲（據趙秋谷《聲調譜》，則古詩及拗體之詩，亦必協自然之律），或激昂以競響。然調有緩急，音有抗墮，科律所設，不可誣也。

又　況唐人之詩，紹古樂府。故「朝雨渭城」，聲可裂笛；「秋風汾水」，歌以寄思。中唐以降，競尚倚聲，繁促相宣，短長互用，按律造譜，由詞制調。故聲轉于吻，則轆轤交往；辭靡于耳，亦短修互叶。觀《清平調》進于李白，樂部傳歌；《菩薩蠻》撰于飛卿，歌筵競唱。是古人辭曲，暗合樂章。及大晟設官，宫聲羽聲判其制（此北宋之事）；蒙古宅夏，南曲北曲異其音。雖曼音俳曲，未克移風；而促韻繁聲，咸能入樂：此又文韻最精之證也。

又　然欲精文韻，厥有三端：一曰撰韻。三代以上，言各異聲，音區夏、楚，韻判《雅》、《南》。況百里之內，聲有不同；千年之中，語有遞轉。然古人用韻，多與今違；係本古音，非由叶韻（吳才老于《詩經》韻之殊於後世者，皆曰叶韻，非也）。故「儀」與「阿」叶，則「儀」讀爲「我」（《詩・菁菁者莪》篇。其旁證則《洪範》「頗」與「儀」協，《管子》「磋」與「儀」協，《太玄》「頗」與「儀」協）；「下」與「滸」叶，則「下」讀爲「虎」（《詩・綿》篇。其旁證則《楚詞》「舞」與「下」協，「處」與「下」協，「渚」與「下」協）。「筵」音叶「秩」（《賓之初筵》篇），故「山」可叶「歸」（《東山》篇）；「今」音叶「茲」（《載芟》篇），故「塵」可叶「底」（《無將大車》篇）。又「閉」讀爲「鱉」，則潘、顔之作可征；「謳」讀爲「獄」，則曹、陸之詞可據。「岳」讀爲「獄」，則陸與司馬相符；「袂」讀爲「決」，則沈與江淹相合。及雙聲互轉，致古韻多淪（古韻之轉爲今韻，其故悉由雙聲，見《小學發微》）。後世韻書既設，通叶亦寬，然選韻必取同紐，作文必用今音。若昌黎之詩，以「城」叶「江」，杜牧之曲，以「信」叶「深」，姜夔以「陰」叶「雲」，陸游以「寄」叶「水」，或數韻通叶，或四聲失調，則又用韻之失矣。又古人作文，多用方音，《公羊》侈用齊言，《離騷》亦征楚語。雖律以雅言，韻訛實甚；然施之鄉國，音讀易諧。故徵之古昔，楚臣以土風協樂；驗之近代，宋人以里語入詞。特處封建之朝，則《國風》可齊《雅》、《頌》；値同文之世，則訛音甚于枘方。方音之用，詎免鄙倍之譏乎！二曰發音。文以代言，取肖神理。上古立言，罕用助語，欲傳語尾之餘音，則擇實詞爲虛用。故出言之際，軒輊異情，虛字一乖，判于燕越。一字之失，一句爲之蹉跎；一句之誤，通篇爲之梗塞。然實字必徵其義，虛詞必聆其音：故「只」爲語已之詞，用「只」則文氣下引（《説文》只字下云：「語已詞也，從口，象氣下引之形也」）；「乎」爲語餘之助，用「乎」則文聲上揚（《説文》乎字下云：「語之餘也，從兮，象聲上越揚之形也」）。「曰」、「曶」二字，咸爲出氣之詞（《説文》

「曰」字下云：「象口氣出也。」「曶」字下云：「出氣詞」）；「之」、「其」兩字，亦屬代詞之例。且「則」字「乃」字，同爲轉下之文，而意分緩急；「也」字、「耶」字，同爲終竟之詞，而語判信疑。義各有歸，淆用斯舛。若夫《周詩》以「伊」字爲起詞，《楚騷》以「羌」字爲轉語，《書》紀《皋謨》，則「事」字居言詞之間，《孟》論勇士，則「施」字爲發語之聲，使作者偶缺其文，則誦者不能成韻。又如「遑暇」重言，「庸何」幷列，「期期」象口吃之聲，「耳耳」表不然之意，雖施諸縑墨，係屬費詞，然傳其聲貌，非此莫由。故詞氣之說，創于曾氏，而《音辭》之篇，著于之推，蓋頓挫異致，斯咏嘆殊情。至若「且」字用于《鄭詩》，「些」字見于《楚詞》，是猶元曲助字，純用方言。然助言偶舛，則餘韻失傳，釋詞之學，豈可忽乎？三曰選字。文字不同，各如其面，字各有音，施之或異。兩字相聯，或音判剛柔；兩義相符，或用分雅俗。故黄沙白草，發爲粗厲之音；海水天風，恍睹寂寥之境。銘功誦烈，其音大而宏；範水模山，其音清以遠。美人香草，其音婉轉而彌長；玉宇瓊樓，其音慷慨而激越。雜綺語則音多柔靡，誦軍歌則音入渾雄。文韻異同，各視其體。觀《甘泉》、《籍田》之篇，齋肅麗則；《長門》、《洛神》之作，哀怨清冷。《感舊》、《嘆逝》，乃《山鬼》之遺音；《西征》、《北征》，亦《涉江》之遺響。《九歌》懷楚，幽杳悲涼；《七發》諫吳，浩瀚清壯。蓋配字殊科，則吐詞異響。是以表章之文，雍容而叙致；碑誄之筆，悽愴而纏綿。書啓之作，必朗暢以陳詞；頌贊之篇，必琳琅而入誦。論說擅縱横之筆，詞必類于蘇、張；箴銘以清壯爲工，聲必諧乎金奏。言如綸綍，乃詔冊之正宗；音涉哀思，乃賦騷之變體。其故何哉？則用字不同之故也。況復應制之文，多黄鐘、大呂之音；吊古之篇，傳《麥秀》、《黍離》之怨。賦物之篇，響逸而調遠；逞詞之作，鋒發而韻流。作者集字以成章，誦者循聲而得貌。此朱氏所由作《駢雅》，宋人所由輯《漢雋》也。綜斯三義，方可言文。或謂四聲乃古代所傳，五音特樂歌所用，文韻之說，近于拘牽。夫膠柱鼓瑟，刻舟求劍，以此言音，誠爲背古。然古人佩玉，行《肆夏》而奏《采齊》，伶工譜歌，上如抗而下如墜，小技猶然，況于文乎？是以宣尼聞樂，洋洋乎盈耳；師乙論音，累累如貫珠。推之曳履歌商，聲若出于金石；歙爾息蠟，音並合于籥章（見《周禮》）。是則論樂之理，通于論文，和聲之章，斯能鳴盛。觀史遷論文，自取曲終而奏雅；昌黎詮道，亦謂氣盛則言宜。妙達此旨，方可言文。昔梁元帝之論文也，謂「宮徵靡曼，唇吻適會」（見《金樓子·立言》篇。又曰：「吟咏風雅，流連哀思，斯謂之文。」以證文筆之殊），劉彦和《文心雕龍》，亦曰「聲不失序，音以律文」（近世之書，若趙秋谷《聲調譜》，蔣氏《詞律》，以及阮芸臺《文韻說》，皆講文韻者必讀之書也），欲求立言之工，曷以此語爲法乎（古人之文，其可誦者文也，其不可誦者筆也，文筆不同，亦見阮氏《揅經室集》）。

結構

劉勰《文心雕龍·附會》 何謂附會？謂總文理，統首尾，定與奪，合涯際，彌綸一篇，使雜而不越者也。若築室之須基構，裁衣之待縫緝矣。夫才量學文，宜正體製：必以情志爲神明，事義爲骨髓，辭采爲肌膚，宮商爲聲氣，然後品藻玄黄，摛振金玉，獻可替否，以裁厥中。斯綴思之恆數也。凡大體文章，類多枝派，整派者依源，理枝者循幹，是以附辭會義，務總綱領，驅萬塗於同歸，貞百慮於一致。使衆理雖繁，而無倒置之乖；群言雖多，而無棼絲之亂。扶陽而出條，順陰而藏跡，首尾周密，表裏一體，此附會之術也。夫畫者謹髮而易貌，射者儀毫而失牆，銳精細巧，必疎體統。故宜詘寸以信尺，枉尺以直尋，棄偏善之巧，學具美之績，此命篇之經略也。夫文變多方，意見浮雜，約則義孤，博則辭叛，率故多尤，需爲事賊。且才分不同，思緒各異，或製首以通尾，或尺接以寸附，然通製者蓋寡，接附者甚衆。若統緒失宗，辭味必亂，義脈不流，則偏枯文體。夫能懸識湊理，然後節文自會，如膠之粘木，豆之合黄矣。是以駟牡異力，而六轡如琴；並駕齊驅，而一轂統輻；馭文之法，有似於此。去留隨心，修短在手，齊其步驟，總轡而已。故善附者異旨如肝膽，拙會者同音如胡越，改章難於造篇，易字艱於代句，此已然之驗也。昔張湯擬奏而再卻，虞松草表而屢譴，並理事之不明，而詞旨之失調也。及倪寬更草，鍾會易字，而漢武歎奇，晉景稱善者，乃理得而事明，心敏而辭當也。以此而觀，則知附會巧拙，相去遠哉！若夫絶筆斷章，譬乘舟之振楫；會詞切理，如引轡以揮鞭。克終底績，寄深寫遠。若首唱榮華，而媵句憔悴，則遺勢鬱湮，餘風不暢。此《周易》所謂臀無膚，其行次且也。惟首尾相援，則附會之體，固亦無以加於此矣。贊曰：篇統間關，情數稠疊。原始要終，疎條布葉。道味相附，懸緒自接。如樂之和，心

聲克協。

佚名《文筆式・論體》 凡作文之道，構思爲先。亟將用心，不可偏執。何者？篇章之内，事義甚弘，雖一言或通，而衆理須會。若得于此而失于彼，合于初而離于末，雖言之麗，固無所用之。故將發思之時，先須惟諸事物，合于此者。既得所求，然後定其體分。必使一篇之内，文義得成；一章之間，事理可結。通人用思，方得爲之。大略而論，建其首，則思下辭而可承；陳其末，則尋上義不相犯；舉其中，則先後須相附依，此其大指也。若文繫于韻者，則量其韻之少多。若事不周圓，功必疏闕。與其終將致患，不若易之于初。然參會事情，推校聲律，動成病累，難悉安穩。如其理無配偶，音相犯忤，三思不得，足以改張。或有文人，昧于機變，以一言可取，殷勤戀之，勞于用心，終是棄日。若斯之輩，亦膠柱之義也。又文思之來，苦多紛雜，應機立斷，須定一途。若空勸品量，不能取捨，心非其決，功必難成。然文無定方，思密通變，下可易之于上，前得回之于後。研尋吟咏，足以安之；守而不逡，則多不合矣。然心或蔽通，思時鈍利，來不可遏，去不可留。若也情性煩勞，事由寂寞，强自催逼，徒成辛苦，不若韜翰屏筆，以須後圖，待心慮更澄，方事連緝。非止作文之至術，抑亦養生之大方耳。

又《定位》 凡制於文，先布其位，猶夫行陣之有次，階梯之有依也。先看將作之文，體有大小。又看所爲之事，理或多少。體大而理多者，定制宜弘；體小而理少者，置辭必局。須以此意，用意準之。隨所作文，量爲限定；既以定限，次乃分位；位之所據，義别爲科；衆義相因，厥功乃就。故須以心揆事，以事配辭。總取一篇之理，折成衆科之義。其爲用也，有四術焉：一者分理務周，二者叙事以次，三者義須相接，四者勢必相依。理失周，則繁約互舛；事非次，則先後成亂；義不相接，則文體中絶；勢不相依，則諷讀爲阻。若斯並文章所尤忌也。故自於首句，迄於終篇，科位雖分，文體終合。理貴於圓備，言資於順序，使上下符契，先後彌縫。擇言者不覺其孤，尋理者不見其隙，始其宏耳。又文之大者，藉引而申之；文之小者，在限而合之。申之則繁，合之則約。善申者，雖繁不得而減；善合者，雖約不可而增。皆在於義得理通，理相稱愜故也。若使申而越其義，合而遺其理，疎穢之起，實在於茲。此固文人所宜用意。或有作者，情非通晤，不分先後之位，不定上下之倫，苟出胸懷，便上翰墨，假相聚合，無所附依，事空致於混淆，辭終成於隙碎。斯人之輩，吾無所裁矣。

又 篇既連位而合，位亦累句而成。然句無定方，或長或短。長有逾於十，如陸機《文賦》云：「沈辭怫悦，若遊魚銜鉤而出重淵之深；浮藻聯翩，若翰鳥纓繳而墜曾雲之峻。」短有極於二，如王褒《聖主得賢臣頌》云：「翼乎，若鴻毛之順風；沛乎，若巨鱗之縱壑。」在於其内，固無待稱矣。然句既有異，聲亦互舛，句長聲彌緩，句短聲彌促，施於文筆，須參用焉。就而品之，七言已去，傷於大緩；三言已還，失於至促。準可以間其文勢，時時有之。至於四言，最爲平正，詞章之内，在用宜多。凡所結言，必據之爲述。至若隨之於文，合帶而以相參，則五言、六言，又其次也。至如欲其安穩，須憑諷讀，事歸臨斷，難用辭窮。

李流謙《得通鑑一綱目一發明管見各一歡忭而書》 文章雖有義理，苟無綱紀條貫，終不免錯雜厖亂，讀之使人厭倦茫昧，卒不見夫正道大路之歸向，京師都會之止泊。

魏天應編，林子長箋解《論學繩尺・論訣》 全篇總論：論頭恰似初狀，題有是處，有不意處，當且含洪説，不可説太盡，不可説太直，不可説太泛，亦不可太拘。題下或本意起，或用證起，或辨難起，或連論頭便徑説去。本意起，貴乎轉换，不要重複；用證起，貴乎的切，不要牽强，不可叢雜；辨難起，貴乎是當，不可泛講，連論頭下徑説去，貴乎有議論，不可率略。論腹接乎題下之間，此乃要眼所在，過度處在此，引上生下入末意處，不要勾得做段，一節高一節，自然有末意，上也。

又 論頭：論頭乃一篇綱領，破題又論頭綱領，兩三句間要括一篇意。承題要開闊，欲養下文，漸下莫説盡爲佳，欲抑先揚，欲揚先抑，最嫌直致無委曲。講題舉題，只有詳略兩體，前面意説盡，則舉題當略；前面説未盡，則舉題當詳。繳結收拾處，要緊切，前後相照。

又 論項：題下多有體，先看主意如何，卻生一議論起來。或行數句淡文，或立意用事起，或設疑反難起。要之，初學發軔設疑爲易，後用事證佐則不枯。

又 論心：如漢唐君臣論，以帝王君臣作權衡。如荀揚論以孔孟作權衡，如帝王論用天地譬喻等形容。

又 論腹：鋪叙要豐贍，最怕文字直致無委曲，欲抑則先揚，欲揚則先

抑，中間反覆，惟意所之。大概初入須是要寬緩，結殺處要得緊而又緊。

又 論腰：變態極多，大凡轉一轉，發盡本題餘意。或譬喻，或經句，或借反意相形，或立說斷題，如平洋寸草中突出一小峯，則聳人耳目。到此處文字，要得蒼而徤，聳而新。若有腹無腰，竟轉尾，則文字直了，殊覺意味淺促。

又 論尾：如第八韻賦相似。賦末韻多有警語，如俳優散場相似，前輩所謂打猛渾出，却打猛渾入。或先褒後貶，或先抑後揚，或短中求長，或衆中拈一，或以冷語結，或以經句結，但末稍文字最嫌軟弱，更須百丈竿頭復進一步(林之起嘗曰：論者，卵也。或者則曰：不過要圓子，謂命題似黃，立意似清，行文似幕，造語似殼，意要包題，文要涵意，語要藏文，故黃在清裏，清在幕裏，幕在殼裏。向無爾多包裹，則不成卵，何有於圓。陳國俊曰：(南渡前人)論似卵，卵本圓，故論亦要圓。圓則有首尾，題似黃，黃本濁，濁則不冷淡；清本清，故意亦要清，清則不混雜；幕薄而微見其清，故文亦要薄而微，見其意而不晦焉。殼硬而外護其幕，故語亦要雄徤，而外護其文，則不至於委靡而衰薾焉)。

又 諸先輩論行文法：厚齋馮公(椅)論一篇之體：「鼠頭欲精而銳，豕項欲肥而縮，牛腹欲肥而大，蜂尾欲尖而峭。」又云：「論題有問人物優劣者，若必與之辨優劣，則其說難得出倫。又有置優劣於不足辨而別立一議論者，如徐邦憲公卿賢良文學之議孰優，陸唐老開元輔佐孰賢論是也。此格最高。」又云：「破題貴簡而切當，含蓄而不晦。一句兩句破者，上也；其次三句，又其次四句者，漸爲不得已。破題上所用字，皆是一篇之骨，無虛下者，後面亦須照應。」又云：「破題上當只用題目上字者，須就用，不須外求字代之。蓋其字，自是一題之主，若別求字代，非惟難得適用，亦緣破題之後，又不可不用題上主字者，又要回顧破題字，則自有妨筆處。」又云：「破題以下數句極難，最要明快，轉得怕緩，緩便喫力，言幾句要着工，這裏不起人意便費力。承題最要起時提掇得是，若是時，後面自不費力，這裏差了，便一向費力。」又云：「小講處最怕緊，怕繁絮，最要徑捷去得快，却不得苟簡，不可失之直。又怕幾句疊排文字，每結句之乎者也，要照前後，不可重了。小講中又怕意思頭項多，便爲他累，纔到中間，旋旋入其他意來者，便喫力。要知利害，可節則節，可總則總。小講中且要斟酌詳略，恐是實事題便要入題，最忌前後重複。或前面已詳，則入題處便得省文法；或未詳，則入題處却不可略。」又云：「冒頭於破題上，不曾用得題目上字，則於一兩行後必着入，又却不可驟，若驟，則又圭角須漸漸引入，方渾融。若不來中間入，則須就承題直上，主意亦然。破上未見，則承後漸漸轉入可也。冒子中自破而下纔數句，或一二行、三四行便入題者，須斟酌，蓋是題目恐有難說者，亦有當叙源流者，則承後略包幾句，便與他入題。然只是史題如此。冒子布置，便是講題規模，又忌有重複語意。冒子中語，最忌圭角，忌重滯，最宜渾融，宜輕峭，宜清快。」又云：「冒頭貴簡勁明切，圓活警策，不喫力，不費辭，不迂。」

李石《答遂寧傅燮秀才書》 文章先立機杼。機杼不立，而欲組織成文章，亦良難矣。

程端禮《讀書分年日程》卷二 讀韓文：自熟讀一篇或兩篇，亦須百徧成誦，緣一生靠此爲作文骨子故也。既讀之後，須反覆詳看，每篇先看主意，以識一篇之綱領。次看其叙述，抑揚輕重，運意轉換，演證開闔，關鍵首腹，結末詳略，淺深次序，既於大段中看篇法，又於大段中分小段看章法，又於章法中看句法，句法中看字法，則作者之心不能逃矣。譬之於樹，通看則繇根至表，幹生枝，枝生華，葉大小次第相生，而爲樹。又折一幹一枝看，則又皆各自有枝幹華葉，猶一樹然，未嘗毫髮雜亂，此可以識文法矣。看他文，皆當如此看，久之自會得法。今日學文能如此看，則他日作文能如此作，亦自能如此改矣。然又當知有法而無法，無法而有法。有法者，篇篇皆有法也；無法者，篇篇法各不同也。所以然者，如化工賦物，皆自然而然，非區區模擬所致。有意於爲文，已落第二義。在我經史熟析理精，有學有識有才，又能集義以養氣，是皆有以爲文章之根本矣。不作則已，作則沛然矣。第以欲求其言語之工，不得不如此讀看耳，非曰止步驟此而能作文也。果能如此工程讀書，將見突過退之，何止肩之而已。且如朱子或問及集中文字，皆是用歐、曾法，試看歐、曾，曾有朱子議論否？此非妄言，若能如此讀書，則是學天下第一等學，作天下第一等文，爲天下第一等人，在我而已，未易與俗子言也。自此看他文，欲識文體有許多樣耳，此至末事一看足矣，不必讀也。

陳繹曾《文筌·古文譜四》 製：一、體段：起，貴明切如人之有眉

目；承，貴疏通如人之有咽喉；鋪，貴詳悉如人之有心胸；叙，貴轉折如人之有腹臟；過，貴重實如人之有腰膂；結，貴緊快如人之有手足。右六節大小，諸文體中皆用之。然或用其二，或用其三，四不可以，至於五、六、七可隨宜增減，有則用之，無則已之，若強佈擺，即入時文境界矣。其間起結二字，則必不可無者也。起結二法在作文家最爲難事，須將韓、柳二家諸體文字摘出起結，觀其變化手段，當自得之，非可言傳也。二、體式：叙事、叙事、叙言；記事、記事、記言；議論、論事、論理；辭令、應辭、問對。三、體製：製法九十字，【略】收潤法十字，連上製法共一百字。【略】右一百字作文活法，變化之妙盡在是矣。此譜不可以言傳，而可以心得，當於先輩作文時觀其用處而點識，所謂千學不如一見者也。

倪士毅《作義要訣序》　按宋初因唐制，取士試詩、賦（省題詩及八韻律賦）。至神宗朝，王安石爲相，熙寧四年辛亥，議更科舉法，罷詩、賦，以經義、論策試士，各專治《詩》、《書》、《易》、《周禮》、《禮記》一經，此經義之始也。宋之盛時，如張公才叔自靖義，正今日作經義者所當以爲標準。至宋季，則其篇甚長，有定格律。首有破題，破題之下有接題（接題第一接或二、三句或四句，下反接，亦有正說而不反說者），有小講（小講後有引入題語，有小講上段，上段畢有過段語，然後有下段），有繳結。以上謂之冒子，然後入官題。官題之下，有原題（原題有起語、應語、結語，然後有正段，或又有反段，次有結繳），有大講（有上段，有過段，有下段），有餘意（亦曰從講），有原經，有結尾，篇篇按此次序。其文多拘於捉對，大抵冗長繁複可厭，宜今日又變更之。今之經義，不拘格律，然亦當分冒題、原題、講題、結題四段。愚往年見宏齋曹公《宋季書義說》，嘗取其可用於今日者摘錄之，茲又見南塘謝氏、臨川章氏及諸家之說，遂重加編輯，條具於左，以便初學云。

又《作義要訣》〔原題〕宏齋曹氏曰：「原題之體，其文當圓，其體當似論。前輩考校，多於題下看人筆端，須是見識高，看文字多，方於此有議論。慷慨之體，中間最不要露圭角，又不要作成段對文，只要參差呼喚，圓轉可觀，大抵是喚起之後，便應一應，結一結，然後正一段，反一段，又總繳結，此爲正體。其反說者，不必多，比正段宜減大半。又或有於正段後復作一段，或是引事，或是譬喻，如此議論，竟不必作反段亦可也。」〔講題〕愚按：舊義必有餘意及考經。今日固不拘此，然遇可用處，亦宜用之，但不必拘泥耳。宏齋論「餘意」「原經」二條，摘錄于後。變而通之，存乎其人。若用亦祇數句點綴足矣，不可失之太多也。

又　宏齋曹氏曰：「所謂餘意，乃是本題主意外，尚有未盡之意，則於此發之。須是意新，又不背主意，仍於主意有情，乃可這箇有數樣。本意所輕者，於此卻微與提起；本題頭緒多者，此處與貫而一之；本意作兩併不相關者，此處與發明之；本意有自本至效者，此又翻轉來言之。若只是本題意，又來說作一片，全無些斡運，則徒勞耳。」

又　又曰：「當初所以有原經者，須是說這箇題目其來歷次第如何，或是誰人做底事，他這事是如何，或是誰人說底話，他這話是如何，要推尋來因究竟，下梢結煞，方謂之原經也。第一要認他先後次序，倫理分曉，及提得箇血脈端正，然後擺布做來。且如大槩稱頌事實之題，當旁引事實，來證主意，分輕重呼喚，方引入本題，更自與他照應議論，然後結之。此格甚平正，初無難也。若是告戒之題，須要認他先後次序，如《太甲》上、中、下三篇，及《一德》之書，《盤庚》上、中、下三篇，周家《大誥》、《東征》、《召誥》、《營洛》、《多士》，遷商民，這箇先後之次截然，最要鋪擺仔細。又不但篇目次第，只一段中亦要分次第，不可截斷。如本題係是在前，則起頭宜作議論一喚，喚動卽就題目說來，便就此解他正意，這回方纔迤邐轉去，尋後面事使去。云不特此爾，後面又作如此說，下梢又是如何，卻於本題後引來，擁從而結之，此一體也。如本題係是在後，則當起頭逐一原去其初是如何，中間又如何，乃引入本題，卻作一小片議論而結之，又一體也。引事不在多，只要精切。或得一句最切，只就此一句。發明全靠善於斡運耳。凡引事寧可眞而少，不可多而雜，最要識此意。要知大槩起頭多是引證，中間便當喚出出處，然後便當解意分曉結之。此又大槩原經之法也。」

又　〔結題〕宏齋曹氏曰：「結尾亦要識體格，不但用事證題而已。若本題係有大節目事體，則宜就此究竟到實結裏處結之，此爲議論到底，是一格也。本題用經句主張有來歷者，宜於結尾喚起出處，狀得分曉，此有根據，有首尾文字，是一格也。此外又有定格。說唐虞治體，宜以成王對之；說盤庚遷亳事，宜以周家化商事證之；皇極之說，宜以聖門事證之；二《典》三《謨》亦然。湯武征伐，宜相照證；周召告歸，可互參考；三后化商，皆要

相串。最宜識此意，其他方可泛引事證耳。又或本題中實有議論未盡，而道理實有當發揮者，又當作一段議論，不必用事，亦可也。引事之體，既引狀本題後，又須更喚一喚，以己意慷慨議論，斷制主意，教他響朗，然後結之。此可以見人筆力，宜耐心加工也。」

李夢陽《再與何氏書》 古人之作，其法雖多端，大抵前疏者後必密，半闊者半必細，一實者必一虛，疊景者意必二，此予之所謂法，圓規而方矩者也。沈約亦云：「若前有浮聲，則後須切響。一簡之內，音韻盡殊；兩句之中，輕重悉異。」卽如人身，以魄載魂，生有此體，卽有此法也。詩云：「有物有則。」故曹、劉、阮、陸、李、杜能用之而不能異，能異之而不能不同。今人止見其異，而不見其同，宜其謂守法者爲影子，而支離失眞者，以舍筏登岸自寬也。夫文與字一也，今人模臨古帖，卽太似不嫌，反曰能書，何獨至於文，而欲自立一門戶耶？自立一門戶，必如陶之不冶，冶之不匠，如孔之不墨，墨之不楊耶！此亦足以類推矣。且仲默《神女賦》、《帝妃篇》「南遊日」、「北上年」四句接用，古有此法乎？「水亭菡萏，風殿薜蘿」，意不一乎？蓋君詩徒知神情會處下筆成章爲高，而不知高而不法，其勢如搏巨蛇，駕風螭，步驟卽奇，不足訓也。

茅坤《文訣五條訓縉兒輩》 二曰布勢。勢者，一篇之起伏呼應、虛實、開闔大段處。勢欲其輕以揚，無令重滯；欲其疏以暢，無令窘澀；欲其雄以偉，無令單弱；欲其婉以遒，無令麤厲。令人讀之如雲之出岫，泉之下峽，而飄飄乎群仙之淩波以過斯，則文之善也。

朱荃宰《文通》卷二〇《編次》 《尚書》記言，《春秋》記事，以日月爲遠近，年世爲前後，鴈行魚貫，皎然可尋。至馬遷始錯綜爲篇，區分類聚。班固踵武，其間統體不一，名目相違，朱紫混淆，冠履顚倒。列傳所編，惟人而已。龜策異物，輒同黔首，不其怪乎？且所記全爲志體，若與八書齊列，庶幾得其儕焉。孟堅一姓一傳，多出附餘。其事跡尤異者，則分入它部。故博陸、去病，昆弟異篇，外戚元后，婦姑分錄。至如元王受封於楚，至孫戊而亡，獨載一卷者，實由向、歆之助耳。但交封漢始，地啓列藩，向居劉末，職才卿士，昭穆既疎，家國又別。適使分楚王子孫於高惠之世，與夫荆代並編；析劉向父子於元成之間，與王京共列。方於諸傳，不亦類乎？又自古王室雖微，天命未改，故臺名逃債，尙曰周王，君未繫頸，且云秦國。況神璽在握，火德猶存。而居攝建年，不編《平紀》之末；孺子主祭，咸書《莽傳》之中，遂令漢餘數歲湮沒無睹。求之正朔，不亦厚誣。當漢之中興也，更始升壇改元。寒暑三易，作者乃抑聖公於傳內，登文叔於紀首，事等躋僖，位先不窋，蓋逐兔爭捷，瞻烏靡定。是以陳勝、項籍，見編於高祖之後；隗囂、孫述，不列於光武之前。而陳壽《蜀書》首標二牧，次列先主，以繼焉璋。豈以蜀僞不遵恆例乎？《春秋》嗣子諒闇未踰年，而廢者既不成君，故不別加篇目。是以魯公十二，惡視不預，子嬰昌邑，因胡亥而得記，附孝昭而獲聞。而吳均《齊春秋》，乃以鬱林爲記，事不師古，其滋章之甚與！載觀《齊》、《隋》兩史，東昏猶在，而遽列和年；煬帝未終，而已編《恭紀》。苟欲取悅當代，遂乃輕侮前朝。行之一時，庶叶權道；播之千載，未爲格言。

袁黃《游藝塾續文規》卷二《鹿門茅先生論文·布勢》 勢者，一篇呼吸之概也。大將提百萬之兵以合戰，其要祇在得勢。得勢者，百戰百勝。學者爲文亦然。故予嘗讀《史記》，至項羽之救鉅鹿，其所引軍渡河，破竈沉舟，持三日粮，示卒無生還意已。而人皆死戰，無不一當百，呼聲動天地，諸侯旁觀者十餘壁，人人惴恐，卒之覆秦而霸諸侯者羽。能呼吸三軍之氣以馳驟之，其勢也。他如光武昆陽之戰，周瑜赤壁之戰，謝玄淝水之戰，皆然。大略善將兵者，操百萬之兵如左右手；善爲文者，累數千百言如探喉而出。舉業亦然。得其勢，則相題沿情，如風之掣雲，泉之出峽。蘇文忠所謂「行乎其所不得不行，止乎其所不得不止」是也。不得其勢，則語意窘澀，扣之不成聲矣。

又《文要布置》 文章最要相生次序，如先虛後實，先略後詳，此其常也。亦有先實後虛，先詳後略者，則其變也。知此布置，則文有起伏，有首尾輕重徐疾，各得其所，觀者不厭。

又《文要開闔》 一篇中自有開闔，一股中自有開闔。如欲抑先揚，欲揚先抑，正題先反，反題先正，皆是也。

又《文要照應》 照應則文字謹嚴，不至汗漫而不可收拾。然有起繳照應者，有前後照應者，有一股中自照應者，在人善用之耳。

又《文要詠嘆》 詠嘆文法，多施于先術。先詳之文以意盡，而若未盡，故再申數以詠嘆之，則文有餘波，不至索然無味。有一二句冷語詠嘆者，有五六句雄語詠嘆者，有流水聯詠嘆者，有兩實股詠嘆者，隨題而用不可執。

又《論開講》 開講語不貴多。若檃括題旨而不傷于露，寬說事理而不傷

于浮，則善矣。

又《論股法》有輕叙，有重發，有照應，有賓主，有反覆，有疑問，有流水，有推說，有鎖上，有起下，有轉換，有操縱，有一層上一層。

又《論過文》要力量便捷，使人醒目。要識一篇筋骨字眼，勿以巧辭害意。

又《論小結》要精神收拾，不要有閒語，大抵多與起講相照應。

又《論大結》要議論識見，不要有套語，要蒼老簡當，不要有浮辭。如古文結繳處，發篇中未盡之餘思，透題外無窮之溢意，必有精神聚會可爲成法者。潛心玩之，自領其妙訣。自有文字以來，荆川大結最妙，可以爲法。人嘗謂古今文不相及，攻于古者必不宜于今。余以爲凡不宜于今者，皆得古之皮肉眉髮耳。若會識其精神，師其意不泥其迹，則何施而不可哉？故余所論多以古文爲則，觀者愼勿疑其泥古而不通也。

又《徵弦徐先生論文・破題》破題者，破說題意。先將題意融會于心，卻作一句，或兩句破盡。如一章看重在某節，一節看重在某句，一句看重在某字。妙在一言破盡。命題主意，如剖物而見其中之所有也。若專以字破字，殊爲淺近可笑。

又《破承》承者，接也。因破義渾融不得，揷出題目，故將破中緊要字樣捏住一兩箇，緊緊接下來。或正破，則反承；反破，則正承；順破，則逆承；逆破，則順承。不過三兩說最要明快斬截，如龍之抱珠而不脫，固不可纏繞，亦不可使破自破，承自承方是。

又《小講》凡自破至承，皆就己意說題意。故用聖人賢者字是，我輩稱之也。起講以下，既用「若曰」、「謂夫」等字，便是我替聖賢說話了。聖人賢者字，一箇用不得。我替聖賢說話，必設以身處聖賢之地，而察其心，想像這一章書爲甚的說，初時怎麼開口。有上文則本上文來說，無上文則會本章本節本句意思。渾渾作一頭以爲大講章本，或對句散句皆可。務要立意超脫，句法高古，其轉入題處，最要精細輕巧，忌纏繞費力。又有用己意斷起者，劈頭但用「且自」、「今夫」等語，而無「若曰」字。此格多是問答題。及長題用之，初學未易以筆舌語也。大凡起語固不可浮泛不切，亦不可說殺題意，有礙大講。妙在舒徐謹飭，乃文章喉舌，操觚第一機軸也。

又《大講》凡大講貴定間架，如木匠蓋房，先選好料，定下孰爲前柱，孰爲後簷，孰爲短柱。間架既定，裝修不難矣。文中分股主意，譬則間架也；措詞塡實，譬則裝修也。先把題意認眞，孰輕孰重，立定間架，然後組織成文，自不費力。然立柱嘗前虛後實，一步進一步，方有層叠。若前面實語占盡，後面空談無味，不惟主司見其單弱沒氣，作時亦自覺窘澀難成矣。且講中切忌套語，須要脫胎換骨，如前輩作《四皓論》曰：「留侯所假借者，取其不瑱瑱于時。」套也。若文字內有腐而套者，有奇而亦套者，腐套無庸論矣。即如昆湖「服休服來」等語，星橋「猶天猶親」等語，自二公創說便奇，再說便套矣。譬之奕者，一局一新，不著陳迹，作者將求之胸中乎？將求之紙上乎？

又《過文》過文乃文章命脈所係。前半篇意賴此收成，後半篇賴此提起。或散或對，最要存想。精到渾成，員活聯絡有情。若此處氣脈不接，雖前後文如錦繡，只似平中剪斷，不能成用者也。

又《首二比》首二比，正文章初入講處。貴虛而不貴實，貴短而不貴長。然虛不可迂遠，短不可局促，開口便要見題旨，而又不可說盡。須有含蓄，有蘊藉，而又爽快不滯，則思過半矣。

又《三四比》文至三四比，漸說開了。或架虛意，或立實柱，須精確切題。敷敷暢暢，固不可小家數樣。然亦當少帶些含蓄，略留些氣焰，與後面作地步。若兩半篇題目，則所賴以發，前半意思全在此處，雖大放手亦不妨。

又《五六比》若全句滾作題，則第五六比，亦與三四比大同小異。但步驟愈進則氣象愈洪，惟立意與三四比不宜叠架耳。若兩半篇題則此二比，又係後半。開口處宜渾淪快辨，與首二比同。

又《七八比》一篇文字，英華多在七八比上露之。若前面文如錦繡，而至此單弱，終是虎頭蛇尾，非全才也。善作者寧可韜光斂鋭于前，至此卻以奇思粹語層見迭出，方爲作手。大抵文至終篇，氣宜長而不宜粗，理宜完而不宜雜，詞宜富麗而不宜腐冗，味宜委婉而不宜直率。至于八比既完，又當總會前文，詠嘆數句，或二小比于後，庶覺氣度從容，理趣完具，而爲大家手筆矣。

又《束題》束題因大講說開，無所統束，卻作數句以收拾上文，如物之亂而用繩以束之也。有以己意斷束者，有就聖賢口氣自言自束者。相其文勢

用之，詞意不可同起講及大講，亦不可用馬籠頭套了。束之用「吁」者，慨嘆之詞也；用「夫」字者，承上接下之詞也；「是」、「蓋」者，就本文斷案之詞也；用「是」、「知是」、「可見」、「由是觀之」者，「是」字皆指本題；而「曰知」、「曰可見」者，乃就本題中又看出一段義理，申一步説也；用「是」、「則」、「誠如是」、「夫如是」等字者，「是」字亦指本題，而「則」字以下卻打轉題目上文正意，回頭一步説也。比如作《有朋自遠方來》，束云「誠如是，則成乎己者。亦有以成乎物，得于心者，亦有以及于人矣」；「作位天地」二句，束云「至此則體道之極功，聖人之能事而性由此出道，由此立教，由此行矣。」此類多看時文，自然得之。

又《結題》 結者，結斷之意。文已説盡，又自我計斷一番，使有歸結。詞貴古而不貴麗，意貴婉而不貴直。有引證有學識固好，然不可誇多鬭靡，牽強攀扳，反覺絣拽可笑。其文中固説過的話一句不可用。故善作者固不丟題浪説，亦不在題中纏繞，只是淩空駕馭，轉折變化。如全篇説人好，如堯舜周孔聖賢不可貶，以下雖極好，亦當尋些不是處，斷他全篇。説人不好，除桀紂幽厲亂賊不可褒，其餘，雖極不好也，當尋些好處救他。至于辨理之是非，論事之同異，咸倣此，名曰死中求活。他如理學題目，極難作結。如論德則求其修德之本，與德之究竟處；論業則權其立業之原，與業之配合處。最要見人之所不能見，言人之所不能言，如老吏斷案，兩造俱服，方是作手。若徒浮詞勦説，則無取于結也。

又《靜臺杜先生論文·立格》 為文之有格式也，猶作室之有間架也。主司命題，士以為文，猶主人命材于匠以作室也。匠得所命之材，豈遽操斧斤而作之室哉？必先定其間架于圖焉，曰某處為堂，某處為廳事，某處為門樓。其高也凡幾，其廣也凡幾，其深也凡幾。某材可以為棟，某材可以為柱，某材可以為椽。蓋雖斧斤未操之先，而其間架之前後多寡，已瞭然定于圖象矣。故一舉斧斤，剋日而成室。士得所命之題，亦豈可遽操筆札而為之文哉？必先定其格式于心焉，曰此經題當為某格，其分截何在，其綱領何在，其節目何在。其始也，當提掇乎，不當提掇乎？其中也，當過接乎，不當過接乎？其終也，當繳轉乎，不當繳轉乎，當詠嘆乎，不當詠嘆乎？某兩股當略當藏，某兩股當詳當顯？語雖多，或當輕而講少；題語雖少，或當重而講多。蓋雖筆札未操之先，而其格式之繁簡斷續，已瞭然定于心胸矣。故一舉筆札，剋時而成文。或曰文之格凡幾？曰文格不可以數計也，吾姑舉其格之難而易者可推也。格之難凡幾？曰格之難，其凡有六：一曰滾格，二曰連珠格，三曰中紐格，四曰兩活扇格，五曰兩扇遙對格，六曰影喻格。其餘則不可勝計矣。有上生下格，有下承上格，有下明上格，有下原上格，有下贊上格，有上開下闔格，有上闔下開格，有上重下輕格，有上輕下重格，有上呼下應格，有輕引重釋格，有重本輕證格，有重證輕喻格，有重主輕賓格，有一頭兩脚格，有兩頭一脚格，有一頭兩腹一脚格，有一頭一項三腹一脚格，有頭虛脚實格，有三扇先奇格，有三扇先偶格。此皆格之易者，推類以盡其餘可也。知其難則易者可推也。曰六格之難何如？曰：一滾格，如明珠滾盤而不出于盤，有詳略而無斷續也。荆川先生《此謂國篇》、《由也升堂篇》、《亞飯干適楚篇》是也。大槩先提出本題，然後正講，六股足矣，不必以八股為拘也。連珠者，如一線而穿八珠，珠雖有敘，而線則相連。若斷而不斷，若續而不續，中無過接之痕也。荆川先生《可以為進乎篇》、《清斯濯纓乎篇》，可以意會也。中經格者，如對胸之衣而中用一紐，荆川先生《匹夫而有天下者篇》是也。兩活扇者如立則見其參于前二句題中，雖以立與分作兩小扇，而前面合起二小股，後面必又合詠二小股，前後圓活，不必拘定兩大扇死局也。兩扇遙對格者，前扇不作小股，惟用散文或長短句，或頂針語，或三疊文，一氣呵成，而無排偶直待後扇遙對之。荆川先生《君子喻于義篇》是也。影喻格者，如「譬如北辰」二句，題當以無為天下歸作主，而間以氏居星拱點影于其中。若鏡中之花，水中之月也。知此六格，則此外無難格，而于文也思過半矣。是故有斐君子，必以立格之為貴。

又卷五《了凡袁先生論文》 作大股當知起承轉合之法。幾句起，幾句承，幾句轉，幾句合，此章法也。毫不可紊，紊則重複雜亂之病出矣。庚戌會試，湯懋昭講「先行其言而後從之」云。【略】首二句是起，次二句是承，「由是」一句是轉，然後二句是合，極有次序。前一比以「道」字為骨，董子曰「勉強以行道」，《書》曰「道積于厥躬」。今第二句云，「勉強以行之」；第六句云，「積諸躬」。皆不露「道」字，而暗以道相承也。後一比以「德」字為骨，果行以育之，曰成于內，皆暗承「德」字。前輩作文，用句用字皆有來歷，不似今人之鹵莽也。丘瓊山在會試場中得王守溪卷，《讀〈孟子〉周公兼夷狄驅猛獸而百姓寧》，王講「兼夷狄」云。【略】因掩卷而思「猛獸」句難對。徐觀王卷乃云，

【略】遂擊節嘆賞。前輩作者類有苦心，而閲者亦不草草如此。夫作文之法，有懇到之意，又須出之以沖夷；有切實之思，又須潤之以丹彩；有奇特之見，又須運之以渾融。故不特造理素意之難，而修詞亦未易也。一句未工，幾經椎鑿；一字未妥，累費推敲。寸心幾嘔，脩髯盡枯。文何容易哉！

又卷七《洪陽張先生論文》 破欲渾而切；承欲簡而盡；起講欲含蓄而冠冕；提掇欲明而爽正；講欲典雅而精透，清俊而渾健；過文欲員逸；小束欲有關鍵，有百尺竿頭更進一步之勢，有一唱三嘆之音；大束欲題外生意，有斷制而調古。

又 一篇如一股，一股如一句，此一氣呵成，如行空天馬，獨步文場矣。

又卷八《武叔卿論文》 骨者，體也。人之有是體也，骨爲之也。肌膚之生，生于骨；皮毛之附，附于骨。内而五臟六腑係于骨，外而四肢九竅倚于骨。骨具而體立，斯人之所以挺生也。骨之于文也亦然。布置者格也，舉其格而使之立者骨也。流衍者詞也，充其詞而使之健者骨也。是文之有骨，亦文之所恃以爲體者也。文而無骨，卽神搖搖而無所依，氣飄飄而無所附。格又安能振？而詞又安能達乎？

又 骨切附于肉者也，要與肉相稱。若骨勝于肉，易失之寒儉；肉勝于骨，易失之肥穠。皆不爲佳。雖然，與其以肉勝也，寧以骨勝。蓋骨勝者，幹若瘠癯，而標猶清健。肉勝者，肌雖腴滿，而體覺癡肥。此表裏華實之大較也。

又 格者，體格也。文之有體格，猶屋之有間架也。作屋者鳩集材木，必不冒做，必先立一間架，定其高下幾何，淺深幾何，廣狹幾何。其材何者爲柱，何者爲梁，何者爲椽。一一料理停當，然後引之繩墨，絜之規矩，竪立起來，方成一座好屋。若不先定間架，便操斧斤，後來竪立時，必至顛倒錯亂，無所錯手。做文字亦如此。題目到手，便仔細思量，其綱領何在，其節目何在，其分截何在。頭上或該用提掇，不該用提掇，中間或該用過接，不該用過接，末後或該用收繳，不該用收繳。某處當重當詳，某處當輕當略，前後多寡，一一想定。使一篇大概，了然于胸中，然後下手做去，始得穩妥。若初時體格不定，做到中間，必至擾亂。卽去反復改易，終不停當，以是知立格乃行文要務也。先輩杜静臺論之極詳，余撮其大要如此。

又 文字初時布置，雖有定格；至于中間，離方遯員，生無化有，全要活法。如弈棊然，每一局各有一格，然其中離合進退，與攻擊應援，又自有變動而不拘，聯屬而無間。此局中之妙機也，不可不知。

朱鶴齡《愚菴小集·傳家質言》 昔人云先秦無段落，兩漢無排偶，此實不然。段落，文章之次第也，文無次第，則頭訖混殽，不成章法矣。偶句乃文之鋪排點綴處，鋪排點綴而氣行乎其間，但須相文勢所宜耳。若文勢須頓挫，而以單辭隻句承之，便瘠薄無力。八大家集中誠無駢儷之句，然吾於八大家，特師其法耳。文至今日，豈可全廢修辭，作枯木寒鴉之態。理本《六經》，法宗八家，而秦漢六朝諸史之菁華，皆供我鎔鑄，不更爲文章家之巨觀乎。

方以智《文章薪火》 吳萊立夫言，作文如用兵，有正有奇。正者文之法，奇者不爲法縛。千變萬化，坐作擊刺，一時俱起者也。及止部還伍，則肅然未常亂。

魏際瑞《與子弟論文》 「不患寡而患不均，不患貧而患不安」兩句，起也；「均無貧，和無寡，安無傾卻」三句結。《都人士》詩五章，卒章曰：「匪伊垂之，帶則有餘。匪伊卷之，髮則有旟」，單承第四章「垂帶而厲」、「卷髮如蠆」作結。《采綠》卒章「其釣維何」，亦單承三章「之子于釣」，半段作結。今之人則缺一不可也。

又 凝叔作《左傳兵謀》、《兵法》二篇。《兵謀》三十二段，使事七百三十五條，章法幻忽反若尺寸關鎖。《兵法》二十二段，直獵前篇，不別立格。別立格便膽怯，便手筆向低也。大家手筆如平原大海，不設奇異，而有至怪出沒其間。

魏禧《日錄》卷二《雜説》 又嘗論古樂府以跳脱斷缺爲古是已。細求之，語雖不倫，意却相屬。但章法妙，人不覺耳。然竟有各成一段，上下意絶不相屬者，却增減他不得，倒置他不得，此是何故？蓋意雖不屬，而其節之長短起伏合之，自成片段，不可得而亂也。語不倫而意屬者，辟如複岡斷嶺，望之各成一山，察之皆有脊脈相連；意不屬而節屬者，辟如一林亂石，原無脈絡，而高下疏密，天然位置可入畫圖。知此者，可與讀此文矣。

又 文之感慨痛快馳驟者，必須往而復還。往而不還，則勢直氣泄，語盡味止；往而復還，則生顧盼。此嗚咽頓挫所從出也。

唐彪《讀書作文譜》卷七《文章諸法》 淺深虚實。唐彪曰：文章非實不足

以闡發義理，非虛不足以搖曳神情，故虛實常宜相濟也。淺以指陳其大概，而深以刻劃其精微，故深淺不可相離也。又曰：淺深虛實雖古今文之大綱，然約略其概不出四端。有由虛入實，由淺入深挨序漸進者，有一實一虛、一淺一深相間成文者，此二者人皆知之。至于變體，則有前幅實義已盡，後幅不得不駕虛行空，或襯貼旁意，或推廣餘情者；有前半刻意深入，後半無可復深，不得不輕描淡寫，或援引古昔，或附帶他事者，此二者人少知之。然四者結構雖不同，而當理合宜則一也。能悟斯理，卽可以盡淺深虛實之致矣。

又　開闔。唐彪曰：人皆以開闔爲文之要法，而不知最難知者開闔也。**【略】**諸法中而兼抑揚之致，或兼反正之致者是也。如賓主、擒縱、虛實、淺深諸法，皆對待者也，有對待而無抑揚反正之致，則賓主自賓主也，擒縱自擒縱也，虛實自虛實也，不可云開闔。惟對待中兼有抑揚反正之致，譬如水之逆風，風之逆水，一往一來，激而成文而波瀾出焉，乃眞開闔也。而惜乎其理之久晦也。就時藝論：有本股自爲開闔者，有二股共爲開闔者，有四股共爲開闔者，有通篇大開大闔者。得其法者，文多錯綜變化，有縱横離閤之致焉。故開闔爲時藝要法也。

又　照應。唐彪曰：照應之理，以時藝言之，起講與一二股俱可用意，照後，五六七八與繳股俱可用意應前。即中幅亦可應前照後，無定式可拘也。時藝近體有一二股下先立數柱，後乃逐段應轉者，此亦時藝式也。以古文言之，唐宋古文亦多前半與後半相爲照應，宋策亦有前半立柱，而後逐段應轉者。然此等處，學之者多則不免落于谿徑。若周秦漢古文，其照應有異，多在閑處點染，不即不離之間超脱變化。雖然，若時藝又不可以周秦古文之法律之。

又　關鎖。柴虎臣曰：「鎖者，文勢至此極流，須用關鎖。如山翔水走，不得一鎖，使大氣結聚，必不成州縣市鎮也。文章若無關鎖，則隨筆所之，難免散漫之患。又有鎖上而復起下者，此又鎖而兼聯絡者也。」

又　分總。唐彪曰：文章有總有分，則神氣淸而力量勝。故前總發者，後必分叙；前分叙者，後必總發。又有迭總迭分，錯綜變化者，此又古文中之化境也。

王士禎《池北偶談》卷一三《王秋澗論文》　元秋澗王惲述承旨王公論文語曰：「入手當如虎首，中如豕腹，終如蠆尾。首取其猛，腹取其植穰，尾取其螫而毒也。」見本集。喬吉夢符論作今樂府法亦云：「鳳頭，豬肚，豹尾。大概起要美麗，中要浩蕩，結要響亮。」見《輟耕錄》。秋澗又記鹿菴先生曰：「前漢列傳多少好樣度，於後插一銘詞，篇篇是箇碑表墓誌。作者觀此足矣，不必他求也。」

李光地《榕村語錄》卷二九《詩文一》　某近得一作文之法，如有人有事可作文者，先將其人其事想出，我所欲語，既有所見，便信筆直書，達意而止。既成，且閣下一邊，過幾日再看，加之裁剪，有不明白者改之，意未足者補之，字眼冗泛者去之，務使詞加少而意加多，又有結構，畢竟可觀。

張謙宜《絸齋論文》卷五《評品》　《過秦論》上，如長江浩浩，其中洄瀾漩洑，互相助勢。前面叙諸侯兵力，正要襯起秦人；後面叙秦之彊盛，卻是襯出陳涉；中間議論帶叙事，字字含「仁儀不施，而攻守之勢異」，故末後一點便醒。若頭與尾不相照應，只是浮汎文字耳。平叙處俱有聲色，力量無一懈筆。首篇以蒼茫勝，後二篇卻委婉詳盡。

又　《伊尹論》荆川批「斷續」二字，亦未易解。蓋以伊尹本事與關合議論，相輔而行。正用議論，點入本事，略叙本事，旋聯議論。其互襯借勢處，謂之倏斷倏續，非文氣有截住另湊之謂也。要之，議論原以發明本事，原非泛說本事，所以實其議論，不在鋪張，能於夾縫裏做文章，血脈乃得疏暢。不然，題目正面數句可了，何以抒寫見地，此所謂文家三昧也。前半不露「伊尹」二字，卻都是伊尹精神本領，未入本事，便剔得七八分透。故正講處只輕點，不以天下動其心，從前全副本領精神俱見，不用塡廓意足氣足。學會此法，於文乎何有？

又　《秦論》一板立兩柱，又板分兩扇。讀之只覺其錯綜，何也？其用筆用意，有詳略虛實，逐段變化之不同耳。如取齊一段，說秦是如何，齊是如何，兩下影出箇巧字。取楚略不及楚事，只說空國而行，齊不乘其隙。有隙可乘，便是拙，卻又替他想出分兵掠邊之法，以補其拙，旁借苻氏正襯其拙。一邊實寫，一邊虛摹，遂使詳者不稠，略者不淡，最是運用過人處。

王之績《鐵立文起》後編卷七《論篇法》　《指南錄》曰：起講，正論之咽喉。若不着力，便充拓不開，爲題所窘。縱勉強成章，亦無精彩氣燄。古云「鼠頭欲其尖銳，豕項欲其肥壯」，正于此見之耳。須有原委，有考據，有含蓄，有識見，有力量。有即事影題抑揚起者，有就題立論形答起者，有引經

傳剔題字面起者，有推究源頭設爲問答起者，有論功效原始反終起者，有論事勢即此形彼起者，有論人物究其出處終身遂設爲抑揚起者，有鼠頭豕項相連説者，有鼠頭豕項各單用者。大抵鼠頭説得少，便接入題；豕項説得多，包藏腹內，提醒題頭。二法宜知也。

又　過文接起講而入論腹，乃血脈所在，尤當簡潔流利，嚴密渾融，使人讀去無痕。不覺爲講題者，方見高手。《論祖》曰：講題謂之論腹，貴乎圓轉議論，備講一題之意。然初入講處要過渡精密，與題下渾然，使人讀之不覺其爲講題也，方是高人手段。若講與題下作兩截去，則近乎舊矣。嘗疑陳公武、章公穎，論未嘗有腹，但題下便是講題。此正其高處，但人不知其入講耳。近鄭公昉亦從題下使説，云大類講題，而正講規模，則隱然不易，此正要仔細玩味，將他所長較我所短，則文字自然加進。大凡講題實事處，須是反覆鋪叙，方得句語圓轉。然論腹如四通八達之衢，最無繩墨。須時時繳歸主意，方得緊切。如小兒隨人入市，數步一回顧，則無至失路。若一去不復反，則人與兒兩失矣。學者最宜加審。至習熟縱横，則不在是。

又　《指南錄》曰：論腹謂之大講，即牛腹也。凡引喻、點證、回顧、提醒、承遞、相因、插花、編籬、製錦、撮要十法，具在其中。何謂引喻？蓋援引他事以喻本題也。何謂點證？就本題中點某事某人以證耳。何謂回顧？是前面有何眼目，有何人物，提在先，後面反而顧也。何謂提醒？把本題上緊要字眼，先提出叫醒之。何謂承遞？乃遞遞講去，所謂「不然」、「又不然」、「雖然」、「猶未也」、「亦未也」、「凡夫」、「由是」、「又由是推之」、「又推之」等句可見。何謂相因？如上句云云，接句亦云云，一步進一步説去，與頂針文法相似。何謂插花？是用經史成語裝點，如貴人淡妝插翠。則美觀也。不拘安在何處，只要三五行一間，此法最難。摘採儷語短長之功不可無也。何謂編籬？其文勢片段，如破竹編籬，讀之起敬，如虚車題，《易》以明變等句，《太玄》法語等句。何謂製錦？組織成文，燦如錦繡，觀者動情，如《士窮見節義》題，有「隨波而逝者」等句。何謂撮要？因題中事故多，人物多，不能盡筆，只撮其緊關者爲論耳。如《山西諸將孰優》題，止錄出趙充國、蘇武二子，餘可類推。大要欲其壯而實，三段、五段、七段、九段，圓活巧變，方爲得體。

又　《矜式》云：論腹正如四通八達之衢，極無繩墨，須時時繳歸正意。有照應無重贅，有起伏無斷截，體清而不冗，詞切而不浮，意新而不俗，事常而不怪。不然，雖爲豐贍，實則補納矣。

又　《論祖》曰：講後使證，此論之常格也。而今之名家則不拘，多于題下便使事引證，正講後但隨事議論。則或證之，而正使事證題蓋寡。然學論者亦不可不依常格，至縱横習熟，則在人焉。然使事亦須要立意簡徑，句語清奇。若一事敷衍作一段，則非今之體矣。故善使事者，但一二句至三五句，而題意已瞭然。前輩嘗謂「學使事，不可反爲事使」，此至論也。

又　《指南錄》曰：論束，收足一篇議論，而詠歎其旨意，謂之蜂尾。欲其決而利。如繳轉無力，結煞不到，一篇精神便弱矣。是故有援引結者，有比形結者，有推原推廣結者，有就本題意旨上下結者，有連大結一套結者，有繳轉破題語句用「故曰」云云結者。

又　《論祖》曰：論結，正論關鍵之地，尤要造語精密，遣文順快。蓋精密則有文外之意，使人窮之而益不窮；順快則見才力不乏，使人讀而有餘味。意在不窮，文益有味，終篇而三歎矣。人多于結尾之餘，才力窘乏，則謂論之用工不在于尾，此殆未爲知論者也。凡爲論，未舉筆之先，而一論之規模已備于胸中。若逐段索意，逐意彫詞，即語語秦漢，未免疊牀架屋矣。凡結尾當如何反覆，如何議論，已寓深意於論首。故一篇之意，首尾貫串無間斷處，文有餘意而意不盡。文至講後而始思量結尾，則意窮而復求意，必無是理。縱求得新意，亦不復渾然矣。此作論之病，不可不察。

又　《指南錄》曰：論大結不一，要與文大結不遠。有推廣者，有引證者，有推高一層意者，有作勉人意者，有探本意者，有因此論彼者，有引經傳證者，有影題説意者，有微抑而又揚者，有全褒而全貶者，有先褒後貶者，有前貶後褒者，有因事論行者，有因古慨今者。有結止二三行者，亦有無大結者。惟百尺竿頭更進一步，始得。

又　或曰：按昔人論法，有曰理、弊、工、效，有曰鼠頭、豕項、牛腹、蜂尾。然先時論破，以一二句爲佳，今時有兩肩對破者，有不用破而直入題者，有無破無承、無斷無續、一直説下者，有不用理、弊、工、效而理、弊、工、效自寓者。先時多用三疊、九疊、十三疊、十五疊，近時又有不用疊法，信手平鋪波瀾起伏者。總之，不可執定成法。李延平所謂「借他題目，説自家道理」是也。但要首尾相顧，一氣呵成，自有五步一樓，十步一閣

之妙。

又卷八《表通論》 或曰：大凡四六格，上句起，下句應，最要呼答有情。如元厚之云：「忠氣貫日，雖金石而爲開；讒波稽天，孰斧斤之敢闕。」上句忠氣貫日，則與「金石爲開」有情，可以相襯；「讒波稽天」，則與「斧斤」似無干涉矣。此四六之病也。丁謂云：「補仲山之衮，雖曲盡于巧心，調傅說之羹，終難偕乎衆口。」二句如出一綫，此呼答之有情者。

又 表斷句要有力，如柳子厚《謝官》乃云：「戴巨鰲之山，本知恩重；泛大鯨之海，但覺魂搖。」凡此樣表，須有此樣句，方能動人。

又 對待之法有六：曰正名對，天地日月是也；曰類對，瓊琚、玉石是也；連珠對，明明、赫赫是也；借字對，伍相、千軍是也；（伍是姓，千是數。）就句對，「一麾伍部，餘十載以臨民；白首丹心，歸彤庭而遇主」是也；不對之對，「自有生民以來，未如今日之盛」是也。

又《篇法》 或曰：起猶龍頭，欲其嚴整；接猶豹項，欲其健聳；鋪叙猶豕腹，欲其肥潤；收拾猶鳳尾，欲其峭麗。

又《名山業》曰：「題緒甚紛，能綜成一片，而色色天然。」

又 抒寫故實，都用虛籠之法。

又 用古不堆，想其運筆之妙。

又 轉筆處，有一篇如一句之妙，此四六中所難。

又 妙在俳偶中曲折自如。

又 縱横中寓法則，開後來多少手眼。

又 用散法爲序，表中變體。

又 王懋公曰：往讀《易》而得文訣焉。《上繫》曰「參伍以變錯綜。」其數俳偶如此，則長短不一，體方而語圓矣。

馬榮祖《文頌上·布勢》 乘利處强，祇爭先著。向背高下，位置斟酌。呼吸決機，捷於矢躍。霏霏雪飛，彌漫布濩。鋭曲方圓，亦隨所託。不見魚復，亂石錯落。

又《動脈》 精氣遠注，腠理入微。虛和導引，宛轉不迷。一縷暗接，百派自歸。草蛇灰綫，覺者其誰？叱吸欲鳴，聲息相吹。忽現忽伏，若導若追。

又《賓主》 晚行秋江，微風漸作。突湧光怪，金蛇拏攫。百千萬億，噴吐廉愕。磨牙呑舟，相顧錯愕。舉頭見月，幻影假託。誰主誰賓，一笑寥郭。

又《疎密》 靈雨颯集，花飛亂紅。或疎或密，飄瞥西東。誰與位置？分合隨風。密如縟繡，疎若驚鴻。渾忘色相，游戲神通。霹靂在手，粉碎虛空。

又《波瀾》 洞庭如何？風挾蛟鼉。前波欲出，後浪已過。勢如萬騎，空際揮戈。雲根倒拔，天容醉酡。風迴瀾急，驚簇盤渦。清光湧出，君山一螺。

又《開遮》 如不欲出，又不及藏。疎林閃月，乍陰乍陽。蔽虧隱射，淩亂迴翔。將無姮娥，初整新妝。玉匣半啓，鏡洩清光。斂衽而退，恍墮渺茫。

又《往復》 鶴籠開時，月明於晝。素翩孤騫，碧雲穿透。懊惱看遲，空庭搔首。天宇沈沈，影和月瘦。寥唳一聲，風驚雲皺。百折千迴，欲去還留。

又《斷續》 青山重重，白雲容容。中有神龍，出沒千峯。若斷若續，杳然空蹤。唯餘雲氣，解駮横縱。蒼茫延佇，何處飛鐘？隨風近遠，眞意溶溶。

又《委曲》 梯棧鈎連，一綫蟻逐。下如汲井，重足瑟縮。緣綆而出，飛猱升木。仰望前山，舉肱可伏。已進忽隱，旋如轉軸。萬折及顛，江山在目。

又《梳櫛》 思鬱於雲，理紛於髮。鬱則達之，深或揠之。紛則撥之，結或刷之。其初分之，其既括之。折之奪之，已復脱之。搔癢麻姑，韓碑杜律。

又《擺脱》 自行自止，獨往獨來。點塵不著，重門洞開。倚樓長嘯，明月入懷。便欲仙去，閶闔直排。騎風躡電，噓雲噴雷。齊州九點，海水一杯。

又《組織》 星經宿緯，天機地軸。一縷心思，飛梭追逐。軋軋聲驚，飢鳳啄玉。由來天孫，不受迫促。張騫乘槎，纔一寓目。怪彼襞積，轆綫相續。

又《聯絡》 隱脈潛通，元神灌注。手捍頭目，不召而赴。空山秋鐘，千巖遠度。妙合自然，理絶依附。深意如環，宛轉毫素。有時横絶，掉頭不顧。

梁章鉅《退庵論文》 黃唐堂曰：吾友宋介山善古文，每喜以不結爲結，言後人文字之不及秦漢者，所爭在結處，凡結處須乘勢結之。【略】言文之結如果之結，花過即果，過後即不果。又言結之難，譬狂風中重舟重載落帆，又如盲人騎馬，皆非深於文者不能道。

曾國藩《日記·咸豐九年八月初九日》 思古文之道，謀篇布勢是一段最大工夫。《書經》、《左傳》，每一篇空處較多，實處較少；旁面較多，正面較少。精神注于眉宇目光，不可周身皆眉，到處皆目也。綫索要如蛛絲馬迹，絲不可過粗，迹不可太密也。

陳澹然《晦堂文鑰·鍊局》作文如戰鬥，戰鬥之法等於外交，非縱橫之才，莫克通其意。以文譬之，一篇之局，即兵事外交之大局也。作文必就題審局，亦若兵家審地勢以定兵謀，外交家必就列國之勢以爲操縱，此定理也。一篇主意，譬之兵事，則爲主帥；譬之外交，則爲主國。主帥既定，必得偏裨前後左右以擁衛之；主國雖强，必得友邦内外聯絡以保持之。此即爲文正意之外，必得上下旁側以輔助之之義也。《易·繫辭》曰：「陰陽不測之謂神。」文之爲法，不外陰陽。故欲正必先反，欲抑必先揚，幾反幾正，幾抑幾揚，即老氏「欲取姑予，欲翕故張」之義。神妙不測，而陰陽之道盡矣。陰陽之道盡，而兵事外交不外是矣，奈何拘守一意？有主帥而無裨將，有主國而無友邦，有不望風敗潰者哉！夫天下無無法之文，亦無一定之法。鍊局苟精，則文成而法自立，亦若兵事外交，虚實進退，不可捉摸而自成一局，知此者可與論天下矣，文何有焉？

技巧

《論語·衛靈公》子曰：「辭達而已矣。」

《墨子·小取》辟也者，舉也，物而以明之也。侔也者，比辭而俱行也。援也者，曰：「子然，我奚獨不可以然也？」推也者，以其所不取之同於其所取者，予之也。是猶謂也者，同也；吾豈謂也者，異也。

又 夫物有以同，而不率遂同。辭之侔也，有所至而正。其然也，有所以然也；其然也同，其所以然不必同。是故辟、侔、援、推之辭，行而異，轉而危，遠而失，流而離本，則不可不審也，不可常用也。故言多方，殊類異故，則不可偏觀也。

《荀子·非相》談説之術，【略】分别以喻之，譬稱以明之。

《淮南子·要略》假象取耦，以相譬喻。

《禮記·曲禮》毋雷同。

王充《論衡·藝增》紂雖惡，民臣蒙恩者非一。而祖伊增語，欲以懼紂也。故曰：「語不益，心不惕；心不惕，行不易。」增其語欲以懼之，冀其警悟也。蘇秦説齊王曰：「臨淄之中，車轂擊，人肩磨，舉袖成幕，連衽成帷，揮汗成雨。」齊雖熾盛，不能如此。蘇秦增語，激齊王也。祖伊之諫紂，猶蘇秦之説齊王也。

又 賢聖增文，外有所爲，内未必然。何以明之？夫《武成》之篇，言「武王伐紂，血流浮杵。」助戰者多，故至血流如此。皆欲紂之亡也。土崩瓦解，安肯戰乎？然祖伊之言「民無不欲」，如蘇秦增語。《武成》言「血流浮杵」，亦太過焉。死者血流，安能浮杵？案武王伐紂於牧之野。河北地高，壤靡不乾燥；兵頓血流，輒燥入土。安得杵浮？且周殷士卒，皆齎盛糧，無杵臼之事；安得杵而浮之？言血流杵，欲言誅紂，惟兵頓士傷，故至浮杵。

又《自紀》充書不能純美。或曰：「口無擇言，筆無擇文。文必麗以好，言必辯以巧。言瞭於耳，則事味於心；文察於目，則篇留於手。故辯言無不聽，麗文無不寫。今新書既在論譬，説俗爲戾，又不美好，於觀不快。蓋師曠調音，曲無不悲；狄牙和膳，肴無澹味；然則通人造書，文無瑕穢。《呂氏》《淮南》，懸於市門，觀讀之者，無訾一言。今無二書之美，文雖衆盛，猶多譴毁。」答曰：「夫養實者不育華，調行者不飾辭；豐草多華英，茂林多枯枝。爲文欲顯白其爲，安能令文而無譴毁？救火拯溺，義不得好；辯論是非，言不得巧。入澤隨龜，不暇調足；深淵捕蛟，不暇定手。言姦辭簡，指趨妙遠，語甘文峭，務意淺小。稻穀千鍾，糠皮太半，閲錢滿億，穿决出萬。大羹必有澹味，至寶必有瑕穢，大簡必有大好，良工必有不巧。然則辯言必有所屈，通文猶有所黜。言金由貴家起，文糞自賤室出。《淮南》、《呂氏》之無累害，所由出者，家富官貴也。夫貴，故得懸於市；富，故有千金副。觀讀之者惶恐畏忌，雖見乖不合，焉敢譴一字？」

王符《潛夫論·釋難》潛夫曰：「夫譬喻也者，生于直告之不明，故假物之然否以彰之。物之有然否也，非以其文也，必以其真也。」

又《交際》不隨俗而雷同，不逐聲而寄論。

陸機《文賦》或仰偪於先條，或俯侵於後章。或辭害而理比，或言順而義妨。離之則雙美，合之則兩傷。考殿最於錙銖，定去留於毫芒。苟銓衡之所裁，固應繩其必當。或文繁理富，而意不指適。極無兩致，盡不可益。立片言而居要，乃一篇之警策。雖衆辭之有條，必待兹而效績。亮功多而累寡，故取足而不易。或藻思綺合，清麗芊眠。炳若縟繡，悽若繁絃。必所擬之不殊，乃闇合於曩篇。雖杼軸於予懷，怵他人之我先。苟傷廉而愆義，亦雖愛

而必捐。或苕發穎豎，離衆絶致。形不可逐，響難爲係。塊孤立而特峙，非常音之所緯。心牢落而無偶，意徘徊而不能揥。石韞玉而山暉，水懷珠而川媚。彼榛楛之勿翦，亦蒙榮於集翠。綴《下里》於《白雪》，吾亦濟夫所偉。或託言於短韻，對窮跡而孤興。俯寂寞而無友，仰寥廓而莫承。譬偏絃之獨張，含清唱而靡應。或寄辭於瘁音，言徒靡而弗華。混妍蚩而成體，累良質而爲瑕。象下管之偏疾，故雖應而不和。或遺理以存異，徒尋虚以逐微。言寡情而鮮愛，辭浮漂而不歸。猶絃幺而徽急，故雖和而不悲。或奔放以諧合，務嘈囋而妖冶。徒悦目而偶俗，故聲高而曲下。寤《防露》與《桑間》，又雖悲而不雅。或清虚以婉約，每除煩而去濫，闕大羹之遺味，同朱絃之清氾。雖一唱而三歎，固既雅而不豔。若夫豐約之裁，俯仰之形，因宜適變，曲有微情。或言拙而喻巧，或理樸而辭輕，或襲故而彌新，或沿濁而更清，或覽之而必察，或研之而後精。譬猶舞者赴節以投袂，歌者應絃而遣聲。是蓋輪扁所不得言，故亦非華説之所能精。

李充《翰林論》 或問曰：「何如斯可謂之文？」答曰：「孔文舉之書，陸士衡之議，斯可謂成文也。」

裴松之《上三國志注表》 竊惟繢事以衆色成文，蜜蜂以兼采爲味，故能使絢素有章，甘逾本質。

顔之推《顔氏家訓・文章篇》 古人之文，宏材逸氣，體度風格，去今實遠，但緝綴疎樸，未爲密緻耳。今世音律諧靡，章句偶對，諱避精詳，賢於往昔多矣。宜以古之制裁爲本，今之辭調爲末，並須兩存，不可偏棄也。

又 沈隱侯曰：「文章當從三易：易見事，一也；易識字，二也；易讀誦，三也。」邢子才常曰：「沈侯文章用事，不使人覺，若胸臆語也。」深以此服之。祖孝徵亦嘗謂吾曰：「沈詩云『崖傾護石髓』，此豈似用事耶？」

劉勰《文心雕龍・麗辭》 造化賦形，支體必雙，神理爲用，事不孤立。夫心生文辭，運裁百慮，高下相須，自然成對。唐虞之世，辭未極文，而皋陶贊云，「罪疑惟輕，功疑惟重」；益陳謨云，「滿招損，謙受益」。豈營麗辭，率然對耳。《易》之文繫，聖人之妙思也。序乾四德，則句句相銜；龍虎類感，則字字相儷；乾坤易簡，則宛轉相承；日月往來，則隔行懸合；雖句字或殊，而偶意一也。至於詩人偶章，大夫聯辭，奇偶適變，不勞經營。自揚、馬、張、蔡，崇盛麗辭，如宋畫吳冶，刻形鏤法，麗句與深采並流，偶意共逸韻俱發。至魏晉群才，析句彌密，聯字合趣，剖毫析釐。然契機者入巧，浮假者無功。故麗辭之體，凡有四對：言對爲易，事對爲難，反對爲優，正對爲劣。言對者，雙比空辭者也；事對者，並舉人驗者也；反對者，理殊趣合者也；正對者，事異義同者也。長卿《上林賦》云「修容乎禮園，翺翔乎書圃」，此言對之類也；宋玉《神女賦》云「毛嬙鄣袂，不足程式，西施掩面，比之無色」，此事對之類也；仲宣《登樓》云「鍾儀幽而楚奏，莊舄顯而越吟」，此反對之類也；孟陽《七哀》云「漢祖想枌榆，光武思白水」，此正對之類也。凡偶辭胸臆，言對所以爲易也；徵人資學，事對所以爲難也；幽顯同志，反對所以爲優也；並貴共心，正對所以爲劣也。又以事對，各有反正，指類而求，萬條自昭然矣。張華詩稱「遊鴈比翼翔，歸鴻知接翮」，劉琨詩言「宣尼悲獲麟，西狩泣孔丘」，若斯重出，即對句之駢枝也。是以言對爲美，貴在精巧；事對所先，務在允當。若兩事相配，而優劣不均，是驥在左驂，駑爲右服也。若夫事或孤立，莫與相偶，是夔之一足，趻踔而行也。若氣無奇類，文乏異采，碌碌麗辭，則昏睡耳目。必使理圓事密，聯璧其章。迭用奇偶，節以雜佩，乃其貴耳。類此而思，理斯見也。贊曰：體植必兩，辭動有配。左提右挈，精味兼載。炳爍聯華，鏡靜含態。玉潤雙流，如彼珩佩。

又《練字》 夫文象列而結繩移，鳥跡明而書契作，斯乃言語之體貌，而文章之宅宇也。蒼頡造之，鬼哭粟飛；黄帝用之，官治民察。先王聲教，書必同文；輶軒之使，紀言殊俗，所以一字，體總異音。《周禮》保章氏掌教六書，秦滅舊章，以吏爲師，及李斯刪籀而秦篆興，程邈造隸而古文廢。漢初草律，明著厥法，太史學童，教試六體。又吏民上書，字謬輒劾；是以馬字缺畫，而石建懼死，雖云性慎，亦時重文也。至孝武之世，則相如譔篇。及宣成二帝，徵集小學，張敞以正讀傳業，揚雄以奇字纂訓，並貫練雅頌，總閱音義，鴻筆之徒，莫不洞曉。且多賦京苑，假借形聲，是以前漢小學，率多瑋字，非獨制異，乃共曉難也。暨乎後漢，小學轉疎，複文隱訓，臧否大半。及魏代綴藻，則字有常檢，追觀漢作，翻成阻奧。故陳思稱揚、馬之作，趣幽旨深，讀者非師傳不能析其辭，非博學不能綜其理，豈直才懸，抑亦字隱。自晉來用字，率從簡易，時並習易，人誰取難。今一字詭異，則羣句震驚，三人弗識，則將成字妖矣。後世所同曉者，雖難斯易，時所共廢，雖易

斯難，趣舍之間，不可不察。夫《爾雅》者，孔徒之所纂，而《詩》《書》之襟帶也；《蒼頡》者，李斯之所輯，而鳥籀之遺體也。雅以淵源詁訓，頡以苑囿奇文，異體相資，如左右肩股，該舊而知新，亦可以屬文。若夫義訓古今，興廢殊用，字形單複，姸媸異體，心既託聲於言，言亦寄形於字，諷誦則績在宮商，臨文則能歸字形矣。是以綴字屬篇，必須練擇：一避詭異，二省聯邊，三權重出，四調單複。詭異者，字體瓌怪者也。

杜正倫《文筆要訣·句端》 屬事比辭，皆有次第。每事至科分之別，必立言以間之，然後義勢可得相承，文體因而倫貫也。新進之徒，或有未悟，聊復商略，以類別之云爾。

又 觀夫，惟夫，原夫，若夫，竊惟，竊聞，聞夫，惟昔，昔者，蓋夫，自昔，惟。右並發端置辭，泛叙事物也。謂若陳造化物象，上古風跡，及開廓大德，叙況事理，隨所作狀，量取用之。大凡觀夫、惟夫、原夫、若夫、竊聞、聞夫、竊惟等語，可施之大文，餘則通用。其表、啓等，亦宜以「臣聞」及稱名爲首，各見本法。

又 至如，至乃，至其，於是，及有，是則，斯則，此乃，誠乃。右幷承上事勢，申明其理也。謂上已叙事狀，以復申重論之，以明其理。

又 洎於，逮於，至於，及於，既而，亦既，俄而，洎逮，及，自，屬。右幷因事變易，多限之異也。謂若述世道革易，人事推移，用之而爲異。

又 乃知，方知，方驗，將知，固知，斯乃，斯誠，此固，此實，誠知，是知，何知，所知，是故，遂使，遂令，故能，故使，所謂，可謂。右並取下言，證成於上也。謂上所叙義，必待此後語，始得證成也。或多析名理，或比況物類，不可委說。

又 況乃，況則，矧夫，矧唯，何況，豈若，未若，豈有，豈至。右並追叙上義，不及於下也。謂若已叙功業事狀於上，以其輕小，後更云「況乃」、「豈若」其事其狀云。

又 豈獨，豈唯，豈止，寧唯，寧獨，寧止，何獨，何止，豈直。右並引取彼物爲此類也。謂若已叙此事，又引彼與此相類者，云「豈唯」彼如然也。

又 假令，假使，假復，假有，縱令，縱使，縱有，就令，就使，就如，雖令，雖使，雖復，設令，設使，設有，設復，向使。右並大言彼事，不越此也。謂若已敍前事，假令深遠高大則如此，此終不越。

又 雖然，然而，但以，正以，直以，只爲。右並將取後義，反於前也。謂若叙前事已訖，云「雖然」仍有如此理也。

又 豈令，豈使，何容，豈容，豈至，豈其，何有，豈可，寧可，未容，未應，不容，詎令，詎可，詎使，而乃，而使，豈在，安在。右並叙事狀所求不宜然也。謂若揆其事狀所不令然，云「豈令」其至於是。

又 豈類，詎以，豈如，未如。右並論此物勝於彼也。謂叙此物已訖，陳「豈若」彼物微小之狀。

又 若乃，爾乃，爾其，爾則，夫其，若其，然其。右並覆叙前事，體其狀也。若前已叙事，次便云「若乃」等，體寫其狀理。

又 儻若，儻使，如其，如使，若其，若也，若使，脱若，脱使，脱復，必其，必若，或若，或可，或當。右並踰分測量，或當爾也。譬如論其事使異理云如此。

又 唯應，唯當，唯可，只應，只可，亦當，乍可，必能，必應，必當，必使，會當。右並看世斟酌，終歸然也。若云看上事形勢，「唯應」如此。

又 方當，方使，方冀，方令，庶使，庶當，庶以，冀當，冀使，將使，夫使，未使，令夫，所冀，所望，方欲，便欲，便當，行欲，足令，足使。右並勢有可然，期於終也。謂若敍其事形勢，方終當如此。

又 豈謂，豈知，豈其，誰知，誰言，何期，何謂，安知，寧謂，寧知，不謂，不悟，不期，豈悟，豈慮。右並事有變常，異於始也。謂若其事應令如彼，今忽令如此。

又 加以，加復，況復，兼以，兼復，又以，又復，重以，且復，仍復，尚且，猶復，猶欲，而尚，尚或，尚能，尚欲，猶仍，且尚。右並更論後事，以足前理也。謂若敍前事已訖，云「加以」又如此。

又 莫不，罔不，罔弗，無不，咸欲，咸將，並欲，皆欲，盡欲，皆，並，咸。右並總論物狀也。

又 自非，若非，非夫，若不，如不，苟非。右並引其大狀，令至甚也。若叙其事至甚者，云「自非」如此云也。

又 何以，何能，何可，豈能，豈使，詎能，詎使，詎可，疇能，奚可，奚能。右並因緣前狀，論可致也。若云自非行如彼，「何以」如此。

又 方慮，方恐，所恐，行恐，將恐，或恐，或慮，只恐，唯慮。右並

豫思來事，異於今也。若云今事已然，「方慮」於後或如此。

又 敢欲，輒欲，輕欲，輕用，輕以，敢以，輒用，輒以，每欲，常欲，恆願，恆望。右並論志所欲行也。

又 每至，每有，每見，每曾，時復，數復，或復，每時，或。右並事非常然，有時而見也。謂若「每見」其時節，「每見」其事理。

又 則必，則皆，則當，何嘗不，未嘗不，未有，不則。右並有所逢見便然也。若逢見其事，「則必」如此。

又 可謂，所謂，誠是，信是，尤所謂，乃云，此猶，何異，奚異，亦猶，猶夫，則猶，則是。右並要會所歸，總上義也。謂設其事，「可謂」如此，可比如此。

又 誠願，誠當可，唯願，若令，若當，若使，必使。右並勸勵前事，所當行也。謂若謂其事，云「誠願」行如此。

又 自可，自然，自應，自當，此則，斯則，必則，然則。右並豫論後事，必應爾也。謂若行如彼，「自可」致如此。

孔穎達《春秋正義序》 因魯史之有得失，據周經以正褒貶。則一字所嘉，有同華衮之贈；一言所黜，無異綉斧之誅。所謂不怒而人威，不賞而人勸，實永世而作則，歷百王而不朽者也。

白居易《因繼集重序》 夫文猶戰也。一鼓作氣，再而衰，三而竭。微之轉戰，迨兹三矣。即不知百勝之術，多多益辦耶？抑又不知鼓衰氣竭，自此爲遷延之役耶？進退唯命，微之微之，走與足下和答之多，從古未有。足下雖少我六七年，然俱已白頭矣。竟不能捨章句，拋筆硯，何癖習如此之甚歟？而又未忘少年時心，每因唱酬，或相侮謔，忽忽自哂，况他人乎？《因繼集》卷且止於三，可也。忽恐足下懶發，不能成就至三。前言戲之者，姑爲巾幗之挑耳。然此一戰後，師亦老矣，宜櫜弓匣刃，彼此與心休息乎？

皇甫湜《編年紀傳論》 故合之則繁，離之則異，削之則闕，子長病其然也。於是革舊典，開新程，爲紀爲傳，爲表爲志，首尾具叙述，表裏相發明，庶爲得中，將以垂不朽。

孫樵《乞巧對》 彼巧在文，摘奇搴新，轄字束句，稽程合度，磨韻調聲，決濁流清，雕枝鏤英，花鬭窠明。至有破經碎史，稽古倒置，大類於俳，觀者啓齒。下醜沈謝，上殘騷雅，取媚於時，古風不歸。

蘇軾《答黃魯直》 凡人文字，當務使平和，至足之餘，溢爲奇怪，蓋出於不得已也。

又《與王庠書》 前後所示著述文字，皆有古作者風力，大略能道意所欲言者。孔子曰：「辭達而已矣。」辭至於達，止矣，不可以有加矣。

黃庭堅《山谷別集》卷六《論作詩文》 作文不必多，每作一篇要商榷精盡，檢閱不厭勤耳。舉場中下筆遲澀，蓋是平時讀書不貫穿也。宜勉強於學問，歲月如流，須及年少精力讀書，不貴雜博，而貴精深。作文字須摹古人百工之技，亦無有不法而成者也。但始學詩，要須每作一篇，輒須立一大意，長篇須曲折三致焉，乃爲成章耳。讀書要精深，患有雜博，因按所聞，動靜念之，觸事輒有得意處，乃爲問學之功。文章惟不構空強作，詩遇境而生，便自工耳。

唐庚《文錄》 凡爲文，上句重，下句輕，則或爲上句壓倒。《晝錦堂記》云：「仕宦而至將相，富貴而歸故鄉。」下云：「此人情之所榮，而今昔之所同也。」非此兩句，莫能承上句。《居士集序》云：「言有大而非夸。」此雖只一句，而體勢則甚重。下乃云：「達者信之，衆人疑焉。」非用兩句，亦載上句不起。韓退之與人書云：「泥水馬弱不敢出，不果鞠躬親問，而以書。」若無「而以書」三字，則上重甚矣。此爲文之法也。

王銍《四六話》卷上 文章有彼此相資之事，有彼此相須之對，有彼此相須而曾不及當時事，此所以助發意思也。唐人方有此格，謂之互換格，然語猶拙。至後人襲用講論，而意益妙。如楊汝士《陪裴晉公東雒夜宴詩》曰：「昔日蘭亭無艷質，此時金谷有高人。」止於此而已。至永叔《和杜祁公詩》曰：「元劉事業時無取，姚宋篇章世不知。二美惟公所兼有，後生何者欲攀追。」其後蘇明允代人《賀永叔作樞密啓》曰：「在漢之賈誼，談論俊美，止於諸侯相，而陳平之屬，實爲三公。唐之韓愈，詞氣磊落，終於京兆尹，而裴度之倫，實在相府。然陳平、裴度，未免謂之不文；而韓愈、賈生，亦嘗悲於不遇。蓋人之於世，美惡必自有倫；而天之於人，賦予亦莫能備。此又何啻出藍更青，研朱益丹也。」後至荆公《賀韓魏公罷相啓》略云：「國無危疑，人以靜一，周勃、霍光之於漢，能定策而終以致疑；姚崇、宋璟之於唐，善致理而未嘗遭變。紀在舊史，號爲元功，固未有獨運廟堂，再安社稷，弼亮三世，敉寧四方，崛然在諸公之先，煥乎如今日之懿。若夫進退之當於義，出入之適其

時，以彼相方，又爲特美。」此又妙矣。

又卷下 四六格，句須襯者，相稱乃有工，方爲造微，蓋上四字以喚下六字也，此四六格也。前輩作《謫樞密使張遜誥》云：「互置朋黨，交攻是非，貝錦之詞，遂彰於萋菲；挈瓶之智，已極於滿盈。」丁晉公南遷作《南嶽齋疏》文云：「補仲山之袞，曲盡於巧心；和傅說之羹，難調於衆口。」至曾子宣《謝宰相表》曰：「方傷錦敗材之初，奚堪於補袞；況覆餗折足之際，何取於和羹。」此又妙矣。「傷錦敗材」四字，後漢傳全語也。

楊囦道《雲莊四六餘話》 晚唐士人作律賦，多以古事爲題，寓悲傷之旨，如吳融、徐寅諸人是也。黃滔，字文江，亦以此擅名。有《明皇迴駕經馬嵬坡》，隔句云：「日慘風悲，到玉顏之死處；花愁露泣，認朱臉之啼痕。褒雲萬疊，斷腸新出於啼猿；秦樹千層，比翼不如於飛鳥。羽衛參差，擁翠華而不發；天顏愴恨，覺紅袖之難留。神仙表態，忽零落以無歸；雨露成波，已沾濡而不及。六馬歸秦，卻經過於此地；九泉隔越，幾悽惻於平生。」《景陽井》云：「理昧納隍，處窮泉而詎得；誠乖馭朽，攀素綆以胡顏。青銅有恨，也從零落於秋風；碧浪無情，寧解流傳於夜壑。荒涼四面，花朝而不見朱顏；滴瀝千尋，雨夜而空啼碧溜。莫可追尋，玉樹之歌聲邈矣；最堪惆悵，金瓶之咽處依然。」《館娃宮》云：「花顏縹緲，欺樹裏之春風；銀燄熒煌，却城頭之曉色。恨留山鳥，啼百卉之春紅；愁寄壠雲，鎖四天之暮碧。遺堵塵空，幾踐羣游之鹿；滄洲月在，寧銷怒濁之濤。」《陳皇后因賦復寵》云：「已爲無雨之期，空懸夢寐；終自淩雲之製，能致煙霄。」《秋色》云：「空三楚之暮天，樓中歷歷；滿六朝之故地，草際悠悠。」《白日上昇》云：「較美古今，列子之乘風固劣；論功晝夜，姮娥之奔月非優。」凡此十數聯，皆研確有精緻，若夫格律之卑，則當時體如此耳。

又 四六駢儷，於文章家爲至淺，然上自朝廷命令詔冊，下而縉紳之閒牋書祝疏，無所不用。則屬辭比事，固宜警策精切，使人讀之激昂，諷味不厭，乃爲得體。姑摭前輩及近時綴緝工緻者數十聯，以詒同志。王元之《擬李靖平突厥露布》，其叙頡利求降且復謀竄曰：「穽中餓虎，暫爲掉尾之求；韝上飢鷹，終有背人之意。」《蘄州謝上表》曰：「宣室鬼神之問，敢望生還；茂陵封禪之書，已期身後。」范文正公微時嘗冒姓朱，及後歸本宗，作啓曰：「志在逃秦，入境遂稱於張祿；名非霸越，乘舟偶效於陶朱。」用范雎、范蠡，皆當家故事。鄧淵甫《行貴妃制》曰：「《關雎》之得淑女，無險詖私謁之心；《雞鳴》之思賢妃，有警戒相成之道。」紹聖中，百僚《請御正殿表》曰：「皇矣上帝，必臨下而觀四方；大哉乾元，當統天而始萬物。」東坡《坤成節疏》曰：「至哉坤元，德既超於載籍；養以天下，福宜冠於古今。」

陳騤《文則》卷上 文有意相屬而對偶者，如「發彼小豝，殪此大兕」、「誨爾諄諄，聽我藐藐」、「故謀用是作，而兵由此起」。有事相類而對偶者，如「威侮五行，怠棄三正」、「佑賢輔德，顯忠遂良」。此皆混然而成，初非有意媲配。凡文之對偶者，如此則工矣。

又 大抵文士題命篇章，悉有所本。自孔子爲書作序，文遂有序；自孔子爲《易》說卦，文遂有說；自有曾子問哀公問之類，文遂有問；自有《考工記》、《學記》之類，文遂有記；自有《經解》王言解之類，文遂有解；自有辯政辯物之類，文遂有辯；自有《樂論》、《禮論》之類，文遂有論；自有大傳小傳之類，文遂有傳。

又 文有助辭，猶禮之有儐，樂之有相也。禮無儐則不行，樂無相則不諧，文無助則不順。

又 倒言而不失其言者，言之妙也；倒文而不失其文者，文之妙也。文有倒語之法，知者罕矣。

又 夫文有病辭，有疑辭。病辭者，讀其辭則病，究其意則安，如《曲禮》曰「猩猩能言，不離禽獸」；《繫辭》曰「潤之以風雨」。蓋禽字於猩猩爲病，潤字於風爲病也。疑辭者，讀其辭則疑，究其意則斷，如《何彼穠矣》曰「平王之孫」；《檀弓》曰「容居魯人也」。蓋平王疑爲東遷之平王，魯人疑爲魯國之人也。凡觀此文，可不深考！

又 辭以意爲主，故辭有緩有急，有輕有重，皆生乎意也。韓宣子曰「吾淺之爲丈夫也」，則其辭緩；景春曰「公孫衍、張儀豈不誠大丈夫哉」，則其辭急；「狼瞫於是乎君子」，則其辭輕；「子謂子賤君子哉若人」，則其辭重。

陳傅良《蛟峰批點止齋論訣》 「造語」：造語有三：一貴圓轉周流，二貴過度精密，三貴精奇警拔。

又 「破題」：凡破題爲論之首，一論之意皆涵蓄於此，尤當立意詳明，句法嚴整，有渾厚氣象，則觀者不敢以輕視之。

又 「原題」：原題正咽喉之地，推原題意之本原，皆在於此。若題下無

力，則一篇可知。【略】主意分明，則爲得體。

又「講題」：講題謂之論腹，貴乎圓轉議論，備講一題之意。然初入講處要過度精密，與題下渾然，使人讀之不覺其爲講題也。【略】大凡講題實事處須是反覆鋪叙，方得句語圓轉，然論腹正如四通五達之衢，最無繩墨，須時時繳歸主意，方得緊切。

又「使證」：講後使證，此論之常格也。【略】然使事亦須是立意簡徑，句語清奇，若一事敷演作一段，則非今之體矣。故善使事者，但一二句至三五句而題意已了然，前輩嘗謂學使事不可反爲事使，此至論也。

又「結尾」：結尾正論，關鍵之地，尤要造語精密，遣文順快。蓋精密則有文外之意，使人窮之而益不窮；順快則見才力不乏，使人讀之而有餘味。

魏天應編選，林子長箋解《論學繩尺·論訣》 吴公(琮)云：「省闈多在後兩場取人。諺云：三平不如一冠。若三場皆平平，未必得，若論策中得一冠場，萬無失一。至如方州試，固以第一場爲主，至於定去留，時亦多以後兩場參考。蓋有第一場文字不相上下，則於此辨優劣也。」又云：「論須熟考上下文，然後立説。主張要在題目外，題目却要在主張内，方是好文字。」又云：「會做論人，只是借他題目説自家道理。」又云：「論無定格，而有定體。意欲圓，辭欲輕，冒頭是説主張源流，要議論多於事實，行文又欲轉換處多。」

又 危公(稹)云：「論中使譬喻，須一句比喻，一句使實事爲上格。如俞汝諧《魯一變至於道論》，有云：『學弈方勤而鴻鵠將至(譬喻)，女樂既受則聖人不容於不行。』如章穎《孝文幾致刑措論》：『萬物群生而一物獨枯，則造化非全功，舉天下皆化，而猶有未化者焉，則君子非全仁，滿堂燕笑而未免向隅之泣(譬喻)。海内興於禮義，而斷獄數百吏，猶有藉手焉。』此論是也。如『瑟之方絃，而求雅頌之師；玉之未琢，而不試於拙工之手。』此類未爲上也。」

又 吴公(鎰)云：「作史題論，講中不須多本題題事，若多叙，則苟有百事，亦須叙百事，非要法也。不若取其事之大節者舉之而已。故公作《高帝無可無不可論》，論中止以封功臣一事言之。」

又 造語：造語有三，一貴圓轉周旋，二貴過度精密，三貴精奇警拔。凡造語警拔，則當於下字上着工夫。蓋下字既工，則句語自然警拔矣。

又 破題：破題爲論之首，一篇之意，皆涵蓄於此。尤當立意詳明，句法嚴整，有渾厚氣象。論之去取，實係於破題，破題不佳，後雖有過人之文，有司亦不復看。

又 原題：題下正咽喉之地，推原題意之本原，皆在於此。若題下無力，則一篇可知。或設議論，或使説題目，或使譬喻，或使故事，要之皆欲推明主意而已。

又 講題：講題謂之論腹，貴乎圓轉議論，備講一題之意。然初入講處，最要過度精密，與題下渾然，使人讀之不覺其爲講題也。大凡講題實事處，須是反覆鋪叙，方得用語圓轉。又須時時繳歸題意，方得緊切。如小兒隨人入市，數步一回顧，則無失路；若一去不復反，則人與兒兩失矣。初學論者，最宜加審。

又 使證：講後使證，此論之常格，今則不拘。蓋今之爲論，多於題下便使事引證，正講後但隨事議論，則或證之，而正使事證題者蓋寡。然初學者不可不依常格，善使事者但一二句至三五句，而題意已瞭然。前輩嘗謂學者使事不可反爲事所使，此至論也。

又 結尾：結尾正論關鎖之地，尤要造語精密，遣文順快。蓋精密，則有文外之意，使人讀之而愈不窮；順快，則見才力不乏，使人讀之而有餘味。凡爲論，未舉筆之前，而一篇之規模已備於胸中。凡結尾，當如反覆如何議論，已寓深意於論首。故一論之意，首尾貫穿無間斷處，文有餘而意不盡。若至講後而始思量結尾，則意窮而復求意，必無是理。縱求得新意，亦必不復渾全矣。福唐李先生《論家指要·論主意》：「主意一定，中間要常提掇起，不可放過。」

又 論間架：間架布置，前後證據，須要明整潔淨，卻不要似策。策文方，論文圓；策文直，論文峻；策文易，論文險。相對句多，非格也。

又 論家務持體：論家務持大體，拈起一字瑣屑説出，似乎作賦最是文病。

又 論題目有病處：題目有病處，切須回護，如子謂武未盡善，周公未盡仁知，不善回護，便小了聖人。又漢唐君臣互有得失，先包容，抑揚予奪，或始揚而終抑，奪而終予，貴得其當也。

又　論用字法：前輩用字皆與題稱，如讀顔拭齊晉比子儀論，便見奪發意；讀鄭祖逖奇節論，便見復讐意。

又　論制度題：凡古來制度，古人皆曾有考究了，非待今日始見立説，當本之古人；文意則當出己見，此所謂奪胎换骨之妙。

又　論人物題：其人若有未純處，不可罵盡，雖罵題，切須婉順，不可直突便罵起。有可出脱處，便須爲之回護。

又　林圖南論行文法：有抑揚，有緩急，有死生，有施報，有去來，有冷艷，有起伏，有輕清，有厚重。揚文（凡欲揚必先抑），如高文寬《仁結人心論》云：「且高帝初年，民無蓋藏，天子騂駟不具，將相猶用牛車。文帝之時，未甚相遠，當時備具，蓋無以供二三千里之旱、數百萬之兵。後元四年，迨末年猶語百官卒意思邊，以足民食，其民間之窘乏也爲如何，宜其爲無聊而咨嗟愁嘆。夫何一三章之約，一山東之詔，虚文空言，似於民無補者，而秦之父老方且大悦，扶杖而聽詔者感泣焉，爲當時之民者，猶以斗米萬錢賣爵不給，而至此何爲所可憂者，而乃爲是之喜，無亦不情乎。三章之約，山東之詔，不可謂之虚文空言。」蓋欲揚高文之功，故先抑而言之，此所謂揚文也。

又　抑文（凡欲抑必先揚）：如陳秉白《先王取民之法》論云：「惟先王見高識遠，亦知夫車徒萬乘，富有天下，山河社稷，朝廷宗廟，侍御僕從爲之奔走服役。凡民之奉我者，亦足矣。彼其一田廬，一疆場，一市肆，一舟車，桑麻穀粟，瓜匏果蓏，布帛絲枲，龕良重厚，所入亦甚細，而其贏亦甚微，又況仰事俯育，社閭嘗新，春秋之祀，送往迎來，弔死問疾，蓋亦無幾。使郊祀、社稷、宗廟、百神之祀可闕，賓客、庖廚、百官廩給，匪頒好用之費可去。自十二至二十，而吾聖人不以及民，惟其數者之不能無聖人，於是有不得已者。又況佽布、質布、總布、罰布、廛布，雖歛於廛人，而實歸於泉府以貸，舉民之無貨與夫貨滯而不售者，非特以足國用也。」先張皇先王甚多富貴，蓋揚之也；而後抑言民之所入所贏之微細焉，此所謂抑文也。

又　急文：如馬周《言天下事》論題下云：「嘗觀古人之於事，不徒曰事而已，而必曰職事云者，豈非有職於此，然後有事於此。吾而不職於此，亦無所事於此，事之利害，事之得失，吾必不習熟乎此。於此而冒言之，非淺迫而無謀，則迂緩而不切者也。是以幾敗乃事，此高帝之所嫚罵而孝宣深不喜夫士者，亦其時宜之不達也。是非吾之求避乎事也！」此一句上引下，如風中帆過，不覺其快。

又　緩文：【略】緩文如折腰，急文如蜂腰，但實則爲體，浮則爲文，聚則爲體，散則爲文。

又　死文：【略】先輩戒人不得作死文，道盡其意，言到此而不能再發者，謂之死文。

又　生文：【略】使不知生文者，必曰抱負者大，所施設者小，君子措焉，即意直而無曲折，不可復起，惟長於文者故宛轉。道曰所抱負者大，所設施者必不小，夫必不小之下看如何説皆道得，緣其引語而意未盡也。

李耆卿《文章精義》　文字起句發意最好，李斯上秦始皇逐客書起句，至矣盡矣，不可以加矣；張伯玉作《六經閣記》，謂六經閣者，諸子百家皆在焉，不書，尊經也。亦是起句發意，但以下筆力差乏。

又　文章有短而轉折多氣長者，韓退之《送董邵南序》、王介甫《讀孟嘗君傳》是也。有長而轉折少且氣短者，盧衰（襄）《西征記》是也。

又　文字貴相題廣狹，晦庵先生諸文字如長江大河，滔滔汩汩，動數千萬言而不足。及作六君子贊，人各三十二字，盡得描畫其生平，無欠無餘，所謂相題者也。做大文字，須放胸襟如太虚始得。太虚何心哉？輕清之氣旋轉乎外，而山川之流峙，草木之榮華，禽獸昆蟲之飛躍，游乎重濁渣滓之中，而莫覺其所以然之故。人放得此心，廓然與太虚相似，則一旦把筆爲文，凡世之治亂，人之善惡，事之是非，某字合當如何書，某句如何下，某段當先，某段當後，殆如妍醜之在鑑，如低昂之在衡，決不至顛倒錯亂，雖進而至於聖經之文可也。今人時文，動輒先立主意，如詩賦論策，不知私意偏見，不足以包盡天下之道。以及主意有所不通，則又勉強遷就，求以自伸。其説若是者，時文之陋態也，可不戒哉！

陳模《懷古録》卷下　今之言作古文者，但知當減字，其實非也。古人爲文，有多而少之者，有少而多之者。劉元城曰：「馬遷叙相如、卓文君事，費數百辭。若以別人爲之，則不過曰『少嘗私竊卓氏以逃』。殊不知作史之體當如此。」又論《進新唐書表》云：「其事則多於前，其文則省於舊。」以爲不足於《新唐書》者，正坐此兩句。蓋有不容於不多者，亦有不容於不少者，但看用之如何爾。馬遷傳平原君使楚，毛遂願行。君曰：「先生處勝門之下幾年

於此矣？」曰：「三年於此矣。」君曰：「先生處勝門之下三年於此矣，左右未有所稱誦，勝未有所聞，是先生無所有也。先生不能，先生留。」又傳魯仲連：「新垣衍曰：『吾聞魯仲連先生，齊國之高士也。衍，人臣也，使事有職，吾不願見魯仲連先生。』」及見衍，「衍曰：『吾視居此圍城之中者，皆有求於平原君者也，今吾觀先生之玉貌，非有求於平原君者也。』」洪容齋批云：「是三者重沓熟複，如駿馬下駐千丈坡，其文勢正爾。風行於上而水波，眞天下之至文也。」若以今人減字法律之，則平原君當減云，「先生處勝門之下亦久矣，而左右無所稱，願留」。魯仲連當減云：「吾觀處圍城中者，皆有求於平原君，先生之玉貌獨不然。」如此則不特文氣薾然不足道，且不見得當時反覆抵拒毛遂，及諄諄然稱先生而尊崇仲連等氣象。此則不容於不多之者也。《孟子》曰：「良人者，所仰望而終身也，今若此！」一段，許多事只將「若此」兩字括之，若更重叙過，則不勝費辭，且無意味。又如《尚書》「如岱禮」、「如西禮」，文意亦足，不必重出。則此不容於不減之者也。《公羊傳》晉郤克聘齊一段，「使跛者迓跛者，使眇者迓眇者」。前輩謂不若各以其類迓，則一句省十數句。此卻當減而不減者也。蓋或多而少之，或少而多之，蓋要用之各得其當。奈何今之論文者，只專以減字爲工。且如退之《〔獲〕麟解》云：「聖人者，必知麟。麟之果不爲不祥也。」若以減字減之，當云，「有聖人者出，必能知麟之非不祥也」。然必須重出「麟」字，而衍作一句，則冷語婉變，且飽滿充壯而有餘味。又如《石鼎聯句〔詩〕序》，言道士彌明識侯、劉二子，〔聯句〕應口輒發，愈出愈奇。而二子嘗度終日，卒不能奇。只是以兩三句，被他自淺至深，改頭換面，衍作一篇。使當時只作數句括了，則如何形容得二子被窘困之狀。此皆少而多之者也。又如老泉《禮論》云：「彼爲吾君，彼爲吾父，彼爲吾兄。而聖人者，必使之拜其君，必使之拜其父，必使之拜其兄。」若減之云：「彼爲吾君父兄，而聖人者必使之拜其君父兄」，則上下文勢便不好，便接不著。是皆有不容於不多之者。《孟子》「口之於味也」一段，若減云，「耳目鼻口之於聲色臭味」，則便不條暢。嘗觀遷叙高帝封功臣，逐一云某人幾千戶、某人幾百戶，此可不詳而詳之者，以見高帝之豁達不吝賞處。《樊噲傳》云：「某卻敵，斬首十五級，賜爵國大夫；某〔攻城先〕登，斬首二十三級，賜爵列大夫；某戰卻敵，斬首十六級，〔賜上閒爵〕，某戰卻敵，斬首十四級，捕虜十一人，賜爵五大夫。」此等瑣細，不必具載而載之者，以見樊噲初焉所能戰勝之功止於此，而逐一論報者已如此，其視夫功大者不報，如韓信之下齊，下燕、趙，爲漢收天下三分之二者，有間矣。此等詳其不必詳者，又不止於要作文法，又且皆有深意。若論作文，而但欲以減字爲工，是知其一而不知其二者也。

又 議論要斷當，句法要典實。西漢文章多典實，仲舒《三策》句句多可出題。又如馬遷《報任少卿書》「修身者智之符也」之類是也。是之謂立言。

又 文字到後面，須要參入一段好意，方見筆力不乏，退之所謂紆餘是已。

又 文字有題〔目〕不好處，須着借景說起。如欲說甲，甲無可〔說〕處，甲與乙鄰，乙却好說，只得借乙說起，歐公《釋祕演詩集序》始終把石曼卿同說之類也。

龔昱《樂菴語錄》卷四 作文須要鍊意，鍊意而後鍊句，鍊句而後鍊字，不可輕易拈出。頃見東坡梅花辭稿，塗抹殆盡。天才尚如此，況強勉學爲文章者哉！

王惲《玉堂嘉話》卷一 作文亦有三體，入手當如虎首，中如豕腹，終如蠆尾。虎首取其猛重，豕腹取其楦攘，蠆尾取其螫而毒也。此雖常談，亦作文之法也。

王構《修辭鑑衡》卷二 〔爲文當從三易〕沈隱侯曰：「古今爲文當從三易：易見事一也，易見字二也，易讀誦三也。」邢子才嘗曰：「沈侯文章，用事不使人覺，若胸臆語，深以此服之。」杜工部作詩，類多故實，不似用事者，是皆得作者之奧。樊宗師爲文澀不可讀，亦自名家，才不逮宗師者，固不可效其體。

陳繹曾《文說》 繹曾謂今世爲學不可不隨宜者，科舉之文是也。科舉之文，有不得不與《朱子語錄》參者，謹具于後：一讀《四書》，當謹守章句集註，參以《或問》《語錄》，及文公《大全集》，其間有《或問》與《集註》不同，當從《集註》。又有《集註》與《語錄》不同者，只以《集註》爲本，而與《語錄》參訂之。一讀《尚書》，主蔡氏，參《朱子語錄》。一讀《詩》，主朱子《詩傳》綱領，義理都在綱領中。詩傳只是訓詩傳制度參古註疏。一讀《周易》，先曉啓蒙，次本義九圖，次五贊，次《繫辭》、《說卦》，乃可讀《上下經》、《彖》、《象》、《文言》、《序卦》、《雜卦》傳本義，然後讀程朱傳。程朱異同處不可作是非

論，只是各有取用。朱子是明經，程子是借經明道。一讀《春秋》，朱子本説皆在張洽註，今科舉偶不及此，蓋事實在左氏，論辨在《公》、《穀》，斷以胡氏，而取《朱子語録》及張洽之説折衷之可也。一讀《禮記》，雖主古疏，然制度當訂以朱子《經傳通解》。有朱子《經傳通解》，有勉齋《經傳通解》，有楊復《經傳通解》，三書皆具，然後可以考也。義理當訂《朱子語録》。一古賦，有楚賦，當熟讀朱子《楚辭》中《九章》、《離騷》、《遠遊》、《九歌》等篇，宋玉以下，未可輕讀。有漢賦，當讀《文選》諸賦，觀此足矣。唐宋諸賦未可輕讀。有唐古賦，當讀《文粹》諸賦，《文苑英華》中亦有絶佳者。有唐律賦，備見《文苑英華》。一詔，漢詔當盡取眞西山《文章正宗》所選讀之，唐詔當選取《文苑英華》所有之精者讀之，宋詔當盡取吕東萊《文鑑》中所選讀之。一誥，漢無制誥，當取《尚書》諸誥，及漢武封三王策與《漢官儀》命公卿諸策書讀之。唐誥，當取《文苑英華》中精者讀之，宋誥，當盡取東萊《文鑑》中所選者讀之。一章，漢章取《文章正宗》，唐章取《文粹》，宋章取吕東萊《名臣奏議》。一表，漢表即章。宋表有蜀本《適用集》中所選，皆南渡以來，渾厚典雅。唐表取《文苑英華》。一策，書坊漢唐策亦可觀，但分開，章自章，策自策，不宜混雜。然祇董仲舒三策是正格式。或賈誼《治安策》是正籌策文字。以董爲體，以賈爲骨，而東坡策略助波瀾，白居易諸策止可體面，亦可已矣。此上只科舉所急用如此。若依朱子讀書法，則尚有評章答韓莊伯讀書説。

又 讀諸經，當以一經爲主，《詩》、《書》必須通習。讀《詩》，吟詠古人性情，而反之吾心之性情，達之合天下之情性。只作街談俚語看，不須深難求之。鳥獸草木器服之名，卻須通習讀。考究每章每句，不要拘一説隨用，句句有千變萬化，只要看得活，推得廣，用得實。古註疏是漢唐經師教學者之説，于淫奔逆亂難講處，多假古事，換別意以避之。朱子是商周魯十五國作詩人本情性之説，兩不可廢。讀《書》，要看堯、舜、禹、湯、文、武之爲君，啓、太甲、成康之繼述，高宗之中興，其政何施？其事何在？舜、禹、皋陶、伊尹、傅説、周公、召公之相業，其政何施？其事何在？其餘聖賢所居何位，所施何政，所行何事，隨句要歸着各人所居地位，以爲模楷。上自帝王，下自小民，皆有其法。須帖實有歸着看自見。大抵《尚書》只當作爲政治事樣子看，便分明也。政是平治天下大經大法，事是逐時小事。書中不見樣者，不必强求；書中有樣者，不可放過。逐句看見各人地位處置樣子分明，又將先日所見，同是此樣地位而處，或同或不同者，以類參合而觀，則所得多矣。讀《易》，先將啓蒙，看透圖書之理，原卦畫，明蓍策，考變占之説，然後熟讀《繫辭》、《説卦》，太極、兩儀、四象、八卦之理與象數，昭昭在心目中，卻細看六十四卦彖，三百八十四爻辭，一字字從太極、兩儀、四象、八卦本然理象數中來，自然見得聖人下一字皆有來歷，歸着若其用處，祇在夫人日用間審動端，而吉凶悔吝可見。朱子本義，是四聖人各各本意；程子傳，是吾人日用切實之理。讀三《禮》，《儀禮》是經，《周禮》是緯，官守所分掌者；《禮記》是傳，當分四科，三百經禮以類相從而考證之。在者審所歸，亡者缺之。四科者，禮也，儀也，樂也，制度也。吉、凶、軍、賓、嘉之大目爲禮，應對、進退、拜立、趨行之小節爲儀，音律、歌舞、八音之法爲樂，封井、宗學、宮室、器服之等爲制度。以經證經，不可曲泥傳註。《周禮》一書，是文武周公平天下之法，自《堯典》以降莫不備於此。大政在六官，小事具諸職。有志者，須要細心深思而實體之。讀《春秋》，以《左氏》爲案，正經爲斷。先儒二言盡之矣。斷事不可先立主見，將本人所立何功，所犯何罪，來蹤去跡，仔細推尋，一小節不究，便有錯斷處。功罪本事，節節明白，卻原其情而定褒貶。有兩是者，有兩非者，有似是而非者，有似非而是者，有是非各半者，有是非輕重比倫者，有以功補過者，有以罪紬功者，有初無是非者，有眚災者，有功之首罪之魁不見形迹，必當表而出之者。平心易氣，以觀其事，明目聰耳，以察其情，執中有權，以斷其理。《左氏》，案也；《公羊》、《穀梁》，議也。然聖人之旨微，必待吾心之清明者以裁之。讀《大學》「明明德」章句，是一書之根本，須細細切己，看教分明無罅漏。「致知格物」章，或問是聖門學知之法，然須依此細看，立定條目，實下功夫。「誠意」章句是聖學心學之根本，朱子平生留意切至處，字字切己，仔細尋思，至切至切。大要祇是一樸實爲善而已，恰是要朴實到至極處。平天下章，絜矩好惡，是聖治心法；貨德仁人小人，是聖政大端。治天下之要，不出乎此。仔細讀，著實尋思，用之不盡矣。讀《論語》，將問處作自己問，答處作今日耳聞先儒之説，至矣切矣。訓詁義理在集句，同異是非在《或問》，格言遺説在《朱子語類》，道理在今日天下之事物，實用在吾身，玩而味之在吾心。讀《孟子》，每章須有一兩句是主意，其餘是敷衍此意而明辨之見，破主意，則其餘煥然易知矣。一書主意在性善，實理在仁義，功夫在求放心、養浩氣，政事

在務農興學，以行王道。讀《中庸》，最不易，此兼明天人之道，微而顯，著而隱，若識得「天命之謂性」一句分明，方可讀下文也。《易》就陰陽，說得駁雜，而有依憑；《中庸》提出天命，說雖簡約，卻難把捉，走作便入異端。慎之哉！慎之哉！讀《孝經刊誤》，大體已正，近吳草廬先生註詳明矣。更看黃氏本旨以極其趣，天理人倫之本在是。

又 讀史，須分五科：第一於帝紀內看歷代興亡；第二於列傳內看古今人才；第三於列傳內看古今事迹；第四於諸志內看歷代典章；第五以《春秋》之法斷興亡人才事迹之是非，以三代斷歷代典章粹駁，仍須以外史參辨誣枉。凡讀史，當以正史爲先，十七是也；然後以通史、通志會同之《通鑑》、《通典》之類是也。又以外史、會要考訂之，《國語》、《國策》、《東觀》、荀表、外書、舊唐、周書、漢儀、唐宋會要之類是也。又以史論評確之，《唐鑑管見》之類是也。至於古史，暇日亦不可不知，當斷以孔子，五帝德存而勿論可也。

又 讀諸子，儒家：荀、揚、文中、《新序》、《說苑》；雜家：管子、《呂覽》、賈誼、《淮南》；道家：《老子》、《莊子》、《列子》、《抱朴子》；兵家：孫武子、吳起、司馬法；法家：《韓非子》等，皆文章精奇，論說要妙，雖所學不醇，而見趣高深，可資博覽。讀之當分三科：一見地，二文章，三事料。見地者，諸子所造，雖有大小淺深，然必有所悟入處，雖偏駁，要必有識見。見識既眞，自有妙理。學者所志雖不同，皆須有眞悟處，方能有所成就。後世文章事業不及古人者，以其悟入處淺故也。讀諸子可以見之矣。

又 文章者，荀卿博雅，揚雄簡奧，穰苴典古，有先王遺風，韓非嚴峭，皆自成一家。事料者，古事也，精意也，句法也，字樣也，制度名物也，助辭之變例也，往往精古，非漢魏以後所及，皆須摘取以資筆端。讀文章，就今日所宜，且於《孟子》中取長者二十餘章，韓文四五十篇，蘇文亦然，合成百篇，取時須自己意，擇意中所甚喜者寫入。若覺篇篇可喜，截滿百篇之數即止，不必多貪；若篇篇不見可喜，即不必強取，看終集之後，再轉求之，雖百轉可也。寫成百篇後，讀書之暇，每日隨意多少，反覆讀之，或默看，或批點，隨意先麄麄看過，卻與分大段，又與細分小節，節段既明，觀其首尾中間相應處，相變處，撆掉處，轉摺處，寬心細目徐觀之，意無昏倦。《老子》云：「孰能濁以靜之徐淸」，要必有事焉而勿正。如此，久久自當有得，大概只要扯拽作性漸通耳，毋將迎，毋凝滯。讀經以融貫義理，讀史以該洽事實，取胡氏《讀史管見》，隱然若一敵國，自立說與之相辨，唯久久義理事實，來於經史議論，生於《管見》，作性扯拽，開於孟、蘇、韓文之路，輻湊筆下，滔滔不能禁止。技癢欲寫，即宜痛禁止之，慎勿拈紙筆便作文也。一拈紙筆，昏氣隨至，前功廢矣。如此久之，欲寫愈甚，禁之愈切，直至隨所見題目，分明有一片文字首尾中間議論句法字樣見成，了了自然成文，胸中不費尋思，直拈筆便寫去，方可拈紙筆矣。此後只可因自然成文之甚明者一寫之，不可乘此便日弄紙筆，仍須切禁止如前，當愈嚴也。禁之愈嚴，其來愈多，作性之道，不可遏矣。勉之哉！此後卻須從先輩求點化，芟繁就簡，掃博歸約矣。

又《文筌・古文譜》識題法：一、虛實：虛題、實題。右古文一主於實，實題實做，虛題亦實做。叙事則實叙，議論則實議是也。時文一主於虛，虛題虛做，實題亦虛做，只此是古文、時文分別也。二、抱題：開題，盡開題中景意事情而悉區分用之；合題，收斂題中景意事情合爲一片，而融化其精英用之；超題，超出題中景意事情之外，而別取一片清虛玄妙之氣用之；引題，先說別事忽入題中；張題，小題張而大之；蹙題，大題蹙而小之；影題，別把他物影見本題；摘題，摘取題中緊切要精者，而用其景意事情之一端；絕題，別立說話卻不離題，直至結尾方見本題；撇題，先說本題撇入別事。三、斷題：「推鞫」：來蹤，題中景意事情各來由；去跡，題中景意事情各去處；本宗，直下本原；旁枝，牽連枝節；證佐，聞見可徵；隱匿，隱匿情節，一一點破；形似，僞造形似，實非本眞，尤須詳察。「磨勘」：罅漏，景意事情直須磨勘，盛得水住，稍有滲漏便是病。「擬斷」：原情，原以人情而以恕度之；據理，據其天理而以正折之；按例，史子比則；奉勑，本朝典故；唯命，聖賢格言；依律，經書正例。「處置」：斷決，明正功罪；赦宥，赦過宥罪。

又 式：一、叙事：叙事，依事直陳爲叙，叙貴條直平易；記事，區分類聚爲記，記貴方整潔淨。二、議論：議，切事情之實而議其可行者；論，依事理之正而論其是非者；辯，重複辯析以決是非之極致；說，平說其事可否，是非自見言外；解，解析其理明白，則已不勞辯論；傳，傳述

所聞不敢增減；疏，條陳其事，畫一分明；箋，拾古人非缺之處而補正之；講，解析其理，究研詳盡；戒，正辭嚴色，規儆於人；喻，和顔溫辭，曉諭於人。三、辭令：禮辭，尊卑上下禮法之辭，貴高下中節；使辭，使命往來傳命致事之辭，貴簡要而動中事情；正辭，法語禁人之辭，貴嚴峻切至，凛然可畏；婉辭，巽語諷人之辭，貴辭寬意切，使人自然動心而不可激怒；權辭，權謀機警，務以成事之辭，貴得其畏愛之情而逆取順導之。

潘昂霄《金石例》卷九〔論古人文字有純疵〕前輩作文，各有入門處。退之本孟子，永叔亦祖孟子，故其講論純正少疵。子厚、明允集中，皆自言其所得處。明允多自《戰國策》中來，視子厚爲不純。子瞻亦宗其家學，氣燄赫奕，人多慕之，然少純正。要之，自《六經》中出，則源深而流長。人但見正大溫粹，不知其所養者有本也。此最當謹所習之。始者不謹，則末流可知。

倪士毅《作義要訣》或曰：行文關鍵多則響，常讀熟做熟，則行文自熟。凡做商周題，用唐虞事，則精神壯觀；做唐虞題，用商周事，則不甚好。大凡義不必長，亦不必短，在措辭如何耳。長而轉換新意，不害其爲長；短而曲折意盡，不害其爲短。務高則多涉乎僻，欲新則類入于怪，晦則讀之使人厭，淺則讀之使人輕。下字惡夫俗，而造作太過則語澀；立意惡夫同，而搜索太甚則理背。皆學者所當知也。又凡做君題、國家題，反處不可太甚，只須輕輕說過。

又〔論冒題〕或曰：破題爲一篇綱領，至不可苟。句法以體面爲貴，而包括欲其盡。題句多則融化，不見其不足；題字少則敷演，不見其有餘。命意渾涵而不失於迂，用字親切而不病於俗，斯得之矣。接題，所以承接破題之意。一篇主意，要盡見於二三句中，尤不可不用工也。或曰：冒頭如人頭面，著不得十分多肉，肉多則嫌有肥氣，不雅觀也。

歸有光《文章指南·仁集》通用義理則第一：文章以理爲主，理得而辭順。文章自然出群拔萃，如伊川先生《周易傳序》、陽明先生《博約說》，此皆義理之文，卓見於聖道之微者。通用養氣則第二：爲文必在養氣，氣充於內而文溢於外，蓋有不自知者，如諸葛孔明《前出師表》、胡澹庵《上高宗封事》，皆沛然從肺腑中流出，不期文而自文，謂非正氣之所發乎？通用才識則第三：文章非識不足以厚其本，非才不足以利其用，才識俱備，文字自會高人，如司馬子長自叙所以發《史記》之大意，而其辯博之才，淹貫之識，盡見於此矣。關世教則第四：文章不足以關世教，雖工無益也。如李太伯《袁州學記》，議論臣子之分懇惻切至，讀者輒起忠孝之心，謂非文之關世教者乎？占地步則第五：古人作文專占地步，如人要在高處立，要在平處坐，要在闊處行，如韓退之《與于襄陽書》，隱以君子之道自許；蘇明允《上田樞密書》直以天之與我自任，此皆占地步處，餘可類推。以上二則亦作文之要旨也，故次通用則之後。立論正大則第六：學者作文，須要議論正大，有臺閣氣象方佳，如蘇子瞻《孔子從先進論》以「始進以正」立說，方遜志《釋統》舉秦、晉、隋而并黜之，議論何等正大？場中有此文字，主司自當刮目。用意奇巧則第七：文章用意，庸易起人厭，須出人意表，方爲高手。如李斯《諫逐客書》借人揚己，以小喻大，另是一種巧思，能打破此等關竅，下筆自驚世駭俗矣。造文平淡則第八：文章意全勝者，詞愈樸而文愈高；意不勝者，詞愈華而文愈鄙。如曾子固《戰國策目錄序》無一奇語，無一怪字，讀之如太羹元酒，不覺至味存焉，眞大手筆也。造語蒼勁則第九：學文之初，先學煉句，雖不貴於詰屈聱牙使人不可句讀，亦要脱去稚筆方妙。【略】叙事典贍則第十：學者作文，最難叙事，古今稱善叙事者，左氏、司馬氏而已。如叙鄭莊公叔段本末，此左氏筆力之最高者。蘇子瞻《表忠觀碑》，王荆公稱其可與司馬氏馳騁上下者。能熟此二篇，叙事自有體矣。詞氣委婉則第十一：秦漢以下去聖人漸遠，故其詞氣往往有迫切之病，惟《左氏》所載諸國往來之詞與君臣相告語，詞不迫切而意亦獨至。神氣飄逸則第十二：論古今人物風流，惟兩晉爲盛，故發之文章，神思自然飄逸，如陶元亮《歸去來辭》，于舉業雖不甚親切，觀其詞義瀟灑夷曠，無一點風塵俗態，兩晉文章此其傑然者。

又《義集》譬喻則第十三：詩有比有興，比者，以彼物比此物者；興者，以彼物引起此物也。體雖有二，而取喻之義則同。孟子文法多本此，故後世文章皆例用之，或不說出正意，專以比體彼物發揮者，如韓退之《雜說》上下篇是也；或專以彼物發揮而末繳數句正意者，如韓退之應科目時與人書上也；或專以彼物發揮而末含一句正意者，如柳子厚《捕蛇說》是也；或以彼物正意相半發揮者，如韓退之《後十九日復宰相書》、柳子厚《種樹郭橐駝傳》、《梓人傳》、蘇子瞻《稼說》是也；或首尾發揮正意而中間以彼物形容者，如蘇明允論是也。此以上屬比體，以下屬興體。或以彼物輕說引起正意發揮者，如蘇子瞻《李氏山房藏書記》是也。引證則第十四：凡議論或引證經傳，

或引證古人，此文章常格，須要用得精。【略】將無作有則第十五：凡議論援外固以精當爲貴，然亦有牽引來說者，謂之將無作有，此善行文處。【略】化用經傳則第十六：凡文字引用經傳易失之陳腐，惟歐陽永叔《送王陶序》全用易象默化疏通，而議論亦好，文章似此方成文章。【略】引事論事則第十七：古人事迹大概相類，特有得失之異耳。故議古人之得須援失者以證之，議古人之失須援得者以證之。【略】抑揚則第十八：人非聖人，孰能無過，苟非至愚，未必無一長可取。故論人者雖不可恕人之惡，亦不過沒人之善，抑而須揚，揚而須抑，方爲公論。然抑揚之法用處卻有不同，有先抑而後揚者，【略】有先揚而後抑者，【略】有抑揚并用者，【略】有揚中之抑者，【略】有抑中之揚者。【略】尚論成敗則第十九：凡論古人之功罪須要思量，使我生此時居此位處，此事當如何措置？必有一長策方可，若只能責人，亦非高手。【略】一反一正則第二十：凡議論好事須要一段反說，凡議論不好事須要一段正說，則文勢亦圓活，義理亦精微，意味亦悠長，此文章之大家數也。反正翻應則第二十一：文章有正說一段議論，復換數字反說一段，與其相對讀者，但見其精神，不見其重複，此文法之巧處。

又《禮集》前後相應則第二十二：凡文章前立數柱議論，後宜鋪應，或意思未盡，雖再三亦可，只要轉換得好，非惟見文字有情而章法亦見整齊。【略】總提分應則第二十三：文章有總提，大意在前，中間逐段分應者，意法尤覺整齊。總提總收則第二十四：賈生先醒篇前總提大意，中分三段分應，末又一總收，較之上則更勝，文體至是可謂妙矣。逐事務陳則第二十五：諸葛孔明《後出師表》通篇條陳時務，雖是奏書之體，然布置嚴整，學者熟之，非但長於論策，而他必優於奏疏矣。文勢層疊則第二十六：【略】句法長短錯綜則第二十七。【略】一級高一級則第二十八：文字自下說上，如登九層之臺，漸陟其頂，是謂一級高一級也。一步進一步則第二十九：文字由淺入深，如行萬里之途，漸到至處，是謂一步進一步也。文勢如貫珠則第三十：結上生下，意脈相連，是謂貫珠勢也。文勢如走珠則第三十一：轉換圓活，略無滯礙，是謂走珠勢也。文勢如擊蛇則第三十二：救首救尾，段段有力，是謂擊蛇勢也。文勢如破竹則第三十三：句法連下一句緊一句是謂破竹勢也。先虛後實則第三十四：謝叠山云：「文章先用冒頭，然後入事，又是一格。」先疑後決則第三十五：「文章于下手處最嫌直突，須先以疑詞說起，然後以正意決之，方見文勢曲折之妙。

又《智集》下句截上句則第三十六：凡文章上句重下句輕，或爲上句壓倒，須要上下相稱。繳上生下則第三十七：文章前面各意分說，後又總紐過下立論，是謂繳上生下也。論例體用此法。叠上轉下則第三十八：上文有一句說話，下即頂上申說一句，如過文相似，是謂叠上轉下也。攔截上文則第三十九：凡句法直下來，如良馬下峻嶺，如輕舟下長湍，若無一句攔截，便不成文章。設爲難解則第四十：凡作辯論文字，須設爲問難而以己意分解，如此非惟說理明透，而文字亦覺精神。含意不露則第四十一：有一等辨論文字全不直說破，盡是設疑，佯爲兩可之詞，待知者自擇，此別是一樣文字。設爲問答則第四十二：又有一等文字不直發揮，乃學《孟子》文法隨問而隨答者，亦是一格。辨史則第四十三：凡作辨史文字，前面雖把正理難得他無逃避處，末當放寬一步，不可十分執詰，蓋以作史者當時必有所據。文短氣長則第四十四：文章簡短難得氣長，惟王半山《讀孟嘗君傳》、韓退之《送董邵南序》，內在許多轉折，讀之不覺氣長，眞妙手也。文章長而簡直氣短者，莫如盧贄元《西征記》，是可取以對觀，第不見錄於大方家。字少意多則第四十五。【略】字繁不厭則第四十六：文章下字重叠未有不起人厭者，惟韓退之《送孟東野序》。【略】雙關則第四十七：雙關文法，諸家惟韓文喜用。【略】兩柱遞文則第四十八。

又《信集》下字影伏則第四十九：凡文章記事立論，其用字用意須要與事親切，如韓退之《送王含秀才序》，以「醉鄉記」三字生出一篇議論，首尾下字影伏。相題用字則第五十：近見舉業文字每因題之所宜借用字樣，雖非正式，亦是巧思所在。題外生意則第五十一：題意平常若泥此發揮文字，卻無味矣。須於題外另生議論，以相題之不及方佳。駁難本題則第五十二：凡題目意見偏枯，即當駁難歸正。回護題意則第五十三：凡議論聖人不是處，須以正理回護，蓋聖人心本正大，其間不足者迫於遇耳。駕空立意則第五十四。【略】死中求活則第五十五：凡文字議論已到至處，更出一段議論，不泥於題意之尋常，是謂死中求活，此文法之最妙者。立意貫說則第五十六：作文須立大頭腦，立得意定，然後遣詞發揮，方見氣象渾成。繳應前語則第五十七：凡文字有緊關語句前面雖已提出，又於後面繳說，與前面相應，是亦文法所在，但用處不同，有於冒頭用者，【略】有於腹講用者，【略】有於首尾

用者。【略】叠用繳語則第五十八。【略】結意有餘則第五十九：人於結束處多忽略，謂文之用工不在於尾，殊不知一篇命脈歸束在此，須要言有盡而意無窮，三嘆而有餘音，方爲妙手。竿頭進步則第六十：文章結束處最嫌軟弱，又須百尺竿頭更進一步，如畫上書畫，愈出愈奇，方爲妙手。結束括應則第六十一：凡文章前面散散鋪叙，後宜總括大意，與前相應，方見收拾處。結束推原則第六十二：篇内但據事議論而於結末復究其由，謂之推原之法。結束推廣則第六十三：題意止於此而於結束復因類以及其餘，是謂推廣文法。結束垂戒則第六十四：凡作罵題文字，須於結束垂規戒意，方有餘味，此雖小節，有不可略。結束有力則第六十五：韓退之《送石洪處士序》、歐陽永叔《朋黨論》，此二篇文字結束雖一二句，而實有萬鈞之力，乃文法之至妙者也。結束斷制則第六十六：王文成《送毛憲副致仕歸桐江書院序》末用斷制文法，繳前三段意，又是一格。

王格《書昌黎集後》 則動以《六經》、《左》、《國》、秦漢、六朝爲言，如退之輩恆鄙俚之，置度外耳。於戲，爲此者其亦知退之莫能深乎！夫以退之之才，豈不足方駕古昔者？色色而雕刻之，種種而模擬之，不求其神情，而惟取其形似，在退之當更能耳。然而退之必不爲此者，耻蹈襲之不足爲，而欲自爲其家也。夫耻蹈襲而欲自爲之，則凡今人之所誇以爲高，而陵轢退之者，迺退之所羞道而不爲者耳，而何以服退之之心乎？且退之于古人之文，所以包舉而採掇之，亦不遺餘力矣。特其繩墨所到，心匠由己，力能融貫之而不見其迹耳。故余以謂退之學古而不泥于古，如今人則直謂之古矣，此所以異也。使退之而亦如今人之爲，捕風逐塊而不能有所自立，則何以驚動千古，而其言至于今不廢耶？昔宋之中葉，其文亦過于艱深，若劉煇輩所爲是已。歐陽永叔從而排斥之，以歸于雅馴，而復乎退之之舊。故後世言文者，每以宋爲準的焉，則永叔之功于是爲大也。嗟乎，今時亦必有永叔者，而後其頹波可止。余非其人也，然所見如此，不敢以不盡，又安知世不有由吾之説憐退之而寬假之者乎？夫使退之而果見寬假，則其于爲文也，亦必有所折衷矣。

茅坤《與蔡白石太守論文書》 僕嘗念春秋以來，其賢人君子間遭廢斥，未嘗不即其窮愁自著文采，以表見于後。何者？耻心有所知與腐草同沒也。然技不能兩有所精，而學不能兩有所建。何者？《傳》不云乎：「倕工于爲弓而言天下之善射者，必曰羿也；奚仲工于爲車而言天下之善御者，必曰造父也。」蓋萬物之情，各有其至。而人以聰明智慧，操且習于其間，亦各有所近。必專一以致其至，而後得以偏有所擅，而成其名。故世皆隨孔氏以非達巷，而僕獨謂孔氏之言者，聖學也。今人未能學聖人之道，而輕議達巷者，皆惑也。屈、宋之于賦，李陵、蘇武之于五言，馬遷、劉向之于文章傳記，皆各擅其長也。故李、杜詩聖，而韓、歐文匠。其間不自量力，揚躒蹀躞而進者，獨魏晉曹、劉、二陸及唐元、白、柳宗元之徒稍稍侈心焉，然亦疲矣。使宗元獨以其文與韓昌黎爭雄，當未辯孰劉孰項；而曹、劉獨縱其詩聲于武陵之間，又未必降爲黃初之音也。故曰：人各有能，有不能。

又《文訣五條訓緒兒輩》 四曰煉辭。辭則譬之美女之膏髮、畫眉、朱唇、皓齒，飾之以翡翠明珠，衣之以冰紈文綺也。學者往往不裁不剪，塡塞滿紙，雖多何爲！

葛應秋《武林舟中偕諸友論文》 有字，心在字也；有句，心在句也；有章，心在章也。章、句、字之所及，而心及焉。章、句、字之所不及，而心及焉。心悉而爲章、句、字，章、句、字得而爲心，心與章、句、字化，而章、句、字出焉。夫章、句、字之間亦淺矣。噫！天地間至玄至妙，無形相之物，自不離形相，所謂皮毛膚殼之外，更無神髓，非神髓之即爲皮毛膚殼也。我悉其心焉，而皮毛膚殼之外，自無神髓也。由此啓識爲會心，由此定宗爲賞心。經云：「心之官，神明出焉。」夫子云：「心之精神謂聖。」聖既在心，何有于文？而物欲交障，訓詁牢柵。嗚呼！神明亦豈易出乎哉！

又《制義文箋》 爲文不可作影響語，直須親切精詣，不可作鄙俚語，直須豪達宏爽。

又 説事之文，求之世上之應感；説理之文，驗之心上之動靜，則言之有據，出之成章，常醒人心而新人目矣。

沈懋孝《論文有五綜七緯》 明瑙徑寸，價重連城；崑璧一片，名高九牧。外狀不多，内含精理。故一語到處，浮言盡發，千葩易敷，碩果難結。漢以下文字，一散不能結，所以元氣漓薄，八代日以卑卑耳。

又 正與人紛議時，不可一向順渠顏面。就中將異同之論，不料之談，再駁惱一番，則前面如蘭，得契之指，自生十倍精神。文正順瀉時，逆鋒返豎，本指彌新。《易》有逆數，仙家有逆返，只此妙義。

又《小淇林雜言上》文貴鎔裁，鑄意象物之謂鎔，輕刀剪割之謂裁，精金在冶，寫鑄隨摹。干將青萍，唯人所造。紈綺下機，付之刀尺，長短稱身，可惜其割裂乎，抱璞而恡剖，持縑而靳割，皆生於愛戀之過，故工文之士難於割愛。

陳懿典《螢囊閣集序》文章與時高下，代各爲體，人各成家。如必尊古而卑今，拾吐而學步，則六籍之後何以有秦漢唐宋？《三百篇》之後何以有騷選？而唐又何以有初盛中晚也？蓋自嘉靖中，王元美自負其才，目攝一世，欲摧抑晉江、毗陵之輩，而駕其上。方恐天下不我信，而李于鱗氏出，稱文必先秦西京，詩必大曆以前，有一字一句不類者，即汰去以爲不及格。元美遂以身下之，招儕輩宗，吳七子之徒推爲盟主。于鱗益自矜以文統自居，數十年來海內靡然從之，士大夫稱文遂無及東京者，稱詩無及中晚者。顧惟于鱗句比字櫛，刻意摹擬，庶幾似之。然獨奏一篇，高華峻絕，苟累牘卒業，不勝飽飣矣。若元美之集，其詩律固主初盛，間中出晚。其文都春容大篇，氣韻翩躚，半是子瞻步驟，固未嘗耑倣秦漢也。奈何尊王李者，務以緣飾相高。事本常也，而參合於奇節；情本平也，而附離于感憤。頡頏矯揉，率爲不必有之言，談不必有之境。彼自謂此胡寬之營新豐，而識者固窺其爲叔敖之優孟矣。余嘗持此公案，與談藝者相揚搉。謂立言之道，與孟氏論氣同。由情吐者即謂之生，不由情吐者即謂之襲。生從天者也，襲從人者也。生之妙至于日新富有，不求合法而自無不合；襲之弊至於外腴中枯，神之不存，法將安傳？

陳仁錫《四續古文奇賞序》文有二病：在好貨，在好色。剟文之多，汰文之色，則文傳。或曰多可去，色不可去，然松柏仆，爲萬世之用，而舍身可以棟明堂，賞其榦非賞其色。自古奇人易敗，奇文易腐，未有不銷亡於斯二者病不學。

又《江陰鄧克生文序》文有方圓動靜，無奇正。八比方也，方即圓；操刀動也，動原靜。知圓不知方，知動不知靜，是學執乾柄而不法二刀兩斷之坤，不冰霜曷雲雨？故論人莫使膽字出頭，論文莫使奇字出頭，膽與奇皆蕭薾不足之象，人無餘地，文無餘品。世儒有「王用心霸用意」之説，每尊心而賤意，試讀其文，豈羞稱霸哉？何不用意之甚也！立象盡意，上古聖人事，雖帝亦不能悉用，矧霸乎？克生眞人也，眞文也。惟人文並眞，可與定方圓動靜之宗也已。夫方圓動靜，一意攝之矣，奇正，一用意攝之矣。大都有成竹於胸中，其手腕定無佳竹，猶之好文字不可留影於胸中，作文使己與聖賢脈脈翕受之意無所附麗，曷奇曷正，乃此脈脈翕受之意將不如坤之細細貼切，一味靜方而能了然於手口乎？

又《張澹斯文序》文章大概如女色，好惡止繫于人。山谷語不甚然也，「雪後園林纔半樹，水邊籬落忽橫枝」。山谷笑歐陽公鑒賞未到，但詫疏影橫香爲絕倒耳。宋大內徵梅千種，一本得自張公洞，極奇，謂此梅之遭耶洞口何嘗不佳絕。吾輩作文，正要看得澹。澹于遇則可，澹于文章之得失則不可。

趙維寰《三論諸士論文章》大抵文無平奇，要以脈理爲主。脈欲淸欲貫，然未有不淸而能貫者，如烹茶然。水先不澄，而渣穢溷之，又何以潤肺腸而惺神志？理欲切欲透，然未有不切而能透者，如食味然，粱米不具，而日沉酣於麯蘗，厭飫於肥甘，恐穀氣不充，反因之滋病矣。【略】不得其脈理，而徒襲其膚華，優孟叔敖，仍二之矣。總其病根，皆起於無自得。夫士誠有以自得，則古今人趨走吾輩筆端，而爲我用。苟無自得，且竭我精神，日奔命於已陳之唾吻，而爲古今人用。今之學一瓛者，皆爲一瓛用者也。誠用之，則必求自得，求自得，又非必趺坐面壁，於蒲團上作生活也。

陶望齡《季生弟制義序》予嘗爲諸弟姪論行文正如人愬事耳，敏口者能言，其甚敏者能省言而無費文。至於無詞費，而工巧裁製之妙靡不備矣。孔子稱辭達，左氏乃云文以足言，足言之文非至文也。意罄辭止，而待於足言乎哉？百人言一事，而或一人悉之，百言悉一事，而或數言舉之，其工拙豈絜度而後見耶？

方應祥《序魏子文》文章之妙，要在運筆耳。三寸不聿，重無錙黍，老宿矻矻，指棘不得動搖，孰能使題就吾文，文就吾意，方員信乎手而規矩匿其功。管子曰：「匠石有以感斤斸。」此道所不傳，才者捷得之。

袁宗道《論文上》口舌代心者也，文章又代口舌者也，展轉隔礙，雖寫得暢顯，已恐不如口舌矣，況能如心之所存乎？故孔子論文曰：「辭達而已。」達不達，文不文之辨也。唐虞三代之文，無不達者，今人讀古書不即通曉，輒謂古文奇奧，今人下筆不宜平易。夫時有古今，語言亦有古今。今人所詫謂奇字奧句，安知非古之街談巷語耶？【略】古文貴達，學達即所謂學古也，學其意不必泥其字句也。今之圓領方袍，所以學古人之綴葉蔽皮也；

今之五味煎熬，所以學古人之茹毛飲血也。何也？古人之意，期于飽口腹，蔽形體，今人之意亦期于飽口腹，蔽形體，未嘗異也。彼摘古字句入己著作者，是無異綴皮葉於衣袂之中，投毛血于殽核之內也。大抵古人之文，專期於達，而今人之文，專期於不達，以不達學達，是可謂學古者乎？

王思任《與許伯倫論文》 蝨必車輪，蟻必牛斗，而後耳目之官，各極其用。嘗以此看小題，一字之冷，通章熱血，呼吸盡來，此眞小題也。如僅以小兒之穎，挖空生語，頭巾之學，飽貨雜張。不則霸王，叱咤豪叫一番，蘇秦縱横演數數帶，雖玄黄炙轂，紙動戈飛，吾無賞焉。

鍾惺《隱秀軒集自序》 古詩文多無序，非終無序也。未嘗身乞人序，非徒不乞人序，而已亦不自作序。凡以詩文者，內自信於心，而上求信於古人，在我而已。初非序之所能傳也，迨其必可傳而後序興焉。故有詩文作於數百年之前，而序在數百年後者。傳而後有序，非待序而後傳也，如其傳則亦不必序矣。予少於詩文本無所窺，成一帙輒刻之，不禁人序，亦時自作序。大要取古人近似者，時一肖之，爲人所稱許，輒自以爲詩文而已矣。側聞近時君子有教人反古者，又有笑人泥古者，皆不求諸己，而皆舍所學以從之。庚戌以後，乃始平氣精心，虛懷獨往，外不敢用先入之言，而內自廢其中。拒之私務，求古人精神所在。雖不能得古人一二，然舉其所得之一二以示人，其爲人耳目所不經見，及經見而略不曆意者，十固已八九矣。間取己作，以覆古人，向所信以爲古人確然在是者，覺去古反滋遠；有所創獲，晚出使人愕然，以爲悖於古者，古人嘗先有之。始悟近時所反之古，及笑人所泥之古，皆與古人原不相蒙，而古人精神別自有在也。

譚元春《題簡遠堂詩》 夫詩文之道，非苟然也。其大患有二：樸者無味，靈者有痕。故有志者，常精心于二者之間，而驗其候以爲淺深。必一句之靈，能回一篇之運；一篇之樸，能養一句之神，乃爲善作。譚子曰：古人一語之妙，至于不可思議，而常借前後左右寬裕樸拙之氣，使人無可喜而忽喜焉。如心居內，目居外，神光一寸耳，其餘皆皮肉膚毛也。若滿身皆心，心外皆目，人乃大不祥矣。然前後左右所以藏此一語者，亦必眞如古人之寬樸。苟以古人不可思議之語，藏于今人漫無精氣之篇，將并其妙語而累之。譬如人懷仙佛之心，而所裹皮肉膚毛疥癩猶可，豈可市井乎？予進而求諸靈異者十年，退而求諸樸者七八年。予所謂靈與樸者，終隔而不合，而其意亦未嘗不思以傳也。所謂名，根也，人不忘名則自愛名，若有根則不浮。藏諸名山，傳之其人，沈碑于水，安知後世不在山巔？所以取之者遠，矜之者重，不必親見名之我歸。而寧忍百年之寂寂，以自結于不可知之人，其爲根亦良可念矣。嘗見迫于求傳者不傳，避一世之誹，貪衆人之譽，究竟不切于後世之好惡，而生前心血光陰，付之可惜。又有步趨古人，久淹晚出，卻以爲可傳者可不傳。夫古人所可傳之處，未必皆在所傳處，而古人所自傳之路，豈有復爲人可以傳之路？雖毫釐相準，苦心有年，然迷于山者，漸深漸迷矣。譚子言至此，竦然喪其所謂名根。曰靈與樸，吾所不敢忘也，傳不傳，固亦有數耳。吾何知焉！吾何知焉！

艾南英《答夏彝仲論文書》 首尾結意皆在「修辭」二字，而其究竟一説，則要歸于獻吉、于鱗、元美三子。以爲三子皆能修辭，未可非，而末後言辭之究竟，則曰句字崇飾而已矣。嗟乎，吾兄何其視古人太輕，視今人太重耶？夫以司馬子長、劉向、昌黎、永叔之文，兄舍其根本《六經》與其法度、章脈變化生動、雄深古健之大者不論，而曰止於辭，則視古人太輕也。且又取《易》、《詩》、《書》、《春秋》三傳而亦曰：是皆古聖人飾字而爲之。則視古聖人又太輕也。因而及於浮華補綴塗東抹西、左剽右竊，取《史》、《漢》句字割裂而餖飣之如今之王、李者，皆得附於聖人修辭之旨，是又視今人太重也。兄以句字崇飾盡修辭之義，則請爲兄先言辭之原，而又以剗盡辭華歸之平淡者爲非，則又請與兄言古文之辭可乎。子曰「修辭立其誠」，未聞以敷華爲誠也。又曰「辭達而已矣」，未聞以臃腫駢麗爲達也。《書》之言曰：「辭尚體要。」有體有要，則今人章旨結撰之謂，而非以餖飣剽竊句字爲體要也。蓋古人之所謂辭命辭章者，指其通篇首尾開闔而言，非以一黄一白、一朱一黑、儷字駢音而謂之辭。如此，則古今文章何必司馬遷、劉向，何必昌黎、永叔。只一六朝人可謂辭華之極矣，則兄且銖銖而法之乎。即如太史公弟與兄所首推者，然每讀其文，譬之神龍行天，雷電恍惚而風雨驟至，百昌萬物承其汪濊，皆各有生動妍澤之意，此豈可以句字求之。今試取《史記》去其所載，《尚書》、《左》、《國》及屈原、長卿騷賦之文，而獨取太史公所自爲贊論序略者讀之，其句字可謂悃質無華矣。太史公豈不能效《易》，效《書》，效《詩》，效三傳而爲之乎。無他，時代各有所至，效昔人而贅其句字，未有不相率歸於浮華者。若兄之所謂俚雅，則有分矣。每見六朝及近代王、李崇飾句字者，輒

覺其俚，讀《史記》及昌黎、永叔古質典重之文，則輒覺其雅，然後知浮華與古質，則俚雅之辨也。百物朝夕所見者，人不注視也，則今日獻吉、于鱗、元美剽竊成風之謂也。用功深者收名也遠，不爲當時所共怪，則必無後世之傳。則韓歐大家與今日有志斯道，力排陳言，不爲浮華補綴之謂也。蓋所謂陳言，所謂浮華者，韓則指晉魏齊梁而言，歐則指唐季五代而言，今日之君子則指王、李而言，其爲戛戛乎陳言之務去一也，其爲用功深爲當世所共怪一也。其推尊司馬遷、劉向、賈誼、董仲舒者，得其雄深渾健古質而幽遠，非若王李之推司馬遷、劉向得其皮毛，剽竊塗抹，使十歲豎子皆能贅其詞竊其字而遂謂之修辭也。然則兄之所示，乃弟之所以尊韓、歐卑王、李耳。弟之所謂陳言，兄以爲修辭可乎？弟以古質尊《史》、《漢》，兄以浮華尊《史》、《漢》可乎？若夫篇不擇句，句不選字，飣餖而出之，則王、李是已。古之人未有也，即學韓、歐者亦未之有也。

倪元璐《祁止祥稿序》 文章之不治，則繇其才墮而體升。才墮而體升者，詭虀酒于太玄，逃燈劍曰帷匣。此二託者，其名大尊，而其情如春冰，彈指可破也。夫大虀爲不味之烹，玄酒即非釀之釀，不味比之生物，非釀幾于滄水。以此二者享諸衆口，苟其嚌嚅唱旨，悦懌騰酣，則亦遂可。尊屠手於易牙，貴汲人於儀狄，然固不能。則其用之文章，必有不可者矣。且謂過宣必斂，則有取于帷燈；侈割將傷，是所期乎匣劍。然不知畜光需鑒，養鍔待剸，此以喻字未落紙之時，意尚包胸之會。未聞至幽相察而憂照深，兩敵相威而嫌器利。今欲辨層牆之中非漆，襲石之裏無鉛，雖復長號不可得信，則其用之文章，又必有不可者矣。知其不可而顧爲之者，其力薄而取途於易循，中憊而駕高名以自壯。既已爲之，必以笑天下之不爲此者。哀孤升座，而呪龍象之智爲羊鹿。此天下之大痛，志士所務白也。故吾之意欲使虀人窮虀，酒人窮酒，燈者猶燈，劍者猶劍，則天下之才出；天下之才出，則文章之道大治矣。

鄒迪光《支華平先生集序》 夫文有虛有實，今之爲文者類能虛而不能實。何以故？虛易而實難也。蓋人非窮探博獵，盡九丘、八索、三墳、五典之遺，則其文不實；非老於春秋，閲歷世故，朝章野錄，多所咨詢，不實；非其人精白底厲，混沌未鑿，不實。第曰鏡花水月，露珠雲葉，不必可即而可玩，則一二《南華》、《御寇》、《淮南》諸語，斯已足辨，而胡用多識之爲？輓近少年浮誇之士，以爲虛可爲觀而實難取悦，虛可襲而實不可強也，摶砂畫餅，陳土龍而饗芻狗，謂文在是而實之不足，何以文哉？其甚者，《南華》御寇之不足而《陰符黃庭》，《陰符黃庭》之不足而《楞伽楞嚴》，一以爲仙品，一以爲禪機，是其虛。又文之賊，而道之蠹也。

王文祿《文脈》卷一 杜子美曰：「文章有神。」陳繹曾《文筌小譜》第一曰：「澄神」。夫神者，性之靈穎，無微不透，無古無今，惟澄神則神清不雜。又曰「鍊氣」。氣者，神氣也。惟鍊氣則氣充不撓。劉勰《文心雕龍》贊曰：「百齡影徂，千載心在。」文章，心精也，神氣鍾焉，欲不垂世，得乎！

又 爲文若織雲花，龍鳳之錦，經緯縱横而起伏無定。又若河流入中國，或隱或見，若絶若續，而源深長。今人恐句不屬，字字挨粘，無文膽，終成時論格。惟司馬子長才高疎爽，得文之妙。

又卷二 韓昌黎本奇才，得節奏疾徐，參伍錯綜，迴旋照顧，八面受敵之妙。故曰：爲文必使透入紙背，如是則文厚而圓矣。

楊廉《跋楊名父文稿》 今之作者，大抵未能出於自然，惟在模仿古人。正不知昔之大家，謂韓孟文雖高，不必似之也。

黃淳耀《王周臣學古偶刻題辭》 勝國虞公伯生有言：「爲文當如浙人之庖也，不當如川人之庖者。川人之爲庖也，麤塊而大臠，濃醢而厚醬，非不果然屬饜也，而飲食之味微矣。浙中之庖者則不然，凡水陸之產皆擇取柔甘，調其湆齊，澄之有方而潔之不已。視之泠然水也，而五味之和各得其所，求羽毛鱗介之珍不易其性。故爲文之妙，唯浙中庖者知之。」余嘗引此以論今人之文。險膚踳駁，華縟纖詭，雜然而出，譬猶置鴆毒於醍酒之中，屑糖糜於粱肉之内，雖求如川中之庖，已不可得矣。王子周臣以古文辭視余，乃能黜險膚以爲實，去踳駁以爲醇，約華縟以爲質，變纖詭以爲雅，淵淵乎其有先漢古文之風，充充乎其進而未止也。周臣其有意於浙中之庖者與！

朱荃宰《文通》卷九《經義》 杜靜臺曰：士子得所命之題，必先定其格局。此題當爲某格，其分截何在？其綱領何在？其節目何在？其始也當題掇不當題掇？其中也當過接不當過接？其終也當繳轉不當繳轉？當詠嘆不當詠嘆？某兩股當略當藏，某兩股當詳當顯，題語雖多，或當輕而講少，題語雖少，或當重而講多。繁簡斷續，瞭然定于胸中，故一舉管扎，尅時而成文。然文格不可以數計也。其難者有六：一曰一滾格。如明珠滾盤而不出于

盤，有詳略而無斷續也。荆川先生《「此謂國」篇》《「亞飯干適楚」篇》是也。二曰連珠格。如一線穿珠，珠雖有叙，而線則相連，若斷而不斷，若續而不續，中無過接之痕也。荆川先生「可以爲難」半篇，「清斯濯纓」半篇，可以意會也。三曰中紐格。如對胸之衣，中用一紐。荆川先生《「匹夫而有天下者」篇》是也。四曰兩活扇格。如「立則見其參於前」二句，題中雖以立、輿分作兩小扇，而前面合起二小股，後面必又合咏二小股。前後圓活不定，拘定兩大扇，死局也。五曰兩扇遙對格。前扇不作小股，惟用散文，或長短句，或頂針語，或三疊文，一氣呵成而無排偶，直待後扇遙對之也。六曰影喻格。如「譬如北辰」三句題，當以無爲天下歸作主，而間以辰君星拱點影於其中，若鏡中之花，水中之月也。其餘有上生下格，有下承上格，有下明上格，有下原上格，有下贊上格，有上開下闔格，有上闔下開格，有上重下輕格，有上輕下重格，有上呼下應格，有輕引重釋格，有重本輕證格，有重證輕喻格，有重主輕賓格，有一頭兩脚格，有兩頭一脚格，有一頭兩腹一脚格，有一頭一項三腹一脚格，有頭虛脚實格，有三扇先奇格，有三扇先偶格。此皆格之易者也。

又　馮脩吾曰：今士之舉於鄉會者，録其文，咸曰中式。所謂式者，舉業之體格，猶匠氏之規矩也。匠氏不廢規矩而從木之曲直，文士不廢體格而從體之難易。曰棟、曰梁、曰柱、曰楹、曰椽、曰桷，豈惟不可移易，即分寸不合，非良工也。曰破、曰承、曰起講、曰泛講、曰平講、曰過文、曰束繳、曰大小結，豈惟不可錯雜，即氣骨稍不比，非作手也。故破欲含，或斷或順，須含蓄而不偏遺；承欲緊，或束或解，須脱悟而不訓釋；起講欲新，或對或散，須見題而題不露；泛講欲特，或承或挈，須露題而題不盡；平講欲實，詞出經典，令純正而股必紓長，過文欲融，意會上下，令脱化而體不間隔；繳束欲健，或照應題中，或推開題外，令自盡而語有餘思；小結、大結欲古，或引據經傳，或自發議論，令精潔而言非註腳，此舉業之上式也。

又　袁了凡曰：八股文字，與天地造化相侔。首二比春也，次二比夏也，次二比秋也，束二比冬也。首二比是春，則生而未成，虛而未實，常冲冲融融，輕描淡抹，不可帶一分粗糙；次二比是夏，當承前二比，漸漸説開來，邵子謂「天地之大窟在夏，文之大窟實在腹」也。至秋則生者成，虛者實矣，文可反覆馳騁矣，然亦須養後天，先不可説盡也。末二比是冬，一年好景全在收拾處，回陽氣於陰極之時，發生機於凍剝之後，篇章將竭，而令人讀之有不窮之趣，此文之大機括也。

又　袁了凡云：文字先須鍊格，格鍊則規模自別，便能出人頭地。文有俗格，宜鍊之而雅，腐格宜鍊之而新，板格宜鍊之而活。

又　鄧定宇云：文章家有正有奇，題應上下做、虛實做、輕重做、對做、串做、斷做，認理典則，此便是正。若做得有把捉、有挑剔、有點綴、有起伏照應，有體認發揮，舒精發蘊，此便是奇。今人以淺薄疎庸爲正，卻喚做水平箭、豆腐湯，以險怪迂誕爲奇，卻喚做打空拳、説鬼話。不知文章家正不如此，所謂智者、賢者過之，愚者、不肖者不及也。

又　馮具區云：評文體者，極言平淡矣。平淡可易言哉？坡公云：「漸老漸熟，乃造平淡。」非平淡也，絢爛之極也。平淡必始於神奇，而僞平淡則反神奇。今之士薄僞平淡，競趨僞神奇，而衡文者又薄僞神奇，并收僞平淡，蓋兩失之。故余衡士，不亟體之正而亟眞。眞如種子，一粒入土，時至氣行，將暢爲枝葉，騰爲菁華。此何惡於神奇而薄之？薄眞神奇，吾以爲必不識眞平淡。

又　馮常伯云：股法變化則體圓，句法頓挫則股圓，字法輕新則句圓。

又　若一犯正位，則如《逍遙》、《齊物》、《秋水》諸篇，【略】正位者主也。如君王拱默，而公卿部府承奉之。《詩》則賦爲主，比興皆賓也；《易》則羲畫爲主，六爻皆賓也。以時文論，題爲主，文爲賓；實講爲主，虛講爲賓；兩股中或一股賓，一股主；一股中或一句賓，一句主；一句之中或一二字賓，一二字主，明暗相參，生殺互用，文之妙也。故或進前一步，或退後一步，皆謂之賓。或斤斤講而題意反不透露，是以有高品、俗品之分也。

又卷二二《事類》　文章之外，有據事以類義，援古以證今者。文王繇《易》，剖判爻位，《既濟》九三，遠引高宗之伐；《明夷》六五，近書箕子之貞。斯略舉人事，以徵義者也。至若《胤征》羲和，陳《政典》之訓，《盤庚》誥民，叙遲任之言，此全引成辭，以明理者也。然則明理引乎成辭，徵義舉乎人事，乃聖賢之鴻謨，經籍之通矩也。君子多識前言往行以畜德，屈、宋雖引古事，而莫取舊辭，《鵩賦》始用《鶡冠》之説，《上林》撮引李斯之書，此萬分之一會也。《百官箴》頗酌於《詩》、《書》，劉歆《遂初賦》歷叙於紀傳，漸漸綜採矣。至於崔、班、張、蔡，遂捃摭經史，華實布濩。夫薑桂同地，辛在本性；文章由學，能在天資。有飽學而才餒，有才富而學貧。學貧者，迍邅

於事義；才餒者，劬勞於辭情。此內外之殊分也。是以才爲盟主，學爲輔佐，才學褊狹，雖美少功。表裏相資，古今一也。故魏武稱「張子膚拙，專拾掇崔杜小文，所作不可悉難，便不知所出。」斯寡聞之病也。夫經典沉深，載籍浩瀚，實群言之奧區，而才思之神皋也。揚、班以下，莫不取資，操刀能割，必列膏腴。狐腋非一皮能溫，雞蹠必數千而飽矣。綜博取約，練精理覈，衆美輻輳，表裏發輝。劉劭《趙都賦》云：「公子之客，叱勁楚令歃盟；管庫隸臣，呵強秦使鼓缶。」用事如斯，雖小成績，譬寸轄制輪，尺樞運關也。或微言美事，置於閑散，是綴金翠於足脛，靚粉黛於胸臆也。凡用舊合機，不啻自其口出。陳思羣才之英也，《報孔璋書》云：「葛天氏之樂，千人唱，萬人和。聽者因以蔑《韶》《夏》矣。」此引事之實謬也。按葛天之歌，唱和三人而已。《上林》云：「奏陶唐之舞，聽葛天之歌，千人唱，萬人和。」唱和千萬人，相如推三成萬，妄書致謬。陸機《園葵詩》云：「庇足同一智，生理合異端。」夫「葵能衛足」，事譏鮑莊，「葛藟庇根」，辭自樂豫。若譬「葛」爲「葵」，則引事爲謬。若謂「庇」勝「衛」，則改事失眞。山木爲良匠所度，無慚匠石矣。

又《妄飾》 文章既作，比興由生。鳥獸以媲賢愚，草木以方男女。擬人必以其倫，述事多比於古。漢氏君實稱帝，理異殷周；子乃封王，名非魯衛。而作者猶謂帝家爲王室，公輔爲王臣。磐石加建侯之言；帶河申俾侯之稱。史臣假託古詞，翻易今語，潤色之濫，萌於此矣。至如諸子短書，雜家小說，論逆臣則呼爲問鼎；稱巨寇則目以長鯨。邦國初基，皆云草昧；帝王世跡，必號龍飛。斯並異乎游、夏之措詞，南、董之顯書也。魏收《代史》，吳均《齊錄》，或牢籠一世，或包舉一家。自可申不刊之格言，弘至公之正說。而收稱劉氏納貢，則曰「求獻百琛」；均叙元日臨軒，必云「朝會萬國」。夫以吳徵魯賦，禹計塗山，置于文章則可，施于簡冊則否矣。亦有方以類聚，如王隱稱諸葛亮挑戰，眞獲曹咎之利；崔鴻稱慕容衝見幸，爲有龍陽之姿。其事相符，言之讜矣。而虞思道稱邢邵喪子不慟，自東門吳已來未之有也；李百藥稱王琳雅得人心，雖李將軍恂恂善誘，無以加也。斯則虛引古事，妄足庸音者矣。《禮記・檀弓》，工言物始，夫自我作故，首創新儀。前史所刊，後來取證。是以漢初立轞，子長所書；魯始爲髽，丘明是記。河橋可作，元凱取驗于《毛詩》；男子有笄，伯支遠徵于《內則》。即其事也。按裴景仁《秦記》稱苻堅方食，撫盤而詬；王邵《齊志》述父紇洛干感恩，脫帽而謝。及彦鑾撰新史，乃易「撫盤」以「推案」，變「脫帽」爲「免冠」。夫近世通無案食，胡俗不施冠冕，學者何以考時俗之不同，察古今之有異？又自雜種稱制，言多醜俗。至如翼犍魏道武所諱，黑獺周文本名，而伯起草以他語，德棻闕而不載。蓋龎降蒯聵，字之媸也；重耳黑臀，名之鄙也。傳諸五經，未聞別加刊定。況愁山定櫝，彰于載讖；河邊之狗，著于謠詠，難爲蓋藏。又或氏姓本複，減省從單，求諸自古，罕聞茲例。文勝質則史，故知史之爲務，必藉于文，以文叙事，可得言焉。而今之作者，或虛加練飾，輕事彫彩；或體兼賦頌，詞類俳優。文非文，史非史，譬夫烏孫造室，雜以漢儀，而刻鵠不成，反類於鶩者也。

又卷二三《載事》 文之作也，以載事爲難；事之載也，以蓄意爲工。觀《左氏傳》載晉敗于邲，及楚師寒拊勉之事，但云「三軍之士，煖如挾纊」，則軍情愉悅之意，自蓄其中。《公羊》秦敗於殽之事，但云「匹馬隻輪無反者」，則要擊之意，自蓄其中。若《公羊傳》載齊使人迓郤克臧孫之事，《孟子》載天下歸舜之事，則曰：「天下諸侯朝覲者，不之堯之子而之舜；訟獄者，不之堯之子而之舜；謳歌者，不謳歌堯之子而謳歌舜。」凡此則意隨語竭，不容致思。

又 觀《檀弓》之載事，言簡而不疎，旨深而不晦。雖左氏之富艷，敢奮飛于前乎？如申生爲驪姬所譖，或令辨之。左氏載其事，則曰：「或謂太子『子辭，君必辨焉』。太子曰：『君非姬氏居不安，食不飽。我辭，姬必有罪。君老矣！吾又不樂。』」《檀弓》則曰：「子盍言子之志于公乎？世子曰：『不可。君安驪姬，是我傷君之心也。』」一節僅百五十字，而包括曲折，有他人千言不盡者，非扛千斛龍文鼎力，未及此。

又 智悼子未葬，晉平公飲以樂。杜簣謂大臣之喪，重于疾日，不樂。《左氏》言其事則曰：「辰在子、卯，謂之疾日。君徹宴樂，學人舍業，爲疾故也。君之卿佐，是謂股肱。肌肱或虧，何痛如之？」《檀弓》則曰：「子、卯不樂，智悼子在堂，斯其爲子卯也大矣。」《檀弓》祗以十七字，盡之奧矣。

又 載事之文，有先事而斷以起事也，有後事而斷以盡事也。如《左氏傳》欲載晉靈公厚斂雕牆，必先言「晉靈公不君」；《公羊傳》欲載楚靈王作乾谿臺，必先言「靈王爲無道」；《中庸》欲言「舜好問而察邇言」，亦先曰「舜其大智也歟」；《孟子》欲言梁惠王「以其所愛及其所不愛」，亦先曰「不仁哉梁惠

王也」。若此流，皆先斷以起事也。如《左氏傳》載晉文公教民而用卒言之曰「一戰而伯，文之教也。」又載晉悼公賜魏絳和戎樂，卒言之曰：「魏絳于是乎有金石之樂，禮也」。若此流，皆後斷以盡事也。

又《載言》 載言之文，有答問。若止及一事，文固不難，至有數端，文實未易。所問不言問，所對不言對，言雖簡略，意實周贍，讀之續如貫珠，應如答響。若《左氏傳》載楚望晉軍，問伯州犂，蓋得此也。至於問則屢稱「何也」，答則屢稱「對曰」，其文與意，有異《左氏》。若《樂記》載賓牟賈與孔子言樂，皆據此也。二文具載，則可考矣。「王曰：『騁而左右何也？』曰：『召軍吏也』。『皆聚于軍中矣。』曰：『合謀也』，『張幕矣。』曰：『虔卜于先君也』，『徹幕矣。』曰：『將發命也』，『甚囂，且塵上矣。』曰：『將塞井夷竈而爲行也。』『皆乘矣，左右執兵而下矣。』曰：『聽誓也』，『戰乎？』曰：『未可知也。』『乘而左右皆下矣。』曰：『戰禱也。』」曰：「『夫武之備戒之已久，何也？』對曰：『病不得其衆也。』『詠歎之、淫液之，何也？』對曰：『恐不逮事也。』『發揚蹈厲之已蚤，何也？』對曰：『及時事也。』『武坐致右憲左，何也？』對曰：『非武坐也。』『聲淫及商，何也？』對曰：『非武音也。』子曰：『若非武音，則何音也？』對曰：『有司失其傳也。』」

又 《左氏傳》載諸國燕饗賦《詩》之事，但云賦某詩。或云：賦某詩之卒章。皆不載詩，而意自具。其曰「賦《棠棣》之七章以卒」，則知賦七章以卒盡八章也。其曰「在《楊水》卒章之四言矣」，則知取「我聞有命」也。左氏於此等文，最爲得體。

又 言以簡爲當。言以載事，文以著言，則文貴其簡也。文簡而理周，斯得其簡也。讀之疑有闕焉，非簡也，疎也。如《春秋》隕石于宋五，《公羊傳》曰：「聞其隕，然視之則石，察之則五。」《公羊》之義，經以五字盡之，是簡之難者也。劉向載泄冶之言曰：「夫上之化下，猶風靡草，東風則草靡而西，西風則草靡而東。在風所由，而草所靡。」此用三十有二言而意方顯。及觀《論語》曰「君子之德風，小人之德草，草上之風必偃。」此減泄冶之言半，而意亦顯。又觀《書》曰「爾惟風，下民惟草。」此復減《論語》九言而意愈顯。吾故曰是簡之難者也。《書》曰：「能自得師者王，謂人莫己若者亡。」劉向載楚莊王之言曰：「其君賢君也，而又有師者王，其君下君也，而羣臣又莫君若者亡。」語意煩簡不如是，何以別經傳之文。

又《字法》 文有數句用一類字者，所以張文勢、壯文義也。然皆有法。否則以字累句，以句累篇，其不見哂于刻木爲棊者幾希。引而伸之，觸類而長之，宮嚼羽含矣。

又 「或」字法。《詩・北山》曰：「或燕燕居息，或盡瘁事國，或息偃在床，或不已于行，或不知叫號，或慘慘劬勞，或棲遲偃仰，或王事鞅掌，或湛樂飲酒，或慘慘畏咎，或出入風議，或靡事不爲。」退之《南山詩》云：「或連若相從，或蹙若相鬭。或妥若彌伏，或竦若驚雊。或散若瓦解，或赴若輻輳。或翩若船遊，或決若馬驟。」此句稍多，不能備載，皆廣以或字法而用之也。《老子》曰：「凡物或行，或隨，或歔，或吹，或強，或羸，或載，或隳。」又一法也。

又 「者」字法。《考工記》曰：「脂者、膏者、羽者、鱗者。」又曰：「以脰鳴者。」《莊子》曰：「激者、謞者、叱者、吸者、叫者、譹者、宎者、咬者。前者唱于，隨者唱喁。」韓退之《畫記》云：「行者、牽者、奔者、涉者、陸者、翹者、顧者、鳴者、寢者、訛者、嘘者、嗅者、秣者、立者、齕者、飲者、溲者、陟者、降者。」凡此用者字，其原出于《考工記》，因用《莊子》法也。

又 「之謂」字法。《繫辭》曰：「富有之謂大業，日新之謂盛德。生生之謂易，成象之謂乾，效法之謂坤，極數知來之謂占，通變之謂事，陰陽不測之謂神。」韓退之《賀冊尊號表》云：「臣聞體仁以長人之謂元，發而中節之謂和，無所不通之謂聖，妙而無方之謂神，經緯天地之謂文，戡定禍亂之謂武，先天不違之謂法天，道濟天下之謂應道。」蓋取《易・繫辭》也。

又 「謂之」字法。《易・繫辭》曰：「闔戶謂之坤，闢戶謂之乾，一闔一闢謂之變，往來不窮謂之通，見乃謂之象，形乃謂之器，制而用之謂之法，利用出入，民咸用之謂之神。」凡經子傳記，用此多矣，故不悉載。如《爾雅》「宮謂之室，室謂之宮」等法，蓋訓詁也。

又 「之」字法。《孟子》曰：「勞之來之，匡之直之，輔之翼之。」《老子》曰：「故道生之德，畜之，長之育之，成之熟之，養之覆之。」若《易・說卦》曰：「雷以動之，風以散之，雨以潤之，日以烜之，艮以止之，兌以說之，乾以居之，坤以藏之。」此又一法也。《莊子》：「厲之人，夜半生其子。」又以「驪姬」作「驪之姬」，地名「南沛」作「南之沛」，《呂覽》「楚丹姬」作「丹之姬」，《家語》「江津」作「江之津」，樂府「桂樹」作「桂之樹」，文法皆異。

又「可」字法。《考工記》曰：「故可規、可方、可永、可興、可量。」《表記》曰：「事君可貴可賤，可富可貧，可生可殺。」

又「可以」字法。《論語》曰：「詩可以興，可以觀，可以羣，可以怨。」《月令》曰：「可以登高明，可以遠眺望，可以升山陵，可以處臺榭。」《莊子》曰：「可以保身，可以全生，可以養親，可以盡年。」

又「爲」字法。《易·說卦》曰：「乾爲天，爲圜，爲君，爲父，爲玉，爲金，爲寒，爲冰，爲大赤，爲良馬，爲老馬，爲瘠馬，爲駁馬，爲木果。」《莊子》曰：「形就而入，且爲顛爲滅，爲崩爲蹶；心和而出，且爲聲爲名，爲妖爲孽。」此又一法也。《爾雅》：「蜺爲挈貳，弇日爲蔽雲，暴雨謂之涷。」又與「謂之」間用，《講武篇》亦然。

又「必」字法。《考工記》曰：「容轂必直，陳篆必正，施膠必厚，施筋必數。」《月令》曰：「秫稻必齊，麴櫱必時，湛熾必潔，水泉必香，陶器必良，火齊必得。」

又「不以」字法。《左氏傳》曰：「不以國，不以官，不以山川，不以惡疾，不以畜牲，不以器幣。」

又「無」字法。《左氏傳》曰：「無始亂，無怙富，無恃寵，無違同，無敖禮，無復怒，無謀非德，無犯非義。」

又「而不」字法。《左氏傳》曰：「直而不倨，曲而不屈，邇而不逼，遠而不勢，遷而不淫，復而不厭，哀而不愁，樂而不荒，用而不匱，廣而不宣，施而不費，取而不貪，處而不底，行而不流。」

又「其」字法。《繫辭》曰：「其稱名也小，其取類也大，其旨遠，其辭文；其言曲而中，其事肆而急。」《莊子》曰：「其寢不夢，其覺無憂，其食不甘，其息深深。」《樂記》曰：「其哀心感者，其聲噍以殺；其樂心感者，其聲嘽以緩；其喜心感者，其聲發以散；其怒心感者，其聲粗以厲；其敬心感者，其聲直以廉；其愛心感者，其聲和以柔。」此雖每句用「其」字，而二句以見意，又一法也。

又「焉」字法。《祭統》曰：「見事鬼神之道焉，見君臣之義焉，見父子之倫焉，見貴賤之等焉，見親疏之殺焉，見爵賞之施焉，見夫婦之別焉，見政事之均焉，見長幼之序焉，見上下之際焉。」《學記》曰：「藏焉，脩焉，息焉，遊焉。」《三年問》曰：「翔回焉，鳴號焉，蹢躅焉，踟躕焉。」又一法也。

又「于時」字法。《詩》曰：「于時處處，于時廬旅，于時言言，于時語語。」鄭康成云：「時，是也。」

又「實」字法。《詩》云：「實方實苞，實種實褎，實發實秀，實堅實好，實穎實栗。」

又「曾是」字法。《詩》曰：「曾是彊禦，曾是掊克，曾是在位，曾是在服。」

又「侯」字法。《詩》曰：「侯主侯伯，侯亞侯旅，侯彊侯以。」

又「有若」字法。《書》曰：「有若虢叔，有若閎夭，有若散宜生，有若太顛，有若南宮括。」

又「未嘗」字法。《家語》曰：「未嘗知哀，未嘗知憂，未嘗知勞，未嘗知懼，未嘗知危。」

又「斯」字法。《檀弓》曰：「人喜則斯陶，陶斯咏，咏斯猶，猶斯舞，舞斯慍，慍斯戚，戚斯歎，歎斯辟，辟斯踴矣。品節斯，斯之謂禮。」

又「於是乎」字法。《國語》曰：「上帝之粢盛於是乎出，民之蕃庶於是乎生，事之供給於是乎在，和協輯睦於是乎興，財用蕃殖於是乎始，敦厖純固於是乎成。」

又「有」字法。《禮器》曰：「有直而行也，有曲而殺也，有經而等也，有順而討也，有漸而播也，有推而進也，有放而文也，有放而不致也，有順而推也。」《樂師》曰：「有帗舞，有羽舞，有皇舞，有旄舞，有干舞，有人舞。」《左氏傳》曰：「名有五：有信，有義，有象，有假，有類。」又一法也。《孟子》曰：「父子有親，君臣有義，夫婦有別，長幼有序，朋友有信。」此又一法也。

又「兮」字法。《荀子》曰：「井井兮其有條理也，嚴嚴兮其能敬己也，分分兮其終始也，厭厭兮其能長久也，樂樂兮其執道不殆也，炤炤兮其用知之明也，修修兮其用統類之行也，綏綏兮其有文章也，熙熙兮其樂人之藏也，隱隱兮其恐人不當也。」

又「然」字法。《荀子》曰：「儼然，壯然，祺然，蕼然，恢恢然，廣廣然，昭昭然，蕩蕩然。」《莊子》曰：「注然勃然，莫不出焉；油然漻然，莫不入焉。」

又「奚」字法。《莊子》曰：「奚爲奚據？奚避奚處？奚就奚去？奚樂

奚惡？」

又「而」字法。《莊子》曰：「而容巖然，而目衝然，而顙頯然，而口闞然，而狀義然。」《考工記》曰：「清其灰而盝之，而揚之，而沃之，而塗之，而宿之。」又一法也。

又「方且」字法。《莊子》曰：「方且本身而異形，方且尊知而火馳，方且爲緒使，方且爲物絯，方且四顧而物應，方且應衆宜，方且與物化而未始有恆。」

又「似」字法。《莊子》曰：「似鼻，似口，似耳，似枅，似圈，似臼，似窪者，似污者。」

又「乎」字法。《莊子》曰：「與乎其觚而不堅也，張乎其虛而不華也，邴邴乎其似喜乎，崔乎其不得已乎，滀乎進我色也，與乎止我德也，厲乎其似世乎，謷乎其未可制也，連乎其似好閉也，悗乎忘其言也。」《禮器》曰：「洞洞乎其敬也，屬屬乎其忠也，勿勿乎其欲其饗之也。」莊子蓋廣此法而用之。

又「廼」字法。《詩》曰：「廼慰廼止，廼左廼右，廼疆廼理，廼宣廼畝。」

又「以之」字法。《仲尼燕居》曰：「以之居處有禮，故長幼辨也；以之閨門之内有禮，故三族和也；以之朝廷有禮，故官爵序也；以之田獵有禮，故戎事閑也；以之軍旅有禮，故武功成也。」

又「足以」字法。《易》曰：「體仁足以長人，嘉會足以合禮，利物足以和義，貞固足以幹事。」《中庸》曰：「聰明睿知，足以有臨也，寬裕溫柔，足以有容也，發強剛毅，足以有執也，齋莊中正，足以有敬也，文理密察，足以有別也。」又一法也。

又「也」字法。《中庸》曰：「修身也，尊賢也，親親也，敬大臣也，體羣臣也，子庶民也，來百工也，柔遠人也，懷諸侯也。」《周易·雜卦》一篇，全用「也」字。

又「得其」字法。《仲尼燕居》曰：「宫室得其度，量鼎得其象，味得其時，樂得其節，車得其式，鬼神得其饗，喪祭得其哀，辨説得其黨，菑官得其本，政事得其施。」

又「以」字法。《太司樂》曰：「以致鬼神，以和邦國，以諧萬民，以安賓客，以説遠人，以作動物。」《周禮》此法極多，不能備載。

又「曰」字法。《洪範》曰：「一曰水，二曰火，三曰木，四曰金，五曰土。」《周禮》凡次叙其事，皆類此一法也。《周禮·小胥》曰：「曰風，曰賦，曰比，曰興，曰雅，曰頌。」《洪範》曰：「曰雨，曰霽，曰蒙，曰驛，曰克，曰貞，曰晦。」凡此類不言數，又一法也。《大宗伯》曰：「春見曰朝，夏見曰宗，秋見曰覲，冬見曰遇，時見曰會，殷見曰同。」《易》象曰：「天地之大德曰生，聖人之大寶曰位，何以守位曰仁，何以聚人曰財，理財正辭禁民爲非曰義。」凡此類又一法也。

又「得之」字法。《莊子》曰：「豨韋氏得之，以挈天地；伏羲得之，以襲氣母；維斗得之，終古不忒；日月得之，終古不息。堪壞得之，以襲崑崙；馮夷得之，以遊大川；肩吾得之，以處大山；黄帝得之，以登雲天；顓頊得之，以處玄宫，禺強得之，立乎北極；西王母得之，坐乎少廣。」

又「之以」字法。《文王世子》曰：「慮之以大，愛之以敬，行之以禮，修之以孝養，紀之以義，終之以仁。」

又「所以」字法。《禮運》曰：「祭帝于郊，所以定天位也；祀社于國，所以列地利也；祖廟，所以本仁也；山川，所以儐鬼神也；五祀，所以本事也。」

又「存乎」字法。《繫辭》曰：「列貴賤者存乎位，齊小大者存乎卦，辨吉凶者存乎辭，憂悔吝者存乎介，慮無咎者存乎悔。」

又「莫大乎」字法。《繫辭》曰：「法象莫大乎天地，變通莫大乎四時，懸象著明莫大乎日月，崇高莫大乎富貴，備物致用立成器以爲天下利，莫大乎聖人。」

又「知所以」字法。《中庸》曰：「則知所以修身；知所以修身，則知所以治人；知所以治人，則知所以治天下國家矣。」

又「矣」字法。《六月·詩序》曰：「《鹿鳴》廢，則和樂缺矣；《四牡》廢，則君臣缺矣。」下皆類此，不能悉載。《板》詩曰：「辭之輯矣，民之洽矣；辭之懌矣，民之莫矣。」此雖每句用「矣」字，而上下之意相關。

又連用五字。如：「韓必德魏、愛魏、重魏、畏魏，韓必不敢反魏。」甚奇。

又「焉」與「謂之」間用。如《爾雅．五方篇》：「東方有比目魚焉，不比不行，其名謂之鰈；南方有比翼鳥焉，不比不飛，其名謂之鶼鶼，西方有比肩獸焉，與卭卭岠虛比，爲卭卭岠虛，齧甘草，即有難，卭卭岠虛負而走，其名謂之蟨；北方有比肩民焉，迭食而迭望；中有軹首蛇焉。此四方中國之異氣焉。」

又 是以高下異，則名號異，則權力異，則事勢異，則旗章異，則符瑞異，則禮寵異，則秩祿異，則冠履異，則衣帶異，則環珮異，則車馬異，則妻妾異，則澤厚異，則宮室異，則床席異，則器皿異，則祭祀異，則死喪異。（《服疑》）

又「何」字法。如《天問篇》句句用「何」字，雄視千古。

又《交錯》 文有交錯之體，若纏糾然，主在析理，理盡後已。《書》曰：「念茲在茲，釋茲在茲，名言茲在茲，允出茲在茲。」《莊子》曰：「有始也者，有未始有始也者，有未始有夫未始有始也者。」又曰：「以指喻指之非指，不若以非指喻指之非指也。」《荀子》曰：「不利而利之，不如利而後利之之利也。」「利而後利之，不如利而不利者之利也。」《國語》曰：「成人在始與善。始與善，善進善，不善蔑由至矣；始與不善，不善進不善，善亦蔑由至矣。」《穀梁》曰：「人之所以爲人者，言也。人而不能言，何以爲人？言之所以爲言者，信也。言而不信，何以爲言？信之所以爲信者，道也。信而不道，何以爲道？」此類多矣，不可悉舉。然取《莊子》而法之，則文斯邃矣。

又《譬況》《記》曰：「君子知至學之難易，而知其美惡，然後能博喻。能博喻，然後能爲師。」又曰：「罕譬而喻。夫惟博故能監也。」宋陳騤曰：「《易》之有象，以盡其意，《詩》之有比，以達其情，文之作可無喻乎？」抑嘗考之，《詩》之比似矣。《易》之象，皆本自然。非聖人因象後畫，故象不可爲譬喻，以其皆實事非寓言也。各爻亦隨爻爲象，亦非寓言。張橫渠曰：「象皆實體。所謂仰觀俯察，取象物宜，非寓言也。卦爻小象，容有寓言。」楊信州曰：「小象亦無寓言。」如「豕負塗，載鬼一車。」歐陽公疑之，遂指謂非聖人之言。以事理斷之，豕安能負塗，車安得載鬼至于一車乎？極爲不通，險怪之論。然以象求，則爻之乘承比應，內有豕象，有負象，有塗象，有鬼象，有載象，有一車象。合之爲辭，所謂以疑事爲象，亦以意取象。所以取是義者，雖以意得之，實《睽卦》內所有，合而相比乃見其如此。若有似于寓言，而實有此象，據《睽》爲言，故謂六爻皆實事，非寓言也。然則象之與譬況有間矣。太古之人，範世訓俗，有直言者，有曲言者。直言者，直以情貢也；曲言者，假以指喻也。言之致曲，則其傳也久。傳久詭僞，則智者正之；譌甚而殽亂，則智者正之。「天地一指也，萬物一馬也。」「寓言十九」，在莊生自言之。《淮南子》曰：「說山說林者，所以竅窕穿鑿百事之壅遏，而通行貫扃萬物之窒塞者也。假譬取象，異類殊形，以領理人之意。懈墮結細，說捍摶囷，而以明事，埒事者也。」噫，六書已有假借，而釋氏全用此法，以瀉漊心，愈博愈罕，生機囧然矣。

又 曰假喻。如黃帝鼎湖之事：曰采銅，鍊剛質也；登彼首山者，就高明也；大鑪者，鼓陽化也；神鼎者，熟物之器也。上水而下火，二氣升降，濟中和也。羣龍者，衆陽也，雲，龍屬也，帝鄉者，靈臺之關也，治成而上，則精微所徹，去人遠矣。羣小臣智識不及，攀龍子胡，有見於下也，不得上昇，無見於上也。無見於上者，士也；上下無見者，民也。弓裘衣冠，善世利俗之具也，民懷之而已。號以決慕，藏以奉其傳也。

又 曰直喻。或言「猶」，或言「若」，或言「如」，或言「似」，灼然可見。《孟子》曰：「猶緣木而求魚也。」《書》曰：「若朽索之馭六馬。」《論語》曰：「譬如北辰。」《莊子》曰：「凄然似秋。」此類是也。

又 曰隱喻。其文雖晦，義則可尋。《禮記》曰：「諸侯不下漁色。」《國語》曰：「歿平公軍無秕政。」又曰：「雖蝎譖焉避之？」《左氏傳》曰：「是豢吳也夫。」《公羊傳》曰：「其諸侯，爲其雙雙而俱至者與？」此類是也。

又 曰類喻。取其一類，以次喻之。《書》曰：「王省惟歲，師尹惟日，卿士惟月。」歲、日、月一類也。賈誼《新書》曰：「天子如堂，羣臣如陛，衆庶如地。」堂、陛、地一類。此類是也。

又 曰詰喻。雖爲喻文，似成詰難。《論語》曰：「虎兕出於柙，龜玉毀於櫝中，是誰之過歟？」《左氏傳》曰：「人之有牆，以蔽惡也。牆之隙壞，誰之咎也？」此類是也。

又 曰對喻。先比後證，上下相符。《莊子》曰：「魚相忘乎江湖，人相忘乎道術。」《荀子》曰：「流丸止于甌、臾，流言止于知者。」

又 曰博喻。取以爲喻，不一而足。《書》曰：「若金用汝作礪；若濟巨川，用汝作舟楫；若歲大旱，用汝作霖雨。」《荀子》曰：「猶以指測河也，猶

以戈舂黍也，猶以錐飱壺也。」此類是也。

又 曰簡喻。其文辭略而意甚明。《左氏傳》曰：「名，德之輿也。」揚子曰：「仁，宅也。」此類是也。

又 曰詳喻。須假多辭然後義顯。《荀子》曰：「夫耀蟬者，務在其明乎火振其木而已，火不明，雖振其木無益也。今人主有能明其德，則天下歸之，若蟬之歸明火也。」此類是也。

又 曰引喻。援取前言，以證其事。《左氏傳》曰：「諺所謂『庇焉而縱尋斧焉』者也。」《禮記》曰：「蛾子時術之，其此之謂乎？」此類是也。

又 曰虛喻。既不指物亦不指事。《論語》曰：「其言似不足者。」《老子》曰：「飂兮似無所止。」此類是也。

又《助辭》 夫文章之變化無窮矣，必有餘音足句爲其始末。是以伊、惟、夫、蓋，發語之端也；焉、哉、矣、兮，斷句之助也。去之則不足，加之則有餘，厥有定理。而史之叙事，時亦類此。故將述晉靈公厚斂彫牆，則且以不君爲稱；欲云司馬安四至九卿，而先以巧宦標目，所謂說事之端也。《書》重耳伐原示信，而續以一戰而霸，文之敎也。《書》匈奴爲偶人，象郅都，令馳射莫能中，則云其見憚如此，所謂論事之助也。寄抑揚於片言隻字之間，有雋永者矣。

又 文有助辭，猶禮之有儐，樂之有相也。禮無儐則不行，樂無相則不諧，文無助則不順。《檀弓》曰：「勿之有悔焉耳矣。」《孟子》曰：「寡人盡心焉耳矣。」《檀弓》曰：「我弔也與哉。」《左氏傳》曰：「獨吾君也乎哉。」凡此一句，而三字連助，不嫌其多也。《左氏傳》曰：「王事無乃闕乎？」又曰：「其無乃是也乎？」此二者六字成句，而四字爲助，亦不嫌其多也。《檀弓》曰：「南宫縚之妻之姑之喪。」《樂記》曰：「不知手之舞之，足之蹈之也。」凡此不嫌用「之」字爲多。《禮記》曰：「言則大矣美矣。」此不嫌用「矣」字爲多。《檀弓》曰：「美哉輪焉，美哉奐焉。」《論語》曰：「富哉言乎？」凡此四字成句而助辭半之，不如是，文不健也。《左氏傳》曰：「美哉！泱泱乎！大風也哉！表東海者，其太公乎？國未可量也。」此文每句終用助辭，讀之殊無齟齬艱辛之態。《左氏傳》曰：「以三軍軍其前」，欲見下「軍」字有陳列之意，則當用「其」字爲有力。《公羊傳》曰：「勇士入其大門，則無人門焉者。」欲見下「門」字，有守禦之意，則當用「焉者」字爲有力。

又《奪胎》 古人文法皆有祖。韓非《內儲說》曰：「門人求水而夷射誅，濟陽自矯而二人罪，鄭袖言鼻惡而新人劓，費無忌敎郤宛而令尹誅，陳需殺張壽而犀首走，燒芻廥而中山罪，殺老儒而濟陽賞。」班固《漢書》曰：「子單謀桓而魯隱危，欒書構郤而晉厲弒，豎牛奔走叔孫卒，郈伯毀季昭公逐，費忌納女楚建走，宰嚭譖胥夫差喪，李園進妹春申斃，上官譖屈懷王執，趙高敗斯二世謚；伊戾坎盟宋痤死，江充造蠱太子殺，息夫作姦東平誅。」宋景文《唐書》效之，爲《姦臣贊》曰：「三宰嘯凶牝奪辰，林甫將蕃黃屋奔，鬼質敗謀興元蹙，崔柳倒植李宗覆。」東坡《贈宋壽昌詩》，用此法又奇矣。

又 後漢肅宗詔曰：「父戰於前，子死於後。弱女乘于亭障，孤兒號於道路。老母寡妻，設虛祭，飲泣淚，想望歸魂於沙漠之表。豈不哀哉！」李華《弔古戰場文》祖之。陳陶《隴西行》云：「可憐無定河邊骨，猶是春閨夢裏人。」可謂奪胎之妙。

又 郭象《莊子注》曰：「工人無爲於刻木，而有爲於運矩；主上無爲於親事，而有爲於用臣。」柳子厚演之爲《梓人傳》一篇，凡數百言。毛萇《詩傳》曰：「漣風行，水成文也。」蘇老泉演之爲《蘇文甫字說》一篇，亦數百言。得奪胎換骨之三昧也。

又《倒法》 宋陳騤曰：倒言而不失其言者，言之妙也；倒文而不失其文者，文之妙也。文有倒語之法，知者罕矣。《春秋》書曰：「吳子謁伐楚，門於巢，卒。」《公羊傳》曰：「門於巢卒者何？入巢之門而卒也。」然夫子先言門，後言於巢者，於文雖倒，而寓意深矣。何休曰：「吳子欲伐楚，過巢，不假塗卒。暴入巢門，門者以爲欲犯巢而射殺之，故與巢得殺之。」若吳爲自死，死又所以彊守禦也。」仲山甫誠歸於謝，《詩》則曰：「謝于誠歸。」隱盜所得器。《左氏傳》則曰：「盜所隱器」，于義皆不害也。《禹貢》曰：「厥篚玄纖縞。」又曰：「雲土夢作乂。」用「纖」字不在「玄」上，「土」字不在「夢」下，亦一倒法也。司馬遷作《夏本紀》改曰：「雲夢土作乂。」烏足與知此。

又 焦弱侯曰：古文多倒語。如息之爲長，亂之爲治，擾之爲順，荒之爲定，臭之爲香，潰之爲遂，釁之爲祥，結之爲解，坐之爲跪，浮之爲沉，面之爲背，糞之爲除，皆美惡相對之字，而反其義以用之。如「天地盈虛，與時消息」以「息」訓長也。「亂臣十人」，「亂越我家」，「惟以亂民」，「亂爲四方新辟」，「亂爲四輔」，「厥亂明我新造邦」，「不乃俾亂」之類，以「亂」訓治也。

「安攖邦國」，「攖而殺」，「攖龍」，「六攖」之類，以「攖」訓順也。「荒度土功」，「遂荒大東」，「大王荒之」，「葛藟荒之」，以「荒」訓定也。「其臭如蘭」，「衿纓皆佩容臭」，「胡臭亶時」，「其臭羶」，「臭陰達于淵泉」，以「臭」訓香也。「是用不潰于成」，「草不潰茂」，以「潰」訓遂也。「將以釁鍾」，以「釁」訓祥也。「親結其縭」，以「結」訓解也。「則皆坐奠之，而後取之」，以「坐」訓跪也。「越浮西子於江」，以「浮」訓沈也。「馬童面之」，「面縛銜璧」，「面規榘而改錯」，以「面」訓背也。「爲長者糞」，以「糞」訓除也。湯霍林曰：今人文絕不知有倒法。文之脈在動，動則轉，轉之妙全在用倒。昔人所悟，升裏轉，斗裏轉，地理家所謂橫來直受，陽來陰受，皆轉法耳。至倒法尤難明，有意倒者，有句倒者。古人文意深遠，旁見側出，卒無不用倒者，今人尚不知順，何言倒哉？

又《接屬》 文有上下相接，若繼踵然。其體有三：其一曰叙積小至大。如《中庸》曰：「能盡其性，則能盡人之性；能盡人之性，則能盡物之性；能盡物之性，則可以贊天地之化育。可以贊天地之化育，則可以與天地參矣。」此類是也。其二曰叙由精及粗。如《莊子》曰：「古之明大道者，先明天，而道德次之，道德已明，而仁義次之，仁義已明，而分守次之，分守已明，而形名次之，形名已明，而因任次之，因任已明，而原省次之，原省已明，而是非次之，是非已明，而賞罰次之。」此類是也。其三曰叙自流極原。如《大學》曰：「古之欲明明德於天下者，先治其國；欲治其國者，先齊其家；欲齊其家者，先修其身；欲修其身者，先正其心；欲正其心者，先誠其意；欲誠其意者，先致其知。」此類是也。

又《蹈襲》 歷觀經傳之文，有相類者。非固出於蹈襲，實理之所在不約而同也。略條于後，則可推矣。《詩》曰：「禮義不愆，何恤於人言？」《左氏傳》載士蔿稱諺曰：「心苟無瑕，何恤乎無家？」《詩》曰：「謂予不信，有如皦日。」《左氏傳》載公子重耳曰：「所不與舅氏同心者，有如白水。」《詩》曰：「不憖遺一老，俾守我王。」《左氏傳》魯哀公誄孔丘曰：「不憖遺一老，俾屏予一人以在位。」此不約而同，一也。《左氏傳》曰：晉韓起聘魯，「觀書於太史氏，見《易》《象》與《魯春秋》，曰《周禮》盡在魯矣。吾乃今知周公之德與周之所以王也。」《家語》曰：「孔子適周，歷郊社之所，考明堂之則，察廟朝之度，於是喟然曰：『吾乃今知周公之聖，與周之所以王也。』」此不約而同，二也。《左氏傳》曰：晉侯「疾病，求醫于秦。秦伯使醫緩爲之。醫至，曰：『疾不可爲也。在肓之上，膏之下。』」《戰國策》曰：「扁鵲見秦武王，武王示之病。扁鵲請除左右曰：『君之病在耳之前，目之下。』」此不約而同，三也。《左氏傳》載周子曰：「二三子用我今日，否亦今日。」《國語》載吳王曰：「孤之事君在今日，不得事君亦在今日。」此不約而同，四也。《國語》載觀射父曰：「先王之祀也，以一純、二精、三牲、四時、五色、六律、七事、八種、九祭、十日、十二辰以致之。」《左氏傳》載晏子曰：「先王之濟五味、和五聲以平其心，成其政也。聲亦如味：一氣、二體、三類、四物、五聲、六律、七音、八風、九歌以相成也。」此不約而同，五也。《考工記》曰：「柘爲上，檍次之，檿桑次之，橘次之，木瓜次之，荆次之。」《禮器》曰：「禮，時爲大，順次之，體次之，宜次之，稱次之。」此不約而同，六也。

袁黃《游藝塾續文規》卷一《昆湖瞿先生論文》 作文之法，只有小心、放膽二端。小心非矜持把捉之謂也，若以爲矜持把捉，則便與鳶飛魚躍意思相妨矣；放膽非任情恣肆之謂也，若以爲任情恣肆，則踰閑蕩檢無所不至矣。蓋人之心體，愈檢束則愈脱灑，何也？事事無失，而後脱然無礙也。愈舒展則愈精微，何也？所見廣大而後能入細也。小心只從放膽處收拾，放膽只從小心擴充。非有二事，亦非有二時也。故前輩文字，縱觀之則包籠宇宙，細檢之則字字對針，統閱之則貫串古今，析觀之則絲絲入扣，此實理也。

又卷二《鹿門茅先生論文》 文要錯綜。用股長短相間，用句偶散相生，則錯綜矣。

又 文要爾我相形，如本當說東，然單說東則或意不明氣不揚。則當以西形之。如本說己欲如此，然單說己欲如此則或意不明氣不揚，則當以人亦欲如此形之。《孟子》「今王鼓樂」、「先生以仁義」二章，皆此法也。

又《靜臺杜先生論文》 修詞。文以理爲主也，達其理者存乎詞。子不云乎，「辭達而已矣」，謂其辭足以達理而止，不必以富麗爲工也。理未達則辭不可已，而行乎其所當行。理既達則辭不可贅，而止乎其所不得不止。理積于中，而言自沛然其有餘。雖不以辭富爲工，而未嘗不富也。理精于中而言自斐然，其有章雖不以辭麗爲工，而未嘗不麗也。譬之金谷園中之嘉木，土之培其根者既厚，水之灌其根者又滋，使造化陽春之氣，一動則暢茂條達之勢自不容已，千枝萬葉森發乎艷陽之天，異蕊奇花照耀乎遊人之目，天地之

化工，何嘗有心于富麗哉？其根厚且滋，而其枝葉蕊花自不容以不達也。苟不達其理，而徒多其辭以爲富，是躁人之辭而已矣。不達其理，而徒游其辭以爲麗，是誣人之辭而已矣。使主司之明理者觀之，止足以拱一笑而已，何足取哉？譬之剪綵爲花者，一時粧綴于枝頭，非不足以炫童豎之觀也。然使風雨一爲之飄搖，塵埃又爲之蒙翳，則生意索然矣。何者？作于人工之巧，而非達于化工之根也。由此言之，理者，文之根也；辭者，文之華也。然則求脩其辭者，求達其理而已矣。而辭不必于修矣乎？曰浮辭不可以徒脩也，達理之辭不可以不□也。或曰修辭之法何如？曰辭有所貴，辭有所忌。就其所以貴者，去其所以忌者，斯爲脩詞之法矣。曰辭之貴凡幾？曰辭有九貴：一貴成語，二貴通衆，三貴雅秀，四貴清新，五貴對整，六貴句捷，七貴音調，八貴出奇，九貴易讀。曰詞之忌凡幾？曰反其所貴者皆在所忌也：一忌鑿空，二忌群疑，三忌鄙俚，四忌陳腐，五忌散亂，六忌句墜，七忌音拗，八忌疊床，九忌聱牙。就九貴去九忌，以達其理，修辭之法，亦庶幾矣。其斯以爲文乎？是故有斐君子，必以修辭之爲貴。

又 悟機。作文之法，理格詞氣，四者盡之矣。然理之有格有辭，口可得而言也，耳可得而聞也，筆可得而書也；理之有氣，口不可得而言也，耳不可得而聞也，筆不可得而書也。何也？辭格有象，而氣機無形也。有象者實，實則死；無形者虛，虛則活。氣之機貫乎辭格之中，而莫知所以爲之者，是以實生于虛，死生于活。而文之發揮乎理者，若決江河，沛然而莫之能禦。非心悟其機者，其孰能與于此？或曰，機之名何始？曰：始于弩之機也。人知弩之矢由弦而發也，不知弦之所以發者，以寸木之撥也。人知弩之弦由于寸木而撥也，不知寸木之所以可撥者，以其木旁之虛也。虛則活，活則撥，轉而無礙，此之謂機也。機者，虛活之名，非指寸木而名之爲機也。南人用舟，舟檣之帆有轉軸焉，軸非自轉也，以其心之虛活也。北人用車，車心之端有轉輪焉，非自轉也，以其中之虛活也。嗚呼，此可以語機矣。苟使實其中而不虛，膠其中而不活，則雖羿爲之操舟，而帆不能以上下，雖使王良爲之御車，而輪不能以進退矣。其何以行之哉？不得其機而求行文，雖有辭格，而神氣不能以流貫矣，奚其文？或曰，舟車之機則然矣，文之機何如？曰：文之機無他，虛實死活之間辨之矣。苟悟其機，則似實而未嘗不虛，似死而未嘗不活。其機則實而已矣，死而已矣。凡經書之題，人知題中

實字之爲重矣，而不知題中虛字尤爲重也。凡作文之眼目，人知目中實字之爲重矣，而不知目外虛字尤爲重也。欲開必先闔，欲闔必先開，欲抑必先揚，欲揚必先抑。或上呼而下應，或設疑而後決，將言亦必先言。固將言又必先言既，將言然必先言雖，將言則必先言或，將言不知必先言人知，將言未見必先言吾見，將言況乎必先言猶且，將言今必先言向，將言凡夫必先言非特，將言顧其必先言非不，將言及其必先言方其，將言則是，必先言夫惟將言則必，必先言惟其，將言則謂必先言自其，將言吾恐，必先言將以，將言抑亦必先言其果，將言其既必先言其始，將言無見必先言有見，將言愈必先言已。合而言之，一闔一闢，盡之矣。觀乎闔闢而機不可悟乎。然非指一闔爲機也，亦非指一闢爲機也，又非指一闔一闢爲機也。一闔一闢之間，兩在虛活者，此之謂機也。自其偏而觀之，非特兩股之中，有闔闢也，雖一股之中，亦自有闔闢也，非特一股之中有闔闢也，雖兩句之中亦自有闔闢矣。自其全而觀之，非特兩股之中有闔闢也，雖四股八股之中亦自有闔闢矣。非特八股之中有闔闢也。雖自破至結，通篇之中，亦自有闔闢矣。昔葉若水遊于荆川之門，私爲之論曰：「先生之文，惟一闔一闢耳。」先生聞而愕然曰：「吾平生苦心爲文，卻被公一言道盡矣。」嗚呼，悟文之機者，其在斯人與？其在斯人與？是故有斐之君子，一悟機而天下之能事畢矣。

又《青螺郭先生論文》 單題式：時義最難于單題，故以弁諸首。單題貴前不突，後不竭，如溪壑之水漸入江淮，江淮之水漸入河海。其中瀲艷滔騰，疊見疊出，始稱奇觀。若突然起，蹶然涸，便不佳矣。【略】又曰單題正意，止可講六比，起處須用客意爲講。若實講八比，則前突後竭之病，勢所必至。又曰單題須用柱子。又曰單題閑字最重，如「臣事君以忠」，「事」字、「以」字重；「惟天下至誠爲能化」，「惟」字、「爲能」字重；「自誠明謂之性」，「自」字、「謂之」字重，餘倣此。兩扇題式，其體有四：有短題兩扇者，如「天地位焉，萬物育焉」之類是也。此樣題其體方矣，則機貴圓。其戶闢矣，則文貴闔。近日時義腹講四股，殊爲太實。如陳吉《所綏之斯來》，文內將「綏之」作一股，「斯來」作一股，又將「樂樂」「利利」作二小股，何等流動！又如「諸理齋子噲不得與人燕」二句，全不講股，便是高手。有長題兩扇者。如「君子信而後勞」一節，「仁者必有勇」之類是也。此樣題貴識重輕，如「仁者必有勇」節，他卷于「勇者不必有仁」處，着實幾股，習豫南卷止作一扇尾，何等識

見！有兩扇中涵四扇者，如「物有本末」二句，「送往迎來」二句之類是也。此樣題，須要針線聯絡，得密乃佳。有語似兩扇而意實相串者，如「說之不以道不說也」二句，又如「始吾于人也」四句，俱宜順作，決不可槩作兩扇，此類極多，宜翫書旨。又曰兩扇中句俱要不能移動，左扇中語，可移之右，右扇中語，可移之左，便不佳。又曰分題須合破，如陳吉「所綏動至速之化」，便擅場。三扇題式：三扇題若能總起爲妙，如不能亦不必強。但每扇中須要的確，不能移易的話，如「子路率爾」三節，時文首節曰強國，次曰富國，三曰華國。又如「樂正子強乎」三段，曰無勇功，無智能，無藝名，便的當。又曰末扇文氣須要悠長。四扇題式：四扇題如「文行忠信」之類是已。本文已具四段，若每扇中又作二小股，則似十二股矣。卽宜直說四大股爲當。長題式，長題有三要：起處要櫽括，過脈處要針線，平鋪處要斷制。有三忌：問答處忌實講，話多處忌瑣碎，話少處忌滲漏。又曰長題須要爛然成一篇文字，使人不覺其爲長題便好，若順題數去，便不佳。一句分兩截題式：題本一句，而分作兩截，須要上下照應，有情而過脈處，更要聯屬縝密。此二作最妙，且辭又玄解不俗，熟讀之方能作性理題。接上搭下題式：近來主司惡士子專事記誦，每出題接上搭下，欲其題少舊文耳。此樣題不能預搆，須隨題生意，自然成文，而于起處，更要提拓數語。前後照應題式：前後照應題式，須于起處先提起下文字面爲要。兩句作一句題式：此名串題與單題相似，可以互看，但串題最忌中比有痕，須一氣呵就爲妙。發問未盡題式：此樣題極難作，須要得他語氣方可。下筆尾處，不可呼明正意，尤不可不含正意。大匠不能使人巧，正在此處，味之味之。反題式：反題正起，正題反起，此舉業至論。而反題比正題更難，股股要依他口氣道去便佳。又曰反題末處，須要道正意。事實題式：事實題式，最要涉獵，如「春秋無義戰」及「減武仲以防求后」等題，不究故典，便不成文。又曰《四書大全》，及《人物考》二書，不可不備。斷制題式：斷制題須用史筆，最忌實講。散題式：文隨題轉本散矣，亦須散，散道去方有逸氣。若約之入繩墨中，則奇驥伏櫪，安望千里耶？詠嘆題式：詠嘆題式須要有奇趣，有逸思，方能體貼得唱嘆語氣。若循規矩步武，文雖典，終不佳。

又卷三《與于生論文書》作文最忌蹈襲，又忌杜撰。前輩文字，其章法皆有源流。凡布置結搆開闔起伏，自有天然節奏。雖離婁之明，不能廢規矩也。故古文不可不讀，但讀古文不得以多爲勝。僕舊讀《莊子·養生主》一篇，反覆熟玩，偶有所窺，乃知《莊子》三十三篇文字，總是一箇機局。吾弟只把《文章正宗》一部精擇而熟參之，朝玩暮諷，使古文時在唇吻間，則出詞吐氣，自有古風。若待招之而後來，麾之而後去，已落第二義矣。昔嚴滄浪論詩，借禪爲喻，謂禪家一味妙悟，詩家亦一味妙悟。「悟」之一字，豈易言哉？不可以有心求，不可以無心入。張旭學書，見公孫大娘舞劍而悟，何哉？其力已到，其機已熟，適相觸發耳。凡六藝之學不熟，則不悟，不悟則不精，豈特不精也哉？不悟則局於藝而與性命爲二矣。故作文者，須要有孔子聞韶之志，使意氣凝聚專一而不復知有他。一日大悟，如斲輪者不疾不徐，如解牛者踟躕四顧，乃神解之文，而非力索之文也。僕庚午春讀書於南京燕子磯，是時頗知學矣，承許、沈二君資我薪水，胸中無一毫雜累，終日作文，沉思默想，收視返聽，執管凝神，停章入夢，頹然如醉，兀然如痴，蠢蠢然又如不曉事者。數月之後，一日偶從諸友登磯遠望江雲，恍然如囚人脫枷，不勝鼓舞。欲舉胸中所得告許、沈二君，又默默無舉口處。自後題目到手，便能成章，從前許多苦心極力處，皆用不着矣。

又卷四《了凡袁先生論文》凡欲作文，須冥目靜坐，理會題旨，十分透徹。要見本題中有幾層意思，孰爲正意可用，孰爲傍意可刪。從首至尾，一篇文字，完具胸中。然後下筆鑄詞，有懇到之意，而和之以閑雅；有周匝之意，而運之以渾融；有奇絕之意，而出之以冲夷；有精深之意，而發之以平淡。如綿之裏針，如錦之尙絅，使不知者以爲平平，而知之者觸目警心，意在言外。《中庸》所謂「淡而不厭」，簡而文，溫而理。德必如此，然後爲至德；文必如此，然後爲至文。

又　鍊格之法，初學不可不知格。鍊則規模自別，便能出人頭地矣。文有俗格，宜鍊之而雅；腐格，宜鍊之而新；極格，宜鍊之而活。宜齊整宜闊大，你看從來魁元，並無不鍊格者。試舉一二言之，如隆慶戊辰「由誨女知之乎」一節，此題論尋常做法，必提起首句，中二句對末句，先二小比，次二大比，此一定之常格也。今中式諸公卻不然，田會元先以二非字文法反起，是知也。二比次把知不知提起，又總括二句，然後將中二句串作二比，意卻倒重。在不知句上不用，過文只流水。二比做下，後復頂此二比，衍作二大比，最後拖一脚單收。格最雅馴，其爲會元無疑也。沈會魁則于「由誨女

知之乎」，下先反云，又提二比，然後講中二句二比，末句連提連繳，復作八比。格甚新而過奇，此魁作也。大率元之作，多純多雅，多正多的。當新而未純，奇而未正時，有一段精光咄咄逼人，此魁作也。王會魁先提知不知，將中二句輕述，過復重不知一邊渾做二比。此二比絶佳氣象，亦渾厚，卻是會元文字。是年余應貢在京，李見亭充詩第二房，試官出語予曰，場中卷千篇一律，甚可厭。偶見一卷起云，看到此處頭顱，迥然不同後面。只信筆掃去，便是極好文字，乃知鍊格是場中要訣。辛未會試，先進全章，上是述言體，下是斷制體，上輕做半篇，下重做半篇，此一定之格也。鄧定宇先生先提禮樂，次述二比，仍作一過文，至講從先進處，卻先論二比云：得此二比機局，便別次講二比，末用蓋字單收，此會元也。黄葵陽亦把「我用之禮樂」一句提起，次輕述二比，復以意另作二比云。鄧作二比于過文之下，黄作二比于過文之上，皆所謂扼要爭奇也。

又 荆川先生嘗云，兩扇格可活做便須活做，有味乎其言之也。有兩扇活格，總提總繳，中間兩扇自對，此等格最要得法。一氣呵成爲妙，既有總起，則兩扇頭上不必多做，須要與起處相接，渾然無迹可也。既有總繳，則兩扇尾不可説完，須留些餘意，便下面説得去。凡題上下各做四比者，其格雖多，不過二種，非上生下格，則下斷上格也。要語脈有情，照應有法，最難得。四比一意，【略】亦一氣呵成可法。諸格中惟一滚格最難。大凡文字，二股要一意到底，若合二股觀之，又要似一股更合八股觀之，又要似一股從源發流，由本生末，方是合式文字。故惟一滚格爲最難。有提有繳，中間只六股，然亦難得一意到虛。前輩惟瞿崑湖先生得其宗旨，其會試墨卷中《論語》，猶有遺憾。《詩經》「彼有不獲穉」四句，是一滚格，此題總來只言豐成之利，使俗筆爲之，一句便把題目説盡，斬然無味矣。渠首二比却根時雨，漸漸説到，彼此俱足。上第四比，又承俱足説去，始把題目上穉穧秉穗等實塡出來。

又卷五《了凡袁先生論文》 凡一股該一意到底，若用兩意便雜矣。假使一兩句説完題目，以下便難措手。須洞曉章法，庶不重複。有推原之法、有襯帖之法、有涵泳之法、有敷衍之法、有繳足之法、有進一步之法。如萬曆甲戌孫會元講「如不及」末二比云，【略】首二句已把題目講完，「蓋天下之理」以下，卻推其自強自歉之故，所謂推原法也。【略】首四句題目亦説完，卽「其心之不自足」以下，又較上深一層，所謂進一步法也。支簡亭講云，【略】亦首二句説完題意，以下皆敷衍法也。末句是涵泳之語，蓋以敷衍而兼涵泳也。孫會元講云，【略】前四句講完題目，後三句卻繳足其意而已。獨陸廬江講云，【略】一氣到底，無迹可尋。蓋此題諸公皆有提有繳，中間只作六比。初二比用流水法，一比講如不及，一比講恐失之；次二比對搭講，每股中上半講「如不及」，下半講「恐失之」；故末二比另須變法，若復從頭講下，又與次二比同格矣，是以諸公皆用兩意對起。大率文字若前二比單起，後兩比須雙起，此自然之文勢也。陸兄舉業熟，變換多，故不拘常調，而亦不重複。大率章法，只是一意説下爲妙。

又 股中立柱，第一忌陳腐。如窮達常變之類，一見令人可憎。第二貴切題，講聖人題，用不得明德作柱。講三代以後題，用不得皇猷帝載作柱。其餘如細題，用不得俗柱。倣此推之，講聖人題則先行後知，其餘如先本後末，先體後用，先一息後萬年等。各宜看題下筆，不可紊也。兩扇既立柱，其遣詞各宜聯絡照應。然須如灰中線路，草裏蛇踪，默默相應可也。【略】今人不知脈絡者，固不足言其知者，又多發揮柱頭，而反與題目相遠，蓋顧奴失主也。

又 凡文字不可無筋骨。股中之柱，蓋筋骨也。藏則渾厚，露則怒張。歷觀會元之作，藏者多，露者少。【略】「清兮」一篇，全在虛字眼上着力。如先曰「予何幸焉」，後曰「予甚幸焉」。「何」字、「甚」字，其筋骨也。荆川先生用此法甚熟，如講「從我者其由與」，先曰「其誰與」，後曰「其由與」，皆從而虛而實也，開之進場。時嘗與余論此甚備，及進場作文，遂全用此法。甲戌孫月峰學如不及，中二比用知行，末二比無柱，極渾融合縫。時習言其久，敏求言其鋭，作輟言其功，得喪言其驗。道字虛，學字實，亦非漫無分別也。曹會元平日文字極露筋骨，癸丑會試墨卷，其至德無迹，二比亦自渾融。

又 學作論，須將《左傳》、《國語》、《韓非》、《呂覽》之屬，各摘數篇熟誦，沉思。有作卽擬之，不似則易之。始于擬議，終于變化。蓋其初學也，惟恐其不似，既也，又恐其襲焉而不化矣。至于變化，則心肝骨髓，全是古人，啟口容聲，無非高調。若待招之而後來，麾之而後去，已落第二義矣。

又卷六《涇陽顧先生論文》 二曰琢辭。意與辭相爲聯屬者也。意鑄矣，而辭不琢，將併其意而失之。如以奇古之意而發爲腐爛冗雜之辭，則觀者但

覺其腐爛冗雜之可厭，而不覺其爲奇古矣。況意不甚出人，而又無佳句以達之，其爲俚鄙可笑，可勝言乎？故寧有辭無意，不可有意無辭，此辭之貴琢也。琢辭者何？短則欲掉，如歐陽公「環滁皆山也」一句，省出許多字面，而意自盡者是也。長則欲逸，如昌黎公「若駟馬駕輕車就熟路，而王良造父爲之先後也」，句字雖多，而風致則飄然動人也。餘推此類可見。

又 文之貴講貴實，尚矣。然人但知講之講，而不知以不講爲講；但知實之實，而不知以虛爲實。夫講之爲講，而實之爲實，說一句纔是一句，說一字纔是一字。其于一句一字之外，已毫不能通，而于一句一字之中，又渾非其解，故意不透露，而機不玲瓏。惟夫不講而講，虛而實也，而後爲坒大卻，導大窾，而後極文之致。總之，貴議論而不貴鋪排，貴抉其所以然而不貴贅其所當然。當然者，傳其形；所以然者，傳其神。鋪排者，銖積寸累而無功；議論者，挈領提經而了了。故一言可當百千言，反言可當正言，無言可當有言。以意言之爲至實，以機言之爲至虛。至于善用虛而所爲精深者，澹宕者，皆舉之矣。

又 凡作性理題，須著一句玄遠語不得，著一句幫襯語不得。玄遠者，起于光景之未眞，而揣摩其近似；幫襯者，起于本質之已窮，而借功于粉飾。若胸中見得了了，自無此弊。然亦有意思見得七八分，而辭不足以達之者，此非辭不達之病，仍是意不徹之病也。朱子謂憤者心求通而未得，悱者口欲言而未能，畢竟是心求通而未得耳。若徹頭徹尾洞見底蘊，豈有不能出諸其口哉？至如平澹題，雖無別的講貫，然亦須反覆論得痛快。然後讀者悚然。大凡平淡題目，自有精深議論，非必每題另出一見，然後動人。且如蘇秦說六國，撮其大旨，不過曰割地事秦，如抱薪救火，此自盡之術也。然此亦人人知之，人人能言之，偏是蘇秦爲從約長何也？他到一國，自有一國議論，舉一國之形勢，揣各國之人心，搜各國之往事，按各國之所重所輕，描各國之所畏所苦，天下機局如在目前，睥睨抵掌，極文之變，令傷心者哽咽，不平者按劍，何暇計羣羊之不敵猛虎，與連雞之不能俱棲？雖不舉國以聽，其道無由。夫舉子業亦然，若必每題另立一主意以爲新奇，其謬何啻千里。

又《思白董先生論文》 轉：文章之妙，全在轉處。轉則不窮，轉則不板。如游名山至山窮水盡處，以爲觀止矣，俄而懸崖穿徑，忽又別出境界。則應接不暇。武夷九曲，遇絕則生。若千里江陵，直下奔迅，便無轉勢矣。文章隨題敷衍，開口卽竭，須於言盡語竭之時，別行一路。太史公《荊軻傳》，方叙荊軻刺秦王，至始皇環柱而走，所謂言盡語竭，忽用三箇字轉云「而秦法」，自此三字以下，又生出多少烟波。制義如成、弘間大家，元氣渾灝，勢取直捷，轉處無形。至文恪公「齊景公」二節，文則珠走盤而不出於盤，聖於此法矣。甲午廣西墨卷君子，信而後勞，其民至容有疑君子之厲之者矣。此處題意已盡，他卻轉云「是非君子之眞厲之也」，得此一轉，又增出幾行文字。此其易見者，但拙者爲之，則頭腦多而不遒勁，病在不審賓中之主。

又 反：文字從反。語曰：「文者，言之變也。」又曰：「擬議以成其變化。」作文謂以變合正。古文聳動人精神者，莫如《國策》。策士游說，不曰不如此不利，而曰不如此必有害。其所以敲骨打髓，令人主陡然變色者，專用此法也。寧獨策士，且如《論語》中說管氏樹塞門，若正言之，則曰管氏不知禮，何等明盡，卻又曰管氏而知禮孰不知禮，此反也。九合諸侯一匡天下，若正言之，只宜曰管仲有仁者之功，卻云「微管仲，吾其被髮左衽矣」。此反也。韓昌黎說周公好士，正言已盡，卻又一反云：「向使周公輔理承化之功未盡，章章如是，而無聖人之才，而非叔父之親，則將不暇食與沐矣，寧止吐哺握髮之勤而已哉？」得此一反，幷吐哺握髮，精神奇警。又如漢詔「有功不賞，有罪不誅，雖聖王不能以化天下」，亦其例也。時文有全篇用反者，如君子三戒，戒之在色，戒鬭、戒得等，只應痛說色、鬭之爲害，而戒字意自明。若隨題講云，「若何以戒之」，則俗格矣。又有丙子南京鄉試卷，講堯以不得舜處云：「由是觀之，堯一日而無舜，則孰與命禹益；舜一日而無禹益，則孰與拯昏墊之害，而登天下於平成；堯一日而無舜，則孰與命稷契；舜一日而無稷契，則孰與拯阻飢之民而躋天下於揖遜。然則憂舜之不得者堯也，君道也；憂禹皋陶之不得者舜也，相道也。」此皆反格。又有癸酉南京江文明《修身則道立》墨卷，講完修身則道立云：「不然天下雖有觀刑之心，而君極未立，其何以近天子之光哉？」得此一反，則字精神遂露，便有責望哀公意，不止說效矣。又如癸未孟子程文，講「孔子有見行可之仕」句云：「不然東周之志，三代之思，將託之空言矣。」皆是淡中設色。

又 斡：李長吉云「筆補造化天無功」，此斡之所自始也。以時文論，雖聖賢語，豈無待作者斡旋處？如禹稷當平世，三過其門而不入，既平世矣，而何爲卻須三過其門不入？程文則云：「蓋洪水艱食天下，雖若猶未平也，而

君明臣良，則天下有所賴以平也。」出人意表。又如壬子南畿墨卷《君子不可小知而可大受也》他人講「不可小知」，只隨題講去，若將謂君子于細事全不理會。孫溥卷則云：「故以一事之盡善，而謂其爲君子焉。吾意君子不如是之隘也。以一事之未善，而謂其非君子焉，吾意君子不如是之淺也。果可以小知乎哉？」場中得此四句，遂作舉首，故缺漏處須用意斡旋。

又 代：代者，謂以我講題。只是自說，故又代當時作者之口代寫他意中事，乃謂注於不涸之源。且如《莊子·逍遙篇》，說鷽鳩笑大鵬，須代他說曰：「我決起而飛，搶枋，時則不至，亦控於地而已矣。奚以之九萬里而南爲？」此非代乎？若不代，只說鷽鳩笑亦足矣。又如太史稱燕將得魯連書，云：「欲歸燕，已有隙恐誅，欲降齊，所殺虜齊人甚衆，恐已降而後見辱。喟然嘆曰，與人刃我，寧自刃？」此非代乎？又如蘇老泉易論聖人云：「是天人參焉，道也。道有所施，吾敎矣。」非代乎？時文如壬戌會試《事君能致其身》墨卷云：「仰觀於君，則知君卽吾之元首。而不有其身者，乃所以不負其君也。」此非正講，乃代之耳。又如邵北虞《陶應問曰文》云：「居舜之地，諒舜之心，必將曰在朝廷則情爲重，法爲尤重，而情窮于不可奪；在海濱則天下爲輕，親爲重，而法泯于無所加。」皆是代也。又如癸酉南京江文明《小大之臣至承弼厥辟》墨卷講云：「若曰一言之失，將不爲聖德之累乎？」此句亦代也。凡作文原是虛架子，如棚中傀儡，袖牽由人，非執定死煞者也。

又 翻：劉勰曰：「詞徵實而難巧，意翻空而易奇。」夫翻者，翻公案之意也。老吏舞文，出入人罪，雖一成之案，能翻駁之。文章家得之，則光景日新。且如《馬嵬驛》詩，凡萬首，皆刺明皇寵貴妃，只詞有工拙耳。最後一人乃云：「尙是聖明天子事，景陽宮井又何人？」便翻盡從前窠臼。曹操有疑塚七十二，古人有詩云，「直須盡發疑塚七十二」，已自翻矣。後人又云：「以操之奸，安知不慮及于是？七十二塚必無眞骨。」此又翻也。昔齊鬼說善解結鄰國，以必不可解致齊王，齊王令鬼說解之。鬼說曰：「此結不可解，臣乃以不解解之也。」此非翻乎？又如法眼和尙曾問徒弟曰：「猛虎項下金鈴，是誰解得？」人多不能對，其後有一僧出曰：「繫解得此！」非翻乎？時文有《雖孝子慈孫百世不能改也》，束云：「有堯舜爲之祖父，則雖有朱均之不肖，而無改于唐虞之命名；有幽厲爲之祖父，則雖以宣平之中興，而無補于二君之逆德。」又云：「不然，則暴其民者得一賢子孫足矣，何足懼哉？」此善翻案者也。唐荆川《匹夫而有天下》文云：「舜不遇堯，一畊稼之夫而已矣；禹不遇舜，一崇伯之子而已矣。」溫託齋《何事于仁》程文上半篇云：「仁道至大，有自一端而言者，有自全體而言者。如一念之善，仁也。推而言之，裁成天地之道，輔相天地之宜，亦仁之極功耳。如一事之善，仁也。極而言之，範圍天地而不過，曲成萬物而不遺，亦仁之大用耳。若必以博施濟衆而爲仁，則一事一念之善，將不得爲仁乎？若一事一念亦得以爲仁，則博施濟衆，蓋不止于仁矣。聖人能之乎？」俱是翻格。

又 脫：脫者，脫卸之意。凡山水融結必于脫卸之後，謂分支擘脈，一起一伏于散亂。節脈中直脫至平夷藏聚處，乃是絕佳風水。故靑烏家專重脫卸，所謂急脈緩受，緩脈急受，文章亦然。勢緩處須急做，不令扯長冷淡。勢急處須緩做，務令紆徐曲折，勿得埋頭，勿得直腳。如乙酉南京墨卷《吾有知乎哉？無知也》，講完至「有鄙夫問于我空空如也，我叩其兩端而竭焉」，此處是急脈。施天性墨卷云：「然存一太公之心，毋論昏明矣；達一不倦之教，毋論智愚矣。故自問我者，而觀一空空之鄙夫也。若不可以盡知也，自我應問者而觀，卽人人有良知也，無不可以與誨也。」此是急脈令緩。又爲高必因丘陵，爲下必因川澤，至爲政不因先王之道，此緩脈也。袁茂英墨卷云：「君人者運治于上，則先王之丘陵在。有操更張，于成憲則悖矣。施澤于下則先王之川澤在，有作聰明于舊章，則昧矣。」此是緩脈令急。又如使禹治之，此急脈也。程文則云：「以上則君憂臣勞，而弗恤；以下則父舍子用，而不疑。凡以爲天下而已。」此急脈令緩也。禹掘地而注處，急脈也。墨卷則云：「水之爲民患者，水之未有所歸也。而未可以力排也，于是乎掘地而注諸海焉。」此是急脈令緩。述而不作，至信而好古，有許多推原，此緩脈也。壬午陝西程文則云：「我惟篤信好學，是訓是行而已焉。」用作乎此，是緩脈令急。

又 擒：杜子美曰：「擒賊先擒王。」凡文章必有眞種子，擒得眞種子，則所謂口口咬着，又所謂點點滴滴，雨都落在學士眼裏。且如王文恪邵北虞，皆有《五就湯五就桀者伊尹也》。文字若以縱橫逸宕論，邵作似勝，但文恪小講云，「擇君而事者，智士之所以定其交也；委心不變者，忠臣之所以介其守也，而伊尹則有不必然者。」便高出邵公幾等，何則？此題眞種子，要在何必同。而邵卻單做「伊尹五就」，雖詞章揮霍，已離于宗，故不得爲大家。

己卯石崑至《舜亦以命禹》墨卷，承卽云：「道至于中，則不宜有所異也。」以後云：「中之上本無所加，而聖人又何所加于此中之上也乎？」此是題中眞種，擒得此不必照顧「亦」字，而未嘗非「亦」字矣。《行己有耻題》，陸會魁云：「士之才也，貴于有守。」而「才也」，擒也。蕭會元《如有王者》破云，「無近功者也」，一篇主張不出此三字，魏崑溟破云「志其盛也」，便自走作此，全在有識。

又　離：文字最忌排行，貴在錯綜。其勢散能合之，合能散之。離者，散也。《左氏晉語》云：「太子之善，在于早諭教，與選左右。」早諭教，選左右，是兩事也。賈誼《政治疏》却云：「心未濫而先諭教，則化易成也。開于道術智誼之指，則教之力也。」此是《早諭教》。下云：「若其服習積貫，則左右而已。夫胡粵之人生而同聲，嗜慾不異，及其長而成俗，累數譯而不能相通行者，有雖死而不相爲者，則教習然也。」此是「選左右」。以此二事離作兩段，全不排比。自六朝以後，皆畫段爲文，少此氣味矣。時文如「出門如見大賓」四句，主敬行恕，後來印板也。陶石簣作此題，先將「出門使民」二句相對，卻用一過文，另做己所不欲，破板爲活。又如索隱行怪全章，庚辰會試卷，講至末節，卻以君子依乎中庸，對遯世不見知而不悔。雖一串做，總有痕迹。惟劉廷蘭講四比云：「故君子之依乎中庸也，擇之也精，而依之以爲知者，不惑于似是之非，守之也。一而依之，以爲行者，不淆于他岐之惑。由是而遯于世焉，吾安之而已；由是而不見知于人焉，吾弗悔而已。」深得離之趣。

又《緱山王先生論文》　無中生有法也。謂如從根發枝，以梅傳杏，非龜之毛，兔之角也。實題虛作法也，謂如酵麵使不粘口，非畫餅可代充腹也。粗題細作法也，謂裁縫密熨帖平，非謂蛛絲可紉布帛也。淺題深作法也，謂如鑽石求火，非刺山而望泉也。學子常離形照影，于本來面目毫不相涉，釋卷而測題，十不得五六者有矣。可嘆可嘆。鹿門云：「文之不宜于今者，皆得古皮肉眉髮耳。若會其精神，無不合者。」近世學術膚陋，或剽古人皮肉眉髮，尚有少分相應。否則杜撰一種似古非古之語，以冀詭遇，而默會其精神法度者，必共厭棄矣。豈惟時藝，今之論人品文章皆然。

又　文章有一字訣乎？曰緊。緊非縮丈爲尺，蹴尺爲寸之謂也，謂文之接縫鬬筍處也。古人布局寬，結搆緊。今人布局緊，結搆寬。巧者如駿馬驀澗，拙者如駑牛登山。自來文章詞曲書法奕法，皆不出此一字。吾蓋知之，而未之逮焉。

又卷八《武叔卿論文》　詞不雕刻則不工，然過于雕刻則傷氣；詞不敷演則不腴，然過于敷演則傷骨。皆學力未竟，而結撰之不精也。必工之以椎鑿，融之以鼓鑄，彫刻而不見其痕，敷演而時露其彩。斯不鑿不浮，稱詞之善矣。

又　詞要音響，聽之如敲金戛玉；詞要色麗，觀之如明珠散錦。慶曆以來，獨黃葵陽號爲極工，其鄉會卷無論已。近日程式諸作，尤爲精麗。如季文子「三思而後行」一節，「一夫不獲，則曰時予之辜」等篇，不惟格法純美，意理精至。而其聲調之鏗鏘，詞華之藻麗，直令金石失響，綺錦奪色。一時椎琢讓工，組織遜巧，眞舉業詞宗也。

又　詞不可以不脩，亦不可以過脩。脩之過，則必侈其詞以爲富，其究也失之冗；必縟其詞以爲麗，其究也失之靡。譬之剪綵爲花，非不燦爛可觀，而生意索然，殊無眞趣。所謂美女塗脂，反隱本相，則又詞之意也。故說理之詞不可不脩，若脩之而理反以隱，則寧質無華可也。達意之詞不可不修，若修之而意反以蔽，則寧拙毋巧可也。修詞者其審之。

又　脩詞有四善：曰刪繁而就簡也，斂華而就實也，化腐而爲新也，變庸而爲奇也。故裁剪之工，點化之妙，修詞者尙之。

又　詞欲極新，不欲杜撰。詞欲極古，不欲蹈襲。然新而不至于杜撰，斯其新也古；古而不至于蹈襲，斯其古也新。

又卷九《武叔卿論文》　做文字下手欲難，收功欲易。夫難非扞格之謂，乃深造以道之力也；易非輕率之謂，乃左右逢源之妙也。故思索不苦，則關竅不通。卽通矣，而幾微少滯，亦其思索之未到；揣摩不久，則機括不熟。卽熟矣，而運用少礙，亦其揣摩之未精。如紀昌學射，二年承挺，三年懸虱，何等勤苦？其究也，乃能視小若大，視微若著，而巧極于貫心。不然，逢刺則瞬，遇細無睹，目無所加，手將安措？此下手收功，難易之明驗也。余故曰，作文要用心，然用心而至于無所用心，則心始純；要着力，然着力而至于無所着力，則力始到。

又《顧仲恭論文》　野：凡文之不可不縱者，機也；必不可縱者，意也。縱之流爲客，客之流爲野。姑舉其甚者，如先輩有作《公伯寮愬子路》文云「升堂入室之學，孔丘固嘗與之矣，而門人卒不敬焉。有勇知方之政，仲由亦嘗自許矣，而夫子卒哂之焉。是雖從政之果，固爲可取，而以野哉子由爲之，

則其禮樂不興，而刑罰不中，未可知也。是雖治賦之才，不無可稱，而以由之嗲爲之，則其臨事不懼，而好謀不成，未可知也」云云。看題面那得許多野話，且止似譖，全不似愬矣。文字中如此弊者甚多，若以收歛爲主，自無此病也。

又 排：時義之體，雖以兩兩相比，排偶成文，要必意在筆先，神遊局外，故能首尾相應，虛實相生。若一篇而整整八意，二比而濟濟並立。譬如有人，五官非不具備，而神情不屬，塊然行屍矣。且一題之中，止有一意：一意之內，變幻自生。若取必于匹偶，必假助于駢枝，甚不可也。與其爲排，無寧爲複。

又 複：知一意之說，而不識變幻之妙，則必反而爲複矣。複者，俗謂之合掌，亦謂之挑水，均未足以喻也。夫合掌之義，左右相成；擔水之象，彼此適用。文字若複，取左則可遺右，有此則可無彼，非其例矣。此所謂說過又說，甚亡謂也。嗚呼，排之與複，出此入彼，欲並解二結也難矣。必也具空曠之才，識機勢之變，而後可稱盡美。不然，挑剔于句法之間，轉撥于虛字之內，亦近代一小法門也。若字句之首尾重出者，亦複之流，而近于雜。

又 雜：雜有三失：體雜者，截也，人首蛇身，前後若兩截之謂也。意雜者，支也，如牽卯應天，動心忍性，程文前既分貼，後復頂承者是也。意雜者，支也，如前所云駢枝者是也。語雜者，穢也，如秦漢之語，錯以《典》、《謨》二氏之文，參乎《語》、《孟》，班班駁駁，望之毛悚者是也。混，意雜之流，或名爲混。蓋因看題未眞，旁皇兩塗。欲言如此，則恐背于章旨；欲言如彼，又恐礙于時目。乃以騎牆之見，出爲含糊之詞。卽如「人莫不飲食也」一節，分明是指出道中最易見者以示人，舊說作譬喻者，固非是。近有一等文字不作譬喻，亦不作正意。但於起處云，「道之在人，飲食也。道之中，飲食之正味也」。細看之，較舊說止少得一箇「猶」字，無甚高論，卻說得不明不白，令人氣懣，未審佳致何在也。此乃老生無聊之計耳。

又 叠：肥之屬，有用叠者，滯文之機，增題之障，甚不可也。故非但叠句，卽叠字，亦宜少用。非但四字叠，卽兩字叠者，亦宜少用。必兩句之內，一賓一主；兩字之內，一虛一實，而後爲工于文也。曰自昔有此文乎？曰有。試看《論》《孟》，未有無故而堆叠幾字者也。後之妙于此法者，莫如蘇長公。然非有天馬行空之才，亦難言矣。若不能不叠者，但不肥可也。凡骨不足而肉勝者，謂之肥；肉不足而皮勝者，爲之膚。此爲醜女說也。若質地既美，色態並佳，自令粉黛無顏，何事于飾？善乎《韓非子》之言曰，「夫恃貌而論情者，其情惡也；須飾而論質者，其質衰也。」何以論之？和氏之璧，不飾以五采；隋侯之珠，不飾以銀黃。其質至美，物不足以飾之。夫物之待飾而後行者，其質不美也。通乎此說者，亦足以明文之不貴飾矣。迺若修意鍊格，鎔古鑄今，是猶良玉之待琢，美金之須冶。本不借光于塗抹，未可概病其脩飾也。曰：「幷脩飾而去之，可乎？」曰：「可。然其于諧俗也益難矣。」諺有之：「早知不入時人眼，多買胭脂畫牡丹。」此言雖俚，可謂痛哭。

又 影：時論多有影作者。如蓮花似六郎，醫來聞雞起舞之類，已自可恥。不知那一鄙夫移此陋于時藝，至今人作比興之題，多用此法。習爲固然，不可究語。甚者如壬午河南爲命章程文，備極醜態。講討論處，則云：「凜凜乎若敵國之在前，而不容不討也，不容不論也。」講潤色處，則云：「以其潤澤生民者，爲敷文之具，以其正色立朝者，爲華國之章。」殆可謂沉痼于惡趣中者，此病所宜痛懲。

又 借：文字有借題發意者，唐荆川《惡用是鶂鶂》篇是也。其中股云：「將謂是鶂鶂者可以供祭，與則羊豕魚臘之陳，取給于祿而有餘。況大夫五鼎又無所用于鵞也；將謂是鶂鶂者可以養，毋與則雞豚狗彘之畜，取盈于家而自足，況老者食肉又無所待于鵞也。」其大結云：「古自祭祀，賓客養老之需，大則牛豕，小則狗雞。水陸之產，兔雉蠃蚳，莫不咸在。而鵝獨不與焉，豈其時尚以鵞爲難得？而亦先王之菲于飲食，不取備物之意與？後世習爲奢靡，而飲食宴會之間，非鵞不行。甚至一鵞之費，與羊豕同價，亦惡用是鶂鶂者爲哉。」按此亦先輩之大可笑處，不足爲法。且彼特以之爲戲，非有意爲文。之廼今之所謂借者，則以揣摩爲主，以迎合爲工。每一題出，不論其意之深淺，義之當否，輙舉君道相體，宮闈訓儲，國是文體，禦虜治河諸意以冠之。如柔遠人而以爲夷狄，才難一節，而以爲宮闈，君子胡不慥慥而以爲正文。體道不同，而以爲定國是，且曰不如是不足以當主司之意。嗟乎，無論其文品何如，卽如此等心術，後日且爲窺伺逢迎，毀方厄合之小人矣。士君子誠有有懷欲吐者，宜更作他詩文以自見，若經義之中決不可假借也。

又 俚：有意俚，有語俚。意俚之病，在于無識；語俚之病，在于無

書，並當戒也。近有一狂士慣作鄙俚可笑之文，自謂晚近必無吾侶。又有一淺陋之人，推尊之曰某某吾師也，可發一笑。【略】正文體者，尤宜痛懲。癡，凡文字摹神者，謂之能；摹相者，謂之癡。先輩中如崔灘之摹神，幾于化境矣。

又 枯：虛而不衍將入于枯，故以爲戒。

又 促：虛而不可以衍，不衍而不可以枯。守此諸戒必且過于矜持，而促之病生矣。于是詞有過簡，地有過窄，機有宜縱而歛，調有宜緩而急，氣有短而不長，象有寒而不貴。凡此諸端，皆促之流。其何術而免此，曰難言也。試閉門靜坐，惟取經書白文及《楞嚴》、《圓覺》、《維摩》諸經，置之座右，坐而觀之，寤而思之。興之未至，勿輕下筆；興之將至，多引大白以自助。悠然若有思焉，恍然若有入焉，豁然若有寤焉，援毫而起，得意而疾書，則庶乎其可也。

賀貽孫《與友人論文書三》 制義猶古文也。其相題審脈，排比格調，雖有不同，然其正反開闔，往復轉變者，法也。古文有之，制義亦有之也。其正反之相生，開闔之遞變，往復之不測，轉變之無迹者，巧也。古文有之，制義亦有之也。是以行文有法，而不爲一成之法，其不爲一成之法者，巧之從心不踰也。行文以巧，而不能自言其巧。其不能自言其巧者，法之範圍不過也。夫如是，則天下不皆倕也，而法在，則天下皆可爲倕；天下不皆般也，而巧在，則天下皆可爲般矣。今之爲制義者，憚于法之嚴而託于無法以爲巧。格于巧之難，又託于無巧以爲法，則設有工師于此，法猶是法也，然而曲僅能鈎，直僅能繩，圓僅能規，方僅能矩，是賤傭也。以是爲法，巧者笑之矣。又有工師于此，法猶是法也，然而執鈎爲曲，執繩爲直，執規爲圓，執矩爲方，是膠守也。以是爲法，巧者又笑之矣。【略】吾所謂法者，法習而巧出焉；吾所謂巧者，巧至而法生焉。吾所謂法者可傳，而巧者不可傳。吾所謂巧者不可學，而巧之藏于法者尤不可學，亦惟是養之以靜，致之以虛，廣之以識，主之以誠，優而游之，使自得焉；袖而明之，使自由焉。其于文之正反開闔往復轉變也，非作而致其然也。

傅山《家訓·文訓》 文章詩賦，最厭底是個「嘽」字。嘽，緩也，俗語謂行事說話松沓不警曰「嘽」。本灘音，因《禮記》「嘽以緩之」句借用之耳。然俗語亦無正聲，或用「纏」字之去聲，最有義。凡束縛右轉欲緊者曰「纏」（平聲），左轉欲松者曰「纏」（去聲），即如打面茶，先纏（平）之，既纏（去）之，聲是也。齒牙口舌手筆，丁當振動，自然無此病。若興會高簡之音，不在此例。若一篇之中，得三兩句警策，則精神滿紙矣。

方以智《文章薪火》 老子、楊、墨，皆近孔子前後。自老子「正言若反」，而惠施交易之。其歷物也，大其小，小其大；長其短，短其長；虛其實，實其虛而已。

又 韓昌黎振起八代之衰，爲其單行，古文法也。子長爲質，上泝周秦，氣骨自古，曲折作態，盡乎技矣。其言正直，潤色典雅，故超于技。徒謂《平淮西碑》爲媲《典》、《謨》，《毛穎傳》酷似子長，淺之乎！退之有時生割，刻意形容，琢古磨石，未免乎痕。痕亦何累乎退之？斯文後死，存乎其人，不在鈎章棘句以爲工，不在鄙倍蕪累，乃爲篤論，爲學道之亟也。

又 文章之開闔，主賓曲直盡變，手眼之予奪，抑揚，敲唱雙行，何非一在二中之幾乎？以過而化其不及，以不及而化其過，以中而化其過不及，以過不及而化其中。《易》之參兩錯綜，全以反對顛推，而藏其不測。有悟此爲文章者，張旭之聞鼓吹，觀劒器，紀昌之目承鋋，貫蝨心，不是過矣。

又 《荆軻傳》「倚柱而笑」，此點睛也。前有魯句踐，後有高漸離，奇峯湍流，互相穿激。昌黎敘睢陽，述南八，詳其聞此者，張籍云，正法此傳，惟恐其冷落無餘聲耳。此善請客之妙也。妙高峯七日不見，而見之別峯。道寓于器，正意寓于旁意，何往不然。琢句割字，刻畫之小品也。長河千里一曲，不在乎此。然點綴之間，神亦與之俱動。【略】《考工》、《檀弓》、《儀禮》，叙事狀物，俱以簡盡。《論語》「鮮矣仁」，《孟子》「家交之也」，何常不奇？韓退之賞樊《絳碑》，和盧《月蝕》，稱長吉之「鯨呿鼇擲」，正以爲人不可行怪，而忍俊不禁，何妨筆墨間洩其奇氣耶？由今論之，鬼母泣天，蝦蟇蝕月，多祇生厭，何奇之有？若如「黄原玦天」、「銑溪虬戶」，則鉛粉惡裝，並不得以棘刺母猴，畫策龍蛇相例。

又 石塘師曰：「自以拖沓爲篤實，而古文風致盡矣，何謂？遠鄙倍乎。好古者以《史》、《漢》之追章琢句拔之，久而襲爲剽賊矣，貴神識者以唐宋大家救之。」侯廣成曰：「雜怪難識以爲博，空疎不學以爲靈，此謂妄居其創者。至狂子僇民，羣起糞掃《六經》，師心杜撰，於是乎冥趨倒行，愈變愈下，嫌鐘鼓玉帛爲芻狗，而遂甘爲鬼魅也，可乎？」末世才固日生，而好學者

少文以禮樂。尼山所望，卽以文章致其中和，亦安藝息游，琢玉纖聲之道也。

侯方域《與任王谷論文書》 行文之旨，全在裁製，無論細大，皆可驅遣。當其閑漫纖碎處，反宜動色而陳，鑿鑿娓娓，使讀者見其關係，尋繹不倦。至大議論，人人能解者，不過數語發揮，便須控馭，歸於含蓄。若當快意時，聽其縱橫，便一瀉無復餘地矣。

毛先舒《文論一》 文理既立，隨生文法，法有主客、先後、詳略、分合、伏應、束縱、聯斷、單複、頓宕、整亂。此十者，文之法也。主客者，敘一事者，必引旁事以相形，命一意者，必牽他意以相明也。先後者，事有敘次，意有急緩，雖然，有倒敘之文，有先起側意而徐引入正之文，文雖隨腕，而又欲酌其方，毋漫施也。詳略者，題入手則抉之以眼，洞見鉅細，鉅詳細略，尤細者則去之，無煩涉筆；又或略其鉅，詳其細，瑣瑣而不厭，不爲方幅恆情熟徑，我其舍之，斯妙矣。綱條排次有分有合，《史記·酷吏》諸傳是也。時而人自爲叙；時而夾叙，時總而叙，是分合之方也。伏于前，應于後，將有歷亂之事理，筆匆墨迫，慮閱者眩，故必先提明。束縱者，文過縱，慮其衍而漫也，故不能俟其終，橫中束之，如水之有閘，衢有麗譙，以節行也。挖之過則辭理不得舒，太求減者懼其巉削而無以爲受也，故又欲縱而寬之。文聯物也，而又欲斷，聯以爲常，斷以爲變，故斷非斷也，如歌中停響，歌意非歇，如龍形之伏，地脈自行。單複者，恐其肥故單之，恐其徑故複之，恐其整齊故時單時複。頓宕者，文之作巧處也。突然而起，下故不接，中間方叙，忽爾拓開，終不便盡，姑且勒住，皆頓也。纚纚不完，且沒正意，波中生波，喩後仍喩，意已畢盡，掉尾有餘，皆宕也。整亂以相扶者也，整則條理，亂則縱橫，整則首尾，亂則倒欹。水，至平也，澒洞則失平焉；雲氣，本直上者也，因風而變幻無端倪。天邪？人邪？噫！文之法盡是已。曰：未盡也，十者待文而生者也，不可以先有，先有十者則無文。夫十者待文以生，而生文者誰耶？吾故曰未盡者也。

魏際瑞《與子弟論文書》 文能切題，乃不應付，然欲應付，無如切題。

又 由規矩者熟于規矩，能生變化。不由規矩者，巧力精到亦生變化。既有變化，自合規矩。

又 古人作字，于楷細秀婉中忽作一重大奇險者，蓋其精神機勢所發，無能自遏，不覺縱筆，覽者亦遂怵然改觀。後人見此學爲怪異，而所書不足動人，本無情興徒欲作怪故也。人有呵欠噴嚏，必舒肆震動而洩之，苟無是而學爲張口伸腰，豈得快哉？文之段格章句長短，亦復如是。

又 人以文字就質于人，稱曰「正之」。忽念政者正也，改稱曰「政」。又念正者必須刪削，乃曰「削政」。又念斧斤所以削也，轉曰「斧政」。又念善斧斤者莫如郢人，易曰「郢政」，且或單稱曰「郢」。而最奇者以爲孔子筆削《春秋》，而《春秋》絶筆于獲麟，遂曰「麟郢」。愈文而愈不通，令人絶倒。今俗人作古文，地名、官名之屬，務稱古號以爲新別，而復多錯謬。否則杜撰拈合，如稱給事爲「給諫」，狀元官修撰者爲「殿撰」，三孤三公，保其一也，而通曰「宮保」。牽強支離，竟不成語，著于文章之內，眞所謂金甌玉醆盛狗矢也。又如「日居月諸」，「居諸」乃語詞，而稱日月爲「居諸」。「刑于寡妻，友于兄弟」，「于」亦語詞，而曰「刑于」「友于」。司馬遷、諸葛亮複姓也，而曰「馬遷」、「葛亮」，則古人先已不通，時俗又何足怪乎？鄙背之遠，不能不望于君子。

又 轉折句太多，文反不得員動。

又 古人文字，有累句，澀句，不成句處而不改者，非不能改也，改之或傷氣格，故寧存其自然。名帖之存敗筆，古琴之仍焦尾是也。昔人論《史記·張蒼傳》，有「年老口中無齒」句，宜刪曰「老無齒」。《公羊傳》「齊使跛者逆跛者，禿者逆禿者，眇者逆眇者」，宜刪云「各以類逆」。簡則簡矣，而非《公羊》、史遷之文。又于神情特不生動。知此説者，可悟存瑕之故矣。

又 引證古事，以對舉二事爲妙。如《孟子》「王不待大」，則「湯以七十里，文王以百里」。「以大事小」，則「湯事葛，文王事昆夷」。「以小事大」，則「大王事獯鬻，句踐事吳」。「王請大之」，則「文王之勇」，「武王之勇」。「不召之臣」，則「湯之於伊尹」，「桓公之於管仲」。「百世之師」，則伯夷、柳下惠。「不爲臣不見」，則段干木、泄柳。「宋行王政」，則湯征葛，武王東征。「養勇」，則北宮黝、孟施舍。蓋單舉，則似一事偶合；對舉二事，則其理若事無不確者，而證辨之力亦厚。

又《與從弟》 善作文者，惟能暗使而巧用之，若離此而欲求奇，未見其有成文矣。其有奇文無頭尾者，乃善藏頭尾，不以示人，如神龍見首不見尾，非無頭與尾也。大意布局，細心練詞。疎花小石之文，宜雅而有章；長江大河之篇，宜勁而有力；斷制議論之作，宜嚴而有據；員轉滑稽之筆，宜明淨而老成。以此推之，一文必有一體，一體必有一機一局，非漫然落筆遂能

爲也。

又《論文語》　同一肉也，而烹與燔之味則大異焉；同一烹燔也，而剛與靡之味則又異焉。以及蒸煮炒瀹，各有其義，極而至于批割之厚薄，舂剁之整碎，與夫切削之橫直，其味無不分也。故同爲一語，而出之蘊藉者則腴而有味，出之窒率者則俚而無倫。極而至于同此一語，喜者足寫其喜，怒者足寫其怒，贊者以此，詈者亦以此。此必由閱歷世情，養鍊氣候而始足辨之也。人之于情，則固有怒而笑，喜而泣者，此亦可以推矣。

又　古大家文雖極奇崛，必有氣靜意平處。故忙處能閒，亂處能整，細碎處有片段，險兀處有安頓，順處不流，逆處不費筋力，穿插處不小家，方正處不板硬，如置重器于平闊之案，觀者神氣亦自閒定，總由養氣鍊格已到，故不爲波瀾所撓也。

又　文章煩簡非因字句多寡，篇幅短長。若庸絮懈蔓，一句亦謂之煩；切到精詳，連篇亦謂之簡。

又　興致極穠而反淡率，詞語極精而反膚庸，皆不識體要之故。

又　語言無味，面目可憎，此庸俗人病也。而專好新奇譎怪者，病甚于此。好奇好怪，即是俗見，大雅之士不然耳。

魏禮《答孔英尚惟叙》　詩古文可豪不可麤，可暢不可易，可奧不可僻澀，可樸不可率而俚，可奇不可誕，可靈不可巧，可細不可弱。長篇不可蔓衍，以其有分數提頓也；短篇宜意味悠永，以其勁轉曲折而可咀咬也。峭者當益腴，華者當益潔，可正不可迂，可古勁不可生撰。叙事之文當審位置之先後，而格法出其中也。深者不可晦，淺者不可薄，簡者不可踈而略，文不文之辭不可相糅雜也，最不可者曰順寫，堪輿家之所謂奴龍也。不有格與法與體，要不可以言文也。

魏禧《日錄論文》　文之工者，美必兼兩。每下一筆，其可見之妙在此，卻又有不可見之妙在彼。辟如作屋，左砂高聳，右砂低卸，必須培高右砂方稱。拙者舉土塡石，人一見知爲補右砂之闕；巧者只裁竹樹，令高與左齊，人一見只賞歎林木幽茂之妙，而不知其意實補右砂低卸也。又文字首尾照應之法，有明明繳應起處者，有竟不顧者，有若無意牽動者，有反罵破通篇大意，實是照應收拾者。不明變化，則千篇一律，而文亦易入板俗矣。又古文接處用提法，人人所易知；轉處用駐法，人所難曉。凡文之轉，易流便無力。故每於字句未轉時，情勢先轉，少駐而後下，則頓挫沉鬱之意生。辟如駿馬下阪，雖疾驅如飛，而四蹄著石處，步步有力。若駑馬下峻阪，只是滑溜將去，四蹄全作主不得。更有當轉而不用轉語，以開爲轉，以起爲轉者。以起爲轉，轉之能事盡矣。或問：學古人而不襲其跡，當由何道？曰：平時不論何人何文，只將他好處沈酣，偏歷諸家，博采諸篇，刻意體認。及臨文時，不可著一名人，一名文在胸，則觸手與古法會，而自無某人某篇之跡。蓋模擬者，如人好香，偏身便佩香囊；沈酣而不模擬者，如人日夕住香肆中，衣帶間無一毫香物，卻通身香氣迎人也。

又　善作文者，有竊古人作事主意，生出見識，卻不去論古人。自己憑空發出議論，可驚可喜，只借古事作證。蓋發己論則識愈奇，證古事則議愈確，此翻舊爲新之法，蘇氏多用之。

又　嘗言古文轉接之法，一定不可易。或問：古文轉接有極奇變出人意外處，何謂一定？曰：試將原文轉接處，以己意改換，至再至十，終不能及，便知此奇變乃是一定也。若非一定，便任人改換得。

又　韓文入手多特起，故雄奇有力；歐文入手多配說，故委迤不窮。相配之妙，至於旁正錯出，幾不可分，非尋常賓主之法可言矣。

又　爲文當先留心史鑑，熟識古今治亂之故，則文雖不合古法，而昌言偉論，亦足信今傳後。此經世爲文，合一之功也。論古文須如快刀切物，迎刃而解。又如利錐攻堅木，左右鑽研。如不得入而引證古事，如與人搆訟有得力干證。嘗謂善聽訟者，但審鞫兩家干證，十已得九。故引古得力，則議論不煩，而事理已暢，此要法也。

又　善改文者，有移花接木之妙。如上下段本不相干，稍爲貫串便成一氣是也；有改頭易面之妙，如倒置前後，改易字句便另成一種格調是也；有脫胎換骨之妙，如原本說寒，將要緊處改換，翻成說熱是也。深味此法，於自作文，亦增多少境界矣。

又　東房言：「作文者善改不如善刪。」此可得學簡之法。然句中刪字，篇中刪句，集中刪篇，所易知也。善作文者能於將作時刪意，未作時刪題，便省卻多少筆墨。能刪題乃眞簡矣。

又　古人文法之簡，須在極明白處方見其妙。簡莫尚於《左傳》，然如「宋公靳之」等句，須解句者，不足爲簡也。門人問，「如何方是簡之妙？」曰如

「秦伯猶用孟明」，突然六字起句，格法既高，只一「猶」字，讀過便見五種義味：孟明之再敗，孟明之終可用，秦伯之知人不以再敗而見棄，時俗人之驚疑，君子之歎服，皆一一如見，不待註釋解說而後明。如此，乃謂眞簡眞化工之筆矣。

又 或問學八大家而不善，其病何如？曰學子厚易失之小，學永叔易失之平，學東坡易失之衍，學子固易失之滯，學介甫易失之枯，學子由易失之蔓。惟學昌黎、老泉少病。然昌黎易失之生撰，老泉易失之粗豪，病終愈於他家也。

又 或問六朝以來，名士有文章，甚不足觀。而當時驚服傳於後世者，何也？曰未有不由敏且博者。集坐高會，或舉一物言一事，他人瞪目噤口，而此應聲輒答，原委歷歷；或卽席應詔，軍旅旁午，他人垂頭苦思，而此揮筆立成，琳琅可聽，當時安得不驚？傳至後世，則敏博二者皆不可見，惟據成文評論工拙。《論衡》、《三都》，動經十年，後人但許其工，不譏其鈍。而援筆立就者，或反出其下。故以中材而欲與古人抗衡，當深思肆力，善用其所短也。

又 簡勁明切，作家之文也；波瀾激蕩，才士之文也；迂徐敦厚，儒者之文也。爲儒者之文，當先去其七弊：可深厚不可晦重；可詳復不可煩碎；可寬博不可泛衍；可正大不可方板；可和柔不可靡弱；可無驚人之論，不可重襲古聖賢唾餘；其旨可原本先聖先儒，不可每一開口輒以聖人大儒爲開場話頭。七弊去而七美全，斯可以語儒者之文也。

唐彪《讀書作文譜》卷六《修詞》 武叔卿曰：「詞要音響，聽之如敲金戛玉；詞要色麗，觀之如散錦明珠。然有流弊焉不可不知也。必侈其詞以爲富，其究也失之冗；必縟其詞以爲麗，其究也失之靡。譬之剪彩爲花，非不燦爛可觀，而生意索然殊無眞趣。又如美女涂脂，反隱本相矣。故說理之詞不可不修，若修之而理反以隱，則寧質無華可也；達意之詞不可不修，若修之而意反以蔽，則寧拙毋巧可也。修詞者其審之。」

又 武叔卿曰：「詞不雕刻則不工，然過于雕刻則傷氣；詞不敷演則不腴，然過于敷演則傷骨。其辨在毫厘，而遠在千里。故昔人不廢修詞，而亦不崇重修詞也。」

又 唐彪曰：文章修詞一事，不過以凡有文詞，貴乎出之以輕松、秀逸、古雅，典確奇偶相參，虛實長短相間。轉掉處，以高老雄健佐之；段止勢盡處，以抑揚頓挫參之，使意盡而餘韵悠然。更得平仄諧和句調協適，文采燦然可觀矣。古人謂不必修詞者，非欲廢如此之詞也，但不欲浮靡雕繪也。古人謂必宜修詞者，亦止欲詞如此也，豈尚浮靡雕繪哉。【略】程楷曰：「修詞無他巧，惟要知換字之法。瑣碎字宜以冠冕字換之，庸俗字宜以文雅字換之。務令自然，毋使杜撰。此卽修詞之謂也。若以浮靡之言反掩文之眞意，則可鄙之詞也何以修爲？」知此可無疑于人，言之不一矣。

又卷七《文章諸法·總論》 描寫。唐彪曰：文之有描寫，猶畫者之描寫人容也。容貌毫髮不肖，不得謂之工，卽容貌肖矣，而神氣毫髮不肖，亦不得謂之工。故文章最重描寫，而最難者亦無如描寫也。是以描寫宜細，不細卽粗陋矣；描寫宜詳，不詳卽缺略矣；描寫宜文，不文卽俚俗矣；描寫宜正，不正卽邪野矣。本位不可描寫，宜描寫其對面；中間不可描寫，宜描寫其兩旁。能如此，而文焉有不工者乎？

又 襯貼。唐彪曰：凡文之有襯，如金玉之用雕鏤，綾綺之裝花錦，雖無益于日用，而光彩陸離，令人貴重，端在于此。文章固有不必用襯者，若當襯者不襯，則匡廓狹小，意味單薄，無華瞻之致矣。但襯之理不一，或以目之所見襯，或以耳之所聞襯，或以經史襯，或以古人往事襯，或以對面襯，或以旁觀襯，或牽引上文襯，或逆取下意襯，皆襯貼也。

又 遙接。唐彪曰：有遙接法。如一段文章，意雖發揮未盡而有不得不暫住之勢，若復加闡發，氣必懈弛，神必散慢矣。惟將他意揮發一段，則神氣始振動華瞻也。發揮之後，復接前意立論，謂之遙接。又叙事之文挨年次月者，發揮本人之事或未竟，其時適又有他人相關之事，理宜帶叙，則本人未竟之事不得不接叙于後，此古文遙接法也。

又 頓挫。唐彪曰：文章無一氣直行之理。一氣直行，則不但無飛動之致，而且難生發，故必用一二語頓之以作起勢（此「頓」字須作「振頓」之「頓」字看），或用一二語挫之以作止勢，而後可施開拓轉折之意。此文章所以貴乎頓挫也。若以頓作住字解，則誤矣。愚按抑揚者，先抑後揚也；頓挫者，猶先揚後抑之理，以其不可名「揚抑」而名「頓挫」，其實無二義也。

又 挨講穿插。唐彪曰：凡作文有挨講，亦有穿插。挨講多，穿插少，自有分寸，總貴合宜而用也。但穿插貴于自然，不可勉強。《史記·酷吏傳》

郅都、寧成、義縱、趙禹、張湯事，皆穿插成文。《藺廉列傳》相如、廉頗、趙奢事亦多插叙，因其人其事原有關涉，可以交互，故交互成章耳。惟交互，故錯綜變化，所以其文如蛺蝶穿花、游魚戲水，合久讀之起舞也。《水滸》、《西遊》、《三國》皆祖其法以爲藍本。若夫時藝之宜用插法者，上下兩截題、串題、長題、拾題而已。雖然卽此數題，亦不可勉強濫施也。

又　詳略。柴虎臣曰：詳略者，要審題之輕重爲之。題理輕者宜略，重者宜詳。詳者宜鋪叙，否則傷于淺促；略者宜剪裁，否則傷于浮冗。如呂逢源《周有八士》節文，開講後暢發，首句是其詳，「伯達」四句只用六語虛點，是其略。蓋題旨重「周有八士」句，而人名可不必鋪叙也。陶石簣《孟獻子》節文，「發畜馬乘」二句最略，「聚斂之臣」三句亦略，「不以利爲利」二句闡發極詳。蓋題旨重在結末，而前段引語自當剪裁也。大都全章長題，最宜審其輕重，輕重一審，而行文自中乎肯綮矣。

又　轉折。唐彪曰：文章說到此理已盡，似難再說，拙筆至此技窮矣，巧人一轉灣，便又另一番境界，可以生出許多議論，理境無窮。若欲更進，未嘗不可再轉也。凡更進一層另起一論者，皆轉之理也。至于折，則微不同。折則有回環反覆之致焉，以東而折西，或文從西折東也。其間有數十句中四五折者，有三四句一句一折者，大都四五折後卽不可復折，其往復、合離、抑揚、高下之致，較之平叙無波者，自然意味不同也。此折之理也。

又　跌宕。唐彪曰：文章既得情理，必兼有跌宕，然後神情搖曳，姿態橫生，不期然而閱者心喜矣。如作樂然，樂之能動人者非以聲也，以音也；又非僅以音，以餘韻也。樂有聲而無音，有音而無餘韻，能令人快耳愜心否乎？文章亦然，無餘情餘韻，使豐神搖曳，則一蠢然死板之文耳，安能令人心喜哉？故跌宕，爲文章最佳境也。

顧景星《復張長人》　有爲兄規者，近尚八大家，亶言起伏段落呼應爲工，而不知行文之自然，初非有意爲之也。乃家居韓、柳，人擅歐、蘇，自刻自評某篇幾段某處應某，此兒童之見，不足道也。相美人者，曰此段爲頭，爲胸，爲腹，爲尻，爲手足，是磔之矣。神龍騰空，蜿蟺變化，不知其爲幾段也，而曰吾一段伸，一段屈，若馭風，若躡雲，有是理乎？自歸安鹿城之說出，後生淺學折腰齵齒，而古文荒矣。畫竹者，兔起鶻落，胸有成竹。天之生物也，具體于胎，不節節而生之，良工操斤不無節目，而刌度先定，辨士應變風生，從容自若。今之爲文，正如傖農訐訟，抵掌竊擬，往復訊答，又如婢學夫人，簡言矜動，愈見躁鄙。彼眞夫人談笑說鹽米，意簡而言有餘。故夫段落呼應，損字澀辭爲工者，是傖農之擬訟而獠婢之簡言也。

陳維崧《四六金鍼》　約事，將開說之事，沙汰其枝葉，而約取其本根，則辭旨簡明，讀者不煩，而聽者易解也。分章，將事中節目，分開各爲一段以陳述之，則事意分朗，聽者無雜亂之患。明意，於各段中發揮其意，使之明白洞達，無少晦澀，則聞者朗然入耳而喻心矣。屬辭，每一段中以一隔聯，包括其意，前後隨宜，以四字六字散聯，彌縫其闕，所以然者，事約則明，既以約事，分章取之矣。意分則朗，故又以明意屬辭取之也。凡意或有首尾，或有主客，或有對待，混而言之則昏晦，分而言之則明朗。故四六屬辭之法，必分事意爲兩璧，而以對偶明之也。又一意之中，必分主從，從者常多而意短，主者常少而意長。若不爲分以明之，則主從混淆，而輕重不分矣。故少其隔聯，以明主意，多其散聯，以明從意。此四六屬辭，用四六限段，節拘對偶，分散隔聯之本意也。欲讀者便於聲音，故切平仄，欲聽者不致迷誤。故平易其辭，此又四六屬辭所以定粘律，明句讀，易文辭之本意也。但明此旨，則四六之作，自然合轍矣。

又　今，截剪事意有深長，而非片言所可明白者，於是作者取古人事意與此相似者，點出處數字，而以今事串入，便爾成聯。使人聞之不可盡言之深意，朗然可見於言外，此四六之妙用也。其法凡三：一曰熟，二曰剪，三曰截。熟，用衆所共知之事，則人人耳熟而曉。剪，兩句出處，各剪出本處屬對字樣，以備采用。截，以所剪屬對字樣，截取其聲律諧順，語意明白，字樣穩切者而用之。剪截既定，融以神思，化以筆力，而四六之文成矣。其法凡三：一曰融，二曰化，三曰串。融，截取所剪字樣，以神思融會之，使與題中本事相合爲一，朗然可見。或析碎本語以融之，或點綴上下以融之，或合取事意融之，或貼以己意融之，皆是也。化，融會字意既定，而後以助語，呼喚字化爲渾成之語。使古事與今意並行不悖，昭然明白是也。串，聯中兩句既以融化明白，一段數聯，又須融化相串。篇中數段，仍須融化照應，脈絡貫通，語意溜亮，渾然天成，則式雖四六文，與古文不異矣。

陳恭尹《屈翁山文抄序》　發數千百言于一文之中，猶戰數十萬人于兩陣之上。理義其芻糧也，文采其旌旗器甲也，句讀其束伍也，段落其中權前後

左右也。有是四者，而後可以言兵。然其奇正分合，用衆用寡，則大將主之。孫子曰：「水因地而制流，兵因形而制勝。」由此言之，文豈有定勢哉？近世之爲秦漢者，曰唐以後書吾不讀也；爲唐宋大家者，則曰彼模擬剽竊者僞也。二者交譏，予以爲皆非也。夫文之爲用，所以寫天地萬物之情而傳于人，述古今萬事之變而垂于後，其寫物也，鬚眉畢見，生氣躍然，其述事也，治亂有源，脈絡井井，使讀者如身入其中，喜者欲舞，怒者欲奮，哀者欲泣，樂者欲歌，足以示勸懲而起頑懦。苟能如是，不必問其爲秦爲漢，爲唐爲宋，皆天下之勁兵也，而孰敢與之爭？若夫理義多而不實，是唱籌之沙也；文采備而不精，是兒戲之軍也；句讀具而不鍊，是市人之驅也；段落散而不整，是首尾不應之蛇也；即其人而眞秦漢、眞唐宋，亦必敗之兵矣，而可以戰乎？

金堡《過叔寅文集序》 蹈虛易妙，摭實難工，先正衡文之篤論也。雖然，虛非全虛，實非全實。實能生虛，虛即尅實；虛能生實，實即尅虛。虛尅實而虛復生實，實尅虛而實復生虛。虛實生尅如環無端，則蹈虛之妙，妙全在實；摭實之工，工全在虛，而文之能事畢矣。

李光地《榕村語錄》卷二九《詩文一》 文章要曲，用曲筆便似其中林巒澗壑，不可窺測。惟韓文公會作直文章，以所見道理足本色，已深厚。

又 作古文要曲折，學古文須先學作論，蓋判斷事理，如審官司，必四面八方都折倒他，方可定案。如此，則周周折折，都要想到，有一處不到，便成罅漏。久之，不知不覺，意思層叠，不求深厚，自然深厚。今倣古文者，多從傳誌學起，卻不是。

又 文字詞氣雅俗，倘有能辨之者，至句中，有眼人多不講，其鬬湊成文者，即有一段好處，必不能通篇自圓其說。文中有一兩句似無甚關係，卻是他爲文眼目，說話雖多，終須歸到發明此句上，這是傳下來的一點法脈。

又 文字不可怪，所以舊來立法科場文，謂之清通中式。「清通」二字，最好本色。文字句句有實理實事，這樣文字不容易，必須多讀書，又用過水磨工夫方能到，非空疎淺易之謂也。

又 做時文要口氣，口氣不差，道理亦不差。解經便是如此，口氣錯，道理都錯。

劉大櫆《論文偶記》 凡作文，纔有箇講究的便不是。

又 氣最要重。予向謂文須筆輕氣重，善矣，而未至也。要知得氣重，須便是字句下得重，此最上乘，非初學笨拙之謂也。

又 文法至鈍拙處，乃爲極高妙之能事；非眞鈍拙也，乃古之至耳。古人能此者，史遷尤爲獨步。

又 文貴疏。宋畫密，元畫疏；顏、柳字密，鍾、王字疏；孟堅文密，子長文疏。凡文力大則疏，氣疏則縱，密則拘；神疏則逸，密則勞；疏則生，密則死。子長挈控大意，行文不妨脫略。

又 文貴參差。天之生物，無一無偶，而無一齊者。故雖排比之文，亦以隨勢曲注爲佳。好文字與俗下文字相反，如行道者，一東一西，愈遠則愈善。一欲巧，一欲拙；一欲利，一欲鈍；一欲柔，一欲硬；一欲肥，一欲瘦；一欲濃，一欲淡；一欲豔，一欲樸；一欲鬆，一欲堅；一欲輕，一欲重；一欲秀令，一欲蒼莽；一欲偶儷，一欲參差。夫拙者，巧之至，非眞拙也；鈍者，利之至，非眞鈍也。

又 文貴去陳言。昌黎論文，以去陳言爲第一義。後人見爲昌黎好奇故云爾，不知作古文無不去陳言者。試觀歐、蘇諸公，曾直用前人一言否？昌黎既云去陳言，又極言去之之難。蓋經史諸子百家之文，雖讀之甚熟，卻不許用他一句，另作一番語言，豈不甚難？《樊宗師墓志》云：「必出於己，不蹈襲前人一言一句，又何其難也。」正與「戛戛乎難哉」互相發明。李習之親炙昌黎之門，故其論文，以創意造言爲宗。所謂創意者，如《春秋》之意不同於《詩》，《詩》之意不同於《易》，《易》之意不同於《書》是也。所謂造言者，如述笑哂之狀，《論語》曰「莞爾」，《易》曰「啞啞」，《穀梁》曰「粲然」，班固曰「攸然」，左思曰「囅然」，後人作文，凡言笑者，皆不宜復用其語。習之此言，雖覺太過，然彼親聆師長之訓，故發明之如此，亦可窺見昌黎學文之大旨矣。《樊志銘》云：「惟古於詞必己出，降而不能迺剽賊，後皆指前公相襲，自漢迄今用一律。」今人行文，翻以用古人成語，自謂有出處，自矜其典雅，不知其爲襲也，剽賊也。昔人謂「杜詩韓文無一字無來歷」。來歷者，凡用一字二字，必有所本也，非直用其語也。況詩與古文不同，詩可用成語，古文則必不可用。故杜詩多用古人句，而韓於經史諸子之文，只用一字，或用兩字而止。若直用四字，知爲後人之文矣。大約文字是日新之物，若陳陳相因，安得不目爲臭腐？原本古人意義，到行文時卻須重加鑄造，一樣言語，不可便

直用古人，此謂去陳言。未嘗不換字，卻不是換字法。人謂「經對經，子對子」者，詩賦偶儷八比之時文耳。若散體古文，則《六經》皆陳言也。王元美論東坡云：「觀其詩，有學矣，似無才者；觀其文，有才矣，似無學者。」此元美不知文，而以陳言爲學也。東坡詩於前人事詞無所不用，以詩可用陳言也，以文不可用陳言也。正可於此悟古人行文之法，與詩迥異。而元美見以爲有學無學。夫一人之詩文，何以忽有學忽無學哉？由不知文，故其言如此。元美所謂「有學」者，正古人之文所唾棄而不屑用，畏避而不敢用者也。東坡之文，如太空浩氣，何處可著一前言以貌爲學問哉？

又 理不可以直指也，故卽物以明理；情不可以顯出也，故卽事以寓情。卽物以明理，《莊子》之文也；卽事以寓情，《史記》之文也。

又 凡行文多寡短長，抑揚高下，無一定之律，而有一定之妙，可以意會，而不可以言傳。學者求神氣而得之於音節，求音節而得之於字句，則思過半矣。其要祇在讀古人文字時，便設以此身代古人說話，一呑一吐，皆由彼而不由我。爛熟後，我之神氣卽古人之神氣，古人之音節都在我喉吻間，合我喉吻者，便是與古人神氣音節相似處，久之自然鏗鏘發金石聲。

又 記得多，便可生情；譬如奕棋，記得譜多，也便須有過人之著。

又 文章到極妙處，便一字不可移易；所謂無一定之律，而有一定之妙。

張謙宜《絸齋論文》卷一 文字初成，自覺快心，萬不可滿足，當求老成積學之士商酌。我見理不到處多，見事偏執處多。或論一人，其生平尚未盡知，其時勢尚未全看，又或其年月先後未能考證，此皆須人指點。如有疵病，可改者速改，可刪者速刪，勿姑息苟且，貽後日之悔。

又 凡爲古文，先掃去世情，以我識見議論爲主。周旋則黏滯纏繞，不得自快矣。間遇豐功大業奇才卓行，皆供我筆墨揮灑，可則表之，否則削之，使我意暢而詞潔，人與事庶幾附文以傳。子長作《史記》，最上者也，唐宋八家間有贈送序其不可廢者，皆用此法。

又 凡爲文，未落筆前，便須嚴以自持，既脫稿後，尤當加意檢點。少不自愜，早早割愛。如此修省，猶恐有護短處，況大意聽之耶？

又 凡行文，虛易掀翻，實難轉換，弄奇可以動人，平衍未能討好。操觚者審之，自有向上一著在。

又 文字平行最是難，如舟淩水，如牛畊地，越沒波浪越不傾欹，纔見扶犂把桅之苦。

又 古文妙處，全在有澀味。澀者，其嶄然不滓，時文所不能汩者也。

又 文筆疎而事覈，最不易到。

又 古文高手，其正爲某人寫生處，妙固不待言。往往旁襯閒文，淡淡著筆，其人其事，俱卓犖堪傳。讀書者無心遇之，益人神智。

又 文不換手便是率。

又 文有陡勢頗好，然須有放平處。字字陡豎，不成文體矣。

又 古人文字峭古，是骨格挺拔，煅煉精嚴，音頭節奏，俱以無心入妙。若單於此留心，恐遂爲小巫耳。

又 爲官作文，一要辣，二要冷，面帶霜威，筆如巨石之墜於山，方可脫俗。

又 今人作文，好用典故，襯貼實跡，如割死人肉，黏在活人面上，模樣更看不得。凡文字，色澤、音節、間架，事事現成，卻正是俗。惟深於八家者知之。

又卷二 潔謂句煅字煉，不可那移加減之義。非取熟軟輕鮮不礙時文秀才眼也。

又 文章布置，須如東坡云，先有成竹於胸中，悍然落筆，如兔起鶻落，少縱則逝矣。其敷詞也，行乎不得不行，止乎不得不止；其設色也，絢爛之極，歸於平淡。至哉斯言，所當服膺者矣。

又 鶻之搏兔，飛上雲眼，忽然掠翅下擊，百發百中。筆勢起落，以是思之。

又 古人承接轉合，全在虛字。然不得如時文活套，有上句虛字，便有下句虛字，一定腔板，用之爛熟，故筆路要別。別者，欲其生又欲其順，此暗轉大轉，拗接斷接，所以爲古人秘妙也。暗轉者不用虛字，意思潛移也；大轉者用夫字向上一騰，便於落下，落處卽轉之機也。拗者斜勢攙起，正當其縫也；斷者似完未完，餘脈弩出也。有此四法，則文勢不可捉搦，文波不可測度，與扶牆靠壁之轉折，此呼彼吸之虛字，相去天淵矣。

又 蘇家文字，只是運筆有路分。或引證發論，或借勢生波，務要推宕得開，又文情方暢。恐浩泛無歸著，捷勒本意。本意急切說不暢，又拓開去，

開縫另煞。一翻一覆，一起一落，此之謂筆勢。不見元宵弄龍燈者乎，燈毬爲珠，火龍奔逐，珠向上仰，龍亦向上，珠向下撇，龍亦向下。有時珠上龍下，有時龍上珠下，總以不遽合爲好。勢若纔走，便教蟠珠吞噬，一切解數都沒看者，亦索然矣。

又 節奏者，文句中長短、疾徐、紆曲、歕薄之取勢是也。聲響者，文逗中下字之平仄、死活、浮動、沉實之音韻是也。雖無定局，自有操縱。若步步扯繩，寸寸栽㮨，又非通人之雅裁，文人之樂事矣。熟而能化，自無此症。

又 錯落者，句調布置之參差也。堆排固屬可厭，單弱亦非良工。斟酌於疎密離合之間，別行一路，迤邐開展，則文勢有鋒，文情有節矣。叙事之文，此法尤須講究。每段落腳起頭不相黏綴，而神氣呼吸滋味浸灌，皆錯落中針線聯絡之秘妙也。

又 點綴者，恐文境寂寞也，間以陗字鍊句，錯置其間，令人起眼。如流水忽帶桃花，如寶器壤以珠玉，此就一處言之也。若通篇叙事，忽夾議論，忽採入奏疏制誥，亦是點綴。論大片段，則有互襯抛閃之法，若堆在一處，反爲大累。昔從先君入蜀，行至棧道，正值殘秋，樹色赤綠黃紫，兼有石青，罨畫一路，與蒼峯翠岫掩映合沓，此天地之大點綴也。

又 文家錯磨圓溜，固令人快然。無澀味則傾瀉無餘藴，有澀味而不善變，又苦沉滯。刻意琢鍊，又饒有涵養停蓄，大力驅遣，惟東漢劉向能之。

又 漢人每用禿句頓住，如書法直畫之用迴鋒。然須氣足詞勁，方收得住，如賈捐之《罷珠厓對》「遂罷珠厓耑用恤關東爲憂」，是其例也。

又 茅鹿門連用長句，近於堆排，又有急口令，如菓子鋪招牌者。又有直排兩行作一氣讀者，此皆學《史記》皮毛而失之拙。蓋長句必有節奏也。

又 琢句鍊字，雖係小技，亦關神明。勿晦勿拗，毋使人疑，毋令人駴，音節嘹亮，中有藴藉醇謹之風，是謂大雅。

又 凡作文，虛字與其拗折，毋寧圓亮；實字與其曲奧，毋寧平穩。後生記心。

又卷三 叙事之文，全要提得各人意思醒，此文骨文脈之所在。若堆垛修飾，卽貌似《史》、《漢》，而史法已失，不足道也。叙事能發揮出人意思，方有生色。

又 史氏之法，有挨年順月序者，正體也（《漢高祖本紀》）；有以情事相湊，不拘年月者（《呂后本紀》），此法尤妙。傳誌有可摹擬者，不妨用之，只要筆健氣勁，綽綽有餘。

又 叙事之文，當於平處著精神。如戰鬭、節烈、豪俠、廉介以及鬼神怪異等事，皆易於出色。惟孝友、忠信、學道、潛修諸人，平淡無色，出奇甚難，要在得其意思，開其眉目。莊重坦易中有蠖曲飛騰之勢，思路縝密，自發光芒。須以義理爲準則，筆力嚴覈，不帶世情世法爲上品。《史記·萬石君傳》乃平事濃叙之祖，最宜留心。

又 平叙法，如軍中按轡徐行，雖甚從容，而結束步驟，自然嚴厲。其訣祇要隨手轉折，不得低頭直寫，煩蕪汗漫。

又 作鋪叙文字，其利病曲折，當指畫分明。如雕鏤金玉器皿，一花一葉不精細，便留遺憾。操觚者宜盡心焉。

又 叙事之文，須有關鎖，有提撮，有鋪叙，有轉折，有弩腰掉尾。其大要則在換手改調，務令段段嚴密，若一槩搽抹，都無活勢，便是死蛇枯株，了無可觀已。

又 凡碎段鋪叙之文，須逐條變換，一一鍊淨，排宕如曹參、樊噲例，方合。

又 叙事以簡古爲難。文太繁密，便不疎㽔。

又 《史記》所以冠古今，事多氣貫，段段換手也。

又 昌黎叙事，俱提撮大意，無一筆平鋪，所以簡潔渾勁，有西漢之風。

又 古人叙事文字，其提撮鋪展處，俱當思其不得不然之故。

又 昌黎墓誌，鍊字縮勢，本欲簡古，其實整牙犖緊，不如歐陽之和婉曲暢。學者勿耑效此體。

又 韓誌好用險僻字，其實無味。古文無可出奇，始於雕鏤字句見長，在賦爲美，於史筆則成纇。學者辨之。

又 李中麓爲人作誌狀，好用通俗白話，似坊刻小說，自以爲任眞，其實大壞文體。王、李卻又以《史》、《漢》字句貼合近事，齟齬不相肖者極多。二者皆古文之魔障，看歐、曾何嘗有此？

又 叙兵事易出色，當看其整暇處。

又 叙事以戰爲最者，其中頭緒多，變化大，如險要、人謀、器械、將

士，與夫得失利鈍，皆欲寫到。忌疎漏，又忌板重。要整齊，又要錯落。能提得清，分得勻，運用熟而出沒不可測。前惟左氏，後惟史公，其要只在心閒手敏，銳意求之，無心得之，此道難言。

又卷四 作短文敘閒事，筆重則累，太輕則泛。斟酌於離合淺深之間，得吾意思而止。大要尤在首尾，所謂一唱三歎，曲終奏雅也。

又 小文非峭折不能見奇。

又 予仿昌黎《雜説》，氣欲折而貫，意欲奥而明，詞欲簡而盡，字欲生而穩，[火垂]煆然後知其難。

又 昌黎《雜説》之四，是轉字法門。「千里馬常有」，折轉；「故雖有名馬」，接轉；「馬之千里者」，起轉；「是馬也」，落轉；「策之不以其道」，趕拓轉。

又 予凡作贊，不敢效昌黎之雜用韻，亦不敢援《三百篇》及《離騷》古賦叶音。以我固今人耳，文之古不古，豈在此？四六文以骨能載肉，氣足充竅爲上。

又 四六文須有布置，有規矩，起伏開合，互相顧盼。

又 四六文亦論骨力。何以生骨？意之所注，有堅凝者是也。意高則文采橫生。不然，只是泥塑將軍，雖渾身甲冑，不見可畏。

又 以駢語論事，不難於工整，難於曲折如意，情理允協耳。總之，此種文全以識見、筆力、用事，與雕鏤飣餖者相去徑庭。

又 中年看《程史》，得岳珂(武穆王孫)大啟一通。論事慷慨，運筆鬱蒼，過接展布，皆有大力。鎪鏤對仗，俱極工緻，似從宣公奏議、歐蘇小表中得來。必不得已，當效此種。近世陳椒峯有四六刻本行世，其筋脈血絡，歷歷分明；作料顔色，亦自富麗。其不及唐人六朝者，只是輕盈脆薄，無典重之象耳。

又 予在饒州曾見《文文山集》，其狀元對策通用四六黏連，似仿宣公。英風偉度，剴切淋漓，無愧古人。此又當略須留神，另置一格。

又 凡四六對偶，但取典故，不論年代若何，邪正若何，順手順口，一味挨排，如豬銜草鋪窩，豈論好歹淨穢。此大病也。

又 對仗苟且，前既言之。今再一暢發，亦爲平行中有連類，用事之例，如「孔子履」豈可對「楊妃襪」？「王莽頭」豈可對「文山髮」？再如「蓂莢生庭」(堯時)，豈可對「百合呈瑞」(孟昶時)？以此類推，如理學中必不容白沙、姚江，相臣中必不容介溪、瑤草，臨時細審。

又 胡敬齋《西湖記》，説上許多道理，正是學堂中語，何必於山水中贅及？曾皙言志，并不黏帶著仁義禮智，孔子許之。故市儈逢人講物價，搢紳竟日説銓除，令人厭聽。此等文以本色爲佳。

又 朱文公《百丈山記》、《雲谷記》，瑣細不遺。比柳子厚遊記峭潔高古，自是不及。文字疏密之法，於此可見。

又 《封禪儀記》，本是一直上去。卻以道險人疲，作頓宕節次，摹畫極工，卻不落纖巧。斲鍊細緻，卻帶蒼莽。非柳州遊記所能髣髴，此漢人所獨到，不可不知。

又 園亭文字，八家皆有妙處。要求他別有寄託，俱在風月花木之外。

又 余作《邱氏鋏溝園記》，於落寞世家更説得脱灑激昂，此扛題救敗法也。

又 凡與人書，或論兵談文及鄉里大利害；或雪人之冤，或辯己之謗，伸己之忿。各有事實，方可論其是非工拙。若泛泛酬應，言不由衷，皆糞壤朽木，不足當有無之數者也。

又 《報任少卿書》，當效其鋪敘簇花、起落跌宕之妙。

又 韓昌黎《上宰相諸書》，浩然之氣全消矣。詞雖美，吾無取焉。《答陳生書》，展轉相生而下，句調各有長短。此亦章法之一。

又 凡論人論事，須置身局外。識在其上，則能言人所不能言。若彼大我小，反出其跨下矣。論人必先以大節爲本。大節完全，即小事亦可不究。惟名高望重而實有奸雄作惡之才，事若渾厚而實有包藏凶險之心，或遺害天下，陰傷善類，舉世不覺，已留破綻者，不妨剖判分明，共以爲戒。凡作論，必根情理，如定爰書，勿令人抱恨九原爲是。

又 論事之文，須令今日可行。若祇是依樣葫蘆不畫也，得看昌黎《變鹽法狀》、《淮西事宜狀》，其鑿鑿有益，眞不敢以文人目之。

又 嘗見演周王廟雜劇，獰鬼下捕女魂，提擲旋跌，騰踏數次，然後提髮抵案，心甚樂之。作《天道無知論》，摹其意示兒曹，使知筆法。

又 策問壞濫極矣。每篇頌善政半幅，已教人諂。又或引猥邪小説，尤可歎恨。惟昌黎策問，質覈高古，每問不過二三百字。後有振起斯文者，宜

取此爲法。

又 長公之策，是論獻策，都不著實。蘇策議論瀾翻，使人震動。及到實在處，平平無奇，幾成頭大尾細之病。若家令諸疏，渾身使力，如田丹火牛，觸之者披靡走避，此纔是眞本事。蘇似頻打鼓邊，晁、趙則直擂鼓心，學者審之。明之試策，皆堆疊典故以誇學富，無有豪邁跌宕如坡翁者。予所見歸震川、艾千子集中，頗有時文氣息。馮北海矯矯出奇，亦不免駢儷挨排，未能高古。茅鹿門作又在北海之下，有志者取法乎上可也。

又 如各處風土造作器皿及煎鍊砂石，人不經見者，偶爾叙述，尤貴明白易知。何必咬文嚼字，塡厠考工字句，使人茫不曉爲何物。亦文人好奇之過。

又 山水文字忌穠艷，如綉綫名勝圖，不如筆墨之靈妙也。

又 疎落固是當家，當古跡出名之處，亦須曲曲摹畫，不得一概撮過。

又 紀行文字，非有逸情冷致。肯偷閒好事者，不能工也。

又 小札，文之餘也。以不做作，不修飾，天然高雅爲上。

又 歸太僕小札，不作意討好處，正是好處。諸小札於不經意處，古淡自如，此之謂成家，非人所及。

又卷五 《漢書·外戚傳》趙合德罪案一段，妙在以文語敷獄詞，質而不俚，雅而不晦，此古文第一手。是極有關係文字，讀之祇似閑淡記事，古人筆墨眞綽綽有餘。班固《典引》，詞濃掩意，字琢無情，後世堆垛之鼻祖也。朱子曰：「司馬遷敢亂道卻好，班固不敢亂道卻不好。」學者如其所以然，則幾矣。

又 賈太傅《政事疏》，渠本不是做文字要好看，祇是論事必要透，說意必令暢。故反覆排宕，層層剝入，又層層拓開。意到而氣隨之，氣行而力副之。抑揚擺折，皆其語勢所掩映，詞鋒所搏擊而已，爲天下之至文。當於風馳雨驟中看其換手接湊，平行突起之妙。強藩倡主段，獻策雖詳，仍用大氣驅遣，如風檣陣馬，迅利中曲折如意。此文人之豪。若前後議論瀾翻，中間塌下，板板排列，便不成章法。定經制所以救侈靡敗壞之病，古人有一篇爲冒，而數篇敷衍，數篇爲案，而一篇斷制，皆合併作章法。老杜《遊何將軍山林》仿此。文章各有氣類，如「訓儲不早」段，非典贍周密，何足以言教訓。赤子孩提，少長既冠，是四標目，各以經典爲實策，而用己意斡旋其間，長短駢散俱有法。取舍未定段，通用禮法，雙柱而下。或對或側，或起或鋪，或反或正，一緒孤行中，絲聯繩貫，不可斷絕，文氣純凈。

又 趙充國《屯田奏》，論事實，措詞質，下筆嚴覈，讀之不甚適口，思之卻有至味，皆所謂澀趣也。靠實指劃，并無支蔓，直而不激，覈而不枯，一片血誠，自令人動聽。第二奏十二小段，錯落長短，處處換手，何嘗不鍊局。第三奏決羌必不能攻，及生事輕出之弊，是文中最出色處。所謂據其要害也，此卽擒題標法。

又 《平王論》，幾於主少客多。然借客形主，則客位皆逼主位矣。就形主中，又分兩樣，說不遷而強大者，是反擊法；說遷而弱且亡者，是正襯法。正面點透，旋從側面渲染，畫家得意之筆。寫十三國如一線，得《史記》「漢功臣年表」法。「南晉」下，陡入「平王」作翻騰，不惟蹈空躡影，亦且山斷雲連，筆墨之痕欲化。

又 古文有大撇法，謂剝去一層，獨標正義。如《留侯論》「且其意不在書」，將世俗所疑，招神遣將，呼風喚雨手段，一齊抹倒。獨尋一「忍」字，就人事上磨煉出一副輔漢滅項大本領，何用天書？他人撇平就險，此獨撇險趍平，究之平處出奇，兩腳踏地，誰有此變化神技？

又 《留侯論》，空中一拳。鹿門凡批三處，其一是撇開老人，另提主意；其一是不待兵書，已成豪傑；其一是斷他生平，前一拳打開骨縫，後一拳打得筋動，末一拳打入心窩。中空（音控），乘隙打進，更躲不得。若向空打，更打著誰？

又 《晁錯論》，氣魄大，筆力健，意思不可斷絕，故能一氣到底。讀者須尋其起落節湊，勢不相礙，機括相觸處，是如何成熟愜順。自己有箇見處了，奮筆揮灑，侃侃鑿鑿，不自知其所以然，自臻斯境。

又 朱韋齋先生文極簡要，詩亦清挺。晚宋之傑出者，中間多與釋老之徒遊，又數用其語，其信程子亦有未純者。朱文公奏劄，無筆不鋪貼，令人神索。如昌黎《淮西事狀》，東坡《徐州事狀》，雖極質實，文章之妙固在。古人條陳妙於疎而密、簡而該。

又 凡文字作料，多汁水必厚。非筆力大，便運不開。如攪糜須用木匙重掉，不然便膠住。若太史公筆力，又似怒龍攪海，任意翻騰，卻自波浪驚人。遵岩無此本領，以所宗者止是東漢也。

王之績《鐵立文起後編》卷六《論》 造語有三：一貴圓轉周流，二貴過渡精密，三貴精奇警拔。凡造語圓轉，必先取句語多反覆論，做一樣子，看其如何說起，如何辨論，如何互說，如何引證。模倣其規模，則漸漸自然圓轉。凡造語不能圓轉者，最是無可說得。但猶將欲說人之子美，必言其父之餘慶；又言其師敎之有義方，然亦在于性資之良美；又言其交游之琢習，然欲施之遠，尤在于涵養之不替。知如此推廣，則圓轉不窮矣。既能圓轉周流，則當看人之段落過渡處。近日名手，多是上段引起下段，意不然便別作一道理，使之聯屬，故意脈貫穿終篇。不識絕處，無片言可增減，殆與渾金璞玉無異。前人常于段落處斷絕，故去之亦得，增之亦得，不可爲矜式也。既能學得過渡精密處，便可取名論熟讀；學其造語警拔，則當於下字上著工夫。蓋下字既工，則句語自然警拔。如此則如麗服靚妝，燕歌趙舞，觀者忘疲矣。

又 《指南錄》曰：論家搆思貴精，造語貴健。如「夫子之得邦家」，則以道行于萬世立意；「士窮見節義」，則以不幸向有所激立意。至言人而推本于天，言事而根本於理，言王道而及于天德，言天德而及于王道，言聖人而以天地形容，【略】所謂搆思精也。

又 或曰：論以審勢爲先。如率然在山，首尾相應，不求合于規矩繩度，而規矩自在其中。論之轉換處，須是有力，不假助語，而自接連者爲上。又如平洋寸草中突出一峯，則悚人耳目。

又卷七《論篇法》 趙運靈曰：論冒無對句。而間有對者，則三其句，此圓中之方，善用方者也。至起處則多設譬喻。繳處則多用引證，亦須認取。

又 《論祖》曰：承題要開闊，欲抑先揚，欲揚先抑，最嫌直致無委曲。宜渾融，宜輕峭，宜清快。若史題有當鋪叙源流者，則承後略說幾句，便與他入題。入題只有詳略兩體，前意說盡，則入題當略；前面說未盡，則入題當詳。

又 《指南錄》曰：原題者，推原題意之本原。乃接上起下法也。體亦不一：有連帶輕答二三句者，有只結答上句者，有全不挑剔者，有詳叙其事實者，有略陳其來歷者，有輕提連起講一直說下者。惟善用之則得。

又 《論祖》曰：原題正咽喉之地。若題下無力，則一篇可知。前輩多設譬喻起，近頗無定格。或設議論，或便說題目，或使譬喻，而使故事爲多。要之，皆欲講明主意而已。主意分明，則爲得體。

又 或曰：原題處或設疑反難，急須喚醒正意，以爲下面辨論張本。

《四庫全書總目》卷一八九《唐宋元名表》 若以詩入文，豈復成格。至于全用成句，每生硬而杈枒，間雜俗語，多鄙俚而率易。冠冕堂皇之調，剿襲者陳膚；餖飣割裂之詞，小才者纖巧。其弊尤不勝言。

又卷一九六《作義要訣》 長而轉換新意，不害其爲長；短而曲折意盡，不害其爲短。務高則多涉乎僻，欲新則類入乎怪。下字惡乎俗，而遣作太過則語澀；立意惡乎同，而搜索太甚則理背。皆後來制藝之龜鑒也。

王餘祐《雜著·文從字順》 韓昌黎評樊宗師文曰「文從字順」，乃宗師文極奇，不可句讀。錢牧齋《答杜蒼略書》專以此四字爲文家秘訣，始知文從字順，不指平易近人言也，雖最古奧之篇，文未有不從，字未有不順者。彼不從不順之文字，直非文字耳。

馬榮祖《文頌上·奇正》 黃帝握機，機在奇正。龍虎風雲，或分或并。如環相生，循之無竟。前茅慮無，中權後勁。起伏何常，首尾并命。神乎機乎，我實爲政。

又《遣辭》 帷幄制勝，厥威授戈。三千突騎，少許勝多。抑或驚激，倒瀉天河。就中節制，揮刀斷鼉。堅不可撼，精光戛磨。一塵不動，師克在和。

又《使事》 土膏潛動，勾甲茁上，兀兀平原，繡出新樣。剔透玲瓏，莫可名狀。茹吐朝霞，雲容駘宕。舟過千山，輕風五兩。三食神仙，蠹化脈望。

又《鍊字》 蕩蕩太虛，纖塵不累。歷歷衆星，肅守部位。峩峩巖疆，睥睨警備。離離楸枰，一著惴惴。有時鏗然，金石擲地。誰謂千金，而易一字？

又《守法》 六步七步，四伐五伐，虎貔熊羆，畫地不越。公輸機飛，李廣矢發，鬼神驚駭，不失一髮。譬三十輻，轂轉不竭。未聞王良，或弛銜橛。

又《識變》 應侯辭位，蔡澤入秦。一進一退，疾於驚塵。沖沖堅冰，乃搆陽春。洪鑪鎔鑄，光景常新。物不兩大，英雄笑人。挽回元氣，逸羣絕倫。

又《取譬》 惟形與影，合不待媒。沈淵欲動，古鏡乍開。萬象畢出，爭集靈臺。百不一售，屏息祈哀。神來攝取，霜鐘殷雷。聲光激射，清氣盈堆。

又《離合》 遠不可收，近不能留。空中鼓槖，有聲飀飀。我未嘗留，亦未嘗收。神光噓吸，同氣自求。風來水上，驚湧浮漚。聚散變滅，憑虛獻酬。

又《起落》 突兀潮來，千起千落。欲覓一隙，不容捉摸。勢如飄風，翻

舞秋蘀。我聞公孫，渾脱揮霍。顛倒離奇，吞吐噴薄。一起落耳，萬怪競作。

又《頓挫》 氣鼓斯行，勢鬱乃暢。見似息機，彌復遒上。水入瞿唐，峽束驚浪。奮躍無前，控勒不放。萬鈞逆挽，玉鈎力壯。戛摩呷啞，懸空激宕。

又《縱奪》 鷙鳥當秋，霜拳戍削。攫身青冥，遙天展拓。衝煙翻雲，兔起鶻落。我憐神駿，驀然踴躍。硬語盤空，慘澹營度。下上攫拏，追魂攝魄。

又《翦截》 臃腫瑣細，紛拏糾結。新刃發硎，不避錯節。狹巷短兵，迴風舞雪。拉朽摧枯，切玉劃鐵。視彼龍象，渺如蠓蠛。應手離披，百試不折。

又《消納》 殘雪如醉，身蘇欲融。一點春意，已透太空。玩弄造化，橐籥無窮。誰知須彌，入芥子中。意象盡脱，笑揖碧翁。指示肺腑，傾瀉洪蒙。

又《膽決》 利斧直下，不避横理。手拔日月，出荆棘裏。峻坂萬仞，下瞰無底。聳身縱轡，内不見己。惟明克斷，亦由氣使。不入虎穴，焉得虎子。

又《鎔鍊》 自有鑪錘，妙歸陶冶。無堅不銷，有類必捨。聚如鬱煙，散若奔馬。活活泉鳴，豔豔霞赭。汞可成丹，注焉用瓦。笑彼僻固，鑄金事賈。

又《皴染》 一重一掩，萬壘千層。峯巒迢遞，迴互卻迎。凋遭雲氣，無階可登。練光吐白，東風引繩。半明半滅，忽墜忽升。迷連不斷，煙墨騰騰。

又《刻轢》 絶去畦徑，鈎勒吟魂。神理遯伏，霧結雲屯。縋幽發覆，忘失朝昏。珊瑚鐵網，力拔厚坤。秋毫呈露，大於月輪。雕劖腸胃，時見古人。

又《剝換》 思深始活，筆轉乃靈。籜龍初出，雲擁層層。反覆脱卸，膚潤於瑩。戶樞流水，機無刻停。不腐不蠹，彌用彌新。仰見光怪，月哉生明。

又《馴習》 沒人泅淵，眼不見水。騎鯨挾蛟，狎如朋侶。瓠巴鼓琴，魚鳥喻旨。紀昌懸虱，巧貫蓬矢。得心應手，絶出常理。技進於道，畢世不徙。

又《運掉》 萬斛之舟，疾於飛鳥。椗柁欹帆，長年三老。間不容髮，慧目察秒。擲漩無聲，風煙飄渺。幾見尾大，而或不掉。轉山急驚，如遊木杪。

又《淘洗》 雨餘返照，遠山如沐。石氣空青，爛然堆玉。大江春漲，韡紋細蹴。浪淘千古，白鷗恣浴。素月東昇，金鱗攢簇。轉怯孤清，骨髓俱綠。

又《實境》 好雨應候，良苗懷新。匀匀綠浪，浮沈遠人。鸕鶿浴罷，翻飛絶塵。言偕吾與，散步水濱。田桑有喜，萬井一身。漁歌出浦，欲返逡巡。

又《唱歎》 舉頭天外，滿目空青。惝怳如失，喟然歎興。雲山遼闊，水木孤清。都來酬和，颯沓有聲。渺焉終古，情不能勝。沈吟諷味，思結杳冥。

方東樹《答人論文書》 世之爲文者不乏高才博學，率未能反覆精誦以求喻夫古人之甘苦曲折，甘苦曲折之未喻，無惑乎其以輕心掉之，而出之恆易也。若夫有知文之失在易，而出力以矯之，又往往詞難而意短，詞艱意短者氣必弱，骨必輕，精神氣脈音響必不王，是則其詞雖不易，而其出言之本領未深，猶之失於易而已。

又《書惜抱先生墓志後》 夫學者欲學古人之文，必先在精誦，沈潛反覆，諷玩之深且久，闇通其氣於運思置詞迎拒措注之會，然後其自爲之以成其詞也，自然嚴而法，達而臧。不則，心與古不相習，則往往高下短長齟齬而不合。此雖致功淺末之務，非爲文之本，然古人所以名當世而垂後世法，其畢生得力，深苦微妙，而不能以語人者，實在於此。

吴德旋《初月樓古文緒論》 古文之體，忌小説，忌語録，忌詩話，忌時文，忌尺牘；此五者不去，非古文也。國初如汪堯峯文，非同時諸家所及，然詩話尺牘氣尚未去淨，至方望溪乃盡淨耳。詩賦字雖不可有，但當分别言之：如漢賦字句，何嘗不可用？六朝綺靡，乃不可也。正史字句，亦自可用；如《世説新語》等太雋者，則近乎小説矣。公牘字句，亦不可闌入者。此等處，辨之須細須審。

又 文章自當從艱難入手，卻不可有艱澀之態。

又 作文豈可廢雕琢？但須是清雕琢耳。功夫成就之後，信筆寫出，無一字一句喫力，卻無一字一句率易；清氣澄澈中，自然古雅有風神，乃是一家數也。

又 昌黎謂「聲之長短高下皆宜」，須善會之。有作一句不甚分明，必三句兩句乃明而古雅者；亦有鍊數句爲一句，乃覺簡古者。總之，不可不疏。

又 《古文辭類纂》，其啓發後人，全在圈點。有連圈多，而題下只一圈兩圈者；有全無連圈，而題下乃三圈者：正須從此領其妙處。末學不解此旨，好貪連圈；而不知文品之高，乃在通篇之古淡，而不必有可圈之句。知此，則於文思過半矣。

又 上等之資從韓入，中資從柳、王二家入，庶幾文品可以峻，文筆可以古。人皆喜學歐、蘇，以其易肖，且免艱澀耳。然此兩家當於學成後，隨筆寫出，無不古雅，乃參之以博其趣，庶不流於率易。

又 古來善用疏，莫如《史記》。後之善學者，莫如昌黎。看韓文濃鬱處皆能疏，柳州則有不能疏者。

又《史記》未嘗不罵世，卻無一字纖刻。柳文如《宋清傳》、《蝜蝂傳》等篇，未免小說氣，故姚惜抱於諸傳中只選《郭橐駝》一篇也。所謂小說氣，不專在字句。有字句古雅，而用意太纖太刻，則亦近小說。看昌黎《毛穎傳》，直是大文章。

又《史記》於《左傳》長篇，只用一二語敘過，正是其妙處。須知質而不俚，只是敘此等如道家常，所以高耳。

梁章鉅《退庵論文》 李文貞曰：「學古文須先學作論，蓋判斷事理，如審官司，必四面八方都折倒地，方可定案。如此則周周折折，都要想到。有一處不到，便成罅漏。久之，不知不覺意思層疊，不求深厚自然深厚。今做古文者，多從傳誌學起，卻不是。」又曰：「文字扯長，起於宋人。長便薄，太公《丹書行》幾多大體，說出來，纔祇四句；箕子《洪範》，三才俱備，纔一千四十三字；老子《道德經》，不知講出他的多少道理，纔只五千言。宋人一篇策便要萬言，是何意思？」百工治器，必幾經轉換而後器成，我輩作文，亦必幾經刪潤而後文成，其理一也。聞歐陽文忠作《晝錦堂記》，原稿首兩句是「仕宦至將相，富貴歸故鄉」，再四改訂，最後乃添兩「而」字。作《醉翁亭記》，原稿起處有數十字，黏之卧內，到後來祇得「環滁皆山也」五字。其平生爲文，都是如此，甚至有不存原稿一字者。近聞吾鄉朱梅崖先生，每一文成，必黏稿於壁，逐日熟視，輒去十餘字，旬日以後，至無可去，而後脱稿示人。此皆後學所當取法也。

包世臣《文譜》 余嘗以隱顯、回互、激射說古文，然行文之法，又有奇偶、疾徐、墊拽、繁複、順逆、集散。不明此六者，則于古人之文，無以測其意之所至，而第其詣之所極。墊拽、繁複者，回互之事；順逆、集散者，激射之事；奇偶、疾徐，則行于墊拽、繁複、順逆、集散之中，而所以爲回互激射者也。回互激射之法備，而後隱顯之義見矣。是故討論體勢，奇偶爲先。凝重多出于偶，流美多出于奇。體雖駢，必有奇以振其氣，勢雖散，必有偶以植其骨，儀厥錯綜，致爲微妙。【略】次論氣格，莫如疾徐。文之盛在沈鬱，文之妙在頓宕，而沈鬱頓宕之機，操于疾徐，此之不可不察也。《論語》「觚不觚」句，疾也；「觚哉觚哉」句，徐也。【略】墊拽者，爲其立說之不足聳聽也，故墊之使高；爲其抒議之未能折服也，故拽之使滿。高則其落也峻，滿則其發也疾。墊之法有上有下。【略】《史記》「嘗以十倍之地，百萬之衆，叩關而攻秦。秦人開關延敵，九國之師，逡巡逃遁而不敢進。」又云：「非有仲尼、墨翟之賢，陶朱、猗頓之富者。」皆上墊也。【略】《韓非子》「盤石千里，不可謂富；象人百萬，不可謂强。」【略】皆下墊也。拽之法有正有反。《孟子》「萬取千焉，千取百焉，不爲不多矣，苟爲後義而先利。」【略】皆正拽也。《孟子》「天子能薦人于天，不能使天與之天下；諸侯能薦人于天子，不能使天子與之諸侯；大夫能薦人于諸侯，不能使諸侯與之大夫。」【略】皆反拽也。【略】至于繁複者，與墊拽相需而成，而爲用尤廣，比之詩人，則長言詠嘆之流也。文家之所以極情盡意茂，豫發越也。【略】《孟子》「穀與魚鱉不可勝食，材木不可勝用，七十者衣帛食肉，黎民不饑不寒。」【略】繁也。「然則一羽之不舉，爲不用力焉。」【略】複也。【略】複如鼓風之浪，繁如卷風之雲，浪高而蕩萬石，比一葉之輕；雲深而釀零雨，有千里之遠。斯誠文陣之雄獅，詞囿之家法矣。然而文勢之振，在于用逆；文氣之厚，在于用順。順逆之于文，如陰陽之于五行，奇正之于攻守也。【略】集散者，或以振綱領，或以爭關鈕，或奇特形于比附，或指歸示于牽連，或錯出以表全神，或補述以完風裁。是故集則有順有勢，而散則有縱有横。【略】然而六法備具，其于文也，猶魚兔之筌蹄，膚發之脂澤也。

曾國藩《日記·咸豐十年十月初一日》 夜閱韓文《送高閑上人序》。所謂機應于心，不挫于物者，姚氏以爲韓公自道作文之旨。余謂機應于心，熟極之候也，《莊子·養生主》之說也。不挫于物，自慊之候也，《孟子》養氣章之說也。不挫于物者，體也，道也，本也。機應于心者，用也，技也，末也。韓公之于文，技也進乎道矣。

又《家書·諭紀澤·同治二年三月初四日》 以精確之訓詁，作古茂之文章。由班、張、左、郭上，而揚、馬，而《莊》、《騷》，而《六經》，靡不息息相通。下而潘、陸，而任、沈，而江、鮑、徐、庾，則詞愈雜，氣愈薄，而訓詁之道衰矣。至韓昌黎出，乃由班、張、揚、馬而上躋《六經》，其訓詁亦甚精當。爾試觀《南海神廟碑》、《送鄭尚書序》諸篇，則知韓文實與漢賦相近。又觀《祭張署文》、《平淮西碑》諸篇，則知韓文實與《詩經》相近。近世學韓文者，皆不知其與揚、馬、班、張一鼻孔出氣。爾能參透此中消息，則幾矣。

又《諭紀澤紀鴻·同治四年七月初三日》 至于純熟文字，極力揣摩固屬切實工夫，然少年文字，總貴氣象峥嶸，東坡所謂蓬蓬勃勃如釜上氣。古文

如賈誼《治安策》、賈山《至言》、太史公《報任安書》、韓退之《原道》、柳子厚《封建論》、蘇東坡《上神宗書》，時文如黄陶庵、吕晚村、袁簡齋、曹寅穀，墨卷如《墨選觀止》、《鄉墨精鋭》中所選兩排三迭之文，皆有最盛之氣勢。爾當兼在氣勢上用功，無徒在揣摩上用功。大約偶句多，單句少，段落多，分股少，莫拘場屋之格式。短或三五百字，長或八九百字、千餘字，皆無不可。雖係《四書》題，或用後世之史事，或論目今之時務，亦無不可。總須將氣勢展得開，筆仗使得强，乃不至于束縛拘滯，愈緊愈呆。

劉熙載《藝概·文概》 文無論奇正，皆取明理。試觀文孰奇于《莊子》，而陳君舉謂其「憑虚而有理致」，况正于《莊子》者乎！明理之文，大要有二，曰：闡前人所已發，擴前人所未發。論事叙事，皆以窮盡事理爲先。事理盡後，斯可再講筆法。不然，離有物以求有章，曾足以適用而不朽乎？

汪琬《與松人》 學古人文字，有形有神。初必形似，然後可言神似也。然所謂形似者，上則規仿格局，下則摹擬聲調，非撏撦字句，如生吞活剥之爲也。

唐才常《論文連珠十首》 蓋聞模範天地，乃至人之絶特；步趨般、倕，實大匠之繩尺。是以廬陵體勢，軼仲塗、師魯而上；眉山師法，在腐遷盲左之間。

又 蓋聞坂踰九折，鳥道終而馬力奮；塗登太行，徑路絶而風雲通。鬱烈出於委灰，繁會生於絶絃。是以鑿險縋幽，鬼怖柳州之巧；懸崖峻壑，天牖半山之窮。

吴汝綸《答嚴幾道》 文固有化俗爲雅之一法，如左氏之言「馬矢」，莊生之言「矢溺」，《公羊》之言「登來」，《太史》之言「夥頤」，在當時固皆以俚語爲文，而不失爲雅。若范書所載「鐵脛」、「尤來」、「大搶」、「五樓」、「五蟠」等名目，竊料太史公執筆，必皆芟薙不書。不然，勝、廣、項氏時必多有鄙俚不經之事，何以《史記》中絶不一見？如今時「鴉片館」等比，自難入文，削之似不爲過。儻令爲林文忠作傳，則燒鴉片一事，固當大書特書；但必叙明源委，如史公之記平準，班氏之叙《鹽鐵論》耳，亦非一切割棄，至失事實也。

林紓《春覺齋論文·氣勢》 文之雄健，全在氣勢。氣不王，則讀者固索然；勢不蓄，則讀之亦易盡。故深於文者，必斂氣而蓄勢。然二者皆須講究於未臨文之先，若下筆呻吟，於欲盡處力爲控勒，於宜伸處故作停留，不惟流爲矯僞，而且易致拗晦。蘇明允《上歐陽内翰書》稱昌黎之文「如長江大河，渾浩流轉，魚鱉蛟龍，萬怪惶惑，而抑遏蔽掩，不使自露。」此真知所謂氣勢，亦真知昌黎之文能斂氣而蓄勢者矣。凡理足而神王，法精而明徹，一篇到手，已全盤打算，空際具有結構矣，則宜吐宜茹，宜伸宜縮，於心了了，下筆自有主張。等一言也，煩言之不見爲多，省言之不見爲簡。所云「抑遏蔽掩」，是文成後讀者見其抑遏蔽掩，不是昌黎下筆時始思作此抑遏蔽掩，以狡獪駭衆也。魏伯子曰：「文章大勢，正如雲中山，雖未分明，而偏全正側，胚胎已具。作者保此意勢，經營出之，便與初情相肖。」所謂「未分明」，即在搆思之先；所謂「偏全正側，胚胎已具」，即是鄙論空際垂成之結搆。試思匠氏畫宫於堵時，何曾有飛樓傑閣之觀？然飛傑之狀，實不能不出此堵。惟理足者神始王，法精者明始徹；文中雖未見氣勢，胸中已具有氣勢矣。柳冕曰「力不足者彊而爲，氣則竭」是也。駑馬與騏驥共馳於康莊，其始亦微具奮迅之概，漸而衰，久則竭矣。雖然，即名爲騏驥者，亦不能專恃其逸足以奔放。須知但主奔放，亦不能指爲氣勢。北齊顔之推曰：「凡爲文章，猶人乘騏驥，雖有逸氣，當以御勒制之，勿使流亂軌躅，放意填坑岸也。」解得顔氏之語，即知斂氣蓄勢之妙用。譬諸作畫，遠山知映帶以雲物，按之與近山之脈不連；高山知極狀以崔巍，按之與岡巒之基無託；寫瀑不先寫高澗之泉，則下洩無根，不縈迴以溪澗之石筍，則細流不曲。此雖作畫之氣勢，亦可悟作文之氣勢。至若張養浩稱姚瑞甫才驅氣勢，縱横開合，紀律唯意，如古勍將卒率市人而戰，鼓行六合，無敵不破，似亦善道氣勢者。不知此爲野戰之師，非節制之勍旅。王遵巖初師秦、漢，亦取縱横，後乃知宗歐、曾，始斂才而就範。唐荆川初不謂然，尋亦歸仰其説。今姚瑞甫之《牧庵集》，碑誌以長爲度，美惡雜收，一往直趣，擇言弗精，謂之才士之文可也；至所謂斂氣而蓄勢，鄙意不敢謂然。昌黎呑言咽理，昌黎之所謂氣勢，從淺率觀之，頗不易領會；若先取《孟子》「與許行論並耕章」讀之，則知氣勢之所在矣。

又《識度》 「識度」二字，本曾文正《古文四象》列入「太陰象」中，用意深微。然自淺率言之，則識者，審擇至精之謂；度者，範圍不越之謂。凡作文，見不到處便不説，亦不能謂之無識。識者，見遠而晰其大凡，於至中正處立之論説，而事勢所極，咸莫能外。故文正以漢光武《賜竇融書》及武侯《出師表》列入「識度類」，即此意也。葉水心曰：「爲文不關世故，雖工奚益？」

須知關世故決不在臨文時；有遠識，有閎度，雖閒閒出之，而世局已一瞭無餘。如陸宣公疏中語，不惟深中德宗之病，而後來恢復事，皆一一不出料量之中，則識勝也。然此猶言以文推事之識，若學文入手工夫，亦正須濟之以識。魏叔子曰：「學古人，必知古人之病，而力湔滌之。不然，吾自有其病，而又益以古人之病，則天下之病皆萃于吾之一身。」此語至爲切當。試問非沈酣於古，博涉諸家，定其去取，明明是古人病處，卻盡力摹仿，盡力追求，即有明眼者告之以病，亦不之信矣。故學前後七子者，幾于七子外無文字；學竟陵、公安者，幾于竟陵、公安外無文字。物蔽于近，性遷于習，豈惟文字爲然？顧此猶言癖于所嗜，使知識昏瞀耳。所難者，似知非知，似解非解，此時正須一番鑪火工夫。方望溪序《儲禮執文稿》曰：「今之人，亦知理之有所宗矣，乃雜以先儒之陳言，而無所闡也；亦知辭之尚于古矣，乃所摹古人之形貌，而非其眞也。」斯言韙哉！世有汗牛充棟之文，令人閱不終篇，即行舍置，正是無識度，規以無精神，所以不能行遠而傳後。且「識度」二字，不特專爲論事而言。謝疊山曰：「作史評，須設吾以身生其人之時，居其人之位，遇其人之事，當如何處置，必有一段萬世不可磨滅之語。」此但指論事之識，不知叙事亦自有識。凡人於人不留意處大有過人之處，而爲之傳者恆忽略不道，或亦閒閒叙過，此便失文中一大關鍵。試觀《史記》中列傳，一入手便將全盤打算：有宜重言者，有宜簡言者，有宜繁言者，經所位置，靡不井井。此惟知得傳中人之利病，但前後提挈，出之以輕重，而其人生平，盡爲所攝，無復遁隱之迹。此非有定識高識，烏能燭照而不遺？明袁袠曰：「識難乎通融。」「通融」二字，若在常解，便作「詭隨」説。實則通者，通于世故也；融者，不曾拘執也。一拘便無宏遠之識，一執便成委巷小家子之識。總之，欲察其識度，舍讀書明理外，無入手工夫。若泛濫雜家，取其巧思，醉其麗句，則與「識度」二字愈隔愈遠矣。

又《筋脈》《皇矣》之詩曰：「度其鮮原。」《釋山》云：「小山別大山，鮮。」別者，不相連也。鄙意不相連者，正其脈連也。水之沮洳，行于地者，其來也必有源。山之緜亘，初若斷爲平地，然其起伏若賓主之朝揖，正所謂不連之連。故堪輿之家，恆別山脈之所自來，正不能以山之斷處，遽指爲脈斷也。行文之道，亦不能不重筋脈。魏叔子之論文法，析而爲四：曰伏，曰應，曰斷，曰續。此語的是論古文，不是論時文。伏處不必即應，斷處亦不必即續，此要訣也。一篇之文，使人知阨要喫緊在于何處，當于起手時，在有意無意中，閒閒著他一筆，使人不覺。故大家之文，阨要喫緊處，人人知之；而閒閒伏筆處，或不之知，即應處不必緊隨伏處，續處不必緊隨斷處也。唐順之《答茅鹿門書》論精神命脈骨髓，愚已發明之於前。須知「脈」之一字，按之始見，不按之無見也。大家唯太史公文，筋脈最靈動，亦最緜遠。而能剖析太史公之微眇者，厥惟震川。但以《史記・大宛傳》言之，諸家皆將月支、烏孫諸國，別標以國名，自爲一傳，震川本則毗而爲一，讀之果成整片文字。此無他，震川蓋知史公此傳，純以脈勝，故合而爲一無礙也。脈者，周身無所不貫者也。《大宛傳》入手即曰：「大宛之跡，見自張騫。」以張騫爲總脈，則奉使諸國，遂可以聯貫而下。其文曰：「騫身所至者，大宛、大月氏、大夏、康居，而傳聞其旁大國五六，具爲天子言之曰。」有此一筆，則以下諸國，均出諸張騫口述，又何必別標而另傳？然張騫中道殞謝，而《大宛》全傳之脈似乎斷矣，至此忽疾接入「神馬當從西北來」，故其下云：「天子好宛馬，使者相望於道。」則直舍去張騫，又以宛馬爲脈。其下則處處言馬，仍可將文勢蟬聯而下。故王維楨曰：「史遷之文，或由本以之末，或操末以續顛，或繁條而簡言，故一傳而數事，或從中變，或自旁入，思餘語止，若此類正不可枚舉。」愚嘗戲續其後曰：能以不屬之情迹匯爲鉅篇，能以一貫之事蹟判爲數傳，能以迴光返照叙人之勳勞，能以牽合附會寫己之牢騷，似有無窮神靈赴其筆端，實則筋脈靈動，故伏應斷續，曲盡其妙。所謂不屬之情迹匯爲鉅篇者，《大宛傳》是也。一事而判爲數傳，則《魏其、武安、灌夫列傳》是也。竇、灌二人均死於田蚡之手，在理一傳足以了之，合則雅有精神，分則不能斬截。然史公於《魏其傳》末曰：「遂不用。用建陵侯衛綰爲丞相。」似斷非斷，然謂之斷可也。至《武安侯傳》末，宜以武安爲結矣；顧武安橫恣事，全在《灌夫傳》中，於是即《武安傳》末起灌夫，復縈帶到魏其，言「惟灌將軍獨不失故。魏其日默默不得志，而獨厚遇灌將軍。」此又似斷矣，實又不斷。筋脈之妙，別有神解，始能作如此用法，眞所謂「松際欲盡不盡雲」矣。《漢高本紀》，注重首在滎陽、成皋，其能滅項而興劉者，韓、越同功也。顧韓信之功，震耀耳目，此易辨也。其寫彭越處，每於軍事艱窘時插入「彭越將兵居梁地，往來苦楚，兵絕其糧食」，如是者再，俾讀者知韓、彭同功。着眼在此，是於迴光返照中虛寫彭越，即是實寫彭越。魏善伯《論文》嘗曰：「筋骨插穿

處不落小家。」史公其足以當之矣。《史記·貨殖》、《游俠》諸傳，皆有寄託；獨伯夷生平與史公大不相類，而史公亦假之以抒己之不平，則其用意爲尤奇。史公既下蠶室，自以砥行立名，防爲世人堙滅，因思伯夷之得名，由孔子也，故入手即稱孔子，此即所謂伏脈也。蓋不敘孔子，無由醒出伯夷。伯夷、顔淵雖不同軌，然均待孔子而彰；因顔淵之得坿驥尾，即隱傷己身之淪棄，無人爲之救護而表彰，於是高詠悲吟，遂無牽合坿會形迹矣。以上因論文之筋脈，遂略舉讀史之大略，實則史公之妙詎止此哉？

又《風趣》 凡文之有風趣者，不專主滑稽言也。以滑稽爲風趣，則東方曼倩之《答客難》、揚子雲之《解嘲》、班孟堅之《答賓戲》諸作，可以永奉爲文章圭臬矣。須知滑稽者，特設論之一體。風趣者，見文字之天眞，於極莊重之中，有時風趣間出。故劉彥和曰：「深乎風者，述情必顯。」譚格亦言「文章止要有妙趣，不必責其何出」，然亦由見地高，精神完，於文字境界中綽然有餘，故能在不經意中涉筆成趣。如《史記·竇皇后傳》敘與廣國兄弟相見時，哀痛迫切，忽著「侍御左右皆伏地泣，助皇后悲哀」，悲哀寧能助耶？然舍卻「助」字，又似無字可以替換。苟令竇皇后見之，思及「助」字之妙，亦且破涕爲笑。求風趣者，能從此處着眼，方得眞相。《史記·滑稽》一傳，雖經褚先生補入六章，謂足游心駭目，而讀者轉不以爲奇，由先以滑稽之文待之也。《漢書》敘事，較《史記》稍見繁細，然其風趣之妙，悉本天然。今試舉數事：如《陳萬年傳》：萬年嘗病，召其子咸敎戒於床下，「語至夜半，咸睡，頭觸屛風。萬年大怒，欲杖之，曰：『乃公敎戒汝，汝反睡，不聽吾言，何也？』咸叩頭謝曰：『具曉所言，大要敎咸諂耳。』」乍讀之，似萬年有義方之訓，咸爲不率之子；乃於「敎」下着一「諂」字，吾思病榻中人亦將啞然失笑，矧在讀者。此蓋以一字成趣者也。《丙吉傳》：「吉馭吏耆酒數逋蕩，嘗從吉出，醉歐丞相車上。西曹主吏白欲斥之。吉曰：『以醉飽之失去士，使此人復何所容？西曹地忍之。此不過汙丞相車茵耳。』」閒閒說來，思之皆有意致。此等風趣，在於微渺間，非味之不能出也。《王尊傳》：尊曰：「五官掾張輔，懷虎狼之心，貪汙不軌，一郡之錢，盡入輔家，然適足以葬矣。」不言「殺」而言「葬」。以上極暴輔之罪狀，非大辟莫可者，卻復從容作結穴語曰：「適足以葬矣。」使罪人寒心，復能使旁人解頤。此等詞令，求之唐以下，不能有也。是能於嚴冷中見風趣者，尤不易辨及。《蓋寬饒傳》：「許伯自酌曰：『蓋君後至。』寬饒曰：『無多酌我，我乃酒狂。』丞相魏侯笑曰：『次公醒而狂，何必酒也？』」此則箴規中之寓風趣者也。《朱博傳》：「文學儒吏時有奏記，稱說云云。博見謂曰：『如太守漢吏奉三尺律令以從事耳。無奈生所言聖人道，何也？』」此則嘲謔中見風趣者也。《陳遵傳》：「宣帝微時與有故，相隨博奕，數負進（進，勝也。帝博而勝，故遂有所負）。及宣帝即位，用遂，稍遷至太原太守。廼賜遂璽書曰：『制詔太原太守，官尊祿厚，可以償進矣。』」讀之令人絕倒。夫以皇帝之貴，戲以璽書與博徒索責，此作如何寫法，且能以簡語出之爲尤難；孟堅只閒閒寫來，若殊不覺其爲遊戲者，不期成爲奇語。講風趣者能從此處著意，不特不流儇佻，而且不涉猥褻。《談藪》曰：「古人規模間架皆可學，唯妙處不可學。」愚謂風趣之妙尤不易學。陳思王稱揚、馬「趣幽旨深」，此言志趣之趣，非風趣也。風趣二字，當因題而施，又當見諸無心者爲佳。若在求有風趣，便走入輕儇一路，袁中郎一生坐此病耳。東坡詩文咸有風趣，而題跋尤佳。蓋大篇文字宜本莊重，雖東坡通才，亦當恪守規矩，小簡及題跋則不拘。特不能如班孟堅於史傳中作趣語，而又不礙於文體，此所以獨成爲孟堅也。

又《神味》 論文而及于神味，文之能事畢矣。試問鄙人之學與識，能及此邪？學識既不相及，胡能徹其中邊，使聞者首肯吾言？然摭其所聞於古人者，轉以相告。謂鄙人言之不盡，可也。至稱述古人之言，固不敢謂畢盡其美，然以備讀者之采擇，亦未爲不可。神者，精神貫徹處永無漫滅之謂；味者，事理精確處耐人咀嚼之謂。晉張茂先曰：「讀之者盡而有餘，久而更新。」宋呂本中曰：「東坡云：『意盡而言止者，天下之至言也。』然言止而意不盡，尤爲極至。」張、呂二公所言，知味之言也。使言盡意盡，掩卷之後，毫無餘思，奚名爲味？《麗澤文說》曰：「藏鋒不露，讀之有滋味。」似「味」字卻在藏鋒之中。然則，臨文兜勒，故說一半，留其一半，在渺冥惝怳之中，令人摸索，直同猜謎，亦可名爲味乎？則但言藏鋒，亦不是知味之言。譚格謂「古人從裏面涵養而得，今人從外面掇拾而得。」裏面涵養者，是積萬事萬理，擷其精華，每成一篇，皆萬古不可磨滅之作，此陳繹曾所謂精於事理之文，假筆札以著之者耳。「辭約而旨豐，事近而喩遠。」（二語見《文心雕龍·宗經篇》）斯云得矣。然非易事也。韓昌黎《與李翊書》：「無望其速成，無誘於勢利。養其根而竢其實，加其膏而希其光。根之茂者其實遂，膏之沃者其光

燁。仁義之人，其言藹如也。」此數語得所以求神味之眞相矣。然昌黎言雖如此，實未嘗一蹴即至。觀以下書辭，歷無數辛苦，始歸本乎仁義之途，《詩》、《書》之源。乃克副乎前所言者。吾輩淺人，遽言神味，寧非輕率？然則，治文者於此，終無望乎？而又不然。歐公曰：「大抵道勝文不難而自至。」王臨川亦曰：「理解者，文不期工而自工。」曰「至」、曰「工」，原非易事，然大要必衷諸道理。純從道理上講究，加以身體力行，自然增出閲歷。以道理之言，參以閲歷，不必章絺句飾，自有一種天然耐人尋味處。《詩》曰：「辭之輯矣，民之洽矣。辭之懌矣，民之莫矣。」試思辭之入人微也，民何由洽，而又何由莫？能洽，能莫，則味更可知矣。王船山先生解此四字，眞能補傳箋及疏所未及。船山曰：「『輯』云者，合集事理之終始，序次應違之本末，無有偏伸，無有偏屈，詳析而得其要歸也。如是，則物無不以類辨，事無不以緒成，而智愚賢不肖之情，皆沁入而相感，故曰『民之洽』也。『懌』云者，推於其心之所以然，極於其事之所必至。宛轉以赴其曲，開朗以啓其迷，雖錮蔽之已深，而善入其中則自悦，雖危言以相戒，而令其易改則自從。如是，君與臣不相抗，智與愚不相拒，意消氣靜，樂受以無疑，故曰『民之莫』也。如是者無他道焉，辭不以意興，意不以氣激，盡其心以達人之心，誠而已矣。」船山此言，蓋爲宣公之奏議及制誥發也。當時興元、奉天所下制勅，雖驕將悍卒，讀者莫不流涕，則文辭動人之功，豈特言味？不過味者，不悖於道理，不怫於人情，言皆有用之言，又皆可行之實。船山先生釋「洽」也用一「沁」字，釋「莫」也用一「受」字。沁者何？沁入心脾也；非有味其言，胡能沁？受者何？受而服膺也；非有味其言，胡甘受？《六經》、《語》、《孟》之言，匪不有味，亦以融匯萬理萬事，衷之以道，故亘萬世不能輕易其一字。宋濂曰：「明道謂之文，立教謂之文，輔世成俗謂之文。」三語盡文之能事矣，初未及神味。不知言神味者，論行文之止境也；至於明道、立教、輔世成俗，則道德發爲文章之作用，又非但言文法矣。

又《忌直率》 文字本貴雄直，亦貴直率；鄙言以直率爲忌，似易生人攻訐。不知鄙所謂「直」，蓋放而不蓄之謂；所謂「率」，蓋麁而無檢之謂。元遺山曰：「文章要有曲折，不可作直頭布袋。」呂東萊評晁無咎文麁率。似「直率」二字，前人已發其病。而初學入手，狃於前輩「陽剛」之説，一鼓作氣，極諸所有，盡情傾瀉而出；驟讀之似有氣勢，不知氣不内積，雜收糟粕，用爲家珍，拉雜牽扯，蟬聯而下，外雖崢嶸，而内無主意，無主意便無剪裁，此即成直率之病。《麗澤文説》曰：「鼓氣以勢壯爲美。勢不可以不息，不息則流宕而忘反。」又曰：「不難於曲，而難於直。」此何謂也？息者，停蓄也。不深究昌黎之文者，亦謂氣蓋一世。然昌黎之氣直也，而用心則曲，關鎖埋伏處尤曲，即所謂「勢壯而能息」者。能息亦由於善養。馬之千里者，初上道時，與凡馬無異；一涉長途，而凡馬汗漬脈僨，神駿則行所無事。何者？氣壯而調良，嫻於步伐耳。文到純時，亦何嘗不主雄直？難在曲而有直體。《麗澤文説》之所謂「不難於曲，而難於直」者，即曲中得直之謂。邱邦士曰：「曲之妙在必不可使直。」愚謂邱氏亦但知得一偏：求直於曲之中，可也；終曲而不求直，不可也。劉彦和曰：「結言端直，則文骨成焉。」可見言固貴直，惟文骨成後，則結言始成端直。若直率之直，安言文骨？又安知結言？呂東萊論文十九弊，一曰直。彦和之言，東萊詎不之知？此「直」字亦正指直率之直。袁子才論文，謂「天上有文曲星，無文直星」，比擬不倫。實則袁文之所謂曲，特作意繞轉其言，故爲層折，非眞能曲者。凡能曲者，未有不具直體；以奔恣徑遂爲直，又萬萬非直。王洙《談録》：「文字既馳騁，亦要簡重。」此與《麗澤文説》所言「不宜流宕忘反」同意。即東萊《古文關鍵》中論文，亦病一「直」字。至朱子論文，謂黄魯直一向求巧，反累正直。此蓋從言語上説，不必從文體上説。朱子論文宗道，而魯直則身爲文人，詩文皆着力，近於酸澀，故朱子及之，朱子亦斷非以直率爲正直者。此是論文章入手處，果能于命局製詞時在在經心，於讀古人文字時亦在在經心，又奚有此弊？

又《忌剽襲》 凡學古而能變化者，非剽與襲也。「剽」之爲言「劫」也，「襲」之爲言「重」也。知古人之美處而不能學，則生入其句法，足之以己意，駭讀者之目以爲古，苟爲人覓得其主人翁，則幾疑全體之皆贋，此爲行文一大病痛。王鏊《震澤長語》論爲文妙訣曰：「爲文必師古，讀之使人不知所師，善師古者也。韓師孟，今讀韓文，不見其爲孟也。歐學韓，亦不覺其爲韓。」愚按歐之學韓，神骨皆類，而風貌不類；但觀惟儼、秘演詩文集二序，推遠浮屠之意與韓同，能不爲險語而風神自遠，則學韓眞不類韓矣。韓之長，亦不止出於孟子；專以孟子繩韓，則碑版及有韻之文亦出之孟子乎？韓者集古人之大成，實不能定以一格。後人極力追古人而力求其肖，則萬萬不能不出於剽襲。剽襲即死法也，一落死法，則不能生於吾言之外。何者？心醉古

人之句法段法篇法，處處爲之拘攣耳。陳同甫論作文之法曰：「經句不全兩，史句不全三。不用古人句，只用古人意。但用古人語，不用古人句。能造古人所不到處。」愚謂當於平時用功，沈潛體認古人用心所在，凡義法、意境、魄力、神味，蓄積盤亘於胸中。一到行文，當有自家把握，臨時去取。昌黎之「迎而拒之，平心察之」，此便是不存成心去就古人。正恐不能肖，而且割愛爲難，不於句法中飣餖，卻於意思中飣餖矣。顧亭林曰：「倣《楚辭》者必不如《楚辭》，倣《七發》者必不如《七發》。蓋其意中先有一人在前，既恐失之，而其筆力復不能自遂。」此正道得剽襲之病痛，覺陳同甫所謂「用意用語」之類，識見均不如崑山之高。魏叔子評古文七弊，第六節曰：「語可以不驚人，不可襲古聖賢之常言。」愚於此語亦殊不明白。聖賢語當曰「引」，不當曰「襲」。《左傳》中引《詩》，如「戰戰兢兢」之類，語至習見，何以不謂之襲？且有道理語亦不必驚人，自能令人家胸中點頭。綜之，叔子言不過謂不必引據通套之語，乃不知引《易》引《詩》一兩語作點綴，亦古文中常有之事，不能即謂之襲。朱子斥劉攽之《彭城集》，謂「工於摹倣《公羊》、《儀禮》。」《公羊》、《儀禮》何嘗不可學？必謂一字一句盡肖《公羊》、《儀禮》，又復成何趣味？或且才大學博，不期然而流露。然明汪道昆之刻意摹古，往往援古事以證今事。陳與郊之《隅園》、《蘋川》二集，力摹漢、魏，雖不敢厚非，而必奉爲圭臬，直令人走入贋體，似可不必。愚生平不喜論文，蓋過於高遠，必至詆毀古人，過於主張，又足生人攻擊。雖然，爲文當肖自己，不當求肖古人。有古人之志願問學，加以磨治，吐屬間不期古而自古。必分門別派，謂吾爲某家香火門人，步步剽襲，即到汪道昆、陳與郊地位，又何益者？

又《忌庸絮》「庸絮」二字，見寧都魏伯子論文書。庸者，凡猥之謂；絮者，拖沓之謂。須知歐、曾之文，心平氣和，有類於庸，實則非庸。斂其圭角，不使槎枒於外；蓄理在中，耐人尋味。蓋幾經烹鍊，幾經洗伐，始得此不可移易之言，不矜怪異之語。乍讀之似庸，味之既久，又覺其不如是說，便不成文理。知此，足悟庸中之非庸者矣。絮亦不止多言之謂。魏叔子曰：「著佳言佳事太多，如市肆之列雜物，非不炫目，正嫌其有市井氣耳。」觀《離騷》中拳拳於懷王，言之又言，不能招人厭倦者，情深而語悲。《九章》中無數疊床架屋語，讀者何曾斥其絮絮不休？蓋能庸能絮，不是壞字面。語衷於道，雖庸，正也；情綿於中，雖絮，密也。質言之，眞庸絮者，由於不學理，不厚積，言之易盡，不能不取常用之言足成篇幅。蓋讀時不悟古文繞筆複筆之訣，以爲非至再補義，文理便不圓足。須知有法以駕馭之，則靈轉圓通，宜節處便節，宜繁處即繁。若不省用筆之法，故丁寧反覆，伸明己說，此未有不流於絮者。唐柳冕《答衡州鄭使君論文書》曰：「力不足者，強而爲文則蹶，強而爲氣則竭，強而爲智則拙。故言之彌多，去之彌遠。」觀此，足知善言者必不庸，知言者必不絮。歸震川斥王元美，以爲「唯妄故庸」。元美斷非庸者，然《四部稿》中過於淵博，殆即叔子所謂「著佳事佳語太多」之故耳。《麗澤文說》曰：「篇中不可有冗章，章中不可有冗句，句中不可有冗語。」三者均力祛庸絮之弊。然亦庸於製題，故有冗章，庸於琢句，故有冗句，庸於造語，故有冗語。愚亦學歸震川之語曰：唯庸故絮，惟絮益庸。但觀有道理之人說話，閒閒數語不爲簡，連篇累牘不爲煩；若使不善言者述之，便覺棘耳。魏伯子曰：「不識體要者，詞語極精而反膚庸。」愚按伯子此言，亦發揮未盡透徹。彼之精者，或傳聞得諸先輩，或詞義出於古書，淺人心知其佳，但無用筆之妙，道達不出，豈但不識體要，直是不曉文法。古人爲文，於精神專注處着眼，於隨筆順帶處亦着眼，故洗伐嚴淨，自無庸絮之病。若不講行文之法及文之意境，則先無去取之能，即有先輩之名言，古書之辭義，亦何從使之道達得出？方望溪曰：「苟無其學，雖有材，不能驟而達也。」此「達」字是言達材之達。余亦曰：苟無其學，雖有名言，亦不能達而使晰也。故爲文者，知避庸絮，則當知學。

又《忌虛枵》汪鈍翁《與曹木欣第二書》論文字「必求聖賢之道，達於日用事爲，而根柢於修己治身。」鈍翁之意，似文當求實，不當狃才氣之偏，逞聰明之臆，是也。然鈍翁之爲人，激烈好詈人，而文字頗沈實有道氣，無虛枵之病。當時稱國初三家：雪苑近剽，叔子近肆；極剽之流弊，必虛而無主，極肆之流弊，或枵而過張。或云：以「虛枵」加侯、魏二子，不無太過。然不善學二子者，往往身蹈此失，不必指定二子也。東坡雄傑，軼出凡近，吾讀其《日喻》一篇，亦不無可疑處。入手以鐘籥喻日，語妙天下。及歸宿到言道處，宜有一番精實之言；乃曰「莫之求而自至」，則過於聰明，不必得道之綱要；大概類莊子所言「同乎無知，其德不離；同乎無欲，是謂素樸」者，非聖人之道也。朱子言「坡文雄健有餘，祇下字亦有不貼實處。」不貼實，正其聰明過人，故有此失。後人不及東坡，一味以高言振俗，未有不出於虛枵者。

子由晚年作《待月軒記》，說軒是人身，月是人性，亦聰明語。朱子謂：「先下一箇人身，卻外面尋箇性來合湊。」又曰：「子由文不甚分曉。」夫子由豈不分曉者？朱子指其於道不分曉，非謂於文不分曉也。凡腳踏實地之人，爲文有過於樸質者，萬萬不至於虛枵。司馬君實文名不及東坡，然集中在在皆有實際語。惟靠實說，方有條理；一自作聰明，則文字駕空，極興會處均是虛詞，極高騫處皆成枵響。紀文達論宋陳止齋傅良文「多切於實用」，而汪應辰稱王梅溪文亦曰：「專尚理致，不爲浮虛。」觀此，則欲去虛枵之病，必讀書明理，準以儒先之道；不得實際，不敢爲附會之詞，亦不至有浮誇之失。後人讀古文，於篇中索氣，於句外求響，舍道理而不之求。一至臨文，作止進退，長吟密詠，似皆有法律在焉；然無理以實其中，到喫緊處不得不模糊，到收束處不得不敷衍：此直是古文之套耳，非眞能古文者也。韓昌黎曰：「根之茂者其實遂，膏之沃者其光曄。」所謂茂根而沃膏者，正理據於中，故言之有物；若把定空套，自詡爲翻空而易奇，此則無理取鬧之謂矣。故欲去虛枵之病，亦無他妙巧；根柢於經，參以前言往行，然後一一運以古文之法，雖不經意中，亦復自成片段。

又《忌險怪》 幼年聞古人「文以載道」之語，初不甚解。近十五年來，方知古文一道，非學不足以造其奧，非道不足以立其幹。但觀歐、曾之文，平易極矣，有才之士，幾以爲一蹴而幾，乃窮老盡氣，恆不能得，何者？平易不由艱辛而出，則求平必弱，求易必率；弱與率類于平易，而實非平易。不由于學，則出之無本；不衷于道，則言之寡要：以無本寡要之文，胡能自立于世？于是懷才者往往歧出其途，趨入險怪，以爲可以炫惑時輩之心目。明湯若士序孫鵬初《遂初堂文集》曰：「間者文士好以神明自擅，忽其貌而不修，馳趣險仄，驅使裨雜，以是爲可傳。視其中，所謂反置而臆屬者，尙多有之；亂而靡幅，盡而寡蘊。」嗚呼！若士先生其眞知文者矣。「反置臆屬」，即怪險之病根。以純正爲平衍，始求反其所爲，不根于經史，自然流于臆屬。天下造臆之文，其不出于險怪，鮮矣。唐樊宗師撰《絳守居園池記》文，僻澀不可句讀，而好奇者多爲之注，李肇《國史補》稱唐時有王晟、劉忱二家，今並不傳，故元趙仁舉、吳師道、許謙補成此卷。字句既不師古，諸家即以意推測，究亦何益于後生？擴而充之，即皇甫持正之文，自以爲師法昌黎，其能力避樊宗師之險怪又幾何耶？東坡譏《宋景文集》「淵源皆有考，奇險或難句」，紀文達謂其指《新唐書》而言。鄙見《新唐書》力求簡縮，故措詞有時近于沈晦，實非險怪一流；其用字湥古頗近《南北史》，唯氣局少促耳。東坡又論徐積之《節孝集》，謂「怪而放，如玉川子」。然積文依經立訓，雅近儒者。樊宗師、盧玉川則有意爲怪誕不經之言，良非徐、宋之用心，此亦不可不辨。大抵有本之言必不險，有用之言必不怪。險怪一道，即孟子所謂「揠苗助長」之功，雖可震炫一時，萬萬不足耐人尋味。呂東萊論文字病痛：一曰深，二曰晦，三曰怪。柳子厚之《文章六說》，頗亦以文章辭句奇險爲病。然作者能知文章之所發生，尋源竟委，語不期精而自精，文不期當而自當，何必以險怪見長？其趨險走怪，皆情有所偏，學有所不至之病，非謂天下固有此派，存之以備文章之一格者。宋濂病世士以訓詁艱深爲奇，斥之曰「技」，不許之曰「文」，且曰「未必能至」。夫深于訓詁，其文尙可尋繹，不必「反置而臆屬」，尙復爲識者所訴病；則一力求怪者，其道不益遠邪？

又《忌凡猥》 愚前篇力闢險怪，似乎文章宜棄奇，與人爲同矣。古固有言曰：「文貴乎順合衆心，不違人意，百人讀之莫譴，千人聞之莫怪。」（見王充《論衡·書解篇》）嗚呼！果如此言，未有不即于凡猥者矣。凡猥非險怪之對，亦不足以救險怪之失，弊乃適同于險怪。何以言之？凡者，狃于習而寡新意；猥者，淪于俗而多鄙言。曾子曰：「出辭氣，斯遠鄙倍矣。」鄙倍即凡猥之謂。士大夫談吐，一涉鄙倍，即不足以儕清流；矧文章爲嚴重之器，奈何出于凡猥？陳師道《後山詩話》稱詩文總訣「寧辟勿俗」。愚謂救俗何必辟？據理道以發言，自不至俗；若語出不根，雖辟亦未必能勝于俗。去俗本無他法，但有讀書、明理、宗道三者而已。讀書多，則聞見博，無委巷小家子之言；析理精，則立言得體，尤無飾智驚愚之語；至于以文明道，則位置逾高，可以俯瞰萬有，「凡猥」二字不特無幾微之染，亦並不知有所謂凡猥者。又何俗之忌？既云「鄙」矣，又何足譁世？此等病痛，于入手時即當掃除。而曾子所謂「須遠鄙倍」之言，尤足引爲文章之秘訣。故能文章者，必能擇言。邵青門曰：「敷衍者忌俗。」又曰：「譁世取悅其病鄙。」愚謂：既曰「敷衍」，王珻《石和文集·文昌閣碑記》謂：「孔子不得帝君之教，天下將有悖心反道，肆然于日用倫常之際，而不復以天地日月爲可忌。」讀之令人欲笑。帝君何人？何以有教？何以能助孔子？倫常之事何關于日月？此庸俗之所趨，而有識之所鄙也。魏伯子作《感應篇序》，愚且笑其不應有此題目；況此等

語，安可施之文字？昔主杭州東城講席，有門下士以其師某某之遺文進，第四篇即有《關帝廟酬神記》，中有「焚香上袍」一語。上袍者，以龍袞加木偶之身也。某某果知文者，又安得此凡賤之語？故立言一節，不可不慎。然亦有化臭腐爲神奇者。《漢書》中凡至煩至屑至庸至俗者，均能一一澤以古色，使不墜于塵俗，然序事體也。方望溪《與孫以甯書》曰：「古之晰于文律者，所載之事，必與其人之規模相稱。」然亦就序事而言。序事者，本人有是煩屑庸俗之事，傳中有不能不具載者，斥棄轉不見工，不如悉登之，愈以見其筆妙。若立言，則萬萬當吐棄凡近，不能著以塵相。《文心雕龍·體性篇》曰：「精約者，覈字省句，剖析毫釐者也。」字句尚且剖析及于毫釐，則立幹之義更可知矣。故文者，首尚嚴潔。嚴即屏拒凡猥之謂，潔即洗滌凡猥之謂。貴在作時加意，尤貴在讀時加意。

又《忌膚博》　凡初閲文字，得一沈博絶麗之篇什，浩浩乎若傾筐倒篋而出，則未有不咋舌失色者。然當尋源竟委。觀其來脉，審其筋節，辨其骨幹，然後始賞其波瀾。蓋無來脉、筋節、骨幹，但覺處處填塞，所摭典故若蔽天而來，此不名爲「博」，但名爲「膚」，不足重也。《讀書鏡》曰：「綜博則澤鮮。」夫文字鮮榮，原易動目，然亦貴在立意。天下博麗典則之文，有如司馬相如之《封禪文》、揚子雲之《劇秦美新》、班孟堅之《典引》乎？細繹其段落，俯仰進退，承接安頓，在在都有眉目者，意內而言外也。杜樊川《答莊充書》曰：「苟意不先立，止以文采詞句，繞前捧後，是言愈多而理愈亂，如入闤闠，紛然莫知其誰，暮散而已。」侯雪苑亦言「士多而將囂，號令散而無紀」，即是此意。以理論之，方正學親受業于宋學士之門，然鄙意正學之文，精到嚴潔，似有出藍之目。紀文達則取宋之醇，而斥正學「意氣太盛」。文達生平痛惡理學，故有是言。實則宋文亦微有貪多處。周煇《清波雜志》稱司馬之文，能以多爲少，此非縮地之術，不過擇言至精而已。擇言既精，安有膚博之病？膚博之病，如胖夫委頓，血肉消衄于內，而皮革尚寬廓，若牛之垂胡，此實亡而虛具其表耳。故王充《論衡·書解篇》曰：「飾貌以彊類者失形。」失形者，亡實也。推其病源，即無精意以立其幹。幹不立，雖采摭繁富，形神總屬木強。孫穀祥《野老紀聞》曰：「善飲食者，殺蔌脯醢，酒茗果物，雖是食盡，須得其化，則淸者爲脂膏，人只見肥美而已。若是不化，少間吐出，物物俱在。爲文亦然：化，則説出來都融作自家底；不然，記得雖多，説出來未免是替別人家説話了也。」此語最精。別人好處，采摭可也。必靠定人家言語，自己漫無主見，猶之集萬錢于膝下，不能覓繩以貫，使盡氣力，萬不能提挈得起，但覺左支右吾，間有説到處，一轉卻又不是，雖多亦奚以爲？顧况《禮部員外郎陶氏集序》曰：「有體病而才贍者。」夫才贍矣，而體仍言病，則所謂贍者，亦塗飾于外，廓而無當，妍而不據，皮膚雖極鮮澤，骨幹終竟迴弱。迴弱即是病，雖具贍才，皆屬剽竊，毫無心得，此行文者不可不知。譚格曰：「古人博收而約取。」「博」非壞字，惟能約取，始不疑其爲博；若舍内飾外，則皆謂之膚博。

又《忌輕儇》　古文者，非每字每句，必倣古人之聲吻爲吐發者也。義理明于心，用文詞以潤澤之，令讀者有一種嚴重森肅之氣，深按之又彌有意味，抑之不盡，而繹之無窮，斯名傳作。若刻意求悅庸俗之耳目，極力摹仿古人之聲調，自無道理以筦攝之，則口不擇言，雖自詡工巧，往往墜落輕儇一道，初不自知也。朱子嘗謂：「呂伯恭是寬厚人，不知如何做得文字，卻似輕儇底人。」然東萊一生，於古文用功甚深，教人作文：「第一看大概主張；第二看文勢規模；第三看綱目關鍵，如何是主意首尾相應，如何是一篇鋪叙，如何是抑揚開合處；第四看警策句法，如何是一篇警策，如何是下字下句處，有力處，如何是起頭換頭佳處，如何是繳結有力處，如何是融化屈折剪裁有力處，如何是實體貼題目處。」就此而言，決無輕儇之病，矧東萊尤非輕儇之人，不知朱子何見而有是語？吾輩後生，不解先儒之言，闕之可也。若但言文字，則古文中決不宜墜落輕儇。竟陵、公安一派，昔固有人議爲輕儇者。今讀其文，鍾伯敬涉于簡易者多，然能自圓其説，亦頗有首尾；唯時病流走，過目即逝，不復耐人尋繹：謂之輕可也，而弊尚不至儇。譚友夏劣於伯敬，而復極力摹古，追逐不至，乃時露醜態，則果輕而儇矣。今但舉其雜記一體言之，《遊玄嶽記》云：「晨起，往觀岩。岩在殿後，大石有餘丈，詭秘峭刻，有骨有膚，有色有態，有力有巧（『力』『巧』作如此用法，已謬）。高者上躍，壑以下至不可測，使鬼爲之勞矣。」上數語寫岩狀險峭，可也；足成「使鬼爲之勞矣」六字，又復成何句法？作者殆謂「鬼工所不到」意，然何事著力至此？其《遊南嶽記》則全仿《封禪儀記》，中間三用「意不欲往遂不往」七字作複筆，甚凡猥無味；其云「僧火于衲，客依于鑪」，矜情作態，欲奇而不能奇；而膠晦不可解處，如「香鑪、獅子、南台諸峯，皆莫能自立，鳥莫能自

飛」、「峯莫能自立」，言其危也，「鳥莫能自飛」，又作何解？其《初遊烏龍潭記》曰：「白門遊多在水，磯之可遊者曰燕子，然而遠；湖之可游曰莫愁，曰玄武，然而城外；河之可遊曰秦淮，然而朝夕至。」凡三用「然而」字，不過欲形潭之在城內耳，又何必張皇如許？且「然而」作如此用法，亦傖不可耐。其再遊烏龍潭遇雨，則時交七月，暑雨不時，天地晝晦，亦常有之事，《記》曰：「乃張燈行酒，稍敵風雨雷電之氣。忽一姬昏黑來赴，始知蒼茫歷亂已盡爲潭所有，亦或即爲潭所生。而問之女郎來路，曰『不盡然』，不亦異乎？」蓋言潭中雨，潭外無雨；「爲潭所有」、「爲潭所生」，此復成何句法？摹仿元春者，今論輕儇之病，故略及之。至于公安，不特輕儇，直是院本中打諢。今但舉中郎一集言之，《記靈巖》云：「石上有西施履跡，余命小奚以袖拂之。奚皆徘徊色動。碧繶湘鍼，宛然石髮中，雖復鐵石肝，能不魂銷心死？色之于人甚矣哉！」嗚呼！遊記中乃有此等用意，則直可以香奩之體爲古文矣。《記百花洲》曰：「江進之問：『百花洲花盛開否？盍往觀之？』余曰：『無他物，惟有二三十糞艘，鱗次綺錯，氤氳數里而已矣。』」此等語可以入文與否，不待識者而已辨之矣。《記荷花蕩》曰：「舟中麗人，皆時粧淡服，摩肩簇舄，汗透重紗如雨。」文體之狎媟，至於無可復加。集凡四記西湖，其第一記云：「大約如東阿王夢中初遇洛神時也。」輕儇之語，脫口即是。其記孤山曰：「孤山處士妻梅子鶴，是世間第一種便宜人。」「便宜人」三字亦可入文耶？其餘二袁，可以不問而知。要之，伯敬亦不無輕儇處，如《遊浮渡山記》曰：「步一石橋，橋跨一澗，澗石其底，三桃花粲如三婦。」此其可議者也。譚友夏極力摹古，力不足而墮于輕儇，猶可言也。若公安則恣肆不畏人，紀文達斥其「破律壞度」，此四字足以定其罪矣。古人言「文以載道」，聞者以爲陳言；愚謂不爲文則已，若立志爲文，非積理積學，循習於法度，精純於語言，不可輕著一筆。蓋古文非可隨意揮灑者也，一染竟陵、公安之習，則終身不可湔滌矣。

又《忌偏執》 偏，非特見也；蔽于近而無睹，故敢爲自信之言。執，非的解也；守一隅而弗遷，轉據爲堅確之說。此皆學問不純，私見過深，又用自矜炫，流弊往往至此。章實齋非精于古文者也，然其論文曰：「古人之言，欲以喻世；而後人之言，欲以欺世。非心安于欺世也，有所私而矜焉，不得不如是也。古人之言，欲以淑人；後人之言，欲以炫己。非古人不欲炫，而後人偏欲炫也，有所不足與不充焉，不得不如是也。」嗚呼！推勘末俗之病源，洞見癥結矣。用詐可以牟利，用詐萬不足以得名。且「詐」字可僥倖于事中，萬不能僥倖于文中。文爲天下公器，謂能以一己私見，遂壅天下之目，杜天下之口邪？古人性之偏執者，至王臨川極矣；然觀其文字，皆源本經術，雖不能見諸施行，然殊未敢顯悖古訓（《字說》則不在此論）。後人學不及臨川，而又不根于經史，據其銖寸之才氣，率意發議，以爲奇特；習俗或從而炫之，而稍明于理者，則決不稱可。汪伯玉好作大言曰：「蜀人如蘇軾者，一字不通，當以劣等處之。」然《太函集》中文字，刻意摹古，往往不能自遂。鄙意伯玉才調，未必能及洪景盧之精博，景盧尙不能追蹤東坡，矧伯玉邪？據其一己之見夷蠛古人，古人不能起辨，亦何施而不可？然以上所言，第言用偏執之見，凌詆古人者也。陳龍川聰明蓋世，至言侵倫常，則殊不可解。岳珂《桯史》：「呂祖謙卒，亮爲文祭之，有『孝弟忠信，常不足以趨天下之變；而材術辨智，常不足以定天下之經。』朱子見之，大不契。」亦由于才多自信太果，轉以所言爲堅確之說。國初大儒如王船山，雖無此等語病，然往往入古人于冤獄。余爲《船山史論後案》，爲之更正者不下數十條。其尤奇者，罵人到快意處，倒將正史之文撇去，尋覓筆記中訛謬之言，力入古人之罪；如論光武之詔任延，尤爲可笑。延于光武朝拜武威太守。帝親見，戒曰：「善事長官，勿失名譽。」延對曰：「忠臣不私，私臣不忠。」此言見之本傳，見之《通鑑》，無可議也。船山忽用高峻《小史》作「忠臣不和，和臣不忠。」「和」字原可爲「私」字之訛筆。「忠臣不私」，本無可駁；若言「忠臣不和」，則留下無數罅隙，生人議論矣。諸如此類，一部《通鑑論》中，奇冤之氣觸天。古人謂「清議所冤，萬古無復反案」，其言深可尋味。魏叔子曰：「作論有三『不必』二『不可』。前人所已言，諸人所易知，摘拾小事無關係處：此三不必作也。巧文刻深，以攻前人之短，而不中要害；取奇出新，以翻昔人之案，而不切情實：此二不可作也。」解得此言，則臨文時自有一種雍和平易之氣，安得有所謂偏執者？王世貞《四部稿》稱南豐氏「飫而衍」，「飫」字大佳。凡食魚嚼骨，必防其鯁：「飫」字安得有鯁？然非理正文腴，亦萬不能當得此字眞際。

又《忌狂謬》 才士多狂，狂則近謬。弊在苦古人範圍之密，義法之嚴，

知不能遁越而出，始縱情爲放言高論，以自矜衒。無識者往往爲其所動，以爲不落古人窠臼，是有志者之言。究竟足以留貽爲人師法者，狂謬者勝耶？傳耶？或合範圍有義法者勝耶？傳耶？彼狂謬之人，必聰明絕等，筆墨之間有一種光氣，足以奪人，故能擅勝于一時。若才庸而志高，亦竊效而爲之，謬且加甚。明萬曆十三年，禮科給事中張問達刻李贄之文，以呂不韋、李園爲「智謀」，以李斯爲「才力」，以馮道爲「史隱」，以卓文君爲「善擇嘉耦」，以秦始皇爲「千古一帝」，以孔子之是非爲「不足據」云云，此等語果未嘗經人道過，然實非奇語。凡能奇者，有一種顛撲不破之道理，以曲筆描畫而出，見以爲奇，實則至正；若反常道而敢出以兇逆之語，直是狂謬，不是能奇。李卓吾之妖妄，人人知其謬妄，雖不必告誡，而行文亦無人肯學者。然僕所辨者，有論文之狂謬，有行文之狂謬，弊皆在于析理不精，故行文、論文皆詭于正也。毛西河之經術，有獨到之處，胡能厚非？然其論文，自歐、蘇以下俱不屑；不屑歐、蘇可也，乃狂號怒罵考亭之經說，則近市井無賴矣。又論夷、齊不得爲忠臣，但可爲義士；忠臣、義士作如此分析，殊不可解。究竟痛詆歐、曾者亦不自西河始也。祝枝山作《罪知錄》，且歷詆韓、歐、蘇、曾六家之文，謂韓論「易而近儇，形麤而情霸，其氣輕，其口誇，其發疏躁」。歐陽「如人畢生持喪，終身不披袞繡」。東坡「更作儇浮，的爲利口，譁獷之氣，肆溢舌表，使人奔迸狂顛不息」。曾、王「既脫衣裳，並除爪髮」，譬之「獸鬣腊骨」。至于老泉、潁濱、秦、黃、晁、張，則「尤不足齒數」。枝山之意，唯尊柳州。尊柳州未嘗非是，謂一柳州足掩此數家，且駕昌黎而上，直是粗心武斷語。凡此皆言論文謬也。而行文之謬，有出人意料之外者。穆參軍修爲宋文開山鼻祖，一力宗昌黎、柳州，取徑之正，信古之篤，用心之精，實在柳開之上，一傳爲尹師魯，再傳爲歐陽修，可云盛矣；然《亳州魏武廟記》云：「惟帝之雄，使天濟其勇，尚延數年之位，豈強吳庸蜀之不平？」又述守臣之言「吾臨此州，不能導爾小民心知所奉，是亦吾過」云云，此何語也？六朝相襲，非篡不王，區區一操，固不足責；然必如是尊崇，無乃失檢？容齋《三筆》論作文要檢點，歐陽修作《仁宗御書飛白記》文中稱「予」，又稱陸經之字，歐爲大師，稍不檢點，且譏之不遺餘力，又豈可施以狂謬耶？至于譚友夏作其父德甫墓志曰：「先人九歲孤，十八爲諸生，性挑達，與諸少年爲裘馬聲伎之樂。」其《求母氏五十文說》曰：「吾父四十七逝矣，使得半百之年而壽之，春猶得爲子。母今未亡人，何敢不喜懼并？」譚氏負重名，文字不檢點至此，斥之爲謬，寧謂過當？「挑達」是何語？安可加之先世？「未亡人」三字，述母之言，尚可恕也；徑曰「母今未亡人」，用一「今」字，直友夏代母作謙詞，其謬令人欲笑。此無他，恃有文字之虛名，以爲隨意發揮，均中榘則，由太快意，始成此謬。故古文非精心研練，積理積氣于平日，加以檢點于臨文之時，庶幾無此失也。

又《忌陳腐》　文人因科名之故，以盛年無限之精力，沈酣於八股中。及宦成名立，始銳意爲古文，摭拾古人講學言道之餘藩，大張其旗鼓曰：「文以載道。吾文直布帛菽粟，無取於淫麗之言，繁誣之說。」固恢恢而壯闊也。一取其文讀之，其述政事，則不離官文書氣；辨道學，則不離語錄氣；著經說，則不離高頭講章氣；發吻詔人，則眞德秀之《文章正宗》也，金履祥之《濂洛風雅》也，是二書者，紀文達謂其「但充插架，無人起而攻之，亦無人嗜而習之」。文達平日痛惡道學，此言尚爲平允。蓋「文以載道」之說，蘇文忠恆述歐陽文忠語詔人矣。孫明復謂「文爲道之用」。張文潛謂「學文之端，急於明理」。愚按「道理」二字，實純備于爲文之先，斷不關係于臨文之下。若秉筆爲文，即思某者合理，某者中道，拘攣桎梏，不期趨入于陳腐矣。八股先生敎人，凡經史中生澀字面，便不宜用。非經史之字有干于功令，直衡文者相承以陳腐，非陳腐不能淪入其肝脾；轉轉相因，八股一道，遂成世之腐物。其甚者，又往往遷其爲八股之道入于古文，此盛氏《叢談》所謂「以易得之，以易出之」者也。「以易」者何？不必穿穴古今，但采取先儒口頭所常言，後生小子耳中所熟聞者，補輯成文，以爲得諸天然，出以淸簡。故理學家言，最爲退老鄉宦著書之藍本，以不必用心，又據絕高地位也。究竟汗牛充棟，徒資覆瓿，可以不作。顧亭林謂講學從語錄入門者，多不善于修詞。方望溪謂宋五子講學口語，亦不宜入文。顧氏尚實用，不爲應酬無益之文，實無意于修詞，而詞語簡峻堅卓，由所學醇也。望溪亦道學一流，然文字有關鍵，有精神，無朽懈之氣。此二氏之文，決不能謂之爲陳腐。須知文律文嚴，萬不能以先儒口頭語，爲吾文之門面。袁子才譏程魚門，謂「有心爲有關係文字」。愚謂無關係之文字固不必作，謂文字一出，在在皆有關係，則人心世道語，觸指便來，陳陳相因，即窮老盡氣爲之，亦未必即爲天下之關係。平心而論，古文無不由道理而出，當先辨此道理是否陳腐。有道理本非陳非腐，一出冬

烘手筆，即成陳腐者。亡友吳摯甫先生謂馬通伯：「說理之文，最不易作。」是說蓋本于曾文正。先輩深洞文中甘苦，知以文明道，大非易事。唯醇故不陳，唯精故不腐。雖然，「精醇」二字，能於故紙中尋索之否？吾人平日熟讀經史及儒先之書，須鎔化爲液，儲之胸中。臨文，以簡語制斷之，務協于事理，此便是道；然斷非剽襲僞託，始臻此詣。鄙人有志未逮，竊願與吾同學之良友，互相努力以赴之。

又《忌塗飾》 劉祈稱文有六不宜，蓋謂散文「不宜用詩家句，不宜用律賦語」。正以詩家之語近纖，律賦之語多駢，施之散文，便近塗飾。夫才士之文，既不能出之平淡，尚有駢文一道，儘可驅駕。然而，才多者恆視散文若不足爲，一握筆伸紙，非徵引古昔，即竄獵艷詞，既無精意爲之根幹，卻成一不駢不散之體，幾乎追迹漢京，實則非也。《論衡》曰：「飾貌以強類者失形。」貌固類矣，然非眞形，即過于塗飾，而不求實際，故貌存而形失耳。天下名爲古文，何嘗無斑駁之古色？猶之精氣內壯，自爾顏貌鮮澤。若枯槁之形，卻施以朱鉛，斷不成其爲眞色。魏伯子之論文曰：「用故事如一石一花，偶然安放而已；否則，窮人補衣，但貼一塊。」此語趣極。語不發諸心本，務以獵略爲長，外膏而中枯，貌豐而神朽；初見或振其華續，迴環誦讀兩三過後，便索然無味。鄉者某文士爲人作志銘，讀之鏘然，大有音節，而詞采亦佳麗；尋爲吾友高夢旦摘其剿襲之處，細加注腳，則一篇麗文，竟成一釋氏水田之衣，無一處不借取于他氏而爲緣飾者。此等文不作可也。尤展成，四六家也，其《告陸靈長文》忽爲散行體，每到結穴處卻加以兩三聯四六，自爲創格。此焉可學？正由才多，無可展布，似不如是不成其爲文體者。等而上之，錢虞山爲國初文章大老，今試舉《周忠介公夫人六十壽序》言之，如：「宋自元祐以後，乾坤宇宙，如在霧雺晦蒙之中，日出而陰雲不駁，雨止而轟雷猶殷。」又曰：「方禍之殷也，如驕陽盛夏之時，雷電發作，天地晦冥。俄而雲解雨息，天清日朗，支頤伏枕之餘，促數如小劫，依稀如昔夢，豈不快哉？」前後兩用雷雨爲喻，似極興會，而意平而沓，且渲染處亦極著力。《虞山集》中佳處固多，而好塡艷冶字面亦不少；昔人譏楊鐵崖文，斥其「剪紅刻翠以爲塗飾」，虞山不免此病。望溪至詆虞山文爲「穢」。然望溪淸靖純正，視虞山之好爲華絢，自出兩途。平心而論：虞山，華士之文也；望溪，學者之文也。無虞山之才，用竄獵爲恢富，通是借才于人，必有時而窮。爲望溪之文，非原本經術及儒先之書，八家之範圍，亦往往流于寒素。綜之，古文之爲體，意內言外，且多言不如少言，少言不如精言。言求其精，非由學術之邃，閱歷之多，安能垂爲不朽？若徒事渲染，使讀者一過輒忘，或不終篇即生厭倦。故愚于此弊，頗極著意除之。葉水心曰：「譬如人家觴客，雖或金銀照座，然不免于俗。惟自家羅列者，即甆缶瓦杯，卻是自家物色。」此語正痛斥文之不宜華飾。然但陳甆缶瓦杯，又不能不瀕于寒瘦。故水心之言，亦圓得一半。果能學有本源，語有根柢，即稍列金銀，亦不是塗飾，偶陳甆瓦，亦不類淸寒也。

又《忌繁碎》 唐順之《稗編》稱《史記》：「其意深遠，則其言愈緩；其事繁碎，則其言愈簡。」此言事之繁碎，非言文之繁碎也。凡爲人作家傳，作志銘，既非世之有名將相，及乎儒宗碩學；子孫編輯事略，又非文人之筆，其敘述安得不流于繁碎？執筆者不加審擇，因其繁詞碎義，一一掇拾簡端，是吾文隨之而繁，隨之而碎矣。宋濂論文有八害，一曰「碎害完」。完者，首尾有起訖，筍接有法度，敘述有去取，言詞有分寸，成爲整片文字，斯亦可以謂完矣。若貪多務得，即爲文體之累。魏叔子曰：「文可詳復，不可煩碎。」愚按：要言不遺漏者謂之詳，行文用繞筆者謂之復，詳而求明，方不傷煩，復而取神，亦不病碎。魏善伯稱大家文「細碎處有片段，險厄處有安頓」。所謂「片段」者，即宋學士所謂「完」也。嘗論歸、方之文，立言頗正，文體亦不稍涉纖佻；然歸有《寒花葬志》，方有《逆旅小子》，謂之爲碎，亦無不可。惟《逆旅小子》尚用以警醒有司，而《寒花葬志》雖不作可也。二公皆學《史記》，以《史記》敘事之工，雖五蠱萬怪，皆能攝以淸光，不特不見其煩碎，而且不覺其媟褻。今試舉《衡山王賜傳》言之：「王病。太子時稱病不侍。孝、王后、無采惡太子：『太子實不病，自言病，有喜色。』王大怒，欲廢太子，立其弟孝（與太子同母）。王后知王決廢太子，又欲並廢孝。王后有侍者善舞，王幸之。王后欲令侍者與孝亂以汙之，欲並廢兄弟，而立其子廣代太子。太子爽知之，念后數惡己無已，時欲與亂以止其口。王后飲太子，前爲壽。因據王后股，求與王后卧。王后怒，以告王。王乃召欲縛而笞之。」以上數語，得無煩乎？不特煩也，而且媟褻而碎。荆川亟稱其簡，何也？余曰：筆妙也。所謂五蠱萬怪，一一攝以淸光也。然不宜學。自《史記》之例一開，而《漢書》學之乃加甚焉，《南》《北史》學之乃尤加甚焉。《漢書·江都王建傳》：「建遊

章台宮，令四女子乘小舩，建以足踏覆其舩，四人皆溺，二人死。後遊雷波，天大風，建使郎二人乘小舩入波中。舩覆，兩郎溺，攀舩，乍見乍沒。建臨觀大笑，令皆死。宮人姬八子（師古曰：「八子，姬妾官名也。」）有過者，令羸立擊鼓；或置樹上，久者三十日乃得衣；或髡鉗，以鉛杵舂，不中程輒掠；或縱狼令齧殺之，建觀而大笑；或閉不食令餓死：凡殺不辜三十五人。建欲令人與獸交而生子，彊令宮人羸而四據，與羝羊及狗交，專爲淫虐。」若此者，蓋學史公而戾者也。故朱子譏《南》《北史》爲小說，則又學《漢書》而戾者也。吾輩既無馬、班之才，學此二氏之文，當學其醇正者；若如此類之煩碎媟褻，雖筆所能達，亦不宜輕涉。蓋古文之體極嚴，寧守範圍，勿矜才思，斯無此等流弊。

又《忌糅雜》 糅雜者，雜佛氏之言也。僕前十年讀《指月錄》及《五燈會元》，至今不解其義，以南宗聰明，匪淺識者所能到。一日偶翻《楞嚴》讀之，十日而盡，中心甚悅。適譯《洪罕女郎傳》，遂以《楞嚴》之旨，掇拾爲序言，頗自悔其雜，幸爲遊戲之作，不留稿也。柳子厚文幾抗昌黎之席，然其《送文暢序》，則與昌黎大異。昌黎斥僧徒如禽獸，貶佛法爲夷狄。子厚則曰：「王城雄都，宜有大士。」又曰：「勤求秘寶，作禮大聖。」則禮僧徒爲大士，去禽獸遠矣；尊佛氏爲大聖，去夷狄又遠矣。計《河東集》中碑版之文，曰《曹溪大鑒禪師碑》，曰《南嶽彌陀和尚碑》，曰《岳州聖安寺無姓和尚碑》，曰《龍安海禪師碑》、《南嶽雲峯和尚碑》及《塔銘》，曰《南嶽般舟和尚第二碑》，曰《南嶽大明和尚碑》，曰《衡山中院大律師塔銘》；即贈送之序，文暢以外，尚有方及師、巽上人、僧浩初、元暠師，琛上人，文郁師，玄舉、濬上人，不一而足。推崇象教，引用內典，其甚者謂「佛書往往與《易經》、《論語》合，且不與孔子異道」，其碑版文字摭天竺故典，更不待言。柳州負一時重名，人重其文，哀其遇，故亦無復論議之者。而子瞻兄弟，尤坐此病；子由之《欒城集》，制誥以外，竟集佛偈至于數卷，則殊無謂矣。其餘若梁補闕、白文公、趙閒閒諸公，不及八家之盛，雖合儒釋爲一，其道亦不足以病世。近代如大雲山房，動及宗乘，只此一着，已遜桐城。蓋文體之嚴淨，不特佛氏之書不宜入，即最古如《老子》、《莊子》，亦間能偶一及之，用爲大道之證；若專恃老、莊之理，又豈足以成文？錢虞山《有學集》詩中，時時用內典，幾冒釋氏故實爲藝林之故實；文集中如《天台泐法師靈異記》，尤近淫蠱，如「或問于錢子曰：『慈目之事，子以爲信乎誣乎？』曰：信也。如來拳拳付託，唯此正法。正法衰熄，魔外盛行，未有甚于此時者也。當此時，闡揚台事，大明如來，一期教之扃鐍，譬則被昏夜以月燈，開盲人以眼目，諸佛菩薩共護念證明，誰得而非之？」云云，虞山自矜淹博，旁涉釋氏，故漫然爲此無復顧忌之語。試一體驗，直是頭陀說法，不是文士行文。究竟忠節如顏魯公，尚有此病，何論虞山？或云：「西山、白沙，俱不諱言佛。」不知西山非文家也。學派自學派，文派自文派。白沙之學，爲人集矢，已自不少。鄙人論文，不是論學，略之可也。綜言之，取義于經，取材于史，多讀儒先之書，留心天下之事，文字所出，自有不可磨滅之光氣。何必深求桑門之學，用自矜炫其博？至于近年，自東瀛流播之新名詞，一涉文中，不特糅雜，直成妖異，凡治古文，切不可犯。

又《忌牽拘》 何謂牽拘？牽於成見，拘於成法也。文之入手，不能無法；必終身束縛於成法之中，不自變化，縱使能成篇幅，然神木而形索，直是枯木朽株而已，不謂文也。譬諸由歐、曾入門，一步一趨，惟歐、曾是程，此於初學時可謂能自得師；乃久久而仍不變，勿論不能突過歐、曾，即能形似，使讀者疑若已見之成文，亦復成何趣味？汪堯峯曰：「今之讀某文者，不曰祖廬陵，即曰禰震川。其未讀某文者，亦附和云云。聞之爲文也，必求所從入；其既也，必求所從出。彼句剽字竊，尺寸以求工者，皆能入而不能出。某嘗自評其文，蓋自廬陵入，不從廬陵出。」鈍翁之言，可謂精矣；然讀其文，又未必能踐其言。若廬陵者，實從昌黎入，不自昌黎出者也。堯峯者，從廬陵入，仍從廬陵出，而又不能盡肖廬陵者也。大凡能文者始能論文，而所作又往往遜其所論；學者但惟其言是師，不必責望其人可也。即如堯峯所論「能入能出」，此大有見地。入者，師法也；出者，變化也。守一先生之言，宗一先生之教，固是信服之篤；然有師而無我，有古而無今，仍不能抉出文中之妙。楊維楨曰：「處士吳萊以著述爲務，善論文，嘗云：『文如用兵，有正有奇。正者法度，奇者不爲法度所縛。』」鄙意不爲法度所縛，非軼法敗度之謂，能從法度中上下四旁轉移變化耳。處處變化，即處處有變化中之法度。黃溍稱吳萊《淵穎集》「嶄絕雄深，類秦、漢間人」。或有謂其溢量者。以意推之，吳立夫惟有雄深之氣，故有「不爲法度所縛」之言。吾輩須知，「變化」二字，不是專主放溢而言，蓋能以法度爲變化，不是一變化時即爲法度。

若唐荆川之論文，得之矣。荆川之言曰：「就文章論之，雖其繩墨布置，奇正轉折，自有專門師法。至於一段精神命脉骨髓，則非洗滌心源，獨立物表，具古今隻眼者，不足與此。」荆川所言，蓋求之於本源之地，得立言之旨。守法度，有高出法度外之眼光；循法度，有超出法度外之道力：所詣頗不易到。然能於此處著力，終始是法度中之文字，不是牽拘法度之文字矣。元朱夏《答程伯大書》曰：「今之爲文者，至死不悟，且役役焉剽襲而綴輯之，則其氣固已薾矣。」此言淺而易避。「剽襲綴輯」之不足爲文，人人知之；「至死不悟」，即是牽拘之大病痛。今欲除牽拘之見，祇在多讀大家之文，虚其心求古文之關鍵，沈其心思古人之用意。堯峯之所謂「入」者，專一家之謂也；堯峯之所謂「出」者，融各家之謂也。能如此用心，不特不至牽拘，且能養此心至「活潑潑地」矣。

又《忌熟爛》　呂東萊論作文法，舉文字之病十九，其第十四病曰「熟爛」。歸震川述之，不遺一字。竊意東萊之文非能過于震川也，然其推崇東萊，乃奉以爲師法。則知文字弊病之應除者，勿論古今，凡名爲能文者皆審之也。且「熟」字非文之病，「爛」斯病矣。《後山詩話》引歐公語，謂爲文有三多：多看，多做，多商量。若此者，正欲求熟耳。朱弁《曲洧舊聞》言黄魯直于相國寺得宋子京《唐史》稿一册，歸而熟讀之，自是文章日進。子京之文果否能益魯直，則不敢知。然朱氏非能文者也，其作此語，不過論作文者務歸于精熟而已。故「熟」「爛」二字，亦須分别言之。曾文正論文「貴圓」。顧非熟何能圓？鄙意當於古人法律中求圓，不當于俗人眼孔中求圓。于古人法律中求圓，則雖熟不爛；于俗人眼孔中求圓，便成熟爛。句句雖似渾成，究竟是「熟爛」之熟，不是「圓熟」之熟。袁簡齋謂「措詞率易，類應酬尺牘」，此正指熟爛之眞病痛。蓋入手時便淺率，古人用心處偏不用心，凡諸俗媚世之文，用心獨至。此等文字，已不期趣入熟爛一路。匪特意俗筆俗，即句法中亦好摭腐爛之語，如「一篇之中三致意焉」、「蓋異數也」、「其某某之事有如此」、「晏如也」等句，此皆俗不可耐之語，一犯筆端，令人呃逆不止。質言之，反乎熟即爲生，行文生而不熟，字鉤句棘，亦難協律，似乎「熟」字初非行文之病。歐公曰：「爲文之法，唯在熟耳。變化之態，皆從熟處生也。」東坡曰：「凡文字，少時須令氣象崢嶸，采色絢爛，漸老漸熟，乃造平淡。」不知二公之語，蓋欲人于讀文時熟，則作文時亦熟。熟非緣古人之軌迹，一一步趨而從，在能循古人之軌迹，一一變化而出。譬如古人本如此説，吾則抽换之，挪移之，宜前者後，宜後者前，宜長者短，宜短者長，可以從心，成爲規矩。試問此等境界，非熟何能遽臻？此則歐公、坡公所謂熟，決非「熟爛」之熟。夫行文而至于熟爛，本無可言。推其病源，終屬理路不清，用功不得根據，又寡閱歷，凡其所得，皆屬古人糟粕，雖鎔經鑄史，出許多偉麗之詞，然神朽骨濁，終不饜明人之眼，此正所謂「熟爛」也。

又《用起筆》　文之用起筆，頗有數忌。如贈送序及山水廳壁諸記，忌用古人詩句起；碑版傳略，忌用議論起；論説雜著，忌引古作陳言及成句起；此淺而易喻者也。若機軸之變换，尤當體認古人着手之處。試看大家文集，所能引人入勝者，正以不自相犯。譬甲篇是如此起法，乙篇即易其蹊徑，丙篇是如此起法，丁篇又别有其用心。猶之行兵，阻險以爲固，當知施之平陸，成何壁壘；不能泥據山之壘，用諸夷坦之地。西人之製機亦然：等一輪舶，然自鍋鑪、車軸、車葉外，機器之形，匪有同者；不同非自相戾也，期于適用而已。蓋匠心運處，自有不同之同。故不善于文者，墨守老法，一篇既如此着筆，于是累篇皆同；分以示人，頗自見異，及鐫爲專集，一披覽即已索然。昌黎作《平淮西碑》，起筆曰：「天以唐克肖其德。」幾于嘔出心肝，方成此語。後生若皆如此喫力，便趨奇走怪，入「太學體」矣。須知文之能奇，必爲情理中之所有，不過造語異于恆蹊，非背理而求奇，匿情而求奇也。呂東萊成《博議》，全篇之意，往往定于發端一二語，且皆精切于物理，最利觀者之目；全體多半如此，久讀之亦殊寡味。總言之，領脈不宜過遠，遠則入題時煞費周章；着手不宜太突，突則轉旋處殊無餘地。用考據起，雖頭緒紛煩，須一眼注到本位，方有着落；用駕空起，雖寬泛無着，須旋轉趨到結穴，方能警醒。以上均就論説、贈送序及雜著各體言也。若記山水、記廳壁、記器物、記人，既不能奇，毋寧用年月，或但記事與物之所緣起，較無弊病。至于傳略、銘誌、墓表、神道各碑，或叙譜系，或姓名，此一定之法。昌黎墓誌有偶然叙及交誼者，唯其有交誼，始爲之譔文，雖語涉家常，于體格亦不甚病。然總須嚴潔，譬諸身到名山，未到菁華薈萃處，已有一股秀氣先來撲人，人便知是作家語，不易抛却。歐文語語平易，正其嚴潔，不可猝及。昔人見歐公《醉翁亭記》草，起手本有數行，後乃一筆抹卻，只以「環滁皆山也」五字了之，何等斬截！然但觀此五字，亦有何奇？似盡人皆能。不知洗

伐到精粹處，轉歸平淡；淺人以平易爲平淡，便不是矣。

又《用伏筆》 行文有伏筆，猶行軍之設覆。顧行軍設覆，敵苟知兵者，必巧避不犯我之覆中；若行文之伏筆，則備後來之必應者也。故用伏筆，須在人不着意處，又當知此不是贅筆才佳。《左傳》序無知事至興會，然無知爲雍廩所殺，乃不能就本文中叙補，卻在本文之先另提一筆曰「初無知虐于雍廩」，不倫不類，此可算得伏筆否？左氏文章之聖，固無施不可；吾輩學之，便矯強矣。伏筆即伏脈，猝觀之實不見有形迹。故呂東萊論文，謂有形者綱目，無形者血脈。善于文者，一題到手，預將全篇謀過，一一審定其營壘陣法。等是一番言論，必先安頓埋伏，在要處下一關鍵，到發明時即可收爲根據。故明眼者須解得一箇「藏」字訣，欲注射彼處，先在此處着眼，以備接應。朱子論東坡文：「雖是宏闊瀾翻，成大片滚將去，他裏面自有法，今人不見裏面藏得法在，只學他一滚做將去。」朱子此論不是論伏筆，然説到「藏」字，即可悟行文不能無伏筆，亦惟善伏者始得後來之顯豁。蓋一脈陰引而下，不必在在求顯，東雲出鱗，西雲露爪，使人捫捉，亦足見文心之幻。朱子又言文字不可太長，照管不到。其實，詳得起伏之法，雖長亦何嘗不可照管？王臨川《上皇帝書》處處皆能照管。所以能照管者，正以未説到彼，而此間先已埋伏，到興會淋漓時回眸顧盼，則以上之伏脈皆見矣。汪堯峯《與陳靄公論文第二書》言：「後之作者，知字而不知句，知句而不知篇，于是有開而無闔，有呼而無應。」言應者何？即應其所伏也。且伏筆苟使人知，亦不稱妙。無意閲過，當是閒筆，後經點眼，才知是有用者。武林九溪十八澗之水，何嘗一派現出溪光？偶經一處，駭爲明漪絕底，然實不知泉脈之所自來；及見細草纖綿中，根下伏流，靜細無聲，方覺前溪實與此溪相續。可見用伏筆，是陽斷而陰聯，不是伏下此一處，便抛卻去經營彼處。悟到此法，則朱子所論「藏」字訣，又得闔合矣。綜之，文字有起即有伏，能悟到起伏，則文之脈訣得矣。

又《用頓筆》 凡讀大家之文，不但學其行氣，須學其行氣時有止息處。由之走長道者，惜馬力，惜僕力，惜自己之脚力，必少駐道左，進糗加秣，然後人馬之力皆復。文之用頓筆，即所以息養其行氣之力也。《麗澤文説》曰：「鼓氣以勢壯爲美。勢不可以不息，不息則流宕而忘返。」即此謂也。惟頓時不可作呆相，當示人以精力有餘，故作小小停蓄，非力疲而委頓于中道者比。若就淺説，不過有許多説不盡闡不透處，不欲直捷宣洩，特爲此關鎖之筆，略爲安頓，以下再伸前説耳。不知文之神妙者，于頓筆之下，並不説明，而大意已包籠于一頓之中。如《漢書·丙吉傳》略謂：帝以郭穰夜到郡邸獄，亡輕重，一切皆殺之，而皇曾孫亦在内。吉相守至天明，不聽入。尋帝亦寤。班固于此處作一頓筆曰：「因赦天下郡邸獄，繫者獨賴吉得生，恩及四海矣。」試思吉一拒之恩，能及四海，則武帝殘殺之威，一夕即可以普及四海，固不斥帝而但稱吉，此等含蓄不盡之頓筆，淺人曾學得到否？就文勢而言，似頓筆，就文理而言，是結筆。大家文字，以小結作頓，往往有之，特不如班氏于小頓小結處能神光四射耳。魏善伯曰：「險厄處有安頓。」班書到此，必不敢斥帝爲無道，決不敢加以微詞，此亦可云險厄矣，顧能作如此安頓，所以成爲大家。歐文講神韻，亦于頓筆加倍留意。如《豐樂亭記》曰：「升高以望清流之關，欲求暉、鳳就擒之所，故老皆無在者，蓋天下之平久矣。」又曰：「百年之間，徒見山高而水清，欲問其事，而遺老盡矣。」或謂「故老無在」及「遺老盡矣」用筆似沓，不知前之思故老，專問南唐事也；後之問遺老，則兼綜南漢、吳、楚而言。本來作一層説即了，而歐公特爲夷猶頓挫之筆，乃愈見風神。故王元美作文三法，其第二條曰：「抑揚頓挫，長短節奏，各極其致，句法也。」唯能解班、歐二氏之句法，即可悟文家頓筆之法。愚嘗告人：歐公此文，一意作兩層頓法。乃不知太史公能以一事作三層頓法。《史記·趙世家》：武靈王作胡服，語樓緩曰：「吾欲胡服。」既與肥義論定，乃書曰：「于是遂胡服。」及公子成服而朝，乃書曰：「于是始出胡服令也。」一胡服成三小結。實則樓緩最聰明，肥義次之；公子成最頑固，必俟首肯，乃敢發令。曰「欲」者，定謀也；曰「遂」者，自服也；曰「令」者，徧使國人服也。蓋建議就商于三大臣，則三處均用胡服作頓筆，頓處即是篇中之結；由之大陣包小陣，小陣中亦另有司令之人，即結束之謂。總言之，頓處必須言外有意，筆外有神，纔算活着；若言下截然，無甚意味，便成柴立，不是頓筆。

又《用頂筆》 文有停頓處，其下即有頂接處，原是一脈牽連而下。八股之頂接，恆與停頓處緊緊相應，其實祗是一意，略爲間斷，若自相問答之類。深于文者，決不爲此淺率。頓處既含悠揚不盡之思，若頂處即聲明其意，則何必于頓處作爾許經營？故大家之文，每于頂接之先，必刪除卻無數閒話，

突然而起，似與上文毫不相涉，細按之，必如此接法。其中實蓄無數深意，亦屏無數枝詞，然而須講力量矣。謀篇時先自布置一切，宜後者反先，宜直者反曲；裁量某處喫緊，則故雍容其態爲小停頓，令讀者必索所以然于頂接之時；乃頂接處又故鬆緩其脈，不即警醒，卻于句中無意處閒閒點出，使讀者心領神會其所當然，又不能切指其所以然，則製局之妙也。今試舉韓文一篇言之，如《送齊皞下第序》：「衆之所同好焉，矯而黜之，乃公也；衆之所同惡焉，激而舉之，乃忠也。于是乎有違心之行，有怫志之言，有內媿之名。若然者，俗所謂良有司也。膚受之愬不行于君，巧言之誣不起于人矣。」此將皞之所以不得舉之故頓斷，歸罪有司，別無餘語。讀者將謂此下必叙齊皞遇合之蹇，大發牢騷，迴頭更將有司痛詈一遭，補足餘意。而昌黎頂此句之下，乃作三疊筆曰：「嗚呼！今之君天下者，不亦勞乎？爲有司者，不亦難乎？爲人鄉道者，不亦勤乎？」似一味爲有司解脫。既爲有司解脫，何必更爲齊皞不平？不知昌黎之意，蓋惡當時俗尚錮蔽，以矯爲直，純是私心，有司沿俗成例，不足深責。前半之痛詆有司，罪案原定在有司身上，而實非昌黎文中之正意。故頂筆作紆徐寬緩之語，令人疑駭，正是昌黎善用頂筆之妙。及叙到「以己之不直，而謂人皆然」，「矯私」二字是積弊，當怪習尚，不能專怪有司，于是正意始明。此即不佞所謂「鬆緩其脈，不即警醒，卻于句中無意處閒閒點出」者是也。然非力量厚者決難至此。魏伯子曰：「本欲提起至天，因力量不足，便須塌地放倒。若只提至半空，神力氣格俱敗矣。」蓋以歌唱之道喻文，確爲切實之譬。脫無精意，又寡謀篇製局之能，昧停頓起伏之法，誤會不佞所言，頓處是此意，而頂處忽謬爲興會，說到別處去，然後極力兜轉，再來牽合，承接前半脈絡，此亦算得力量邪？直庸醫接骨之丹，雖重裹厚敷于折處，斷難復原。唯力量厚者，神定見遠，和盤打算，雖遠遠推開，而遙脈一絲，仍自迴旋牽引，恣我伸縮吐納。總言之，用頂筆必須令人不測，此秘亦惟熟讀韓文，方能領會。

又《用插筆》事有在文中若不相涉者，然不補叙其事，則于傳中本事爲無根；若不斟酌位置，又類陳先代之寶器於席間，夾亡親之遺囑於詩卷，不惟不倫，而且無理。雖《通鑑》爲名手所編，然往往叙補本人家世，多勉強攙入，猶目中着砂，令人難耐。《漢文正典》言叙事文有十一種：曰正叙，曰總叙，曰間叙，曰引叙，曰補叙，曰略叙，曰別叙，曰直叙，曰婉叙，曰意叙，曰平叙；而獨未言插叙。夫文體貴潔，原不應牽涉他事；然一事有一事之源頭，不能不溯遠因。過簡則鮮晰，過煩則病膇，過疾則苦突，須在有意無意間用插筆請出，旋又歸入正傳，此劉彥和所謂「理枝循幹」者也。《左傳》爲文家叙事祖庭，每到插叙處，輒用一「初」字領起。如宣公二年叙晉靈不君，以伏甲困趙盾，至提彌明鬥死，盾幾不出，忽得靈輒而免。然靈輒事與本事相隔至遠，只得用一「初」字補入靈輒前迹，則救盾始非無因。史家全循此例，用爲插補之法，而《史記》用之尤極自然。魏善伯曰：「筋骨穿插處不落小家。」亦正言插筆之難耳。顧左氏之長不惟此也，能于百忙中緊緊穿插，又緊緊叫應，使讀者驚其捷敏，而又不見針線之迹。如襄公二十三年晉欒氏之亂，述盈之入絳，因魏獻子也。隨手即插補盈佐莊子，莊爲獻父，故獻子私焉，遂因之也。以下趙氏、中行氏、知氏皆與盈有憾，而與范氏有連；入手必插補此三家，並帶韓、趙方睦，見得四氏和，欒氏之敗根已伏。然魏氏強宗也，故正文必歸重獻子。惟中間敗欒氏者實斐豹之力，若破空點出斐豹，不惟不易穿插，即用一「初」字亦無處安頓。左氏卻從欒氏力臣督戎帶起斐豹，則插筆遂不費力。中間雜叙宣子慄懼，使「婦人輦以如公」；范鞅急智，詐取魏舒，道遇欒樂，注矢不中：以瑣碎事鎔成整片。惟其善于穿插，故神閒氣定，初不着力。而善學者厥惟史公。遷文或一傳而數事，或從中變，或自旁入。今試問一傳數事，如何安置？斷非衣冠列坐，蠢如木偶之陳。故知非穿插不爲功。所云「從中變，自旁入」，真道得穿插之妙。且穿插非嵌附之謂，亦非挖補之謂。不得間隙，不能嵌而附之；不覓竅竇，亦非挖而補之。法在叙到喫緊處，非插筆則眉目不清，故必補其所以致此之由；叙到紛煩處，非插筆則綱要不得，故必揭其所以然之故。總之，須近自然，無嵌附填塞之弊，方爲佳筆。

又《用省筆》文之用省筆，非略也。一略，則應言而不言，令讀者索然無歡，雖竟其篇幅，終蓄不愜之願，讀過輒忘矣。省又非漏也。一漏，則不惟于本文中多寡要之言，尤于插叙處少神來之筆。有首尾宜相應者，漏則莫應；有眼目宜點清者，漏則弗清，本欲求簡，而局陣竟成斷折之勢，此大病也。且又非棄而不舉也。文之去冗刪繁，孰則弗知？而往往犯此二病，則神識昏瞀，不能洞見文字之癥結，以爲不如是叙述，則讀者將不悉文中之究竟，膚說生庸，喋言成絮，弊在不知舉其簡要，而棄其駢枝耳。姜白石曰：

「人所易言，我寡言之。」寡言者，正謂其能吐棄一切，歸于簡當耳。要非用筆加洗伐之力，臨文有審擇之功，名曰「能省」，直吾所謂棄而弗錄，墜而不舉，何名「能省」？且又非疏而未檢也。歐公之文似平易近情，然每爲小簡，亦必屬稿，則其事已不視爲玩易，何至於疏？又何至于不檢？蓋能用省筆，已節縮無數枝詞。讀之似疏，及絜其全局觀之，又覺文之嚴潔處本應如是。欲言其疏，則于一兩字間早聲明已往之事，都有歸宿。如《史記·項羽本紀》：「楚左尹項伯者，項羽季父也，素善留侯張良。」用一「者」字，插入項伯，不見其突；用一「素」字，來救漢王，始爲有根。脱在此時插入項伯殺人，張良救之，因用此爲根，則百忙中已來不及；故留其事在下文聲明，此處特用省筆，使讀者並不駭其冒失：文之疏處，正其精神之貫徹處。劉彦和曰：「精論要理，極略之體。」試問不精不要，又何能略？學者爲文欲求略，當先求精。惟蓄理足者，始有眼光；有眼光，始知棄取；知棄取，則儘我所爲，全局在握，省于此則留詳于彼，伏于前必待應于後。要之，詳處非難，省處難也。曾南豐曰：「老泉之文，侈能使之約。」今觀《嘉祐集》中，佳文非多；然所謂反侈而成約者，固惟南豐能知之。不佞引伸其義曰：「侈」字不就文體言，當就作者言；在他手宜侈言之始盡，吾今約言之則不盡。且約言而能盡者，又不止主作者而言，在能使讀者不以吾之約言爲不盡，方稱能事。此尤當于篇法句法字法間講究，方足淸人心目，非有他妙巧也。閻百詩曰：「惟簡可以救冗。」亦是此意。

又《用繞筆》 爲文不知用旋繞之筆，則文勢不曲。繞筆似複，實則非複。複者，重言以聲明之謂。繞筆則於本意中抉深一層，乍觀但覆述已過之言，乃不知實有抽換之筆，明明前半意旨，然已别開生面矣。大凡長篇文字，行氣浩瀚，然每處必須結小團陣作一小頓，文氣方凝聚不散。若篇幅不長，地步偪仄，焉能數句便作一頓？若一氣瀉盡，亦患讀過即了。此非有移步換形之妙，即不能耐人尋味。猶之搆園亭者，數畝之地，而廊榭樹石，能位置錯迕，繚曲往復，若不知所窮，方稱善于營搆。古惟昌黎最精此技，今略舉一二篇用爲標準，亦以見古人用心之曲折處。如《代張籍與李浙東書》，不過一瞽目之人向人求丐耳，文却將「盲」字作無數旋折：「盲目不盲心」是主腦，然處處傷悼「盲」字，却處處繞轉「心」字；如盲者「當廢于俗輩，不當廢于有道之人」；有道者，知心也；將「心」字一迴顧。又言浙水七州，均不盲者，然當問其賢，不當計其盲；知賢者，知心也；又將「心」字一迴顧。于是直説盲心無用，自己盲目不盲心之有用；又將「心」字一迴顧。果能賜坐問言，則目盲而心不盲，尚能吐其心中平生所知見；又將「心」字一迴顧。再言心果「不以衣食亂」，則所言或勝于絲竹金石也，復言「誠不以畜妻子憂饑寒亂心」，則並盲目亦可以愈。時時自憾其盲，尤時時自明其心，一纖小題目，百轉迎環，似糾纏却有眉目，似拖沓却分淺深，神妙極矣。次則《答劉正夫書》，立一「異」字爲學文眞訣。大概言文字可能，惟「異」字爲難能；漢人于文皆稱能，惟司馬相如、太史公、劉向、揚雄爲能異：此意亦平平耳。一轉入當時之所不謂異者，亦後來之所不足傳，將「異」字逆接上文，已見力量。以下更用譬喻之筆爲「異」字發明，歸到君子之于文，不異于是所云，不異正是求異。此處欲繞轉司馬相如、太史公、劉向、揚雄，却甚易易，然無曲折之筆，即近呆板；文妙在將後進爲文深探力取古人之異者一抑，見得「異」字萬不易到，「有司馬相如、太史公、劉向、揚雄之徒者出」，亦決不能舍去「異」字而求循常，將四子推入空際，作想像語，却暗中自占身分，又閒閒繞轉四子，都無牽強痕迹。此等繞筆，萬非元、明大家所及。其下復繞到「能」字，因「能」字又顧到能者決「不因循」，又顧到能「存于今者」，始名眞能行文。若捲簾，步步倒捲而上，上文有一處點眼，下文即處處迴抱，文極緊嚴，又極歷落，無偪促態度，讀之能啓人無數心思。

又《用收筆》 爲人重晚節，行文看結穴。文氣文勢，趨到結穴，往往敝懈。其敝也非有意，其懈也非無力，以爲前路經營，費幾許大力，區區收束，不過令人知其終局而已，或已有爲敝懈之氣所中者。即讀者亦不甚注意，大抵注意多在中堅，於精神團結處擊節稱賞，過後尚有餘思；及看到末路，以爲事已前提，此特言其究竟，因而不復留意。乃不知古人用心，正能于人不留意處偏自留意。故大家之文，于文之去路，不惟能發異光，而且長留餘味，其最擅長者無若《史記》。《史記》于收束之筆不名一格。如本文飽叙妄誕之事，及到結束必有悔悟之言；偏復掉轉，還他到底妄誕，却用一冷雋之筆閒閒點醒，如《封禪書》之收筆是也。有痛叙奸讒誤國，令讀者憤懣填胸，述到收局，人人必欲觀其伏誅，此似行文之定例；乃不叙進讒者之應伏其罪，偏叙聽讒者之悔用其言，不叙用讒者之以間成功，偏叙誅讒者以不忠垂誡，如《吳太伯世家》之收筆是也。有叙開國之勳臣，定霸之鉅子，功高不賞，幸免弓狗之

禍，卻把其退隱之軼事盡情一述，竟似以國史爲其家傳，雖描摹瑣屑，愈見其人能全身而遠禍，寓其微旨，如《越王句踐世家》之收筆是也。有同等之隱事，同惡之陰謀，同時之敗露，是天然陪客，文中且不說明，直到結穴之處，大書特書彼人之罪狀，與本文兩不關涉，然句中用一「亦」字，見得同惡之人亦同抵于族，不加議論，其義見焉，如《春申君列傳》之收筆是也。有三傳聯爲一氣，事一而人三，則每傳不能不劃清界限，顧三人終局，必待第三傳之末始能分曉，而每傳中又宜有收筆，此應如何分界者？乃史公各于本傳之末，各用似了非了之筆，讀之雅有餘味，則《魏其、灌夫、武安列傳》之收筆是也。三傳中惟武安得保首領以沒，不就刑誅，故收束處用淮南王饋金事上曰：「使武安侯在者，族矣。」餘味盎然。而《平津侯傳》末亦用此意。獨《荆軻列傳》終寫荆軻之勇，行刺之難，秦王之驚駭，廷臣之慌亂，五光十色，使讀者太息，以爲一刺一擲，秦王之不死，其間不能容髮，只能歸諸天意；而史公冷眼直看出荆軻劍術之疎，又不便將荆軻之勇抹殺，故于傳末用魯勾踐一言，閒閒迴顧篇首，說到荆軻若能虛心竟學，則亦不致失此好機會矣，似斷非斷，卻用叙事作結穴。此等收筆，直入神化。以上專述《史記》，實則古來佳文，實不止《史記》，不過舉其明顯易知者言之。若能在在留心，則古作盡吾師也。

又《換字法》 大凡通行文字，可以用熟字；如碑版、傳略及有韻之文，勢不能不用古雅之字。所謂古雅者，非冷僻之謂；字爲人人所能識，爲義則殊，字爲人人所習用，安置頓異，此在讀古文時會心而已。朱子論文，謂舊見徐端立述石林言：「今世安得文章？只有個減字換字法。如言『湖州』必須去『州』字，只稱『湖』字，此減字法也；不然則稱『霅上』，此換字法也。」余謂石林此言，直是對癡人說話；古文換字之法，豈謂此耶？譬如言「廣」者稱「博」，言「盡」者稱「既」耳。《漢書》不惟能換字，而且能用熟字爲生澀之句；亦有于不經意中，以常用之字稍爲移易，乃愈見風神。如《張安世傳》：「何以知其不反水漿也。」反，覆也；用「覆」字便無味。《杜延年傳》：「延年竊重將軍失此名于天下也。」重猶難也；若易去「重」字，便須說「不願」二字矣。《郊祀志》：「臣望東北汾陰直有金玉氣。」師古曰：「直謂正當汾陰。」王念孫曰：「直猶特也，直、特古字通。」然直用「特」字，轉見率易。楊慎《丹鉛總錄》所論換字法，則謂古文多倒語，如「亂」之爲「治」，「擾」之爲「順」，「荒」之爲「定」，「臭」之爲「香」，「潰」之爲「遂」，「釁」之爲「祥」，「結」之爲「解」，皆美惡相對之字，而反其義以用之（如「亂臣十人」，以「亂」訓「治」也。「安擾邦國」，以「擾」訓「順」也。「荒度土功」及「遂荒大東」，以「荒」訓「定」也。「胡臭亶時」，「其臭羶」，以「臭」訓「香」也。「是用不潰于成」，以「潰」訓「遂」也。「將以釁鐘」，以「釁」訓「祥」也。「親結其褵」，以「結」訓「解」也）。實則，此但云換字之一格。若換字盡作此等換法，將日覓反面之字作正面用法，轉足使讀者索解不得矣。鄙見義古而字今，用之易解，而又難及，則須稍通小學，方審用法。今略舉一字兩義者數條如下：如「賴」字之訓「善」（《孟子》：「富歲子弟多賴」），「踰」字之訓「遠」（《投壺》：「毋踰言。」鄭注云：「踰言，遠談語也」），「振」字之訓「棄」（《左傳》：「振除大災。」杜註云：「振，棄也」），「榖」字之訓「養」（《甫田》：「以榖我士女。」鄭箋云「榖，養也」），「隱」字之訓「度」（《文選·座右銘》：「隱心而後動。」李善引劉熙《孟子注》云：「隱，度也」），「湊」字之訓「進」（《玉篇》：「湊，競進也」），「虞」字之訓「望」（桓十一年：「且日虞四邑之至也。」杜注：「虞，度也」），「苦」字之訓「急」（《莊子·天道篇》，「斲輪徐則甘而不固，疾則苦而不入」），「遁」字之訓「欺」也（賈子《過秦論》：「姦僞並起，上下相遁。」注：「遁，欺」），「乃」字之訓「往」（《漢書·曹參傳》：「乃者我使諫君也。」師古曰：「乃者猶言曩者。」即往也），「遂」字亦訓爲「往」（《楚詞·天問》：「遂古之初。」王逸註云：「遂，往也」），「斯」字之訓「離」（《爾雅》：「斯，離也。」《陳風》：「斧以斯之。」毛傳云：「斯，折也。」折即離也），「攻」字之訓「固」（《小雅》：「我車既攻。」毛傳云：「攻，堅也」），「旁」字之訓「溥」（《月令》：「令有司大儺旁磔。」《說文》：「旁，溥也」），「稽」字之訓「合」（《呂刑》：「惟貌有稽。」鄭注云：「稽猶合也」），「農」字之訓「勉」（《洪範》：「農用八政。」《左傳》襄十三年：「君子尚能而讓其下，小人農力以事其上。」《管子·大臣篇》：「耕者用力不農，有罪無赦。」故知「農」之訓「勉」也），「宗」字之訓「衆」（《同人》六二：「同人于宗。」《楚詞·招魂》：「室家遂宗。」荀爽、王逸注云：「宗，衆也」），「然」字之訓「成」（《大戴禮·武王踐阼篇》云：「毋曰胡殘，其禍將然。」注「然，成也」），「集」字亦訓爲「成」（《小雅》：「我行既集。」鄭箋：「集猶成也」），「載」字之訓「則」（《鄘》：「載馳載驅。」鄭箋云：「載，則也」），諸如此類，不可枚舉，然固無一字爲人所不識者。不佞常語人，大家文每用一二常用之字，亦往往爲俗手

百思不到。由其入古甚深，又精通于小學，故下字見其不凡。若小家子以冷僻字代去熟字，自以爲古，實則去古遠矣。

又《拼字法》 古文之拼字，與填詞之拼字，法同而字異；詞眼纖艷，古文則雅練而莊嚴耳。其獨出心裁處，在能自加組織也。詞中之拼字法，蓋用尋常經眼之字，一經拼集，便生異觀。如「花柳」者，常用字也，「昏暝」二字亦然；一拼爲「柳昏花暝」，則異矣。「玉香」者，常用字也，「嬌怨」二字亦然；一拼爲「玉嬌香怨」，則異矣。「煙雨」者，常用字也，「顰恨」二字亦然；一拼爲「恨煙顰雨」，則異矣。「蜂蝶」者，常用字也，「凄慘」二字亦然；一拼爲「蝶凄蜂慘」，則異矣。「綺羅」者，常用字也，「愁恨」二字亦然；一拼爲「愁羅恨綺」，則異矣。「紅紫」者，常用字也，「移換」二字亦然；一拼爲「移紅換紫」，則異矣。「紅翠」者，常用字也，「顰妬」二字亦然；一拼爲「翠顰紅妬」則異矣。此法唯南宋人最爲著意。至于古文中拼字，原不能一着纖佻；然用此拼法拼集莊雅之字，亦足生色。蓋拾取古人用過字眼，便嫌飣餖，故能文者恆自拼集，以避盜拾之嫌。古人文集浩如煙海，胡能一一檢出指示？今略舉習見者數條。如《漢書·揚雄傳》之「勒崇垂鴻」，崇，高也；鴻，大也。師古注爲「勒崇名而垂鴻業」耳。「勒垂」、「鴻崇」皆拼集也。又「騁耆奔欲」：「耆」即「嗜」字。「嗜欲」人所常用，一拼以「奔騁」二字，立成異觀。次則《南史·梁本紀》之「昏制謬賦」：「昏謬」二字孰不知用？而用在「賦制」之上，則成弊政之爰書矣。《循吏傳》：「于是傾資掃蓄，猶有未供」。「資蓄」二字有何奇異？拼之以「傾掃」，則朝廷虐政，一望令人駭然。《隱逸傳》：「皆稟高下之性，不能擢志屈道。」「道」與「志」作如是拼法，尤雅馴可愛。《北史·高謙之傳》：「蔽上壅下，虧風損政。」「風政」者，風俗與政令也；拼以「虧損」二字，則可總括衰朝之大概。《陸俟傳》：「資忠履義，赴難如歸。」「忠義」之上，拼以「資履」二字，尤見古雅；唐呂溫《房玄齡贊》「羽義翼忠」似即脫胎于此。唐文不惟韓、柳能自鑄詞及拼字，即諸家亦匪不能。皇甫湜《吉州廳壁記》之「民朋吏嚚」及「彈豪糾黠」。權德輿《宗元先生文集序》之「嗇神挫鏡」；鏡，明也；不過謂神嗇而明挫耳，然拼法甚佳。呂溫《李衛公贊》：「策勇駕智，長驅仁義。」「勇智」之上著以「駕策」二字，大有工夫。韋瓘《義井記》：「撥腐曝淤。」拼字亦大類柳州。舒元輿《陶母墳版文》：「觸命觝敎，磨失法用。」「觸觝」二字加在「命敎」之上，詞至嚴毅。諸如此類，不過就衆人所習見者指出，見古人用心之處。不知者以僕爲皺字嚼句，令人走入魔道，此等罪孽，僕所不任。蓋古文原有此種拼字之法，即韓、柳亦然。蓋局勢氣脈者，文之大段也；絺章繪句，原屬小技，然亦不可不知。大處既已用心，此等末節，亦不能不垂意及之。

又《矣字用法》 「矣」字，《說文》：「語已辭也。」柳宗元曰：「決辭也。」鄙意雖名「決辭」，言外須有沈吟惋惜之意，則用「矣」字方有餘味。歐文多用此法，然亦不數見。若《漢書》則在在皆着意，句句見風神。其散見諸傳中，不能一一省記，唯《食貨》一傳屢用「矣」字，不加議論，令人醰思，言外皆有不足時政之意，深可尋繹。今亦略舉數條曰：「今法律賤商人，商人已富貴矣。尊農夫，農夫已貧賤矣。」此結束上文農夫苦況，取貸商人，商人不耕而坐吸農夫之膏血，朝廷不能禁，用兩「已」字，足以兩「矣」字，生出無窮慨歎之意。讀者似認爲本文之頓筆，實則非是；用一「矣」字，即所以動朝廷恤農之心也。又曰：「故大賈畜家不得豪奪吾民矣」（「畜」讀曰「蓄」。豪，謂輕侮之也）。此應上文輕重斂散之以時，則準平，民有所澹，故大賈畜家不得豪奪，用一「矣」字，是有期望如此之意。能復古，方有此等富農之作用；不是許他便能如此，作決辭也。又曰：「即位數年，嚴助、朱買臣等招徠東甌事，兩粵、江、淮之閒，蕭然煩費矣。」此「矣」字亦是慨歎之詞，言外譏不應以此二人無因而擾民，似救之已無及意。又曰：「於是見知之法生，而廢格沮誹窮治之獄用矣」（張晏曰：「吏見知不舉，劾爲故縱。官有所作，廢格沮敗。誹謗則窮治之也」）。此追咎公孫弘以《春秋》之義繩下，取漢相張湯以峻文決理爲廷尉，故生出如是暴虐之政。「用」字是咎朝廷。「矣」字是惜朝廷不應如此，明爲決辭，而譏貶之意亦不十分深刻，却能令人思之生其悔心，措詞敏妙極矣。又曰：「是時財匱，戰士頗不得祿矣。」此言昆明池成，賞大將軍及驃騎五十萬金，又軍馬死者十餘萬匹，轉漕車甲之費不與焉。則戰士之不能實受其祿，却在意中。言「戰士頗不得祿」者，寫戰士有快快不自聊意如繪。又曰：「天下大氐無慮皆鑄金錢矣。」此言吏民以盜鑄死者數十萬人，其不發覺相殺者不可勝計，赦自出者百餘萬人，然亦不能半自出，屈指以計，似天下皆盜鑄之人矣，惜其盜多而刑濫也（「氐」讀曰「抵」。抵，歸也。大歸，猶言大凡也）。又曰：「直指夏蘭之屬始出，而大農顏異誅矣。」此言犯法者衆，不能盡誅，故以直指分行郡國，與顏異之誅是兩事。然追源張湯用事，故持法

深峻，而顏異以論白鹿皮幣忤湯意，湯以事誅之；雖兩事而發者實湯一人，故不妨合而並言之，譏其酷烈。又曰：「百姓終莫分財助縣官，于是告緡錢縱矣。」此言以告緡之故，得民財物以億計；推原百姓不能如卜式以私錢助官，故因告緡而破其家。「縱」字有縱人劫奪意，下字極重，似說成民不分財助官，官自能奪之也。故下文曰：「而縣官以鹽鐵緡錢之故，用少饒矣。」「少饒」二字均說他劫奪民財而來，措詞冷刻。又曰：「入財者得補郎，郎選衰矣。」此譏用所忠之言，煅世家子弟富人鬭鷄走狗馬弋獵博戲罪狀，相引數千人爲株送徒，然決爲徒者入錢反得郎，郎選之衰由此矣。此「矣」字才爲決辭，然亦悲慨出之，不傷直致。又曰：「兵所過縣，縣以爲訾給毋乏而已，不敢言輕賦法矣。」此言漢置初郡十七，新治無賦稅，責賦則時時小反，漢發卒誅之，間歲萬餘人。故民悚于法，供吏之求，不敢言輕賦。澹澹二語，寫民間吞聲飲泣之狀如生，文眞善于含蓄矣。以上數則皆有鍼線可尋，能沈潛體貼其用心所在，自能開其悟境（按班書數用「矣」字，亦有采取《平準書》者，然稍有異同，故仍從班書）。

又《也字用法》 凡文中用「也」字，有解釋義，有指實意。《始古錄》謂歐陽《醉翁亭記》用「也」字，東坡《酒經》用「也」字，王荆公《度支郎中蕭公墓銘》亦皆用「也」字，不知誰相師法，然皆出《孫武子》十三篇中。以上三項，僕皆見之，竊意古人用之則可，吾輩學之則立形其呆相。凡善于文者，用虛字最不輕苟。俗手用「也」字，人恆以爲用作煞尾之字，聲明本意而已，未曾着意讀之。而史公諸傳，每用「也」字必有深意，然爲法不等。今稍舉其可以詮釋者，著之于篇。如《封禪書》稱：高宗「有雉登鼎耳雊，武丁懼。祖己曰：『修德。』武丁從之，位以永寧。後五世，帝武乙慢神而震死。後三世，帝紂淫亂，武王代之。由此觀之，始未嘗不肅祗，後稍怠慢也。」此「也」字應上慢淫之結局，爲武丁惋惜，至有餘味。又：「羣臣有言，見一老父牽狗，言『吾欲見巨公』，已忽不見。上即見大跡，未信，及羣臣有言老父，則大以爲仙人也。」此「也」字是譏詞，「則」字有冒失意，「大」字有急不暇察意，「以爲」二字有迷信意，用「也」字作煞，譏貶之意，不繹而明矣。又《越王句踐世家》：「故金至，謂其婦曰：『此朱公之金。有如病不宿誡，後復歸，勿動。』而朱公長男不知其意，以爲殊無短長也。」以爲殊無短長，輕巇莊生，已爲殺弟之張本。用一「也」字作煞，言外有譏誚其愚騃之意。至既封三錢之府，「朱公長男以爲赦，弟固當出也，重千金虛棄莊生，無所爲也。」兩用「也」字，足成上半愚騃之態度，即爲「殊無短長」句作注脚，描寫傖父之狀如繪。又《趙世家》：「王夢見處女，鼓琴而歌詩曰：『美人熒熒兮，顏若苕之榮。命乎！命乎！曾無我嬴。』異日，于飲酒樂，數言所夢，想見其狀。吳廣聞之，因夫人而內其女娃嬴孟姚也。」「女」字一頓，「娃」字一頓，「嬴」字一頓，「孟姚」又一頓。署「嬴」，名也；署「女」，親也；署「娃」，少也；署「孟姚」，字也。其下稱孟姚，故必醒「孟姚」二字。用「也」字煞，是得意意，又是得計意；不然，文但曰「因夫人而納女孟姚」，有何不可，而必用此一「也」字？蓋吳廣此時聞夢，而女適名嬴，心花怒開，計此女一入，有無窮寶貴福祉，來從其後。史公代其得意，加一「也」字，帶聲拖出，悠揚不盡之喜樂矣。又公子成「再拜稽首，乃賜胡服，明日服而朝。于是始出胡服令也。」此「也」字就公子成拜賜後，命令始立，雖是斷語，亦含幸辭。又《淮南衡山列傳》：「淮南王削地之後，其爲反謀益甚。諸使道從長安來，爲妄妖言，言上無男，漢不治，即喜；即言漢廷治，有男，王怒，以爲妄言，非也。」驟觀之，「非也」二字近贅，但言「王怒，以爲妄言」足矣，何必續此「非也」兩字？不知「非」字正與「喜」字爲偶。「即喜」者，妄意之喜，「非」者亦妄意之非。「王怒，以爲妄言，」此是對言者之詞；「非也」二字，是自慰之詞。「非」下着一「也」字，正是譏妄可笑耳。又《范睢蔡澤列傳》：「蔡澤聞之，往入秦也。」此與吳廣納女同一格調，然亦微有不同。同是冀幸之心，同有富貴之想，特有剛柔之別。「往」字是毅然氣概，「入秦也」三字是儘有把握意，故云與吳廣別也。又《荆軻列傳》：「賜夏無且黃金二百鎰，曰：『無且愛我，乃以藥囊提荆軻也。』」「乃以藥囊」，是言藥囊萬非敵劍之器用，而竟用而提之；「也」字是不料意，是眼見而信服意，故爲此決辭，于決中仍加意外之稱賞，味其語氣自見。「魯句踐已聞荆軻之刺秦王，私曰：『嗟乎！惜哉！其不講于刺劍之術也。甚矣！吾不知人也。曩者吾叱之，彼乃以我爲非人也。』」末「也」字不是當「耶」字用。「彼乃以我」是代荆軻設想，鄙己之決辭；惟其不應決而決，所以可惜：此「也」字眞有飄揚不盡之思。又《劉敬叔孫通傳》：「于是高帝曰：『吾乃今日知皇帝之貴也。』」此「也」字以英雄作傖父語氣，細味之可笑。以上諸條，語極細碎。然留心古文者，斷不能將虛字略過。須知有用一語助之辭，足使全神靈活者，消息極微，讀者隅反可也。

姚永樸《答方倫叔書》 去年春來天津奉教吳摯甫先生，始知精誦爲學文始事，因取古人之文悉心讀之。久之，乃渙然微覺有得。竊謂古今之學，義理外，惟訓詁、詞章。詞章之學，其託業未必勝乎二者，然而二者之學每相訾謷，惟詞章實足通二家之郵而息其詬。何則？爲詞章者欲氣之盛，則必從事于義理，以求慊其心；欲詞之古，則又必從事于周秦兩漢之書，以通其訓詁。古之能文，若賈誼、董仲舒、司馬遷、劉向、韓愈、歐陽修之徒，未有不兼乎二者之長也。

又《答張孝生書》 兄下謂欲學爲文必先學爲人，是也。顧吾以爲欲學爲人，又必先讀書。【略】昔蘇子瞻論讀書之法曰：「每書必讀數周，各本一意求之，先審句讀訓詁，然後考其典故，究其義理，涉其詞章，始焉若甚難，終焉此書乃爲吾所有。」黄魯直又謂必得一二部書精熟，其後讀他書便如破竹數節，迎刃而解。此皆辛苦爲人之語。【略】雖然，古今之書充棟，勢不能遍觀盡識，是故貴于知要。足下試觀孟、荀、董生、太史公以逮唐宋諸大儒所講明而切究之者，亦可以知所用力矣。

姚永概《復羅君書》 竊嘗謂詩之門戶唐賢備矣，宋諸家皆莫能出其樊籬，而況後世。夫不求之古人，則斷港絶潢終不至海。求之古人，而僅讀其專集，不求其所致力之途，猶之未求也。杜陵「熟精《文選》」，今之學杜者能精《文選》耶？昌黎「非三代兩漢之書不敢觀，非聖人之志不敢存」，今之學韓者能守此二語耶？古之學杜者，無善于玉谿生、山谷、放翁，然各得其一體。學韓者，無善于永叔，永叔之文不似昌黎，乃眞似昌黎也；其詩則頗似矣，而非其至也。雖然，今世之士未窺古人門戶，即曰不立門戶，才豪氣猛亦如滔天之水不可灌溉，燎原之火難用蒸炊。古人之門戶固無矣，亦未見己之有門戶也。夫變化于規矩準繩之中，乃眞才也；軼而出焉，是舍規矩準繩以求成室，豈不難哉！

馬其昶《陶廬文集序》 竊嘗以謂人之命質于天也，各有所宜，善用之其長，皆有以自見，或以德淑，或以才效，或以言牖，叔孫氏所謂三不朽者，不必強同，要歸有益于世而已。世與世相續以至于無窮，有此一世，則有此一世之政典焉、人物焉。欲載之以餉後世，則文尚矣。而或工或否，相倍蓰焉。其傳載之久暫晦顯，一視其文工否以爲之差。故世不能無賴于文，賴于文又不能不求其工，亦其理然也。【略】歐陽公稱古聖賢之不朽者，不待施于事，況于言乎？而爲饑勤一世以盡心于文字間者，皆可悲也。予謂文患不工耳，誠工矣，雖亘德隆功且賴文以載之不朽，又可譏乎哉？

章炳麟《文學說例》 高郵以其絶學釋姬、漢古書，冰解壞分，所無凝滯，信哉，千五百年未有其人也。猶有未豁然者，一曰倒植，一曰間語。倒植者，若《書·禹貢》言：「祇台德先」（鄭注云：「其敬說天子之德既先」）。即「先祇台德」也。《無逸》言：「大王、王季，克自抑畏，文王俾服即康功田功。」即「俾文王即服康功田功」也（《僞孔》作卑服。今從《釋文》引馬本。馬云：「俾，使也。」是謂大王、王季使文王就服康功田功。則俾字即字宜在上）。《墨子·非樂》引《武觀》曰：「啓乃淫溢康樂，野於飲食。」即「飲食於野」也（此與「室於怒，市於色」文法一例，最易燎）。《非命上》引《仲虺之告》曰：「帝式之惡，龔喪厥師。」即「帝式惡之」也（今本式作伐，據《非命中》、《非命下》更正。案：《非命中》云：「帝式是惡用闕師。」《非命下》云：「帝式是增，用爽厥師。」式，用也。帝用之惡，即帝用惡之也）。《詩·日月》言：「逝不古處。」《傳》訓「逝」爲「逮」，即「不逮古處」也。「逝不相好。」《傳》云：「不及我以相好。」即「不逝相好」也。《公羊》襄二十七年傳言：「昧雉彼視。」即「視彼昧雉」也。草昧未開之世，語言必先名詞，次及動詞，又次及助動詞。東西諸國，順是以成語學。支那幅土，逆是以爲文辭；然其痕迹未盡滌除，則如右數者是也（此排列法，與東西諸國亦有微異。蓋支那上古語法特別，此存其迹耳）。間語者，間介於有用之語，似若繁冗，例以今世文法，又如詰詘難通。如《卷耳》言「采采卷耳」，而《傳》云：「采采，事采之也。」訓上「采」字爲「事」，以今觀之，似迂曲不情。又如《載馳》言「載馳載驅」，《傳》云：「載，辭也。」而其他「載」可訓辭者，多訓爲「事」。又如《釋詁》云：「言，間也。」（間即助詞。）又云：「言，我也。」若《詩》「言告師氏，言告言歸」、「受言藏之」之屬，以今觀之，皆可訓間，而《傳》皆訓「我」，《箋》則言訓「我」者凡十七見，近人率以詰詘不通病之。毛公生於衰周，文學方盛，寧於助詞尚不能通耶？鄭君雖專治樸學，不尚文采，觀其譜、序與戒子書，固文章之傑也。然其訓說必如是云者，正以二公深通古語耳。夫天子失官，學在四夷；揚子雲求絶代方言，蓋爲此也。日本與我同洲，周、秦之間，往者雲屬，故其言有可證古語者。彼凡涉於人事者，語末率加「事」字，或以「コト」代之，コト亦事也。又凡語中不必言我而必舉「我」字者，往往而有。如「事」、「采」之屬，特以「事」字居前，其排列稍異東方。

而「言告言藏」之訓「我」，則正與東方一致。以今觀古，覺其詰詘，猶以漢觀和爾，夫在彼何有詰詘哉？然而訓「事」訓「我」者，又非可膠執讀之也。「事」與「我」即爲助詞，故「載」之訓「事」，與訓辭同，「言」之訓「我」，與訓間同。同條共貫，無取於甘辛相忌也。當高郵時，斯二種文法，尚未發見，故必更易舊訓，然後可通，是亦千慮之一失乎。拾遺苴漏，發爲凡例，疏通古文，固後學之任也（倒植語如「薊北之植，植於汶篁」，人所盡知，不煩錄，故舉其不燎者）。

又 武島又次郎作《修辭學》曰：「言語三種，適於文辭：曰現在使用法；國民使用法；著名使用法：是爲善良用法。反之，國語所無，亦有三種：曰廢棄語（千百年以上所必用而今亡佚者，曰廢棄語）；外來語；新鑄造語：施於文辭，則非善良用法。世人或取丘墓死語，使之蘇生，語既久廢，人所不曉，輒令神味減失。如外來語，既破國語之純粹，亦害理解；有時勢所逼迫，非他語可以備代，則用之可也。若務爲虛飾，適示其言語匱乏而已（亞美利加詩人普來烏德氏嘗謂其友曰：「觀君文數用法蘭西文辭，果使精練英語，則無論何種感想，皆自有言語可表，何必用法語也？」案美語貧弱，亦如日本語，不得不藉於他國輸入，然普來烏德氏猶爲是言，則外來語不得過用，從可知也）。新鑄造語，蓋言語發達之端，新陳代謝之用也。今世紀爲進步發見之時代，有新事物，誠非新造語不足指明。然當察其所以用此者，爲虛飾耶，爲實際必要耶，乃可以定其當否爾。古者日本思想簡單，得簡易之漢語，已足明其指趣；而作者輒喜用險難多畫之漢字以驚人目，豈不陋哉？」案：武島以外來、鑄造，有時需用，特毋令濫，而廢棄語則直官師所不材。是於日本容可云爾，至於禹域，進化雖紆，然其官府治具，社會人事，繁錯萬端，本非曩時之日本比也。頃歲以來，漸爲進步發見之代，常語簡單，有待鑄造。然尋檢雅詁，廢語多有可用爲新語者。東人尠通小學，不知其可相攝代，則宜以廢語爲一瞑而不復視也。夫南北極半歲見日，半歲晦冥，而「暨」字古義可用（《說文》：「暨，日頗見也」）。目視兩物平行，漸遠則成交角，而「皀」字古義可用（《說文》：「皀，望遠合也」）。予向作《正名略例》，嘗道其麤觕矣。語有惡其冗長，而施用遺言，則一二字可了者，於勢固最爲徑便，豈若盧仝、樊宗師輩喜爲險怪者比耶？夫惟官號地望，著於標題，施於傳誌譜錄者，必用今名，而廢棄、外來、新造之語，皆不得代，此文辭之恆例也。械器輿服，古今異宜，亦不得代。故崔鴻易「撫盤」以「推案」，百藥變「脫帽」爲「免冠」，物非所有，飾從雅言，見譏於子玄矣（見《史通·敘事》篇）。今之言者，非攙旄剖符之率，而亟言「擊節」；處髡首辮髮之俗，而自述「抽簪」：此之宜絕，亦文辭之恆例也。若乃雅俗稱名，新故雜用，是寧有厲禁耶？至云人所不曉，致減神味；說尤鄙倍。夫廢棄之語，固有施於文辭，則爲間見，行於謠諺，反爲達稱者矣。顏籀作《匡謬正俗》，嘗舉數條。如《釋詁》云：「略，利也。」而唐人謂「礪刃」爲「略刃」。《釋詁》云：「洋，多也。」而山東謂「衆」爲「洋」。《釋言》云：「恫，痛也。」而太原謂痛而呻吟爲「通喚」（顏云：「通即恫」）。晉令有「覆逴」，而唐人謂檢察探試爲「覆坼」。此並曠絕千年，或數百稔，不見於文辭久矣，然耕夫販婦，猶人人能言之。至於今日，斯例尚多。《方言》云：「佻（丁小切），縣也。」今稱縣繫曰「弔」，則其遺語也。「塞，安也。」今杭人謂安寧曰「利塞」，則其遺語也。「崽（音枲）者，子也。湘、沅之會，凡言是子者謂之崽（聲如宰）。」今粵人謂兒童曰：「崽（聲如宰）」，則其遺語也。「僞（音訛）謂之仡（注：船動搖之貌也）」。今南人皆謂動搖船曰「劃」，則其遺語也。自秦以後，人臣不敢稱「朕」，而今北人猶自稱「昝」，斯「朕」之音變矣。晉人言「寧馨」，唐人言「某亨」（見《匡謬正俗》云：「俗呼某人處爲某亨。亨音火剛反」），今吳人並有是語，斯亦闕、雒之舊言矣。至於負重之呼「邪許」，痛苦之呼「燠休」，應人曰「若」，以「諾」而從「若」聲，拒人曰「否」，以「否」而從「否」語，如此類者，何可勝道。故文辭則千年曠絕，謠諺則百姓與能，亦與顏籀所舉一也。吾儕足迹，所涉無幾，猶能舉此數端；世有子雲，可勝記耶？然則不曉者僅一部之文人，而曉者乃幾徧於全部之國民，何爲其佶倔減味也？故知廢棄語之待用，亦與外來、新造無殊，特戒其過濫耳。若夫三者所施，各於其黨，則家實齋有言：「戰龍載鬼，可入《周易》，不可以入《書》、《禮》。」亞諾路得《評判論》亦云：「認現在使用與否之問題，其於言語，不在常談之有無，而視其施於格段關於目的者何如。」是二說也，可以起牻椋無常之病矣。

陳澹然《晦堂文鑰·鍊句》 文成於字，字積而句乃成。以兵事言，字則兵卒也，句則隊官也；以外交言，字則商人也，句則領事也。一字不強，一句之神已挫；一句苟弱，一段之氣已衰。拿破倫善戰，必無弱兵；卑士麥善交，決無庸領，此可斷言者也。以音韻言，仄聲強，平聲弱；以意義言，

實字強，虛字弱。然集字成句，必令平仄相間，虛實相融，起落堅凝，其鋒乃不可犯。鍊之之術，則雖古人精語，無一不加鑄造，而後可入吾文。《尚書》《左》《策》精矣，太史公必更易其字句，然後成一家言。《孟子》好辨章「率獸食人，人將相食」精矣，韓昌黎《原道》以「弱肉強食」易之，則精神立變，此皆不襲古人之實證也。至若古書之存，或多乖誤，《古論語》「未若貧而樂道，富而好禮」，今本一遺「道」字，則「樂」字成空。《孟子》「志，氣之帥也；氣，體之元也」，元者，頭有也。今本誤「元」爲「充」，則精神頓減。「必有事焉而勿止」，今本誤「止」爲「正」，則解釋難通。其顛倒章句者，「孔子曰：殷有三人焉」，置之「微子去之」三句下則文氣既突，「之」字「而」字，皆苦無根。《高子曰禹之聲》一章，置之《山徑》一章之下，則孟之斥高，尤爲唐突。甚至《大學》、《中庸》，篇章凌亂，後人沿襲，莫辨其非，此皆不知章句之過也。明此，而後可與讀書，可與言文矣。

劉師培《文說》　自古詞章，導源小學。蓋文章之體，奇偶相參，則侔色揣稱，研句練詞，使非析字之精，奚得立言之旨？故訓詁名物，乃文字之始基也。昔西漢詞賦，首標卿、雲，摛詞貴當，隸字必工，此何故哉？則辨名正詞之效也。觀司馬《凡將》、子雲《訓纂》，詳徵字義，旁及物名，分別部居，區析昭明；及撮其單詞，儷爲偶語，故擷擇精當，語冠群英。則字學不明，奚能出言有章哉？夫作文之法，因字成句，積句成章，欲侈工文，必先解字。然字各有義，事以驗名，用字偶乖，即背正名之旨。觀古代鴻儒，銓繹字義，界說謹嚴，不容稍紊：如穴爲土室（《說文》云：「穴，土室也」），汥訓水都（《說文》云：「汥，水都也」），葦即大葭（《說文》「葦」字下云：「大葭也」），藿稱小菽（《說文》「藿」字下云：「藿，菽之小者」），主階訓阼（《說文》「阼」字下云：「主階也」），比田爲畕（《說文》「畕」字下云：「比田也」），笑不破顏謂之弞（《說文》云：「笑不破顏曰弞，式忍切」），辛能蹙鼻謂之辠（《說文》云：「辠，言辠人蹙鼻苦辛之憂」），閘爲開閉之門（《說文》云：「閘，開閉門也」），楺訓屈伸之木（《說文》云：「楺，屈伸木也」）。是古人狀物，各有專名，以達難顯之情，以括重言之語。後世文人，用字多歧，制改漆書，猶言「執簡」，民皆被髮，仍述「抽簪」，此固用字之失矣。然以木注酒，其名爲杯，及易木爲甆，應更何字？以革爲箠，其字作鞭，及舍革用竹，應易何名？乃事物日增，名詞未益，以固有之名，代新詞之用，學士文人，互相因襲，用之文字，播之詩歌，字義之淆，自此始矣。舉斯二例，餘可旁求。且上古造字，以類物情，極意形容，有如圖繪：嗾爲使犬（《說文》云：「嗾，使犬也」），喌訓呼雞（《說文》：「喌，呼雞重言之」），星見雨除謂之殅（音省，《說文》云：「殅，雨而夜除星見也。」是義與晴殊），風吹浪動謂之颭（職言切，《說文》云：「颭，風吹浪動也」），泉一見一否爲瀸（《爾雅》云：「泉一見一否曰瀸。」《說文》亦引此文），雲半有半無曰圛（《說文》「圛」字下云：「《逸周書》曰：『圛圛升雲，半有半無』」），推之月初生爲霸（《說文》「霸」字下云：「霸，月始生霸然也」），水半見曰酋（《說文》「酋」字下云：「繹酒也，從酋，水半見于上」）。象態既殊，名稱即別，古代鴻文，皆沿此例。流連萬象之際，沉吟視聽之區，言必象物，音必附聲。故「參差」狀荇菜之名，「沉浮」盡揚舟之態；「杲杲」爲日出之容，「霏霏」擬雪飛之狀；「依依」繪楊柳之情，「呦呦」學鹿鳴之韻；可謂國門可懸，一字莫易者矣。後世不然。日夕雨止，亦沿「晴」字之稱（「晴」字爲雨止，晝間雨止日出始謂之晴；莫夜間雨止，則當另用「殅」字矣）；日入而風，亦襲「暴」字之名（《爾雅》曰：「日出而風爲暴。」非大風可稱暴也）；水不注川，亦名爲溪（《爾雅》曰：「水注川曰溪」）。地非山脊，亦號爲岡（《爾雅》曰：「山脊，岡」）；非攻石而稱磨（《爾雅》曰：「石謂之磨」）；非錯金而稱鏤（《爾雅》曰：「金謂之鏤」）；路非四達，亦冒稱衢（《爾雅》曰：「四達謂之衢」）；絮匪一苫，亦標紙字（《說文》云：「紙，絮一苫也」）；瓊爲赤玉（《說文》），而白花亦號瓊花；翡爲赤鳥，而翠玉亦名翡翠；推之非木株而亦號爲根，非竹枚而亦稱爲箇：名與實違，此又文士之通失也。且文苑之英，字學多疏，率爾操觚，緣飾附會，假設名詞，獨標奇語，因事著稱，緣物主義：善惡懸殊，則曰「天淵判隔」；友朋聚首，則曰「萍水相逢」；以「青雲」爲得志，以「白水」爲誓詞。文士沿襲成風，後人以意逆志。是則名詞之字，別有代詞，而法語之言，易爲隱語，以詞害義，此其一矣。別有慧業才人，創造險語，鬼斧默運，奇句自矜，或顛倒以爲奇，或割裂以示巧：由是「墜心危涕」，文通互易其文；「啄粟栖枝」，子美自顛其語。不知言貴有序，詞貴立誠，江、杜之文，不可謂之非違則也。嗚呼！前世之文，字必師古，周、秦故訓，賴文以傳；後世之文，字必背古，俗訓歧義，因文而興。豈非小學之蠹哉？今欲文質相宣，出言不紊，其惟衷《爾雅》以辨言，師許君之《解字》（觀《說文·自序》中多排偶之詞，即置之《文選》

之中，亦出類拔萃之作，則工文之士，必出于小學家矣），心知其意，解釋分明，庶立言咸有淵源，而出詞遠于鄙倍矣。若夫未解析詞，徒矜凝錦，是則無根之木，無源之水耳，烏足以言文學哉！

又　皇古學術，溯源史官，記動記言，實惟史職；是記事之文，起原至古。觀虞、夏之書，據事直錄，事必徵實，言匪蹈虛，故《堯典》測天，《禹貢》治水，垂一王之法，布不刊之言。推之《神農本草》、《黃帝内經》，簡要詳博，不雜蕪詞。降及周代，文史日繁。然姬公《官禮》，孔氏《春秋》，一則法典之書，一則史編之體。蓋文以記事，故事外無文；若詞涉不經，言等子虛，書而不法，後世何觀？無徵不信，此之謂歟！後世之文，多昧此旨，雖碑傳之作，博徵文獻，游記之文，模範山水，然記事失實，厥有數端。一曰寓言。自《國風》之詩，託物興懷，義標比興，詞等無稽，然「漢有游女」，遂傳贈珮之文（《詩》言「漢有游女」，本比興之詞耳，《韓詩》遂傳鄭交甫贈珮之事，後世詞人，襲用其說，一若漢水之實有此神）；鄭詠狡童，妄託辭昏之說（《詩·狡童篇》，《毛序》最確，近人以辭昏之事附會之，非也）。又如靈均作《湘君》之歌，宋玉奏《神女》之賦，構造虛詞，婉而多諷；乃湘水傳鼓瑟之蹤，高唐爲夢游之地，咸有神祠，詳于方志，習俗相沿，有若信史。況東周以降，策士踵興，設爲荒誕之詞，以助縱橫之筆。乃「嫠不恤緯，韓嬰用以釋詩（《左傳》記子太叔之語，本係寓言，《韓詩外傳》遂誤爲漆室女之事，又誤以憂周爲憂魯）；「妾覆藥酒」（見《戰國策》），子政垂之彤史，可謂昧于擇言者矣。至若列子貴虛，莊周譎詭，借物寓意，夫豈有徵？若昧厥旨義，證以實詞，是猶待兔而守株，豈僅刻舟而求劍。故夔僅一足（《呂氏春秋》），堯有八眉，襲謬沿訛，疑非爲是，用之于文，穢莫大焉。漢代以還，訛言日興：海客乘槎（見《博物志》），則誤爲博望；姮娥竊藥，則指爲羿妻；王母本西方之國，目爲列仙；羲和乃司曆之臣，稱爲日馭；于洛神則信爲宓妃，于武陵則尊爲仙迹：朱紫莫別，不可殫論，其弊一也。二曰虛設。自「民靡孑遺」，識《雲漢》之害詩；「血流漂杵」，證《武成》之多譌：言過其失，自古有之。及遞相稱述，曲意形容，屬詞比事，其失也誣。後世文人，飾詞矯說，或尊己而卑人，或援古以證今，事每憑虛，詞多烏有：若王沈《魏錄》，濫述貶甄之詔；陸機《晉史》，虛張拒葛之風；曲筆阿時，非一日矣。又如劉玄以俠烈著聞，而范史力言其懦弱（《漢·更始傳》既言其身在微賤，結客報仇，及叙其即位後，則又言其羞愧流汗，刮席不敢視，非誣而何）；宋祖輟誦讀之業，而沈書侈述其文詞（見《史通》）。虛美相酬，言多爽實。至若魏收修史，延壽成書，比索虜于禹、湯，夷南朝于蠻、貊，道武名官，則曰遠師少皥；柔然通使，則曰追慕漢高。擬非其倫，殊乖實錄。甚至加虛煉飾，博采訣言，喻過其體，詞沒其義。論逆臣則稱爲問鼎，稱巨寇則目以長鯨，記貢納必飾百牢，叙朝會必稱萬國。孔門弟子，則曰三千，漠北胡兵，則曰十萬。漢兵敗績，睢水爲之不流；赤眉納降，積甲高于熊耳。董生乘馬，不知牡牝；翟公之門，可張雀羅：事資虛飾，是曰支詞。若烏白馬角，顯燕丹之精誠；犬吠鷄鳴，神劉安之仙術。以虛爲實，來者難誣，所謂凫脛雖短，續之則憂，畫虎不成，反類畫狗者矣。推之班固《兩京》，左思《三都》，言雖成理，事或渺冥。唐代以降，文體日淆，言無準的，語非有中：以李實之苛殘，而昌黎頌爲仁吏；以孫復之穿鑿，而永叔奉爲經師。移的就箭，掩耳盜鈴，迷惑後世，夫豈一端？其弊二也。三曰訛誤。夫佛肸畔晉，孔子卒已數年，而《論語》記「磨磷涅淄」之喻；吳王浚邗，夏代實無此水，而《孟子》有「排淮注江」之文：書籍舛誤，經典猶然。若夫顏闔對君，載爲顏淵；闞我作亂，移之宰我；《列子》書論尼父，而曰與鄭穆同時；扁鵲醫療虢公，而曰爲趙簡治疾。又如莒僅彈丸，而孟堅稱爲大國（《五行志》）；秦非小弱，而榮緒稱爲小邦（臧榮緒《晉書》曰：「苻秦地劣于趙」）。苟非別加研核，何以判別是非？劍推之杜陵詩史，誤伏勝爲服虔（杜詩：「諸生老服虔。」此指濟南伏生言）；劍南文雄，誤許渾爲許遠。桓溫與仲文并世，乃庾信之虛詞；九齡賞蘇頲之文，爲容齋所駁正。虎頭則釋以人名（蘇詩：「卻下虎頭城。」此即虔州言也，注家誤爲顧虎頭，斯言誠大謬矣），赤壁則移其地望。傳聞失實，考證多疏，賢者不免，況其下乎？況訛言亂眞，別有一因：怯書今語，勇效昔言，碑銘所勒，傳記所書。或虛引他邦，冒爲己邑，如稱袁則飾之陳郡，言劉則繫之彭城是也；或侈用古官，施之今職，如京尹必稱京兆，不計都邑之遷移，相臣必號平章，不計官階之同異是也；或虛引古事，飾爲雅言，如苻堅撫盤，易爲「推案」，洛干脫帽，易爲「免冠」是也。綜斯三失，言與事違，今古以之不純，眞僞由其相亂，故詮事失眞，與訛言同，其弊三也。嗟乎，古人以事爲主，凡記事必以文，後人以文爲主，或因文以害義，故古事因文而傳，近事因文而晦，以文勝質，此之謂乎。是以文苑之英，詞林之秀，必參觀古

籍，博覽群書，參互考驗，窮流溯源，斯能出語有章，立言不朽；若徵材聚事，徒供獺祭之需，恐摘句尋章，不越蟲雕之技，以此言文，不亦誤乎！

又《論文雜記》 西人分析字類，曰名詞、代詞，曰動詞、靜詞、形容詞，曰助詞、聯詞、副詞。名詞、代詞者，即中國所謂實字也。動詞、靜詞、形容詞者，即中國所謂半虛實字也。助詞、聯詞、副詞者，即中國所謂虛字也。予觀孔子垂訓，首重正名。而漢儒董仲舒亦曰：「名生于眞，非其眞無以爲名。」蓋實字用以名一切事務者，皆曰名詞。字由事造，事由物起，故名詞爲文字之祖。中國小學書籍，亦多釋名詞。《爾雅》由《釋親》至《釋畜》，以及劉熙《釋名》，皆分析名詞，字由類聚。是古人非不知名詞之用也。至代詞一類，皆以虛字代實字之用。吾觀劉氏《助字辯略》，釋「之」、「其」二字，訓爲指事物之稱，且博引古籍，得數十條。是古人非不知代詞之用也。《爾雅釋詁》三篇，大抵皆動詞、靜詞。明人朱鬱儀《駢雅》，則大抵皆靜詞、形容詞。是形容詞之用，先儒亦早知之。毛、鄭釋《詩》，多言狀物。而江都汪氏之釋「三」、「九」也，亦謂古人作文，多用形容之詞，以示立義之奧曲。則靜詞、狀詞、形容詞之用，古人亦無不知之矣。至助詞、聯詞、副詞，則上古之時，大抵由名詞假借。其始也，由實字假爲半虛實字：如「治」本水名，借爲治國之治；「脩」本段脯，借爲修身之修(此由實字假爲動詞者)；「薄」爲林薄，借爲厚薄之薄；「舊」爲鵂鶹，借爲新舊之舊(此由實字借爲靜詞、形容詞者)是也。其繼也，更由實字借爲虛字：如「之」字(草出地也)、「于」字(孝鳥也)、「而」字(額須也)、「所」字(鋸木聲也)、「則」字(等畫物也)、「苟」字(草也)、「維」字(車蓋系也)、「云」字(山川氣也)、「不」字(鳥飛翔不下也)、「必」字(弓檠也)、「莫」字(日且冥也)是也。其借假之例，約有二端：一爲由義假借：如「而」爲額須，有下垂之義，故承上起下之字爲「而」；「盡」爲器中空，有窮盡之義，故凡物窮習者皆爲「盡」；「云」爲山川氣，故曰所出之語亦爲「云」：其例一也。一爲由聲假借；本無其字，而讀音與某實字音相近，因假借爲之，如「于」字、「所」字是(此與今日土俗有音無字者相似，姑借同聲之實字以寄其字形)：其例二也。觀此二例，則知虛字本無實義，故有一字數用者，亦有數字一用者，每隨文法爲轉移。近世巨儒，如高郵王氏、雒山劉氏，于小學之中，發明詞氣學，因字類而兼及文法，則中國古人亦明助詞、聯詞、副詞之用矣。昔相如、子雲之流，皆以博極字書之故，致爲文日益工，此文法原于字類之證也。後世字類、文法，區爲二派，而論文之書，大抵不根于小學，此作文所由無秩序也。

又 中國文學，至周末而臻極盛。莊、列之深遠，蘇、張之縱橫，韓非之排奡，荀、呂之平易，皆爲後世文章之祖。而屈、宋《楚詞》，憂深思遠，上承風雅之遺，下啓詞章之體，亦中國文章之祖也。惟文學臻于極盛，故周末諸子，卒以文詞之美，得後世文士之保持，而流傳勿失(中國秦、漢以下文學之士，不知諸子之精深，惟好其文詞而已。故近人所選古文，多以諸子入選)。則修詞學豈可不講哉？

又 昔孟子之論說詩也，謂「不以文害詞，不以詞害志」。予觀秦、漢以後之詩文，何以文害詞者之多乎？如江淹《恨賦》有云：「孤臣危涕，孽子墜心。」夫「墜涕」、「危心」之語，均于古籍有徵，而江氏必欲反其詞以自矜險語，不知「危涕墜心」四字，語詞相綴，皆屬不倫，奚得謂之合論理乎？又杜甫《秋興》詩有云：「紅豆啄餘鸚鵡粟，碧梧棲老鳳凰枝。」夫「鸚鵡」、「鳳凰」，皆係主詞；「豆」、「粟」、「梧」、「枝」，皆係謂詞(當云「鸚鵡啄餘紅豆粟，鳳凰棲老碧梧枝」)：而杜氏必欲倒其詞以自矜研煉，此非嗜奇之失乎？不惟此也。杜甫律詩有云：「白頭搔更短，渾欲不勝簪。」夫白髮可言長短，今易白髮爲白頭則屬不詞(俞氏蔭甫亦議之)。又白居易詩云：「掌珠一顆兒三歲，鬢雪千莖父六旬。」夫十日爲旬，載于往籍(《說文》「勹」部「旬」字下云：「十日爲旬。」故唐代以前，無以旬爲十年者)；今白氏以十載爲旬，非與古訓相背乎(以十年爲一旬，蓋始于唐。故白氏又有詩云：「且喜同年滿七旬。」又明徐尊生詩云：「客中生日近七夕，老子行年當五旬。」以十年爲旬，與白氏同)？夫智者千慮，豈無一失？特名不正者言不順，欲順其言，必正其名。若以文害詞，則背于正名之義，豈可復蹈其弊乎？故舉古人文詞之失，以見其凡(夫今日所以不敢議江淹、杜甫者，以其名高也。若初學作文之人，造語與江、杜同，必斥之爲文理不通矣)。

類別

曹丕《典論·論文》 夫文本同而末異。蓋奏議宜雅，書論宜理，銘誄尚實，詩賦欲麗。此四科不同，故能之者偏也；唯通才能備其體。

陸機《文賦》 詩緣情而綺靡，賦體物而瀏亮，碑披文以相質，誄纏緜而悽愴，銘博約而溫潤，箴頓挫而清壯，頌優游以彬蔚，論精微而朗暢，奏平徹以閑雅，說煒曄而譎誑。雖區分之在茲，亦禁邪而制放。要辭達而理舉，故無取乎冗長。

傅玄《七謨序》 昔枚乘作《七發》，而屬文之士若傅毅、劉廣世、崔駰、李尤、桓麟、崔琦、劉梁、桓彬之徒，承其流而作之者紛焉。《七激》、《七興》、《七依》、《七欵》、《七說》、《七蠲》、《七舉》、《七設》之篇；於時通儒大才馬季長、張平子亦引其源而廣之，馬作《七厲》，張造《七辨》，或以恢大道而導幽滯，或以黜瑰侈而託諷詠，揚輝播烈，垂於後世者，凡十有餘篇。自大魏英賢迭作，有陳王《七啓》，王氏《七釋》，楊氏《七訓》，劉氏《七華》，從父侍中《七誨》，並陵前而邈後，揚清風于儒林，亦數篇焉。世之賢明，多稱《七激》工，余以爲未盡善也。《七辨》似也，非張氏至思，比之《七激》，未爲劣也。《七釋》僉曰妙哉，吾無間矣。若《七依》之卓轢一致，《七辨》之纏緜精巧，《七啓》之奔逸壯麗，《七釋》之精密閑理，亦近代之所希也。

李充《翰林論》 表宜以遠大爲本，不以華藻爲先。若曹子建之表，可謂成文矣；諸葛亮之表劉主，裴公之辭侍中，羊公之讓開府，可謂德音矣。

又 駁不以華藻爲先，世以傅長虞每奏駁事，爲邦之司直矣。

又 研覈名理，而論難生焉。論貴于允理，不求支離。若嵇康之論，成文美矣。

又 在朝辨政而議奏出，宜以遠大爲本，陸機《議晉斷》，亦名其美矣。

又 盟檄發于師旅，相如《喻蜀父老》，可謂德音矣。

摯虞《文章流別論》 《周禮》太師掌敎六詩：曰風，曰賦，曰比，曰興，曰雅，曰頌。言一國之事，繫一人之本，謂之風。言天下之事，形四方之風，謂之雅。頌者，美盛德之形容。賦者，敷陳之稱也。比者，喻類之言也。興者，有感之辭也。後世之爲詩者多矣，其稱功德者謂之頌，其餘則總謂之詩，頌，詩之美者也。古者聖帝明王，功成治定而頌聲興。於是史錄其篇，工歌其章，以奏於宗廟，告於鬼神。故頌之所美者，聖王之德也，則以爲律呂。或以頌形，或以頌聲，其細已甚，非古頌之意。昔班固爲《安豐戴侯頌》，史岑爲《出師頌》、《和熹鄧后頌》，與《魯頌》體意相類，而文辭之異，古今之變也。揚雄《趙充國頌》，頌而似雅；傅毅《顯宗頌》，文與《周頌》相似，而雜以風雅之意。若馬融《廣成》、《上林》之屬，純爲今賦之體，而謂之頌，失之遠矣。

又 夫古之銘至約，今之銘至繁，亦有由也。質文時異，則既論之矣。且上古之銘，銘於宗廟之碑。蔡邕爲楊公作碑，其文典正，末世之美者也。後世以來之器銘之嘉者，有王莽《鼎銘》、崔瑗《杌銘》、朱公叔《鼎銘》、王粲《硯銘》，咸以表顯功德，天子銘嘉量，諸侯大夫銘太常，勒鐘鼎之義。所言雖殊，而令德一也。李尤爲銘，自山河都邑，至於刀筆平契，無不有銘，而文多穢病；討論潤色，言可采錄。

又 詩、頌、箴、銘之篇，皆有往古成文，可放依而作。惟誄無定制，故作者多異焉。見於典籍者，《左傳》有魯哀公爲孔子誄。

又 哀辭者，誄之流也。崔瑗、蘇順、馬融等爲之，率以施於童殤夭折，不以壽終者。建安中，文帝與臨淄侯各失稚子，命徐幹、劉楨等爲之哀辭。哀辭之體，以哀痛爲主，緣以歎息之辭。

又 今所爲哀策者，古誄之義。

又 若《解嘲》之弘緩優大，《應賓》之淵懿溫雅，《連旨》之壯厲忼慷，《應間》之綢繆契闊，郁郁彬彬，靡有不長焉矣。

又 古有宗廟之碑。後世立碑於墓，顯之衢路，其所載者銘辭也。

又 圖讖之屬，雖非正文之制，然以取其縱横有義，反覆成章。

沈約《注制旨連珠表》 竊尋連珠之作，始自子雲：放《易象》論，動模經誥。班固謂之命世，桓譚以爲絶倫。連珠者，蓋謂辭句連續，互相發明，若珠之結排也。雖復金鑣互騁，玉軑並馳，妍蚩優劣，參差相間，翔禽伏獸，易以心威，守株膠瑟，難與適變。水鏡芝蘭，隨其所遇，明珠燕石，貴賤相懸。

任昉《文章緣起序》 《六經》素有歌、詩、書、誄、箴、銘之類，《尚書》

帝庸作《歌》，《毛詩》三百篇，《左傳》叔向貽子產《書》，魯哀孔子《誄》，孔悝《鼎銘》，《虞人箴》，此等自秦漢以來，聖君賢士沿著，爲文章名之始。

蕭統《文選序》 嘗試論之曰：《詩序》云：「《詩》有六義焉：一曰風，二曰賦，三曰比，四曰興，五曰雅，六曰頌。」至于今之作者，異乎古昔。古詩之體，今則全取賦名。荀、宋表之于前，賈、馬繼之于末。自茲以降，源流實繁。述邑居，則有憑虛亡是之作；戒畋游，則有《長楊》《羽獵》之制。若其紀一事，咏一物，風雲草木之興，魚蟲禽獸之流，推而廣之，不可勝載矣。又楚人屈原，含忠履潔，君匪從流，臣進逆耳，深思遠慮，遂放湘南。耿介之意既傷，壹鬱之懷靡愬。臨淵有懷沙之志，吟澤有憔悴之容。騷人之文，自茲而作。【略】次則箴興于補闕，戒出于弼匡，論則析理精微，銘則序事清潤，美終則誄發，圖像則贊興。又詔、誥、教、令之流，表、奏、箋、記之列，書、誓、符、檄之品，弔祭、悲哀之作，答客、指事之制，三言、八字之文，篇辭、引序，碑碣、志狀，衆制鋒起，源流間出。譬陶、匏異器，并爲入耳之娱；黼、黻不同，俱爲悦目之玩。作者之致，蓋云備矣。

《南齊書・文學傳論》 屬文之道，事出神思，感召無象，變化不窮。俱五聲之音響，而出言異句；等萬物之情狀，而下筆殊形。吟詠規範，本之雅什；流分條散，各以言區。若陳思《代馬》羣章，王粲《飛鸞》諸製，四言之美，前超後絶。少卿離辭，五言才骨，難與爭鶩。桂林湘水，平子之華篇；飛館玉池，魏文之麗篆。七言之作，非此誰先？卿、雲巨麗，升堂冠冕；張、左恢廓，登高不繼。賦貴披陳，未或加矣。顯宗之述傅毅，簡文之摛彦伯，分言制句，多得頌體。裴頠内侍，元規鳳池，子章以來，章表之選。孫綽之碑，嗣伯喈之後；謝莊之誄，起安仁之塵。顔延楊瓚，自比馬督，以多稱貴，歸莊爲允。王褒《僮約》，束皙《發蒙》，滑稽之流，亦可奇瑋。五言之制，獨秀衆品。

劉勰《文心雕龍・頌贊》 原夫頌惟典雅，辭必清鑠，敷寫似賦，而不入華侈之區；敬慎如銘，而異乎規戒之域。揄揚以發藻，汪洋以樹義，惟纖曲巧致，與情而變，其大體所底，如斯而已。讚者，明也，助也。

又《銘箴》 夫箴誦於官，銘題於器，名目雖異，而警戒實同。箴全禦過，故文資確切；銘兼褒讚，故體貴弘潤；其取事也必覈以辨，其摛文也必簡而深，此其大要也。然矢言之道蓋闕，庸器之制久淪，所以箴銘異用，罕施於代。惟秉文君子，宜酌其遠大焉。贊曰：銘實表器，箴惟德軌。有佩於言，無鑒於水。秉茲貞厲，敬言乎履。義典則弘，文約爲美。

又《誄碑》 周世盛德，有銘誄之文。大夫之材，臨喪能誄。誄者，累也。累其德行，旌之不朽也。詳夫誄之爲制，蓋選言錄行，傳體而頌文，榮始而哀終。論其人也，曖乎若可覿；道其哀也，悽焉如可傷。此其旨也。碑者，埤也。上古帝皇始號封禪，樹石埤岳，故曰碑也。

又《哀弔》 自賈誼浮湘，發憤弔屈，體同而事覈，辭清而理哀，蓋首出之作也。及相如之《弔二世》，全爲賦體，桓譚以爲其言惻愴，讀者歎息。及平章要切，斷而能悲也。揚雄弔屈，思積功寡，意深文略，故辭韻沉腿。班彪、蔡邕，並敏於致語，然影附賈氏，難爲並驅耳。胡阮之弔夷齊，褒而無聞，仲宣所制，譏呵實工。然則胡阮嘉其清，王子傷其隘，各（其）志也。禰衡之弔平子，縟麗而輕清；陸機之弔魏武，序巧而文繁。降斯以下，未有可稱者矣。夫弔雖古義，而華辭未造；華過韻緩，則化而爲賦。固宜正義以繩理，昭德而塞違，割析褒貶，哀而有正，則無奪倫矣。

又《雜文》 智術之子，博雅之人，藻溢於辭，辭盈乎氣。苑囿文情，故日新殊致。宋玉含才，頗亦負俗，始造對問，以申其志，放懷寥廓，氣實使之。及枚乘摛豔，首製《七發》，腴辭雲搆，夸麗風駭。蓋七竅所發，發乎嗜欲，始邪末正，所以戒膏粱之子也。揚雄覃思文闊，業深綜述，碎文瑣語，肇爲連珠，其辭雖小而明潤矣。凡此三者，文章之枝派，暇豫之末造也。自對問以後，東方朔效而廣之，名爲《客難》。託古慰志，疎而有辨。揚雄《解嘲》，雜以諧謔，迴環自釋，頗亦爲工。班固《賓戲》，含懿采之華；崔駰《達旨》，吐典言之裁；張衡《應間》，密而兼雅；崔寔《客譏》，整而微質；蔡邕《釋誨》，體奧而文炳；景純《客傲》，情見而采蔚；雖迭相祖述，然屬篇之高者也。至於陳思《客問》，辭高而理疎；庾敳《客咨》，意榮而文悴。斯類甚衆，無所取裁矣。原茲文之設，廼發憤以表志。身挫憑乎道勝，時屯寄於情泰，莫不淵岳其心，麟鳳其采，此立本之大要也。自《七發》以下，作者繼踵。觀枚氏首唱，信獨拔而偉麗矣。及傅毅《七激》，會清要之工；崔駰《七依》，入博雅之巧；張衡《七辨》，結采綿靡；崔瑗《七厲》，植義純正；陳思《七啓》，取美於宏壯；仲宣《七釋》，致辨於事理。自桓麟《七說》以下，左思《七諷》以上，枝附影從，十有餘家。或文麗而義睽，或理粹而辭駁。觀其

大抵所歸，莫不高談宮館，壯語畋獵。窮瓌奇之服饌，極蠱媚之聲色。甘意搖骨體，艷詞動魂識，雖始之以淫侈，而終之以居正。然諷一勸百，勢不自反。子雲所謂先騁鄭衛之聲，曲終而奏雅者也。惟《七厲》叙賢，歸以儒道，雖文非拔羣，而意實卓爾矣。自《連珠》以下，擬者間出。杜篤、賈逵之曹，劉珍、潘勗之輩，欲穿明珠，多貫魚目，可謂壽陵匍匐，非復邯鄲之步，里醜捧心，不關西施之嚬矣。惟士衡運思，理新文敏，而裁章置句，廣於舊篇。豈慕朱仲四寸之璫乎！夫文小易周，思閑可贍。足使義明而辭凈，事圓而音澤，磊磊自轉，可稱珠耳。詳夫漢來雜文，名號多品。或典誥誓問，或覽略篇章，或曲操弄引，或吟諷謠詠，總括其名，並歸雜文之區；甄別其義，各入討論之域。類聚有貫，故不曲述。贊曰：偉矣前脩，學堅才飽，負文餘力，飛靡弄巧。枝辭攢映，嘒若參昴。慕嚬之心，於焉祇攪。

又《諧讔》 諧之言皆也。辭淺會俗，皆悅笑也。昔齊威酣樂，而淳于說甘酒；楚襄讌集，而宋玉賦好色；意在微諷，有足觀者。及優旃之諷漆城，優孟之諫葬馬，並譎辭飾說，抑止昏暴。是以子長編史，列傳滑稽，以其辭雖傾回，意歸義正也。但本體不雅，其流易弊。於是東方、枚皐，餔糟啜醨，無所匡正，而詆嫚媟弄，故其自稱爲賦，廼亦俳也。見視如倡，亦有悔矣。讔者，隱也；遯辭以隱意，譎譬以指事也。昔還社求拯於楚師，喻眢井而稱麥麴；叔儀乞糧於魯人，歌佩玉而呼庚癸。伍舉刺荆王以大鳥，齊客譏薛公以海魚，莊姬託辭於龍尾，臧文謬書於羊裘，隱語之用，被於紀傳。大者興治濟身，其次弼違曉惑。蓋意生於權譎，而事出於機急，與夫諧辭可相表裏者也。漢世《隱書》十有八篇，歆、固編文，錄之歌末。昔楚莊、齊威，性好隱語。至東方曼倩，尤巧辭述。但謬辭詆戲，無益規補。自魏代已來，頗非俳優，而君子嘲隱，化爲謎語。謎也者，迴互其辭，使昏迷也。或體目文字，或圖象品物，纖巧以弄思，淺察以衒辭，義欲婉而正，辭欲隱而顯。荀卿《蠶賦》已兆其體。至魏文、陳思，約而密之，高貴鄉公，博舉品物，雖有小巧，用乖遠大。夫觀古之爲隱，理周要務，豈爲童稚之戲謔，搏髀而抃笑哉！然文辭之有諧隱，譬九流之有小說。蓋稗官所采，以廣視聽，若效而不已，則髡袒而入室，旃孟之石交乎！

又《章表》 是以章式炳賁，志在典謨；使要而非略，明而不淺。表體多包，情僞屢遷，必雅義以扇其風，清文以馳其麗。然懇惻者辭爲心使，浮侈者情爲文使，繁約得正，華實相勝，脣吻不滯，則中律矣。子貢云：「心以制之，言以結之」，蓋一辭意也。荀卿以「爲觀人美辭，麗於黼黻文章」，亦可以喻於斯乎。贊曰：敷奏絳(降)闕，獻贊黼扆。言必貞明，義則弘偉。肅恭節文，條理首尾。君子秉文，辭令有斐。

盧照鄰《五悲文并序》 自古爲文者，多以九七爲題目。乃有《九歌》、《九辨》、《九章》、《七發》、《七啓》，其流不一。余以爲天有五星，地有五嶽，人有五常，禮有五禮，樂有五聲。五者，亦在天地之數。今造《五悲》，以申萬物之情，傳之好事耳。

柳宗元《濮陽吳君文集序》 其爲辭賦，有戒苟冒陵僭之志；其爲詩歌，有交王公大人之義；其爲誄誌弔祭，有孝恭慈仁之誠，而多舉《六經》聖人之大旨，發言成章，有可觀者。古之司徒，必求秀士由鄉而升之天官；古之太史，必求人風陳詩以獻於法宮，然後材不遺而志可見。近世之居位者，或未能盡用古道。

又《柳宗直〈西漢文類〉序》 左右史混久矣，言事駁亂，《尚書》、《春秋》之旨不立。自左邱明傳孔氏，太史公述歷古今，合而爲史，迄於今，交錯相糾，莫能離其說。獨左氏《國語》記言不參於事，《戰國策》、《春秋後語》，頗本右史尚書之制，然無古聖人蔚然之道，大抵促數耗矣。而後之文者寵(一作襲)之，文之近古而尤壯麗，莫若漢之西京，班固書傳之。吾嘗病其畔散不屬，無以考其變，欲采比義，會年長疾作，駑墮愈日甚，未能勝也，幸吾弟宗直愛古書，樂而成之，搜討磔裂，攟摭融結，離而同之，與類推移，不易時月，而咸得從其條貫，森然炳然，若開羣玉之府，指揮聯累，圭璋琮璜之狀，各有列位，不失其序，雖第其價可也。以文觀之，則賦、頌、詩、歌、書、奏、詔、策、辯、論之辭畢具；以語觀之，則右史紀言，《尚書》、《國語》、《戰國策》成敗興壞之說大備，無不苞也。噫！是可以爲學者之端耶。始吾少時，有路子者，自贊爲是書，吾嘉而叙其意，而其書終莫能具，卒俟宗直也。故删取其叙繫於左，以爲《西漢文類》首紀。殷、周之前，其文簡而野。魏、晉以降，則盪而靡，得其中者漢氏。漢氏之東，則既衰矣。當文帝時，始得賈生明儒術，武帝尤好焉。而公孫弘、董仲舒、司馬遷、相如之徒作，風雅益盛，敷施天下。自天子至公卿大夫士庶人咸通焉。於是宣於詔策，達於奏議，諷於辭賦，傳於歌謠，由高帝迄於哀、平，王莽之誅，四方之文

章蓋爛然矣。史臣班孟堅修其書，拔其尤者充於簡冊，則二百三十年間，列辟之達道，名臣之大範，賢能之志業，黔黎之風美列焉。若乃合其英精，離其變通，論次其叙位，必俟學古者興行之。唐興，用文理，貞元間，文章特盛。本之三代，浹於漢氏，與之相準，於是有能者取孟堅書，類其文，次其先後，爲四十卷。

元稹《制誥自序》 制誥本於《書》。《書》之誥命訓誓，皆一時之約束也，自非訓導職業，則必指言美惡，以明誅賞之意焉。是以讀《說命》，則知輔相之不易，讀《允征》，則知廢怠之可誅。秦漢以來，未之或改。近世以科試取士文章，司言者苟務刓飾，不根事實。升之者美溢於詞，而不知所以美之之謂；黜之者罪溢於紙，而不知所以罪之之來。而又拘以屬對，跼以圓方，類之於賦判者流。先王之約束，蓋掃地矣。元和十五年，余始以祠部郎中知制誥。初約束不暇，及後累月，輒以古道干丞相，丞相信然之。又明年，召入禁林，專掌內命。上好文。一日，從容議及此，上曰：「通事舍人不知《書》便其宜，宣贊之外無不可。」自是司言之臣，皆得追用古道，不從中覆。然而余所宜行者，文不能自足其意，率皆淺近，無以變例，追而序之。蓋所以表明天子之復古，而張後來者之趣尚耳。

李翺《答泗州開元寺僧澄觀書》 吾畏聖人也，夫銘古多有焉。湯之盤銘，其詞云云；衛孔悝之鼎，其詞云云；秦始皇之《嶧山銘》，其詞云云：皆可以紀功伐、垂誡勸。銘於盤則曰盤銘，於鼎則曰鼎銘，於山則曰山銘。盤之詞可遷於鼎，鼎之詞可遷於山，山之詞可遷於碑，唯時之所紀耳。及蔡邕《黃鉞銘》，以紀功於黃鉞之上爾。或盤或鼎，或嶧山或黃鉞，其立意與言皆同，非如《高唐》、《上林》、《長楊》爲之作賦云爾。近代之文士則不然。爲銘爲碑，大抵詠其形容，有異於古人之所爲，其作鐘銘，則必詠其形容，與其音聲，與其財用之多少，鎔鑄之勤勞爾，非所謂勒功德誡勸於器也。推此類而極觀之，其不知君子之文也亦甚矣。然所爲文，亦皆有盛名於時，天下之人咸謂之善焉。吾不知吾所獨知，其能賢於他人之皆不知乎？天下人咸以不知者云善，則吾之獨知又何能云善乎？雖然，吾亦順吾心以順聖人爾。阿俗從時，則吾不忍爲也。故當時甚未敢承教，爲其所懷也。如前所云，足下欲吾之必銘是鐘也，當順吾心與吾道，則足下之銘必傳於後代矣！如欲從俗之所云，則天下屬詞之士願爲之者甚衆矣，何藉於李翺之詞哉？幸思之也。

陸龜蒙《復友生論文書》 又一篇曰：「某文也，某辭也。」文既與辭異，是文優而辭劣耳。《易》之《繫辭》曰：「齊大小者存乎卦，辨吉凶者存乎辭。」故卦有大小，辭有險易。又曰：「觀其彖辭，則思過半矣。」《易》之辭非文耶？《書》載帝庸作歌，皋陶賡歌，又歌五子之歌，皆辭也。《書》之辭非文耶？屬辭比事，《春秋》教也。《春秋》之辭非文耶？《禮》有朝聘之辭，娶夫人之辭；《樂》有登歌薦之辭，《禮》《樂》之辭非文耶？《法言》曰：「楊、墨塞路，孟子辭而闢之，廓如也。」孟軻之辭非文耶？《太元》之辭也，沈以窮乎下，浮以際乎上，揚雄之辭非文耶？是知文者辭之總，辭者文之用。天之將喪斯文也，天之未喪斯文也，不當稱辭。古人之辭多不當稱文。文辭一也，但所適者有宜耳，何異塗云之哉？又曰聲病之辭非文也。夫聲成文謂之音，五音克諧，然後中律度。故《舜典》曰：「詩言志，歌永言，聲依永，律和聲。」聲之不和病也。去其病則和，和則動天地，感鬼神，反不得謂之文乎？猶繪事組繡中有一精觕耳。大凡解人之說，不敢避墉垣援膚爪，而自矜于堂奧心腑也。要在引學者當知之事以明之而已矣。

牛希濟《文章論》 今古之體，分而爲四。崇仁義而敦教化者，經體之制也。假彼問對，立意自出者，子體之制也。屬詞比事，存於褒貶者，史體之制也。又有釋訓字義，幽遠文意，觀之者久而方達，乃訓誥雅頌之遺風。即皇甫持正、樊宗師爲之，謂之難文。今有司程式之下，詩賦判章而已。唯聲病忌諱爲切，比事之中，過於諧謔，學古文者，深以爲慙。晦其道者揚袂而行，又屈宋之罪人也。

孫何《評唐賢論議》 夫治世之具，莫先乎文；文之要，莫先乎理。文必理而方工者，惟論議爲最。然繇斯而談，則駕說立言者，不得不以爲己任也。唐虞已往，治道尙簡；三代之際，見于《六經》，此不書也。兩漢間鴻儒間出，猶爲黄老、刑名、權霸所雜。魏晉已降，文體卑賤，固不足論。若乃羽姬翼孔，卓爾大得，根仁柢義，動爲世法者，獨唐賢爲最。所著論議，傑然尤異者，若牛相僧孺《從道善惡無餘》、皇甫湜《紀傳編年》、《夷惠清和》，獨孤常州及《吳季札》，權文公德輿《兩漢辨士》等論，高僕射郢《魯用天子禮樂》，韓吏部愈《范蠡與大夫種書》，呂衡州溫《功臣恕死》，白宮傅居易《晉恭世子》等議，或意出千古，或理鎖羣疑，或重定褒貶之誤，或再正名教之失。無之足以惑後人，有之足以張吾道云云。

夏竦《與柳宜論文書》 某嘗聞之于師曰：文章盛于三代，先聖刊爲《六經》。《春秋》之外，則《戰國策》、《國語》，迨于《史》、《漢》。《詩》、《書》之後，則《荀》、《孟》導仁義之流，《離騷》振章句之秀。兩漢去聖猶近，故文壯而氣雅。魏晉世態滋弊，故詞奇而理駁。由齊宋而降，格調輕靡；李唐龍興，世有良士。雖體不諧古，而氣梗文潤。其後國政陵遲，文亦旋弱，五代之亂，幾不墜地。然則文體沿革，各存大略。記言載事必簡而不誣，脩辭措意必典而無雜。沿諸子則削楊墨之迹，談正經則貶緯候之說。刻碑碣則紀事而述功，銘盤盂則因器以垂戒。賦舒而婉，發語宜壯；詩清而遠，振采當峻。論議則酌中庸以折理，序傳則約史策而記述。美辭施于頌贊，明文布于牋奏。詔誥語重而體宏，歌詠言近而音遠。當標義以爲轍，設道以爲轡，使忠信驅于其前，規戒揭于其後，然則可以謂之文矣。

歐陽修《試筆·蘇氏四六》 往時作四六者多用古人語，及廣引故事，以衒博學，而不思述事不暢。近時文章變體，如蘇氏父子以四六述叙，委曲精盡，不減古人。自學者變格爲文，迨今三十年，始得斯人，不惟遲久而後獲，實恐此後未有能繼者爾。自古異人間出，前後參差不相待。

李復《又答耀州諸進士書》 某辱問科舉程文之體，今之印行爲有司考之在高等者，其文乃程文之體也。雖然，此豈有定體。先須講求義理的當，中心渙然，乃可作文。義理若非，雖洪筆麗藻亦非矣。又爲文須去塵言，用事實，貴整齊，意分明，此其大略也。

秦觀《韓愈論》 臣聞先王之時，一道德，同風俗，士大夫無意於爲文，故六藝之文事詞相稱，始終本末，如出一人之手。後世道術爲天下裂，士大夫始有意於爲文，故自周衰以來，作者班班相望而起，奮其私知，各自名家，然總而論之，未有如韓愈者也。何則？夫所謂文者，有論理之文，有論事之文，有叙事之文，有託詞之文，有成體之文。探道德之理，述性命之精，發天人之奧，明死生之變，此論理之文；如列禦寇、莊周之所作是也。別白黑陰陽，要其歸宿，決其嫌疑，此論事之文；如蘇秦、張儀之所作是也。考同異，次舊聞，不虛美，不隱惡，人以爲實錄，此叙事之文；如司馬遷、班固之作是也。原本山川，極命草木，比物屬事，駭耳目，變心意，此託詞之文；如屈原、宋玉之作是也。鉤列、莊之微，挾蘇、張之辯，摭班、馬之實，獵屈、宋之英，本之以《詩》、《書》，折之以孔氏，此成體之文；韓愈之所作是也。蓋前之作者多矣，而莫有備於愈；後之作者亦多矣，而無以加於愈。故曰總而論之，未有如韓愈者也。

吳則禮《六一居士集跋》 所謂文者，有曰叙事，有曰述志，有曰析理，有曰闡道。叙事之文難於反覆而不亂，述志之文難于馳騁而不乏，析理之文難于雄辯而委曲，闡道之文難于高妙而深遠。由三代以來，俊雄豪傑之士以論著爲己任者，近或百年，遠或數百年，廼始有一人者出。嗚呼，亦可謂寡矣！然工于叙事者，或屈于析理；長于述志者，或昧其闡道。又况六藝堙滅乎絶學，百氏興起乎衰世，仁義蔽于詭辭，道德毁于邪說，悉挾私見以惑世，制異行以汙俗，其有志于分別是非黑白以明先王之意者，蓋無幾也。公出東南，持高文取科第，能自拔起，以追于古，而不溺于習俗之卑，卒以翰墨爲天下宗。所謂反覆而不亂，馳騁而不乏，雄辯而委曲，高妙而深遠者，殆兼有之。擯詭辭，斥邪說，破私見，排異行，眞《六經》之羽翼，萬世之準繩也。後之有篤志力學欲自立于不朽者，蓋將忻慕于斯焉。

劉弇《上曾子固先生書》 文章之難也，從古則然，雖有博者，莫能該也，則處此有一道焉變是已。自朴散以來，誰非從事乎文者，其間重見沓出，雖列屋兼兩，猶不能既其實。然其大約有四：曰經，曰史，曰詩，曰騷，而諸子蓋不預也，則亦不離乎變而已。經之作也，使讀《詩》者如無《書》，讀《書》者如無《易》，其讀《禮》《春秋》也亦然，豈唯句讀而已，其取名布義也亦然。《禹貢》載禹治水，北徂東漸，計往返無慮數萬里，足所投者幾所，身所嘗者幾事，而首尾纔千餘言焉。及丘明之傳經也，件爲編年，而侈幾數百倍焉，遷之爲紀傳世家書表，則又倍焉。其後有班、范、《晉陽秋》、《魏略》之類，則又倍焉，不害其爲史也。詩之約也，一言而已，曰「肇」、「禋」已而。三言曰「盧重鋂」已而。至於五言曰「贈之以芍藥」，甚者如「誰知烏之雌雄」，乃有六言。而由漢閱唐，又有七言焉，不害其爲詩也。《離騷》之文，則固異乎《招魂》矣。《招魂》之文，則固異乎《大招》矣。於流而爲揚、馬之麗賦，則亦無適而不異。經也，史也，詩也，騷也，其每變乃如此。昔之人徜徉不根，宜莫如莊周，至其卒收之也，乃有《天下篇》焉。賈生之書，如陳政事一篇，其劫束世故，僅如皁皁之申韓，及讀《懷沙》、《悲鵩》，至欲拔堯孔之外揵，而直將以此世與夫未始有極者遊也。夫是之謂善變，此殆韓愈所謂「惟陳言之務去」，陸機所謂「怵他人之我先」者歟！二漢而下，獨唐元和、長慶間文章，

號有前代氣骨。何則？知變而然也。如李翺、皇甫湜輩，尙恨有所未盡，下是則蟲讙鳥聒，過耳已泯，蓋無以議爲也。韓子之文，如六龍解驂，放足千里，而逸氣彌勁，眞物外之絶羈也。柳子厚之文，如蒲牢叩鯨，鐘驍壺躍，俊矢壯偉捷發，初不留賞，而喜爲愀愴凄淚之辭，殆騷人之裔比乎。李翺之文，如鼎出汾陰，鼓遷岐陽，鬱有古氣，而所乏者韻味。皇甫湜之文，如層崖束湍，翔霆破柱，當之者駭矣，而略無韶潤。呂溫之文，如蘭榱桂橑，質非不美，正恐不爲杞梓家所錄。劉禹錫之文，如剔柯棘林，還相影發，而獨欠茂密。權德輿之文，如靜女莊士，能自檢敕，無媒介則躓矣。若閣下之文，則廓乎其能周，燁乎其能明，歛乎其若有所待，眇乎其似不可攬而取也。挑之以果而不失於銳，駕之以逸而不至於放，聳之以嚴而不傷於介，振之以冷汰而不過乎絜。和平淡泊，而非直紆餘委靡也；愍惻怨悱，而非直騷條感發也。

周紫芝《姑溪三昧序》 簡牘者，文章翰墨之餘，世人往往以爲不切于事，未嘗經意，此亦士大夫一病。彼殆不知詞采風流形于筆札，便是文章一家事，爾等豈或有意哉。

張表臣《珊瑚鉤詩話》卷三 予近作示客云：刺美風化，緩而不迫，謂之風；采摭事物，摛華布體，謂之賦；推明政治，莊語得失，謂之雅；形容盛德，揚厲休功，謂之頌；幽憂憤悱，寓之比興，謂之騷；感觸事物，託於文章，謂之辭；程事較功，考實定名，謂之銘；援古刺今，箴戒得失，謂之箴；猗遷抑揚，永言謂之歌；非鼓非鐘，徒歌謂之謠；步驟馳騁，斐然成章，謂之行；品秩先後，叙而推之，謂之引；聲音雜比，高下短長，謂之曲；吁嗟慨歌，悲憂深思，謂之吟；吟詠情性，總合而言志，謂之詩。蘇、李而上，高簡古澹，謂之古；沈、宋而下，法律精切，謂之律。此詩之語衆體也。帝王之言，出法度以制人者，謂之制；絲綸之語，若日月之垂照者，謂之詔；制與詔同，詔亦制也。道其常而作彝憲者，謂之典；陳其謀而成嘉猷者，謂之謨；順其理而廸之者，謂之訓；屬其人而告之者，謂之誥；卽師衆而申之者，謂之誓；因官使而命之者，謂之命；出於上者，謂之敎；行之下者，謂之令；持而戒之者，勑也；言而喻之者，宣也；諮而揚之者，贊也；登而崇之者，册也；言其倫而析之者，論也；度其宜而揆之者，議也；別嫌疑而明之者，辨也；正是非而著之者，說也。記者，記其事也；紀者，紀其實也；纂者，纘而述焉者也；策者，條而對焉者也；傳者，傳而信之也；序者，緒而陳之也；碑者，披列事功而載之金石也；碣者，揭示操行而立之墓隧也；誄者，累其素履而質之鬼神也；誌者，識其行藏而謹其終始也；檄者，激發人心而喻之禍福也；移者，自近移遠使之周知也；表者，布臣子之心致君父之前也；牋者，修儲后之問申宮閫之儀也；簡者，質言之而略也；啓者，文言之而詳也；狀者，言之于公上也；牒者，用之於官府也。捷書不緘，插羽而傳之者，露布也；尺牘無封，指事而陳之者，劄子也；青黃黼黻，經緯以相成者，總謂之文也。此文之異名也。客有問古今體制之不一者，勞於應答，乃著之篇以示焉。

周必大《仲并文集序》 夫文體衆矣，吟詠情性莫重於詩，仕途應用莫急牋啓。詩也者，造意深則辭或齟齬，次韻多則句或牽帥。君之古律，如王良造父馭駿馬，駕輕車，有犇軼絶塵之勢，其賡險韻，如繭抽絲，印印泥，愈出愈新。送妹長篇，孝友慈愛，溢於言外，殆欲上規風雅，一何盛也。其四六叙事雖閎肆，而關鍵實密；對屬雖切，而非駢儷所能拘。

師璿《嵩山集原序》 文章之在天下，其用至不一，而其體亦各不同。蓋施於朝廷者爲制誥，爲章表，施於仕塗者爲書疏，爲牋啓，被之金石則爲記，爲銘，協於音韻則爲詩，爲賦，爲楚人之詞，以至立言則爲著書，紀事則爲史筆。或嚴，或肆，或質，或華，短長之殊度，廣狹之異制，奇耦之不齊，千彙萬狀，不可窮極。觀陸士衡《文賦》之所列，自詩賦而至於奏論，韓退之《進學解》之所叙，自姚姒而至於子雲、相如，一名一體，莫不皆有律令。吁，文之變若是其多乎。昔之文人，其才力聲名固自有大小，然求其兼是數者而能之，或寡矣。故詩如杜少陵，而無韻者遂以無傳；文如曾南豐，而有韻者殆亦不復著也。惟東坡先生稱歐陽子，以爲論大道似韓愈，論事似陸贄，記事似司馬遷，詩賦似李白。嗚呼，此其爲大儒也歟！

楊萬里《誠齋集》卷一一五《詩話》 四六有用古人全語，而全不用其意者。

又 四六有截斷古人語五字，而補以一字，如天成者；有用古人語，不易其字之形，而易其意者。

又 四六作流麗語，亦須典而不浮，東坡《謝知湖州表》是也。

又 四六有初語平平，而去其一字，精神百倍，妙語超絶者。介甫《賀韓魏公致仕啓》云：「言天下之所未嘗，任大臣之所不敢。」其初句尾有「言任」二

字，而去之也。

又《石湖先生大資參政范公文集序》 甚矣，文之難也。長於臺閣之體者，或短於山林之味；諧於時世之嗜者，或漓於古雅之風。牋奏與記序異曲，五七與百千不同調，非文之難，兼之者難也。至於公，訓誥具西漢之爾雅，賦篇有杜牧之刻深，騷辭得楚人之幽婉，序山水則柳子厚，傳任俠則太史遷，至於大篇決流，短章斂芒，縟而不釀，縮而不僒，淸新嫵麗，奄有鮑、謝，奔逸雋偉，窮追太白。求其隻字之陳陳，一唱之嗚嗚，而不可得也。

《朱子語類》卷一三九《論文上》 有治世之文，有衰世之文，有亂世之文。《六經》，治世之文也，如《國語》委靡繁絮，眞衰世之文耳。是時語言議論如此，宜乎周之不能振起也。至於亂世之文，則戰國是也。然有英偉氣，非衰世《國語》之文之比也。楚漢間文字，眞是奇偉，豈易及也。

王銍《四六話》卷下 四六貴出新意，然用景太多，而氣格低弱，則類俳矣。唯用景而不失朝廷氣象，語劇豪壯而不怒張，得從容中和之道，然後爲工。王岐公作《慈聖皇后山陵使掩壙慰表》云：「鴈飛銀漢，雖閱景於千齡；龍繞青山，終儲祥於百世。」滕元發《乞致仕表》云：「雲霄鴻去，免罹矰繳之施；野渡舟横，無復風波之懼。」呂太尉《謝賜神宗御集表》云：「鳳生而五色，恨丹穴之已遙；龍藏乎九淵，驚驪珠之忽得。」凡此之類，皆以氣勝與語勝也。

謝伋《四六談麈原序》 三代兩漢以前，訓、誥、誓、命、詔、策、書、疏，無駢麗粘綴，溫潤爾雅。先唐以還，四六始盛，大約取便於宣讀。本朝自歐陽文忠、王舒國叙事之外，作爲文章，制作渾成，一洗西崑磔裂煩碎之體。厥後學之者益以衆多，況朝廷以此取士，名爲博學宏詞，而內外兩制用之，四六之藝，誠曰大矣。下至往來牋、記、啓、狀，皆有定式，故謂之應用四方一律，可不習而知。

又 四六施於制誥表奏文檄，本以便於宣讀，多以四字六字爲句。宣和間多用全文長句爲對，習尙之久，至今未能全變。前輩無此體也（此起於咸平王相翰苑之作，人多傚之）。四六之工，在於剪裁，何必以全句對全句爲工。四六經語對經語，史語對史語，詩語對詩語方妥帖。太祖郊祀，陶穀作赦文，不以「籩豆有楚」對「黍稷非馨」，而曰：「豆籩陳有楚之儀，黍稷奉惟馨之薦。」近世王初寮在翰苑作《寶籙宮青詞》云：「上天之載無聲，下民之虐匪降。」時人許其裁剪。

楊囦道《雲莊四六餘話》 本朝四六以劉筠、楊大年爲體，必謹四字、六字、律令，故曰四六。然其弊類俳，歐陽公深嫉之曰：「今世人所謂四六者，非脩所好，少爲進士不免作，自及第，遂棄不作。在西京佐三相幕，於職當作，亦不爲作也。」如公之四六有云：「造謗於下者，初若含沙之射影，但期陷以中人；宣言于庭者，遂肆鳴梟之惡音，孰不聞而掩耳。」俳語爲之一變。至東坡於四六曰：「禹治兗州之野，十有三載乃同；漢築宣防之宮，三十餘年而定。方其決也，本吏失其防而非天意；及其復也，蓋天助有德而非人功。」其力挽天河而滌之，偶儷甚惡之氣一除，而四六之法亡矣。

又 皇朝四六，荆公謹守法度，東坡雄深浩博，出於準繩之外，由是分爲兩派。近時汪浮溪、周益公諸人類荆公，孫仲益、楊誠齋諸人類東坡。大抵制誥牋表，貴乎謹嚴；啓疏雜著，不妨宏肆。自各有體，非名世大手筆，未易兼之。雖詩亦然。荆公留意唐詩，山谷乃自成一家，爲江西派。近有以唐詩自勉者，而趙紫芝諸人出焉。四六之文，當有能辨之者。

陳騤《文則》卷上 載事之文，有上下同目之法，謂其事斷可書，其人斷可美也。如《論語》載孔子之美禹、顏，《戴禮》之記文王、周公，《公羊》之傳孔父、仇牧、荀息，皆其法也。

又 數人行事，其體有三：或先總而後數之，如孔子謂「子產有君子之道四焉：其行己也恭，其事上也敬，其養民也惠，其使民也義。」此類是也。或先數而後總之，如子產數鄭公孫黑曰：「爾有亂心無厭，國不女堪，專伐伯有，而罪一也；昆弟爭室，而罪二也；薰隧之盟，女矯君位，而罪三也。有死罪三，何以堪之。」此類是也。或先既總之，而後復總之，如孔子言：「臧文仲其不仁者三，不知者三：下展禽，廢六關，妾織蒲，三不仁也；作虛器，縱逆祀，祀爰居，三不知也。」此類是也。

又 載事之文，有先事而斷以起事也，有後事而斷以盡事也。

又 詩人《庭燎》之詠，文雖美之，意則箴之；張老「輪奐」之辭，文雖頌之，意則譏矣。自漢而來，靡麗之賦，勸百諷一，烏足知此。

陳模《懷古錄》卷下 墓誌銘乃納諸壙中者，要之只是叙出處大概，使其有好處，人自知之，卻不必誇大。神道碑卻要筆力，發出他平生好處，張皇幽眇。蓋碑是揭諸道傍者，體製當然。東坡做《溫公墓誌銘》，其神道碑極好。

看其彼詳此略，叙事變處。

魏天應編選，林子長箋解《論學繩尺・論訣》 諸先輩論行文法，東萊呂公（祖謙）云：「論各有體，或淸快，或壯健，不可律看。做論有三等：上焉藏鋒不露，讀之自有滋味；中焉步驟馳騁，飛沙走石；下焉用意庸庸，專事造語。看論須先看主意，然後看過接處。論題若玩熟，當別立新意說。作論要首尾相應，及過處有血脈。論不要似義方，要活法圓轉。論之段片或多，必須一開一合，方有收拾。論之繳結處，須要著些精神，要斬截。論之轉換處，須是有力，不假助語而自接連者爲上。若他人所詳者我略，他人所略者我詳。題常則意新，意常則語新。意深而不晦，句新而不怪，筆健而不粗，語新而不常。」

又 戴公（溪）云：「史論易粗，宜純粹。性理論易晦，宜明白。破題、欲切而當，欲明而快。破題、結題，是終始著力處。原題貴新，講題貴贍。立論講題，是鋪叙有條處。接題須援引，結題須壯健。據古文爲文法。議論貴含蓄，譬喻貴警拔，立己見爲新意。以題用事貴不迫，以意用事貴不露。」

謝枋得《文章軌範》卷一 凡學文初要膽大，終要心小，由粗入細，由俗入雅，由繁入簡，由豪蕩入純粹。此集皆麤枝大葉之文，本于禮義，老于世事，合于人情，初學熟之，開廣其胸襟，發舒其志氣，但見文之易，不見文之難，必能放言高論，筆端不窘束矣。

又卷二 辯難攻擊之文，雖厲聲色，雖露鋒鋩，然氣力雄健，光燄長遠，讀之令人意强而神爽。初學熟此，必雄于文，千萬人場屋中，有司亦當刮目。

又卷三 議論精明而斷制，文勢圓活而婉曲，有抑揚，有頓挫，有擒縱，場屋程文論，當用此樣文法。

又卷四 此集文章，古得道理，强以淸明正大之心，發英華果鋭之氣，筆勢無敵，光燄燭天，學者熟之，作經義，作策，必擅大名于天下。

又卷五 此集皆謹嚴簡潔之文，場屋中日晷有限，巧遲者不如拙速，論策結尾略用此法度，主司亦必以異人待之。

又卷六 此集才、學、識三高，議論關世教，古之立言不朽者如是夫。葉水心曰：「文章不足關世教，雖工無益也。」人能熟此集，學進識進，而才亦進矣。

眞德秀《文章正宗・綱目》 《周官》太祝「作六辭，以通上下親疏遠近，曰

辭（鄭氏曰辭謂辭令），曰命（謂禆諶草創之命），曰誥（謂康誥、盤庚之屬），曰會（謂胥命于蒲之會），曰禱（謂如衛太子戰禱），曰誄（謂如哀公誄孔子之誄）」，內史「凡命諸侯及孤卿大夫，則策命之（策謂以簡策書王命）」，御史「掌贊書（若今尚書作詔文）」，質諸先儒注釋之說，則辭命以下皆王言也；太祝以下掌爲之辭，則所謂代言者也。以《書》考之，其可見者有三：一曰誥，以之播告四方，《湯誥》、《盤庚》、《大誥》、《多士》、《多方》、《康王之誥》是也；二曰誓，以之行師誓衆，《甘誓》、《泰誓》、《牧誓》、《費誓》、《秦誓》是也；三曰命，以之封國命官，《微子》、《蔡仲》、《君陳》、《畢命》、《君牙》、《冏命》、《呂刑》、《文侯之命》是也。他皆無傳焉。意者王言之重，惟此三者，故聖人錄之以示訓乎。漢世有制，有詔，有册，有璽書，其名雖殊，要皆王言也。文章之施於朝廷，布之天下者，莫此爲重。故今以爲編之首。《書》之諸篇，聖人筆之爲經，不當與後世文辭同錄。獨取《春秋》內外傳所載周天子諭告諸侯之辭，列國往來應對之辭，下至兩漢詔册而止。蓋魏晉以降，文辭猥下，無復深純溫厚之指，至偶儷之作興，而去古益遠矣。學者欲知王言之體，當以《書》之誥、誓、命爲祖，而參之以此編，則所謂正宗者，庶乎其可識矣。

又 議論之文，初無定體，都兪吁咈，發於君臣會聚之間；語言問答，見於師友切瑳之際。與凡秉筆而書，締思而作者，皆是也。大抵以《六經》、《語》、《孟》爲祖，而《書》之《大禹》、《皋陶》、《益稷》、《仲虺之誥》、《伊訓》、《太甲》、《咸有一德》、《説命》、《高宗肜日》、《旅獒》、《召誥》、《無逸》、《立政》，則正告君之體，學者所當取法。然聖賢大訓，不當與後之作者同錄。今獨取《春秋》內外傳所載諫爭論説之辭，先漢以後諸臣所上書疏封事之屬，以爲議論之首。他所纂述，或發明義理，或敷析治道，或褒貶人物，以次而列焉。書記往來，雖不關大體，而其文卓然爲世膾炙者，亦綴其末。學者之議論，一以聖賢爲準的。則反正之評，詭道之辯，不得而惑。其文辭之法度，又必本之此編。則華實相副，彬彬乎可觀矣。

又 叙事起於古史官，其體有二：有紀一代之始終者，《書》之《堯典》、《舜典》與《春秋》之經是也，後世本紀似之；有紀一事之始終者，《禹貢》、《武成》、《金縢》、《顧命》是也，後世志記之屬似之。又有紀一人之始終者，則先秦蓋未之有，而昉於漢司馬氏，後之碑誌事狀之屬似之。今於《書》之諸

篇與史之紀傳，皆不復錄，獨取《左氏》、《史》、《漢》叙事之尤可喜者，與後世記序傳誌之典則簡嚴者，以爲作文之式。若夫有志於史筆者，自當深求《春秋》大義，而參之以遷、固諸書，非此所能該也。

又 古者有詩，自虞《賡歌》、夏《五子之歌》始，而備於孔子所定三百五篇。若《楚辭》，則又《詩》之變，而賦之祖也。朱文公嘗言：「古今之詩，凡有三變：蓋自書傳所記虞夏以來，下及漢魏自爲一等，自晉宋間顔謝以後，下及唐初自爲一等，自沈宋以後定著律詩，下及今日又爲一等。然自唐初以前，其爲詩者，固有高下，而法猶未變。至律詩出，而後詩之古法始皆大變矣。故嘗欲抄取經史諸書所載韻語，下及《文選》古詩以盡乎郭景純、陶淵明之作，自爲一編，而附于《三百篇》、《楚詞》之後，以爲詩之根本準則。又於其下二等之中，擇其近於古者各爲一編，以爲之羽翼輿衛。其不合者則悉去之，不使其接於胸次，要使方寸之中無一字世俗語言意思，則其爲詩不期於高遠而自高遠矣。」今惟虞夏二歌與三百五篇不錄外，自餘皆以文公之言爲準，而拔其尤者，列之此編。律詩雖工，亦不得與。若箴、銘、頌、贊、郊廟樂歌、琴操，皆詩之屬，間亦採摘一二以附其間。至於辭賦，則有文公集注《楚辭後語》，今亦不錄。或曰：此編以明義理爲主，後世之詩其有之乎？曰：三百五篇之詩，其正言義理者蓋無幾，而諷詠之間，悠然得其性情之正，即所謂義理也。後世之作，雖未可同日而語，然其間興寄高遠，讀之使人忘寵辱，去鄙吝，翛然有自得之趣，而於君親臣子大義亦時有發焉。其爲性情心術之助，反有過於他文者，蓋不必顯言性命而後爲關於義理也。

吴泳《與洪平齋書》 夫文章合下有兩等：山林草澤之文，其氣槁枯；朝廷臺閣之文，其氣溫潤。譬如按樂敎坊，則婉媚風流，外道則粗野嘲哳。

唐士耻《梁文選序》 曰賦，曰詩，曰騷，曰七，吟詠情性之作四焉；曰詔冊，曰令，曰敎，曰文，上之訓下四焉；曰表，曰上書，曰啓，曰彈事，曰牋，曰奏記，下之事上六焉；曰書，曰移，曰檄，曰對問，曰設論，敵以下一往一來者四焉；曰辭以陳意，曰序以述事，曰頌，曰贊，曰符命以稱美；曰史論，曰史述，曰贊以評議古昔，曰論以析理精微，曰連珠以駢儷對偶，曰箴，曰銘以自儆，曰誄，曰哀，曰碑文，曰墓志，曰行狀，曰弔文，曰祭文以厚終。

方岳《答汪運幹》 文乎爾，文乎爾，則雖幽怨如《離騷》，憤悱如太史公固不若先秦古書之師也。先秦古書雖辨詭如左氏，雅奥如莊周，固不若先聖法言之師也。【略】有《易》焉以觀其賾，有《詩》焉以觀其情，有《書》焉以觀其治，有《春秋》焉以觀其斷。凡天地之所以奠，江河之所以流，君臣父子之所以立，而古今天下國家之所以治與亂，盡在是矣。夫豈曰文乎爾。

釋道璨《雲太虚四六序》 四六，詞人難能之伎，變爲傍疏，尤詞人之所甚難能者。蓋體格貴勁正，意味貴暴白，句法貴蒼老。使工於詞學爲之，不失於優柔綽約，必流於怪僻詭俗，未見其能也。

熊禾《翰墨全書序》 文之體莫善于《書》、《詩》，君之於臣，誥命而已，即後世書疏之體也。紀述之體，如《堯典》、《禹貢》等作，後世紀志碑記叙事之文始于此。問答之體，如《微子》、《君奭》等篇，後世論辨往復之文始于此。若後世詩詞一類，則自虞、夏《賡歌》而下，備見于《三百篇》之風雅頌，舍是之外，亦未見有能易者。至制誥箋表啟劄，胥爲駢儷，而後文始盡變矣。甚者紀事實錄之文，亦爲四六之體，吟咏性情，且尙對偶之工。至於末流，連篇累牘，雖百千萬言，而辭不足果，何日而可復返于雅厚質實之歸乎？

陳叔方《潁川語小》卷下 世以散語爲古文，四六爲今文，所以《唐書》不載詔令，以其多四六對偶不古也。宋景文公摘碎云：「予修唐史，未嘗得一詔一令可錄於傳，唯拾對偶之文近高古者，乃可著於篇。」愚謂宋公之説固是，但唐人制作自不古耳，若謂四六非古文，則不可。文辭之起，莫先於《尙書》簡冊號令，論議之宗也，自《堯典》至咸有一德，率用四六語。

劉將孫《題曾同父文後》 文字無二法，自韓退之創爲古文之名，而後之談文者，必以經、賦、論、策爲時文，碑、銘、叙、題、贊、箴、頌爲古文，不知辭達而已。時文之精，卽古文之理也。予嘗持一論云：能時文，未有不能古文，能古文而不能時文者有矣，未有能時文爲古文而有餘憾者也。如韓、柳、歐、蘇皆以時文擅名，及其爲古文也，如取之固有。韓《顔子論》、蘇《刑賞論》，古文何以加之？而蘇之進論進策，終身筆力莫汪洋奇變於此，識者可以悟矣。每見皇甫湜、樊宗師、尹師魯、穆伯長諸家之作，寧無奇字妙語，幽情苦思，所爲不得與大家作者並，時文有不及焉。故也時文起伏高下，先後變化之不知，所以宜腴而約，方暢而澀。可引而信之者，乃隱而不發；不必舒而長之者，乃推之而極。若究極而論，亦本無所謂古文，雖退之政未免時文耳。

王構《修辭鑑衡》卷二引《皇朝類苑》 余嘗究之文章，雖各出於心術，而實有兩等。有山林草野之文，有朝廷臺閣之文。山林草野之文，其氣枯槁憔悴，乃道不得行，著書立言之所尚也；朝廷臺閣之文，其氣溫潤豐縟，乃得行其道代言華國者之所尚也。故本朝楊大年、宋宣獻、宋莒公、胡武平所撰制詔，皆婉美淳厚，過於前世燕、許、常、楊遠甚。而其爲人，亦各類其文章。王安國常語余曰：「文章格調，須是官樣。」豈安國所言「官樣」，亦謂有館閣氣耶？今世樂藝，亦有兩般格調：若教坊格調，則婉美風流；外道格調，則粗野嘲哳；至於村歌社舞，則又甚焉。兹亦與文章相類。

又引《麗澤文說》 文有三等：上焉藏鋒不露，讀之自有滋味；中焉步驟馳騁，飛沙走石；下焉用意庸常，專事造語。

陳繹曾《文筌·四六附說》 一法：四六之興，其來尚矣。自典謨誓命已加潤色，以便宣讀，四六其語，諧協其聲，偶儷其辭，凡以取便一時，使讀者無聱牙之患，聽者無詰曲之疑耳。故爲四六之本，一曰約事，二曰分章，三曰明意，四曰屬辭，務欲辭簡意明而已，此唐人四六故規。而蘇子瞻氏之取則也，後世益以文華，加之工致，又欲新奇，於是以用事親切爲精妙，屬對巧的爲奇崛，此宋人四六之新規，而王介甫氏之所取法也。變而爲法凡二：一曰剪截，二曰融化。能者得之則兼古通今，信奇法也；不能者用之則貪用事而晦其意，務屬對而澀其辭，四六之本意失之遠矣，又何以文爲哉。**【略】**上渾成格：辭意明白渾然天成；中精嚴格：法律精嚴妙入規矩；下功密格：用事功中無少疏漏。

張伯淳《題謝春塘舉業》 舉業，業舉子之文也。世以科舉取士，士不得不以時文自見，時文亦豈易哉。經必通義，賦必蓄料，論必抑揚頓挫，而後可以商訂古今之事，至於策非通達時務，稍識前言往行，則未易展布，此其概也。謂時文足以盡天下之文不可，然爲文而不於此入門，終恐疑辭決辭不免。

倪士毅《作義要訣自序》 宋初因唐制取士試詩賦，至神宗朝王安石爲相，熙寧四年辛亥議更科舉法，罷詩賦，以經義論策試士，各專治《詩》、《書》、《易》、《周禮》、《禮記》一經，此經義之始也。宋之盛時，如張公才叔自靖義，正今日作經義者所當以爲標準。至宋季，則其篇甚長，有定格律，首有破題，破題之下有接題，有小講，有繳結，以上謂之冒子。然後入官題。官題之下有原題，有大講，有餘意，有原經，有結尾。篇篇按此次序，其文多拘於捉對，大抵冗長繁複可厭，宜今日又變更之。今之經義，不拘格律，然亦當分冒題、原題、講題、結題四段。

李繼本《一山文集原序》 《六經》，載道之文也；諸子，明道之文也。載道之文如日麗乎天，明道之文如水行乎地，而出無窮。其有功於國家，其有功於吾道，豈小補哉！抑世之工於文章者固多，能明夫道者，蓋鮮矣。

王理《元文類原序》 庀文統事，太史之職也，史官放失，而文學之士得以備其辭焉。古者自策書簡牘下及星曆卜祝之事，屬于太史，故三墳、五典、八索、九丘在焉，《書》與《易》皆是也，而《春秋》出焉，敎于國都州里者，《詩》《禮》《樂》而已矣。觀民風者，采詩謠以知俗，觀禮樂以知政，亦集于太史。後之學者考六藝之辭，發而爲文章。**【略】**因類物以知好尚，本敷麗以知情性，辭賦第一。備六體，兼百代，薈粹其言，樂章古今，詩第二。本誓命，紬訓誥，申重其辭，以憲式天下，萬世則之，詔冊制命第三。人臣告猷，日月獻納，有奏，有諫，有慶，有謝，奏議表牋第四。物有體，體以生義，以寓勸戒褒述，箴銘頌贊第五。聖賢之生，必有功德事業立于天下，後世法象之，古今聖哲碑第六。核諸實，顯諸華，合斯二者，不誕不俚，記序第七。衷蘊之發，油然恢徹，其變不動者鮮矣，書啓第八。物觸則感，感則思，思則鬱，鬱則不可遏，有裨于道，雜說題跋第九。有事，有訓，有言，有假，有類，不名一體，雜著第十。朝廷以羣造士，先生以導學者，徵諸古，策問第十一。爾雅其言煜煜，然歸其辭，其事宣焉，諸雜文第十二。累其行事，不憖遺之，意眞辭愨，哀辭謚議第十三。其爲人也沒而不存矣，備述之始終之，行狀第十四。其爲人也沒而不存矣，志其大者遠者，將相大臣有彝鼎之銘，大夫士庶人及婦人女子亦得以沒而不朽者，因其可褒而褒焉，以爲戒勸焉，墓志碑碣表傳第十五。

宋濂《汪右丞詩集序》 昔人之論文者曰：有山林之文，有臺閣之文。山林之文其氣枯以槁，臺閣之文其氣麗以雄。豈非天之降才爾殊也，亦以所居之地不同，故其發於言辭之或異耳。

又《丹崖集序》 爲文非難，而知文爲難，文之美惡易見也。而謂之難者何哉？問學有淺深，識見有精粗，故知之者未必眞，則隨其所好，以爲是非。照乘之珠，或疑之於魚目；淫哇之音，或媲之以黃鍾，雖十百其喙，莫

能與之辨矣。然則斯世之人，果無有知文者乎？曰：非是之謂也。荆山之璞，卞和氏固知其爲寶；渥洼之馬，九方歅固知其爲良。使果燕石也，駑駘也，其能並陳而方駕哉。雖然，弊也久矣，孰於民散師廢之後，而必望見知於人乎，苟有之曠百世而相感者，不須悵然而遐思矣。予與唐君處敬共居浙水東，雖未之識，有持其文一二篇來者，頗獲讀之。顧謂二三子曰：屏斥蕪纇，何其玉之潔而珠之明也。脈絡聯貫，委蛇不斷，又何韶鈞九奏，音律相宣，而始終粲如也。其殆能言之士乎！【略】嗚呼，近代之文，予見之夥矣。抑何其鮮哉？非曰知之，知之者亦寡矣！此無他，無眞實之功，求鹵莽之效，西抹東塗，莫尋統緒，左剽右竊，僅成簡編，輒號諸人曰：我知文，我知文。人以艱深文淺近者示之，則曰：是誠古文哉，何其雅奧而不羣也。或以其言之易，又以塵腐罷軟者戲之，則又曰：此亦古文耳，何其暢達而無礙也。是皆無眞見，以人舌爲之目故，靦然而無愧怍。有若處敬之文，其尙能知之哉！予雖不敏，愛玩處敬之文，日不釋手，以爲可垂遠而傳後，因爲序諸卷首。嗚呼，處敬之文，荆山之玉也，渥洼之馬也，又豈患無卞和氏與九方歅者乎！

又《訥齋集序》 凡天地間，青與赤謂之文，以其兩色相交，彪炳蔚耀，秩然而可睹也。故事之有倫有脊，錯綜而成章者，皆名之以文。唐、虞以來，賢聖之君迭作，而其文至周特備。畫疆定野，授田分井，邦之文也；前室後寢，左昭右穆，廟之文也；車服有章，爵土有數，官之文也；鐘磬竽瑟，干戚旄狄，樂之文也；朝會燕饗，郊社禘嘗，禮之文也；振旅茇舍，治兵大閲，兵之文也；發號施令，陳經布紀，政之文也；舒陽慘陰，彰善癉惡，刑之文也。如此之故，殆不可以一二數斯文也，非指夫辭章而已也。【略】括蒼王先生毅，字剛叔，刻志經傳，而其所學必欲見之於實用，嘗誦言曰：「古人之所謂文者，治具也。古籍之所載者，載此而已，非若後世侈靡之文也。侈靡之文，吾不欲觀焉。吾所謂文，達吾胸中之所欲言耳，初不知有他也。」於是先生之文，明白洞達，皆不假乎雕琢，而其至味自足。

又《歐陽文公文集序》 文辭與政化相爲流通，上而朝廷，下而臣庶，皆資之以達務。是故祭享郊廟，則有祠祝；播告寰宇，則有詔令；胙土分茅，則有册命；陳師鞠旅，則有誓戒；諫諍陳請，則有章疏；紀功燿德，則有銘頌；吟詠鼓舞，則有詩騷。所以著其典章之懿，叙其聲明之實，制其事爲之變，發其性情之正，闔闢化原，推拓政本，蓋有不疾而速，不行而至者矣。然必生於光嶽氣完之時，通乎天人精微之藴，索乎歷代盛衰之故，洞乎百物榮悴之情，覈乎鬼神幽明之賾，貫乎中外離合之由，舉其大也，極乎天地；語其小也，則入夫芒秒；而後聚其精魄，形諸篇翰，渢渢乎，泱泱乎，誠不可尙已！

王禕《王忠文集》卷一九《卮辭》 朝廷之文閎而穆，郊廟之文肅而簡，都邑之文麗而壯，學校之文博而辨，仙釋之文奇而邃，山林之文逸而峻，丘隧之文婉而章。

又《演連珠序》 連珠之體，貴乎辭麗而言約，不指説事情，必假諭以達其行，使覽者微悟，合古詩諷興之義。以其易睹而可悅，歷歷如貫珠，故謂之連珠也。

又《文訓》 生曰：「文之難者，莫難於史，故良史之才，古今或無。皇道帝德，王略霸圖，運祚興衰，治道隆汚，將相卿士，武烈文謨，賢智忠孝，兇慝奸諛，天文五行，地理河渠，禮樂兵刑，食貨賦租，選舉職官，冕服車輿，蠻夷戎狄，遐方異區，恍惚詭變，俗怪習殊，凡一代之本末，皆史乎載。故曰：史者，一代之成書。是故事以實之，辭以給之，法以立之，例以律之，作史之要，必備乎此。然非其能足以通古今之體，明足以周萬事之理，智足以究難知之意，文足以發難顯之義者，曾烏得以稱良史。蓋自紀表志傳之制，馬遷創始，班固繼作，綱領昭昭，條理鑿鑿，三代而下，史才如二子者，可謂特起拔出，雋偉超卓。後之爲者，世仍代襲，率莫外乎其榘矱。論者以謂遷、固之書，其與善也隱而彰，其懲惡也直而寬，其尊華也簡而明，其防僭也微而嚴，是皆合乎聖人之旨意，而非庸史之敢干及乎。范曄、陳壽之流，則遂肆意妄纂，曲筆濫箋，曖昧其本旨，而義駁以偏，破碎其大體，而辭謗以纖。況乎曄、壽之不若者，則又卑陋而無足觀矣。故史所以明乎治天下之道，而爲之者亦必天下之才，然後勝其任。玆其所爲難乎？」太史公曰：「噫，史之爲文，誠難乎其盡美矣。文而爲史，誠極天下之任矣。抑吾聞之文有二：有紀事之文，有載道之文。史者，紀事之文，於道則未也。」

又 生曰：「聖人既沒，道術爲天下裂，諸子者出，各設户分門，立言以爲文。是故管夷吾氏以霸略爲文，鄧析氏以兩可辯説爲文，老聃氏以秉要

執本、持謙處卑爲文，列禦寇氏以黃老清淨無爲爲文，墨翟氏以《貴儉》、《兼愛》、《上賢》、《明鬼》、《非命》、《上同》爲文，公孫龍氏以堅白名實爲文，莊周氏以通天地之統、序萬物之性、達死生之變爲文，慎到氏以刑名之學爲文，申不害氏、韓非氏復流於深刻之文，尹文氏又合黃老刑名爲文，鬼谷氏以捭闔爲文，蘇秦氏、張儀氏因肆爲縱橫之文，孫武氏、吳起氏以軍形兵勢、圖國料敵爲文，荀卿氏、揚雄氏則以明先聖之學爲文，淮南氏則以總統道德仁義而蹈虛守靜、出入經道爲文。凡若此者，殆不可遞數也。雖其文人人殊，而其於道，未始不有明焉。譬猶水火相滅，亦以相生，和敬相反，亦以相成。《易》所謂『天下一致而百慮，同歸而殊塗』者，言本於一揆而已。文以載道，其此之謂乎？」太史公曰：「諸子之文，皆以明夫道固也。然而各引一端，各據一偏，未嘗窺夫道之大全，人奮其私智，家尚其私談，支離頗僻，馳騁鑿穿，道之大義益以乖，大體益以殘矣。此固學術之弊，而道之所以不傳也。」

又 生曰：「命鄉選士之法廢，而科舉乃興，以文取士，設爲範程。漢有射策，唐有明經，復有詩賦。逮宋日益增，經衍爲義，而三篇以明；賦本於律，而八韻以成。咸各專其科，各精其能。其義則意融旨切，言粹辭達，枝語蔓引，叢論英發。劉聖秘而立辯，斡天機而生說。其賦則句鑑字戛，音聚韻軋，藻秀春擷，花艷晴掇，較妍醜於錙銖，品抑揚於毫髮。它若宏辭制舉，大科別設，文法靡不該，文格罔弗列。又必學稱博極，才號閎傑，乃能攻其業。凡習於斯者，皆賈勇詞場，角雄藝闉，不厲兵而曰戰，爭奪弧而先拔。若工若拙，三年是力；若勝若劣，一日而決。及其中文衡，入文彀，則遂圍棘聲徹，榜金名揭。上賢書於天府，承洪恩於帝闕。乃躋膴仕，乃展遐轍。若卿若相，鮮不由茲而出矣。上以此而求賢，士以此而致身。文之用世，信不可誣也歟？」太史公曰：「科舉之文，趨時好以取世資，特干祿營寵之具耳，學古之君子恥言之。」

王行《論鑒序》 論議之文尚已。自古昔盛治之時，其君臣相與論議於朝廷之上，衰亂之世，其士大夫相與論議於學校鄉黨之中者，其言旨文辭也，惟以論名文，迺未見焉。由漢而降，始有著文而稱論者，而亦不甚多也。至唐以論取士，應科目者咸習之，而論始盛。宋初因之，蓋無所更也，及制論興而習之者益衆矣。方是時，士大夫多負豪傑奇偉之才，蓄魁廣淵深之學，蘊建功立業之志，明於成敗之數，治亂之迹，發於文章，雄健而宏博，正大而高亮，探古人之情如歷見，料將來之事如已往，其俊偉光明，交相照耀，有論以來，所未見也。嗚呼，其盛亦極矣！然當時之士，皆習於勸勵之風，而不安於苟簡，觀其事業之心，切于饑渴，則其積中著外而發爲言論者，固不待時之所尚而自有所不能已也。況上之人之作之也哉，其盛也亦宜矣。逮夫國朝，始變取士之法，因廢論而不用，是以至今數十年間，士大夫少著論者，夫不爲時所不尚，亦常情也。然論之爲文，豈專於應科目而必爲時所尚然後爲哉？蓋士大夫平時鑒觀於往迹，習見於當世，有所感發興慨而不得行其志者，則必攄其所識所蘊，著之爲言，以自見其志也，又烏計夫時之尚不尚邪？論固非今時所尚，然今之士視興衰而觀治亂，豈無有感於中者哉。

岳正《答歸德徐晟書》 見議論之文，足以知人之造詣；見謀畫之文，足以知人之履歷；見辯難之文，足以知人之知識；見春容之文，足以知人之器宇；見浩汗之文，足以知人之問學；見激揚之文，足以知人之節槩。人之沉靜者，於婉微之文見之；人之和平者，於恬淡之文見之；人之收斂者，於縝密之文見之；人之豪放者，於縱逸之文見之。

李東陽《倪文毅公集序》 有紀載之文，有講讀之文，有敷奏之文，有著述賦詠之文。紀載尚嚴，講讀尚切，敷奏尚直，著述賦詠尚富。惟所尚而各適其用，然後可以爲文。然前數者，皆用于朝廷臺閣，部署館局之間，裨政益令，以及于天下。惟所謂著述賦詠者，則通乎隱顯。蓋人情物理，風俗名教，無處無之。雖非其所得爲，而亦所得言其所言者。又窮深極博而無所不得盡，若兩用而兼能者，則一代而不數見也。苟不得其所尚，而徒以爲文，則不過枝辭蔓說，雖施之天下，亦無實用，而況不見于用者哉？

又《倪文僖公集序》 文一也，而所施異地，故體裁亦隨之。館閣之文，鋪典章，裨道化，其體蓋典則正大，明而不晦，達而不滯，而惟適於用；山林之文，尚志節，遠聲利，其體則清聳奇峻，滌陳薙冗以成一家之論。二者固皆天下所不可無，而要其極有不能合者。

又《匏翁家藏集序》 言之成章者爲文，文之成聲者則爲詩，詩與文同謂之言，亦各有體而不相亂。若典、謨、訓、誥、誓、命、爻、彖之謂文，風、雅、頌、賦、比、興之爲詩，變於後世，則凡序、記、書、疏、箴、銘、贊、頌之屬皆文也，辭賦、歌行、吟謠之屬皆詩也。是其去古雖遠，而爲體固存。彼才之弗逮者，麄淺跼滯，欲進而不能，強其或過之，不失之奇巧，則失之

詰屈，不失之夸誕，則汗漫而無所歸。於是作者雖多，而文之體益微矣。然言發於心，而爲行之表，必其中有所養而後能言。蓋文之有體，猶行之有節也。若徒爲文字之美，而行不掩焉，則其言不過偶合而幸中。文以古名者，固若是乎哉！

崔銑《刻文章正宗序》 物生而有情，情而思宣之，斯生言矣。訥者弗達，陋者亡采，則亡以敷事而喻物，斯生文矣。文言之善者也，而貴於正其情。夫幽賾之理，彰於顯詞；遼逖之懷，發於堂序；雍遜之談，驗於遐歲；非邃於道者，其孰能之。而徒以模襲之勤，記問之富，億中暗投，吾未見其可也。夫獻忠之謂疏，恤隱之謂詔，申彼此之意質問遺之蘊之謂對、之謂序、之謂書，紀故永賢之謂記、之謂銘，引思暢和之謂詩，言斷而意績，發凡以該目。或婉或著，或喻或質，或因乎人，或就乎時，出之至眞，而發之當物。及乎敎息而學淆，質衰而詞是工，是故久漸美化，動憑典刑，以摧強枉，而稽成敗，此《左氏》之文也；捭闔飛箝，亡問邪正，而主於售其術，此《戰國》之文也；援經議制，夷厥藻績，此漢之文也；綜倚羣言，辯而委辭，此韓愈氏、柳宗元氏之文也。君子於是焉考變而徵實，左取其禮，漢取其樸，韓取其昌，而因以見先王之敎之遠且該也。

馬一龍《與達時明余子南等論文》 來論時文古文，某不諒諸兄何見也。豈以科舉中式者爲時，而以碑、銘、敍、記、詩、賦者爲古耶。殊非知道之語。前輩論文章以理爲至，以氣爲輔，而作文者必先立意，然後定格，然後命詞。意爲上，格次之，詞爲下。時文古文一也。其中式，則時文有排比對待之病，但意在格中，何憂不式。格高意病，雖式不文。若排比對待必有意義，不害其爲時，亦不害其爲古耳。立意淺近，雖三墳五典之體，繫傳檀弓之言，無裨于道，無關于世敎。安在時與古之間。

韓邦奇《論式序》 論，文之一體也。自春秋迄於今，代有作焉。春秋、秦、漢之文富而麗，雄而健，淵宏而博大，波瀾轉折，變化無端，入口膾炙，擲地金聲，莫之尚矣。魏晉之文，介乎漢唐之間，至唐則去春秋、秦、漢固十倍矣，而況於宋乎，而況於宋之衰乎！國家中場以論取士，士之文優者，刻之以式士子，而士子式焉曰程文。成化以前，類春秋、秦、漢體也，弘治間則效唐而專於韓、柳，或效宋則亦專於歐，蘇。嘉靖初年以來，一二文衡之士，效衰宋之體刻之錄同考之士見其非時舊格也，而未見秦漢之大，妄以古文批註之，窮鄉僻邑之士，以爲眞古文也而效之。夫衰宋之文，枯澀萎弱已不足觀，而效之爲程文者，已不及矣，而士子又未見衰宋之文也，止模程文而效之，又不及矣。文之衰亦至此乎！夫論議也，辯也，譬之人焉。秦漢之文，若儀、秦在六國之堂，指譬曉告，縱橫馳騁，言切利害，事析毫釐，聽者拱聳，人莫得而難之；衰宋之文，正如吃人獻說於項籍、張飛之前，叱咤顧盼之下，惴惴焉略達乎己意，而氣已索然銷沮矣。其爲高下可知也。

劉繪《與從姪桂芳秀才論記書》 名爲古文，非但與舉業不同，將與今文不同矣。直以舉業言之，舉業貴淺淡平順，著一刺眼聱牙字句不可，若古文正欲不與舉業同，猶舉業正欲不與古文同。且如釋家梵語，道家靑詞，法家招議，曲家腔韻，其命意用字各有不同。若令法家摻一舉業語，舉業摻一辭賦語，便可笑爾。近世古文法不傳，世人亂作，任意漢摻入唐，唐摻入宋。乃如以釋入道，以道入法，以法入曲，以曲入時文，作文其誰辨之。卽能辨之，其誰信之也。

王維禎《駁喬三石論文書》 文章之體有二，序事議論各不相淆。蓋人人能言矣，然此乃宋人創爲之。宋眞德秀讀古人之文自列所見，岐爲二途。夫文體區別古誠有之，然固有不可岐而別者，如老子、伯夷、屈原、管仲、公孫弘、鄭莊等傳及儒林等序，此皆既述其事又發其義。觀詞之辨者，以爲議論可也。觀實之具者，以爲序事可也。變化離合，不可名物，龍騰虎躍，不可轠瑣。文而至此卽遷史不皆其然，乃公亦取之加僕，何言之易也。晉人劉勰論文備矣，條中有鎔裁者正謂此耳。夫金錫不和不成器，事詞不會不成文，其致一也。文之不易言也若是，僕安能及之。

李贄《時文後序》 時文者，今時取士之文也，非古也。然以今視古，古固非今；由後觀今，今復爲古。故曰：文章與時高下。高下者，權衡之謂也；權衡定乎一時，精光流于後世，曷可苟也。夫千古同倫，則千古同文，所不同者，一時之制耳。故五言興則四言爲古，唐律興則五言又爲古，今之近體既以唐爲古，則知萬世而下，當復以我爲唐無疑也，而況取士之文乎？彼謂時文可以取士，不可以行遠，非但不知文，亦且不知時矣。夫文不可以行遠而可以取士，未之有也。

溫純《詞致錄序》 予或謂四六始徐、庾氏，支蔓于兩晉，浸淫于六朝，僻搆幽深，猥臻綺縟，風雲月露，魚鳥烟花，繪象而鬭一字之奇，駢偶而侈

三冬之富，點綴已甚，氣骨無存，此文之靡也。好古者斥焉，胡集爲？而又胡以序爲？予曰：不然。對偶音律，自天地剖判以來有之，山峙水流，日晝月夕，八埏度剖，列宿纏分，非對偶乎？水樂蟲絲，松濤竹韻，萬籟隱發，空谷互譍，非音律乎？四六之靡者自靡耳，若取材于經，叶律以雅，境與興適，抽黃白而曲中，其微意與韻偕切，宮商而妙成其響，則綸綍進奏，宣達莊嚴，歌詠咨嗟，感動神鬼，豈只五色之紅紫，《六經》之鼓吹而已哉。故徐、庾氏代不乏人，無論諸家試評著者。一抔六尺，讀者汗顔；秋水落霞，觀者勸色。或改容於推誠任數之疏，或閣筆於朱耶赤子之聯，饑寒疾病，控告而忌者腐心；漂杵燎原，應聲而爭者結舌。所謂取材于經，叶律以雅，非與四六，又何可少之。大都善相馬者，惟求筋骨；善評文者，惟貴神情。神情內會，而意興各有寄託。其體裁以時易之，要未可槩其世代生平也。宋廣平玉性金腸，賦梅花不免婉媚；晏元獻清標澹質，祖西崐止見便儇；王濬仲嗜進納污，持論每超玄致；柳子厚甘諛溺詭，立言輒附經常。如以其文而已，廣平、元獻呫呫漫漫者耳，而濬仲、子厚不庶幾哉軒黃姬孔之間乎。故四六誠靡矣，倘能寄駱丞之概，採子安之華，攄敬輿之忠，博盧弼之典，瀉子瞻之赤，捷寇豺之鋒，允矣作述無前，孰云四六非古。若夫參造化自然之機，收景物無窮之趣，變而不失其正，亦變風之餘也，則有廣平、元獻在。蓋文猶兵也，奇正惟吾所用之，其神情固自有所著矣。不然，存葩去實，語怪志詼，或涉說鈴，終成畫餅，雅道傷矣。

婁堅《張伯隅稿序》 予嘗論制舉之文，意不必創而依於傳注，法不必古而束於排偶，然而能者，亦往往微見其胸中之奇，讀之知爲傑然者也。非好學深思，需之以歲月，而中有所自得，則莫能爲之。若夫勝人而取於人，斯有不得而必者矣。自學術日衰，世多以貪常嗜瑣得之，遂謂文固宜然，烏用好古而不適於時爲哉！而炫奇之士，則又託玄虛以爲高，爭鉤棘以爲工，羣聚而姍笑曰：文何必雅馴，而坐令自困若此。夫濬發巧心，受嗤拙目，從古已然，而乃以區區之得失，定其工拙，亦過甚矣乎！

又《歸太僕應試論策集序》 昔人之論，謂晁、董、公孫皆有科舉之累，然則應試之文，其皆不足以語于古歟？予以爲苟得古人之意，雖降而應試，不害爲古不然，卽規摹秦漢，要爲世俗之文耳。文章自漢東京，漸以衰弱，迄于唐宋，作者再振起之。其才氣之秀傑與？所自得于古，豈減賈、馬、二劉、揚、班之儔哉？而或者乃謂古文之法亡于韓，不知彼所謂古者何等也？蘇氏之譏，陋于文而劣于識，目以兒童，信非過矣。

呂柟《涇野子內篇》卷二二 楷問：「今日時文體製當何適從？」先生曰：「文字要意新，則辭自不腐，不必在字句上著力。」「何以能意新？」曰：「躬行自得之語便別。」

徐師曾《文體明辨序》 夫文章之有體裁，猶宮室之有制度，器皿之有法式也。爲堂必敞，爲室必奧，爲臺必四方而高，爲樓必陜（陜與狹通，見《爾雅》）而修曲，爲筥必圜，爲篚必方，爲簠必外方而內圜，爲簋必外圜而內方，夫固各有當也。苟舍制度法式，而率意爲之，其不見笑於識者鮮矣，況文章乎？夫文章之體，起於《詩》、《書》。《詩》三百十一篇，其經緯各三；《書》體六，今存者三。厥後顔氏（名之推）推論，凡文各本《五經》，良有見也。或謂文本無體，亦無正變古今之異，而援周孔以爲證。殊不知《無逸》、《周官》，訓也，不可混於誥；《多士》、《多方》，誥也，不可同於訓：此文之體也。其文或平正而易解，或佶屈而難讀；平正者經史官之潤色，佶屈者記矢口之本文：乃文之辭，非文之體也。《十翼》皆孔子手筆，《序卦》雖云夾雜，要亦聖人之精蘊存焉：此釋經之體，非屬文之體也。其答齊景公問政止於二語，答魯哀則七百五十餘言：此隨宜應對之辭，而門人記之，非若後世文人秉筆締思而作者也。至如以敘事爲議論者，乃議論之變；以議論爲敘事者，乃敘事之變。謂無正變不可也。又如詔、誥、表、牋諸類，古以散文，深純溫厚；今以儷語，穠鮮穩順，謂無古今不可也。蓋自秦漢而下，文愈盛；文愈盛，故類愈增；類愈增，故體愈衆；體愈衆，故辯當愈嚴：此吳公《辨體》所爲作也。

又《諭告》 按字書云：「諭，曉也。告，命也。以上敕下之詞。」商周之書，未有此體。至《春秋》內外傳，始載周天子諭告諸侯及列國往來相告之詞，然皆使人傳言，不假書翰，故今不錄；而僅採漢人之作以爲式。蓋此書所主，唯在文章，則口諭之詞，自不當錄，學者宜別求之。

又《詔》 按劉勰云：「古者王言，若軒轅、唐、虞同稱爲『命』。至三代始兼『誥』、『誓』而稱之，今見於《書》者是也。秦并天下，改『命』曰『制』，『令』曰『詔』，於是詔興焉。漢初，定命四品，其三曰詔，後世因之。」夫詔者，昭也，告也。古之詔詞，皆用散文，故能深厚爾雅，感動乎人。六朝而下，

文尚偶儷，而詔亦用之，然非獨用於詔也。後代漸復古文，而專以四六施諸詔、誥、制、勑、表、箋、簡、啓等類，則失之矣。然亦有用散文者，不可謂古法盡廢也。今取漢以下諸作，分爲古、俗二體而列之，使代言者有考云。

又《敕（敕牓附）》 按字書云：「敕，戒敕也，亦作勑。」劉熙云：「敕，飭也，使之警飭不敢廢慢也。」劉勰云：「戒敕爲文，實詔之切者，周穆王命郊父受勑憲，此其事也。」漢制，天子命令有四，其四曰戒書，卽戒敕也。唐制，王言有七，其四曰發勑，五曰勑旨，六曰論事勑書，七曰勑牒，則唐之用勑廣矣。宋亦有敕，或用之於獎諭，豈敕之初意哉？其詞有散文，有四六，故今分古、俗二體而列之。宋制戒勵百官，曉諭軍民，别有敕牓，故以附焉。今制，諸臣差遣，多予勑行事，詳載職守，申以勉詞，而褒獎責讓亦用之，詞皆散文。又六品已下官贈封，亦稱勑命，始兼四六，亦可以見古文興復之漸云。

又《璽書》 按蔡邕曰：「璽者，印也，信也，古者尊卑共之。」《左傳》「魯襄公在楚，季武子使公冶問璽書，追而與之」，此諸侯大夫印稱璽者也。又衛宏云：「秦以前，民皆以金玉爲印」，然則天子之印以玉獨稱璽，羣臣莫敢用，自秦始也。」漢初有三璽，天子之書，用璽以封，故曰璽書，又曰賜書。唐以後獨稱曰書，亦璽書之類也。其爲用，或以告諭，或以答報，或以獎勞，或以責讓，而其體則以委曲懇到，能盡褒勸警飭之意爲工。今取漢以下諸作列之，以爲式云。今制，朝廷與諸王亦用書，疑卽璽書也。

又《制》 按顔師古云：「天子之言，一曰制書，謂爲制度之命也。」蔡邕云：「其文曰制，誥三公，赦令、贖令之屬是也。刺史太守相劾，奏申下土，遷書文亦如之。其徵爲九卿，若遷京師近官，則言官具言姓名；其免若得罪，無姓。」此漢之制也。唐世，大賞罰、赦宥、慮囚及大除授，則用制書，其褒嘉贊勞，别有慰勞制書，餘皆用勑，中書省掌之。宋承唐制，用以拜三公、三省（門下、中書、尚書）等官，而罷免大臣亦用之。其詞宣讀于庭，皆用儷語，故有「敷告在庭」、「敷告有位」、「敷告萬邦」、「誕揚休命」、「誕揚贊册」、「誕揚丕號」等語。其餘庶職，則但用誥而已。是知以制命官，蓋唐宋之制也。今採二代制詞以爲式，而古今文體之變，則作者所深悼云。

又《誥》 按字書云：「誥者，告也，告上曰告，發下曰誥。」古者上下有誥，故下以告上，《仲虺之誥》是也；上以告下，《大誥》、《洛誥》之類是也。考於《書》可見矣。《周禮》：士師「以五戒先後刑罰，其二曰誥，用之於會同」，以諭衆也。秦廢古法，止稱制詔。漢武帝元狩六年，始復作之，然亦不以命官。唐世王言，亦不稱誥。至宋，始以命庶官，而追贈大臣、貶謫有罪、贈封其祖父妻室，凡不宣于庭者，皆用之。故所作尤多。然考歐、蘇、曾、王諸集，通謂之制，故稱內制、外制，而誥實雜於其中，不復識别。蓋當時王言之司，謂之兩制，是制之一名，統諸詔命七者而言。若細分之，則制與誥亦自有别，故《文鑑》分類甚明，不相混雜，足以辯二體之異。今倣其例而列之。唯唐無誥名，故仍稱制。其詞有散文、有儷語，則分爲古、俗二體云。今制：命官不用制誥，至三載考績，則用誥以褒美。五品以上官而贈封其親，及賜大臣勳階贈謚皆用之，六品以下則用勑命。其詞皆兼二體，亦監前代而損益之也。

又《册》 按《説文》云：「册，符命也。」字本作「策」。蔡邕云：「策者，簡也。漢制命令，其一曰策書，長二尺，短者半之，其次一長一短，兩編下附篆書，以命諸侯王三公，亦以誄謚，而三公以罪免，則一木兩行隷書而賜之，其長一尺。」當是之時，唯用木簡，故其字作「策」。至於唐人，逮下之制有六，其三曰册，字始作「册」，蓋以金玉爲之。《説文》所謂「諸侯進受於王，象其札一長一短，中有二編之形」者，是也。又按古者册書施之臣下而已，後世則郊祀、祭享，稱尊、加謚，寓哀之屬，亦皆用之，故其文漸繁。今彙而辯之，其目凡十有一：一曰祝册，郊祀祭享用之。二曰玉册，上尊號用之。三曰立册，立帝、立后、立太子用之。四曰封册，封諸王用之。五曰哀册，遷梓宫、及太子諸王大臣薨逝用之。六曰贈册，贈號，贈官用之。七曰謚册，上謚、贈謚用之。八曰贈謚册，贈官並贈謚用之。九曰祭册，賜大臣祭用之。十曰賜册，報賜臣下用之。十一曰免册，罷免大臣用之。今制：郊祀，立后、立儲、封王、封妃，亦皆用册；而玉、金、銀、銅之制，各有等差，蓋自古迄今，王言之所不可闕者也。今錄古作以垂式云。

又《批答》 按，吳訥云：「批答者，天子采臣下章疏之意而答之也。」古者君臣都俞吁咈，皆口陳面命之詞，後世乃有書疏而答之者，遂用制詞，若漢人答報璽書是已。至唐始有批答之名，以謂天子手批而答之也。其後學士入院，試制詔批答共三篇，則求代言之人，而詞華漸繁矣。蓋自唐太宗答劉洎之後，未有不假手於詞臣者。今取諸集所載批答，擇其工者列之，而散文

四六，仍分爲古、俗二體云。

又《御札》 按字書：「札，小簡也。」天子之札稱御札，尊之也。古無此體，至宋而後有之。其文出於詞臣之手，而體亦不同。大抵多用儷語，蓋勑之變體也。今採數首列於篇。

又《赦文（德音文附）》 按字書云：「赦者，舍也。」肆赦之語，始見《虞書》；而《周禮》司刺掌三赦之法，《呂刑》有疑赦之制，則或以其情之可矜，或以其事之可疑，或以其人在三赦三宥八議之列，是以赦之；非不問其情之淺深，罪之輕重，而概赦之也。後世乃有大赦之法，於是爲文以告四方，而赦文興焉。又謂之德音，蓋以赦爲天子布德之音也。然考之唐時，戒勵風俗，亦稱德音，則德音之與赦文，自是兩事，不當強而合之也。今各仍其稱，以附赦文之後，而著其說如此，俟博聞者辯焉。

又《鐵券文》 按字書云：「券，約也，契也。」劉熙云：「綣也，相約束繾綣以爲限也。」史稱漢高帝定天下，大封功臣，剖符作誓，丹書鐵券，金匱石室，藏之宗廟。其誓詞曰：「使黄河如帶，泰山若礪，國以永存，爰及苗裔。」後世因此遂有鐵券文焉。其文諸集不載，獨陸贄有之；然以安反側之心，非錫券之本指也。今姑錄之，以備一體。

又《諭祭文》 按諭祭文者，天子遣使下祭之詞也。或施諸宗室妃嬪，以明親親；或施諸勳臣大臣，以明賢賢，而示君臣始終之義。自古及今皆用之，蓋王言之一體也，故今採而錄之。若其他臣庶相祭之文，則別爲一類云。

又《國書》 按國書者，鄰國相遺之書也。春秋列國各有詞命，以通彼此之情，而其文務協典禮，從容委曲，高卑適宜，乃爲盡善。觀鄭人詞命，迭更四手，國賴以存，良有以也。漢、唐而下，國統雖一，而夷狄内通，故其往來亦用之，乃有國之所不可廢者也。但《左傳》所載列國應對之詞，皆出口傳，例不得錄。獨《呂相絶秦》，豐贍閎闊，似非口語能悉，意必當時筆而授之，故錄其詞，并後代諸作列焉。

又《誓》 按誓者，誓衆之詞也。蔡沈云：「戒也。」軍旅曰誓，古有誓師之詞，如《書》稱禹征有苗誓于師，以及《甘誓》、《湯誓》、《泰誓》、《牧誓》、《費誓》是也。又有誓告羣臣之詞，如《書·秦誓》是也。後世無《秦誓》之類，而誓師之詞亦不多見，豈非放失之故歟？今存一首，聊備其體云爾。又約信亦稱誓，則別附於盟焉。

又《令》 按劉良云：「令，即命也。七國之時並稱曰令；秦法，皇后太子稱令。」至漢王有《赦天下令》，淮南王有《謝羣公令》，則諸侯王皆得稱令矣。意其文與制詔無大異，特避天子而別其名耳。然考《文選》有梁任昉《宣德皇后令》一首，而其詞華靡，不可法式。其餘諸集亦不多見。今取載于史者，采而錄之。

又《教》 按劉勰云：「教者，效也，言出而民效也。」李周翰云：「教，示於人也。」秦法，王侯稱教；而漢時大臣亦得用之，若京兆尹王尊出教告屬縣是也。故陳繹曾以爲大臣告衆之詞。今考諸集亦不多見，聊取數首列于篇。

又《上書》 按字書云：「書者，舒也，舒布其言而陳之簡牘也。」古人敷奏諫説（音税）之辭，見於《尚書》、《春秋》内外傳者詳矣。然皆矢口陳言，不立篇目，故《伊訓》、《無逸》等篇，隨意命名，莫協於一；然亦出自史臣之手，劉勰所謂「言筆未分」，此其時也。降及七國，未變古式，言事於王，皆稱上書。秦、漢而下，雖代有更革，而古制猶存，故往往見於諸集之中。蕭統《文選》欲其別於臣下之書也，故自爲一類，而以「上書」稱之。今從其例，歷採前代諸臣上告天子之書以爲式，而列國之臣上其君者，亦以類次雜於其中。其他章表奏疏之屬，則別以類列云。

又《章》 按劉勰云：「章者，明也。」古人言事，皆稱上書。漢定禮儀，乃有四品，其一曰章，用以謝恩。及考後漢，論諫慶賀，間亦稱章，豈其流之寖廣歟？自唐而後，此制遂亡。今錄四首，聊存古體云爾。

又《表（笏記附）》 按字書：「表者，標也，明也，標著事緒使之明白以告乎上也。」古者獻言於君，皆稱上書。漢定禮儀，乃有四品，其三曰表，然但用以陳請而已。後世因之，其用寖廣。於是有論諫，有請勸，有陳乞，有進，獻，有推薦，有慶賀，有慰安，有辭解，有陳謝，有訟理，有彈劾，所施既殊，故其詞亦異。至論其體，則漢、晉多用散文，唐、宋多用四六。而唐、宋之體又自不同：唐人聲律，時有出入，而不失乎雄渾之風；宋人聲律，極其精切，而有得乎明暢之旨，蓋各有所長也。然有唐、宋人而爲古體者，有宋人而爲唐體者，此又不可不辨也。今取漢以下名家諸作，分爲三體而列之：一曰古體，二曰唐體，三曰宋體，使學者有考云。宋人又有笏記，書詞於笏，以便宣奏，蓋當時面表之詞也，故取以附焉。然表文書於牘，則其詞稍繁；笏記宣於廷，則其詞務簡：此又二體之別也。

又《牋》按劉勰云：「牋者，表也，識表其情也。」字亦作「箋」。古者君臣同書，至東漢始用牋記，公府奏記，郡將奏牋。若班固之説東平，黄香之奏江夏，所謂郡將奏牋者也。是時太子諸王大臣皆得稱牋，後世專以上皇后太子，於是天子稱表，皇后太子稱牋，而其他不得用矣。其詞有散文，有儷語，分爲古、俗二體而列之。今制，奏事太子諸王稱啟，而慶賀則皇后太子仍並稱牋云。

又《奏疏》按奏疏者，羣臣論諫之總名也。奏御之文，其名不一，故以奏疏括之也。七國以前，皆稱上書。秦初，改書曰奏。漢定禮儀，則有四品：一曰章，以謝恩；二曰奏，以按劾；三曰表，以陳請；四曰議，以執異。然當時奏章，或上災異，則非專以謝恩。至於奏事亦稱上疏，則非專以按劾也。又按劾之奏，别稱彈事，尤可以徵彈劾爲奏之一端也。又置八儀，密奏、陰陽皂囊封板，以防宣泄，謂之封事。而朝臣補外，天子使人受所欲言，及有事下議者，並以書對。則漢之制，豈特四品而已哉？然自秦有天下，以及漢孝惠，未聞有以書言事者。至孝文開廣言路，於是賈山言治亂之道，名曰《至言》，則四品之名，亦非叔孫通之所定，明矣。魏晉以下，啟獨盛行。唐用表狀，亦稱書疏。宋人則監前制而損益之，故有劄子，有狀，有書，有表，有封事，而劄子之用居多；蓋本唐人牓子、錄子之制而更其名，乃一代之新式也。上書章表，已列前編，其他篇目，更有八品，今取而總列之：一曰奏。奏者，進也。二曰疏。疏者，布也。漢時諸王官屬於其君，亦得稱疏，故以附焉。三曰對。四曰啟。啟者，開也。五曰狀。狀者，陳也。狀有二體，散文、儷語是也。六曰劄子。劄者，刺也。七曰封事。八曰彈事。各以類從，而以《至言》冠于篇，以其無可附也。至於疏、對、啟、狀、劄五者，又皆以「奏」字冠之，以别於臣下私相對答往來之稱。讀者亦庶乎有所考矣。及論其文，則皆以明允篤誠爲本，辨析疏通爲要，酌古御今，治繁總要，此其大體也。奏啟入規而忌侈文，彈事明憲而戒善罵，世人所作，多失折衷，此又學者所當知也。今制：論政事者曰題，陳私情者曰奏，皆謂之本，以及讓官謝恩之類，並用散文，間爲儷語，亦同奏格。至於慶賀，雖倣表詞，而首尾亦與奏同；唯史館進書，全用表式。然則當今進呈之目，唯本與表二者而已。革百王之雜稱，減中世之儷語，此我朝之所以度越前代者也。

又《盟（誓附）》按《禮記》：「涖物曰盟。」劉勰云：「盟者，明也，祝告於神明者也。」亦稱曰誓，謂約信之詞也。三代盛時，初無詛盟，雖有要誓，結言則退而已。周衰，人鮮忠信，於是刑牲歃血，要質鬼神，而盟繁興，然俄而渝敗者多矣。以其爲文之一體也，故列之而以「誓」附焉。夫盟誓之文，「必序危機，獎忠孝，共存亡，戮心力，祈幽靈以取鑒，指九天以爲正，感激以立誠，切至以敷詞，此其所同也。」然義存則克終，道廢則渝始，亦存乎人焉耳。嗚呼，勰爲斯言，其知盟誓之要者乎。

又《符》按字書云：「符，信也。」古無此體，晉以後始有之。唐世，凡上追下，其制有六，其六曰符，尚書省下於州，州下於縣，縣下於鄉，皆用之。蓋亦沿晉制也。然唐文不少概見，姑採晉及南朝諸篇列之，亦以備一體云。

又《檄》按《釋文》云：「檄，軍書也。」《説文》云：「以木簡爲書，長尺二寸，用以號召，若有急則插鷄羽而遣之，故謂之羽檄，言如飛之急也。」古者用兵，誓師而已。至周乃有文告之辭，而檄之名則始見於戰國。《史記》載張儀爲檄以告楚相曰「始吾從若飲，我不盜而璧，若笞我。若善守汝國，我顧且盜而城」是也。後人倣之，代有著作。而其詞有散文，有儷語。儷語始於唐人，蓋唐人之文皆然，不專爲檄也。若論其大體，則劉勰所稱「植義颺辭，務在剛健。或述此休明，或叙彼苛虐。指天時，審人事，算強弱，角權勢。標蓍龜於前驗，懸盤銘於已然。插羽以示迅，不可使辭緩；露板以宣衆，不可使義隱。此其要也。」可謂盡之矣。今取數首，以爲法式。其他，報答諭告，亦並稱檄，故取以附焉。又州邦徵吏，亦稱爲檄，蓋取明舉之義，而其詞不存，無從採錄，姑附其説于此。

又《露布》按露布者，軍中奏捷之辭也。書辭于帛，建諸漆竿之上。劉勰所謂「露板不封，布諸視聽」者，此其義也。任昉云：「漢賈弘爲馬超伐曹操作露布。」而《世説》亦謂「桓溫北征，令袁宏倚馬撰露布。」則露布之作始於魏晉，而杜佑以爲自元魏始，誤矣。又按劉勰《檄移篇》云：「檄，或稱露布。」豈露布之初，告伐告捷，與檄通用，而後始專以奏捷歟？然二文世既不傳，而後人所作，皆用儷語，與表文無異，不知其體本然乎？抑源流之不同也？今不可考。姑採數首列于篇。

又《公移》按公移者，諸司相移之詞也，其名不一，故以「公移」括之。唐世，凡下達上，其制有六：其二曰狀，百官於其長亦爲之。其五曰辭，庶

人言爲辭。其六曰牒，有品已上公文皆稱牒。諸司自相質問，其義有三：一曰關，謂關通其事也；二曰刺，謂刺舉之也；三曰移，謂移其事於他司也。宋制：宰執帶三省樞密院事出使者，移六部用劄；六部移宰執帶三省樞密院事出使者，及從官任使副移六部，用申狀；六部相移用公牒。今皆不能悉存，姑取其著者列之。今制：上逮下者曰照會，曰劄付，曰案驗，曰帖，曰故牒；下達上者曰咨呈，曰案呈，曰呈，曰牒呈，曰申；諸司相移者曰咨，曰牒，曰關；上下通用者曰揭帖。大略因前代之制而損益之耳。

又《判》 按字書云：「判，斷也。」古者折獄，以五聲聽訟，致之於刑而已。秦人以吏爲師，專尚刑法。漢承其後，雖儒吏並進，然斷獄必貴引經，尚有近於先王議制及《春秋》誅意之微旨。其後乃有判詞。唐制，選士判居其一，則其用彌重矣。故今所傳如稱某某有姓名者，則斷獄之詞也；稱甲乙無姓名者，則選士之詞也。要之執法據理，參以人情，雖曰彌文，而去古意不遠矣。獨其文堆垛故事，不切於蔽罪；拈弄辭華，不歸於律格，爲可惜耳。唯宋儒王回之作，脱去四六，純用古文，庶乎能起二代之衰，而後人不能用，愚不知其何説也。今世理官斷獄，例有參詞，而設科取士，亦試以判，其體皆用四六，則其習由來久矣。今取唐宋名作稍近質者，分而列之：一曰科罪，二曰評允，三曰辯雪，四曰番異，五曰判罷，六曰判留，七曰駁正，八曰駁審，九曰末減，十曰案寢，十一曰案候，十二曰褒嘉。凡若此類，多便理官，而不切於應舉之士。蓋選士以律條爲題，止於科罪，故其餘無用。然猶必列之者，欲使學者知制判之初意也。

又《書記》 按劉勰云：「書記之用廣矣。」考其雜名，古今多品，是故有書，有奏記，有啟，有簡，有狀，有疏，有牋，有劄；而書記則其總稱也。夫書者，舒也，舒布其言而陳之簡牘也。記者，志也，謂進已志也。啟，開也，開陳其意也；一云跪也，跪而陳之也。簡者，略也，言陳其大略也，或曰手簡，或曰小簡，或曰尺(一作「赤」)牘，皆簡略之稱也。狀之爲言陳也，疏之爲言布也。以上六者，秦漢以來，皆用於親知往來問答之間；而書、啟、狀、疏，亦以進御。獨兩漢無啟，則以避景帝諱而置之也。又古者郡將奏牋，故黄香奏牋於江夏。厥後專用於皇后、太子、諸王，其下遂不敢稱。而劄獨行於宋，盛於元，有疊副提頭畫一之制，煩猥可鄙；然以呂祖謙之賢而亦爲之，則其習非一日矣。故牋者，今人所不得用；而劄者，吾儒所鄙而不屑也。今取六者列之，而辯其體以告學者：一曰書，書有辭命、議論二體。二曰奏記。二者並用散文。三曰啟，啟有古體，有俗體。四曰簡，簡用散文。五曰狀，狀用儷語。六曰疏，疏用散文。然狀與疏諸集不多見；見者僅有此體，故姑著之，要未可爲定體也。世俗施於尊者，多用儷語以爲恭，則啟與狀疏，大抵皆俗體也。蓋嘗總而論之，書記之體，本在盡言，故宜條暢以宣意，優柔以懌情，乃心聲之獻酬也。若夫尊卑有序，親疏得宜，是又存乎節文之間，作者詳之。

又《約》 按字書云：「約，束也。」言語要結，戒令檢束皆是也。古無此體，漢王褒始作《僮約》，而後世未聞有繼者，豈以其文無所施用而略之歟？愚謂後人如鄉約之類，亦當倣此爲之，庶幾不失古意，故特列之以爲一體。

又《策問》 按古者選士，詢事考言而已，未有問之以策者也。漢文中年，始策賢良，其後有司亦以策試士，蓋欲觀其博古之學，通今之才，與夫剸劇解紛之識也。然對策存乎士子，而策問發於上人，尤必通達古今，善爲疑難者，而後能之。不然，其不反爲士子所笑者幾希矣。故今取古人策問之工者數首，分爲二類而列之：一曰制策，二曰試策。使當視草爲主司者有所矜式，而因以得實才云。

又《策》 按《説文》云：「策者，謀也。」《漢書音義》曰：「作簡策難問，例置案上，在試者意投射取而答之，謂之射策。若錄政化得失顯而問之，謂之對策。」劉勰云：「射策者，探事而獻説也，以甲科入仕。對策者，應詔而陳政也，以第一登庸。皆選賢之要術也。」夫策士之制，始於漢文，晁錯所對，蔚爲舉首。自是而後，天子往往臨軒策士，而有司亦以策舉人，其制迄今用之。又學士大夫，有私自議政而上進者。三者均謂之策，而體各不同，故今彙而辯之：一曰制策，天子稱制以問而對者是也。二曰試策，有司以策試士而對者是也。三曰進策，著策而上進者是也。各取數首以列于篇。又宋曾鞏有《本朝政要策》，蓋當時進士帖括之類，故今不錄。夫策之體，練治爲上，工文次之。然人才不同，或練治而寡文，或工文而疏治，故入選者，劉勰稱爲通才。嗚呼，可謂難也已矣！

又《論》 按字書云：「論者，議也。」劉勰云：「論者，倫也，彌綸羣言而研一理者也。論之立名，始於《論語》；若《六韜》二論，乃後人之追題耳。其爲體則辯正然否，窮有數，追無形，迹堅求通，鉤深取極，乃百慮之筌蹄，

萬事之權衡也。至其條流，實有四品：陳政則與議說合契，釋經則與傳註參體，辯史則與贊評齊行，銓文則與序引共紀：此論之大體也。」按勰之說如此。而蕭統《文選》則分爲三：設論居首，史論次之，論又次之。較諸勰說，差爲未盡。唯設論，則勰所未及，而乃取《答客難》、《答賓戲》、《解嘲》三首以實之。夫文有答有解，已各自爲一體，統不明言其體，而槩謂之論，豈不誤哉？然詳勰之說，似亦有未盡者。愚謂析理亦與議說合契，諷寓則與箴解同科，設辭則與問對一致：必此八者，庶幾盡之。故今兼二子之說，廣未盡之例，列爲八品：一曰理論，二曰政論，三曰經論，四曰史論，五曰文論，六曰諷論，七曰寓論，八曰設論。而各錄文于其下，使學者有所取法焉。其題或曰某論，或曰論某，則各隨作者命之，無異義也。

又《說》 按字書：「說，解也，述也，解釋義理而以己意述之也。」說之名起於《說卦》，漢許愼作《說文》，亦祖其名以命篇。而魏晉以來，作者絕少，獨《曹植集》中有二首，而《文選》不載，故其體闕焉。要之傳於經義，而更出己見，縱橫抑揚，以詳贍爲上而已，與論無大異也。今取名家數篇，以備一體。此外又有名說、字說，其名雖同，而所施則異，故別爲一類，不復附於此云。

又《原》 按字書云：「原者，本也，謂推論其本原也。」自唐韓愈作五「原」，而後人因之，雖非古體，然其遡原於本始，致用於當今，則誠有不可少者。至其曲折抑揚，亦與論說相爲表裏，無甚異也。其題或曰原某，或曰某原，亦無他義。今取數首列于篇。

又《議》 按劉勰云：「議者，宜也，周爰諮謀以審事宜也。」《周書》曰：「議事以制，政乃不迷」，此之謂也。昔管仲稱軒轅有明臺之議，則議之來遠矣。至漢，始立駁議。駁者，雜也，雜議不純，故曰駁也。蓋古者國有大事，必集羣臣而廷議之，交口往復，務盡其情，若罷鹽鐵、擊匈奴之類是也。厥後下公卿議，乃始撰詞書之簡牘以進，而學士偶有所見，又復私議於家，或商今，或訂古，由是議寖盛焉。然其大要在於據經析理，審時度勢。文以辯潔爲能，不以繁縟爲巧；事以明覈爲美，不以深隱爲奇，乃爲深達議體者爾。是編以文章爲主，故面議之詞不錄，而僅錄操筆爲議者，分爲奏議、私議二體，以垂式焉。若夫溯流而窮源，則學者自當求諸史書而熟玩之也。此外又有謚議，則別爲一類云。

又《辯》 按字書云：「辯，判別也。」其字從言，或從刂，蓋執其言行之是非眞僞而以大義斷之也。近世魏校謂從刀，而古文不載，未敢從也。漢以前，初無作者，故《文選》莫載，而劉勰不著其說。至唐韓、柳乃始作焉。然其原實出於孟、莊。蓋非本乎至當不易之理，而以反覆曲折之詞發之，未有能工者也。故今取名家諸作，以式學者。其題或曰某辯，或曰辯某，則隨作者命之，實非有異義也。

又《解》 按字書云：「解者，釋也，因人有疑而解釋之也。」揚雄始作《解嘲》，世遂倣之。其文以辯釋疑惑、解剝紛難爲主，與論、說、議、辯，蓋相通焉。其題曰解某，曰某解，則惟其人命之而已。雄文雖諧謔迴環，見譏正士，而其詞頗工，且以其爲此體之祖也，故亦取焉。此外又有字解，則別附名字說類，此不混列。

又《釋》 按字書云：「釋，解也。」文既有解，又復有釋，則釋者，解之別名也。蓋自蔡邕作《釋誨》，而郤正《釋譏》，皇甫謐《釋勸》，束皙《玄居釋》，相繼有作；然其詞旨不過遞相祖述而已。至唐韓愈作《釋言》，別出新意，乃能追配邕文，而免於蹈襲之陋。卽此二篇，亦可以備一體矣，故特錄而列之。

又《問對》 按問對者，文人假設之詞也。其名既殊，其實復異。故名實皆問者，屈平《天問》、江淹《邃古篇》之類是也；名問而實對者，柳宗元《晉問》之類是也。其他曰難，曰諭，曰答，曰應，又有不同，皆問對之類也。古者君臣朋友口相問對，其詞詳見於《左傳》、《史》、《漢》諸書。後人倣之，乃設詞以見志，於是有問對之文；而反覆縱橫，眞可以舒憤鬱而通意慮，蓋文之不可闕者也，故採數首列之。若其詞雖有問對，而名入別體者，則各從其類，不復列於此云。

又《序（序略附）》 按《爾雅》云：「序，緒也。」字亦作「叙」，言其善叙事理次第有序若絲之緒也。又謂之大序，則對小序而言也。其爲體有二：一曰議論，二曰叙事。宋眞氏嘗分列于《正宗》之編，故今倣其例而辯之。其序事又有正、變二體。其題曰某序，曰序某；字或作序，或作叙，惟作者隨意而命之，無異義也。至唐柳氏又有序略之名，則其題稍變，而其文益簡矣。今取以附焉。若他類之文有序者，各見本類。又有名序、字序，則別附於名字說條，使得以類相從，玆不復列。

又《小序》 按小序者，序其篇章之所由作，對大序而名之也。漢班固

云：「孔子纂書凡百篇而爲之序，言其作意，此小序之所由始也。」然今《書序》具存，決非孔子所作，蓋由後人妄探作者之意而爲之；故多穿鑿附會，依阿簡略，甚或與經相戾，而鮮有發明。獨司馬遷以下諸儒，著書自爲之序，然後已意瞭然而無誤耳。故今略取《詩序》與遷以下數首列于篇。

又《引》 按唐以前，文章未有名引者。漢班固雖作《典引》，然實爲符命之文，如雜著命題，各用己意耳，非以引爲文之一體也。唐以後始有此體，大略如序而稍爲短簡，蓋序之濫觴也。今錄二首，以備其體。若其名引之義，難妄臆說，俟博聞者詳焉。

又《題跋》 按題跋者，簡編之後語也。凡經傳子史詩文圖書之類，前有序引，後有後序，可謂盡矣。其後覽者，或因人之請求，或因感而有得，則復撰詞以綴於末簡，而總謂之題跋。至綜其實則有四焉：一曰題，二曰跋，三曰書某，四曰讀某。夫題者，締也，審締其義也。跋者，本也，因文而見本也。書者，書其語。讀者，因於讀也。題、讀始於唐，跋、書起於宋。曰題跋者，舉類以該之也。其詞考古證今，釋疑訂謬，褒善貶惡，立法垂戒，各有所爲，而專以簡勁爲主，故與序引不同；學者熟玩所列之數篇，亦庶乎得之矣。又有題辭，所以題號其書之本末指義文辭之表也。若漢趙岐作《孟子題辭》，其文稍煩；而宋朱子倣之作《小學題辭》，更爲韻語。今皆不錄，姑著其體於此。然題跋書于後，而題辭冠于前，此又其辯也。

又《文》 按編內所載，均謂之文，而此類獨以文名者，蓋文中之一體也。其格有散文，有韻語，或倣《楚辭》，或爲四六，或以盟神，或以諷人，其體不同，其用亦異。今並採而列之，以俟學者詳焉。

又《雜著》 按雜著者，詞人所著之雜文也；以其隨事命名，不落體格，故謂之雜著。然稱名雖雜，而其本乎義理，發乎性情，則自有致一之道焉。劉勰所云：「並歸體要之詞，各入討論之域。」正謂此也。今取數首列於篇。

又《七》 按七者，文章之一體也。詞雖八首，而問對凡七，故謂之七；則七者，問對之別名，而《楚詞七諫》之流也。蓋自枚乘初撰《七發》，而傅毅《七激》，張衡《七辯》，崔駰《七依》，崔瑗《七蘇》，馬融《七廣》，曹植《七啟》，王粲《七釋》，張協《七命》，陸機《七徵》，桓麟《七說》，左思《七諷》，相繼有作。然考《文選》所載，唯《七發》、《七啟》、《七命》三篇，餘皆略而弗錄。由今觀之，三篇辭旨閎麗，誠宜見採；其餘遞相摹擬，了無新意，是以讀未終篇，而欠伸作焉，略之可也。至唐柳宗元《晉問》，體裁雖同，辭意迥別，殆所謂不泥其迹者歟！顧其名既謂之問，則不得並列于此篇。故今僅採《文選》所載三首，以爲一體，而著其辯如此，庶使作者知所變化，而不爲讀者所厭云。

又《書》 按編內既以人臣進御之書爲上書，往來之書爲書，而此類復稱書者，則別以議論筆之而爲書也。然作者甚少，故諸集不載。唯唐李翺有《復性》、《平賦》等書；而《平賦書》法制精詳，議論正大，有天下者，誠能推其說而行之，致治不難矣，故特採之以爲一體。

又《連珠》 按連珠者，假物陳義以通諷諭之詞也。連之爲言貫也，貫穿情理，如珠之在貫也。蓋自揚雄綜述碎文，肇爲連珠，而班固、賈逵、傅毅之流，受詔繼作，傅玄乃云興於漢章之世，誤矣。然其云：「辭麗言約，合於古詩諷興之義。」則不易之論也。其體展轉，或二或三，皆駢偶而有韻，故工於此者，必使義明而詞淨，事圓而音澤，磊磊自轉，乃可稱珠。否則欲穿明珠，多貫魚目，惡能免於劉勰之誚邪？今採數家，以式學者。

又《義》 按字書云：「義者，理也。」本其理而疏之，亦謂之義，若《禮記》所載《冠義》、《祭義》、《射義》諸篇是已。後人依倣，遂有是作。而唐以前諸集，不少概見。至《宋文鑑》乃有之，而其體有二：一則如古《冠義》之類，一則如今明經之詞，今皆錄而辯之。夫自唐取士有明經一科，而宋興因之，不過試以墨書帖義，徒取記誦而已。神宗時，王安石撰《周禮》、《詩》、《書》三經義頒行試士，舊法始變。彼其欲以己說一天下士，固無是理；然其所製義式，至今倣之，蓋不得以人廢法也。厥後安石之義，廢格不用；而《文鑑》所載，尚有張庭堅經義二篇，豈其遺式歟？方今駢儷之詞，日新月盛，與庭堅之式不合，毋乃異於當時立法之初意乎？噫！此丘文莊公所以致嘆於科舉之弊也。

又《說書》 按說書者，儒臣進講之詞也。人主好學，則觀覽經史，而儒臣因說其義以進之，謂之說書。然諸集不載，唯《蘇文忠公集》有《邇英進讀》數條。而《文鑑》取以爲說書，題與篇首有問對字，蓋被顧問而答之之詞。今讀其詞，大抵皆文士之作，而於經史大義，無甚發明，不知當時說書之體，果然乎否也？及觀《王十朋集》，似稍不同，然亦不能敷陳大義。故今仍《文鑑》錄之，聊備一體云耳。今制：經筵進講，亦有講章，首列訓詁，次陳大

義，而以規諷終焉。欲其易曉，故篇首多用俗語，與此類所載者夐異，以爲有益學者，宜別求之。

又《箴》 按《說文》云：「箴者，戒也。」蓋醫者以箴石刺病，故有所諷刺而救其失者謂之箴，喻箴石也。古有《夏商》二箴，見于《尚書大傳解》及《呂氏春秋》，然餘句雖存，而全文已缺。獨周太史辛甲命百官箴王闕，而《虞人》一篇，備載于《左傳》，於是揚雄倣而爲之。其後作者相繼，而亦用以自箴。故其品有二：一曰官箴，二曰私箴。大抵皆用韻語，而反覆古今興衰理亂之變，以垂警戒，使讀者惕然有不自寧之心，乃稱作者。此劉勰所以有「確切」之云也。

又《規》 按字書云：「規者，爲圓之器也。」《書》曰：「官師相規。」言規其闕失，使不敢越，若木之就規也。今人以箴規並稱，而文章顧分爲二體者何也？孔穎達曰：「《書》言官師者，謂衆官也；相者，平等之辭；平等有闕，已尚相規，見上有過，諫之必矣。」據此，則箴者，箴上之闕；而規者，臣下之互相規諫者也。其用以自箴者，乃箴之濫觴耳。然規之爲名，雖見於《書》，而規之爲文，則漢以前絕無作者。至唐元結始作《五規》，豈其緣《書》之名而創爲此體歟？今摘其一二列于篇，以備一體云。

又《戒》 按字書云：「戒者，警敕之辭，字本作誡。」文既有箴，而又有戒，則戒者，箴之別名歟？《淮南子》載《堯戒》曰：「戰戰慄慄，日謹一日，人莫蹪於山，而蹪於垤。」至漢杜篤遂作《女戒》，而後世因之，惜其文弗傳；意必未若《堯戒》之簡也。今採唐宋諸作列于篇。其詞或用散文，或用韻語，故分爲二體云。

又《銘》 按鄭康成曰：「銘者，名也。」劉勰云：「觀器而正名也。」故曰：「作器能銘，可以爲大夫矣。」考諸夏商鼎彝尊卣盤匜之屬，莫不有銘，而文多殘缺，獨《湯盤》見于《大學》，而《大戴禮》備載武王諸銘，使後人有所取法。是以其後作者寖繁，凡山川、宮室、門、井之類皆有銘詞，蓋不但施之器物而已。然要其體不過有二：一曰警戒，二曰祝頌，故今辯而列之。陸機曰：「銘貴博約而溫潤。」斯言得之矣。此外又有碑銘、墓碑銘、墓誌銘，則各爲類，不並列于此云。

又《頌》 按詩有六義，其六曰頌。頌者，容也，美盛德之形容，以其成功告于神明者也。若商之《那》、周之《清廟》諸什，皆以告神，乃頌之正體也。至於《魯頌·駉》、《閟》等篇，則用以頌僖公，而頌之體變矣。後世所作，皆變體也。其詞或用散文，或用韻語，今亦辯而列之。又有哀頌，則任昉所稱「漢張紘初作《陶侯哀頌》」者是已。今其文雖未及見，而竊意大體與哀贊略同，姑識以俟博聞者。劉勰云：「頌之爲體，典雅清鑠，揄揚汪洋。敷寫似賦，而不入華侈之區；敬慎如銘，而異乎規戒之域。」詳味斯言，可以得作頌之法矣。

又《贊》 按字書云：「贊，稱美也，字本作讚。」昔漢司馬相如初贊荆軻，其詞雖亡，而後人祖之，著作甚衆。唐時至用以試士，則其爲世所尚久矣。其體有三：一曰雜贊，意專褒美，若諸集所載人物、文章、書畫諸贊是也。二曰哀贊，哀人之沒而述德以贊之者是也。三曰史贊，詞兼褒貶，若《史記索隱》、《東漢》、《晉書》諸《贊》是也。劉勰有言：「贊之爲體，促而不曠，結言於四字之句，盤桓乎數韻之辭，其頌家之細條乎。」可謂得之矣。至其謂「班固之贊，與此同流」，則余未敢以爲然也。蓋嘗取而玩之，其述贊也，名雖爲贊，而實則評論之文(今入論類)；其叙傳也，詞雖似贊，而實則小序之語；安得概謂之贊而無辯乎？今皆不列于此篇。

又《評》 按字書云：「評，品論也，史家褒貶之詞。」蓋古者史官各有論著，以訂一時君臣言行之是非。然隨意命名，莫協於一，故司馬遷《史記》稱太史公曰，而班固《西漢書》則謂之贊，范曄《東漢書》又謂之論，其實皆評也。而評之名則始見於《三國志》。後世緣此，作者漸多，則不必身在史局，手秉史筆，而後爲之矣。故二評載諸《文粹》，而評史見於《蘇文忠公集》中，蓋文章之一體也。今以陳壽史評爲主，而其他作者亦並列焉。分爲史評、雜評二品云。

又《碑文》 按劉勰云：「碑者，埤也。上古帝皇，始號封禪，樹石埤岳，故曰碑。周穆紀跡于弇山之石，秦始刻銘于嶧山之巓，此碑之所從始也。」然考《士昏禮》，「入門當碑揖。」註云：「宮室有碑，以識日影、知早晚也。」《祭義》云：「牲入麗于碑。」註云：「古宗廟立碑繫牲。」是知宮廟皆有碑以爲識影繫牲之用，後人因於其上紀功德，則碑之所從來遠矣；而依倣刻銘，則自周秦始耳。後漢以來，作者漸盛，故有山川之碑，有城池之碑，有宮室之碑，有橋道之碑，有墻井之碑，有神廟之碑，有家廟之碑，有古跡之碑，有土風之碑，有災祥之碑，有功德之碑，有墓道之碑，有寺觀之碑，有託物之碑，

皆因庸器漸闕而後爲之，所謂「以石代金，同乎不朽」者也。故碑實銘器，銘實碑文，其序則傳，其文則銘，此碑之體也。又碑之體主於敘事，其後漸以議論雜之，則非矣。故今取諸大家之文，而以三品列之：其主於敘事者曰正體，主於議論者曰變體，敘事而參之以議論者曰變而不失其正。至於託物寓意之文，則又以別體列焉。或有未備，學者亦可以例推矣。其墓碑自爲一類，此不復列。

又《碑陰文》 凡碑面曰陽，背曰陰，碑陰文者，爲文而刻之碑背也，亦謂之記。古無此體，至唐始有之。或他人爲碑文而題其後，或自爲碑文而發其未盡之意，皆是也。今取三首列于篇。

又《記》 按《金石例》云：「記者，紀事之文也。」《禹貢》《顧命》，乃記之祖；而記之名，則昉於《戴記》《學記》諸篇。厥後揚雄作《蜀記》，而《文選》不列其類，劉勰不著其説，則知漢魏以前，作者尚少；其盛自唐始也。其文以敘事爲主，後人不知其體，顧以議論雜之。故陳師道云：「韓退之作記，記其事耳，今之記乃論也。」蓋亦有感於此矣。然觀《燕喜亭記》已涉議論，而歐蘇以下，議論寖多，則記體之變，豈一朝一夕之故哉？故今採錄諸記，而以三品别之，如碑陰之例，欲使學者得有所考而去取焉，庶乎不失其本意矣。又有託物以寓意者，有首之以序而以韻語爲記者，有篇末系以詩歌者，皆爲別體。今並列于三品之末，仍分三體，庶得以盡其變云。至其題或曰某記，或曰記某，則惟作者之所命焉。此外又有墓磚記、墳記、塔記，則皆附于墓誌之條，茲不復列。

又《志》 按字書云：「志者，記也，字亦作誌。」其名起於《漢書》十志，而後人因之，大抵記事之作也。諸集不多見，姑採一首錄之。他如墓誌，別爲一類，此不概列云。

又《紀事》 按記事者，記志之別名，而野史之流也。古者史官掌記時事，而耳目所不逮者，往往遺焉；於是文人學士，遇有見聞，隨手紀錄，或以備史官之採擇，或以裨史籍之遺亡，名雖不同，其爲紀事一也，故以紀事㮚之。今取數篇，以備一體。嗚呼，史失而求諸野，其不以此也哉！

又《題名》 按題名者，紀識登覽尋訪之歲月與其同遊之人也，其敘事欲簡而贍，其秉筆欲健而嚴，獨《昌黎集》有之，亦文之一體也。昔人嘗集華嶽題名，自唐開元至後唐淸泰，錄爲十卷，中更二百一年，題名者五百四十二人，可謂富矣。歐陽公《集古錄》有此書，而韓愈所題亦在其中，故朱子採之以入其集，而謂「筆削之嚴，非公不可」，則此文其可易而爲之哉？獨惜余之寡陋而不獲見也。當今名山勝境，非無佳題，而世人往往忽之，其殆未知此歟！故今取韓公所題七首列于篇，以備一體，庶學者知所觀法，不敢以爲易而忽之也。

又《字説》 按《儀禮》，士冠三加三醮而申之以字辭，後人因之，遂有字説、字序、字解等作，皆字辭之濫觴也。雖其文去古甚遠，而丁寧訓誡之義，無大異焉。若夫字辭、祝辭，則倣古辭而爲之者也。然近世多尚字説，故今以説爲主，而其他亦並列焉。至於名説、名序，則援此意而推廣之。而女子笄，亦得稱字，故宋人有女子名辭，其實亦字説也。今雖不行，然於禮有據，故亦取之，以備一體云。

又《行狀》 按劉勰云：「狀者，貌也，體貌本原，取其事實。先賢表謚，並有行狀，狀之大者也。」漢丞相倉曹傅胡幹始作《楊元伯行狀》，後世因之。蓋具死者世系、名字、爵里、行治、壽年之詳，或牒考功太常使議謚，或牒史館請編錄，或上作者乞墓誌碑表之類皆用之。而其文多出於門生故吏親舊之手，以謂非此輩不能知也。其逸事狀，則但錄其逸者，其所已載不必詳焉，乃狀之變體也。

又《述》 按字書云：「述，譔也，纂譔其人之言行以俟考也。」其文與行狀同，不曰狀，而曰述，亦别名也。此體見諸集者不多，姑錄一首以爲式云。

又《墓誌銘》 按誌者，記也；銘者，名也。古之人有德善功烈可名於世，殁則後人爲之鑄器以銘，而俾傳於無窮，若《蔡中郎集》所載《朱公叔鼎銘》是已。至漢，杜子夏始勒文埋墓側，遂有墓誌，後人因之。蓋於葬時述其人世系、名字、爵里、行治、壽年、卒葬年月，與其子孫之大略，勒石加蓋，埋於壙前三尺之地，以爲異時陵谷變遷之防，而謂之誌銘；其用意深遠，而於古意無害也。迨夫末流，乃有假手文士，以謂可以信今傳後，而潤飾太過者，亦往往有之，則其文雖同，而意斯異矣。然使正人秉筆，必不肯徇人以情也。至論其題：則有曰墓誌銘，有誌、有銘者是也。曰墓誌銘并序，有誌、有銘，而又先有序者是也。然云誌銘而或有誌無銘，或有銘無誌者，則別體也。曰墓誌，則有誌而無銘。曰墓銘，則有銘而無誌。然亦有單云誌而卻有銘，單云銘而卻有誌者，有題云誌而卻是銘，題云銘而卻是誌者，皆別

體也。其未葬而權厝者曰權厝誌，曰誌某；殯後葬而再誌者曰續誌，曰後誌；歿於他所而歸葬者曰歸祔誌；葬於他所而後遷者曰遷祔誌。刻於蓋者曰蓋石文；刻於磚者曰墓磚記，曰墓磚銘；書於木版者曰墳版文，曰墓版文；又有曰葬誌，曰誌文，曰墳記，曰壙誌，曰壙銘，曰槨銘，曰埋銘。其在釋氏，則有曰塔銘，曰塔記。凡二十題，或有誌無銘，或有銘無誌，皆誌銘之別題也。其爲文則有正、變二體，正體唯叙事實，變體則因叙事而加議論焉。又有純用「也」字爲節段者，有虛作誌文而銘內始叙事者，亦變體也。若夫銘之爲體，則有三言、四言、七言、雜言、散文；有中用「兮」字者，有末用「兮」字者，有末用「也」字者。其用韻有一句用韻者，有兩句用韻者，有三句用韻者，有前用韻而末無韻者，有前無韻而末用韻者，有篇中既用韻而章內又各自用韻者，有隔句用韻者，有韻在語辭上者，有一字隔句重用自爲韻者，有全不用韻者；其更韻，有兩句一更者，有四句一更者，有數句一更者，有全篇不更者：皆雜出於各篇之中，難以例列。故今錄文致辯，但從題類，仍分正、變，稍以職官、處士、婦人爲次，而銘體與韻則略序之，庶學者有考云。

又《墓碑文》 按古者葬有豐碑，以木爲之，樹於槨之前後，穿其中爲鹿盧而貫繂以窆者也。《檀弓》所載「公室視豐碑」，是已。漢以來始刻死者功業於其上，稍改用石，則劉勰所謂「自廟而徂墳」者也。晉宋間始稱神道碑，蓋堪輿家以東南爲神道，碑立其地，因名焉。唐碑制，龜趺螭首，五品以上官用之。而近世高廣各有等差，則制之密也。蓋葬者既爲誌以藏諸幽，又爲碑碣表以揭於外，皆孝子慈孫不忍蔽先德之心也。其爲體有文，有銘，又或有序；而其銘或謂之辭，或謂之系，或謂之頌，要之皆銘也。文與誌大略相似，而稍加詳焉，故亦有正、變二體。其或曰碑，或曰碑文，或曰墓碑，或曰神道碑，或曰神道碑文，或曰墓神道碑，或曰神道碑銘，或曰神道碑銘并序，或曰碑頌，皆別題也。至於釋老之葬，亦得立碑以僭擬乎品官，豈歷代相沿崇尚異教而莫之禁歟？故或直曰碑，或曰碑銘，或曰塔碑銘并序，或曰碑銘并序，（《唐文粹》載蔣防作《連州靜福山廖先生碑銘并序》之類是也，今不錄。）亦別題也。若夫銘之爲體與其用韻，則諸集所載雖不能如誌銘之備，而大略亦相通焉，此不復著。

又《墓碣文》 按潘尼作《潘黃門碣》，則碣之作自晉始也。唐碣制，方趺圓首，五品以下官用之，而近世復有高廣之等，則其制益密矣。古者碑之與碣，本相通用，後世乃以官階之故，而別其名，其實無大異也。其爲文與碑相類，而有銘無銘，惟人所爲，故其題有曰碣銘，有曰碣，有曰碣頌并序，皆碣體也。至於專言碣而卻有銘，或兼言銘而卻無銘，則亦猶誌銘之不可爲典要也。其文有正、變二體，其銘與韻亦與誌同，說見墓碑條下。

又《墓表》 按墓表自東漢始，安帝元初元年立《謁者景君墓表》，厥後因之。其文體與碑碣同，有官無官皆可用，非若碑碣之有等級限制也。以其樹於神道，故又稱神道表。其爲文有正有變，錄而辯之。又取阡表、殯表、靈表，以附於篇，則遡流而窮源也。蓋阡，墓道也；殯者，未葬之稱；靈者，始死之稱：自靈而殯，自殯而墓，自墓而阡也。近世用墓表，故以墓表括之。

又《謚議》 按《禮記》曰：「先王謚以尊名，節以壹惠。」故行出於己，而名生於人，使夫善者勸而惡者懼也。天子崩則臣下制謚於南郊，明受之於天也。諸侯薨則太子赴告於天子，明受之於君也。蓋子不得議父，臣不得議君，故受之於天於君。若卿大夫，則有司議而謚之。故周制太史掌小喪賜謚，小史掌卿大夫之喪賜謚。秦廢謚法，漢乃復之，然僅施於君侯，而公卿大夫皆不得與，蓋亦略矣。唐制，太常博士掌王公以下擬謚。宋制，擬謚定於太常，覆於考功，集議於尚書省，其法漸密。故歷代以來，有帝后謚議，臣僚美惡謚議，傳於今。而其體有四：一曰謚議，二曰改議，三曰駁議，四曰答駁議（亦曰重議）。觀其往復論辯，豈得已哉，不過欲歸於是非之公而已。今制，雖設太常博士，然不掌謚議。大臣沒，其家請謚，則禮部覆奏，或與或否，唯上所命。與則內閣擬四字以請而欽定之，皆得美名，其餘則否，初無惡謚以示懲戒，而謚議遂廢不作矣。今取古文類列于篇，以備一體，亦以示存羊之意云耳。至於名臣處士，法不得謚，則門生故吏相與作議而加私謚焉。其事起於東漢，而文不多見，獨《蔡邕集》有之。唐宋至今相沿不絕，雖非國典，亦可見古法之不盡廢於今也，故今編爲五曰私議云。

又《傳》 按字書云：「傳者，傳也，紀載事迹以傳於後世也。」自漢司馬遷作《史記》，創爲「列傳」以紀一人之始終，而後世史家卒莫能易。嗣是山林里巷，或有隱德而弗彰，或有細人而可法，則皆爲之作傳以傳其事，寓其意；而馳騁文墨者，間以滑稽之術雜焉，皆傳體也。故今辯而列之，其品有

四：文》曰史傳（有正、變二體），二曰家傳，三曰託傳，四曰假傳，使作者有考焉。

又《哀辭》 按哀辭者，哀死之文也，故或稱文。夫哀之爲言依也，悲依於心，故曰哀；以辭遣哀，故謂之哀辭也。昔漢班固初作《梁氏哀辭》，後人因之，代有撰著。或以有才而傷其不用，或以有德而痛其不壽。幼未成德，則譽止於察惠；弱不勝務，則悼加乎膚色。此哀辭之大略也。其文皆用韻語，而四言騷體，惟意所之，則與誄體異矣。吳訥乃並而列之，殆不審之故歟？今取古辭，目爲一類，庶作者有所考云。

又《誄》 按誄者，累也，累列其德行而稱之也。《周禮》太祝作六辭，其六曰誄，卽此文也。今考其時，賤不誄貴，幼不誄長，故天子崩則稱天以誄之，卿大夫卒則君誄之。魯哀公誄孔子曰：「昊（《左傳哀》十六作「旻」。）天不弔，不憖遺一老，俾屏予一人以在位，煢煢予在疚！嗚呼，哀哉，尼父！」古誄之可見者止此，然亦略矣。竊意周官讀誄以定謚，則其辭必詳；仲尼有誄而無謚，故其辭獨略。豈制誄之初意然歟？抑或有變也？又按劉勰云：「柳妻誄惠子，辭哀而韻長。」則今私誄之所由起也。蓋古之誄本爲定謚，而今之誄惟以寓哀，則不必問其謚之有無，而皆可爲之。至於貴賤長幼之節，亦不復論矣。其體先述世系行業，而末寓哀傷之意，所謂「傳體而頌文，榮始而哀終」者也。今采數首列于篇。

又《祭文》 按祭文者，祭奠親友之辭也。古之祭祀，止於告饗而已。中世以還，兼讚言行，以寓哀傷之意，蓋祝文之變也。其辭有散文，有韻語，有儷語；而韻語之中，又有散文、四言、六言、雜言、騷體、儷體之不同。今各以類列之。劉勰云：「祭奠之楷，宜恭且哀，若夫辭華而靡實，情鬱而不宣，皆非工於此者也。」作者宜詳審之。宋人又有祭馬之文，是亦一體，故取以附焉。

又《弔文》 按弔文者，弔死之辭也。劉勰云：「弔者，至也。《詩》曰，『神之弔矣』，言神至也。」賓之慰主，以至到爲言，故謂之弔。古者弔生曰唁，弔死曰弔，亦此意也。或驕貴而殞身，或狷忿而乖道，或有志而無時，或美才而兼累，後人追而慰之，並名爲弔。若賈誼之《弔屈原》，則弔之祖也。然不稱文，故不得列之此篇。而後人又稱爲賦，則其失愈遠矣。其有稱祭文者，則並列之，以其實爲弔也。其文濫觴於唐宋，故有《弔戰場》、《弔鎛鐘》之作，今亦附焉。大抵弔文之體，髣髴《楚騷》，而切要惻愴，似稍不同；否則華過韻緩，化而爲賦，其能逃乎奪倫之譏哉？作者熟讀乎所列之文，庶乎有以得之矣。

又《祝文》 按祝文者，饗神之詞也，劉勰所謂「祝史陳信，資乎文辭」者是也。昔伊祁始蠟以祭八神，其辭云：「土反其宅，水歸其壑，昆蟲毋作，草木歸其澤。」此祝文之祖也。厥後虞舜祠田，商湯告帝，《周禮》設太祝之職，掌六祝之辭。春秋已降，史辭寖繁，則祝文之來尚矣。考其大旨，實有六焉：一曰告，二曰脩，三曰祈，四曰報，五曰辟，六曰謁，用以饗天地山川社稷宗廟五祀羣神，而總謂之祝文。其詞有散文，有韻語，今並采而列之。

又《嘏辭》 按嘏者，祝爲尸致福於主人之辭，《記》所謂「嘏以慈告」者是也。辭見《儀禮》。其他文集不載，唯《蔡中郎集》有之，今並錄以備一體。

又《玉牒文》 按玉牒文者，封禪告天之文也。古者天子郊天社地，望于山川而已，未聞有封禪之說也。管仲對齊桓謬謂受命封禪者七十二家，而世傳禹《玉牒辭》曰：「祝融司方發其英，沐日浴月百寶生」，蓋後人附會之文耳。世儒不察，尊信其說。至秦始皇遂舉行之，於是封泰山，禪梁父。而漢武帝時，司馬相如病且死，猶草遺書勸帝封禪，帝令諸儒具儀，數年不就，厥後兒寬贊成之。自是唐宋之君，皆相效尤，故有玉牒傳于今。然其事不經，明主所不爲也。今姑錄其文以備一體，而並著其說，俾致君者有考云。其他冊神之文，雖名玉冊，實玉牒之類也，故取以附焉。

又《符命》 按符命者，稱述帝王受命之符也。夫帝王之興，固有天命，而所謂天命者，實不在乎祥瑞圖讖之間。故大電、大虹、白狼、白魚之屬，不見於經，而見於史，史其可盡信邪？後世不察其僞，一聞怪誕，遂以爲符，而封禪以答之，亦惑之甚矣。自其說昉於管仲，其事行於始皇，其文肇於相如，而千載之惑，膠固而不可破。於是揚雄《美新》，班固《典引》，邯鄲淳《受命述》，相繼有作，而《文選》遂立「符命」一類以列之。夫《美新》之文，遺穢萬世，淳亦次之，固不足道；而馬、班所作，君子亦無取焉。唯柳氏《貞符》以仁立說，頗協於理，然蘇長公（軾）猶以爲非，則如斯文不作可也。今以其爲一體，故聊采三首，列諸此篇，而並著其說，庶俾馳騁文藝者知所懲戒，不蹈劉勰「勞深勣寡」之誚云。

又《表本》 按表本者，宋時天子告祭先帝先后之詞也。古者郊禘宗廟陵

寢之祭，僅用冊文祝文，至宋始加表文，呼爲表本，雖曰事死如事生，而禮則瀆矣。今以其爲一體也，故亦錄焉。

又《口宣》 按口宣者，君諭臣之詞也。古者天子有命于其臣，則使使者傳言，若《春秋》内外傳所載諭告之詞是已，未有撰爲儷語使人宣於其第者也。宋人始爲之，則待下之禮愈隆，而詞臣之撰著愈繁矣。蓋諭告之變體也。今採數首，以備一體云。

又《宣答》 按宣答者，羣臣奉表慶賀而禮官宣制以答之也。先期詞臣撰詞以授禮官，禮官習之，至日宣示，以見君臣同慶之意。蓋雖繁文，而義則美矣。今制亦用之，而詞皆兩句，尤爲古雅。又著之儀注，無臨時改肄撰習之勞，豈不度越前代哉？今姑錄宋人之作，以備一體。

又《致辭》 按致辭者，表之餘也。其原起於越臣祝其主，而後世因之。凡朝廷有大慶賀，臣下各撰表文，書之簡牘以進，而明廷之宣揚，宮壺之贊頌，又不可缺，故節略表語而爲之辭。觀《宋文鑑》以此雜於表中，蓋可知已，今之祝贊，卽其制也，故採之以備一體。

又《祝辭》 按祝辭者，頌禱之詞也。諸集不載，而世所傳，獨有淨髮、靧面祝詞。苟推其類，則凡喜慶皆可爲之，不特施之二事而已。故錄而著之。

又《貼子詞》 按貼子詞者，宮中黏貼之詞也。古無此體，不知起於何時。第見宋時每遇令節，則命詞臣撰詞以進，而黏諸閣中之戶壁，以迎吉祥。觀其詞乃五、七言絕句詩，而各宮多寡不同，蓋視其宮之廣狹而爲之，抑亦以多寡爲等差也。然此乃時俗鄙事，似不足以煩詞臣，而宋人尙之，豈所謂聲容過盛之一端歟？今姑採錄，以備一體。

又《上梁文（寶瓶文說、上牌文附）》 按上梁文者，工師上梁之致語也。世俗營構宮室，必擇吉上梁，親賓裹麵雜他物稱慶，而因以犒匠人，於是匠人之長，以麵拋梁而誦此文以祝之。其文首尾皆用儷語，而中陳六詩。詩各三句，以按四方上下，蓋俗禮也。今錄數篇，以備一體。又按元陳繹曾《文筌》有寶瓶文，云「圬者墁棟脊之詞」，而諸集無之，無以爲式。竊意其詞大略與上梁文同，末亦陳詩如樂語口號之比，第無四方上下諸章耳。未知是否，姑附其說於此。宋人又有上牌文，蓋上扁額之詞，亦因上梁而推廣之也。聊錄一首，以備其體云。

又《樂語》 按樂語者，優伶獻伎之詞，亦名致語。古者天子、諸侯、卿大夫，朝覲聘問，皆有燕饗，以洽上下之情，而燕必奏樂，若《詩·小雅》所載《鹿鳴》、《四牡》、《魚麗》、《嘉魚》諸篇，皆當時之樂歌也。夫樂曰雅樂，詩曰雅詩，則雖備其聲容，娛其耳目，要歸於正而已矣。古道虧缺，鄭音興起，漢成帝時，其弊爲甚，黃門名倡，富顯於世。魏晉以還，聲伎寖盛。北齊後主爲魚龍爛漫等百戲，而周宣帝徵用之，蓋秦角抵之流也。隋煬帝欲誇突厥，總追四方散樂，大集東都，爲黃龍、繩舞、扛鼎、負山、吐火之戲，千變萬化，曠古莫儔，嗚呼極矣！自唐而下，雅俗雜陳，未有能洗其陋者也。宋制，正旦、春秋、興龍、坤成諸節，皆設大宴，仍用聲伎，於是命詞臣撰致語以畀教坊，習而誦之；而吏民宴會，雖無雜戲，亦有首章：皆謂之樂語。其制大戾古樂，而當時名臣，往往作而不辭，豈其限於職守，雖欲辭之而不可得歟？然觀其文，間有諷詞，蓋所謂曲終而奏雅者也。今採而不刪，聊以備一體云。

又《右語》 按右語者，宋時詞臣進呈文字之詞也；謂之右語者，所進文字列于左方，而先之以此詞，實居其右，故因而名之。蓋變進書表文之體而別其稱耳。然考之諸集，唯歐陽修、王安石等有《進功德疏右語》，豈其特用於此等文字，而他皆不用歟？詞皆儷語，而短簡特甚。

又《道場榜》 按道場榜者，釋老二家修建道場榜示之詞也。品題不同，而施用亦異：其迎神馭者曰門榜，淨壇場者曰監壇榜，燃燈者曰燈榜，戒孤魂者曰戒約榜，限孤魂者曰結界榜，浴孤魂者曰浴堂榜，施法食者曰施斛榜，施水燈者曰水燈榜，張于造齋之所者曰監齋榜，張于設供之所者曰供榜，張於食所者曰茶湯榜。已上數榜，二家錯陳，而互有遺闕，其或用，或不用，亦不可知。然能觸類而長之，則亦無不通矣。此異端之教，學者勿求焉可也。後倣此。

又《道場疏》 按道場疏者，釋老二家慶禱之詞也。慶詞曰生辰疏，禱詞曰功德疏，二者皆道場之所用也。又按陳繹曾《文筌》云：「功德疏者，釋氏禱佛之詞。」及考諸集與《事文類聚》，並有二家疏語，則知疏者，不特用於釋氏明矣。故今錯而列之，以俟博聞者。其曰齋文，卽疏之別名也。

又《表》 按表者，釋道陳奏之詞也。古今表詞施於君臣之際，而二氏亦以表稱，蓋僭擬也。若乃天子之於天，故宜用表稱臣；然不以施於郊祀之際，而用老氏之法以黷神，則名雖是而實則非矣。故列之於此，以俟崇正者

詳焉。其曰朱、曰露香、曰默，皆表之別名也。

又《青詞（密詞附）》 按陳繹曾云：「青詞者，方士懺過之詞也，或以祈福，或以薦亡，唯道家用之。」其謂密詞，則釋道通用矣。詞用儷語，諸集皆有，而《事文類聚》所載尤多。今錄數篇，以備一體。此外又有法誥，有告牒，有投簡，有解語，有法語。而舉棺撒土，亦皆有文，其目至爲煩瑣，而諸集不載。愚謂二氏相傳，必有舊本，臨時錄用，亦何不可，何必別撰而騁詞華於無益之地哉？故皆略而不錄。

又《募緣疏》 按募緣疏者，廣求衆力之詞也。橋梁、祠廟、寺觀、經像，與夫釋老衣食器用之類，凡非一力所能獨成者，必撰疏以募之。詞用儷語，蓋時俗所尚。而橋梁之建，本以利人，祠廟之設，或關祀典，尤非他事之比，則斯文也，豈可闕而不錄哉？故列之。

又《法堂疏》 按法堂疏者，長老主持之詞也。其用有三：未至用以啓請，將行用以祖送，既至用以開堂。其事重，其體尊，非夫高僧，恐不足以當此。然猶錄之者，不可謂世無其人而廢此一體也。文有古、今體，今各列之。

曹安《讕言長語》 論詩文體製，《文章正宗》蔑以加矣。然諸體中，亦有遺者。《元詩體要》爲類三十有八：曰四言體，曰騷體，曰選體，曰樂府體，曰栢梁體，曰五言古體，曰七言古體，曰長短句體，曰雜古體，曰言體，曰詞體，曰歌體，曰行體，曰操體，曰曲體，曰吟體，曰嘆體，曰怨體，曰引體，曰謠體，曰詠體，曰篇體，曰禽言體，曰香奩體，曰陰何體，曰聯句體，曰集句體，曰無題體，曰詠物體，曰五言近體，曰七言近體，曰五言排律體，曰七言排律體，曰五言絕句體，曰六言絕句體，曰七言絕句體，曰拗體，曰側體。固無不備，尚少擬古體和唐體、倡和體、回文體。吳訥編《文章辯體》其已有古歌謠詞、賦、樂府、書、記、序、論、說解、辨、原、戒、題跋、雜著、箴、銘、頌、贊、七體、問對、傳、行狀、詩、諭告、璽書、批答、詔、冊、制誥、制策、表、露布、論諫、奏疏、議、彈文、檄、諡法、諡議、墓碑、墓碣、墓表、墓誌、墓記、埋名、誄辭、哀辭、祭文、連珠、判、律賦、詩、詞、曲，亦無不備，尚少文啟、表狀、問答、奏狀諸體。此外詩文有風、雅、頌、賦、比、興，又有典、謨、訓、誥、誓、命、敎、令、勑、宣、紀、移、箋、簡、牒、劄子諸體，然則詩文之作難矣，不可不知也。

胡松《唐宋元名表原序》 說者曰：表之言明也，標也，譬物之標。表言標，表事序，要於章顯而已，奚駢儷之上也。余竊以其言徒取一隅，要未爲通論。今夫人之於文，猶其之於言語，之於衣服飲食，與其宮室器用者也。且夫言語之於達意，衣服之於蔽體，飲食之於滿腹，宮室之於安身，器物之於利用，以今方古，其可得而齊諸？譬則四時之行，萬物之生，江河之流轉，各因其時以爲變。故《易》曰：「損益盈虛，與時偕行。」自天地且不能違時，而況於人乎！故善學者，從今之文，以明古之道；不善學者，執古之跡，以失今之宜。斯其行之，所以弗遠，而施之則泥者也。是學也，昉於漢魏六朝，盛於隋唐，而極於宋。彼其工拙繁簡，駢儷直致，要之，其體不能盡同，然其意同於宣上德而達下情，明己志而述物則。其後相沿猥下，競趨新巧，爭上衍博，往往貪用事而晦其意，務屬辭而滅其質，蓋四六之本意失之遠矣。今世士業文，益又轉甚，曾不深惟體裁之所從始，勉思搆撰，而乃掇拾補綴，剿竊沿襲，是曾弗若直致之爲章明較著也。

沈懋孝《與塾中士論四六駢體》 三代上無表之名，《史記》始有年表，標其世次日月，立論其端耳。猶之乎文也。自東漢馬伏波之式銅馬也，有進表；吳陸士衡之謝平原內史也，有謝表；晉羊叔子之讓開府也，有辭表；劉越石之勸進中宗，以係人望也，有賀表。乃若諸葛孔明之《出師》，李令伯之《陳情》，又出四體之外，直抒己志，精忠孝感，垂之到今矣。然皆散文也。駢體興於宋、齊、梁，而唐初則駱義烏以四六擅場，蓋承麗賦之藻贍，集古選之對屬，合璧連璣，眞文林之瑋寶也。唐文大昌於退之，其《諫佛骨》、《謝潮陽》，則用散體；其《賀靈雨》則用駢體。蓋兩能之，而退之終不以四六名。夫乃義烏之獨詣耶？至宋王介甫、蘇子瞻，始厭薄穠詞，爲眞淡寫意之體。其後汪浮溪、周益公、楊誠齋之徒嗣之，故宋表傳至今。今之士林皆式之，蓋純乎議論矣。余嘗衷而衡之，如陳謝，如辭職，如諫事，如進規，用論議行文，情志始暢。若夫國之大慶大典，必待鋪張，賜物之一衣一馬，尤須描寫。若斯之類，豈可無掞藻摛菁之筆哉？亦顧所用何如耳。兩能兩擅，權尺勻停，在後來英俊所自樹矣。至夫轉摺關生，起伏動靜，必有超特之才，開闔紀綱乎其間，精采始發，偶驪始流，如其乏此，將色浮而神去之矣。句有句格，字有字目，大都與詩相通。故盛唐之冠冕，初唐之秀發，晚唐之雕刻，宋詩之發論，合而鑄之，又表家之，捷戰法也。情到則神自來，筆超則采自

飛，意想墨流，難以言喻，乃在驪黄之外矣。

又《小淇林雜言上》 文體之變，一綜一緯，一文一素，一縱一橫，一偶一奇，一宫一羽，一正一奇，一和一健，皆代用事而相爲日月寒暑以相捄耳。古來文人長技，不過識其所捄天下，宜之總之，一陰一陽，互體變爻，繇《易》之兩畫四象生來。

又《述關西馬學士論文章》 今天下有用文章，大率有四事。其一則法筵之講義，啓沃陳謨以輔主德。此其原出于禹稷益之謨、伊之訓説之命。其二則閣臣之揭奏，進御者以陳善閉邪，進退人材，恭贊幾密，仰備顧問，開發上之聰明。此其源亦與謨訓合符請契。其三則史官之注記，編摩紀載朝廷大事，大議直文核事以信千古，其源出于二《典》及《禹貢》、《盤庚》、《武成》之屬。其四則台諫之奏疏，以弼違正義，補日月而勵羣工。其源出于《旅獒》、《訓誡》諸作。自此外一切無裨世用者。史館先生不必泛役其神明，亦不宜軒輊其體製。

焦竑《與友人論文》 漢世蒯通、隋何、酈生、陸賈，游説之文也，而宗戰國；晁錯、賈誼，經濟之文也，而宗申、韓、管、晏。司馬相如、東方朔、吾丘壽王，譎諫之文也，而宗《楚詞》。董仲舒、匡衡、揚雄、劉向，説理之文也，而宗《六經》；司馬遷、班固、荀悦，紀載之文也，而宗《春秋》、《左氏》。其詞與法可謂盛矣。而華實相副，猶爲近古，至於今稱焉。唐之文實不勝法，宋之文法不勝詞，蓋去古遠矣，而總之實未澌盡也。

蘇濬《詞致錄序》 四六非古也，自六朝始也。古之文圓，而四六則變而方矣。夫圓之不能不方也，勢也。試觀大塊之間，流動委宛，莫之端倪。然層巒互峙，奇葩相映，未嘗不井然分、森然列也。噫，氣觸衆竅爲虚，然截而和之，未始不別雌雄而諧律呂也。故文者，以象形也，以諧聲也。圓而能方，方而復歸于圓，此文之精也。初唐之瑰麗也，沿六朝之餘也。然其類諧其事核，如大將軍擊刁斗，雖衆不譁也。迨昌黎氏、柳州氏破觚削方，絺繡之章變而爾雅，靡曼之音變而平淡。説者謂唐文三變，至韓、柳而極，良足多者。宋興而廬陵、眉山諸公，一洗西崑之習，而力振之。絶纖巧，杼眞愫，意若貫珠而詞若束帛。故稱四六者，必以宋爲工。非求工也，不蘄工而自工，乃工之至也。邇來操觚之士，爭以絺繪博世資。然有意求工，亦反以工而失之。當其藻思綺合，繁詞縟説，馳神于月露之態，刻意于丹青之章，豈不斌斌灑灑，充耳溢目。然剪綵刻木，非化工之飾；繁聲急響，非大雅之風；騷人墨客之緒言，非廟堂對揚之耿論。欲以象形而諧聲也，不亦相左失當耶？

陳懿典《碧山學士集叙》 自四科三立之名出，而文章經濟遂分兩途。然詩書所載，典謨雅頌，皆古聖臣身所親建之事，手所親述之言。孰非文章？孰非經濟也？【略】 後世參與政事者，侯王將相，其途甚雜，或不嫻於修詞，而別選摛藻之士以典文章。故典制之體下同文人，如漢《封禪文》、《柏梁》諸作，遂開六朝唐宋靡麗之端。獨國家簡儒臣充文學侍從之官，而政本之地，非玆途不與，蓋有唐虞三代之遺意焉。用是館閣之體與當世作者異，文宗典謨，詩師雅頌。即負異才博學者，不敢稍踰，而以典重和平爲範。乃世之妄作者或嗤館閣體爲平平無奇，不知論經濟以均平爲極治，論文章以平正爲至文。蓋平之中已包舉世所稱爲奇者，渾然出之，非其不能奇也。試取典、謨、雅、頌讀之，典、謨之中《盤》、《誥》、《左》、《國》之妙，無不具，如必倣《盤》、《誥》、《左》、《國》，則失典、謨矣；雅頌之中，《國風》、《騷》、《選》之態無不藏，如必步《國風》、《騷》、《選》，則失雅頌矣。然則館閣之體，正如鈞天之響，八音具備，而主以后夔之六律。時主聞之，或惟恐卧，而其感召，諧神人，和上下，儀鳳舞獸，天地訢合，豈與夫繁絃促節，淸商哀角，慘淡迸裂而後爲快哉？近世七子之流，擅伯自雄，舉世羣然從之，而獨館閣諸先輩不爲波靡。令天下得睹大雅之遺意，列聖之注意詞林，其效居然可睹矣。

徐允祿《文體議》 文章之體非一也，日月星辰，天文也，而日月星辰各成其文也；山川陵谷，地文也，而山川陵谷各成其文也。故文章之體非一也。天地毓秀，篤生異人，咀精含英，發爲文章，萬籟俱鳴，宏細殊響。於是《六經》墳典，諸子百家，分曹各奏其間，此醇彼疵，此瑕彼瑜，千歧萬轍，蒼素判然，而均之號爲人文，流光宇宙。故文章之體非一也。誠以人者天地之靈秀，而文者又人心之精英。虎豹不與犬羊同皮，鴻鵠不與燕雀同聲，而矧人之於文章乎？然而巧者呈能於拙，則巧者屈矣；賢者獻技於不肖，則賢者負矣。楩梓之美易知也，樲棘之賤易知也，而賤場師之所取者，則樲棘也。然則荒煙蔓草之間，而美材之棄擲不採者，又可勝道哉？昔人相馬於牝牡驪黄之外，而求所謂神也者，是不獨相馬也。相文亦然。其文沉雄慷慨，則志士也；瀟灑峻拔，則高士也；典則爾雅，則碩士也；和平沖澹，則達

士也；開朗軒發，姿態横生，則豪士也，不然而丈夫也。若乞人棄餘以自饜，自謂明經者也，乃舉其一而漏其萬，若輩固國家異日資之，諫死杖下而北當敵者也，乃臨筆巽懦，爲首鼠兩端之言，此卽未視其人而其不肖必矣。今廟堂宗伯公之議，不能操世外之觀以求文之神，而僅僅爭文體於聲律之間，使天下智愚賢不肖之人必同一爛腐之調而後可嗟乎？而庸詎知文章之體非一也。

沈承《文體》 文之有體，卽猶人之有體也。【略】就尋常文之體，而能爲天下不尋常之文，是乃所謂奇文也，至文也。我國家以八腳詞甲乙材傑，格主俳偶，義主訓詁，幾令軒昂跌宕之士，無繇見長，然自開科以來，名世偉人，往往多繇此着脚，而垂世雄文，往往多繇此下手者，何也？是乃所謂就尋常體中能爲不尋常者也。【略】夫文章，天之霧氣也，人之靈心也，其風尚以世變，其氣骨以年變，其色澤精華以日異月不同變，固無足怪，而駸駸乎併其體而變之，使足反居上，頭反居下，肩高於頂，頤隱於齊，以是言奇，何足奇也？

陳仁錫《明文奇賞序》 自古人文之盛，未有踰本朝者也，文成一出卽沈毅，文憲立談卽蕹雅，蓋未有不淡於勢利而能文章者，於是有辭官辭廕，三幸第而計畫祕不傳，如陳靜誠先生。又未有不量材度力而能文章者，洪武以姑孰郡公安言，長謀略則文成參帷幄，擅國華則文憲總儒學，精吏事則章中丞等司屯田，一議禮也，大配、祫禘、齋戒、五祀、朝會、祝祭、軍禮，各專一曹，無越畔云。當是時，王忠文進《平江西頌》，高皇帝喜曰：「學問之博，卿不如濂，才思之雄，濂不如卿。」亡何，忠文使滇，死之，才思不亦雄乎？士不立品，才思索然，文章千古，寸心自知，無人品則寸心安在，誰與較失得哉？才解大紳而歸之，俾讀十年書，肆有德有造士生其間，不以定志立品爲第一義，豈不負遭遇哉？文皇帝賜儒臣詩曰：「秘閣弘開當巽隅，充棟之積皆圖書。仙家蓬山此其處，上與東壁星相符。罷朝閒暇一臨視，衣冠左右環文儒。瓊琚鏘鏘淸響振，寶鼎馥馥香煙敷。維時日上扶桑初，始看曈曨絢綺疏。忽已燦爛明金鋪，從容燕坐披典謨。大經大法古所訓，講求啓發良足娛。朝廷治化重文敎，旦暮切磋安可無。諸儒志續漢仲舒，豈直文彩臨相如？玉醴滿賜黃金壺。朂哉及時相勵翼，輔德當與夔龍俱，庶幾政治希唐虞。」嗟乎！右文之隆至此，士奈何不讀書！列聖追琢造就至於今，薰習雅化，作者輩出，輒惟嘉、隆以來，一家之言最盛，遡而上之，成、弘、洪、永，高文典冊，若存若亡，豈非缺事？爰取往哲遺稿，詮次臆評，續編再出，讀者雄於才思，澹於勢利，可遙集之一堂也，抑周之盛也。或謂文治絪縕綿縟，若見文武之叮嚀，故享國最長，不知《周易》一繫與天無極矣。君父之文，天也，日也，堯舜在上，禹、皐、稷、契無文譽，高皇帝萬幾之暇，舉筆立就，莫不雄深宏偉。至于詔諭遐方、明燭萬里，蓋常嗤韓愈以風託比奸邪，作文譏之，欲儒者著筆勿高而下，低而昂，欽天畏地，思精言以無疵駁。《頌伯夷》文曰：「過天地，小日月，吾不知其何物。誣耶？妄耶？」又曰：「萬物必究其端而窮其倪，斯善之善矣。」故知日月五星右旋之必然，而正蔡氏以己意之順，亂乾道之順；以己意之逆，亂乾道之逆。大哉言乎！賢者識其大者，奈何不遵式。仁錫莊誦御製全集，所載唐參政蒙恩，凡作文必書耐久道人，已皆厭之，罷求其文。同年内黃縣令沈仁致仕，文必書其官，趨如流水，戶門之限，三日一換。旁一人目嗅耐久有黃精蕨薇之氣，似山林；沈仁有芬芳御饌之氣，似館閣。及參政過沈仁門，姤乞文者而爭，仁笞辱之，參政欲上章，家人曰，公輕君爵，而美山野，文書耐久，誠可辱。遂悟而止。于是上設大官卑職，館閣山林，辨曰：「朕觀耐久之錯將永矣，不期家人有善者能相之。」其人信服之，則可謂善矣。

趙南星《葉相公時藝序》 文各有體，不容相混，今取士以時藝言，古無此體也。然主於明白純正，發明經書之旨，亦足以端士習，天下之太平繇之。前輩如王、薛、唐、瞿諸公，皆高才博學，能古文詞，而其所爲皆時藝也。斯事雖細，孟子不曰生於其心乎。且進士之科日重，公卿大夫，皆從此出，所關於士風世運大矣。嘉、隆之間，文體日變，然不失爲時藝。浸淫至於今日，率皆以頗僻幽眇之見，託之乎經書之言，而其詞非經書也，又非《左》、《國》、《史》、《漢》、韓、歐、三蘇之詞也。一切佛老異端，稗官野史，丘里之常談，吏胥之文移，皆取之以快其筆鋒，而騁其詞力。如颶風之起，捲草樹，飛砂礫，揜覆天宇，不見日月，而以爲奇觀。時藝古文，都無所似，士大夫奈何作此以取富貴？此天下之亂所以越至於今也。

何宗彥《王文肅公文草序》 夫館閣，文章之府也。其職顓，故其體裁辨，其制嚴，故不敢自放于規矩繩墨之外以炫其奇。國初以來，鴻篇傑構，映帶簡冊間，猗與盛矣。嘉靖末季，操觚之士嘐嘐慕古，高視闊步，以詞林爲易

與。然間讀其著述，大都取酉藏汲冢，先秦兩漢之唾餘，句摹而字斆之，色澤雖肖，神理亡矣。而況交相剽切，類已陳之芻狗乎？夫古之作者豈其置酉藏汲冢，先秦兩漢之書不讀？而行文之時不襲前人一語者，理本日新，秀當夕啓。規規然爲文苑之優孟，哲匠恥之。以故二十年來，前此標榜爲詞人者，率爲後進窺破，詞林中又多卓然自立，於是文章之價復歸館閣。

袁宗道《論文下》 爇香者沉則沉煙，檀則檀氣，何也？其性異也。奏樂者鐘不藉鼓響，鼓不假鐘音，何也？其器殊也。文章亦然，有一派學問，則釀出一種意見，有一種意見，則創出一般言語，無意見則虛浮，虛浮則雷同矣。故大喜者必絕倒，大哀者必號痛，大怒者必叫吼動地，髮上指冠。惟戲場中人，心中本無可喜事，而欲強笑；亦無可哀事，而欲強哭：其勢不得不假借模擬耳。今之文士浮浮泛泛，原不曾的然做一項學問，叩其胸中，亦茫然不曾具一絲意見，徒見古人有立言不朽之說，又見前輩有能詩能文之名，亦欲搦管伸紙，入此行市，連篇累牘，圖人稱揚。夫以茫昧之胸而妄意鴻鉅之裁，自非行乞左、馬之側，募緣殘溺，盜竊遺矢，安能寫滿卷帙乎？試將諸公一編，抹去古語陳句，幾不免于曳白矣。其可媿如此，而又號于人曰：「引古詞傳今事，謂之屬文。」然則二典三謨，非天下至文乎？而其所引果何代之詞乎？

王志堅《四六法海序》 魏晉以來，始有四六之文，然其體猶未純，渡江而後日趨績藻，休文出，漸以聲韻約束之。至蕭氏兄弟、徐庾父子，而斯道始盛。唐文皇以神武定天下，在宥三十餘年，而文體一遵陳隋，蓋時未可變耳。永徽中，人主優禮詞臣，時則有燕許鴻軒，崔李豹別，而英公一檄，竟出自草澤手，當時人才何其盛歟！至于沿習既久，遂成蹊徑，文酒宴集，賓主談諧，輒用耦語，此亦天地間不得不變之勢矣。然昌黎文初出，卽裴晉公亦駭而弗許，蓋習尙之漸，人也如此。河東之爲文則異于是。壺子時見杜權糠粃，猶爲堯舜，吾師乎！吾師乎！宋之四六，各有源流譜派，袁淸容自言能一一辨之。今此諸集已不能盡致，撮其大要，藏曲折于排蕩之中者眉山也，標精理于蘭嚴之內者金陵也，是皆唐人所未有，其他不出兩公範圍。然類能自暢其所欲言，低昂絢素，各成倫理，有足喜者。大抵四六與詩相似，唐以前作者，韻動聲中，神流象外。自宋以後，必求議論之工，證據之確，所以去古漸遠，然矩矱森然，羌可循習。至其末流，乃有諢語如優，俚語如市，媚語如倡，祝語如巫，或強用硬語，或多用助語，直用成語而不切，疊用冗語而不裁。四六至此，直是魔冒，所當亟爲澄汰，不留一字者也。

艾南英《與夏彝仲論文書》 至于以平淡爲非，則兄誤矣。夫平淡古質不爲浮華者，古文之別稱也，兄知古文之所以名乎？今之時以碑銘序記傳爲古文，對八股時藝而言耳，古人未有八股時文，所稱古文者安在？如以碑銘序記爲古，則韓、歐有之，王、楊、盧、駱輩皆有之，歐陽公得舊本韓文，乃始知爲古文。其序蘇子美曰：「子美之齒少于予，而予學古文乃在其後。」蓋昔人以東漢末至唐初，偶排摘裂、塡事粉澤、鮮麗整齊之文爲時文，而反是者爲古文。譬之古物器，其艷質必不如今，此古文之所以爲名也。若以辭華爲古，則韓之先有六朝，歐公之先有五代，皆稱古文矣。今之王、李，其文無法，其句甚鮮，其究也甚腐，吾嘗取其稿睹之，揜卷而觀其題，輒能測其中所用官名、所用地志、所起所收若何，什不爽一。後生小子不必讀書、不必作文，但架上有前後四部稿。每遇應酬，頃刻裁割，便可成篇。驟讀之，無不鮮華濃麗、絢爛奪目，細按之，一腐套耳。兄以爲時文乎？古文乎？韓、歐復生，戛戛乎陳言之務去，必自王、李兩人始。世間聰明學問不多得，兄高視闊步，奈何一以輓近自安如斯也。

汪循《上程詹事》 後世變而爲騷辭，爲敘，爲策，爲論，爲傳，爲記，爲賦，爲律，析爲諸子，流爲百家，名溢於縹囊，卷盈乎緗帙，其多不可勝紀焉。然其所作，紀事或失之浮誇，纘言或失之怪誕，綴辭或失之贅絮，意或失之軿弱，而氣或失之委靡，踈斥者失之憤惋，宴樂者失之諧謔，懷思者失之憂傷，誥命者失之猥瑣，擬易者失之支離，續經者失之僭越，求其直旨，全體可以體貼乎道而合於聖人之言者，幾何人哉？所貴乎文者，正以道寓於尋常之中，狎於見聞之末，而人不知所以行之，故使學者先求之文字之間，反察之心身之際，而有得焉。是則紙上所遺之文，卽日用所行之道，所謂文以載道者是也。苟運用背戾而復濟以艱澀險怪之辭，是反薄蝕乎道，而遂致其不明也已。奚以文爲故說者以爲漢無文章，僅得仲舒天人之三策、孔明《出師》之二表；晉無文章，僅得靖節《歸去來兮》之一辭；唐有天下三百年，亦惟韓子之文數篇而已，說者夫豈過哉？其所取者，容或有所未盡善焉耳，其所不取者，未有能善焉者也。五星聚奎，眞儒輩出，文章之醇復見于宋，而歐、蘇二公者，以文章名世，而復不與焉。是蓋有其說也。

又《復汪侯春》 文有常而爲正，亦有變而爲奇，變而不失其常，乃爲絶也。況序之義止乎發其緒端，而其源派支系，聞人達士譜中具見，非惟不得詳，亦不必詳也。考之漢唐以前譜序極少，宋元以後大家文集具載，然古今之所稱誦者，無如老泉之作，亦不過闡睦族之義而已。

王世貞《藝苑卮言》卷一 詩有常體，工自體中。文無定規，巧運規外。樂、《選》、律、絶，句字夐殊，聲韻各協。下迨塡詞小技，尤爲謹嚴。《過秦論》也，叙事若傳，《夷平傳》也，指辨若論。至於序、記、志、述、章、令、書、移，眉目小別，大致固同。然「四詩」擬之則佳，《書》、《易》放之則醜。故法合者，必窮力而自運；法離者，必凝神而並歸。合而離，離而合，有悟存焉。

王文祿《文脈》卷二 漢鄭康成已開訓詁之文之端，其句也，實而健；唐韓昌黎已開課試之文之端，其篇也，達而昌。歷宋及元，則訓詁課試之文，弱而索。是故文之妙者，漢得九人焉，賈誼、司馬相如、子長、揚雄、枚乘、班固、崔駰、蔡邕、張衡是也；三國六朝得八人焉，曹植、禰衡、張協、陸機、劉峻、江淹、庾信、劉勰是也；唐得七人焉，駱賓王、王勃、陳子昂、李太白、柳宗元、李華、孫樵是也；宋得六人焉，李覯、司馬光、蘇洵、蘇軾、陳無己、陳亮是也；元得三人焉，楊維楨、陳樵、吳萊是也。唐文不待昌黎變之，元結已變之，其失也，峭而急；宋文不待歐陽變之，李覯已變之，其得也，厚而弘。司馬光《叙玄》，陳無己《正統論》，漢格也。汪若海《麟書》，奇文哉！

朱長春《寄鄭允升孝廉談文書》 嘗與足下談，謂文字多體，盡出情理。古文雖至散亂恍洋，都有機杼。是以雄視百世，自王褒亡文，相如亡騷，孟堅亡賦，鄴中亡古詩，大曆亡近體。

曾異《序劉子卮草》 夫古人之文章期于能爲簡者也，今之時義不能爲簡者也。古人之文有二端，曰：叙事、明道而已。古叙事之文莫如子長、孟堅，已不能無繁簡之異。是以《平準書》簡于志，《食貨》、《河渠書》簡于志，《溝洫》、《貨殖傳》簡于志，《地理》、《天官書》簡于志，《天文》、《封禪書》簡于志，《郊祀》、《律曆》二書亦然。然而《平準》、《河渠》、《貨殖》、《地理》、《溝洫》、《食貨》諸書，則《禹貢》一篇盡之。夫《地理》、《食貨》、《河渠》，前人一之，而後人三之。前人合《天官》于《曆》盡于天，羲和數語，而後人分爲二書，宜其伸縮之不相逮也。他如本紀、列傳，班氏往往欲以詳贍勝子長，亦自知其簡潔不能如遷，姑用周詳自勝，實以見長者護短耳。然腐史諸紀載，自周秦而下，漢興高、惠、文、景、武五朝耳，惠又不永，乃至十數萬言。《尚書》典謨五篇，而唐、虞、夏后之君、相、官、牧備其中。乃其時二帝一王之典禮、樂律、刑法、五行、災異之故，亦具志于是。其繁簡又相懸若此。若夫談理簡要，則世稱《道德》五千言。愚謂牛背口授，後人自分爲某章。某章實則猶龍氏一篇之文。亦如伏羲氏之六十四卦，後人演一卦爲一篇，在庖羲氏不過以六十四字成書耳。夫老子之文一篇，而其言至五千，尚安得謂簡。然自青牛出關，而著述僅僅於是。故夫老氏者，謂簡於著書可也，謂其文之能爲簡則未。惟以六十四字成經，則庖羲氏簡于文、周、孔子，孔子簡于曾子，曾子簡于子思，子思又簡于孟子。夫明道至孟子而詳，叙事至孟堅而詳。猶之乎不能爲簡。然較于後之遞降而遞繁者，又爲簡潔之至者耳。且夫以一言而包舉天地萬物之理，道以一典、一謨、一紀、一志、一傳，而檃括乎一代數百年之事，與其人終身之行業文章，此夫能爲簡者也。今世之時文，其命題僅四五字，多不過二十餘字，而展之爲破、承，又展之爲首、尾，又展之爲中央前後之八股。此夫不能爲簡者也。愚嘗謂古人之文如縮地，今之時文如廓革。夫廓革者以廓之，而極其大爲能者也。使廓革者而僅如其革之本，然則無爲貴廓革者矣。爲時文者以極其所長爲能者也，使爲時文者而僅如題而已，則但還其四五字與二十餘字而止，而時文可以無作。故夫今日之經義，無論其不能爲簡也，簡之則遂無經義。雖然，廓革者而極其廓之所至，大則大矣，然則愈廓而革則愈薄。故夫時文而以極其所長，而爲之者吾惡其爲近于薄之道也。

賀復徵《文章辨體彙選》卷二八 九錫文 復徵曰：按《說文》：「錫，與也，賜也。」《易》云：「王三錫命，開國承家，人臣至冊以九錫。」此乃姦雄篡竊所由，始而非國家之利矣。然其文必典雅閎肆，極其鋪張，錄之以存一體。

又卷四六 榜 復徵曰：榜，謂木片，以之諭人，所以動其觀也。古今文集不載此體，然承上化下，非文不行，而實入官之所先也，故特表而出之。

又卷五二 論諫一 復徵曰：按，古人敷奏諫論之辭，見于《尚書》、《春秋》內外傳者詳矣。然皆矢口陳言，不立篇目，故《伊訓》、《無逸》等篇，隨意命名，莫協於一，然亦出自史臣之手。劉勰所謂言筆未分，此其時也。

今自《左》、《國》而下，數而錄之：一曰諫，二曰請，三曰論疏，四曰諸臣論說，五曰諸賢論說，總之曰論諫。以爲書疏之所始云。

又卷一四四　條事　賀復徵曰：按，《說文》：「條，小枝也。」顏師古云：「凡言條者，一一而疏舉之，若木條也。」古有詔條、科條，《趙充國傳》充國條上留田十二事等是也。故列條事爲一體。

又卷一九九　上壽辭　賀復徵曰：上壽辭者，群臣宴上之辭也。有規有誦，如越群臣祝辭，則悲憤塡膺矣。錄之以備一體。

又卷二〇〇　致語　賀復徵曰：致語始於宋人，蓋內庭宴饗侍御，優伶之辭，皆詞臣擬撰。今制因之，錄數則以備一體。

又卷二〇一　故事　賀復徵曰：按，故事者，借事闡忠，則法語而有巽言之聽。夫國家大關鍵、大補救處，今必有與古相合者，進告者，當知所取類矣。

又卷二五九　尺牘一　賀復徵曰：尺牘者，約情愫於尺幅之中，亦簡略之稱也。劉勰所謂「才冠鴻筆，多疎尺牘」是也。

又卷二七七　帖一　賀復徵曰：按，《說文》曰：「帖者，帛書署也。」又《廣韻》曰：「券帖也。」《選舉志》：「明經試帖，尙書故實。」王逸少有《與蜀郡守求來禽、青李、櫻桃日給滕子帖》，則稱帖從來舊矣。今于閣帖中前有題致某某者，仍入尺牘，失題如月儀棲悶之類，選十餘則以備一體。

又卷二八一　序一　復徵曰：序，東西牆也。文而曰序，謂條次述作之意，若牆之有序也。又曰：宋眞氏《文章正宗》分議論、序事二體，今敘目曰經，曰史，曰文，曰籍，曰騷賦，曰詩集，曰文集，曰試錄，曰時藝，曰詞曲，曰自序，曰傳贊，曰藝巧，曰譜系，曰名字，曰社會，曰遊宴，曰贈送，曰頌美，曰慶賀，曰壽祝。又有排體，律體，變體諸體，種種不同，而一體之中，有序事，有議論，一篇之中，有忽而敘事，忽而議論，第在閱者分別讀之可爾。

又卷三六四　題一　復徵曰：題，額也，揭其義於上，猶頭之有額也。題跋之體，始自歐、曾，近世乃相混用，殊失字義。今析而正之，間雖有題跋之義而不正名曰題跋者，亦各附其下。

又卷三六八　跋一　復徵曰：跋，足也，申其義於下，猶身之有足也。

又卷三七九　募緣疏一　賀復徵曰：募緣之有疏也，諸選俱不載，值神廟初年，名公鉅卿多喜禪悅，創建精藍，而疏文始盛。今選數篇與薦亡文同列焉，以備一體。

又卷三九二　論一　劉勰云：「論者，倫也」，「彌綸羣言，而研精一理者也。」論之立名，始於《論語》，若《六韜》二論，乃後人之追題耳。其爲體則辨正然否，窮有數，追無形，鑽堅求通，鉤深取極，乃百慮之荃蹄，萬事之權衡也。至其條流，實有四品：一陳政，二釋經，三辨史，四銓文，此論之大體也。而蕭統《文選》則分爲三：設論居首，史論次之，論又次之。較諸勰說，差爲未盡。惟設論則勰所未及，而乃取《答客難》、《答賓戲》、《解嘲》三首以實之。夫文有答有解，已各自爲一體，統不明言其體，而槩謂之論，豈不誤哉！愚謂析理亦與議說合契，諷寓則與箴解同科，設辭則與問對一致。今兼二子之說，例爲八品：一曰理論，二曰政論，三曰經論，四曰史論，五曰文論，六曰諷論，七曰寓論，八曰設論。其題或曰某論，或曰論某，則各隨作者命之，無異義也。

又卷四二四　議一　復徵曰：議者，謀其事以合於義也。《書》曰：「議事以制。」是議者，三代以來言事之定名，故後世凡以文言事，皆謂之議，不專奏議一體也。

又卷四三一　原一　復徵曰：原者，原水所發也。文而曰原，謂窮極事物之理，若水之有原也。

又卷四三五　解一　劉勰曰：「解者，釋也」，「解釋結滯，徵事以對也。」吳訥曰：「解者，亦以講釋解剝爲義，其與說亦無大相遠也。」一說，解者，釋猶豫也，必設爲問對以極其情，則諷誦之間，而猶豫自釋矣。其義蓋始于《七發》等篇，《文選》乃遂以「七」爲體，非知言也。至韓子作《進學解》而始以解名篇。故今特揭爲一體，而以《七發》等作附之。」復徵曰：《文選》以七爲一體，固非前說以七入解，亦欠妥。詳後設體。

又卷四四七　銘一　按，鄭康成曰：「銘者，名也。」劉勰云：「觀器而正名」也。故曰作器能銘，可以爲大夫矣。考諸夏商鼎彝尊卣盤匜之屬，莫不有銘，而文多殘缺，獨湯盤見於《大學》，而《大戴禮》備載武王諸銘。其後作者寖繁，凡山川宮室門井之類，皆有銘辭，蓋不但施之器物而已。然要其體不過有二：一曰警戒，二曰祝頌。陸機曰：「銘貴博約而溫潤。」斯言得之矣。又有碑銘、墓碑銘、墓誌銘，不並列於此云。

又卷四五六　頌一　復徵曰：按後世所作諸頌，皆變體也。其體不一，有謠體，有賦體，有騷體，有箴銘體，有散文體。不能各分，或注題下一二，使讀者自別云。

又卷四七二　訓　復徵曰：訓之爲言，順也，教訓之以使人順從也。自伊尹作書訓王，而有訓之體，故後世凡有所教者，皆謂之訓。

又卷四七五　規一　復徵曰：規者，爲圓之器，以之名文，所以成人之德也。《書》曰：「官師相規。」義蓋始此。後世學校則每用之。徐師曾曰：「今人以箴規並稱，而文章顧分爲二體者何也？箴者，箴上之闕；而規者，臣下之互相規諫者也。」其用以自箴者，乃箴之濫觴耳。然規之爲名，雖見于《書》，而規之爲文，則漢以前絶無作者，至唐元結始作五「規」，豈其緣書之名而創爲此體歟！

又卷五六〇　記一　吳訥曰：「《金石例》云：『記者，紀事之文也。』西山云：『記以善叙事爲主。《禹貢・顧命》乃記之祖，後人作記，未免雜以議論。』後山亦云：『退之作記，記其事耳，今之記，乃論也。』竊嘗考之：記之名始于《戴記》《學記》等篇，記之文《文選》弗載，後之作者固以韓退之畫記、柳子厚游山諸記爲體之正。然觀韓之《燕喜亭記》，亦微載議論于中；至柳之記新堂鐵爐，則議論之詞多矣。迨至歐、蘇而下，始崇有以議論爲記者，宜乎後山諸老以是爲言也。大抵記者，蓋所以備不忘，如記營建當記日月之久近、工費之多少、主佐之姓名，叙事之後，略作議論以結之，此爲正體。至若范文正公之記嚴祠，歐陽文忠之記晝錦堂，蘇東坡之記山房藏書，張文潛之記進學齋，晦翁之作《婺源書閣記》，雖專爲議論，然其言足以垂世而立教，弗害其爲體之變也。學者以是求之，則必有以得之矣。」復徵曰：記如絲之有紀，謂編事實，以備遺忘也。按，記有序事，有兼雜議論，今列爲二體。外有排體，韻文體，律體，託物寓意體，皆爲別體。又有墓碑記、墳記、塔記，則皆附于墓誌之條，茲不復列。復徵曰：《考工記》一書，獨造單行，象形制物，莫可端倪。郭美命云：「周漢而上，工絶技而文絶調，記之所考，吾能徵之矣。」洵然今錄其多半，爲作記之祖。

又卷六三〇　篇一　復徵曰：按《說文》：「篇，聯也。」又詩注云：「徧也，出情鋪事，明而徧也。」凡屬漢魏叢書以篇命名者，擬入子選，概不錄。惟於諸文集中，聊選數首以備一體。

又卷六三七　紀一　復徵曰：紀事者，專錄一人行事，以備採擇之遺，故以紀事括之。而此云紀者，凡一切山川風俗器皿，皆得而紀之，故別之以爲一體。

朱荃宰《文通》卷五　檄　《說文》曰：「檄，二尺書也，從木敫聲。」《釋名》曰：「檄，激也，下官所以激迎其上之書也。」李克曰：「盟檄發於師旅，相如《喻蜀父老》，可謂德音矣。」釋文云：「檄，軍書也。」《說文》云：「以木簡爲書，長尺二寸，用以號召。」若有急則插雞羽而遺之，故謂之羽檄，言如飛之疾也。古者用兵誓師而已，至周乃有文告之辭。而檄之名，則始見於戰國，《史記》載張儀爲檄以告楚相曰：「始吾從若飲，我不盜而璧，若笞我，若善守汝國，我顧且盜而城。」後人倣之，代有著作。而其詞有散文，有儷語，儷始於唐，然不專爲檄也。其他報答諭告，亦有稱檄者焉。檄不切厲則敵心陵，言不誇壯則軍容弱。震雷始於曜電，出師先乎威聲。故觀電而懼雷壯，聽聲而懼兵威。兵先乎聲，其來已久。昔有虞始戒於國，夏后初誓於軍，殷誓軍門之外，周將交刃而誓之。故知帝世戒兵，三王誓師，宣訓我衆，未及敵人也。至周穆西征祭公謀父，稱古有威讓之令，令有文告之辭，卽檄之本源也。**【略】**凡檄之大體，或述此休明，或叙彼苛雪，指天時，審人事，算強弱，角權勢；標蓍龜于前驗，懸鞶鑑于已然。雖本國信，實參兵詐。譎詭以馳旨，煒曄以騰說。凡此衆條，莫或違之者也。故其植義颺辭，務在剛健插羽以示迅，不可使辭緩；露板以宣衆，不可使義隱。必事昭而理辨，氣盛而辭斷。此其要也。若曲趣密巧，無所取才矣。又州郡徵吏，亦稱爲檄，固明舉之義也。

又卷六　鐵券文　劉熙云：「券，綣也。約束繾綣以爲限也。」史稱漢高帝定天下，大封功臣，剖符作誓，丹書鐵券，金匱石室，藏之宗廟。其誓詞曰：「使黃河如帶，泰山若礪，國以永存，爰及苗裔。」後世因此遂有鐵券文焉。其後陸贄有之，然以安反側之心，非錫券之本旨也。《三國典略》曰：「梁任果降周，果字靜蠻，南安人也。世爲方隅豪族，仕於江右，志在立功。太祖嘉其遠來，待以優禮。後除始州刺史封樂安公，賜以鐵券，聽世傳襲。」《晉中興書》曰：「初帝在關中與氐、羌破鐵券約不役使。」梁武帝鐫銀券，賜范桃棒曰：「事定當封女爲河南王。」高皇卽位，二年八月，大將軍取燕都諸郡畢，明年冬念功臣勞烈之多，欲申山河帶礪之誓，賜以鐵券。下禮官議

其制，有奏唐和陵時賜錢鏐者，其孫尚藏，因取爲式。其質鐵，其形如瓦，高一尺，闊二尺，左右二塊，面鐫券文，背刻免罪俸祿之數，券文嵌金，故曰金書。宋制高闊之制，以公侯伯職之不同，漸亦短狹緣其所治，乃漢丹書鐵券之意。今錄魏國一篇，餘可知也。「朕聞自昔帝王，創業垂統，皆賴英傑之臣；削羣雄，平暴亂，然非首將智勇，何能統率而成大功？唐漢初興，諸大名將是也。當時雖得中原，四夷未盡賓服，以其宣謀效力之將比之，豈有過我朝大將軍之功者乎？爾達自起兵以來，爲朕首將，十有六年。廓江漢，清淮楚，電掃兩浙，席捲中原，威聲所振，直抵塞外。其間降王縛將，不可勝數。頃者詔令班師，星馳來赴。朕念爾勤勞既久，立功最多，今天下已定，論功行賞，宜加爵祿。是授爾開國輔運推誠宣力武臣特進光祿大夫左柱國太傅中書右丞相魏國公，參軍國事，食祿五千石，使爾子孫世世承襲。朕本疎愚，皆遵先代哲王之禮典，兹與爾誓，除謀逆不宥，其餘若犯死罪，爾免三死，子免二死，於戲！高而不危，所以長守貴也；滿而不溢，所以長守富也。爾當慎守斯言，諭及子孫，世世爲國良臣，豈不偉歟！」

又 玉牒　《大明會典》，宗人府專掌之。主錄宗室名次，其請名、請封、請祿等奏到，則錄其名於牒以便稽，命名則以五行爲偏傍，而字悉出創造，絕無複疊之病。非如唐宗室名複至數十，莫可稽考者。因歎我明制度，纖悉曲當，皆軼於前代云。

又 告身　五代劉嶽，唐明宗時爲吏部侍郎，故事吏部文武官告身，皆輸朱膠紙軸錢然後給。其品高者則賜之，貧者不能輸錢，往往但得其敕牒而無告身。五代之亂，因以爲常。官卑者無復得告身，中書但錄其制辭，或任其材能，或褒其功行，或申以訓誡。而受官者既不給告身，皆不知受命之所以然。非王言所以告詔也，請一切賜之，由是百官皆給告身，自嶽始也。

又 哀策　哀策，漢樂安相李亢作《和帝哀策》，簡其功德而哀之也。釋名曰：「哀，愛也。愛而思念之也。」《文章流別》曰：「今之哀策者，古誄之義。」

又 明文　《明文》，漢泰山太守應劭作。文明者，昭然曉示之也。今制咸稱奉上以署下，或以躅裁，或以建置，或申江海之防，或禦越人之寇，多樹孔道，大榜郵亭。蘆岸羊腸，觀者驚心；販夫荷插，咸知上意。語簡而言質，俾可由之民，一覽瞭然。斯爲得體，然石版兼用，則視其事之久近也。

又 教　《舜典》曰：「契，汝作司徒，敬敷五教，在寬。」《春秋·元命苞》曰：「天垂文，象人行其事，謂之教。教，傚也，言上爲而下傚也。」《白虎通》曰：「王者設教，承衰救弊，欲民反正道也。教者所以追補敗政，靡弊溷濁，謂之治也。」李周翰云：「教，示於人也。」秦法王侯稱教。而漢時大臣亦得用之。故陳繹曾以爲大臣告衆之辭。今考諸集亦不多見。漢京兆尹王尊出教告屬縣。《書記洞詮》曰：「牧守監鎮宣條示諭，是名曰教。」鄭弘之守南陽，條教爲後所述，乃事緒明也；孔融之守北海，文教麗而罕於理，乃治體乖也。若諸葛孔明之詳約，庾稚恭之明斷，並理得而辭中，辭之善也。

又卷九 策　策，著也。《史記·龜策傳》，「龜爲卜，策爲筴。」注疏云：「筴以謀，筴爲事。」言用此物以謀於前事也，或作蓛，通作冊，《漢書》「萬世之長冊。」《說文》云：「策者，謀也，籌也。策先定，則有功。」《漢書音義》曰：「作簡策難問例置案上，在試者意投射取而答之，謂之射策；若錄政化得失顯而問之，謂之對策。」天子臨軒策士，而有司亦以策舉人，其制迄今用之。又學士大夫有私自議政而上進，曰進策，均謂之策。而體各不同：一曰制策，天子稱制以問而對者也；二曰試策，有司以策試士而對者也；三曰進策，著策而上進者也。唐白居易、宋曾鞏有本朝政要策，蓋當時進士帖㯮之類。夫策之體，練治爲上，摛文次之，然人才不同，入彀者爲通才。嗚呼，難矣！漢時射策對策，其事不同。《蕭望之傳》註云：「射策者，謂爲難問疑義。書之于策，量其大小署爲甲乙之科，列而置之，不使彰顯。有欲射者，隨其所取得而擇之以知優劣。射之言投射也。對策者，顯問以政事經義，令各對之，以觀其文辭定高下也。」《晉史》潘京爲州所辟，謁見問策，探得不孝字。刺史戲曰：「辟士爲不孝邪？」答曰：「今爲忠臣，不得爲孝子。」亦射策遺法耳。制策者，今廷試之策也；試策者，今鄉會場五問之策也，當以試錄爲楷。鄭端簡《古言》曰：策莫盛於漢，漢策莫過於晁大夫。晁就事爲文，文簡徑明暢，事皆鑿鑿可行，賈太傅不及也。文中子曰：「洋洋乎晁、董、公孫之對，有旨哉？」對策者，應詔而陳政也；射策者，探事而獻說也；言中理準，譬射侯中的，二名雖殊，即議之別體也。古之造士，選事考言，漢文中年始舉賢良。鼂錯對策，蔚爲舉首。孝武益明，旁求俊乂。對策者以第一登庸，射策者以甲科入仕，斯固選賢要術也。觀鼂氏之對，證驗古今，辭裁以辨，事通而贍，超升高第信有徵矣。仲舒之對，祖述春秋，本陰陽之化，

究列代之變。煩而不溷者，事理明也。公孫之對，簡而未博，然總要以約文，事切而情舉。所以太常居下，而天子擢上也。杜欽之對，贍而指事，辭以治宣，不爲文作。及後漢魯丕，辭氣質素，以儒雅中策，以入高第。凡此五家，並前代之明範也。魏晉已來，稍務文麗，以文紀實，所失已多，及其來選，又稱疾不會，雖欲求文，弗可得也。是以漢飲博士而雉集乎堂，晉策秀才而麏興于前，無他怪也，選失之異耳。夫駁議偏辨，各執異見，對策揄揚，大明治道，使事深於政術，理密于時務。酌三五以鎔世，而非迂緩之高談；馭權變以極俗，而非刻薄之僞論。風恢恢而能遠，流洋洋而不溢，王庭之美對也。難矣哉，士之爲才也！或練治而寡文，或工文而疏治。對策所選，實屬通才，志足文遠，不其鮮歟！

又 論 李充曰：「研玉名理而論難生焉，論貴於允理，不求支離，若嵇康之論文矣。」《說文》云：「論者，議也，倫也。」蕭統選文，分區爲三：設論居首，史論次之，論次之。較劉勰說差爲未盡，惟設論則勰所未及，而乃取《答客難》、《答賓戲》、《解嘲》三首以實之。夫文有答有解，已各自爲一體，統不明言其體，而槩謂之論，豈不誤哉？然詳勰之說，似亦有未盡者。愚謂析理亦與議說合契，諷寓則與箴解同科，設辭則與問對一致。要此八者，庶幾盡之。今兼二子之說廣未盡之例，列爲八品：曰理論，曰政論，曰經論，曰史論（有評議述贊二體）、曰文論、曰諷論、曰寓論、曰設論。其題或曰某論，則各隨作者命之，無異議也。聖哲彝訓曰經，述經叙理曰論，論者倫也，倫理有無，聖意不墜。昔仲尼微言，門人追記，故仰其經目稱爲《論語》。蓋羣論立名，始於茲矣。自《論語》已前，經無論字，《六韜》二論，後人追題乎？詳觀論體，條流多品：陳政則與議說合契，釋經則與傳注參體，辯史則與贊評齊行，銓文則與叙引共紀。故議者宜言，說者說語，傳者轉師，注者主解，贊者明意，評者平理，序者次事，引者胤辭，八名區分，一揆宗論。論也者，彌綸羣言，而研精一理者也。是以莊周《齊物》以論爲名，不韋《春秋》六論昭列，至《石渠》論藝、《白虎》通講，聚述聖言通經，論家之正體也。及班彪《王命》、嚴尤《三將》，敷述昭情，善入史體。魏之初霸，術兼名法，傅嘏、王粲，校練名理，迄至正始，務欲守文。何晏之徒，始盛玄論。於是聃、周當路，與尼父爭塗矣。詳觀蘭石之才性、仲宣之去代、叔夜之辯聲、太初之本玄、輔嗣之兩例、平叔之二論，並師心獨見，鋒穎精密，蓋人倫之英也。至如李康《運命》，同《論衡》而過之；陸機《辯亡》，效《過秦》而不及，然其美矣。次及宋岱、郭象銳思於機神之區，夷甫、裴頠交辯於有無之域，並獨步當時，流聲後代。然滯有者全繫於形用，貴無者專守於寂寥，徒銳偏解，莫詣正理，動極神源，其般若之絕境乎？逮江左羣談，惟玄是務，雖有日新，而多抽前緒矣。至如張衡《譏世》，韻似俳說；孔融《孝廉》，但談嘲戲；曹植《辯道》，體同書抄。言不持正，論如其已。原夫論之爲體，所以辯正然否。窮有數，追無形，迹堅求通，鉤深取極，乃百慮之筌蹄，萬事之權衡也。故其義貴圓通，辭忌枝碎，必使心與理合，彌縫莫見其隙，辭共心密，敵人不知所乘，斯其要也。是以論如析薪，貴能破理。斤利者越理而橫斷，辭辯者反義而取通。覽文雖巧，而檢跡如妄，惟君子能通。天下之志安可以曲論哉！若夫注釋爲詞，解散論體，雜文雖異，總會是同，若秦君延之注《堯典》，十餘萬字；朱普之解《尚書》，三十萬言。所以通人惡煩，羞學章句，若毛公之訓《詩》，安國之傳《書》，康成之釋《禮》，王弼之解《易》，要約明暢，可謂式矣。

又 經義 《說文》：「義從我美省，人言之，我斷之爲美也。」《禮記》有冠義諸篇，唐取士有明經一科，而無其義。宋因之，不過試以墨書帖義。至王安石撰《周禮》、《詩》、《書》三經義，頒行試士，舊法始變。彼固欲以己說一天下士，高視一世。他如思退國之奸，止齊衰世之文，而至今倣之爲鼻祖焉。經義可見者，《文鑑》所載張庭堅二篇。及楊思退、陳傅良者，皆深沉博雅，絕無駢儷之習，自是正始。而考古者止于國初，猶張博望窮崑崙爲河源，此丘文莊所以歎科舉之弊也。

又 駁 漢侍中吾丘壽王《駁公孫弘禁民不得挾弓弩議》。《山海經》曰：「有獸名駁，如白馬，黑尾倨牙，音如鼓，食虎豹。」漢興，始立駁議、雜議。不純，故謂之駁。李充《翰林論》曰：「駁，不以華藻爲先。世傳傅長虞每奏事爲邦之司直矣。」

又 牒 漢臨淮太守路溫舒牧羊澤中，時截蒲爲牒，編用寫書。《文心雕龍》曰：「政議未定，短牒咨謀。」

又 笏記 《記》曰：「造受命於君前則書笏。」笏度二尺有六寸，其中博三寸，其殺六分而去一。凡命婦入朝，則書其夫之爵及姓名于笏，上問則以笏對。按：笏雖有文，而無定體。《續文獻通考》曰：「笏，勿也。」君有教命

及所啓白則書之，備忽忘也。

又卷一〇 序 《周頌》曰：「繼叙思不忘。」《毛傳》曰：「叙者，緒也。」緒述其事，使理亂相徹，若繭之抽緒。《易》有叙卦，《尙書》有孔子叙，子夏作《詩叙》。叙者，所以叙作者之意，謂其言次第有叙，故曰叙也。《漢書》曰：「書之所起遠矣，至孔子纂焉，上斷於堯，下訖於秦，凡百篇而爲之叙。」按孔安國叙《尙書》，未嘗言孔子作。劉歆亦云：「識見淺陋，無所發明。」其非孔子所作明甚，顧世代久遠不可復知矣。《爾雅》云：「叙，緒也。」字亦作序，言其善叙事理也。又謂之大叙，則對小叙而言也。其爲體有二：曰議論，曰叙事。其題曰某叙、曰叙某，字或作叙、或作序，惟作者命之，無異義也。至唐柳氏又有叙略之名，則其題稍變，而其文益簡矣。若書叙、壽叙、贈序、別叙、賀叙、名叙、字叙，蓋不可殫述。以叙事爲正體，參以議論者爲變體。

又 自序 作者自叙，其流出於中古。屈原《騷經》，其首章上陳氏族，下列祖考，先述厥生，次顯名字，自叙實基於此。降及馬卿，始以自叙爲傳，然但記生平行事而已。逮於祖先所出，則蔑爾無聞。至馬遷徵三閭之故事，倣文園之近作，模楷二家，勒成一卷，於是揚雄遵其舊轍，班固酌其餘波，自叙實煩矣。雖屬辭有異，而兹體無改。馬遷《史記》，上自軒轅，下窮漢武，修闊綿長，其自叙始於氏出重黎，終於太史，雖上下馳騁，終不越《史記》之年。班固《漢書》，止叙西京二百年事耳。其自叙也，則遠徵令尹，起楚文王之世；近錄《賓戲》，當漢明帝之朝，苞括所聞，踰於本書遠矣。而後來叙傳，非止一家，競學孟堅，從風而靡。施於家譜，猶或可通，列於國史，每見其失者矣。然自叙之爲義也，苟能隱己之短，稱其所長，斯言不謬，卽爲實錄。而相如自叙，反記其客遊臨邛，竊妻卓氏，以《春秋》所諱，持爲美談，雖事或非虛，而理無可取，載之於傳，不其愧乎？又王充《論衡》之自紀也，述其父祖不肖，爲州閭所鄙，而己答以瞽頑舜神、鮌惡禹聖。夫自叙而言家世，當以揚顯爲主，苟無其人，闕之可也。至若盛矜於己，而厚辱其先，此何異證父攘羊，學子名毋，必責以名教，實三千之罪人也。夫自媒自衒，士女之醜行，然則人莫我知，君子所恥。按孔氏《論語》有云：「十室之邑，必有忠信，不如丘之好學也。」又曰：「吾日三省吾身，爲人謀而不忠乎？與朋友交而不信乎？」又曰：「文王既沒，文不在兹乎？」又曰：「昔者吾友嘗從事於斯矣。」則聖達立言也。時亦揚露己才，或託諷以見其情，或巽辭以顯其跡，終不旰衡自伐，攘袂公言。且命諸門人各見爾志，由也不讓，見哂無禮。歷觀揚雄已降，其自叙也，始以誇尙爲宗。至魏文帝、傅玄、陶梅、葛洪之徒，則又踰於此者矣。何則？身兼片善，行有微能，皆剖析具言，一二必載，豈所謂憲章前聖，謙以自牧者歟！又近古人倫，喜稱閥閱。其華門寒族，百代無聞；而騂角挺生，一朝暴貴，無不追述本系，妄承先哲，至若儀父振鐸，並爲曹氏之初，淳維、李陵，俱稱拓拔之始。河南馬祖，遷、彪之說不同；吳興沈約，先後之序有異。斯皆不因眞律，無假寧楹，直據經史自成矛盾。則知揚雄之寓西蜀，班門之雄朔野，或胄纂伯僑，或家傳熊繹，恐自我作古，失之彌遠者矣。蓋諂祭非鬼，神所不歆；致敬他親，人斯悖德。凡爲叙傳，宜詳此理，不知則闕，亦何傷乎！

又 書記 《釋名》曰：「書者，庶也，以記庶物。又著，言事得彰著。」《五經》六籍，皆是筆書，而諸部之書，隨事立名，以事舉，故百氏《六經》，總曰書也。論識所題別名，各自載耳。晉韓起適魯，觀書於太史氏，是《易象》與《春秋》，此總名書也。按書記之用，古今多品，有書、有奏記、有啟、有簡、有狀、有疏、有牋、有劄，而書記則其總稱也。夫書者，舒也，舒布其言而陳之簡牘也。記者，志也，謂進己志也。啟，開也，開陳其意也。一云跪也，跪而陳之也。簡者，略也，言陳其大略也。或曰手簡，或曰小簡，或曰尺牘，皆簡略之稱也。狀之爲言陳也，疏之爲言布也。以上六者，秦漢已來皆用於親知往來、問答之間，而書啟狀疏亦以進御。獨兩漢無啟，則以避景帝諱而置之也。又古者郡將奏牋，厥後專用於皇后、太子、諸王，其下遂不敢稱。而劄獨行於宋，盛於元，有疊副提頭畫一之制，煩猥可鄙，然以呂祖謙之賢而亦爲之，則其習非一日矣。牋者，今人所不得用，而劄者吾儒所鄙，而不屑也。今辯其體曰書，書有辭命議論，曰奏記。二者並用散文。曰啟，啟有古體，有近體；曰簡，簡用散文；曰狀，狀用儷語；曰疏，疏用散文。然狀與疏諸集不多見，見者僅此六體。然要未可爲定體也。世俗施於尊者，多用儷語以爲恭，則啟與狀疏，大抵皆俗體也。書記之體本在盡言，故宜條暢以宣意，優柔以懌情，乃心聲之獻酬也。若尊卑有叙，親疏得宜，又存乎節文耳。

又 喩難 漢司馬相如《喩巴蜀》，幷《難蜀父老》文。喩，喩告以知上意

也；難，難也，以己意難之，以諷天子也。

又 說難 《說難》，韓之諸公子韓非所作。非見韓削弱，數以書諫韓王，韓王不能用，乃作《說難》。漢揚雄曰：「韓非作《說難》而卒，死乎《說難》，何也？曰：《說難》蓋其所以死也。君子以禮動而義止，合則進，不合則退。確乎其不憂其不合也。夫說人而憂其不合，則亦無所不至矣。」

又 釋誨 《釋誨》，漢蔡邕作。宋玉始造對問，朔等效而廣之，迭相祖述，命篇雖異，而體則同源也。《說文》云：「釋，解也。」文既有解，又復有釋，則釋者，解之別名也。自蔡邕作《釋誨》，而郤正《釋譏》，皇甫謐《釋勸》，束晳《玄居釋》，相繼有作。然其詞旨，不過遞相述而已。至唐韓愈作《釋言》，別出新意，乃能追配邕文，而免於蹈襲之陋。

又卷一一 符命 《春秋孔演圖》曰：「天子皆五帝之精寶，各有題序以次運相據起，必有神靈符紀，使開階立遂。」

又 《典引》《緣起》曰：「漢班固所作。」《文選》註曰：「典者，常法也，引者，伸也。《尚書》疏堯之常法，謂之《堯典》，漢紹其緒，引而伸之，故曰《典引》。」《文選》列符命類。唐以前，文章未有名引者。漢班固雖作《典引》，然實爲符命之文。如雜著命題，各用己意耳，非以引爲文之一體也。唐以後始有此體，如柳宗元有《霹靂琴贊引》，劉禹錫有《送元暠南遊詩引》，大略如序，而稍爲短簡。蓋序之濫觴也。

又 連珠 傅玄曰：「其文辭麗而言約，不指說事情，必假喻以達其旨，而賢者微悟，合於古詩諷興之義。欲使歷歷如貫珠，易覩而可悅，故謂之連珠也。」沈約曰：「連珠放易象論，動模經誥。連珠者，謂辭句連續，互相發明，若珠之排結也。」班固諭美詞壯，文體宏麗，最得其體。蔡邕言質辭碎，然其旨篤矣。賈逵儒而不艷，傅毅文而不典。按西漢揚雄，已有連珠，班固擬連珠，非始於固也。嗣後潘勗《擬連珠》，魏王粲有《倣連珠》，晉陸機有《演連珠》，宋顏延之有《範連珠》，齊王儉有《暢連珠》，梁劉孝儀探物作《豔體連珠》。傅玄乃云興於漢章之世，誤矣。

又 辯 任昉曰：「楚宋玉作《九辯》。辯者，變也。謂陳道德以變說君也。」按《楚辭・九歌》乃十一篇，《九辯》亦十篇。宋人不曉古人虛用九字之義，強合《九辯》二章爲一章，以協九數。古人言數之多止于九。《逸周書》云：「《左傳》九諫于王；孫武子善攻者動于九天之上，善守者伏于九地之下。」此豈實數邪？《書》曰：「君罔以辯言亂舊政。」《禮記》曰：「言僞而辯。」孟子曰：「予豈好辯哉？」故辯須不得已而辯之可耳。莊子云：「辯雕萬物。」韓子云：「豔采辯說。」是則藻繢其言以眩聽，無治亂安危之念者也。《說文》云：「辯，判別也。」其字從言或從刂。蓋執其言行之是非眞僞，而以大義斷之也。近世魏較謂從刀，而古文不載，未敢從也。漢以前初無作者，故《文選》莫載，而劉勰不著其說。至唐韓、柳乃始作焉，然其原實出於孟、莊。蓋非本乎至當不易之理，而以反復曲折之詞發之，未有能工者也。其題或曰某辯，或曰辨某，則惟作者命之，實非有異義也。

又 說 說，本作兌，俗作說，解也，述也。解釋義理，而以己意述之也。說之名起於《說卦》。漢許愼作《說文》，亦祖其名以命篇。而魏晉以來，作者絕少，獨曹植集中有二首。要之傳於經義，而更出己見，縱横抑揚，以詳贍爲上，而已與論無大異也。名說、字說，其名雖同，所施則異。說者，悅也。兌爲口舌，故言咨悅懌，過悅必僞。故舜驚讒說。說之善者，伊尹以論味隆殷，太公以辯釣興周，及燭武行而紓鄭，端木出而存魯，亦其美也。暨戰國爭雄，辯士雲踴，從横參謀，長短角勢。《轉丸》騁其巧辭，《飛鉗》伏其精術。一人之辯，重於九鼎之寶；三寸之舌，強於百萬之師。六印磊落以佩，五都隱賑而封。至漢定秦楚，辯士弭節，酈君既斃於齊鑊，蒯子幾入乎漢鼎。雖復陸賈籍甚，張釋傅會，杜欽文辯，婁護脣舌，頡頏萬乘之階，抵噓公卿之席，並順風以託勢，莫能逆波而泝洄矣。夫說貴撫會，弛張相隨，不專緩頰，亦在刀筆。范雎之言事，李斯之止逐客，並煩情入機，動言中務，雖批逆鱗，而功成計合。此上書之善說也。至於鄒陽之說吳、梁，喻巧而理至，故雖危而無咎矣。敬通之說鮑、鄧，事緩而文繁，所以歷騁而罕遇也。凡論之樞要，必使時利而義貞，進有契於成務，退無阻於榮身；自非譎敵，則惟忠與信，披肝膽以獻主，飛文敏以濟辭，此說之本也。而陸氏直稱「說煒曄以譎誑」，何哉！

又 譯 《王制》曰：「五方之民，言語不通，嗜欲不同，達其志，通其欲。東方曰寄，南方曰象，西方曰狄鞮，北方曰譯。」賀欽曰：「譯者，《說文》云：『傳譯四夷之言也。從言，睪聲。』越裳氏重九譯來貢，《周禮》象胥傳四夷之言，北方曰譯。」注疏云：「譯，陳也。陳說內外之言。」

又卷一一二 讚 《釋名》曰：「稱人之美者曰讚。讚者，纂也。纂集其美

而叙之也。」《尚書注疏》云：「鄭玄曰：贊者，以叙不分散，避其名，故謂之贊。」贊，明也，佐也，佐成叙義也。《文章緣起》云：「讚者，明事而嗟嘆，以助辭也。四字爲句，數韻成章，蓋約文而寓褒貶也。」李充《翰林論》曰：「容象圖而讚立，宜使詞簡而義正。孔融讚楊公，亦其義也。」《說文》云：「贊，本作讚。」昔漢司馬相如，初贊荆軻，其詞雖亡，而後人祖之，著作甚衆。唐時至用以試士，則其爲世所尚久矣。其體有三：曰雜贊，意專褒美，若諸集所載人物文章書畫諸贊是也；曰哀贊，哀人之沒而述德以贊之者是也；曰史贊，詞兼褒貶，若《史記索隱》《東漢》《晉書》諸贊是也。其述贊也，名雖爲贊，而實則評論之文。其叙傳也，詞雖似贊，而實則小叙之語，安得槩謂之贊，而無辯乎？又有以傳贊名書者，劉歆作《列女傳贊》。傳著事也，贊叙美也。

又 記　任昉曰：記者，「所以叙事識物，以備不忘，非專尚議論者也。」《金石例》云：「記者，記事之文也。」《禹貢》、《顧命》，乃記之祖。而記之名則昉於《戴記》、《學記》諸篇，厥後揚雄作《蜀記》。而《文選》不列其類，劉勰不著其說，則知漢魏以前作者尚少。其盛自唐始也，其文以叙事爲主，後人不知其體，顧以議論雜之。故陳師道云：「韓退之作記，第記其事耳，今之記乃論也。」亦有感矣。然觀《燕喜亭記》，已涉議論。而歐、蘇以下議論寖多，則記體之變，豈一朝一夕之故哉。又有託物以寓意者，如王績〔續〕《醉鄉記》是也；有首之以序，而以韻語爲記者，如韓愈《汴州東西水門記》是也；有篇末繫以詩歌者，如范仲淹《桐廬嚴先生祠堂記》之類是也。皆爲別體。至其題或曰某記，或曰記某記，《昌黎集》載有《記宜城驛》是也，或爲游記，惟作者之所命焉。此外又有墓磚記，墳記、塔記，當與墓誌同體。

又 銘　《釋名》曰：「銘，名也，述其功美，使可稱名也。」《文章流別》曰：「德勳立而銘著。」《禮記・祭統》曰：「銘者，論撰其先祖之有德善功烈勞勳慶賞聲名，列於天下而酌之祭器，自成其名焉。以祀其先祖者也。」顯揚先祖，所以崇孝子也，身比焉順也，明示後世教也。夫銘者一稱，而上下皆得焉耳矣。是故君子之觀於銘也，既美其所稱，又美其所爲。爲之者明足以見之，仁足以與之，知足以利之，可謂賢矣；賢而勿伐，可謂恭矣。《法言》曰：「銘哉，銘哉！有意於慎也。」鄭康成曰：「銘者，名也。作器能銘，可以爲大夫矣。」考諸夏商鼎彝尊卣盤匜之屬，莫不有銘。而文多淺缺，獨湯盤見於《大學》，《大戴禮》備載武王諸銘。其後作者寖繁，山川宮室門井之類，皆有銘詞，不但器物而已。其體不過有二：曰警戒，曰祝頌。《文賦》曰：「銘貴博文而溫潤。」斯言得之矣。此外又有碑銘、墓碑銘、墓誌銘。蔡邕《銘論》曰：「春秋之論銘也，曰：『天子令德，諸侯言時計功，大夫稱伐。』昔肅慎納貢，銘之楛矢，所謂天子令德者也。昔黃帝有巾几之法，孔甲有盤盂之誡，殷湯有甘誓之勒，冕鼎有丕顯之銘，武王踐祚，咨于太師，作席几楹杖機之銘，十有八章，周廟金人，緘口以慎，亦所勸人主最於令德者也。」【略】《文章流別傳》曰：「夫古銘至約，今銘至煩，亦有由也。」質文時異，論之則矣。且上古之銘，銘於宗廟之碑，既蔡邕爲楊公作碑，其文典正，末世之美者也。後世以來銘器，銘之佳者，有王莽《鼎銘》、崔瑗《機銘》、朱公叔《鼎銘》、王粲《硯研》，咸以表顯功德。天子銘嘉量，諸侯大夫銘太常，勒鐘鼎之義，所言雖殊，而令德一也。李尤爲銘山河都邑，至於刀筆，無有不銘，而文多穢病，殊費討論矣。昔帝軒刻輿、几以弼違，大禹勒筍、簴而招諫，成湯著日新之規，武王題戶席之訓，周公慎言於金人，仲尼革容於欹器，則先聖鑒戒，其來久矣。故銘者，銘也。觀器必也正名，審用貴乎盛德，蓋臧武仲之論銘也曰：「天子令德，諸侯計功，大夫稱伐。」夏鑄九牧之金鼎，周勒肅慎之楛矢，令德之事也；呂望銘功於昆吾，仲山鏤績於庸器，計功之義也；魏顆紀勳於景鐘，孔悝表勤於衛鼎，稱伐之類也。若乃飛廉有石槨之錫，靈公有蒿里之謚，銘發幽石，吁可怪矣。趙靈勒跡於番吾，秦昭刻博於華山，夸誕示後，吁可笑也。詳觀衆例，銘義見矣。至於始皇勒嶽，政暴而文澤，亦有疏通之美焉。若班固燕然之勒，張昶華陰之碣，序亦盛矣。蔡邕銘思，獨冠古今；橋公之銘，吐納典謨，朱穆之鼎，全成碑文，溺所長也。至如敬通雜器，準矱戒銘，而事非其物，繁略違中；崔駰品物，讚多戒少；李尤積篇，義儉辭碎。蓍龜神物，而居博奕之中；衡斛嘉量，而在臼杵之末。曾名品之未暇，何事理之能閑哉！魏文《九寶》器利辭鈍，唯張載《劍閣》，其才清采。迅足駸駸，後發前至，勒銘岷漢，得其宜矣。

又 箴　漢揚雄依《虞箴》作十二州、二十五官箴。箴者，規戒，以禦過者也。義尚切劘，文須確至。箴者，所以攻疾防患，喻鍼石也。斯文之興，盛于三代，夏商二箴，餘句頗存。及周之辛甲《百官箴》一篇，體義備焉；迄至春秋，微而未絕。故魏絳諷君於后羿，楚子訓民於在勤，戰代已來，棄德

務功，銘辭代興，箴文委絕。至揚雄稽古，始範虞箴，卿尹州牧廿五篇，及崔、胡補綴，總稱百官，指事配位，鞶鑑可徵。信所謂追清風於前古，攀辛甲於後代者也。至於潘勖符節，要而失淺；溫嶠傳臣，博而患繁；王濟國子，引廣事雜；潘尼乘輿，義正體蕪，凡繼作鮮有克衷。至於王朗雜箴，乃寘巾履，得其戒慎，而失其所施。觀其約文舉要，憲章戒銘，而水火井竈，繁辭不已，志有偏也。夫箴誦於官，銘題於器，名目雖異，而警戒實同。箴全禦過，故文資確切；銘兼褒讚，故體貴弘潤。其取事也必覈以辨，其摛文也必簡而深，此其大要也。然矢言之道蓋闕，庸器之制久淪，所以箴銘異用，罕施，代惟秉文君子宜酌其遠大焉。箴者，誡也。蓋醫者以箴石刺病，故有所諷刺而救其失。後之作者，亦用以自箴。其品有二：曰官箴、曰私箴。文用韻語，而反覆古今興衰理亂之故，以垂警戒，使人惕然有不自寧之心耳。

又 規 《說文》云：「規者，爲圓之器也。」《書》曰：「官師相規，言規其闕失，使不敢越，若木之就規也。」今人以箴規並稱，而文章顧分爲二體者。何也？孔穎達曰：「書言官師者，謂衆官也；相者，平等之辭。平等有闕，已上相規，見上有過，諫之必矣。」據此則箴者箴上之闕，而規者臣下之互相規諫者也。其用以自箴者，乃箴之濫觴耳。然規之爲名，雖見於書，而規之爲文，則漢以前絕無作者。至唐元結始作《五規》，豈其緣書之名，而創爲此體歟。

又 誡 警也，慎也。《易》曰：「小懲而大誡。」《書》曰：「戒之用休。」《詩》云：「夕惕若厲。」《孝經》云：「在上不驕。」《論語》云：「君子有三戒。」《說文》云：「戒者，警敕之辭，字本作誡。」文既有箴而又有戒，則戒者，箴之別名歟。《淮南子》載《堯戒》曰：「戰戰慄慄，日謹一日，人莫躓於山，而躓於垤。」至漢杜篤遂作《女戒》，而後世因之，惜其文弗傳。意必未若堯戒之簡也，其詞或散文，或韻語。《漢書》曰：「誡勅刺史太守及三邊營官。」被勅文曰：「有詔勅某官，是爲誡勅。」世皆名此爲策書，失之甚也。

又卷一三 尺牘 漢文帝遺匈奴尺一牘，尺牘書之沿也。體務簡達，語貴嫺孅。所用最繁，必使斯須可辦，故孟公授書，親疎各異，穆之應對，移晷百函。斯蓋駿發而前巧於用短者也。王弇州曰：「夫書者，辭命之流也。」昔在春秋，游旌接轂，矢揚刃飛之下，不廢酬往，嫺婉可餐。故草創潤色，既匪一人，謀野禔邦，以爲首務。然而出疆斷割，因變爲規。寄文行人之口，無取載函之筆，離是而還，書郁乎盛矣！用亦大焉。故嬓箭聊城，則百雉自摧；奏章秦庭，則千橐盡返。少卿紓鬱於毳帳，子長揚泯於蠶宮，良以暘人我之懷，發今曩之蘊。或揚扢沈冥，或培折疑豫，或誘趨啓蔽，或釋詛通媾。走儀秦於寸管，組丘倚於尺一。思則川至泉湧，辯則雲蒸電燿，其盛矣哉！然皆春容大章，汪洋苑翰，鴈距弱雲路，虞其修阻；魚腹狹波臣，付以沈浮。則有黃麻薄虢，緘蘇固蠟，爛熳數行，遙裔千里。蓄止寒暄，情專問慰，隻事興端，片物託緒，毛生爲舌，墨卿代面，醉瀋漓漇，卮言熹微。其造色也，炯兮隋珠之忽投；其寄悰也，裊兮春絲之不斷。是用河嶽雖移，漆膠愈結，徘徊吟咀，情事更絕；明月宛其依懷，白雲停而不飛，斯則晉客玄談之委致，齊、梁纖語之極軌也。若夫陳驚座之十吏遞供，劉南昌之百函俱發，流映前史，以爲美談。今皆闕如，況其下焉者乎？

又 移書 漢劉歆《移書讓太常博士論左氏春秋》。移，易也。讓，責也。

又 白事 漢孔融主簿作白事書。白，告也，告明其事也。

又 述 魏給事中邯鄲淳作魏受命述，聖人創製曰作，賢者傳舊曰述。故述者不敢當作者之名也。《說文》云：「述，譔也，纂撰其人之言行以俟考也。」其文與行狀略同，不曰狀，而曰述，亦別名。

又 謁 謁文：後漢別駕司馬張超《謁孔子文》。謁，白也，請見也。史稱謁者。

又卷一四 讖 《說文》云：「讖，驗也。」徐曰：「凡讖緯，皆言將來之驗也。」《釋名》曰：「讖也，其義讖微。」《廣韻》「讖書」，《增韻》「符讖」。【略】《蜀志》曰：「夫不經之言而有應驗者，號曰讖也。」

又 詛文 詛文，秦惠文王《詛楚文》，《書》曰：「否則厥口詛祝。」《詩》云：「侯作侯祝，靡屆靡究。」《釋名》曰：「詛，阻也，使人行事阻限於言也。」《左傳》：「公孫閼與穎考叔爭車，閼射殺叔，鄭莊公不能討，乃使軍中詛之於神。故君子謂莊公失政刑矣。」政以治民，刑以正邪，既無德政，又無威刑，是以及邪。邪而詛之，將何益矣！

又 盟 盟者，明也。騂毛白馬，珠盤玉敦，陳辭乎方明之下，祝告於神明者也。在昔三王，詛盟不及，時有要誓，結言而退。周衰屢盟，以及要契，始之以曹沫，終之以毛遂。及秦昭盟夷，設黃龍之詛，漢祖建侯，定山河之誓。然義存則克終，道廢則渝始，崇替在人，呪何預焉！若夫臧洪動

辭，氣截雲蜺，劉琨鐵誓，精貫霏霜，而無補于晉、漢，反爲仇讎。故知信不由衷，盟無益也。夫盟之大體，必序危機，獎忠孝，共存亡，戮心力，祈幽靈以取鑒，指九天以爲正；感激以立誠，切至以敷辭，此其所同也。然非辭之難，處辭爲難。後之君子，宜在殷鑒，忠信可矣，無恃神焉。

又 祝文 古者祝享，史有冊祝，載所以祝之之意。冊祝，祝版之類也。《詩》云：「祝祭于祊，祀事孔明。」言甚備也。天地定位，祀徧羣神；六宗既禋，三望咸秩；甘雨和風，是生黍稷；兆民所仰，美報興焉。犧盛惟馨，本於明德；祝史陳信，資乎文辭。昔伊耆始蠟，以祭八神。其辭云：「土反其宅，水歸其壑，昆蟲無作，草木歸其澤。」則上皇祝文，爰在兹矣。舜之祠田云：「荷此長耜，耕彼南畝，四海俱有。」利民之志，頗形於言矣。至於商履，聖敬日躋，玄牡告天，以萬方罪己，卽郊禋之詞也。素車禱旱，以六事責躬，則雩榮之文也。及周之大祝，掌六祝之辭，是以「庶物咸生」，陳於天地之郊；「旁作穆穆」，唱於迎日之拜；「夙興夜處」，言於附廟之祝；「多福無疆」，布於少牢之饋；宜社類禡，莫不有文。所以寅虔於神祇，嚴恭於宗廟也。春秋已下，黷祀諂祭，祀幣史辭，靡神不至。至於張老成室，致善於歌哭之禱；蒯聵臨戰，獲佑於筋骨之請。雖造次顛沛必於祝矣。若夫《楚辭·招魂》，可謂祀辭之組纚也。漢之羣祀，肅其旨禮，既總碩儒之儀，亦參方士之術。所以秘祀移過，異於成湯之心；侲子毆疫，同乎越巫之祝。體失之漸也。至如黃帝有祝邪之文，東方朔有罵鬼之書。於是後之譴呪，務於善罵，唯陳思誥咎，裁以正義矣。若乃禮之祭祀，事止告饗。而中代祭文，兼讚言行。祭而兼讚，蓋引伸而作也。又漢代山陵，哀策流文，周喪盛姬，內史執策，然則策本書贈，因哀而爲文也。是以義同於誄，而文實告神，誄首而哀末，頌體而祝儀。太史所作之讚，因周之祝文也。凡羣言發華，而降神實務，修辭立誠，在于無媿。祈禱之式，必誠以敬；祭奠之楷，宜恭且哀。此其大較也。班固之祝濛山，祈禱之誠敬也；潘岳之祭庾婦，奠祭之恭哀也。舉彙而求，昭然可鑒矣。祝文者，饗神之辭也。其旨有六焉：曰告，曰修(修常祀也)，曰祈(求也)，曰報(謝也)，曰辟(讀曰弭禳也，見《郊特牲》)，曰謁(見也)，用以饗天地山川社稷宗廟五祀羣神，而總謂之祝文。有散文，有韻語之異。祝辭者，頌禱之詞也。世所傳有淨髮、頮面祝辭，苟推其類，則凡喜慶，皆可爲之。

又 祈文 後漢傅毅作《高闕祈文》。祈求惟肅，脩辭貴端。《禮記》曰：「夫祭有祈焉，有報焉，有由辟焉。」

又卷一五 譜 《經籍志》曰：「古爲春秋學者，有年曆譜牒。」桓譚云：「太史公《三代世表》，旁行衺上，並效周譜繫，所從來矣。古小史主次序，先王之世，昭穆之繫述其德行，瞽矇主誦詩，若世系以戒勸人君。」故《國語》曰：「工史書世，宗祝書昭穆」、「宗廟之有昭穆，以次世之長幼，等胄之親疏」，若此者，凡以教之世而爲之昭明德，廢幽昏，其意遠矣。江左以來，譜籍漸盛。太元中，賈弼篤好簿狀，廣集諸家，撰十八州百十六郡，合七百十二卷。凡諸大品，略無遺闕，斯爲獨備。嗣後劉湛、王儉、王僧孺、路敬淳、柳冲、韋述，世多稱之。大氐周、漢之歛智役愚，魏、晉之歛貴役賤；甚至三公之子，傲九棘之家；黃散之孫，蔑令長之室。卽權力如文皇，不能夷崔幹于寒畯，他可知也。迨至中葉，此風都廢，公靡常產，士無舊德，冠冕輿皂，混然莫分，則又甚矣。夫氏族勳格，史之流例，宜區列之以備覽焉。

又 錄 焦弱侯曰：《記》有之：「進退有度，出入有局，各司其局。」書之有類例，亦猶是也。故部分不明，則兵亂；類例不立，則書亡。向、歆剖判百家，條綱粗立，自是以往，書名徒具，而流別莫分，官滕私楮，喪脫幾盡，無足怪者。嘗觀老、釋二氏，雖歷廢興，而篇籍具在，豈盡其人之力哉！二家類例既明，世守彌篤，亡而不能亡也。古今簿錄，勝劣不同，鄭樵彈射，不遺餘力。而倫類溷殽，或自蹈之。目論之議，誰能獨免？今別爲糾謬焉。今制事之最鉅者爲實錄，每實錄成，則焚其草于芭蕉園。異日之史也，辰、戌、丑、未，大比天下貢士，錄其文曰《會試錄》；子、午、卯、酉鄉舉，錄其文曰某省《鄉試錄》，皆冠以前序，主考官爲之，次執事，次題問，次取士姓名，次程文，殿以後序，副考官爲之。進呈御覽，殿試曰《登科錄》。

又 旨 後漢崔駰作《達旨》。旨，美也，令也。達，簡言也。取達其意而已。

又 勢 漢濟北相崔瑗作《草書勢》。勢，商略筆勢，形容字體者也。

又 法 司馬法、魏公子兵法皆其書也。以言乎法律之不可易也，神而明之，存乎其人矣。

又 篇 漢司馬相如作《凡將篇》。篇，什也。積句以成章，積章而成篇也。篇本一章，非全書。其見於《詩》則曰三百篇。後世子家，多用以釋家諸

體爲多，而篇則寥寥明名全書。鄭端簡著國史，亦以《吾學》名篇，蓋以避史之名而不居也。

又卷一六 斷 斷，漢議郎蔡邕作《獨斷》。斷者，義之證也，引其義而證其事也。語曰：「當斷不斷，反受其亂。」天子獨斷，則太阿自持而權不下移，樂禮征伐，不出自諸侯陪臣。士庶人能獨斷，則剛毅近仁，不致身聲名俱喪。故曰：「需者，事之賊也；疑者，身之毒也。」疑行無功，疑事無成，緩之旦夕，失之終身。皆濡忍于利欲，而亂大謀者也。在史有斷限，獄有斷讞，文有斷制。剛腸百鍊，片言立剖，其斯斷之義乎？

又 約 任彥升曰：「約，漢王褒作《僮約》。約，券也。」《釋名》曰：「約，約束之也。」《說文》云：「約，束也。」言語要結，戒令檢束，皆是也。古無此體，王褒始作《僮約》。而後世未聞有繼者，豈以其文無所於用而略之歟？後人如鄉約之類，固宜倣此，庶幾不失古意。

又 過所 《釋名》曰：過所，至關津以示之。或曰：「傳，轉也，轉移所在，識之所以爲信也。」劉熙《釋名》曰：「過所，至關津以示之。」張晏注《漢紀》關傳云：「傳，信也，若今過所。」過所者，今之行路文引也。【略】《漢書》曰：「文帝十三年，詔除關無用傳。」張晏曰：「傳，信也。若今過所。」李奇曰：「傳，棨也。」顏師古曰：「或用棨，或用繒，棨者，刻木爲合符。」

又 莂 《釋名》：「莂，別也。大書中央，中破別之也。」蓋卽今市井合同，夷人木刻之類耳。佛經有記別之文，古人作僧寺文多用記別字，而不知其解如此。古文但用別《周禮》「八成：聽稱責以傳別。」鄭注：「爲大手書於一札中字別之。」卽券書也。

又 契券 《釋名》曰：「券，綣也，相約束繾綣，以限爲別也。」大書中央破別。契，刻也，識其數也。《說文》曰：「券，契也。」別之書以刀刻其傍也，故曰契也。

又 雜著 籍者，借也。歲借民力，條之於版，《春秋》司籍，卽其事也。簿者，圃也。草木區別，文書類聚，張湯、李廣爲吏，所簿別情僞也。方者，隅也。醫藥攻病，各有所主，專精一隅，故藥術稱方。術者，路也。算曆極數，見路乃明，九章積微，故以爲術。淮南《萬畢》皆其類也。占者，覘也。星辰飛伏，伺候乃見，精觀書雲，故曰占也。式者，則也。陰陽盈虛，五行消息，變雖不常，而稽之有則也。疏者，布也。布置物類，撮題近意，故小券短書，號爲疏也。關者，閉也。出入由門，關閉當審，庶務在政，通塞應詳。《韓非》云「孫亶回聖相也，而關於州部」者，以其事有關涉也。牒之尤密，謂之爲籤。籤者，籤密者也。列者，陳也。陳列事情昭然可見也。辭者，舌端之文，通己於人。子產有辭，諸侯所賴，不可已也。諺者，直語也。喪言亦不及文，故弔亦稱諺。廛路淺言，有實無華，鄒穆公云「囊滿儲中」，皆其類也。《太誓》曰：「古人有言，牝雞無晨。」《大雅》云：「人亦有言，惟憂用老。」並上古遺諺，《詩》《書》可引者也。至於陳琳諫辭，稱「掩目捕雀」；潘岳哀辭，稱「掌珠伉儷」，並引俗說，而爲文辭者也。夫文辭鄙俚莫過於諺，而聖賢《詩》《書》，採以爲談，況踰於此，豈可忽哉？觀此四條，並書記所總，或事本相通，而文意各異；或全任質素，或雜用文綺，隨事立體，貴乎精要，意少一字，則義闕；句長一言，則辭妨。並有司之實務，而浮藻之所忽也。然才冠鴻筆，多疎尺牘，譬九方堙之識駿足，而不知毛色牝牡也。言既身文，信亦邦瑞，翰林之士，思理實焉

又卷一七 碑 《釋名》曰：「碑者，被也。此本葬時所設也。于其鹿盧以繩被其上，引以下棺，追述君父之功美，以書其上，後人因焉。」按周穆紀跡于弇山，秦始刻銘于鄒嶧，此碑之昉也。然考《士婚禮》「入門當碑揖」，註疏云：「宮室有碑，以識日影，知早晚也。」《祭義》云：「牲入麗于碑。」註云：「古宗廟立碑繫牲。」是知宮廟皆有碑，爲識影繫牲之用。後人因紀功德其上。而依倣刻銘，則自周秦始耳。後漢以來，作者漸盛。故山川有碑，城池有碑，宮室有碑，橋道有碑，壇井有碑，神廟有碑，家廟有碑，古跡有碑，土風有碑，災祥有碑，功德有碑，墓道有碑，寺觀有碑，託物有碑，皆因庸器（彝鼎之類）漸闕而後爲之也。文主於叙事，其後漸以議論雜之，則非矣。其主於叙事者曰正體，主於議論者，曰變體。叙事而參之以議論者，曰變而不失其正。至於託物寓意之文，其體自別，而墓碑則又自爲體焉。碑者，埤也。上古帝皇始號封禪，樹石埤嶽，故曰碑也。自庸器漸缺，故後代用碑，以石代金，同乎不朽。自廟徂墳，猶封墓也。後漢以來，碑碣雲起，才鋒所斷，莫高蔡邕觀楊之碑。骨鯁訓典，陳、郭二文，句無擇言，周乎衆碑，莫非清允。其叙事也，該而要；其綴采也，雅而澤；清詞轉而不窮，巧義出而卓立，察其爲才自然而至。孔融所創，有慕伯喈，張、陳兩文，辨給足采，亦其亞也。及孫綽爲文，志在碑誄；溫王郤庾，辭多枝雜；桓彝一篇，最

爲辨裁。夫屬碑之體，資乎史才。其序則傳，其文則銘，標序盛德，必見清風之華；昭紀鴻懿，必見峻偉之烈，此碑之制也。夫碑實銘器，銘實碑文，因器立名，事光於誄。是以勒石讚勳者入銘之域，樹碑述己者同誄之區焉。

胡侍曰：夫俾幽貞潛德，流光莫掩；鴻勳駿伐，垂馥靡盡；高崖爲谷，而碩懿永存；委骨成塵，而聲華益亮。不有碑志，其何賴乎？故孝子文孫，靡不丐筆詞人，闡其先烈。中世以降，藹然同風。固彌文之通懷，含靈之極致也。而時變道涼，俗靡文敝，墟墓之製，率是誇誣。奬其元忠，則行齊八凱；稱其篤孝，則蹟邁二連。或云散粟凶年，施非望報；或云卻金暮夜，清恐人知。苦節與泛栢同貞，義敎共斷機等辨。狀梟獍爲鸞鳳，進蹻跖爲勛華。雖語有精麤，而咸歸矯飾。夫以存多遺行，沒獲嘉名，淑慝俱旌，眞贋誰別？不論其世，孰匪令人？譬則寫照傳神，眉目盡舛，素交卒觀，未免誰何，儻昧平生，秖云惟肖。殆令漢臺之畫，耿鄧不分；傳野之賢，旁求靡及矣。意者非分之譽，鬼亦靦顔，無情之辭，後將奚信？而作者無愧色，受者無遜心，觀者無異論，有識之士所深憎也。蓋近代史編，惟憑碑志，碑志烏有，史編子虛矣。又縉紳壽耇乃可君公，才士雅人，方堪別號。碑表之等，倬有王章。夫孺之銜，並須廷授。乃今賈豎販夫，咸冒君子之號；乘田莞庫，輒樹神道之碑；市妾里妻，詐假大孺之貴，祇以自罔，寧曰罔人。犯分誣親，憨茲彌甚。且仲叔繁纓，宣尼致惜，重耳請隧，周襄不許。方物則飾馬之具小，麗罰則闕地之罪均。而不學之徒，蔑禮任心，僭侈顛越；秉文之士，依阿緒信，不知所裁。俾表德之器，林列丘隴之間；華衮之辭，波及輿臺之鬼。憑風詭濫，其說愈長。冠履渾同，無復等別矣。然金石之撰，體異汗青，史法則褒貶兩存，碑志則揄揚獨運。故纂文樂石，表鎖玄途，例皆黼藻溫華，斧鉞不用。儻於事理泥閡，便當婉言莫承，勿令回我鬼鋒，眩彼來葉。苟或情在難咈，勢不可辭，其於命翰遺言，須存商訂。不識避就，將賈釁端。蓋雖空空鄙夫，平生詎無一善？獵其可欲，舍其深瑕，裁辨之間，頗加恢潤。譬諸刻鶩，略企鵠形；若盡無鹽，不淪魍魎，庶幾是非不遠，梗槩猶存。在彼既獲，稱情於我，亦非曲筆。亦摛章之活術，御物之圓機也。

孫何曰：「碑非文章之名也。」蓋後假以載其銘耳。銘之不能盡者，復前之以序，而編錄者通謂之文，斯失矣。陸機曰：「碑披文而相質」，則本末無據焉。銘之所始，蓋始於論譔祖考，稱述器用，因其鐫刻而垂乎鑒誡也。銘之於嘉量者，曰「量銘」斯可也，謂其文爲「量」，不可也。銘之於景鍾者，曰「鍾銘」斯可也，謂其文爲「鍾」，不可也。銘之於廟鼎者，曰「鼎銘」斯可也，謂其文爲「鼎」，不可也。古者盤盂几杖皆有銘，就而稱之曰盤銘、盂銘、几銘、杖銘，則庶幾乎正。若指其文曰盤、曰盂、曰几、曰杖，則三尺童子皆將笑之。今人之爲碑亦由是矣。天下皆踵乎失，故衆不知其非也。蔡邕有《黃鉞銘》，不謂其文爲「黃鉞」也；崔瑗有《坐右銘》，不謂其文爲「坐右」也。《檀弓》曰：「公室視豐碑，三家視桓楹。」釋者曰：「豐碑，斲大木爲之。桓楹者，形如大楹，謂之桓植。」《喪大記》曰：君葬，「四綍二碑」，大夫葬，「二綍二碑」。又曰：「凡封，用綍去碑。」釋者曰：「碑，桓楹也，樹之於壙之前後，以紼繞之，間之轆轤輓棺而下之。用綍去碑者，縱下之時也。」《祭義》曰：「祭之日，君牽牲」、「既入廟門，麗于碑。」釋者曰：「麗，繫也。謂牽牲入廟，繫著中庭碑也。或曰以紖貫碑中也。」《聘禮》曰：「賓自碑內聽命。」又曰：「東西北上碑南。」釋者曰：「官必有碑，所以識日景，引陰陽也。」考是四說，則古之所謂碑者，乃葬祭饗聘之際，所值一大木耳。而其字從石者，將取其堅且久乎？然未聞勒銘於上者也。今喪葬令其螭首龜趺，洎丈尺品秩之制。又易之以石者，後儒增耳。堯、舜、夏、商、周之盛，《六經》所載，皆無刻石之事。管子稱無懷氏封泰山，刻石紀功者，出自寓言，不足傳信。又世周宣王王蒐于岐陽，命從臣刻石，今謂之石鼓。或曰獵碣。洎延陵墓表俚俗，目爲夫子十字碑者，其事皆不經見，吾無取焉。司馬遷著《始皇本紀》，著其登嶧山，上會稽甚詳，止言刻石頌德。或曰立石紀頌，亦無勒石之說。今或謂之嶧山碑者，乃野人之言耳。漢班固有泗水亭長碑文，蔡邕有郭有道、陳太丘碑文，其文皆有叙冠，篇末則亂之以銘，未嘗斥碑之林而爲文章之名也。彼士衡未知何從而得之？由魏而下，迄乎李唐，立碑者不可勝數，大抵皆約班、蔡而爲者也。雖失聖人述作之意，然猶髣髴乎古。迨李翺爲《高愍女碑》，羅隱爲《三叔碑》、《梅先生碑》，則所謂叙與銘皆混而不分。集列其目，亦不復曰文；考其實，又未嘗勒之於石。是直以繞紼麗牲之具而名其文，戾孰甚焉。復古之士，不當如此貽誤千載。職機之由，今之人爲文揄揚前哲，謂之贊可也；警策官守，謂之箴可也；鍼砭史闕，謂之論可也；辨析政事，謂之議可也；祼獻宗廟，謂之頌可也；陶冶情性，謂之歌詩可也。何必區區於不經之題，而專以碑爲也？設若依違時尚，不欲全咈乎譊譊者，則

如班、蔡之作，存叙與銘，通謂之文，亦其次也。夫子曰：「必也正名乎？」又曰：「名不正則言不順。」君子之於名，不可斯須而不正也。況歷代之誤，終身之惑，可不革乎？何始寓家於穎，以涉道猶浅，嘗適野，見荀陳古碑數四，皆冗其上，若實索之爲者，走而問故起居郎張公觀。公曰：「此無足異也，蓋漢實去聖未遠，猶有古豐碑之象耳。後之碑則不然矣。」

又　碣　晋潘尼作《潘黄門碣》。碣，傑也。揭其操行立之墓隧者也。其文與碑體同。

又　哀頌　哀頌，漢會稽東郡尉張紘作《陶侯哀頌》，揚厲其盛德，而思念之也。

又　悲文　悲文，蔡邕作《悲温舒文》。《文選》注：「悲者，傷痛之文也。」

又　遺文　《遺命》，晋散騎常侍江統作。漢酈炎作《遺令》，臨没顧命，所以託後事也。

又卷一八　誄　《釋名》曰：「誄者，累也，累列其事而稱之也。」《周禮》太祝六辭，其六曰誄，即此文也。今考其時，賤不誄貴，幼不誄長。故天子崩，則稱天以誄之，卿大夫卒，則君誄之。魯哀公誄孔子曰：「昊天不弔，不憖遺一老，俾屏予一人以在位，煢煢予在疚。嗚呼哀哉，尼父！」古誄之可見者止此，然亦略矣。竊意周官讀誄以定謚，則其辭必詳；仲尼有誄而無謚，故其辭獨略。豈制誄之初意然歟？抑或有變也。按古之誄本爲定謚，而今之誄唯以寓哀，則不必問其謚之有無而皆可爲之。至於貴賤長幼之節，亦不復論矣。《周禮·春官》曰：「太史掌建邦之六典。」「大喪，執法以涖勸防，遣之日，讀誄。喪事考焉，小喪，賜謚。」《文章流別》曰：「詩頌箴銘之篇，皆有往古成文可放依，而惟作誄無定制，故作者多異焉。」《説苑》云：柳下惠死，人將誄之。妻曰：「將述夫子之德，二三子不若忘之。如爲誄曰：『夫子之不伐，夫子之不竭。謚宜爲惠。』」弟子聞而從之。周世盛德，有銘誄之文。大夫之材，臨喪能誄。誄者，累也，累其德行旌之不朽也。夏、商已前，其詳靡聞。周雖有誄，未被於士。又賤不誄貴，幼不誄長，在萬乘則稱天以誄之。讀誄定謚，其節文大矣。魯莊戰乘丘，始及于士。逮尼父卒，哀公作誄，觀其「憖遺」之切，「嗚呼」之歎，雖非睿作，古式存焉。至柳妻之誄惠子，則辭哀而韻長矣。暨乎漢世，承流而作。揚雄之誄元后，文實煩穢，沙麓撮其要，而摯疑成篇，安有累德述尊，而闊略四句乎！杜篤之誄，有譽前代；吴誄雖工，而他篇頗疎，豈以見稱光武而改盼千金哉！傅毅所制，文體倫序，孝山、崔瑗，辨絜相參，觀序如傳，辭靡律調，固誄之才也。潘岳搆意，專師孝山，巧於序悲而入新切，所以隔代相望，能徵厥聲者也。至如崔駰誄趙，劉陶誄黄，並得憲章，工在簡要。陳思叨名而體實繁緩，文皇誄末，旨言自陳，其乖甚矣。若夫殷臣誄湯，追褒玄鳥之祚；周史歌文，上闡后稷之烈：誄述祖宗，蓋詩人之則也。至於序述哀情，則觸類而長。傅毅之誄北海，云白日幽光，雰霧杳冥，始序致感，遂爲後式。景而效者，彌取於工矣。詳夫誄之爲制，蓋選言録行，傳體而頌文，榮始而哀終。論其人也，曖乎若可覿；道其哀也，悽焉如可傷。此其旨也。

又　祭文　祭文，後漢車騎郎杜篤作祭延鍾文。夫禮祭以誠，止於告饗。《書》曰：「黷于祭祀，時謂弗欽。」言所以交鬼神之道，罔有過也。祭文者，祭奠親友之辭也。古之祭祀，止於告饗而已。中世以還，兼讃言行，以寓哀傷之意，蓋祝文之變也。其辭有散文、四言、六言、七言、雜言、騷體、儷體之不同。劉勰云：「祭奠之楷，宜恭且哀。若夫辭華而靡實，情鬱而不宣，皆非工於此者也。」如宋人祭馬，荆川祭刀之文，是别一體。

又　弔文　《周禮》曰：「弔禮，哀禍災，遭水火也。」《詩》云：「神之弔矣」弔，至也。神之至，猶言來格也。弔文者，弔死之辭也。古者弔生曰唁，弔死曰弔。若賈誼之《弔屈原》，初不稱文，後人又稱爲賦，其失愈遠矣。其有稱祭文者，其實爲弔也。濫觴於唐宋，有《弔戰場》、《弔鎛鐘》之作。大抵弔文之體，髣髴楚騷，以切要惻，愴爲尚耳。弔者，至也。君子令終定謚，事極理哀，故賓之慰主以至到爲言也。壓溺乖道，所以不弔。又宋水鄭火，行人奉辭，國災民亡，故同弔也。及晋築虎臺，齊襲燕城，史趙蘇秦，翻賀爲弔。虐民搆敵，亦亡之道。凡斯之例，弔之所設也。或驕貴而殞身，或狷忿以乖道，或有志而無時，或美才而兼累，追而慰之並名爲弔。自賈誼浮湘，發憤弔屈。體同而事覈，辭清而理哀，蓋首出之作也。及相如之《弔二世》，全爲賦體，桓譚以爲其言惻愴，讀者歎息，及平章要切，斷而能悲也。揚雄《弔屈》，思積功寡，意深文略，故辭韻沉膇。班彪、蔡邕，並敏于致語，然影附賈氏，難爲並驅耳。胡阮之《弔夷齊》，褒而無聞，仲宣所制，譏呵實工。然則胡阮嘉其清，王子傷其隘，各志也。禰衡之《弔平子》，縟麗而輕清；陸

機之《弔魏武》，序巧而文繁。降斯以下，未有可稱者矣。夫弔雖古義，而華辭未造，華過韻緩，則化而爲賦。固宜正義以繩理，昭德而塞違。剖析褒貶，哀而有正，則無奪矣。」

又 哀詞 任昉曰：「哀詞，漢班固初作梁氏哀詞。」《文章流别》曰：「哀詞者，誄之流也。崔瑗、蘇順、馬融等爲之。率以施於童殤夭折，不以壽終者。建安中，文帝、臨淄侯各失稚子，命徐幹、劉禎輩爲之，其體以哀痛爲主，緣以歎心之辭。」哀辭者，哀死之文也，故或稱文，其文皆用韻語。而四言騷體，惟意所之，則與誄體異矣。吳訥並列之，殆未審歟。若夫古辭，自爲一體。賦憲之謚：「短折曰哀。」哀者，依也。悲實依心，故曰哀也。以辭遣哀，蓋下淚之悼，故不在黄髮，必施夭昏。昔三良殉秦，百夫莫贖，事均夭横，《黄鳥》賦哀。抑亦詩人之哀辭乎！暨漢武封禪，而霍子侯暴亡，帝傷而作詩，亦哀辭之類矣。及後漢汝陽王亡，崔瑗哀辭，始變前代。然履突鬼門，怪而不辭；駕龍乘雲，仙而不哀；又卒章五言，頗似歌謠。亦彷彿乎漢武也。至於蘇慎、張升，並述哀文，雖發其情華，而未極心實。建安哀辭，惟偉長差善，《行女》一篇，時有惻怛。及潘岳繼作，實踵其美。觀其慮善辭變，情洞悲苦，叙事如傳，結言摹詩，促節四言，鮮有緩句。故能義直而文婉，體舊而趣新。《金鹿》《澤蘭》，莫之或繼也。原夫哀辭，大體情主於痛傷，而辭窮乎愛惜。幼未成德，故譽止於察惠；弱不勝務，故悼加乎膚色。隱心而結文則事愜，觀文而屬心則體奢。奢體爲辭，則雖麗不哀，必使情往會悲，文來引泣，乃其貴耳。」

又 墓碑文 古者葬有豐碑，以木爲之，樹于槨之前後，穿其中爲鹿盧，而貫繂以窆者也。《檀弓》所載公室視豐碑是已。漢以來，始刻死者功業于其上，稍改用石，則劉勰所謂「自廟而徂墳」者也。晉宋間，始稱神道碑，蓋堪輿家以東南爲神道，碑立其地，因名焉。唐碑制龜趺螭首，五品以上官用之。而近世高廣各有等差，則制之密也。蓋葬者既爲誌以藏諸幽，又爲碑碣表以揭於外，皆孝子慈孫，不忍蔽先德之心也。其爲體有文、有銘，又或有序。而其銘或謂之辭，或謂之頌，要之皆銘也。文與誌大略相似，而稍加詳焉。故亦有正、變二體。其或曰碑，或曰碑文，或曰墓碑，或曰神道碑，或曰神道碑文，或曰墓神道碑，或曰神道碑銘，或曰神道碑銘并序，或曰碑頌，皆别題也。至於釋老之葬，亦得立碑以儧擬乎品官，豈歷代相沿，崇尚異教而莫之禁歟！故或直曰碑，或曰碑銘，或曰塔碑銘并序，或曰碑銘并序，亦别題也。若夫銘之爲體與用韻，則諸集所或雖不能如誌銘之備，而大略亦相通焉。碑文墓誌，莫不窮天地之大德，盡生民之能事。爲君，與堯、舜連衡；爲臣，與伊尹等跡。牧民之臣，渡虎慕其清廉；執法之官，埋輪謝其鯁直。所謂生爲盜跖，死爲夷、齊，妄言傷正，華詞損實。悵當時搆文之士惜逸此言。

又 墓誌銘 墓誌，晉東陽太守殷仲文作從弟墓誌，漢崔瑗作張衡墓誌銘。洪適云：「所傳墓誌，皆漢人大隷，皆云始於晉。蓋丘中之刻，當其時未露見也。」晉隱士趙逸曰：「當今之人亦生愚死智，惑已甚矣。」人問其故，答云：「生時中庸人耳，及死也碑文墓誌，必窮天地之大德，盡生民之能事。爲君共堯、舜連衡，爲臣與伊、臯等跡。牧民之臣，浮虎慕其清塵；執法之吏，埋輪謝其梗直。所謂生爲盜跖，死爲夷、齊，妄言傷正，華辭損實。」《國語》楚子囊議恭王謚曰：「先其善，不從其過。」《白虎通》以爲人臣之義，莫不欲褒大其君德，掩惡揚善者也。義固如是，然使後世有稽無徵，何以爲戒！搆文之士，宜少鑒於逸言。蓋誌銘埋於壙者，近世則刻之墓前矣。誌者，記也；銘者，名也。古之人有德善功烈，可名於世，殁則後人爲之鑄器以銘，而俾傳於無窮。若蔡中郎集所載《朱公叔鼎銘》是已。至漢杜子夏，始勒文埋墓側，遂有墓誌，後人因之。蓋於葬時述其人世系、名字、爵里、行治、壽年、卒葬日月，與其子孫之大略，勒石加蓋，埋於壙前三尺之地，以爲異時陵谷變遷之防，而謂之誌銘。其用意深遠，而於古意無害也。迨夫末流，乃有假手文士，以謂可以信今傳後，而潤飾太過者，亦往往有之。則其文雖同，而意斯異矣。然使正人秉筆，必不肯徇人以情也。至論其題，則有曰墓誌銘，有誌、有銘者是也。曰墓誌銘并序，有誌有銘而又先有叙者是也。然云誌銘，而或有誌無銘，或有銘而無誌，然亦有單云誌，而卻有銘，單云銘而卻有誌者，有題云誌而卻是銘，題云銘而卻是誌者，皆别體也。其未葬而權厝者，曰權厝誌，曰誌某；殯後葬而再誌者，曰續誌，曰後誌；殁于他所而歸葬者，曰歸祔誌；葬于他所而後遷者，曰遷祔誌；刻於蓋者，曰蓋石文；刻於磚者，曰墓磚記，曰墓磚銘；書於木版者，曰墳版文，曰墓版文。又有曰葬誌，曰誌文，曰墳記，曰壙誌，曰壙銘，曰槨銘，曰埋銘。其在釋氏，則有曰塔銘，曰塔記。凡二十題。或有誌無誌，或有銘無銘，皆誌銘之别題也。其爲文則有正、變二體，正體唯叙事實，變體則因叙事而加

議論焉。又有純用「也」字爲節段者，有虚作誌文而銘内始叙事者，亦變體也。若夫銘之爲體，則有三言、四言、七言、雜言、散文；有中用「兮」字者，有末用「兮」字者，有末用「也」字者。其用韻有一句用韻者，有兩句用韻者，有三句用韻者，有前用韻而末無韻者，有前無韻而末用韻者，有篇中既用韻，而章内又各自用韻者，有隔句用韻者，有韻在語辭上者，有一字隔句重用自爲韻者，有全不用韻者。其更韻，有兩句一更者，有四句一更者，有數句一更者，有全篇不更者，難以例列。而銘體與韻更爲審諦。

又　神道碑《事祖廣記》云：晉宋之世，始有神道碑。天子及諸侯皆有之，其刻文，正曰某帝某官神道之碑。今世尚有宋文帝神道碑墨本也。其初猶立之於葬兆之東南，地理家言以東南爲神道，若神靈往來出遊之意。亦有稱碑銘者。

又卷二〇　序例　序者，所以序作者之意也。竊以《書》列典謨，《詩》含比興，欲暢其旨，必資先容。今《史》、《漢》表、志、雜傳，時復立序。文兼史體，狀若子書。夫史以記事爲宗，自與《詩》、《書》殊例。至于《文苑》、《儒林》，序例首簡，不有例于疊床乎？自范曄而下，矜衒文彩，始革其流。於是遷、固之道替矣。爲史之道，以古傳今，古既有之，今何爲者？譬夫方朔始爲《客難》，續以《賓戲》、《解嘲》，枚乘首唱《七發》，加以《七章》、《七辨》，音辭雖異，旨趣皆同。此乃讀者所厭聞，老生之恆說也。夫史之有例，猶國之有法。國之無法，則上下靡定；史之無例，則是非莫宣。蓋夫子作經，始發凡例，《左氏》立傳，顯其區域。科條彪炳，降及戰國，迄乎有晉，雖其體屢變，而斯文終絶。惟令升先覺，遠述丘明，重立凡例，勒成《晉紀》，鄧孫已下，遂躡其蹤，史例中興，於斯爲盛。若沈宋之志序、蕭齊之序錄，雖皆以序爲名，其實例也。干寶、范曄，理切而功多；鄧粲、道鸞，詞煩而寡要。子顯雖文場蹇蹶，而義甚優長，苟模楷曩賢，理非可諱。而魏收作例，全取蔚宗，貪天爲力。異夫范依政駿，班習子長。攘袂公行，不陷穿窬之罪也。蓋凡例既立，當與紀傳相符。《晉書》例云：「凡天子廟號，惟書於卷末。」而孝武崩後，竟不言廟曰烈宗。《齊書》例云：「人有未字行者，今並書其名。」如高愼斛律光之徒，多所仍舊，謂之仲密明月，此並非言之難，行之難也。及晉齊史例，皆云坤道卑柔，中宮不可爲紀。今編同列傳，以戒牝雞之晨，切惟錄皇后者，既爲傳體，自不可加以紀名。二史之以后爲傳，雖云允愜，而解釋非理，成其偶中。所謂畫蛇而加足，反失杯中之酒也。

袁黄《游藝塾續文規》卷一《昆湖瞿先生論文》　舉業文字，不患意見不高，不患理路不徹，只患心粗氣揚，不能雍容大雅。以遊于冠冕佩玉之林，則亦非利器也。吾自靜養後，加意收歛，日間雖不能不應酧，而每以無事處之。終日不敢疾行一步，亦不敢高聲說一句話。卽待僮僕，亦未嘗輕加怒詈。執筆爲文，必鎭靜舒徐，不動聲色，不騁材氣。而惟言乎其所不得不言，止乎其所不得不止，雖不能必工，而春然雅淡，綽有廟堂風度，所以試而輒利者以此耳。

又卷四《了凡袁先生論文》　時義最細不可過，亦不可不及。過于說理，患在意深；過于修詞，患在意浮。然說理不透，修詞不工，自是文章大病。

又　八股文字與天地造化相侔。首二比春也，次二比夏也，次二比秋也，末二比冬也。首二比是春，則生而未成，虚而未實，當冲冲融融，輕描淡抹，不可帶一毫粗造。次二比是夏，當承前二比，漸漸說開來。邵子謂天地之大窟在夏，文之大窟實在腹也。至秋則生者成，虚者實矣，文可反復馳騁矣，然亦須養後二比，不可說盡也。末二比是冬，一年好景，全在收拾處。回陽氣于陰極之時，發生機于凍剝之内。篇章將竭，而令人讀之有不窮之趣，此文字之大機括也。從源而流，由近而遠，血脉條理，各得其序，然後成文，推之，而八句之詩亦然，八韻之賦亦然。

又卷五《了凡袁先生論文》　按《說文》云：「論者，議也，反復辨難，以求至當者也。」劉勰云：「論者，倫也」，「彌綸群言，而研一理者也」。故論之爲體，辨是非別姸醜。卽礙以求通，研深以入微，窮于有象，追于無形。凡受題下筆，必有一段出人之意見，發之爲千古不可磨滅之議論，方爲入彀。或舉古今所不決之疑而出眞見，以剖析之；或從衆人意想所不到處，而從容發至理，以新人之耳目。如漢廷老吏斷獄，以片言折衷，而人莫不心肯意服。若但能責人，亦非高手。必思我若生此人之時，居此人之位，遇此人之事，當如何應酬？如何處置？必有至當不易之說，若蘇子瞻《范增論》，老泉《管仲論》，皆用此法。

又　劉勰謂論有四品：曰陳政，曰釋經，曰辨史，曰銓文。近日徐伯魯著《文體明辨》，廣爲八品：一曰理論，二曰政論，三曰經論，四曰史論，五曰文論，六曰諷論，七曰寓論，八曰設論。今我另設八目：一君德，二治

道，三心學，四臣道，五敬天，六愛民，七尊賢，八評論人品。汝于此八類各作一篇，場中題目，無出此矣。

又 作論之法須依于忠厚，止于理義。可標駁羣彥，不可戲薄聖賢，可據理陳詞，不可以強詞奪正理，衆毁而吾獨譽之。發吉人之心事，抒千古之幽光，若衆譽則不可輕毁也。有過處可求無過，無過而求有過，則刻矣。文章之微，關係心術，學者愼之。

又 論有三等：一是性理論，貴研精闡微，根極理要。以《左》、《國》之詞華，發程、朱之心事，使確然不易，燦然有條，此最難者也。一是政事論，貴獨稽政源，參酌流弊，彌綸羣務，折衷是非。陳法則句句可行，警世則言言可懼，此亦不容苟作。然較之性理，則粗而易騁矣。一是人物論，貫串古今，詮次賢哲，貶一人而有益于天下，則毁之不爲薄。如韓愈之《諍臣論》，蘇洵之《辨奸論》，皆非無實之公言也。其褒者語不多而美獨至，如曾子之稱孔子，止江漢秋陽三言耳，而大聖人氣象儼然在目。司馬遷作《孔子世家》，語愈多而揄揚愈不足，係識見不侔耳。此作論者所以貴有識也。凡作論須要有一段千古不可磨滅之見，然後可傳。萬形有弊，惟理難磨。理不勝，詞雖工無益也。先輩如柳子厚之《四維論》，歐陽修之《朋黨論》，唐寅之《議賞論》；近世唐荆川之《四皓論》，予之《三監論》，皆確然不可易者也。說理既透，立意既高，不煩彫琢詞華，自足千古。次之，則修詞矣。

又 論貴古，賈生《過秦》其最也；論貴圓，蘇氏兄弟稱絶調焉。故學論者取材于古，而尤當暢之以蘇文。

又 四六盛于六朝，然皆風煙月露之詞，于政事、禮樂、典章、文物之體未備也。自唐開元十二載，詔以詩賦取士，自此八韻律賦盛行。煅煉研摩，聲律始細。然當時作者如陸贄、裴度、呂溫輩，猶未能極工，至晚唐薛逢、吴融輩出于場屋，頗臻妙境。及宋嘉祐、治平間相傳四百餘年，師友淵源，講貫磨礲，口傳心授，以駢麗之詞，叙心曲之事；寓行雲流行之態，于抽黄對白之中，而四六始稱絶唱矣。汝今作表須將《宋文鑒》中所載諸表，從頭一閲，而于王介甫、蘇子軾諸公所作，尤宜盡心。庶有古人渾厚氣象，而不至于淺薄也。

又 人知四六，只是修詞，不知以養氣爲重。如氣弱調卑，則成俳矣。王荆公與吴冲卿至厚，及荆公出而冲卿盡力排之，公備聞其語。國中使傳宣撫問，以表謝，曰臣本羈單，自甘淪棄。晚由樸學，上誤聖知，智曾昧于保身，忠每懷于許國。讒誣甚巧，切憂解免之難；危拙更安，特荷眷憐之至。況遠迹久孤之地，實邇言易間之時，而難明昭晰于隱微，鮮澤頻繁于踈逖。此蓋伏遇皇帝陛下，以上仁含垢，以大智容愚，勿使南箕得肆簸揚之狀，更令北戶坐蒙臨照之光。薾然垂盡之病軀，沱若横流之感涕，雖困蒙無理，猶致命于一餐。顧冒昧不貲，敢忘懷于九死，句句解讒，字字精切，而意融語沛，一氣呵成。此以格勝，而不以詞勝者也。

又 四六貴以明白之詞達微婉之意，吐氣雍容，叙事詳盡，令讀者心明而意服。

又 表與啟不同。啟猶可隨己創意，表須要有朝廷氣象。詞極華采而不卑弱，語極豪縱而不怒張，雍容揖遜有冠冕珮玉之氣，乃爲本色。王岐公作《慈聖慰表》云：「雁飛銀漢，雖閲榮于千齡；龍繞青山，終儲祥于百世。」滕元發《乞致仕表》云：「雲霄鴻去，免罹矰繳之施；野渡舟横，無復風波之懼。」此皆以韻勝者也。

馮班《鈍吟雜録》卷三 古人文章自有阡陌。《禮》有湯之盤銘、孔子之誄，其體古矣；乃《三百五篇》，都無銘誄之文，故知孔子當時不以爲詩也。近世馮惟訥撰《詩紀》，首紀古逸，盡載銘、誄、箴、誡、祝、讚、謠詞，殆失之矣。元微之集云：詩之流爲賦、頌、銘、讚、箴、誄、祝、誡皆文之有韻者也，詩人以來，直謂之詩，則不可矣。銘、讚、箴、誄、祝、誡，體自相涉，若皆不云是詩；詩人已後，有騷詞、賦頌，皆出於詩也。自楚人以來，亦與詩畫界，此又後人所分也。

方以智《文章薪火》 三知終于知言。此格人我，格内外，格古今之大用也。不能知言，又安能自達其所言乎？有專言德行者，專言經濟者，專言文章者，專言技藝者，專言權勢者，專言兵符者，專言法紀者，專訓詁者，專記事者，專寓喻者。統而言之，無非道也，無非性命也。而有專言性命之道者，離事離法以明心，而舉其冒統者也。因有專言生死鬼神者，因有廢世事以專言仙定者，因有專言養生者，因分忘世之言、出世之言，因有别傳善巧若奇兵者，要不出于質論、通論，考測天地之家，象數、律曆、聲音、醫藥之説，皆質之通者也，皆物理也。專言治教，則宰理也。專言通幾，則所以爲物之至理也，皆以通而通其質者也。

陸世儀《思辨錄輯要》卷五 凡古文皆有體式，如詔誥、冊命、書疏、啓檄、露布之類，各有規矩，各有家數。學作古文須要曉此各項，方是有用文人。不然，則亦無用之辭章而已矣。

又 古文濫觴於魏晉，如《七啓》《七發》《連珠》之類俱是。天地間無用文字，如《文選》者，卽不讀亦不妨。

又 制義體裁甚妙，然尚有可議者：必拘口氣一也。聖人之言，惟聖人能言之，後學之士以我證聖，當使其自言，所得求合乎聖人之道，而觀其不悖與否。不宜徒使效顰，概爲揣摩之語。必主排比二也。排比之體，近於聲偶，文束聲偶，則難以暢論，往往拘忌體格，不能發揮旁通，此俱制義之弊。愚謂制義當作論體，凡古今上下百家諸子，俱得旁引曲喻，縱言無忌，庶可窺見胸中所學。

又 凡制義出題，亦當爲論體，如《顔子所好何學論》是也。如此，方可見人本領學問。

施閏章《豫闈公約·正文體》 文風上應國運。國家全盛之時，當有光昌俊偉之文，大抵風氣須尚高明，理體要歸馴雅。夫文之八股，猶人之四肢也。今或起講，一直說盡，無復虛冒，是開口而臟腑具見，病一也；提比籠罩冠冕，方有氣象，今或強作掀翻，散行一段，頭目傾斜，病二也；虛比往往逕刪，反從中股後出題，咽項不貫，病三也；中股宜實而虛，宜正而反，宜全發而忽半截，無復起承轉合，心腹空虛，病四也；後幅忽作二大股，或又加二小股，股大于腰，指大于臂，病五也。夫耳目易位，西子無所逞其姸；榱棟倒施，輸般無所用其巧。讀書好古之士，範我馳驅，而蹊逕自別。至于全章一節，剪裁頓挫，自見古人手筆，願具眼者一振之。

魏禧《日錄論文》 或問何以爲古文？曰欲知君子，遠於小人而已矣；欲知古文，遠於時文而已矣。

又 蘇明允《上田樞密書》，豪邁足賞。然自占地步，峻嶒逼人，使人忌而生厭。蓋既爲進干求知之事，而又爲傲岸不屑之言也。八家中自昌黎作俑，而近世學步者愈可厭憎。如此篇首句：「天之所以與我者，豈偶然哉？」便已無體。書以道情，開口一句，挺然便出議論，直作論耳。書雖文，要與面談相似。吾嘗論曲，以只如說話者爲妙。蓋曲雖按譜，原以代話。時曲全是搊文，失之遠矣。

戴名世《甲戌房書序》 自科舉取士而有所謂時文之說，於是乎古文乃亡。夫所謂時文者，以其體而言之，則各有一時之所尚者，而非謂其文之必不可以古之法爲之也。今夫文章之體至不一也，而大約以古之法爲之者，是卽古文也。故吾嘗以謂時文者，古文之一體也。而今世俗之言曰：「以古文爲時文，此過高之論也。」其亦大惑矣。且夫世俗之言，旣舉古文時文區畫而分別之，則其法必自有所爲時文之法，然而其所爲時文之法者陋矣，謬悠而不通於理，腐爛而不適於用，此豎儒老生之所創，而三尺之童子皆優爲之。至於古文之法，則根柢乎聖人之《六經》，而取裁於左、莊、馬、班諸書。兩者之相懸隔，若黑白冰炭之不相及也。今世俗取時文之法與古文並立而界限之，曰：「吾所爲時文，其法具在也，而無用於古之法爲。」是其意殆以聖人之《六經》及左、莊、馬、班諸書，不若今之豎儒老生與三尺之童子也，無乃叛聖侮經而與於無忌憚之甚者乎？故曰：「自科舉取士而有所謂時文之說，於是乎古文乃亡。非亡於時文也，亡於時文之法也。」

唐彪《讀書作文譜》卷六《論應試文》 王綖山曰：舉業之文，大抵明潤象春，而柔嫩亦象春；暢茂象夏，而穠雜亦象夏；高潔象秋，而蕭索亦象秋；老成象冬，而閉塞亦象冬。春主發榮，夏次之，秋又次之，冬則剝矣。得春夏氣多者，卽初學或速售，得秋冬氣多者，雖積學或久滯，此常理也。

又卷九《制藝體裁》 唐彪曰：凡詩文體格皆隨代變易，況云時藝，安得不日新月異乎？苟欲其出于一轍，豈不大誤。雖然其結構之優劣亦有分也。惟言其體之優者，令後之宏才實學，知文有眞體，能力追而及之固善，卽不能，亦使衡文與選文者，遇體裁美善之文，不至反以爲未當而絀置之。此文體之所以急宜闡明也。若夫勢之所趨不能挽回者，亦付之無可如何已矣。

許自俊《四六初徵序》 駢體之作也，始于古文之衰。先秦兩漢詔、誥、冊、命、書、啓、箋、表，俱不用俳偶，俳偶自《選》昉也。時曹氏父子，蕭氏兄弟，倡爲北鄴，南皮新體，建安七子，彬彬繼起，以迨梁宋，徐、庾、沈、任，增華踵麗，鏤月繪風，極其藻艷。然音節清越，頓挫生姿，抑揚盡變，尚有宕逸之致，如芍藥清詞，楊柳枯賦，璧月夜滿，花氣朝新，亦極風雅之盛矣。唐四傑剏爲貞觀、神龍體，如滕王閣及諸讌集序，靡不字挾風霜，詞琅宮徵，猶有算博點鬼之誚。自李青蓮《春園桃李序》及杜工部《三大禮賦序》出，以清新沉博，而四傑之制爲之一變。韓昌黎以深刻爲古渾，陸宣公以

議論爲條奏，力翻王、駱之案，已開歐、蘇之風，然歐、蘇實不專用議論也。其精巧工妙，直使鬚眉肺肝活活欲現，言言可當慟哭，聞之輒爲憫憐，則文生于情也。故文體至今日而衰，駢體至今日而盛耳。豈非後來者益工乎？李子笠翁彙近代名筆錄其尤者若干篇，不忍秘之中郎帳內，乃梓以行之國門，亦一代彤管也。說者曰，古大儒不屑爲麗句，故司馬不習四六，不知溫公以辭知誥，非不能爲麗句也。唐、宋、明三代，制、誥、表、詔式用四六，亦所以珍重絲綸，鼓吹墳典，豈作月露風雲雕蟲剪綵哉。至今讀王僧虔《勸進趙丞相遺表》，令人色飛心動；讀徐敬業《討武后檄》、江浩《宣布中原詔》，令人慷慨嗚咽，泣下沾巾。古之忠臣名將，倚馬作露布，草檄愈頭風，其榮傑雄偉之氣，飛揚跋扈之才，皆能隨風生珠玉，擲地爲金石，何至以寒蛩之唧唧，笑仙鳳之喤喤哉！即以是編爲《六經》百史之筌蹄可矣。

沈心友《四六初徵凡例》 駢體之文，始於漢魏，盛於六朝，踵事增華，由來尚矣。

又 文章之道，行乎其所不得不行，止乎其所不得不止，原不僅以句櫛字比選聲諧律見長。【略】文章之有駢體，猶羞饌之有山珍海錯，爲世所必需也。

又 四六有二種：一曰垂世之文，一曰應世之文。垂世者字字尖新，言言刻畫，如與甲者一字不可移易于乙是也。若應世者，則流利可以通融英華，似乎肆射其中，扼要數聯，情深一往，其餘始未得之者，信手拈來，頭頭是道，觸類以至盡可旁通是也。

陳維崧《四六金針·式·詔》 多用散文，亦有四六者。今代四六詔文，赦書多作三段：一破題，二入事，三戒勑，或獎喻。或獎勸。

又《誥》 多用散文，亦多用四六。今代詞頭宣命，多作三段：一破題，二褒獎，三戒勑，或獎喻，封贈則用慰喻。

又《表》 諫表，論事表，請表，陳情表，陳乞表，薦表，皆用散文。賀表，謝表，進表，皆用四六。賀祥瑞表，四段：一破題，二解題，三頌聖，四述意。賀正旦、冬至、聖節、登極、冊后、建儲等表，皆三段：一破題，二頌聖，三述意。謝官、謝賜、雜謝表，皆四段：一破題，二自述，三頌聖，或頌聖後自述，四述意。進書表，一破題，二解題，或自述，三頌聖，四述意。進貢物表，一破題，二頌聖，三入事，或先入事，四述意。

又《牋》 諫牋，論事牋，皆散文。賀牋皆三段，進書、進物牋皆四段，大略如表，而字樣不同，於皇太子用之。

又《露布》 出師勝捷播告之文：一冒頭，二頌聖，三聲罪，四叙事，五宣威，六慰諭。出師諭衆之文：一冒頭，二聲罪，三頌聖，四論理，五宣慰，六招慰。

又《青詞》 方士懺過之辭：一籲天，二懺過，三祈禱。

又《朱表》 方士告天之辭：一籲天，二破題，三述意。

又《功德疏》 釋氏禱佛之辭：一破題，二自述，三祈禱。

又《致語》 樂工開白之辭：一破題，二頌德，三入事，四陳詩。

又《上梁文》 匠人上梁之辭：一破題，二頌德，三入事，四陳抛梁。東西南北，上下詩句各三句。

又《寶瓶文》 圬者鏝棟脊之辭：一破題，二頌德，三入事，四陳詩。

又《啓》 人問通問之辭。謝啓：一破題，二自叙，三頌德，四述意。通啓：一破題，二頌德，三自叙，四述意。陳獻啓：一破題，二入事，三頌德，四述意。定婚啓：一合姓，二入事，三述意。聘婚啓：一破題，二入事，三述意。賀啓：一破題，二入事，三頌德，或從入事，四述意。小賀啓：一破題，二頌德，三述意。

又《疏》 請疏：一破題，二頌德，三述意。勸緣疏：一破題，二入事，三述意。

又《格·上渾成格》 辭意明白，渾然天成。

又《中精嚴格》 法律精嚴，妙入規矩。

又《下巧密格》 用事巧中，無少疏漏。

田雯《紫鈞制藝序》 今夫古文與時文無以異也。浸淫乎《六經》，出入於兩漢，可以言古文矣。而時文尤戛戛難之。以儒生挾兔園冊，侈談《六經》、兩漢之文，猶未足以合八股之繩尺，不得不墨守傳註，拘泥篇幅，甚至揣摩聲調，以投世俗之好尚，歐陽公所謂「順時」故也。天下魁壘傑出淵穎秀拔之士，往往爲時文所困，既不敢肆力於古，又不欲詭隨於時，束髮受書，皓首窮經，而庶幾於一遇者有之，何其難也？余嘗論人之受才不同，故爲文迥別。譬彼蠶絲黃白，而繭象焉；若乃會稽野繭，從《江淹集》壁魚化出，繅而爲絲，遂成異錦，此殆造化之靈奇，天地之慧巧，豈區區蠶婦所可一概論

乎？知乎此，又可以言時文矣。

方苞《書五代史安重誨傳後》 記事之文，惟《左傳》、《史記》各有義法，一篇之中，脈相灌輸，而不可增損。然其前後相應，或隱或顯，或偏或全，變化隨宜，不主一道。

張謙宜《絸齋論文》卷一 義有大體，如君相之命百僚，子弟之承父兄是也。文有定體，如上衣不可爲下裳，廳事不可爲園亭是也。如疏、表而以瑣屑爲詳密，序、記而以艷冶爲風流，碑、誌、傳、狀而以諛佞回護爲長厚，皆爲失體。今有鎔銅爲器，似鼎又似爵，如罇又如洗，雖琱鏤極工，嵌珠塡碧，識者不直一笑耳。

又 學者徒知舉業不可爲古文，不知《四書》、《五經》皆古文也。究其理，繹其旨，涵養深厚而直道其所見，法漢人之質勁而汰其蕩詄觕窳之陋，不更善耶！苟欲爲古文，而先叛乎聖人之言，卽果如漢人，無益也。

又 世徒見蒼茫溷奧者爲古文，及見工緻圓美者則疑之。祇知雄渾排奡者爲古文，示以纏綿委婉者又輕之。不知《三百篇》忠臣孝子之吟，與《左》、《史》有何差別。至性爲古文根本，願學者之深思也。

又 古文雖尚蘊藉，不許平衍；雖貴揮霍，不得狂暴；雖宜典雅，勿事餖飣。

又 古文看似平鋪，越讀越覺峯嵐合沓，此方是有工夫。

又 古文以無套數爲佳，如絕頂武藝，坐矟攀撾，出入百萬軍中，自無敵手。

又 古文之妙，如絕頂武藝，與打場人交手，初無架勢花點，等他槍棒傴身，但轉掉進步，彼已受傷仆地。此手法別，心眼高，於炫人討好外，另有精神者。

又 古文各有家門體製，遞相仿效，如《客難》、《賓戲》、《進學解》所自來也，其妙全在不甚似，若《文選》中《七發》、《七啟》、《演連珠》令人厭觀，後來不必效顰。

又卷二 梁劉勰作《文心雕龍》，其《宗經篇》曰：「論說詞序，則《易》統其首；詔策章奏，則《書》發其源；賦頌歌讚，則《詩》立其本，銘（此因物示戒之詞也）誄箴祝，則《禮》統其端；紀傳銘（此誌中韻言也）檄，則《春秋》爲根。並窮高以樹表，極遠以啟疆，所以百家騰躍，終入寰內者也。」愚按：古文源流，數語盡之，故首錄以示人。

又 古文互相接衍，自成變化。如《左傳》自成一體，《史記》用作列國世家。其質核明暢，自就史遷手筆，與原文之雋永矜貴，又自不同。然左氏典麗端凝之秘，始一排宕滌刷，令人爽快。西漢承《國策》遺風，但知利害，當其得意，有法而無法，此所以妙也。東漢潤以經術，典贍厚重，其流弊已啟六朝。彼時人尚文學，惟恐單澆薄劣，只得敷以英華，久之詞能埋頂，字或生疣。其氣不充，借宛轉以養度；筆絕不勁，假駢儷以增雄。方鈍平行，勢難掉運，字雕句琢，神采先萎。兼之名理壞於佛老，議論習爲模稜，文運交衰，世無寧宇矣。韓文公初起，舉世非之而不顧，見理雖粗，文能近正。柳子厚人非君子，文實清高。其學《國語》、《水經》，不見其痕，是爲融化。歐陽學韓而不見其爲韓，東坡學《孟子》而不見其爲《孟子》，南豐學劉向、匡衡而不見爲向、衡，老泉、荆公各學申、韓而各成一門戶，善於變也。如糞壤之培麥稻，脫穢生華；如麥稻之爲飯餌，蒸溲爲饎。此皆其心血醞釀，精神堅定，故於應試爲官之後，讀書益勤，爲文更苦。卓哉此志，宜其千古不朽也。

又 古文有南北派。南派以八家爲宗，自宋濂傳方孝孺後，有王愼中、茅坤、唐順之、歸有光；北派以秦漢爲主，李攀龍、王世貞倡之，李夢陽和之。其實八家爲秦漢眞傳，王、李所謂秦漢非秦漢之精，特其渣滓耳。

又 古文對淫艷排偶之文而言，不獨八股一種。如宋人撿經書命題，而以四六叶韻爲賦，是亦時文也。凡稱古者，不止散行。其句調轉折，似在人意中，實出人意外，不卑靡猥瑣，不甜熟滑溜，皆所謂古也。此由於道理明，識見高，筆力健，而氣象大，不可以強取，不可以貌求也。儘有詞皆選練典故，現成官腔，穩重而不免於俗者。又有故作淸態，能爲雅語，而益見其俗者。此又在胸襟識趣上微細分別，非多讀前人書，不知師法；非多見今人作，不知鑒戒。

又 文者理之胚，心之神，力之銳，積數十年讀書以養之，然後可用。

又 文以煉意、煉氣爲上，煉格與詞又次之。

又 雅卽「鴉」之本字，借作文字品目。鴉背純黑，映日則赤光浮動，故色澤黯淡而不枯槁者，類謂之雅。如墨綠石青，未嘗無色，但不若赤黃紫綠之耀眼耳。文家意雅爲上，調雅次之，聲響雅次之，字句雅又次之。

又 文字無論雅俗，皆須先定主意。主意已定，然後用虛實、反正、開

闔照應以發之。

又卷三　論，取反覆辨證，期於諦當之義。有史論，有事論，有理論，其格不一。有批駁到底，歸於一是者，如歐陽泰《誓論》是也。有單攻一隙，全體俱解者，如昌黎《諍臣論》，永叔《縱囚論》是也。有指陳時事，關乎治體者，如東坡《思治論》是也。有極言病民，有益於補救，如西漢《鹽鐵論》是也。本是議郎博士，各陳所見，史官纂成一篇，故不曰疏，而曰論。他如理論，惟二程子《顔子所好何學論》爲確然，其文則不可與兩漢、八家比。又如試論，當以蘇氏爲準，其偏駁詭激，斷不可從。

又　說者，自道所見以示人也。《太極圖說》至矣，然不敢以文章目之。文佳而理亦勝，如韓文公《雜說》，柳子厚《捕蛇者說》，皆有關係。至《愛蓮說》，乃指一物以寓名節，意俱不可廢。大要在理正而意新，無塵土氣爲上。

又　辭者，賦之變調，必用韻。如《歸去來辭》，文之屬也。以委宛流暢爲主。哀辭，騷之裔也，以悲傷悽慄爲音。又有使臣面致之辭，如「晉使呂相絕秦」之類是也。有經旨小序之辭，如朱子《小學題辭》之類是也。

又　序者，次第原委，標明大旨之文也。有經籍序，如孔安國、劉向、曾鞏各樹規模。後來有纂訂古今人詩文序，須熟讀全本，眞得作者之意，然後言之有味。贈送友人，以交道正，情意眞，有益於其人之進德修業爲上。若泛泛應酬，可以不作。宴集紀遊，以清逸高潔爲貴。題詞小引，總是序之別名。

又　詔者，君告臣之詞。多出代言，體尚尊嚴，尤期切於事情。如漢高初定三秦，其諭父老卽詔也。文帝諸詔，直露其愛民忠厚之心，令人感歎。後世改爲四六一派，支飾煩言，皆無足稱。駢詞能不朽者，如宋太后《命高宗卽位詔》爲佳。或變爲勅，爲誥，爲冊，爲璽書，其實一體也。封王公多用冊，須得愼重付託意。恩加大臣，多用誥，表前功以勉後效也。或天子之父有禪授，亦用誥。天子戒諭太子、親王，亦間用誥。總以得體切當爲宜。

又　策，本竹籌之名，古人畫地布算，取籌以記條件，故得此稱。軍中秘計，多對君口陳，不必有文。後世堂簾漸遠，或用筆札。又奉使在外，亦須用文，如賈讓議修河，趙充國征羌，是其例也。洞知情形，言必中竅爲上。亦有無策名而有其實者，如淮南王諫用兵、《代張方平諫用兵》是也。若場屋之策，廷試之策，直唐喪唾餘之時文，不入古作。宋時經筵許言事，翰林官多作進卷以獻。蘇家《策略》、《君術》、《民政》等篇是也，作應試冊看，誤已。若廷試條對，則有東坡《擬御策》及《上神宗書》，可以爲法。晁、董雖是漢人，粗莽疲困，不足效也。

又　章奏，卽後人之題疏也。古人不用硃語，後人必用硃語，標明大意。古人上疏，實說本事，不尚煩文。後人或顛倒是非，狡黠巧辯，皆名教中罪人，文雖工不足效也。彈文，章奏之有鋒者，主於劾奸，表亦章奏之類，直指政理，如立標以定南北，故名之曰表。如《出師表》，其至者已。《陳情表》、《讓中書監表》，各致其孝思恬退之意，誰不信服。後世改爲駢儷，詞多掩意。又賀捷、賀歲，獻書進瑞，漸成濫套，不入古文。又如歐、蘇小表，謝賜服帶鞍馬，其刻本多用「中謝」二字，此卽臣某誠惶誠恐稽首頓首上言也。抄錄者節去，非原文也，後學當知。又上中宮太子者，曰「箋」，亦用四六，止稱殿下。

又　頌，主美君父，亦可移贈尊行畏友。及自寫己懷，前有序，正詞必四字用韻，以莊雅爲貴。亦有不用韻，序者如《聖主得賢臣頌》是也。然亦是鋪張華麗之語，其有高人自寫己懷，如《酒德頌》、《桂酒頌》，或長或短，不拘一例，其期於典則一也。

又　梁所謂歌，指譜入樂府者言也。如《易水》、《垓下》，特一人獨唱而已。如《宣房》、《天馬》、《大風》、《秋風》，猶是奏樂散調，惟《房中》、《郊祀》，則是大調。又《雉子班》、《戰城南》等篇，音節皆亡，其詞亦斷續殘缺，不必強摹。

又　讚，亦四言詩耳。或表人德行，或紀戰績河防，或舉褒崇曠典，皆大題目也。亦有因物象以寓規箴，因區宇以美繼述者，門類極多，總歸於正而已。除佛、道二家，勿溷筆墨外，與人作像讚，期於稱情。卽閒情游戲，亦不許支離妄誕，貽譏於大雅。

又　銘，有二種，有物上所刻，有石上所刻。著於物者，借以自警之詞，《苟日新》，其最先者矣。次如《金人》，猶存古意。其墓中所埋，祠堂軍功所勒，古人佳作不可勝數。分類求之，八家及明人全集，自知懿矩。墟墓之文，略有四等：誌埋壙中，表立墳左，神道碑立堂局前，墓道碑在總路口，大書某人之墓，豎墓前。又有祠堂碑、紀功碑、修堤建城碑，不在此例。其有韻言與否，各從文便。

又　誄，累其功德也。孔子誄見於《左傳》者，文古而語簡。柳下惠誄衍

之漸長，古意猶在。漢以後文長而味薄，亦有傅會失實者，不應史法。六朝粉飾不必效。唐宋名手，擇其人而論其文可也。

又　箴，同針，能刺人病者也。作以自戒則可，槩以贈人，則視其交誼淺深而爲之。大約自箴不可護惜所短，箴人不可揭露陰私。

又　祝者，下獻其上之詞。多福、多壽、多男子，祝詞也；天保、九如，亦祝詞也，何等大雅。後世一味諂佞，下筆已令人慙，何況傳後？明人祝高新鄭至譽爲孔子，久之始知其非。諫王太倉父至奉之爲啟聖夫子，立刻卻其奠章。奉承人到此地位，彼我兩傷，何益之有！

又　紀者，如紀之繫於綱，取煩簡有條理也。自太史公立法此體，惟宜施之帝王。或紀其終身，此史官之責。或紀某事首尾，亦須年月分明。舊作史官者，可存其稿，否則，僭越褻瀆矣。即外國及古之諸侯，亦不當用紀。其法宜倣《麟經》，誰敢說我筆一如孔子？慎勿妄作！

又　傳者，其人與事堪傳也。此是史筆，要當瑕瑜不揜，是非有準，不可浪作。自《史》《漢》至五代可法者，止此三家。自微而著，由盛及衰，挨次順叙國家大事，世運升降，即行乎其中，此正格也。專注一二大節，以議論感嘅，横吹斜刷，如風雨驟至，百卉離披；本人事蹟，助我議論，此變格也。又或交情篤摯，死生間隔，藉其生平坎坷，增我悲思，又變中特奇者。大事或淡叙，小事或濃染，雖由興助，亦有大義爲之主張。心血供其傾吐，未有奄奄如死人，能爲朋友作傳者。

又　檄者，上諭其下之詞也。惟可用之征討，叙我兵威，彰其罪狀，使脅從者散，黨附者離，此其用也。務要理直氣壯，伸大義於天下，使負罪者亦服，則擒詞之妙也。毋論單行駢語，煉到萬人皆見處爲佳。昔駱賓王草檄，武曌亦爲太息，斯文不朽也。又有露布，亦軍中報捷之文，先叙軍謀，次及戰陣，次及鹵獲，詞采壯偉，意思包羅爲上品。又有劉(留)所未言者，爲補說其義，上皇帝書，即後人之長疏也。如東坡《上神宗書》，朱子《上封事》於光宗，文雖連寫，各有杜子關鎖，但前總後收而已。非忠直自信上下交孚者，不可嘗試。有上宰相書，或論民瘼，或爭國是，剛直中心平氣和，使人可受者爲佳。若忿恨詆訐，平交所不堪，而欲宰相容之乎？羣臣奏事，有用劄子者，亞於疏一等，如後世之用揭帖摺子。又有狀則大於劄子，或直或婉，存乎其人，期於事之有濟，尤在謹慎剴切。至於朋友往來書，非義理所關。如朱、陸太極之辨，學術所繫；如二陳功利之習。似不必曉曉，攻擊隙末凶終。書道寒溫，卻見人性情，無如東坡《答太虛》一篇。

又　經緯組織謂之文。《弔古戰場文》、《祭十二郎文》，主於哀慘；《詛楚文》，近於巫祝；他如《九錫文》、《受禪文》，皆亂世賊臣所用。其昧心諂附，徒得罪於名教，斷勿爲之。

又　辯者，析理之精微，須層層打透，一氣呵成。辯人之邪正，必求確據；辯事之可否，正中機宜方爲合作。解，主釋人之疑，與「辯」相似而微別，須識高方可爲之。

又　有對、有問，或假設古人，或親承面命，祇要情理吻合，有關名教，如漁樵問答，又是理學家言。

又　對，答君上朋友之所問也。如終軍《白麟奇木對》，董仲舒《雨雹對》，皆其類也，以會文切理爲妙。

又　擬某人與某人書，擬某人言某事疏，祇爲胸中有一段見解，借題發揮。其恰當者，十無二三，可以不作。

又　誓墓之言，答亡友之牘，皆無處洩其悲忿，偶一爲此，不可常有。

又　令，是東宮所用；教，是王公所下，亦詔誥之類。不當代言之位，萬勿輕擬。

又　《難蜀父老》、《客難》、《答賓戲》，是一類。《僮約》已涉戲筆，文自覂勁。

又　書某事，偶記某事，讀某書，有所見，幷入雜文部。

又　記，主於謹嚴陗潔，然亦有兼用議論者，其收煞仍歸記體，不可亂竄。

又　募化資助亦用疏，駢散由人，除佛道二家，不可涉筆。外，如賑饑恤友，孤兒襄事及刻遺書、復古跡，皆可爲之，但勿涉祈福、待報等情耳。

又　外傳、別記，皆虛誕妖婬之事，學者勿爲。亦所以免咎養德也。

又　議者，參衆論而折衷之也。有朝議、有鄉議、有禮議、有學問紹述之議。如兵刑錢穀、河防屯田，大臣謚法，皆國議也。博綜諳練，井井有條，攟拾斷制，生死無愧，此卓議也。如差徭驛遞、水利閘壩，此鄉議也。上不礙官，下不病民，準情酌理，可謂永利，此嘉議也。禮家聚訟，能駁能斷，不失聖人本意，可爲流俗防範，此確議也。學問無窮，各人所見，彼地所傳，

遵信或似株守，通變或似專擅，虚心平氣，取其所長，化其所短，此善議也。

又 駁與辯，相似而不同。駁因人，辯由己。如昌黎《駁復仇議》是其例。實要斷得他倒，折得他服，全用湍悍決斷之筆。妙在會尋破綻，挑得開，挖得出，原情準理，無可展轉爲上。

又 原者，溯其源，竟其流，令人曉然共見其勢。有平衍，有突兀，有穿田過峽，有磅礴結聚。如韓文止《原道》可法，他則不必摹仿。

又 墓誌、碑表，稱善不稱惡固已，然其事有大小，或存或削，須裁以義理，以善予人。如以財施惠，其輕重多少，必有準則。若孝子不見信，寧辭不作。

又 傳是史法，瑕瑜并存。若依阿苟且，作者亦成小人。事在兩朝，分門立黨時，大須斟酌。若其人已犯清議，天下共知其惡，豈敢爲之解免，必不得已，託詞謝之可也。又生人立傳，古無此例，或晚年改節，或死有餘辜，故考行者愼之。

又卷六 胡氏曰：「博而不雜，約而不陋，此古文之正宗。」窮經繹史，而必以聖人爲主，則不雜矣；揚風扢雅，而必以理義爲衡，則不陋矣。士子讀書，自《五經》、《四書》、《性理》、《通鑑》外，如《左》、《國》、《史》、《漢》、《五代史》，果能通透浹洽，文章經濟不可勝用矣。如諸子百家，雖力不暇及，吾弗以爲病也。

王之績《鐵立文起·卷首·文體統論》 王懋公曰：後漢劉熙成國氏著《逸雅》，中有釋言語、書契、典藝三則。予甚喜其有功著述，而語又不繁，因合錄之如左：文者，會集衆綵以成錦繡，會集衆字以成辭義，如文繡然也。言，宣也，宣彼此之意也。語，敘也，敘己所欲說也。說，述也，序述之也。序，敘同，抒也，抒洩其實，宣見之也。演，延也，言蔓延而廣也。讚，錄也，省錄之也。稱人之美曰讚。讚，纂也，纂述其美而敘之也。銘，名也，記名其功也。述其功名，使可稱名也。記，紀也，紀識之也。紀，記也，紀識之也。識，幟也，有章幟可按視也。盟，明也，告其事於神明也。誓，制也，以拘制之也。嗟，佐也，言之不足以盡意，故發此聲以自佐也。噫，憶也，憶念之，故發此聲憶之也。嗚，舒也，氣憤滿，故發此聲以舒寫之也。思，司也，凡有所司捕，必靜思，忖亦然也。策，書教令於上，所以驅策諸下也。漢制，約勅封侯曰冊。冊，賾也，勅使整賾，不犯之也。傳，傳也，以傳示後人也。詩，之也，志之所之也。興物而作謂之興，敷布其義謂之賦，事類相似謂之比，言王政事謂之雅，稱頌成功謂之頌。隨作者之志而別名之也。頌，容也，序說其成功之形容也。詔書，詔，昭也。人暗不見事宜，則有所犯，以此示之，使昭然知所由也。論，倫也，有倫理也。誄，累也，累列其事而稱之也。謚，曳也，物在後爲曳，言名之於人亦然也。譜，布也，布列見其事也。爾雅：爾，昵也；昵，近也。雅，義也；義，正也。五方之言不同，皆以近正爲主也。觀此，則文旨皆了然於心矣，安得僅以詁字目之？

又 或曰：約信曰誓，孚合曰符，序言如意曰書（書者，如也），喻令致然曰檄，舒其物理曰序，發難而答曰策，記其年代曰誌，摹其德行曰狀，喻美辭麗曰連珠。

又 王懋公曰：銘欲其奥，溫潤殊非所貴。說亦論類也，何取於譎誑？凡君子立言，雖微物瑣事，必引而歸之義理，以垂訓於天下後世。則彼詭誕之說，胡爲乎來哉？至於論詩而專尚綺靡，亦不能脫六朝人習氣。

又 王懋公曰：論文之諸體，以正變古俗四言盡之。如體當敘事而用議論，則爲變體；體當議論而敘事，亦爲變。又正變二體外，復有所謂別體。要之，別體中亦有正變之異。至於文有散文、四六二體，則以散文爲古，而以四六爲俗，非謂其文俗也，亦就其體言之耳。其他尚有不可以一言盡者，皆詳著各類之下。王伯安曰：「四六之工，工在裁剪。」

又 王懋公曰：我嘗謂詩有律絕，文有四六，皆衰世事，漢以前無矣。故古學，駢儷非所重，而爲之亦甚易。獨疑司馬涑水嘗以不能爲四六，而辭神宗翰林學士之命。帝曰：「如兩漢制誥可也。」此一事足稱聖主。然予嘗見溫公《長公主制詞》云：「帝妹中行，《周易》贊其元吉；王姬下嫁，《召南》美其肅雍。命服亞正后之尊，主禮用上公之貴。寵光之盛，誰昔而然？」然則非眞不能爲四六，亦心厭俗體耳。世又有四六工，而散文則不古，故曰人各有能有不能。

又 王懋公曰：四六爲今人所尚，略舉杜詩言之可乎？如曰：「或看翡翠蘭苕上，未掣鯨魚碧海中。」「幹惟畫肉不畫骨，忍使驊騮氣凋喪。」此當戒者也；如曰：「豫章翻風白日動，鯨魚跋浪滄溟開。」「江間波瀾兼天湧，塞上風雲接地陰。」此當爲者也。近見《潘木厓詩序》：「少陵雄渾蒼深，體兼衆

妙；香山排宕瀟灑，自爲一家。要皆不縛束於聲律、比偶之中，獨抒寫其性情，務爲極言竭論，窮變盡妍。香山之詩務於盡，少陵亦未嘗不務於盡，而不傷其涵蓄者，氣有餘也。香山務於盡而不傷其高淡者，韻有餘也。」又曰：「才人握管，思以暢發其性情，類不樂爲初唐諸子，句鏤字琢，比儗屬對之功。而浩衍流暢，以務盡其才。」凡爲偶體，必有此意，乃稱方家。歐陽文忠曰：「往時作四六者，多用古人語，及廣引故事，以衒博學，而不思述事不暢。近時文章變體，如蘇氏父子以四六述叙，委曲精盡，不減古人。」

又 王懋公曰，文體以文論，又當以人論體，以補文體之所未盡。大率文以體立以神王，魚非水不生，川非珠不媚，我不同人，人不類我，特立獨行，自爲一體而已。所謂文章有神，蓋謂己之神明耳。何以有此神明？實學是也。李北海曰：「學我者俗，似我者死。」如徒寄人籬下，則無體矣，尚何文之可言？「惟古於詞必己出，降而不能乃剽賊。」昌黎此言，足起衰矣！

又《前編》卷一 王懋公曰：概論詩文，當先文而後詩。專以文論，又當先序而後及他文。今人多首稱賦，此梁蕭文孝《文選》陋例，不足法也。予最喜李弘度五經爲甲部，史記爲乙部，諸子爲丙部，詩賦爲丁部之說。而西山《正宗》，亦列詩、賦於叙事、議論後，誠以詩賦雖可喜，而其爲用則狹矣。今以賦作殿，爲其與詩詞相近，卽與頌、贊、銘、箴諸用韻之文爲一類可耳。自古迄今，文章用世，惟序爲大，更無先於此者，然其間亦不能無辨。宋陳騤氏謂「自孔子爲《書》作《序》，文遂有序。」不知《書序》多謬，非孔子所作。論序之名，其始於《易》之《序卦》乎？序之文，則初見於子夏之《詩序》。我猶嫌後人訓詁氣已萌芽於此，非末學敢議先賢，蓋衡文自不得不嚴，欲以爲萬世式，無可諱也。或謂《詩序》衛宏撰，而託之卜氏。今且置此勿論，若司馬子長之十二「紀」以序帝王，十「年表」以貫歲月，八「書」以紀政事，三十「世家」以叙公侯，七十「列傳」以志士庶，詳矣。而各自有體，卽其自叙非序也。彼自言列傳七十，今觀《伯夷傳》以下，凡六十九篇。乃知并自叙言之，此正其自爲之傳耳。

又 王懋公曰：序之體，議論如周卜商《詩序》，叙事如漢孔安國《尚書序》。變體如韓愈《送李愿歸盤谷序》。有謂序文，叙事者爲正體，議論者爲變體。此說亦可救《明辨》先議論後叙事之偏。

又 引，王懋公曰：引，序之類也，猶之弁言、題辭耳。近有援《典引》立說者，不知孟堅所作，與揚、馬《封禪》《美新》一類，不得以引目之。《文選》以入「符命」體，良是。至引之文，吾甚愛蘇老泉《送石昌言爲北使》，其叙述情悃，與意氣之盛，千載下儼然如生，眞不減史遷風韻。或謂引非前賢留意之章，謬矣。

又 題辭，王懋公曰：題辭之文盛於明，而臨川湯氏尤爲傑出。如《南柯夢》起句：「天下忽然而有唐。」《牡丹亭》結云：「理之所必無，安知非情之所必有。」語皆曠絕，應詠「穆如淸風」之詩以贈之。

又 述，王懋公曰：文體有述，如近世祝枝山《愛梅述》之類，與序相去不遠。此外又有所謂述而爲行狀之別名者，與此絕異。

又 傳，王懋公曰：傳以《史記》爲祖。或謂《左氏》書，其傳之濫觴也。然皆隨人隨事散叙，故有其端而無其名。若合一人始終本末而次之，則自司馬子長始。予近欲將內傳分國類編，略如《國語》，有可併者併之。顏曰：「《左氏》紀傳。」又《史記》有本紀、世家、列傳三例，其實皆傳也。《漢書》不用世家，而以紀傳括之。紀亦人主之傳，特因其人不同而所稱亦小異，其爲傳信之義則一而已。至以行文言，必謂前叙事、後議論者，亦太執。妙手以叙爲議，而使人但見其爲叙；以議爲叙，而使人并不覺其爲議。隨筆所之，神化萬變，尚何前後之拘拘耶？噫，能此者難其人矣。

又 王懋公曰：史傳，有正、變二體。正：如司馬遷《管仲傳》、《司馬穰苴傳》、《平原君傳》、《信陵君傳》、《蘇秦傳》、《張儀傳》、《范雎傳》，班固《兒寬傳》，范曄《王丹傳》，司馬遷《扁鵲傳》。變：如司馬遷《伯夷傳》、《孟子傳》、《屈原傳》，范曄《黃憲傳》。家傳：如歐陽修《桑懌傳》，曾鞏《徐復傳》。託傳：如韓愈《圬者王永福傳》，柳宗元《梓人傳》。假傳：如韓愈《毛穎傳》，秦觀《淸和先生傳》。此四例，亦既詳且悉矣，然猶未盡其變也。他若《黃帝內傳》、《漢武外傳》，及李商隱《李長吉小傳》之類，皆文章中異觀。又有以別傳稱者，合之復得四焉，此亦不可遺也。傳後又有論贊並用體，「論曰」者，散文議論也；「贊曰」者，四字句贊語也。此亦不可不知。

又卷二 紀，王懋公曰：《呂氏春秋》有八覽、六論、十二紀，則紀之名非始於司馬遷。今以《史記》之例言之，叙帝王則曰「本紀」，公侯傳國則曰「世家」，公卿特起則曰「列傳」。蓋以帝王之事爲本，而後表、書、世家、列傳咸有所屬，故曰本紀。紀之爲言記也，亦古者左史記言，右史記事之意云爾。

然紀之體有二，以年月記者，紀之正也；亦有不記年月，而惟一滾敘去，如《項羽本紀》者，紀之變也。若其行文之佳，足冠一部《史記》，後之作者當以爲法。又《後漢書》有《皇后本紀》，予謂天子尊無二上，呂雉稱制，史臣不紀惠帝而紀娥姁，已屬大謬，何況後世宮闈？則皇后但作傳可也，不然，《外戚世家》極矣。

又 表，王懋公曰：《史記》十表，子長之創體，《漢書》仍之，良以其例不可廢耳。其古今人表，雖啓衆論，要不可謂非稽古之一助。知有志於史學者，猶無惡焉。近世譙城薛氏倣遷史遺法而爲《牡丹表》，又爲《牡丹八書》，少陵所謂「文采風流」，其此類歟？

又 志，王懋公曰：《周禮》「小史掌邦國之志，外史掌四方之志」，志之名始於此。《史記》有八書，《索隱》云：「書者，經籍之摠名。此之八書，記國家大體。班氏謂之志，志亦記也。」今仍志之名而不復標書，以書之名同他載籍，而志獨不可移易，然均之爲記事則不異矣。初孟堅著《漢書》，八表及天文志未竟而卒。和帝詔曹大家，就東觀藏書閣踵而成之。夫以巾幗而有史學如此，今之文人往往卑陋自安，能無愧乎？唐李延壽作史一百八十篇，本宋永初元年，盡陳貞明二年，謂之《南史》；本魏登國元年，盡隋義寧元年，謂之《北史》，大有苦心。司馬君實恨其不作志，使數代制度沿革，皆沒不見，乃知志之所係者爲甚重也。近世如王鳳洲《錦衣》等志，殊詳悉可觀。古文大家中柳子厚之《永州鐵爐步志》亦佳。《明辨》曰：「按字書：『志者記也，字亦作誌。』其名起於《漢書》十志，而後人因之。大抵記事之作也。他如墓誌別爲一類。」

又 記，王懋公曰：記之名不自《戴記·學記》等篇始，蓋自黄帝設立史官，命左史記言，右史記事而已彰彰矣。其文奇古如《考工記》，三代而下，遂成絶響。或稱其聖於文，惜不知出誰氏，應首標之以爲則。

又 王懋公曰：記之體，正如韓愈《畫記》；變如范仲淹《岳陽樓記》。變不失正如柳宗元《監察使壁記》，別體，正體如王績《醉鄉記》，託物以寓意。韓愈《汴州東西水門記》，首之以序，而以韻語爲記，別體變不失正，如蘇洵《張益州畫像記》，篇末系以詩歌。秦少游嘗稱「文公《畫記》善敘事，該而不煩，詳而有律。讀其文，恍然如即其畫。」數語可爲作記法。

又 王懋公曰：文莫難於傳記，必令筆筆飛舞，方爲妙手。蘇穎濱謂白樂天詩詞甚工，拙於記事，寸步不遺，猶或失之。《大雅·綿》九章，事不接，文不屬，如連山斷嶺，相去絶遠，而氣象聯絡，此最爲文之高致。杜少陵《哀江頭》，詞氣如百金戰馬注坡驀澗，如履平地，得詩人遺法。使以此爲記事之文，雖昌黎何以復加？王摩詰有《藍田山石門精舍》五言古，鍾退菴以爲妙在說得變化，有步驟而無端倪，作記之法亦然。益可見詩文之道相通如此，惟在人能佳處領其要爾。

又 書，奏，記，啓，簡，狀，疏。王懋公曰：書、記之用不一。書則有若時政、經學、論文、師友、規諫、遊說、投謁、陳情、辨賢，奏記則有若定策、規諫、辭免，啓則有若慶賀、辭免、陳情、投謁、通問、陳謝、報謝、戒賓、餽遺、婚聘，簡則有若規諫、請勸、通問、答報、稱頌，狀則有若慶賀、報謝，疏則有若迎迓之類。凡似此者，皆不可悉數。今稍舉一二，以見文各有用，而非多事。若引伸以盡變，則存乎其人。

又 王懋公曰：書辭命如鄭歸生《與趙宣子書》，啓古如梁任昉《上蕭太傅辭奪禮啓》，俗如柳宗元《謝李吉甫示手札啓》。簡即尺牘，如司馬遷《與摯伯陵》。狀如韓愈《皇帝即位降赦賀觀察使狀》。疏如王安石《遠迎宣徽太尉疏》。鍾退谷云：「書牘貴樸而有法。」此可謂一言居要矣。

又 王懋公曰：或謂子產告范宣子輕幣，此古人通書之始。不知鄭子家已有《與趙宣子書》。蓋子家事在文公十七年，子產語乃襄公二十四年，其相去既甚遠，而子家語又佳絶，則以爲弁冕固宜。《辨體》論不及此，何也？至於今人書牘，多以致勝，不知此非極則。試取史遷之《答任安》，昌黎之《與時輩》及蘇、王之上人主，與諸執政者而並觀之，眞有書家龍跳天門，虎卧鳳閣之象，視彼落花依草，隙月窺人語，殆如婢子不堪作夫人觀。然亦不獨書牘爲然。以此推之，則古今文章家大小之分，較若黑白矣。

又 王懋公曰：漢人之書有大文，司馬遷《答任安》是也。有致語，東方朔《與友書》云：「不可使名網塵韁拘瑣，怡然長笑，脫去十洲三島，相期拾瑤草，吞月之光華共輕舉耳。」是也。後世書皆不出此二種，故標之。

又卷三 議，王懋公曰：論、議、辨之名，似無甚異，我以爲皆分見於《南華》。如《齊物論》云：「六合之外，聖人存而不論；六合之內，聖人論而不議。春秋經世先王之志，聖人議而不辨。」是也。注云：「論是統說道理，議則細較短長，辨則彼此反覆，今文中亦有論、議、辨三體。」予謂詩文殊途

同歸，豈容瑣瑣分疆畫界哉？然其名既不一，則其義亦當明，毋以呂端糊塗自便可矣。奏議一類，歸之臣語，見後。其有無關國事而別議者，則列之于此。

又 解，王懋公曰：《禮記》有經解，此解之始也。或據揚雄《解嘲》，以「嘲」爲一類，我不知其何謂也。且云張協《七命》，晁補之《七術》，皆變嘲之局而成文，則尤謬。此乃效顰枚乘《七發》者，於嘲曷與焉？

又 戒，王懋公曰：儆戒之説，見於《尚書》，其由來久矣。德施謂箴興補闕，戒出匡弼，《文選》無其體，亦屬疎漏。昌黎《守戒》云：「天下之禍，莫大于不足爲，材力不足者次之。」其爲戒甚深，可以爲法。若諸葛忠武之《戒子》，初其有意爲文，而其文亦未嘗不佳。此又德之見於言者也。《辨體》曰：「按韻書，誡者，警勅之辭。」《文章緣起》曰：「漢杜篤作《女誡》。」辭已弗傳。《昭明文選》亦無其體。今特取先正誡子孫及警世之語可爲法戒者錄之。

又 訓，王懋公曰：《尚書》有六體，典、謨而下，今見于文者有四焉：命與誓、誥之外，訓其一也。先正庭訓之文有絕佳者。書如《顔氏家訓》，其中美談，已不勝收矣。

又 考，王懋公曰：考之爲言究也，欲究其始終巔末，而使後人有所據，或人物，或政事，此非有本之學，安能使之歷歷如目前事哉？書若《五代史考》、《文獻通考》，亦可謂無愧於其名矣。考之文，如近日左仲及之《鹽政考》，亦其一也。

又 駁，王懋公曰：文體有駁，如蘇眉山之《續楚語》，其駁子厚處，柳州復生，莫能置對。今學者或翻古人已定之案，或正時輩未確之説，是文章之無盡藏也。其文必一字不可移易，有推倒一世之意，令人讀之，一字一叫絕始稱。然此非快人不能。若人臣論事之文，如《駁復仇議》，則歸之於議，而見「臣語」類。他如駁某謚議，與答某駁某謚議，又入「謚議」而不在此例云。

又 評，王懋公曰：評者，平也。凡作評斷，須評得古今心悅誠服乃可。若使人覽之而不平，又何以評爲？

又 品，王懋公曰：品亦評類。往見司空圖《二十四詩品》，甚愛之。有無名氏著《花品》一篇，雖其文俗韻未盡脱，而致語亦復佳。若夫文章有品當何如？噫，「胸有萬卷，筆無點塵」，八字盡之矣。

又 原，王懋公曰：原與論各一體。今稱韓文曰《原道論》，何也？論文必先正名，故不可以不辨。

又 喻，王懋公曰：喻體之文，如唐盧碩《古之治》，以心喻君，百骸喻民。而又以目、以物、以醫、以疾、以材、以隄，以木是也，亦原論之流亞。又蘇玉局有《日喻》，亦自快絕古今。

又卷四 碑文，王懋公曰，唐陸龜蒙云：「碑者，悲也。古者懸而窆，用木。後人書之以表其功德，因留之不忍去，碑之名由是而得。自秦漢以降，生而有功德政事者亦碑之，而又易之以石，失其稱矣。」又《宋景文筆記》：「碑者施於墓則下棺，施於廟則繫牲。古人因刻文其上，今佛寺揭大石鏤文，士大夫皆題曰碑銘，何耶？吾所未曉。」予謂或言碑銘，或言碑文，猶可。最所怪者，銘文皆不言，而獨謂其文爲碑，則無謂甚矣。宋鮑源力古嗜學，其友孫何嘗作《碑解》以睨之，文甚辨而確，學者不可不考。至於今人之僞德政碑，愈多愈賤，其亦文字中無恥之一端乎！

又 王懋公曰：正如秦《瑯邪臺石刻》，變如蘇軾《潮州韓文公廟碑》。變不失正，如蘇軾《上清儲祥宮碑》。而泰山又有無字碑，意欲何爲？豈將以愚人耶？

又 廟碣，王懋公曰：碑、碣不同。字書：「方者謂之碑，圓者謂之碣。碣，特立之名，高舉之貌也。」墓有碣而廟亦有之，如楊植有《許由廟碣》，可以知其例矣。

又 疏，王懋公曰：疏之爲用不一，大抵募、薦二者居多。募或建刹，或儲經；薦或家人師友，或陣亡將士。薦多用四六，募或散文或四六。又有募疏。四六文後，系之以四偈語者，亦不可不知。若宋白玉蟾《募修精舍疏》，則又翩翩仙風道骨，不知人間世煙火爲何物，以斯知文家自有撮土成金法，題固不礙文也。若拙手，則佛頭亦未免著穢。至如李衛公《獻西岳大王疏》末云：「三問不對，即斬大王頭，焚其廟，建縱橫之略未晚也。」殆欲飛而食肉矣，足稱人豪。然此又書記之類也。他若或請僧住刹，或歛金放生，種種不一，在學者以類推之。又疏有上進者，則歸之於「臣語」，而別自爲一類。

又 禱，王懋公曰：《周禮》禱辭，掌於太祝，其由來已遠。後世文如唐劉軻之《農夫禱》，則又不同。劉云：「見老農輩，鳩其族，爲禱于神，其意誠而詞俚。因得其文以潤色之，亦以儆於百執事者。」此亦代作文獻神之意，然其文句法長短，參差不一。又有別作小序。至於禱詞，全用四言，間句押

韻以終其篇，亦一體也。

又 青詞，王懋公曰：道曰「青詞」，猶之釋曰「齋文」云爾。元陸友仁《研北雜志》：「天寶四載，詔太清宮用事，停祝版用青詞。」蘇長公《鳳翔醮土火星青詞》，散體也。其行文儼然《尚書》聲口，佳絕，此亦未易棄之。而歐陽文忠《內制集序》乃云：「今學士所作文書多矣，至于青辭齋文，必用老子浮圖之說；祈禳秘祝，往往近于家人里巷之事。」此又當別論矣。

又 約，王懋公曰：昔漢高初入關，告諭曰：「吾與諸侯約，先入關者王之。」又曰：「與父老約法三章耳。」則約孰有大于此者。特其文已入「王言」類，此不復列。後如王褒《僮約》，論文者不當援以爲例，李習之嘗以其文與《劇秦美新》並論，譏其義不主于理，言不在於教勸，而徒詞句怪麗，可謂知言。近代茅順甫亦有《僮約》，蓋約其僕善事一客以終其身，亦可因文以見交道之不汚矣。《明辨》曰：「按字書：『約，束也。』言語要結戒，令檢束皆是也。古無此體，漢王褒始作《僮約》，而後世未聞有繼者。豈非以其文無所施用而略之與？」愚謂後人如鄉約之類，亦當倣此爲之，庶幾不失古意，故特列之以爲一體。

又 題跋，鍾伯敬曰：題跋之文，今人但以游戲小語了之，不知古人文章，無衆寡小大，其精神本領則一。故其一語可以爲一篇，其一篇可以爲一部。山谷諸種，最可誦法。以此推之，知題跋非文章家小道也。其胸中全副本領，全副精神，借一人一事一物發之，落筆極深，極厚，極廣，而於所題之一人一事一物，其意義未嘗不合，所以爲妙。每讀蘇、黄游戲翰墨中，忽出正語，使人肅然敬戒，凜然不可犯。

又 問對，王懋公曰：問之名，始見於《戴記》之《哀公問》、《曾子問》。問對之文，其類不一。如張治道《雀鷂對》，謂鷂張喙瞪目，口不能言，而對之以意。斯又對之尤出人意表者已。

又 王懋公曰：文體有問對，足矣。如難，如諭，名義稍別；曰答，曰應，獨非對乎？今姑以東方曼倩之《答客難》備一體可也。

又卷五 祭文，王懋公曰：人有寄必有歸，如秦始惡言死，言死者輒誅，豈非大愚？陶淵明有《自祭文》，白樂天自作生墓誌。大觀何所不可？及讀朱弁《奉送徽宗大行文》，則又泣數行下。君臣至性，情同父子矣。今特首標之以爲法。

又 弔文，王懋公曰：弔有二，並時而弔者不待言，有相去千百年而相弔，如柳宗元之于萇弘，賈誼之於屈原，陸機之於曹瞞是也。若昌黎之祭田横，其文亦能令人曠百世而相感，獨其人乎！

又 行狀，王懋公曰：宋吳曾《能改齋漫錄》云：「自唐以來，未有墓誌銘，必先有行狀，蓋南朝以來已有之。按梁江淹爲《宋建太妃周氏行狀》，任昉、裴野皆有行狀。」此亦不知實自漢始。又行狀亦有人子自作者，非獨門生故舊也，而其爲史謚，誌銘張本則不異。然亦有後誌銘而作者。茅歸安評王半山《謝公行狀》云：「今人每先狀而後誌，謝希深之誌，歐公爲之久矣，而王公以補其狀如此。」此亦學者所當知。

又 誄，王懋公曰：誄舉生平之實行，定謚以稱之，惟上可行於下，故《曾子問》：「賤不誄貴，幼不誄長，禮也。惟天子稱天以誄之。諸侯相誄，非禮也。」而後世乃不復問何也？陳思有言：「揚雄，臣也，而誄漢后。班固，子也，而誄其父。皆以遠揚景行，顯行竹帛，豈所謂三代不同禮，隨時而作者乎！」《文選》誄與哀並列，而哀文之中，潘岳、顔延之、謝朓三子文在焉，我嫌其混而不分也。今以哀策入册類，而存哀永逝文于哀辭中，始各得其所。然誄與哀亦自有辨，惟哀可以兼誄，而誄必不可兼哀，蓋哀辭或四言，或騷體，若用四言，是哀體已兼誄矣。誄則惟有四言而已。然此亦就後世文體論之耳。觀魯哀公《仲尼誄》，則四言果誄之鐵案否也。又魯莊公嘗誄縣賁父，而班氏人表遺之。今論誄者亦多不及，豈皆未之思歟？

又 哀辭，王懋公曰：錢蒙叟謂哀辭宜爲，且曰：「曾子固不云乎：『墓誌納之壙中，而哀辭刻之塚上。』然則文之有哀辭，不銘而名焉，不傳而傳焉。」是或一道也。

又卷六 墓誌銘、碑、碣、表，王懋公曰：墓誌、表，始於漢；碣始于晉，碑之由來遠矣。《逸雅》云：「碑，被也。此本王莽時所設，施其轆轤，以繩被其上，以引棺也。臣子追述君父之功美，以書其上，後人因焉。故無建於道陌之頭，顯見之處，名其文就謂之碑。」此說與諸家異，存以參觀。又墓、碑、碣、表，或有銘，或無銘。誌與銘或兼有，或單行，此亦不可不知。

又 謚議，王懋公曰：謚出于行。《樂記》曰：「聞其謚，知其行也。」明制：三品以下無謚，則私謚勢不容已矣。謚法之書不一，《周公謚法》中多後人語，謂盡出於公不可。其後如蔡邕、蘇洵、楊侃之言，亦多不確。今爲論

文而及謚，則《辨體》謚法、謚議二條並存，非是。《明辨》獨存謚議，得之矣。

又卷七　啓，王懋公曰：四六之體，始於連珠，至於啓，則書記之類。漢避景帝諱而無啓，不待言矣。其後有散文，有四六，猶表之在漢晉，與唐宋絕異。自專尚偶儷，而其格卑矣。然亦未可概論，如宋《播芳大全·上史丞相啓》，則絶大手筆，不得作四六觀。彼小言詹詹者，當望而卻走矣。啓在近世特盛，甚至另爲一書單行，要惟有別才別趣，乃可擅場。夫惟大雅，卓爾不羣，儷語中尤急須此振靡之手。

又卷八　頌，王懋公曰：《禮·少儀》云：「頌而無諂。」此作頌法也。至論後世之頌，源於詩之三頌，誰不知之？然而三《頌》正不容無辨。予觀史遷有言，宋襄公之時修行仁義，欲爲盟主，其大夫正考父美之，故追道契湯高宗殷所以興，作《商頌》。而《孔子世家》又云：「正考父佐戴武宣公。」及以宋譜系考之，則宣公之後，凡歷數君而後至于襄，子長不亦自相矛盾耶？有謂戴公時，正考父得《商頌》十二篇于周太師，歸以祀其先王。庶幾得之。必如襄公時云云，是周、魯之《頌》在前，而《商頌》其後出矣。至于《周頌》三十一篇，多周公所定，而亦或有康王以後之詩。或謂成王以周公有大勳勞，因賜伯禽以天子禮樂，魯乃有《頌》以爲廟樂。其後又自作詩以美其君，亦謂之頌。此頌體正、變所由分也。漢宣帝時，王褒《頌聖主得賢臣》，雖爲散文，而已趨于排偶，不足法。惟元次山《大唐中興頌序》，簡潔可喜，而于「德業」二字，又辨別不少假借，大有董狐筆意，亦可謂變體中之矯矯者矣。

又　王懋公曰：王元美謂頌即四詩之一，贊、箴、銘、哀、誄皆其餘音也，附之於文。吾有所未安。予謂推而言之，賦亦詩六義之一，今已入文類矣，何獨不安於頌？世既曰頌曰賦，則亦賦其文、頌其文而已。雖然，此意不可執，而其說亦不可不存也。

又　銘，王懋公曰：武王器物銘十七首之外，周又有《金人銘》、《嘉量銘》，宋正考父有《鼎銘》，(在孔悝前)漢有笥銘、漏刻銘、座右銘、韈銘，李尤有《井銘》，唐有甲銘、笏銘、石橋銘，宋有廟銘。近若徐文長《書牘銘》，亦佳。然予喜其痛快，而憎其淺露，不能耐人思索。謬謂武王銘，有一二字稍似題者，有絕不與題相涉者，讀之愈覺其妙。即極切題者，亦自語意含蓄深遠，凡銘語似當如此。

又　贊，王懋公曰：贊之文，以四言爲句，常也。亦有三字句者，又有五言，始于六朝。又或用長短句，亦不可不知。至《史記》傳末，雖有評斷，猶《左氏》之「君子曰」，並無論贊之名，後人妄以贊字加之，遂令至今相沿不改。

又卷一二　七，王懋公曰：枚乘《七發》，亦偶然作，原不可定爲一體，我欲列之雜著中。自東漢魏晉諸人爭擬之，儼若傳記、詩賦之類，必不可缺，眞堪爲之噴飯也。《昭明文選》竟標曰「七」，彼拙于文而陋于識，固不足怪，而《辨體》、《明辨》亦襲而莫知是正何耶？李空同謂《七發》非必於七，文涣而成七。後人無七而必于七，皆俳語也。今人多擬杜少陵《秋興八首》，鍾退菴謂「胸中若有八首則無秋興矣」。此皆卓見快論也。我欲舉「七」之文，盡付祖龍，而今猶存其說于後，所以使人共戒不復效此陋耳。因思屈原有《九歌》、《九章》，宋玉《九辯》之後，王褒、劉向、王逸、皮日休、鮮于侁諸君，遂有《九懷》、《九歎》、《九思》、《九諷》、《九誦》，必不十不八，是亦不可以已乎？得毋藉口于《九辯》、《九歌》，天帝之樂，九者陽之數，道之綱紀歟？若然，則七之外又當立一「九」體以配之。予謂古人之文原不必酷擬，況又拘于其數而爲之，益可笑矣。然屈原《九歌》，又有十一章，而後人乃不擬十一歌，何也？獨東方朔作《七諫》，尚不強滿九數，在《楚辭》中頗有鶴立之概。

又　王懋公曰：《明辨》謂「七者，楚辭《七諫》之流也。」此語甚謬。《七發》之文，與曼倩《七諫》，自悲哀命、怨世沉江之說，遠若天淵。而又枚乘在前，東方在後，豈可謂乘倣朔乎？凡論人論文，而不先論其世，終不足以定其人與文。徐魯庵顧不惜貽誤後人，何哉？

又《後編》卷一　詔，王懋公曰：詔以正大光明爲得體。《文選》註云：「詔，照也，天子出言，如日之照于天下。」至論其用，則有尊立、分封、求才、寬恤、官祿、舉察、郊廟、刑法、修省、罷兵、荅報、徵求、即位、冊立、賜詔、陞貶、卹典諸類焉。

又　制誥，王懋公曰：秦改命爲制，固非古法。然天子之言曰制，而婦人稱制，乃自呂雉始。《文選》註云：「制者，王之言必爲法制也。」呂可爲法耶？下迨唐宋，制之文四六居多矣。至以誥論。李唐無其名而獨盛于宋，制有妃嬪、宗室、贈官諸類，誥有命官、貤封、貶官諸類，其用亦不一云。

又　王懋公曰：文有名同而其用異者，如周，誥以正告天下，命以命百

官。至明則以誥命、勑命合言之。而誥又以施之臣僚，非告天下者比也。且一品至五品皆誥，其六品以下用勑，則與李唐同，又與宋之告官皆用誥者稍異。論古所以必條分縷析而後可。

又卷二 敕，王懋公曰：「敕、勑」二字有辨。宋宋敏求《春明退朝錄》：「或問今之敕起何時。按蔡邕《獨斷》曰：『天子下書有四：一曰策書，二曰制書，三曰詔書，四曰戒敕。』然自隋唐以來，除改百官，必有告敕，而從敕字，予家有景龍年敕，其制蓋須由中書門下省，故劉禕之云：『不經鳳閣鸞臺，何謂之敕？』唐時，政事堂在門下省，而除擬百官，必中書令宣，侍郎奉，舍人行進，入畫敕字。此所以爲敕也。然後政事堂出牒布于外，所以云『牒奉敕』云云也。慶曆中，予與蘇子美同在館，子美嘗攜其遠祖珦唐時敕數本來觀，與予家者一同，《字書》不載敕字，而近世所用也。」元黃譜筆記云：「按《漢書·馮異傳》，『以詔敕戰攻』；《宣秉傳》，『敕賜尚書祿』，《董宣傳》，『敕強項令出』。然則以詔令爲敕，自漢已然。」此兩家亦可謂遠稽近考矣。顧何不據鄧父受敕而謂始于周。嘗因是而下求之，在漢或稱敕書，或稱敕諭手敕。如高祖之《手敕太子》，元帝之《敕東平王傳相》，《漢書》之《戒敕刺史太守》，及《三邊營官》，敕文曰詔敕某官。在唐，則貞觀四年，太宗敕百司：「自今詔勑未便者，皆應執奏，毋得阿從，不盡己意。」至中宗公主之墨敕斜封，又無論矣。然《退朝錄》以勑字爲後人所用，《字書》不載，其言亦未分明。蓋勑音賚，敕音尺，字義絕不相同。《書》之「敕命」，《易》之「勑法」，皆作勑，並傳寫之譌，惜敏求當日，辨不及此。

又 赦文，王懋公曰：赦文有二，或以開創，反彼舊政而施恩；或以守成，遇諸吉事而加惠。近有僅言受命之主，而曰「流大漢愷悌，蕩亡秦毒螫」云云，則失之偏矣。至若古人赦宥之事不一，有謂數赦反以啓奸，此亦大有深意在。

又 王懋公曰：赦文有古、俗，德音亦然。古如唐德宗《春初大赦文》，俗如陸贄奉《天改元大赦文》。又如陸贄《蝗蟲避正殿降免囚徒德音文》，古也；元稹《戒厲風俗德音文》，俗也。

又 鐵券文，王懋公曰：史稱漢封，幾不容口，何足信哉？大功如韓、如彭，卒皆俎醢以終，不啻朝予券而夕賜死！爲問誓辭安在？有明券制如瓦，外刻履歷、恩數之詳，以記其功，中鐫免罪減祿之數，以防其過美矣。亦聞勳臣中有不白者，若夫人臣恃功驕恣，此忤雷霆以速禍耳，其於君乎又何尤？

又 冊，王懋公曰：或謂冊體始于《洛誥》，非也。觀《書·多士》：「惟殷先人，有冊有典，殷革夏命。」則冊書由來已久，其不自周始可知。《明辨》謂古者止施之臣下，亦非。觀《顧命》：「丁卯命作冊度。」註云：「命史爲冊書法度，傳顧命于康王。」是且施于新主矣。《明辨》又謂後世祭享亦用之，則又非。觀《洛誥·丞祭歲》：「王命作冊，逸祝冊。」古人祭祀告神，何嘗不用冊書？又觀漢唐宋冊文，或用之玉立，或用之封哀，或用之謚贈與祝祭。近人有謂漢唐宋冊，惟頒制臣下，謬亦猶之《明辨》矣。至于潘勗《冊魏公九錫文》，名雖代漢獻帝制，實則爲操賊作鷹犬耳。《文選》錄之無識，抑又甚矣。

又卷三 議，王懋公曰：或謂秦廷焚書之議起，後世人臣爭事辨理則有議，是殆未取成王學古議事之言而一思之。遠如《明臺議》，又無論矣。至其文，有廟祀、公族、災異、外國諸例，則在人推廣以盡其類。

又 章，王懋公曰：如漢郎顗《上災異章》，曹植《封二子爲公謝恩章》，梁江淹《爲蕭領軍拜侍中刺史章》。按：東漢順帝二年，問以災異，故顗上章云。

又 說書，王懋公曰：如蘇軾《問大夫無遂事對》，又《問小雅周之衰對》。謂季札、文中皆得其偏而未備，亦確。

又 符命，王懋公曰：符命，體見《文選》，若司馬長卿之《封禪》，漢武使人求遺書得之。觀李賀「惟留一簡書，金泥泰山頂」之詩，則此書似不可少。觀林逋「茂陵他日求遺草，猶喜曾無《封禪書》」之句，長卿不作可也。至楊子雲《劇秦美新》，無論其事可恥，而其文亦不能佳。或謂此另一楊雄，非草《太玄》、《法言》者。予謂必如是乃可。班固《典引》，或稱其絕勝千古。予謂漢人之文，佳者甚多，何數此乎？姑以備體而已。

又 牋，王懋公曰：古人用牋，有請勸，有陳乞，有慶賀，有陳謝，非一端可盡。即以《文選》言之，已有或辭或勸進之不同。近有論作牋，而專言惜別思聚，云何？且牋亦始于東漢，而謂始自三國，則尤非也。【略】或曰：牋妙于晉魏，盛于六朝，妙音天度，雋味神腴，氣高體亮，辭惻情深，使人反覆淫佚，欲其不爲雅流，吾不信也。魏晉之文冲妙，六朝之文韻永，皆佳製之可師者。

又 教，王懋公曰：「《文選》傳亮《爲宋公修張良廟教》、《修楚元王廟教》，皆爲劉裕也。時裕尚未篡位，故曰公。諸侯言曰教。

又 笏記，王懋公曰：《釋名》：「笏，忽也，備忽忘也。《玉藻》：『史進象笏，書思對命。』此笏記之所由來，其事遠矣。」又曰：「凡有指畫于君前，用笏，造受命於君前，則書于笏。笏畢用也，此謂每事皆用耳。古者貴賤皆執笏，書君上政令，有事搢之于要帶中。」笏記之文始于宋，如蘇軾有《謝宣入院笏記》可證。又人臣書笏，以便奏。其故有二：一爲有緊要事，恐臨時或遺；一爲有難記事，恐一時說不出。聞往有召十三布政，問以民情風俗，皆縷縷能道其詳，及問錢穀數目，則默不能對，遂至罷職。惟一人細書笏上，一一言之，獨稱旨。亦可見笏之爲益大矣。又坡公《送歐陽推官詩》：「臨分出苦語，願子書之笏。」此用以記私事，又當別論。

又 致辭，王懋公曰：致辭當附表，並列臣語。以表亦學者所有事，不獨人臣，故與判相次爲一類。春秋時，越文種有《祝越王辭》二章，此致辭之始也。後如蘇軾《內中御侍已下賀皇帝冬至致辭》、《內中侍御已下賀皇太后冬至致辭》，其文皆可觀。

又卷四 檄，王懋公曰：檄者，激也，昔人所謂激發人心者是也。《辨體》《明辨》尚少此義，故補著之。文如司馬長卿《檄蜀》，則爲武帝飾非文過。或謂諷諫，終涉強詞。而世又稱陳琳之檄，能愈老瞞頭風。予謂爲袁檄曹，殊快人心；又爲魏檄吳，不可謂名正言順，而文亦失之繁碎。皆不及駱檄武曌，辭嚴義正，兼有昂霄之意。至若吳筠《移檄江神》，想奇事奇，應稱絕類離倫矣。

又 露布，王懋公曰：露布，檄之類也，豈有取于《春秋》「佐助期，武露布，文露沈」之義乎？非也。其意不過呈露于外，以布告人而已，何庸以穿鑿立說爲？宋許觀《東齋記事》：「《隋・禮儀志》：後魏每攻戰克捷，欲天下知聞，乃書帛建于竿上，名爲露布。其後相因施行。」《事物紀原》引世說：「袁虎倚馬爲桓溫作北伐露布。」二者俱爲未得。漢賈逵爲馬超作《伐曹操露布》，自後漢已有之。豈書帛揭竿，實自後魏始耶！然露布之語，其來亦久矣。《漢官儀》：「凡制書皆璽封，惟赦贖令司徒印，露布。」要即此也。如此論露布，可謂欲窮千里，更上一樓，諸家皆不能及。

又卷五 王懋公曰：唐開元十二載，詔以詩賦取士，失之靡矣。何如策論有關名理實事之爲得哉！今略言之：《呂氏春秋》中有六論，則論之名不始于漢。若賈誼《過秦》入于《史記》，《治安》載於《漢書》，皆經濟文章，堪爲論策弁冕。武帝時，董江都之三對，視公孫弘殆如奴僕，曲學阿世，何益之有！進士置科，始自隋煬，其試亦兼用策，獨惜未見有卓然可傳者。唐高宗時，劉思玄始奏進士加雜文，明經加帖括，他若試士以箴、頌、論、贊之類亦不一。而學士院試，又或以制、詔、批、答。有明試士大率倣宋初，亦兼詔誥，後乃專用策論判表，而其餘，學者皆棄而不習矣。至言策論之佳，西漢而後，共推三蘇。予謂三蘇論不及策，而穎濱之《君術》、《臣事》、《民政》等篇，則又若神仙縹緲於九天之上，即老泉、東坡亦應遜之。明代後場，亦策勝表，表勝論，程勝墨，如王弇州、馮北海之策、論、表，可謂崛起一時，不讓古人。文太青以賦爲論，自是別調，而非其至者。初，高祖嘗語劉三吾曰：「唐虞詢事考言，今試策是其遺意。命廷試只用策一道。」其重策如此，嗚呼！後之不愧此制者晨星落落矣。

又 王懋公曰：策論，文中大觀，未易言也。立論之家，識欲其卓。劉元城謂後生未可遽立議論，以褒貶古今，蓋見聞未廣，涉世淺也。薛文清亦云：切不可隨衆議論前人長短，要當己有眞見乃可。在古人之後，議古人之失則易；處古人之位，爲古人之事則難。況理之精微，事之盤錯，尤有不可苟者乎？故曰「識欲其卓」。對策之際，心欲其誠。張南軒嘗自謂：某每登對，必先自盟其心曰：切不可見上喜怒，隨便順去，恐一時隨順，後來收拾不得故也。昔平津之對，重一「和」字，董子之言，重一「正」字。而賢不肖之分具見於此，天下後世，誰可欺乎？故曰「心欲其誠」。論策之法，學欲其博。經史時事，我欲取朱、胡二氏之言爲則以講明之。晦菴嘗議分《易》、《書》、《詩》爲一科，三禮爲一科，《春秋》三傳爲一科，使士以次而習夫經；《國語》、《史記》、《兩漢》爲一科，《三國志》、《晉書》、《南北史》、《唐書》爲一科，《通禮新義》爲一科，兵法、刑統、勅令爲一科，使士以次而習夫史。胡安定教授湖州，立經義治事齋，以敦實學；而於明經之外，凡邊防、水利、兵刑、錢穀、屯田、鹽法，皆一一精求。其後仁宗興太學，詔取其法，著爲定式。今之學者亦當奉以自習。不然，遇有大事，議論得失，蒙然張口，如坐雲霧。辱亦甚矣！以此見學之不可以不博也。

又 策問大概有二：不問時務，則問經史，然二者亦自相關。問時務

者，必引經史爲證；問經史者，必以時務終。作者須辨認二體，然後詳考所問：何者爲綱，何者爲紀；何者爲正問實事，何者爲泛引餘情；何者爲血脈，何者爲眼目。一一分派已定，拿定一箇主意做去，則下筆自有氣勢，結構盡是經綸矣。

又　策之文，欲典欲圓。但典易失之板實，圓易失之虚浮。太實則俗，太空則浮，策語最易犯，當戒。

又卷六　論，王懋公曰：論之立名，不始《論語》。通考吴氏程曰：「論，撰也，次也。撰次聖賢之語也。」則論猶編書之編，非議論之論。《明辨》亦未深考。

又　王懋公曰：理論如蘇軾《韓非論》，政論如柳宗元《封建論》，經論如歐陽修《泰誓論》，史論有評議、述贊二體。如蘇洵《史論》，賈誼《過秦論》，蘇軾《始皇論》，皆評議。如《左傳》「秦伯以三良爲殉」、「祁奚能舉善」、「駟歂殺鄧析」、「郤黑肱來奔」，《史記·孔子世家》，《漢書》贊戾太子，《後漢書·班彪傳論》，晉干寶《晉書·帝紀總論》，歐陽修《五代史·伶官傳論》，皆贊述。文論如漢桓寬《鹽鐵雜論》，諷論如漢班彪《王命論》，寓論如魏李康《運命論》，設論如王褒《四子講德論》。然《左傳》、《史》、《漢》雖曰贊述，原無論之名，今亦借言之耳。又《四子講德篇》，當曰傳，而以論稱，姑從《文選》云爾。

又　袁儀卿曰：論，劉勰謂有四品，近日徐伯魯著《文體明辨》，廣爲八品。今我另設八目：一君德，二治道，三心學，四臣道，五敬天，六愛民，七尊賢，八評論人品。

又　論者，反覆辨難以求至當者也。故論之爲體，辨是非，别妍醜，即凝以求通，研深以入微，窮于有象，追于無形。凡受題下筆，必有一段出入之意見，發之爲千古不可磨滅之議論，方爲入彀。或舉古今所不決之疑，而出眞見以剖析之；或從衆人意想所不到處，而從容發至理以新人之耳目。如漢廷老吏斷獄，以片言折衷，而人莫不心肯意服。若但能責人，亦非高手。必思我若生此人之時，居此人之位，遇此人之事，當如何應酬，如何處置？必有至當不易之説。若蘇老泉《管仲論》，子瞻《范增論》，皆用此法。

又　論貴圓忌方，貴老忌嫩，貴雄健忌懶散，貴移易不動，忌浮泛不切，起伏處貴有照應，開闔處貴有波瀾，馳騁處貴有節制，鋪叙處貴有曲折，過接處貴無痕迹，譬喻處貴親切，引用處貴確當。或沿流討源而血脈井井，或從根發枝而千條燦然，或將無作有而意味甚深，或以實形虚而指意如見。藏光艷于平實之中，發精神于題目之外。要使一句一字，增減不得，而句句有法，字字盡心，方爲合轍。只緣學者束書不觀，因陋就簡，于時文之外，全不理會。先進既以荒謬而中式，後進遂以空疎爲高致，是《霍光傳》眞可不讀，而不學無術最得計也。

又　立意高，説理透，不爲玄言奇語，而見者自然屈服；如虢國夫人，有天然國色，但淡掃蛾眉，而三千粉黛，一時低首。此文之最高者也。詞理兼修，華實並茂者次之。意見庸庸，專事造語，此最卑而最可賤者也。近事時論，本色愈卑，而修飾愈勝。專欲藉文采動人，自造語外，别無工夫。今須擴充眞見，洞透至理，見得親切，自然斷得分明。理既高遠，自然言能出衆。講性理而洞徹精微，論治道而深究利害，便是大文字。前輩如柳宗元作《四維論》，夫禮、義、廉、恥，謂之四維，柳謂「廉恥即在義字中，只可爲二維」，得此意爲主，又何煩詞采之助哉！歐陽修作《泰誓論》，謂文王未嘗稱王，發明千古不白之冤。蘇軾作《賈誼論》，謂非漢文不用賈誼，乃賈誼不能用漢文。蘇轍作《三國論》，不取智勇，而取不智不勇。張耒作《文帝論》，謂文帝薄待周勃，乃是深愛之；而引宣帝待霍光爲證。意見精確，最能動人。又如蘇軾、秦觀皆有《晁錯論》。在蘇軾則謂袁盎非能譖殺錯，乃錯自取殺；在秦觀則謂漢惟斬錯，然後可以破七國之兵。其意見皆出尋常之外，故必熟于世故，老于人情，有憂深慮遠之明，有通微知往之哲，然後可以作論，非徒求工于文字而已。此論之所以貴識見也。

又　論以識見筆力爲貴。縱横變態，如節制之兵，愈出愈奇；攻擊辨難，如汪洋之水，漸流漸遠。此識見筆力之最高者。

又　大抵論以理爲主，意輔之。意與理俱勝，則論自超脱。故大家手筆，不爲詭異而自宏富，不事險怪而自典麗。奇寓于純粹之中，巧藏于和易之內。其不能者反是。

又　論之品有三：上者藏鋒不露，讀之自有餘味；中者步驟不凡，如飛沙走石；下者用意卑俗，專事造語。

又　論之體有七：一圓轉，二謹嚴，三意多而不雜，四含蓄而不露，五結上生下節，勢如貫珠，六首尾相應勢如擊蛇，《七緻》一篇，欲有不盡之意，如清廟之瑟，一唱三歎。

又 蓋凡學論，須將前輩格奇、語確、意高、理透者，寫定十數，熟誦沉思，有作即擬之，不似則易之。始于擬議，終于變化。蓋其始學也，惟恐不似，既也又恐其襲焉而不化耳。至于變化，則心神骨髓全是古人，啓口容聲，莫非高調。若待招之而後來，麾之而後去，已落第二義矣。

又 性理論，貴研精闡微，根極理要，以《左》《國》之精華，發程朱之心事，使確然不易，粲然有條，此最難者也。政事論，貴獨稽政源，參酌流弊，彌綸羣務，折衷是非。陳法則句句可行，警世則言言可懼。雖亦不容苟作，然較之性理論，似粗而易騁矣。人物論，貴貫串古今，詮次賢哲，貶一人而有益于天下，則毀之不爲薄；褒一人而足法於天下，則譽之不爲狥。褒貶既中其實，議論自異于常。人物好醜，纖悉不爽矣。

又 史論易粗宜精醇，理論易晦宜明白。

又 論事勢，當原其利害成敗而究其形；論人物，當究其始終顛末而定其案。然須胸中眞有卓然不可磨滅之見，借題發揮，則自然醒眼。若就事補綴，縱裁花製錦，終無精彩氣焰。

又 大都論法，不外乎理、弊、工、效。蓋理者，道理也，把題中事情說得的確確，務使愷切明雋。弊者，弊病也，原初階厲，與要終沾危，一一發覺出來。工乃用工，一番修禳轉一番恢復也。效乃效驗，是以亨通，是以泰寧也。祇將此四法敷衍成章，而於起首用破承入題，煞尾用結題，自然律度嚴整，血脈貫通。他如原、叙、反、正、譬、證、斷七法，用之或可以炫觀，殊覺煩碎耳。

又 論須看題目，如言語發于大聖賢之口，行事見于大聖賢之身，功業顯于大聖賢之手。君則五帝三王，臣則伊、傅、周、召，儒則顔、思、孟、周、程、張，本無可議者。秦漢而下，君道《臣職》儒術互有得失醇疵。彼無可議者，惟主於褒揚稱述。若得失醇疵相半者，又當權其輕重，究其大節。言語《行事》功業好處多，則褒揚意重，而微寓不足之意于後可也。不好處多，則貶抑意重，而存恕過之意于中。如其大節全虧，他貴莫贖，則辨斥攻擊，直窮到底，愼勿兩可其說。至昏君、逆臣、異端，尤宜闢之廓如也，不得稍貸其罪，曲爲回護解釋，斯爲正論。若徒快紙上之浮靡，昧胸中之臧否，人是而我亦是之，人非而我亦非之，正井蛙之不可語于海者也，又何論之足云。

又卷九 諸表體，或曰：表制有六：賀表則頌聖處貴詳盡，進表則叙事期望處貴詳盡，辭謝表則叙事自勉處貴詳盡，請諫表則貴望處貴詳盡。蓋作表貴知要如此。

又 謝表，《指南錄》曰：有所感激故稱謝。謝幸御，謝官爵，謝金帛，謝宴享，謝頒降，謝珍味，謝衣服，皆感激君父殊恩而非僞也。夫忠心感則興，激則奮；恩踰望外，則敬從中起，非徒啣結思報而已。最要默動人君以禮使臣意，然入題自叙處須詳之。

又 王懋公曰：謝不僅自謝，或代一方謝，或爲天下謝，尤當論及。

又 賀表，《指南錄》曰：凡天降祥，地獻瑞，外國賓，武功捷，皆人君盛德事也。表中歡諗之意雖多，尤必戒盈持滿，使皇上竦然動苞桑之計始得。其頌聖宜詳，解題處宜略。又多有不用解題者，以不可及前朝衰颯事也。

又 進表，《指南錄》曰：進者，人臣各以意進也。或進經史，或進圖書，或進詩賦，或上圖畫，或上箴言，或獻祥瑞。不以佞進，不以諂進，不以非禮進，不以聲色貨利進。皆所以養君心、清治本也。均之進也，其解題處宜詳，如書籍，則備叙其著作之由；祥瑞，則徧列其生成之實。必默寓規諷之意，令上人一見起敬可耳。

又 或曰：作進書表，須認明諸書體製。如玉牒，乃紀大事之書，國史乃已成紀傳之書，實錄乃編年之書，寶訓則分門，日曆則繫日，會要則合粹。各有體製。如玉牒不可移于國史也，餘倣此。

又 王懋公曰：宋相國道《四六餘話》：玉牒所記，非止本支，而凡一朝大政事、大號令、大更革拜罷，皆在焉，仙源積慶，特其一條耳。前此進玉牒備書表章，能備言之惟于湖一表，終始對說，其形容玉牒，方爲曲盡。文云：「帝系勤鴻，榮科條于屬籍；聖謨啓祐，儼訓典于寶儲。」「堯統漢緒，肇派別于天潢；周誥商盤，儼仙躔于東壁。惟昭穆親疎之有序，與文章詞令之當傳。」「《麟趾》振振，共仰宗盟之益茂；《虞書》渾渾，更瞻聖作之相輝。」予近見一玉牒表，專言本支，絕不他及隻字。故知其一說，而不知其又有一說，皆議論家之大弊也。

又 或曰：表涉一代興衰，不可無斷制。元人《進宋史表》云：「聲容盛而武備衰，議論多而成功少。」可謂盡之矣。丘文莊公爲祭酒時，出《元史表》有云「非無一善之可稱，緣是大綱之不正」，自謂不減前所云。信然矣。

又 辭表，《指南錄》曰：有所賜而懼不敢當則辭，有所託而懼不能副則

辭，有所除授而懼不克勝則辭。言則謙讓，意須眞切。如禹辭百揆，讓在稷契也；伯辭典禮，讓在夔龍也。若不委曲其言，不謙冲其意，將辭非眞辭矣。

又　請表，《指南錄》曰：人君當行不行，介在疑二之間者，吾修詞以請之可也。于是視學有請，經筵有請，臨御有請，冊立有請，纂修有請。不敢以私意請，不敢以親故請，不敢以乞哀請，不敢以田宅請。惟溫厚其言而意獨懇到，使皇上視之，有不容中止之勢，斯稱善請。

又　諫表，《指南錄》曰：諫表即疏章，而文之以四六耳，所以規君之過也。過言則諫，過舉則諫，興作違時則諫，任用匪人則諫，好尚不端則諫，喜怒不中則諫。大要敷奏詳明，瞭瞭見其終始。如此利，如此不利；如此可，如此不可。不傷于激，不動于憤。敦厚其意，溫潤其詞。可畏而不可拒，可愛而不可狎。則善諫矣。

又卷一〇　判，王懋公曰：唐張鷟有《判決錄》，學判者當取以爲法。其支有科罪，有評允，有辨雪，有番異，有判罷，有判留，有駁正，有駁審，有未減，有案寢，一一究心，裨益不淺。至言近今作法，起聯對四句，再接二句。「今某」下，四字句二句，中對四句，末以二句作收，自是正格。擴而充之，則存乎其人。

又　王懋公曰：判不在能以深文巧定人罪，而在有以大服其心。若張乖崖之以一錢斬崇陽吏，乃有繩鋸木斷之判，當入司馬子長《酷吏傳》矣。往有王府一鶴爲民犬所噬，以付有司治罪。判云：「鶴雖帶牌，犬不識字。」能以戲言寓仁民之心，南山可移。此案不易，當以爲法。

愛新覺羅・弘曆《御製文初集序》　夫序者，所以叙陳經旨，故孔子作《書》序，子夏作《詩序》，未聞自序其文也。自序其文，蓋漢、唐以後之事。

袁枚《答友人論文第二書》　足下之答綿莊曰：「散文多適用，駢體多無用，《文選》不足學。」此又誤也。夫高文典冊，用相如；飛書羽檄，用枚皋：文章家各適其用。若以經世而論，則紙上陳言，均爲無用。古之文，不知所謂散與駢也。《尚書》曰「欽明文思安安」，此散也；而「賓於四門，納於大麓」，非其駢焉者乎？【略】《易》曰「潛龍勿用」，此散也；而「體仁足以長人，嘉會足以合體」，非其駢焉者乎？安得以其散者爲有用，而駢者爲無用也？足下云云，蓋震于昌黎「起八代之衰」一語，而不知八代固未嘗衰也。何也？文章之道，如夏、殷、周之立法，窮則變，變則通。西京渾古，至東京而漸漓一二文人，不得不以奇數之窮，通偶數之變。及其靡曼已甚，豪傑代雄，則又不屑雷同，而必挽氣運以中興之。徐、庾、韓、柳，亦如禹、稷、顏子，易地則皆然者也。然韓、柳亦自知其難，故鏤肝鉥腎，爲奧博無涯涘；或一兩字爲句，或數十字爲句，拗之，練之，錯落之，以求合乎古。人但知其戛戛獨造，而不知其功苦，其勢危也，誤於不善學者，而一瀉無餘。蓋其詞駢，則徵典隸事，勢難不讀書；其詞散，則言之無物，亦足支持句讀。

又《答友人論古文第二書》　竊謂足下之爲古文，是也；足下之論古文，非也。足下之言曰：「古文之途甚廣，不得不貪多務博以求之。」此未爲知古文也。夫古文者，途之至狹者也。唐以前無「古文」之名，自韓、柳諸公出，懼文之不古，而「古文」始名。是古文者，別今文而言之也，劃今之界不嚴，則學古之詞不類。韓則曰：「非三代、兩漢之書不觀。」柳則曰：「懼其昧沒而雜也」、「廉之欲其節」。二公者，當漢、晉之後，其百家諸子未甚放紛，猶且懼染於時。今百家回冗，又復作時藝弋科名，如康昆侖彈琵琶，久染淫俗，非數十年不近樂器，不能得正聲也。深思而愼取之，猶慮勿暇，而乃狃於厖雜以自淆，過矣！蓋嘗論之，古書愈少，文愈古；後書愈多，文愈不古。《商書》渾渾爾，《夏書》噩噩爾。作《詩》者不知有《易》，作《易》者不知有《詩》。下此，《左》、《穀》以序事勝，屈、宋以詞賦勝，莊、列以論辨勝，賈、董以對策勝。就一古文之中，猶不肯合數家爲一家，以累其樸茂之氣、專精之神，此豈其才力有所不足，而歲月有所偏短哉？荀子曰：「不獨則不誠，不誠則不形。」天下事，不徒文章然也。鄭康成以《禮》解《詩》，故其說拘。元次山好子書，故其文碎。蘇長公通禪理，故其文蕩。之數公者，皆抱萬夫之稟者也，偶有所雜，其弊立見，而況其下焉者乎？今將登騷壇，樹旗幟，召海內方聞綴學之徒，而談論角逐以震耀乎口耳，此非煩稱博引不可也，邯鄲淳之見東阿王，李錯之遇梁武帝是也。若夫傳一篇之工，成一集之美，閉戶覃思，不蹈襲前人一字，而卓然爲行遠計，此其道誠不在是矣。足下擅鹽莢名，居淮南之四衝，四方之士于于焉來請謁者，或經或史，或詩或文，或性理，或經濟，或蟲魚箋注，或陰陽、星曆、醫卜，日呈其伎於左右。足下不涉獵而遍覽焉，幾懵乎爲酬應，而又以好賢之心，好勝之氣，日習於諸往來者之咻染，

不覺耳目心胸，常欲觀五都而游武庫。然藉此多聞多見，使人一談論一晉接，驚而詫於四方曰名士名士，則可也；竟從此以求古文之眞，而拒專門者之諫，則不可也。

又《胡稚威駢體文序》 文之駢，即數之偶也，而獨不近取諸身乎？頭，奇數也；而眉目，而手足，則偶矣。而獨不遠取諸物乎？草木，奇數也；而由蘖而瓣鄂，則偶矣。山峙而雙峰，水分而交流，禽飛而並翼，星綴而連珠，此豈人爲之哉？古聖人以文明道，而不諱修詞。駢體者，修詞之尤工者也，《六經》濫觴，漢、魏延其緒，六朝暢其流。論者先散行後駢體，似亦尊乾卑坤之義。然散行可蹈空，而駢文必徵典。駢文廢，則悅學者少，爲文者多，文乃日敝。若夫四六者，俗名也。《庚桑楚》及《呂覽》所稱四六，非此之解。柳子稱駢四儷六，樊南稱六甲四數，亦偶然語耳。沿此名文，於義何當！宋人起而矯之，輕倩流轉，別開蹊徑，古人固而存之之義絕焉。自是格愈降，調愈卑，靡靡然皮傅而已，雖駢其詞，仍無資於讀書，文之中，又唯駢體爲尤敝。

《四庫全書總目》卷一六三《四六標準》 自六代以來，箋啓即多駢偶，然其時文體皆然，非以是別爲一格也。至宋而歲時通候、仕宦遷除、吉凶慶弔，無一事不用啓，無一人不用啓，其啓必以四六，遂於四六之內別有專門。

又卷一六九《鼂藻集》 唐時爲古文者主於矯俗體，故成家者蔚爲鉅制，不成家者則流於僻澀。宋時爲古文者主於宗先正，故歐、蘇、王、曾而後。沿及於元，成家者不能盡闢門戶，不成家者亦具有典型。

又卷一八九《唐宋元名表》 自明代二場用表，而表遂變爲時文，久而僞體雜出，或參以長聯，如王世貞所作一聯，多至十餘句，如《四書文》之二小比；或參以五、七言詩句，以爲源出於徐、庾及王、駱。不知徐、庾、王、駱用之於賦。

沈荃《四六纂組序》 四六之體，貴協調，貴諧聲，貴秉經據典，貴推舊易新，庶令觀者相悅以解。苟非素爲揣摩，一旦操觚，謾誇白戰，蹈襲于泛濫迂疏，調不協，聲不諧，語不經，事不典，陳陳相因，粟紅貫朽，而不適于用，則鄙甚矣。

沈壽民《寄男鑑》 古文先體格，次辭句。體格務高嚴，辭句務矯健。汝等筆力尋常，不能追先秦兩漢，亦須留心歐、蘇諸作，蓋其法易循，其語可學，歐尤勝蘇者，以風神含蓄，唱嘆有餘味也。《空同集》筆最高古，今遽覽此，不善斲，反傷指，終無益耳。

魏象樞《止齋文集序》 世之爲文有二：有儒者之文，有文人之文。文人之文，儷花偶葉，雕蟲繡帨，如好鳥之娛耳，時花之悅目，其文無關於世道，無輕重於人心，存之以爲游藝之一助可也。儒者之文，扶名教，正人心，著經權，約旁者以正，迪幽者以明。蓋將與日星河嶽同其久遠，僅僅語言文字云乎哉！

劉子壯《文體明辨序》 文之有體也，如天之不可使下，地之不可使上，男女之不可使易其內外，而君臣、貴賤、賢愚、尊卑不可一日而少倒置者也。置之不當，則大亂於是而起，而遂不可以爲人。如使文而首尾衡決，倫脊頹放，雖復繁言詭義，累牘積几；如下堂之周，服冕之唐，黨僞學之漢、宋，亦復成何世界乎？此文之不可以無體，體不可以不辯也。

楊繩武《論文四則》 八股者，說經之文也，故義必根經，而取材亦以經爲上。此不但習句讀、通傳註而已，當熟復註疏，旁參經解諸書，會通焉以折其衷，乃爲通經，通經而後可以說經也。諸子之文，是非頗謬于聖人矣，然其鼓鑄性靈，雕鏤物象，或滉洋奇恣，或奧衍峭刻，亦足以極文章之變。所當別白其純疵而後用之，勿徒襲其險句怪字以爲工。史本于經，子長、孟堅，史家開山，實爲千古文章大宗。故古人論文，以西漢爲最。此如康莊衢路，不可不由者。班、馬而下，蔚宗之博贍，《三國》、《五代》之謹嚴，六朝《南》、《北》之名雋，《唐書》之鍊密，《宋史》之繁富，亦各有所長，獨《元史》蕪穢耳。然皆足以識治亂，明是非，辨人才，知學術，于文章實有裨益。至于以史證經，程子《易傳》、朱子《集註》多有之，何獨疑于時文？且幾社前輩曾爲先道矣。故文章能貫穿史事，與題相赴者，皆極所咨賞。唐宋八家，根柢皆從經出，昌黎直法《典》、《謨》，廬陵善學《春秋》，柳州兼摹子長，南豐酷似更生，臨川以《周禮》參《管》、《韓》。三蘇之文出于《國策》、《孟子》，大蘇尤得力于《莊》、《騷》。古人文字各有所從出，時文何獨不然？先秦《史》、《漢》險峻，或未易攀，八家氣味漸近矣，爲時文于八家無所得，便是熟爛時文。

馬榮祖《文頌》 頌居六義之後，而會四始之全，三《頌》偉矣。變而爲騷，始創《橘頌》。晉劉伶乃頌酒德，緣物導意，無彷遂滋。若陸機之頌功臣，才華閃爍，而予奪錯互，自紊其體。善乎梁劉勰之論曰：「敷寫似賦，而不入

華侈之區；敬愼如銘，而異乎規戒之域。斯頌體也。」《雕龍》上辨體裁，下窮筆術，而風氣不越。齊梁間反覆古人，締造所由，鈎摹情狀，都來可得百例。視覶所列，殆於倍之。夫一物之細，猶或擬諸形容，而載道行遠之文，歌頌闕如。寂寥千古，斯亦翰墨之恥也。用據所窺測，創立《文頌》，虛空追攝，幻等結風，而曩所嘗試利鈍曲折之故，往往來會。豈夙世薰習，藉手冥謝古人？抑聊附正則、伯倫之後，而因以補彥和所未及，庶幾離形得似之旨乎！正聲不絕，來者難誣，下上茫茫，喟然閣筆。

錢大昕《半樹齋文稿序》 別于科舉之文而謂之古文，蓋昉于韓退之，而宋以來因之。夫文豈有古今之殊哉！科舉之文，志在利祿，徇世俗所好而爲之，而性情不屬焉。非不黠竄《堯典》，涂改周詩，如剪彩之花，五色具備，索然無生意，詞雖古猶今也。唯讀書談道之士，以經史爲菑畬，以義理爲溉灌，胸次灑然，天機浩然，有不能已于言者，而後假于筆以傳，多或千言，少或寸幅，其言不越日用之恆，其理不違聖賢之旨，詞雖今猶古也。文之古，不古于襲古人之面目，而古于得古人之性情，性情之不古，若微獨貌爲秦漢者，非古文，即貌爲歐、曾，亦非古文也。

吴玉綸《文論》 後世體制紛紛，而論、說、詞、序源於《易》，詔、策、疏、奏源於《書》，賦、頌、歌、贊源於《詩》，銘、誄、箴、祝以及紀、傳、檄之屬源於《禮》與《春秋》，蓋以宗經爲貴，準乎理與情而已。大抵周、秦、兩漢、八家散體文多以理勝，《騷》、《選》駢麗之習多以情勝。情勝者詞附之，而情裁諸理，弗傷於艷；理勝者氣充之，而理衷諸道，弗病於雜。是以論文者每慨於由漢魏及六朝三變愈下，與唐三變愈上，皆以言有物爲斷也。

夏之蓉《答張解元世犖論古文書》 大抵古文有兩支：由艱深刻苦而得者，揚子雲之派是也。而自孟子以來，下逮遷、固，主於精通朗暢爲文之正宗，出入於二者之間，獨昌黎耳。夫不本心得者言文，譬諸剪綵爲花，範土作偶，質具而精亡也。不本諸法以言文，譬諸操般倕之斧，運匠郢之斤，偭規改錯而不中於度也。古之立言者學古而不襲其似，要其不似之中有似者存，豈肯爲牽逞胸臆者資之口實乎？

孫梅《四六叢話・凡例》 四六之名何自，昉乎古人有韻謂之文、無韻謂之筆。梁時沈詩任筆，劉氏三筆六詩是也。駢儷肇自魏晉，厥後有齊梁體、宮體、徐庾體，工綺遞增，猶未以四六名也。唐重《文選》學，宋目爲詞學，而章奏之學，則令狐楚以授義山，別爲專門。今考《樊南甲乙》始以四六名集，而柳州《乞巧文》云「駢四儷六，錦心繡口」，又在其前。《辭學指南》云：「制用四六，以便宣讀，大約始於制誥，沿及表啓也。」陸機《文賦》區分十體，魏晉前其流未廣，西山眞氏以四體撰《文章正宗》，亦僅挈其綱，若乃辨體正名，條分縷析，則《文選序》及《文心雕龍》所列俱不下四十，而《雕龍》以對問、七發、連珠三者入於雜文，雖創例亦其宜也。唐設宏詞科，試目有十二體，則皆應用之文。《選》實駢儷之淵府，《騷》乃詞賦之羽翼。杜少陵云：「熟精《文選》理。」王孝伯云：「熟讀《離騷》，便成名士。」是知六朝唐人詞筆迴絕者，無不以《選》《騷》爲命脈也。

又卷一六 頌者，四始之一，詩教之隆。昔元音暢而雅樂正，民氣樂而頌聲作，宣其純懿，既異於風，紀彼鏗鏘，復殊於雅。所以美盛德之形容，告成功於郊廟，頌有頌之聲焉。【略】王褒《得賢論》也，而以頌名，義雖協而音未諧，出詩入文，濫觴於此矣。馬融《廣成賦》也，而以頌名，既不歌而多敷布，化頌爲賦，名義滋棼矣。

又卷二二 原夫今體之文，尤工箋、奏，詞林之選，雅善頌、銘。占辭著刻楮之能，敘事美貫珠之目，質緣文而見巧，情會景以呈奇。尙已夫文采葩流，枝葉横生，此駢體之長也；師其意不師其辭，爲時似不爲恆似，此古文所尙也。若乃命微言以藻思，責奥義於腴詞，以妃青媲白之文，求辨博縱横之用，譬之蟻封，奔騁珮玉，趨舌本間，強恐類文家之吃；筆端繁擁，終滋腹笥之貧，固難以作。致其情工，用所短也已。

又卷二三 文有昔合而今分者，詩與賦頌是也。後人雅尙才華，好爲纂組，侈附庸而蔚成大國，導濫觴而極彼通津。故析詩於賦，而都京演富於千言；又貳頌於詩，而宮殿縟采於四韻。古人則五際、六義，渾然和同而已。

方東樹《切問齋文鈔書後》 陸氏又謂：「有用之文，如布帛菽粟，華文無實者，如珠玉錦繡，雖貴而非切需。」吾又以爲不然。使世之人皆惟是取給於布帛菽粟而已，則是禹可以惡衣承祭，而不必致孝乎鬼神，而山龍華蟲之飾，與夫珍錯玉食之供，凡三代聖王典禮之盛，皆可廢也。且夫菽粟入口，隔宿而化爲朽腐矣；吾人三年不製衣，則垢敝鶉結矣。是故今日之菽粟，非昨日之菽粟也；已敝之布帛，非改爲之布帛也。此隨時取給之文，所以不傳於後世也。若夫作者之文則不然：其道足以濟天下之用，其詞足以媲《墳》、

《典》之宏，茹古含今，牢籠百氏，與《六經》並著，與日月常昭，而曷嘗有無實之言，不試而云者乎？今不悟俗學凡淺不能爲是，而徒指夫猥子浮華無用之文，以爲口實，是尚不足以杜少知之口，而何以服作者之心乎？孟子曰：「取食色之重者，與禮之輕者相比，奚翅食與色重也？」吾觀集中諸賢之製，其意格、境象、字句、辭氣，多與古人不類，且有甚猥俗，不識禁忌者，而便謂足以躋於先秦、兩漢、唐、宋大家，其信然乎？俗言易勝，繆種易傳，播之來學，將使斯文喪墜，在茲永絶，亦文章之阨會也。況彼所謂菽粟者，或糅以秕稗矣，或糅以雜毒矣；彼所謂布帛者，或易以刻楮矣，或易以木葉矣。善乎，虞道園有言曰：「循流俗者，不知去陳腐；强自高者，惟旁竊於異端。」凡若此者，辨之不審，非殺人，則以誤人；以此爲用，非良用也。

王引之《李復園文集序》 儒生操不律，發抒胸中蘊蓄，凡紀事狀物，據時以立論者，皆文也。迨言孔孟言，則非三代以上語不道，可謂有志於古矣，而世乃謂之時文。或以爲字句華樸，結構疏整必隨風氣爲轉移，因而厭故喜新，閱者作者，歸於一致，時好存焉，故謂之時文。然自其字句結構言之，屢變者也；自其理法言之，不變者也。理精法密，至於作小題文則斂才就範，雖百變不離其宗，證諸名家所存，殆若重規疊矩。

吴鼒《國朝八家四六文鈔叙》 四六一體，道則其貫，藝有獨工。【略】夫一奇一偶，數相生而相成；尚質尚文，道日衍而日盛。暘谷幽都之名，古史工于屬對；「覯閔受侮」之句，葩經已有儷言。道其緣起，略見源流。蓋琴無取乎偏絃之張，錦非倚乎獨繭之剝。以多爲貴，雙詞非駢拇也；沿飾得奇，偶語非重臺也。要其掃撦雖富，不害性靈；開闔自如，善養吾氣。敷陳士行，蔚宗以論史；鈎抉文心，彦和以談藝。而必左袒秦、漢，右居韓、歐，排齊、梁爲江河之下，指王、楊爲刀圭之誤，不其過歟！然而醇甘所以養生，或曰腐腸之藥；笙簧所以悦聽，或曰亂雅之音。是故言不居要，則藻豐而傷煩；文不師古，則思騖而近謬。鉛黛飾容，夫豈盼倩之質；旌旗列仗，乃非節制之師。雖復硬語横空，巧思合綺，好馳驟而前規亡，貪掎摭而眞精失，其有擺脱凡近，規撫初祖，眞宰不存，形似取具，屋下架屋，歧途又歧，又其下者。翦裁經文而邊幅益儉，揣摩時好而氣息愈囂，啓事則吏曹公言，數典則俳優小説，其不得仰配于古文詞宜矣。

吴德旋《初月樓古文緒論》 不得已應酬之作，則入集時必去之。如《震川集》中，壽文已有可以不存者，公牘而入於書中，亦少揀擇，小簡則尤不必入集也。

又 諸子中，《老子》似經，其旨與吾儒異，無害也。《荀子》説理較醇，而文筆近於平。《淮南》排句亦多，卻有精彩。莫超於《莊子》，莫峭刻於《韓非子》矣。《孫武子》亦先秦之文，非漢人所及。《列子》義蘊稍淺，亦先秦之文也。

又 本朝時文，如李榕村入理深，而氣格亦高，至古文便全不合法。如儲同人及畫山諸公，皆時文勝古文者。王罕皆古文，亦不唐、不宋、不六朝，不似古人；方朴山亦然。前明人古文又是一種，讀一篇了，不知其命意所在。如唐荆川、茅鹿門時文之高，幾足與古人同其品第，作古文則語不揀擇而法亦不合。

惲敬《上曹儷笙侍郎書》 古文，文中之一體耳，而其體至正不可餘，餘則支；不可盡，盡則敝；不可爲容，爲容則體下。【略】有意爲古文，而平生之才與學不能沛然于所爲之文之外，則將依附其體而爲之；依附其體而爲之，則爲支，爲敝，爲體下，不招而至矣。

包世臣《與楊季子論文書》 文類既殊，體裁各别，然惟言事與記事爲最難。言事之文，必先洞悉所事之條理原委，抉明正義，然後述現事之得失所以然，而條畫其補救之方。記事之文，必先表明緣起，而深究得失之故，然後述其本末，則是非明白，不惑將來。凡此二類，固非率爾所能，而古今能者必宗此法，機勢萬變，樞括無改。

梁章鉅《退庵論文》 《四庫提要》云：「唐之文體變於韓愈，而柳宗元以下和之；宋之文體變於歐陽修，而蘇洵以下和之。」愈《與崔立之書》深病場屋之作，修知貢舉亦黜劉幾等以挽回風氣，則八家之所論著其不爲程試計可知也。茅坤所録，大抵以八比法説之；儲欣雖以便於舉業譏坤，而核其所論亦相去不能分寸。夫能爲八比者，其源必出於古文，自明以來，歷歷可數。坤與欣即古文以講八比，未始非探本之論，然論八比而沿溯古文，爲八比之正脈；論古文而專爲八比設，則非古文之正脈。此如場屋策論，以能根柢經史者爲上，操文柄者，亦必以能根柢經史與否，定其甲乙。至講經評史而專備策論之用，則其經不足爲經學，其史不足爲史學。茅坤、儲欣之評諸家，適類於是。自《御選唐宋文醇》出，去取謹嚴，考證典核，其精者足以明理載道，

經世致用，其次者亦有關法戒，不爲空言。其上者矩矱六籍，其次者波瀾意度，亦出入於周、秦、兩漢諸家。茅坤等管蠡之見，烏足以語此哉！

又 凡作墓志文字，只要不說謊。《祭統》云：「銘之義，稱美而不稱惡。」又云：「其先祖無美而稱之，是誣也。」故聖賢雖於父母亦不虛加一語，加以虛譽，人必指而笑之，是轉貽父母羞辱矣。韋齋人品學問，迥出人群，朱子作行述只平平叙次；伊川爲大中，作文亦無一語褒揚。惟其如此，是以可信。且稱人亦何必全備？如孝，德之本也，孔子未嘗以稱顔子，豈顔子未孝耶？舜稱大孝，他聖不聞，豈他聖都未孝耶？

又 蘇齋師云：「凡作傳誌，不宜用四六駢體。」蓋叙一事，而必借古事述之，何如直叙其事之爲明白乎？陸放翁《詠王簡棲頭陀寺碑》云：「文浮未可敵江山。」此語所見獨超，好用駢儷者，尙亦知所持擇乎。

又 今人自編其所著之集，大概分詩與文兩目而已，古人則不然。六朝以前多以文筆對舉，或以詩筆對舉。詩即有韻之文，可以文統之，故昭明《文選》奄有詩歌；筆則專指紀載之作，故陸機《文賦》所列詩賦十體，不及傳志也。《南史·顔延之傳》：「竣得臣筆，測得臣文。」劉勰《文心雕龍》云：「無韻者筆，有韻者文。」此以文與筆分言之也。《梁書·劉潛傳》「三筆六詩」，又「庾肩吾傳詩既若此，筆又如之」；杜少陵詩稱「賈筆韓詩」；趙璘《因話錄》稱「孟詩韓筆」，此以詩與筆分言之也。《宋書·傅亮傳》「高祖登庸之始，文筆皆是記室參軍滕演」；《魏書·溫子昇傳》「臺中文筆皆子昇爲之」；《北齊書·李廣傳》「集其文筆十卷，魏收爲之序」；《陳書·陸琰傳》「其所制文筆多不存本」；《劉師知傳》「博涉書傳，工文筆」；《徐伯陽傳》「年十五，以文筆稱」；《北史·魏高祖紀》「好爲文章，詩賦、銘頌，有大文筆，馬上口授」；《南齊書·晉安王子懋傳》「文章詩筆，乃是佳事」；《北史·蕭圓肅傳》「撰時人詩筆爲《文海》四十卷」，此以合文筆詩筆而爲言者也。至梁元帝《金樓子·立言篇》，以揚榷前言，抵掌多識者謂之筆；詠歎風謠，流連哀思者謂之文。又云「至如文者，惟須綺縠紛披，宮徵靡曼，脣吻搖會，情靈搖蕩」云云，語尤分晰。今人於文筆二字之分不講久矣。

又 文章家每薄駢體而不論，然單行之變爲排偶，猶古詩之變爲律詩，風會既開，遂難偏廢。自庾子山出，始集六朝駢體之大成，而導唐初四傑之先路。所作皆華實相扶，情文兼至，於抽黃儷白之中，仍能灝氣舒卷，變化自如。當時雖並稱徐、庾，孝穆實瞠乎後塵矣。四六文雖不必專家，然奏御所需，應試所尙，有非此不可者。純用六朝體格亦恐非宜，惟有分唐四六、宋四六兩派，各就性之所近而學之。唐四六又當分爲兩層，有初唐之四六，王子安爲之，首以雄博爲宗，本朝之陳維崧似之；有中唐以後之四六，李義山爲之，首以流麗爲勝，本朝之吳綺似之。宋四六無專家，各以新巧爲工，近南昌彭文勤公所輯《宋四六選》已具崖略，本朝之章藻功似之。今欲爲四六專家，則當先讀蕭《選》及徐、庾二集，而參以《初唐四傑集》、李義山《樊南甲乙集》，彭文勤公《宋四六選》，以及陳檢討《四六》、《林蕙堂集》、《思綺堂集》，則源流正變，自可了然於胸。若曾燠之《駢體正宗》，吳鼒之《八家四六》，雖爲時流所喜，而所選體格未純，但資博覽可也。

又 作制藝文能讀書窮理，一以學古文之精力材料爲之，未有不工者，但體格不必過於求高。夫既隨衆應舉，自然志在求售，而反以不入時眼爲高，則何如舍此不務？今自欽定四書文之外，有近時名家專集，不可不涉獵者。如方靈臯、王耘渠之屬。王耘渠之文格律極細膩，又極分明，每篇旁批後批，皆其所自爲閱之，可當明師口授，集中篇篇可閱。方靈臯則有根柢，又有詞華，讀之可以開拓心胸，增長筆力。蓋靈臯經術本深，又於周秦諸子宋儒諸集，無不貫通，故言皆有物。論者謂靈臯古文每有時文氣，其時文則純以古文之法行之，故集中篇篇可讀。

梅曾亮《管異之文集書後》 曾亮少好爲駢體文，異之曰：「人有哀樂者，面也。今以玉冠之，雖美，失其面矣。此駢體之失也。」余曰：「誠有是。然《哀江南賦》、《報楊遵彥書》，其意固不快耶？而賤之也！」異之曰：「彼其意固有限，使有孟、荀、莊周、司馬遷之意，來如雲興，聚如車屯，則雖百徐、庾之詞，不足以盡其一意。」余遂稍學爲古文詞，異之不盡謂善也，曰：「子之文病雜，一篇之中，數體互見，武其冠，儒其衣，非全人也。」余自信不如信異之，深得一言爲數日憂喜。

蔣湘南《與田叔子論古文第二書》 夫模擬者古人用功之法，非後世優孟衣冠之說也。頌揚之體開自長卿《封禪》，而揚子雲《劇秦美新》摹之，班孟堅《典引》摹之，張平子《東巡誥》摹之，邯鄲子《禮魏受命述》摹之，古人何嘗不重模擬乎？《客難》出，而《解嘲》、《賓戲》、《應閒》、《達旨》、《釋誨》、《釋勸》、《抵疑》繼起矣。《七發》出，而《七激》、《七辨》、《七依》、《七啓》、《七

命》、《七召》、《七勵》繼起矣。《連珠》出，而《擬連珠》、《演連珠》、《暢連珠》、《範連珠》繼起矣。古人何嘗不重模擬乎？大概古人用功最嚴文筆之分。叶聲韻者謂之文，頌、贊、箴、銘、序、論、奏、對、誄、謚、書、檄以及金石諸篇皆是也。不叶聲韻者謂之筆，即史家叙事之作，因人褒貶以立意法，無可用其模擬者。其模擬必自文始：音節取其鏗鏘，辭句貴乎華麗，事出沉思，義歸翰藻，雄才博學，神明于聲音成文之故，始能創新題而闢奇格；豪傑之士，從而和之，似範其貌，實取其神；用心既久，由鈍入鋭，然後浩乎沛然，成其文而有餘，成其筆亦無不足。則摹擬非古人用功之法乎！

曾國藩《日記·咸豐十年三月十五日》 是日酉刻，偶思古文之道與駢體相通。由徐、庾而進于任、沈，由任、沈而進于潘、陸，由潘、陸而進于左思，由左思而進于班、張，由班、張而進于卿、雲，韓退之之文比卿、雲更高一格。解學韓文，即可窺六經之閫奥矣。

又《咸豐十年三月十七日》 就吾所分十一類言之，論著類、詞賦類宜噴薄；序跋類宜吞吐；奏議類、哀祭類宜噴薄；詔令類、書牘類宜吞吐；傳志類、叙記類宜噴薄；典志類、雜記類宜吞吐。其一類中微有區别者，如哀祭類雖宜噴薄，而祭郊社祖宗則宜吞吐，詔令類雖宜吞吐，而檄文則宜噴薄，書牘類雖宜吞吐，而論事則宜噴薄。此外各類，皆可以是意推之。

又《咸豐十年閏三月廿日》 中飯後閲韓、柳、歐書牘。古文中，惟書牘一門竟鮮佳者。八家中，韓公差勝，然亦非書簡正宗，此外，則竟無可采。諸葛武侯、王右軍兩公書翰，風神高遠，最愜吾意，然患太少，且乏大篇，皆小簡耳。

又《家書·諭紀澤·同治元年十一月初四日》 惟四言詩最難有聲響，有光芒，雖《文選》韋孟以後諸作，亦復爾雅有餘，精光不足。揚子雲之《州箴》《百官箴》諸四言，刻意摹古，亦乏作作之光，淵淵之聲。余生平于古人四言，最好韓公之作，如《祭柳子厚文》《祭張署文》《進學解》《送窮文》諸四言，固皆光如皎日，響如春霆。即其他凡墓志之銘詞及集中如《淮西碑》《元和聖德》各四言詩，亦皆于奇崛之中迸出聲光。其要不外意義層出、筆仗雄拔而已。自韓公而外，則班孟堅《漢書·叙傳》一篇，亦四言中之最雋雅者。爾將此數篇熟讀成誦，則于四言之道，自有悟境。

方宗誠《徐庾文選序》 周以前，無學爲文章之事。《六經》諸子，體製不一，要皆明道教，箸法制，記事言，抒情性，故其言上之可以爲經，其次有醇有疵，亦皆足爲身心家國之用。自漢以來，始有以文名者。然西漢質實，少無用之言，風氣猶爲近古。東漢而降，詞日繁，氣日靡，史臣創立《文苑傳》以著其人。然昌黎韓氏叙古作者之統，雖班固不得與其列，况其次乎？《昭明文選》乃取魏、晉、齊、梁與周末、西漢之文，並收而雜録之，以爲萃文章之英華可也，以爲正宗則非也。其後陳有徐陵，周有庾信，皆以盛才著文譽，當時併爲「徐庾體」。嘗觀其文，大都遠祖東京，近宗齊、梁，駢字儷句，詞益綺艷，故《陳書》併陵文「緝裁巧密多新意」，而《周書》論信之文，以爲「誇目侈於紅紫，蕩心逾於鄭、衛」，是何不能起衰振靡，回齊、梁之頽風，而追周、秦、西漢之盛軌邪？宋楊慈湖氏以「文人之文，謂之巧言」。劉忠肅亦曰：「士當以器識爲先；號爲文人，無足觀矣。」夫文不能明道教，著法制，記事言，抒情性，備身心家國之用，而但習浮靡以爲工，烏能免二公之所誚哉？且夫文章之隆污，與世運爲升降，昔人論《左氏》之文浮而誇，《戰國》之文峭而薄，文弊而世運隨之，魏、晉、六朝之文，浮靡太甚，故其世運亦衰壞而不可振，韓子所以謂「天魄其德而莫之顧」也。雖然，第以文論，駢偶之體，亦當以生氣爲上，徐、庾之文，尚有生氣可觀，是又宜其稱盛於一時，流傳於千載矣。

又《桐城文録序》 今夫言天文者，以日月爲明，而恆星之熹微，亦未能或遺也；言地文者，以海嶽爲大，而泉石之幽窈，亦未能或略也；今世之言人文者，以唐、宋八家，明歸熙甫爲斗極矣，而李翺、皇甫湜、孫樵、晁無咎、唐順之、茅坤之撰著，亦未嘗不流布於後世也。然而，文勝則質喪，巨帙重編，而於事理無關切要，徒亂學者之耳目，紛後人之心志，則又不可不精别慎擇，以定其指歸。

王棻《論文》 文章之道，莫備於《六經》；《六經》者，文章之源也。文章之體三：散文也，駢文也，有韻文也。散文本于《書》、《春秋》，駢文本于《周禮》、《國語》，有韻文本于《詩》，而《易》兼之。文章之用三：明道也，經世也，紀事也。明道之文本于《易》，經世之文本于三《禮》，紀事之文本于《春秋》，而《詩》、《書》兼之。故《易》、《書》、《詩》者，又《六經》之源也。是故《禮》之明天理，本于《易》者也；《左氏》、《國語》陳人事，本于《書》者也；《爾雅》辨萬物，本于《詩》者也，而《論語》、《孟子》兼之。三經爲諸經之源，

信矣哉。《六經》之後，名能文者四家：《莊子》之恢奇源于《易》，《離騷》之幽怨源于《詩》，太史之簡潔原于《書》，而韓昌黎兼之。千年以來，莫不尊尚四家之文，而四家之文實源于三經。然則《易》、《書》、《詩》者，誠文章之鼻祖矣。昌黎有言：「士不通經，果不足用。」烏虖！經之爲用大矣，爲學不本于經，豈徒文之不足觀哉！

黄越《退谷文集》卷一四《甲戌二十五則》 要知古文、時文之所以合，尤要知古文、時文之所以分，合處人知之，分處人多不知。唐荆川、胡思泉古文縱横奥衍，時文顧繩趨尺步，爲時文之有語氣，不可放越也。歸震川以古文爲時文，已與王、唐小變，不待至金、陳然後爲變也。然何嘗逾越題之閫奥來？今時文家多爲「以古文爲時文」一語所誤，以致空翻空跌，視題如籧廬之可以一宿而不可以久者，然亟以數語打發過自行己意，此雖近于古文，然其去時文亦已遠矣。

又卷一五《庚辰一則》 自歸太僕以古文爲時文，渾灝流轉，先輩方幅于是始化，然比偶亦是單行，單行仍是比偶，其屬對未嘗不嚴，特其氣加閎肆焉耳。自後才敏之士，祖述斯説，而善于高自位置也，放棄駢偶，一意參差，于是有以長對短者，以虚對實者。

路德《養素堂文集序》 文人之文，文人之言也。言之文者爲文，文之古者爲古文。善學古人文者，不學其文而學其文之所自出。八家之散體文，古文也，專學八家者，則優孟之矣。六朝之駢體文，亦古文也，浮慕六朝者，則餖飣之矣。非不摹古也，其貌古，其情不古。文惡乎古哉？昌黎云：「所讀之書不古，則所作之文亦不古。」文莫古於《六經》，漢魏諸家游其源而揚其波，至徐、庾而整之齊之，韓、柳、歐、蘇著宣而敷鬯之，其體裁不同，要非善讀古書者不能爲也。

謝章鋌《與魏子安書》 竊以古文一道，結於篇幅者爲氣體，見於字句者爲義法，誠能服膺古人而又能好學深思，則氣體未有不高，義法未有不精。然亦有時不盡如吾意者，則往往爲篇目所窘。贈序盛於唐，字説盛於宋，壽序盛於明，而壽序尤爲不尊。何則？贈序、字説尚從我説，壽序多從人説，其體與諛墓相等。故能手不得已，則通其法於傳誌，臚列其人之生平而稱道之，然亦稍去其濫而已，究不免和光通融之意，是以不貴也。

吴汝綸《答嚴幾道》 歐洲文字，與吾國絶殊，譯之似宜別創體製，如六朝人之譯佛書，其體全是特創。今不但不宜襲用中文，亦並不宜襲用佛書，竊謂以執事雄筆，必可自我作古。又妄意彼書固自有體製，或易其辭而仍其體，似亦可也。不通西文，不敢意定，獨中國諸書無可倣效耳。

又 來示謂歐洲國史，略似中國所謂長編、紀事、本末等比，然則，欲譯其書，即用曾太傅所稱「敘記」、「典志」二門，似爲得體。此二門，曾公於姚郎中所定諸類外，特建新類，非大手筆不易辦也。歐洲紀述名人，失之過詳，此宜以遷、固史法裁之。文無剪裁，專以求盡爲務，此非行遠所宜。中國間有此體，其最著者，則孟堅所爲《王莽傳》。若《穆天子》、《飛燕》、《太眞》等傳，則小説家言，不足法也。歐史用韻，今亦以韻譯之，似無不可，獨雅辭爲難耳。中國用韻之文，退之爲極詣矣。私見如此，未審有當否？

王闓運《論文體》 賦以荀子爲正體，宋玉《大小言》猶近之，《高唐》、《好色》，則學《楚詞》，漢人遂純乎詞矣。《騷》之正宗，後無作者，東方、劉向，皆擬《九章》耳。

又 《京都》諸作，自言是頌，非賦正宗。賦似銘贊，《丹書》諸作，是其先聲。《風》之用神，《頌》是一體耳。《雅》出於《風》，而意必正。《雅》、《頌》可無，《風》不可無。漢後諸詩，雖是興，亦有風之用也。

又 四言詩嵇、陶爲妙，詩之別派，陸平實，本不宜四言，潘亦似銘誄。

又 《天問》是贊，《九章》是賦，《大招》是誄，《卜居》、《漁父》是詞説。故自來以屈爲詞賦，以司馬爲文章祖。唐、宋八家，專學司馬，才不足也。文必先渾厚，而後可馳騁。

又 文體之別，士衡賦已詳矣，今所問作法也。作法構思，陸賦亦能盡之，所疑者時代區分，古今遂有雅俗也。帝曰「俞」，制曰「可」，旨作「知道了」，其用一也。今欲改「知道了」爲「俞」，則愈增其醜；以「了」字入文，則必不可行。以此推之，他可知矣。故嘗謂文無家數，而有時代，一代之語，不可仿古，要須擇其雅言耳。

又 不仿古而必擇雅，謂詔令奏疏告諭，應用之文也。若詞賦文誄，議論銘記，愈古愈工，而亦不能彊似者，習相遠也。自今賦外，言今事輒有今意，意今則語凡。凡記述之文，純是今事，今人言語意趣，皆異古人，安能古乎？故士衡曰：「選言貴姸。」又曰：「雖愛必捐。」修詞立誠，難之難也。

是以史傳之文，必難近古；誄銘論記，乃可模矣。後世修史，能删館稿十分之九，創聞人千分之八，庶乎見精采乎！若記事本末，則不妨詳盡，盛衰存亡之機，今古一也。

又 八家之名，始於八比，其所宗者韓也，其實乃起承轉合之法耳，固無足論。退之自命起衰，首倡復古，心摹子雲，口誦馬遷，終身爲之，乃無一似；最名者記張巡，傳毛穎，游戲之作，宜可優孟，乃亦是凡近之詞。其述睢陽，便似小説，反不及侯朝宗《馬伶傳》爲能起予。蓋儗子雲之儗《論語》，而創爲遺貌取神之術者也。夫神寄於貌，遺貌何所得神？優孟去其衣冠，直一優耳。不學古何能入古乎？古之名篇，乃自相襲，由近而遠，正有階梯；譬之臨書，當須池水盡墨；至其渾化，在自運耳。晋人行草，大抵相類；漢、魏之文，約略大同，知此可學古矣。

陳作霖《與朱子期論駢文書》 竊以駢體之爲文也，端莊流麗，較散尤難，悱惻纏綿，以蓄爲主，沿傳既久，眞宰不存，掉以輕心，遂多流弊。其有務在飣餖，失其指歸，言未次鱗，語皆合掌。或辭繁而意晦，因骨少以肉多。複水重山，其途易誤，疊椽架屋，無理可尋。集錦才長，撏撦雖云富有；成虹氣短，開闔何能自如。此一弊也。又或五車未讀，偶語強爲，不持寸鐵而來，欲截碎金以去。尟右有左宜之妙，多肘見踵決之形。干戈叢中，空巷獨戰，冠裳域裏，袒裼亦來。雖作畫南宮，原有白描之法；面修辭東里，究非潤色之才。此二弊也。至若自矜該博，專炫新奇，用上古難信之書，引小説無稽之語。舍正路而趨荆棘，廢六書而返結繩。光怪陸離，縱誇獺祭，鉤輈格磔，孰辨鳩音。此三弊也。他如背戾先型，規摹風尚，學時世之妝束，順江河之下流。作札裁箋，唯畫胡盧舊樣；褒衣博帶，翻矜館閣新裁。一唱三歎，遺音安在？千篇一律，伎倆如斯。此四弊也。於是精神盡失，風格日卑，等於俳優。羣相茆病。每謂雕蟲小技，難合大人；遂學司馬溫公，不爲此體。抑知陰陽配合，而萬物始生，日月重光，而大文乃耀。「覯閔受侮」，《詩》亦儷言；「類帝禋宗」，《書》猶偶語。溯其緣起，實出秦、漢以前；暢厥支流，乃在齊梁之後。即宋人之運用經史，幾同無縫之衣；變化體裁，別成拔戟之隊。亦何可厚非哉！是必胸藏邱錦，筆燦李花，以立意爲宗，而典籍輔之；以行氣爲事，而範圍拘之。其勢則水湧瀾翻，其辭則金聲玉振。班、張骨力，徐、庾才華，譬諸風馳雨驟之雄師，加以節制則不擾；粗服亂頭之美女，飾以塗澤而尤妍。

譚宗浚《重刻四六法海序》 《易》有之：「物相雜，故曰文。」《説文》云：「文，畫也。象交形。」然則據事直書不加修飾者，非文也；鑄詞無法，徒事鋪陳者，非文也。蓋文之爲用，稟經以宅體，隸事以騁才，造意以謀篇，摛華以敷采，四者備而文成矣。【略】自六代靡而浮詞多，八家興而散體變，遂疑儷語，悉屬淫哇。或以爲累牘連篇，譬賣瓜之求益，或以爲窮妍極巧，類刻楮之徒工。殊不知四六之文，固承周、秦、兩漢而變焉者也。溯從魏、晉，下逮隋、唐，家置縹緗，人懷鉛槧。觀夫潘、張、顔、鮑之作，任、沈、徐、庾之篇，王、盧振聲，燕、許騰軌，常、楊鉅製，溫、李小文，固已雕畫奇辭，邳張異采，波瀾莫二，塗徑攸分。即至冊籍所書，簡編所著，衛恆《書勢》，劉勰《文心》，葛洪之集仙方，楊衒之稱佛寺，徐岳以談測算，酈元以考方輿，劉孝標注《世説》之編，郭景純製山經之讚，庾愼品書，謝赫品畫，恆組織乎華詞。張湛注《列》，郭象注《莊》，亦時標乎雋語。以及解經，則崔靈恩、劉光伯、徐遵明辨難諸作，著史則范蔚宗、沈休文、李延壽叙論諸篇：莫不語盡駢衡，句無隻運，無他，鈞匪資乎獨繭，彈無取乎子絃。苟其吐屬清新，自爾屏除浮濫，又何嘗不與古人殊塗而同歸哉。惜乎俗調膚庸，陳言厖雜，鴑蹏僨轡，并疑北野之鮮材；嫫母弄姿，轉覺南威而厭拙。揆其流弊，又可得言。夫文章體裁，各有施用。泉石匪廟廊之具，堂陛豈山林之觀。乃或罕別淵源，肆憑胸臆，非狐非貉，自創形模；爲鶴爲鳧，罔知裁酌。見譏作者，貽誚通人，如蕭良上齊武之啓，詞頗同於案牘；杜確序岑參之集，文竟類於碑銘。其弊一也。簡質者修詞之要，詳明者立語之宗，乃或繁而義晦。如溫子昇寒陵之石，全叙武功；崔安成少室之碑，半陳聖德。後先錯序，輕重失宜。其弊二也。古人所作，興寄深微，得之自然，匪容摹擬。如或學壽陵之步，襲虎賁之形，刻鵠忘勞，雕猴費巧，勢必至多辭害志，得貌遺神。如張平子之《應間》，以方曼倩則已乖；徐騎省之《連珠》，以比陸機則已贅。既云絶作，何取重儓。其弊三也。詞章之美，雖曰同途，杼柚之工，要由自運。如或蠅鑽是巧，獺祭爲能。掇彼碎金，丐其香草，蹈常襲故，活剝生吞，如邢特進之撰文，竊自沈侯之集；李嗣眞之論畫，全鈔姚最之評：匪僅描摹，直同剽盜。其弊四也。且夫江河行地，源委必明，日月經天，景

光不敏。苟學修而既懋，即翰札以必嫻，胡有好騁新奇，故爲鉤棘，鑿隅取義，詰屈諧聲，萃奇字於劉歆，訪異文於朱育。又如吳叔□之孤峯絕壁，以怪怒而見稱；徐彥伯之瓊岳銑溪，以堅深而自喜。徒形奧澀，終乏精純。其弊五也。至如賦詩鄭野，必辨貞淫；論事齊庭，亦分雅俗。胡乃冗長失節，雜糅無章，習胡叟之鄙詞，效枚皋之俳語。如虞通之讓公主之表，曲寫俗情；王摩詰叙禪師之銘，好排成語，貌爲樸直，祗便空疏。其弊六也。凡兹六弊，未易刊除，雖在前賢，猶多不免。宋、元而後，自檜無譏，曾非鳳閣之往篇、半拾兔園之餘唾。揚子雲詆爲篆刻，正自非苛；李士恢目以輕浮，豈云過刻。貽羞大雅，殆匪無因也已。是惟別裁精審，取錄矜嚴，去贗留眞，式浮振靡，積波頓挽，重迴龍極之流；昧谷長昏，忽揭龍銜之炬。庶足導澄瀾於萬壑，懸朗鑒於千秋。

王先謙《駢文類纂序例》 一曰文論：斯文肇興，體隨時變，趣尚偏異，流失遂生，達識雅材，掎摭利病，彥和、子元，冠絕倫輩。山谷之論，河間之評，二家並重，學者攸資。彥和書宜全讀，子元頗有芟取。文饒文章，論爲隱侯而發，而沈傳靈運，舉斯立言。子元以爲全說文體，備言音律，可爲翰林補亡。流別總說，次諸史傳，實爲乖越。以既爲體限，仍居史論之次，凡若此類，所宜旁通。一曰史論：終篇論事，發端馬遷。後來各家沿襲成體，既趨偶儷，彌益煩蕪。故《史通》擬之「高士綺紈，壯夫粉黛」。但文之爲體，有舉莫廢，其有聯詞切理，比事愜心，未嘗不競賞巧工，傾目浮藻。又鴻儒考古，激想抽毫，辨難既紛，溢爲繁縟。才力所極，自呈炳蔚，雖波瀾莫二，而塗軌已別。此則循載筆之往式，導史評之先聲者矣。趙皮書後諸篇，或紬繹它作，更端引申；或留連前史，因事寄意。名同跋尾，義主衡論，今棄名取義，使以類從。一曰雜論：如稱舉時美，推覈物情，鍼砭俗流，抽尋往籍，萃兹衆理，歸於一編，亦文林之柯則也。稚川《尙博》諸篇，與《解嘲》、《賓戲》同科，蕭樓設論之目也。博喻廣譬，儷式連珠，以體不純壹，總列於兹焉。

又 史家類傳，廼有序文，所以領厥宏綱，陳其命意。休文恩倖，昭明選之於前；唐宗后妃，志堅採之於後。並目序以論，亮爲舛矣。若私家撰述，條別實繁，觀華亭之弁言，亦龍門之遺意也。士衡標目豪士，指刺齊冏，賦酌雅文，序兼史筆，去賦存序，亦其類也。梁元志傳，因襲史裁，雖體殊識大，而例歸一貫。它若金石之刻，訂其舛譌，傳記之書，證其得失，並文人所有事，史籍所取資。案法海錄序，以詩文宴集，區爲二門。余謂應奉之製，唯主頌颺，陪從之篇，尤重肅穆，爰就其中合采前美，昭示後儀。若尋常詩文序跋，亦分兩事：一曰酬應之作。挹清黃憲之坐，問奇揚雄之亭，誼重淵源，感深投分。迨叢蘭有已敗之色，而卷葹餘不死之心，期以片言，偕之千古。它如紀榮遇於畢生，述明德於既往，貞烈之曜，履苦而說甘，述作之工，又推微以致顯，皆義主表章，而事緣請屬。此以情爲根，而文周其用也。一曰掞張之作。必植柢忠孝，通綸經史，藝林萃藪，洪纖皆適用之資；國士遺編，顯晦歸後賢之責。此以文爲本，而情暢其流也。至於觸感無聊，伸紙寫臆，屛居生悟，緣虛入實，泛長風而不息，則回戀故巢；望晨星之漸稀，則感傷知己。亦有朋好往還，襟情契結，登降巖壑，興寄園亭，歎逝者之如斯，撫今懽而易墜。相與招繪事，賦新詩，更揮發以詞章，庶昭宣其情緒。一卷之內，陳迹如新，百年之間，古懷若接，皆無假故實，自達胸懷。由耳目以造性靈，驅煙墨以籠宇宙，文之爲道，斯其最勝者與。

又 敷奏始於《尙書》，上書沿於戰國，秦幷區宇，列爲四品：表以陳事，章用謝恩，劾驗政事曰奏，推覆平論曰駁。漢云封事，起自宣帝，不關尙書亦曰上疏，用之王侯，達於天子。總駁於議而典午古今，尺議尙以駁名，陳謝用章，而齊陳賀慶表文，亦有章號。魏國奏事，始或云啓。唐世奏謝，兼稱爲狀。六代白簡，謂之彈事。蓋按劾之變名。宋朝上書或云劄子，是書札之譌字，並奏之流也。進言摛文，戰國爲盛。漢初沿其波，制策發問，炎靈肇端，歷代循其體。又有奏對策對之異焉。本朝革華崇實，凡有進御，統謂之奏，平論大政，亦或用議。成書賀捷，皆上表文。殿試朝考，分題策疏，觀乎人文，取存古式而已。夫元首居尊，羣材效職，聖澤市寓，則思極頌聲，飛龍在天，則恭陳符命。斯國家之鴻美，颺言之上式也。興利革弊，論政兩塗，薦賢劾奸，事君大道。上進之篇，其鉅者國華朝典，亦不遺祥異之微。慶賀之詞，其尤者愷樂上儀，且兼及起居之末。亦有榮被泉壤，義激朝端，器物寵頒，文事相接，並魚水生歡，鳧藻貢悃，位祿與共。辭受揣分，而讓謝興，上膏猶屯，下情待抒，而求請起王廷，有揚詞筆，兼需而對，問重流觀，天澤義云備矣。竹彈鮔謝詞詭，體正通天之奏。故土有懷，比士衡之弔魏帝；尙蓄餘思，似稚圭之禱漢宗。申衷冥漠，今各以類附焉。

又 書啓者，通上下之辭也。皇儲貴胄，降禮達誠，體性明睿，文詞雅潤，飛翰染楮，咸可覽誦。親貴酬獻，才雋歡陪，光生顧眄，情申慕戀，或勝詭入讒，吳繁競進，榮辱倚伏，機穽俄生，蠖屈求信，雉離增歎，斯則皇軌不一，恆必有之。至於折衝之事，經畫之宜，倚馬援毫，捉刀入幕，亦有請命鄰封，薦賢當路，推功閫帥，致美大府，並表裏史乘，裨助參稽。若文史爲用，理體滋繁，課實談虛，悉資考鏡，自餘雜述，總爲一編。謝惠儷言盛於六代，體不可闕，略備前式。唐世溫段之徒，時復間作，並從斷棄。又其時風會波頹，文盛干請，望門投謁，呈身貢函。昌黎不遇，三趨宰相之庭；薛逢乞恩，死作埽除之鬼。此類悉予刪除，無俾害道。

又 以言贈人，荀子比之金珠；擇言而進，魯侯以侑觴酒。洎乎唐世，乃有序文。發攄今情，敦勉古義，斯朋友之達道也。獻壽有文，沿於明代，貴在不溢美，不虛稱，反是則濫矣。王氏《法海》贈別序自爲編，姚氏《類纂》因之，增入壽序，茲仍其例云。

又 《文心雕龍》云：「昔軒轅唐虞，同稱爲命，降及七國，並稱曰令。秦并天下，改命曰制。漢初定儀，則命有四品：一曰策書，二曰制書，三曰詔書，四曰戒敕。敕戒州部，詔誥百官，制施赦命，策封王侯，體至晰也。」案蔡邕《獨斷》云：「策書，策者簡也，以命諸侯王三公。」制書，帝者制度之命也，其文曰制詔，三公赦令贖令之屬是也。詔書有三品，其文曰「告某官」「官如故事」，是爲詔書。戒書戒敕刺史太守及三邊營官，被敕文曰有詔。敕某官是爲戒敕也。其義頗異，考西漢賜書輒稱制詔，是詔兼制矣。武策三子，誼主申戒，是策亦敕矣。劉勰云：「戒敕爲文，實詔之切者。」則敕即詔矣。漢高手敕太子，知此又不僅施州部也。逮及六朝世異，封建禪代，九錫依倣策文。唐宋敕書，或施之一人，或專賜州郡，詔則徧諭天下，制以黜陟封贈，其大較也。然舉例覈文，隋高祖報李穆應目以敕，唐太宗賜李靖陪葬應稱曰制，而皆以詔名，知散文通矣。遷除用制，實病文繁。劉子元謂褒貶之言，哲王所愼，諒哉！其義兼戒勉者取之，餘屛不錄。制策以咨多士，勖其書思對命，合於釋名驅策諸下之義，教令亦上臨下之辭，並以附焉。蔡邕《獨斷》云：「諸侯言曰教。」劉彥和云：「契敷五教，故王侯稱教。」自教以下，則又有命，詔重而命輕者，古今之變也。考六朝文例，有令無命，《雕龍》所稱，殆謂令耳。

又 劉彥和云：「移檄爲用事兼文武，意用小異而體義大同。」又云：「檄者，皦也，宣露於外，皦然明白也。或稱露布，播諸視聽也。」考《文章緣起》，馬超伐曹操，賈宏爲作露布，《雕龍》以爲檄之別稱，信有徵驗。魏晉以降，代有檄文，不名露布，彥和身居梁世，尚無殊解。然則露布爲獻捷專號，必在李唐之初乎！茲從其後起，分爲二流，以同在金革，仍總諸一例。本國伐叛，但云下符其小，征伐則用移牒，皆檄之流也。稚圭《北山》，意嚴詞正，節壯高隱，義激頑夫，筆陣助其驅除，山靈增其颯爽，雖斯體之附庸，實文人之魁桀矣。甘亭移牒城隍，助驅貓鬼，幽明一也。故並附焉。

又 行狀者，生而顯貴，沒申史官，具畢生之事實，備後乘之甄錄。沈約《齊司空柳世隆》、任昉《齊司空曲江公》兩狀，李氏《駢體文鈔》采之，鈔自類書，故非完本，不堪垂式，所宜割捨。傳之爲體，義通存沒。蘇子瞻《方山子》、歸熙甫《筠溪翁》皆在生存，便爲紀述，蘭成丘崇，亦其例也。

又 山川寺墓刻石勒文，所以揮發冥靈，導揚徽烈。隋唐以往，釋老競鳴，宏闡教宗，罕談儒碩，曹頌王銘，信遺編之雙秀也。至於紀功述德，意主揄張，刊樹墓門，標題神道，皆以傳名，業於靡湮貫榮哀而同致表之言。表碣之言，揭其義一而已矣。埋隧鐫詞，體幽用顯，但欲洛陽購紙，爭讀太沖之文，豈待元武辨銘，共識甄邯之冢。

又 齊梁文苑，始創記體，樹寺造像，休文有作；孝標山棲，亦名曰志，志記一也。雜記之流，蓋於茲託始。唐代亭堂石瀑，咸被文章，斯則記例宏開，不僅山川能說矣。又或追存曩迹，暢寫今情，逮乎國朝，其流益夥，但遊集之記，恆與序相出入。董子詵《泛月艤舟亭序》、李㤅伯《遊龍樹寺記》，即其證也。大抵專紀述者，乃登記目；綴吟詠者，方以序稱。此雖流別之至微，所當部居而不雜。

又 《雕龍》之論銘箴也，曰：「箴全禦過，故文資确切。銘兼褒讚，故體貴弘潤。」又言：「戰代已來，棄德務功，銘詞代興，箴文委絕。」余謂語其體，則箴峻而銘紆，言其用，則銘廣而箴狹。六朝作者競趨辭賦，彥和當日已歎箴，銘罕施。今之爲銘者時亦有焉，禦過之文，宜乎鮮矣。

又 頌體權輿，並出周世，魯祀文公，奚斯有作。臣下褒揚，於茲託始，仲山出祖，吉甫贈言。（《詩·大雅》「吉甫作誦」，《潛夫論》引作「頌」，蓋三家異。）朋友歸美，亦其肇端。考父述商，首闡前代之懿；三閭翫橘，爰及品物

之微。後來作者雲興，約歸四例。士龍頌漢，奏章通情，斯屬文之別調也。贊之於頌，名異實同。【略】彥和有云：「結言於四字之句，盤桓乎數韻之辭。其頌家之細條乎。」余謂自來贊文先以論序，前專宣以馨緒，不害爲煩，後約舉以媵詞，故不傷其促，末世儷之頌文，施用彌廣，子山諸贊，猶存古質。《雕龍》文贊，洋洋乎詞林之盛美，非凡品所庶幾焉。

又 誄與哀辭，彥和區分二事。其論誄也，曰「傳體而頌文，榮始而哀終」。論哀辭也，曰「以辭遣哀，蓋不淚之悼。故不在黃髮，必施夭昏」。余謂誄與哀辭並哀逝之作，誄以累德，施之尊長而不嫌僭；辭以敘悲，加之卑幼而覺其安。許竹篔《高夫人哀辭》，炳焉述德之文，亦非不淚之悼，務盡今悲，稍變前式矣。蘭成思舊，雖以銘稱，亦誄之流也。故以次焉。《雕龍》云：「弔者，至也。」《詩》云「神之弔矣」，言神至也。故弔祭爲類，君道之弔莊，容甫之弔黃、馬，因文寄意，並弔之別體。

又 彥和論雜文曰：宋玉始造對問，東方廣爲《客難》，揚、班之徒迭相祖述。枚乘首製《七發》，子雲肇爲連珠。凡此三者，文章之枝派也。

林紓《春覺齋論文·流別論》 頌者，「敷寫似賦，而不入華侈之區，敬慎如銘，而異乎規戒之域。」讚者，「約舉以盡情，昭灼以送文。」蓋頌之爲言，容也；讚之爲言，明也。

又 《商頌》、《魯頌》，用之以告神明；若《原曲》、《裘韡》，一出諸野夫之口，一用爲刺譏之辭，至訓「頌」爲「誦」，此頌之變體也。三閭《橘頌》，則覃及細物，又爲寓懷之作，非頌之正體。於是子雲、孟堅，用之以美趙充國、竇融，已移以頌顯人，晉而上之頌天子矣。此頌之源流也。益讚禹，伊陟讚巫咸，劉勰謂之「颺言以明事，嗟歎以助辭」，此讚體之初立者也。遷、固二書，始託讚以爲褒貶。而郭景純註《雅》，雖植物亦有讚焉；景純之讚植物，由諸靈均之頌橘，均爲變體。

又 綜言之，頌讚之詞，非澤于子書，精于小學者，萬不能佳。二體均結言于四字之句，不能自鎮則近佻，不能自斂則近纖，累句相同，不自變換則近沓；前後隔閡，不相照應則近蹇；過艱惡澀，過險惡怪，過深惡晦，過易惡俚。必運以散文之杼軸，就中變化，文既古雅，體不板滯。自非發源於葩經，則選詞不韻；賦色於子書，則取材不精。下字必嚴，譔言必巧，近之矣。

又 陸士衡爲《漢高祖功臣頌》，皇皇大觀也，然篇中如「拾代如遺，偃齊猶草」、「身與煙消，名與風興」等句，此揚子雲所萬萬不爲者。觀子雲爲《趙充國頌》，無一語不經心，亦無一語傷于纖弱，則極意摹古，由其讀古書多，故發聲亦洪而肅，此不能以淺率求也。

又 韓昌黎之《元和聖德詩》，厥體如頌，其曰：「取之江中，枷脰械手。婦女纍纍，啼哭拜叩。求獻闕下，以告廟社。周示城市，咸使觀覩。解脫攣索，夾以砧斧。婉婉弱子，赤立傴僂。牽頭曳足，先斷腰膂。」讀之令人毛戴。子由以爲李斯頌秦所不忍言，而退之自謂「無媿于風雅」，何其陋也。南軒曰：「蓋欲使藩鎮聞之，畏罪懼禍不敢叛。」愚誦南軒之言，不期失笑。魏博傳五世，至田弘正入朝，十年復亂，更四姓，傳十世，有州七。成德更二姓，傳五世，至王承元入朝，明年王庭湊反，傳六世，有州四。盧龍更三姓，傳五世，至劉總入朝，六月朱克融反，傳十二世，有州九。淄青傳五世而滅，有州十二。滄景傳三世，至程權入朝，十六年而李全略有之，至其子同捷而滅。宣武傳四世而滅，有州四。彰義傳三世而滅，有州三。澤潞傳三世而滅，有州五。叛逆至于數世，而魏博最久，此豈畏罪懼禍？鄙意終以昌黎之言爲失體。蓋昌黎蘊忠憤之氣，心怒賊臣，目睹俘囚伏辜，振筆直書，不期傷雅，非復有意爲之。但觀《琴操》之溫醇，即知昌黎非徒能爲此者也。

又 贊體不能過長，意長而語約，必務括本人之生平而已，與頌略異。

又 銘箴之大要曰：「箴全禦過，故文資確切；銘兼褒讚，故體貴弘潤。」弘潤非圓滑之謂也，辭高而識遠，故弘；文簡而句澤，故潤。

又 臧武仲論銘曰：「天子令德，諸侯計功，大夫稱伐。」天子諸侯所謂令德計功者，晚近人文集中恆不多見；大抵無德可稱而亦稱之，神道也，阡表也，墓志也，累萬盈千，無論何家文集則皆有之，此昌黎所謂諛墓也。劉勰稱「蔡邕銘思，獨冠千古」，以《黃鉞》之銘爲「吐納典謨」，《朱公叔之鼎》爲碑文之體，確矣。《黃鉞》之銘，爲橋公也，辭曰：「帝命將軍，秉茲黃鉞；威靈振耀，如火之烈。公之在位，羣狄斯柔；齊斧罔設，人士斯休。」用字極庸，而神骨極峻，賦色又極古澤。婁東雖錄其文，未嘗加以圜贊，似目之易及，不知「斯柔」、「斯休」二語，閒閒着筆，已包括無數安邊之略，正以作家氣定神閒，不必爲張皇語耳。婁東競尚才氣，宜其簡略看過，且原序之末有云：「睎事三年，馬不帶鉠（《說文》：「刺也」），弓不受彄（《說文》：

「弓弩端弦所居也」），是用鏤石假象，作茲鉦鉞軍鼓，陳之東堦，以昭公文武之勳焉。」此數語，用字選材，均簡古無徇，雖非《典》《謨》，然決非魏、晉才人所及。至於以銘辭作碑文體，亦不止公叔一鼎，橋公之《東鼎》、《中鼎》、《西鼎》三銘，亦咸以碑文爲體。蓋一味求古，是中郎一病也。

又　班蘭台《封燕然山銘》，文至肅穆，序不以華藻爲敷陳，骨節鏘然，銘用《楚詞》體，實則非也。《楚詞》之聲悲，銘詞之聲沈，《楚詞》之聲抗，銘詞之聲啞。其詞曰：「鑠王師兮征荒裔，勉兇虐兮截海外，夐其邈兮亘地界；封神邱兮建隆嵑，熙帝載兮振萬世」（《尚書》蔡傳：「熙，廣也。載，事也」）。吐屬不類蘭台，然蘭台深知銘體典重，一涉悲抗，便爲失體，故聲沈而韻啞。

又　此訣早爲昌黎所得，爲人銘墓，往往用七字體，省去「兮」字，聲尤沈而啞；其爲《朝散大夫尚書庫部郎中鄭君弘之墓銘》曰：「再鳴以文進塗闢，佐三府治藹厥蹟（三府，謂鄭岳、江陵、襄府）。郎官郡守愈著白，洞然渾樸絕瑕謫，甲子一終反玄宅。」此體尤難稱，不善用者，往往流入七古。七古在近體中，別爲古體，以不佻也，然一施之銘詞中，則立見其佻。法當于每句用頓筆，令拗，令蹇，令澀。雖兼此三者，而讀之仍能圓到，則昌黎之長技也。「再鳴以文」是一頓，謂由進士書判拔萃出身者；「進塗」之下用一「闢」字，此狡獪用法也。「佐三府治」又一頓，「藹厥蹟」句以「藹」字代「懋」字，至新穎。「郎官郡守愈」五字又一頓，其下始着「著白」二字，是文體，不是詩體。「洞然渾樸」四字作一小頓，「絕瑕謫」三字，即申明上四字意，以下「甲子一終」則順帶矣。句僅七字，爲地無多，屢屢用頓筆，則讀者之聲，不期沈而自沈，不期啞而自啞，此法尤宜留意。

又　箴者，攻疾防患，喻鍼石也。《夏箴》已亡，一見於《逸周書》。《商箴》則見於《呂氏春秋·名類篇》。周箴則見於《左氏傳》魏絳告晉侯之言。所足以留爲世範者，唯一《虞箴》。揚雄學古至深，爲《九州牧箴》，語質義精，聲響高騫，未易學步。程子四箴，質而不華，又當別論。綜言之，陳義必高，選言必精，賦色必古，結響必騫，不必力摹古人，亦自能肖。曾文正間用長短句，亦不礙其體妙，在以散文之體，行於韻語中，能拗能轉，亦自有神解。

又　「誄者，累也；累其德行，旌之不朽也。」「碑者，埤也；上古帝皇，紀號封禪，樹石埤岳，故曰碑也。」誄之最古者，凡兩見於《左傳》：一爲魯莊公之誄縣賁父，一爲魯哀公之誄孔子。顧縣賁父之誄，不詳于篇，而孔子之誄，則用長短句，不盡出于四言。柳妻之誄惠子亦然，文出《說苑》，紀文達以爲未必果出于柳妻。文達最雅博，雖斥其僞，然亦不得其確據。今讀其文，哀惻而多韻，今人之製哀辭者恆仿傚之，蓋誄之變體也。揚子雲誄元后文亦四言。然則，四言實通用之體。

又　劉勰盛推潘岳巧於叙悲。愚按：《黄門集》所登哀誄之作，頗贍於他集。其誄武帝，文甚典重，讀「如何寢疾，背世登遐，遷幸梓宮，孤我邦家」四語，戀恩之情，溢言表矣；其誄楊荊州曰：「余以頑蔽，覆露重陰。仰追先考，執友之心；俯感知己，識達之深。承諱忉怛，涕淚霑襟。豈忘載奔，憂病是沈。在疾不省，於亡不臨。舉聲增慟，哀有餘音。」自叙交誼，不期沈痛。凡誄體，入己之事實，當緣情而抒哀。陳思王之誄文帝，數語以外，即自陳己事，斯失體矣。黄門以深情爲人述哀，自能動聽，且無此病。其誄馬敦（汧督）文，尤悲憤有餘音，且琢句奇麗；其叙馬生掘塹破氐之潛隧曰：「鍤未見鋒，火以起焰。薰户滿窟，掊穴以斂。」其述馬生痍死曰：「慨慨馬生，琅琅高致。發憤囹圄，沒而猶眡。」生氣凜然。其誄楊仲武曰：「痛矣楊子，與世長乖。朝濟洛川，夕次山隈。歸鳥頡頏，行雲徘徊。臨穴永訣，撫櫬盡哀。」則夾叙風物，觸目成悲；所謂叙悲之巧，或在此乎。要之，六朝有韻之文，自有不可漫滅處，不能以唐、宋大家之軌範繩之。六朝去古未遠，猶之故家中落，子弟未至于懸鶉糲食，與語富貴饗用之事，固能了了也。

又　至于碑志之文，竊以爲漢文肅，唐文贍，元文蔓；而昌黎之碑記文字，又當別論，不能就唐文中繩尺求之。劉勰高蔡中郎之才鋒，竊意亦以爲確。《郭有道碑》膾炙人口，由其氣韻至高，似鼎彝出于三代，不必極雕鎸之良，而古色斑爛，望之即知非晚近之物。陳太邱凡三碑：一爲歎功述行碑，中叙聞喜太邱事，似遺愛碑也；次則廟碑，又次則墓碑，廟碑簡約，墓碑最着意，叙太邱生平，文渾穆雅健，使元、明人恣意摹仿，終形其傖。今但少舉碑中文字，如「清風暢于所漸」一語，高處寧可及耶？劉勰又稱中郎楊賜之碑「骨鯁訓典」；然第一碑踵效《虞書》太似，至亦襲其句法，不足用爲法程。

又　大抵碑版文字，造語必純古，結響必堅騫，賦色必雅樸，往往宜長句者，必節爲短句，不多用虛字，則句句落紙，始見凝重。《平淮西碑》及《南海廟碑》，試取讀之，曾用十餘字爲一句否？

又 元人碑版文字最多，幾于叙入官中文字，則眞不知古人裁制之謹愼處。元姚牧菴燧碑版文字，張養浩稱其「才驅氣駕，縱横開合，紀律惟意」，柳貫又稱其「雅奥深醇」。實則，以縱横之才氣入碑版文字，終患少溫純古穆之氣。昌黎步步凝斂，正患此弊耳。至于《表忠觀碑》則別爲一體，亦爲古今傑作。

又 哀辭之哀，爲言依也；「悲實依心，故曰哀也」；「奢體爲文，則雖麗不哀」；「弔者至也，言神至也」；「哀而有正，則無奪倫」。

又 《文章流別論》曰：「哀辭者，誄之流也。」然誄之爲體，選言錄行，傳體而頌文，榮始而哀終，王侯將相皆可誄也，然未聞有以哀辭施之王侯將相者。故劉勰曰：「不在黃髮，必施夭昏。」建安中，文帝與淄侯各失稚子，命徐幹、劉楨各爲哀詞。潘岳集有金鹿、澤蘭哀辭，金鹿，岳之幼子，又爲任子咸妻作孤女澤蘭哀辭。由此觀之，哀辭之爲體，施之夭昏，決矣。

又 顧有不盡然者，歸震川爲明代文章宗匠，乃爲御史中丞李公作哀辭。李公以天子新建紫宮及西苑、平臺、神仙長年之殿，李公爲之連歲采運，大工迄成而卒，此花石綱之弊政，在理初不能以私情哀之。矧李位至中丞，年非夭札，乃不顧體裁而哀之，過矣。

又 《昌黎集》中，哀辭凡兩篇：一《哀獨孤申叔文》，無序。一爲《歐陽生哀詞》，哀歐陽詹也；其序曰：「父母老矣，捨朝夕之養以來京師，其心將以有得於是，而歸爲父母榮也。雖其父母之心亦皆然：詹在側，雖無離憂，其志不樂也；詹在京師，雖有離憂，其志樂也。若詹者，所謂以志養志者歟！」詞中既哀詹矣，又哀其父母，見詹之死，尚有父母悲梗於上，所以可哀也。《元豐類稿》有《王君俞哀詞》，王官殿中丞，然卒時年始二十六，子固之叙曰：「夫爲人如前之云，而不享於貴且壽，曾未少施其所學，又負其所承之心，是於衆人之情不能泯哀也。」正以君俞有老母在，且孝而不昌其年，此所以可哀也。則亦仍守前人之法律。至於辭中之哀惋與否，則子固、震川皆不長於韻語，去昌黎遠甚。他若方望溪之哀蔡夫人，則文過肅穆，辭尤無味，名爲哀詞，實不能哀，亦但存其名而已。

又 綜言之，哀詞者，既以情勝，尤以韻勝。韻非故作悠揚語也，情瞻於中，發爲音吐，讀者不覺其緜亘有餘悲焉，斯則所謂韻也。

又 古人有哭斯弔，宋水鄭火，皆弔以行人。賈長沙首用《離騷》之體弔屈原，揚子雲亦摭取《離騷》之文反之，自岷山投諸江流，以弔屈原，名曰《反離騷》，蔡中郎亦然。蓋屈原之懷忠而死，不得志於世者，往往託爲同心；猶之下第之人，必尋取下第之人，發舒其抑鬱之氣，故劉蕡之身，每爲失志者藉口，即此意也。若胡廣、阮瑀之弔伯夷，則一無所託，不過覓得好題目，表見其文采。即陸機之《弔魏武》，亦不盡有所激于中情，而成爲此種文字。蓋必循乎古義，有感而發，發而不失其性情之正；因憑弔一人，而抒吾懷抱，尤必事同遇同，方有肺腑中流露之佳文。不爾，則蔡確之弔郝甑山，蓋比宣仁太后於武氏，眞是謾駡，非弔也。此尤不可不知。

又 《史傳篇》曰：「觀夫左氏綴事，附經間出，于文爲約，而氏族難明。及史遷各傳，人始區詳而易覽，述者宗焉。」此專言史傳之傳。實則，「傳」之爲言「轉」也；轉受經旨，以授于後。章實齋《文史通義》曰：「經禮二戴之記，各傳其說，附經而行，雖謂之傳可也。其後支分派別，至於近代，始以錄人物者區爲之傳，叙事蹟者區爲之記。」又曰：「後世專門學衰，集體日盛。叙人述事，各有散篇；亦取傳記爲名，附于古人傳記專家之義。」蓋專指文人爲人作家傳，及寄託諷刺，諧謔遊戲，如《王承福》、《宋清》、《毛穎》之類是也。

又 實則，化編年爲列傳，成正史之傳體，其例實創自史遷。而劉彥和慮其「事遠則同異難密，事積則起訖易疏，斯固總會之爲難也。或有同歸一事，而數人分功，兩記則失于重複，偏舉則病于不周，此又銓配之未易也」之數語者，可謂深明史體。邵泰衢《史記疑問》謂《功臣表》漢九年呂澤已死，而《留侯世家》漢十一年不應又有呂澤。葉榮甫曰：「《史》、《漢》並稱良史，乃其中有分一人爲二人，合二人爲一人者。如伯益、伯翳一人爾（見《鄭語》及《後漢地志》），《史記》于《陳杞世家》之末乃云：「伯翳之後分爲秦。」又云：「垂、益、夔、龍，其後不知所分。」是以翳、益爲二人也。闞止、子我一人爾（見《傳》哀六年杜預注及《史記・齊世家》賈逵注），《史記》于《田氏完世家》乃云：「子我者，闞止之宗人。」又云：「田氏之徒追殺子我及闞止。」是又以一人爲二人。諸如此類，仁和梁氏玉繩《史記・質疑》中言之指不勝屈，即所謂同異難密者也。至于「同歸一事，則數人分功，兩記則失于重複，偏舉則病于不周。」愚按此著史公似有專長，能于複中見單，令眉目皎然，不至於淆亂。但以《樊、酈、滕、灌》四傳論之，四人悉從高帝，未嘗特將，爲功多同，史

公頗患其圂，故于四傳中各異其書法以別之。如《樊噲傳》用「先登」二字以表異噲之功：如「常從沛公擊章邯軍濮陽，攻城先登」；「復常從攻城陽，先登」；「擊破趙賁軍開封北，以卻敵，先登」；「攻宛陵，先登」；「東攻宛城，先登」；「從攻雍斄城，先登」；「擊章平軍好時，攻城先登」；「破柏人，先登」：以四人中噲最勇敢，故以「先登」別此三人。《酈商傳》則每從征必領以官銜，如「以隴西都尉從擊項籍軍」，「以梁相國將從擊項羽」，「以將軍從擊荼」，「以右丞相別定上谷」，「以將軍爲大上皇衛」，「又以右丞相從高帝擊黥布」是也。夏侯嬰一生位竟太僕，則即以太僕爲全傳之眼目：如「賜嬰爵七大夫，以爲太僕，從攻胡陵」；「臧荼反，嬰以太僕從擊荼」，「以太僕從擊代」；「以太僕從擊胡騎勾注北，大破之」；「以太僕擊胡騎平城南」；嬰自上初起沛，常爲太僕，竟高祖，以太僕事孝惠帝也。《灌嬰傳》則用「所將卒」三字以別灌嬰之功：如「擊項羽之將項冠于魯下，破之，所將卒斬右司馬、騎將各一人」；「擊王武別將桓嬰白馬下，破之，所將卒斬都尉一人」；「將郎中騎兵東屬相國韓信，擊破齊軍于歷下，所將卒虜車騎將軍華毋傷及將吏四十六人」；「追齊相田橫至嬴、博，破其騎，所將卒斬騎將一人，生得騎將四人」；「破齊將軍田吸于千乘，所將卒斬吸」；「從擊項籍軍于陳下，破之，所將卒斬樓煩將二人」；「從擊韓信胡騎晉陽下，所將卒斬胡白題將一人」。由此觀之，四人皆從高帝，雖有分功之事，而序事能各判其人，此謂因事設權者也。

又 記事之作，務取簡明。凡局勢之前後，宜有部署，有前後錯叙，而眼目轉清，有平鋪直叙，而文勢反窒，則熟取《史》、《漢》讀之，自得製局之法。至于《二十四史》，浩如煙海，愚亦不能一一標其得失也。

又 「論者，倫也；倫理無爽，則聖意不墜。」此言稱《論語》者也。又曰：「說者，悦也；故言咨悦懌，過悦必僞。」此所以砭戰國之說士也。

又 然《論語》一書，出言爲經，宋儒語録，即權輿於此，（或謂語録出之南宗諸僧，實則非是。）非復後人所作之論體。論之爲體，包括彌廣。議政，議戰，議刑，可以抒己所見，陳其得失利病，雖名爲議，實論體也。釋經文，辨家法，爭同異，雖名爲傳注之體，亦在在可出以議論。至於正史傳後，原有贊評之格，述贊非論，仍寓褒貶，既名爲評，亦正取其評論得失，仍論體也，不過名稱略異而已。且唐、宋人之贈序、送序中語，何者非論，特語稍斂抑。而文集詩集之序，雖近記事，而一涉詩文利弊，議論復因而發。歐公至於記山水廳壁之文，亦在在加以憑弔，憑弔古昔，何能無言，有言即論。故曰，論之爲體廣也。

又 雖然，論者貴能破理。莊子之《齊物》、王充之《論衡》，析理微矣，仍子書之體。《呂氏春秋》之六論，亦各有篇目，不必專爲一事，惟賈誼之《過秦》、陸機之《辨亡》，則直有感而作矣。鄙意非所見之確，所藴之深，吐辭不能括衆義而歸醇，析理不能抑羣言而立幹，不如不作之爲愈。《昌黎集・顔子不貳過論》則應試之文，味同嚼蠟；《諍臣》一論，似朋友規諫之書，未嘗取已往之古人口誅而筆伐之。雖夏侯太初有《樂毅》、《張良》二論，荀仲豫集論亦數篇，鄙意樂毅、張良皆報仇人也，當時司馬氏已昌，曹氏屹屹，或有託而言，此未可定也；仲豫史家，既爲《漢紀》，中有所見，亦不能不秉筆而成論。若蘇家則好論古人（荆公間亦爲之，特不如蘇氏之多），蘇氏逞聰明，執偏見，遂開後人攻擊古人之竅竇。張螙東尚平允，至船山《通鑑》、《宋論》一出，古人體無完膚矣。愚故云，非所見之確，所藴之深，此等論不作可也。

又 劉勰曰：「凡説之樞要，必使時利而義貞；進有契於成務，退無阻於榮身。」此爲説士言也。學人訓經釋雅，亦皆有説，皆主發明至理而言，名曰經説。近人闡明學理，亦曰學説。獨昌黎之《馬説》，子厚之《捕蛇者説》，則出以寓言，此説之變體也。愚謂《馬説》之立義，固主於士之不遇而言，然收束語至含蓄。子厚《捕蛇者説》則發露無遺，讀之轉無意味矣。

又 詔策一門，「漢初定儀，命有四品：一曰策書，二曰制書，三曰詔書，四曰戒敕。敕戒州郡，詔誥百官，制施赦命，策封王侯。策者，簡也。制者，裁也。詔者，告也。敕者，正也。」自漢訖今，沿用勿改。

又 然以文體言之，漢詔最爲淵雅。《陔餘叢考》稱漢詔多懼辭，斯則「敬天法祖，勤政愛民」之恆言。西漢固不必世皆令辟，然掌制有人，故詞況極臻美備，而漢文之詔爲尤動人。劉勰稱武帝「選言弘奥」，斥文帝之詔爲「浮新」，紀文達議之，當也。東漢明帝所降詔書，不及文帝精懇，然祖義褒德，雅善説辭，亦佳筆也。

又 魏文以篡竊之資，御位七年，其中詔書，首崇大聖，且不令奏事太后，后族之家，不當輔政之任，辭義偉然。晉武席父祖之蔭，得位一如魏文，然素瞻文采，詔敕所出雅正，當於政要。東晉明帝爲年未抵三十，而遺詔冲

抑，江表爲之感慟。斯皆中書有人，故能發言動衆至此。至於六朝，則純以藻繢勝矣。齊文宣兇頑逾於桀、紂，而《禁止浮華》一詔，亦辯暢可人意。

又 有唐詔墨，高逾山邱，獨太宗爲美。凡屬大典，或出詞臣手筆，則駢四儷六，不無詞費；中如《節省山陵節度詔》、《答房元齡解僕射詔》、《答皇太子承乾詔》、《責齊王祐詔》，似出御筆，其中或緯以深情，或震以武怒，咸眞率無僞，斯皆詔敕中之極筆也。武后詔敕，中書本多名流，顧爲名不正，義乃無取。

又 宋人制誥，初無散行文字，而四六之中，往往流出趣語。東坡當制，黜呂吉甫，天下傳誦其文，不知當時風氣所趨，不如是亦不中於程式。建隆登極之赦詔曰：「當周邦草昧，從二帝以徂征；洎虞舜陟方，翊嗣君而纂位。但罄一心而事上，敢期百姓之與能。」《賜范鎭獎諭詔》曰：「散樂工於河海之上，往而不還；聘先生於齊、魯之間，有莫能致。」隆裕太后《告天下詔》曰：「歷年二百，人不知兵；傳序九君，世無失德。雖舉族有北轅之釁，而敷天同左袒之心。」又曰：「漢家之厄十世，宜光武之中興；獻公之子九人，惟重耳之尚在。」《建炎幸明州赦詔》曰：「雖眷我中原，漢祚必期於再復，而迫於強敵，商人幾至於五遷。」又曰：「惟八世祖宗之澤，豈汝能忘？顧一時社稷之憂，非予獲已。」《建炎復位赦詔》曰：「帝堯無黃屋之心，豈菲躬之敢議？漢高先馬上之治，庶後效之可圖。」《紹興親征詔》曰：「赤地千里，謂殘暴而無傷；蒼天九重，以高明爲可侮。」《開祐改元詔》曰：「《大易》論變則通，通則久，莫如去故而取新；《春秋》謂正次王，王次春，尤重表年而首事。」凡茲隸事，皆精切而流轉。故以宋方唐，則唐之駢文郁不入纖，宋之駢文巧不傷雅。

又 樓攻媿《北行日錄》：「金人之待使者，每有錫予，亦必加以詔書，然皆陳腐如書啓，不足言文。」明太祖起自兵間，子孫相沿，乃不究心文采；如嘉靖枉殺楊忠愍手敕，至用「這廝」二字，且「交鎭撫司好生打着」云云，眞是傖荒說話，非詔書矣。

又 大抵策命之自有程式，唯詔誥一門，非鎔經鑄史，持以中正之心，出以誠摯之筆，萬不足以動天下。唐之興元、奉天，均陸宣公當制，詔書所至，雖驕將悍卒，皆爲流涕，孰謂宮中文字不足以感人邪。

又 檄移之文，「必事昭而理辨，氣盛而辭斷」，二語盡之矣。

又 按「檄」之爲言「皦」也，「宣露於外，皦然明白也。」自東漢訖於季漢，以隗囂之檄新莽、陳琳之檄豫州爲最。囂文簡括嚴厲，數莽逆天、逆地、逆人三大罪，而所謂逆人之罪，狀莽之兇頑殘賊，讀之未有不動色者；至所謂炮烙醇醯之刑，則指燒殺陳良、終帶等二十七人，又以董忠謀叛，收忠宗族，以醇醯白刃毒藥叢棘并一坎而埋之也；文中匪語不精，亦匪狀弗肖，第未知當時出自何人手筆耳。陳琳本有兩檄，一代尚書令彧檄吳將校部曲，一則代袁紹檄豫州，其文最著於時，寓嚴切於暇豫之中，疏罪案以詳審之筆，自是文人極軌。兩兩相較，囂則湍瀨奔瀉，一往無留；琳則長川大河，挹注不盡也。鍾司徒檄蜀，桓司馬檄胡，鍾雅而桓激。司徒文稱武侯曰孔明，稱姜維曰伯約而不名，以蜀爲漢裔，非開罪於魏之比，魏擁立不正，故能喻蜀以禍福，不能責蜀以大義，用筆頗擅去取之能。石勒荼毒中原，天人同憤，桓溫斥曰「胡賊」，非嫚駡也，勒非蜀漢之比，故行文雖激，不害於正。呂相之絕秦，鄭人之拒晉，本無檄文之體，而言則似檄。蓋不斥人之罪案，不見己師之出于有名，不張己之兵威，莫望壯士之進而殺敵，且證以天時，審以人事，辨興亡之理，論強弱之勢，此檄文之要領也。

又 他若吳朝請均之檄江神，責問周穆王時沈璧，直是癡人說夢，文亦非佳。隋煬帝遺陳尚書江總檄，其開場語曰：「南北雖殊，風雲在望，載懷虛遲，寤寐爲勞。」直以尺牘爲檄文，其下亦多涉鋪張，檄文之體於是大壞。梁元帝《討侯景檄》，文采亦殊不弱，顧不救臺城之困，但閱邵陵之牆，文不副實，已乖孝友。矧檄中文字，不言武帝之所以崩，簡文之所以困，羣臣僇辱，宮眷摧殘，侯景兇鋒，直覆載之所不容，神人之所共憤，乃誇張武節，至云「鳴鼓聒天，摐金振地。朱旗夕建，如赤城之霞起；戈船夜動，若滄海之奔流」，皆出碎辭，都無誠語。元帝本無性情，宜此檄之不能流傳于後，如駱賓王之討武曌也。

又 劉勰之論檄曰：「植義颺辭，務在剛健。」愚謂本無義憤，何由能剛？不衷公道，奚得稱健？若隗囂、桓溫、駱賓王三家之文，可云近矣；人品固不足言，而文字實衷彝憲。

又 「移者，易也，令往而民隨之。」司馬相如之《難蜀父老》，曉而喻博，有移檄之意。《漢書·楚元王傳》，劉歆有移書太常博士責讓之文。《晉書·成都王穎傳》，陸平原有《移百官文》，顧乃無傳。惟陳徐僕射陵爲護軍長史王質

移文討賊華皎，又有移齊，檄周二文，皆恢張國力，無失文移之體。而膾炙人口者，則孔稚珪之《北山移文》爲最瑰邁奇古，巧不傷纖，謔不傷正，雖非文移之正體，而文已足傳。後來有司之文移，則出自吏胥之手，塡以俚鄙之格式，愚則不知其爲何體矣。

又「章者，明也。」「表者，標也。」又曰：「章以造闕，風矩應明；表以致禁，骨采宜耀。」因盛稱「左雄奏議，臺閣爲式；胡廣章奏，天下第一」。按《後漢書・左雄傳》：「自雄掌納言，多所匡肅，每有章表奏議，臺閣以爲故事。」《胡廣傳》：「遂舉孝廉，既到京師，試以章奏，安帝以廣爲天下第一。」按二傳所載，似左之奏議，特閣臣之格式，廣之章奏，亦中旨之褒揚，不必資爲後世法則；顧雄文亦有切直者，如以日食進諫云：「夫刑罪，人情之所甚惡；貴寵，人情之所甚欲。是以時俗爲忠者少，而習諛者多。故令人主數聞其美，稀知其過，迷而不悟，至于危亡。」廣文亦有簡當者，如順帝欲立皇后，有寵者四人，議欲探籌，以神定選，廣上疏曰：「竊見詔書，以立后事大，謙不自專，欲假之籌策，決疑靈神。篇籍所記，祖宗典故，未嘗有也。恃神任筮，既不必當賢；就值其人，猶非德選。夫岐嶷形于自然，俔天必有異表。（俔，譬喻也。）宜參良家，簡求有德，德同以年，年均以貌。」文頗明爽動目。至於文舉《薦禰》，孔明《出師》，琳、瑀、孔璋、陳思諸傑，體贍律調，辭清志顯，鄙人詳論諸家之文，已經叙述，不復更贅。

又竊謂章表即今之奏議，古謂「章以謝恩，奏以按劾，表以陳情，議以執異。」今之體裁，唯伸賀謝恩，則仍用表式；其餘奏議，通曰奏摺。古之奏議取直，今之奏議取密。直者，任氣攄忠，以所言達其所蘊；凡德不聽，僉壬在側，亂萌政弊，一施匡正，一加彈劾，不能以格式拘，亦不必以忌諱避。至于密之爲言，則粉飾補救，俾無罅隙之謂；偶舉一事，上慮樞臣之斥駁，下防部議之作梗，故必再四詳愼。宜質言者，則出以吞吐，故作商量，宜實行者則道其艱難，曲求體諒，語語加以騎牆，篇篇符乎部式：此安得有佳章表，如彥和所謂「雅義以扇其風，清文以馳其麗」者？

又顧吾輩今日論文，非論事也。鄙意漢、魏、六朝以降，唐之章表，則切實取陸贄，典重取常袞，宋之章表，則雅趣橫生，各擅其勝。能于此留意，必爲章表中之好手筆也。

又「書者，舒也。舒布其言，陳之簡牘，取象於夬，貴在明決而已。」姚惜抱謂書之爲體，始於周公之告君奭；於是列國士大夫，或面相告語，或爲書相遺，其義一也。劉彥和分其類曰「書記」，姚惜抱則分其類曰「書說」。記奏記也。漢公府用奏記，郡將用奏牋，今則牋記已屏不用，通行者但名「與書」。《左傳》：「晉侯不見鄭伯，以爲貳於楚也。鄭子家使執訊而與之書，以告趙宣子。」「與書」二字，始見於此。

又然辭主駁詰，而必本之以禮衷；意屬爭競，未嘗行之以激烈。春秋去古未遠，雖競尚詐術，而猶崇禮讓。呂相之絕秦，至無理矣，而聽者仍彬彬然。至於子產，則淹博中卻含蒼質之氣，語語純實，此與書中，亦上品也。

又七雄游說之士多，詭麗輻輳，步步設爲機械，用以陷人。至於漢世，則辭氣紛紜縱恣，觀史遷之《報任安》，足以見矣。遷之爲史，語至深嚴，獨此書悲慨淋漓，蕩然不復防檢，極力爲李陵號冤，漫無諱忌。幸任安爲秘其書，遷死乃稍出，然讀之但生後人之悲憤，若見之當時，則又有媒孽其短者矣。楊子幼（惲）之《報孫會宗》，意似湛於農畝，然過自標舉，所謂「酒酣耳熱，仰天擊缶，而呼嗚嗚」者，皆盛氣語。凡身世不與相類者，競摹其作，適足增其枵響而已。揚子雲之《報劉歆》，則侈述作之事，措詞簡貴高厲，頗脫《法言》艱深之習；亦以劉歆績學，雄之報書不敢草草，故凌紙怪發，字字生稜。叔夜《絕交》，較楊子幼爲直率；蓋子幼功名中人，退而治田，尚挾怨望，嵇康山野之性，不嗜膴仕，故攄懷而出，語至雋妙。以上四書，皆人人傳誦者，讀者領其氣，味其趣，各就性之所近，當生悟境。

又清初大老，崇尚樸學，則以「與書」一門，爲辨析學問之用，灑灑千言，多半考訂爲多；文家沿用其體，凡意所不宣者，恆於與書中傾吐之。讀者幾以名輩「與書」一門，爲尋檢遺忘之具，較之漢、唐規律，頗有同異。

又《昌黎集》中「與書」頗多，然多吞言咽理之作，有時文法同於贈序。蓋昌黎未遇時，亦一無聊不平之人，第不欲爲公然之嫚罵，故於「與書」時弄其狡獪之神通。其《答胡生書》，伸縮吐納，備極悲涼，若引吭高吟，至有餘味，而惜抱之《古文詞類纂》乃未收入。

又大抵「與書」一定之體，果有所見，如先輩之析辨學問可也。至於指陳時政，抗論世局，或叙離悰，或抒積悃，所貴情摯而語馴，能駕馭控勒，不致奔逝，奮其逸足，則法程自在，會心者自能深造之也。

又姚氏姬傳曰：「唐初贈人，始以序名，作者亦衆。至於昌黎，乃得

古人之意，其文冠絶前後作者。嗚呼！先生之知昌黎深矣。

又 唐初雖傑出如陳子昂，然其《別中嶽二三眞人序》，則皆用駢儷之句，如「悠悠何往，白頭名利之交；咄咄誰嗟，玄運盛衰之感」，語至凡近。其餘則李白爲多，白《送陳郎將歸衡嶽序》，如「朝心不開，暮髪盡白。登高送遠，使人增愁」句，則狃於六朝積習，《金陵與諸賢送權十一序》，如「歲律寒色，天風枯聲。雲帆涉溪，冏若絶雪。舉目四顧，霜天崢嶸」。氣幹雖佳，仍落子山窠臼。《送張承祖之東都序》：「金骨未變，玉顔以緇。何嘗不捫松傷心，撫鶴歎息。」雖名佳句，仍不可施之散文。夫文章至於子昂、太白，尚何可議？不過唐世一有昌黎，以吞言咽理之文，施之贈送序中，覺唐初諸賢，對之一皆無色。

又 韓集贈送之序，美不勝收，東坡稱《李愿歸盤谷序》爲第一，鄙意不敢謂然。李愿之人品，不慊於昌黎之心，不欲昌言而頌其美，故託愿之言以爲言，但能謂之狡獪，而所謂吞言咽理者未之見也。其最難著筆者，則莫如《送浮屠文暢師序》及《送廖道士序》。僧道二氏，昌黎平日攻之不遺餘力，而臨別忽加以贈言，此又何理？若當面抹殺，復何必施以文章？若降心相從，又不免自貶身分。試觀《文暢序》中，至面斥浮屠爲禽獸夷狄，而文暢愛之不以爲忤者，以關軸轉捩妙也。意謂民之初生，固若禽獸夷狄焉；唯得聖人之仁義禮樂刑政，而堯、舜、禹、湯又歷歷相傳，所以免爲禽獸，意且不遽説破。忽接入「今浮屠者，孰爲而孰傳之邪？」浮屠既不得聖人所傳，自然是箇禽獸矣，豈非當面駡煞？而接處即由禽獸生義，用「今吾與文暢」五箇字提出禽獸羣中，同等爲人，此處是從禽獸中救出文暢矣。然又不肯引文暢爲同等，仍斥文暢爲不知聖人之仁義禮樂刑政，則文暢又岌岌鄰於禽獸，詞絶而意正。不知昌黎胸中蘊何智珠，有此等絶大之神通。

又 至於《送廖道士序》，則把一座衡嶽舉在半天，幾幾壓落廖師頂上，忽又收回。自「五嶽於中州」句，直至「千尋之名材，不能獨當也」句止，使廖師聽之色飛眉舞，謂此處定説到山人身上矣。「意必有魁奇忠信材德之民生其間」，廖師必又點首歎息，媿不敢當。忽然闖出「而吾又未見也」句，把廖師一天歡喜撇在霄漢。以下似無文章，乃用迷惑老佛之教，又似所説者皆指廖師，至「未見」云云，直隱于佛老而未見耳，不是全無其人，廖師似已死中得活。忽又有「若不在其身，必在其所與遊」，則並隱于佛老中者，亦都不屬廖師身上。廖師考語，但得「氣專容寂，多藝善遊」八字，與道字都無關涉。一篇毫無意味之文，卻説得淋漓盡致，廖師亦歡悦捧誦而去，大類乳媪之哄懷抱小兒，佳處令人忽啼忽笑。神品之文，當推此種。其餘歐、曾、臨川、三蘇亦各有佳處，原當一一選采流別之中，以惜抱盛推昌黎，故但即昌黎之文少加説論。

又 姚氏姬傳曰：「雜記類者，亦碑文之屬。碑主於稱頌功德，記則所紀大小事殊，取義各異。故有作序與銘詩全用碑文體者，又有爲記事而不爲刻石者。柳子厚記事小文，或謂之序，然實記之類。」按姚氏所言，蓋指柳子厚《陪永州崔使君遊讌南池序》及《序飲》、《序棋》也。然右軍之《蘭亭》，李白之《春夜宴桃李園》，雖序亦記，實不權輿于柳州。所謂全用碑文體者，則祠廟廳壁亭臺之類；記事而不刻石，則山水遊記之類。然勘災、濬渠、築塘、修祠宇、紀亭臺，當爲一類；記書畫、記古器物，又别爲一類；記山水又別爲一類；記瑣細奇駭之事，不能入正傳者，其名爲「書某事」，又別爲一類。學記則爲説理之文，不當歸入廳壁；至遊讌觴詠之事，又別爲一類：綜名爲記，而體例實非一。勘災、濬渠、築塘，語務嚴實，必舉有益于民生者，始矜重不流于佻。祠宇之記，或表彰神靈，及前賢之宦蹟隱德。亭臺之記，或傷今悼古，或歸美主人之仁賢，務出以高情遠韻，勿走塵俗一路，始足傳之金石。書畫古器物之記，務尚考訂，體近於跋尾。韓昌黎之《畫記》專摹《考工》，後人仿效，雖語語皆肖，究同木偶。記古器物固須刻劃，必一一摹擬，又似鑿矣。記山水則子厚爲專家，昌黎不能及也。子厚之文，古麗奇峭，似六朝而實非六朝；由精于小學，每下一字必有根據，體物既工，造語尤古，讀之令人如在鬱林、陽朔間；奇情異采，匪特不易學，而亦不能學。歐陽力變其體，俯仰夷猶，多作弔古歎逝語，亦自成一格。至於瑣細不入正傳者，如望溪《書逆旅小子》、袁子才《書馬僧》之類，則事近小説，不能歸入正傳，又非記事之體，則稱之曰書。學記一體，最不易爲，王臨川、曾子固極長此種，二人皆通經，根柢至厚，故言皆成理。若遊讌觴詠，或有唱和之什，則冠其首者爲序，否則專記其事亦可。

又 體物工者，作記匪不工。中惟學記一種，非湛深于經學儒術者，不易至也。

又 姚氏姬傳曰：「序跋類者，昔前賢作《易》，孔子爲作《繫辭》、《説

卦》、《文言》、《序卦》、《雜卦》之傳，以推論本原，廣大其義，《詩》、《書》皆有序，而《儀禮》篇後有記，皆儒者所爲；其餘諸子或自序其意，或弟子作之，《莊子·天下篇》、《荀子》末篇皆是也。」愚按：序古書，序府縣志，序詩文集，序政書，序奏議、族譜、年譜，序人唱和之詩，則歸入序之一門；辨某子，讀某書，書某文後，及傳後論，題某人卷後，則歸入跋之一門。

又 數種中，書序最難工。人不能奄有衆長，以書求序者，各有專家之學。譬如長於經者，忽請以史學之序，長於史者，忽請以經學之序；門面之語，固足鋪叙成文，然語皆隔膜，不必直造本人精微。【略】惟既名爲文家，又不能拒人之請，故宜平時窺涉博覽，運以精思，凡求序之書，尤必加以詳閲，果能得其精處，出數語中其要害，則求者亦必饜心而去。王介甫序經義甚精。曾子固爲目錄之序，至有條理。歐陽永叔則長於叙詩文集。此外政書奏議一門，多官中文字，尤不易序，能者爲之，不能者謝去，不可强也；强爲渲染，適足爲己集之瘢垢，毋庸也。辨讀子史二種文字，最有工夫，非沈酣其中，洞其關竅，則可不必作，以不關痛癢之言，爲集中備數文字，近人往往有此病痛。

又 至於跋尾，亦分數種：金石之跋最難，必考據精實，方可下筆；其下如古書古畫，亦必考其收藏之家，詳其流派所出，又是一門學問。東坡、山谷之跋，則出以天趣，殊不在此例。

又 近代文家往往代人作壽序。壽序一體，於古無之。顧亭林深惡此種文字。《望溪集》中亦但有數篇。盛者唯有歸震川，然多短篇。蓋壽言與生傳及神道墓銘有别，大抵朋友交期，祝其長壽，或偶舉一二事，足以爲壽徵者，衍而成文而已。震川文中多本此意。乃時作無可搬演，則盡舉其人之身世出處，體似生傳，又似神道，必極長而止。故壽文一體，惜抱但錄震川，歸入贈序一門，不入序跋。僕論贈送序中，遺卻此體，故補論於此。實則此等文字，酬應爲多，語之不必精切，徒增紛紜，苟可以已，即不必作。

又 序貴精實，跋貴嚴潔，去其贅言，出以至理，要在平日沈酣於經史，折衷以聖賢之言，則吐詞無不名貴也。

章炳麟《國故論衡·文學總略》 《論衡·超奇》云：「能説一經者爲儒生，博覽古今者爲通人，采掇傳書以上書奏記者爲文人，能精思著文連結篇章者爲鴻儒。」又曰：「州郡有憂，有如唐子高、谷子雲之吏，出身盡思，竭筆牘之力，煩憂適有不解者哉！」又曰：「長生死後，州郡遭憂，無舉奏之吏。以故事結不解，徵詣相屬，文軌不尊，筆疏不續也。豈無憂上之吏哉？乃其中文筆不足類也。」又曰：「若司馬子長、劉子政之徒，累積篇第，文以萬數，其過子雲、子高遠矣；然而因成前紀，無胸中之造。若夫陸賈、董仲舒，論説世事，由意而出，不假取于外，然而淺露易見，觀讀之者猶曰傳記。陽成子長作《樂經》，揚子雲作《大玄經》，造于助思，極窅冥之深，非庶幾之才，不能成也。桓君山作《新論》，論世間事，辯照然否，虚妄之言，僞飾之辭，莫不證定。彼子長、子雲論説之徒，君山爲甲。自君山以來，皆爲鴻眇之才，故有嘉令之文。」準此，文與筆非異塗，所謂文者，皆以善作奏記爲主。自是以上，乃有鴻儒。鴻儒之文，有經、傳、解故、諸子，彼方目以上第，非若後人擯此于文學外，沾沾焉惟華辭之守，或以論説、記序、碑志、傳狀爲文也。獨能説一經者，不在此列，諒由學官弟子曹偶講習，須以發策决科，其所撰箸，猶今經義而已，是故遮列使不得與也。

又 或言學説、文辭所由異者，學説以啓人思，文辭以增人感，此亦一往之見也。何以定之？凡云文者，包絡一切箸于竹帛者而爲言，故有成句讀文，有不成句讀文，兼此二事，通謂之文。局就有句讀者，謂之文辭；諸不成句讀者，表譜之體，旁行邪上，條件相分，會計則有簿錄，算術則有演草，地圖則有名字，不足以啓人思，亦又無以增感，此不得言文辭，非不得言文也。諸成句讀者，有韻無韻則分。諸在無韻，史志之倫，記大傀異事則有感，記經常典憲則無感，既不可齊一矣。持論本乎名家，辨章然否，言稱其志，未足以動人也。《過秦》之倫，辭有枝葉，其感人顧深摯，則本諸從横家。然其爲論一也，不可以感人者爲文辭，不感者爲學説。【略】就言有韻，其不感人者亦多矣。《風》、《雅》、《頌》者，蓋未有離于性情，獨賦有異。夫宛轉偯隱，賦之職也。儒家之賦，意存諫誡，若荀卿《成相》一篇，其足以感人安在？乃若原本山川，極命草木，或寫都會、城郭、游射、郊祀之狀，若相如有《子虚》，揚雄有《甘泉》、《羽獵》、《長楊》、《河東》，左思有《三都》，郭璞、木華有《江》、《海》，奥博翔實，極賦家之能事矣，其亦動人哀樂未也？其專賦一物者，若孫卿有《蠶賦》、《箴賦》，王延壽有《王孫賦》，禰衡有《鸚鵡賦》，侔色揣稱，曲成形相，嫠婦孽子，讀之不爲泣，介胄戎士，詠之不爲奮，當其始造，非自感則無以爲也，比文成而感亦替，此不可以一端論也。且學説

者，獨不可感人耶？凡感于文言者，在其得我心。是故飲食移味居處緼愉者，聞勞人之歌，心猶泊然。大愚不靈無所憤悱者，睹眇論則以爲恆言也。身有疾痛，聞幼眇之音，則感慨隨之矣。心有疑滯，睹辨析之論，則悅懌隨之矣。故曰：「發憤忘食，樂以忘憂。」凡好學者皆然，非獨仲尼也。以文辭、學說爲分者，得其大齊，審察之則不當。

又《正賫送》 葬不欲厚，祭不欲瀆，靡財于一奠者此謂賊，竭思于祝號者此謂誣。諸爲歸人饔述者，亦賫送之事也，不得其識，甚乎以璠璵斂矣。古者吊有傷辭，謚有誄，祭有頌，其餘皆禱祝之辭，非著竹帛者也。《上曲禮》：「知生者吊，知死者傷。」《正義》曰：「吊辭口致命，傷辭書之于版。」《既夕禮》：「知死者贈，知生者賻。書賵于方，若九若七若五。」諸在版者，皆百名以下，其字有定。賵之多者，不過九行；傷辭多者，不過百字。上世作者，雖若滅若沒哉，觀魏武帝過橋玄墓，不忘疇昔，爲辭告奠，其文約省，哀戚爲已隆矣。斯蓋古之令軌，爲法于今者乎。誄者，誄其行迹而爲之謚。《記·曾子問》曰：「賤不誄貴，幼不誄長。」「天子稱天以誄之。」《周官·大史》：「遣之日讀誄。」《文章流別傳》曰：「詩頌箴銘之篇，皆有往古成文，可放依而作。惟誄無定制，故作者多異焉。見于典籍者，《左傳》有魯哀公爲孔子誄。《列女傳》述魯展禽妻誄夫事，古者諸侯相誄，猶謂之失，况以燕昵自誄其夫？似後生所託也。《詩傳》曰：「喪紀能誄，可以爲大夫。」大夫不當有誄人事，蓋稱君命爲之辭。

又 訖于新氏，揚雄不在史官而誄元后；後漢大司馬吳漢薨，杜篤以獄囚上誄，由是賤有誄貴者矣。宗廟之樂，天子有頌，以其成功告于神明。自下蓋謂之祠。春祭曰祠，品物少多文辭也。大祝六辭，一曰祠，舊讀以爲《辭令》，蓋未諦。若夫攻說之文，對于神祇，非用之人鬼者也。凡此三族，後世稍分爲十餘種，而或施諸刻石。文敝者宜返質，謂當刊剟殊名，言從其本。自傷辭出者，後有吊文。賈誼《吊屈原》，相如《吊二世》，錄在賦篇，其特爲文辭而迹可見于今者。若禰衡《吊張衡》，陸機《吊魏武帝》，斯皆異時致閔，不當棺柩之前，與舊禮言吊者異。惟束晳《吊衛巨山》、《蕭孟恩》二首，斯得職耳。

又 今之祭文，蓋古傷辭也。喪禮奠而不祭，故《既夕禮》曰：若奠，「受羊如受馬」。兄弟賵奠可也，所知則賵而不奠。今在殯宮而命以祭，言則不度。《文章緣起》曰：後漢車騎郎杜篤始作《祭延鐘文》，不知其吉祭耶，抑喪奠也？神固不歆非類，雖在吉祭，于古未有異姓爲主者。士禮既崩，近世或有功德在民祭于州邑，及夫往世特達之士，比干、夷、齊、魯連、鄭康成之倫，廟祀猶在。有特豚魚菽之祭，爲之祭文可也。其旁出者有哀辭。《文章流別傳》曰：「崔瑗、蘇順、馬融等爲之，率施于童殤夭折，不以壽終者。」蓋死而不吊者三：畏厭溺，長殤以下與鮮死者同列，不可致吊，于是爲之哀辭。禮以義起，是故馬仲都以元舅車騎將軍之重，從駕溺死，明帝命班固于馬上三十步爲哀辭。蓋君臣愼禮，不以貴寵越也。今人以哀辭施諸壽終，斯所謂失倫者。衛巨山爲楚王瑋矯詔所誅，方之舊典，宜哀辭。而束晳自郡赴喪，爲文以吊，亦少褒矣。其餘挽歌之流，當古虞殯，徒役相和，若舂杵者有歌焉，不在士友。有傷辭，則吊文、挽歌可以省。

又 自誄出者，後有行狀。誄之爲言，累其行迹而爲之謚。故《文心雕龍》曰：「序事如傳，辭靡律調，誄之才也。」此則後人行狀，實當斯體。唐世行狀，以上考功，固爲議謚作也。然以誄無恆制，多制華辭，爲方人之言。《聖賢群輔錄》列二十四狀，皆與序事有異。且作狀者既爲先賢，即與讀誄議謚異用。《文章緣起》曰：「漢丞相倉曹傅幹始作《楊元伯行狀》。」蓋漢末文士，事不師古，以意題別其名。其時別傳又作，漢司空李郃有家書，荀氏亦有家傳，斯弁譜牒之細。其越代作傳者，又異是。若《管輅別傳》，作于弟辰，斯行狀之方也。知行狀爲誄者，則行狀可以省。今人議謚，上不因誄，下不緣行狀，誄與行狀皆空爲之。欲辨章是非，記其伐閱者，獨宜爲別傳。誄、行狀所以議謚，謚有美惡，而誄、行狀皆諛，不稱其職。別傳作于故舊，其佞猶多，在他人斯適矣。

又 自頌出者，後有畫像贊，所謂形容者也。《文章緣起》曰：「司馬相如始爲《荆軻贊》。」聞之舊訓，贊者佐也，助也。孔子贊《易》，《禮》有贊《大行》，班固《漢書》贊及《食貨》、《郊祀》、《溝洫》諸志。非獨紀傳，然則贊者佐助其文，非褒美之謂也。言辭不盡，更爲增廣，在賦稱重，在六藝、諸子稱贊。《荆軻贊》今不可見，而《七略》雜家有《荆軻論》五篇，司馬相如所次。論有不足，輔之以贊，自佐其論，非以佐軻。諸爲畫像贊者，佐其圖畫，非佐其人，世人昧于字訓，以贊爲褒美之名。畫像有頌，自揚雄頌趙充國始。斯則形容物類，名實相應。贊之用不專于畫像，在畫像者，乃適與頌同職。其

同異之故宜定。

又 若夫銘刻之用，要在符契。孔琳之有言：官莫大于皇帝，爵莫尊于公侯，而傳國之璽，列代遞用；襲封之印，奕世相傳，此其最樸略者已。《周禮》大約劑書于宗彝，小約劑書于丹圖。宗彝有銘，聖人之操左契，其在下士，王褒《僮約》，亦決券而書之，非以揚功德也。諸有服器，物勒工名以致其誠，非以事鬼神也。上自槃盂，下逮几杖，皆有辭以自飭，非以祝壽考也。鐘鼎庸器，告于神明，周之尸臣，衞之孔悝，莫敢僭頌名，而叔世立石自頌變。秦始皇太山諸刻，猶不稱碑。其後死人之里，鬼神之宅，刻碑者寖衆。碑表、神道、石闕，其始皆在寢廟，後貤于墓。宮庭有碑，以此識景，廟則從之，又麗牲焉。《記・檀弓》曰：「公室視豐碑，三家視桓楹。」桓楹，故謂之表。及其在墓，碑者所以下棺，表即無有，漢世乃增建之。石闕者，《周官》所謂象魏。梁陸倕爲《石闕銘》，正在兩觀。然自舜墓已爲石郭，故《楚語》曰：楚靈王「築臺于章華之上，闕爲石郭，陂漢，以象帝舜」。象九疑之匊也。神道者，《說文》云：「塲，祭神道也。」《釋宮》曰：「廟中路謂之唐。」唐即塲字。索祭祝于鬃，自鬃而入，故其路謂之神道。漢有《嵩山太室神道石闕銘》，與《說文》言塲相應。其後墓道象之。孟子曰：「孔子歿，子貢築室于塲。」則廟有神道矣。自漢以降，碑表二名轉相亂，及今無有知神道爲廟制者，守文不綜其實，因以盲瞽。

又 觀漢世刻石，稱銘者記其物，稱頌者道其辭，斯則刻石皆頌也。周制天子始有頌，于漢則下逮庶官，名號從是弛矣。昔魯有《駉頌》，自季孫行父請周，而史克作之。漢揚雄爲《趙充國頌》，猶奉天子命也。《文章緣起》曰：「漢惠帝始爲《四皓碑》」，猶帝者賜之也。今以匹士專作頌辭，與賤者誄貴等。雖然，自朱穆、蔡邕私立謚號，荀爽聞而非之。張璠以爲謚者上之所贈，非下之所造，朱、蔡各以衰世臧否不立，故私議之。準是，則立碑固不可訓。後漢士庶，專務朋游，故吏私人，黨附舊主，鴟梟之惡，喻以鳳皇，斗筲之材，比于伊、管，稱譽過情，有亂觀聽。延及宋世，裴松之以良史部屬，陳議禁斷，誠懼其妨正也。唐律：諸在官長吏實無政迹，輒立碑者，徒一年；若遣人妄稱己善申請于上者，杖一百。有臧重者坐臧論，受遣者各減一等。然猶許死者立碑，爲之等制。夫生人立碑則亂政，死者立碑則亂史。生人遣人有臧，爲死者遣人獨無臧邪？漢世碑文，本頌之別，雖有陳序，則考績揚摧之辭，不增其事，文勝質，故不爲史官所取，無害于方策。唐世漸失其度，其後浸淫變爲序事，與別傳同方。別傳幸有他人所作，辭有進退，不壹于褒揚。碑即自子孫與金乞貸，其言不得不美。既述其事，虛張功狀，睹之若眞，終于貞僞混淆，爲史秕稗，可無斷乎！漢之立碑，或爲處士名德，民所鄉往；今乃壹爲尸位之夫，乞米以爲傳，昔人所鄙，今雖不爲史官，乞米猶易，顧炎武所以惡言義取者也。

又 又自胡元以降，金石略例，代有增損。既崇時制，時制不適，又以前世爲準；典度雜糅，未知所鄉。今舉其要者數事。三公稱「公」，九卿稱「卿」，此漢制也。今世既無三公，乃以三品以上莅之，自下即稱曰「君」。漢世賜爵自列侯至五大夫輩，通得言「君」。買爵既易，宜無有不「君」者。方今封爵至吝，下執事而「君」稱之，斯何禮也？若循時制，文官五品以上稱「大夫」，六品以下稱「郎」；武官三品以上稱「將軍」，四品以下稱「都尉」，六品以下稱「校尉」。題曰「某官某大夫」、「某官某郎」、「某官某將軍」，自下準此，如是亦給矣。今題封贈于上，書「某公」、「某君」于下，「大夫」、「將軍」而言「公」、「郎」、「校尉」而言「君」，稱名相駁，其詭一也。漢世太守所居稱「府」，因以號「府君」。自漢世祖、宋武帝以稱其祖，不追王，故舉其下者尊之。今士庶幷題其父曰「府君」，身無半通青綸之命，而有連城剖符之號，其詭二也。周制天子曰「崩」，諸侯曰「薨」，大夫曰「卒」，士曰「不祿」，庶人曰「死」。赴于他國，雖君猶稱「不祿」；赴于君，雖大夫、士謂之「死」。今度制既無明文，殁于官則曰「身故」，若從時制，當書「故」，不得書「卒」，書「卒」即背于今。大學士、督撫諸官，或則書「薨」。唐宋之世，輔臣大吏，多有封爵，書「薨」可也；今無爵則不得比諸侯，非諸侯書「薨」又背于古，其詭三也。

又 且刻石皆銘也，自漢訖今，或前爲記叙，後繫以銘。記叙已刻石，非銘云何？名實不辨，而瑣瑣以言式例，古者謂之「放飯流歠，問無齒決」者也。《詩傳》曰：「作器能銘，可以爲大夫者。」有其器斯銘之，無其器斯不銘矣。今世葬無窆石，廟不麗牲，而空立石爲碑，名實既爽，則碑可以廢。余念爲一人述事者，固有別傳，爲神廟興作識其年歲者，刻石作記可也。昔元魏修野王孔子廟，劉明等以爲「宣尼大聖，非碑頌所稱，宜立記」。其文曰：「仲尼傷道不行，欲北從趙鞅，聞殺鳴鐸，遂旋車而反。及其後也，晉人思之，于大行嶺南，爲之立廟，蓋往時回轅處也。」此則記之與頌，在石有殊。

漢世亦嘗作《周公禮殿記》，今立廟者宜以爲法。其有山谷之士，獨行之賢，不見記錄，而芳烈在民，立祠堂以昭來許，宜序其行事而已。若夫封墓以爲表識，藏志以防發掘，此猶隨山刊木，用記地望，本非文辭所施。世言孔子題季札墓，其情僞不可知，就今所摹寫者，財有題署，固無記述之文。墓志始作，自王莽大司徒甄邯，亦有題署無文辭。及張氏《穿中記》，文稍縟矣。後生作者，杯酒之愛，自謂久要，百年之化，悲其夭枉，于情爲失衷，于事爲失順，淫溢不節。權厝亦爲之志。作志之情，本以陵谷變遷，慮及久遠，權厝者數年之事，當躬自發掘之，于是作志，又違其本情矣。若斯之倫，悉當約省盈辭，裁奪虛作。墨翟、楊王孫之事，雖不可作，要之愼終追遠，貫其樸質者也。

又《文學說例》 世謂希臘文學，自然發達，觀其秩序，如一歲氣候，梅花先發，次及櫻花，桃實先熟，次及柹實。故韻文完具而後有散文，史詩功善而後有戲曲。韻文先史詩，叙述複雜大事者也。二裨詩，叙述小說者也。三物語，四歌曲，短篇簡單者也。五正史詩，即有韻歷史也。六半樂詩，樂詩、史詩混合者也。七牧歌，八散文作話，毗於街談巷語者也。徵之禹域，秩序亦同。夫三科之條，五家之教，文質不同，繁簡亦異。然商、周誓誥，語多磔格。帝典蕩蕩，及反易知。由彼直錄其語，而此乃裁成有韻之史者也。蓋古者文字未興，口耳之傳，久則忘失，綴以韻文，則便於吟詠，而記臆爲易。意者蒼、沮以前，亦直有史詩而已。下及勳、華，簡篇已具，故帝典雖言皆有韻，而文句參差，恣其修短，與詩殊流矣。惟夫體廢於史官，而業存於矇瞽，由是二《雅》踵起，藉歌陳政，同波異瀾，遂各爲派別焉。《春秋》以降，史皆不韻；而哲學演說，亦由斯作。原夫九流肇起，分於王官，故諸子初興，舊章未變。一二三四，百官所以紀數，則《管子》其遺則也。立均出度，柱下所以垂法，則《老子》其遺則也。逮孔、墨二家，自我作故，既非叙數，亦不用韻，六國諸子，皆承其風烈矣。斯哲學所由昉乎！縱横出自行人，短長諸策，實多口語，尋理本旨，無過數言，而務爲紛葩，期於造次可聽。溯其流別，實不歌而誦之賦也。秦代儀、軫之辭，所以異於《子虛》、《大人》者，亦有韻無韻云爾。名家出自禮官，墨師史角，固清廟之守也。故《經說》上下，權輿於是。龍、施相紹，其流遂昌。辯士淩誶，固非韻文所能檢柙矣。然則縱横近於雄辯，雖言或偭規，而口給可用；名家契於論理，苟語差以米，則條實已歧：一爲無法，一爲有法，而皆隸於演說者也。抑名家所著，爲演說之元則，彼固施諸筆籥，猶與演說有殊。至於戰國游說，惟在立談，言語文學，厥科本異。凡纂錄文辭者，宜無取焉。

陳澹然《古棠塾言·文源第八》 然經體渾穆，意度難窺，後世作者，惟《中說》《通書》《正蒙》，巋然經體，而步武尤難。則莫若求諸子之存者，蓋毋慮百數十家，而周秦爲極，兩漢次之，《中說》以還，蓋無足錄。惟前明郁離、空同，雅多妙趣，而求用亦疏。夫子也者，經之遺也。百家騰躍，大都《管》《老》爲宗，《管》崇實而《老》崇虛，故管氏宗支益廣，實則管氏治心原於靜寂，老則忍辱守身，持爲秘鑰，其眞者已類群經，而其義則皆守吾身以爲天下。惟《老》多言體，《管》多言用。後人遂別而區之以處，今茲尤宜體《老》而用《管》，故君子宗焉。然《管》之眞者不過一二卷，其叙述則皆僞託以亂其眞；《老》則篇注屭陵，類多以注爲經，致於繁悖。竊本方姚，謬爲刪訂，以復其眞，而存諸文制。斯二者，子之宗也。《列氏》出入《老》《莊》，文亦樸於《莊》而華於《老》，柳氏稱之。《莊》本寓言，文多縱恣，讀者當求其意境淸虛，一空宇宙，得其趣乃可；遊心方外以遊身方內，而泥其詞則乖；然觀其論君臣之義，無所逃於天地之間，則固君子之徒也。《淮南》旨趣，雅慕莊生而未獲，自游方外，故意境亦多凝滯，而禍乃乘之，然其詞則固文士之雄也。此外惟《關尹》《鶡冠》，旨趣雅鄰，二子知道者，恆樂觀之。《抱朴》《至游》諸編，無足觀也已。凡此皆宗老氏，而各明吾體者也。《孫子》言兵，特鳴千古，其大旨曰智、仁、勇、信、嚴，而其爲詞實已嚴簡而森肅，固足躡《管氏》而啓《商》《韓》。顧《商》《韓》乃戰國之詞，《孫》則猶不失春秋旨誼。故其文究不若《孫子》明樸，然義開名法，尤切今茲。昭烈、武侯，津津懷此，以開後帝，可謂識時之俊傑矣。是三者，與《尉繚》、《呂氏》精者實多，而《陰符》義尤奧倔。至若《六韜》、《三略》、《兵符》諸書，則皆僞附而可存寡矣。《申》持名法，《鬼谷》縱横，固皆《商》、《韓》倫亞。然《商》、《韓》多實用而詞益簡明，《申》、《谷》則絞激氣多而深和意少。此數者，類皆可擇以裨近治，然質同鳥喙，可以治痼疾，而過執則元氣輒傷，求治道持國是者審焉而已。漢初賈、董論策肇基，雄博獨高千古，然賈之《新書》，實皆叢錄，董之《繁露》，殊泥陰陽，惟《鹽鐵論》爲群才廷對之言，頗徵實用。霍氏求言審治相業，所以獨隆也。自時厥後，詞藻繁興，子風寖替。劉向博涉群書，而五行獨多蔽謬；揚雄研

心古字，而《法言》徒取艱深，然子雲奏議，雄匹相如，與劉向、匡衡足稱四傑，而言子則非。東漢之初，精者惟《白虎通》，獨明訓詁，可窺古義。淵源衰，則《獨斷》可明漢家典制，而經世大略俱微。降及傾頹，頗譚治術，然《論衡》諸作，繁累無精，惟《申鑒》文近《法言》，而獨明治體。凡此者，類皆宗《管氏》而各達其用者也。惟荀、墨二家，體則儒而用則管，而墨之僞者尤多。王通《中説》，明道法於魏、晉、六朝之後，其識蓋與諸葛亮《出師》、蘇綽《大誥》同爲曠世之英；其明哲保身，尤宗老氏，而其博育群材以開唐治，識量尤深，故君子尤樂師之。蓋至是，子微而集興矣。此諸子之大略也。

劉師培《文説》 東周以降，文體日工：屈、宋之作，上如二《南》；蘇、張之詞，下開《七發》。韓非著書，隱肇連珠之體；荀卿《成相》，實爲對偶之文。莫不振藻簡策，耀采詞林。西漢文人，追踪三古，而終軍有奇木白麟之對，兒寬攄奉觴上壽之辭，胎息微萌，儷形已具。迨及東漢，文益整贍，蓋踵事而增，自然之勢也。故敬通、平子之倫，孟堅、伯喈之輩，揆厥所作，咸屬偶文，用字必宗故訓，摛詞迥脱恆溪，或掇麗字以成章，或用騈音以叶韻，觀雍容揄揚之頌，明堂清廟之詩，不少篇章，胥關體制。若夫當涂受籙，正始開基，洛中則七子無雙，吳下則聯翩競爽，才思雖弱于西京，音律實開夫典午。六朝以來，風格相承。刻鏤之精，昔疏而今密；聲韻之叶，舊澀而新諧。凡江、范之弘裁，沈、任之巨製，莫不短長合節，追琢成章。故《文選》勒于昭明，屏除奇體；《文心》論于劉氏，備列偶詞。體制謹嚴，斯其證矣。厥後《選》學盛行，詞華事振，徐、庾遷聲于河朔，燕、許振采于關中，排偶之文，于斯爲盛。趙宋初業，崇實黜華，或運陳言，或標遠致，雖麗詞務去，然科律未更。是則駢文之一體，實爲文類之正宗：故《三都》、《兩京》、《甘泉》、《籍田》，金聲玉潤，綉錯綺交，賦體之正宗也；宣公興元之詔，文饒《會昌》之集，文贍義精，句奇語重，制勅之正宗也；劉琨《勸進》、庾讓《辭官》，婉轉以陳詞，雍容以叙致，書表之正宗也；中郎《太邱》之碑，魏公《李密》之志，流鬱以運氣，俊偉以佐才，碑志之正宗也；玄晏揚太冲之文，彥昇述文憲之作，以及「曲水流觴」之叙，「落霞孤鶩」之文，序文之正宗也；趙至《入關》之作，鮑照《大雷》之篇，叔庠擢秀于桐廬，士龍吐奇于鄮縣，游記之正宗也；班彪《王命》，叔夜《養生》，干寶《論晉》，賈生《過秦》，論體之正宗也；頌則《出師》、《中興》，銘則《燕然》、《劍閣》，箴則子雲《百官》，贊則劉向《列女》，莫不音中群雅，語異聱牙，頌銘箴贊之正宗也；孔璋《檄魏》，賓王《討周》，檄文之正宗也；士季之《酹諸葛》，義山之《祭伏波》，祭文之正宗也。蓋文之爲體，各自成家，言必齊偕，事歸鏤繪，以妃青媲白之詞，助博辨縱横之用。故「立誠」之詞，著于《周易》；「交錯」之訓，載于許書。況復蒼后翠嫣，鳥獸紀迒蹄之迹；赤文緑字，龜龍闡《河洛》之精。川嶽絢其光采，鐘球播其鏗鏘。蓋渾噩之風既革，巍焕之運斯開。觀縹緗紺絳，織文有新組之華；琚瑀珩璜，衝牙叶雜佩之響。物固宜然，況于文乎？或謂梁、陳之文，務華而不實，詩人之賦，由麗而入淫，雖矜斧匠之工，恐貽俳優之誚。不知剪采爲花，色香自別，惟白受采，眞宰有存。故史尚浮夸之體，聲擬輕重之和，實爲文章之正鵠，豈擬小技于雕蟲。至韓、柳修詞，歐、曾循軌，以散行之體，立古文之名。然三代之時，文與語別，六朝以降，文與筆分。若屏斥偶體，崇尚奇詞，是則返璞歸眞，力守老聃之論，舍文從質，轉追棘子之談，空疏之譏，詎可免歟？觀《典論》著于魏帝，備列詩賦之章，《文賦》創于陸機，不列序碑之體，則單行之詞，實與文章有別，有何疑乎？

又《論文雜記》 印度佛書，區分三類：一曰經，二曰論，三曰律。而中國古代書籍，亦大抵分此三類：一曰文言，藻繪成文，復雜以騈語韻文，以便記誦，如《易經》六十四卦及《書》、《詩》兩經是也；是即佛書之經類。一曰語，或爲記事之文，或爲論難之文，用單行之語，而不雜以騈儷之詞，如《春秋》、《論語》及諸子之書是也；是即佛書之論類。一曰例，明法布令，語簡事賅，以便民庶之遵行，如《周禮》、《儀禮》、《禮記》是也；是即佛書之律類。後世以降，排偶之文，皆經類也；單行之文，皆論類也；會典、律例諸書，皆律類也。故經、論、律三類，可以該古今文體之全。惜後人昧其淵源，不知文章之派別耳。

又 上古之時，先有語言，後有文字。有聲音，然後有點畫；有謠諺，然後有詩歌。謠諺二體，皆爲韻語。「謠」訓「徒歌」（《説文》「䚻」字下云：「徒歌也。」戴侗《六書故》引唐本《説文》：「聲謠，徒歌也。」《爾雅·釋樂》篇亦同），歌者永言之謂也（《漢書·藝文志》云：「咏其聲謂之歌」）。「諺」訓「傳言」（《説文》云：「諺，傳言也」），言者，直言之謂也（《文心雕龍》云：「諺，直言也」）。蓋古人作詩，循天籟之自然，有音無字，故起源亦甚古。觀《列

子》所載，有堯時謠，孟子之告齊王，首引夏諺，而《韓非子・六反》篇或引古諺，或引先聖諺，足徵謠諺之作先于詩歌(「諺」字從「言」，「彥」聲。「彥」訓「美士」，《說文》云：「有文人之所言也。」是諺爲彥士之文言，非若後世之諺爲鄙言俗語也。鄙言俗語爲「諺」字引申之義)。厥後詩歌繼興，始著文字于竹帛。然當此之時，歌謠而外，復有史篇，大抵皆爲韻語。言志者爲詩，記事者爲史篇。史篇起源，始于倉聖。《周官》之制，太史之職，掌諭書名。而宣王之世，復有史籀作《史》篇，書雖失傳，然以李斯《倉頡》篇、史游《急就》篇例之，大抵韻語偶文，便于記誦，舉民生日用之字，悉列其中，蓋《史》篇即古代之字典也(《內則》云：「十歲學書記。」即《史》篇也)。又孔子之論學詩也，亦曰「多識于鳥獸草木之名」，是詩歌亦不啻古人之文典也。蓋古代之時，教曰「聲敎」，故記誦之學大行，而中國詞章之體，亦從此而生。詩篇以降，有屈、宋《楚詞》，爲詞賦家之鼻祖。然自吾觀之，《離騷》、《九章》，音涉哀思，矢耿介，慕靈修，傷中路之夷猶，怨美人之遲暮，託哀吟于芳草，驗吉占于靈茅，窈窕善懷，嬋娟太息，詩歌比興之遺也。《九歌》、《招魂》，指物類象，冠劍陸離，輿旌紛錯，以及靈旗星蓋，鱗屋龍堂，土伯神君，壺蜂雁虺，辨名物之瑰奇，助文章之侈麗，《史》篇記載之遺也。是《楚詞》一編，隱含二體。秦、漢之世，賦體漸興(《荀子》已有《蠶賦》)，溯其淵源，亦爲《楚詞》之別派：憂深慮遠，《幽通》、《思元》，出于《騷經》者也；《甘泉》、《籍田》，愉容典則，出于《東皇》、《司命》者也；《洛神》、《長門》，其音哀思，出于《湘君》、《湘夫人》者也；《感舊》、《嘆逝》，悲怨凄涼，出于《山鬼》、《國殤》者也；《西征》、《北征》，叙事記游，出于《涉江》、《遠游》者也；《鵩鳥》、《鸚鵡》，生嘆不辰，出于《懷沙》者也；《哀江南賦》，睠懷舊都，出于《哀郢》者也；推之《枯樹》出于《橘頌》，《閑居》出于《卜居》，《七發》乃《九辨》之遺，《解嘲》即《漁父》之意：淵源所自，豈可誣乎？蓋《騷》出于《詩》，故孟堅以賦爲古詩之流。然相如、子雲，作賦漢廷，指陳事物，殫見洽聞，非惟風雅之遺音，抑亦《史》篇之變體(觀相如作《凡將》篇，子雲作《訓纂》篇，皆《史》篇之體，小學津梁也。足證古代文章家皆明字學)。此古代文章之流別也，然知之者鮮矣。

又 箴、銘、碑、頌，皆文章之有韻者也，然發源則甚古。箴者，古人諫誨之詞也(《書・盤庚》篇云：「無伏小人之攸箴。」《詩・庭燎序》云：「因以箴之。」《左傳》載師曠之言曰：「百工誦箴諫」)。《文心雕龍》之言曰：「夏、商二箴，餘句頗存」(案《夏箴》見于《佚周書・文傳》篇，《商箴》見《呂氏春秋・名類》篇，而《謹聽》篇亦引《周箴》)。案周辛甲爲太史，官箴王缺，而《虞人》一篇，列諸《左傳》。則箴體本于三代也。銘者，古人儆勵人詞也(《說文》云：「銘，名也」)。銘始于黃帝，故《漢志》道家類列《黃帝銘》六篇，厥後禹銘荀虡，湯銘浴盤，武王聞丹書之言，爲銘十六(見《大戴禮》)，而周代公卿大夫，莫不勒銘于器，以示子孫(見金石書中所載)。故臧武仲云：「夫銘，天子令德，諸侯言時計功，大夫稱伐。」而《詩傳》亦曰：「作器能銘，可以爲大夫。」《考工記》亦曰：「嘉量有銘。」則銘體始于五帝矣。碑者，古人記功之文也。自無懷氏刻石泰山，爲立碑記功之始(《文心雕龍》云：「碑者，埤也。上古帝王，始號封禪，樹石碑嶽，故名曰碑」)。而《穆天子傳》亦言穆王紀迹于弇山，則碑體亦始于五帝矣(古人記功之碑與麗牲之碑不同，見江都凌先生《小樓讀書答問》)。頌者，古人揄揚之詞也。《莊子》有言：「黃帝張《咸池》之樂，有焱氏爲頌。」而《史記・樂書》亦曰：「黃帝有《龍衮頌》。」而帝嚳之世，咸墨爲頌，以歌《九韶》(見《文心雕龍》)。《詩》有六義，其六曰頌；《周頌》、《魯頌》、《商頌》皆載《詩經》。則頌體亦始于五帝矣。推之志銘(如比干《銅盤銘》及孔子銘吳季札墓是)誄辭之作(如魯莊誄縣賁父、哀公誄孔子是)，皆起于三代之前，而皆爲有韻之文。足證上古之世，崇尚文言，故韻語之文，莫不起源于古昔。阮氏《文言說》所言，誠不誣也。

又 劉彥和作《文心雕龍》，叙雜文爲一類。吾觀雜文之體，約有三端：一曰答問，始于宋玉(《答楚王問》)，蓋縱橫家之流亞也；厥後子雲有《解嘲》之篇，孟堅有《賓戲》之答，而韓昌黎《進學解》，亦此體之正宗也。一曰《七發》，始于枚乘，蓋《楚詞・九歌》、《九辯》之流亞也；厥後曹子建作《七啓》，張景陽作《七命》，浩瀚縱橫，體仿《七發》，蓋勸百風一，與賦無殊，而盛陳服食游觀，亦近《招魂》、《大招》之作(柳子厚《晉問》篇，亦七類也)，誠文體之別出者矣。一曰連珠，始于漢、魏，蓋荀子演《成相》之流亞也；首用喻言，近于詩人之比興，繼陳往事，類于史傳之贊辭，而儷語韻文，不沿奇語，亦儷體中之別成一派者也。三者而外，新體實繁：有所謂上梁文者矣(出于《詩・斯干》篇)；有所謂祝壽文者矣(始于華封人之祝堯)；而一二慧業文人，筆舌互用，多或累幅，少或數言，語近滑稽，言違典則，此則子雲稱爲

小技，而昌黎斥爲俳優者也。古人謂「小言破道」，其此之謂乎。

又　西漢之時，總集、專集之名未立；隋、唐以上，詩集、文集之體未分。于何徵之？觀班《志》之叙藝文也，僅序詩賦爲五種，而未及雜文；誠以古人不立文名，偶有撰著，皆出入《六經》、諸子之中，非《六經》、諸子而外，别有古文一體也。如論說之體，近人列爲文體之一者也，然其體實出于儒家（九家之中，凡能推闡義理，成一家者，皆爲論體；互相辯難者，皆爲辯體。儒家之中，如《禮記·表記》、《中庸》各篇，皆論體也；《孟子》駁許行等章，皆辯體也。即道家、雜家、法家、墨家之中，亦隱含論、辯兩體。宣口爲說，發明經語大義亦爲說。《漢志》于發明經義之文，即附于本經之下。又賈誼《過秦論》三篇，亦列于《新書》，而《漢志》雜家復有《荆軻論》五篇，皆論體之列于子者也）。書說之體，亦近人列爲文體之一者也，然其體實出縱横家（如蘇子、張子、蒯通、鄒陽、主父偃之文，皆文章中之書說類也，而《漢志》咸列之縱横家中）。推之奏議之體，《漢志》附列于《六經》（如《尚書》類列議奏四十二篇，《禮》類列議奏三十八篇，《春秋》類列議奏三十九篇、奏事二十篇，《論語》類列議奏二十篇；而河間獻王對上下三雍官列于儒家，博士賢臣對列于雜家，此又奏議類之附列諸子中者也）。敕令之體，《漢志》附列于儒家（儒家之中，列《高祖傳》十三篇，自注云：「高祖及大臣述古語及詔策也。」又列《孝文傳》十一篇，自注云：「文帝所稱及詔策。」此其確證）。又如傳、記、箴、銘，亦文章之一體。然據班《志》觀之，則傳體近于《春秋》（故太史公、馮商所著書列入《春秋》類也），記體近于古禮（如《周官經》、《古佚禮》、《大小戴禮》，皆記體之先聲也），箴體附于儒家（儒家列揚雄三十八篇，有箴二篇，而劉向所序六十七篇内，有《列女傳頌》，頌亦文也），銘體附于道家（道家列黄帝銘六篇，而雜家所列孔甲盤盂二十六篇，亦銘類也），是今人之所謂文者，皆探源于《六經》、諸子者也。故古人不立文名，亦不立集名。若詩賦諸體，則爲古人有韻之文，源于古代之文言，故别于六藝九流之外；亦足證古人有韻之文，另爲一體，不與他體相雜矣。至于東漢，文人撰作，以篇計，不以集名（觀《後漢》各列傳可見。後世所謂《張平子集》、《蔡中郎集》者，皆後人追稱之詞也）。六朝以降，集名始興，分總集、專集爲二類。然考《隋書·經籍志》，則所列集名，大抵皆兼括詩文各體，且多儷詞韻語之文。唐、宋以降，詩集文集，判爲兩途。而文之刊入集中者，不論其爲有韻爲無韻也，亦不論其爲奇體爲偶體也，而文章之體，至此大淆。惟儀徵阮芸臺先生編輯《揅經室集》，言集不言文（只曰《揅經室集》，不曰《揅經室文集》），析爲經、史、子、集四種（凡説經之文歸第一集，記事之文歸第二集，言理之文及雜文歸第三集，有韻之文、駢體之文及古今體詩歸第四集），謂非竊古人學術之流别者乎？然流俗昏迷，知此義者鮮矣。

又　由漢至魏，文章遷變，計有四端：西漢之時，箴、銘、賦、頌，源出于文；論、辯、書、疏，源出于語。觀鄒（鄒陽）、枚（枚乘、枚臯）、揚（子雲）、馬（司馬相如）之流，咸工作賦，沉思翰藻，不歌而誦；旁及箴、銘、騷、七，咸屬有韻之文。若賈生作論（《過秦論》之類是），史遷報書，劉向、匡衡之獻疏，雖記事記言，昭書簡册，不欲操觚率爾，或加潤飾之功，然大抵皆單行之語，不雜駢儷之詞；或出語雄奇（如史遷、賈生之文是，出于《韓非子》者也），或行文平實（如晁錯、劉向之文是，出于《吕氏春秋》者也），咸能抑揚頓挫，以期語意之簡明。東京以降，論辯諸作，往往以單行之語，運排偶之詞（載于《後漢書》之文，莫不如是。即專家之文集，亦莫不然）。而奇偶相生，致文體迥殊于西漢（東漢之儒，凡能自成一家言者，如《論衡》、《潛夫論》、《申鑒》、《中論》之類，亦能取法于諸子，不雜排偶之詞。《論衡》語意尤淺，其文在兩漢中殆别成一體者也）。建安之世，七子繼興，偶有撰著，悉以排偶易單行（如《加魏公九錫文》之類，其最著者也）；即非有韻之文（如書啓之類是也），亦用偶文之體，而華靡之作，遂開四六之先，而文體復殊于東漢。其變遷者一也。西漢之書，言詞簡直，故句法貴短，或以二字成一言（如《史記》各列傳中是也），而形容事物，不爽錙銖（且能用俗語方言以形容其實事）。東漢之文，句法較長，即研煉之詞，亦以四字成一語（未有用兩字即成一句者）。魏代之文，則合二語成一意（或上句用四字，下句用六字，或上句用六字，下句用四字，或上句下句皆用四字，而上聯咸與下聯成對偶，誠以非此不能盡其意也，已開四六之體）。由簡趨繁（此文章進化之公例也），昭然不爽。其變遷者二也。西漢之時，雖屬韻文（如騷賦之類），而對偶之法未嚴（西漢之文，或此段與彼段互爲對偶之詞，以成排比之體，或一句之中以上半句對下半句，皆得謂之偶文，非拘于用同一之句法也，亦非拘于用一定之聲律也）。東漢之文，漸尚對偶（所謂字句之間互相對偶也）。若魏代之體，則又以聲色相矜，以藻繪相飾，靡曼纖冶，致失本眞（魏、晉之文，雖多

華靡，然尙有清氣。至六朝以降，則又偏重詞華矣）。其遷變者三也。西漢文人，若揚、馬之流，咸能洞明字學（故相如作《凡將》篇，而子雲亦作《方言》），故選詞遣字，亦能古訓是式（所用古文奇字甚多，非明六書假借之用者，不能通其詞也），非淺學所能窺（故必待後儒之訓釋也）。東漢文人，既與儒林分列（文苑、儒林，范書已分二傳），故文詞古奧，遠遜西京（此由學士未必工作文，而文人亦非眞識字）。魏代之文，則又語意易明，無俟後儒之解釋（此由文章之中，奇字古文，用者甚少）。其遷變者四也。要而論之，文雖小道，實與時代而遷變。故東京之文，殊于西京；魏代之文，復殊東漢。文章之體，在前人不能強同。若夫去古已遠，猶欲擇古人一家之文，以自矜效法，吾未見其可也。

又《論說部與文學之關係》 唐、宋以前，治學術者，大抵多專門之學，與涉獵之學不同，故叢殘瑣屑之書鮮。唐、宋以降，治學術者，大抵皆涉獵之學耳，故說部之書，盛于唐、宋，今之見于著錄者，不下數千百種。試詳考之，約分三類：一曰考古之書，于經學則考其片言，于小學或詳其一字，下至子史，皆有詮明，旁及詩文，咸有紀錄，此一類也。一曰記事之書，或類輯一朝之政，或詳述一方之聞，或雜記一人之事，然草野載筆，黑白雜淆，優者足補史冊之遺，下者轉昧是非之實，此又一類也。一曰稗官之書，巷議街談，輾轉相傳，或陳福善禍淫之迹，或以敬天明鬼爲宗，甚至記壇宇而陳儀迹，因祠廟而述鬼神，是謂齊東之談，堪續《虞初》之著，此又一類也。要而論之，此三類者，均由學士大夫，好佚惡勞，憚著書之苦，復欲博著書之名，故單辭隻義，軼事遺聞，咸筆之于書，以冀流傳久遠，非如經史子集，各有專門名家，師承授受，可以永久勿墮也。而其所以能傳者，則有賴彙刻之力。顧千里《古今說海序》曰：「彙而刻之，則各書之勢，常居于聚，其于散也較難。儲藏之家，但費收一書之勞，即有累若千書之獲，其搜求也較便。各書各用，而用乎此者亦不割棄乎彼，牽連倚毗，其流布也較易。故自左禹圭以下，彙刻一途，日增月闢，完好具存。而唐、宋說部書之作，不在彙刻中者，固已屈指寥寥矣。」其說固當，然唐、宋說部，亦眞僞雜伺：如梅堯臣《碧雲騢》，非堯臣所撰；孔平仲《野史》，王禹偁《建隆遺事》，張師正《括異志》、《倦游錄》、《志怪錄》，皆非平仲、禹偁、師正所述；《涑水記聞》雖出司馬光，而多所增益；陳師道《談叢》，多所誤盭：均見于李方性《典故辨疑自序》。則說部之作，其書尙在眞僞之間，安遑論其立說之得失哉？然考說部之失，亦有數端：漢、魏以下，私門著述，黨同伐異，彼此各一是非，好惡相攻，傳之書策，後人以其時代之相近也，乃據爲信史，其失一也。輕薄之徒，喜記啁譃小辨，祖述名士風流，破壞先賢禮法，斯風一扇，束髮之士，競爲放誕之行，浮華之習既開，譃浪之風遂盛，其失二也。猥鄙細儒，見聞素狹，抄輯蕪陋，言無可采，甚至挂漏訛舛，不能自正，亦有取材淵博，摭拾叢殘，踳駁不精，言多枝葉，其失三也。有此三失，此唐、宋說部之書，所由不能與漢、魏子書競長也。元、明以來，更無論矣。

田北湖《論文章源流》 上古無文之稱，中古史官，其名乃著，先後相承，而經出焉。百家諸子，起而變經，異曲爭鳴，細流四溢，鉛槧之士，獨尊其師說，以赴跂趨。綜其體制，約爲四類：紀述之文也，箋注之文也，議論之文也，比賦之文也。萬世萬變，終不出此範圍矣。漢興試士，呫嗶之徒，相率應制，以博祿位。於是公室考校，郡邑選舉而外，無專習者，間有官書職司，私家著作，其所學問，皆由舉業研究而來。吾乃斷之曰：太古之文出於民間，中古之文出於史官，春秋之文出於經學，自漢以後之文出於考試而已。歷代考試，制藝不同，一源相通，曾無異致。然其爲體與古文古經之距絕，不可以道里計也。今辨其體，必溯所窮，吾將求之古史古經焉。

又 記載之著，發始於謠諺，但有章句，而無體裁。所謂謠者，比物以起興，叶音以足語，今爲韻文，若記言之類也。所謂諺者，觸義引類，依事直書，今爲序述，若記事之類也。所見與聞，皆爲筆述者，往昔之實事，傳誦之名言，未有師生之授受，故無家法。又各就其一鄉一邑之風俗性情，以陳民志，方言不通，而流傳不遠。及文教大進，政體日崇，凡茲之類，非官司所採納，不得列於國史，篇籍於焉散失。其猶或存者，不過窮僻之壤，鄙野之夫，斷簡殘篇，口講指畫，流風餘韻，留遺於民間，收拾舊觀，東鱗西爪云爾。況儒家既盛，不屑相習，更以爲言不雅馴，大異近體，直如今之所謂小說，所謂白話也者，弁髦視之，曾不值通人之一笑也，誰復輕重之哉？二千五百年前，最初最古之文字，不可多睹，惟秦火未焚之書，偶引片言，於是奇珍異寶，尙震光耀焉。

又 犧、炎以降，教民制作，萬物爲役，能致其用，人事之交，綱紀畢具；於是天上地下之故，凡受吾人所組織者，其經其常，莫不悉顯其迹，備

我後觀。始點漆於韋編，繼操刀於簡版。繪旂書常，則布帛爲彰；刻石鑄金，則鼎彝爲壽。所思漸巧，所施漸廣，大而一代之掌故，小而一技之營造，皆得窮理盡情，表見於著錄，以收文字之功。卷帙煩雜，傳寫艱難；蓋專其業者，乃效其職，因人寶藏之，世世繼續，承襲而罔替；底乎三代，並名曰史。夫所謂史者，一話一言，一物一事，無往非史：於人爲言，於物爲事，而此史者，記事與言之憑藉；異夫三代屬於王朝公廷，一氏一人之典要，左史右史之所書，爰得爲史也。自天下不官，文書專司於卜祝，取天下之私著，審辨而淘汰之，有不合於法憲，足以亂政者，皆屏除之。

又 中古以神道創教，逆治之法，發諸首善；秩典立政，施之要荒。君民相與之際，使卜祝爲尸窔；而私家無著作之權，其所載筆，納諸盟府，以視其正。故卜有卜史，祝有祝史，卜明是非，祝修辭令；幽明絕通，假借準的，足以補助治化所不逮，而齊一世俗，經制人心。及陳其迹，或編歲時，或述本末，公中之紀，燦然爲文，是曰國史。然而民間之史，一付闕如矣。古者先有民史，而後有國史，有國史然後有君史：國史者，君民比並之史；君史者，一姓一代之史也。其旨既異，其文體迥殊。而國史者，承上接下之樞紐，君民離合之津渡，實史家變遷之機括歟！

又 上古始制文字，爲民史之世；遞至唐、虞，爲國史之世；自夏以降，純爲君史之世矣。民史之世，君國之事無專書；姬周臨民，爲其不合今之體裁也，悉禁錮之，秘不示人。後人學術淺薄，以其艱於誦習，文字又不可驟解，遂謂荒遠無稽，而不少考證焉。然周官外史，掌三皇五帝之書，是當時尚有官本也；楚左史倚相，能讀三墳五典八索九丘，是當時學士大夫尤有誦習者也。夫古者以民權行民政，有似今日共和之政體；遞嬗而爲君民共主，有似今日立憲之政體；自夏傳子，君尊於上，民伏於下，而不與國事，有似今日專制之政體；至周而造乎其極。故惟政有三體，史亦三異。儒家又從而抑其流，附於尊王，往往以私意爲筆削，極古今之變，並守一先生之說，於是史案之原，莫或辨焉。世第惡夫嬴秦焚書，具使古籍蕩然，而不知唐、虞以前之書，皆自周泯滅之也。慮其害政，而削其迹；孔氏修訂國典，更有黜除。

又 夫《爾雅》與史之異：《爾雅》記言，言尚單簡，則以實義直接；史兼記事，事皆複雜，欲馭其變，制其煩，則不得不用虛字以間接之，古文之漸入今體，尤在茲矣。然而古史與今文又大異焉：古史振筆直書，未有愧色，故氣充詞足，樸質相往來，無待乎矯揉造作，爲文飾之具；文體雖雜，而助語轉簡，深得《爾雅》之旨，二代《典》、《謨》，可徵信也。其後爲史，未言先慚，非曲舉不能達意；商、周之史，不如無書；均多用助語，委屈敷衍，務爲假借；必則古昔稱先王，以杜口實，往往援引舊義，餖飣成句，此尤文章用典所由來歟！自是而後，凡爲文者，語必因人，句不自造，其構思不遠，而氣息益臻薄弱，不復上擬古人矣。古今文之變，其勢使然，史家之書，其大較也。

又 周監二代，郁郁爲盛，諸史並設，分局盡職，文章之美，臻乎完備。藏室所藏，無論上古中古之書，莫不薈萃。春秋列國，羣秕王綱，文、武之緒，若存若亡，孔氏取其籍，從而刪擇之，別爲古時近世之史。更述遺意，旁舉國典，而著於經，承官史之餘流，立私門之學派。綜其大綱，是分二類：列傳紀者，謂之《尚書》；編年月者，謂之《春秋》。《尚書》始於帝典，終乎《周書》，多記帝王君臣之言；文亦遞變，由樸而華，由艱深而暢茂；雖古今異說，或多僞託，而文體之階級，殊井井焉。紀識本末，標目裁篇，後之紀傳，悉源乎此。《春秋》者，循年推月，歸乎紀事之體，簡而能詳，疏而不漏，文理之組織，漸見縝密，字句之琱琢，漸及浮華。爲其徒者，各緣時事，衍義別傳，體會世說，不厭瑣屑，或採陳編，或託輿論，惟務文飾，以掩二百餘年之穢迹，其所謂褒貶善惡者，洵乎微言，恐未足以伸此曲筆也。《書》降爲《傳》，一線獨承，後先斷續，枝幹自離，師生相比，徇俗干時；故其篇中于興廢治亂之原，制作得失之紀，凡其實迹故履，可以啓導顓蒙，振作士氣，使鑑於前而圖於後者，輒有避諱，含混出之，持「民可使由，不可使知」之義，壅遏一世之聰明，驅之冥蒙之城，至死不悟。王充發難，微示其機；二千年後，李宏甫出而直抉之，李氏謂「天下無眞是非」，上疑孔氏所知所罪；豈非《春秋》之眞實究竟乎？自儒家習學，埋首讀史，只知《書》、《傳》，中古以往，舊史絕矣。

又 《書》與《傳》既出，儼然家法，而《易》而《詩》而《禮》，並列爲經。此三經者，尤以政治之史當之。《易》、《詩》以記言論，附於《尚書》；《禮》惟煩縟，以記事實，附於《春秋》。窮其最微之源，一本卜祝爲模範。《尚書》之文，訓誥誓命，遺留在於秘府，述而不作，一家一人，自爲詞繫，卜史之典也。

《春秋》之事，工於詞令，遇事成章，採摭太史行人之說，以爲撰述，分析王室侯服之交際，以爲故實，祝史之業也。《尚書》述古，《春秋》述今；述古者原文奧衍，譾薄之士，不可驟讀；述今者文皆近體，後生小子，琅琅可誦。服膺儒家者，舍難而就易，馳驅之軌，則乎《春秋》，而《尚書》家法，莫或尋繹。世無好學深思之人，又復狃於習尙，奉一先生，承教惟謹，韓愈佶屈聱牙之論，蓋同此古今矣。孔氏以史學爲經師，弟子稱其行，更著私史，《論語》記言，《家語》記事。《尙書》、《春秋》之史業，歷久彌昌，司馬、班、范，並起作史。自孔氏以來，史變爲經，經又爲史，不過今古文章離合之局，存亡之會也。數典忘祖，古訓不資，遽曰斯文在兹，豈非有所偏哉？夫周末諸子，生與孔氏同時，各從其志，自立堂構，萬流歸源，曾無異致；凡所爲文，皆得曰史，其於民典，尤盡心焉，世間之訓，賴此實錄耳。

風格

《淮南子·泰族》 五行異氣而皆適調，六藝異科而皆同道。溫惠柔良者，《詩》之風也；淳龐敦厚者，《書》之教也；清明條達者，《易》之義也；恭儉尊讓者，《禮》之爲也；寬裕簡易者，《樂》之化也；刺幾辨義者，《春秋》之靡也。故《易》之失鬼，樂之失淫，《詩》之失愚，《書》之失拘，《禮》之失忮，《春秋》之失訾。六者，聖人兼用而財制之。

揚雄《法言·君子》 淮南說之用，不如太史公之用也。太史公，聖人將有取焉；淮南，鮮取焉爾。必也儒乎！乍出乍入，淮南也；文麗用寡，長卿也；多愛不忍，子長也。仲尼多愛，愛義也；子長多愛，愛奇也。

又《問神》 虞、夏之《書》渾渾爾，《商書》灝灝爾，《周書》噩噩爾。下周者，其書譙乎？

《禮記·少儀》 言語之美，穆穆皇皇。

曹丕《典論·論文》 王粲長於辭賦，徐幹時有齊氣，然粲之匹也。如粲之《初征》、《登樓》、《槐賦》、《征思》，幹之《玄猿》、《漏卮》、《圓扇》、《橘賦》，雖張、蔡不過也。然於他文，未能稱是。琳、瑀之章表書記，今之儁也。應瑒和而不壯，劉楨壯而不密。孔融體氣高妙，有過人者，然不能持論，理不勝辭，以至乎雜以嘲戲。及其所善，揚、班儔也。

陸機《文賦》 體有萬殊，物無一量，紛紜揮霍，形難爲狀。辭程才以效伎，意司契而爲匠，在有無而僶俛，當淺深而不讓。雖離方而遯圓，期窮形而盡相。故夫誇目者尙奢，愜心者貴當，言窮者無隘，論達者唯曠。詩緣情而綺靡，賦體物而瀏亮，碑披文以相質，誄纏緜而悽愴，銘博約而溫潤，箴頓挫而清壯，頌優遊以彬蔚，論精微而朗暢，奏平徹以閑雅，說煒曄而譎誑。雖區分之在兹，亦禁邪而制放。要辭達而理舉，故無取乎冗長。

蕭統《答湘東王求文集及詩苑英華書》 夫文典則累野，麗亦傷浮。能麗而不浮，典而不野，文質彬彬，有君子之致。

劉勰《文心雕龍·體性》 夫情動而言形，理發而文見，蓋沿隱以至顯，因內而符外者也。然才有庸儁，氣有剛柔，學有淺深，習有雅鄭，並情性所鑠，陶染所凝，是以筆區雲譎，文苑波詭者矣。故辭理庸儁，莫能翻其才；風趣剛柔，寧或改其氣；事義淺深，未聞乖其學；體式雅鄭，鮮有反其習；各師成心，其異如面。若總其歸塗，則數窮八體：一曰典雅，二曰遠奧，三曰精約，四曰顯附，五曰繁縟，六曰壯麗，七曰新奇，八曰輕靡。典雅者，鎔式經誥，方軌儒門者也；遠奧者，馥采典文，經理玄宗者也；精約者，覈字省句，剖析毫釐者也；顯附者，辭直義暢，切理厭心者也；繁縟者，博喻醲采，煒燁枝派者也；壯麗者，高論宏裁，卓爍異采者也；新奇者，擯古競今，危側趣詭者也；輕靡者，浮文弱植，縹緲附俗者也。故雅與奇反，奧與顯殊，繁與約舛，壯與輕乖，文辭根葉，苑囿其中矣。若夫八體屢遷，功以學成，才力居中，肇自血氣；氣以實志，志以定言，吐納英華，莫非情性。是以賈生俊發，故文潔而體清；長卿傲誕，故理侈而辭溢；子雲沉寂，故志隱而味深；子政簡易，故趣昭而事博；孟堅雅懿，故裁密而思靡；平子淹通，故慮周而藻密；仲宣躁銳，故穎出而才果；公幹氣褊，故言壯而情駭；嗣宗俶儻，故響逸而調遠；叔夜儁俠，故興高而采烈；安仁輕敏，故鋒發而韻流；士衡矜重，故情繁而辭隱。觸類以推，表裡必符。豈非自然之恆資，才氣之大略哉！夫才有天資，學慎始習，斲梓染絲，功在初化，器成綵定，難可翻移。故童子雕琢，必先雅製，沿根討葉，思轉自圓。八體雖殊，會通合數，得其環中，則輻輳相成。故宜摹體以定習，因性以練才，文之司南，用此道也。贊曰：才性異區，文體繁詭。辭爲膚

根，志實骨髓。雅麗黼黻，淫巧朱紫。習亦凝眞，功沿漸靡。

又《通變》夫設文之體有常，變文之數無方，何以明其然耶？凡詩賦書記，名理相因，此有常之體也；文辭氣力，通變則久，此無方之數也。名理有常，體必資於故實；通變無方，數必酌於新聲；故能騁無窮之路，飲不竭之源。然綆短者銜渴，足疲者輟塗，非文理之數盡，乃通變之術疏耳。故論文之方，譬諸草木，根幹麗土而同性，臭味晞陽而異品矣。是以九代詠歌，志合文則。黄歌「斷竹」，質之至也；唐歌「在昔」，則廣於黄世；虞歌《卿雲》，則文於唐時；夏歌「雕牆」，縟於虞代；商、周篇什，麗於夏年。至於序志述時，其揆一也。暨楚之騷文，矩式周人；漢之賦頌，影寫楚世；魏之策制，顧慕漢風；晉之辭章，瞻望魏采。搉而論之，則黄、唐淳而質，虞、夏質而辨，商、周麗而雅，楚、漢侈而艷，魏、晉淺而綺，宋初訛而新。從質及訛，彌近彌澹。何則？競今疎古，風味氣衰也。今才穎之士，刻意學文，多略漢篇，師範宋集，雖古今備閲，然近附而遠疎矣。夫青生於藍，絳生於蒨，雖踰本色，不能復化。桓君山云：「予見新進麗文，美而無採；及見劉、揚言辭，常輒有得。」此其驗也。故練青濯絳，必歸藍蒨，矯訛翻淺，還宗經誥。斯斟酌乎質文之間，而隱括乎雅俗之際，可與言通變矣。夫誇張聲貌，則漢初已極，自兹厥後，循環相因，雖軒翥出轍，而終入籠內。枚乘《七發》云：「通望兮東海，虹洞兮蒼天。」相如《上林》云：「視之無端，察之無涯，日出東沼，月生西陂。」馬融《廣成》云：「天地虹洞，固無端涯，大明出東，月生西陂。」揚雄《校獵》云：「出入日月，天與地沓。」張衡《西京》云：「日月於是乎出入，象扶桑於濛汜。」此並廣寓極狀，而五家如一。諸如此類，莫不相循，參伍因革，通變之數也。是以規略文統，宜宏大體，先博覽以精閲，總綱紀而攝契，然後拓衢路，置關鍵，長轡遠馭，從容按節，憑情以會通，負氣以適變，采如宛虹之奮鬐，光若長離之振翼，迺穎脱之文矣。若乃齷齪於偏解，矜激乎一致，此庭間之迴驟，豈萬里之逸步哉！贊曰：文律運周，日新其業。變則堪久，通則不乏。趨時必果，乘機無怯。望今制奇，參古定法。

又《夸飾》自宋玉景差，夸飾始盛，相如憑風，詭濫愈甚。故上林之館，奔星與宛虹入軒；從禽之盛，飛廉與鷦鷯俱獲。及揚雄《甘泉》，酌其餘波，語瓌奇，則假珍於玉樹；言峻極，則顛墜於鬼神。至《東都》之比目，《西京》之海若，驗理則理無可驗，窮飾則飾猶未窮矣。又子雲《校獵》，鞭宓妃以饟屈原；張衡《羽獵》，困玄冥於朔野。變彼洛神，既非魍魎；惟此水師，亦非魑魅；而虚用濫形，不其疎乎！此欲夸其威而飾其事，義睽剌也。至如氣貌山海，體勢宫殿，嵯峨揭業，熠耀焜煌之狀，光采煒煒而欲然，聲貌岌岌其將動矣。莫不因夸以成狀，沿飾而得奇也。

又《隱秀》夫心術之動遠矣，文情之變深矣，源奧而派生，根盛而穎峻，是以文之英蕤，有秀有隱。隱也者，文外之重旨者也；秀也者，篇中之獨拔者也。隱以複意爲工，秀以卓絶爲巧，斯乃舊章之懿績，才情之嘉會也。夫隱之爲體，義生文外，祕響傍通，伏采潛發，譬爻象之變互體，川瀆之韞珠玉也。故互體變爻，而化成四象；珠玉潛水，而瀾表方圓。【略】故自然會妙，譬卉木之耀英華；潤色取美，譬繒帛之染朱綠。朱綠染繒，深而繁鮮；英華曜樹，淺而煒燁。秀句所以照文苑，蓋以此也。贊曰：深文隱蔚，餘味曲包。辭生互體，有似變爻。言之秀矣，萬慮一交。動心驚耳，逸響笙匏。

又《才略》九代之文，富矣盛矣；其辭令華采，可略而詳也。虞夏文章，則有皋陶六德，夔序八音，益則有贊，五子作歌，辭義温雅，萬代之儀表也。商周之世，則仲虺垂誥，伊尹敷訓，吉甫之徒，並述詩頌，義固爲經，文亦師矣。及乎春秋大夫，則修辭聘會，磊落如琅玕之圃，焜耀似縟錦之肆，薳敖擇楚國之令典，隨會講晉國之禮法，趙衰以文勝從饗，國僑以脩辭扞鄭，子太叔美秀而文，公孫翬善於辭令，皆文名之標者也。戰代任武，而文士不絶；諸子以道術取資，屈宋以楚辭發采，樂毅報書辯以義，范雎上書密而至，蘇秦歷説壯而中，李斯自奏麗而動，若在文世，則揚班儔矣。荀况學宗而象物名賦，文質相稱，固巨儒之情也。漢室陸賈，首案奇采，賦孟春而選典誥，其辯之富矣。賈誼才穎，陵軼飛兔，議愜而賦清，豈虚至哉！枚乘之《七發》，鄒陽之上書，膏潤於筆，氣形於言矣。仲舒專儒，子長純史，而麗縟成文，亦詩人之告哀焉。相如好書，師範屈、宋，洞入夸豔，致名辭宗。然覆取精意，理不勝辭，故揚子以爲文麗用寡者長卿，誠哉是言也！王褒構采，以密巧爲致，附聲測貌，泠然可觀。子雲屬意，辭人最深，觀其涯度幽遠，搜選詭麗，而竭才以鑽思，故能理贍而辭堅矣。桓譚著論，富號猗頓，宋弘稱薦，爰比相如，而集靈諸賦，偏淺無才，故知長於諷論，不及麗文也。敬通雅好辭説，而坎壈盛世，《顯志》自序，亦蚌病成珠矣。二班兩劉，弈葉

繼采，舊說以爲固文優彪，歆學精向，然《王命》清辯，《新序》該練，璿璧產於崑岡，亦難得而踰本矣。傅毅、崔駰，光采比肩，瑗實踵武，能世厥風者矣。杜篤、賈逵，亦有聲於文，跡其爲才，崔、傅之末流也。李尤賦銘，志慕鴻裁，而才力沈膇，垂翼不飛。馬融鴻儒，思洽識高，吐納經範，華實相扶。王逸博識有功，而絢采無力。延壽繼志，瓌穎獨標，其善圖物寫貌，豈枚乘之遺術歟？張衡通贍，蔡邕精雅，文史彬彬，隔世相望：是則竹栢異心而同貞，金玉殊質而皆寶也。劉向之奏議，旨切而調緩；趙壹之辭賦，意繁而體疎；孔融氣盛於爲筆，禰衡思銳於爲文，有偏美焉。潘勖憑經以騁才，故絕羣於錫命；王朗發憤以託志，亦致美於序銘。然自卿、淵已前，多俊才而不課學；雄、向已後，頗引書以助文：此取與之大際，其分不可亂者也。魏文之才，洋洋清綺，舊談抑之，謂去植千里。然子建思捷而才儁，詩麗而表逸；子桓慮詳而力緩，故不競於先鳴。而樂府清越，《典論》辯要，迭用短長，亦無懵焉。但俗情抑揚，雷同一響，遂令文帝以位尊減才，思王以勢窘益價，未爲篤論也。仲宣溢才，捷而能密，文多兼善，辭少瑕累，摘其詩賦，則七子之冠冕乎！琳、瑀以符檄擅聲，徐幹以賦論標美，劉楨情高以會采，應瑒學優以得文。路粹、楊修，頗懷筆記之工；丁儀、邯鄲，亦含論述之美；有足算焉。劉劭《趙都》，能攀於前修；何晏《景福》，克光於後進；休璉風情，則《百壹》標其志；吉甫文理，則臨丹成其采；嵇康師心以遣論，阮籍使氣以命詩，殊聲而合響，異翮而同飛。張華短章，奕奕清暢，其《鷦鷯》寓意，即韓非之《說難》也。左思奇才，業深覃思，盡銳於《三都》，拔萃於《詠史》，無遺力矣。潘岳敏給，辭自和暢，鍾美於《西征》，賈餘於哀誄，非自外也。陸機才欲窺深，辭務索廣，故思能入巧，而不制繁。士龍朗練，以識檢亂，故能布采鮮淨，敏於短篇。孫楚綴思，每直置以疏通；摯虞述懷，必循規以溫雅；其品藻流別，有條理焉。傅玄篇章，義多規鏡；長虞筆奏，世執剛中；並杶幹之實才，非羣華之韡萼也。成公子安選賦而時美，夏侯孝若具體而皆微，曹攄清靡於長篇，季鷹辨切於短韻，各其善也。孟陽景陽，才綺而相埒，可謂魯衛之政，兄弟之文也。劉琨雅壯而多風，盧諶情發而理昭，亦遇之於時勢也。景純豔逸，足冠中興，郊賦既穆穆以大觀，仙詩亦飄飄而凌雲矣。庾元規之表奏，靡密以閑暢；溫太眞之筆記，循理而清通：亦筆端之良工也。孫盛、干寶，文勝爲史，準的所擬，志乎典訓，戶牖雖異，而筆彩略同。袁宏發軫以高驤，故卓出而多偏；孫綽規旋以矩步，故倫序而寡狀。殷仲文之孤興，謝叔源之閑情，並解散辭體，縹緲浮音。雖滔滔風流，而大澆文意。宋代逸才，辭翰鱗萃，世近易明，無勞甄序。觀夫後漢才林，可參西京；晉世文苑，足儷鄴都。然而魏時話言，必以元封爲稱首；宋來美談，亦以建安爲口實。何也？豈非崇文之盛世，招才之嘉會哉！嗟夫，此古人所以貴乎時也。贊曰：才難然乎，性各異稟。一朝綜文，千年凝錦。餘采徘徊，遺風籍甚。無曰紛雜，皎然可品。

《南齊書・文學傳論》習玩爲理，事久則瀆，在乎文章，彌患凡舊，若無新變，不能代雄。建安一體，《典論》短長互出；潘、陸齊名，機、岳之文永異。江左風味，盛道家之言，郭璞舉其靈變，許詢極其名理。仲文玄氣，猶不盡除；謝混情新，得名未盛。顏、謝並起，乃各擅奇；休、鮑後出，咸亦標世。朱藍共妍，不相祖述。今之文章，作者雖衆，總而爲論，略有三體。一則啓心閑繹，託辭華曠，雖存巧綺，終致迂回。宜登公宴，本非準的。而疎慢闡緩，膏肓之病，典正可採，酷不入情。此體之源，出靈運而成也。次則緝事比類，非對不發，博物可嘉，職成拘制。或全借古語，用申今情，崎嶇牽引，直爲偶說。唯睹事例，頓失清采。此則傅咸五經，應璩指事，雖不全似，可以類從。次則發唱驚挺，操調險急，雕藻淫豔，傾炫心魂。亦猶五色之有紅紫，八音之有鄭、衛。斯鮑照之遺烈也。三體之外，請試妄談。若夫委自天機，參之史傳，應思悱來，勿先構聚。言尚易了，文憎過意，吐石含金，滋潤婉切。雜以風謠，輕唇利吻，不雅不俗，獨中胸懷。輪扁斲輪，言之未盡，文人談士，罕或兼工。非唯識有不周，道實相妨，談家所習，理勝其辭。就此求文，終然翳奪，故兼之者鮮矣。

謝朓《與王儉書》夫所貴天下之士者何？其上則閎景山壑，凌氣風霞；次則投紼舍築，鬱爲上佐；次則服秦、楚而辭其功，振燕、魏而逃其賞。凡此數輩，皆英懿之士也。自茲已降，參差萬緒，或迹著明晦，或才兼默語，若桓譚之褻俗，馮衍之忤時，北海之凝峭，中散之峻絕，率以方寸之情，喪不訾之德，蓋無取焉。若相如之愛奇，任偉長之淹粹弘遠，樂廣融通，裴楷夷淡，彼四賢者，并純神絕景，徇物傷意，其慕之而未可以言。但心之所暗，咫尺千里，志之所符，滄洲曖然，揣而論之，實山河之不肖者也。

朱廣之《咨顧歡夷夏論》論云：佛經繁而顯，道經簡而幽。幽則妙門難

見，顯則正路易遵，遵正則歸塗不迷，見妙則百慮咸得。疑曰：簡則易從，云何難見；繁則難理，豈得易遵？遵正則歸塗不迷，可以階道之極；雖非幽簡，自然玄造，何假難明之術，代茲易曉之路哉。

徐陵《答李顒之書》 來喻泰高，如爲善謔，文艷質寡，何似上林，華而不實，將同桂樹。但忘年之欵，昔有張裴，鄰國之交，非無嬰札。儻哀駘可悅，瓮盎非疑，方願投衿，庶比傾蓋。

顏之推《顏氏家訓・音辭篇》 南方水土和柔，其音清舉而切詣，失在浮淺，其辭多鄙俗。北方山川深厚，其音沉濁而訛鈍，得其質直，其辭多古語。

王通《中說・事君篇》 房玄齡問史，子曰：「古之史也辯道，今之史也耀文。」問文，子曰：「古之文也約以達，今之文也繁以塞。」

又 子謂文士之行可見。謝靈運小人哉，其文傲，君子則謹；沈休文小人哉，其文冶，君子則典；鮑昭，江淹，古之狷者也，其文急以怨；吳鈞、孔珪，古之狂者也，其文怪以怒；謝莊、王融，古之纖人也，其文碎；徐陵、庾信，古之誇人也，其文誕。或問孝綽兄弟，子曰：「鄙人也，其文淫。」或問湘東王兄弟，子曰：「貪人也，其文繁。」謝朓，淺人也，其文捷；江總，詭人也，其文虛。皆古之不利人也。子謂顏延之、王儉、任昉有君子之心焉，其文約以則。

佚名《文筆式・論體》 凡製作之士，祖述多門，人心不同，文體各異。較而言之，有博雅焉，有清典焉，有綺艷焉，有宏壯焉，有要約焉，有切至焉。夫模範經誥，褒述功業，淵乎不測，洋哉有閑，博雅之裁也。敷演情志，宣照德音，植義必明，結言唯正，清典之致也。體其淑姿，因其壯觀，文章交映，光彩傍發，綺艷之則也。魁張奇偉，闡耀威靈，縱氣淩人，揚聲駭物，宏壯之道也。指事述心，斷辭趣理，微而能顯，少而斯洽，要約之旨也。舒陳哀憤，獻納約戒，言唯折中，情必曲盡，切至之功也。至如稱博雅，則頌、論爲其標。語清典，則銘、讚居其極。陳綺艷，則詩、賦表其華。叙宏壯，則詔、檄振其響。論要約，則表、啓擅其能。言切至，則箴、誄得其實。凡斯六事，文章之通義焉。苟非其宜，失之遠矣。博雅之失也緩，清典之失也輕，綺艷之失也淫，宏壯之失也誕，要約之失也闌，切至之失也直。體大義疎，辭引聲滯，緩之致焉。理入於浮，言失於淺，輕之起焉。體貌違方，逞欲過度，淫以興焉。制傷迂闊，辭多詭異，誕則成焉。情不申明，事有遺漏，闌因見焉。體尚專直，文好指斥，直乃行焉。故詞人之作也，先看文之大體，隨而用心。遵其所宜，防其所失，故能辭成鍊覈，動合規矩。而近代作者，好尚互舛，苟見一塗，守而不易，至令摛章綴翰，罕有兼善。豈才思之不足，抑由體制之未該也。

盧照鄰《南陽公集序》 文質再而復，殷周之損益足徵；驪翰三而始，虞夏之興亡可及。美哉煥乎！斯文之功大矣。自獲麟絕筆，一千三四百年，游夏之門，時有荀卿、孟子。屈、宋之後，直至賈誼、相如。兩班叙事，得丘明之風骨；二陸裁詩，含公幹之奇偉。鄴中新體，共許音韻天成；江左諸人，咸好瓌姿艷發。精博爽麗，顏延之急病于江、鮑之間；疎散風流，謝宣城緩步於向劉之上。北方重濁，獨盧黃門往往高飛；南國輕清，惟庾中丞時時不墜。【略】《三都》既麗，徵夏熟于上林；《九辯》已高，責春歌於下里。踳駮之論，紛然遂多。近日劉勰《文心》，鍾嶸《詩評》，異議蜂起，高談不息。人慚西氏，空論拾翠之容；質謝南金，徒辯荆蓬之妙。【略】是非未定，曹子建皓首爲期；離合俱傷，陸平叔終身流恨。超然若此，適可操刀；自茲已降，徒勞舉斧。八病爰起，沈隱侯永作拘囚；四聲未分，梁武帝長爲聾俗。後生莫曉，更恨文律煩苛；知音者稀，常恐詞林交喪。《雅》《頌》不作，則後死者焉得而聞乎？【略】虞、李、岑、許之儔以文章進，王、魏、來、褚之輩以材術顯。咸能起自布衣，蔚爲卿相，雍容侍從，朝夕獻納，我之得人，於斯爲盛。虞博通萬句，對問不休；李長於五言，下筆無滯；岑君論詰亹亹，聽者忘疲；許生章奏翩翩，談之未易；王侍中政事精密，明達舊章；魏太師直氣鯁詞，兼包古義；褚河南風標特峻，早鏘聲於冊府。

孔穎達《周易正義序》 業資凡聖，時歷三古，及秦亡金鏡，未墜斯文；漢理珠囊，重興儒雅。其傳《易》者，西都則有丁、孟、京、田，東都則有荀、劉、馬、鄭，大體更相祖述，非有絕倫。唯魏世王輔嗣之注，獨冠古今，所以江左諸儒，并傳其學；河北學者，罕能及之。其江南義疏，十有餘家，皆辭尚虛玄，義多浮誕。原夫《易》理難窮，雖復玄之又玄。至於垂範作則，便是有而教有。若論住內住外之空，就能就所之說，斯乃義涉於釋氏，非爲教於孔門也。既背其本，又違於注。

又《尚書正義序》 但古文經，雖然早書，晚始得行，其辭富而備，其義宏而雅，故復而不厭，久而愈亮。江左學者，咸悉祖焉。

司馬貞《**史記索隱後序**》然其人好奇而詞省，故事覈而文微。是以後之學者，多所未究。其班氏之書，成於後漢。彪既後遷而述，所以條流更明，是兼采衆賢，群理畢備。故其旨富，其詞文，是以近代諸儒，共所鑽仰。

李白《**上安州裴長史書**》前此郡督馬公，朝野豪彥，一見盡禮，許爲奇才，因謂長史李京之曰：「諸人之文，猶山無煙霞，春無草樹。李白之文，清雄奔放，名章俊語，絡繹間起，光明洞澈，句句動人。」此則故交元丹親接斯議。

權德輿《**唐故通議大夫梓州諸軍事梓州刺史上柱國權公文集序**》敍曰：三代之理，曰忠敬文。文之爲也，上以端教化，下以通諷諭。其大則揚鴻烈而章緝熙，其細則詠情性以敍憤懣。自孔門偃、商之後，荀況、孟軻，憲章六籍。漢興，劉向、賈誼論時政，相如、子雲著賦頌，或閎侈巨麗，或博厚遒雅，歷代文章，與時升降，其或伯所之間，齊各善價。以德行世其業，以文學大其門，則又鮮焉。【略】其學富其才雄，有賈生之正，相如之麗，大抵以彩錯峻拔，使善否章明爲主。

李華《**揚州功曹蕭穎士文集序**》君以爲《六經》之後，有屈原、宋玉，文甚雄壯，而不能經。厥後有賈誼，文詞最正，近於理體。枚乘、司馬相如亦瓌麗才士，然而不近風雅。揚雄用意頗深，班彪識理，張衡宏曠，曹植豐贍，王粲超逸，嵇康標舉，此外皆金相玉質，所尚或殊，不能備舉。左思詩賦有雅頌遺風，干寶著論近王化根源，此後夐絕無聞焉。近日陳拾遺子昂，文體最正，以此而言，見君之述作矣。君以文章制度爲己任，時人咸以此許之。

皇甫湜《**諭業**》文不百代，不可以知變。體無常軌，言無常宗，物無常用，景無常取，在殫其理，覈其微，賦物而窮其致，歌詠者極性情之本，載述者遵良直之旨。觸類而長，不失其要，此大略也。夫此文之流，其來尚矣。自《六經》子史至於近代之作，無不詳備。當朝之作，則燕公悉以評之，自燕公以降，試爲子論之。燕公之文，如楩木枏枝，締構大廈，上棟下宇，孕育氣象，可以變陰陽而閱寒暑，坐天子而朝羣后。許公之文，如應鍾鼙鼓，笙簧錞磬，崇牙樹羽，考以宮縣，可以奉神明，享宗廟。李北海之文，如赤羽白甲，延亘平野，如雲如風，有貙有虎，闐然鼓之，吁可畏也。賈常侍之文，如高冠華簪，曳裾鳴玉，立於廊廟，非法不言，可以望爲羽儀，資以道義。李員外之文，則如金輿玉輦，雕龍綵鳳，外雖丹青可掬，內亦體骨不凡。獨孤尚書之文，如危峰絕壁，穿倚霄漢，長松怪石，傾倒谿壑，然而略無和暢，雅德者避之。楊崖州之文，如長橋新構，鐵騎夜渡，雄震威厲，動心駭目，然而鼓作多容，君子所慎。權文公之文，如朱門大第，而氣勢宏敞，廊廡廩廐，戶牖悉周，然而不能有新規勝槩，令人竦觀。韓吏部之文，如長江秋注，千里一道，衝飆激浪，瀚流不滯，然而施於灌激，或爽於用。李襄陽之文，如燕市夜鴻，華亭曉鶴，嘹唳亦足驚聽，然而才力偕鮮，悠然高遠。故友沈諫議之文，則隼擊鷹揚，滅沒空碧，崇蘭繁榮，曜英揚蕤，雖迅舉秀擢，而能沛艾絕景。其他握珠璣奮組繡者，不可一二而紀矣。若數公者，或傳符於帝宰，或受命於神功，或鳳翥詞林，或虎踞文苑，或抗轡荀、孟，或攘袂班、揚，皆一時之豪彥，筆硯之麟鳳。今皆游詠其波瀾，偃息其林藪，銓其一揖之舊也。而驟以諭業之言，動子之志，誠未當也。遂絕意隨計，解裝退脩，循力行待取之儒規，達先難後獲之通理，將爲勇退，貞勇進也，斯可尚矣。子既信余之不欺，余亦貴子之不忽，因源流遵業而列諭焉。

劉禹錫《**序柳子厚文**》天以正氣付偉人，必飾之使光耀于世。粹和絪縕積于中，鏗鏘發越形乎文。文之細大，視道之行止，故得其位者，文非空言，咸繫於訏謨宥密，庸可不紀。惟唐以神武定天下，羣慝既讋，驟示以文，韶英之音與鉦鼓相襲，故起文章爲大臣者，魏文貞以諫諍顯，高常侍以智略奮，岑江陵以潤色聞。無草昧汗馬之勞，而任遇在功臣上，唐之貴文至矣哉！

孫樵《**與友人論文書**》今天下以文進取者，歲聚試於有司，不下八百輩，人人矜執，自大所得。故其習於易者，則斥澀艱之辭；攻於難者，則鄙平淡之言。至有破句讀以爲工，摘俚語以爲奇。秦漢已降，古文所稱工而奇者，莫若揚、馬，然吾觀其書，乃與今之作者異耳。豈二子所工，不及今之人乎？此樵所以惑也。

又《**寓居對**》古人取文，其責蓋輕，一篇跳出，至死馳名。今人取文，章章責奇，一句戾意，全卷鮮知。言念每歲，徂春背暑，洗剔精魂，澄拓襟慮，曉窗夜燭，上下雕斲，摭言必高，儲思必深。字字磨校，以牢知音。況榮辱撓其外，得失戕其內。機穽在乎足，鋒刃在乎背。

皮日休《**移成均博士書**》夫聖人之爲文也，爲經約乎史，贊《易》近乎象，《詩》、《書》止乎刪，《禮》、《樂》止乎定，《春秋》止乎修。

陸希聲《**唐太子校書李觀文集序**》貞元中，天子以文化天下，天下翕然

興於文。文之尤高者李元賓觀、韓退之愈。始元賓舉進士，其文稱居退之之右，及元賓死，退之之文日益高。今之言文章，元賓反出退之之下。論者以元賓早世，其文未極，退之窮老不休，故能卒擅其名。予以爲不然。要之所得不同，不可以相上下者。文以理爲本，而辭質在所尚。元賓尚於辭，故辭勝其理；退之尚於質，故理勝其辭。退之雖窮老不休，終不能爲元賓之辭；假使元賓後退之之死，亦不能及退之之質。此所以不相見也。夫文興於唐、虞，而隆於周、漢，自明帝後，文體寖弱，以至於魏、晉、宋、齊、梁、隋，嫣然華媚，無復筋骨。唐興，猶襲隋故態，至天后朝，陳伯玉始復古制，當世高之，雖博雅典實，猶未能全去諧靡。至退之乃大革流弊，落落有老成之風；而元賓則不古不今，卓然自作一體，激揚發越，若絲竹中有金石聲，每篇得意處，如健馬在御，蹀蹀不能止。其所長如此，得不謂之雄文哉？

姚鉉《唐文粹序》 自微言絶響，聖道委地，屈平、宋玉之辭，不陷于怨懟，則溺于諂惑。漢興，賈誼始以佐王之道，經世之文，而求用于文帝，絳、灌忌才，卒罹讒謫。其後公孫弘、董仲舒、晁錯，咸以文進，或用或升，或黜或誅。至若嚴助、徐樂、吾丘壽王、司馬長卿輩，皆才之雄者也，終不得大用，但侍從優游而已。如劉向、司馬遷、揚子雲、東京二班、崔、蔡之徒，皆命世之才，垂後代之法，張大德業，浩然無際。至于魏、晉，文風下衰。宋、齊以降，益以澆薄。然其間鼓曹、劉之氣燄，聳潘、陸之風格，舒顔、謝之清麗，藹何、劉之婉雅，雖風興或缺，而篇翰可觀。至梁昭明太子統，始自楚《騷》，終于本朝，盡索歷代才士之文，築臺而選之，得三十卷，號曰《文選》，亦一家之奇書也。厥後徐、庾之輩，淫靡相繼，下逮隋季，咸無取焉。有唐三百年，用文治天下。陳子昂起于庸蜀，始振風雅。由是沈、宋嗣興，李、杜傑出，六義四始，一變至道。洎張燕公以輔相之才，專譔述之任，雄辭逸氣，聳動羣聽。蘇許公繼以宏麗，丕變習俗。而後蕭、李以二《雅》之辭本述作，常、楊以三《盤》之體演絲綸，郁郁之文，于是乎在。惟韓吏部超卓羣流，獨高遂古，以二帝、三王爲根本，以《六經》、四教爲宗師，憑陵轥轢，首唱古文，遏横流于昏墊，闢正道于夷坦。于是柳子厚、李元賓、李翺、皇甫湜又從而和之，則我先聖孔子之道，炳然懸諸日月。

范仲淹《上時相議制舉書》 某聞前代盛衰，與文消息，觀虞、夏之純，則可見王道之正；觀南朝之麗，則知國風之衰。惟聖人質文相救，變而無窮。前代之季，不能自救，則有來者起而救之。是故文章以薄，則爲君子之憂；風俗其壞，則爲來者之資。

歐陽修《試筆・漢人善以文言道時事》 漢之文士，善以文言道時事，質而不俚，兹所以爲難。

蘇軾《與謝民師推官書》 所示書教及詩賦雜文，觀之熟矣。大略如行雲流水，初無定質，但常行於所當行，常止於不可不止，文理自然，姿態横生。孔子曰：「言之不文，行之不遠。」又曰：「辭達而已矣。」夫言止於達意，疑若不文，是大不然。求物之妙，如繫風捕影，能使是物了然於心者，蓋千萬人而不一遇也，而況能使了然於口與手者乎。是之謂辭達。辭至於能達，則文不可勝用矣。揚雄好爲艱深之詞，以文淺易之説，若正言之，則人人知之矣。此正所謂雕蟲篆刻者，其《太玄》《法言》，皆是類也，而獨悔於賦，何哉？終身雕蟲，而獨變其音節，便謂之經，可乎？屈原作《離騷經》，蓋風雅之再變者，雖與日月爭光可也。可以其似賦而謂之雕蟲乎？使賈誼見孔子，升堂有餘矣，而乃以賦鄙之，至與司馬相如同科。雄之陋，如此比者甚衆。可與知者道，難與俗人言也，因論文偶及之耳。歐陽文忠公言文章如精金美玉，市有定價，非人所能以口舌定貴賤也。

又《自評文》 吾文如萬斛泉源，不擇地皆可出，在平地滔滔汩汩，雖一日千里無難，及其與石山曲折，隨物賦形，而不可知也。所可知者，常行于所當行，常止于不可不止，如是而已矣。其他，雖吾亦不能知也。

劉攽《答孫彦文秀才書》 然而辭章之變，隨世損益，故前人謂英華出于情性。賈生俊發，則文潔而體清；子政簡易，則趣昭而事博；子雲沈寂，則志隱而味深；平子淹通，則慮周而藻密。其論大率如此。彼數子者，非出于三代陶冶成就之力也，而原其情性之美，則卓然足以高世。

吳處厚《青箱雜記》卷五 小説載盧橵貌陋，嘗以文章謁韋宙，韋氏子弟多肆輕侮。宙語之曰：「盧雖人物不揚，然觀其文章有首尾，異日必貴。」後竟如其言。本朝夏英公亦嘗以文章謁盛文肅，文肅曰：「子文章有館閣氣，異日必顯。」後亦如其言。然余嘗究之，文章雖皆出於心術，而實有兩等：有山林草野之文，有朝廷臺閣之文。山林草野之文，則其氣枯槁憔悴，乃道不得行，著書立言者之所尚也；朝廷臺閣之文，則其氣温潤豐縟，乃得位於時，演綸視草者之所尚也。故本朝楊大年、宋宣獻、宋莒公、胡武平所撰制

詔，皆婉美淳厚，過於前世燕、許、常、楊遠甚，而其爲人亦各類其文章。王安國常語余曰：「文章格調須是官樣。」豈安國言官樣，亦謂有館閣氣耶！又今世樂藝亦有兩般格調：若朝廟供應，則忌麄野嘲哳；至於村歌社舞，則又喜焉。茲亦與文章相類。晏元獻公雖起田里，而文章富貴出於天然。嘗覽李慶孫《富貴曲》云：「軸裝曲譜金書字，樹記花名玉篆牌。」公曰：「此乃乞兒相，未嘗諳富貴者。」故公每吟詠富貴，不言金玉錦綉，而唯說其氣象。若「樓臺側畔楊花過，簾幕中間燕子飛」、「梨花院落溶溶月，柳絮池塘淡淡風」之類是也。故公自以此句，語人曰：「窮兒家有這景致也無？」

張耒《答汪信民書》 抑聞之：古之文章，雖制作之體不一端，大抵不過記事辨理而已。記事而可以垂世，辨理而足以開物，皆詞達者也。雖然，有道。詞生于理，理根于心。苟邪氣不入于心，僻學不接于耳目，中和正大之氣溢于中，發于文字言語，未有不明白條暢，盍觀于語者乎？直者文簡，事核而明，雖使婦女童子聽之而諭。曲者枝詞游說，文繁而事晦，讀之三反而不見其情：此無待而然也。

畢仲游《西臺集》卷六《文體》 堯舜三代之文，吾夫子之所論次者，雖異乎諸子之書，而諸子之書，猶有三代之遺風。蓋自《離騷》作，三代之文始變矣。迄今千數百年之間，綴文之士，當途之人，以文章爲己任者甚衆，而三代之文卒不復者，嗚呼，何古之易變而難復也。昔司馬遷著書，自以繼夫子之緒業，而今觀遷書，殆非夫子之繼。班固著書，嘗詆遷之病，及固書成，益非遷書之比。范蔚宗著書，嘗議固之罪，及蔚宗書成，又非固之偶。其後文詞麗而古風遠，雖有好學之士欲擬方三代，而相承數世，終非前人之作。今試問諸君，古風易變而難復者何謂？司馬、班、范如兄弟之遊，而文力大小若父子尊卑之遼遠者何說？其好學之士欲上擬三代而卒不及前人者何故？今天子新法度，明禮樂，釐正百官，祖尚經術，一皆倣乎三代，欲乘時而革天下之文風，復之於古，使無不及前人之歎，當必有其道矣。

李廌《答趙士舞德茂宣義論宏詞書》 凡文章之不可無者有四：一曰體，二曰志，三曰氣，四曰韻。述之以事，本之以道，考其理之所在，辨其義之所宜，庳高巨細，包括并載而無所遺，左右上下，各若有職而不亂者，體也。體立於此，折衷其是非，去取其可否，不徇於流俗，不謬於聖人，抑揚損益以稱其事，彌縫貫穿以足其言，行吾學問之力，從吾制作之用者，志也。充其體於立意之始，從其志於造語之際，生之於心，應之於言，心在和平則溫厚爾雅，心在安敬則矜莊威重，大焉可使如雷霆之奮，鼓舞萬物，小焉可使如脈絡之行，出入無間者，氣也。如金石之有聲，而玉之聲清越；如草木之有華，而蘭之臭芬薌；如鷄鶩之間而有鶴，清而不羣；犬羊之間而有麟，仁而不猛。如登培塿之丘，以觀崇山峻嶺之秀色；涉潢汙之澤，以觀寒溪澄潭之清流；如朱絃之有餘音，太羹之有遺味者，韻也。文章之無體，譬之無耳目口鼻不能成人。文章之無志，譬之雖有耳目口鼻，而不知視聽臭味之所能，若土木偶人，形質皆具，而無所用之。文章之無氣，雖知視聽臭味，而血氣不充於內，手足不衛於外，若奄奄病人，支離顛頓，生意消削。文章之無韻，譬之壯夫，其軀幹枵然，骨強氣盛，而神色昏瞢，言動凡濁，則庸俗鄙人而已。有體，有志，有氣，有韻，夫是謂之成全。四者成全，然於其間各因天姿才品以見其情狀。故其言迂疎矯厲不切事情，此山林之文也；其人不必居藪澤，其間不必論巖谷也，其氣與韻則然也。其言鄙俚猥近，不離塵垢，此市井之文也；其人不必坐廛肆，其間不必論財利也，其氣與韻則然也。其言豐容安豫，不儉不陋，此朝廷卿士之文也；其人不必列官守，其間不必論職業也，其氣與韻則然也。其言寬仁忠厚，有任重容天下之風，此廟堂公輔之文也；其人不必位臺鼎，其間不必論相業也，其氣與韻則然也。正直之人其文敬以則，邪諛之人其言夸以浮，功名之人其言激以毅，苟且之人其言懦而愚，捭闔從衡之人其言辯以私，刻忮殘忍之人其言深以盡。則士欲以文章顯名後世者，不可不慎其所言之文，不可不慎乎所養之德也如此。王通論鮑照、江淹等之文，各見其性行之所長，可謂知言矣。古者登高能賦，山川能祭，師旅能誓，喪紀能誄，作器能銘，然後可以爲大夫。故訓、典、書、詔、赦、令、文、賦、詩、騷、箴、誡、贊、頌、樂章、玉牒、露布、羽檄、疏、議、表、牋、碑、銘、謚、誄，各緣事類以別其目，各尚體要以稱其實。如彼玉工，珪、璋、璧、琮、珮、玦、珌、瑑追琢之工，皆有制度，其方圓曲直，則各中其用也。如彼梓人，棟、樑、桓、楹、榱、桷、楶、棁樸斲之工，皆有繩墨大小長短，則各中其用也。若乃或混淪而無辨，或散漫而無紀，或錯雜而無序，或晦暗而不顯，雖曰謂之文，亦不足觀也已。

葉夢得《巖下放言》卷上 古書多奇險，或謂當時文體云爾。《列子》字古而辭平，《老子》字與辭俱平，偶儷音諧，略同秦漢間工於文者，而視古則稍

異，乃知奇險未必皆其體，亦各自其爲之者。至孟子、莊周雄辯閎衍，如決江河，如蒸雲霧，殆不可以文論，蓋自爲其道出之。《商書·伊訓》、《說命》等作非不平，而《盤庚》特異，周詩雅頌非不平，而《鴟鴞》、《雲漢》二篇殆不容讀，豈非係其人乎。使西漢之文不傳，後世但見《太玄》，謂西漢皆然，亦未嘗不可矣。文章自東漢後頗衰，至齊、梁而掃地，豈惟其文之衰，觀當時人物立身謀國，未有一特然出群者也，何以獨能施之于文。至唐終始三百年，僅能成一韓退之。使退之如王、楊、盧、駱之徒，亦不能爲矣。

林光朝《艾軒集》卷四《策問一一八首》　道之汙隆存乎其人，文章之高下存乎其時。唐虞三代至周而治極矣，故其文爲獨盛也。戰國之詭激，魏晉之浮夸，南北五季之頹敗彫弱，其間號爲繼周者，易秦而漢，易隋而唐，漢至武、宣之世始議文章，唐自元和以後漸復古雅，雖賈誼、陳子昂之徒一時特起，初若有意於發揮古文，潤色當代，而其風流醞藉，亦無傳焉者，以其獨立而未盛故也。班固賦《西都》，具述公卿侍從之臣，若司馬相如、劉向、董仲舒、蕭望之之徒，皆以文章稱之，至其叙武帝以來，則又列仲舒於儒雅，而以司馬相如爲文章。其言孝、宣之世，蕭望之則儒術也，王褒、劉向則文章也，文章儒雅若同然而實異者。數子之文，猶有可稽析而論之，錙銖輕重如是其審也。河東柳子厚論當世之士，謂今之爲文希屈、宋者，可得數人，希王褒、劉向之徒者，可得十人，至陸機、潘岳之比，累累相望。唐自元和之後，作者可數，屈、馬希世之文也，學而似之者誰歟？漢、晉一代之文，無出數子，何其得之多歟！一時人物，宗元有所避而不言，至於後人品藻，則無害也。國家開造之初，文章未備，作者往往仍其故習，乃歐陽子以古學爲倡，而文章始一變矣。熙寧、元豐之後，學者皆祖於王氏，又其後蘇氏出焉，今之學者不出於二家，其是非得失互有所分也。君子之於文也，無所苟而已矣。必如畫師之於形，瞽工之於聲，耳目有所不接，則妍媸清濁不能辨也。試求漢、唐文人之體製，而質以今日之所尚，亦足以知諸君爲文之大略。

周必大《張彥正文集序》　有德之人其辭雅，有才之人其辭麗，兼是二者，多貴而壽。蓋以德輔才，天之所助，而人之所重也。

王十朋《論文說》　有客與王子論文，謂王子曰：「子以今文况昔文，亦加進否乎？」予應之曰：「新文之進，予則不知也。但每閱舊文，背必汗焉耳。」客曰：「見舊文而汗背，進莫驗於斯也。使天假子之年，將不一進而已。他日見今之文，汗又浹背矣。子不見君家名勃者乎？《滕王閣序》最膾炙人口，『落霞與孤鶩齊飛，秋水共長天一色』之句，當時以爲神，殊不知此乃少年粗豪之氣，俳優之雄者。以勃之天資英秀，不使早死，其文之進，殆未可量，他日見所謂神句者，寧不汗背耶？韓退之文章之古者，後世莫得而疵之，然《感二鳥賦》乃少年所作，學識未逮，故有二鳥不如之歎。李漢序其文爲篇什之首，非深知退之者也。」

洪邁《唐黃御史公集序》　叙曰：詞章關乎氣運，於唐尤驗云。唐興三百年，氣運升降其間，而詩文因之。自晉陽舉義開館宮西，以延文學，竟用詞賦取士。士以操觚顯者，無慮數百家。大都始沿江左頹習，競於絺繪，躭披靡而乏氣骨。伯玉奮然洗刷，沈、宋、燕、許輩出振響，以至貞元、長慶經術大明，脩古彌衆，于時墨儒詞匠所爲詩若文，咸矩矱自然，不以彫飾爲工，相與贊翊道眞，賡颺鴻化，斯爲鏘鏘爾雅。故文盛於韓、柳、皇甫；而其衰也，爲孫樵，爲劉蛻，爲沈、顔。詩盛於李、杜、劉、白；而其衰也，爲鄭谷，爲羅隱，爲杜荀鶴。御史生最晚，而獨不然。其文贍蔚有典則，策扶教化；其詩清淳豐潤，若與人對語，和氣鬱鬱，有貞元、長慶風概。

周煇《清波雜志》卷五　爲文之體，意不貴異而貴新，事不貴僻而貴當，語不貴古而貴淳，事不貴怪而貴奇。宋元獻公序云。

陸游《江湖長翁集叙》　漢之文章，猶有《六經》餘味。及建武中興，禮樂法度粲然。如西京時，惟文章頓衰，自班孟堅已不能望太史公之淳深，崔、蔡晚出，遂墮卑弱，識者累欷而已。我宋更靖康禍變之後，高皇帝受命中興，雖艱難顛沛，文章獨不少衰。得志者，司詔令，垂金石；流落不偶者，娛憂紓憤，發爲詩騷，視中原盛時，皆略可無媿，可謂盛矣。久而寖微，或以纖巧摘裂爲文，或以卑陋俚俗爲詩，後生或爲之變而不自知。

《朱子語類》卷一三九《論文上》　文字奇而穩方好。不奇而穩，只是闒靸。

謝堯仁《于湖集序》　文章有以天才勝，有以人力勝，出於人者可勉也，出於天者不可強也。今觀賈誼、司馬遷、李太白、韓文公、蘇東坡，此數人皆以天才勝，如神龍之夭矯，天馬之奔軼，得躡其蹤而追其駕，惟其才力難局於小用，是以亦時有疎略簡易之處。然善觀其文者，舉其大而遺其細可也。若乃柳子厚專下刻深工夫，黃山谷，陳後山專寓深遠趣味，以至唐末諸詩人雕肝琢肺，求工於一言一字間，在於人力，固可以無恨，而概之前數公縱橫

馳騁之才，則又有間矣。故曰：「人可勉也，天不可強也。」

陳亮《書作論法後》 大凡論不必作好語言，意與理勝，則文字自然超衆。故大手之文，不爲詭異之體，而自然宏富；不爲險怪之辭，而自然典麗。奇寓於純粹之中，巧藏於和易之內。不善學文者，不求高於理與意，而務求於文彩辭句之間，則亦陋矣。故杜牧之云：「意全勝者辭愈樸，而文愈高；意不勝者，辭愈華而文愈鄙。」昔黄山谷云：「好作奇語，自是文章一病。」但當以理爲主，理得而辭順，文章自然出羣拔萃。

陳騤《文則》卷上 《考工記》之文，權而論之，蓋有三美：一曰雄健而雅，二曰宛曲而峻，三曰整齊而醇。略條於後。雄健而雅：「鄭之刀，宋之斤，魯之削，吴粤之劒，遷乎其地而弗能爲良。」「凡爲弓，方其峻而高其柎，長其畏而薄其敝。」宛曲而峻：「凡攫閷援簭之類，必深其爪，出其目，作其鱗之而。深其爪，出其目，作其鱗之而，則於眡必撥爾而怒。苟撥爾而怒，則於任重宜，且其匪色必似鳴矣。爪不深，目不出，鱗之而不作，則必穨爾如委矣。苟穨爾如委，則加任焉，則必如將廢措，其匪色必似不鳴矣。」「引而信之，欲其直也。信之而直，則取材正也；信之而枉，則是一方緩一方急也。若苟一方緩一方急，則及其用之也，必自其急者先裂。若苟自急者先裂，則是以博爲帴也。」整齊而醇：「爍金以爲刃，凝土以爲器。」「棧車欲弇，飾車欲侈。」「鐘大而短，則其聲疾而短聞；鐘小而長，則其聲舒而遠聞。」「已上則摩其旁，已下則摩其耑。」

魏天應編，林子長箋解《論學繩尺·論訣》 論體有七：一圓轉，二謹嚴，三多意而不雜，四含蓄而不露，五結上生下，六首尾相應，其勢如擊蛇，七結一篇之意常欲有不盡之意，如清廟三嘆有遺音。

李耆卿《文章精義》 作世外文字，須換過境界。《莊子》寓言之類，是空境界文字；靈均《九歌》之類，是鬼境界文字；子瞻《大悲閣記》之類，是佛境界文字；《上清宫辭》之類，是仙境界文字。惟退之不然，一切以正大行之，未嘗造妖捏怪，此其所以不可及。

又 文字須有數行不整齊處，須有數行整齊處。意對處，文卻不必對；文對處，意卻著對。文有圓有方，韓文多圓，柳文多方。蘇文方者亦少，唯《上神宗萬言書》、《代張方平諫用兵書》數篇方。圓者多。

又 《論語》氣平，《孟子》氣激，《莊子》氣樂，《楚辭》氣悲，《史記》氣勇，《漢書》氣怯，文字順易而逆難。《六經》都順，惟《莊子》、《戰國策》逆，韓、柳、歐、蘇都順，惟蘇明允逆，子瞻或順或逆，然不及明允處極多。文字有終篇不見主意結句見主意者，賈誼《過秦論》「仁義不施，而攻守之勢異也」、韓退之「守戒在得人」之類是也。

趙孟堅《凌愚谷集序》 文章至唐而體備，其情態宛委，肌理豐澤，腴而密，婉而麗，斯亦世代至此而盛乎？故自貞元、元和而上，李、杜、韓、柳以至乎長慶元、白，皆唐文之懿也。大中以降，瑣澀滋過，固一病也。而又浸淫於以俗爲雅之流，代號作者或不免是，況浸淫於末流者乎。杜荀鶴於詩，接五季之碑碣，可概觀矣。然則論唐文者，不得因其流而嘗其源也。皇朝文明代興，慶曆以前，六一公歐氏未變體之際，王黄州、范文正諸公充然富贍，宛乎盛唐之制，亦其天姿之夐，已脱去五季瑣俗之陋。一陽動於黄鍾，厥維有本，伯長一鳴，尹、歐、仲塗和之，南豐、三蘇又和之，元祐諸君子又和之，轟然古雅，至淳、乾尚餘音韻，其風稜骨峭，擺落繁華，亦一代之體也。然夷清惠和，各隨極至，場屋習勝，視唐疎矣。

王炎《松窗醜鏡序》 先秦古書，不論西漢，以文名世者，自賈誼始。《政事》一疏，《過秦》一論，《鵩鳥》一賦，筆力頓挫卓詭，此天下傑作也。誼之後，文章支而爲三：鼂錯之文出於雜學，主父偃、徐樂、嚴安似之，而廣博不及；董仲舒之文出於經術，公孫弘、劉向似之，而純正不及；枚乘、司馬相如之文出於楚騷，王褒、揚雄似之，而妙麗不及。是三者，如淄澠合流而異味，非易牙莫能辨也。自漢而下，以文鳴者雖接踵，而古人秀傑之氣，渾厚之質，蕭散之趣衰矣。至有唐，詩稱李、杜，文稱韓、柳，然後唐之文方駕乎漢之文。至我朝有宋，文有歐、蘇，古律詩有黄豫章，四六有王金陵，長短句有晏、賀、秦、晁，於是宋之文掩迹乎漢、唐之文。【略】夫文生於才，養之以學，將之以氣，中卿才高而學博，其氣不挫，今日之文，可幾於古。

王正德《餘師錄》卷一 劉攽《與孫秀才書》云：「辭章之變，隨世損益，故前人謂英華出於情性。賈生峻發，則文潔而體清；子政簡易，則趣昭而事博；子雲沉寂，則志隱而味深；平子淹通，則慮周而藻密。」

又卷三 李朴《送徐行中序》云：「吾嘗論唐人文章，下韓退之爲柳子厚，下柳子厚爲劉夢得，下劉夢得爲杜牧，下杜牧爲李翺、皇甫湜，最下者爲元

穠、白居易。蓋元、白以澄澹簡質爲工，而流入於鄙近，譬如哇淫之歌，雖足以快心便耳，而類乏《韶》、《濩》。翺、湜優柔泛濫，而詞不掩理。杜牧清深勁峻，而體乏步驟。夢得俊逸麗縟，而時窘邊幅。子厚雄健飄肆，有懸崖峭壑之勢，不幸不發於仁義而發於躁誕，至退之而後，淳粹溫潤，駸駸乎爲《六經》之苗裔。何則？文章者，天地之奇氣。造物者，常嗇於與人，故愚者終身而不得，智者得其幽微之思，勇者得其果敢之氣，辨者得其玲瓏之聲，巧者得其藻繪之容。是數者，雖能得而不能盡，然猶足以取高於斯世。蓋必有兼是數者之才，而後得其純全中正之氣，經緯五藏，雕鏤萬化，明以寓物象之形容，幽以露鬼神之奇怪。小而歌詠乎蟲魚鳥獸之情，大而羽翼乎禮樂刑政之具。隨時抑揚，爲歌頌譏刺之音，以舒發其懽愉愁嘆堙鬱之志，而終始出入於仁義，爲禹稷之《謨》，伊周之《訓》，箕子之《疇》，伏羲之《易》，孔子之《春秋》，而天地之蘊始盡矣。」

薛季宣《浪語集》卷二八《策問二十道》 漢唐文體三變，而班、馬、韓、柳爲之宗。二班工情理之言，愈倡《六經》之學，其揆一也。然漢之體製，日趣卑弱，唐文駸駸近古。柳文章與時高下，將班、韓諸公，其才自有優劣邪？帝堯、孔子之文章於《書》《論語》備矣，漢唐文士未嘗不以是爲宗，師屢有變，更舉不相似意者，古今異世，堯、孔之文不同後世之作歟。

姚勉《重遊騎岡記》 將以博天下之奇觀於胸中，而以助此文也。人之胸中，必有雲巒煙巖之秀，而後爲文古而奇；必有冰崖雪谷之清，而後爲文光而潔。前之晴之遊所以攬雲巒煙岩之秀也，後之雪之遊所以萃冰崖雪谷之清也，而豈徒爲此遊哉？而豈徒乘此興哉？既有助爲文，則不可不寓於文以爲記。

陳仁子《牧萊脞語》卷七《後山集序》 文歷邃古之初，典謨雅麗，盤誥聱屈，近古如漢猶難之。班、揚而降，雲譎濤詭，悴爲唐，豐爲宋。

又《沈佺期集序》 唐，兵制三變，詩三變，至文亦然。故唐初文一種也，盛唐一種也，晚唐文一種也。風聲氣習，蒸漬蕩摩，脫穎掞華，根苗迥別。俯仰三百年間，其初瞻以麗，其盛古以健，其末纖以巧，而唐祚隨之。文也者，非徒呫呫言語筆舌間也。無其世不興，無其人不行。

元好問《趙公墓誌銘》 唐文三變，至五季衰陋極矣。由五季而爲遼、宋，由遼、宋而爲國朝，文之廢興可考也。宋有古文，有詞賦，有經解，柳、穆、歐、蘇諸人斬伐俗學，力百而功倍，起天聖，迄元祐，而後唐文振。然似是而非，空虛而無用者，又復見於宣政之季矣。遼則以科舉爲儒學之極致，假貸剽竊，牽合補綴，視五季又下衰。唐文奄奄如敗北之氣，沒世不復，亦無以議爲也。國初，因遼、宋之舊，以詞賦、經義取士。預此選者，選曹以爲貴科榮路所在，人爭走之。傳注，則金陵之餘波；聲律，則劉、鄭之末光，固已占高爵而釣厚祿。至於經爲通儒，文爲名家，良未暇也。及翰林蔡公伯正甫，出於太學、大丞相之家學，接見宇文濟陽、吳深州之風流，唐、宋文派，乃得正傳，然後諸儒得而和之。

虞集《廬陵劉桂隱存稿序》 宋之末年，說理者鄙薄文辭之喪志，而經學、文藝判爲專門。士風頹弊於科舉之業。豈無豪傑之出，其能不浸淫汩沒於其間，而馳騁凌厲以自表者，已爲難得，而宋遂亡矣。中州隔絕，困於戎馬，風聲氣習，多有得於蘇氏之遺，其爲文亦曼衍而浩博矣。國朝廣大，曠古未有。起而乘其雄渾之氣以爲文者，則有姚文公其人。其爲言不盡同於古人，而伉健雄偉，何可及也？繼而作者，豈不瞠然其後矣乎？當是時，南方新附，江鄉之間，逢掖縉紳之士，以其抱負之非常，幽遠而未見知，則折其奇傑之氣，以爲高深危險之語。視彼靡靡混混，則有間矣。然不平之鳴，能不感憤於學者乎？而一二十年，向之聞風而倣效，亦漸休息。延祐科舉之興，表表應時而出者，豈乏其人？然亦循習成弊，至於驟廢驟復者，則亦有以致之者然與？於是執筆者，膚淺則無所明於理，蹇澀則無所昌其辭，徇流俗者不知去其陳腐，強自高者惟旁竊於異端。斯文斯道，所以可爲長太息者，常在於此也。

劉因《靜修續集》卷三《叙學》 至於作文，《六經》之文尚矣，不可企及也。先秦古文可學矣，左氏、《國語》之頓挫典麗，《戰國策》之清刻華削，莊周之雄辨，《穀梁》之簡婉，《楚詞》之幽博，太史公之疏峻。漢而下其文可學矣，賈誼之壯麗，董仲舒之冲暢，劉向之規格，司馬相如之富麗，揚子雲之邃險，班孟堅之宏雅。魏而下陵夷至於李唐，其文可學矣。韓文公之渾厚，柳宗元之光潔，張燕公之高壯，杜牧之之豪縟，元次山之精約，陳子昂之古雅，李華、皇甫湜之溫粹，元微之、白樂天之平易，陸贄、李德裕之開濟。李唐而下陵夷至於宋，其文可學矣，歐陽子之正大，蘇明允之老健，王臨川之清新，蘇子瞻之宏肆，曾子固之開闔，司馬溫公之篤實。下此而無學矣。學者苟能

取諸家之長，貫而一之，以足乎己，而不蹈襲㯶束，時出而時晦，以爲有用之文，則可以經緯天地，輝光日月也。

王惲《玉堂嘉話》卷二　鹿庵曰：「文章以自得不蹈襲前人一言爲貴，曰取其意而不取其辭，恐終是踵人足跡，俱不若孟軻氏一字皆存經世大法，其辭莊而有精彩也。」

又　鹿庵先生曰：「作文之體，其輕重先後，猶好事者以畫娛客，必先示其尋常，而使精妙者出其後。」予偶悟曰：「此倒食甘蔗之意也。」

張沖《勤齋集原序》　文章固天下公器，然有體裁之文，有蕭散之文，大率以理勝爲貴，雅健次之。上焉吐詞爲經，經天緯地者，所不待言；下焉雕蟲篆刻，誇多鬭靡者，所不必論。理勝由於經明，雅健由於學純，氣雄而與時上下者，有不能逃也。

吳師道《題樊紹述絳守居園池記後》　文章貴不用意，溢於正而奇出焉。蓋非能奇之爲奇，而不能不奇之爲奇也。

陳旅《跋段氏庸音集》　文章貴奇崛而忌奇崛，尙平易而厭平易。古之作者，辭淡而旨醇，貌直而思婉，聲約而韻充。閭巷刺草之言，被之筦絃，可以感人心，召和氣，而易風俗，音之庸也。蓋謂庸非奇崛，非平易，天下之常言，雖聖人不能易也。

陳繹曾《文筌·古文譜》　格：一、未入格：布置：布置事理，各得其所；　順鋪：鋪陳事意，順其次序；　直敍：直敍其事；　緦後：直至結尾，方見本題；　滑稽：題有礙理以戲出之；　頓挫：著力頓挫，頗見精神。二、正格：玄：精神極至，洞然無迹；　圓：辭情理趣，圓美粹然（右上上）；　妙：神工詣極，重重入妙；　適：情趣自然，從容中度（右上中）；　沉：力可回天，不動聲色；　雄：氣蓋天下，渾然雄風（右上下）；　清：乾坤清氣，徹底泠然；　婉：理嚴辭巽，惟恐傷人；　閑：優游塵外，眞趣怡然；　典：言語步趨，俱中典則；　雅：臺閣氣象，正大從容；　深：極深研幾，未易窺測；　覈：言言有據，字字精實；　精：思精理到，幾入於神；　嚴：法度森森，動中規矩；　偉：氣相宏大，偉然可觀；　絕：辭理俱到，令人擊節；　卓：有意卓然，高出相表；　高：情理傑特，下視群才；　遠：理致悠長，宛在言外；　大：籠天絡地，未能無迹；　瑩：表裏無瑕；　古：辭理淵奧，太古之音；　逸：超出長情，飄然天趣（右中上）；　重：力重萬鈞；　奇：出人意表；　老：見識老成；　健：骨氣矯健；　簡：辭意簡當；　遒：遣辭清快；　勁：骨力剛正；　壯：氣力沛然；　峭：辭意峻拔；　活：意思活動；　和：氣宇恬和；　肅：氣相肅整；　正：辭意端正；　秀：辭意穠秀；　縝：法度縝密；　潤：辭意溫潤；　新：掃盡陳言；　華：富麗榮華（右中中）；　響：音吐洪暢；　亮：辭音並嗷；　緊：節節抱實；　謹：謹守繩墨；　平：略不廢力；　實：辭理皆實；　俊：翩翩意氣；　溫：慈祥可愛；　潔：略無瑕類；　緻：功夫潔密（右中下）；　富：事料飽滿；　密：文辭緊密（右下上）；　險：語意陟峻；　穩：字字不差；　流：務爲波瀾；　麗：務爲藻麗；　澹：不務華飾；　贍：才思有餘；　直：直而不俚；　明：辭意顯明；　詳：事理詳具；　快：開口見心；　易：省力通快；　工：功夫苦到；　滑：辭響滑溜（右下中）；　怪：常理之外；　巧：組織小巧；　熟：陳詞熟語（右下下）。

又《古文矜式》　入境：識體：體格明則規矩正；　敍事之文貴簡實；【略】議論之文貴精到；【略】辭令之文貴婉切；【略】辭賦之文貴婉麗：辭以寄情，貴情深而語緩；　賦以體物，貴詳盡而文切；　頌以頌美，貴形容盛偉；　雅以詠政，貴鋪張正大；　風以動物，貴情直而語婉；　體段明則制作當；　篇首欲含包一篇大旨，貴乎明而緊；　篇中欲曲折周密，鋪陳詳盡，引用飽滿；　篇尾欲點綴丁寧，發送輕快；　家數：歷代有風氣之殊，【略】諸家有材氣之別。【略】屈原善辭賦，其法有七：一曰抒情，直陳哀樂；二曰況物，借物名說人事，是指狗詈人之意；　三曰設事，假說詭怪虛無之事，以寄胸中之趣；　四曰敍事，直敍事實；　五曰論理，切論情理；　六曰論事，就事論理；　七曰用事，引用古事，情眞，理精，事詭，意激。

張伯淳《湖廣行省平章安南國王陳公詩序》　士君子負邁往英特之氣，往往于詩文發之，然其體或寒，或瘦，或富贍典麗，或吐不煙火食語，其所發見者蓋不一。唐韓子直以爲「和平之音淡泊，愁思之聲要妙，讙愉之辭難工，窮苦之言易好。」又謂「文章之作，每發于羇旅」，若將以所遇爲工拙者。以余觀之，體之不同，由所稟與見聞之異，豈皆緣所遇哉！　杜子美稱特進汝陽王爲詞華哲匠，退之之于馬兆平，稱其變化魁傑，至于裴司空之佳句，馬僕射之天平篇什，所以贊美之者，甚至遐想當時讙愉和平之意多，未必愁思，而決非窮苦者也。

倪士毅《作義要訣》 宏齋曹氏（涇）曰：「作文各自有體，或簡，或詳，或雄健，或穩妥，不可以一律論。蓋文氣隨人資稟，清濁厚薄，所賦不同，則文辭隨之。然未有無法度，而可以言文者。法度者何？有開必有合，有喚必有應，首尾當照應，抑揚當相發，血脉宜串，精神宜壯，如人一身自首至足，缺一不可。則是一篇之中，逐段逐節，逐句逐字，皆不可以不密也。」

黃仲元《鄭雲我存稿序》 唐人語言妙天下者，莫若韓、柳氏。韓以李漢一序傳，柳以劉賓客一序傳。二序之所以傳者，序乎文也。文者，天地之正氣，亦天地之奇氣。天地間惟正人能養天地之正氣，故其文正，韓氏似之；惟奇人能發天地之奇氣，故其文奇，柳氏似之。柳之醇正固不及韓，柳之奇崛亦韓所不及。《天對》文義，聱牙難讀；山水諸記，出語崔嵬，似宭邊幅。若《段太尉逸事狀》，老史筆當避三舍；《晉問》峭拔高妙，夐出魏、晉；《南澗》、《田家》等詩，絕有泉明風味（以上皆柳文）。回視《淮西碑》、《中丞傳後叙》、《鰐魚文》、《毛穎傳》、《南溪》、《秋懷》（以上皆韓文），前後差相頡頏。其《與中立書》，論作文源委，一一有所自來（柳），殆如答李翊與誨館下諸生時（韓）。政未可少柳而多韓，韓亦正患不能奇，柳亦正未易步趨也。

舒頔《跋白雲文集後》 作文固難，古文尤難，不效古，雖工無益於道。文所以載道，志於斯道，斯其所以爲難。漢之時，司馬遷、揚雄、班固、劉向皆擅古文體製，高辭氣益充然者也。至唐韓、柳文體三變，以去古未遠，故其氣渾然。迨夫宋理學而明，文不逮古多矣，此又關乎氣數然也。

甘復《讀東坡文》 天賦人以才，雖萬億有不同，聖人之道同也。而才不能無異焉：能清者鮮於和，和者恆不足於清也。孔子弟子遊於聖人之門一也，能政事者不能言語，能言語未必能政事也。至於文章，古今作者何多也，才有不同，故各伸所長以名家，豈道之不同，識見有淺深而然哉！如天之生物，雖比類貌狀，無有同者，以此知天之賦人以才，非但欲使之屑屑就古人所能而已，將以推聖賢未發之緒，以昭後世。若眉山蘇公軾之生於古人之絕後，氣充質完，文章峻發，其直道勁節，雄論博辯，如豪曹之鋒，距來之力，莫有當其前者，雖千載之下想望而畏之。振頹弊之風，激衰靡之氣，前古所未見，而世之不可無也。

陳基《程禮部文集序》 文豈易言哉？國家混一百年，能言之士，莫不各以其所長馳騁上下，以鳴太平之休風。求其雄深博奥，跌宕超軼，敷之訓謨，發之聲歌，自出機杼，與漢西京、唐元和、宋慶曆以來諸作者爭衡千數百載，而天下文章爲之丕變，則蜀郡虞公豈非偉然命世君子哉。當是時，豫章揭公亦以其峻潔之詞，更相振耀，海內爭師宗之，並稱曰虞、揭，而文章之盛極矣。

又《孟待制文集序》 國朝之文凡三變：中統、至元以來，風氣開闢，車書混同，名家作者與時更始，其文如雲行雨施，雱霈萬物，充然有餘也。延祐初，繼禪之君，虛己右文，學士大夫涵煦乎承平，歌舞乎雍熙，出其所長，與世馳騁，黼黻皇猷，鋪張人文，號極古今之盛，然厲金石以激和平之音，肆彫琢以洩忠厚之樸，而峭刻森嚴，殆未易以淺近窺也。天曆之際，作者中興，上探詩書禮樂之源，下泳秦漢唐宋之瀾，擺落凡近，憲章往哲，緝熙典墳，照熠日月，登歌清廟，氣凌騷雅，由是和平之音大振，忠厚之樸復還。【略】文章與時升降，故氣勝則野，詞勝則史，要非人力之所能爲也，天也。

張翥《圭塘小稿序》 昔人論文章，貴有館閣之氣。所謂館閣，非必掞藻於青瑣石渠之上，揮翰於高文大冊之間，在於爾雅深厚、金渾玉潤，儼若聲色之不動，而薰然以和，油然以長，視夫滯澀怪僻、枯寒褊迫，至於刻畫而細，放逸而豪，以爲能事者，徑庭殊矣。故識者往往以是概觀其人之所到，有足徵焉。本朝自至元、大德以訖於今，諸公輩出，文體一變，掃除儷偶迂腐之語，不復置舌端，作者非簡古不措筆，學者非簡古不取法，讀者非簡古不屬目，此其風聲氣習，豈特起前代之衰？而國紀世教維持悠久，以化成天下者，實有係乎此也。

宋濂《靈隱大師復公文集序》 才，體也；文，其用也。天下萬物有體斯有用也。若稽厥初，玄化流形，品物昭著，或洪或纖，或崇或卑，莫不因才之所受而自文焉，非可勉強而致也。姑就植者言之：黃者，白者，青者，紅者，黑而澤者，紫艷而腴者，翠白而緗綠者，五色交糅、變幻而不恆者，一囿於氣，而弗可移也。至于洛陽有花，則絕類絕倫，其植物中之至文者歟。又以動者言之：雙角而火鬣者，兩羽而飛者，炳朗而爛斑者，介而紫暈者，鱗而含金者，衆彩錯布，焜煌而難名者，亦局乎氣，而不能更也。至于岐陽有鳳，則超羣拔萃，其動物中之至文者與！非惟物也，而人亦然。有一人之人，有十人之人，有百人之人，有千萬人之人，有億兆人之人，其賦受有不

齊，故其著見亦不一而足。所謂億兆人之人，聖人是也；千萬人之人，賢人是也；百十人之人，衆人是也。衆人之文不足論。賢人之文，則措之一鄉而準，措之一國而準，措之四海而準。聖人之文，則榦天地之心，宰陰陽之權，掇五行之精，無鉅弗涵，無微弗攝，雷霆有時而藏，而其文弗息也；風雲有時而收，而其文弗停也；日月有時而蝕，而其文弗晦也；山崖有時而崩，而其文弗變也。其博大偉碩有如此者，而其運量則不越乎倫品之間？蓋其所稟者盛，故發之必弘；所予者周，故該之必備。

又《黄文獻集序》 逮入國朝，羣工疊出，剗華而踐樸，革澆以趨眞，爛然五色之文，照耀於天下。沿至先生，號爲極盛。先生之所學紬其本根，則師羣經，揚其波瀾，則友遷、固沉浸之久，超然有會於心。嘗自誦曰：文辭各載夫學術者也，吾敢爲苟同乎！無悖先聖人斯可已。故其形諸譔述，委蛇曲折，必鬯所欲言出用於時，則由進士第，敎成均，典儒臺，直禁林，侍講經幃，以文字爲職業者，殆三十年，精明俊朗，雄蓋一世，可謂大雅弗羣者矣。今之論者，徒知先生之文，清圓切密，動中法度，如孫吳用兵，神出鬼沒，而部伍整然不亂；至先生之獨得者，又焉能察其端倪哉！於戲，蹄涔之水，其流不能尋尺，通河亘海，則涵浴日月，一朝而萬變。土鼓之聲，其聞弗及百武，迅風驚霆，則振撼萬物，衡縱下上，無幽而不被，此無他，神與不神也。文辭之出，與天地之氣，相爲無窮，奈何不河海風霆之若，而瞡蹄涔土鼓間，果誰之過也。上而六藝，下而諸家言，所倡雖有大小之殊，其生色之融液，至今猶津津然，是誠何道哉！

王褘《上蘇大參書》 試嘗論之，爲文而善於紀事者，必其言足以綜難遺之蹟，蹟足以終難明之狀，狀足以發難顯之情，情足以著難隱之理。而又其爲言也，必簡而該，精而覈，深而易，通直而不肆，典實而無浮華，平易而無艱險，斯可以謂之文。而猶未也。文有體，其爲體常不同，故無定體，而有大體，必其大體純正而明備，而後足以成乎。然天下古今之善於此，以自成其家者，固未始數數然也。

又《文訓》 凡吾之說，子豈嘗知之？苟知之，其試以語我。生曰：「文之爲物，貴適時好，粲然相接，合喜投樂，有如正始不完，文氣遂偏，俗尚化遷，而排偶之習興焉。四屬六比，駢諧儷聯，抽黄對白，調朱施鉛，五采相宣，八音相便，握擒穠纖，噅呀寒暄，豐腴醲酣，眩麗媚妍，珠璣溢緘，膾炙滿篇，凡慶函與賀牘，咸累幅而疊番。王公之門，下逮閭閻，彝儀縟典，往來交際，率奉之以周旋。又如大雅既遠，詩歌曰變，玉臺西崐，其流也漸支爲詞曲，爭嫩競艷，字分重輕，句協長短，浮聲切響，清濁和間，羽振宮潛，商流徵泛，笙簧觸手，錦繪迷盼，風月留連，鶯花凌亂，振妙韻於沉冥，託葩辭於清婉，性情因之以暢宣，光景因之而呈獻。好會睽離，懽忺悲嘆，莫不假是以託情，固無間於貴賤也。若是者，其爲文何如？」太史公曰：「古語變而四六，古聲變而詞曲，文之弊也甚矣。」

又《文評》 於乎！以余觀乎有元一代之文，其亦可謂盛矣。當至元、大德之間，時則柳城姚文公之文振其始，及至正以後，時則廬陵歐陽文公之文殿其終。即兩文公之文而觀之，則一代文章之盛，槪可見矣。蓋嘗評之姚公之文，如泰山之雲，觸石而起，層出疊見，蓊鬱靉靆，而震雷掣電，助其威聲，曾不崇朝雨，及天下萬物被其潤澤者，莫不昭蘇而發育焉。歐陽之文，如滄溟之濤，浩瀚無際，長風四至，而洶湧山立，天吳罔象蛟龍之屬，因舞其間，及乎風止浪息，百怪沈冥，則巨艘大舶，一息千里矣。嗟乎，二公之文若是，豈非一代之雄於文者乎！宜其節惠易名，皆特謚爲文，千載公議，孰得而誣之？是故唐三百年得謚爲「文」者，惟韓子爲合理，若李翺、權德輿則不足言矣。宋三百年得謚爲「文」者，惟王荆公、朱徽公爲稱情，若楊億、蘇洵則有可議者矣。獨有元百年之間，姚、歐相望，而兩「文」之謚始終有作，吾無間然矣。謂之爲盛，豈非然哉！歐陽公之孫，字公輔，好學而有文，裒集公之遺文爲若干卷，將圖之不朽，庶幾世其家業而不隕者矣。

方孝孺《張彦輝文集序》 昔稱文章與政相通，舉其槪而言耳，要而求之，實與其人類。戰國以下，自其著者言之，莊周爲人，有壺視天地囊括萬物之態，故其文宏博而放肆，飄飄然若雲遊龍騫不可守。荀卿恭敬好禮，故其文敦厚而嚴正，如大儒老師，衣冠偉然，揖讓進退，具有法度。韓非、李斯峭刻酷虐，故其文纖繞深切，排搏糾纏，比辭聯類，如法吏議獄，務盡其意，使人無所措手。司馬遷豪邁不羈，寬大易直，故其文崒乎如恆華，浩乎如江河，曲盡周密，如家人父子語，不尚藻飾，而終不可學。司馬相如有俠客美丈夫之容，故其文綺曼姱都，如清歌繞梁，中節可聽。賈誼少年，意氣慷慨，思建事功而不得遂，故其文深篤有謀，悲壯矯訐。揚雄齪齪自信，木訥少風節，故其文拘束懇願，模擬窺竊，蹇澀不暢，用心雖勞，而去道實遠。下此

魏晉至隋，流麗淫靡，浮急促數，殆欲無文。惟陶元亮以沖曠天然之質，發自肺腑，不爲雕刻，其道意也達，其狀物也覈，稍爲近古。韓退之起中唐，始大振之。退之俊傑善辨説，故其文開陽闔陰，奇絶變化，震動如雷霆，淡泊如《韶》《濩》，卓矣爲一家言。其同時則有柳子厚、李元賓、李習之之流。子厚爲人精緻警敏，習之志大識遠，元賓激烈善持論，故其文皆類之。五代之弊，甚於魏、隋之間。宋興，至歐陽永叔、蘇子瞻、王介甫、曾子固，而文始備。永叔厚重淵潔，故其文委曲平和，不爲斬絶詭怪之狀，而穆穆有餘韻。子瞻魁梧宏博，氣高力雄，故其文常驚絶一世，不爲婉昵細語。介甫狹中少容，簡默有裁制，故其文能以約勝。子固儼而儒者，故其文粹白純正，出入禮樂法度中。南渡以後，眞希元、魏華甫以典章文物爲文，陳同甫以縱横之學爲文，其他各以其文顯者甚衆，至於末流，而文又弊矣。元興，以文自名者相望於百年之間。爲世所稱者曰姚寬甫、虞伯生、黄晉卿、歐陽原功。寬甫敦龐有威儀，左右佩玉，故其文沉鬱而隆厚；伯生頎嶷鉅人，談故事遺法，竟日不竭，故其文敷贍無涯，不可準則；晉卿謹慎有禮，故其文守局遵度，考據切當，不放而密；原功博學多識，故其文繁多而不迫。至于今，則潛溪先生出焉。先生以誠篤和毅之質，宏奥玄深之識，發而爲文，原功稱其如淮陰將兵百萬，百戰百勝，志不少懾，如列子禦風，翩然褰舉，不沾塵土，用鳴一代之盛。追古作者與之齊，近代不足儗也。由此觀之，自古至今，文之不同類乎人者，豈不然乎！

又《答王仲縉五首》 文之古者，莫過於唐虞三代，而書之二《典》、三《謨》、《禹貢》、《胤征》以及商周《訓誓》諸篇，皆當時紀事陳説之文，未嘗奇怪；《詩》三百篇亦未嘗奇怪；《春秋》書當時之事，雖寓褒貶之法於一言片簡之中，亦未嘗見其奇怪；《禮》經多周漢賢人君子所論次，其言平易明切，亦未有所謂奇怪；至於《盤庚》《大誥》，其言有不可曉者，乃當時方俗之語，亦非故爲是艱險之文也。然則嗜奇好怪者，果何所本哉？苟謂於司馬遷、班固，則遷、固之書有質直無華，如家人女子所言者。唐之文奇者莫如韓愈，而其文皆句妥字適，初不難曉。宋之以文名者曰歐陽氏，曰蘇氏，曰曾氏，曰王氏，此四人之文，尤三百年之傑然者，而未嘗以奇怪爲高。則夫文之不在乎奇怪也久矣，惟其理明辭達而止耳。而世顧他之焉者，猶之迷人醉客不問塗於大道，肆意徑趨，是以卒不免入乎荆棘之場，鼯狖之居，而終弗獲就乎大道也。今足下之所爲，非特得其塗而已，而又有始終焉，有理趣焉，苟益脩於不弛，浚其源而導其波，將見汩汩然來而不止，繼乎待制君之聲烈，有可望矣。昔在朝廷爲文者非不多，而人獨推太史公與待制君，蓋文之法，有體裁，有章程，本乎理，行乎意，而導乎氣。氣以貫之，意以命之，理以主之，章程以覈之，體裁以正之。體裁欲其完，不完則端大而末微，始龍而卒蚓，而不足以爲文矣。章程欲其嚴，不嚴則前甲而後乙，左鑿而右枘，而不足以爲文矣。氣欲其昌，不昌則破碎斷裂，而不成章。意欲其貫，不貫則乖離錯糅，而繁以亂。理欲其無疵，有疵則氣沮詞憊，雖工而於世無所裨。此五者，太史公與待制君能由其法而不蹈其弊，而務乎奇怪者皆反之，此世之公言，所以推諸此而不居乎彼也。斯文者，造化之至理寓焉，人患不能造其極耳；苟造其極，決不可泯滅，有志者在乎自力而已。

又《贈鄭顯則序》 天下之論文者，嗜簡澀則主于奇怪，樂敷暢則主于平易，二者皆非也。文不可以不工，而惡乎好奇？文不可以不達，而惡乎淺易？淺易以爲達，好奇以爲工，幾何不至於怪且俗哉！善爲文者，貴乎奇其意而易其詞。驟而覽，亹亹覺其易也；徐思而繹之，雖極意工巧者莫加焉。若是者，其爲至文乎？聖賢之文與後世之詞，純駁、工拙、多寡，不大相遠也。而世人望之，若天然不敢指儗之者，以其不務奇其詞，而奇其意，故舉天下好奇者莫及也。使其意不能過于衆人，而惟詞之脩，安在其爲奇也哉？日月之在天，躋于東而行于西，昏明于晝夜，盈虧于晦朔。自有天地以來，未之有易也。天固不規規然求異，以駭人之視聽。然愈久而彌新，愈廣而無窮，則爲奇也大矣。尚何以異爲哉？至于鬼燐之變滅，不可以理推其跡，雖似乎奇，而其爲明也微矣。近代文字有好奇者，以誕澀之詞飾其淺易之意，攻訐當世之文。昧者羣和而從之，而三吳諸郡爲尤甚，此皆挾鬼燐而訾日月者也。其力雖不足爲斯文害，然不除滅而禁斥之，何由復古之盛乎？

胡廣等《性理大全書》卷五六《學十四·論文》 爲文要有溫柔敦厚之氣，對人主語言及章疏文字，溫柔敦厚尤不可無。如子瞻詩多所譏玩，殊無惻怛愛君之意。荆公在朝論事，多不循理，惟是爭氣而已，何以事君？

馬中錫《贈進士林德溫教授四明序》 且文章肖乎習尚，而世道繫於述作。三代之文醇，後世之文駮，七國縱横，六朝浮靡，若鑑肖影，若眞肖容，不爽錙銖。今人情世道何如也？黯而辯，樸而黠，旁通多可而專，惡方喜圓而

異，不大聲色而內實躁，不露圭角而內實淺。其習尚如是也，故其發諸文詞，不誇多以浮，則逞媚以纖，隨俗習非，不以爲污；萬機一軸，不以爲同；無警語，無奇句，初讀若簡易和平，細玩則質直枯淡，味之則槁木死灰。由今之文，觀今之人，爲世道計者，欲同升於中正純粹之士，以挽於淳龐渾厚之風，不亦難哉！

又 君子之從仕，各從其所好，而其論文也，亦惟各圖愜於心。思恬靜者仕愛散秩，文愛眞樸，□□者反是。而其愛讀書習禮者，又專欲得文字之官，以肆力於學，要之各有見焉，不可強也。

黃仲昭《天海別意詩序》 蓋嘗觀之風者，天之氣也。在春謂惠，在夏謂薰，所以生育長養乎萬物者也；在秋謂清，在冬爲寒，所以成遂收斂乎萬物者也。孟子曰：「聞柳下惠之風者，鄙夫寬，薄夫敦；聞伯夷之風者，貪夫廉，懦夫立。」惠之風其猶春，夷之風其猶秋乎。由二子之風，進而求夫孔子之泰和元氣，則所以畜其德者至矣。濤者，海之文也，其大者如雪山銀屋，磅礴而洶湧，文之雄渾奔放者似之；其細者如翠羅文縠，蜿蜒而淪漣，文之紆徐委蛇者似之。故皇甫湜論柳子厚之文，而以秋濤爲喻，王三槐序曾子固之文，亦以江湖之波濤爲喻，然豈惟二子之文爲然哉！由二子之文，進而求夫《六經》之道，則所以美其文者至矣。

王鏊《皇甫持正集序》 昔孫可之自稱爲文得昌黎心法，而其傳實則皇甫持正。今觀持正、可之集，皆自鑄偉詞，槎牙突兀，或不能句。其快語若天心月脅，鯨鏗春麗，至是歸正，抉經執聖，皆前人所不能道，後人所不能至也。亦奇甚矣。昌黎嘗言「惟古于詞必己出」；又論「文貴自樹立，不蹈襲前人，不取悅今世」。此固持正之所從授與？他日乃謂「李翺、張籍從余學文，頗有得。從吾游者，李翺、張籍其尤也」，而不及持正，何與？余謂昌黎文變化不可端倪，持正得其奇，翺與籍得其正，而翺又得其態。合三子一之，庶幾其具體乎，則持正、可之之文亦豈可少哉。

又《容春堂文集序》 文之製大率有二：典重而嚴，敷腴而暢。文如韓、柳，可謂嚴矣，其末也流而爲晦，甚則艱蹇鉤棘，聱牙而難入。文至歐、蘇，可謂暢矣，其末也流而爲弱，甚則熟爛萎薾，冗長而不足觀。蓋非四子者過，學之者過也。學之患不得其法，得其法則開闔操縱，惟意所之，嚴而不晦也，暢而不浮也。文而至是，是可以入作者之室矣。

林俊《兩漢書疏序》 文章與世道相軒輊。《六經》、《魯論》，渾噩簡野，孟氏雄以肆，至戰國而極矣。中間老聃、左丘明、韓非、荀卿、列禦寇、莊周之文，閎深奇詭，並列名家。西漢公孫弘、晁錯、賈誼、董仲舒、司馬遷、劉向諸人，樸直峻整，壯麗而辨博，庶幾古作者。漢而東，楊震、孔融、班固輩流，習尚對偶，氣駸卑弱，夫世日降，風日漓，文體日趣以薄，其勢然也，然亦豈三國兩晉例論哉！唐宋文章名家，韓退之學《史記》，柳子厚學西漢，曾子固學劉向，蘇子瞻學戰國，亦剖其藩升其堂者矣。夫文不難於華，難於質；不難於煩，難於簡；不難於奇曲，難於拙直。嘉祐間，歐陽永叔務黜險怪，崇平澹，格始一變。予嘗私評作古文字，須削去近格，專志《六經》《魯論》，翼以孟氏書，參之《穀梁》、《國語》、《離騷》、《史記》，以集文章之大成，以盡其妙，以追古作者爲徒，蓋竊有志而未能也。

又《東白集序》 宣于心而飾以成章者，文也，而其隱蓋自見焉。夫水之流滀，其源自見；木之條枝華實，其根自見；不待較而知者也。王風渾融而雅博，霸習激壯以縱橫，禹、皋之《謨》，不可尚矣。伊、周之《訓》《誥》，王也，賈誼、司馬遷、劉向、班固未失爲王者也；管、韓、《戰國策》，霸也，相如、枚叔、張衡未離乎霸者也。世風遞降，文體漸以澆漓，隱而晦之，玉璞金渾；宣而昭之，龍翔虎變，其可復殫耶。

顧璘《謝文肅公文集序》 或問謝文肅公之文。璘曰：是醇氣之積也。夫文章盛衰關諸氣運，而發乎其人，非運弗聚，非人弗行，豈小物也哉。昔周之盛也，文、武、成、康迭興，謨、訓、雅、頌之辭，爾雅深厚，意若有聖人之徒操觚其間，何其若是善也。幽、厲以降，辭命寖繁，《黍離》、《板蕩》之篇，氣索然矣，非行人史官矯誣眩衆，則羈臣棄士哀思悲鳴，以紓其憤懣者也。即國家何賴乎？是故觀文體之險易，可以知氣運之盛衰，而人材由之矣。

游居敬《歐蘇選集叙》 余讀歐陽永叔之文，溫純而婉委，如百川之紆迴，百折而竟匯于海也。又讀蘇眉山父子之文，老泉雄而奇，東坡爽而健，潁濱典而實。皆蔚乎其有文，鏗然其相宣。如觀涿鹿之鏖戰，而竦然忘倦，如聽簫韶九成之奏，律呂調運而神怡而心懌，不自知其身之生於千百世之後也。嗚呼，盛矣。故嘗竊謂爲文至於歐、蘇，亦可以止矣，而何必秦漢云哉？雖然，文以秦漢爲上，謂其近于古也。然古之文不可以強至，非沉浸于歐、蘇

之文而有得焉。而遽欲傚于秦漢諸人之作，則不過剽竊其字句之奇，而摹擬其篇章之似耳，求其至焉則未也。其能逃于羊質虎皮之誚耶？況歐公自謂其文得於韓愈氏，與斷之《六經》，蘇老泉亦云孟、韓之溫醇，東坡昆仲大抵守老泉之教，而自得於班固、馬遷、莊、騷、左氏、《戰國策》之間。故其隨遇而施，方圓、長短、奇崛，衍迤無不如意。使歐、蘇而不出于孟、韓《六經》，與夫秦漢諸人之言論，則亦何以能使其文之醇穠而至足，古雅而雋永，浩浩無涯涘，若此其盛歟？知乎此，則學秦漢而不先于歐、蘇者，舛也；既學歐、蘇而不進於秦漢者，畫也。學文者其無陷于舛與畫之弊焉，則庶乎其至爾。余因選集二家之文而僭爲之說如此，以俟知言者倘有取云。

楊慎《升菴集》卷五二《稱贊文章之妙》 王半山評歐文云：「積於中者，浩如江河之渟滀；發於外者，爛如日星之光輝。其清音幽韻，淒如飄風急雨之驟至；其雄詞閎辯，快如輕車駿馬之奔馳。」又稱老泉之文云：「其光芒燦爛，若引星辰而上也；其逸駃奔放，若決江河而下也。」葉水心稱李巽巖之文曰：「風霆怒而江河流，六驥調而八音和，春暉秋明而海澄嶽靜也。」

又《論文》 論文或尚繁，或尚簡。予曰：繁，非也；簡，非也；不繁不簡，亦非也。或尚難，或尚易。予曰：難，非也；易，非也；不難不易，亦非也。繁有美惡，簡有美惡，難有美惡，易有美惡，惟求其美而已。故博者能繁，命之曰該贍，《左氏》、相如是也，而請客者頃刻能千言。精者能簡，命之曰要約，《公羊》、《穀梁》是也，而曳白者終日無一字。奇者工於難，命之曰複奧，莊周、禦寇是也，而郇模、劉煇亦詭而晦。辨者工於易，張儀、蘇秦是也，而張打油、胡釘鉸亦淺而露。論文者當辨其美惡，而不當以繁簡、難易也。

茅坤《唐宋八大家文鈔論例》 予嘗有文評曰：屈宋以來，渾渾噩噩，如長川大谷，探之不窮，攬之不竭。蘊藉百家，包括萬代者，司馬子長之文也。閎深典雅，西京之中獨冠儒宗者，劉向之文也。斟酌經緯，上摹子長，下採劉向父子，勒成一家之言者，班固也。呑吐騁頓，若千里之駒而走赤電，鞭疾風，常者山立，怪者霆擊，韓愈之文也。巉巖崱屴，若游峻壑削壁，而谷風淒雨四至者，柳宗元之文也。遒麗逸宕，若攜美人宴遊東山，而風流文物照耀江左者，歐陽子之文也。行乎其所當行，止乎其所不得不止，浩浩洋洋，赴千里之河而注之海者，蘇長公也。嗚呼，七君子者，可謂聖於文矣。其餘若賈、董、相如、揚雄諸君子，可謂才問炳然西京矣，而非其至者。曾鞏、王安石、蘇洵、轍至矣，鞏尤爲折衷於大道，而不失其正，然其才或疲薾，而不能副焉。

王世貞《藝苑卮言》卷五 宋景濂如酒池肉林，直是豐饒，而寡芍藥之和。王子充、胡仲申二人如官廚內醞，差有風法，而不堪清絕。劉伯溫如叢臺少年入說社，便辟流利，小見口才。高季迪如拍張檐幢，急迅眩眼。蘇伯衡如十室之邑，粗有街市，而乏委曲。方希直如奔流滔滔，一瀉千里，而瀠洄滉瀁之狀頗少。解大紳如遞夾快馬，急速而少步驟。楊士奇如措大作官人，雅步徐言，詳和中時露寒儉，又如新廷尉牘，有法而簡。丘仲深如太倉粟，陳陳相因，不甚可食。李賓之如開講法師上堂，敷腴可聽，而實寡精義。陸鼎儀如何敬容好整潔，夏月熨衣焦背。程克勤如借面弔喪，緩步嚴服，動止舉舉而乏至情。吳原博如茅舍竹籬，粗堪坐起，別無偉麗之觀。王濟之如長武城五千兵，閒整堪戰，而傷于寡。羅景鳴如藥鑄鼎，雖古色驚人，原非三代之器。桑民懌如社劇夷歌，亦自滿眼充耳。楊君謙如夜郎王，小具君臣，不知漢大。羅彝正如姜斌道士升講壇，語不離法，而玄趣自少。陳公甫如坐禪僧，聖諦一語，東塗西抹，亦自動人。祝希哲如吃人氣迫，期期艾艾，又如拙工製錦，絲理多恨。王伯安如食哀家梨，吻咽快爽不可言，又如飛瀑布岩，一瀉千尺，無淵渟沈冥之致。崔子鍾如古法錦，文理黯然，雅色可愛，惜窘邊幅。湛源明如乞食道人，記經唄數語，沿門唱誦。李獻吉如樽彝錦綺，天下瓌寶，而不無追蝕絲理之病。何仲默如雉翬五彩，飛不百步，而能鑠人目睛。徐昌穀如風流少年，顧景自愛。鄭繼之如孔北海言事，志大才短。王子衡如絲竿旄牛，珍貴能負，而不曉步驟。康德涵如嘶聲人唱《霓裳》散序，格高音卑。王敬夫如狐禪鹿仙，亦自縱橫。高子業如玉盤露屑，故是清貴，如寒淡何？夏文愍如登小丘，展足見平野，然是疏議耳。王稚欽書牘如麗人訴情，他文則改鼠爲璞，呼驢作衛。江景昭如入鴻臚館，鳥語侏離，一字不曉。廖鳴吾如屠沽小肆，強作富人，紛紜殊增厭賤。郭价夫如鄉老叙事，粗見亹亹。豐道生如骨董肆，眞贗雜陳，時亦見寶，而不堪儇詐。李舜臣如盆池中金魚，政使足翫，江湖空闊，便自渺然。陳約之如小徑落花，衰悴之中，微有委豔。黃德兆如山傜強作漢語，不免缺舌。黃勉之如新安大商，錢帛米穀金銀俱足，獨法書名畫不眞。陸浚明如捉麈尾人，從容對談，名理不乏。江

于順如試風雛鷹，矯健自肆。袁永之如王武子擇有才兵家兒，命相不厚。呂仲木如夢中囈語不休，偶然而止。馬伯循如河朔餐羊酪漢，羶肥逆鼻。顔惟喬如暴顯措大，不堪造作。楊用脩如繒綵作花，無種種生氣。屠文升如小家子充烏衣諸郎，終不甚似。王允寧如下邑工琢玉器，非不奇貴，痕跡宛然；又如王子師學華相國，在形迹間，所以愈遠。羅達夫如講師參禪，兩處著腳，俱不堪高坐。王思道如金市中甲第，堂構華煥，巷空宛轉，第匠師手不讀木經，中多可憾。許伯誠如通津郵，資用本少，供億不虛。薛君采如嚼白蠟，杖青蘆，不勝淡弱。朱子价如小兒吹蘆笙，得一二聲似，欲隸太常。喬景叔如江東秀才，文弱都雅，而氣不壯。吳峻伯如佛門中講師，雖多而不識本面目。歸熙甫如秋潦在地，有時汪洋，不則一瀉而已。盧少楩如春水横流，滔蕩縱逸，而少歸宿。梁公實如貧士好古器，非不得一二醒眼者，政苦難繼耳。宗子相如駿馬多蹶，又如妙音聲人，止解唱《渭城》一曲，日日在耳。李于鱗如商彝周鼎，海外瓌寶，身非三代人與波斯胡，可重不可議。

又《鳳笙閣簡抄序》 夫文信哉代殊乎！余則何敢強比焉。即書牘自東京而上之，其大者宏設廣譬，暢利遒達，往往足以明志；細至於單辭片情，亦靡不宛然麗爾，彬彬稱文質也。晉人於辭，事若不甚屬比者，毋乃以質掩其文歟。六朝靡靡，淪排偶矣，是則文掩質也。余嘗謂晉人工於舌，而拙於筆；六朝穠於筆，而淺於志。非虛語也！

胡直《衡廬精舍藏稿》卷三〇《談言下》 曰：「文有古今乎？」曰：「有。」曰：「古亦有體乎？」曰：「有。然而無定體。」曰：「文猶諸人也，夫人莫不横目而豎鼻也；文猶諸居也，夫居莫不横梁而豎棟也。而謂無定體可乎？」曰：「夫人莫不横目而豎鼻，然欲朔之面肖粤之面，可得乎？夫居莫不横梁而豎棟，然欲秦之室肖楚之室，可得乎？今語人必曰：肖堯之八采、舜之雙瞳，是古也，則司命不如塾師之能。語居者必曰：肖楚之章臺、魯之靈光，是古也，則般輸不如畫史之便。子不知世之爲古，非獨優伶，且將爲塑爲畫史二者，雖極肖似，而師古之精神亡矣。」曰：「然則聖人好古，述而不作何哉？」曰：「聖人好古，好道法也；述而不作，述道法也。是故惟聖人之言爲能傳神。」曰：「漢、唐、宋之言孰優？」曰：「道法闇鬱，姑論其概：漢渾而蓄，唐漸明鬯，至宋彌昌。」弟子以告先生曰：「吾知聖人之道法已爾，吾焉擇漢、唐、宋。」

婁堅《答吳興王君書》 顧竊有聞于宿學，其言雖近俗而頗與古人合。聊一爲陳之。僕嘗舉東漢文勝六朝，六朝勝唐人以問。又問古文之法何以曰亡于韓，唐人之詩何以曰無五言古？語未卒，而其人啞然笑曰：子爲疑我而問乎？抑果有不釋然者乎？此殆囈語耳。試多取古人之文與近代文雜而讀之，其若飲醇、若食蜜者，必古之卓然者也；其若餔糟、若嚼蠟者，必古之靡靡者也。不然則今也。且非獨文也。夫宋人以議論爲詩，誠不盡合于古，至其高者意趣超妙、筆力雄秀，要自逈絶，未可輕議。今乃欲以贋漢、唐而訾眞唐、宋，庸足憑乎？

姚鏌《崇古文訣序》 夫文莫先於《六經》、《語》、《孟》，《六經》、《語》、《孟》之於文，豈必有意而爲之？蓋言出道從，而片言隻詞，爲世大訓，邈乎不可及矣。然先秦、西漢之作，其簡而深，雄而不肆，絶去斧鑿，有渾厚碩大之風，故獨號爲近古。東京以降，則其體漸俳，其氣亦日益衰弱而不振，而文之弊極矣。唐貞元、元和間，韓昌黎諸君子始出而相與力挽之，而文始古。又再變而弊益甚，宋嘉祐、治平間，歐廬陵諸君子又出而相與挽之，而文亦始再古。方其弊也，更千餘年，或數百年，而後有以復，其復也，卒亦各備一代之體格。宋之文，不必盡同於唐；唐之文，不必盡同於秦與漢。雖秦與漢，亦豈敢遽爲三代之望哉？夫其不同而均稱爲古何也？蓋洞庭之奏，窈眇希聲，而清廟之瑟，乃一唱而三嘆。土階之儉，曾不踰尺，而明堂之建，至爲九堂十二室之規；山罍與犧象而並陳於廟薦，弘璧琬琰，非兑戈和弓垂竹矢類也，而中國皆世寶焉。則所謂古，亦豈必期於盡同哉？

丁自申《與王九難郎中》 來諭文自秦漢而下，韓、柳二家最爲近古。宋歐、蘇、曾、王雖稱大家，其格局去古遠矣。此評文之斷案也。然愚以爲文之高下因人而異，不獨於時爲然。即秦漢之文如《戰國策》，游說之辭，亦自與樂毅《報燕惠王書》、魯仲連不肯帝秦之對，辭氣逈別。仲舒天人三策，淵懿醇雅，視主父偃、嚴安、徐樂之說，又不可同日語矣。韓之于柳亦猶是也。讀柳之文，自《梓人傳》、《封建論》數篇之外，其餘諸製終涉俳體，造語類多苦思，尚未脫八代氣習，而無韓子起衰振古之才。歐生于宋，雖自謂一代之文，若論其至者，自當與韓頡頏。恐柳氏亦不得以唐之家數擠之也。蘇、曾、王三子，文各自有優劣。其優者可亞于歐，蓋一代一人之文各自有至者，繫于人不繫于時也。今世古作獨稱關西前後二氏，兄向所論謂得秦漢奇偉之氣，

此固無論韓、歐也。然則仲舒淵懿醇雅之文，亦不足法與。以予所見，談今之文而效秦漢之作，是越產而燕語也。夫燕語豈不奇勁有餘音哉，而以越人學之，則雖酷效窮年，有不相似者，不若就越語而求中原之正音，則雖語之不燕，無害也。近見吳閩一二名公文集，據理敷詞，春容典雅，蓋一代之正音在是矣。其集具在，試與關西二氏較之，其氣格之高下，豈無可言者。

穆文熙《七雄策纂序》 文之顯晦，蓋亦有時云。夫以《國策》所載，皆策士傾危之術，漢惟子長、孟堅、劉向氏治之，而唐以下至宋元，士皆諱言之。故有譚蘇、張之說者，則人皆視之爲魍魎魑魅，而不食其餘。故其書歷千百載，皆秦灰遺燼，豕亥魯魚，半居其間，而無善本，晦斯極矣。迨至我明弘正間，乃刻于大梁，而李獻吉序之，爲始顯，近刻于金陵，爲再顯，今賈公復刻兹集于澶淵，則其書愈益顯矣。夫《國策》，自秦至今如故也，何始之晦而今之顯也。夫其晦之也，以人習從衡之名，而不知隨時變化之道者也。其顯之也，則以從衡之術，貴在善用。故爲儀、秦，而儀、秦反覆詐僞，黃金相印，逐逐然日殁於利，兹孟軻氏之所謂妾婦也。爲仲連，而仲連卻秦帝，下聊城，辭千金而蹈東海，則太史公之所謂天下士也。又使當其時，有明王在上，取一時策士，而隨材器使之，以無忌、樂毅爲大帥，以聶政、荆軻、朱亥爲偏裨，以甘羅、樗里、子張、孟談爲奉使，以觸讋、雲卿、知果、郄疵爲輔導，則固不必借才異代，而治道可登于上理矣。夫遺刃亡鏃，戰鬭之具，皆良材也；斑鑑紋琴，塜中之物，皆珍器也，而何必戰國之士不可用哉。矧其文詞變化，無微不入，事有難言，一語立斷，而其色蒼然，其氣沛然，文猶虎豹之皮，可以爲君子之容，而蛇珠犀角，象齒翠羽，足以華服御而助觀美者也。而摛詞之士，又何可不手一編乎？善乎蘇洵氏有曰：「比干有心而無術，蘇秦有術而無心，使有其心而兼有其術，而又以其緒餘爲文，顧不一大善也耶。」自洵爲此說，而人遂謂蘇洵從衡者也。今余纂其書，而又爲諸策士解嘲，人之謂我，其又何如？

葛應秋《制義文箋》 文無平奇，平到至處便是奇，奇到至處便是平。故凡露出奇形怪狀者，畢竟是奇未至也。

又 古人文主鋪叙，今人文主凌駕。主鋪叙則逐字推求，逐字詠想，言內言外，意自不得罅漏。言內意到，義理既得酣暢；言外意到，豐韻復入希微，古人所以不可及。今人主凌駕，則懸空覓想，捕風捉影，始有言所不必言，言所不當言者。

沈懋孝《論文之義味》 秦漢間文字，奇雄浩蕩；晉魏間文字，精美秀發。天地灝氣乃勃鬱此時，其轉調轉局之際，直從神情中默然以過，驀然又接一言半句，龍甲鳳文，不可得而倪然。晉、魏沿騷賦體，多對儷穠鬱，時時小塞毫端，此其所短。秦漢多大俠深謀士，文奇不雅馴，有能遡《六經》孔、孟，粹然一出乎至正，取漢魏以揚其風，樹其骨，超唐宋諸文人更上之，亦千古一快云。平生好文章，造次窮阨，無寸晷不誦書，蓋老而知其難也。大都渾渾噩噩，適意匠心，自少自多，自起自止，則西漢先秦上事；尺尺扚扚，入理入事，不少不多，有起有止，則東漢以下事；胸中本凡而比跡上古，筆端不超而托意玄珠，厭薄唐宋，復不能入秦、漢，此近代文家事。然則吾誰從？從吾而已。天生才傑，五百之間不一兩人，一兩人者天又與齒去角，吾安能薄古人，從吾而已？道之明，以學力堅剛入之，昔所未闢，豁豁始開。

又《論文有五品》 相如工爲形似之言，此從騷之博喻來，其體在刻畫摹肖，其工精可以飛舞呑吐，弄萬象于毫端，足云畫史傳神者已。二班兩劉，長於情理，從史氏之揣情論事，入經儒之據古綜今，尋枝振葉，言宛宛以彌精，令人快誦拊手，論之不可忘。其化辨口而雍容高議虖，亦其裁也。子建、仲宣以氣質爲體，不屑屑工詞課學，先以吾氣當之，高華清英，自宇內神物。辟之皓月一空，山川草木，皆所涵射映發，一物可以貫天壤，氣之謂乎？得其竅矣。至夫縟采繁聲，驚挺駴目，華中魏紫，機上團龍，斯又鮑照之餘烈，倘亦天下尤物也。具是四美，文不在兹，乃當淡雅眞醇一論乎？文字外所稱最上菩提者耳。當其操染之初，必先有一片太樸在胸懷，乃始綜述百家，各盡能事。及夫才充學洽，光芒渾發，久之遂入自然，與太初爲徒。文愈韜，精愈沈，斯登作者之域。其初工力，次第入門入域，必有所自來，未有舍前四家而可遽言白賁者也。

又《小淇林雜言上》 文尚隱秀，隱者文外之微情，秀者篇中之特采。如夜月娟娟，嫣然獨坐，不知梅花何處送香而來。夫容(芙蓉)含露，半吐半收，抱初陽而彌麗，有溢于色采之外者焉。

又《小淇林雜言下》 以清活之文發胸中所欲言，舉天壤間靈妙可入文中者，採精融粹，悉化而有之。人祇一片靈心活活，從十指上放光，不必不言，

不必多言，以適快吾志耳。一切蕪詞累氣，正如秋空夜月，珠斗高縣，浮雲宿霧，不知銷落今何在矣。月彩雲英，都從清處鮮研播弄，使如塗眉畫脂，何清華之有。

又《論文有五綜七緯》 海外奇香，風飄水蝕，皮膚盡矣，其精獨存。文到剝得淨，彌尙其瘦。

又 霜空之月，雪後之梅，雨下之松，水間之竹，景清而神逸，故文有藥言反俗，冷語彌眞，晉人可謂得其三昧。

又 凌峰絕壁，從平地拔起；四圍疊嶂，俄然失所依倚。游覽到此，覺大宇空濛間，骨瘦神清，助我擔當壁立。文字到中間，平坦紆迴之處，欲去且住，放出豎鋒，神氣自奮，故尙其立。立者，文之骨也。

又 叔夜師心以立論，嗣宗使氣而命詩，北海卓卓，含有殊采。彼人筆墨之性，正如百鳥一鶚，群雞一鳳，望之挹之，自不可當。異人望氣，知芒碭山中有龍文異氣，故非俗目所及。文章有貴氣、杰氣、靈氣、神氣，可一睨視而知之，何必篇終三復，乃始見者？當在神倖意取之間耳。

又 平子艷發，文以情變，情變故可新新不窮。建安諸子以文緯情，情經文緯，斌斌適稱古之作者，半語流傳，芬芳千古，隱隱活活，如見其面。故文生於情，易曉耳；情生於文，妙不能傳。

又《叙議選鈔》 騷人宗本風雅，大昌厥詞，奇文奮飛，光啓兩京，窮變極妍，于何不有？于是班、揚、張、馬，沿流而馳之，九變復貫，逾工彌粗。江左風流，霞輝虹燦，英人哲匠並出，此鏌金之中又有金焉，錦之中又有錦焉。天下之精心與斯文之絕詖並注而交映，可謂奪五緯之寒芒，濯四溟之濤采，郁郁斌斌乎文哉！【略】故《左》、《國》，禮敎典則之府也，其文武之遺乎？《國策》，謀議智辨之囿也，其管、商之變乎？《史》、《漢》，國紀冊書之林也，其二祖之烈乎？而《選》者，翰墨光華之海也，其騷人之瀾乎？不經而經之精在焉，不史而史之英粹焉，不子而子之略通焉。蔚乎豹文，沃若朝采。

屠隆《徐檢吾司理制義稿序》 夫竅非爲響，而響自符竅；根非爲華，而華自肖根。故文可以得士也。鴻鉅之士其文典，騷雅之士其文藻，沈毅之士其文壯，清通之士其文暢，寂澹之士其文婉，俊邁之士其文勁，中庸之士其文近，修曠之士其文玄。泛而覽之，十不失三；定而燭之，十不失七；衡而量之，十不失九。故物無遁照也。

陳懿典《皇明館閣文抄序》 語云：「三代無文，人人盡能文也。」故《詩》《書》所記，王公、大人與田畯、紅女之言並載，何至以文章單屬館閣。自三代而降，人主或起于民間，或生于深宮，將相大臣多木強不嫻于辭，必選天下能文之士使典文章。兩漢制詔爾雅，意其時，在帝左右必有其人。唐宋始有翰林，而直院學士知制誥，最號華選，往往由茲入相。顧唐宋入相之途甚雜，節鎭任子間參平章，而畢竟從北扉兩制者居多。故狄梁公有云：「論文章，則有李嶠、蘇味道，高瓊挽眞宗車駕過河，云此處可喚宰相作詩。」此雖輕視相臣文弱之語，足徵詞臣作相之盛矣。故宋太祖曰：「宰相須用讀書人。」韓魏公曰：「某爲相，歐陽永叔在翰林，天下文章莫大于是。」則文之總萃于館閣可睹矣。輓近登壇自命狎主齊盟者，每卑館閣爲應制體，合諸草澤以爭勝。文稱兩京，詩擬初盛，而謂非此即不及格，獨不思兩司馬、劉向、揚雄、班固皆身在承明、天祿、石渠之間，摩詰、青蓮俱列供奉之班，烏得謂應制爲降格，而文人不在金馬門也。我明中天啓運，右文興理，二百年來，官重館閣之選，文重館閣之體，國家有大典制大述作俱由茲以出，而天下才俊聰明之士有鼎甲庶常所不及收者，則冠帶紳弁之倫，能者甚衆，又有科目方內所不能盡者，則山林羽釋之中，能者不少。合此兩者，以與詞垣，競則衆寡之形分，而和平典重與縱橫牢騷者又異，何怪世之貶周而尊漢也。雖然，廟堂之上，綸綍之重，必不可以莽亢之氣、悲壯之音，用者藉令擊劍弄丸之技，而陳于干羽之舞，則不典山龍黼黻之章，而雜以聱峣之文，則失裁。何也？才不盡于館閣之人，文不盡于館閣之體，而在館閣則才不可逞，體不可越也。不見相如《諭蜀》之檄，子美《明堂》之賦，乃不與《子虛》蔓衍、《曲江》之哭、《秋興》之哀同調也。由斯以談，則文章之變雖不可勝窮，才人之致雖無所不有，而要之，合館閣則八駿之絕塵應于和鑾，離館閣則千里之長風不免啼嚙，其地使然也。

張烜《宋文紀原序》 論文者，率尙秦漢，退六朝，似已不知世有升降，文因有盛衰。六朝之不能爲秦漢也，猶商周之不能不秦漢也。彼漢之東，則既衰矣，況下此者乎？嘗聞之，黃虞淳而質，唐夏質而辨，商周麗而雅，楚漢侈而豔，魏晉淺而綺，宋訛而新，齊梁以還益靡靡難觀矣。夫徒質追新，繇新趨靡，辟之岷江既導，九派橫流，雲英初奏，鄭衛斂雅，泝流而忘源，

踵事而增華，固其所也。雖然，以漢眎宋，則高曾也；以魏晉眎宋，則祖禰也；以宋眎齊梁，不翅弟畜之矣。蓋宋之文，追鑿經典，附麗情質，固過于形似而失之訛。要以御華佩實，推陳啓秀，雋而不纖，藻而不蕩，上變兩晉玄虛之習，下駕梁陳輕險之風，則宋似居六朝之介，而負前後之功咎焉。且即以其世論之，高祖廓清，績幾魏武，元嘉善政，化臻小康，較諸蕭氏氣象差殊。至若孝武奮藻英多，義慶著説標令，劉穆、傅亮經綸朝典，希逸蔚宗，粉黼史冊，康樂高江左之步，延之有君子之心，蓋亦有可觀宋者焉。奚必賓賓焉家天漢而人黃初哉！

周鑣《北齊文紀序》 自晉之東，洎虜南北，胥壽棗梨，誠盛典矣。北齊後周，適先告竣，子曷序諸。周子曰：夫文自當塗而後，南北攸分，厥體屢遷，風尚遞變。大率江左宮商發越，貴乎清綺；河朔詞義貞剛，重乎氣質。氣質則理勝其辭，清綺則文過其意。理深者，便于時用；文麗者，宜于諷詠，此其得失之槩也。元氏失馭，高齊宇文，東西稱霸，干戈日尋，觚翰不給，要其文苑可得而言，蓋伯仲之間爾。夫齊之才儁，貽自魏朝；周之名夙，半皆梁寶。邢、魏譽重鄴都，互師昉約；王、庾藻絕關中，遂變周制。雖地屬中土，而文競南音，斯則江左之風，漸被河朔，質不勝文，樸散爲器，何所當大雅而互相短長哉！兩朝之文既後，蕭統《英華》諸書而外，散佚孔多。先生裒次成書，凡若干卷，斯已勤矣。其間明經術，陳治紀，以逮天文、地志人事、物訓，美惡具錄，殘缺兼采，匪直文辭之津奧而已，蓋亦經世典詞者所當覽誦焉。

顧憲成《崇正文選序》 吾邑勵菴先生《崇正文選》成，有過予而問曰：「先生之爲茲選也其旨云何？」予曰：「懼世之爭趨奇，而爲之坊也。」曰：「奇何容易？吾獨患無奇耳，果有奇，不必坊也。而況世之所謂奇者，亦不必奇也。往往舍大道而旁馳鶩，殉影響而工掇拾，是故奇於古則之而爲墳索汲冢，奇於秘則之而爲金簡玉冊，奇于博則之而爲石簣酉陽，奇于解則之而爲貝函靈籙，若然者果奇耶？非耶？驟而觀之，其所自命偃然直凌千古而上；徐而按之，率以艱深之辭文淺易之識。設有人焉，從旁點破，多是向來餘滓殘瀝，不知爲人吐而嚼，嚼而吐凡幾矣，何奇之與有？」予曰：「然則如之何而後可以稱奇？」曰：「奇之爲言，一而無偶之謂也。若茲編，其幾之矣。嘗試論之，《六經》畢，一變而爲《左》、《國》矣，乃《左》、《國》之後還有《左》、《國》乎否？而猶未也，再變而爲班、馬矣，乃班、馬之後還有班、馬乎否？而猶未也，三變而爲韓、柳、歐、蘇矣，乃韓、柳、歐、蘇之後還有韓、柳、歐、蘇乎否？之數君子，豈非自性自靈，自心自神，後先頡頏宇宙之間，各各自操把柄，自出手眼，自爲千古者耶！故夫先生之所謂正，實予之所謂奇，而世之所謂奇，要不過奇之優孟也。」予曰：「信哉！能知文之正者，無如先生；能知文之奇者，亦無如先生也。先生可謂深於文矣！然則今之爲文何尊而可？」曰：「不爲《左》、《國》也者，乃能爲《左》、《國》；不爲班、馬也者，乃能爲班、馬；不爲韓、柳、歐、蘇也者，乃能爲韓、柳、歐、蘇。先生茲選，聊以示鞭影耳，必字擬而句模之，非其指矣，不可不代先生道破。」

方應祥《與詹太垣論文》 竊計少年得意之文，必以才情爲主，譬之花開水流，霞駿雲憰，光彩陸離而生氣沉穎，此王辰玉所謂利之徒也。所最忌者，落鋪叙門徑。意主鋪叙，自附平正，實是湊砌，得則插花布錦，神不偕來，不且餘飣殘膏，祗增嘔噦，終日怔營，不求一字之解，僅滿尺幅以爲饜足，始伏苟簡之根，久之成一腐爛秀才而已。

袁宏道《答李元善》 文章新奇無定格式，只要發人所不能發，句法、字法、調法一一從自己胸中流出，此眞新奇也。

又《序呙氏家繩集》 凡物釀之得甘，炙之得苦，唯淡也不可造；不可造，是文之眞性靈也。濃者不復薄，甘者不復辛，唯淡也無不可造；無不可造，是文之眞變態也。風值水而漪生，日薄山而嵐出，雖有顧、吳，不能設色也，淡之至也。

繆昌斯《論文》 文字以清空不染爲主，雖連篇藻繪，原自清空。所謂清者，神清、脈清、筆清、意清也。清則脫，脫則活，尺幅之內，縱橫蕭灑，無所不可矣。

艾南英《與溫伯芳論大家書》 文章大家，亦復無所不有，方爲大家。古文中，惟歐公足當之。歐公有《史記》文、有韓文、有柳文、又有六朝鮮藻文，而亦自其宋時同時之文，如蘇、如王、如李綱奏議，皆若于歐集先見之。此所以爲大家。諸史中惟《史記》可稱大家。《史記》有極簡老文、有極波瀾浩渺文、有極整齊嚴核文、又有極疎節闊目文、有恢諧謔嘲文、又有極詞嚴義正之文，此所謂大家也。時文亦然。時文惟守溪先生無所不有，次則震川、荊

川，有歐，有曾，有蘇，有極簡老文字，又有極輕婉文字，有高文典冊，又有曲折疏宕。然此非可語於今日之人也。

又《金正希稿序》制舉業之道與古文常相表裏，故學者之患，患不能以古文爲時文。不能以古文爲時文，非庸腐者害之也，好誇大而剽獵浮華以爲古，其弊亦歸于庸腐。古文自周秦而後莫如太史公遷，遷之文近代之推擬之者，百千言而未已，而吾以爲皆未得其要也。獨柳子常序述其所用心者，而曰：「本之太史，以著其潔。」予常因是言以考其書，竊謂遷之文去其所載《尚書》、《左》、《國》、荀卿、屈、賈、長卿諸篇，而獨觀其所序次論略者可謂潔矣。文心潔而後浮氣斂，昏氣除，情理以之生焉。其馳驟迭宕，嗚咽悲慨，倏忽變化，皆潔而後至者也。或疑吾信柳子之過，而以一潔盡史遷。及觀蘇明允之論，以爲遷之詞，淳健簡直，蓋亦如柳子之所謂潔者，而獨病其裂取《六經》傳記，雜於其間，以破碎汨亂其體。明允蓋曰：「《尚書》、《左傳》、《國語》、《論語》之文非不善也，雜之則不善也。」由明允之論推之，則潔之爲言，史遷尚未之盡也。剽他人之言以足吾之書，雖史遷猶見譏于後世，而况其他乎？又况其所剽非《尚書》、《左》、《國》者乎？予嘗以是繩今之爲古文者，而因併以是繩今之爲時文者。

鄧元錫《名家文選序》是故上世之文典以厚，其義精，叔世則否，麗猥而已矣；盛世之文深以渾，其氣完，衰世則否，激肆而已矣；治世之文簡以質，其事核，亂世則否，靡濫而已矣。惟人也亦然。才士之文毖，其失也傲，碩賢則謹；達士之文曠，其失也誕，格人則法；狷士之文節，其失也戾，元夫則平。梏于見者其氣爭，憑於勢者其辭溢，湛於欲者其義鄙，殉於能者其志矜。孝友之人溫如也，莊儉之人肅如也，仁義之人粹如也，乃心天而道，則文約體博，氣沖旨淵，窮高遠而測深厚，至矣不可有加矣，經是已。故考其文知其世，察其言知其德，觀於文而道其可知也。故文也者文也，道也者實也，得其文靡當於實者有之，未有篤其實而不得於文者也。

胡纘宗《王履吉文集序》文無論世代遠近人士先後，惟雅爲至，二《典》、三《謨》，詞旨渾噩，《三百篇》意興敦厚，其至矣哉。先秦郁郁，西漢渢渢，亡媿於三代，後之工詩文者，代趨奇奧，人務艱深，而文不秦漢。

呂坤《呻吟語摘》卷下《詞章》自鄉舉里選之法廢，而後世率尚詞章，唐以詩賦求眞才，更爲可嘆，宋以經義取士，而我朝因之。夫取士以文，已爲言舉人矣。然猶曰言心聲也，因文可得其心，因心可知其人，其文爽亮者，其心必光明，而察其贏淺之病。其文勁直者，其人必剛方，而察其豪悍之病。其文藻麗者，其人必文采，而察其靡曼之病。其文莊重者，其人必端嚴，而察其寥落之病。其文飄逸者，其人必流動，而察其浮薄之病。其文典雅者，其人必質實，而察其樸鈍之病。其文雄暢者，其人必揮霍，而察其跅弛之病。其文溫潤者，其人必和順，而察其巽軟之病。其文深沈者，其人必修謹，而察其拘攣之病。其文簡潔者，其人必精細，而察其隱險之病。其文沖淡者，其人必恬雅，而察其懶散之病。其文變化者，其人必圓通，而察其機械之病。其文奇巧者，其人必聰明，而察其怪誕之病。其文蒼老者，其人必不俗，而察其迂腐之病。有文之長，而無文之病，則其人可知矣。文即未純，必不可棄。今也但取其文而已，見欲深邃，調欲新脫，意欲奇特，句欲飣餖，鍛鍊欲工，態度欲俏，粉黛欲濃，面皮欲厚，是以舉業之家棄理而工辭，忘我而徇世，剽竊湊泊，全無自己神情，口語筆端，迎合主司好尚，沿習之調既成，本然之天不露。而校文者，亦迷於世調，取其文而忘其人，何異暗摸而辨蒼黃，隔壁而察妍媸，欲得眞才，豈不難哉！

范守己《文章》唐虞之文，潔以顯。夏后氏之文，潔以峻。商之文，簡以諒。殷之文，曲以艱；及其卒也，復簡以諒。西周之文，峻以則。東周之文峻以婉。七國之文，淺以放；放以濟淺，而文之道隳矣。

萬道光《文說》自《六經》開緒，代有詞人，代有作者，莫不以情緯物，以文被質。春秋戰國，摛辭斐暐。兩漢之間，文體三變：有工爲形似之言者，有長于情理之說者，有以氣質爲體者，皆縱橫節俠，映擅當時。而近古之稱于今，猶著晉代風流丕唱，情局雕新，千條析理，電折霜開，一緒連文，珠流璧合，紛紛標奇，已開六朝風靡之漸。唐自貞觀、元和，文亦三變：初侈雕琢，繼尚雄渾，末復嚅嚌道眞，宛然一王之法。爰及宋紀，縟言星稠，其含吐性靈，魚龍各變。雖風迴雲委之章，而較諸前哲疏宕之趣，似不多得，然氣亦不無少弱矣。

徐波《鍾伯敬先生遺稿序》夫士衡養犬，搖尾寄書；孔愉贖龜，中流左顧，初心非責報于二物，感恩竟不異于人情。但呀然溪壑，了無饜期，屢歎車魚，有時倦聽。十索而一不從，千取其百未已。投遺文於溷中，揭謗書於道側，斯有人焉。高崗梧桐，鳳凰於止；滄浪既清，濯纓者至。故松柏投歲

寒之分，嵇向亦結物外之遊，豈料倚市賤流，糟糠自命之官，幾日陽鱎復來。張耳佩陳餘之印，劉叉攫韓愈之金，雖鮑叔憐貧，太邱道廣，吾無取焉。元經奇字，無取鼇牙；白傳新詩，貴能上口。蓋斧鑿久而漸近自然，波瀾闊而乍如平淡。陶淵明稱隱逸之宗，顏延年以雕繪爲病。昧者中邊皆枯，篙華已竭，號爲鍾體，不亦厚誣？《文心》趨尙萬殊，《詩品》源流各別。同株異溉，猶開紫白之花；二水雜投，尙辨淄澠之味。況乎披林聽鳥，聲貴相求，入海探龍，珠歸一手。鍾則經營慘淡，譚則佻達顚狂。鍾如寒蟬抱葉，玄夜獨吟；譚如怒鶻解條，橫空盤硬。

李賓《八代文鈔序》 一代自有一代之體裁，一人自有一人之情實。雖代有盛晚，業有甘苦，才有兼長，有偏至，學有師承，有獨造。譬彼寒暑燥濕，各乘其運，楂梨橘柚，各有其美，胡可概優劣也。余竊觀評文家當以代論，尤當以人論，方物感而情生，情生而言發。言非能言之爲工，不能不言之爲工，不能不言者，率露本眞，物不相假，言雖殊體，道由一揆。言徵乎人，人符其言，是文以人傳，非人以文傳也。

方嶽貢《歷代古文國瑋集序》 夫文不一體，而用之有所。昔人謂相如之文，文則其賦；賈生之賦，賦則其文。惟此二賢猶有偏短，況其下乎。兼而用之，明其體要，則異同之論，咸得所安矣。是故章、疏取其深亮，贊、頌取其典碩，箴、銘取其沉奧，箋、表取其藻鬱，序、記取其高勁，論、策取其明達。此有所長，彼有所短，調弦更奏，適宜爲貴可也。

王文祿《文脈》卷一 學稱孟、荀，文稱韓、柳。韓法孟，柳類荀，孟、韓氣昌而理顯，荀、柳氣澀而理晦。是以孟、韓屬陽，故盛行；荀、柳屬陰，則否。然荀見偏也，支詞無實，謂辨士則可；孟承孔脈于戰國縱橫間，聖學也，曷可並荀稱？

又 今誦孔子之言無幾也。想當時無可與言，故欲無言也。言必同心，始盡發也，門人問對亦淺矣，曷能盡發胸中之蘊？後之學孔子者，代孔子言所未言哉，是以文章貴新奇，忌勦述。

又卷二 莊、列、韓非、孫武外，《淮南子》文氣雖雄，辭多因襲。若見獨而辨奇，語新而意透，王充《論衡》乎？有妙思焉，宜蔡邕私之。學進也，拆以正理則否。

又 班固《典引》，倣相如《封禪》；子雲《美新》，融活而華，但氣稍怯，冒下數句曰：「歸功元首，將受漢劉。」又曰：「先命玄聖，使綴學立制。」蓋提起頌漢德爲主，得作文輕重法。況孔子生衰周不遇，後暴秦坑焚，至高祖過魯，始祀以太牢。孝武表章之，若天爲漢而生。漢迎天能用，實諸儒所未發。予悟曰：隋生王仲淹以啓唐，宋生周、程、張、朱以啓我明。天道遠，故豫定云。夫《封禪》體促，《美新》體方，《典引》體圓。班彪《王命論》欠華，傅幹《王命敘》襲彪，體細弱矣。傅遐《皇初頌》，邯鄲淳《魏受命述》，工而氣短。曹植《魏德論》，德何有也？失之簡。隋李德林《天命論》，倣彪幾植，唐陳子昂《大周受命頌》，佞哉！又子雲下也。惟柳子厚《貞符》貶斥祥瑞，一歸于德，佳哉奇也，詞則疎矣。

又 或曰：柳子厚之文憤激。或曰：蘇明允之文縱橫。或曰：文忌綺麗。或曰：文忌誹刺。或曰：文貴渾厚。自渾厚之說興，則《春秋》筆削恐傷渾厚矣。是以孔子惡鄉願，不意文中亦被鄉願亂之，王子于中曰：氣一也，今世何事不被鄉願之害？

又 歐陽六一典文衡，變文體，自作原弱，欲變入于弱也。先儒亦曰：「過豐腴而乏清勁，不及孫明復、石徂徠之簡健。」予曰：「歐陽肉多而骨少，孫、石肉少而骨多，曾子固木篤而欠玲瓏，王介甫骨骼而無丰采，皆不及蘇子瞻之俊逸也。」

又 或曰文章有大家、有名家，予曰：大未嘗無名，有名未嘗不大，豈以卷帙浩繁爲大家，篇章簡約爲名家？是曹子建反不及沈休文矣。抑以妍媸備具爲大家，精美獨高爲名家？是陳子昂反不及白居易矣。論文不必巧分名家、大家，當以雅俗雄弱別之可也。

又 秦漢至今，作者多矣，不奇則同，同則腐，不惟不愛，且生厭斁，理因之蕪，是以古作各不同。若屈、宋、馬、揚漸華，而雄、班、蔡降稍怯矣，更變爲粗。六朝工之組織，韓昌黎覺其意不達也，反而平且質，承之者疎以漓。五季弱甚矣，歐、蘇、曾、王條暢豪邁，而曲折紆徐，終亦宋格。我明宋、劉、王、方、楊、李爲翰苑，應制敷陳則又類怯。羅圭峯、李空同、康對山、崔后渠法兩漢、先秦云，自是知宗《昭明文選》也。

楊廉《書王進士文稿》 前輩作文，于古人有名文字皆模擬作一篇，此朱子語也。然論其歸，雖以歐陽子之學韓，卒無尋其相類處。至于三蘇父子，豈無口傳心授？東坡不似穎濱，穎濱不似老泉，蓋主于各自成家之爲貴也。

黄淳耀《陳義扶文近藝序》 昌黎之文學孟子者也，歐陽子之文學韓子者也，二子之似古人者神也，非貌也。近代之學古人者，貌也，唯制舉業亦然。王、唐以機法倡之於前，歸、胡以理氣振之於後。讀思泉之文，未有言其似守溪者也。予聞思泉日置守溪之文於座右，心摹手追，久之乃以其博大名家，即思泉亦以昌黎學孟自況，乃知先輩之嚴於師法，而精於用意如此。今帖誦家或言古文，或言先輩，究其所謂古文先輩者，襞績而已爾，拘牽而已爾。拘牽襞績既不足以服天下，於是鹵莽者一切反之。以陋爲奇，以腐爲新，以俗爲雅，以穢爲華，而制舉業之道日以敗壞，爲可歎也。吾友陳義扶以高奇之才，斂入規矩，蓋常取機法於王、唐，取理氣於歸、胡矣。其言曰：軼理而背法，非文也。墨守理法之中，土木據尊位，而饑隸入嚴家，亦非文也。於是精之以濂、洛、關、閩性命之書，博之以遷、固、韓、歐雅正之文。上有所規，下有所逮，正有所本，旁有所參，然後研精覃思，一於制舉業發之，讀其文如齊魯大儒揖讓興俯於朝堂也，如大將用兵變八門爲六花也，如丸投區、矢赴的、流雲在岫而風出之也，如湖江之水蘊珠涵璧而吐吞羲娥也。於戲，若義扶可謂能自名其家者，與可謂得古人之神而遺其貌者，與以王、唐、歸、胡救今文之敝，以義扶之，文救王、唐、歸、胡之敝，其誰能易之。義扶浮沈諸生中十年，其文益精，而其收效與今之陋腐穢俗者等且不若焉。論者誹譽相半，於是，義扶不能自釋，以決於余。余曰：昌黎之文不云：大怪小怪乎，歐陽子之文，小子輩不有議之者乎。卒之怪且議者，不能使二子不傳，以二子之誠於爲文也。吾子之文誠矣，誠則必傳。其何有於一遇。

又《陶菴自監錄三》 老泉與歐陽子書曰：「孟子之文，語約而意盡，不爲巉刻斬絶之言，而其鋒不可犯。韓子之文，如長江大河，渾灝流轉，魚鼈蛟龍，萬怪惶惑，而抑遏蔽掩，不使自露，而人望見其淵然之光，蒼然之色，亦自畏避不敢逼視。執事之文，紆餘委備，往復百折，而條達疏暢，無所間斷，氣盡語極，急言竭論，而容與閒易，無艱難勞苦之態。」評三子皆精當，讀之亦可得文訣。

朱荃宰《文通》卷九《經義》 李九我云：今天下之文競趨於奇矣。夫文安所事奇爲哉？古聖賢所爲文，若典謨訓誥風雅禮樂之詞，明白如日月，正大如山嶽，渾乎如大圭，冲乎如太羹，玄酒，而其和平雅鬯，如奏英韶於清廟明堂之上，金石相宣，宮商相應，清濁高下，莫不中音也。惡睹所謂奇者哉？彼爲奇者，其立意固薄簡易，卑平淡，將跨躍區宇，超軼前人，以文雄於時，而不知其滋爲病也。抉隱宗玄，雜取異端奇袤之説，以恣其誇，正學之謂。何則？理病務窈窅晦闇其詞，令人三四讀不能通曉，以是爲深沉之思，則意病；佶屈聱牙至不能以句，若擊腐木濕鼓然，則聲病；決裂餖飣離而不屬，澀而不貫，則氣病；而習尙頗僻，不軌於正途，令大雅之風爲斷，則又爲世道病。而皆起于奇之好，夫文安所事奇爲哉！

又卷一〇《書記》 劉子威曰：文之世變，自秦漢以逮梁陳間極矣。廼文有古今之殊，人有優劣之論，固天之降才爾殊耶？亦囿於風氣然耶？訓誥典謨，誓命禁令，詔諭約法，此上之所以宣示於下者也；章奏表疏，陳請獻納，下之所以求通於上者也；緘題削牘，書啓簡記，相與往復；而碑勒紀號，鐫刻垂示，所以述揚功德。若夫詰難質訊，檄移規誨，錫命遜讓，薦擧糾拾，引喻取譬，游戲玩美，論裁辯對，箋固闡譯，符圖銘誌，臨訣憤歎，職秩談説，刺毀詆譏，游詞蔓衍，詭託假諷，寄寓嘲哂，則夫提奬人倫，緯經萬化；奉詞討伐，窮蹙委命，非文之爲用哉！詞命之作，自子產、裨諶以來，文質頓殊，體裁大異。雄才命世，英武奮揚，造次申命。秦之詛楚，諸侯之屏秦，蘇張之雄辯，代厲之縱横，是惟脣舌間耳。著見之簡牘：則有人之沉深淵穆者，或寡言而信；廣心浩大者，或渾融而和；寬裕有容者，或含蓄蘊藉；疏通顯遠者，或洞達無間；狷隘毅嚴者，或剛勁峻急；舒徐容與者，或闡緩需滯，放曠無羈者，或恣肆流湎；介絜廉直者，或僻澀謇棘；懻忮戾刻者，或褊迫局促；憂愁悒鬱者，或哀憤悵惋；激諒慷慨者，或爽暢標令；雅正弘靜者，或清鮮勁長；溫良善斷者，或明秀彊果；侮欺自匿者，或鄙悖誇浮；詭妄溺志者，或駮偏雜亂。此則觀其詞，即洞見其人。言不可以僞爲，情豈掩飾所能蓋哉！以文質相勝，自三代則爾。漢而降以文滅質，至六代文日靡矣。故昔有云：以質開文則易，因文求質則難矣。

又卷二〇《言語》 劉子玄曰：上古之世，人惟樸略。尋理則事簡而意深，考文則詞難而義釋，若《尙書》所載伊訓、皋謨、誥誓是也。周文郁郁，語微婉而多切，言流靡而不淫。春秋呂相絶秦，子產獻捷，臧孫諫納鼎，魏絳揚干是也。戰國雲湧，人持弄丸之辯，家挾飛鉗之術，劇談譎誑，利口寓言，若合縱連衡，范睢反間，魯連解紛是也。漢魏已降，籌畫具于章表，獻替總歸筆札。宰我，子貢之道不行，蘇秦、張儀之業遂廢矣。假有忠言切諫，

《答戲》《解嘲》，若朱雲折檻、張綱埋輪、秦宓酬吳、王融答虜使，比之小辯，曾何足云！歷選載言，布諸方册，自漢以下，曾無足觀。戰國已前，其言皆可諷詠，非但筆削所致也。如「鵜賁」「鸜鵒」，童竪之謠也；「山木」「轉車」，時俗之諺也；「皤腹棄甲」，城者之謳也；「原田是謀」，輿人之誦也。斯皆芻詞鄙句，猶溫潤若此，況乎束帶立朝之士，加以多聞博古者哉！雖時有討論潤色，終不失其梗槩也。三《傳》之說，既不習于《尚書》；兩漢之詞，又多違于《戰策》。足以驗甿俗之遞改，知歲時之不同矣。後來殊乏遠識，頗似效顰，好丘明者偏模《左傳》，愛子長者全學史公。用使周秦《楚辭》見于魏晉，楚漢應對行乎宋齊。故裴少期譏孫盛錄曹公平素之語，而全作夫差亡滅之詞，雖言以春秋，而事殊乖越矣。然自晉咸洛不守，龜鼎南遷，江左爲禮樂之鄉，金陵實圖書之府，規檢風流，造次經籍。故史臣修飾無所費功，其於中國則不然。先王桑梓，剪爲蠻貊。其中辯若駒支，學如郯子，不可多得。而彥、鸞修僞國諸史，收、弘撰魏、周書，必謂彼夷音、變成華語等。楊由之聽雀如介葛之聞牛，妄益文彩，虛加風物，遂使且渠乞伏，儒雅比於元封；拓拔宇文，德音同於正始。唯王、宋著書，抗詞正筆，務存直道，方言世語，由此畢彰。而今之學者，反尤二子，猶鑑者見嫫姆多媸，而歸於明鏡也。世之議者，咸以北朝衆作、周史爲工，蓋賞其記言之體，多同於古故也。夫以枉飾虛言，都損實事。則董狐、南史，齊目可求，班固、華嶠，比肩皆是矣。近有燉煌張太素，中山郎餘令，自負史才，郎著《孝傳》，張著《隋後略》，凡所撰人語，皆依傚舊辭，若選言可以效古而書，雜類者，則忽而不取，料其所棄，可勝紀哉！蓋江芊罵商臣曰：「呼，役夫，宜君王廢汝而立職。」漢王怒酈生曰：「竪儒，幾敗乃公事。」單固謂楊康曰：「老奴，汝死自其分。」樂廣歎衛玠曰：「誰家生得寧馨兒。」斯並當時侮嫚之詞，俗鄙俚之説，必播以唇吻，傳諸諷誦。而世人以爲清雅魯樸，何哉？蓋已古者即謂其文，猶今者乃驚其質。後之視今，亦猶今之視昔。而作者皆怯書今語，勇效昔言，不其惑乎！苟記事則約附《五經》，載語則依憑二史，是春秋之俗，戰國之風。亘兩儀而並存，經千載而如一，奚以質文之屢變者哉！

袁黃《游藝塾續文規》卷二《鹿門茅先生論文》　三曰練格，格者，猶言品局也。後世之論古文，首先秦、西京者，以其去古未遠，神理渾雄也。薄晉、宋以下者，以其行既衰薄，而神理不振也。唐三百年僅得韓昌黎，柳柳州一二人。宋三百年僅得歐、蘇、曾、王三四人何者？諸君子能窺測理道，約《六經》之旨而成文，是以其格獨高耳，餘則否。即如舉子業亦然。世之名家，往往能深于《六經》，故其胸中所見既超卓，鏗之爲聲響，布之爲風藻，與人敻別。不然，終不免爲卑品下局矣。予嘗過世家，往往閱其圖書重器，便欣然神往。間過富人，縱紈綺滿堂，不覺羞澀。嗟乎，觀此可以論文矣。

又　文要自然。題可生發者，不害其爲長。無可生發者，不害其爲短。今欲矯其所短而使之長，非有冗股，則有冗句矣。矯其所長而使之短，非意未盡，則辭不滿矣。東坡云：「行乎其所當行，止乎其所不得不止。」此蘇文所以爲自然也。

又　文要風逸。凡文欲莊重，即失之板實；欲風逸，即失之虛浮，此其常也。蓋板實則天趣索然，而不可爲莊重；虛浮則理趣蕩然，而不可爲風逸。風逸者，生于莊重之中者也。如春花滿架，蒂固根深，微有風來，便覺飄動。試摘取瓶中，自經風不起，豈得爲逸乎？然板實猶愈于虛浮，但不醒動人意。若句句員活，則句句風逸矣。

又　文要清新。凡作文，須要得人棄我取，人取我與之意，韓退之所謂「惟陳言之務去」，正此意也。東坡作《聚景樓詩》，本合用「青山綠水，野草閒花」，因此字太熟，故易以「烟水雲山」。昆湖作《敬事後食》題，本合用「官守言責」，因此字太熟，故易以「服休服采」，非深于務去陳言者，不能如此。

又　文要華贍。東坡與姪書曰：「凡文字，少小時時須含氣象崢嶸，采色絢爛，漸老漸熟乃是平淡。其實不是平淡，乃絢爛之極也。汝衹見我而今平淡，一向衹學此樣，何不把舊時應舉文字看，高下抑揚，如龍蛇捉不住，但當學此。」

又　文要臺閣。文章雖各出于心術，而實有兩等：有山林草野之文，有朝廷臺閣之文。山林草野之文，其氣枯槁憔悴，其詞瑣屑單薄；朝廷臺閣之文，其氣溫潤豐縟，其詞激昂明亮。王安國曰：「文章格調，須是官樣。」所謂官樣者，非臺閣氣耶。

又卷四《了凡袁生生論文》　《學》、《庸》之文，其氣邃，故淺近而造理不深者類不能工；《孟子》之文，其氣激，故卑弱委靡者類不能工；《論語》之文，其氣平，故涵養不深、胸襟不粹者類不能工。邃者可以造，激者可以勇及，而平者則理路不能到，意氣不能及，最難工者也。是故作文以涵養爲主。

又 文章之妙煉之如精金在鎔，不足色不止；裁之如美錦製服，必稱體斯完。止則如羅漢入定，行則如流水出山，莊重如端人入觀，袍笏儼然；蘊藉如美女惜春，有言不盡；其縱橫出入如韓信將兵，多多益善；其變化神奇如鍾離丹熟，點鐵成金。以此而發洩性靈，以此而文明天下，庶無愧于斯文矣。

又 文字最要成家。梅之清瘦，桃之綽約，牡丹之富麗，各自完其天趣而已。作文或清或暢，或雄或逸，要須各自成家。正大中插一浮語，便傷格；流動中插一滯語，便傷調。一語相雜，則通篇不純，是天趣不完也。通篇純粹，而命意處不透根，寫境處不逼眞。譬猶剪綵爲花，非不英英可愛，終非本色也，天趣不完矣。命意寫境各到，而通篇神氣不流動，譬猶枯槁之物，生意索然，天趣亦不完矣。

又卷五《了凡袁先生論文》 論貴圓忌方，貴老忌嫩，貴雄健忌懶散，貴移易不動忌浮泛不切。起伏處貴有照應，開闔處貴有波瀾，馳騁處貴有節制，舖叙處貴有曲折，過接處貴無痕迹，譬喻貴親切，引用貴確當。或沿流討源，而血脈整，整或從根發枝，而千條燦然，或將無作有而意味甚深；或以實形虛而指意如見。藏光歛于平實之中，發精神于題目之外。要使一句一字，增減不得，而句句有法，字字盡心，方爲合轍。只緣學者束書不觀，因陋就簡，時文之外，全不理會。先進既以荒謬而中式，後進遂以空疎爲高致。而反笑苦心于論策者爲迂闊而失計，可悲也已。

又卷六《緱陽王先生論文》 文之用世無不達者，文之傳世無不老者，然天下又未有不達而能老者也。從來古文大家，必不欠此二字。掇拾累達，浮豔累老，震川以後，縱有才雋，未免逐塲古道之復，吾不得而見之矣。

又卷七《洪陽張先生論文》 文章光景能得眞趣者，隨處有悟。凡青山流水，光風霽月，鳶飛魚躍之趣，皆文機也，得此趣者可稱神解。

又 言人所不言非奇也，發人所不能發眞奇也，發理精透即此爲奇。

又 作文須有天趣。天趣者，天然之趣也，此可與知者道。苟天趣未動，文自索然。

又《具區馮先生論文》 評文體者，亟言平淡矣。而平淡可易言哉？坡公云，漸老漸熟，乃造平淡。非平淡也，絢爛之極也。平淡必始于神奇，而僞平淡則反神奇。今之士薄僞平淡，競趍僞神奇。而衡文者又薄僞神奇，并收僞平淡，蓋兩失焉。故余之衡士，不急體之正，而急眞。眞如種子一粒入土，時至氣行，將暢爲枝葉，騰爲菁華。此何惡于神奇而薄之？薄眞神奇，吾以爲必不識眞平淡。昔人論治曰：太上因之，其次和道之，最下者與之爭。是余所以切磋諸士意也。

又《玉蟠袁先生論文》 文章最上乘曰妙悟，人病求妙悟而不識妙悟，妙悟非高深之謂，易簡之謂也。人不能鏤空畫天，亦烏用鏤空畫天，而反尊可鏤可畫者，號爲天與空可乎？文有題，題有竅，一竅已具，萬竅而必將心覔心，象外起象。譬如衲子不尋着衣喫飯家風，而先注心于纓絡寶珠，不足當蝦蟆禪，況云悟耶？

又《寅所周先生論文》 文之奇且麗也，至今日而極。文之敝也，亦至今日而極。雖然，彼固未能奇與麗也。夫奇與麗何足爲文病？彼惟詭而似奇，靡而似麗，則流之濫而文之所爲敝耳。余謂高論弘裁，奇也。若夫擯古競今，危側以炫異者，則詭而非奇。深文隱蔚，麗也。若夫瘠義肥詞，縹緲以傳俗者，則靡而非麗。奇與詭相縣也，麗與靡相縣也。蘄奇而得詭，蘄麗而得靡，猶之畫虎而類庬也，故曰敝也。夫孰知夫奇之非詭，詭之非奇也乎？夫孰知夫麗之非靡，〔靡〕之非麗也乎？又孰知夫不奇之奇，不麗之麗也乎？嗚呼，椎輪變爲大輅，積水漸爲凝冰，世之趨也。

又《象山邵先生論文》 夫文有品有機。品期立常，機期盡變。品之說，儒生雅言之，而機未及知也。品譬則聖也，機譬則巧也。文人才士，其大力深心，能道天地，未有抉聖賢未發而獨所謂機存于手腕之下，行于意想之表，有耆宿不得語之合而初學得之者，有終日搆思不謀而倉卒立就者。篇之機在呼吸起伏之間，句之機在抑揚轉換之間，字之機在點綴伸縮之間。稟有天鈞，學有火候，不期而然莫致而至。昔人云：「文入妙來無過熟。」又云：「行乎不得不行，止乎不得不止。」皆言機也。文觭重品，則有遇有弗遇，而兼論機，則無弗遇也。其湯湯而出者，淺人亦謂是暢也；其汩汩而來者，淺人亦謂是利也；其雍雍而談者，淺人亦謂是雅也；其縷縷而陳者，淺人亦謂是贍也；其勃勃而赴者，淺人亦謂是雄也；其戞戞而去者，淺人亦謂是新也。不佞不能禁世之爲文者，不日異月新；不能禁世之閱文者，不朝賢暮佞，而能信得機之文，進作漢天子，退不失爲尉佗，奚而憂不遇也？

又《寓庸黃先生論文》 文之受色，如白之受采，玄黃青赤，爛然于前，

令人目炫心挑而不忍釋者。是物也，作者太素不雕，與覽者能得之牝牡驪黃之外者，其人蓋世不一二見。故氣達機動而色不煒者，勢必不前。高文有高之色，卑文有卑之色。色貴鮮、貴爽、貴腴、貴潤、貴紓折、貴琢、貴長短間，貴濃淡匀、貴伸縮合、貴增減妙、貴淺、貴飛，忌腐、忌俗、忌套、忌晦。如春花夏雲，夭冶百態，令人一瞬之際，不能忘情。無雅無俗，且暮遇之矣。孟子曰：「不知子都之姣者，無目者也。」詩有之，「艷色天下重，西施寧久微。」故知形色之爲性者，深于文矣。色由天授，由神來，亦由工致。嗜古則不俗，諧今則不戾，不可不知也。

又卷八《武叔卿論文》大抵骨法要蒼老，要沉着，要勁健，要清秀。蒼老則文不纖靡，沉着則文不輕浮，勁健則文不餒弱，清秀則文不麤硬。然蒼老者骨格也，沉着者骨理也，勁健者骨力也，清秀者骨氣也。此骨之同體而異用者，不可不辨也。

又 骨要健不要軟，骨要藏不要露。健則風骨稜稜，而無卑弱之態；藏則氣骨渾渾，而無怒張之形。即相人者亦然，不但文字若此也。

又 文字妙處全在機。文之有機，猶車之有軸，戶之有樞，車無軸則不能轉旋，戶無樞則不能開闔，文無機則不能運動。故行文之法，有操縱、有闔闢，有抑揚，有起伏，有頓挫錯綜，有轉折呼應。變化百端，不可窮詰，而其要一本之乎機。機不熟，則文不可得而工矣。是機也，摩盪于氣調之中，以無而動有者也；斡旋于詞格之內，以虛而運實者也。譬之發矢者之以括，運斤者之以巧，心可得而會，口不可得而言，已可得而能，人不可得而受。是在善學者，自得于言意之外耳。

又 杜靜臺先生云：辭格有象，氣機無形。有象者實，實則死；無形者虛，虛則活。故機者，虛活之名也。譬之弩之弦，由寸木而撥，而寸木之所以可撥者，以其木旁之虛也。虛則活，活則撥轉而無礙矣。又比之舟檣之帆有轉軸焉，軸非自轉也，以其心之虛活也；車心之端有轉輪焉，輪非自轉也，以其中之虛活也。苟使實其中而不虛，膠其中而不活，則雖羿爲之操舟，而帆不能以上下；王良爲之御車，而輪不能以進退矣。其何以行之哉？此機之說也。

又 機之爲物也，取其圓也，不圓則引之不前，推之不後，不得謂之機矣。故論機者，比之走盤之珠，珠圓也，而又走之于盤，則極其圓矣。此機之所以爲妙也。古人如宜僚之于丸，張旭之于草，公孫大娘之于劍，皆只是一個圓機，便妙絕古今。文機而圓，有不擅絕一時者乎？

又 茅鹿門先生云：勢者，一篇呼吸之概也。大將提百萬之兵以合戰，其要只在得勢，得勢者百戰百勝。學者爲文亦然。故予嘗讀《史記》至項羽之救鉅鹿，其所引軍渡河，破竈沉舟，持三日糧，示士卒無生還意。已而人皆死戰，無不一當百，呼聲動天地，諸侯旁視者十餘壁，人人惴恐。卒之覆秦而霸諸侯者，羽能呼吸三軍之氣以馳驟之，其勢也。他如光武昆陽之戰，周瑜赤壁之戰，謝玄淝水之戰，皆然。大略善將兵者，操百萬之兵，如左右手；善爲文者，累數千百言，如探喉而出。舉業亦然。得其勢則相題沿情，始風之掣雲，泉之出峽。蘇文忠所謂「行乎其所不得不行，止乎其所不得不止」，是也。不得其勢，則語意窘澀，扣之不成聲矣。文勢要舒展，要疏蕩。一孝廉嘗以文示余，見其篇篇嚴整，一股之中幾無剩句，一句之中幾無剩字，忽覺筆勢微窘。余爲之題其尾曰：「作文要方圓互見，長短錯出，得其意，不必語語求工；乘其勢，不必比比求整。若大意既得，大勢又好，自是上乘文字，即瑕瑜不掩，不失爲大家也。」斯語雖偏駁，然欲擴充文勢須如此。

又 文勢要擴充，又要自然。長短豐約，各隨筆力所至，不必勉強。沈虹臺云：「題可生發者，不害其爲長，無可生發者，不害其爲短。」今欲矯其所短，而使之長，非有冗股，則有冗句矣；矯其所長而使之短，非意未盡，則辭不滿矣。故鶴脛雖長，不可斷；鳧脛雖短，不可續。皆自然之勢也。

又 要知文勢，須知步驟，要知步驟，須知操縱。如御馬者然。馬之奔逸絕塵，而一日千里者，非獨其筋力強也，所爲步驟素習耳。步之馳驟周旋而投向無差者，非獨其性體馴也，所爲操縱有法耳。操縱者，正度于疾徐之間，執節于進退之際，所以閑其步驟，範其馳驅，而成其取道致速之能者也。若操縱無法，則當疾不疾而縱之使緩，勢必趦趄而不前矣；當緩不緩，而操之使疾，勢必突蹶而多變矣。安望其一日千里哉？御馬若此，行文亦然。文字中意有當重發者，有當輕叙者。氣有當急遞者，有當緩鋪者。惟于重者急者操之，而于輕者緩者縱之。斯低昂符其度，疾徐中其節，促之而驟雨飄風，舒之而行雲流水，此文之勢也。使操縱一失，則步驟必亂，步驟既亂，則筆勢必乖。其于文也，非渙散而不收，則跼蹐而不展矣。欲其闔闢出入之如意也，得乎此，最行文大機括，學者不可不習。每見朋友輩多不曉，故爲之詳

喻若此。

又 文字有格同、理同、詞意同，而高下懸殊，去取頓異者，調不同也。調何以言哉？如作樂者，金石絲竹，匏土革木異音矣，乃分之而各一其音，合之而總協其韻。金玉相宣，宮商迭奏，高下疾徐，各中其倫而不亂者，有節奏以成其調也。作樂而無調，即衆音齊鳴，不成聲矣。作文而無調，即縣辭錯舉，不成章矣。是調者，文字之節奏也，不可不知也。

又 所謂調者，何也？氣韻欲優游而不迫，音節欲計和而不乖，條理欲分明而不亂，脈絡欲繼續而不絕。斯四者，分聽之而曲極其致，合聽之而共成其雅。是即所謂翕如、純如、皦如、繹如而以成也，是之謂調也。夫調亦難言矣。文有輕重低昂之法，而劑之不合其度，非調也。有緩急疾徐之節，而循之不按其則，非調也。有虛實淺深之致，而導之不中其竅，非調也。有離合出入之端，而理之不得其緒，非調也。有抑揚起伏之勢，而操之不得其機，非調也。有操縱呼吸之概，而絜之不得其略，非調也。有頓挫鏗鏘之音，而叩之不得其響，非調也。斯皆文字中自然之節奏，習調者不可不究心也。

又 調不欲雜。陽阿薤露，與白雪陽春，須各窮其響可也。舉業之調工者，先輩無如瞿昆湖，其調優柔而溫厚；其次莫如黃葵陽，其調響亮而鏗鏘；近時莫如李九我，其調和平而悠雅。玆三公者，調各不同，總之皆激羽流商也。學者按而習之，其于調也思過半矣。

又 作文要有趣。文而無趣，即布置安排盡合繩墨，結搆組織具極工巧，而玩之若嚼蠟，聽之若叩缶，有何可取？何謂趣？意之所不盡而有餘者是也。昔人謂聽鐘而得其希微，乘月而思游汗漫，此善于形容者也。即以樂喻，鐘鼓管籥，雖各異音，然而音各有韻。惟有韻，故聽之者鏗然盈耳，怡然會心。若戛然作，寂然止，響無餘音，音無遺韻，則聽者倦矣。此趣之說也。

又 趣者，味也。文之有趣味，猶食之有滋味也。食無滋味，即珍錯滿案，不可人之口；文無滋味，即璀燦盈篇，不愜人之心。何者？其中固無可咀嚼也。然趣從蘊藉中流溢者也，非可強探而得，必學問充積之深，義理演貫之熟，然後發之意。意有餘旨，出之詞，詞有餘味。不然，中無蘊蓄，外必索然，如釀酒者，既不須麴蘗之美，又不俟醞釀之熟，安得有好滋味？

又 要知文趣，須知行文虛實之法。文字體貼發揮，雖要着實，至于玲瓏寫意，見鏡花水月之趣，往往于虛處得之。有用實意發揮者，亦有用虛意游衍者；有用實語襯貼者，亦有用虛語點綴者；有用實字塡塞者，亦有用虛字斡旋者。蓋不實則浮而不切，不虛則累而不逸。實不着相，虛不落空，文章家妙訣也。昔人有云，莊子文章善用虛，以其虛而虛天下之實；太史公文章善用實，以其實而實。天下之虛，微哉言乎，學者所當默會也。

又卷九《顧仲恭論文》 文之氣以淸爲主，肥則必濁；文之法以轉爲妙，肥則不便，故當戒也。曰巉巉骨立之文，可以爲程墨乎？曰應世之文，須還他一種冠冕氣象足矣，豈可濃艷惡濁，以投時好乎？若欲以今時程墨爲以善，不知之矣。

傅山《雜記》 文章亦有李廣、程不識兩種，看才之大小耳。

黃宗羲《庚戌集自序》 余觀古文，自唐以後爲一大變。唐以前字華，唐以後字質；唐以前句短，唐以後句長；唐以前如高山深谷，唐以後如平原曠野，蓋畫然若界限矣。然而文之美惡不與焉，其所變者詞而已，其所不可變者，雖千古如一日也。得其所不可變者，唐以前可也，唐以後亦可也；不得其所不可變而以唐之前後較其優劣，則終于憒憒耳。

方以智《文章薪火》 程子曰：「《繫辭》之文，化工生物。」虛舟曰：「靈光衝旋，倏忽異常。」更生曰：「聖人贊《易》，如趙叟跋褉帖，一條又一條，隨曲生瀾，不知重沓。」

又 周末文勝，生才若是，後未有盛于此者。鄒邑正之旗，密轉握奇之籥，神于懼創不避者乎？屈子開漁父之眼，而甘以誒詒竭忠，故其詞沉篤，氣塞穹蒼，神于怨創不避者乎？莊子休具黑白之眼，而甘以巧激旁寓，善用奇兵，神于怒創不避者乎？三子同時而不相遇，屈專盡人而冥于惟危之心，莊專得天而冥于惟微之心，孟合天人而以不得已爲用。本可會一宗，其文亦可合而互之，此當俟之間出之士。

又 《呂覽》《淮南》則養客撮衆人之英者也。不韋預知焚書，而寓之一束，始發此智，更巧于招隱矣。嗟乎，周公不驕吝而收天下之材藝，此無繼矣。呂、劉之智亦無繼之者耶？將以虞預、何法盛、宋齊邱爲智耶？不堪噴飯。子長以鬱折而成《史記》，收合百家，洽古宜時，散近乎朴，變藏于平，善序事理，眞不虛也。自莊生剽剝鈎懸，嘗借人物叙事，藏其議論，《史記》直爲叙事，據欵結案，何用犯手裝面，而強浚之、強括之乎？以此讀者，更快其情，以爲天然。

又 孟堅整嚴之中，亦能錯落。范史因東京平對而順載之，伯喈則喜比偶矣。趣至六朝，尚麗掞藻，勢也。徐、庾始嫻，唐宋遂爲別體，吾取其流爽者。

又 去其痕而一以平行之，則歐、曾也。蘇則鋒于立論，而衍于馳騁。八家大同小異，要歸雅馴。學者鼓篋，門從此入，至于盡變，更須開眼。

又 程子云：「子長著作，微情妙旨寄之文字蹊徑之外。孟堅之文，情旨盡露于文字蹊徑之中。讀子長文，必越浮言者，始得其意超文字者，乃解其宗。班氏文章亦稱博雅，但一覽之餘，情詞俱盡。」張輔以文字多寡爲優劣，此何足以論班、馬哉？

又 馮開之曰：「讀書太樂則漫，太苦則澀。董遇之百徧，考亭之半日，淵明之不求甚解，東坡之每事一過，庾嵩之開卷一尺，王筠之重覽輿深，其各得于輪扁之甘苦者乎！」吳季子書憲曰：「短冊恨其易竭，累牘苦于難竟。讀貶激則髮欲上衝，讀軒快則唾壺盡碎，讀滂沛而襟撥，讀幽憤而心悲，讀虛無之渺論而譎誕生，讀拘儒之腐陳而谷神死，讀邇照者欲盡相以窮神，讀岨峿者期妥貼以愜志，讀闕文而思補，讀朦朧而思參，讀寂漠者非燥吻不開，讀奇藻者非清華則靡。」

侯方域《與任王谷論文書》 秦以前之文主骨，漢以後之文主氣。秦以前之文若《六經》，非可以文論也。其他如老、韓諸子，《左傳》、《戰國策》、《國語》皆斂氣于骨者也。漢以後之文，若《史》、若《漢》，若八家，最擅其勝，皆運骨于氣者也。斂氣于骨者如泰華三峯，直與天接，層嵐危蹬，非仙靈變化未易攀陟，尋步計里必蹶其趾。姑舉明文如李夢陽者，亦所謂蹶其趾者也。運骨于氣者，如縱舟長江大海間，其中煙嶼星島，往往可自成一都會。即颶風忽起，波濤萬狀，東泊西注，未知所底。苟能操柁覘星，立意不亂，亦自可免漂溺之矣，此韓歐諸子所以獨嵯峨于中流也。六朝選體之文，最不可恃，士雖多而將囂，或進或止，不按部伍，譬如用兵者調遣旗幟聲援，但須知此中尚有小小行陣，遙相照應，未必全無益。至于摧鋒陷敵，必更有牙隊健兒，啣枚而前，若徒恃此，鮮有不敗。今之爲文，解此者罕矣。高者又欲舍八家跨《史》、《漢》而趨先秦，則是不筏而問津，無羽翼而思飛舉，豈不怪哉！

魏裔介《趙問源大題文所序》 文章有一定之所乎哉？《左》、《國》不相剿襲，班、馬各有異同，韓以莊勁，柳以孤峭，歐以雍容，蘇以奔放，古大家之爲文者，皆非繩趨尺步，以自困於尺幅之中；然至於根極理要，位置章法，識必踞其絕頂，語必去其已陳，則萬變而不出其宗也。八股業亦然。是道也，創於宋，盛於明。蓋嘗以詩比擬論之，成、弘間，王守溪、錢鶴灘諸公，謹嚴高潔，猶初唐中魏玄成、陳伯玉之流也；嘉、隆間，瞿崑湖、歸震川諸公，浩瀚澎湃，猶盛唐中李青蓮、王龍標之流也；萬曆間，陶石簣、湯霍林諸公，清微澹折，亦猶晚唐中劉文房、錢仲文之流也；至天啓、崇禎間，而文之敝也甚矣。何則？以其泛濫無歸，而莫爲之所也。

魏際瑞《示子》 文之雄者，如千里長風，感大塊之噫氣，而發洋洋浩浩，快其所如而莫能遏也。春而廡草翼苗，秋而振蓬捲擇，喜則披襟漾帶，怒則海立山飛，不知其所以然矣。其倘然而來，忽然而往者，花雲烟雨飛逐其間，而塵土泥沙未嘗稍擇，作者既不自知，而他人尤不可以學爲也。

又《與子弟論文書》 近聽而震耳者，鐘不如鑼，馮夷大砲，不如行營小銃，然鐘砲聞數十里，鑼與小銃不及半而寂然矣。浮急之聲躁滑而無力，凡叩而即鳴，鳴而即轉者，皆力量氣魄不足以自持也。文章大家、小家之辨如此。

魏禧《日錄論文》 歐文之妙，只是說而不說，說而又說，是以極吞吐往復參差離合之致。史遷加以超忽不羈，故其文特雄。評彭躬菴叙和公南海西秦詩曰：「字字句句拔起聳立，險秀異常，分明是一幅華山圖也。文無波瀾無轉折，卻以峰巒爲波瀾、起頓爲轉折。」嘗論文有得水分者，有得山分者。子瞻水分多，故波瀾動盪；退之山分多，故峰巒峭起。此序亦是山分文字。

又 唐宋八大家文，退之如崇山大海，孕育靈怪；子厚如幽巖怪壑，鳥鳴猿啼；永叔如秋山平遠，春谷倩麗，園亭林沼，悉可圖書，其奏劄樸健刻切，終帶本色之妙；明允如尊官酷吏南面發令，雖無理事，誰敢不承；東坡如長江大河，時或疏爲清渠，瀦爲池沼；子由如晴絲裊空，其雄偉者如天半風雨，嬝娜而下；介甫如斷岸千尺，又如高士谿刻不近人情；子固如波澤春漲，雖漶漫而深厚有氣力，《說苑》等《叙》，乃特緊嚴。然諸家亦各有病，學古人者知得古人病處，極力洗刷，方能步趨。否則我自有病，又益以古人之病，便成一幅百醜圖矣。

魏禮《答友人論文書》 夫心虛則明，明則變；虛則入，入則精。大海之虛也，而江河歸之；頑石堅中，物不得入，君子之有意于修身砥文章者，此

其首務也。然虛而不能實，又往往失之。是故有神怪猙獰者，堅金石者，洄洑安流者，河者，海者，古彝器者，風雨雷電爭飛馳者，哀衣章甫者，猛峭者，雋永味者，肖鶴者，突巖怪石、礫人毛髮者，日月者，嶽峙者，龍者，虎吼獅踆跳者，率然者，春若豔葩者，秋悲者，夸誕浮靡會駔者，質摯者，組如錦者，草冠野服者，姸婀娜者，斷制如老獄吏者，宮闕崔巍、廟堂皇者，氣嚴如冰者，火歊者，蜃樓閣者，島飛川立者，銛如莫邪、銳神錐者，脈絡紉密者，冬枯木者，七盤者，萬馬奔馳、戈戟森列者，閒閒泄泄者，屈突鼇牙黝僻者，鷹隼擊者，止水之潘者，筦絃鍾鼓雜作、賓主紛酬酢于堂上而舞者、歌者，凡此文章之正變，則古人皆擅之，或得諸此，或得諸彼，千態萬狀，怪詭無門。且夫風雲之變不一，而要不出乎山澤之氣，飛搏而上雲溟，不離乎地，神奇變化不外乎法，常至而怪，實至而靈。故曰：本豐者流沛，操法者能奇也。古潘岳、范曄、魏收輩，世所謂文章之士，恃其文藻，放僻自用，陰賊不軌，君子視之，曾狗彘糞土之不若。匡衡、張禹竊聖經之糟粕，言行背馳，圯人家國，則是文章者，小人之鳩毒；而行誼者，文章之根柢、令名之舟車也。

戴名世《章泰占稿序》 質者，天下之至文者也。平者，天下之至奇者也。莫質於素，而本然之潔，纖塵不染，而采色無不受焉。莫平於水，而一川泓然，淵涵渟蓄，及夫風起水湧，魚龍出沒，觀者眩駭。是故於文求文者非文也，於奇求奇者非奇也。【略】夫爲文而至於質且平，則其品甚高，而知者亦甚少，非世俗之所能爲，亦非世俗之所能識也。今夫浮華濃艷，刊落之無遺，而後眞實者以存。潦水既盡，寒潭以清，此其所以造於質且平也。假使世俗而爲之，則其所爲質且平者，枯槁頑鈍而無一有，安在其文，亦安在其奇耶？

蔡世遠《錢弱梁時文序》 觀其文，可以知其人焉；觀其文，尤可以知其政焉。其文之和雅沖邃者，其人必易直而子諒；其文之雄舉傑出者，其人必有特操；其文之切理諧事者，其人必空明而洞達。

唐彪《讀書作文譜》卷一一《作古文宜自成一家》 曾南豐《與王介甫書》云：歐公更欲足下開廓其文，勿用造語及摹擬前人。孟、韓文雖高，不必似之也，取其自然爾。

又 王守溪曰：「所爲文必師古，使人讀之不知所師，善師古者也。若拘拘摹仿如邯鄲之學步，里人之效顰，則陋矣。所謂師其神不師其貌，此最爲文之眞訣。」

又 陶石簣曰：「讀諸經書、諸史子、諸古文，鎔會變化做成自家一種手筆，而無摹擬盜襲之迹，方稱大家。譬如釀化爲蜜，蜜成而不見花也。釀稻爲酒，酒成而必去其糟也。」

王士禛《半部集序》 唐之古文始于富嘉謨、吳少微而不傳；李華、蕭穎士繼之，亦不甚傳。故唐之文，斷自退之；宋之古文，始于柳開、穆修、鄭條，條無傳，柳、穆之集具在，雖傳矣，而不足以傳，故宋之文，斷自永叔。湜、翺、曾、蘇已下，羽翼而發皇之，唐宋之文遂繼西漢而上追三代，佐佑《六經》。綜而論之，唐之文氣勁而節短，其失也嵬瑣而詭僻；宋之文氣舒而節長，其失也嘽緩而俗下。元明作者，大抵祖宋祧唐，萬吻雷同，卒歸率易。

李光地《榕村語錄》卷二九《詩文一》 文章與氣運相關，一毫不爽。唐憲宗有幾年太平，便有韓、柳、李翺之諸人；宋眞、仁間便生歐、曾、王、蘇；明代之治，只推成、弘，而時文之好無過此時者；至萬曆壬辰後，便氣調促急，又其後則鬼怪百出矣。某嘗有一譬：春夏秋冬，氣候之小者也；治亂興亡，氣運之大者也。蟲鳥草木至微細矣，然春氣一到，禽鳥便能懷我好音，聲皆和悅；秋氣一到，蛩吟蟲響，淒涼哀厲，至草木之榮落尤顯而易見者。況人爲萬物之靈，豈反不與氣運相關。所以一番太平，文章天然自變。如戰國文字，都是一團詐僞，不知何以至漢，便出賈、董、馬、班。至唐詩之變六朝，宋文之變五代皆然。若周、程之道學，韓、柳之文，李、杜之詩，皆是中興時起，力量甚大。總之，其人在廟堂者，即關氣運，至孤另的便不相干。如晚秋之菊，寒冬之松栢，不關氣候，是其物性如大亂之時，忽然生一聖賢，乃天以此度下一個種子，恐怕斷了的意思。

劉大櫆《論文偶記》 今羸示學者：古人行文至不可阻處，便是他氣盛。非獨一篇爲然，即一句有之；古人下一語，如山崩，如峽流，覺闌當不住，其妙只是箇直的。

又 昔人云：「文以氣爲主，氣不可以不貫；鼓氣以勢壯爲美，而氣不可以不息。」此語甚好。

又 文貴奇：所謂「珍愛者必非常物」。然有奇在字句者，有奇在意思者，有奇在筆者，有奇在邱壑者，有奇在氣者，有奇在神者。字句之奇，不

足爲奇；氣奇則眞奇矣；神奇則古來亦不多見。次第雖如此，然字句亦不可不奇，自是文家能事。揚子《太玄》、《法言》，昌黎甚好之，故昌黎文奇。奇氣最難識，大約忽起忽落，其來無端，其去無跡。讀古人文，於起滅轉接之間，覺有不可測識，便是奇氣。奇，正與平相對。氣雖盛大，一片行去，不可謂奇。奇者，於一氣行走之中，時時提起。太史公《伯夷傳》可謂神奇。

又 文貴高。窮理則識高，立志則骨高，好古則調高。文到高處，只是樸淡意多；譬如不事紛華，翛然世味之外，謂之高人。昔謂子長文字峻，震川謂此言難曉，要當於極眞、極樸、極淡處求之。

又 文貴大。道理博大，氣脈洪大，邱壑遠大。邱壑中，必峯巒高大，波瀾闊大，乃可謂之遠大。古文之大者莫如史遷。震川論《史記》，謂爲「大手筆」。又曰：「起頭處來得勇猛。」又曰：「連山斷嶺，峯頭參差。」又曰：「如畫《長江萬里圖》。」又曰：「如大塘上打縴，千船萬船，不相妨礙。」此氣脈洪大，邱壑遠大之謂也。

又 文貴遠，遠必含蓄。或句上有句，或句下有句，或句中有句，或句外有句，說出者少，不說出者多，乃可謂之遠。昔人論畫曰：「遠山無皴，遠水無波，遠樹無枝，遠人無目。」此之謂也。遠則味永，文至味永，則無以加。昔人謂子長文字，微情妙旨，寄之筆墨蹊徑之外。又謂如郭忠恕畫天外數峯，略有筆墨，而無筆墨之迹。故太史公文，並非孟堅所知。意盡而言止者，天下之至言也，然言止而意不盡者尤佳。意到處言不到，言盡處意不盡，自太史公後，惟韓、歐得其一二。

又 文貴簡。凡文筆老則簡，意眞則簡，辭切則簡，理當則簡，味淡則簡，氣蘊則簡，品貴則簡，神遠而含藏不盡則簡，故簡爲文章盡境。程子云：「立言貴含蓄意思，勿使無德者眩，知德者厭。」此語最爲有味。

又 文貴變。《易》曰：「虎變文炳，豹變文蔚。」又曰：「物相雜，故曰文。」故文者，變之謂也。一集之中篇篇變，一篇之中段段變，一段之中句句變，神變，氣變，境變，音節變，字句變，惟昌黎能之。文法有平有奇，須是兼備，乃盡文人之能事。上古文字初開，實字多，虛字少。典謨訓誥，何等簡奧，然文法要是未備。至孔子之時，虛字詳備，作者神態畢出。左氏情韻並美，文彩照耀。至先秦、戰國，更加疏縱，漢人斂之，稍歸勁質，惟子長集其大成。唐人宗漢多峭硬，宋人宗秦，得其疏縱，而失其厚懋，氣味亦少薄矣。文必虛字備而後神態出，何可節損？然枝蔓軟弱，少古人厚重之氣，自是後人文漸薄處。史遷句法似贅拙，而實古厚可愛。

又 文貴瘦。須從瘦出，而不宜以瘦名。蓋文至瘦則筆能屈曲盡意，而言無不達；然以瘦名，則文必狹隘。《公》、《穀》、韓非、王半山之文，極高峻難識。學之有得，便當捨去。

又 文貴華。華正與樸相表裏，以其華美，故可貴重。所惡於華者，恐其近俗耳；所取於樸者，謂其不著脂粉耳。昔人謂：「不著脂粉而淸眞刻峭者，梅聖俞之詩也；不著脂粉而精彩濃麗，自《左傳》、《莊子》、《史記》而外，其妙不傳。」此知文之言。天下之勢，日趨於文，而不能自已。上古文字簡質。周尚文，而周公、孔子之文最盛。其後傳爲左氏，爲屈原、宋玉，爲司馬相如，盛極矣。盛極則孽衰，流弊遂爲六朝；六朝之靡弱，屈、宋之盛肇之也。昌黎氏矯之以質，本《六經》爲文。後人因之，爲淸疎爽直，而古人華美之風亦略盡矣。平奇華樸，流激使然。末流比比，不可與處。

又 文貴品藻。無品藻便不成文字。如曰渾，曰浩，曰雄，曰奇，曰頓挫，曰跌宕之類，不可勝數。然有神上事，有氣上事，有體上事，有色上事，有聲上事，有味上事，須辨之甚明。品藻之最貴者，曰雄，曰逸。歐陽子逸而未雄；昌黎雄處多，逸處少；太史公雄過昌黎，而逸處更多於雄處，所以爲至。

王弘撰《文稿自序》 文，君子之言也，以明理，以曉事，以宣情，取其達而已矣，故貴淡。行乎其所當行，止乎其所不得不止，斯善爲淡者也，所謂絢爛之極爾。浮蕩艱深，綺靡嘽緩，失其淡也，文斯下矣。《中庸》曰：「淡而不厭。」君子之道且然，而況文哉！倘反是，則小人矣，小人者又何文之有？

張謙宜《絸齋論文》卷一 文必成家，然後可以問世。如韓、柳、歐、蘇、王、曾之集，曾無撏襲規摹者。學古文認定一家，寢食以之，流離患難以之，死生以之。到自田自屋規模已定，卻又勉強移易不得。中間豈無旁蒐，然總化爲一路。蜂之釀蜜，最可取象參觀。如觀武庫，戈甲旌旄，無所不有，豈得名爲兵家？如侍西淸，圖書球璧，觸目皆寶，豈得號爲舖肆？學者高著眼界，大闢心胸，乃謂之鴻儒領袖。

又 理學文字最不易作。按老本子說則板直，弄些筆姿則走作。惟是理

脈浹洽，意思含蓄，方有學者氣象。

又 文字一眞，便兼衆妙。

又 太行自塞外來，屢起屢伏，倏近倏遠，連京師之西山磅礴。南下帶北，直控山西。蟠河南之北截，直至蒲州，爲黃河攔住，莽莽蒼蒼者，數千里不絕，故是海內大觀。若處處玲瓏，峯峯峭削。特一邱一壑之奇，氣象狹小矣。大家文須作如是觀。

又 嘗遊蜀登鳳嶺，北望羣山之峯，如叠浪循龍崗背；南眺遠岫如排戟，反令人鬱塞不快，此可悟平而後遠之理。以文論，清疎中時出高秀者勝。

又 文字乍看似好，久看減色者多已。必熟看冷看，愈久愈佳，此爲第一。吾於震川見之矣。

又 文字純用秋冬之氣亦不可。

又 刻苦錘煆之文，與天趣流行之作，本非二致。學者其細參之。

又 最厭取古人以況今人。果其學耑一家，神似入微，必不能一手而分彙多長。若泛指貢諛，即如戲子衣冠，人人可用，終非所有，思之失笑。

又卷二 孫文融之論文，其最貴者曰質、曰峭、曰鍊。予謂蒼、澀、雅、淨、覈，皆古文上品。學者識此數字，具此數長，則平、漫、軟、膩之氣，不祛自退。

又 質非鄙樸，如金珠玉光，本自天成，不待藻飾。質者，天然形色，如玉之白，如金之黃，不用粉飾，自有寶色。故古文貴之。

又 峭文勢之孤立也，如孤峯懸厓，可仰而不可攀。不輕出手，不輕下字，思之思之，刻苦而後得之。或句峭，或字峭，通篇不過一兩處，如人面之有鼻，是特高於頰輔者。若滿面俱是鼻，便不成人形矣。峭字最不易言，閒意莫留他，閒話莫用他。出手要有勢，卻不要平熟勢；脫口要有致，卻不要軟滑致；掉運須有情，卻不要甜俗情。汰除再四，擺棄排奡，而忽遇之。

又 鍊之一字，非博學無所資，非深心不能擇。如銷銀必去其鉛礦，留其精英。古文有鏗鏘響亮者，皆自鍊中來。鍊如良工造劍，鐵無纖翳，鋒芒四出，煆煉由衷，博則有資，精自生光。以心力經營爲爐火，以反覆揀擇爲匠作，乃成片段，後生識之熟自然成。文者，理之胚，心之神，力之銳。積數十年讀書以養之，然後可用。譬之劍經百鍊，精極而鋒不可當。文以鍊意、鍊氣爲上，鍊格與詞又次之。用筆簡而無意不暢，此鍊法也。惟太僕有此本領。

又 蒼，最難言。草木初生，其色蒼，兼淡而言也。山之積翠，目曰蒼，兼秀而言也。人之鬚髮半白曰蒼，兼老而言也。古文之蒼，取老、取秀、取淡，浮動於字句聲調之外者是。蒼非闇淡，故言蒼者必秀；蒼非縟采，故言蒼者必古；蒼又非妖艷，故言蒼者必老。確然似奡，頹然似放，奇橫峭蒨，似無範。吾無以求之，庶幾多讀書，習靜悟，頓挫瀏漓，而惝恍相感於筆墨之外能之乎。蒼可悦而不可斆。其不可斆，骨未堅，神未全，氣未暢，而色未足，則亦不可襲取也夫。

又 澀之一字，文家所忌，而不知其妙。周鼎商彝，其稜角琱鏤。著手不甚便利者，象物示戒，防人縱欲之意深也。若蘇製錫壺，光華輕秀，焉所得古意乎？澀在色澤上論，如英石筆架，其峯嵐皴疊，正以不待琢磨爲佳。若刻玉爲山，便乏生趣。字不虛下，故堅而不流，思路必深刻，故利而善入，此之謂澀。

又 雅即「鴉」之本字，借作文字品目。鴉背純黑，映日則赤光浮動。故色澤黯淡而不枯槁者類，謂之雅。如墨綠石青，未嘗無色，但不若赤黃紫綠之耀眼耳。文家意雅爲上，調雅次之，聲響雅次之，字句雅又次之。試取詩中雅頌與後世樂府《子夜》、《竹枝》比看，孰雅孰不雅自見。再取江都中壘諸文與六朝詞賦比看，孰雅孰不雅又見矣。如廟堂訏謨，講堂疏義，豈可與街談巷說同聽？好古者知之。

又 淨，即鍊也。篇章字句不可增減，如燒錘百徧之鐵，纖翳俱無，是之謂淨。

又 覈字之妙，人多不解。凡無浮思纖語繞其毫端，讀之凜不可犯，確乎有據，皆覈之妙也。

又 生，與脆相近。如桃熟八分，食之爽口。若極熟麋爛，一味甜俗而已。

又卷五 文章各有聲氣。西漢人語多勁，東漢人語多典，六朝人語多軟，唐人語多靡，宋人語多俚，元明自沿宋派。

又 文必以西漢爲宗，其去古未遠，風氣尚厚，無後來纖巧繚繞之態，琱鏤穠艷之習。追大雅而存太素，於是焉在。

又 司馬遷《報任少卿書》，靈均以忠，子長以忿，皆傷心嘔血，吐爲奇

葩。故其詞斷而復斷，亂而復亂，急猝說不分明處，乃得一往纏綿，窮態盡致。或直行，或折行，或排行，或離合縱橫行，莫不有起有落，有關有鎖，一氣歕礴中，魚龍出沒，凡起瀾迴，不可方物。此是他根本，盛大元氣深沉，如犀牛潭瀑布，闊三十里，厚二十丈，雷鳴潮吼，亘古不停。翻珠跳浪，似霧非烟者，猶十里不止，直與天地相終始者也。

又　楊惲《報孫會宗書》，驚江急峽雷霆鬭，是此文氣象。文貴和平，有時亦取此種者，文生於情，喜怒哀樂，各隨所感，難以一格衡。即談理，獨不許縱橫排宕乎？

又　六朝五代之文，茅鹿門以爲強且悍，予謂只是弱耳。平心論之：六朝如烟花巷，五代則卑田院也，明如雜貨舖，無所不有，眞古器絕少。

又　仗義質言之文，不嚴覈則無勢。太緊直意反不達，而易盡不如無作矣。如老泉《辨奸論》，岸然而起，引事一鬆，因此一鬆，卻迫得。今有人段愈緊，然猶是渾括虛按。至實事一證，語不多而意透，「決其必用」段，事未應而理明，掉尾冷然孤峭，其味深長，玩其通篇布置，可悟行文秘訣。

《四庫全書總目》卷一四九《陳拾遺集》　唐初文章，不脫陳、隋舊習，子昂始奮發自爲，追古作者。韓愈詩云：「國朝盛文章，子昂始高蹈。」柳宗元亦謂張說工著述，張九齡善比興，兼備者子昂而已。馬端臨《文獻通考》乃謂子昂惟詩語高妙，其他文則不脫偶儷卑弱之體。韓、柳之論，不專稱其詩，皆所未喻。今觀其集，惟諸表序猶沿排儷之習，若論事書疏之類，實疏樸近古，韓、柳之論未爲非也。

又《次山集》　文章戛戛自異，變排偶綺靡之習，杜甫嘗和其《舂陵行》，稱其可爲天地萬物吐氣，晁公武謂其文如「古鐘磬」，不諧俗耳。高似孫謂其文章「奇古，不蹈襲。」蓋唐文在韓愈以前，毅然自爲者，自結始。亦可謂耿介拔俗之姿矣。皇甫湜曾題其《浯溪中興頌》曰：「次山有文章，可惋只在碎。然長於指敘，約結有餘態，心語適相應，出句多分外，於諸作者間，拔戟成一隊。」

又卷一五〇《毘陵集》　考唐自貞觀以後，文士皆沿六朝之體，經開元、天寶，詩格大變，而文格猶襲舊規，元結與及始奮起湔除，蕭穎士，李華左右之，其後韓、柳繼起，唐之古文，遂蔚然極盛，斵雕爲樸，數子實居首功。

又《李元賓文編》　今觀其文，大抵雕琢艱深，或格格不能自達其意，殆與劉蛻、孫樵同爲一格，而鎔鍊之功或不及。

又卷一五一《樊川文集》　其古文縱橫奧衍，多切經世之務。《罪言》一篇，宋祁作《新唐書·藩鎮傳論》實全錄之。費衮《梁谿漫志》載歐陽修使子棐讀《新唐書》列傳，卧而聽之，至《藩鎮傳敘》，嘆曰：「若皆如此傳，筆力亦不可及。」識曲聽眞，殆非偶爾。即以散體而論，亦遠勝元、白。

又《孫可之集》　今觀三家之文，韓愈苞孕群言，自然高古，而皇甫湜稍有意爲奇，樵則視湜益有努力爲奇之態。其彌有意於奇，是其所以不及歟。

又卷一五二《河東集》　今就其文而論，則宋朝變偶儷爲古文，實自開始，惟體近艱澀，是其所短耳。

又《宋元憲集》　陳振孫稱景文清約莊重，不逮其兄，以此不至公輔，今觀其集，庠有沉博之氣，而祁多新警之思，其氣象亦復小殊，所謂文章關乎器識者歟？

又《孫明復小集》　蓋宋初承五代之弊，文體卑靡。穆修、柳開始追古格，復與尹洙繼之，風氣初開，菁華未盛，故修之言云爾。然復之文，根柢經術，謹嚴峭潔，卓然爲儒者之言，與歐、蘇、曾、王千變萬化，務極文章之能事者，又別爲一格。

又《鐔津集》　契嵩博通內典，而不自參悟其義諦，乃恃氣求勝，嘵嘵然與儒者爭，嘗作《原教》《孝論》十餘篇，明儒釋之一貫，以與當時闢佛者抗。又作《非韓》三十篇，以力詆韓愈。又作《論原》四十篇，反覆強辨，務欲援儒入墨。以儒理論之，固爲偏駁，即以彼法論之，亦嗔痴之念太重，非所謂解脫纏縛，空種種人我相者。第就文論文，則筆力雄偉，論端鋒起，實能自暢其說，亦緇徒之健於文者也。

又《華陽集》　然其文章則博贍瑰麗，自成一家，計其登翰苑、掌文誥者幾二十年，朝廷大典策，皆出其手，故其多而且工者，以駢儷之作爲最，揖讓於二宋之間，可無愧色。

又卷一五三《錢塘集》　雜文多安雅有法，而四六表啓爲尤工。其精麗流逸，已開南宋一派。

又《鄖溪集》　獬嘗與敞書，亦言韓退之時，用文章雄立一世者，獨李翺、皇甫湜、張籍耳。然翺之文尚質而少工，湜之文務實而不肆。張籍歌行，乃勝於詩，至于他文不少見，計亦在歌詩下，使之質而工，奇而肆，則退之作

也云云。觀其所言，知文章宗旨，實源出韓門矣。

又卷一六〇《渭南文集》 然元祐黨家，世承文獻，遣詞命意，尙有北宋典型，故根柢不必其深厚，而修潔有餘；波瀾不必其壯闊，而尺寸不失，士龍淸省，庶乎近之。較南渡末流以鄙俚爲眞切，以庸沓爲詳盡者，有雲泥之別矣。

又卷一六一《橘山四六》 北宋四六，大都以典重淵雅爲宗。南渡末流，漸流纖弱。

又卷一八五《玉芝堂集》 爲四六之文者，陳維崧一派以博麗爲宗，其弊也膚廓；吳綺一派以秀潤爲宗，其弊也甜熟；章藻功一派以工切細巧爲宗，其弊也刻鏤纖小。

又卷一八九《宋文紀》 宋之文，上承魏、晉，淸儁之體猶存，下啓齊、梁，纂組之風漸盛，於八代之內，居文質升降之關，雖涉雕華，未全綺靡。

又卷一九〇《欽定四書文》 有明二百餘年，自洪、永以迄化、治，風氣初開，文多簡樸，逮于正、嘉，號爲極盛；隆、萬以機法爲貴，漸起佻巧；至于啓、禎，警闢奇傑之氣日勝，而駁雜不醇，猖狂自恣者，亦遂錯出于其間。于是啓橫議之風，長傾詖之習。

又卷一九五《詩文評類一》 文章莫盛於兩漢，渾渾灝灝，文成法立，無格律之可拘，建安、黃初，體裁漸備，故論文之說出焉。

又《四六話》 六代及唐，詞雖駢偶，而格取渾成。唐末五代，漸趨工巧。如羅隱《代錢鏐賀昭宗更名表》，所謂「右則虞舜之全文，左則姬昌之半字」者，當時以爲警策是也。宋代沿流，彌競精切。

鄭燮《濰縣署中與舍弟第五書》 文章以沉著痛快爲最，《左》、《史》、《莊》、《騷》、杜詩、韓文是也。間有一二不盡之言，言外之意，以少少許勝多多許者，是他一枝一節好處，非六君子本色。而世間娖娖纖小之夫，專以此爲能，謂文章不可說破，不宜道盡，遂訾人爲刺刺不休。夫所謂刺刺不休者，無益之言，道三不着兩耳。至若敷陳帝王之事業，歌詠百姓之勤苦，剖晰聖賢之精義，描摹英傑之風猷，豈一言兩語所能了事？豈言外有言，味外取味者，所能秉筆而快書乎？吾知其必目昏心亂，顛倒拖沓，無所措其手足也。

湯來賀《鄧左之先生文集序》 文有高者，曰樸，曰拙，曰淡，曰疏，此皆庸流之所棄也。大家爲文，豈不能華與巧、密與濃哉？然文品之高下，即辨于此，故寧樸而弗華，寧拙而弗巧，寧疏而弗密，寧淡而弗濃，然後其文可傳而非世俗所能及。

易學實《與友人論文書》 語文章之妙者曰，朗如日月，燦如列星，是亦至矣。余以爲未也。雲霞蒸變，忽焉高冠飛佩，翼立如人；忽焉盾排劍立，森陳如壘；忽焉翬飛如鳥，忽焉牲逐如獸，忽焉紫碧丹黃，流光炯耀，如貝如鱗，如瀉金，如挂錦，注目視之，轉睫不得其侶矣，況乎旦書之所擬者，昏夕得比侶乎？去日之所擬者，來日得而比侶乎？余自學爲文章，嘗自朝至夕，必使我與我異，又何前見古人而後同來者？雖然，此天文也。蜀江道自岷山下走，萬里奔馳，頓折蹴浪生文，以其勢之趨下也。使瀾滿湯流，平川如矢，無復奇觀矣。吾願學者觀天之文以日新，觀水之文以自下，大道無過此矣。況文章小技哉！

蔣永修《直木齋文集序》 曠曠乎莫之致而契乎四海云邈，不相謀而信乎十百世之久者，其斯文之聲氣乎？夫相和以聲，相取以氣，亦猶冰不言寒，而人知其寒；火不言烈，而人知其烈；金石不言堅，而人知其堅也。使吾之爲文，質之四海，而不能無一人之疑，俟之十百世，而不能無一日之不合，而人之知我，且不必如冰寒火烈與金石之堅，則我之自視隋珍也，和璧也，人且魚目而燕石之矣。是以聲之相和者不廣，氣之相取者不眞，皆無與于斯文之數也。

潘耒《朱竹垞文集序》 史遷云：「擇其言之尤雅者。」柳子厚云：「參之太史以著其潔。」文至雅潔，品莫貴焉。然非徒汰其俗調以爲雅，刊落枝詞以爲潔也。必也才雄而識高，資深而養厚，貫天人以爲學，綜古今以鑄辭，乃能超然大雅，粹然精潔，不則空疏而已矣，淺陋而已矣。自明中葉，僞文竟起，擬仿蹈襲，浮囂鈎棘之病，紛然雜出，二三君子以淸眞矯之，而莫能救也。迄于末年，纖佻譎怪，軏則蕩然，道喪文弊，于斯爲極。迨于今朝，人稍覺悟，操觚者往往遠宗歐、蘇，近慕歸、唐，漸知雅潔之足尙。夫雅潔豈易言哉！無古人之才之識，不得立言之根源，而徒求工于枝葉，則貌爲歐、蘇與貌爲《左》、《史》，其爲僞文一也。

田同之《西圃文說》卷三 文莫先於辨體，體正而後意以經之，氣以貫之，詞以飾之。體者，文之幹也；意者，文之帥也；氣者，文之翼也；詞者，

文之華也。體弗愼則文龐，意弗立則文舛，氣弗昌則文萎，詞弗修則文蕪。四者，文之病也。

又 首尾、開闔、繁簡、奇正各極其度，篇法也；抑揚、頓挫、長短、節奏各極其致，句法也；點綴、關鍵、金石、綺采各極其造，字法也。篇有百尺之錦，句有千鈞之弩，字有百煉之金，弇州之論如此，可謂要言不煩，備極文家之能事矣。

又 文章須有逸氣，然終當以銜勒制之。

又 文有神來、氣來、情來。有雅體、有野體、鄙體、俗體。能審鑒諸體委詳所來，方可定其優劣。

又 才生思，思生調，調生格。思即才之用，調即思之境，格即調之界。

又 古文以辨而不華，質而不俚爲高。

又 行文之旨，全在裁制，無論細大，皆可驅遣，當其閑漫纖碎處，反宜動色而陳，鑿鑿娓娓，使讀者見其關係尋繹不倦。至大議論，人人能解者，不過數語發揮，便須控馭，歸於含蓄。若當快意時聽其縱横，必一瀉無復餘地矣。譬若渴虹飲水，霜隼搏空，瞥然一見，瞬息滅没，神力變態，轉更夭矯。

又 作文莫先於知字、知句、知篇，然後開闔呼應，操縱頓挫之法，無不備具。

楊繩武《論文四則》 成、弘之文，純以理勝，而製格鍊局法已具備。實爲有明一代風氣所由開，後人以樸率當之者，謬也。正、嘉而下，鉅公林立，皆恪守成、弘之規，擴而張之。隆、萬季年，稍變革矣，然其格律嚴整，針線綿密，又皆因題立制，並非率意穿插。往年人守其説，近則轉相詬厲，皆過也。啓、禎之際，才人輩出，各自名家。譬之用兵，隆、萬如程不識之刁斗森嚴，啓、禎如李廣之士卒樂用，雖卒犯之者，亦莫能禁，然自有國士風。國初諸公，文皆雄渾深厚，與啓、禎相表裏，而加以廓清摧陷之功。嗣後風氣數變，要皆屬後勁，蓋國家元氣萃于是時也。此間文字高者，多得力於啓、禎。國初溯流而上，頗少問津。然其心思才力，寧強無弱，寧堅無脆，寧厚重無輕浮，寧刻深無膚淺。雖爲賢智之過，而實不墮于卑靡，蓋亦足徵風氣之日上也。

邱嘉穗《東山草堂邇言》卷六《詩文・雅馴》 太史公云：「文不雅馴，薦紳先生難言之。」「雅馴」二字，千古論文之要訣也。雅對鄙俚而言，如禪經、坊曲、語錄、邸抄皆竄入文字中，是詞不雅也。高者宗異端虚無寂滅之教，卑者襲策士縱横捭闔之論，是意不雅也。馴者帖服之謂，對生強而言。如長言譾語，冗散而無味，艱深苦澀，詰曲難通，是字法句法不馴也。論一段則血脈不貫，論一篇則首尾横決，甚或順逆倒置，曲直失倫，是股法章法不馴也。苟欲其雅馴兼至，斷非出經入史而熟習于秦漢八家文者不能。

徐文駒《復朱竹垞先生書》 潔之根柢在心，心地不清，穢氣滿紙，于何能潔邪？潔之本領在骨，骨力不峭，濁氣熏蒸，又于何能潔邪？柳子厚曰：「本之太史以著其潔。」太史公所以能潔者，以其縱覽天下名山大川，胸中無一點塵氣，故落筆疏宕，擅絶千古。然老泉尚嫌其因襲。《尚書》、《左傳》、《國語》、《國策》以未盡潔，議之甚矣。潔之難言也。蓋文至于潔，而文之妙不可勝用矣。【略】歸震川之文爲有明第一，然荒江老屋，獨往獨來，能與王、李熏天之焰抗衡角勝者，唯在陶洗干净，得司馬子長之潔而已。近世如牧齋之才，其光芒氣魄實堪籠罩一世，而識者譏其好醜互見，無他，正坐不能潔耳。【略】竊以爲先生之心與先生之骨，可謂潔矣。

馬榮祖《文頌上・風骨》 溟鵬天飛，六月乃息。盪日垂雲，山川失色。問何能然？中挾神力。骨重風高，翻疑境仄。下視文禽，恣弄顔色。載好其音，蘭苕啾唧。

又《風格》 自我作古，籠罩百家。冥心孤詣，不顧衆譁。邈矣琴德，肯雜箏琶。撫徽未鼓，早絶淫哇。必求鍾期，翻失伯牙。手揮目送，所得已奢。

又《氣韻》 四山春動，草色先煙。翠濤飛撲，舉望迷天。韻流空外，氣浹中邊。新鶯枝上，小柳簷前。熒熒殘雪，離澌可憐。生意迸注，若化若遷。

又《風神》 別具仙骨，珊珊來遲。皎如玉樹，臨風低枝。高山岌嶪，流水漣漪。夷猶容與，吹徹參差。不可迫視，亭亭在兹。神光近遠，燕羽差池。

又《風趣》 事外立象，意外振奇。觸緒紛集，理絶思維。了無干涉，妙得旨歸。拈花微笑，指月盈虧。泠泠輕輕，知復誰爲。冰泮魚動，東風初吹。

又《文頌下・沈雄》 元氣鼓鑄，洪纖弸中。抑遏不得，蓄極自通。海波湧沸，曉日曈曨。燭天徹地，鞭雲勒風。一闔一闢，無始無終。聲色不動，是謂沈雄。

又《峻潔》 夢遊峩嵋，嚼太古雪。齒牙泠泠，渾是玉屑。體如雕瓊，空

明映徹。神骨高寒，森森欲折。瞿然驚寤，雲卧天闕。心迹雙清，獨抱涼月。

又《典雅》胎息聖籍，妙香暗薰。渾如百和，釀成卿雲。孚尹遠耀，迸散龍文。斡運大化，銘勒元動。句奇語重，高媲皇墳。明堂清廟，佳氣氤氳。

又《清華》月墮衣裾，露明花蘂。輕不任掬，扶空欲靡。碧天迢迢，瑞煙霏霏。素影忽動，弱不勝綺。我讀道書，堅坐不起。身隱玉壺，拍浮積水。

又《淳古》異鼎出土，良玉蘊璞。非商非周，不雕不琢。太羹元酒，鈞天廣樂。聲臭俱沈，神明獨覺。絕無可喜，潛德彌確。孰云良工，不示以朴？

又《怪豔》四山蓊翳，一霎透紫。雨脚初收，飛霞恢恑。鬱蒸薄射，迷不可理。濡染淋漓，長天伸紙。錦絢花明，攢簇筆底。挫之揮之，驚采怒起。

又《沈著》冥觀遐想，宿火在灰。無端忽往，有約不來。都忘天地，直抉根荄。篆煙孤裊，蚌珠結胎。了無人色，生氣潛迴。魂飄影動，奮若鬱雷。

又《生動》天葩欲綻，靈雨乘之。無端入化，茫不自持。胎紅孕碧，薰風吹枝。色香味外，誰與造微。蒸蒸五指，元氣淋漓。咄哉造化，脫手已飛。

又《嚴重》老羆兀坐，深巖吐光。睒睒雙眸，礲磾翕張。嚄唶宿將，彈壓要荒，牙旂晝靜，凜凜負霜。嶷然斷山，屹然巨防。望之氣沮，正正堂堂。

又《疏放》我用我法，脫去羇羈。塵埃野馬，無溷我爲。蘭生幽谷，其香愈微。一片閒雲，萬里鶴飛。可人何處？攜手同歸。蒼茫獨立，霽晚孤吹。

又《遒媚》血惟榮筋，筋必束骨。結體樹骸，近在文筆。勁氣內轉，秀勢外拔。力破餘地，不側不折。孰謂魏公，剛直滅裂？逸少學書，遒媚特絕。

又《超忽》妙手空空，颯然而至。劍光紛飛，低昂天地。不見檀溪，的盧影逝。但聞風聲，馳驟空際。力大於身，渾同兒戲。天半銀橋，幻師呈技。

又《蒼潤》骨凜秋霜，氣含春穗。眄彼柔條，弄姿先穎。老樹著花，浮空滴翠。直上千尋，遠望如墜。鬱鬱芊芊，煙嵐擁庇。癯而能腴，乃益可貴。

又《清越》秋氣森森，秋山沈沈。木葉盡脫，獨坐鼓琴。一聲進睹，穿透疎林。空外應響，四山知心。不辨身世，遑問古今。亦有孤雁，來和予音。

又《奇險》山脊中坼，碧天墮底。青柯縋韓，蒼耳失李。四圍削成，陡絕無理。鄧艾懸兵，韓信背水。破空直下，瀕危拔起。五嶽方寸，習坎在止。

又《輕澹》山光入戶，空翠潑衣。拂拭不得，諦視愈微。英英白雲，映日搖暉。暗香浮動，著人欲飛。梅魂蘭氣，似是而非。好風蕩漾，相引與歸。

又《鬱折》虬松之而，節節贔屭。空曲橫盤，不可控制。奇氣屈伸，倚天拔地。似縮更張，已躍復墜。前迎後蹲，左縈右綴。屈鐵所成，翻若舞袂。

又《洸漾》智珠入淵，神化爲水。一片空明，激宕萬里。渾無定姿，不見首尾。浮天失青，蹙紋散綺。雲影山光，浪團花蘂。大塊噫氣，迴風生紫。

又《雄緊》上游獨據，高屋建瓴。扼吭拊背，勁勢飛騰。首尾俱振，骨節通靈。一呼一吸，聲發響應。電光驚激，彌壯雷霆。金眸玉爪，華頂蒼鷹。

又《頹暢》深入奧窔，取不厭貪。盎然溢出，中邊俱酣。意盡即止，神王彌耽。如玉山頹，如崖蜜甘。淋漓滿志，妙不容參。五嶽搖動，至精至憨。

又《奧澀》天門詄蕩，下坐列仙。授我玉匣，朱絲繫纏。開函跪讀，綠字赤箋。蝌蚪糾結，鳥迹紛然。以指畫肚，噤不能宣。塵根未斷，謫歸千年。

又《樸野》東阡南陌，觸處皆春。行逢社飲，田父留賓。渾忘爾我，漉頭上巾。忽忽竟日，月色到門。亦有稚子，牽衣勤勤。主眠客去，羲皇上人。

又《蘊藉》初日芙渠，臨風欲舉。零露團團，含意未吐。輾轉寸心，知貯幾許。蓮葉翩翻，白鷺容與。欸乃一聲，飛出遠浦。綠暗音沈，暮煙如縷。

又《恣睢》酒星墮地，徧走八荒。手扳斗柄，下挹酒漿。生氣直注，鬚髯蝟張。劃然長嘯，音激鸞鳳。伯倫、太白，是醒是狂。怪哉劉石，崛起頡頏。

又《澹永》月是何色，水是何味？海南香銷，知是何氣？窅冥迷離，不容思議。鼻觀目遊，妙有眞契。清虛日來，濃鬱百倍。尚不自知，矧堪餉遺。

又《跌宕》裼裘而來，倜儻莫比。頫仰揖讓，顧盼自喜。微風皺波，恍無定理。彩雲欲墮，忽復颺起。眞氣驚牖，揮塵示旨。所謂人英，殆在是矣。

又《瘦硬》月照積雪，寒光晶熒。老梅不睡，徙倚中庭。一枝逸出，素影孤撐。如攀月語，如挾月行。玉骨戌削，敲之有聲。盤空遒絕，棲烏自驚。

又《渾灝》莽莽者氣，旋旋者機。豁然湧出，鉅細騰飛。來如雲上，去則電歸。魚龍變現，星日搖輝。有聲肅肅，斡運甚微。不可界畫，執之已非。

又《秀拔》一朵芙蓉，遠插天外。女几太華，合并稱最。天際眞人，吸飲沆瀣。沐此容光，黜彼粉黛。梯接無階，煙霞與嬡。顧影蹣跚，低頭下拜。

又《排奡》　怒馬人立，兩嶽排胸。控勒不定，長嘶朔風。壯士髮植，氣吐白虹。樊褫項魄，藺折嬴鋒。輪囷鬱勃，有光熊熊。都歸妥帖，捲海橫空。

又《修遠》　浩歌獨往，欲尋吾契。何來笙竽？流響空際。抗手相招，飢鳳遙唳。百尺孤桐，不屑睥睨。攝衣從之，翩然而逝。渺渺迢迢，煙拖霧曳。

又《夭矯》　萬丈懸崖，砑然中裂。逆流怒號，蒼藤遙拂。有聲淒清，神猿出沒。裊裊長條，垂垂欲絕。憑虛倒挂，下上超越。頫視行人，乃如跛鼈。

又《沖寂》　所思不來，還讀我書。展卷斯在，與古爲徒。庭草自緑，林鳥相呼。嗒然坐忘，焉知彼姝？惟有眞氣，浮溢吾廬。活活欲舞，脫巾軒渠。

又《鼓舞》　精氣鬱勃，悍不受撫。須臾湧出，傾倒肺腑。萬怪惶惑，呈露眉嫵。逸態橫生，龍飛鳳舞。音節激昂，禰衡撾鼓。蹀躞而前，蟻視魏武。

又《停匀》　細意熨帖，乃如水平。痕迹盡滅，縱手而成。穠纖修短，不虧不盈。累黍不失，何有重輕。止如鵠立，動若雲生。鳴鸞珮玉，髣髴來聲。

又《雄挫》　虓虎嘯風，蒼崖吼裂。飛扼其喉，翻手撞搥。捽之撾之，已振復跌。首下尻高，強項欲折。賈勇有餘，深入其穴。鼻息無聲，劍首一吷。

又《閒適》　不莊不顛，魚魚雅雅。春風何來？盈懷飄灑。我非裨諶，聊復適野。有句投囊，無心輒捨。笑妥吟鞭，扶持瘦馬。老梅撩人，香雪輕打。

又《堅深》　勇夫重閉，狡焉啓疆。無心設險，固於金湯。煉精成甓，濬智作隍。表裏嚴密，箕舒翼張。豈無勁敵，進不敢嘗。光怪呵護，作作有芒。

又《清新》　漫漫碧海，鏡鑄芙蓉。姮娥欲照，磨出青銅。玉兔竊浴，丹桂洗容。山河大地，濯影寒空。吳剛袖斧，闌入龍宮。拍手叫絕，萬里玲瓏。

又《古拙》　不可別識，一任世訶。谷神何處？邈若山河。篆籒既失，俗書博鵝。斷碑無字，罡風秏磨。空山老柏，千載蹉跎。不受培植，而況婞嫛？

又《妙麗》　天風吹下，微步凌波。遙聞環珮，響應雲和。漪漪百疊，霓裳滄沲。手搴薜荔，中流嘯歌。煙嵐掩映，紛若綺羅。卻迎不定，顧影婆娑。

又《勁宛》　快馬入陣，激於流矢。誰知神駿，曲折喻旨。一團旋風，驚響不已。摩壘搴旗，惟意所擬。始信婉弱，不中驅使。鋼經百鍊，柔可繞指。

又《英雅》　林莽清蒼，遠出天籟。隱隱濤聲，如增慕嘅。孤鴻南征，嘹唳雲外。橫槊賦詩，雄心淘汰。顧盼生輝，英風捲旆。卓爾不羣，大雅斯在。

又《遒逸》　壯節岸嵂，生氣幽蟉。盈胸繞胃，以鬱而流。鬱若重霧，流若輕舟。霧浮山起，舟挾龍遊。氣以節束，節以氣周。呼吸盤辟，秋隼辭韝。

又《複隱》　密意萌坼，遠韻欲沈。荒荒寒日，摩盪積陰。苔徑迹絕，雲氣彌深。千山失影，歸鳥棲林。鴂然淒斷，疑是龍吟。幽光自動，珠耀湖心。

又《空靈》　池邊高柳，影眠水中。遊魚呑影，緣木行空。日氣薄射，遠抱彩虹。光景穿漏，表裏皆通。滕六狡獪，攪碎蒼穹。明鐙輝映，竟體昭融。

又《神解》　對爾名我，我復爲誰？思之失笑，孰辨是非。白雲行空，騎之欲飛。酒杯落手，明月上衣。揮杯勸影，影亦不辭。陶然竟醉，影扶我歸。

又《飄渺》　微風蕭蕭，暮雨瀟瀟。遠舟橫篷，聲咽寒潮。山耶雲耶，雲門若耶？蒼茫不辨，似近而賒。我懷如何？臨風浩歌。伊人天末，彌望煙波。

鄒炳泰《午風堂叢談》卷六　盧疎齋云：「古文亦有數。」漢司馬相如、揚雄，名敎罪人，其文古；唐文昌黎外，元次山近古，樊宗師作爲苦澀，非古；宋文章家尤多，老歐之雅粹，老蘇之蒼勁，長蘇之神俊，而古作甚不多見。

姚鼐《與王鐵夫書》　夫古人文章之體非一類，其瑰瑋奇麗之振發，亦不可謂其盡出於無意也；然要是才力氣勢驅使之所必至，非勉力而爲之也。後人勉學，覺其累積紙上，有如贅疣。故文章之境，莫佳於平淡，措語遣意，有若自然生成者，此熙甫所以爲文家之正傳。

王元啓《與朱信書》　文章風氣之變，視前之所偏重爲轉移。雅淡之文，流爲薄弱，則拓之以暢滿；暢滿之文，流爲平漫，則束之以整齊；整齊之文，病於凝滯，則矯之以英鋭；英鋭之氣，激爲怪奇，則復歸於雅淡。此循環之理，如四時寒暑之相易不可強者。然此特其體貌耳。要之，文字眞精神之處，原不變也。所謂眞精神者何？曰清，曰深，二字盡之。析理精而不混則清，命意切而不浮則深，得其清深，則平奇濃淡，雖累易其體，貌以從時，而其骨體迥然自異，又何有乎前所云諸弊哉！

盛大士《與李海帆觀察論文書》　夫文章之道，通達萬變，而各隨其人之情性以出。其人狂，則其文高明而俊偉；其人狷，則其文廉直而勁正；其人剛，則其文發揚而蹈厲；其人柔，則其文恭敬而溫文。即其所近而深造之，皆可進于古之立言者，若溺于功利耆欲，天機汩喪，而又欲欺世盜名，自附

于著作之列，則其文雖或震炫世俗，而必有卑□穢惡之氣藏于其中，惟深于文者能辨之。然則治古文者，亦治其性情而已矣。治性情者，亦求之於君臣、父子、夫婦、兄弟、朋友之間而已矣。

陸繼輅《風希堂文集序》 有黼黻之文，有布帛之文。微黼黻無以彰朝廷之等威，微布帛無以禦閭閻之寒沍。然則卿、雲之麗藻，下逮齊、梁徐、庾之辭，宋五子之語錄，其皆無當於聖人彬彬之說者邪？雖然，偏廢不可，將兼蓄之，若者黼黻，若者布帛，百責集躬，因應告瘁，而事物之求，其來無窮。文且終不貴于是，有能之者出焉，以爲文則斕然，以爲質則敦然。一人之文，一文之成，隨世所用，無不即是。是故物以偏爲用，不偏是兩無所用也；文以備爲用，不備是僅有所用也。至于不僅有所用，而文之爲貴于天壤乃至無復有加，古之能之者無不皆然，特有廣狹、長短、厚薄之不齊焉耳。

吳榮光《黃霽青觀察文集敘》 文之所繫重矣！漢文醇茂而國長，晉文虛誕而國亡，六朝綺靡而國促，唐文光燄而國昌。觀一代之文，可以知一代之治。當其盛也，必有賈、董、燕、許之筆而振起之，炳焉同風。故士大夫之文，關乎氣運，不可不謹也。

吳德旋《初月樓古文緒論》 淡非淺薄之謂，淺薄則人人能之，正爲文所當戒者也。文章之道，剛柔相濟。《史記》及韓文，其兩三句一頓，似斷不斷之處極多；要有灝氣潛行，雖陡峻亦寓繇邈，且自然恰好，所以爲風神絶世也。

又 唐人以五律爲四十賢人，不可一字帶屠沽氣。古文亦然，通篇容不得一字屠沽。然而知此者鮮矣，能辨其是否屠沽亦不易矣！眞作家所以少也。

又 姚子壽謂文忌爽，亦非也。《孟子》乃文章之最爽者；《史記》、《戰國策》亦然。西漢初年，文章之高，猶有周、秦氣，亦正以其爽耳。武帝以後，則文太做作矣。

又 《史記》諸表序，筆筆有唱歎，筆筆是豎的；歐陽文有一唱三歎者，多是橫闊的。

又 范蔚宗自謂「體大思精，而無事外遠致」，誠哉是言。事外遠致，《史記》處處有之；能繼之者，《五代史》也，震川文也。

又 漢文近於平。如劉子政，則較之董江都爲不平矣。

又 《三國志》得龍門之簡，以史法論，勝於《後漢書》。裴松之補注，有近於小説而亦收之者。須知此等書亦陳承祚所見，而不採取，所以爲簡要也。

又 八家之外，李習之尙可參，其氣習自好也。孫可之則有暴氣，亦未能自然，究非正宗。看王介甫便高過之遠甚。姚牧菴力掃南宋，而學韓尙太喫力。

又 虞道園筆太游衍，較之宋潛谿稍淨，而文品不甚相懸。王遵巖文少靈氣，然自正派，虞道園正與之相伯仲耳。明七子文，句句欲古峭，而不知運以灝氣，往往至於不可讀，乃荆棘叢也。

又 歸震川直接八家。姚惜抱謂其於不要緊之題，説不要緊之語，卻自風韻疏淡，是於太史公深有會處，不可不知此旨。如張鱸江所賞諸篇，不過歐、曾勝處而已。有寥寥短章而逼眞《史記》者，乃其最高淡之處也。

惲敬《與紉之論文書》 聖人之所謂達者何哉？其心嚴而愼者其辭端，其神暇而愉者其辭和，其氣灝然而行者其辭大，其知通于微者其辭無不至。言理之辭如火之明，上下無不灼然，而跡不可求也；言情之辭如水之曲行旁至，灌渠入穴，遠來而不知所往也；言事之辭如土之墳壤鹹瀉而無不可用也，此其本矣，蓋猶有末焉。其機如弓弩之張，在乎手，而志則的也；其行如挈壺之遞下，而微至也；其體如宗廟圭琮之不可雜置也，如毛髮肌膚骨肉之皆備而運于衇也，如觀于崇岡深巖，進退俯仰，而橫側喬墮無定也，如是其可以爲能于文者乎？若其從入之途，則有要焉，曰其氣澄而無滓也，積之則無滓而能厚也；其質整而無裂也，馴之則無裂而能變也。

梁章鉅《退庵論文》 考據家作文字，率喜繁徵博引，以長篇炫人，然氣不足以舉之，每令閱者不終篇而倦其意。自謂源於《史》、《漢》，然史公文字精采，雖長不厭，《漢書》則冗遝處實多，馬、班之高下卽在於此。《史記》中長短亦不一律，如《項羽本紀》長八千八百餘字，《趙世家》長一萬一千一百餘字，而《顏淵列傳》僅二百四十字，《仲弓列傳》僅六十三字，何嘗必以長爲貴乎？朱子嘗言：「凡人做文字不可太長，多照管不到，寧可説不盡。韓、歐文皆不欲説盡。東坡雖是一往滾將去，他裏面自有法度。今人不理會他裏面法度，只管學他一滾做將去，故無結構。」按坡公嘗自言作文之法，「意盡而止」者，天下之至言也。然而言止而意不盡，尤爲極至。坡公又云：「孔子言『辭達而已矣』。夫辭止於達意，宜若不文，是大不然。言理能使是理了然於

心者，蓋千萬人而不一遇也，而況能使了然於口與手者乎？是之謂辭達。辭而至於達，則文不可勝用矣。」合此二說觀之，蘇文豈漫無節制者哉！

又　少年作文，以英發暢滿爲貴，不宜卽求高簡古淡。昔歐陽公《答徐秘書》云：「所寄近著甚佳，議論正宜如此，然著撰苟多，他日更自精擇，少去其繁則峻潔矣。此時且不必勉強，簡節之則不流暢，須待自然而至也。」又蘇文忠《答李豸書》云：「惠示古賦、近詩，詞氣卓越，意趣不凡，甚可喜也。但微傷冗，後當稍收斂之。今則未可也。」又《與姪簡書》云：「凡文字少小時須令氣象崢嶸，采色絢爛，漸老漸熟乃造平淡。其實不是平淡，乃絢爛之極也。汝只見爹伯今日文章平淡，便專意學此樣，何不取舊日應舉時文字觀之，看其高下抑揚，如龍蛇捉不住。且須學此，斯得之矣。」按宋時所謂應舉時文，非今之時文也，而歐、蘇之教人已如此。

梅曾亮《送陳作甫叙》　夫文有世祿之文，有豪傑之文。模山記水，叙述情事，言應爾雅，如世家貴人珍器玩好，皆中度程，應故實，此世祿之文也。開張王霸，指陳要最，前無所襲於古，而言當乎時論，不必稽於人而事覈其實，如魚鹽版築之夫經歷險阻，致身遭時，雖居廟堂之上，匹夫匹婦之嚬笑可得而窺也，此豪傑之文也。士當貧賤時，酬接者勢皆等夷，無利於相詐；貴者則去民遠而利害不相及，惟令也臨乎民而近民，相臨也則下有必遁之情，而相近也則上有先受之利害，雖魚鹽版築中，其操心慮患不是過也。人情固樂爲世家貴人，而不樂爲魚鹽版築也。然文章家未有不豪傑而能成大文者，此昌黎諸君子所造爲不可及歟？

又《太乙舟山房文集序》　見其人而知其心，人之眞者也；見其文而知其人，文之眞者也。人有緩急剛柔之性，而其文有陰陽動靜之殊。譬之楂梨橘柚，味不同而各符其名，肖其物；猶裘葛冰炭也，極其所長，而皆見其短。使一物而兼衆味，與衆物之長，則名與味乖；而飾其短，則長不可復見，皆失其眞者也。失其眞，則人雖接膝而不相知；得其眞，雖千百世上，其性情之剛柔緩急，見于言語行事者，可以坐而得之。蓋文之眞僞，其輕重于人也，固如此。

曾國藩《聖哲畫像記》　西漢文章，如子雲、相如之雄偉，此天地遒勁之氣，得于陽與剛之美者也，此天地之義氣也。劉向、匡衡之淵懿，此天地溫厚之氣，得于陰與柔之美者也，此天地之仁氣也。東漢以還，淹雅無慚于古，而風骨少隤矣。韓、柳有作，盡取揚、馬之雄奇萬變，而內之于薄物小篇之中，豈不詭哉！歐陽氏、曾氏皆法韓公，而體質于匡、劉爲近。文章之變，莫可窮詰。要之，不出此二途，雖百世可知也。

又《日記·咸豐十年三月十七日》　吾嘗取姚姬傳先生之說，文章之道，分陽剛之美、陰柔之美二種。大抵陽剛者，氣勢浩瀚；陰柔者，韻味深美。浩瀚者，噴薄出之；深美者，吞吐而出之。

又《咸豐十年閏三月廿三日》　余思古文有八字訣，曰雄、直、怪、麗、淡、遠、茹、雅。近于茹字似更有所得。而音響、節奏，須一「和」字爲主，因將「淡」字改爲「和」字。

又《咸豐十年八月廿一日》　夜讀《古文·雜記類》，微若有所得者；柳子厚山水記，似有得于陶淵明沖淡之趣，文境最高，不易及。

又《咸豐十一年六月十七日》　看劉文清公《清愛堂帖》，略得其沖淡自然之趣，方悟文人技藝佳境有二：曰雄奇，曰淡遠。作文然，作詩然，作字亦然。若能合雄奇于淡遠之中，尤爲可貴。

又《同治四年正月廿二日》　余昔年嘗慕古文境之美者，約有八言：陽剛之美曰雄、直、怪、麗，陰柔之美曰茹、遠、潔、適。蓄之數年，而余未能發爲文章，略得八美之一以副斯志。是夜，將此八言各作十六字贊之，至次日辰刻作畢。附錄如左：雄：劃然軒昂，盡棄故常；跌宕頓挫，捫之有芒。直：黃河千曲，其體仍直；山勢若龍，轉換無跡。怪：奇趣横生，人駭鬼眩；《易》、《玄》、《山經》，張韓互見。麗：青春大澤，萬卉初葩；《詩》、《騷》之韻，班、揚之華。茹：衆義輻湊，吞多吐少；幽獨咀含，不求共曉。遠：九天俯視，下界聚蚊；寤寐周、孔，落落寡群。潔：冗意陳言，類字盡芟；慎爾褒貶，神人共監。適：心境兩閑，無營無待；柳記、歐跋，得大自在。

又《家書·諭紀澤紀鴻·同治四年七月初三日》　四象表中，惟氣勢之屬太陽者，最難能而可貴。古來文人雖偏于彼三者，而無不在氣勢上痛下工夫。

又《同治五年十月十一日》　凡大家名家之作，必有一種面貌，一種神態，與他人迥不相同。譬之書家羲、獻、歐、虞、褚、李、顏、柳，一點一畫，其面貌既截然不同，其神氣亦全無似處。本朝張得天、何義門雖稱書家，而未能盡變古人之貌。故必如劉石庵之貌異、神異，乃可推爲大家。詩文亦然。

若非其貌其神迴絕群倫，不足以當大家之目。渠既迴絕群倫矣，而後人讀之，不能辨識其貌，領取其神，是讀者之見解未到，非作者之咎也。

又《同治六年三月二十二日》 凡詩文趣味約有二種：一曰詼詭之趣，一曰閑適之趣。詼詭之趣，惟莊、柳之文，蘇、黄之詩，韓公詩文，皆極詼詭。此外實不多見。閑適之趣，文惟柳子厚游記近之，詩則韋、孟、白傅均極閑適。而余所好者，尤在陶之五古、杜之五律、陸之七絕，以爲人生具此高淡襟懷，雖南面王不以易其樂也。

唐才常《論文連珠十首》 蓋聞玉生於山，雕之則華縟；冰出於水，鑿之則紛綸。惟不雕者完其大璞，惟不鑿者順其天眞。是以西漢雄深，卓然典謨之制；東京藻儷，漸傷風骨之庳。

又 蓋聞聆簫韶之音，則唯恐其卧；聽鄭、衛之音，則久而忘疲。何則？以博溺心，以文藏質；容悅以偶俗，雖雅而傷煩。是以晉、魏文人，浸有作法於涼之弊；齊、梁綺靡，適等自鄶以下之譏。

又 蓋聞以古爲鏡，神屢照而不疲；如金在鎔，工雖微而待鍊。江、河本其同源，涇、渭區而未遠。是以元代諸賢，多濂、洛、關、閩之遺緒，風格近爾，非六朝、五季之淫哇。

張裕釗《答劉生書》 夫文章之道，莫要于雅健。欲爲健而厲之已甚，則或近俗；求免于俗而務爲自然，又或弱而不能振。古之爲文者若左邱明、莊周、荀卿、司馬遷、韓愈之徒，沛然出之，言厲而氣雄，然無有一言一字之強附而致之者也，措焉而皆得其所安。文惟此最爲難，知其難也，而以意默參於二者之交，有機焉以寓其間，此同非黽莫所能企，而亦非口所能道。治之久而一旦悠然自得於其心，是則其至焉耳。

吳汝綸《與姚仲實》 桐城諸老，氣清體潔，海内所宗，獨雄奇瑰瑋之境尚少。蓋韓公得揚、馬之長，字字造出奇崛。歐陽公變爲平易，而奇崛乃在平易之中。後儒但能平易，不能奇崛，則才氣薄弱，不能復振，此一失也。曾文正公出而矯之，以漢賦之氣運之，而文體一變，故卓然爲一代大家。近時張廉卿又獨得於《史記》之譎怪，蓋文氣雄俊不及曾，而意思之恢詭，辭句之廉勁，亦能自成一家。是皆由桐城而推廣，以自爲開宗之一祖，所謂「有所變而後大」者也。

又 說道說經，不易成佳文。道貴正，而文者必以奇勝。經則義疏之流暢，訓詁之繁瑣，考證之該博，皆於文體有妨。故善爲文者，尤慎於此。退之自言「執聖之權」，其言道止《原性》、《原道》等三篇而已；歐陽辨《易》論《詩》諸篇，不爲絕盛之作，其他可知。至於常理凡語，涉筆卽至者，用功深則不拒自遠，無足議也。

賀濤《送張先生序》 經詞質詩，獨爛然而華。楚人既侈其體以爲賦，而賈誼、司馬相如、枚乘、揚雄、班固、張衡之倫用以薦功諷時，抒懷愫，狀物變，益瑰放詭怪而不可窮。承效者多沿用爲體，其弊也厖蕪而纖僞。唐韓愈氏急起而持之汰繁抑浮，一歸於樸，羣天下學者惟韓之從。自漢迄唐，曠數百年而文章始復於古。習傳之既久，或孤抱韓氏之義法，而不敢他有所涉，其弊也意固而言俚。國朝姚姬傳氏纂錄古文，益以楚辭、漢賦，其說既美矣。曾文正公取其說而益恢之，以自治其文，而宋後數百年沿用之體於是始變。漢文偉麗矣，而所謂質者固在也，末流汩焉耳。韓文簡樸矣，而漢文氣體固在也，末流靡焉耳。韓氏振漢氏之末流反之古，曾公振韓氏之末流反之漢，先生師曾公，嘗取姚氏所纂錄而獨說其辭賦以示學者。濤既蒙不棄，以爲可與於茲事，而數進以閎肆之境。夫閎肆之境，舍先生所說固莫由達也，而孰思之而莫窺其涯於先生之歸也。

又《送吳先生序》 意有所寄而爲文，而意之所寄，恆視其人所遭之時與所處之境。以盛德當末世，而《易》以興《詩》之刺譏，大氐因所遭際託諷詠以達其所懷。《春秋》繼《詩》而作，其意蓋與《詩》同。故孟子尙友古人，必論其世，以知其人而不泥乎《詩》、《書》之迹。於《詩》曰：「不以文害辭，不以辭害志。」於《書》曰：「盡信《書》不如無《書》。」不信者，不信其辭也。諸子之書，荀卿以爲持之有故。而太史公於古之作者必推其作之之由，其采之以爲史則曰：「好學深思，心知其意。」曾文正公云：太史公稱《莊子》多寓言。吾觀子長所爲《史記》，寓言亦居十之六七。古人讀書及其所自爲書，其恉趣類如此。韓退之非三代兩漢之書不敢觀，其取法三代兩漢也，亦曰：「師其意，不師其辭。」故後之作者惟退之爲近古。近世之學者不然。爲理學之說者曰：某書體具而未極其至，某書務末而遺本，某書不合仲尼。起作者而面詰之，不能自解免也。然而作者之意，彼固未之知也。爲考據之說者曰：某文非古之訓，某名古無此稱，以事徵多抵捂，以時考失先後，起作者而面詰之不能自解免也。然而作者之意，彼固未之知也。爲辭章之說者曰：事覈而辭簡，

三代之文也；體大而氣充，西漢之文也；意繁而語偶，東漢以後之文也。時代之論，古而有之，沿襲以爲說耳。作者之意，彼固未之知也。夫不能心知其意，義拘詞泥而馳逐於膚末，自詡知言，無異乎言理日益精，考古日益詳，文之義法益嚴以密，而名能文者，且閱十百年而不一遇也。濤嘗聞桐城吳先生之言矣，曰：「古人著書，未有無所爲而漫言道理者。」由先生之言思之，自《易》以下，皆有爲而作者也；自韓以上，皆讀其書而知其所爲者也。

林紓《春覺齋論文·述旨》 王充之言曰：「飾貌以彊類者失形，調辭以務似者生情。」「飾貌以彊類」，患於論明七子之得失，已盡言矣。而於「調辭務似」之一語，不能不服史公、歐公及震川三家之能也。《史記·外戚世家》記竇皇后弟竇廣國事：「文帝召見問之，具言其故，果是。又復問他何以爲驗，對曰：『姊去我西時，與我決於傳舍中，丐沐沐我，請食飯我，乃去。』於是竇皇后持之而泣，泣涕交横下。侍御左右皆伏地泣，助皇后悲哀。」嗚呼！史公之寫物情，摯矣。今試瞑目思竇姬在行時，迨將入代，而穉弟戀姊如母，依依旅燈明滅之中，囚首喪面。竇姬知此行定無可相見之期，計一身與穉弟相聚一晷刻間，即當盡一晷刻手足之誼，不能不向從者丐沐而請食。下一「丐」字、「請」字，可見雜沓之中，車馬已駕，紛紛且行；竇廣國身隨其姊在行中，直一贅旒，不丐且不得沐，不請且不得食；沐已飯已，匆匆登車，亦不計弟之何屬。此在情事中特一毫末耳，而施之文中，覺竇皇后之深情，竇廣國身世之落漠。寥寥數語，而慘狀悲懷，已盡呈紙上。此即所謂「務似而生情」者也。且「似」字亦非貌似之謂，直當時曲有此情事，登之文字之中而肖耳。下至歐公之《瀧岡阡表》、歸震川之《項脊軒記》，瑣瑣屑屑，均家常之語，乃至百讀不厭，斯亦奇矣。雖然，叙細碎之事，能使鎔成整片，則又大難。觀《瀧岡表》中語，時時用一「知」字，又時時用一「待」字。蓋歐公幼不見贈公，但述太夫人深信贈公，故累累用「知」字；既知贈公之必有後，故累累用「待」字。既用此二字爲之提綱挈領，則以下瑣瑣屑屑之處，皆有所消納，而不至散漫煩贅，令人生憎。震川力追歐公，得其法乳，故《項脊軒》一記，亦别開生面。然有「軒」字爲主人翁，則人事變遷，家道坎壈，皆歸入此軒，作睹物懷人寫法，與《瀧岡阡表》面目又大不同。《阡表》步步叙悲，悲盡，皆其得意處；《項脊軒記》亦步步叙悲，然名位去歐公遠甚，不能不生其蕭寥之感：綜之皆各肖其情事。張惠言作其《先妣事略》，極意欲抒其悲懷，然寫情實不如震川之摯，此則自關其人之所造，未可強同也。

又《辭義篇》曰：「屬筆之家，亦各有病：其深者，則患乎譬煩言冗，申誡廣喻，欲棄而惜，不覺成煩也；其淺者，則患乎妍而無據，證援不給，皮膚鮮澤，而骨骾過弱也。」嗚呼！是言也，悉文中甘苦矣。前一弊，不善學老泉父子之文者當之；後一弊，不善學桐城之文者當之。蘇家文字，喻其難達之情，圓其偏執之説，往往設喻以亂人觀聽。驟讀之，無不點首稱可；及詳按事理，則又多罅漏可疑處。然蘇氏之文，多光芒，有氣概，如少年武士，横槊盤馬，不戰已足屈人之兵。後人不足於理，而但求足於文，勢不能不抄故籍，因事設譬；一譬足矣，又復求多，於是枵響騰於紙上，滯氣潰於行間，則貪多之病也。凡無理與氣，而好作長篇者，往往墜入此阱。韓昌黎集中無史論，舍《原道》外，議論之文，多歸入贈序、與書中，至長無過五六百字者；篇幅雖短，而氣勢騰躍，萬水迴環，千峯合抱，讀之較讀長篇文字爲久，即無煩譬冗言耳。至所云「皮膚鮮澤，骨骾過弱」，則襲舊套爲文，知文之門徑，知文之弊病，知文之步驟，知文之取舍，應有盡有，而終不名之爲能文；即徒知斤削之利，而無梧檟之材資之以成器，此則讀書不多，積理不厚之過也。夫桐城豈眞有派？惜抱先生亦力追古學，得經史之腴，鎔裁以韓、歐之軌範，發言既清，析理復粹，自然成爲惜抱之文，非有意立派也。學者能溯源於古，多讀書，多閱歷，範以聖賢之言，成爲堅確之論，韓、歐之法程自在，何必桐城？即桐城一派，亦豈能超乎韓、歐而獨立耶？錢虞山之告文太青曰：「當力追古學，勿流連於今學而不知反。」此言闢何、李也。後生小子，胡敢妄闢桐城，然論文不能不取法乎上。須知桐城之文不弱也，以柔筋脆骨者效之，則弱矣。向見吳摯甫先生案頭日置韓文一卷，時時讀之。以桐城人師桐城之大師，在理宜讀姚文，不宜取徑於韓，且曾文正亦力主桐城者，乃日抱韓文不去手。然則，治程、朱語録者，固不能不溯源於《論語》也。

陳澹然《晦堂文鑰·雅俗辨》 古人論文，必先雅潔。所謂雅者，非塗飾爲工，雕刻爲古之謂也，去俗而已；所謂潔者，非枯冷爲高，疏淡爲眞之謂也，去其無用而已。無用即俗也。夫一題有一題之理，即一題有一題之文。論一事，而此文妙語移之彼題，則精而不實，即無用矣；記一事，而前之所陳移之後幅，則重者反輕，即無用矣。無用即俗矣。故凡爲文之法，古人所

稱禁理學語，禁時文語，禁詞賦語，禁說帖語，禁公牘語，卽學部定章禁新名詞，皆易也。惟此二者，戛戛其難。而初學必從易者始，然後難者可歷階而升，無他，切題而已。題何以切？認理而已。周秦之間，百家競出，曾無兩人規模議論如出一家。後世教人必使議論規模歸於一律，此卽俗也。欲求免俗，必自鍊氣始。氣剛則上下千古，縱橫五洲，何所施而不可？夫鍊氣非以爲文，將以任天下大事。區區之文，尚且弱而不振，況敢出死生，祛禍福，任天下大事哉？孔子之對哀公也，曰明曰強，此非爲文發也。得此而卽文卽事，思過半矣，尚何不雅不潔之有？

又《鍊格》 文格者何？如人之體格是。古之稱格者，曰品格，曰風格，曰骨格，而無氣格，何也？氣主動而格主靜，義固殊也。譬之於人，言談豪邁，舉動發揚則氣也，而格則如人獨立，不動不言，自有泰山喬嶽之概。長篇巨製，如人之體幹雄奇，固自有眞格矣。卽短篇數語，百折千回，譬之於人，短小精悍，神采逼人，自赫然不可干犯。太史公之《贊》，韓昌黎之《龍說》與《送董邵南序》，柳子厚之《辨諸子》，王荆公之《論孟嘗君》，蘇老泉之《名字說》皆此類也。古人有言：「骨重神寒天廟器。」杜工部之《題畫馬》曰：「獨立閶闔生長風。」自非體格精嚴，安能致此？故凡文之風發泉湧者，氣也；文之嶽峙淵渟者，格也。孔子之論學也，曰可與立，未可與權。立者，靜而常，權則動而變。天下未有不能靜而能動，不能立而能權，不能鍊格而能善用其氣者。此其道始於不輕言動，自嚴其身而無泄其氣。孟子有言：「富貴不淫，貧賤不移，威武不屈」，皆此義也。能此者，雖任天下大難，於文何有？

劉師培《南北文學不同論》 聲音既殊，故南方之文亦與北方迥別。大抵北方之地，土厚水深，民生其際，多崇實際，南方之地，水勢浩洋，民生其際，多尚虛無。民崇實際，故所著之文不外記事、析理二端；民尚虛無，故所作之文或爲言志、抒情之體。中國古籍，以六藝爲最先，而《尚書》、《春秋》記動記言，謹嚴簡直；《禮》、《樂》二經例嚴辭約，平易不誣；記事之文，此其嚆矢。《大易》一書，素遠鈎深，精義曲隱，析理之作，此其權與。若夫兵農標目，醫曆垂書，炎、黃以降，著述浩繁（如兵家始于黃帝、鬼容區，農家始于神農，醫家始于神農、黃帝及岐伯諸人，曆學亦始于容成，皆見于《漢志》，實爲上古之書），然繩以著書之律，則記事、析理，實兼二長。此皆古代北方之文也（因古帝皆都北方，而南方則爲苗族之地）。惟《詩》篇三百，則區判北南：《雅》、《頌》之詩起于岐豐，而《國風》十五，太師所采，亦得之河濟之間，故諷詠遺篇，大抵治世之詩，從容揄揚（如《周頌》及《大雅》、《小雅》前半，及《魯頌》、《商頌》是）。衰世之詩悲哀剛勁（如《小雅》中《出車》、《采芑》、《六月》，以及《秦風》篇皆剛勁之詩也，而《小雅》、《大雅》之後半，則爲悲哀之詩），記事之什雅近典謨（如《七月篇》歷叙風土人情，而《篤公劉》諸篇，皆不愧詩史），北方之文莫之或先矣。惟周召之地，在南陽、南郡之間（此《韓詩》說。予案《周南》言漢廣，言汝墳，則周南之地在南陽南部之東；《召南》言汝沱，則召南之地當在南陽、南郡之西，蓋文王兼牧荆、梁二州，故《國風》始于《周》、《召》），故二《南》之詩感物興懷，引辭表旨，譬物連類，比興二體，厥製亦繁，構造虛詞，不標實迹，與二《雅》迥殊。至于哀窈窕而思賢才，詠漢廣而思游女，屈宋之作于此起源。《鼓鐘》篇曰：「以《雅》以《南》。」非《詩》分南北之證與（《毛傳》云：「言爲《雅》爲《南》也，舞四夷之樂，大德廣所及。」又言南夷之樂曰《任》。蓋以《雅》爲中國之樂，以《南》爲四夷之樂也。不知北方之詩謂之《雅》，《雅》者，北方之音也。南方之詩謂之《南》，《南》者，南方之音也。此音分南北之證。非以南夷之樂該四夷之樂也）？春秋以降，諸子並興，然荀卿、呂不韋之書最爲平實，剛志決理，輐斷以爲紀，其原出于古《禮經》（孔、孟之言，亦最平易近人），則秦趙之文也。故河北關西，無復縱橫之士。韓、魏、陳、宋，地界南北之間，故蘇、張之橫放（蘇秦爲東周人，張儀爲魏人），韓非之宕跌（非爲韓人），起于其間。惟荆楚之地，僻處南方，故老子之書，其說杳冥而深遠（老子爲楚國苦縣人），及莊、列之徒承之（莊爲宋人，列爲鄭人，皆地近荆楚者也），其旨遠，其義隱，其爲文也縱而後反，寓實于虛，肆以荒唐譎怪之詞，淵乎其有思，茫乎其不可測矣。屈平之文，音涉哀思，矢耿介，慕靈修，芳草美人，托詞喻物，志潔行芳，符于二《南》之比興（觀《離騷經》、《九章》諸篇，皆以虛詞喻實義，意與二《雅》殊），而叙事紀游，遺塵超物，荒唐譎怪，復與莊、列相同（故《史記》之論《楚詞》也，謂：「蟬蛻穢濁之中，浮游塵埃之外，皭然涅而不污。推此志也，雖與日月爭光可也」）。南方之文，此其選矣。又縱橫之文，亦起于南（陳軫、黃歇之流是也），故士生其間，喜騰口說，甚至操兩可之說，設無窮之詞，以詭辯相高，故南方墨者，以堅白、異同之論相訾（見《莊子》），雖其學失傳，然

淺察以炫詞，纖巧以弄思，習爲背實擊虚之法，與莊、列、屈、宋之荒唐譎怪者，殆亦殊途而同歸乎！觀班固之志藝文也，分析詩賦，屈原賦以下二十五家爲一種，陸賈賦以下二十一家爲一種，荀卿賦以下二十五家爲一種。蓋屈原、陸、賈，籍隸荆南（賈亦楚人），所作之賦一主抒情，一主騁辭，皆爲南人之作；荀卿生長趙土，所作之賦偏于析理，則爲北方之文。蘭台史冊固可按也。西漢之時，文人輩出，賈誼之文，剛健篤實，出于韓非；鼂錯之文，辨析疏理，出于《呂覽》；而董仲舒、劉向之文，咸平敞通洞，章約句制，出于荀卿。蓋西漢北方之文，實分三體：或鎔式經誥，褒德顯容，其源出于《雅》、《頌》，頌贊之體本之；或探事獻説，重言申明，其源出于《尚書》，書疏之體本之；或文樸語飾，不斷而節，其源出于《禮經》，古賦之體本之（如孔臧、司馬遷、韓安國之賦是）。又《淮南》之旨雖近莊、列，然衡其文體，仍在荀、呂之間，亦非南方之文也（惟小山《招隱士》篇，出于屈、宋）。若夫史遷之作，排奡雄奇，書爲記事，文則騁詞。而枚乘、司馬相如，咸以詞賦垂名，然恢廓聲勢，開拓宧突，殆縱横之流歟（如枚乘《七發》，相如《子虚賦》、《上林賦》是也）。至于寫物附意，觸興致情（如相如《長門賦》、《思大人》，枚乘《菟園賦》是也），則導源楚騷，語多虚設。子雲繼作，亦兼二長（如《羽獵賦》、《河東賦》，出于縱横家者也，若《反離騷》諸作，則出于楚騷者也）。例以文體，遠北近南。東京文士彪炳史編，然章奏書牘之文，咸通暢明達，雖屬詞枝繁，然銓貫有序，論辨之文亦然（如班彪《王命論》，朱穆《崇厚論》是）。若詞賦一體，則孟堅之作雖近揚、馬，然徵材聚事，取精用弘，《呂覽》類輯之義也，蔡邕之作似之，平子之作，傑格拮撥，俶佹可觀，荀卿《成相》之遺也，王延壽之作似之。即有自成一家言者，亦辭直義暢，雅懿深醇（如荀悦《申鑒》、王符《潛夫論》是）。蓋東漢文人，咸生北土，且當此之時，士崇儒術，縱横之學，屏絶不觀，騷經之文，治者亦鮮，故所作之文偏于記事析理（如《幽通》、《思玄》各賦，以及《申鑒》、《潛夫論》之文，皆析理之文也，若夫《兩都》、《魯靈光》各賦，則記事之文），而騁辭抒情之作，嗣響無人。惟王逸之文，取法騷經（王爲南郡人），而應劭、王充，南方之彦（劭爲汝南人，充爲會稽人），故《風俗通》、《論衡》二書近于詭辯，殆南方墨者之支派歟？于兩漢之文别爲一體。蓋三代之時，文與語分，排偶爲文，直言爲語。東漢北方之文，詞多駢儷，句嚴語重，乃古代之文也。南方之文多屬單行，語詞淺顯，乃古代之語也。建安之初，詩尚五言。七子之作，雖多酬酢之章，然慷慨任氣，磊落使才，造懷指事，不求纖密，隱義蓄含，餘味曲包，而悲哀剛勁，洵乎北土之音（氣度淵雅遜東漢，而魄力則過之，孔融、曹操之詩，尤爲悲壯）。魏晉之際，文體變遷，而北方之士侈效南文。曹植詞賦，塗澤律切，憂遠思深，其旨開于宋玉；及其弊也，則采摘艷辭，纖冶傷雅。嵇、阮詩歌，飄忽峻佚，言無端涯，其旨開于莊周，及其弊也，則宅心虚闊，失所旨歸。左思詩賦，廣博沉雄，慨慷卓越，其旨開于蘇、張，及其弊也，則浮囂粗獷，昧厥修辭。北方文體至此始淆。又建安以還，文崇偶體；西晉以降，由簡趨繁（凡晉人奏議之文、論述之文，皆日趨于偶，日趨于繁，與東漢殊）。然晉初之文，彝元尚存，雕幾未極。如杜預、荀勖、傅玄，咸吐詞簡直；若張華、潘岳、摯虞，始漸尚鋪張，三張二陸，文雖遒勁，亦稍入輕綺矣。詩歌亦然。故力柔于建安，句工于正始，此亦文體由北趨南之漸也。江左詩文，溺于玄風，辭謝雕采，旨寄玄虚，以平淡之詞寓精微之理。故孫（孫綽）、許（許詢）、二王（王羲之、王獻之），語咸平典，由嵇、阮而上溯莊周，此南文之别一派也。惟劉琨之作，善爲淒戾之音，而出以清剛（孫楚、盧諶之作亦然），郭璞之作，佐以彪炳之詞，而出以挺拔，北方之文賴以不墮。晉、宋以降，文體復更。淵明之詩，仍沿晉派，至若慧業文人，咸崇文藻，鑱雕雲風，模範山水。自顏、謝詩文，舍奇用偶，鬼斧默運，奇情畢呈，句爭一字之奇，文采片言之貴，情必極貌以寫物，辭必窮力以追新（謝元暉亦然）。齊、梁以降，益尚艷辭，以情爲裏，以物爲表，賦始于謝莊，詩昉于梁武（簡文及元帝之詩亦然）。陰、何、吳、柳（陰鏗、何遜、吳均、柳惲），厥製益工，研煉則隱師顔、謝，妍麗則近則齊、梁。子山繼作，掩抑沉怨，出以哀艷之詞，由曹植而上師宋玉，此又南文之一派也（惟范雲、任昉，文詩淵懿，江總、沈約，亦無輕靡之辭，乃齊梁、文士之傑出者）。鮑照詩文，義尚光大，工于騁勢，然語乏清剛，哀而不壯，大抵由左思而上效蘇、張，此亦南文之一派也。梁、陳以降，文體日靡（至陳後主而極矣，即劉孝標、劉彦和、陸佐文之文，亦多清新之句），惟北朝文人舍文尚質。崔浩、高允之文，咸磽确自雄。溫子昇長于碑版，敘事簡直，得張、蔡之遺規。盧思道長于歌詞，發音剛勁，嗣建安之佚響（如《薊北歌詞》諸作是也）。子才、伯起（邢卲、魏收），亦工記事之文。豈非北方文體固與南方文體不同哉？自子山、總持（江

總)身旅北方，而南方輕綺之文漸爲北人所崇尚。又初明(沈炯)、子淵(王褒)，身居北土，恥操南音，詩歌勁直，習爲北鄙之聲，而六朝文體亦自是而稍更矣。隋煬詩文，遠宗潘、陸，一洗浮蕩之言，惟隸事研詞，尚近南方之體。楊、薛之作，間符隋煬，吐音近北，摛藻師南。故隋、唐文體力剛于顔、謝，采縟于潘、張，折衷南體北體之間，而別成一派。唐初詩文與隋代同，制句切響，言務纖密，雖雅法六朝，然卑靡之音，于焉盡革。四傑繼興，文體益恢，詩音益諧。自是以降，雖文有工拙，然俳四儷六，益趨淺弱。惟李、杜古賦，詞句質素，張、陸奏章，析理通明，唐代文人瞠乎後矣。昌黎崛起北陲，易偶爲奇，語重句奇，閎中肆外，其魄力之雄，直追秦、漢；雖模擬之習未除，然起衰之功不可沒也。習之、持正、可之，咸奉韓文爲圭臬，古質深雄，唐代罕倫。子厚與昌黎齊名，然棲身湘、粵，偶有所作，咸則《莊》、《騷》，謂非土地使然歟？若貞觀以後，詩律日嚴，然宋、沈之詩，以嚴凝之骨飾流麗之詞，頌揚休明，淵乎盛世之音。中唐以降，詩分南北，少陵、昌黎體峻詞雄，有黃鐘、大呂之音。若夫高(適)、常(建)、崔(顥)、李(頎)，詩帶邊音，粗厲猛起。張(籍)、孟(郊)、賈(島)、盧(仝)思苦語奇，縋幽鑿險，皆北方之詩也。太白之詩，才思横溢，旨近蘇、張(樂府則出《楚詞》)；溫、李之詩，緣情託興，誼符《楚騷》；儲、孟之詩，清言霏屑，源出道家：皆南方之詩也。晚唐以還，詩趨纖巧，拾六代之唾餘，自鄶以下，無足觀矣。宋代文人，惟老蘇之作間近昌黎，歐、曾之文，雖沉詳整靜，茂美淵懿，訓詞深厚，然平弱之譏，曷云克免？豈非昌黎之文，固非南人所能效哉(小蘇之文愈傷平弱，介甫文雖挺拔，然渾厚之氣亦遜昌黎)？若東坡之文，出入蘇、張、莊、老間，亦爲南體；蘇門四子更無論矣。北宋詩體，初重西昆，派沿溫、李，蘇詩精言名理，有東晉之風(此出于道家，若歐、王之詩，于北宋亦爲特出)。西江一體，雖逋峭堅凝，一洗凡艷，然雄厚之氣遠遜杜、韓，豈非杜、韓之詩亦非南人所克效歟？南宋詩文多沿古製，惟同甫、水心，文體縱横，放翁、石湖，詩詞淡雅(一近張、蘇，一近莊、列)，然咸屬南人。若眞、魏之文，縝密端慤，誠哉中流之砥柱矣(若夫東萊之文，稼軒之詞，亦近縱横，朱子之文，雅近眞、魏)。金、元宅夏，文藻黯然，惟遺山之詩則法少陵，存中州之正聲；子昂卑卑，非其匹也。自元以降，惟劇曲一端區分南北；若詩文諸體，咸依草附木，未能自辟塗轍，故無派別之可言。大抵北人之文，猥瑣鋪叙以爲平通，故樸而不文；南人之文，詰屈雕琢以爲奇麗，故華而不實。當明代中葉，七子之詩雄而不沉，歸、茅之文密而不茂。至于明季幾社、復社之英，發爲文章，咸感憤淋漓，悲壯蒼涼，傷時念亂，音哀于子山，氣剛于同甫；雖間失豪放，然南人之文兼擅蘇、張、屈、宋之長者，自此始也。明社既墟，遺民佚士眷懷故都，或發綿渺之文(如吳梅村之詩，毛西河之文是)，或效軼蕩之體(如侯、魏之文，閻、萬之詩是)，咸有可觀(大抵梨洲之文冗長，惟亭林詩文爲最佳，船山之文則又明文之傑出者矣)。清代中葉，北方之士，咸樸僿蹇冗，質略無文。南方文人則區駢、散爲二體；治散文者工于離合激射之法，以神韻爲主，則便于空疏，以子居、臯聞爲差勝(此所謂桐城派也，餘咸薄弱)；治駢文者，一以摘句尋章爲主，以蔓衍炫俗，或流爲詼諧，以稚威、容甫爲最精(稚威之文以力勝，容甫之文以韻勝，非若王、袁之矜小慧也)。若夫惟詩歌一體，或崇聲律(如趙執信及後世揚州詩派是)，或尚修詞(如宋琬之流是)，或矜風調(前有施、王，後有袁枚，皆宗此派)，派別迴殊，然雄健之作概乎其未聞也。故觀乎人文，亦可以察時變矣。

又《論文雜記》 古人學術，各有專門，故發爲文章，亦復旨無旁出，成一家言，與諸子同。試卽唐、宋之文言之：韓、李之文，正誼明道，排斥異端(如韓愈《原道》、《原性》及《答李生書》等篇，李翺《復性書》)，皆儒家之言；而韓文之中，無一篇不言儒術者)，歐、曾繼之，以文載道，儒家之文也(南宋諸儒文集，多闡發心性，討論性天之作，亦儒家之文)。子厚之文，善言事物之情，出以形容之詞(如永州、柳州諸游記，咸能類萬物之情，窮形盡相，而形容宛肖，無異寫眞)，而知人論世，復能探原立論，核覈刻深(如《桐葉封弟辨》、《晉趙盾許世子義》、《晉命趙衰守原論》諸作，皆翻案之文也。宋儒論史，多誅心之論，皆原于此)，名家之文也。明允之文，最喜論兵(如《上韓樞密書》等篇皆是，而論古人之用兵者尤多)，謀深慮遠，排兀雄奇(明允最喜陰謀，且能發古人之陰謀，故其爲文亦多刻深之論，發人未發)，兵家之文也。子瞻之文，以粲花之舌，運捭闔之詞，往復卷舒，一如意中所欲出，而屬詞比事，翻空易奇(子瞻之文，說理多未確，惟工于博辯，層出不窮，皆能自圓其說，于蘇、張之學殆有得也)，縱横家之文也(陳同甫之文，亦以兵家兼縱横家者也)。介甫之文，侈言法制，因時制宜(集中多論新法之文)，而文辭奇

峭，推闡入深（介甫之文最爲峻削，而短作尤悍厲絶倫，且立論極嚴，如其爲人），法家之文也（若夫邵雍之徒爲陰陽家，王伯厚之徒爲雜家，而葉水心之徒亦近于法家、兵家）。立言不朽，此之謂與。近代以還，文儒輩出：望溪、姬傳，文祖韓、歐，闡明義理，趨步宋儒（凡桐城古文家，無不治宋儒之學，以欺世盜名。惟海峰稍有思想。若方東樹、方宗誠、曾國藩，皆治宋學，復以能文鳴），此儒家之支派也。愼修、輔之，綜核禮制，章疑別微（近儒治三禮者，如秦蕙田、凌廷堪、程瑤田之流，咸有文集，集中亦多論禮之作。考《漢志》言名家出于禮官，則言禮學者，必名家之支派也），若膺、伯申，考訂六書，正名辨物（近儒喜治考據，分戴、惠兩大派，皆從《爾雅》、《說文》入手。而諸家文集，亦以說經考字之作爲多。古人以字爲名，名家綜核名實，必以正名析詞爲首，故考據之文亦出名家），皆名家之支派也。叔子、崑繩，洞明兵法，推論古今之成敗，疊陳九土之險夷（叔子、崑繩論兵之文，多見于集中，或論古事，或論形勢，與老蘇同），落筆千言，縱横奔肆，此兵家之支派也。子居之文，取法半山（亦喜論法制，而文章奇峭峻悍，尤與半山之文相同），安吳之文，洞陳時弊，兵農刑政，酌古準今，不諱功利之談，爰立後王之法（如《安吳四種》是。魏源之文，亦有類安吳者），此法家之支派也。朝宗之文，詞源横溢（明末陳卧子等之文皆然），簡齋之作，逞博矜奇，若決江河，一瀉千里（俞長城諸家之文亦然。若夫詞章之家，亦侈陳事物，嫻于文詞，亦當溯源于縱横家），此縱横家之支派也（仲瞿、稚威雖多偶文，亦屬縱横家也）。雍齋（沈濤別字雍齋，著有《十經齋文集》）、于庭之文，雜糅讖緯，靡麗瑰奇（凡治常州學派者，其文必雜以讖緯之詞，故工于駢文，且以聲色相矜），此陰陽家之支派也（若夫王錫闡、梅文鼎之集，亦多論天文、曆譜之文，然皆實用之學，與陰陽家不同。古人治曆，所以授時也。王、梅之文，殆亦農家之支派歟）。大紳、臺山（彭尺木亦然）之文，妙善玄言，析理精微（凡治佛學者，皆能發揮名理，而言語妙天下），此道家之支派也。維崧、甌北之文，體雜俳優，涉筆成趣（凡文人之有小慧者，其文亦然），此小說家之支派也。旨歸既別，夫豈強同？卽古人所謂文章流別也。惟詩亦然。子建之詩，溫柔敦厚（子建之詩，頗得風人之旨，故淵雅之音，非七子所能及。孔子之論《關雎》曰：「哀而不傷。」子夏之序《詩》亦曰：「發乎情，止乎禮義。」子建之詩有焉），近于儒家。淵明之詩，澹雅沖泊，近于道家（陶潛雖喜老、莊，然其詩則多出于《楚詞》。若嵇康之詩，頗得道家之意。郭景純之詩，亦有道家之意）。康樂之詩，琢磨研煉，近于名家（凡六朝之詩，喜用煉句，以狀事物之情，且工于刻畫，如何遜、陰鏗之詩皆是也）。然康樂之詩，其濫觴也）。太沖之詩，雄健英奇（如《詠史》諸詩皆是也），近于縱横家（鮑明遠之詩亦然）。若楊素之詩，則近于法家）。蓋在心爲志，發言爲詩，諷詠篇章，可以察前人之志矣。隋、唐以下，詩家專集，浩如淵海；然詩格既判，詩心亦殊（詩心者，卽作詩者之思想智識也）。少陵之詩，惓懷君父，希心稷、契（杜詩云：「許身亦何愚，竊比稷與契」），是爲儒家之詩（杜詩云：「法自儒家有。」此少陵詩文出于儒家之確證。若夫朱紫陽之詩，亦儒家之詩也）。太白之詩，超然飛騰（「飛騰」二字，見杜詩「前輩飛騰入」），不愧仙人，是爲縱横家之詩（後世惟辛稼軒、陳同甫之詞，慷慨激昂，近于縱横家）。襄陽之詩，逸韻天成（出于陶淵明），子瞻之詩，清言霏屑（蘇詩妙善玄言，得之老、莊，兼得之佛學，故能含至理于詩），是爲道家之詩（後世惟范石湖之詩，多沖淡之作，合于道家焉）。儲、王之詩（儲光羲及王維也），備陳穡事，追擬《豳風》（其詩中叙言田中風景，歷歷如繪，且多村神父老之談，然寄懷曠佚，故詩中無一俗筆），是爲農家之詩（陶詩亦多農家之意）。山谷之詩，峻厲倔強，爲西江之冠（大約西江派之詩，喜用瘦削之語，且出語深峻，有骨無肉，故後人擬之骨硬焉）。王荆公之詩亦然。其悍厲峻削，出荆公上），是爲法家之詩（古代法家之詩，有孔明《梁父吟》，而孔明之治蜀也，亦任法爲治，則此詩已先表其志矣）。由是言之，辨章學術，詩與文同矣。要而論之，西漢之時，治學之士，侈言災異五行，故西漢之文，多陰陽家言。東漢之末，法學盛昌，故漢、魏之文，多法家言（西漢之文，無一篇不言及天象者。三國之文，若鍾繇、陳群、諸葛亮之作，咸多審正名法之言，與西漢殊）。六朝之士，崇尚老、莊，故六朝之文，多道家言（如葛洪、孫興公、王逸少、支遁、陶淵明、陶弘景之文，皆喜言名理，以放達爲高。齊、梁之文亦然）。隋、唐以來，以詩賦爲取士之具，故唐代之文，多小說家言（觀《唐代叢書》可見矣）。宋代之儒，以講學相矜，故宋代之文，多儒家言。明末之時，學士大夫多抱雄才偉略，故明末之文，多縱横家言。近代之儒，溺于箋注訓故之學，故近代之文，多名家言。

騷賦論部

主編：許結

目次

本原

班固《兩都賦序》 或曰：「賦者，古詩之流也。」昔成、康沒而《頌》聲寢，王澤竭而《詩》不作。大漢初定，日不暇給。至於武、宣之世，乃崇禮官，考文章，內設金馬石渠之署，外興樂府協律之事，以興廢繼絶，潤色鴻業。是以衆庶悦豫，福應尤盛。《白麟》、《赤鴈》、《芝房》、《寶鼎》之歌，薦於郊廟；神雀、五鳳、甘露、黄龍之瑞，以爲年紀。故言語侍從之臣，若司馬相如、虞丘壽王、東方朔、枚臯、王褒、劉向之屬，朝夕論思，日月獻納。而公卿大臣御史大夫倪寬、太常孔臧、太中大夫董仲舒、宗正劉德、太子太傅蕭望之等，時時間作。或以抒下情而通諷諭，或以宣上德而盡忠孝，雍容揄揚，著於後嗣，抑亦雅頌之亞也。故孝成之世，論而錄之，蓋奏御者千有餘篇，而後大漢之文章，炳焉與三代同風。且夫道有夷隆，學有麤密，因時而建德者，不以遠近易則。故臯陶歌虞，奚斯頌魯，同見采於孔氏，列於《詩》《書》，其義一也。稽之上古則如彼，考之漢室又如此，斯事雖細，然先臣之舊式，國家之遺美，不可闕也。臣竊見海內清平，朝廷無事，京師脩宫室，浚城隍，起苑囿，以備制度。西土耆老，咸懷怨思，冀上之睠顧，而盛稱長安舊制，有陋洛邑之議。故臣作《兩都賦》，以極衆人之所眩曜，折以今之法度。

又《漢書·藝文志》 傳曰：「不歌而誦謂之賦，登高能賦，可以爲大夫。」言感物造耑，材知深美，可與圖事，故可以爲列大夫也。古者諸侯卿大夫交接鄰國，以微言相感，當揖讓之時，必稱詩以諭其志，蓋以别賢不肖而觀盛衰焉。故孔子曰：「不學詩，無以言」也。春秋之後，周道寖壞，聘問歌詠，不行於列國，學詩之士，逸在布衣，而賢人失志之賦作矣。大儒孫卿及楚臣屈原，離讒憂國，皆作賦以風，咸有惻隱古詩之義。其後，宋玉、唐勒；漢興，枚乘、司馬相如，下及揚子雲，競爲侈麗閎衍之詞，沒其風諭之義。是以揚子悔之曰：「詩人之賦麗以則，辭人之賦麗以淫。如孔氏之門用賦也，則賈誼登堂，相如入室矣，如其不用何？」

王逸《楚辭章句》卷一《離騷經章句》 敘曰：昔者孔子叡聖明喆，天生不王，俾定經術，乃删《詩》《書》，正《禮》《樂》，制作《春秋》，以爲後王之法。門人三千，罔不昭達。臨終之日，則大義乖而微言絶。其後周室衰微，戰國並爭，道德陵遲，譎詐萌生。於是楊、墨、鄒、孟、孫、韓之徒，各以所知著造傳記，或以述古，或以明世。而屈原履忠被譖，憂悲愁思，獨依詩人之義而作《離騷》，上以諷諫，下以自慰。遭時暗亂，不見省納，不勝憤懣，遂復作《九歌》以下凡二十五篇。楚人高其行義，瑋其文采，以相教傳。【略】且人臣之義，以忠正爲高，以伏節爲賢，故有危言以存國，殺身以成仁。是以伍子胥不恨於浮江，比干不悔於剖心，然後德立而行成，榮顯而名稱。若夫懷道以迷國，佯愚而不言，顛則不能扶，危則不能安，婉娩以順上，逡巡以避患，雖保黄耇，終壽百年，蓋志士之所恥，愚夫之所賤也。今若屈原膺忠貞之質，體清潔之性，直若砥矢，言若丹青，進不隱其謀，退不顧其命，此誠絶世之行，俊彦之英也。而班固謂之「露才揚己」、「競於羣小之中，怨恨懷王，譏刺椒、蘭，苟欲求進，强非其人，不見容納，忿恚自沈」，是虧其高明，而損其清潔者也。昔伯夷、叔齊讓國守志，不食周粟，遂餓而死，豈可復謂有求於世而恨怨哉！【略】夫《離騷》之文，依託《五經》以立義焉。「帝高陽之苗裔」，則《詩》「厥初生民，時惟姜嫄」也；「紉秋蘭以爲佩」，則「將翺將翔，佩玉瓊琚」也；「夕攬洲之宿莽」，則《易》「潛龍勿用」也；「駟玉虬而乘鷖」，則《易》「時乘六龍以御天」也；「就重華而陳詞」，則《尚書》「咎繇之謀謨」也；「登崑崙而涉流沙」，則《禹貢》之敷土也。故智彌盛者，其言博；才益劭者，其識遠。屈原之詞，誠博遠矣。自孔丘終沒以來，名儒博達之士著造詞賦，莫不擬則其儀表，祖式其模範，取其要妙，竊其華藻，所謂金相玉質，百歲無匹，名垂罔極，永不刊滅者也。

又卷三《天問章句》 班孟堅序：昔在孝武，博覽古文，淮南王安敘《離騷傳》，以《國風》好色而不淫，《小雅》怨悱而不亂，若《離騷》者，可謂兼之矣。蟬蛻濁穢之中，浮游塵埃之外，皭然泥而不滓，推此志，雖與日月爭光可也。斯論似過其眞。又説：伍子以失家巷，謂伍子胥也。及至羿、澆、少康、二姚、有娀佚女，皆各以所識，有所增損，然猶未得其正也。故博採經書傳記本文以爲之解。且君子道窮，命矣。故潛龍不見，是而無悶。《關雎》哀周道而不傷，蘧瑗持可懷之智，寗武保如愚之性，咸以全命避害，不受世患。故《大雅》曰：「既明且哲，以保其身。」斯爲貴矣。今若屈原，露才揚己，

競乎危國羣小之間，以離讒賊。然責數懷王，怨惡椒、蘭，愁神苦思，強非其人，忿懟不容，沈江而死，亦貶絜狂狷景行之士，多稱崑崙、冥昏宓妃虛無之語，皆非法度之政，經義所載。謂之兼《詩》風雅而與日月爭光，過矣！然其文弘博麗雅，爲辭賦宗。後世莫不斟酌其英華，則象其從容。自宋玉、唐勒、景差之徒，漢興，枚乘、司馬相如、劉向、揚雄騁極文辭，好而悲之，自謂不能及也。雖非明智之器，可謂妙才者也。

皇甫謐《三都賦序》 玄晏先生曰：古人稱不歌而頌謂之賦。然則賦也者，所以因物造端，敷弘體理，欲人不能加也。引而申之，故文必極美；觸類而長之，故辭必盡麗。然則美麗之文，賦之作也。昔之爲文者，非苟尚辭而已，將以紐之王教，本乎勸戒也。自夏殷以前，其文隱沒，靡得而詳焉。周監二代，文質之體，百世可知。故孔子采萬國之風，正《雅》《頌》之名，集而謂之《詩》。詩人之作，雜有賦體。子夏序《詩》曰：「一曰風，二曰賦。」故知賦者，古詩之流也。至于戰國，王道陵遲，風雅寖頓。於是賢人失志，辭賦作焉。是以孫卿、屈原之屬，遺文炳然，辭義可觀。存其所感，咸有古詩之意。皆因文以寄其心，託理以全其制，賦之首也。及宋玉之徒，淫文放發，言過于實。誇競之興，體失之漸，風雅之則，於是乎乖。逮漢賈誼，頗節之以禮。自時厥後，綴文之士，不率典言，并務恢張，其文博誕空類。大者罩天地之表，細者入毫纖之內。雖充車聯駟，不足以載；廣廈接榱，不容以居也。其中高者，至如相如《上林》，揚雄《甘泉》，班固《兩都》，張衡《二京》，馬融《廣成》，王生《靈光》，初極宏侈之辭，終以約簡之制，煥乎有文，蔚爾鱗集，皆近代辭賦之偉也。若夫土有常產，俗有舊風，方以類聚，物以群分。而長卿之儔，過以非方之物，寄以中域，虛張異類，託有於無。祖構之士，雷同影附，流宕忘反，非一時也。曩者漢室內潰，四海圮裂，孫、劉二氏，割有交益，魏武撥亂，擁據函夏。故作者先爲吳、蜀二客，盛稱其本土險阻瓌琦，可以偏王，而卻爲魏主述其都畿，弘敞豐麗，奄有諸華之意。言吳蜀以擒滅比亡國，而魏以交禪比唐虞，既已著逆順，且以爲鑒戒。蓋蜀包梁岷之資，吳割荊南之富，魏跨中區之衍，考分次之多少，計殖物之衆寡，比風俗之清濁，課士人之優劣，亦不可同年而語矣。二國之士，各沐浴所聞，家自以爲我土樂，人自以爲我民良，皆非通方之論也。作者又因客主之辭，正之以魏都，折之以王道。其物土所出，可得披圖而校；體國經制，可得按記而驗。豈誣也哉！

摯虞《文章流別論》 賦者，敷陳之稱，古詩之流也。古之作詩者，發乎情，止乎禮義。情之發，因辭以形之；禮義之旨，須事以明之。故有賦焉，所以假象盡辭，敷陳其志。前世爲賦者，有孫卿、屈原，尚頗有古詩之義，至宋玉則多淫浮之病矣。《楚辭》之賦，賦之善者也。故揚子稱賦莫深於《離騷》。賈誼之作，則屈原儔也。古詩之賦，以情義爲主，以事類爲佐。今之賦，以事形爲本，以義正爲助。情義爲主，則言省而文有例矣；事形爲本，則言當而辭無常矣。文之煩省，辭之險易，蓋由於此。夫假象過大，則與類相遠；逸辭過壯，則與事相違；辯言過理，則與義相失；麗靡過美，則與情相悖。此四過者，所以背大體而害政教，是以司馬遷割相如之浮說，揚雄疾「辭人之賦麗以淫」也。

杜臺卿《淮賦序》 古人登高有作，臨水必觀焉。吟詠比賦，可得而言矣。《詩・周南》云：「漢之廣矣，不可泳思；江之永矣，不可方思。」《邶風》云：「涇以渭濁，湜湜其沚。」《衛風》云：「河水洋洋，北流活活。」《小雅》云：「滔滔江漢，南國之紀。」《大雅》云：「豐水東注，惟禹之績。」《周頌》云：「猗與漆沮，潛有多魚。有鱣有鮪，鰷鱨鰋鯉。」《魯頌》云：「思樂泮水，薄采其芹。」此皆水賦濫觴之源也。後漢班彪有《覽海賦》，魏文帝有《滄海賦》，王粲有《游海賦》，晉成公綏有《大海賦》，潘岳有《滄海賦》，木玄虛、孫綽並有《海賦》，楊泉有《五湖賦》，郭璞有《江賦》，惟淮未有賦者。魏文帝雖有《浮淮賦》，止陳將卒赫怒，至於兼包化產，略無所載。齊天統初，以敎府詞曹出除廣州長史，經淮陽赴鎮，頻經利涉，壯其淮沸浩蕩，且注巨海，南通曲江，水怪神物，于何不有？遂撰聞見，追而賦之。

劉勰《文心雕龍・辨騷》 自《風》《雅》寢聲，莫或抽緒，奇文鬱起，其《離騷》哉！固已軒翥詩人之後，奮飛辭家之前，豈去聖之未遠，而楚人之多才乎。昔漢武愛《騷》，而淮南作《傳》，以爲「《國風》好色而不淫，《小雅》怨誹而不亂，若《離騷》者，可謂兼之。蟬蛻穢濁之中，浮游塵埃之外，皭然涅而不緇，雖與日月爭光可也」。班固以爲「露才揚己，忿懟沉江；羿、澆、二姚，與《左氏》不合；崑崙懸圃，非經義所載；然其文辭麗雅，爲詞賦之宗，雖非明哲，可謂妙才」。王逸以爲詩人提耳，屈原婉順，《離騷》之文，依經立義，駟虬乘鷖，則時乘六龍；崑崙流沙，則《禹貢》敷土；名儒辭賦，莫不擬其

儀表，所謂金相玉質，百世無匹者也。及漢宣嗟歎，以爲皆合經術；揚雄諷味，亦言體同《詩·雅》。四家舉以方經，而孟堅謂不合傳，褒貶任聲，抑揚過實，可謂鑒而弗精，翫而未覈者也。將覈其論，必徵言焉。故其陳堯舜之耿介，稱湯武之祗敬，典誥之體也；譏桀紂之猖披，傷羿澆之顛隕，規諷之旨也；虬龍以喻君子，雲蜺以譬讒邪，比興之義也；每一顧而掩涕，歎君門之九重，忠怨之辭也：觀茲四事，同於《風》、《雅》者也。至於託雲龍，説迂怪，豐隆求宓妃，鴆鳥媒娀女，詭異之辭也；康回傾地，夷羿彃日，木夫九首，土伯三目，譎怪之談也；依彭咸之遺則，從子胥以自適，狷狹之志也；士女雜坐，亂而不分，指以爲樂，娛酒不廢，沉湎日夜，舉以爲懽，荒淫之意也：摘此四事，異乎經典者也。故論其典誥則如彼，語其夸誕則如此，固知《楚辭》者，體慢於三代，而《風》、《雅》於戰國，乃《雅》、《頌》之博徒，而詞賦之英傑也。觀其骨鯁所樹，肌膚所附，雖取鎔經意，亦自鑄偉辭。故騷經《九章》，朗麗以哀志；《九歌》、《九辯》，綺靡以傷情；《遠游》、《天問》，瓌詭而惠巧；《招魂》、《招隱》，耀艷而深華；《卜居》標放言之致，《漁父》寄獨往之才。故能氣往轢古，辭來切今，驚采絶艷，難與並能矣。自《九懷》以下，遽躡其跡，而屈宋逸步，莫之能追。故其叙情怨，則鬱伊而易感；述離居，則愴快而難懷；論山水，則循聲而得貌；言節候，則披文而見時。是以枚賈追風以入麗，馬揚沿波而得奇，其衣被詞人，非一代也。故才高者菀其鴻裁，中巧者獵其艷辭，吟諷者銜其山川，童蒙者拾其香草。若能憑軾以倚《雅》、《頌》，懸轡以馭楚篇，酌奇而不失其真，翫華而不墜其實，則顧盼可以驅辭力，欬唾可以窮文致，亦不復乞靈於長卿，假寵於子淵矣。

贊曰：不有屈原，豈見《離騷》。驚才風逸，壯志煙高。山川無極，情理實勞。金相玉式，艷溢錙毫。

又《詮賦》 《詩》有六義，其二曰賦。賦者，鋪也，鋪采摛文，體物寫志也。昔邵公稱「公卿獻詩，師箴瞽賦。」《傳》云：「登高能賦，可爲大夫。」詩序則同義，傳説則異體，總其歸塗，實相枝幹。劉向云明不歌而頌，班固稱古詩之流也。至如鄭莊之賦大隧，士蔿之賦狐裘，結言短韻，詞自己作，雖合賦體，明而未融。及靈均唱《騷》，始廣聲貌。然則賦也者，受命於詩人，拓宇於《楚辭》也。於是荀況《禮》、《智》，宋玉《風》、《釣》，爰錫名號，與詩畫境，六義附庸，蔚成大國。述客主以首引，極聲貌以窮文，斯蓋別詩之原始，命賦之厥初也。秦世不文，頗有雜賦。漢初詞人，順流而作，陸賈扣其端，賈誼振其緒，枚馬同其風，王揚騁其勢，皐朔已下，品物畢圖。繁積於宣時，校閲於成世，進御之賦千有餘首，討其源流，信興楚而盛漢矣。夫京殿苑獵，述行序志，並體國經野，義尚光大。既履端於倡序，亦歸餘於總亂。序以建言，首引情本；亂以理篇，迭致文契。按《那》之卒章，閔馬稱亂，故知殷人輯《頌》，楚人理賦，斯並鴻裁之寰域，雅文之樞轄也。至於草區禽族，庶品雜類，則觸興致情，因變取會，擬諸形容，則言務纖密；象其物宜，則理貴側附；斯又小制之區畛，奇巧之機要也。觀夫荀結隱語，事數自環，宋發巧談，實始淫麗。枚乘《菟園》，舉要以會新；相如《上林》，繁類以成艷；賈誼《鵩鳥》，致辨於情理；子淵《洞簫》，窮變於聲貌；孟堅《兩都》，明絢以雅贍；張衡《二京》，迅發以宏富；子雲《甘泉》，構深瑋之風；延壽《靈光》，含飛動之勢：凡此十家，並辭賦之英傑也。及仲宣靡密，發端必遒；偉長博通，時逢壯采；太沖、安仁，策勳於鴻規；士衡、子安，底績於流制；景純綺巧，縟理有餘；彦伯梗概，情韻不匱：亦魏晉之賦首也。原夫登高之旨，蓋覩物興情。情以物興，故義必明雅；物以情觀，故詞必巧麗。麗詞雅義，符采相勝，如組織之品朱紫，畫繪之著玄黄，文雖新而有質，色雖糅而有本，此立賦之大體也。然逐末之儔，蔑棄其本，雖讀千賦，愈惑體要，遂使繁華損枝，膏腴害骨，無貴風軌，莫益勸戒，此揚子所以追悔於雕蟲，貽誚於霧縠者也。贊曰：賦自《詩》出，分岐異派。寫物圖貌，蔚似雕畫。抑滯必揚，言庸無隘。風歸麗則，辭翦荑稗。

庾信《哀江南賦序》 昔桓君山之志事，杜元凱之平生，並有著書，咸能自序。潘岳之文彩，始述家風；陸機之詞賦，先陳世德。信年始二毛，即逢喪亂，藐是流離，至於暮齒。燕歌遠別，悲不自勝；楚老相逢，泣將何及？畏南山之雨，忽踐秦庭；讓東海之濱，遂餐周粟。下亭漂泊，皐橋羈旅。楚歌非取樂之方，魯酒無忘憂之用。追爲此賦，聊以記言，不無危苦之詞，唯以悲哀爲主。

王績《遊北山賦並序》 詩者，志之所之；賦者，詩之流也。

劉知幾《思慎賦並序》 賦形天地，受氣陰陽，生樂死哀，進榮退辱。此人倫之大分也。

李白《大獵賦並序》 白以爲賦者古詩之流。辭欲壯麗，義歸博達。不然，

何以光贊盛美，感天動神。而相如、子雲，競誇詞賦，歷代以爲文雄，莫敢詆訐。臣請語其大略，竊或褊其用心。

白居易《賦賦》　賦者，古詩之流也。始草創於荀、宋，漸恢張於賈、馬。冰生乎水，初變本於《典》、《墳》；青出於藍，復增華於《風》、《雅》。而後諧四聲，祛八病，信斯文之美者。我國家恐文道寖衰，頌聲凌遲，乃舉多士，命有司，酌遺風於三代，明變雅於一時。全取其名，則號之爲賦；雜用其體，亦不出乎《詩》。四始盡在，六義無遺。是謂藝文之儆策，述作之元龜。觀夫義類錯綜，詞采舒布，文諧宮律，言中章句，華而不艷，美而有度。雅音瀏亮，必先體物以成章；逸思飄颻，不獨登高而能賦。其工者，究筆精，窮指趣，何慚《兩京》於班固；其妙者，抽秘思，騁妍詞，豈謝《三都》於左思。掩黃絹之麗藻，吐白鳳之奇姿，振金聲於寰海，增紙價於京師。則《長楊》、《羽獵》之徒，胡爲比也；《景福》、《靈光》之作，未足多之。所謂立意爲先，能文爲主，炳如繪素，鏗若鐘鼓。郁郁哉溢目之黼黻，洋洋乎盈耳之《韶》、《濩》。信可以淩轢風騷，超軼今古者也。今吾君網羅六藝，淘汰九流，微才無忽，片善是求。況賦者，《雅》之列，《頌》之儔，可以潤色鴻業，可以發揮皇猷。客有自謂握靈蛇之珠者，豈可棄之而不收。

權德輿《唐故漳州刺史張君集序》　善乎揚子雲之言曰：「詩人之賦麗以則。」班固亦曰：「賦者，古詩之流也。」至若言天下之事業，美盛德之形容，皆源委於是，而派流寖大。然則體物導志，其爲文之本歟。

王禹偁《答張知白書》　夫賦之作，本乎《詩》者也。自兩漢以來，文士若相如、揚雄、班固輩皆爲之，蓋六義之一也。洎隋唐，始以詩賦取進士，而賦之名變而爲律，則與古戾矣。然拘攣聲病以難後學，至使鴻藻碩儒有不能下筆者，雖丈夫不爲，亦仕進之羽翼，不可無也。銘之義本乎鐘鼎，孔悝之家廟詳矣。歌又雜詩之倫也，故《書》曰：「詩言志，歌詠言。」又《詩序》云：「嗟嘆之不足，則咏歌之。」此其始也吁哉！後人流蕩忘反，蓋其得也，薦宗廟，播管弦；其失也，語淫奔，事詭怪而已。

范仲淹《賦林衡鑑序》　人之心也，發而爲聲；聲之出也，形而爲言。聲成文而音宣，言成文而詩作。聖人稽四始之正，筆而爲經；考五聲之和，鼓以爲樂。是故言依聲而成象，詩依樂以宣心。感于人神，穆乎風俗，昭昭六義，賦實在焉！及乎大醇即醨，旁流斯激；風雅條散，故態屢遷，律呂脈分，新聲間作。而士衡名之體物，聊舉於一端；子雲語以雕蟲，蓋尊其六籍。降及近世，尤尚斯文。

晁補之《續楚辭序》　《詩》亡而《春秋》作，其事則齊桓晉文，其書王也，以其無王也，存王制，以懼夫亂臣賊子之無誅者也，以迄周亡。至戰國時，無《詩》無《春秋》矣。而孟子之教又未興，足跡接乎諸侯之境者，諫不行，言不聽，則怒，悻悻然去君，又極之於其所往。君臣之道微，寇敵方興，而原一人焉以不獲乎上而不怨，猶睠顧楚國，繫心懷王不忘，而望其改也。夫豈曰是何足與言仁義也云爾。則原之敬王，何異孟子，其終不我還也，於是乎自沈。與夫去君事君，朝楚而暮秦，行若犬彘者比，謂原雖與日月爭光可也，豈過乎哉！然則不獨《詩》，至原於《春秋》之微，亂臣賊子之無誅者，原力猶能愧之，而揚雄以謂何必沈江，原惟可以無死行過乎。恭使原不得則龍蛇，雖歸潔其身，而《離騷》亦不大耀，則是世所以賢原者，亦由其忠死，故其言至於今不廢也。而後世奈何獨竊取其辭以自名，不自知其志不類而無愧，而《續楚辭》、《變離騷》亦奈何徒以其辭之似而取之。曰《詩》非皆聖賢作也，捨周公、尹吉甫、仲山甫諸大夫君子，則羇臣寡婦寺人賤者桑濮淫奔之辭，顧亦與《猗那》、《清廟》金石之奏俱采而并傳，何足疑哉。且世所以疑於此者，不以夫後之愧原者衆哉！而荀卿、賈誼、劉向、揚雄、韓愈，又非愧原者也。以迄於本朝，名世君子尚多有之，姑以其辭類出於此，故參取焉。然則亦有其行不足於原而取之者，猶《三百篇》之雜而不可廢，漢息夫躬爲姦利以憂死，著《絶命辭》，辭甚高，使躬之不肖不傳，而獨其《絶命辭》傳，則譬猶從母言之爲賢，母言固無罪也。柳宗元、劉禹錫皆善屬文，而朋邪得廢，韓愈薄之。王文公曰：吾觀八司馬，皆天下之奇才也，一爲叔文所誘，遂陷於不義，至今欲爲君子者羞道而喜攻之。然八人者既困矣，往往能自強，名卒不廢，而所謂欲爲君子者，其終能毋與世俯仰以自別於小人者，少復何議於彼哉。王公世大儒，其學自韓愈已下不論，雖要不成人之惡，至奇宗元輩而恕，知其愛人憂國志念深矣。而士之一切干祿，陽自好而陰從利，徼一時之願，無禍而老者，皆是也。於王之言可遂不戒，而視八司馬不反怍乎。禹錫不暇議，宗元之才蓋韓愈比，愈薄而惜之，稱其論議出入經史百子，踔厲風發，而謂其少年勇於爲人不自貴重，使在臺省時已能持身，如其斥時亦自不斥。愈於宗元懇懇如此，豈亦知夫才難，與王之意無異也。抑息夫躬類江充

禍國，宗元禹錫誠邪，不至於爲躬，躬之辭錄，則凡不至於爲躬而辭錄者，皆錄躬之意也。漢蕩秦，唐掃隋，然頗因其法制文物，爲國猶爾，以治易亂，不可以皆廢也。況言語趣操異世之習哉！以狐父之人爲盜，因以食爲盜而嘔之，昔人以謂此失名實者也。是乃《續楚辭》、《變離騷》所以無疑於取此雜者也。

又《變離騷序下》《詩》亡《春秋》又微，而百家蠭起。七國時楊、墨、申、韓、淳于髠、騶衍、騶奭之徒，各以其說亂天下，於時大儒孟、荀，實羽翼《六經》於其將殘。而二儒相去百有餘年，中間獨屈原履正著書，不流邪說。蓋嘗謂原有力於《詩》亡《春秋》之微，故因集《續楚辭》、《變離騷》，而獨推原與孟子先後，以貴重原於禮義欲絕之時。又《變離騷》起荀子《佹詩》、《成相篇》，故幷以其時考之，知原雖不純乎孟、荀，於其中間非異端也。【略】《孟子》載《孺子歌》曰：「滄浪之水清兮，可以濯我纓；滄浪之水濁兮，可以濯我足。」孔子曰：「清斯濯纓，濁斯濯足，自取之也。」而原辭曰：「漁父莞爾而笑，鼓枻而去。乃歌曰：『滄浪之水清兮，可以濯吾纓；滄浪之水濁兮，可以濯吾足。』遂去，不復與言。」則原此歌蓋沿《孟子》事也。《漁父篇》曰：「新沐者必彈冠，新浴者必振衣。安能以身之察察，受物之汶汶者乎？」而《荀子·不苟篇》曰：「故新浴者振其衣，新沐者彈其冠，其誰能以己之僬僬，受人之掝掝者哉？」則卿此書蓋因原辭也。凡言語文章之相祖述，多其當時口所傳誦，從古而然。此皆古詩、《楚辭》之流也，其習而傳者，雖至於今可知也。

又《汴都賦序》聖人初無意於言，《六經》之辭，皆不得已。夫不得已，故言之致，必始於詳說，而後終之以說約。聽廉者語，不若聽夸者語夸，易好也；聽狡者語，不若聽婉者語婉，易從也。故賦之類，常欲人博聞而微解。見人言九州山川，城郭道路，太行、呂梁，舟車萬里之勤，則使人思投轄弭節；見人言州閭大會，賓主酧酢，匏竹啾咽，晡夕厭滿，酤酸肴咈，則使人思弛帶而卧。故《上林》、《羽獵》言卒徒之盛，終日馳騁，則必以節儉成之；揚雄以謂猶騁鄭、衛之聲，曲終而奏雅。後世猥以雄悔之，因棄不務。

又《離騷新序上》先王之盛時，四《詩》各得其所。王道衰而變風變雅作，猶曰達於事變而懷其舊俗。舊俗之亡，惟其事變也。故詩人傷今而思古，情見乎辭，猶《詩》之風雅而既變矣。孟子曰：「王者之迹熄而《詩》亡。」然則變風變雅之時，王迹未熄，《詩》雖變而未亡，《詩》亡而後《離騷》之辭作。非徒區區之楚事不足道，而去王迹逾遠矣。一人之作，奚取於此也。蓋《詩》之所嗟歎，極傷於人倫之廢，哀刑政之苛。而人倫之廢，刑政之苛，孰甚於屈原時邪？國無人，原以忠放，欲返，幸君之一悟、俗之一改也。一篇之中三致志焉。與夫三宿而後出，晝於心猶以爲速者何異哉？世衰，天下皆不知止乎禮義，故君視臣如犬馬，則臣視君如國人，而原一人焉被讒且死而不忍去，其辭止乎禮義可知，則是《詩》雖亡至原而不亡矣。使後之爲人臣不得於君而熱中者，猶不懈乎！愛君如此，是原有力於《詩》亡之後也，此《離騷》所以取於君子也。《離騷》，遭憂也。「終窶且貧，莫知我艱」，《邶門》之志也。「何辜於天，我罪伊何」，小弁之情也。以附益《六經》之教，於《詩》最近。故太史公曰：「《國風》好色而不淫，《小雅》怨誹而不亂，若《離騷》者，可謂兼之矣。」其義然也！又班固敘遷之言曰：「《大雅》言王公大人德逮黎庶，《小雅》譏小民之得失其流及上。所言雖殊，其合德一也。司馬相如雖多虛辭濫說，然要其歸引之於節儉，此亦《詩》之風諫何異？揚雄以謂猶騁鄭衛之音，曲終而奏雅，不已戲乎！」固善推本，知之賦與《詩》同出，與遷意類也。然則相如始爲漢賦，與雄皆祖原之步驟，而獨雄以其靡麗悔之，至其不失雅亦不能廢也。自風雅變而爲《離騷》，至《離騷》變而爲賦，譬江有沱，乾肉爲脯，謂義不出於此，時異然也。傳曰：「賦者，古詩之流也。」故《懷沙》言賦，《橘頌》言頌，《九歌》言歌，《天問》言問，皆詩也，《離騷》備之矣。蓋《詩》之流至楚而爲《離騷》，至漢而爲賦，其後賦復變而爲詩，又變而爲雜言、長謠、問對、銘贊、操引，苟類出於楚人之辭而小變者，雖百世可知。

又《離騷新序下》司馬遷作《史記》，堯舜三代本紀、《孔子世家》所引《尚書》、《論語》事，頗變其文字訓詁，至《左氏》《國語》，則遷所筆削惟意。遷欲自成一家言，故加檃括而不嫌也。雖然，遷追琢傳記之辭可也，而變《尚書》《論語》文字不可也。補之事先朝爲著作郎，上即位，備太史氏，古文國書得損益之，況傳記乎？《離騷經》，始漢淮南王安爲傳。按：《隋志》傳亡，舊有班固《叙贊》二篇，王逸《序》一篇，梁劉勰《序》一篇。而王逸云：「班固、賈逵改易前疑。」則固此序或當時作者也。然頗詆原狂狷，擿其不合者。逸高原義，每難固說，勰附逸論，然亦復失之。固序曰：「君子之道，窮達有命，固潛龍不見，是而無悶。《關雎》哀周道而不傷。」又曰：「如《大雅》『既明且哲，以保其身』，斯爲貴矣。」固說誠是也。雖然，「潛龍勿用」，聖人之事也，非所以期於原也。又自淮南、太史，皆以謂兼風雅之義，而固獨疑焉。夫《國

風》不能無好色，然不至於淫；《小雅》不能無怨誹，然不至於亂。太史公謂原之辭兼此二者而已，乃周道《大雅》，豈原所得庶幾哉！雖遷亦不以是與原也。世衰，君臣道喪，去爲寇敵，而原且死憂君，斯已忠矣。唐柳宗元曰：《春秋》枉許，止以懲不子之禍，進荀息以甚苟免之禍。夫荀息阿獻公之邪心，以死其爲忠也，汙矣，惟其死不緣利，故君子猶進之。而原乃以正諫不獲而捐軀，方息之汙，則原與日月爭光可也，非過言也。固又以謂原露才揚己，競於危國羣小之中，是乃上官大夫靳尙之徒，所以誣原伐其功，謂非我莫能爲者也。固奈何亦信之？原惟不競故及此，司馬遷悲之曰：「忠而被謗，能無怨乎！」屈平之作《離騷》，蓋自怨生也。而固方且非其怨刺懷襄椒蘭，原誠不忘以義劘上，而固儒者，奈何亦如高叟之爲詩哉？又王逸稱《詩》曰：「匪面命之，言提其耳。」謂原風諫者不如此之斥，逸論近之。劉勰亦援逸此論，稱固抑揚過實。君子之與人爲善，義當如此也。至言澆羿姚娀與經傳錯繆，則原之辭甚者。稱開天門，駕飛龍，驅雲役神，周流乎天而來下，其誕如此，正爾託譎詭以諭志，使世俗不得以其淺議已，如莊周寓言者，可以經責之哉！且固知相如虛辭濫說如《詩》風諫，而於原誇大，獨可疑乎？固大較喜訾前人，如薄相如、子雲爲賦，而固亦爲賦也。劉勰文字卑陋不足言，而亦以原迂怪爲病，彼原嫉世即欲蟬蛻塵埃之外，惟恐不異，乃固與勰所論必《詩》之正，如無《離騷》可也。嗚呼，不譏於同浴，而譏裸裎哉！又勰云：「士女雜坐，娛酒不廢」，荒淫之意也。是勰以《招魂》爲原作，誤矣！然《大招》亦說粉白黛黑，清馨凍飲，勰以此爲荒淫，則失原之意逾遠。原固曰：世皆濁我獨清。豈誠樂此濁哉？哀己之魂魄離散而不可復也。故稱楚國之美，矯以其沈酣汙泥之樂，若可樂者而招之，然卒不可復也。於是焉不失正，以死而已矣。嗚呼！勰安知《離騷》哉？抑固《漢書》稱「大儒孫卿，亦離讒作賦，與原皆有古詩惻隱之意」。而此序，乃專攻原不類，疑此或賈逵語，故王逸言班賈以爲「露才揚己」，不專指班，然亦不可辨也。

釋惠洪《冷齋夜話》卷三　李格非善論文章，嘗曰：「諸葛孔明《出師表》，劉伶《酒德頌》，陶淵明《歸去來辭》，李令伯《陳情表》，皆沛然從肺腑中流出，殊不見斧鑿痕。是數君子，在後漢之末，兩晉之間，初未嘗以文章名世，而其意超邁如此。吾是知文章以氣爲主，氣以誠爲主。」

張元幹《跋蘇詔君楚語後》　風雅之變，始有《離騷》，與《詩》六義相表裏，比興雖多，然卒皆正而不淫，哀而不怨，宜乎古今推屈宋爲盟主。後之數子，如《九懷》、《九歎》、《七發》、《七啟》之類，著意摹倣，未免重複，姑置工拙如何，大槩開卷使人易倦，良由軌轍一律，竊竊然追逐前賢，步武間心殫力疲，不能跳脫翰墨畦逕，良可恨爾！

周必大《高端叔變離騷序》　《詩・國風》及秦不及楚，已而屈原《離騷》出焉，衍風雅於《詩》亡之後，發乎情，主乎忠直，殆先王之遺澤也。謂之文章之祖，宜矣！厥後宋玉之《九辯》、王褒之《九懷》、劉向之《九歎》、王逸之《九思》、曹植之《九愁》《九咏》、陸雲之《九愍》，皆《九章》《九歌》之苗裔。自揚雄至劉勰，則或反或廣，或爲之辯，祖述摹倣，不可勝數。迄今本朝晁太史補之，始重編《楚辭》十六卷，《續楚辭》二十卷，又上起荀卿，下逮王令，集《變離騷》二十卷，每篇之首，各述其意，本根枝葉備于是矣。

朱熹《楚辭集注目錄》　蓋自屈原賦《離騷》，而南國宗之，名章繼作，通號《楚辭》，大抵皆祖原意，而《離騷》深遠矣。竊嘗論之：原之爲人，其志行雖或過於中庸，而不可以爲法，然皆出於忠君愛國之誠心。原之爲書，其辭旨雖或流於跌宕怪神、怨懟激發而不可以爲訓，然皆生於繾綣惻怛、不能自已之至意。雖其不知學於北方，以求周公、仲尼之道，而獨馳騁於變風、變雅之末流，以故醇儒莊士或羞稱之，然使世之放臣、屏子、怨妻、去婦，抆淚謳吟於下，而所天者幸而聽之，則於彼此之間，天性民彝之善，豈不足以交有所發，而增夫三綱五典之重。此予之所以每有味於其言，而不敢直以詞人之賦視之也。然自原著此詞，至漢未久，而說者已失其趣。如太史公蓋未能免，而劉安、班固、賈逵之書，世不復傳。及隋唐間爲訓解者，尙五六家，又有僧道騫者能爲楚聲之讀，今亦漫不復存，無以驗其說之得失。而獨東京王逸《章句》與近世洪興祖《補注》，並行於世，其於訓詁名物之間，則已詳矣。顧王書之所取舍，與其題號離合之間，多可議者，而洪皆不能有所是正。至其大義，則又皆未嘗沈潛反復，嗟歎詠歌，以尋其文詞指意之所出，而遽欲取喩立說，旁引曲證，以強附於其事之已然，是以或以迂滯而遠於性情，或以迫切而害於義理，使原之所爲抑鬱而不得申於當年者，又晦昧而不見白於後世。予於是益有感焉，疾病呻吟之暇，聊據舊編，粗加檃括，定爲《集註》八卷，庶幾讀者得以見古人於千載之上，而死者可作，又足以知千載之下有知我者，而不恨於來者之不聞也。

吳仁傑《離騷草木疏後序》夫子不云乎，「詩可以興，可以觀，可以羣，可以怨。邇之事父，遠之事君，多識於鳥獸草木之名」。班固譏三閭怨恨懷王，是未知《離騷》之近於詩，而詩之可以怨也。劉勰亦譏三閭鴆鳥媒娀女爲迂怪詭異之説，又王逸注鴆媒謂：鴆食蛇羽有毒可以殺人者。按鴆有二焉：瑤碧之山有鳥如雉，其名曰鴆。郭璞謂此更一種，非食蛇者也。《離騷》之文，多怪怪奇奇，亦非鑿空置辭，實本之《山經》。其言鷙鸞皇鴆鳥與《詩》麟、騶虞、鳳凰何異？勰何足以知之。《離騷》以薌草爲忠正，蕕草爲小人，蓀、芙蓉以下凡四十又四種，猶青史氏忠義獨行之有全傳也。薋菉葹之類十一種傳著卷末，猶佞幸姦臣傳也。彼既不能流芳後世，姑使之遺臭萬載云。

曾豐《高元之變騷後序》余聞《詩》生於聲，聲生於氣，天地與氣爲聚散，則詩與天地爲始終，蓋其理然也。孔子所取者雅頌風而已，不及於《騷》。時則騷未作也，而雅不及於上古，何耶？上古之詩，言大道者多，未純乎雅也。雅變爲風，風變爲騷，極矣。下此則樂而淫，哀而傷，怨誹而亂，去雅遠而難反，不足以爲常道矣。故《詩》之原止於雅，其流止於《騷》。【略】《騷》變至《風》，《風》變至《雅》，元之志也。充所志而之，患不變，變必至。顧元之無孔子力，人未以必然待之爾。《書》之典流爲《誓》，《詩》之雅流爲《騷》，是或一道也。繆公悔過近道，而孔子收《秦誓》入於《書》；屈原愛君與悔過等，使孔子生於戰國之末，余知收《騷》入於《詩》必矣。彼曰刪後更無《詩》，爲徇《騷》之流者設可也。

林希逸《竹溪鬳齋十一稿續集》卷八《策·離騷》聞之師曰，不知《詩》之旨趣，無以知《騷》之風骨；不知《詩》之蹊徑，無以知《騷》之門戶。《詩》者，《騷》之宗；而《騷》者，《詩》之異名也。蓋乾坤之宫商，而寓以詩人之喙，其寫情寄興，多出於元冥罔象之中，而言語血脈，有不可以文字格律求者。自夫詩派不傳，文習益勝，辭尚於浮靡，而不務於眞實，言出於口耳，而不根於肝鬲。流蕩於風雲月露之形，祖襲於四六紅白之體，《三百篇》之義，尚以章句訓詁求之，而況《騷》乎！故夫《天問》近誕，《九歌》似怪，宓妃娀女，非典謨所談；崑崙元圃，非經義所載。求於筆舌而不索於性情，無怪乎昧眞而失實也。其或好名之士，以文相高，指瑕前輩，輕議古人，至又有援筆而爲《廣騷》、《反騷》、《辨騷》、《悼騷》之辭者，悲夫原之不遇也。原，宗臣也。楚，宗國也。其愛君則《鴟鴞》也，其傷讒則《巷伯》也。懷《黍離》靡靡之憂，有《柏舟》悄悄之念，遭詩人之所遭，懷詩人之所懷，放言遺辭，寫心寄意，非惟以鳴一身之憂，亦以鳴宗國之恨；非惟以鳴一身之不平，亦以鳴吾國之不幸。荃化爲茅，則惜芳草之爲此艾也。偭繩墨以改錯，則又不忍爲此態也。鷙鳥不羣，蛾眉衆嫉，余固知蹇蹇之爲害而不能舍也。故行吟非怨，而人以爲怨；被髮非狂，而人以爲狂。出處進退，既律以聖賢之規矩，而言語文辭，又不免後人之指摘。悲夫！原之不遇也。蓋嘗以詩求之，静言思之，不能奮飛，非變風之辭乎？原之所謂「懷椒糈」、「召巫咸」者，其萌芽於此也。夫内懷憂憤，情不自達，駕言出遊，以寫我憂，而寄情於無何有之地，此詩人之逸興也。何有於譎怪？夫遭窮遇厄，歲月易暮，懷疑蓄恨，委命於天，而欲求訊於冥漠之内，此詩人之眞情也。何有於虛誕？且其驅飛廉，指望舒，興言扶桑，屬意沅湘，其興若遠矣。而終篇乃有反乎故都之懷，則其所以若譎若怪者，子虛烏有之談耳，非眞有涉於神仙之迹。且其要靈氛，召太卜，屬辭拂策，駕意卜居，其事若信矣。而終篇乃有龜筴不能事之語，則其所以若虛若誕者，假辭設問之類耳，非眞有涉於鬼神之事。演而伸之，觸而長之，則其所謂澆羿姚娀驅雲役神者，皆詩人之寄興者也。【略】故夫求《騷》以文者，不若求之以《詩》；求《騷》以義者，不若求之以情。以文求《騷》，則得《騷》之門戶。晁補之新序有曰《離騷》既作，詩雖亡而不亡，此知騷者。而昔人之讀《騷》，至有以焚香者，以痛飲者，是豈可與淺淺者道哉！故嘗謂三閭憂憤之辭，當與杜子美論，不當與揚雄、賈誼論。二十五篇逸放之辭，當與李太白論，不當與班固、劉勰論。揚雄、賈誼憂在一身，而不在天下，其行已可考也。故指笑湘纍以爲其度未廣，託諷鳳凰以爲不避繒繳，若夫一飯不忘君者，又肯爲此談耶！班固、劉勰，綴緝詞章而不達比興，其文可考也，故露才揚己，妄致其譏，不合典雅，竊生異議。若夫俱懷逸興壯思飛者，又肯爲此言耶！是故「雖乏諫諍姿，恐君有遺失」，此杜拾遺之詩也，非騷之憂憤乎？「仰天攬明月，散髮弄扁舟」，此李翰林之詩也，非騷之放逸乎？由此觀之，則信乎詩家之風骨蹊徑與騷爲同出也。

何夢桂《晞髮道人詩序》晞髮道人詩原於《騷》，《騷》蓋古詩變風變雅之遺也。騷深於怨，古詩怨而不傷，而《騷》近之。怨非詩之正聲也。商之聲直以肆，周之聲和以柔，一變而爲《國風》，再變而爲《黍離》，甚矣。而《騷》又甚焉。道人詩蓋騷之墨守也。

吴子良《荆溪林下偶談》卷二《離騷名義》 太史公言離騷者，遭憂也。離訓遭，騷訓憂。屈原以此命名，其文則賦也。故班固《藝文志》有「屈原賦二十五篇」。梁昭明集《文選》不併歸賦門，而别名之曰騷。後人沿襲，皆以騷稱，可謂無義。篇題名義且不知，況文乎？

韓元吉《張安國詩集序》 詩之作，得於志之所寓而形於言者也。周詩既亡，屈平始爲《離騷》，荀卿、宋玉又爲之賦，其實詩之餘也。至其託物引喻，憤惋激烈，有風雅所未備，比興所未及，而皆出於楚人之詞。後之學者，執筆跂慕，而終身不能道其一二。或曰：楚之地富於東南，其山川之清淑，草木之英秀，文人才士遇而有感，足以發其情致，而動其精思，故言語輒妙，可以歌詠而流行，豈特楚人之風哉，亦山川之氣或使然也。

方逢辰《林上舍體物賦料序》 賦難於體物，而體物者莫難於工，尤莫難於化無而爲有。一日之長驅千奇萬態於筆下，其模繪造化也，大而包乎天地；其形狀禽魚草木也，細而不遺乎纖介。非工焉能！若觸而長，演而伸，杼軸發於隻字之微，比興出乎一題之表，惟工而化者能之。前輩賦《鑄鼎象物》曰：「足惟下正，詎聞公餗之歌傾；鉉既上居，足想王臣之威重。」因足、鉉二象，而發出經綸天下之器業。賦《金在鎔》曰：「如令分别妍媸，願爲藻鑑；若使削平僭叛，請就干將。」因「藻鑑」「干將」四字，架出擎空樓閣，願爲請就，又隱然有金方在冶之義。識者固知其爲將相手。

陳仁子《文選補遺》卷三一 愚按：班固曰：「不歌而誦謂之賦，登高能賦可以爲大夫。古者諸侯卿大夫交接鄰國，以微言相感，揖遜之時，必稱詩以喻其志，蓋以别賢不肖而觀盛衰焉。春秋之時，周衰道微，聘問詠歌不行於列國，學《詩》之士逸在布衣，而賢人失志之賦作矣。大儒荀卿及楚臣屈原，《離騷》憂國，皆作賦以風，咸有惻隱古詩之義。其後宋玉、唐勒、鄭興、枚乘、司馬相如下及揚子雲，競爲侈麗閎衍之詞，沒其風諭之義。」故曰：賦，雖然屈、宋之賦，家有人誦，獨荀卿之賦人希誦者，其體雖不如卿雲之贍麗，而楚賦之盛已萌蘖於此。

方回《離騷胡澹庵一説》 「《國風》好色而不淫，《小雅》怨誹而不亂，若《離騷》者，可謂兼之矣」，此淮南叙楚詞之大略，然不及《大雅》與《頌》，何也？或曰：「《大雅》『既明且哲，以保其身』，屈原諫不行，懷沙自沉，非明哲保身之道。《頌》者，美盛德之形容，以其成功告於神明。楚懷、襄疎遠忠直，屈原賢且忠，以憂死，懷、襄終以敗亡，盛德成功安在哉？」澹庵胡氏以爲或者之言過矣。如《離騷經》淵源堯、舜、禹、湯、文、武、周公之道，嘉《橘頌》典則淳深，雖告神明可也。韓愈論文章氣格，以《離騷》首軻、雄之目，柳宗元自叙爲文，亦言參之《離騷》以致其幽。就令不得與清廟比，獨不可有閟泮宫也耶！然則淮南之論不及《大雅》與《頌》，其言疏矣。

劉因《叙學》 《三百篇》之流，降而爲辭賦，《離騷》楚詞，其至者也。詞賦本《詩》之一義，秦漢而下，賦遂專盛，至於《三都》、《兩京》極矣。然對偶屬韻，不出乎《詩》之律，所謂源遠而末益分者也。

郝經《續後漢書》卷六六上上 詩有六義，二曰賦，排比鋪陳之體也。**【略】**其體雜見於風、雅、頌之間，而不特名篇。至屈原作《離騷》謂之賦，宋玉乃作《高唐》、《風賦》，荀卿、賈誼、司馬相如等相與倡和，拓大綴緝，崒然爲辭章之冠，兼《詩》《騷》之制，爲文士傑作，至魏晋極矣。

祝堯《古賦辯體》卷一《楚辭體上》 宋景文公曰：「《離騷》爲詞賦祖。」後人爲之，如至方不能加矩，至圓不能過規，則賦家可不祖《楚騷》乎！然《騷》者，《詩》之變也。《詩》無楚風，楚乃有《騷》，何邪？愚按：屈原爲《騷》時，江漢皆楚地，蓋自文王之化行乎南國，《漢廣》、《江有汜》諸詩已列於二《南》十五《國風》之先，其民被先王之澤也深。風雅既變，而楚狂《鳳兮》之歌、《滄浪》孺子清兮濁兮之歌，莫不發乎情止乎禮義，而猶有詩人之六義，故動吾夫子之聽。但其歌稍變於《詩》之本體，又以「兮」爲讀，楚聲萌蘖久矣。原最後出，本《詩》之義以爲《騷》，凡其寓情草木託意男女以極遊觀之適者，變風之流也。其叙事陳情感今懷古不忘君臣之義者，變雅之類也。其語祀神歌舞之盛，則幾乎頌矣。至其爲賦，則如《騷經》首章之云，比則如香草惡物之類，興則託物興辭，初不取義，如《九歌》沅芷澧蘭以興思公子而未敢言之屬，但世號《楚辭》，初不正名曰賦，然賦之義實居多焉。自漢以來賦家體製大抵皆祖原意，故能賦者要當復熟於此，以求古詩所賦之本義，則情形於辭，而其意思高遠；辭合於理，而其旨趣深長。成周先王二《南》之遺風，可以復見於今矣。

又卷二《楚辭體下》 右屈、宋之辭家，傳人誦尚矣。删後遺音莫此爲古者，以兼六義焉爾。賦者，誠能雋永於斯，則知其辭所以有無窮之意味者，誠以舒憂泄思，粲然出於情，故其忠君愛國隱然出於理。自情而辭，自辭而理，眞得詩人發乎情止乎禮義之妙，豈徒以辭而已哉。如但知屈、宋之辭爲

古，而莫知其所以古，及其極力摹放，則又徒爲艱深之言，以文其淺近之說，摘奇難之字，以工其鄙陋之辭，汲汲焉以辭爲古，而意味殊索然矣，夫何古之有？能賦者必有以辨之。

又卷三《兩漢體上》 愚謂：騷人之賦與詞人之賦雖異，然猶有古詩之義，辭雖麗而義可則，故晦翁不敢直以詞人之賦視之也。至於宋、唐以下，則是詞人之賦多，沒其古詩之義，辭極麗而過淫傷，已非如騷人之賦矣。而況於詩人之賦乎！何者？詩人所賦，因以吟詠情性也。騷人所賦，有古詩之義者，亦以其發乎情也。其情不自知而形於辭，其辭不自知而合於理。情形於辭，故麗而可觀；辭合於理，故則而可法。然其麗而可觀，雖若出於辭，而實出於情；其則而可法，雖若出於理，而實出於辭。有情有辭，則讀之者有興起之妙趣。有辭有理，則讀之者有詠歌之遺音。如或失之於情，尚辭而不尚意，則無興起之妙，而於則乎何有？後代賦家之俳體是已。又或失之於辭，尚理而不尚辭，則無詠歌之遺，而於麗乎何有？後代賦家之文體是已。是以三百五篇之《詩》，二十五篇之《騷》，莫非發乎情者。爲賦，爲比，爲興，而見於風雅頌之體，此情之形乎辭者，然其辭莫不具是理。爲風，爲雅，爲頌，而兼於賦比興之義，此辭之合乎理者，然其理本不出於情。理出於辭，辭出於情，所以其辭也麗，其理也則，而有風比雅興頌諸義也。與漢興賦家專取《詩》中賦之一義以爲賦，又取《騷》中贍麗之辭以爲辭，所賦之賦爲辭賦，所賦之人爲辭人，一則曰辭，二則曰辭，若情若理有不暇及，故其爲麗，已異乎風騷之麗，而則之與淫遂判矣。賈、馬、揚、班，賦家之升堂入室者，至今尚推尊之。晦翁云：「自原之後，作者繼起，獨賈生以命世英傑之材，俯就騷律，非一時諸人所及。」定齋云：「賦則漫衍其流，體亦叢雜，長卿長於叙事，淵雲長於說理。」林艾軒云：「揚子雲、班孟堅只塡得腔子滿，張平子輩竭盡氣力，又更不及。」如是，則賈生之非所及毋論也，張平子輩之更不及不論也。若長卿、子雲、孟堅之徒，誠有可論者。蓋其長於叙事，則於辭也長，而於情或昧；長於說理，則於理也長，而於辭或略；只塡得腔子滿，則辭尚未長，而況於理。要之，皆以不發於情故爾。所以漁獵捃摭，誇多鬬靡，而每遠於性情；哀荒褻慢，希合苟容，而遂害於義理。間如《上林》、《甘泉》極其鋪張，終歸於諷諫，而風之義未泯。《兩都》等賦極其眩曜，終折以法度，而雅頌之義未泯。《長門》、《自悼》等賦，緣情發義，託物興辭，咸有和平從容之意，而比興之義未泯。一代所見，其與幾何，誠以其時經焚坑之秦，故古詩之義未免沒而或多淫；近風雅之周，故古詩之義猶有存而或可則。古今言賦，自《騷》之外，咸以兩漢爲古，已非魏晉以還所及。心乎古賦者，誠當祖《騷》而宗漢，去其所以淫而取其所以則可也。今故於此備論古今之體製，而發明揚子麗則麗淫之旨，庶不失古賦之本義云。

又卷五《三國六朝體上》 梁昭明《文選序》云：「詩有六義，二曰賦。今之作者異乎古詩之體，今則全取賦名。」愚按：《漢・藝文志》云：「不歌而誦謂之賦。」則知辭人所賦，賦其辭爾，故不歌而誦；詩人所賦，賦其情爾，故不誦而歌。誦者其辭，歌者其情，此古今詩人辭人之賦所以異也。嘗觀古之詩人，其賦古也，則於古有懷；其賦今也，則於今有感；其賦事也，則於事有觸；其賦物也，則於物有況。情之所在，索之而愈深，窮之而愈妙，彼其於辭，直寄焉而已矣。又觀後之辭人，刊陳落腐，而惟恐一語未新；搜奇摘艷，而惟恐一字未巧；抽黃對白，而惟恐一聯未偶；回聲揣病，而惟恐一韻未協。辭之所爲馨矣。而愈求妍矣而愈飾，彼其於情，直外焉而已矣。是故古人所歌，情至而辭不至，則嗟嘆而不自勝；辭盡而情不盡，則舞蹈而不自覺。三百五篇所賦皆弦歌之以此爾。後來春秋朝聘燕享之所賦，猶取於工歌之聲詩，楚騷亂倡少歌之所賦，亦取於樂歌之音節。奈之何？漢以前之賦出於情，漢以後之賦出於辭，其不歌而誦全取賦名，無怪也。蓋西漢之賦，其辭工於楚騷，東漢之賦，其辭又工於西漢，以至三國六朝之賦，一代工於一代，辭愈工則情愈短，情愈短則味愈淺，味愈淺則體愈下。建安七子，獨王仲宣辭賦有古風。歸來子曰：「仲宣《登樓》之作，去楚騷遠，又不及漢。然猶過曹植、陸機、潘岳衆作，魏之賦極此矣。」誠以其《登樓》一賦不專爲辭人之辭，而猶有得於詩人之情，以爲風比興等義。晉初陸士衡作《文賦》有曰「立片言以居要，乃一篇之警策」，呂居仁曰「文章無警策，則不能動人」，但晉、宋間人專致力於此，故失於綺靡而無高古氣味。吁，士衡以辭爲警策爾，故曰「立言居要」；居仁以辭能動人爾，故曰「綺靡無味」，殊不知辭之所以動人者，以情之能動人也，何待以辭爲警策，然後能動人也哉！且獨不見古詩所賦乎出於小夫婦人之手，而後世老師宿傳不能道，夫小夫婦人亦安知有所謂辭哉！特其所賦出於胸中一時之情不能自已，故形於辭，而爲風比興雅頌等義，其辭自深遠矣。然指此辭之深遠也，情之深遠也。至若後世老師宿傳

則未有不能辭者，及其見之於賦，反不能如古者小夫婦人之所爲，則以其徒泥於紙上之語，而不得其胸中之趣，故雖窮年矻矻，操觚弄翰，欲求一辭之及於古亦不可得。又觀士衡輩《文賦》等作，全用俳體，蓋自楚騷「製芰荷以爲衣，集芙蓉以爲裳」等句，便已似俳，然猶一句中自作對；及相如「左烏號之彫弓，右夏服之勁箭」等語，始分兩句作對，其俳益甚。故呂與叔曰：「文似相如，殆類俳流。」至潘岳首尾絶俳，然猶可也。沈休文等出，四聲八病起，而俳體又入於律。爲俳者則必拘於對之必的，爲律者則必拘於音之必協，精密工巧，調和便美，率於辭上求之。《郊居賦》中嘗恐人呼雌霓（音齧）作倪，不復論大體意味，乃專論一字聲律，其賦可知。徐、庾繼出，又復隔句對聯，以爲駢四儷六，簇事對偶，以爲博物洽聞，有辭無情，義亡體失，此六朝之賦所以益遠於古。然其中有士衡《嘆逝》、茂先《鷦鷯》、安仁《秋興》、明遠《蕪城》、《野鵝》等篇，雖曰其辭不過後代之辭，乃若其情則猶得古詩之餘情，愚於此益嘆古今人情如此其不相遠，古詩賦義如此其終不泯。《詩》云：「中心藏之，何日忘之。」六義藏於人心，自有不能忘者，吾烏乎而忘吾情。

又《文賦》：賦也。叙作文之變態以爲賦也。中曰：「其爲物也多姿，其爲道也多遷，其會意也尚巧，其遣言也貴妍。」蓋當時貴尚妍巧以爲至文，又豈知古人之文哉！至於論賦則曰：「體物而瀏亮。」使賦在於體物瀏亮而已乎，則又何以妍巧爲？

又卷六《三國六朝體下》《別賦》：賦也。賦至齊、梁，淫靡已極，其曲家小石調，畫家沒骨圖與？觀此篇可見。然遣辭猶未脫顏、謝之精工，用事亦未如徐、庾之堆垛。但月露之形，風雲之狀，江左末年，日甚一日，宜爲昔人所厭棄。陳後山曰：「凡作文，寧拙無巧，寧朴無華，寧粗無弱。」如此等賦，豈復有拙朴粗之患邪？殊不知已流於巧，巧而華，華而弱矣。

又卷八《宋體》《秋聲賦》：此等賦實自《卜居》、《漁父》篇來。迨宋玉賦《風》與《大言》、《小言》等，其體遂盛，然賦之本體猶存。及子雲《長楊》，純用議論說理，遂失賦本眞。歐公專以此爲宗，其賦全是文體，以掃積代俳律之弊，然於《三百五篇》吟咏情性之流風遠矣。《後山談叢》云「歐陽永叔不能賦」，其謂不能者，不能進士律賦爾，抑不能風所謂賦耶？迂齋云：「此賦模寫工，轉折妙，悲壯頓挫，無一字塵涴，自是文中著翹者。」

又《黄樓賦》：嘗謂自漢以來，賦者知賦之當麗，而不知賦之當則。自宋以來，賦者雖知賦之當則，而又不知賦之當麗。故各墮於一偏，正所謂矯枉過正者也。

又《外録下・文》 昔漢賈生投文，而後代以爲賦。蓋名則文，而義則賦也。是以《楚辭》載韓柳諸文，以爲楚聲之續，豈非以諸文並古賦之流歟！今故録歷代文中之有賦義者于此。若夫賦中有文體者，反不若此等之文爲可入於賦體云。

又《歌》《漢・藝文志》云：「不歌而誦謂之賦。」然騷中《抽思》篇有少歌，荀卿賦篇内《佹詩》有少歌，及《漁父》篇末又引滄浪孺子歌，則賦家亦用歌爲辭，未可泥不歌而誦之言也。是故後代賦者多爲歌以代亂，亦有中間爲歌者。蓋歌者，樂家之音節，與詩賦同出而異名爾。今故載歷代本謂之歌而有六義可以助賦者。

徐明善《齊子華故家大雅集》 自王迹熄而南國有《騷》，正統微而江南有《選》。厥後混一爲唐宋，然祖《騷》宗《選》，到於今不異。則故家在《騷》、《選》之域，宜也。尙論《騷》、《選》之人，則屈與陶其最高乎。屈之《哀郢》，郢猶楚；陶之賦《歸》，世猶晋。粤若前代，則子朱子註《楚辭》、湯文清公箋《陶詩》。此故家之鉅子傳人，皜皜乎不可尙已。更革後，傾洞前，何地無詩？何人不詩？鉅子傳人，我未多見。其間玄思幽意，排奡刻雕，宛轉悽愴，要亦可傳。昔兩東門之未蕪，芬流從兮椒檄，亦異乎靈均矣。湯公謂淵明說固窮多，此深知陶者。前之固不早，後之固，又豈足揚邪？君《集》欲行後世，宜不可以無辨。舍是則蘭翹玉挺，各稱其家，惟君所擇可矣。嗟夫！賁若草木，天命也；化成天下，人文也。天命終古不息，人文終古不墜，儒者舍此何營？文明以正，正則不蕩，不蕩則雅，天命弗僭，弗僭則無邪，無邪則雅熄，可光微，可昌詩，可不亡。

又《齊子華昭代殊珍集》 賦者，詩之流；詩者，賦之源。自《康衢》、《擊壤》、《賡歌》、《猗那》、《清廟》至於今不絶，豈無故哉！六律五聲八音，治則雅，忽則淫，然而不可絶也。須之久，索之遠。

陳櫟《兩都賦纂釋序》 律賦鑿之以人，惟古賦鳴其天。科目次場有賦，以古不以律，丕休哉！《離騷》賦之祖，降是舍漢何適矣？孟堅《兩都》，有餘刃，無窘步，漢賦舍班又何適矣？寅科諸省取賦，僉謂湖廣較優，得非《天馬歌》出《禮樂志》，孰《班書》故歟！銀峰金君尙絅，盡一生精力，纂釋二

賦，既沒二十年，其嗣子謀刊之，屬董君季眞求予序。予退步也，奚僭之敢。季眞曰：「子知科文事，宜其無讓。」予方與季眞研《書經》精義，不遑他及，浮生半日，安能盡尙絅平生所熟乎？然其條疏有序，歸宿有所，學古賦者，能以尙絅之熟班賦爲監，則幾矣。

陳懋仁《文章緣起註》 司馬相如曰：「合綦組以成文，列錦繡而爲質，一經一緯，一宮一商，此賦之迹也。賦家之心，包括宇宙，總覽人物，斯乃得之於內，不可得而傳。」劉勰曰：「原夫登高之旨，蓋覩物興情。情以物興，故義以明雅；物以情觀，故詞必巧麗。麗詞雅義，符采相勝，如組織之品朱紫，畫繪之著玄黃。文雖新而有質，色雖糅而有本，此立賦之大體也。」吳訥云：「祝氏曰：『揚子雲云：「詩人之賦麗以則，詞人之賦麗以淫。」夫騷人之賦與詩人之賦雖異，然猶有古詩之義，辭雖麗而義可則。詞人之賦，則辭極麗而過於淫蕩矣。蓋詩人之賦以其吟詠性情也，騷人之賦有古詩之義者，亦其發於情也。其情不自知而形於辭，其辭不自知而合於理。情形於辭，故麗而可觀；辭合於理，故則而可法。如或失於情，尙辭而不尙意，則無興起之妙，而於則也何有？後代賦家之俳體是也。又或失於辭，尙理而不尙辭，則無歌詠之遺，而於麗也何有？後代賦家之文是也。是以三百五篇之《詩》，二十五篇之《騷》，無非發於情者，故其辭也麗，其理也則，而有賦比興風雅頌諸義。漢興，賦家專取《詩》中賦之一義以爲賦，又取《騷》中贍麗之辭以爲辭，若情若理，有不暇及，故其爲麗也，異乎風騷之麗而則之與淫遂判矣。古今言賦，自《騷》之外，或以兩漢爲古，蓋非魏晉已還所及。心乎古賦者，誠當祖《騷》而宗漢，去其所以淫而取其所以則，庶不失古賦之本義。』」徐禎卿曰：「桓譚學賦，揚子雲令讀賦千首則善爲之。蓋所以廣其資，亦得以參其變也。」

又 按《詩》有六義，其二曰賦。所謂賦者，敷陳其事而直言之也。古者諸侯卿大夫交接鄰國，揖讓之時，必稱詩以喻意，以別賢不肖而觀盛衰。如晉公子重耳之秦，秦穆公饗之，賦《六月》；魯文公如晉，晉襄公饗公，賦《菁菁者莪》；鄭穆公與魯文公宴於棐子家，賦《鴻雁》；魯穆叔如晉，見中行獻子，賦《圻父》之類，皆以吟詠性情，各從義類。春秋之後，聘問詠歌不行於列國，學詩之士逸在布衣，賢士大夫失志之賦作矣。屈子楚辭是也。趙人荀況遊宦於楚，考其時在屈原之前，所作五賦工巧深刻，純用隱語，君子蓋無取焉。兩漢而下，獨賈生以命世之才，俯就騷律，非一時諸人所及。它如相如長於叙事，而或昧於情；揚雄長於說理，而或略於辭。至於班固辭理俱失。若是者何？凡以不發乎情耳。然《上林》、《甘泉》極其鋪張，終歸於諷諫，而風之義未泯。《兩都》等賦極其炫曜，終折以法度，而雅頌之義未泯。《長門》、《自悼》等賦，緣情發義，託物興詞，咸有和平從容之意，而比興之義未泯。故君子猶取焉，以其爲古賦之流也。三國兩晉以及六朝，再變而爲俳，唐人又再變而爲律，宋人又再變而爲文。夫俳賦尙辭而失於情，故讀之者無興起之妙趣，不可以言則矣。文賦尙理而失於辭，故讀之者無詠歌之遺音，不可以言麗矣。至於律賦，其變愈下，始於沈約四聲八病之拘，中於徐庾隔句作對之陋，終於隋唐宋取士限韻之制。但以音律諧協對偶精切爲工，而情與辭皆置弗論。

又 《史記》「《離騷》者，猶離憂也。屈平之作《離騷》，蓋自怨生也。《國風》好色而不淫，《小雅》怨誹而不亂，若《離騷》者，可謂兼之。」蔣之翰稱：「若《離騷經》，若驚瀾奮湍，鬱閉而不得流；若長鯨蒼虬，偃蹇而不得伸；若渾金璞玉，泥沙掩匿而不得用；若明星皓月，雲漢蒙而不得出。」王世貞曰：「騷辭所以總雜重複，興寄不一者，大抵忠臣怨夫惻怛深至，不暇致詮，故亂其叙，使同聲者自尋，修郄者難摘耳。今若明白條易，便乖厥體。」

又 按《楚辭》，《詩》之變也。《詩》無楚風，然江漢間皆爲楚地，自文王化行南國，《漢廣》、《江有汜》諸詩，則於二《南》乃居十五《國風》之先。是《詩》雖無楚風，實爲風首也。風雅既亡，乃有楚狂《鳳兮》、孺子《滄浪》之歌，發乎情止乎禮義，與詩人六義不甚相遠。但其辭稍變《詩》之本體，而以「兮」字爲讀，則楚聲固已萌蘖於此矣。屈平後出，本《詩》義爲《騷》，蓋兼六義，而賦之意居多。厥後宋玉繼作，並號《楚辭》，自是辭賦家悉祖此體。故宋祁云：「《離騷》爲辭賦祖。後人爲之，如至方不能加矩，至圓不能過規。」信哉斯言也！

徐禎卿《與李獻吉論文書》 夫賦頌者，誠文章之瑰偉，余心之所希艷也。始吾誦屈平之文，以爲時之變也，然麗而不淫，哀而不怨，蓋無惡焉；及誦司馬長卿之言，靡麗浩蕩不可窮矣，雖絕特之觀，非盛世之所見也。雄於長卿何所樂羨，乃蹈襲名其文，而原何戾忒，又作賦以反之，此余所未喻者。故反之以附於原之意，此足下之所見也。

楊慎《升庵集》卷五二《論文》 蔣之翰稱《離騷經》若驚瀾奮湍，鬱閉而不得流；若長鯨蒼虬，偃蹇而不得伸；若渾金璞玉，泥沙掩匿而不得用；若明星皓月，雲漢蒙蔽而不得出。

又《丹鉛雜錄》卷八《古人賦》 《說苑》曰：師經鼓琴，魏文侯起儛，賦曰：「使我言而無見違。」知古人一話一言，皆曰賦。彼所謂登高能賦者，豈必盡知後世之麗淫者哉？

又《古今賦麗則不同》 《抱朴子》曰：古詩今賦，麗則不同。俱論宮室，而奚斯路寢之頌，何如王生之賦《靈光》乎？同說游獵，而《叔田》、《盧令》之詩，何如相如之言《上林》乎？並美祭祀，而《清廟》、《雲漢》之辭，何如郭璞《南郊》之艷乎？等稱征伐，而《出車》、《六月》，何如陳琳《武庫》之壯乎？

費經虞《雅倫》卷三 齊桓晉文而後，秦楚皆爲大國，聖人錄秦詩而不載楚詩，楚其無詩耶？然則《離騷》、《九歌》詩之變者也。六義中賦居一，蓋直賦其事而曲言長篇，《大雅》已有之，但句法不長耳。屈平既變爲一體，楚人宋玉景差之徒皆效焉，而《楚辭》成。《楚辭》成，三代文章爲之一變。則《楚辭》者，《三百篇》之後繼也。漢猶以屈平所作謂之賦，自司馬相如等之賦，間以散文，而屈宋始專命爲《騷》。朱元晦又選詩賦之類《騷》者爲《楚辭後語》。自荀卿《成相》而下凡五十二篇，今以楚騷立爲一部而以屈、宋之作爲法，其後入詩賦，各入其類，茲不取騷之體源委滔滔、騷之情纏綿委曲，不可強直，不可沾滯。玩味古人，自見屈原之作不可得而擬議也。宋玉、景差、賈誼等作，所差者毫髮耳。《九辯》高達肆放，則無《離騷》醇厚之味，未免到清冽一邊。若莊忌、淮南，則其變多又次矣。

又卷四 古詩六義其一爲賦，述事敘情，實而不託，平而不寄。《嵩高》、《豳風》、《大雅》長篇是也。自罹戰國，繼以暴秦，風雅淪亡，意旨湮沒，殆楚人屈平作《騷》，長言大篇，極情盡致，而賦遂變，與《詩》相殊，別爲一格。漢興，學者修舉文辭。至于孝武昇平日久，國家隆盛，天子留心樂府，而賦興焉。《漢・藝文》《離騷》《九歌》皆列在賦。至宋玉始著賦名，散文韻語間雜以出，而未盛也。司馬相如雖仍其體製而《子虛》、《上林》滔滔萬言，賦遂一變。至《長門賦》、《悼李夫人賦》通篇押韻。後之變遂不一。「六義所言賦，非後世賦體也。」

胡應麟《詩藪雜編》卷一 世率稱楚《騷》、漢賦，昭明《文選》分騷、賦爲二，歷代因之。名義既殊，體裁亦別。然屈原諸作，當時皆謂之賦。《漢・藝文志》所列詩賦一種，凡百六家，千三百一十八篇，而無所謂《騷》者。首冠屈原賦二十五篇，序稱楚臣屈原離讒憂國，作賦以風，則二十五篇之目，卽今《九歌》、《九章》、《天問》、《遠游》等作，明矣。所謂《離騷》，自是諸賦一篇之名。太史傳原，末舉《離騷》而與《哀郢》等篇並列，其義可見。自荀卿、宋玉，指事詠物，別爲賦體。楊、馬而下，大演波流，屈氏諸作，遂俱係《離騷》爲名，實皆賦一體也。

徐師曾《文體明辨序說・楚辭》 按《楚辭》者，《詩》之變也。《詩》無楚風，然江漢之間，皆爲楚地，自文王化行南國，《漢廣》、《江有汜》諸詩列於《二南》，乃居十五國風之先，是《詩》雖無楚風，而實爲《風》首也。《風》、《雅》既亡，乃有楚狂《鳳兮》、孺子《滄浪》之歌，發乎情，止乎禮義，與詩人六義不甚相遠，但其辭稍變《詩》之本體，而以「兮」字爲讀，則夫楚聲固已萌蘖於此矣。屈平後出，本《詩》義以爲《騷》，蓋兼六義而「賦」之義居多。厥後宋玉繼作，並號《楚辭》。自是辭賦之家，悉祖此體。故宋宋祁有云：「《離騷》爲辭賦之祖，後人爲之，如至方不能加矩，至圓不能過規。」信哉，斯言也。故今列屈、宋諸辭于篇，而自漢至宋凡倣作者附焉，俾後之詮賦者知所祖述云。其他曰賦，曰操，曰文，則各見本類，此不槩列。

又《賦》 按《詩》有六義，其二曰「賦」。所謂「賦者，敷陳其事而直言之也」。古者諸侯卿大夫交接鄰國，揖讓之時，必稱詩以喻意，以別賢不肖，而觀盛衰。如《春秋傳》所載晉公子重耳之秦，秦穆公享之，賦《六月》；魯文公如晉，晉襄公饗公，賦《菁菁者莪》；鄭穆公與魯文公宴于棐，子家賦《鴻鴈》；魯穆叔如晉，見中行獻子，賦《圻父》之類。皆以吟詠性情，各從義類。故情形於辭，則麗而可觀；辭合於理，則則而可法。使讀之者有興起之妙趣，有詠歌之遺音。揚雄所謂「詩人之賦麗以則」者是已。此賦之本義也。春秋之後，聘問詠歌不行於列國，學《詩》之士逸在布衣，而賢士失志之賦作矣，即前所列《楚辭》是也。揚雄所謂「詞人之賦麗以淫」者，正指此也。然至今而觀，《楚辭》亦發乎情，而用以爲諷，實兼六義而時出之，辭雖太麗，而義尚可則，故朱子不敢直以詞人之賦目之，而雄之言如此，則已過矣。趙人荀況，游宦於楚，考其時在屈原之前。所作五賦，工巧深刻，純用隱語，若今人之揣謎，於《詩》六義，不啻天壤，君子蓋無取焉。兩漢而下，作者繼起，獨賈

生以命世之才，俯就《騷》律，非一時諸人所及。他如相如長於叙事，而或昧於情；揚雄長於說理，而或略於辭。至於班固，辭理俱失。若是者何？凡以不發乎情耳。然《上林》、《甘泉》，極其鋪張，而終歸於諷諫，而風之義未泯；《兩都》等賦，極其眩曜，終折以法度，而《雅》、《頌》之義未泯；《長門》、《自悼》等賦，緣情發義，託物興詞，咸有和平從容之意，而比興之義未泯。故雖詞人之賦，而君子猶有取焉，以其爲古賦之流也。三國、兩晉以及六朝，再變而爲俳，唐人又再變而爲律，宋人又再變而爲文。夫俳賦尚辭，而失於情，故讀之者無興起之妙趣，不可以言則矣。文賦尚理，而失於辭，故讀之者無詠歌之遺音，不可以言麗矣。至於律賦，其變愈下，始於沈約「四聲八病」之拘，中於徐、庾「隔句作對」之陋，終於隋、唐、宋「取士限韻」之制，但以音律諧協對偶精切爲工，而情與辭皆置弗論。嗚呼，極矣！數代之習，乃令元人洗之，豈不痛哉！故今分爲四體：一曰古賦，二曰俳賦，三曰文賦，四曰律賦；各取數首，以列于篇。將使文士學其如古者，戒其不如古者，而後古賦可復見於今也。然則學古者奈何？曰：發乎情止乎禮義。其賦古也，則於古有懷；其賦今也，則於今有感；其賦事也，則於事有觸；其賦物也，則於物有況。以樂而賦，則讀者躍然而喜；以怨而賦，則讀者愀然以吁；以怒而賦，則令人欲按劍而起；以哀而賦，則令人欲掩袂而泣。動盪乎天機，感發乎人心，而兼出於六義，然後得賦之正體，合賦之本義。苟爲不然，則雖能脱乎俳律，而不知其又入於文矣，學者宜細求之。

李鴻《賦苑·凡例》 賦者，古詩之流，六義之一也。要之非大雅博聞，烏能像物比類，非殊才異致，烏能窮妍極精？自隋唐以還，《藝文志》無載，豈博覽家委於子雲雕蟲之悔共相棄置與？嗚呼，才士用心焉，可撫也。余因彙成一家之書，非敢信其畢收，比於樂賦樂苑，庶幾乎辭林之巨觀矣。

又 傳曰：登高能賦可爲大夫，言感物造端，材智深美，可以圖事見功。而長卿亦云：「賦家之心，包括宇宙，總覽人物，斯乃得之於內，不可得而傳。」長卿而下，賦家所推，豈不以子雲爲祭酒，而子雲自巽晚乃嘆曰「詩人之賦麗以則，詞人之賦麗以淫」，是有壽陵餘子之微憾也。嗟乎，賦詎易言哉？其風詠似歌詩，諫諍愈書疏，事實類爾雅，感託勝滑稽，矧孫卿屈平，皆離讒憂國，其言辭出於忠厚惻隱，故子長、孟堅每以孟軻、孫卿並稱。《離騷》篇目，世亦以經名之，然則余是役也，信可鼓吹經傳，寧獨享之千金已哉。因廣其傳與博雅者共之。

茅維《皇明策衡》卷一六《詞賦》 夫氣之動物，物之感人，照燭三才，暉麗萬有，上之以歌詠祖德，中之以昭告成功，下之以陶滌性靈，蓋物有似緩而急，有無所關係而不可磨滅者。詩也，卽由黄虞以至於今，歷數千年而不廢。夫至歷數千年而不廢，其必有不可廢者矣。說者曰：雕蟲之技，壯夫不爲。夫使揚雄氏而果以雕蟲病也，何至《長楊》、《羽獵》之作星斗覆而波濤流也。且雄嘗爲《玄》以擬《易》矣，君子譏其艱深晦澀無裨於大道，則豈必玄之用大而賦之用小耶？今夫《三百篇》詩之祖也，六義備焉：一曰風，二曰賦，三曰比，四曰興，五曰雅，六曰頌。蓋周盛時自郊廟朝廷達於鄉黨閭巷，其言粹然，一出於正。聖人協之聲律以行其教化。至於列國之風陳之太師，以得失而參民俗，亦皆斐然成章，孔子删而訂之，謂其可以興，可以觀，可以群，可以怨，邇事父，遠事君，多識鳥獸草木之名，而於《周南》、《召南》則尤三致意焉。乃知天下之道莫備於詩，而說詩者莫辨於孔子矣。

李陳玉《楚詞箋注》卷一《離騷》 騷乃文章之名，自是風之一種。故風騷嘗合言之。風之與騷，譬古詩之與樂府也。澹質靜穆曰古詩，流動艷逸曰樂府。風之爲體，一如古詩，騷之爲體，一如樂府。南方自有此體，《二南》《漢廣》之詩，便已肇端，不創自屈原，自屈原出，此體乃大乃妙爾。

吳宗達《賦珍叙》 原夫《詩》兼六義，賦其一也。後之稱賦者，率本於《詩》，則非全經不舉焉。《三百篇》郊於歌，廟於誦，途巷於謳呻，本忠孝之極思，發幽貞之至性。山川輿服，卉木蟲魚，繢寫自然，憂愉殊致，《三都》、《二京》，實苞孕之。迨夫三閭眷楚，憔悴湘潭，指帝神以陳詞，假漁卜而寄志，義存諷諭，無取荒淫，賦之權輿，於兹可睹。西京之文，號爲爾雅，而掞藻宣華，特賦爲甚。投湘問鵩之外，似已不免作法於奢，然鮮麗少俳，從横多致，於長卿見風雅之遺焉。子雲遜美，所稱神化所至，不從人間來者也。東京遞降，性情遠於雕鏤，體裁弊於聲律，而矯枉之過，直率胸懷，則有若《赤壁》、《阿房》，夷於論、記，失步班、張，無論溯源《騷》、《雅》矣。明興，孝、肅兩朝作者蔚起，前標何、李，後幟王、盧，謭謭者何知，乃形神離合之致，亦略可言，牛耳中原，未知誰屬。余年友慶徵先生，冥心芳潤，品騭千秋，采昭明之遺英，匯耳目之奇賞，鴻纖畢簡，今古並收，既羽翼以詩詞，復鼓吹其意義，條分臚列，鬱鬱繽繽，涉昆岡而游玄圃，左顧右盼，殊采照

人。此賦之義也。雖然，請與慶徵言：珍，宇宙間一種精粹不可磨滅之氣，在人爲材，在物爲寶，非二也。然用有大小，品有眞贋。上之闡繹聖眞，敷陳帝制，如天球神鼎，傳億祀而懾萬靈，此一珍也；次之引義匡時，誦言悟主，如元龜之告吉，導車之指南，此又一珍也；其或耽精淫艷，買譽名流，庋筆千年，蕩思百日，類宋人之刻楮，誚鄭客之還珠，若者于珍奚當乎？要以珍於己，弗若珍於人。珍於人，弗若珍於世。珍於人則眞，珍於世則大。壯夫小技，惟人所爲耳。慶徵首對大廷數千言，燭盡不肯出，一時聲稱，藉甚中外。今宦迹所履，猶然刑名錢穀中，而能澄心玄覽，吊三閭之悱惻，探六義之幽深，有材如慶徵，吾不能窺其珍矣。敬弁蕪言，以券異日。

陸時雍《楚辭疏·讀楚辭語》 風雅既湮，《離騷》繼作，人取而經之，《騷》誠可經也。《詩》以持人道之窮者也，愛君憂國，顯忠斥佞，《騷》曷爲不可經哉！得聖經存，無聖經亡，十五風不折衷於孔氏之門，其或存或亡亦久矣。騷之存而不沒，《騷》自足於存世也。或曰詩發乎情，止乎禮義，故足稱耳。然則謂騷不經，謂《騷》之不止於禮義。謂《騷》之不止於禮義，則謂愛君憂國顯忠斥佞之非禮義也。非持世之論也。

又 大抵宋人論文，無之非道；若余之所論，無之非情。無之非道，舍仁義禮樂不可矣；無之非情，喜怒哀思剛柔平反皆是也。喜不成喜，思不成思，則不文矣；宜剛非剛，宜柔非柔，則不文矣。情者，詩文之的也。太過則濫，不及則僞矣。

周拱辰《楚辭叙》（時雍）嘗語我曰：六經息而邪說熾，訓詁繁而風雅堙。每欲舉《三百篇》揭大義以訓世，謂《離騷》一書，上薄風雅，下開詞賦，間爲闡幽顯微，歸之經傳。

陳際泰《劉西佩放生賦序》 賦者古詩之流，以聲爲教。夫聲者感人密深而風移俗易，蓋其致不在理義也。理義且亡，而況文字乎？

陳山毓《賦略緒言·頌者賦之通稱》《文選》注云：賦之言頌者，頌亦賦之通稱也。按《九章》有《橘頌》，《大人賦》史遷謂之《大人頌》，《洞簫頌》昭明謂之賦，《藝文志》賦略中入《孝景皇帝頌》。《長笛賦》本稱《長笛頌》，《籍田賦》臧榮緒《晉書》稱《籍田頌》。然則賦可稱頌，頌之取裁於賦者，卽得稱賦也。

又《賦之變》：徐師曾曰：賦自魏、晉以及六朝變而爲俳，唐變而律，其趨愈下。蓋四聲八病，休文倡其拘；隔句作對，徐、庾成其陋；取士限韻，唐、宋極其敝。但以音韻諧協，對偶精切爲工，而風流蘊藉，蔑如也。嗚呼！極矣！按唐之俳，宋之俚，元之稚，無賦矣。國朝宋、劉諸君子，猶沿季習，暨李獻吉出，人始知有屈、宋、馬、揚云，厥功偉矣。

蕭雲從《離騷圖原序》 宋郭思《畫論》始例規鑒，謂其與六籍同功，四時並運也。夫有圖而後有書，書義有六，而象形指事猶然圖也。《六經》首《易》，展卷未讀其詞，先玩其象矣。楚三閭大夫作《離騷》、《九歌》、《天問》、《九章》、《遠遊》、《卜居》、《漁父》，而其徒宋、景以及淮南、長沙、朔、忌、向、褒輩，皆擬之，遂尊爲經，豈不以騷者經之變也。《詩》無楚，而楚有《騷》。文王化行南國，《漢廣》、《江汜》皆楚屬，已列十五國之先。《騷》爲經，而經有圖，不啻溯源於《河洛》矣。竊見信州石本《六經圖》，如律呂衡璿禮器，《小戎》《豳風》，每多譌謬，僭意糾訂之矣。近睹《九歌圖》不大稱意，怪爲改竄，而《天問》亦隨筆就稿，大約徵形爍理，使後人翻覆玩繹，悽黍以想古人處亂託憂之難。而瓌琦卓譎，足以驚心動魄，知陰陽鬼神之不可測。俾明治亂之數，芳穢之辨，有自來爾。如窮文絕艷以視《楚騷》者，則不知《騷》之爲經故也。然吾尊《騷》於經，則不得不尊《騷》而爲圖矣。況《離騷》本《國風》而嚴斷於《書》，《九歌》、《九章》本《雅》、《頌》而莊敬於《禮》，奇法於《易》，屬辭比事於《春秋》，司馬史稱其志潔行芳，與日月爭光；而漢宣帝以爲合於經術，豈余之臆說耶！蓋聖人立象以盡意，而書不盡言，言不盡意，一畫之中，檃括遐渺。乃世亦尊《六經》於文詞，而不研其義。不研其義，則制器尙象，上繡下會，以目治之者鮮矣。馬鄱陽《通考》載《六經》譜數百條，亦謂《騷》有香草漁父諸本，乃知覃精於經者，必稽詳於圖而後已。紫陽夫子深惜《樂記》說理而度數失傳，《易》脫卦象，《離騷》無能手畫者，索圖於騷與索圖於經並論，又可知矣。余不敏，抒毫補綴，一宗紫陽之注，用備後來之勸懲，而終歎古人之不見我也。

黃佐《六藝流別》卷四 騷者何也？騷之爲言擾也，遭憂之擾情而成言也，是故引物連類不厭其繁者，以寫情也。體始於屈原之遭讒爲之《離騷》。《離騷》也者，離憂也。世因謂爲楚騷體，然而秦漢以下騷亦漸亡矣。

又 賦者何也？敷也，不歌而協韻以敷布之也。賦本六義之一，故班固以爲古詩之流。然比物寄興，敷布弘衍，則近於文矣。騷始於楚，賦亦隨之，迄漢而賦最盛，魏晉而下工者亡幾。

朱荃宰《文通》卷一《叙學》 學《詩》當以六義爲本，《三百篇》其至者也，《三百》之流降而爲辭賦，《離騷》、《楚詞》其至者也。詞賦本詩之一義，秦漢而下，賦遂專盛，至於《三都》《兩京》極矣。然對偶屬韻不出乎詩之律，所謂源遠而末益分者也。

賀貽孫《騷筏》 自《離騷經》至《大招》，皆楚辭也。楚詩不列於《國風》，今觀楚辭，則楚之爲風大矣。學者分詩與騷賦爲三，不知詩有比興賦，則賦乃詩中一體。若騷則本風人悱惻之意，而沈痛言之耳。騷，憂也；離（麗也），罹也。《離騷》，猶言罹於憂也，卽《招魂》所謂舍君之樂而離此不祥也。屈、宋當日，未常分爲兩種名目。騷卽宋子作賦之心，賦卽屈子作騷之事。意其與風人之詩，雖有異名，其本於至性，可歌可咏，則一也。後人尊《離騷》爲經，或疑爲過。經者，常也；騷者，變也。變固未可爲經，然《離騷》爲古今第一篇忠愛至文。忠愛者，臣子之常。屈子履變而不失其常，變風變雅皆列於經，則尊《離騷》爲經，雖聖人復起寧有異辭？

毛奇齡《丁茜園賦集序》 賦者，古詩之流也。惟原本古詩，故在六義之中，與比興同列，而實則源遠流長，自爲一體。班生《藝文志》于歌詩之外，載賦目千篇，而惜其文之不盡傳也。乃嗣是而降，孫卿以規，宋大夫以辨，王褒、揚雄之徒，或以諷，或以頌，要不失六義之準，卽六季佻侻，猶然以緣情體物之意行之。至隋唐取士，改詩爲律，亦改賦爲律，而賦亡矣。登高大夫，降之爲學僮摹律之具，算事比句，範聲而印字，褻其詞而畫其韻，既無忼慨獨往之能，而稱名取類，就言詞以達志氣，亦復掩卷殆盡。本之亡矣，流于何有？【略】予嘆世之學者畏難喜利，寧謝隆古，必守輓近，不惟詩不知古，舍格爲律，而卽其爲律之中，猶且闢景開而習和慶，而況乎賦才，特上煒樂縱橫，誰則能上備援稽，下工攄寫者。而茜園揮手而成之，鋪文揚質，以方之矜宋元之詩，襲試場之賦者，何如也？吾故曰：賦者，古詩之流，世之見之，愼毋以詩律律詩，並毋以世之言賦者律是賦可也。

汪琬《詩問十二則·楚辭》 問者曰：《楚辭》，其《詩》之苗裔與？曰：然。《詩》亡而後《春秋》作，《春秋》絶而後《楚辭》興，其諸所以憫世疾俗勸善而懲惡者，蓋猶不失忠厚惻怛之意焉。是故與《三百篇》近者莫善於《楚辭》。

陳維崧《吳天篆賦稿序》 四始以降，代嬗歌謠，六義而還，家沿雅頌。后夔堂下，擅搏拊者三千；孔子壇前，作縵絃者十九。列國大夫，灑灑登高之作；宗邦公子，洋洋博物之稱。楚疆善怨，屈原則景差、唐勒之師；梁苑工文，喬如亦枚乘、鄒陽之亞。莫不權輿比興，祖禰風騷。班固以爲古詩之流，揚雄亦曰詩人之賦。不歌而頌，曾聞玄晏之談；體物爲長，略見士衡之論。

陸棻《歷朝賦格·凡例》 夫子刪詩而楚無風，後數百年屈子乃作《離騷》，《騷》者，《詩》之變，賦之祖也。後人尊之曰經，而效其體者，又未嘗不以爲賦，更有不名賦而體相合者，說詳祝氏《外錄》。余謂枚生《七發》，乃賦之最佳者，後人倣枚輒名曰「七」，無稽之言，每爲捧腹，然其體與騷似異，故不及載，而以擬騷爲一格焉。

又 《漢書》曰：「不歌而誦謂之賦。」劉彥和曰：「賦者，鋪也，鋪采摛文也。」故雖意主箴規而辭華不妨溢美。廟堂典則，義勝林泉，節物留連，情深慷慨，其有名涉瑣細，旨過悲凄，卽膾炙由來，略焉弗錄。若夫體孝懷忠，關乎邇事遠事以及戒盈躁、進恬貞，審乎立身經世之道，或微文刺譏不傷於激者，多有取焉。

沈季友《歷朝賦格·文賦小引》 文章之衢皆從意生，而各以時變，詩教既微，荀宋倡爲敷陳之辭，命之曰賦，學者祖焉。其體閎衍紆徐，極諸諷頌，雖句櫛字比，依音聲，飾藻績，而疎古之氣一往而深，近乎文矣。夫賦爲《詩》之流，而忽而成文，莫知其然也。天下之變，寧有底乎？標枝易珪幣，而且爲苞苴；謳歌改金石，而且爲箏琶；草木化冠裳，而且爲纂組；毛血更觴豆，而且爲珍錯；巢窟移室廬，而且爲臺榭。始于質，終于文，古今之變盡是矣。肢物之變文，文則日濫，文之變文，文乃日新，日新而不已。文之爲用，有不與萸風水雲同其飄忽摩蕩者乎。

何焯《義門讀書記》卷四五 司馬長卿《子虛賦》祝氏云：「此賦雖兩篇，實則一篇。賦之問答體，其源自《卜居》、《漁父》篇來。厥後宋玉輩述之，至漢而盛。此兩賦及《兩都》、《二京》、《三都》等作皆然。首尾是文，中間是賦。世傳既久，變而又變，其中間之賦，以鋪張爲靡而專於詞者，則流爲齊、梁、唐初之俳體。其首尾之文，以議論爲便而專於理者，則流爲唐末及宋之文體。性情益遠，六義澌盡，體製遂失矣」。按：首尾雖以議論問答，然「車駕千乘」等句，卽以賦齊王之獵。後半「齊東陼巨海」等句卽是賦齊國遊獵之地，則亦未嘗非賦也。後人無鋪張之才，純以議論爲便，於是乖體物之本矣。

程廷祚《騷賦論上》 聲韻之文，《詩》最先作，至周而體分六義焉。其二曰賦。戰國之季，屈原作《離騷》，《傳》稱爲賢人失志之賦。班孟堅云：「賦者，古詩之流也。」然則詩也，騷也，賦也，其名異也，義豈同乎？古之爲詩也，風行於邦國，雅頌施於朝廷。情動於中而形於言，其用則有賦與比興之分。總其大要，有陳情與志者焉，有體事與物者焉。屈子之作，稱堯、舜之耿介，譏桀、紂之昌披，以寓其規諷；誓九死而不悔，嗟黃昏之改期，以致其忠怨；近於《詩》之陳情與志者矣。若夫體事與物，風之《駟鐵》，雅之《車攻》、《吉日》，畋獵之祖也；《斯干》、《靈臺》，宮殿苑囿之始也；《公劉》之「豳居允荒」，《綿》之「至於岐下」，京都之所由來也。至於鳥獸草木之詠，其流寖以廣矣。故詩者，騷賦之大原也。

又 既知詩與騷賦之所以同，又當知騷與賦之所以異。詩之體大而該，其用博而能通，是以兼六義而被管絃。騷則長於言幽怨之情，而不可以登清廟。賦能體萬物之情狀，而比興之義缺焉。蓋風、雅、頌之再變而後有《離騷》，騷之體流而成賦。賦也者，體類於騷而義取乎詩者也。故有謂《離騷》爲屈原之賦者，彼非即以賦命之也，明其不得爲詩云爾。騷之出於詩，猶王者之支庶封建爲列侯也。賦之出於騷，猶陳完之育於姜，而因代有其國也。騷之於詩遠而近，賦之於騷近而遠。騷主於幽深，賦宜於瀏亮。昔屈原以經物之才，遭遇懷王昏惑，流離放逐，願進忠而不得，哀悼惻怛，發而爲文。故其文也，有若星月之晦於雲霧者焉，有若金玉之雜於泥沙者焉，有若奔流急湍之阻礙而不得其性者焉。此《離騷》之作，其人與其時爲之也。後之擬騷者，王褒、劉向無論矣，以宋玉之親受業於屈原也，其《九辯》能肖之乎？何則？非其人與時，固不可得而強也。若夫賦之立體造端則異是，二十五篇之中《遠游》、《橘頌》，似賦而實騷，漢之《長門》、《自悼》，似騷而實賦。門庭流品，於是判矣。傳曰：「登高能賦，可以爲大夫。」鄭康成云：「賦者，鋪也，鋪陳今之政教美惡。」賦家之用，自朝廷郊廟以及山川草木，靡不攄寫。故作之者，必若長卿，所謂包括宇宙，總覽人物，有得之於內，不可得而傳者，故其難與詩與騷並。或曰：「騷作於屈原矣，賦何始乎？」曰：「宋玉。」

唐彪《讀書作文譜》卷一一 伯魯曰：「賦者，富麗之詞也，莫盛于漢。賈誼、相如、楊雄皆以命世之才，俯就騷律，故情意俱工，可謂盛矣。如《上林》、《甘泉》，極其鋪張而終歸于諷諫，則有風之義。《兩都》等賦極其炫耀終折以法度，則有雅頌之義。《長門》、《自悼》等篇緣情發意，託物興詞，極和平從容之概，則有比興之義。此皆古賦之最佳者，學賦者當取法於此，自然得賦之正矣。」

蔣驥《楚辭餘論》卷上 騷者，詩之變。詩有賦興比，惟騷亦然。但《三百篇》邊幅短窄，易可窺尋。若騷則渾淪變化，其賦興比錯雜而出，固未可以一律求也。觀朱子《騷經》所註比賦之類，殆已不盡比附，又通考其書，惟於《騷經》前段倣《三百篇》之例，分註最爲詳悉。自「沅湘陳詞」以下至「蜷局不行」，凡一千五百餘言，則以比而賦一語蔽之。《九歌》猶或間注，《九章》益希矣。至《天問》、《遠游》諸篇，則闕如焉。蓋亦知其說之不勝其煩，而變其初例矣。然則註騷者又何如盡去之爲當也。

愛新覺羅·玄燁《御製歷代賦彙序》 賦者，六義之一也。風雅頌興賦比六者，而賦居興比之中，蓋其敷陳事理，抒寫物情，興比不得並焉。故賦之於《詩》，功尤爲獨多。由是以來，興比不能單行，而賦遂繼《詩》之後，卓然自見於世，故曰：「賦者，古詩之流也。」班固又謂「登高能賦，可以爲大夫。言感物造端，材智深美，可以與國政事，故可以爲列大夫也。」是則賦之於《詩》，具其一體，及其閎肆漫衍，與《詩》並行，而其事可通於用人。《書》曰：「敷奏以言。」夫敷奏者，有近乎賦之義，使堯舜而在今日，亦所不廢。則豈非文章之可貴者哉！朕嘗於幾務之暇，博觀典籍，見古者諸侯卿大夫交接鄰國，時稱詩以喻志，不必其所自作，皆謂之賦。如晉公子重耳賦《六月》，魯文公賦《菁菁者莪》，鄭穆公賦《鴻雁》，魯穆叔賦《祈父》之類，皆取古詩歌之以喻其志，卽詠吟之遺音，得心意之所存，使聞之者足以感發興起，而因以明其如相告語之情，猶之敷布其義而直陳之，故謂之賦也。春秋之後，聘問詠歌不行於列國，於是羈臣志士自言其情，而賦乃作焉。其始創自荀況宦遊於楚，作爲五賦，楚臣屈原乃作《離騷》，後人尊之爲經。而班固以爲屈原作賦以諷諭，則已名其爲賦矣。其後宋玉、唐勒，皆競爲之。漢興，賈誼、枚乘、司馬相如、揚雄、張衡之流，製作尤盛。三國兩晉以逮六朝，變而爲排，至於唐宋，變而爲律，又變而爲文。而唐宋則用以取士，其時名臣偉人往往多出其中，迨及元而始不列於科目。朕以其不可盡廢也。

又《讀楚辭》 朕讀屈原書往復不厭，豈直以其文辭哉？蓋其浩然之氣，畜積鬱勃，磅礴激越，故其發於詠歌嗟歎之間，不能自已，自非實有其忠君

愛國繾綣惻怛之誠，亦烏能若此耶！是以往復讀之，尋其指意之所出，而於是乎有取焉耳。昔子輿氏論浩然之氣，謂直養無害則塞乎天地之間，若屈原者，實有是氣可知矣。司馬遷謂「可與日月爭光」者，豈謬語哉！夫其所養如此，故其言曰誰能以身之察察，受物之汶汶者乎。又安能以皓皓之白，而蒙世之溫蠖乎。卒自沉於汨羅，信乎其忠也。或者乃臆測《天問》、《九章》，謂其實無沉淵之事，士生於千載之下，欲懸斷千載以上之是非，蓋已難矣。矧並其所行之事，以有無變易其說，其好奇失實爲已甚，朕所以惡夫輕議古人者也。至如屈子之行，昭昭在天壤間者，而可沒其實耶！

愛新覺羅·弘曆《哨鹿賦序》 賦者，古詩之流。詩以言志，其有不能盡言之志，則賦可以申之。

《四庫全書總目》卷一九〇《御定歷代賦彙》 賦雖古詩之流，然自屈宋以來，卽與詩別體，自漢迄宋，文質遞變，格律日新。

彭而述《楚騷箋注序》 《離騷》之不列《六經》，又不列「十三經」，《騷》之不幸也。然而經矣，其文字實賡《六經》而作也。天地之氣，肇於西北，暨於東南，《六經》之文，《河洛》先之，繼一畫而起者，大聖人皆產幽冀雍齊之間，故云漢昭回，《六經》爲著，而四子之書並《公》《穀》左氏諸人得綴于十三經之後，地氣使然也。《詩》三百篇，無楚風，說者以爲宣尼外之退之也，然昭南江漢之什，風雅迭見，獨不以國專名，何與？毋亦楚荆州分野居南天之半，又熒惑文明之位，祝融君之所秉令也。將有文事繼《六經》起者，聖人亦聽之，乃自刪定。後數百餘年，而楚之屈原生焉，此《離騷》所由作也。其文上薄蒼旻，下極黃壤，山川磅礴，巫鬼綉錯，鞭雷駕螭，陰陽百出，追琢鴻濛，胚胎造化，文至此止矣。《六經》而在，何以加諸？所謂實賡《六經》而作者，是邪非耶？世無屈子，則人且紛紜於齊、魯、韓諸家，而《風》、《雅》幾於散亂，原特於十五國之外，嶷然有以自見，開吳越之草昧，啓齊梁六代以後之制作，騷實開先矣。怨不怒，哀不傷，是周軌之未東也。顧自《周禮》職方而論，先荆而後楚，楚幅員甚大，氣焰常並吳、越，自湘以東，淮以北，西南沱沅、湘、南海，則東南文字之祖者屈原也，宜其自成一書，不載《國風》，宣尼知之矣。列國之書，輶軒釆之以貢天子，衆人之謠俗也。原獨出，一人手纂，爲江、漢之風，宜不與東魯同時也。

王敬禧《復小齋賦話跋》 賦緣六義而實兼之，昔人分爲四體。然騷體矯厲而爲古，古體整練而爲律，律體流轉而爲文，勢有所趨，理歸一貫。其中抽秘騁妍，侔色揣稱，使人有程式可稽，工拙立見者，自在律賦。所爲氣度之厚，神思之遠，古今無異致也。讀柳愚先生《賦話》，博綜諸體，而歸於論律，誠賦家之輨鍵，詞學之津梁，以之鼓吹藝苑，其嘉惠寧有既哉。

浦銑《復小齋賦話》卷上 余最愛明興獻帝之言賦曰：「賦者敷陳其事而直言之也。夫事寓乎情，情溢於言，事之直而情之婉，雖不求其賦之工而自工矣。屈、宋《離騷》，歷千百年無有議之者，直以事與情之兼至耳。下逮相如、子雲之倫，賦《上林》、《甘泉》等篇，非不宏且麗，然多靳於詞，躓於事，而不足於情焉。此卽卜子夏『在心爲志，發言爲詩』之義也。」賦者古詩之流，古今論賦，未有及此者。旨哉言乎！旨哉言乎！賦始於蘭陵，而屈、宋爲之增華，故班固《藝文志》云：「屈原賦二十五篇。」予嘗謂集賦者，當以騷列於首，自來選家從不歸併賦門，可謂數典忘祖。

又《歷代賦話續集》卷一三 又曰：嘗觀詩人，其賦古也，則於古有懷；其賦今也，則於今有感；其賦事也，則於事有觸；其賦物也，則於物有況。情之所在，索之而愈深，窮之而愈妙，彼其於辭，直寄焉而已矣。後之詞人，刊陳落腐，惟恐一語未新；搜奇摘艷，惟恐一字未巧；抽黃對白，惟恐一聯未偶；回聲揣病，惟恐一韻未協；辭之所爲，罄矣而愈久，妍矣而愈飾，彼其於情，直外焉而已矣。蓋兩漢之賦，其辭工於楚騷；東漢之賦，其辭又工於西漢；以至三國、六朝之賦，一代工於一代。辭愈工，則情愈短，而味愈淺。味愈淺，則體愈下。建安七子，獨王仲宣辭賦有古風，至晉陸士衡輩《文賦》等作，已用排體。流至潘岳，首尾絕排，迨沈休文等出，四聲八病，而排體又入於律矣。徐、庾繼出，又復隔句對聯，以爲駢四儷六；簇事對偶，以爲博物洽聞。有辭無情。文亡體失，此六朝之賦，所以益遠於古。

柴紹炳《與越中潘獻赤論詩賦書》 夫賦者古詩之流也。六義所沿，浸淫愈廣，大氐託體於風人，拓宇於楚辭。辭取鋪揚，調歸麗則者稱佳耳。長卿、子雲頗臻其妙，班張而下，亦爲近之六季。及唐漸尙聲偶，然纂組繁艷，致有足觀。至於十室之邑，借理自文，斯害也已。近世王太倉有言：賦不患無意，患於無蓄；不患無蓄，患無以運之。學者指南乃在於是。

張謙宜《絸齋論文》卷三 賦者，古詩之流也。以六義言之，則直述本事爲賦。其法有前艷如花，以漸開也；有中趨分層實發，欲其流走不滯也；

有後亂將盡未盡，倒捲波瀾振動全篇，如分風渡江，如絲管催拍，令人意暢。其格有古賦，如《兩京》、《三都》、《上林》、《子虛》等作是也。有排賦，如《赭白馬》、《天台》、《舞鶴》等作是也。有文賦，如《秋聲》、《赤壁》等作是也。

王之績《鐵立文起》卷首《文體統論》 蕭德施曰：詩有六義：一曰風、二曰賦、三曰比、四曰興、五曰雅、六曰頌。至於今之作者，異乎古昔。古詩之體，今則全取賦名。荀、宋表之於前(荀卿、宋玉)，賈、馬繼之於後(賈誼、司馬相如)。自茲以降，源流實繁。述邑居則有「憑虛」「亡是」之作，戒畋游則有《長楊》、《羽獵》之制。若其紀一事，詠一物，風雲草木之興，魚蟲禽獸之流，推而廣之，不可勝載矣。又楚人屈原，含忠履潔，君匪從流，臣進逆耳，深思遠慮，遂放湘南。耿介之意既傷，抑鬱之懷靡愬，臨淵有懷沙之志，吟澤有憔悴之容。騷人之文，自茲而作。

又《前編》卷九《賦通論》 王懋公曰：賦之爲物，非詩非文，體格大異。而人之好惡亦不能同。如漢宣帝謂辭賦，大者與《詩》同義，小者辨麗可嘉。譬如女工有綺縠，音樂有鄭衛。而宋胡安定自慶曆中，教學于蘇湖二十餘年。是時方尚辭賦，獨湖學以經義及時務。學中有經義齋、治事齋。經義齋，疏通有器局者居之；治事齋，人各治一事，又兼一事，如邊防水利之類。凡此皆黜賦之說也。若夫觀千劍則能劍，讀千賦則能賦，非深嗜篤好，何以至此！蘇玉局遺陳傳道書，謂日課一詩甚善。此技雖高才，非甚習不能工。聖俞昔嘗如此。詩固有之，維賦亦然。知不得以浮慕而擅場明矣。爰爲從事，此道者詳論列焉。

又 王懋公曰：昔人以賦爲古詩之流，然其體不一。而必以古爲歸，猶之文必以散文爲歸也。顧均之爲古賦，而正變分焉。大抵辭賦窮工，皆以詩之風雅頌賦比興之義爲宗。此如山之祖崑崙，黄河之水天上來也。故論賦者，亦必首律之以六義，如得風雅頌賦比興之意則爲正，反是則爲變。若以古賦而間流於俳與文，亦變體也。八韻律賦，盛於開元之世，以其時詔以詩賦取士故也。此皆諸賦正變之所由分，不可以不辨。而晉皇甫玄晏乃僅以美麗爲言，則亦淺之乎，其論賦矣。

又《三國六朝》 王懋公曰：今人欲爲某文而專就某文學之者，非也。觀顏賦本於歌，李杜詩又本於賦，如此亦可以悟矣。

又卷一一《明》 《備考》曰：自風雅變而賦作。去古未遠，梗概足述。道源在情，比興互用，六義彰矣。諄復貫珠，千言非贅，情理罄矣。規橅天地，聲象萬物，體無常式，變化殫矣。四聲不局，八病非瑕，宮商縱矣。賦也者，篇章之象箸，而歌謠之鐘呂也。靈均而降，作者代起，荀卿窮理立言，因物賦象。綷幃格論，麈尾清言也。宋玉以文緯情，雅奧婉至，多風而可繹，楚臣之堂奧也。枚乘八公長卿之流，披形錯貌，彫藻極妍，華而不浮，辭人之軌轍也。若忠憤激昂，直寫胸臆，篇不繪句，句不琢字，賈誼是也。比偶爲工，新聲競爽，詞賦之漫衍，陸、謝、江、鮑之波漸也。大抵賦擅于楚，昌于西京，叢于東都，沿于魏晉，敝于五代。迨律賦興而斬然盡矣。此其槩可舉者。自愚意論之，詩莫病于輕淺，賦莫病于艱深。學步可嗤，效顰增醜，有能肖心吐理，觸吻成文，變合風雲，自出機柚，斯足貴耳。三復《楚辭》，眷戀宗國，九死不忘，至于《天問》，曾無銓次，婉惻彌深，此豈有成轍可倣哉！後世諸君子，愛櫝忘珠，極意鏤畫，無疾而呻，人爲掩耳。晚近尤甚。一經繙閱，字取駭目，故必艱；文取關靡，故必冗。險韻在凡，類書充棟。比而韻之可就萬言。寧須廁溷置筆硯哉！蓋賦體弘奧，非可取帖括鉛槧語，以塞白也。然吾欲以其宏且肆者盡吾才，而不欲借以文短。古奧爾雅，吾情附之以宣，而不因以晦塞。浮雲無心，賦形爲象，吹萬成音，不假管弦，豈非天地間眞賦哉！昭代此道，上掩唐、宋，操觚輩出，採摭富麗，體式古雅。洵足繼漢晉而稱雄矣。然亦擬議合轍，沿波爲淪耳。盡抉蹊徑，嗣響靈均，尚俟君子。

又卷一二《騷》 王懋公曰：《離騷》，賦也。原不以騷名，蕭文孝摘取騷字，立爲一體，誤矣。《漢書·地理志》曰：始楚賢臣屈原，被讒放流，作《離騷》諸賦，以自傷悼。觀此足證以賦名，後人不當以騷名矣。李青蓮詩云：「屈平詞賦懸日月。」何不言騷哉！以太白之豪放無前，乃能斟酌盡善如此，良由其識卓耳。何今人文集中稱騷者之紛紛也。

吳景旭《歷代詩話》卷七《楚辭·評騷》 吳旦生曰：比於乾卦禹貢，方之南董比興，猶云似也。中壘尊之爲經，而世直稱《騷經》。謂招字以錫號，或作志以程篇，猶云始也。荆谿言昭明《文選》不併歸賦門，而別名爲《騷》，後人沿以騷稱，不知題義。以余論之，此正所謂揚之過實，抑之損眞者矣。經之後，賦之先，天地間忽出此一種文字，自是別具一體，以騷命之可也。而牽文之見，必起而問曰：《史記》：《離騷》者，猶離憂也，言憂愁幽思，冀

幸君之一悟也。王逸《序》：離，別也；騷，愁也。言已放逐離別，中心愁思，以諷諫君也。《説文》：騷，擾也。言憂煩擾也。解者紛更，奚以名篇。余以所釋雖殊，總覽斯文，風格鑿空，不經人道，自應別名一體，以騷命之可也。經者，常也；賦者，鋪也。夫既命之矣，即後之擬騷，騷也；反騷，亦騷也；皆以騷命之可也，一體也。

葉抱崧《本朝館閣賦序》 顧惟賦之與詩異流而同源者也。周官禮太師教六詩，曰風、曰賦、曰比、曰興、曰雅、曰頌，以六德爲之本。嘗考《詩》三百篇，風以諷也，往往託比興以隱其情，雅頌潤色太平，鋪張盛美，故其義多主於賦。其時上有仁聖爲之君，下有賢俊爲之臣，相與雍容以敷雅化，雨施物孳，風動欲從，乃揚莊誠之音，以顯鴻業，述功德，昭符瑞，陳典章，凡郊祀、宗廟、朝會、燕饗、明堂、辟雍以及征伐、蒐狩，莫不賦其事以著王業之所自起，與其所由成，而兢兢乎益慎終以如其始。至于優游伴奐，猶勗之以彌性、康之以茀祿。嗚呼，斯賦之盛軌也。厥後荀卿、宋玉，始有賦之名，而詞不麗於正則，君子弗取焉。司馬相如、揚雄之徒，乃馳騁以盡其變，元本忠孝，以抒上德，頗得乎雅頌遺意，故班固以爲賦者，古詩之流。且夫文章固太和之氣所鼓而動也。《易大傳》言：「觀乎人文以化成天下。」《記》言「和順積中而英華發外」，皆視乎上所以培之者而已。

朱邦楷《本朝館閣賦序》 在昔四詩之始，風雅與頌而俱登，六義所垂，比興偕賦而並列。頌以形容功德，恆多質直之言；賦雖囊括洪纖，實尚敷陳之體。故皇甫謐以爲不歌而頌，班孟堅則曰古詩之流，揆厥權輿，同其軌轍。洎《離騷》善怨，荃椒傳隱喻之辭；乃楚國多材，景宋設大言之諷。削簡蘭臺之上，託思荒唐；操觚輦路之間，馳情詭譎。固屬瀟湘雲夢之奇，究非清廟明堂之奏。若夫長篇緜竹之篇，蜚聲禁苑；《三都》、《兩京》之稿，騰價洛陽。盈盈漢殿之才，濟濟西園之客，誦禰衡之《鸚鵡》，接軫鄒、枚；論徐幹之《元猨》，追踪張、蔡。詠天台而驚切響，擲處成金；游縣圃而訝奇光，積來皆玉。固已家傳鴻寶，人握蛇珠，鏗鏘而振韶鈞，凌厲而呈璚瓌矣。六代承之，漸趨綺縟，一時作者，競效風華。南朝讋江、鮑之名，北府表溫、邢之譽，徐陵妙製，雅稱《珊瑚》；庾信妍詞，尤推《枯樹》。雖工駢儷，未乏豐裁，體物不遺，於斯爲盛。唐兼詩而取士，尚見因殷；宋制策以設科，幾同自鄶。而乃鳳頭豬肚，徒矜壯麗爲能；鶴膝蜂腰，更立拘箝之忌。間有登高之作，僅希博雅之稱。以視綜鞶帨於遙年，暢球鐘於盛世，大有異矣，不綦難哉！大抵文踵事以增華，質變本而加厲。始則述都邑戒畋獵經緯宮商，終歸麗則；繼則攄衷懷詳景物張皇幽眇，惟尚雕鎪。況復倚相亡來，典墳誰讀，江陵道盡，圖籍何存。名山無二酉之藏，才子少雙丁之目，遂令絕鴻文於兩漢，轢謝寥寥；考駿業於千秋，推袁寂寂。意者井奎東聚，天籥南明，倚天拔地之資，每待時而始萃；茹古涵今之學，必應世而一昌乎。

葉方宣、程奐若《本朝館閣賦・凡例》 賦者，古詩之流也。文取鋪張，詞歸鴻麗，馬卿揚雲，稱盛軌焉。魏晉以後，漸趨流逸，嗣是顏謝創雕鏤之習，徐庾倡俳偶之風，格又數變。至唐以之取士，而有律賦，固場屋之程式也。

趙維烈《歷代賦鈔・凡例》 詩有六義，其二曰賦。蓋古者列國諸侯卿大夫交接鄰國，必稱詩以喻意，皆以吟詠性情，各從義類。春秋後聘問不行而賢士逸在布衣，失志之賦作焉。然《楚辭》用以爲諷，實本六義而出之，辭雖太麗，義尚可則，後此或長於敘事而昧於情，或長於說理而略於辭，使讀之者無興起之趣，由其不發乎情耳。故知音律諧協，對偶精工，要必有情以文其辭，斯賦之則也。

孫梅《四六叢話》卷三《騷二》 觀乎人文，稽於義類，古文、四六有二源乎？大要立言之旨，不越情與文而已。夫其矢耿介、慕靈修、睠重華、追三后、占瓊茅、媒鴆鳥、抱忠謇、怨遲暮，以至然疑恍惚、中路夷猶、窈窕宜笑、嬋媛太息，何其情之貞而摯也。又若雷雨窈冥，風雲舒卷，冠劍陸離，輿衛紛溶，靃靡千名，鏤錯萬狀，更有雲旗星蓋、鱗屋龍堂、土伯神君、壺蜂雄虺，何其文之侈而博也。詩人之作，情勝於文；賦家之心，文勝其情。有文無情，則土木形骸，徒驚紆紫；有情無文，則重臺體態，終恧鳴環。屈子之詞，其殆《詩》之流，賦之祖，古文之極致，儷體之先聲乎。故使善品藻者，殫於名言；工文章者，竭於摹擬；習訓詁者，炫於文字；辨名物者，窮於《爾雅》。至於後之學者資其一得，原委可知，波瀾莫二，又略可得而言矣。若夫《幽通》、《思元》，宗經述聖，《離騷》之本義也；《甘泉》、《藉田》，齋肅典雅，《東皇》、《司命》之麗則也；《長門》、《洛神》，哀怨婉轉，《湘君》、《湘夫人》之縹渺也。《感舊》、《嘆逝》，悲涼幽秀，《山鬼》之奇幻也；《馬汧督誄》、《祭古冢文》，激昂痛切，《國殤》、《禮魂》之苦調也；《西征》、

《北征》叙事記游，發揮景物，《涉江》、《遠游》之殊致也；《鵩鳥》、《鸚鵡》，曠放沈摯，《懷沙》之遺響也；《哀江南賦》有《黍離》麥秀之感，《哀郢》之賡載也；《小園》、《枯樹》，體物瀏亮，《橘頌》之亞匹也；《恨》、《別》二賦，哀音慘怛，《招魂》、《大招》之神理也；《經通天台表》、《追答劉沼書》、《辨命》、《勞生》諸論，托喻非常，《天問》之詭激也；《七發》觀濤，浩瀚清壯，《九辯》之體勢也；東方《像贊》、《歸去來詞》，蕭散風流，《卜居》之別情也。《解嘲》、《答賓戲》，問對雄奇，《漁父》之深趣也。冰絲一掬，而杼軸日新，絏缶紛來，而沖瀜自若，思窮物表，一言而情貌無遺，興寄篇中，百讀而風神自得。動而愈出，職此之由。隋唐而後，踵事彌增。「秋水長天」之句，游泳乎歌章；「洞庭落木」之吟，陶鎔乎燕許。要而論之，四傑富其才，右丞高其韻，柳州咀其華，義山體其潤，淵源所自，不可誣也。淮南以下，規規焉章模句倣，豈可同日語哉。

又卷四《賦三》 先正有言曰，使孔門用賦，則賈誼升堂相如入室矣。明小言之破道，匪六藝之遺文也。是以子雲悔其少作，比之雕蟲；士衡鄙夫研都，譏以覆瓿。漢宣僅賢於博奕，昌黎深恥其俳優。然而登高摛藻，才堪大夫；不歌而頌，音中群雅。班固云先臣之舊式，國家之遺美不可闕也。兩漢以來，斯道爲盛，承學之士專精於此，賦一物則究此物之情狀，論一都則包一朝之沿革。輟翰傳誦，勒成一子，藩溷安筆硯，夢寐刳腸胃，一日而高紙價，居然而驗土風，不洵可貴歟。左、陸以下，漸趨整鍊，齊、梁而降，益事妍華，古賦一變而爲駢賦。江、鮑虎步於前，金聲玉潤；徐、庾鴻騫於後，繡錯綺交。固非古音之洋洋，亦未如律體之靡靡也。自唐迄宋，以賦造士，創爲律賦，用便程式，新巧以製題，險難以立韻，課以四聲之切，幅以八韵之凡。栫以重棘之圍，刻以三條之燭，然後銖量寸度，與帖括同科。夏課秋卷，將揣摹其術矣。徒觀其繩墨所設，步驟所同，起謂之破題，承謂之頷接，送迎互換，其聲進退，遞新其格。李程以八字致倫魁，爭先一着；獨孤以一聯感人主，力透數重。圜邱隻字之轉移，功候什伯，採珠數言之精當，氣骨非常。並轆轤往回，舉足叶采，齊之奏方圓，布置運機。眂璇圖之文，至於促韻繁聲，遒文勁節，風回聚雪，柳暖飛綿，或爲流水之聯，或號打花之格，隨手之變，亦可單行。壓尾之章，恆多隔對，行間得雋，恍值腹而嘗其嚼，字裏點睛，自中心而游於轂，有如振采失鮮，隸事未確，是反衣之狐白，等不熟之熊蹯。無補清新，祇乖典則。又或前盈後竭，譬潢湧而涔枯；左姸右媸，類驥驂而駑服。神離形合，則魚目之無光；外強中乾，則砥玉之未瑩。必也構局渾成，首尾成率然之勢；體物瀏亮，分明隔雲母之間。又何必矜敏於八叉，鍊思於一紀也。若柳河東《披沙揀金》、《記里鼓車》等作質有其文，巧而兼力，誠鴻博之新裁，場屋之定式矣。又有騷賦，源出靈均，幽情藻思，一往而深。則騷之眞也。班張優爲之。又有文賦，出荀子《禮》、《智》二篇，古文之有韻者是已。歐、蘇多有之。皆非淺學所能學步也。

魯筆《楚辭達・總論》 《離騷》蓋以鄭聲爲雅樂者也。厥詞淫放幻眇，可喜可愕，不必盡本中和，要歸於憂君念國而止。發乎情，止乎理義，獨《三百篇》乎哉。乃朱子謂屈原忠而過者也。又謂端人莊士差稱之，宋儒論人之迂刻如此。王鳳洲謂總雜重複，故亂其緒，使同聲者自尋，修郄者難摘，則並不識文法所在，一貶一褒，皆無當于體要。

沈鈞德《歷朝賦鈔前序》 兼風雅頌賦比興而一者，賦也。故班孟堅以爲古詩之流，皇甫士安以爲詩人之作，雜有賦體，明班語所自也。厥體主於鋪陳景物，發引情思。荀、宋導其清源，馬、揚騁其絕軌，才人遞相祖述。沿至于後，遂有古賦、俳賦、律賦、文賦之分，緣乎時世風尚而變化從之，藉非博觀衆制，曷以盡作者之能事哉。恭逢神聖御天文思廣運昭回之光，下被萬物宇內，懷鉛握槧之徒，斐然向風，以鏃厲古學爲務，館閣場屋，皆試詩賦雜文，由是賦體大盛，軼駕元明，駸駸乎不懈而及於古矣。鈞德不敏，竊以暇日旁羅古賦，自《昭明文選》所載，近接皇朝，鈔其精要，總爲如干卷，志欲溯風雅之趣，窮正變之歸，而筆海茫洋，望若興嘆，深愧譾陋，無所取裁。昔者司馬長卿答友人問作賦曰：「合纂組以成文，列錦綉而爲質，一經一緯，一宮一商，此賦之迹也。賦家之心，苞括宇宙，總攬人物，斯乃得之於內，不可得而傳。」揚子雲語桓君山則曰：「讀千首賦乃能爲之。」是二子之言，其有異乎？無異乎？夫狐腋非一皮能溫，鷄跖必數千而飽，取多用宏，義歸博綜。若乃性靈熔匠，文章奧府，理絕名言，自前哲以爲不能傳，況鈞德之譾陋乎！

周雷《歷朝賦衡裁序》 賦者，古詩之流亞，六藝之附庸，昉乎荀、宋，始造椎輪，亦越馬、揚，先驅別派。楚風競扇，率以瑰麗爲宗；漢制稱先，

亦擅雄奇之目。靡不鞭霆走電，驂鳳乘虬，抽擢肺肝，洞駴心目。迨潘、陸以降，漸就平夷，江、鮑而還，益工聲偶。粵在三唐，厥有八韻，揆其體制，亦有取焉。昔者平子賦《都》，給筆札者數年；太沖研《京》，蒐故實者十稔。故能牢籠百態，搖勞羣言。既徵博以逞奇，亦積遲而造險。若乃扃闈相士，限晷程材，臨以主文，處之席舍，雜文幷試，則兼擅爲難，一昔爲期，則覃精莫及。鴻筆麗藻，且思躓於巧遲；諷說軨材，益心憚乎迫束。才多者泛濫而無紀，體弱者孿卷而不盡。奚以決取舍于一朝，辨姸媸于寸目哉！是則韻由官賦，字以數稽，削墨而引繩，除繁而就簡。題本癖書，尤徵博洽，篇多儷句，悉費鉗錘。左驥右駑，固偏引而必敗；始蛇終蚓，亦衰竭之可虞。遂使跖蛇之才，範其馳驅，謇乞之流，礪其唇吻。音辭韶令，微響叶乎笙簧；步武雍容，雅度中乎齊夏。故取青妃白，雖見哂文豪，戛玉鏘金，益有聲藝苑。人文極盛于唐宋，炳厥鴻規；功令莫肅於聖朝，沿斯茂制。誠以體駢則藻密，旨約則慮精，橫騖則難稽，兼綜則易覈也。

張惠言《七十家賦鈔目錄序》論曰：賦烏乎統？曰統乎志。志烏乎歸？曰：歸乎正。夫民有感於心，有慨於事，有達於性，有鬱於情，故有不得已者而假於言。言，象也。象必有所寓。其在物之變化：天之漻漻，地之嚣嚣，日出月入，一幽一昭，山川之崖蜀杳伏，畏佳林木，振硪谿谷；風雲霧霿，霆震寒暑；雨則爲雪，霜則爲露；生殺之代，新而嬗故；鳥獸與魚，草木之華，蟲走蠉趨；陵變谷易，震動薄蝕；人事老少，生死傾植；禮樂戰鬭，號令之紀；悲愁勞苦，忠臣孝子；羈士寡婦，愉佚愕駭。有動於中，久而不去，然後形而爲言，於是錯綜其辭，回牾其理，鏗鎗其音，以求理其志。

李調元《賦話》卷七《舊話一》《文賦》「賦體物而瀏亮」，號爲曲盡。然泛論纖悉，而實體未該。又成公子安選賦而辭美，夏侯孝若具體而皆微。又安仁《螢賦》云「流金在沙」，季鷹《雜詩》云「春條若總翠」，皆其善者也。又云：「事對者，幷舉人驗也。」宋玉《神女賦》曰：「毛嬙障袂，西施掩面」，此事對之類也。又云：「言對者，雙比空辭也。」長卿《上林賦》云：「修容乎禮園，翺翔乎書圃」，此言對之類也。又云：「王褒《洞簫賦》云：『優柔溫潤，如慈父之愛子也』，此以聲比心者也，可謂善言賦矣。」

章學誠《校讎通義》卷三《漢志詩賦第十五》古之賦家者流，原本《詩》《騷》，出入戰國諸子。假設問對，《莊》、《列》寓言之遺也。恢廓聲勢，蘇、張縱橫之體也。排比諧隱，韓非《儲說》之屬也。徵材聚事，《呂覽》類輯之義也。雖其文逐聲韻，旨存比興，而深探本原，實能自成一子之學。與夫專門之書，初無差別。故其敘列諸家之所撰述，多或數十，少僅一篇，列於文林，義不多讓，爲此志也。然則三種之賦，亦如諸子之各別爲家，而當時不能盡歸一例者耳。豈若後世詩賦之家，裒然成集，使人無從辨別者哉？

又 賦者，古詩之流，劉勰所謂「六義附庸，蔚成大國」者是也。義當列詩於前，而敘賦於後，乃得文章承變之次第。劉、班顧以賦居詩前，則標略之稱詩賦，豈非顛倒與？每怪蕭梁《文選》，賦冠詩前，絕無義理，而後人競效法之，爲不可解。今知劉、班著錄已啓之矣。又詩賦本《詩經》支系，說已見前，不復置議。

沈清瑞《讀賦巵言序》昔西河氏序《詩》，《詩》有六義，其二曰賦。蓋古無賦，賦卽詩也。載覽姬末，名篇飆起。蠶理箴理，玉暎蘭陵；笛材鈞材，伎奇楚國。大聲競作，椎輪托始，遂乃定名曰賦。別繫於詩，匪直畫風雅之鴻界，亦且翹騷些之別構。跨嬴涉漢，接軌沿波，賈有荀心，馬兼宋骨，以若枚叔《菟園》，揚生《羽獵》，靡不窮文極貌，虎視西京。炎運既東，玆格少變，班密張姸，崔雄蔡逸，各營心匠，共吐意珠，鋪陳之體，大開駢儷之途，漸導魏晉六代。人抱雕章，織句錦綉之中，抗才雲霞之上。或鏘價於一篇或耀能於只字，意制詭其相錯，源流分而益遠。殆閱三唐之世，彌綜諸變之長。爭奇於官韻，壓字尤強；極材於試格，植辭必兩。斯皆筆苑之大略，賦手之極能矣。若其窺姸說麗，博妙甄奇，不有英絕，曷談斯藝？於是列錦爲質，文園抽秘於前；不歌而頌，中壘貢臆於後。孟堅謂古詩之流，士衡騁體物之勢，劉勰《詮賦》，大暢風流，居易《賦賦》，式觀元始。清言吐屬，則山水深其性情；膩旨徘徊，則風花粲其齒頰。得心之奧，知言之選，胥是物也。求諸吾黨能者，疇與吾友念豐，勃窣文心，熟精選理，笙簧於群雅，殺烝於衆藝，成《讀賦巵言》一卷。岷山導江，力探本原；鄧林取木，務析支枝，初哉首基之矣。乃若類以讎類，瓜區而芋疇，例以從例，鍼投而磁引，解之則縷分，比之則璧合，抑其次也。至於九柯十匠，各造門戶，雙珠兩劍，幷耀隍池，則又殫見治聞，往往而在。良由理者宰道之器，識者洞虛之寶，學者執古之轡，才者耀采之符，凡前修之雅文，先士之盛藻，循塗則互異，

睹指則咸歸。辟諸陶匏不同器而總適於耳，蘭芝寧共氣而俱悅於魂。蓋論述者數千言，賦家準矱，於是而備，吁其傑矣。裁靈既峻，委弁簡首，且曰屬有異同之見，當爲引伸其辭。予故著其詣微之力如彼，閎覽之學若此。若夫一斑所窺，千慮有得，則書諸別幅云。

王芑孫《讀賦巵言・導源》 荀況賦論言「請陳佹詩」。班固言「賦者，古詩之流」。曰「佹」，旁出之辭；曰「流」，每下之說。夫既與詩分體，則義兼比興，用長箴頌矣。單行之始，椎輪晚周，別子爲祖，荀況、屈平是也。繼別爲宗，宋玉是也。追其統系，《三百篇》其百世不遷之宗矣。下此則兩家歧出，有由屈子分支者，有自荀卿別派者。昭明序《選》，所以云「荀、宋表前，賈、馬繼後」，而慨然於源流自茲也。相如之徒，敷典摛文，乃從荀法；賈傅以下，湛思渺慮，具有屈心。抑荀正而屈變，馬愉而賈戚，雖云一轂，略已殊塗，賦家極軌，要當盛漢之隆，而或命騷爲的，偏奉東京，豈曰知言者哉！

又 飆流所始，同祖風騷。騷有擬有反，稍已分門，茲不具論。由荀、宋而言，則《禮》、《知》之篇，義徵載道；《箴》、《蠶》之作，理在前民，附庸六義者也。《高唐》、《神女》，有孔子殷勤之意，猶之風詩。馬既騰聲，揚旋飛躍；《子虛》、《上林》、《甘泉》、《羽獵》，鏘洋鴻麗，有《清廟》、《噫嘻》之響；《般桓》、《甫草》之音，抑亦雅頌之亞也。東莞言：「秦世不文，頗有雜賦。」今不可見矣。推尋三代之遺聲，綜覈十家之梗概，討其義類，西京爲上。

又 《文選》一書，肇周訖梁，取類既博，稍病言哤，然掌故斯存，理無刪削，李善之爲辨惑，康國安之爲駁異，攻摭洊臻，而江河萬古，不輟其流，足知大路繁纓，多以爲貴。《易》曰：「物相雜謂之文。」《傳》曰：「九變復貫，知言之選。」文章之爲術，惟不諱於雜，斯盡其變。其在於周，若荀之五篇；其在於楚，若宋之《釣賦》。西京則揚有《河東》，枚有《兔園》，東京則班有《終南》，張有《天象》，逸居《選》外，尤憾闕遺，蓋賦以鴻通爲本，初非典要之求。我有旨蓄，亦以禦冬，而先縱尋斧，無乃不可歟！

又《總指》 總指云何？曰：爲古文而已。賦可不學也，抑烏乎其不學哉！事不能以無法就，雖賣漿灑削，必經甘苦，故作賦自有讀賦之功，而不可不詳之也。文不能以徒法成，雖綉黼琮璜，不關損益，故讀賦必非能賦之人，而不可專求之也。荀卿五首，乃學道之餘言；屈子《九歌》，亦懷貞之浩唱。守玄之暇，雄有長篇；校書之日，歆多閑作。東、馬皆列仙之儒，彪、固當良史之任。董醇賈茂，班女黃香，姬漢賦家，莫非文傑。即韓、柳角立於唐，歐、蘇眉分於宋，雖爲掃除對偶之宗，其實倡導聲音之祖。試觀所著，特壓當時，翼漢扶周，自騫傑構，彼豈嘗學爲如是之賦哉？行乎其不自知，而還之其所各當，總文囿之大綱，即賦門之眞種。他如李觀、李翺、歐陽詹一輩，極其文心，又爲賦手。自南宋歷元以迄勝國，其文下古一等，賦益支離，非賦弗如，文先病耳。有志者，必以通經治古文爲本，讀三代、兩漢之書以尊其體，賅九流七略之用以會其歸。博學而無方，強立而不反，嶢然風會之中，超然毀譽之外。杜詩稱史，屈賦稱經，經史之歸，以古文爲路，由是而賦，不韓、歐而韓、歐，不揚、馬而揚、馬。昔人云：斯文未墜，必有英絕領袖之者，其當興起於予言。

沈德潛《賦鈔箋略序》 漢人謂賦家之心，包括天地，總攬人物，故古來賦手類皆躭思旁訊，鋪采摛文，元元本本，騁其勢之所至而後已。蓋導源於《三百篇》，而廣其聲貌，合比興而出之。登高能賦，可以爲大夫，誠重之也。兩漢以降，鴻裁間出，凡都邑、宮殿、游獵之大，草木肖翹之細，靡不敷陳博麗，牢籠漱滌，蔚乎鉅觀。

高士魁《玭珠賦鈔序》 賦者，古詩之流，詩道性情，感發志意，賦亦宜爾。昔孫虔禮論王右軍書，寫樂毅則情多怫鬱，書畫贊則意涉瓌奇，黃庭經則怡懌虛無，太師箴則縱橫頓折。氣骨風神，惟妙惟肖，所以書法冠絕古今。以是推之，賦韓侯則弔其功高而見忌，賦義方則悼其義憤而不容。長笛倚樓，則動鄉關之思；以詩投水，則傳豪邁之概。或知人而論世，或借物以抒情，庶有合於風騷比興之意乎？深於賦者，其有以教我矣。

毛琅《師竹齋賦鈔叙》 賦者，古詩之流也。風歸麗則，辭翦美稗，其運意尚巧，其駈詞貴妍，其選韻必新，其構局宜警，非有學力者不能工，非有天資者愈不能工，往往有沉酣舉業數十年，而有韻之文不能道一字者，非學之不優，實資之不優也。

彭克惠《味蘭軒百篇賦鈔序》 夫才者情之發，情結則才工；韻者風之流，風雄則韻遠。是以登高興逸，爭抑揚造化之奇；體物心靈，擅刻劃虛空之妙。江山如繪，風雨稱臣，邈矣文人，魁然賦手，獨是英華四照，經緯千端。譬彼川塗，區其程軌，乃若神游。洛水夢入高唐，瞥鴻寫天帝之容，行雨話仙人之迹，方矜艷冶，恐陋纖穠。又如秋雨長門，春風永巷。銅鋪晝靜，

悵環珮之來遲；銀鑰宵涼，引筌篌而欲訴。何來草澤，敢託宮庭。至於愁在陽春，悲秋更苦。哀生南國，望子仍傷。庾家之枯樹空存，鮑氏之蕪城莫問。用抒嘯詠，祇益悲悽。抑或遺恨途長，懷人夢短，心隨芳草，月似征衫。車馬長安，嘆登樓其孰慰；琴裝運蹇，嗟思婦以何言。覽厥篇章，揆茲筆墨，有懷必怨，或乖麗則之衡；不平則鳴，何與鼓吹之助。豈若木天高敞，冊府清華，看上苑之花，龍門授簡；載曲江之酒，香案傳箋。摩空留殿上之評，擲地重金聲之價。笙簧盈耳，答休明而一片宮商；錦綉嬌春，鴻潤色而七襄黼藻。且夫時生鸑鷟，鳴盛斯彰，筆有雲濤，揚休益茂。所以十年閉戶摛詞，則每託京都千里。陳書灑翰，先誇羽獵。又況躬逢泰運，日煥宸文，群思掞藻於天庭，各快蜚聲於雲路。紅蘭綠柳，香留粉署之春；雕錦青綾，月照槐廳之夢。竚鸞坡而視草，鼎欲扛龍；坐芸閣以分題，樓堪造鳳。眷懷先達，早擅衙官屈、宋之雄；晤語同心，宜標金箭東南之美。惠情殷獺祭，願切鶯鳴。

鮑桂星《賦則·凡例》 賦者古詩之流，諸子中文之麗者皆賦類也。騷、七又異其名目。昔人謂賦家之心，苞括宇宙，致乃得之於內，豈苟爲鞶帨已哉！然研鍊都京，至於十年一紀，則知名山盛業非風簷寸晷可同日言矣。

李元度《賦學正鵠序目》 賦者，古詩之流。其體肇於荀卿、宋玉，自周、秦、漢、魏至六朝，皆古賦也。唐以詩賦取士，始有律賦之目。古賦變爲律賦，猶古文變爲時文也。今功令以詩賦試士，館閣尤重之。試賦除擬古外，率以清醒流利、輕靈典切爲宗，正合唐人律體，特唐律巧法未備，往往瑕瑜互見。宋元亦然。今賦則斟酌益臻完善耳。譬諸八韻詩，唐賦，則唐人試律也。今館閣諸賦，則國朝試帖也。學者就時彥中擇其最精者以爲鵠，卽不啻瓣香唐賢，不必復陳大輅之椎輪矣。蓋嘗論賦學有源有流，漢魏六朝之古體，源也；唐宋及今之律體，流也。將握源而治，則必先學漢魏六朝，而後及於律體；將循流以溯源，則由今賦之步武唐人者，神而明之，以漸躋於六朝兩漢之韻味。二者其道一，而從入之途不同。然升高自下，陟遐自邇，固當以循流溯源爲得其序也。

潘錫恩《六義賦居一賦》 掞華先生潛心縹簡，肆意芸編。假謳詠以自樂，藉丹墨以爲緣。詞騰芳而春艷，意垂實而秋堅。摹情繪性，積已有年。客或詣而詢曰：蓋聞情感者聲發，意鬱者筆宣。或促節於短章，抑暢寫乎鉅篇。故登高貴乎有作，體物妙乎能傳。伊厥體之所備，願溯源以知始，亦沿流而得全。先生乃正襟而告曰：「夫練絲皜曜，經玄黃而成色；椎輪樸魯，緣金玉而增飾。若乃選藻儷聲，模形製式。要紹思索，紛紜雕刻。惟纂述之易窮，懼敷陳之不力。譬宮羽之應懸，若綺紈之就織。斯賦之爲象也，抑知夫賦之所緣起乎？蓋自聲詠紹乎皇初，風謠溢乎列國。彰廢興於政治，昭形容於盛德。輶車有四方之采，太史則六詩是職。辨其體，斯風雅頌之殊塗；別其辭，乃賦比興之分域。爾其卽遇程辭，附形效語。外有見而輒宣，中有懷而必抒。或狀飛躍于霄淵，或寫菀枯于節序。或細及日用飲食，動不越於戶庭；或鉅而制度禮儀，事必關乎朝寧。《三百篇》中，若斯之類未可以枚舉也。厥體一變，創自荀卿。謀理必當，繪象斯呈。宛轉賦物，鋪張中情。沿華艷於楚材，擴宏鉅於漢京。石渠騁乎群彥，蘭臺鬱乎盛名。莫不有典有則，是經是程。其淵古則夏璉商鼎，嵯峨歙艷，臚清廟之兩楹也；其藻耀則霞建飆舉，紛綸爛朗，標灝宇之層城也。閱晉魏之世降，漸華縟之遞更。極變態於齊梁，唯追琢之務精。若瑤花之絢乎芳林，珊樹之挺乎巨瀛也。沿及唐代，衆才是衡。又駢儷之取工，兼音韻之貴明。意傷巧而非病，語必姸而始營。然鴻才巨手，猶且沐六代之膏澤，擷兩漢之菁英。何橫流之莫底，爲宋代之滋萌。其華靡之力黜，遂議論之風生。雖襲乎鋪陳之體製，乃異乎往哲之品評。原夫意感隨時，情生觸境。或陟峻而怨遙，或臨歧而傷永。語悒鬱其誰舒，思縈回而莫騁。聽候雁兮晨清，聆寒螿兮宵冷。草藿靡兮瀕江，梧飄颻兮隨井。每託寓之無端，輒緬懷而濡穎。窮物態之纖悉，極文詞之彪炳。若玩志於至微，實藉端以自警，斯賦之具乎比興者也。又況感均頑艷，致託纏綿。寫征夫之行色，緬怨女之哀弦。傷重困兮苛斂，悵久戍之窮邊。述淫樂，則桑中失其幽艷；狀慓狡，則並驅逐其輕還。與夫唐勤魏褊，義相後先。所謂言之者無罪，足令聞之者竦然。斯則賦也，近夫《風》焉。至於揚醇風于莫外，厲盛烈之無前。詞源風涌，麗藻雲聯。陳羽獵，則追車攻馬同之盛；耀武烈，則方吉甫申伯之賢。制禮興樂，則《猗那》《清廟》之繼軌；顯庸懿鑠，則《閟宮》《泮水》之比肩。侈前聖之靡得而言，誇六籍之所不能談。追封禪之八九，媲化理於五三。是則極揄揚之盛事，與《雅》、《頌》而相參。蓋泝乎賦之源，特居六義之一體；而窮乎賦之變，乃統六義而俱函。是故訴懷述事，達幽隱昭顯赫，莫近於賦。斯好古嗜博之士，靡不於此竭慮而思覃者也。」客

乃悚然易容，遷延辭退。幸厥旨之昭昭，悟以往之憒憒。敢遽薄乎雕蟲，願從事乎藻繢。鬱彪炳以摛辭，效賡颺於聖代。

程恩澤《六義賦居一賦》 賦者，鋪也，鋪采摛文，體理聯翩。詩有六義，二以賦詮。不歌而頌，釋之於元晏；古詩之流，解之於孟堅。登高九能得其一，歷樞五際含其全。慮質言之無文，故儷色以相宣。其在唐姚之世，覆燾明德。頌聲並作，皋夔在側。無風可采，無雅可飭。無以比星雲，無以興作息。取懷而予，賦之彌力。周有太師，六詩是序。篇之異體貴乎綱，文之異辭主乎緒。宣聖合之，延陵莫能分；張逸敏之，通德莫能舉。紀其篇什，得詩人之制度；導其性情，悟詩人之機杼。總四始而兼包，恆意悅而情抒。且夫方貌擬心，若拒若迎；環譬託諷，橫生側生。興隱於比，故述傳正其名；比隱於賦，故諸篇揭其精。莫多於賦，附物以切情；莫顯於賦，抗辭以揚聲。如彼絢采，喜素功之獨成；如彼合樂，許黃宮之特鳴。附庸於《詩》，拓疆以逞；濫觴於《騷》，導源以永。其心也，包宇宙而恢宏；其質也，鬱龍虎而彪炳。荀況蔚爲詞宗，《禮》《智》於焉似續；宋玉乖乎麗則，《風》《釣》幾於斥屏。研都與京，主文以譎諫；薦雄似如，陳誼而猛省。是故存周後之十家，删秦雜之九篇。圭陰七子之骨，江左六朝之妍。其間方聞之士，綴學之賢，稔歷太沖之十，讀過桓譚之千。謝莞爾而雕蟲，工形似而刓鳶。必其思風言泉，悉無邪之旨；禽族草區，補多識之編。求之古人，蓋亦罕焉。故夫賦之敝，勸百而諷一；賦之源，牽兩而掣三。必比類以興物，斯言腴而味醰。罕譬倫品之繁，則命意也銳；託志風雲之會，則屬思也潭。美德容於三《頌》，紀王化於二《南》。大雅之音，不吳不敖；小雅之音，如怨如惔。樂心在周，得詞伯而可誦；香草在楚，合童蒙而共探。緯以纂組，飾以鉛黛；貫以明珠，節以雜佩。結想涉於羲文，託體尊於恆岱。既上薄而下該，遂承流而津逮。博趣於申公魯齊，探妙於韓嬰外內。稽之周室，考之漢代。是則擷六義之精，而傳其美愛者也。

林聯桂《見星廬賦話》卷一 「詩有六義，二曰賦」，見於《周南·關雎詩序》。「賦之言鋪，直鋪陳今之政教善惡」，見於《詩》疏。故班固《兩都賦序》曰「賦者，古詩之流也」，《漢書》曰「不歌而誦謂之賦」，劉彥和曰「賦者，鋪采摛文也」。故工於賦者，學貴乎博，才貴乎通，筆貴乎靈，詞貴乎粹。而又必暢然之氣動蕩於始終，秩然之法調御於表裏，貫之以人事，合之以時宜，淵宏愷惻，一以風雅頌爲宗，宇宙間一大文也。壯夫不爲，豈篤論哉！

又 古賦之名始於唐，所以別乎律也。猶之今人以八股爲時文，以傳記爲古文之意也。然古賦之體有三：一曰文賦體，以其句櫛字比，藻飾音諧，而疏古之氣一往而深，有近乎文故也。如周荀卿之《禮賦》，宋玉之《風賦》、《釣賦》，漢班固《兩都賦》，張衡《兩京賦》，司馬相如《子虛》、《上林》賦，揚雄《甘泉》、《羽獵》賦，中山王《文木賦》，馬融《長笛賦》，魏文帝《彈棋賦》，曹植《酒賦》，何晏《景福殿賦》，晉潘岳《藉田賦》，嵇康《琴賦》，潘尼《火賦》，梁江淹《別賦》，陶宏景《水仙賦》，裴子野《寒夜賦》，唐李白《明堂賦》、《大鵬賦》，杜甫《朝享太廟賦》、《雕賦》，白居易《動靜交相養賦》，杜牧《阿房宮賦》，荆浩《畫山水賦》之類是也。凡此皆賦而近文者也。宋、元、明以下之文體賦格，其例蓋準諸此。

又 賦侈富麗，體易淫靡，而能手篇中，偏於隆富侈侈之中，歸作大言炎炎之勢，主文譎諫，所謂風人之賦麗以則也。如唐呂向上元宗《美人賦》極致形容，而其後一歸於正，其中幅云：「有美一人，激憤含嚬，凜若秋霜，肅然寒筠。乃徐進而前止，遂抗詞而外陳。曰衆妾面諛，不可侍君之側，指適背意，委曲順色。故毀妍而成鄙，自崇謬而破直。妾異爾情，敢對以臆。」司馬光《交趾獻奇獸賦》中幅云：「且是獸也，生嶺嶠之外，出沮澤之湄。安其來，吾德不爲之大，縱其去，吾德不爲之虧。奈何貪其琛賮之美，悅其鱗介之奇，容其欺紿之語，聽其諂諛之詞，以惑遠近之望，以爲蠻夷之嗤。不若以迎獸之勞，爲迎士之用；養獸之費，爲養賢之資。使功烈烜赫，聲名葳蕤，廢耳目一日之翫，爲子孫萬世之規，豈不懿歟？」明宋濂《蟠桃核賦》後幅云：「天啓皇明，眞人龍興，順堪輿之大化，調陰陽之至精。道德行兮，卽龍虎之丹顯；忠信昭兮，勝鉛汞之功宏。以九州爲仁壽之域，躋兆民於喬松之朋。神機流浹，太和薰蒸。指佞人兮草生屈軼，齊氣朔兮階秀堯蓂。視區區之遺核，初何繫乎重輕。此所以革往古之荒唐，法唐虞以作程也。」此皆曲終雅奏者。

陳棨仁《冠悔堂賦鈔叙》 昔鄘鼎滄泗，雅風寖聲，荆累懷沙，些只綴響，蘭陵體物之什，列在儒家；宋玉登高之辭，冠乎集略。古詩之流，茲其朔矣。嬴燼既炮，赤精乃光，豎儒不坑，斯文猶在，長沙謫傳，芬其投汨之篇；臨邛酒傭，富有凌雲之氣。揚、班踵武，左、陸代興，漢、晉之間，其

揆一耳。江南風流，劇於典午，唐始麗藻，未更永明。【略】詩有試律，而沈、宋亦稱大家；文有制藝，而王唐非無巨擘。況乎沿自有宋，以逮熙朝，令甲懸爲規繩，士子奉若圭臬，斯亦六藝之餘波，八吟之極軌矣。雪滄先生於閨而工於賦者也。逸氣雲上，雋才飆馳，託體既高，食古能化。或佇興而就寂寥乎短篇，或縱筆而書唐皇乎巨制。偶然擬古，笑太白之類俳；刻意傷春，比安仁而尤怨。兼六代之藻而振其靡，規三唐之格而汰其率。孔門用賦，定在升堂入室之班；南人好文，抑亦枚速馬工之亞也。

楊浚《冠悔堂賦鈔序》 蓋詩以情勝，賦以文勝，詩爲賦之發源，賦爲詩之流別。

劉熙載《藝概·賦概》 班固言「賦者古詩之流」，其作《漢書·藝文志》，論孫卿、屈原賦有惻隱古詩之義。劉勰《詮賦》謂賦爲六義附庸。可知六義不備，非詩卽非賦也。賦，古詩之流。古詩如《風》、《雅》、《頌》是也，卽《離騷》出於《國風》、《小雅》可見。言情之賦本於《風》，陳義之賦本於《雅》，述德之賦本於《頌》。

又 古者辭與賦通稱，《史記·司馬相如傳》言「景帝不好辭賦」，《漢書·揚雄傳》「賦莫深於《離騷》，辭莫麗於相如」，則辭亦爲賦，賦亦爲辭，明甚。騷爲賦之祖。太史公《報任安書》「屈原放逐，乃賦《離騷》」，《漢書·藝文志》「屈原賦二十五篇」，不別名騷。劉勰《辨騷》曰：「名儒辭賦，莫不擬其儀表。」又曰：「《雅》《頌》之博徒，而辭賦之英傑也。」

又 賦當以眞僞論，不當以正變論。正而僞，不如變而眞，屈子之賦，所由尙已。變風變雅，變之正也，《離騷》亦變之正也。「跪敷衽以陳辭兮，耿吾既得此中正。」屈子固不嫌自謂。

又 《騷》之抑遏蔽掩，蓋有得於《詩》、《書》之隱約。自宋玉《九辯》已不能繼，以才穎漸露故也。頓挫莫善於《離騷》，自一篇以至一章，及一兩句，皆有之。此傳所謂「反覆致意」者。叙物以言情謂之賦，余謂《楚辭·九歌》最得此訣。如「嫋嫋兮秋風，洞庭波兮木葉下」，正是寫出「目眇眇兮愁予」來；「荒忽兮遠望，觀流水兮潺湲」，正是寫出「思公子兮未敢言」來，倶有「目擊道存，不可容聲」之意。

又 春有草樹，山有烟霞，皆是造化自然，非設色之可擬。故賦之爲道，重象尤宜重興。興不稱象，雖紛披繁密而生意索然，能無爲識者厭乎？

又 賦必有關着自己痛癢處。如嵇康叙琴，向秀感笛，豈可與無病呻吟者同語。在外者物色，在我者生意，二者相摩相蕩而賦出焉。若與自家生意無相入處，則物色祇成閑事，志士遑問及乎？

又 《周南·卷耳》四章，祇「嗟我懷人」一句是點明主意，餘者無非做足此句。賦之體約用博，自是開之。

又 賦取窮物之變。如山川草木，雖各具本等意態，而隨時異觀，則存乎陰陽晦明風雨也。

又 以賦視詩，較若紛至沓來，氣猛勢惡。故才弱者往往能爲詩，不能爲賦。積學以廣才，可不豫乎？賦從貝，欲其言有物也；從武，欲其言有序也。《書》：「具乃貝玉。」《曲禮》：「堂上接武，堂下布武。」意可思矣。

又 賦長於擬效，不如高在本色。屈子之《騷》，不沾沾求似《風》、《雅》，故能得《風》、《雅》之精。長卿《大人賦》於屈子《遠游》未免落擬效之迹。

又 詩，持也，此義通之於賦。如陶淵明之《感士不遇》，持己也；李習之之《幽懷》，持世也。

又 「升高能賦」，升高雖指身之所處而言，然才識懷抱之當高，卽此可見。如陶淵明言「登高賦新詩」，亦有微旨。

又 皇甫士安《三都賦序》曰：「引而伸之，觸類而長之。」劉彥和《詮賦》曰：「擬諸形容，象其物宜。」余論賦則曰：「仁者見之謂之仁，智者見之謂之智。」

沈祖燕《策學備纂·賦學》 《退菴隨筆》：賦者古詩之流。然自屈、宋以來，卽與詩別體。揚雄有言：能讀千賦則能賦。蓋源流正變之不講，則操筆茫如。鄭夾際《經籍志》所載范傳正《賦訣》、紇干俞《賦格》、張仲素《賦樞》、浩虛舟《賦門》，今皆不傳。元祝堯作《古賦辨體》，言之頗詳，而於歷代鴻篇，未能備載。惟近時所定《歷代賦彙》，上起周末，下訖明季，以有關經濟學問者爲正集，其勞人思婦哀怨窮愁、畸士幽人放言任達者爲《外集》，而以佚句補遺附焉。學者沿流溯源，因變求正，蓋悉具於是書矣。

又 賦者古詩之流也，起於《離騷》而未嘗以賦名。及宋玉作《神女》、《登徒子》等賦，賦之名始著，其詞輕清婉逸。至相如《子虛》、《上林》諸賦出，而揚雄、班固之徒，率以俳組爲勝焉。然自《離騷》而外，兩漢爲古，蓋其鋪張股落，創起一法，實爲魏晉所宗。後有作者，如文賦及《阿房宮賦》、宋廣平

《梅花賦》、東坡《赤壁賦》，不組詞而尙意，清新流動，又成一體。

萬青藜《選注六朝唐賦序》 賦爲六義之一，荀宋特起，始立專名。劉彥和云「風歸麗則，詞翦美稗」，旨哉盡賦之能事矣。選樓所撰，高視百代，自是開府振起逸響，四傑發其高唱。李唐中葉，裴、白、王、黃，宛轉清切，爲律賦正宗。

張濼《然松閣賦略叙》 古詩三千沿爲雜賦，其傳六百，中有大儒，傳稱九能，可爲大夫，曰升高能賦。詩有六義，其二曰賦。謂鋪采摛文，故知壯夫不爲，洒新都發憤之語。順流而作，非摯氏小生所盡。要惟蟠天際地之才，潤古雕今之筆，然後別九州之同異，侈二儀之寥闊。千門萬戶，由其經營；庶品雜類，供其驅策。庶幾體物無所遺，敷辭無所假。秋碧兄能讀千賦，遠媲十家，喜宋玉之《大言》，鄙傅咸之小語，遂其鵬運，俱名世之文；綜厥鴻章，半擬古之作。匪直鵠金飾貌，胥能刻木令飛。又其明識足邁恆流，以爲邯鄲淳作賦之餘，還寫石經之字。公玉帶上圖之後，始有木刻之文。君山篇什猗頓，述賦而不識識；彥和深瑋子雲，《詮賦》尤先正緯。夫葳蕤稠疊，烏有子虛，君鼓吹五經，笙簧百典，致辨情理。采摭英華，亦可謂辭翦美稗，力埽秕穅者歟。

錢陳群《賦匯錄要箋略叙》 揚子雲有言，能觀千劍卽曉劍，能讀千賦卽曉賦。賦者，古詩之餘也。顧詩有六義，後世以其名單行者，惟賦權輿於屈宋，兩漢繼音踵事，大放厥辭，至有十年始就一賦者。唐以賦設科，漸歸格律，譬之詩，屈宋爲《三百篇》，兩漢之賦卽兩漢之詩也。賦之有律，卽唐之五七言也，千餘年間專門名家不可方物，子雲去古未遠，卽有千賦之論，況後來者耶？詩有賦比興，賦得其一而比事屬詞，寫懷寄感，則何嘗無比興焉。

錢宲《擬白居易賦賦》 風雅遺音，宮商協度。六籍之華，九經之庫。或倚馬以成篇，或雕龍而得句。荀卿則溯厥開宗，宋玉則工於學步。羌無故實，安能琢矩以爲工；別有體裁，可許登高之能賦。粵自頌獻康衢，樂陳王夏。復旦歌傳，陽春和寡。遂使派別揚班，源通枚馬。揖賈傅而升堂，引張登而入社。敷陳其事，可以一言蔽之；歷數其人，誰是千秋作者。不見夫陸海稱雄，潘江耀武。譽擅中郎，名標開府。狀大雀而何奇，誚疥駝而奚取。風流江左，人稱南國之華；營建洛陽，賓問東都之主。觀其繪巧而爭奇，盡是涵今而茹古。矧夫鷦鷯託興，鸚鵡摛辭。斟酌長門之怨，披吟平樂之遺。傃詞源之浩瀚，擷藻采之紛披。莫不規模《騷》、《選》，刊落蕪枝。爲速爲遲，十二家並登《漢志》；有源有本，《三百篇》上協風詩。然使蹈輕淫之習，侈華靡之詞。受陸機之誚，貽劉晝之譏。何以追蹤於唐勒，何以繼蹟於景差。何以參二體之工，比也興也；何以鍊十年之作，周之密之。是必搆材宏傑，取法溫柔。孤鴻體仿，吐鳳才優。綜七林而自協，溯六藝而窮搜。顯志則揄揚風化，思玄則寄託沉幽。露筆非秋，嗣謝《月》宋《風》之響；濫觴有自，衍郭《江》木《海》之流。如此鴻文，無慚儒雅。千軍之陣難攻，三峽之源可瀉。欲爭長於騷壇，宜取材於廣廈。近法王楊，遠宗屈賈。賦《甘泉》而微諷，其義則吾竊取之；賦《樂觀》以揚休，其事則直言之也。

楊際春《賦賦》 夫賦者，體導源於荀、宋，詞分流於枚、馬，振緒於班、揚，叩端於屈、賈。其叙川原城郭也，廓乎若島嶼之縈回；其紀田獵游觀也，渙乎若河源之傾瀉。義切箴規，文追風雅，而凡摛藻之才，摹擬雖工，所見皆出其下也。逮流沿於齊梁，亦才蔚於華夏。江、鮑則漸啓清腴，顏、謝則不免撏撦。以刻畫爲精深，寓纖密於揮灑。求如《三都》、《兩京》之壯闊者實難，《甘泉》、《上林》之包括者蓋寡。然江南感身世而摛辭，華林景隆平而攄寫，大匠斧斤，良工陶冶，可稱當代宏篇，不愧古之作者。考著述於三唐，備祕藏於四部，大禮宏哲匠之篇，明堂拓詞人之宇。焜耀騷壇，輝煌藝圃，其西京之成規，東漢之遺矩乎。自制科之特開，嚴程式於去取，卽韻經營，因題纂組，宮商則一字推敲，音節則片言含吐。雖鉅製之莫追，實專家之足數。宋元相承，彌難接武，或貌襲而神遺，或論拘而意腐。虛詞成綴韻之文，澀句昧體要之主。孰與頹挽流風，奧揚祕府，遠徵《雅》、《頌》之遺，上契《風》、《騷》之祖。復舊弗拘乎時，不懈而及於古。且夫心精者力果，氣盛者言宜。源深則波瀾灝瀚，根固則枝葉紛披。惟性情之悱惻，發藻采於言辭。故戚則似秋霜之肅，欣則比春日之怡，繁則若湧泉之水，簡則如老樹之枝。迅行則奮地之霆速，停蓄則出岫之雲遲。眇衆慮於衷曲，匯萬物於心思。鑒治忽於往代，閱榮悴於今時；感人事之遷變，識天運之轉移。然後伸紙風疾，揮毫露滋，託諷諭於忠愛，綜比興於《風》詩。惟搆思之當法，知正體之宜追；攬敷陳之大義，守麗則之前規。其遺辭也戒泛，其命意也懲卑，其立格也有則，其取材也無遺，其琢句也縝密以栗，其鍊字也精粹無疵，其摹物

也惟妙惟肖，其繪景也弗卽弗離。操寸心而經緯，本一氣以綱維，由純而肆，寓正於奇，五音響送，十色光垂，類亭臺之遠擴，愼堂室之始基。比行伍之成列，謹帷幄之主持。細大夫之能賦，詎壯夫之弗爲。觀陳義之甚大，知立心之不欺。懲諷一而勸百，戒居安而忘危。隱隱乎罄澄思而往矣，洋洋乎賅衆體而備之。乃知學宜博取，法貴精求，鶩華贍者骨乏，矜艷麗者體柔。無紆徐之度則音促，無沈鬱之響則氣浮。或巨細之未辨，或瑕瑜之併留，既語泛而寡要，卽義晦而招尤。何關規諷，有類俳優。若枝指與駢拇，爲形神之贅疣。惟裕其中而外自耀，立其幹而本先修。理精者辭贍，氣足者韻遒。情文並麗，華實兼收，由徐、庾而窺屈、宋，卽漢魏而溯秦周。洵詞壇之皋、朔，實藝苑之枚、鄒。

章耒《賦賦》 原夫賦之爲體也，因物抒情，得天成趣，爲藝苑之附庸，寓詩家之法度。必求驅湧夫雲濤，豈貴雕鎪夫月露。賦宜諷喻，寄逸思而遙深；賦尚敷陳，逞雄才以馳騖。自昔鴻篇具在，拓古開今；後來蛙響爭鳴，絺章織句。蓋惟胸羅星斗，乃能擲地而成聲；儻能思動鬼神，漫說登高而作賦。客有起而問曰：賦必經庫搜羅，書倉捃摭。曷以析義於小言，曷以扶輪於大雅。才華踸踔，誰爲獨角之麟；詞藻斑斕，孰是千金之馬。披孝穆蘭成之作，無非極意描摹；讀揚雄、班固之篇，又似任情揮灑。謂仲宣爲太弱，其有由乎；斥劉晝爲大愚，是奚爲者。騷壇主人揖客而進曰：賦有權衡，亦分門戶。唐勒四藝，得四始之遺音；荀況五篇，受五經之法乳。前後漢英才蔚起，玉綴珠聯；東西京大氣盤旋，筆歌墨舞。建安七子，宏章焜耀於文園；典午諸賢，巨製輝煌於藝圃。莫謂新裁邱錦，體異阮、嵇；還看異樣江花，口口鮑、庾。既著作之成林，亦規模之近古。自唐設制科以取士，斯賦懸格律以爲規。黃滔賦《江》，戛宮商於寸楮；李程賦《日》，繩尺度於新詞。縱妙義之足取，究大才之所嗤。惟是太白《明堂》，健骨在六朝之上；少陵《大禮》，宏謨猶兩漢之遺。若夫宋代，寓單行於駢儷，易麗句爲清奇。雖軌岀之詞太拗，江湖之集或卑。然而《赤壁》兩篇，體自近於柳泉韓海；《秋聲》一賦，格更高於任筆沈詩。子亦知賦之剖名理而抒旨，游太虛而運思乎？徵渲染於畫家，宜鼓天機而寫意；譬經營於匠氏，先規地勢以爲基。恍如樂奏九成，貫始終而不紊；合擬將兵萬隊，銜首尾以相隨。由是怒濤上激，奇雲下垂。浩氣則山川震撼，豪情則風雨横吹。專門名家，洵一代之作者；起衰振懦，障百川而東之。然其間或成爲館閣之製，或出於山林之儔。或借事物以寄興，或因羈旅而寫憂。總之言泉欲湧，意蕊先抽。傳神阿堵之中，有情畢露；擲筆太空之表，無迹可求。有時爲太沖之賦《都》，揚芬鋪藻；有時爲文通之賦《别》，咽怨含愁。才可江而可海，思忽春而忽秋。只嫌外強中乾，易一體而虛機是弄；要使涵今茹古，試萬言而雅韻欲流。客於是皇然退曰：今而知作賦者自判精粗，而論賦者尤嚴取舍。極詞章之能事，意爲幹而情爲條；奏宇宙之元聲，文勝史而質勝野。作拗體而失之澀，豈能象外超超；襲古貌而遺厥神，尤屬文中下下。

周如蘭《詩人之賦麗以則賦》 原夫六義徵詩，賦居於二。本三代之遺音，沿兩漢而漸備。或寫物而窮形，或指事而陳誼。雖百體其屢遷，皆合符而一致。模山範水，舞詠方滋；儷白妃青，性情斯寄。羡才華之富有，爛矣畢宣；須律度之中程，釐然就次。其麗也，興高采烈，精耀光凝。清麗則芊眠共賞，典麗則喬皇是稱。流麗則鶯簧之婉轉，瑰麗則鳳彩之騫騰。熏香摘艷，鏤雪雕冰。魚明蜀錦，鸞叠吴綾。繁如紫姹紅嫣，助春光之濃冶；煥若雲蒸霞蔚，映朝旭之初升。其則也，因心司契，秉度爲章。意有則而非矜馳騖，辭有則而不事掞張。斂約於則之中，而範圍斯準；神明於則之内，而變化無方。隨時俯仰，合拍低昂。周規折矩，鼓宮應商。漫云無範鴻文，徒麟麟而炳炳；要識别裁僞體，自正正而堂堂。想夫含毫窅眇，授簡徜徉。纏綿寄託，延佇凝望。意將回而復住，境隨過而不忘。情以深而若隱，理取譬而彌彰。繼虞歌魯頌而有作，合周情孔思以揄揚。莫不謹求履憲，高步詞場。普辭條與文律，儼玉質而金相。故大則敷陳郊廟，小之摹繪蟲魚。皆選詞而秩若，斯製式以彬如。戛玉摐金，音原有節；就班按部，藻不妄抒。縱貴多而貴文，恆伐柯以取則。斯可弦而可頌，自合轍於造車。是知升高能賦，衷諸詩而比興該；言志爲詩，陳以賦而雅頌緝。蘄於古以爲歸，得其門而後入。

萬殊《賦體物而瀏亮賦》 序云：謹按陸機《文賦》云：「賦體物而瀏亮。」或謂當主文說，應解如賦之體物，而得其瀏亮之致也。上句言詩，與下文碑誄銘箴俱如此解。蓋承上所謂體連瑞瀛之言也。考黃氏崑圃引《文心雕龍》云：「頌惟典雅，辭必清鑠。敷寫作賦，而不入華侈之區；敬愼如銘，而異乎規戒之域。」其旨似亦相似。方伯海釋陸賦曰：「次段臚列諸體，見作文不論學力之淺深，必於其中各有所長，似文該諸體而言也。據此立論，原非創

解。然吾謂不必泥是也。考白居易《賦賦》云：『雅音瀏亮，必先體物以成章。』似賦專以體物爲工，士衡用以比擬耳。」此說差似。大抵賦物各有不同，而統天地人物以並論之，要必極瀏亮之致。不然，雖羅列諸書，徒工獺祭，亦未免有博士書劵之病耳。謹體斯旨以爲賦曰：伊騷選之奇才，本性靈爲鼓鑄。掃側艷之陳因，諧龢音於韶護。洎六代之踵華，與兩京而異趣。羌儷白以雕章，或妃青而綈句。學沈、謝之縟華，踰班、揚之規度。雖工繪而曲摹，亦蹈常而襲故。惟大雅之不群，卓千悟兮景鶩。思滂沛以湧泉，詞晶瑩而刻露。鏡花寫其空靈，水月資其神悞。清華學士之詞，麗則詩人之賦。仰造物於泰鴻，憑管見以測蠡。析渾儀於微芒，參立說於《周髀》。羌希逸之賦《月》，濯冰壺以魄洗。誦陶拱之《景星》，亘玉繩而朗抵。挨李程之《日華》，炫五色而奮啓。狀張環之《明河》，傍九霄而清瀰。涵朗鑒於目前，運靈機於腕底。此仰觀夫太穹，得其微於具體。想育物於坤輿，羌悉呈夫芒芴。談玄虛之海兮，澄萬里而呵歘；擬景純之《江》兮，亘一色而電欻。仰興公之《天台》，朗霞標而高屹；記孟堅之《終南》，表雲物之奇崛。或摹泉石之清幽，或繪林木之泌茀。象壙朗而畢呈，光晶徵而勿鬱。羌悉繪夫形形，而不泥於物物。

洪翼昇《孫卿賦篇賦》 自風雅寖聲，莫或抽緒，靈均崛起，廣貌揚聲，固已受命詩人，拓宇《楚辭》矣。自茲厥後，靡有步武三閭，並轡騷賦者。而孫卿以〔岐〕嶷趙產，仕楚蘭陵，鬱厥奇思，懷其憂志，浮游塵埃之外，蟬蛻穢濁之中，皭然涅而不緇，兀爾孑而獨立。愍夫世士以巧辯爲務，而大道莫與維也，以禨祥爲美而正軌莫與接也。於是憂愁幽思，然疑恍惚，抽簡於埃霧之表，寓辭於風諭之先。爰撰賦篇，以醒濁世，思窮物理，一言而情貌無遺；興寄篇章，百讀而風神自得。夫詩人之作，情勝於文；賦家之心，文勝於情。無情之文，則土木形骸，徒驚紆紫。無文之作，則重臺體態，終恧鳴環。《荀子》之篇，其殆詩之流、賦之祖，古文有韻之俶落，楚詩嗣響之奇詭乎。乃或謂雕蟲自比，少作悔夫子雲；覆瓿貽譏，研都鄙夫陸氏。漢宣帝僅賢於博棋，韓昌黎深恧其俳優。莫不嘆古誼之就湮，痛小言之破道。不知登高挨藻，才堪大夫；不歌而頌，音中羣雅。班孟堅曰：「賦者古詩之流也。」劉舍人曰：「賦者鋪采摛文，體物寫志也。」賦顧不重乎。矧《荀子》十篇，爲雜賦十二家之弁冕；禮智五則，存藝林億萬族之規模。雖鋪陳原六義附庸，早已蔚成於大國；雲箴僅一斑文炳，幸猶傳誦於人間。後之作者，不過競爲侈麗閎衍之詞，史有言焉。獨美其有惻隱古詩之義，以故盛漢興唐，澤及三代，甄歐、陶、蘇，派流二家。夐乎偉哉，莫可越矣。

施補華《擬白香山賦賦》 自風雅頌之既亡，而賦以始。託體於孫卿，導源於屈子。寄哀怨之深心，託規諷之微旨。即所淺以形所深，言在彼而意在此。傳其學則有勒、有差，得其遺於爲興爲比。漢文郁郁，厥體愈工。前有賈誼，後有揚雄，長卿兼二賢之妙，高文與六藝相通。莫不遠刺世事，近述已衷。才豐乎枚叔，藻艷於終童。《兩都》炫其文章，《二京》肆其才力。誠鬥靡而誇多，尙稱典而述則。自茲以還，淫哇矜而雅音息。魏晉尙博麗之體，而未植本根；梁陳爲側艷之文，而徒工雕刻。亘唐受命，文治聿昭，試士以賦，選言有條。匪徒詡鳳吐、誇龍雕。競藻采之美，求聲音之調。殆欲今製能合，古意未消；法晚周之正體，追前漢之高標。或因文而獻忠，或隨事而納善。或陳游獵之樂，或終以荒爲懲。或形宮室之華，而卒以儉相勉。觀夫今世而寄其箴規，本乎古調而曲爲推衍。以是爲賦者，猶之青勝於藍，而隸工於篆。若夫駢章儷句，弄月吟風。目是媚而耳是悅，義則儉而詞則豐。言勸易見其效，言諷難見其功。何異舍鸞吟鳳嘯之響，而學夫唧唧之秋蟲。

李執中《劉彥和文心雕龍賦》 客有博綜古籍，品藻勝流，讀《雕龍》之論箸，譏文體之俳優。爰造主人以申其說曰：「蒙不解夫劉彥和之此箸，胡爲亘六代三唐之久而餘艷仍留也。彼其詞織體縟，氣靡骨柔，毋變於齊梁之習，特重爲容止之脩。五十篇目雖眉列，三萬言思比絲抽，實藝苑之莫貴，何撰述之能儔。乃復負簡候休文之轍，蜚聲儕文選之樓。居然價重儒林，言語欲齊蹤游夏；毋亦名成廣武，英雄同致慨曹、劉者乎？」主人曰：「然歟否否。客所謂不習其素，徒習其絢，但翫其辭，未窮其變者也。夫永嘉既降，靡音斯扇，翦采爲腴，揉花作片，罔殷其輅，祇周厥弁。誠有如客之所云，毋詫世俗之目賤。若斯篇也，是非不謬於聖賢，義理一衷之經傳。故徒賞其運駢儷之作而馳驟自如，極瓌瑋之觀而飛動自見。亦已無恧於馬、班，耀輝於筆硯。而況萬萬於淫哇者流，不僅作一時之彥哉。則如縱意文囿，舒采文波，選聲乎協律，騁節於詞科。斲句則楚郢借削，鍊神則魯陽揮戈。風雅菁華，咸歸掇摭，爾騷名物，胥與搜羅。用能洪細兼納，古今不磨，此蓋全箸之美善，擬之於物，殆如荊玉之有卞和也。又如原天地之道以爲學，徵聖人之言以述聞，宗經則仰儀山海，正緯則考證典墳。詩義明則質而不野，騷體

辨則芬而不紛，賦詮其所自出，樂觀其所以分，頌贊上求之巫黑，祝盟爰溯乎蒿焄。或龍尾羊裘，辨託詞於諧讔；亦連珠璅語，標奇旨於雜文。識力深沈，字酌句斟，鍥而不已，義例彌森。正其裁於子史，廣其義於銘箴，哀吊誄碑，沈至而悲往；詔策論說，莊贍而切今。檄移則風霜比肅，封禪則天帝如臨。表啓則言思封板，議書則談必整襟。合之爲衡、岳九面之曲曲，分之爲建章萬戶之深深。不以文傳，固足振千秋之文教；即以文論，亦自傾絕世之文心。矧觀其言體性之眞，則八途所包，萬變與括。究神思之雋，則寸心所匯，千里非迢。風骨則取喻於鷙雉之竄集，情采則借色於草木之夭喬。隱秀聳條而獨拔，夸飾因山以爲翹。文備百家，家著其說，文有一義，義靡不標。驪珠獨得，葉畫奚描。誠煌煌之傑構，豈子雲之所謂蟲雕！且夫駢詞本非枝指，偶語豈曰層峰，然使妃紅儷白，桃艷李穠。史無可鑄，經不堪鎔，徒餖飣之彌簡，矜針綫之非縫。則亦有無兩居其可，體用舉無所庸，而何取乎著作，徑宜束以自封。惟彥和則美搜藝圃，華耀筆鋒，理精意密，字順文從，義原菽粟，直瀉臆胸，無矯無澀，亦澹亦濃，擬以鍾嶸之品目，其殆亦文中之龍乎？」高談未終，客意已悟。謂文則出以比合，心實勞乎陶鑄，蒙以小道識之，等迷道於大路。庸詎知隱顯屈伸，風雲雨霧，龍之爲物也靈，雕之爲言也具。惟千古之文人，具此心其可數。第求之章句之間，夫何殊簡編之蠹。敢以子言，筆之竹素，冀有詔於來茲，藉以續夫文賦。

蔣艮《詩賦》 懿夫元氣之和天籟則生於無朕焉，元音之正人心則感於不知焉。刪至《商頌》而終，祇取中聲之合；變從楚騷而起，猶存《大雅》之遺。樸與雕，因世風爲升降；厚與薄，隨時會而轉移。魏固稱雄，兩漢之範圍莫外；明雖復古，三唐之律度難追。觀滄溟而百川細，登岱華而衆阜卑。彼流焉而或忘其本，惟解此乃可學夫詩。則有樹幟騷壇，扶輪吟社，抒性靈而妙手偶成，屏程式而陳言盡捨。或龍蛇競其雄奇，或松竹標其幽雅，徵諸實則彝鼎可摎，游於虛則風雲可寫。無心所得，如水之流；殫力而成，如金之冶。喜冲澹者棄桃李之穠纖，尙矜嚴者斥山林之瀟灑。須識春溫秋肅，時豈相違；譬如泥輴山橇，器難相假。惟兼衆美而綜厥成焉，乃冠一時而稱爲作者。當夫叩寂徵材，搆空取義，鬭巧裁篇，爭奇練字，其樹骨也貴堅，其行機也求利，其取神也入希微，其肖象也窮幽邃。理精則純，氣盛則肆，選聲則戛玉敲金，振采則翦紅刻翠。韻緣風發，風高斯韻溢而流；興以才生，才大斯興隨所寄。娟娟乎落花依草，未免有情；屹屹乎巨刃摩天，無不如志。至然而不聞弦外之音，不識遠之爲妙也；不睹鏡中之象，不知超以爲奇也。至味原不廢鹽梅，拘以酸鹹則已誤；化工亦自成錦繡，求諸雕繪則已離。試觀良玉生烟，相原無著；爲問羚羊掛角，迹可能窺。我方欲辨其言，則固已忘矣；人未嘗授以術，而忽自有之。是必養性以植其基，陶情以尋其緒。漱《六經》群史之餘芳，飫諸子百家之雜俎。探靈奇於山水，則萬壑千巖；瞻壯麗於廟堂，則西房東序。侍英賢之座，訂謬訛於白雪陽春；游卿相之門，消鄙陋於黃鐘大呂。屢費推敲，幾經含咀，然後盡掃秕糠，自成機杼。正聲聿暢，式諧韶樂於宸階；妙曲初傳，恍奏鈞天於帝所。故不獨抉二《南》之奧，析四始之疑，小之則立言足式，大之則從政可資。敦厚溫柔服其教，興觀群怨稟其規。而且讀河梁攜手之篇，惜別離於故舊；詠洛浦同袍之句，觸忠憤於論思。孟郊之寸草春暉，感懷一本；蘇軾之連牀夜雨，眷念同枝。想前王教本無邪，深矣遠矣；俾後學生惡可已，舞之蹈之。無如逐末者多歧，從流者愈下。移情綺靡，踰閑檢於風流；託志清高，縱形骸於疏野。或雜仙心之縹渺，想望蓬萊；或通禪悅之虛無，流連蘭若。選本不登老杜，迷眞假於好龍；纖詞偏愛孟陽，淆驪黃於相馬。良由滋厥，蕭稂萎其梧檟。豈知博文貴多，持要尙寡，惟祈嚮無乖乎本性，秉中正而一貫之，斯抆揚實獲乎我心，通古今無二致也。

孫纘《賦賦》 客有文誇虎繡，門羨龍登，清思水涌，健筆雲凌，指屈宋爲衙官，香薰艷摘；本風騷爲駢體，霞蔚雲蒸。詩聖詩仙，五字之長城孰破；賦心賦手，一時之紙價頻增。妃青儷白之詞，濡毫滴露；戛玉敲金之韻，落筆生稜。原夫詩有六義，賦居一焉。其作也，權輿雅頌，繼體《離騷》，宋玉、景差以抒志，揚雄、司馬以稱豪。於晉則左思、潘岳，於唐則李白、黃滔，寫花草之精神，光搖楮墨；壯風雲之變態，彩溢緇毫。刻羽引商，讀罷行雲響遏；鏤金錯采，聽來擲地聲高。而或者謂雕蟲小技，刻楮微能，鑠謝凌顏，不過詞人餘事；雕龍吐鳳，從來志士羞矜。豈知宋廣平鑄就石腸，賦梅花而清言何綺；桑維翰磨穿鐵硯，賦日出而壯志常凝。研京練都，健筆雄扛百斛；枕經葄史，文瀾叠涌千層。自古騷人詞人之筆，原有麗淫麗則之稱。想夫鳳輦停鸞，螭蚴立鷺，彩筆千秋，爐香一炷。穎綻仙葩，墨籠寶霧，制錦賡詩，凌雲獻賦。寫舜德堯功之美，典麗矞皇；志皐颺禹拜之忱，彌綸

布濩。美哉至矣，許燕之手筆生新；侯其褘而，李杜之光芒迸露。丹陛星輝，雲爛一片，承平《雅》《頌》之聲，毫端玉潤珠圓。萬古瑰麗宏奇之句，至若匏繫槐廳，萍踪釣舸，慨書劍之飄零，幸吟章之貼妥。揚雄《校獵》，諷諫居多；王粲《登樓》，思歸未果。《鷦鷯》賦就，張茂先名噪三江；《鸚鵡》吟成，禰正平才驚一座。抽藻思於江花謝月，意蕊繽紛；倒詞源於陸海潘江，墨波揚簸。成四六句，言泉之涌發無窮；掃五千軍，筆力之鋒銛信可。又若留髡勸客，擊鉢催詩，文人雅集，才士矜奇。卽景成題，競樹騷壇之幟；聯吟脫稿，爭抒幼婦之詞。如珠走盤之候，如呑食葉之時，王摩詰潛蹲醋甕，孟襄陽撚斷吟髭。韻曳鏗鏘音調，則淵雲可步；文成炳烺風骨，則徐庾難爲。總之體制雖殊，範圍莫外。或語大而鋪張，或言簡而涵蓋。或波譎靈詭，變化離奇；或玉潔金輝，光明博大。或如祥麟威鳳，立朝而妙于揚庥；或如翡翠蘭苕，體物而工於刻繪；或搆思制局，如建章之宮殿千門；或設色選聲，如麗水之精金百汰。或回翔頓挫，麗藻翩翩；或渾脫瀏漓，和聲翽翽。是則古賦之源流，而律賦之殿最者也。

聶爾康《賦賦》 是爲古詩之原，而卽爲賦之所祖。厥後體裁一變，藻采紛披，聿啓四六之漸，居然《三百》之遺。楚澤摛其騷艷，漢京騁其偉詞，魏晉則千眠而縟繡，齊梁則駁遝以葳蕤。唐制科而愈嚴聲律，宋崇理而力黜華滋。雖源流之遞嬗，亦支派以分歧。莫不鈎心鬬角，罄慮澄思，紛紜觸緒，要紹呈姿。是其體雖繫於賦，而其始則本於《詩》。觀夫攄情逐境，寫物因時，感均頑艷，興極淋漓。或沈酣而怫鬱，或俶詭而支離，或纏綿而諷諭，或矯厲以箴規，或忠臣孝子之悱憤，或武功文德之昭垂，或狀都京之富庶，或誇山海之雄奇，或覼述乎飛潛動植，或燦陳乎禮樂威儀。大之則六合可極，細之亦一物不遺。凡所謂冲鬱熛起參談雲屬者，無不可想像而得之。若夫挈瓶矜智，叩缶貽羞，侈瘁音而累體，託短韻而寡儔，務嘈囋而靃靡，習要眇而卑柔。清虛則雅而不艷，奔放則漂而不留。更或雕紅刻翠，鑿險縋幽，纖詞示巧，薄技思售，擬古者襲貌，逞奇者效尤。凡此皆不知賦之言附，有附庸之義，賦取乎敷，有敷佐之休，無惑乎受欺於拙目，而取病於庸流。我聖朝德邁軒黃，澤流護夏，奎章煥乎九重，聲教暨乎八野。以故蹟奮夔龍，香薰班、馬，氣軼鄒、枚，才凌屈、賈，自芸館以迄芹宮，靡不文露涵濡，言泉傾瀉。

趙鏞《六義賦居一賦》 蓋聞椎輪惟大輅之始，覆簣爲層臺之基。有開必先而源導，踵事增華而變滋。是以截竹仿於伶倫，八音由是而繁會。垂裳肇於軒後，五色由是而彰施。騷辭賦之爲用，自楚漢而迄茲。體雖判而獨立，派實衍於《風》詩。何者？詩有《三百》，奧賾紛綸。誦之以授政專對，讀之以論世知人。然而義爲辭轡，辭爲意輪。義析之而有六，辭萬變而皆循。風雅頌爲經，體殊別而不相雜；賦比興爲緯，用參錯而還相因。侔色揣聲，兼資乎比興；指事徵理，必在於敷陳。以宣上德於遐陬，則顓蒙共喻；以抒下情於黼座，則幽隱畢伸。若夫《清廟》、《生民》之製，《六月》、《采芑》之辭。豐功駿烈，盛軌上儀。將告成於來者，乃據實而書之。肅穆整齊，高文典冊。鋪張揚厲，大筆淋漓。與金匱石室之編，相爲表裏；俾光天化日之下，咸共聞知。乃若空帷獨居，他鄉久戍。望遠懷歸，長吟永慕。情有激而乍鳴，意有隱而必吐。巴人下里，安知藻采之爲工；時鳥候蟲，但覺軒腸之可訴。或直致以達其言，或續賡以達其趣。總此數端，並歸於賦。體製既開，風流下逮。荀、宋張夫楚軍，揚馬盛夫漢世。連篇累牘，博辯從橫；抽祕騁妍，飛騰綺麗。迨夫鮑、庾之徒，奮出齊梁之際。極瑰偉之殊觀，擅精能而難繼。異軍特起，詩賦之號遂分；大國并吞，比興之門乃廢。至於八韻之興，以之選士，創自唐年，沿於宋代。緣情體物，則黃、王奏其能；馳騁抑揚，則歐、蘇精其詣。均足以揚《騷》、《選》之餘波，紹《三百》之遐軌。

劉師培《論文雜記》 古人詩賦，俱謂之文（阮芸臺《咸秩無文解》云：「古人稱詩之入樂者曰文。」故子夏《詩大序》：「聲成文謂之音。」孟子曰：「不以文害辭。」趙注曰：「文，詩之文章也」）。然詩賦之學，亦出行人之官。蓋賦列六藝之一，乃古詩之流。古代之詩，雖不別標賦體，然凡作詩者，皆謂之賦詩（見《左傳》隱三年、閔二年及文六年傳），誦《詩》者亦謂之賦詩（見《左傳》襄二十八年）。《漢志》叙詩賦略，謂「古者諸侯卿大夫，交接鄰國，以微言相感，當揖讓之際，必稱詩以喻其志，蓋以別賢不肖而觀盛衰，故孔子言：『不學詩，無以言。』」夫交接鄰國，揖讓喻志，咸爲行人之專司。行人之術，流爲縱橫家。故《漢志》叙縱橫家，引「誦《詩》三百，不能專對」之文，以爲大戒，誠以出使四方，必當有得于詩教。則詩賦之學，實惟縱橫家所獨擅矣。試考之古籍，則周代之詩，非徒因行人而作，且多爲行人所賡誦；有知行人之勤勞，而賦詩以慰恤者（見《詩・周南・卷耳》篇序及本篇鄭箋）；有獎行人

之往來，而賦詩以褒美者（見《詩·小雅·四牡》篇序及本篇「四牡騑騑」句毛傳，又見《小雅·皇皇者華》篇序及本篇「駪駪征夫」句毛傳）；或行人從政，而室家賦詩以勸行（見《詩·周南·殷其靁》序及本篇鄭箋）；或行人于役，而僚友賦詩以寄念（見《王風·君子于役》篇序及本篇《正義》）；或行人困瘁，賦詩以抒其情（見《詩·小雅·北山》篇序及篇中「或不已于行」句，又見《綿蠻》篇序及本篇鄭箋）；或行人閔憂，賦詩以述其境（見《詩·王風·黍離篇》序及篇中「行邁靡靡」句毛傳，又見《小雅·小明》篇「我征徂西」句孔疏）：是古詩每因行人而作矣。又以《左氏傳》證之：有行人相儀而賦詩者（見襄公二十六年傳，國景子賦《蓼蕭》，賦《轡之柔矣》，子展賦《緇衣》，又賦《將仲子兮》）；有行人出聘而賦詩者（見襄公八年傳，范宣子賦《摽有梅》）；有行人乞援而賦詩者（見襄十六年傳，魯穆叔賦《圻父》，又賦《鴻雁》卒章）；有行人莅盟而賦詩者（見襄二十七年傳，楚薳罷賦《既醉》）；有行人當宴會而賦詩者（見昭元年，穆叔賦《鵲巢》、《采蘩》，子皮賦《野有死麕》，趙孟賦《常棣》）；有行人答餞送而賦詩者（見昭十六年傳，子齹等賦《野有蔓草》諸篇餞韓起）：是古詩每爲行人所誦矣。蓋採風侯邦，本行人之舊典（見《前漢書·食貨志》），故詩賦之根源，惟行人研尋最審（吳季札以行人觀樂于魯，亦其證也）。所以賦詩當答者，行人無容緘默（《左氏》昭公十二年傳云：「宋華定來聘，公享之，爲賦《蓼蕭》，不知，又不答賦。叔孫昭子曰：『必亡』」）；而賦詩不當答者，行人必爲剖陳（《左氏》文四年傳云：「衛寗武子來聘，公與之宴，爲賦《湛露》及《彤弓》，不辭，又不答賦。使行人私焉，對曰：『臣以爲肄業及之也。昔諸侯朝正于王，王宴樂之，于是乎賦《湛露》。諸侯敵王所愾，以獲其功，于是乎賜之彤弓一。今陪臣來繼舊好，君辱貺之，其敢干大禮以自取戾』」）。由是言之，行人承命以修好，苟非登高能賦者，難期專對之能矣。兩漢以前，未有別集之目。《漢志》所載詩賦，首列屈原，而唐勒、宋玉次之（屈原賦二十五篇、唐勒賦四篇、宋玉賦十六篇），其學皆源于古詩（《漢志》言屈原作賦以諷，咸有惻隱古詩之義。而《史記·屈原傳》亦言《離騷》兼《國風》及《小雅》之長），雖體格與《三百篇》漸異（見《文心雕龍·詮賦》篇），然屈原數人，皆長于辭令，有行人應對之才（《史記·屈原傳》云：「嫻于辭令，出則接遇賓客，應對諸侯。屈原既死之後，楚有宋玉、唐勒、景差之徒者，皆好詞，而以賦見稱，然皆祖屈原之從容詞令。」其確證也）。西漢詩賦，其見于《漢志》者，如陸賈、嚴助之流（陸賈賦三篇，嚴助賦二十五篇），并以辯論見稱，受命出使（《史記·陸賈傳》言賈有口辯，復使南越。《漢書·嚴助傳》亦言上令助與大臣辯論，復言遣助以意旨諭甌越）。是詩賦雖別爲一略，不與縱橫同科，而夷考作者之生平，大抵曾任行人之職。東漢以後，詩賦咸以集名（《文獻通考》引吳氏說，謂東京別集之名，本于劉歆之《略》；而輯略之名，則有本于《商頌》之《輯》）；爲行人者，以詩賦與鄰境唱酬，亦莫不雍容華國（如費禕使吳，作《麥賦》，見《三國志·諸葛恪傳注》。陳傳澤贈詩薛道衡，見《隋書·道衡傳》）。故昭明編輯《文選》，于行旅之詩，別立子目（如蘇武等諸人之詩是）。王西莊謂奉使之臣，宜于詩教（見《西沚集·少司農裘公使浙集序》），誠不誣也。又班《志》有言：「不歌而誦謂之賦。」案「登高能賦」之言，本于毛公《詩傳》，在「君子九能」之內。夫九能均不外乎作文，故總名曰德音。而「登高能賦」與「使能造命」相次，其爲行人之詩賦無疑（《鄘風·定之方中》毛傳云：「故建邦能命龜，田能施命，作器能銘，使能造命，升高能賦，師旅能誓，山川能說，喪記能誄，祭祀能語，君子能此九者，可謂有德音，可以爲大夫。」案此乃後世文章之祖也。建邦能命龜，所以作卜筮之繇詞也。田能施命，所以爲國家作命令也。若夫作器能銘，爲後世銘詞之祖。使能造命，爲後世國書之祖。升高能賦，爲後世詩賦之祖。師旅能誓，爲後世軍檄之祖。山川能說，爲後世地志國說之祖。喪記能誄，祭祀能語，爲後世哀誄祭文之祖。毛公此說，必周、秦以前古說。即此語觀之，足證文章各體出于墨家、縱橫家兩派矣。《隋書·經籍志》集部總論亦引「登高能賦」之文，其說亦本毛傳）。則後世詩集，皆縱橫家之派別矣，焉得謂集部與子部無關耶（若夫荀卿、賈誼、蕭望之、劉向等，亦俱有賦，具列于《漢志》之中，此又以儒家而兼文士之才，非縱橫一家之所能限矣）？觀《禮記·學記篇》有言：「宵雅肄三，官其始也。」推古人立法之旨，即望其能賦詩而爲行人之官耳；故以古人奉使之詩，勵其初學進修之志（《學記》鄭君注云：「宵之言小也，謂《鹿鳴》、《四牡》、《皇皇者華》也。爲始學者習之，所以勸之以官。」夫《四牡》、《皇皇者華》，均古人出使之詩也）。而後世文章之士，賡詩作賦，亦多浮誇矜詡之詞（《漢書·藝文志》云：「其後宋玉、唐勒，漢興，枚乘、司馬相如下及楊子雲，競爲侈靡弘衍之詞，沒有風諭之義。是以楊子悔之曰：『詩人之賦麗以則，詞人之賦麗以淫。』」又《顏氏家訓·文章篇》云：「自古文人，多陷輕薄。原其所積文

章之體，颷舉興會，發引性靈，使人矜伐，忽于持操，果于進取」，此則縱橫家尚誣棄信之流弊也（亦見班《志》）。欲考詩賦之流別者，盍溯源于縱橫家哉！

又《文説》粤自風詩不作，文體屢遷，屈、宋繼興，爰創騷體，擷六藝之精英，括九流之奧旨，信夫駢體之先聲，文章之極則矣。觀其理窮奧衍，術試雜占；歌巫陽之下招，命靈氛而占吉；凄涼誰語，詹尹謀龜，禍福無門，賈生賦鵩：此《易》教之支流也。君懷武、湯，臣慕伊、吕；美堯、舜之耿介，傷桀、紂之昌披；就重華以陳詞，命羲和而弭節；治水推鯀，禹之功，格君憶微、箕之節：此《書》教之微言也。《湘君》之什，遠追《漢廣》之吟，《哀郢》之章，隱寓《黍離》之恫；天路險難，爲《匪風》之變體，良辰易邁，乃《吉日》之嗣音；推之感物興懷，援情記興，裊裊女蘿，寄離憂于公子，森森桂樹，望歸來于王孫；比興不乖夫六義，情思遠紹夫《二南》：此《詩》教之正傳也。黄能徵羽淵之祀，玄鳥肇高禖之祠；羽觴蠱勺，備陳祭器之名，桂酒椒漿，侈列賓筵之品；腒鱐犢竇，亦列《庖人》之職，炮豚胹鱉，兼詳《内則》之文；莫不采六官之制，補五禮之遺：此《禮》教之遺制也。《九歌》爲入樂之章，《招魂》亦祀神之曲；張《咸池》，奏《承雲》，九韶備舞，吹參差，發激楚，八音克諧；嗚箎吹竽，視彼司命，揚抱拊鼓，險彼上皇；推之調磬《空桑》，叩鐘瑤圃，秦箏趙瑟備其音，吳歈蔡謳詳其制：此《樂》教之遺意也。上紀開闢，下紀后王，忠臣孝子，貞女烈士，賢愚成敗，罔不畢舉；推之思古情深，憂時志切，懷五子之英風，抉目憶西門之痛，表介推之大節，封田傳緜上之踪，莫不進賢退惡，據事直陳：此《春秋》之精義也。

法則

總説

宋玉《小言賦》楚襄王既登陽雲之臺，令諸大夫景差、唐勒、宋玉等并造《大言賦》，賦畢而宋玉受賞。王曰：「此賦之迂誕，則極巨偉矣。抑未備也。且一陰一陽，道之所貴；小往大來，《剝》、《復》之類也。是故卑高相配，而天地位；三光并照，則大小備。能高而不能下，非兼通也；能粗而不能細，非妙工也。」

《西京雜記》卷二引司馬相如「答盛覽問作賦」合綦組以成文，列錦繡而爲質，一經一緯，一宮一商，此作賦之迹也。賦家之心，苞括宇宙，總覽人物，斯乃得之於内，不可得而傳也。

揚雄《解嘲》雄以爲賦者將以風也，必推類而言，極麗靡之辭，閎侈鉅衍，競於使人不能加也，既乃歸之於正，然覽者已過矣。

《漢書·司馬相如傳贊》靡麗之賦，勸百而風一，猶騁鄭、衛之聲，曲終而奏雅。

班固《離騷贊序》《離騷》者，屈原之所作也。屈原初事懷王，甚見信任。同列上官大夫妬害其寵，譖之王，王怒而疏屈原。屈原以忠信見疑，憂愁幽思而作《離騷》。離，猶遭也；騷，憂也。明己遭憂作辭也。是時周室已滅，七國並爭，屈原痛君不明，信用群小，國將危亡，忠誠之情，懷不能已，故作《離騷》。上陳堯、舜、禹、湯、文王之法，下言羿、澆、桀、紂之失以風。懷王終不覺寤，信反間之説，西朝於秦。秦人拘之，客死不還。至於襄王，復用讒言，逐屈原。在野又作《九章》，賦以風諫，卒不見納。不忍濁世，自投汨羅。原死之後，秦果滅楚。其辭爲衆賢所悼悲，故傳於後。

左思《三都賦序》蓋詩有六義焉，其二曰賦。揚雄曰：「詩人之賦麗以則。」班固曰：「賦者，古詩之流也。」先王采焉，以觀土風。見「綠竹猗猗」，則知衛地淇澳之產；見「在其版屋」，則知秦野西戎之宅。故能居然而辨八方。然相如賦《上林》，而引「盧橘夏熟」，揚雄賦《甘泉》，而陳「玉樹青葱」，班固賦《西都》，而嘆以「出比目」，張衡賦《西京》，而述以「游海若」。假稱珍怪，以爲潤色，若斯之類，匪啻於茲。考之果木，則生非其壤；校之神物，則出非其所。於辭則易爲藻飾，於義則虚而無徵。且夫玉卮無當，雖寶非用；侈言無驗，雖麗非經。而論者莫不詆訐其研精，作者大氐舉爲憲章。積習生常，有自來矣。余既思摹《二京》而賦《三都》，其山川城邑則稽之地圖，其鳥獸草木則驗之方志。風謡歌舞，各附其俗；魁梧長者，莫非其舊。何則？發言爲詩者，詠其所志也；升高能賦者，頌其所見也。美物者貴依其本，贊事者宜本其實。匪本匪實，覽者奚信？且夫任土作貢，《虞書》所著；

辯物居方，《周易》所愼。聊舉其一隅，攝其體統，歸諸詁訓焉。

衛權《三都賦略解序》 余觀《三都》之賦，言不苟華，必經典要，品物殊類，稟之圖籍；辭義瓌瑋，良可貴也。有晉徵士故太子中庶子安定皇甫謐，西州之逸士，耽籍樂道，高尚其事，覽斯文而慷慨，爲《三都序》。中書著作郎安平張載、尚書郎濟南劉逵，並以經學洽博，才章美茂，咸皆悅玩，爲之訓詁；其山川土域，草木鳥獸，奇怪珍異，僉皆研精所由，紛散其義矣。余嘉其文，不能默已。聊藉二子之遺忘，又爲之略解，祇增煩重，覽者闕焉。

謝靈運《山居賦并序》 言心也，黄屋實不殊於汾陽。卽事也，山居良有異乎市廛。抱疾就閑，順從性情，敢率所樂，而以作賦。揚子雲云：「詩人之賦麗以則。」文體宜兼，以成其美。今所賦既非京都宮觀游獵聲色之盛，而叙山野草木水石穀稼之事，才乏昔人，心放俗外，詠於文則可勉而就之，求麗邈以遠矣。覽者廢張、左之艷辭，尋臺、皓之深意，去飾取素，儻値其心耳。意實言表，而書不盡，遺迹索意，託之有賞，其辭曰：【略】夫道可重，故物爲輕；理宜存，故事斯忘。古今不能革，質文咸其常。【略】六藝以宣聖教，九流以判賢徒。國史以載前紀，家傳以申世模。篇章以陳美刺，論難以覈有無。兵技醫日、龜筴筮夢之法，風角冢宅，算數律曆之書。或平生之所流覽，並於今而棄諸。驗前識之喪道，抱一德而不渝。伊昔齠齔，實愛斯文。援紙握管，會性通神。詩以言志，賦以敷陳。箴銘誄頌，咸各有倫。

盧照鄰《駙馬都尉喬君集序》 其後荀卿、孟子，服儒者之褒衣；屈平、宋玉，弄詞人之柔翰。【略】安國討論科斗，五典叶從；史遷祖述獲麟，八書爰創。衣冠禮樂，重聞三代之風；玉帛謳歌，無墜六經之業。鬱其興詠，大雅於是爲羣。

李德裕《非進士論》 然詩賦之制，非古也。古者《國風》、《雅》之謂詩，不歌而頌之謂賦。暨三季移統，七雄黷武，大道既隱，正音去矣，故少卿五字以叙別，鄒孟四言以述祖，陸、謝勵鋒於晉，宋，任、范治榮於齊、梁，詩之體失矣，頌刺之義微焉。若孫卿暢幽惻之意，屈、宋起迂誕之說，相如閎衍以前導，揚雄淫麗而後殿，賦之體隳矣，規諷之旨衰焉。唐興文流，愈甚前失，執彫飾爲規矩，正麗偶爲繩墨，詩則協聲而合律，賦則限韻而拘字，燦然清才而不復質矣。

皮日休《九諷系述序》 在昔屈平既放，作《離騷經》，正詭俗而爲《九歌》，辨窮愁而爲《九章》。是後詞人摭而爲之，皆所以嗜其麗辭，撢其逸藻者也。至若宋玉之《九辯》，王褒之《九懷》，劉向之《九歎》，王逸之《九思》，其爲清愁素豔，幽抉古秀，皆得芝蘭之芬芳，鸞鳳之毛羽也。然自屈原以降，繼而作者，皆相去數百祀，足知其文難述，其詞罕繼者矣。大凡有文人不擇難易，皆出於毫端者，乃大作者也。楊雄之文，丘、軻乎，而有《廣騷》也。梁竦之詞，班、馬乎，而有《悼騷》也。又不知王逸奚罪其文，不以二家之述，爲《離騷》之兩派也。昔者聖賢未偶命，必著書以見志，況斯文之怨抑歟？噫！吾之道不爲不明，吾之命未爲未偶，而見志於斯文者。吾懼來世任臣之君，因謗而去賢；持祿之士，以猜而遠德，故復嗣數賢之作，以九爲數，命之曰《九諷》焉。嗚呼！百世之下，復有修《離騷》章句者乎？則吾之文未過，不爲乎《廣騷》、《悼騷》也。

又《桃花賦序》 余嘗慕宋廣平之爲相，貞姿勁質，剛態毅狀，疑其鐵腸石心，不解吐婉媚辭。然睹其文而有《梅花賦》。清便富豔，得南朝徐庾體，殊不類其爲人也。後蘇相公味道得而稱之，廣平之名遂振。嗚呼！以廣平之才，未爲是賦，則蘇公果暇知其人哉？將廣平困於窮厄於躓然強爲是文邪？日休於文尚矣。狀花卉，體風物，非有所諷，輒抑而不發，因感廣平之所作，復爲《桃花賦》。

劉攽《雕蟲小技壯夫不爲賦》 古人之賦，詞約而旨暢；今人之賦，理弱而文壯。原屈、宋而瀰漫，下卿、雲而流宕，豈所謂言勝則道微，華盛而實喪者哉！觀夫緯白經緑，叩商命宮，以富艷而爲主，以瀏亮而爲工，家自以爲游二南之域，人自以爲得三代之風。差之毫釐，譬無異於畫虎；得其糟粕，殆有甚於雕蟲。亦獨樂府之有鄭衛，女工之有紈綺，悅目順意，蕩心駭耳，里人詠嘆其繁聲，婦女咨嗟其絶技，亦何足薦之宗廟，獻之君子哉！若乃託興禽鳥，致情芻蕘，上則恢張乎宮室，下則吟詠其笙簫。且《子虛》、《大人》之文，無益於諷諫；《靈光》、《景福》之作，不出乎斲雕。故白玉不毀，珪璋安取？六義不散，體物何有！夫殘樸爲器者，匠氏之罪；判詩爲賦者，詞人之咎。亦奚足以計得失，辨能否也。是以子雲以無益而自悔，枚皐以類得而詆諆。故曰：「童子之功，壯夫不爲。」且使孔氏用賦，仲尼刪詩，則賈誼升堂而不讓，相如入室而不辭，然無益於王道，終見譴於聖師。豈非君子務其廣大，世人競乎微小。故爲學者衆，好眞者少，非龍變乎詩書之林，

曷蟬蛻乎塵埃之表。必若明敦厚之術，閑淫麗之塗，言合必乎《雅》《頌》，道必通乎典謨，亦可謂登高能賦，宜爲天子大夫。

趙鼎臣《鄴都賦并序》 仲尼有言：「質勝文則野，文勝質則史。」揚子雲亦曰：「事勝辭則伉，辭勝事則賦。」蓋賦者，古詩之流也。其感物造端，主文而辨事，因事以陳辭，則近於史。故子夏叙詩而繫以國史，不其然乎！雖然，文不害辭，則辭不害志，以意逆志，其要歸止於禮義者，詩人之賦也。兩漢而下，詞人之賦始爲麗淫，競相祖述，至左太沖則譏之，以謂盧橘非上林所植，海若非西京所出，辭不稱事，指爲詬病。然觀其論魏也，舉禪代則以謂虞舜比蹤，述風化則以謂羲熊踵武，非堯譽桀，誕謾滋甚。夫辨物或失其方，記事之小疵，擬人不以其倫，立言之大蔽。昔有獨夫既殄天下，同歸於周，明王不作，海內莫強於秦，然猶伯夷抗登山之志，仲連懷蹈海之義，相與耻而非之，況乎助衛君之奸國，褒吳楚之僭號，以古揆今，壹何相去之邈也。方且笑昔人之末工，忘己事之已拙，欲使覽者信之，過矣。

李廌《師友談記》 少游言：賦中作用與雜文不同。雜文則事詞在人意氣變化，若作賦，則惟貴鍊句之功，鬬難、鬬巧、鬬新。借如一事，他人用之不過如此，吾之所用，則雖與衆同，其語之巧，迥與衆別，然後爲工也。

又 少游言：賦家句脈，自與雜文不同。雜文語句或長或短，一在於人。至於賦，則一言一字，必要聲律，凡所言語，須當用意曲折斲磨，須令協於調格，然後用之。不協律，義理雖是，無益也。

劉一止《上越帥書》 某嘗聞言，辭者，感於情而後發，喜怒哀樂之七者之謂情。情也者，隨遇而感，有感而發，亦若金石絲竹之有待而鳴也。其感發有淺深，故其辭有工拙者。人之論曰：懽愉之辭難工，窮苦之言易好。是眞有難易之辨乎哉！《詩》之變風變雅也，大抵皆循理之說，故讀之想見乎其人，如出乎其時，有正人誼士憤切感激之氣也，有遷客逐臣羈旅流落之歎也，有室家思怨爾汝昵昵之私也，有故國舊都凄凉綿綿之情也。其言率有以感動人意，而喜誦說焉。杜少陵遭時亂離，間關陝蜀，負薪採梠，餔糒不給，凡出處動息勞逸悲樂之事，一見於詩，蓋窮而益工。屈原憂愁幽思而作《離騷》，庾信以悲哀爲主，然後知懽愉之動情者淺，而窮苦之感情深也。

胡仔《苕溪漁隱叢話前集》卷一 山谷云：凡作賦要須以宋玉、賈誼、相如、子雲爲師，略依放其步驟，乃有古風。老杜《詠吳生畫》云：「畫手看前輩，吳生遠擅場。」蓋古人於能事，不獨求跨時輩，要須前輩中擅場耳。

楊萬里《周子益訓蒙省題詩序》 唐人未有不能詩者，能之矣亦未有不工者，至李杜極矣，後有作者蔑以加矣。而晚唐諸子，雖乏二子之雄渾，然「好色而不淫」、「怨誹而不亂」，猶有《國風》、《小雅》之遺音。無他，專門以詩賦取士而已，詩又其專門者也，故夫人而能工之也。自《日五色》之題一變而爲《天地爲鑪》，再變而爲《堯舜性仁》，於是始無賦矣。自《春草碧色》之題一變而爲《四夷來王》，再變而爲《爲政以德》，於是始無詩矣。非無詩也，無題也。

朱熹《楚辭後語目錄序》 蓋屈子者，窮而呼天，疾痛而呼父母之詞也。故今所欲取而使繼之者，必其出於幽憂窮蹙怨慕凄涼之意，乃爲得其餘韻。而宏衍鉅麗之觀，懽愉快適之語，宜不得而與焉！至論其等，則又必以無心而冥會者爲貴，其或有是，則雖遠且賤，猶將汲而進之，一有意於求似，則雖迫眞，如揚、柳亦不得已而取之耳。若其義，則首篇所著荀卿子之言，指意深切，詞調鏗鏘，君人者誠能使人朝夕諷誦，不離於其側，如衛武公之抑戒，則所以入耳而著心者，豈但廣廈細旃，明師勸誦之益而已哉！此固余之所爲眷眷而不能忘者。若《高唐》、《神女》、《李姬》、《洛神》之屬，其詞若不可廢而皆棄不錄，則以義裁之，而斷其爲禮法之罪人也。高唐卒章，雖有思萬方，憂國害，開聖賢，輔不逮之云，亦屠兒之禮佛，倡家之讀禮耳。幾何其不爲獻笑之資，而何諷一之有哉！其息夫躬、柳宗元之不棄，則晁氏已言之矣。至於揚雄則未有議其罪者，而余獨以爲是其失節，亦蔡琰之儔耳。然琰猶知愧而自訟，若雄則反訕前哲以自文，宜又不得與琰比矣。今皆取之，豈不以夫琰之母子無絶道，而於雄則欲因反騷而著蘇氏、洪氏之貶詞，以明天下之大戒也。陶翁之詞，晁氏以爲中和之發，於此不類，特以其爲古賦之流而取之是也。抑以其自謂晉臣恥事二姓而言，則其意亦不爲不悲矣。序列於此，又何疑焉！至於終篇特著張夫子、呂與叔之言，蓋又以告夫游藝之及此者，使知學之有本而反求之，則文章有不足爲者矣。

又《朱子語類》卷一三九《論文上》 問：《離騷》、《卜居》篇內字。曰：「字義從來曉不得，但以意看可見。如『突梯滑稽』，只是軟熟迎逢，隨人倒、隨人起底意思。如這般文字，更無些小窒礙。想只是信口恁地說，皆自成文。林艾軒嘗云：『班固、揚雄以下，皆是做文字。已前如司馬遷、司馬相如等，只是恁地說出。』今看來是如此。古人有取於『登高能賦』，這也須是敏，須是

會說得通暢。如古者或以言揚，說得也是一件事。後世只就紙上做。如就紙上做，則班、揚便不如已前文字。當時如蘇秦、張儀都是會說。《史說》所載，想皆是當時說出。」又云：「漢末以後，只做屬對文字，直至後來，只管弱。如蘇頲著力要變，變不得。直至韓文公出來，盡掃去了，方做成古文。然亦止做得未屬對合偶以前體格，然當時亦無人信他。故其文亦變不盡，纔有一二大儒略相效，以下並只依舊。到得陸宣公奏議，只是雙關做去。又如子厚亦自有雙關之文，向來道是他初年文字。後將年譜看，乃是晚年文字，蓋是他效世間模樣做則劇耳。文氣衰弱，直至五代，竟無能變。到尹師魯、歐公幾人出來，一向變了。其間亦有欲變而不能者，然大概都要變。所以做古文自是古文，四六自是四六，卻不滚雜。」

項安世《項氏家說》卷八 《離騷》，楚語。伍舉曰：「德義不行，則邇者騷離，而遠者距違。」韋昭注曰：「騷，愁也。離，畔也。」蓋楚人之語，自古如此。屈原《離騷》，必是以離畔爲愁而賦之。其後詞人倣之，作畔牢愁，蓋如此矣。畔，謂散去，非必叛亂也。

沈作喆《寓簡》卷五 本朝以詞賦取士，雖曰彫蟲篆刻，而賦有極工者，往往寓意深遠，遣詞超詣，其得人亦多矣。自廢詩賦以後，無復有高妙之作。昔中書舍人孫何漢公著論曰：「唐有天下，科試愈盛，自武德貞觀之後至貞元元和已還，名儒鉅賢，比比而出。有宗經立言如丘明、馬遷者，有傳道行教如孟軻、揚雄者，有馳騁管、晏上下班、范者，有凌轢顔、謝詆訶徐、庾者。如陸宣公、裴晉公皆負王佐之器，而猶以舉子事業，飛騰聲稱。韓退之、柳子厚、皇甫持正皆好古者也，尙刓意彫琢，曲盡其妙。持文衡者，豈不知詩賦不如策問之近古也。蓋策問之目，不過禮樂刑政兵戎賦輿歲時災祥，吏治得失，可以備擬，可以蔓衍，故汗漫而難校，澳涊而少工。詞多陳熟，理無適莫。惟詩賦之制，非學優才高，不能當也。破巨題期於百中，壓強韻示有餘地。驅駕典故，混然無跡；引用經籍，若已有之。詠輕近之物，則託意雅重，命詞峻整；述樸素之事，則立言遒麗，析理明白。其或氣焰飛動，而語無孟浪，藻繪交錯，而體不卑弱。頌國政則金石之奏間發，歌物瑞則雲日之華相照。觀其命句，可以見學植之深淺；賾其搆思，可以見器業之小大。窮體物之妙，極緣情之旨，識春秋之富艷，洞詩人之麗則。能從事於斯者，始可以言賦家流也。」其論作賦之工如此，非過也。

方回《離騷胡澹庵一說》 《離騷》之蘊十有九：奇、古、辯、怨、閑、澹、潔、雅、雄、深、枯、淡、豐、腴、勁、正、忠、直、清。「指九天以爲正兮」，奇也。「帝高陽之苗裔兮」，古也。「就重華而敶詞」，辯也。「國無人莫我知兮」，怨也。「聊逍遙以相羊」，閑也。「和調度以自娛兮」，澹也。「朝濯髮乎洧盤」，潔也。「奏九歌而舞韶兮」，雅也。「飲余馬於咸池兮」，雄也。「何所獨無芳草兮」，深也。「登閬風而緤馬」，枯也。「結幽蘭而延佇」，淡也。「思九州之博大兮」，豐也。「曰兩美其必合兮」，腴也。「雖體解吾猶未變兮」，勁也。「彼堯舜之耿介兮」，正也。「阽余身而危死兮」，忠也。「何桀紂之昌被兮」，直也。「朝飲木蘭之墜露兮」，清也。《楚詞》之蘊十有二：險、怪、艱、窘、隱、約、褊、急、巧、譎、豪、放。「乘日月兮上征」，險也。「棄雞駭於箱簏」，怪也。「犯顔色而觸諫兮」，難也。「執棠谿以刜蓬兮」，窘也。「筐澤瀉以豹鞹兮」，隱也。「願假簧以舒憂」，約也。「破荆和以繼築」，褊也。「孰契契而委棟」，急也。「仳倠倚於彌楹」，巧也。「同駑贏贏與椉駔」，譎也。「采撚枝於中州」，豪也。「律魁放乎山間」，放也。

又《離騷胡澹庵三說》 《離騷》、楚詞，要皆本乎幽憂而作，大抵兩漢文章若司馬犬子(犬子謂司馬相如)、揚子雲、劉子政、班孟堅、張衡之徒，率自《離騷》、楚詞出。蓋靈均所著則曰《離騷》，後之依倣而作者則曰楚詞，而《離騷》爲至。虛谷曰：「《關雎》樂而不淫，哀而不傷」，孔子之論也。淮南子得其微旨，謂「《國風》好色而不淫，《小雅》怨誹而不亂」。以此二語指《離騷》未爲不然。而澹庵胡公推衍發明，謂《離騷經》淵源帝王之道，可以方《大雅》，而嘉《橘頌》亦不減有閟泮宮，斯篤論矣。予學詩，年五十六七矣，讀其說，有契於心，乃親筆記之。

又《劉子敬吟卷序》 漢淮南王評《離騷》曰：「《國風》好色而不淫，《小雅》怨誹而不亂。若《離騷》者，可謂兼之矣。」予謂斯言也未瑩，色至於好，怨至於誹，淫與亂不難也，今變風、變雅可考也。子曰：「《關雎》樂而不淫，哀而不傷。」淮南蓋襲用其語而意不醇者。然世之處人倫事會之際，鮮舒多慘，樂而淫不無之，哀而傷比比皆是也。《易》一泰卦耳，而曰屯、曰訟、曰剝、曰否，其卦不一。制禮樂，文太平，周公盛矣，猶未免賦予宇、予室之詩，則夫枯謠悴詠上不見答，豈止一屈原而已哉。原之著《離騷》也，深契乎《三百篇》之六義，而淮南淺之。其於鬼神變化、草木芳穢、男女乖合、國家成敗，

言抑揚，意開闔，惟澹菴胡公句句而析之，十有九藴焉。其曰「滿堂兮美人，忽獨與予兮目成」，此託辭也，於色也豈有所謂好。其曰「已矣哉，國無人莫我知兮」，此直辭也，於怨也豈有所謂誹。由原之作，推原之心，雖進之正風、正雅及頌，皆可也。

袁桷《題噩上人疊秀軒賦後》 楚之詞不作久矣！晁無咎氏始分其言爲二，淵乎得其微旨。《離騷》、《九歌》，判不相合。漢魏而降，一而爲之。縝密者爲揚、馬，反覆悲悼，漢帝所謂鄰於楚之聲也。左太沖融液藻繪，能爲一，繼者不復若是。晁氏豈虚語哉！吾鄉高端叔先生，作《變離騷》，直與古者相抗。而或者謂：「羇窮不偶，怨悱不得以自振。」今噩上人作《驃騎山賦》及《疊秀》、《冽清》二賦，手而讀之，誠駸駸乎古作矣。渡江以來，諸賢蹈襲蘇學，以雄快直致爲夸，詩與文率相成風。科舉學盛，屈、宋不入於口耳。積弊幾二百年，山林枯槁之士，尚何能冀其髣象？是則皆吾徒之罪也。上人語精意新，無模塹之弊，言道也師《遠游》，託興也鄰《九辯》。

又《答高舜元十問》 問：古賦當祖何賦？其體製理趣何由高古？答：屈原爲騷，漢儒爲賦。賦者，實叙其事，體物多而情思少。登高能賦，皆指物喻意。漢賦如揚、馬、枚、鄒，皆實賦體，至後漢雜騷詞而爲賦，若左太沖、班孟堅《兩都賦》皆直賦體，如《幽通》諸賦，又近楚辭矣。晁無咎言變離騷、續楚辭，其説甚詳。私謂賦有三變：自後漢之變爲初，柳子厚之賦爲第二，蘇黄爲第三。今欲稍近古，觀屈原《橘賦》、賈生《鵩賦》爲正體。又如《馴象》、《鸚鵡》諸賦，猶不失古。曹植諸小賦尤雅潤，但差萎弱耳。

劉壎《隱居通議》卷四《古賦一・總評》 作器能銘，登高能賦，蓋文章家之極致。然銘固難，古賦尤難。自班孟堅賦《兩都》、左太沖賦《三都》，皆偉贍鉅麗，氣蓋一世，往往組織傷氣骨，辭華勝義味，若涉大水，其無津厓，是以浩博勝者也。六朝諸賦，又皆綺靡相勝，吾無取焉耳。至李泰伯賦《長江》，黄魯直賦《江西道院》，然後風骨蒼勁，義理深長，駕六朝，軼班、左，足以名百世矣。近代工古賦者殊少，非少也，以其難工，故少也。其有能是者，不過異其音節而已，而文意固庸庸也。

陳繹曾《文筌・楚賦譜》 清神法見《古文譜》，曰沉思，即沉抑兩重浮辭而不用之是也。楚賦法： 楚賦之法，以情爲本，以理輔之，先清神沉思，將題目中合説事物一一瞭然在心目中，卻都放下，只於其中取出喜怒哀樂愛惡欲之眞情，又從而發至情之極處，把出第一、第二重易得之浮辭，一切革去。待其清虚玄遠者至，便以此情就此事此物而寫之。寫情欲極眞，寫物欲極活，寫事欲極超詣。以身體之，則情眞；以意使之，則物活；以理釋之，則事超詣。清神法見古文譜，曰沉思，即沉抑兩重浮辭而不用之是也。

又《漢賦譜》 漢賦之法以事物爲實，以理輔之，先將題目中合説事物一一依次鋪陳，時默在心，便立間架，構意緒，收材料，措文辭。布置得所，則間架明朗；思索巧妙，則意緒深穩；博覽愼擇，則材料詳備；鍛煉圓潔，則文辭典雅。寫景物如良畫史，制器物如巧工，説軍陳如良將，論政事如老吏，説道理通神聖，言鬼神極幽明之故，事事物物，必須造極。處事欲巧，造語貴拙。

又《唐賦附説》 漢賦至齊梁而大壞，務爲輕浮華靡之辭，以剽掠爲務，以俳諧爲體，以綴緝飽飣小巧爲工，而古意掃地矣。唐人欲變其弊而或未能反本窮原也，乃加之以氣骨，尚之以風騷，間之以班、馬，下視齊梁亦已卓然。楚漢不分，古今相雜，謂之自成一家則可，追配古人未可也。其法浮，其體漓，其製雜，其式亂，其格則有高者，難以譜定也。因爲之説，以附楚漢之後。唐賦法： 以唐爲本，以辭附之，將題中合説事皆撇過，自成一種便輕浮之意，就立間架而敷衍之。發意欲巧而新，間架欲明而簡，措辭欲切而姸，如斯而已矣。【略】 唐賦體： 鮑照、陳子昂、宋之問、蕭穎士，爲唐古賦之祖；江淹、庾信、王勃、盧照鄰、楊炯、駱賓王爲唐排賦之祖。唐古賦見《文粹》，排賦見《文苑英華》。

楊維楨《麗則遺音序》 皇朝設科取賦，以古爲名。故求今科文於古者，蓋無出於賦矣。然賦之古者，豈易言哉？揚子雲曰：「詩人之賦麗以則，詞人之賦麗以淫。」子雲知古賦矣，至其所自爲賦，又蹈詞人之淫而乖風雅之則，何也？豈非賦之古者，自景差、唐勒、宋玉、枚乘、司馬相如以來，違則爲已遠，矧其下者乎？

李繼本《跋學生於徵劉素賦稿》 古之大夫有九能，能賦一也。夫自聲詩出而始有賦，屈子之《騷》，《三百篇》以還，崛爲詞賦之祖，得乎《風》、《雅》之意也。司馬相如、揚雄、班固《上林》、《子虚》、《甘泉》、《羽獵》、《東西都》之製作，雖皆流聲無窮，至律以騷之規律，瞠乎若後塵矣。然子雲論賦謂「童子雕蟲篆刻，壯夫不爲」，又曰「詩人之賦麗以則，詞人之賦麗以淫」，陸

機則曰「賦體物而瀏亮」，雄之言是矣。機雖有雕琢之才，其爲賦不過體物瀏亮而止矣，豈知古人之賦哉！

汪瑗《楚辭大序》 按《周禮》太師掌六詩以教國子，曰風、曰賦、曰比、曰興、曰雅、曰頌，而《毛詩大序》謂之六義，蓋古今聲詩條理，無出此者。風則閭巷風土男女情思之詞，雅則朝會燕享公卿大夫之作，頌則鬼神宗廟祭祀歌舞之樂，其所以分者皆以其篇章節奏之異而別之也。賦則直陳其事，比則取物爲比，興則託物興詞，其所以分者，又以其屬辭命意之不同而別之也。誦詩者，先辯乎此，則《三百篇》者若網在綱，有條而不紊矣。不特詩也，楚人之辭亦以是而求之，則其寓情草木、託意男女，以極游觀之適者，變風之流也。其叙事陳情，感今懷古，以不忘乎君臣之義者，變雅之類也。至於語冥婚而越禮，攄怨憤而失中，則又風雅之再變矣。其語祀神歌舞之盛，則幾乎頌而其變也。又有甚焉，其爲賦則如《騷經》首章之云也，比則香草惡物之類也，興則託物興詞、初不取義，如《九歌》沅芷澧蘭以興思公子而未敢言之屬也。然《詩》之興多而比賦少，《騷》則興少而比賦多，要必辯此而後詞義可尋，讀者不可以不察也。

何喬新《寫騷軒記》 秋官主事淮陽葉君崇禮，愛楚靈均之《騷》。公暇輒諷之詠之，又染翰而寫之，因名其燕居之軒曰「寫騷」。客有過其軒者詰之曰：「騷，古詩之流也。《三百篇》之詩，吾夫子刪之以垂訓，與《易》、《書》、《春秋》、《禮記》並列爲經矣。《離騷》，風雅之再變者也，揚雄反之，班固譏之，端人莊士或羞道之。今子舍聖人之經而騷是寫，無乃先其末而後其本，志其小而遺其大者邪？」崇禮曰：「嗚呼！爲人臣而可哀者孰有？若屈平者乎。原之爲人也，其志潔，其行廉，其材足以撥亂世而反之正，使其遇明王聖主而爲之宣力，則股肱之良佐已，不幸前遇懷王，後遇襄王，懷瑾握瑜，而世莫之知平。王所詫同德者，蘭與蕙耳。然或變而不芳，或化而爲茅，況揭車胡繩之瑣瑣者耶。愁吟澤畔，徬徨江濱，獨抑鬱無誰語，而《離騷》之詞作焉。嗚呼！爲人臣而可哀者，孰有若原者乎？《三百篇》之詩，聖人之經也。《離騷》非聖經之羽翼耶？故吾於講經之餘，惓惓於騷，諷之詠之，又從而寫之而不能已焉。世之不自知者，或薄原而不爲，然一武夫氣勢稍能動人者，則奔走其門而不耻，眎原之不阿子蘭何如也。其或忤於世而困頓焉，則終身懲創而不自振，眎原之九死不悔又何如也。彼揚雄屈節於簒賊，班固失身於戚畹，皆原之罪人也。其論議予奪，又奚足爲輕重哉。嗚呼！孰若原者，吾願從之，垂蓉佩，被荷衣，徜徉縣圃，以遨以嬉，俯眎雄固之徒，奚啻醯鷄之紛飛邪？」客默而退。他日，崇禮爲予道之，且求言記其軒。予謂崇禮潔廉好脩，有契乎原之心；其詞瓌麗可喜，有得乎騷之體。宜其於原慕之深也！雖然，原之作《離騷》，豈慕不遇而死哉！時之不遇也。

王文祿《文脈》卷一 楚騷《禮魂》曰：「春蘭兮秋菊，長無絶於終古」，比也。夫魂，性之神也，不生死存亡，指二時薦品歌之，喻往來化機不息。《遠遊》曰：「毋滑而魂兮，彼將自然。一氣孔神兮，于中夜存。虛以待之兮，無爲之先」，賦也。原生夷方，學何所授？灼見性眞，聖之潔也。豈沉湘傷生哉？特憤世託言遐遁耳。楊子雲《反騷》庶知之？稱《騷經》宜矣。

朱鶴齡《讀〈文選〉諸賦》 賦爲六義之一，然賦可以兼比興，而比興不可兼賦。故《雅》《頌》諸詩，凡春容大篇皆賦也。荀蘭陵後，遂多以賦名篇，而厥體莫盛於漢。孔穎達云：「賦之爲言鋪也，直鋪陳時之政教善惡。」而班孟堅亦云，「賦以抒下情而通諷諭。」蓋古人文章未有無爲而作者。如孟堅《兩都》爲西京父老怨明帝不都長安，故盛稱東都以風諭之也。平子《兩京》爲明帝時王侯以下多踰侈，故作此以諷諫也。明帝欲廢南都，故特稱此都之盛，亦以諷也。長卿《子虛》、《上林》意欲明天子之義，故假稱「子虛」、「烏有」、「亡是」三人以諷也。飛燕無子，成帝往祠甘泉宮，制度壯麗，子雲故賦《甘泉》，又成帝獵南山，農民不得收斂，故賦《羽獵》、《長楊》，皆以諷諫也。若太冲之賦《三都》，則於義何取乎？太冲晉人也，作賦時魏鼎之遷久矣。《東京》鋪揚德業，以臣頌君，溢美無嫌，太冲生爲晉臣，而右魏以貶吳蜀，已乖古義。況魏實涼德，豈炎漢之可方乎。若曰晉統承魏，右魏者爲晉地也。斯其識比之習鑿齒《漢晉春秋》，又不逮遠矣。愚嘗考其序譏《上林》之引盧橘，《甘泉》之陳玉樹，《西都》之出比目，《西京》之游海若，方之玉卮無當，知其作賦之意，蓋主于稽土風，驗方志，侈學士之閎覽，成一家之著作，而于孟堅所云抒下情以通諷諭之指，則未有當也。後人以《兩京》、《三都》並稱，特體制相沿耳，豈可同日而論哉。

錢澄之《停雲軒賦序》 傳曰：登高能賦，可以爲大夫。言其能感物造端，材智深美，故可以爲大夫也。此言賦卽詩之通稱耳。古人不歌而誦，亦謂之賦，春秋列國大夫相見，各賦詩以言志是也。蓋詩有六義，賦其一也。

賦之義，比事屬詞，其於《雅》《頌》居多，而比興者，託物見意，風之事也。自《詩》亡，士大夫稱詩或往往託諸風人，至於《雅》、《頌》，蔑如矣。《雅》、《頌》既廢，則賦之義不可見，而獨見諸騷。騷者，賦體也，繼騷有作者，以騷之本賦，因即以賦命篇，於是賦之名遂離詩以孤行，而其實原諸詩也。故曰賦者，古詩之流亞也。自賦與詩分，而作者之材智亦因之以各異，荀、宋及長卿、子雲，賦家之祖也，其詩不少概見。若夫陶元亮、杜子美，可謂工於詩矣，而所謂《閒情賦》、《三大禮賦》，迄於今不傳，豈材智固各有所擅哉？然而其感物造端則一也。夫物與情遇而有感，感而有端，端以引緒，緒以成文，凡文之成，未有無其端者。吾嘗爲詩，當其命題搆思，百計以求之，無當也。忽然感之，或得片語焉，或得一字焉，倘所謂造端者非耶？因而引伸之，遂如火然泉達，一往而不可禦，然後知文章之端，固必造於感也。感同矣，造端又同，而或爲賦焉，或爲詩焉，則又性情之各有其端矣。

陸棻《歷朝賦格・凡例》 古賦之名始乎唐，所以別乎律也。猶之今人以八股制義爲時文，以傳記詞賦爲古文也。律賦自元和、長慶而來，欲化密爲疏，不覺其趨於薄，欲去華就質，不覺其入於俚。故韓蘇諸公皆由此獲高第，而自以俳優鄙之，此人之爲，非賦之咎也。揚子雲《甘泉》、《羽獵》，自夸文似相如，而謂其追悔雕蟲，乃後人假託之詞耳。若由今而論，則律賦亦古文矣，又何古賦之有。

又 《禮》云：「言有物而行有格」，格，法也。前人創之以爲體，後人循之以爲式，合之則淳，離之則駁，猶之有翼者不必其多脛，善華者不必其倍實，分而疏之各得其指歸，亦惟取乎淳，無取乎駁而已。

汪琬《喬石林賦草序》 或謂：賦家宜於侈靡，史家宜於簡直，二者之學不同。今使石林以賦才司纂修，得毋用違其長與？琬曰：非也。登高能賦，可以爲大夫。古之所謂大夫者，求諸周官，如太史、小史、內史、外史之屬皆在焉，不必其無兼才也。劉向、揚雄之於漢也，蓋嘗葺天漢以後諸故實訖於元、成、哀、平，以續《史記》矣。及考其騷賦之作，則又卓然有名。如向之《九歎》，雄之《長楊》、《校獵》、《反騷》諸文是也。世稱班固《漢書》文贍事詳，過於史遷，而東、西都賦則又叙述山川之險，都邑之雄，宮闕掖庭之麗，而究歸於靈臺辟雍明堂風化之盛，其辭閎深灝衍，雖後有作者研思十年，亦不能稍加焉。孰謂長於此者，必不長於彼與。

金堡《驚鴻賦序》 夫華言破道，翫物喪志，即歸於諷諫，然懲一而勸百，君子譏焉。若乃質有其文，麗軌於則，譬如名士之坐必無雜賓，故心口相宣，性習並露，根之利鈍，種之淨穢，雖有摽飾，不得而掩，然則一篇之多，一言之少，可以見人一生，亦可以見其一生之前與一生之後，豈有他謬巧耶？

陸次雲《與友論作賦書》 足下謂《阿房》、《赤壁》其賦愈佳，其體愈降。愚謂不然。謂其體愈變可也，謂愈降不可也。賦體之始於《兩都》、《兩京》也，猶文始於峋嶁汲冢，書始於蝌蚪禽魚也。今之文有唐宋大家矣，說者不以其不類峋嶁汲冢而鄙其卑也。書有鍾王楷法矣，說者不以其不類蝌蚪禽魚而薄其下也。獨於賦體以不類班固、張衡謂之爲降，則文必連山，書必倉頡始足見珍於世，而柳州、昌黎之鴻章，右軍、元常之異筆，舉在所黜也。是足下不知有風會之變也，烏可以言賦哉！且《兩都》、《兩京》之體可作於前而不必述於後也。漢當秦火之餘，典墳殘缺，故博雅之儒輯其山川名物，著而爲賦，以代乘志，其體應詳，其後載籍備矣，使孟堅、平子生於漢後，再欲謀篇，亦必不作曩日一紀十年累牘連章之製，矧又出其後者乎？《阿房》、《赤壁》，滌盡繁蕪，言清旨遠。卓哉西漢之遺，略貌取神，謂風氣日上可也，何云降耶？足下又謂賦者富也，宜以富麗爲工。愚謂富於辭不若富於意也，綴難字以矜奇，砌類書以詡博，老生素習，豎子咸能，使人刺目不休，展卷欲卧者，其得謂之富乎！若夫其篇彌約，其意彌長，童而習之，終身味之而無盡者，其中之藴藉深矣。孰富孰否，足下於焉可自識也。

王邦采《離騷彙訂序》 騷之爲體，自屈子倡之，漢魏而降，長卿、子雲之徒代相慕習，盡態極妍，卒無有能肖之者。【略】所貴乎能讀者非徒誦習其詞章聲調已也，必審其結構焉，必尋其脈絡焉，必考其性情焉。結構定而後段落清，脈絡通而後詞義貫，性情得而後心氣平。

林仲懿《讀離騷管見》 文章以義爲先，而法即次之。法乃文之所以成章而得乎其義者也。《離騷》之爲文至矣，而或視爲聱牙不可讀，則以不解其義與法之所在耳。【略】且夫《離騷》非詞賦也，屈子本忠孝之大節，明道學之淵源，而託之乎詞賦者也。後世直等諸風雲月露之篇，亡其義矣。乃更指爲雜亂重複，則法亦亡矣。法亡而義愈亡矣，其又奚貴夫《離騷》之文。余小子輒不自量，謬出管見，以說時文法說《離騷》，實覺起伏轉落，條理分明，脈絡貫通，而執中主敬之大義，粲然無復可疑。

張謙宜《絸齋論文》卷四 賦始屈原，其來已古。歷代增華，遂使人嗟爲殘膏賸粉。若論原本，乃文章極變之會也。取材博矣，琱琢尚巧，鍛鍊精矣，縕藉貴奧。若雜以纖語輕態，但欲明快宜人，直是小説麗句，非復文家鉅擘矣。其中樓閣衣粧，草木禽獸，襲中者不解，杜撰者不典。人無全才，勿輕問津可也。其字法、句法，以入古文，不甚相宜。色太重，味太厚，筆掃不匀，便成餖飣矣。

又 作賦不難於博而恐不雅，不難於艷而恐不古，不難於駢而恐不峭，不難於發揚而恐不沉鬱。自非老學，豈爲巨手？

又 賦材欲博，難在錘鍛；賦詞欲麗，難在奧雅。賦體淹博，藻麗中又要組鍊沉鬱，此所以難。

又 作賦之法，約以兩言：曰欲其富而不艷，琱而不纖。

又 仿荀子小賦，要鍊、要峭、要淨、要奧。

又 欲讀《兩都賦》，須先求文意通順。韵有不合者，依坊本音叶求之。孫月峯評本甚佳，學者當購之。

又 揚子雲諸賦，誇誕淫佚，烏在其引君於當道乎？如《子虛》、《上林》，《羽獵》、《兩都》、《西京》，果如所言，人主之豪暴驕奢，罪浮於桀紂矣。乃謂頌揚之美，可乎？文人無識如此！

又 《上林》、《子虛》二賦，近於纂組。然千餘年間才人不少，卒無能似之者，何也？使西京人胸中先有許多道理，詞賦亦不能工。

王之績《鐵立文起·前編》卷一一《宋》 王懋公曰：《傳》曰范文正督學，出題使諸生作賦，必先自爲之。欲知其難易，及所當用意，亦使學者準以爲法。於此乃見古人之自處處人，皆非苟且以從事也。

浦銑《復小齋賦話》卷上 歐陽行周詹《秋月賦》，寥寥短篇，讀之文生於情，情生於文。作文必用正筆者，笨伯也。此賦云：「何處而不見，何人而不愁。豈謂征客懷歸，徘徊於黃榆之塞；佳人怨別，蕭條於紅粉之樓。」可悟作法。

又 作賦先要脫應酬氣。即如蘇子由《黃樓賦》，入後人手必鋪張水勢之洶涌，及子瞻捍禦功。後寫黃樓形勝。子由卻以一序了之，而另立一意，便已識見高人百倍。至子由自謂此賦，學孟堅《兩都》，則在讀者領略耳。蓋學之云者，特其製局結構，非如晉公所譏「等句讀，襲徵引」者也。元陳樵《八詠樓賦》，局法似從《七發》脫胎。

朱一飛《賦譜》 辨源者何？賦本於《三百篇》之一體，始於荀卿，盛於漢、魏、六朝，有騷體，有駢體。騷體者，《詩》之變，《離騷》之遺也。駢體則以字句比偶成文，麗才出焉。唐始以駢賦取士，儷以四六，限以聲韻，其法與今之八股文同。第一韻擒題，即小講也。二三韻漸次入題，即入手提比也。四五韻鋪叙正面，即中比也。六韻或摠發，或互勘，或推原。七韻或旁面證佐，或題後敷衍，摠之歸繳題旨爲正，即後比結比也。末韻或頌揚，或寓意，頌揚務須大雅，寓意勿至乞憐。

又 律賦之法有五：一辨源，二立格，三叶韻，四遺辭，五歸宿。其品有四：曰清眞雅正。其用工有九：曰起接，曰轉折，曰烘襯，曰鋪叙，曰琢鍊，曰連綴，曰脫卸，曰交互，曰收束。其致則一：曰傳神。神傳，蔑以加矣。賦又有六戒：一曰複，二曰晦，三曰重頭，四曰軟脚，五曰衰颯，六曰拖沓。

又 六戒：一曰複。複非謂明犯字面也，如上聯用日月星辰起，下聯復用風霜雨露起；上聯用朱緑玄黃接，下聯復用青紅黑白接，此謂字複；上段用四起六收，中段下段仍用四起六收，上段用四六收，中段下段仍用四六收，此謂調複；上段用比喻交互等法作起結，下段仍用此法作起結，此謂意複。二曰晦。謂用古須要顯典，不可蒙暗不明。三曰重頭。謂題意須漸次遞入，不得將正面攝在起處，而入後竟索然意盡。四曰軟脚。謂韻脚牽湊，與上意不相連貫。五曰衰颯。衰颯之字，古賦間有之，今則文治光昌，凡一切感嘆語及敗亡等字，宜避。六曰拖沓。其病在運古不明，落想不清，致以虛字、實字累在一處，有志之士，尚其勉諸。

孫梅《四六叢話》卷三引《西溪叢語》 《離騷》、《九歌》章句，名曰九而載十一篇，何也？曰：「九以數名之，如《七啓》、《七發》，非以其章名。或云《國殤》《禮魂》不在數。若除《國殤》、《禮魂》只二十三篇。韓文公云：「屈原《離騷》二十五」，王逸云「《漁父》以上二十五，合《國殤》、《禮魂》也。」劉淵林注《魏都賦》引《九章》之辭曰「嵒也必獨立」，引《卜居》之辭曰「横江潭而漁」。今閲二篇，又無是二句，信有闕文。淵林出漢後，何爲獨見全書也？嘗有策問云「蕭統《文選》載九歌，無《國殤》、《禮魂》」。晁無咎謂「《大招》古奧，疑原作」。今起《離騷經》、《遠游》、《天問》、《卜居》、《漁父》、《大招》，而云《九

章》、《九歌》又十八，則原賦存者二十四篇耳。《惜誓》盡叙原意，末云：「鸞鳳之高翔，見盛德而後下。」與賈誼《吊屈原文》云「鳳凰翔於千仞兮，覽德輝而下之」，斷章趣同，將誼效之也，抑固二十五篇之一，未可知也。若如《文選》去《國殤》、《禮魂》，以《大招》、《惜誓》補，則二十五篇似爲足矣。「横江潭而漁」，揚雄《答客難》有之。如賈逵、班固於《離騷經》嘗以所見改易無疑，則《九章》、《卜居》如王逸輩或有改易，未可知也。書之闕文，未易深考。

又引《續古叢編》　《楚詞》多以九爲義，屈原曰《九章》，曰《九歌》，宋玉曰《九辯》，王褒曰《九懷》，劉向曰《九嘆》是也。後人繼之者，又有如曹植之《九愁》、《九詠》，陸雲之《九愍》。前後祖述，必用九者，王逸注《九辯》爲「九者，陽之數，道之綱紀也」；五臣《文選注》亦云「九者，陽之數極，自謂否極，取爲歌者也」，諸家之説如此。余案《山海經》曰：「夏后開土，三嬪於天，（言獻美人於天帝也。）得《九辯》與《九歌》以下」。郭景純注引《歸藏開筮》曰：「昔彼九宜，是爲帝辨；同宫之序，是爲九歌。」考此，則《九歌》《九辯》，皆天帝樂名，夏初得之，屈原、宋玉取諸此也。《詩》亡而後《騷》作，《騷》亦《詩》樂之餘派，樂至九而成，故《周禮》：「九德之歌，簫韶之舞，奏於宗廟之中。樂必九變，而可成禮。」所以必取於九者，黃鐘在子，《太元》以爲子數九，得非黃鐘爲五音之宫歟？然則屈原而下，寫辭規諫，寓諸樂章，將以感神之心，而感人，意亦切矣。

金長福《賦賦》　昔白太傅著《賦賦》之篇，綜覽源流，敷陳章句。運載籍以鑪錘，示後賢以尺度。溯《騷》詞於蘅杜，《風》詩之變體斯徵；考駢語於雲蠶，古賦之成規始具。六朝繼夫兩漢，代有鴻篇；四傑冠乎三唐，創兹律賦。辨當家之體例，通材少姚鉉之精；取前説以引申，博采媿崇賢之註。原夫賦之作也，十載論思，萬言競寫。義惟主乎鋪張，詞必歸於典雅。摭子史爲藩籬，範性情於陶冶。才似水以瀾翻，筆非秋而珠瀉。網羅南國之才人，排比《西京》之作者。高文典冊，首推儷體於鄒、枚；鉅製鴻裁，載溯英詞於賈、馬。蓋自炎劉以降，詞華以班氏爲宗；魏晉以前，風骨以建安爲主。陳思王瑰麗之作，軍容初變旌旗；陸士衡哀艷之篇，筆勢如驅風雨。顔、謝組織乎風騷，張、左研摩夫今古。訪仙才於天監，名冠選樓；挹麗製於湘東，望崇元圃。爲詢雅音於正始，才調則首及江任；若論律體之先聲，詞藻則並稱徐庾。洎隋室開皇之歲，及太宗貞觀之時。士擅掞天之手筆，運承開國之初基。鎖苑掄英，燒三條之椽燭；省闈校士，穿百步之楊枝。《明堂》而賦就青蓮，規模閎敞；《大禮》而獻由工部，典則昭垂。誦昌黎《明水》之篇，奇文共賞；論小杜《阿房》之製，逸響誰知。蓋體之主乎細陳也，比於頌；而律之嚴於分別也，同乎詩。此皆丈夫之能事，疇云壯夫而不爲。至如才工纂組，詞鎖葳蕤。鍊色則鸞儀鳳舞，選聲而羽换宫移。次韻者序而不雜，屬對者切而不支。王輔文《麟角》之編，短長中度；黃文江《御史》之集，高下咸宜。其餘王起、李程，悉研詞於幅尺；宋言、賈餗，皆爭勝於毫釐。含經緯而煥若，捻筆硯以從之。又如啓乙集於彝南，猶存古調；問叢書於笠澤，兼仿騷辭。雖非制科之正軌，要能別調之堪師。若夫趙宋之代，厥體不侔。多瑕瑜之互見，少華實之兼優。或清而不綺，或麗而不遒。或才鴻而無範，或氣逸而難收。經術勝則詞章少掩，理學進則文彩弗修。及元明之代嬗，悵風雅之難求。工詞曲者徒矜浮艷，事帖括者自比清流。回思荀況雅音，僅想椎輪之猶在；惟見香山舊製，曾偕彝鼎以常留。

羅修源《文以載道賦》　證立言於往牒，徵崇實於前聞，惟積中而不敗，期行遠以彌勤。乾端坤倪，軒豁盡關乎要道；天經地緯，菁英大啓夫斯文。目擊而存，聖域之倚衡若見；德成而上，儒林之合轍無分。此修辭本自立誠，要必鈎深於法象；而書藝原因篤實，無徒鬬靡於典墳。溯夫書契肇興，文明日起，傳以群聖之心，約以《六經》之旨。羅萬象以研幾，貫三才而原始。想結繩之緜邈，制比椎輪；儼就範以馳驅，治符同軌。方圓有定，象該乎俯察仰觀；轍跡易遵，路闢夫百家諸子。等成功之並有，莫得而名；占攸往之咸宜，孰窺所以。爾其妙契高深，盡祛雕繢；煥矣輪扶，淵乎津逮。稅駕仁義之鄉，結靷性靈之內。循塗於《詩》、《書》、《禮》、《樂》之場，縱轡於軒頊羲農之代。轂旋炙輠，識妙用之不疲；軸運回環，信予懷之有在。仰離明之久麗，形本中虛；悟坤體之爲文，象原職載。由是裁制因心，崇卑在抱，析奧義以紛綸，綜羣言而探討。水在地而氣浮，日麗天而光早；戔戔小技，蟲雕本薄夫壯夫；歷歷周行，鸞奏宛遵夫大道。畫前有《易》，誰參《爻象》之權輿；删後無詩，莫問輶軒之繁藻。化洽夫鳶飛魚躍，居然憑軾以觀；理備乎物曲人官，儼若閉門而造。是知學誚虛車，義徵先路，惟布帛菽粟之昭垂，即河嶽日星之布濩。若馳若驟，挈元化之綱維；如輊如軒，指賢關而趨步。

朱瀛《文以載道賦》 考論文於周子，知至道之宜循。將浮華以必斥，亦藻麗而非珍。功有資於厚重，象寧取乎璘彬。用彰性命之微，宜存太璞；不假鋪張之力，特擬椎輪。原夫道也者，理存太乙，神契渾元。宣十六字於庭，克任道心之重；合三十輻爲轂，誰闢道義之門。無翼而馳，化機汩汩；不疾而速，成性存存。斯覺世以宏謨，共慕德車樂御；堪示人以大路，何虞北轍南轅。彼夫文也者，觀天則垂厥經綸，運世則戒其綺靡。游萬仞而騖八極，御風而行；萃六藝而漱群言，因時而擬。中矩又復中規，同文實兼同軌。百王之典所在，不貴乎奇；千聖之寄非輕，惟求其是。乃自技尙雕鎪，製崇鏤刻，譬侈美夫金車，竟誇陳夫玉軾。誰爲高蹈，用執鼓旗，未能遠謀，難資羽翼。全無眞氣，會推六代之瓊敷；灼見本原，奚競一時之藻飾。是知道非文則菁華不露，文非道則枝葉何須。有道而文欣得寄，有文而道乃可趨。原籍文而特閑其輿衛，非背道而泛用其馳驅。因思富乃文章，冠農工商曰士；聿見宏其道範，通天地人爲儒。蓋文之可以載道也，如日月之經天，如江河之就下，達道自可共由，大道曷容稍假。遵先路以昭昭，登坦途而雅雅。肖以坤維之軸，則貞固或庶幾焉；擬以乾健之行，其廣運有如此者。爲是詁訓精詳，誥盤詰屈，實紀簡編，堪昭綸綍，遍夫山澤。帝王之治，法咸周度。以古今賢聖之心傳遠迄。知文辭爲有用，誰曰非宜；慕文德而輸誠，爾思豈不。

魯筆《楚辭達·總論》 看《離騷》先須得其篇法段法章法句法字法，識其輕重主客之所在，然後翫其詞調，審其音節，按其氣骨，討其神味，挹其風韵，能事畢矣。若徒究義理，斯爲鈍根。

又 看《離騷》須如鏡花水月，看之可象而不可著。若着象以求，無有是處。

又 看《離騷》須如天上風雲，看之頃刻變幻萬狀，初無定形。若執定法以求，無有是處。

又 《離騷》多寓言，以比興爲工，人皆知之。但寓言固屬假裝，人情物理必須眞切，若因其假而假之，并正意亦流于誣妄無味。

又 《離騷》乃風雅之文，非傳記之文。傳記可以直指，風雅必用曲傳，言在此，旨在彼，無端中起端，無緒中抽緒，或旁見，或側出，或泛演，愈借愈奇，愈流蕩泆佚，意味愈遠。若質言之，則索然矣。

又 《離騷》以情爲妙，識其情眞，則味永。一一如從人心所欲出，令人忠孝之心油然自生。

又 《離騷》以境爲奇，識其境異，則耳目一新。處處如從海外飛來，人間得未曾有。

又 《離騷》以韻爲貴。有聲韻之妙，有情韻之妙。得其聲韻之輕重疾徐，自生宮商，可以通樂，所謂言之不足而長言之，詠歌之，嗟嘆之，一唱三嘆有遺音者矣。得其情韻之喜怒哀樂，自生愛惡，可以理性，所謂「《國風》好色而不淫，《小雅》怨誹而不亂」，眞足以兼之者矣。世人只作一篇議論文字看，縱解其意，失之遠也。

又 人止知《離騷》以敷陳塗澤爲工，不知《離騷》句句玲瓏，字字玲瓏，如一座琉璃屏，無不實在，無不空靈，所以與漢賦不同。

汪廷珍《作賦例言》 賦有宏博簡練兩路，須因題制變。大題大做，小題小做，順之也；窄題寬做，寬題窄做，逆之也。法無一定，但須段段相稱，不可頭大尾小，鶴膝蜂腰。大約經制題宜宏整，情景題宜幽秀，枯寂題宜熱鬧，寬皮題宜研練。總之，以切爲主。比喻題全在雙關，藻思綺合，然亦不可多，多則俗氣。

李調元《賦話》卷一《新話一》 題中正面無可刻劃者，勢不得不間見側出，以敷佐見奇。然須雋不傷雅，細不入纖，方爲妙緒繭抽，巧思綺合。否則刻鵠類鶩，無所取焉。

王芑孫《讀賦卮言·審體》 論賦者，務觀千製，勿奉一家。胚於周造，鴻以漢風，蕭寥乎江左清言，簡鍊以鄴臺數子，擷齊、梁之新色，抽陳、隋之妍心，合唐制之精堅，借宋聯以極巧。丹漆絲纊竹箭，與衆共材；《詩》、《書》、《易》、《禮》、《春秋》，於吾觀會。樸屬微至，用考工之法；直寬剛栗，從敎胄之言。以浮濫冗長爲腊毒，以卑靡孅弱爲糠埃。要於卓絕稀長，毋取娟然呈好，則不名一體，斯將具體；莫識何家，已自成家矣。

又 賦自不關妙悟。然詩曰言志，賦亦詩餘，是必覞以中心，付之懸解。陸士衡云：「意司契而爲匠。」又曰：「函綿邈於寸心。」必入以湛湛之思，而出以纚纚之風。班云：「感物造端，材知深美。」感之爲言，有油然之趣，深之爲解，有窅然之妙。夫豈浮物也，而堪外摭者哉？

又 賦無工拙，以文之工拙定之。賦有不嫌四六者，必旁沈乎《史》、

《漢》散體之文，而植樹以韓、柳孤行之骨，然後營度無乖，波瀾皆老。詩不可於詩求，賦亦不可於賦求也。

又 欲審體，務先審弊。句不謀始，篇不規終，一句而首尾皆警，一言上下礄硞，段段可歇，層層強加。當其命筆，初未置解將求，所謂重譯難通，然且自負當行，其弊一也。亦有癖耽佳句，妙善新言，丐小庾之殘膏，獵初唐之時體，秀琢鮮妍，誠則可愛；深偉倜儻，或非所長。偶逢警策，卻是橫安，不從直下，常懸句以佇題，或因詞而措意。此由力弱不足以起其辭，而才薄未能以殺乎大，佻佻公子，非周行任也。更有腹笥既貧，羌無故實，心思嬾廢，不閱艱辛，粗解之乎，自鳴盍各。宋老先生別體之文，託爲自出；有明窮措大杜撰之作（如屠隆一輩），誤稱肆好，以鈞韶之奏，爲語錄之資，時而借句於四書，否則遁辭於二氏。斯皆文苑膏肓，賦家所忌。夫此三者，既非當今館閣之程，又違古昔先民之度。捷足者橫奔而出，敏手者徒博爲能，宜審去從，正其標的。

陳元龍《歷代賦彙・上表》 蓋賦之作也，始推本於《典》、《墳》，繼增華於《風》、《雅》。蘭陵祭酒，聿垂《禮》、《智》之篇；夢澤騷人，爰有芷蘭之詠。西京東洛，典麗兼雄，北部南朝，菁華競豔。唐傳應制，以格律爲工；宋懲綺靡，遂清眞是尚。元明而降，體製各殊，然而家擅雕蟲，人能讀霓，源流不一，卷帙孔繁。於是按部考辭，分題辨類，上稽乾度，寵星辰雨露於毫端；俯驗坤輿，聚都邑山川於紙上。大之兵農禮樂，動合王章；小之服食舟車，咸關日用。或興懷民事，開卷而如覯耕桑；或緬想儒宗，披文而恍談名理。蟲魚草木多識，乃格物之資；刀劍琴書游藝，亦怡神之助。以逮訪道游仙之作，談空記幻之篇，此望古而興思，彼懷人而憶事，憂樂互異，清豔各殊，無不竭學士之經營，殫詞人之藻績。

黃承吉《夢陔堂文說》卷一 《文言》所謂美在其中，而暢於四支，發於事業，《繫辭》所謂舉而措之天下之民，謂之事業者，一皆文德所流通，而文辭者即聖人所以宣其事業。大凡文章，無非事業，事業，無不文章。假如謂文可鄙夷而置之不講，則即思慮何以靈通，識趣何由周密，區畫何自分明。若曰必偏值經濟之會，作經濟之文，而後可以言文，則執形迹之一端，又何以裕神明之衆體。故一物不知爲儒者之恥者，非第以考據之實知其事物之形迹，乃必運以傳著之虛，而後以周流事事物物之神明也。夫欲知其大者，非可遺乎細；欲得其精者，未可忽其粗；大必含細而成，精必剖粗而致，於此者必合之於彼而明，而皆非文不達。如是，則必極乎文章，而後爲事業，若無文章，成何事業！且即以辭賦而論，原即古者之詩，往古有詩而無賦者，時未至境未闢也。及時至境闢之後，假令千百世仍皆效《三百篇》之體格，何以爲詩？即何以立言？何以見志？假令後世仍但有詩而無賦，則何以成後世之文章？無後世之文章，即何以成後世之事業？蓋文章事業，其原雖皆一本於古人，而其流則不得不因時以變易。故後世之文章辭賦，即後世之禮樂政刑，千古之事業周流，即千古之文章旋轉，其形迹不必盡皆值其神明，則無不在在相通，假令不雕篆則無文章，即無以爲事業矣。辭者，事業之所通，而非事業之所外；彫篆者，一切之所麗，而非一切之所祛。夫子所云後素之繪事，爲禮之彰施，即是文之彫篆。

又 文辭者，通於禮，而非外於禮。《詩》之巧笑倩、美目盼，辭也，而通於禮矣。以其辭之豔麗，而言豈不適。如（揚）雄所云彫篆，然彼乃正以彫篆重，而不以彫篆輕。若令雄品騭其辭，則其詩豈不亦以童壯諷勸見誣，而何云禮後。是故人世間凡遇一名一物，但使登高能賦，追琢皆工，邇之則可使物無遁情，正藉文章爲資助；遠之則可使言歸實用，而爲事業之贊襄。彫篆之功，正烏可已！然則文辭之彫篆，豈眞如雄比之若鐫碑刻字云爾哉！且即雄如果實能絕去彫篆，而無尚乎文辭，則即雄著爲此言何以不直曰：賦者，童子所爲，壯年不爲，而乃必飾以「彫蟲篆刻」四字之絢語，假托於或問？少好之浮言，又飾壯夫爲壯齒之替辭，又飾直語以俄而曰之隔句，則即本文而先已自罹於彫篆，又況霧縠鞶帨、縹陵紅紫等語之紛紛彫篆者乎？夫雄方設以刺譏彫篆之辭，且猶曲折彫篆，如此可見非彫篆則即己所以自托於不彫篆之語，先無以措矣，而遑剿夫人乎。

路德《重刊賦則序》 文章之鑠往古，切來今，暉麗萬有，而出無窮者，其賦乎？大則表乾裏坤，橫被六合；細則蟣肝蝨心，蝸角蟲睫；顯則風雲月露，山川人物；微則通幽洞冥，不可爲端，不可爲倪，要皆拓宇於楚辭，而受命於詩人。古以賦爲六詩之一，實則假託仿喻，體物寫志，比亦賦也，興亦賦也，風雅頌亦賦也，騷又全乎賦者也。孟堅以爲古詩之流，不敢歧詩賦而二之，可以知賦之爲賦矣。詩有律，賦亦有律，律不惟律詩有，則亦不惟律賦有。長者萬言，短者數韻。鶴不容截，鳧不容續，不規而圓，不矩而

方，約束不以纆索，附離不以膠漆，校妍媸於錙銖，品抑揚於毫髮。一經一緯，一宫一商，酌奇翫華，彌見眞粹，所謂詩人之賦麗以則也，無則不可以爲詩，作賦何獨不然哉？

李元度《賦學正鵠序目》 賦學指要，厥有數端：曰審題，曰辨體，曰鍊局，曰取勢，曰用筆，曰修辭，曰選韻，曰儲材，作者蓋闕一不可也。學者每得一題，先看題中著眼在何字，握定題珠，針針見血，乃能掃盡膚泛語，如《小園賦》之注定小字，《枯樹賦》之注定枯字，可類推也。既能認題，又貴肖題，須辨其孰爲大賦題，孰爲小賦題，孰爲臺閣體，孰爲山林體，孰宜用律體，孰宜用古體。如題係擬古，尤須識得當日作者本意，其格律則有時□□不同。唐人始用四六，六朝始用儷句，漢魏則皆古□□，相時擬之，胸中既有把握，乃可因題製局，局貴活不貴板，貴緊不貴寬，貴曲不貴直，如長題有逆入法，截作法，串做法；扇題有分疏法，總翻法，交互法；纖小題有分層鋪叙法，理境題有逐層提醒法，此鍊局大略也。而取勢則全在用筆，用筆須如天馬行空，轉變不測，向背離合得其情，操縱順達隨其意，則局勢自不平庸。至體物題須用寫生之筆，雙關題須用活脱之筆，寫景題須用風華之筆，言情題須用婉轉之筆，纖細題須用刻畫之筆，論古題須用沈雄警快之筆，皆分見各類中，可以隅反。若夫修辭以鍊字鍊句爲要，尤以六朝人爲宗，所錄諸篇，不妨按譜求之。蓋古人不廢摹擬，揚子雲、李太白且然，况後人乎。學者但得古人之殘膏賸馥，即已高出俗徑萬萬矣。至選韻之法，凡詩賦皆從韻生，必先因下句以求上句，因下聯以求上聯，庶無凑韻成聯之弊。大約押官韻宜新，押險韻宜穩，生韻則熟押，熟韻則生押，多韻則少押，少韻則多押，韻有字同而義異，義同而音異者，尤宜考辨精詳，不可混押。若論儲材，則狐裘非一腋之溫，雞肋必數千而飽。平日一心兩眼，痛下工夫，隨時分類摘抄，久之自能赴手。而李、杜、白、韓、蘇、陸之詩，尤宜多讀多記，此辭章家無盡藏也。留意於斯八者，而就所分之十類，熟讀而深思之，其樹幟辭壇，和聲以鳴國家之盛也必矣，詎得曰雕蟲小技云乎哉！

林聯桂《見星廬賦話》卷五 理題義藴甚闊大，每有挂一漏萬之虞。而能手卻尋出兩大意，包一切，掃一切，囊括全題，所謂羣言得其要者是也。如陸庶常堯松《誠者聖人之本賦》中幅尋出修己治人兩意，李太史象鵾《思艱圖易賦》中幅尋出君道臣道兩意之類是也。陸賦云：「其以誠爲修己之本也，正心必先誠意，明善而後誠身。博厚高明，道雖大而可合；學問思辨，理以引而彌伸。既瞬存而息養，自月異而日新。愼獨清好惡之源，功嚴指視；中道具從容之妙，學貫天人。其以誠爲治人之本也，感人有具，恭己無爲。孚占盈缶，棼異治絲。伊存神而過化，早求慊而戒欺。盡以一言，同天地之不貳；操乎三重，質鬼神而無疑。凡夫禮樂政刑，從兹出矣；苟不聰明聖智，其孰知之？」李賦云：「其君則愛民如子，時命有申。矢小心之翼翼，欽内念以忞忞。乃罔後艱，勉持乎敬勝怠而怠勝敬；告女不易，深惕以臣哉鄰而鄰哉臣。何思何慮之天，古帝每嚴於修己；是究是圖之日，先王亦自謂便人。其臣則勉奏嘉謀，永齊庶物。襄政府以經綸，贊皇猷之黼黻。念切綱維，誠通密勿。從事於易，寧不圖而至斯；非知之艱，問爾思而豈不。時燠時寒之遞嬗，民怨胥忘；好風好雨之攸殊，輿情無拂。」又曰：「厥惟艱哉，悵仔肩之何息；示人易矣，將指掌其於斯。請爲其難，豈曰未之思也；毋忽於小，所願其急圖之。」題字亦一噴一醒。

侯心齋《律賦約言》 貴取法。賦有古律二體，古賦以司馬、班、揚爲宗。又有騷賦，若《長門》、《登樓》、《通元》、《思幽》等作，皆屈子遺調。律賦體源徐、庾，而格律至唐始備。宋元之文賦，又律賦之變體，不可訓也。今之作者，遇大典禮或用古賦，言情適志之作或雜用騷賦、文賦。考試所用皆律賦也。按其體格，與時藝中墨牘相似，雖託體非高，而取法不可不正。當取《文選》《雪》、《月》、《恨》、《別》四賦探其源，以庾集中《春賦》、《馬射》、《小園》等作沿其流。唐賦雖正格，然法疎而意薄，不必多讀。本朝館閣賦，略讀近科數十篇以潤詞氣，而活筆機，非謂取法在是也。鍊局、鍊意、鍊格、鍊調、鍊句、鍊字，皆須細研古人之法，而運以新裁，豈可奉一二舊賦爲丹鼎乎。

又 貴儲料。平日多閲子史，及詩話説部，取其新麗可用，人人易曉者，分摘備用。杜韓詩句句有用，最宜熟讀。拈題後就題之四面八方選料。正面之料原有限，妙於用比，用襯，用借，用附會，熟用此法，便覺人皆子子，我獨有餘。

又 貴鍊起手。如文章之有起講。先輩起講貴虛步，近科文便不嫌一直説盡矣。須用全力鍊此數句，使閲者一見刮目，如起講之擒題，不嫌説盡，但不得喊破題面耳。唐人惟李程《日五色賦》起句云「德動天鑒，祥開日華」，

微得此意，餘不多見也。即如宋廣平《梅花賦》後幅云「鶯語方澀，蜂房未喧，獨步早春，自全其天」，若截此十六字作起手，便較原本起筆「高齋寂閴，歲宴山深」二句高出數層。無他，彼寬此緊，彼平漫此突兀也。又有雙擒直起法，如《以德爲車賦》「德無遠而弗屆，車從適而皆通」、《衢尊賦》「有盈者尊，有平者衢」，此式亦可用，餘俱寬而無當也。起用四字作兩聯，首聯緊密者，次聯略用虛筆，使兩短聯中亦有虛實相間之妙。得此兩聯，大勢已極聳拔。然後用一長聯，以疏蕩其氣，再用六字空句一聯入題最爲合式，不必過多，亦斷不可少。

又 貴分層次。首段既不嫌說盡矣，次段仍須分出層次。或敘題源委，還清來歷，或從題前展拓虛步，如時藝之起比。次賦正面，如中比，次題後，如後比。又有以古事命題者，即以敘事爲層次，事盡而止。然首段可用總冒，仍不妨說盡矣。

又 貴清眉目。每段首末，須用清老之筆，點清層次，及題中眼目。此等處切不可用濃重字，切不可用長聯，須用四字六字聯，不必對亦可。或題面有兩扇者，於句中頻頻分點，亦最易醒目。

唐玉書《食舊德齋賦鈔序》 班孟堅曰：「賦者古詩之流也。」《詩》三百篇，凡陳后稷、公劉之風化，太王王季文武之烈，皆樸質其詞，所言者類禾穟麻麥之細，餱糧囊稿之末，農夫工女築室治田鼓吹燕饗師旅祭祀，飲尸受福，委曲之常務，而皆以賦出之。蓋後人所以美先德之形容，臣子所以歸美其上，體制然也。及乎成王踐祚，下逮宣王，瞽矇之所誦，諸公大夫羣臣之所進，美有《行葦》、《鳧鷖》，戒有《卷阿》、《泂酌》，箴有《庭燎》，規有《沔水》，誨有《鶴鳴》，刺有《白駒》、《黄鳥》，則多不出於賦而出於比興，或更不得已，賦而興又兼比以出之，蓋抱拳拳愛君之志，而又兢兢不敢直斥，乃退託於一事一物，以伸悱惻之情，著得失是非之故。凡所以正嫡庶、親骨肉、辨賢姦、訴怨曠、希膏潤者，胥於尋常事物中著言外之意，使爲之君者，轉圜甚易，不必有批鱗犯顔之戇，而有補闕拾遺之效。是以景差、唐勒、屈原、宋玉、鄒、枚之徒，作爲詞賦，以諷諫其主，洎司馬相如、揚雄殿廷獻賦，亦頌美功德而箴規有加焉，蓋亦詩人忠厚之旨。有雖賦不必出于賦、出於比興而借他事以達繾綣者，此無他，誠愛結於心，忠愛之至也。故自有唐以來，徑定詞賦爲一代取士之律令，宋元稍變，迄乎國朝，雖以經義策論取士，而殿廷考試仍不廢詞賦，蓋於人臣致身之始，使陳風俗敎化之原，責以諷諫之義，亦猶古者百工誦箴諫士傳言諫過之遺意也。蘇明允曰：「古今論諫常與諷而少直。」其說蓋出於仲尼，直則賦也，諷則比興之類也。

劉熙載《藝概・賦概》 李白《大鵬賦序》云：「睹阮宣子《大鵬贊》，鄙心陋之。」《大獵賦序》於相如《子虛》、《上林》，子雲《長楊》、《羽獵》，且謂齷齪之甚，皆是尊題法。尊題，則賦之識見氣體不由不高矣。

又 古人一生之志，往往於賦寓之。《史記》、《漢書》之例，賦可載入列傳，所以使讀其賦者即知其人也。

又 實事求是，因寄所託，一切文字不外此兩種，在賦則尤缺一不可。若美言不信，玩物喪志，其賦亦不可已乎！

又 賦欲縱橫自在，係乎知類。太史公《屈原傳》曰：「舉類邇而見義遠。」《敘傳》又曰：「連類以爭義。」司馬相如《封禪書》曰：「依類托寓。」枚乘《七發》曰：「離辭連類。」皇甫士安敘《三都賦》曰：「觸類而長之。」

又 賦家之心，其小無內，其大無垠，故能隨其所值，賦像班形，所謂「惟其有之，是以似之」也。

又 賦須曲折盡變。孔穎達謂「言事之道，直陳爲正」，此第明賦之義，非論其勢，勢曲固不害於義直也。

又 譚友夏論詩，謂「一篇之樸，以養一句之靈；一句之靈，能回一篇之樸」。此說每爲談藝者所訶，然徵之於古，未嘗不合。如《秦風・小戎》「言念君子」以下，即以靈回樸也，其上皆以樸養靈也。《豳風・東山》每章之意，俱因收二句而顯，若「敦彼獨宿」以及「其新孔嘉」云云，皆靈也；每二句之前，皆樸也。賦家用此法尤多。至靈能起樸，更可隅反。

又 賦兼才學。才，如《漢書・藝文志》論賦曰「感物造端，材智深美」，《北史・魏收傳》曰「會須作賦，始成大才士」；學，如揚雄謂「能讀賦千首，則善爲之」。

又 以精神代色相，以議論當鋪排，賦之別格也，正格當以色相寄精神，以鋪排藏議論耳。

又 或問左思《三都賦序》以升高能賦爲「頌其所見」，所見或不足賦，奈何？曰：嚴滄浪謂詩有「別材」、「別趣」，余亦謂賦有別眼。別眼之所見，顧可量耶？

沈祖燕《策學備纂·賦學》 賦以氣爲主，王得臣《[illegible]》柳冕嘗言「文章當以氣爲主」，而世以爲賦者古詩之流，亦足以觀[illegible]一線者，[illegible]沂公作狀元，殿試《有物混成賦》，其間曰：「得我之小者，散而[illegible]，且其斐[illegible]得我之大者，聚而爲山川。」此有陶鎔品物之度，後果爲相。范文[illegible]重宜，[illegible]在鎔》曰：「若令區別妍媸，願爲軒鑑，儻如削平禍亂，請就干將。」人[illegible]題之解出將入相之器，後果爲名臣。[illegible]，非[illegible]

張之洞《輶軒語·賦語》 忌篇尾作歌。六朝小賦間有之[illegible]場屋效顰，既爲不莊，又嫌率爾。選賦篇尾，或曰亂，或曰頌，各有體[illegible]不得藉口。忌通篇四字句。古人間有，然施之律賦，短促傷氣。宋廣平《梅花賦》乃宋人僞作耳，前人已辨之。舒元輿《牡丹賦》中六字句仍不少。忌濫效騷體，此間試場，此體實多，無病而呻，最爲無謂。忌每段四六聯太多，多則重膇滯塞，若以唐法論之，每韻中四六隔對，止宜用一聯。今難如此深論，但不必過多耳。近代名家賦中，一段往往有三四聯四六者，實皆非法。讀書嗜古，洞悉文章流別者，自能知之。

劉師培《文說》 又如溯世系于高陽，希高風于傅說，悲三后之不作，憫五觀之無知；隱士潛名，遐念接輿、桑戶，貞臣格主，惓懷梅伯、比干；寧戚謳歌，卒爲齊相，伯夷矢志，耻事周王；維彼哲人，足勵末俗：此則有資于讀史。辨九河之道，記四海之名，岐山導江，嶓冢導漾，陳兹禹迹，足輔《夏書》；路指崑崙，神馳瑤圃，指西海以爲期，遵赤水而容與，流沙則地隔玉門，閬風而境臨懸圃，咸足興故國之思，補《山經》之缺；野訪蒼梧，舟横極浦，九疑、五嶺記其山，枉渚、洞庭名其水，莫不山川能說，文獻有徵：此則有資于考地。詳記禮制，侈列物名，冠劍陸離，輿衛紛溶，雲旗星蓋，遽宇高堂，靃靡千名，鏤錯萬狀；又若青苹白芷，采南國之芳馨，木蘭申椒，徵楚邦之植物；赤豹文狸備其用，靈蛇玉虺記其奇；亦復有資于多識，是曰取法乎《史篇》：此則考名物者所當稽也。況復摛辭典則，鍛字必精，「兮」、「些」則列爲助語，「羌」、「慶」則用爲起詞，「謇謇」表忠藎之忱，「翼翼」示雍和之度；推之訓「詠」爲「愬」，易「滿」爲「馮」，以中庭爲壇，以閶闔爲門，或字宗古訓，或語合方言，至若調與詞諧，名與韻協，是曰古音，有資韻字；此又治訓詁者所當辨也。故知《楚詞》之書，其用尤廣：上承風詩之體，下開詞賦之先，若中壘《世頌》之篇，賈生《惜誓》之作，淵源有自，咸出于《騷》；故王逸作注，兼采景、唐之什，昭明選文，詳徵屈、宋之詞。惜夫漢、魏以下，效法者稀：則以立言之旨，情文相生。後世詩人之作，情勝于文，故樸而不華；賦家之作，文勝于情，故華而不實。惟《洛神》之賦，出于《九歌》；《北征》之賦，近于《涉江》；《哀江南賦》，乃《哀郢》之餘音；《歸去來辭》，亦《卜居》之嗣響。自此以降，文藻空存，非復屈、宋之旨矣。

又《論文雜記》 自唐人以律賦取士，而賦體日卑。昔《文心雕龍》之論賦也，謂六藝附庸，蔚成大國。吾觀《詩》有六義，賦之爲體，與比、興殊。興之爲體，興會所至，非即非離，詞微旨遠，假象于物，而或美或刺，皆見于興中。比之爲體，一正一喻，兩相譬況，詞決旨顯，體物寫志，而或美或刺，皆見于比中。故比、興二體，皆構造虛詞，特興隱而比顯，興婉而比直耳（毛公釋獨標興體，則以興體難知，非解不明；若比、賦二體，讀詩者皆可知之，無俟贅述也。若朱傳則兼標三體，且誤以興爲比）。賦之爲體，則指事類情，不涉虛象，語皆徵實，辭必類物。故「賦」訓爲「鋪」，義取鋪張（昔邵公言公卿獻詩，師箴賦。《毛傳》言登高能賦，可以爲大夫。賦也者，指實事而言也。若夫春秋之時，以誦詩爲賦詩者，則誦詩者必陳其文，與鋪張之義同也）。循名責實，惟記事析理之文，可錫賦名。自戰國之時，楚《騷》有作，詞咸比興，亦冒賦名（故班《志》稱《離騷》諸篇爲《屈原賦》），而賦體始淆。賦體既淆，斯包函愈廣；故《六經》之體，罔不相兼。賈生《鵩賦》，旨貫天人，入神致用，其言中，其事隱，擷道家之菁英，約儒家之正誼，其原出于《易經》；及孟堅、平子爲之，《幽通》、《思玄》，析理精微，精義曲隱，其道杳冥而有常，則《繫辭》之遺義也。班固《兩都》，誦德銘勛，從雍揄揚，事覈理舉，頌揚休明，遠則相如之《封禪》（相如《封禪文》亦近賦體，揚雄《劇秦》、班固《典引》皆屬此體），近師子雲之《羽獵》，其原出于《書經》；及潘岳之徒爲之，《籍田》一賦，義典言弘，亦《典》、《誥》之遺音也。屈原《離騷》，引辭表旨，譬物連類，以情爲裏，以物爲表，抑鬱沉怨，與風雅爲節，其原出于《詩經》；及宋玉、景差爲之，塗澤以摛辭，繁類以成體，振塵滓之澤，發芳香之鬯，亦葩經之嗣響也。相如《上林》，枚乘《七發》，聚事徵材，恢廓聲勢，譎而不觚，肆而不衍，其爲文也，縱而復反，放佚浮宕，而歸于大常，其原出于《春秋》；及左思之徒爲之，迅發弘富，博厚光大，亦史傳之變體也。荀

卿《賦篇》，觀物也博，約義也精，簡直謹嚴，品物畢圖，樸質以謝華，輓斷以爲紀，其原出于《禮經》；及孔臧、司馬遷爲之，章約句制，切墨中繩，排奡以立體，鞠深以隱詞，亦古典之遺型也。屈平《九歌》，依永和聲，近古樂章（《九歌》本楚人祀神之樂章），其原出于《樂經》；後世之賦，雖不歌而誦（班《志》云：「不歌而誦者謂之賦」），然子淵之賦《洞簫》，馬融之賦《長笛》，咸洞明樂理（故《文選》之賦，別立音樂之賦爲一門），則亦音樂之妙論也。彥和之論，夫豈誣哉？左、陸以下漸趨整練。齊、梁而降，益事妍華。自唐迄宋，以賦造士，創爲律賦，雖貽俳優之譏，然指物貴工，隸事貴當，銖量寸度，言不違宗，合于指事類情之義。其旨則是，其格則非。後儒不察賦義之本原，而所作賦篇，多涉虛象，毋亦昧于文章之流別歟？

命　意

龔鼎臣《東原錄》　賦亦文章，雖號巧麗，苟適其理，則與傳注何異。如李巽《土鼓賦》：「土之靜靜，乃陰之實；鼓之動動，乃陽之精。陰以質而濁，陽以文而清。將以質勝文，而其理永固。遂以土爲鼓，而其義有成。」斯迨於無愧於理矣。

袁燮《絜齋集》卷六《策問・離騷》　問：王迹熄而詩亡，忠臣義士憂國愛君之心切切焉無以自見，而發爲感激悲嘆之音，若屈原之《離騷》是也。原見棄于君，棲遲山澤，而繫念不能忘，可謂忠矣。然嘗疑之，道合則從，不合則去，此古人事君之大致也。有所蘊蓄而時不我用，雖古聖不能自必，原又安能必其君之感悟歟！不見是而無悶，不見知而不悔，古人所以自處者蓋如此。原以見棄，遂至于悲愁憤悶，不能自釋。《遠遊》之作，蓋無所赴愬，思欲託配仙人，相與遊戲，周歷于天地間也。又自陳忠信與天合度，而《九章》以作，託于祠神因以諷諫，而《九歌》繼之；甚而至于不知所爲，決于蓍龜以卜己所居，憂思煩亂，精神散越而自招其魂，古人進退出處之際，豈若是之怵迫歟！言飄風雲霓以喻小人，指惡禽無草以斥讒佞，其憤世嫉邪之心不能自遏，豈古人卷而懷之舍之則藏之義歟！故班孟堅以爲「露才揚己」，愁神苦思，強非其人，蓋譏其未合于古也。然有古詩悱惻之意，胡爲而復見稱歟！《九辯》、《七諫》與夫《哀時命》、《招隱士》諸篇，大抵皆爲原發，原而果不合古，胡爲當時後世惓惓若是歟！或稱其義兼風雅，可與日月爭光；或稱其正道直行，竭忠盡智；或詆其何必沈身，作《反騷》者，而旁騷、廣騷相繼而作，是終不敢訾原也。原眞忠臣之用心歟！雖然崑崙帝閽，傾地斃日，九首三目等語，類多荒誕；士女雜坐，娛酒不廢，又非法度之正，毋亦一時之寓言歟！自原而下，若宋玉、景差、唐勒、枚乘、相如、子雲之流，亦足以闖原之閫域歟！

鄭起潛《聲律關鍵》　何謂命意？有一題之意，有一韻之意。有意方可措辭。一題之意，如《漢網漏吞舟之魚》，須説吞舟大魚，尚且漏網，小者可知，便見漢法如此寬大。如《和□國之大計》，説中國爲生靈之故。從□□之和庶幾得體。如《山海天地之藏》，説天地爲民而藏，方合出處，弗私屬於少府之意。如《君人殷民阜財》，説民既殷，則財斯阜，方有本末。若並説則無意味。如《聖人和同天人之際》，若作交際説際字，則既交際何待和同？須作邊際，説天人在兩際，聖人和同於其間，方見聖人有功。然命意最不可鑿，只就題目推明，如題外添意，使客勝主，則又差矣。一韻之意，其爲格雖各不同，大概以接句有力爲佳。凡唐虞三代帝王聖人題目，及關於君德國體，只當正説，氣象自好。有用反説者，非也。每韻之意，各具於後。凡後三韻，大要有考究，有議論，有工夫，有意味。若就題字立意，固是正格，但收拾題字，而繳結無味，亦非也。後三韻不當重疊用，題字自當相避，或暗用，或明用，或用上字，或用下字，前輩所作可見矣。

祝堯《古賦辯體》卷三《兩漢體上》《長門賦》：以賦體而雜出於風比興之義。其情思纏綿，敢言而不敢怨者，風之義。篇中如「天飄飄而疾風」，及「孤雌峙於枯楊」之類者，比之義。「上下蘭臺，遙望周步，援琴變調，視月精光」等語，興之義。蓋六藝中，惟風興二義每發於情，最爲動人，而能發人之才思。長卿之賦甚多，而此篇最傑出者，有風興之義也。故晦翁稱此文古妙。歸來子亦曰：「此諷也，非《高唐》、《洛神》之比。」愚嘗以長卿之《子虛》《上林》較之《長門》，如出二手。二賦尚辭，極其靡麗而不本於情，終無深意遠味。《長門》尚意，感動人心，所謂情動於中而形於言，雖不尚辭，而辭亦在意之中。由此觀之，賦家果可徒尚辭而不尚意乎？尚意，則古之六義可兼，是所謂詩人之賦，而非後世詞人之賦矣。

又卷五《三國六朝體上》《歎逝賦》：賦也。凡哀怨之文易以動人，六朝

人尤喜作之，豈非懽愉之辭難工，而窮苦之言易好與！然此作雖未能止乎禮義，而發乎情，猶於變風之義有取焉。但古人情得其理，和平中正，故哀而不傷，怨而不怒；後人情流於欲，淫邪偏宕，故哀極而傷，怨極而怒。此賦與江文通《恨賦》同一哀傷，而此賦尤動人。吁，哀思之音，誠莊人端士之所當警者。

又卷六《三國六朝體下》《舞鶴賦》：蓋六朝之賦，至顔、謝工矣，若明遠，則工之又工者也。其所以工者，盡辭之妙，而惟其辭之不盡，豈知古人之賦寧不能盡其辭，而使之工哉。每留其辭而不使之盡哉。誠欲有餘之情，溢於不盡之辭，則其意味深遠，不在於辭之妙，而在於情之妙也。然以荀卿大傳所賦，猶或不察，而况於六朝間人耶。

胡祗遹《讀楚辭雜言》 無前賢之心思，不能讀前賢之辭章。予少時讀《楚辭》，輒昏睡不能終篇，蓋無屈原愛君憂國、幽深鬱結、清苦惸獨、終天無窮難明之悲。思痛甚則聲哀，情苦(甚)則辭深，非若得意歡暢之言，津津然洋溢於外也。今歲方悟，若讀楚辭，當句句緩讀，求言外意，如問病人，弔孝子，恤其情而哀其苦，庶幾得原文言意。

王世貞《藝苑巵言》卷一 作賦之法，已盡長卿數語。大抵須包蓄千古之材，牢籠宇宙之態，其變幻之極，如滄溟開晦，絢爛之至，如霞錦照灼。然後徐而約之，使指有所在。若汗漫縱横，無首無尾，了不知結束之妙。又或瑰偉宏富，而神氣不流動，如大海乍涸，萬寶雜廁皆是。瑕璧有損連城，然此易耳，惟寒儉率易十室之邑，借理自文，乃爲害也。賦家不患無意，患在無蓄；不患無蓄，患在無以運之。

又 擬騷賦，勿令不讀書人便竟。騷覽之，須令人裴回循咀，且感且疑，再反之，沈吟歔欷，又三復之，涕淚俱下，情事欲絶。賦覽之，初如張樂洞庭，褰帷錦官，耳目搖眩，已徐閲之，如文錦千尺，絲理秩[illegible]，歌亂甫畢，肅然斂容，掩卷之餘，徬徨追賞。

王修玉《歷朝賦楷自序》 憶玉爲兒童時，先子手訂《文[illegible]賦，授玉誦習，玉不敏，苦其繁衍難通，且方學制舉義，時讀時置，[illegible]業。先子曰：「小子勖之，自神廟之末，詩文失其正傳，數世之後[illegible]古右文之君，閎博魁壘之臣，講求古學，潤色鴻猷者。設遇其時[illegible]休明，曷以贊國典而光家乘。小子勖之。」玉謹受教，稍稍習之成[illegible]諸生三十年，浮沉經史中，詩古文學，雖不敢廢，究之帖括之功多，詞賦之力少。緬懷長卿、子雲諸人，輒爽然自失。至癸丑夏，溯淮、泗，客大梁，又明年，適齊魯，登泰山，入闕里，驅馳莽蒼之郊，翺翔都會之域，童時所習《蕪城》、《靈光》、《西征》、《登樓》諸賦，慨然有會於心。歲已，有司舉廷試入都，時天子方詔臣工徵博學宏詞之士，親試詩賦，命典石渠。玉雖不獲躬預，而竊快睹其隆，既處京師，久聞朝廷之紀綱，瞻宫闕之壯麗，周視百司城隍府庫兵甲苑囿之繁且富，誠有如《兩都》、《二京》之頌揚詠嘆者。己未而滇蜀蕩平，閩粤底定，九州内外，繩行沙度之鄉，梯巖航海之國，罔不貢琛獻賮，讋慄來臣。天子告成功于郊廟，賜宴賚于瀛臺，上倡《卷阿》之詩，下進《平淮》之雅，麟麟炳炳，已與三代同風。迨夫翠華東狩，宸藻覃敷，翰苑掄文，經史應制，天下益知天子以創興古學爲心，中外翕然，競以文辭相應。玉乃伏而嘆曰：先子之言驗矣。夫弓戈已戢，文德斯昭，淫哇既除，正聲始奏。况夫賦者，古詩之流，相如有言：賦家之心，包括宇宙；班固亦云：或以抒下情而通諷諭，或以宣上德而盡忠孝。賦之爲道，豈云尠乎。昔漢武、宣之朝，得人最廣，賦亦最工，今讀其文，雖極曼衍瑰麗之觀，必衷于務本勤民之旨，是以言之彌文，傳之愈遠。聖天子旁求俊乂，既以五經四子之書擢士於兩闈，復以聲律鴻麗之章拔才於宋署，春華秋實，並蓄兼收，則風虎雲龍，亦必聲應氣感。生斯世也，裒輯藝林，表章文獻，豈獨賢公卿大夫之責哉。

浦銑《復小齋賦話》卷下 文章尚纖巧，則氣局便小，然施之得所，時亦有當，唯不可以聖人之言爲戲。陳眉公《憎蚊賦》卒章，後學當以爲戒。

李調元《賦話》卷四《新話四》 作賦貴相題立制，如唐王起《宣尼宅聞金石絲竹之聲賦》，不過用「遐想乎返魯之年，追思乎在齊之月」等語，自成絶唱。若此等題，著一新異之語，便繆以千里矣。

王芑孫《讀賦巵言·立意》 白傅爲《賦賦》，以立意能文並舉。夫文之能，能以意也，當以立意爲先。辭譎義貞，視其樞轄；意之不立，辭將安附？有全篇之回復，亦有逐段之貫輸，但使點睛有在，自知茉鄂相銜。若其甽畝不分，難云繡壤，井竈糅錯，是何傑構？能者必斟酌於語先，重徘徊於題外，既襟帶而鈎聯，又逆萌而追滕，務使枉矢不躍於壺，編鍾皆鏗於紐。熊經鳥伸，常運旋於一氣；煙霏霧結，恍滅没之萬端。此劉勰《雕龍》之辨，所由冠以「文心」；張文遠《龍鳳》之篇，竟乃題爲「筋髓」者也。

又　賦有經緯萬端之用，實此單微一線之爲，以其[illegible]乎萬端，深其爪，出其目，作其鱗之而，則撥爾而怒，而於任重宜[illegible]已必似鳴矣。爪不深，目不出，鱗之而不作，則頹爾如委，而不於任[illegible]且其斐色必似不鳴矣。尋其脈絡，須兼叙事之長，極爾精詳，更有裨[illegible]，功以琢磨而致，思必再四而周。古人或鍊之以十年，或研之於一紀[illegible]徵材，良由審意，作賦之功，固以淹遲極妙也。

林聯桂《見星廬賦話》卷一　賦之中幅，有一句一意，層出[illegible]窮，如天花亂落，梅瓣紛披，令人應接不暇，而皆以一虛字排奡出之者，如晉成公綏《嘯賦》云：「或舒肆而自反，或徘徊而復放，或冉弱而柔撓，或澎濞而奔壯。」傅毅《舞賦》云：「或有踰埃赴轍，霆駭電滅，蹠地遠群，闇跳獨絶；或有踠足鬱怒，盤桓不發，後往先至，遂爲逐末；或有矜容愛儀，洋洋習習，遲速承意，控御緩急，車音若雷，騖驟相及，駱驛而歸，雲散城邑。」陸機《文賦》云：「或因枝以振葉，或沿波而討源。或本隱以之顯，或求易而得難。或虎變而獸擾，或龍見而鳥瀾。或妥貼而易施，或岨峿而不安。」元馮子振《十八公賦》云：「或簪烘霽之罌粟，或戴凝霜之菊英。或工篝火之艷握，或拙背缸之懶情。或額黃而殘照初抹，或嚬黛而修巒薄横。或朶腮而杜倚嚬盼，或藕腕而楊敧宿醒。或悲歌而鉛漬溫枕，或醉舞而袖黏溢斛。」明俞允文《蟋蟀賦》云：「或峙若植鐵，或蹶如陷石。或嚙唅而彪咻，或趫捷以狼戾。或深沉以保介，或偃攘以赴勢。或怦怦伺抽憑，或桓桓包慷慨。乍渾奔以相嚵，儵急對而分躓。擇肉而唰嗽拉折，扼吭而攀翻批挒。聲砰磕以先鳴，騁後凱而彌厲。或逐北而隨旋，或受詘以凌遽。固三接而三捷，亦再角而再礪。循性情之自然，陋孫吳之韜祕。」宋樓異《三十六峰賦》云：「或背若相戾兮，或面若相向。或竦若相鬥兮，或揖若相讓。或散若相忘兮，或聚若相訪。或後者若和兮，而前者若唱。或卑者若下兮，而尊者若上。或喜兮若相攜，或怒兮若相抗。或若秦晉兮相匹，或若楚越兮相望。或聳瘦兮若峨冠，或擁腫兮若挾纊。或蹲伏兮若騎虎，或崇聚兮若甕盎。或決驟兮若風馬，或浮空兮若船舫。或若游郊原兮，累邱墳而包樞槨；或若入宗廟兮，紛豆登而鬱秬鬯。戢戢兮森劍戟，落落兮列屏障。勢領略兮斷而還連，狀容與兮婉而復壯。超然若三十六天兮，神仙之洞宅；姹然若三十六宮兮，妃嬪之游燕。」此皆以或字疊串爲一氣之排奡者也。

又　賦遇大題，頭緒甚多，意義甚闊，非小言詹詹所能盡其勝也，須得提綱挈領之筆乃佳。如宋司馬光《稷下賦》云：「齊王樂五帝之遐風，嘉三王之茂烈，致千里之奇士，總百家之偉說。」周邦彥《汴都賦》云：「皇帝悼道術之沈鬱，患詁訓之荒謬，諸子騰躪而相角，群言駘宕而莫守，黨同伐異，此妍彼醜，挈欲學之蕪穢，詆淫詞而擊掊，滅奧突之熒燭，仰天庭而睹晝，同源共貫，開天發蔀。」明周光鎬《黄河賦》云：「於是集周穆之征紀，夏后之荒經，漢儒之載乘，酈氏之所稱，法顯之所歷，騫英之所尋，具考濫觴之所在，咸云自崑崙之靈邱。」顧鼎臣《聖駕躬耕帝籍賦》云：「上帝之粢盛，於是乎出，民之蕃庶，於是乎生；事之供給，於是乎在；和協輯睦，於是乎興；財用蕃殖，於是乎始；敦龐純固，於是乎成者也。」此皆群言得其要者。

姜學漸《資中賦鈔·味竹軒賦學》　賦學須先辨題，體以景物事理雙關各體分之。景有春夏秋冬，晝夜晴雨，山水朝野，遠近動靜之分。寫景題層次，大概以時地事人分之。寫景忌用翻筆，尤忌理腐字樣。物有天地倫類，聖賢仙佛，鳥獸草木，宮室器用之分。賦物題層次，大概以始終體用分之。事有制作典禮，古史近俗之分。理有經史子集，隨物隨事之分。叙事談理兩等題，各題自有天然層次，要使題無剩義，多讀多作，得題便有層次，自能胸有成竹。雙關即景物事理中有雙關譬喻者，此等題正喻夾寫；然有可分寫者，有斷不可分寫者，此又不可不知。各體有周、秦、漢、魏、六朝、唐、宋、元、明之不同，平日須將各體古賦看熟在胸，如遇擬古題，便能逐代摩仿。讀賦須照此選讀，作賦須照此辨體，則賦可易學矣。

劉熙載《藝概·賦概》　《史記·司馬相如傳贊》曰：「相如雖多虛辭濫說，然其要歸引之節儉，此與《詩》之風諫何異！」《叙傳》曰：「《子虛》之事，《大人》賦說，靡麗多誇，然其指風諫，歸於無爲。」揚雄《甘泉賦序》曰：「奏《甘泉賦》以風。」《羽獵賦序》曰：「聊因《校獵賦》以風之。」《長楊賦序》曰：「藉翰林以爲主人，子墨爲客卿以風。」賦之諷諫，可於其取則矣。

又　《漢書·藝文志》言賢人失志之賦，有惻隱古詩之意。余謂江湖憂君，廟堂憂民，惻隱不獨失志然也。觀姬公《東山》、《七月》可見。

又　或問古人賦之言志者，漢如崔篆之《慰志》、馮衍之《顯志》，魏如劉楨之《遂志》、丁儀之《勵志》，晉如棗據之《表志》、曹攄之《述志》，然則賦以徑言其志爲尚乎？余謂賦無往而非言志也。必題是志而後其賦爲言志，則志

或幾乎息矣。

又　賦欲不朽，全在意勝。《楚辭・招魂》言賦，先之以「結撰至思」，眞乃千古篤論。賦家主意定則群意生。試觀屈子辭中，忌己者如黨人，憫己者如女嬃、靈氛、巫咸，以及漁父別有崇尚，詹尹不置是非，皆由屈子先有主意，是以相形相對者，皆若沓然偕來，拱向注射之耳。

又　古賦難在意創獲而語自然，或但執言之短長，聲之高下求之，猶未免刻舟之見。

又　賦蓋有思勝於辭者。荀卿《禮》、《智》、《雲》、《蠶》諸賦，篇雖短，卻已想透無遺。陸士衡《文賦》精語絡繹，其曰「非華說之所能精」，命意蓋可見矣。

又　以老、莊、釋氏之旨入賦，固非古義，然亦有理趣、理障之不同。如孫興公《游天台山賦》云：「騁神變之揮霍，忽出有而入無。」此理趣也。至云：「悟遣有之不盡，覺涉無之有間。泯色空以合蹟，忽即有而得玄。釋二名之同出，消一無於三幡。」則落理障甚矣。

韻律

佚名《賦譜》　近來官韻多勒八字，而賦體八段，宜乎一韻管一段，則轉韻必待發語，遞相牽綴，實得其便，若《木雞》是也。若韻有寬窄，詞有短長，則轉韻不必待發語，發語不必由轉韻，逐文理體制以綴屬耳。若「泉泛珠盤」韻是寬，故四對中含發；「用」韻窄，故二對而已，下不待發之類是也。又有連數句爲一對，即押官韻兩個盡者。若《駟不及舌》云：「嗟乎，以駸駸之足，追言言之辱，豈能之而不欲。蓋窒喋喋之喧，喻駿駿之奔，在戒之而不言。」是則「言」與「欲」并官韻，而「欲」字故以「足」、「辱」協，即與「言」爲一對。如此之輩，賦之解證，時復有之，必巧乃可。若不然者，恐職爲亂階。

沈括《夢溪筆談》卷一五　古人文章，自應律度，未以音韻爲主。自沈約增崇韻學，其論文則曰：「欲使宮羽相變，低昂殊節，若前有浮聲，則後須切響。一簡之內，音韻盡殊；兩句之中，輕重悉異。妙達此旨，始可言文。」自後浮巧之語，體制漸多，如傍犯、蹉對、假對、雙聲、疊韻之類。

李廌《師友談記》　少游言：「賦中工夫，不厭子細，先尋事以押官韻，及先作諸隔句。凡押官韻，須是穩熟瀏亮，使人讀之不覺牽強，如和人詩不似和詩也。」

孫奕《示兒編》卷八《賦要識題》　前輩作賦，須看韻腳，誠不易之論。然近年主司亦有以韻腳誤人者。如吉州出「明哲通天地之心」韻腳云：「此其實通而無間者，而所取不主禮刑。」「三代有道之長」韻腳云：「三代長久，其故可知，而所取乃專主教太子鈞州出明主謹養其和」，以「知本末源流之謂也爲韻，而所取不主財貨。」乃知作賦須就題熟認，不可參入外意。「必若太學出天子當陽」韻腳云：「天子當陽，照臨萬國」，則以陽字爲太陽，卻不可不從。

又《賦須韻腳意全》　賀方回言學詩於前輩，得八句云：「平澹不流於淺俗，奇古不流於怪僻。題詠不窘於物象，序事不病於聲律。比興深者通物理，用事工者如己出。格見於成篇，渾然不可隽，氣出於言外，浩然不可屈。」盡心於此，守而勿失。請借此以爲八韻之法，苟妙達此旨，始可言賦。昔秦少游賦《郭子儀單騎見虜》第四韻云：「茲蓋事方急則宜有異謀，軍既孤則難拘常法。遭彼虜之勁悍，屬我師之困乏。較之力則理必敗露，示以誠則意當親狎。我得不徹衛四環，去兵兩夾。雖鋒無鏌鋣之銳，而勢有泰山之壓。踞鞍以出，若無擒虎之威；失隊而驚，如棄華元之甲。」押險韻而意全，若此乃爲盡善。凡八韻皆即此，可反三隅矣。

又卷九《聲畫押韻貴乎審》　初，誠齋先生楊公考校湖南漕試，同寮有取易義爲魁，先生見卷子上書「盡」字作「尽」，必欲擯斥。考官乃上庠人，力爭不可。先生云：「明日揭牓，有喧傳以爲場屋取得箇尺二秀才，則吾輩將胡顏。」竟黜之。廬陵出《聖武爲天下君賦》，小賦押君字者，隔句皆押能「羣」韻，而多寫作「群」，當時有數人作者賦甚工，意必前列，而竟不挂名。後主文出院與勸駕言及此，甚嗟惜之。且云：「二十文韻中無『群』字，凡如此寫者皆不敢取。」又出《三代有道之長賦》三字韻，或押殺函者，並行黜落。蓋函音諴見二十七咸，其與三字同韻，乃函人唯恐傷人之函。(胡南切)臨江軍出《順天爲日新之敎賦》，敎字韻，「效」、「傚」二字寫出，「效」、「傚」不從「文」而從「力」者，並不取。所謂顏魯公有干祿字，即此可知。後之人，凡書者，不可不辨其畫；押者，不可不審其聲。

又《雙音字貴詳審》 林德頌(垌)《賦文精義》云：「如《車攻宣王復古賦》，復字本獨音，扶又反，俗音伏。熊淳押舊字云：『苟根本之謀，在我素講，豈則統緒之託指期可復』，皆本音也。沈之才押肅字云：『所嗟古制之久泯，豈謂此詩之能復』，此用俗音也。理當從經釋文是。然恐主文用俗音，故須上請。」予按：《經釋文·車攻序》「復古」、「復文」，皆無音，唯「復會」獨音扶又反，復古之復當音伏，訓反也。復會之復訓又也。則此復古熊淳押去聲非是，沈之才押入聲乃是。林德頌顧第弗深究也。林又云：「如渾天儀字，本音胡本反，葉重開《天行健賦》云：『爰有稚圭，擬形容於轉轂，故令平子，妙制作於渾儀』，此誤作平音用也。如姚鳳《渾天羲和之(舊器)賦》云：『妙契洪造，器名渾天』，此是矣。」予稽諸《揚雄傳》「大潭思渾天」，顏師古：音「胡昆反」；揚子《重黎篇》「或問渾天」，溫公音「胡本切」，則二音皆得通押，不可謂誤。張敎授(炳)在廬陵郡學，出《孟荀羽翼六經賦》，羽有兩音，上聲者五音之羽，去聲者羽翼之羽。有上請者，許押上聲，乃是落韻。

又《協韻不可重押》 如秦少游《君臣相正國之肥賦》第五韻云：「因知正主而御邪臣者，難以存乎安強；正臣而事邪主者，不能浸乎明昌。美聖時之會聚，常直道以更相。蓋上下交孚兮，若從繩之糾畫。故民俗阜蕃也，常飽德以康彊。所以舜申后稷之忠，民或饑而可救；唐相韓休之鯁，己雖瘠以何傷。」係中魁選。有訟其重疊用韻，遂殿舉朝旨，今後詩賦如押安強，即不得押康彊矣。蓋十陽韻中，「彊」字亦作強故也。

鄭起潛《聲律關鍵》 何謂壓韻？前輩云：「如萬鈞之壓，言有力也。」欲壓韻有力，須有來處。能賦者，就韻生句；不能者，就句牽韻。如《聖人被褐懷玉賦》，短句云：「寶蓄忠信，麗藏道德。」如《文德王之利器》，長句云：「人兵不戰也，孰非屈堯舜之化；技擊雖銳也，不足敵湯武之義。」如《命義天下大戒》，聯云：「雖扼□庭，終伏蘇君之節；儻逢畏道，願回玉氏之車。」如《聖人以百姓心爲心賦》，第八韻結句云：「推是心以往，又將以萬物之心爲心，暨鳥獸魚鼈之咸若。」如此壓韻，不可移動，眞可法也。

文天祥《八韻關鍵序》 《八韻關鍵》者，義山朱君時叟所編賦則也。魏晉以來，詩猶近於《三百五篇》，至唐法始精，晚唐之後，條貫愈密，而詩愈漓矣。賦亦六藝中之一，觀雅頌大約可考。騷辨作而體已變，風氣愈降，賦亦愈下。由今視乾、淳以爲古，由乾、淳視《金在鎔》、《有物混成》等作又爲古。矧《長楊》、《子虛》而上，胡可復見。然國家以文取人，亦隨時爲高下，雖有甚奇傑之資，有不得不俛首於此。若朱君立例嚴，用功深，蓋亦深達於時宜者。

王夫之《楚辭通釋序例》 自《周易·彖》以韻製言，雅頌風胥待以成響，然韻因於抗墜，而意有其屈伸，交錯成章，相爲連綴，意已盡而韻引之以有餘，韻且變而意延之未艾，此古今藝苑妙合之樞機也。因韻轉而割爲局段，則意之斷戾者多矣。

張謙宜《絸齋論文》卷三 古賦宜用《毛詩》古詩韻，排賦宜用沈韻、唐韻，文賦宜用宋韻。若用韻太雜，使人讀之不諧，失賦體矣。韓柳多創怪僻韻，萬勿效顰。

王之績《鐵立文起前編》卷一二《論賦韻》 張祖望曰：詩賦之韻不甚離異。其說未能該洽。聊舉「侵」韻一部言之：侵部係閉口音，惟「十三覃」中有數字，如南、男、潭、參之類，古人常通用，以「覃」部亦閉口音也。或間用「楓」、「風」二字，「楓」「風」俱叶孚金反，本于《詩經》《離騷》。《柏舟》章：「絺兮綌兮，淒其以風。我思古人，實獲我心。」《哀郢》篇：「登太墳以遠望兮，聊以舒吾憂心。哀州土之平樂兮，悲江介之遺風。」俱「風」、「心」同叶。《涉江》篇：「乘鄂渚而反顧兮，欸秋冬之緒風。步余馬兮山皋，邸余車兮芳林。」「風」、「林」同叶。《招魂》篇：「湛湛江水兮上有楓，目極千里兮傷春心。」厥有源也。若「眞」、「文」、「庚」、「青」、「蒸」、「侵」六部，詩家絕不概通。眞文通用，庚青通用，蒸侵各獨用，此五言古詩昔人用韻法也。至于作賦，雖體格不同，有能出于漢魏六朝之法者乎？今按其用「侵」韻，未嘗有異于詩。反覆研覽古人，並無通用者。蓋以閉口與開口聲音之道，此處斷斷不容混入者也。即眞文與庚青韻，古人賦中亦未嘗混用。或先用眞文韻，後用庚青韻者有之；或先用庚青韻，後用眞文韻者有之；或先用庚青韻，後用眞文韻。又用庚青韻者有之，或先用眞文韻，後用侵韻者有之；或先用庚青韻，後用侵韻者有之；或先用眞文韻，後用侵韻。又用蒸韻，又用庚青韻者有之。皆區分類別，條貫井井。此部既止，彼部方叶，世人讀之未能細心領會，明辨段落，徒見連篇接句，因之叶略上口，遂謂皆通。喉舌不分，開閉莫辨。又未能詳閱古人獨用眞文，獨用庚青，獨用蒸與侵韻之處，將六部韻全無分別，雜出並叶。非獨古今詩中所未覩，即賦中索之亦未有如此之淆亂

者也。或者有一字之偶差，亦係失檢點處。不足多效，其可通者「東」「冬」與「江」通，「魚」「虞」與「尤」通，「陽」與「庚」半通，「眞」「文」與「元」半通。今人多不解知，而從前未通者，反混而相叶。僕不知其何說也，仄韻未暇博採。

又 朱錫鬯《與魏善伯書》曰：聲韻之書，自魏晉已有之。李登之《聲類》，呂靜之《韻集》是已。外此周研、張諒、段弘、王該、李槩、夏侯詠等，各有成書。少者四三卷，多至四十餘卷。惟沈約所撰《四聲譜》，見于《隋志》僅一卷。其非全韻可知。至唐四庫書目不載，則已亡之。唐初奉爲章程者，陸法言《切韻》。其後孫愐刊正爲《唐韻》，宋陳彭年再修《廣韻》，丁度定《集韻》。景祐（仁宗年號）以還，行禮部韻略，《廣韻》漸廢，而毛晃之《增韻》出。蓋《切韻》凡數更，已非法言之舊。然分韻二百有六部未之有易也。淳祐（理宗年號）中，平水劉淵始并爲一百七韻，曰《壬子新刊禮部韻略》。足下所見今世所行者，特劉氏之韻耳。顧目爲沈氏書，加以詬詆，其毋乃重誣古人矣乎？僕以爲韻之失，不在分而在合。足下怪門、存、呑、恩，不應在「元」韻。而「文」韻內有勤、斤、殷、欣等字，謂分之無所分。夫自二百六部未合，門存歸于「魂」，呑恩歸于「痕」，未嘗在「元」韻。而勤、斤等字則自屬「殷」部。足下試取杜甫近體詩誦之，凡勤斤字，寧與「眞」同用，無有與「文」同用者。然古人分韻雖嚴，通用甚廣。如「眞」至「仙」爲部十四，皆得相通。蓋嚴則于韻之本位，毫釐不紊。通則臨文不至拘泥，而乖其性情。亂之自劉氏始。且韻之作，自李登以下南人蓋寡。沈氏書既無存，傳者陸氏《切韻》耳。法言家魏郡臨漳，同時《集韻》八人。惟蕭該家蘭陵，其餘或家范陽（盧思道），或家狄道（辛德源），或家河東（薛道衡），或家臨沂（顔之推）及沛（劉臻），皆北方之學者。黄公紹失考，以韻書始自江左，本是吳音者，謬也。至正韻之成，樂宋諸君子，則皆南人矣。足下詆北人之書，爲鴃舌蠻音，既不足服其罪，意欲力崇正韻，而反詬厲南人，何哉？

又 吳志伊曰：字學與韻學相表裏，而韻學尤必以等韻爲宗。蓋等韻三十六位，角音四，徵音八，商音十，羽音八，宮音四，半徵半宮各一，原出于自然之天籟，雖童子亦可與能。猶夫調四聲者，夫人而能習之。江左知有四聲而不知有七音，此韻學之所以不明也。但中間「疑」「喻」二母之易溷，「孃」母押字之多淆。又或有「江」「陽」不分，「東」「冬」同讀，是在審音者析其微耳。

又 王懋公曰：沈約四聲，天竺七音，聲韻之道無遺矣。又有六體之說，亦不可不知。六體者，平仄、虛實、死生是也。今因論賦韻而并及之。

浦銑《復小齋賦話》卷上 唐律賦有偷一韻或兩韻，不可悉數。如王起《披霧見青天賦》偷「可」、「不」兩韻；裴度《二氣合景星賦》偷「有」、「無」兩韻；周鍼《羿射九日賦》，偷「控」字一韻；陸贄《月臨鏡湖賦》，偷「動」字一韻是也。宋則絶無。唯范文正公《任官惟賢材賦》，以「分職求理當任賢者」爲韻，偷「任」字一韻耳。

又 偷韻之法皆兩句換韻（上句同韻，下句官韻）。或三句換韻，如關搆《日載中賦》「時」字一韻，杜顔《灞橋賦》「輝」字一韻是也。或四句換韻，則第三句不用韻，如楊系《通天臺賦》「在」字一韻是也。

又 唐賦限韻，有以題爲韻者，「賦」字或押或不押，姑舉一二。如元稹《郊天日五色祥雲賦》，郭適《人不易知賦》，劉珣《渭水象天河賦》，俱押「賦」字。王起《元日觀上公獻壽賦》，王棨《聖人不貴難得之貨賦》，呂令問《掌上蓮峰賦》，俱不押「賦」字。

又 唐人限韻，有以四聲用韻者，只用四聲也。有從入至平者，四聲倒用也。有平上去入周而復始者，四聲之後，再用一平聲，共五韻也（如高郢《吳公子聽樂賦》）。或四聲之後，又押平上二聲，共六韻也（如李雲卿、王顥《京兆府獻三足烏賦》）。有以兩遍用四聲爲韻者，則八韻也（如錢仲文《豹舄賦》）。有以題中八字爲韻者（如王棨《詔遠軒轅先生歸羅浮舊山賦》，隨意撿八字用也），有截取題中上幾字者（如《漢武帝游昆明池見魚銜珠賦》，以題上七字爲韻；《皇帝冬狩一箭射雙兔賦》，以題上六字爲韻；《曲直不相入賦》，以題中「曲直」二字爲韻是也）；有以題爲韻次用者（如《聖人苑中射落飛雁賦》是也），有限韻而有依次用字（如《審樂知政賦》是也），有不限韻而注「任用韻」字者（如《霓裳羽衣曲賦》是也）。

又 詩有屬和，有次韻，惟賦亦然。《南史》齊豫章王嶷子子恪，年十二，和兄司徒竟陵王《高松賦》，謝朓、王儉、沈約皆有和作。自是而後，唐則徐充容有和太宗《小山賦》，張說、韓休、徐安貞、賈登、李宙有和玄宗《喜雨賦》，高常侍適有和李北海《鶻賦》。宋則歐陽文忠有和劉原父《病暑賦》，范文正有和梅聖俞《靈烏賦》，蘇子由有和子瞻《沈香山子賦》，田諫議錫有依韻和呂杭《早秋賦》，李忠定綱有次韻東坡《濁醪有妙理賦》。有次韻而不必對題者，

李忠定《南征賦序》云：「仲輔賦西郊見寄，次韻作《南征賦》報之。」有以後人而次韻前人者，朱子《白鹿洞賦》，六十餘年，里中學子方岳及明代林俊、祁順、舒芬、唐龍皆有「次晦翁韻」賦是也。有以今人而和古人者，如《林下偶談》載李季允和王仲宣《登樓賦》是也。有和而不必對題者，張燕公作《虛室賦》，魏歸仁爲《宴居賦》以和之是也。有以賦和詩者，湘東王作《琵琶賦》，以和世子范《舊琵琶詩》；南唐徐常待［侍］鉉《木蘭賦》，和其宗兄《擬古詩見寄》是也。

又 梁簡文《賦體》八句，用「化、夜、舍、駕」四韻，任昉、王僧孺、陸倕、柳憕作皆同，此即後來依韻之所本也。

又 律賦押官韻，最宜着意，如唐蔣防《雪影透書帷賦》，押「閱」字云：「時觀謝賦，想塀廡之縈盈；載睹曹詩，嘆蜉蝣之掘閱。」崔損《霜降賦》押「乃」字云：「笳聲乍拂，怨楊柳之衰兮；劍鍔可封，發芙蓉之礪乃。」白行簡《息夫人不言賦》押「言」字云：「勢異絲蘿，徒新昏而非偶；華如桃李，雖結子而無言。」眞令讀者叫絕。

又 字同而義異者，詩韻可以兩押，賦亦然。潘黃門《秋興賦》「宵耿介而不寐兮，獨展轉於華省。悟時歲之遒盡兮，慨俛首而自省」，用二「省」字。宋王梅溪《會稽風俗賦》云：「境絕利博，莫如鑑湖。有八百里之回環，灌六千頃之膏腴。人在鑒中，舟行畫圖。五月清涼，人間所無。有菱歌兮聲峭，有蓮女兮貌都。」上邑都之都。下麗都之都。元楊鐵崖《泰嶹賦》押兩「稷」字，一后稷之稷，一黍稷之稷，然不得以施之律賦。

又 唐人賦以平上去入限韻者，或直押「本」字，如平用庚，上用養，李子卿《山公啓事賦》是也。或不押「本」字，隨意四聲中各用一字，閻伯璵《都堂試才賦》是也。

又 唐律賦限韻中兩字同韻者，或押作一段，或仍押兩段。如王起《白玉琯賦》「神、人」二字幷押。白居易《賦賦》「詩、之」二字分押。李瀣《廣達樓賦》以「珠簾無隔露」爲韻，「珠、無」同韻，押作兩段。蔣防《登天壇山望海日初出賦》，「日、出」二字同押。大約限韻多者，則同韻可併，少者則各自爲段也。

又 二字同韻，亦有偸一韻者。如唐李昂《旗賦》，以「風日雲野軍國清肅」爲韻，押「雲」字一段，而「軍」字則偸過是也。

又卷下 賦有句句用韻者，如詩之有柏梁體矣，曹子建《愁思賦》、趙子昂《赤兔鶻賦》是也。

吳景旭《歷代詩話》卷二〇《試賦》 吳旦生曰：限字爲韻，自唐以律賦取士，已有此體。如崔損《北斗賦》以「成象在天，維北有斗」爲韻，皇甫湜《履薄冰賦》以「戒愼之心，如履冰上」爲韻是也。然其韻數多寡，平側次叙，初無定格，至宋太平興國三年九月始詔禮部試進士律賦，並以平側次用韻，其後亦有不依次者。

又 宋時試賦，最重破題警切，場屋間每於此定魁選。如《天之曆數在舜躬賦》暨陶破題云：「神聖相授，天人會同。何謳歌不之堯子，蓋曆數在於舜躬。」又《君人成天地之化賦》熊節破題云：「物產於地，形鍾自天。賴君人之有作，成化功之未全。」又《大椿八千歲爲春秋賦》滿場破題皆閣筆。時陳元裕主文衡，遂自作云：「物數有極，椿齡獨長。以歲歷八千之久，成春秋二序之常。」故有破題中一字未安，輒爲改易者。如《文帝前席賈生賦》陳尹破題云：「文帝好問，賈生力陳。忘其勢之前席，重所言之過人。」吳郛改「勢」作「分」，陳大服。又《皇極統三德五事賦》，魁者破題云：「極有所會，理無或遺。統三德與五事，貫一中於百爲。」陳季陸考較，嫌第四句「貫百爲於一中」似乎倒置，改「貫」作「寓」，較有意思。又《圜丘象天賦》滕甫破題云：「大禮必簡，圜丘自然。」鄭獬云：「禮大必簡，丘圜自然。」滕曰：「公在我先矣。」鄭果第一。按唐時亦重破題。如李程試《日五色賦》，楊於陵詢其破題曰：「德動天鑒，祥開日華。」於陵謂「須作狀元」。翌日無名，於陵攜此賦詣主文，於是擢爲狀元。後浩虛舟應宏詞，復試此題，程慮浩愈於已，馳介取至，觀浩破題曰：「麗日焜煌，中含瑞光。」程喜曰：「李程在裏。」

又 中有打花格，如《前席賈生》有云：「金蓮燭煥煌煌，漢天子之儀；玉漏聲沈纚纚，洛陽人之語。」試官喜此一聯。陳季陸用「高皇」對「小白」，則知賦亦有假對法也。又有假人名以體狀題意者，如武爲《救世砭劑賦》云：「唐制中興，賴藥師而克濟；漢家外患，藉去病以皆除。」又蘇東坡《贈趙德麟秋陽賦》云：「生於不土之里，而詠無言之詩。」蓋寓時字也。

又 秦少游云：「凡小賦，如人之元首，而破題二句乃其眉，惟貴氣貌有以動人。故先擇事之至精至當者，先用之，使觀之，便知妙用，然後第二韻探原題意之所從來，不便用議論。第三韻方立議論，明其旨趣。第四韻結斷其說以明題，意思全備。第五韻或引事，或反說。第七韻反說，或要終立

義。第八韻卒章，尤要好意思爾。」

又　凡賦句全藉牽合而成，其初兩事甚不相侔，以言貫穿之，便可爲吾所用。此鍊句之工也。今賦乃江左文章彫敝之餘風，非漢賦之比也。

朱一飛《賦譜》　叶韻之法不外平穩而已。今人窗下著作，欲愜意，每以所限之韻，前後調用，場中直以順押爲是。所限之字尤須叶得四平八穩，要知試官注意，全在此處。凡虚字、俗字、怪誕字、陳腐字，總以典切不浮者叶之，已可冠領一場。

湯聘《律賦衡裁·餘論》　唐闕名《鍊石補天賦》云：「卿雲初觸，當碧落以麗乎；銀漢同流，激清霄而節彼。」押「彼」字用歇後語，原本經籍，便不涉纖。崔損《霜降賦》云：「笳聲乍拂，怨楊柳之衰兮；劍鍔可封，發芙蓉之厲乃。」亦用此法。韋肇《瓢賦》云：「安貧所飲，顔生何愧於賢哉；不食而懸，孔父當嗟夫吾豈。」押「豈」字更妙合自然。

魯筆《楚辭達·總論》　從古韻：《離騷》叶韻，猶是商周遺法，與《三百篇》同，不但不合沈韻，併不全合漢魏。今註家每以私意便口妄叶陋矣。當以古韻爲正。

李調元《賦話》卷一《新話一》　賦用八字韻腳原始，見於《能改齋漫錄》，云：「賦家者流，由漢、晉歷隋、唐之初，專以取士，止命以題，初無定韻。至開元二年，王邱員外知貢舉，試《旗賦》，始有八字韻腳，所謂「風日雲浮，軍國清肅」。

又卷二《新話二》　唐侯喜《秋雲似羅賦》云：「擬六銖而披拂，伴仙女降衣；臨七夕以輕盈，助牽牛納采。」亦有生趣。按韓門諸子如叔迟、持正輩率不肯作軟熟語，施之帖括，頗有生梗病，但精警處自足勝人。凡賦題限韻，莫不於本題相附麗。惟此題限以「蘭亦堪采」爲韻，殊屬風馬牛，此唐人賦題所少。

又　唐人賦韻有云「次用韻」者，始依次遞用，否則任以己意行之。晚唐作者取音節之諧暢，往往以一平一仄相間而出。宋人則篇篇順叙，鮮有顛倒錯綜者矣。唯唐無名氏《望春宫賦》，無次用韻三字，而後先不紊。其做望字警句云：「偉鳳闕之樓臺，萬邦仰止；盼龍鱗之原隰，五稼惟時。」

又卷四《新話四》　唐人限韻，有云「以題爲韻」者，則字字叶之。以題中字爲韻者，則就中任用八字，不必字字盡叶也。唐鄭錫《正月一日含元殿觀百獸率舞賦》，率用題字，而獨遺月字不叶，於兩者皆不合。至其典麗而雄偉，則律賦中煌煌大篇矣。

又　唐無名氏《繪事後素賦》，所限之韻以「黄流在中爲於中」，賦中亦押「於」字，非誤也。唐人賦韻以四平四仄爲率。唐莊宗時覆試進士，翰林學士承旨盧質以《後從諫則聖》爲題，以「堯舜禹湯傾心求過」爲韻，五平三仄，大爲識者所誚，可見當時自有定格。故塗改詩句以遷就平仄耳。

又卷五《新話五》　古人作賦，未有一韻到底，創之自坡公始。《老饕賦》題涉於游戲，而篇幅不長，偶然弄筆成趣耳。元人於《石鼓》等作，動輒學步，剌剌數百言不休，直如跛鼈之追駃騠矣。

王芑孫《讀賦卮言·韻例》　賦有一韻而止者，漢路僑如《鶴賦》，魏曹植《槐樹賦》，晉桓玄《鳳皇賦》，宋傅亮《登龍岡賦》，齊謝朓《野鶩賦》，陳顧野王《拂崖篠賦》，唐歐陽詹《將歸賦》，宋黄庭堅《放目亭賦》，明胡居仁《瑞梅賦》，皆是短篇。有長篇而一韻者，晉傅咸之《儀鳳賦》、明唐寅之《惜梅賦》。有兩韻而止者，漢公孫詭《文鹿賦》，魏王粲《槐賦》，晉歐陽建《登櫓賦》，齊王儉《高松賦》，梁王融《桐樹賦》。自唐而下，多不勝舉。有名爲兩韻而首二句不入韻者，如魏陳琳之《馬腦勒賦》是也。【略】有三韻者，自枚乘《忘憂館柳賦》以來，不勝舉。

又《官韻例》　官韻之設，所以注題目之解，示程式之意，杜剿襲之門，非以困人而束縛之也。唐二百餘年之作，所限官字，任士子顛倒叶之；其挨次用者，十不得二焉，亦鮮有用所限字概壓末韻者。其壓爲末韻者，十不得一焉。具知斯體，非當時所貴，無因難見巧之説。

又　但曰四聲而已，則不用平上去入四本字；曰以平上去入爲韻，則必壓四本字，亦有復用四聲者，如錢起、謝良輔《豹舄賦》，皆注明「兩遍用四聲」爲韻；亦有倒用四聲者，如石涔《海水不揚波賦》，注明「以平上去入倒用」爲韻。

又　有任用韻者，如沈郎、陳嘏諸人，《霓裳羽衣曲賦》下，皆注「任用韻」之類。

又　有以題爲韻而限作依次用者，如陸宣公《聖人苑中射落飛雁賦》，注明「以題爲韻次用」之類。

又　有限字甚難而遂假借押之者，如高郢《獻凱樂賦》，以「獻茲大功陳樂

於祖」爲韻，「於」字借作單于之「于」。白居易《君子不器賦》，以「無施不可」爲韻；黄滔《不貪爲寶賦》，以「不驚他貨」爲韻，「不」字俱借作能否之「否」。

又 有限字甚難而遂置不押者。王起《履霜堅冰至賦》，以「君子之道，闇然而日章」爲韻，起用上下八字，獨置「而」字不押。

鮑桂星《賦則・凡例》 文章奧妙不外神氣音節四字，其實神止是氣，節止是音耳（此海峰先生之言），詩賦尤重音節。僕平生造詣，於沈氏四聲之外，微有心得。

楊泗孫《唐律賦鈔序》 音律爲六藝之一，自樂亡而音律之不泯於文教者，流爲詞賦，賦之宜合乎律也。

蔣攸銛《同館律賦精萃叙》 唐以詩賦取士，宋益以帖括，我朝則以帖括試士，而以詩賦課翰林。文治光華，法制大備，固已邁越前古矣。二百年來，元音鉅制，接軫充箱，幾于美不勝收。【略】夫賦不同而律則一，寸竹斷嶰，而鐘瑟胥諧者，律統乎數也，累黍出龠而琮權畢稱者，律程乎度也。十二律旋宫則五音以正，六十律分候則八風以調，神明乎律之中，化裁乎律之外，則存乎其人。

林聯桂《見星廬賦話》卷一 古人詩有和韻、次韻者，詞有和韻、次韻者，賦之和韻、次韻，則罕見也，然亦有之。如宋朱子《白鹿洞賦》，明祁順和之，且通篇次其韻，妙極自然，讀竟不知其和韻也。此格最爲奇創，後來何祭酒凌漢《擬庾子山小園賦》，通篇次子山韻，亦用此法。

又卷三 古詩古賦，間有用過轉叶韻者，有重沓韻者，律賦則不然。凡賦題所限官韻，或數字之中，有一二韻相同者，挨次順押之中，上下雖同一韻，而前後不許重沓，此之不可不知也。如胡探花達源《知人安民賦》以「知人則哲，安民則惠」爲韻，官限之韻，兩「則」字相同，而前後押韻不重。其前一韻云：「豈不以人也者，楨幹之資，鈞衡是職。撫於五辰，行有九德。若予草木鳥獸，成允成功；作朕耳目股肱，汝明汝翼。二十人亮功並命，敷施者共贊宸謨，五十載庶績咸熙，協恭者式和民則。」其後一韻云：「斯時也，左右宜其才，田疇盡其力。直而溫者簡而廉，出而作者入而息。濟濟在位，幸衆智之兼收；皞皞同游，無一夫之不得。故曰嚴祗敬，已極千古之隆；而風動時雍，允爲百王之則。」裘太史元淦《百川學海賦》以「百川學海而至於海」爲韻，官限之韻，兩「海」字相同，而前後押韻不重。其前一韻云：「然而川之流行於地上也。支派本自不同，會合因而不改。南條北條以之分，大川小川原相待。南華陰而東底柱，不勝紆回往復之端；播九河而同逆河，終成灝翰汪洋之匯。逝者無分於晝夜，波自生瀾；學焉而得其性情，蠡寧測海。」其後一韻云：「聖天子德配乾元，恩深春海。雕題鑿齒，識波水而來歸，利用厚生，贊臣工而若采。行政令如流水，咸欽整肅之風；趨象魏以朝宗，共仰純一之宰。佩汪洋之聖，學淹貫乎經史而不遺；沛優渥之仁，膏普被乎埏垓而無不在者矣。」他如朱學使階吉、李庶常鈞、陳庶常澐《學然後知不足賦》皆以「山不讓塵川不辭盈」爲韻，官韻兩「不」字相同，而前後押韻不重沓也。李太史象鵾《思艱圖易賦》以「爲君難爲臣不易」爲韻，官韻兩「爲」字相同，而前後押韻不重沓也。時庶常式敷《民得四生賦》以「所欲與聚所惡勿施」爲韻，官韻兩「所」字相同，而前後押韻不重沓也。慕庶常維德《禮義爲器賦》以「修禮以耕陳義以種」爲韻，官韻兩「以」字相同，李太史紹昉《民生在勤賦》以「民生在勤勤則不匱」爲韻，官韻兩「勤」字相同，喻庶常元準《冰寒於水賦》以「冰生於水而寒於水」爲韻，官韻兩「於」字、兩「水」字相同，宋庶常劭穀《剔毛攬鬣賦》以「建官惟賢位事惟能」爲韻，官韻兩「惟」字相同，廖太史文錦《有文事必有武備賦》以題爲韻，官韻兩「有」字相同，趙庶常先雅《循名責實賦》以「任而弗詔、責而弗教」爲韻，官韻兩「而」字、兩「弗」字相同，而前後押韻皆不重沓也。是可以觀已。

又 凡賦題所限之韻，有一二字相同者，前後固不許重沓，即韻字非相同而一二字同出一韻者，挨次順押之處，前後亦不許重沓，此之又不可不知也。如岳庶常鎮東《支離爲簡要賦》以「其支離所以爲簡要」爲韻，官韻雖字面不相同，而「其」、「支」、「離」、「爲」四字同在四支韻，四韻中皆選韻於四支，而前後仍不重沓也。其「其」字韻云：「揚子雲文壇馳譽，藝圃搜奇。闡法言於往古，示彝訓於來茲。窮委溯原，探《六經》之閫奧；由博返約，握衆論之綱維。切要可尋，允宜遵彼；指歸有定，庶或得其。」其「支」字韻云：「懿夫秘開六畫，象著兩儀。典謨記於夏史，雅頌勒爲周詩。禮樂發中和之藴，春秋標彰癉之辭。莫不發揮盡致，檃栝靡遺。昭若常經，洵有典而有則；匯茲名理，亦不蔓而不支。」其「離」字韻云：「爾其群言薈萃，載籍紛披。以多爲貴，有美在斯。支者枝也，振枝柯而綺靡；離者麗也，極附麗以葳蕤。訏萬象之紛呈，驚心蕃變；覽千編之殺列，滿目迷離。」其「爲」字韻云：「頭頭是

道，乙乙如絲。既稗辭之胥翦，亦大旨之畢垂。妙理紛綸，泉達火然之後；眞機活潑，鳶飛魚躍之時。尋奥義於微言，惟精惟一；悟統宗於太極，無思無爲。」祁太史嶲藻《高山流水賦》以「伯牙鍾期相遇知音」爲韻，官韻之字雖不同，而「期」、「知」二韻皆在四支，挨次順押之處。雖同選韻於四支，而前後仍不重沓也。其「期」字韻云：「俄而操纏綿於玉軫，託縹緲於冰絲。幾回蕩漾，一派淪漪。臨春波而送遠，隔秋水而相思。木葉下洞庭之浦，江皋凝斑竹之枝。聆斯聲者，又如身凌三島，目斷九嶷。簫吹鮫女，鼓擊馮夷。嗟湘靈之不見，指流水以爲期。」其「知」字韻云：「既乃白露下，涼颷吹，松影在地，月華臨帷。七條不動，三疊漸遲。碧篁夜深之候，綠陰眠穩之時。心已游於沕穆，理不滯於成虧。猶復餘音若續，遠響堪追。淵渟岳峙，神動天隨。此則風簫之清聲所不能擬，而豈箏笛之俗耳所可與知哉！」已上二作，皆二三字同在一韻，而前後押韻不重沓者。外如裘傳臚元善、伍探花長華、顧學史元熙、王太史炳瀛、王庶常丙《金帶圍賦》皆以「有時而出入相之兆」爲韻，官韻「時」、「而」、「之」三韻，皆在四支韻，而前後押韻不相重沓也。毛庶常樹棠、徐庶常培深、周庶常貽徽《踊水機賦》皆以「踊水之機激而常升」爲韻，官韻「之」、「而」二字皆在四支韻，而前後押韻不相重沓也。郎庶常葆辰《蟋蟀賦》以「促織鳴懶婦驚」爲韻，官韻「鳴」、「驚」二字同在八庚韻，而前後押韻不相重沓也。吳太史傑《知白守黑賦》以「藏器於身待時而動」爲韻，李侍御德立《百體從心賦》以「令行禁止政之所期」爲韻，周庶常師《紙鳶賦》以「引絲而上乘風爲戲」爲韻，官韻「時」、「而」二字，「之」、「期」二字，「絲」、「而」、「爲」三字，皆在四支韻，而前後押韻，皆不相重沓也。諸賦具在，可細閲而得之。

又卷四 館閣之賦，多限官韻，仿唐人八韻解題之例。然閒字韻限，助語虛字，最爲棘手。而大家偏從此處因難見巧，意外出奇，令閲者幾忘其爲虛字也。如蔣殿撰立鏞《博選爲本賦》，其中押「惟」字韻云：「或行蹤緬以溯洄，詠蒹葭而人在；或形象通乎寤寐，思麴蘖而爾惟。」又押「其」字韻云：「歌起鹿鳴，詠苹蒿而好我；聲聽鸞噦，頌芹藻而采其。」又《甄陶在和賦》中押「其」字韻云：「定知苦窳形，銷化乎於過者存者；漫詡汙尊制，舊政在乎脩其齊其。」又押「乎」字韻云：「運大鈞而開元模，徵諸悠也久也；雕唐文而樸皇質，治且巍乎煥乎。」龍殿撰汝言《擊鉢催詩賦》中押「皆」字韻云：「譬如請處錐囊，脫穎而出；倘是罰依金谷，飲酒孔皆。」《風行水上賦》中押「也」字韻云：「虞弦拂處，大哉薰兮；列御行時，泠然善也。」《大法小廉賦》中押「之」韻云：「蓋非徒以曲謹小廉，畢乃事也；斯舉世之頑廉懦立，激而厲之。」押「也」字韻云：「惟仁育而義正，聖人孩之；宜鳳舞而鱗游，天下肥也。」祝太史慶蕃《蘭亭修禊賦》中押「之」字韻云：「畫圖省識山陰，流連作者；風景不殊江左，感慨係之。」《擊鉢催詩賦》中押「皆」字韻云：「當懷響而畢彈，紓徐不得；迨賞心而叫絶，佳妙並皆。」《雲母屏風賦》中押「其」字韻云：「播爲美談，想淵懷之沖若；傳諸奕禩，緬雅度之溫其。」伍學使長華《金帶圍賦》中押「之」字韻云：「此時衣鉢流傳，蓉闕則如相望也；回憶盤盂艷放，蕪城尚彷彿遇之。」《農乃登麥賦》中押「乃」字韻云：「此眞富貴，長饘斯而粥斯；雖有肥磽，亦裹乃而積乃。」裘傳臚元善《閶門左扉賦》中押「其」字韻云：「權衡運會而無殊，用昭欽若；範圍天地而不過，惡能出其。」祁太史嶲藻《洋表賦》中押「之」字韻云：「鑿混沌兮初開，神乎技矣；遇離婁兮未識，睆而視之。」張庶常玗《鳩拙而安賦》中押「之」字韻云：「緬彼匑尼，將謂色斯舉矣；猥兹鵠鶵，可云取而代之。」陸庶常以烜《蘭亭修禊賦》中押「之」字韻云：「顧此形骸，信死生亦大矣；取諸懷抱，任俯仰而得之。」《不涸倉賦》中押「不」字韻云：「倘非徂畛徂隰，千耦耘其，漫云乃積乃倉，三時害不。」王庶常丙《龍見而雩賦》中押「而」字韻云：「誦南郊北郊之文，時惟奉若；奏雲平靄平之樂，候其禕而。」《金帶圍賦》中押「之」之韻云：「數千年佳話長留，訊園官以開否；百五日祥光獨占，號花相而宜之。」端木庶常傑《魯風鞻賦》中押「之」字韻云：「想見鸞旂芹藻之邦，有聞風而起者；漫云闕里昌平之市，不知足而爲之。」押「也」字韻云：「信式儀之有準，左右而無不宜之；思率履之非難，先後則其揆一也。」吳太史傑《知白守黑賦》中押「而」字韻云：「白何慚乎洞若，黑無慮乎涅而。」葉庶常惟庚《天積衆精以自剛賦》中押「以」字韻云：「蓋剛健篤實，本植體之自然；而和德平威，識眞精之有以。」徐庶常銑《月餅賦》中押「乎」字韻云：「雜五俎以調和，餅之爲言並也；摹二儀之形似，月亦取其圓乎。」萬庶常承宗《執兩用中賦》中押「其」字韻云：「兩利並存，或於彼而於此；中歸獨斷，由觀我而觀其。」又押「於」字韻云：「衍以洪範之疇，是其極之會有；推諸大學之義，爲至善而止於。」《智燭信符賦》中押「之」字韻云：「將剖誓於丹書，以爲寶也；倘質明於白水，實式憑之。」《欹器賦》

中押「之」字韻云：「技與道通，豈曰形而下者；器同水監，是爲智者創之。」又押「焉」字云：「露甕呈符，既旨矣而有矣；衢尊飲化，任注焉而酌焉。」以上皆甲戌同館之賦，工於押虛字之韻者也。

又 丁丑館課，工於押虛字，所謂課虛無而責有者，亦多可采之句。如朱學使階吉《學然後知不足賦》中押「不」字韻云：「虛則欹，滿則覆，悟妙理之如斯；精於勤，荒於嬉，證前聞而豈不！」又《盤山賦》中押「之」字韻云：「不事雕華，備皇質唐文之美矣；獨標靜趣，合仁山智水而兼之。」又《主善爲師賦》中押「于」字韻云：「豈以境遷，野則獲而邑則否；依然響應，前者喁而後者于。」裕庶常泰《人情以爲田賦》中押「者」字韻云：「懼鹵莽之是報，如治田焉；嚴非種之必鋤，在長民者。」又押「也」字韻云：「因斯人之利而利，雖小道無能名焉；用天下之心爲心，微聖人誰與歸也！」徐庶常培深《踴水機賦》中押「之」字韻云：「看奮迅以排空，聚而上者；仍從容以就下，激而行之。」周庶常貽徽《踴水機賦》中押「而」字韻云：「藉以委輸，灌千塍皆徧矣；及其廣大，放四海以推而。」潘庶常光岳《五官牧民賦》中押「以」字韻云：「寬猛相濟，亦順導其自然；威德并行，究莫名其所以。」郎庶常葆辰《學然後知不足賦》中押「不」字韻云：「蘇玉局千文讀罷，問拄腹以何如；朱紫陽五字吟成，念修身而豈不！」張太史日晸《中者天下之大本賦》中押「之」字韻云：「非天下之至神，孰能與於此，極天下之至大，可推而放之。」毛侍御樹棠《踴水機賦》中押「而」字韻云：「好憑花徑暗流，潤春塍而沃若；直擬銀河倒注，添曉漲以漣而。」時庶常式敷《民得四生賦》中押「所」字韻云：「三時不害，應念民生之在勤；九叙惟歌，端由王敬之作所。」又《無逸圖賦》中押「於」字韻云：「德恆愼乃，仁自依於。」越庶常先雅《五官牧民賦》中押「以」字韻云：「如五采之彰施作會，資黼黻而宜之；如五事之敬用修身，備股肱而有以。」又押「其」字韻云：「蓋制治保邦，在有官而敬爾；故陳殷置輔，先以牧而建其。」《盤山賦》中押「之」字韻云：「圖畫天開，非一覽而盡也；樓臺地迥，請拾級以登之。」《百穀權輿賦》中押「之」字韻云：「彼黍稷之懷新，將拭目而俟矣；惟權輿之作始，可罕譬而喻之。」《豳風圖賦》中押「所」字韻云：「田畯至喜，看餉饁之相將；公子同歸，欣室家之得所。」《無逸圖賦》中押「其」字韻云：「況茲寫載殿廷，更小心而奉若；豈謂流連屏障，祇大意而觀其。」《麥秋賦》中押「乃」字韻云：「故即今適南畝，藝黍稷以勤斯；何異平秩西成，咨錢鎛而庤乃。」《循名責實賦》中押「而」字韻云：「信爲梁棟之材，彼有取爾；謬託公輔之望，毋乃已而。」又云：「納腐鼠於懷中，何云璞也；畫神龍於壁上，誰作鱗而。」岳庶常鎮東《支離爲簡要賦》中押「其」字韻云：「切要可尋，允宜遵彼；指歸有定，庶或得其。」祥庶常寧《農乃登麥賦》中押「乃」字韻云：「恰屆令當朱火，解阜載詠薰兮；固將割盡黃雲，錢鎛時方庤乃。」李庶常鈞《學然後知不足賦》中押「不」字韻云：「萬卷盈鄴侯之架，卒業爲難；三年下董子之帷，窺園獨不。」王庶常金策《菖蒲拜竹賦》中押「此」字韻云：「數花餘暇，趁閒日以消閒；食肉何心，喜此君之在此。」陳太史肇《民得四生賦》中押「所」字韻云：「必參相得，俾四方惟乃之休，胥匡以生，無一夫不得其所。」陳庶常澐《學然後知不足賦》中押「不」字韻云：「若語成人之美，亦視其志如何；毋辭遠道之難，而曰爾思豈不！」陳庶常功《盤山賦》中押「之」字韻云：「恍仙境之難留，不可階而升也；喜洞天之忽闢，得其門而入之。」龐會元大奎《龍見而雩賦》中押「而」字韻云：「繞來馥馥祥煙，想見氣通於穆；灑到祁祁甘雨，定看鱗作之而。」強庶常望泰《豳風圖賦》中押「之」字韻云：「樂儉樸以終年，陳其風則茂矣美矣；保安閒於世，享其利則舞之蹈之。」此以上皆善押虛字韻，爲丁丑館課之最佳者。

余丙照《增注賦學指南》卷一《論押韻》 作賦先貴鍊韻，凡賦題所限之韻，字字不可率易押過，易押之字，須力避平熟，務出新意，庶不至千手雷同。難押之字，人皆束手者，爭奇角勝正在於此。但不得過於鑿空，反欠大雅。押官韻最宜着意，務要押得四平八穩。凡虛字、俗字陳腐字怪誕字，總以典切不浮者押之，要知試官注意全在此處。所限之字，大約依次押去，押在每段之末爲正。或意有所便，亦不必過拘。押官韻外，所用散韻，須擇新麗流活之字押之，切不可押生澀字及陳腐字，尤不可湊韻硬押。凡字不典不顯，非限官韻即可不必押。通衢坦道，任人往來，何必自尋荊棘乎？遇險韻，正須善押，要有舒展自如之致。不以仄徑窘步，方可出色。用韻宜變換，如連押實字，連押虛字，或連押同音者，皆賦家大忌也，須相間而用之。官韻中兩字同在一韻，有押作一段者，有仍押兩段者，如唐時王起《白玉琯賦》，神人二字並押；白居易《賦賦》，「詩」、「之」二字分押。大約限韻多者則同韻可併，少者則各自爲段也。近來花樣，有兩字同在一韻者，總以仍押兩段爲是。韻中有字同義同者，如寅字在四支，又在十一眞，涯字在四支，又在九佳，

又在六庲，意義雖同，若限官韻，即宜遵在先者押之。韻中有字同義異者，如逢字一東二冬兼收，馮字一東十蒸兼收，意義迥別，豈可假借，須細辨之，不得混押。初學作賦，先求韻穩，句之工巧次之。蓋押韻既穩，句雖平常，亦不棘目；韻一不穩，雖有佳句，卒難合拍。故詳論押韻，特選數條，以爲入門之路。

又 押虛字最難穩愜，而又最易出色。若係官限，注意即在此處。或順押，或倒押，或活押，或實押，總要俱有來歷，出於自然，不得勉強湊合。

又 天下好賦，皆自韻出，而因韻一法，最爲便學。蓋遇一典故，順押不得者，用倒押，整押不得者，用折押，總要意靈筆活，就韻生情。然亦不可爲韻所拘，要有舒卷自如之致。

又 押韻工穩，足爲通篇生色。若干支、數目、顏色、方向、卦名等字，乃韻中之尤出色者，果能善於引用，工於對仗，押得極工極穩，實爲有目共賞。

又 押人名地名，最易起眼，要必先有其人其地來歷可以詮題者，叙之於上，然後以人名地名押之，方能工穩，令人豁目，不可憑空硬押。

顧蒓《必以集・論賦》 唐人於官韻往往任意行之，后來取音節之諧，一平一仄間押。至宋人始依次遞用，然尚不能畫一。今則必須挨次押去，斷不可錯亂。又唐宋人皆有兩韻并押者，尤不可學。

又 唐人押仄韻，出句末往往亦用仄字，平韻則出句末斷無用平字者。自有一定體例。今則當以平仄相間，對末字平聲，出句固須用仄。即對句仄聲，出句亦須用平。至于每段起處兩句俱用韻，收處或用單句，今亦不必效也。

又 音節隨時各異。自漢至唐宋，隨取一兩句讀去，迥然不同。今則必須以諧和爲主，如四六平(可平可仄)平(必須平)仄(可仄可平)仄(必須仄)，平(可平可仄)平(必須平)仄(可仄可平)仄(必須仄)平平(此二字俱要平)。仄仄(可仄可平)仄(必須仄)平(尚可仄究以平聲爲妙)平(必須平)，仄(可仄可平)仄(必須仄)平(可平可仄)平(必須平)仄(可仄可平)仄(必須仄)。長短高下，以此類推。總要讀去響亮，不至棘口，則得矣。凡學古人文章，俱須變化。劉彥和云：「望古定法，參今製奇。」學者不可不知。

又 所限官韻，有兩字同韻者，除押本字外，其餘不得重押，凡遇以題爲韻者，須押賦字。

吴錫麒《論律賦》 賦昉於周而盛於漢，所謂觸興致情，因變取會，不必拘之以律，而律自應焉。故班固曰：「賦者，古詩之流也。」自唐天寶後，用賦取士，始以聲律繩人，率限八韻，間有三韻至七韻者，於是乎有律賦之名。夫既曰律，則必響叶乎笙簧，度中乎齊夏，準其分刌，範我馳驅，廼能戛玉敲金，和聲鳴盛。今試以唐人律賦論之。唐人起手，最重制題，亦謂之破題。如李程《日五色賦》「德動天鑒，祥開日華」，八字最著人口。接云「首三光而效祉，彰五色而可嘉」，即將「五色」二字破出，此是定法。他如喻餗《仙掌賦》云「行盡煙夢，仙峰隱嶙兮高掌巍峨」；王棨《涼風至賦》云「龍火西流，涼風報秋」，音節特異，亦破題也。宋人猶守之弗失。故陳元裕主文衡，出《大椿八千歲爲春秋賦》，滿場破題皆閣筆，遂自作云：「物數有極，椿齡獨長。以歲歷八千之久，成春秋二序之常。」一時稱誦。此如畫家點睛，意關飛動。若蓸茲緣起，無復眉詮，則秦客之庾詞，齊贅之隱語矣。至于轉韻處用虛字，須就文勢酌之，或竟用單句，或四字六字，兩句直接，若黃滔《漢宮人誦洞簫賦》，其第二段轉韻云「斯賦也，述江南之霜竹，生彼雲谷」，以參差見致，又是一法。惟平聲轉韻，唐人多用疊韻，周鍼《海門山賦》云「岌岌崇崇，橫西截東」；林滋《小雪賦》云「眇若毫端，輕霏可觀」(第一句第一字不拘平仄，二字仄，三字平，四字韻；第二句一、二字平，三字仄，四字叶，此是一定之調)；鄭瀆《吹笛樓賦》云「既運指而有規，乃濡唇而是吹」，調最清鏗可愛。今雖不能盡遵，然斷不可用四六偶對。蓋移宮換羽，全在抑揚其聲，倘關捩不靈，唇吻有滯，是方輪之不轉也，是沓舌之不調也。

劉熙載《藝概・賦概》 騷調以虛字爲句腰，如之、於、以、其、而、乎、夫是也。腰上一字與句末一字平仄異爲諧調，平仄同爲拗調。如「帝高陽之苗裔兮」、「攝提貞於孟陬兮」，「之」、「於」二字爲腰，「陽」、「貞」腰上字，「裔」、「陬」句末字，「陽」平「裔」仄爲異，「貞」、「陬」皆平爲同。《九歌》以「兮」字爲句腰，腰上一字與句末一字，句調諧拗亦準此。如「吉日兮辰良」，「日」仄「良」平；「浴蘭湯兮沐芳」，「湯」、「芳」皆平。

結　構

佚名《賦譜》 凡賦以隔爲身體，緊爲耳目，長爲手足，發爲唇舌，壯爲粉黛，漫爲冠履。苟手足護其身，唇舌叶其度，身體在中而肥健，耳目在上而清明，粉黛待其時而必施，冠履得其美而即用，則賦之神妙也。

又 凡賦體分段，各有所歸。但古賦段或多或少，若《登樓》三段，《天台》四段之類是也。至今新體，分爲四段：初三、四對，約卅字爲頭；次三對，約卅字爲項；次二百餘字爲腹；最末約卅字爲尾。就腹中更分爲五：初約卅字爲胸；次約卅字爲上腹；次約卅字爲中腹；次約卅字爲下腹；次約卅字爲腰。都八段，段段轉韻發語爲常體。

又 其頭初緊，次長，次隔，即項，原始，緊。若《大道不器》云「道自心得，器因物成。將守死以爲善，豈隨時而易名。率性而行，舉莫知其小大；以學而致，受無見於滿盈。稽夫廣狹異宜，施張殊類」之類是也。次長，次隔，即胸，發，緊，長，隔至腰。如此，或有一兩箇以壯代緊。若居緊上及兩長連續者，仍也。

又 夫體相變互，相暈澹，是爲清才。即尾起寓，若長，次隔，終漫一兩句。若《蘇武不拜》云：「使乎使乎，信安危之所重」之類是也。得全經爲佳。

又 約略一賦內用六、七緊，八、九長，八隔，一壯，一漫，六、七發；或四、五、六緊，十二、三長，五、六、七隔，三、四、五發，二、三漫，壯；或八、九緊，八、九長，七、八隔，四、五發，二、三漫、壯、長；或八、九隔，三漫，壯；或無壯；皆通。計首尾三百六十左右字。但官字有限，用意折衷耳。

李廌《師友談記》 少游云：賦中用事，唯要處置。才見題，便要類聚事實，看緊慢，分布在八韻中。如事多者，便須精擇其可用者用之，可以不用者棄之，不必惑於多愛，留之徒爲累耳。如事少者，須於合用先占下，別處要用，不可那輟。

祝堯《古賦辯體》卷二《楚辭體下》 《漁父》：古今賦中或爲歌，固莫非以騷爲祖。他有誶曰、重曰之類，即是亂辭中間作歌，如《前赤壁》之類，用倡曰、少歌，曰體，賦尾作歌，如齊梁以來諸人所作，用此篇體。

又卷三《兩漢體上》 《子虛賦》：此賦雖兩篇，實則一篇。賦之問答體，其原自《卜居》《漁父》篇來，厥後宋玉輩述之，至漢此體遂盛，此兩賦及《兩都》《二京》《三都》等作皆然。蓋又別爲一體，首尾是文，中間乃賦，世傳既久，變而又變，其中間之賦以鋪張爲靡，而專於辭者則流爲齊梁唐初之俳體；其首尾之文以議論爲駛，而專於理者則流爲唐末及宋之文體。性情益遠，六義澌盡，賦體遂失。然此等鋪叙之賦，固將進士大夫於臺閣，發其蘊而驗其用，非徒使之賦詠景物而已。須將此兩賦及揚子雲《甘泉》《河東》《羽獵》《長揚》，班孟堅《兩都》，潘安仁《藉田》，李太白《明堂》《大獵》，宋子京《圜丘》，張文潛《大禮慶成》等賦並看，又將《離騷》《遠游》諸篇瞻麗奇偉處參看，一埽山林草野之氣習，全倣冠冕佩玉之步驟。取天地百神之奇怪，使其詞誇；取風雲山川之形態，使其詞媚；取鳥獸草木之名物，使其詞贍；取金璧綵繪之容色，使其詞藻；取宮室城闕之制度，使其詞壯。則詞人之賦，吾既盡之。然後自賦之體而兼取他義，當諷刺則諷刺，而取之風；當援引則援引，而取諸比；當假託則假託，而取諸興；當正言則正言，而取諸雅；當歌詠則歌詠，而取諸頌。則詩人之賦，吾又兼之。吞吐溟渤，黼黻雲際，良金美玉，無施不可。漢人所謂感物造端，材知深美，可與圖事，故可爲列大夫，有不在於斯人與！

又卷四《兩漢體下》 《西都賦》：此賦兩篇亦一篇也。前篇極其眩曜，賦中之賦也；後篇折以法度，賦中之雅也；篇末五詩，則又賦中之頌也。昌黎曰：「詩正而葩。」子雲曰：「詩人之賦麗以則。」愚謂：先正而後葩，此詩之所以爲詩；先麗而後則，此賦之所以爲賦。自漢以來，賦者多知賦之當麗，而少知賦之當則，苟有善賦者以詩中之賦而爲賦，先以情而見乎辭，則有正與則之意爲骨；後以辭而達於理，則有葩與麗之辭爲肉。庶幾葩麗而不淫，正則而可尚，發乎情止乎禮義，是獨非詩人之賦歟！何詞人之賦足言也。此賦涉雅頌，猶有正與則之餘風。愚故於此意言之。

又卷七《唐體》 《阿房宮賦》：賦也。前半篇造句猶是賦，後半篇議論俊發，醒人心目，自是一段好文字，賦之本體，恐不如此。以至宋朝諸家之賦，大抵皆用此格。潘子眞載曾南豐曰：「牧之賦宏壯巨麗，馳騁上下，累數百言，至楚人一炬，可憐焦土，其論盛衰之變判於此。」然南豐亦只論其賦之文，

而未及論其賦之體。《後山談叢》云：「曾子固短於韻語。」若韻語是其所短，則其以文論賦，而不以賦論賦，毋怪焉。

陳繹曾《文筌·楚賦譜》「起端」：原本：推原本始，或原理，或原事，或原物，或原景，或原情，或原古；叙事：直叙事實；抒情：抒寫至情；設事：假設而言；冒頭：立說起端；破題：說破本題；「鋪叙」：抒情；況物：借指他物實言人事，辭欲不通而意初不悖，大概以草木況人品，以鳥獸況人物，以天宮況朝廷，以風雲況號令，以弓劍況才用，以車馬況行藏，以寶玉況德性。設事；序事；論事：論說事情；論理：直論至理；比物：以物比事，辭通而意露，與況物絕不同；用事：引用古事；少歌：間以短歌；倡：激以高辭。「結尾」：述意：陳述己意；論事；設事；抒情；論理；超絕：超玄入妙；亂辭：結以切至之辭。右楚賦段法之變盡於此矣。體認而善用之，不言之妙，用當自得。凡楚賦正變之製每以四句爲小段。

又《漢賦譜》「起端」：此段是一篇之首。問答：設爲問答以發端；頌聖：頌美聖德以發端；序事：次序事實以發端；原本：或原理之本，或原事之本，或原古始；冒頭：或就題立說，或題外生意；破題：或見題字，或切題意；設事：本無事實，假設次序；抒情：抒其眞情，以發事端。「鋪叙」：此段是一篇之實，物理爲鋪，事情爲叙。體物：體壯物情，形容事意，正所謂賦尤當極意模寫。其目凡七：實體：體物之實形如人之眉目手足，木之花葉根實，鳥獸之羽毛骨角，宮室之門牆棟宇也。惟天文惟題以聲色字爲實題；虛體：體物之虛象，如心意聲色長短動靜之類是也，心意聲色爲死虛體，長短高下爲半虛體，動靜飛走爲活虛體；象體：以物之象貌形容其精微而難狀者，縹爛煥乎，浩然皇矣，赫兮巍哉，翼如也，申申如也，峨峨崔嵬之類皆是也。有碎象體，有扇象體，有排象體，變化而用之；比體：設比似以體物，如賦雲言羽旗，雪言璧玉是也；量體：量物之上下、四方、遠近、久暫、大小、長短、多寬之則而體之，其體有量本、量枝、量連、量形、量態、量時、量方，其法有數量、排量、總量；連體：體物之相連及者，有近連，如賦人言衣冠宮室，賦馬言鞍轡廐輿之類是也；有遠連，如賦人言風雲，賦馬言舟海之類是也；影體：不著本物，泛覽旁觀，而本物宛見於言外；叙事：或全篇，或篇中，或首尾次序事，以寓賦辭。其目凡十一：正叙：叙事得文質詳略之中；總叙：總事之繁者而約言之；間叙：以叙事爲經而緯以他辭，相間成文；引叙：篇首或篇中用叙事以引起他辭；鋪叙：詳折事語，極深鋪陳；略叙：語簡事略備見首尾；列叙：排列事物因而備陳之；直叙：依事直叙不施曲折；婉叙：說辭深婉，事寓於情理之中；意叙：略睹事迹，度其必然以意叙之；平叙：在直婉之間；引類：篇內泛覽群物各以類聚，此賦之敷衍者也，務欲包括無遺而群不冗，其目凡十九：天文、地理、時令、鳥獸、魚蟲、草木竹、果穀粟菜藥、人物、鬼神、器用、宮室、兵仗、舟車、文物、服飾、寶玉、飲食、聲色、聖德；議論：一篇之中或首尾之際立爲議論，以明剖析決斷之機。其目凡七：正論：依正理而論之；切論：切本事而論之；廣論：備推題理而析論之；玄論：詣極超玄之論；比論：二事相比而論；難論：辯言相難而論；譬喻：引事物以喻理；用事：引用古事以證題發意。其目凡十三：正用：本題的正必用之事(正一作證)；歷用：歷用故事排比先後；列用：廣用故事鋪陳整齊；衍用：以一事衍爲一節而用之；援用：順引故事以原本題之所始；評用：引故事因而評論之；反用：引故事反其意而用之；活用：借故事於語中以順道今事；借用：事與本說不相干，取其一端近似而借之；設用：以古之人物而設言今事；假用：故事不盡如此，因取爲根，別生枝葉；藏用：用事而不顯其名，使人思而自得之；暗用：用古事古語暗藏其中，若出諸己。「結尾」：此段是一篇之終，收意結辭。問答：問答起伏，折而終之；張大：題之約者，張而大之；收斂：題之侈者，收而斂之；會理：矩步規行，確然正理；叙事：叙事起，叙事終之；設事：設事起，設事終之；抒情：抒其至情，以終不盡之意；要終：要事之終，以結篇意；歌頌：歌頌，或爲亂辭，或爲歌詩。

又 漢賦式：設問、設事、六言、四六言、四言、散韻語、兮字。

又 漢賦格：上壯麗，中典雅，下布置。右漢格變化無方，其詳已具《古文譜》中。此三格乃其正體，故特著之。凡賦，漢賦短篇以格爲主，中篇以式爲主，大篇以製爲主，而法一也。

蔣驥《楚辭餘論》卷上 《楚辭》章法絕奇處，如《離騷》本意只注「從彭咸之所居」句，卻用「將往觀乎四荒」開下半篇之局，臨末以「蜷局顧而不行」跌轉。

與《思美人》本意只注「思彭咸之故」句，卻用「聊假日以須時」開下半篇，臨末以「願及日之未暮」跌轉。《悲回風》本意未欲遽死，卻用「託彭咸之所居」開下半篇，臨末以「任重石之何益」跌轉。《招魂》本意只注「魂兮歸來哀江南」句，卻全篇用巫咸口中侈陳入脩門之樂，臨末以亂詞「發春南征」跌轉。機法並同，純用客意，飛舞騰那，寫來如火如錦，使人目迷心眩，杳不知町畦所在。此千古未有之格，亦說騷者千年未揭之祕也。故於騷經以求君他國爲疑，於《招魂》以譎怪荒淫爲誚，而不知皆幻境也。觀雲霞之變態，而以爲天體在是，可謂知天者乎？

浦銑《復小齋賦話》上卷　律賦最重破題。李表臣程《日五色》，夫人知之矣。宋唯鄭毅夫《圓丘象天賦》，一破可與抗行。外此，如黃御史滔《秋色賦》「白帝承乾，乾坤悄然」，能摹題神。范文正公《鑄劍戟爲農器賦》「兵者凶器，食唯民天」，善使成語，亦其亞也。

儲大文《存研樓文集》卷一六《雜文·作賦》　葛洪《西京雜記》：司馬相如友人盛覽，字長通，牂牁名士，嘗問以作賦。相如曰：「詞賦者，合綦組以成文，列錦繡而爲質，一經一緯，一宮一商，此賦之迹也。賦家之心，包括宇宙，總覽人物，斯乃得之於內，不可得而傳。」覽乃作《合組歌》、《列錦賦》而退，終身不復敢言作賦之心矣。此推藝至言，功侔神化，未可以《西京雜記》爲贗書而遂輕之也。又雜記揚子雲曰：「長卿賦不似從人間來，其神化所至邪。」又雜記或問揚雄爲賦，雄曰「讀千首賦乃能爲之」。桓子《新論》：「予素好文，見子雲善爲賦，欲從之學。子雲曰：能讀千首賦則善爲之矣。」而近世楊愼纂《赤牘清裁》，又載揚雄《答桓譚》曰：長卿賦不似從人間來，其神化所至邪。大諦能讀千賦則能爲之。諺云：服習衆神，巧者不過習者之門。此胥宜微繹之，以爲服習衆神之權輿，而後所謂包括宇宙，總覽人物，乃可得其竅會，無俾墜入於賦名六合之愚，暨枵然大而手足不能以自舉者。而賦家悉得之於內之不可得而傳也，於是乎始傳。

吳景旭《歷代詩話》卷二〇《試賦》　賦中用事，如天然全具對屬親確者固爲上，如長短不等對屬不的者，須別自用其語而裁剪之，不可全務古語，而有疵病也。

朱一飛《賦譜》　歸宿如八股之有照註照、章旨節旨是也。文無歸宿，則筋弛脈散；賦無歸宿，則鉤勒不醒，轉落都浮。即使敷衍得天花亂落，要不

過東塗西抹而已。所以一題到手，無論長題短題，總有一眼目在內，作者着眼於此，無不清新緊醒也。

又　立格宜相題而立，無一定也。如長題有截做法，有串做法；扇題有分疏法，有交互法；古題有叙在題前法，有述在題後法；時題有因時制義法，有援古證今法，有溯古法，有寫景法。至短題則宜於中三韻另立柱頭，而題係比擬者，尤宜處處雙關夾寫，抉出題眼，才見本領。

魯筆《楚辭達·總論》　篇章：通篇上半篇五段，下半篇七段。上半篇前三段自叙抱道不得于君而不能自已，後二段論斷前文以自解，是實叙法。下半篇純是無中生有，一派幻境，突出女嬃見責，因而就重華，因就重華不聞而叩帝閽，因叩帝閽不答而求女，因求女不遇而問卜求神，因問卜求神不合而去國，因去國懷鄉不堪而盡命，一路趕出，都作空中樓閣，是虛寫法。一實一虛，相爲經緯，如風雲頃刻萬變而不窮，而兩界河山自分明有主而不亂，看此汪洋大格局，總不離虛實二字。

又　段落：看《離騷》要分清段落，有大段落，有小段落，有大段落中包藏小段落，有小段落內伏脈大段落。先從此處看得分明，而後章法句法隨流而赴，如枝之附幹，條理秩然，得其大意，節節皆通，正文過文，層層落實。

又　《離騷》共十二大段，大段中又分小段，開端五章爲第一段，自叙其具天人交至本領，急乘時圖君也。以「不撫壯」一章爲過文。自「三后」以下七章爲第二段，叙因「導先路」見疏，總由于黨人蠱惑君心也。以「余既滋蘭」二章爲過文。自「衆競」以下五章爲第三段，言與衆競進馳騁，立修名如古人。以「長太息」二章爲過文。此爲前半篇之立案。自「怨靈修」以下五章爲第四段，忽怨忽疑，自傷自解。以末章自信起下忽疑爲過文。自「悔相道」以下六章爲第五段，先悔後解，與上段共翻論前半篇之案。忽出「女嬃」三章作過文，爲第六段。自「依前聖」以下十章爲第七段，皆陳重華之詞。以「跪敷衽」一章爲過文。自「朝發軔」以下七章爲第八段，總爲叩帝之故。以「朝將濟」一章爲過文。自「溘吾游」以下十章爲第九段，中分三小段，皆求女不遂之詞。以末章結上三大段，并起下爲過文。自「索藑茅」以下五章爲第十段，中分兩小段。以「欲從靈氛」一章爲過文。自「百神翳」以下十二章爲第十一段，中分兩小段。即以末章爲過文。自「靈氛既告余」至末爲第十二段，寫去國自疏。以末章死節爲歸結。

又 章法：《離騷》章法之妙，無過「開、合」二字。或一篇中有大開大合；或一段中有大開大合；或兩章中前爲開後爲合；或一章中上二句爲開，下二句爲合；或二句中上句爲開，下句爲合；或一句中上半句爲開，下半句爲合。總無一直出者。

又 《離騷》更有一種開合，或一章中以合意反在前作開，以開意反在後作合，此則用法之變者。「開」、「合」二字是總法，以反正爲開合，其常也。有時以進退爲開合，有時以抑揚爲開合，有時以寬緊爲開合，其變也。

又 《離騷》章法之妙，更在「絕、續」二字。絕不斷，不可以爲妙文；續不儱，不可以爲妙文。絕竟斷，續竟儱，亦不可以爲妙文。絕中仍藕斷絲聯，續中卻離蹤脱迹，方是妙文。在有字句中斷續猶易，在無字句中斷續更難。惟《離騷》得之。《離騷》章法亦不外埋伏照應。但在有字句處埋伏照應，猶屬人意中；在無字句處埋伏照應，則屬人意外，惟善會者旦暮遇之。

又 《離騷》之妙，無過「反、覆」二字，回環變化，三致其意，不遽盡其神，九曲回腸，并非重衍其義。

又 《離騷》之妙，無過「抑、揚」二字，低徊俯仰，忽高忽下，有態有度，全於此取之。

又 《離騷》之妙，無過「進、退」二字，一行一止之曲折，全在此處見。但以進爲進，以退爲退，其常也；有時以進爲退，以退爲進，更覺變化。

汪廷珍《作賦例言》 作賦之法，首重認題。扼定題旨，則百變而不離其宗。俯仰、向背、襯托、跌宕、曲折，都非泛設。否則信手亂塡，氣局已散斷不成文。次在布勢。題有層次，由淺入深，由虛入實，與時文無異。即無層次題，亦須以意分出來路、正位、去路，須相生而不相犯。一夾雜，則無序，且氣亦不清矣。三在用筆。筆固根於天事，用功深亦可脱化。大約以活字切字爲主，而諸美因之矣。四在着色。用辭不貴富麗而貴工切。尤須相題，莊重秀媚，古制今情，各具因物賦形之妙乃佳。以淡襯濃，不可句句要圈。首段最難。或渾冒，或引入，又要切，又忌實，大約與時文開講相似，前不突則後不竭。中間須有壓紙語，以警切工雅爲主。末後須更加警策，不可如強弩之末，精神一衰，通篇減色。

李調元《賦話》卷二《新話二》 作賦全在起首，須令冠冕涵蓋，出落明白。余最愛唐王棨《芙蓉峰賦》，首聯云：「疊翠重重，數千仞兮，峭若芙蓉。非華岳之高掌，是衡山之一峰。朝日耀而增鮮，嵐光欲坼；秋風擊而不落，秀色長濃。」點撇明劃。末句云「夸娥二子，胡不移來，與蓮華而相向」，繳應起處，章法最密。

又卷三《新話三》 唐李程《金受礪賦》雙起雙收，通篇純以機致勝，骨節通靈，清氣如拭，在唐賦中又是一格。毛秋晴太史謂制義源於排律，此種亦是濫觴，分合承接，蹊徑分明，穎悟人即可作制義讀。又排句之下每用單句收束，亦是創格。

又卷四《新話四》 作賦起法，切要堂皇整肅，遇大題目更宜留心。如唐裴度《鑄劍戟爲農器賦》，起句云：「皇帝嗣位之十三載，寰海鏡清，方隅砥平。驅域中盡歸力穡，示天下不復用兵。」數語是何等氣象！所謂大人物方有此大手筆。

王芑孫《讀賦卮言·謀篇》 題所同也，篇所獨也，呈獨異於衆同之內，謀篇最要。目巧之室，則有奥阼，謀於始也。東湖西浦，淵潭相接，晨凫夕雁，泛濫其上，黛甲素鱗，潛躍其下，謀於中也。小積焉爲邱，大積焉爲岳，常山之蛇，一擊應首，砥柱之浪，九派通臍，或止如槁木，或終接混茫，謀於終也。千畝胸中，一筆直下，工固足以擅長，拙猶取於速辦。

又 賦最重發端。漢、魏、晉三朝，意思樸略，頗同軌轍，齊、梁間始有標新立異者，至唐而百變具興，無體不備。其試賦則義當分晰，語多賅舉，或虛起，或實起。其虛起者，不勝枚數。其實起者，或用題字對舉，如楊鴻貞《月中桂樹》起曰：「月滿於東，桂芳其中。」陸宣公《月臨鏡湖》起曰：「月配陽含虛而明，湖止水體柔而平。」或用單提，如康僚《日中烏》起曰：「相彼烏矣，超然莫同。」王勃《寒梧棲鳳》起曰：「鳳兮鳳兮，來何所求。」凡此類，皆宗士衡「體物瀏亮」之指。原是試帖當行，久之遂成有司尺度。積而生厭，故晚生後進，爭出奇特。略舉一隅：如元稹《奉制試以樂爲御賦》，直用對策體起；李鋭《孫武敎婦人戰賦》、元稹《鎭圭賦》，皆直用考辨體起；于可封《至人心鏡賦》、楊鴻貞《貫七札賦》，皆用論贊體起；王棨《玄宗幸西涼府觀燈賦》、劉乾《招隱士賦》，皆直用序記體起；仲無顏《內人蹋毬賦》、黄滔《曲直不相入賦》，皆直用疏釋體起；高郢《曹劌請從魯公一戰賦》、白居易《射中正鵠賦》、元稹《觀兵部馬射賦》、吳連叔《謙受益賦》，皆直用原議體起，是皆變格，仍許當行，何也？《雕龍·詮賦》云：「詩序則同義，傳說則異體，總

其歸塗，實相枝幹。」況流制已倡於晉代，散言頗見於《楚辭》，衷之於古，折之以律，皆不得以文成破體相譏也。所慮或求奇反劣，如杜牧《阿房宮》起，黃滔《融結爲河嶽》起，實爲牛鬼之魁，是則不善變者。

又《詮賦》曰：「履端於唱叙，歸餘於總亂」，「亂以理篇，迭致文契」。蓋賦重發端，尤慎結局矣。行百里者半九十里，言晚節末路之難也。遲聲以曼，鏗爾未希，明月夜珠，與詩同境，末篇多躓，減賦半德，卒讀稱善，完賦全功。

又 自古短篇，以魏孫謀《果然賦》爲最，凡十八字；其次則唐李商隱之《蝨賦》、《蝎賦》，凡三十二字；又其次則羅隱《秋蟲賦》，凡四十字，皆兩韻。漢以來一韻之賦甚多，顧無如是短者，即此亦見謀篇之道。

又《造句》 篇則統前後而謀之者也，句則隨時而謀之者也。隨時而謀，又必統前後而謀，商量生熟，刻畫分秒，斯固雕蟲之業也。營篇既得，將增壯於數聯；製局已乖，冀求援於幾句。苟癡鈍其一字，必岨峿乎全章，然而不貴尖鮮，務歸堅緻。又不可戀一字而致滯其機，統全章而皆入於巧。莽莽古直，羅羅清疏，泯其錘鍊之形，愈是精能之至。《詮賦》曰：「擬諸形容，則言務纖密；象其物宜，則理貴側附。」「側附」二字，可謂妙於語言，唐人尤得其法。

王家相《論律賦》 律賦第一段之第一聯，猶制義之破題也。第二聯猶制義之承題也。或兩聯破題，而以第三聯承清者，題有詳略，故詞有煩簡也。第一段籠起全題，尙留虛步，猶制義之起講也。第二段必叙明題之來歷，猶制義之講下必承明上文也。第三段漸逼本位而多從前一層著筆，或用兩層夾出者，猶制義之起比也。第四第五段，則實賦正面，猶制義之中比也。或將人物分賦者，則制義每股立柱法也。第六第七段，多用旁襯，或翻騰以醒題意，猶制義之後比也。第八段或咏嘆，或頌揚，或從題中翻進一層，猶制義之結穴也。若六藝八卦等篇，總起總收，中間分段實發，則制義之兩扇三扇格也。大抵詞運于法，法因乎題，散者宜該，整者宜析，窄者暫縱，寬者急擒。僻典先導其源，常談必提其要。枯寂工於烘托，便能以少勝多，典故若無翦裁，豈能指揮從命。至于意匠精而同中見異，詞林秀而腐化爲奇，神而明之，存乎人爾。

姜學漸《資中賦鈔·味竹軒初學律賦》 學賦之法，先布一篇之局，篇中有停頓，有開合，題之層折，即賦之波瀾，無層折便爲平鋪直叙，總須相題爲之。局既布，則一段有一段之意矣。意既定，再選韻。選韻之法，每段與題意相近者選之。韻既選，再安韻，安韻之法，照一段意之先後層次分之。然後看題有當用典者，再選典，選典之法，亦止是照篇中意之當前當後用之。然後講求每字句要穩當，要圓熟，求眞切便穩當，調平仄便圓熟。每句意要聯貫，要圓轉，不雜湊便聯貫，有開合便圓轉。每段要流暢，忌累贅，少排句便流暢，不累贅。至轉韻不宜排句，一段排句，至多不過兩排，一篇凡兩排者，至多不過三兩段，則一篇回環如意，而無隔塞含糊之弊矣。至律體不宜歌頌，古體不宜排句，此又體之不可不辨者也。

又《味竹軒賦話》 又學賦篇法，其各段用意，如《賦學指南》，逐層分講，又援引各賦，最爲至當不易，最爲可學。惟集中所選各篇，雖非不佳，而爲初學指迷，尙非醒心豁目之作。求其醒心豁目，唐人賦中如《學雞鳴度關》、《漁父辭劍》等篇，不可不讀。此外如本朝吳穀人、鮑覺生集中，均宜多讀，吳集中如《羯鼓催花》、鮑集中如《流雲吐華月》等篇。此外如王夢樓《牛羊勿踐行葦》諸作，均篇法之最爲爽豁者也。

江含春《律賦說》 律賦首重層次，初學遇層次少者每以爲難，不知統觀全局，布置要有一定。場中賦題，多者不過八韻：首韻渾籠，次韻原題，結韻頌揚，是八韻已得其三也。其中五韻必有正面兩段，如時文中之中股。餘三段中或分或合，或抑或揚，或翻或襯，儘夠鋪排，章法不過如此。得題後先須審題，看何字當着眼，何處當輕帶，何處當極力發揮，就題之曲折，以作波瀾。則每段各有意義，必不重複。且得其扼要，則開手數句，已全題在握，眉目了然，否則發揮處輕重未免倒置。或與題旨刺謬，亦不自知。如《布穀催耕賦》，此題重在催字，其聲之急迫可知。時賦中不徐不急，乍抑乍揚句，是未着眼催字也。《側理紙賦》，此題重在側字，時賦中有或整或斜，或橫或直句，是未留心側字也。認題既眞，即須選韻，韻中百十字，必須全行繙閱，看何字與題相關，因韻生詞，不因詞覓韻，則押韻無不穩矣。韻有當作短句，亦有當作長句者，熟韻生用，生韻熟用，不可不辨。場中出色，押韻是一半工夫。押得自然，如韻腳皆爲我設，則開卷數句，即知爲內行所作，否則似穩非穩，縱有佳句，終難奪目。官韻須押股尾乃見整齊，又須以典出之乃見新色。官韻難押者，更須留意，試官每於此着眼，此處出色，則佳句

在人口矣。鍊句之法，短須典重有力，長須飄逸有致。四六錯綜變化，不必求奇，其法不外夾敘夾議，或上敘下議，或上議下敘，或分或合，或抑或揚，總以虛實相生，上下不隔爲妙。能間用成語工對，加以語妙指點，則場中可制勝矣。段首必用短句，以次漸長，至段末必用長句，乃能收束。又須束上啓下，或呼起下段，或反逼下文，使一氣相生，極抑揚開合之致，乃爲得法。又段中各有綫索，或敘題中某字，或傳題中某神，必一綫到底，乃成段法。用典以翻用反用活用借用爲妙，其法只在出以議論，及幾個虛字，呼應得靈耳。窗下考典，不可多記僻書，以多記古人詩賦題爲妙。蓋出題之典，大抵人所共知，能將眼前典故用得新色，場中尤能奪目。又題中字面須用典裁對，乃覺生新，題中尋常字，切忌多點，以致閲者生厭。惟新色字面，多徵典故，點如貫珠，以見腹笥淵博可也。但點須裁對工巧，平仄必調，切忌參差錯出。又忌典故記不分曉，以致悮用。末段抬頭用典更宜留心，稍有不慎，必致悮事。窗下多記頌揚典故，則場中末段自不喫力，成篇亦易，又合體裁，此討巧之一法也。要之，作賦之妙，不外氣機。氣須清，又須盛，敘事有條不紊，淺深虛實一綫穿成，此氣清也；抑揚開合，提頓關鎖，一氣卷舒，篇如股，股如句，雖平仄有不調，對仗有不工，亦令閲者不覺，此氣盛也。氣勢非揣摩古人駢體文不可。又須多記典故，否則典不足用，雖有興會，必致氣阻，此又當求之根柢，非可襲而取也。時人不知四六中自有浩氣流行，每用且夫今夫以作提筆，此古文法，非律賦法也。賦名曰律，必步武不亂，對仗整齊，除段首虛字外，段中轉折虛字，皆須裁對，不可單行。三字、五字、七字等句，亦須裁汰，以律賦正法本須四六也。

余丙照《增注賦學指南》卷一一《論鍊局》 蓋一題到手，認題既眞，必先鍊局。局貴活不貴板，貴緊不貴寬，貴曲不貴直，總宜相題立格，如長題有截做法，有串做法；扇題有分疏法，有交互法；古題有敘在題前法，有述在題後法；時題有因時制宜法，有援古證今法；至短題則宜於中三韻另立柱頭，有溯古法，有寫景法，而題係比擬者，尤宜處處雙關夾寫，抉出題眼，以見本領。題貌不一，須以層次清楚爲要。首段總冒寫，如時藝之起講也；次段漸次入題，如入手提比也。次賦正面，如中比也；次賦題後，如後比也。又有以古事命題者，即以敘事爲層次，事盡而止。至其選詞光潤，運筆輕圓，向背離合得其情，操縱順逆盡其勢，遼丸秋奕，又總不外一熟字。此鍊局之大略也。

劉熙載《藝概·賦概》 賦兼敘列二法：列者，一左一右，橫義也；敘者，一先一後，竪義也。

又 司馬長卿論賦云：「一經一緯。」或疑經可言一，緯不可言一，不知乃舉一例百，合百爲一耳。

又 賦必合數章而後備。故《大言》、《小言》兩賦，俱設爲數人之語。準此意，則知賦用一人之語者，亦當以參伍錯綜出之。

技巧

桓譚《新論》卷下《道賦》 揚子雲工于賦，王君大習兵器，余欲從二子學。子雲曰：「能讀千賦則善賦。」君大曰：「能觀千劍則曉劍。」諺曰：「伏習象神，巧者不過習者之門。」

佚名《賦譜》 凡賦句有壯、緊、長、隔、漫、發、送合織成，不可偏舍。壯(三字句也)：若「水流濕，火就燥」、「悅禮樂，敦《詩》《書》」、「萬國會，百工休」之類，綴發語之下爲便，不要常用。緊(四字句也)：若「方以類聚，物以群分」、「四海會同，六府孔修」、「銀車隆代，金鼎作國」之類，亦綴發語之下爲便，至今所用也。長(上二字下三字句也，其類又多上三字下三字)：若「石以表其貞，變以彰其異」之類，是五也。「感上仁於孝道，合中瑞於祥經」，是六也。「因依而上下相遇，修分而貞剛失全」，是七也。「當白日而長空四朗，披青天而平雲中斷」，是八也。「笑我者謂量力而徒爾，見機者料成功之遠而」，是九也。六、七者堪常用，八次之，九次之。其者時有之得。但有似緊，體勢不堪成緊，則不得已而施之。必也不須綴緊，承發下可也。隔：隔句對者，其辭云。隔體有六：輕、重、疏、密、平、雜。輕隔者，如上有四字，下六字。若「器將道志，五色發以成文；化盡歡心，百獸舞而叶曲」之類也。重隔，上六下四。如「化輕裾於五色，猶認羅衣；變纖手於一拳，以迷紈質」之類是也。疏隔，上三，下不限多少。若「酒之先，必資於麴蘖；室之用，終在乎戶牖」、「倏而來，異綠蛇之宛轉；忽而往，同飛燕之輕盈」、「俯而察，煥乎呈科斗之文；靜而觀，炯爾見雕蟲之藝」等是也。密隔，上五已上，下六已上字。若「徵老聃之説，柔弱勝於剛強；驗夫子之文，

積善由乎馴致」、「詠《團扇》之見託，班姬恨起於長門；履堅冰以是階，袁安嘆驚於陋巷」等是也。平隔者，上下或四或五字等。若「小山桂樹，權奇可比；丘林桃花，顏色相似」、「進寸而退尺，常一以貫之；日往而月來，則就其深矣」等是也。雜隔者，或上四，下五、七、八；或下四，上亦五、七、八字。若「悔不可追，空勞於駟馬；行而無蹟，豈擊於九衢」、「孤煙不散，若襲香爐峰之前；圓月斜臨，似對鏡廬山之上」、「得用而行，將陳力於休明之世；自強不息，必苦節於少壯之年」、「及素秋之節，信謂逢時；當明德之年，何憂淹望」、「採大漢強幹之宜，裂地以爵；法有周維城之制，分土而王」、「虛矯者懷不材之疑，安能自持；賈勇者有攻堅之懼，豈敢爭先」等是也。此六隔，皆爲文之要，堪常用，但務量澹耳。就中輕、重爲最，雜次之，疏、密次之，平爲下。漫：不對合，少則三四字，多則二三句。若「昔漢武」、「賢哉南容」、「我聖上之有國」、「甚哉言之出口也，電激風趨，過乎馳驅」、「守靜勝之深誡，冀一鳴而在此」、「歷歷游游，宜乎涼秋」、「誠哉性習之說，我將爲教之先」等是也。漫之爲體，或奇或俗。當時好句，施之尾可也，施之頭亦得也。項、腹不必用焉。發：發語有三種：原始、提引、起寓。若「原夫」、「若夫」、「觀夫」、「稽夫」、「伊昔」、「其始也」之類，是原始也。若「洎夫」、「且夫」、「然後」、「然則」、「豈徒」、「借如」、「則曰」、「僉曰」、「矧夫」、「於是」、「已而」、「故是」、「是故」、「故得」、「是以」、「爾乃」、「乃知」、「是從」、「觀夫」之類，是提引也。「觀其」、「稽其」等也，或通用之。如「士有」、「客有」、「儒有」、「我皇」、「國家」、「嗟乎」、「至矣哉」、「大矣哉」之類，是起寓也。原始發項，起寓發頭、尾，提引在中。送：送語，「者也」、「而已」、「哉」之類也。凡句字少者居上，多者居下。緊、長、隔以次相隨。但長句有六、七字者，八、九字者，相連不要，以八、九字者似隔故也。自餘不須。且長、隔雖遙相望，要異體爲佳。其用字「之」、「於」、「而」等，量澹爲綺矣。

又 虛：無形像之事，先叙其事理，令可以發明。若《大道不器》云：「道自心得，器因物成。將守死以爲善，豈隨時而易名。」《性習相近遠》云：「噫！下自人，上達君。咸德以慎立，而性由習分。習而生常，將俾乎善惡區別。慎之在始，必辨乎是非糾紛」之類也。實：有形像之物，則究其物像，體其形勢。若《隟塵》云：「惟隟有光，惟塵是依。」《土牛》云：「服牛是比，合土成美。」《月中桂》云：「月滿於東，桂芳其中」等是也。雖有形像，意在比喻，則引其物像，以證事理。《如石投水》云：「石至堅兮水至清。堅者可投之必中，清者可受而不盈。」比「義兮如君臣之叶德，事兮因諫納而垂名」。《竹箭有筠》云：「喻人守禮，如竹有筠。」《駟不及舌》云：「甚哉言之出口也，電激風趨，過乎馳驅。」《木鷄》云：「惟昔有人，心至術精，得鷄之情」等是。「水」、「石」、「鷄」、「駟」者實，而「納諫」、「慎言」者虛，故引實證虛也。古昔之事，則發其事，舉其人。若《通天台》云「諮漢武兮恭玄風，建曾臺兮冠靈宮」。《群玉山賦》云：「穆王與偓佺之倫，爲玉山之會。」《舒姑化泉》云：「漂水之上，蓋山之前，昔有處女」之類是也。而白行簡《望夫化爲石》無切類石事者，惜哉！

又 比喻有二：曰明，曰暗。若明比喻，即以被喻之事爲干，以爲喻之物爲支。每干支相含，至了爲佳，不以雙關。但頭中一對，叙比喻之由，切似雙關之體可也。至長三、四句不可用。若《秋露如珠》，「露」是被喻之物，「珠」是爲喻之物，故云：「風入金而方勁，露如珠而正團。映蟾輝而回列，疑蚌割而俱攢。」「磨南容之詩，可復千嗟；別江生之賦，斯吟是月。」月之與珪雙關，不可爲準。若暗比喻，即以爲喻之事爲宗，而內含被喻之事，亦不用爲雙關。如《朱絲繩》、《求玄珠》之類是。「絲」之與「繩」、「玄」之與「珠」，幷得雙關。「絲繩」之與「貞」、「玄珠」之與「道」，不可雙關。而《炙輠》云：「惟輠以積膏而潤，惟人以積學而才。潤則浸之所致，才則厥修乃來。」《千金市駿骨》云：「良金可聚，駿骨難遇。傳名豈限乎死生，賈價寧親乎金具。」或廣述物類，或遠徵事始，卻似古賦頭。《望夫化爲石》云：「至堅者石，最靈者人。」是破題也。「何精誠之所感，忽變化也如神。離思無窮，已極傷春之目；貞心彌固，俄成可轉之身。」是小賦也。「原夫念遠增懷，憑高流眄。心搖搖而有待，目眇眇而不見。」是事始也。又《陶母截髮賦》項：「原夫蘭客方來，蕙心斯至。顧巾橐而無取，俯杯盤而內愧。」是頭既盡截髮之義，項更徵截髮之由來。故曰新賦之體，項者，古賦之頭也。借如謝惠連《雪賦》：「歲將暮，時既昏。寒風積，愁云繁。」是古賦頭，欲近雪，先叙時候物候也。《瑞雪賦》云：「聖有作兮德動天，雪爲瑞而表豐年。匪君臣之合契，豈感應之昭室。若乃玄律將暮，曾冰正堅。」是新賦先近瑞雪了，項叙物類也。入胸已後，具如緣情體物，縱橫成綺。六義備於其間，至尾末舉一賦之大統而結之，具如

上說。

李廌《師友談記》 少游言：「凡賦句，全藉牽合而成。其初，兩事甚不相侔，以言貫穿之，便可爲吾所用。此鍊句之工也。

又 少游言：「賦之說，雖工巧如此，要之，是何等文字？」廌曰：「觀少游之說，作賦正如塡歌曲爾。」少游曰：「誠然。夫作曲，雖文章卓越，而不協於律，其聲不和。作賦何用好文章，只以智巧飣餖爲偶儷而已，若論爲文，非可同日語也。朝廷用此格以取人，而士欲合其格，不可奈何爾。」

又 少游言：「賦中用事，如天然全具對屬親確者，固爲上；如長短不等對屬不的者，須別自用其語而裁剪之，不可全務古語，而有疵病也。譬如以金爲器，一則無縫而甚陋，一則有縫而甚佳，然則與其無縫而陋，不若有縫而佳也。有縫而佳，且猶貴之；無縫而佳，則可知矣。」

又 少游言：「賦中用字，直須主客分明，當取一君二民之義。借如六字句中，兩字最緊，即須用四字爲客，兩字爲主。其爲客者，必須協順賓從，成就其主，使於句中煥然明白，不可使主客紛然也。」

王楙《野客叢書》卷一《歐公譏荆公落英事》 士有不遇則託文見志，往往反物理以爲言，以見造化之不可測也。屈原《離騷》曰：「朝飲木蘭之墜露兮，夕餐秋菊之落英。」原蓋借此以自諭，謂木蘭仰上而生，本無墜露而有墜露；秋菊就枝而殞，本無落英而有落英。物理之變則然，吾憔悴放浪於楚澤之間，固其宜也。異時賈誼過湘，作賦弔原，有「鏌鎁爲鈍」之語，張平子《思玄賦》有「珍蕭艾於重笥兮，謂蕙芷之不香」，此意正與二公同，皆所以自傷也。古人託物之意，大率如此。本朝王荆公用殘菊飄零事，蓋祖此意。歐公以詩譏之，荆公聞之，以爲歐九不學之過。後人遂謂歐公之誤，而不知歐公意蓋有在。歐公學博一世，《楚詞》之事顯然，耳目之所接者，豈不知之？其所以爲是言者，蓋深譏荆公用落英事耳。以謂荆公得時行道，自三代以下，未見其比，落英反理之論，似不應用。故曰：「秋英不比春花落，爲報詩人子細看。」蓋欲荆公自觀物理，而反之於正耳。

孫奕《示兒編》卷八《賦貴巧於使事》 高安解試《由也升堂賦》，滿場皆苦其無故實。林振體狀題意，獨得活法，只用孔門同時之事映帶。其第六聯云：「攀鱗附翼，仰窺在寢之淵；聞禮學詩，下視過庭之鯉。」主文李先之朴撫案稱賞曰：「祇消此聯，已見由也果在堂上矣。」遂寘首選。消艮齋先生謝尙書嘗云：「未第時試《仁義天下之表制賦》，當時從游場屋者，衆皆閣筆，無以體表制者，自作第四韻散句有曰『民多拱極之星，世絕駭輿之馬』，爲表制設也。有學生曾其姓者，巧於移掇，上添兩句云『如天其大，民皆拱極之星；若路以由，世絕駭輿之馬』，非特喚醒得題目意透，又以星襯仁天，馬襯義路，表制在其中矣，較有工夫，乃占第一，予次之。」作者不可不知。

又《賦以一字見工夫》 東坡有曰：「詩賦以一字見工拙。」誠哉是言。嘗記前輩說歐公柄文衡，出《堯舜性仁賦》，取劉煇天下第一。首聯句曰：「世陶極治之風，雖稽於古；內積安行之德，蓋稟於天。」劉來謁謝，頗自矜。公雖喜之，而嫌其「積」字不是性，爲改作「蘊」，劉頓駭服。紹興己卯廬陵秋試《大衍天地之樞賦》，劉明老破題八字云：「法著大衍，理關萬殊。」主司喜其「關」字包盡題意，取爲冠場。有用「該」字者，皆未綴其後。太學復出魁者，亦不過用此八字。郭昌明《首冠宜春賦》曰「重明麗正化天下」，第三隔云「德增日日之新，斯能凝命；世被風風之教，孰不胥然」，以「風風」對「日日」，眞不經人道語也。

又卷九《用字貴詳審》 凡用事須探究本文，不可以虛對實，如陳傅良《漢斵琱爲樸賦》云：「吏尙刻深，弊見於乾封元鼎；意多穿鑿，機形於五鳳黃龍。」按，《漢．郊祀志》：武帝封泰山，改元封元年，明年「夏旱，公孫卿曰：『黃帝時封則天旱，乾封三年。』乃下詔曰：『天意欲乾封乎？』」乾音干，則乾封非年號也，以對五鳳則爲偏矣。

葉夢得《避暑錄話》卷下 詞賦以對的而用事切當爲難。張正素云：慶曆末，有試《天子之堂九尺賦》者，或云：「成湯當陛而立，不欠一分；孔子歷階而升，止餘六寸。」意用《孟子》曹交言成湯九尺，《史記》孔子九尺六寸事。有二主司，一以爲善，一以爲不善。爭久之不決，至上章交訟，傳者以爲笑。若論文體固可笑，若必言用賦取人，則與歐公之論何異，亦不可謂對偶不的而用事不切當也。

鄭起潛《聲律關鍵》 何謂認題？凡見題目，先要識□。其體不一，各列于後，可以類推。「體物」如文德帝王之利器，天子游六藝之囿，取物之義，非譬喻也。「譬喻」如天形如倚蓋，高祖從諫如轉圜。「過所喻」如人主之勢重萬鈞，聽言樂於琴瑟。「比方」如玉比德，太祖比迹湯武。「鼎足」如聖人聰明冠群倫，天子明堂聽朔。合分兩脚在上，一脚在下，不惟下脚寬疏好粧聯，

第三韻亦不虛，第四韻承上生下，又得玲瓏。又如七制役簡刑清，聖人成天下之大順，却當分一脚在上，兩脚在下，蓋有兩脚對説，及下兩脚一貫，不可分在上者。「兩脚」如上聖垂仁義之統，聖王宣明典章，只當平截，但隔聯須叫應，第三韻引下意，第四韻承上意，庶得貫通。「獨脚」如渾天儀，天爵亦自分上下截，方可粧聯，及第三、四韻立意。又如罷露臺，不可分上下截，只當總説。「藏頭」如舜琴歌南風，藏孝意。聖人有金城，藏得人固國意。説出主意，而不識題字，爲佳。「叙事」如罷露臺，金城圖上方略，並叙出處本末。「方位」如八蠟記四方，黄唐疆理南北，如四方、四海、四國之類，不以方位形容，則與天下賦無異。「篇卦」如復見天地之心，天保以上治内。「數目」如皇極之主叙九疇，回聞一以知十。「賓主」如天下國家（賓）本在身（主），人主和德（主）天地應（賓）。「本末」如王道（本）正則百川理（末），君人殷民（本）阜財（末）。「體用」如文王發政（用）施仁（體），治四海（用）在心（體）。「名義」如天子曰辟雍，五帝名學曰成均。「脉絡」如舜畏天而愛民，哲王建中陰陽和。「兩全」如太宗功德兼隆，漢文武相配，不當分輕重。「交相」必律曆更相治，官師相規。「大要」如名器政之大節，八政以食爲首。「極至」如聖人道之極，聖人人倫之至。「庶幾」如孝文有刑錯之風，封事謗木之遺。「品藻」如善政不如善教，孟氏功不在禹下。「反説」如金湯非粟不守，聖王不以名加實。「輕虚」如爲君難，才難，卻要着實。「重實」如郊雍出寶璧玉器，政令如金石四時。卻要玲瓏。「頭輕脚重」如惟辟福威玉食，舜日月照四時行。「叙全篇」古賦多鋪叙出處本末，八韻貫通，雖不拘上下截體貼，而題字皆在其中，最見手段。但不善學者，流爲疏闊，全不着體，未免畫虎不成之患，不可不戒。

又 何謂擇事？故事雖多，切題爲工。如《高祖從諫若轉圜》，高祖從諫事甚多，第五聯云：「著始前陳，已反楚權之撓；足方後躡，遽回齊國之封。」有轉圜意。如《文帝愛民如赤子》，文帝愛民事甚多，第五聯云：「業欲相安，嬉戲有小兒之狀；刑爲頓馳，悲傷因少女之書。」有赤子意。如《文帝以道德爲麗》，文帝道德事甚多，第五聯云：「苑囿無增，惟化民之專以；金繒不惜，與棄過以偕之。」有麗意。如此用事，可見精切。凡聖人題，合用唐虞三代事。帝者題，合用五帝事。王者題，合用三王事。帝王題，合用五帝三王事。雜用後世事者，非也。凡關君德國體題目，宜用古人好事，最爲得體。

又 何謂琢句？前輩一聯兩句，便見器識。如《有物混成賦》云：「得我之小者，散而爲草木；得我之大者，聚而爲山川。」知其有公輔器。如《金在鎔賦》云：「儻令分别妍蚩，願爲軒鑑；如使削平禍亂，請就干將。」知其出將入相。賦限三百六十字以上，豈可輕下語耶？造句不一，四六爲工，八字句尤典雅。前輩云：長不如短，緩不如切，輕不如重。短句不足，故長言之，長句不過十一二字，須有意味，不覺其長。或有一句至十三四字者，非也。每韻長短相間，庶得鏗鏘。或有全韻疊用長句者，非也。疊字須全句及意貫，或有牽强虚撰者，非也。相關上下截體帖，須義理通，或有關字不關意者，非也。或用事，或貼字，或説意，須上下貫通，方成一句之義。或有上與下不相合者，非也。賦謂之聲律，取其可歌，或有平側不協者，又非也。又取其對偶親切停當，一意對兩意，雙字對隻字，謂之偏。輕字對重字，撰句對全句，謂之枯。古作多工於聯，近體多工於韻，意在作者一轉移耳。每韻起句、接句、繳句、散句、聯句，貴有精神，有力量，别具句法於後。前輩云：題常則意新，意常則語新，不可苟也。

祝堯《古賦辨體》卷四《兩漢體下》 愚謂：自楚騷已多用連綿字及雙字，長卿賦用之尤多。至子雲好奇字，人每載酒從問焉。故賦中全喜用奇字，十句而八九矣。厥後《靈光》、《江》、《海》等賦，旁搜遍索，皆以用此等字爲賦體，讀者苦之。然賦之爲古，亦觀六義所發何如爾。若夫霧縠組麗，雕蟲篆刻，以從事於侈靡之辭，而不本於情，其體固已非古，况乎專尚奇難之字以爲古，吾恐其益趍於辭之末，而益遠於辭之本也。晦翁嘗論今人好用字，如讀《漢書》，便去收拾三兩箇字，洪景盧較過人亦然，南豐尚解使一二字，歐全不使一箇難字，而文字如此好。則作者何必要用奇難字哉！

又 《鸚鵡賦》：比而賦也，其中兼含風興之義。虚以物爲比，而寓其羈棲流落無聊不平之情，讀之可爲哀欷。凡詠物題，當以此等賦爲法。其爲辭也，須就物理上推出人情來，直教從肺腑中流出，方有高古氣味。如但賦之以辭，則流於後代之體，以字句之巧爲用工，而不知其漠然無情；以體貼之切爲著題，而不知其涣然無理。視之雖如織錦，味之乃如嚼蠟，况望其可高古耶！此賦宜與鮑明遠《野鵞賦》並看。

陳繹曾《文筌·楚賦譜》 「句法」：六言長句「兮」字式：正上一字單，體狀字、呼唤字、作用字、虚字、實字。次二字雙：中一字單：之、乎、

而、以、於、于、其、與、余、吾、我、爾、汝、曰、夫、又、孰、惟、焉、乃。下二字雙：變上二字雙，次一字單。變中二字雙，下一字單。變中不用單字。變七言，變八言，變九言，變五言，變四言，變三言。凡楚賦以六言長句爲正式，其間變化無方，始舉其要如右，詳見楚賦緯。四言「兮」字式：正上一句四言，下一句三言「兮」字，韻在「兮」字下、變上一句四「兮」字，下一句四言，韻在句下、凡四言中亦間用五言、六言，但以四言爲主耳。六字短句式：正上一單字、次二字雙、中「兮」字、下二字雙、變上二字雙、變五言、變七言。此本題歌句法，後人有用爲賦者，非屈原之式也。四言「只」字：正上一句四言，下一句三言，只字變五言，此景差《大招》句法，可用。宋玉《招魂》用些字，惟哀辭祭文得用耳，不入賦式也。雜言式：此始於宋玉《九辨》，極於淮南《招隱》，非屈原之正式也。

陸棻《歷朝賦格·凡例》 駢麗之詞，屈、宋、相如已見一班，其後遂有全用比偶者，浸淫至於六朝，絢爛極矣。唐人聯以四六，限以八音，協韻諧聲，嚴於銖兩，此如畫家之有界畫勾拈，不得專取潑墨淡遠爲能品也。故凡屬詞儷事比偶成文者，列爲駢賦一格。

李光地《榕村語錄》卷二九《詩文一》 時文名句與詩詞不同，要從性命道理上出。《中庸·纘緒》節，時文皆講成三王統緒未成，至武王纔了得三王之志，竟似周家父子祖孫，累世欲闇干天位者，然豈非大悖。不知纘緒者，言能修德行仁，不墮基業，到得天與人歸，一著戎衣便有天下。故雖以臣伐君而不失顯名，一戎衣句，非結上文，乃起下文，重一戎衣，不重有天下。惟明初楊慈文是如此發明，大有關係，所以八股不可輕忽。

又卷三〇《詩文二》 鋪張賦原不好，就是《上林》、《子虛》、《長楊》、《兩京》、《三都》皆賦之祖，已不爲佳，何論其餘。就中《兩京》差優耳。漢賦，漢之俗文；英華，唐之俗文；詩餘，宋之俗文。雖不爲可也。

又 唐賦小巧，與詩餘同成戲具。凡詩內纖俗惡派語，皆可入其體，固爾至今所傳唐人名句亦不多。

蔣驥《楚辭餘論》卷上 《離騷·作文有深一步襯法》。張司業《詠節婦》云：「事夫誓擬同生死。」又曰：「還君明珠雙淚垂。」然精神卻在「感君纏綿意，繫在紅羅襦」二語襯出。蓋惟感之深，繫之密，而卒還之，彌見節之貞，而無與易也。又如「《論語》好仁者，無以尚之」題，人只解從仁上極形好之之篤耳，惟劉君桀文云：「非難於獨知仁之可好，難於知仁之外甚有可好，而終不以易吾仁也。」如是則「無以尚之」精神倍出。《離騷》屢言求君，蓋此意也。林西仲乃云「作求賢君」解，「是以與國存亡之箕比，認爲朝秦暮楚之蘇、張」，猶顛明已翔於寥廓，而虞者猶視諸藪澤，悲夫！

王之績《鐵立文起前編》卷一一《明》 趙青巖曰：《兩京》、《三都》，窮極縟麗，徒彫琢于字句之間。李公時勉《北京賦》，洋洋纚纚，冠冕鉅鹿，一代大手筆。後進當熟讀之。

浦銑《復小齋賦話》卷上 賦貴琢句。唐張仲素《管中窺天賦》云：「月既滿而猶虧，日將中而如昃。」又無名氏一聯云：「桂魄未圓，餘暉來而尙溢；陽烏當晝，遠色照而全虧。」同是一意，而筆用反正，加以錘鍊，便覺出色。

又 唐王捧珪《日賦》有云：「皎兮潔，每守團圓不虧缺；曈兮曨，暮落西山朝海東。」音節最古雅可喜，不解《賦楷》何獨刪此二句。

又 唐人律賦，不必八韻，皆有四六句。或六韻，或三韻、四韻不等，亦有全不用四六者。如石貫《藉田賦》，黎逢《貢士謁文宣王賦》，顏魯公《象魏賦》是也。

又 律賦句法，不可但用四六，或六四，或七四，或四七。試取王輔文棨、黃文江滔、吳子華融、陸魯望龜蒙諸家觀之，思過半矣。

又 食古而化，乃爲善用故實，若堆垛塡砌，毫無生趣，奚取哉？王棨《涼風至賦》云：「悄絲管於上宮，陳蛾翠斂；颭楹櫓於華省，潘鬢霜彫。」如此用《長門》、《秋興》二賦，令人無從下注脚，眞上乘矣。

又 賦中最多比體，然以人比物，如何着筆？王棨《回雁峰賦》云：「稍類乎王子乘舟，已盡山陰之興；曾參命駕，因聞勝母之名。」得此三虛字，便覺死處皆活，實處皆虛，並不嫌其儗不於倫。余特爲拈出，不惜把金針度與也。

又 文章固有脫胎法，然亦須變化，乃爲異曲同工。若句摹字仿，規規然唯恐失之，如江淹《別賦》，千秋絕調，明人吳伯允學之作《感秋賦》；謝惠連《雪賦》，古今膾炙，袁中郎效之作《玉壺賦》，使人見之欲嘔。

又 作小賦必先認題，如《涼風至》、《小雪》、《握金鏡》諸賦，須看其處處不脫至字、小字、握字。不則便可移入《涼風》、《雪》、《金鏡》題去矣。

又 賦有假對，裴晉公《神龜負圖出河賦》，以「洪荒」對「綠水」，范文正

公《養老乞言賦》，以「清問」對「黃髮」，「無瑕」對「尙齒」是也。樂天《漢高祖斬白蛇賦》，製局一氣呵成，叙事有聲有色，蓋應宏詞作也。當日以「不知我者謂我斬白蛇，知我者謂我斬白帝」二句考落。

又 作小賦不嫌纖巧，於詠物題尤宜。唐人《多稼如雲賦》，有張仲素、王棨二作。張則略寫大意，王則刻畫盡致，便覺異樣警切。

又卷下 律賦對句，宜用流水法，既避重複，且有生動之趣。聊舉一二。如黃滔《戴安道碎琴賦》「焉有平生，採樂府錚鏦之妙；爰教一旦，廁侯門戛擊之徒」，《漢宮人誦洞簫賦》「一千餘字之珠璣，不逢漢帝；三十六宮之牙齒，詎啓秦娥」是也。

又 宋曹太尉勳《迎鑾》七賦，當日太尉奉詔迎顯仁韋太后作也。后居慈寧殿，公力請祠居天台山，繪圖作賦傳於家。題雖分爲七，實一篇耳。公之子姓，世居海鹽，保有此卷半，千餘年勿失。公《松隱集》四十卷，闕七賦之四。朱竹垞先生睹公手蹟，遂寫足本。後此卷歸朱衎齋，又歸花山馬氏，惜余未之見也。

又 作賦不在用事精切，尤在用筆。黃文江《白日上昇賦》，用乘風、奔月二事云：「較美古今，列子之乘風固劣；論功晝夜，姮娥之奔月非優。」其得訣處，全在上四字用得好。

又 用典處以不說出爲高。謝觀《吳坂馬賦》：「乍同曲突，收將宮徵之音；又似豐城，指出斗牛之氣。」雖用蔡邕爨桐、張華劍氣事，卻不說出桐與劍字，亦是避熟法。

吳景旭《歷代詩話》卷二〇《試賦》 賦中用事，直須主客分明，當取一君二民之義。借如六字句中兩字最緊，即須用四字爲客，兩字爲主。其爲客者，必須協順賓從，成就其主，使於句中煥然明白，不可使主客紛然也。賦中作用，與雜文不同。雜文則事詞在人意氣變化。若作賦，則惟貴鍊句之功，鬭難、鬭巧、鬭新，借如一事，他人用之不過如此；吾之所用，則雖與衆同，其與之巧，迥與衆別，然後爲工也。賦家句脈，自與雜文不同。雜文語句或長或短，一在於人。至於賦，則一言一字，必要聲律，凡所言語，須當用意。屈折斵磨，須令協於調格，然後用之。不協律，義理雖是，無益也。

朱一飛《賦譜》 遣辭非塡寫之謂。有虛處宜實，有實處宜虛，一題正面無幾，得力處全在旁面反面，題前題後，善于驅遣，便虛實得法。不善者，則實處全實，虛處全虛，一篇中堆垛枯滑，諸弊百出。古人作詩，嘆着眼之難，惟賦亦然。縱極四庫之富，須調度得宜，疏密相間，如兵家遣將，枝枝當緊要處，乃爲無弊。摘用成語，賦家上乘，然不宜荒詞腐句；拆用古典，賦家三昧，亦不宜涉纖近晦；至運用詩歌詞賦，必以家絃戶誦，絕無僻澀粗獷者方可，否則寧簡毋繁。

又 起有起法，古題則直起，時題則陪起、頌揚起。直起者必簡老，陪起者必雅切，頌揚起者必堂皇。接有接法，如用爾其、懿夫等調，非無意義，須相機勢斟酌用之，不得沿爲習套。至于硬接，尤須神氣一綫爲佳，轉折處最忌牽扯，牽扯則層次不清。烘襯處最忌雜遝，雜遝則神理盡失。鋪叙處忌泛，泛則寬局。琢鍊處忌多，多則傷氣。而連綴脱卸交互諸法，又全要虛字靈活，乃有絲連繩貫、愈出愈奇之妙。不然，未免畫蛇添足。收束之法，處處有之，一段有一段之收束，一篇有一篇之收束，如八股中自起講以至結比，總不脱「起承轉合」四字，所謂合者，即此收束也。功候到，自然節奏合拍，水到渠成。

魯筆《楚辭達・總論》 筆法：《離騷》用筆之妙，一筆常作數筆用。止寫反面而正面自到，止寫賓位而主位自到，止寫對面而本面自到，皆一筆作兩筆用，已爲妙筆。有時寫一面而兩面俱到，如寫側面而正面反面皆到，寫中一面而前面後面皆到，此則一筆作三筆用，更爲奇妙筆法。

又 句法：《離騷》有順衍句，有倒裝句，有問句，有答句，有抑揚句，有開合句，有超忽句，有頓挫句，有掉頭句，有擺尾句，有折腰句，有沉重句，有輕婉句，有俊逸句，有凝練句，有生澀句，有峭句，有奥句。句句作態，無一死句；句句皆古，無一時句。與漢魏人擬騷者，眞毫釐千里之别。

又 字法：《離騷》字法第一以倒貫者爲奇，有生眼字，有伏脈字，有典雋字，有生造字，有翻活字，有抵死字，有呼字，有應字，有轉關字，有貫珠字，有雀起字，有墜落字，有擊鼓鳴鐘字，有低聲下氣字。不錯字法，方不錯句法。

又 骨法：《離騷》神逸而遠，氣峻而遒，總由于秀骨天成。秀骨藏於堅古中，而化其鍛鍊之迹。是以淺學讀之不甚契慕，非關味於意理，先不識其骨法之尊貴，琢之不開，研之不入，味之不出，自倦而思去耳。此皆讀古不深，洗鍊不精之故。得其骨法，斯無難事。

又 辭法：《離騷》尚辭，以華爲貴。凡詞華之文，人易賞識，惟騷詞人偏苦而難之，何也？蓋華者近浮，獨騷詞高華中仍歸沉實，奇麗中仍歸典則，鋪陳中仍歸奧曲。華而朴，華而幽，周秦之華與後世之華不同，所以人不易識。人必先識其詞，方樂求其義。

又 補法：《離騷》每慣用補筆之法，上文未備者，多在下文補之。驟讀去，令人疑其有偏重、偏輕、偏有、偏無之失，惟識其埋藏補筆於偏重偏有處，而其偏輕偏無者，隱隱補足勻稱，此如形家脉明脉暗之意。又如神龍東雲見鱗，西雲見爪，參差變化，正在於此。若明明兩橛，板板并出，則後世時文死對偶法，有何意味。

又 過文法：《離騷》過文之妙，全在牽上搭下之變化。牽搭在有字句中，猶人所易知；牽搭在無字句中，則爲人所難測。牽搭在對針處，猶人所易知，牽搭在不對針處，則爲人所難測。惟慧心人方解其妙。一種突出奇峰，如天外飛來，更奇妙。

又 倒掉法：文從氣順，不可倒置，此第論唐宋人古文法猶可，總無與於《離騷》事。《離騷》別有前後顛倒出之一法，如文勢似宜在前者，此偏抛置在後；文勢似宜在後者，此偏倒掉在前，預提起下文，作襯筆之勢，令上文反變爲振落之奇。如此手法，眞變態不可方物。

又 隔類相照法：《左史》中有類叙法，凡同類之事物，皆附帶一處，以類相從。獨《離騷》不然。明明一類者，偏從中劄開，以他類間之，隔斷成文，隔類相生，隔類相顧，不類者攙而和之，本類者越而別之，最爲參稽莫測，古文中另闢一徑。

又 移步换形法：讀《騷》者苦其重複繁雜。林西仲第舉馬遷「一篇中三致其意」語混過，遂謂得而不疑，不知《離騷》全在移步换形之妙。同一鳥獸草木，略分部位，意義迥殊。在前有在前之故，在後有在後之故，知其解者，一綫穿去，彼此分明，不僅在淺深虚實而已，何其複雜之疑。

又 「兮」字法：《離騷》用「兮」字與他處不同。他處「兮」字多平用，當「焉」字、「也」字。惟《離騷》有時當「矣」字，有時當「者」字，有時當「哉」字、「乎」字，更奇變盡態，須會其語勢而合之，方不錯會其義。抑揚不盡之神，參差不一之妙，多伏于此。人都作一類看，却誤甚。

又 虚字法：《離騷》用虚字，無一泛設者，字字着力，無一字不經幾曲回環始盡，無一字不生顧盼，綫索最靈，一字常抵數字用，耐人思議不了。

孫梅《四六叢話》卷四引《螢雪叢說》 文章一技，要自有活法。若膠古人之成跡而不能點化其語句，此乃謂之死法。死法專祖蹈襲，則不能生於吾言之外；活法奪胎換骨，則不能斃於吾言之內。斃吾言者(故爲死法)，生吾言者，故爲活法。伊川先生嘗說《中庸》「鳶飛戾天，魚躍於淵」，須知天上者更有天，淵中更有地，會得這道理，便活潑潑地」。吳處厚嘗作《翦刀賦》，第五隔對：「去爪爲犧，救湯王之旱歲；斷鬚燒藥，活唐帝之功臣。」當時屢竄易，「唐帝」上一字不妥帖，因看游鱗，頓悟「活」字，不覺手舞足蹈。呂居仁嘗序《江西宗派詩》，若言「靈均自得之，忽然有入，然後惟意所出，萬變不窮，是名活法」。楊萬里又從而序之，若曰「學者屬文，當悟活法。所謂活法者，要當優游厭飫」。是皆有得於活法也。吁！有胸中之活法，蒙於伊川之說得之。有紙上之活法，蒙於處厚、居仁、萬里之說得之。

汪廷珍《作賦例言》 三代題目不可入後世語，古典不可混作今制，妄行擡頭。擬古之體，不可太似，不可不似。太似則依樣葫蘆，不見自運之巧；不似則另翻花色，何居擬古之名？須體制從先，思義在我，如文通《雜擬》之詩，昌黎毛穎之傳，則得之矣。

又 文章生路，全在善拆善襯；文章佳處，全在入情入理。故實題用本人本書最妙，來踪去路，務要清楚。又有當斷制處，須屬辭比事，犁然有當於人心，全要得虚用之妙。死粘題面，安得有好文字？

王芑孫《讀賦卮言・謀篇》 唐以前有作斷章闕句者，古自有此一體，非關佚失。勢欲下而還止，體迅飛而未翔，蓋由小賦不足以暢言，故示以簡拙，此孫過庭《書譜》所謂「以使轉爲形質，點畫爲性情」者也。

又《造句》 《鍊字》曰：「三權重出」，古賦惟大篇不禁重出，若千言以內，初無「累牘風雲、連篇月露」之事，況於律賦，即虚字闘接，大宜檢點。

湯聘《律賦衡裁・例言》 揚、馬之賦，語皆單行，班、張則間有儷句。如「周以龍興，秦以虎視，聲與風游，澤從雲翔」等語是也。下逮魏晉，不失厥初。鮑照、江淹，權輿已肇；永明、天監之際，吳均、沈約諸人，音節諧和，屬對密切，而古意漸遠。庾子山沿其習尚，引而伸之，無語不工，無句不偶，激齊梁之餘波，開隋唐之先躅，古變爲律，子山其樞紐也。

又《餘論》 唐太宗《小山賦》云：「松新翠薄，桂小丹輕，【略】纔有力以

勝蝶，本無心而引鷺。半葉舒而巖暗，一花散而峰明。」《小池賦》云：「牽狹鏡兮數尋，泛芥舟而已沉。涌菱花於岸腹，劈蓮影於波心。減微涓而已淺，足一滴而還深。」渲染小字工妙乃爾，可見才大者心必細。

又 唐崔損《鳳鳴朝陽賦》云：「旁應元律，調十二管于四時；上淩紫烟，擊九萬里而一息。」案：崔撰《莊子音義》鵬朋皆古鳳字，對語本此，非借鵬以擬鳳也。徐晦《海上生明月賦》云：「希逸之賦，可稱界於斜漢；玄暉之詩，有作映彼清淮。」闞合海上，屬對頗工。但「月映清淮流」是何仲言詩中語，而曰玄暉，誤矣。錢起《象環賦》云：「循環無極，參日月之在躬；佩服有常，於韋弦而戒事。」日月句雅切孔子，下句亦未免湊泊。

又 題中正面無可刻劃者，勢不得不間見側出，以敷佐見奇。然須雋不傷雅，細不入纖，方爲妙緒繭抽，巧思綺合。否則刻鵠類鶩，無所取焉。唐錢起《尺波賦》云：「流脈中移，類蠖影求伸之際；浮光上射，若雪華呈瑞之初。」謝觀《初雷啓蟄賦》云：「似桴鼓之纔終，戈鋋熠熠；如擊石之止後，鳥獸蹡蹡。」柳喜《日浴咸池賦》云：「紅光下射，疑萍實之欲沉；赤氣上浮，訝林雲之不息。」白行簡《五色露賦》云：「花禽拂着，宛如陳寶之雞；平野染成，煥若徐方之土。」薛逢《天上種白榆賦》云：「或全或缺，陋蟾桂于月中；莫往莫來，鄙蟠桃于海上。」鄭宗哲《溫洛賦》云：「霽日初懸，似陽燧之藏輕瀨；紅霞不散，若陰火之在空波。」王棨《回雁峰賦》云：「亦猶鸝鴒，踰清濟以無因；何異鷓鴣，渡澄江而不得。」《夢爲魚賦》云：「莊生化蝶之言，昔時未信；公子爲烏之驗，今日方知。」證佐典切，比擬精工，凡此數聯，猶不失比興之遺意。

又 唐李鐸《密雨如散絲賦》云：「原夫清畢啓陰，夕陽向暮，散輕霞以成綺，矗玄雲而似布。于是霢霂郊野，霏微草樹。蔽重霄之靄靄，猶委緒風；映遠岫之濛濛，乍迷縠霧。」從旁渲染，映帶極工。其正寫處云：「織婦停梭，似曳乃輕之緒；舟人罷釣，疑牽或躍之魚。絕而復尋，等蛛網而共挂；垂之如墜，連雪絮以輕飛。」極力形容，非不巧合，但刻劃傷雅，便入纖小家數矣。

又 唐人試賦極重破題。白居易《性習相遠近賦》云：「噫，下自人，上達君，咸德以慎立，而性由習分。」李涼公逢吉大奇之，爲寫二十餘本。韋彖《畫狗馬難爲功賦》云：「有丹青二人，一則矜能於狗馬，一則誇妙於鬼神。」吳學士融方構是題，見之遂焚所著，其價重一時如此。迄今觀之，亦不過疏解明晰耳。陳佑平《權衡賦》起句云：「俾民不迷，玆器維則。」八字典重而渾成，殆欲與日華天鑒之句并驅中原矣。

又 唐高郢《痀僂丈人承蜩賦》云：「期于百中，則啼猿之射乎；曾不孑遺，殊慕鴻之弋者。」闕名《垓下楚歌賦》云：「兩雄較武，焉知劉氏昌乎；四面聞歌，是何楚人多也。」一點一拂，搖曳有神。皆因韻限虛字而然，非故作折腰齲齒之態也。宋范仲淹《鑄劍戟爲農器賦》云：「前王鋒鏑，不得已而用之；此日鎡基，有以多爲貴者。」以子對經，銖兩悉稱，流麗之至，倍見莊嚴。押虛字者，此嘆觀止矣。

又 唐王起《元日上公獻壽賦》云：「拱北辰之尊，不異乎台居列宿；獻南山之壽，更聞乎岳視三公。」賈餗《中和節百辟獻農書賦》云：「是藨是蓘，將致乎千斯倉；爰始爰謀，必因乎四之日。」措語莊雅而典切。謝觀《清明日賜百官新火賦》云：「出禁署而螢分九陌，入人寰而星落千門。」亦秀句也。闕名《千畝望幸賦》云：「是宜率諸侯大夫，以行乎周禮；不可使四年正月，獨稱于晉時。」對法矯變，善于運古，固是間道奇兵。

又 唐人琢句，雅以流麗爲宗，間有以精峭取致者。皇甫湜《山雞舞鏡賦》云：「類鳳因簫感，哂鶴爲琴召。」趙蕃《月中桂樹賦》云：「謂扇花薄，如珪玷浮。」楊宏貞《隙塵賦》云：「疑琢玉成環，環中屑墜；若窺壺入洞，洞裏雲殘。」張隨《海客探驪珠賦》云：「初辭磧礫，訝潭下星懸；稍出漣漪，謂川旁月上。」刻酷鍛鍊，皆所謂字去而意留者。闕名《箜篌賦》云：「青樓何處，綺城向日九烏雛；綺帳初開，綵綬銜花雙鳳子。」七字成句，原本齊梁。閻寬《溫湯御毬賦》云：「捎虛而訝人手長，攢角而疑馬身小。」造語非不新穎，但失之鑿矣。

又 言對爲易，事對爲難，反對爲優，正對爲劣。唐白行簡《澹臺滅明斬龍毀璧賦》云：「紛然電散，謂齊后之碎連環；驍爾星分，同亞父之撞玉斗。」張隨《上將辭第賦》云：「王翦請貽乎子孫，與玆難并；晏嬰敢煩乎里旅，相去不遐。」宋范鎮《長嘯却胡騎賦》云：「若楚軍夜遁之時，聞歌于四面；異漢將道窮之日，振臂而一呼。」皆所謂事對也。唐蔣防《聚米爲山賦》云：「起自纖微，有類積塵爲岳；終非奇幻，那同畫地成川。」王起《轅門射戟枝賦》云：「若嗤同失鵠，我藝自忝其叠雙；倘妙等麗龜，爾心固宜其如

書。」黃滔《周以龍興賦》云：「孟津契會，此時不愧于雲從；羑里棲遲，昔日何傷于魚服。」皆所謂反對也。屬辭比事，不失纍黍，可謂優且難矣。陳章《斗牛間有紫氣賦》云：「貫牛斗于九霄，正當吳分；藏鹿盧于午夜，遠在豐城。」徐寅《斬蛇劍賦》云：「磨霜礪雪兮熒煌錯落，伊逐鹿之英聖，有斬蛇之鋒鍔。」全從字面取巧。乾符咸通之間，風尚如此。而世運亦靡靡日下矣。文章可以覘氣化，信然。

李調元《賦話》卷一《新話一》 唐劉禹錫《秋聲賦》云：「送將歸兮臨水，非吾土兮登樓。」化熟爲生，意味雋永。宋汪應時《曆象賦》云：「戒黃人兮守日，顧青女兮爲霜。」吐屬頗似賓客，而儷語更工。唐王泠然《止水賦》云：「浮芥則敖吏措杯，種瓜則幽人抱甕。」李子卿《聚雪爲小山賦》云：「峽裏則秋月長懸，封中則曉雲猶白。」句法原本子山，命意遺詞，咸有深秀之致。

又 唐元稹《善歌如貫珠賦》云：「以節爲珠，以聲爲緯。漸杳杳而無極，以多多而益貴。悠揚緑水，訝合浦之同歸；繚繞青霄，貫五星以一氣。」合與同，五與一，所謂當句對也。《奉制試樂爲御賦》云：「蟠乎地而極乎天，周流既超於馬力；發乎邇而應乎遠，馳聲亦倍於鑾和。」爽健之句，此調亦創自微之，後來永叔諸公專斆此種。

又 唐喬潭《秋晴曲江望太一納歸雲賦》云：「落日將曛，山銜斷雲。緑氣陰鬱，嵐光氤氳。横截高巖，驚數峰之頓失；卻臨幽石，與殘雪而無分。」妙於「納」字有洗發。闞圖《巨靈擘太華賦》云：「嵐光兩向，猶連松柏之聲；黛影中開，已斷雲霞之色。」從「擘」字着筆，虛實兼到，紙上有聲。

又卷二《新話二》 詩家以鍊字爲主，惟賦亦然。句中有眼，則字字軒豁呈露矣。唐黃文江滔單講此訣，詞必己出，苦吟疾書，故能於帖括中自豎一幟。其《融結爲河岳賦》云：「則有龜負龍擎，文籍其陽九陰六；共觸愚移，傾缺其天樞地軸。如疏樸略，波萬壑以派分；似截渟浤，仞千巖而雲矗。」戛戛獨造，不肯一字猶人。

又卷三《新話三》 唐無名氏《鍊石補天賦》云：「卿雲初觸，當碧落以麗乎；銀漢同流，激清霄而節彼。」押「彼」字用歇後語，原本經籍，便不涉纖。崔損《霜降賦》云：「笳聲乍拂，怨楊柳之衰兮；劍鍔可封，發芙蓉之厲乃。」亦用此法。韋肇《瓢賦》云：「安貧所飲，顏生何愧於賢哉；不食而懸，孔父當嗟夫吾豈。」押「豈」字更妙合自然。

又卷四《新話四》 賦押虛字，惟亦字最難自然。如侯喜《秋雲似羅賦》，以「蘭亦堪采」爲韻，賦末押「一言有以，千秋祇亦」之類。又賦押於字最難生別，相於、所於之外，不見可用者。唐陳章《水輪賦》：「磬折而下隨毖彼，持盈而上善依於。」生別而彌復自然也。其賦中警句亦多，如「雖破浪於川湄，善行無跡；既斡流於波面，終夜有聲」。又「鈎深致遠，沿洄而可使在山；積少之多，灌輸而各由其道」。又「當浸稻之時，寧非沃壤；映生蒲之處，相類安車」。如此運古，墨痕都化，乃爲巧而不傷雅，凡形似題當仿此。

又 辭尚體要，總貴稱題。如《圜丘祀天》、《藉田》、《獻繭》等題，能援據精詳，簡古肅穆，便是第一義矣。若徒句雕字琢，刻意求新，則是錯朱紫於衮衣，奏鄭衛於清廟，非特大乖體制，轉開不學人省力法門。唐李君房《獻繭賦》，但將祭義點竄一番，便成佳構。與石貫《藉田賦》，皆質而彌雅，樸而彌華，與經術相表裏。讀者須於此中著眼。

又卷六《新話六》 賦須琢句新穎，方不落前人窠臼。明沈朝煥《春蠶作繭賦》云：「戰玄黃於倏忽，藏白賁於韜鈐。其繚繞也，如宓妃之緝霧；其鮮潔也，若鮫人之杼冰。周陸以網，蔽茀以終。或疏或密，一縱一横。機工墨色而讓巧，文士橐管而遜精。憑唇吻以默運，不手足而自營。」末句尤新。

鮑桂星《賦則·凡例》 修詞之法先求穩，次求工，今人但取悅目，不求達意，於是填砌冗雜，餖飣襞績，百病叢生。試看古人有一言不可解否？

又 行文選講字法，次句法，次章法，以意爲主，以詞爲輔，而以氣運之。詞不明不可以達意，氣不足不可以驅詞，凡文皆然，不獨賦也。

又 闈閣之詞，衰颯之語，皆應奉文字所禁，學者於古人學其氣格神韻可耳。

又 文章之道，周、秦以下，江、鮑以前，皆積字成句，不相沿襲，是以昌黎論文自《易》、《詩》、《莊》、《騷》、史傳以逮子雲、相如，皆一以貫之。迨任、庾輩出，以隸事爲工，而詞賦與古文截然分派矣。會心不遠，能者從之。

孫奎《春暉園賦苑卮言》卷上 題中正面無可刻劃者，勢不得不間見側出，以敷佐見奇。然須雋不傷雅，細不入纖，方爲巧思綺合。否則刻鵠類鶩，無所取焉。錢起《尺波賦》云：「流脉中移，類蠖影求伸之際；浮光上射，若雪華呈瑞之初。」謝觀《初雷起蟄賦》云：「似桴鼓之纔終，戈鋋熠熠；如擊石之

止後；鳥獸蹡蹡。」柳喜《日浴咸池賦》云：「紅光下射，疑萍實之欲沉；赤氣上浮，訝林雲之不息。」白行簡《五色露賦》云：「花禽拂着，宛如陳寶之鷄；平野染成，焕若徐方之土。」薛逢《天上種白榆賦》云：「或全或缺，陋蟾桂於月中；莫往莫來，鄙蟠桃於海上。」鄭宗哲《溫洛賦》云：「霄日初懸，似陽燧之藏輕瀨；紅霞不散，若陰火之在空波。」王棨《迴雁峰賦》云：「亦猶鸜鵒，踰清濟以無因；何異鷓鴣，渡澄江而不得。」《夢爲魚賦》：「莊生化蝶之言，昔時未信；公子爲鳥之驗，今日方知。」凡此數聯，猶不失比興之意。

又卷下 唐賦重破題，宋人亦然。俞鴻老《天之曆數在舜躬賦》云：「神聖相授，天人會同，何謳歌不之堯子，蓋曆數在於舜躬。」陳元裕司文衡，出《大椿八千歲爲春秋賦》，滿場破題未善，遂自作云：「物數有極，椿齡獨長。歷年歲八千之久，成春秋二序之常。」熊用節《君人成天地之化賦》云：「物產於地，形鍾自天。賴君人之有作，成化功之未全。」三賦四柱，皆出人意表，眞所謂作賦手也。又省試題《天子聽朔於南門之外》，滿場皆曰「詣南門而聽」，惟魁者以詣爲出，便見得在外意也。當時父子同試，尙留隱情，揭榜方知父魁子亞。問以何不見誨，父云「不解有兩魁」云。東坡以詩賦一字見工拙，信然。

姜學漸《資中賦鈔・味竹軒賦話》 凡初學作賦，不遽求工，先要去浮泛，去夾雜，去重複，篇中層次尤要分明。與前既免重複，又要留後段地步，方能層次分明也。每排再能去累贅，去散漫，每句再能去陳腐，去生澀，句句聯貫，字字琢鍊，斯臻完善之境。而句法總求能響、能爽、能朗，更爲完善。姑試略與舉似，如唐人《漁父辭劍賦》句云：「拔三尺之熒熒，波間電落；橫七星之凜凜，掌上風生。」又如近人尤西堂《春柳賦》句云：「三眠三起，瘦分南國之腰；一笑一顰，青入東君之眼。」皆句響而爽朗者。

又 又如作駢體排句，須知有屬詞比事之法，方能裁對工穩。且上下排要有藕斷絲連之妙，惟能去夾雜、去重複者知之。而造句尤須如生鐵鑄成，有天然神韻爲第一，如《滕王閣序》「騰蛟起鳳，孟學士之詞宗；紫電青霜，王將軍之武庫」。又如前人賦青句云：「帝子之望巫陽，遠山過雨；王孫之別南浦，芳草連天」，何等神韻。其賦黃賦黑白均見《雨村賦話》，可查閱也。

又 凡作文起局要開門見山，律賦起局全題在握是也。古賦起局如《西都》：賓問主人聞其故而睹其制乎。曰：未也。願賓攄懷舊之蓄念，發思古之幽情，博我以皇道，弘我以漢京。故作盤馬勢，最爲得勢。《甘泉賦》前段收束，是時未臻乎甘泉也。以收作提，最爲可學。

又 凡作文前路要得機勢，作賦前三段亦然。唐人《學雞鳴度關》次段：「君臣相視，方懷累卵之危；豪傑同謀，未有脫身之計。」反逼頓住。下接：「下火無名，潛來獻誠。君禍方垂於虎口，臣愚請效於雞鳴。於是鷹揚負風，鶚立含情」云云，接逗最爲得勢。《漁父辭劍》第三段，就贈劍一面寫，拔三尺之熒熒四句頓住，下接漁父，亦最有勢。

又 凡作文有淺深法，作賦亦有淺深法。《漁父辭劍》第四段：酬仁報東，誠多公子之心；害義傷廉，且異老夫之意。就辭字淺寫一層，下段用況夫進一層寫，就辭字寫得咄咄逼人，最爲淋漓盡致。

又 凡作文後路，多用推說，作賦亦然，但不得縱馬忘轡。如《學鷄鳴》後路「笑季路之危冠，任秦皇之利嘴」等句，仍帶「鷄鳴」二字，便合。

又 凡作賦，人知每段各有層次，而不知各段有上下相生，陽開陰合之妙。至每段承接，如「於是」、「爾乃」等字樣，用之以醒層次，不宜概用硬接。且四六長句，人知宜工，而不知各段間用短句以舒其氣，尤爲峭甚。吳穀人賦中多有之。但篇中不宜多用，惟一二處可也。

林聯桂《見星廬賦話》卷一 自來賦家中權握要，必有聚精會神之處，如十日並出，如萬花齊放，令人心眩神悚，應接不暇，所謂一篇之警策者是也。如宋王微《詠賦》中段云：「於時也，深衷美緒，孤響端音。屬素排滿，吐致施英。嘈肆懷以鴻暢，慘轗意而相迎。馮幽圖以藉怨，咀高華而寄聲。體閑慆而都靡，心游任而姝明。濯陵奇而纛志，舒容綺以昭情。」晉陸機《文賦》中段云：「體有萬殊，物無一量。紛紜揮霍，形難爲狀。詞程材以效伎，意司契而爲匠。在有無而俯仰，當淺深而不讓。雖離方而遯員，務窮形而盡相。故夫誇目者尙奢，愜心者貴當。言窮者無隘，論達者惟曠。詩緣情而綺麗，賦體物而瀏亮。碑披文以相質，誄纏綿而凄愴。銘博約而溫潤，箴頓挫而清壯。頌優游以彬蔚，論精微而朗暢。奏平徹以閑雅，說煒燁而譎誑。雖區分之在茲，亦禁邪而制放。要辭達而理舉，故無取乎冗長。」潘尼《火賦》云：「其揚聲發怒，則雷電之威也。明照遠鑒，則日月之暉也。甄陶品物，則造化之制也。濟育群生，則天地之惠也。」唐李德裕《鼓吹賦》云：「其始也，若伐木丁丁，響連青冥。喧禽萬族，聲應崖谷。其縱也，狠羊鬬角，奔兕相觸。

轉石振於崩溪，燎野焚於寒竹。其終也，如風飈暫息，萬籟皆肅。天地霽而雷霆收，川波靜而魚龍伏。」宋璟《梅花賦》云：「若夫瓊英綴雪，絳萼著霜，儼如傅粉，是謂何郎。清馨潛襲，疏蕊暗嗅，又如竊香，是謂韓壽。凍雨晚濕，夙露朝滋，又如英皇，泣於九嶷。愛日烘晴，明蟾照夜，又如神人，來自姑射。煙晦晨昏，陰霾晝閟，又如通德，掩袖擁髻。狂飈捲沙，飄素摧柔，又如綠珠，輕身墜樓。半含半開，非默非言，溫伯雪子，目擊道存。或俯或仰，匪笑匪怒，東郭愼子，正容物悟。或憔悴若靈均，或欹傲若曼倩，或嫵媚如文君，或輕盈若飛燕。口吻雌黃，擬議難徧。」杜牧《阿房宮賦》云：「明星熒熒，開妝鏡也。綠雲擾擾，梳曉鬟也。渭流漲膩，棄脂水也。烟斜霧橫，焚椒蘭也。雷霆乍驚，宮車過也。轆轆遠聽，杳不知其所之也。」蘇過《颶風賦》云：「少焉排戶破牖，隕瓦擗屋。礌擊巨石，揉拔喬木。勢翻渤澥，響振坤軸。疑屏翳之赫怒，執陽侯而將戮。鼓千尺之濤瀾，襄百仞之陵谷。呑泥沙於一卷，落崩崖於再觸。列萬馬而並騖，會千車而爭逐。虎豹讋駭，鯨鯢奔蹙。若鉅鹿之戰，殷聲呼而動地；似昆陽之役，舉百萬於一覆。余亦爲之股慄毛聳，索氣側足。夜拊榻而九徙，晝命龜而三卜。蓋三日而後息也。」元汪克寬《夫子之牆賦》云：「夫是以覆泰宇以爲檐，立人極而爲柱。存至誠以爲基，凝至道以爲土。文章爲之華飾，德業爲之培累。貫一理以爲楨，崇萬善以爲堵。仁義中正，乃其板載之方；詩書禮樂，乃其畚鍤之具。不思不勉，初何事於經營；彌高彌堅，又奚煩於削鏤。悠久無疆，乃斯牆鞏固之迹；博厚莫外，乃斯牆延袤之數。蓋非有馮馮之聲，俾人可得而聞；又非有薨薨之形，令人可得而睹。」明袁黃《詩賦》云：「是以內騁心靈，外闡物精。振之則山立，蓄之則淵澄。運之則行雲流水，飾之則簇錦飛英。或濃如醴酒，或淡如太羹。或急如躍矢，或緩如調箏。或始徐而終促，或似譎而實貞。或外槁而中腴，或言隘而意閎。或化腐而趨新，或因奇而造平。」劉咸《黄河賦》云：「盛矣哉，其量之同乎太虛；淵矣哉，其光之涵乎冲漠。雄矣哉，其勢之達乎蒼溟；壯矣哉，其聲之動乎寥廓。」夏原吉《麒麟賦》云：「豐骨神異，靈毳瑩潔。雲明龍首，霞擁鳳臆。星眸眩兮焜耀，龜文燦兮煜熠。牛尾拂兮生風，麕身動兮散雪。蹴馬蹄兮，香塵接腕；聳肉角兮，玉山貫額。」已上皆如萬弩並發，題扃洞開，可法也。

又 唐人駢賦，多以八韻解題，後之試賦，率用此式。或八韻，或六七韻，或四五韻，或以題爲韻，多寡不等，然有數韻，卻不能如律詩之一韻到底也。古人駢賦，有全篇都用一韻者。如晉傅咸之《儀鳳賦》，全用八庚韻，《螢賦》亦全用八庚韻，唐韓愈之《別知賦》，全用十一尤韻，宋陸游之《豐城劍賦》，全用一先韻，元朱德潤之《沅湘圖賦》，全用七陽韵之類是也。古人駢賦，有用兩韻到底者，如漢馬融之《圍碁賦》，前半篇用陽韻，後半篇用月韻是也。

又 駢賦起筆，有用單句直起領起通篇之勢者，此法最稱老横。如江淹《別賦》起句云「黯然銷魂者，惟別而已矣」，白居易《賦賦》起句云「賦者，古詩之流也」，如此類者甚夥，今之試賦多仿之。賦家全重起勢，而每韻收煞處，須用勅兩字，關鍵語數句渾成，直如天造地設，題義包括無遺，乃稱大手。如唐婁元穎《泰階六符賦》中分三意，其收句則曰「此上台所以曜而不昏也，此中台所以炯然而明也，此下台所以皎爾而晶也」，以三句束三大段。宋范仲淹《明堂賦》中分四意，其收句則曰「此明堂之春也，萬物爲之榮；此明堂之夏也，萬物爲之繁；此明堂之秋也，天下爲之清；此明堂之冬也，天下爲之靜」。以四句束四大段。明莫旦《大明一統賦》中分十一段，其收句則曰「此天下一統之分野也，此天下一統之郡縣也，此天下一統之山河也，此天下一統之藩封也，此天下一統之外夷也，此天下一統之祀典也，此天下一統之官制也，此天下一統之詩書也，此天下一統之貢賦也，此天下一統之風俗也，此天下一統之基業也」，以十一句束十一大段，是何等筆力。

又 賦家連疊數字，一句一意，一字一珠，此種筆法，最能動目。如白居易《動靜交相養賦》云：「所以動之爲用，在氣爲春，在鳥爲飛，在舟爲檝，在弩爲機，不有動也，靜將疇依？所以靜之爲用，在蟲爲蟄，在水爲止，在門爲鍵，在輪爲柅，不有靜也，動奚資始？」宋王十朋《會稽風俗賦》云：「石傘如張，石帆如揚，不簣如藏，石鵠如翔。」又云：「鷁舟如擊，馬楫如驅，船龍夭矯，橋獸睢盱。」又云：「黃帝之鑑，神禹之璧，歐冶之劍，蔡邕之笛，虞翻之牀，秦皇之石。」諸如此類，皆所謂大珠小珠落玉盤也。

又 賦有分出兩意，定一篇之局者。而兩意之中，仍以前一層爲賓，後一層爲主，不獨《兩京》、《三都》、《子虛》、《上林》已也。如宋玉《風賦》云：「此所謂大王之雄風也，此所謂庶人之雌風也」，梁江淹《燈賦》云「若大王之燈者，若庶人之燈者」，宋汪莘《月賦》云「此陛下之月也，臣請爲陛下言士民之

月」，三作同一命意制局。

又 宋李綱《迷樓賦》云：「桃李妍芳，耀新妝也。蕙蘭芬馥，泛天香也。雲舒霞卷，繡袿裳也。燕語鶯啼，舌笙簧也。振木飛塵，歌聲揚也。回風流雪，舞袖翔也。雷霆閒作，金奏鏘也。」調法與杜牧之《阿房宫賦》同。

又 漢班固《兩都賦》後幅云：「且夫僻界西戎，險阻四塞，修其防禦，孰與處乎土中，平夷洞達，萬方輻輳？秦嶺九嵕，涇渭之川，曷若四瀆五嶽，帶河泝洛，圖書之淵？建章甘泉，館御列仙，孰與靈臺明堂，統和天人？太液昆明，鳥獸之囿，曷若辟雍海流，道德之富？游俠踰侈，犯義侵禮，孰與同履法度，翼翼濟濟？」此是回丸中雙鳥之技，開後人多少法門。

又 賦有起勢若不到題，而全題之氣欲吞者，如明錢棻《雪賦》起筆云「天弢餘碧，峰歛群青，煙深苔瞑，野入雲平」，四句未到題而已籠題之腦。

又卷二 賦題不難於旁渲四面，而難於力透中心。而名手偏能於題心人所難言之處，分出三層兩層意義，攻堅破硬，題蘊畢宣，乃稱神勇。如鮑侍郎桂星《夏日之陰賦》中三段云：「乃若危岑列笏，古洞藏書。枕谽谺之絶壁，襟邈緬之靈墟。崖深幄似，嶂疊碁如。踆烏翔而斂翼，羲馭過而回車。看博人來，恍兜率清涼之界；尋仙客去，疑藐姑冰雪之廬。此巖谷之陰，堪滌暑而幽居者也。又如百尺雲根，千尋石罅。鐵幹霆撐，霜皮黛卸。笙竽則隱地而來，風雨則破空而下。值午偏寒，方昕忽夜。羃交樛之冷翠，泬寥如坐三秋；披凝帽之濃青，瀟灑都忘九夏。此林樾之陰，堪納涼而枕藉者也。至於邃閣層臺，袤廊奧室。水木崢泓，煙蘿軋沕。招蘋末之輕飈，蔽禺中之渴日。桂複牕疏，蓮交井密。南皮召客而浮瓜，河朔傳杯而灑筆。雨飛雲卷，開軒而鬱燠全消；卻月凌風，倚檻而歊蒸頓失。斯又亭館之清陰，足與林巒而並述者也。」黄尚書鉞《秋水賦》中三段云：「至若吳姬辭閣，越女興歌。西風立盡，南浦情多。蛾眉消綠，柳眼凝波。秋生岸荻，雲捲池荷。鴛鴦夢穩，鸂鷞聲和。劍光初拭，菱彩新磨。臨流憶別，傷如之何。又若訪友鹿門，尋秋翠麓。畫舫青簾，篷牕黄菊。搴杜若於中洲，盼江干之落木。舟行鏡裏，倒秋影於山腰；人在畫中，疊青花於裙幅。望迢迢之曲港，恰受三篙；濟瀰瀰之清波，不盈一掬。他如水榭吟蟬，風亭藏蝶。碧沼凝秋，空廊響屧。輕颸風花，平鋪雲葉。石浴鵝兒，月驚魚妾。波平似鏡，浸碧落以無痕；樹靜如山，繞翠微而遙接。可以揚帆，可以艤楫。」奎太史耀《擬潘安仁射雉賦》中三段云：「或乃溝塍錯鏤，草樹繁積。蒙茸窈窱，荒翳詰格。擇林而深，據爲安宅。方潛身以遠害，忽聞敵而來適。障林薈以自蔽，旋出場而遭嚇。駭決起以翾飛，暫仰高而掀射。亦有風去雨還，徘徊睥睨。紛紜揮霍，將集還起。棲必擇蔭，步無停趾。韜機待發，持滿默視。轟然鳴骲，砉焉碎觜。灑羽褵褷，畢命一矢。若夫猋騰鷙悍，尾翹喙哆。召俅索偶，將雛挾子。長鳴矯翼，驀越巖沚。角雄聲戾，妒雌氣恃。於是披叢灌，升層壘，抽雕笴，運銛匕，雖絶有力，至無不靡。」胡探花達源《探梅賦》中三段云：「若乃他鄉捉塵，別圃銜杯。桂華升兮照爛，蘭友愜兮追陪。啓瓊筵而聚首，敷絳萼之奇胎。揚州法曹，對林梢而吟詠；東川宫舍，撫藜杖以徘徊。料應窗外倚來，凌煙欲吐；恰好隴頭寄去，冒雪初開。至如綺閣淑姿，蘭閨華靚。憶清夢於羅浮，睇新妝於檐影。綠華乍絢，回彼清揚；縞袂相逢，紆茲素領。高出手而猶寒，低垂簪而偏整。人疑姑射，如開玉照之華堂；圖展消寒，恍對冰肌於秀嶺。又若月地雲階，珠簾寶帳。愛日初烘，曙煙微颺。天釀暖而將舒，山銜寒而乍放。映鈴閣以葳蕤，增玉堂之清曠。如此仙風亮節，應居三友圖中；卜他調鼎和羹，開向百花頭上。」裘傅臚元善《秋海棠賦》中三段云：「則有吟客尋芳，幽人辨種。採艷質於山家，寫閑情於坡隴。移從野圃，掃三徑以頻開；佐彼秋花，擎一觴而欲奉。堪嘆芙蓉江上，空悲夕照之殘；定嗤桃李山中，專擅東皇之寵。亦有旅客他鄉，獨居深念。落拓琴書，飄零冠劍。淒涼隔浦之村，寂寞臨溪之店。對此殊方，逢茲絶艷。嘆繁華之過眼，結賞偏眞；感歲月之驚心，相看不厭。詎待抱冬心於嶺上，品共松孤；何事回春意於隴頭，魁教梅占。若乃少婦工愁，深閨感秋。露零綺樹，月落鍼樓。掩映回闌，逞豐姿之綽約。周遮曲徑，含態度以夷猶。莫不拈花寄意，望遠增憂。冷雨疏風，夜夜梧桐牖下；黄榆碧草，年年楊柳關頭。」蔣太史超曾《瓜飲賦》中三段云：「則有珠玉揮毫，烟雲落紙。聳肩長嘯之儔，撚髭苦吟之士，盤揉雪而鎮心，瓢副霞以沁齒。冰漫語於夏蟲，香詎浮夫春蟺。巧乞花新，心清味旨。一卷冰雪之文，半盞琉璃之水。其或拇戰稀，酒兵罷，筒巧裁蓮，漿寒勝蔗。晒麴飲之興狂，仿瓜羹而味亞。絺覆晶寒，環剖玉罅。摘冰縠兮流瓊漿，注瑛槃兮列玳架。涓薄醉於芳辰，補食經於盛夏。又或碧沼怡情，綠天避熱。碁墅當風，藕絲待雪。擘絳實以涼侵，劈黄團而井冽。莫不蒲鴿浮青，銅螺碎擷。潤流漱藝之胸，津益翻瀾之舌。擷緱氏之遺芬，

向賓筵而敬設。」以上諸作，皆於題心生出三兩層意義，使題局洞開者，其法門皆本於婁元穎《泰階六符賦》、范仲淹《明堂賦》、江淹《別賦》之類，讀者所宜因流而溯源也。

又 賦題字面固宜點綴清醒，而名手卻將題中要緊之字，層層點透，叠喚重呼，如徐熙畫梅，千瓣萬瓣，卻無一瓣重複，令閱者目眩神奪，此訣近時館閣多用之。如吳侍郎其彥《應天以實不以文賦》中段云：「是以模範十端，含囊萬物。以健應天而政體諸恆，以和應天而氣宣其鬱。以八徵應乎天，而哲謀肅乂，靈應疊臻；以五位應乎天，而南朔東西，聲教四訖。以禮樂應乎天，而律度之立也，秩然藹然；以德刑應乎天，而賞罰之加也，僭不濫不。」《甄陶在和賦》末段云：「於是熙皡之侶，吮滋含和。挹和光之陽煦，斟和氣之蕩摩。時以和而可紀，政以和而不苛。風以和而薰廚蓮，年以和而兆嘉禾。飲和者被其蒸濡，懷和者消其傾頗。蓋撫埃之舞，擊壤之歌，曾未足以云多也。」蔣殿撰立鏞《甄陶在和賦》中段云：「其調歲序而和陰陽也，震仰盂而艮覆碗；其配崇卑以和天地也，義植矩而禮懸規。如偕土鼓蕢桴以並進，和聲允叶夫磬筦；倘與瓦登木豆而俱陳，和味且調乎鼎鼐。」羅庶常以豐《秋爲禮賦》中段云：「其阜成乎萬寶也，則爲禮之理事而咸宜；其歛抑乎光華也，則爲禮之齋心而密勿。卦當乎兌說，則爲禮之和而不流；治象乎刑威，則爲禮之嚴而莫拂。」趙庶常先雅《五官牧民賦》中段云：「斯時也，五辰撫焉，五氣行矣，五教敬敷，五材就理。如勤保聚而設五鳩，如阜貲財而分五雉。如合五音以奏樂，律呂諧宜；如調五味以和羹，鹽梅濟美。如五采之彰施作會，資黼黻而宜之；如五事之敬用修身，備股肱而有以。」張太史日晸《中者天下之大本賦》前段云：「懿夫中之爲言也，書昉於虞，心傳有夏。建中則道立一身，咸中則化同九野。具正中之德，見田而乾健爲龍；叶黃中之占，行地而昆貞爲馬。此皆論夫擇善而固執之，猶未闡乎生初所自有者。」馬庶常伯樂《抱一爲天下式賦》中段云：「若一轂之運衆輻，若一源之匯百川。若枝葉之根於一本，若輕重之定於一權。若衆星之紛羅，以一辰爲拱護；若四時之迭運，本一氣以周旋。」楊庶常峻《修辭立其誠賦》中段云：「修以無方，立之有所。修訓辭而誠立於訏謨，修文辭而誠立於墨楮。修纂述之辭，而誠立於考訂篇章；修應對之辭，而誠立於折衝樽俎。未修先求其立，含章騰奕奕之光；既立彌見其修，入扣引絲絲之緒。」諸如此類，題字一噴一醒，然可法也。

又 賦遇兩扇題，中間固宜兩平，安置題位，然上下有交互之法，前後有合發之法，與八股作法無異也。所謂上下交互之法，如龍殿撰汝言《大法小廉賦》後段云：「夫以朝廷耳目，王國羽儀。曰明曰旦，有猷有爲。在師保公孤之列，非輿臺僕隸之司。苟傷廉而忽義，詎執法以無私。蓋非徒以曲謹小廉，畢乃事也；斯舉世之頑廉懦立，引而伸之。至若一官承乏，下品寒微。術必慎乎取舍，道亦判乎是非。既酌水以勵清，淆之不濁；倘破觚而改制，咎則安歸。惟澄懷而寡欲，乃守法以無違。是知成憲當遵，令行偃草；不以富貴爲樂，道勝則肥。」朱庶常德華《大法小廉賦》中段云：「且夫大臣之立朝也，正己所以勿欺，清心所以不擾。詎勵風憲之稜稜，或忘冰淵之皦皦。顧職佐九重，則功周億兆。何以矢公矢慎，俾無愧於鼎司；當思之紀之綱，乃足稱乎師表。知奉公惟期奉法，道在必伸；倘有守未能有爲，廉嫌其小。若夫小臣之稱職也，官司所守，矩矱宜遵。然而言高將以得罪，位卑亦或爲貧。惟廉隅之宜勵，匪法度之難循。諒溫飽之不存，有如白水；豈脂膏以自潤，致染纖塵。攜鶴歸來，舟載鬱林之石；飛鳧遙至，珠回合浦之濱。此一時既傳乎廉吏，而後世遂錄爲名臣。」讀此二作，可悟兩扇題上下交互之法。

又 兩扇題所謂前後有合發之法者，如蔡庶常家玕《耕織圖賦》後段云：「爾乃丹毫露綴，彩筆雲舒。傳蘭臺之雅製，煥藝圃之瑤書。由浸種以及登倉，描摹儼若；始栽桑而終成服，蹟像眞如。周天計三百六旬，力作不忽乎訛易；一月得四十五日，勤勞無間於居諸。於是啓琅函而指顧，對縹帙以情娛。孰荷鋤兮雨課，孰舒錦兮霞鋪。一粟一珠，辛苦問禾兄蔘弟；半絲半縷，丁寧戒蠶妾貍奴。連番短銍長鑣，始得大人之米；幾度分經合緯，方成公子之襦。則展而觀者，又何殊湯銘堯戒，禹範羲圖也哉？」王庶常培尊《聞行知賦》中段云：「擇善由多，欲誠先致。尊無以尙，寧虛聞百而聞千；行之維艱，何論知十與知二。聞若通乎帝謂，敢不敬承；知如啓於天然，寧甘遺棄。譬在宮而在廟，不顯亦臨；怳亦步而亦趨，循塗求至。」讀此二作，可悟兩扇題前後合發之法。

又 賦題所限官韻，近來館閣亘手，固須挨次順押，不許上下顚倒，而且順押之韻，每韻俱押於每段收煞之句，此亦見巧爭奇之一法。如蔣殿撰立鏞《博選爲本賦》以「知人則哲惟帝其難」爲韻，其首段煞句則曰：「追虞室之

闢門，四目明而四聰達；仿周官之立政，三俊見而三宅知。」其二韻煞句則曰：「選於衆焉，漫誇門左千客，門右千客；拔其尤矣，方謂朝取一人，暮取一人。」其三韻煞句則曰：「占拔茅於君子，當思連彙之貞；問求木於工師，焉取伐柯之則。」其四韻煞句則曰：「自許荆山獻璞，碱玞不得混其光；不敎赤水遺珠，象罔何必矜其哲。」其五韻煞句則曰：「或行蹤緬以溯洄，詠蒹葭而人在；或形象通於寤寐，思麴蘗而爾惟。」其六韻煞句則曰：「五百里有賢人聚，衆星拱以向辰；十六族而才子升，庶事康而熙帝。」其七韻煞句則曰：「歌起鹿鳴，詠苹蒿而好我；聲聽鸞噦，賦芹藻而采其。」其八韻煞句則曰：「九疇衍錫福之經，有猷有守；一德著官人之訓，其愼其難。」吳殿撰其濬《雲無心以出岫賦》以「山川出雲徧雨天下」爲韻，其首韻煞句云：「敷大化於無心，津莖潤葉；驗休徵於有象，歛野歕山。」其二韻煞句云：「鳥篆絲絲，披絪縕於翠嶂；魚鱗隊隊，映澹蕩於清川。」其三韻煞句云：「若層巒之韞玉，縟采中涵；如寶甕之嘘桐，清陰上出。」其四韻煞句云：「列向窗中望螺鬟於遠岫，飛倚嶺表，睹綺縠於梢雲。」其五韻煞句云：「山氣驗上升之候，計日以占；土膏符下尺之期，崇朝而徧。」其六韻煞句云：「淋漓潤物，定知多稼之均霑；優渥興歌，豈僅公田之先雨。」其七韻煞句云：「推妙化於機緘，友風子雨；契元功於橐籥，際地蟠天。」其八韻煞句云：「陋陶令停雲之製，徒吟松菊園中；憶唐臣喜雨之篇，曾侍芙蓉闕下。」陳殿撰沆《星宿海賦》以「桃花已後遠水安流」爲韻，其首韻煞句云：「問津於鄯善營邊，碧駛陽侯之箭；尋脈於崑崙山外，紅流王母之桃。」其二韻煞句云：「千絲泑澤之雲，波連瓜蔓；一片于闐之玉，浪靜菱花。」其三韻煞句云：「雖河終入海，將渾渾以同歸；而海可名河，且滔滔其未已。」其四韻煞句云：「玉繩欲動，正風生斷葦之時；冰鑑雙圓，剛月上牢蘭之後。」其五韻煞句云：「珠宮貝闕，此中定亦相同；碧漢銀河，相去渾疑不遠。」其六韻煞句云：「千行粲爛，搖開西極之天；萬點晶瑩，放作北條之水。」其七韻煞句云：「宛委勤披，占五星之昴化；支祁效順，慶四海之盂安。」其八韻煞句云：「亦既調其眞脈，又何患乎下流。」以上三作，皆研鍊精工，每韻俱押於煞句之末者。他如龍殿撰汝言《三階平則風雨時賦》，以題爲韻，蔡檢討如蘅《星宿海賦》，以「桃花已後遠水安流」爲韻，法亦如之。而近來專集，如顧學使元熙《蘭修館賦》更多用此法，閱者可由類推而得之。

又卷三　賦用卦名對偶，近來館閣喜用之。然偶一爲之，自然湊合則可。若有意專以此見長，終非大雅所尚也。姑錄數條，爲初學備一法耳。如穆太史馨阿《龍見而雩賦》云：「咸欽睿慮祇勤，樂歲卜屢豐之象；正值精芒煜爚，淸宵瞻出震之龍。」辛庶常文沚《民得四生賦》云：「占煥號於辰居，播咸和於子姓。」岳庶常鎭東《定時成歲賦》云：「玉燭凝庥，調泰鴻於四氣；珠囊紀慶，協乾象於兩儀。」宋庶常劭穀《三階平則風雨時賦》云：「坤紐長維，錫庶民於五有極；乾樞在握，勤天下以三無私。」王庶常培尊《聞行知賦》云：「堯秉亶聰，體函三而出震；舜其大智，參明兩以作離。」楊庶常峻《無逸圖賦》云：「執中道契，凝鼎祚而功隆；行健德昭，握乾符而極建。」陳太史澐《鑑空衡平賦》云：「道叶知臨，照普離明之德；學由誠立，精符巽稱之心。」諸如此類，可推之以盡其餘。但以上諸聯，若用作頌聖，句句俱要擡頭，不可不知。

又卷四　賦有兩扇題法，須以兩平還之，如八股之兩扇格。

又　賦有三扇題，亦須三平還題，如八股三扇題之法。

又　賦家擬體，譬諸書家臨帖，正如雙鵠摩空，不必此鵠之貌似彼鵠也，而不能禁此鵠之神不似彼鵠也。故擬古之賦，有貌似者，有神似者，有神貌俱不似而以不似爲似者，唐賢以來多矣。而近時館閣之作，工擬體者亦復不少。

又卷五　近人理題之妙，往往正喻夾寫，雙管齊下，此法最爲警露。如吳學使慈鶴《禮義爲器賦》中有云：「不器者大道之無名，成器者達材之有柄。禮之器存於撙節，三讓取蟾魄之輝；義之器在於濯磨，百鍊淬龍泉之性。」吳庶常其浚《體仁足以長人賦》中有云：「爲仁由己，譬勵志於爲山；以仁安人，驗治樞之在水。擬性禾與善米，爾宅爾田；儼義種而禮耕，侯彊侯以」之類是也。

又卷六　賦有如題直起，不必裝頭作冒，而古質樸重，屹如山立者，此法最爲館閣中制勝之技。

又　荀卿《禮賦》爲賦家文賦之祖。然寥寥篇幅，淡淡元音，椎輪穴處之風，元酒太羹之味，猶未極燦爛之觀也。羅庶常永符《秋爲禮賦》直仿荀卿《禮賦》體格，而四通六闢之論，千門萬戶之形，直能發前人之所未發。

又　賦之起手處，有用七字句，如一七言絶句者，此唐初四傑之體。此

格生新，最足拓人心目。如程太史恩澤《月中桂賦》起手云：「桂花氤氳滿天闕，東海聞香西海沒。誰家露苑生好風，一夕珊珊入明月。」郎庶常葆辰《蘆花賦》起手云：「三月春風長短亭，柳花點點任飄零。秋風也作春風勢，故遣蘆花滿釣汀。」陳太守俊千《羯鼓催花賦》云：「天寶承平調玉燭，君王最愛梨園曲。花萼樓前舊觀酺，華清宮中新賜浴。千門萬戶望廣寒，下界偷將上仙籙。漁陽鼙鼓一聲驚，長安可憐似棋局。鳥逋雀凍不勝悲，劍閣雨淋空急促。」諸如此類，可以意推之也。

又 近時館閣之賦，起手有疊用四字句，似未到題，而題之巔已踞，題之氣已呑，題之韻已流，題之腦已盬，此訣最爲超妙。如李太史翃《虎賁説劍賦》起手云「狐戟韜鋋，雞翹戢羽。帳解獅鍪，宮鳴鼉鼓。幡上烏棲，庭中獸舞」。錢庶子林《澄海樓賦》起手云「海遠天青，樓高雲駐。一層試登，萬景爭赴」。祝榜眼慶蕃《擊鉢催詩賦》起手云「鈴閣宵沈，珠宮夜啟。鬮韻撚鬚，騁妍鼓掌」。祁太史寯藻《盤香賦》起手云「裊裊溶溶，似淡仍濃。花薰豆蔻，鑑隱芙蓉。綠綺三疊，碧紗一重」。吳殿撰其濬《米家書畫船賦》起手云「字水瀠洄，屏峰迢遞。港鼓初撾，雨帆乍洗」。劉庶常煒《王會圖賦》起手云「貞觀握符，李唐司契。翦寶擒充，安民濟世。懷德畏威，陳圭薦幣」之類是也。

余丙照《增注賦學指南》卷二《論詮題》 賦貴審題，拈題後不可輕易下筆，先看題中着眼在某字，然後握定題珠，選詞命意，斯能掃盡浮詞，獨詮眞諦。如唐太宗《小山賦》處處摹寫小字，宋言《斆鷄鳴度關賦》處處關合鷄鳴，此風簷中秘訣也。賦又貴肖題，如遇廊廟題，須説得落落大方，雜不得山林景況。遇山林題，須説得翩翩雅致，雜不得廊廟風光。題目甚夥，舉可類推。苟一題到手，率爾操觚，並不知題中眼目何在。如題係花鳥，即泛作花鳥賦，題係山水，即泛作山水賦，敷衍成篇，有何意味？況乎手無線索，定然亂雜無章，縱有新詞麗句，説得天花亂墜，終是隔靴爬癢，於題何涉？然或知認題而法未熟，並不論如何議論，如何刻劃，如何串合，以及繪景寫情傳神諸法全然不知，將見湊字、湊句，苦態不堪，又何能詮題耶？備列諸法於左，是在神而明之者。

又 繪景貴乎雅與題稱，如花草雪月等題，是實景也，描實景不可至於堆垛，要有實而虛之之妙。如春陰秋陰等題，是虛景也，描虛景不可陷於空疏，要有虛而實之之妙。

又 詩發乎情，而賦者古詩之流也，則駢四儷六，亦宜隱寓深情。作者揮毫務必寄情綿邈，令人一往情深，方得文生情情生文之妙。觀江淹《恨》、《別》二賦，可以悟矣。

又 「情景」二字最難摹寫，況景中有情，情中有景。或二句景，二句情，尤屬難工，總要設身處地，即景生情，觸手成春，言情寓景，斯爲情景逼眞，不愧登高作賦。

又 賦以傳神爲極致，蓋不呆詮題面，祇於無字處攝取題神，空中摹寫，然亦須帶定題意，使語在環中，神游象外方妙。至於題有虛字者，更當於虛字中傳神，不得抛荒虛字，全向實處呆詮。但此火候，總要工夫純熟，心細手和，在有意無意之間，虛與委蛇而已。

又 凡咏物題，最忌膚泛，然用典沾滯，毫無生動之趣，又一病也。須要細心體會，善於形容，方爲寫生妙手。

又 題面題意，皆宜刻畫，其法總以精工爲主。但要巧不入纖，工不傷雅，方成妙手。

又 賦貴眉目清楚，不可墮於沉晦，點醒題字，第一要訣也。一曰正點，正就本題字面拈出點醒之。一曰借點，看他件字眼與本題不異者，借以點之。解此自能爽目。

又 題之正面無多，得力全在題之四面着筆，賦有陪襯，此最便法也。蓋明借他題陪出本題，或反或正或旁面，總以雅切爲主，但不可陪襯太多，以致喧客奪主。

又 烘托之法與陪襯映帶俱不相同，但就題之四面烜染，而題之正面自見。如畫家畫月，只在四面烜染雲色，而月自見。所謂烘雲托月也。作者須識得此意。

又卷三《論詮題》 比與陪襯，有虛實之不同。陪襯者，借他件以陪出本題，多在虛步上着墨；比則題位已坐實了，直將他件與本題較其同異，度其短長，而本題之妙自見。用此法，大約抬高本題之意居多。

又 雙關者，蓋題係兩截話頭，如秧針柳線等題，不得單做上一字，又不得呆做下一字，總要雙關齊下，不沾不脫，似是而非。若係喻意題，全不露出正意字面者，亦須兩面關通，方得詮題眞諦。但此法總以渾融爲主。

又 串合與雙關異也。雙關則一語關合兩面，如聚米爲山題，則用飯顆

敖倉典故，則米字山字，俱關定矣。串合則語仍兩截，如聚米爲山題，或用米的典故順串合山，或用山的典故逆串合米，總要組織精工，如天衣無縫則妙。

又 映者，照映題面生姿，取與題相近之事映合之。有旁映、正映、反映諸法。帶者帶定，題位不舍，在於題稍離時用之，有順帶、逆帶諸法，與雙關陪襯，相似而不同也。

又 疑審者，故作猜疑，設爲審問也。蓋平鋪直叙，有何佳趣？惟於縱筆中途，忽生疑陣，審問低徊，便覺丰姿動宕，機趣横生矣。

又 釋義者，解釋題中字義也。蓋字面固宜醒豁，字義尤貴疏清，其法自歐陽公《秋聲賦》中得來，須上用一句註定，下復以一二句申明之，總要抉出精義，方能動人，不然，徒形敷衍耳。

又 以議論詁題，賦家勝境。須另有一番意義，然後宛轉説來，皆成妙諦。但語忌沉晦，而貴清醒。

又 搓法者，上句鍊出一字，下句即從此一字生出意義，一手握定，回環變換，如搓繩然，故曰搓法。總要手筆靈便，愈轉愈深，愈折愈醒方妙。

又 (旋)法與搓法不同。彼則鍊一字於兩句之中，轉換見意，如兩股之交互，故曰搓；此則拈一字於一句之內，靈變取致，如一絲之縈繞，故曰旋，謂之旋風，以筆之宛轉迅疾也。

又 賦有本題字面屬單，難於自爲對仗，必須上半聯另借他件作出，下半聯，仍就本題作對，撞起一聯，共成絶對。然排偶之中，必參以側卸之筆，方能賓主分明，無眉目不清之弊。

又 凡遇數目題，莫妙於用算法，蓋本題數目多少難以實詮，必借他件數目字較定之。數目比本題多者，用除法；數目比本題少者，用乘法。乘除算來，本題之數目自見。

又 賦有前面後面，作者必前後着想，方無剩義。其法有三：一是上二句追憶題前，下二句落到題面，此瞻前法也。一是上二句安頓題位，下二句推向題後，此顧後法也。一是上二句收足題位，下二句繳到題前，此逆挽法也。

又 文忌平鋪直瀉，賦亦如之。賦之得機得勢，莫妙於題前用翻筆跌起全題，下段轉到題面，順題寫去，便勢如破竹矣。此等筆法，最宜則效。

又 一段有一段之收束，通篇有通篇之收束，總要氣足意圓，語莊筆老，方足得住一段，方兜得住通篇。倘欠周匝，或不緊嚴，與軟腳之病何異？

又卷四《論裁對》 賦之對仗，貴極精工。駢四儷六，對白抽黄，所謂律也。大凡天地之物，莫不有偶，如天文地理，草木鳥獸，各以類對，固自易易。然近今人文蔚起，花様異常，但能工穩，尚難出色，務必悉去陳言，獨標新穎。或參以干支，或配以顔色，或以假借見巧，或以流水見活，方能自開生面，不落恆蹊。但巧不可入纖，工不可傷雅耳。欲知製錦，請看各條。

又 一爲奇，二爲偶，易象也，賦之駢體，非比偶乎？作者既以《易》之卦名爻辭，取爲對仗，實足爲通篇生色。此等對法，總以引用的當、烹煉自然爲貴。

又 賦以干支字面作對，最易生色，然一篇數見，亦易生厭。若題係干支，又當別論，總要選用典貴打合自然爲妙。

又 數目對與算法不同。彼則較量其多少，此則統舉其成數。蓋遇數目題，自宜着眼數目字，即題非數目，拈此作對，亦覺簇簇生新。但不可塡砌滿篇，貽譏於算博士。

又 反正對有二，上兩句或翻、或宕、或開作反筆，下兩句合到正面，此先反後正法也。上二句正詮題面，下兩句或翻、或宕、或開作反筆，此先正後反法也。皆賦中擒縱之法，最爲便學。

又 賦中流水對法，既避重複，且有生動之趣。其法有上下安頓虛字呼吸一氣者，貴得機勢；有上下不用虛字神氣一串者，貴極自然。

又卷五《論琢句》 賦貴琢句，律賦句法不一，唐人律賦不必段段盡用四六句，亦有全不用者。如石貫之《藉田賦》、顔魯公《象魏賦》是也。而最便初學者，莫如四字、六字及四六、六四等句，酌其機調，參差用之，自能修短合度，血脉流通。然欲出語驚人，行間生色，則必加以烹鍊，烹取調和，所謂醯醢鹽梅，以和五味也，鍊則融化，所謂百鍊鋼化爲繞指柔也。有工力焉，不可了以率易；有火候焉，更不可參以生硬。雖過鍊亦恐傷氣，總要清不流於滑，華不近於俗，奇不戾於正，方爲和平大雅之音。古人作賦，雖眼前經典語，亦極烹鍊，如庾子山之「羔獻冰開，桐華萍合」；唐蕭昕之「草黄月季，虛正昏中」之句，學者正可隅反。兹選句法不一，鍊亦不同，欲擅雕龍，須觀選句。

又 鍊短句，對仗須極工整，韻腳須極現成，組事須極明麗，結調須極陡峭。用於每段之起者，要凝重得勢；用於每段之中者，有長短相生之妙；用於每段之末者，有官止神行之意。善用之最見音節之妙，足令耳目一新。

又 鍊長句，要工緻自然，不可生澀湊合，笨拙不靈，致犯沾滯之病，其法有二：一則語經百鍊莊重不佻者，爲凝鍊；一則措詞圓潤如珠走盤者，爲秀鍊。

又 文爭起結，賦亦爭起結，起必用短調，取其緊峭，擒得住題目。結必用長調，取其充沛，收得住通篇，雖起亦有用長句者，而結斷不可用短句。

又 運用成語，賦家上乘，然詞意難於確切，對仗難於自然，能自然而確切則佳矣。

又 句中疊字，用法不一，或於上句用之，或於下句用之，或於句首用之，或於句尾用之，或於句中用之，有用之而句法生動者，有用之而句法整齊者。總忌庸腐，而貴新逸。

顧蒓《必以集·論賦》 初學作賦，每苦無生發，以不講層次之故也。每一題到手，須將題之前後細想一番，分作數層，然後將所限之韻配合，某層宜押某韻，某韻宜用某字，或平叙，或提頓，隨時變化，初無一定之質。惟期不凌躐，不重複而止。其有么麼小題，不能分層次者，即於用意之虛實淺深處分之，則無層次中亦有層次矣。蓋不分層次，則一題只是一題；既分層次，一題遂成數題。視爲一題則生發少，視爲數題則生發多，此理之必然者也。熟讀唐賦，自得其妙。

又 層次既分，然後可言運典。每一題即有一題應用之典，且分出數層，即有每層中應用之典，引而伸之，觸類而長之，往往有絕不相涉引來適成奇妙者，此又在組織之工，心思之巧也。然此必取材宏富，乃能用之不竭。所謂長袖善舞，多財善賈，故學者尤貴在平時博覽。

又 偶句最忌合掌，去其合掌，則變化生動矣。

又 四六太多，則轉運不靈，唐人每段多不過兩聯。蓋每段必有精神團結之處，前只淡淡著筆，越顯出此妙處來。此亦疏密相間之法。至換韻處，務在點清作意，俱不用四六。至宋人間有用之者，以大氣行之，固不覺其拖沓。然究當以唐人爲法。

又 結處之用頌用歌，猶《離騷》之亂也。可施於古賦俳賦，不合律體。

劉熙載《藝概·賦概》 賦之妙用，莫過於「設」字訣，看古作家無中生有處可見。如設言値何時，處何地，遇何人之類，未易悉舉。

又 范椁論李白樂府《遠別離》篇曰：「所貴乎楚言者，斷如復斷，亂如復亂，而詞義反覆屈折行乎其間，實未嘗斷而亂也。」余謂此數語，可使學騷者得門而入，然又不得執形似以求之。

又 賦有以所紀之事實重者，如王無功《游北山賦》，似不過寫其閒適曠達之意，然叙文中子一段抽出之，足爲文獻之徵，乃賦中有關係處也。

吳錫麒《論律賦》 唐人律賦，每韻中四六亦不過一聯，其句法或上四下六，或上六下四，亦有五字、七八字者，而上下必以四字貫之。此一定之體也。雖近時作賦，邊幅不可太狹，自須多用四六一兩聯，然中間尙得間以單排，始覺疎宕。夫水性虛而淪漪結，徑路絕而風雲通，惟風骨高騫，故膏腴無害。非然者，豐肌有堆垛之誚，大木致擁腫之嗟。陸士衡不以才多爲患哉。若夫結調則奇弄發，遣詞則異采騰，變化靈通，惟唐人盡之。其中有拗句法，有疊字法，有倒裝法，有側卸法，有虛字實鍊法，有實字虛鍊法。如丁春澤《日觀賦》：「火動山頂，輪移水面，穿暗隙以飛鏡，歷幽窗而走電。」陳章《風不鳴條賦》：「輕搖而曉露初滴，暗裊而春鳩轉鳴。」此拗句法也。如王棨《曲江池賦》：「有日影雲影，有鳧聲雁聲。」賈餗《太阿如秋水賦》：「千里萬里之斜漢，耿耿方侔；八月九月之洞庭，沈沈相似。」此疊字法也。如黃滔《漢宮人誦洞簫賦賦》：「如燕人人，却以詞鋒而厲吻；雕龍字字，爰於禁署而飛聲。」此倒裝法也。如鄭濆《吹笛賦》：「竟無六律，繼當時紫府之清音；空有一條，是往日翠華之來路。」此側卸法也。若虛字實鍊法，如黃滔《秋色賦》：「空三楚之暮天，樓中歷歷；滿六朝之故地，草際悠悠。」「空」字「滿」字是也。實字虛鍊法，如周鍼《吳嶽賦》：「西窺劍閣，霜地表之千鐔；東瞰蓬萊，黛波間之數點。」「霜」字、「黛」字是也。大抵有唐一代，李程、王起，風氣斯開；蔣防、謝觀，如驂之靳。若王棨之《麟角集》、黃滔之《黃御史集》，引商刻羽，含英咀華，實爲賦苑之寶書。學者所當奉爲圭臬者也。至于樂天之風舉雲搖，清雄逾逸；微之之高冠長劍，璀璨陸離。洗昔賢之忸怩，破前軌之束縛。然必有氣以舉之，否則不能學也。又若皇甫之遠情勝致，惝恍迷離，閒居則蘭成之外篇，采藥亦《離騷》之支子。然非律賦之正宗，以之奏鑾坡，鳴芸閣，非所宜也。即漢魏之沉博絕麗，六朝之旖旎風流，獵其英華則可矣，若論體

裁，正須分別。如律賦末段，只宜或散或整，收束餘波。近人多用歌詞作結，前軒後輊，不古不今，安得謂之曲終而奏雅哉！又五七言詩句入賦，惟齊梁及唐初體則然，律賦中如「問於垂白荷鉏叟，云是明皇吹笛樓，何事春秋各千年，何花開落惟一旦」，唐人雖間有之，正惟位置得宜，故音奏斯協；若雜之偶對內，則肖當筵之致語，同建醮之青詞，昌黎所謂類于俳優者，正此種耳。夫琴瑟專一不可以聽也，左驥驂而右駑服不可以御也，金玉其中而敗絮其外不足以爲寶也。故調忌複襲，複襲則不靈；對忌參差，參差則不整；詞忌浮靡，浮靡則不眞。優而游之，欲其氣之疏以達也；比而齊之，欲其平沉之均也。眂其表，欲其澤也；眂其裏，欲其本之固也。如是而言律，律乃細矣；如是而言賦，賦乃精矣。

沈祖燕《策學備纂·賦學》 造句，篇則統前後而謀之者也，句則隨時而謀之者也。隨時而謀，又必統前後而謀，商量生熟，刻畫分秒，斯固雕蟲之業也。營篇既得，將增壯於數聯；製局已乖，冀求援於幾句。苟癡鈍其一字，必岨峿乎全章。然而不貴尖鮮，務歸堅緻。又不可戀一字而致滯其機，統全章而皆入於巧，莽莽古直，羅羅清疏，泯其錘鍊之形，愈是精能之至。《詮賦》曰「擬諸形容，則言務纖密；象其物宜，則理貴側附」。「側附」二字，可謂妙於語言。唐人尤得其法。《鍊字》曰：「三權重出」。古賦惟大篇不禁重出。若千言以內，初無累牘風雲，連篇月露之事，況於律賦，即虛字闕接，大宜檢點。

類　別

范仲淹《賦林衡鑑序》 律體之興，盛于唐室，貽于代者，雅有存焉。可歌可謠，以條以貫，或祖述王道，或褒贊國風，或研究物情，或規戒人事：煥然可警，鏘乎在聞。

又 仲淹少遊文場，嘗稟詞律，惜其未獲，竊以成名。近因餘閒，載加研玩，頗見規格，敢告友朋。其於句讀聲病，有今禮部之式焉。別析二十門，以分其體勢：叙昔人之事者謂之叙事，頌聖人之德者謂之頌德，書聖賢之勳者謂之紀功，陳邦國之體者謂之贊序，緣古人之意者謂之緣情，明虛無之理者謂之明道，發揮源流者謂之祖述，商榷指義者謂之論理，指其物而咏者謂之詠物，述其理而詠者謂之述詠，類可以廣者謂之引類，事非有隱者謂之指事，究精微者謂之析微，取比象者謂之體物，強名之體者謂之假象，兼舉其義者謂之旁喻，叙其事而體者謂之叙體，總其數而述者謂之總數，兼明二物者謂之雙關，詞有不羈者謂之變態。區而辯之，律體大備。然古今之作，莫能盡見，復當旅次無所檢索。聊取其可舉者類之于門。門各有序，盍詳其指。古不足者，以今人之作者附焉。略百餘首，以示一隅。使自求之，思過半矣！雖不能貽人之巧，亦庶幾辯惑之端。命之曰《賦林衡鑑》。謂可權人之輕重，辨己之妍媸也。所舉之賦，多在唐人。豈貴耳而賤目哉！庶乎文人之作，由有唐而復兩漢，由兩漢而復三代。斯文也既格乎《雅》、《頌》之致，斯樂也亦達乎《韶》、《夏》之和。臣子之心，豈徒然耳。若國家千載特見，取人易方，登孝廉，舉方正，聘以伊尹之道，策以仲舒之文；求制禮作樂之才，尚經天緯地之業。於斯述也，委而不論，亦吾道之志歟！

黃庭堅《題蘇子由黃樓賦草》 銘欲頓挫崛奇，賦欲宏麗，故子瞻作諸物銘，光怪百出；子由作賦，紆徐而盡變。二公已老，而秦少游、張文潛、晁無咎、陳無己方駕於翰墨之場，亦望而可畏者也。

晁補之《跋第五永箴》 予謂箴亦詩，若賦之流爾。昔賈誼《鵩賦》，句皆如詩四言，而但中加「兮」字屬之。至《誼傳》乃皆去「兮」字，則與詩箴何異。彪與崔琦二箴亦四言之敷暢者，名箴而實賦也。

陳師道《後山詩話》 語以切對爲工，乃進士賦體爾。歐陽少師始以文體爲對屬，又善叙事，不用故事陳言，而文益高。

李廌《師友談記》 少游言：凡小賦如人之元首，而破題二句乃其眉，惟貴氣貌有以動人，故先擇事之至精至當者先用之，使觀之便知妙用。然後第二韻探原題意之所從來，須便用議論。第三韻方立議論，明其旨趣。第四韻結斷其說以明題，意思全備。第五韻或引事，或反說。第七韻反說，或要終立義。第八韻卒章，尤要好意思爾。

周必大《題趙遜可文卷》 揚雄有言，事辭稱則經，此爲屈原發也。自國風雅頌之後，能庶幾於此者，其《離騷》乎！或推爲經，雖曰太過，未爲無據也。晁補之《續楚辭》二十卷，自宋玉及漢唐至於本朝諸賢辭賦、問對、歌詩、序引之類咸在，雖一代英傑，盡心力而爲之，遂以名世。然其原皆出於《離

騷》，特體製殊耳。

朱熹《楚辭辯證》卷下　晁錄：王逸所傳《楚辭》篇次，本出劉向，其《七諫》以下，無足觀者。而王褒爲最下，余已論於前矣。近世晁無咎以其所載，不盡古今詞賦之美，因别録《續楚辭》、《變離騷》爲兩書，則凡詞之如騷者，已略備矣。自原之後，作者繼起，而宋玉、賈生、相如、揚雄爲之冠。然較其實，則宋馬辭有餘而理不足，長於頌美，而短於規過。雄乃專爲偷生苟免之計，既與原異趣矣，其文又以摹擬掇拾之故，斧鑿呈露，脈理斷續，其視宋馬，猶不逮也。獨賈太傅以卓然命世英傑之材，俯就騷律，所出三篇，皆非一時諸人所及。而《惜誓》所謂「黄鵠之一舉兮，見山川之紆曲，再舉兮睹天地之員方」者，又於其間超然拔出言意之表，未易以筆墨蹊徑論其高下淺深也。此外晁氏所取如荀卿子諸賦皆高古，而《成相》之篇本擬工誦箴諫之詞，其言姦臣蔽主擅權，馴致移國之禍，千古一轍，可爲流涕。其他如易水、越人、大風、秋風、天馬，下及烏孫公主諸王妃妾、息夫躬，晉陶潛、唐韓柳、本朝王介甫之山谷建業、黄魯直之毁璧隕珠、邢端夫之秋風三疊，其古今大小雅俗之變，雖或不同，而晁氏亦或不能無所遺脱，然皆爲近楚語者。其次則如班姬、蔡琰、王粲及唐元結、王維、顧况，亦差有味。又此之外，則晁氏所謂過騷之言者，非余之所敢知矣。晁書《新序》多爲義例，辨説紛挐，而無所發於義理，殊不足以爲此書之輕重。且復自謂嘗爲史官，古文國書職當損益，不惟其學而論其官，固已可笑，况其所謂筆削者，又徒能移易其篇次，而於其文字之同異得失，猶不能有所正也。浮華之習，徇名飾外，其弊乃至於此，可不戒哉！

謝采伯《密齋筆記》卷三　或曰：西漢之末，王褒文類俳。今觀鄒枚文，已近此體。大率古賦之流，如荀子諸賦，豈非先秦古書。但自王褒以後，至晉唐文多類俳，皆源流古賦，亦如今時有一項古文，又有一項四六。

薛季宣《書大象賦》　文賦之作，于記事爲難工。大象妙于鋪陳，巧依準實，該而質，簡而文，馳騁其辭，不失次舍，貫穿經緯，端如貫珠。

項安世《項氏家説》卷八《詩賦》　嘗讀漢人之賦，鋪張閎麗，唐至于本朝未有及者。蓋自唐以後，文士之才力盡用于詩。如李杜之歌行，元白之唱和，序事叢蔚，寫物雄麗，小者十餘韻，大者百餘韻，皆用賦體作詩，此亦漢人之所未有也。予嘗謂賈誼之《過秦》，陸機之《辯亡》，皆賦體也。大抵屈宋以前，以賦爲文。莊周、荀卿子二書，體義聲律，下句用字，無非賦者。自屈宋以後爲賦，而二漢特盛，遂不可加。唐至于宋朝，復變爲詩，皆賦之變體也。

祝堯《古賦辨體》卷四《兩漢體下》　問答賦如《子虚》、《上林》首尾同是文，而其中猶是賦。至子雲此賦，則自首至尾純是文，賦之體鮮矣。厥後唐末宋時諸公以文爲賦，豈非濫觴於此？蓋賦之爲體固尚辭，然其於辭也必本之於情而達之於理；文之爲體每尚理，然其於理也多略乎其辭而昧乎其情。故以賦爲賦，則自然有情，有辭而有理。以文爲賦，則有理矣，而未必有辭；有辭矣，而未必有情。此等之作，雖名曰賦，乃是有韻之文，併與賦之本義失之。

又卷六《三國六朝體下》《雪賦》：賦也。二歌及亂涉風比興義，意味近古。二歌倣《招魂》語意，亂辭别爲一體，又騷之變者。且歌者，詩人所賦之妙，實以其情，非辭能盡，故形於聲而爲歌。《雪》、《月》二賦篇末之歌，猶是發乎情本義，若《枯樹賦》簇事爲歌，何情之可歌哉！此賦中間極精麗，後人詠雪皆脱胎焉。蓋琢句練字，抽畫細膩，自是晉宋間所長，其源亦自荀卿《雲》、《蠶》諸賦來。

又卷七《唐體》　嘗觀唐人文集及《文苑英華》所載唐賦，無慮以千計，大抵律多而古少。夫古賦之體，其變久矣，而况上之人選進士以律賦，誘之以利祿耶？蓋俳體始於兩漢，律體始於齊梁。俳者，律之根；律者，俳之蔓。后山云：「四律之作，始自徐庾，俳體卑矣，而加以律，律體弱矣，而加以四六，此唐以來進士賦體所由始也。雕蟲道喪，頹波横流，光鋩氣燄，埋鏟晦蝕，風俗不古，風騷不今，後生務進干名，聲律大盛。句中拘對偶以趁時好，字中揣聲病以避時忌，孰肯學古哉！」退之云：「時時應事作俗語，下筆令人慚。及以示人，大慚以爲大好，小慚以爲小好，不知古文眞何用於今世。」斯言也，其傷今也夫？其懷古也夫？是以唐之一代古賦之所以不古者，律之盛而古之衰也。就有爲古賦者，率以徐、庾爲宗，亦不過少異於律爾。甚而或以五七言之詩爲古賦者，或以四六句之聯爲古賦者，不知五七言之詩、四六句之聯，果古賦之體乎？宋廣平，大雅君子也，其爲《梅花賦》，皮日休尚稱其清便富艷，得南朝徐庾體，殊不類其爲人，他可知矣。且古賦所以可貴者，誠以本心之情，有爲而發，六義之體，隨寓而形。如雲之行空，風之

行水，百態橫生，爲變不測，縱橫顛倒，不主故常，委蛇曲折，略無留礙，有不齊之齊焉用俳，有不調之調焉有律。及爲俳體者則不然，駢花儷葉，含宮泛商，如無鹽輩膏沐爲容，而又與西施鬬美，然天下之正色，終自有在。子美詩云：「詞賦工無益」，其意殆爲俳律者發。李太白天才英卓，所作古賦差強人意，但俳之蔓雖除，律之根故在，雖下筆有光燄，時作奇語，只是六朝賦爾。惟韓、柳諸古賦，一以騷爲宗，而超出俳律之外。韓子之學，自言其正葩之詩，而下逮於騷；柳之學，自言其本之詩以求其恆，參之騷以致其幽，要皆是學古者。唐賦之古，莫古於此。至杜牧之《阿房宮賦》古今膾炙，但大半是論體，不復可專目爲賦矣。毋亦惡俳律之過，而特尚理以矯其失與？或疑《詩序》謂「發乎情，止乎禮義」，言情言理而不言辭，豈知古人所賦，其有理也，以其有辭；其有辭也，以其有情？其情正則辭合於理而正，其情邪則辭背於理而邪。所謂辭者，不過以發其情而達其理。故始之以情，終之以禮義，雖未嘗言辭，而辭實在其中，蓋其所賦，固必假於辭而有不專於辭者。去古日遠，人情爲利欲所汩，而失其天理之本。然情涉於邪而不正，則以游辭而釋之；理歸於邪而不正，則以強辭而奪之。《易》繫六辭，輒書四辭，固不出於理之正，而亦何莫不從心上來。吁，辭者，情之形諸外也；理者，情之有諸中也。有諸中，故見其形諸外；形諸外，故知其有諸中。辭不從外來，理不由他得，一本於情而已矣。若所賦專尚辭，專尚理，則亦何足見其平時素蘊之懷，他日有爲之志哉！方今崇雅黜浮，變律爲古，愚故極論律之所以爲律，古之所以爲古賦者，知此則其形一國之風，言天下之事，當有得古人吟詠情性之妙者矣。

又卷八《宋體》　王荊公評文章嘗先體製，觀蘇子瞻《醉白堂記》曰韓白優劣論爾。後山云：退之作記，記其事爾。今之記乃論也。少游謂《醉翁亭記》亦用賦體。范文正公《岳陽樓記》用對句說景，尹師魯曰傳奇體爾。宋時名公於文章必辯體，此誠古今的論。然宋之古賦，往往以文爲體，則未見其有辯其失者。晦翁云：「東漢文章漸趍對偶，漢末以後只做屬對文字。韓文公盡掃去，方成古文。當時信他者少，亦變不盡，及歐公一向變了。亦有欲變而不能者。所以做古文自是古文，四六自是四六，卻不衮雜。」後山又云：「宋初士大夫例能四六，楊文公筆力豪贍，體亦多變，而不脫唐末五代之氣，喜用方語，以切對爲工，乃進士賦體爾。歐陽少師始以文體爲對屬。」愚考唐宋間文章，其弊有二：曰俳體，曰文體。爲方語而切對者，此俳體也。自漢至隋，文人率用之，中間變而爲雙關體，爲四六體，爲聲律體，至唐而變深，至宋而變極，進士賦體，又其甚焉。源遠根深，塞之非易。晦翁又謂：「文章到歐陽、曾、蘇，方是暢然。所謂欲變不能者，豈特四六也哉！」後山謂歐公以文體爲四六，但四六對屬之文也，可以文體爲之，至於賦，若以文體爲之，則專尚於理而遂略於辭，昧於情矣。俳律卑淺，固可去，議論俊發，亦可尚。而風之優柔比興之假託，雅頌之形容，皆不復兼矣。非特此也，賦之本義，當直述其事，何嘗專以論理爲體邪？以論理爲體，則是一片之文，但押幾箇韻爾，賦於何有？今觀《秋聲》、《赤壁》等賦，以文視之，誠非古今所及，若以賦論之，恐坊雷大使舞劍，終非本色。學者當以荆公、尹公、少游等語爲法。其曰論體、賦體、傳奇體，既皆非記之體，則文體又果可爲賦體乎？本以惡俳，終以成文，舍高就下，俳固可惡，矯枉過正，文亦非宜。俳以方爲體，專求於辭之工；文以圓爲體，專求於理之當。殊不知專求辭之工而不求於情，工則工矣，若求夫言之不足與詠歌嗟嘆等義有乎？否也！專求理之當而不求於辭，當則當矣，若求夫情動於中與手舞足蹈等義有乎？否也！故欲求賦體於古者，必先求之於情，則不刊之言，自然於胸中流出。辭不求工而自工，又何假於俳？無邪之思，自然於筆下發之，理不求當而自當，又何假於文？胸中有成思，筆下無費辭。以樂而賦，則讀者躍然而喜；以怨而賦，則讀者愀然以吁；以怒而賦，則令人欲按劍而起；以哀而賦，則令人欲掩袂以泣。動盪乎天機，感發乎人心，而兼出於風比興雅頌之義焉，然後得賦之正體，而合賦之本義。苟爲不然，雖能脫於對語之俳，而不自知又入於散語之文。渡江前後，人能龍斷，聲律盛行，賦格賦範賦選粹辯論體格其書甚衆，至於古賦之學，既非上所好，又非下所習，人鮮爲之。就使或爲，多出於閒居暇日以翰墨娛戲者。或惡近律之俳，則遂趍於文；或惡有韻之文，則又雜於俳；二體衮雜，迄無定向，人亦不復致辨。近年選場以古賦取士，昔者無用，今則有用矣。嘗考春秋之時，覘國盛衰，別人賢否，每於公卿大夫士所賦知之。愚不知今之賦者，其將承累代之積弊，嘎啾咿嚶，而使天醜其行邪，抑將侈太平之極觀，和其聲而鳴國家之盛邪。則是賦也，非特足以見能者之材知，而亦有關吾國之輕重，學者可不自勉！嗟夫，誰謂華高企其齊而古體高乎哉！誰謂河廣一葦航之，古體遠乎哉！愼勿以無田甫

田維莠驕驕之心以自阻。

又卷九《外錄上》 嘗觀晁氏《續騷》以陶公《歸去來辭》爲古賦之流，疑其詩流爲賦，賦又流爲他文，何其愈流愈遠邪。又觀唐元微之曰：「《詩》訖于周，《離騷》訖于楚，是後，詩人流而爲二十四名：賦、頌、銘、贊、文、誄、箴、詩、行、吟、詠、題、怨、歎、章、篇、操、引、謠、謳、歌、曲、詞、調。」自操以下八名，皆是起於郊祭、軍、賓、吉凶等樂；「由詩以下九名，皆屬事而作，雖題號不同，而悉謂之詩。」愚謂二十四名，或爲文，或爲詩，要皆是韻語，其流悉源於詩。但後代銘、贊、文、誄、箴之類，終是有韻之文，何可與詩賦例論。亦嘗反覆推之，然後知後代之賦本取於詩之義以爲賦，名雖曰賦，義實出於詩，故漢人以爲古詩之流。後代之文，間取於賦之義以爲文，名雖曰文，義實出於賦，故晁氏亦以爲古賦之流。所謂流者，同源而殊流爾。如是賦體之流，固當辯其異；賦體之源，又當辯其同；異同兩辯，則其義始盡，其體始明，此古賦外錄之辯，所以繼於古賦辯體之辯也歟！夫自帝王之書有明良之歌、五子之歌，詩文雖互見，而詩體實自異。及聖人刪商周之詩爲一經，而詩體始與文體殊趍。然論詩之體，必論詩之義，詩之義六，惟風比興三義眞是詩之全體；至於賦雅頌三義，則已鄰於文體。何者？詩所以吟詠情性。如風之本義，優柔而不直致；比之本義，託物而不正言；興之本義，舒展而不刺促。得於未發之性，見於已發之情，中和之氣，形於言語，其吟詠之妙，眞有永歌嗟歎舞蹈之趣，此其所以爲詩，而非他文所可混。人徒見賦有鋪叙之義，則鄰於文之叙事者；雅有正大之義，則鄰於文之明理者；頌有褒揚之義，則鄰於文之贊德者。殊不知古詩之體，六義錯綜，昔人以風雅頌爲三經，以賦比興爲三緯，經其詩之正乎？緯其詩之葩乎？經之以正，緯之以葩，詩之全體始見，而吟詠情性之作，有非復叙事明理贊德之文矣。詩之所以異於文者以此。賦之源出於詩，則爲賦者固當以詩爲體，而不當以文爲體。後代以來，人多不知經緯之相因，正葩之相須，吟詠無所因而發，情性無所緣而見，問其所賦，則曰賦者鋪也，如以鋪而已矣，吾恐其賦特一鋪叙之文爾，何名曰賦？是故爲賦者不知賦之體而反爲文，爲文者不拘文之體而反爲賦，賦家高古之體不復見於賦，而其支流軼出，賦之本義乃有見於他文者。觀《楚辭》於屈宋之後，代相祖述，《續騷》、《後語》等編中所載，如二招、《惜誓》以下，至王荆公《寄蔡氏女》、邢敦夫《秋風三疊》，皆本於騷，猶曰於賦之體無以異。他如《秋風》、《絕命》、《歸去來辭》等作，則號曰辭；弔田横萇弘等作，則號曰文；《易水》、《越人》、《大風》等作，則號曰歌。雖異其號，然取於賦之義則同。蓋於其同而求其異，則賦中之文，誠非賦也。於其異而求其同，則文中之賦，獨非賦乎？必也分賦中之文而不使雜吾賦，取文中之賦而可使助吾賦，分其所可分，吾知分非賦之義者爾。不以彼名曰賦，而遂不敢分。取其所可取，吾知取有賦之義者爾。不以彼名他文，而遂不敢取，此正魯男子學柳下惠法也。賦者，其可泥於體格之嚴，而又不知曲暢旁通之義乎！今故以歷代祖述楚語者爲本，而旁及他有賦之義者，因附益於辯體之後，以爲外錄。庶幾既分非賦之義於賦之中，又取有賦之義於賦之外，嚴乎其體，通乎其義，其亦賦家之一助云爾。

又《後騷》 楚臣之騷，即後來之賦，愚於前已屢辨之。然愚載屈宋之騷，而未及於後來之爲騷者，則以賦雖祖於騷，而騷未名曰賦，其義雖同，其名則異。若自首至尾以騷爲賦，混然並載，誠恐學者徒泥圖駿之間，而不索驪黄之外。騷爲賦祖，雖或信之，賦終非騷，亦或疑之矣。故先以屈宋之騷，載之爲正賦之祖，而別以後來之騷，錄之爲他文之冠。有源有委，而因委知源，有祖有述，而因述知祖，則古賦之體，或先或後，同源並祖於此乎，辨之其可也。蓋其意實與《續騷》及《楚辭後語》之意同，然不敢自並前脩，故少異其號，謂之後騷焉。

李祁《周德清樂府韻序》 古之賦未有律也，而律賦自唐始。朝廷以此取士，鄉老以此訓子，兢兢焉較一字於毫忽之間，以爲進退予奪之機。組織雖工，俳偶雖切，而牽制局促，磔裂以盡人之才。故自律賦既作，迨今六七百年之間，而曾無一篇可傳於後世，曾無一字可益於世教，凡若此者，皆韻書之貽患也。

陳繹曾《文筌·楚賦譜》 楚賦體：屈原《離騷》爲楚賦祖。只熟觀屈原諸作，自然精古。宋玉以下，體製已不復渾全，不宜遽雜亂耳。今具屈原賦十一篇目於左，變化之妙，備於此矣。

又《漢賦譜》 漢賦體：宋玉、景差、司馬相如、枚乘、揚雄、班固之作，爲漢賦祖，見《文選》者，篇篇精粹可法，變化備矣。《文精》、《文鑒》諸賦，多雜唐宋人新體，少合古制，未宜輕覽。大體：《高唐》、《神女》、《招魂》、《大招》、《上林》、《子虛》、《七發》、《長楊》、《羽獵》、《西都》、《東

都》、《靈光殿》、《文賛》、《閑居》、《藉田》、《長笛》、《琴》、《舞》；中體：《風》、《月》、《雪》、《赭白馬》、《鸚鵡》、《長門》、《登樓》、《嘯》；小體：荀卿五賦（出《荀子》）、宋玉大小言賦（出《古文苑》）、司馬相如《哀二世賦》、孔臧諸賦（《孔叢子》）、梁孝王諸大夫分題賦（《西京雜記》）。

又《唐賦附説》 唐賦製：古賦：一起端：破題、冒頭；二承接：入題；三鋪叙：叙事、議論、用事；四承過：歌詠、用事、議事、序事；五結尾：歌辭、優劣、議論、抒情。排賦：虛排：取虛體中字立柱排之；實排：取實體中字立柱排之；用事：用古事立柱排之；請客：請題外事外立柱排之。右四法排賦之用。碎排：或一句中排二三事是也，或一句中排一事是也；疊排：二句三句四句或五六句以上排一事，長短參差相疊；扇排：三句以上樹扇排之；衍排：一事衍作一段排之；間排：碎疊扇衍相間排之。

又 唐賦格：上壯麗，清麗，中立意：自立新意以爲機軸；布置；下體貼：結構古語體貼題字。右唐賦格變化無方，已見古文譜，此五格是其尤多者也，故特附之。凡唐賦外又有律，始於隋進士科，至唐而盛，及宋而織巧之變極矣。然賦，古詩之流也，律賦巧或以經語爲題，其實則押韻講議，其體則押韻四六，雖曰賦實非賦也。孔子所謂觚哉觚哉者，今不復附於賦譜之後。

楊愼《升菴集》卷五三《文賦列十體》 《文賦》：「詩緣情而綺靡，賦體物而瀏亮，碑披文以相質，誄纏綿而悽愴，銘博約而溫潤，箴頓挫而清壯，頌優游以彬蔚，論精微而朗暢，奏平徹以閑雅，説煒曄而譎誑。」分文之十體，各以四字盡之，可謂妙矣。往年鶴州蔡衡仲云：「束晳尚補笙詩，文賦奚傷？」余漫應曰：「序原始以要終，記制器而尚象。」衡仲曰：「二語妥帖，兼是聖經，更無褒彈也。」

于愼行《穀城山館集》卷二〇《賦》 叙曰：班氏有言，賦者古詩之流也。蓋云《雅》《頌》不作，流而爲《騷》賦爾。五言既兆，又賦之流而爲詩，去古遠矣。然自屈宋以下，所謂古賦者，猶有雅頌之遺，若《二京》、《三都》，則辭類紀述，江左六朝，則體淪俳偶，於詩道益遼然哉。

陳鶴《長門四時賦序》 夫《三墳》流塞，則《九丘》失別；《五典》喪度，則《八索》潛幾。素王殿居明道，纘業垂功，而《五經》之化猶日長光，六詩之教如川斯逝。光者被之則和，逝者流無不續。是以楚《騷》嗣經，漢詞託興。自此遂有建《兩京》之芳談，張《三都》之偉跡，《羽獵》、《長楊》之盛，《上林》、《子虛》之華。茂先博物，思竭《鷦鷯》；平正擅才，名成《鸚鵡》。富誇平樂之館，綺增銅雀之臺，哀則莊忌之《時命》，憤則賈誼之《惜誓》。安仁樂靜，《閒居》遂成；仲宣懷鄉，《登樓》斯作。大則天地幽玄之理，小則品用物類之情。遠章山川江海之奇，近記耳目觸感之異。枝分節拆，風遞音移，體非一條，名難盡述。然皆爲握珠雕玉之文，飛兔騁驥之作。星虹避彩，玉石爭聲，蔚然變觀，鏗然激耳。其制也則以情義爲主，事形爲賓，假象以畢其辭，敷喻以陳其志。布條葉之參差，以見夫政俗之偉惡；發鼓吹之溫烈，以寓乎時化之興危。比不直暴其根，興不徒造其址。必援小以諷大，託虛以證實，因功以誦德，明正以遷姦。善則感發其良心，惡則懲創其逸志，可謂可興可觀，而蓋善盡美者也。

浦銑《續歷代賦話》卷一四引周旋鹿《皮子文集序》 古賦之作，自宋玉變《離騷》體而爲之倡，比漢賈、馬、班、揚承襲而不變，尚不失《三百篇》緒餘。迨宋東坡諸公，始變其體，以文爲賦，而不拘聲韻，如《赤壁》諸作，雖詞意高妙，較諸古賦，體裁則迥別矣。

沈季友《歷朝賦格·駢賦小引》 文弦清越，騷珮便娟，兩義並峙，百家相懸。麗才出矣，駢體作焉。爾乃騁藻思，抽華緒，抗曼聲，陳綺語，夸奇字以尚玄，鼓繁音而命呂。誰云半月可結珠胎，豈曰三年遂成玉楮。當其箋揮魚卵，筆染猩毛，行間翠滴，句裏香銷，生夏雲於怪石，剪春綵於枯條。玉津金谷之園，無花不笑；蓮社竹溪之客，有酒皆豪。其爲格也，如指排，如肩比，如連峰，如斷壘，如西第賓，如東山伎，如五雲漿，如七寶几，如嬌鳥之爭啼，如碎霜之攢橤。如美人之試舞，而掃黛勻脂；如名將之談兵，而澆沙聚米。如吳絲、蜀桐、蠻箏、湘瑟之列於廣場，如吞刀吐火、鬭局投壺之羅於閒邸。斯詞苑之數傳，亦賦家之一體。乃爲歌曰：繁香縟采紛相求，編蒲束笋爛不收，剔抉殘蠹光芒流，天風噓吸三千秋，手揮八極騎龍游。

程廷祚《騷賦論下》 或曰：賦與騷異，則吾既得聞教矣。然則賦不可以宗騷乎哉？曰：不然也。賦與騷雖異體，而皆原於詩。騷出於變風雅而兼有賦比興之義，故於詩也爲最近。其聲宜於衰晚之世，宜於寂寞之野，宜於放臣棄子之願悟其君父者。至於賦之爲用，固有大焉，以其作於騷之後，故

體似之，而義則又裁乎詩人之一義也。昔商、周之作者，以聖賢之才，作爲篇詠，盛則宣其平和之響，變則發其哀憤之音，下起於閨門之私，而上薦於郊廟，千古以來，有能五「四始」而七「六義」者乎？不能也。騷由乎是，賦亦由乎是，又何疑乎賦之不可以宗騷也。且騷之近於詩者，能具惻隱，含風諭。故觀其述讒邪之害，則庸主爲之動色；叙流離之苦，則悍夫爲之改容；傷公正之陵遲，則義士莫不於邑。至於賦家，則專於侈麗閎衍之詞，不必裁以正道，有助於淫靡之思，無益於勸戒之旨，此其所短也。善乎！揚子雲曰：「詩人之賦麗以則，詞人之賦麗以淫。」以理勝者，雖則弗麗；以詞勝者，雖麗弗則；不則不麗，作者不爲也。長卿《上林》終以頽牆塡壍，子雲《甘泉》稱「屏玉女而卻宓妃」，雖云曲終雅奏，猶有諷諫之遺意焉。後之君子，詳其分合之由，察其升降之故，辨其邪正之歸，上祖風雅，中述《離騷》，下盡乎宋玉、相如、揚雄之美，先以理而後以詞，取其則而戒其淫，則可以繼詩人之末，而列於作者之林矣。

王之績《鐵立文起前編》卷九《賦通論》 王懋公曰：賦有古俳文律大小諸體之分，固截然無容溷。至于古今作者之概，則合王袁二家之論足以括之。由瑯邪之說，則作賦甚難。然吾以其言難，而又見其易。由公安之說，則作賦甚易，然吾以其言易，而又見其難。《盧次楩賦略序》云，予得盧柟古詩歌行，讀而小異之。至讀諸賦，則未嘗不爽然自失也。三閭家言忠愛悱惻，怨而不怒，悠然詩之風哉！長卿務以靡麗宏博，旁引曲喻，其要歸卒澤于雅。子雲謂之從神化來耶。然自東京以下，蔑如也。諸儒先生號名能文章家，奈何？取其所論著而姑韻之以爲賦，若茲乎哉？卽盧生所就《幽鞠》、《放招》，凡三十餘篇，其概不得離津筏而上之，然而大指可諷也。窮天地之紀，采人物之變，與夭喬走飛之態，經緯臚列，假二三能言之士如宋玉、景差者，蟬緩于左徒(屈原爲楚懷王左徒)之門，豈其先□而室哉。《與江長洲書》云，近日讀古今名人諸賦，始知蘇子瞻、歐陽永叔輩，見識眞不可及。夫物始繁者終必簡，始晦者終必明，始亂者終必整，始艱者終必流麗痛快。其繁也、晦也、亂也、艱也，文之始也。如衣之繁複，禮之周折，樂之古質，封建井田之紛紛擾擾是也。古之不能爲今者，勢也。其簡也、明也、整也、流麗痛快也，文之變也。夫豈不能爲繁爲亂爲艱爲晦？然已簡安用繁，已整安用亂，已明安用晦，已流麗痛快安用敖牙之語，艱深之辭，譬如《周書·大誥》、多方》等篇，古之告示也。今尙可作告示否？《毛詩》鄭、衛等風，古之淫詞媟語也，今人所唱《銀柳絲》、《掛鍼兒》之類。可一字相襲否？世道旣變，文亦因之。今之不必摹古者也，亦勢也。張左之賦，稍異揚馬。至江淹、庾信諸人，抑又甚矣。唐賦最明白簡易，至蘇子瞻直文耳。然賦體日變，賦心益工。古不可優，今不可劣。若使今日執筆，機軸尤爲不同，何也？人事物態，有時而更；鄉語方言，有時而易。事今日之事，則亦文今日之文而已矣。盧柟諸君，不知賦爲何物，乃將經史海篇字眼，盡意抄謄，謬謂復古，不亦大可笑哉。嗟夫，以一人之所爲文，而論旨或登之于天，或推之于淵，豈果文無定論乎！予謂著作者流才不大不可文，不眞不可要。未有無大才而能爲眞文者，故賦非畏難就易者可假借。且賦心眞，可也，不工，不可也。彼有俚韻未除而輕言風雅，是野狐禪，亦眞可以成佛作祖耶！

又《大賦》 王懋公曰：賦自古俳文律之外，又有大小之名，從何始耶？昔宋玉《大言賦》云：方地爲車，員天爲蓋，長劍耿介，倚乎天外。《小言賦》云：館于蠅鬚，宴于毫端，烹蝨腦，切蟣肝，此特其所言者，有大小之分耳。後人分賦大小，蓋分之于其題也。或謂宋玉《對楚王問》，爲小賦之始，謬甚。此乃問對之文，與賦何預？或曰：大賦如《子虛》、《兩京》、《三都》、郭璞《江賦》，盧肇《海潮賦》等類是也。學者博極羣書，方得選材豪富；拓開萬古，方得標旨空曠。多設問難，方得變化開闔之法。

又《小賦》 或曰：小賦如賈誼《弔屈原》、《鵩賦》，庾敳《意賦》，束晳《風賦》，王褒《簫》、《笛》諸賦，晉魏六朝後學卽席就賦是也。機敏才捷思巧文妍，擅譽席談矣。王懋公曰：歐文忠有《鳴蟬賦》，王守溪云：大凡作此小賦，略靠在人事上說，道理方說得有去處，且覺艷麗動人。不然，一蟬之微，有何可說？縱說亦無味了。此論能開後來無限法門。又如陸龜蒙《零陵總記》，張登《長于小賦》，氣宏而密，間不容髮，有織成隱起往往蹙金之狀，數語尤令人歎絶。

又《古賦》 王懋公曰：古賦如漢司馬相如《長門》，班倢伃《自悼》、《擣素》，張衡《思玄》，晉潘岳《秋興》，唐柳宗元《夢歸》，漢禰衡《鸚鵡》，魏王粲《登樓》，晉孫綽《遊天台山》，漢揚雄《甘泉》，以上正體而俳體間出於其中。宋蘇軾《屈原廟》，漢司馬相如《子虛》、《上林》，班固《兩都》，晉潘岳《籍田》，以上變體而流于文賦之漸。俳賦，如晉陸機《文賦》，宋鮑照《蕪城》，謝惠連

《雪賦》，謝莊《月賦》，鮑昭《野鵝》，顔延之《赭白馬》，鮑照《舞鶴》。文賦，如漢楊雄《長楊》，唐杜牧《阿房宫》，宋蘇軾《前赤壁》。律賦，如唐韓愈《明水》，宋王曾《有物混成》，秦觀《郭子儀單騎見魯》之類是也。

又《律賦》 凡應試之賦，其體格便覺拘束，而少天然之韻致。故《文苑英華》中賦最多，不欲多録。

又卷一〇《楚賦》 或曰：宋玉變騷而爲賦。婉約風流，上不乖諷諫之旨，下能善藏身之道，蓋深於道德功名之際者，而獨以文見，如《高唐》、《神女》諸篇是也。

又卷一二《騷》 王瑯琊曰：騷賦雖有韻之言，其於詩文，自是竹之與草木，魚之與禽獸，别爲一類，不可偏屬。騷辭所以總雜重複，興寄不一者，大抵忠臣怨夫，惻怛深至不暇致詮，亦故亂其叙，使同志者自尋，修郄者難摘耳。今若明白條易，便乖厥體。

又卷一二《辭》 王懋公曰：辨體古風，各朝後皆有附録，或歌，或樂府，或弔祭，或移文，或雜著，大爲失所。至于辭，實爲文之一體，亦置賦内，何哉？如漢武《秋風》，淵明《歸去》，龜蒙《戰秋》，楊萬里《延陵懷古》，袁伯長《垂綸亭》等辭。何得以一賦字概之？且古人書有專以辭名者，如《楚辭》實賦，而皆曰辭。則辭之名亦大矣。《明辨》以辭入詩，亦非是。《文選》離詩而入文，殊確。今仍之。黄東發曰：詩變而爲騷，騷變而爲辭，皆可歌也。辭則兼詩騷之聲，而尤簡邃焉者。昔漢武帝作《秋風辭》，一章三易韻；其節短，其聲哀。此辭之權輿乎？陶淵明罷彭澤令，賦《歸去來》，而自命曰辭。殆令人歌之，頓挫抑揚，自協聲韻。蓋其辭高甚，晉宋而下欲追躡之不能。然《秋風辭》，盡蹈襲《楚辭》未甚敷暢；《歸去來》則自出機杼。謂《洞庭》《鈞天》而不澹，謂《霓裳》《羽衣》而不綺。此其所以超乎先秦之世而與之同範也。

《四庫全書總目》卷一八八《古賦辨體》 其論司馬相如《子虚》、《上林》賦，謂：「問答之體其源出自《卜居》、《漁父》，宋玉輩述之，至漢而盛，首尾是文，中間是賦。世傳既久，變而又變，其中間之賦，以鋪張爲靡而專於詞者，則流爲齊梁、唐初之俳體。其首尾之文，以議論爲便而專於理者，則流爲唐末及宋之文體。」

又卷一九七《楚範》 屈、宋所作，上接風人之遺，而下開百代之詞賦。性情所造，音律自生，所謂文成而法立者也。

浦銑《復小齋賦話》卷下 賦後有亂，有誶，有訊，有謠，有理，有重，有辭，有頌，有歌，有詩。唐顧逋翁《茶賦》有雅，裴晉公《鑄劍戟爲農器賦》有系，唐無名氏《蜀都賦》有箴，宋薛士隆《本生賦》有反，明蕭子鵬《鼎硯賦》有贊，沈朝涣《把膝賦》有吟。

楊繩武《文章鼻祖》卷六 庾信《哀江南賦》評語：駢麗之體，東都以後，漸已濫觴，然句不必整，字不必協，又多間以長句單行，疏古歷落，氣味自勝。至齊梁而此體漸密，句雕字琢，無獨不偶，體裁既備，音韻亦諧，子山、孝穆，尤爲擅場。徐較秀逸，庾較鉅麗，《哀江南賦》尤子山一生聚精著神之筆也。唐初四傑，暢其宗風，所謂「王楊盧駱當時體」也。上視徐、庾，工力未虧，而神采不逮。義山晚出，變其音節，節短勢險，頗極矜鍊，可爲後勁。盧陵眉山，掃除堆垛，出之蕭散，間用成語，轉露清新。然僅可施之短箋小啓，長篇如此，便無意味，終非正格。蓋文各有體，既號駢麗，自不得厭徵實而喜翻空，崇樸素而嗤艷麗。徐庾之作，自爲正則，況子山此賦，指陳一代廢興之故，叙述平生閲歷之場，全力貫注，成此大篇，其中之起伏照應，層次脈絡，輕重詳略，抑揚操縱，無不備美，即是一篇絶大古文，可以其爲齊梁駢麗之體而忽之耶。

汪廷珍《作賦例言》 律賦與律詩一般，有一定之規矩。讀《選》賦，貴得其神，又毋襲其貌。讀唐賦，貴得其新切生動，毋學其率意。文章與説話一般，全要有真氣，有清氣。塡砌雕琢，最是試場大忌。每見言賦者，上手便説富麗，此平地陷人坑也。

湯聘《律賦衡裁·例言》 律賦之興，肇自梁陳而盛於唐宋。唐代舉進士者，先貼一大經及《爾雅》，經通而後試雜文，文通而後試策。雜文則詩一賦一，及論贊諸體也。進士選集，有格限未至者，試文三篇，謂之宏詞。其選尤重，且得美仕。而天寶十三載以後，制科取士，亦兼詩賦命題。賦皆拘限聲律，率以八韻，間有三韻至七韻者。自五代迄兩宋，選舉相承，金起北陲，亦沿厥制。迨元人易以古賦，而律賦寖微。逮乎有明，殆成絶響。國家昌明古學，作者嗣興，鉅制鴻篇，包唐轢宋，律賦於是乎稱絶盛矣。

又《餘論》 宋謝莊《赤鸚鵡賦》云：「雲移霞峙，霰委雪翻，陛離翬漸，容裔鴻軒，躍林飛岫，煥若輕電溢烟門。集場棲圃，燦若夭桃被玉園。」希逸

此賦，袁太尉所見而閣筆者。屬對工整，應是律賦先聲。

又　唐李程《華清宫望幸賦》云：「竹花雖吐，如含待鳳之誠；雲氣纔升，若睹從龍之狀。」杜顗《集賢院山池賦》云：「禁林餘雨，增曲霤之華清；御苑晴煙，借遙巖之積翠。」林琨《駕幸温泉宫賦》云：「玉堂憑艮，面鶉野以高明；石溜象蒙，繞龍宫之清毖。」張良《器集靈臺賦》云：「千峰轉日，迎秀色於瓊樓；萬歲傳聲，和幽音於地籟。」皆莊雅得應制體，而詞氣更清雋，不似後人一味顢頇。

李調元《賦話》卷一《新話一》　楊、馬之賦，語皆單行，班、張則間有儷句，如「周以龍興，秦以虎視」、「聲與風游，澤從雲翔」等語是也。下逮魏、晉，不失厥初。鮑照、江淹，權輿已肇。永明、天監之際，吴均、沈約諸人，音節諧和，屬對密切，而古意漸遠。庾子山沿其習，開隋唐之先躅。古變爲律，子山實開其先。

又　古變爲律，兆於吴均、沈約諸人。庾子山信衍爲長篇，益加工整，如《三月三日華林園馬射賦》及《小園賦》，皆律賦之所自出。

又　陳張正見《石賦》，如「魚躍湘鄉之水，雁浮平固之湖。墮山鵲之金印，碎驪龍之寶珠」。通章無句不對，實開律賦之先。

又　唐初進士試於考功，尤重貼經試策，亦有易以箴論表贊，而不試詩賦之時，專攻律賦者尚少。大曆、貞元之際，風氣漸開。至大和八年，雜文專用詩賦，而專門名家之學樊然競出矣。李程、王起，最擅時名，蔣防、謝觀，如驂之靳；大都以清新典雅爲宗。其旁鶩别趨，元白爲公。下逮周繇、徐寅輩，刻酷鍛鍊，眞氣盡漓，而國祚亦移矣。抽其芬芳，振其金石，亦律體之正宗，詞場之鴻寶也。

又卷二《新話二》　唐王棨《江南春賦》云：「烟冪歷以堪悲，六朝故地；景葱蘢而正媚，二月晴時。」又：「幾多嫩綠，猶開玉樹之庭；無限飄紅，競落金蓮之地。」又：「蝶影爭飛，昔日吴娃之徑；楊花亂撲，當年桃葉之船。」又：「幕幕而雲低茂苑，謝客吟多；萋萋而草夾秦淮，王孫思起。」流麗悲倩，而句法處處變化，此爲律賦正楷。尤妙於「有地皆秀，無枝不榮」，字字寫盡江南春色，爲一篇之筋節。此賦在當時極有名，《唐文粹》所載陳岵《送王郎中棨序》，最擊賞末「今日并爲天下春，無江南兮江北」二語。

又　律賦起句，多先用單聯對起，不用四六排，此正法也。唐劉允濟《明堂賦》獨用排起，如「大哉乾元，紫微疏上帝之宫；邈矣坤輿，丹闕披聖人之宇」。勢極雄峻，則貴相題，又不可以一律論也。通篇鋪張處多，徵實處少，此應制體中取巧省力之法，然討好亦在此。

又卷三《新話三》　唐元稹《鎮圭賦》云：「作山龍之端表，我則清光皎然；雜蒲穀以成行，爾乃鞠躬如也。」句長而氣甚流走。律賦多有四六，鮮有作長句者。破其拘攣，自元白始。樂天清雄絶世，妙悟天然，投之所向，無不如志。微之則多典碩之作，高冠長劍，璀璨陸離，使人不敢逼視。蓋太傅天懷高曠，而元頗鋭志於功名，學焉而各得其性之所近也。

又卷五《新話五》　制、誥、表、啓咸以四六爲之，清便流轉，直達己見，更以古藻錯綜其間，便是作家。律賦雅近於四六，而麗則之旨不可不知。則而不麗，仍無取也。宋人四六，上掩前哲，賦學則不逮唐人，良由清切有餘，而藻繢不足耳。宋歐陽修《畏天者保其國賦》，雖前人推許，然終是制誥體，未敢爲法。

又　宋蘇軾《明君可與爲忠言賦》云：「非開懷用善，若轉丸之易從；則投人以言，有按劍之莫測。」又：「有漢宣之賢，充國得盡破羌之計；有魏明之察，許允獲申選吏之公。」橫説豎説，透快絶倫，抵一篇史論讀，所謂偶語而有單行之勢者，律賦之創調也。

章學誠《校讎通義》卷三《漢志詩賦第十五》　詩賦前三種之分家，不可考矣；其與後二種之别類，甚曉然也。三種之賦，人自爲篇，後世别集之體也。雜賦一種不列專名，而類叙爲篇，後世總集之體也。歌詩一種，則詩之與賦固當分體者也。就其例而論之，則第一種之淮南王羣臣賦四十四篇，及第三種之秦時雜賦九篇，當隸雜賦條下，而猥廁專門之家，何所取耶？揆其所以附麗之故，則以淮南王賦列第一種，而以羣臣之作附於其下，所謂以人次也。秦時雜賦列於荀卿賦後，孝景皇帝頌前，所謂以時次也。夫著録之例，先明家學，同列一家之中，或從人次，或從時次可也。豈有類例不通，源流迥異，概以意爲出入者哉？

王芑孫《讀賦卮言·審體》　古所謂文章，禮樂而已。樂盈而進，任昧陳庭，禮減而退，河圖在廟，琴瑟猶病其專壹，衣裳必飾乎繁會。矧曰賦哉？賦者，鋪也，抑云富也。裒一腋其弗温，鐘萬石而可撞，蓋以不歌而頌，中無隱約之思，敷奏以言，外接江浮之思，已畫境於詩家，可拓疆於文苑。

以爲諷諭之官，則瞍箴矇誡，執藝皆來；以爲俳倡之弄，則繩伎偃師，效能俱至。太簡非宜，兼赅爲務。昔人云：「詩人之賦麗以則，詞人之賦麗以淫。」美則刺淫，麗終不易，學者當溯博文之教，非徒小道之觀也。

又　七言五言，最壞賦體，或諧或奥，皆難門接；用散用對，悉礙經營。人徒見六朝、初唐以此入妙，而不知漢、魏典型，由斯闊矣，然亦自漢開之，如班固《竹扇》諸篇是也。但是短章，初無長調，作俑長調，則晉、宋而來，醴陵倡其端；南北之際，子山啓其弊。學者力宗漢、魏，下取唐賢，其體既純，斯文乃貴。

又　四六之於文事，領一大宗。九州四隩，《書》有聯文，斷壺叔苴，《詩》嘗對舉，制誥之家，一百五部，案判之牘，七十九卷，賦亦非必不可爲四六也。且賦以敷言，斷殊論策，固欲止齊其步伐，詎應破析爲單行。且如老杜《三大禮》，有「宫井蛟龍」之句，小杜《阿房》，有「釘頭瓦縫」之聯。制置得宜，豈不益洋洋盈耳哉！

又《小賦》　自唐以前無古賦、排賦、律賦、文賦之名，今既燦陳，不得不假此分目。賦者用居光大，亦不可以小言；聊以小言，猶云短製。在漢則劉安、枚乘、鄒陽、嚴忌、桓譚、趙壹、孔臧、路僑如、黄香、蔡邕、李尤、杜篤、公孫詭、閔鴻、侯瑾之徒，碎金屑玉，愁遺《選》外。魏則一鍾（會）之外，高（允）、杜（摯）俱興。晉則三傅（玄、咸、純）之餘，二該（孫該、揚該）特妙。宋、齊之際，非惟王、謝；陳、梁以上，豈止江、蕭。收其僻奥，益輔精能。自餘諸家，尤屬耳目，無庸更僕。至於開府清新，擅名北地，領軍華膴，起譽南朝，是曰加籩，不當特俎。世有奉徐、庾《風》、《月》小篇以爲極則者，亦取其易誦而賞譽焉爾。

又　極賦能事在於長篇，而學賦則可從小賦始，何也？雖營度爲千門萬户，必致詳乎一閣一樓。京都鉅製，是亦綿長矣，而井井條條，望路可識，惟此單微一線之爲。然體大物博，尋覽頗艱，矧云制造？闖闔迷夢，荼墨眩心，自非力大於身，鮮不舉鼎而絶臏者，安能轉圓九仞乎？小賦則意儉而易周，辭豐而可殺，選聲結韻，意不旁馳，造句謀篇，筆常内撅，省括乃釋，從繩罔忩。龍有飛騰，必階尺木；鷹當學習，側目平蕪。一歲而駒，三歲而騊，由是騁其長轡，夕抹崑崙可也。

又　比之爲小賦者，誤以尤（侗）、吳（綺）之卑弱，信爲徐、庾之風流，徒騁鮮妍，罔尋風骨，縱能涉目斐然，亦祇慧心敏手。初非古服勁裝，風月憐人，虎炳不躍，謀小則獲，圖大終傎，烏睹所謂巨麗者乎？僕所取宗，與彼殊貳，鏘其片玉，依然密栗之容；躍是祥金，蔚有精純之氣。非小巫之可懾，遇大敵而彌遒，誕其磊磊，豈曰詹詹。

又《律賦》　讀賦必從《文選》、《唐文粹》始，而作賦則當自律賦始，以此約束其心思，而堅整其筆力。聲律對偶之間，既規重而矩疊，亦繩直而衡平。律之爲言，固非可鹵莽爲之也。其有「妖歌曼舞」，六句而裁押一韻；「旁搴遠摭」，片辭而已衍半篇，此段不殊於彼段，下聯不接於上聯者，猶之市瓜取肥，買菜求益，不有重膇之疾，必遭債脹之譏，此皆敗律之過，而豈律固如是耶？

又《試賦》　唐官韻賦，雖爲律綦嚴，而主司士子，有藍縷之條（唐制試進士詩賦工者謂之入等，拙者謂之藍縷。禮部選格，注「超絶當留」、「藍縷當放」兩條），如杜牧《阿房宫》亦是試作，而變古開新，烏在其皆四六乎？誤以四六賦爲律賦者，亦未偏觀於當時之作耳。

吳省蘭《同館賦鈔序》　夫圭璋璧琮，人知其爲寶也，而方圓不能離規矩；錦綉黼黻，人知其爲美也，而短長不能越尺度。賦之有律，亦猶執規矩以程材，持尺度以量物，俾方圓長短各中乎節而後止，而況協音響於鈞韶，摹光華於日月哉！《周禮》太師教六詩，二曰賦，如《葛覃》首以賦著，而《三百篇》中敷陳時事以直言者，鱗次櫛比，然列其名未備其體。自漢以降，作者迭興，《班志藝文》列詩賦家百有六，而賦居十之八。東京彪、固之流，後先接踵，至於六朝，專尚駢儷，庾、鮑樹幟於南，崔、魏揚鑣於北，於以模範山水，鈞陶萬物，皇皇喬喬，雅頌之流亞焉。論者以平原《文賦》爲律賦權輿，其説固然，然當時備其體，仍未别其名也。唐以賦取士而律賦乃行，限韻之式亦於是具。趙宋仍之，爾時作者不慮千百餘家，莫不前喁後于，懷響畢彈。惟是風簷寸晷，既難期以十年。思遲者刻一寸之燭，必致詞窮；力弱者挽六鈞之弓，易愁弩末。即或揀金沙磧，撈玉河壖，儘有名言，可供採擇，而瓦礫未汰，糠秕時揚，瑜不掩瑕，完璧之玷，以云大觀，類多讓焉。【略】司馬相如有言曰：合綦組以成文，列綈繡而爲質，一經一緯，一宫一商，賦之體也。於律賦尤爲秘鑰。故擇材惟其稱，美人山鬼不登於明堂；遣調貴其清，濕鼓啞鐘不諧於嶰谷。權衡在手，雖隻字而必繩；鑪錘因心，即片言而亦

鍊。以之宣上德而盡忠孝，抒下忱而通諷諭，揚葩振藻，炳焉與三代同風，而究其指歸，期不愆乎規矩尺度之法而已。

胡濬源《楚辭新註求確・凡例》 屈子初變古詩爲賦，創立一格，其段落承接，轉摺字法句法，非惟不同今賦之顯易，亦與漢賦不同。一切若夫爾乃是故夫其之類，皆所未有，註者不細審其輕重虛實死活之妙，專於呆句求之，則往往有前後比類，隨步換形者，遂疑爲疊複。又謂爲三致意，卽此。此不通節旨脈絡之病也。不知字有重複處，句有重複處，物有重複處，而意不重複也。得其意，則前後段落承接轉摺頓挫脫卸一毫不混，與散文無殊。

鮑桂星《賦則・凡例》 賦體不同，有整散兼者，如宋玉諸賦是也；有通體整排者，如潘陸諸賦是也；有用四六者，如子山《馬射》等賦是也。茲篇備載各體，以俟學者隨宜而施。

又 古賦或工體物，或尚抒情，皆作者自出杼機，初無程限。自唐以之取士，而律賦遂興，然較有規繩，尚存風格。今欲求爲律賦，舍唐人無可師承矣。

孫奎《春暉園賦苑巵言》卷下 應制賦體須莊重而清，旨更欲清華。如李程《華清宮望幸賦》云：「竹花雖吐，猶含待鳳之誠；雲氣纔升，若睹從龍之狀。」杜顗《集賢院山池賦》云：「禁林餘雨，增曲霤之華清；御苑晴烟，借遙巖之積翠。」林琨《駕幸溫泉宮賦》云：「玉堂憑艮，面鶉野以高明；石溜象蒙，繞龍宮之清秘。」張良器《集靈臺賦》云：「千峰轉日，迎秀色於瓊樓；萬戶傳聲，和幽音於地籟。」清雋生新，不似後人一味顢頇。

殷壽彭《四家賦抄序》 賦必原本漢、魏、六朝固已，若律賦乃賦中之一體，則尤以唐人爲宗主。唐賦凡三變，初以遒厚勝，繼以宏麗勝，至晚王起、王棨、黃滔、宋言諸公出，而格調愈細，音節益諧。其時主司命題限八韻者，率用四平四仄，聽作者參錯相間，故圓美流逸，無聱牙生澀之病。其立局整而不滯，其用筆輕而不佻，其運典新而不僻，令人諷詠鏗鏘，而常得其意外巧妙，事外遠致，眞律賦之極軌也。宋人步趨唐賢，不失尺寸，王田文范歐陽諸賦，揣摩精到，如埴在埏，如金受範，第用筆稍平易，而骨韻亦漸卑弱。至說理等題，則刻露淺顯，實亦唐人所不及焉。本朝館閣賦不乏宏篇鉅製，顧矜才氣者，泥沙雜下；炫博贍者，美稗同登。又其下者，以肥膩爲暢美，以甜俗爲圓熟，連章累牘，一味顢頇，殆不可向邇矣。《有正味齋正集》、《外集》諸賦，清而不浮，麗而不縟，其幽雋之思，雄邁之概，實爲律賦中獨闢之境。蘭修館視有正味氣象廣狹固不相侔，然一種冷秀遒爽之致，亦時出穀翁之右。二家皆深得力於六代、三唐者，故詞氣深穩，筆意跳脫，所謂看似尋常實奇崛，成如容易卻艱辛者，在時賢中固當爲上乘禪也。

姜學漸《資中賦鈔・味竹軒賦話》 凡學近體律賦，須知源本六朝。徐孝穆、庾子山始變晉宋古體爲四六，曰「徐庾體」。徐、庾兩家之集，不可不讀。嗣是唐代以詩賦取士，始有唐人小賦，故欲學律賦者，宜先學唐人爲至要。

趙楫《律賦新編箋注・例言》 賦者古詩之流，本無律名，自唐以之取士而律賦始興。嚴聲韻，齊尺度，非若古賦無程限也。每見選家以隔句對聯之有無分賦之古與律，不知古賦若《哀江南》篇中未嘗無平吳之功、灞陵夜獵等聯；而唐人律賦如石貫《藉田》、黎逢《貢士》《謁文宣王》、李君房《獻靈》、顏平原《象魏》諸作，皆全不用隔句對。古與律之分正不在此。

林聯桂《見星廬賦話》卷一 一曰騷賦體，夫子刪詩，楚獨無風，後數百年，屈子乃作《離騷》。騷者，詩之變，賦之祖也。後人尊之曰經，而效其體者，又未嘗不以爲賦。更有不名賦，而體相合者，說詳《許氏外錄》。司馬遷曰「離騷者，離憂也」。後之仿其體者，豈徒擬騷反騷而已哉？在漢，則有賈誼之《旱雲賦》，司馬相如之《長門賦》，黃香之《九宮賦》，王延壽之《魯靈光殿賦》，李尤之《函谷關賦》；在晉，則有潘岳之《秋興賦》，郭璞之《江賦》、《鹽池賦》，孫綽之《游天台山賦》；在唐，則有李白之《惜餘春賦》、《悲清秋賦》，趙冬曦之《三門賦》；在宋，則有王詵之《帝車賦》，文同之《石姥賦》；在元，則有黃溍之《太極賦》，楊維楨之《鳳凰池賦》，汪克寬之《九夏賦》；在明，則有何景明之《織女賦》，朱灝之《逃暑賦》，李夢陽之《觀瀑布賦》，宗臣之《鈞臺賦》，湛若水之《交南賦》，祁順之《白鹿洞賦》，潘一桂之《瑞石賦》，屠應埈之《秋懷賦》，徐階之《別知賦》，郭棐之《懷賢賦》，陶望齡之《述志賦》，伍士隆之《惜士不遇賦》，皆騷賦體也。若夫班固之《幽通賦》，馮衍之《顯志賦》，蔡邕之《述行賦》，曹植之《洛神賦》，王粲之《登樓賦》，陸機之《豪士賦》，陶潛之《閑情賦》，鮑照之《游思賦》，謝朓之《酬德賦》，江淹之《去故鄉賦》，柳宗元之《閔生賦》，韓愈之《別知賦》，李翺之《感知己賦》，劉禹錫之《望賦》，晁補之之《求志賦》，王十朋之《民事堂賦》，皆可以騷賦之類推之已。

又 一曰駢賦體，駢四儷六之謂也。此格自屈、宋、相如，略開其端，

後遂有全用比偶者。浸淫至於六朝，絢爛極矣。唐人以後，聯四六，限八音，協韻諧聲，嚴於銖兩，此如畫家之有界畫，勾拈不得，專取潑墨淡遠爲能品也。其中爭妍鬬麗者，不勝枚舉，而其尤勝者，如漢之枚乘《忘憂館柳賦》，班婕妤《擣素賦》，晉束晳之《讀書賦》，陸機之《文賦》，孫楚之《鷹賦》，傅元之《走狗賦》，郭璞之《蜜蜂賦》，宋王微之《詠賦》，謝靈運之《雪賦》，謝莊之《月賦》，鮑照之《觀漏賦》，陸倕之《思田賦》、《感知己賦》，任昉之《答陸倕知己賦》，顏延年之《赭白馬賦》，齊謝朓之《杜若賦》，王儉之《高松賦》，梁簡文帝之《箏賦》、《金錞賦》、《燈賦》，蕭統之《銅博山香爐賦》，沈約之《高松賦》，江淹之《赤虹賦》，北周庾信之《小園賦》、《枯樹賦》、《燈賦》，盧思道之《孤鴻賦》，唐王勃之《七夕賦》、《九成宮東臺山池賦》，楊炯之《老人星賦》，沈佺期之《峽山寺賦》，薛稷之《茅茨賦》，李百藥之《贊道賦》，林琨之《駕幸溫泉宮賦》，林滋之《小雪賦》、《陽冰賦》，李程《日五色賦》、《破鏡飛上天賦》、《石鏡賦》，陸贄《月臨鏡湖賦》，崔立之《南至郊壇有司書雲物賦》，白行簡《斗爲帝車賦》，王起《五色露賦》，韋展《日月如合璧賦》，徐彥伯《登城賦》，謝偃《塵賦》，李德裕《大孤山賦》，李君房《清濟貫濁河賦》，喬潭《群玉山賦》，浩虛舟《盆池賦》，白居易《敢諫鼓賦》，劉禹錫《平權衡賦》，劉知幾《思慎賦》、《韋弦賦》，閻伯璵《歌賦》，白居易《賦賦》，獨孤及《夢遠游賦》，陸龜蒙《幽居賦》，虞世南《琵琶賦》，李百藥《笙賦》，駱賓王《螢火賦》，張九齡《荔枝賦》，吳大江《碁賦》，姚元崇《撲滿賦》，宋璟《梅花賦》，王維《白鸚鵡賦》，吳筠《竹賦》，柳宗元《披沙揀金賦》，黃滔《誤筆牛賦》，牛上士《獅子賦》，康子玉《瓜賦》，李德裕《知止賦》、《鼓吹賦》、《欹器賦》、《牡丹賦》，裴度《鑄劍戟爲農器賦》，白敏中《如石投水賦》，張季友《閏賦》，甘子布《光賦》，皆唐人駢賦之至工者也。

又 宋人駢賦體格，又一變矣。是時崇尚理學，試賦率多理致之題，如王曾之《有物混成賦》，楊傑《五六天地之中合賦》，荀楊《大醇而小疵賦》，蘇軾《延和殿奏新樂賦》之類是也。至若葉清臣之《松江秋泛賦》，晏殊之《中園賦》，歐陽修之《黃楊樹子賦》之類，有唐人小賦風致焉。

又 金元一代，駢賦絶少，然如元好問之《蒲桃酒賦》，陳樵之《卧褥香爐賦》，歐陽元之《羅浮鳳賦》，任士林之《翰音賦》，楊維楨之《孔子履賦》，清麗工妍，亦一代之獨出冠時者也。前明專尚制藝，爲一代之勝。而駢賦一體，句雕字斲，領異標新，其佳篇亦復不少。如劉基之《龍虎臺賦》，宋濂之《蟠桃核賦》，王禕之《思親賦》，楊慎之《藥市賦》，姚希孟之《日升月恆賦》，方孝孺之《友筠軒賦》，王世貞之《錦雞賦》，夏元吉之《麒麟賦》，劉咸之《黃河賦》，王漸逵之《游羅浮賦》，湯顯祖之《匡山館賦》，夏允彝之《太湖賦》，黃淳耀之《頑山賦》，何宗彥之《東宮儲學賦》，袁黃之《詩賦》，黃尊素之《壯懷賦》，譚貞良之《笑賦》，楊循吉之《摺扇賦》，徐渭之《畫鶴賦》，陳子龍之《幽草賦》，邱濬之《南溟奇甸賦》之類，尤其警特者。

又 唐人駢賦制勝，尤在起首陡然而來，全題之巔也。踞全題之氣已吞，全題之字逼清，全題之神欲動，而斗峻超忽，有如神仙排雲出，又如天上下將軍，此處最能動目。如苑咸《太陽合朔不虧賦》起韻云：「懸象告祥，垂衣表聖。陰慝將作而潛滅，陽光當虧而更盛。羲和率職，徒降物以宵興；堯舜臨軒，方並明而曉映。」李程《日五色賦》云：「德動天鑒，祥開日華。守三光而效祉，彰五色而可嘉。驗瑞典之所應，知淳風之不遐。稟以陽精，體乾爻於君位；昭夫土德，表王氣於皇家。」又《破鏡飛上天賦》云：「何新月之嬋娟，如破鏡之上天。微茫而桂樹猶短，髣髴而菱花不全。謂是云非，開玉匣而長在；自無而有，指金波而未圓。」趙蕃《月中桂樹賦》云：「圓月如霜，有仙佳兮，宛在中央。映澄澈之素彩，透葳蕤之冷光。杳杳低枝，拂孤輪而挺秀；依依密樹，侵皓魄而流芳。」范傳正《風過簫賦》云：「風爲氣兮溥暢，簫在物兮虛受。何相會於自然，合無情於妙有。泠泠斯韻，習習占久。如聞松蓋之巔，寧比土囊之口。」白行間《斗爲帝車賦》云：「惟斗之列，在天之中。象乎車之爲用，明其運而不窮。爛然有光，隨月建而不忒；循環無定，轉天道而潛通。」鄭遙《初月賦》云：「初生微月，若無若有。出城中兮，恰廣於眉；入堂上兮，不盈於手。」韋充《餘霞散成綺賦》云：「試一望兮，雲晚而山晴。白日欲沒兮，紅霞始生。含江天之霽潤，籠煙景之虛明。發光華而不定，若組織之相成。」李宙《奉和聖製喜雨賦》云：「既五月兮生一陰，猶不雨兮思作霖。聖自咎兮天同德，誠下答兮神孔歆。」無名氏《空賦》云：「無德而稱者，斯其稱不朽；無形而用者，則其用不窮。若乃質混沌，氣鴻濛，生天地之始，匝天地之中，不可知詰，其名曰空。」楊傑《五六天地之中合賦》云：「樸散太極，形分兩儀。天五得其中也，地六從而合之。數各有常，法乾健而坤順，位皆處正，併陰偶於陽奇。」白居易《賦賦》云：「賦者，古詩之流也。始

草創於荀、宋，漸恢張於賈、馬。冰生乎水，初變本於典墳；青出於藍，復增華於風雅。而後諧四聲，祛八病，斯蓋文之美者。」喬彝《立走馬賦》云：「元戎帳外兮，何者雄？躡絕電，踏追風。」梁嵩《倚門望子賦》云：「蒼蒼茫茫道遠，倚倚望望情傷。念蕩子之久別，役慈心於遠方。」楊傑《荀楊大醇而小疵賦》云：「周、漢運否，荀、揚教傳。雖曰醇之大者，亦有疵之小焉。」袁黃《詩賦》云：「大矣哉，詩之爲義也。情感天地，化動鬼神，聲被絲竹，氣變冬春。」姚元崇《撲滿賦》云：「夫惟哲人，罔有敗德。几仗攸戒，盤盂見勒。容過於鏡則照窮，任重於才則道塞。多藏必害，恆謹不忒。」賈餗《太阿如秋水賦》云：「黯然若秋水者，楚王有太阿之鋒。」柳宗元《披沙揀金賦》云：「沙之爲物兮，視虛若浮。金之爲寶兮，恥居下流。抱成器之珍，必將有待；當慎擇之日，則又何求？」孟簡《白烏呈瑞賦》云：「驗白烏之祥牒，告皇家寶祚。蓋由天子張至仁，本太素。享宗廟而無爽，薦孝敬而有度。」黃滔《誤筆牛賦》云：「王獻之繢畫彌精，變通可驚。失手而筆惟誤點，應機而牛則眞成。用是飾非，既擅一時之妙；持功補過，爰垂千載之名。」白敏中《如石投水賦》云：「石明臣節，水喻聖聽。順投既因於納諫，虛受必俟乎輸忠。從以讜言，出清規而有中；類夫貞節，入碧浪以無窮。」蘇軾《延和殿奏新樂賦》云：「皇帝踐祚之三載也，治道旁達，王功告成。御延和之高拱，奏元祐之新聲。翕然便坐之旁，初觀擊拊；允也德音之作，皆效和平。」劉知幾《思愼賦》云：「吾嘗終日不食，三省吾身。覺昨非而今是，庶舍舊而謀新。」呂太一《土賦》云：「一闔一闢，分陽分陰。惟土德之爲大，處君位而中臨。寒暑不能易其節，鬼神無以測其深。」徐蕙《奉和御製小山賦》云：「惟聖王之馭寓，鑒敗德於前規。裁廣知以從狹，抑高心而就卑。懼逸情之有泰，欣靜慮於無爲。」李君房《清濟貫濁河賦》云：「濟有瀾兮，清泠不窮。以清激濁兮，洪河之中。迤靈長而委注，忽薦至而爭雄。懼淈乎泥，我則貫而愈淨；將合於道，予以和而不同。」李程《石鏡賦》云：「惟石之貞，惟鏡之清。鏡因石以爲異，石假鏡而爲名。其在石焉，肇自一拳之質；其爲鏡也，非因百鍊之精。」喬潭《霜鐘賦》云：「豐山之峰，巉巖積翠之石，森爽凌寒之松。上無鳥飛，下無人蹤。深杳杳以靜謐，有天然之古鐘。」鄭宗哲《溫洛賦》云：「惟上天降厥瑞，瑞著於川。惟君人臨厥聖，聖通於天。由盛德之之應矣，化清洛之溫然。」元好問《蒲桃酒賦》云：「西域開，漢節回。得蒲桃之奇種，與天馬兮俱來。」以上皆駢賦中入手得勢，點題有法，場中制勝，令人一閱神悚，無過於此者，致足法也。

又 駢賦之體，四六句法爲多，然閒有用三字疊句者，則其勢更聳，調更遒，筆更峭，拍更緊，所謂急管，促節是也。有用之於起筆者，如唐杜牧《阿房宮賦》云「六王畢，四海一，蜀山兀，阿房出」，韋承慶《靈臺賦》云「歲已殫，夜向闌，風威勁，霜氣寒」，明潘一桂《瑞石賦》云「天符臻，地寶植，巘巖闢，坤珍出」，陳普《無逸圖賦》云「維叔旦，相厥孤，宅洛後，歸政初」之類，皆三字疊句作起筆，筆之最突兀者也。有用之於轉筆者，如漢張衡之《西京賦》云「於是量徑輪，考廣袤，經城洫，營郭郛」，晉木華《海賦》云「於是候勁風，揭百尺，維長綃，挂帆席」之類，皆三字疊句作轉筆，筆之最遒勁者也。有用之於承筆者，如晉左思之《三都賦》云「櫂謳唱，簫籟鳴，洪流響，渚禽驚，弋磻放，稽鶬鶊，虞機發，留鵁鶄」，班婕妤《擣素賦》云「投香杵，扣玫砧，擇鸞聲，爭鳳音」之類，皆三字疊句作承筆，筆之最峻峭者也。有用之於收筆者，如漢司馬相如《上林賦》云「述易道，放怪獸，登明堂，坐清廟，次群臣，奏得失」，宋王十朋《會稽風俗賦》云「予俟其車書同，南北一，仿吉甫，美周室，賦崧高，歌吉日，招魯公，命元結，磨蒼崖，禿鉅筆，頌中興，紀洪烈，邁三五，敻前牒，亘天地，昭日月」之類，皆三字疊句作收筆，筆之最古雅者也。其餘四字、五字、六字、七字，可旁推已。

又卷四 詩有禁體，如蘇東坡《聚星堂雪詩》之類是也。賦亦用禁體者，殆避熟取新，偏師制勝之一法也。如嘉慶戊寅大考翰詹，題是《澄海樓賦》，以「故觀於海者難爲水」爲韻，其時欽取一等一名者，則潘學使錫恩也。其賦仿歐陽禁體，凡字涉「水」部者概不用，蓋敬效高宗純皇帝登澄海樓時用禁體聯句之法也。其賦云：「於廓乎大哉！靈壑無垠，環周亥步。吸百谷而兼呑，納千川而畢赴。謐隱隱乎際雲，霿蒼蒼其揭霧。咫尺萬里而未遙，盈縮千年而若故。拱環畿輔，縈繞岡巒。寒盧龍而近接，島對馬而遙看。雄關作鎭以屹兀，層樓鬱起乎巑岏。疊層石以址固，累億釜而基蟠。聖祖首停乎翠罕，高宗屢駐乎玉鑾。堯賡皋和，頌緝詩剬。標新裁於振古，揭景緯而不刊。凡以極登臨之勝，馳域外之觀。斯樓也，班輸巧寓，杞梓材儲重檐複宇，翼跂鱗舒。徹熒熒其耀遠，赫昈昈以臨虛。挹雲霞於屏檻，羅島嶼於櫺疏。蓋昭曠之觀，極乎千變萬狀，咸與目乎相於。有若扶桑耀光，踆烏絢彩。玉帳

啓而金鉦懸，寶鼎開而神丹在。瓊宮璿闕，擴天關而硍磲；金支翠旗，從雲車而璨璀。招羲娥以須臾，奪造化於眞宰。斯奇觀先現於一隅，而後曜靈徐周乎四海。至乃風日嬉晨，氛埃靜野。納雲影而練鋪，倒天光而鏡寫。珊撑月以鮮新，具奪霞以丹赭。紛石蛣之爭榮，森蚌珠其可把。比夫星緯列垣，綺紈就織，未睹乎若斯之麗者。矧復驚飈驟起，狂颶生寒。鬬雷霆於頃刻，顯幻化於無端。卓鯨身而人立，展鵬翼而空搏。龍驤萬斛之舸，藐然軒播；鼇抃千尋之岳，與爲蹣跚。抑且遠觀而動色，奚俟身試而知難。重以神靈駭矚，瑰異警思。天吳翔舞，罔象迷離。夷堅之所不志，盧敖之所未窺。極蚴蟉以俶詭，無不於斯樓獻其奇。信大觀之天設，非可得於人爲。皇上紹序惟虔，翠華東指，展橋山以彰孝，迪前光而繼美。筆參造化之功，地著靈奇之軌。小臣向若先驚，酌蠡無似。猶欲積壤崇山，曲防增水。誠歡欣鼓舞以歌詠，昇平冀昭垂乎千紀。」此禁體之可備一格者。

又卷一〇 詩有回文體，始於蘇蕙織錦之作，後世祖其體者甚衆。若賦用回文體格者，古不多見。近人如聶學使銑敏《進呈盛京謁陵回文賦》，曾邀睿皇帝首擢，體製最稱新警。其賦刻《近光堂集》中，斯亦可備賦家之一格也。今皇上御極之三年春二月十有三日癸丑，車駕幸太學，行釋奠講學禮，余謹擬《臨雍講學賦》一篇，其順文則以「治臻唐虞，道尊周孔」爲韻，其回文則以「德配天地，學隆古今」爲韻，殆仿聶學使體格，而偶一爲之者也。

又 曾賓谷都轉燠所選刻《國朝駢體正宗》，集一代之淵鑑也。而其中之最古雅高鍊者，如陳檢討維崧之《劉沛元詩古文序》、《周櫟園尺牘序》、《上龔芝麓三書》、《與陳際叔書》，毛太史奇齡之《雲英墓誌銘》，袁太史枚之《卞忠貞公墓紀恩碑記》、《諸葛武侯廟碑》，吳侍講錫麒之《王君葬衣冠記》，劉學使星煒之《沈觀察從軍集序》，沈太史清瑞《讀賦卮言序》，阮制軍元之《蘭亭秋禊詩序》、《四六叢話後序》，王徵君芑孫《獨繭詩鈔序》、《橫雲秋興圖記》，吳侍講鼒之《四六八家文鈔序》、《題襟館銷寒詩序》，劉編修嗣綰之《頤園讀書記》、《山中與鮑若洲書》、《與王秋塍書》、《與張皋聞書》、《與蔡浣霞書》，楊蓉裳芳燦之《答趙艮甫書》、《秋林集序》、《金朗甫誄》，趙舍人懷玉之《甌北詩鈔序》，朱侍御爲弼之《積古齋鐘鼎彝器欵識後序》，吳學使慈鶴之《春日游白雲山序》、《越臺唱和詩序》、《與彭甘亭書》、《與曾都轉書》之類，皆簡古有法，欲躋唐、宋而上之。然叶韻爲駢體之賦，不叶韻爲駢體之文，與賦雖屬同工，比賦終爲異體。故其文不全錄，俟好學者按類而自考之。

又 詩之有集古，由來遠矣。賦之集古，從古寥寥。然集古爲駢體之文，近亦有之。如黃之雋《香屑集自序》，通篇全集唐句，亦一新法也。

余丙照《增注賦學指南·凡例》 律賦盛於國朝，始於唐、宋，其先聲則源於漢、魏，開自六朝。集中全篇，多取唐賦，以層次清楚、筆力簡勁、篇法完密可爲程式也。然不究淵源，率患根柢不厚，故復增兩漢、六朝賦數篇，宋賦數篇合當代名程共爲一集。

又 律賦雖取駢儷而要以斂氣鑄局爲先，故凡有曲折頓挫者，集中多選，氣滯局鬆者不收。

曾燠《國朝駢體正宗序》 夫咸英既遙，詩聲俱鄭，籀斯屢變草書，非古文之衰也，運會爲之哉！然而進取之儒不隨頹俗，特立之品必追前修，大壑有宗，回狂瀾於既倒；朝華方謝，啓夕秀於未振。作者復起，存乎其人，有如駢體之文，以六朝爲極，則乃一變於唐，再壞於宋，元、明二代則等之自鄶吾無譏焉。原其流弊，蓋可殫述。夫駢體者，齊、梁人之學，秦、漢而變焉者也。後世與古文分而爲二，固已悮矣。歲歷綿曖，條流遂紛，嘗讀陸機之賦曰：象下管之偏疾，故雖應而不和；寤防露與桑間，又雖悲而不雅。抑聞劉勰之論曰：新奇者擯古競今危側，趣詭者也；輕靡者浮文弱植縹緲，附俗者也。是故執柯伐柯，梓匠必循其則；以繪緣繪，珠鈎豈失其度。乃有飛靡弄巧，瘠義肥辭，援旃孟爲石交，笑曹、劉爲古拙。於是宋玉陽春，亂以巴人之和矣；相如典冊，雜以方朔之諧矣。若乃苦事蟲鐫，徒工獺祭，莽大夫遐搜奇字，邢子才思讀誤書。其實樹旆於晉郊，雖衆而無律也；買櫝於楚客，雖麗而非珍也。瑣碎失統，則體類於疥駝；沈膇不飛，詎祥比於鳴鳳。亦有活剝經文，生吞成語，李記室之襴襦；橫遭同館之割；孫興公之錦段，付諸負販之裁。擲米成丹，轉自矜其狡獪；鍊金躍冶，使人嘆其神奇。古意蕩然，新聲彌甚，且也四字密而不促，六字格而非緩。變以三五，厥有定程。奚取於冗長乎。爾乃吃文爲患，累句不恆，譬如屢舞而無綴兆之位，長嘯而無抗墜之節，亦可謂不善變矣。夫畫者謹髮，不可以易貌，射者儀毫，不可以失牆。刻鵠類鶩，猶相近也；畫虎類狗，則相遠也。庾、徐徂而心在，任、沈文勝而質存，其體約而不蕪，其風清而不雜，蓋有詩人之則，寧曰女工之蠹，乃染髭鬚而輕前輩，易刀圭以誤後生，其駢體之罪人

乎！國朝雲漢爲章，壁奎應象，人稱片玉，家有聯珠，惟駢體別於古文，相沿既久，或以篆刻太工，爲揚雄之小技，喻言雖妙，類《莊子》之外篇。顓門之業不多，具體之賢遂少，豈知古文喪眞，反遜駢體，駢體脱俗，即是古文。迹似兩歧，道當一貫。

劉熙載《藝概·賦概》 李仲蒙謂：「叙物以言情謂之賦，索物以託情謂之比，觸物以起情謂之興。」此明賦比興之别也。然賦中未嘗不兼具比興之意。

又 詩爲賦心，賦爲詩體。詩言持，賦言鋪，持約而鋪博也。古詩人本合二義爲一，至西漢以來，詩賦始各有專家。

又 賦起於情事雜沓，詩不能馭，故爲賦以鋪陳之。斯於千態萬狀，層見迭出者，吐無不暢，暢無或竭。《楚辭·招魂》云：「結撰至思，蘭芳假些。人有所極，同心賦些。」曰「至」曰「極」，此皇甫士安《三都賦序》所謂「欲人不能加」也。

又 樂章無非詩，詩不皆樂；賦無非詩，詩不皆賦。故樂章，詩之宫商者也；賦，詩之鋪張者也。

又 《楚辭》風骨高，西漢賦氣息厚，建安乃欲由西漢而復於《楚辭》者。若其至與未至，所不論焉。

又 問《楚辭》漢賦之别，曰：《楚辭》按之而逾深，漢賦恢之而彌廣。

又 《楚辭》尚神理，漢賦尚事實。然漢賦之最上者，機括必從《楚辭》得來。

又 或謂楚賦自鑄偉辭，其取鎔經義，疑不及漢。余謂楚取於經，深微周浹，無迹可尋，實乃較漢尤高。

又 《楚辭》，賦之樂；漢賦，賦之禮。歷代賦體，只須本此辨之。

又 賦與譜録不同。譜録惟取誌物，而無情可言，無采可發，則如數他家之寶，無關己事。以賦體視之，孰爲親切且尊異耶？

又 古賦意密體疏，俗賦體密意疏。

又 俗賦一開口，便有許多後世事迹來相困躓。古賦則越世高談，自開户牖，豈肯屋下蓋屋耶？

又 古人稱「不歌而誦謂之賦」。雖賦之卒，往往系之以歌，如《楚辭》「亂曰」、「重曰」、「少歌曰」、「倡曰」之類皆是也。然此乃古樂章之流，使早用於誦之中，則非體矣。大抵歌憑心，誦憑目。方憑目之際，欲歌焉，庸有暇乎？

張之洞《輶軒語·賦語》 或古或律，須視其題。擬古者，宜用古人元賦體；平正板重題，宜律；纖小詠物題，可律體，或擬六朝體，博大頌颺題及詠古有大議論題，可古可律。

又 試場賦，於法得用古體，然古賦竟是博學人著作之事，應試者先求工於律賦可耳。即閒有合用古賦者，止可如作楷臨摹法帖，上者取其氣韻而合以規矩，下者摹其形模而去其駭俗，較於應試爲宜。然此爲考試言，乃萬不得已之論，非爲著作學古者言。

沈祖燕《策學備纂·賦學》 古今賦分五體，曰古賦，如《長門》、《思玄》、《鵩鳥》、《登樓》諸賦是也。曰俳賦，如陸機《文賦》、鮑照《蕪城賦》、惠連《雪賦》、謝莊《月賦》是也。曰文賦，如《甘泉》、《阿房》、《赤壁》諸賦是也。曰律賦，如韓退之《明水賦》、王曾《萬物渾成賦》，皆以某語爲韻是也。曰小賦，蓋恢諧游戲之作，本於宋玉《大言》、《小言》賦，設爲問答，如揚雄《逐貧賦》。

劉師培《論文雜記》 《漢書·藝文志》叙詩賦爲五種，而賦則析爲四類：屈原以下二十家爲一類（合屈原、唐勒、宋玉、趙幽王、莊夫子、賈誼、枚乘、司馬相如、淮南王、孔藏、劉偃、吾丘壽王、蔡甲、兒寬、張子僑、劉德、劉向、王褒及淮南王群臣，合以武帝之賦，共三百六十一篇），陸賈以下二十一家爲一類（合陸賈、枚皋、朱建、莊忽奇、嚴助、朱買臣、劉辟疆、司馬遷、嬰齊、臣説、臣吾、蘇季、蕭望之、徐明、李息、淮陽憲王、揚雄、馮商、杜參、張豐、朱宇之賦共二百七十四篇），荀卿以下二十五家爲一類（合荀卿、廣川王越、魏内史、東暆令延年、李忠、張偃、賈充、張仁、秦充、李步昌、謝多、周長孺、錡華、眭弘、別栩陽、臣昌市、臣議、王商、徐博、吕嘉、華龍、路恭之賦，以及秦時雜賦、長沙王群臣賦、李思《孝景皇帝頌》共一百三十六篇），客主賦以下十二家爲一類（客主賦以下，皆無作者姓名。大抵撰纂前人舊作，匯爲一編，猶近世坊間所行之撰賦也。共二百三十三篇），而班《志》於區分之意，不注一詞。近代校讎家，亦鮮有討論及此者。自吾觀之，客主賦以下十二家，皆漢代之總集類也（此爲總集之始）；餘則皆爲分集。而分集之賦，復分三類：有寫懷之賦（即所謂言深思遠，以達一己之中情者也），有騁辭之賦（即所謂縱筆所如，以才藻擅長者也），有闡理之賦（即所謂分析事物，以形容其精微者也）。寫懷之賦，屈原以下二十家是也（屈

原《離騷經》固爲寫懷之作，《九章》諸篇亦然。唐勒、宋玉皆屈原之徒，《九辯》、《大招》，取法《騷經》。賈誼思慕屈平，所作《吊屈平賦》及《鵩賦》，皆《離騷》之遺意也。相如《大人賦》，亦宋玉《高唐賦》之遺；而淮南所作《招隱士》，又純乎《山鬼》之意者也。枚皋、劉向之作，亦取意諷諫。餘不可考）。騁辭之賦，陸賈以下二十一家是也（陸賈等之賦雖不存，然陸賈爲説客，爲縱横家之流，則其賦必爲騁詞之賦。《漢書》朱建與陸賈同傳，亦辯士之流。枚皋、嚴助、朱買臣，皆工於言語者也；《漢志》列嚴助書於縱横家，此其證也。史遷、馮商，皆作史之才，則賦筆必近於縱横。揚雄《羽獵》、《長楊》諸賦，亦多富麗之詞，亦近於騁詞者也）。闡理之賦，荀卿以下二十五家是也（觀荀卿作《成相篇》，已近於賦體，而其考列往迹，闡明事理，已開後世之聯珠。《蠶賦》諸篇，亦卽小驗大，析理至精，察理至明，故知其賦爲闡理之賦也。餘多不可考。惟眭宏爲明經之人，所作之賦，亦必闡理之一派也）。寫懷之賦，其源出於《詩經》（《詩序》言：「在心爲志，發言爲詩。」是詩者，卽所以寫心中之志者也。詩有風、賦、比、興四體，而《楚詞》亦具此四體，故《史記》言《楚詞》兼具《國風》、《小雅》之長也）。騁詞之賦，其源出於縱横家（如縱横家有所言，非徒善辯，且能備舉各物之情况以眩其才。《七發》及《羽獵》等賦，其遺意也。章氏《文史通義》，叙詩賦之源流，已言其出於縱横家矣）。闡理之賦，其源出於儒、道兩家（老子《道德經》已有似賦之處矣）。觀班《志》之分析詩賦（後世之賦《三都》、《兩京》，騁辭賦也；《閑情》、《嘆逝》，寫懷賦也；《幽通》、《思玄》，析理賦也），可以知詩歌之體，與賦不同（不歌而誦爲之賦，則詩歌皆可誦者矣），而騷體則同於賦體。至《文選》析賦、騷爲二，則與班《志》之義迥殊矣（惟戴東原則稱《楚詞》爲《屈原賦》，仍用班《志》之稱，作有《屈原賦注》一書），故特正之。

風格

林希逸《李君瑞奇正賦格序》 自退之爲詩，正易奇之論，文章家遂有以此互品題者。抑嘗思之張説、徐堅之論文也，其曰：良金美玉，無施不可，非正乎？其曰：孤峯絕岸，壁立萬仞，濃雲鬱興，震雷俱發，非奇乎？不妨爲俱美也。前輩乃曰：好奇自是文章一病。退之自謂怪怪奇奇，不施於時，祇以自嬉，然則奇固不若正矣。雖然李長吉辭尚奇詭，而當時皆以絕去翰墨畦逕稱之，李義山受偶儷之學於令狐，及其自作乃過於楚，非以其爲文素瑰奇歟！長吉之奇見於歌行，義山之奇見於偶儷。偶儷云者，卽今時賦體也；使今人之賦有若玉溪之奇，又何愧於古哉。莆陽同舍李君瑞以賦得名，屢薦於鄉，優升於學，每以奇取勝，自謂之伏兵。蓋前後見賞，有司皆以鋪叙體得之。今集賦家大小諸試，自蘭省三舍、諸郡鹿鳴，以至堂補巍綴者皆在焉。每題先之以正，繼之以奇，鋪叙之外，或以韻奇，或以意奇，或以句簡古而奇，或以原頭末三韻、兩韻混成構結而謂之正者，人固知之。時出之奇，多有流輩思索所未及，譬猶孫臏之減竈削木，淮陰之背水囊沙，初不在堂堂之陣，正正之旗，自可扼敵吭而破敵膽也。以君瑞肘後方之已效之劑，不自秘而傳之人，得之者當萬選萬中矣。然唐人論詩，有六迷云者，有七至云者，其説則曰以詭差爲新奇，一迷也。至奇而不差，一至也。是必知其至而去其迷，以詩之病而驗之賦，庶乎得君瑞所以傳之法，而又盡其所以至之妙。

祝堯《古賦辨體》卷四《兩漢體下》 《甘泉賦》：賦也。全是倣司馬長卿，眞所謂同工異曲者與！蓋自長卿諸人就《騷》中分出侈麗之一體，以爲辭賦，至於子雲，此體遂盛。不因於情，不止於理，而惟事於辭。雖曰因宮室畋獵等事以起興，然務矜誇，而非詠歌，興之義變甚矣；雖曰取天地百神等物以爲比，然涉奇狂，而非博雅，比之義變甚矣；雖曰陳古者帝王之迹以含諷，然近諛佞，而非柔婉，風之義變甚矣；雖曰稱朝廷功德等美以倣雅頌，然多文飾，而非正大，雅頌之義又變甚矣。但風比興雅頌之義雖變，而風比興雅頌之義終未泯。至於三國六朝以降，辭益侈麗，六義變盡而情失，六義泯盡而理失。噫，於此可以觀世變矣！

又卷五《三國六朝體上》 《鸚鵡賦》：凡詠物之賦，須兼比興之義，則所賦之情不專在物，特借物以見我之情爾。蓋物雖無情，而我則有情；物不能辭，而我則能辭。要必以我之情推物之情，以我之辭代物之辭，因之以起興，假之以成比，雖曰推物之情，而實言我之情；雖曰代物之辭，而實出我之辭。本於人情，盡於物理，其詞自工，其情自切，使讀者莫不感動，然後爲佳。此賦蓋與《鸚鵡》、《野鵝》二賦同一比興，故皆有古意。但《鸚鵡》、《野

鵠》二賦尤覺情意纏綿，詞語悽惋，則其所以興情處異故也。

又卷六《三國六朝體下》《赭白馬賦》：賦也。辭極精密。晉、宋間賦辭雖太工麗，要是賦中所有者，賦家亦不可不察乎此。若使辭出於情，情辭兩得，尤爲善美兼盡，但不可有辭而無情爾。愚故嘗謂賦之爲賦，與有辭而無情，寧有情而無辭。蓋有情而無辭，則辭雖淺而情自深，其義不失爲高古。有辭而無情，則辭雖工而情不及，其體遂流於卑弱。此賦句意皆出於漢《天馬歌》，至唐李、杜詠馬之作，則又出於此矣。

又《枯樹賦》：夫詩人之多識，豈以多爲博哉！亦不過引古而證今，就事而生意，以暢吾所賦云爾。定齊論賦，以爲長卿長於叙事。所謂叙者，亦曰事得其叙，所以爲長。東萊曰：「爲文之妙，在於叙事狀情。」若用事不得其叙，則泛而腐，於情既不足以發，冗而碎；於辭又不足以達，窒而澀；於理復不足以明，雖多亦奚以爲。後山嘗謂歐公不用故事陳言，而文益高，尤學者所當察。愚故特存此篇以辯梁陳之體。

又卷七《唐體》《大鵬賦》：賦家宏衍鉅麗之體，楚《騷》、《遠遊》等作已然，司馬、班、揚尤尚此。此顯出於莊子寓言，本自宏濶，而太白又以豪氣雄文發之，事與辭稱，俊邁飄逸，去騷頗近，然但得騷人賦中一體爾。若論騷人所賦全體，固當以優柔婉曲者爲有味，豈專爲閎衍鉅麗之一體哉！後人以莊比騷，實以莊騷皆是寓言，同一比義，豈知騷中比兼風興，豈莊所及？莊文是異端，荒唐繆悠之說，騷文乃有先王盛時發乎情止乎禮義之遺風。學者果學莊乎？學騷乎？

陳繹曾《文筌·楚賦譜》 楚賦格：上：清玄《騷經》：神清思精，意眞語趣。中：清婉：寓意深遠遺辭粹雅；超逸《遠游》：超出常度，别發奇文；壯麗：奮厲辭氣，不拘調度；清麗：專煉辭情，略具首尾；典雅：立意高平，造語醇古；奇麗：運意險絶，造語精神；頓挫：立意跳蕩，措辭起狀；絀後：前但泛言，後方著題；布置：拆繁衍略，間架整齊；順布：自首至尾，順文鋪叙。此楚賦正格，其格變化無方。

楊愼《丹鉛雜録》 古賦形容麗情，《九歌》「滿堂兮美人，忽獨與予兮目成」。宋玉《招魂》「娭娯眇視，目曾波些」。相如賦「色授魂與，心愉於側」。枚乘《菟園賦》「神連未結，已諾不分」。陶淵明《閑情賦》「瞬美目以流盼，含言笑而不分」。曲盡麗情，深入冶態。裴硎《傳奇》，元氏《會眞》，又瞠乎其後矣。

所謂「詞人之賦麗以淫」也。

又《法言》論屈原、相如，《文選》注引《法言》曰：「或問屈原、相如之賦孰愈？曰：原也過以浮，如也過以虚。過浮者，蹈雲天；過虚者，華無根。然原上援稽古，下引鳥獸，其著意於虚，長卿亮不可及。」今《法言》無此條。

又《上林賦》：程泰之論《上林賦》三條，其見超邁，得作者之意。今節其語於此。其上篇曰：相如之賦上林，曰亡是公者，明無是人也。既本無此人，則凡所賦之語，何往不爲烏有也？

費經虞《雅倫》卷四 賦别爲體，斷自漢代。始荀、陸之文各自爲書，且荀多隱語，屈平之作又分爲騷。六朝之賦則俳，唐人之賦則律，而多四六對聯。宋人之賦多粗野索易之語，衰颯之調。總之，後世牽補而成，詞旨寒儉，無復古人浩瀚之勢、偉麗之詞，去賦遠矣。《漢書·樂志》云：「漢立樂府，采詩夜誦。多舉司馬相如等造爲詩賦，略論律呂，以合八音之調。」是相如諸賦當時皆以入歌者也。觀《上林》、《長楊》散文多，何以合樂，不得其解者久之。老而始悟，蓋散文誦而不歌，如後世院本之道白也；其有音韻乃以瑟箏之類歌，如後世之白畢唱詞也。當是子虚子、亡是公、烏有先生三人登場，互相對答問難，今北方所傳「羅嗹腔」三弦和之，其明白言之者謂之「説白」，其微帶歌聲而言之者謂之「滚白」，或者是賦遺意也。賦之音節失傳，而單論文章，今采賦體之變使學者悉其本末，體調相似者不載。漢人大賦，辭長物博，文章爾雅，非尋常可到。司馬作《子虚》游神蕩思百餘日，左思作《三都》十年而成，此不過博奥偶着一篇。若常用叙情詠物，六朝小賦爲宜，下迨唐人應制亦可。作賦之法，叙事宜輕秀曲折，言情宜委曲纏綿，鑄詞宜清潤俊逸，選字宜古雅微妙。叙事太長則冗而不精，太短則拙而不暢，言情太直則無一唱三嘆之致，太盡則非婉而多風之懷。詞若雄壯，反類於俚謠，字不選擇，則近于鄙陋，此作賦之大端也。若夫才華各别，淹洽多端，未可一一細數也。但取類書抄填奇文僻事以爲高，則又才人之過而藝苑之所不取也。楚騷賦多變格，諸家體裁亦自互異，若不標舉，恐屬混同，至于作者不乖於古，不流於俗，當融合古今諸賦而含茹之，取材於經史，則庶乎其得之矣。

陸時雍《楚辭疏·讀楚辭語》 詩道雍容，騷人凄惋，讀其詞如逐客放臣，羈人嫠婦，當新秋革序，荒楊幽燈，坐冷風凄雨中，隱隱令人腸斷。昔人謂

痛飲讀《離騷》，酒以敵愁，《騷》以起思，溫涼並服，差足當耳。

又 溫柔敦厚，詩之教也；婉變陫側，《離騷》之旨也。「君不行兮夷猶，蹇誰留兮中洲」，此情語也；「揚靈兮未極，女嬋媛兮爲余太息」，此情境也；「捐余玦兮江中，遺余佩兮澧浦，采芳洲兮杜若，將以遺兮下女」，此情事也；知其不然而未敢絕望者，厚道也；思之不得但流涕以從之而未嘗有一言怨及之者，愛之至也。

黃文煥《楚辭聽直·合論》「聽體」 《騷》從《詩》變，六義畢具者其體也。首《騷》，概從變《雅》中來，援引美人以寄意，則兼《風》。《九章》與變《雅》相似，同於首《騷》，音節之低徊倡嘆，固《風》之遺。不待盡從美人爲援引，始曰《風》在斯也。《天問》純乎爲《大雅》，不獨《小雅》，蓋歷代朝政大得失備焉，自當以《大雅》歸之。《遠游》亦《雅》之類，雖不關朝政，氣象則雅，繇求仙而言登天，殆小心翼翼，昭事上帝之餘意乎。《九歌》篇最短，純乎其爲《頌》矣。宗廟祭告，事神之體然哉。【略】論賦比興，則首《騷》爲最全，其抒情寫事，固纚纚皆賦，援芳援玉援女，胥比興也。《遠游》純乎其爲賦，無比興可指，然借游仙以寓厭世，字句非比興而意則全歸比興矣。純乎其爲賦者，惟《天問》。《九歌》亦屬純賦，而借事神之我庇，嘆君之我疏，又謂純乎比興可也。《九章》則賦比興雜於各篇之中。《惜誦》純賦矣。懲美釋階，比興繫之。《思美人》之言鳥言草木，比興居多，賦居少；《抽思》之賦居多，有鳥來集，則其比興之一及也。《涉江》之多賦，與《抽思》等，結亦一及鳥木，爲比興焉。《悲回風》開篇搖蕙，卽繼以鳥獸魚龍芳草，層疊於比興之間，中末則純用賦；《哀郢》之純賦，獨於結句引鳥狐二語爲專興；《惜往日》之純賦，在篇首芳草早夭，西施嫫母，騏驥舟楫，比興之錯出在中末；《懷沙》前半之比興最多，後半乃用賦；《橘頌》詠物，似與諸篇相反，純賦而非比興，若借物寓意，又純爲比興；此其各篇之同不同者也。論其字句，亦有互殊者：首《騷》純用七言六言，雜之以五言者，不及十句。《遠游》亦純用七言六言，中插四言數句，爲一段，末插三言數句，爲一段。《天問》純用四言，雜之以五言三十餘句，六言十餘句，三言十餘句，七言數句。《九歌》純用三言二言，無它雜焉，篇短而句亦最短，所以俾篇與句相稱也。《詩》惟《頌》多三言，原之以歌，擬《頌》也。《九章》之多七言六言，與首《騷》、《遠游》同，《惜誦》、《思美人》尤與首《騷》較似，以其有數句五言雜之耳。《抽思》、《涉江》則似《遠游》，《抽思》末雜四言，別爲一段，《涉江》末雜三言，別爲一段，固《遠游》之餘體也。《橘頌》之用四言，於《九章》各篇爲變，於《天問》爲同。《天問》尚有五言、六言之雜，此概無雜，彼問此頌，問須更端，頌易直贊，固不同哉！《悲回風》、《哀郢》、《惜往日》又純與首《騷》之七言、六言同，並不雜以五言。《懷沙》之多用四言，略雜五言，則與《天問》似同者也。《九章》中之有倡曰、亂曰、重曰、少歌曰，則與他篇不同，而與《遠游》之重曰又同者也。《卜居》、《漁父》純用變格，不待以不同於諸篇論。其兩皆問答，則《漁父》又自與《卜居》同矣。同而不同，不同而同，原於摛詞之體。殫力變化，不肯苟且如此。

程廷祚《騷賦論中》 荀卿《禮》、《智》二篇，純用隱語，雖始搆賦名，君子略之。宋玉以瑰偉之才，崛起騷人之後，奮其雄夸，迺與《雅》、《頌》抗衡，而分裂其土壤，由是詞人之賦興焉。漢《藝文志》稱其所著十六篇，今雖不盡傳，觀其《高唐》、《神女》、《風賦》等作，可謂窮造化之精神，盡萬類之變態，瑰麗窈冥，無可端倪，其賦家之聖乎？後之視此，猶后夔之不能舍六律而正五音，公輸之不能捐規矩而成方圓矣。于是綴詞之士，響應景從。漢興，陸、賈導之於前，賈誼振之於後。文、景以還，則有淮南王安、枚乘、莊忌、司馬相如、吾丘壽王、嚴助、枚皋，並以文詞見知於時。遭遇太平，揚其鴻藻。宣、成之世，則有劉向、王褒、揚雄之倫。蓋賦之盛，於斯爲極。賈生以命世之器，不竟其用，故其見於文也，聲多類騷，有屈氏之遺風。若其雄偉卓犖，冠於一代矣。長卿天縱綺麗，質有其文，心跡之論，賦家之準繩也。《子虛》、《上林》，總衆類而不厭其繁，會羣采而不流於靡，高文絕豔，其宋玉之流亞乎？其次則揚雄也，王褒又其次也。子雲之《長楊》、《羽獵》，家法乎《上林》，而有迅發之氣；《甘泉》深偉，廟堂之鴻章也。大抵漢人之賦，首長卿而翼子雲，至是而賦家之能事畢矣。後有作者，弗可尚已。東京作者，體卑於昔賢，而風弱於往代。其時則有馮衍、杜篤、班彪、班固、崔駰、傅毅、張衡、馬融、蔡邕、王延壽、邊讓、禰衡之流。就而論之，二班、張、王，其最著乎？平子宏富，風度卓然。《二京》之方《兩都》，猶青之於藍也。賦至東京，長卿、子雲之風未泯，雖神妙不足，而雅贍有餘，其猶有中古之遺音乎？降及魏、晉，非其儔矣。魏之王、曹，晉之潘、陸、左、郭，後先爭驅，咸爲一時之選。然賦至是，則規制分明，而古人之行無轍跡者，於是乎泯矣。其氣不足以發，其神不足以藏，而古人之峥嶸幽渺萬變不測者，弗

能爲之矣。其賦道之衰乎？然而猶賢於六朝。若夫宋、齊以下，義取其纖，詞尚其巧，奏新聲於士女雜坐之列，演角觝於椎髻左衽之場，雖世俗喜其忘倦，而君子鄙之，揚子譏其類俳，今則信矣。是故以賦譬之山水，岳瀆其楚漢乎，東京則山之麗於岳，水之附於瀆者也。又其山之旁出，水之支流，則爲魏、晉。至於指丘垤以爲山，畫沰沚以爲水者，六朝之謂耳。此其升降之大凡也。蓋自雅頌息而賦興，盛於西京。東漢以後，始有今五言之詩。五言之詩，大行於魏、晉而賦亡。此又其與詩相代謝之故也。唐以後無賦。其所謂賦者，非賦也。君子於賦，祖楚而宗漢，盡變於東京，沿流於魏、晉，六朝以下無譏焉。

謝鳴盛《範金詩話》卷上 屈原去古未遠，遭遇非時，由變風變雅創爲騷歌。音不厭其煩蹙，詞不厭其顛覆。蓋忠愛之情疾痛迫切，有不暇自擇者。《黍離》《麥秀》事後之痛，猶不如其當躬之甚，而心更欲有所挽回也。太史公謂：「《國風》好色而不淫，《小雅》怨誹而不亂。若《離騷》者可謂兼之。得其旨矣。」賈傅之《弔屈》與《鵩鳥賦》，揚雄之《廣騷》與《反離騷》，其所以遜于靈均者，正在不能如其煩蹙顛覆也。然其煩蹙顛覆非强爲然，蓋有不知其然而然者。誼之遇本未至如屈，雄之志又不能如原，宜其不及也。竊以食肉不食馬肝，未爲不知味。與其爲無病之呻，則《離騷》卽以馬肝視之，豈人遽議我不能詩乎？

又 《離騷》非不當學，不能學也。非不可學，不必學也。學《離騷》不如《三百篇》之爲中聲也。卽變風變雅煩蹙中猶自温和，顛覆中仍然紆折之，取法爲無傷也。然《離騷》亦自是古今來第一種奇文，不可無一，不能有二，覽詠之餘，自生奇勃之氣運，其氣於樂府七古中亦大新人耳目，要在善取之耳。

張謙宜《絸齋論文》卷四 昌黎《明水賦》，平淺已開宋調。

又 少陵賦猶仿漢調，琢鏤不如，在唐爲高手。

又 六一《秋聲賦》，宋調如是。然猶勝東坡一籌。

王之績《鐵立文起前編》卷九《賦通論》 王懋公曰：黃雲孫謂文筆易工，賦心難學，此亦一說。雖然，有長于文而短于賦者，司馬遷是也。有長于賦而短于文者，司馬相如是也。天下事何可以概論。

又 王懋公曰：賦有情與詞理之別。毛詩屈賦，皆發于情，而理與辭自赴之，所以不可及。嚴氏論詩，謂有別趣，非關理也。東坡《前赤壁賦》，自變者而觀之，自不變者而觀之。李溫陵塗抹，以爲正好發揮，可惜說理，而且謂俗氣甚。此雖無礙于蘇，而亦後之學賦者所當知。

又 《文章精義》曰：賦有辭到者，子瞻《灩澦堆》是也。有理到者，天慶《觀乳泉》是也。

又一〇《論歷朝賦》 王懋公曰：統觀古今，賦有五失：有以艱深失之者，有以淺陋失之者，有以直說失之者，有以不能定宗失之者，有以不知詩教失之者。王元美論賦：明白條易，便乖厥體。又曰：勿令不讀書人易竟。極其流弊，必至于艱難深晦而後已。不知古人非故示人以難也。葛稚川曰：「古之著書者，才大思深，故其文隱而難曉。今人意淺力近，故其文露而易見。故水不發崑崙，則不能揚洪流以東漸；書不出英俊，則不能備致遠之弘韻焉。」然則古人雖有隱而難曉之文，一出于自然。猶之龍翔雲附，虎嘯風生，其勢然也。今人以艱深之詞，文淺近之意，尙得謂之文哉？朱晦菴嘗謂《楚辭》平易，後人學做者反艱深，都不可曉。此其失之者一也。樂天爲詩必老嫗能解而後存，所以白俗譏並元輕。揚子雲曰：五百年後必有知者。卽不爲此，亦何至以婦人爲詩文之知己。有人問考亭，高適《焚舟決勝賦》，甚淺陋。曰《文選》齊、梁間江總之徒，賦皆不好了。此其失之者一也。記曰：天地之道，一言而盡，此談理之宗而非作文之法。「千里江陵一日還」，何若曲而有直體之爲勝乎？南軒張氏論作詩不可直說破，須如詩人婉而成章。《楚辭》最得詩人之意，如言「沅有芷兮澧有蘭，思公子兮未敢言」。思是人也而不言，則思之之意深而不可以言語形容。若說破如何思如何思，則意味淺矣。此其失之者一也。或問紫陽：司馬相如賦似作之甚易，曰：然。又曰：林艾軒云：司馬相如，賦之聖者。揚子雲、班孟堅，只塡得他腔子，如何得似他自在流出？左太沖、張平子，竭盡氣力，又更不及。予謂若以長卿爲賦之聖，則後之作賦者，第宗長卿可矣。今觀其賦，惟有《長門》以意勝。他若《子虛》、《上林》，特靡麗無情之詞而已。聖于賦者，顧如是乎？林之所謂聖者，特以其不勞而就，而餘子皆不能也。孰知稱聖亦別之于意而已。必如所云，古賦須熟看屈、宋、韓、柳所作，乃有進步，然後得之。使人競趨于詞而賦之體壞矣。此其失之者一也。三百之《詩》，所以治性情，敎忠孝，賦何獨不然！

又《漢賦》 沈鶴山曰：《長門賦》，哀怨悲涼，開千古閨思之祖。

又 王懋公曰：《子虛》、《大人》，史遷譏其靡麗多誇。予謂卽此四字已

盡長卿生平之賦。王弇州稱爲賦之聖，造體極玄。使子長聞之，當掩口而笑矣。

又 王懋公曰：韓子論文，貴自樹立，可稱卓識。康德涵謂古人作文，皆有依倣，相如《大人賦》，全用屈平《遠遊》中語。予謂以此勝杜撰家則可，而必援以爲訓，獨不曰前無古人乎！噫，過矣。

又 王懋公曰：或謂《子虛》、《上林》，材極富，辭極麗，而運筆極古雅，精神極流動，所以不可及。予獨喜倪正父謂賦無異，直誇多鬭靡，如魚龍曼衍，欲不可極，使人動心駭目。最爲知言矣。

又 王懋公曰：歸安盛稱《檄蜀》、《諫獵》，亦未確。弇州謂長卿以賦爲文，故《難蜀》、《封禪》，綿麗少骨，最爲得之。

又 王懋公曰：《子虛》、《上林》，創見亦佳。後再蹈襲，則堆塞可厭矣。子雲《甘泉》加以詭譎，更不足法。孟堅《兩都》，雖用鋪張，猶不甚貪。其自謂義正揚雄，事實相如，亦實錄也。

又 沈石夫曰：《西都》麗而不靡，俱倣相如諸篇而骨法自具。東京大作手，《東都》意歸典則，不尚侈靡。相其體裁，直欲自成一家，不欲規模揚雄，彷彿相如也。

又卷一一《三國六朝》 王懋公曰：曹子桓謂仲宣自善於詞賦，惜其體弱不足起其文。吳才老稱陳琳《大荒賦》，用韻極奇古。而陳思乃曰，以孔璋之才，不閒于詞賦。而多自謂與長卿同風，譬畫虎不成者也，似未免抑之太過矣。

又 王懋公曰：《左思傳》云，思先造《齊都賦》，復欲作三都，乃詣著作郎張載，訪岷邛之事，搆思十年，門庭皆着紙筆；遇得一句，即便疏之。張華見而歎曰，班張之流也。使讀之者盡而有餘，久而更新。其見推于時人如此。蓋緣留心此道，非一朝夕故也。譚友夏論文，精神大用則大乖，小用則小乖，信非無稽之言矣。

又 王懋公曰：文貴高古而賤姸巧。桃李之穠艷，何如松栢之蒼鬱？即以辭賦論，如淮南之《招隱士》，此豈六朝才人所能措乎！

又《唐》 華無技曰：子安詞賦，如千錦飛光，萬花騰焰。篇篇結綠，語語連珠，胸無儉思，腕有餘藻。其于文章家，信九天之霞府，百川之谷王也。天才橫恣，浮音時亦間出。要之，少年肆筆，何妨馳驟飛揚哉！

又《宋》 王懋公曰：宋人固多文賦。然如玉局《赤壁》，脫去凡胎，獨標仙骨。覺相如、揚雄未能免俗矣。讀此須放天眼，而論者尚呶呶不已，予竊歎人心不空如此。

又《明》 王懋公曰：我於明文中，甚喜徐山陰、袁公安。推爲三百年第一，不無太過。然其才最別。即如《牡丹賦》，奇思幻致，俱非舒元輿所能夢見。其賦梅花，即宋廣平亦以軟媚遜其冷峭。後一名士，純用其語，作《補孤山種梅序》，盛爲人所稱賞，豈亦相如之於《遠游》歟？破械小賦，尤爲出色。我每置之案頭，以爲怪石供。文長賦曲擅場，著《四聲猿》，快絕千古，無論近代名流，皆避一頭。即元人百種，應亦自謂不如。所以尹婕妤羞見邢夫人，太白語殊可思也。

又 王懋公曰：屠赤水天才橫軼，無施不可。其於禪學如說家常。昔人千偈瀾翻何足道哉！雖以蘇之前身互戒，黃之宿世香嚴，遇緯眞則讓其縱橫莫當矣。溟海波恬，偶然有賦，天馬行空，一息萬里。視木、郭《江》、《海》諸賦，皆三日新婦，何無丈夫氣也。

又卷一二《騷》 王懋公曰：王子充嘗言宋玉、景差大小招，務爲譎怪之談，荒淫夸艷之語。今亦無取。予謂詩文詭麗誠爲大雅所病，然如子充招游子辭，平平無奇，亦易取厭。故才人光焰，予終不忍棄之。

王修玉《歷朝賦楷・論賦》 賦雖本于六義，體制則有代更，《楚辭》源自《離騷》，漢魏同符古體，此爲賦家正格，允宜奉爲典型。至于兩晉微用俳詞，六朝加以四六，已爲賦體之變，然音節猶近古人。迨夫三唐應制，限爲律賦，四聲八韻，專事駢偶，此又賦之再變。宋人以文爲賦，其體愈卑，至于明人，復還舊軌。茲集諸體咸收，但求合格，譬之朱紫異章，并成機杼，絃匏各器，均中韺韶，如或詞體紕雜，不嫻古法者，即有偏長，亦加澄汰。

又 賦之體裁，自宜奧博淵麗，方稱大家。然有詞無意，雖美不宣，有意無氣，雖工不達。觀漢魏諸賦，修詞璀璨，敷采陸離，要皆情深理茂，氣厚格高，長篇短制，故皆可傳。茲集之文，雖搴菁藻，然必以文傳意，以氣緯文，其或徒塡奇字，意實枵虛，漫衍譎詞，氣多蹇澀者，即屬名人之篇，亦在刪詩之列。

《四庫全書總目》卷一四八《離騷解》 然詞賦之體與敘事不同，寄託之言與莊語不同，往往恍惚汗漫，翕張反覆，迴出於蹊徑之外，而曲終乃歸於

本意。

浦銑《復小齋賦話》卷上　《日五色賦》，唐人李程、湛賁、崔護三首。湛有句云：「馴翟對而阻色，儀鳳臨而委質。光浮石壁，謂媧皇之補天；影入詞林，疑江淹之夢筆。」又云：「祥光旁燭，偏宜連畛之瓜；瑞彩下臨，更並建社之土。」非無穎思，終覺小樣。又多用光、彩、燭、臨等襯貼字。李則云：「足使陽烏迷莫黑之容，白駒驚受采之質。」「名翬矯翼，如威鳳兮鳴朝陽；時藿傾心，狀靈芝兮耀中圃。」何等斋皇典麗，固不獨以破題擅長也。唐史稱之爲警拔，信矣。

又　唐人賦好爲玄言，宋元賦好着議論，明人賦專尚模範《文選》，此其異也。丁晉公有言：「司馬相如、揚雄以賦名漢朝，後之學者多規範焉，欲其克肖，以至等句讀，襲徵引，言語陳熟，無有己出。」余謂數語，切中明人之病。

又　作賦貴得其神，謝觀之「梁苑庾樓」，賦《白》工矣；王棨之「陳娥潘鬢」，賦《涼風》工矣。然亦有必須刻畫者。錢起《尺波賦》云：「圓規可驗，疑沈璧之舊痕；前後相侔，若浮書而競起。流脈中移，類蠖影求伸之際；浮光上透，若雪花呈瑞之初。將潛寧戚之鯉，半未能容；若流張協之薪，重而纔得。」數聯皆藏尺字在內，不爾何由切題？故曰言豈一端，夫各有當。

又卷下　唐賦亦有白描處，如王輔文《綴珠爲燭賦》云：「風來不動，凝四座之清光；夜久逾明，貯一堂之虛白。」又《玄宗幸西涼府觀燈賦》：「一游一豫，忽此地以微行；不識不知，竟何人而望幸。」不着一字，何等親切。

又　文以有情爲貴。余于輔文賦，以《沛父老留漢高祖》爲壓卷，文江賦以《秋色》爲壓卷，知言者定首肯。

朱一飛《賦譜》　四品之目，曰清，以氣格言也；曰眞，以典實言也。所謂詩人之賦麗以則，則者法之，鍊字必取其雅，用意必歸於正，所謂詞人之賦麗以淫，淫者謹之。

程琰《本朝館閣賦序》　蓋聞宣揚六藝，苞孕三才，祖禰風騷，權輿比興，不歌而頌，洵纁態以含英；體物爲長，終存神而離器。濟濟登高之什，洋洋博物之稱，洎楚詞善怨，差、勒騰聲，乃梁苑工文，鄒、枚馳譽。誇巫雲而寫艷，溯洛水以陳辭。陸士衡二十抽毫，蜚英藝圃；張平子十年握管，振藻文林。涌浪騰雲，江海還歸，歕欲流葩，合綺山川，咸助雕鎪。沿夫六代風華，競歌艷曲；迄乎三唐清麗，尙奏新音。或工同而曲異，或節短而情長。或如空谷之蘭，菲菲自馥；或似清霄之鶴，矯矯誰群。間有刻鵠之家，不乏雕龍之手。厥後推袁莫屬，等諸自鄶無譏。國朝韶濩振興，淫哇蕩滌，家懷荆璧，每抗節夫曼聲；人握靈珠，豈結言於繁響。篇篇紙貴，揮珠玉於南都；幅幅蒼新，問臙脂於北部。狀雕籠之鸚鵡，點筆沈吟；繡錦水之鴛鴦，停針睇盼。歌傳白雪，價重黄金。僕也才慚吐鳳，技愧雕蟲，求鴻琣於詞垣，訪犀珍於碧海。裝成璹瑁，休詢《呂覽》之文；網得珊瑚，頻索王充之秘。偕同好以搜羅，辱前型之揚榷。試看墨花叠錦，居然昔日之庾、徐；相期文海回瀾，尙賴當今之揚、馬。

魯筆《楚辭達・總論》　氣脈：歷來註《騷》者總是章章氣脈，不能打通貫注，縱有接卸，不是平鈍直衍，則是勉強牽合。須要章章一氣相通，又要章章轉變不測，在人人意中，又在人人意外，方見奇妙。

又　神吻：解《離騷》要得神吻爲上，不徒在義理典物，其隱顯輕重之妙，字字如生，傳神正在阿堵。若止求義理典物，此則漢儒以爲賦料，宋儒以爲褒貶，不直戴晉人之一吷也。

汪廷珍《作賦例言》　貴精不貴多，以語別項學問，則謬；以言讀時文與近體詩賦，則切當之至。要緊工夫，全在讀子、史、經、集，講人情物理，以明義理，廣見聞，方得進步。若貪取舊賦舊文，多收熟讀，不免妄費精神，且滿腔渣滓，久則心源閉塞，不可救藥。欲通文理，固屬斷港絕潢，以問功名，尤是南轅北轍。

又　荀卿之賦直指，屈子之賦旁通。景以寄情，文以代質，旁通之妙用也。

又　屈子之纏綿，枚叔、長卿之巨麗，淵明之高逸，宇宙間賦，歸趣總不外此三種。

又　李白《大獵賦序》云：「辭欲壯麗，義歸博達。」似約相如答盛覽問賦之旨，而白賦亦允足稱之。

湯聘《律賦衡裁・餘論》　梁沈約《郊居賦》云：「來風南軒之下，負雪北堂之垂。」簡文帝《晚春賦》云：「水篩空而照底，風入樹而香枝。」鍊字新雋，是永明以後風氣，去魏、晉已遠。唐王勃《春思賦》云：「葉抱露而爭密，花牽風而亂下。」李白《劍閣賦》云：「雲愁秦而暝色，鴻別燕兮秋聲。」皆李謂所

謂「風雲月露爭一字之巧」者。後來尖穎一派從此脱胎。

又 唐李程《破鏡飛上天賦》云：「意迢遞而難明，半生象外；豈别離之可贈，餘在人間。」王棨《綴珠爲燭賦》云：「風來不動，凝四座之清輝；夜久逾明，貯一堂之虚白。」羌無故實，妙得神理。劉彦和所謂「隱秀」者，此兩聯庶幾近之。

又 司空表聖論詩首尚雄渾，惟賦亦然。唐闕名《華山爲城賦》云：「天包地束，鳥過雲輕，萬仞垂峭，千峰入冥。髣髴虹蜺，盡識旌旗之色；依稀星月，皆分弧矢之形。」襄華《貫洪河賦》云：「俯臨迫察，詭麗雄悍，峻勢危而不騫，靈源注而常滿。積陰騰氣，與嵐色而相鮮；爍日生霞，連榮光而不斷。」皆所云眞力彌滿，萬象在旁者也。

又 宋人律賦大率以清便爲宗，流麗有餘而琢鍊不足，故意致平淺，遠遜唐人。田錫《曉鶯賦》云：「關關枝上，帶花露之淸香；喋喋風前，入月簾之静影。」文彦博《雁字賦》云：「水宿近蒹葭露下，垂露勢全；雲飛經螮蝀橋邊，題橋象著。」范仲淹《天驥呈才賦》云：「首登華廏，嘶風休憶於窮途；高騁康衢，逐日詎思於長坂。」唯此數公，猶有唐人遺意。

李調元《賦話》卷一《新話一》 梁吳均《八公山賦》云「桂皎月而常團，雲望空而自布」，又「文星亂石，藻日流階」。章句益工，而氣味漸薄。初唐人沿襲此種，遂一變而有律賦，其去魏、晉遠矣。

又 鄴中小賦，古意尚存。齊、梁人效之，琢句愈秀，結字愈新，而去古亦愈遠。錄休文《桐賦》「喧密葉於鳳晨，宿高枝於鸞暮」，卽古變爲律之漸矣。

又 唐楊烱《浮漚賦》云：「雨密稠生，風牽亂上。」八字賦物之妙，工細入微。沈休文所謂指物程形，無假於題署上者也。

又 唐人琢句雅以流麗爲宗，間有以精峭取致者。皇甫湜《山鷄舞鏡賦》云：「類鳳因簫感，哂鶴爲禽召。」趙蕃《月中桂樹賦》云：「謂扇花薄，如珪玷浮。」楊宏貞《隙塵賦》云：「疑琢玉成環，環中屑墜；若窺壺入洞，洞裏雲殘。」張隨《海客探驪珠賦》云：「初辭磧礫，訝潭下星懸；稍出漣漪，謂川旁月上。」刻酷鍛鍊，皆所謂字去而意留者。無名氏《箜篌賦》云：「靑樓何處，倚城向日九烏雛；綺帳初開，彩綬銜花雙鳳子。」七字成句，原本齊梁。閻寬《溫湯御毬賦》云：「捎虚而訝人手長，攢角而疑馬身小。」造語非不新穎，但失之鑿矣。

又卷四《新話四》 五代去晚唐不遠，然風氣迥殊。晚唐人之律賦，精密更甚。如起句云：「蒼蒼茫茫道遠，倚倚望望情傷。」用六娟秀，而從前渾古樸至之氣蕩然無存。且琢句過於修整，則漸就平蕪；遺調必求諧靡，則轉入甜俗：此流弊之所必至也。五代承唐制，亦以進士設科，以詩賦取士。如梁嵩《倚門望子賦》，則沿晚唐之格調，而流弊字句既拖沓無味，又委靡不振，風氣益下矣。

又卷五《新話五》 以策論手段施之帖括，縱横排奡，仍以議論勝人。然才氣豪上，而率易處亦多，鮮有通篇完善者。朱長文《樂在人和不在音賦》云：「興替關時，盛衰在政。桑濮非能致亂也，亂先起於淫僻；英莖非能致治也，治必逢於睿聖。未有功盛而樂乃不作，未有民困而音能協正。苟公嘗定於新律，終貽晉室之憂；鄭譯雖改於舊音，曷救隋人之病。」寓議論於排偶之中，亦是坡公一派。

又 唐人雅善言情，宋人則極講使事。無名氏《帝王之道出萬全賦》云：「一舉朔庭空，竇憲受成於漢室；三箭天山定，薛侯稟命於唐宗。」此兩事乃人臣，非帝王也，斡旋靈妙，便能點鐵成金。陳修《四海想中興之美賦》云：「葱嶺金隄，不日復廣輪之土；泰山玉牒，何時清封禪之塵。」運用既切，情致亦深，宜其見賞阜陵，讀之流涕也。

又卷六《新話六》 元人變律爲古，大率散漫而平直，非不滔滔清便，而麗則之旨亡矣。趙子昂孟頫《修竹賦》，如云「掃石上之陰，聽林間之折」，尚與唐人爲近。

王芑孫《讀賦巵言·審體》 賦者，敷陳其事而直言之，其旨不尚玄微，其體匪宜空衍。劉勰云：「老莊告退，山水方滋。」王文考云：「功績存乎辭，德音昭乎聲。」左太沖云：「攝其體統，歸諸訓詁。」由斯論之，譚空說玄，都無是處。唐之二白（居易、行簡），宋之蘇（軾）王（安石），要是别體，古無有也。西漢桓譚之《仙賦》，黄香之《九宫》，卻多徵實；《幽通》、《思玄》，情理同致。卽江左淸言，寖流詩界，獨賦不然。陸機《列仙》、謝靈運《入道至人》、江淹《丹沙可學》諸賦，播蕤發條，莫不花花葉葉；疏巖架壑，抑何實實枚枚。詩有清虚之賞，賦惟博麗爲能。

又 漢、魏風規，一壞於五七言之詩句，再壞於四六格之文辭。四六肇

起齊、梁，篇不數聯，其風未𢡉；已而大盛於唐，良由官燭易銷，意取數行俱下，韻枝所窘，惟恐孤字難安，亦猶書家之有隸書，義在通融，用居省便而已。其時應奉之作，亦多急就之篇，然通篇四六者殊鮮，且其所謂四六者，大抵端莊，不皆流利。燕、許鉅公，長篇盤硬，吟自未諧，其餘閒作鏗鏘，仍多骨鯁。即溫、李晚出，音節小殊。溫傷仄少而平多，李恨仄多而平少。李最有名，溫譏側艷，當時崇尚，亦從可想。沿宋迄元，漸開風會，別成律體。律之爲言，誠不當棘句鈎章，要豈可志淫音濫？後之作四六者，務爲闡緩，比于慢矣。

又 詩莫盛於唐，賦亦莫盛於唐。總魏、晉、宋、齊、梁、周、陳、隋八朝之衆軌，啓宋、元、明三代之支流。踵武姬、漢，蔚然翔躍，百體爭開，昌其盈矣。人徒以清疏之派，歸宗於歐之《秋聲》，蘇之《赤壁》，不知實導源於唐也。惟是經生傳業，末流多弊，間有一二輕華腐爛之作，原非名輩，分別觀之。

又《謀篇》 賦有鋪張之過，亂無靡蕩之音。曲終奏雅，理亦宜然。其體至多，不復臚述，獨無今坊本四六賦中用絶句一式，不但唐以前無之，即宋、元、明諸家亦概未有。

李元度《賦學正鵠序目》 僕竊啓寡聞，於此道向無所得，邇因告養山居，閒與生徒子姪言賦，輒就素所誦習者，編成賦學正鵠，爲家塾課本。其類有十：曰層次，曰氣機，入門第一義也。曰風景，曰細切，曰莊雅，曰沈雄，曰博大，皆應區之品目也。曰遒鍊，曰神韻，則駸駸乎進於古賦矣。曰高古，則精擇古賦以爲極則，由六朝以上希兩漢，其道一以貫之，此循流溯源之術也。【略】 層次類者，賦家不二法門也。作賦如作文，有前路，有中路，有後路，有翻面，有反面，有正面，有襯面，而皆可以層次括之。不特律賦不可無層次，即周、秦、漢、魏諸古賦，莫不步驟井然，眉目朗然，雖寥寥短篇，層次自在，特神明於規矩之中，使人莫尋其迹耳。作賦而不講層次，則猶航斷港絶潢以蘄至於海也。學者每得一題，須將題之前後路細想一番，分作數層，然後將官韻配合，某層宜押某韻，某韻宜用某字，自有一定不易之節次。即題極枯窘，亦須於無層次中分出層次來，是故有叙事題之層次，詠物題之層次，言情題之層次，説理題之層次。初學必從叙事題入手，即以所叙之事爲層次，事盡而篇法已完，故所錄獨多，餘則爲一隅之舉。至寫景題之層次，則另入風景類中，凡所編次，皆以筆性相近，功候相埒者爲序，不復論出典之前後也。氣機類者，賦非第板分層次而已，必以行氣運機爲要，能行氣則空靈，否則堆砌；能運機則活脱，否則平庸。譬之堪輿相地，必於動處見精神，未有一望平衍而可加翦裁者。蓋賦之用排偶，猶詩之有排律，杜工部長律其對句必變化伸縮，出人意表，雖排比千百言，而與《北征》諸古詩一意單行者無異。所謂寓單行於排偶之中也。本此意以爲賦，則能以排山倒海之氣，運水流花放之機。或翻空出奇，或逆折而入，或自難自解，或獨往獨來，每於路盡思窮時，忽開異境，其筆力縱横跌宕，自有活虎生龍之妙。《文訣》云：「不翻不緊，不跌不醒。」作賦何獨不然。陳秋航修撰天分最高，枯寂題能憑空起浪，尤於初學爲宜，故首屈一指，餘皆操縱自由，足藥平鈍。其尤矯變者，直如天仙化人，排風御氣，使人忘其爲排偶之文矣。末附西堂先生一作，參用古體，非試場所宜，以其得行氣運機之祕鑰，故登之以盡文心之變。風景類者，賦以寫景，景有春夏秋冬之異，故略以類從。其四時通景亦附焉。凡寫景仍不外層次、氣機二法，未有無層次氣機而寫景能工者。但此中仍有雅鄭之分，太庸則品低，太濫則辭泛，須於骨韻氣息間辨之。名作如林，不可勝錄，故略舉其概云。細切類者，陸士衡云：「賦體物而瀏亮。」不細不切，斷不能體物也。有雙關題宜細切者，有詠物題宜細切者，須用比例法，串合法，映帶法，雙管齊下法。有數目題宜細切者，有干支題宜細切者，須用核算法，掩映法，襯貼法，總貴有巧思，而復運以妙筆。斯能不脱不粘，學者可以隅反。莊雅類者，所謂沈、宋之體宜廟堂也。古賦典重肅皇之作最多，以非律體不登，即律賦中亦美不勝收，故擇其典雅親切者，略舉數篇以爲式。沈雄類者，遇詠古題則宜雄渾悲壯，壹以論議之。自覺英姿颯爽，擺脱恆蹊。賦家不可不開之洞壑也。集隘不能多選，然亦無待乎多。博大類者，充實而有光輝之候也。工候至此，自有萬斛泉源，隨地湧出之樂矣。古賦博大者十居六七，然應試除擬古外，不輕用此體。玆就律賦中擇尤以示標準，其面目則律體，其神韻色澤無一不從古賦中來也。遒鍊類者，於選聲設色中，加以千錘百鍊，乃能超出恆蹊。凡作賦必胎息於漢、魏、六朝，方有根柢。然漢賦奧衍板重，未易問津。且非場屋所宜，惟六朝鮑、謝、徐、庾諸家，鍊格鍊句，秀韻天成，已開唐律門徑。學者傾液漱芳，但得古人一二分，即已拔俗尋丈，有識者必異目視之矣。細讀諸作自

悟。神韻類者，其妙不可言傳，但覺字裡行間，則有一種騷情逸韻，芬芳悱惻，秀絶人寰，此妙惟六朝人獨擅。本朝穀人先生與之爲化，其餘諸家各極其妙，故類列之。而擬古者亦入焉。此等境界，不容驟幾，但日取諸作，涵濡而諷詠之，摘艷薰香，自然神與古會矣。高古類者，錄古賦自唐人六朝迄兩漢，以示循流溯源之極則。蓋學者不究淵源，則根柢不厚，然非循序漸進，亦必不能驟追古人。今由層次、氣機以遞進於遒鍊、神韻，則已登古人之堂矣。由是擇古賦之最精者以爲鵠，卽不難與古爲徒也。漢賦中獨選《兩都》者，以班文整雅，而轉折提頓，尤極明醒，爲便於學者也。不錄唐律體者，以今體卽唐人之律體也，不及荀卿、宋玉、長卿、子雲諸作者，以彼皆古文之一體，學者當知其意境，而不必效其體格也。蓋賦肇於周漢，實以六朝爲最盛。不獨賦家以徐庾爲正宗，卽四六亦以徐、庾爲正宗也。學者循序漸進，神而明之，變而通之，自不難獨步江東矣。

林聯桂《見星廬賦話》卷三　文章三字訣，曰新、警、醒。而「醒」之一字，施之試賦尤宜。題中實字固要醒，卽題中虛字亦要醒。賦之能疊醒實字者，如蔣太史超曾《中必疊雙賦》中段云：「三發三連，一縱一送。如雙花之並柎以紛披，如雙管之連枝而載弄。迅乎疑雙劍之互撞，矯兮訝雙丸之疊控。譬雙鹿之祁祁，貫雙鵰之岌岌。羂雙伏以紛紛，繳雙栖而中中。」李太史象鯤《經正則庶民興賦》中段云「由是興義以事其長，興孝以養其親。興廉而節峻，興賢而德純。感山楠而興讓，誦行葦而興仁」之類是也。題之能疊醒虛字者，如胡探花達源《首夏猶清和賦》中段云：「柳依依而似昔，草宛宛而含情。屐齒尋芳，猶逢挑菜；簾聲吹暖，猶聽賣餳。舞蹴飛花，獲語梁間之燕；巢深接葉，猶傳谷口之鶯。」吳太史傑《人情以爲田賦》中段云「於是以聖賢爲鋤耒，以理道爲鎡基，以綱常爲樹藝，以條教爲敷菑」之類是也。而疊醒實字之最爛漫者，如徐庶常煥《營道同術賦》中段云：「若夫有道而同術也，同志曰友正其修，同門曰朋祛其詐，同聲相應造其廬，同氣相求親其舍。同德之交淡若水，我意流連；同心之言臭如蘭，此衷物化。既同好而同惡，傾蓋中途；且同苦而同甘，聯牀終夜。操修不輟，直堪同名節以同經綸；守法不渝，豈徒同好尚以同聲價。出門同人又誰咎，益進無疆；與人同者物必歸，謙光愈下。」疊醒虛字之最爛漫者，如趙庶常先雅《崇正若指南賦》中段云：「其化之自下也，若同範乎馳驅；其制之自上也，若獨司乎控勒。其輔之以良弼也，若隨鄉導之指揮；其示之以定方也，若辨道塗之曲直。其步趨之漸熟也，若行廣陌而無礙於一縱一橫；其壅蔽之盡除也，若掃游氛而不迷於自南自北。」細閱此種，自無肥頭大腦、眉目不清之病。

又　賦之有聲有色，望之如火如荼，璀璨則萬花齊開，叱咤則千人俱廢，可謂力大於身，卻復心細如髮者。

又卷五　賦遇理境之題，更難工雅，須得躡根探窟之思，印泥劃沙之筆，語無理障，文卽賦心，乃稱上乘。如王編修贈芳《誠者聖人之本賦》云：「伊通書之妙蘊，闡大易之邃精。昭自然之物則，法至健於天行。道原各正，功本自成。無聲無臭之先，其天浩浩；相蕩相摩之際，一氣生生。立極體元，咸仰亶聰之聖；對時育物，必根無妄之誠。懿夫天地爲鑪，化工爲冶。鼓鑄群生，彌綸天下。覆幬持載，皆實理之充周；長養收藏，無纖毫之虛假。驗闔闢於往來，調盈虛於多寡。爲通卽以爲復，如印印然；成始且將成終，有形形者。生物惟天，希天惟聖。欲成不息之功，悅受彼蒼之命。溯絪緼於二氣，化可調元；全付畀於五常，道惟率性。中通而外不蔽，自誠而明；德盛而禮彌恭，惟誠故敬。爰乃神通大造，蘊徹鴻鈞。包函萬彙，體備一身。妙合乎一陰一陽，機緘自轉；默通於無動無靜，志氣如神。既退藏之甚密，亦充滿於無垠。洋洋者發育之源，不物於物；慥慥者知行之準，以人治人。蓋以有生同具，無時或離。渾淪而三才胥備，變化而六合可彌。如川流有本，而或原或委；如木生有本，而不蔓不支。一本攸分，乃萬殊所自始；大本既固，卽達道所由施。性時措而咸宜，仁也知也；道粹精而至善，繼之成之。故惟天下之至誠，能立天下之大本。其用則如環無端，其道則於人不遠。其量莫測高深，其心獨昭恆懇。六龍在御，含品物而光亨；萬國咸寧，保太和於混沌。盡性以盡人物之性，具見根源；立心卽立天地之心，獨操鈐鍵。我皇上化洽同流，學通倚數。聰明聖智，體天德而綏猷；元亨利貞，握乾符而協度。存誠以通性命之源，開誠以成天下之務。由本達末，丕顯其光；以人合天，亦孔之固。仰睿謨之崇效，幾竊管而難窮；細太極之淵涵，敬抽毫而獻賦。」顏編修伯燾《修辭立其誠賦》，說理無頭巾之氣，鍊韻見手眼之高，此亦理題之精警者。其詞云：「辭以達意，誠則寡尤。象參區蓋，理備居由。審思乎誠通誠復，明察乎辭屈辭游。故辨是與非，十七行重申特立；而克勤無怠，九三爻首贊進。」

余丙照《增注賦學指南》卷六《論賦品》：賦之作法既詳，學者已知下手，然賦品未悉，文恐誤入歧途。采必剪乎繁蕪，風斯歸於麗則，今約分四品，儘可兼該。其一清音娟娟，秀骨珊珊，名曰清秀品，此近時風尚也。其一靈活無比，圓轉自如，名曰灑脱品，此熟如彈丸也。其一端莊流麗，藴藉風流，名曰莊雅品，骨肉勻停者也。其一古調獨彈，自饒丰致，名曰古致品，此不落恆蹊者也。觀此諸品，命意貴於高超，運典貴於切實，用筆貴於靈活，其要總在工夫純熟。果能多讀多做，咳唾悉成珠玉，吐氣可作虹霓。或以丰韻勝，或以富麗勝，薰香摘艷，錯采鏤金，又何法之有乖，又何品之不合哉？精選數條，以爲模範。

又　賦品首貴清秀，不以堆垜濃艷見長，蓋辭氣清新，最易豁人心目。風骨秀逸，自能爽我精神，如此雖欠典博，亦覺動人。近來花樣斷推此種。

又　賦家化板爲活，莫如灑脱一法。蓋落筆瀟灑，超脱不群，自然亦《風》亦《雅》，盡態極妍。其要總在手敏心靈，簸弄虚字得竅。

又　庸腔滑調，最易惹厭。必須氣象莊嚴，風骨雅雋，方顯賦家身分。蓋莊則不佻，雅則不俗，剛健婀娜兼而有之者也。

又　賦之品，固宜揣摩時調，亦宜間參古致，其法大約以用字重複取姿，腔板似拘而非拘，似順而非順，逸致無邊，情韻自別。此賦家領異標新之一法也。

劉熙載《藝概·賦概》：賦有夷險二境。讀《楚辭·湘君》、《湘夫人》，便覺有逍遥容與之情；讀《招隱士》，便覺有罔沕憭慄之意。

又　名士之賦，嘆老嗟卑；俗士之賦，從諛導侈。以持己、持世之義準之，皆當見斥也。況流連般樂者耶！

又　賦別於詩者，詩辭情少而聲情多，賦聲情少而辭情多。皇甫士安《三都賦序》云：「昔之爲文者，非苟尚辭而已。」正見賦之尚辭不待言也。

又　詩人之優柔，騷人之清深，後來難并矣。惟奇倔一境，雖亦《詩》《騷》之變，而尚有可廣。此淮南《招隱士》所以作與？

又　建安名家之賦，氣格遒上，意緒綿邈；《騷》人清深，此種尚延一綫。後世不問意格若何，但於辭上爭辯，賦與騷始異道矣。

又　《風》詩中賦事，往往兼寓比興之意，鍾嶸《詩品》所由竟以寓言寫物爲賦也。賦兼比興，則以言内之實事，寫言外之重旨。故古之君子上下交際，不必有言也，以賦相示而已。不然，賦物必此物，其爲用也幾何！

又　賦取乎麗，而麗非奇不顯，是故賦不厭奇。然往往有以竟體求奇，轉至不奇者，由不知以蓄奇爲洩奇地耳。

又　賦中駢偶處，語取蔚茂；單行處，語取清瘦。此自宋玉、相如已然。

又　賦之尚古久矣。古之大要有五：性情古，義古，字古，音節古，筆法古。

又　古賦調拗而諧，采淡而麗，情隱而顯，勢正而奇。

又　言騷者取幽深，柳子厚謂「參之《離騷》以致其幽」，蘇老泉謂「《騷》人之清深」是也。言賦者取顯亮，王文考謂「物以賦顯」，陸士衡謂「賦體物而瀏亮」是也。然二者正須相用，乃見解人。

又　學《騷》與《風》有難易。風出於性靈者爲多，故雖婦人女子無不可與；《騷》則重以修能，嫻於辭令，非學士大夫不能爲也。賦出於《騷》，言典致博，既異家人之語，故雖宏達之士，未見數數有作，何論隘胸襟、乏聞見者乎！

吴錫麒《賦賦》：馳華思于上林，叩元聲于中宇。情含風以拓今，韻激騷而流古。殫密麗之鋪陳，暢菁英之咀吐。託附庸於六藝，徵苑祕於四部。齊陶冶於洪爐，乃焜耀乎文府。溯荀況之五篇，奏唐勒之四藝。俶萌柢於周、秦，繼浸淫於漢、魏。枚、馬演其洪裁，班、揚炳其巨製。氣深瑋而達情，辭豐贍而析理。招雅頌之博徒，總華實之英轡。鑽響則駭聾，送文則飛滯。選和則懌懷，振鋭則彊志。由千載而上窺，極斯藝之能事。徒觀其主客附會，東西詆訾。藩飾相襲，權輿在兹。將反覆以明趣，用紬繹以露詞。若夫敘川原，述京殿，論游畋，紀享讌。其事甚大，厥風斯扇。於是紛緼發采，菀茂奮葩。五音絞概，十色挼挐。翼層樓而起鳳，冠中天而敞霞。聚錦浪於一鏡，藏寶書於萬花。窮其變則鬼神莫能喻，播其精則金石無以加。迨曲終而奏雅，回侈心於已奢。勢漸流於典午，才多蔚於東南。矢冲襟於巖戶，軫遐慕於江潭。晨飆襲而靈條孕，晚靄滋而秀穎含。剖淵微之名理，抒冥奧之元談。鵠顔、謝其能赴，席江、鮑其并參。發清思之窈窕，良有味而醰醰。至於庶物異名，萬彙殊族。刻畫情態，發皇耳目。務纖密以爲巧，緣比擬而自足。表餘花之墜芬，丐香草之賸馥。諒無侃於小言，足取媚於幽獨。亦有別夕愁長，

情年恨短，訣愛子而心摧，望美人而目斷。絲縈纒綣，緒結纏綿。箏催促柱，瑟改危絃。毫欲栖而泣露，墨未染而啼烟。雷嘆頹息，魂傷黯然。又或花送春言，葉邀秋諾。蘂蕊紅迷，茸茸翠譃。郎調蛺蝶之歌，妾進鷫鷞之杓。闢帳底之茱萸，販箱中之芍藥。眉築黛而妝輕，唇表朱而艷薄。懼綺麗之非珍，覬鄭衛之勿削。然而道由始盛，勢不中衰。奮摩天之羽翼，動行地之風雷。則有《枯樹》寓風烟之慨，《江南》寫身世之哀。鬱千端而波往，詭萬狀而雲來。將倒回乎弱水，可獨上乎強臺。唐締初基，頗傳艷體。若太白之《明堂》，少陵之《大禮》。其樂帝之上鈞，饗妣之嘉醴乎。自制科之特重，比伶律而無差。齊尺度於毫楮，戛宮商於齒牙。斂奇才而䂓矩，相粹質而披沙。因題定色，即韻敷華。無鍼度密，闊幅裁奢。縱忸怩於鴻筆，難剗塞乎專家。原麗則之遺音，究敷陳之大義。能作者可以登高，善酬者可以見志。其託興也務遠，其練材也求備，其致飾也尚腴，其肖象也取緻。類匠氏之構奇，與染人之襮異。賤外強而中乾，貴先醇而後肆。在首尾之相銜，毋因濟而亂次。當中邊之盡徹，若入壁而立幟。歡仰昊而日晶，慘巡林而霜悴。閟蘭苕之金色，通參差之玉吹。緬先矩其匪遙，冀嗣音之勿替。嗟宋元之遞降，遂頹靡之相因。或緣文而綴韻，或襲古而遺神。或虛辭之自鬻，或澀體之雜陳。摯情絛而安附，屈意乾而莫伸。徒索途而擿埴，終涉水而迷津。我朝揚洪謨，扇巍烈。鯨響鏗，韶音徹。軼楚艷而無朋，宏漢京而有截。龍蠖略於神淵，鳳回翔於丹穴。罄名物之可形，籠造化而爲傑。豈徒三兩京而四三都，蓋將承《六經》而郛衆說也！

沈叔埏《文心雕龍賦》 惟靈心之結撰，出妙理之紛繁。鳳九苞而振藻，龍五采而高騫。推文章之作手，攬雕鏤之營魂，驚曼衍之瓌奇，祇是思抽乙乙，儼之而之夭矯，非徒狀類蜿蜿。是用標禪世之辭，帝嘆崔駰之頌；何妨借談天之口，人誇鄒奭之言。若夫管遠曾闚，綆修用汲，任索隱而探幽，須艱辛而苦澀。迨彪外而弸中，方大舍而細入。書成繁露，幾經夢裏懷蛟；才可掞天，能使聲聞啓蟄。極風雲之變態，天池奮而將遷；涌波浪於詞源，海水因之盡立。斯其爲心也，潛兮若蟠龍之褢褢，淬兮若應龍之蝹蝹。欲刻雕於形象，先收攝乎睹聞；要搜羅夫千古，俄馳騖於八垠。襄文治於垂裳，足光黼黻；佐文思於輯瑞，擅美元纁。抽獨得之秘思，恰是珠探驪頷；縱獨扛之健筆，也同鼎列龍文。爰是行間采烈，字裏文生，炳如縟繡，和似瑽琤。逾鳥瀾而虎變，勝春麗而鯨鏗。經燕許之鉅公，固裁之而益煥。奪班倕之巧匠，且琢之而愈瑩。詎刻鵠之能方，誰猶約略；奚雕蟲之可擬，此最分明。爾乃看訝水翻，誦疑泉出，掀不竭之波瀾，搆非常之工緻。既夸目而能奢，洵厭心而靡媿。擾如董父，未必知獨運之神；好是葉公，焉得窺此中之秘。感重淵之浮石，思有作之通靈。遡皇古之負圖，驗行文之所自。然而知希貴悟，見少誰憐。濬巧心而自熹，驚俗眼而難姸。倘華實之莫辨，即遇合之無緣。士簡詩存，因虞訥之譏而毀；彥和書在，得隱侯之譽以傳。惟心之相孚，所貴於適如其印，況文之有色，固出於不知其然。所以文呈萬狀，心有寸知，原不煩夫繩削，實同類於雕幾。曰九方與千里，眞希代而冠時。龍豈久藏，裕文明於天下；豹雖暫隱，蔚文彩於來茲。躍津水而雙翔，誰復識同煥者；跳天門而直上，豈惟書賞羲之。方今士盡懷珍，人爭摛藻，名皆擅於文雄，志各抒其素抱。分宋艷與班香，兼漢製而魏造。澤躬開萬卷，蘊雷雨之經綸；報國獻千篇，輝璧琮之藉繅。本心聲爲心畫，猶然仰倬彼於爲章；光文運於文昌，莫不徵化成於久道。

沈祖燕《策學備纂・賦學》 歷代賦體優劣：古之傳人賦物，情深，其於詞直寄焉而已。後世賦物，詞工，其於情直外焉而已。蓋西漢詞工於楚騷，東漢又工於西漢，以至三國、六朝，一代工於一代。詞愈工，情愈短，味愈淺，體愈下矣。建安七子，獨王仲宣詞賦有古風，至晉陸士衡輩《文賦》等作，已用排體。流至潘岳，首尾絕排，迨沈休文「四聲八韻」起，而排體已入於律矣。徐、庾繼出，又復隔句對聯，以爲駢四儷六；簇事對偶，以爲博物洽聞。有詞無情，本體亡失，此六朝之賦所以益遠於古。然其中有安仁《秋興》、明遠《舞鶴》等賦，猶得古詩之餘也。唐賦律多古少，學古賦者率以徐、庾爲宗，第少異於律耳。其或以五七言之詩，四六句之聯爲古賦者。中唐李太白所作古賦，差強人意，猶是六朝賦耳。惟韓、柳詩古賦，以騷爲宗，超出排律之外。唐賦之古，莫古於此。至宋賦有排體、文體，其時歐陽、南豐、眉山迭起，皆蔚然爲一代之文。

朱琦《然松閣賦詩合鈔序》 詩與賦同而實異，班固謂賦者古詩之流也。然論體製，則賦言鋪也，意主華贍，儉腹即減色。詩貴醞釀，運以清氣，毋堆垛，毋粘膩。故賦尚才，詩有才而不專尚才。

林紓《春覺齋論文・流別論》 《文心雕龍・辯騷篇》曰：「酌奇而不失其

眞，翫華而不墜其實。」是言眞知《騷》者也。枚、賈得其麗，馬、揚得其奇，此私淑者之徑造其室也。然其叙情怨，述離居，論山水，言節候，綜此四者，披而讀之，瞑目遐想，良有不可自解者。少時喜誦《九章》，謂怨悱不可申愬者，無如《惜誦》之文曰：「忠何罪而遇罰兮，亦非余心之所志。行不羣以顚越兮，又衆兆之所咍(呼來切)。紛逢尤以離謗兮，謇不可釋。情沈抑而不達兮，又蔽而莫之白。心鬱邑余侘傺兮，又莫察余之中情。固煩言而不可結詒兮，願陳志而無路。退靜默而莫余知兮，進呼號又莫吾聞。」其曰「莫之白」，曰「莫察」，曰「無路」，曰「莫吾聞」，積沓而下，不外一意，胡以讀之不覺其沓？由積愫莫伸，悲憤中沸，口不擇言而發，惟其無可伸愬故沓，惟沓乃愈見其衷情之眞；若無病而呻，爲此絮絮者，便不是矣。《涉江》之詞曰：「哀南夷之莫吾知兮，思余濟乎江湘。乘鄂渚而反顧兮，款秋冬之緒風。步余馬兮山皋，邸余車兮方林。乘舲船余上沅兮，齊吳榜以擊汰。船容與而不進兮，淹迴水而疑滯。朝發枉渚兮，夕宿辰陽；苟余心其端直兮，雖僻遠之何傷？入溆浦余儃佪兮，迷不知吾所如。深林杳以冥冥兮，猨狖之所居。山峻高以蔽日兮，下幽晦而多雨。霰雪紛其無垠兮，雲霏霏而承宇。哀吾生之樂兮，幽獨處乎山中。吾不能變心而從俗兮，固將愁苦而終窮。」此一段，眞所謂述離居，論山水，言節候，悉納於小小篇幅中矣。夫惟朝廷之莫己知，遂涉江而逝。然秋冬之風撲面，迴顧國都，已在蒼蒼莽莽之中。秋水漫天，楚江日暮，自枉渚至辰陽，初無托足之所。於是深林猨狖，雨雪淒迷，其中着一去國之孤臣，不特此身不可安頓，即此心亦寧有安頓之處？又知國家衰敗，斷無容己之人，即一己亦不願變心而從俗。不待讀《涉江》全文，只此小小結搆，靜中思之，在在咸足悲梗。乃知《騷經》之文，非文也，有是心血，始有是至言。賈誼、劉向作《惜誓》、《九歎》，皆有所感，故聲悲而韻亦長。東方、嚴忌諸人習而步之，彌不及矣。後人引吭佯悲，極其摹仿，亦咸不能似；似者唯一柳柳州。柳州《解祟》、《懲咎》、《閔生》、《夢歸》、《囚山》諸賦，則直步《九章》，而《宥蝮蛇》、《斬曲几》、《憎王孫》，則又與《卜居》、《漁父》同工而異曲。惟屈原之忠憤，故發聲滿乎天地；惟柳州之自歎失身，故追懷哀咎，不可自已；而各成爲至文。即劉勰所謂眞也，實也；不實不眞，佳文又胡從出哉？

又「賦者，鋪也；鋪采摛文，體物寫志也。」一立賦之體，一達賦之旨。爲旨無他，不本於諷諭，則出之爲無謂；爲體無他，不出於頌揚，則行之亦弗莊。然其發源之處，實沿《三百篇》而來；至《楚辭》出，局勢聲響，始洪大而激楚。故有以《騷》爲體者，亦有以對偶排比爲體者，雖極于雕畫，苟不定以旨趣，均不足以傳播于藝林，馳騁于文圃。彥和稱當時英傑，但有十家，(荀況、宋玉、枚乘、相如、賈誼、王褒、孟堅、平子、子雲、延壽也。)太沖諸人不與焉。鄙意謂足與《兩都》抗席者，良爲平子之《兩京》。東漢自光武及和帝，均都洛陽，西都父老頗懷怨望。故孟堅作《兩都賦》，歸美東都，以建武爲發端，詳叙永平(明帝年號)制度之美，力與西都窮奢極侈之事相反，以堅和帝西遷之心，雖頌揚，實寓諷諫。平子之叙西京，尤侈靡無藝；首述離宮之姸華，次及太液之三山，又次及于水嬉獵獸，雜陳百戲；百戲不已，又叙其微行，及歌舞靡曼之態，縱恣極矣。一轉入東京，則全以典禮勝奢侈。孟、張二子，皆抑西而伸東，以二子均主居東者也。左思仍之，故《三都》之賦，力排吳、蜀，中間貫串全魏故實，語至堂皇；以魏都中原，晉武受禪，即在于鄴，此亦班、張二子之旨。至于《子虛》、《上林》、《甘泉》、《羽獵》或行以精悍之思，或出以雋冷之語，爲賦家之聖手，此美不勝美，議無可議者。《靈光》峭勁，爲力頗殫；《景福》條暢，承勝微緩；下及元虛之賦海，景純之賦江，或以渾淪勝，或以徵實勝；要皆不易之才，非等斤斤于草區禽族、庶品雜類中，極雕鏤組織之工也。齊、梁多小賦，固有是病，然麗詞雅義，亦不可盡沒。至于子山《哀江南賦》，則不名爲賦，當視之爲亡國大夫之血淚(以徐、庾二家另詳于《流別論》中，故不之論)。六朝以降，小品逾多。宋人以賦取士，破題竟有定格，如「蛇不難斬，君宜灼知」之類，幾成笑柄。先朝館賦，格律較嚴，然多以詩句命題，以水濟水，聲響皆劣。今日科舉一變，乃並此區區者亦絕響矣。雖然，當此風雅銷沈之後，吾輩措大，無益于國，然能存此國粹，爲斯文一綫之延，則文章、經濟，雖分二途，即守此一途，於世亦無所梗。是在好古之君子加之意耳。

劉師培《文說》 若夫矢耿介，慕靈修，怨悱不亂，永矢弗諼，表廉正潔清之志，寫纏綿悱惻之忱；帝子無聞，悵艾蕭之當戶，黨人不亮，悲椒榝之當帷；雖感時撫事，亦志潔行芳；故遐思往哲，若子輿之法先王，畀以修能，符子思之言性命；濯纓濯足，溯源《滄浪》之歌，爲炭爲銅，隱含太極之旨：其源出于儒家。瑰意奇行，超然高舉，紲馬閬風，驂螭西極，溘埃風而

上征，過江臯而延佇，顧下土而愁予，與佺期而爲友，厭世之思，符于莊、列；恐年歲之不與，傷日月之不淹，日忽忽而將暮，時曖曖而將罷，極目而傷彼春心，時不再得，驚心而悲夫秋氣，爰送將歸，誠以人生如寄，逝者如斯，爲歡幾何，浮生若夢，故樂天之旨，近于楊朱：其源出于道家。荆、楚之俗，敬天明鬼，故《神女》作賦，《山鬼》名篇，仰古賢于彭咸，弔靈踪于河伯；孔蓋翠旌，遺制仍沿皇舞，龍堂貝闕，巨觀半屬靈祠；雲霓來迓，神其康樂，雷雨杳冥，魂兮歸來；考其職掌，是屬清廟之官，列彼禮文，半雜南邦之典：其源出于墨家。若屈子之詢漁父，宋玉之對楚王，或屬寓言，或陳譎說，或即小以寓大，或事隱而言文，其詞近于縱橫家。又或嫉時俗之混濁，感主聽之不聰；賢士無明，智不明而數不逮，讒人罔極，忠見謗而信見疑，近于韓非之《說難》，豈類荀生之《成相》：其旨流爲法家。至于語逞怪奇，說鄰譎詭，鸞鳳濟津，虎豹當關，馮夷出舞，湘女來游，是爲神話之史，出于稗官，其說近于小說家。是知《楚詞》一書，隱括衆體。

詩論部

主編：張伯偉

目次

本原

《尚書·堯典》 詩言志，歌永言，聲依永，律和聲。

《國語·魯語下》 詩所以合意，歌所以詠言也。今詩以合室，歌以詠之，度於法矣。

《孟子·離婁下》 王者之迹熄而《詩》亡，《詩》亡然後《春秋》作。

《周禮·春官·大師》 教六詩：曰風，曰賦，曰比，曰興，曰雅，曰頌。以六德爲之本，以六律爲之音。

《禮記·孔子閒居》 孔子曰：「志之所至，詩亦至焉。詩之所至，禮亦至焉。禮之所至，樂亦至焉。樂之所至，哀亦至焉。哀樂相生，是故正明目而視之，不可得而見也。傾耳而聽之，不可得而聞也。志氣塞乎天地，此之謂『五至』。」

《毛詩序》 詩者，志之所之也，在心爲志，發言爲詩。情動於中而形於言，言之不足故嗟嘆之，嗟嘆之不足故永歌之，永歌之不足，不知手之舞之，足之蹈之也。

《七略》 詩以言情。情者，性之符也。

《詩緯·含神霧》 詩者，天地之心，君德之祖，百福之宗，萬物之戶也。

又 詩者，持也，以手維持，則承負之義，謂以手承下而抱負之。

又 在於敦厚之教，自持其心，諷刺之道，可以扶持邦家者也。

又 頌者，王道太平，功成論定而作也。

《樂緯·動聲儀》 以雅治人，風成於頌。詩人感而後思，思而後積，積而後滿，滿而後作。言之不足，故嗟嘆之，嗟嘆之不足，故詠歌之，詠歌之不厭，不知手之舞之，足之蹈之也。

《春秋緯·演孔圖》 詩含五際六情，絕於申。

《春秋說題辭》 詩者，天文之精，星辰之度，人心之操也。在事爲詩，未發爲謀，恬澹爲心，思慮爲志，故詩之爲言志也。

王延壽《魯靈光殿賦序》 詩人之興，感物而作，故奚斯頌僖，歌其路寢，而功績存乎辭，德音昭乎聲。物以賦顯，事以頌宣，匪賦匪頌，將何述焉。

鄭玄《詩譜序》 詩之興也，諒不於上皇之世。大庭、軒轅，逮於高辛，其時有亡，載籍亦蔑云焉。《虞書》曰：「詩言志，歌永言，聲依永，律和聲。」然則《詩》之道，放於此乎？有夏承之，篇章泯棄，靡有孑遺。邇及商王，不風不雅。何者？論功頌德，所以將順其美；刺過譏失，所以匡救其惡。各於其黨，則爲法者彰顯，爲戒者著明。周自后稷播種百穀，黎民阻饑，茲時乃粒，自傳於此名也。陶唐之末，中葉公劉亦世修其業，以明民共財。至於大王、王季，克堪顧天。文、武之德，光熙前緒，以集大命於厥身，遂爲天下父母，使民有政有居。其時《詩》：風有《周南》、《召南》，《雅》有《鹿鳴》、《文王》之屬。及成王，周公致太平，制禮作樂，而有《頌》聲興焉，盛之至也。本之由此《風雅》而來，故皆錄之，謂之《詩》之正經。

又 後王稍更陵遲，懿王始受譖亨齊哀公，夷身失禮之後，邶不尊賢。自是而下，厲也，幽也，政教尤衰，周室大壞。《十月之交》、《民勞》、《板》、《蕩》，勃爾俱作，衆國紛然，刺怨相尋。五霸之末，上無天子，下無方伯，善者誰賞，惡者誰罰，紀綱絕矣！故孔子錄懿王、夷王時詩，訖於陳靈公淫亂之事，謂之《變風》、《變雅》。以爲勤民恤功，昭事上帝，則受頌聲，弘福如彼；若違而弗用，則被劫殺，大禍如此。吉凶之所由，憂娛之萌漸，昭昭在斯，足作後王之鑒，於是止矣。

又 夷、厲以上，歲數不明，太史《年表》，自共和始。歷宣、幽、平王，而得《春秋》次第，以立斯《譜》。欲知源流清濁之所處，則循其上下而省之；欲知風化芳臭氣澤之所及，則傍行而觀之。此詩之大綱也。舉一綱而萬目張，解一卷而篇卷明，於力則鮮，於思則寡。其諸君子，亦有樂於是與。

劉勰《文心雕龍·明詩》 大舜云：「詩言志，歌永言。」聖謨所析，義已明矣。是以「在文爲志，發言爲詩」，舒文載實，其在茲乎！詩者，持也，持人情性；三百之蔽，義歸無邪，持之爲訓，有符焉爾。人稟七情，應物斯感，感物吟志，莫非自然。

蕭統《答湘東王求文集及詩苑英華書》 吾少好斯文，迄茲無倦。譚經之暇，斷務之餘，陟龍樓而靜拱，掩鶴關而高卧。與其飽食終日，寧遊思於文林？或日因春陽，其物韶麗，樹花發，鶯鳴和，春泉生，暄風至，陶嘉樹而熙游，籍芳草而眺矚。或朱炎受謝，自藏紀時，玉露夕流，金風多扇，悟秋山之心，登高而遠託。或夏條可結，倦於邑而屬詞；冬雪千里，覩紛霏而興詠。密親離則手爲心使，昆弟宴則墨以觀露。又愛賢之情，與時而篤，冀同市駿，庶匪畏龍。不如子晉，而事似洛濱之遊；多愧子桓，而興同漳川之賞。漾舟玄圃，必集應、阮之儔；徐輪博望，亦招龍淵之侶。校覈仁義，源本山川；旨酒盈罍，嘉肴益俎。曜靈既隱，繼之以朗月；高春既夕，申之以清夜。並命連篇，在兹彌博。

蕭子顯《自序》 若乃登高目極，臨水送歸，風動春期，月明秋夜，早雁初鶯，開花落葉，有來斯應，每不能已也。

蕭綱《答張纘謝示集書》 至如春庭落景，轉蕙承風，秋雨且晴，檐梧初下，浮雲生野，明月入樓，時命親賓，乍動嚴駕，車渠屢酌，鸚鵡驟傾。伊昔三邊，久留四戰，胡霧連天，征旗拂日，時聞塢笛，遙聽塞笳，或鄉思悽然，或雄心憤薄。是以沉吟短翰，補綴庸音，寓目寫心，因事而作。

鍾嶸《詩品序》 氣之動物，物之感人，故搖蕩性情，形諸舞詠。照燭三才，暉麗萬有。靈祇待之以致饗，幽微藉之以昭告。動天地，感鬼神，莫近於詩。【略】若乃春風春鳥，秋月秋蟬，夏雲暑雨，冬月祁寒，斯四候之感諸詩者也。嘉會寄詩以親，離群託詩以怨。至於楚臣去境，漢妾辭宮，或骨橫朔野，魂逐飛蓬；或負戈外戍，殺氣雄邊；塞客衣單，孀閨淚盡；或士有解佩出朝，一去忘反；女有揚蛾入寵，再盼傾國。凡斯種種，感蕩心靈，非陳詩何以展其義，非長歌何以騁其情。故曰：「《詩》可以群，可以怨。」使窮賤易安，幽居靡悶，莫尚於詩矣。故詞人作者，罔不愛好。

王通《文中子·關朗篇》 薛收問曰：「今之民胡無詩？」子曰：「詩者，民之情性也。情性能亡乎？ 非民無詩，職詩者之罪也。」

孔穎達《毛詩正義序》 夫《詩》者，論功頌德之歌，止僻防邪之訓，雖無爲而自發，乃有益於生靈。六情靜於中，百物盪於外，情緣物動，物感情遷。若政遇醇和，則歡娛被於朝野；時當慘黷，亦怨刺形於詠歌。作之者所以暢懷抒憤，聞之者足以塞違從正。發諸情性，諧於律呂。故曰：「感天地，動鬼神，莫近於《詩》。」此乃《詩》之爲用其利大矣。若夫哀樂之起，冥於自然；喜怒之端，匪由人事。故燕雀表啁噍之感，鸞鳳有歌舞之容。然則《詩》理之先，同夫開闢，《詩》迹所用，隨運而移。上皇道質，故諷諭之情寡，中古政繁，亦謳謌之理切。

樓穎《國秀集序》 昔陸平原之論文曰：「詩緣情而綺靡。」是彩色相宜，烟霞交映，風流婉麗之謂也。仲尼定禮樂，正雅頌，採古詩三千餘什，得三百五篇，皆舞而蹈之，弦而歌之，亦取其順澤者也。

高仲武《中興間氣集序》 詩人之作，本諸於心，心有所感而形於言，言合典謨則列於風雅。暨乎梁昭明，載述已往，撰集者數家，推其風流，正聲最備。其餘著錄，或未至焉。何者？《英華》失於浮游，《玉臺》陷於淫靡，《珠英》但紀朝士，《丹陽》止錄吳人。此繇曲學專門，何暇兼包衆善，使夫大雅君子，所以對卷而長嘆也！

又 唐興一百七十載，屬方隅叛渙，戎事紛綸，業文之人，述作中廢。粵若肅宗先帝，以殷憂啓聖，反正中原。伏惟皇帝以出震繼明，保安區宇，國風、雅、頌，蔚然復興，所謂文明御時，上以化下者也。仲武不揆菲陋，輒罄謏聞，博訪詞林，採察謠俗，起自至德元首，終於大曆暮年，述者數千，選者二十六人，詩總一百三十二首，分爲兩卷，七言附之，略叙品彙人倫，命曰《中興間氣集》。且夫微言雖絕，大制猶存，詳其臧否，當可擬議。古之作者，因事造端，敷弘體要，立義以全其制，因文以寄其心，著王政之興衰，表國風之善否，豈其苟悅權右，取媚薄俗哉！今之所收，殆革前弊，但使體狀風雅，理致清新，觀者易心，聽者竦耳。則朝野通取，格律兼收，自鄶以下，非所敢隸焉。凡百君子，幸詳至公。

釋皎然《詩式序》 夫詩者，衆妙之華實，《六經》之菁英。雖非聖功，妙均於聖。彼天地日月，玄化之淵奥，鬼神之微冥，精思一搜，萬象不能藏其巧。其作用也，放意須險，定句須難，雖取由我衷，而得若神表。至如天眞挺拔之句，與造化爭衡，可以意冥，難以言狀，非作者不能知也。

《司空表聖文集》卷八《詩賦》 知非詩詩，未爲奇奇，研昏練爽，戛魄悽肌。神而不知，知而難狀，揮之八垠，卷之萬象。河渾沇清，放恣縱橫，濤怒霆蹴，掀鼇倒鯨。鑱空擢壁，崢冰擲戟，鼓煦呵春，霞溶露滴。鄰女自嬉，補袖而舞，色絲屢空，續以麻絇。鼠革丁丁，焮之則穴；蟻聚汲汲，積而成垤。上有日星，下有風雅，歷詃自是，非吾心也。

徐鉉《蕭庶子詩序》 人之所以靈者，情也；情之所以通者，言也。其或情之深，思之遠，鬱積乎中，不可以言盡者，則發爲詩。詩之貴於時久矣。雖復觀風之政闕，遒人之職廢，文質異體，正變殊途，然而精誠中感，靡由於外獎，英華挺發，必自於天成。以此觀其人，察其俗，思過半矣。比夫澤宮選士，入國知教，其最親切者也，是以君子尚之。

又《文獻太子詩集序》 鼓天下之動者在乎風，通天下之情者存乎言，形於風可以言者，其惟詩乎！粤若書契肇生，雅頌乃作，達朝廷邦國之際，其用不窮；更治亂興替之時，其流不竭。六義浸遠，百代可知。若夫王公大人，居尊履正，其行道也無迹，其成務也不宰，所以可則可象，有功有親。非夫詠言，何以觀德。周文陳王業之什，召穆糾宗族之篇，聖人輯之，皇猷備矣。子桓振建安之藻，昭明總著作之英，體有古今，理無用舍。夫機神肇於天性，感發由於自然。被之管絃，故音韻不可不和；形於蹈厲，故章句不可不節。取譬小而其指大，故禽魚草木無所遺；連類近而及物遠，故容貌俯仰無所隱。怨惻可戒，贊美不誣，斯實仁者之愛人，智士之博物。王室光啓，人文化成，上去删詩，綿二千祀，其用益廣，其制益精，絶其流冗，結以周密。王言帝典，炳蔚於縑緗；詞人才子，充溢於圖牒。若乃簡練調暢，則高視前古，神氣淳薄，則存乎其人。亦何必於苦調爲高奇，以背俗爲雅正者也。

又《成氏詩集序》 若夫嘉言麗句，音韻天成，非徒積學所能，蓋有神助者也。

又《鄧生詩序》 古人云：詩者，志之所之也。故君子有志於道，無位於時，不得伸於事業，乃發而爲詩詠。

張詠《乖崖集》卷八《許昌詩集序》 文章之興，惟深於詩者，古所難哉！以其不沿行事之跡，酌行事之得失，疏通物理，宣導下情，直而婉，微而顯，一聯一句，感悟人心，使仁者勸而不仁者懼，彰是救過，抑又何多，可謂擅造化之心目，發典籍之英華者也。

趙湘《南陽集》卷四《王彖支使甬上詩集序》 詩者，文之精氣，古聖人持之攝天下邪心，非細故也。由是天惜其氣，不與常人，雖在聖門中，猶有偏者，故文人未必皆詩。游、夏，文學人也，仲尼以爲始可與言者，與夏而不與游；游不預焉，則於文而偏者不疑矣。然則用是爲泠風，以除天下煩鬱之毒，功德不息，故其名遠而且大也。

范仲淹《范文正公别集》卷四《賦林衡鑑序》 人之心也，發而爲聲；聲之出也，形而爲言。聲成文而音宣，言成文而詩作。

胡宿《文恭集》卷一《讀僧長吉詩》 生民類能言，兹文特淵邃。精韞在希微，幽通資寫託。狀物無遁形，舒情有至樂。自非妙解機，誰抽神奧籥？

宋祁《宋景文集》卷四八《西州猥稿系題》 詩者探所感於中而出之外者也。所以怡性情，娱僚賓。

又《宋景文集拾遺》卷一五《淮海叢編集序》 詩爲天地緼，予常意藏混茫中，若有區所，人之才者能往取之，取多者名無窮，少者自高一世，顧力至不至爾。然造物者吝之，其取之無限，則輒窮躓其命而怫戾所爲。予略記其近者：王摩詰顛於盜，愁苦僅脱死；杜子美客巴蜀，入沅湘，饑不自存；李太白踣於貶；白樂天偃蹇不得志，五十餘分司；元微之爲衆排迮，終身恨望；劉夢得流擯，抵老弗見容，是皆章章信驗也。惟山林方外之人，亟索亟用，天下能扼其數以無求於世道彷徉者耶？

余靖《武溪集》卷三《孫工部詩集序》 詩之源其遠矣哉！唐虞之際，君臣相得，明良賡載，書於帝典。及周之興也，姜嫄、后稷配天之基，公劉、亶父艱難之業，任姒思齊之化，文武太平之功，莫不發爲聲詩，薦於郊廟，被于弦歌，協於鍾石者矣。周召沒而王跡衰，幽厲作而風雅變，然亦褒善刺過，與政相通，蓋所以接神明，察風俗，道和暢，洩憤怒，不獨諷詠而已。迨夫五言之興，時更漢魏，而作者衆矣。大抵哀樂之所感，情性之所發，雖丹素相攻，華實異好，其有樂高古，縱步驟，局聲病，拘偶儷，爲體不同，同歸比興，前哲論之詳矣。【略】世謂詩人必經窮愁，乃能抉造化之幽蘊，寫悽幸之景象。蓋以其孤憤鬱結，觸懷成感，其言必精，於理必詣也。

《歐陽文忠公集》卷四二《梅聖俞詩集序》 予聞世謂詩人少達而多窮。夫豈然哉？蓋世所傳詩者，多出於古窮人之辭也。凡士之蘊其所有，而不得施於世者，多喜自放於山巔水涯。外見蟲魚、草木、風雲、鳥獸之狀類，往往探其奇怪，内有憂思感憤之鬱積，其興於怨刺，以道羈臣寡婦之所歎，而寫人情之難言，蓋愈窮則愈工。然則非詩之能窮人，殆窮者而後工也。

又卷七三《書梅聖俞稿後》 古者登歌清廟，太師掌之，而諸侯之國亦各有詩，以道其風土性情。至於投壺、饗射，必使工歌，以達其意，而爲賓樂。蓋詩者，樂之苗裔與！

李覯《盱江集》卷二五《叙陳公燮字》 辭人之作，或因於物，或發乎情，雖不有用，幸愈乎博弈也，而俗儒必非之。《五子之歌》，韻矣；《繫辭》首章，對矣。使今世爲之，將以聲律坐矣。

龔鼎臣《東原錄》 四六文字雖變古體，其有至當者，亦不減於古。如梁李崧論詩《答徐巡官》，其略曰：詩者，或逸樂而興，或悲哀而作，內經夫婦，外正君臣。雖孤憤必申，雖輿言必達，懲惡勸善之理，於是乎明；感新懷舊之情，於是乎見，乃知作者豈徒然哉！

邵雍《伊川擊壤集》卷九《謝富相公見示新詩一軸》 文章天下稱公器，詩在文章更不疏。到性始知眞氣味，入神方見妙功夫。閑將歲月觀消長，靜把乾坤照有無。辭比離騷更溫潤，離騷其奈少寬舒。

又卷一一《論詩吟》 何故謂之詩，詩者言其志。既用言成章，遂道心中事。不止鍊其辭，抑亦鍊其意。鍊辭得奇句，鍊意得餘味。

又卷一六《詩畫吟》 畫筆善狀物，長於運丹青。丹青入巧思，萬物無遁形。詩畫善狀物，長於運丹誠。丹誠入秀句，萬物無遁情。詩者人之志，言者心之聲。志因言以發，聲因律而成。多識于鳥獸，豈止毛與翎？多識於草木，豈止枝與莖。不有風雅頌，何由知功名？不有賦比興，何由知廢興？觀朝廷盛事，壯社稷威靈。有湯武締構，無幽厲欹傾。知得之艱難，肯失之驕矜。去巨蠹奸邪，進不世賢能。擇陰陽粹美，索天地精英。籍江山清潤，揭日月光榮。收之爲民極，著之爲國經。播之于金石，奏之于大庭。感之以人心，告之以神明。人神之胥悅，此所謂和羹。既有虞舜歌，豈無皋陶賡？既有仲尼刪，豈無季札聽？必欲樂天下，捨詩安足憑？得吾之緒餘，自可致昇平。

又卷一八《談詩吟》 詩者人之志，非詩志莫傳。人和心盡見，天與意相連。論物生新句，評文起雅言。興來如宿構，未始用雕鐫。

又《伊川擊壤集序》 子夏謂：「詩者，志之所之也。在心爲志，發言爲詩，情動於中而形於言，聲成其文而謂之音。」是知懷其時則謂之志，感其物則謂之情，發其志則謂之言，揚其情則謂之聲，言成章則謂之詩，聲成文則謂之音。然後聞其詩，聽其音，則人之志情可知之矣。且情有七，其要在二，二謂身也，時也。謂身則一身之休慼也，謂時則一時之否泰也。一身之休慼則不過貧富貴賤而已，一時之否泰則在夫興廢治亂者焉。是以仲尼刪《詩》，十去其九；諸侯千有餘國，風取十五；西周十有二王，雅取其六。蓋垂訓之道，善惡明著者存焉耳。近世詩人窮慼則職於怨，憝榮達則專於淫泆，身之休慼發於喜怒，時之否泰出於愛惡，殊不以天下大義而爲言者，故其詩大率溺於情好也。噫！情之溺人也甚於水。古者謂，水能載舟亦能覆舟。是覆載在水也，不在人也。載則爲利，覆則爲害，是利害在人也，不在水也。不知覆載能使人有利害邪？利害能使水有覆載耶？二者之間必有處焉，就如人能蹈水非水能蹈人也。然而有稱善蹈者，未始不爲水之所害也。若外利而蹈水，則水之情亦由人之情也。若內利而蹈水，則敗壞之患立至於前，又何必分乎人焉？水焉？其傷性害命一也。性者，道之形體也。性傷則道亦從之矣。心者，性之郛郭也。心傷則性亦從之矣。身者，心之區宇也。身傷則心亦從之矣。物者，身之舟車也。物傷則身亦從之矣。是知以道觀性，以性觀心，以心觀身，以身觀物，治則治矣，然猶未離乎害者也。不若以道觀道，以性觀性，以心觀心，以身觀身，以物觀物，則雖欲相傷其可得乎？若然，則以家觀家，以國觀國，以天下觀天下，亦從而可知之矣。予自壯歲業于儒術，謂人世之樂，何嘗有萬之一二，而謂名教之樂，固有萬萬焉。況觀物之樂，復有萬萬者焉。雖死生榮辱，轉戰於前，曾未入於胸中，則何異四時風花雪月，一過乎眼也？誠爲能以物觀物，而兩不相傷者焉？蓋其間情累都忘去，爾所未忘者，獨有詩在焉。然而，雖曰未忘，其實亦若忘之矣。何者？謂其所作，異乎人之所作也？所作不限聲律，不沿愛惡，不立固必，不希名譽，如鑑之應形，如鐘之應聲。其或經道之餘，因閑觀時，因靜照物，因時起志，因物寓言，因志發詠，因言成詩，因詠成聲，因詩成音。是故哀而未嘗傷，樂而未嘗淫。雖曰吟詠情性，曾何累于性情哉。鐘鼓，樂也；玉帛，禮也。與其嗜鐘鼓、玉帛，則斯言也不能無陋矣。必欲廢鐘鼓、玉帛，則其如禮樂何，人謂風雅之道行於古，而不行於今，殆非通論，牽於一身而爲言者也。吁，獨不念天下爲善者少，而害善者多；造危者衆，而持危者寡。志士在畎畝則以畎畝言，故其詩名之曰《伊川擊壤集》。

陳襄《古靈集》卷一八《同年會讌詩序》 詩之言志也，持也。志之所至，言以持之。詩者，君子之所以持其志也。善作詩者，以先務求其志，持其志以養其氣，志至焉，氣次焉，氣志俱至焉，而後五性誠固而不反，外物至無動於其心。雖時有感觸、憂悲、愉懌、舞蹈、詠歎之來，必處乎五者之間，無所不得正，夫然後可以求爲詩也。

司馬光《傳家集》卷六九《馮亞詩集序》 文章之精者，盡在於詩。觀人文徒觀其詩，斯知其才之遠近矣。

劉攽《中山詩話》 詩以意爲主，文詞次之，或意深義高，雖文詞平易，自是奇作。世效古人平易句，而不得其意義，翻成鄙野可笑。

呂陶《淨德集》卷一八《學論下》 詩者，出於性情，因人之善惡而形之言也。日月星辰，風雨雲雷霜露，山川草木，鳥獸蟲魚，衣服器用，或目之所觸，或意之所寓，苟可籍之以爲言而諭人者，莫不備有。方其爲言也，何暇考合於名數制度而後言哉！

沈括《長興集》卷一一《江州攬秀亭記》 古之人欲盡其所言者，必有詩以繫之。詩生於言之不足，事有不能以言宣而見於聲辭窈眇曲折之際者，蓋有待於詩也。

黃裳《演山集》卷二一《樂府詩集序》 後人多嗜爲詩。觀其感寓，無復古人之風趣，雖使大師拾其遺者，播之金石，被之絲竹，薦之宗廟，奏之閨門族黨，其能使聽之者或和而恭，或和而順，或和而親，猶古之樂乎？吾不知也。詩之所自，根於心，本於情，性有所感，志有所適，然後著於色，形於聲，乃至舞蹈而後已。烏有人僞與其間哉！聖人以「思無邪」斷《詩》三百篇。所謂「無邪」者，謂其思誠耳。詩由思誠而作，則聲音舞蹈之間，特誠之所寓焉。故其用大，明足以動天地，幽足以感鬼神，上足以事君，内足以事父。雖衰世，其澤猶在野甿、閨婦、羈臣、賤妾，類能道其志，其情有節，其言有序，豈苟以爲文哉！

又《諸家詩集序》 造化之辭，有感而後作，其猶萬籟之鳴風，百蟲之鳴時歟！今夫衆竅不同，適遇噫氣而有感，則有激者、謞者、叱者、吸者、叫者、譹者、突者，其聲之作未嘗同也。唱聲後先，和聲小大，各稱其所受，適其所感，邂逅比竹之聲，按乎有生之類，上合乎太虛，始有天籟。苟鑿私智而爲之，非由天理而鳴，亦烏能會歸於大塊耶？今夫百蟲之鳴，有以注鳴者、有以脰鳴者、有以旁鳴者、有以胸鳴者、有以翼鳴者、有以股鳴者，聲之自未嘗同也。然而高下抑揚，皆能自有節奏，發孤館之幽，破長林之靜，而與時態物色，共爲道途行客之悲傷，閨門妾婦之怨望，隴畝耕夫之勤勞，騷人之幽致，隱士之清苦。及其時過理盡，譬猶萬籟之竅厲風而爲虛，是豈苟作乎哉？嗚呼！百蟲之聲，萬籟之鳴，諸家之吟詠，皆本乎一氣之所作。然而萬籟，物之無情者也；百蟲，物之無知者也。猶爲天籟之所待，人情之所感，而況諸家之詩乎？其用豈勝言哉！若夫六義之作，苟鑿私智而爲之，則恐號竅鳴蟲之不若也，豈季文之所取者邪！

又《章安詩集序》 昔覽古今詩集至數十家，各言其志，與其才思風韻不同，故其體甚衆。高下長短，不可一概而論也。章句之作，有自優游平易中來，天理自感，若無意於爲詩者，此體最高，誰輒可許。如相貴人，久而益愛之，清奇怪秀，無所不有。又如大塊噫氣以發衆竅，俄會於太虛，然後有天籟，未常容力焉。是豈一律之所能制，有心者之所能爲者邪？有道者之詩也。其餘或出於清苦，或見於平淡，或莊而麗，或細而巧，或健而豪放，或俊而飄逸，其間或能明白，或熟言盡而意有餘，偶有古今人未嘗道者，蓋於羣體中又其次也。雖然，論其文辭而已。若夫趣向之高下，學問之精粗，器識之賢否，求其志節之以禮義，莫能逃我，豈特見於區區章句之末哉。

又卷三五《書子虛詩集後》 或言陶潛之詩，古淡有味，必能不爲諸家之體，然後可及，非至論也。人固有識高而才短者，其勢易爲古淡；才高而識短者，其勢易爲豪華。夫能用其所長，處其所易，已足以爲智者。有才識兼至，而學爲古今體者，趣古淡則爲陶潛，趣飄逸則爲李白、杜牧，何可以爲常哉。夫詩之爲道，要在吟詠情性，發於自然，乃得至樂。有意於是體，牽合而後爲之，不亦有傷於性乎？非詩之至也。余觀子虛之詩，往往走筆立就，華淡無常，將名其體，終疑而置之。斯亦善鳴其情性者歟！

黃庭堅《山谷集》卷二五《書王知載朐山雜詠後》 詩者，人之情性也，非强諫爭於廷，怨忿詬於道，怒鄰罵坐之爲也。其人忠信篤敬，抱道而居，與時乖逢，遇物悲喜；同牀而不察，並世而不聞，情之所不能堪。因發於呻吟調笑之聲，胸次釋然，而聞者亦有所勸勉。比律呂而可歌，列干羽而可舞，是詩之美也；其發爲訕謗侵陵，引頸以承戈，披襟而受矢，以快一朝之忿者，人皆以爲詩之禍，是失詩之旨，非詩之過也。故世相後或千歲，地相去或萬里，誦其詩而想見其人所居所養，如旦暮與之期，鄰里與之游也。

游酢《游薦山集》卷一《論語雜解》 「興於詩」言學詩者可以感發於善心也。如觀《天保》之詩，則君臣之義修矣；觀《常棣》之詩，則兄弟之愛篤矣；觀《伐木》之詩，則朋友之交親矣；觀《關雎》、《鵲巢》之風，則夫婦之經正矣。昔王褒有至性，而弟子至於廢講《蓼莪》，則詩之興發善心，於此可見矣。而以考其言之文爲興於詩，則所求於詩者外矣，非所謂「可以興」也。然則「不學詩，無以言」何也？蓋詩之情出於溫柔敦厚，而其言如之。言者，心聲也。不得其心，斯不得於言矣。仲尼之教伯魚，固將使之興於詩而得詩人之志也。得其心，斯得其所以言，而出言有章矣。豈徒考其文而已哉！詩之爲言，發乎情也。其持心也厚，其望人也輕，其辭婉，其氣平，所謂入人也深，其要歸必止乎禮義，有君臣之義焉，有父子之倫焉，和樂而不淫，怨誹而不亂，所謂發言爲詩，故可以化天下而師後世。學者苟得其用心，何患其不能言哉！

賀鑄《慶湖遺老詩集》卷九《題詩卷後》　詩豈窮人窮者工，斯言聞諸六一翁。端慚少作老更拙，不廢汝詩吾固窮。

佚名《唐宋分門名賢詩話》卷一　歐陽文忠公嘗謂：詩，源乎心者也，其貧富愁樂，皆系乎其情焉。江南李氏據富有時，宮中詩曰：「簾日已高三丈透，金爐次第添香獸，紅錦地衣隨步皺。佳人舞點金釵溜，酒惡時將花蕊嗅，別殿微聞簫鼓奏。」與夫「時挑野菜和根煮，旋斫生柴帶葉燒」之詩異矣。

張表臣《珊瑚鉤詩話》卷三　夫「詩非能窮人，待窮者而後工耳」，此歐陽文忠公之語也。以不肖觀之，猶爲未當。《詩》三百六篇，其精深醇粹，博大宏遠者，莫如《雅》《頌》。然《鴟鴞》之詩，周公所作也；《泂酌》之詩，召公所作也。《詩》云：「吉甫作誦，穆如清風。其詩孔碩，其風肆好。」顧不美乎？數君子者，顧不達而在上，功名富貴人乎？何詩能窮人？又何必待窮者而後工邪？漢唐以來，不暇多舉。近時歐陽公、王荊公、蘇東坡號能詩，三人者，亦不貧賤，又豈碌碌者所可追及？然則謂詩能窮人者，固非矣，謂待窮者而後工，亦未是也。夫窮通者，時也。達則行於天下，窮則獨善其身，政不在能詩與不能詩也。

王構《修辭鑒衡》卷一引《古今總類詩話》　詩者，始於舜皋之賡歌。三代列國，風雅繼作，今之《三百五篇》是也。其句法，自三字至八字，皆起於此。三字句，若「鼓咽咽」、「醉言歸」之類；四字句，若「關關雎鳩，在河之洲」之類；五字句，若「誰謂雀無角，何以穿我屋」之類；七字句，若「交交黃鳥止於棘」之類；八字句，若《十月之交》曰「我不敢傚我友自逸」之類。漢魏以降，述作相望。梁陳以來，格致寖多。自唐迄于國朝，而體制大備矣。

葉夢得《玉澗雜書》　詩本觸物寓興，吟咏情性，但能輸寫胸次所欲言，無有不佳。世多役於組織雕鏤，故語言雖工，而淡然無味，與人意了不相關。

張戒《歲寒堂詩話》卷上　建安陶、阮以前詩，專以言志。潘、陸以後詩，專以詠物。兼而有之者，李、杜也。言志乃詩人之本意，詠物特詩人之餘事。古詩、蘇、李、曹、劉、陶、阮本不期於詠物，而詠物之工，卓然天成，不可復及。其情眞，其味長，其氣勝，視《三百篇》幾於無愧，凡以得詩人之本意也。潘、陸以後，專意詠物，雕鐫刻鏤之工日以增，而詩人之本旨掃地盡矣。謝康樂「池塘生春草」，顏延之「明月照積雪」，謝玄暉「澄江靜如練」，江文通「日暮碧雲合」，王籍「鳥鳴山更幽」，謝眞「風定花猶落」，柳惲「亭皋木葉下」，何遜「夜雨滴空階」，就其一篇之中，稍免雕鐫，粗足意味，便稱佳句，然比之陶、阮以前，蘇、李、古詩、曹、劉之作，九牛一毛也。大抵句中若無意味，譬之山無煙雲，春無草樹，豈復可觀。阮嗣宗詩，專以意勝；陶淵明詩，專以味勝；曹子建詩，專以韻勝；杜子美詩，專以氣勝。然意可學也，味亦可學也，若夫韻有高下，氣有強弱，則不可強矣。此韓退之之文，曹子建、杜子美之詩，後世所以莫能及也。世徒見子美詩多粗俗，不知粗俗語在詩句中最難，非粗俗，乃高古之極也。自曹、劉死至今一千年，惟子美一人能之。中間鮑照雖有此作，然僅稱俊快，未至高古。元、白、張籍、王建樂府，專以道得人心中事爲工，然其詞淺近，其氣卑弱。至於盧仝，遂有「不喞溜鈍漢」、「七椀吃不得」之句，乃信口亂道，不足言詩也。近世蘇、黃亦喜用俗語，然時用之亦頗安排勉強，不能如子美胸襟流出也。子美之詩，顏魯公之書，雄姿傑出，千古獨步，可仰而不可及耳。

又　孔子曰：「《詩》三百，一言以蔽之，曰：『思無邪。』」世儒解釋終不了。余嘗觀古今詩人，然後知斯言良有以也。《詩序》云：「詩者，志之所之也。在心爲志，發言爲詩。情動於中，而形於言。」其正少，其邪多。孔子刪詩，取其思無邪者而已。自建安七子、六朝，有唐及近世諸人，思無邪者，惟陶淵明、杜子美耳，餘皆不免落邪思也。六朝顏、鮑、徐、庾，唐李義山，國朝黃魯直，乃邪思之尤者。魯直雖不多說婦人，然其韻度矜持，冶容太甚，讀之足以蕩人心魄，此正所謂邪思也。魯直專學子美，然子美詩讀之，使人凜然興起，肅然生敬，《詩序》所謂「經夫婦，成孝敬，厚人倫，美教化，移風俗」者也，豈可與魯直詩同年而語耶？

施德操《北窗炙輠錄》卷下　傳曰：「興於詩。」興者，感發人善意之謂也。《六經》皆義理，何爲詩獨能感發人善意？而今之讀詩者，能感發人善意乎？

蓋古之所謂詩，非今之所謂詩。古之所謂詩者，詩之神也；今之所謂詩者，詩之形也。何者？詩者聲音之道也。古者有詩必有聲，詩譬若今之樂府，然未有有其詩而無其聲者也。

鄭樵《六經奧論》卷三《詩經·國風辨》 詩者，聲詩也，出於情性。古者《三百篇》之詩皆可歌，歌則各從其國之聲。

葛勝仲《丹陽集》卷八《陳去非詩集序》 世言詩能窮人，唐李太白號謫仙，然以樂府忤妃子，卒阨窮不振；劉夢得坐「種桃」句，黜刺連州；白樂天坐新井篇，黜佐湓浦；孟浩然、賈閬仙輩俱有能詩聲，然以詩忤明皇、宣宗，終坎壈州縣。故言詩能窮人者，取是爲左驗。予謂詩非惟不能窮人，且能達人。今夫窮閻挾策之士，生右文世，病碌碌無以自表見爾。使其能以詞藝達細禫之視，而被華衮之褒，則塗轍之升，一歲九遷不爲鋭。孰謂詩人例當窮哉？

薛季宣《浪語集》卷二七《書詩性情說後》 走述《詩》反古說，州人項頔用中不吾與，曰：「子，今人也，爲古《詩》傳，安知古之不如今也？而以反古爲說，不亦虛乎？」走初不入其語，久而思之曰：用中之言，正中吾過。夫人者，中和之萃，性情之所鍾也。遂古方來，其道一而已矣。修其性，見其情，振古如斯，何反古之云說？項規吾過，不亦宜乎！更以性情名篇，而書其後曰：情生乎性，性本乎天，凡人之情，樂得其欲，六情之發，是皆原於子天性者也。先王有禮樂仁義養之於內，慶賞刑威督之於外，君子各得其性，小人各得其情，於是時也，君臣訏謨廟堂，尊德樂道，其民養老慈幼，含哺鼓腹，《雅》、《頌》之作，不過寫心戒勸，告厥成功而已。後王滅德，而後怨慕興焉，於《書》虞之敕天元首，夏之《五子之歌》；於《詩》《豳》、《頌》、《雅》、《南》，皆是物也。言之不足，至于形容歌咏，有不可以單淺求者，此《二南》之詩，爲先王之高旨，上失其道，監謗既設，道路以目，雅風世變，觸物見志，往往託之鳥獸草木蟲魚，是非盛世之風，有爲爲之也。其發乎情止乎禮義，吟咏以諷，怨慕之道存焉。仲尼參諸《風》、《雅》之間，以情性存焉爾。危行言孫，將以順適其性而用之，利導五諫，以諷爲上，茲其理也。周士賦詩見意，騷人遠取諸物。漢之樂府，託閨情以語君臣之際，流風餘俗，猶有存者。諸詩家之說變風變雅，一諸雅正。先王之風，意怨謗爲性情，指斥言爲禮義，近求諸內，自有不能堪其事者，遠又不能參諸楚騷樂府之意，其何性情之得，而又奚以上通古人之志？用情正性，古猶今也，然則反古之說，未若性情之近也。曰性情說，古人其舍諸。

唐仲友《悅齋文鈔》卷八《詩論》 詩發乎民情而關乎風俗，風俗衰則詩亡；詩不作而王者之俗或幾乎熄矣。先王知詩與風俗之相須也，正心乎奧窔之間，端本乎朝廷之上，去奢崇儉而民趨於醇厚，尊賢遠佞而民公其是非，立師尹以引之表儀，興賢能而使之長治。四海之內，萬國之衆，漸摩乎仁義，習熟乎禮樂。道德一，風俗同，發言爲詩以歌詠，上之德澤，粹然一出於正。乃以孟春之月，遒人振木鐸以采詩獻之。太師比其音律，以聞於天子、王者，巡狩之國亦命太師陳詩以觀民風。乃取其合於法度者，播之管絃，被之金石，用之鄉人，用之邦國。以出於民情者，還以感之，動盪血脈流通精神，歡欣交暢，上下和協。經夫婦在是，厚人倫在是，成孝敬在是，此教化所以益成，風俗所以益美也。王道既衰，禮義廢，政教失，國自爲政，家自爲俗，風雅始變矣。然其民猶有先王之澤，凡可怨、可刺、可喜、可愕，無聊不平，有動於中，發於歌詠者，尙或止乎禮義，而采詩之職，亦未盡廢。故吾夫子猶能得古詩三千篇，删而爲三百五篇，風化之在人，若此其久也。自周衰不振，而詩遂亡，涉秦，其風俗大壞。由漢以來，凡躬化之本既非出於至誠，而範民之具一切因於苟簡，雖號爲還淳反樸之際，猶且法出姦生，令下詐起。其是非、毀譽既不出於至公，則形於歌頌益不可取信。是故謠言單詞，轉易守長，反以累中興之美；曲鉤封侯，非衣小兒之歌，皆有中傷善良之意。民詩之不足采乃至於此。而士之爲詩者，又更務詞句而忘義理，耽景物而失諷諭，喜過譽而昧規諫。月鍛季鍊，徒以新奇相誇，尙詩之名存，其義亡矣。問其忠臣孝子，發憤激昂，感時憂國，覩物思人，觸事措辭。遂至風俗媮薄，士氣委靡，言路否塞，諂諛成風，詩之與俗至是而交喪矣。昔薛收問於王通曰：「今之民胡無詩？」曰：「詩，民之情性也。情性能亡乎？非民無詩，職詩者之罪也。」又曰：「諸侯不貢詩，天子不采風，樂官不達雅，國史不明變。嗚呼！斯則久矣，詩可以不讀乎？通知民無詩，歸罪於職詩者不知，反求其風俗，是知其一而未知其二也。爲國者明敎以正俗，設官以采詩，兩者幷行而不相悖，庶幾敢言之氣振，而觀民之道盡矣。

嗚呼！孰知詩之存亡係言路之通塞歟？

陸九淵《象山集》卷一七《與沈宰》 《國風》、《雅》、《頌》，固已本於道。風之變也，亦皆發乎情，止乎禮義。此所以與後世異。若乃後世之詩，則亦有當代之英，氣稟識趣，不同凡流。故其模寫物態，陶冶情性，或清或壯，或婉或嚴，品類不一，而皆條然各成一家，不可與衆作渾亂。字句、音節之間，皆有律呂，皆詩家所以自異者。曾子固文章如此，而見謂不能詩。其人品高者，又借義理以自勝，此不能不與古異。今若但以古詩爲師，一意於道，則後之作者，又當左次矣。何時合併以究此理？

程泌《洺水集》卷八《鄱陽董仲光詩集序》 詩與樂皆所以宣天地之和者也，是故以美頌爲貴，次則風刺焉，次則譏切焉，又次則怨怒焉。降是則風雲顯晦，草木英瘁而已耳，亡補也。與爲亡補也，寧怨怒焉，寧譏切焉。然方之風刺，則劣矣。若夫治世之音，既安且樂，使天下之口皆鳴天地之和，則非詩人所能也，必有任其事者焉。

陸游《渭南文集》卷一四《方德亨詩集序》 詩豈易言哉！才得之天，而氣者我之所自養。有才矣，氣不足以御之，淫於富貴，移於貧賤，得不償失，榮不蓋媿，詩由此出，而欲追古人之逸駕，詎可得哉？

又卷一五《澹齋居士詩序》 蓋人之情，悲憤積於中而無言，始發爲詩。不然，無詩矣。蘇武、李陵、陶潛、謝靈運、杜甫、李白，激於不能自已，故其詩爲百代法。國朝林逋、魏野以布衣死，梅堯臣、石延年棄不用，蘇舜卿、黄庭堅以廢絀死。近時，江西名家者，例以黨籍禁錮，乃有才名，蓋詩之興本如是。

又《曾裘父詩集序》 古之說詩曰言志。夫得志而形於言，如皋陶、周公、召公、吉甫，固所謂志也。若遭變遇讒，流離困悴，自道其不得志，是亦志也。然感激悲傷、憂時閔己，託情寓物，使人讀之，至於太息流涕，固難矣。至於安時處順，超然事外，不矜不挫，不誣不懟，發爲文辭，沖澹簡遠，讀之者遺聲利，冥得喪，如見東郭順子，悠然意消，豈不又難哉？

曾豐《緣督集》卷三《贈豫章來子儀言詩》 詩源始自葛天氏，三人投足歌牛尾。萬象包羅八曲間，《國風》、《雅》、《頌》其流爾。八曲不幸世不傳，傳世僅餘《三百篇》。

又卷一四《詩論》 子曰：「虞夏之道，寡怨於民；商周之道，不勝其敝。」【略】《詩三百》大率爲不勝其敝者作也。於詩焉觀，蓋有所謂責之、閔之、哀之、刺之、戒之、思之、疾之、憂之、規之、誨之、傷之之辭者，韓子所謂物不得其平而鳴者是也，故其辭激。夫其詞之所以激者，起於其俗之激也。至於所謂美之、頌之、樂之、嘉之之辭者，莊子所謂逃空虛者聞人足音，跫然而喜者是也，故其辭稍舒。夫所謂舒辭者不過如斯而已矣，激辭如彼其多也。

又卷一八《高元之變騷後序》 余聞詩生於聲，聲生於氣。天地與氣爲聚散，則詩與天地爲始終，蓋其理然也。孔子所取者，雅頌風而已，不及於騷，時則騷未作也。而雅不及於上古何也？上古之詩，言大道者多未純乎雅也。雅變爲風，風變爲騷，極矣。下此則樂而淫，哀而傷，怨誹而亂，去雅遠而難返，不足以爲常道矣。故詩之原止於雅，其流止於騷。

又《白石叢稿序》 詩生於聲，聲生於氣。氣渾而夷，雅聲出焉，牛尾之歌是也。氣薰而洽，頌聲出焉，「卿雲」之歌是也。氣肅而沉，風聲出焉，「麥秀」之歌是也。古詩有雅、頌、風，而雅、頌、風之名未立，其體未成也。一經孔子刪焉，朝廷之詩謂之「雅」，郊廟之詩謂之「頌」，鄉黨之詩謂之「風」，名於是始立。雅、頌多用賦，風多用比興，體於是始成。

楊萬里《誠齋集》卷六七《答建康府大軍庫監門徐達書》 大氏詩之作也，興上也，賦次也，賡和不得已也。我初無意於作是詩，而是物是事適然觸乎我，我之意亦適然感乎是物是事。觸先焉，感隨焉，而是詩出焉，我何與哉，天也。斯之謂興。或屬意一花，或分題一草，指某物課一詠，立某題徵一篇，是已，非天也，然猶專乎我也，斯之謂賦。

又卷七八《陳晞顔詩集序》 詩家者流嘗曰：「詩能窮人。」或曰：「詩亦能達人。」或曰：「窮達不足計，顧吾樂於此則爲之爾。且夫疚於窮者其詩折，慆於達者其詩衒。折則不充，衒則不幽，是固非詩矣。至俟夫樂而後有詩，則不樂之後，未樂之初，遂無詩耶？」

汪莘《方壺存稿》卷一《諸家詩說》 世謂詩人能爲詩，詩人果能爲詩乎？蓋太虛間皆詩也，詩人所見無非詩。凡天地、日星、雲月、風霆、煙雨之變化，山川、草木、蟲魚、神鬼、生人、萬物之狀類，君臣、父子、兄弟、夫婦、朋友之大倫，皇帝、王霸、道德、風俗之殊，治亂、盛衰之變，賢人、君子、貴賤、得失、否泰、消息之機，與夫羲文洙泗之傳，避秦隱商之志，瞿曇黃老之道，是皆詩之散在太虛者。而人各以其所得詠歌之爲詩，於是詩之散乎太虛者聚見於詩人之作，則詩雖人爲之，而非人能自爲也。其智能見之，其才能模寫之爾。惟其智不能見之，其才不能模寫之，則詩之散在太虛間者邈焉。初不相干，惟其智能見之，其才能模寫之，則詩之生生者無窮，詩人之作亦與之生生無窮。世或硜然以詩自矜，與泛然技夫詩者，皆自其所見者小耳。惟博觀詩，然後詩之散者聚，道之偏者全，曩以爲小者，今見其大也。雖然，夫詩有道有權，顔、孟有詩人之道，而伊、周得詩人之權。徒詩不能以用其身，有權而後其詩足以用天下。是故其詞可以觀其才，其才可以觀其道，其道可以觀其時。有其才無其道，君子惜其才；有其道無其時，君子惜其道。喜於得其一，惜於失其二；喜於得其二，樂於得其三。以予之所甚樂，知予之所甚不樂也。故予之觀詩，其事之感乎其中者，爲之喜，爲之悲，而其詞之歌舞乎其中者，其趣皆不勝其自得也。因書其略，以告有志於詩者。

朱熹《朱文公全集》卷三九《答楊宋卿》 熹聞詩者，志之所之，在心爲志，發言爲詩。然則詩者，豈復有工拙哉？亦視其志之所向者高下如何耳。是以古之君子，德足以求其志，必出於高明純一之地，其於詩固不學而能之。至於格律之精粗，用韻、屬對、比事、遣辭之善否，今以魏晉以前諸賢之作考之，蓋未有用意於其間者，而况於古詩之流乎？近世作者，乃始留情於此，故詩有工拙之論，而葩藻之詞勝，言志之功隱矣。

又卷七六《詩集傳序》 或有問於余曰：詩何謂而作也？余應之曰：人生而靜，天之性也；感於物而動，性之欲也。夫既有欲矣，則不能無思；既有思矣，則不能無言；既有言矣，則言之所不能盡，而發於咨嗟詠歎之餘者，必有自然之音響節奏，而不能已焉。此詩之所以作也。

呂祖謙《麗澤論説集録》卷三《門人所記〈詩〉説拾遺》 詩者，人之性情而已。必先得詩人之心，然後玩之易入。

王炎《雙溪類稿》卷二五《懶翁詩序》 詩文當論工拙，不當論窮達。達者未必皆工，窮者未必不工也。唐人尚詩，士以能詩，取高科，登達宦者接踵。然王昌齡、孟浩然、孟郊、賈島之徒，其身至窮，而言語之妙有不可揜没者。文章，天下公器，其品級高下，當定於公論，非私意所能翕張。富貴利達，則其言語常重；貧賤隱約，則其言語常輕，乃區區世俗之論識者，顧安取此。

趙蕃《淳熙稿》卷四《論詩寄碩父五首》 學詩如學道，先須養其氣。植苗無它術，務在除荒穢。滔滔江漢流，源從濫觴至。要作千里行，無爲半途滯。

袁燮《絜齋集》卷八《序·題魏丞相詩》 古人之作詩，猶天籟之自鳴爾。志之所至，詩亦至焉。直己而發，不知其所以然，又何暇求夫語言之工哉？故聖人斷之曰：「思無邪。」心無邪思，一言一句，自然精粹，此所以垂百世之典型也。魏晉諸賢之作，雖不逮古，猶有春容恬暢之風，而陶靖節爲最。不煩雕琢，理趣深長，非餘子所及。故東坡蘇公言：「淵明不爲詩，寫其胸中之妙爾。」唐人最工于詩，苦心疲神以索之。句愈新巧，去古愈邈。獨杜少陵雄傑宏放，兼有衆美，可謂難能矣。然「爲人性僻耽佳句，語不驚人死不休。」子美所自道也。詩本言志，而以驚人爲能，與古異矣。後生承風，薰染積習。甚者「推敲」二字，毫釐必計。或其母憂之謂：「是兒欲嘔出心乃已。」鐫磨鍛鍊，至是而極。孰知夫古人之詩，吟咏情性，渾然天成者乎？

吴泳《鶴林集》卷三六《沈宏甫齊瑟録序》 昔嘗聞善言詩者，謂從神來、氣來，何言之易也。孟子平旦養氣湛如止水，而直而不倨，僅得二雅之正言。屈原中夜存神，周游八極，而傷而不怨，止知《國風》之變體。詩豈可以易言哉，風雅聲息，禮義澤亡，兩漢四百年，獨園客十九首詩近古。

又《東皋唱和集序》 學詩者須是有夙根，有記魄，有吟骨，有遠心，然後陶詠諷誦，卽聲成文，脱然穎異於衆。咸無焉，則雖窮日誦五千卷，援筆書數百言，殆如跛羊上山，盲龜入谷，終不能望其至也。

王楙《野客叢書》卷九《鉼粟鬢絲》 僕謂詩固言志，然才人志士，筆端造化，抑揚高下，不可以一律觀。譬之水泉，揚之可以滔天，抑之不過涓涓於溝洫間爾，文章亦猶是。

孫應時《燭湖集》卷一〇《胡文卿樵隱詩稿序》 蘇長公曰：「無竹令人俗。」又曰：「士俗不可醫。」余嘗欣然誦之，以爲眞宇宙間妙語。噫！無竹者尚爾，况於不能詩者其俗且奈何哉！古今詩人，其學未必皆合於道，其言未必皆當於用，要其風流意度，定自不俗。如幽蔚之芳，野鶴之潔，使人一見輒洒然意消。故夫詩人多窮，無他，以其不俗故窮。向令用意研索，爲猗頓白圭之術，量其胸次，已有萬斛塵土，而暇及詩乎？

陳元晉《漁墅類稿·跋吴士剛詩》 遺物絶俗者，其辭誕；憤世嫉邪者，其辭激；慷慨功名者，其辭夸；流連光景者，其辭靡。是故君子貴養其辭之所自出。【略】更能於前輩所謂發穠纖於簡古，寄至味於淡泊者，涵茹沉浸，而於辭則至矣。

劉宰《漫塘集》卷二四《書碧崖詩集序》　夫詩，本於志而發於情。有人焉，志有所之而不得伸，情有所感而不得發，凡胸中之是非好惡，皆不得暴白，則聾聵入耳，喑啞入耳。勉而爲文，必齷齪腐爛，尚何望其發天地之藏，斡神明之蘊，盡萬物之情也哉！

又《書沈少白詩藁後》　詩貴乎工，然非身更此境不能爲此語。杜子美久於羈旅，故語多淒切；韓退之洊遊賓幕，故語多嚴整；陶元亮志在田園，故語多閒曠。

又《書修江劉君詩後》　《大序》曰：「詩者，志之所之也。」由是而言，詩以述志，志外無詩。而近世作者求工於鍛鍊，用力於模倣，往往句愈工而志愈失，句愈似而志愈非。

陳文蔚《克齋集》卷八《六月朔旦講義》　孔子曰：「興於詩。」蓋詩者，所以吟咏情性，出於天機之自動，學者於吟哦諷誦之間，可以興起其善心。故古人於成童之時，已學樂誦詩。詩教者必以此爲先，而學者必自茲始也。

陳振孫《玉臺新詠集後序》　夫詩者，情之發也。征戍之勞苦，室家之怨思，動於中而形於言，先王不能禁也。豈惟不能禁，且逆探其情而著之，《東山》、《杕杜》之詩是矣。

劉克莊《後村先生大全集》卷一〇九《跋章仲山詩》　詩非達官顯人所能爲，縱使爲之，不過能道富貴人語。世以王岐公詩爲至寶丹，晏元獻不免有腰金枕玉之句。繩以詩家之法，謂之俗可也。故詩必天地畸人，山林退士，然後有標致；必空乏拂亂，必流離顛沛，然後有感觸；又必與其類鍛鍊追琢，然後工。

又《毛震龍詩稿》　詩料滿天地，詩人滿江湖，人人爲詩，人人有集。然惟極天下之清，乃能及天下之工。放一生客投社，着一俗字入卷，敗人清思矣。生客不必貴要，但聞人皆是。俗字不必請求，但浮譽皆是。

王柏《魯齋王文憲公文集》卷一一《跋邵絜矩詩》　自詩之六義不明，而後世始傷於太巧。詩益巧而正氣益漓，不復有寬厚溫柔之教矣。近世論作詩者，須有夙根、有記魄、有吟骨、有遠心，然後陶詠諷誦，卽聲成，脫然穎悟。吁，美則美矣，是非所以言古人之詩也。《三百五篇》之作，雖有出於閭巷小夫幽閨女子之口，而亦自有以得吟詠情性之正者，豈必刻苦用心於琢句鍊字之工哉？

方岳《深雪偶談》　詩無不本於性情。自詩之體隨代變更，由是性情或隱或見，若存若亡。深者過之，淺者不及也。昔坡公云：「蘇李之天成，曹劉之自得，陶謝之超然，固已至矣。李杜以英偉絕世之姿，凌跨百代，古之詩人盡廢。然魏晉以來，高風絕塵，亦少衰矣。」坡公本不以詩專門，使非上干漢、魏、晉、唐，出入蘇、李、曹、劉、陶、謝、李、杜，潛窺沉酣，實領懸悟，能自信其折衷如是之的乎！醫和之目，無復遁疢，理固然也。如天成，如自得，如超然，則夫詩之閫奧處，坡公所評，亦宜窺酣領悟，毋忽焉可也。坡公獨以柳子厚、韋應物「發纖穠於簡古，寄至味於淡泊」。蓋韋、柳皆以靖節翁爲指歸，而卒之齊足並驅也。坡公海表和陶諸篇，可以見其所趣無不及焉。雖然，漢、魏、晉曷嘗舍去性情，別出意見，而習爲高遠之言哉？當其代殊體變，性與情之隱見、存亡、淺深，雖其一時之名能詩者，亦不能自必其所至之然也。唐風既昌，一聯一句，滿聽清圓，流液雋永，首肯變踔，性情信在是矣。然詞藻勝則糟粕，律度嚴則拘窘。能不脂韋於二蔽之間，而脫穎奇焉，則天成、自得、超然，何得無之？至於作止雍容，聲容婉穆，視溫柔敦厚之教，庶幾無論漢魏，顧晉以後諸人，自靖節翁之外，似未諭也。

趙孟堅《彝齋文編》卷三《孫雪窗詩序》　詩者，英氣之發見於人者也。鄙夫猥徒無詩，高人韻士有詩，名臣鉅公皆有詩。感遇事物，英英氣概形而成詩。亦猶天有英氣，景星慶雲，地有英氣，朱草紫芝是也。然何嘗體制限哉？

陳郁《藏一話腴內編》卷下　作詩作文，非多歷貧境者決不入聖處。三閭阨而騷獨步，杜少陵愁而詩冠古今，退之欲人輟一飲之費以活己，而文起八代，上窺至閫。孟郊斸山耕水，賈島薪米俱無，窮尤甚焉，其詩清絕高遠，非常人可到，良有以也。白石道人姜堯章氣貌若不勝衣，而筆力足以扛百斛之鼎，家無立錐而一飯未嘗無食客，圖史翰墨之藏充棟汗牛，襟期灑落如晉宋間人，意到語工，不期於高遠而自高遠。黄景說謂造物者不以富貴浼堯章，而使之聲名焜耀於無窮，正合前意，甚矣！士之貧賤不足憂，而學不充道不聞，深可慮也。

姚勉《雪坡舍人集》卷三七《玉泉詩集序》 詩者，乾坤之清氣也，有一穇火烟者，豈能吐之哉？

又《彭仲珍吟稿序》 韓退之云：「富貴之辭難工，窮苦之言易好。」夫詩者，吊月之蛩之吟，吸露之蟬之嘶也。故惟窮者而後工，非熯綺繪而飫膏粱者所能也。或能焉，亦異矣。

黄震《黄氏日抄》卷九一《書劉拙逸詩後（漫塘姪）》 一，太極之妙，流行發見於萬物，而人得其至精以爲心。其機一觸，森然胥會，發於聲音，自然而然，其名曰詩。後世之爲詩者，雖不必皆然，亦未有不涵泳古今，沉潛義理，以義其所自出。

又《張史院詩跋》 詩本情，情本性，性本天，後之爲詩者始鑿之以人焉。然陶淵明無志於世，其寄於詩也，悠然而澹；杜子美負志不偶於世，其發於詩也，慨然以感。雖未知其所學視古人果何如，而詩皆出於情性之正，未可例謂「刪後無詩」也。

釋道璨《柳塘外集》卷三《潛仲剛詩集序》 詩，天地間清氣。非胸中清氣者不足與論詩。近時詩家艷麗新美如插花舞女，一見非不使人心醉，移頃則意敗。無他，其所自出者有欠耳。【略】自風雅之道廢，世之善詩者不以性情而以意氣，不以學問而以才力，甚者務爲艱深晦澀，謂之託興幽遠，斯道日以不競。

又《送然松麓歸南嶽序》 或問詩以何爲宗？予曰：心爲宗。苟得其宗矣，可以晉魏，可以唐，可以宋，可以江西，投之所向，無不如意。有本者如是，難與專門曲學泥紙上死語者論也。

衛宗武《秋聲集》卷五《趙帥幹在莒吟集序》 文以氣爲主，詩亦然。詩者，所以發越情思而播於聲歌者也。是氣也，不抑則不張，不激則不揚。惟夫顛頓困阻，沈阨鬱積，而其中所存英華果鋭，不與以俱靡，則奮而爲辭，琦瑋卓絶，夐出尋俗，而足以傳遠。屈之《騷》，宋之《九辨》，荀卿子之《成相》、《佹》詩，賈太傅之吊湘、賦鵩，皆是物也。故少陵之間關轉徙，而蜀中之詠益工；老坡之擯斥寥落，而海外之篇愈偉。其他未易枚舉，莫不以是得之。譬之水，當平波緩流，溶溶洩洩，未見其奇也；洪源巨川，風撓石繫，洄潏震蕩，而水之奇斯見。詩猶是也。

龔開《龜城叟集輯》引方韶卿語 由本論之，在人倫不在政事，等而上之，在天地不在古今。

謝枋得《疊山集》卷二《與劉秀岩論詩》 詩於道最大，與宇宙氣數相關。人之氣成聲，聲之精爲言，言已有音律，言而成文，尤其精者也。凡人一言，皆有吉凶，况詩乎？詩又文之精者也。

黄仲元《四如集》卷三《姚野庵詩解序》 心活動物也，詩亦活動物也，豈可以言語求哉！惟不語者爲上。夫子絃歌而取三百十有一篇，斷之以「思無邪」一語，即詩論時，它無文字。

文天祥《羅主簿一鶚詩序》 詩所以發性情之和也。性情未發，詩爲無聲，性情既發，詩爲有聲。閟於無聲詩之精，宣於有聲詩之迹。

鄭思肖《中興集自序》 夫詩也者，心之動也。其動維何？因所悦、所感、所憂、所苦觸之爾。一動之天，多事之源也。苟知動而無動，則不爲動之所動矣。

又《所南翁一百二十圖詩集·自序》 昔嘗序湯西樓先生《壯遊集》，云天地之靈氣爲人，人之靈氣爲心，心之靈氣爲文，文之靈氣爲詩。蓋詩者，古今天地間之靈物也。

林景熙《霽山集》卷五《王修竹詩集序》 《三百篇》，詩之祖也。世自盛入衰，風自正入變，雅、頌息矣。風、雅、頌，經也；賦、比、興，緯也。以三緯行三經之中，六義備焉。一變爲騷，再變爲選，三變爲五、七字律。蓋自晉、宋、齊、梁而下，義日益離。李、杜手障狂瀾，離者復合。其他掇拾風煙，組綴花鳥，自謂工且麗，索其義蔑如。古者閭巷小夫，閨門賤妾，其詩往往根情性而作，後之士大夫反異焉。詩一言以蔽之，曰「思無邪」。無邪者，誠之發，當喜而喜，當怒而怒，當哀而哀，當樂而樂。《匪風》、《下泉》之思是也。《大序》言變風，發乎情，止乎禮義。不變者，猶於變見之。謂非豐鎬遺澤可乎？

又《馬靜山詩集序》 詩起於康衢之謠，而暢於三百。雅歇頌沈，王風蔓草，繫於時矣。杜少陵自天寶末年，感時觸景，花淚鳥驚，非復和聲以鳴其盛，然而猶有唐也。

張之翰《西巖集》卷一《陳菊圃尚書以詩相餞依韻爲別》 文不本乎理，豈得文之眞？詩不由乎義，豈得詩之靈？

吳渭《月泉吟社詩・詩評》 詩有六義，興居其一。凡陰陽寒暑、草木鳥獸、山川風景，得於適然之感而爲詩者，皆興也。風雅多起興，而楚騷多賦與比，漢魏至唐傑然。

李俊民《莊靖集》卷八《錦堂賦詩序》 士大夫詠情性，寫物狀，不託之詩，則託之畫。故詩中有畫，畫中有詩，得之心，應之口，可以奪造化，寓高興也。

元好問《遺山集》卷三六《楊叔能小亨集引》 詩與文，特言語之別稱耳。有所記述之謂文，吟詠情性之謂詩。其爲言語則一也。唐詩所以絶出於《三百篇》之後者，知本焉爾矣。何謂本？誠是也。【略】故由心而成，由誠而言，由言而詩也。三者相爲一。情動於中而形於言，言發乎邇而見乎遠。同聲相應，同氣相求。雖小夫賤婦、孤臣孽子之感諷，皆可以厚人倫，美教化，無它道也。故曰不誠無物。夫惟不誠，故言無所主，心口別爲二物。物我邈其千里，漠然而往，悠然而來，人之聽之，若春風之過馬耳。其欲動天地，感神鬼，難矣。其是之謂本。唐人之詩，其知本乎？何溫柔敦厚，藹然仁義之言之多也？幽憂憔悴、寒饑困憊，一寓於詩，而其阨窮而不憫，遺佚而不怨者故在也。至於傷讒、疾惡，不平之氣不能自揜，責之愈深，其旨愈婉，怨之愈深，其辭愈緩，優柔饜飫，使人涵詠於先王之澤，情性之外，不知有文字。幸矣，學者之得唐人爲指歸也！

又《雙溪集序》 詩與文同源而別派。文固難，詩爲尤難。

又卷三七《陶然集詩序》 詩之極致可以動天地、感鬼神，故傳之師，本之經，眞積之力久，而有不能復古者。自「匪我愆期，子無良媒」、「自伯之東，首如飛蓬」、「愛而不見，搔首踟躕」、「既見復關，載笑載言」之什觀之，皆以小夫賤婦滿心而發，肆口而成，見取於采詩之官，而聖人刪詩亦不敢盡廢。後世雖傳之師，本之經，眞積力久而不能至焉者，何古今難易不相侔之如是耶？蓋秦以前，民俗醇厚，去先王之澤未遠，質勝則野，故肆口成文，不害爲合理。使今世小夫賤婦滿心而發，肆口而成，適足以污簡牘，尙可辱采詩官之求取耶？故文字以來詩爲難，魏晉以來復古爲難，唐以來合規矩準繩尤難。夫因事以陳辭，辭不迫切而意獨至，初不爲難，後世以不得不難爲難耳。古律歌行，篇章操引，吟詠謳謠，詞調怨嘆，詩之目既廣，而《詩評》、《詩品》、《詩說》、《詩式》亦不可勝讀，大概以脫棄凡近，澡雪塵翳，驅駕聲勢，破碎陣敵，囚鎖怪變，軒豁幽祕，籠絡今古，移奪造化爲工；鈍滯、僻澀、淺露、浮躁、狂縱、淫靡、詭誕、瑣碎、陳腐爲病。「毫髮無遺憾」、「老去漸於詩律細」、「佳句法如何」、「新詩改罷自長吟」、「語不驚人死不休」，杜少陵語也。「好句似仙堪換骨，陳言如賊莫經心」，薛許昌語也。「乾坤有清氣，散入詩人脾。千人萬人中，一人兩人知」，貫休師語也。「看似尋常最奇崛，成如容易卻艱難」，半山翁語也。「詩律傷嚴近寡恩」，唐子西語也。子西又言：「吾於它文不至蹇澁，惟作詩極難苦。悲吟累日，僅自成篇。初讀時未見可羞處，姑置之。後數日取讀，便覺瑕釁百出。輒復悲吟累日，反覆改定，比之前作稍有加焉。後數日，復取讀，疵病復出。凡如此數四，乃敢示人，然終不能工。」李賀母謂賀「必欲嘔出心乃已」，非過論也。今就子美而下論之，後世果以詩爲專門之學，求追配古人，欲不死生於詩，其可已乎？雖然，方外之學有「爲道日損」之說，又有「學至於無學」之說。詩家亦有之。子美夔州以後，樂天香山以後，東坡海南以後，皆不煩繩削而自合。非技進於道者能之乎？詩家所以異於方外者，渠輩談道，不在文字，不離文字。詩家聖處，不離文字，不在文字。唐賢所謂「情性之外，不知有文字」云耳。

王義山《稼村類藁》卷四《紫霞道人詩序》 詩至於可以絃歌，正聲諧韶濩，勁氣沮金石，中律度之詩也。

又卷五《趙東村希夔詩集序》 詩至於大而化則聖矣。子美夔州以前詩，大而化之之聖也。夔州以後詩，聖而不可知之神矣。神則天，濂溪云：士希賢，賢希聖，聖希天，學不可一蹴造也。由希賢然後希聖，由希聖然後希天。

又卷六《趙文溪詩序》 夫詩，發乎情，止乎禮義，其天理民彝乎。文溪之詩，其發乎情，止乎禮義者歟？使經西山之筆，雖正宗可也。始吾讀《二南》詩，至《麟趾》，序詩者以爲《關雎》之應。至《騶虞》，序詩者以爲《鵲巢》之應。二詩皆以吁嗟終之。於《麟趾》則曰：「吁嗟麟兮。」於《騶虞》則曰：「吁嗟乎騶虞。」詩人嘆美之辭也，有餘不盡之意也。《二南》之詩，皆終之吁嗟。周人道化之盛，至是不可形容矣。然《騶虞》之吁嗟止於二，而《麟趾》之吁嗟至於三。周之公子，其賢矣乎。

又卷一一《趙文溪詩序・性情説》 孔門言《詩》必兼《禮》。子思《中庸》一篇，多引《詩》。《詩》與《中庸》未嘗不可以互觀也。余嘗謂《詩大序》，皆自《中庸》「喜怒哀樂未發謂之中，發而皆中節謂之和」兩句發出來。未發之中，性也，既發之和，情也。《詩》總言之，則吟咏性情。析言之，則由性而情。《詩》三百，皆情也。情者，喜怒哀樂發而皆中節之謂也。未發之時，詩之性也，既發則情矣。《詩大序》曰：「治世之音安以樂，其政和。亂世之音怨以怒，其政乖。亡國之音哀以思，其民困。」《中庸》以喜怒哀樂言，序詩者言怒哀樂而不及喜。蓋言樂則喜在其中，卽先儒釋《論語》第一章悅在心，樂主發散在外也。《大序》又曰：「情動於中，而形於言。」蓋動處便是情，人生而靜，天之性也。感物而動，則情矣，所謂情動于中者也。此中也，卽喜怒哀樂未發之中，中卽性也。不然，作《大序》者何以又曰「發乎情，民之情也」。若夫發之一字，則《中庸》與《詩大序》皆言之。然《大序》言喜怒哀樂，則各指其時。《中庸》言喜怒哀樂，則重在於中節。且致意於皆之一字。蓋一不中節，非和也。《大序》又曰：「在心爲志，發言爲詩。」言，心聲也。心，統性情者也。

郝經《陵川集》卷一八《五經論・詩》 天下之治亂，在於人情之通塞。【略】昔者聖人懼民情之塞而弗通也，於是乎觀乎《詩》。《詩》者，述乎人之情者也。情由感而動，故喜怒哀樂隨所感而發。感之淺也，或默識之而已，或形于言而已。感之深也，言之不足長言之，長言之不足永歌之，《詩》之所由興也。喜而爲之美，怒而爲之刺，其哀也爲之閔，其樂也爲之頌。美而不至於諛，刺而不至於詈，哀之也而不至於傷，樂之也而不至於淫。己不能盡而託之於人，人不能盡而託之於物，物不能盡而歸之於天。上焉公卿大夫，下焉薪翁笱婦，有所感而必有所作，君而知之，天下之情無不通矣。故致治之君，觀乎人情也必於此乎取之。

又卷二四《與撖彥舉論詩書》 詩，文之至精者也，所以歌詠性情，以爲風雅，故攄寫襟素，託物寓懷，有言外之意，意外之味，味外之韻。凡喜怒哀樂，蘊而不盡發，託於江花野草、風雲月露之中，莫非仁義禮智、喜怒哀樂之理。依違而不正言，恣睢而不迫切，若初無於己，而讀之者感歎激發，始知己之有罪焉。故三代之際，於以察安危，觀治亂，知人情之好惡，風俗之美惡，以爲王政之本焉。

又卷三〇《唐宋近體詩選序》 事有至大，物有至多者，萬言之文不足以盡其理，詩四句，何以畢之？所謂至簡而至精粹者也。故必平帖精當，切至清新，理不晦而語不滯，庶幾其至矣。五言難於七言，四句難於八句，何者？言愈簡而義愈精也。【略】絶句全篇，詩人所尤重也。

王惲《秋澗集》卷四二《淇奧唱和詩序》 心有所思，思而有所言，託物以永其言者，莫詩若也。

又卷四四《無音》 萬物受氣於天，音者情之所由發也。以政有得失，而音有乖和。雖極亂極困，未有情不宣而音不作者。如幽、厲之世，雅困遏密，變則不無也。至於當有絶無，豈困而不暇作，伏而不敢出，其或善不足以法，惡不足以戒，亦若天變之無所見乎？三者必有一居於此矣。

方回《桐江集》卷一《張澤民詩集序》 不純乎天理，公論不盡，不拔乎流俗，人品不高。然揭是以自標，則孔融、嵇康不容於曹、馬矣。必知此者，始可與語陶淵明之詩也歟？淵明詩，人皆以爲平淡，細讀之，極天下之豪放，惟朱文公能知之。《咏荆軻》、《三良》、《桃源》諸篇，其氣可見，而託物寄興於杯酒籬菊之間，其視桓溫父子、劉裕君臣，猶瓮中蠛蠓也。

又卷三《跋吳古梅詩》 以文章大體言，天地同流、萬物皆備，以詩一端言，舒之不如翕也，腴之不如瘠也，麗之不如質也。自會者不求知，自得者不用力也。

又《桐江續集》卷三二《仇仁近百詩序》 詩不特虞廷賡歌、《三百五篇》爲詩也，堯、舜、禹、湯，伊尹、傅說告君，箕子陳《洪範》，周公作《六典》，孔子讚《易》，老氏著《五千言》，戰國之士述《吳越春秋》，司馬遷《龜策》、《日者》，揚雄《太玄》，皆協音韻而便誦讀。協音韻而便誦讀，則筆之而不煩，口之而易於不忘，文辭之極致也。是故夔典樂以詩教胄子，言志爲詩，咏言爲歌。歌之中有五聲，聲之中律，上之化以此達乎下。先王設官采詩，祭祀賓享，有郊廟朝廷之作，而邦國閭里所賦之風，亦取以爲房中燕閑之樂，下之情以此達乎上。降及西都蘇李、東都建安七子、晉宋陶謝，律體繼興。自盛唐、中唐、晚唐而及宋代，有作者雖未盡合宮商鐘呂之音，不專主怨刺諷譏之事，而詩號爲能言者，往往相與筆傳口授於世而不朽。此其故何也？氣有所抑而難宣，意有所未易喻，時有所觸，物有所感，事有所不可直指，形之爲詩，則一言片語而盡之矣。故擎華爲實，鍛粗爲精，文約而義博，辭近而旨遠，惟詩爲然。

又《瀛奎律髓序》 文之精者爲詩，詩之精者爲律也。

又《瀛奎律髓》卷三　荒淫亡國之主，姦邪誤國之臣，詩人必詆其遺跡而數其罪。至於英主賢臣，則美之不容口。其或子孫已微，陵谷已變，猶惓惓焉傷悼悲痛，讀此詩者可以類推矣。然後知善不可不修，惡不可不戒。無曰莊生齊物，而可以懵然於身後也。

又《香林詩會序》　《春秋》書會之大者，莫盛於齊桓。《史記》於晉獻公二十六年夏，書齊桓公大會諸侯於葵邱，周宰孔勸獻公毋會，則周室卑，霸業隆。會雖大，識者所弗許也。後世人文才士有詩會焉，曾子曰「君子以文會友」，此一言詩會之祖始也。孔門一貫高弟，其謂以文會友者，必有所謂成章之文，今不可得而考矣。嗚呼！斯文之會，豈非會之大者歟？今未暇論曾子之所謂文會，姑論上饒香林之詩會，其亦會之大者否歟？不知猗那之遺音，不能詩。不識羌蹇之高韻，不能詩。九經三傳、《儀禮》《爾雅》註疏、十七史不讀，不能詩。無匹夫匹婦胸中之全經，亦不能詩。此皆學詩者之本根也。諸子百家，類書別集、《素問》、《難經》、《本草》、《玉篇》、《廣韻》、《說文》、兵機將略、佛經道藏、僻聞怪說、街談巷語，此皆學詩者之佽助也。然要之心之所主有高於此者，貴乎見之一，守之一，顏四勿、曾三省，以至董仲舒之「正誼」「明道」，韓退之《進學》、《原道》，周、二程、張、朱文公、張宣公、呂成公之理學是也。漢《河梁》五言、《柏梁》七言、平子《四愁》、梁鴻《五噫》、魏晉宋曹、劉、陶、謝，而陶又出乎其類，傍通可也。唐少陵爲百世詩人冠冕，其所敬服倡和，孟浩然、王維、岑參、高適、元結、張九齡、嚴武，博取可也。柳子厚、劉夢得、韋應物、張籍、賈島、劉叉元和高流，惟許渾、姚□可鄙也。五代一羅隱。宋則人物鼎盛，惟王半山吾所不取，擬寒山子「我嘗爲女人，歡喜見男子」，此惑於西人輪迴之說也。穆修、魏野、楊蓑衣開其端，歐、梅、蘇、石返諸雅，二蘇六君子大赫厥聲，而黃、陳自爲高格，有江西體呂居仁、陳去非、張良臣，南渡前輩巨擘，至乾淳尤、蕭、楊、陸、范，嘉定韓南澗、澗泉趙章泉而止矣。四靈不足道也。

鄧文原《過雲樓藏帖》卷五《頭佗師李大方詩集序》　凡學者必由悟而入，若扁之斲輪，慶之削鐻，痀瘻之承蜩，凡伎皆然，而况於道也？知道者視詩爲末，然非知道不足以言詩。

牟巘《牟氏陵陽集》卷一二《兪好問詩藁序》　詩直耳目玩耳。自昔詩人，往往以之鉥心掐胃，甚至欲嘔其心，而少陵亦有「良工心獨苦」之語。夫愁勞其心以娛耳目，如膏自煎，蓋可嘆。而世且竟爲之悲鳴兩吻不肯止，豈所苦未易奪所樂耶？

又卷一三《陳一齋詩序》　大抵詩本於學，無論魏晉。【略】溫柔篤厚，詩之教也。

何夢桂《潛齋集》卷五《清溪吟課序》　詩始《三百篇》，其上公卿大夫，其下樵夫賤隸，其性情之所發，皆得以託於詩。古詩逸，五言始李陵，七言始沈、宋。詩非古意，去古猶近。科舉興，併與五、七言俱廢。士非阨於山林，逸於湖海，與夫失志於朝廷之上，而竄逐流徙者，不暇於詩。

又《王樵所詩序》　先輩謂杜工部以詩爲史，韓吏部以文爲詩，繇其胸中儲貯博碩，然後信筆拈出，自成宮商，非抉摘刻削，求工於筆墨言語以爲詩也。太白豪放，發於氣；郊、島窮悴，迫於時，降是無以議爲矣。近代坡詩如駿馬詭銜，不可羈靮；山谷、後山詩如風天秋隼，霜崖枯槎，不可攀企。要皆各得其所得，自成一家，尚論譜緒，當不在昔人刪後也。邇來詩社豪雋疊見層出，豈能多遜諸賢下耶？然至於氣彫意耗，骨弱肉浮者，或未免如沈休文所謂「八病」，釋皎然所謂「六迷」者也。

又《文勿齋詩序》　詩者，所以載民風，繫世變也。商之詩愨而思；周文武之詩，憯怛而優柔；邶、鄘、衛、陳、鄭之詩哀，幽、厲之詩怨。要皆時使然也。魏晉而下，詩大抵出於羈臣逆旅、窮迫憔悴，不得志於時者之所爲，故其悲憤之辭多而和平之氣少，尚論其詩可知矣。【略】抑知夫詩之所起乎？詩之起，由人心生也。心感物而動，故形於聲；聲成文，謂之詩。然其聲之嘽緩噍殺、廉柔散厲，錯出而不同者，豈人心之異哉？時之變者爲之也。變風不企乎《二南》，變雅不競乎《二雅》，故詩者，所以載民風，繫世變也。

又《汪復心瀟灑集序》　人心感於物而成聲，詩爲甚。志高山則峩峩然，志流水則洋洋然，非聲不同，所感之異也。琴且爾，况詩乎？

又卷七《分陽諸公感寓詩集序》　陳子昂賦感寓，朱紫陽賦感興，今玉華諸君又賦感寓，賦不同，而感則均也。詩以感而賦，不感則無詩，詩之感寓，不知所謂寓何也。予嘗觀之宇宙間，無一非寓。天地至大，物在太虛中，亦寓耳。天地猶寓，况萬物乎？故日月星辰寓於天，山川草木寓於地，鳶寓於風，魚寓於水，蛟龍寓雲，螻蟻寓壤，蠋寓桑，蜩寓菀柳，其所寓大小，不翅泰山毫末、大海礨空之相去。至於適其所適，各足其分而已。今諸君於詩隨寓而適，則天地間何物非吾言之寓乎？故其往者、復者、作者、止者、榮者、瘁者、蠢者、蟄者、得者、失者、隆者、汙者，一以吾身寓焉。情隨寓感，詩隨寓得，故凡可興、可觀、可群、可怨，至於千態萬狀，不可紀極者，皆吾寓中之隨形變化者也，又安用拘拘於物之小大，以來漆園老吏之譏乎！夫寓舟於壑，寓山於澤，夜半有力者負之以去，寓之不可常也如此。况於詩，欲不寓，得乎？此吾所以重感而三歎也。

劉辰翁《須溪集》卷六《松聲詩序》 故嘗笑夫莊子之言聲也，之翏翏則翏翏而止耳，之調調之刁刁則調調刁刁而止耳，而何足以傾於耳、瘖於意？所謂琴瑟之壹，吾何爲聽之？聲皆出於自然，爲籟而有小有大，若近若遠，或離或合，高下變態。磅礴恣肆者未有若夫松之爲聲也，夫其爲聲也，疎疎密密多多，少亦若多，其徐徐而來也，如解亦如襲，大如驚，沛如決，勃如變色。洶乎其浙江之潮，而未嘗絶也；混乎其昆陽之戰，追奔傴北而不知其所止也；隱乎其天瓢之既吸，而阿香之已遠也。其負重而休也耶？其再解再合，而勝者敗者，皆不可知耶？宛兮而似嘯，頽兮其欲醉，微而語，振而舞，有匽者、軋者、沓者、騫者、柔且縵者、如笙鏞者、裂萬鼓而餘烏烏者。蓋泉也，得之山石之間，有其雄，有其悲，有其頓挫，而無其韻。若竹之爲物，則非無其韻也。則亦如優施學孫叔敖，俯仰談笑皆似，而疎髯不類，則乍聽皆合，察之而愈遠也。使天地間人才似此，則老成峻茂、文武威風，皆當充塞宇宙。詩而似此，則天矣。豫章熊氏詩號松聲，吾爲發聲義，此非世間長簫短笛、一絲一曲比也。欲知其詩者，求之松聲，欲知松聲者求之風。風，天也，非松非風，故又發天義。

又《陳生詩序》 「詩在灞橋風雪中驢子上」，非也。鳥啼花落，籬根小落，斜陽牛笛，鷄聲茅店，時時處處，妙意皆可拾得。然此猶涉假借，若平生父子、兄弟、家人、鄰里間，意愈近而愈不近，著力政難。有能率意自道，出於孤臣怨女之所不能者，隨事紀實，足稱名家。卽名家尤不可得，或一二語而止。如孟東野「慈母手中線」、「歸書但云安」，極羈旅難言之情。如李太白「昨夜梨園雪，弟寒兄不知」，小夫賤隸，誰不能道，而學士大夫或愧之矣。如陳後山「歸近不可忍」，以爲精透亦可，以爲鄙褻亦可。如杜子美「問事競挽鬢，誰能卽嗔喝，欲起屨見肘，仍嗔問升斗」，乃幷與聲音笑貌彷彿盡之矣。又如古人，於奴婢猥下，寫至「孤客親僮僕」，凄然甚矣。又云「僮僕生新敬」，則出處世態隱約可見。又云「犬因無主善」，則俯仰尤有不忍言者。如陳簡齋「平生老赤腳，每見生怒嗔。揮汗責我藥，見此媿其勤」，更自風致清眞，而豈今人不能道哉？履豨者每下愈况，賦車者載獫歇驕。吾評古今甚深密義得之淺易，它人不能識，乃反笑予。

又《不平鳴詩序》 亙古今之不平者，無如天。人者，有所不平，則求直於人，則求直於有位者，則求直於造物，能言故也。若天之視下也，其不平有甚於我，有甚於我而不能自言，故其極爲烈風、爲迅雷、爲孛、爲彗、爲虹、爲山崩石裂水涌川竭，意皆其鬱積憤怒，亡所發泄，以至此也。退之謂四時之推奪爲不平，彼四時者各一其所，而豈有不平者哉？凡天下之所不平者，皆人事之激也。大決所犯，傷人必多，不如小決使道。人之不平所不至於如天者，其小決者道也。小決之道其惟詩乎？故凡歌行曲引，大篇小章，皆所以自鳴其不平也。而其險哀，有甚於雷風星變、山海潮汐者矣。

又《曾季章家集序》 《詩》自小夫賤隸興寄深厚，後來作者必不能及。

姚燧《牧庵集》卷三《郭野齋詩集序》 子曰詩可興可怨，今之詩雖不得方《三百篇》，可考以知國風與王政之小大，要亦繇于吟咏性情，有關美惡風刺而發，非徒作也。矧其善爲形容所遇，如函夏蠻裔之山川習尚，諷之如人身履其地，史氏斷章取之，亦奚異于觀之風，其有咈吾耳，感吾心，而出吾口者，直至而激烈，不自知其言之不可爲誅姦之屬鏤也。

又《盧威仲文集序》 予嘗熟玩其文之一二，大抵體根于氣，氣根于識，識正而氣正，氣正而體正，故勁特而偉健，明白而洞達，激烈而懇到，望而知其爲威仲之文，蓋君子之文也。抑余有聞：年有少壯，老之不侔，氣有明昏，憊之殊致，故爲善于少壯之日則易，而自立于衰暮之節則難，惟學則一而已矣。孟子曰：「我善養吾浩然之氣。」又曰：「以直養而無害。」又曰「是集義所生」者。夫如是謂之學。

閻復《劉太傅藏春集序》 《易》：「觀乎天文以察時變，觀乎人文以化成天下。」大哉文乎！在天爲日月之著明，雲漢之昭回，星辰之錯綜；在人爲三綱五常之道，禮樂刑政之方，典章法度之美。文乎，文乎，章句云乎哉！

趙文《青山集》卷一《郭氏詩話序》 古之爲詩者，率其情性之所欲言，惟先王之澤在人，斯人情性一出於正，是則古之詩已。尹吉甫自謂「穆如清風」，蘇公自謂「作此好歌」，當其意到語適，自清自好，亦不知見删於聖人而傳於後世也。

又《蕭漢傑青原樵唱序》 或曰：「樵者亦能詩乎？」余曰：「人人有情性，則人人有詩，何獨樵者。」彼樵者，山林草野之人，其形全，其神不傷，其歌而成聲，不煩繩削而自合。寬閑之野，寂寞之濱，清風吹衣，夕陽滿地，忽焉而過之，偶焉而聞之，往往能使人感發興起而不能已。是所以爲詩之至也。

又《高敏則采詩序》 人之生也，與天地爲無窮，其性情亦與天地爲無窮。故無地無詩，無人無詩。【略】故采詩者眼力高，而後去取嚴；心胸闊，而後包括大。

又《王奕詩序》 世謂詩能窮人，歐公謂詩非能窮人，詩必窮者而後工。陳無己謂詩能達人。皆未必然也。詩者，天之所以私窮人，使之有以通其窮者也。孟郊、賈島，世所謂羈窮之極者，使天不與之以清才，而能爲詩，亦甚矣。宰物輕與人以富貴，重與人以清才。委巷之人，崛起而有千金，跨大馬，稱達官，所在時時有之。至於能詩之士，曠數十年而不一遇也，豈非天之所靳在此而不在彼歟！

又《來清堂詩序》 物之初，有聲而已，未名其所以聲也。於是有名其所以聲者，而後謂之言。而猶未有字也，于是有形其所以言者，而後謂之字。言與字合，而文生矣。文也者，取言之美者而字之者也。詩也者，以言之文合聲之韻而爲之者也。聲而後有言，言而後有字，字而後有文，文至於詩極矣。彼其初，何以異於蟲耶？蟲之聲也，庸知其非言也？而不能形其所以言。夫亦生且死而已矣，而焉用形其所以言哉？故曰：唯蟲能天。吾每爲文辭，苦且倦甚，欲休乎未始有言之先，而既已有之矣，然默默終日輒不樂。有時言之而得其所欲言，雖天下之樂無以過也。

又卷二《高信則詩集序》 孟子以固譏高子爲詩，而吾友信則自名其詩曰《固稿》，謙辭。雖然，固，詩病也，有心於爲不固，亦病也。自《三百五篇》以來，發乎情者流動發越，誠無所底滯。使無止乎禮義，則情之流者將何之？騷體起於南國，跌宕怪神，出乎風、雅、頌之外，而其歸於忠君愛上，則詩之禮義未嘗亡。近世詩人，高者以才氣凌駕，無復細意熨貼；下者纖軟稚弱，固不足論。工者刻削過當，去情性絶遠；疏者則苟簡滅裂，雖律詩亦不必留意屬對矣。如此而謂之不固，是誠不固也。今人但知律詩有律，不知古詩歌行亦必有律。故散語中必間以屬對一二，不然，則不韻、不對，漂漂何所底止！又姑論用字，古固不拘，平仄失所，即讀之，音節不合，殆天籟也。此語僅可私語兒孫，使持語大方家，且將獻笑。信則詩不失規矩繩墨，而未嘗不行乎規矩繩墨之外。蓋妥不弱，老不疏，工不刻。吾爲君授記，君他時當名家數，正法眼藏，必自《三百五篇》始。

張伯淳《養蒙文集》卷二《湖廣行省平章安南國王陳公詩序》 士君子負邁往英特之氣，往往于詩文發之，然其體或寒或瘦，或富贍典麗，或吐不烟火食語，其所發見者蓋不一。唐韓子直以爲和平之音澹泊，愁思之聲要妙，讙愉之辭難工，窮苦之言易好。又謂文章之作每發于羈旅，若將以所遇爲工拙者。以余觀之，體之不同，由所稟與見聞之異，豈皆緣所遇哉！杜子美稱特進汝陽王爲詞華哲匠，退之之于馬北平稱其變化魁傑。至于裴司空之佳句，馬僕射之天平篇什，所以贊美之者甚至。遐想當時，讙愉和平之意多，未必愁思，而決非窮苦者也。

戴表元《剡源文集》卷九《珣上人删詩序》 人之於言，少繁而老簡，彼其中固有定不定也。言之至者爲文，而人之文，有涉於刑名器數而作者，不必皆出於自然。惟夫詩，則一由性情以生，悲喜憂樂，忽焉觸之，而材力不與能焉。此其老少之變，繁簡之異，豈得不有待而然哉！

張之翰《西巖集》卷一七《詩學和璞引》 醫，一術也，非方論無以爲良醫；匠，一技也，非規矩何以爲良匠。矧吾儒之文章乎？矧吾佛之詩學乎？夫詩之來遠矣，蓋見於唐虞之末，著於殷商之時。聖人集《三百篇》，列之於經，取其可以告神明，薦宗廟，風君上，論朋友故也。至於春秋列國，諸卿大夫未有不通詩者，皆以所賦卜休咎成敗，其爲用如此。降及後世，有衍而爲《離騷》，分而爲《九辯》，變而爲古調，創而爲近體，然去古漸遠，氣格稍弱。中間自成一家，得左右風雅者爲不少。世之人必欲攀屈、宋之駕，登李、杜之壇，出乎喜怒哀樂之至情，合於仁義禮智之中道，可不知所效學，求所矜式乎？

又卷一八《跋彭萊山饑來詩藁》 世有坐詩窮者，乃易窮爲饑，是加窮一等矣。古今詩人，惟東坡最知其饑，故詩有「清詩咀嚼那得飽」，又「秀句出寒餓」，蓋不饑則不清，不餓則不秀。

甘楚材《**澗槃冷舜臣詩集序**》魯直江西詩宗，嘗謂詩須可以弦歌，蓋以合聲律故耳。然律至魯直而一變。舜臣同魯直鄉，宗黄祖唐，其五、七言可分四聲，且有清濁，是律也，復一變而唐矣。唐一變而宋晉，宋晉一變而漢魏，三代斯近之。若夫虞廷賡歌，舜臣尚亦追思不邪？

吴澄《**吴文正集**》**卷六**《**文泉説**》人稱蘇明允爲老泉者，以其地有老人泉，故借其地以號其人，非新創名也。惟柳子厚謫居冉溪之側，持以「愚」名其溪。元次山在南方，往往爲水立新名。道州有水名濂溪者，亦次山之遺教。其後周茂叔先生寓江州城外，取道州舊地名名其書院曰「濂溪」。蘇子瞻詩云：「先生本全德，廉退乃一隅。」謂其取廉之義以名溪，而旁加「水」字也。泉之名爲「文」者，其亦昔人以「愚」、以「廉」名溪之意歟？「愚」非美名，「廉」亦一善而已。昔人薄於取名蓋如此。若「文」之名，則其義甚大，非「愚」與「廉」所可同也。天有天之文，地有地之文，人有人之文。天、地、人之文具備於聖人之身。堯、舜、禹、湯、文、武而下，惟周公、孔子可謂之文也。故曰「文不在兹乎」！秦、漢以後，儒者不知道，惟以言語之工爲文，則既非矣。蘇子瞻嘗言「吾文如萬斛泉源」，以言語之工爲文者倘能如蘇子瞻，殆亦庶幾焉。夫水，天下之至文也。而泉者，水之初出。【略】名之浮於實，君子必不爲也。

又卷一五《**戴子容詩詞序**》主詩者曰詩難，主詞者曰詞難，二説皆是也。第以情性言詩，以情景言詞，而不及性，則無乃自屈於詩乎？夫詩與詞，一爾，岐而二之者，非也。自豈二之也，則詩猶或有風雅頌之遺，詞則風而已。詩猶或以好色不淫之風，詞則淫而已。雖然，此末流之失然也，其初豈其然乎？使今之詞人眞能由《香奩》、《花間》而反諸樂府，以上達於《三百篇》，可用之鄉人，可用之邦國，可歌之朝廷而薦之郊廟，則漢、魏、晉、唐以來之詩人有不敢望者矣，尚可嘐嘐然不揣其本而齊其末哉！

又《**何友聞詩序**》詩貴有其影、有其神而無其形。

又卷一六《**東麓集序**》詩文以理爲主，氣爲輔，是得其本矣。其詩不尚纖穠，不拘拘於法度，以文爲詩者也。其文不尚俳麗，不屑屑於言辭，以質爲文者也。

又卷一七《**楊桂芳詩序**》由詞賦而歌詩，由歌詩而上達屈騷，以風雅頌之旨，聲其聲，實其實，則爲子而孝，爲臣而忠，政可以官，言可以使。詩之爲詩蓋如此，豈徒吟詠風花雪月，如今世所謂詩人而已哉！

又《**伍椿年詩序**》詩本乎氣，而形於言。

又《**譚晉明詩序**》詩以道情性之眞。十五國風有田夫閨婦之辭，而後世文士不能及者，何也？發乎自然，而非造作也。漢魏逮今，詩凡幾變。其間宏才碩學之士縱橫放肆，千彙萬狀，字以鍊而精，句以琢而巧，用事取其切，模擬取其似，功力極矣。而識者乃或舍旃而尚陶、韋，則亦以其不鍊字、不琢句、不用事，而情性之眞近於古也。今之詩人隨其能而有所尚，各是其事，孰有能知眞是之歸者哉？

又卷一八《**朱元善詩序**》不能詩者聯篇累牘，成句成章，而無一字是詩人語。然則詩雖小技，亦難矣哉。【略】詩不似詩，非詩也。詩而似詩，詩也，而非我也。詩而詩已難，詩而我尤難。奚其難，蓋不可以強至也。學詩如學仙，時至氣自化。

又卷一九《**蕭養蒙詩序**》性發乎情，則言言出乎天眞；情止於禮義，則事事有關於世教。古之爲詩者如是，後之能詩者亦或能然，豈徒求其聲音采色之似而已哉。

又《**蕭獨清詩序**》詩也者，乾坤清氣所成也。屈子《離騷》、《九歌》、《九章》、《遠遊》等作可追十五國風，何哉？蓋其蟬蛻污濁之中，浮游塵埃之外，皭然不滓，於楚俗爲獨清故也。陳拾遺《感遇》三十八，如丹砂空青，金膏水碧，超然爲唐詩人第一。李翰林仙風道骨，神遊八極，其詩清新俊逸，繼拾遺而勃興，未能或之先者，非以其清歟？朱子論作詩，亦欲淨洗腸胃間葷血腥羶，而漱方潤。故曰：詩也者，乾坤清氣所成也。

又卷二二《**吴閒宗師詩序**》物之有聲而成文者，樂也；人之有聲而成文者，詩也。詩、樂，聲也，而本乎氣。天地之氣大和，而聲寓於器，是爲極盛之樂；人之氣太和，而聲發乎情，是爲極盛之詩。自古及今，惟文、武、成、康之世有《二南》、《雅》、《頌》之聲焉。漢魏以後詩人多矣，而成周之泰和不再見。其間縱或小康，而詩人大率不遇，身之轗軻窮愁，則辭之凄凉哀怨宜也。何由而得聞治世之音乎？

又《**何敏則詩序**》天地物態、世事人情，千變萬化，無一或同。感觸成詩，所謂自然之籟。無其時，無其態，無其事，無其情，而想象模擬，安排造作，雖似猶非，况未必似乎？

又《吳伯恭詩序》 蓋氣剛質毅，不爲貧賤所移。使易地而處，夫豈淫於富貴、屈於威武者哉！如是而爲詩，宜非凡流所可到。【略】研經務學，以培其本。他日本亦深，理亦明，則其心聲所發，理爲之主，氣爲之輔，雖古之大詩人，何以尚茲！雖然，學以充其才，理以長其氣，必有事焉，當不但能詩而已。

又卷二三《陳景和詩序》 夫詩以道情性之眞，自然而然之爲貴。

又卷五六《跋趙運使錄中州詩》 唐人詩無一句一字不切題者，宋詩蓋不能然。夫詩或言志，或寫情，或感時，或卽事，固各有當，而詠物尤難於精工。

又卷六一《跋陳泰詩後》 文者，儒之小技，詩又文之小技。有最上事業，坦若大路。旣有其資，且又有路，由之夫何難？它技特其餘爾。詩誠工謹，毋專一技，而遽自是也。

程鉅夫《雪樓集》卷一五《王楚山詩序》 杜紫微有云：「千首詩輕萬戶侯。」蓋隱居求志，尊所聞，行所知，無所蘄乎外，無所苟於身，抒性情之眞，寫禮義之正，陶天地之和，其言論風旨之重，孰加焉？尙何萬戶侯之足道？

胡炳文《雲峰集》卷三《感興詩通序》 夫子讀周公、尹吉甫之詩，皆讚之曰：「爲此詩者，其知道乎！」以其詩有關於天理、民彝，有關於世變也。子朱子《感興》詩兼之矣，明道統，斥異端，正人心，黜末學，六百三十字中，凡天地萬物之理、聖賢萬古之心、古今萬事之變關焉。

徐明善《芳谷集》卷上《從軍詩序》 軍旅有詩，尙矣。《風》有《小戎》、《無衣》，《雅》有《采薇》、《出車》是也。詩言志，志帥氣，姑卽四詩而論其志氣，則《采薇》、《出車》，量敵處勝者也，其氣和以平；《小戎》、《無衣》，無懼者也，其氣剛以決。和平者其漸微弱，剛決者其究盛強，誦其詩而天下大勢之所趨可知矣。

陸文圭《牆東類稿》卷九《跋袁靜春詩》 《選》詩唯陶、阮近古，神思淸曠，意趣高遠，直寄興耳。魏、晉、宋之間，廢興之事可感矣！悲遇之詩，以寫其懷，詩不自知也，況寓之酒乎！或譏其流連光景，殢情花草，似矣而非也。千載而下，復有如二子之所遭者，則知二子之心者矣。

陳櫟《定宇集》卷三《跋汪子磐詩》 昔朱子復程允夫書，深欲其以《語》、《孟》、《三百篇》爲作詩本源。子磐於經必所素通，盍更以祖父所精通者爲法則，由淵源而波瀾，其於詩特餘事耳，豈止爲今詩人之詩而已哉？觀于海者難爲水，游于聖人之門者難爲言，《六經》，詩文之海也，子磐《登海雲亭》之詩曰「靈若不自多，嗟哉彼河伯」，則亦旣自知之，予言贅矣。

趙孟頫《松雪齋集》卷六《南山樵吟序》 詩在天地間，視他文最爲難工。蓋今之詩雖非古之詩，而六義則不能盡廢，由是推之，則今之詩猶古之詩也。夫鳥獸草木，皆所寄興；風雲月露，非止於詠物。又況由古及今，各自名家，或以淸澹稱，或以雄深著，或尙古怪，或貴麗密，或春容乎大篇，或收斂於短韻，不可悉舉。而人之好惡不同，欲以一人之爲求合於衆，豈不誠難工哉！必得其才於天，又充其學於己，然後能盡其道耳。【略】山谷道人有言曰：「本之以《國風》、《雅》、《頌》，深之以《離騷》、《九歌》，此作詩之良法。」

劉將孫《養吾齋集》卷九《本此詩序》 詩本出於性情，哀樂俯仰，各盡其興。後之爲詩者，鍛鍊奪其天成，刪改失其初意，欣悲遠而變化非矣。人間好語，無非悠然自得於幽閒之表，而留意於茲事者，僅以爲禽犢之資，此詩氣之所以不昌也。

又卷一〇《譚村西詩文序》 文以氣爲主，非主於氣也，廼其中有所主，則其氣浩然流動，充滿而無不達，遂若氣爲之主耳。故文之盛也，如風雨驟至，山川草木，皆爲之變；如江河浩渺，波濤平駭，各一其勢；大之而金石制作，歌明堂而頌淸廟；小之而才情婉孌，淸白雪而豔陽春；古之而鼎彝幻眇，陳淳風而追泰古；時之而花柳明媚，過前川而學年少。故昌黎之古文，其小律、小絕，無不精妙。東坡之大才，其回文麗句，各極體裁。或有謂能文不能詩，能詩不能文者，皆其主弱而氣易衰也。【略】昔韓公於東野，有「昌其詩」語，而東坡二百年後，自昌身、昌詩、昌氣，而極於昌志。予亦於氣爲主之言而竊願有所益也。主者同，而所以爲主者異。輒欲更之曰：「文以理爲主，以氣爲輔。」

又《如禪集序》 詩固有不得不如禪者也。今夫山川草木，風煙雲月，皆有耳目所共知識。其入於吾語也，使人爽然而得其味於意外焉，悠然而悟其境於言外焉，矯然而其趣其感他有所發者焉。夫豈獨如禪而已。禪之捷解，殆不能及也。然禪者，借滉瀁以使人不可測；詩者，則眼前景，望中興，古今之情性，使覺者咏歌之，嗟歎之，至於手舞足蹈而不能已。登高望遠，興懷觸目，百世之上，千載之下，不啻如自其口出。詩之禪至此極矣！而詩果能此此地位者，幾何人哉？雖然，學者不可以不有此志也。蓋積之不厚，則其發之也淺；發之不穠，則其感之也薄。彼禪者，或面壁九年，雪立齊腰，後之學詩者，其工夫能爾耶？

又《九皋詩集序》　人聲之精者爲言，言之又精者爲詩。【略】夫詩者，所以自樂吾之性情也，而豈觀美自鬻之技哉！欣悲感發，得之油然者有淺深，而寫之適然者有濃淡。志尚高則必不可凡，世味薄則必不可俗。故淵明之沖寂，蘇州之簡素，昌黎之奇暢，歐之清遠，蘇、黃之神變，彼其養於氣者，落落相望，皆如嵇延祖之軒軒於鷄羣，宜其超然塵埃混濁之外，非復喧啾之所可匹儕。

又卷一一《須溪先生集序》　蓋嘗竊觀於古今斯文之作，惟得於天者不可及。得於天者，不矯厲而高，不浚鑿而深，不斵削而奇，不鍛鍊而精。若人之所爲，高者虛，深者蕪，奇者怪，精者苦。三千年間，惟韓、歐、蘇獨行而無並。兩漢以來，六朝南北、盛唐名家，豈不稱雄一時，而竟莫之傳者，天分淺而人力勝也。

又《魏槐庭詩序》　詩者，固仁人志士、忠臣孝子之所爲作也，豈直章句之巧而風月之尚哉？古所謂「驚風雨」、「泣鬼神」，非以其奇崛突兀，以其志也。刺心血以食無母之鳳雛者，杜陵之所以一飯不忘者也。呼「穹穹與厚厚」者，李習之所以識苦語之動神理者也。「天若有情天亦老」者，長吉之所以使金銅墮淚而能言者也。「此身無處哭田横」，玉川子之怨魄所以痛絕於玉泉之會者也。「白草建康宮，反袂哭途窮」者，徐騎省之所以辟言易世而無忍疵之者也。二千年間，此語有數，亦所遇至此。

又《彭宏濟詩序》　天地間清氣，爲六月風，爲臘前雪，於植物爲梅，於人爲仙，於千載爲文章，於文章爲詩。冰霜非不高潔，然刻厲不足甄；花柳豈不明媚，而終近婦兒。玆清氣者，若不必有而必不可無。自《風》、《雅》來，三千年於此，無日無詩，無世無詩，或得之簡遠，或得之低黯，或得之古雅，或得之怪奇，或得之優柔，或得之輕盈。往往無情意，則不足以名世，夫固各有當也。而後出者顧規規然效之於其貌焉耳，而曰吾自學爲某家，不亦馳騁於末流，而詩無本矣乎？清以氣，氣豈可揠而學、攬而蓄哉？目之於視，口之於言，耳之於聽，類不知其所以然而然。有得於情性者，亦如是而已。夫言亦孰非浮辭哉！惟發之眞者不泯，惟遇之神者必傳，惟悠然得於人心者必傳而不朽。彼求之物而不求之意，鍊於辭而不鍊於氣，何如其遠也！吾先君子須溪先生之說詩，其不可於衆可也，若甚嚴；其獨賞於人棄也，若甚異。然廓然而雲霧開，犂然而神境會，一日而沛然發於情性者，清才輩出，晤言賞歎，自慰暮年。

又《胡以實詩詞序》　文章之初惟詩耳，詩之變爲樂府。嘗笑談文者鄙詩爲文章之小技，以詞爲巷陌之風流，槩不知本末至此。余謂詩入對偶，特近體不得不爾。發乎情性，淺深疏密，各自極其中之所欲言，若必兩兩而幷，若「花紅柳綠」、「江山水石」，斤斤爲格律，此豈復有情性哉！至於詞，又特以塗歌俚下爲近情。不知詩詞與文同一機軸。果如世俗所云，則天地間詩僅百十對，可以無作。淫哇調笑，皆可譜以爲宮商。此論未洗，詩詞無本色。夫謂之文者，其非直致之謂也。天之文爲星斗，離離高下，未始縱横如一。水之文爲風行波，鱗鱗洶湧，浪浪不相似。聲成文謂之音，詩乃文之精者，詞又近。自吾家先生教人，始乃有悟者。然或謂好奇，或謂非規矩繩墨，惟作者證之大方而信。對以意稱者，重於字。字以精鍊者，過於篇。篇以脈貫者，嚴於法。脫落蹊徑而折旋蟻封，狹袖屈信而舞有餘地。是固未易爲不知者道。誠不意媚親中有以實詩若詞也。凡天趣語難得，以實自證自悟，故一出而高。其遠者，矯首發於寥廓，近者，悠然出於情愫。意空塵俗，徑解懸合。所謂詩若詞之妙，横中而起者，與離而去、推而遠者，顛倒而出之者，如墮，如吐，如拾而得，了莫之測者，往往有焉。即此能使予駭而敬，況其年之不可幾，而學之不可旣哉！

陳繹曾《詩譜·一本》　凡作五言古詩，先須澄靜此心，如滄海不波，空碧無際，纖月倒景，萬象涵精。題目如鏡中物影，悲懼動靜，了無遁情。懷天地於秋毫，洞古今爲一瞬，視彼區區者，而談笑道之。大抵五言古詩所養浩蕩，所見詳明，所取精微，所用輕快。凡作七言古詩，先須澄靜此心，如泛舟滄溟，春晴秋雨，風波作止，萬變隨時。題目如大海受風，泠風則微瀾應，疾風則駭浪驚，自然而然。吾取其神奇者而用之。大要七言古詩所養浩蕩，所見詳明，所取奇崛，所用峭絕。凡作五言律詩，先須澄靜此心，如春江無風，澄綠千里，萬象森列，皆有溫柔平遠之意。就其中擇取事情極明瑩者而用之。務要涵養寬平，不可迫切。凡作七言律詩，先須澄靜此心，如秋高月明，獨立華岳之巔，視萬景皆入奇峭中。就其中擇取沈雄險特者而用之，務要奇峭，不可寬緩。凡作絶句，如窗中覽景，立處雖窄，眼界自寬。題廣者，取遠景，寸山尺水，愈覺其遙；題小者，取近景，一草一禽，皆有生意。五言絶句，主情景；七言絶句，主事意。

又《詩譜・十七性》 仁，喜怒藹然，皆愛人之心。義，情之極裁之以理。禮，讓謙有節，用物得度。智，深達事情。信，情眞、景眞、事眞、意眞。須平日涵養，自然而然。

又《詩譜・二十會》 六悟：情，詩本人情，性之妙用，必有心悟，當領會之。性，詩正禮義，性之本體，必有心悟，當領會之。聲，情意於聲，天機之妙，必有心悟，當領會之。文，聲發成文，萬象之精，必有心悟，當領會之。政，詩與政通，用之天下，必有心悟，當領會之。氣，詩動元氣，通於鬼神，必有心悟，當領會之。五妙：格，諸格，古人未嘗有意如此也。精神所到，不知其然而然耳。心悟者隨機而用之，不可執一也。體，諸家體制，古人未嘗有意如此也。風俗才力有所拘限，不知其然而然耳。心悟者隨宜而象之，不可執一也。情，喜怒哀樂，人之至情，未嘗有意如此也。事至物來，不知其然而然耳。心悟者隨感而應之，不可執一也。性，仁義禮智，人之本性，未嘗有意如此也。理所當然，不知其然而然耳。心悟者隨理而用之，不可執一也。韻，八音之用，物之至音，未嘗有意如此也。材各有識，不知其然而然耳。心悟者隨聲而叶之，不可執一也。雖到化處，心長要在腔子中，自然出於微妙。

袁桷《清容居士集》卷二二《鄆城馬節婦詩序》 《詩》始婦人，先王盛時，天地萬物之理，推變審情者若是矣。不幸而大故，守中秉德，合於自然，憂辱恐懼，蓋不能以相動也。《二南》之化，行於天下。未及數百年，陵夷變遷，首於國君夫人。聖人憂之，錄於《風》、《雅》，書於《春秋》，後有述作，尤惓惓焉以致其意。嗟夫，乾坤之道，相濟以成者也。

又卷四八《書程君貞詩後》 風雅異義，今言詩者一之。然則曷爲風？黄初、建安得之。雅之體，漢樂府諸詩近之。蕭統之集，雅未之見也。詩近於風，情性之自然。齊梁而降，風其熄矣。由宋以來，有三變焉。梅、歐以紆徐寫其材，高者淩山嶽，幽者穿巖竇。而其反覆蹈厲，有不能已於言者，風之變盡矣！黄、陳取其奇以爲言，言過於奇，奇有所不通焉。蘇公以其詞超於情，嗒然以爲正，頹然以爲近，後之言詩者，爭慕之。音與政通，因之以復古，則必於盛明平治之時。唐之元和，宋之慶曆，斯近矣！感昔時流離兵塵之衝，言不能以宣其愁，而責之以合乎古，亦難矣！夫詩之言風，悲憤怨刺之所由始，去古未遠，則其道猶在。越千百年，日趨於近，是不知《國風》之作，出於不得已之言也。

又卷四九《題吳浩然詩卷》 讀群公詩，把玩不能去手，氣與理俱明矣。氣由物以成，形而下者，爲道邪？爲人邪？人心非與道悖，亦非氣質。舉世相承，吾何敢言。

又卷五〇《題劉明叟詩卷》 大裘無文，良玉不琢，質至美而無可揀擇也。言爲心聲，而詩章之衍溢，則又若必事於模範。論至於理盡，所謂模範者，特餘事耳。

又《題閔思齊詩卷》 唐詩有三變焉，至宋則變有不可勝言矣。詩以賦比興爲主，理固未嘗不具。今一以理言，遺其音節，失其體製，其得謂之詩與？【略】近世言詩，莫不以《三百篇》爲主，經緯之分，茫不知所以。由遠自邇，漸入魏、晉，詩寧有不工者乎？

唐元《筠軒集》卷一一《艾幼青汝東樵唱詩跋》 昔人有言：讀書萬卷而不用於詩，畏其義博而辭溢也。夫詩有別材，本於性情，觸物而發，故曰：言之精者爲文，文之精者爲詩。然觀少陵言「讀書破萬卷，下筆如有神」，益知學詩人腑肺，非得古今灌溉，理義融會，則如貌枯語澁，於善養生人不類。

又卷一三《贄見夢臣張侍御書》 夫天地，至大也，一氣之所同貫也。故氣之所貫，可以透金石，通山澤。一寸之草，與千尺之木同其榮；一滴之溜，與江海之大同其潤。蓋形有小大，而氣無小大；物有精粗，而理無精粗。莊生所謂齊物，物本不能齊，亦以其小大一氣之所鍾，一理之所命故云耳。且夫風雨之所會，晦冥蔽山谷，揮霍動天地，其勢力非不赫然大也，而一蜉蝣之微，則知雨之將至而紛翔；一鵲之細，則知風之將至而卑棲。故《易》曰：「同聲相應，同氣相求。」釋者則曰：聖人通天下之聲爲一聲，不見有異聲，故無一聲之不相應；通天下之氣爲一氣，不見有異氣，故無一氣之不相求。至矣哉，斯言也！

張養浩《歸田類稿》卷三《和陶詩序》 夫詩本以陶寫情性，所謂在心爲志，發言爲詩，既拘於韻，則其沖閑自適之意絶無所及，惡在其爲陶寫也哉！余嘗觀自古和陶者凡數十家，惟東坡才盛氣豪，若無所牽合，其他則規規模倣，政使似之，要皆不歡而強歌，無疾而呻吟之比，君子不貴也。

程端禮《畏齋集》卷三《孫先生詩集序》 古詩三百，豈皆聖賢之筆哉？庸夫匹婦之辭往往雜出乎其間。然更千百年莫有過焉者，豈非以其本乎情而得其自然之妙哉？夫古人之心易直而質確，故其形於言也，簡淡而和平，忠厚而慮深；故其寓夫意也，婉娩而悠長，不求其工，而發乎情之不得已。是以命辭不勞而自成，不思而自得。嗟嘆淫佚而諷詠之際，善者有以興起善心，惡者有以懲創逸志。故自天子至於庶人，必用之而不可缺也。孔子曰「興於詩」，又曰「邇之事父，遠之事君」，蓋有賴焉！後世之詩，辭非不正也，旨非不深也，趣非不遠也，率不過剽竊陳言，綴緝綺語，以誇一時而覬後譽。甚至擁被而卧三年而得一聯者，窮畢世之力而遂爲無用之物，言愈多而眩目，事愈繁而惑心。邵子所謂「刪後無詩」者，信哉！愚嘗究其末流之弊，以爲詩一變而爲騷，再變而爲五言，五言變七言，其後又變而爲律，琢而爲詞。故詩至七言而衰，律而壞，詞而絶矣。何則？騷作於屈子，雖其憂幽憤怨，有戾中和，然皆出於懇惻之誠。五言有梁昭明選，雖其去取不精，薰蕕雜植，猶平易而近古。若七言則或馳騁放肆，或刻巧不醇。以至乎詞，則輕浮淺薄，華靡淫蕩，不惟無用，又有以蠱人之性，故曰詩之絶也。然五言之近於古者，自淵明迄於李、杜而已。以韓、歐、蘇、黄之雄才，尚不離今人語，況其餘哉！夫以文華之士所尚如此，而詩體之變壞又如此，宜其愈工而愈無詩歟！

范梈《傅與礪詩集序》 孔子曰：「詩，可以興，可以觀，可以羣，可以怨。」朱氏釋曰：「興者感發志意，觀者考見得失，羣者和而不流，怨者怨而不怒。四者之事不同，而其序宜有先後，蓋見他日論《詩》、《禮》、《樂》，則首曰興於《詩》。詩者，志之所之，以其志感人之志者，孰不足以有所感發哉。然則興者，豈非吾先乎？感人之道莫尚乎聲音，人焉寂然泯然，忽而歆起，震奮動蕩，淪浹入之深而化之敏者，斯其效曷從而至哉！古人云：「聲音之道，與政通。」夫聲者，合天地之大氣，軋乎物而生焉。人聲之爲言，又其妙者，則其因於一時盛衰之運，發乎情性之正，而形見乎辭者可瞻已。故曰：「治世之音安以樂，其政和；亂世之音怨以怒，其政乖；亡國之音哀以思，其民困。」正得失，動天地，感鬼神，莫近於詩。夫詩道豈不博大哉？要其歸，主於詠歌感動而已。斯義也，司馬太史嘗聞之矣。其言曰：「《三百篇》，孔子皆弦歌之，以合《韶》《武》《雅》《頌》之音。」夫既合之，則當時存什一而去千百，必其不合者也。深矣哉！聲音之於政也，聖人蓋取之矣。

同恕《矩庵集》卷四《跋南山蘇明德詩後》 詩言志。盛治之世，教化洽，人心正，形於言者，類皆敦厚和平，理精義密，所以培植彝倫，綱紀風俗，功用不淺。此律一變，「興觀羣怨」之旨，披沙揀金矣。

朱思本《貞齋詩稿》卷二《詩序二篇》 蘇文忠公嘗謂：「人之爲文，須令氣象峥嶸，精彩絢麗，漸老漸熟，方造平淡。」其實不是平淡，乃絢麗之極。若徒見其平淡而便學此樣，則失之矣。

王旭《蘭軒集》卷一一《泰山詩會序》 夫名山大川有英靈之氣，惟詩人知之而得其助，他人蓋不知也。泰山巖巖，豈非英靈之所萃乎。於此而無詩，則非所以爲知者矣。

葉顒《樵雲獨唱後序》 六藝之文，唯詩最能感物動情。故詩有興，有比，能多識山川、草木、鳥獸、魚蟲之名，能關古今治亂、世教盛衰之運，能發忠臣義士懷邦去國、感慨嗚咽、悲壯幽憤之音，能起山人野叟遺世絶俗、曠逸放達、高蹈遠舉之趣。可謂樂而不淫，怨而不怒，居泉巖瀑不足助其清，奇花異卉不足妬其豔；⿰女農嬙嬌媚，敢望其閑遠貞淑之丰容；武夫豪雄，曷並此英毅堅剛之氣概。美矣哉！詩之德也。

周瑯《居竹軒詩集後序》 夫詩成乎音，音成乎聲，聲成乎氣，天之質也。氣成乎志，志成乎情，情成乎性，天之衷也。始乎天衷，放乎天質，詩之義也。夫天也者機也，機也者神也，機妙而感，神妙而應。夫人同也。是故詩也者，同則昭物，異則昭變，義之大也。眞之適也，而又何差焉。夫詩者風也，自《邶》以下多變聲也，聖人修經存而弗削，與《二南》、《雅》、《頌》比載而傳焉。昭異乎同，徵其天也。夫詩也，於其容與而暢焉，於其結約而舒焉，於其沖寂而恬焉，於其矜婉而戚焉，於其憤溢而激焉。同性也而情鍾矣，同情也而志萌矣，同志也而氣從矣，同氣也而聲倡矣，同聲也而音協矣，同音也而詩具矣。是故宇宙者一身也，古今者一息也。即詩之初，求詩之奧，其同者可以觀矣，又何泥焉。故曰：觀於谷而知籟也，觀於螽而知韶也，天之謂矣。

辛文房《唐才子傳序》 詩，文而音者也。【略】夫詩所以動天地，感鬼神，厚人倫，移風俗也。發乎其情，止乎禮義，非苟尚辭而已。遡尋其來，《國風》、《雅》、《頌》開其端，《離騷》、《招魂》放厥辭；蘇、李之高妙足以定律，建安之遒壯粲爾成家；爛熳於江左，濫觴於齊梁，皆襲祖沿流，坦然明白，鏗鏘愧金石，炳煥却丹青。

又卷二 故古詩之道，各存六義，然終歸於正，不離乎雅。【略】率以明白之操，徽美之誠，欲見於悠遠，寓文以宣情，含毫而見志，豈泛濫之故，使人擊節霑洒，彈指追念？

又卷八 嘗謂禪家者流，論有大小乘，有邪正法，要能具正法眼，方爲第一義，出有無間。若聲聞、辟支、四果，已非正也，況又墮野狐外道鬼窟中乎！言詩亦然。宗派或殊，風義必合。品則有神妙，體則有古今，才則有聖凡，時則有取舍。

黃溍《金華黃先生文集》卷三《題山房集》 孟子稱王者之迹熄而詩亡。夫詩生於心，成於言者也。今之有心而能言者，與古異耶？山謳水謠、童兒女婦之所倡答，夫孰非詩？彼特莫知自名其爲詩耳。或者幸能探幽發奇，使組繡之麗被於草木，是固知以詩自名而非孟子之所謂詩也。

又卷一八《蕙山愁吟後序》 古之爲詩者，未始以辭之工拙，驗夫人之窮達。以窮達言詩，自昌黎韓子、廬陵歐陽子始。昌黎蓋曰：「窮苦之言易好。」廬陵亦曰：「非詩能窮人，殆窮而後工耳。」自夫爲是言也，好事者或又矯之以詩能達人之説，此豈近於理也哉？《匪風》、《下泉》，誠窮矣。《鳧鷖》、《既醉》，未或有不工者。竊意昌黎、廬陵特指夫秦漢以來，幽人狷士悲呼憤慨之辭以爲言，而未暇深論乎古之爲詩也。

王禮《麟原集》卷五《吳伯淵吟稿序》 余兒時從師學詩，辱教之曰：「吾之道本乎性情，寓乎景物，其妙在于有所感發，苟無得于斯，不名爲詩。」因舉古詩優游不迫意在言外者，每夜諷咏數語，久之眞覺淘去塵俗，神思清遠，于是令錄《三百篇》中可興可怨者，及《離騷》而下，蘇李漢魏等作，沉潛誦玩，參以盛唐諸名家而止。常曰：「詩在山巔水涯、人情物態。故紙上踵襲非詩。」暇日率子弟徜徉臨眺，仰掇俯拾，無不可誦，然後戒以語忌俗，意忌陳，調忌卑，味忌短。小者不可使多，難者不可使近。得之悠然，挹之淵然，而詩在是矣。

又《魏松壑吟稿序》 詩大序曰：「在心爲志，發言爲詩。」傳曰：「志之所至，詩亦至焉。」三代古詩，何莫非其志之所之也。五言起於蘇李，其離別贈答，中情繾綣，藹然詞氣之表。下至晉隋，陸機之論詩則曰：「緣情而綺麗。」而文中子亦云：「詩者民之情性也。」故詩無情性，不得名詩，其卓然可得于後世者，皆其善言情性者也。

虞集《道園學古錄》卷五《李景山詩集序》 古之人，以其涵煦和順之積而發於詠歌，故其聲氣明暢而溫柔，淵靜而光澤。至於世故不齊，有放臣出子、斥婦、囚奴之達其情於辭者，蓋其變也，所遇之不幸者也。而後之論者乃以爲和平之辭難美，憂憤之言易工，是直以其感之速，而激之深者爲言耳。

又卷三一《飛龍亭詩集序》 古之言詩者，自其民庶深感於先王之澤而有所發焉，則謂之風。其公卿大夫，朝廷宗廟，賓客軍旅，學校稼穡，田獵宴享，更唱迭和，以鳴太平之盛者，則謂之雅。【略】傳曰：「言之無文，行而不遠。」詩者，文之最深；而風雅者，又詩之盛者也。

又卷三三《曹士開漢泉漫稿序》 以爲《三百篇》中，夫子獨取「秉彝好德」之章以爲知道，蓋非學問則不足以得其性情之正，未可以言詩也。其次則如唐杜子美之詩，或謂之詩史者，蓋可以觀時政而論治道也。

又卷三四《胡師遠詩集序》 《離騷》出於幽憤之極，而《遠遊》一篇，欲超乎日月之上，與泰初以爲鄰。陶淵明明乎物理，感乎世變，《讀山海經》諸作，略不道人世間事。李太白浩蕩之辭，蓋傷乎大雅不作，而自於無可奈何之表者矣。近世詩人，深於怨者多工，長於情者多美，善感慨者不能知所歸，極放浪者不能有所反。是皆非得性情之正。惟嗜欲淡泊，思慮安靜，最爲近之。然學有以致其道，思有以達其才，庶幾古詩人作者之能事乎？

又卷四五《會上人詩序》 古者，君臣賡歌於朝，以相勸戒，頌德作樂，以薦于天地、宗廟。朝覲宴享之合，征伐勉勞之恩，建國設都之役，車馬田獵之盛，農畝艱難之業，閨門和樂之善，悉托於詩，而其用大矣。至於亡國失家，放臣逐子，嫠婦怨女之感，淫瀆譏刺之起，而其變極矣。於是又有隱居放言之作，市井田野之歌，謠誦讖緯之文，史傳物色之詠，神仙術數之說，鬼神幽怪之語，其類尚多有之。而最善者，君子之道德，有乎其身，則發諸音而成文者，足以垂世立教，以成天下之務者也。上下千百年間，人品不同，所遇異時，所發異志，所感異事，極其才之所能，其可以一槩觀之也哉！浮圖氏之入中國也，不以立言語文字爲宗，於詩乎何有。然以其超詣特卓之見，擔節隱括以爲辭，固有浩博宏達大過於人者，則固詩之別出者也。而浮圖氏以詩言者，至唐爲盛。世傳寒山子之屬，音節淸古，理致深遠，士君子多道之。迺若舍風雲、月露、花竹、山水、琴鶴、舟笻之外，一語不措者，就令可傳，亦何足道哉？

又《元風雅原序》 詩之爲教，在乎性情，苟無得于斯，則其道謂之幾絕可也。

舊題虞集撰《虞侍書詩法・道統》 世皆知詩之爲，而莫知其所以爲；知所以爲者情性，而莫知所以情性。夫如是而詩遠矣。遠之幾不失乎？心之色爲情，天地、日月、星辰、江山、煙雲、人物、草樹，響答動悟，履遇形接，皆情也。拾而得之爲自然，撫而出之爲幾造。自然者厚而安，幾造者往而深。厚而安者，獨鶴之心，大龜之息，曠古之士，君子之仁；往而深者，清風淣淣而同流，素音于于而再往，乘碧景而詣明月，撫青春而如行舟，由之而得乎性。性之於心爲空，空與性等，空非離性而有，亦不離空而性，必非空非性，而性固存矣。令有人行綠陰風日間，飛泉之淸，鳴禽之異，松竹之韻，樵牧之音，互遇遞接，如別區宇，省揖備至，暢然無遺，是有聞性者焉，自是而盡世之所謂音者無不得之而於聞。性無一物分，復有欲求其所以聞之而性者，猶卽旅舍而覓過客，客者往之久矣。故取之非有其方，得之非觀其竅，惟翛然萬物之外，雲翠之深，茂林青山，掃石酌水，蕩滌神宇，獨適沖眞，猶春花胚胎，假之時雨，夫復不有一日性悟之分耶。集之一指，詩也。三造所以發學者之關鑰，十科所以別武庫之名件，四則條達規律，指述踐履。二十四品含攝大道，如載圖經。於詩未必盡似，品不必有似，而或者爲詩之尤，抑眞人而後知詩之眞，知詩之眞，而後知是一指之非眞，非眞之眞，備是一指矣。

揭傒斯《文安集》卷八《蕭孚有詩序》 夫爲政與詩同，心欲其平也，氣欲其和也，情欲其眞也，思欲其深也，紀綱欲明，法度欲濟，而溫柔敦厚之教常行其中也。

又《傅與礪詩集序》 天下文章莫難於詩。劉會孟嘗序余族兄以直詩，其言曰：詩欲離欲近。夫欲離欲近，如水中月，如鏡中花，謂之眞不可，謂之非眞亦不可。謂之眞，卽不可索；謂之非眞，無復眞者。

又《惟實外集序》 詩原諸性情，非漫然而作也。性發乎情，則言言出乎天眞；情止乎義禮，則事事有關名教。所謂「《關雎》好色而不淫，《小雅》怨君而不亂」，豈非以發乎性情而止乎禮義者歟？《三百篇》後有《離騷》，亦詩之變也。而屈子之《九歌》、《九章》等作，可以追十五國風，何哉？以其去古尙未遠耳。漢、魏、晉五言猶爲近古，至唐變而爲近體，若陳拾遺之《感遇》，李供奉之淸新俊逸，亦變而不失其正者。迨至杜少陵，勃然振興，光燄萬丈，可謂集詩人之大成，而忠君愛國之誠，往往發於咏歌，如《曲江》、《杜鵑》、《北征》諸什，情有所觸，感慨繫之，故雖光怪瑰奇，千彙萬狀，所賦各殊，而知爲少陵之意。李長吉之窮幽極遠，獨抒所見，而不出於長吉之心。故吾論楚奇之作，高處在陶、阮之間，非拘拘於文辭，言以性情言之也。其大父貴實之說，乃作詩之要，爲學之本，古今之通議，非余之所云云者。禾本所賦而言之也。所賦不同，所造自異，能移其所賦之偏，而歸之性情之正，惟學者能之。

譚景星《如空序》 以如空言，必釋者之辭。然如之義有三，空之義則一。如者自在解脫，不以物梏，無往不自如，又爲似之之辭，往之之義也。空者無所有焉，而無所於無也。以如於空而非空，不空以空也。不空於空，而如於空，中有不空者焉。當於是求之矣。夫惚兮恍而中有物，窈兮冥而中有精。茫乎於不見不聞之域，是爲無象之象，無精之精，萬物之甫也。人之謂性，而無所不知，無所不覺，以其有知有覺，而不自以其爲知，以其爲覺。泥於有而有其有，不知其爲無所有者，盍亦反其本而不有其有於無所有，而後於無所有而有其所有也。心者，身之宰也。小之則微塵不有，大之則六合不無。謂其無也，則有事物之能應。謂其有也，則無形迹之可求。謂空不可也，不空不可也。如空其庶乎？亦猶聲臭之在物也，有氣無形，最爲微妙，不可形擬，如空而無所於空者也，而吾有以空之，始能嗅能聞，而猶以無稱之。非不顯之妙，於斯爲至。上天之載，於是而極。子以釋氏之道，知空非空，而不動如如。應觀其不動者爲誰，則所謂如空者，不離乎此。

又《譚昭甫詩集序》 詩有無謂之謂，弗爲之爲。不爲緒使，不以物絃，不以事桎，欲自得之也。其惟無謂而後有所於謂，其惟弗爲而後有所於爲。無謂必不苟言，弗爲必知所擇。以其本根之所樹，晝夜之所息，則情之所至，意之所發，永言長歎，左右逢原，取而隨得。其或情以景勝，句以事牽，雕琢空虛，留連光景，則性之所具，必之所存，有梏亡之矣。

杜本《釋孤雲詩序》 蓋詩之在宇宙，若元氣之周流，凡有生之類莫不充滿。大之爲日月星辰、山嶽河海，小之爲草木花實、鳥獸蟲魚，無不各得其所。受而爲詩者，獨能攬結萬類之精微，以深寓夫理趣之所至，而增夫倫誼之則，可興可觀，可羣可怨，而詩之爲道，其庶幾矣夫。

馬祖常《石畋集》卷九《臥雪齋文集序》 夫人之有文，猶世之有樂也。樂之有高下節奏清濁音聲，及和平舒緩焦殺促短之不同，因以卜其世之休咎，象其德之小大。人之於文亦然，然不能強爲也。賦天地中和之氣，而又充之以聖賢之學，大順至仁，浹洽而化，然後英華之著見於外者，無乖戾邪僻忿懥淫哇之辭，此皆理之自然者也。非惟人之於文也，雖物亦然。華之大豔者必不實，器之過實者必不良。必也稱乎求乎稱也，則舍詩書六藝之文，吾不敢它求焉。

歐陽玄《圭齋文集》卷七《風雅類編序》 風雅之道，先王治天下一要務也。風卽風以動之之風，雅卽雅烏之雅，以其聲能動物也。本於邦國，播於樂府，薦於郊廟，以考風俗，以觀世道，尙矣。然惟其聲不必惟其辭，故有聲而無辭者有之，無聲而有辭者無有也。孔子論韶舞，本惟其聲。武王所遭遇與舜不同，世儒因其不同而優劣之，未必聖人意也。周衰，風雅道熄，既而聲音之學寖廢，無已而求言辭之間，則後世詩爲近。蓋其志氣之盛衰，意趣之高下，音節之淳漓，於風俗世道猶有可考者，是以君子有取也。

又卷八《梅南詩序》 詩得於性情者爲上，得之於學問者次之；不期工者爲上，求工而得工者次之。《離騷》不及《三百篇》，漢魏六朝不及《離騷》，唐人不及漢、魏、六朝，宋人不及唐人，皆此之以，而習詩者不察也。

湯彌昌《靜春堂詩集序》 作者以學而爲詩，匪直以詩爲學。《大學》援詩，參舉亟引，詠歎淫泆，使人興起于學。故知來起予，聖人許子夏、子貢者，詩與學一致也。學者詩之根底，詩者學之英華。培之深厚，則其發也沛然，緣英華可以探其根底。凡世之爲詩者，疏淺窘滯，迄莫能馳騁變化者，政坐學無源，猶行潦爾。

陳旅《安雅堂集》卷四《周此山集序》 風雅頌不作，詩之變屢矣。大抵與世相爲低昂，其變易推也。近世爲詩者，言愈工而味愈薄，聲愈號而調愈下，日鍛月鍊，曾不若昔時閭巷刺草之言，世德之衰一至於此。我國家以淳龎大雅之風，丕變海內，爲治日久，山川草木之間，五色成文，八風不姦。士生斯時，無事乎文章而其言自美，況以文章而歌詠雍熙之和者乎？

周霆震《石初集》卷六《張梅間詩序》 夫詩樂也，發於情也，情之類有七，隨其所發而形於言，故感人易入而入人深，曷嘗布置先後，若律令條格，秩然不可易哉！考之《三百篇》是矣。今之談者，往往承訛踵謬，轉相迷惑，沒溺而不自知。吁！其可駭也夫，其亦重可悲也夫。

楊維楨《東維子文集》卷七《吳復詩錄序》 古風人之詩，類出於閭夫鄙隸，非盡公卿大夫士之作也。而傳之後世，有非今公卿大夫士之所可及，則何也？古者人人有士君子之行，其學之成也尙已，故其出言如山出雲、水出紋、草木之出華實也。後之人執筆呻吟，模朱擬白以爲詩，尙爲有詩也哉？故摹擬愈偪而去古愈遠。吾觀後之橅擬爲詩，而爲世道感也，遠矣。間嘗求詩於摹擬之外，而未見其何人。

又《趙氏詩錄序》 評詩之品，無異人品也。人有面目骨骼，有情性神氣，詩之好醜高下亦然。風雅而降爲騷，騷降爲《十九首》，《十九首》而降爲陶、杜，爲二李，其性情不埜，神氣不群，故其骨骼不庳，面目不鄙。嘻，此詩之品，在後無尙也。下是爲齊梁，爲晚唐、季宋，其面目日鄙，骨骼日庳，其情性神氣可知已。嘻，學詩於晚唐季宋之後，而欲上下陶、杜、二李，以薄乎騷雅，亦落落乎其難哉！然詩之情性神氣，古今無間也。得古之情性神氣，則古之詩在也。然而面目未識，而謂得其骨骼，妄矣；骨骼未得，而謂得其情性，妄矣；情性未得，而謂得其神氣，益妄矣。

又《張北山和陶集序》 詩得於言，言得於志。人各有志有言以爲詩，非迹人以得之者也。東坡和淵明詩，非故假詩於淵明也，其解有合於淵明者，故和其詩，不知詩之爲東坡爲淵明也。涪翁曰：「淵明千載人，東坡百世士。出處固不同，氣味乃相似。」蓋知東坡之詩可比淵明矣。

又《郯韶詩序》 或問：詩可學乎？曰：詩不可以學爲也。詩本情性，有性此有情，有情此有詩也。上而言之，雅詩情純，風詩情雜；下而言之，屈詩情騷，陶詩情靖，李詩情逸，杜詩情厚。詩之狀，未有不依情而出也。雖然，不可學，詩之所出者，不可以無學也。聲和平中正，必由於情，情和平中正，或失於性，則學問之功得矣。或曰：《三百篇》有出於匹夫匹婦之口，而豈爲盡知學乎？曰：匹夫匹婦無學也，而遊於先王之澤者，學之至也。發於言辭，止於禮義，與一時公卿大夫君子之言同錄於聖人也，非無本也。

又**《郭義仲詩集序》** 詩與聲文始，而邪正本諸情，皇世之辭無所述問，見於帝世而備於《三百篇》，變于楚《離騷》、漢樂歌，再變于《琴操》五、七言，大變于聲律，馴至末唐季宋而其弊極矣。君子於詩可觀世變者類此。古之詩人類有道，故發諸詠歌，其聲和以平，其思深以長，不幸爲放臣逐子出婦寡妻之辭，哀怨感傷而變風變雅作矣。後之詩人一有嬰拂，或飢寒之迫，疾病之楚，一切無聊之窘則必大號疾呼，肆其情而後止。間有不然，則其人必有大過人者，而世變莫之能移者也。

又**《齊稿序》** 詩之厚者，不忘本也。先民情性之正，異乎今之詩人。曰某體六朝體、杜夔州、孟襄陽、李西崑也，安識所謂推本其自者哉？

又**《詩史宗要序》** 《詩》之教尚矣。虞廷載賡，君臣之道合；五子有作，兄弟之義彰。《關雎》首夫婦之匹，《小弁》全父子之恩，詩之教也，遂散於鄉人，采於國史，而被諸歌樂，所以養人心，厚天倫，移風易俗之具，寔在於是。後世風變而騷，騷變而《選》，流雖云遠，而原尚根於是也。魏晋而下，其敎遂熄矣。求詩者類求端序於聲病之末，而本諸三綱，達之五常者，遂棄弗尋，國史所資，又何采焉？及李唐之盛，士以詩命世者，殆百數家，尚有襲六代之敝者，唯老杜氏慨然起攬千載既墜之緒，陳古諷今，言詩者宗爲一代詩史。下洗哇婬，上薄風雅，使海内靡然沒知有《三百篇》之旨。議論杜氏之功者，謂不在騷人之下。噫，比世末學咸知誦少陵之詩矣，而弗求其旨義之所從出，則又徇末失本，與六代之弊同，余爲太息者有年。

又**卷一一《無聲詩意序》** 東坡以詩爲有聲畫，畫爲無聲詩。蓋詩者心聲，畫者心畫，二者同體也。納山川草木之秀，描寫于有聲者非畫乎？覽山川草木之秀，叙述於無聲者非詩乎？故能詩者必知畫，而能畫者必知詩，由是道無二致也。

王沂《伊濱集》卷一六《隱軒詩序》 言出而爲詩，原於人情之眞，聲發而爲歌，本於土風之素。方其未有詩與歌也，豈無言若聲哉？尙而《擊壤》、《康衢》之謠，降而越棹謳、楚春相，情有感發，流自性眞，又若遼、交、涼、薊，生而殊言，靑、越、函、胡，聲亦各異，於是有唐儉、魏陋、衛靡、鄭淫，蓋有得於天地之自然，莫之爲而爲之者矣。

周伯琦《東皋先生詩序》 古人謂：「詩文蓋言之精者也。」故能詩必能文，合是二者，可謂能言之士矣。然竊怪世之能言者，達而在上恆少，窮而在下恆多。豈山林窮困之士，業專志勤，故其工於辭者衆，爵祿宦達之士，意盈氣逸，故其工於辭者寡歟？不然，何言之工拙，士之窮達異也？有能陟貴顯而肆力於辭章，思欲與布衣韋帶專門名家之作者較其得失短長，馳騁上下，斯不亦難矣哉！

俞焯《成性齋文集序》 自采詩之政廢，而詩之美刺以微。晋漢以來非無作者，往往有以情性之正，而終不能粹然一出于古，純然以復其初。

李祁《雲陽集》卷三《長留天地間集序》 天地之秀，合而爲人，人之秀，發而爲詩。詩之道，固與天地相流通也。《康衢》《擊壤》以來，世之能爲詩者，其人既皆與草木同化，而其詩則存。其詩存，則其名存，其名存，則其人固未亡也。

又**卷一〇《跋蕭如岡詩》** 詩貴眞實。不眞實，不足以言詩。古人之詩，雖縱橫自恣，不事拘檢，而皆實情實景。是以千百載而下，誦之者如親見其人，親目其事。蓋實情實景，人心所同，貫古今如一日者也。

倪瓚《清閟閣全集》卷一〇《謝仲野詩序》 《詩》亡而爲《騷》，至漢爲五言，吟咏得性情之正者，其惟淵明乎？韋、柳沖淡蕭散，皆得陶之旨趣，下此則王摩詰矣，何則？富麗窮苦之詞易工，幽深閒遠之語難造。至若李、杜、韓、蘇，固已烜赫焜煌，出入今古，踰前而絶後，校其情性有正始之遺風，則間然矣。

蔣易《鶴田蔣先生文集》卷下《徐長卿望鄉詩序》 《詩·大序》曰：「情發於聲，聲成文謂之音。」又曰：「情動於中，而形於言，言之不足，故嗟嘆之；嗟嘆之不足，故永歌之；永歌之不足，不知手之舞之，足之蹈之也。」蓋嘗因是以求《三百篇》之作，或喜而歌，或哀而怨，有美有頌，有風有刺，莫匪眞情之所發，而世之治亂、政之得失皆於是而見。孔子曰：「詩可以興，可以觀，可以群，可以怨。」「邇之事父」，則爲孝子；「遠之事君」，則爲忠臣。此《詩》之所以爲教，而非後世流連光景、風雲月露、無情悲喜者所可同日語也。

又**《藍澗詩集序》** 詩何從而生也？毓兩儀之和，鍾五行之秀，其材散於六合之內，其理具於方寸之中。善詩者若大將之調兵，戈矛劍戟殳鎗弧弓惟所用，知愚勇怯仁信狙詐咸作，使運籌帷幄制勝廟堂者存乎其人，至於除暴亂，清海寓，威蠻貊，致隆平，而將之功成矣。在天者日月星辰、風雲雷電、雪霜雨露，河漢虹霓，在地者山川草木、城郭宮室，鳥獸之蜚走，蟲魚之鳴躍，或以賦，或以興，於以頌成功，詠太平，陳美刺，紓怨怒，而凡六合之內，具形色，含聲音，耳目之所接，心思之所運，觸於外而感於內，動於中而形於言者，和平典雅而不失性情之正，則詩之道得矣。故嘗謂騷壇之將握機運智，而風雲月露任其指揮，山川草木受其節制，凡而蟲魚鳥獸皆行伍之卒徒，形於歌詩，播於聲韻，與夫天下之理亂，生民之休戚，悉於是著焉。

傅若金《傅與礪文集》卷四《鄧林樵唱序》　自《騷》、《雅》降，而古詩之音遠矣。漢、魏、晉、唐之盛，其庶幾乎？時之異也，風聲氣習，日變乎流俗，陵夷以至於今，求其音之近古，不已難哉！

又《歐陽斯立詩序》　詩本性情爲辭者也，古之聖人以成政教。余嘗恨今之詩不復古矣，而其人性情豈異哉？昔者孟子對齊宣王曰：「今之樂猶古之樂。」取其所本云爾。余以謂今之詩亦猶古之詩也，故夫善言詩者，不徒以其辭而以其所本。所本正矣，辭或未工，不害其爲教。本失其正，辭雖工，何益哉？

又卷五《贈魏仲章論詩序》　苟不足其所已能，而必之通都大邑、文物之會，求名人而私淑之，斯學之善者也。審能是，進於道矣，況文辭乎？詩之道，本諸人情，止乎禮義，古之人非盡學而能者。《三百篇》雖曹、鄶小國之風，聖人取之，亦奚必通都大邑之求哉？然吾聞古之時，淳俗未去，人知禮義，其性情無大相遠，則其言詞固相近也。故雖塗歌里詠，在今之學士大夫且有不能幾其語者，而不學可乎？學也而不求諸其上，可乎？

朱善《朱一齋先生文集》卷四《鄭仲持摘阮詩序》　物生天地間，有氣而後有形，有形而後有聲。聲之發也，有清濁高下疾徐疏數之節，而音出焉。凡音之起，由人心生也。心有喜怒好惡憂樂之不同，而音有噍殺慢易粗厲邪散廉直肉好之或異。故聲音之妙，至於動天地，感鬼神，豈直可以娛悦心志而已哉？

吳海《聞過齋集》卷七《書張原霆文集後》　世俗爲文，務辭勝而已，然多不根於理，豈古人立言之意哉？吾輩幸生濂、洛諸儒之後，聖賢之道大明，於是爲文而不根於理，則亦無足觀已。

左克明《古樂府》卷一《古歌謠辭》　上古帝王之世，德化下洽，民樂無事。故擊壤之老人，康衢之童子，與夫卿雲之瑞，南風之時，民莫不因之而成歌。其後風衰雅缺，而妖淫靡曼之聲起。至周衰，有秦青，復有韓娥，衛之王豹，齊之綿駒，皆稱善歌，世傳其能。然並徒歌也。《爾雅》曰：「徒歌謂之謠。」《廣雅》曰：「聲比於琴瑟曰歌。」《韓詩章句》云：「有章曲謂之歌，無章曲謂之謠。」梁元帝《纂要》云：「齊歌曰謳，吳歌曰歈，楚歌曰豔，浮歌曰哇，振旅而歌曰凱歌，堂上奏樂而歌曰登歌，亦曰升歌。」漢時有相和歌，本出於街陌謳謠，而吳歌雜曲，始亦徒歌，後入於樂府。故歌有因地而作者，《易水》、《垓下》之類是也；有因人而作者，《五子》、《華元》之類是也。寧戚以困而歌，項籍以窮而歌，鄭子產、孔子、漢張堪、皇甫嵩、郭喬卿，俱取其政治而歌。雖所遇不同，至於發乎情，則一也。

楊士弘《唐音序》　夫詩莫盛於唐。李、杜文章，冠絶萬世。後之言詩者，皆知李、杜之爲宗也。至如子美所尊許者，則楊、王、盧、駱；所推重者，則薛少保、賀知章；所讚詠者，則孟浩然、王摩詰；所友善者，則高適、岑參；所稱道者，則季友。若太白登黄鶴樓，獨推崔顥爲傑作；遊郎官湖，復歎張謂之逸興；擬古之詩，則彷彿乎陳伯玉。古之人不獨自專其美，相與發明斯道者如是，故其言皆足以沒世不忘也。【略】嗟夫，詩之爲道，非惟吟詠性情，流通精神而已。其所以奏之郊廟，歌之燕射，求之音律，知其世道，豈偶然也哉。

張端《北郭集序》　詩爲吟詠性情作也，例以刪後無詩可乎？今人之詩與古人之詩異，詩人之詩與文人之詩異，然詩而不以文爲法，則又戾于古也邈矣。世之名公鉅儒，騷人墨客，傷人感懷，物情景態，吟詠之間，一唱三歎而不足，自非胸中有文者，疇克爾耶。

烏斯道《春草齋集》卷三《松下小稿序》　詩之作，非得夫天地之清氣者不能也，然汩於富貴貧賤，羈旅勞役，一發於歡欣悲怨之音，而盡夫清氣者或寡。清氣得矣，非靜而專，又未見其詩之工也。惟浮屠氏寄身閒寂，無外慕膠於中，其爲詩，必全夫清氣而又靜專，宜有以異於人也。

釋來復《澹國公張蛻庵詩序》　嗚呼！詩豈易言也哉。《大雅》希聲，宮徵相應，與三光五嶽之氣，並行天地間。一歌一詠，陶冶性靈，而感召休徵，其有關於治教，功亦大矣。然自刪後，至於兩漢，正音猶完。建安以來，寖尚綺麗，而詩道微矣。魏晉作者雖優，不能兼備諸體。其鏗鍧軒昂，上追風雅，所謂集大成者，惟唐有以振之，降是無足采焉。

又《翰林李叔荆詩集序》 詩本乎性情，而議論末也。蓋詩於天地間，其聲與氣往往有關乎世運之盛衰，治道之通塞，恆由得乎性情之正，渾然天成，殆非執筆忖度模倣而爲之也。故其哀樂怨刺，言出乎口，聲入乎耳，使讀之者感勵奮發，沛然不能自已。此無他，聲與氣有以動之也。古之作者豈獨騷人才子爲然，下至小夫賤隸，出妻怨女，皆能賦之，觀其詞達情暢，初何較格律之工拙爲哉。

劉楚《陶德嘉詩序》 詩本人情而成於聲，情不能以自見，必因聲以達，故曰言者心之聲也。聲達而情見矣。夫喜怒哀樂，情也，而各有其節焉。清濁高下，聲也，而各有其文焉。情而無所節也，聲而無所文也，則不得以爲言矣，而況於詩乎。

又《劉以震詩序》 夫聞師曠之琴瑟者，知其非下俚之音，觀昆山之璞玉者，知其非泥塗之質。蓋其美也必有所自鍾，其和也必有所自發，而況於詩乎。余嘗求漢唐以來迄今作者之詩，因以觀其人。凡其人之美惡邪正、窮達修短若是乎其不齊也，而其詩亦往往因之以見，而莫之遁焉。

周砥《分韻詩後序》 夫詩發乎性情，止乎禮義，非矯情而飾僞也。嗟夫！王者迹熄而《詩》亡，然後《春秋》作矣。寥寥數千載下，晉有陶處士焉，蓋靖節於優遊恬澹之中，有道存焉。所謂得其性情之正者矣。

佚名《詩家一指外篇》 乾坤之清氣，性情之流至也。有氣則有物，有事斯有理。必先養其浩然，存其眞宰，彌綸六合，圓攝太虛，觸處成眞，而道生於詩矣。詩猶禪宗，具摩醯眼，一視而萬境歸元，一舉而群魔蕩跡，超言象之表，得造化之先。夫如是，始有觀詩分。觀詩，要知身命落處，與夫神情變化，意境周流，亘天地以無窮，妙古今而獨往者，則未有不得其所以然。由是可以明「十科」，達「四則」，該「二十四品」，觀之不已，而至於道。失求於古者，必法於今；求於今者，必失於古。蓋古之時，古之人，而其詩如之。故學者欲疏鑿情塵，陶汰氣質，遣其迷妄，而反其清眞。未有不如是，而得其所以爲詩者。初學下手處，先須明徹古人意格、聲律，其於神境事物，邂逅嚮折，得其全理於胸中，隨寓唱出，自然超絕。若夫刻意創造，終虧天成；苟且經營，必墮凡陋。妙在著述之多，而涵養之深耳。然當求正於宗匠名家之道，庶幾可以橫絶旁流矣。

張以寧《翠屏集》卷三《包與直雲泉漫稿序》 古之以文與詩名者，豈漫然爲之哉。譬猶雲出於山，布護蜚揚，膚寸而施澤於八荒。泉發於地，汪洋澎湃，百折而達匯於四海，其根本盛且大也。苟不能然，吹塵埃野馬之游氛，道蹄涔汗瀆之流潦，則亦忽然而泯，暫然而止矣，彼且惡所成哉！大抵不厚其養，奚敏而長？不豐其殖，奚碩而實？蓋古之名能詩文者，莫不皆然。

又《李子明舉詩集序》 文孰難？曰：詩難。何難爾？《詩》，《六經》之一也。《詩》已刪，無詩矣！非無詩也，有詩焉，不古也。古其詩奈何？非徒古其詞爾。詩者，性情之發也。性情古，則詩古矣；性情不古，欲詩之古焉，否也。古之君子，仁義忠信焉耳矣。學焉者，淑乎一己以古於身，仕焉者，行乎一世以古於人者，純其心焉耳矣。其心純，則其性情正，其性情正，則其發於詩也，不質以俚，不靡以華，淵乎其厚以醇。《記》曰「一唱而三歎，有遺音者矣」，於古也其庶乎。

又《秋野圖序》 畫與詩同一妙也。昔之善詩者必善畫，自唐王摩詰諸名人皆然。不寧惟是，凡知詩者必知畫。蓋其人品之超邁，天機之至到，脱略於形似之粗，領略於韻趣之勝，其悠然有會於心者，固不異而同也。

又《桐華新稿序》 昔者王道盛而《雅》、《頌》興，帝功成而樂章作。世隆，詩道固從而隆也。我元德邁於周漢，覆載之内，血氣之倫，仁涵義浹，百有廿年於茲矣。士之沐浴膏澤，詠歌泰和，若蟄之於雷，奮不可遏，則詩焉而復古之道也宜哉。

又《草堂詩集序》 聲由人心生，協於音而最精者爲詩。縉紳於臺閣而詩者，其神腴，其氣縟；布韋於草澤而詩者，其神槁，其氣涼。故昔之善覘人之榮顇豐約者，類於是乎見，蓋得於天者則然，豈人之所能強者哉！

錢宰《臨安集》卷五《長嘯軒記》 夫人心之感於中而發於外，必著見於顔色，充滿於神氣，簸揚於聲音間，不可得而遏也。然而顔色之著，神氣之充，或不足以盡攄其所蘊蓄，惟聲之發於口也，抑揚宣暢，慨歎而不能自已，故其心之所感，莫不消融蕩滌，神安氣平，顔色之和咸復其常焉。昔者舜歌《南風》，漢高歌《大風》，武帝歌《秋風》，與夫屈之騷，宋之賦，賈生、司馬相如、揚子雲輩之所述作，莫非有動於中而後發。然此皆著之言辭者也，若夫諸葛孔明、孫登、阮籍，則不假言辭，但長嘯以發其胸中耿耿者，其快然自得何如也！

危素《說學齋稿》卷二《武伯威詩集序》 詩之作，夫焉有格律之可言，發乎情，止乎禮義而已。王澤久熄，世教日卑，於是代變新聲，益趨於浮靡，何能有以興起人之善心，懲創人之逸志也哉！故共城邵子曰：「刪詩之後，世不復有詩矣。」余讀邵子自序其《擊壤集》，深有感於斯言也。蓋嘗欲傚其體而爲之，又退而思邵子之爲邵子，其始學也，冬不鑪，夏不扇，夜不就席者數年，將以去己之澤，久而玩心於高明，知天地之運化，陰陽之消長，至於安且成。必造乎此，而後邵子可幾也。區區模擬其文字語言之末，則豈希聖希賢之道乎？

梁寅《梁石門先生集》卷二《江西貢院唱和詩序》 余觀古詩之作也，必有爲而作，皆足以興起夫人心焉。故《定之方中》爲營室也，《泮水》爲興學也，《干旄》爲見賢，《伐木》爲燕朋友也。若是者，人心之興起宜矣。

胡翰《胡仲子集》卷三《書聽香亭集句後》 吾居山中，觀於山之群木，霜露既降，榮者變衰，衰者搖落。其皭然而特妍，瑩然而有韻者，惟梅而已耳。當其山空歲寒，積雪澄霽，玉樹珠英，萬熒的皪，雲階月地，境於世別。其羅浮邪？姑射邪？起而視，瞑而坐，噫氣鼓而芬芳發，虛徐而來，悠揚而逝，澹而不穠，徵而不烈，冉冉歙歙，觸之而非無，挹之而不可得，倏焉而襲人，灑焉而毛髮俱爽，肝膽洞徹。吾不知鼻之爲耳，耳之爲目，果有聽乎？果無聽乎？吾不知情之爲性，性之爲眞，果有待於言乎？果無言乎？抑莊生所謂身融者乎？神凝者乎？不知宇宙之大，古之爲今，今之爲古也。何遜也，林逋也，彼亦一也，此亦一也。顧凡作者之殘膏賸馥，皆吾咳唾也。吾嘗咀天地之粹，飲天地之和，探其精而玩其頤矣。陰陽相爲消息，陰爲冬爲殺，陽爲春爲生。而是梅也，得春於冬，變殺爲生，其孰權輿是乎？古所謂太極之妙者，亦有不能已者乎？固無聲無臭矣，而全體豈不呈露乎？

又卷四《缶鳴集序》 物生而形具矣，形具而聲發矣。因其聲而名之，則有言矣；因其言而名之，則有文矣。故文者，言之精也，而詩又文之精者，以其取聲之韻，合言之文而爲之也，豈易也哉！近之於身，遠之於物，大之於天地，變之爲鬼神，與凡古今治政民俗之不同，史氏之不及具載者，取而詠歌之、載賡之，不費辭而及乎形容之妙、比興之微。若是者，豈非風雅之遺意哉，宜君子有以取之。

又《屠先生詩集序》 古詩變而爲《選》，《選》變而爲律，雖有作者，恆窘於聲偶研揣之間，患不足馳騁以極乎人情物理之妙。觀於先生春容密栗，得之自然，時涉恢奇，不失乎當，能發古人之所未言，而悉吾意之所欲言，乃知先生昔者巧力之喻，於今見之矣。夫詩者，所以言乎其志也。先生之志不伸於當代，豈遂泯而不白於後世乎？

又卷八《童中洲和陶詩後跋》 陶徵士之高節，非晉宋人比也。讀其詩者，未嘗不悠然想見其蕭散冲澹之趣。故世慕之，如韋應物之擬作，蘇子瞻之和篇，往往不絕。余意欲與之角，顧縻於世之塵鞅，敝於末習之襞積，未能脱去。今中洲是集，何是駸駸逼人若是哉！蓋兼取二家，而寤寐乎柴桑栗里之間者，可謂好之篤而思之精矣。其有不合於古者乎？抑古之比興，非以能言爲妙，以不能不言者之爲妙也。此所謂發乎情也。大音在天地，流被萬物，前者唱于，後者唱喁，果孰使之？中洲之發乎情者，亦將若是乎？雖尚友千載可也。

宋濂《宋學士文集·翰苑前集》卷八《白雲稿序》 劉勰論文有云：「論說辭序，則《易》統其首；詔策章奏，則《書》發其源；賦頌歌讚，則《詩》立其本；銘誄箴祝，則《禮》總其端；紀傳文檄，則《春秋》爲之根。」嗚呼，爲此說者固知文本乎經，而濂猶謂其有未盡焉。何也？《易》之《彖》、《象》，有韻者即詩之屬；《周頌》敷陳而不協音者，非近於《書》歟？《書》之《禹貢》、《顧命》，即序紀之宗；《禮》之《檀弓》、《樂記》，非論說之極精者歟？況《春秋》謹嚴，諸經之體又無所不兼之歟？錯綜而推，則《五經》各備文之衆法，非可以一事而指名也。蓋蒼然在上者，天也；天不能言而聖人代之。經乃聖人所定，實猶天然，日月星辰之昭佈，山川草木之森烈，莫不繫焉覆焉，皆一氣周流而融通之。苟欲強索而分配，非愚則惑矣。夫經之所包，廣大如斯，世之學文者，其可不尊之以爲法乎！

又《翰苑後集》卷二《皇明雅頌序》 《皇明雅頌》者，鄱陽劉仔肩之所集也。其曰雅頌者何？雅者，燕饗朝會之樂歌；頌則美盛德、告成功於神明者也。今詩之體與雅頌不同矣，猶襲其名者何？體不同也，而曰賦、曰比、曰興者，其有不同乎？同矣而謂體不同者何？時有古今也。時有古今也，奈何今不得爲古，猶古不能爲今也。今古雖不同，人情之發也、人聲之宣也、人文之成也，則同而已矣。然則曷爲謂之同？江河沼沚有不同也，水則同；陵巒岡阜有不同也，土則同；人動乎物有不同也，感則同。趍其同而捨其異，是之謂大同。曷爲知其爲大同？期歸於道焉爾。歸於道焉爾者何？世之治，聲之和也。聲之和也奈何？天聲和於上，地聲和於下，人聲和於中，則體信達順至矣。體信達順其亦有應乎？曰：有。三秀榮、朱雀見、龜龍出、騶虞至、嘉禾生，何往而非應也！應則烏可已也，烏可已，則有作爲雅頌，被之弦歌，薦之郊廟者矣。是集之作其殆權輿者歟？

又《朝京稿》卷五《林氏詩序》 君子之言，貴乎有本，非特詩之謂也。本乎仁義者，斯足貴也。周之盛時，凡遠國遐壤窮閻陋巷之民，皆能爲詩，其詩皆由祖仁義可以爲世法，豈若後世學者資於口授指畫之淺哉！先王道德之澤，禮樂之教，漸於心志而見於四體，發於言語而形於文章，不自知其臻於盛美耳。王澤既衰，天下覩古昔作者之盛，始意其文皆由學而後成，於是窮日夜之力而竊擬之，言愈工而理愈失，力愈勞而意愈違，體調雜出而古詩亡矣。非才之不若古人也，化之者不若而無其本也。惟夫篤志之士，不係於世之汙隆，俗之衰盛，獨能學古之道，使仁義禮樂備於躬，形諸文，辭能近於古，則君子多之。然亦鮮矣；至於今，又鮮也；求之嶺海之陬，又鮮也。

又《馬先生歲遷集序》 士之生斯世也，其有蘊於中者，必因物以發，譬猶雲既滃而靈雨不得不降，氣既至而蟄雷不得不鳴。雖其所發有窮達之殊，而所以導宣其堙鬱，洗濯其光精者，則一而已矣。是故達而在上，其發之也：居廟朝，則施於政事；謀軍旅，則行於甲兵；嚴上下、和神人，則見於禮樂；交鄰國，則佈於辭命。或窮而在下，屈勢與位，不能與是數者之間，則其情抑遏而無所暢，方壹假詩以洩之。詩愈多則其人之愈窮也可知矣。

劉基《誠意伯文集》卷七《項伯高詩序》 言生於心而發爲聲，詩則其聲之成章者也。故世有治亂，而聲有哀樂。相隨以變，皆出乎自然，非有能彊之者。是故春禽之音悅以豫，秋蟲之音悽以切，物之無情者然也，而况於人哉！

宋訥《西隱集》卷六《〈唐音緝釋〉序》 詩人立言，雖吟詠性情，其述事多索古喻今，或感今思古。其寫景則所歷山川原隰風土人物之異，所見則昆蟲草木風雲月露之殊，各萃於詩。至於詩人居臺閣列朝廷者，所歷所見，莫非城觀宮闕之雄，典章文物之美，器械車馬之壯，華夷會同之盛，殆非山林所歷所見可概論也。然詩之體有賦有比有興，觀體可得而見。詩之音清濁高下疾徐疏數之節，與夫世之治亂、國之存亡，審音可得而考。若夫事之所述，景之所寫，非博極群書，窮搜百家，未易析其事，辨其景也。詩豈易觀哉？唐虞賡歌，《三百篇》之權輿，其來遠矣。漢魏而下，詩載《文選》。《選》之後莫盛於唐，唐三百年，詩之音幾變矣。文章與時高下，信哉！

劉三吾《劉坦齋先生文集》卷二《贈羽士高若虛序》 《詩》有聲樂部分，《風》、《雅》、《頌》所繇，以別閨門、鄉郿、郊廟，朝廷所資以用。卒之，詩言其志也；永之，歌詠其聲也；形之，舞動其容也。三者本於心，然後樂器從之。樂則安，安則久，久則天，天則神，是謂天地之齊、中和之紀。古之聖人所以格神人、和上下、美教化、移風俗，率不外乎是道也。秦楚之謳、巴渝之舞、涼伊之伎、末世之哇，俚甚矣。

朱右《白雲稿》卷四《西齋和陶詩序》 詩者，發乎情也。情則無僞，故莫不適於正焉。古詩《三百篇》，其間邪正、憂喜、隱顯雖不同，而溫柔敦厚之教，無惑乎後人。聖人刪正之，且曰《雅》、《頌》各得其所，豈欺我哉？自夫王澤既息，《大雅》不作，郢騷之怨慕，長門之幽思，李陵、蘇少卿之離別，曹、劉、鮑、謝之風諭，亦足以傳誦者，各適其情而已爾。陶淵明當晉祚將衰，欲仕則出，一不獲志，則幡然隱去。夫豈有患得失之意與？故其發於言也，清而不肆，澹而不枯。後之人雖竭力倣效而不可得，趣不同也。蘇子瞻方得志爲政，固未始尚友淵明；逮其失意，廼有和陶之作，豈其情也耶？予嘗竊有憾焉。

又《交山文集叙》 或問立言，曰：言以理帥，以氣行，不由此者，妄也。氣與理相會，渾渾乎發乎聲文，深於言者也。故曰言之無文，行而不遠。言其可易忽哉？言者心之著，非言無以知其中之存者；言者事之樞，非言無以知其政之尚。言其可誣哉？是故言政以懇知其忠，見於政也義而固；言祥以和知其孝，見於政也仁而洽；言清以要知其靜，於政也無爲而不爭；言大以醇知其聖，於政也王而治；言深以確知其彊，於政也伯而不久；言勤而不怨知其基，於政也興；言思而不懼知其離，於政也降。此古昔先民之所以垂教，蓋殊塗而同歸也。立言不既難乎？

王褘《王忠文公文集》卷二《朱元會文集序》 君子之於文，止於理而已矣。是故理明則氣充而辭達。氣也者，理之寓也；辭也者，理之載也。孔子曰：

「辭達而已矣。」孟子曰：「我善養吾浩然之氣。」氣至於浩然，辭至於達，皆理之明致之也。苟爲文者不明諸理，而徒欲驅駕以氣，馳騁以辭，氣有不餒而辭有不躄者，未之有也。故曰：文以理爲主，理明矣，氣不求充而自充，辭不求達而自達，而始足以言文矣。

又卷四《黃子邕詩集序》 予嘗論之，三百篇之《詩》，其作者非一人，亦非一時之所作。而其爲言，大抵指事立義，明而易知，引物連類，近而易見，未嘗有艱深矯飾之語，而天道之顯晦，人事之治否，世變之隆污，物理之盛衰，無不著焉。此詩之體所以爲有繫也。後世之言詩者不知出此，往往惟衒其才藻，而漫衍華縟奇詭浮靡之是尚，較姸蚩工拙於辭語間，而不顧其大體之所繫。江左以來，迄于唐宋，其習皆然，是其爲弊固亦非一日矣。

又卷一三《書段吉甫先生示甥詩後》 夫詩之感人者，非感之者之爲難，乃不能不爲之感者爲難也。是故發於情而形於言，故曰詩。情之所發，誠則至焉。誠之所至，其言無不足以感人者。惟夫能知其可感而有感，奮發懲創而不能自已焉，斯又不易能矣。

劉崧《槎翁文集》卷九《陶德嘉詩序》 詩本人情而成於聲。情不能以自見，必因聲以達。故曰「言者，心之聲也」，聲達而情見矣。夫喜怒哀樂，情也，而各有其節焉。清濁高下，聲也，而各有其文焉。情而無所節也，聲而無所文也，則不得以爲言矣，而況於詩乎？

又《鍾祥詩集序》 昔人謂「詩能窮人」，信然乎哉？將詩必窮，而後工也，則窮之於人，必有不苟焉者矣。

唐桂芳《白雲詩集》卷七《江村詩會跋》 傳曰：君子以文會友。未聞詩會之爲說也。言之精者爲文，文之精者爲詩。詩文果可岐而二之乎？《三百篇》經聖人刪定，有不容喙。《栢梁》聯句，庶幾乎賡歌之遺意。下至蘭亭，王羲之、謝安四十二人，獨獻之等罰酒，以詩不成。太白《叙宴桃李園》曰：「詩不成，罰依金谷酒數。」古人陶寫性情，其成也適然爾，不成不害其爲高。奚事營度口吻，欲以相壓如侯喜者，益可悲焉。

林弼《林登州集》二三《書黃誠甫言志賦後》 《詩》爲《離騷》之宗，而《離騷》又爲辭賦之宗。詩言志也，騷若賦，亦各言爾志也。古之君子，道與時違，志不獲逞，率托於言，以舒其憂而泄其憤。自屈氏以來，作者非一矣，然惟知道者爲能，不怨不尤，以不失其志之正。

又《跋豐城航溪朱光孚詩集後》 詩本人情，情眞則語眞。故雖不假琱琢，而自得溫柔敦厚之意。

蘇伯衡《蘇平仲文集》卷四《古詩選唐序》 詩之有風、雅、頌，賦、比、興也，猶樂之有八音、六律、六呂也。八音、六律、六呂，樂之具也；風、雅、頌、賦、比、興，詩之具也。是故樂工之作樂也，以六律、六呂而定八音；詩人之作詩也，以賦、比、興而該風、雅、頌。但詩人作詩之初，因事而發於言；不若樂工作樂之初，先事而爲之制焉耳。於戲！韶簫也，大夏也，大武也，以至於秦、魏、齊諸國，其樂之作也，陳之以八音，和之以律呂，未嘗不同也，而其音則未嘗同也。商也、周也、魯也，以至於邶、鄘、衛諸國，其詩之作也，經之以風、雅、頌，緯之以賦、比、興，未嘗不同也，而其音則未嘗同也。樂音之有治、有忽，不係八音、六律、六呂，而係世變；詩音之有正、有變，係風、雅、頌、賦、比、興而不係世變哉？夫惟詩之音係乎世變也，是以大、小雅，十三國風出於文、武、成、康之時者，則謂之正雅、正風；出於夷王以下者，則謂之變雅、變風。風、雅變而爲騷、些，騷、些變而爲樂府、爲選、爲律，愈變而愈下。不論其世而論其體裁，可乎？

又卷五《張潞國詩集序》 夫文辭之盛衰，固囿於世運；而世運之盛衰，亦於文辭焉見之。然則誦其詩而欲知其人，可不尙論其世乎？【略】文章、世運，固迭爲盛衰者與？抑觀漢、唐以來，凡以文鳴者，際乎天地之運之盛也，其制述乃有治古之風。逮夫光嶽分裂，皆靡然若緒風之泛弱卉，不有作者不能自振焉。

又《雁山樵唱詩集序》 言之精者之謂文，詩又文之精者也，夫豈易爲哉？然古詩《三百篇》有出於小夫、婦人。小夫、婦人而可與能，則又若無難者，是何歟？《大序》不云乎：「詩者，志之所之也。在心爲志，發言爲詩。」有是志則有是詩。譬如天地之間，形氣相軋而聲出焉，蓋莫之爲而爲者，夫何難之有？自古詩變而爲選，選變而爲律，天下之爲詩者，不必皆本乎志。驚於茫昧之域，窘於聲偶研揣之間，取聲之韻合言之所至而徒模擬以爲工，而欲馳騁以盡夫人情物理之妙，宜其愈難哉！是故知詩之作，在言其志，則可謂善於詩者矣。

羅性《羅德安文集》卷二《征南詩集序》 傳曰：「聲成文謂之音。」又曰：

「發乎情，止乎禮義，先王之澤也。」夫和平怨怒之音，實關乎治亂興衰之判。詩之爲道，大矣哉。

李昱《草閣集》卷一《咏古十四首》 吾觀《詩》三百，豈徒正而葩。其言本情性，反覆成詠嗟。《二南》廼其端，列國多淫哇。洋洋雅與頌，製作功尤嘉。善者固敦厚，惡者亦紛拏。聖人示我要，蔽以思無邪。

妙聲《東皋錄》卷中《三吴漁唱集序》 古者，詠歌謠咢之辭，多出於草野，所以寫其悲憂愉佚之情，著其俗尚美惡之故，《詩》之《國風》是已。若夫宗廟朝廷，則公卿大夫之述作，《雅》、《頌》在焉。自采詩之官廢而詩之道息矣。然發乎性情者，今猶古也。故齊謳、楚歌、吴吟，遇事而變，雜然並興，蓋有不可勝紀者矣，詩道曷嘗息哉？

又《停雲軒詩序》 夫君子未有不須友以成者，麗澤之樂，切偲之益，蓋不可一日而離也。離則思，思則詠歌形焉。詠歌既形，則凡物之感於中者，皆足以寄情而宣意，此風人託物之旨。

孫作《滄螺集》卷三《長嘯軒記》 人之聲在天壤之間與元氣同出入，猶魚之在淵與水同呼吸也。故凡聲與氣同，則雖生殺萬物，慘舒陰陽、代謝四時，將無不至矣。其泛宫流徵，音中律呂，使庭柯脱葉，萬籟爲虚，凝游雲而集長風，又何怪與！昔者聖人知夫情之不可已也，爲之嘯歌以洩其憤懣不平之氣。是故嘯之清也，凄然其似秋，使人無不悲；歌之和也，暖然其若春，使人無不悦，而八音之政於是通乎人焉。

王行《半軒集》卷二《寄勝題引》 詩本有聲之畫，發縟繢於清音；畫乃無聲之詩，粲文華於妙楮。一舉兩得，在乎此焉。言夫畫也，極山水草木禽魚動植之姿；言夫詩也，盡月露風雲人物性情之理。春生秋實，一揮灑而已成；地下天高，在詠歌而成備。以運其不見不聞之思，遂成其可喜可愛之觀，所謂言語精英，胸懷邱壑者矣。

高啓《高青丘鳧藻集》卷三《缶鳴集序》 古人之於詩，不專意而爲之也。《國風》之作，發於性情之不能已，豈以爲務哉？後世始有名家者，一事於此而不他，疲殫心神，蒐刮物象，以求工於言語之間，有所得意，則歌吟蹈舞，舉世之可樂者不足以易之，深嗜篤好，雖以之取禍，身羅困逐而不忍廢，謂之惑非歟？

王彝《王常宗集》卷二《高季迪詩集序》 嗟夫！人之有喜、怒、愛、惡、哀、懼之情者，詩也。故情與詩一也。何也？情者，詩之欲言而未言；而詩者，能言之情也。然皆必有其節。蓋喜而無節則淫，怒而無節則懥，哀而無節則傷，懼而無節則怛，愛而無節則溺，惡而無節則亂，古之聖賢君子知之，其於喜、怒、愛、惡、哀、懼之節，所以求之其本初者至矣！故不言則已，言而出焉，喜也而《明良》之歌作，哀也而《五子之歌》作，愛也而《甘棠》作，怒也而《巷伯》作，懼也而《鵄鴞》作，《皇矣》之赫然又因其怒也而作。蓋方是時，天下有聞而鼓舞之者，或瞿焉以俱喜，或勃焉以俱怒，或悚焉以俱懼，或惻焉以俱哀，或慊焉以同其所愛惡，若有使之然者。此無他，已與人同其情亦同其節，則所以爲之詩者，非詩也，天下之情之有節者爲之也。夫以其有節之情以爲之詩，而詩之節如此其至也，匪聖賢君子其誰能與於斯哉？故言詩而至於虞、周之間，君子以爲後來者之無詩也，然而甚矣。孟子曰「詩亡」。非詩亡也，人之情不亡，詩其可以亡乎？蓋詩云亡者，情與詩無節，則猶無情，猶無詩也。於是有得詩之情而復有其節者，世雖漢、魏也，而猶有古作者之遺意焉。世日遠而情日漓，詩亦日以趨下，則斷自漢、魏而後，謂之古作者可也。夫斷自漢、魏而可謂之古作者，則晉、宋及唐，苟有得夫漢、魏之情者焉，謂之漢、魏亦可也。而世之作者，乃欲卽其無節之情以爲之詩，至併與其情而遺之，而曰詩固如是。然而漢、魏、晉、唐之作者不爾也。

金寔《覺非齋文集》卷一三《送山東參議孫君赴任序》 世謂詩能窮人，豈其然乎？詩果能窮人，人孰肯有爲詩者！然則非詩窮人，人窮詩乃工爾。

又卷一四《蘭圃遺稿叙》 詩之綺麗易工，而平淡難到；纖巧不足貴，而渾厚典雅可喜。此古人論詩之至言也。然詩爲心聲，心得其所養，則發而成聲者出乎性情之正，所謂有德者必有言也。【略】雖處城府而浩然有山林之興，於世利紛華一無所好。暇則獨與縉紳逢掖之士，憩覽湖山之勝，以詩酒相與娛樂，酒酣寄興於詩以陶寫性情，不事雕繢而天趣獨至。

周是修《芻蕘集》卷五《郡王和本中峰梅花百詠詩後序》 詩道之關於世教尚矣。其美刺足以正人心，其詠歌足以稱風俗，又推其極，至於動天地感鬼神，亦固莫詩若也。是以有書契以來，上自天子王公貴人以及庶民小子，莫不代有作者。其作而協乎音律、合乎體制、該乎物理而有補治化者，莫不傳於世也。

方孝孺《遜志齋集》卷一二《蘇太史文集序》 天下之事出於智巧之所及者，皆其淺者也。寂然無爲，沛然無窮，發於智之所不及知，成於巧之所不能爲，非幾乎神者，其孰能與於斯乎！故工可學而致也，神非學所能致也，惟心通乎神者能之。神誠會於心，猶龍之於雨，所取者涓滴之微，而可以被八荒、澤萬物。【略】未嘗用也，而亦未嘗無也。斯其爲神乎？今之爲文者，竭智巧以學之而不得其意，故其文非拘則腐，非誕則野，非有餘則不足。求其工且不可致，況於神乎？

又《時習齋詩集序》 詩者，文之有音者也，所以道情志而施諸上下也。《三百篇》，詩之本也；風、雅、頌，詩之體也；賦、比、興，詩之法也；喜怒哀樂動乎中而形爲褒貶諷刺者，詩之義也；大而明天地之理、辨性命之故，小而具事物之凡，彙綱常之正者，詩之所以爲道也。詩道廢久矣。自漢以下，編冊之所載，樂府之所傳，隱而章，麗而不浮，沉篤而雍容，博厚而和平者，則亦古詩之流也，而其體橫出矣。體之變，時也；不變於時者，道也；因其時而師古，道者有志於詩者也。而師者寡矣。唐之杜拾遺、韓吏部，皆深於詩，其所師則周公、吉甫、衛武公、史克之徒也。其體則唐也，而其道則古也。世之言詩者而不知道，猶車而無輪、舟而無柁也，雖工且美，奚以爲。

又卷二二《成都杜先生草堂碑》 士之立言爲天下後世所慕者，恆以畜濟世之道、絕倫之才，困不獲施，而於此焉寓之。故其氣之所至，志之所發，浩乎可以充宇宙，卓乎可以質鬼神，非若專事一藝者之陋狹也。荀卿寓於著書，屈原寓於《離騷》，司馬子長寓於《史記》。當其抑鬱感慨，無以洩其中，各託於言而寓焉。是以頓挫、揮霍、沉醇、宏偉，雷電不足喻其奇，風雲不足喻其變，江海不足喻其深，卒之震耀千古而師表無極。苟卑卑然竭所能以效一藝，雖至工巧，亦技術之雄而已耳，烏足與大儒君子之寓於文者並稱哉！少陵杜先生在唐開元、天寶間，懷經濟之具而弗得施，晚更兵亂，益爲時所簡棄，由是斂所得於古人者，悉於詩乎寓之。其言包綜庶類，凌跨六合，辭高旨遠，兼衆長而挺出，追《風》、《雅》以爲友。蓋有得乎《史記》之叙事，《離騷》之愛君，而憂民閔世之心，又若有合乎《成相》之所陳者。微意所屬，時以古昔命世聖賢自儗。不知者笑之以爲狂，而知其粗者憐之以爲詩人之大言，而孰能果識其所存哉！蓋嘗論人與物之品，才知僅施於身者，物之所以局於形；理無不備而知無不通者，人之所以異於物。至於不能擴其所有以濟萬物，而規圖止乎一身，此則人而物者也。均是形也，而能賤其形；均是性也，而能不私乎己。以宇內之治亂、生民之安危爲喜戚，而勞思極慮，必期有以濟之，此則所謂人而能天，而可以謂之大儒君子矣乎！

王紳《繼志齋集》卷五《劉大有詩集序》 夫詩者，主乎理而發乎情性者也。天下之理無窮，而人之情性不一。爲能不失於理而得乎情性之正，斯足以言詩矣。何必鉤奇衒怪，如牛鬼蛇神之不可以詰狀，屈曲聱牙，若殷彝周卣之不可以意求者，乃謂之詩哉？嘗聞嚴滄浪論詩體者五十有六，有以世代爲一體者，有以年歲爲一體者，有以地里爲一體者，有以一人爲一體者。何其屑屑之多體哉？殊不知造化之理無窮，而文章亦爲之無窮，譬之聲音笑貌，人人不能皆同，獨言詩可以強同乎哉？是故淵明天性冲曠而得於渾然，東野厄於困窮而得於寒苦，政自各類其人。夫何世之談論者，往往矜言一體，或謂體備諸家，是猶刻舟而求劍、俯地而捉影，愈勞而愈遠矣。抑不知諸家之體，其能外《三百篇》而出於「六義」者乎？苟其不然，曷亦宗《三百篇》本「六義」而出入於諸家之爲愈。

楊士奇《東里續集》卷一四《杜律虞注序》 律詩非古也，而盛於後世。古詩《三百篇》皆出乎情，而和平微婉，可歌可詠，以感發人心，何有所謂法律哉！自屈、宋下至漢、魏及郭景純、陶淵明，尚有古詩人之意。顏、謝以後稍尚新奇，古意雖衰，而詩未變也。至沈、宋而律詩出，號「近體」，於是詩法變矣。律詩始盛於開元、天寶之際，當時如王、孟、岑、韋諸作者，猶皆雍容蕭散，有餘味可諷詠也。若雄深渾厚，有行雲流水之勢、冠冕佩玉之風，流出胸次，從容自然，而皆由夫性情之正，不局於法律，亦不越乎法律之外，所謂「從心所欲不逾矩」，爲詩之聖者，其杜少陵乎！厥後作者代出，雕鎪鍛煉，力愈勤而格愈卑，志愈篤而氣愈弱，蓋局於法律之累也。不然則叫呼叱吒以爲豪，皆無復性情之正矣。夫觀水者必於海，登高者必於嶽。少陵其詩家之海嶽歟！

又《畦樂詩集序》 詩以道性情，詩之所以傳也。古今以詩名者多矣，然《三百篇》後得風人之旨者，獨推陶靖節，由其冲和雅澹，得性情之正，若無意於詩，而千古能詩者卒莫過焉。故能輕萬鍾，芥千駟，翛然物表，俯仰無慚，豈非足乎己而無待於外者乎？是雖不必以詩名，而誦其詩者慨然想見其爲人。

梁潛《泊庵集》卷五《雅南集序》 詩以道性情，而得夫性情之正者常少也。《三百篇》風雅之盛，足以見王者之澤，及其變也，王澤微矣，然其憂悲歡娛哀怨之發，咏歌之際，尤能使人動蕩感激，豈非其澤入人之深者，久猶未泯耶？自漢魏以降，其體屢變，其音節去古益遠。至唐作者尤勝，然皆有得乎此，而後能深於詩也。

金幼孜《文靖集》卷八《吟室記》 夫詩自《三百篇》以降，變而爲漢魏，爲六朝，各自成家而其體亦隨以變。其後極盛於唐，渢渢乎追古作者。故至於今，言詩者以爲古作不可及，而唐人之音調尚有可以摹倣，下此固未足論矣。大抵詩發乎情，止乎禮義，古之人於吟詠，必皆本於性情之正，沛然出乎肺腑，故其哀樂悲憤之形於詞者，不求其工，而自然天眞呈露，意趣深到，雖千載而下，猶能使人感發而興起，何其至哉？世之爲詩者，皆率雕鎪藻繪以求其華，洗磨潄滌以求其清，粉飾塗抹以求其艷，激昂奮發以求其雄。由是失於詩人之意而有愧於古作者多矣。

又卷一〇《書南雅集後》 予觀天下文章，莫難於詩。詩發乎情，止乎禮義，其辭氣雍容而意趣深長者，必太平治世之音。然求之古作而徵之於今，何其寥寥也。

胡廣《詩傳大全·綱領》「至於王道衰，禮義廢，政教失，國異政，家殊俗，而變風、變雅作矣。」先儒舊說《二南》二十五篇爲正風，《鹿鳴》至《菁莪》二十二篇爲正小雅，《文王》至《卷阿》十八篇爲正大雅，皆文、武、成王時詩，周公所定樂歌之辭。《邶》至《豳》十三國爲變風，《六月》至《何草不黃》五十八篇爲變小雅，《民勞》至《召旻》十三篇爲大雅，皆康、昭以後所作。故其爲說如此。「國異政，家殊俗」者，天子不能統諸侯故國，國自爲政；諸侯不能統大夫故家，家自爲俗也。然正、變之說，經無明文可考，今姑從之。其可疑者，則具於本篇云。「國史明乎得失之跡，傷人倫之變，哀刑政之苛，吟詠情性以風其上，達其事變而懷其舊俗者也。」詩之作，或出於公卿大夫，或出於匹夫匹婦，蓋非一人而序，以爲專出於國史，則誤矣！說者欲蓋其失，乃云，國史紬繹詩人之情性而歌咏之，以風其上。則不唯文理不通，而考之《周禮·大史》之屬，掌書而不掌詩，其誦詩以諫，乃太師之屬，瞽矇之職也。故《春秋傳》曰：「史爲書，瞽爲詩。」說者之云，兩失之矣。「故變風發乎情，止乎禮義。發乎情，民之性也；止乎禮義，先王之澤也。」情者，性之動，而禮義者，性之德也。動而不失其德，則以先王之澤入人者深，至是而猶有不忘者也。然此言亦其大概，有如此者，其放逸而不止乎禮義者，固已多矣。「是以一國之事，繫一人之本，謂之風。」所謂上以風化下，言天下之事，形四方之風，謂之雅。雅者，正也，言王政之所由廢興也。政有大小，故有小雅焉，有大雅焉。形者體而象之，之謂小雅，皆王政之小事，大雅則言王政之大體也。頌者，美盛德之形容，以其成功，告於神明者也。頌皆天子所制，郊廟之樂歌，「頌」、「容」，古字通，故其取義如此。

又《史記》曰：「《關雎》之亂以爲風始，《鹿鳴》爲小雅始，《文王》爲大雅始，《清廟》爲頌始，所謂四始也。」詩之所以爲詩者，至是無餘蘊矣！後世雖有作者，其孰能加於此乎？邵子曰：「刪詩之後，世不復有詩矣。」蓋謂此也。

又「子曰興於詩。」興，起也。詩本人情，其言易曉，而諷詠之間，優柔浸漬又有以感人，而入於其心，故誦而習焉。則其或邪、或正、或勸、或徵，皆有以使人志意油然興起於善，而自不能已也。「子曰，小子何莫學夫詩，詩可以興、可以觀、可以群、可以怨。邇之事父，遠之事君。多識於鳥獸草木之名。」「子曰，《詩》三百，一言以蔽之曰，思無邪。」凡詩之言善者，可以感發人之善心，惡者，可以懲創人之逸志。其用，歸於使人得其情性之正而已，然其言微婉，且或各因一事而發，求其直指全體而言，則未有若「思無邪」之切者。故夫子言《詩》三百篇，而惟此一言足以盡蓋其義。

又《性理大全》卷五六《論詩》 朱子曰：「詩者，志之所之，在心爲志，發言爲詩。」然則詩者豈復有工拙哉？亦視其志之所向者高下如何耳，是以古之君子，德足以求其志，必出於高明純一之地。其於詩固不學而能之，至於格律之精粗，用韻屬對比事遣詞之善否，今以魏晉以前諸賢之作考之，蓋未有用意於其間者，而況於古詩之流乎。近世作者乃始留情於此，故詩有工拙之論。而葩藻之詞勝，言志之功隱矣！　或言今人作詩，多要有出處，曰「關關雎鳩」，出在何處？《古樂府》只是詩中間卻添許多泛聲，後來人怕失了那泛聲，遂一聲添個實字，遂成長短句，今曲子便是。　作詩，間以數句適懷亦不妨，但不用多作，蓋便是陷溺爾。當其不應事時，平淡自攝，豈不勝如思量詩句？至其眞味發溢，又卻與尋常好吟者不同。　古詩須看西晉以前，如「樂府」諸作皆佳。杜甫夔州以前詩佳，夔州以後自出規模，不可學。蘇黄只是今人詩，蘇才豪，然一滚説盡無餘意。黄費安排。《選》中劉琨詩高，東晉詩已不逮前人。齊梁益浮薄，鮑明遠才健，其詩乃《選》之變體，李太白專學之，如「腰鐮刈葵藿，倚杖牧鷄豚」，分明説出個倔強不肯甘心之意。如「疾風衝塞起，砂礫自飄揚。馬毛縮如蝟，角弓不可張」，分明説出邊塞之狀，語又俊健。陶淵明詩平淡，出於自然，後人學他平淡，便相去遠矣！其後生見人做得詩好，鋭意要學，遂將淵明詩平側用字，一一依他做到，一月後便解自做，不要他本，子方得作詩之法。蘇子由愛《選》詩「亭皋木葉下，隴首秋雲飛」，此正是子由慢底句法。某卻愛「寒城一以眺，平楚正蒼然」，十字卻有力。齊梁間人詩，讀之使人四肢皆懈，慢不收拾。晉人詩惟謝靈運用古韻，如「祜」字協「燭」字之類。唐人惟韓退之、柳子厚、白居易用古韻，如《毛穎傳》「牙」字、「資」字、「毛」字皆協「魚」字韻是也。

又　詩以道情性之眞，十五《國風》有田夫閨婦之辭，而後世文士不能及者，何也？發乎自然而非造作也。漢魏迨今，詩凡幾變，其間宏才實學之士，縱横放肆，千彙萬狀，字以鍊而精，句以琢而巧，用事取其切，模擬取其似，功力極矣！而識者乃或舍旃而尙陶、韋，則亦以其不鍊字、不琢句，不用事，而性情之眞，近乎古也。今之詩人，隨其能而有所尙，各是其是，孰有能知眞是之歸者哉。

魏驥《魏文靖公摘稿》卷五《陳御史詩集序》　詩本情性，該物理，《三百篇》之作，非徒作也。有訓誡之存，是以可興、可觀、可群、可怨，使人誦之，一倡三嘆而有餘音焉。漢魏而降，以及唐宋，作者非一。雖大名家之所賦，亦不免有流連光景、模寫物象爲可議，由是而知，詩豈可易言者邪？故後之作者，非但於《三百篇》不可及，求其音響，能步驟唐人者亦鮮。【略】所謂引物連類，窮情盡變，寂寥乎短章，舂容乎大篇者，于君子實有焉。

王英《王文安公詩文集》卷一《東郭草亭詠集詩序》　詩之作，豈徒然哉？因事卽物有所感，則形之於言。至於燕飲遊觀之勝，心有所樂，則發爲咏歌者，皆非偶然哉！天下承平，優游無事，縉紳大夫乃得以遂其樂而言之。發有不能已者，昌黎韓子所謂「飲酒而樂」。所以同其休、宣其和、感其心而成其文者是也。

又卷二《李紹白決別詩序》　詩之作，至於憂思哀怨者，讀之豈無所感嘆焉。若《黄鳥》之哀，《蓼莪》之悲，《屺岵》之思，非止一篇也。下迨屈子之忠君，賈生之傷時；張衡之愁思，蘇子卿之叙離別。死生患難，忠厚惻怛，殷勤親愛之意，莫不寓於其間。讀之有所感，發而興起者，豈非此乎？後世作者雖多，樂則放，哀則傷慘，貧賤則怨怒，至死則呼號怨憤。其言非出於正辭，雖工麗其何足之感動於人哉！

又《涂先生遺詩序》　詩本於性情，發爲聲音，而形於咨嗟嘆咏焉。有美惡邪正以示勸戒。敦彝倫，興孝敬，厚風俗莫先乎《詩》。是故孝子之於親也，《南陔》、《白華》，其辭雖亡，而《蓼莪》、《屺岵》之章猶可諷詠。言約而明，肆而深，悲而不怨，可以觀感興起，詩之謂乎？後世不然，亡風、雅之音，失性情之正，肆靡麗之辭。憂思之至則噍殺，憤怨喜樂之至則放逸。謠辟於風，何助焉！

朱權《西江詩法·詩家模範》　詩者吟詠情性也。而於登臨感慨懷思之際，又有説焉。則以我之所見聞，一一發於胸中，商權古今山川人物，如何以一言而斷制之，豈徒吟詠情性而已。

又　詩與天地傳神，山川出色，所謂「有聲畫」是也。其景象位置，顧筆力何如爾。

又　天地以風水爲聲，如不得其正，則震怒澎湃。人之言也，亦然。苟不得其正，則哀怨之詞作。正者，盛治之音，皆安樂和平，如開元、天寶前之詩是也。非正者，元和以後詩是也。

薛瑄《讀書録》卷七　凡詩文出於眞情則工，昔人所謂「出於肺腑」者是也。如《三百篇》、《楚詞》、武侯《出師表》、李令伯《陳情表》、陶靖節詩、韓文公《祭兄子老成文》、歐陽公《瀧岡阡表》，皆所謂「出於肺腑」者也，故皆不求工而自工。故凡作詩文，皆以眞情爲主。

周叙《詩學梯航·通論》　前後論詩者多矣，或泛而不切，或僻而不當，使學詩之士無以遵守。余竊取其中於理者，叙而論之。夫詩者，吟詠性情也。及其至，可以動天地感鬼神。然則詩豈易言哉？唯其言之不易，故其作之有法。學者先務立志堅確，必欲造乎古人然後已。於是凝心定氣，聚精會神，求古人所以用心。漢詩之所以爲漢詩，唐詩之所以爲唐詩，三代之所以不可及，與夫宋人之所以不可學者，何爲而然。然後命意措辭，直欲追及古人，及與不及，姑置未問，但當如此。

于謙《忠肅集》卷一二《玉岑詩集序》：詩豈易言哉，發於心，形於歌詠，盡乎人情物變，非深於理而適於趣，則未易工也。

李賢《古穰集》卷七《行稿序》：詩爲儒者末事，先儒嘗有是言矣。然非詩無以吟咏性情，發揮興趣。詩於儒者似又不可無也。而學之者用功甚難，必專心致志於數十年之後，庶幾有成。其成也，亦不過對偶清切、聲律穩熟而已。若夫辭意俱到，句法渾成，造夫平易自然之地，則又係乎人之才焉。

葉盛《葉文莊公全集》卷二六《江雨軒詩序》：理之所在，倚形寓物，必有天機，遇感而動，則氣血者尤焉。鳥之春音，蛩之秋韻，誰使之耶？匹夫匹婦羈臣賤妾之悲欣喜怒，勞逸慘舒，發於歌謠雜咏，皆有感於天機不能已者，而洩其鳴。繇於天理自然之公平易和，正無穿鑿詭怪偏曲之私，足以形是理之妙。先王采聖賢之格言，《雅》《頌》並列，爲感善懲惡之具。故詩之作，無不本諸此。然世降末流之異，昔人論虞夏之下，晉魏以上，氣格未相遠也；晉宋顔謝至唐初，高下雖殊，古法未大變。律詩出後，至於大盛。參以仝、賀、郊、島、元、白之譎怪寒瘦，鄙俚等風興，沿流門靡，動晚唐之論刺，何也？蓋諸子才氣豪放，窮思遠索，務求人所未道，以快其高，不知繇其豪放窮思遠索穿鑿之私，遂與古法平易遐矣。至宋蘇文忠公與先文節公，獨宗少陵、謫仙二家之妙，雖不拘拘其似，而其意遠義該，是有蘇黄並李杜之稱。當時如臨川、後山諸公，皆傑然無讓古者。至朱子則洞然諸家之短長，其《感興》等作，日光玉潔，未易論也。何者？一本於理爾。聖人一言以蔽之論，豈非所謂平易和正，足以形是理而已，任高任奇，能外是乎？嗚呼！好惡不同之害，歐陽子不喜杜詩，李泰伯不喜孟子，二子人豪，發言若斯，而評詩往往以片言隻字斷其一生，以盡棄其所長，是啟效尤之弊甚矣。近世有劉崧者，以一言斷絶宋代，曰宋絶無詩。他姑置之，詩至《三百篇》，至矣，何子夏、毛萇之倫，尚遺所味，寥寥千五百餘年，至朱子而始明，寧無一見以及崧者？人不短則己不長，言不大則人不駭，欲眩區區之才，無忌憚若是，詬天吠月，固不足與辨。然關於類，至於賊道，不容已者。崧之時，會稽楊維楨、吳中高季迪，皆鳴於詩，其過高者凌厲險怪，痛快者巧中物情，讀之如入寶藏之中，綺羅之筵，駭目適口，視古作概淡如也，亦其邁逸豪放爾。後之膚學務異之徒，視其佶屈冶媚，激其險淫之心，咀得粕味之一二，廣誦長吟，以誇座客，直欲繇之以盡革古法，乃以嫫姆蹙西施之頞，童稚攘馮婦之臂，句雕字鏤，叫噪聱牙，神頭鬼面，以爲新奇，良可嘆也。

何喬新《椒邱文集》卷一《論詩》：《三百篇》之詩，多出於婦人女子，然其爲言，憂而不困，哀而不傷，如《泉水》，衛女之思歸也，而能以禮；《載馳》，許夫人之思歸也，而能以義；《綠衣》，傷己之詩也，其言不過曰「我思古人，俾無訧兮」；《擊鼓》，怨上之詩也，其言不過曰「土國城漕，我獨南行」，況於士大夫哉！自已删之後，詩雅蕭條，如蘇、李之高妙，嵇、阮之沖澹，曹、劉之豪逸，謝、鮑之峻潔，其詩非不工也，然嘲詠風月，亡裨風教，求其有補風化者，晉之淵明而已。其自晉以前，皆書年號，自宋以後，惟書甲子，是豈可與刻繪者例論耶？如元微之之雄深，韋應物之雅澹，徐陵、庾信之靡麗華藻，白樂天、柳宗元之放蕩嘲怨，其詩非不美也，然誇耀煙雲，無關政體。求其愛君憂國者，唐之杜甫而已。觀其《杜鵑》之詩，忠愛之心見於言外；《北征》之詩，憂國之意見於終篇，又豈可與浮靡者例論耶？宋之以詩名世者，固不可一二數，如楊大年之賦朝京，有致君堯舜之心；歐陽修之詠春帖，得以詩諷陳之旨，是皆有《三百篇》之遺意，而非後世騷人詞客所可及也。

又卷九《唐律群玉序》：詩自《風》、《雅》、《騷》、《選》之後莫盛於唐，選唐詩者數十家，惟周伯弜之《三體》，楊伯謙之《正音》，石溪周氏之《類編》，新寧高氏之《正聲》盛行於時。予嘗取四家所選而考之，或精而不博，或博而不精，讀者不能無憾焉。乃即所選，拔其尤可喜者，得五言律詩一百七十二，五言長律四十四，七言律詩二百三，五言絶句三十，七言絶句一百一十四，析爲十有六卷。雨雪之朝，風月之夕，居閒處獨之時，沉潛而玩之，從容而諷之，若游虞庭而聞戛擊之音，若入周廟而睹琬琰之列，若登元圃而得蒲穀之質也，故命之曰《唐律羣玉》。或曰：「孔子之删《詩》，子朱子之註《騷》，劉坦之之註《選》，皆取其可興、可觀、可羣、可怨而有裨於風化者也，唐之律詩，其音響節族已蕩然無復《騷》《選》之遺音矣，況於風雅之旨乎？而子何取於此哉！」予以爲不然。夫詩者，人之性情也。唐之律詩，其音響節族雖與古異，然其本於性情而有作則一而已。讀者因其辭，索其理，而反之身心焉，則可興、可觀、可羣、可怨，而有裨於風化者，豈異於《風》、《雅》、《騷》、《選》哉？

又卷一八《跋晦庵真蹟》：夫詩，心聲也；字，心畫也。心得所養，則發之於詩，形之於字，卓乎絕俗，豈世之儇精疲神以學詩、學字者所可彷彿哉？善學先生者，詠其心聲，玩其心畫，則放心自復，鄙吝自消，固可得其心法於詞句點畫之表矣。

倪謙《倪文僖集》卷一九《盤泉詩集序》 詩者，言之有音節者也。言之有音節，一皆本於自然而不容已焉。若《康衢》之謠，《擊壤》之歌，《二南》之詠，是皆髫童野老、委巷女婦達其情之所欲言者，初豈有意而爲之哉？

陳獻章《陳白沙集》卷一《認眞子詩集序》 詩之工，詩之衰也。言，心之聲也。形交乎外物，動乎中，喜怒生焉，於是乎形之聲，或疾或徐，或洪或微，或爲雲飛，或爲川馳。聲之不一，情之變也。率吾情盎然出之，無適不可。有意乎人之贊毀，則《子虛》《長楊》，飾巧夸富，媚人耳目，若俳優然，非詩之教也。甚矣，詩之難言也。

又《夕惕齋詩集後序》 受樸於天，弗鑿以人；稟和於生，弗淫以習。故七情之發，發而爲詩，雖匹夫匹婦，胸中自有全經。此《風雅》之淵源也。而詩家者流，矜奇眩能，迷失本眞；乃至旬鍛月煉，以求知於世，尚可謂之詩乎？晉魏以降，古詩變爲近體，作者莫盛於唐。然已恨其拘聲律、工對偶，窮年卒歲，爲江山草木、雲煙魚鳥，粉飾文貌，蓋亦無補於世焉。若李、杜者，雄峙其間，號稱大家，然語其至則未也。儒先君子類以小技目之，然非詩之病也。彼用之而小，此用之而大，存乎人。天道不言，四時行，百物生，焉往而非詩之妙用？會而通之，一眞自如。故能樞機造化，開闔萬象。不離乎人倫日用而見鳶飛魚躍之機。若是者，可以輔相皇極，可以左右《六經》，而教無窮。小技云乎哉？

又《澹齋先生輓詩序》 夫感而哀之，所謂情也。情之發而爲辭，辭之所不能已者，凡以哀爲之也。苟無其哀矣，則又焉以辭爲哉？此之謂不苟於人也。【略】哀而後爲之詩。詩之發，率情爲之，是亦不可苟也已，不可僞也已。

又卷二《與汪提舉》 大抵論詩當論性情，論性情先論風韻，無風韻則無詩矣。今之言詩者異於是，篇章成卽謂之詩，風韻不知，甚可笑也。性情好，風韻自好；性情不眞，亦難強說。

楊守陳《楊文懿公文集》卷二五《贈主事戴公輓詩序》 人之心感於物而動，則必形之於聲。詩者，聲之成文者也。由心有所感而形於是，可以觀，可以興焉。是故感吉慶之來則樂心動，感橫逆之至則怒心動，感凶喪則哀心動，感禍難則憂懼之心動，感親暱則愛心動，感神人之尊則敬心動。惟其心之感動有異而聲之異隨焉。是故樂心動則其聲嘽以緩，哀心動則其聲噍以殺，怒心動則其聲粗以厲，憂懼之心動則其聲繁以促，愛心動則其聲和以柔，敬心動則其聲直以廉，《詩》無不具焉。【略】觀其美則思勸，觀其惡則思戒，此詩之道所以至於美教化、移風俗也。

彭韶《惠安集》卷二《春暉堂詩序》 體物詩人何其善道人情而旁達物理乎？夫物理人情，一而已矣。生既同，則所資同；所資同，則所感亦同。但有動止通塞之異耳。詩人識其然，間賦子母之事，卽小喻大，比擬形容，詞簡理同，意眞情切，使仁人孝子讀之，其能不摧咽而灑泣者？

周瑛《翠渠摘稿》卷四《跋陳可軒詩集》 古者之詩，大要以養性情爲本。自後世觀之，唐詩尚聲律，宋詩尚理趣，元詩則務爲綺麗以悅人。

羅倫《一峰文集》卷二《羅濬淵父母輓歌詩序》 哀死而歌之，禮乎？古未有也。禮也哭日不歌，望柩不歌，適墓不歌，鄰有喪春不歌，里有殯不巷歌，歌以樂也。斥苦以歌，虞殯以歌，《蒿里》、《薤露》以歌，歌以哀也，歌之始也。歌以樂哀，非禮也，歌以哀禮也，古未有也。哀死者人之情也，凡血氣屬莫不有知，有知則知哀其類。鳥獸之類喪也，回翔鳴號，蹢躅踟躕而後去，情也。情於人也至矣，父子哀之，兄弟哀之，妻妾哀之，鄰里鄉黨哀之，無他，情之至也。楚人死，秦人則不哀之，越人死，燕人則不哀之，無它，情之不至也。故曰，知死者傷，後世輓歌焉。

又《蕭冰厓詩集序》 詩非爲傳世作也，本乎性情，止乎禮義，詩不能以不傳也，若《三百五篇》是已。當周之盛，《國風》之詩多出於田夫閨婦之口，而其辭義之奧，音節之正，皆可以被於弦歌而爲法於天下，夫豈學而能哉？蓋先王仁義禮樂之教，自閨門而達於邦國，由朝廷而下於閭巷，所以漸其心志而形諸四體，和其聲音而發於文章，有不自知其如此之盛也。王迹既熄，風雅道喪，宏材碩士，句攻字琢，用意非不精，用力非不勤，卒無異空花眩目，好音過耳，夫豈材之相遠哉？所以教而化之者無其本也。然太極之運不息，則人心之天不喪，是故豪傑之士，間生其中，亦無愧於古者。若靈均之憂憤，杜陵之忠愾，陶彭澤之沖澹，皆本乎性情之眞，庶乎禮義之正，關於民彝物則之大，視風雅不知何如，惡可以後世之詩例視之哉？

胡居仁《胡敬齋集》卷二《流芳詩集後序》 詩有所自乎？本於天，根於性，發於情也。蓋天生萬物，惟人最靈，故有以全乎天之理，而萬事萬物莫不該焉。當其未發，而天地萬物之理，森然具於其中，而無眹兆之可見者，性也，心之體也；事物之來，惕然而感乎內，沛然而形於外者，情也，心之用也。由其理無不具，故感無不通；既感無不通，則形於外者，必有言以宣之，情不自已則長言之，又不自已則詠歌之；既形於咏歌，必有自然之音韻，詩必叶韻，所以便詠歌也。詠歌發於性，性本於天，此詩之所自，學詩者所當知也。嘗考舜命夔曰：「詩言志。」則二帝時已有詩矣。《擊壤歌》未叶韻，《南風歌》、《賡歌》則叶韻矣。《五子歌》及《商頌》諸篇，二代之詩也，至周則有《風》，有《雅》，有《頌》，《風》、《雅》、《頌》之中又有賦，有比，有興，則詩之體製已備。故說者以爲「三經三緯」，又以「六義」名之。厥後世降風移，變而爲騷，又變而爲排韻，爲順體，爲調，爲律詩、聯句，則詩之體製、義理、性情、風韻衰壞盡矣。【略】然則詩不可作乎？曰：何爲不可哉？但務養性情，明道義，使吾心正氣和，則詩之本立矣。絕去巧麗、對偶、聲律之習，熟讀《三百篇》，玩其詞，求其義，涵咏諷味，使吾心之意與之相孚而俱化，則性情以正，聲律以和，不拘字數句語多寡，但求韻叶以便歌詠，則庶乎近之矣。大抵詩樂實係世道盛衰，非智力可強探而必得也。

吴寬《匏翁家藏集》卷四〇《中園四興詩集序》 古詩之作，凡以寫其志之所之者耳，或有所感遇，或有所觸發，或有所懷思，或有所憂喜，或有所美刺，類此始作之。故《詩大序》曰：「詩者，志之所之，在心爲志，發言爲詩。」後世固有擬古作者，然往往以應人之求而已。嗟夫，詩可以求而作哉？吾志未嘗有所之也，何有於言？吾言未嘗有所發也，何有於詩？於是其詩之出，一如醫家所謂狂感譫語，莫知其所之所發者也。

又卷四二《公餘韻語序》 夫詩以言志，志之所至，必形於言。古人於此未有棄之者。

又卷四三《石田藁序》 「詩以窮而工」，歐陽子之言，世以爲至矣。予則以爲：窮者其身阨，必其言悲，則所謂工者，特工於悲耳。故嘗竊以爲窮而工者，不若隱而工者之爲工也。蓋隱者忘情於朝市之上，甘心於山林之下，日以耕釣爲生，琴書爲務，陶然以醉，翛然以遊，不知冠冕爲何制，鍾鼎爲何物，且有浮雲富貴之意，又何窮云！

周瑛《翠渠摘稿》卷一《夢草集序》 於戲，詩未易論也！蓋詩所以歌詠乎性情者也，性情理則詩無不理矣。昔成周盛時，上而公卿大夫，下而士庶女婦，皆沐浴文武淸化，而一時肺腑洗滌殆淨。故其見於詩者，或溫厚和平，或端莊嚴肅，藹乎治世之音也。三代以還，不足以語此矣。景泰中，瑛領鄉薦，入試春官，館於冰崖翁先生所，適主人爲吳橋主簿，以爲政入閩於太僕氏，相與夜坐，論及於詩時，殘雪初消，明月在地。主人朗誦其作十數章，皆飄然如孤鶴橫空，不可捫摸。瑛嘆曰：「兄詩之豪一至此耶？」主人曰：「詩不患其不能豪，患其不能馴耳。蓋高抗矯激之音，不若夷平和厚之爲得也。」問其所自入，曰：「自理性情。始要使胸中如碧潭浸秋月，無一毫煙火氣，而後詩可言也。」於戲！主人其得學詩之要乎？予嘗持此論扣諸人，人鮮有合焉。

黄仲昭《未軒文集》卷二《竹溪詩集序》 子朱子釋孟子之「知言」，謂其心明乎正理而無蔽，然後其言平正通達而無病。予竊以爲，此非獨可以知言，其於觀人之詩，亦不外此也。蓋言者心之聲，而詩又言之精者。詩有純疵邪正，有不本諸心乎？予觀近世之詩，學豪壯者多流於狂誕而尠和平之氣，學縟麗者多流於纖靡而乏正大之體，學沖淡者多流於淺俚而無雋永之味。是豈獨詩之罪哉？蓋其心不明乎正理而各有所蔽焉耳。

又《省軒存稿序》 歐陽文忠公有言：「文章足以潤身，政事足以及物。」蓋文章所以立言，政事所以立功。二者雖若不同，而皆根本於吾心。心存乎道，則其發于文者爲德言，施於民者爲德政，豈判然爲二哉？古之君子，道得於心，非有意於立言而人以其言爲法，非有意於立功而其澤恆被於世。後世工於文辭者，或不根於理；敏於政事者，或無益於民。凡此皆不足以語道也。

周琦《東溪日談録·文詞談》 人之性情托之於詩，或窮困拂鬱而鳴其苦，或化新俗美而鳴其盛，寓事於言可矣。若或外此，引以自高，且不發我性情，乃撰爲一等綺麗巧怪之言，過高而無實，是不情也，何益之有？

游潛《夢蕉詩話》卷上 孟郊、賈島皆窮困至死，或謂「詩能窮人」，未信也，殆詩必窮者而後工耳。昔有作詩卻相者云：「貌拙慙君子細看，鏡中我自覺神寒。試從李杜編排起，幾個吟人作大官！」大抵年鍛月鍊，冥搜苦思，要非富貴中快意者所多。

又卷下 文者，載道之具。作文不本於言道，雖富麗何取？

孫緒《沙溪集》卷一《馬東田漫稿序》 心不大則無遠韻，氣不勁則無昌言。詩者，性情禮義之宗，言韻之精英也。淺胸卑局而欲有軼塵邁俗之律，難矣。魏晉而降，論詩例稱唐人，唐人例稱李、杜，昌黎，三君子之什，膾炙千載，不俟評議。然蟻蠓貴近，傲睨強藩，勇犯人主，此其人爲何？

桑悅《思玄集》卷二《庸言》 吾詩根於太極，天以高之，地以下之，山以峙之，水以流之，庶物以飛潛動植之，日月宣其明，雷霆發其震，雨露播其潤澤，散之則同元氣流行，收之於心，發之於言，被之管弦，則可以感天地，動鬼神，詩之功用大矣哉！乾坤熄，日月息，詩迺收聲，復歸太極，功用始隱。後世詩莫盛於唐，若李杜大家，咏傷月露，搜盡珠璣，果知是理否耶？故曰：刪復無詩。

李東陽《麓堂詩話》 詩在《六經》中，别是一教，蓋六藝中之樂也。樂始於詩，終於律。人聲和則樂聲和，又取其聲之和者，以陶寫情性，感發志意，動盪血脈，流通精神，有至於手舞足蹈而不自覺者。後世詩與樂判而爲二，雖有格律，而無音韻，是不過爲排偶之文而已。使徒以文而已也，則古之教，何必以詩律爲哉。

又 詩必有具眼，亦必有具耳。眼主格，耳主聲。聞琴斷，知爲第幾弦，此具耳也；月下隔窗辨五色線，此具眼也。

又 長歌之哀，過於痛哭，歌發於樂者也，而反過於哭。是詩之作也，七情具焉，豈獨樂之發哉。惟哀而甚於哭，則失其正矣。善用其情者，無他，亦不失其正而已矣。

又《懷麓堂集》卷二四《赤城詩集序》 詩之爲物也，大則關氣運，小則因土俗，而實本乎人之心。古者道同化洽，天下之爲詩者皆無所與議。既其變也，世殊地異，而人不同。故曹、豳、鄭、衛，各自爲風。漢、唐與宋之律，代不相若，而亦自爲盛衰。逮至於元，其變也愈極。而其間賢人義士，往往奮發振迅爲感物言志之音者，蓋隨所得而成焉，然亦鮮矣。夫自樂官不以其詩爲教，使者不以採詩爲職，是物也，若未始爲天下之重輕，而所關者固在也。然則不得與於天下者，因其所得爲而求之，亦固非君子之心哉！

又卷七二《孔氏四子字說》 詩者，言之成聲，而未播之樂者也。其爲教本人情，該物理，足以考政治，驗風俗。人能學詩，則事理通達，心氣和平而能言。古人詩，宣聖刪之以爲世訓，謂其子曰：「學詩乎？不學詩，無以言。」又曰：「汝爲《周南》、《召南》矣乎？」蓋以此也。

林俊《見素集》卷七《王南郭詩集序》 詩抒性靈而裨風教者也。感遇可以觀化，諷諭可以觀情，托興可以觀物。

朱誠泳《小鳴集》卷九《葵軒稿引》 詩不主於險怪，而惟主於平淡，蓋惟詠性情者然也。

夏尚樸《東巖集》卷二《書感興詩後》 古人之學，惟務養性情。故其爲詩，自然止乎禮儀。後世先王之教廢，而人不知所養，其爲詩也，率皆鑿空強作，不復發乎性情之正矣。雖漢魏盛唐等作猶不能無憾，況其下者哉？

夏良勝《東洲初稿》卷二《修篁舞鶴圖序》 人而有所可狀，則擬之於象；象而有所不足，則發於詞。詞焉者，詩之謂也。象者，比於物。物非必其眞，繪而圖之亦象也。故象以擬人者也，詩以昭象者也。

王九思《渼陂集》卷下《涇野别集序》 詩可作乎？曰馳情肆志，誇多鬪靡，無補風教，作之奚益？詩可無作乎？曰發乎性情，止乎禮義，可勸可懲，作之奚害？

陳沂《拘虚詩談》 詩有古有近，古可以言情，此其格也。宋人以道學之談入於律，故失之矣。

又 詩中之理雖觴俎，登覽之中自有在也，宋人便以太極、鳶魚字面爲道，豈知道者乎？

王守仁《王文成公全書》卷三《語録三》 詩書六藝，皆是天理之發見，文字都包在其中。考之詩書六藝，皆所以學存此天理也，不特發見於事爲者方爲文也，餘力學文，亦只博學於文中事。

李夢陽《空同集》卷五一《林公詩序》 夫詩者，人之鑒者也。夫人動之志必著之言，言斯永，永斯聲，聲斯律，律和而應，聲永而竭，言弗睽志，發之以章，而後詩生焉。故詩者非徒言者也。是故端言者未必端心，健言者未必健氣，平言者未必平調，沖言者未必沖思，隱言者未必隱情。諦情探調，研思察氣，以是觀心，無廋人矣。故曰詩者人之鑒也。

又《張生詩序》 夫詩發之情乎？聲氣其區乎？正變者時乎？夫詩言志，志有通塞，則悲懽以之，二者小大之共由也。至其爲聲也，則剛柔異而抑揚殊，何也？氣使之也。是故秦魏不貫調，齊衛各擅節，其區異也。

又《梅月先生詩序》 情者動乎遇者也。幽巖寂濱，深野曠林，百卉既痱，乃有縞焉之英、媚枯綴疎横斜嵚崎清淺之區，則何遇之不動矣。是故雪益之色，動色則雪；風闡之香，動香則風；日助之顔，動顔則日；雲增之韻，動韻則雲；月與之神，動神則月。故遇者物也，動者情也。情動則會，心會則契，神契則音所謂隨寓而發者也。梅月者，遇乎月者也。遇乎月，則見之目怡，聆之耳悦，嗅之鼻安。口之爲吟，手之爲詩，詩不言月，月爲之色，詩不言梅，梅爲之馨。何也？契者會乎心者也。會由乎動，動由乎遇，然未有不情者也，故曰情者動乎遇者也。昔者逋之於梅也，黄昏之月嘗契之矣，彼之遇猶兹之遇也，何也？身修而弗庸，獨立而端行，於是有梅之嗜；耀而當夜，清而嚴冬，於是有月之吟。故天下無不根之萌，君子無不根之情，憂樂潛之中而後感觸應之外，故遇者因乎情，詩者形乎遇。於乎，孰謂逋之後有先生哉！

又《鳴春集序》 天下有竅則聲，有情則吟，竅而情，人與物固也。然必春焉者，時使之也。韓子曰：「以鳥鳴春。」「以」之言使也。夫竅吾竅，情吾情耳。使之者誰耶？鳴者鳥耶？鳴之者鳥耶？陰凝氣慘，草木隕零，情者不斂而竅者不聲乎？及柔風敷焉，陽和四布，夫然後在陰者和，遷喬者嚶，灌木有喈喈之聞，叢棘有交交之音。若是者，春使之邪？使之春者耶？非春非鳥，以之者誰邪？夫天地不能逆寒暑以成歲，萬物不能逃消息以就情，故聖以時動，物以情徵，竅遇則聲，情遇則吟，吟以和宣，宣以亂暢，暢而永之而詩生焉。故詩者吟之章而情之自鳴者也，有使之而無使之者也。遇之則發之耳，猶鳥之春也，故曰以鳥鳴春。

又卷五二《秦君餞送詩序》 夫學者稱餞送率於詩，尚矣，然《烝民》首列乎「崧高」，韓奕亦曰「奕奕梁山」，此何哉？蓋詩者，感物造端者也。是以古者登高能賦，則命爲大夫。而列國大夫之相遇也，以微言相感，則稱詩以諭志。故曰，言不直遂，比興以彰，假物諷諭，詩之上也。昔者鄭六卿餞宣子於郊也，宣子請各賦以覘鄭志。故聞《野有蔓草》則曰「吾有望矣」，聞賦《羔裘》則曰「起不堪」，聞《褰裳》則曰「敢勤它人」。夫蔓草，細物也，羔裘，微也，褰裳，末事也，曷與於鄭志、奚感於宣子而有斯哉？亦假物諷諭之道耳。故古之人之欲感人也，舉之以似，不直説也，托之以物，無遂辭也。然皆造始於詩，故曰詩者感物造端者也。

又《缶音序》 詩至唐，古調亡矣。然自有唐調可歌詠，高者猶足被管弦。宋人主理不主調，於是唐調亦亡。【略】夫詩比興錯雜、假物以神變者也。難言不測之妙，感觸突發，流動情思，故其氣柔厚，其聲悠揚，其言切而不迫，故歌之心暢，而聞之者動也。宋人主理，作理語，於是薄風雲月露，一切剷去不爲。又作詩話教人，人不復知詩矣。詩何嘗無理？專作理語，何不作文而詩爲邪？今人有作性氣詩，輒自賢於「穿花蛺蝶，點水蜻蜓」等句，此何異癡人前説夢也！

又卷五九《題琴竹詩後》 不音而音者，用之心者也；不物而物者，資之深者也；不聲而聲者，託諸吟者也。心之用，莫如琴；深於資，莫如竹；吟而託之，則詩生焉。生則烏可已也，烏可已則資愈深，資愈深則心之用廣矣。是故君子貴琴焉，非專於音也；貴竹焉，非物之也；又必詩焉，雖聲而非聲也。

朱謙《李詩辨疑序》 詩有一代之體制，人有各人之學識。其精神心思之所存，議論之所著，材力之大小，音響節奏之洪細，與夫明暗剛柔之不齊，或相倍蓰而十百千萬，不可強而比之，使之一一而盡同也。

康海《對山集》卷四《太微山人張孟獨詩集序》 夫因情命思，緣感而有生者，詩之實也。比物陳興，不期而與會者，詩之道也。君子所以優劣，古先考論文藝於二者參決焉。

陸深《儼山集》卷三六《朝天詩引》 發于衷之謂情，核于事之謂實，明于國家之謂體。是詩有焉。

又卷四八《澹軒集序》 詩之作，工體製者乏寬裕之風，務氣格者少溫潤之氣，蓋自李、杜以來，詩人鮮兼之矣。兼之曰詩，不其難矣乎？得其一體者，然且有至焉，有不至焉。則詩之道，或幾乎廢矣。而世未嘗無人也。《三百篇》多出於委巷與女婦之口；其人初未嘗學，其辭旨顧足爲後世經。何則？出於情故也。詩出於情，而體製氣格在所後矣。此詩之本也。

又卷九〇《跋張碧溪詩》 詩必窮而後工，此特世俗論爾。世俗者以飢寒爲窮，以富貴爲達爾。殊不知舉一世之人，尊銜大爵，貫朽粟腐者不少也，而詩人則或曠代而僅見，雖以唐學之盛，終三百年，李、杜兩人而止爾。宋雖謂之無詩人可也。由是論之，則造物者於溫飽之具舉以與人也，若不靳，而獨於此事若深吝，若秘惜，若不欲令人闖覘者，故吾必以爲詩工而後謂之達爾。石季倫、潘安仁之詩，非無工也，終以富貴之極，同盡東市。彼二人者，使知勇退早散之方，固將以詩人名，在當時則以考終，在後世則以免訾矣。故吾又謂詩人非徒可謂之達，謂之安且尊焉亦可也。

崔銑《洹詞》卷一《序李氏詩畫卷》　畫者肖物之形也，詩者合物之情也。物文形而後肖之，詩觸情而後合之。肖以察物理，合以興己志。是故君子之自文也，內義必有緯，外度必有矩，於是乎遠近象之，法行而化成，斯天下後世誦之矣。

徐禎卿《談藝錄》　情者，心之精也。情無定位，觸感而興，既動於中，必形於聲。故喜則爲笑啞，憂則爲吁嚱，怒則爲叱咤。然引而成音，氣實爲佐；引音成詞，文實與功。蓋因情以發氣，因氣以成聲，因聲而繪詞，因詞而定韻，此詩之源也。然情實眑渺，必因思以窮其奧；氣有粗弱，必因力以奪其偏；詞難妥帖，必因才以致其極；才易飄揚，必因質以禦其侈。此詩之流也。由是而觀，則知詩者乃精神之浮英，造化之秘思也。若夫妙騁心機，隨方合節，或約旨以植義，或宏文以敘心，或緩發如朱弦，或急張如躍楛，或始迅以中留，或既優而後促，或慷慨以任壯，或悲悽以引泣，或因拙以得工，或發奇而似易。此輪匠之超悟，不可得而詳也。《易》曰：「書不盡言，言不盡意。」若乃因言求意，其亦庶乎有得歟！

又　夫情能動物，故詩足以感人。荆軻變徵，壯士瞋目；延年婉歌，漢武慕歎。凡厥含生，情本一貫，所以同憂相瘁，同樂相傾者也。故詩者風也，風之所至，草必偃焉。聖人定經，列國爲風，固有以也。若乃歔欷無涕，行路必不爲之興哀；愬難不膚，聞者必不爲之變色。故夫直戇之詞，譬之無音之弦耳，何所取聞於人哉？至于陳采以眩目，裁虛以蕩心，抑又末矣。

又　詩家名號，區別種種。原其大義，固自同歸。歌聲雜而無方，行體疏而不滯。吟以呻其鬱，曲以導其微，引以抽其臆，詩以言其情，故名因象昭。合是而觀，則情之體備矣。夫情既異其形，故辭當因其勢。譬如寫物繪色，倩盼各以其狀；隨規逐矩，圓方巧獲其則。此乃因情立格，持守圜環之大略也。若夫神工哲匠，顛倒經樞，思若連絲，應之杼軸，文如鑄冶，逐手而遷，從衡參互，恆度自若。此心之伏機，不可彊能也。

又　夫哲匠鴻才，固由內穎；中人承學，必自跡求。大抵詩之妙軌：情若重淵，奧不可測；辭如繁露，貫而不雜；氣如良駟，馳而不軼。由是而求，可以冥會矣。

許相卿《雲邨集》卷七《漸齋詩草序》　夫聲發於性情，中律而成文之謂詩。詩也者，人之精蘊也。是故古之人，由詩以考其世，知其人。隆污升降，興替否臧，猶鑒懸表植，當年曠世，靡爽忒焉。其見於詩也，深哉！

張邦奇《毛詩說序》　夫詩，志也。志也者，心之機也。定人心之機者，莫善乎詩矣。學者去其好利之私而絕乎習俗之蔽，虛心以誦之，遜志以求之，一言一事，無不反諸其身，察之精而養之熟，將見居上不驕，爲下不倍，處常不忒，遇變不惑，而聖經之義有不可勝用者矣。

陳言、陳所學《潁水遺編·詩原》　陳子曰：天地以風雷爲聲，人以言爲聲。感于物而動，故形于聲。聲相應，故生變，變成方謂之音。音相諧，謂之韻。歌之咏之，謂之詩。循蜚疏仡之世有言矣，而莫非詩也。風、雅、頌者，詩矣，而莫非言也。詩也者，言之永者也。簣桴土鼓，有詩之情而未飾；畫卦造書，有詩之文而未歌；操牛投足，有詩之歌而未教；唐虞而有詩之教而未傳，傳之至周而後盛。

鄭善夫《少谷集》卷一八《書二·答林克相侍御》　詩文一事，亦是世間一大翫物。今看古人文字之極好者，未免嘆賞忻慕，欲執鞭而從之。此實是一欲關，極易移人；中人資質到此，自不覺其遷就也。

季本《詩說解頤·字義》卷一　詩以溫柔敦厚爲教，所重在于興觀羣怨，而事父事君乃其實行之大者也，理性情者于此盡之，于文義若在外而無所待焉。然而鳥獸草木之名，聖人多識，豈爲鬪靡哉！蓋鳥獸草木，各有自然之情，因其名而求其情，則萬物之所以同體者可以得之于我，而有感卽通，亦性情之助也。故名物者，通乎萬物之情者也，通則心體無礙，文義豈眞在外哉！

朱淛《天馬山房遺稿》卷二《秋崖方先生文集序》　文章隨世高下，不其然乎？夫言因氣機之動而爲之者也。人之氣與天地之氣相爲流通。天地氣運方隆，而生于其時者，其稟受深厚，器度大雅，而見于言語文字亦多肖其爲人。

霍韜《霍文敏公全集》卷三下《議郊禮疏》　舜命夔曰：「詩言志，歌永言，聲依永，律和聲。」是四言者，萬世樂律本源也。詩，樂章也，所以宣志也。歌之咏嘆抑揚，所以永言也。言之永也，清濁高下，五聲備矣。故曰：聲依永，謂宮也、商也、角也、徵也、羽也，永所生也。是故永言焉而五聲備矣，非外永言求五聲也。十二律，節五聲者也。其節之也，諧諸陰陽者也。今也，于十二律，獨用圜鐘爲宫，黃鐘爲角，太簇爲徵，姑洗爲羽，是十二律缺八律也，五聲缺商聲也。律宫不備，何以爲樂？五聲不備，何以協諧？如是而曰格天神，非所知也。

楊慎《升庵集》卷三《李前渠詩引》 詩之爲教，逖矣玄哉！嬰兒赤子則懷嬉戲抃躍之心，玄鶴蒼鸞亦合歌舞節奏之應。況乎毓精二五，出類百千。六情靜於中，萬物盪於外。情緣物而動，物感情而遷，是發諸性情，而協於律呂，非先協律呂，而後發性情也。以茲知人人有詩，代代有詩。古之詩也，一出於性情；後之詩也，必潤以學問。性情之感異衷，故詩有邪有正；問學之功殊等，故詩有拙有工，此皆存乎其人也。或政遇醇和，則膏澤醲乎盼響；時值寙黷，則勞苦形於詠謠，皆復關乎其時也。

薛蕙《孝功集》卷一〇《升庵詩序》 古今言詩者病詩之難。夫詩之所以難者，才與學之難也。才本於天，學繫於人，非其才，雖學之不近也。有其才矣，非篤於學則亦不盡其才也。古之人以詩名家，必兼於斯二者。顧其才有高下，學有疏密，故文體又名爲品第焉。夫才之不足有所限而不可進也，學之不足無所禦而自止也。彊其才而進者寡，陋於學而止者衆。學而不止，極於不可進而後廢，古之作者猶難之。

邵經邦《藝苑玄機》 詩與文，不可分古今，而其運有古今，忠質文之説辨矣。故駿惠之基厚，則宣朗之運昌；光嶽之氣完，則鳴盛之言至，無惑乎。

又 詩之才，「詩有别才，非關學也」，其然乎？古者，婦人女子莫不能詩，蓋由學也。孰謂《關雎》、《葛覃》而非聖人之徒歟？今人敝於舉業，惟知孜孜汲汲從事章句、訓詁間，無怪乎以風雲月露之才目之也。

又 會作詩，要有緣法，鶴窗《遊僊詩》云「自是生來有僊骨，若無僊骨枉求僊」，此語解得。

又《弘藝録》卷二二《林白石先生文集序》 大抵人生覆載中，氣稟才華，以爲之主，而學問涵養，以爲之輔，以取其藴藉溫潤，資深逢源，然後無往而不得。觀於司馬遷、李白，天才迥出，又得於肆意歷覽，以發其蹈厲奮揚之氣。至於揚雄、杜甫諸人，刻意深造，所以致其精微純粹如不得已。其諸天資近道不能，學以充之；學雖黽勉，而天分或不能及，皆所謂「小乘」，而未能底於大成也。

黃佐《泰泉集》卷三《南戍稿序》 人有恆言曰：「詩能窮人。」又曰：「詩能達人。」是安所取衷哉？窮達者，時也；裕乎窮達者，道也；秉窮達之權者，君也。有人於此，其心放，其性鑿，其情蕩，其聲麗以淫、哀以怨，是豈可以言詩乎？吾知其雖達而終必窮也。有人於此，心通乎道，性定而情和；聲一於正，而修辭立其誠，是豈不可以言詩乎？吾知其雖窮而終必達也。

鄒守益《東廓鄒先生文集》卷一《訓蒙詩要序》 夫詩以理情性者也。何謂性？曰仁義禮智。何謂情？曰惻隱羞惡，辭讓是非。匪仁、匪義、匪禮、匪智、匪惻隱羞惡、辭讓是非，悉邪也。故曰：「《詩》三百，一言以蔽之，曰『思無邪』。」聖人教人學詩之法，無餘藴矣。後之言詩者，不復講於養性約情之道，而以雕辭琢句相角。故麄心浮氣之所發，喜而失之驕，怒而失之悍，哀而失之傷，樂而失之淫，其弊反以蕩情而鑿性。嘻，所從來久矣。

朱廷立《兩崖集》卷六《與同志論詩》 物感情斯動，情動音斯出。古詩《三百篇》，情文自然備。唐人開詞科，詩道日乖異。所惡非自然，迎合獵聲利。今人何相沿，極力事組織。勞勞弄精魄，翫物喪其志。嬰兒學老成，醜婦事嫵媚。見者咸笑之，謂其終不類。堂堂我皇度，試士以經義。致語作詩人，胡不思本始。

徐獻忠《唐詩品序》 詩之來尙矣，然生人所含風氣不齊，而感遇之情異，向其聲詩之變亦何能已耶？故秦楚析壤，異其商角之奏；國風流思，殊於雅頌之旨。諷其聲調，多不相及。參觀《三百篇》之内，此義不免，而況於後世耶？要之四聲異文，必諧於歌唱，乃爲入調；五音異詠，必備之絃管，乃爲合律。故律也者，與二儀俱生，萬有同形者也。以和人聲，感鬼神，其義浩乎遠已。參約其變，雖百代殊風，五方異氣，亦安能無定論耶？

皇甫汸《解頤新語》 才有高下，定於平昔，然有時取勝。蓋景與情融，思若神助，同探鮫室，先得驪珠。

薛應旂《方山先生文録》卷三《紀述》 詩以言志，虞廷所以昌也；詩以炫藻，六朝所以衰也。

又卷九《六朝詩集序》 今天下論詩者，謂不關理。論理者多病詩，一及六朝，不遑究觀，而襲聞傳聽，已概擬其侈靡矣。烏乎，詩本性情。衰正汙隆，理無不在。不有獨見，率同耳食。未可與論詩，可與論理也與哉！故曰：「商賜始可與言詩也。」或謂：六朝詩，惡得與《三百篇》比？不知先民所詢，聖人所擇，狂夫採薪，咸爲陳列。故仲尼歸衛而正，季札聘魯而觀，蓋未嘗遺乎列國之風也。齊梁間人士，獨非閭巷歌謠，棄妻思婦類邪？昔王通氏，聖之修者也。其所續詩，今不概見。然觀其稱士衡之文，以及靈運之傲，休文之冶，鮑昭、江淹之急以怨，吳筠、孔珪之怪以怒，謝莊、王融之纖碎，徐陵、庾信之夸誕，孝綽兄弟之淫，湘東諸王之繁，謝朓之捷，江總之虛，顏延之、王儉、任昉之約以則，是其所續者，大都皆夫人之詩爾。四名五志，意義所繫，豈微乎哉？然則斯集也，固不特漢魏之餘波，初唐之濫觴也。矧夫諸侯不貢詩，行人不採風，樂官不達雅，國史不明變，而列代之風泯焉久矣。論世以徵化者，於斯可以弗之觀邪？

孫陞《孫文恪公集》卷四《三仕紀蹟詩序》 夫詩詠於薦紳大夫之口，然實根姚人之心。佩恩而蒙澤，長驅而短吟，一唱而群和。咸出性眞，弗事紛藻。

又《校先伯集引》 詩根情性，大篇短章累百千，總之比協天常，發明往訓，洞悉世故，旁報物情。興至即書，扣之即應。韓昌黎氏論文有言：「行之乎仁義之途，游之乎《詩》、《書》之源，毋迷其途，毋絶其源，終吾身而已矣。」

《李開先集·閒居集》卷六《市井艷詞序》 憂而詞哀，樂而詞褻，此今古同情也。正德初尚《山坡羊》，嘉靖初尚《鎖南枝》，一則商調，一則越調。商，傷也；越，悅也：時可考見矣。二詞譁於市井，雖兒女子初學言者，亦知歌之，但淫艷褻狎，不堪入耳。其聲則然矣，語意則直出肺肝，不加雕刻，俱男女相與之情，雖君臣友朋，亦多有托此者，以其情尤足感人也。故風出謠口，眞詩祇在民間。《三百篇》太半採風者歸奏，予謂今古同情者此也。

吳廷翰《蘇原文集》卷上《蒙齋鄭先生集序》 蓋嘗觀其本矣，義理溢而成文，性情比而成詩，積而發感而應古人，非有意於詩文。而天下之操觚濡翰者，乃卒莫能加焉，甚矣。今人之詩文不似古人也，陋哉。今人學古人之爲詩文也，其言曰：「吾爲文，非《左氏》、《公》、《穀》不傳，非先秦兩漢不以出諸口；吾爲詩，將出入命《騷》，表裏漢魏，憲章六代，唐以下勿論。」字字而稱之，句句而量度之，貌其體裁，寫其音聲。」一有不類，斷斷然群聚而攻之，曰：「吾以求合於古之作者。」固其力勞而技亦殫矣。然而讀之彌高，而趨彌下；就之愈近，而失愈遠。進無以及古人，而退且不能爲今人，則以不得其本故也。吁！蓋其弊至於今極矣，抑某有悲焉。

許應元《陭堂摘稿》卷六《童蒙山詩集序》 自有詩歌以來，垂三千年，其爲變極矣，而有弗可易者三，曰：性情、體要、爾雅也。三者有缺，其得爲詩乎哉？夫詩之發乎情，蓋非獨以道其歡忻、怡愉、悲憂、窮獨之懷，而洩隱伏、底滯、難言之思也。抑又可以觀其人焉，故微言相感，知愛惡之方；因物造端，見材知之美，斯其可貴也。至蕩者爲之，則流肆胸臆，縱恣放紛，湛欲迷方而不知反。六詩義既懸殊，體裁亦異。故夫子云：「自衛反魯，《雅》、《頌》得所。」下逮《騷》經、樂府之詞，謠俗古今之變，隨時間作，而氣格體裁區別曠分。得之者方行，失之者窘步，莫可紊也已。然拘者效之，則形似有餘，神理不足。傳曰：「詩主文而譎諫。」其後詞人得其一概，亦以爲緣情靡麗。故其爲道，貴雅馴而賤麄鄙，先典則而後流易。修詞之方，於是取衷。及其末流，則雕繪刻飾，捃摭藻華，遯棄本根。若是乎，詩道之難全也。漢魏以下，斯得失之林已然。要以厚人倫，美風俗，是故先王以爲敎，而世乃等之。藝成，謂於道無貴，何哉？

又卷七《言志漫稿序》 詩吟詠性情而達於治，其聲音通乎政，其心志在乎民，則君子取之。余嘗求之《三百篇》，莫不好治而閔亂，聳善而備敗。至於謹幾微之防，盡始終之義，抃然以喜，瞿然而懼，美與戒相尋也。獨宣王之雅爲詳，夷考其詩，蓋皆當時卿士大夫之作，而志可則已。方宣王內修政事，外攘夷狄，用賢使能，成中興之美。群臣既光輔之，復文武之郅隆，纘配天之絶業，其烈盛哉。然且美之而遽戒之，何也？文武之治始於憂勤，終於逸樂，而逸樂之不可恆，惟文武爲能持之。勤始而怠終，忲於治平而泰，雖賢君猶不免也。坊之不欲使之流，維之不欲使之傾，反覆詠歌之，俾勿壞，然後爲盡其心，是詩人之志也。麗淫瑰詭之詞作，浮聲切響之變繁，而詩之敎寢以微滅。嗟夫！安得有意永言之本而與之共陳六義乎？

《震川先生集》卷二《沈次谷先生詩序》 夫詩之道，豈易言哉！孔子論樂，必放鄭、衛之聲。今世乃惟追章琢句，模擬剽竊，淫哇浮艷之爲工，而不知其所爲，敝一生以爲之，徒爲孔子之所放而已。今先生率口而言，多民俗歌謠，憫時憂世之語，蓋大雅君子之所不廢者。文中子謂：「諸侯不貢詩，天子不採風，樂官不達雅，國史不明變，斯已久矣，詩可以不續乎？」蓋

《三百篇》之後，未嘗無詩也。不然，則古今人情無不同，而獨於詩有異乎？夫詩者，出於情而已矣。

林應麒《介山略稿》卷一三《恆陽葉貞士墓誌銘》 詩不理於性情，雖逼眞，《二南》猶爲淫辭。

何良俊《四友齋叢說》卷二四《詩一》 詩有四始，有六義。今人之詩與古人異矣，雖其工拙不同，要之六義斷不可闕者也。苟於六義有合，則今之詩猶古之詩也；六義苟闕，即古人之詩何取焉。余觀孔子所定《三百篇》，雖淫奔之辭，猶存之以備法鑒；則其所去者，正所謂於六義有闕者是也。況「六義」者，既無意象可尋，復非言筌可得，索之於近則寄在冥邈，求之於遠則不下帶衽，又何恠乎今之作者之不知之耶？然不知其要則在於本之性情而已，不本之性情，則其所謂託興引喻與直陳其事者，又將安從生哉！今世人皆稱盛唐風骨，然所謂風骨者，正是物也。學者苟以是求之，則可以得古人之用心，而其作亦庶幾乎必傳；若捨此而但求工於言句之間，吾見其愈工而愈遠矣。

又 詩以性情爲主，《三百篇》亦只是性情。今詩家所宗，莫過於《十九首》，其首篇《行行重行行》，何等情意深至，而辭句簡質。其後或有託諷者，其辭不得不曲而婉。然終始只一事，而首尾照應，血脈連屬，何等妥帖。今人但摸倣古人詞句，餖飣成篇，血脈不相接續，復不辨有首尾，讀之終篇，不知其安身立命在於何處；縱學得句句似曹劉，終是未善。

又 詩苟發於情性，更得興致高遠，體勢穩順，措詞妥帖，音調和暢，斯可謂詩之最上乘矣，然豈可以易言哉！

王愼中《遵巖集》卷九《顧洞陽詩集序》 剛柔舒促、淫濫泰約之變，人之性術情好動於其中，而美惡之形成矣。因形以有聲，而得失邪正之言所由以出。人之居處有養而踐歷有習，拘焉而不備則於物之變有所未嘗，性情之動亦曲而不中。羹藜含糗者固不可語膏粱之豐旨，而飫於珍滋之豢者亦豈知蔬茹之爲甘？櫛風沐雨、勞筋憊骨之夫，孰知廣廈細氈、安坐徐行之爲適？而雍容都雅、墮弛其四體者，與之談郊野道塗勤動之故，則不省其爲何。佚樂憂勤之境，士大夫居養踐習之所閱，蓋有終身由於此而不適乎彼者矣。故人之爲言，其出於剛悍苛促困濫苦約而無聊者，必其閱於憂勤之所爲；而狎於佚樂之習養者，常柔鶩舒漫泰肆淫靡而不知節。如是者，莫審於詩久矣。

又《陳少華詩集序》 由漢而下，爲詩者多矣，其人大抵陵轢恣傲，睥睨倨虐，挾能盛氣，遻衆物而犯一世。或放浪詼譎，剽輕不根，喜自佚肆，脫去繩束，而爲慢侮，世皆可狎，而於人無足。嚴其憂愁阨迫、懣憤無聊，天地若無所容，而人不可與偶。好爲不平誚刺，多怨而善悲，故能設奇託怪，鈎深抉隱，窮四時之變而引萬物之類，作爲語言，以道人情之所欲寫而不能、本有而不得以已者，其詩之工往往極其至焉。雖其詩之工，然亦以傲虐、慢侮、怨悲、誚刺，負世之累，有其材者固不免有其病與！

又《碧梧軒詩集序》 不得志於時，而寄於詩，以宣其怨忿而道其不平之思，蓋多有其人矣。所謂不得志者，豈以貧賤之故也？材不足以用於世，而沮於貧賤，宜也，又何怨焉？才足以用於世，賤且貧焉，其怨也宜也。言之所寄，必出於不平，烟雲水石蟲魚鳥獸草木之見者，皆可怒之物，寫而爲詩，皆不樂之旨，是其人於中雖未宏，而亦其情之所不免與？

海瑞《海瑞集》下篇《青山輓詩序》 詩者心之聲。有褒頌于生前，追悼于既沒。哀樂之義不同，其感德之心一也。夫人心無常，君子生而使之感固難，死而遺其感尤難。蓋死者，人之易忘也。易忘而不忘，非德之入人深者哉？

胡直《衡廬精舍藏稿》卷八《唐詩律選序》 世多以律詩爲非古，予獨不然。詩之古不古，不繫於體之律不律也。辟之求古人於世，將以其質行耶？抑以其狀貌耶？如以其狀貌，則必若植鰭削瓜，然後爲古人可斁，其取冠服、字畫皆然。有聖人者出，雖貴麻冕，而用必巾幘，雖貴科斗，而行必眞草，夫豈聖人不好古哉！以爲取古於裁製點畫，固不若取古於頭容心畫之爲眞也。其於用詩何獨不然，詩之作義，取含蓄溫厚足以感人，而體製次之。今世唯鶩詞葩體奇以爲勝，其於感人之義咸蓋而不彰。漢儒議司馬相如勸百而諷一者以此。夫相如之文體古矣，使皆勸百而諷一，則又何以貴爲？

譚浚《說詩序》 夫詩者，道德之宗，中和之致。於以養其性情，定其心志，正其聲音，端其文詞，寔風化之門也。《釋名》曰：「詩者，之也。」之者，出也。性之所之，謂之情；心之所之，謂之志；情之所出，謂之聲；志之所出，謂之詞；音之成文，謂之詩。聲音文詞根於內，性情心志通於外。物欲相感，內外相應，而風化形焉。形於風者，中和之風也；形於化者，道德之化也。由乎外而知其內，由乎風而知其化。世之盛衰，政之興廢，人之臧否，俗之淳漓，無不形焉。故虞審聲音在治，忽以出內五言，有周選觀風之使，建採詩之官。其所由來也，尚矣。

又 詩莫善於養。養其恆則中，中則和。失其恆則動，動則變。人有觔骸氣血之恆性，而無不欲之情；物有聲色臭味之恆動，而無不動之感。情之所感，其介石之藏精也。通竅於耳，五聲感焉，覆蓮之藏神也。通竅於舌，五司感焉，懸瓢之藏魂也。通竅於目，五色感焉，懸磬之藏魄也。通竅於鼻，五臭感焉，覆缶之藏意也。通竅於口，五味感焉。此性動情遷，情遷則心隨。有感于喜而生樂者，其志速。怒而生惡者，其志達。思而生慮者，其志困。悲而生怨者，其志固。恐而生畏者，其志伏。此心隨志動，匪其恆也。惟人無喜怒悲恐之恆情，亦無不發之聲。無咨嗟咏歌之恆聲，亦無不應之音。是其速也，猛奮而躁。其達也，樸鷙而倨。其困也，遲訥而濡。其固也，廉勁而殺。其伏也，婞婀而微。此聲依音適，音適則詞逐。躁者，肆而不遏。倨者，疏而不縮。濡者，嘽而不諧。殺者，竭而不澤。微者，匿而不顯。此詞逐文變，匪所養也。惟君子則愼其所養者，是喜平則無樂，怒平則無惡，思平則無慮，悲平則無怨，恐平則無畏，中和之謂也。故聖人建之道德，辨之理欲，稽百度之貞，調四氣之宜，推萬物之類，順五行之布，徵八風之時，從六律之均，質造化之迹，應天地之用，端詞以成其文，正聲以合其音，節情以適其志，因心以全其性也。

又 《記》曰：「詩以道之，歌以咏之。」道之以中德，咏之以中音。德音不愆，以極和平。詞得其常曰「極」，極之所集曰「聲」，聲應相保曰「和」，大小不踰曰「平」。和平則純明，純明則化成。朝廷之上以之，莫不和而義。家庭之間以之，莫不和而親。閨門之內以之，莫不和而正。鄉國之中以之，莫不和而睦。亂而之治，廢而之興，否而之臧，漓而之淳。而謂感不猶應，響不猶聲，形不猶風，動不猶化者，未之有也。古黃帝之爲治也，使伶倫自大夏之西之阮隃之陰，截嶰谿之竹，吹黃鐘之宮，合律呂之本，奏咸池之音，百獸率舞，鳳凰來鳴。音之所感者，至矣。而况於人乎？况人之感於詩者乎？况詩之聲音文詞兼備者乎？是則上之風何下不達，下之化何上不聞？上下交和，內外胥說。

又卷上《總辨・統說》 夫詩，所以道達心志，發揮性情，和順道德，判天地之義，稱神明之容，析萬物之理，會古今之典，通時代之宜也。

又《性教》 言發於性情，風動於教化。惟性情之正者，基舜臯陶、八伯之言也。惟教化之治者，肇堯《康衢》、《擊壤》之風也。王迹熄而《詩》亡，《楚詞》流而淫麗。漢武好浮華，相如應之；魏文好綺靡，曹植應之。唐局於律儷，宋束於議論。非天下之才盡，寔世代之氣變矣。夫氣有壹鬱，非言曷通？形有萬變，非詞曷寫？其教止於經，聖賢之詞也。文生於質，天地之性也。性有邪正，習無今昔。學以盡性，味以成詞。治亂由時，雅鄭在人。綿古之世，猶聞《濮上》、《桑間》。凡今之人，豈無《皇風》、《四始》？故曰：「先王詩教，人道之常。使興於善而戒其失。是以入人深而見功速也。安得鼓天下之氣，以復先上之教哉！」

又《義原》 天地生物，莫靈乎人。人之感物，莫先乎情。情之發，莫切乎音。音之適，莫深乎義。故曰：「情，苗也；言，華也；音，實也；義，類也。」類萃而群分，群分而氣同，氣同而感一。未有情交而不感，聲入而不應者是也。故或賦以叙事，比以附理，興以托情。諷刺由乎「風」，「風」正歸於「雅」，「雅」作成於「頌」，則七情、五音、六義、六德備矣。至楚爲「騷」，朱子所謂「變風」、「變雅」之流也。其語祀神歌舞之盛，則幾乎「頌」，而變甚焉。謂興少而比、賦多也。漢變爲賦，楊子所謂：「賈誼升堂，相如入室。如其不用何？」又曰：「童子雕蟲篆刻，壯夫不爲也！」豈風致衰於後代，而經義謝於成周也歟？

又《道理》 人心生而有言，言詞出而有義。世道或殊，而分位不易；物理無窮，而節文有則。《烝民》、《鴟鴞》之詩，孔子贊其知道。阮籍《咏懷》之作，文中謂其名理。孟子《滄浪》之歌，《楚詞》亦托言之。《論語》接輿之歌，莊子又申言之。魯《師乙歌》、《孔子家語》載之。韓《董生詞》，朱子《小學》引之。合于義，不特詞也。《左傳》載宋人野歌云：「既定爾婁豬，盍歸吾艾猳。」刺小君也。《晉語》國人誦云：「貞之無報也，孰是人斯而有是臭也。」刺國君也。原壤毋死而登木托音，子桑戶死而編曲鼓琴，則出言非道，而背義踰理矣。

又《感發》 凡物之動而感同，性之欲而發異。情無不樂，樂而勿淫；亦無不怨，怨而勿亂；亦無不思，思而勿邪。荀子曰：「以道制欲，則樂而不亂；以欲志道，則惑而不樂。」故齊衰之服，哭泣之聲，使人心悲；帶甲嬰胄，歌于伍行，使人心驚；姚冶之容，鄭衛之音，使人心淫；紳端章父，舞《韶》歌《武》，使人心莊。孔氏曰：「治世政和，民心安樂。『百室盈止，婦子寧止』，安之極也。『厭厭夜飲，不醉無歸』，樂之極也。亂世政乖，民情怨怒：『民莫不穀，我獨何害』，怨之至也。『取彼譖人，投畀豺虎』，怨之甚也。國亡民困，哀思而述歌『知我如此，不如無生』，哀之甚也。『睠言顧之，潸然出涕』，思之篤也。可以觀世矣。」

金大車《金子有集・浮湘稿詩序》 詩也者，志之徵也。志蘊諸中，而言出焉。言之不足，形諸歌咏，而詩成焉。是故之其所樂，而暢如也；之其所戚，而悽如也；之其所思，而悠如也；之其所激，而憤如也；之其所困，而鬱如也。雖言以材達，人以代更，而跡有顯晦，情有慘舒，各隨所之焉。君子遡辭以審音，揆衷以度德，作者之志可窺矣。

徐渭《徐文長三集》卷一九《葉子肅詩序》 人有學爲鳥言者，其音則鳥也，而性則人也。鳥有學爲人言者，其音則人也，而性則鳥也。此可以定人與鳥之衡哉？今之爲詩者，何以異于是。不出于己之所自得，而徒竊于人之所嘗言，曰某篇是某體，某篇則否，某句似某人，某句則否，此雖極工逼肖，而已不免于鳥之爲人言矣。若吾友子肅之詩則不然，其情坦以直，故語無晦，其情散以博，故語無拘，其情多喜而少憂，故語雖苦而能遣其情，高而耻下，故語雖儉而實豐，蓋所謂出于己之所自得，而不竊于人之所嘗言者也。就其所自得，以論其所自鳴，規其微疵而約于至純，此則渭之所獻于子肅者也。

又《肖甫詩序》 古人之詩本乎情，非設以爲之者也，是以有詩而無詩人。迨于後世，則有詩人矣，乞詩之目多至不可勝應，而詩之格亦多至不可勝品。然其于詩，類皆本無是情，而設情以爲之。大設情以爲之者，其趨在于干詩之名。干詩之名，其勢必至于襲詩之格而剿其華詞。審如是，則詩之實亡矣，是之謂有詩人而無詩。有窮理者起而捄之，以爲詞有限而理無窮，格之華詞有限而理之生議無窮也，于是其所爲詩悉出乎理而主乎議。而性暢者其詞亮，性鬱者其詞沈，理深而議高者人難知，理通而議平者人易知。夫是兩詩家者均之爲俳，然謂彼之有限而此之無窮，則無窮者信乎在此而不在彼也。

又《徐文長逸稿》卷四《選古今南北劇序》 人生墮地，便爲情使。聚沙作戲，拈葉止啼，情昉此已。迨終身涉境觸事，夷拂悲愉，發爲詩文騷賦，璀璨偉麗，令人讀之，喜而頤解，憤而眥裂，哀而鼻酸，恍若與其人卽席揮塵，嬉笑悼唁于數千百載之上者，無他，摹情彌眞則動人彌易，傳世亦彌遠。

又卷一四《草玄堂稿序》 或問于予曰：「詩可以盡儒乎？」予曰：「古則然，今則否。」曰：「然則儒可以盡詩乎？」予曰：「今則否，古則然。」請益，予曰：「古者儒與詩一，是故談理則爲儒，諧聲則爲詩。今者儒與詩二，是故談理者未必諧聲，諧聲者未必得于理。蓋自漢魏以來，至于唐之初晚，而其軌自別于古儒者之所謂詩矣。」曰：「然則孰優乎？」曰：「理優。」謂理可以兼詩；徒軌于詩者，未可以言理也。

吳國倫《甔甀洞稿》卷三九《李尚書集序》 詩道性情而用意深厚，卽寓目應手不加藻繪，鮮不音中而節合，泱泱乎風人之遺矣。文述名實而叙事簡嚴，高不踰情，庳不儕俗，惇于君親朋友之誼，而潛于德藝經術之微，殆凜凜一家言也。古稱大夫登高能賦，師旅能誓，山川能祭，作器能銘，公兼有之。

來知德《來瞿唐先生日錄內篇》卷五《省覺錄》 先輩云：「萬物靜觀皆自得。」又云：「月到天心處，風來水面時。」此景極有興趣。識得此趣，便是鳶飛魚躍，活潑潑地。我終日有此趣，便就坦蕩蕩，無入而不自得。

王世貞《弇州山人續稿》卷四〇《劉侍御集序》 夫言，人心之聲，而詩文乃其精者。韻而詩，匪韻而文。其用本不相遠，而其究乃不能相通。以故攻之者不能兼造其奥而發其樞。自西京以還，至於今千餘載，體日益廣，而格日以卑。前者毋以盡其變，而後者毋以反其始。嗚呼！古之不得盡變，寧古罪哉；今之不能返始，其又何辭也已！

又《藝苑卮言》卷三 王武子讀孫子荆詩而云：「未知文生於情，情生於文。」此語極有致。文生於情，世所恆曉；情生於文，則未易論。蓋有出之者偶然，而覽之者實際也。吾平生時遇此境，亦見同調中有此。又庾子嵩作《意賦》成，爲文康所難，而云：「正在有意無意之間。」此是遯辭，料子嵩文必不能佳。然有意無意之間，卻是文章妙用。

又卷八 古人云：「詩能窮人。」究其質情，誠有合者。今夫貧老愁病，流竄滯留，人所不謂佳者也，然而入詩則佳。富貴榮顯，人所謂佳者也。然而入詩則不佳。是一合也。泄造化之秘，則眞宰默讎，擅人群之譽，則衆心未厭。故呻佔椎琢，幾於伐性之斧；豪吟縱揮，自傳爰書之竹。矛刃起于兔鋒，羅網布于雁池。是二合也。循覽往匠，良少完終，爲之愴然以慨，肅然以恐。曩與同人戲爲《文章九命》：一曰貧困，二曰嫌忌，三曰玷缺，四曰偃蹇，五曰流竄，六曰刑辱，七曰夭折，八曰無終，九曰無後。

鄧元錫《潛學稿》卷一《近雅》 詩者，人之性情也。雅，正也，正言之也。詩之爲教，敦厚溫柔言切，義無直指，近托遠諷，譬之風然，俾渢渢乎足感乎人心。

孫鑛《姚江孫月峰先生全集》卷七《唐元卿三稿序》 余持論主在法古，語稍近，輒謂古未有疑焉。而元卿則主情，貴卽境吐之，云：「古安從生？」不合者此。要之，詩緣情而綺靡。元卿勝矣。

李蓘《宋藝圃集序》 夫詩者，人之聲也，樂之章也。發於情不溺於情，範於禮不著於禮者也。宋人惟理是求，而神髓索焉。其遺議於後也，奚怪哉？故滄浪之譏評，紫陽之論說，皆所謂致喩於眉睫者也。

王錫爵《王文肅公文集》卷一《唐詩會選序》 詩之爲教，非小技也；其感人，非小用也。夫古昔《三百篇》，不過里巷歌謠之語，與夫大夫君子舒洩其胸中之夭紹，幷禋祀、朝會、燕享之樂章耳。然夫子選之，至與羲、文、周公之《易》，堯、舜、禹相授受之《書》，垂教萬世。且諄諄爲訓曰「何莫學夫詩」，何哉？灼見其發之性情，止于禮義，悲而不傷，憂而不怨，溫厚和平之旨溢于言表。其于養性淑身，誠哉有賴也。

趙用賢《松石齋集》卷八《吳少君續詩集叙》 夫聲詩之道，其本在性情，其妙在神解，其傳景會意恆超于學問語言之外，然而匠心獨詣超契溟涬者多發於羈旅，草野之人而得之怨對悱惻之語。昌黎有云「懽愉之辭難工，而窮苦之言易好」，彼士既自放山澤，往往獨立于情慮之表，不蒙世之緇垢，而巖觀川游行歌坐嘯又得其暇，發舒性靈之所獨得，故其爲詩離群睨俗，使讀者變踔慘慄感慨，郤顧而不能自已，然後可以言隱者之詩也。

卓明卿《卓光祿集》卷三《與黎惟敬書》 顧論詩之旨未盡本懷，聊爲足下陳之。詩之爲教，緣情性本倫物，故曰敦厚和平，又曰思無邪。讀其詩，寬大和緩，無奇字深思。而概舉全篇，滔滔莽莽以厚爲基，意含句中，響流聲表，渾而含之，自與體會，此詩之旨也。故刻深鏤劌則傷骨，叫號窮慘則傷氣，感激用壯則傷體，故思寧淺而弗深也，才寧不足而弗有餘也。今之學士大夫或懵厥，由務逞其思之所際與才之所及，一切不顧，長言嘐寥。夫詩可以觀政，明融熾昌，而談懷沙吊郢之事則悖矣。詩所以附物，體會瀏亮，而極形容肖似之迹則泥矣。詩所以永言，一唱三歎，而肆洴澎訇匒之響則謬矣。夫鄭衛棄于《二南》，南山畔于正雅，而《離騷》諸作不敢望《三百篇》之閾，豈無故哉！又譬之五味，裂吻酸鼻不可以語太羹。譬之七聲，急管繁弦不可以語中氣。同條共貫皆是物也。

呂坤《呻吟語》卷六《詞章》 詩辭要如哭笑，發乎情之不容已，則眞切而有味。果眞矣，不必較工拙。後世只要學詩辭，然工而失眞，非詩辭之本意矣。故詩辭以情眞切語自然者爲第一。

又 詩家無拘鄙之氣，然令人放曠；詞家無暴戾之氣，然令人淫靡。道學自有泰而不驕、樂而不淫氣象，雖寄意于詩詞，而綴景言情皆自義理中流出，所謂吟風弄月，有吾與點也之意。

溫純《溫恭毅集》卷七《歸來漫興序》 夫詩豈不關切世教哉？純聞之劉勰矣。詩者，持也。古以詩持性情，卽以性情持世教。後業詩者乃往往離去本質，卽所模擬唐矣、漢魏矣，然令當官，事事不啻弁髦土梗焉，卒乃使用世君子諱談之。夫詩病我耶？我自病耶？

彭汝讓《木几冗談》 凡作文須養得一塊雄厚之氣，下筆拈來自成一篇好議論。昔人謂李商隱爲獺祭魚，楊大年爲衲被，果然。

楊繼益《澹齋內言》 詩者，心之聲乎？文者，心之精乎？如許人品，如許議論，一一自寫其眞。詩必唐爲問，唐以上，文必漢爲問，漢以前，崛起固在英雄，古未聞有詩種文兒。

焦竑《澹園集》卷一五《雅娛閣集序》 古之稱詩者，率羈人怨士，不得志之人，以通其鬱結而抒其不平，蓋《離騷》所從來矣。豈詩非在勢處顯之事，而常與窮愁困悴者直邪？詩非他，人之性靈之所寄也。苟其感不至，則情不深，情不深，則無以驚心而動魄，垂世而行遠。吾觀尼父所刪，非無顯融膴厚者厝乎其間，而諷之令人低徊而不能去，必于變風雅歸焉，則詩道可知也。

又卷一六《陶靖節先生集序》 古者賢士之咏歎，思婦之悲吟，莫不爲詩。情動于中而言以導之，所謂詩言志也。後世摛詞者，離其性而自託于人，僞以爭須臾之譽，于是詩道日微。余觀漢魏以逮六朝，作者蝟起，能道其中之所欲言者，阮步兵、左太沖、張景陽、陶靖節四人而已。

又《劉元定詩集序》 古之藝一道也。神定者天馳，氣全者調逸，致一于中而化形自出，此天機所開，不可得而留也。勃勃乎乘雲霧而迅起，踔厲風輝，驚雷激電，披拂霆靡，倏忽萬變，則放乎前者皆詩也，豈嘗有見于豪素哉！古作者流，或以散鬱結之懷，或以抒經遠之致，觸遇成言，飛動增勢，此物此志也。世人把三寸柔翰，鉛摘緹油，心量而手追，隨步武之後，躡其遺塵，此寧復有詩也耶？

又《澹園續集》卷二《竹浪齋詩集序》 詩也者，率其自道所欲言而已。以彼體物指事，發乎自然，悼逝傷離，本之襟度，蓋悲喜在內，嘯歌以宣，非強而自鳴也。以故《二南》無分音，列國無辨體，兩《雅》可大小，而不可上下，三《頌》可今古，而不可選擇。異調同聲，異聲同趣，遐哉旨矣！豈可謂瑟愈于琴，琴愈于磬，磬愈于柷敔，而輒差等之哉？古賢豪者流，隱顯殊致，必欲洩千年之靈氣，勒一家之奧言，錯綜雅頌，出入古今，光不滅之名，揚未顯之蘊，乃其志也。

又卷九《題寄心集》 蒙莊有言，詩以道性情。蓋以洞達性靈，而勸諭箴砭，以壹歸于正。即其懇款切至，要必和平溫厚，婉委而有餘情，故言之無罪，聞之足以戒也。後世詩與性離，波委雲屬，祗以爲流連之資，而六藝之義微。杜子美力挽其衰，閔事憂時，動關國體，世推詩人之冠冕，良非虛語。樂天雖晚出，而諷諭諸篇，直與之相上下，非近代詞人比也。

屠隆《白榆集》卷二《劉子威先生澹思集序》 夫道之菁英爲文，文之有韻爲詩。蓋不知何所自始。古今人物，靡弗馳焉，大道默默，烏取砰訇，鑿破混沌，礫裂元氣，以雕大素，而變希聲，則其敝也。

又《由拳集》卷一二《唐詩品彙選釋斷序》 夫詩，由性情生者也。詩自《三百篇》而降，作者多矣，乃世人往往好稱唐人，何也？則其所託興者深也。非獨其所託興者深也，謂其猶有風人之遺也。非獨謂其猶有風人之遺也，則其生乎性情者也。夫性情有悲有喜，要之乎可喜矣。五音有哀有樂，和聲能使人歡然而忘愁，哀聲能使人悽愴，惻惻而不寧。然人不獨好和聲，亦好哀聲。哀聲至于今不廢也，其所不廢者可喜也。

又《鴻苞節錄》卷六《論詩文》 神仙爲一詩，見神仙本色；英雄爲一詩，見英雄本色。詩文之士，千萬言而無一語類神仙者，千萬言而無一語近英雄者，品格固不可強矣。

周履靖《騷壇秘語》卷上 凡作五言古詩，先須澄靜此心，如滄溟不波，空碧無際，纖月到景，萬象涵精。題目如鏡中物影，悲歡動靜，了無遁情。懷天地于秋毫，洞古今爲一瞬。視彼區區者，無談笑道之。大抵五言古詩，所養浩蕩，所見詳明，所取精微，所用輕快。

又 凡作七言古詩，先須澄靜此心，如泛舟滄溟，春秋晴雨，風波作止，萬變隨時。題目如大海受風，冷風則微瀾應，疾風則駭浪騰。自然而然，取其神奇者而用之。大要七言古詩，所養浩蕩，所見詳明，所出奇崛，所用峭絕。

又 凡作五言律詩，先須澄靜此心，如春江無風，澄綠千里，萬象森列，皆有溫柔平遠之意。就其中擇取事情極明瑩者而用之，務要涵養寬平，不可迫切。

又 凡作七言律詩，先須澄靜此心，如秋高月明，獨立華嶽之巓，俯視萬象，景皆入奇峭中。就其中擇取沉雄險特者而用之，務要奇峭，不可寬緩。

又 凡作絕句，如窗中覽景，立處雖窄，眼界自寬。題廣者，取遠景，寸山尺水愈覺其遙；取近景，一草一禽皆有生意。五言絕句主情景，七言絕句主事意。

又卷中《四不足》 思，思之切矣，抑而勿思。言，言之可禁，噤而勿言。嘆，嘆不可忍，止而勿嘆。詠，詠不能已，默而勿詠。蹈，怒蹈喜舞，詩可作矣。含蓄至此始可言詩。不然，雖工亦五七言雜文耳。

又《五性》 仁，喜怒藹然，皆愛人之心。義，謙讓有節，用物得度。禮，情之極才，裁之以理。智，深達事情。信，情眞、景眞、事眞、意眞。須平日涵養自然而然。

馮夢禎《快雪堂集》卷三一《跋尚友堂詩集》 夫強笑不樂，強哭不哀，飾婦人鬚髯則不韻，傅男子以粉黛則不莊，何也？性情不可假也。故曰田夫、牧豎、婦人、女子何嘗習聲律、工文辭哉，而其率然自鳴之語，反見采于史氏，陳于先王，至今尊之曰「經」。【略】夫詩而本之性情，近取諸身，遠取諸物，隨感而動，天機自呈。譬如臨鏡自見其面，亦如水銀撒地，大小皆圓，寧待安排、布置耶！

朱朝瑛《讀詩略記》卷首《論詩樂》 晦翁以鄭聲淫，即此《鄭風》而是。辨之者曰，音律爲聲，篇章爲詩，辭旨醇正，而節奏放濫即爲淫聲，辭旨佚蕩，而節奏緊嚴即爲正聲，不得以聲而累辭也。如《樂記》云：商爲五帝之聲，商人傳之齊，爲三代之聲。齊人識之，此與《商頌》、《齊風》何涉，其言亦至辨矣。然在歌者，或可變易其聲，而非所語於作者也。作詩之人，以哀心感者，其辭淒涼，其聲亦淒涼；以樂心感者，其辭發越，其聲亦發越；以喜心感者，其辭和柔，其聲亦和柔；以怒心感者，其辭淩厲，其聲亦淩厲；以敬心感者，其辭莊直，其聲亦莊直；以淫心感者，其辭慆蕩，其聲亦慆蕩；此志氣之相因，發於自然而不自知者也。苟舉其聲而變易之，卽不足以達志，不足以達志，亦不足以感人，不足以感人，卽聲之正者，亦不足以爲樂矣！故《詩》三百，一言以蔽之曰：「思無邪。」辭亦無邪也，聲亦無邪也。《樂記》所謂鄭、衛之音，亂世之音也。

錢肅樂《錢忠介公集》卷一《徐確庵外篇序》「受千金之賜，一歲九遷，其官感恩則有之矣。將以稱於天下曰知己，知己則未也。然則知己之言，蓋官爵所不能移而千金所不能贈者也。」士以文章應世，凡有三患：主者好柔麗而士以樸售，主者好新聲而士以雅進，抱卞氏之玉不能衛其足，一患也；卽或識其文矣，而徒賞外光，未測內景，我咯咯而出之，彼泛泛而遭之，雖提耳而呼，唾心而語不可得，二患也；從來文人罕有全，目識者一以爲俊才，一以爲英流，被之才士之稱而夷於子雲、相如之列爲辱已甚，三患也。豈惟士患，衡文者亦有之。其騏驥厄於鹽車，跼地悲鳴，古今同痛。然使伯樂不逢騏驥，朝入市焉而無其匹，暮入市焉而無其羣，悵悵何之？且將恨我眼光出牛背上矣。然則伯樂之思良馬，固甚於良馬之思伯樂也。

又卷二《公緒上人詩序》詩之爲教，原本於情。故或託物以寄懷，或感時而發詠。情舒暢者，有和平之響；危苦者，多噍殺之音。留連往什，靡不繇之。若乃逃虛耽寂，棄智捐名，離而親朋，塊然介立，不情孰甚焉！夫木含風而籟遠，水激石而韻幽，木石無情，猶天靈中動，翔趣外浹。釋氏空寂，更乃過之。寧當鼓暖氣於溼灰，吹靈液於涸澤乎？余謂天下惟學佛最眞者，用情亦最眞。何以言之？夫人一身，毒藥腐其腸胃，色斧伐其骨髓，榮華利祿與日刃劘，愛憎喜怒與日煎爍，金注而瓦擲之，暴殄甚矣。而釋氏子獨曠然高寄，欲使千年幻殼，不墮沈淪，一片空明，永昭塵劫，以知無情之爲情也，至矣！但從來衣鉢之傳，所謂「逍遙雙樹之下，唱說祇園之內」者，其於詩教有取乎未也？若夫高人晦跡於緇流，逸士遁名於什部，振策鳴魚，無關妙理；折花贈草，總寄禪心，則當時篇什所載名僧題詠，與學士大夫竝堪不朽。

又《詩經說約序》《詩》者，性情之書也。《六經》各有所勝：《易》以理勝，《書》以事勝，《春秋》以法勝，《禮》以典雅勝，獨《詩》以韻勝。蓋古之詩歌，古之樂章也。

郁法《省身錄》詩文非大有學問人不可輕作。人品之高下，居心之厚薄，學術之淺深，皆於是驗之。如先儒論東坡詩，多所譏玩，殊無惻怛愛君之誠；荆公在朝論事，多不循理，唯是爭一氣；老泉議論乖角，魯直巧累正氣。此豈僅從字句文法間論工拙？

陳子龍《安雅堂稿》卷三《王介人詩餘序》宋人不知詩而強作詩，其爲詩也，言理而不言情，故終宋之世無詩焉。然宋人亦不免於有情也，故凡其歡愉愁怨之致，動於中而不能抑者，類發於詩餘，故其所造獨工，非後世可及。蓋以沉至之思而出之必淺近，使讀之者驟遇如在耳目之表，久誦而得沉永之趣，則用意難也。以嬛利之詞而制之實工煉，使篇無累句，句無累字，圓潤明密，言如貫珠，則鑄詞難也。其爲體也纖弱，所謂明珠翠羽，尙嫌其重，何況龍鸞？必有鮮妍之姿而不藉粉澤，則設色難也。其爲境也婉媚，雖以警露取妍，實貴含蓄有餘不盡，時在低回唱歎之際，則命篇難也。惟宋人專力事之，篇什既多，觸景皆會，天機所啓，若出自然，雖高談大雅而亦覺其不可廢。何則？物有獨至，小道可觀也。本朝以詞名者，如劉伯溫、楊用修、王元美，各有短長，大都不能及宋人。

又《三子詩餘序》詩與樂府同源，而其旣也，每迭爲盛衰。艷辭麗曲，莫盛於梁陳之季，而古詩遂亡。詩餘始於唐末，而婉暢穠逸，極於北宋。然斯時也，并律詩亦亡。是則詩餘者，匪獨莊士之所當疾，抑亦風人之所宜戒也，然亦有不可廢者。夫風騷之旨，皆本言情，言情之作，必託於閨襜之際。代有新聲而想窮擬議，於是以溫厚之篇，含蓄之旨，未足以寫哀而宣志也。思極於追琢而纖刻之辭來，情深於柔靡而婉孌之趣合，志溺於燕婧而妍綺之境出，態趨於蕩逸而流暢之調生，是以鏤裁至巧而若出自然，警露已深而意含未盡，雖曰小道，工之實難。

又卷四《詩經類考序》夫詩以言志，喜怒之情鬱結而不能已，則發而爲詩，其托辭觸類不能不及於當世之務，萬物之情狀，此其所以爲本末也。自孔子列詩爲經，而後之說詩者，言人人殊，大要儒者守其義，文人尙其辭而已。【略】至於作詩則不然，用意必周，而取象必肖，然後可以感人而動物。

區大相《區太史文集》卷五《潘象安詩序》 夫詩者本乎情，麗景成聲斯謂之詩。「風」「雅」以還，迨乎魏晉，體制代變。有唐近體，異其制而襲其情，猶風人之遺焉。明興，弘正間力驅宋、元，還之古始，合者什一。近世求多于古，自用我法，未免恣睢于情之中，而決裂于格之外。

梁橋《冰川詩式》卷九《學詩要法上》 詩以達性情。情者，性之術，觸景而生。凡天地、日月、星辰、江山、烟雲、人物、草木，響答動悟，履遇形接，皆情也。拾而得之爲自然，撫而出之爲機造。自然者厚而安，機造者往而深。

又 詩有自然，有機造，自然、機造皆原于性。性之于心爲空，空與性等。空非離性而有，亦不離空而性，必非空非性，而性固存。心之于色爲情，色與心遇，又色非因心而得，亦非役心于色，必無心無色，而情自見。

又 詩道惟眞人而後知詩之眞，知詩之眞而後知詩之非眞，故非眞之眞，非深于詩者，莫之能知也。

又 作詩當知正心，心正則道德仁義之語，高雅溫厚之氣，自具于言辭之表。卒與景遇，備以成章。不假繩削，非常情所能。思苦言艱，僞詐氣象，終不逃識者之藻鑑。

又 性情褊隘者其詞躁，寬裕者其詞平，端靖者其詞雅，疏曠者其詞逸，雄偉者其詞壯，醞藉者其詞婉。涵養性情，發于色，形于言，此詩之本原。

《湯顯祖集》卷三一《耳伯麻姑游詩序》 世總爲情，情生詩歌，而行于神。天下之聲音笑貌，大小生死，不出乎是。因以憺蕩人意，歡樂舞蹈，悲壯哀感，鬼神風雨鳥獸，搖動草木，洞裂金石。其詩之傳者，神情合至，或一至焉。一無所至，而必曰傳者，亦世所不許也。

又《如蘭一集序》 詩乎，機與禪言通，趣與遊道合。禪在根塵之外，遊在伶黨之中，要皆以若有若無爲美。通乎此者，風雅之事可得而言。

又卷五〇《董解元西廂題辭》 余於聲律之道，瞠乎未入其室也。《書》曰：「詩言志，歌永言，聲依永，律和聲。」志也者，情也。先民所謂發乎情，止乎禮義者，是也。嗟乎，萬物之情各有其志。

趙南星《趙忠毅公文集》卷五《明十二家詩選序》 古有之詩以道性情，天地萬物莫不有性情焉。端居一室而通其性情于天地萬物者，其惟詩乎！自昔詩人之才，與其所養懸絶無等。乃其言天地而天地，言鬼神而鬼神，言山川而山川，言草木而草木，言清廟明堂而清廟明堂，言閨閣而閨閣，舉相似也。變化無端而歸之于溫柔敦厚，舉相似也。

又《刻花草粹編序》 天地間皆文也。散于星辰、風雨、雷電、山川、草木、鳥獸、蟲魚，而人耳得之成聲，目得之成色。思之於心，宣之于口，書之於筆。其高者以爲《三百篇》，其次以爲漢魏，其次以爲唐人之詩，又其次以爲宋詞、元曲，皆有興會，極則知其解者。元曲猶有《三百篇》也，而況其上者乎？

又《穆仲裕詩序》 或問：「巢父、許繇能詩乎？」曰：「能。」「龍逢、比干能詩乎？」曰：「能。」「平原、信陵君能詩乎？」曰：「能。」「見之乎？」曰：「未也。」「未也，何以知其能？」曰：「人之志發而成言，言出而成聲。志美而言隨之，言美而聲隨之，二者合而成詩。彼夫脱屣萬乘之賓也，談笑鼎鑊之臣也，義高秋天之倫也，而豈有卑言凡聲乎哉？」

又《三溪先生詩序》 詩也者，興之所爲也。興生于情，人皆有之。惟愚人無興，俗人無興。天下惟俗人多，俗人之興在乎軒冕財賄，而不可以發之於詩。其所爲詩率剿襲模擬，若優孟之於孫叔敖也。昔賢之詩，惟陶淵明不可模擬。彼其人肝鬲骨髓無不清浄，呿吟謦欬無不高雅，而孰能及之？江淹《雜擬》往往逼眞，至「種苗東皋」、「蠶月得紡績」，無乃婦人；「開逕望三益」，學究語耳。淹浮華之士，去陶詩自遠，論者每以陶詩不文，是以浮華爲文者也。

又《蘇子哲詩序》 北方之士人率不爲詩，其爲之者多成，何也？北方之人性樸而氣勁。樸故其詞質，直寫其志意；勁故其中之存勃勃欲吐，不能自隱。誦之者可以知其人品與其土俗。故北方之人，其性近于詩而不學。學者乃不知詩道，每每失之。夫詩以道性情，猶鏡以照面目，假令以鏡爲不美，而飾之以金玉珠璣，則不可以見面目。求詩之美而騁博鬭異，過于塗飾，則不可以見性情。故詩自古至唐而止，宋人無詩，至我朝李獻吉而有詩，獻吉之後復無詩，以其塗飾之過也。迄于近日，文章益衰。詩也、文也、古也、律也，混而爲一。盈天地間，《六經》、百家、二氏、稗官、野史、齊諸之言，無非文者，無非詩者。彼且不知其謬也而以爲絶唱，不知其率也而以爲神奇，可不悲哉？

又《馮繼之詩序》 夫詩者，興也，緣人情而爲之者也。庸人之情不揚，俗人之情不韻，詩不難言，人自難之耳。余自癸巳罷歸，少解此道，間爲一二韻語，甲子以還，如夢寐矣。

唐時昇《三易集》卷九《唐正叔詩稿序》 夫心之精微出而爲言。言有工拙，則係於其材，而言其所欲言者則一也。唯制義之文，則非言其所欲言，而求彷彿於古人之所當言與所未言者，工者不過優孟之似叔敖，拙者則捧心學步而已，此眞壯夫所不爲而。

又《香樹集序》 夫詩言志，志之所發，咏歌之，嗟嘆之而已。雖其杼軸於懷也，上出層雲，下入重淵，遠者在九州之外，異者在《五經》之表，自朝廟典章及里巷游談、閨房晏語，莫不覃精竭慮以取之。及其有會于心而出之，成文者不過言其志之所在而已。至於其得失工拙之不相及，則其材爲之，譬諸草木，彼春而華，此冬而榮，或彌漫于山谷照耀雲日，或掩映於欄檻斐亹風露，則賦性之異、受命之不齊也，而莫不有天然之致。若裁以綺綵，飾以丹鉛，不可同日語矣。

江盈科《雪濤詩評》 夫爲詩者若係眞詩，雖不盡佳，亦必有趣。若出於假，非必不佳，卽佳亦自無趣。試觀我輩搢紳，褒衣博帶，縱然貌寢形陋，人必敬之，敬其眞也。有優伶于此，貌俊形偉，加之褒衣博帶，儼然貴客，而人賤之，賤其假也。嘗記一人送文字求正於王陽明，評曰：某篇似左，某篇似班，某篇似韓、柳。其人大喜。或以問陽明，陽明曰：我許其似，正謂其不自做文而求似人也。譬如童子垂髫，整衣向客，嚴肅自是可敬，若使童子戴假面，掛假鬚，傴僂咳嗽，儼然老人，人但笑之而已，又何敬焉？觀此則知似人之文，終非至文，而詩可例已。

又 夫詩人者，有詩才，亦有詩膽。膽有大有小，每於詩中見之。劉禹錫題九日詩欲用「糕」字，乃謂《六經》無「糕」字，遂不敢用。後人作詩嘲之曰：「劉郎不敢題『糕』字，空負詩中一世豪。」此其詩膽小也。《六經》原無「椀」字，而盧玉川茶歌連用七個「椀」字，遂爲名言，是其詩膽大也。膽之大小，不可強爲。世有見猛虎而不動，見蜂蠆而卻走者，蓋所稟固然。矯而效人，終喪本色。

又《雪濤閣集》卷八《敝篋集引》 世之稱詩者，必曰唐。稱唐詩者，必曰初曰盛。惟中郎不然。曰：詩何必唐，又何必初與盛，要以出自性靈者，爲眞詩爾。夫性靈竅於心，偶於境，境所偶觸，心能攝之，心所欲吐，腕能運之，心能攝境，卽螻螘蜂蠆皆足寄興，不必雎鳩騶虞矣。腕能運心，卽諧詞謔語皆足觀感，不必法言莊什矣。以心攝境，以腕運心，則性靈無不畢達。是之謂眞詩，而何必唐，又何必初與盛之爲沾沾。蓋中郎嘗與余方舟汎蠡澤，適案上有唐詩一帙，指謂余曰：唐人之詩，無論工不工，第取而讀之，其色鮮妍，如旦晚脫筆研者。今人之詩卽工乎，然句句字字，拾人飣餖，纔離筆研，已似舊詩矣。夫唐人千歲而新，今人脫手而舊，豈非流自性靈與出自模擬者所從來異乎？夫茄瓜梨棗之初登於市也，一錢一顆，人爭食焉，而可予口；越歲之熏豚臘兔，十錢一篹，坐客投筯而不肯下。蓋新者見嗜，舊者見厭，物之恒理，惟詩亦然。新則人爭嗜之，舊則人爭厭之。流自性靈者，不期新而新，出自摸擬者，力求脫舊而轉得舊。由斯以觀，詩期于自性靈出爾，又何必唐，何必初與盛之爲沾沾哉？

曹於汴《仰節堂集》卷三《公餘漫興跋》 夫意動而爲言，言成聲而爲詩，詩以抒性靈、泄積臆也。故曰：「詩可以觀。」乃有標新鬭異，抽黄對白，俯仰流光，荏苒情竇，推敲幾失常度，性情因而成苦，是亦不可以已耶。

陳繼儒《巖棲幽事》 人有一字不識而多詩意，一偈不參而多禪意，一勺不濡而多酒意，一石不曉而多畫意，淡宕故也。

黃汝亨《寓林集》卷二《詩故序》 莊生曰：詩以道性情。而予以爲：其事則《書》也，其美刺則《春秋》也，其變則《易》也，皆性情之流，天理之則也。按實則事爲據，通靈則變爲神。要之繇事以通變，繇變以證性情，則美刺之義陳，而經緯之敎立矣。仲尼述《六經》，刪《詩》三百以垂不朽；子夏親承其訓，故《小序》得者什九。申公去古未遠，義存闕疑；毛、韓、齊、魯遞爲之說，各有師承。而晦翁訓注，大略纂集舊聞，據理循迹，其言於《雅》、《頌》多合，於《國風》多離。如執「放鄭聲」一語，而鄭、衛之聲槪從淫邪，不知夫聲之非詩也。夫惟靈心與實事合，而後可與言詩，詩之難言久矣。

又卷三《綺咏小序》 陸士衡有云：「詩緣情而綺靡。」綺自情生者也。萬物之色，艷冶心目，無之非綺。惟名花名姝二者，來香國，呈媚恣，令人飄飄搖搖而不自禁，則情爲之縈然，明有情人也。【略】作者謂「綺傷大雅，濫觴六朝」，不知應物稱體，斯二者爲宜，何厭綺乎？況乎芳菲易謝，美麗不常，古人逢落花而興悲，歎佳人之難得，然明有心，諒同之也，豈以我輩鍾情，目之爲惑；《國風》物色，比之於淫乎哉！

張時爲《界軒全集・爲學約言》卷二　朱子曰：「作詩間以數句適懷，亦不妨；但不用多作，蓋便是陷溺耳。當其不應事時，平淡自挕，豈不勝如思量詩句？至其眞氣發溢，又卻與平常好吟者不同。」爲謂「平淡自挕」四字佳甚。爲學不是主靜，便是窮理，兩事相隱而不已，不已則勞。於是時，輒瞑目晏坐，私念曰「勞極，歇息歇息」，直教胸中一念不作而已。曾未幾時許，卒成坐痱。比覺而胸中意象稍勝於前，此皆「平淡自挕」妙處也。

又　朱子曰：「歐公有詩云：『玉顏自古爲身累，肉食何人爲國謀？』以詩言之，是第一等好詩；以議論言之，是第一等議論。」爲謂前輩人多不善作詩，但詩能爲學問中長善救失之詞，則詩豈無裨於學哉？如歐公「玉顏身累」之句，是攻其病於身者，次語是攻其病於國者，兩病去而兩益收矣。或謂昔人送別詩「曉日都門道，微涼草樹秋」，又王建有「曲徑通幽處，禪房花木深」之句，兩詩歐公極喜之【略】云：「平生要道此語不得。」何如？曰：此等便是閒言語。

又卷五　詩文之作，其來舊矣。而詩之派實先於文。何也？《六經》之文，皆聖人據理之初終表裏爲言以敎人，初未嘗捉筆爲文。捉筆爲文至管仲、左丘明始。然《六經》之《詩》，則固有體有韻。櫽括其體，協比其韻，不能不捉筆爲之，而揣擬於句字之間也。爲文之習起於周末，而爲詩則周初文王時已然。安見詩之獨不可爲哉！然詩有詩人之詩，有儒者之詩。詩人之詩，主於適情，以山水、烟月、鶯花、草樹爲料；儒者之詩，主於明理，以講習、克治、天人、體用爲料。試以詩人之詩言之，彼其取料之法有二：一曰幽事，一曰幻旨。幽事者，皆目前所閱之境，久爲人所習而未覺者。自我言之，而後恍然以爲誠如是，如「茶烟開瓦雪，鶴迹上潭水」之類是也。幻旨者，本爲理所未有，自我約略舉似焉，而若或以爲然，執而言之，則固有所不通，譚子所謂「不通得妙」，如「殘陽過遠水，落葉滿疎鐘」之類是也。以儒者之詩言之，先儒《定性》之詩曰：「擊石乃有火，不擊原無烟。欲得無烟火，求之未發先。」首二句，卽所謂寂然不動，感而遂通之者。末二句，所謂學者當靜坐，看喜怒哀樂未發前氣象。又《存心》之詩曰：「寶鑑能炤物，塵埋索照難。靜凝歸寶匣，明發照膽寒。」首句指心之本體言，次句則心爲物蔽。三句是涵養工夫，末句安而後能慮也。詩人之詩，誠無關於世道人心之增損，程子所謂閑言語。若儒者之詩，豈其於世道人心一無所裨？子余嘗欲以《四書》語命題而作，自其平日躬行心得之餘，忽忽若有見而未易告人者發之，自非實下工夫人實有體驗後不能強索一語。

陶望齡《歇庵集》卷三《馬曹稿序》　劉邵志人物，嘗言「具體而微，謂之大雅，一至而偏，謂之小雅」，蓋以詩喩人耳。嘗覆引其論以觀古今之所謂詩辭，求其具體者，不可多見，因妄謂自屈宋以降，至於唐宋，其間文人韻士，大抵皆小雅之流，而偏至之器；惟人就其偏，而後詩之大全出焉。夫人之性有所蔽，材有所短，短而蔽者，若窮於此，而後修而通者，始極於彼，此恒數也。古之人緣性而抒文，因能而效法，文以達意，法以達材，務自致於所通，而不求全於所短，如火炎則彌揚之，水下則彌濬之，醴盈其甘，醯究其酸，不獨無以揉之也，而且爲之極焉，故其勢充，其量滿，其神理所至，自足以軼往古，垂將來。【略】予於是歎曰：詩之大至是乎！偏師必捷，偏嗜必奇，諸君子者，殆以偏而至，以至而傳者與？衆偏之所凑，夫是之謂富有；獨至之所造，夫是之謂日新。向令諸君子者，余獨以群衆，易己以摹古，療偏以造完，將困躓之不暇，而暇成其能哉？而說者遂謂唐以後無詩。於戲，詩也者，富有、日新之業也，無詩焉，是無才與情也。斯人之生久矣，其狀貌有同而莫辨者耶？童而老，辰而暮，疇對論說，有窮而莫繼者耶？此不求異而異，無意爲新而時出焉。人之材如其面，而情如其言，詩也者，附材與情而有者也，欲不新與異得耶？鳥之慧者，其效人至數十語而止；善繪人者，其肥瘠動靜各異態焉，然至百人而止矣。此人言者也，非自言也；人貌者也，非自貌也，欲新與異得耶？然則所云宋以後無詩者，非詩之果窮，爲者窮之耳。夫杜韓之詩，信大矣，群宋人之稱詩者而畢效焉，不亦至小而可咲乎？

黃諄耀《陶庵全集》卷八《尹伯衡先生詩集叙》　蒙不知詩而喜言詩，詩者，持也，古之人持此物以爲訓，非取其廉纖綽約、聊有風采而已，將必有裨於世者而後言之。三代以後，詩人之與風人合者，晉淵明、唐子美。自染翰爲詩者，亡不置兩公口齒間，乃數千年來學陶者恒失之枯，學杜者恒失之累，求其神似者幾如咸池之音，不可復聞。此無他，古之人有所持，今之人無所持故也。夫賢達之士，奇情浩氣素菀畜於胸中，仕則託功名氣節以傳，不仕則爲詩若文以微自表見。陶、杜兩公之詩大抵從窮入也。有陶之挂冠乞食，環堵蕭然，而後有其恬澹任眞，超絶六代之詩。有杜之流離轉徙，浮遊避亂，而後有其沉鬱頓挫，跨壓三唐之詩。豈獨陶、杜而已，古之人皆然。蓋窮則閒，閒則多讀書，多遊名山水，交天下幽憂沉廢之士，凡國家之治亂，人事之得失，土風物宜之瑣細，皆逖覽而周知之。故其爲詩可興可觀，確然有以備一代之風雅。嗟夫，此豈世之淺淺者所得而究與？

又卷二一《陶庵自監録三》 昔人謂韓退之因學文而見道，余謂學詩亦何不可以見道。古聖人之論詩曰：「詩言志。」又曰：「思無邪。」此萬世言詩者之根本準則也。詩人各有其志，而一本於仁義忠孝、和平淡泊之旨，則無論世代之升降、體裁之奇正，而均之乎追古之作也。彼規摹聲調，寸步不失，如優孟之學叔敖，而自命曰古，既非言志之義，乃若蔑棄規矩，一憑胸臆，其流至於爲險、爲怪、爲誕、爲纖、爲鑿、爲俚，又安所稱無邪也。

方以智《通雅詩説》 詩以言志，言之不足，故長言之，長言之不足，故咏歎之，咏歎之不足，故不知手之舞之，足之蹈之。一石一葉，性情畢具，誰非舞蹈毫端者乎？

又 詩者志之所之也，反覆之，引觸之，比興而已矣。世亦有知比者，未可以言興也，興之爲比深矣，賦之爲比興更深矣。數千年之汗青蠹簡，奇情冤苦，猶之草木鳥獸之名，供我之瞉呼擊節耳。何謂不可引故事，何謂不可入議論，何謂不可稱物當名，何謂不可逍遙吞吐、指東畫西、自問答、自慰解耶？故曰興于詩，何莫學夫詩，詩之廣大配天地，變通配四時。惜乎日用而不知，雖興者亦未必知也。水不澄不能清，鬱閉不流，亦不能清。發乎情，止乎禮義。詩以宣人，即以節人。老泉曰：「窮于禮而通于詩。」立禮成樂，皆于詩乎端之。《春秋》律《易》，言之者無罪，聞之者足以戒，皆于詩乎感之。道不可言，性情逼眞于此矣。言爲心苗，有不可思議者，誰知興乎？知《易》爲大譬喻，盡古今皆譬喻也，盡古今皆比興也，盡古今皆詩也。存乎其人，乃爲妙叶，何用多談！

冒襄《寒碧孤吟前序》 情一往而深，不知所起。情至則無文不知所止，對良夜以徘徊，隨坐卧而無語。滿懷蟠鬱，千縷紛愁，共處之人莫知，即同心之侣不測。

陸時雍《詩鏡總論》 詩之佳，拂拂如風，洋洋如水，一往神韻，行乎其間。班固《明堂》諸篇，則質而鬼矣。鬼者，無生氣之謂也。

馮時可《黔中語録・詩語》 言而文也，文而詩也，生人所不可無也。然古以平心，而今則溺心。古以贊治，而今則悖治。雖謂之無詩可也。非無詩也，詩之用失也。夫人稟靈含德，蘊之爲志，抒之爲詩，因天地之氣而聲焉者也。盛世得其中聲而和，末世得其偏聲而戾。和則心平，戾則心溺。心平則措諸事也順，心溺則施諸政也乖。故詩詞之與心術治道，相須焉而不能無者也。唐虞君臣賡歌相和，詩其萌乎！至《周南》而備矣。《關雎》、《肅壼》、《騶虞》、《澤遐》、《羔羊》咏而士風正，《摽梅》咏而民俗淳。所謂不離日用間而有福天下萬世意。詩之至也。變而列國，風斯下矣。然皆以情緯物，以物比倫，憫時憂國，思親懷室，惻怛忠厚猶存焉。雖以秦聲之悍，而《駟驖》報主，《黄鳥》惜才，夫豈無爲而作。降而騷，幾於怨矣。其爲情而造文，風之餘也。降而詞人賦頌，近於靡矣。其爲文造情，騷之變也。由唐末迄於今，波流雲委，風、騷蕩然矣。試舉而寓目焉，晶熒璀璨，曜人視聽者，累累也。探其端，直狀崔嵬而寫葳蕤耳，於倫於情奚當哉！故古誦詩者能政，而今稱詩者不能政，非詩之害政也，枝葉之辭溺其心，則神明障而事理窒。故曰：詩不可無也，而今無焉者，詩之用失也。

張煌言《張蒼水集》第一編《曹雲霖中丞從龍詩集序》 甚矣哉，懽愉之詞難工，而愁苦之音易好也。蓋詩言志，懽愉則其情散越，散越則思致不能深入；愁苦則其情沈著，沈著則舒籟發聲，動與天會。故曰詩以窮而益工，夫亦其境然也。【略】茲雲霖將削稿以付剞劂氏，貽書問序於予。予謂予非知詩者，即雲霖亦寧待以詩傳？惟是雲霖之境遇，予與雲霖之交游，不可不借詩以叙次其大槩耳。若夫太白之詩而仙，少陵之詩而聖，以及沈宋沉鬱，王孟悲凉，儗之雲霖，或同或異，則予同年徐闇公必有定論矣。

董應舉《崇相集》卷五《唐詩風雅序》 詩之爲道，比物附情，傳音合節，常有不盡之思。故其入人也微，而其感人也至速。吾夫子蓋喜談之，時舉以爲教。曰：不學詩無以言，詩可興、可觀、可群、可怨，可事君父。而多識可以蓄德也，而又達于政事，通于學問。其要也如是。宜其多收而並採也。

又《崔孟起詩序》 問詩何病，病在求似。似唐、似晉、似魏，叟叟乎似漢，極矣。然不得爲眞詩，眞詩從性情出也。人各有性，各有情，各有自然音響節奏，直口吐出，境迫情眞，何暇求似？且何必唐、晉、漢、魏之似也？《木瓜》之咏，《采葛》之謠，適然來，適然吐，彼亦烏乎似哉？

理㽞和《寒石先生文集》卷中《王庚生詩序》 非傳其人之世，傳其人之情也。情眞，即尼父無容刪。違情之什，雖工不眞；工彌甚，去天彌遠。然亦未有違情，情眞，則詩道于焉一變。如情本閑而詩倥傯，情本怡而詩懊憹，情本玉帛鐘鼓而詩戈鋋血肉，則違情甚矣。卒亦不能不傳者，何世爲之也？世變情，情變詩，君子起而權風雅之會矣。

又 夫詩道感人，和平悅怡，至淋浪沾襟，毋乃非風雅正則。此世變情，情變詩，即庚生亦有不自知、不自由者。逖遠姑無論，隆萬世界如彼今日世界如此，竟令措大篇什不得直達其情，反以違情見傳，誰爲爲之，于焉三嘆！

轂齋主人《獨鑒錄》 嚴滄浪云「詩有詞理意興」是已。又云：「詩有別才，非關書也；詩有別趣，非關理也。」由其言而不察，誤人多矣。非書何以廣才，非理何以成趣？天下豈有寡學之才、無理之趣哉！蓋非關書者，才之放也，書所未載也，非外書也；非關理者，趣之妙也，理所未著也，非外理也。蓋有非尋常蹊徑可以揣摩之者，「羚羊挂角，無跡可求」，正此謂也。少陵云：「讀書破萬卷，下筆如有神。」然則非關書邪？

鍾惺《古今名媛詩歸序》 詩也者，自然之聲也，非假法律模倣而工者也。《三百篇》自登山涉砠，唱爲懷人之祖，其言可歌可泣，要以不失溫柔敦厚而已，安有所爲法律哉！今之爲詩者，未就蠻箋，先言法律，且曰：「某人學某格，某書習某派。」故夫今人今士之詩，胸中先有曹、劉、溫、李，而後擬爲之者也。若夫古今名媛，則發乎情，根乎性，未嘗擬作，亦不知派，無南皮西崑，而自流其悲雅者也。今夫婦人始一女子耳，不知巧拙，不識幽憂，頭施紺幕以無非耳。

又《詞府靈蛇序》 詩者，持也，持人之性情也。倪動籟宣，刻至不足紀其盈虛，鑄金未能均其淸濁。其合也，則蕘豎機女，動叶宮商；其離也，則刻鶩雕龍，只彰骫骳。豈非哀樂之感冥合乎自然，律呂之調非由人事者也！余瀏覽古今，揚扢風雅，《三百五篇》有一字不韻，有一字不法者乎？能法法，則法爲我用，不法而法。不能法法，則我爲法縛，法而不法。

又《隱秀軒集》卷一七《董崇相詩序》 古詩人曰「風人」。「風」之爲言，無意也。性情所至，作者不自知其工，詩已傳於後，而姓氏或不著焉。今詩人，皆文人也。文人爲詩，則欲有詩之名，則其詩不得不求工者，勢也。詩而工矣，世亦何難以名予之？然世所號一代名家，始皆就其習之所近，意之所趣，與其所矯以爲詩，其氣魄聲援，皆足以怵一代之人，予之名而後已。今讀其詩何如哉？虛懷自審，豈其作者之筆力皆出讀書目力之下？然其間亦有一二先達，闇然不使世知其爲詩者。今其詩反能留一代之眞聲元氣，而足以服讀者之心。何也？愚以爲名無損益於詩，而盛名之下，能使不善處名者，心爲之不虛，而力爲之不實。見詩出而名隨之，是則詩而已矣。其意常以名之所止，爲詩之所止。彼闇然不使世知其爲詩者，常欲使吾之詩有餘於其名，而吾所以作詩之意與力又若有餘於其詩。如是而求詩之不工，不可得也。吾嘗持此意以求夫今之爲詩者，所以至不至之故，皆不出此。

又《陪郎草序》 夫詩，道性情者也。發而爲言，言其心之所不能不有，非謂其事之所不可無，而必欲有言也。以爲事之所不可無，而必欲有言者，聲譽之言也。不得已而有言，言其心之所不能不有者，性情之言也。今天下無人不詩矣，即自予有知以來，郡邑中不爲詩者幾人哉？【略】夫詩，以靜好柔厚爲教者也。今以爲氣不豪，語不俊，不可以爲詩。予雖勉爲豪，學爲俊，而性不可化，以故詩終不能工。【略】今之言詩者，始以爲事之所不可無，無故而詩以之興，終詘于心之所未必有，無故而詩以之自廢。其興其廢，不出于性情而出于聲譽，于詩何與哉？

又卷一八《文天瑞詩義序》 《詩》之爲教，和平沖澹，使人有一唱三歎，深永不盡之趣。而奇奧工博之辭，或當別論焉。然秦詩《駟鐵》、《小戎》數篇，典而核，曲而精，有《長楊》、《校獵》諸賦所不能贊一辭者。以是知「四詩」中，自有此一種奇奧工博之致，學者不肯好學深思，畏難就易，槪託於和平沖澹以文其短，此古學之所以廢也。

馮夢龍《情史類略序》 《六經》皆以情敎也。《易》尊夫婦，《詩》有《關雎》，《書》序嬪虞之文，《禮》謹聘奔之別，《春秋》於姬姜之際詳然言之，豈非以情始於男女！凡民之所必開者，聖人亦因而導之，俾勿作於涼，於是流注於君臣、父子、兄弟、朋友之間而汪然有餘乎！異端之學，欲人鰥曠以求清淨，其究不至無君父不止，情之功效亦可知已。是編也，始乎「貞」，令人慕義；繼乎「緣」，令人知命；「私」「愛」以暢其悅；「讎」「憾」以伸其氣；「豪」「俠」以大其胸；「靈」「感」以神其事；「痴」「幻」以開其悟；「穢」「累」以窒其淫；「通」「化」以達其類；「芽」非以誣聖賢，而「疑」亦不敢以誣鬼神。

闢諸《詩》云興、觀、羣、怨、多識，種種俱足，或亦有情者之朗鑒，而無情者之磁石乎！

又《選婿窗》篇評　鳥之鳴春，蟲之鳴秋，情也。迫於時而不自已，時往而情亦遁矣。人則不然，韻之爲詩，協之爲詞，一日之謳吟嘆咏，垂之千百世而不廢。其事之關情者，則又傳爲美談，筆之小牘。後世誦其詩，歌其詞，述其事，而想見其情。當日之是非邪正，亦因是而有所考也。人以情傳，情則何負於人矣！情以人蔽，奈何自負其情耶？

又《馮夢龍詩文・序山歌》　書契以來，代有歌謠，太史所陳，並稱《風》、《雅》，尚矣。自楚騷唐律，爭妍競暢，而民間性情之響，遂不得列於詩壇，於是别之曰山歌，言田夫野豎矢口寄興之所爲，薦紳學士家不道也。唯詩壇不列，薦紳學士不道，而歌之權愈輕，歌者之心亦愈淺。今所盛行者，皆私情譜耳。雖然，桑間、濮上，《國風》刺之，尼父録焉，以是爲情眞而不可廢也。山歌雖俚甚矣，獨非鄭、衛之遺歟？且今雖季世，而但有假詩文，無假山歌，則以山歌不與詩文爭名，故不屑假。苟其不屑假，而吾藉以存眞，不亦可乎？抑今人想見上古之陳於太史者如彼，而近代之留於民間者如此，倘亦論世之林云爾。若夫借男女之眞情，發名教之僞藥，其功於《掛枝兒》等，故録《掛枝詞》而次及《山歌》。

又《太霞曲語》　文之善達性情者無如詩。《三百篇》之可以興人者，唯其發於中情，自然而然故也。自唐人用以取士，而詩入於套。六朝用以見才，而詩入於艱。宋人用以講學，而詩入於腐。而從來性情之鬱，不得不變而之詞曲。勝國尚北，皇明專尚南，蓋易絃索而簫管，陶激烈於和柔，令聽者解煩釋滯，油然覺化日之悠長，此亦太平鳴豫之一徵矣。先輩巨儒文匠，無不兼通詞學者。而法門大啓，實始於沈銓部《九宫譜》之一修，於是海内才人，思聊臂而遊宫商之林。然傳奇就事敷演，易於轉換。散套推陳致新，戛戛乎難之。當行也，語或近於學究；本色也，腔或近於打油。又或運筆不靈，而故事塡塞，侈多聞以示博；章法不講，而餖飣拎湊，摘片語以誇工。此皆世俗之通病也。作者不能歌，每襲前人之架謬，而莫察其腔之忤合；歌者不能作，但尊世俗之流傳，而孰辨其詞之美醜。自非知音人亟爲提其耳而開其矇，則今日之曲，又將爲昔日之詩。詞膚調亂，而不足以達人性情，勢必再變而之《粉紅蓮》、《打棗干》矣，不亦傷乎！余扼攬此道，間取近日名家散曲，擇其嫻於詞，而復不詭於律者如干。題曰「新奏」，而冠以「太霞」。

王思任《王季重雜著・雜序・落花詩序》　《詩》三百皆性也，而後之儒增塑一字，曰：「詩以道性情。」不知情即性之所出也。性之初於食色原近，告子曰：「食色性也。」其理甚直。而子輿氏出而訟之，遂令覆盆千載，此人世間一大冤獄也。《國風》好色而不淫，若非魁《三百篇》者乎？未得關雎，不勝其哀哀之旨，向使不必得之，又得之即不壽，參差其羽，文王將默默已耶？「寧不知傾城與傾國，佳人難再得」，武帝雄風大略，開口稱善，五臟俱見。至姍姍來遲嘆語，燭熒惚恍，而讀者先已心傷矣。此皆性之所呼也。若必建鼓而别之曰：文王德也，武帝色也，武帝誠已具服，而文王獨非人性也哉？何以知窈窕之必訓幽閒也？何以知佳俠之不爲樛木也？是伯鸞必見賞，而奉倩必見誅也。

鹿善繼《鹿忠節公集》卷五《孫魯章詩序》　夫詩，第沿其末流，較派論宗，爭位置於毫芒，狎主代興，迄無定説。然推原本始，不曰道性情乎？果以詩爲不可知，必有無性情之人，然後可獨。所謂性情者，動於有感，出以無心，情景如冷煖之自知，宫商如四體之默喻，則其爲人即詩而在，如人之外，另自有詩，步青蓮者，多不情之笑傲；模少陵者，概無病之呻吟，雖工亦奚以爲？

何白《汲古堂集》卷二七《答林孺苞》　今人往往論詩，以謂古今人不相及，若秦越然。弟竊謂古今不相及固也，然時有古今，而境物色象無古今，目之所觸，心之所感，古今同也。苟能極吾情境之所詣，盡吾賦予之所分，短不引之使長，長不促之使短，若鳧脰鶴脛，各全其天，不以擬議牽合，損吾性靈，直抒胸臆，我去古人何必有間？夫漢魏之不能爲《三百篇》，非不能也，蓋情源既濫，勢難拘格，格與時遷，欲其不變不可得也。其至焉者，即爲漢魏之《三百篇》可也。其降自唐宋，皆可類推。然《三百篇》未嘗一日不在人間。若云刪後無詩，則鴉鳴鵲噪、笛韻蠡音，皆瘖然無聲矣。今之論詩者，必曰何者效漢魏，何者效六朝，何者效初唐、盛唐。字字句句而摹之，此乃漢魏六朝初盛之面目，非我之本來胸臆也。昔人嘗以禪家設論。禪家自南岳臨濟洞山諸宗以下，鐙鐙相傳，心心相印，前心後心，相去數十世，若合函蓋者，心性之學也。匪曰其貌無佛祖肖也，其聲無佛祖似也，無弗披祖之衲也，無弗趿祖之履也。夫相馬者所貴滅沒能致千里也，非驪黃能致千里也。若曰必欲斤斤以摩擬爲極則，則優孟不獨并其容止折旋之似叔敖也，虎賁不獨并其面貌舉動之似中郎也。又曰古人法度格調，不可踰越尺寸，此語信不可誣。然舉今人之集已傳者試覈其體，何嘗篇篇無古人法？何嘗言言泥古人法？調叶境融，自無四聲八病之失矣。昔人所謂善學柳下惠，無如魯男子。米海岳臨智永千文，無一筆類智永，是深得智永解悟者。所謂精髓解悟者，心學也，形貌位置者，時變也。藉令叔敖復生今世，將冠古之冠乎？服今之服乎？其不變者心也，其變者時也。若以衣冠禮貌異於昔，遂云非昔之敖，可乎？唯在靈心獨濬，得其欛柄耳。

張愼言《泊水齋文鈔》卷一《王芝房詩序》 詩至今日，盛極矣。盛之極，則衰之始也。詩人謂往者不足以驚衆，遽操勝於耳目之外，爲纖爲艷、爲詼詭譎怪，詩窮於人，人亦窮於詩。途遂百出而無已，如元次山之徑直，孟東野之寒峭。余最不能同衆好，甚至如元白之淺率，深厭其「薄」；塡詞之濫觴，最惡其「淫」。乃皆傳之至今，何也？則以「淺」而「淫」皆眞，則皆傳也。若假，則決不能傳矣。雖郊廟、明堂之章，堪覆瓿耳。則詩何嘗窮人，人自窮詩耳。【略】「詩言志，歌永言，聲依永，律和聲」，此足盡聲詩之變矣，變則惡可已也。故有歌之而哀樂不能自主，勃然而神往者，何也？偈曰：此情至而性從者也。哀樂，性也，情至而勃窣出之，或歛笑爲顰，或破涕成笑，感其所感，抑何禁乎？又讀之而一唱三歎，若我有懷不能自吐，古人代爲予言者，何也？偈曰：此性通而情浮者也。古今懸矣，惰性何殊！我所欲言，古人言之；我所不能言，古人暢言之。後之視今，猶今之視昔也。桴止響騰，隨響俱盡，如器中鍠，聲出於外，嫋嫋不絕者，何也？偈曰：此情流而性寫者也。情淵旣波，性海亦瀾，非絲非竹非鏞，寥寥短篇，音出紙外，余安知其所自乎？聽之若呑若吐，欝陶而不能言，實反勝於盡辭者，何也？偈曰：此情溢而性爲之隄也。解弢而出，若奔波之下坎，然盡則無餘，姑留此以待解人，若不解，亦姑聽之。政於不可解解之深於解矣。紙上之陳言耳，凄然如秋，煦然如春，不寒而慄，不飲而醉者，何也？偈曰：此情抒而性爲之劑者也。性靜，根也，感物而動，發乎其所不禁。倉庚俱鳴，寒螿同韻，作者不知，讀者不覺，四時之氣，俱在其中。古人有云「先生將我情」，是耶？非耶？同一事，同一情，或索而易盡，或雋而有餘，何也？偈曰：此情異而才殊者也。有性有情，復有才，情之所至而才至焉，才之所至而學至焉，學之所至而悟生焉，悟則生生之爲易矣。標義在此，映發在彼，如珠照乘，若鑑懸空者，何也？偈曰：此情至而性亦至者也。同一聲也，而有音；同一珠也，而有光；同一花也，而有韻。音也，韻也，光也，情也，性也，不可思議。同一物，同一境，他人視之土苴耳，一經詩人拈出，臭腐神奇者，何也？偈曰：此情況而性朗者也。天地，一指也；萬物，一馬也。古人見桃花而悟道，今桃花遍地，道果安在！無聲之聲，昭琴點瑟；無言之言，拈花豎佛，何也？偈曰：此情化爲性也。昔人有畫者，止作一艇一閣于孤山絕島之中，前面無窮，通不作波瀾，而觀者便作「孤帆遠影碧空盡，惟見長江天際流」之想，蓋非紙非水？是紙是水？噫，難言之矣！

又卷三《與張深之書》 昔人謂《詩》、《春秋》、《國語》皆聖賢發憤之所爲而作也；不發憤而作者，是無病而呻。苟如是，不特《六經》，雖《西廂》、《拜月》可傳不朽，何也？其情眞也。故《三百篇》之中，間多柔情冓語，以此眞情流行於往古來今之中，雖經聖人之手，不肯刪之。

姚希孟《淸閟全集·響玉集》卷一〇《徐義仲稿序》 文有文心，而文人自護其心也，必且屏塵囂，黜幽愁，一切卞急躁擾之氣，不使之攖吾寧，如曲欄之護名花，而百尺流蘇之護美人也。護之至矣，又欲直達其情，而適其性之所近。夫直達其情，而適其性之所近，豈其自娛？以娛其文之心也。文心娛，而後可以文爲娛。知此者差足與論文。

王昌會《詩話類編》卷三《名論下》 學詩者，不過曰取材漢魏，效法於唐而已。所謂性情者，未之講也。嘗愛元伯長宣《答徐生問》詩一律云：「少日題詩愧老成，中年漂泊讓才名。師襄去亂亡周雅，宋玉悲秋學楚聲。月樹謾同烏鵲怨，陽岡何得鳳凰鳴。歸求信有餘師在，千古歌聲繫性情。」拈出性情，於學詩甚有益。

王文祿《詩的》 詩猶天之風霆也。《六經》有《詩》，《詩》，樂章也，尙聲。聲音之妙，足以感乎天人。西域咒不譯，樂雖亡，詩存卽樂存也。周末，大夫相會必賦詩觀志。彼日月不能照臨，雨露霜雪不能墜，必風霆以鼓舞之。猶《易》、《書》、《禮》、《春秋》之不能及，必《詩》以歌咏之，一也。特耳學不傳，聲音失譜，雖有五音、六律、四聲之辨，亦難曉也。鄭樵《七音略》：「庶乎《詩》分風、雅、頌。雅、頌亦風也。何始乎？曰：『天也。』《賡歌》、

《卿雲》、《擊壤》殆亦造端。」

又 詩言志，亶然哉！有是志，則有是詩。勉強爲之，皆假詩也。今觀詩集甚多，佳者亦少。是以有學究之詩，有村夫子之詩，有文士之詩，有山林之詩，有仙佛之詩，有閨情之詩，有英雄之詩，有富貴之詩，有臺閣之詩。陳繹曾《文筌小譜》有九氣之別旨哉。

又《文脈》卷一《文脈總論》 夫文之聚不一也，隨時變焉，心一也。是故聖學息而變縱橫，縱橫變爲經術，經術變爲名節，名節變爲清談，清談變爲詩賦，詩賦變爲學究，明經又變爲道學。

又 杜子美曰：「文章有神。」陳繹曾《文筌小譜》第一曰：「澄神。」夫神者，性之靈穎，無微不透，無古無今，惟澄神則神清不雜。又曰：「鍊氣。」氣者，神氣也。惟鍊氣，則氣充不撓。劉勰《文心雕龍》贊曰：「百齡影徂，千載心在。」文章，心精也，神氣鍾焉，欲不垂也，得乎？

阮大鋮《詠懷堂詩集自敘》 夫詩者，教所存，以情治情之物也。情亦奚事治？蓋身心與時物觸而詩生焉。于是導以理義，黜正其有未合者，則人之所爲詩，聖人教人之所爲詩也。人生身世得失，亦何多端？而羣怨足概之，誠能澣泳中和，善所羣怨，斯情治而人心世道亦罔不善，罔不治。唐虞《卿雲》八百、《康衢》《歷山》之歌，哀樂固殊，然忠孝之則之至一也。《國風》、《小雅》尚矣。謂《離騷》兼之者，傷厥旨則然，乃若其辭，幾何不開賢知鬼神之漸乎？降是而《大風》、《柏梁》、《短歌》、《公讌》，浩蕩雄麗，震爍一時，似取諸齊秦，《雞鳴》、《板屋》者居多，駸駸喬熉，惡能無慮？卽家步兵，祇浮沉致諷耳。賴陶公起而閑焉。公睠懷典午，恥拾宗粟，托《北門》、《考槃》以寓弁宛，感其體植，斯志深而興遠，中和之脈所留，豈其微耶？齊梁淫極，而傷亦隨之矣。李唐君臣，慨亡國之靡靡，受音響以節制，體雖至律而變，然變亦至律而止，變卽其所以爲功也。與唐初情法不諧，參差拘窘，未免互見。至雲卿延清而嚴，射洪而宕，咸斐然足觀。惟輞川、太祝、達夫、少伯、盱眙、新鄉六子，爲能彌綸興象，磚磚性靈，雖標負各殊，品不盡副，而于《三百》繇正趨變，可以羣怨之旨，服習含茹，什一猶存，不可謂非靈均、陶、阮之餘韻也。餘輩芃芃，然疑相介，違心推獎，吾終未之能矣。

又《詠懷堂詩補遺自序》 夫詩而不能志時者，非詩也。然時爲詩所志，而時尚忍言哉。吾悲《關雎》、《麟趾》之不勝《黍離》，而《鹿鳴》之不勝《弁》、《旻》也。

李應昇《落落齋遺集》卷一〇《余未之稿序》 文有情也、才也、境也，三者相生相引而莫知其端。夫含毫濡墨，紙上之靈光，豎義選言，局中之勝子。要以才有人、鬼，境有平、奇，而情不至，總不可語于文，是故情生才者也。而境者，才之所造。

又《萬貯山房近藝序》 文章之大母曰怒、曰喜二者而已。才人欽頤巨魄，意高調苦，乘文之險，潰文之毒，而鼓天下之動，其氣未有不怒者。以此爆聾發聵，攘大科而稱絕席之雄不少。然使三年未鳴，六翮小挫，趾滅而月寒，神枯而香杳，形似有餘而風雅不足，且幡然自念其前覆矣，而懲轘藥之禍者，急以「喜」救之，切脈則筆有深姿，選詞則思有定檢，曲終奏雅，言外署情，不叛不孤，必隱必秀，譬之色喜者其意平，其聲靜，而其溢而爲言也，自無洊雷之烈、薑桂之辛。李贊皇所謂「文之爲物，靈氣恍惚而來」，蓋得之于喜者居多，而要其時已無復有寫照窮豆，儀毫失牆之事。飲羽者往往望乏于此而百不失一也。

凌義渠《凌忠介公集》卷五《芬納館詩稿序》 詩者，言情之具也。種種甘辛濃淡，似手腕間恍惚不能自主，而還聽命於其人之性靈。自昔雕刻蟲魚、極命草木，詩之變殆未可勝窮。而其人之通塞、運之延促、神之恬競、籟之幽爽，亦莫不隱隱逗露於此中。使讀之者，叩其所以然，而察其所自至，豈非詩以鳴其天哉！然而韻士幽人，往往調相叶而趣相求，貴倨弗是也，詩亦避之不爲用。

謝肇淛《小草齋詩話》卷一《內篇》 詩者，人心之感於物而成聲者也。風拂樹則天籟鳴，水激石則飛湍咽。夫以天地無心，木石無情，一遇感觸，猶有自然之音響節奏，而況於人乎！故感於聚會眺賞，美景良晨，則有喜聲；感於羈旅幽憤，邊塞殺伐，則有怒聲；感於流離喪亂，悼亡吊古，則有哀聲；感於名就功成，祝頌燕饗，則有樂聲。此四者，正聲也。其感之也無心，其遇之也不期而至，其發於情而出諸口也，不知其所以然而然。蓋慘舒晴雨，天不能齊；夷坎崇深，地不能一。百年之中憂樂半焉，百世之中治亂半焉，隨其所感，皆足成聲。然非約之以音律，閑之以法度，其敝且流蕩放軼而不可止。故曰「《關雎》樂而不淫，哀而不傷。」

又 吾教世之學詩者，先須讀《五經》，不然無本原也；次須讀二十一史，不然不知古今治亂之略也；次須讀諸子百家，不然無異聞異見也。三者皆於詩無預，而無三者必不能爲詩。譬之種林田汲泉水而後可以謀及麴蘗也。噫！今之啜糟哺醨而不知有水米者多矣。

徐𤊹《重編紅雨樓題跋》卷一《叙曹能始石倉集》　昔鍾嶸論詩，例分三品。盍詩之爲義？動天地，感鬼神，而性情之所以發也。劉勰彈文，篇侔《易》數。盍文之爲用？本乎道，體乎經，而腑肺之所以寄也。二賢撰述，千載如新；啓迪後來，良爲深遠。何也？詩不源於性情，是乃不根之枝葉；不由於肺腑，終爲無源之波流。《雅》《頌》既湮，詩腸日異；《六經》不作，文體寖衰。莫不家握靈蛇，户珍垂璧，升堂雖衆，入室幾何？若使五音克諧，可咏可歌，一篇合道，可誦可觀者，則吾見其人矣！

又《泡庵詩選序》　夫闡發性靈，窮寫情物，莫善夫詩。故詩理淵宏，非思深者不能窺其奧；詩體錯雜，非見定者不能得其宗。若夫思弗深而見弗定，雖日揆千言，去詩道遠矣！

馮復京《説詩補遺》卷一　原夫詩之作也，豈徒雕采於筆區，爭價於才藪而已哉。人鍾五秀，寔蘊七情，情發於中，斯形於言，咏歌嗟歎，有所不得已也。由是章句櫛比，聽眞宰以就班；音調鏗鏘，循天鈞而赴節。氣骨神韻，趣味才力，則主張旋運於章句音調之中，以贊成厥美者焉。

郝敬《藝圃傖談》卷一《古詩》　樂與禮非二物，禮以和行。思無邪，所以蔽詩也。立禮必先興詩而後成樂。忠臣孝子，以柔順溫厚爲本。莊敬儼恪，非所以親親。故曰：「閨門之内，戲而不嘆。」聖人敎小子學詩，學禮。敎其子學《二南》，曰：「不學詩，無以言。」溫柔敦厚，所以言也。後之爲詩者，凌厲張皇，烏可謂詩！

又　雅與鄭，志與辭之分也。有志與辭俱雅者；有志與辭俱鄭者；有志雅辭鄭者，有志鄭辭雅者。志辭俱雅者，《關雎》、《鹿鳴》、《清廟》之類是也。志鄭辭雅者，《三百篇》鮮矣。後世吴王女《紫玉歌》、漢武帝《李夫人歌》之類是也。志雅辭鄭者，鄭衛之風，《桑間》、《溱洧》之類是也。志辭俱鄭者，《三百篇》無之。後世漢唐以來，閨情、怨歌行、子夜、讀曲、采蓮歌曲之類是也。《三百篇》皆雅，夫子獨舉《關雎》一篇爲不淫，是他篇容有不盡然者。如《草蟲》頗似鄭聲，而志正，何傷於雅？志正莫若頌，而《魯頌》夸誕，亦鄭志也。《有駜》君臣酣舞，大似漢魏以來音節，即鄭聲也。漢魏樂府郊廟諸夏等篇，稱爲雅樂，其鐃歌鼓吹等曲，咬哇繁促，即鄭聲也。故古詩不無鄭，今詩不無雅，易辨耳。

又　「六義」不越情、事、辭三者而已。感動爲情，即境爲事，敷陳爲辭。興因情發，比觸境生，賦以辭成。風主情，雅主事，頌主辭。情有悲歡，故風多感動。境爲實事，故雅多獻替。辭本聲音，故頌用登歌。經緯變合，「六義」互而生詩。漢魏以來，「六義」不明，以興爲托物，以比爲借喻，以賦爲直陳。各不相屬，「六義」分裂，何可言詩？

又　從來説詩，以托物爲興，惟鍾嶸《詩品》云：「文已盡而義有餘者，興也。」此語得之。蓋人心無影，感動發越，肸蠁而成詩。其攄情寫志，逶迤旁薄，不主一端。即事引伸，變動周遊，可諷吟而不可切循，心能會而口不能言者，皆興也。故目之所察者淺，耳之所入者深。玄黄黼黻，一覽無餘。惟聲音咏嘆，使人心曠神怡，能動天地，泣鬼神，移風易俗者，興之謂也。

又　近代論詩，論風人之辭，微婉無迹，以切理爲詩家之忌。然風不過「三經」之一體。二《雅》獻替，莫非理也。頌歌功德，亦理也。若是，但風可爲詩，雅頌不可以爲詩乎？

又　詩須有實情實境。浮浪無根，則違性情之理。故詩者志也。在心爲志，發言爲詩。無其志而强爲辭，是爲詩妖。自近體興，此風遂熾。即有欲言之志，束於聲偶，迫迮不得舒。如澤雉困樊中，驪駒伏轅下，神氣索然耳。

又　詩本溫柔敦厚。聖人敎子學詩，「不學詩，無以言」。蓋心平氣和，金聲而玉振，是爲德音。故詩者，性情中和之道。《三百篇》尚矣。漢魏以下，作者概不失此意。舍溫柔敦厚，無別途可走。六朝浸淫俳偶，然猶無方板直突之病。惟唐人近體興，峭厲刻削，狂心傲氣，皆托於詩。與聖人可言之意相戾矣。

又　詩書異體，傳記叙事，與風雅殊。然叙事用韻，傳記多有之。而繁冗沓雜，「六義」未備，不可以爲詩。自近體興，溫厚氣散，幷有韻之文，一切收以爲詩矣。衆體雜糅，則雅鄭混淆。故凡詩斷然以四五言莊重溫厚爲雅，五言而後，不可復加矣。加則淫，淫則鄭。天地之氣，過則淫，自然之理也。

又　詩本性情，關風化。先王以詩觀風，古風醇朴，故爲詩溫厚和平。後世辭人，輕浮陝輸，故爲詩譃浪馳騁。聞樂知德，居然可見。風俗日壞，士習不端，今已久矣，何以爲詩。

又 凡事反本則近情。逐末則忘本。是以大饗尙玄酒，繪事賤丹青。况於聲歌性情之理，難持而易流。聖人所以惡鄭聲，貴雅樂，反本而不忘其初也。後世言詩喜近體，厭三百，奈何不淫溺忘反，而世教何由復古乎？

又 漢魏人以情境爲詩，多眞逸；六朝人以辭彩爲詩，多艷麗。雖艷麗而文生於情。若唐人以名利筌蹄爲詩，限聲偶，襲格套，如今對股時文。時文不離經傳，而何裨於名理？近體不離歌咏，而何關於性情？其妝綴附合，割強牽率，較時文轉覺卑陋。聲疾而氣揚，讀之令人高視而長傲。德音愔愔，不當如是。

又 詩主文而譎諫，故其言微婉溫柔。及其敝也，至於浮淫虛誕，逐風捕影，全無根柢，詩之流濫也。今人反以此爲詩家至境。

又 嚴儀卿謂「詩有別趣，非關理也」，天下無理外之文字。謂詩家自有詩家之理則可，謂詩全不關理，則謬矣。詩不關理，則離經叛道，流爲淫蕩。文字無義理，則無意味、無精彩。《三百篇》純是義理凝成，所以晶光千古不磨。今之詩，粉飾妝點，趁韻而已。豈惟無理，亦且無稽。浮響虛聲，何關性情？何補風教？蛙鳴蟬噪，烏得爲詩？

又 近代人謂詩不主理，一落議論，便成惡道。按二雅獻納，三頌揚功德，其誰不根道理，涉議論者乎？今俗士學詩，疾理如讐，惟嘲弄風月，流連光景。卽使鏗金戛玉，無關性情，無補風教。詩道之贅疣耳。左太沖云：「詩者，詠其所志也。升高能賦者，頌其所志也。美物者，貴依其本；贊事者，宜本其實。玉巵無當，雖寶費用。」此論卓不可易。漢魏而下，僅聞此語。

又 詩以道性情。古人託男女之情，啟發天眞，疏其淹鬱，止其浮淫，導以禮義廉耻，化民正俗，故足貴耳。後世樂府、子夜歌曲、少年放歌等行，輕佻陝輸，全無敦厚和平之意，祗足爲沈湎冒色之資。不然，則陵厲詬誶，長傲使氣而已矣。

又 「溫柔敦厚」四字，詩家宗印，不可易也。學溫厚，常失於輕狎而少敦厚；學敦厚，常失於硬直而乏溫柔。必不得已，寧直無狎也，今之爲詩者，專以輕狎爲興趣。辭人才子，多輕薄之習，風流嘲謔以爲佳句，其實非也。

又卷三《唐體》 《三百篇》多實事、實理、實境、實情，所以爲性情之道，可興可觀也。降而爲騷，枝葉雖繁，本乎忠義。故精采溢發，光烈不磨。興起百世，良非偶耳。下迨漢魏，爾雅眞率，猶爲近古。六朝靡曼，然無割強躁厲之病。至唐人限聲偶，爲近體，以之程士，士射聲利，巧言綺語，妝演效顰，無喜強笑，無悲強啼。但取唱酬，不關性地。其擅場者，以一種伊鬱隱僻之情爲元氣，一種強直亢厲之語爲元聲。讀之不可卒曉，按之全無實趣。性情之道，風教之體，有何干涉？論者詭云：「此辭人之辭也。」夫修辭立誠，所以居業，聖人之情見乎辭。經傳子史，與天壤俱垂。惟其理不磨，故其精不滅，而其文不刊。子云：「辭達而已矣。」如今之辭，何以達焉？序贊誌銘碑板之所虛標，投贈遊覽讌集之所杜撰。尋盟結交，逢世詠利。耗精力而爲此，無半語裨名教，關身心。如蜉蝣日及，朝榮夕瘁，爛同腐草。辭賦一途，於今狼戾極已。甚者假道亡命，損四民之業，爲遊手之行。以邪淫爲風流，誇誕爲才情，訕謗爲諷規，醉飽爲同盟，狂客爲我輩。寡廉尠耻，靡所不爲。昔聖人以無邪蔽詩，豈謂其末流至此。由今之道，無變今之俗，志士所以投筆也。

又 嚴儀卿以禪喻詩，以理爲詩障，謂「詩有別趣，非關理也」。近世遂以聲華相尙，謂盛唐、漢魏，爲詩家最上乘。本意尊盛唐，援漢魏爲先導耳。苟眞尊漢魏，奈何又上遺《三百篇》乎？既以盛唐、漢魏爲最上乘詩，將置《三百》於何地？問之，則曰：「《三百篇》不可與詩等也。」夫謂不可與詩等者，亦陽尊之而陰絀之。其絀之云者，乃所謂理障也。論理，未有過於《三百篇》者矣。又云：「詩者，吟咏性情者也。」吟咏性情，亦未有過於《三百篇》者矣。又云：「詩者，不落言詮者也。」夫既爲詩，孰匪言詮？唐亦言，漢魏亦言，《三百篇》亦言也。落與不落，不在言與不言，言者有不言者。如是亦未有過於《三百篇》者矣。而漢魏差近，若唐人聲偶俳倡，全涉伎倆，性情之道甚遠。尙得謂之不落言詮乎？由此論之，詩教之壞，由學術不明也。

又 詩至唐人近體，綺麗無以復加。今人反詆六朝爲綺麗，而尊唐爲正聲。大抵既爲文章，安得避綺麗？風騷取材，原自葩藻，就中雅俗分邪正，文質分古今。毫釐遂成千里。性情之道發乎情，止乎義理，烏可盈而不反也？惟知道者不移。

又 詩以道性情，其言委婉，有和平之致。非謂凡人之詩，卽凡人之性情也。性情未必和平，爲詩未有不和平者。賢人君子之詩，可諒其性情。若辭人之詩，辭而已矣。古人以志行爲詩，今人以筆舌爲詩。孟子謂「說詩者不以辭，以志」。夫子謂「不學詩，無以言」。言詎可識性情乎？後世謂杜甫爲詩史，即其言推尊比孟子，如《茅屋爲秋風所捲》詩「安得廣廈千萬間，大庇天下寒士俱歡顔」，斷然許以仁心廣大。不知古人佳話何限，桀紂向人亦好語。後世詩愈高，人品心術愈卑。烏可以詩論人也？

又 嚴滄浪借禪喻詩，近時袁坤儀即禪爲詩。詩本性情，禪宗見性。可以相通，其實不同。禪主空寂，無言爲宗。詩者，聲音之道，全仗言語動人。故曰詩可以言。必於言外求詩，言與意全不相涉，如禪門話頭機鋒，以爲風人妙旨，則雅頌直陳對揚之辭皆不可爲詩矣。坤儀之說，可矯浮靡之偏，全失詩人葩藻之意，非折衷之論。大段坤儀禪客也，論詩便是參禪，必若所云，禪耳，與詩何預？以辭害志，如咸丘蒙之說詩，固也。以志廢辭，如袁坤儀之說詩，幻也。志與辭，烏可偏廢乎？

又《談經・毛詩》 詩意深厚，正不貴明淺，或借古以諷今，或反言以明正；或託其人口吻，以發意中事；或漫無可否，述事以見意。體裁不一，要未有直發者。朱子謂詩本性情，辭無妝綴。不知聲音之道，自然與性情通，歌咏所以養其性情也。歌「雅」者溫良，歌「頌」者柔直。故曰：「詩可以興。」此性情之說也。非謂其人自作，即見其人之性情也。人雖暴厲，及其爲詩，必溫厚。不溫厚，即非詩矣。故曰：「不以人廢言。」言不可以信人，詩可以信性情乎？以此論性情，失其解矣。

又 賦比興，非判然三體也。詩始於興，興者，動也。故曰：「動天地，感鬼神，莫近於詩。」夫子亦曰：「詩可以興。」凡詩未有能離興者矣。興者詩之情，情動於中，發於言爲賦。賦者，事之辭。辭不欲顯，託物爲比。比者，意之象。故夫鋪叙括綜曰賦，意象附合曰比，感動觸發曰興。非但歡娛爲興，喜怒哀樂皆本於興。故詩者，性情之道。和人神，協上下，移風易俗，莫非興也。

袁宗道《白蘇齋類集》卷二〇《論文》下 爇香者，沉則沉烟，檀則檀氣。何也？其性異也。奏樂者，鐘不藉鼓響，鼓不假鐘音，何也？其器殊也。文章亦然。有一派學問，則釀出一種意見。有一種意見，則創出一般言語。無意見則虛浮，虛浮則雷同矣。故大喜者必絶倒，大哀者必號痛，大怒者必叫吼動地，髮上指冠。惟戲場中人，心中本無可喜事，而欲強笑；亦無可哀事，而欲強哭。其勢不得不假模擬耳。今之文士，浮浮泛泛，原不曾的然做一項學問，叩其胸中，亦茫然不曾具一絲意見，徒見古人有立言不朽之說，又見前輩有能詩能文之名，亦欲搦管伸紙，入此行市，連篇累牘，圖人稱揚。夫以茫昧之胸，而妄意鴻鉅之裁，自非行乞左、馬之側，募緣殘溺，盜竊遺矢，安能寫滿卷帙乎？試將諸公一編，抹去古語陳句，幾不免於曳白矣。其可愧如此，而又號於人曰引古詞，傳今事，謂之屬文。然則二《典》三《謨》，非天下至文乎？而其所引，果何代之詞乎？

莊元臣《叔苴子・內篇》卷八 詩也者，性情心術之外見者也。故觀其詩則知其人矣。其詩雄者其人銳，其詩曠者其人達，其詩遠者其人深，其詩質者其人直，其詩淺者其人鄙，其詩華者其人浮，其詩蕩者其人誕。此相詩之法，萬決而萬中者也。其愈於鑒貌觀色者遠矣。

又《文訣》 凡作詩文，不可強作，須含意懷情，鬱積充發，如水滿而欲決，如抱冤而欲訴，然後取製作之法，爲之經紀厝置，取漁獵之詞，爲之鋪張粉飾，不刻意而文已成矣。

高攀龍《高子遺書》卷三《讀書法示揭陽諸友》 至於文詞，不過寫其胸中所自得。若心定理明，自然不待用力而能，不待求其績飾而工矣。

徐光啟《毛詩六帖講義》卷一《載馳》 在心爲志，發言爲詩。志之所之，便形爲咏歌嗟嘆，都非實語實事也。朱注所謂「自言其意」四字最得，但玩首章傳意頗以爲實，然尚未看得詩情透露耳。大抵風人之致，難以言求，只要認取「詩言志」一語。自楚騷以後，托詞寓意，愈益變幻，大都原本風人。若都將實事來看，盡說不通也。如宋玉《高唐神女賦》、曹子建《洛神賦》皆效此等詩體。元人作《西廂記》詞曲，最後有「草橋驚夢」一句，尤大得此詩之意。

許學夷《詩源辯體》卷一 《小序》、《正義》說《詩》，漢、唐諸儒無不宗之。其國風詞如懷感者，爲詩人託其言以寄美刺，則既得乎性情之正，且足以見詩人敦厚之風。姜白石謂「美刺箴怨皆無迹」是也。但其他多依附史傳，牽合時代，味其詞，實多不類。朱子因《小序》爲辯說最是有見。然於變風如懷感者，必欲爲其人之自作，則當時諸儒亦有不相信者。按：孔子曰：「《詩》三百，一言以蔽之，曰：思無邪。」其旨甚顯，其語甚明。朱子則曰：凡詩之言善者，可以感發人之善心；惡者，可以懲創人之逸志。其用歸於使人得其性情之正而已，是《三百篇》不能無邪，而讀之者乃無邪也。豈孔子之意耶？

又云：夫子之於鄭、衛，深絕其聲；於樂，以爲法，而嚴立其詞；於《詩》，以爲戒，如聖人固不語亂，而《春秋》所記無非亂臣賊子之書。信如此說，是《詩》兼《春秋》之法者也。孔子曰：「興於《詩》。」又曰：「詩可以興。」則《詩》與《春秋》其用不同矣。《詩》不可以兼史，楊用修旣嘗辨之，顧可以兼《春秋》乎？朱子乃云：詩本性情，有邪有正，而吟詠之間，抑揚反覆，故學者之初所以興起，其好善惡惡之心而不能自已者，必於此而得之。今試舉陳、隋妖豔之詩奏之於初學小子之前，吾恐不足以興，適足以相誘耳。

趙宧光《彈雅·雅俗一》 詩不論理，不知理則說不出無理之話。詩不用學，不問學則道不到無學之語。到此自知，非言可諭。

又 學能積，文能裁。學如根，文如荄。此故談文，而于彈詩尤爲切至。

又 有才人，而作詩無調，是蕪才也；有學人，而作詩無格，是困學也。困學可，蕪才不可。學而能困，庶幾一日之通；才而蕪，侵侵乎入于野狐道路矣。學者能取諸人，則時時受益而才從內發矣。若惟恃其長，自爲作用，那知好醜乎？是以才子不乏，始終其才者世不多見，不善用其才耳。暴殄其天，可憐特甚。

又《塵言七》 《詩原》云：「古詩以才力爲主，律詩以造詣爲先。」似矣。才力而未達其名義也。才力造詣，俱是學者功夫，何處分異。當必有說矣。才力者，才爲天成，力爲蘊藉，皆主于得而後發。造詣者，造爲嚮往，詣爲得意，皆求其形似摹臨。總之，才力以內樂外，造詣以外樂內。

顧起元《懶眞草堂集·文集》卷一三《劉成齋先生詩序》 詩以持人之性情，天地之神理寄焉。古人之爲詩也，無亦惟是，取眞情與眞境緣飾之而已矣。晉、宋、齊、梁最稱浮靡，然其一時人物之風華、情態之艷冶，可按而求，則神理猶未盡離也。自摹擬剽敓之道勝，稱詩者往往以其所不必感之情，與其所未嘗涉之境，傅而成之。其音響膚澤，豈不自謂爲漢魏、爲盛唐，然而神理之存焉者或寡矣。夫所謂神理者，固亦不出乎音響膚澤之間；然是音響膚澤者，神理之變化也。吾才不如古人，學不如古人，思不如古人，工力不如古人，所謂神理者固已寂寥而不韞，秘抑而不發矣。乃欲以意響膚澤間襲取之以爲工，豈有神理而可僞爲者哉？

又《潭西樓集序》 詩者，持也，持人之性情也。天倪自動，人籟相宣，刻玉不足紀其盈虛，鑄金未能均其清濁。其合也則涂歌巷咢，動以叶於宮商；其離也則刻鶩雕龍，祇自彰其骫骳。豈非哀樂之感，冥乎自然，律呂之調，非由人事者也？後世披華者至於剽市金，襲美者同乎寶燕石，遂使宮娃廚媼爭言元、白之詩，酒肆歌樓競譜高、王之曲。泛濫之熊靡恆，麗則之情益寡。釋彼取此，每況愈下，以亂易暴，無或取焉。

又卷一四《黃菊先生詩集序》 夫詩理淵宏，談何容易。自滄浪有「別才」、「非學」之論，掉鞅騷壇者或張空拳以角勝矣。夫以體之所韞者淺，學之所益者深。自匪兼長，寧無偏局。且極詩之道，至於牢籠天地，彈壓山川，綜緯三靈，陶冶百物。孔子之稱詩，精而興觀群怨，粗而鳥獸草木，其所苞孕抑何廣肆也！奈何以吹笳鳴磁之節，自詭于里巷之風爲？原夫嚴氏之論，意乃以抑獺祭者，固謂飽飣以示學，毋若磊落以使才耳。譬諸良賈，雖有心計，必有利源，豈其抱計然之空筴，遂可嗤猗頓爲甕牖哉？世之作者，代不乏人，二者幷雜，故難僉得，魏晉以還，子美一人而已。觀其博極群書，馳驟今古，周行萬里，瀏覽風謠，渾涵汪茫，千彙萬狀，殘膏剩馥，沾丐後人。元微之稱古人之才茲總萃焉，即所自名以「萬卷旣破，下筆有神」。後人苟無是學，空取其聲調，摹而肖之，衣冠楚相，形似華歆，方駕幷馳，不已遠矣！

又卷一五《錦研齋次草序》 昔士衡《文賦》有曰：「詩緣情而綺靡。」而「綺靡」玷斯語者，謂爲六代之濫觴，不知作者內激於志，外盪於物，志與物泊然相遭於標舉興會之時，而綺旎佚麗之形出焉。綺靡者，情之所自溢也，不綺靡不可以言情。彼欲飾情而爲綺靡者，或謂必汰綺靡而致其情，皆非工於緣情者矣。范蔚宗言情致所託，要當以意爲主，然後抽其芬芳，振其金石。夫苟不謂芬芳爲意之萌芽，金石爲意之節族，迺於以文傳意之後，旁舉而益之，至使雕繢襞績之工掩其眞美，矯枉者遂疑《雅》、《頌》之平典，非陶咏性情者之所庶幾也，豈不陋哉！蓋余讀愚公鄭君之詩，恍然更有悟於士衡之旨也。

吳從先《小窗艷紀序》 昔人謂文章與時高下，余謂文章與情淺深。人情超，則以奇逸之；情定，則以淡平之；情濃，則以艷添之。「情」也者，文之司令也。第人之思或局而其情甚圓，爲恍爲惚，屢變屢更，一家言洵不易證哉。

李日華《恬致堂集》卷一四《晏文瀾先生居易堂詩集序》 詩，心籟也。以和心感者，如編鐘懸球，隨叩以應，吐雍雅音，滿人清聽。他如凄緊激昂之響，雖各有所感，然失其和矣。古以詩名者不一其人，亦不一其家，唯有道厚養。君子無意於詩，而詩品自貴。

又《汪玉水詩稿序》 昔人以風雪灞橋作敲詩之地，蓋謂空寒寂歷中，足以控引勝情，離絶俗垢。或又以凄緊無聊能逗出眞致語耳。余謂此皆小乘觀法。夫境有濃淡，懷有愉怫，時有凜舒，感有類阻，而吟弄抒寫，總是人耳。譬之懸球不過片玉，而輕搏重拊，種種殊音，善聽者正不必偏賞其哀激也。

又卷一五《張振凡河蘋草序》 今之爲詩者，非懸令甲，非本性情，率爲酬也遊也而已矣。酬以狥俗，有強歡之笑，有不戚之悲。應猝則取辦捉刀，塡虛則借資祭獺，百醜方叢，一妙何適，此豈復有詩哉？遊則稍緣飾於山川奇麗，憑吊凄迷戃悅感觸之致，意尚近之。然或通以欸門，或緘以侑櫝，則乞糈之甈，歌魚之陋，偉碩者方涕唾之，其爲風雅之辱，又曷勝洗也。

又《勉公詩集序》 儒言「詩發乎情」，情者，纏綿孌淚之具。春蠶登箔，抽吐無端，迨乎羅合隱起，得而觀焉。佛者施設種種，要在鏟情，情絲不留，悰緒安寄？昔退之謂旭草取奇於喜怒悲哀驚愕鬭進之變，疑高閑淡泊頽廢不足相發，矧夫觸情而吟，又轉相觸者耶！

又卷一六《匡廬擷秀序》 余非能爲文者也，嘗聞言於長老先生，而見其端，蓋非文之難而所以文之難也。夫文穫於心，而後經於慮，經於慮，而後吐於詞；吐於詞，而後落於楮墨，使人讀之炳炳焉若草木然，飽風露而英華燦焉者也。彼徒文也者，彫葉繢枝而已；徒躭於文也者，攀條美蘤而已，而精意安在？將不朽之謂，何而又以炫世？余固願士之爲文者，多讀書以沃其本，多析理以删其繁，多養氣以達其穎，與造物者相爲新新而不窮。《語》曰「起夕秀於未振」，新新之謂也。

又卷一七《題項金吾竹君詩草》 余少學詩，未具眞眼。爲古人「詩能窮人」、「窮乃後工」之論所籠，妄謂清聯秀句，俱從空山斷澗烟雲窟中煉出，非仙癯枯衲饑凍腸腑，未易得佳響。彼列鼎高門，珥貂穉彥，遼乎闊哉於斯道矣。不知詩者，是人性靈浮動英妙之物。稟上振者，恣取無禁；滯凡思者，一字不能，初非緣境爲生息，逐年以滋長也。

鄧雲霄《冷邸小言》 詩以道性情者也。凡看詩者，觀其情性所之，或雅或俗，又居然見矣。

又 凡詩之道，觸物起興，即景生情，不必以貴物比貴人，以雌雄稱男女，寓言肆類，其味方長。如《三百篇》之中，后妃本至貴也，可以起興於雎鳩，亦可以起興於荇菜。公子公姓亦至貴也，可以目之爲麟趾，亦可以比之爲螽斯。后妃本婦人也，而《樛木》章反曰「樂只君子」。前王本君子也，而《簡兮》章反曰「西方美人」。後世惟《離騷》頗得此解，餘則拘拘比擬，若唐應制諸詩。《三百篇》掃地盡矣。

又《漱玉齋文集》卷一《重刻空同集序》 詩者，人籟也，而竅於天。曰天者，眞也。王叔武之言曰「眞詩在民間」，而空同先生有味其言，至引之以自叙。夫空同先生跨轢千古，力敵元化，乃猶稱眞詩在民間，而吾夫子亦曰：「斯民也，三代之所以直道而行也。」以吾夫子之聖，不能外於斯民之直，空同先生固聖於詩也，孰能外民間眞音而徒爲韻語。古者先王命太師陳詩以觀民風，吾夫子删詩，先風而後雅，里謡途咢，至與清廟明堂之聲同鏗鍧焉。卽清廟明堂，登歌賡唱，亦當矢口發籟，直布胸臆，非如後世文人墨客抽黄對白，剪綵隋園，學步邯鄲，徒以韻語相矜詡也。自唐以詩取士而詩道寖衰，而其眞而近古者往往得於侘傺無聊、不平之感。故眞者，音之發而情之原，從原而觸情，從情而發音，故赴響應節，悠悠然光景屢新，與天地同其變，徐而歌之，暢然愀然，足以感耳入心，移風易俗，美愛而傳，亦與天地同其久，固知空同先生所以集大成而自帝此道者，蓋有本矣。

又卷二《李烟客詩集序》 詩由胸次，不在窮不窮，王之右丞也而工，孟之衣褐也而工。總之胸次灑落，心中無一物，筆下無點塵，彼其視人世窮達，猶土苴也，故吐出皆天際眞人語。倘爲窮所縛，胸中愁苦逼窄，語必蹇澀乾枯，如郊、島之窮，愈見其不工耳！

王嗣奭《管天筆記外編》卷下《文學》 寡欲則神清，神清則文章之脈理亦清；多欲則神濁，神濁則文章之脈理亦濁。故有淫侈而能文者，雖雕繪滿眼，一時膾炙，而世有明眼，吐棄之矣。

又 文章家若有高世之識，寫自得之語，便不必求工于字句之間。

又 一見而了了于目，一入目而了了于心，一會心而了了于筆，在詩謂之眞詩，在文謂之眞文。此之謂達，此之謂才。世之爲文者，如村夫諱鄉談，學官話，情多不達，而音又多舛。方自矜其超于俗而不自知其陋也。近來古詩學漢、魏，近體學盛唐，古文學秦、漢，大都似之。如少陵之詩，昌黎之文，何嘗不脫胎於古人，而各自名家，絶無摹倣之跡。蓋橫絶宇宙，而無與爲對者也。

又 朱子嘗戒人作詩，而朱不廢詩，詩未嘗不工，詩卽學也。白沙亦然，陽明亦然，卽靖節亦然。蓋發自性情，而非矜奇鬬巧，故無妨于學也。亦有詩人原非道學，而偶得雋語，默與道會，而不自知其所至者，其性情不俗也。

錢謙益《牧齋初學集》卷三一《李君實恬致堂集序》 余惟唐、宋以來，名人魁士，以風流儒雅爲宗者，若李汧公、米南宮、趙魏公之流，其標置欣賞，往往在勳名德業之外，無當於世用，而世顧不可少焉者，何也？草之有秋蘭也，木之有古松老梅也，味之有苦茗也，臭之有名香也，於世用亦復無當，而世亦不可少焉。譬之於人倫，其亦汧公之流也歟？文章者，天地英淑之氣，與人之靈心結習而成者也。與山水近，與市朝遠；與異石古木哀吟清唳近，與塵埃遠；與鍾鼎彝器法書名畫近，與時俗玩好遠。故風流儒雅，博物好古之士，文章往往殊邈於世，其結習使然也。

又《劉咸仲雪庵初稿序》 詩文之繆，傭耳而剽目也，儷花而鬭葉也。其轉繆，則蠅聲而蚓竅也，牛鳴而蠻語也。其受病，則皆不離乎僞也。

又卷三二《虞山詩約序》 太史公曰：《國風》好色而不淫，《小雅》怨誹而不亂。若《離騷》者，可謂兼之。故夫《離騷》者，《風》、《雅》之流別，詩人之總萃也。《風》、《雅》變而爲《騷》，《騷》變而爲賦，賦又變而爲詩。昔人以謂譬江有沱，乾肉爲脯。而晁補之之徒，徒取其音節之近楚者以爲楚聲，此豈知《騷》者哉？古之爲詩者，必有深情畜積於內，奇遇薄射於外，輪囷結轖，朦朧萌折，如所謂驚瀾奔湍，鬱閉而不得流；長鯨蒼虬，偃蹇而不得伸；渾金璞玉，泥沙掩匿而不得用；明星皓月，雲陰蔽蒙而不得出。於是乎不能不發之爲詩，而其詩亦不得不工。其不然者，不樂而笑，不哀而哭，文飾雕繢，詞雖工而行之不遠，美先盡也。唐之詩，藻麗莫如王、楊，而子美以爲近於《風》、《騷》；奇詭莫如長吉，而牧之以爲《騷》之苗裔。繹二杜之論，知其所以近與其所以爲苗裔者，以是而語於古人之指要，其幾矣乎？

又《徐元歎詩序》 自古論詩者，莫精於少陵「別裁僞體」之一言。當少陵之時，其所謂僞體者，吾不得而知之矣。宋之學者，祖述少陵，立魯直爲宗子，遂有江西宗派之說，嚴羽卿辭而闢之，而以盛唐爲宗，信羽卿之有功於詩也。自羽卿之說行，本朝奉以爲律令，談詩者必學杜，必漢、魏、盛唐，而詩道之榛蕪彌甚。羽卿之言，二百年來，遂若塗鼓之毒藥。甚矣！僞體之多，而別裁之不可以易也。嗚呼！詩難言也。不識古學之從來，不知古人之用心，狥人封己，而矜其所知，此所謂以大海內於牛跡者也。王、楊、盧、駱，見哂於輕薄者，今猶是也，亦知其所以劣漢、魏而近《風》、《騷》者乎？鉤剔抉摘，人自以爲長吉，亦知其所以爲《騷》之苗裔者乎？低頭東野，慬而師其寒餓，亦知其所謂橫空盤硬，妥帖排奡者乎？數跨代之才力，則李、杜之外，誰可當鯨魚碧海之目？論詩人之體製，則溫、李之類，咸不免風雲兒女之譏。先河後海，窮源遡流，而後僞體始窮，別裁之能事始畢。雖然，此益未易言也。其必有所以導之。導之之法維何？亦反其所以爲詩者而已。《書》不云乎：「詩言志，歌永言。」詩不本於言志，非詩也；歌不足以永言，非歌也。宣己諭物，言志之方也；文從字順，永言之則也。寧質而無佻，寧正而無傾，寧貧而無僦，寧弱而無剽，寧爲長天晴日，無爲盲風澁雨；寧爲清渠細流，無爲濁沙惡潦；寧爲鶉衣裋褐之蕭條，無爲天吳紫鳳之補坼；寧爲鸁糲之果腹，無爲荼堇之螫唇；寧爲書生之步趨，無爲巫師之鼓舞；寧爲老生之莊語，無爲酒徒之狂言；寧病而呻吟，無夢而厭寱；寧人而寢貌，無鬼而假面；寧木客而宵吟，無幽獨君而晝語。導之於晦蒙狂易之日，而徐反諸言志詠言之故，詩之道其庶幾乎？

又《華聞修詩草序》 蘇子瞻《惠山泉》詩云：「茲山定空中，乳水滿其腹。遇隙則發見，臭味實一族。」余嘗持此以論詩，以謂古人之詩，奇正濃淡，萬有不齊，要其空中滿腹，遇隙而發見則一也。不然者，如行潦之水，不足以灌一畦，求其趼躃走海內，豈可得乎？梁溪華聞修，讀書惠山之下，朝夕焚香煑茗，酌泉而賦詩。余語客曰：「子知聞修之詩乎？是子瞻之所以評惠泉者也。」客曰：「何以徵之？」余曰：「以秦少游之言徵之。少游之論泉曰：『泉者，山之精氣所發也。岸湖之山，有所誘而不克以爲泉，岸江之山，有所脅而不暇以爲泉。』今之爲詩者，聲利釣心，繁華鑠骨，壯氣攻其中，而僨盈張其外。其爲誘且脅也亦多矣。聞修布衣疏食，蕭閒淡止，無所誘以越散其神，無所脅以虧疎其氣，山川之映發，友朋之伸寫，意行而臥游，酒悲而夢愕，皆用以資爲詩。如是而詩不大昌者，未之有也。且子之酌斯泉也，取其白泥赤印，供水符而走傳遽者乎？抑取其冰牙雪齒，鳴松風而潑石鼎者乎？

語有之：「在山泉水清，出山泉水濁。」泉之出山而濁者，誘與脅使之也。子欲知聞修之詩，取之於斯泉足矣，而他何徵焉？」客曰：「善哉！子之言詩。雖然，以此品泉，殆陸鴻漸、張又新之所未及也。」

又《曾房仲詩序》以爲學詩之法，莫善于古人，莫不善于今人。何也？自唐以降，詩家之途轍，總萃於杜氏。大曆後以詩名家者，靡不繇杜而出。韓之《南山》，白之諷諭，非杜乎？若郊，若島，若二李，若盧仝、馬異之流，盤空排奡，橫從譎詭，非得杜之一枝者乎？然求其所以爲杜者，無有也。以佛乘譬之，杜則果位也，諸家則分身也。逆流順流，隨緣應化，各不相師，亦靡不相合。宋、元之能者，亦繇是也。向令取杜氏而優孟之，飭其衣冠，效其嚬笑，而曰必如是乃爲杜，是豈復有杜哉？本朝之學杜者，以李獻吉爲巨子。獻吉以學杜自命，聾瞽海內。比及百年，而訾謷獻吉者始出，然詩道之敝滋甚，此皆所謂不善學也。夫獻吉之學杜，所以自誤誤人者，以其生吞活剝，本不知杜，而曰必如是乃爲杜也。今之訾謷獻吉者，又豈知杜之爲杜，與獻吉之所以誤學者哉？古人之詩，了不察其精神脈理，第抉擿一字一句，曰此爲新奇，此爲幽異而已。於古人之高文大篇，所謂鋪陳終始，排比聲韻者，一切抹殺，曰此陳言腐詞而已。斯人也，其夢想入於鼠穴，其聲音發于蚓竅，殫竭其聰明，不足以窺郊、島之一知半解，而況于杜乎？獻吉輩之言詩，木偶之衣冠也，土菑之文繡也。爛然滿目，終爲象物而已。若今之所謂新奇幽異者，則木客之清吟也，幽冥之隱壁也。縱其悽清感愴，豈光天化日之下所宜有乎？嗚呼！學詩之敝，可謂至于斯極者矣！奔者東走，逐者亦東走，將使誰正之？房仲有志于是，余敢以善學之一言進焉。杜有所以爲杜者矣，所謂上薄《風》、《雅》，下該沈、宋者是也。學杜有所以學杜者矣，所謂別裁僞體，轉益多師者是也。舍近世之學杜者，又舍近世之訾謷學杜者，進而求之，無不學，無不舍焉。于斯道也，其有不造其極矣乎？

又《王元昭集序》古今作者之異，我知之矣。古之作者，本性情，導志意，讕言長語，《客嘲》、《僮約》，無往而非文也。塗歌巷春，春愁秋怨，無往而非詩也。今之作者則不然，矜蟲魚，拾香草，駢枝而儷葉，取青而妃白，以是爲陳羹像設斯已矣，而情與志不存焉。昔有學文于熊南沙者，南沙教以讀《水滸傳》。有學詩于李空同者，空同教以唱《瑣南枝》。二公于古學不知何如，而其言則可以教世。嗚呼！是可爲今人道哉？

又《馮定遠詩序》古之爲詩者，必有獨至之性，旁出之情，偏詣之學，輪囷偪塞，偃蹇排奡，人不能解而已不自喻者，然後其人始能爲詩，而爲之必工。是故軟美圓熟，周詳謹願，榮華富厚，世俗之所歎羨也，而詩人以爲笑；淩厲荒忽，敖僻清狂，悲憂窮蹇，世俗之所詢姍也，而詩人以爲美。人之所趨，詩人之所畏；人之所憎，詩人之所愛。人譽而詩人以爲憂，人怒而詩人以爲喜。故曰：「詩窮而後工。」詩之必窮，而窮之必工，其理然也。

又卷三三《增城集序》《書》有之：「詩言志，歌永言。」春秋諸大夫會而賦詩，曰武亦以觀諸子之志。斯集也，可以觀李君之志矣。夫世之稱詩者，較量興比，擬議聲病，丹青而已爾，粉墨而已爾。其屬情藉事，不可考據也。其或不然，剽竊掌故，傅會時事，不歡而笑，不疾而呻，元裕之所謂不誠無物者也。志于何有？今以李君之詩觀之，古樂府取諸《長慶》之諷諭，雜詩取諸梓潼之《感興》，七言古詩取諸少陵之變風，五、七言今體仗境託物，緣情綺靡，要以言其志之所之而已。少陵當天寶、乾元之間，嗟輔相之失職，悼法令之滋章，故其詩曰：「舜舉十六相，身尊道何高！秦時用商鞅，法令如牛毛。」君之詩，於虜訌盜橫，民窮政僻，無不極其愾嘆，而歸其責于政本，有將荷作杜以掇充幃之刺焉。蓋君之通達國體，切直敢言如此。令採風之使，進而被之管弦，言之無罪，聞之足戒，豈不足以列四詩之目，而稱五諫之首也哉！

又《瑞芝山房初集序》蘇子瞻叙《南行集》曰：「昔之爲文者，非能爲之爲工，乃不能不爲之爲工也。」古之人，其胸中無所不有，天地之高下，古今之往來，政治之污隆，道術之醇駁，苞羅旁魄，如數一二。及其境會相感，情僞相逼，鬱陶駘蕩，無意於文，而文生焉。此所謂不能不爲者也。古之善爲詩者，撈奇抉怪，刻腎擢腑，鏗鏘足以發金石，幽眇足以感鬼神。嘗試誦讀而歌咏之，平心而思其所懷來，皆發攄其中之所有，而遘會其境之所不能無，求其一字一句出於安排而成於補綴者無有也。如其不然，而以能爲之爲工，則爲剽賊，爲塗抹，爲捃拾補綴，譬諸窮子乞兒，沾人之殘膏冷炙，自以爲厭飫，而終身不知大庖爲何味也，可不悲哉！

又《有學集》卷一五《愛琴館評選詩慰序》夫詩者，言其志之所之也。志之所之，盈于情，奮于氣，而擊發于境風識浪奔昏交湊之時世，于是乎朝廟亦詩，房中亦詩，吉人亦詩，棘人亦詩，燕好亦詩，窮苦亦詩，春哀亦詩，秋悲亦詩，吳詠亦詩，勞歌亦詩，越吟亦詩，相春亦詩。窮盡其短長高下抑抗清濁吐含曲直樂淫怨誹之極致，終不偭背乎五聲、六律、七音、八風、九歌之倫次。詩之教如是而止。古之爲詩者，學遡九流，書破萬卷，要歸于言志永言，有物有則，宣導情性，陶寫物變。學詩之道，亦如是而止。陸士衡、曹子桓、沈休文、江文通與夫李、杜、元、白、皮、陸之緒言，皆具在也。古學日遠，人自作羣。邪師魔見，藴釀于宋季之嚴羽卿、劉辰翁，而毒發于弘、德、嘉、萬之間。學者甫知聲病，則漢、魏、齊、梁、初、盛、中、晚之聲影，已盤亘于胸中，傭耳借目，尋條屈步，終其身爲隸人而不能自出。吁！可悼也。

又卷一六《高念祖懷寓堂詩序》 余竊謂詩文之道，勢變多端，不越乎釋典所謂熏習而已。有世間之熏習，韓子之所謂「無望其速成，無誘于勢利，養其根而俟其實，加其膏而希其光」者是也。有出世間之熏習，佛氏所謂「應以善法扶助自心，應以法水潤澤自心，應以境界淨治自心，應以精進堅固自心，應以忍辱坦蕩自心，應以智證潔白自心，應以智慧明利自心」者是也。世間之熏習，念祖胚胎前光，固已學而能之矣。出世間之熏習，則念祖之于琮公，諮決扣擊者，故當朝夕從事焉。而世間詩文宗旨，亦豈有有外于是乎？《易》曰：「擬議以成其變化。」而至於變化，則謂之不思議熏不思議，變而疑于神矣。韓子之云根茂實遂，膏沃光曄者，亦是物也。世間與出世間，亦豈有二道乎？

又卷一七《梅村先生詩集序》 余老歸空門，不復染指聲律，而頗悟詩理。以爲詩之道，有不學而能者，有學而不能者，有可學而能者，有可學而不可能者，有學而愈能者，有愈學而愈不能者。有天工焉，有人事焉。知其所以然，而詩可以幾而學也。間嘗趣舉其說，而聞者莫吾信。頃讀梅村先生詩集，喟然歎曰：嗟乎！此可以證明吾說矣。夫所謂不學而能者，三侯、《垓下》、《滄浪》、《山木》，如天鼓谷音，稱心而衝口者是也。所謂學而不能者，賦名《六合》，句取切偶，如鳥空鼠唧，循聲而屈步者是也，此非所以論梅村之詩。梅村之詩，其殆可學而不可能者乎？夫詩有聲焉，宫商可叶也。有律焉，聲病可案也。有體焉，正變可稽也。有材焉，良楛可攻也。斯所謂可學而能者也。若其調之鏗然，金春而石戛也；氣之能然，劍花而星芒也；光之耿然，春浮花而霞侵月也；情之盎然，草碧色而水綠波也。戴容州有言：「藍田日煖，良玉生煙，可望而不可置于眉睫之間。」以此論梅村之詩，可能乎？不可能乎？文繁勢變，事近景遙，或移形于跬步，或縮地于千里。泗水秋風，則往歌而來哭；寒燈擁髻，則生死而死生。可能乎？不可能乎？所謂可學而不可能者信矣。而又非可以不學而能也，以其識趣正定，才力宏肆，心地虛明，天地之物象，陰符之生殺，古今之文心名理，陶冶籠挫，歸乎一氣，而咸資以爲詩。善畫馬者曰，天閑萬廄，皆吾師也。安有撑腸需腹，蟬吟蚓竅而謂之能詩者哉？玄黃金碧，入其罏鞲，皆成神丹，而他人則爲掇拾之長物。幺絃孤韻，經其杼軸，皆爲活句，而他人則爲偷句之鈍賊。參苓不能生死人，朱鉛不能飾醜女，故曰有學而愈能，有愈學而愈不能。讀梅村詩者，亦可以霍然而悟矣。

又《季滄葦詩序》 今夫人之稱詩者，眉目不同，興會各異，設壇分墠，互相甲乙。遠則追隨秦、雒，近則跳浪越、楚，縱極其精神才力，横度捷出，不過滅沒于二百年來名人魁士沉淵洑流之中，亦成其爲今人之詩而已矣。《三百篇》以後，《騷》、《雅》具在。太史公曰：「《國風》好色而不淫，《小雅》怨誹而不亂。」此千古論詩之祖。劉彥和蓋深知之，故其論詩曰：「軒翥詩人之後，奮飛詞家之先。」《三百篇》變而爲《騷》，《騷》變爲漢、魏古詩，根柢性情，籠挫物態，高天深淵，窮工極變，而不能出于太史公之兩言。所謂兩言者，好色也，怨誹也。士相媚，女相說，以至于風月嬋娟，花鳥繁會，皆好色也。春女哀，秋士悲，以至于《白駒》刺作，《角弓》怨張，皆怨誹也。好色者，情之橐籥也。怨誹者，情之淵府也。好色不比于淫，怨誹不比于亂，所謂發乎情、止乎義理者也。人之情眞，人交斯僞。有眞好色，有眞怨誹，而天下始有眞詩。一字染神，萬刦不朽。鍾記室論《十九首》，謂「驚心動魄，一字千金」。太白歎吾衰不作，子美矜得失寸心，皆是物也。今不讀古人之詩，不知其言志永言眞正血脈，而求師于近代，如躄人之學步，如傖父之學語，其不至于胷足沓舌者，則亦鮮矣。

又《周元亮賴古堂合刻序》 或曰：「子之推評元亮也，其旨要可得聞乎？」余告之曰：「有本。古之爲詩者有本焉，《國風》之好色，《小雅》之怨誹，《離騷》之疾痛叫呼，結轖於君臣夫婦朋友之間，而發作于身世偪側，時命連蹇之會，夢而噩，病而吟，春歌而溺笑，皆是物也。故曰有本。唐之李、杜，光燄萬丈，人皆知之。放而爲昌黎，達而爲樂天，麗而爲義山，譎而爲長吉，窮而爲昭諫，詭灰弇亢而爲盧仝、劉叉，莫不有物焉，魁壘耿介，槎枒于肺腑，擊撞于胸臆，故其言之也不慚，而其流傳也，至于歷刦而不朽。今之爲詩，本之則無，徒以詞章聲病，比量于尺幅之間，如春花之爛發，如秋水之時至，風怒霜殺，索然不見其所有，而舉世咸以此相夸相命，豈不末哉！」

又卷一八《胡致果詩序》 致果自定其詩，歸其指于微之一字。思深哉！其有憂患乎？傳曰：《春秋》有變例，定、哀多微詞。史之大義，未嘗不主于微也。二《雅》之變，至于「赫赫宗周」，「瞻烏爰止」，《詩》之立言，未嘗不著也。揚之而著，非著也；抑之而微，非微也。著與微，修詞之枝葉，而非作詩之本原也。學殖以深其根，養氣以充其志，發皇乎忠孝惻怛之心，陶冶乎溫柔敦厚之教。其徵兆在性情，在學問，而其根柢則在乎天地運世，陰陽剝復之幾微。微乎！微乎！斯可與言詩也已矣！

又《李鬴臣甲申詩序》 元人張子長序胡師古之詩曰：「古之爲詩，能卓然自奮，繼《三百篇》之後者。其致未嘗不厚，而其辭未嘗不盛。厚則所感者深，盛則所被者遠。古昔聖賢之詩，其旨本此。而清越幼眇之奇，抑揚蹈厲之節，則又詩之興衞鼓吹，以和懌先後其義者也。」惟厚與盛，詩之宗旨也。古人之詩，意匠相合，緣情綺靡，如雷雨之滿盈，如膏液之脈發。雖清吟幽唱，其味彌厚；雖單詞片詠，其氣彌盛。今之人氣不足志，詞不足言，縱極其鋪排揚厲，綢繢組織，而祇成其薄與衰而已矣。

又卷一九《顧麟士詩集序》 余惟世之論詩者，知有詩人之詩，而不知有儒者之詩。《詩》三百篇，巡守之所陳，太師之所繫，採諸田畯紅女塗歌巷謳者，列國之《風》而已。曰《雅》，曰《頌》，言王政而美盛德者，莫不肇自典謨，本于經術。言四始則《大明》爲水始，《四牡》爲木始，《嘉魚》爲火始，《鴻雁》爲金始。言五際則卯爲《天保》，酉爲《祈父》，午爲《采芑》，亥爲《大明》。淵乎微乎！非通天地人之大儒，孰能究之哉？荀卿之詩曰：「天下不治，請陳佹詩。」炎漢以降，韋孟之《諷諫》，束廣微之《補亡》，皆所謂儒者之詩也。唐之詩人，皆精於經學。韓之《元和聖德》，柳之《平淮夷雅》，《雅》之正也。玉川子之《月蝕》，《雅》之變也。後世有正考父，考校商之名《頌》，以《那》爲首，其必將有取于此。而世之論詩者莫能知也。

又《陸敕先詩稿序》 佛言衆生爲有情，此世界爲情世界。儒者之所謂五性，亦情也。性不能不動而爲情，情不能不感而緣物，故曰情動于中而形于言。詩者，情之發于聲音者也。古之君子，篤于詩教者，其深情感盪，必著見于君臣朋友之間，少陵之結夢于夜郎也，元、白之計程于梁州也，由今思之，能使人色飛骨驚，當饗而歎，聞歌而泣，皆情之爲也。

又《族孫遵王詩序》 竊常論今人之詩所以不如古人者，以謂韓退之之評子厚，有勇于爲人、不自貴重之語，庶幾足以蔽之。何也？今之名能詩者，庀材惟恐其不博，取境惟恐其不變，引聲度律惟恐其不諧美，駢枝鬬葉惟恐其不妙麗，詩人之能事，可謂盡矣。而詩道固愈遠者，以其詩皆爲人所作，剽耳傭目，追嗜逐好。標新領異之思，側出于內；譁世炫俗之習，交攻于外，擒詞拈韻，每恍人之我先；累牘連章，猶慮己之或後。雖其申寫繁會，鋪陳綺雅，而其中之所存者，固已薄而不美，索然而無餘味矣，此所謂勇于爲人者也。生生不息者，靈心也。過用之則耗。新新不窮者，景物也，多取之則陳。能詩之士所謂節縮者川嶽之英靈，所閟惜天地之章光，非以爲能事，故自貴重，雖欲菲薄而不可得也。鍾記室論《十九首》「驚心動魄，一字千金」，「人生天地間，忽如遠行客」，才兩言耳，《三百篇》、《楚詞》都無此義。莊生藏壑，波匿觀河，世出世間法，一往攝盡。用此例觀記室之論，斯爲巨眼。阮公之《咏懷》，陶令之《飲酒》，彼豈知千載之下，更有何人，而皇皇索解乎？唐人之詩，或數篇而見古，或隻韻而孤起，不惟自貴重也，兼以貴他人之詩。不自貴則詩之胎性賤，不自重則詩之骨氣輕，不交相貴重則胥天下以浮華相誘說，僞體相覆蓋，風氣浸淫，而江河不可以復挽。故至于不自貴重，而爲人之流弊極矣。

又《題交蘆言怨集》 古人之詩，以天眞爛熳自然而然者爲工，若以翦削爲工，非工于詩者也。天之生物也，松自然直，棘自然曲，鶴不浴而白，烏不黔而黑。西子之捧心而姸也，合德之體自香也，豈有于矜嚬笑、塗芳澤者哉？今之詩人，駢章麗句，諧聲命律，軒然以詩爲能事，而驅使吾性情以從之，詩爲主而我爲奴。由是而膏唇拭舌，描眉畫眼，不至于補湊割剝，續凫斷鶴，截足以適屨，猶以爲工未至也。如是則寧復有詩哉！吾之所取于《吾炙》者，皆其緣情導意、抑塞磊落、動乎天機而任其自爾者也。通人大匠之詩，鋪張鴻麗，捃拾淵博，人自以爲工，而非吾之所謂自然而然者也。遵王之學益富、心益苦，其新詩陶洗鎔鍊，不遺餘力矣，而其天然去雕飾者自在。

又《十峰詩序》：《虞書》曰：「詩言志。」詩者，志之所之也，而要自直寬剛簡出之。《周禮》：「大師教六詩，曰《風》，曰賦，曰比，曰興，曰《雅》，曰《頌》。」所謂三經三緯也。而必以六德爲之本。礎日之詩，有一不出於德者乎？吾見其詩不一種，正言寓言，率皆象指如意。而於忠孝節義綱常名教之大，蓋三致意焉。礎日豈爲此迂辭以欺天下後世耶？詩有五際，應劭曰：「君臣父子兄弟夫婦朋友也。」《詩內傳》曰：「卯酉午戌亥也。」言陰陽始際會之歲，於此有變改之政也。夫詩本以正綱常，扶世運，豈區區雕繪聲律，剽剝字句云爾乎？昔者李百藥見文中子論詩，上陳應、劉，下述沈、謝，分四聲八病剛柔清濁以爲序，而文中子不之答也。此其故惟薛收知之，若曰：明三綱，達五常，徵存亡，辨得失，夫子之論詩者如是。今之人不知詩學，營營馳騁於末流，宜爲文中子之所棄，而亦薛收之所不取矣。礎日其庶幾有合於論詩之旨也哉？

又卷二〇《婁江十子詩序》：古之爲學者，莫先於學《詩》。《詩》也者，古人之所以爲學也，非以《詩》爲所有事而學之也。古之人，十有三年學樂，誦《詩》舞勺，成童舞象，春誦夏弦，秋學《禮》，冬學《書》。其於學《詩》也，沒身而已矣。師乙之論聲歌也，自歌《頌》歌《雅》以逮于歌《齊》，各有宜焉。自寬柔靜正，以逮于溫良能斷之德，各有執焉。清濁次第，宮商相應，辨其體則有「六義」，考其源則有四始五際六情，故曰：溫柔敦厚，《詩》教也。古人之學《詩》者如是。今之爲詩者，不知《詩》學，而徒以雕繪聲律剽剝字句者爲詩，才益駁，心益麄，見益卑，膽益橫，此其病中於人心，乘于刦運，非有反經之君子，循其本而救之，則終于胥溺而已矣。

又卷四九《題杜蒼略自評詩文》：夫詩文之道，萌折于靈心，蟄啓于世運，而茁長于學問。三者相值，如燈之有炷有油有火，而燄發焉。今將欲剔其炷，撥其油，吹其火，而推尋其何者爲光，豈理也哉！方其標舉興會，經營將迎。新吾故吾，剝換于行間；心神識神，湧現于句裏。如蛻斯易，如蛾斯術。心了矣，而口或茫然；手了矣，而心猶介爾。于此之時，而欲鏤塵畫影，尋行而數墨，非愚則誣也。

盧世漼《尊水園集略》卷六《讀杜私言》：語云：「仁人之言其利溥。」又云：「仁義之人其言藹如。」今觀子美詩，猶信子美溫柔敦重一本之愷悌慈祥，往往溢于言表。他不具論，即如《又呈吳郎》一首，極煦育鄰婦，又出脫鄰婦；欲開示吳郎，又回護吳郎。七言八句，百種千層，非詩也，是乃仁音也。惻隱之心，詩之元也。詞客仁人，少陵獨步。

又：蓋句不新則詩朽，句徒新則詩亡。苟非有日新之學問，日新之識見，而惟務新其皮膚，反致面目青黃。

馮班《鈍吟雜錄》卷五《嚴氏糾謬》：滄浪云：「不落言筌，不涉理路。」按此二言，似是而非，惑人爲最。夫迷悟相覺，則假言以爲筌，邪正相背，斯循理而得路。迷者既覺，則向來之言還歸無言；邪者既返，則向來之路未嘗涉路。是以經教紛紜，實無一法可說也。此在教家，已自如此，若教外別傳，則絕塵而奔，誠非凡情淺見所測，吾不敢言也。至於詩者言也，言之不足，故長言之；長言之不足，故詠歌之。但其言微不與常言同耳，安得有不落言筌者乎？詩者，諷刺之言也，憑理而發，怨誹者不亂，好色者不淫，故曰：思無邪。但其理元或在文外，與尋常文筆言理者不同，安得不涉理路乎？滄浪論詩，只是浮光略影，如有所見，其實腳跟未曾點地，故云：盛唐之詩，如空中之色，水中之月，鏡中之象。種種比喻，殊不如劉夢得云「興在象外」二語妙絕。又《孟子》言：「說詩者不以文害辭，不以辭害志，以意逆志，是爲得之」，更自確然灼然也。嗚呼，可以言此者寡矣。滄浪只是興趣詩，便知此公未得向上關捩子。

賀貽孫《水田居存詩序》：自古有詩人之詩，有文人之詩，其工於詩一也。然有專所學而得之者，抑有兼所學而得之者。專而得之，其力全；兼而得之，其力分。此其間有殊塗焉，未可以一概論也。

吳喬《答萬季埜詩問》：又問詩與文之辨。答曰：「二者意豈有異？唯是體制辭語不同耳。意喻之米，文喻之炊而爲飯，詩喻之釀而爲酒。飯不變米形，酒形質盡變；噉飯則飽，可以養生，可以盡年，爲人事之正道；飲酒則醉，憂者以樂，喜者以悲，有不知其所以然者。如《凱風》、《小弁》之意，斷不可以文章之道平直出之，詩其可已於世乎？」

又：又問云：「人謂作詩須合於《三百篇》，其說如何？」答曰：「未卯而求時夜，耳食者之言也。尙未識唐人命意遣辭之體，而輕言《三百篇》，可乎？且《三百篇》，《風》與《雅》、《頌》異，變與正異，宋註與漢註異，僕實寡學，不敢妄說。如少陵《玄元廟詩》，誰人做得？尙只是變雅耳。卑之無甚高論，嚴絕宋、元、明，而取法乎唐，亦足自立矣。如楊妃事，唐人云：『薛王沉醉壽王醒。」宋人云：『奉獻君王一玉環。』豈直金矢之界而已哉？使其作《凱風》、《小弁》，必大詬父母矣。余所見《三百篇》僅此，餘實不能測也。《苕溪漁隱》曰：『彼時薛王之死已久。』史學善矣，不必如是責酒以飽也。宋人長於文，而詩不及唐，三體不能辨。」

又 諸君又問曰：「《三百篇》之意渺矣，請更詳言之。」答曰：「『《國風》好色而不淫，《小雅》怨誹而不亂。』發乎情，止乎禮義。所謂性情也。興、賦、比，風、雅、頌，其體格也。優柔敦厚，其立言之法也。於六義中，姑置風、雅、頌而言興、賦、比，此三義者，今之郖歌俚曲，無不暗合，矯語稱詩者自失之耳。如『月子灣灣照九州』，興也。『逢橋須下馬，有路莫登舟』，賦也。『南山頂上一盆油』，比也。行之而不著者也。明人多賦，興、比則少，故論唐詩亦不中窾。如薛能云：『當時諸葛成何事，只合終身作臥龍。』見唐室之不可扶而悔入仕途，興也。升庵誤以爲賦，謂其譏薄武侯。義山云：『侍臣最有相如渴，不賜金莖露一盃。』言雲表露未能治病，何況神仙？託漢事以刺憲、武，比也。于鱗以爲宮怨，評曰：『望幸之思悵然。』呂望何等人物？胡曾詩云：『當時未入非熊夢，幾向斜陽嘆白頭。』非詠古人，乃自況耳。讀唐詩須識活句，莫墮死句也。」

又 又問：「《尚書》云：『詩言志，歌永言，聲依永。』則詩乃樂之根本也。樂既變而爲元曲，則詩全不關樂事；不關樂事，何以爲詩？」答曰：「古今之變難言，夫子云：『《雅》、《頌》各得其所。』則《三百篇》莫不入於歌喉。漢人窮經，聲歌、意義，分爲二途。太常主聲歌，經學之士主意義，卽失夫子《雅》、《頌》正樂之意。而唐人《陽關三疊》，猶未離於詩也。迨後變爲小詞，又變爲元曲，則聲歌與詩，絕不相關矣，尚可以《尚書》之意求之乎？詩在今日，但可爲文人遣興寫懷之作而已。漢人五言古詩，平淡高遠，而樂府則濃譎吞吐。意者樂府入歌喉，而古詩已是遣興寫懷之作也。古今事變不能窮究矣。」

又《圍爐詩話》卷一 所謂詩，如空谷幽蘭，不求賞識者。唐人作詩，惟適己意，不索人知其意，亦不索人之說好。如義山《有感》二長律，爲甘露之變而作，則《重有感》七律無別意可知，何以遠至七百年後，錢夕公始能注釋之耶？意尚不知，誰知好惡？蓋人心隱曲處，不能已于言，又不欲明告于人，故發于吟詠。《三百篇》中如是者不少，唐人能不失此意。宋人作詩，欲人人知其意，故多直達。明人更欲人人見好，自必流于鏗鏘絢燦，有詞無意之途。瞎盛唐詩泛濫天下，貽禍二百餘年，學者以爲當然，唐人詩道，自此絕矣。

又 詩文有雅學，有俗學。雅學大費工力，眞實而闇然，見者難識，不便于人事之用。俗學不費工力，虛僞而的然，能悅衆目，便于人事之用。世之知詩者難得，故雅學之門，可以羅雀，後鮮繼者；俗學之門，簫鼓如雷，衣鉢不絕。如震川、元美，時同地近，震川卻掃荒村，後之學其文者無幾；元美奔走天下，至今壽奠之作，猶溉餘膏。苟爲身計，刺繡文不如倚市門，無奈醒人不能酗酒，有目者不能瞑而執杖取道耳。人欲應酬，俗學甚善；若欲見古先作者之意，非視俗學如糞穢之不可嚮邇，不能見也。

又 以唐、明言之，唐詩爲雅，明詩爲俗。以古體、唐體言之，古體爲雅，唐體爲俗。以絕句、律詩言之，絕句爲雅，律詩爲俗。以五律、七律言之，五律猶雅，七律爲俗。以古律、唐律言之，古律猶雅，唐律爲俗。

又 詩乃心聲，心日進于三敎百家之言，則詩思月異而歲不同，此子美之「讀書破萬卷」也。惟留心于風雲月露，則爲李諤之所譏者而已。人于順逆境遇間，所動情思，皆是詩材。子美之詩，多得于此。人不能然，失卻好詩，及至作詩，了無意思，惟學古人句樣而已。

又 問曰：「詩文之界如何？」答曰：「意豈有二？意同而所以用之者不同，是以詩文體製有異耳。文之詞達，詩之詞婉。書以道政事，故宜詞達；詩以道性情，故宜詞婉。意喻之米，飯與酒所同出。文喻之炊而爲飯，詩喻之釀而爲酒。文之措詞必副乎意，猶飯之不變米形，噉之則飽也。詩之措詞不必副乎意，猶酒之變盡米形，飲之則醉也。文爲人事之實用，詔敕、書疏、案牘、記載、辨解，皆實用也。實則安可措詞不達，如飯之實用以養生盡年，不可矯揉而爲糟也。詩爲人事之虛用，永言、播樂，皆虛用也。賦而爲《清廟》、《執競》稱先王之功德，奏之于廟則爲《頌》；賦而爲《文王》、《大明》稱先王之功德，奏之于朝則爲《雅》。二者必有光美之詞，與文之摭拾者不同也。賦而爲《桑柔》、《瞻卬》刺時王之秕政，亦必有哀惻隱諱之詞，與文之直陳者不同也。以其爲歌爲奏，自不當與文同故也。賦爲直陳，猶不與文同，況比興乎？詩若直陳，《凱風》、《小弁》大詬父母矣。」

又 詩不越乎哀樂，境順則情樂，境逆則情哀。【略】後世不關哀樂之詩，是爲異物。

又　問曰：「何爲性情？」答曰：「聖人以『思無邪』蔽《三百篇》，性情之謂也。《國風》好色，《小雅》怨誹，發乎情也。不淫不亂，止乎禮義，性也。樂而不淫，哀而不傷，亦言此也。此意晉、魏不失，梁、陳盡矣。陳拾遺挽之使正，以後淫傷之詞與無邪者錯出。杜詩所以獨高者，以不違無邪之訓耳。」

又　問曰：「如《尚書》所言，則詩乃樂之根本也。後世樂用曲子，則詩不關樂事乎？」答曰：「古今之變，更僕難詳。聖人以《雅》、《頌》正樂，則知《三百篇》無一不歌。秦火之後，樂失而詩存，太常主聲歌，經生主意義，聖人之道離矣。而唐時律詩絕句，皆入歌喉；及變爲詩餘，則所歌者詩餘，而詩不可歌。故陳彭年《送申國長公主爲尼》七律，人以詩餘《鷓鴣天》之調歌之；子瞻《中秋》七絕，山谷以詩餘《小秦王》之調歌之，是其證也。元曲出而詩餘亦不入歌喉矣。《尚書》之言，難可通于今也。《三百篇》中，《清廟》、《文王》等專爲樂而作詩，《關雎》、《鹿鳴》等先有詩而後入于樂。」

徐增《而庵詩話》　詩總不離乎才也。有天才，有地才，有人才。吾於天才得李太白，於地才得杜子美，於人才得王摩詰。太白以氣韻勝，子美以格律勝，摩詰以理趣勝。太白千秋逸調，子美一代規模，摩詰精大雄氏之學，篇章字句，皆合聖教。今之有才者輒宗太白，喜格律者輒師子美，至於摩詰而人鮮有窺其際者，以世無學道人故也。合三人之所長而爲詩，庶幾其無愧於風雅之道矣。猶未也，學詩而止學乎詩，則非詩；學三家之詩而止讀三家之詩，則猶非詩也。詩乃人之所發之聲之一端耳，而溯其原本，何者不具足？故爲詩者，舉天地間之一草一木，古今人之一言一事，《國風》、漢、魏以來之一字一句，乃大而至兩方聖人之《六經》《三藏》，皆得會於胸中，而充然行之於筆下；因物賦形，遇題成韻，而各臻其境，各極其妙。如此則詩之分量盡，人之才能方備也。

又　詩本乎才，而尤貴乎全才。才全者能總一切法，能運千鈞筆故也。夫才有情、有氣、有思、有調、有力、有略、有量、有律、有致、有格。情者，才之醞釀，中有所屬；氣者，才之發越，外不能遏；思者，才之徑路，入於縹緲；調者，才之鼓吹，出以悠揚；力者，才之充拓，莫能搖撼；略者，才之機權，運用由己；量者，才之容蓄，洩而不窮；律者，才之約束，守而不肆；致者，才之韻度，久而愈新；格者，才之老成，驟而難至。具此十者，才可云全乎。然又必須時以振之，地以基之，友以澤之，學以足之。夫披鮮掞藻，春華裕如，是時以振之也；雄視闊步，門業清高，是地以基之也；辨體引義，以致千秋，是友以澤之也；金聲玉振，以集大成，是學以足之也。復得此四者，而才始無弊，可稱全才矣。

又　詩乃清華之府，衆妙之門，非鄙穢人可得而學。洗去「名利」二字，則學可得其半矣。

又　欲學詩，先學道。學道則性情正，性情正則原本得。而後加之以《三百篇》、漢、魏、六朝、三唐之學問，則與古人並世矣。

又　詩到極則，不過是抒寫自己胸襟。若晉之陶元亮，唐之王右丞，其人也。

又　詩貴自然。雲因行而生變，水因動而生文，有不期然而然之妙，唐人能有之。

又　詩寫性靈，必先具清逸流麗之筆，然後煅煉至於蒼老。唐惟子美有之，有極娟秀者，有極老成者，天才學力，略無敧頭，似天平上兌出來者。

又　作詩乃自己之事，畢竟依人不得；到得能不依人之日，人來依我，我依人乎哉！

又　無事在身，並無事在心，水邊林下，悠然忘我，詩從此境中流出，那得不佳？

又　花開草長，鳥語蟲聲，皆天地間眞詩。能於此等處會意，則《三百篇》可學，何況唐人也？

又　學詩與學道無二，古人以道自樂。余觀詩至適意所在，覺天下之樂，無有踰於此者。人生天地間，那可一日離詩也？

費經虞《雅倫》卷一《源本》　聲音者，陽也，天之初發而氣之最先者也。天之聲，風雷是也；地之聲，江河是也。萬物莫不有聲，龍吟虎嘯，鵾徙鳳鳴，小禽當春，長啼白晝，寒蟬送夏，餘韻林間；山移石裂，則砰然；蓬起獸突，則劃然；樹遇風而峽積雨，則肅然。況乎男女靈機，秉五常之眞，役萬彙之情者乎。先王知聲音可以格天地而洽鬼神也，故作黃鍾之律，以合天地之中。鑄金截竹，匏絲石革，八音具備，發揮盛德。殷薦祖考，而人聲爲要，繇是詠歌起而詩成章矣。詩所自起，未詳時代，《賡歌》見於《舜典》，

《五子》載於《夏書》。殷商有頌，風雅成周，皆先聖刪定，所存以教後世。而百家言伏羲、神農之作，《皇娥》、《白帝》之篇，論詩者以爲權輿，或以爲出於著書者之手，是非不具論。

朱鶴齡《愚庵小集》卷七《輯注杜工部集序》 夫詩以傳聲，節奏成焉；聲以命氣，底滯通焉；氣以發志，思理函焉，體變極焉，故曰詩言志。志者，性情之統會也。性情正矣，然後因質以緯思，役才以適分，隨感以赴節。雖有時悲愁憤激、怨誹刺譏，仍不戾溫厚和平之旨。不然，則靡麗而失之淫，流漓而失之宕，彫鏤而失之璅，繁音促節而失之噍殺，綴辭逾工，離本逾遠矣。子美之詩，惟得性情之至正而出之，故其發於君父友朋家人婦子之際者，莫不有敦篤倫理、纏綿菀結之意，極之履荆棘，漂江湖，困頓顛蹶，而拳拳忠愛不少衰。自古詩人，變不失貞，窮不隕節，未有如子美者，非徒學爲之，其性情爲之也。

又卷八《俞無殊詩集序》 唐孟郊、賈島之徒，皆以詩而窮，其詩又皆以窮而工。今之窮於詩者，率不能工，何也？亂離之阨其身，羈孤疲苶之挫其氣，往往神智耗沮而不能發；間有所發矣，而或學短才弱，又無以寫其中感慨悲愁之致，而極人情之所難言，若是者，豈非能詩而不能窮之故耶？是故其人非矯志厲學、冢筆巢書者不能窮，非簡棲遙集、淡泊自守者，不能窮。視其能窮與否，而其詩可知也已。

賀裳《載酒園詩話》卷一《詩不論理》 「詩有別趣，非關理也」，然理原不足以礙詩之妙，如元次山《春陵行》、孟東野《遊子吟》、韓退之《拘幽操》、李公垂《憫農詩》，眞是《六經》鼓吹。樂天與微之書曰：「文章合爲時而著，歌詩合爲事而作。」然其生平所負，如《哭孔戡》諸詩，終不諧于衆口。此又所謂「言之無文，行之不遠」。故必理與辭相輔而行，乃爲善耳，非理可盡廢也。（黃白山評：「此語本嚴滄浪。『理』字原說得輕泛，只當作『實事』二字看。後人誤將此字太煞認眞，故以《春陵》、《游子》、《拘幽》、《憫農》諸詩當之。方采山極詆滄浪此說，豈知全失滄浪本意。古人有知，必且遙笑地下矣。」）詩又有以無理而妙者，如李益「早知潮有信，嫁與弄潮兒」，此可以理求乎？然自是妙語。至如義山「八駿日行三萬里，穆王何事不重來」，則又無理之理，更進一層。總之詩不可執一而論。論詩雖不可以理拘執，然太背理則亦不堪。溫飛卿《博山香爐》曰：「博山香重欲成雲，錦段機絲妒鄂君。粉蝶團飛花轉影，彩鴛雙泳水生紋。」三聯形容香煙之斜正聚散，雖紆曲猶可。末云：「見說楊朱無限淚，可能空爲路岐分？」因煙而思及淚，因淚而思及楊朱，用心眞爲僻奥，但燒香亦太濃矣，恐不是解兒。若如義山所云「獸焰微紅隔雲母」，安有是事？王元之《雜興》云：「兩株桃杏映籬斜，裝點商州副使家。何事春風容不得，和鶯吹折數枝花。」其子嘉祐曰：「老杜嘗有『恰似春風相欺得，夜來吹折數枝花』。」余以且莫問雷同古人，但安有花枝吹折，鶯不飛去，和花同墜之理？此眞傷巧。（黃白山評：「言楊朱爲路岐而泣，若香煙千頭萬緒，其爲路岐多矣，使楊朱見之，又當何如？此云『因煙而思及淚』，有何相干？解詩如此，古人有知，眞欲哭矣。」又曰：「此正『詩有別趣』之謂，若必譏其無理，雖三尺童子亦知鶯必不與花同墜矣。」）

吳偉業《梅村家藏稿》卷二七《觀始詩集序》 子知詩所以始乎？依古以來，世道之污隆，政事之得失，皆於詩之正變辨之。在昔成周之世，上自郊廟宴饗，下至委巷謳歌，采風肆雅，無不隸於樂官。王澤既竭，矇史失職，列國之大夫稱詩聘問，乃僅有存者。季札適魯，觀六代之樂，君子曰：此周之衰也。魯雅周公之後，得賜備樂。顧太師所習，夫孰非土風，乃季子不之京師而適與國，此豈復有升歌象舞之盛哉？降及漢魏，樂府之首《大風》，重沛宮也；古詩之美西園，尊鄴下也。初唐《帝京》之篇，應制《龍池》諸什，實以開一代之盛。明初高、楊、劉、宋諸君子皆集金陵，聯鑣接轡，唱和之作爛焉。夫詩之爲道，其始未嘗不渟瀠含蓄，養一代之元音，其後垂條散葉，振藻敷華，方底於極盛，而浸淫以至於衰也。自兵興以來，後生小儒穿鑿附會，剽竊摹擬，皆倜然有當世之心，甚且亂黑白而誤觀聽，識者雖欲慨然釐正，未得其道也。會國家膺圖受籙，文章彪炳，思與三代同風，一時名賢，潤色鴻業，歌詠至化，緊維詩道是賴。於是表閶闔、開明堂、起長樂、修未央，聖人出治，喬喬皇皇，升中告虔，引宮命商，羽旄濟濟，和鸞鏘鏘。吾觀乎制度之始，將取詩以陳之。蒼麟出，白鷹至，龍之媒，充上駟。我車既閑，我兵弗試，維彼蠻方，厥角受事，來享來王，同書文字。我觀乎聲敎之始，將取詩以紀之。倉庚既鳴，時雨既零，大田多稼，恤此下民；蘭臺羣彥，著作之庭，歌風緼瑟，終和且平。我觀乎政治之始，將取詩以美之。若夫淫哇之響，側豔之辭，哀怒怨誹之作，不入於大雅，皆吾集所弗載者也。若余應之曰：是則然矣。抑詩者，緣情體物，引伸觸類，以極其所至者也。若子之論，其汰之無乃甚乎？石生曰：聖人刪《詩》，變《風》變《雅》，處衰季之世，不得已而存焉，以備勸誡者也。且君子觀其始必要其終，圖其成將憂其漸，吾若是其持之，尚憂《鄭》、《衛》之雜進，而正始之不作也，可不慎哉！子不見夫水乎？當其發源，涓涓涸涸，其清也可鑒，其柔也可玩；既而潰汙行潦，無不受也，平皋廣陸，無不至也；及乎排巖下瀨，淫鬻洄泊於江湖之間，則奔突衝決之患已成，勢且莫之制矣。吾爲是選，寧使後之君子有以加之，踵事增榮，殆將竢焉。若茲者起尾閭，昉濫觴，豈可卽決防潰閑，莫知束伏，而不早爲之所乎？凡以慎吾始焉爾。余曰善。乃書其言以爲之序。

又卷五四《與宋尚木論詩書》 然則爲詩之道何如？曰：亦取其中焉而已。《閟宮》之章，《清廟》之作，被之管絃，施諸韶箾者，固不得與《兔罝》之野人、《采蘩》之婦女同日而論，孔子刪《詩》，輒並舉而存之。夫《詩》者本乎性情，因乎事物，政教流俗之遷改，山川雲物之變幻，交乎吾之前，而吾自出其胸懷與之吞吐，其出沒變化，固不可一端而求也，又何取乎訾人專己、喋喋而呫呫哉！

黃宗羲《南雷文定前集》卷一《景州詩集序》 夫詩以道性情，自高廷禮以來，主張聲調，而人之性情亡矣。然使其說之足以勝天下者，亦由天下之性情，汩沒於紛華汙惑之往來，浮而易動；聲調者，浮物也，故能挾之而去。是非無性情也，其性情不過如是而止。若是者不可謂之詩人。周伯弜之註三體詩也，以景爲實，以意爲虛，此可論常人之詩，而不可以論詩人之詩。詩人萃天地之清氣，以月露、風雲、花鳥爲其性情，其景與意不可分也。月露、風雲、花鳥之在天地間，俄頃滅沒，而詩人能結之不散。常人未嘗不有月露、風雲、花鳥之咏，非其性情，極雕繪而不能親也。

又《南雷文定三集》卷一《錢退山詩文序》 慨自唐以前，爲詩者，極其性分所至，鉥心劌腸，畢一生之力，春蘭秋菊，各自成家，以聽後世之品藻。如鍾嶸之《詩品》，辨體明宗，固未嘗墨守一家，以爲準的也。至於有宋，折衷之學始大盛，江西以汗漫廣莫爲唐，永嘉以脰鳴吻呋爲唐。卽同一晚唐也，有謂其纖巧，釀亡國之音；有謂其聲宏，還正始之響。學崑體者，謂之村夫子；學郊島者，謂之字面詩。入主出奴，謠諑繁興，莫不以爲折衷羣言，然良金華玉，並行而不悖，必欲銖兩以定其價，爲之去取，恐山川之靈氣，割裂於市師之手矣。退山言作詩者，固當出之以性情，尤當擴之以才識，涵濡蘊蓄，更當俟之以火候，三者不至，不可以言詩。此與宋景濂五美之論，互相發明。其於古今作者，有品藻而無折衷，蓋不欲定於一家，以隘詩路也。

又《南雷詩曆》卷一《與唐翼修廣文論文》 人物由來稱婺女，百年冷落繼前修。至文不過家書寫，藝苑還從理學求。君已徧參新作手，吾方屈指舊源流。秋香習習山陰道，時有書聲出畫樓。

冒襄《巢民文集》卷二《漁洋山人詩集序》 詩有六義：曰風，曰雅，曰頌，曰比，曰賦，曰興，所由來尚矣。輓近以來，政教散失，禮樂頽壞，明堂清廟之上，靡所宣述。且也言之者獲罪，聞之者不足以戒，於是一二明哲之士，不敢有所賦比，以自干懟激，然則雅頌之失所也。意者風猶可爲乎，賦與比之不復作也，其猶或出於興乎？四五十年間，箋註訓疏，寖以舛謬；小夫謏儒，騁其師說。豈獨州鳩、師曠之難其人，卽杜夔、荀勗之流，亦夐然邈矣。黍離麥秀，識者以爲於詩兆之。其後吾友華亭陳黃門起而更張焉，毛鄭功臣，於斯爲烈。乃後之學步華亭者，得其鉛澤而或遺其倩盼，乍離乍合，載陰載陽，徒令人晞哲匠而躊躇，慮知音之綿邈也。

錢澄之《田間文集》卷一六《潘儼思詩引》 昔人謂詩能窮人，非也。惟窮而詩廼工耳。而今之達者類好爲詩，則必其能外聲利，薄嗜慾，意思蕭閒，不以俗見累其胸，雖達要不失爲窮耳。【略】而世之論詩者謂因其詩之枯腴以卜其人之窮達，此猶相士舉肥之見，何其陋也。詩之枯腴在意思與氣韻，而求之詞章哉！譬之相士者，略神理而賞皮肉，是必共斥之爲無目者矣。【略】蓋士之能自好者，固宜其窮。士大夫能窮，卽天下何事不可辦，而徒詩之工哉！

又《汪異三詩引》 自風雅道衰，人爭以詞華聲律爲詩。十數年來，一二人起而闢之，而學者始知有性情之事。近且宗法宋人，夫宋詩非無性情，吾怪其言之意盡而語實。其纖者或近於詞，均失風雅之義也。謂之風雅不事詞華，而詞華自給，不求聲律而聲律自工，併不言性情而性情自見，然亦豈有盡革詞華聲律、直致性情以爲風雅者乎？汪子異三於古人之詩，襲其氣韻而已，不於其字句也。於己之意，取其詞達而已，未嘗有心刻劃也。故其詩清機獨引，純任自然，質而不率，文而不膚，蓋本諸性情而不戾乎風雅者矣。

夫性情之事，蓋難言之，難於眞耳。譬如優孟登場，摹寫忠孝節義之事，一笑一啼無不酷肖，而人知其言之皆妄，以其皆沿襲之言，而非自己出之言也。自己出者，有諸己而後出，所謂眞性情也。

陸世儀《桴亭先生文集》卷四《毛氏伯仲具吹稿序》 昔人有言，山川之靈能鍾人物，其奇偉蕩潏之氣又能移人性情，發人才思。故眉山之秀鬱爲蘇氏父子，太史公登龍門，探禹穴，而文益奇。予竊謂不然。山川之靈，與衆共之者也。眉山前後未嘗無人物，而秀獨歸蘇氏。宇內之名山奧區，所在而有，其間野夫、衲子、游人、名士登臨眺覽者，亦代不乏人，卒不聞有以山川之奇收之胸中者，古今以來獨推太史公一人。乃知世有眉山、太史公，則山岳自當爲效靈。無情之物，豈能益人神智。天下之能益人神智者，惟書卷耳。

周亮工《賴古堂集》卷一三《西江遊草序》 古人爲詩未有舍性情而專言格調者，今人好稱格調而反略於性情，此詩之所以不古也。夫詩以言性情也，山澤之子不可與論廟堂，華曼之詞不可與言顑頷，其情殊也。今無與于頌述而黼黻其貌，本無所感慨而涕泗從之，以不情之悲喜爲應酬之章句，所謂鞞鐸之不中於音也。而挾其行卷詡然曰：我盛唐，我六朝也。余竊怪之，而世俗之見鮮與余同。惟吾友方子爾止其論詩與余最合，蓋余聞爾止之言曰：《三百篇》尙矣。屈宋而後，足以追踪繼響者，惟漢人樂府，今觀其《戰城南》、《陌上桑》、《孤兒》、《病婦》諸行，以及《焦仲卿妻》等篇，指事屬詞，微言托諷，爲後代高曾之規矩，而少陵、香山其源皆出於此。雖氣格聲響不能畫一，而風旨所歸，先後同揆，期于聞者足以感動而後止，即有善析者不能岐兩家而使之異轍也。而耳食之士，遂以少陵獨步，非香山所可幾，豈足爲通論乎！今使世之爲詩者，苟能推白之坦逸以合於杜之雄渾，開合頓挫，自爲一氣，方足雄據作者之壇。若夫摘裂字句，補湊成章，至於前後易置，不可致詰，卑卑不足道也。爾止之論與余合若此。

《歸莊集》卷三《吳門唱和詩序》 余嘗論作詩與古文不同。古文必靜氣凝神，深思精擇而出之。是故宜深室獨坐，宜靜夜，宜焚香啜茗。詩則不然，本以娛性情，將有待於興會。夫興會則深室不如登山臨水，靜夜不如良辰吉日，獨坐焚香啜茗不如與高朋勝友飛觥痛飲之爲歡暢也。於是分韻刻燭，爭奇鬬捷，豪氣狂才，高懷深致，錯出並見，其詩必有可觀。南皮之遊，蘭亭之集，諸名勝之作，一時欣賞，千古美談。雖鄴下、江左之才，非後世之可及，亦由興會之難再也。

陳瑚《玩潭詩話序》 昔者王迹熄而《詩》亡，《詩》亡而後《春秋》作，然則《詩》不亡，《春秋》可無作乎？曰：《三百篇》所載其國之政事美惡與其人之性情邪正，炳如也。《詩》不亡，何事乎《春秋》？漢、晉以來，稱詩之能道性情者，莫如元亮。能述政事者，莫如子美。是二公者，雖名爲詩，而微文渺指之中，時陳悲痛之辭，刺譏之實，蓋猶有《春秋》之遺意焉。然以視《三百篇》則風雅之變矣，此時爲之也。自此以後，其體彌弱。宋承五季大亂之餘，明君賢相，皆尊尙儒術，以禮義漸漬其民，而周、程、張、朱，眞儒輩出，陰相誘道，以助教化。是以垂亡之際，人心愈正，抱遺孤，走海島，死而後已。雖三代之世，未聞忠厚惻怛有如此者。逮蒙古襲位，而肥遯窮荒之士，進退存亡，不失其正，縱多方網羅，曾不少動其心。其間殺身成仁，長往不顧者，大都以悲憤忠壯之氣，發之於詩歌騷雅之間，其最著者，則如文山之《指南》，所南之《心史》，皆沒身而後傳，易世而始出。至若石湖、月泉之社，與《谷音》所記番陽布衣、羅浮狂客之徒，稽之史傳，則姓氏無述焉。後之人觀其寄託而後得原其心，頌其篇章而後得論其世，則詩也者，豈非可以補史氏之闕逸者耶？

又《玩潭詩話》卷上 「玩潭詩教」條：予于經史之餘，教之學爲詩，因得聯句若干首。嗟乎！詩教廢久矣。古人之于詩，如今之歌曲，雖閭里童稚皆能習知其義，故有所興起而成就。予之爲此，不獨以鼓舞性情，亦以裁其宕佚而已。

宋徵璧《抱眞堂詩話》 詩貴自然，然孔門之雅言也，不曰「虎豹之鞹，猶犬羊之鞹」乎？【略】詩家首重性情，此所謂美心也。不然卽美言美貌，何益乎？【略】夫詩者，事父事君所作，而出之以風雲月露，非其人勿善矣。猩猩鸚鵡不離飛走，而傲然以能言之家自命可乎？【略】楊升庵曰：「白居易『千呼萬喚始出來』，不如易以『才』字。」予意詩以聲調爲工，若「才出來」，則不中宮商矣。升庵強作解事。

魏裔介《兼濟堂集》卷五《宋牧仲詩序》 詩之爲道大矣！海內作者比肩林立，而名家者尠，何也？非積學不能作，非深情不能作，非大雅不能作，其弊亦非一端，曰靡、曰放、曰僻、曰泛、曰蕩、曰俗、曰豔、曰腐、曰湊、曰漫，是數者，於詩之義蘊，皆無取焉，謂其有所不足也。

魏際瑞《魏伯子文集》卷二《與甘健齋論詩書》 大抵作詩作文，非神氣洋溢、有發不可禦之勢，則必不能信手信口，遽成妙緒。雖有小致，如市井少年，佻達可厭；雖有格言，如老婦家常，絮聒不可耐。究言其弊，總由識不能自擇，力不足以自持，又以性所篤好，故所言所事，往往強攝而歸之，故至此耳。文莫重于氣格，語傷于氣，雖甚美必刪。夫美小而所傷者大，亦奚貴焉？愚故曰字之精，不如句之鍊；章之奇，不如格之老；詞之灝瀚，不如氣之有餘也。

魏禮《魏季子文集》卷七《阮疇生文集序》 且夫述作而無我，我何爲而作哉？人之貌不同，以各有其我；人之詩文，競出而不窮，以其有我也。是故以古人之氣格識法，而成其我，徒我不成，猶必具五官、百骸、神血、鬚眉、髮爪而成人，人人皆同，而皆不同，各我其我也。優孟之非孫叔敖，無叔敖之我也。有優孟之我，故以孫叔敖之賢，楚相之貴，楚王垂涕而思，終不得變優孟之我，何也？眞我也。夫嫫母刀父至醜矣，使有欲劓其面，蒙以閭娵子奢之至姸，彼必且號走，逃空谷，匿重垢，以謀全其我。雖然，莊生曰：「吾喪我，冷然善矣。」然喪我者吾，吾者何耶？蓋所謂法者，古人之法，亦我之法，會古以忘我，我足以忘乎古。譬如流潦江河，率趨於海，而四者並存而不可廢。夫豈惟文哉！自盤古氏至今，止一我也；山海之奧衍，足以吐納胸中者，我而已。

又《楊御李詩序》 詩之道本性情，而性情所發不一道，譬之萬類各殊，雖毒蟲猛獸，皆天之性情也。是故發之詩者，有以眞樸寫其性情，有以文藻焜燿寫其性情，有以光怪陸離平淡聱牙寫其性情，凡此者皆性情之具有也。夫詩以眞樸爲近，所謂絲不如竹，竹不如肉也。然而聱牙光怪者，未始非性情之有事，蓋若人之體幹，短小精悍者成其短小精悍，頎碩者成其頎碩，皆稟于本然而無假外物，非必古朴之貌，然後爲至也。吾所具有者如是，發之亦如是而已。則是光怪聱牙，曷爲乎不與眞樸之性情等哉？

又卷八《答楊御李書》 佳詩率以愚意甲乙，古人言詩須有謂而作，有謂者，我之眞意，所謂發乎情是也。流連山水，點綴花月，亦必有我一時之情之意，則此乃爲我作之詩。古人已作，我可更作，我作之，他人又可更作，千萬作而境不窮者，有謂故也。古人、他人情與我合，而我竟不作者，有謂故也。

尤侗《西堂雜俎二集》卷三《吳虞升詩序》 詩無古今，惟其眞爾。有眞性情，然後有眞格律；有眞格律，然後有眞風調。勿問其似何代之詩也，自成其本朝之詩而已；勿問其似何人之詩也，自成其本人之詩而已。昔人有云：我與我周旋久，寧作我也。

又《西堂雜俎三集》卷三《曹德培詩序》 詩之至者在乎道性情，性情所至，風格立焉，華采見焉，聲調出焉。無性情而矜風格，是鶩集翰苑也；無性情而炫華采，是雉竄文囿也；無性情而夸聲調，亦鴉噪詞壇而已。

侯方域《壯悔堂文集》卷三《與陳定生論詩書》 今夫日月與山水者，天地之色也；光者，日之色也；陰者，月之色也。山之色煙雲互變，水之色澄碧相接，若盡欲刊落而空之，舉目黯淡，何古何今，無怪乎風人才子不肯服也。顧今日所爲色，大率皆借也，借何可久？天然威施，又何必借！若其本不西而東，不南而北，藻繪雕飾，徒自苦耳！故必洗盡天下之借色，而後天下之眞色始出。【略】賈君論詩，欲清空一氣如話，僕曰：是固然，更少氣象不得！閶闔冕旒，固屬氣象，水鷗風燕，得意容與，容非氣象耶？推而至於太原眞人之褐裘，曲江仙侶之彩筆，任城豪飲，斗落參迴，玉門愁月，練白霜皎，皆能以其氣象爲氣象。當其勝絶，變動難拘，是惟心知其意者，觸通而已。今人往往好爲樂府，僕謂如郊廟鐃歌諸題，皆古人身在其間，鋪張賡歌。今無其事，而輒摹擬之，即工，亦優孟衣冠而已。若不求盡似其音節，又何必其題？白香山嘗有新樂府，得風人之旨，不可以其生盛唐後，輕非之也。今之作詩者，言風言情是已，此道鍾、譚亦嘗論之。木偶何嘗不類人形，其爲木偶者，無情故也。風爲四始之一，尤有關係。然竊以爲詩本經術，不同詞曲，其大者陳無外，微者道性情，俯仰興會，固自有風與情，而必非世之所謂風與情也。五七古律諸體，皆如黃鐘，如軒姚之琴，用以根本萬事，宣幽鳴滯，不可輕叩。惟七言絶句，初無盛晚，唐人已分兩種：太白、龍標自爲一種；大曆而後，劉夢得最爲擅場，又自一種。當時皆翻入樂部，韻調出入，無嫌輕婉，然亦須灝氣寫其遠情可也。

施閏章《蠖齋詩話·詩有本》 山谷言：「近世少年不肯深治經史，徒取助詩，故致遠則泥。」此最爲詩人鍼砭。詩如其人，不可不愼。浮華者浪子，叫囂者麤人，窘瘠者淺，癡肥者俗。風雲月露，鋪張滿眼，識者見之，直是一葉空紙耳。故曰：君子以言有物。詩不可無道氣，稍着迹，輒敗人興。右丞體具禪悅，供奉身有仙骨，靖節則近乎道矣。鳶飛魚躍，不知於道何與？一落宋賢，便多笨伯。「江之永矣」四句，止咏嘆江、漢，而文王化行南國，許多難言處含蘊略盡。漢、魏、六朝以來，詩人多用景語，是其遺意。純用賦而無比興，則索然矣。

又《學餘堂文集》卷六《陳伯璣詩序》 薦紳先生既嬰機務，神慮耗廢，又牽於文墨，多所忌諱，其屏此也恆難。而貧士失職，羈旅自放於江皋澤畔，討風騷之極變，覽山川雲物之參錯，重以窮愁拂鬱，思慕之無聊，歡觸而歌，哀至而哭，有鬱必宣，一往而深，故其音頓挫，每極於古。

又《李渭清燕臺詩序》 詩得之山林易，得之都市難。非都市之能爲詩累也，心乎都市者之爲累也。韓氏稱富貴之人，意得志滿，常不暇以爲，而窮賤布衣，屈首跼步，東西走謁，爲之又不得吐氣，二者交病。古有據地狂歌，避世金馬門者，雖在京輦，其視青山白雲，殆爲不遠矣。

周容《春酒堂詩話》 「詩有別材，非關書也；詩有別趣，非關理也。」此嚴滄浪之言，無不奉爲心印。不知是言誤後人不淺。請看盛唐諸大家，有一字不本於學者否？有一語不深於理者否？嚴説流弊，遂至竟陵。【略】有傖父謂余曰：「南人詩□好，亦生得地方便宜耳。如『姑蘇城外寒山寺』，有何心力，競指爲絶唱？若效之云『通州城外金龍廟』，便揶揄之矣。」余爲之大笑。然亦可以悟詩中一境。友人曰：「詩能窮人，信然乎？」曰：「予固聞詩能窮人，但祇見詩能通人耳。唐取士以詩，豈曰窮人？『江上峰青』，尤表表者；□『日暮漢宮』，特傳御批除官，千古豔之。若孟郊諸人，□原應爾，安得概以咎詩哉！」友人曰：「詩窮人，亦謂人於詩道進一分，輒於世俗人情退幾許，故窮也。」余曰：「《詩》三百篇，最於世俗世情留心關切，夫子奈何以之教人？所謂興觀羣怨者，通之謂也。世之不詩以窮者多矣，將誰咎哉？」

王夫之《薑齋詩話》卷一《詩譯》 王仲淹氏之續經，見廢於先儒，舊矣。續而僭者，《七制》之詔策也，仲淹不任刪，《七制》之主臣，尤不足述也。《春秋》者，衰世之事，聖人之刑書也。平、桓之天子，齊、晉之諸侯，荆、吳、徐、越之僭僞，其視六代、十六國，相去無幾，事不必廢也，而詩亦如之。衛宣、陳靈，下逮乎《溱洧》之士女，《葛屨》之公子，亦奚必賢於曹、劉、沈、謝乎？仲淹之刪，非聖人之刪也，而何損于采風之旨邪？故漢、魏以還之比興，可上通于《風》、《雅》；檜、曹而上之條理，可近譯以三唐。元韻之機，兆在人心，流連泆宕，一出一入，均此情之哀樂，必永於言者也。故藝苑之士，不原本於《三百篇》之律度，則爲刻木之桃李；釋經之儒，不證合于漢、魏、唐、宋之正變，抑爲株守之兔罝。陶冶性情，別有風旨，不可以典冊、簡牘、訓詁之學與焉也。隨舉兩端，可通三隅。【略】賜名大國號與秦」，與「美孟姜矣」、「美孟弋矣」、「美孟庸矣」一轍，古有不諱之言也，乃《國風》之怨而誹、直而絞者也。夫子存而弗刪，以見衛之政散民離，人誣其上；而子美以得「詩史」之譽。夫詩之不可以史爲，若口與目之不相爲代也，久矣。《魯頌》，魯風也；《商頌》，宋風也；以其用天子之禮樂，故仍其名曰「頌」。其郊禘之升歌也，乃文之無斁，侈心形焉。「鼓咽咽，醉言歸，于胥樂兮。」與《鐃吹》、《白紵》同其管急絃繁之度，雜霸之風也，鮑照、李白、曹鄴以之。

毛先舒《詩辯坻》卷一 維詩作詁，賾有煩名，六藝羣緯，義洽理備，均以宣其堙鬱，節其波蕩，陳美以爲訓，諷惡以爲戒，上既足以彰知貞淫，而下亦得婉寓怨譏，而亡所諱。故迺微之以詞指，深之以義類，幹之以風力，調之以匏弦，質之以撿括，文之以丹彩。用之當時，感人靈於和平；播之歷禩，挹芳流乎無窮。所以采在二代者，與典謨並傳；沿爲變格者，垂至今而不廢。

黄生《詩麈》卷一 凡欲學詩，須先爲不朽計。若習睹時俗所尚，徒爲唱酬贈答之具，是則枉用心思，濫費筆墨，不若不學之爲愈也。苟欲爲不朽計，第一貴在立品。何也？作者必與古人爭勝，而後能成不朽之名。夫古人所以身沒而名不滅者，非徒以其詩也，其立品必高於流俗，如雞群野鶴，如嶺上長松，雖有時爲庸衆之所非笑，而其神情超曠，常不肯自命爲一世之人。此卽詩家安身立命之處。雖不蘄其詩必傳，而後世之名必歸之。所以傳之者，不在其詩，而在其詩之人也。是故詩之境曠，而拘者不得也；詩之道雅，而俗者不得也；詩之思清，而濁者不得也；詩之韻悠揚滄蕩，而笨鈍者不得也。去是數者，而後可與言詩，而後可與古人爭不朽之名。

又卷二 凡作詩先明四要，而後及格局字句。何謂四要？曰詩品、曰詩癖、曰詩腸、曰詩喉。立身不能高邁流俗，非品也。一切塵雜得分其心，非癖也。運思不能遠之八表，細入無倫，非腸也。出口有道學氣、時文氣、塵俗氣、婦女氣、詩餘氣、小說院本氣，非喉也。若格局字句，但取古人之詩，熟讀而涵泳之，果能了然於心，自能了然於手，此非一語所能盡也。人之言曰「詩道性情」，是三尺童子皆知之。其實近人之詩，不知性情果在何處。好和險仄之韻，好作無益之題，好爲應酬之什，性非其性，情非其情矣。如此而望其詩之可傳也，得乎？人又有言：「爲詩必本乎《風》、《雅》。」夫非取《三百篇》句模而字範之謂也。當知詩之虛處卽《風》，詩之實處卽《雅》。虛處餘音餘韻，使人得之言外，非《風》乎？實處眞情眞境，詠之如在目前，非《雅》乎？果能先立其品，次深其癖，紆曲其腸，淨潔其喉，則性情之眞，《風》、《雅》之實，可得而言矣。至於規摹往代，無取泛濫，惟以漢、魏、李唐爲主，則門戶正而骨格成。及其至也，醞釀融液，與之俱化，語語如出古人，而實古人所未道，斯藝林之極致，可與古先作者，馳驅於千載之下矣。

又 必其人之性情風格具見於其詩之中，而後人以詩傳，詩亦以人傳。人品故爾不同，或高如停雲，或曠如野鶴，或朴如陶匏，或韻如修竹，或潔如秋水，或靜如空山，皆可爲載詩之質，傳詩之具。最忌者，畀耳，鄙耳。世言「詩能窮人」，或曰「窮而後工」。黄子曰：皆是也。夫人之於詩，工則窮，窮則工，殆兩相成者，良以前數者，皆致窮之道，而卽致工之道。蓋有窮至而工不至者，未有工至而窮不至者也。緣其性情風格若此，必與古相悅，與世相戾，而復屏其衆好以專於詩，不窮何待哉！若夫畀、鄙之士，惟恐取戾於世，則以逢迎便辟爲第一義。此其人或可不窮，而其詩必不能工。世法既深，俗氣重灼，詩魔退三舍以避之矣。夫安能以齷齪之胸，而强爲清微超妙之語耶？彼高者、曠者、朴者、韻者、潔者、靜者之性情風格則反是，恆患其詩之不工，而窮固非其所患。不患窮，窮至矣。恆患其詩之不工，工亦至矣。是其終固兩相成，而其始亦交相勵。及其勵之久，而入於自然，舉夫人情風格皆於詩焉見之。然則後世誦其詩，而以爲如見其人者，必是人也夫。必是人也夫，詩傳矣！

又 凡衆藝出於手口者，不可有一毫粘帶。一粘帶，出之卽不圓利。如控絃發矢，執筆作書，轉喉度曲，皆同此病。矢之不中，書之不善，曲之不精，皆手口間有粘帶故耳。此病他人不能知，惟專精於其藝者自知之。有病自知，方始有進步處。觀詩家「彈丸脫手」之喻，則知作詩亦不外此理。心手間一有粘帶，卽不能如其意之所欲言。古人詩成家者，讀之多婉轉流利，捫之則無斧鑿之痕。自宋以後，詩人多不逮此。此「彈丸脫手」之境最難到也。前三事乃有形之粘帶，此事乃無形之粘帶。前三事他人不知，惟己知之；此事則他人知之，獨己不知；卽或知之，故步亦難頓去。非至純至熟，未易言也。

又 人皆知詩爲吟詠性情之具，而不知性情之何以達於詩。只讀古人所作，述哀怨卽眞使人欲泣，叙愉快卽眞使人起舞，氣激烈卽使人欲擊唾壺，意飄揚卽使人如出天地。此卽古人之性情足與後人相感發處。詩不到此，終非上乘。

又 此道信之於己，不若信之於人。信於當時之人，不若信於千世以下之人。凡詩文之能傳，與傳之永不永，繫此故也。將求信於當世之人，惟執己之獨，是與同志互相商榷斯已爾。若欲信於千世以下之人，將何從質證，亦惟己質之、己證之而已。己質己證云者，非自見其佳之謂，能自見其醜之謂也。愚嘗自揣所作，三十以前不遇良朋，其醜都不自知。四十以後，每詩文落稿時，其中或大佳而小醜，或大醜而小佳，猶不自知也，必歷時歲而後知之。迄於今落稿時，猶不自知也，必覆閲而後知之。然則稱心而出，一出卽莫逆於心，純乎佳而無片辭一字之醜，此境豈易到耶？不到此境，又安望千世以下人誦之，亦會于心而莫逆耶？

又 詩有心，有手，有筆，有墨。詞藻鮮潤，墨也。筋節轉掉，筆也。所以運之者，手也。所以主之者，心也。心，君也。手，將帥也。筆，偏裨也。墨，士卒也。心使手，手使筆、墨，此經營慘澹時可得而言者也。及其成也，則筆墨之迹俱化，而手亦不有其功，而歸功於心。猶夫士卒功成，歸之將帥，而將帥復歸之其君也。夫讀詩者，曰思深，曰氣厚，曰趣溢，曰味永，曰神來，曰性情畢露，非歸功於心而何？其有筆墨之迹未化者，卽不能當此目，此將不能御士卒之過也。將且無功，君安所歸功也哉！

毛奇齡《西河文集》卷三三《田子相詩序》 夫詩之爲思也，窮神幼渺，期于中度，故流連咏嘆而未嘗無止則焉。存乎其間，特夫矜情太多，則超詣反少，蓋詩有氣調，氣揚則調振，自非葭灰相發，元氣具舉，其能調音聲而播律呂鮮矣。

又卷三四《東陽李紫翔詩集序》 昔論詩者云：詩有別才，非關學術。此非知詩者之言。夫詩肇于漢，沿于六季，盛于唐而衰于宋。夫人而知之。而今之詩人，必且舍盛而趨衰，何也？不學故也。天下惟雅須學，而俗不必學；惟典則須學，而鄙與弇不必學；惟高其萬步，擴其耳目，出入乎黃鐘大呂之音須學，而裸裎袒裼，蚓呻而斧戛，即不必學。則是今之爲宋人詩者，不過藉久人之名，以掩其不學之實，非有他也。

又卷四七《張禹臣詩集序》 詩有性情，非謂其言之眞也，又非謂其多愬述少賦寫也。當爲詩，時必有緣感焉。投乎其間而中無意緒，即不能發，則于是興會生焉。乃興會所至，抽思接慮，多所經畫。夫然後詠嘆而出之，當其時諷之而悠然，念誦之而翕翕然。凡此者皆性情也。

汪琬《堯峰文鈔》卷三〇《拾瑤錄序》 學之所尙不同，義理一也，經濟一也，詩歌古文詞又其一也。談義理者，或涉於迂疏，談經濟者，或流於雄放，於是咸薄詩歌古文詞爲小技，而不屑以爲。自漢以來，遂區儒林與藝苑爲二，至《宋史》又別立道學之目，卒區之爲三矣。予謂爲詩文者，必有其原焉。苟得其原，雖信筆而書，稱心而出，未嘗不可傳而可咏也；不得其原，則飣餖以爲富組，織以爲新，剽竊摸擬，以爲合於古人，非不翕然見稱一時也，曾未幾何，而冰解水落，悉歸於烏有矣。是故爲詩文者，要以義理經濟爲之原。朱徽公固理學之祖也，而其詩文最工，推南渡後一大家。唐之陸宣公、李衛公，宋之韓魏公、范文正公之流，其勳名在朝廷，其聲望在天下，後世宜乎不屑於詩文矣，然而議論之卓犖，詞采之壯麗，五、七言小詩之雍容爾雅，至今讀其片言隻句，猶莫不想見其風采而企慕其人。然則區道學儒林藝苑爲三，此史家之陋，未可謂之通論也。

陳維崧《迦陵文集》卷一《和松庵稿序》 嘗與友人說詩：作詩有性情，有境遇。境遇者，人所不能意計者也；性情者，天之莫可限量者也，人爲之也。

葉燮《原詩內篇》 大凡人無才，則心思不出；無膽，則筆墨畏縮；無識，則不能取舍；無力，則不能自成一家。而且謂古人可罔，世人可欺，稱格稱律，推求字句，動以法度緊嚴，扳駁銖兩。內既無具，援一古人爲門戶，藉以壓倒衆口；究之何嘗見古人之眞面目，而辨其詩之源流本末正變盛衰之相因哉！更有竊其腐餘，高自論說，互相祖述，此眞詩運之厄！故竊不揣，謹以數千年詩之正變盛衰之所以然，略爲發明，以俟古人之復起。

又 或問於余曰：「詩可學而能乎？」曰：「可。」曰：「多讀古人之詩而求工於詩而傳焉，可乎？」曰：「否。」曰：「詩既可學而能，而又謂讀古人之詩以求工爲未可，竊惑焉。其義安在？」余應之曰：詩之可學而能者，盡天下之人皆能讀古人之詩而能詩，今天下之稱詩者是也；而求詩之工而可傳者，則不在是。何則？大凡天資人力，次序先後，雖有生學困知之不同，而欲其詩之工而可傳，則非就詩以求詩者也。我今與子以詩言詩，子固未能知也；不若借事物以譬之，而可曉然矣。今有人焉，擁數萬金而謀起一大宅，門堂樓廡，將無一不極輪奐之美。是宅也，必非憑空結撰，如海上之蜃，如三山之雲氣。以爲樓臺，將必於平直高敞、水可舟檝、陸可車馬者，然後始基而經營之，大廈乃可次第而成。我謂作詩者，亦必先有詩之基焉。詩之基，其人之胸襟是也。有胸襟，然後能載其性情、智慧、聰明、才辨以出，隨遇發生，隨生卽盛。千古詩人推杜甫，其詩隨所遇之人之境之事之物，無處不發其思君王、憂禍亂、悲時日、念友朋、弔古人、懷遠道，凡歡愉、幽愁、離合、今昔之感，一一觸類而起，因遇得題，因題達情，因情敷句，皆因甫有其胸襟以爲基。如星宿之海，萬源從出；如鑽燧之火，無處不發；如肥土沃壤，時雨一過，夭矯百物，隨類而興，而生意各別，而無不具足。卽如甫集中《樂遊園》七古一篇：時甫年才三十餘，當開寶盛時，使今人爲此，必鋪陳颺頌，藻麗雕繢，無所不極；身在少年場中，功名事業，來日未苦短也，何有乎身世之感？乃甫此詩，前半卽景事無多排場，忽轉「年年人醉」一段，悲白髮，荷皇天，而終之以「獨立蒼茫」，此其胸襟之所寄託何如也？余又嘗謂晉王羲之獨以法書立極，非文辭作手也。蘭亭之集，時貴名流畢會，使時手爲序，必極力鋪寫，諛美萬端，決無一語稍涉荒涼者。而羲之此序，寥寥數語，託意於仰觀俯察，宇宙萬彙，係之感憶，而極於死生之痛。則羲之之胸襟，又何如也！由是言之，有是胸襟以爲基，而後可以爲詩文。不然，雖日誦萬言，吟千首，浮響膚辭，不從中出，如剪綵之花，根蒂旣無，生意自絕，何異乎憑虛而作室也！乃作室者，旣有其基矣，必將取材。而材非培塿之木、拱把之桐梓，取之近地闤闠村市之間而能勝也。當不憚遠且勞，求荊湘之楩楠，江漢之豫章，若者可以爲棟爲榱，若者可以爲楹爲柱，方勝任而愉快，乃免支離屈曲之病。則夫作詩者，旣有胸襟，必取材於古人，原本於《三百篇》、《楚騷》，浸淫於漢、魏、六朝、唐、宋諸大家，皆能會其指歸，得其神理。以是爲詩，正不傷庸，奇不傷怪，麗不傷浮，博不傷僻，決無剽竊吞剝之病。乃時手每每取捷徑於近代當世之聞人，或以高位，或以虛名，竊其體裁、字句，以爲秘本。謂既得所宗主，即可以得其人之贊揚獎借；生平未嘗見古人，而才名已早成矣。何異方寸之木，而遽高於岑樓耶！若此等之材，無論不可爲大廈；即數椽茅把之居，用之亦不勝任，將見一朝墮地，腐爛而不可支。故有基之後，以善取材爲急急也。既有材矣，將用其材，必善用之而後可。得工師大匠指揮之，材乃不枉。爲棟爲樑，爲榱爲楹，悉當而無絲毫之憾。非然者，宜方者圓，宜圓者方，枉棟之材而爲桷，枉柱之材而爲楹，天下斵小之匠人寧少耶！世固有成誦古人之詩數萬首，涉略經史集亦不下數十萬言，逮落筆則有俚俗庸腐，窒板拘牽，隘小膚冗種種諸習。此非不足於材，有其材而無匠心，不能用而枉之之故也。夫作詩者，要見古人之自命處、着眼處、作意處、命辭處、出手處，無一可苟，而痛去其自己本來面目。如醫者之治結疾，先盡蕩其宿垢，以理其清虛，而徐以古人之學識神理充之。久之，而又能去古人之面目，然後匠心而出，我未嘗摹擬古人，而古人且爲我役。彼作室者，既善用其材而不枉，宅乃成矣。宅成，不可無丹雘赭堊之功；一經俗工絢染，徒爲有識所嗤。夫詩，純淡則無味，純樸則近俚，勢不能如畫家之有不設色。古稱非文辭不爲功；文辭者，斐然之章采也。必本之前人，擇其麗而則、典而古者，而從事焉，則華實並茂，無夸縟門炫之態，乃可貴也。若徒以富麗爲工，本無奇意，而飾以奇字，本非異物，而加以異名別號，味如嚼蠟。展誦未竟，但覺不堪。此鄉里小兒之技，有識者不屑爲也。故能事以設色布采終焉。然余更有進：此作室者，自始基以至設色，其爲宅也，既成而無餘事矣。然自康衢而登其門，於是而堂、而中門，又於是而中堂、而後堂、而閨闥、而曲房、而賓席東廚之室，非不井然秩然也；然使今日造一宅焉如是，明日易一地而更造一宅焉，而亦如是，將百十其宅，而無不皆如是，則亦可厭極矣。其道在於善變化。變化豈易語哉！終不可易曲房於堂之前，易中堂於樓之後，入門即見廚，而聯賓坐於閨闥也。惟數者一一各得其所，而悉出於天然位置，終無相踵沓出之病，是之謂變化。變化而不失其正，千古詩人惟杜甫爲能。高、岑、王、孟諸子，設色止矣，皆未可語以變化也。夫作詩者，至能成一家之言足矣。此猶清、任、和三子之聖，各極其至；而集大成，聖而不可知之之謂神，惟夫子。杜甫，詩之神者也。夫惟神，乃能變化。子言「多讀古人之詩而求工於詩」者，乃囿於今之稱詩者論也。

又　或曰：「先生發揮理事情三言，可謂詳且至矣。然此三言，固文家之切要關鍵。而語於詩，則情之一言，義固不易，而理與事，似於詩之義，未爲切要也。先儒云：『天下之物，莫不有理。』若夫詩，似未可以物物也。詩之至處，妙在含蓄無垠，思致微渺，其寄托在可言不可言之間，其指歸在可解不可解之會，言在此而意在彼，泯端倪而離形象，絕議論而窮思維，引人於冥漠恍惚之境，所以爲至也。若一切以理概之，理者，一定之衡，則能實而不能虛，爲執而不爲化，非板則腐。如學究之說書，閭師之讀律，又如禪家之參死句、不參活句，竊恐有乖於風人之旨。以言乎事：天下固有有其理，而不可見諸事者；若夫詩，則理尚不可執，又焉能一一徵之實事者乎！而先生斷斷焉必以理事二者與情同律乎詩，不使有毫髮之或離，愚竊惑焉！此何也？」予曰：子之言誠是也。子所以稱詩者，深有得乎詩之旨者也。然子但知可言可執之理之爲理，而抑知名言所絕之理之爲至理乎？子但知有是事之爲事，而抑知無是事之爲凡事之所出乎？可言之理，人人能言之，又安在詩人之言之！可徵之事，人人能述之，又安在詩人之述之！必有不可言之理，不可述之事，遇之於默會意象之表，而理與事無不燦然於前者也。今試舉杜甫集中一二名句，爲子晰而剖之，以見其概，可乎？如《玄元皇帝廟作》「碧瓦初寒外」句，逐字論之：言乎「外」，與「內」爲界也。「初寒」何物，可以內外界乎？將「碧瓦」之外，無「初寒」乎？「寒」者，天地之氣也。是氣也，盡宇宙之內，無處不充塞；而「碧瓦」獨居其「外」，「寒」氣獨盤踞於「碧瓦」之內乎？「寒」而曰「初」，將嚴寒或不如是乎？「初寒」無象無形，「碧瓦」有物有質；合虛實而分內外，吾不知其寫「碧瓦」乎？寫「初寒」乎？寫近乎？寫遠乎？使必以理而實諸事以解之，雖稷下談天之辯，恐至此亦窮矣！然設身而處當時之境會，覺此五字之情景，恍如天造地設，呈於象、感於目、會於心。意中之言，而口不能言；口能言之，而意又不可解。劃然示我以默會想象之表，竟若有內、有外，有寒、有初寒。特借「碧瓦」一實相發之，有中間，有邊際，虛實相成，有無互立，取之當前而自得，其理昭然，其事的然也。昔人云：「王維詩中有畫。」凡詩可入畫者，爲詩家能事。如風雲雨雪，景象之至虛者，畫家無不可繪之於筆；若初寒內外之景色，即董巨復生，恐亦束手擱筆矣！天下惟理事之入神境者，固非庸凡人可摹擬而得也。又《宿左省作》「月傍九霄多」句：從來言月者，祇有言圓缺、言明暗、言升沉、言高下，未有言多少者。若俗儒，不曰「月傍九霄明」，則曰「月傍九霄高」。以爲景象眞而使字切矣。今曰「多」，不知月本來多乎？抑「傍九霄」而始「多」乎？不知月「多」乎？月所照之境「多」乎？有不可名言者。試想當時之情景，非言「明」、言「高」、言「升」可得，而惟此「多」字可以盡括此夜宮殿當前之景象。他人共見之，而不能知、不能言，惟甫見而知之、而能言之。其事如是，其理不能不如是也。又《夔州雨濕不得上岸作》「晨鐘雲外濕」句：以「晨鐘」爲物而「濕」乎？「雲外」之物，何啻以萬萬計！且鐘必於寺觀，即寺觀中，鐘之外，物亦無算，何獨濕鐘乎？然爲此語者，因聞鐘聲有觸而云然也。聲無形，安能濕？鐘聲入耳而有聞，聞在耳，止能辨其聲，安能辨其濕？曰「雲外」，是又以目始見雲，不見鐘，故云「雲外」。然此詩爲雨濕而作，有雲然後有雨，鐘爲雨濕，則鐘在雲內，不應云「外」也。斯語也，吾不知其爲耳聞耶？爲目見耶？爲意揣耶？俗儒於此，必曰：「晨鐘雲外度。」又必曰：「晨鐘雲外發。」決無下「濕」字者。不知其於隔雲見鐘，聲中聞濕，妙悟天開，從至理實事中領悟，乃得此境界也。又《摩訶池泛舟作》「高城秋自落」句：夫「秋」何物，若何而「落」乎？時序有代謝，未聞云「落」也。即「秋」能「落」，何繫之以「高城」乎？而曰「高城落」，則「秋」實自「高城」而「落」，理與事俱不可易也。以上偶舉杜集四語，若以俗儒之眼觀之：以言乎理，理於何通？以言乎事，事於何有？所謂言語道斷，思維路絶。然其中之理，至虛而實，至渺而近，灼然心目之間，殆如鳶飛魚躍之昭著也。理既昭矣，尚得無其事乎？古人妙於事理之句，如此極多；姑舉此四語，以例其餘耳。其更有事所必無者，偶舉唐人一二語：如「蜀道之難，難於上青天」、「似將海水添宮漏」、「春風不度玉門關」、「天若有情天亦老」、「玉顏不及寒鴉色」等句，如此者何止盈千累萬！決不能有其事，實爲情至之語。夫情必依乎理；情得然後理眞。情理交至，事尚不得耶！要之作詩者，實寫理事情，可以言言，可以解解，即爲俗儒之作。惟不可名言之理，不可施見之事，不可徑達之情，則幽渺以爲理，想象以爲事，惝恍以爲情，方爲理至事至情至之語。此豈俗儒耳目心思界分中所有哉！則余之爲此三語者，非腐也，非僻也，非錮也。得此意而通之，寧獨學詩，無適而不可矣。

又《己畦文集》卷八《密遊集序》 古今有才人之詩，有志士之詩。事雕繪，工鏤刻，以馳騁乎風花月露之場，不必擇人擇境而能爲之，隨乎其人與境而無不可以爲之，而極乎諧聲狀物之能事，此才人之詩也。處乎其常，而備天地四時之氣，歷乎其變，而深古今身世之懷，必其人而後能爲之，必遭其境而後能出之，即其片語隻字，能令人永懷三歎，而不能置者，此志士之詩也。才人之詩，可以作，亦可以無作；志士之詩，即欲不作，而必不能不作。才人之詩，雖履豐席厚，而時或不傳；志士之詩，愈貧賤憂戚，而決無不傳。才人之詩，古今不可指數；志士之詩，雖代不乏人，然推其至，如晉之陶潛，唐之杜甫、韓愈，宋之蘇軾，爲能造極乎其詩，實其能造極乎其志，蓋其本乎性之高明以爲其質，歷乎事之常變以堅其學，遭乎境之坎壈鬱怫以老其識，而後以無所不可之才出之，此固非號稱才人之所可得而幾，如是乃爲傳詩，即爲傳人矣。

朱彝尊《曝書亭集》卷三八《陳叟詩集序》 詩以言志者也，中有欲言，縱吾意言之，連章累牘，而不厭其多；無可言，則經年踰月，置勿作焉也可。《詩》三百有五，爲嘉爲美，爲規爲刺，爲誨爲戒，皆出乎人心有不容已于言者，言之非有強之者而後言也。後世君臣燕游，輒命賦詩記事，于心本無欲言，但迫于制詔爲之，故其辭多近于強勉；若學士大夫用之贈酬餞送，則以代儀物而已。甚至以之置科目取士，限之以韻，其所言者，初未嘗出乎中心所欲，而又衡得失于中，冀逢迎人之所好，以是而稱之曰詩，未見其可矣。故夫作詩者，必先纏緜悱惻于中，然後寄之吟咏，以宣其心志，言之工，可以示同好、垂來世；即有未工，亦足爲怡悅性情之助，不以人之愛惡而移，不因人之驅使而出，則學士大夫或不若布衣之自適，游覽之頃，縱吾意之所如，而言之不倦，此詠歌之樂，至于足之蹈之手之舞之而未已也。

又《馮君詩序》 吾于詩而無取乎人之言派也。呂伯恭曰：詩者，人之性情而已。吾言其性情，人乃引以爲流派，善詩者其人皆以雷同勦說爲恥，視其力之所變，莫肯附和；不知者，斤斤操葭黍圭臬以繩其非是，欲其派出于一，毋乃謬論歟！三十年來，海內談詩者，每過于規倣古人，又或隨聲逐影，趨當世之好，于是己之性情，汨焉不出。惟吾里之詩，影響雖合，取而繹之，則人各一家，作者不期其同，論者不斥其異，不爲風會所移，附入四方之流派。惜夫工之者類多山澤憔悴之士，不汲汲于名譽，或不能盡傳，又或傳之不遠，則一人之言無以風天下。

又《沈明府不羈集序》　吾言吾志之謂詩。言之工，足以伸吾志；言之不工，亦不失吾志之所存。乃旁有人焉，必欲進之古人之域，曰「詩有格也，有式也」，于是別世代之升降，權聲律之高下，分體製之正變，範圍之，勿使逸出矩矱繩尺之外，于古人則合矣，是豈吾言志之初心哉？且詩亦何常格之有，豳之詩，不同乎《二南》；鄭衛之詩，不同乎唐魏；周頌簡，而魯頌繁；大雅多樂，而小雅多怨，亦各言其志焉而已。唐以賦詩取士，作者期見收于有司，若射之志于彀，故于詩，有格，有式，有例，有密旨，有秘術，有主客之圖，無異揣摹捭闔之學。今也不然，仕乎朝者，賡颺盛際，歸乎田者，歌咏太平，既無得失之患存于中，而何格式之限。

王士禛《帶經堂詩話》卷三　詩以言志。古之作者，如陶靖節、謝康樂、王右丞、杜工部、韋蘇州之屬，其詩具在，嘗試以平生出處考之，莫不各肖其爲人。尚友千載者自能辨之。夫詩之道，有根柢焉，有興會焉，二者率不可得兼。鏡中之象，水中之月，相中之色，羚羊挂角，無跡可求，此興會也。本之《風》《雅》以導其源，泝之楚《騷》、漢魏樂府詩以達其流，博之《九經》、《三史》，諸子以窮其變，此根柢也。根柢原於學問，興會發於性情。於斯二者兼之，又幹以風骨，潤以丹青，諧以金石，故能銜華佩實，大放厥詞，自名一家。《六經》、《廿一史》，其言有近於詩者，有遠於詩者，然皆詩之淵海也；節而取之，十之四五，[illegible]結謾諧之習，吾知免矣：一曰典。畫瀟、湘、洞庭，不必蹙山結水；李龍眠作《陽關圖》，意不在渭城車馬，而設釣者於水濱，忘形塊坐，哀樂嗒然，此詩旨也：次曰遠。《詩》三百五篇，吾夫子皆嘗弦而歌之，故古無「樂經」，而《由庚》、《華黍》皆有聲無詞。土鼓鞞鐸，非所以被管弦叶絲肉也：次曰諧音律。昔人云，《楚詞》、《世說》，詩中佳料，爲其風藻神韻，去《風》《雅》未遙，學者由此意而通之，搖蕩性情，暉麗萬有，皆是物也。次曰麗以則。《莊子》：宋元君將畫圖，衆史皆至，受揖而立，舐筆和墨。有一史後至，儃儃然不趨，受揖不立，之舍，使視之，則解衣盤礴。嬴君曰：可矣。此眞畫者也。詩文須悟此旨。越處女與勾踐論劍術曰：妾非受于人也，而忽自有之。司馬相如答盛覽論賦曰：賦家之心，得之于內，不可得而傳。詩家妙諦，無過此數語。

又卷四　嚴滄浪論詩云：「盛唐諸人，唯在興趣，羚羊掛角，無跡可求，透徹玲瓏，不可湊泊，如空中之音，相中之色，水中之月，鏡中之象，言有盡而意無窮。」司空表聖論詩亦云：「味在酸鹹之外。」康熙戊辰春杪，日取開元、天寶諸公篇什讀之，於二家之言，別有會心。録其尤雋永超詣者，自王右丞而下四十二人，爲《唐賢三昧》集，釐爲三卷。不録李杜二公者，倣王介甫《百家》例也。張曲江開盛唐之始，韋蘇州殿盛唐之終，皆不録者，已入予《五言選》詩，故不重出也。

又卷二九　問：作詩學力與性情必兼具而後愉快，愚意以爲學力深始能見性情，若不多讀書，多貫穿，而遽言性情，則開後學油腔滑調，信口成章之惡習矣。近時風氣頹波，唯夫子一言以爲砥柱（已下郎氏問）。司空表聖云「不著一字，盡得風流」，此性情之說也；揚子雲云「讀千賦則能賦」，此學問之說也。二者相輔而行，不可偏廢。若無性情而侈言學問，則昔人有譏點鬼簿，獺祭魚者矣。學力深始能見性情，此一語是造微破的之論（張歷友云：嚴羽滄浪有云：「詩有別才，非關學也；詩有別趣，非關理也。」此得于先天者，才性也；「讀書破萬卷，下筆如有神」、「貫穿百萬衆，出入由咫尺」，此得于後天者，學力也。非才無以廣學，非學無以運才。有才而無學，是絕代佳人唱《蓮花落》也；有學而無才，是長安乞兒著宮錦袍也。張蕭亭云：夫曰「詩有別才，非關學也；詩有別趣，非關理也」，爲讀書者言之，非爲不讀書者言之也）。

又　問：宋詩不如唐者，或以氣厚薄分耶？唐詩主情，故多蘊藉；宋詩主氣，故多徑露，此其所以不及，非關厚薄。問：宋詩多言理，唐人不然，豈不言理而理自在其中歟？昔人論詩曰：不涉理路，不落言詮。宋人唯程、邵、朱諸子爲詩好說理，在詩家謂之旁門。朱較勝（蒿廬云：「不涉理路」二語見《滄浪詩話》）。

田雯《古歡堂集》卷二五《丙臣詩序》　古人之詩，學爲之乎？抑其才爲之也？間嘗僂指數人，論其大致。如初唐之盧、駱、王、楊，蓋以學勝矣；高、岑、王、孟爲盛唐詩人之冠，果亦以其學勝與？夫高岑摩壘堂堂，各成一家，而讀之數過，尚存組織鍛鍊之迹；獨至王孟，則尤擅其妙。余每讀王孟之詩，謂如天女散花，幽香萬片，落人巾幘間，境靜神怡，不可思議，所以爲詩之至者。又竊臆測其所從來，似其胸中腕底，生平得力，亦不過數卷之書，又非若中壘之廣覽，茂先之博聞，特其落筆異耳，此正所謂才也。才非十倍曹丕之謂，而天姿之高，領悟之奇之謂也。學王孟而不得其什一，猶越雞之不能爲鵠，才不足故也。以此論詩，詩可知矣。

陳玉璂《學文堂文集》卷三《顧天石詩序》　詩貴精而不貴多，古人一篇數篇皆足不朽，至薛道衡「空梁落燕泥」、崔信明「楓落吳江冷」，則一語亦足傳矣，而何以多爲。不知今人才不逮古人，即多所作，尚莫必其傳，不傳而欲求之一篇一語之間，徒見其不知量也。然人之詩能多實甚難，古人詩以發其性情之不容已，性情非無自而發，或得于遊覽，或閱歷于人情世故，或有所抑鬱不平之感，特假以達之，非是則終日而不得一詩，終歲而亦不得一詩。若強而爲之必不工，不工則不傳，不傳則可以不作。故昔人謂擬體、和韻在所宜戒，以擬體、和韻皆以他人之性情爲性情，而非發乎其不容已也。操是論以爲詩，故人有數年數十年而成一集，且有至老死而集未成，待後人之表揚而始出者。

又《吳梅邨先生詩集序》　《書》曰：「詩言志，歌永言，聲依永，律和聲。八音克諧，無相奪倫。」詩曰：「神之聽之，終和且平。」是《書》、《詩》之論，皆以和爲貴明矣。最和者莫如樂，而樂之本也，樂其所自始；蓋以樂者人情之本然，而哀則其變然。樂不能廢商角徵羽及變宮變徵諸音，惟其以宮爲之本，故數者環生而不失其和。詩之爲道，和固其本，若幽憂憤懣之所寄，雖上世亦不能無，殆猶樂之不能廢商角諸音也；然苟悉本和以出，則必樂而不至于淫，怨誹而不至于怒。司馬遷云：「《詩》三百篇，大抵皆聖賢發憤所爲作。」夫《鹿鳴》、《天保》、《淸廟》、《明堂》諸詩，豈皆發憤所作乎？史遷非罪見僇，作《史記》以道其憤，故其言如此。予嘗咎其過當。

又《王阮亭詩集序》　有巨室于此，其欂櫨梁棟之屬，莫不鏤丹堊白，燦然可觀，而其中則爲蟲鼠所嚙蝕剞敗，漸不可支，一旦及乎傾圮，見者皆以爲其欂櫨梁棟故完好無恙，豈遂至此？而不知其質之亡蓋已久矣。孔子曰：「君子義以爲質，禮以行之，孫以出之，信以成之。」蓋天下之理，實者其體，虛者其用，今以虛爲體而欲以實爲用，豈有不敗者乎？予嘗持是說以論詩，凡見雕琢于字句之間，第求聲貌之似，而性情之故不屬者，舉笑其無質，雖工亦病之。然上古之人民氣樸略，發乎性情而已工，若後世日就澆薄，性情之際遂有難言，故予嘗謂上古之質耑言性情，後世之質兼言學問。人生平耳目所見聞，身所經歷，莫不可爲吾學問之助。大者關于天下國家之故，小而飲食日用，飛潛動植一切細碎之物，悉有至理存其間，吾胸中如記米鹽凌雜，如理亂絲，如竹頭木屑之委積，一旦隨所感觸指使輻輳，自沛然莫之能禦。孟子曰：「原泉混混，不舍晝夜。有本者如是。」此即予質之之說也。予自恨才短力弱，不能多讀書閱歷，于世故甚淺，故雖好爲詩，不能至乎其境。

又《施愚山詩集序》　古有愚公谷，柳子厚序愚溪，低徊反覆，又作《八愚詩》紀石上，古來賢豪長者率多託志于愚，何哉？然吾謂即愚之說可以論詩。夫溫柔敦厚，詩之旨也，而愚實近之。詩以發性情所不容已，正才智之士可以自逞，而十五國風錄愚夫婦詩十居六七，蓋以愚夫婦號泣歌舞之誠，雖才智之士竭其能，無以過。後世恃才智妄作者，往往至于決裂潰敗，而詩以亡。老子曰：「聖人將動，必有愚色。」又曰：「盛德容貌若愚。」凡人無志傳其詩則已，苟志于傳，其精神思慮恆蘊蓄而不敢輕動，故動而發乎情，止乎禮義。或曰：「孔子言詩于國風之好色，小雅之怨誹，皆許之，而獨不許其愚，故其言曰深于詩者，溫柔敦厚而不愚。今子之論，無乃戾甚？」不知孔子之言，耑主立教，蓋以溫柔敦厚，人性情所自具，而無事他襲，他襲則愚。溫柔敦厚，其質近乎愚，以不愚求至其境，而後可全其愚。竊嘗觀孔子之論愚矣，稱甯武子則曰其愚不可及，論及門諸弟子則曰「柴也愚」，「回也終日不違如愚」，出處之大，學問淺深之故，皆若于愚概之，然則人苟有得于愚，其可稱道，又寧獨在詩乎哉？

又《借竹軒詩序》　宋儒論詩，蘇子曰「宜求之聲」，朱子曰「宜求之志」，其說各有據。予獨謂聲與志，皆不可廢，所爭在眞僞之間。凡人一身所歷，少壯老不一其時；治亂窮達哀樂，不一其遇；山川道路，不一其地；友朋不一其人，變不可勝窮，詩各隨其變以達吾性情，而無所矯飾，則詩必工。古來詩家不可屈指計，或以樸著，或以婉麗著，或以典厚沈著著，莫不各達其性情之所近。要得其眞，則無不可傳，否則雖唐人，且猶憾之，何況其他！若謂唐人詩盡無憾，何以言詩史者，獨推一少陵？夫史之可貴者，以其信也；惟眞則可信，此昔人所爲善論少陵詩也。予兄介夫曰：「古者陳詩以觀民風。夫詩，不過語言文字耳，而可用以察休戚、審得失，實以其人之情事有至眞者存其間，苟採風者稍損益之，則本義既失，雖季札、師曠難以施其聰與智。是故孔子刪詩，不廢鄭衛，以其眞之不可失也。」予曰：「然，李獻吉論詩上下反覆，既詳且備，其要蔽詩求其眞一語，兄詩至其境，故能爲是言。然則予言與兄交相發哉？」

又卷一五《書蘇子瞻詩集後》　昔人稱作史三長，曰才、識、學，予謂作詩亦然。故杜少陵詩，稱爲詩史。然自唐而後，未嘗有求爲少陵之詩者，非其才識之不足，亦學有未至也。古來才識，盛推子瞻之文，予初以爲子瞻詩，亦皆其才識所優爲，無事于學；數年取其詩反復展翫，乃歎子瞻蓋深于學者也。宋祁曰：「唐興，詩人承陳隋之風流，人得一概，皆自名所長，至甫渾涵汪茫，千彙萬狀，兼古今而有之。」今觀子瞻，豈多讓乎！嗚呼！古今文人所爲，無不拊心嘔血，冀傳于久遠，其精神光氣不可磨滅，雖世愈久而愈彰，其理然也。然人且或以爲宋人而少之。今語人曰子之詩類唐人，鮮不驩然喜；曰類宋人，拂然怒矣。夫唐之詩不必盡佳，宋之詩不必盡不佳，亦視其人之慎所擇耳。予學詩有年，自歎才識遠不及前人，而好學之心，私以爲不過，故于少陵詩朝夕研詠，苦未能髣髴其萬一；及讀子瞻詩，而知善學少陵者，固自有道，予又將以學子瞻者學少陵矣。

韓菼《有懷堂文稿》卷三《蘆中集序》　「詩緣情而綺靡」，說者以爲斯言起齊梁之漸，而非也，是緣情者也，草木之榮華，禽鳥之飛鳴，山水土石之變怪，無情也，而皆有詩也，其有相之者乎？春女悲而春爲我春，秋士思而秋爲我秋，興寄偶然，胸有造物，是獨非情與？情之所溢，不得不綺，卽不得不靡，土鼓路鼗，鳥跡篆籀，其勢也，若繁艷失歸，流宕逐末，則君形者亡焉，固無論已。讀王子虹友之詩，其深于情乎？余嘗接其緒言，其讀詩也，嚴主風骨，諧聲律，不苟下一句字，其不流於綺靡也決矣；而出於自然，導窾盡變，纏綿麗密，作者未免難遣，而聽者每不自任，甚矣哉其情也！匹夫匹婦自言其傷，猶足千古，況乎中有萬卷牢籠百態者也。

又《徐雲拂詩稿序》　詩之濫觴，蓋自大庭以還，其時豈有師承，都緣情感，昔人比諸燕雀之啁噍，嬰孩之忭躍，然其誦美而譏過，述情而箴諫，後世寧有及焉？迨篇什既繁，而能事日起，敝莫甚于相沿，而激莫甚于相矯，於是有某代之詩，有某家之詩，本觸於天倪之自然，奚至連連如膠漆纏索以遊其間，此固不得不然乎？然其升降之際，亦可睹矣。徐子雲拂自少工詩，往往興會所至，伸紙疾書，皆得之直尋，不由補假，然善題目佳境，言政使腐毫劌心者無以加也。蓋自近世文章之敝，剽竊模擬，豈獨于詩爲然，而中于詩者亦久矣，始于一二豪者各主唐宋之名家以爲之祖禰，而自守若副墨洛誦之子孫，後生末學耳濡目染，以爲固然，而不知其本來自有眞也。徐子獨空諸所倚，直舉胸臆，欲睥睨古人，其亦有廣武原之歎乎？可謂壯哉！余同年馬子思訒，沉深好古之士也，常語徐子：經史不可不讀，又舉少陵「熟精文選理」之句以諷之，其意有切切然于徐子者。余謂杜詩、韓文，無一字無來處，然政獨自佳耳，不專在來處也。「讀書破萬卷，下筆如有神」，當其神來，寧不得之書乎？抑盡得之書乎？草木之榮華，莫不自無而之有也；若自有而之有，其落也久矣。至於經史之益，則灌漑之助也，然能變蕭艾爲蘭芷乎？并舉此以叩思訒，以爲何如也？

又《隨年詩草序》　詩必窮而後工，其實未然。古人亦達者少，而不得志者多也；苟不得志，必狀其幽憂鬱結、感慨不平之情以致才，是其胸中仍有富貴利達之見，膠轕蔕芥而不自釋者，其志趣已可見。古之作者，寧有是哉！夫溫柔敦厚，詩之教也，惟變雅乃有怨誹之言，然皆公卿大夫感時傷亂，激於忠愛而然，非夫窮而在下以自鳴者也。若尹吉甫之自美其詩，則固曰清風肆好矣，斯乃詩之正則；而怨誹不得已之作，非後世之所得而徒托也。

邵長蘅《青門旅稾》卷三《吹萬集序》　吹萬者何？本蒙莊吹萬不同語也。蒙莊氏之言曰：大塊噫氣，其名爲風。是惟無作，作則萬竅怒呺。故其所爲，似鼻、似口、似耳、似枅、似圈、似臼、似洼、似污者極衆，竅之不同也。激者、謞者、叱者、吸者、叫者、譹者、笑者、唱于者、唱喁者衆，竅之聲之不同也。然而泠風則小和，飄風則大和，翏翏、調調、刁刁而自合乎籟者，則無不同。古今之詩亦然。詩自《三百篇》、《離騷》而下，有漢有魏，有六朝，有三唐，有宋有元，有明有今，海內稱詩家，其不同也，猶夫竅也。其音之洪纖、高下、正變、清濁、剛柔、嘽緩、促急、和平、噭咷之不同，猶夫竅之聲也，而要其緣乎情、沿乎法，各鳴其胸之所欲言，而扣之而成聲，則無不同。不成聲，不足名詩。余怪夫百餘年間譚詩者之日陋也，主漢、魏、三唐者，詆宋、元人詩曰旁門，曰小乘；主宋者，詆前之所作曰贗，曰勦，甚則怒其子孫，乃并其祖父而訾之，波流雲擾，詆諆蠭出，不惟其是之折衷，而規規焉分流派、別異同，以蘄其勝而後已，譬之三尺童子截六寸之管，空其中而吹之，偶得一二聲，守之不變，且號于人曰：吾之聲可使景風翔、慶雲浮，吾之聲雖師曠之清角、鄒衍之吹律，無以加，噫！其陋也，余以謂詩顧其成與不耳，成則皆足以傳，而流派異同，固可亡論。

又《青門賸稿》卷四《二家詩鈔序》 一代風雅之歸，必有正宗。宗之言主也，尊也，言其人能主持風雅，而學者尊事之也。夫其所以爲一代之宗者，其才足以包孕餘子，其學足以貫穿古今，其識足以別裁僞體，而又有其地，有其時。夫才與學與識，人也；地與時，則有天焉，五者兼焉，故難也。今夫躋高位都通顯者，其氣力能奔走一世，而或不暇問風雅爲何語。而古今詩人多窮而在下，屈勢與位，如孟郊、張籍、陸龜蒙、梅詢、蘇舜欽之徒，往往能自不朽于身後，而及其生存，往往困踣湮鬱不能自振，而世亦未有從而推之者，阨于地也。

又《青門簏稿》卷七《金生詩序》 曩時海内一二稱詩家，喜標別同異，更相齮齕，某人某體是同乎吾也，則尊之譽之；某人某體是異乎吾也，則詆之譬之，雖心識其工，不欲與也。而庸妄不說學之夫，從而和之曰，某體某先生所宗也，亦宗之，某體某先生所排也，亦排之，嘻！夏蟲不可語冰，井鼃不可語于江河，其陋也甚矣。余以爲詩之有體，猶夫形焉已爾，故其沈鬱、豪放、典麗、清眞、平澹、奇怪各自名家者，皆學于古人，而得其性情所近，雖作者不知其所以然，譬之賦形然，毛而方者，黑而津者，專而長，皙而瘠者，豐肉而庳者，五地之民各得其氣所近，不能彊之使同，顧其人之或爲聖賢，或爲豪傑，或爲愚不肖，則不係乎此也。故余常論詩，以謂詩自漢、魏、六朝、三唐至宋、元、明人之作，皆有可學，有不可學，視吾自得何如爾；苟吾之詩學既成，而卓乎有以自立，亡論其爲漢、魏、六朝，爲李、杜，爲三唐，爲宋、元、明詩，皆可使之就吾之鑪冶，而皆不能爲吾病；吾之詩學未成，亡論其學漢、魏、六朝，學李、杜，三唐及宋、元、明，皆足以病吾，而皆未必有當于詩。何則，其自得者尠也。

又《吳退詒詩序》 古之世，其視詩也難，故其詩盛而不可加；後世視詩也易，故其詩爲之有至有不至。古者十三學誦詩舞勺，入學，則太師教六詩，以六德爲之本，以六律爲之音；大司樂教樂德、樂語、樂舞，皆詩教也，而列國名卿大夫相贈答，類稱引篇什，以見志而已，未聞有所賦譔，蓋視詩之難如此。其時間有作者，雖變風變雅，以至羈人思婦感激之音，往往采于太史，而見錄于聖人，何其盛也！迨後世詩教既廢，凡横目二足之徒，稍習音韻儷偶，輒哆然而稱詩，顧爲之雖多，其獲傳于世者蓋千百之一也；幸而獲傳，而能卓乎自名其家者，又什百之一也，是何古今人之不相及耶！夫詩，藝也，然要其至，則天人兼焉。漢、唐以來詩雖遜古，顧其間能卓乎名家者，大抵或爲沈鬱，或爲豪放，或爲綺麗、澹逸、幽奇，各習焉而得其性情之所近；而其學之勤也，必本之《三百篇》、《離騷》以濬其源，叩之六藝子史百家以博其識，旁及山經地志佛老方伎之說以盡其變；其思之專也，必劌心鉥肝，顑頷誠壹，一切榮枯得失悲樂之感，莫不發之于此。夫其體之沈鬱、豪放、綺麗、澹逸、幽奇，不可強而同者，從乎天者也；其學之勤而思之專，盡乎人者也。是故有人而無天，終身爲之，未必其至也；有天而無人，率然至之，未必其皆至也。嗚呼！不其難哉！

又卷一一《答賀天山》 詩文忌俗，誠如來書所云，然醫俗無它法，惟平日多讀書，則俗氣自除。山谷評王著書，謂著極善用筆。若使胸中有書數千卷，不隨世鹿鹿，則書不病韻，自勝李西臺、林和靖矣。夫書特一藝，綦[illegible]等爾，胸中猶不可無書卷氣，吾輩蘄以立言自表見，而不能多讀書，歲月波流，良增慨歎，冀與知己共勉之也。

龐塏《詩義固說》卷上 古詩三千，聖人刪爲三百，尊之爲經。經者，常也，一常而不可變也。後此遂流而爲《騷》，爲漢、魏五言，爲唐人近體。其雜體曰歌，曰行，曰吟，曰曲，曰謠，曰咏，曰歎，曰辭。其體雖變，而道未常變也。故欲學爲詩者，不可不讀《三百篇》也。其體雖分《風》、《雅》、《頌》，而其感於心而形於言，由淺入深，借賓形主，不過如夫子所云「辭達而已矣」，寧有他哉！至其辭句蘊藉，美刺昭然，所謂溫柔敦厚而不愚者也。詩有道焉：性情禮義，詩之體也；始終條理，詩之用也。無體不立，無用不行，相爲表裏，如四時成歲，五官成形，乃天人之常也。苟春行秋令，目居眉上，即爲天變人妖矣。爲詩而始終條理失倫，用之既乖，體將安託？故成章以達淺深次序之法，不可不講也。

又卷下 聖賢立言以明道，詩者，立言之一體。《小序》曰詩「發乎性情，止乎禮義」者，吾性之固有，由性而有情，由性而有詞。夫子曰：「辭達而已矣。」作詩之道，盡於此矣。風人開其宗，《離騷》、漢魏守其緒，未之或易也。晉人去魏不遠，乃不以達意爲詩，而以修詞爲詩，意不中出，而詞由外來，詩遂亡。其亡而不亡者，有陶公以正其歸也。下此又以纖麗失之。至唐變爲近體，沈、宋、王、孟、高、岑諸公，昌明博大，自是盛世之音，未免文勝於質，故當以子美爲宗子也。下逮宋、元，漸迷漸失，遂流入於粗淺鄙俚而不可救。有明代起，王、李爭於氣格，其失也膚闊；鍾、譚矯以幽澹，其失也淺弱，總相爭於皮毛之外，大似退之裘葛之喻，非中論也。子欲學詩，試卽性情禮義之旨，求之《風》、《騷》，求之漢、魏，求之陶、杜，其體雖變，而道實有合焉。其合之爲是，則不合者之爲非也。是非既明，則趨舍正而可以無背於風人矣。

裘君弘《西江詩話》卷五 謹按詩《三百篇》多羈臣怨婦感遇抒懷之什，而聖人標之曰經。至與堯、舜、羲、文諸大聖之書同一篇目。後世詞人韻士，僅以爲玩物適情之具，非不儷花門草，抹月批風，而壯夫鄙爲小伎。嗟乎，言志之道如此，則其於人之志從可知也。故唐一代以詩取士，而末造詩流以忠節顯者，落落晨星焉。文山公詩，字字從肺腑中洋溢而出，何嘗立意，何嘗不工，此爲天地古今之元聲，令宣聖可作，必且目之爲經，區區騷、雅云乎哉！又按古今來，有文章者不必有節義，能節義者不皆文章。愚前言詩、文二道，兼者甚難，若文章節義，其兼之則又更難於詩文也。自文山、疊山兩先生出，而文章節義聚於一身，似覺兼之又不爲難矣。稱西江者，必曰文章節義之鄉，其來固有自哉！

孔尚任《湖海集》卷一〇《古鐵齋詩序》 畫家分南北派，詩亦如之。北人詩雋而永，其失在誇；南人詩婉而風，其失在靡。雖有善學者，不能盡山川風土之氣。蓋山川風土者，詩人性情之根柢也，得其雲霞則靈，得其泉脈則秀，得其岡陵則厚，得其林莽煙火則健。凡人不爲詩則已，若爲之，必有一得焉。爲之而亦有不得者，乃不以己之意爲詩，而假人之意以爲詩，久假不歸，雖山川風土，亦不能効其功，所謂失在誇與靡者也。【略】考三代以來，江以東無詩，所謂楚風者，乃在方城漢水之間。漢魏之言詩者，南弱而北盛。至唐宋始相均。近則吳越七閩家絃戶誦，可謂南盛於北矣。然誇多鬬靡，假人之意以爲詩，雖盛猶弱耳。

又《城東草堂詩序》 天下之言詩者，莫盛於燕臺與維揚，而予在燕臺維揚實未嘗見一詩。夫所謂詩者，欲得性情之正，一有委曲狥俗之意，其大旨已失。天下之人，稍能言詩，輒思遊燕臺，遊維揚，其意何居？亦曰近貴也，近富也。燕臺之貴人，乘輿擁翣，日殿呵於道，四方之客能承其顏色，卽可致身青雲，見者誰不慕而奉之？其爲詩也，大抵誦貴之言，而謂有性情之正乎？維揚之富人，據厚貲，居大第，卽持籌書算、臧獲僕御之輩，亦華冠麗服，以氣加人，人苟能僕僕其門，亦可乞餘瀝以活妻子，見者誰不羨之？羨之則思有以親之，其爲詩也，又多諛富之言，而性情亦不可問矣。

查愼行《敬業堂詩集》卷二一《過岭老與之論詩》 昨日鳩喚雨，今朝鵲報晴。村村桃李花，處處隨浮萍。中流幾千點，著此孤舟輕。故人知我來，一咲門前迎。別來四十日，頗覺太瘦生。苦吟誠乃疲，中有金石聲。子詩人所怪，任意方孤行。自喜正在茲，焉能博時名？引我附同調，背汗顏亦赬。失學事惰游，東西無期程。古人傳著述，多在名山成。涉獵得其粗，不如閉戶精。子今雖善病，幽居領餘清。物理與天機，靜觀皆性情。願子堅自信，後來有公評。

趙執信《談龍錄》 詩之爲道也，非徒以風流相尚而已。《記》曰：「溫柔敦厚，詩教也。」馮先生恆以規人。《小序》曰：「發乎情，止乎禮義。」余謂斯言也，眞今日之針砭矣夫。

又 或曰：「禮義之說，近乎方嚴，是與溫柔敦厚相妨也。」余曰：「詩固自有其禮義也。今夫喜者不可爲泣涕，悲者不可爲歡笑，此禮義也。富貴者不可語寒陋，貧賤者不可語侈大，推而論之，無非禮義也。其細焉者，文字必相從順，意興必相附屬，亦禮義也。是烏能以不止耶！」

又 客有問余者曰：「唐宋小說家所記，觀人之詩，可以決其年壽祿位所至。有諸？」答曰：「詩以言志，志不可僞託。吾緣其詞以覘其志，雖傳所稱賦列國之詩，猶可測識也，矧其所自爲者耶！今則不然：詩特傳舍，而字句過客也。雖使前賢復起，烏測其志之所在？」

又 詩人貴知學，尤貴知道。東坡論少陵詩外尚有事在，是也。劉賓客詩云「沉舟側畔千帆過，病樹前頭萬木春」，有道之言也。白傅極推之。余嘗舉似阮翁，答曰：「我所不解。」阮翁酷不喜少陵，特不敢顯攻之，每舉楊大年「村夫子」之目以語客。又薄樂天而深惡羅昭諫。余謂昭諫無論已，樂天《秦中吟》《新樂府》而可薄，是絕《小雅》也。若少陵有聽之千古矣，余何容置喙。

又 唐賢詩學，類有師承，非如後人第憑意見。竊嘗求其深切著明者，莫如陸魯望之叙張祜處士也，曰：「元和中，作宮體小詩，辭曲豔發。輕薄之流，合譟得譽。及老大，稍窺建安風格，讀《樂府錄》，知作者本意，短章大篇，往往間出，講諷怨譎，與六義相左右，善題目佳境，言不可刊置別處，此爲才子之最也。」觀此可以知唐人之所尚，其本領亦略可窺矣。不此之循，而蔽於嚴羽囈語，何哉？

又 文章原本《六經》，詩亦文也。余意尤重《春秋》，非《春秋》則取舍乖而體不立矣。昔人所爲致「嚴於一字」者，取諸《春秋》也。余曾爲先叔祖清止公行實，中間頗有所諱，阮翁爲益數行，余自是甘自疎。

沈德潛《說詩晬語》卷上 詩之爲道，可以理性情、善倫物、感鬼神、設教邦國、應對諸侯，用如此其重也。秦漢以來，樂府代興；六代繼之，流衍靡曼。至有唐而聲律日工，託興漸失，徒視爲嘲風雪、弄花草、遊歷燕衎之具，而「詩教」遠矣。學者但知尊唐而不上窮其源，猶望海者指魚背爲海岸，而不自悟其見之小也。今雖不能竟越三唐之格，然必優柔漸漬，仰溯《風》《雅》，詩道始尊。

又 古人意中有不得不言之隱，借有韻語以傳之。如屈原「江潭」、伯牙「海上」、李陵「河梁」、明妃「遠嫁」，或忼慨吐臆，或沈結含悽，長言短歌，俱成絕調。若胸無感觸，漫爾抒詞，縱辦風華，枵然無有。

又 有第一等襟抱、第一等學識，斯有第一等眞詩。如太空之中，不着一點；如星宿之海，萬源湧出；如土膏既厚，春雷一動，萬物發生。古來可語此者，屈大夫以下，數人而已。

又 士衡舊推大家，然通贍自足，而絢綵無力，遂開出排偶一家。降自齊梁，專工隊仗，邊幅復狹，令閱者白日欲卧，未必非陸氏爲之濫觴也。所撰《文賦》云「詩緣情而綺靡」，言志章教，惟資塗澤，先失詩人之旨。

又 文以養氣爲歸，詩亦如之。七言古或雜以兩言、三言、四言、五六言，皆七言之短句也。或雜以八九言、十餘言，皆伸以長句，而故欲振蕩其勢，迴旋其姿也。其間忽疾忽徐，忽翕忽張，忽渟瀠，忽轉掣，乍陰乍陽，屢遷光景，莫不有浩氣鼓盪其機，如吹萬之不窮，如江河之滔漭而奔放，斯長篇之能事極矣。四語一轉，蟬聯而下，特初唐人一法，所謂「王楊盧駱當時體」也。

又卷下 嚴儀卿有「詩有別才，非關學也」之說，謂神明妙悟，不專學問，非教人廢學也。誤用其說者，固有原伯魯之譏。而當今談藝家，又專主漁獵，若家有類書，便成作者。究其流極，厥弊維鈞。吾恐楚則失矣，齊亦未爲得也。

又 人謂詩主性情，不主議論，似也，而亦不盡然。試思二《雅》中，何處無議論？杜老古詩中，《奉先詠懷》、《北征》、《八哀》諸作，近體中《蜀相》、《詠懷》、《諸葛》諸作，純乎議論。但議論須帶情韻以行，勿近傖父面目耳。戎昱《和蕃》云：「社稷依明主，安危託婦人。」亦議論之佳者。

又 《詩》本六籍之一，王者以之觀民風、考得失，非爲艷情發也。雖四始以後，《離騷》興美人之思，平子有定情之詠，然詞則託之男女，義實關乎君父友朋。自梁陳篇什，半屬艷情，而唐末香奩，益近褻嫚，失「好色不淫」之旨矣。此旨一差，日遠名教。

又 《記》曰：「寬而靜、柔而正者，宜歌《頌》。廣大而靜、疏達而信者，宜歌《大雅》。恭儉而好禮者，宜歌《小雅》。正直而靜、廉而謙者，宜歌《風》。」凡習於聲歌之道者，鮮有不和平其心者也。今人忌才揚己，揎拳露臂，觀其意氣，可覘所養矣。

又 負罪引慝，思古無訧，際人倫之窮者，何厚於自責也。卽涕泣關弓，情非得已；然惟餘怨艾之意，不聞訶讓之詞。乃有遭讒異於正則，處變異於《小弁》，而忿語詩情，動相譏議，小則見絕於友朋，大則獲戾於君父，君子憂之矣。盡言翹過，國佐已然，綴文之士，其知所節焉。

又 性情面目，人人各具。讀太白詩，如見其脫屣千乘。讀少陵詩，如見其憂國傷時。其世不我容，愛才若渴者，昌黎之詩也。其嬉笑怒罵，風流儒雅者，東坡之詩也。卽下而賈島、李洞輩，拈其一章一句，無不有賈島、李洞者存。倘詞可餽貧，工同鞶帨，而性情面目，隱而不見，何以使尚友古人者，讀其書，想見其爲人乎？

又《歸愚文鈔》卷一一《施覺庵考功詩序》 詩之爲道也，以微言通諷諭，大要援此譬彼，優游婉順，無放情竭論，而人徘徊自得於意言之餘。《三百》以來，代有升降，旨歸則一也。惟夫後之爲詩者，哀必欲涕，喜必欲狂，豪則縱放，而戚若有亡，矗厲之氣勝，而忠厚之道衰，其於詩教，日以偵矣。

又卷一二《繆少司寇詩序》 世之專以詩名者，談格律，整對仗，校量字句，擬議聲病，以求言語之工；言語亦既工矣，而么絃孤韻，終難當夫作者。惟先有不可磨滅之概，與挹注不盡之源，蘊於胸中，卽不必求工於詩，而縱心一往，浩浩洋洋，自有不得不工之勢。無他，工夫在詩外也。

又《汪茶圃詩序》 作詩謂可廢學，持嚴儀卿詩有別才之說而誤用之者也，而反其說者，又謂詩之爲道全在徵實，於是融洽貫串之弗講，而勦獵僻書，纂組繁縟，以夸奥博。若人挾類書一部，即可以詩人自詡者，究之駁襍支離，錮其靈明，愈徵實而愈無所得。夫天下之物，以實爲質，以虚爲用。學，其實也；才，其虚也。以實運實則滯，以虚運實則靈。萬物，實也，而動萬物者，莫疾乎雷。雷，其虚乎？撓萬物者，莫疾乎風。風，其虚乎？老子謂天地之間，其猶橐籥，虚而不屈，動而愈出，洵乎虚者足以用實，而學人之學，非才人之才，無以善之也。

又《王東溆柳南詩草序》 夫詩道之壞，在性情境地之不問，而務期乎苟同。前明中葉，李獻吉、何大復以復古倡率天下，天下靡然從風，家北地而戶信陽，於是土苴文繡，詢詡當時。咎學李、何者，并李、何而咎之，後濟南，婁東，紹述李、何，天下皆王、李也。公安、竟陵掊擊王、李，天下皆二袁、鍾、譚也。苟同之弊，必至於此。

又卷一三《許雙渠抱山吟序》 古人無不學之詩，李太白，曠世逸才也，而其始讀書匡山，至十有九年。杜少陵自言所得云：「讀書破萬卷，下筆如有神。」知古人所以神明其業者，未有不從強學而得者也。自嚴滄浪有「詩有別才，非關學也」之語，而誤用其說，遂以空疎鄙倍之辭，時形簡帙，而原本載籍者罕焉，其去詩道，日以遠矣。故詩雖超詣之難，而尤不根柢於學之足患。

田同之《西圃詩說》 詩之道，有根柢焉，有興會焉。鏡中之花，水中之月，羚羊挂角，無迹可尋，此興會也。本之《風》、《雅》以導其源，泝之《楚騷》、漢魏樂府以達其流，博之九經、三史、諸子以窮其變，此根柢也。根柢原於學問，興會發於性情。

方貞觀《輟鍛錄》 古云：「詩有别材，非關書也；詩有別趣，非關理也。」此說詩之妙諦也，而未足以盡詩之境。如杜子美「雨露之所濡，甘苦齊結實」，白樂天「野火燒不盡，春風吹又生」，韓退之《拘幽操》，孟東野《遊子吟》，是非有得於天地萬物之理，古聖賢人之心，烏能至此？可知學問理解，非徒無礙於詩，作詩者無學問理解，終是俗人之談，不足供士大夫之一笑。然正有無理而妙者，如李君虞：「嫁得瞿塘賈，朝朝誤妾期。早知潮有信，嫁與弄潮兒。」劉夢得：「東邊日出西邊雨，道是無晴卻有晴。」李義山：「八駿日行三萬里，穆王何事不重來。」語圓意足，信手拈來，無非妙趣。可知詩之天地，廣大含宏，包羅萬有，持一論以說詩，皆井蛙之見也。

又 有詩人之詩，有學人之詩，有才人之詩。才人之詩，崇論閎議，馳騁縱橫，富贍標鮮，得之頃刻。然角勝於當場，則驚奇仰異，咀含於閒暇，則時過境非。譬之佛家，吞針咒水，怪變萬端，終屬小乘，不證如來大道。學人之詩，博聞強識，好學深思，功力雖深，天分有限，未嘗不聲應律而舞合節，究之其勝人處，即其遜人處。譬之佛家，律門戒子，守死威儀，終是鈍根長老，安能一性圓明！詩人之詩，心地空明，有絶人之智慧；意度高遠，無物類之牽纏。詩書名物，别有領會；山川花鳥，關我性情。信手拈來，言近旨遠，筆短意長，聆之聲希，咀之味永。此禪宗之心印，風雅之正傳也。

薛雪《一瓢詩話》 趨庭之訓，首先及詩，而曰：「不學詩，無以言。」則詩之時義大矣哉！夫詩以道性情，感志意，關風教，通鬼神，倫常物理，無不畢具。以《擊壤》、《康衢》之類爲發源，由《三百篇》而降，則濫觴于漢、魏、六朝，浸廣于唐、宋、元、明，以及昭代，何世無詩？但日趨日下，去本一步，呈盡千媸。昔人已有詩亡之歎，況今日乎！有志者要當自具隻眼，溯流而上，必得其源。

又 學詩須有才思、有學力，尤要有志氣，方能卓然自立，與古人抗衡。若一步一趨，描寫古人，已屬寄人籬下；何況學漢魏則拾漢魏之唾餘，學唐宋則啜唐宋之殘膏。非無才思學力，直自無志氣耳！昔吾師横山先生云：「竊古人竊之似，則『優孟衣冠』；不似，則『畫虎不成』。與其假人餘焰，妄自僭王稱霸，孰若甘作偏裨，自領一隊？不然，豈獨風雅掃地，其志術亦可窺矣。」

又 作詩必先有詩之基，基即人之胸襟是也。有胸襟然後能載其性情智慧，隨遇發生，隨生即盛。千古詩人推杜浣花，其詩隨所遇之人、之境、之事、之物，無處不發其思君王、憂禍亂、悲時日、念友朋、吊古人、懷遠道，凡歡愉、憂愁、離合、今昔之感，一一觸類而起，因遇得題，因題達情，因情敷句，皆因浣花有其胸襟以爲基。如時雨一過，夭矯百物，隨地而興，生意各別，無不具足。

又 既有胸襟，必取材于古人。原本於《三百篇》、《楚騷》，浸淫於漢、魏、六朝、唐、宋諸大家，皆能會其指歸，得其神理，以是爲詩，正不傷庸，奇不傷怪，麗不傷浮，博不傷僻，決無剽竊吞剝之病矣。

又　詩文與書法一理。具得胸襟，人品必高。人品既高，其一謦一欬，一揮一灑，必有過人之處，享不磨之名。趙松雪云：「右軍人品甚高，故書入神品。奴隸小夫，乳臭之子，朝學執筆，暮已自誇其能，薄俗可鄙可鄙！」此言不特論書，直與學者當頭一棒。

又　柳公權云：「心正則筆正。」要知心正則無不正，學詩者尤爲喫緊。蓋詩以道性情，感發所至，心若不正，豈可含毫覓句乎？昔有人問余曰：諺云「歪詩」，何謂也？余戲之曰：詩者，心之言，志之聲也。心不正，則言不正，志不正，則聲不正，心志不正，則詩亦不正，名之曰「歪」，不亦宜乎？

又　作詩家數不必畫一，但求合律，便可造進。譬如作樂，八音迭奏，原各就其所發以成之，聖人聞之，三月忘味，何也？知其所以然，始可與言詩矣。

又　觀周樂一篇，是作詩指南。《進學解》一篇，是作文宗旨。學者當于此體會。

又　讀書先要具眼，然後作得好詩。切不可誤認老成爲率俗，纖弱爲工緻，悠揚宛轉爲淺薄，忠厚懇惻爲麤鄙，奇怪險僻爲博雅，佶屈荒誕爲高古，纔是學者。

又　詩不可無爲而作。試看古人好詩，豈有無爲而作者？無爲而作者，必不是好詩。

又　吾師横山先生誨余曰：「作詩有三字：曰情，曰理，曰事。」余服膺至今，時時理會者。

又　「得體」二字，詩家第一重門限，再越不得。倘然不夢而囈，不病而呻，豈非大不祥乎？

又　曾受韜鈐之法于蹇翁，揣摩久之，雖變化無窮，不出「奇正」二字。後受詩古文辭之學于横山，討論之下，亦不越「正變」二字。譬夫兩軍相當，鼓之則進，麾之則卻，壯者不得獨前，怯者不得獨後，兵之正也；出其不意，攻其無備，水以木罌而渡，沙可唱籌而量，兵之奇也。溫柔敦厚，纏綿悱惻，詩之正也；慷慨激昂，裁雲鏤月，詩之變也。用兵而無奇正，何異驅羊？作詩而昧正變，眞同夢囈。然兵須訓練於平時，詩要冥搜於象外。

又　無所觸發，搖筆便吟，村學究幕賓之流耳，何所取裁？横山先生有云：「必先有所觸而興起，其意、其辭、其句，劈空而起，皆自無而有，隨在取之于心；出而爲情、爲景、爲事，人未嘗言之，而自我始言之。故言者與聞其言者，誠可悅而永也。」余作「九秋」詩，因大有觸發，遂多創獲，益信先生之言不虛也。

又　王次回云：「詩家窠臼宜翻洗，人日慵拈薛道衡。」次回，匳香縷雪手也，乃有此金針度人之語。不落窠臼，始能一超直入，若拖泥帶水，終是土氣息、泥滋味。

又　運會日移，詩亦隨時而變。其實羲皇一畫，未嘗澌滅。何以有一種人，談唐宋而下，詆若仇讐；以宋詩比擬其作，即艷然不悦？吾嘗永夜思之，不得其解。

又　學詩讀詩，學文讀文，此古今一定之法。余獨以爲不然。詩不必在古人詩上，文不必在古人文上。東坡有云：「若言絃上有琴聲，放在匣中何不鳴？若言聲在指頭上，何不于君指上聽？」斯言雖淺，可以喻諸。

又　作詩與著書一理。有其德而無其位，有其道而無其權，著之可也。接前人未了之緒，開後人未啓之端，著之可也。苟不如是，雖汗牛充棟，何益哉。故秦焚之後，至于今日，可焚者又十之八九矣。詩之爲道，何獨不然？

又　際文明極盛之運，當敎化普被之時，聲律多正。捧忠義之心，傾濟世之志，進不偶用，退不獲安，則正變相半。身經喪亂，目擊流離，則純乎變矣。此詩道之運會，不得不然之數，作者亦不知其然而然者也。余故曰：非痛而呻，乃大不祥。

又　詩重蘊藉，然要有氣魄；無氣魄，決非眞蘊藉。詩重清眞，尤要有寄託；無寄託，便是假清眞。有寄託者，必有氣魄。無氣魄者，漫言寄託。猶之有性情不可無學問，有學問乃能見性情，二者原不單行。詩有別才之說，乃是「別裁」二字之誤，不可錯認。

又　詩與曲不同，在昔有被管絃者，多合律呂，後人所作，未必盡被管絃，不過寫志意、通事情，不失平仄已也。孟子曰「以意逆志」、「不以辭害志」。若拘拘于五音清濁、喉牙脣舌之間，有不割蕉加梅，亦幾希矣。

又　著作以人品爲先，文章次之，不可以「不以人廢言」爲藉口。如昔人云：阮步兵《詠懷》，寄愁天上，埋憂地下，其胸次非復人間機軸，而爲諸臣作《勸進表》，又不足多矣。陶徵士《飲酒》，前無古人，後無來者，眞有絳雲在霄，舒卷自如之致。雖有《閑情》一賦，何妨托興。

又 三衢葉敬君云：「不讀《三百篇》，不足以濬詩之淵源；不讀五千四十八卷，不足以入詩之幻化；不窮盡《十三經》，不足以閎詩之作用。今人作詩，于前數書窅不接目，第曰：『吾觀《選》詩而已，唐詩而已。』與村兒讀《千家詩》何異？」千古快論。

李重華《貞一齋詩說》 天地間情莫深於男女，以故君臣朋友，不容直致者，多半借男女言之。《風》與《騷》，其大較已。

又 虞帝謂：「詩言志。」又曰：「勸之以九歌。」至孔子存錄，正則歌詠盛德，變則諷諭末流，立教蓋如此其大也。杜子美云：「陶冶性靈存底物？新詩改罷復長吟。」是就言志中專指一端爲言。須知古人誦詩以治性情，將致諸實用，原非欲能自作詩。今既藉風雅一道，自附立言，則美刺二端，斷不得輕易著手。大致陶冶性靈爲先，果得性靈和粹，即間有美刺，定能敦厚溫柔，不謬古人宗指，否則於己既導慾增悲，於世必指斥招尤，或諛人求悅，取戾自不小也。

又 詩道最忌輕薄，凡浮豔體皆是；加以淫媟，更是末俗穢詞，「六義」所當棄絶也。余每謂元微之、溫飛卿不應取法者，爲此。

又 詩有性情，有學問。性情須靜功涵養，學問須原本《六經》。不如此，恐浮薄才華，無關「六義」。

又 人謂詩有別才，非關學力者。只就天分一邊論之，究竟有天分者，非學力斷不成家。孔子云：「鏃而礪之，笞而羽之，其爲入也，不亦深乎？」孟子云：「或相倍蓰而無算者，不能盡其才者也。」豈非全重學力？特患天分先已限之，即此事終懸隔耳。

又 詩學欲根柢深厚，莫若先將《詩經注疏》合宋、元儒說細參之，使說詩具有條貫，本領便自不同。

又 詩至淳古境地，必自讀破萬卷後含蘊出來，若襲取之，終成淺薄家數。多讀書非爲搬弄家私，震川謂善讀書者，養氣即在其內。故胸多卷軸，蘊成眞氣，偶有所作，自然臭味不同。

又 本無書籍，反欲以富麗惑人，如貧兒請客，湊集無數器物，具眼者徒增其醜。

厲鶚《樊榭山房文集》卷三《綠杉野屋集序》 少陵之自述曰：「讀書破萬卷，下筆如有神。」詩至少陵止矣，而其得力處，乃在讀萬卷書，且讀而能破致之。蓋即陸天隨所云：「轅轢波濤，穿穴險固，囚鎖怪異，破碎陣敵，卒造平澹而後已者。」前後作者，若出一揆。故有讀書而不能詩，未有能詩而不讀書。

鄭燮《賀新郎·述詩二首》 詩法誰爲準，統千秋姬公手筆，尼山定本。八斗才華曹子建，還讓老瞞蒼勁，更五柳先生澹水。聖哲奸雄兼曠逸，總自裁本色留深分，一快讀，分倫等。唐家李杜雙峰並，笑紛紛詩奴詩丐，詩魔詩鴆。王孟高標清徹骨，未免規方略近，似顧步驊騮未騁。怪殺韓碑揚巨斧，學昌黎險語排生硬，便突過，昌黎頂。經世文章要，陋諸家裁雪鏤月，標花寵草。縱使風流誇一世，不過閒中自了，那識得周情孔調？七月東山千古在，恁描摹瑣細民情妙，盡不出，豳風稿。文闗國運猶其小，剖鴻濛清寧厚薄，直通奧窔。寒暑陰陽多殄忒，筆底迴旋不少，莫認作書生談笑。回首少年游冶習，採碧雲紅豆相思料，深愧殺，杜陵老。

姚培謙《松桂讀書堂詩話》 詩主言情，文主言道，固也。其實情到極眞處即是道。《六經》言道，無一語涉腐爛者，後人依樣葫蘆說來，遂成腐爛耳。要之，文自文，詩自詩，非可一律論也。性情不足而後求之思致，思致不足而後求之事類，所以愈趁愈遠。作詩以氣貫爲主，氣貫則無論長篇短什，自然字字句句相照應。否則右軍所謂「形如算子」，東坡所謂「節節而爲之，葉葉而累之」者也。作字作畫皆然。李、杜二公詩篇皆原本忠愛，若以溫柔敦厚論之，則李不及杜。即如明皇幸蜀一事，二公皆反覆致意。李之《遠別離》、杜之《哀江頭》，無可議矣。其有詞意皆同而神理迥別者。太白《上皇西巡南京歌》其七章曰：「誰道君王行路難，六龍西幸萬人歡。地轉錦江成渭水，天回玉壘作長安。」子美則云：「錦江春色來天地，玉壘浮雲變古今。」同一錦江玉壘也，而李之意揚而竭，杜之意渾而厚矣。要之，自其骨性中帶來，不可強也。

邊連寶《病餘長語》卷六 余叙芥舟詩，其首段云：自嚴滄浪以禪喻詩，創爲不落言詮，不墮理障，如空中相，如鏡中花之說，其爲風雅之禍者甚烈，而近世之劫持文柄者，復宗其說而改其面目，謂詩當以神韻爲主，於是天下學者靡然趨風，社稷而尸祝之。下者循吻希聲，高者摹神追象，務爲無所歸存、不着痛癢之言以相高，以爲不如此不足以爲神韻也，於是乎詩道至此而大敝。夫詩以性情爲主，所謂老生常談正不可易者。不主性情而主神韻，得無影之掠而風之撲乎？杜甫氏千秋宗仰，求其所設神韻者，不過曰「浣花溪裏花含笑，肯信吾兼吏隱名」而已，再則曰「巡簷索共梅花笑，冷蕊疎枝半不禁」而已，外此無有也。善乎周埏氏之評杜也，曰：「絶脂粉以堅其骨，賤風神以實其髓。」神韻家不磕自碎矣。

喬億《劍谿說詩》卷上　詩學根本《六經》，指義四始，放浪於《莊》、《騷》，錯綜於《左》、《史》，豈易言哉！

又卷下　陳白沙曰：「論詩當論性情，論性情先論風韻，無風韻則無詩矣。」愚謂先生深味道腴，自具性情，故首以風韻爲言。至近代名家，專尙風韻，不問性情，反得謂之有詩乎哉！宋以來學《擊壤集》者多涉學究語，又或以書爲詩，以文爲詩，其乏風韻以此。

又　詩學根於性情，則識與年進，愈老愈妙。不然，精力向衰，才思頓減，遇英銳後生，皆當避席也。

又　所謂性情者，不必義關乎倫常，意深於美刺，但觸物起興，有眞趣存焉耳。

汪師韓《詩學纂聞・三有》　古今人說詩多端，約舉之則惟三有已耳。其始作也有感焉，詩以言志，而理情性也；後人兢兢於五忌八病，或日課一篇，或共疊一韻，有無病而呻吟者矣，有在戚而嘉容者矣，志不存，性情不見也。其方作也有義焉，《周官》大師教六詩：曰風，曰賦，曰比，曰興，曰雅，曰頌；大序謂之「六義」。有是義，則興於詩，學夫詩，漢、魏、唐、宋之詩，皆可興，皆可學也；無其義，則賦之言鋪，頌之言誦，兩言盡矣，比、興、風、雅闕如也。六闕其四，未有其兩獨存者也。（鍾嶸《詩品》序論賦、比、興之義曰：「文已盡而意有餘，興也；因物喻志，比也；直書其事，賦也。」論「興」字別爲一解，然似以去聲之「興」字、解爲平聲之「興」字矣。）其既成章也有我焉，一人有一人之詩，一時有一時之詩，故誦其詩，可以知其人，論其世也，若彼我之無分，後先之如一，闡闠混混，詩奚以進於經史哉？

又《讀書》　《三百篇》、漢、魏之作，類多率爾造極。故嚴滄浪曰：「詩有別才，非關書也。詩有別趣，非關理也。」後人傳誦其語。然我生古人之後，古人則有格有律矣，敢曰不學而能乎？依法則天機淺；憑臆則否臧凶，離之兩傷，此事固履之而後難也。且夫詩尙比興，必傍通鳥獸草木之名，既不能無所取材，則不可一字無來歷矣。「關關」「呦呦」之情狀，「敦然」「沃若」之精神，夾漈特著論以明之，其要歸於讀書而已。《傳》曰：「不學博依，不能安詩。」讀詩且不可不博依也，而顧自比於古婦人小子之爲詩也哉？

又《綺麗》　魏文帝《典論》曰：「詩賦欲麗。」陸士衡《文賦》曰：「詩緣情而綺靡。」劉彥和《明詩》亦曰：「四言正體，則雅潤爲本；五言流調，則清麗居宗。」以綺麗說詩，後之君子所斥爲不知理義之歸也。嘗讀《東山》之詩矣，周公但言「慆慆不歸」及「勿士行枚」數言而已足矣。彼夫蠋在桑野，瓜在栗薪，「伊威在室，蠨蛸在戶」，町畽近廬舍而鹿以爲場，熠燿乃倉庚而螢以爲號；未至而「婦歎于室」，既至而「親結其縭」，皆贅言也。又嘗讀《離騷》矣，屈子但言「國無人莫我知」及「指九天以爲正」，亦數言而可畢矣。彼夫駟玉虯，戒鸞皇，飲咸池，登閬風；索虙妃而求簡狄，占靈氛而要巫咸；始之秋蘭秋菊，終之瓊佩瓊靡，皆空談也。是則少陵之傑句，無如「老夫清晨梳白頭」；昌黎之佳作，莫若「老翁眞箇似童兒」。「一二三四五六七」，固唐賢《人日》之著題；「枇杷橘栗桃李梅」，且漢代大官之本色。香山《長慶集》，必老嫗可解也；鄭谷《雲臺編》，必小兒可教也。古樂府之「魚戲」（魚戲蓮葉東。魚戲蓮葉西。魚戲蓮葉南。魚戲蓮葉北），浣花集之「杜鵑」（西川有杜鵑。東川無杜鵑。涪萬無杜鵑。雲安有杜鵑），元劉仁本之「蕨萁」（東山有蕨萁。南山有蕨萁。西山有蕨萁。北山有蕨萁），明袁中郎之「西湖」（一日湖上行，一日湖上坐。一日湖上住。一日湖上臥），同一排比也；晉之《懊儂》（江陵去揚州，三千三百里，已行一千三，所有二千在），蘇之《靜坐》（無事此靜坐，一日似兩日。若活七十年，便是百四十），同一眞率也。刻畫而有唐之盧延遜，坦易而有明之莊定山，幾於風雅掃地矣。「窅窅乎思乙若抽，淵淵乎言長不足。」「起輪囷之調，揚縹渺之音。」《典論》、《文賦》之言，竊謂未可盡非也。

吳雷發《說詩菅蒯》　詩以道性情，人各有性情，則亦人各有詩耳。俗人黨同伐異，是欲使人之性情，無一不同而後可也。東坡云：「王氏之文，患在於好使人同己。」若今人之才，遠不及王氏，而必欲使人同己，尤爲不知量矣。昌黎以沈雄博大之才，發之於詩，而遇郊、島之寒瘦者，亦從而津津歎賞之。蓋古之具異才者，未有不愛才者也。

又 筆墨之事，俱尚有才，而詩爲甚。然無識不能有才，才與識實相表裏。作詩須多讀書，書所以長我才識也。然必有才識者方善讀書，不然，萬卷之書，都化塵埃矣。詩須多做，做多則漸生才識也。然必有才識者方許多做，不然，如不識路者，愈走愈遠矣。詩須多講究，講究多所以遠其識、高其才也。然必有才識者方能講究，不然，齊語楚咻，茫然莫辨故也。故知才識尚居三者之先。

又 詩本性情，固不可強，亦不必強。近見論詩者，或以悲愁過甚爲非；且謂喜怒哀樂，俱宜中節。不知此乃講道學，不是論詩。詩人萬種苦心，不得已而寓之於詩。詩中之所謂悲愁，尚不敵其胸中所有也。《三百篇》中豈無哀怨動人者？乃謂忠臣孝子貞夫節婦之反過甚乎？金罍兕觥，固是能節情處，然惟懷人則然。若乃處悲愁之境，何嘗不可一往情深？

又 文要養氣，詩要洗心。子由推司馬子長之文有奇氣，而歸功於遊覽，是亦氣之一助也。至於詩，則必洗滌俗腸而後可以作。向謂詩自詩而人自人者，固別有說，不得以荆公藉口也。夫詩可以醫俗，而所以醫詩之俗者，亦必有道。蓋其俗在心，未有不俗於詩；故欲治其詩，先治其心。心最難於不俗，無已，則於山水間求之。

又 胸明眼高，每覺前無古人，後無來者，則筆端自然磊落而雄放。虛心下氣，每覺街談巷議，助我見聞，牧豎耕夫，益我神智，則筆端自然深細而溫和。

黃子雲《野鴻詩的》 詩有道統，不可不究其所自。姑綜其要而言：《風》《騷》之外，於漢曰《十九首》，曰蘇、李，於魏曰曹、劉，於晉曰左、阮、淵明，於宋曰鮑、謝，於齊曰玄暉，於梁曰仲言，於陳曰子堅、孝穆，於周曰子山，之數公者，雖各自爲一家言，而正始之緒，截然不紊。

又 一曰「詩言志」，又曰「詩以導情性」。則情志者，詩之根柢也；景物者，詩之枝葉也。根柢，本也；枝葉，末也。《三百篇》下迄漢、魏、晉，言情之作居多，雖有鳥獸草木，藉以興比，非僅描摹物象而已。迨元嘉時，鮑、謝二公爲之倡，風氣一變；嗣後倣效者情景參半，歷梁、陳而專尚月露風雲。及唐初沈、宋諸君子出，相與振興元古，崇尚清眞，風氣復一變。沿至「中」、「晚」，又轉而爲梁、陳矣。宋以後無譏焉。

又 詩有禪理，不可道破。個中消息，學者當自領悟，一經筆舌，不觸則背。詩可註而不可解者，以此也。

又 詩猶一太極也，陰陽萬物於此而生生，變化無窮焉。故一題有一義，一章有一格，一句有一法；雖一而至什，什而至千百，毋沿襲，毋雷同。如天之生人，億萬耳目口鼻，方寸間自無有毫髮之相似者，究其故，一本之太極也。太極誠也，眞實無僞也。詩不外乎情事景物，情事景物要不離乎眞實無僞。一日有一日之情，有一日之景，作詩者若能隨境興懷，因題著句，則固景無不眞，情無不誠矣；不眞不誠，下筆安能變易而不窮？是故康樂無聊，慣裁理語；青蓮窘步，便說神仙；近代牧齋莫年蕭瑟，行文未半，輒談三乘矣。

又 夫盜者，惡名也，然莊子所謂取天地之利者謂之盜，則詞人文客，讀古聖賢書而默師其旨趣者，亦不得不謂之盜。如《詩》之逸也，《書》之整也，《易》之奇也，《禮》之經也，《春秋》之正也，以及《魯論》之義蘊，《孟子》之機利，左氏之詞琢，馬遷之窈眇，班《史》之沈雄，學詩者若盡能盜而有之，奚獨讓浣花一老擅場千古哉？

又 由《三百篇》以來，詩不絕於天下者，曰：美君后也，正風化也，宣政教也，陳得失也，規時弊也，著風土之美惡也，稱人之善而謹無良也。故天子聞之則聖敬躋，大夫聞之則訏謨遠，多士聞之則道義明，匹夫匹婦聞之則風節厲而識其所以愧恥矣。若夫月露之詞，勦襲之說，悠謬之談，穠纖之句，諛佞之章，有何裨益於世教人心，而夫子刪詩之義謂何？

又 詩貴乎溫柔，亦有不嫌切直，如《十月之交》篇中，歷斥其人而不諱；則杜老《麗人行》，「賜名大國虢與秦」、「愼莫近前丞相嗔」，非風人之義與？因是知溫柔者詩之經，切直者詩之權也。

袁枚《隨園詩話》卷一 人稱才大者，如萬里黃河，與泥沙俱下。余以爲：此麤才，非大才也。大才如海水接天，波濤浴日，所見皆金銀宮闕，奇花異草；安得有泥沙污人眼界耶？或曰：「詩有大家，有名家。大家不嫌龐雜，名家必選字酌句。」余道：作者自命當作名家，而使後人置我於大家之中；不可自命爲大家，而轉使後人屏我於名家之外。嘗規蔣心餘太史云：「君切莫老手頹唐，才人膽大也。」心餘以爲然。

又 楊誠齋曰：「從來天分低拙之人，好談格調，而不解風趣。何也？格調是空架子，有腔口易描；風趣專寫性靈，非天才不辦。」余深愛其言。須知有性情，便有格律；格律不在性情外。《三百篇》半是勞人思婦率意言情之事；誰爲之格？誰爲之律？而今之談格調者，能出其範圍否？況皋、禹之歌，不同乎《三百篇》；《國風》之格，不同乎《雅》、《頌》：格豈有一定哉？許渾云：「吟詩好似成仙骨，骨裏無詩莫浪吟。」詩在骨不在格也。

又卷二　凡古人已亡之作，後人補之，卒不能佳，由無性情故也。束皙補《由庚》，元次山補《咸英》、《九淵》，皮日休補《九夏》，裴光庭補《新宮》、《茅鴟》：其詞雖在，後人讀之者寡矣。

又卷三　王陽明先生云：「人之詩文，先取眞意；譬如童子垂髫肅揖，自有佳致。若帶假面傴僂，而裝鬚髯，便令人生憎。」顧寧人與某書云：「足下詩文非不佳，奈下筆時，胸中總有一杜一韓放不過去，此詩文之所以不至也。」

又　最愛周櫟園之論詩曰：「詩以言我之情也，故我欲爲則爲之，我不欲爲則不爲。原未嘗有人勉強之，督責之，而使之必爲詩也。是以《三百篇》稱心而言，不著姓名，無意于詩之傳，並無意于後人傳我之詩。嘻！此其所以爲至與！今之人，欲借此以見博學，競聲名，則誤矣！」

又　余常謂：詩人者，不失其赤子之心者也。沈石田《落花》詩云：「浩劫信于今日盡，癡心疑有別家開。」盧仝云：「昨夜醉酒歸，仆倒竟三五。摩挲青莓苔，莫嗔驚着汝。」宋人倣之，云：「池昨平添水三尺，失卻擣衣平正石。今朝水退石依然，老夫一夜空相憶。」又曰：「老僧只恐雲飛去，日午先教掩寺門。」近人陳楚南《題背面美人圖》云：「美人背倚玉闌干，惆悵花容一見難。幾度喚他他不轉，癡心欲掉畫圖看。」妙在皆孩子語也。

又　詩如言也，口齒不清，拉雜萬語，愈多愈厭。口齒清矣，又須言之有味，聽之可愛，方妙。若村婦絮談，武夫作鬧，無名貴氣，又何藉乎？其言有小涉風趣，而嚅嚅然若人病危，不能多語者，實由才薄。

又　詩境最寬，有學士大夫讀破萬卷，窮老盡氣，而不能得其閫奥者。有婦人女子、村氓淺學，偶有一二句，雖李、杜復生，必爲低首者。此詩之所以爲大也。作詩者必知此二義，而後能求詩於書中，得詩於書外。

又　千古善言詩者，莫如虞舜敎夔典樂。曰：「詩言志。」言詩之必本乎性情也。曰：「歌永言。」言歌之不離乎本旨也。曰：「聲依永。」言聲韻之貴悠長也。曰：「律和聲。」言音之貴均調也。知是四者，于詩之道盡之矣。

又卷四　凡作詩者，各有身分，亦各有心胸。畢秋帆中丞家漪香夫人有《青門柳枝詞》云：「留得六宮眉黛好，高樓付與曉妝人。」是閨閣語。中丞和云：「莫向離亭爭折取，濃陰留覆往來人。」是大臣語。嚴冬友侍讀和云：「五里東風三里雪，一齊排着等離人。」是詞客語。夫人又有句云：「天涯半是傷春客，飄泊煩他青眼看。」亦有慈雲護物之意。張少儀觀察和云：「不須看到婆娑日，已覺傷心似漢南。」則的是名場耆舊語矣。

又卷五　人有滿腔書卷，無處張皇，當爲考據之學，自成一家。其次，則駢體文，盡可鋪排，何必借詩爲賣弄？自《三百篇》至今日，凡詩之傳者，都是性靈，不關堆垛。惟李義山詩，稍多典故；然皆用才情驅使，不專砌塡也。余續司空表聖《詩品》，第三首便曰「博習」，言詩之必根于學，所謂不從糟粕，安得精英是也。近見作詩者，全仗糟粕，瑣碎零星，如剃僧髮，如拆襪綫，句句加註，是將詩當考據作矣。慮吾說之害之也，故續元遺山《論詩》，末一首云：「天涯有客號詅癡，悞把抄書當作詩。抄到鍾嶸《詩品》日，該他知道性靈時。」

又　古人門戶雖各自標新，亦各有所祖述。如《玉臺新咏》、溫、李、西崑得力於《風》者也。李、杜排奡，得力于《雅》者也。韓、孟奇崛，得力於《頌》者也。李賀、盧仝之險怪，得力于《離騷》、《天問》、《大招》者也。元、白七古長篇，得力于初唐四子；而四子又得之于庾子山及《孔雀東南飛》諸樂府者也。今人一見文字艱險，便以爲文體不正。不知「載鬼一車」、「上帝板板」，已見于《毛詩》、《周易》矣。

又卷六　時文之學，有害于詩；而暗中消息，又有一貫之理。余案頭置某公詩一冊，其人負重名；郭運青侍講來，讀之，引手橫截于五七字之間，曰：「詩雖工，氣脈不貫。其人殆不能時文者耶？」余曰：「是也。」郭甚喜，自詡眼力之高。後與程魚門論及之，程亦韙其言。余曰：「古韓、柳、歐、蘇，俱非爲時文者，何以詩皆流貫？」程曰：「韓、柳、歐、蘇所爲策論應試之文，卽今之時文也。不曾從事于此，則心不細，而脈不清。」余曰：「然則今之工于時文而不能詩者，何故？」程曰：「莊子有言：『仁義者，先王之蘧廬也；可以一宿，而不可以久處也。』今之時文之謂也。」

又卷七　詩難其眞也，有性情而後眞；否則敷衍成文矣。詩難其雅也，有學問而後雅；否則俚鄙率意矣。太白斗酒詩百篇，東坡嬉笑怒駡，皆成文章：不過一時興到語，不可以詞害意。若認以爲眞，則兩家之集，宜塞破屋子；而何以僅存若干？且可精選者，亦不過十之五六。人安得恃才而自放乎？惟糜惟芑，美穀也，而必加舂揄揚簸之功；赤堇之銅，良金也，而必加千辟萬灌之鑄。

又卷八 程魚門云：「時文之學，有害于古文；詞曲之學，有害于詩。」余謂：「時文之學，不宜過深，深則兼有害于詩。前明一代，能時文，又能詩者，有幾人哉？金正希、陳大士與江西五家，可稱時文之聖；其于詩，一字無傳。陳卧子、黄陶庵不過時文之豪；其詩便有可傳。《荀子》曰『藝之精者不兩能』也。」朱竹君學士曰：「詩以道性情。性情有厚薄，詩境有淺深。性情厚者，詞淺而意深；性情薄者，詞深而意淺。」

又卷一一 唐開元之治，輔之者：宋璟以德，姚崇以才，張説以文：皆稱賢相。本朝巡撫蘇州者：湯潛庵以德，宋牧仲以文：皆中州人也。近日中州胡雲坡司寇秉臬蘇州，繼二公而起，政簡刑清，屢開文宴，一時名士如平瑤海太史、顧星橋進士，時時過從。余至吳門，必招赴會。公領尚書後，都中猶寄懷云：「過江名士久推袁，吳下相逢月滿軒。鸞掖文章留舊價，倉山著述綜羣言。平生契合惟元老，半世棲遲爲壽萱。我上燕臺每南望，最關情處是隨園。」後又寄《扈從紀事詩》十二首來，不作頌揚泛語，自出心裁。《從圍》云：「一望燈光列星斗，始知身在五雲邊。」想見待漏晨趨，身傍九霄之光景。「策馬上山尋別路，忽聞絶壑響松濤。」想見熱處冷行，不爭衝要之識力。至于「才過殘月又新月，幾度排班看打圍。」則又明寫湛露龍光晝日三接之恩榮焉。有札命余和韻。余以詩貴淸眞，目所未瞻，身所未到，不敢牙牙學語；婢作夫人，故不敢作也。

又卷一三 考據家不可與論詩。或誚余《馬嵬》詩曰：「『石壕村裏夫妻別，淚比長生殿上多。』當日貴妃不死于長生殿。」余笑曰：「白香山《長恨歌》：『峩嵋山下少人行。』明皇幸蜀，何曾路過峩嵋耶？」其人語塞。然太不知考據者，亦不可與論詩。余《錢塘江懷古》云：「勸王妙選三千弩，不射江潮射汴河。」或誚之曰：「宋室都汴，不可射也。」余笑曰：「錢鏐射潮時，宋太祖未知生否。其時都汴者何人，何不一考？」

又卷一四 詩者，人之精神也；人老則精神衰葸，往往多頹唐浮泛之詞。香山、放翁尚且不免，而況後人乎？故余有句云：「鶯老莫調舌，人老莫作詩。」

又 詩文之道，全關天分。聰穎之人，一指便悟。霞裳初見余時，呈詩十餘首。余不忍拂其意，盡粘壁上。渠亦色喜。遂同遊天台，一路唱和，無一言及其前所呈詩也。往返兩月，霞裳歸家，急奔園中，取壁上詩，撕毁摧燒之，對余大笑。余亦戲作桓宣武語曰：「可兒！可兒！」

又 人必先有芬芳悱惻之懷，而後有沉鬱頓挫之作。人但知杜少陵每飯不忘君；而不知其于友朋、弟妹、夫妻、兒女間，何在不一往情深耶？觀其冒不韙以救房公，感一宿而頌孫宰，要鄭虔于泉路，招李白于匡山：此種風義，可以興，可以觀矣。後人無杜之性情，學杜之風格，抑末也！蔣心餘讀陳梅岑詩，贈云：「一代高才有情者，繼袁夫子是陳君。」

又卷一五 毛西河以詩賦爲試帖。按唐「明經」：先帖文，然後試帖經之法，以所習經，帖其兩端，中留一行試之；非指詩賦也。然「明經」亦有試詩者：王貞白有《帖經日試宮中瑞蓮詩》。

又卷一六 萬華亭云：「孔子『興于詩』三字，抉詩之精蘊。無論貞淫正變，讀之而令人不能興者，非佳詩也。」華亭進士名應磐。

又《隨園詩話補遺》卷一 《詩》始于虞舜，編于孔子。吾儒不奉兩聖人之教，而遠引佛老，何耶？阮亭好以禪悟比詩，人奉爲至論。余駁之曰：「《毛詩》三百篇，豈非絶調？不知爾時，禪在何處？佛在何方？」人不能答。因告之曰：「詩者，人之性情也。近取詩身而足矣。其言動心，其色奪目，其味適口，其音悦耳：便是佳詩。孔子曰：『不學詩，無以言。』又曰：『詩可以興。』兩句相應。惟其言之工妙，所以能使人感發而興起；倘直率庸腐之言，能興者其誰耶？」

又 凡攻經學者，詩多晦滯。獨蘇州江鄭堂藩詩能淸拔；王蘭泉司寇之高弟子也。《登齊雲山》云：「危梯高百步，曲折徑通幽。人與鳥爭路，僧邀雲住樓。山收千里翠，石放衆溪流。空際聞鐘磬，聲從何處求。」《寓樓》云：「東風料峭覺衣單，樓閣虛空夢未殘。病裏已教花事去，愁來肯放酒杯寬？畫圖勸客看山色，書卷留人忍夜寒。去歲家書今歲達，老親爲我定加餐。」《送蘭泉從方伯升司寇入都》云：「民情愛冬日，朝命轉秋官。」抑何工切。

又卷二 凡藥之登上品者，其味必不苦：人參、枸杞是也。凡詩之稱絶調者，其詞必不拗：《國風》，盛唐是也。大抵物以柔爲貴：綾絹柔則絲細熟，金鐵柔則質精良。詩文之道，何獨不然？余有句云：「良藥味不苦，聖人言不腐。」

又 考據之學，離詩最遠；然詩中恰有考據題目，如《石鼓歌》、《鐵券行》之類，不得不徵文考典，以侈侈隆富爲貴。但須一氣呵成，有議論、波瀾方妙，不可銖積寸累，徒作算博士也。其詩大概用七古方稱，亦必置之於各卷中諸詩之後，以備一格。若放在卷首，以撐門面；則是張屏風、床榻于儀門之外，有貧兒驟富光景，轉覺陋矣。聖人編詩，先《國風》而後《雅》、《頌》，何也？以《國風》近性情故也。余編詩三十二卷，以七言絶冠首，蓋亦衣錦尚絅，惡此而逃之之意。

又卷九 詩空談格調，不主性情，楊誠齋道是鈍根人所爲。近又有每動筆專摹古樣者。不知鑄錢有范，而人之求之者買錢不買范也。遺腹子祭墓，備極三牲五鼎，而終不知乃翁之聲音笑貌在何所，豈不可笑！

又《小倉山房詩集》卷四《答曾南邨論詩》 提筆先須問性情，風裁休劃宋元明。八音分列宮商韻，一代都存雅頌聲。秋月氣清千處好，化工才大百花生。憐予官退詩偏進，雖不能軍好論兵。

又卷六《讀書二首》一 我道古人文，宜讀不宜倣。讀則將彼來，倣乃以我往。面異斯爲人，心異斯爲文。横空一赤幟，始足張吾軍。

又卷一四《書所見》 賦詩似爲政，焉得人人悦。但須有我在，不可事剽竊。

又卷二六《自題》 不矜風格守唐風，不和人詩鬭韻工。隨意閒吟沒家數，被人強派樂天翁。

又卷三三《遣興》 但肯尋詩便有詩，靈犀一點是吾師。夕陽芳草尋常物，解用都爲絶妙詞。

又《小倉山房文集》卷一八《答某明府書》 詩之道，主溫柔，足下作令，能柔其民，卽詩人矣，不必于政外求詩。

又卷二八《錢嶼沙先生詩序》 嘗謂千古文章，傳眞不傳僞，故曰：「詩言志。」又曰：「修詞立其誠。」然而傳巧不傳拙，故曰：「情欲信，詞欲巧。」又曰：「神也者，妙萬物而爲言。」古之名家，鮮不由此。今人浮慕詩名而強爲之，既離性情，又乏靈機，轉不若野氓之擊轅相杵，猶應風雅焉。

又《趙雲松甌北集序》 雲松之于詩，目之所寓，卽書矣；心之所之，卽錄矣；筆舌之所到，卽奮矣；稗史方言龜經鼠序之所載，卽闌入矣。李衛尉之營陣，隨處可置也；態宜僚之丸，信手可弄也。而忽正忽奇，忽莊忽俳。忽沈鷙忽縱逸。忽叩虛而逞臆。忽數典而鬭靡。讀者游心駭目，碌碌然不可見町畦。或且規唐摹宋，千力萬氣以與之角，卒之騏驥追日，未暮而日已在其前。【略】夫詩，寧有定格哉？《國風》之格不同乎《雅》《頌》，皐禹之歌不同乎《三百篇》，漢、魏、六朝之詩不同乎三唐。談格者將奚從？善乎楊誠齋之言曰：「格調是空間架，拙人最易藉口。」周櫟園之言曰：「吾非不能爲何、李格調以悦世也，但多一分格調者，必損一分性情，故不爲也。」

又《蔣心餘藏園詩序》 作詩如作史也，才學識三者宜兼，而才爲尤先。【略】詩人無才，不能役典籍、運心靈。才之不可已也如是夫！然而自古清才多、奇才少。晉人稱謝邈清才，宋神宗讀蘇軾文，嘆奇才、奇才。才中分量，又不可以十百計。

又《錢竹初詩序》 余嘗謂：作詩之道難於作史，何也？作史三長，才學識而已，詩則三者宜兼，而尤貴以精韻將之，所謂絃外之音、味外之味也。情深而韻長，不徒詩學宜然，卽其人之餘休後祚，亦于是徵焉。東坡詩風趣多、情韻少，晚年坎坷，亦其證也。

又《童二樹詩序》 面，形骸也；詩，性情也，性情得而形骸可忘。

又《何南園詩序》 詩不成於人，而成於其人之天。其人之天有詩，脱口能吟；其人之天無詩，雖吟而不如其無吟。【略】其志約，故邊幅易周；其思專，故性情易得。【略】予往往見人之先天無詩，而人之後天有詩，於是以門戶判詩，以書籍炫詩，以疊韻、次韻、險韻敷衍其詩，而詩道日亡。

又卷三〇《答蕺園論詩書》 來諭諄諄，教删集内緣情之作，【略】鄙意以爲：得千百僞濂洛關閩，不如得一二眞白傅、樊川。以千金之珠易魚之一目，而魚不樂者，何也？目雖賤而眞，珠雖貴而僞故也。人之才性，各有所近，假如聖門四科，必使盡歸德行，雖宣尼有所不能。君子修身，先立其大，則其小者毋庸矯飾。【略】且夫詩者由情生者也，有必不可解之情，而後有必不可朽之詩。【略】鄭夾漈曰：千古文章，傳眞不傳僞。古人之文，醇駁互殊，皆有獨詣處，不可磨滅。自義理之學明，而學者率多雷同附和，人之所是，是之；人之所非，非之，問其所以是所以非之故，而茫然莫解。【略】先有寸心，後有千古。再四思之，故不如勿删也。

又卷三一《陶怡雲詩序》性情者，源也；詞藻者，流也。源之不清，流將焉附？迷途棄驥，愈速愈遠，此古人所以有清才之重也。【略】唐人五言工，不必七言也；近體工，不必古風也。鍾嶸《詩品》、滄浪《詩話》，尚悟不尚學也。

又《小倉山房外集》卷七《金賢村太守詩序》言者心之聲也，心不醇粹，則聲浮；文者情之著也，情不蟬嫣，則文敝。少登臨之境者難豪，有殷勤之意者好麗。

又《隨園尺牘》卷四《答雲坡大司寇》詩人窮而後工之說，原爲衰世之言。古人若唐虞之皋夔，成周之周召，何嘗不以高華篇什傳播千秋，然而彼皆颺拜于殿廷，未有流傳于草野者。【略】目之所未瞻，身之所未到，勉強爲之，有如茅簷曝背，高話金鑾。

又卷七《答何水部》若夫詩者，心之聲也，性情所流露者也。從性情而得者，如出水芙蓉，天然可愛；從學問而來者，如元黃錯采，絢染始成。

又卷八《答李少鶴書》他山是白描高手，一片性靈，痛洗阮亭敷衍之病，此境談何容易。【略】近今詩教之壞，莫甚於以註疏夸高，以塡砌矜博，捃摭瑣碎，死氣滿紙，一句七字，必小註十餘行，令人舌撟口呿而不敢下，於「性情」二字，幾乎喪盡天良。

又卷一〇《再答李少鶴》足下論詩，講「體格」二字，固佳。僕意「神韻」二字，尤爲要緊。體格是後天空架子，可倣而能；神韻是先天眞性情，不可強而至。【略】《三百篇》變風變雅，原不入笙歌也，然於「情韻」二字，卻有見到處。【略】詩人有終身之志，有一日之志，有詩外之志，有事外之志，有偶然興到流連光景即是成詩之志，「志」字不可看殺也。

錢思敏等《增訂詩法》卷一《六義說》風、雅、頌爲經，賦、比、興爲緯。賦、比、興者，貫乎風、雅、頌之中也。雖名「六義」，其實體三用三。大約風之體，溫而和厚，婉而善入，微而不露。雅之體，愷切敷陳，明晰正告，不用微言，無取諷辭。頌之體，質而不文，簡而不繁，奧而不膚，厚而不佻。賦者，鋪張實事。比者，以彼比此。興者，以彼引此。詩之六義，急宜講明。

紀昀《紀文達公遺集》卷九《郭茗山詩集序》鍾嶸以後，詩話冗雜如牛毛，而要其本旨，不出聖人之一語，《書》稱「詩言志」是也。蓋志者，性情之所之，亦即人品學問之所見。富貴之場，不能爲恬淡之詞。強而爲之必不工，即工亦終有毫釐差。阮亭先生論詩絕句有曰：「風懷澄澹推韋、柳，佳處多從五字求；解識無聲絃指妙，柳州那得並蘇州。」豈非柳州猶役役功名，蘇州則掃地焚香，泊然高寄乎？飴山老人持詩中有人之說，亦是意焉耳。

又《月山詩集序》詩必窮而後工，殆不然乎？上下二千年間，宏篇鉅製，豈皆出山澤之癯耶？然謂窮而後工者，亦自有說。夫通聲氣者騖標榜，居富貴者多酬應，其間爲文造情，殆亦不少，自不及閒居恬適、能翛然自抒其胸臆，亦勢使然矣。惟是文章如面，各肖其人。同一坎坷，不偶其心，狹隘而刺促，則其詞亦幽鬱而憤激，「東野窮愁死不休，高天厚地一詩囚」，遺山所論，未嘗不中其失也。其心澹泊而寧靜，則其詞脫灑軼俗，自成山水之清音，元次山《篋中》一集，品在令狐楚《御覽詩》上，前人固有定論矣。【略】斯眞窮而後工，又能不累於窮，不以酸惻激烈爲工者。溫柔敦厚之教，其是之謂乎？三古以來，放逐之臣，黃馘牖下之士，不知其凡幾，其託詩以抒哀怨者，亦不知其凡幾。平心而論，要當以不涉怨尤之懷，不傷忠孝之旨爲詩之正軌。昌黎《送孟東野序》，稱「不得其平則鳴」，乃一時有激之言，非篤論也。後之窮而求工於詩者，以是集爲法可矣。會侍郎將付剞劂，屬余爲序，因推公之志，而抒其大旨如右。

又《清艷堂詩序》人心之靈秀，發爲文章，猶地脈之靈秀，融結而爲山水。燕趙秦隴之山水，渾厚雄深；吳越之山水，清柔秀削；巴蜀之山水，峭拔險巇；湖湘之山水，幽深明靜；閩粵之山水，嶔崎繚曲；滇黔之山水，莽蒼鬱律：千態萬狀，無一相同，而其爲名勝則一也。蘇、李之詩天成，曹、劉之詩閎博，嵇、阮之詩妙遠，陶、謝之詩高逸，沈、范之詩工麗，陳、張之詩高秀，沈、宋之詩宏整，李、杜之詩高深，王、孟之詩淡靜，高、岑之詩悲壯，錢、郎之詩婉秀，元、白之詩樸實，溫、李之詩綺縟：千變萬化，不名一體，而其抒寫性情則一也。帝嬀有言曰：「詩言志，歌永言。」揚雄有言曰：「言，心聲也。文，心畫也。」故善爲詩者，其思濬發於性靈，其意陶鎔於學問，凡物色之感於外，與喜怒哀樂之動於中者，兩相薄而發爲歌詠，如風水相遭，自然成文；如泉石相舂，自然成響。劉勰所謂「情往似贈，興來如答」，蓋即此意。豈步步趨趨、摹擬刻畫、寄人籬下者所可擬哉？

又《挹綠軒詩集序》 《書》稱「詩言志」，《論語》稱「思無邪」，子夏《詩序》兼括其旨，曰「發乎情，止乎禮義」，詩之本旨盡是矣。其間觸目起興，借物寓懷，如楊柳雨雪之類，爲後人所長吟而遠想者，情景之相生，天然湊泊，非「六義」之根柢也。然風會所趨，質文遞變，如食本療飢，而陸海窮究其滋味；衣本禦寒，而纂組漸鬭其工巧，於是乎詠物之作，起於建安，游覽之篇，沿於典午，至陶謝而標其宗，至王孟韋柳而參其妙，至蘇黄而極其變，自唐至今，遂傳爲詩學之正脈，不復能全宗《三百篇》矣。飴山老人作《談龍錄》，力主詩中有人之說，固不爲無見，要其冥心妙悟，興象玲瓏，情景交融，有餘不盡之致，超然於畦封之外者，滄浪所論與風人之旨，固未嘗相背馳也。

謝鳴盛《範金詩話》卷上 《詩》三百篇，頌體莊嚴，雅體典重，風詩則體度雍和，寓至理于淺近之中，而抑揚宛曲，不緩不蹙，渾然天籟。雅頌則猶有人工也，其重疊低徊難已之處，更深入以一唱三嘆之思，後人變爲《九歌》、《四愁》、《五噫》、《七哀》，可謂深知其意者矣。若失其意而襲其貌，無其情而有其詞，雖多何益？

又 詩非積理則嘲風弄月，何關性情？然理又非徒敷陳道德，侈談謨誥，便稱理窟。試看《二南》語周文齊治列國，言時政否臧，詞句未嘗涉理，而言表溢然，固知談理非得理趣，難言風雅。卽二《雅》半屬典正之詞，三《頌》多美德容之盛，終不似後儒箴銘，膚庸滿簡。衛武公《抑》詩，最爲道學家佩誦，而「爾室屋漏」之語，猶是錯綜盡致。蓋理而領其趣，則如蜂蝶之飲花露。惟趣必根諸理，則如燈燭之有膏油。師古情殷，幸勿偏重。

又卷下 意有所主而義理從之，凡天地間一筆一畫無無義理之字，無無意之文，不獨詩爲然也。詩之所以別于文者，韻也，音也。音之起由人心生也，情動于中故形于聲，聲成文謂之音，故《樂記》曰：「不知聲者，不可與言音；不知音者，不可與言樂。」鄭夾漈云：「樂之本在詩，詩之本在聲。」師乙之論聲歌，「上如抗，下如墜，曲如折，止如槀木，倨中矩，勾中鉤，纍纍乎端如貫珠。故歌之爲言也，長言之也。說之，故言之；言之不足，故長言之、嗟嘆之，不知手之舞之足之蹈之。」然則論詩第言義理而不求聲韻，是猶耽飲者之餔其糟而棄其醨也。劉後村謂：「宋文人多，詩人少，雖集中各有詩，或尙理致，或負材力，或逞辨博，少者千篇，多至萬首，要皆經義策論之有韻者耳，非詩也。」吾邑劉水邨先輩，謂此語最道著宋詩病痛，至元人轉而柔靡之音，則又指水以爲酒。予之爲是說也，非爲酒可無糟，特不可以糟名酒耳。世有飲仙當自味之。

又 前輩每好攻擊嚴滄浪「詩有別材，非關書也；詩有別趣，非關理也」之說，卽朱竹垞號知詩者，亦云：「別材非關學，嚴叟不曉事。顧令空疎人，著錄稱弟子。」未免自恃博學而忘古人立言本意。《論語》中聖人之進退諸弟子者語，尙以參互而得，況滄浪語本無偏，下文明說「非多讀書多窮理則不能極其至」，是原未嘗教人無事博學也。若摘取一二語以恣駁刺，則經史可議者亦復不少。卽就其「別材」之說而按之，亦至當不移。《二南》風人，豈學士大夫所擬；古諺俗謠，或出諸農婦村童之口，古今如此者衆矣。吾友黄鶴汀松一縫工耳，幼未嘗入塾業，縫之餘自求識字，漸遂吟詩，出語便不同學究。及與吾菊榭漸摩，相深以學，而所用經傳典故俱與經生迥異。今觀其遺集中，五古樂府，予終不敢望其涯涘，蓋其得之天籟者多。又滄浪所謂：「不涉理路，不落言筌也。」若專以博洽爲工，古文人如左氏太史公之流，何以不傳聲歌，卽後之名家集中亦有不能詩而強爲之者，而語言腐爛，與其文如出兩手。人固各有能不能，則別材別趣之說未可盡云誣也，但未可以槪論中人之質耳。揚子雲云「讀千賦則能賦」，諺又有云「好詩吟得千千首，不會吟詩也會吟」，然能知好詩而吟，則又非具別材別趣者不能，故曰：滄浪之說，得詩家三昧者也。

又 《談龍錄》載崑山吳修齡與友書有云「詩之中須有人在」，其論固善。鳴盛則謂詩之中還須有我在。蓋我有我之性情，我之學識，我之登覽吟眺，同此論議而志趣迥殊，同此坵壑而意興各別，要使後人覽之，恍如與我相遇，挹豐標而訴衷悃，斯善矣。陳正字「前不見古人」之詠，于幽州臺何涉，而每一吟諷，若親覩其立臺端披襟裯慷慨而歌也，豈非有我之故乎？

趙翼《甌北集》卷二八《論詩》 詩解窮人我未空，想因詩尙不曾工。熊魚自笑貪心甚，既要工詩又怕窮。

又卷三三《題元遺山集》 身閲興亡浩刼空，兩朝文獻一衰翁。無官未害餐周粟，有史深愁失楚弓。行殿幽蘭悲夜火，故都喬木泣秋風。國家不幸詩家幸，賦到滄桑句便工。

又卷五一《詩情》 詩情漫索故書堆，飯罷銷閒步綠苔。今日不知明日句，聽他有句自然來。

又《論詩》 同此風雲月露形，前人刻劃已精靈。何須我拾殘牙慧，徒令人嗤照本臨。滿地撒錢難入貫，汲泉垂綆漫鈎深。祇應觸景生情處，或有空中天籟音。

又卷五二《稱詩》 稱詩何必苦爭新，無意爲詩境乃眞。水月鏡花言外意，雪來柳往景中人。江東杜甫雲垂暮，枕上歐陽夜嚮晨。莫食地肥烟火氣，仙人掌有露華新。

錢大昕《潛研堂文集》卷二六《味經窩類稿序》 嘗曰：「先聖之藴，具於《六經》；舍《六經》，安有學哉？」及其出而爲文，光明洞達，浩乎沛乎，一如其意之所欲言而止，譬之堂堂之陳，正正之旗，所向無敵，而不爲恌巧詭遇之計。蓋嘗受而讀之，詩賦章奏序記論說，無體不備，而説經之文居其大半。昔人稱昌黎以《六經》之文爲諸儒倡，今公之文非《六經》之法言不陳，非《六經》之疑義不決，折衷百家，有功後學，所謂吐詞爲經，而蘄至於古之立言者，唯公有焉。嘗慨秦漢以下，經與道分，文又與經分，史家至區道學、儒林、文苑而三之。夫道之顯者謂之文，《六經》子史皆至文也，後世傳文苑，徒取工於詞翰者列之，而或不加察，輒嗤文章爲小技，以爲壯夫不爲，是恥鞶帨之繡，而忘布帛之利天下；執穮秠之細，而嘗菽粟之活萬世也。公之學求道於經，以經爲文，當世推之曰通儒，曰實學，不敢廑以文士目公，而其文亦遂卓然必傳於後世，此之謂能立言者。昌黎不云乎：「言，浮物也。」物之浮者，罕能自立，而古人以立言爲不朽之一，蓋必有植乎根柢，而爲言之先者矣。草木之華，朝榮而夕萎；蒲葦之質，春生而秋槁，惡識所謂立哉？

又《李南澗詩集序》 以爲詩者，志也，非意所欲言而強而爲之，妄也；不知其人志趣所在，而強爲之辭，贅也。韓子之言曰：「物不得其平則鳴。」吾謂鳴者，出於天性之自然。金石絲竹匏土革木，鳴之善者，非有所不平也。鳥何不平於春，蟲何不平於秋，世之悻悻然怒、戚戚然憂者，未必其能鳴也。歐陽子之言曰：「詩非能窮人，殆窮者而後工。」吾謂詩之最工者，周文公、召康公、尹吉甫、衛武公，皆未嘗窮；晉之陶淵明窮矣，而詩不常自言其窮，乃其所以愈工也。若乃前導八騶，而稱放廢；家絫巨萬，而歎窶貧，舍己之富貴不言，翻託於窮者之詞，無論不工，雖工奚益！

又《甌北集序》 昔嚴滄浪之論詩，謂詩有別材，非關乎學；詩有別趣，匪關乎理。而秀水朱氏譏之云：「詩篇雖小技，其原本經史，必也萬卷儲，始足供驅使。」二家之論，幾乎枘鑿不相入。予謂皆知其一而未知其二者也。滄浪比詩於禪，沾沾於流派，較其異同，詩家門戶之別，實啓於此。究其所謂別材別趣者，只是依牆傍壁，初非眞性情所寓，而轉蹈於空疎不學之習。一篇一聯，時復斐然，及取其全集讀之，則索然盡矣。秀水謂詩必原本經史，固合於子美讀書萬卷、下筆有神之旨，然使無眞材逸趣以驅使之，則藻采雖繁，臭味不屬，又何以解祭魚、點鬼、疥駱駝、掉書袋之誚乎？夫唯有絶人之才，有過人之趣，有兼人之學，乃能奄有古人之長，而不襲古人之貌，然後可以卓然自成爲一大家。

又《春星草堂詩集序》 昔人言史有三長，愚謂詩亦有四長，曰才，曰學，曰識，曰情。放筆千言，揮灑自如，詩之才也。含經咀史，無一字無來歷，詩之學也。轉益多師，滌淫哇而遠鄙俗，詩之識也。境往神留，語近意深，詩之情也。方其人心有感，天籟自鳴，雖村謠里諺，非無一篇一句之可傳，而不登大雅之堂者，無學識以濟之也。亦有胸羅萬卷，采色富贍，而外強中乾，讀未終篇，索然意盡者，無情以宰之也。有才而無情，不可謂之眞才；有才情而無學識，不可謂之大才。尚稽千古，兼斯四者，代難其人。

魯九皋《詩學源流考》 孟子曰：「王者之迹熄而《詩》亡，《詩》亡然後《春秋》作。」自春秋迄戰國，又數百年，於是屈子興於南服，作爲《離騷》、《九歌》、《九章》之屬，以上繼《風》、《雅》、《頌》之音，其徒宋玉之徒和之，號爲《楚詞》。遭秦滅學，旋廢其業。漢興，《大風》、《秋風》之作，振起於上，於是小山《招隱》之詞，《惜誓》、《九諫》、《九懷》、《九歎》之什，羣然並作，王逸審定其旨，並列《騷》學。而司馬相如、揚雄又沿其流，作《子虛》、《上林》、《羽獵》、《長楊》諸賦；東都班固、張衡繼之，而《兩都》、《兩京》等賦出焉。要其敷陳直叙，不失古人諷諫之意，故班固之《兩都賦序》曰：「賦者，古詩之流也。」自時厥後，賦學漸棼，沿及梁、陳、隋、唐，又有古賦、律賦之別，而賦遂與《詩》、《騷》不相比附矣。五言之興，或云始於蘇、李與《十九首》。梁昭明太子選《十九首》，係以無名氏。徐陵《玉臺集》，分其中六章爲枚乘作。劉勰《文心雕龍》則云：「孤竹一篇，傅毅之詞。」是《十九首》中，東西兩都，並有其人，而枚乘在陵、武之前，又不得云始於蘇、李也。

大抵漢之五言，其意委曲詳盡，其詞抑揚宛轉，工於比興，切近事情，猶有十五《國風》之遺焉。然自唐山夫人有《安世房中歌》，而武帝立樂府采詩，以李延年爲協律都尉，《風》、《雅》、《頌》之音已備。蓋《房中歌》意擬《周南》，而義則取諸《文王之什》，是《大雅》之遺也。《郊祀十九章》學《頌》，《鐃歌十八曲》學《小雅》，其餘《相如曲》、《清調》、《平調》、《瑟調》、《舞曲歌詞》、《雜曲歌詞》，皆《風》之遺也。故自漢以來，樂府而外，凡學士大夫之作，別爲徒詩，殆其音節與絲竹不相調歟？蜀漢之際，魏、吳並立，而曹氏父子擅制作才，子建尤爲傑出，多借樂府題以歌咏時事。其時孔融、王粲、徐幹、劉楨、陳琳、阮瑀、應瑒羣相景附，謂之「建安七子」。自後言詩者，奉爲大宗。魏既篡漢，晉旋代魏，典午之世，阮嗣宗之《詠懷》，其遺音也。及金陵既下，混一晉統，而陸氏機、雲入洛，與張華兄弟齊名，時稱「二陸三張」。而傅玄、潘岳，並擅時譽，然文采徒存，性眞不附，詩道至此少衰。惟太沖《詠史》，景純《遊仙》，劉琨傷亂，頗能振興。迄陶公降生，以西山之節，師柳下之行，不激不隨，超然閑淡，時時歌咏其性情，而眞詩以出，風雅之盛，復媲於建安矣。劉宋之奪晉祚也，晉臣謝靈運入焉，與其從叔父混、從弟惠連、瞻並名於時。其詩長於遊山，刻畫點綴，備極神妙。而顏特進、鮑參軍各以其能著。參軍之擬古諸作，實足與謝相伯仲，故後世並稱鮑、謝。及玄暉繼起於齊，又有大、小謝之稱。梁繼齊統，何遜、沈約、范雲、任昉、江淹、柳惲、吳均一時並起。諸子之才，水部爲冠。休文審定音韻，特標五聲八病，遂爲律詩濫觴。自後陳有徐陵、陰鏗，北周有王褒、庾信。迨隋一南北，煬帝以英鷙之才，與羣臣唱和；而越公楊素尤爲挺出，薛內史雖負盛名，非其倫也。蓋自謝氏遊山，體尚排偶，詞工雕繪，雖在彼爲之，彌見古樸，而由此日趨日下，性情愈隱，至陳極矣。迄於隋，其復古之一機乎？蓋三漢、六朝之大略如此。其間柏梁之會，實肇七言，樂府中或雜其體。自參軍擬《白紵》、《行路難》，始有專家。梁、陳以下，始有繼起，要亦無足稱者。唐承六代之餘，崇尚詩學，特命詞臣定律詩體式，制科以此取士。貞觀之際，王、楊、盧、駱號稱四傑，其詩多沿舊習。陳、杜、沈、宋繼之，格律漸高。而陳拾遺尤爲復古之冠，其五言古詩，原本阮公，直追建安作者。自後曲江繼起，浸浸稱盛。開元、天寶之際，篤生李、杜二公，集數百年之大成。太白天才絕世，而古風樂府，循循守古人規矩；子美學窮奧窔，而感時觸事、憂傷念亂之作，極力獨開生面。蓋太白得力於《國風》，而子美得力於《大、小雅》，要自子建、淵明而後，二家特爲不祧之祖。其輔二家而起者，有王維、孟浩然、高適、岑參、李頎、王昌齡、劉昚虛、裴迪、儲光羲、常建、崔顥諸人。而元結又有《篋中集》一選，集沈千運、王季友、于逖、孟雲卿、張彪、趙微明、元融七人之作，都爲一卷，其詩直接漢人。故論詩者至開、寶之世，莫不推爲千載之盛也。大曆而後，風格漸降，獨韋應物以古詩稱於時。其詩專師陶公，兼取謝氏，前人所謂「發穠纖於簡古，寄至味於淡泊」，氣象近道，蓋卓乎不爲時域者也。其揚王、孟之餘波者，劉長卿猶不失雅正，而錢起次之。錢起與耿湋、盧綸、韓翃、李端、司空曙、吉中孚、苗發、崔峒、夏侯審並稱「十才子」。然十子之中，不無利鈍，而足與錢、劉相羽翼者，惟郎士元、李嘉祐、皇甫冉兄弟。貞元、元和之際，韓文公崛起，以天縱逸才，爲起衰鉅手，詩繼李、杜之盛。而柳子厚獨傳《騷》學，亦宗陶公，五言幽澹綿邈，足繼蘇州，故世並稱曰「韋、柳」。輔韓文公而起衰者，孟郊東野也；與柳州稱契者，有劉禹錫焉。其他元、白、張、王之樂府，盧仝、李賀、劉叉之詭怪，姚合、賈島之艱僻，非不瑰奇偉麗，卓然成家，然於此道中別闢一境，遂爲旁門小宗矣。太和、會昌而下，詩教日衰，獨李義山矯然特出，時傳子美之遺。特用事過多，涉於濃滯，或掩其美。次則杜牧之律體，寓拗峭以矯時弊，猶有健氣。義山與溫庭筠、段成式並爲西崑體，然溫非李儔也。其餘皮、陸、許渾、馬戴、趙嘏、韋莊、羅隱、唐彥謙諸人，雖間有逸韻，靡靡無足觀。降而韓偓之《香奩》，風益下矣。蓋終唐之世，稱大家者，以李、杜、韓三家爲宗。古詩之得正音者，陳、張、韋、柳四家爲宗，而元結、沈千運諸人爲輔。律詩之稱正音者，王、孟二家爲宗，而高、岑、錢、劉諸人爲輔。此唐詩之大較也。若夫唐人樂章，多尚鋪張，不若柳子厚之《唐雅》二篇，《鐃歌》十二曲，爲足追古作者。而樂人所歌，又在諸名人絕句，如王之渙之《涼州詞》、王維之《陽關三疊》，其尤著者。其他朝廟應制諸詩，體崇鉅麗，固以唐初前後四子及燕、許諸人爲正云。唐風既衰，五代干戈之際，作者寥寥。宋初國祚雖定，文采未著，學士大夫家效樂天之體，羣奉王禹偁爲盟主。其後楊億、劉筠輩崇尚西崑，專取溫、李數家，摹倣於字句儷偶之間。及歐陽公出，始知學古，與梅聖俞互相講切。歐詩長篇多效昌黎，間取則於太白；梅則於唐人諸家，不名一體，惟造平淡。

自此介甫、東坡相繼而起，山谷晚出，而與東坡齊名。於元祐之際，又有張文潛、晁無咎兄弟相爲羽翼，時稱「蘇門六君子」。東坡才大，汪洋縱恣，出入於李、杜、韓三家。山谷則一意學杜，精深峭拔，別出機杼，自成一格。呂本中嘗作《江西宗派圖》，以山谷爲鼻祖，列陳師道、潘大臨、謝逸、洪芻、饒節、僧祖可、徐俯、洪朋、林敏修、洪炎、汪革、李錞、韓駒、李彭、晁沖之、江端本、楊符、謝薖、夏倪、林敏功、潘大觀、何覬、王直方、僧善權、高荷，合二十五人，以爲法嗣，謂其源流皆出豫章。然二十五人，以詩聞於世者，不過數人，其餘未有聞焉。南渡以還，氣格卑約，獨陸放翁超然特出。顧此數君子，皆以長句見長，至如五言，則必以梅宛陵爲冠。次則末造之謝皋羽翺、嚴儀卿羽，猶存唐音。而《谷音》一集，多遺民逸士之作，足繼《篋中》之選。他若永嘉四靈之專學姚、賈，又其別出者也。金、元之際，元遺山猶傳東坡遺韻，次則劉迎差足羽翼。元初海內作者，推虞、楊、范、揭四人。道園自負其詩如「老吏斷獄」，允爲四家之冠。吳立夫萊後輩傑出，筆力實足抗衡。此外則趙子昂之清逸，薩天錫之工緻，雖非正音，亦稱能手。至楊鐵崖以淹博豔麗之才，專學飛卿、長吉，作爲樂府，怪僻詭異，詩道中又增一魔障矣。明代詩家，最爲總雜。開國之初，青田劉文成以名世之英，出經綸之餘，形於歌咏。當其未遇，已見知於道園虞氏。道園稱其「發感慨於性情之正，存憂患於敦厚之言，體製音韻，無愧盛唐」。次則吳中四傑高季迪啓、楊孟載基、張來儀羽、徐幼文賁，並有倡始之功。而是時劉子高崧起於江右，孫仲衍蕡起於嶺南，林子羽鴻起於閩中，又有張志道以寧、袁景文凱相繼而作，可謂一時之盛。第舊體初變，掃除未盡，就中求其莊雅純淨諸體皆備者，其海叟乎？青丘才力雖大，歌行而外，他體不無元習；孟陽而下，抑又蕪已。永樂以還，崇尚臺閣，迄化、治之間，茶陵李東陽出而振之，俗尚一變。但其新樂府，於鐵崖之外，又出一格，雖若奇創，終非正軌。嗣是空同李氏、大復何氏大聲一呼，海內響應，又得徐昌穀禎卿、邊華泉貢爲之輔翼，稱弘治四傑。繼又益以康海、王九思、王廷相三人爲七子，是爲「前七子」。是時詩學之盛，幾幾比於開元、天寶，而李、何聲價，當時亦不啻李、杜。七子之後，則有祥符高子業叔嗣，以深微妙婉之思，發溫柔敦厚之旨，粹然一出於正。繼之以皇甫子浚沖、子安涍、子循汸、子約濂兄弟，並溯源於建安及潘、左、鮑、謝諸家，不失五言正音。此外如薛君采蕙、華鴻山察、楊夢山巍，雖才力或減數子，時有出入，亦其次也。嘉靖之初，李、何之風少熄，而王元美氏、李于鱗氏復揚其餘燼，與四溟山人謝榛及梁有譽、宗臣、徐中行、吳國倫結社爲「後七子」，以振興風雅爲己任。當結社之始，稱詩選格，並取定於四溟。其後議論不合，于鱗乃遺書絕交，而元美別定五子，遽削其名。又有「後五子」、「廣五子」、「續五子」、「末五子」，廣至四十子，而四溟終不與。其實餘子皆無足稱，而七子之中，亦惟王、李、謝而已。前後七子，議論略同，其所宗法，皆在少陵以上，建安而下，唐以後書則置焉。其見非不甚善，特斤斤規彷，過於局促，神理不存。王、李之視李、何，抑又甚焉，故錢牧齋《歷朝詩選》極力擯之。然而當詩敎榛蕪之日，其催陷廓淸之功，亦何可少！至如昌穀徐氏選擇精融，純乎唐音，皇甫兄弟獨見推奬，而王敬美亦擕與高按察並稱，謂「更千百年，李、何尚有廢興，二家必無絕響」，論斯允矣。即四溟今體，工力深厚，不媿能手，又何可以「七子」而譏之也？自是以後，詩學日壞，隆、萬之際，公安袁氏，繼以竟陵鍾氏、譚氏，《詩歸》一出，海內翕然宗之，而三漢、六朝、四唐之風蕩然矣。其間非無卓然不惑，如歸季思子慕、高景逸攀龍、李伯遠應徵、區海目大相、謝在杭肇淛、曹能始學佺諸君子者，力持風氣，然淫哇之敎，浸人心術，論詩之害，未有烈於斯時者也。及陳臥子子龍奮臂大呼，少一轉變，論者猶以其不離「七子」面目爲憾。然大雅舉止，與侏儒之拜舞何如也？至嶺南屈翁山大均，五言直接太白，而陳元孝恭尹輔之，而有明一代之詩，至此終焉。蓋詩以言志，自《虞書》發其義，而《三百篇》窮其奧。漢人去古未遠，創爲五言，所作猶古風，故後之學者，以得五言爲正。五言之轉而七言，濫矣。五、七言之弊而有律詩，抑又靡矣。然自能者爲之，則皆有以得其性情之正，而合於《虞書》言志之義。但或盛或衰，其出多歧，論者以爲玩物喪志之資，作者第以爲嘲風弄月之具，是以詩敎愈隱，此皆沿其流而不知溯其源之故也。吾由漢迄明，其間得大宗五人焉：曰曹子建、陶淵明、李太白、杜子美、韓昌黎。其他支分派別，各有攸屬。匯而一之，以爲《詩學源流考》。

姚鼐《惜抱軒文集》卷六《敦拙堂詩集序》　言而成節，合乎天地自然之節，則言貴矣。其貴也，有全乎天者焉，有因人而造乎天者焉。今夫《六經》之文，聖賢述作之文也，獨至於詩，則成於田野閨闥無足稱述之人，而語言微妙，後世能文之士，有莫能逮，非天爲之乎？然是言詩之一端也。文王周公之聖，《大、小雅》之賢，揚乎朝廷，達乎神鬼，反覆乎訓誡，光昭乎政事，道德修明而學術該備，非如列國風詩采於里巷者可竝論也。夫文者，藝也。道與藝合，天與人一，則爲文之至。世之文士，固不敢於文王周公比，然所求以幾乎文之至者，則有道矣：苟且率意，以覬天之或與之，無是理也。自秦漢以降，文士得《三百》之義者，莫如杜子美。子美之詩，其才天縱，而致學精思，與之竝至，故爲古今詩人之冠。

翁方綱《復初齋文集》卷四《月山詩稿序》《傳》曰：「詩發乎情。」又曰：「感於物而動。」夫感發之際，情與物均職之。而情與物之間，有節度焉，有原委焉。溺而弗衷者，非情也；散而無紀者，非物也。嘗持此義以例近日詩家，如漁洋四言，曰典遠諧則者，衷乎情，盡乎物矣。而至於發抒極致，各指所之，則初白諸體，乃有漁洋所未到者。三十年前，在端溪舟中，嘗與沈椒園前輩暢論斯義，椒園輒欲舉初白詩集引申而箋疏之，然予竊謂初白深入白、蘇，每患言之太盡耳。今讀月山詩稿，亦出椒園所手訂，乃覺尋常景色，悉爲詩作萌坼，凡有觸於目者，皆深具底蘊焉，非物自物而情自情也。故爲詩者，實由天性忠孝，篤其根柢，而後可以言情，可以觀物耳。

又《志言集序》 昔虞廷之謨曰：「詩言志，歌永言。」孔庭之訓曰：「不學詩，無以言。」言者，心之聲也。文辭之於言，又其精者。詩之於文辭，又其諧之聲律者。然則在心爲志，發言爲詩，一衷諸理而已。理者，民之秉也，物之則也，事境之歸也，聲音律度之矩也。是故淵泉時出，察諸文理焉；金玉聲振，集諸條理焉；暢於四支，發於事業，美諸通理焉。義理之理，卽文理之理，卽肌理之理也。韓子曰：「周詩《三百篇》，雅麗理訓誥。」杜云：「熟精文選理。」曩人有以杜詩此句質之漁洋先生，漁洋謂理字不必深求其義。先生殆失言哉！杜牧之序李長吉詩，亦曰：「使加之以理，奴僕命騷可也。」今之騁才藻、貌爲長吉者知此乎？不惟長吉也，太白超絕千古，固不以此論之。然後人不善學者，輒徒以馳縱才力爲能事，故雖以楊廉夫之雄姿，而不免詩妖之目，卽以李空同、何大復之流，未嘗不具才力，而卒以勦襲格調，自欺以欺人，此事豈可强爲，豈可假爲哉？士生今日，經籍之光，盈溢於世宙，爲學必以考證爲準，爲詩必以肌理爲準。記曰：「聲相應，故生變。變成方，謂之音。」又曰：「聲成文，謂之音。」「聲音之道，與政通矣。」此數言者，千萬世之詩視此矣。

又卷一〇《杜詩「熟精文選理」「理」字說》 自宋人嚴儀卿以禪喻詩，近日新城王氏宗之，於是有不涉理路之說，而獨無以處夫少陵「熟精文選理」之「理」字，且有以宋詩近於道學者爲宋詩病，因而上下古今之詩，以其凡涉於理路者，皆爲詩之病，僅僅不敢以此爲少陵病耳。然則孰是而孰非耶？曰皆是也。客曰：然則白沙、定山之宗擊壤也，詩之正則耶？曰：非也。少陵所謂理者，非夫擊壤之流爲白沙、定山者也。客曰：理有二歟？曰：理安得有二哉！顧所見何如耳。杜之言理也，蓋根極於《六經》矣。曰「斯文憂患餘，聖哲垂彖繫」，《易》之理也；曰「舜舉十六相，身尊道何高」，《書》之理也；曰「春官驗討論」，《禮》之理也；曰「天王狩太白」，《春秋》之理也。其他推闡事變，究極物則者，蓋不可以指屈，則夫大輅椎輪之旨，沿波而討原者，非杜莫能證明也。然則何以別夫擊壤之開陳莊者歟？曰：理之中通也，而理不外露，故俟讀者而後知之云爾。若白沙、定山之爲擊壤派也，則直言理耳，非詩之言理也。故曰如玉如瑩，爰變丹青。此善言文理者也。理者，治玉也，字從玉，從里聲；其在於人則肌理也，其在於樂則條理也。《易》曰：「君子以言有物理之本也。」又曰：「言有序，理之經也。」天下未有舍理而言文者。且蕭氏之爲選也，首原夫孝敬之準式、人倫之師友，所謂事出於沉思者，惟杜詩之眞實足以當之，而或僅以藻繢目之，不亦誣乎！自王新城究論唐賢三昧之所以然，學者漸由是得詩之正脈，而未免歧視理與詞爲二途者，則不善學者之過也。而矯之者，又或直以理路爲詩，遂蹈白沙、定山一派，致啓詩人之訾謷，則又不足以發明「六義」之奧，而徒事於紛爭疑惑，皆所謂泥者也。必知此義，然後見少陵之貫徹上下，無所不該。學者稍偏於一隅，則皆不得其正，豈可以矜心躁氣求之哉？但憾不能熟精而已矣。

又《韓詩「雅麗理訓誥」「理」字說》 近有疑此篇「理」字者，故不得不爲之說，曰：理者，綜理也，經理也，條理也。尙書之文，直陳其事，而詩以理之也。直陳其事者，非直言之所能理，故必雅麗而後能理之。雅，正也。麗，葩也。韓子又謂詩正而葩者是也。凡治國家者，謂之理，治樂者謂之理，治玉者謂之理，治絲者謂之理，故曰：國史明乎得失之迹，得與失皆理也。又曰：以一國之事繫一人之本，謂之風。言天下之事，形四方之風，謂之雅。頌者，美盛德之形容，形與繫皆理也。《風》《雅》《頌》爲三經，賦比興爲三緯，經與緯皆理也。理之義備矣哉！然則訓詁者，聖王之作也。理則孰理之歟？曰：作是詩者不知也。及其成也，自然有以理之。此下句曰：「曾經聖人手，議論安敢到。」此即「理」字自注也。理者，聖人理之而已矣。凡物不得其理，則借議論以發之，得其理則和矣。豈議論所能到哉！至於不涉議論，而「理」字之渾然天成，不待言矣。非聖人孰能與於斯！

孫原湘《天眞閣集》卷四一《黃琴六詩稿序》 言志之謂詩，而所以文其言者殊焉。有詩人之詩，有學人之詩，同一言德行而抑戒，學人之詩；雄雉，則詩人之詩。同一飲酒而伐木，詩人之詩；賓筵，則學人之詩。此辨之於氣息，辨之於神味，不當於字句間求之也。

又《林遠峰詩集序》 予於詩而獨有取乎陳公甫之言也，謂：「詩論性情，論性情當論風韻，無風韻則無詩。」又謂：「讀古人詩先理會古人性情，有此性情方有此聲口。」公甫此言，詩家未發之秘也。自格律體裁之論起，而斷斷唐宋者，類多剽賊摹擬，如伶工之演曲，如木偶之牽絲，而己之性情亡矣。

又《翁紫書詩集序》 夫持其志之謂詩，志不尙，未可以言詩也；緣情而作之謂詩，情不摯，未可以言詩也。自世俗以功名富貴爲志而志衰，以閨房兒女言情而情薄。古詩人則不然，「我曰斯邁，而月斯征」，《小宛》之言志也。情則《北山》之盡瘁，《蓼莪》之「民之靡盈，誰夙知而莫成」，《抑》之言志也。情則《北山》之盡瘁，《蓼莪》之銜恤，以及《常棣》《谷風》《伐木》諸篇，靡不纏綿悱惻，入人肺腑。當其感春而思，遇秋而悲，發乎情志之不能已，未嘗有意爲詩，而其詩益工。今之稱詩者，本無所得於中也，徒取古人之聲律，句摹字倣，以求其合。否則，奇詭隱僻，務求異於古人。辭雖工，去詩也遠矣，况乎其未必工也。

又《趙巢寄詩集序》 常聞古之言詩者矣。詩也者，志也；詩也者，持也。持其志之謂詩，未有志不立而可與言詩者。故言吾志之所欲言，言雖不工而吾志存焉。抑既伸吾志矣，言未有不工者也。雖然，志豈易言哉！人之未遇也，皇皇乎有所求也，既有合也，亟亟乎惟恐失也。亦既積之厚而持之牢矣，而瞻前慮後之心，終其身在患得患失之中也。是其志詘於求，汨於欲，溺於無厭，雖使優孟三唐之製，笙簧六代之音，其去古詩人之志不已遠哉。

又卷四二《楊遄飛詩稿序》 詩主性情，有性情而後言格律。性情者，詩之主宰也；格律者，詩之皮毛也。抑揚闔闢謂之格，緩急高下謂之律，溫柔敦厚謂之性情，性情猶人之言行，格律則應對揖讓而已。絺章繡句，嚼徵含商，極其詞之工而不足以言詩者，有格律而無性情也。是非準乎公，好惡出於正，率其意之所欲言，無意求工而其言惻惻動人者，發乎性情者也。故曰：詩也者，之也，志之所之也；詩也者，持也，自持其心也。必先纏綿悱惻於中，然後即事以抒其詞，假詞以抒其志，不言格律，而格律存焉已。若夫唐宋之分係乎時代，唐之不同於宋，猶宋之不同於元明。必斷斷焉橅唐而擬宋，是直優孟衣冠，其弊更甚於遺性情而講格律者已。

又《屈子謙遺詩序》 詩之爲道，斷斷於格律對偶字句聲調，其末也。即取法於志趣神韻才力之間，猶爲末也。夫詩亦視其人耳，有眞性情斯有眞詩，雖流連山水嘲弄風月，下至閨房兒女之詞，其藹然從肺腑中流出者，必有惻惻動人之致。反是則剽擬北山，追摹陟岵，徒見陳言滿紙而已。若夫仁人孝子，零章斷句，流落人間，自足以感發人志，南陔白華失傳已久，而後之人猶反覆思慕，從而補綴其辭，可以知詩之足傳，并不係乎詞之工拙也。

李調元《雨村詩話》卷上 三代以前，詩即是樂，樂即是詩。若離詩而言樂，是猶大風吹竅，往而不返，不得爲樂也。故詩者，天地自然之樂也。有人焉爲之節奏，則相合而成焉。詩有比興不能盡，故被之聲歌，使抑揚以畢其意。自漢以後，《郊廟》、《房中》析而爲二，古詩、樂府遂分。古人樂府，非如今人有曲譜而後塡詞也。然亦照定十二律賦爲詞，付之樂工，叶以音律。但樂工知清濁高下，而不通文，故先分章段，爲之鈎勒，亦讀樂府入門之一法。樂府者以其詞付樂工，其中工尺之抑揚，乃樂工事。五季變爲詞，將所留樂工之虛字盡塡滿，較古法更嚴密，不能馳騁才華，不若古樂府之鬆矣。樂歌必要短長相接，長取其聲之婉轉，短取其聲之促節。律詩則與管絃無涉，而天然之樂自存於中。唐以五言、七言爲句，此定式也。間有六字成句者，與宮商不協，不必作也。天然之音，止有五字。今笛中之五六工尺上，配合宮商角徵羽之五音，猶琴之五絃。加文絃、武絃而成七，所謂變宮、變徵而成七調也。故南北正調，原止有五，唐律之五言是也。若七字則爲變調，而名變宮、變徵矣。七言難于五言十倍，以其雜變調故也。故雖變調，必須排蕩而成，不可輕易下筆。蓋八句不出起承轉收，神而明之，存乎其人爾。

又 音樂以氣爲主，然氣有放開者，有收合者。放開者，曲中《混江龍》是也；收合者，曲中《桂枝香》是也。氣之放開收合，相題而然。

又卷下 人有性而自汩之，有情而自漓之，似乎智而其愚孰甚！毛嬙、麗姬雖粗服亂頭，無損其爲天質之美也。捧心效顰，人望而卻走矣。沈隱侯曰：「文章當從三易：易見事，一也；易識字，二也；易讀誦，三也。」乾以易知，坤以簡能，易簡而天下之理得矣。詩之道亦然。

又《童山文集》卷五《袁詩選序》 歐陽文忠公謂詩必窮者而後工，此殆不然，詩必富者而後工也。非富於學，則萬卷不破；非富於材，則萬象不該。《記》所謂「多文以爲富」者，正謂此也。錢塘袁子才先生，今代之富於詩者也。其學富，故出語邁李杜；其才富，故落筆無古今。而又家本富豪，少掇巍科，遂入詞館，其年富，出宰上元，其力富，未幾卽築室于江陵，名曰「隨園」，其一切飲食起居，無不豐贍，以是發而爲詩，其富豈可及乎？夫世之所謂窮而工詩者，吾知之矣。諸子百家束之高閣，此腹之窮也；詹詹小言，不見江河，此眼之窮也；而又蓽門圭竇，藜藿不充，以是爲詩，其學不足以贍其用，其才不足以達其辭。猶之室如懸磬，家無儋石，升其堂，則聊蔽風雨而已；視其身，則捉衿見肘而已。以是爲工，非俗卽鄙，非怪卽誕，豈尙有黃鐘大呂之音、清廟明堂之響出於其中哉？夫以子才先生才學如此之富，何不使之身居廊廟，黼黻皇猷，燕許文章，姚宋事業，必有偉然可觀者，而顧使之終老園圃，嘯傲林泉，慷慨抑揚，凌轢百代，自成一家，是豈天之愛之，欲其專力于詩，以成其名，故使壽登耄耋，使得整其懷抱乎？知先生亦必不以彼而易此也。

又《雲谷詩草序》 詩也者，人之性情也。人之性情稟乎五行。五行者，金木水火土也。在天爲五星，在地爲五方，在時爲五德，在人爲五常，發於文章爲五色，播於音律爲五聲，而總其精氣之用，謂之五行。五行者，互相生而間相勝也，然亦各有體用焉。澄澈流衍，水之體也；漂流沒溺，水之用也。光顯炳明，火之體也；燔燎焦然，火之用也。長短曲直，木之體也；幹舉機發，木之用也。從革堅剛，金之體也；鋒刃銛利，金之用也。敦靜安鎭，土之體也；含垢匿穢，爲萬化母，土之德也。土在中央，主含萬物，故言德。土之爲言吐也，故人發而爲言，吐而爲詩，莫不各肖水火木金土之性情，而所本亦殊焉。本於水者，其詩漂流沒溺；本於火者，其詩燔燎焦然；本於木者，其詩幹舉機發；本於金者，其詩鋒刃銛利；惟本於土者，其詩敦靜安鎭，而能含萬物，爲萬化母。

方薰《靜居緒言》 志感情興而詩所作，古詩人在乎辭達其志，情見乎辭而已。《二南》之風渺，「六義」之旨微，而贍才務博，摛藻衍奇之爲工，變始漢京，體備唐代，世移風易，厥有別裁，此詩之大較也。詩之爲道曰「思無邪」，爲教曰「溫柔敦厚」，後世雖有不迨，烏可舍是而學？舍是而學，不將陋而誕歟？至于蹈常習故，櫽括揣摩，固不可謂之學。《記》不云乎：「無勦說，無雷同。」「惟陳言之務去」，蕲至乎新也。詩有恆裁，情無定位，新固在焉。雲霞麗天，草木斑地，有常體而無常態，其亦不思而已。嫛積飣餖，寧有文心！《芣苢》之樂，惟「采」、「有」、「掇」、「捋」、「袺」、「襭」之辭以致其遙情；《漢廣》之思，惟「泳」、「方」之言以寄乎永嘆。言之不穀，意豈無窮。或曰詩惟含意，不在盡言。然《國風》辭多蘊藉，變雅則語類盡情，蓋所遇不同。慮關近遠，或冀聞聲之可悟，或慨枉志之難伸，義有固然，詩非漫與。詩，人情也。人道以夫婦始，故多幃房燕婉之辭。《離騷》有風人之思，故託之美人香草，以見其憫世疾俗之志。

宋大樽《茗香詩論》 客問曰：「曩觀王文簡所編《唐賢三昧集》，信而好之矣。謂三昧之旨，非抗辭幽說，閡意眇指，獨馳騁於有無之際者也。顧學之久，譬畫者畫於無形，絃者放於無聲，殆不可乎？」答曰：「誠若所訊者，豈蒙之克辨也。雖然，試言之：學《三昧集》見終矣，若原始，抑猶未也。《列子》之言曰：『太易者，未見氣也。太初者，氣之始也。太始者，形之始也。太素者，質之始也。』始何事？厥中惟靈，厥外惟無。此吾向者未作詩之說也。終何底？進而未極，往而未至，虛而未滿。此昔王文簡既作詩之說也。始始而終終，取天下之合而連之者也。」客憬然曰：「曩者之於詩，譬畫者、絃者之靳其手也。」余復開動端萌，客請綴之以其類。爰摭古言而證之、而廣之、而或反之表左。

又 頸處險而癭，齒居晉而黃，化以彼之形質；橘踰淮爲枳，麝食柏而香，化以彼之氣；合歡蠲忿，萱草忘憂，化以彼之神。泥之在鈞，惟甄者之所爲；金之在鎔，惟冶者之所鑄，質化以我之形；螟蛉之子，蜾蠃祝之曰：「類我類我。」久則肖之，形質化以我之氣；聲無哀樂，氣化以我之神。前之說，中人以下之終事也；後之說，中人以上之始事也。而所以始始者不存焉，蓋其難也。

又 知始則知本。漱六藝之芳潤，非本也，約《六經》之旨，乃本也。淸晝受西方之教者，亦曰：「《詩》、《六經》之菁英。」事以末來，而情以本應，末卽本也。歐陽永叔不喜《史記》，蘇子美不喜杜詩，洵弗閡爲通人。若不本之《六經》，雖復「熟精《文選》理」，有是非頗謬者矣。雖然，揚子雲非聖哲之書不好也，何爲乎《劇秦美新》？蓋本之中又有本焉，循條失枝，厥本焉窮耶？性以從欲爲歡，《六經》以抑引爲主，苟不便學者，則以嵇中散之論進之曰：「難，自然好學。」

又 《詩》之緣起，見於毛公說《詩》及紫陽夫子詩序。知詩之何爲而作，與上之所以爲敎，則知不徒在作詩，亦不可徒作詩，且盍誦詩乎？卽以辭章論，古無踰於《三百》者，以人論，《二南》親被文王之化以成德，作《雅》《頌》者，往往聖人之徒，人之足重，無踰於此者，曾經聖裁，刪本之善，無踰於此者；章句訓詁皆大儒注釋之，精詳無踰於此者；童而習之，習熟亦無踰於此者。

又 太白有云：「將復古道，非我而誰！」古道必何如而復也？《三百》後有《補亡》，《離騷》後有《廣騷》、《反騷》，蘇李贈答、《古詩十九首》，樂府後有雜擬，非復古也，勦說雷同也。《三百》後有《離騷》，《離騷》後有蘇李贈答、《古詩十九首》，蘇李贈答、《古詩十九首》外有樂府，後有「建安體」，有嗣宗《詠懷詩》，有陶詩，陶詩後有李、杜，乃復古也，擬議以成其變化也。或且患其流而塞其源，病其末而刈其本，蒙竊惑焉。夫古道何爲其不可復也？

又 詩以寄興也。有意爲詩，復有意爲他人之詩，脩辭不立其誠，未或聞之前訓矣。蔡中郎曰：「諸生競利，作者鼎沸。其高者頗引經訓風喩之言；下則連偶俗語，有類俳優，或竊成文，虛冒名氏。」雖言辭賦，厥後詩之倣效，亦莫不然，蓋競利者如彼矣。子雲作賦，常擬相如以爲式，尋以爲非賢人君子詩賦之正也，於是輟不復爲，而大覃思《渾天》，作《玄》文。桓譚以爲文義至深，而論不詭於聖人。前之擬相如賦，猶不寄興之詩也，競利也；後之作《玄》文，猶寄興之詩也，非競利也。孔子曰：「古之學者爲己，今之學者爲人。」

又 夫物之無益於人者，人弗貴之矣！史稱：嚴君平卜筮於成都市，以爲卜筮者賤業而可以惠衆。人有邪惡是非之間，則依蓍龜爲言利害。與人子言依於孝，與人弟言依於順，與人臣言依於忠。各因勢道之以善，從者已過半矣。然則詩之能益人，亦何間於窮達哉？知此庶乎其道尊。

又 齊、梁、陳、隋之格之降而愈下也，其由來安在？齊之王儉、韓蘭英先仕宋，劉繪後仕梁。梁之范雲、邱遲、任昉、張率、柳惲、周捨、徐勉先仕齊，庾信後仕北周，江淹、沈約先仕宋、齊。陳之陰鏗、徐陵、沈炯、周宏正、張正見、顧野王先仕梁，周宏讓先仕侯景，徐孝克、阮卓、蔡凝、潘徽後仕隋，江總先梁後隋。隋之姚察、虞世基、虞綽、王眘、王胄先仕陳，柳䛒先仕梁，李德林、諸葛潁、孫萬壽先仕齊，于仲文先仕周，何妥先仕梁及周，盧思道、李孝貞、薛道衡、魏澹先仕齊及周，元行恭先仕北齊，辛德源先仕北齊及周，楊素、崔仲方先仕周及梁，孔紹安後仕唐，袁朗先陳後唐。偶指數之，皆詩人之各級故高者也。嗟乎嗟乎！羣言之長，德言也。女事二夫，男仕二姓，尙何言乎！晉、宋詩人之失節者，緊豈獨無？顧晉有陶靖節之高趣，入宋終身不仕；又有束晳之沈退，張翰之慮禍，張協之屛居草澤，嵇紹之以身衞帝，劉琨之戴帝室，郭璞之阻逆謀。宋亦有顏延之不受資供，王微素無宦情，沈慶之盡言諫諍。赫矣遐跡，世敎賴焉。齊謝朓不從江祏之謀，王僧祐不交當世，風韻清疎如孔稚珪，徵而不就如顧歡，猶有晉之遺風。梁以後如蕭子雲不樂仕進者寥寥矣。陳之狎客通脫，以俳優自居者有之。至隋則晉王廣之弑立，其謀遂出自楊素。此其由來，非獨在慕榮利也。蓋廉恥道喪，且有使之然者矣！齊武帝布衣時，嘗游樊、鄧。登阼後憶往，歌《估客樂》曰「意滿辭不叙」，猶尙有羞惡之心者。乃導之者有釋寶月矣。若簡文宮體，直寫妖淫；後主男女倡和，極於輕蕩；煬帝且殿腳女千人，迷樓居後宮女數千人，雖所撰《飮馬長城窟行》頗存雅正，然有諸內，必形諸外，則有江都宮掖諸作焉。夫一變而爲淸談，再變而爲極欲，其病同歸於必斃！顧淸談者聽其自斃而已，極欲者又趣之。《蟋蟀》之詩曰：「今我不樂，日月其除。」卽曰「無已太康」矣，況至於好色而淫耶？好色而淫，則發乎情者，不止乎禮義。不止乎禮義，則無廉恥。無廉恥，安得有氣節？以流極之運，加以登高之呼，「城中好高髻，四方長一尺」矣。蓋聲音發於男女者易感，風化流於朝廷者莫大也。特是田野之夫，猶思有淸白行，洋洋搢紳，豈獨爲邦鄉所宗，後儒晚學，咸取則焉，縱不克止沸，亦何至厝火於積薪！誦其詩不知其人，斤斤焉僅斥其詩格卑靡，定爲下品之第，何異向名倡而責之曰：曷不綴道論以自娛？苟展其狂直，以匡益無行，豈不方圓其枘鑿哉！

洪亮吉《北江詩話》卷三　今時學者，讀斷爛朝報，即以爲通曉世事；讀高頭講章，即以爲沈酣經籍，何與昔人之知今知古異乎！

又　詩詞之界甚嚴。北宋人之詞，類可入詩，以清新雅正故也。南宋人之詩，類可入詞，以流艷巧側故也。至元而詩與詞更無別矣。此虞伯生、吴淵穎諸人所以可貴也。

又　今世士惟務作詩，而不喜涉學，逮世故日膠，性靈日退，遂皆有「江淹才盡」之誚矣。《北齊書·孫搴傳》：「邢卲嘗謂之曰：『更須讀書。』搴曰：『我精騎三千，足敵君羸卒數萬。』」豈今之不務讀書者，胸次皆有孫搴三千精騎耶？

又　詩除《三百篇》外，即《古詩十九首》亦時有化工之筆，即如「青青河畔草」及「四顧何茫茫，東風搖百草」，後人詠草詩，有能及之者否？次則「池塘生春草」，「春草碧色」，尚有自然之致。又次則王胄之「春草無人隨意綠」，可稱佳句。至唐白傅之「草綠裙腰一道斜」，鄭都官之「香輪莫碾青青草」，則纖巧而俗矣。孰謂詩不以時代降耶？

又卷四　詩人不可無品，至大節所在，更不可虧。杜工部、韓吏部、白少傅、司空工部、韓兵部，上矣。李太白之於永王璘，已難爲諱。又次則王摩詰。再次則柳子厚、劉夢得。又次則元微之。最下則鄭廣文。若宋之問、沈佺期，尚不在此數。至王、楊、盧、駱及崔國輔、溫飛卿等，不過輕薄之尤，喪檢則有之矣，失節則未也。

又　唐韓翃詩「日暮漢宮傳蠟燭」，然燭之用蠟，究不知起於何時？《楚辭》云：「蘭膏明燭，華容備些。」《文子》曰：「膏燭以明自銷。」《史記》曰：「始皇冢中，以人魚膏爲燭。」是古燭炬之外，或亦以膏爲之，亦稱爲脂燭是矣。桓譚《新論》：「燈中脂炷，燋秃將滅。」徐廣曰：「人魚似鮎，四足。」《正義》引《異物志》云：「人魚似人形，長尺餘，始皇冢中以人魚膏爲燭，即此。」大抵古人之燭，或用麻，或用木蓼，或用胡麻，或用脂膏，並無所謂蠟燭。《潛夫論·遏利篇》始有「脂蠟明燈」之語。三國以後，方屢見於書。《晉書》及《世説》：石崇及石季龍皆以蠟燭炊。又《晉書·周顗傳》：顗弟嵩以蠟燭投顗。《後魏書》：世祖南伐，劉義恭獻蠟燭至。齊、梁間並有詠蠟燭詩。合此數事觀之，蠟燭容起於東漢以後。詩人之詩，固不必責以考據也。

又卷六　詩雖小道，然實足以覘國家氣運之衰旺。即如五代晉時馮道奉使契丹，高祖宴之於禁中，及使回，道賦詩云：「殿上一杯天子泣，門前雙節國人嗟。」蓋是時燕、雲十六州已割屬契丹，國勢奄奄，如日之垂暮，故雖宰相作詩，而氣象衰颯如此。至宋則不然，太祖、太宗之世，宇内漸已削平，景物熙熙，已若日之初煦，故李昉《禁林春直》詩云：「一院有花春晝永，八方無事詔書稀。」又《昌陵挽詩》云：「奠玉五回朝上帝，御樓三度納降王。」何等氣象！蓋同一宰相也，而吐屬不同如此。孰謂詩不隨氣運轉移乎？

紀大奎《雙桂堂稿》卷三《羅靈甫先生遺稿序》　言之足以通於人之性情者，莫如詩與文；足以通於天地之性情者，亦莫如詩與文。客有復於予者曰：有詩人之詩，有學人之詩。詩，一也，而工與拙異，則羣爲其工者矣。有文人之文，有學人之文。文，一也，而美與拙異，則羣爲其美者矣。嗚呼！豈其然哉！豈其然哉！文以明所學之理，詩以發所學之志，二者足以見古人之眞，而後人習之以爲僞，則何也？【略】夫詩與文與學之果不可以二之，而人之或二之者，無他，以其僞也。先生之詩與文之不必嘗交於其人而能通之於其人之性情，至於反覆而不能已者，無他，惟其眞也。夫眞與僞之間，豈易言哉！視其所學焉而已矣。學焉而以性情通之，則其學也眞。其學眞，則其發之於言也，所以明其理與其志，未嘗必求其工與美，而工與美必歸之。未有學之不眞，而能有所發於詩與文之間，以與人之性情相通而無所扞格者也。

熊璉《澹仙詩話》卷二　感慨處每有好詩，故詩以窮而益工。但失意人牢騷抑鬱，自所不免。即得意人，原不應無病呻吟。然其登臨憑吊，憶往傷離，非同木石，那得無情？試讀王右軍《蘭亭序》，歐陽子《秋聲賦》，宋玉云：「悲哉秋之爲氣也。」江文通蔓草累幅，南村出二十字，衆皆驚服，甚有袖詩不出者，可見佳處不在多，自是名流。

又　陸念爾云：「詩主性靈，以人工累之，猶太虛著浮雲。」此論極妙。歸愚謂開廢學之漸，恐其流於薄。予謂有性靈者可以加人工，有人工愈以養性靈。譬如碧空澄徹，霽日晴雲，明霞朗月，點綴更佳。

又　凡物不平則鳴，士有感則發，發於詩者，歡可以當笙歌，戚可以代慟哭。如鳥鳴春，其聲溫婉；如蟲鳴秋，其音淒楚。

又卷三　詞爲詩之餘。詩不可近於詞，猶詞不可近於曲。詩近於詞則薄，詞近於曲則俚，善作者自能辨別。

師範《蔭椿書屋詩話》　溫柔敦厚，詩教也。即間涉諷刺，要使言者無罪，聞者足戒，方無戾《三百篇》之旨。

陸坊問，徐熊飛答《修竹廬談詩問答》　問：「格律猶規範也，性情猶爐錘也。運我爐錘，而又不畔于古人之規範，其道何由？」答：「性情素也，規格絢也，以素加絢，則功力要哉！譬如作書，步武前人法帖，初欲其合，繼欲其離。能合而不能離，與能離而不能合，皆弊也。孫武《兵法》，武侯變爲八陣，李藥師變爲六花，斯爲學焉，而得其神明者。如學唐肖唐，學宋肖宋，猶未盡善也。」

又　問：「一人有一人之性情，一時有一時之境遇，水流花開，神動天隨，此物此志也。若無所感而發，縱出經入史，與帖括應酬之作何異。然否？」答：「性情與境遇相輔而成，達之使工。有人事焉，則功夫之謂也。否則，烏能神動天隨哉！若無所感而爲詩，不作可也。抑又有説體物懷古論史隸事之作，雖無關於性情，然足以引伸才情，淬厲豐骨，故前人所不廢，特不可專從此類生活耳。」

又　問：「古來大奸大慝，盡有可傳之詩。若忠臣義士、老師宿儒，或辭不達意，甚有流爲笑柄者，所謂『言之無文，行而不遠』也。審是，則詩主性情之説謬歟？」答：「僉壬小人，其詩非無可傳者，以其當爲詩時，能冥搜力索，用志不紛耳。《鈐山堂》、《詠懷堂》二集，較勝于定山、白沙兩先生，一則刻意求工，一則信口而出故也。然以五言、七言定人之邪正喜惡，往往不驗。宋之問、陳子昂之流，人品卑不足道，其詩何嘗不獨步一時哉！蓋詩者，性情所寄託，非心術所見端也。性情同而心術異，故賢者不必皆工，工者不必皆賢。宋人詩論，動以荆公爲堅僻，爲執拗，皆隔膜之談耳。即詩而論，未見荆公之奸慝也。」

又　問：「讀元、白詩，令人悦豫；讀王、孟、韋、柳詩，令人閒適；讀郊、賀詩，令人不歡；讀高、岑詩，令人膽壯；讀太白詩，令人飄飄欲仙；讀少陵詩，令人胸襟開拓。其所動人者，不知其所以然也。若于此則動，於彼不動，斯人也，非囿於門戶，僕以爲必氣稟之偏者矣。」答：「詩未有不動人者。若其不動，此必不知詩者也。楊大年不喜杜詩，毛西河不喜蘇詩，近時袁子才不喜漁洋詩，皆有心樹幟，爲私意所錮蔽，豈是定論？」

又　問：「今之評詩者，有曰詩人之詩，有曰才人之詩。夫詩以言志，如山之雲，水之波，蟲鳥之鳴聲，自然而出，無關造作。如飾智矜愚，誇多門靡，以爲押韻之類書則可矣，于風雅之道何居？」答：「自然而出，無關造作，此化境也。化境多從無心得之。詩道本源，必深造以臻其神，窮神以達其化，則化境乃不落空。若未能盡神，而遽欲達化，未有不背而馳者。此《三昧》一集，不與參變，未可與肇始也。情不能自達，必才以運之。才不可弛驟，必法以範之。法不可固執，必神以詣之。數者皆不可偏廢。至誇多門靡，爲押韻類書者，其於風雅之道，本未窺見，何足齒數。」

又　問：「作文與作詩不同，事關家國，語及君臣，文品之正軌也；寓物留題，言近旨遠，詩情之綿邈也。混而同之，體裁兩失，然乎？否乎？」答：「唐人以作詩之法作文，宋人以作文之法作詩，二者互有得失，視用之何如耳。然工文者不盡工詩，工詩者不盡工文，事固不能兼擅也。」

石韞玉《獨學廬二稿文》卷中《養雲樓詩序》　今夫泰山之雲，觸石而出，膚寸而合，不崇朝而徧天下者，唯天地能養其絪緼之氣，以鼓舞而出之也。當其未出，雲何心哉？亦任其自然而已矣。夫詩亦然。凡人齋居默坐，寂然無聲，人亦何心哉？及其觸耳成聲，遇目成色，而天地之情，古今之變，草木蟲魚之狀，歡愉愁苦之音，一切假於詩以傳之，亦人心能養其絪緼之氣，以鼓舞而出之也。先生之詩，志和而音雅，無怪奇之色，鉤棘之聲，雍容揄揚，粹然一出于正。此輿嶠之元氣，律呂之中聲也。

又《餘稿·汪節安詩序》　余嘗觀近世詩人，每喜取法於唐之韓、宋之蘇，盤空硬語，競出新奇，而緣情之義微矣。此先正所謂有韻之文，非詩也。又有好矜腹笥之富者，不問所詠何物，所賦何事，輒引經據典，臚陳滿紙，娓娓不休，六朝人謂陸士衡常患才多，即此類也。

又《四稿文》卷三《養默山房詩集序》　古之詩人常得江山之助，而江山助人，必於游得之。然一邱一壑，雖游不足以發其邁世絶俗之氣，惟名山大川，旁薄鬱結，可以見坤靈締構之奇；而通邑大都，黎庶繁昌，物產瓌異，游於其間者，登臨觀覽，搜求古名流之遺跡，以託諸謳思。昔司馬子長周行天下名山大川，而文章益奇。文章如是，夫詩則亦有然者也。

又《五稿文》卷二《借秋亭詩草序》　詩之爲道也，以性情爲之體，以諷諭爲之用。書曰：「詩言志。」古之詩人不過各道其意中之所欲言，所謂「在心爲志，發言爲詩」。而世運之盛衰，風俗之貞淫，與夫生人之忠孝節廉，一切可歌可泣之事皆寓於其中，故孟子以詩爲王者之迹。自唐宋以後，以詩取士，而士皆爭奇門巧以求勝，然後詩體日變，亦詩境日開，如韓退之、蘇子瞻，詩中之霸才也；李長吉、楊廉夫，詩中之魔道也。此皆求勝於辭而不求勝於意，惟務炫燿世人之目以爲快，古人溫柔敦厚之教微焉矣。

惲敬《大雲山房文稿二集》卷三《香石詩鈔序》 夫聖人之道，惟爲儒者可言。《詩》三百篇，爲體不同，合之《易》、《書》、《禮》、《春秋》諸經，其義無以異也。後世爲儒者詩，多質勝文，詩人則文勝質，兩家遂不能相通，即如粵中白沙、甘泉之詩，世所謂不爲道學所掩者，而於近今詩人之意，已不能厭飫，況其他哉！昔仲廷嘗和陸子、朱子鵞湖講學詩，敬告以「言心性、不必爲詩；即爲心性詩，不必學陸子、朱子此詩」，蓋皆爲此。今子實世爲儒，善矣！而詩又善，詩人之詩也。由於其爲學也，儒與詩分而習之，故其爲詩，非猶夫爲儒者之詩也。夫道一而已矣，然必分習之，而後得其合。故儒可以揚道之華，而詩可以既道之實。能如是，庶幾通儒與詩兩家之蔽焉。

又《大雲山房言事・與黎楷屏》 即心即佛者，格與調之說也；非心非佛者，不必格與調之說也。「這老漢惑亂人，憑他非心非佛，我這裏是即心即佛」者，格與調皆至，不旁睨不格與調之說也。近時袁子才有格調增一分、則性情減一分之說，鄙意以爲無性情之格調，必成詩囚；無格調之性情，則東坡所謂飲私酒，喫瘴死牛肉發聲矣。蓮水出於子才之門，而其詩渾雅，前書所謂無琵琶聲也，可知非廢格調，專任性情矣。

趙懷玉《亦有生齋文集》卷四《焦里堂詩序》 今天下之爲學有二：一曰經術，一曰詞章。爲經術者，穿穴訓詁，冥搜苦索，責以登高作賦而有所不暇；爲詞章者，漁獵載籍，拈新摘芳，求其折角奪席而有所不能。於是或鄙之曰浮，或陋之曰朴。岐性情學問而二之，求其兼者匱矣。

又《聽鐘樓詩鈔序》 子夏之序詩曰：「在心爲志，發言爲詩。情動於中而形於言。」是詩之作，未有不根於心也。故志高曠，則其言達；志溫厚，則其言醇；志恬澹，則其言雅。志惓惓於家國倫常之間，則其言纏緜悱惻，有一往而深之致。若強爲緣飾，則出不由衷，按之無物，鮮能傳世而行遠。

熊寶泰《授堂詩集序》 吾嘗謂詩之弊有二：一則務求合于古人，躧壽陵之步，不敢出新意，其失也拘；然不過數家耳已，不可多得矣；一則但求合于今人，振乎其名，不辨其工拙而橅彷之，其失也愚。虛谷灑落，人無所倚傍，直攄胸臆，言盡則止而已。夫詩人之爲詩也，性情主之。性情不同，如其面焉。

錢泳《履園譚詩》 古人以詩觀風化，後人以詩寫性情。性情有中正和平、姦惡邪散之不同；詩亦有溫柔敦厚、噍殺浮僻之互異。性靈者，即性情也。沿流討源，要歸於正，詩之本教也。如全取性靈，則將以樵歌牧唱，盡爲詩人乎？須知笙鏞箏笛，俱不可廢。《國風》、《雅》、《頌》，夫子並收，總視其性情之偏正而已。

又 詩之爲道，如草木之花，逢時而開，全是天工，並非人力。溯所由來，萌芽於《三百篇》，生枝布葉於漢、魏，結蕊含香於六朝，而盛開於有唐一代，至宋、元則花謝香消，殘紅委地矣。間亦有一枝兩枝晚發之花，率精神薄弱，葉影離披，無復盛時光景。若明之前、後七子，則又爲刮絨通草諸花，欲奪天工，頗由人力。迨本朝而枝條再榮，羣花競放；開到高、仁兩朝，其花尤盛，實能發洩陶、謝、鮑、庾、王、孟、韋、柳、李、杜、韓、白諸家之英華，而自出機杼者。然而亦斷無有竟作陶、謝、鮑、庾、王、孟、韋、柳、李、杜、韓、白諸家之集讀者。花之開謝，實由於時，雖爛漫盈園，無關世事。則人亦何苦作詩，亦何必刻集哉？覆醬覆醅，良有以也。

錢栻《知堂詩稿序》 蓋聞詩有二要，曰氣與情。鮮豪宕之氣者，辭巧而格卑；乏昭蘇之情者，貌榮而神顇。然氣貴顛實，惟鬱乃宣；情嫌徑遂，由釀斯婉。雷霆藏熱，條暘駭乎六虛；竽笙會和，始蝼蛇於九奏。【略】或謂葩華莽發，宜揚煇於木天；風飈迅流，必竦韻乎蓬籍。何以劉滄仙格，屢困春官；潘官儁才，竟屈塵吏。名場滯其鮎竹，宦境阻於羝藩，得毋詩能窮人，文將憎命乎？不知琴尾遇爨，厥聲迺宏；鐘唇練霜，其吼益健。使彼途寬驥熟，帆順舟輕，雖益華篇，或參庸響。夫惟淹蹇壯齒，稽留中遠，盛志衝激而高流虹霓，元音頓挫而清振林木。馳驅棧雪之地，沈吟燕雲之天。遠懷古人，呼明月而與語；近愴風物，臨滄波而渺然。碧䆫一鐙，獨寫歸夢；青嶂兩屐，忽開壯襟。莫不忼慨命篇，低佪申意。蛟龍畏其險句，風雨候其清詞。氣鬱彌宣，斯爲證已。【略】或又謂韡笏之會，嘯歌勿䜃；簿書之旁，神明易悶。一行作吏，相知幾人。未免倥傯裝懷，芊眠謝志。執是而言，則又傎矣。夫因境移心者，其學淺也；緣俗損韻者，其本浮也。

袁潔《蠡莊詩話》卷四　言爲心聲，詩以言志。人必有心之所觸，志之所在，而後發爲咏歌，自成天籟。得春夏之氣者多風華，得秋冬之氣者多渾樸。學焉各得其性之所近，近溫李者不必其學溫李，近王孟者不必其學王孟也。若專主一家，謂其他可以擯而斥之，膠柱鼓瑟，豈不可笑？長洲蔣小鐵笛道人句云：「妙語滿虛空，得心出諸口。痛恨作詩者，動輒宗某某。」旨哉言乎。

又卷五　詩貴乎眞情、眞景、眞自，語無不眞。塗澤泛濫者無當也。

又　詩工於窮，而富貴中之工詩者亦復不少。如鄭邸石琴道人，風雅愛士，工詩善書，余於周澗東孝廉處見其倡和之作甚多，囑爲抄錄，適澗東以會試入都。又闕里衍聖上公冶山先生著作宏富，友人曾以所梓詩集見貽，尚未采登，卽爲他友攜去。富貴之詩，固未嘗不工也。惜見之而未得登之，高山之仰，中心嚮往而已。

又卷八　詩人窮而益工。蓋窮則嗜慾少，而攻苦多，故能思微律細。唐人如少陵、太白、昌黎、柳州，宋人如東坡、石湖、永叔，皆遭遇坎坷，詩名最著。國朝漁洋先生境遇既順，功名亦達，雖才博學富，鼓吹休明，巍然一代巨手，終不免後人獺祭之譏。

又卷九　詩本性情，有不期其然而然者。故前人有「三分人事七分天」之說。

又卷一〇　詩之有關風俗人心者，自能流傳。周澗東《莊平縣題壁》云：「昨日街頭賣人肉，今宵忍抱枯髏宿。且惜纏頭束臂金，來聽千家萬家哭。」讀之令人心動。

焦循《雕菰集》卷一四《與歐陽製美論詩書》　足下札來，言得聞春谷說詩，因謬贊及僕。夫詩無難知也。古人春誦夏弦，秋冬學禮讀書。試思書何以云讀，詩何以必弦誦，可見不能弦誦者，卽非詩也。何以能弦誦？我以情發之，而又不盡發之，第長言永歎，手舞足蹈，若有不能已於言，又有言之而不能盡者，非弦而誦之，不足以通其志而達其情也。鼓無當於五音，僅用以節樂，不可與詩相和，故詩中間有一二急促之音，乃用以爲節。若一詩皆然，則止可以鼓，不可以弦；止可以鼓，不可以弦，則鼓詞矣。周公作《多士》《多方》，反覆詳盡，而《東山》《鴟鴞》之詩，則情餘於意，意餘於言，然則貽王何不用文？誥民何不用詩？感以情，非同諭以意也。周秦漢魏以來，直至於唐，杜少陵、白香山諸名家，體格雖殊，不乖此指。晚唐以後，始盡其辭，而情不足，於是詩與文相亂，而詩之本失矣。然而人之性情，其不能已者，終不可抑遏而不宣，乃分而爲詞，謂之詩餘。故五代之詞，六朝初唐之遺音也；宋人之詞，盛唐中唐之遺音也。詩亡於宋，而遁於詞；詞亡於元，而遁於曲。譬如淮水之宅，既奪於河，而淮水匯爲諸湖，求淮水於桃源安東之間不可見，求淮水於白馬甓社之中轉可見也，然淮終是淮，河終是河。詞終是詞，詩終是詩。僕二十年來，學詩，學文，學詞，誠思詩還其爲詩，文還其爲文，詞還其爲詞，如五穀皆能辨之，黍稷稻粱，各歸一囷，不致淆亂於一端，其稂莠稊稗似是而非者，則鋤而去之也。詩本於情，止於禮義，被於筦弦，能動盪人之血氣，故有市井之心，不可以爲詩；有軒冕之心，不可以爲詩；有媢嫉之心，不可以爲詩；有驕肆之心，不可以爲詩；有寒儉狹小之心，不可以爲詩；有偏頗怪僻之心，不可以爲詩；有矜能鬭勝之心，不可以爲詩；有雷同剿襲之心，不可以爲詩；有婦人女子之心，不可以爲詩。是故議論非詩也，謾罵非詩也，諂諛非詩也，俳優非詩也。非不說理，拘於理者，非詩也；非不隸事，滯於事者，非詩也；非不寫景，飾其景者，非詩也；非不考古，泥於古者，非詩也。總之未作詩之先，意中必有所不可已之處，始而性情所鼓，盈天地間皆吾意之所充，若千萬言寫之而不足者，遲之又久，神漸斂，氣漸翕，卽而取之，無有也。至於鬼神不能通其慮，風雷不能助其奮，而後鬱而徐之，積而出之，引而伸之，辭不必至，性已先之，雖簡亦深，雖平亦曲，雖率亦神，其文也不縟，其質也不俚，斯庶乎味之而不窮，尋之而愈有也。至於釀之以經術，廣之以聞見，本之於德行，則又在平時矣。

顧莼《壹園詩鈔選序》　陸士衡以緣情綺靡論詩，爲後人所詬病。夫綺靡，詩之一端耳。而情爲詩之所緣以出，實爲千古不易之論。特情有戾有蕩有辟，必兼言性而後歸於正。【略】其詩不拘一格，自漢魏以迄唐宋，皆浸淫深入，隨所遇而合焉。如元氣之在兩間，遇夏而熱，遇冬而寒，遇春秋而溫且肅也。且山之峙，水之流，鳥之飛，獸之走，人之爲賢爲愚，爲夭爲壽，皆遇是氣而各成其類，而氣固無所擇也。由是而推乎人之情，固不自知其喜怒哀樂也，遇喜而喜，遇怒而怒，遇哀而哀，遇樂而樂，特率乎不得已之情耳。其有無所喜而喜，無所怒而怒，無所哀而哀，無所樂而樂者，則僞也。

其或喜所不當喜，怒所不當怒，哀所不當哀，樂所不當樂，則戾也，蕩也，辟也。詩不本乎情而兼通乎性，其能免此弊者鮮矣。

吳嵩梁《妙吉祥室詩鈔序》 夫人死生不足道，必有所以不死者在，立言其一端也。詩人之言，大者可以澤及民物，小者可以持其性情。顧非憔悴專一，其詣必不至。師退之才雖奇，使沈酣於富貴利達之中，安能并力於詩以自致必傳如此。然天必挫折一世之才，以成其獨至之詣。苟非以道勝之，則窮蹙無復生理，而詩且不傳，詩人亦危矣哉。

又《王簣山太守詩草》 嗟乎！吾今而後知古人之爲詩與今人同，而其所以爲詩者則與今較然異也。今人之詩，以雕飾爲麗，以馳騁爲壯，而不求其義之所歸。古人之詩，言近而旨遠，文簡而事該，發乎性情之正，而被於民物者深。故誦其詩即可以考其政事，知其爲人。

顧廣圻《思適齋集》卷一二《江鄭堂詩序》 世之論詩者，以爲有學人之詩，有詩人之詩，此大不然。詩也者，學中之一事。如其不學，無所謂詩矣。

又《春草堂詩題詞》 自古絕藝皆一而後精，唯詩亦然。故五言七字爲者甚多，精者甚少。非精之難，一之難也。若夫謝君佩禾之于詩，可謂一矣。客歲識君，知所選有《蘭言集》，所作有《春草堂稿》。蓋其爲人也，豈特行立坐卧，念念在在，無非詩者，抑且交際酬應，旅途跋涉，人物也，山水也，皆君詩料而已矣。歡欣也，愁戚也，皆君詩情而已矣。一于詩乃至如是。然則何怪其精而又精，靡有止境也。

郭麐《紅茶詩序》 昔之論詩者曰，有臺閣之詩，江湖之詩。所謂臺閣之詩者，其志恬以愉，其音和以雅，其詞金舂而玉應，其色虎炳而龍翔。所謂江湖之詩者，其志幽以深，其音哀以怨，其詞與色誕曼而俶詭，離奇而曶悅。是二者固判然矣。然而世之所謂工者，類皆出於幽深哀怨、誕曼俶詭、離奇曶悅之作，爲之沈吟俯仰，纏綿菀結而不可解。而所謂鴻文鉅章，震耳驚目者，曾不足以繫乎其心。豈眞易好而難工歟？豈後之論者，略其迹而專取其詞歟？又豈窮達異趣，而世之好爲語言者，皆窮之徒歟？余竊惑焉。【略】夫詩者，發於志而形於言者也，故有發憤而作，有不得已而後言。發憤與不得已者，不於其遇於其時，不於其身於其心，不於其詞於其志，士君子所存者深，所志者遠，其立身行己，所以自處，與度夫世之所以處我者，蓋有父母妻子之所不能喻，而言語文章之所不能達者矣。顧以其身之遇與否，與其詞之云爾者，而爲之區別焉，以論定之，不已傎乎！竊又論之，今之所謂臺閣之詩者，貴人之詩耳；所謂江湖之詩者，鄉曲鄙俗之詩耳。苟其志之所存深且遠，則其恬愉和雅之音，亦必能使後之人沉吟俯仰於其間而繫乎其心，非必其幽深而哀怨也。

錢儀吉《衎石齋記事續稿》卷五《許天玉詩鈔序》 新城、秀水爲詩家宗師，夫人知之矣。而以盛名都顯位，延攬當世才人傑士，惟恐失之者，新城爲盛。【略】雖然新城壇坫高海內，而一時之以詩鳴者，其宗法所存，詣力所極，不必與新城同。甚且有如趙秋谷之嗤點齮齕，顯與爲敵，何也？蓋詩本性情之眞，其不能以一家宗派限天下之性情，使出于一塗，理勢然已。【略】正新城之所不足，乃能以吾之不足，服人之有餘。不以同己者爲是，異己者爲非，此新城之所以爲宗師也。

又《沈司勳(叔埏)頤綵堂詩集序》 自嚴滄浪論詩曰「妙悟」、曰「入神」後，人不喻神悟之所由致，輒曰詩以道性情，何必博聞？於是率臆點筆，空疏鄙俗之不免，而曰吾性情存焉爾。此竹垞朱檢討之所深斥也。顧吾觀嚴氏之說，謂：「詩有別材，非關書也；詩有別趣，非關理也。然非多讀書，多窮理，則不能極其至。」是雖嚴氏又何能廢書哉！檢討嘗自言所得亦曰：「予中年好鈔書；通籍以後，集史館所儲，京師學士大夫所臧弆，必借錄之；歸田以後，鈔書愈力，暇輒瀏覽，恒資以爲詩材，於是緣情體物不復若少時之隘。」蓋詩之不易爲若是。

又《石泉詩集序》 蓋詩之爲敎微矣。前人持論，若主性靈，若尚體格，若繫重時事，若博綜子史，更爲雄長，或相筆伐。予竊謂三代以上，政化風俗靡不厚，是以里巷士女歌謠諷諭，采之遒人，登諸朝廟，可以暢神人而淑邦國；三代以下，其責則在士大夫，亦惟是問學原本，厚積而誠感，則殊塗同歸，皆非徒作。不然，法古者遺其神，寫心者疏於律，詩於何有？

又《冰蔬集序》 詩家區別時代，墨守門戶，肖貌土木，梏其天眞固也，流染多塗，誕麗自得，認塵作性，長往不反，亦惑也。姜白石云：「不求與古人合，而不能不合，不求與古人離，而不能不離。其來如風，其止如雨，」是則善言詩者。雖然，源之不浚，氣之無養，又何以及此哉！人有恒言，詩以道性情，余謂詩以持性情，士人學詩必也先持其心，服習禮樂，抑揚騷雅，若揭日月，若抱冰雪，靡照不深，一妄不箸，先性其言而後出之，斯可以風諭鄉國，冥感鬼神，道不遠而單。

張鑒《冬青館乙集》卷五《寶綸堂詩鈔序》 作詩之旨，謂有妙悟則可，謂不關學問則不可。司空圖「流鶯比鄰」之品，嚴滄浪「羚羊挂角」之論，其實不過妙悟而已。如云詩有別腸，則枵腹操觚、鉸釘補鍋者皆可從事，豈足以上擬雅頌之遺乎？

又《鍾新甫詩鈔序》 詩必本乎其人之學，謂詩不關學，罪與清談注易者等。夫子一生學周公，周以前學者不敢知，大約箕子其一。漢儒以五行傳《洪範》，詩人先習之《小旻》之五章，其證也。《皇極》爲四言濫觴，信矣。周公作詩，作詩訓詁，夫子斷斷教人學詩。暴虎馮河，不敢即不與。徒搏徒涉，釋訓存焉。《淇奧》首六言，一存其釋訓於《爾雅》，一存其釋訓於《大學》，自學修內外暨盛德至善，其深切著明如此，則司空圖、嚴羽罪即不深於桀紂，當從王輔嗣末減矣。

葉紹本《抱冲齋詩集序》 昔人論史有才學識三長，惟詩亦然。才不大，則無以牢籠百態，辨雕萬物；學不博，則無以囊括古今，鼓吹羣籍；識不精，則無以翦截浮辭，芟夷煩亂。蓋必三者備而後雄深雅健。其言有物，卓然爲一時詩人之傑，誠不易覯也。

陳壽祺《左海文集》卷六《薩檀河白華樓詩鈔序》 嚴滄浪云：「詩有別才，非關書也；詩有別趣，非關理也。然非多讀書，多窮理，則不能極其至。」卓哉是言乎？犛牛不可以執鼠，干將不可以補履，鄭刀宋斤遷乎地而弗良，楂梨橘柚味相反而皆可於口，此別才之說也。五沃之土無敗歲，九成之臺無枉木，飲于江海，杯勺皆波濤，採于山藪，尋尺皆松樅，此多讀書之說也。解牛者，目無全牛；畫馬者，胸有全馬；造弓者，擇榦於太山之阿，一日三覩陰三覩陽，傅角纏筋，三年乃成；學琴者之蓬萊山，聞海水澒洞，山林杳冥，一動操而爲天下妙；此多窮理之說也。故才不儁則意凡，學不豐則詞儉，理不博則識褊。古大家之爲詩，雖風格各殊，顧於是三者，必有所獨至，然後其騰實大而收名遠。而世徒執別才一語爲滄浪詬病，抑過矣。

黃承吉《夢陔堂詩集》卷二《讀關雎寄焦里堂》 李北嶽論詩，以唐人工比興，宋人工賦，斯見之謬，奚待足下而喻之。僕以爲詩之大要，情與聲二者而已。《書》曰：「詩言志，歌永言，聲依永，律和聲。」古聖之訓，雖萬世不得易也。顧嘗以此說見哂于時賢，謂飾常論以欺世。夫古人之詩，其旨遠，其情深，其辭微而婉，檢而不肆，故其聲正而大，越而不卑。自曹魏以上，雖正變不同，而此義未失。逮有晉之後，始以辭相尚，其辭之所有者，不必盡依乎情，或情僅而辭以濟之，故其聲隱而不振。顧其旨趣侔魏氏而不足，風力乃足控唐賢而有餘。說者以晉宋爲承先啓後之會，其知言乎！齊梁之間，緣事紆餘，遇物刻鏤，興寄雖乏，辭采煥然，以云工賦，庶幾近之。亦越有唐，未嘗不以辭相高，而多本乎情。其情不甚深，而辭固不甚相遠，又不淪於淺易，故其聲清而可聞。然超絕者不過十數家，有不能此者，其聲則已卑矣。然尚直而不俚，繁而不雜也。洎乎宋人，不識古人之遺意，不知詩之本體，而泛然苟作。其賢者，欲以學自見，不問所學之合乎詩與否，而皆欲於詩發之，又不能正之，使合乎詩；其庸下者，以爲詩言志而道性情，遂廢棄高深，而率爲簡易，甚至村言里語，市談街唱，無不見之於詩。究其所謂情者非情，所爲志者非志，於是乎其情汨，其聲乖，而辭亦喪矣。蓋詩者，可以咏歎而不可以紀實，可以美刺而不可以論議。就其事以歌之，不必實其事；如其理以說之，不必辯其理。如是然後旨遠而情深，辭不肆而聲不卑也。不明乎此，而鰓鰓焉從其貌以索之，其不至於眩亂迷惑者，幾希矣。夫比興之義至唐而微，賦之道至宋而絕，學者精而求之，自無不得其旨。

又卷三二《窮神篇》 既爲《知音篇》以示客，客曰：「止於音乎？」曰：「音與神相屬者也，音不當則神弗合，神不浹則音弗適矣。」作《窮神篇》：「形骸非可貴，迹象物之粗。妙哉神所觀，積氣成寰區。一物一窈渺，一言一錙銖。稍偏即已失，偶缺將焉如。於此而注彼，已盡還爲餘。此豈一端既，而何詞之徒。詞義固實幹，非神曷由敷？附著運鈐軸，斡迴凌轉樞。繚繞人變態，低徊沿奧趨。由是愜飛動，因以噓生枯。朽腐何靈奇？超忽任自殊。固云破萬卷，亦曰反三隅。乃者執面貌，衣冠盛侏儒。冶容漫炫飾，剝盡空飢膚。亦有徒手技，往復循空疎。自覺栩栩蝶，莫窺洋洋魚。因思橐籥祕，在在皆規模。方寸實可領，云何杳難圖？精到窮極度，非爲厚矯誣。從來叩寂寞，責有元因無。」

方東樹《昭昧詹言》卷一《通論五古》 傳曰：「詩人感而有思，思而積，積而滿，滿而作。言之不足，故長言之，長言之不足，故嗟歎咏歌之。」愚按以此意求詩，玩《三百篇》與《離騷》及漢、魏人作自見。夫論詩之教，以興、觀、羣、怨爲用。言中有物，故聞之足感，味之彌旨，傳之愈久而常新。臣子之於君父、夫婦、兄弟、朋友、天時、物理、人事之感，無古今一也。故曰：詩之爲學，性情而已。

又 思積而滿，乃有異觀，溢出爲奇。若第強索爲之，終不得滿量。所謂滿者，非意滿，情滿卽景滿。否則有得於古作家，文法變化滿。以朱子《三峽橋》詩與東坡較，僅能詞足盡意，終不得滿，無有奇觀。矧不及朱子此詩者耶？

又 朱子曰：「文章要有本領，此存乎識與道理。有源頭則自然著實，否則沒要緊。」又曰：「須靠實，說得有條理，不要架空細巧。」論議明白，曉然可知。愚謂詩亦然，否則沒要緊，無歸宿，何關有無。

又 古人皆於本領上用工夫，故文字有氣骨。今人只於枝葉上粉飾，下梢又並枝葉亦沒了。文字成，不見作者面目，則其文可有可無。詩亦然。

又 詩文與行己，非有二事。以此爲學道格物中之一功，則求通其詞，求通其意，自不容已。天不假《易》；豈輕心以掉，且夕速化之所能也。《大學傳》曰：「君子無所不用其極。」

又 詩以言志。如無志可言，強學他人說話，開口卽脫節。此謂言之無物，不立誠。若又不解文法變化精神措注之妙，非不達意，卽成語錄腐談。是謂言之無文無序。若夫有物有序矣，而德非其人，又不免鸚鵡、猩猩之誚。莊子曰：「眞者精誠之至也。」不精不誠，不能動人。嘗讀相如、蔡邕文，了無所動於心。屈子則淵淵理窟，與《風》、《雅》同其精蘊。陶公、杜公、韓公亦然。可見最要是一誠，不誠無物。誠身修辭，非有二道。試觀杜公，凡贈寄之作，無不情眞意摯，至今讀之，猶爲感動。無他，誠焉耳。彼以料語粧點敷衍門面，何曾動題秋毫之末。

又 修辭立誠，未有無本而能立言者。且學無止境，道無終極。凡居身居學，纔有一毫僞意，卽不實。纔有一毫盈滿意，便止而不長進。勤勤不息，自然不同。故曰：其用功深者，其收名也遠。

又 嘗論凡著一書，必使無一理之不具，否則褊隘。此孟子所謂「觀水之瀾，容光必照」，自然發露，非鋪陳賣弄，使盡見也。凡著一書，必有宗旨。否則淺陋無本，一望絕潢斷港、黃茅白葦而已。此二義作詩亦然。然須妙會其旨，不可執著。若執著，必將高張土梗，稗販腥腐，豈惟不可當著書，抑於斯文眞脈遠矣。

又 昔人言《六經》以外無文章，謂其理其辭其法皆備，但人不肯用心求之耳。苟用力於《六經》，兼取秦、漢人之文，求通其意，求通其辭，何患不獨有千古。惜余悟之晚，精力已衰，不能精誦矣。韓公一生只用得此功，故獨步千古。

又 姚薑塢先生論黃黎洲文曰：「流覽多愛，浸淫於後代文集而不自振。亦由其才思不奇，識尤卑凡，好易而畏難故也。」竊謂今人所以不及古者，悉坐此病。地醜德齊，自謂雄長，卒莫相尙。韓公非三代、兩漢之書不敢觀，謝茂秦不許用唐以後事，皆恐狃於近而不振也。

又 大約今學者非在流俗裏打交滾，卽在鬼窟中作活計，高者又在古人勝境中作優孟衣冠。求其卓然自立，冥心孤詣，信而好古，敏以求之，洗清面目，與天下相見者，其人不數遘也。

又 以《三百篇》、《離騷》、漢、魏爲本爲體，以杜、韓爲面目，以謝、鮑、黃爲作用，三者皆以脫盡凡情爲聖境。

又 以《六經》較《莊子》，覺《莊子》意新奇佻巧。以《六經》較屈子，覺屈子辭膚費繁縟。然而一則醒豁呈露，一則沈鬱深痛，皆天地之至文也。所以並驅《六經》中，獨立千載後。

又 《莊》以放曠，屈以窮愁，古今詩人，不出此二大派，進之則爲經矣。漢代諸遺篇，陳思、仲宣，意思沈痛，文法奇縱，字句堅實，皆去經不遠。阮公似屈，兼似經；淵明似《莊》，兼似《道》：此皆不得僅以詩人目之。其後惟杜公，本《小雅》、屈子之志，集古今之大成，而全渾其迹。韓公後出，原本《六經》，根本盛大，包孕衆多，巍然自開一世界。東坡橫截古今，使後人不知有古，其不可及在此；然遂開後人作滑俗詩，不求復古，亦在此。太白亦奄有古今，而迹未全化，亦覺眞實處微不及阮、陶、杜、韓。蘇子由論太白，一生所得，如浮花浪蘂，好事喜名，不知義理之所在。今觀其詩，似有然者。要之皆天生不再之才矣。南宋以來詩家，無有出李、杜、韓、蘇四公境界，更不向上求，故亦無復有如四公者。一二深學，卽能避李、蘇，亦止追尋到杜、韓而止。乃若其才既非天授，又不知杜、韓之導源《經》、《騷》，津逮漢、魏，奄有鮑、謝處，故終亦不能到杜、韓也。

又 文字要奇偉，有精采，有英氣奇氣。《荀子》、《國語》皆委靡繁絮，不能振起。此亦非關世盛世衰。如《變風》、《變雅》、《離騷》，豈非衰世之文，而戰國、楚、漢尤爲亂世，其文奇偉，亘古莫及。但奇偉出之自然乃妙，若有意如此，又入於客氣矜張，僞體假象。此存乎其人讀書深，志氣偉耳。若專學詩文，不去讀聖賢書，培養本源，終費力不長進。如韓公便是百世師。

又 朱子論孟子說義理，精細明白，活潑潑地；荀子說了許多，令人對之如吃糙米飯。又論作文不可如禿筆寫字，全無鋒刃可觀。愚謂作詩文雖有本領，而如吃糙米飯，如禿筆寫字，皆無取。昔人議《聖教序》爲板俗，今如某公之文，某公之詩，便是如此。雖亦有本領，不得古人行文之妙，則皆無當於作者。故本領固最要，而文法高妙，別有能事。

又 朱子曰：「行文要緊健，有氣勢，鋒刃快利，忌輭弱寬緩。」按：此宋歐、蘇、曾、王皆能之，然嫌太流易，不如漢、唐人厚重，然卻又非鍊局減字法，眞知文者自解之。以詩言之，東坡則是氣勢緊健，鋒刃快利，但失之流易不厚重，以此不及杜、韓。在彼自得超妙，而陋才崽士，以猥庸才識學之，則但得其流易之失矣。

又 氣勢之說，如所云「筆所未到氣已呑」、「高屋建瓴」、「懸河洩海」，此蘇氏所擅場。但嫌太盡，一往無餘，故當濟以頓挫之法。頓挫之說，如所云「有往必收，無垂不縮」、「將軍欲以巧服人，盤馬彎弓惜不發」，此惟杜、韓最絕，太史公之文如此，《六經》、周、秦皆如此。

又 固須是用杜公混茫飛動氣勢爲上，然纔有一步滑，即散漫。

又 觀於人身及萬物動植，皆全是氣所鼓蕩。氣纔絕，即腐敗臭惡不可近。詩文亦然。

又 又有一種器物，有形無氣，雖亦供世用，而不可以例詩文。詩文者，生氣也。若滿紙如翦綵雕刻無生氣，乃應試館閣體耳，於作家無分。

又 氣之精者爲神。必至能神，方能不朽，而衣被後世。彼僞者，非氣骨輕浮，即腐敗臭穢而無靈氣者也。

又 用筆之妙，翩若驚鴻，宛若游龍；如百尺游絲宛轉；如落花迴風，將飛更舞，終不遽落；如慶雲在霄，舒展不定。此惟《十九首》、阮公、漢、魏諸賢最妙於此。若太史公《史記·年月表序》尤妙，莊子則更滅其迹。杜公《奉先述懷》，一起語勢浩然，凡十層十四換筆，何減史遷。《莊子·齊物論》起數節，尤入化。

又 宋、元、明以來有一等詩家，如《西游記》傳奇所說諸色妖魔，竊取眞仙寶貝一二件，自據一山洞作狡獪，尋常兵力頗難收伏，而終非上眞正道；其寶貝之來歷作用源頭，彼皆不足以知之。如阮公《咏懷》，太沖《咏史》，景純《游仙》，陶公田園，康樂山水，太白仙酒，杜公忠主憫時，皆爲妖魔所竊，而其眞用皆不存也。非但詩也，文字亦然，道德政事亦然。

又 薑塢先生云：「空同五言，多學大謝。倣其形似，略彼神明，天韻既非，則句格皆失研矣。」余謂昧其作用而強學其句格，如王朗之學華歆，在形骸之外，去之所以更遠。王介甫「月映林塘澹」，僅一句興象，便自謂相似，何足以知大謝？眞所謂見驥一毛，安能窺其神駿？

又 古人詩格、詩境，無不備矣。若不能自開一境，便與古人全似，亦只是牀上安牀，屋上架屋耳，空同是也。

又 嘗論唐、宋以前詩人，雖亦學人，無不各自成家。彼雖多見古人變態風格，然不屑向他人借口，爲客氣假象。近人乃有不克自立，己無所有，而假助於人。於是不但偷意偷境，又且偷句。欲求本作者面目，了無所見，直同穿窬之醜也。韓公《樊宗師銘》言文，可以移之論詩。

又 大約眞學者則能見古人之不可到，如龍蛇之不可搏，天路險艱之不可升，又迷悶畏苦，欲罷不能，竭力卓爾。否則，無不以古人易與，動筆即擬，自以爲似，究之只是撏撦法耳，優孟法耳。試執優伶，而問以所演扮之古人，其志意懷抱，與夫才情因宜，時發適變而不可執之故，豈有及哉！

又 大約俗士不解傾心，勝流爲之刮目者，上也；反之而無德者眩，有德者厭，下也。

又 大約學人好爲高論，而不求眞知，盡客氣也。

又 聖人論學曰：「博學審問，愼思明辨。」辨之不明，則已無由識眞。古人不感其知己，後人不享其敎思。愚無所知，而於論學論文，好刻酷求眞，語無隱賸。偶出示人，皆嫌憎之，以爲不當詆訐前賢。或又以爲詞氣激直，不能淵雅，失儒者氣象。是皆藥石矣。然思惟求保一己美善之名，而無公天下開來學之切意，含糊顢頇，使至理不明，歷觀孔、孟、程、朱之言無是也。韓、歐、蘇、黃之言無是也。君子取人貴恕，及論學術，則不得不嚴。大聲疾呼，人猶不應，況於騎牆兩可，輕行浮彈以掣鯨魚，褒衣博帶以赴敵場，菖陽甘草以救沈寒火熱之疾乎？

又　潛邱言：「講學問經濟，隨地可以及物，詩不中用。」此言可警心。韓公所以言「餘事作詩人」也。

又卷四　學詩當從《三百篇》來，以屈子、漢、魏、阮公、淵明嗣之，如此方見吟詠之本。所謂「感而有思，思而積，積而滿，滿而作」，及其成章，使人諷之，自得於興、觀、羣、怨之指。至於文詞句法工拙高下，特其餘事耳。

又卷五　古人作詩，各有其本領，心志所結，動輒及之不自覺，所謂雅言也。如阮公之痛心府朝，憂生慮患；杜公之繫心君國，哀時憫人；韓公修業明道，語關世教，言言有物。太白胸中蓄理至多，逐事而發，無不有興、觀、羣、怨之指。是皆於《三百篇》、《騷》人未遠也。謝公功力學問天分，皆可謂登峰造極，雖道思本領未深，不如陶，而其痼疾煙霞，亦實自胸中流出。不似後人客氣假象，自己道不得，卻向他人借口也。

又　讀古人詩，其用意須會之於意言之表，方可云善繼其志。

又卷一〇　學者須要胸襟高，識趣超，義理宏，筆力強。此皆詩文本領，不可強而能，不從學詩得也。

李光廷《壯懷堂詩三集序》　昔昌黎之論文曰：氣，水也；言，浮物也。氣盛則言之長短聲之高下皆宜。善哉旨乎！蓋立言之士未有不本之氣而能經世行遠者也。昌黎固然矣，唐之李杜，宋之蘇黃，金之遺山，或俊逸而沈鬱，或浩放而勁折，或峻峭而廉厲，其中開闔擒縱之故，殆有先波瀾而橐籥者，遂能鼓舞靈頑，變移忻戚，則皆氣之爲也。

胡承珙《求是堂文集駢體文》卷二《朱蘭坡小萬卷齋詩集序》　原夫金絲引和，必貴幼眇之音；元黃錯采，所恃麗密之體。非情動於中，則八音皆浮響矣，非質有其內，則五色以久渝矣。物固有之，文亦宜然。故夫詩之興也，哀樂泯於自然，喜怒匪由人事。士衡著緣情之教，彥和垂體性之篇，陳王擴宇於《國風》，阮公受才於《小雅》。江淹善恨，乃義心苦調之人；平子工愁，有惻隱古詩之意。皆以因流溯源，援條振藻，涂轍雖異，匯歸則同焉。今者標舉風流，掞張慧業，或撏撦以眩博，或跳盪以逞豪，或闡緩以尙和，或譎詭以肆巧，幾乎家藏鵠玉，人握驪珠，鏗鍧驚趙鞅之魂，絢爛瞬安豐之眼，然而土夫木伯，或少情根，露蘤風榮，無關性始。有女之舜英徒豔，男子之樹蘭不芳，眞宰弗存，翩其反矣。

姚椿《詒安堂初稿叙》　詩之爲道，意寬而旨嚴，詞近而義遠。今世爲詩者多，達此者或寡，豈非其淵源所本，有不盡然者與？

陶澍《遲雲吟館詩集序》　卜商氏之序詩曰：「詩者，志之所之也。」情動於中而有言，是故詩以言其情也。周以後漢魏之詩最盛，然而代不過數人，人不過數篇，彼其情在乎？是卽言在乎？是情之所不在，不強爲也。後世之爲詩者，吾惑焉。鉥心腎，鏤肝肺以搜之，窮日夜，限晷刻以迫之，廢寢食，忘本業以耽之。是何其情之所感無已時，毋亦有可已而不已者乎！夫可已而不已，是直謂之爲詩役。爲詩役，是其詩非必情之所欲出而志之所欲言也，役焉而已矣。雖多且工，弗尙也。

黃培芳《香石詩話》卷一　詩之源在《三百》，無迷其途，無絕其源。

又　後人之詩無殊於《三百》者，外異中同也。其外雖異，其中自不可不同。

董士錫《齊物論齋文集》卷二《崇百藥齋詩文集序》　凡今之偁人詩文者，大都曰是學唐宋誰某。爲詩文者，果先有一古人心中，乃曲爲揣摩以赴其節邪？若曲爲揣摩以赴其節，此其用功甚深，非才力有過人者。不能有過人之才力，則固足以自見矣，而廑廑于古人之面貌，是自棄也。然則襲古人之面貌者，其才力必不過人，其揣摩亦必不能曲中其節。何也？才力不至，不足以達其性情。而才力之過人者，性情學識，又未有不與之交至者也。

張清標《楚天樵話》卷上　詩須不論名位。山谷逸士，萃心力五、七字中而清思遠致，有名位人不能到者。如湘陰朱伯有《秋夜》云：「月高千嶂曉，露下百蟲清。」澧州楊瑛《過衡山縣》云：「亂峰堆晚翠，孤塔挂斜陽。」酃縣鄒中石《登石嶺》云：「涼風吹帶緩，斜日下山遲。」湘鄉易爾眉《懷僧》云：「秋爭一片月，人在數重山。」「人語空山綠，猿歸古徑深。」「一燈人語淺，半壁誤痕青。」「春草本多露，高天獨有星。」皆非軟塵中人所能道。

厲志《白華山人詩說》卷一　行地之水莫盛于河，河之發源實本星宿，所謂星宿者，以其所出衆也。學問之道，何獨不然！

又　詩之所發皆本于情，喜怒哀樂一也。讀古人詩，其所發雖猛，其詩仍斂蓄平易，不至漫然無節，此其所學者深，所養者醇也。今人情之所至，筆卽隨之，如平地注水，任勢奔放，毫無收束，此其所學未深，而并不知養耳。

又 衡論千古作者，何從見其高下，所爭在眞氣靈氣耳。

又 或曰：「《三百篇》直抒性情，無一不佳，請問當日詩人，所讀何書？」余謂不然，不讀書必不能有此。古今人性情皆同，惟其薰染不同，故文字亦不同。少時聞田歌云：「謝豹香花滿山紅，癩頭娘子嫁老公。」原其情之所發，即是《周南》《桃夭》之詩。一文一俚，難可里計，由其有無書味薰蒸故耳。

又 心神快爽時，則氣易粗浮。當此時，要平素有實積工夫，抒寫之間，自然如春雲出岫，望之蓬蓬勃勃，而其噓吐又極自在也。

又卷二 到一名勝之所，似乎不可無詩，因而作詩，此便非眞性情，斷不能得好詩。必要胸中本有詩，偶然感觸，遂一涌而出，如此方有好詩。

又 看今人作詩，方寸間把此心尚未擺定，拈一題執筆便寫，滔滔數百言，頃刻了事，問其方寸間擺定否，仍茫然也。此種詩如何得佳？

又 凡作詩必要書味薰蒸，人皆知之。又須山水靈秀之氣，淪浹肌骨，始能窮盡詩人眞趣，人未必知之。試觀古名人之性情，未有不與山水融合者也。觀今之詩人，但觀其游覽諸作，雖滿紙林泉，而口齒間總少烟霞氣，此必非眞詩人也。

沈兆澐《織簾書屋詩鈔序》 詩發乎情，情不同而詩亦因之而異。故頌其詩可以知其人。矯情者乖，矜情者浮。匿其情而雕飾以爲工，飽飣以爲雅，剽竊摹倣以爲能，是僞而已矣，烏足以言情。夫情動于中，感時興物，長言詠嘆，適中乎音響節奏之自然，溫厚和平，不蘄勝于人，輒有以厭飫乎人心，則惟其情之眞也。

劉開《劉立塗集二文集》卷七《珠船詩草序》 詩以達情也，而世之爲詩者，適足以自掩其情，是非才之不足而學之不至也。發焉不由其誠，爲之不以其道，則才與學皆足爲詩病也。

又《漳州竹枝詞跋》 竹枝之體，其源出於國風。考亭所謂里巷歌謠者是也。唐劉禹錫最工爲之。自是以降，作者益衆，或以言情，或以紀俗，要不失風人之旨而已。鄭君栗園客漳時，有《竹枝百咏》，其言俚而工，其意近而遠，大抵取古人紀俗之意，詼諧出之，然於言情之體例亦自不悖。蓋言情之作，舒一己之感歎以形咏歌，故辭必取乎簡。紀俗之作，備一方之土風，以資勸懲，故辭不嫌其繁。

路德《檉華館全集》卷一《二竹齋詩集序》 詩有一唫而卽工者，解人也。一唫卽工，學之久而愈工，解與年俱進，詩亦與年俱進，不然雖終身學爲詩，其所謂詩者固非詩也。非詩矣，猶論其工拙哉！

又卷二《瘦竹齋詩集序》 子知詩之通於政，政之成於思乎！《詩》三百，一言以蔽之曰「思無邪」，然明曰政如農功，日夜思之，思其始而成其終，必無邪而後能用思，能用思而後能爲政，能爲政則心之所擬，口之所議，筆之所判，身之所爲，渢渢乎，盎盎乎，不必爲詩而已，無非詩矣。及其爲詩，直而不激也，曲而不撓也，健而不酷也，婉而不媚也，達而不放也，雅而不飾也，但讀是詩而政可知已。雖然，詩通乎政，政成於思，思何以得無邪哉？曰：此不可求之詩與政也。求之詩與政，思而不學，鮮有不入於邪者。大抵學深則思深，學淺則思淺，學偏則思亦偏，學有作有輟，思亦忽通忽窒，爲詩詩敝，爲政政敝，此非不思之咎，乃不學之咎也。

桂超萬《懷裕堂文集》卷二《青山詩萃序》 諸君之詩，皆抑鬱不得志者之所爲。窮而後工，是皆然矣。然謂詩能窮人，則殊不然。唐之詩人，顯者有張曲江、高達夫諸公，而我朝吳文簡、沈文愨皆以詩名尊重，遭際非常。

謝堃《春華堂集》卷一《蔣竹侶詩序》 評月譚風，固騷人之本色；裁香翦翠，亦羈客之恆情。然而境有不同，人各有志，所以拋殘紅豆，滿地相思，打起黃鶯，一天魂夢，論指爪於蘼蕪山上，采芙蓉於杜若洲邊，此皆古人處於飄泊者詞也。後之繼起者，則有折柳聲中，唱摩詰銷魂之曲。浣花牋上，寫蕭孃腸斷之書。若夫水滴銅龍，希聞晝漏，絲牽玉虎，驟睹晨妝，擊珊瑚於鬬酒之場，贈玳瑁於彈箏之席，此又古人行乎富貴者詞也。後之繼起者，則有僧孺丞相釵飾排金，汾陽令公屏風設宍。總之，媺人香草，無傷屈子之孤忠；翠簟鴛幬，反襯仲先之雅尚者矣。

姚瑩《東溟文集》卷二《孔蘅浦詩序》 詩爲六藝之一，動乎性情，發乎聲音，暢乎言辭，中乎節奏。其始也必有所感，感於情者深厚，然後託於辭者婉摯，使人讀之，不覺其何以油然興觀羣怨，此古詩所以可貴也。至唐而體格備，至宋而變境窮，然振采飛聲盡態極悄之中，自有其不可易者。漢、唐、宋、明以來大家蓋一致也。國朝作者尤衆。至於論詩，自以阮亭爲正，所謂妙悟天成也。乃其自運，又失之靡弱，雖力造唐賢，實則不異金元諸家。識者謂學似遺山，才力微不逮焉。歸愚以吳人言詩，頗能脫去纖穠，別裁僞體，而才質凡近，骨力不騰，每多死句滯意。近世虛憍之流，又以其豪黠獧薄傷風敗俗之辭倡導後生，自比鐵崖。然鐵崖當日已有文妖之目，斯又下矣。又有工應試舉詩者數家，能以唐音入於體製，於是學者又相倣效。及取全集觀之，則所謂古近體者猶然應試舉詩也。又或眞情不足，假故實以文其疏舛，由溫李之餘波益加繁博，自矜選體，而不知與曹劉沈謝有天壤之殊。至其甚者，乃更孜孜考證，好古搜奇，破碎繁蕪，其於文章論說，猶失廉肉取舍之道，而況詩之風雅乎。

又《東溟文後集》卷九《鳥青詩集序》 國朝諸公病明代詩復古之弊，乾隆嘉慶以來，多避熟就生，以變其體。大約不出蘇黃二公境中，究未能自開生面也。古今作者，文質相宣，繁簡遞嬗，要當抒軸性情，雕繪景物，風骨堅壯，才思高翔，格高體正，絕除卑俗，則其善也。若必以常見爲非，力求新異，卽明珠白璧，等諸瓦礫，特牲太牢，不登肴俎，此乃賦七之奇，豈復言志之旨。雖復自矜沈奧，及乎羣輩爲之，久更生厭，猶然炫爛之極歸平澹耳。前後易觀，何足深譏乎。

又《東溟外集》卷一《鄭雲麓詩序》 夫詩者心聲也，人才學術之所見端，亦風俗盛衰之所由係。今海內承平久矣，人心佚則淫，淫則蕩，蕩則亂。士大夫固有其所當務者，詩歌似非所先。然以持正人心，諷頌得失，實有切于陳告訓誡之辭者。

又卷二《復楊君論詩文書》 承教以斂其才更反於樸，積其氣使進於渾，旨哉言乎！終身佩之矣。雖然，此可爲才氣已足者言，若僕猶未能語此也。抑嘗論之，才與氣二者，有得於天，有得於人。才之大，如江如海至矣；氣之盛，如霆如雷至矣。然江漢猶必納衆水以匯其流，雷霆不能擊鐘鼓以助其勢者，其充之有漸，其積之甚厚故也。孟子曰：「觀於海者難爲水。」又曰：「配義與道。」斯言也，不爲詩文言之；吾以爲詩文之道，無以易此矣。曩吾嘗觀古之善爲詩文者，若賈生、太史公、子建、子美、退之、子瞻，皆取其全集玩之。謂彼特異於古今者，其才其氣殆天授，不可以幾也。既讀書稍廣，於數子生平得其出處言行之大節，然後知數子之異，不僅在詩文，而其詩文才氣之盛，有由也夫。

又卷三《復吳子方書》 僕少卽好爲詩古文之學，非欲爲身後名而已。以爲文者所以載道，於以見天地之心，達萬物之情，推明義理，羽翼《六經》，非虛也。世俗辭章之學，既厭棄而不肯爲，卽爲之亦不能工，意欲沈潛於《六經》之旨，反覆於百家之說，悉心研索，務使古人精神奧妙無一毫不洞然於心，然後經營融貫，自成一家，縱筆爲之，而非苟作矣。詩之爲道亦然。《三百篇》而下，無悖於興觀羣怨之旨而足以千古者，漢之蘇李，魏之子建，晉之淵明，唐之李杜韓白，宋之歐蘇黃陸止矣。此數子者，豈獨其才力學問使然哉，亦其忠孝之性有以過乎人也。世之爲詩者，不求者本而惟字句格調是求，已淺矣，矧其並字句格調無足觀耶！僕之持論如此，而才力淺薄，學問闇陋，則又非旦夕之事也。

又《後湘詩集》卷九《論詩絕句六十首》 熟精選理盡研辭，誰識蕭摩是小兒？可惜飄零流別論，至今裁鑒費工師。

又 辛苦十年摹漢魏，不知何故遠風騷。而今悟得興觀旨，枉向凡禽乞鳳毛。

又 高宴陳詩銅雀臺，子桓兄弟不須猜，胡床粉髻天人語，獨有思王八斗才。

錢寶琛《存素堂文稿》卷二《陸子鐵詩集序》 詩以窮而後工，然非閱歷乎世路之險夷，人情之順逆，與夫天地間詭奇變化之情狀，不能工也。

徐善寶《養一齋詩話序》 凡詩之作，由人心生也。是故人心正而詩教昌，詩教昌而世運泰。浮囂怪僻纖淫之詩作，而人心世運且受其敝。

潘德輿《養一齋詩話》卷一 「詩言志」、「思無邪」，詩之能事畢矣。人人知之而不肯述之者，懼人笑其迂而不便於己之私也。雖然，漢、魏、六朝、唐、宋、元、明之詩，物之不齊也。「言志」、「無邪」之旨，權度也。權度立，而物之輕重長短不得遁矣；「言志」、「無邪」之旨立，而詩之美惡不得遁矣。不肯述者私心，不得循者定理，夫詩亦簡而易明者矣。言志者必自得，無邪者不爲人。是故古人之詩，本之於性天，養之以經籍，內無怵迫苟且之心，外無夸張淺露之狀；天地之間，風雲日月，人情物態，無往非吾詩之所自出，與之貫輸於無窮。此卽深造自得，居安資深，左右逢原之說也，不爲人故也。後世之士，若不爲人，則不復學詩；搦管之先，祇求勝人，多作之後，遂思傳世，雖久而成集，閱之幾無一言之可存。何也？彼原未嘗學詩也。分曹詠物之作，酬和疊韻之體，諛頌悅人之篇，餖飣考古之製，窮工極巧，瀰漫浩汗，何益於身心，何裨於政教？作者詡能手，誦者稱國工，名家不能掃除，餘子倚爲活計，紛紛籍籍，皆孔子所謂爲人者也。此烏得有自得之一時，使人一唱三歎諷尋不置哉！難者曰：「爲己自得，聖學也，學詩必要諸聖，不迂則僭。」曰：「子知詩宜辨雅俗乎？」曰：「知之。」曰：「知之則無疑予言之迂且僭也。夫所謂雅者，非第詞之雅馴而已。其作此詩之由，必脱棄勢利，而後謂之雅也。今種種鬬靡騁妍之詩，皆趨勢弋利之心所流露也。詞縱雅而心不雅矣，心不雅則詞亦不能掩矣。不雅由於爲人而不自得，然則子欲畫雅俗之界，舍爲己自得之説，又何從辨之？《三百篇》、漢人之詩，委巷婦孺，亦廁其中，彼豈嘗探討聖學者，特其詩不爲人而自得，故足傳誦耳。子於此求之，則知予非好作頭巾語矣。不審乎此，而震驚時俗之同然，依傍他人之門戶，無志無識，終於苟焉耳。何詩之可言！」人與詩有宜分別觀者，人品小小繆戾，詩固不妨節取耳。若其人犯天下之大惡，則并其詩不得而恕之。故以詩而論，則阮籍之《詠懷》，未離於古；陳子昂之《感遇》，且居然能復古也。以人而論，則籍之黨司馬昭而作《勸晉王牋》，子昂之諂武曌而上書請立武氏九廟，皆小人也。既爲小人之詩，則皆宜斥之爲不足道，而後世猶贊之誦之者，不以人廢言也。夫不以人廢言者，謂操治世之權，廣聽言之路，非謂學其言語也。籍與子昂誠工於言語者，學之則亦過矣！況吾嘗取籍《詠懷八十二首》、子昂《感遇三十八首》反覆求之，終歸於黃、老無爲而已。其言廓而無稽，其意奥而不明，蓋本非中正之旨，故不能自達也。論其詩之體，則高拔於俗流，論其詩之義，則浸淫於隱怪，聽其存亡於天地之間可矣。贊之誦之，毋乃崇奉憸人而獎飾詖辭乎！宋人論詩，每以陶、阮並稱。不知陶之天機自運，其言平易而昭明，君子之詩也；阮之荒唐隱譎，純爲避禍起見，小人之詩也。尚不逮嵇中散之樸直，何論陶彭澤哉！元人云「論功若準平吳例，合著黃金鑄子昂」者，亦誤也。唐之復古者，始於張曲江，大於李太白，子昂與曲江先後不遠。子昂《感遇》之詩，按之無實理，曲江《感遇》之詩，皆性情之中也。安得以復古之功歸子昂哉！或謂昌黎稱唐之文章，子昂、李、杜並列，而杜公於子昂尤三致意。《送梓州李使君》云：「遇害陳公殞，于今蜀道憐。君行射洪縣，爲我一潸然。」《冬到金華山觀》云：「陳公讀書堂，石柱仄青苔。悲風爲我起，激烈傷雄才。」《陳拾遺故宅》云：「位下曷足傷？所貴者聖賢。有才繼《騷》《雅》，哲匠不比肩。公生揚馬後，名與日月懸。終古立忠義，《感遇》有遺篇。」杜公尊子昂詩，至以《騷》、《雅》忠義目之，子烏得異議？曰：子昂之忠義，忠義於武氏者也，其爲唐之小人無疑也。其詩雖能掃江左之遺習，而諷諫施諸篡逆，烏得與曲江例觀之？杜、韓之推許，許其才耳。吾不謂其才之劣也。若爲千秋詩教定衡，吾不妨與杜、韓異。王元美云：「孔雀雖有毒，不掩其文章。」謂嚴嵩也。究竟今人誰肯讀嚴嵩詩者？於嚴嵩則嚴之，而寬黨逆之阮籍、陳子昂，此人之顛也。不明辨，則詩教在聖教之外，而才士一門，遂爲小人之逋逃藪，害豈小哉！

又卷三 吾學詩數十年，近始悟詩境全貴「質實」二字，蓋詩本是文采上事，若不以質實爲貴，則文濟以文，文勝則靡矣。吾取虞道園之詩者，以其質也；取顧亭林之詩者，以其實也。亭林作詩，不如道園之富，然字字皆實，此「修辭立誠」之旨也。竹垞、歸愚選明詩，皆及亭林，皆未嘗尊爲詩家高境，蓋二公學詩見地，猶爲文采所囿耳。或言詩貴質實，近於腐木溼鼓之音，不知此乃南宋之質實，而非漢、魏之質實也。南宋以語錄議論爲詩，故質實而多俚詞；漢、魏以性情時事爲詩，故質實而有餘味。分辨不精，概以質實爲病，則淺者尚詞采，高者講風神，皆詩道之外心，有識者之所笑也。凡悦人者，未有不欺人者也。末世詩人，求悦人而不恥，每欺人而不顧。若事事以質實爲的，則人事治矣；若人人之詩以質實爲的，則人心治而人事亦漸可治矣。詩所以厚風俗者此也。隋李諤曰：「連篇累牘，不出月露之形；積案盈箱，唯是風雲之狀。文筆日煩，其政日亂。」此皆不質實之過。質則不悦人，實則不欺人，以此二字衡之，而天下詩集之可焚者亦衆矣。

又卷四 詩與樂相爲表裏，是一是二。李西涯以詩爲六藝之樂，是專於聲韻求詩，而使詩與樂混者也。夫詩爲樂心，而詩實非樂，若於作詩時便求樂聲，則以末汩本，而心不一，必至字字句句，平側清濁，亦相依倣，而詩化爲詞矣。豈同時人服西涯詩獨具宫聲，西涯遂卽以詩爲樂乎？

又《養一齋集》卷五《題孔生繼鑅詩後》 詩教有坦塗，誤者非奇衺。乃由方寸間，愛逐纖與夸。博覽近賢作，名盛彌多瑕。志不在滄泊，吐辭必芳華。詎知外盡飾，厥中如敗瓜。詩實世元氣，何爲爭豪奢。言語系學術，其患殊無涯。君年甫及壯，瀕海居幽遐。發憤攄正始，俗音不敢譁。我老入京邑，持論徒槎枒。孤蹤快同志，翻覺難褒嘉。願君養詩心，濟世如桑麻。肯與竝世人，鬬艷風中花？

梅曾亮《柏梘山房詩集自序》 蓋聞言不虛立，古必驗今；率感前邱，鑒兹來軫。天寶無家，拾遺發江關之咏；蜀道多難，商隱標井絡之旨。若乃提捶往事，言成典則；紃察今情，虛而無征。某山某水，乃周處風土之記；書名書姓，實班固人物之表。此一蔽也。【略】且夫詩者，乘興而言，盡意而止。猶夫鳥獸叫音，情竭者不復懷其響；大塊噫氣，怒鬱者不能收其聲。而鄙淺之士，好爲自文；竄句有關鍵之閉，安章如糾纏之合。夫積土成山，居然懷谷；積水爲淵，自能回湍。今必穿土以助其纙運之勢，激水以增其盤盂之觀，此又一蔽也。

又《柏梘山房文集》卷四《浦君錫詩序》 古之爲詩者，感物造端，才智深美，可與圖事，故可以爲大夫。自賢人失志之賦作，而屈原宋玉之徒興。流極既衰，遂謂爲詩者多窮。然就其工者論之，其情縱，其理疏，其志伉，其音悲。其情縱，故孤往而深寄；其理疏，故怪迂而多奇；其志伉而音悲也，故多詆訶怒罵，不得如古聖賢之一於優柔和平。由是觀之，意其人必邁俗少可，持方枘納圓鑿，以己之不合而欲人皆然，雖其遇之多窮，亦其勢然也。其故豈詩之爲哉？

又卷五《黄香鐵詩序》 黄子香鐵試禮部，嘗戒詩，專科舉學。一不自得，復以詩釋戒，詩愈昌。曾亮聞而笑曰：士專於所好，有回萬牛入九軍而不顧者，況區區科第一得失之間哉。古人好詩者，或中夜發狂大叫，白晝行不見官長，以伯主之威，改一字不可得。此非有聲色臭味可尋逐，而好之甚於酒色聲利。是烏知其所以然哉？徐無鬼見魏武侯，告以相狗馬耳。武侯大悅，而笑女商不識也。徐無鬼曰：「久矣夫，莫以眞人之言謦欬吾君之側者。」夫吾以是知物之可好於天下者，莫如眞也。人之境百不同也，境同而性情不同，則其詩舍境而從心；心同而才力不同，則其詩隱心而呈才；境不同，人不同，而詩爲之徵象，此古人之眞也。境不同，人不同，而詩同焉，是天下人之詩，非吾詩也。天下人得爲之詩，而吾代爲作之。烏乎，眞人情之愛人必不如其自愛也。吾日爲不知誰何之人作之，而曰吾甚愛之，愛烏乎至？今黄子之詩，述家人親友悲喜之情，生計憂艱，及耳目所近接可驚歎悲憫事，亦時有物色慢戲綺麗之作，亦不至於淫放，適乎境而不夸，稱乎情而不歉，審乎才而不剽竊曼衍，放乎其眞，適足而止，此則黄子之詩，非天下人之詩也，可以言眞矣。眞如是，可以言好矣。稱觴貴人之前，美言洋洋，錦屏高張，而讀者神不偕來也。商旅里巷之諺，一曙得之，童至耄而習之，吾是以知物之可好於天下者，莫如眞也。吾猶愛之，況吾所自有者乎！吾之毛髮枝節，吾猶愛之，況爲心腹腎腸者乎！不然，泛泛然天下人之詩也，吾日爲之而不知誰爲之，曰吾甚愛之，則愛人之毛髮枝節也，亦如自愛其心腹腎腸者耶非耶？

又卷七《劉楚楨詩序》 國初以詩鳴者王漁洋、施愚山，皆不以考證爲學；其以是爲學者，如閻百詩、惠定宇、何義門，於學各有所長，而詩非其所好。兼之者，惟顧亭林、朱竹垞而已。亭林不以詩人自居；竹垞於詩則求工，而務爲富者矣。然其詩成處多而自得者少，未必非其學爲之累也。嘗謂詩人不可以無學，然方其爲詩也，必置其心於空遠浩蕩，凡名物象數之繁重叢瑣者，悉舉而空其糟粕，夫如是則吾之學常助吾詩於言意之表，而不爲吾累，然後可以爲詩。

又《吳笏庵詩集序》 吾一人之情也，性也，使的然呈露於文字聲律之間，而人皆以爲境如是，情如是者，千萬人而不得一也。幸而得之，則其人之神理緜萬世而不竭。吾之境，非人之境也；情，非人之情也，吾不自肖其情，安知不肖乎人之情？人則舍其情，而以吾之自肖其情者，爲同乎人之情，此吾所以於先生詩而得其人也。然則詩有不能得其人者，何也？得喪不能齊，而自諱其眞也。不則才不能盡其意，詘然而止者也。不則趣不能行其神，兀然而木者也。其天全，其能全，如是而不能得其人，必非知詩者而可哉！

又《近月樓存稿序》 《詩含神霧》曰：「詩者，持也。」康成注《禮》曰：「詩猶承也。」竊謂詩言志，以性情爲主，而持之有學識，承之有師傅，大要不失乎溫柔敦厚之教者近是。若眞意不屬，斤斤操葭黍圭臬，以規倣於古人格律聲調之間，遺神明而拾瀋滓，吾未見其能工也。故誦詩者必先論其人。

陳僅《竹林答問》 問：宋人謂刪後無詩，又以文中子續《詩》爲僭。如叔父言，則古今果無別與？答：宋人之論，尊經則可，於說詩則無當也。朱子取昌黎《董生行》入小學，何嘗薄後人邪？古今無一日無性情，即無一日無詩；無一日無家國天下，即無一日無美刺。故他經不可續，獨《詩》可續，《二南》、《雅》、《頌》不可續，而變風、變雅可續。聖人復起，吾言不易。各存其是而不以古人苛繩之，斯可耳。 問：前人論詩有性靈、學力二種，惟敢問何謂性靈？答：性靈，即性分也。學詩者，有天資穎悟出手便高者，是性分中宿世靈根。摩詰所謂「宿世本詞客，前身應畫師」，滄浪所謂「詩有別趣」。此種人學詩最易，然往往缺於學術，轉至自誤。其由學力進者，多不能成家，以性情不相入也。故兩者必相須而成。問：今人之論，又有性靈詩一種。袁簡齋《論詩》云：「鈔到鍾嶸《詩品》日，該他知道性靈時。」似實有所謂性靈詩者，然否？答：詩本性情，古無所謂「性靈」之說也。《尚書》：「詩言志。」《詩序》：「詩發乎情，止乎禮義。」《文賦》：「詩緣情而綺靡。」有情然後有詩。其言性情者，源流之謂，而不可謂詩言性也。「性靈」之說，起於近世，苦情之有閑，而創爲高論以自便，舉一切紀律防維之具而胥潰之，號於衆曰：「此吾之性靈然也。」無識者亦樂於自便，而靡然從之。嗚呼！以此言情，不幾於近溪、心隱之心學乎？夫聖人之定詩也，將閑其情以返諸性，俾不至蕩而無所歸。今之言詩者，知情之不可蕩而無所歸，亦知徒性之不可以說詩也，遂以「靈」字附益之，而後知覺、運動、聲色、貨利，凡足供其猖狂恣肆者，皆歸之於靈，而情亡，而性亦亡。是故聖道貴實，自釋氏遁而入虛無，遂爲吾道之賊。詩人主情，彼蕩而言性靈者，亦詩之賊而已矣。

問：有謂詩不關學力者，其言何如？答：滄浪言：「詩有別裁，非關書也；詩有別趣，非關理也。然非多讀書，多窮理，則不能窮其至。」其語本自無病，後人截其前四句語，爲藏身之固耳。以太白之天才，擬《文選》至三度，悉摧燒之；少陵尙謂「讀書破萬卷，下筆如有神」。況不如李、杜者乎？

陳世鎔《求志居集》卷八《寶晉齋示諸同學》 文章雖小技，其象應奎躔。經義著功令，取士數百年。敷納本唐虞，心聲亦以傳。皇□諧里耳，未可語鈞天。蹠行而孔語，有辨轂音先。積厚流斯光，根茂葉自鮮。導河自星宿，終以納百川。有司操進退，正鵠或誤懸。君子道其常，詎爲異物遷。

又卷二五《李方伯詩集序》 要原本于溫柔敦厚，興觀羣怨之旨，自寫其性情而已。夫《三百篇》尙矣。漢魏以降，若陳思、淵明、太白、子美、昌黎、東坡諸作者，其詩之至，皆其性情有獨至也。

沈濂《甘泉鄉人稿序》 世人爲文必曰《史》《漢》之文，不則曰唐宋大家；爲詩必曰漢魏之詩，不則曰李杜韓蘇。殫其力以求其似，其用心亦勞矣哉！吾謂求文於文，其得於文必不深；求詩於詩，其得於詩必不眞。詩文，言吾所欲言而已。言之淺深純駮，則視乎其性情學術，根於性也厚，養於學也醇，不得已而發爲言。言必有係於人心世道，所以不怍於古人在是矣。

宗稷辰《躬耻齋文鈔後篇》卷一《姚適庵怡柯草堂詩賦鈔序》 古之爲詩者，多與政通，而通於政者，往往通於經。蓋好惡之正，本於性情；陶淑之眞，關乎風俗。自來賢侯良輔，哲士端人，其由心德而發攄乎善政者，每見之於風詠。若夫抑揚往復，與禮樂相深，史策相應，其理之貫弗也固宜。至於含陽抱陰，窮神達化，《易》之道則然，而其中潛洽乎四始六義，則罕乎有聞，今獨於上元姚子適庵之邃於《易》而更昌於《詩》者一僅見之。

王壽昌《小清華園詩談》卷上《條辨》 何謂性情？曰：詩以道性情，未有性情不正而能吐勸懲之辭者。《三百篇》中，其性情亦甚不一，而總歸于無邪，故雖里巷之歌謠，皆可爲萬世之典訓。自時厥後，以代而衰，遂至流爲放辟邪侈而不可止。間有賢者崛起其間，各樹騷壇之幟，而往往不能無偏倚駁雜之弊。略而言之，如李少卿之偏於忿懥，曹孟德之偏於深險，阮嗣宗之偏於幽憤，張茂先之偏於浮華，郭景純之偏於隱怪，陶元亮之偏於高尙，鮑參軍之偏於感時疾俗，謝康樂之偏於矯情肆志，江文通之偏於繁豔，沈休文之偏於瑣屑，徐、庾之偏於綺靡，又如王、楊、盧、駱之偏於浮薄，李太白之偏於豪縱，劉夢得之偏於褊狹，孟東野之偏於孤峭，玉川子之偏於險怪，李長吉之偏於奇幻，白香山之偏於坦率，元微之之偏於柔媚，李義山之偏於瑰異，溫飛卿之偏於婉弱。其餘諸賢，亦各有弊。惟杜少陵性情眞摯，憂國愛君之意，盎然於楮墨之間，猶有詩人遺意。但多憂傷感憤，擬諸《三百》，實爲變風變雅，終非盛世之音。若韓昌黎以唐代名儒，性情頗得其正，故篇什之間，每吐德音；然以文筆爲詩，往往不免過於豪放。要之古來作者，各有短長。學者貴取其所長，棄其所短，馴而至於溫柔敦厚之歸，則《雅》、《頌》之音，庶可復覩耳。又曰：于親當如束廣微之《補南陔》，謝康樂之《述祖德》，暨孟東野之「慈母手中線，遊子身上衣。臨行密密縫，意恐遲遲歸。誰言寸草心，報得三春暉」（《遊子吟》）。近體當如「君此卜行日，高堂應夢歸。莫將和氏淚，滴著老萊衣。嶽雨連河細，田禽出麥飛。到家調膳後，吟好送斜暉」（殷遙《送友人下第歸省》）。暨劉夢得之「兄弟盡鴛鸞，歸心切問安。貪榮五綵服，遂挂兩梁冠。侍膳曾調鼎，循陔更握蘭。從今別君後，常向德星看」（《送太常蕭博士棄官歸養赴東都》）。于君當如「行行重行行」，雖去國而猶念故君；「湛露改寒司」（王融《淥水曲》），雖遊豫而必箴王度。處常則如杜少陵之「花隱掖垣暮，啾啾棲鳥過。星臨萬戶動，月傍九霄多。不寢聽金鑰，因風想玉珂。明朝有封事，數問夜如何」（《春宿左省》）。遇變當如李義山之「玉帳牙旗得上游，安危須共主君憂。竇融表已來關右，陶侃軍宜次石頭。豈有蛟龍愁失水？更無鷹隼與高秋！晝號夜哭兼幽顯，早晚星關雪涕收」（《重有感》），暨少陵之「時危思報主，衰謝不能休」，錢員外（起）之「霄漢常懸捧日心」之類，斯爲純臣耳。至若孔文舉之「巖巖鍾山首」，痛疾權姦之跋扈；陳思王之「微陰翳陽景」，欲延漢祚于式微，則又耿耿孤忠，可與日月爭光者矣。于兄弟當如陳思之《贈白馬》，康樂之《與惠連》。近體則如少陵之「亂後嗟吾在，羈棲見汝難。草黃騏驥病，沙晚鶺令寒。楚設關城險，吳吞水府寬。十年朝夕淚，衣袖不曾乾」（《第五弟豐獨在江左近三四歲寂無消息覓便寄此》）。柳柳州之「零落殘魂倍黯然，雙垂別淚越江邊。一身去國六千里，萬死投荒十二年。桂嶺瘴來雲似墨，洞庭春盡水如天。欲如此後相思夢，常在荆門郢樹烟」（《別舍弟宗一》）。至若少陵之「此時同一醉，應在仲宣樓」，及「弟勸兄酬何怨嗟」，則不減《常棣》之歌。右丞之「遙知兄弟登高處，偏插茱萸少一人」，則無殊《陟岡》之詠。此外若謝宣遠（瞻）之答靈運，則勵以令猷；少陵之送侍御，則望其搏擊，是又能于友于之外，勉之以德者。于夫婦則當如蘇子卿之《別妻》，顧彥先（榮）之《贈婦》，潘安仁之《悼亡》，暨張正言（謂）之「南園春色正相宜，大婦同行小婦隨。竹裏登樓人不見，花間覓路鳥先知。櫻桃解結垂檐子，楊柳能低入戶枝。山簡醉來歌一曲，參差笑殺郢中兒」（《春園家宴》）。元微之之「謝公最小偏憐女，嫁與黔婁百事乖。顧我無衣搜畫篋，泥他沽酒拔金釵。野蔬充膳甘長藿，落葉添薪仰古槐。今日俸錢過十萬，爲君營奠復營齋」（《遣悲懷》）。于朋友則當如蘇、李之贈答，陶靖節之《停雲》，杜少陵之《夢李白》，韓昌黎之「我願身爲雲，東野化爲龍。四方上下逐東野，雖有離別無由逢」。近體當如劉眘虛之《寄江韜求孟六遺文》，王摩詰之《酌酒與裴迪》，李校書（端）之「愁心一倍長離憂，夜思千重戀舊遊。秦地故人成遠夢，楚天涼雨在孤舟。諸溪近海潮皆應，獨樹邊淮葉盡流。別恨轉深何處寫？前程惟有一登樓」（《宿淮浦憶司空文明》）。劉夢得之「一夜霜風凋玉芝，蒼生望絕士林悲。空懷濟世安人略，不見男婚女嫁時。遺草一函歸太史，孤墳三尺近要離。朔方徙歲行當滿，欲爲君刊第二碑」（《哭呂衡州》）。元微之之「樂事難逢歲易徂，白頭光景莫令孤。弄濤船更曾觀否，望市樓還有會無？（自注：『望市樓，蘇之勝地。』）眼力少將尋案牘，心情且強擲梟盧。孫園虎寺隨宜看，不必遙遙羨鏡湖」（《戲贈樂天》），與《送崔侍御之嶺南二十韻》，皆懇切周詳，無微不至，尤見交情之篤云。何謂志向？曰：在心爲志，發言爲詩。志淫好辟，古有明徵矣。且如魏武志在篡漢，故多雄傑之辭。陳思志在功名，故多激烈之作。劉太尉（琨）志在勤王，常吐傷亂之言。陶彭澤志在歸來，實多田園之興。謝康樂志在山水，率多遊覽之吟。他如顏延年志在忿激，則詠《五君》。張子同（志和）志在烟波，則歌《漁父》。宋延清志在邪媚，因賦《明河》之篇。劉夢得志在尤人，乃作看花之句。凡此之倫，不一而足。惟杜工部志在君親，故集中多忠孝之語。《曲禮》曰「志之所至，詩亦至焉」，不信然乎？故學者欲詩體之正，必自正其志向始。何謂本源？曰：仇仁父曰：「古體吾主《選》，近體吾主唐。」近體主唐可也，古體主《選》，無乃已疎乎？或請其說，曰：「不有《三百篇》乎？吾于古體，得《斯干》之縱橫變幻焉；吾于近體，得《陟岵》之情深意遠焉。」

張履《意若山館詩序》 今天下學者競言詩，詩非可苟而已，爲是詩必有其所以爲之者。不得其所以爲之，而徒流連光景，尋常酬贈是務，甚且淫哇間出，以自背于正軌，詩云乎哉！夫所以爲之者何也？曰性情是也。性情者，內以敦叙彝論，外以彌綸民物，休戚之相關，哀樂之相感，不期于爲詩，而詩以生焉。昔李百藥見文中子而論詩，上陳應、劉，下述沈、謝，分四聲八病、剛柔淸濁，而文中子不答。退而問于薛收。薛收曰：「吾嘗聞夫子之論詩矣：上明三綱，下達五常。于是徵存亡，辨得失：小人歌之，以貢其俗；君子賦之，以見其志；聖人采之，以觀其變。今子營營馳騁于末流，是夫子之所痛也。不答則有由矣。」嗚呼！觀文中子言，詩道之大可知，然要其故不外乎性情，故又曰：「詩者民之情性也。」

潘煥龍《臥園詩話》卷一 太白仙才，長吉鬼才。嚴滄浪謂仙鬼不堪多見，多見則仙亦使人不敬，鬼亦使人不驚。予則爲下一轉語：仙鬼不堪多見，亦斷不能多見。眞仙排雲馭氣，不食煙火，若近世之羽衣黃冠，不過襲取其貌。眞鬼叫嘯騰躑，令人不可迫視。若倀子假鬼面，效鬼聲，未必能恐嚇人也。故作詩當以眞爲主。

又 人心之靈秀發爲文章，猶地脈之靈秀融結而爲山水，或淸柔秀削，或渾厚雄深，又如時花各有香色，啼鳥各爲天籟，正不必強歸一致也。

又卷二 詩以窮而後工，亦有不窮而自工者，未可一概論也。然窮達異趣，故音節各殊。善乎郭頻伽(麐)之言曰：「臺閣之詩，其志恬以愉，其音和以雅；江湖之詩，其志幽以深，其音哀以怨。」深得古人詩言志之妙矣。

龔自珍《送徐鐵孫序》 龔自珍曰：平原曠野，無詩也；沮洳，無詩也；磽確狹隘，無詩也。適市者，其聲囂；適鼠壤者，其聲嘶；適女閭者，其聲不誠。天下之山川，莫尊于遼東。遼俯中原，逶迤萬餘里，蛇行象奔，而稍稍瀉之，乃卒恣意橫溢，以達乎嶺外。大海際南斗，豎亥不可復步，氣脈所屆，怒若未畢。要之山川首尾可言者則盡此矣。詩有肖是者乎哉？詩人之所產，有稟是者乎哉？自珍又曰：有之。夫詩必有原焉，《易》、《書》、《詩》、《春秋》之肅若泬若，周、秦間數子之縝若峍若，而莽蕩，而噌吰，若斂之惟恐其坻，揪之惟恐其隘，孕之惟恐其昌洋而敷腴，則夫遼之長白，興安大嶺也有然。審是，則詩人將毋拱手欲飒，肅拜植立，揖乎其不敢議，願乎其不敢吳言乎哉！于是乃放之乎三千年青史氏之言，放之乎八儒、三墨、兵、刑、星氣、五行，以及古人不欲明言，不忍卒言，而姑猖狂恢詭以言之之言，乃亦摭證之以并世見聞，當代故實，官牘地志，計簿客籍之言，合而以昌其詩，而詩之境乃極。則如嶺之表，海之澨，磅礴浩汹，以受天下之瑰麗，而泄天下之拗怒也，亦有然。

又《書湯海秋詩集後》 人以詩名，詩尤以人名。唐大家若李、杜、韓及昌谷、玉溪，及宋、元，眉山、涪陵、遺山，當代吳婁東，皆詩與人爲一，人外無詩，詩外無人，其面目也完。【略】何以謂之完也？海秋心迹盡在是，所欲言者在是，所不欲言而卒不能不言在是，所不欲言而竟不言，于所不言求其言亦在是。要不肯撏扯他人之言以爲己言，任舉一篇，無論識與不識，曰：「此湯益陽之詩。」

祁寯藻《䜌䚡亭集序》 先生嘗曰：詩以言志，言爲心聲。若徒揣摩格律，彫琢詞藻，縱成結構，終乏性情。古人頌詩讀書，必先知人論世，蓋非學無以擴識，非識無以範才，至於窮通顯晦，境遇各殊，敦厚溫柔，體要斯在，則視乎其人之自得耳。

楊煃《詒安堂二集跋》 昔人以才學識爲作史三長，吾謂詩亦如之。同一吟詠也，而杜老獨以詩史稱，則詩固通于史矣。史非率爾可作，詩亦豈鹵莽所能？故凡人之蘊蓄非常，詩自隱約，宣洩之而異日，所設施不啻於詩，操其券，僅以覘性情，猶淺也。【略】顧即詩以論，而詩已足賅經濟，蓋其詩材悉史材也。有根柢斯有議論，有徹悟斯有斷制，有包孕斯有精神。可以作史即可以作詩。興寄于五七言，而義涵夫千萬古，洵近日詩家之巨擘也。

魏源《古微堂外集》卷三《詩比興箋序》 自《昭明文選》專取藻翰，李善選注專詁名象，不問詩人所言何志，而詩教一敝。自鍾嶸、司空圖、嚴滄浪有詩品、詩話之學，專揣于音節風調，不問詩人所言何志，而詩教再敝。而欲其興會蕭瑟嵯峨，有古詩之意，其可得哉？詞不可以徑也，則有曲而達焉；情不可以激也，則有譬而喻焉。《離騷》之文，依詩取興，善鳥香草以配忠貞，惡禽臭物以比讒佞，靈修美人以媲君王，宓妃佚女以譬賢臣，虬龍鸞鳳以托君子，飄風雷電以爲小人；以珍寶爲仁義，以水深雪雰爲讒構。荀卿賦蠶非賦蠶也，賦雲非賦雲也。誦詩論世，知人闡幽，以意逆志，始知《三百篇》皆仁聖賢人發憤之所作焉，豈第藻繪虛車已哉！

又《詩古微序》 蓋自「四始」之例明而後周公制禮作樂之情得，明乎禮樂而後可以讀《雅》、《頌》；自迹熄《詩》亡之誼明，而後夫子《春秋》繼《詩》之誼章，明乎《春秋》而後可以讀《國風》。正、變之例不破，則《雅》、《頌》之得所不著，而禮樂爲無用也；美、刺之例不破，則《國風》之無邪不章，而《春秋》可不作也。禮、樂者，治平防亂，自質而之文；《春秋》者，撥亂返治，由文而返質。故《詩》之道，必上明乎禮、樂，下明乎《春秋》，而後古聖憂患天下來世之心不絕于天下。【略】雖然，《詩》教止于斯而已乎？《韓詩外傳》言昔者子夏「彈琴以咏先王之風，有人亦樂之，無人亦樂之」，至于發憤忘食。然夫子猶造然變容曰：「子已見其表，未見其裏。窺其門，不入其中，安知其奧藏之所在乎？丘嘗悉心盡志以入其中，前有高岸，後有深谷，泠泠然如此既立而已。」此所謂深微者也。深微者何？無聲之禮樂志氣塞乎天地，此所謂興、觀、群、怨可以起之《詩》，而非徒章句之《詩》也。故夫溯流穎則涵泳少矣，鼓弦急則適志微矣。《詩》之道可盡于是乎！烏呼！以俟假年，以待來哲。

凌堃《讀白華草堂詩集叙》 作，造爲也。人於所聞見未經，思議莫及者，作曰天作，造曰天造。孟子善言天曰「莫之爲而爲」是矣。古文「爲」與「僞」通，謂「爲」之盡乎人也。「僞」則不情，不情無物，無物而有爲也，而有言也。君子謂之不志，奚翅乎詩。童子時，嘗與花隱老人言詩，詩之言承，承乎天也；詩之言持，持有我也。不知天不可與言，詩不知有我，亦不可與言詩。秦漢以前，兒童婦女人人能詩，而不解詩之爲詩。才人學士人人讀詩，而及其徵引以申己意，則又若人人未嘗讀詩。故詩之亡，自解詩者亡之也。詩亡然後強解強讀強作，意造句以自附於詩人之目者塞天下，僞僞相仍。紛今裂古，而又自耻其聞見之陋，思議之卑，以爲不若古人之讀破萬卷，迹偏天下也。吾不知《三百篇》中鬥草之童、贈芍之女曾若所云否也。

周昌基《舂陵館詩話》卷上 予嘗謂詩之一道，全不係乎學力。所性無詩骨者，雖廢寢忘餐，至白頭老死不能道著一字。所性有詩骨者，出語便有一種芬芳可愛之氣。此似不可解，而實無不可解。蓋有性情則有詩，無性情，既無詩也。

又 詩有雅鄭之分，不關乎學問，存乎其人之性情。予素不喜艱澀粗硬、奮末廣賁之音，以其有乖乎「溫柔敦厚」四字也。道光癸未，湘潭周侍郎系英督學江蘇，刻多士試藝，前著例言六則。末一條云「文爲品行之驗。行，本也，文，末也。即末以驗本，亦可小得四五。文之粗浮者，其人必躁；文之卑靡者，其人必鄙；文之怪誕者，其人必險；文之輕薄者，其人必佻。古來忠臣孝子，其文必得天地正大之氣，期與多士共勗之」云云。予深折其言之切中，嘗往來於心。侍郎以文衡人，予謂詩之於人，中外之應，更無躲避。王荆公是非不佳，其立意艱拗，上口不適，終究其人何如也！予故錄侍郎之論，以爲論詩之法。

又 今人詩有強作牢騷句，並非自在流出，諺所謂楮糊金剛也。果有所感，何妨奔赴筆端。

又卷中 淵明之詩妙在眞，又妙在率。眞可學，而率則不可學也。後人抵死而不能似者，只此「率」字耳。

又 詩有情摯語一過不能忘者，看似尋常，而實饒雋味。如海昌周孟巖人英《寄兒》云：「去後每思臨別語，書來不盡遠離情。」又《題沈組雲待月圖》云：「中天月色明如許，映出平生一片心。」桐川張嶷舫澡《夜泊望月》云：「月光此夜原如舊，緫照行人便不同。」同邑汪菊友聖清《寄少峰》詩云：「從來詩與貧相近，那有儒爲俗所諧。戒殺每開仁者網，分憂常典室人釵。」此眞能道性情者，詩不虛作矣。

又 窮者未必能詩，能詩者少有不窮，自古然也。假令既已窮而能詩矣，後遂絕口不談詩，可以返窮而爲不窮乎？曰：不能也。非不能返窮爲不窮，實不能變能詩爲不能詩也。是亦猶守錢者，恨不能與文墨爲緣，遂傾資蕩產，甚至飢寒之不能免，而其不能詩，仍自若也。此實有莫能究其故者。

嚴挺中《藥欄詩話》甲集 詩以氣骨爲主。有句無章者氣弱，有格無調者骨弱。

何栻《悔餘庵文稿》卷四《袁穀廉年丈遂懷堂詩鈔序》 論才者盡於三，天地人是已；而人實兼天地之才以爲才，故人才亦盡於三。吾於詩也，決之矣。夫晦明寒暑，日星風雨，無始無終，忽來忽去，此天之才也。以詩言之，則爲大才。山川起伏，草木榮落，蔚然而深，繚然而曲，此地之才也。以詩言之，則爲奇才。眉目秀長，手足端方，精神吐納，聲氣沈揚，此人之才也。以詩言之，則爲清才。大才則前有陳思，後有子美，韓蘇其庶幾焉。奇才則青蓮、長吉，異曲同工，此外無聞也。惟清才則似易而難，似廣而狹，其派亦有三：陶韋、元白、溫李而已。樂天有時似陶韋，微之有時近溫李，然未有能兼之者。

又《使黔詩草自叙》 同人見余《使黔詩草》，皆欣然爲之叙，各道所欲道，文詞暢美。閱者讀諸君之叙，即吾詩可不必觀，亦不足觀矣。顧余生平詩文，隨手散漫，不自收拾；雖自覺精力可惜，亦無如何。今既刻此三卷，示門人子侄；平日用心之故，尙有不能不爲若輩告者，復自爲之叙曰：詩文不成家，不如其已也。然家之所以成，非可於詩文求之也，先學爲人而已矣。規行矩步，儒言儒服，人其成乎？曰：非也。孝弟謹信，出入有節，不愨于中，亦酬應而已矣。立誠不欺，雖世故周旋，何非篤行？至於剛柔陰陽，稟賦各殊，或狂或狷，就吾性情，充以古籍，閱歷事物，眞我自立，絕去摹似，大小偏正，不枉厥材，人可成矣。於是移其所以爲人者，發見于語言文字，不能移之斯至也。日去其與人共者，漸擴其己所獨得者，又刊其詞義之美而與吾之爲人不相肖者，始則少移焉，繼則半至焉，終則全赴焉，是則人與文一。人與文一，是爲人成，是爲詩文之家成。伊古以來，忠臣孝子，高人俠客，雅儒魁士，其人所詣，其文如見。人之無成，浮務文藻，鏤脂翦楮，何益之有？顧其用力之要何在乎？曰「不俗」二字盡之矣。所謂俗者，非必庸惡陋劣之甚也；同流合污，胸無是非，或逐時好，或傍古人，是之謂俗。直起直落，獨來獨往，有感則通，見義則赴，是謂不俗。高松小草，并生一山，各與造物之氣通。松不顧草，草不附松，自爲生氣，不相假借。泥涂草莽，糾紛拖沓，㴩滯不別，腐期斯至。前哲戒俗之言多矣，莫善于涪翁之言，曰：「臨大節而不可奪，謂之不俗。」欲學爲人，學爲詩文，舉不外斯旨。吾與小子，可不勉哉！可不勉哉！

何紹基《東洲草堂文鈔》卷三《宗迪甫躬耻齋詩集叙》 孔子曰：「溫柔敦厚，詩教也。」又曰：「不學詩，無以言。」蓋善讀詩者，可化氣質之偏，而返性情之正；善作者當亦然。迪甫之爲人，言動皆有繩尺；余則疏野無檢攝，迹若不相近者。至于爲學，務劃削浮華，期自得本心之實，又道人之善，惟恐不及，兩人蓋同之。惟激而不隨，澹而少嗜，自謂與人無迕，而人或遠之，以爲落落難合，得無氣質之偏，有相同而皆不能自化歟。何以化之？溫柔之以詩，敦厚之以詩，可矣。

又卷五《題馮魯川小像册論詩》 晨起日出，庭中諸花不如影好，何以故？花不如花影之渾成無垠咢也。然究之由小花無大氣質耳，奇松古柏，干霄蔽日，眞氣、眞骨、眞形，豈待渾成于影哉？「將以理群類，解謬誤，曉學者，達神旨，分別部居，不相雜廁，萬物咸睹，靡不兼載。」此洨長之言也。詩文之能事具此矣，豈徒六書哉。【略】昔人論畫云：宋人千巖萬壑，無一筆不簡；元人枯竹瘦石，無一筆不繁。此「繁簡」二字，尚在形貌上說耳。老子云：「爲學日益，爲道日損。」乃將繁簡說到是一件事。學道人不可不知，作文作詩人不可不知。詩爲心聲，偶遇佳句，不是余心所欲出，或從它人處聽來看來的，便與我無涉。或其意致議論可喜，而我平日持議不是如此，即不可闌入。若到得融會時，頭頭都是我的，更不消問人借貸了。

又 作詩文必須胸有積軸，氣味始能深厚，然亦須讀書。看書時從性情上體會，從古今事理上打量。於書理有貫通處，則氣味在胸，握筆時方能流露。蓋看書能貫通，則散者聚，板者活，實者虛，自然能到腕下。如餖飣零星，以強記爲工，而不思貫串，則性靈滯塞，事理迂隔，雖塡砌滿紙，更何從有氣與味來。故詩文中不可無考據，卻要從源頭上悟會。有謂作文、詩不當考據者，由不知讀書之訣，因不知詩文之訣也。做詩喜索佳句，乃小兒初學借以用功之法，正經做詩，便不宜如此。若才子句，若風流句，俱在所忌，惟有學陶之澹遠，謝之精鑿，佳句不妨，以其鞭闢向裏，詩心入內也。

少年時甫學爲詩，頗從諸詩老馳逐，皆蒙其誇詡，時以爲似蘇，動輒數十韻，匿稿不敢令父師見也。先公一日自外歸，因聞詩老誇詡語，乃責之曰：「兒要學詩，不必到門外去，且將韓、杜集《文選》全部讀去，以後不准與諸詩人唱酬。」後來手眼遂日進，此與求佛人道逢長老，謂曰：佛自在汝家，何事遠求。正是此理。追惟庭誥，尚如眼前也。

又《與汪菊士論詩》 凡學詩者，無不知要有眞性情，卻不知眞性情者，非到做詩時方去打算也。平日明理養氣，于孝弟忠信大節，從日用起居，及外間應務，平平實實，自家體貼得眞性情；時時培護，字字持守，不爲外物搖奪，久之，則眞性情方才固結到身心上，即一言語、一文字，這個眞性情時刻流露出來。然雖時刻流露，以之作詩、作文，尚不能就算成家者，以此眞性情雖偶然流露，而不能處處發現，因作詩文，自有多少法度，多少功夫，方能將眞性情搬運到筆墨上。又性情是渾然之物，若到文與詩上頭，便要有聲情氣韻，波瀾推蕩，方得眞性情發見充滿，使天下後世見其所作，如見其人，如見其性情。若平日不知持養，臨提筆時要它有眞性情，何嘗沒得幾句驚心動魄的，可知道這性情不是暫時撑支門面的，就是從人借來的，算不得自已眞性情也。【略】詩是自家做的，便要說自家的話，凡可以彼此公共通融的話頭，都與自已無涉。如說山水，便有高深底閑話，說古迹，便有感慨陳迹底閑話；說朋友，便有投分相思惜別底閑話，爾也用得，我也用得，其實大家用不著。疑者曰：爲知彼此不同要說這句話？豈知偶然同一句兩句，是不能無的，然合上下看來，總要各出各意，句同意必不同，才是各人自家的話，斷無公共用得的。我常教子弟以不誠無物，若不是自家實心做出來，即入孝出弟，止算應酬；若是實心出來，即作揖問候，亦是自家的實事。試看誠心恭敬的君子，其作揖問候，氣象亦與人不同，況語言文字乎！

王柏心《百柱堂全集》卷三四《姑誦草堂詩序》 夫詩之境，莫貴於眞。眞則貫三光，亘金石，歷終古而常新。然非專取之思與力也，積之有養焉，鼓之有氣焉，迎之有機焉。水之流溼也，火之就燥也，麴蘖之釀醇醪也，眞故也。雉之竄鳳也，狐之假虎也，碔砆之亂瑤琨也，非眞故也。

又《朱嘯筠疏蘭館詩稿序》 吾聞琴通於詩且通於政，請就琴旨推言之可乎！《虞書》曰：「詩言志，歌永言，聲依永，律和聲。」古之善琴者以所志寓諸琴，是故曲直繁瘠，廉肉節奏，足以感動人之善心，則言與聲兩得之；噍殺嘽緩，發散麤厲，則言與聲兩失之。此琴通於詩之説也。騶忌曰：「大弦濁以春溫者，君也；小弦廉折以淸者，臣也；攫之深而醳之愉者，政令也。夫復而不亂者，所以治昌也；連而徑者，所以存亡也。」此琴通於政之説也。

又《李卓泉趣園詩序》 古今人才性不甚相越也，究其詣之所成，則懸絶遠甚者何哉？挾資稟之高，而極其精力所至，窮其思慮所達，範其徑途無歧趨，積其問學無薄殖，浸淫久之，不啻與造化神明者通，而後所詣乃底於大成。詩歌，特文章一端耳，然自漢以來，惟曹、劉、潘、陸、顔、謝、李、杜其詣所成爲最大，餘則域于迫陋卑冗不能成其詣，即成亦小小者耳。蓋精力未極，思慮未窮，所以範之積之又失之旁騖，固陋而不得以，是遂歸咎于才。今夫千夫決拾，獨羿以善射名；執鞭策效馳駈者如雲，獨造父以善御名，豈非縱心孤往專智盡能之效也哉！

又《巢經巢詩集序》 詩言其志而已矣。志者不可僞爲，志之所向，情洩之，辭宣之，乃始有聲有貌。數者不備，不可爲詩。然數者末也，以志爲其本。夫詩無僞，詩之有僞，則馳情溺辭，繁聲飾貌者爲之也。古之賢聖奇傑，忠孝大節之人，不皆爲詩，及其爲詩，亦無所假於數者，而自足以格神示昭日月。彼之志固宜有是。若夫學士、大夫從事於詩，則亦有道矣。道安在？在範其志，志有廣狹高卑，善範者，植之以仁義，秉之以禮度，履之以忠信廉潔，而又覃思專精，必在經訓，則志益廣且高，然後發諸詩者，達吾之胸臆，悲愉喜愠，無所緣飾矯揉。其間包絡三才，經緯萬端，壯者鏘金石，幽者窮要眇。上儕之古人而無盭，下質之千百世，而悲愉喜愠，若覿面敷衽，披露肝肺，無不盡者，此惟善範其志乃能有是。

楊季鸞《東洲草堂詩鈔序》 夫詩以道性情，無性情即無詩，不待言也。事父事君，興觀羣怨一寓之於詩，非學而能然乎！故惟專於詩始可與言詩，抑惟不獨專於詩乃可與言詩也？專於詩，斯有得於詩之內矣，不獨專於詩，斯有餘於詩之外矣，要皆性情爲之也，學問爲之也。

譚瑩《樂志堂文集》卷四《陳苧村詩序》 詩貴別才，尤關絶詣。簪毫珥筆，豈盡常、楊之輩；緯史經經，曾匪錢、郎之匹。紆紳紫禁，不能冀一集之流聞也；抗席名山，未必知寸心之得失也。然或風流自賞，興致俱豪，紗帽隱囊，筆牀茶竈，文翮枚皋之疾，才患陸機之多，洒玉洒金，盈帙滿笥，而協風告倦，睇死紅於仄逕，嚴霜戒寒，擷病緣於平楚，聲沈影寂，悵矣如何！

朱琦《東洲草堂詩鈔敘·使黔草敘》 子貞嘗爲余言：吾之爲詩，以達吾意而已，吾有所欲言，而吾縱筆追之而即得焉。此天下之至快也。吾有所欲言，心知其然，而手不與之相肖焉。此不可以責之手也，莊周有言：「風之積也不厚，則其負大翼也無力。」所積者誠厚矣，而非徐而竢之，亦不能以詣其至，譬諸水，然循河而下，由龍門砥柱過洛汭至大陸而播爲九，不知幾經曲折而不能以驟而至也。山谿之間暴張，秋潦乘之，所謂其涸可立而待者也。河之大，百川所匯，蛟龍生焉，渾渾泡泡，而卒以至於海。此其故何哉？其所受者多，其氣鬱而不可以遏也。是故古之君子未嘗汲汲求襮於世，而厚而積之，以竢其自得。子貞平日既肆力於經史百子許鄭諸家之學，其所爲詩不名一體，隨境觸發，鬱勃橫恣，非積之厚而能達其意所欲出者不能爾也。韓退之云「諸子百家之書，未嘗得而不讀」，是厚而積之之謂也。又曰「取於心而注於手汩汩然其來」，是積之厚而又能達之之謂也。又曰「大之爲江海，明之爲日月，幽之爲鬼神，變之爲雷霆風雨」，皆是也。如曰必江海日月鬼神雷霆風雨而後可以縱吾奇騁吾氣，而細者則絀焉，隘者則窮焉，常者則窘焉，近者則遺焉，則是終日游於廣漠之野，天池之濱，而謂沼沚不足以嬉，園囿不足以適也，則是測天之高，量地之深，談六合之外，九州之遠，而謂布指不足以知寸，布肘不足以知尺也，其可乎哉？夫厚而積者，無不積也，亦無不達也。求馬，冀北固有馬矣，而謂尋常槽櫪之間無馬乎哉！吾嘗見古之善相士者，或卜之巖野，或取之管庫，或得之耕釣，窮鄉僻壤獲一士焉，往往拔奇於通都大邑之外。詩亦猶是也，邊徼荒寒之氣，數百年來鬱而不發，一經抉滌，其雄怪幽邃使覽者目眙口咍，詫爲名山巨澤之所未有。

又《詒志堂文稿初編》卷四《藤華館詩序》 古之所謂不朽者，立言其一也。韓退之謂「人聲之精者爲言，其發于詩又言之精者」，故曰：「歌有思，哭有懷。」蓋不得已而言，故言出而天下傳信之。其宣之于口與被之于聲而爲詩，無以異也。今之人不知宣于口、被于聲者之有不得已也，輒謂詩不必作，即作矣，取世之風雲月露摹繪之以悦俗耳而已，非詩之本也。

鄔鴻逵《東洲草堂詩鈔序》 詩小序曰：「在心爲志，發言爲詩。」《詩》三百篇大抵皆賢人君子各言其所欲言，而無一理之不具者也。則持此意以觀作者之詩，而剛健其性也，敦厚其情也。繁稱博引，殫見而洽聞者，其學也；

道古談今，明決而果斷者，其識也。性情如是，學識如是，故不特其人其書如是，而其詩亦如是。以是知其詩之作也，根於性，動乎情，不盡關乎學術，而要非學識淺陋者所能至也。

林昌彝《射鷹樓詩話》卷四 江都焦里堂孝廉循論詩云：「詩之難同於文，而其體則異。眼前之景，意中之情，以聲韻形容之，遂若人人所不能道，而實人人所共知。吾不計其爲《三百篇》，爲漢、魏，爲初、盛、中、晚，爲西崑，爲江西，爲四靈，爲七子，惟本其志以爲詩，不剿襲，不堆垛，皆可以陳風而論世；若無性情，無景物，以交遊聲氣供其諂諛，爲攀附之緣，吾無取乎爾也。」（《北湖小志》）

又卷五 宋嚴羽《滄浪詩話》云：「近人以才學爲詩，詩非不工，終非若古人之詩。詩有別材，非關學也；詩有別趣，非關理也，然非多讀書，多窮理，則不能極其至。」近山陽潘四農孝廉德輿《養一齋詩話》謂：「滄浪能於蘇、黃大名之餘，破除宋詩局面，亦一時傑出之士，思挽回風氣者。第溯入門工夫，不自《三百篇》始，而始於《離騷》，恐非頂𩕳上作來也。然訾滄浪者，謂其專以妙悟言詩，非溫柔敦厚之本，是又不知宋人率以議論爲詩，故滄浪拈此救之，非得已也。且滄浪謂漢、魏不假妙悟，夫不假妙悟，性情之中聲也；漢、魏尚不假妙悟，況《三百篇》乎？知詩之本者，非滄浪其誰？」按：嚴叟謂詩有別材，是矣；而謂詩非關學，則非也。謂詩有別趣，是矣；而謂非關理，亦非也。果如滄浪所論，則少陵何以讀書破萬卷耶？四農有取嚴叟之言，非確論也。朱竹垞《齋中讀書》詩云：「詩篇雖小伎，其源本經史。必也萬卷儲，始足供驅使。別材非關學，嚴叟不曉事。顧令空疎人，著錄多弟子。開口效楊陸，唐音總不齒。吾觀趙宋來，諸家匪一體。東都導其源，南渡逸其軌。紛紛流派別，往往近粗鄙。羣公皆賢豪，豈盡昧厥旨。良由陳言衆，蹈襲乃深恥。云何今也愚，唯踐形迹似。譬諸艻蔗甘，舍漿噉渣滓。斯言勿用笑，庶無乖義始。」垞翁詩，得作者之旨，眞知言哉。

又 《詩》三百篇，言男女之情者極多，采蘭贈芍，私以相謔，聖人亦存之以爲鑒戒。魏、晉以來，《子夜》、《折楊柳》諸作，賡唱者累時不絶。沈歸愚選列朝詩，凡緣情綺靡之言，皆所不錄，錢塘袁簡齋非之矣。桐城戴存莊鈞衡《秦淮曲》云：「郎自蓮花橋，乘舟來尋妾。妾貌似桃花，郎休說桃葉。」「人說秦淮水，曾經六代流。妾無亡國恨，只有別離愁。」《讀曲歌》云：「歡爲簷上蛛，儂作蜻蜓尾。但得絲相牽，不惜爲君死。」「問歡來何遲？道逢巫山女。儂不信歡言，衣上無雲雨。」此詩頗有含蓄之意。

又卷九 詩有搜羅極博，可補方志所未備者，如朱竹垞《鴛鴦湖櫂歌》一百首，邵二雲《大明湖櫂歌》一百首，嚴仙舫《沅江櫂歌》一百首，李蘭屏《揚州雜詩》八十首，頗稱賅備。余友黃小石比部，出示《莆陽雜詠》二十四首，搜羅既博，詩亦情韻獨絶，近代可合翁山、阮亭、樊榭、蘭雪而五。蓋其詩天資既優，而參以典麗，遂一空俗響。其詩云：「門前溝水自西東，艓子搖波曲曲通。六月勾人船上坐，夕陽城郭荔支風。」

又卷一五 詩賦男女之情，爲《三百篇》所不廢，感春傷別，有託而言，亦宜發乎情，止乎禮義耳。前明王次回，近代袁香亭，皆好色而淫者也，其詩吾無取焉。梧溪翁《塗中有懷》云：「采采紅榴花，南登龍首山。榴花何灼灼，恍惚見朱顔。朱顔不可見，相隔萬重關。願爲西馳日，流光照君鬢。」戴蓉洲《別詞》云：「簾鉤當門繫，不挽行人騎。柳絲繞戶斜，不絆行人車。惟妾一寸心，隨郎到天涯。郎去歸應早，妾心似秋草。莫待嚴霜飛，空悲顔色槁。」其詞旨婉約，不失爲風人之趣。

又卷一八 作詩貴情摯，情摯則可以感人，桐城戴蓉初孝廉鈞衡《遊子吟》云：「遊子拜庭幃，策馬就長路。馬行不肯留，遊子屢回顧。回顧淚沾衣，但見白雲飛。白雲飛滿樹，是親望兒處。」天下遊子但有遠志，無有當歸者，讀此詩不當淚下耶！

又卷二一 作詩貴有身分，貴有抱負，方爲大家。杜少陵詩「許身一何愚，竊比稷與契」，其胸次可想。陸放翁詩「譬如凡材遇事見，平日乃與常人同」，大有身分。余友臨桂朱伯韓每作詩，處處皆有作詩之人在，處處皆有身分。近讀梧溪翁詩「宇宙皆吾事，慷慨希昔賢」，此何等懷抱，宜汀州伊墨卿先生之低頭拜東野也。

又 作詩貴有天才、天趣，二者皆非人力所能及。近代詩極有天趣者，首推道州何子貞師。其《玉笥堂詩》純是天趣，直欲合東坡、山谷、渭南爲一手。

又《小石渠閣文集》卷二《二知軒詩鈔序》 詩之作也，有本焉，有文焉。本者何？性情是也。文者何？風格是也。性情無古今者也，風格之高下，則若有時代限之。《詩》三百篇牢籠天地，囊括古今，原本物情，諷切治體，總統理性，闡發道眞。近也，實遠；淺也，實深辭，有盡而意無窮也。自漢魏而下歷唐宋元明，其間作者不絕如縷，然就其盛論之，則唐可以躋漢魏，卽宋元明之盛者亦不減於唐，何者？性情無古今一也。蓋性情摯而風格高者有之矣，未有性情不摯而風格能高者也。若不本於性情，雖徒言風格，模範山水，觴詠花月，刻畫蟲鳥，陶寫絲竹，其辭文而其旨未必深也，其意豪而其心未必廣也，其性往復而其情未必厚也。卽若其旨遠於鄙倍而其辭未必盡文也，其心歸於和平而其意未必盡豪也，其性篤於忠愛而其情未必盡能往復也。蓋必思乾坤之變，知古今之宜，觀萬物之理，備四時之氣，其幽憂隱忍，慷慨頫仰，發爲詠歌。若自嘲，若自悼，又若自慰，而千百世後讀之者，亦若在其身同其遇，而淒然太息，悵然流涕也。此本立而文行者耳。夫古詩人之詠歌也，廓乎廣大，靡所不備；美乎精微，靡所不貫。觀於「誰適爲容」知閨怨之貞志也，「與子偕作」知塞曲之雄心也，「於女信宿」知戀德之衷悃也，「攜手同行」知招隱之姱節也，「示我周行」知乞言之虛懷也，「周爰咨諏」知遠游之博采也，此詩之本也。後世詩人之言性情者，實基於此。性情既見，而後取乎格，以辨其體；因而本乎趣，以臻其妙。其發於詩也，爲典雅，爲沖澹，爲豪健，爲穠縟，爲幽婉，爲奇險。變化從心，隨所宜而賦焉。凡夫日星之燦陳，喬岳之聳拔，江海之汪洋，山林之幽冥，風雪之摩盪，雲霞之鮮麗，木石之奇詭，異域殊方之變幻，一發之於詩。蓋才大者，精神意氣與造化相流通，固無施而不可。此風格一本於性情者也。自前代鍾、譚《詩歸》出，操觚家奉爲津符，雖去文存質，將以力排飛揚蹈厲之失。其論詩也曰清、曰眞、曰合法、曰近情。夫志文存質，則天地菁華刊削濩落，風氣之衰，亦遂中於人心者；清而不已，間入於薄；眞而不已，或至於率率，與薄相乘，漸且爲俚爲野矣；法合矣，然法勝則離情近矣，然情勝則俚。此論詩者膠絃鼓瑟，等諸山僧之枯禪兀坐耳矣。

劉存仁《敦夙好齋詩全集叙》 古之立言者，皆不得已而有言者也。言之美者，一誠而已矣。誠至則可以動物，故曰「修辭立其誠」，又曰「不誠無物」，詩歌亦其一端也。粵稽虞廷敎胄，括以「詩言志，歌永言，聲依永，律和聲」，爲詩樂合一之祖。後世古樂失傳，卽古詩之音節神理亦幾幾絕響。何以明其然也？四始六義首冠以風，而比興爲多言天籟也，雅頌則人籟矣。自《離騷》、漢魏以迄曹子建、陶淵明，去古未遠，時有風人遺意。唐宋諸大家，才情魄力非不獨出冠時，而排比鋪張，漸近于人籟，豈非運會使然歟？夫聲音之道，感人最微，當其籟之所發，其來無端，其去無迹，純乎天而不雜以人，壹若無意於爲詩也者。故婉而成章，委曲而篤摯，使人置身其側，若不知歌泣之何因者。動以誠也，誠則動，動則變，變則化，唯天下之至誠爲能化風以動之，亦猶是耳。鄕嘗持此意以論詩。

鄭珍《巢經巢詩集》卷七《論詩示諸生時代者將至》 我誠不能詩，而頗知詩意。言必是我言，字是古人字。固宜多讀書，尤貴養其氣。氣正斯有我，學贍乃相濟。李杜與王孟，才分各有似。羊質而虎皮，雖巧肖仍僞。從來立言人，絕非隨俗士。君看入品花，枝幹必先異。又看蜂釀蜜，萬蕊同一味。文質誠彬彬，作詩固餘事。人才古難得，自惜勿中棄。我衰復多病，骯髒不宜世。歸去異山川，何時見君輩？念至思我言，有得且常寄。

鍾秀《觀我生齋詩話》卷一《詩原·志》 《虞書》曰：「《詩》言志。」孔子言《詩》曰：「思無邪。」詩之命脈根原盡在於是。自後人以詩爲酬應之具，爲奔競之資，遂無處不求悅人，卽無處不求欺人。雖連篇累幅，抽秘騁姸，無非趨勢弋利之心所爲流露。其志已失其所以爲志，其詩遂失其所以爲詩，所謂無邪之思者安在乎？蓋古之爲仕者爲人，其爲詩也爲己；今之爲仕者爲己，其爲詩也爲人。此政敎與詩敎之所由日衰，而世道人心之所爲日壞也。今夫詩者，心之聲也，心之所之，謂之志。古來《詩》三百篇，勞人思婦，未必盡嫻音律，不過感時觸物，偶託謳吟。後人讀其詩，卽可以知其志之所在，無他，眞而已矣，不求悅人與不欺人而已矣。至若漢之樂府歌辭及《古詩十九首》，雖於《三百篇》之體製已變，而《三百篇》之意境猶存。魏則建安多才，陳思實爲冠冕，由其有愛君戀闕之志耳。其所爲詩賦皆有寄託，卽風人之比興也。晉、唐以後，如淵明之「黃唐莫逮，慨獨在予」，子美之「許身一何愚，自比稷與契」、「公若登臺輔，臨危莫愛身」，太白之「我志在刪述，垂輝映千春」，昌黎之「先王遺文章，綴輯實在余」，樂天之「況多剛狷性，難與世同塵」、「不辭爲俗吏，且欲活疲民」，宋詩如放翁之《古別離》云「死卽萬鬼鄰，生當致虞唐。丹雞不須盟，我非兒女腸」，又《古意》云「夜泊武昌城，江流千丈清。寧爲雁奴死，不作鶴媒生」，之數君者皆卓然詩家大宗，其詩亦久已膾炙人口。然人人皆知讀數君之詩，而不知溯數君所以爲詩之根本，雖極意推尊，吾知數君必不受。試將所錄各傑句潛心誦之，或悱惻之意所流，或忠憤之氣所結，是何等胸襟，是何等器量。則欲學數君之詩，是必先有數君之志而後可，否則摹擬形似，優孟衣冠而已。昔香山《讀張文昌古樂府》詩云：「言者志之苗，行者文之根。所以讀君詩，亦知君爲人。」數語可作學詩者座右銘。孔子曰：「不學《詩》，無以言。」又曰：「不知言，無以知人也。」夫人不立志，將憑何以知言，更憑何以知人？不知言，固不可以爲詩；不知人，並不可以讀古人之詩。蓋古人之詩不下數千百家，未必一一盡學之；學焉，亦未必一一盡得之；卽得矣，亦佳句耳，非眞佳詩也，曾何當於人心乎？又何關於世道乎？則欲言詩，必自領會風人之旨始；欲領會風人之旨，必自立志始。

又《情》 未發爲性，已發爲情，詩所以導性情者也。昔王子摩好《農風》而慈父感悟，裴安祖講《鹿鳴》而兄弟同食，詩之足以動人心者如此。古來《詩》三百篇大抵可誦，亦可歌。詩卽樂也，有樂卽有聲。孔子曰：「《關雎》樂而不淫，哀而不傷。」亦於詩之聲，取其情之正也。後世詩與樂爲二，廢絃歌而直誦其文，且不能言其義。於是古人之樂，本有聲之詩，今人之詩，乃無聲之樂。有聲則於情感而通，無聲則於情觸而窒。然則今日言情之作，不較古人爲倍難哉！雖然，今日之詩無聲，究之亦心之聲也。果其本於情之眞摯，如《鴟鴞》之於君臣，《小弁》之於父子，《谷風》之於夫婦，《常華》之於兄弟，《鶴鳴》之於朋友，反覆沈吟，卽不被諸管絃，亦足令人聲淚俱迸。無他，情眞則詩眞，眞則未有不動人者也。漢、魏之間，斯旨未失。若蘇、李贈答，明妃遠嫁，文姬悲憤，陳思幽鬱，皆據事直書，如家常言語，而其情之不可磨滅，百世猶新。西晉以下，顏、謝已開靡麗之風，或餖飣考古，或粉飾趨時，或面諛腹誹，或匿怨言交，貌爲纏綿，實則虛僞，詩教至此，遂一蹶不可復振矣。夫古之爲詩者因情而生文，今之爲詩者因文而造情。蓋平日早自失其性情之正，其於一切天親本無情誼之屬，安能取給於俄頃。是在作者平日有陶養性情功夫，至臨時省察，只在審題而已。如爲一人作一詩，或爲一事作一詩，未下筆時，必先思其人於我何等疎戚，其事於我何等重輕，權衡既定，忽然有感於中，實有不能自已之故。稱量而行，如量而止，斯得其性情之正也。夫情不過喜怒哀樂數端耳，試思「中心好之，曷飲食之」，何嘗不極其喜；「取彼譖人，投畀豺虎」，何嘗不極其怒；「知我如此，不如無生」，何嘗不極其哀；「右招我由房，其樂只且」，何嘗不極其樂。惟情極其眞，施得其宜，信口道來，均堪入妙，千載下，讀之者猶覺生氣迴然。蓋古人採詩陳風，藉以驗民俗之美惡，初不計作詩之工拙，誠欲下情之達於上也。朱子云：「詩無工拙。」自有工拙，而詩遂一變而成無情之物，祇以供爭奇角勝之具，無怪世風日下，而詩格日卑也夫。

又《境》 思不孤起，伏境自生，此詩之所以妙也。境非景物之謂，隨身之所遇皆是焉。昔歐陽公謂梅聖俞詩窮而後工，蘇子由謂司馬子長歷徧天下名山大川，而後文章日進。是二說者，理亦有之，然不必其盡然也。周之盛時，卿士大夫置身通顯，后妃夫人皆不出閨門，而《雅》、《頌》、《二南》之詩自非後世之所能及。今人處寂寞深窈之鄉，其一種怨天尤人、坎壈不平之氣，呈露於文字聲律之間，窮則窮矣，詩未必盡工；卽使放浪遨游，無非釣名弋利，雖佳山佳水日在目前，而胸臆封錮，忽忽無所領會，偶有一二好句，亦祇以紀游而已，於風人之本旨何與焉。且夫兩間風雲月露、山川草木之情狀，隨在皆可悅目賞心，然自得志者視之，則爲樂境；自失意者視之，則爲苦境；而自高曠者視之，則無非妙境矣。要之人生一世，本無虛境，隨遇而安，方可領略。蓋一生必有應接之人，其自父母妻子，推之以至君臣朋友，皆人也。一生必有云爲之事，其自飲食男女，推之以至豐功偉業，皆事也。一生必有居處之地，其自廬舍里黨，推之以至天涯海角，風雨舟車，皆地也。其中常變順逆、遠近險易，境各不同，皆於詩煞有關係。惟不能隨時領略，已於自家眞境茫然失卻，及至把筆爲詩，又憑空裝點虛境，適形其爲僞而已。少陵詩曰：「老妻畫紙爲棋局，稚子敲針作釣鉤。」又「叢菊兩開他日淚，孤舟一繫故園心」，又「石出倒聽楓葉下，櫓搖背指菊花開」，數聯俱各盡其妙，亦以能細心體貼，故伏境而生，忽成妙語，豈於境有所擇耶？論詩者每謂少陵蜀中、太白江南、樂天忠州、東坡嶺外，皆經一番挫折，詩乃益工。不知學以年而進，律以老而精，設易四子而置之於習近豐厚之地，吾知其工亦自若也。不然蜀中、江南、忠州、嶺外流寓，豈僅四子哉？學者幸勿貪造奇境，只求於尋常所有之境一一留意，不空放過，自然因物賦形，如十斛水銀瀉地，無孔不到，無微不入，豈偷竊摹擬者所可同日而語乎！

又《氣》 耳目官骸，塊然一物，主之者心，而運之者氣。詩之篇章字句，耳目官骸也。其所以主之運之，爲心與氣同也。古之善喻者曰：文，浮物也，氣猶水也。高低宛轉，停蓄流瀉，未有不隨之者。歷代之詩，亦因氣之厚薄以爲升降。蓋詩之傳既久，則講求於法律者日益細，律細而氣衰，勢使然也。孟子曰：「我善養吾浩然之氣。」而蘇氏遂以爲孟子之文所從出。今人讀得幾卷書便奄奄欲絶，否則又暴戾恣睢、圭角畢露。奄奄欲絶者，固爲無氣；圭角畢露者，又爲客氣，究非眞氣也。既無眞氣，其爲詩一字一句湊泊而成，譬如畫竹者枝枝節節而爲之，痕跡顯然。卽強作解事，籌畫全局，非失之草蛇芻狗，生意全無，卽爲駭獸奔禽，去不返顧。此種詩讀之不令人意興索然乎？夫詩之氣欲其蓄，而不欲其滯；欲其流，而不欲其傾。眞僞之辨，衹在毫釐。薛蕙詩云：「俊逸終憐何大復，粗豪不解李空同。」爲惜其傾也。蓄者氣歛而神行，滯者氣衰而神沮，流者氣舒而神定，傾者氣足而神馳。其氣亦視其平日涵養之淺深，及下筆時自有一番著力處，要使氣餘於詩，不可使詩餘於氣。詩未盡而氣盡者，滯也；詩盡而氣亦盡者，傾也。是必胸中先有一段磅礴之概，幾欲抑之，幾欲揚之，一旦奔赴筆端，浩瀚淋漓，直若江河行地，未來而聲先撼，已去而濕猶留。當其流處，則波瀾壯闊、曲折低迴，斯稱絶妙。否則如雨中簷瀑，急則一直瀉去，雨稍息則點點不連矣，何可云詩耶？此外及有假，大假雄兩種，尤屬無謂。夫眞大者必實大，而浮非大也；眞雄者必渾雄，而厲非雄也。如《大風》一歌，是眞大者，然何嘗不句句按實。少陵《出塞》等詩，是眞雄者，然又何嘗不句句渾樸。今之詩人，其自命爲大、爲雄者，其氣實餒。其大與雄，特詞耳！詞，正古人所云「浮物」也。有詞無氣而能大且雄，則無水而欲使物浮，有是理乎？

又《識》 嘗聞學道必須格物致知，余謂學詩亦然。天下事非識得透，必說不透，捕風捉影，惝恍無根，萬難中肯。古之詩人皆有上下千古之識，故偶有所作，便卓然不磨。後人智慮昏庸，於古今事理不曾體勘，所爲詩不過隨波逐浪，依樣鋪排；否則武斷爭奇，故翻舊案。如鄭畋《馬嵬坡》云：「終是聖明天子事，景陽宮井又何人？」乃襲少陵「不聞夏殷衰，中自誅褒妲」意也。少陵詩係借詠古事，不敢明說，且曰「衰」，自是公允。鄭詩則曰「聖明天子事」，雖屬崇尚本朝，議論未免冒昧。他如「劉項原來不讀書」，此失於稽古也；「卷土重來未可知」，此昧於時勢也。《史記·本紀》高祖、項羽皆兼文墨，卽其西鄉擊秦，亦非僅以力踣之。子房實授太公《陰符》，項羽少學項梁兵法，安得謂其不讀書。特所讀者，非如後世應舉之書耳！若章碣之見，必讀應舉之書而後爲讀書乎？項羽一戰而得諸侯，卒滅強秦，分封列國，天下翕然景從。高祖僅得漢中，其勢不敵萬一，然三秦出定，天下動搖，可見勝負之原實不在地。當羽之敗，無論臨江不渡，卽渡矣，而江東父老未必復從。卽從之，而江東一隅又豈足以抗天下之兵乎？至若劉夢得詩云：「官軍誅佞倖，天子捨妖姬。」此詩於道理卻不謬，然以臣下而議論本朝，如此立言，殊屬無狀，其無識尤甚於好翻案者也。必求所謂眞識，如蔡文姬之「漢氏失國柄，董卓亂天常。志欲圖篡弒，先害諸賢良」，寫出奸賊心事，千古一轍。又如少陵之論古事，則知尊蜀爲正統；論時事，則知郭、李之克成功，俱透頂絶識，後人不能及也。他如《嚴子陵釣臺》詩云：「不有雲臺諸將力，釣壇亦在戰爭中。」「當時若著蓑衣去，烟水茫茫何處尋。」亦喜翻案、逞臆說，而排擠前賢者也。惟王貞白五律一首，議論平允，詩格亦高，而末二句云：「應憐渭濱叟，匡國祇論兵。」欲揚子陵乃抑太公，亦與翻案諸詩同一唐突，則甚矣作詩者之不可以無識也。蓋識以理爲主，惟平日讀書窮理，其於天地民物盛衰之變，古今治亂得失之由，高下在心，瞭如指掌，然後發而爲詩，自能獨抒己見，高挹羣言。不然中無所主，而漫然爲之，是猶盲人騎瞎馬，將倀倀乎其何之矣。不亦可哀也哉。

又《趣》 吳脩齡喬《圍爐詩話》云：「意喻之米，飯與酒所同出。文喻之炊而爲飯，詩喻之釀而爲酒。文之措詞必副乎意，猶飯之不變米形，噉之則飽也。詩之措詞不必副乎意，猶酒之變盡米形，飲之則醉也。」嚴滄浪曰：「詩貴活句，賤死句。如《風》、《騷》中比興，皆活句也。唐大家上祖《風》、《騷》，故詩皆能動人。今以兩家之說推之，便知詩必有趣存焉。《三百篇》之最有趣者，如「有敦瓜苦，烝在栗薪。自我不見，于今三年」之類，皆託語甚質而寓意無窮。唐人得之，故其立言皆切近，而一種趣味足令讀者流連不置。自後人以作文之法作詩，謂之不通不得也，然鏤心刻骨，苦致有餘，生氣不足，終成直致。如《贈駙馬》詩云：「妻是九重天子女，身爲一品令公孫。」非不確切，卻是死句。唐人中有此等詩，雖工拙不一，卽開宋派之漸。後石曼卿《詠紅梅》詩云：「認桃無綠葉，辨杏有青枝。」皆是此種嫡裔，而主文譎諫之意，無復存矣。故論詩至趣，乃詩中人、鬼一大關頭。能透此關，則爲詩；未透此關，則猶非詩。教者於此不能鞭策，學者於此亦無著力處，卽嚴儀卿所謂「妙悟」是也。《詩式》云：「惟眞詩人而後知詩之眞，亦惟眞詩人而後知詩之非眞。非眞之眞，解人自悟耳。」顧或謂唐人詩多言景言情，宋人詩多言理，故其詩少眞趣。余謂不然。試思少陵之「仰面貪看鳥，回頭錯認人」、「水流心不競，雲在意俱遲」，何嘗不切切言理乎？今人讀少陵詩者只知其雄厚，讀太白詩者只知其豪放，而不知滄遠處實與陶公同一胎息。蓋李、杜與陶公雖世有先後，而詩之面目亦各不同，然皆發源漢、魏，以上接《三百篇》者也。如太白之「風吹柳花滿店香」，少陵之「四更山吐月，殘夜水明樓」，較諸陶公之「平疇交遠風」、「山氣日夕佳」，以上溯乎子建之「明月照高樓」，再上而溯之《三百篇》之「春日遲遲」、「楊柳依依」，可不謂同一胎息者乎？凡此皆能曲肖物理，託出毫素，所謂理趣是也。若宋人之以語錄爲詩，則又轉成理障矣。要之，實理則在平日極意推求，妙趣則在臨時無意而得。強作聰明，浪求別趣，必入惡道。如「東風不與周郎便，銅雀春深鎖二喬」，「若見江魚應痛哭，此中定有屈原墳」之類，能不令人噴飯乎！東坡曰：「詩以奇趣爲宗，以反常合道爲趣。」釋之者曰：無奇趣，何以爲詩？反常而不合道，則亂談也。學詩者細參斯語，當漸有見。

又《神》 物至於神則不可測，人至於神則不可知，詩至於神又安可得而擬議耶？昔釋迦拈花，迦葉微笑，覺此外經卷皆落語言文字之跡。嗚呼！非此孰以喻詩之神哉？論詩及神，本自無處置喙，然就古人微言重加指點，悟者自是天人。唐司空表聖云：「詩須有味外味。」夫味外豈復有味乎？又曰：「味在酸鹹之外。」夫酸鹹之外，果何味乎？又曰：「不著一字，儘得風流。」夫既不著一字，風流又從何而見乎？嚴儀卿曰：「羚羊挂角，無跡可尋。」夫既無跡可尋，則所見又係何物乎？蘇東坡曰：「空山無人，水流花開。」夫水流花開在於無人之處，此又何景況乎？學者果於此悟得，則知味外之味祇在味中，酸鹹外之味祇在酸鹹之中，不著一字之風流亦祇在字中也。推之儀卿、東坡之言，無不當前活現。若有一毫執着，則羚羊是羚羊，水是水，花是花，凡有形象皆成滯礙之物。前篇論詩之趣，初分人、鬼，此篇論詩之神，直判仙、凡矣。或謂所言過於元妙者，則更請以人喻之。今有一絕色美人於此，或盼或笑，令人心醉無已。將謂其盼之在目、笑之在口乎？則他人未嘗無目無口；謂盼之非目、笑之非口乎？則無目無口，何以爲盼爲笑？謂人有目而終不如其目，人有口而終不如其口乎？則試圖其目與口極其相肖，亦未必便使人心醉無已。是知盼笑之妙，在於其神也。詩之妙在神，亦猶是也。唐代詩家除太白、少陵外，能造此境者尙不乏人。由唐人爲詩，未盡失比興之意，故能矯健凌空，不落邊際。如龍標之「烽火城西百尺樓，黃昏獨坐海風秋」，不必讀至「更吹羌笛《關山月》」，而吹笛之聲已覺洋洋盈耳矣。又如右丞之「隔牖風驚竹，開門雪滿山」，盧綸之「林暗草驚風，將軍夜引弓」，三詩均屬先天神運，全非後天迹象者，宋人知此意者少矣。滄浪妙悟之說，虞山詆爲囈語，漁洋奉爲論宗。不知滄浪因宋人以議論爲詩，故拈此二字以救其失，其實滄浪並不專主妙悟言詩也。若漁洋亦以「妙悟」二字倡率天下，不解何意言情寫景，千口同聲；弄月嘲風，是處可用？論者至目爲有聲無字之笛子腔，謂非神韻家之流弊耶？余意神妙之說，須於實處能空，方不落言詮。又必於空處能實，方不涉滑調。究之空中有實，譬諸學仙者，平日脩煉功夫，及至實處皆空，則功夫既成，忽然拔宅飛昇，絕離塵垢矣。作詩而造此境不亦快哉。

又《學》 嚴儀卿曰「詩有別才」，千古定論。又曰「非關學也」，斯言一出，貽悞後人不小，不得謂非語病。雖然，滄浪斯言亦爲宋人以議論爲詩者對症發藥，其所謂非關學者，殆謂學詩者不在着力，非謂學詩者不必讀書。第恐後人誤會其意，所關非淺鮮也。宋戴復古論詩云：「胸中無千百家書，乃欲爲詩，如賈人無貲，終不能致奇貨。」黃魯直曰：「近世少年多不治經術，及精讀史，乃縱以助詩教，故致遠則泥。」宋大樽《茗香詩話》亦謂：「漱六藝之芳潤，非本；約《六經》之旨，乃爲本。」若不本之《六經》，雖熟精《文選》，理有是非，頗謬者矣。夫古今之聖於詩者，無過陶公與李、杜三家，然觀陶公詩云：「先師有遺訓」，又曰：「游好在《六經》」，又曰：「詩書敦夙好」，至其所著《聖賢羣輔錄》、《五孝傳贊》，尤爲精博，豈眞讀書不求甚解所能爲者乎？太白讀書匡山，十年不下，潯陽獄中，猶讀《留侯傳》。李陽冰序《太白集》謂其「不讀非聖之書，恥爲鄭、衛之作」，其讀書之精可想而見。少陵詩則已自言「讀書破萬卷，下筆如有神」，王世懋謂「子美出而百家稗官都作雅音，牛溲馬勃咸成鬱致」，可見詩人固未有不讀書者也。夫四子書中論詩者多矣，興觀羣怨之旨，已爲千古談詩家開其奧而發其蒙。他如《易經》之《文言》、《繫辭》，實有韻之文；賡歌、贈答，散見於《書》、《禮》、《春秋傳》者無一不可諷詠。《史記》則天文地理之變異沿革，人物之盛衰得失，俱宜收之博而擇之精，及至爲詩，則又去其糟粕，發爲英華。若蜂之含花釀蜜，見蜜不見花也；蠶之食葉吐絲，見絲不見葉也。腹笥空疎，塵羹土飯，固詩家之鄙夫；摭拾餖飣，傀儡俳優，亦詩家之剽賊。去此二病，方可言詩。吾願世之學詩者如古人之以學爲詩，無似今人之以詩爲學，則志由此而立，品由此而定，理由此而明，情由此而正，境由此而生，氣由此而養，識由此而卓，趣由此而古，神由此而妙。可知爲詩與爲學是一件事，非兩件事也。余故著《詩原》十則，以志原其始，復以學要其終焉。

佚名《不敢居詩話》 詩人生當鼎革，閱歷兩朝，兵燹之慘，流離之狀，目擊身歷，發爲詩歌，風骨自殊，殆天特生此開山巨手，卓然爲一代領袖也。梅村之前吾得二人焉。元則有若遺山，明則有若青邱。

林鈞《樵隱詩話》卷一 詩者，人之言也，言者，心之聲也。言必由中，而後可興可感。若有心雕琢，則非由中之言，不足貴也。余嘗見一聯：「文章要得性情眞。」旨哉言乎。故予論詩專主性靈，於本朝服隨園之言而不取新城之論也。

又 論詩分唐宋，抱韓尊杜，殊覺無畏。夫風降爲雅，雅降爲頌，同一周也，是孰使之然哉？《三百篇》皆勞人思婦之所作，亦何師哉？不學而能者爲天籟，學而能者爲人籟。雖及其知之一也。而天籟上乘，人籟下乘。

又卷七 詩之爲道，可以知人心之邪正，風俗之厚薄，時政之得失，國家之盛衰。故頌揚譏刺在所不廢，聞之者知儆，言之者無罪。故古有輶軒采風之制，然詩以溫柔敦厚爲主，其頌之也勗其加勉，其刺之也望其速改。其詞雖殊，其存心則一。自古道日漓，頌者諂諛，刺者痛詆。故由此賈禍者多，而明哲保身者以此爲戒。果杏岑將軍有句云：「新詩切忌午時政，醇酒應知誤少年。」然有心世道者，撫時感事，鬱於心則必宣於口，果公雖爲此言，而亦有感事之作，則知非忘情于世道也。時政未嘗不可干也，要在以忠厚蘊藉出之耳。如太顯露，未有不賈禍者。

又卷一一 吾鄉許雪門觀察(瑤光)自序其詩云：「《尙書》謂『詩言志』，孔子以興觀群怨、事父事君爲教，以多識列于續餘。則知詩者，所以寫身世也。古今人各有其身世，卽各有關切其身世之詩，而不可稍易。際休明時，人知作褒美詩矣。然褒美而無實，直諛詞耳。處憂患時，人知作諷刺詩矣。然諷刺而不當，直下流訕上耳。至若天涯海角，風雨羈愁，春樹秋花，良辰感興，古今景地無甚異，而其錯雜之人事必不同。以獨處之時襲古人不能同之詩，而貌爲同之，誤矣。況一身所遭，前與後未必盡合，強前後不能合之身世，拘其常，不任其變，以虛與之委蛇，亦拙矣。吾謂運意措詞宜法古，抒情寫景宜從今。或歌或泣，隨所遭曲盡其態，渺無成見於其間，庶作詩者如署行義年，覽詩者如親見當時事，則眞切矣。」此論極當。夫詩之工，首貴眞切，今日有今日之景，明日有明日之情，今日之作不可移之明日也。彼有彼事業，此有此誼氣，移彼之詩以贈此，不可也。處境有憂樂窮通，古今藐不相及，當歌則歌，當哭則哭，安可舍我之眞境，而效古人之成迹。嘗見一名公，論七律惟取沈雄悲壯爲的，不論其題，不觀其時與地，而持此四字爲法，可乎？予最愛雪門觀察之論，故錄之。

汪昶《吟詩義法錄叙》 夫三代以上多詩人，兩京以下多詞人。詩詞之異，詎第在文字間已哉？蓋詩有六義，百世弗易。哲匠代興，法律浸嚴。故義必本之先民，法則精于後代。彼夫一言自協乎義，片語遂以立法，詩人是也。徒事工巧，蔑棄義法，則詞人而已矣。使匪折衷夫義，則寫景、抒情或至得罪於名教；使匪率由乎法，則抽黃媲白，終至偭越乎矩規。華縟日增，詩義亡矣；俳諧疊奏，詩法壞矣。以是言詩，詩之賊也。豈聖人詔小子學詩之旨哉！

聶封渚《吟詩義法錄自叙》 渚幼善病，家大人于課詩文外，兼課方書，每謂醫之與詩，名則異趨，實則同源。渚初未諭其理也，久之乃悟。蓋陰與陽，總統萬物，醫與詩不外陰陽。何以言之？陰陽在身爲氣血，陰陽在音爲律呂。善醫者必察氣血之陰陽，善詩者必協聲律之陰陽。氣血之陰陽乖，則病在體；聲律之陰陽乖，則病在詩。人果調燮一身之陰陽，則血氣和平，百體從令，由是達之詩歌，必不至於窕槬奪倫。是以古之賢哲，其中有和順之德，所發無乖戾之音，醫與詩通，或不誣與？於是兼習其業者有年。

于春霔《浴泉詩話》卷一 讀其詩卽可知其人，所以人貴有實學也。如陸稼書平生詩不多見，雖偶爾吟詠，亦皆言道之作，如《題佛寺》云：「亦是聰明奇偉人，能空萬念絕纖塵。當年可惜生西土，未聽尼山講五倫。」世之但以字句爭工拙者，烏能有是語耶？

又卷二 詩有以人傳者，如明楊椒山，詩並不工，重其人因以重其詩，故學詩者當先立品。

張文虎《舒藝室雜著》乙上《蘇石山房詩存序》 古人言詩，曰志曰性情曰興觀羣怨，明乎必有所爲而作也。詩之教，溫柔敦厚，然刺無禮曰「胡不遄死」，要思我曰「豈無他人」，惡譖人則曰「投畀豺虎」、「投畀有北」，類不能免於過激，而孔子皆取之。孟氏之言曰：「不以文害辭，不以辭害志。」烏乎！盡之矣。後世應酬牽率之作，不足以言詩。至若飾詞藻，嚴聲病，絕去圭角，不敢有所寄託以取忤於世，初接之文采爛然，及徐而察其作詩之旨，邈不可得，殆所謂無非無刺者與？

楊希閔《詩榷》卷一《商論上・詩軌敘》　《記》曰：「禮樂之設，管乎人情。行於事，皆禮也。發於聲，皆樂也。」禮備經曲，千古不可易矣。樂感人心，則世變遞嬗。六代之樂，即不相襲，何況於後代。樂師職廢，聲容節奏，又已失傳，言樂而及律呂，律呂而溯元聲，殆非神瞽，莫能合矣。所可知者，因心達言，即言考聲，後代詩歌，猶存樂理於百一焉。是故，詩有六義，感人者莫善乎風。賦主述事，興觸乎情，比惟善譬。雅、頌陳德奏功，蓋皆有一體，而融鬯鼓盪，宣發堙鬱，壹於風見之。是故歌《大風》，知雄心尚在；詠《秋風》，知霸氣已息。嗣宗、淵明，哀其身世，讀曲《子夜》，比於《陳》、《衛》。政治機緘，昭然可見。開寶以前，氣體昌博。大曆而後，韻度纖靡。慶曆、元豐，篇章獨鬯。靖康、紹興，制作終薄。金元楚楚，明盛成宏，聲音之道，非視國運哉！常病昔人選詩，界斷唐宋，以爲非古。夫孔子論詩，殷商訖于陳靈，未嘗崇古而廢今也。詩不以考政化人心則已，如考政化人心，詎見唐宋數代不當考也。人心如面，不能強同，播於聲歌，自然代別。銓其乖戾，歸於正則，斯可矣。竟置之，奚可也。

張燮承《小滄浪詩話》卷一　詩本性情，人皆知之。性情之必出以正，必出以深厚，尤不可不加之意也。誦前言宜反其本矣。近人爲詩，恆謂語貴性靈。究其所謂性靈，往往非古之所謂性情，不可不辨。

陳澧《東塾集》卷三《蔡樹百詩集序》　古人之異於今人者可知也：今人多飾，古人多質；今人多巧，古人多拙；今人多曲而婉，古人多雄而直。以古人之性情而處今之世，吾未見其有合也。然古人之文章傳於今，今之人未嘗不讀而好之。然則古人亦未爲失也。

莫友芝《郘亭遺文》卷二《鄭子尹巢經巢詩鈔序》　聖門以詩教，而後儒者多不言，遂起嚴羽「別材別趣非關書理」之論。由之而弊竟出於浮薄不根，而流僻邪散之音作，而詩道荒矣。夫儒者，力有不暇，性有不近，則有矣，古今所稱聖於詩、大家於詩，有不儒行絕特，破萬卷、理萬物而能者邪！

曾國藩《曾文正公文集》卷一《黃仙嶠前輩詩序》　古之君子所以自拔於人人者，豈有他哉？亦其器識有不可量度而已矣。試之以富貴貧賤而漫焉不加喜戚，臨之以大憂大辱而不易其常，器之謂也。智足以析天下之微芒，明足以破一隅之固，識之謂也。器與識及之矣，而施諸事業有不逮，君子不深譏焉。器識之不及，而求小成於事業，末矣。事業之不及，而求有當於語言文字，抑又末矣。故語言文字者，古之君子所偶一涉焉，而不齒諸有亡者也。昔者嘗怪杜甫氏，以彼其志量，而勞一世以事詩篇，追章琢句，篤老而不休，何其不自重惜若此。及觀昌黎韓氏稱之則曰：「流落人間者，太乙一豪芒。」而蘇氏亦曰：「此老詩外大有事在。」吾乃知杜氏之文字蘊於胸而未發者，殆十倍於世之所傳；而器識之深遠，其可敬慕又十倍於文字也。今之君子，秋豪之華榮而以爲喜，秋豪之摧挫而以爲愠，舉一而遺二，見寸而昧尺，器識之不講，事業之不問，獨沾沾以從事於所謂詩者。興旦而綴一字，抵暮而不安；毁齒而鉤研聲病，頭童而不息；以咿嚘蹇淺之語，而視爲鐘彝不朽之盛業：亦見其惑已。

又《雲槳山人詩序》　自韓愈氏有言「懽愉之詞難工，窮苦之音易好」，歐陽公效之，亦稱「詩必窮而後工」。後之論者大率祖述其說，以謂宮音和溫，難於聳聽；商音悽厲，易以感人。故盛世之巨公，其詩歌往往不及衰世之孤臣逐客，而廟堂卿相例不能與窮巷憔悴專一之士角文藝之短長。數十年來，人人相與持是說而不變，所從來久已。芝昌嘗究觀詩教之終始，竊獨以爲未必然也。鄭氏所譔《三百篇》譜，大氐成周盛時，賢人有位之作爲多。東遷以降，王迹既熄，詩亦替矣。西漢蘇、李，東漢班、張，號爲能詩，亦當兩京全盛之日。李唐之世，詞人百輩累迹而興，然世所稱爲四唐者，雖愚者亦知有初盛而貶中晚。蓋聲音之道與政相通，國家鼎隆之日，太和充塞，庶物恬愉，故文人之氣盈而聲亦上騰，反是則其氣歉而聲亦從而下殺。達者之氣盈矣，而志能斂而之內，則其聲可以薄無際而感鬼神。窮者之氣既歉，而志不克劃然而自申，則甕牖窮老而不得一篇之工，亦常有之。然則謂盛世之詩不敵衰季，卿相不敵窮巷之士，是二者殆皆未爲篤論已。

劉熙載《藝概・詩概》　《詩緯・含神霧》曰：「詩者，天地之心。」文中子曰：「詩者，民之性情也。」此可見詩爲天人之合。「詩言志」，孟子「文辭志」之說所本也。「思無邪」，子夏《詩序》「發乎情止乎禮義」之說所本也。《關雎》

取摯而有別，《鹿鳴》取食則相呼。凡詩能得此旨，皆應乎《風》、《雅》者也。《詩序》：「風，風也。風以動之。」可知風之義至微至遠矣。觀《二南》詠歌文王之化，辭意之微遠何如！變風始《柏舟》。《柏舟》與《離騷》同旨，讀之當兼得其人之志與遇焉。《大雅》之變，具憂世之懷；《小雅》之變，多憂生之意。《頌》固以美盛德之形容，然必原其所以至之之由，以寓勸勉後人之意，則義亦通於《雅》矣。《雅》、《頌》相通，如《頌·閔予小子》、《訪落》、《敬之》、《小毖》近《雅》；《雅·生民》、《篤公劉》近《頌》。「穆如清風」，「肅雝和鳴」，《雅》、《頌》之懿，兩言可蔽。《詩序正義》云：「比與興，雖同是附託外物，比顯而興隱，當先顯後隱，故比居先也。《毛傳》特言興也，爲其理隱故也。」案《文心雕龍·比興篇》云：「毛公述《傳》，獨標興體，豈不以風異而賦同，比顯而興隱哉！」《正義》蓋本於此。「取象曰比，取義曰興」，語出皎然《詩式》，卽劉彥和所謂「比顯興隱」之意。《詩》，自樂是一種，「衡門之下」是也；自勵是一種，「坎坎伐檀兮」是也；自傷是一種，「出自北門」是也；自譽自嘲是一種，「簡兮簡兮」是也；自警是一種，「抑抑威儀」是也。

又 景有大小，情有久暫。詩中言景，既患大小相混，又患大小相隔。言情亦如之。興與比有闊狹之分。蓋比有正而無反，興兼反正故也。昔人謂激昂之言出於興，此「興」字與他處言興不同。激昂大抵只是情過於事，如太白詩「欲上青天覽日月」是也。山之精神寫不出，以煙霞寫之；春之精神寫不出，以草樹寫之。故詩無氣象，則精神亦無所寓矣。詩格，一爲品格之格，如人之有智愚賢不肖也；一爲格式之格，如人之有貧富貴賤也。詩品出於人品。人品悃款朴忠者最上，超然高舉、誅茅力耕者次之，送往勞來、從俗富貴者無譏焉。言詩格者必及氣，或疑太鍊傷氣，非也。傷氣者，蓋鍊辭不鍊氣耳。氣有清濁厚薄，格有高低雅俗。詩家泛言氣格，未是。林艾軒謂：「蘇、黃之別，猶丈夫女子之應接。丈夫見賓客，信步出將去，如女子則非塗澤不可。」余謂此論未免誣黃而易蘇。然推以論一切之詩，非獨女態當無，雖丈夫之貴賤賢愚，亦大有辨矣。詩以悅人爲心與以夸人爲心，品格何在？而猶譊譊於品格，其何異溺人必笑耶！文所不能言之意，詩或能言之。大抵文善醒，詩善醉，醉中語亦有醒時道不到者。蓋其天機之發，不可思議也。故余論文旨曰：「惟此聖人，瞻言百里。」論詩旨曰：「百爾所思，不如我所之。」詩之所貴於言志者，須是以直溫寬栗爲本。不然，則其爲志也荒矣，如《樂記》所謂「喬志」、「溺志」是也。詩之言持，莫先於內持其志，而外持風化從之。古人因志而有詩，後人先去作詩，卻推究到詩不可以徒作，因將志入裏來，已是倒做了，況無與於志者乎！《文心雕龍》云：「嵇志清峻，阮旨遙深。」鍾嶸《詩品》云：「郭景純用儁上之才，劉越石仗清剛之氣。」余謂「志」、「旨」、「才」、「氣」，人占一字，此特就其所尤重者言之。其實此四字，詩家不可缺一也。「思無邪」，「思」字中境界無盡，惟所歸則一耳。嚴滄浪《詩話》謂「信手拈來，頭頭是道」，似有得於此意。雅人有深致，風人、騷人亦各有深致。後人能有其致，則《風》、《雅》、《騷》不必在古矣。「昔我往矣，楊柳依依；今我來思，雨雪霏霏。」雅人深致，正在借景言情。若舍景不言，不過曰春往冬來耳，有何意味？然「黍稷方華」、「雨雪載塗」，與此又似同而異，須索解人。夏侯湛作《周詩》成，示潘安仁，安仁曰：「此非徒溫雅，乃別見孝弟之性。」余謂「孝弟之性」，乃其所以「溫雅」也。二而言之，安仁於是爲不知詩矣。謝靈運詩：「事爲名教用，道以神理超。」下句意須離不得上句，不然，是名教外別有所謂神理矣。不發乎情，卽非禮義，故詩要有樂有哀；發乎情，未必卽禮義，故詩要哀樂中節。天之福人也，莫過於予以性情之正；人之自福也，莫過於正其性情。從事於詩而有得，則樂而不荒，憂而不困，何福如之！

又《昨非集》卷二《讀楚辭》 性爲陽，陽主施。主施者，悲世者也。情而不純乎性，則爲陰，陰主受。主受者，悲己者也。夫古人有悲不遇者，悲世不能收吾道之用也。不用吾道，非世之幸也，然必殫吾所以願效于世者，而後無惡于志。不然，而慼慼焉者，必志牽于得失者也。吾讀屈子之言曰：「余既不難夫離別兮，傷靈修之數化。」又曰：「雖萎絕其亦何傷兮，哀衆芳之蕪穢。」反覆玩之，乃知屈子之辭雖極之千百言之多，其志亦猶是也。若宋玉所作者，其意可以兩言見之，曰「惆悵兮而私自憐」；曰「私自憐兮何極」。宋固學于屈，且欲推屈之意以爲言者，而其言若此，非其悲世與悲己異乎？則所以致此者，抑可思矣。吾昔與學者論詩，嘗以性情、陰陽、施受喻之，病未能達也。今乃由論屈、宋而及之，曰：悲世者，自屈子以上見于《三百篇》者，其至善也；若悲己，則宋玉以下至魏晉人爲甚矣。

又《讀詩序》「發乎情，止乎禮義。」蓋詩之情正者卽禮義，初非情縱之而禮義操之也。今夫猿狙之野，裏之以章服，遂爲不野乎？不正之情，蓋之以禮義，遂爲正乎？故審其情者，不可不豫也。後世作者徒恃其所止，則其發也無節，于是不正之言恢之彌廣，曰：「情在于斯爾！」讀者徒恃彼之所止，則于彼所發者無擇，于是取不正之言玩之不厭，曰：「情在于斯爾！」然則若而人也，其視情之爲情何如哉！揚雄論相如賦如「曲終奏雅」，固爲知言，然雄于斯弊亦未盡免。則甚矣，詩教之難明也。

又《詩自序》 余亡友宗悝泉云：「人若眞是詩人，便可不作詩。」余始嘗深服其言。《書》曰：「詩言志。」《詩序》曰：「在心爲志，發言爲詩。」在心矣，不發于言，亦可也。且在心者無窮，而發于言者終有限，得毋志轉以詩而隘乎！然余聞古者自賢士大夫以至田夫牧豎，皆許爲詩。然則可爲而故已者，又豈「各言其志」之謂與！余生平於詩，爲與不爲，無所意必。今姑于其存者，集而序之如此，惜不得起悝泉而復質之耳。

又《題楊一丈詩文集二首》 男兒乏意氣，語言參吐吞。作詩不必多，所貴肝膽眞。緩急古賢有，恨無奔赴人。未許曲儒輩，遂輕俠士倫。此翁篤交誼，艱難分日親。詩中慷慨性，薄俗難與論。道家煉金石，積久乃以成。竹柏厲霜雪，節干彌堅貞。文章與年進，豈非閱歷增。賈誼自英秀，奮發良峥嶸。未若趙充國，平淡見緯經。丈人晚年作，氣沉理益明！明務博以貫，尺寸精權衡。匪惟悉水利，指畫堪施行。

又卷三《游山與友人論詩》 自昔伶倫始作律，六琯陰陽辨徐疾。乃是天籟應自鳴，豈與人工同佶屈？騷人詩客太古無，但憑喉舌爲歌呼。試聽山童與野叟，歌聲動與天機俱。我惜阮公學長嘯，置酒高臺夸絕調。得無擬效苦太工，學成翻被蘇門笑。詞場汩溺亦如斯，古韻今聲衆說滋。吳興沈約倍喜事，漫施割截徒分歧。牙曠知音能幾過？游魚秣馬空思慕。

又《答陳茂亭》 古人詩咏志，後乃競瑰奇。但識風騷義，無非忠孝賢。商歌齊相奮，《梁甫》漢臣悲。遺烈今猶仰，空言爾肯爲。

龍啓瑞《經德堂文集》卷二《諶云帆詩序》 昔歐陽子謂「詩窮然後工」，論雖偏激，而理實如是。及觀于本朝，而其說乃爲不信。本朝詩人，如阮亭尚書之享美名大福者，固不具論，外此朱竹垞、宋牧仲、施愚山、沈歸愚、查初白諸人，類皆貴顯，或晚達成大器。嘗試論之，本朝詩人其取精也博，其儲材也富，雖巨細長短不同，大約山海容納，物無不備，非僅如唐宋詩人取工于一言一咏，褊嗇固陋者之所爲也。故言既昌明，而遭遇亦隨之。

又 雖然，所貴乎詩人者，非取其排比字句、刻劃景物而已，必蘄合于風人之旨，而立言有補于世。此不可于詩求之也。多讀書以蓄其理，廣涉之事物以窮其變，而發于詩者，特餘事焉。昔之人所以詞達而名成者，其在茲乎！夫境之窮達有不足論，而學之在我者不可自盡也。云帆視余爲直諒之友也，故以是進之。若其詩之極工者，則覽者當自得焉，不俟余言也。

郭嵩燾《養知書屋文集》卷四《張小野夢因閣詩集序》 吾友王太常之言曰：「凡人心感物而動，凝而爲天地，殺而爲事物，盪而爲憂樂哀思，斂而爲性情文章，議論有不能宣者，惟詩能通之。」其言偉矣。然非博覽古今之事變，周知民物之情僞，以自理其性情，而納之溫厚和平，則詩之爲道，人皆得託焉以宣其鬱，而流極於泛濫淫泆，而風教以微。

王德馨《雪蕉齋詩話》卷一 子思子曰：「喜怒哀樂之未發，謂之中；中則不偏，是卽性之正也。」又曰：「發而皆中節，謂之和；和則無戾，是卽情之正也。」夫人既有性，而又由性而發之爲情，卽不能禁此情之不見乎詞。而詞之有音韻者卽爲詩。故凡爲詩者，任詩筆之橫衝直突，詩境之千變萬化，總期于寫得我之喜怒哀樂，能不失爲性情之正而已。

又卷二 《嚴滄浪詩話》云：「詩有別材，非關學也；詩有別趣，非關理也。」二語非得詩中三昧者不能道，奈今之空疏粗淺者，每援其說以自護，不知非學之博，詩將何所取材；非理之精，詩又何能入妙。卽嚴氏亦止謂才不關乎學，非謂卽可廢學也；趣不關乎理，非謂不必窮理也。然則滄浪何誤于人，亦人自誤耳。

又 黃山谷曰：「詩不可鑿空強作，待境而生，則詩自工。」余謂所言固是，但人亦必先自辦一具好胸懷，將一切委瑣齷齪氣打掃殆盡，養得詩意洋洋然，如魚之游水，花之將春，而後一觸境便自有不能已于詩，詩亦未有不工。否則恐境卽待得來，而詩仍不生，人將奈詩何哉！

又 今之後生學詩，見先輩論詩有稱引《三百篇》者，卽謂其挾天子以令諸侯，是英雄欺人語。抑知四始六義，何日不在人心。況古時詩卽樂之歌詞，其所以理人心，正風俗者，意良厚矣。自梁、陳而降，始漸變爲律絕諸體。要之，其流分者，其源自合。俗學所見，何卑鄙乃爾。

又卷三 詩雖本乎性情，亦由乎境遇。江盈科《詩評》謂李青蓮是快活人，當其得意，斗酒百篇，無一語不是豪華氣象；及其流竄夜郎，作詩甚少，當由興趣蕭索。而杜少陵是固窮士，平生無大得意事。所歷兵戈亂離，饑寒老病，是其實境，而一一皆于詩中寫出。惟其境遇殊，故至今兩人之詩，雖各造其極，而實迥不相侔，無一語可以互易者。

又 詩貴乎眞，眞易流于率，率便非詩，詩貴乎雅，雅涉于飾，飾又非詩。凡恃聰明以易其詩者多率，就格律以描其詩者多飾。

又 詩本乎性情，有性情然後知感觸。夫感觸云者，自然而非勉然也，偶然而非常然也。且無論其人之聖凡賢否而皆有其然也，彼聖如虞舜，忽有感于南風，而乃曰：「南風之薰兮，可以解吾民之慍兮。南風之時兮，可以阜吾民之財兮。」下而滄浪孺子，亦偶有觸于滄浪之水，而乃曰：「滄浪之水清兮，可以濯吾纓。滄浪之水濁兮，可以濯吾足。」此其最彰明較著者也。或曰：「先生之論，其特詩之萌芽，而非詩之極致。」余曰：「詩之萌芽於觸，非詩之至，實無非詩之至。蓋自萌芽以從之，抽條茁葉，開花結實，則無非才情學問之事也。」

又卷四 文猶飯也，詩猶酒也。人有能食飯而不能飲酒者，以酒有別腸；人有能文而不能詩者，以詩有別才。故嘗有文人出語藻采葩流，而恰不可入詩。詩則上自學士大夫，揚扢風雅，下至勞人思婦以及山歌野唱，凡天機流露處皆是，詩固非文理所能道者。或曰：「執是說也，詩必非文人所能做乎？」曰：「非也，酒固從飯而出，人亦有能食飯而兼能飲酒者，此又不可以一例論。」

又 吾輩爲詩，固不止風雲月露之間，凡事之有關于人心風俗及地方利弊者，切不可放過，以古者爲詩，原所以備輶軒之采，俾下情上達，庶民間冤抑，得邀天聽。白樂天所云「惟歌生民病，願得天子知」是也。

謝章鋌《賭棋山莊所著書文集》卷一《炯甫屺雲樓詩序》 夫詩道性情，格調其末也，詞華尤其末也。故曰詩非窮愁不工，窮愁其情至，其人在也。不然《三百篇》何以爲不得已之作哉！鞶帨爲工，端書剞劂，摹以名紙佳墨，裝潢充羔雁，閱者或倦而睡，蓋其中俄空焉，人自人，而詩自詩也。識者曰：是詩賓也，詩媒也，詩之鄉願也，甚則詩之穿窬也。【略】天地之故，身世之感，詩書之味，抱負之志，氣鬱勃，摩盪於胸中，激而發之詩。若莊若諧，若躁若癡，若迂闊，若無病呻吟。讀者或解或不解，作者則皆稱情而出者也。故能論世，然後能誦詩；能立身，然後能作詩。

又卷四《答穎叔書》 竊謂詩者性情事也，非聲律事也。國朝之精於聲律者，亦有之，而於性情或至焉，而不盡至焉。豈揚流而不暇溯其源耶？抑所謂源者猶是聲律之源歟？鋌於詩能不昧其心而已。近人之疵病實皆有之，不敢諱也，且亦無所逃於精鑒也。但近日爲詩思有法，尤思有事。有事之詩，自古難之，魏之子建，唐之少陵，其至也。其餘諸家時或得之，而用意未全也。本心而言，使後人知吾世而已。故鋌於鄭少谷、李空同尙有取焉。

又《又答穎叔書》 《三百篇》者，皆詩人不得已之作也。然則非不得已，詩人殆不爲詩矣。不得已者，性情之正有以迫之使出也，然而後人或至或不至焉，則亦有故。古昔無語言文字之禍，作者本其心之所欲陳。而其時人性未漓，人情多厚，有歎息無怨罵，有明諷無私訐，各挾其纏綿莫解之意，以求補於世。故曰「言者無罪，聞者足諫」也。其後忌諱日多，趨避日甚，不敢正言，乃用反言，述其身不敢及其世，嘆其家不敢及其國，漸趨漸降，頓忘其初以爲詩者，流連景光，摹繪聲容而已，於人道之要無與焉，而性情之用乃狹矣。此亦世變之無可如何乎？然而風人立言有體，過者爲災，不及則無以爲本也。夫《三百篇》之隱約其詞者多矣，乃《節彼南山》、《彼何人斯》、《雨無正》以及《株林》、《新臺》諸作，又何其指斥不遺餘力耶？可知凡伯家父之心，固與公旦、吉甫輩各有其不得已者。是夫子之所謂溫柔敦厚也。且吾子之失位去國也，則亦有詩矣曰：「去山十里，蟪蛄之聲，尙猶在耳。」其言隱矣。又曰：「匪兕匪虎，率彼曠野。」則明言矣。又曰：「彼婦之口，可以出走。」則竟直斥時事矣。此亦可以覘詩教矣。賦比興寓於風雅頌，而比興又寓於賦，作者不期然而然，讀者皆可自得，而不能泥以求之。後人乃指其某章某句爲比爲興，或又合之曰賦而興又比，不知返之作詩之時，其果然耶？抑不盡然耶？且比興之辨其不同又幾何耶？竊謂比蓋兼賦詩而言，古人賦詩之法，或以彼事比此事，或以彼人比此人，垂隴之會賦不出鄭志，考其詩皆與時事不相値。而宣、孟知其意，七子皆足通其情，非比之明徵乎！其在於詩，「文王曰咨」一篇，尤比之顯然者。然詩人不敢遂以爲比也。以紂斥其尊親於心安乎！故曰不可泥也。蓋不止託諷於物之爲比也，大抵自賦其事爲賦，感他人之事而賦之爲興，陳古刺今則爲比。此鄙人紕繆之見。然斷章取義，於「詩無達詁」之說，或亦可稍參萬一乎！

又卷七《黃鵠山人詩鈔序》 以文字爲文字，性情之用不出焉；於文字求文字，神明之運不入焉。詩有其本，夫人而知之矣，知之而卒難言之。然而有境焉，非苦無以爲甘也；非逆，無以爲順也；非幽，無以爲顯也；非離，無以爲合也。性情神明之發寄於境，而境非性情神明之精也。水之流也，因地成形，水不知也，流焉而已；雲之出也，因風作勢，雲不知也，出焉而已。抑亦思其鬱積磅礴於未有水未有雲之先者，果何如乎？予嘗與穎叔登太華，引領鴻濛，稗糠塵世，然側足焦原，未嘗不動色相誡，穎叔第默不語，既過則談笑自若，乃歎穎叔能制心，予不及其勇。又嘗同登牛頭山杜子美祠，予與關鄉張聽庵先至，少焉，見穎叔策一騎，駊騀出林中，聽庵故善騎，予因問穎叔騎法若何，聽庵曰能自遂。夫能制心者，體也；能自遂者，才也。是將經緯九天，袵席萬古，引河漢而上，抉星辰而下，無不可者。何論於詩！

俞樾《春在堂襍文三編》卷三《秦膚雨詩序》 楊子云：詩人之賦麗以則，詞人之賦麗以淫。是知古所謂詩人詞人者，雖有則與淫之別，而麗則一也。孔子曰：「言之無文，行而不遠。」豈有不麗而可謂之文者乎？吾人立言以古爲法，如邵康節之《擊壤集》，以理學語入詩，沿至有明，爲陳白沙、莊定山一派，則而不麗，不足與言詩也。若夫唐人溫、李之詩，寄託遙深，實古風騷之遺韻，而沿其體者，徒拾浮華，不存古意，至宋初楊劉諸公衍爲西崑體，則又麗而不則矣。其弊也，以韓致光香奩爲濫觴，極而至於國朝王次回之《疑雨集》，麗而不則，又入於淫，斯風雅之罪人矣。

李元度《天嶽山館文鈔》卷二五《鄴園詩草序》 天下事僞者不足觀，眞者可久，惟詩亦然。莊生曰：强哭者雖悲不哀，强怒者雖嚴不威，强親者雖笑不和，惡其不眞也。《詩》三百篇半出於野人遊女思婦勞臣，率胸肊而語，皆天眞所流露。後世稱詩者但知研聲病，較格律，爭壇坫，或豔風雅之名，塗附而貌襲之，《淮南子》所謂芻狗土龍之已陳，則壤土芻草而已矣。此無他，其人胸中之天本無詩，雖强作詩人語，皆僞也。眞者精誠之至，吾所受於天者也，必無有人之見者存，斯眞矣。

李瀚章《退補齋詩文集序》 余惟詩與文，才爲之也。然而有才識，有才學，有才氣，有才力，雖古人不能兼。兼之者，文則韓柳，詩則李杜，後人學之而至者稀矣，似者亦鮮矣。

胡鳳丹《退補齋文存》卷五《蔗餘軒詩鈔序》 歐陽公謂詩人少達而多窮，非詩能窮人，殆窮者而後工。其故何哉？蓋廊廟之詩，揚厲鋪張，眞意索然；若江湖野老，幽愁抑鬱，發於聲歌者，每多激楚之音，使讀者動魄驚心而不能自已，以故境彌窮，詩亦彌工。

又《退補齋文存二編》卷一《青村遺藁序》 詩以言志者也，志趣不高，其詩必墮凡近。詩又本性情者也，性情不冲淡蕭散，其詩必多矜氣，少坦懷。故觀其志之所存與其性情之所發，而其詩可知，即其人之品亦因以定。

郭傳璞《烟嶼樓詩集題詞》 氣爲詩之幹，情乃詩之苗，二者集其厚，弗畏霜霰凋。夫子惇内行，孝悌聲庠膠。推之及婚友，芬惠流綈袍。造意固根柢，比物託風騷。歸昌采奇律，何必慚咸韶。誓墓堅不出，風月娱啁嘲。山人即宰相，今有貞白陶。

董沛《烟嶼樓詩集題詞》 讀書貴養氣，氣盛言乃宜。辭達而已矣，聖訓誰能違。陋學競門戶，一二摹倣之。區畫唐宋界，貌合神則離。壇坫久不作，風雅已中衰。不圖竝世生，乃得徐君詩。混元剖眞宰，斧鑿安所施。掉臂空中行，天馬不受羈。君才冠流輩，卓犖名世姿。談經溯賈鄭，論史刊顔裴。文擷漢語雋，書補秦火遺。餘事作詩人，亦復空倚毗。祥霄下鸞鳳，巨壑蟠蛟螭。公然樹一幟，壁壘皆新奇。譬彼松柏性，老幹無柔枝。撏撦與塗澤，靡靡安足爲。視此百鍊光，能脱兵燹危。名山有眞鑒，莫謂知音希。我亦耽苦吟，頗能涉藩籬。作詩題卷端，爲君千載期。

童開《烟嶼樓詩集題詞》 涉筆爭言杜與蘇，效顰西子竟何殊。獨將腕下生花管，自寫城西老柳圖。世上幾堪稱識者，詩中原貴有眞吾。海山環作書窗畫，移得吟壇到此無（近余方主球山書院講席）。

王意山《烟嶼樓詩集總評》 舍人以餘事作詩人，大筆淋漓，直抒胸臆，集中諸體俱有傳作，而清超拔俗，一氣呵成，絶去慘淡經營之迹者。

王闓運《論詩示黃鏐》 詞章莫難于詩，而人皆喜爲之。詩以養性，且達難言之情，既不講格調，則不必作，專講格調，又必難作。于是人爭避難，多爲七絶、七律，以爲易成，而又易入格也。不知愈爲其難，雖名手無名篇焉。凡爲文求工便俳優，詩不求工何如斂手，故詩與諸文不同，必求動人者；動人而何以免俳優之賤，以其處于至尊至貴，而無夭冶之心也。以人求之，唐以前人，尚不徇人，宋以後人，知者稀矣。杜子美語必驚人，便有徇人之意，而所謂驚人者，只是如陶、謝，仍是論格律，非煉字句也。陶詩可驚人乎？驚當是勝。文有朝代，詩有家數。文取通行，故一代成一代之風；詩由心聲，故一人有一人之派。論文而分班、馬，論詩而區唐、宋，非知言也。陳、隋、南北絕而宗派同，王、駱家數殊而音韻近，亦有間相染者，細辨乃能分之。則詩究殊于文，文不易分，詩易分矣。明人擬古，但律詩可亂眞，古體則開口便覺。詩亦自有朝代，唐以前詩，不能僞爲，宋以後詩，大都易似，此又先辨朝代後論家數也。近人鹵莽，謬許明七子爲優孟，以楊誠齋、陸務觀配蘇、黄，不知七子之全不能《文選》，楊、陸之未足成家數也。

陸心源《白雲山房詩稿叙》 余惟詩者生於人心者也。其性情誠篤，其學問涵養深且至。斯其心如天地之太和，發之於聲，如風之過簫而成籟，無所爲漢魏，無所爲三唐元明，而其詩至矣。今之爲詩者，必依傍乎古人之門戶，而人亦必託古人以張大之，指某詩爲漢魏，某詩爲盛唐中晚，然則彼漢魏之詩，必將託於周公吉甫，周公吉甫之詩，又將何所託耶？以此論詩，謬矣！

葉煒《煮藥漫抄》卷上 詩家多悔少作，然天機泊湊，往往得之少年。如漁洋《秋柳》、隨園《落花》，繼吟到桑榆，亦復難與爭勝。

又卷下 少年愛綺麗，壯年愛豪放，中年愛簡練，老年愛淡遠。學隨年進，要不可以無眞趣，則詩自可觀。

陳作霖《可園文存》卷五《鳴秋詩存序》 自袁簡齋以性靈論詩，而即景言情，皆人人意中所欲出。然豈不學者可以襲取哉！「讀書破萬卷，下筆乃有神」，正如著鹽水中，自饒鹽味。人亦見水，不見鹽而已。

朱庭珍《筱園詩話》卷一 詩也者，無定法而有定法者也。詩人一縷心精，蟠天際地，上下千年，縱橫萬里，筆落則風雨驚，篇成則鬼神泣，此豈有定法哉！然而重山峻嶺，長江、大河之中，自有天然筋節脈絡，鍼綫波瀾，若蛛絲馬迹，首尾貫注，各具精神結撰，則又未始無法。故起伏承接，轉折呼應，開闔頓挫，擒縱抑揚，反正烘染，伸縮斷續，此詩中有定之法也。或以錯綜出之，或以變化運之；或不明用而暗用之，或不正用而反用之；或以起伏承接而兼開闔縱擒，或以抑揚伸縮而爲轉折呼應；或不承接之承接，不呼應之呼應；或忽以縱爲擒，以開爲闔，忽以抑爲揚，以斷爲續；或忽以開闔爲開闔，以抑揚爲抑揚，忽又以不開闔爲開闔，不抑揚爲抑揚；時奇時正，若明若滅，隨心所欲，無不入妙，此無定之法也。作詩者以我運法，而不爲法用。故始則以法爲法，繼則以無法爲法。能不守法，亦不離法，斯爲得之。蓋本無定以馭有定，又化有定以歸無定也。無法之法，是爲活法妙法。造詣至無法之法，則法不可勝用矣。所謂行乎其所當行，止乎其所不得不止，神而明之，存乎其人也。若泥一定之法，不以人馭法，轉以人從法，則死法矣。滄浪主妙悟，謂：「詩有別材，非關學也，詩有別趣，非關理也。然非多讀書，多窮理，則不能極其至。」是言詩中天籟，仍本人力，未嘗教人廢學也。竹垞謂「必儲萬卷於胸，始足以供驅使」，意主於學，正可與嚴說相參。何必執片語以詆古人，而不統觀其全文哉！近代詩家，宗嚴說而誤者，挾枯寂之胸，求渺冥之悟，流連光景，半吐半吞，自矜高格遠韻，以爲超超元著矣。不知其言無物，轉墮膚廓空滑惡習，終無藥可醫也。其以學爲主者，又貪多務博，淹塞靈機，餖飣書卷，如塗塗附，亦不免有類墨豬。不知學問之道，貴得其精英，棄其糟粕也。少陵云「讀書破萬卷」，非謂學乎？「下筆如有神」，非謂悟乎？味此二句，學與悟可一貫矣。自來詩家，源同流異，派別雖殊，旨歸則一。蓋不同者，肥瘦平險、濃淡清奇之外貌耳，而其所以作詩之旨及詩之理法才氣，未嘗不同。猶人之面目，人人各異，而所賦之性，天理人情，歷百世而無異也。至家數之大小，則由於天分學力有淺深醇疵，風會時運有盛衰升降，天與人各主其半，是以成就有高下等差之不齊也。夫言爲心聲，詩則言之尤精者，雖曰人聲，有天籟焉。天不能歷久而不變，詩道亦然。其變之善與不善，恆視乎人力。力足以挽時趨，則人轉移風氣，其勢逆以難，遂變而臻於上。力不足以挽時尙，則風氣轉移人，其勢順而易，遂變而趨於下。此理勢之自然，亦天運之循環也。蓋一代之詩，有盛必有衰，其始也由衰而返乎盛，盛極而衰即伏其中。於是能者又出奇以求其盛，而變之上者則中興，變之下者則愈降。古人所謂「若無新變，不能代雄」是也。迨新者既舊，則舊者又復見新，新舊遞更，日即於變。大抵先後乘除之間，或補其偏，或救其弊，恆視其衰而反之，此詩道所以屢變，亦有不得不然者矣。兩漢厚重古淡之風，至建安而漸漓，至晉氏潘、陸輩而古氣盡矣，故陶、謝諸公出而一變。淵明以古淡自然爲宗，康樂以厚重獨造制勝，明遠以俊逸生動求新，而詩復盛。宋、齊以後，綺麗則無風骨，雕刻則乏氣韻，工選句而不解謀篇，淺薄極矣。沿至唐初，積習未革。至盛唐，而射洪、曲江力起其衰，復歸於古。太白、子美，同時並駕中原。太白爲詩中仙，子美爲詩中聖，屹然兩大，狎主齊盟。而王、孟、高、岑、東川、左司諸家，並極一時之選，羽翼風雅，盛矣哉！其詩之中天乎？大曆以降，風調漸佳，氣格漸損。故昌谷以雄奇勝，元、白以平易勝，溫、李以博麗勝，郊、島以幽峭勝，雖品格不一，皆能自成局面，亦皆力求其變者也。卽張、王、皮、陸之屬，非無意翻新變故者，特成就狹小耳。晚唐衰極，五代詩亡，幾掃地盡。宋人出而矯之，楊、劉唱和，宗法玉溪，臺閣從風，號西崑體。久而堆垛撏撦，貽人口實。故蘇子美矯以疏縱，梅宛陵矯以枯淡，然未饜人望也。歐公學韓，而以夷猶神韻，變其光怪陸離；半山學杜，而以簡拔短鍊，變其沈鬱飛動。各自成家，一時瑜、亮。至東坡則天仙化人，飛行絕迹，變盡唐人面目，另闢門戶，敏妙超脫，巧奪天工，在宋人中獨爲大宗。山谷力求新異，戛戛獨造，能以奇奧生峭瘦勁，別開蹊徑，雖非東坡匹，亦鉅手也。後山高老，簡齋深秀，惟江西習氣過重，易使人厭。二晁尚有筆力，宛丘頗見氣格。淮海輩明麗無骨，時近於詞，無足論矣。南渡後，江西派盛行，推崇山谷，而槎枒晦澀，百病叢生，既入偏鋒，復墮惡趣。江湖一派，鄙俚不堪入目。九僧、四靈，以長江、武功爲法，有句無章，不惟寒儉，亦且瑣僻卑狹。明末鍾、譚，卽此種之嗣音。草根蟲鳴，鼠穴啾唧，殊無生氣，皆魔道也。惟放翁老鍊峭潔，七古簡而能厚，清而能辣；七律佳者，沈雄近杜，眞巨擘矣！第存詩太多，流連光景之作，十居七八，而世人又以平調秀句，易於諧俗效之，遂減聲價。然可冠南宋，石湖非其伯仲。後來惟金代元遺山，雄豪跌盪，足與放翁相抗。遺山、劍南並稱，非無見也。金人染江西氣習，遺山以外無傑出者。元人但逐晚唐，師飛卿、長吉二家，一代成風。虞道園自負「漢廷老吏」，亦時無英雄，浪得名耳。楊、范、揭三子，及金華、天水、雁門，不過夭桃穠李，絕非梅蘭之友。鐵崖如倡女豔妝，淵穎如村婦盛服，均乏名貴之氣。緣忘本逐末，故降而愈靡也。明人惟青丘雄視一代。前後七子，高語盛唐，但摹空調，有貌無神，宜招「優孟衣冠」之誚。蓋拘常而不達變，故習而成套也。公安矯以淺率，竟陵矯以晦僻，其魔尤甚，詩運衰而國祚亦盡矣。此古今詩升降之大略也。大約樸厚之衰，必爲平實，而矯以刻劃；迨刻劃流於雕琢瑣碎，則又返而追樸厚。雄渾之弊，必入廓膚，而矯以清眞；及清眞流於淺滑俚率，則又返而主雄渾。典麗之降，必至餖飣，則矯以新靈；久之新靈流於空疏孤陋，則又返而趨典麗。勢本相因，理無偏廢。其初作者，必各有學問才力，故能自成一家之言，以傳於世。其後學者，囿於門戶積習，必有流弊，故能者又返之以求勝。要之各派皆有所長，亦皆有所短。善爲詩者，上下古今，取長棄短，吸神髓而遺皮毛，融貫衆妙，出以變化，別鑄眞我，以求集詩之大成，無執成見爲愛憎，豈不偉哉！何必步明人後塵，是丹非素，祧宋尊唐，徒聚訟耶？執一格以繩人，互相攻擊，此弊始於南宋，明代詩人效尤，愈啓爭端。莊子曰：「辯生於末學。」此之謂也。若別裁僞體，斥絕偏鋒魔道，則千古既有定論，寸心亦具是非，屬不得已，非好辯矣。

又卷三 溫柔敦厚，詩教之本也。有溫柔敦厚之性情，乃能有溫柔敦厚之詩。本原既立，其言始可以傳後世，輕薄之詞，豈能傳哉！夫言爲心聲，誠中形外，自然流露，人品學問心術，皆可於言決之，矯強粉飾，決不能欺識者。蓋違心之言，一見可知，不比由衷者之自在流出也。古今以來，豈有刻薄小人，倖成詩家，忝入文苑之理！如陰參軍已爲宋臣矣，而陶淵明送之，但曰「才華不隱世，江湖多賤貧」，何等忠厚，何等微婉！若出後人手，不知如何淺露矣。少陵哭房琯，遂嚴公，夢李白，寄王維，別鄭虔，其詩無一不深厚沈摯，情見乎詞，友朋風義，何其篤也！昌黎於柳州、東野，一往情深。有陶、杜、韓三公之性情，自宜有陶、杜、韓三公之詩文也。自宋以降，世風日下，文人相輕，漸成惡習。劉祁作《歸潛志》，力詆遺山，自護己短。李空同與何大復書札相爭，往復攻擊。李于鱗因謝茂秦成名，反削其名於吟社，以書絕交。趙秋谷因不借《聲調譜》之故，集矢阮亭，至作《談龍錄》以貶之。袁枚與趙翼互相標榜，亦互相刺譏，趙作四六文以控袁，雖云游戲，而筆端刻毒，與市棍揭帖、訟師刀筆無異。此等皆小人之尤，適以自獻其醜，於人終無所損。君子之交，斷不出此，才人當以爲大戒也。

又卷四 詩所以言志，又道性情之具也。性寂於中，有觸則動，有感遂遷，而情生矣。情生則意立，意者志之所寄，而情流行其中，因託於聲以見於詞，聲與詞意相經緯以成詩，故可以章志貞教、怡性達情也。是以詩貴眞意。眞意者，本於志以樹骨，本於情以生文，乃詩家之源，卽詩家之先天。至修詞工夫，如選聲配色之類，皆後起粉飾之事，特其末焉耳。詩人首重鍊意以此。慘淡經營於方寸之中，以思引意，以才輔意，以氣行意，以筆宣意，使意發爲詞，詞足達意。而意中意外，志隱躍其欲現，情悱惻其莫窮，斯言之有物，衷懷幾若揭焉。故可以感動後人，以意逆志，雖地隔千里，時閲百代，而心心相印，如見其人，所謂言爲心聲，人各有眞是也。後人不肯稱情而言，意與心違，匿情激志，以形於言，不惟喜怒哀樂，均失其眞，卽言與人，亦迥不相符。「言僞而辨」，亦安用之！此古人所以多眞君子，而後人所以多僞君子也。豈非速朽之道，安望傳哉！

史念祖《譚叔裕泉山草堂詩集書後》　國朝詩，自愧見隘，顧就朱才王韻而論，似尚不僅兼美。他若沈、查、程、洪、黄、蔣諸家，讀書亦多，惜皆生承平，未經變故，所謂閲歷不濟其才。彼時風尚又禁言時事，以是關係之作愈少，既無詩中之人，并失詩外之我。然則近代無匹，自非阿私矣。至字句微疵，正如枯株流沙，無玷山河。況膜日窺云，未必正色。

繆荃孫《藝風堂文集》卷五《梁曦初先生文集序》　猶憶師之言曰：「文無他長，惟眞爲難。嗚呼！古今文人傳作其眞者能有幾人？蓋有眞性情，始有眞識力；有眞識力，始有眞文章。匪止塗澤以爲富，簡淡以爲高也。」

蔣學堅《懷亭詩話》卷一　國初論詩，首推朱、王二家，謂竹垞以學勝，漁洋以韻勝。實則竹垞早年亦從唐人入手，故風調有絶佳者。逮乾嘉諸公出，漢儒訓詁、宋儒語録，無不入詩，而詩與文無别矣，特押韻耳。嚴滄浪曰：「詩有别才，非關學也；詩有别趣，非關理也。」雖立論稍偏，未必非有見於此。後之繼朱、王而起而不爲有韻之文，其惟樊榭山房及兩當軒乎？

譚宗浚《與諸子論詩》　讀詩如讀書，根柢在學識。眞實苟未充，虚矯難應敵。歷觀古名家，林立雖若戟。儻能生面開，終自據一席。毋矜半聯巧，先貴萬卷積。咀嚼得英華，字字有來歷。而於使事内，超脱泯痕迹。取材既清新，養氣斯浩直。化機盡吾師，觸處皆心得。吁嗟夸毗徒，妄論眞耳食。謬云天籟鳴，矢口信胸臆。絶脰力已疲，效顰醜斯極。百年風雅替，正氣日衰熄。君看技藝成，半藉艱苦力。豈有捷徑趨，而能千里適。所患摹擬工，區區限繩尺。前明尚選體，流弊終否塞。貴能翻臼科，役人匪人役。寄言學詩者，多師轉求益。故技須盡捐，正途匪難覓。砥礪從今始，庶面十年壁。

鄒弢《三借廬贅》卷一《詩言志》　昔有評學杜詩者云：「人非天寶，官非拾遺，何必作此無病呻吟。」此意雖是，而言則太過。夫人各有志，志之所觸，發而爲言，不得其平則鳴，亦詩人之恆事也。聖人云：「詩可以怨。」《三百篇》思婦勞人之作，孔子尚取存之，倘學杜陵者，必性情相近，遭際亦同，而後有此牢騷抑鬱之言也。若性情遭際竟如彼，而所作偏如此，是徒慕名而學之也。算他人之詩則可，若作我之詩，亦殊無足取耳。

又卷二《詩徵福澤》　詩以言志，下筆措辭，可徵福澤。有同詠一題，而哀樂異情，邪正異趣者，此心性使然，遽難勉強也。瘦紅女史葛蕙生《秋海棠》云：「幽怨盈盈艷露叢，空階消瘦不禁風。斷腸染出胭脂淚，化作啼妝一樣紅。」妹蘭生云：「秋芳一簇曉含煙，相對嬌紅鏡裏妍。不似春華工獻媚，濃香冶態博人憐。」兩人一以哀，一以正者也。吾邑談畹香女史云：「紅妝别自占風流，飲露含煙七月秋。同荷多情閒愛惜，平生從不識春愁。」滁江紅羽仙女史云：「密約難尋瘦莫支，妝成空負好丰姿。中庭明月無人見，正是含情悄立時。」此又一以樂，一以邪者也。詩雖各有妙處，而性情厚薄，遭際遂殊。蕙生之遇人不淑無論已，若羽仙之妙齡遭亂，誤墜平康，厥後從良，仍逢薄倖，鬱鬱以死，豈非詩關福澤耶？

又卷九《徐而庵論詩》　詩乃清華之府，衆妙之門，非鄙穢人可學。洗去名利兩字，天機活潑，無在不舒，而後學詩得其半矣。

又　詩乃人之行略，人高則詩亦高，人俗則詩亦俗，一字不可掩飾。且其中須有書卷，非故事堆砌也。讀書既多，下筆自有色澤，有不期然而然者，若故意爲之，覺見之淺矣。

又卷一二《詩貴性靈》　隨園老人云：「作詩不可堆砌故實，自矜淵博，致將天眞抹煞。」余謂夕陽芳草鶯花風月等字，雖爲最好色澤，惟用之太熟，亦宜稍避。至於八股詩文迂腐之氣，斷不可用。張霽南少府云：「浪塡僻典苦搜羅，芳草斜陽信口哦，更有程朱稱李杜，詩中迂氣逼人多。」橫塘王嘯樓嘗爲余誦蘇州某紳贈某大僚一聯云：「十年學問傳人望，萬里風雲見將材。」又云：「希聖頻勤書萬卷，尋春誤認路三叉。」余笑曰：「此亦似程朱學李杜然，以苛刻論人，則下句皆抄人之作，上句始爲己作耳。」

吴式釗《向湖邨舍詩初集序》　自古昔聖智英奇豪逸之士，往往感奮不得已而有詩。德性學識高庳廣狹，居然可見，而文人詞客，時亦掔其詞，究其法，橅其格，取高當世。集部興，文于是衰矣。末學鬼才徒見成章之易，蹈襲撏撦，竊坿作者，愚言智，奸言忠，懦言壯，穢言潔，紛紛藉藉，于詩尤甚。然眞知言者，又未嘗不察其跡，得其用心。少陵窮餓流離，而許身稷契；陶公卑仕枯槁，而慨念黄虞。千載論定，無議其夸且妄者，何哉？眞僞無久冒。淄繩之合，丹汞之糅，而良庖鍊師辨仞固易易耳。

陳衍《癭唵詩序》 嚴儀卿有言：「詩有別才，非關學也。」余甚疑之，以爲「六義」既設，風、雅、頌之體代作，賦、比、興之用兼陳，朝章國故，治亂賢不肖，以至山川、風土、草木、鳥獸、蟲魚，無弗知也，無弗能言也；素未嘗學問，猥曰「吾有別才也」，能之乎？漢、魏以降，有風而無雅，比興多而賦少，所賦者眼前景物。夫人而能知而能言者也，不過言之有工拙，所謂「有別才」者，吐屬穩，興味足耳。若《三百篇》，則朝章國故治亂賢不肖之類，足以備《尚書》、《逸周書》、《周官》、《儀禮》、《國語》、《公》、《穀》、《左氏傳》、《戴記》所未有，有之必相脗合，其有不合，則四家之師説異同，齊、魯、韓之書缺有間者也。未嘗學問，猥曰「吾有別才也」，能爲之乎？漢、魏以降，其謀篇也，首尾外兩兩支對，拗體之律句而已；前寫景，後言情，千篇而一致也。微論《大、小雅》，《碩人》、《小戎》、《谷風》、《載馳》、《氓》、《定之方中》諸篇，六朝人有此體段乎？《綠衣》、《燕燕》，容有之耳。微論《三百篇》，《騷》之上帝嚳，下齊桓，六朝人有此觀感乎？「滋蘭樹蕙」，容有之耳。故余曰：詩也者，有別才而又關學者也。少陵、昌黎，其庶幾乎！然今之爲詩者，與之述儀卿之言則首肯，反是則有難色。人情樂於易，安於簡，「別才」之名又雋絶乎醜夷也。

又《沈乙庵詩序》 乙庵博極群書，熟遼、金、元史學輿地，與順德李侍郎文田、桐廬袁兵備昶論學相契，詞章若不屑措意者。余語乙庵：「吾亦耽考據，實皆無與己事。作詩卻是自己性情語言，且時時發明哲理。及此暇日，盍姑試此！他學問皆詩料也。」君意不能無動，因言：「吾詩學深，詩功淺。夙喜張文昌、玉溪生、《山谷內外集》，而不輕詆七子。詩學深者，謂閲詩多；詩功淺者，作詩少也。」余曰：「君愛艱深，薄平易，則山谷不如梅宛陵、王廣陵。」君乃亟讀宛陵、廣陵。

文廷式《純常子枝語》卷五 黄山谷言：詩詞高勝，要從學問中來。後來學詩者，雖時有妙句，譬如合眼摸象，隨所觸體得一處，非不即似，要且不是。若開眼全體見之，合古人處，不待取證也。又云：詩不可鑿空強作，待境而生，便自工耳。二條皆以禪學言詩，實詩家之三昧語也。

譚嗣同《報劉淞芙書二》 眞西山稱陶公學本經術，最爲特識。如足下所舉之外，它若「道喪向千載」云云，「汲汲魯中叟」云云，「遙遙沮溺心」云云，皆足爲證。然嗣同尤有妄解，以爲陶公慷慨悲歌之士也，非無意于世者，世人惟以沖淡目之，失遠矣。朱子據箕子、荆軻諸篇，識其非沖淡人。今按其詩，不僅此也。如「本不植高原」云云，似自明所以不死之故；「若不委窮達」云云，傷己感時，衷情如訴，眞可以泣鬼神，裂金石。興亡之際，蓋難言之，使不幸而居高位，必錚錚以烈鳴矣。今其詩轉多中正和平也者，斯其涵養所至，經術之效也。張南軒譏其委心之言，不知皆其不得已而託焉者也。且南軒能知其所委爲何心乎？後此若王、孟、韋、柳、儲、蘇，特各各成家，于陶無涉。世人輒曰「原出于陶」，眞皮相之言也。故嘗云：學詩宜窮經，方不終身囿于詞人。聞者或不信之，今于陶公，既驗其然矣。即有宋儒，先以性理爲詩，至爲後世深詬，然平心論之，惟《擊壤集》中有過于俚率者，至于宋之朱子，明之陳白沙，在聲調排偶之中，仍不乏超然自得之致，此詣又何易幾及也。

康有爲《康南海先生詩集自序》 詩者，言之有節文者耶！凡人情志鬱于中，境遇交于外，境遇之交壓也瑰異，則情志之鬱積也深厚。情者陰也，境者陽也；情幽幽而相襲，境嫮嫮而相發。陰陽愈交迫，則愈變化而旁薄，又有禮俗文例以節奏之，故積極而發，瀉如江河，舒如行雲，奔如卷湖，怒如驚雷，咽如溜灘，折如引泉，飛如驟雨。其或因境而移情，樂喜不同，哀怒異時，則又玉磬鏗鏗，和管鏘鏘，鐵笛裂裂，欒絲愔愔，皆自然而不可以已者哉！夫有元氣，則蒸而爲熱，軋而成響，磨而生光，合沓變化而成山川，躍裂而爲火山流金，匯聚而爲大海回波，坱軋有芒，大塊文章，豈故爲之哉？亦不得已也。故志深厚而氣雄直者，莽天地而獨立，妙萬物而爲言，悱惻其情，明白其靈，正則其形，玲瓏其聲，芬芳烈馨，穠華遠清，中和水平，淡泊而不厭，亭立而不矜，迤灑而淵渟，月明而山行，石破而天驚。時或風雨怒號，金鐵飛鳴，山如妙麗，天日晶晴；或萬馬戰酣，旌旗飛縈；或廣殿排仗，冕旒嚴凝；或巖藤落葉，面壁老僧；或萬花放曉，士女春盈；或深山大河，巨海積沙；崇峰攢天，洪波叠嶺，飛雪蔽地，潮海極目；烟岫鬱攸，蜿蜒漫空；乾端坤倪，神怪暴發，人經物理，龍象蹴踏，斯其爲情深而文明，氣盛而化神者耶！

又《與菽園論詩兼寄任公孺博曼宣》 一代才人孰繡絲，萬千作者億千詩。吟風弄月各自得，覆醬燒薪空爾悲。正始如聞本風雅，麗葩無奈祖騷詞。漢唐格律周人意，悱惻雄奇亦可思。新世瓌奇異境生，更搜歐亞造新聲。深山大澤龍蛇起，瀛海九州云物驚。四聖崆峒迷大道，萬霧風雨集明遷。華嚴帝網重重現，廣樂鈞天竊竊聽。意境幾于無李杜，目中何處着元明。飛騰勢作風雲起，奇變見猶神鬼驚。掃徐近代新詩話，惝怳諸天聞樂聲。茲事混茫與微妙，感人千載妙音生。

辜鴻銘《蒙養弦歌序》 袁簡齋謂「詩論體裁，不論綱常倫理」，殊非篤論。詩固必論體裁，然豈無關綱常倫理乎？惟詩貴有理趣，而忌作理語耳。近日士人教弟子讀文讀詩，惟期子弟能文能詩，此于詩教一道，已乖孔子「邇之事父，遠之事君」之意，又奚怪世教之不興，人心風俗之不厚？【略】次青先生謂「凡以詩之爲教，溫柔敦厚，其善者足以感發人之善心，其辭氣音節，抑揚抗墜，使人涵泳優游而自得之，故其感人尤易。在小學時，天性未漓，凡事以先入之言爲主，尤當使漸摩于詩教，培養其生機，庶能鼓舞奮興而不自已」云，此皆閱歷甘苦之語也。

袁祖光《綠天香雪簃詩話》卷一 古人歌詠，皆一時感觸之作，遂成絕調。漢高祖《大風歌》確是興王得意，躊躇滿志語。項王《垓下歌》確是英雄矢志，無可奈何語。楊惲《南山詩》確是才人被逐，幽抑怨望語。曹孟德橫槊詩，確是老奸欺人，籠罩豪傑語。諸作不拘一格，不名一體，各臻絕妙。今人作詩擬古人，必求其肖衣冠優孟，舍己就人，筆下奄奄無生氣，謂之描詩則可，謂之作詩則不可。

又 詩貴立辭有體，凡感時諷刺之作，近於灌夫罵座，徒取快一時，失溫柔敦厚之旨，不可輕一下筆。即已作，亦不必存集中。詩曰「白圭之玷，尚可磨也」，斯言之玷不可爲也，旨哉言乎？

又 東坡云詩須有爲而作，山谷云詩文惟不造空強作，待境而生，便自工耳。二公於詩境深造，言之有味。今人專事酬應，疊韻和章，無病而呻，莫知痛癢，雖終日苦吟，於詩道終扞格矣。元遺山詩云：「縱橫正有凌雲筆，俯仰隨人亦可憐。」爲此輩發也。

又卷三 詩之爲言持也，言持其性情而規以法度也。詳述始末，謂之引體，如行書謂之行，放縱出之謂之歌，兼之曰歌行。悲如秋蟲謂之吟，通乎俚俗謂之謠，委曲盡情謂之曲，各有體例，一語不相借，不字不相攙。謹嚴之法，神而明之。相體製衣，相題作詩，不越乎規矩準繩之外，乃謂之詩人。

又卷四 某公自叙其詩，薄前人皆糟粕，須於八代以來之詩家求一味外之味，乃足稱詩。余謂即以味論，水火醯醢鹽梅，皆烹飪之材料也。古來大家善調味者，即詩中之易牙，人人味而甘之。其不善調劑者，亦不能外此材料。但有過有不及，以至生熟涼燠均失其宜，故人吐而棄之耳。必欲於味外求味，非盡舛天下之口之性不可。惟蜣螂乃甘糞，惟蝍蛆乃甘帶，某公爲是言也，或亦別有偏嗜與。

又 華亭徐餘齋禎稷有言曰：「凡人之言當慎四乘：乘怒而言將毋激，乘快而言將毋恣，乘醉而言將毋亂，乘密暱而言將毋盡。」作詩亦立言之一端也，知此四訣，可與言詩矣。

又卷五 性卞急者無舒緩語，性苟簡者無精警語，性刻酷者無寬厚語，性綺靡者無誠摯語。蓋言爲心聲，聞人之言，即知其心，辨人之邪正矣。眸子不能掩其胸，詩又安能藏其志乎？

仇汝嘉《幷恆皋比集序》 溫柔敦厚，詩教也，而陸士衡乃更爲緣情綺靡之說，前輩鄙爲六朝之習言。吾友楊儀村比部獨曰：是於六朝爲習言，於近世則藥言也。近世之稱詩者，往往儉腹固陋，而蘄於速成。既揣難登昔賢之堂，遂遁而援性靈以自解；不難取鮑謝徐庾，概薄爲綺靡之音，而唐初四子勿論矣。下至張、王、溫、李，宋之楊、劉，元之天錫、廉夫，明初之季迪、孟端以暨國朝駿公，貽上錫鬯天章諸公，胥指爲綺靡而弗視矣。此詩之所以日趨於佻薄也。夫綺，論其藻；靡，論其聲。藻恐其苦窳而聲懼其噍殺也。則綺靡眞急務也，彼之詆而不爲，豈眞有以勝之哉！特欲爲儉陋解嘲耳。不學之過也，學不厚則情不能深，而風韻色澤胥有所不足。是雖欲綺靡而不能，不能而反詆之，誠何心矣？使其人不甘文過，積其學以培其情，鑄調於樂府，而儲材於選樓，知所謂綺靡者，本乎情之不容已。音節可歌，風景可繪，而文采不可掩也。則雖士衡之措語，如或小失，猶將視爲性靈之補劑，足醫吾固陋，而當吾師資矣。故曰近世之藥言也。

釋敬安《八指頭陀雜文·趙種青二尹詩序》 夫言爲心聲，文爲理窟。心妙則言清，理勝則文茂也。

狄葆賢《平等閣詩話》卷一 風人之詠，流派萬變，綜其橐籥，不外感物而鳴。意有所觸而成聲，聲之所蓄而成句。世代遞嬗，靈境日闢，標新樹異，務屛陳言。義無悖乎古人，辭自推爲作者，雖起往聖於千祀，當亦不廢斯言。

又 詞章一道，余幼時即好之綦篤。嗣因國勢阽危，師友每以玩物喪志相誡。十年來此事遂廢。庚子冬間羈旅北方，時則亦師殘破，關外淪爲異域。居民流離，外人鞭策如羊豕，哀哀無告，觸目傷心，輒偶一寄諸吟詠。同人見者，每輾轉鈔寫傳播，乃知詞章一道，感人深而捷有不自知者。今夫美利堅新造邦，其政治經濟，皆炳然與歐洲諸國同風，獨其人之高志琦行，猶遜於西歐，比亦推本窮源，力以文詞美術誘導國民，故非無謂也。

又 言之無文，行之不遠。文詞感人易，入人深，起衰振俗，要賴乎是。固不得以無益之事目之。彭躬庵云：「文者虛器，詩者感興之端倪。中無以實之，則必不適於用。」至哉言乎！夫使智慧男子繭葬艷鄉，以經濟爲灥豪，以理學爲迂腐，詞章以外無復餘事，斯則詩翁詞人之過已。若於任事之暇，借文詞以消遣懷抱，抒寫性靈，亦任事人所不可或廢者。夫不作有益之事，固未免負有用之身，不作無益之事，又何以遣有涯之生，而況其未必爲無益之事耶？

又 余每讀《南華》、《楚騷》，遷《史》、杜詩、宋詞、元曲，輒愛慕古人不置。蓋以此等文詞美術，乃吾國之菁華，故愛古即屬愛國。其不知愛美術者，必其人素無國家之感念焉耳。日本東京有博物院，其國民之往游者，愛國之念輒油然而生。吾國人之往游者，亦輒興懷故國，咨嗟相語，以爲吾國儻有一極大博物院，萃吾國五千年來文物美術而庋藏之，其繁富應甲於全球。而文物美術，亦可藉此院以永存於世，不致湮沒。豈非人生之絕大快事乎？此則不能不有望於吾國之愛古者。

又 古詩有可轉移風俗者，若《孔雀東南飛》、《石壕吏》、《秦中吟》是也。有有可抒寫性情者，若古歌謠、《古詩十九首》、陶靖節、蘇長公諸作是也。有可備史乘者，若《長恨歌》、《連昌宮詞》、《圓圓曲》、《雁門尚書行》是也。方今歐墨之人綦重詩教，凡詩人之遺聞軼事，生卒年月，靡弗載焉，以其言有裨於民物，非僅爲吟風弄月惜夜傷春已也。余嘗謂美術之進步，以繪畫爲濫觴，而書法不與焉。人心風俗之改良，以詩爲嚮導，而法律不與焉。吾友王義門有言：詩爲心理學。旨哉言乎！殊耐人繹味也。

梁啓超《人境廬詩草跋》 古今之詩有兩大種：一曰詩人之詩，一曰非詩人之詩。之二種者，其境界有反比例，其人或相非或不相非，而要之未有能相兼者也。人境廬主人者，其詩人耶？彼其劬心營目憔形，以斟酌損益于古今中外之治法，以憂天下，其言用不用，而國之存亡，種之主奴，教之絕續視此焉，吾未見古之詩人能如是也。其非詩人耶？彼其胎冥冥而息淵淵，而神味沈濃，而音節入微，友視《騷》、漢而奴畜唐、宋，吾未見古之非詩人能如是也。主人語余，庚、辛之交，憤天下之不可救，誓將自逃于詩忘天下，然而天卒不許主人之爲詩人也。余語主人，即自逃于詩忘天下，然而子固不得爲詩人。并世憂天下之士，必將有用子之詩以存吾國，主吾種，續吾教者，矧乃無可逃哉？雖然，主人固朝夕爲詩不少衰，故吾卒無以名其爲詩人之詩與非詩人之詩歟？

王國維《文學小言》 「燕燕于飛，差池其羽」、「燕燕于飛，頡之頏之」、「睍睆黃鳥，載好其音」、「昔我往矣，楊柳依依」。詩人體物之妙，侔于造化，然皆出于離人、孽子、征夫之口，故知感情眞者，其觀物亦眞。

又 屈子感自己之感，言自己之言者也。宋玉、景差感屈子之所感，而言其所言。然親見屈子之境遇，與屈子之人格，故其所言，亦殆與言自己之言無異。賈誼、劉向其遇略與屈子同，而才則遜矣。王叔師以下，但襲其貌而無眞情以濟之。此後人之所以不復爲楚人之詞者也。屈子之後，文學上之雄者，淵明其尤也。韋柳之視淵明，其如賈劉之視屈子乎！彼感他人之所感，而言他人之所言，宜其不如李杜也。宋以後之能感自己之感，言自己之言者，其唯東坡乎！山谷可謂能言其言矣，未可謂能感所感也。遺山以下亦然。若國朝之新城，豈徒言一人之言已哉？所謂「鶯偷百鳥聲」者也。

法則

總說

曹丕《典論·論文》 夫文本同而末異。蓋奏議宜雅，書論宜理，銘誄尚實，詩賦欲麗。

摯虞《文章流別論》 《周禮》太師掌教六詩：曰風、曰賦、曰比、曰興、曰雅、曰頌。言一國之事，繫一人之本，謂之風；言天下之事，形四方之風，謂之雅。頌者，美盛德之形容；賦者，敷陳之稱也；比者，喻類之言也；興者，有感之辭也。後世之爲詩者多矣，其稱功德者謂之頌，其餘則總謂之詩。

葛洪《抱朴子・辭義》或曰：「乾坤方圓，非規矩之功；三辰摛景，非瑩磨之力。春華粲煥，非漸染之采；茝蕙芬馥，非容氣所假。知夫至眞，貴乎天然也。義以罕覿爲異，辭以不常爲美，而歷觀古今屬文之家，尟能挺逸麗於毫端，多斟酌於前言，何也？」抱朴子曰：「淸音貴於雅韻克諧，著作珍乎判微析理。故八音形器異而鍾律同，黼黻文物殊而五色均。徒閑澀有主賓，妍蚩有步驟，是則總章無常曲，大庖無定味。夫梓豫山積，非班匠不能成機巧；衆書無限，非英才不能收膏腴。何必尋木千里，乃構大廈；鬼神之言，乃著篇章乎？」抱朴子曰：「夫才有淸濁，思有修短，雖竝屬文，參差萬品。或浩瀁而不淵潭，或得事情而辭鈍，違物理而言功，蓋偏長之一致，非兼通之才也。闇於自料，強欲兼之，違才易務，故不免嗤也。」

蕭統《答湘東王求文集及詩苑英華書》夫文典則累野，麗亦傷浮；能麗而不浮，典而不野，文質彬彬，有君子之致。吾嘗欲爲之，但恨未逮耳。

顏之推《顏氏家訓・文章》文章當以理致爲心腎，氣調爲筋骨，事義爲皮膚，華麗爲冠冕。

又 古人之文，宏材逸氣，體度風格，去今實遠。但緝綴疎朴，未爲密緻耳。今世音律諧靡，章句偶對，諱避精詳，賢於往昔多矣。宜以古之製裁爲本，今之辭調爲末，並須兩存，不可偏棄也。

又 沈隱侯曰：「文章當從三易：易見事，一也；易識字，二也；易讀誦，三也。」邢子才常曰：「沈侯文章用事不使人覺，若胸臆語也。」深以此服之。祖孝徵亦嘗謂吾曰：「沈詩云『崖傾護石髓』，此豈似用事耶？」邢子才、魏收俱有重名，時俗準的，以爲師匠。邢賞服沈約而輕任昉，魏愛慕任昉而毁沈約，每於談讌，辭色以之。鄴下紛紜，各爲朋黨。祖孝徵嘗謂吾曰：「任沈之是非，乃邢魏之優劣也。」

又 挽歌辭者，或云古者《虞殯》之歌，或云出自田横之客，皆爲生者悼往告哀之意。陸平原多爲死人自歎之言，詩格既無此例，又乖製作大意。

上官儀《筆札華梁・七種言句例》一曰一言句例。一言句者：天，地，陰，陽，江，河，日，月是也。二曰二言句例。二言句者：「天高，地下」，「露結，雲收」是也。三曰三言句例。三言句者：「斟清酒，拍青琴」，「尋往信，訪來音」是也。四曰四言句例。四言句者：「朝燃獸炭，夜秉魚燈」，「宋臘已歌，秦姬欲笑」是也。五曰五言句例。五言句者：「霧開山有媚，雲閉日無光」，「燥塵籠野白，寒樹染村黃」是也。六曰六言句例。六言句者：「訝桃花之似頰，笑柳葉之如眉」，「拔笙簧而數煖，促箏柱而劬移。」七曰七言句例。七言句者：「素琴奏乎五三拍，綠酒傾乎一兩卮」，「忘言則貴乎得趣，不樂則更待何爲」。

佚名《文筆式・句例》二言句例。「翼乎」、「沛乎」等是。三言句例。「春可樂，秋可哀。」八言句例。八言句者：「吾家嫁我兮天一方，遠託異國兮烏孫王。」九言句例。九言句者：「嗟余薄德從役至他鄉，筋力疲頓無意入長楊。」十言句例。【略】十一言句例。《文賦》云：「沈辭怫悅，若遊魚銜鈎而出重淵之深；浮藻聯翩，猶翔鳥纓繳而墜曾雲之峻。」下句皆十一字是也。

舊題魏文帝《詩格・句例》一言句：天，地，江，河，日，月。二言句：「天高，地下」、「露結，雲收。」三言句：「斟清酒，撫素琴。」四言句：「朝燃獸炭，夜秉魚燈。」五言句：「雪開山有媚，雲蔽日無光。」六言句：「仰桃花之類錦，笑柳葉之齊眉。」七言句：「素琴奏兮三五弄，綠酒傾兮一兩卮。」

王昌齡《詩格・六義》一曰風。天地之號令曰風。上之化下，猶風之靡草。行春令則和風生，行秋令則寒風殺，言君臣不可輕其風也。二曰賦。賦者，錯雜萬物，謂之賦也。三曰比。比者，直比其身，謂之比假，如「關關雎鳩」之類是也。四曰興。興者，指物及比其身説之爲興，蓋託喻謂之興也。五曰雅。雅者，正也。言其雅言典切，爲之雅也。六曰頌。頌者，讚也。讚歎其功，謂之頌也。

又《論文意》夫文字起於皇道，古人畫一之後方有也。先君傳之，不言而天下自理，不教而天下自然，此謂皇道。道合氣性，性合天理，於是萬物稟焉，蒼生理焉。堯行之，舜則之，淳樸之教，人不知有君也。後人知識漸下，聖人知之，所以畫八卦，垂淺教，令後人依焉。是知一生名，名生教，然後名教生焉。以名教爲宗，則文章起於皇道，興乎《國風》耳。自古文章，起於無作，興於自然，感激而成，都無飾練，發言以當，應物便是。古詩云：「日出而作，日入而息。鑿井而飲，耕田而食。」當句皆了也。其次《尙書》歌曰：「元首明哉，股肱良哉，庶事康哉。」亦句句便了。自此之後，則有《毛詩》，假物成焉。夫子演《易》，極思於《繫辭》，言句簡易，體是詩骨。夫子傳於游、夏，游、夏傳於荀卿、孟軻，方有四言、五言，倣古而作。荀、孟傳於司馬遷，遷傳於賈誼。誼謫居長沙，遂不得志，風土既殊，遷逐怨上，屬物比興，少於《風》、《雅》。復有騷人之作，皆有怨刺，失於本宗。乃知司馬遷爲北宗，賈生爲南宗，從此分焉。漢魏有曹植、劉楨，皆氣高出於天縱，不傍經史，卓然爲文。從此之後，遞相祖述，經綸百代，識人虛薄，屬文於花草，失其古焉。中有鮑照、謝康樂，縱逸相繼，成敗兼行。至晉、宋、齊、梁，皆悉頽毁。

又《詩有三境》 物境一。欲爲山水詩，則張泉石雲峰之境，極麗絕秀者，神之於心。處身於境，視境於心，瑩然掌中，然後用思，了然境象，故得形似。情境二。娛樂愁怨，皆張於意而處於身，然後馳思，深得其情。意境三。亦張之於意，而思之於心，則得其眞矣。

又《詩有三思》 生思一。久用精思，未契意象。力疲智竭，放安神思。心偶照境，率然而生。感思二。尋味前言，吟諷古制，感而生思。取思三。搜求於象，心入於境，神會於物，因心而得。

又《詩有三不》 一曰不深則不精。二曰不奇則不新。三曰不正則不雅。

又《詩有三宗旨》 立意一。立六義之意，風、雅、比、興、賦、頌。有以二。王仲宣《詠史詩》：「自古無殉死，達人所共知。」此一以譏曹公殺戮，一以許曹公。興寄三。王仲宣詩：「猿猴臨岸吟。」此一句以譏小人用事也。

又《詩有五趣向》 高格一。曹子建詩：「從軍度函谷，馳馬過西京。」古雅二。應德璉詩：「遠行蒙霜雪，毛羽自摧頽。」閑逸三。陶淵明詩：「衆鳥欣有託，吾亦愛吾廬。」幽深四。謝靈運詩：「昏旦變氣候，山水含清輝。」神仙五。郭景純詩：「放情凌霄外，嚼蘂挹飛泉。」

又《詩有語勢三》 好勢一。古詩：「浮雲蔽白日，遊子不顧返。」江文通詩：「黄雲蔽千里，遊子何時還。」通勢二。鮑照詩：「未曾違戶庭，安能千里遊。」沈休文詩：「願以潺湲沫，沾君纓上塵。」爛勢三。張燕公詩：「不作邊城將，安知恩遇深。」丘希範詩：「信是永幽棲，豈圖暫清曠。」

又《詩有五用例》 用字一。用事不如用字也。古詩：「秋草萋已綠。」郭景純詩：「潛波渙鱗起。」「萋」、「渙」二字用字也。用形二。用字不如用形也。古詩：「東城高且長，逶迤自相屬。」謝靈運詩：「石淺水潺湲，日落山照耀。」用氣三。用形不如用氣也。劉公幹詩：「誰謂相去遠，隔此西掖垣。」用勢四。用氣不如用勢也。王仲宣詩：「南登灞陵岸，回首望長安。」用神五。用勢不如用神也。古詩：「盈盈一水間，脈脈不得語。」

又《詩有六義》 風一。風者，諷也，謂體一國之風敎。有王者之風，有諸侯之風。賦二。賦者，布也。象事布文，錯雜萬物，以成其象，以寫其情。比三。比者，各令取外物象以興事。興四。興者，立象於前，然後以事喩之。雅五。雅者，正也，當正其雅，言語典切爲雅也。頌六。頌者，容也。欲續其初，嘗爲頌之也。

釋皎然《詩議・論文意》 律家之流，拘而多忌，失於自然，吾常所病也。必不得已，則削其俗巧，與其一體。一體者，由不明詩對，未階大道。若《國風》、《雅》、《頌》之中，非一手作，或有暗同，不在此也。其詩曰：「終朝采菉，不盈一掬。」又詩曰：「采采卷耳，不盈頃筐。」興雖別而勢同。若《頌》中，不名一體。夫累對成章，高手有互變之勢，列篇相望，殊狀更多。若句句同區，篇篇共轍，名爲貫魚之手，非變之才也。俗巧者，由不辨正氣，習俗師弱弊之過也。其詩曰：「樹陰逢歇馬，漁潭見洗船。」又詩曰：「隔花遙勸酒，就水更移牀。」何則？夫境象不一，虛實難明。有可睹而不可取，景也。可聞而不可見，風也。雖繫乎我形，而妙用無體，心也。義貫衆象，而無定質，色也。凡此等，可以對虛，亦可以對實。至如「渡頭」、「浦口」，「水面」、「波心」，是俗對也。上句「青」，下句「綠」，上句「愛」，下句「憐」，下對也。（「青山滿蜀道，綠水向荆州」，語麗而掩瑕也。）句中多著「映帶」、「傍佯」等語，熟字也。「製錦」、「一同」、「仙尉」、「黄綬」，熟名也。「溪溠」、「水限」、「山脊」、「山肋」，俗名也。「若」、「箇」、「占」、「剩」，俗字也。俗有二種：一鄙俚俗，取例可知；二古今相傳俗，詩曰：「小婦無所作，挾瑟上高堂」之類是也。又如送別詩，「山」字之中，必有「離顔」；「溪」字之中，必有「解携」；「送」字之中，必有「渡頭」；「來」字之中，必有「悠哉」。如遊寺詩，「鷲嶺」、「鷄岑」、「東林」、「彼岸」。語居士，以謝公爲首；稱高僧，以支公爲先。又柔其詞，輕其調。以「小」字飾之，「花」字粧之，「漫」字潤之，「點」字采之，乃云「小溪花懸，漫水點山」。若體裁已成，唯少此字，假以圓文，則何不可。然取捨之際，有斲輪之妙哉！知音之徒，固當心證。調笑叉語，似謔似讖，滑稽皆爲詩贅，偏入嘲詠，時或有之，豈足爲文章乎？（剖宋玉俗辯之能，廢東方不雅之説，始可議其文也。）

又《六義》 一曰風。體一國之教謂之風。《關雎》、《麟趾》之化，王者之風也；《鵲巢》、《騶虞》之德，諸侯之風也。二曰賦。賦者，布也。象事布文，以寫情也。三曰比。比者，全取外象以興之，「西北有浮雲」之類是也。四曰興。興者，立象於前，後以人事諭之，《關雎》之類是也。五曰雅。正四方之風謂雅。正有小大，故有大小雅焉。六曰頌。頌者，容也。美盛德之形容，以其成功告於神明也。古人云：「頌者，敷陳似賦，而不華侈。恭慎如銘，而異規誡。」以六義爲本，散乎情性。有君臣諷刺之道焉，有父子、兄弟、朋友規正之義焉。降及遊覽、答贈之例，各於一道，全其雅正。

又《詩式・明勢》 高手述作，如登衡、巫，覿三湘、鄢、郢山川之盛，縈迴盤礴，千變萬態。（文體開闔作用之勢。）或極天高峙，崒焉不群，氣騰勢飛，合沓相屬。（奇勢在工。）或脩江耿耿，萬里無波，欻出高深重複之狀。（奇勢互發。）古今逸格，皆造其極妙矣。

又《明作用》 作者措意，雖有聲律，不妨作用，如壺公瓢中，自有天地日月。時時抛鍼擲綫，似斷而復續，此爲詩中之仙。拘忌之徒，非可企及矣。

又《詩有四不》 氣高而不怒，怒則失於風流；力勁而不露，露則傷於斤斧；情多而不暗，暗則陟於拙鈍；才贍而不疎，疎則損於筋脈。

又《詩有四深》 氣象氤氲，由深於體勢；意度盤礴，由深於作用；用律不滯，由深於聲對；用事不直，由深於義類。

又《詩有二要》 要力全而不苦澀，要氣足而不怒張。

又《詩有二廢》 雖欲廢巧尚直，而思致不得置；雖欲廢言尚意，而典麗不得遺。

又《詩有四離》 雖有道情，而離深僻；雖用經史，而離書生；雖尚高逸，而離迂遠；雖欲飛動，而離輕浮。

又《詩有六迷》 以虛誕而爲高古；以緩緩而爲澹泞；以錯用意而爲獨善；以詭怪而爲新奇；以爛熟而爲穩約；以氣少力弱而爲容易。

又《詩有七至》 至險而不僻；至奇而不差；至麗而自然；至苦而無跡；至近而意遠；至放而不迂；至難而狀易。

又《詩有七德》 一識理；二高古；三典麗；四風流；五精神；六質幹；七體裁。

又《詩有五格》 不用事第一（已見評中）；作用事第二（亦見評中。其有不用事而措意不高者，黜入第二格）；直用事第三（其中亦有不用事而格稍下，貶居第三）；有事無事第四（比於第三格中稍下，故入第四）；有事無事，情格俱下第五（情格俱下可知也）。

又《文章宗旨》 評曰：康樂公早歲能文，性穎神徹。及通內典，心地更精。故所作詩，發皆造極，得非空王之道助邪？夫文章，天下之公器，安敢私焉？曩者嘗與諸公論康樂爲文，眞於情性，尚於作用，不顧詞彩，而風流自然。彼清景當中，天地秋色，詩之量也；慶雲從風，舒卷萬狀，詩之變也。不然，何以得其格高、其氣正、其體貞、其貌古、其詞深、其才婉、其德容、其調逸、其聲諧哉？至如《述祖德》一章，《擬鄴中》八首，《經廬陵王墓》、《臨池上樓》，識度高明，蓋詩中之日月也，安可扳援哉？惠休所評「謝詩如芙蓉出水」，斯言頗近矣。故能上躡風騷，下超魏晉。建安製作，其椎輪乎？

又《用事》 評曰：詩人皆以徵古爲用事，不必盡然也。今且於「六義」之中，略論比興。取象曰比，取義曰興，義卽象下之意。凡禽魚、草木、人物、名數，萬象之中義類同者，盡入比興，《關雎》卽其義也。如陶公以「孤雲」比「貧士」，鮑照以「直」比「朱絲」，以「清」比「玉壺」，時人呼比爲用事，呼用事爲比。如陸機詩：「鄙哉牛山歎，未及至人情。爽鳩苟已徂，吾子安得停？」此規諫之忠，是用事，非比也。如康樂公詩：「偶與張、邴合，久欲歸東山。」此叙志之忠，是比，非用事也。詳味可知。

又《語似用事義非用事》 評曰：此二門未始有之，而弱手不能知也。如康樂公詩：「彭、薛纔知耻，貢公未遺榮。或可優貪競，未足稱達生。」此商榷三賢，雖許其退身，不免遺議，蓋康樂欲借此成我詩意，非用事也。如古詩：「仙人王子喬，難可與等期。」曹植詩：「虛無求列仙，松子久吾欺。」又古詩：「師涓久不奏，誰能宣我心。」上句言仙道不可階，次句讓求之無效。下句略似指人，如魏武呼「杜康」爲酒。蓋作者存其毛粉，不欲委曲傷乎天眞，並非用事也。

又《「池塘生春草」、「明月照積雪」》 評曰：客有問予，謝公此二句優劣奚若？余因引梁征遠將軍記室鍾嶸評爲「隱秀」之語。且鍾生既非詩人，安可輒議，徒欲聾瞽後來耳目。且如「池塘生春草」，情在言外。「明月照積雪」，旨冥句中。風力雖齊，取興各別。古今詩中，或一句見意，或多句顯情。王昌齡云：「『日出而作，日入而息。』謂一句見意爲上。」事殊不爾。夫詩人作用，勢有通塞，意有盤礴。勢有通塞者，謂一篇之中，後勢特起，前勢似斷，如驚鴻背飛，卻顧儔侶。卽曹植詩云：「浮沈各異勢，會合何時諧。願因西南風，長逝入君懷」是也。意有盤礴者，謂一篇之中，雖詞歸一旨，而興乃多端，用識與才，蹂踐理窟。如卞子採玉，徘徊荆岑，恐有遺璞。其有二義，一情一事。事者如劉越石詩曰：「鄧生何感激，千里來相求。白登幸曲逆，鴻門賴留侯。重耳用五賢，小白相射鉤。苟能隆二伯，安問黨與讎」是也。情者，如康樂公「池塘生春草」是也。抑由情在言外，故其辭似淡而無味，常手覽之，何異文侯聽古樂哉！《謝氏傳》曰：「吾嘗在永嘉西堂作詩，夢見惠連，因得『池塘生春草』，豈非神助乎？」

又《詩有四不入》 輕重不等。用意太過。指事不實。用意偏枯。

李益《詩有六義賦》 夫聖人之理，原於始而執其中。觀天文以審於王事，觀人文而知其國風。故每歲孟春，採詩於道路，而獻之泮宮。有以知下之化，達人之窮。發於《關雎》之首，及乎王道之終。故曰天明自人而視，天聽自人而聽。所謂政於內繫一人之本，動於外形四方之同。始於風，成於雅，失其道或天方薦瘥，得其宜或錫之純嘏，是人情之大寶，未有不由於斯者。爾其德以頌宣，事以類比，陳之於學校，將可以反正輟淫；播之於絲桐，何有於翦商變徵。屬詞庶因於勸戒，緣情孰多夫綺靡。嘉魚作而賢者進焉，騶虞廢而王道缺矣。至於詩之爲稱，言以全興；詩之爲志，賦以明類。亦有感於鬼神，豈止明夫禮義？王澤竭而詩不作，周道微而興以刺，俾乃審音之人，於以知風之自。洎夫代見更改也，運歷於詩亡。自天未喪斯文也，以至於皇家。於是抑文尙質，崇儉去奢，振六藝以補化，秉一言之無邪。不然，何以天地奉若，而不興雲漢之嗟？用能德馨而蘋蘩可薦，誠達而來麰降生。雖九重歲招其諫諍，而九有日聞其頌聲。且君匪五諫兮何弼，詩匪六藝兮何成。我皇乃以詩而條之國政，本乎人情，故得行蠻貊，豈獨用之邦國。修之身則壽考不忘，垂乎後則子孫千億。乃知詩之爲教，蓋亦王猷之至極。

白居易《金鍼詩格·詩有內外意》 一曰內意，欲盡其理。理，謂義理之理，美、刺、箴、誨之類是也。二曰外意，欲盡其象。象，謂物象之象，日月、山河、蟲魚、草木之類是也。內外含蓄，方入詩格。

又《詩有三本》 一曰有竅。二曰有骨。三曰有髓。以聲律爲竅；以物象爲骨；以意格爲髓。凡爲詩須具此三者。

又《詩有四格》 一曰十字句格。二曰十四字句格。三曰五隻字句格。四曰拗背字句格。

又《詩有四得》 一曰句欲得健。二曰字欲得清。三曰意欲得圓。四曰格欲得高。

又《詩有四鍊》 一曰鍊句。二曰鍊字。三曰鍊意。四曰鍊格。鍊句不如鍊字；鍊字不如鍊意；鍊意不如鍊格。

又《詩有五忌》 一曰忌格懦。二曰忌字俗。三曰忌才浮。四曰忌理短。五曰忌意雜。

又《詩有五理》 一曰有美。二曰有刺。三曰有規。四曰有箴。五曰有誨。

又《詩有三體》 紀帝德曰頌。干王道曰雅。諷上曰風。

又《詩有四得》 一曰有喜而得之者。二曰有怒而得之者。三曰有哀而得之者。四曰有樂而得之者。喜而得之者其辭麗；怒而得之者其辭憤；哀而得之者其辭悲；樂而得之者其辭逸。

又《詩有四失》 一曰失之太喜其思放；二曰失之太怒其思躁；三曰失之太哀其思傷；四曰失之太樂其思蕩。

又《詩有上中下三等》 一曰純而歸正者上等也。二曰淡而有味者中等也。三曰華而不浮者下等也。

又《詩有魔》 好吟而不工者才卑也；好奇而不純者格卑也。

又《詩有三般句》 一曰自然句；二曰容易句；三曰苦求句。命題屬意，如有神助，歸於自然也；命題率意，遂成一章，歸於容易也；命題用意，求之不得，歸於苦求也。

又《詩有數格》 曰葫蘆；曰轆轤；曰進退。葫蘆韻者，先二後四；轆轤韻者，雙出雙入；進退韻者，一進一退。

又《詩有義例七》 一曰說見不得言見；二曰說聞不得言聞；三曰說遠不得言遠；四曰說靜不得言靜；五曰說苦不得言苦；六曰說樂不得言樂；七曰說恨不得言恨。

又《詩有二家》一曰有詩人之詩，二曰有詞人之詩。詩人之詩雅而正，詞人之詩才而辯。

又《文苑詩格·宣暢騷雅》爲詩之體，切在裨益《國風》。古詩：「明月澄清景，列宿正參差。」今詩：「手持雙鯉魚，目送千里鴻。」此雅意，無有浮艷也。

又《影帶宗旨》文體直叙其意，語成文，影帶回合，三向四通，悉皆流美。古詩云：「花飛織綿處，月落擣衣邊。」又古詩：「朱門日照金生翠，粉蝶雲横月放光。」

又《精頤以事》若古文用事，又傷浮艷；不用事，又不精華。用古事似今事，爲上格也。古詩云：「朝採南澗草，夕息西山足。」

又《褒贊〈國風〉》爲詩之道，義在裨益，言意皆有所爲。古詩云：「美人贈我錦繡段，何以報之青玉案。」

賈島《二南密旨·論六義》歌事曰風。布義曰賦。取類曰比。感物曰興。正事曰雅。善德曰頌。風論一。風者，風也。卽與體定句，須有感。外意隨篇自彰，内意隨入諷刺。歌君臣風化之事。賦論二。賦者，敷也，布也。指事而陳，顯善惡之殊態。外則敷本題之正體，内則布諷誦之玄情。比論三。比者，類也，妍媸相類，相顯之理。或君臣昏佞，則物象比而刺之；或君臣賢明，亦取物比而象之。興論四。興者，情也，謂外感於物，内動於情，情不可遏，故曰興。感君臣之德政廢興而形於言。雅論五。雅者，正也，謂歌諷刺之言，而正君臣之道。法制號令，生民悦之，去其苛政。頌論六。頌者，美也，美君臣之德化。

又《論風之所以》君之德，風化被於四方，兹乃正風也。或否塞賢路，下民無告，卽正風變矣。

又《論風騷之所由》騷者，愁也，始乎屈原。爲君昏暗時，寵乎讒佞之臣。含忠抱素，進於逆耳之諫，君暗不納，放之湘南，遂爲《離騷經》。以香草比君子，以美人喻其君，乃變風而入其騷刺之旨，正其風而歸於化也。

又《論二雅大小正旨》四方之風，一人之德。民無門以頌，故謂之大雅。諸侯之政，匡救善惡，退而歌之，謂之小雅。大雅，如盧綸《興善寺後池》詩：「月照何年樹，花逢幾度春。」小雅，如古詩：「風添松韻好，秋助月光多。」又如錢起詩：「好風能自至，明月不須期。」

又《論變大小雅》大小雅變者，謂君不君，臣不臣，上行酷政，下進阿諛，詩人則變雅而諷刺之。言變者，卽爲景象移動比之。如《詩》云：「日居月諸，胡迭而微。」此變大雅也。又古詩云：「浮雲翳白日，遊子不顧返。」如《詩》云：「緑衣黄裳。」此乃變小雅之體也。

又《論南北二宗例古今正體》宗者，總也，言宗則始南北二宗也。南宗一句含理，北宗二句顯意。南宗例，如《毛詩》云：「林有樸樕，野有死鹿。」卽今人爲對，字字的確，上下各司其意。如鮑照《白頭吟》：「申黜褒女進，班去趙姬昇。」如錢起詩：「竹憐新雨後，山愛夕陽時。」此皆宗南宗之體也。北宗例，如《毛詩》云：「我心匪石，不可轉也。」此體今人宗爲十字句，對或不對。如左太沖詩：「吾希段干木，偃息藩魏君。」如盧綸詩：「誰知樵子徑，得到葛洪家。」此皆宗北宗之體也。詩人須宗於宗，或一聯合於宗，卽終篇之意皆然。

又《論立格淵奥》詩有三格：一曰情，二曰意，三曰事。情格一。耿介曰情。外感於中而形於言，動天地，感鬼神，無出於情。三格中情最切也。如謝靈運詩：「池塘生春草，園柳變鳴禽。」如錢起詩：「帶竹飛泉冷，穿花片月深。」此皆情也。如此之用，與日月爭衡也。意格二。取詩中之意，不形於物象。如古詩云：「行行重行行，與君生别離。」如晝公《賦巴山夜猿送客》：「何年有此路，幾客共沾襟。」事格三。須興懷屬思，有所冥合。若將古事比今事，無冥合之意，何益於詩教。如謝靈運詩：「偶與張、邴合，久欲歸東山。」如陸士衡《齊謳行》：「鄙哉牛山歎，未及至人情。」如古詩云：「懶向碧雲客，獨吟黄鶴詩。」以上三格，可謂握造化手也。

又《論古今道理一貫》小手皆言《毛詩》並《文選》諸公之作是古道，與今不同，此不可與言也。詩教今古之道皆然。

又《論題目所由》題者，詩家之主也；目者，名目也。如人之眼目，眼目俱明，則全其人中之相，足可坐窺於萬象。

又《論篇目正理用》夢遊仙，刺君臣道阻也。水邊，趨進道阻也。白髮吟，忠臣遭佞，中路離散也。夜坐，賢人待時也。貧居，君子守志也。看水，羣佞當路也。落花，國中正風隳壞也。對雪，君酷虐也。晚望，賢人失時也。送人，用明暗進退之理也。早春、中春，正風明盛也。春晚，正風將壞之兆也。夏日，君暴也。夏殘，酷虐將消也。秋日，變爲明時，正爲暗亂也。殘秋，君加昏亂之兆也。冬，亦是暴虐也。殘冬，酷虐欲消，向明之兆也。登高野步，賢人觀國之光之兆也。遊寺院，賢人趨進，否泰之兆也。題寺院，書國之善惡也。春秋書懷，賢人時明君暗，書進退之兆也。題百花，或頌賢人在位之德，或刺小人在位淫亂也。牡丹，君子時會也。鷓鴣，刺小人得志也。觀棊，賢人用籌策勝敗之道也。風雷，君子感威令也。野燒，兵革昏亂也。贈隱者，君子避世也。已上四十七門，略舉大綱也。

又《論體裁昇降》 詩體若人之有身，人生世間，稟一元相而成體，中間或風姿峭拔，蓋人倫之難。體以象顯。顔延年詩：「庭昏見野陰，山明望松雪。」鮑明遠詩：「騰沙鬱黃霧，飛浪揚白鷗。」此以象見體也。

李洪宣《緣情手鑑詩格・詩有五不得》 一曰不得以虛大爲高古。二曰不得以緩慢爲淡佇。三曰不得以詭怪爲新奇。四曰不得以錯用爲獨善。五曰不得以爛熟爲穩約。

又《詩有三格》 一曰意。二曰理。三曰景。

又《詩忌俗字》「摩挲」、「抖擻」之類是也。

釋齊己《風騷旨格・六詩》 一曰大雅。詩曰：「一氣不言含有象，萬靈何處謝無私。」二曰小雅。詩曰：「天流皓月色，池散芰荷香。」三曰正風。詩曰：「都來消帝力，全不用兵防。」四曰變風。詩曰：「當道冷雲和不得，滿郊芳草卽成空。」五曰變大雅。詩曰：「蟬離楚樹鳴猶少，葉到嵩山落更多。」六曰變小雅。詩曰：「寒禽黏古樹，積雪占蒼苔。」

又《詩有六義》 一曰風。詩曰：「高齊日月方爲道，動合乾坤始是心。」二曰賦。詩曰：「風和日暖方開眼，雨潤煙濃不舉頭。」三曰比。詩曰：「丹頂西施頰，霜毛四皓鬚。」四曰興。詩曰：「水諳彭澤潤，山憶武陵深。」五曰雅。詩曰：「捲簾當白晝，移榻對青山。」又詩：「遠道擎空鉢，深山踏落花。」六曰頌。詩曰：「君恩到銅柱，蠻款入交州。」

又《詩有十勢》 獅子返擲勢。詩曰：「離情遍芳草，無處不萋萋。」猛虎踞林勢。詩曰：「牕前閑詠鴛鴦句，壁上時觀獬豸圖。」丹鳳啣珠勢。詩曰：「正思浮世事，又到古城邊。」毒龍顧尾勢。詩曰：「可能有事關心後，得似無人識面時。」孤雁失群勢。詩曰：「既不經離別，安知慕遠心。」洪河側掌勢。詩曰：「遊人微動水，高岸更生風。」龍鳳交吟勢。詩曰：「崑玉已成廊廟器，澗松猶是薜蘿身。」猛虎投澗勢。詩曰：「仙掌月明孤影過，長門燈暗數聲來。」龍潛巨浸勢。詩曰：「養猿寒嶂疊，擎鶴密林疎。」鯨吞巨海勢。詩曰：「袖中藏日月，掌上握乾坤。」

又《詩有二十式》 一曰出入。詩曰：「雨漲花爭出，雲空月半生。」二曰高逸。詩曰：「夜過秋竹寺，醉打老僧門。」三曰出塵。詩曰：「逍遙非俗趣，楊柳護春風。」四曰迴避。詩曰：「鳥正啼隋柳，人須入楚山。」五曰並行。詩曰：「終夜冥心坐，諸峰叫月猿。」六曰艱難。詩曰：「覓句如探虎，逢知似得仙。」七曰達時。詩曰：「高松飄雨雪，一室掩香燈。」八曰度量。詩曰：「還有冥心者，還尋此境來。」九曰失時。詩曰：「高秋初雨後，夜半亂山中。」十曰靜興。詩曰：「古屋無人到，殘陽滿地時。」十一曰知時。詩曰：「前村深雪裏，昨夜一枝開。」十二曰暗會。詩曰：「重城不鏁夢，每夜自歸山。」十三曰直擬。詩曰：「禹力不到處，河聲流向西。」十四曰返本。詩曰：「又因風雨夜，重到古松門。」十五曰功勳。詩曰：「馬曾金簇中，身有寶刀痕。」十六曰抛擲。詩曰：「琴書留二國，風雨出秦關。」十七曰腹悱。詩曰：「越人自貢珊瑚樹，漢使今勞獬豸冠。」十八曰進退。詩曰：「日午遊都市，天寒住華山。」十九曰禮義。詩曰：「送我杯中酒，典君身上衣。」二十曰兀坐。詩曰：「自從青草出，便不下階行。」

又《詩有四十門》 一曰皇道。詩曰：「明堂坐天子，月朔朝諸侯。」二曰始終。詩曰：「養雛成大鶴，種子作高松。」三曰悲喜。詩曰：「兩行燈下淚，一紙嶺南書。」四曰隱顯。詩曰：「道晦金雞伏，時來木馬鳴。」五曰惆悵。詩曰：「此別又千里，少年能幾時。」六曰道情。詩曰：「誰來看山寺，自是掃松門。」七曰得意。詩曰：「此生還自喜，餘事不相便。」八曰背時。詩曰：「一春能幾日，無雨亦多風。」九曰正風。詩曰：「白髮無心鑷，青山得意多。」十曰返顧。詩曰：「遠憶諸峰頂，曾栖此性靈。」十一曰亂道。詩曰：「苦雨秋濤漲，狂風野燒翻。」十二曰抱直。詩曰：「須知三尺劍，只爲不平人。」十三曰世情。詩曰：「要路爭先進，閒門肯暫過。」十四曰匡救。詩曰：「傍人皆默語，當路好防隄。」十五曰貞孝。詩曰：「無家空託墓，主祭不從人。」十六曰薄情。詩曰：「君恩秋後薄，日夕向人疎。」十七曰忠正。詩曰：「敢將心爲主，豈懼語從人。」十八曰相成。詩曰：「怪得登科晚，須逢聖主知。」十九曰嗟歎。詩曰：「淚流襟上血，髮白鏡中絲。」二十曰俟時。詩曰：「明主未巡狩，白頭猶釣魚。」二十一曰淸苦。詩曰：「在處人投卷，移居雨着衣。」

二十二曰騷愁。詩曰：「已難消永夜，況復聽秋霖。」二十三曰睠戀。詩曰：「欲起遊方興，重來遶塔行。」二十四曰想像。詩曰：「溪霞流火色，松日照爐光。」二十五曰志氣。詩曰：「未抛無遠路，難作便歸人。」二十六曰雙擬。詩曰：「冥目冥心坐，花開花落時。」二十七曰向時。詩曰：「黑壤生紅朮，黃猿領白兒。」二十八曰傷心。詩曰：「六國空流血，孤祠掩落花。」二十九曰鑒戒。詩曰：「因思後庭曲，懶上景陽樓。」三十曰神仙。詩曰：「一爲嵩岳客，幾喪洛陽人。」三十一曰破除。詩曰：「大都時到此，不得世無情。」三十二曰蹇塞。詩曰：「氣蒸垂柳重，寒勒牡丹遲。」三十三曰鬼怪。詩曰：「山魅隔窗舞，鵩鳥入簾飛。」三十四曰紕繆。詩曰：「日落月未上，鳥棲人獨行。」三十五曰世變。詩曰：「如何人少重，都爲帶寒開。」三十六曰正氣。詩曰：「日落無行客，天寒有去鴻。」三十七曰扼腕。詩曰：「拭淚沾襟血，梳頭滿面絲。」三十八曰隱悼。詩曰：「馮唐猶在漢，樂毅不歸燕。」三十九曰道交。詩曰：「桃花潭水深千尺，不及汪倫送客情。」四十曰清潔。詩曰：「大雪路亦宿，深山水也齋。」

又《詩有六斷》 一曰合題。詩曰：「可憐半夜嬋娟月，正對五侯殘酒卮。」二曰背題。詩曰：「尋常風雨夜，應有鬼神看。」三曰卽事。詩曰：「翻嫌易水上，細碎動離魂。」四曰因起。詩曰：「閑尋古廊畫，記得列仙名。」五曰不盡意。詩曰：「此心只待相逢說，時復登樓看遠山。」六曰取時。詩曰：「西風起邊雁，一一向瀟湘。」

又《詩有三格》 一曰上格用意。詩曰：「那堪懷遠路，猶自上高樓。」又詩：「九江有浪船難濟，三峽無猿客自愁。」二曰中格用氣。詩曰：「直饒人買去，還向柳邊栽。」又詩：「四海魚龍精魄冷，五山鸞鳳骨毛寒。」三曰下格用事。詩曰：「片石猶臨水，無人把釣竿。」又詩：「一輪湘渚月，萬古獨醒人。」

釋虛中《流類手鑑》 夫詩道幽遠，理入玄微。凡俗罔知，以爲淺近。善詩之人，心含造化，言含萬象。且天地、日月、草木、煙雲皆隨我用，合我晦明。此則詩人之言應於物象，豈可易哉？

又《詩有二宗》 第四句見題是南宗；第八句見題是北宗。

又《物象流類》 巡狩，明帝王行也。日午、春日，比聖明也。殘陽、落日，比亂國也。晝，比明時也。夜，比暗時也。春風、和風、雨露，比君恩也。朔風、霜霰，比君失德也。秋風、秋霜，比肅殺也。雷電，比威令也。霹靂，比不時暴令也。寺宇、河海、川澤、山岳，比於國也。樓臺、林木，比上位也。九衢、岐路，比王道也。紅塵、熊羆，比武兵帥也。井田、岸涯，比基業也。橋樑、枕簟，比近臣也。舟楫、孤峰，比上宰也。故園、故國，比廊廟也。百花，比百僚也。梧桐，比大位也。圓月、麒麟、鴛鴦，比良臣、君子也。獬豸，比諫臣也。浮雲、殘月、煙霧，比佞臣也。琴、鐘、磬，比美價也。鼓角，比君令也。更漏，比運數也。蟬、子規、猿，比怨士也。罾網，比法密也。金石、松竹、嘉魚，比賢人也。孤雲、白鶴，比貞士也。鴻雁，比孤進也。野花，比未得時君子也。故人，比上賢也。夫妻、父子，比君臣也。檽窗、幃幕，比良善人也。蛇鼠、燕雀、荆榛，比小人也。蛩、螻蛄，比知時小人也。羊、犬，比小物也。柳絮、新柳，比經綸也。犀象、狂風、波濤，比惡人也。鑠，比愚人也。匙，比智人也。百草，比萬民也。苔蘚，比古道也。珪璋、書籍，比有德也。虹蜺，比妖媚也。炎毒、苦熱，比酷罰也。西風、商雨，比兵也。絲蘿、兔絲，比依附也。僧道、煙霞，比高尚也。金，比義與決烈也。木，比仁與慈也。火，比禮與明也。水，比智與君政也。土，比信與長生也。

《司空表聖文集》卷二《與李生論詩書》 文之難，而詩之難尤難。古今之喻多矣，而愚以爲辨於味而後可以言詩也。江嶺之南，凡是資於適口者，若醯，非不酸也，止於酸而已；若鹺，非不鹹也，止於鹹而已。華之人以充飢而遽輟者，知其鹹酸之外，醇美者有所乏耳。彼江嶺之人，習之而不辨也宜哉！詩貫六義，則諷諭、抑揚、渟蓄、溫雅，皆在其間矣。然直致所得，以格自奇。前輩編集，亦不專工於此，矧其下者耶！王右丞、韋蘇州澄澹精緻，格在其中，豈妨於遒舉哉？賈浪仙誠有警句，視其全篇，意思殊餒，大抵附於蹇澀，方可致才，亦爲體之不備也，矧其下者哉！噫！近而不浮，遠而不盡，然後可以言韻外之致耳。愚幼常自負，既久逾覺缺然。然得於早春，則有「草嫩侵沙短，冰輕著雨銷」。又「人家寒食月，花影午時天」。又「雨微吟足思，花落夢無憀」。得於山中，則有「坡暖冬生筍，松涼夏健人」。又「川明虹照雨，樹密鳥銜人」。得於江南，則有「戍鼓和潮暗，船燈照島幽」。又「曲塘春盡雨，方響夜深船」。又「夜短猿悲減，風和鵲喜靈」。得於塞下，則有「馬色經寒慘，鵰聲帶晚飢」。得於喪亂，則有「驊騮思故第，鸚鵡失佳人」。又「鯨鯢人海涸，魑魅棘林高」。得於道宮，則有「碁聲花院閉，幡影石幢幽」。得於夏景，則有「地涼清鶴夢，林靜肅僧儀」。得於佛寺，則有「松日明金像，苔龕響木魚」。又「解吟僧亦俗，愛舞鶴終卑」。得於郊園，則有「遠陂春旱滲，猶有水禽飛」。得於樂府，則有「晚粧留拜月，春睡更生香」。得於寂寥，則有「孤螢出荒池，落葉穿破屋」。得於愜適，則有「客來當意愜，花發遇歌成」。雖庶幾不濱於淺涸，亦未廢作者之譏訶也。又七言云：「逃離人多分隙地，放生鹿大出寒林」。又「得劍乍如添健僕，亡書久似憶良朋」。又「孤嶼池痕春漲滿，小欄花韻午晴初」。又「五更惆悵迴孤枕，猶自殘燈照落花」。又「殷勤元日日，欹午又明年」。皆不拘於一概也。蓋絕句之作本於詣極，此外千變萬狀，不知所以神而自神也，豈容易哉？

徐夤《雅道機要・明六義》歌事曰風。布義曰賦。取類曰比。感物曰興。正事曰雅。功成曰頌。大雅體。變小雅體。正風體。變風體。南宗體。北宗體。詩有三格：情。意。事。明題目否臧，如曰引，曰吟，乃刺忠臣遭佞而離散也。白頭吟，夢仙謠，行路難，古離別，湘水深，夜坐，疎漏，貧居，聞蟬，落花，對雪，晚望，歸田，看水，苦寒。明物象：如日月比君明也。日月，雨露，白晝，殘暉，圓月，殘月，珠珍，鴛鴦，荆榛。

又《明物象》殘月，比佞臣也。珠珍，比仁義也。鴛鴦，比君子也。荆榛，比小人也矣。以上物象，不能一一徧舉。

又《明門戶差別》門者，詩之所通也。如人門戶，未有出入不由者也。明者如月在上，皎然可觀。隱顯門。詩曰：「道晦金鷄伏，時來木馬鳴」。惆悵門。詩曰：「此別又千里，少年能幾時」。道情門。詩曰：「誰來看山寺，自要掃松門」。得意門。詩曰：「此生還自喜，餘事不相便」。背時門。詩曰：「白髮無心鑷，青山去意多」。正風門。詩曰：「一春能幾日，無雨亦多風」。返本門。詩曰：「遠憶諸峰頂，曾棲此性靈」。貞孝門。詩曰：「無家全託夢，主祭不從人」。薄情門。詩曰：「君恩秋後木，日夕向人疎」。忠貞門。詩曰：「固將心爲國，豈懼語傷人」。相成門。詩曰：「怪得登科晚，須知聖主恩」。亂道門。詩曰：「苦雨秋濤漲，狂風野燒翻」。抱直門。詩曰：「須知三尺劍，只爲不平磨」。世情門。詩曰：「要路爭先進，閑門肯暫過」。正敕門。詩曰：「傍人皆默語，當局好隄防」。嗟歎門。詩曰：「淚流襟上血，髮散鏡中絲」。俟時門。詩曰：「明主未巡狩，白頭還釣魚」。清苦門。詩曰：「在處人投卷，移居雨著琴」。騷愁門。詩曰：「已難消永夜，況復聽秋霖」。晦戀門。詩曰：「欲起遊方興，重來遶塔行」。志氣門。詩曰：「未拋元達路，難作便歸人」。雙擬門。詩曰：「冥心冥目日，花開花落時」。向時門。詩曰：「黑壤生紅朮，黃猿領白兒」。傷時門。詩曰：「亡國空流水，孤祠掩落花」。鑒識門。詩曰：「因思後庭曲，懶看落花時」。神仙門。詩曰：「一爲嵩岳客，幾喪洛陽人」。塞蹇門。詩曰：「氣蒸垂柳重，寒勒牡丹遲」。動靜門。詩曰：「春晴遊寺客，花落閉門僧」。

又《明聯句深淺》句者，拘也。或三字、五字、七字，皆約情實之事。出入句。詩曰：「雨過花爭出，雲收月並生」。高逸句。詩曰：「夜過秋竹寺，醉打老僧門」。出塵句。詩曰：「逍遙非俗趣，楊柳慢春風」。並行句。詩曰：「擁衲冥心客，窮經暮齒人」。不對句。詩曰：「秋風正蕭索，客散孟嘗門」。艱難句。詩曰：「覓句如探虎，逢君似得仙」。迴避句。詩曰：「自從靑草出，便不下堦行」。達時句。詩曰：「春閑開戶懶，夜永出庭遲」。度量句。詩曰：「臨水通宵坐，知君此興同」。失時句。詩曰：「高秋初雨後，半夜亂山中」。靜興句。詩曰：「古屋無人處，殘陽滿地時」。十字句。詩曰：「不會這個地，如何着得君」。直擬句。詩曰：「禹力不到處，河聲流向西」。返本句。詩曰：「又因風雨夜，重宿古松門」。暗會句。詩曰：「重城難鎖夢，每夜自歸心」。功勳句。詩曰：「馬曾金簇中，人有寶刀痕」。拋擲句。詩曰：「琴書離上國，風雨出南山」。悲喜句。詩曰：「兩行燈下淚，一紙嶺南書」。進退句。詩曰：「寄宿山中寺，相辭海上僧」。禮義句。詩曰：「勸我一盃酒，典君身上衣」。

又《明勢含升降》勢者，詩之力也。如物有勢，即無往不克。此道隱其間，作者明然可見。洪河側掌勢。詩曰：「游人微動水，高岸便生雲」。丹鳳啣珠勢。詩曰：「正思浮世事，又過古城邊」。孤雁失羣勢。詩曰：「人情苟且頭頭見，世路欹危處處驚」。猛虎跳澗勢。詩曰：「仙掌月明孤影過，長門燈暗數聲來」。雲霧遶山勢。詩曰：「中原不是無麟鳳，自是皇家結網疎」。龍鳳交吟勢。詩曰：「崑玉已成廊廟器，澗泉猶是薜蘿身」。孤峰直起勢。詩曰：「山中攜卷去，牓上得官歸」。猛虎踞林勢。詩曰：「窓前閑弄鴛鴦繡，壁上時看獅豸圖」。

又　夫詩者，儒中之禪也。一言契道，萬古咸知。大雅題：天地、海岳、風雨、四時、日夜。大雅句，詩曰：「日月光天德，山河壯帝居。」小雅題：松、竹、鶴、僧、道、池亭、寺觀。小雅句，詩曰：「齋歸門掩雪，講徹柏生枝。」背時題：招隱、辭居、思山、出關。背時句，詩曰：「歸時值落葉，遠路入寒山。」歌詠題：聽琴、對月、賞花、喜晴。歌詠句，詩曰：「一堂風冷淡，千古意分明。」諷刺題：晚望、落葉、夕陽、聞蛩。諷刺句，詩曰：「白雲風散盡，紅葉水流來。」教化題：警世、懷居、詠古、嗟時。教化句，詩曰：「傍人皆默語，當局好隄防。」哀傷題：落第、病中、倦客、秋懷。哀傷句，詩曰：「江上二親老，月中丹桂高。」歎恨題：宮怨、檻猨、病鶴、逸客。歎恨句，詩曰：「妾如無異意，君棄也甘心。」感事題：廢宮、懷古、荒宮、舊居。感事句，詩曰：「橋高來野水，今古遶長川。」以上但將此意體究古人詩句，則備明旨趣矣。能使功不浪施，語不虛發。

又《敘體格》 詩有十一不：一曰不時態。二曰不繁雜。三曰不質朴。四曰不才調。五曰不囚縛。六曰不沉靜。七曰不細碎。八曰不怪異。九曰不浮艷。十曰不僻澁。十一曰不文藻。凡爲詩者，先須識體格。未論古風，且約五七言律詩，惟閬仙眞作者矣。辭體若淡，理道深奧，不失諷詠，語多興味，惟知前項十一不則得之矣。時態句。詩曰：「麝香眠石竹，鸚鵡啄金桃。」繁雜句。詩曰：「船中江上景，晚泊早行時。」質朴句。詩曰：「不覺日又夜，爭教人少年。」囚縛句。詩曰：「捲簾當白晝，移榻對青山。」沉靜句。詩曰：「冷落菊花雨，參差荷葉風。」細碎句。詩曰：「靜瓶搖暗浪，香罐帶微煙。」怪異句。詩曰：「酒腸寬似海，詩膽大如天。」浮艷句。詩曰：「好花紅照水，芳草綠隨船。」以上但將此例句度吟詠，備見古今詩人製作體格，罕有離得此病。若得脫此，則眞仙矣。

又《敘磨鍊》 凡爲詩須積磨鍊。一曰鍊意。二曰鍊句。三曰鍊字。意有暗鈍、麄落。句有死機、沉靜、瑣澁。字有解句、義同、緊慢。以上三格，皆須微意細心，不須容易。一字若閒，一聯句失。故古詩云：「一箇字未穩，數宵心不閒。」

又《敘血脈》 凡爲詩須洞貫四闋，始末理道，交馳不失次序。詩有四不：不泥題目。不惑衆議。不落諸病。不犯沉暗。

又《敘通變》 凡爲詩須能通變體格。摹擬古意，不偸竊名人句，令體面不同，不作貫魚之手。凡欲題詠物象，宜密布機情，求象外雜體之意，不失諷詠，有含情久味之意，則眞作者矣。詩有多般通變：一曰或敘舊遊往事爲寄。二曰或敘思詠隔闊爲寄。三曰或敘時途更變爲寄。四曰或敘功名未遂爲寄。五曰或敘眞隱高上爲寄。六曰或敘多難旅途爲寄。七曰或敘居處寂寥爲寄。八曰或敘聲價祿宦爲寄。九曰或敘景物凄涼爲寄。十曰或敘雄勢爲贈。十一曰或敘功名爲贈。十二曰或敘清苦爲贈。十三曰或敘才學爲贈。十四曰或敘德行爲贈。十五曰或敘高逸爲贈。十六曰或敘富盛爲贈。十七曰或敘閑雅爲贈。十八曰或敘避世爲贈。十九曰或敘居處爲贈。二十曰或敘好異爲贈。二十一曰或敘貌古神清爲贈。二十二曰或貧疾凄涼懷人。二十三曰或感物傷時。二十四曰或音書杳絕。二十五曰或對景動情。二十六曰或追想舊遊。二十七曰或旅次途道。二十八曰或嘆事無成。二十九曰或登樓對酒。三十曰或偶有勝景。三十一曰或屬境而爲。三十二曰或送行色而爲。三十三曰或惜別而爲。三十四曰或屬物而爲。三十五曰或合贈而爲。三十六曰或傷嗟而爲。三十七曰或直指歸處而爲。三十八曰或自敘而爲。三十九曰或客情而爲。四十曰或著述而爲。以上略敘梗概，要學詩之人，善巧通變，玆爲作者矣。

又《敘分剖》 凡爲詩須能分剖道理，各得其所，不可凝滯。至於一篇之內，善能分剖，方爲作者。不能分剖，不識旨趣，自多凝滯。或設彼人問，杜口無對，實堪傷之。豈非學無憑據，道不通貫。不遇至公，不視奧論，逐浪隨風，迷途昧理。焉可不決擇，泛然爲之？

又《敘明斷》 凡爲詩須明斷一篇終始之意。未形紙筆，先定體面。若達先理，則百發百中。所得之句，自有趣味。播落人口，皆在明斷。審其是非，如創學之流，未得聯聯通達，或失磨鍊，或犯諸病，皆須子細看詳。吟詠不可恃其敏捷，或有疎脫，被人評哂，則壞平生之名。古來名公，尚不免此，今之詩人，切可爲戒。所得之句，古之未有，今之未述，方得垂名。或有用志，須精分剖。一篇纔成，字字有力，任是大匠名流，不能移一字一句，至於無疑，方爲作者矣。

徐衍《風騷要式》 夫詩之要道，是上聖古人之樞機。故可以頌，可以諷。「邇之事父，遠之事君」。今之辭人，往往自諷自刺而不能覺。前代詩人亦曾微露天機，少彰要道。白樂天云：「鴛鴦繡出從君看，莫把金鍼度與人。」禪月亦云：「千人萬人中，一人兩人知。」以是而論，不可妄授。

又《物象門》 虛中云：「物象者，詩之至要。」苟不體而用之，何異登山命舟，行川索馬。雖及其時，豈及其用。

又《興題門》　登高望遠，此良時也。野步野眺，賢人觀國之光也。平原古岸，帝王基業也。病中，賢人不得志也。病起，君子亨通也。

王夢簡《詩格要律》　一曰風。與諷同義，含皇風，明王業，正人倫，歸正宜也。二曰賦。賦其事體，伸冤雪耻，若紀功立業，旌著物情，宣王化以合史籍者也。三曰比。事相干比，不失正道。此道易明而難辨，切忌比之不當。四曰興。起意有神勇銳氣，不失其正也。五曰雅。消息孤松、白雲、高僧、大儒，雅也。六曰頌。贊詠君臣有道，百執有功於國。以上六義，合於諸門，即盡其理也。

釋神彧《詩格・論詩病》　夫爲詩者，難得全篇造於玄妙。《送人宰藍田》：「瘦馬稀餐粟，羸童不識錢。如君清苦節，到處有人傳。」或問此詩病在何處？曰：有上兩句了，又言「清苦節」，是重疊也。賈島《贈藍田主簿》：「久別丹陽浦，時時夢釣船。」如此斷句，方爲佳矣。

又《論詩有所得字》　冥搜意句，全在一字包括大義。賈島詩：「秋江待明月，夜語恨無僧。」此「僧」字有得也。鄭谷《詠燕詩》：「閑几硯中窺水淺，落花徑裏得泥香。」此「香」字有得也。

又《論詩勢》　先須明其體勢，然後用思取句。詩有十勢：一曰芙蓉映水勢。詩曰：「徑與禪流並，心將世俗分。」二曰龍潛巨浸勢。詩曰：「天下已歸漢，山中猶避秦。」三曰龍行虎步勢。詩曰：「兩浙尋山遍，孤舟載鶴歸。」四曰獅子返擲勢。詩曰：「高情寄南澗，白日伴雲閑。」五曰寒松病枝勢。詩曰：「一心思諫主，開口不防人。」六曰風動勢。詩曰：「半夜長安雨，燈前越客吟。」七曰驚鴻背飛勢。詩曰：「龍樓曾作客，鶴氅不爲臣。」八曰離合勢。詩曰：「東西南北人，高跡此相親。」九曰孤鴻出塞勢。詩曰：「衆木又搖落，望君君不還。」十曰虎縱出群勢。詩曰：「三間茅屋無人到，十里松門獨自遊。」《貽潛溪隱者詩》：「高情同四皓，高卧翠蘿間。」此破題，是龍潛巨浸勢也。「大國已如鏡，先生猶戀山。」此頷聯，是龍行虎步勢也。「釣磯苔色老，庭樹鳥聲閑。」此頸聯，是驚鴻背飛勢也。「未省開三徑，何人得往還。」此斷句，是獅子返擲勢也。觀此一詩，凡具四勢，其他可以類推矣。

又《論詩道》　至玄至妙，非言所及，若悟詩道，方知其難。詩曰：「未必星中月，同他海上心。」禪月詩：「萬緣冥目盡，一衲亂山深。」薛能詩：「九江空有路，一室掩多年。」周朴詩：「塵世自礙水，禪門長自關。」此乃詩道也。

釋保暹《處囊訣》　夫詩之用，放則月滿煙江，收則雲空岳瀆。情忘道合，父子相存。明昧已分，君臣在位。動感鬼神，天機不測，是詩人之大用也。夫詩之用也，生凡育聖，該古括今，恢廓含容，卷舒有據，有詩之妙用也。詩有五用：一曰其靜莫若定；二曰其動莫若情；三曰其情莫若逸；四曰其音莫若合；五曰其形莫若象。詩有七病：一曰駢經之病；二曰釣鎖之病；三曰輕浮之病；四曰剪辭之病；五曰狂辭之病；六曰逸辭之病；七曰背題離目之病。凡此七病，作詩之人，切忌之矣。詩有四合題格：一曰放意遠；二曰得句新；三曰語常用事密；四曰莫與古人用事同。詩有眼：賈生《逢僧詩》：「天上中秋月，人間半世燈。」「燈」字乃是眼也。又詩：「鳥宿池邊樹，僧敲月下門。」「敲」字乃是眼也。又詩：「過橋分野色，移石動雲根。」「分」字乃是眼也。杜甫詩：「江動月移石，溪虛雲傍花。」「移」字乃是眼也。

釋景淳《詩評》　夫緣情蓄意，詩之要旨也。一曰高不言高，意中含其高。二曰遠不言遠，意中含其遠。三曰閑不言閑，意中含其閑。四曰靜不言靜，意中含其靜。詩有三體：一曰詩人之體爲上。二曰騷人之體爲中。三曰事流之體爲下。詩之言爲意之殼，如人間果實，厥狀未壞者，外殼而內肉也。如鉛中金、石中玉、水中鹽、色中膠，皆不可見，意在其中。使天下人不知詩者，視至灰劫，但見其言，不見其意，斯爲妙也。詩有動靜。情動意靜也。情雖含蓄，覽之可見。詩曰：「相看如遠水，獨自上孤舟。」又詩：「一年將盡夜，萬里未歸人。」又詩：「每因相別處，長是立多時。」又詩：「家山在何處，白首出河陽。」詩曰：「半夜聞鴻雁，多年別弟兄。」又詩：「猿啼洞庭樹，人在木蘭舟。」又詩：「去帆看已遠，臨水立多時。」又詩：「家貧爲客早，路遠得書稀。」又詩：「軒車在何處，雨雪滿前山。」又詩：「燈微山館雨，角咽海城秋。」以上並是情，但心緒易見爲情也。詩曰：「風宿驪山下，月斜灞水流。」又詩：「騎馬出北門，但見松柏繁。」又詩：「瀑布五千仞，草堂瀑布邊。」又詩：「孤舟行一月，萬水與千峰。」又詩：「寫留行道影，焚卻坐禪身。」又詩：「我憶雲門寺，門前千萬峰。」又詩：「一瓶居鳥外，萬木老禪中。」又詩：「我憶山水坐，蟲當寂寞聞。」又詩：「天形圍澤國，秋色露人家。」以上意在言中，而難見意度者也。

徐鉉《徐公文集》卷一八《文獻太子詩集序》 體有古今，理無用舍。夫機神肇於天性，感發由於自然。被之管絃，故音韻不可不和；形於蹈厲，故章句不可不節。取譬小而其指大，故禽魚草木無所遺；連類近而及物遠，故容貌俯仰無所隱。

宋祁《宋景文筆記》卷上 夫文章必自名一家，然後可以傳不朽。若體規畫圓，准方作矩，終爲人之臣僕。古人譏屋下作屋，信然。陸機曰：「謝朝華於已披，啓夕秀於未振。」韓愈曰：「惟陳言之務去。」此乃爲文之要。《五經》皆不同體，孔子没後，百家奮興，類不相沿，是前人皆得此旨。

梅堯臣《續金針詩格・詩有三本》 一曰聲調則意婉，律應則格清。二曰物象明則骨健，物象暗則骨弱。三曰意圓則髓滿，格高則髓深。聲律爲竅一，詩曰：「影沉嵩岳短，光溢太行高。」意婉格清，莫非聲調而律應也。物象爲骨二，詩曰：「雷霆驅號令，星斗煥文章。」「雷霆」喻號令，「星斗」喻文章也。意格爲髓三，詩曰：「是星皆拱北，無水不朝東。」「星」、「水」喻民皆向明君之化也。此兩句謂意圓，格高，詩髓滿也。

又《詩有四得》 句欲得健一，詩曰：「蟄龍三冬卧，老鶴萬里心。」「蟄龍」喻隱君子未動之時也，「老鶴」喻耆舊君子有遠去意思也。字欲得清二，詩曰：「前村深雪裏，昨夜一枝開。」言峻刑之世，有君子孤貞守節也。意欲得圓三，詩曰：「草枯鷹眼疾，雪盡馬蹄輕。」上句言佞人在位，正人不見容也；下句言君子行正道，雖直言得罪而輕也。格欲得高四，詩曰：「日月光天德，山河壯帝居。」此物象顯明，格所以高也。

又《詩有五忌》 一曰格懦則詩不老，二曰字俗則詩不清，三曰才浮則詩不雅，四曰理短則詩不深，五曰意雜則詩不純。

又《詩有上中下》 純而歸正上格。詩曰：「几席延堯舜，軒墀立禹湯。」淡而有味中格。詩曰：「閑欹太湖石，醉聽洞庭秋。」華而不浮下格。詩曰：「山花插寶髻，石竹繡羅衣。」

又《詩有四得》 喜而得之其辭麗格。詩曰：「有時三點兩點雨，到處十枝五枝花。」怒而得之其辭憤格。詩曰：「高陽酒徒半凋落，終南山色空崔嵬。」哀而得之其辭傷格。詩曰：「淚流襟上血，髮變鏡中絲。」樂而得之其辭逸格。詩曰：「誰家綠酒歡連夜，何處紅樓睡失明。」

又《詩有三般句》 自然句。詩曰：「曲終人不見，江上數峰青。」容易句。李白《宫詞》：「柳色黄金嫩，梨花白雪香。」苦求句。《古鏡》詩：「篆經千古澀，影瀉一堂寒。」

又《詩有七不得》 説見不得言見。詩曰：「僧房嵩岳色。」説聞不得言聞。詩曰：「公府洛河聲。」説遠不得言遠。詩曰：「孤舟行一日，萬水與千山。」説静不得言静。詩曰：「竹裏柴扉掩，庭前鳥雀行。」説苦不得言苦。詩曰：「別地葉頻落，去程山已寒。」説樂不得言樂。詩曰：「乘舟泊山寺，着屐到人家。」説恨不得言恨。詩曰：「但取詩名得，何論下第頻。」

佚名《詩評・詩有四勢》 《咏雪》詩「浩蕩繽紛下無際」，此毒龍勢也。「旋從風勢亂縱横」，此靈鳳含珠勢也。「飄來平處添愁起」，此乃猛虎出林勢也。末句云「濟得民安即太平」，此乃鯨吞海勢也。

釋文瑩《湘山野録》卷上 余嘗謂深於詩者，盡欲慕騷人清悲怨感以主其格，語意清切脱灑孤邁。殊不知清極則志飄，感深則氣謝。

歐陽修《六一詩話》 聖俞嘗云：「詩句義理雖通，語涉淺俗而可笑者，亦其病也。如有《贈漁父》一聯云：『眼前不見市朝事，耳畔惟聞風水聲。』説者云：『患肝腎風。』又有詠詩者云：『盡日覓不得，有時還自來。』本謂詩之好句難得耳，而説者云：『此是人家失卻貓兒詩。』人皆以爲笑也。」

又 詩人貪求好句，而理有不通，亦語病也。如：「袖中諫草朝天去，頭上宫花侍宴歸。」誠爲佳句矣，但進諫必以章疏，無直用藁草之理。唐人有云：「姑蘇臺下寒山寺，半夜鐘聲到客船。」説者亦云句則佳矣，其如三更不是打鐘時！如賈島《哭僧》云：「寫留行道影，焚卻坐禪身。」時謂燒殺活和尚，此尤可笑也。若「步隨青山影，坐學白塔骨」，又「獨行潭底影，數息樹邊身」，皆島詩，何精粗頓異也？

司馬光《續詩話》 《詩》云：「牂羊墳首，三星在罶。」言不可久。古人爲詩，貴於意在言外，使人思而得之，故言之者無罪，聞之者足以戒也。近世詩人，爲杜子美最得詩人之體，如：「國破山河在，城春草木深。感時花濺淚，恨別鳥驚心。」山河在，明無餘物矣；草木深，明無人矣；花鳥，平時可娛之物，見之而泣，聞之而悲，則時可知矣。他皆類此，不可徧舉。

李復《潏水集》卷四《答張尉書》 承示新詩，仰服留心不倦。人之爲文與詩，最見精神。若品格已定，辭氣卑凡，不能更有損益，此甚不佳也。猶肆筵犒設大排二十四味，件件皆有，而無可下筋去處。若雖未成，就其中自有佳語，是猶雞鶴褵褷，戛然一鳴，知其爲雲霄外物。又意有數十言不能盡，只用故事三兩字可總而盡之，此又貴乎博聞也。若塵言常能盡去，而立意、造語務求高古、清新，此又非尋常所到也。兹豈一端而已哉？嘗曰讀其言知其人，幸無求小成也。

呂陶《淨德集》卷一八《學論下》 成功告神謂之頌，立政垂法謂之雅，繫其國俗謂之風，指物明事謂之比，取譬申義謂之興，兼總辭體之用，丁寧反覆務盡其情，而不厭一篇之中屢致意焉，謂之賦。

徐積《節孝語録》 凡人爲文，必出諸己而簡易，乃爲佳耳。爲文正如爲人，若有辛苦，態度便不自然。

又 文字須渾成而不斷絕，滔滔如江河，斯爲極妙。若退之近之矣，然未及孟子之一二。

又 君子無所爭，於文則不可不求勝人。凡作文必須自立，令前不見古人，後不容來者乃善。不善其立，意自戕。

沈括《夢溪筆談》卷二三 司馬相如叙上林諸水曰：「丹水、紫淵、灞、滻、涇、渭，八川分流，相背而異態，灝溔潢漾，東注太湖。」李善注：「太湖，所謂震澤。」按：八水皆入大河，如何得東注震澤？又白樂天《長恨歌》云：「峨嵋山下少人行，旌旗無光日色薄。」峨嵋在嘉州，與幸蜀路全無交涉。杜甫《武侯廟柏》詩云：「霜皮溜雨四十圍，黛色參天二千尺。」四十圍乃是徑七尺，無乃太細長乎？【略】此亦文章之病也。

王令《廣陵集》卷二五《上孫莘老書》 《六經》之道備矣，而學者必以《詩》爲先，雖聖人教人亦然。昔者孔子嘗言《詩》矣，曰：「《詩》可以興，可以觀，可以羣，可以怨，邇之事父，遠之事君，多識於鳥獸草木之名。」「莫近于《詩》」，蓋孔子之言《詩》如此。而令嘗按聖人既刪之後，而參求後來世作之詩，殆與古異矣。承流相沿終不反，以至今而詩之道大壞。嘗推索孔子所謂可以興、觀、羣、怨者，幾絕矣。則是「邇之事父，遠之事君」之道其亦略乎？今其僅存者鳥獸草木而已，烏在其能識之乎？然令嘗怪後世待詩之薄，而探求當世之所以敝而後知其然者，詩之無主故也。古之爲詩者有道，禮義政治，詩之主也，風、雅、頌，詩之體也；賦、比、興，詩之言也；正之與變，詩之時也；鳥獸草木，詩之文也。夫禮義政治之道得，則君臣之道正，家國之道順，天下之爲父子夫婦之道定。則風者本是以爲風，雅者用是以爲雅，而頌者狀是以爲頌。則賦者，賦此者也；比者，直而彰此者也；興者，曲而明此者也。正之與變，得失於此者也；鳥獸草木，文此者也。是古之爲詩者有主，則風、賦、比、興、雅、頌以成之，而鳥獸草木以文之而已。而後之詩者，不思其本，而徒取其鳥獸草木之文以紛更之，惡在其不陋也？然《詩》既有風、雅、頌之體凡三，而頌者待成功以告神明而後作，則平時固未易爲；而風、雅之道，後世亦無采取，而散逸草野。然士之有天下之志者，言天下之事，則其詩當近於雅；有一國之志者，言一國之事，則其詩當近於風。而變正之道，又繫之時，而爲詩者多無所主而不知所懼，則詩之得正而不變者有幾？以是言之，則詩之得者概少矣。然嘗聞説者謂古詩之數概三千，而孔子取者三百。後之學者皆爭不謂實然，以謂多不稱所取。然以後世之詩觀之，非徒得聖人所刪之多，然又勝聖人所取之少耶，其亦可知矣。而令嘗讀詩至幽、厲之後，天下大亂之際，觀天下之窮臣怨民棄妻逐妻之心，而求之詩，而後又得之興也。觀其言辨而當，質而不俚，文而不華，曲而暢，婉而不隱。以順言之，則可以議禮；以公言之，則可以論義；以直言之，則可以議政；以曲言之，則可以議刑。然後知《詩》之道博，而聖人刪而存之者不徒云，而古之詩者得之多也。

程頤《二程集·外書卷第一》 詩若還以樂天知命處之，則一時都無事。其中也有君子情意不到處。

《蘇軾文集》卷七五《與謝民師推官書》 所示書教及詩、賦、雜文，觀之熟矣。大略如行雲流水，初無定質，但常行於所當行，常止於所不可不止，文理自然，姿態橫生。孔子曰：「言之不文，行而不遠。」又曰：「辭達而已矣。」夫言止於達意，即疑若不文，是大不然。求物之妙，如繫風捕影，能使是物了然於心者，蓋千萬人而不一遇也，而況能使了然於口與手者乎？是之謂辭達。辭至於能達，則文不可勝用矣。揚雄好爲艱深之辭，以文淺易之說，若正言之，則人人知之矣。此正所謂雕蟲篆刻者。其《太玄》、《法言》皆是類也，而獨悔於賦，何哉？終身雕篆，而獨變其音節，便謂之經，可乎？屈原作《離騷經》，蓋《風》、《雅》之再變者，雖與日月爭光可也。可以其似賦而謂之雕蟲乎？使賈誼見孔子，升堂有餘矣，而乃以賦鄙之，至與司馬相如同科。雄之陋，如此比者甚衆。可與知者道，難與俗人言也。

又卷七六《答虔倅俞括奉議書》 孔子曰：「辭達而已矣。」物固有是理，患不知之，知之患不能達之於口與手。所謂文者，能達是而已。

又卷八三《答張嘉父》 凡人爲文，至老，多有所悔。僕嘗悔其少作矣，若著成一家之言，則不容有所悔。當且博觀而約取，如富人之築大第，儲其材用，既足而後成之，然後爲得也。

又卷九三《書黄子思詩集後》 予嘗論書，以謂鍾、王之跡，蕭散簡遠，妙在筆畫之外。至唐顔、柳，始集古今筆法而盡發之，極書之變，天下翕然以爲宗師。而鍾、王之法益微。至於詩亦然。蘇、李之天成，曹、劉之自得，陶、謝之超然，蓋亦至矣。而李太白、杜子美以英瑋絶世之姿，凌跨百代，古今詩人盡廢；然魏、晉以來，高風絶塵，亦少衰矣。李、杜之後，詩人繼作，雖間有遠韻，而才不逮意。獨韋應物、柳宗元發纖穠于簡古，寄至味於澹泊，非餘子所及也。唐末司空圖崎嶇兵亂之間，而詩文高雅，猶有承平之遺風，其論詩曰：「梅止於酸，鹽止於鹹，飲食不可無鹽梅，而其美常在鹹酸之外。」蓋自列其詩之有得於文字之表者二十四韻，恨當時不識其妙，予三復其言而悲之。閩人黄子思，慶曆、皇祐間號能文者。予嘗聞前輩誦其詩，每得佳句妙語，反覆數四，乃識其所謂。信乎表聖之言，美在鹹酸之外，可以一唱而三嘆也。

胡仔《苕溪漁隱叢話前集》卷六引 司空表聖自論其詩，以爲得味外味。「緑樹連村暗，黄花入麥稀。」此句最善。又云：「棋聲花院閉，幡影石壇高。」吾嘗獨遊五老峰，入白鶴觀，松陰滿地，不見一人，惟聞棋聲，然後知此句之工也，但恨其寒儉有僧態。若杜子美云：「暗飛螢自照，水宿鳥相呼。」四更山吐月，殘夜水明樓。」則材力富健，去表聖之流遠矣。

又卷三二引 詩人有寫物之功：「桑之未落，其葉沃若。」他木殆不可以當此。林逋《梅花》詩云：「疏影横斜水清淺，暗香浮動月黄昏。」決非桃李詩。皮日休《白蓮》詩云：「無情有恨何人見，月曉風清欲墮時。」決非紅蓮詩。此乃寫物之功。若石曼卿《紅梅》詩云：「認桃無緑葉，辨杏有青枝。」此至陋語，蓋村學究體與。

黄裳《演山集》卷二〇《演山居士新詞序》 因言風、雅、頌，詩之體；賦、比、興，詩之用。古之詩人志趣之所同，情理之所感，含思則有賦，觸類則有比，對景則有興，以言乎德則有風，以言乎政則有雅，以言乎功則有頌。採詩之官收之於樂府，薦之於郊廟，其誠可以動天地、感鬼神，其理可以經夫婦，移風俗。有天下者得之以正乎下，而下或以爲嘉；有一國者得之以化乎下，而下或以爲美。以其主文而譎諫，故言之者無罪，聞之者足以誡。

黄庭堅《山谷集》卷一六《胡宗元詩集序》 士有抱青雲之器而陸沉林皋之下，與麋鹿同羣，與草木共盡，獨託於無用之空言，以爲千歲不朽之計。謂其怨邪？則其言仁義之澤也。謂其不怨邪？則又傷己不見其人。然則其言不怨之怨也夫！寒暑相推，草木與榮衰焉。慶榮而弔衰，其鳴皆若有謂，候蟲是也；不得其平，則聲若雷霆，澗水是也；寂寞無聲，以宫商考之，則動而中律，金石絲竹是也。維金石絲竹之聲，國風雅頌之言似之；澗水之聲，楚人之言似之；至於候蟲之聲，則末世詩人之言似之。今夫詩人之玩於詞，以文物爲工，終日不休，若怨世之不知者，以待世之知者，然而其喜也無所於逢，其怨也無所於伐，能春，能秋，能雨，能暘，發於心之工伎而好其音，造物者不能加焉。故余無以命之，而寄於候蟲焉。

又卷一九《與王觀復書三首》一 所送新詩，皆興寄高遠，但語生硬，不諧律吕，或詞氣不逮初造意時。此病亦只是讀書未精博耳。長袖善舞，多錢善賈，不虚語也。南陽劉勰嘗論文章之難云：「意翻空而易奇，文徵實而難工。」此語亦是。沈、謝輩爲儒林宗主，時好作奇語，故後生立論如此。好作奇語，自是文章病。但當以理爲主，理得而辭順，文章自然出羣拔萃。觀杜子美到夔州後詩，韓退之自潮州還朝後文章，皆不煩繩削而自合矣。往年嘗請問東坡先生作文章之法，東坡云：「但熟讀《禮記·檀弓》，當得之。」既而取《檀弓》二篇讀數百過，然後知後世作文章不及古人之病，如觀日月也。文章蓋自建安以來好作奇語，故其氣象衰薾。其病至今猶在；唯陳伯玉、韓退之、李習之，近世歐陽永叔、王介甫、蘇子瞻、秦少游，乃無此病耳。

又二 所寄詩多佳句，猶恨雕琢功多耳。但熟觀杜子美到夔州後古律詩，便得句法：簡易而大巧出焉，平淡而山高水深，似欲不可企及。文章成就，更無斧鑿痕乃爲佳作耳。

又《答洪駒父書三首》一 寄詩語意老重，數過讀不能去手，繼以歎息。少加意讀書，古人不難到也。諸文亦皆好，但少古人繩墨耳。可更熟讀司馬子長、韓退之文章。凡作一文，皆須有宗有趣，始終關鍵，有開有闔，如四瀆雖納百川，或匯而爲廣澤，汪洋千里，要自發源注海耳。老夫紹聖以前，不知作文章斧斤。取舊所作讀之，皆可笑。紹聖以後，始知作文章，但已老病惰懶，不能下筆也。外甥勉之，爲我雪耻。《罵犬文》雖雄奇，然不作可也。東坡文章妙天下，其短處在好罵，慎勿襲其軌也。【略】所寄《釋權》一篇，詞筆縱横，極見日新之效。更須治經，深其淵源，乃可到古人耳。青瑣祭文，語意甚工，但用字時有未安處。自作語最難。老杜作詩，退之作文，無一字無來處。蓋後人讀書少，故謂韓杜自作此語耳。古之能爲文章者，眞能陶冶萬物，雖取古人之陳言入於翰墨，如靈丹一粒，點鐵成金也。文章最爲儒者末事，然索學之，又不可不知其曲折，幸熟思之。至於推之使高如泰山之崇，崛如垂天之雲；作之使雄壯如滄江八月之濤，海運吞舟之魚，又不可守繩墨，令儉陋也。

又卷二五《題意可詩後》　寧律不諧，而不使句弱；用字不工，不使語俗，此庾開府之所長也。然有意於爲詩也，至於淵明，則所謂「不煩繩削而自合」。雖然，巧於斧斤者多疑其拙，窘於檢括者輒病其放。孔子曰：「寧武子其智可及也，其愚不可及也。」淵明之拙與放，豈可爲不知者道哉！道人曰：「如我按指，海印發光，汝暫舉心，塵勞先起。」説者曰：若以法眼觀，無俗不眞；若以世眼觀，無眞不俗。淵明之詩，要當與一丘一壑者共之耳。

又《山谷別集》卷六《論作詩文》　新詩日有勝句，甚可喜。要當不已，乃到古人下筆處。小詩文章之末，何足甚工？然足下試留意，奉爲道之：詞意高勝，要從學問中來爾。後來學詩者時有妙句，譬如合眼摸象，隨所觸，體得一處，非不即似，要且不是。若開眼，則全體見之，合古人處不待取證也。【略】始學詩，要須每作一篇，輒須立一大意，長篇須曲折三致焉，乃爲成章耳。讀書要精深，患在雜博。因按所聞，動靜念之，觸事輒有得意處，乃爲問學之功。【略】作詩遇境而生，便自工耳。

又卷一六《答秦少章帖六》　熟讀前所惠詩卷，如公闢祭文，語氣甚善，詩句極有風裁，可喜！合處便似吾少游語，然恨工在遣辭，病在骨氣耳。古之聞道者請問治天下，則對曰：「去汝鄙人也，何問之不豫也。」文章雖末學，要須茂其根本，深其淵源，以身爲度，以聲爲律，不加開鑿之功而自閎深矣。公誠以此言爲可，則猶有一物爲公道之：二十年來，學士大夫有功於翰墨者爲數不少，求其卓然名家者則未多。蓋嘗深求其故，病在欲速成耳。夫四時之運，天德也，不能卽春而爲多，斷可識矣。

謝逸《溪堂集》卷八《上南城饒道深書》　凡爲文之旨趣，命意之淺深，造詞之工拙，趨向之是非，皆別白而訓之。僕非敢望退而三日與執事之文相若，儻僅得髣髴，亦此生之幸也。抑嘗聞「本深而末茂，行峻而言厲」，是韓愈之訓尉遲生也；「激之欲其清，揚之欲其明」，是柳宗元之訓崔翺也；「以意爲主，以氣爲輔，以辭采章句爲之兵衛」，是杜牧之訓莊充也。此三説亦粗得文之旨矣，然三子之文亦無聞於世。僕竊意當世之士所以求教賢人君子者，特沽名釣譽耳，訓之者雖竭其誠，而聽之者未必能行之也。

劉安節《劉左史集》卷三《以六律爲之音》　學詩之道，有本有用。志之所之謂之詩，此其本也；聲成文謂之音，此其用也。本失其中，則言不止乎禮義，其文能足論而不失乎？用失其和，則音不出乎度數，其聲能足樂而不流乎？是故先王之教人以詩，雖其本之道德，出於性情者，固已盡美，而聲音之末亦不敢苟焉者，非以是爲美聽也，蓋將以納世於太和，而乃不能使其聲足樂而不流，且不足以感動人之善心，豈作樂之意哉。此太師之教六詩必以六律爲之音者，此其意也。且夫奏之以無怠之聲，調之以自然之命，非宮也，非商也，而合乎大順；非律也，非呂也，而應乎自然。此聖人之天樂，出乎心之無所傳而然者。雖師曠清夜傾耳以聽，曾不得其聲音，尚能以律呂而爲之節奏哉！夫惟存於心而爲志，宣於口而爲詩，既已存於心矣，且得無形乎？既已宣於口矣，且得無聲乎？形聲者，度數之所域也。域於度而求越於度，域於數而求出於數，則將與物爲忤，而失所以和順之道。此學詩者所以不能捨六律而正五音，有待於太師之所教者也。是故黄鍾爲宮，林鍾爲徵，太簇爲商，南呂爲羽，姑洗爲角，此黄鍾之爲宮也。六詩之聲卽此以求之，則聲成文而爲音矣。大呂爲宮，夷則爲徵，應鍾爲商，無射爲羽，南呂爲角，此大呂之爲宮也。六詩之聲卽此以求之，則聲成文而爲音矣。非特黄鍾也，太簇、姑洗、蕤賓、夷則、無射，凡屬乎律者莫不然焉。非特大呂也，應鍾、南呂、林鍾、小呂、夾鍾，凡屬乎呂者莫不然焉。夫惟六詩之章，一出於六律，而爲之度數，故能播之金石，形之舞蹈，宣之絲竹，達之匏革，而與堂上之歌相和爲一。翕如其始作也，純如其從之也，繹如其樂成也，曾未有毫釐之差者。蓋其所歌出於一律，故爾以傳。求之六詩之音，雖不可槩見，然觀鄉飲酒之樂工，歌《鹿鳴》、《四牡》、《皇皇》之三，又歌《南陔》、《白華》、《華黍》之三，終之以合樂焉。《鹿鳴》、《南陔》，詩之風雅也，而鄉飲以之合樂，非夫六律之爲音，亦能若是乎？以至射也、燕也、冠昏也，凡用樂莫不皆然。此六詩之義所以用之天下，而使人聞之者，可以興、可以羣，與樂同其妙用者，太師之教爲之闔端故也。昔者舜命夔典樂教胄子，有曰「詩言志，歌永言，聲依永，律和聲」，則教詩以律，其來尚矣。於舜之世，而夔之樂乃至於百獸率舞、鳳凰來儀者，豈特德化之所由致耶？律呂之法抑亦有助焉耳。

李之儀《姑溪居士集》卷四〇《跋吴思道詩》 東坡嘗謂余曰：「凡造語貴成就，成就則方能自名一家，如蠶作繭，不留罅隙。吴子華、韓致光，所以獨高於唐末也。」

蘇轍《詩病五事》 李白詩類其爲人，駿發豪放，華而不實，好事喜名，不知義理之所在也。語用兵，則先登陷陣，不以爲難；語遊俠，則白晝殺人，不以爲非。此豈其誠能也哉？白始以詩酒奉事明皇，遇讒而去，所至不改其舊。永王將竊踞江淮，白起而從之不疑，遂以放死。今觀其詩，固然。唐詩人李、杜稱首，今其詩皆在。杜甫有好義之心，白所不及也。漢高帝歸豐沛，作歌曰：「大風起兮雲飛揚，威加海内兮歸故鄉，安得猛士兮守四方。」高帝豈以文字高世者哉？帝王之度，固然發於其中而不自知也。白詩反之曰：「但歌大風雲飛揚，安用猛士兮守四方？」其不識理如此，老杜贈白詩有「細論文」之句，謂此類也哉！

又 《大雅·綿》九章，初誦太王遷豳，建都邑，營宫室而已。至其八章乃曰：「肆不殄厥愠，亦不隕厥問。」始及昆夷之怒，尚可也。至其九章乃曰：「虞芮質厥成，文王蹶厥生。予曰有疏附，予曰有先後，予曰有奔奏，予曰有禦侮。」事不接，文不屬，如連山斷嶺，雖相去絶遠，而氣象聯絡，觀者知其脈理之爲一也。蓋附離不以鑿枘，此最爲文之高致耳。老杜陷賊時有詩曰：「少陵野老吞聲哭，春日潛行曲江曲。江頭宫殿鎖千門，細柳新蒲爲誰緑？憶昔霓旌下南苑，苑中萬物生顔色。昭陽殿裏第一人，同輦隨君侍君側。輦前才人帶弓箭，白馬嚼齧黄金勒。翻身向天仰射雲，一箭正墜雙飛翼。明眸皓齒今何在？血污遊魂歸不得。清渭東流劍閣深，去住彼此無消息。人生有情淚沾臆，江水江花豈終極。黄昏胡騎塵滿城，欲往城南忘城北。」予愛其詞氣如百金戰馬，注坡驀澗，如履平地，得詩人之遺法。如白樂天詩詞甚工，然拙於紀事，寸步不移，猶恐失之，此所以望老杜之藩垣而不及也。

陳師道《後山詩話》 孟嘉落帽，前世以爲勝絶。杜子美《九日詩》云：「羞將短髮還吹帽，笑倩旁人爲正冠。」其文雅曠達，不減昔人。故謂詩非力學可致，正須胸肚中洩爾。

又 學詩當以子美爲師，有規矩故可學。退之於詩，本無解處，以才高而好爾。淵明不爲詩，寫其胸中之妙爾。學杜不成，不失爲工。無韓之才與陶之妙，而學其詩，終爲樂天爾。

又 詩欲其好，則不能好矣。王介甫以工，蘇子瞻以新，黄魯直以奇。而子美之詩，奇常、工易、新陳莫不好也。

楊時《龜山先生語録》卷一 淵明詩所不可及者，沖淡深粹，出於自然。惟嘗用力學，然後知淵明詩非著力之所能成。

又卷二 學詩者不在語言文字，當想其氣味，則詩之意得矣。

阮閲《詩話總龜》卷八引《王直方詩話》 梁簡文云：「早知半路應相失，不若從來本獨飛。」李義山云：「無事交渠更相失，不及從來莫作雙。」而近時樂府亦云：「早知今日長相憶，不及從來莫作雙。」此最爲詩之大患。

又卷九引《王直方詩話》 晁以道言：近見東坡説凡人作文字，須是筆頭上挽得數萬斤起，可以言文字已。余曰，豈非「興來筆力千鈞重」。

又引 宋景文云：「詩人必自成一家，然後傳不朽。若體規畫圓，準方作矩，終爲人之臣僕。」故山谷詩云：「文章最忌隨人後。」又云：「自成一家始逼眞。」誠不易之論。

又《詩話總龜後集》卷三一引《王直方詩話》 作詩貴雕琢，又畏有斧鑿痕，貴破的又畏粘皮骨，此所以爲難。李商隱《柳詩》云：「動春何限葉，撼曉幾多枝？」恨其有斧鑿痕也。石曼卿《梅詩》云：「認桃無緑葉，辨杏有青枝。」恨其粘皮骨也。能脱此二病，始可以言詩矣。

胡仔《苕溪漁隱叢話前集》卷三七引《王直方詩話》 方回言學詩於前輩，得八句云：「平澹不流於淺俗，奇古不鄰於怪僻；題詩不窘於物象，叙事不病於聲律；比興深者通物理，用事工者如己出；格見於成篇，渾然不可鐫；氣出於言外，浩然不可屈。」盡心於詩，守此勿失。

《陳輔之詩話》 詩家之功，全在體物賦情，情之所寓惟色，色之所比惟花。如唐人《牡丹詩》云「紅開西子粧樓曉，翠揭麻姑水殿春」，若改「春」作「秋」，全是蓮花詩。林和靖《梅花詩》云「疎影横斜水清淺，暗香浮動月黄昏」，近似野薔薇也。

又 人心思究經術，往往不能致情，唯詩冥搜造極，所謂「應須入海求」。唐人有云：「句自夜中得，心從天外歸。」

范溫《潛溪詩眼》 形似之語，蓋出於詩人之賦，「蕭蕭馬鳴，悠悠旆旌」是也；激昂之語，蓋出於詩人之興，「周餘黎民，靡有孑遺」是也。古人形似之語，如鏡取形，燈取影也。故老杜所題詩，往往親到其處，益知其工。激昂之言，《孟子》所謂「不以文害辭，不以辭害志」，初不可形跡考，然如此乃見一時之意。余游武侯廟，然後知《古柏》詩所謂「柯如青銅根如石」信然，決不可改。此乃形似之語。「霜皮溜雨四十圍，黛色參天二千尺」、「雲來氣接巫峽長，月出寒通雪山白」，此激昂之語，不如此則不見柏之大也。文章固多端，警策往往在此兩體耳。

又 世俗喜綺麗，知文者能輕之。後生好風花，老大卽厭之。然文章論當理與不當理耳，苟當於理，則綺麗風花同入於妙；苟不當理，則一切皆爲長語。上自齊、梁諸公，下至劉夢得、溫飛卿輩，往往以綺麗風花累其正氣，其過在於理不勝而詞有餘也。老杜云「綠垂風折筍，紅綻雨肥梅」、「岸花飛送客，檣燕語留人」，亦極綺麗，其模寫景物，意自親切，所以妙絕古今。其言春容閒適，則有「穿花蛺蝶深深見，點水蜻蜓款款飛」、「落花遊絲白日靜，鳴鳩乳燕青春深」。言秋景悲壯，則有「藍水遠從千澗落，玉山高並兩峰寒」、「無邊落木蕭蕭下，不盡長江滾滾來」。其富貴之詞，則有「香飄合殿春風轉，花覆千官淑景移」、「麒麟不動爐煙轉，孔雀徐開扇影還」。其弔古則有「映階碧草自春色，隔葉黃鸝空好音」、「竹送清溪月，苔移玉座春」。皆出於風花，然窮盡性理，移奪造化。又云：「絕壁過雲開錦繡，疏松夾水奏笙簧。」自古詩人巧卽不壯，壯卽不巧，巧而能壯，乃如是也。

胡仔《苕溪漁隱叢話前集》卷九引《潛溪詩眼》 老杜詩，凡一篇皆工拙相半，古人文章類如此。皆拙固無取，使其皆工，則峭急無古氣，如李賀之流是也。然後世學者當先學其工，精神氣骨，皆在於此。如《望嶽詩》云：「齊魯青未了。」《洞庭詩》云：「吳楚東南坼，乾坤日夜浮。」語既高妙有力，而言東嶽與洞庭之大，無過於此。後來文士極力道之，終有限量，益知其不可及。《望嶽》第二句如此，故先云：「岱宗夫何如。」《洞庭》詩先如此，故後云「親朋無一字，老病有孤舟。」使《洞庭》詩無前兩句，而皆如後兩句，語雖健，終不工；《望嶽》詩無第二句，而云「岱宗夫何如」，雖曰亂道可也。今人學詩，多得老杜平慢處，乃鄰女效顰者。余舊日嘗愛劉夢得《先主廟》詩，山谷使余讀李義山《漢宣帝詩》，然後知夢得之淺近。又嘗愛崔塗《孤雁詩》云「幾行歸塞盡，念爾獨何之」八句，公又使讀老杜「孤雁不飲啄」者，然後知崔塗之無奇。《老杜補遺》云：「鮑當《孤雁詩》云：『更無聲接續，空有影相隨』，孤則孤矣，豈若子美『孤雁不飲啄，飛鳴猶念羣。誰憐一片影，相失萬重雲』，含不盡之意乎？」

《永樂大典》卷八〇七引《潛溪詩眼》 王偁定觀好論書畫，常誦山谷之言曰：「書畫以韻爲主。」予謂之曰：「夫書畫文章，蓋一理也。然而巧、吾知其爲巧，奇、吾知其爲奇；佈置開闔，皆有法度；高妙古澹，亦可指陳。獨韻者，果何形貌耶？」定觀曰：「不俗之謂韻。」余曰：「夫俗者惡之先，韻者美之極。書畫之不俗，譬如人之不爲惡。自不爲惡至於聖賢，其間等級固多，則不俗之去韻也速矣。」定觀曰：「瀟灑之謂韻。」予曰：「夫瀟灑者，清也。清乃一長，安得爲盡美之韻乎？」定觀曰：「古人謂氣韻生動，若吳生筆勢飛動，可以爲韻乎？」予曰：「夫生動者，是得其神；曰神則盡之，不必謂之韻也。」定觀曰：「如陸探微數筆作狻猊，可以爲韻乎？」余曰：「夫數筆作狻猊，是簡而窮其理；曰理則盡之，亦不必謂之韻也。」定觀請余發其端，乃告之曰：「有餘意之謂韻。」定觀曰：「余得之矣。蓋嘗聞之撞鐘，大聲已去，餘音複來，悠揚宛轉，聲外之音，其是之謂矣。」余曰：「子得其梗概而未得其詳，且韻惡從生？」定觀又不能答。予曰：「蓋生於有餘。請爲子畢其說。自三代秦漢，非聲不言韻；捨聲言韻，自晉人始；唐人言韻者，亦不多見，惟論書畫者頗及之。至近代先達，始推尊之以爲極致；凡事既盡其美，必有其韻，韻苟不勝，亦亡其美。夫立一言於千載之下，考諸載籍而不繆，出於百善而不愧，發明古人鬱塞之長，度越世間聞見之陋，其爲能包括衆妙、經緯萬善者矣。且以文章言之，有巧麗，有雄偉，有奇，有巧，有典，有富，有深，有穩，有清，有古。有此一者，則可以立于世而成名矣；然而一不備焉，不足以爲韻，衆善皆備而露才用長，亦不足以爲韻。必也備衆善而自韜晦，行於簡易閑澹之中，而有深遠無窮之味，觀於世俗，若出尋常。至於識者遇之，則暗然心服，油然神會。測之而益深，究之而益來，其是之謂矣。其次一長有餘，亦足以爲韻；故巧麗者發之于平澹，奇偉有餘者行之於簡易，如此之類是也。自《論語》、《六經》，可以曉其辭，不可以名其美，皆自然有韻。左丘明、司馬遷、班固之書，意多而語簡，行于平夷，不自矜衒，故韻自勝。自曹、劉、沈、謝、徐、庾諸人，割據一奇，臻於極致，盡發其美，無複餘蘊，皆難以韻與之。惟陶彭澤體兼衆妙，不露鋒鋩，故曰：質而實綺，臞而實腴，初若散緩不收，反覆觀之，乃得其奇處；夫綺而腴、與其奇處，韻之所從生，行乎質與臞，而又若散緩不收者，韻於是乎成。《飲酒》詩云：『榮衰無定在，彼此更共之。』山谷云：此是西漢人文章，他人多少語言，盡得此理？《歸田園居》詩，超然有塵外之趣。《贈周祖謝》詩，皎然明出處之節。《三良》詩，慨然致忠臣之願。《荆軻》詩，毅然彰烈士之憤。一時之意，必反復形容；所見之景，皆親切模寫。如『孟夏草木長，繞屋樹扶疎』；『日暮天無雲，春風扇微和』，乃更豐濃華美。然人無得而稱其長。是以古今詩人，惟淵明最高，所謂出於有餘者如此。至於書之韻，二王獨尊。唐以來顏楊爲勝。故曰：若論工不論韻，則王著優於季海，不下大令；若論韻勝，則右軍大令之門，誰不服膺。又曰：觀顏魯公書，回視歐、虞、褚、薛，皆爲法度所拘；觀楊少師書，覺徐、沈有塵埃氣。夫惟曲盡法度，而妙在法度之外，共韻自遠。近時學高韻勝者，唯老坡；諸公尊前輩，故推蔡君謨爲本朝第一，其實山谷以謂不及坡也。坡之言曰：蘇子美兄弟大俊，非有餘，乃不足，使果有餘，則將收藏於內，必不如是盡發於外也；又曰：美而病韻如某人，勁而病韻如某人。米元章書如李北海，遒麗圓勁，足以名世，然猶未免于作爲。故自蘇子美以及數子，皆於韻爲未優也。至於山谷書，氣骨法度皆有可議，惟偏得蘭亭之韻。或曰：『子前所論韻，皆生於有餘，今不足而韻，又有說乎？』蓋古人之學，各有所得，如禪宗之悟人也。山谷之悟人在韻，故開辟此妙，成一家之學，宜乎取快捷方式而徑造也。如釋氏所謂一超直入如來地者，考其戒、定、神通，容有未至，而知見高妙，自有超然神會，冥然脗合者矣。是以識有餘者，無往而不韻也。然所謂有餘之韻，豈獨文章哉！自聖賢出處古人功業，皆如是矣。孔子德至矣，然無可無不可，其行事往往俯同乎衆人，則聖有餘之韻也，際伯夷之清、柳下惠之和，偏矣。聖人來嘗有過，其曰『丘也幸，苟有過，人必知之』，聖有餘之韻也，視孟子反覆論辨、自處於無過之地者，狹矣。回也『不違如愚』，學有餘之韻也，視賜辨由勇，淺矣。漢高祖作《大風歌》，悲思泣下，念無壯士，功業有餘之韻也，視戰勝攻取者，小矣。張子房出萬全之策以安太子，其言曰：此亦一助也，若不深經意而發未必中者，智策有餘之韻也，視面折廷爭者，拙矣。謝東山圍棋畢曰『小兒已複破賊』，器度有餘之韻也，視喜怒變色者，陋矣。然則所謂韻者，亘古今，殆前賢秘惜不傳，而留以遺後之君子歟？」

許顗《彥周詩話》 詩有力量，猶如弓之鬬力：其未挽時，不知其難也；及其挽之，力不及處，分寸不可強。若《出塞曲》云：「落日照大旗，馬鳴風蕭蕭。嗚笳三四發，壯士慘不驕。」又《八哀詩》云：「汝陽讓帝子，眉宇眞天人。虬髯似太宗，色映塞外春。」此等力量，不容他人到。

又 詩壯語易，苦語難，深思自知，不可以口舌辯。

又 六朝詩人之詩，不可不熟讀。如：「芙蓉露下落，楊柳月中疏。」鍛煉至此，自唐以來，無人能及也。退之云：「齊、梁及陳、隋，衆作等蟬噪。」此語我不敢議，亦不敢從。

又 黃魯直愛與郭功父戲謔嘲調，雖不當盡信，至如曰：「公做詩費許多氣力做甚？」此語切當，有益於學詩者，不可不知也。

又 寫生之句，取其形似，故詞多迂弱。趙昌畫黃蜀葵，東坡作詩云：「檀心紫成暈，翠葉森有芒。」揣摸刻骨，造語壯麗，後世莫及。

又 作詩淺易鄙陋之氣不除，大可惡。客問何從去之，僕曰：「熟讀唐李義山詩與本朝黃魯直詩而深思焉，則去也。」客言：「李、杜詩中說馬如《相馬經》，有能過之者乎？」僕曰：「《毛詩》過之。」曰：「《六經》固不可擬，然亦未嘗子細說馬相態行步也。」僕曰：「願熟讀之，『兩驂如舞』，此駈語所謂花踏羊行是也；『兩驂如手』，此駈語所謂熟使喚是也。思之，便覺『走過掣電傾城知』與『神行電邁涉恍惚』爲難騎耳。」

唐庚《唐子西文錄》 詩在與人商論，深求其疵而去之，等閑一字放過則不可，殆近法家，難以言恕矣，故謂之詩律。東坡云：「敢將詩律鬬深嚴。」余亦云：律傷嚴，近寡恩。大凡立意之初，必有難易二塗，學者不能強所劣，往往捨難而趨易，文章罕工，每坐此也。作詩自有穩當字，第思之未到耳。

釋惠洪《冷齋夜話》卷一 東坡嘗曰：淵明詩初看若散緩，熟看有奇句。如：「日暮巾柴車，路暗光已夕。歸人望煙火，稚子候簷隙。」又曰：「採菊東籬下，悠然見南山。」又曰：「靄靄遠人村，依依墟里煙。犬吠深巷中，雞鳴桑樹顛。」大率才高意遠，則所寓得其妙，造語精到之至，遂能如此。似大匠運斤，不見斧鑿之痕。不知者疲精力，至死不之悟，而俗人亦謂之佳。如曰：「一千里色中秋月，十萬軍聲半夜潮。」又曰：「蝴蝶夢中家萬里，子規枝上月三更。」又曰：「深秋簾幕千家雨，落日樓臺一笛風。」皆如寒乞相，一覽便盡。初如秀整，熟視無神氣，以其字露也。東坡作對則不然，如曰「山中老宿依然在，桉上《楞嚴》已不看」之類，更無齟齬之態。細味對甚的而字不露，此其得淵明遺意耳。

又卷三　李格非善論文章，嘗曰：「諸葛孔明《出師表》，劉伶《酒德頌》，陶淵明《歸去來詞》，李令伯《乞養親表》，皆沛然從肺腑中流出，殊不見有斧鑿痕。是數君子，在後漢之末，兩晉之間，初未嘗以文章名世，而其意超邁如此。吾是以知文章以氣爲主，氣以誠爲主。」故老杜謂之詩史者，其大過人在誠實耳。誠實著見，學者多不曉。如玉川子《醉歸》詩曰：「昨夜村飲歸，健倒三四五。摩挲青莓苔，莫嗔驚著汝。」王荆公用其意作扇子詩曰：「玉斧修成寶月團，月邊仍有女乘鸞。青冥風露非人世，鬢亂釵橫特地寒。」

又卷四　詩有句含蓄者，如老杜曰：「勳業頻看鏡，行藏獨倚樓。」鄭雲叟曰「相看臨遠水，獨自上孤舟」是也。有意含蓄者，如《宮詞》曰：「銀燭秋光冷畫屏，輕羅小扇撲流螢。天街夜色涼如水，卧看牽牛織女星。」又《嘲人》詩曰「怪來妝閣閉，朝下不相迎。總向春園裏，花間笑語聲」是也。有句意俱含蓄者，如《九日》詩曰：「明年此會知誰健，醉把茱萸子細看。」《宮怨》詩曰「玉容不及寒鴉色，猶帶朝陽日影來」是也。

又　今人之詩，例無精彩，其氣奪也。夫氣之奪人，百種禁忌，詩亦如之，曰富貴中不得言貧賤事，少壯中不得言衰老事，康強中不得言疾病死亡事，脱或犯之，謂之詩讖，謂之無氣。是大不然。詩者，妙觀逸想之所寓也，豈可限以繩墨哉！如王維作畫雪中芭蕉，詩眼見之，知其神情寄寓於物，俗論則譏以爲不知寒暑。荆公方大拜，賀客盈門，忽點墨書其壁曰：「霜筠雪竹鍾山寺，投老歸歟寄此生。」坡在儋耳作詩曰：「平生萬事足，所欠惟一死。」豈可與世俗論哉。予嘗與客論至此，而客不然吾論。予作詩自誌其略曰：「東坡醉墨浩琳琅，千首空餘萬丈光。雪裏芭蕉失寒暑，眼中騏驥略玄黄。」

又卷五　柳子厚詩曰：「漁翁夜傍西巖宿，曉汲清湘然楚竹。煙消日出不見人，欸（音奧）靄一聲山水綠。回看天際下中流，巖上無心雲相逐。」東坡云：「詩以奇趣爲宗，反常合道爲趣。」熟味此詩，有奇趣。然其尾兩句雖不必，亦可。欸靄，三老相呼聲也。

又　造語之工，至於荆公、東坡、山谷，盡古今之變。荆公曰：「江月轉空爲白晝，嶺雲分暝與黄昏。」又曰：「一水護田將綠繞，兩山排闥送青來。」東坡《海棠》詩曰：「只恐夜深花睡去，高燒銀燭照紅妝。」又曰：「我攜此石歸，袖中有東海。」山谷曰：「此皆謂之句中眼，學者不知此妙語，韻終不勝。」

又卷一〇　盛學士次仲、孔舍人平仲同在館中，雪夜論詩。平仲曰：「當作不經人道語。」曰：「斜拖闕角龍千丈，澹抹牆腰月半稜。」坐客皆稱絶。次仲曰：「句甚佳，惜其未大。」乃曰：「看來天地不知夜，飛入園林總是春。」平仲乃服其工。

胡仔《苕溪漁隱叢話前集》卷八引《蔡寛夫詩話》　天下事有意爲之，輒不能盡妙，而文章尤然。文章之間，詩尤然。世乃有日鍛月鍊之説，此所以用功者雖多，而名家者終少也。晚唐諸人議論雖淺俚，然亦有暗合者，但不能守之耳。所謂「盡日覓不得，有時還自來」者，使所見果到此，則「采菊東籬下，悠然見南山」之句，有何不可爲？惟徒能言之，此禪家所謂語到而實無見處也。往往有好句當面蹉過，若「吟成一個字，撚斷數莖鬚」，不知何處合費許辛苦？正恐雖撚盡鬚，不過能作「藥杵聲中擣殘夢，茶鐺影裏煮孤燈」句耳。人之相去，固不遠哉！

又卷一三引《蔡寛夫詩話》　詩語大忌用工太過，蓋鍊句勝則意必不足，語工而意不足，則格力必弱，此自然之理也。如「紅稻啄餘鸚鵡粒，碧梧棲老鳳凰枝」，可謂精切，而在其集中本非佳處，不若「暫止飛鳥將數子，頻來語燕定新巢」，爲天然自在。其用事若「宓子彈琴邑宰日，終軍棄繻英妙年」，雖字字皆本出處，然比「今日朝廷須汲黯，中原將帥憶廉頗」，雖無出處一字，而語意自到。故知造語用事，雖同出一人之手，而優劣自異，信乎詩之難也。

《李希聲詩話》　古人作詩正以風調高古爲主，雖意遠語疎皆爲佳作，後人有切近的當，氣格凡下者，終使可憎。

又　崔鶠能詩，或問作詩之要，答曰：「但多讀而勿使，斯爲善。」

蔡絛《西清詩話》卷中 東坡嘗云：「僧詩要無蔬筍氣。」固詩人龜鑒，今時誤解，便作世網中語。殊不知本分風度、水邊林下氣象，蓋不可無。若淨洗去清拔之韻，使眞俗同科，又何足尙？要當弛張抑揚，不滯一隅耳。齊己「春深遊寺客，花落閉門僧」、惠崇「曉風飄磬遠，暮雪入廊深」之句，華實相副，顧非佳句耶？天聖間，閩僧可仕頗工章句，有《送僧詩》：「一鉢卽生涯，隨緣度歲華。是山皆有寺，何處不爲家。笠重吳天雪，鞋香楚地花。他年訪禪室，寧憚路歧賒。」亦非食肉者能到也。

又 黃魯直自黔南歸，詩變前體，且云：「要須唐律中作活計，乃可言詩。如少陵淵蓄雲萃，變態百出，雖數十百韻，格律益嚴謹，蓋操制詩家法度如此。」余觀魯直《和吳餘幹廖明略白雲亭燕集詩》：「江靜明花竹，山空響管弦。風生學士院，雲繞令君筵。百越餘生聚，三吳遠接連。庖霜刀落膾，執玉酒明船。葉縣飛來舃，壺公謫處天。酌多時暴謔，舞短更成姸。唯我孤登覽，觀詩未究宣。空餘五字賞，又似兩京然。醫是肱三折，官當歲九遷。老夫看鏡裏，衰白敢爭先？」直可拍肩挽袂矣。

朱弁《風月堂詩話》卷上 詩人勝語，咸得於自然，非資博古。若「思君如流水」、「高臺多悲風」、「清晨登隴首」、「明月照積雪」之類，皆所見，發於言辭，不必出於經史。故鍾嶸評之云：「吟詠性情，亦何貴於用事。」顏、謝推輪，雖表學問，而太始化之，寖以成俗。當時所以有「書抄」之譏者，蓋爲是也。大抵句無虛辭，必假故實，語無空字，必究所從，拘攣補綴而露斧鑿痕迹者，不可與論自然之妙也。

又卷下 詩人體物之語多矣，而未有指一物爲題而作詩者。晉宋以來，始命操觚，而賦詠興焉。皆倣詩人體物之語。不務以故實相誇也。

又 客或謂予曰：「篇章以故實相誇，起於何時？」予曰：「江左自顏謝以來乃始有之，可以表學問而非詩之至也。觀古今勝語，皆自肺腑中流出，初無綴緝工夫。故鍾嶸云：『經國文符，應資博古，撰德駁奏，宜窮往烈，至於吟詠情性，亦何貴於用事。』『思君如流水』既是卽目，『高臺多悲風』亦唯所見，『清晨登隴首』羌無故實，『明月照積雪』詎出經史。其所論爲有淵源矣。」客又曰：「僕見世之愛老杜者嘗謂人曰：『此老出語絕人，無一字無來處。』審如此言，則詞必有據，字必援古，所由來遠，有不可已者。」予曰：「論事當考源流，今言詩不究其源而踵其末流以爲標準，不知《國風》、《雅》、《頌》祖述何人。此老句法妙處，渾然天成，如蟲蝕木，不待刻雕，自成文理。其鼓儔熔瀉，殆不用世間槖籥，近古以還無出其右，眞詩人之冠冕也。如近體格俯同今作，則詞不遺奇，雜以事實，掇英擷華，妥帖平穩，殆以文爲滑稽，特詩中之一事耳，豈見其大全者耶。」予每竊有所恨，故樂以嶸之言告人。吾子誠嗜詩，試以嶸言于愛杜者，求之則得矣。

胡仔《苕溪漁隱叢話前集》卷一三引郭思《瑤溪集》 詩之六義，後世賦別爲一大文，而比少興多。詩人之全者，惟杜子美時能兼之。如《新月》詩，「光細弦欲上，影斜輪未安」，位不正，德不充，風之事者。「微升古塞外，已隱暮雲端」，才升便隱，似當日事，比之事也。「河漢不改色，關山空自寒」，河漢是矣，而關山自凄然，有所感興也。「庭前有白露」，露是天之恩澤，雅之事。「暗滿菊花團」，天之澤止及於庭前之菊，成功之小如此，頌之事。說者以爲子美此詩，指肅宗作。

又卷一八引《漫叟詩話》 詩中有一字，人以私意竄易，遂失古人一篇之意。若「相公親破蔡州來」，今「親」字改作「新」字是也。

張表臣《珊瑚鉤詩話》卷一 篇章以含蓄天成爲上，破碎雕鎪爲下。如楊大年西崑體，非不佳也，而弄斤操斧太甚，所謂七日而混沌死也。以平夷恬淡爲上，怪險蹶趨爲下。如李長吉錦囊句，非不奇也，而牛鬼蛇神太甚，所謂施諸廊廟則駭矣。

又 精粗不可不擇也，不擇則龍蛇蛙蚓，往往相雜矣；瑕瑜不可不知也，不知則瓊杯玉斝，且多玷缺矣。

又卷二 陳無己先生語余曰：「今人愛杜甫詩，一句之內，至竊取數字以髣像之，非善學者。學詩之要，在乎立格命意用字而已。」余曰：「如何等是？」曰：「《冬日謁玄元皇帝廟詩》，敘述功德，反覆外意，事核而理長，《閬中歌》，辭致峭麗，語脈新奇，句清而體好，茲非立格之妙乎？《江漢詩》，古乾坤之大，腐儒無所寄其身，《縛雞行》，言雞蟲得失，不如兩忘而寓於道，茲非命意之深乎？《贈蔡希魯詩》云：『身輕一鳥過』，力在一『過』字，《徐步詩》云：『蕊粉上蜂須』，功在一『上』字，茲非用字之精乎？學者體其格，高其意，煉其字，則自然有合矣。何必規規然髣像之乎！」

又卷三 古今詩體不一，太師之職，掌教六詩，風、賦、比、興、雅、頌備焉。三代而下，雜體互出。漢唐以來，鐃歌鼓吹，拂舞矛渝，因斯而興。

晉、宋以降，又有回文反覆，寓憂思展轉之情；雙聲疊韻，狀連駢嬉戲之態。郡縣、藥石名，六甲、八卦之屬，不勝其變。古有采詩官，命曰「風人」，以見風俗喜怒好惡。皮日休云：「疏杉低通洞，冷鷺立亂浪。」此雙聲也。陸龜蒙嘗曰：「膚愉吳都姝，眷戀便殿宴。」此疊韻也。劉禹錫曰：「東邊日出西邊雨，道是無晴卻有晴。」杜詩曰：「俱飛蛺蝶元相逐，並蒂芙蓉本自雙。」又曰：「滿目飛明鏡，歸心折大刀。」此皆風言。又戲作俳優體二首，純用方語云：「異俗吁可怪，斯人難並居。家家養烏鬼，頓頓食黃魚。舊識難爲態，新知已暗疏。治生且耕鑿，只有不關渠。」「西歷青羌阪，南留白帝城。於菟侵客恨，粔籹作人情。瓦卜傳神語，畬田費火耕。是非何處定？高枕笑浮生。」余嘗有語云：「碧藕連根絲不斷，紅蕖著子意何多。」亦風人類也。又《夔州山中詩》云：「作甽捉詹卸，呼田欸乃儂。山塘莫車水，梅雨正分龍。」亦方語也。

曾季貍《艇齋詩話》　東萊論詩，嘗引《孫子》「始如處女，終如脫兔」之論，亦甚有意味，學詩者不可不知此理。

又　「近世人學詩，止于蘇、黃，又其上則有及老杜者。至六朝詩人，皆無人窺見。若學詩而不知有《選》詩，是大車無輗，小車無軏。」東湖嘗書此以遺予，且多勸讀《選》詩。近世論詩，未有令人學《選》詩，惟東湖獨然，此所以高妙。

又　後山論詩說換骨，東湖論詩說中的，東萊論詩說活法，子蒼論詩說飽參，入處雖不同，然其實皆一關捩，要知非悟入不可。

范公偁《過庭錄》　理窟嘗與先子論詩曰：「古人規矩具在，學之不難；但患不能效之耳。凡人所作，必盜竊一句一字謂之工，而不知在意而不在言也。」

葉夢得《石林詩話》卷上　禪宗論雲門有三種語：其一爲隨波逐浪句，謂隨物應機，不主故常；其二爲截斷衆流句，謂超出言外，非情識所到；其三爲函蓋乾坤句，謂泯然皆契，無間可伺。其深淺以是爲序。余嘗戲謂學子言，老杜詩亦有此三種語，但先後不同。「波漂菰米沉雲黑，露冷蓮房墜粉紅」爲函蓋乾坤句；以「落花遊絲白日靜，鳴鳩乳燕青春深」爲隨波逐浪句；以「百年地僻柴門迥，五月江深草閣寒」爲截斷衆流句。若有解此，當與渠同參。

又　詩終篇有操縱，不可拘用一律。蘇子瞻：「林行婆家初閉戶，翟夫子舍尚留關。」始讀殆未測其意，蓋下有「娟娟缺月黃昏後，嫋嫋新居紫翠間。繫懣豈無羅帶水，割愁還有劍鋩山」四句，則入頭不怕放行，寧傷於拙也。然繫懣羅帶、割愁劍鋩之語，大是險諢，亦何可屢打也。

又　長篇最難，晉、魏以前，詩無過十韻者。蓋常使人以意逆志，初不以序事傾盡爲工。至老杜《述懷》、《北征》諸篇，窮極筆力，如太史公紀傳，此固古今絕唱。然《八哀》八篇，本非集中高作，而世多尊稱之不敢議，此乃揣骨聽聲耳，其病蓋傷於多也。如李邕、蘇源明詩中極多累句，余嘗痛刊去，僅各取其半，方爲盡善，然此語不可爲不知者言也。

又卷中　詩人以一字爲工，世固知之，惟老杜變化開闔，出奇無窮，殆不可以形跡捕。如「江山有巴、蜀，棟宇自齊、梁。」遠近數千里，上下數百年，祇在「有」與「自」兩字間，而呑納山川之氣，俯仰古今之懷，皆見於言外。《滕王亭子》「粉牆猶竹色，虛閣自松聲」，若不用「猶」與「自」兩字，則餘八言凡亭子皆可用，不必滕王也。此皆工妙至到，人力不可及，而此老獨雍容閒肆，出於自然，略不見其用力處。今人多取其已用字模放用之，偃蹇狹陋，盡成死法。不知意與境會，言中其節，凡字皆可用也。

又　王荊公少以意氣自許，故詩語惟其所向，不復更爲涵蓄。如「天下蒼生待霖雨，不知龍向此中蟠」，又「濃綠萬枝紅一點，動人春色不須多」、「平治險穢非無力，潤澤焦枯是有材」之類，皆直道其胸中事。後爲群牧判官，從宋次道盡假唐人詩集，博觀而約取，晚年始盡深婉不迫之趣。乃知文字雖工拙有定限，然亦必視初壯，雖此公，方其未至時，亦不能力強而遽至也。

王庭珪《盧溪集》卷二〇《次韻向文剛三絕》　詩仙句法可換骨，豈但能蘇九死魂。要自胸中出機杼，不須剽掠傍人門。

又卷二二《彭青老好談禪喜作詩有謀身之語借其語激之》　好詩渾厚如金玉，妙質勿令斤斧侵。要識筆端三昧力，夜深山水自成音。

又卷二四《贈曦上人二絕句》　學詩眞似學參禪，水在瓶中月在天。夜半吟詩驚大衆，斬新得句忽成篇。

周紫芝《太倉稊米集》卷六六《書老圃集後》　近時士大夫論徐師川詩甚不公，以爲稍稍放倒，而不知師川暮年得句多出自然也。毛嬙麗姬，粉白黛綠，斂衽顧視，未免時自矜持。徐娘雖老，欲以洗粧而眞香生色，有不可描畫之意，蓋詩至於此，然後爲工耳。

李綱《梁谿集》卷一三八《五峰居士文集序》　歐陽文忠公言：「非詩能窮人，殆窮而後工。」信哉！士達則寓意於功名，窮則潛心於文翰，故詩必待窮而後工者，其用志專，其造理深，其歷世故險阻艱難無不備嘗故也。自唐以來，卓然以詩鳴於時，如李、杜、韓、柳、浩然、李商隱、司空圖之流，類多窮於世者，或放浪於林壑之間，或漂沒於干戈之際，或遷謫而得江山之助，或閒適而盡天地事物之變，冥搜精鍊，抉摘杳微，一章一句，至謂能泣鬼神而奪造化者，其爲功亦勤矣。以此終其身而名後世，非偶然也。

胡仔《苕溪漁隱叢話前集》卷一引《童蒙詩訓》　讀《古詩十九首》及曹子建詩，如「明月入我牖，流光正徘徊」之類，詩皆思深遠而有餘意，言有盡而意無窮也。學者當以此等詩常自涵養，自然下筆不同。

又卷九引《童蒙詩訓》　陸士衡《文賦》云：「立片言以居要，乃一篇之警策」，此要論也。文章無警策則不足以傳世，蓋不能竦動世人。如老杜及唐人諸詩，無不如此。但晉宋間人，專致力於此，故失於綺靡而無高古氣味。老杜詩云：「語不驚人死不休。」所謂驚人語，即警策也。

又卷四八引《童蒙詩訓》　學古人文字，須得其短處。如杜子美詩，頗有近質野處，如《封主簿親事不合詩》之類是也。東坡詩有汗漫處，魯直詩有太尖新、太巧處，皆不可不知。東坡詩如「成都畫手開十眉」、「楚山固多猿，青者黠而壽」，皆窮極思致，出新意於法度，表前賢所未到。然學者專力于此，則亦失古人作詩之意。

又　東坡詩云：「賦詩必此詩，定知非詩人。」此或一道也。魯直作詠物詩，曲當其理。如《猩猩筆詩》「平生幾兩屐？身後五車書」，其必此詩哉？

又卷四九引《童蒙詩訓》　山谷嘗謂諸洪，言「作詩不必多，如《三百篇》足矣。某平生詩甚多，意欲止留三百篇，餘者不能認得」。諸洪皆以爲然。徐師川獨笑曰：「詩豈論多少，只要道盡眼前景致耳。」山谷回顧曰：「某所説止謂諸洪作詩太多，不能精致耳。」

張鎡《仕學規範》卷三四引《童蒙詩訓》　老蘇嘗自言升裏轉斗裏量，因聞此遂悟文章妙處。文章紆餘委曲，説盡事理，惟歐陽公爲得之。至曾子固加之，字字有法度，無遺恨矣。文章有本末首尾，元無一言亂説，觀少游五十策可見。

又　呂居仁云：「文章須要説盡事情，如《韓非》諸書大略可見，至一唱三歎有遺音，非有所養不能也。」

又卷三五引《童蒙詩訓》　學者須做有用文字，不可盡力虛言。有用文字，議論文字是也。議論文字，須以董仲舒、劉向爲主，《禮記》、《周禮》及《新序》、《説苑》之類，皆當貫穿熟考，則做一日便有一日工夫。近世文字如曾子固諸序尤須詳味。

又　文章大要須以西漢爲宗，此人所可及也。至於上面一等，則須審己才分，不可勉强作也。如秦少游之才，終身從東坡步驟次第，止宗西漢，可謂善學矣。

又　作文必要悟入處，悟入必自工夫中來，非僥倖可得也。如老蘇之于文，魯直之于詩，蓋盡此理也。

又卷三九引《童蒙詩訓》　初學作詩，寧失之野，不可失之靡麗。失之野不害氣質，失之靡麗不可復整頓。

又　老杜詩云「詩清立意新」，最是作詩用力處，蓋不可循習陳言，只規摹舊作也。魯直云「隨人作詩終後人」，又云「文章切忌隨人後」，此自魯直見處也。近世人學老杜多矣，左規右矩，不能稍出新意，終成屋下架屋，無所取長。獨魯直下語，未嘗似前人而卒與之合，此爲善學。如陳無已力盡規摹，已少變化。

佚名《名賢詩旨》引《童蒙詩訓》　呂居仁曰：或勵精潛思不便下筆，或遇事因感，時時舉揚，工夫一也。古之作者正如是耳。惟不可鑿空强作出於牽强，如小兒就學，俯就課程耳。

陳鵠《耆舊續聞》卷二引《童蒙詩訓》　作文不可强爲，要須遇事乃作，須是發於既溢之餘，流於已足之後，方是極頭，所謂既溢已足者，必從學問該博中來也。

呂本中《夏均父詩集序》　學詩當識活法。所謂活法者，規矩備具，而能出於規矩之外；變化不測，而亦不背於規矩也。是道也，蓋有定法而無定法，無定法而有定法。知是者，則可以與語活法矣。謝玄暉有言：「好詩流轉圓美如彈丸。」此眞活法也。

胡仔《苕溪漁隱叢話後集》卷七引《藝苑雌黃》　昔人文章中，多以兄弟爲友于，以日月爲居諸，以黎民爲周餘，以子姓爲詒厥，以新婚爲燕爾，類皆不成文理。雖杜子美、韓退之亦有此病，豈非狗俗之過耶！子美云：「山鳥山花吾友于。」又云：「友于皆挺拔。」退之云：「豈謂詒厥無基址？」又云：「爲爾惜居諸。」《後漢·史弼傳》云：「陛下隆于友于，不忍恩絶。」曹植《求通親親表》云：「今之否隔，友于同憂。」《晉史》贊論中，此類尤多。吳氏《漫錄》謂：「洪駒父云：此歇後語也。【略】乃頃有人年七十餘，置一侍婢年三十。東坡戲之曰：『侍者方當而立歲，先生已是古稀年。』得無類是乎！」

又卷一六引《藝苑雌黄》 吟詩喜作豪句，須不畔于理方善。如東坡《觀崔白驟雨圖》云：「扶桑大繭如甕盎，天女織綃雲漢上。往來不遺鳳銜梭，誰能鼓臂投三丈？」此語豪而甚工。石敏若《詠雪》有「燕南雪花大於掌，冰柱懸簷一千丈」之語，豪則豪矣，然安得爾高屋耶？雖豪覺畔理。或云：《詠雪》非敏若詩，見鮑欽止《夷白堂小集》。【略】李太白《北風行》云：「燕山雪花大如席。」《秋浦歌》云：「白髮三千丈。」其句可謂豪矣，奈無此理何！如秦少遊《秋日絶句》云：「連卷雌蜺拄西樓，逐雨追晴意未休。安得萬妝相向舞，酒酣聊把作纏頭。」此語亦豪而工矣。

又卷二七引《雪浪齋日記》 爲詩當飽參，然後臭味乃同，雖爲大宗匠者亦然。「月觀橫枝」之語，乃何遜之妙處也，自林和靖一參之後，參之者甚多。

李處權《崧庵集》卷二《戲贈巽老》 學詩如學佛，教外有別傳。室中要自悟，心地方廓然。悟了更須坐，壁下三十年。他時一瓣香，未可孤老禪。

吳可《藏海詩話》 凡作文，其間叙俗事多，則難下語。

又 學詩當以杜爲體，以蘇黄爲用，拂拭之則自然波峻，讀之鏗鏘。蓋杜之妙處藏於内，蘇黄之妙發於外，用工夫體學杜之妙處恐難到，用功而效少。

又 看詩且以數家爲率，以杜爲正經，餘爲兼經也。如小杜、韋蘇州、王維、太白、退之、子厚、坡谷、「四學士」之類也。如貫穿出入諸家之詩，與諸體俱化，便自成一家，而諸體俱備。若只守一家，則無變態，雖千百首，皆只一體耳。

又 凡作詩如參禪，須有悟門。少從榮天和學，嘗不解其詩云：「多謝喧喧雀，時來破寂寥。」一日於竹亭中坐，忽有群雀飛鳴而下，頓悟前語。自爾看詩，無不通者。

張戒《歲寒堂詩話》卷上 梅聖俞云：「狀難寫之景，如在目前。」元微之云：「道得人心中事。」此固白樂天長處，然情意失於太詳，景物失於太露，遂成淺近，略無餘蘊，此其所短處。如《長恨歌》雖播於樂府，人人稱誦，然其實乃樂天少作，雖欲悔而不可追者也。其叙楊妃進見專寵行樂事，皆穢褻之語。首云「漢皇重色思傾國，御宇多年求不得」，後云「漁陽鼙鼓動地來，驚破《霓裳羽衣曲》」，又云「君王掩面救不得，回看血淚相和流」。案：白居易詩刊本「回看」或作「回首」。此固無禮之甚。「侍兒扶起嬌無力，始是新承恩澤時」，此下云云，殆可掩耳也。「遂令天下父母心，不重生男重生女」，此等語乃樂天自以爲得意處，然而亦淺陋甚。「夕殿螢飛思悄然，孤燈挑盡未成眠」，此尤可笑，南内雖凄涼，何至挑孤燈耶？惟叙上皇還京云：「天旋日轉回龍馭，到此躊躇不能去。馬嵬坡下泥土中，不見玉顏空死處。君臣相顧盡沾衣，東望都門信馬歸。歸來池苑皆依舊，太液芙蓉未央柳。」叙太眞見方士云：「風吹仙袂飄飄舉，猶似《霓裳羽衣》舞。玉容寂寞淚闌干，梨花一枝春帶雨。」一篇之中，惟此數語稍佳爾。《長恨歌》，元和元年尉盩厔時作，是時年三十五，謫江州十一年，作《琵琶行》，二詩工拙，遠不侔矣。如《琵琶行》雖未免於煩悉，然其語意甚當，後來作者，未易超越也。

又 王介甫只知巧語之爲詩，而不知拙語亦詩也。山谷只知奇語之爲詩，而不知常語亦詩也。歐陽公詩專以快意爲主，蘇端明詩專以刻意爲工，李義山詩只知有金玉龍鳳，杜牧之詩只知有綺羅脂粉，李長吉詩只知有花草蜂蝶，而不知世間一切皆詩也。惟杜子美則不然，在山林則山林，在廊廟則廊廟，遇巧則巧，遇拙則拙，遇奇則奇，遇俗則俗，或放或收，或新或舊，案：《說郛》刊本作「或刻或奮」。一切物，一切事，一切意，無非詩者。故曰「吟多意有餘」，又曰「詩盡人間興」，誠哉是言。

又 國朝諸人詩爲一等，唐人詩爲一等，六朝詩爲一等，陶、阮、建安七子、兩漢爲一等，《風》《騷》爲一等，學者須以次參究，盈科而後進，可也。黄魯直自言學杜子美，子瞻自言學陶淵明，二人好惡，已自不同。魯直學子美，但得其格律耳，子瞻則又專稱淵明，且曰「曹、劉、鮑、謝、李、杜諸子皆不及也」。夫鮑、謝不及則有之，若子建、李、杜之詩，亦何愧於淵明？即淵明之詩，妙在有味耳，而子建詩，微婉之情，灑落之韻，抑揚頓挫之氣，固不可以優劣論也。古今詩人推陳王及《古詩》第一，此乃不易之論。至於李、杜，尤不可輕議。歐陽公喜太白詩，乃稱其「清風明月不用一錢買，玉山自倒非人推」之句。案：李白詩刊本「明月」或作「朗月」。此等句雖奇逸，然在太白詩中，特其淺淺者。魯直云：「太白詩與漢魏樂府爭衡」，此語乃眞知太白者。王介甫云：「白詩多說婦人，識見汙下。」介甫之論過矣。孔子刪詩三百五篇，說婦人者過半，豈可亦謂之識見汙下耶？元微之嘗謂自詩人以來，未有如子美者，而復以太白爲不及，故退之云：「不知群兒愚，那用故謗傷。」退之于李、杜，但極口推尊，而未嘗優劣，此乃公論也。子美詩奄有古今，學者能識《國風》、騷人之旨，然後知子美用意處，識漢魏詩，然後知子美遺詞處。至於掩顏、謝之孤高，雜徐、庾之流麗，在子美不足道耳。歐陽公詩學退之，又學李太白。王介甫詩，山谷以爲學三謝。蘇子瞻學劉夢得，學白樂天、太白，晚而學淵明。魯直自言學子美。人才高下，固有分限，然亦在所習，不可不謹，其始也學之，其終也豈能過之。屋下架屋，愈見其小，後有作者出，必欲與李、杜爭衡，當復從漢、魏詩中出爾。

又 韻有不可及者，曹子建是也。味有不可及者，淵明是也。才力有不可及者，李太白、韓退之是也。意氣有不可及者，杜子美是也。文章古今迥然不同，鍾嶸《詩品》以古詩第一，子建次之，此論誠然。觀子建「明月照高樓」、「高臺多悲風」、「南國有佳人」、「驚風飄白日」、「謁帝承明廬」等篇，鏗鏘音節，抑揚態度，溫潤淸和，金聲而玉振之，辭不迫切，而意已獨至，與《三百五篇》異世同律，此所謂韻不可及也。淵明「狗吠深巷中，雞鳴桑樹顚」、「采菊東籬下，悠然見南山」，此景物雖在目前，而非至閑至靜之中，則不能到，此味不可及也。杜子美、李太白、韓退之三人，才力俱不可及，而就其中退之喜崛奇之態，太白多天仙之詞，退之猶可學，太白不可及也。至於杜子美，則又不然，氣呑曹、劉，固無與爲敵。如放歸鄜州而云「維時遭艱虞，朝野少暇日。顧慚恩私被，詔許歸蓬蓽」，新婚戍邊而云「勿爲新婚念，努力事戎行。羅襦不復施，對君洗紅妝」，《壯遊》云「兩宮各警蹕，萬里遙相望」，《洗兵馬》云「鶴駕通宵鳳輦備，雞鳴問寢龍樓曉」，凡此皆微而婉，正而有禮，孔子所謂「可以興，可以觀，可以群，可以怨。邇之事父，遠之事君」者。如「刺規多諫諍，端拱自光輝」、「儉約前王體，風流後代希」、「公若登臺輔，臨危莫愛身」，乃聖賢法言，非特詩人而已。

又 「蕭蕭馬鳴，悠悠旆旌」，以「蕭蕭」、「悠悠」字，而出師整暇之情狀，宛在目前。此語非惟創始之爲難，乃中的之爲工也。荆軻云：「風蕭蕭兮易水寒，壯士一去兮不復還。」自常人觀之，語既不多，又無新巧，然而此二語遂能寫出天地愁慘之狀，極壯士赴死如歸之情，此亦所謂中的也。古詩「白楊多悲風，蕭蕭愁殺人」，「蕭蕭」兩字，處處可用，然惟墳墓之間，白楊悲風，尤爲至切，所以爲奇。樂天云：「說喜不得言喜，說怨不得言怨。」樂天特得其粗爾。此句用「悲」「愁」字，乃愈見其親切處，何可少耶？詩人之工，特在一時情味，固不可預設法式也。

又 《國風》、《離騷》固不論，自漢、魏以來，詩妙於子建，成于李、杜，而壞于蘇、黃。余之此論，固未易爲俗人言也。子瞻以議論作詩，魯直又專以補綴奇字，學者未得其所長，而先得其所短，詩人之意掃地矣。段師教康崑崙琵琶，且遣不近樂器十餘年，忘其故態，學詩亦然。蘇、黃習氣淨盡，始可以論唐人詩。唐人聲律習氣淨盡，始可以論六朝詩。鐫刻之習氣淨盡，始可以論曹、劉、李、杜詩。《詩序》云：「情動於中而形於言，言之不足，故嗟歎之。」子建、李、杜皆情意有餘，洶湧而後發者也。劉勰云：「因情造文，不爲文造情。」若他人之詩，皆爲文造情耳。沈約云：「相如工爲形似之言，二班長于情理之說。」劉勰云：「情在詞外曰隱，狀溢目前曰秀。」梅聖俞云：「含不盡之意，見於言外，狀難寫之景，如在目前。」三人之論，其實一也。

陳善《捫蝨新話上集》卷一 文章以氣韻爲主，氣韻不足，雖有詞藻，要非佳作也。乍讀淵明詩，頗似枯淡，久久有味。東坡晚年酷好之，謂李杜不及也。此無他，韻勝而已。韓退之詩，世謂押韻之文爾，然自有一種風韻。如《庭楸》詩：「朝日出其東，我常坐西偏。夕日在其西，我常坐東邊。當晝日在上，我坐中央焉。」不知者便謂語無功夫，蓋是未窺見古人妙處爾。且如老杜云：「黃四娘家花滿蹊，千朵萬朵壓枝低。」此又可嫌其太易乎？論者謂子美「無數蜻蜓齊上下，一雙鸂鶒對浮沈」，便有「關關雎鳩，在河之洲」氣象。予亦謂淵明「藹藹遠人村，依依墟里煙。犬吠深巷中，雞鳴桑樹顚」，當與《豳風・七月》相表裏，此殆難與俗人言也。予每見人愛誦「影搖千丈龍蛇動，聲撼半天風雨寒」之句以爲工，此如見當家子弟，非無福相，但未免俗耳。若比之「霜皮溜雨四十圍，黛色參天二千尺」，便覺氣韻不侔也。達此理者，始可論文。

又卷三 予嘗與僧惠空論今之詩僧，如病可、瘦權輩要皆能詩，然嘗病其太清。予因誦東坡《陸道士墓誌》，坡嘗語陸云：「子神清而骨寒，其清足以仙，其寒亦足以死。」此語雖似相法，其實與文字同一關捩。蓋文字固不可犯俗，而亦不可太清，如人太清則近寒，要非富貴氣象，此固文字所忌也。觀二僧詩，正所謂「其清足以仙，其寒亦足以死」者也。空云：「吾往在豫章，蓋從李商老遊。一日亦論至可師處，商老曰：『可詩句是廬山景物，試拈卻廬山，不知當道何等語？』亦以爲有太清之病。」予笑謂空曰：「商老此語，無乃暗合孫吳耶？」

魏慶之《詩人玉屑》卷五引《陵陽先生室中語》 范季隨嘗請益曰：「今人有少時文名大著，久而不振者，其咎安在？」公曰：「無他，止學耳。初無悟解，無益也；如人操舟入蜀，窮極艱阻，則曰吾至矣，于中流棄去篙榜，不施維纜，不特其退甚速，則將傾覆矣。如人之詩，止學也。」

《說郛》卷四三引《陵陽先生室中語》 目前景物，自古及今，不知凡經幾人道。今人一下筆要不蹈襲，故有終篇無一句可解者，蓋欲新而反不可曉耳。

吳曾《能改齋漫錄》卷一〇 韓子蒼言：「作詩文當得文人印可，乃不自疑。所以前輩汲汲於求知也。」又云：「詩文要縱，縱則奇。然未易到也。」

張守《毘陵集》卷一一《題張表臣詩卷後》 古之文士，多託事寄言，以發其意趣，騁其詞華，乃或夸而失實。張公子詞采遒茂，師友淵源，其來遠矣。東坡追和淵明詩，而發於夢寐。樂令所謂因也耶？其非寓言可知。

蘇籀《雙溪集》卷二《洪子再示論詩之意答一首》 文章三昧亦無多，甄品難甘狀杜何。撚脱髭鬚徒自哂，可憐彈鋏爲誰歌。腐陳點化爲珍玩，翡翠鷦鶄入罻羅。擬續蘭臺快哉賦，後來作者豈容過。

又卷三《題徐師川詩卷一首》 學究村村自請賢，西京涇渭派淪漣。古人聖處工研貫，新義阿時方洗湔。炳閫多聞包宇宙，閬寥餘韻出蹏筌。飄然徑造騷人室，老憒應加視後鞭。

張九成《橫浦心傳》卷上 每憶與刁文叔夏夜清坐僧室，風竹泠泠然有聲，遂詠前人避暑詩，文叔笑云：「詩在言外，意與物遇，則詩已形於吾前。」予不覺發笑，時此趣最難得。予觀其言詩及言外趣，眞有作者風味，又何必於言語間求之。

又卷下 文字雕琢，則傷正氣，作詩亦然。如陶靖節云：「採菊東籬下，悠然見南山。山氣日夕佳，飛鳥相與還。此中有眞意，欲辨已忘言。」此眞得《三百篇》之遺意。

施德操《北窗炙輠錄》 「六義」之說，《新義》以風、雅、頌即詩之四始。伊川謂：一詩中自有「六義」，或有不能全具者。「六義」之說則風、雅、頌，安得與賦、比、興同處於「六義」之列乎！蓋一詩之中自具「六義」，然非深知詩者不能識之。夫賦、比、興者，詩也；風、雅、頌者，所以爲詩者也。有賦、比、興而無風、雅、頌，則詩者非詩矣。取之於人，則四體者，賦、比、興也；精神血脈者，風、雅、頌也。有人之四體，使無精神血脈以妙於其間，則塊然棄物而已矣。夫惟善其事者，使精神血脈煥然於制作間，於是有風、雅、頌焉。風者何？詩之含蓄者也；雅者何？詩之合於俗者也；頌者何？詩之善形容者也。此三者，非妙於文辭者莫能之。

龔昱《樂庵語錄》卷四 前輩謂作文如家書，但責平易，何嘗作急造語。昔王岐公作《元宵應制詩》，章子厚問使甚事，公曰：「使『鼇山』『鳳輦』事。」章意以爲陳腐，且疑爲所給。詩成，果用此二語，所謂「雙鳳雲中扶輦下，六鼇海上駕山來」是也。章嘆服，以爲不可改。事雖平易，只是安排得好。此作文之法也。

又 作文須要悟入處。無悟入處，一辭不能措；雖能措辭，亦無意義。

黃徹《䂬溪詩話》卷五 顏延之嘗問鮑照己與靈運優劣，照曰：「謝五言如初發芙蓉，自然可愛，君詩鋪錦列繡，亦雕繢滿眼。」鍾嶸《詩品》乃記湯惠休云：「謝如芙蓉出水，顏如錯采鏤金。」與本傳不同。傳又稱延之嘗薄惠休製作，以爲委巷中歌謠耳。豈惠休因爲延之所薄，遂爲芙蓉錯鏤之語，故史取以文飾之耶？坡云：「辨才詩如風吹水，自成文理。吾輩與參寥，如巧婦織錦耳。」取況亦類此。淵明所以不可及者，蓋無心於非譽巧拙之間也。

又 劉昭禹云：五言如四十個賢人，著一個屠沽不得。覓句者若掘得玉匣子，有底有蓋，但精心，必獲其實。然昔人「園柳變鳴禽」竟不及「池塘生春草」；「餘霞散成綺」不及「澄江靜如練」；「春水船如天上坐」不若「老年花似霧中看」；「閑几硯中窺水淺」不如「落花徑裏得泥香」；「停杯嗟別久」不及「對月喜家貧」；「楓林社日鼓」不若「茅屋午時雞」。此數公未始不精心，似此知全其寶者，未易多得。

又卷六 老杜《劉少府畫山水幛歌》云：「反思前夜風雨急，乃是蒲城鬼神入。元氣淋漓幛猶濕，眞宰上訴天應泣。」應物《聽嘉陵江聲》云：「水性自云靜，石中本無聲。如何兩相激，雷轉空山鳴。」《贈能吟李僧》詩云：「絲桐本異質，音響合自然。吾觀造化意，二物相因緣。」臨川《詠魯公壞碑》云：「六書篆籀數變改，遂令後世多失眞。誰初妄鑿好與醜，坐令學士勞骸筋。堂堂魯公勇且仁，豈亦以此誇常民。直疑技巧有天德，不必強勉亦通神。」坡《詠歙硯》詩云：「與天作石來幾時，與人作硯初不辭。詩成鮑謝石何與，筆落鍾王硯不知。」此皆窮本探妙，超出準繩外，不特狀寫景物也。

又卷九　白獻晉公云：「聞說風情筋力在，只如初破蔡州時。」雖叙其功業與壽康，其語緩而不迫，此可爲作詩法也。

又卷一〇　子建稱孔北海文章多雜以嘲戲，子美亦戲效俳諧體，退之亦有寄詩雜詼俳，不獨文舉爲然。自東方生而下，禰處士、張長史、顔延年輩，往往多滑稽語。大體材力豪邁有餘，而用之不盡，自然如此。韓詩「濁醪沸入口，口角如銜箝」、「試將詩義授，如以肉貫串」、「初食不下喉，近亦能稍稍」，皆譃語也。坡集類此不可勝數，《寄蘄簟與蒲傳正》云：「東坡病叟長羈旅，凍卧飢吟似飢鼠。倚賴東風洗破衾，一夜雪寒披故絮。」《黄州》云：「自慚無補絲毫事，尚費官家壓酒囊。」《將之湖州》云：「吴兒膾縷薄欲飛，未去先説饞涎垂。」又：「尋花不論命，愛雪長忍凍。天公非不憐，聽飽即喧哄。」《食筍》云：「紛然生喜怒，似被狙公賣。」《種茶》云：「飢寒未知免，已作太飽計。」「平生五千卷，一字不救飢。」「飢來憑空案，一字不可煮。」皆斡旋其章而弄之。信恢刃有餘，與血指汗顔者異矣。

吴聿《觀林詩話》　語言拘忌，莫如近世淺俗之甚。王仲宣《贈蔡子篤》詩云：「我友云徂。」今人以爲語之大病矣。余嘗誦《飯牛歌》「長夜漫漫何時旦」，謂人曰：「此豈亦寧戚讖語耶？」

又　昔人有言，人有三百四病，馬有三百八病，詩病多於馬病，信哉。高子勉能詩，涪翁與之詩云：「更能識詩家病，方是我眼中人。」此亦苦口也。

葛立方《韻語陽秋》卷一　陶潛、謝朓詩皆平淡有思致，非後來詩人怵心劌目琱琢者所爲也。老杜云「陶謝不枝梧，《風騷》共推激。紫燕自超詣，翠駁誰翦剔」是也。大抵欲造平淡，當自組麗中來，落其華芬，然後可造平淡之境，如此則陶謝不足進矣。今之人多作拙易語，而自以爲平淡，識者未嘗不絶倒也。梅聖俞《和晏相詩》云：「因今適性情，稍欲到平淡。苦詞未圓熟，刺口劇菱芡。」言到平淡處甚難也。所以《贈杜挺之詩》有「作詩無古今，欲造平淡難」之句。李白云：「清水出芙蓉，天然去雕飾。」平淡而到天然處，則善矣。

又卷二　自古工詩者，未嘗無興也。覩物有感焉，則有興。今之作詩者，以興近乎訕也，故不敢作，而詩之一義廢矣！老杜《萵苣詩》云：「兩旬不甲坼，空惜埋泥滓。野莧迷汝來，宗山實於此。」皆興小人盛而掩抑君子也。至高適《題張處士菜園》則云：「耕地桑柘間，地肥菜常熟。爲問葵藿資，何如廟堂肉。」則近乎訕矣。作詩者苟知興之與訕異，始可以言詩矣。

吴沆《環溪詩話》　故詩有肌膚，有血脈，有骨格，有精神。無肌膚則不全，無血脈則不通，無骨格則不健，無精神則不美。四者備，然後成詩，則不待識者而知其佳矣。

胡仔《苕溪漁隱叢話前集》卷四九　宋子京《筆記》云：「文章必自名一家，然後可以傳不朽。若體規畫圓，準方作矩，終爲人之臣僕。古人譏屋下架屋，信然。陸機曰：『謝朝花於已披，啓夕秀於未振。』韓愈曰：『惟陳言之務去。』此乃爲文之要。」苕溪漁隱曰：「學詩亦然，若循習陳言，規摹舊作，不能變化，自出新意，亦何以名家。魯直詩云：『隨人作計終後人。』又云：『文章最忌隨人後。』誠至論也。」

又《苕溪漁隱叢話後集》卷一一　苕溪漁隱曰：「盧仝《山中絶句》云：『陽坡草軟厚如織，因與鹿麛相伴眠。』王介甫止用五字，道盡此兩句，詩云：『眠分黄犢草。』豈不簡而妙乎。」

又卷一五　苕溪漁隱曰：「《宫詞》云：『監宫引出暫開門，隨例雖朝不是恩，銀鑰卻收金鎖合，月明花落又黄昏。』此絶句極佳，意在言外，而幽怨之情自見，不待明言之也。詩貴夫如此，若使人一覽而意盡，亦何足道哉。」

鄭樵《六經奥論》卷三《風雅頌辨》　風雅頌，詩之體也；賦興比，詩之言也。「六義」之序：一曰風，二曰雅，三曰頌。其後先次第，聖人初無加損也。三者之體，正如今人作詩，有律、有吕，有歌行是也。風者出於土風，大概小夫賤隸婦人女子之言，其意雖遠，其言淺近重複，故謂之風。雅出於朝廷士大夫，其言純厚典則，其體抑揚頓挫，非復小夫賤隸婦人女子能道者，故曰雅。頌者初無諷誦，惟以鋪張勳德而已，其辭嚴，其聲有節，不敢瑣語褻言，以示有所尊，故曰頌。

李石《方舟集》卷一〇《答遂寧傳夔秀才書》　文章先立機杼，機杼不立而欲組織成文章，亦良難矣。

林之奇《拙齋文集》卷一《記聞下》 呂紫微云：作詩以《三百篇》爲首，詩人之作其美刺箴規咏歌舉合乎道。學者學詩須本諸此，乃爲佳作。

陳知柔《休齋詩話》 詩貴不隨物而盡，唐人嘗詠《十日菊》：「自緣今日人心別，未必秋香一夜衰。」世以爲工，蓋不隨物而盡。如「酒盞此時須在手，菊花明日便愁人」，自覺氣不長。東坡亦云「休休，明日黄花蝶也愁」也。然雖變其語，終有此過，豈在謫所遇時感慨，不覺發是語乎？予寓吳江值重九，有「鬢緣心事隨時改，依舊在天涯。多情惟有籬邊黄菊，到處能華」，詩人讀之凄然，以爲有含憤意。

汪應辰《文定集》卷九《徐壽卿集序》 古之學者，非有意于爲文也。其于天下之義理，講習之明，思索之精，蘊積之富熟，既已昭晰而無疑，從容而自得。其發于文字言語也，如指白黑，如取諸左右，如楚人之爲楚語，齊人之爲齊語，亦不期然而然矣。後之人讀其書，誦其言，見其明白純粹，善美并具，而不可幾及也，則掇拾其遺餘，摹寫其彷彿，苦心焦思，求所以爲之，雖或近似，而終非是也。于是有以文爲諸儒倡者，則曰文當以仁義詩書爲本。此雖異于世之逐末者，然其意則主于爲文，蓋亦未得其本也。

又卷一〇《書少陵詩集正異》 詩以氣格高妙，意義精遠爲主。屬對之間，小有不諧，不足以累正氣。今悉遷就偶對，至于古詩亦然。若止爲偶對而已，似未能盡古人之意也。

韓元吉《南澗甲乙稿》卷一四《張安國詩集序》 自唐以來，詩人寖盛，有得於天才之自然者，有資於學問而成之者。然才之不足，不能卓越宏大，則失之淺近而無法；學之不至，不能研深雅奧，則失之蹈襲而無功。

晁公遡《嵩山集》卷一《登樓賦》 晁子曰：富麗便美，流連光景，非今之所謂詩乎？

李呂《澹軒集》卷三《文友》 摛辭氣爲主，盛氣理或差。大音等韶濩，小巧同春葩。

林季仲《竹軒雜著》卷六《蘇語君贈王道亡詩後》 文章蓋自造化窟中來，元氣融結胸次。古今謂之活法，所以血脈貫穿，首尾俱應，如常山蛇勢；又如風行水上，自然成文；又如優人作戲出場，要須留笑退思有味。非獨爲文，凡涉世建立，同一關鍵。吾友養直，平生得禪家自在三昧，片言隻字，無一點塵埃。宇宙之山川，烟雲、草木，千變萬態，盡在筆端，何曾氣索？此篇頃見別本，尚餘一聯，云：「故歲去超忽來日，俄趣裝方入斷章」。雖曰遠人大觀，然太涉悲戚，殆似鬼中太白，眞語讖也。

汪藻《浮溪集》卷一七《鮑吏部集序》 古之作者，無意于文也，理至而文則隨之。如印印泥，如風行水上，縱横錯綜，燦然而成者，夫豈待繩削而後合哉？《六經》之書，皆是物也。逮左氏傳《春秋》，屈原作《離騷》，始以文自成爲一家，而稍與經分。漢公孫弘、董仲舒、蕭望之、匡衡，以經術顯者也。司馬遷、相如、枚乘、王褒，以文章著者也。當是時，已不能合而爲一，況凌夷至于後世，流別而爲六七，靡靡然入于流連光景之文哉！其去經也遠矣。本朝自熙寧、元豐，士以談經相高，而黜雕蟲篆刻之習，庶幾其復古矣！然學者用意太過，文章之氣日衰。欽止少從王氏學，又嘗見眉山蘇公，故其文汪洋閎肆，粹然一本于經，而筆力豪放，自見于馳騁之間，深入墨客騷人之域，于二者可謂兼之。

陳淳《北溪大全集》卷四二《答陳伯澡問詩》 問：《詩·大序》六義註，比中有專於比而又有兼於興，興中有專於興，而又有兼於比，難曉。不正言其事，只以彼物譬喻其意，是之謂「比」。如《螽斯》、《鶴鳴》、《匏有苦葉》之類，全章皆「比」，乃專於「比」者。有上二句是「比」，下繼有詞若相因者，是「比」中兼「興」。如《南山》、《甫田》、《揚之水》、《蝃蝀》之類是也。只托物興詞，無意義相協者，是之謂「興」。如《南有嘉魚》、《南山有臺》、《蓼蕭》、《湛露》、《園有桃》、《山有樞》、《終南》、《黄鳥》、《晨風》、《墓門》、《澤陂》之類是也。有託物起意，與下文意義相類者，是「興」中兼「比」。如《萁竹》、《菁莪》、《鴻雁》、《旄丘》之類是也。然詩人之情，本甚坦易明白，和平溫厚，絕無一點磽確。讀詩者，須從容涵泳以會其大旨。不比他書須逐字究索，便拘礙滯泥而不通也。

程泌《洺水集》卷八《曹少監詩序》 詩難言也。自洙泗聖人既刪之後，惟唐杜工部實擅其全，垂今千年，炳炳一日，凡當時號爲雋逸清新奇古平澹專美一家者，至是皆聲銷芳歇矣！蓋少陵少年獻賦，固自不凡，加以往來梓潼山谷，凡十餘年，涉患深，行道熟，則其所養可知矣。人謂詩人窮而後工，工何足言哉？人而至於窮，則於道益深耳。如少監高卧一生，孰量淺深？故發而爲詩，非徒章句之謂也。學詩者當於斯觀焉。

吳子良《吳氏詩話》 詞人卽事睹景，懷古思舊，感慨悲吟，情不能已。今舉其最工者，如劉禹錫《金陵詩》：「山圍故國周遭在，潮打空城寂寞回。淮水東邊舊時月，夜深還過女牆來。」《愚溪詩》：「溪水悠悠春自來，草堂無主燕飛回。隔簾惟見中庭草，一樹山榴依舊開。」又：「草聖數行留斷壁，木奴千樹屬鄰家。惟見里門通德榜，殘陽寂歷出樵車。」竇鞏《南遊詩》：「傷心欲問前朝事，惟見江流去不回。日暮東風春草綠，鷓鴣飛上越王臺。」東坡《昆陽城賦》：「橫門豁以四達，故道宛其未改。彼野人之何知，方傴僂而畦萊。」張安國《題黃州東坡詩》：「老仙騎鶴去，稺子飯牛歌。」蓋人已逝而迹猶存，迹雖存而景隨變。古今詞云，語言百出，究其意趣，大概不越諸此。而近世倣傚尤多，遂成塵腐，亦不足貴矣。

沈作喆《寓簡》卷八 爲文當存氣質，氣質渾圓，意到辭達，便是天下之至文。若華靡淫艷，氣質彫喪，雖工，不足尚矣。此理全在心識通明，心識不明，雖博覽多好，無益也。古人謂文滅質博溺心者，豈特爲儒之病哉，亦爲文之弊也。

陸游《劍南詩稿》卷一九《夜坐示桑甥十韻》 好詩如靈丹，不雜羶葷腸。子誠欲得之，潔齋祓不祥。食飲屑白玉，沐浴春蘭芳。蛟龍起久蟄，鴻鵠參高翔。縱橫開武庫，浩蕩發太倉。大巧謝雕琢，至剛反摧藏。一技均道妙，佻心詎能當。結纓與易簀，至死猶自強。《東山》《七月》篇，萬古眞文章。天下有精識，吾言豈荒唐。

又卷二一《次韻和楊伯子主簿見贈》 文章最忌百家衣，火龍黼黻世不知。誰能養氣塞天地，吐出自足成虹蜺。

又卷三〇《贈應秀才》 我得茶山一轉語，文章切忌參死句。

又卷四七《子聿入城》 詩家忌草草，得句未須成。

又卷七八《示子遹》 我初學詩日，但欲工藻繪。中年始少悟，漸若窺宏大。怪奇亦間出，如石漱湍瀨。數仞李杜牆，常恨欠領會。元白纔倚門，溫李眞自鄶。正令筆扛鼎，亦未造三昧。詩爲六藝一，豈用資狡獪。汝果欲學詩，工夫在詩外。

又《渭南文集》卷三九《何君墓表》 詩豈易言哉？一書之不見，一物之不識，一理之不窮，皆有憾焉。同此世也，而盛衰異；同此人也，而壯老殊。一卷之詩有淳漓，一篇之詩有善病，至於一聯一句，而有可玩者，有可疵者，有一讀再讀至十百讀，乃見其妙者，有初悅可人者，熟味之使人不滿者。大抵詩欲工，而工亦非詩之極也。鍛煉之久，乃失本指，斲削之甚，反傷正氣。雖曰名不可幸得，以名求詩，又非知詩者。纖麗足以移人，誇大足以蓋衆，故論久而後公，名久而後定。

曾豐《緣督集》卷三《吾郡之望羅彥方過聽以余有詩癖古風特枉傑作之貺不可虛辱賦一篇謝之》 聲生於氣詩之體，於氣要窮所從起。事制於義詩之理，於義要窮所從止。

楊萬里《誠齋詩話》 褒頌功德五言長韻律詩，最要典雅重大。如杜云：「風歷軒轅紀，龍飛四十春。八荒開壽域，一氣轉洪鈞。」又云：「碧瓦初寒外，金莖一氣旁。山河持繡戶，日月近雕梁。」李義山云：「帝作黃金闕，天開白玉京。有人扶太極，是夕降玄精。」七言褒頌功德，如少陵賈至諸人倡和《早朝大明宮》，乃爲典雅重大。和此詩者，岑參云：「花迎劍佩星初落，柳拂旌旗露未乾。」最佳。

又 唐律七言八句，一篇之中，句句皆奇，一句之中，字字皆奇，古今作者皆難之。予嘗與林謙之論此事。謙之慨然曰：「但吾輩詩集中，不可不作數篇耳。」如老杜《九日》詩云：『老去悲秋強自寬，興來今日盡君歡。』不徒入句便字字對屬，又第一句頃刻變化，才說悲秋，忽又自寬，以『自』對『君』甚切，君者君也，自者我也。『羞將短髮還吹帽，笑倩旁人爲正冠。』將一事翻騰作一聯，又孟嘉以落帽爲風流，少陵以不落爲風流，翻盡古人公案，最爲妙法。『藍水遠從千澗落，玉山高並兩峰寒。』詩人至此，筆力多衰，今方且雄傑挺拔，喚起一篇精神，自非筆力拔山，不至於此。『明年此會知誰健，醉把茱萸仔細看。』則意味深長，悠然無窮矣。」

又《誠齋集》卷四《和李天麟二首》 學詩須透脫，信手自孤高。衣鉢無千古，丘山只一毛。句中池有草，子外目俱蒿。可口端何似？霜螯略帶糟。句法天難秘，工夫子但加。參時且柏樹，悟罷豈桃花。要共東西玉，其如南北涯。肯來談箇事，分坐白鷗沙。

又卷九四《庸言十九》 或問：「詩有六義，何如？」楊子曰：「此說詩者失之也。詩之體有三，詩之作有三。一曰風，二曰雅，三曰頌，此詩之體也。一曰興，二曰賦，三曰比，此詩之作也。何義之有？」

周紫芝《竹坡詩話》 士大夫學淵明作詩，往往故爲平淡之語，而不知淵明製作之妙，已在其中矣。如《讀山海經》云「亭亭明玕照，落落清瑤流」，豈無雕琢之功？蓋明玕謂竹，清瑤謂水，與所謂「紅皺簷曬瓦，黃團繫門衡」者奚異。

又　余頃年游蔣山，夜上寶公塔，時天已昏黑，而月猶未出，前臨大江，下視佛屋崢嶸，時聞風鈴，鏗然有聲。忽記杜少陵詩：「夜深殿突兀，風動金琅璫。」恍然如己語也。又嘗獨行山谷間，古木夾道交陰，惟聞子規相應木間，乃知「兩邊山木合，終日子規啼」之爲佳句也。又暑中瀕溪，與客納涼，時夕陽在山，蟬聲滿樹，觀二人洗馬於溪中，曰，此少陵所謂「晚涼看洗馬，森木亂鳴蟬」者也。此詩平日誦之，不見其工，惟當所見處，乃始知其爲妙。作詩正要寫所見耳，不必過爲奇險也。

又　詩人造語用字，有著意道處，往往頗露風骨。如滕元發《月波樓詩》「野色更無山隔斷，天光直與水相連」是也。只一「直」字，便是著力道處，不惟語稍崢嶸，兼亦近俗。何不云「野色更無山隔斷，天光自與水相連」爲微有蘊藉，然非知之者不足以語此。

周必大《文忠集》卷五二《楊謹仲詩集序》　文章有天分，有人力，而詩爲甚。才高者語新，氣和者韻勝，此天分也。學廣則理暢，時習則句熟，此人力也。二者全則工，偏則不工。工則傳，不工則不傳，古今一也。

又卷五四《張良臣〈雪窗集〉序》　富貴繫乎天，一定不能易，安之可也。詩文則不然，盡心力而爲之，期至乎古人乃止耳。

姜夔《白石道人詩說》　大凡詩，自有氣象、體面、血脈、韻度。氣象欲其渾厚，其失也俗；體面欲其宏大，其失也狂；血脈欲其貫穿，其失也露；韻度欲其飄逸，其失也輕。

又　詩有四種高妙：一曰理高妙，二曰意高妙，三曰想高妙，四曰自然高妙。礙而實通，曰理高妙；出事意外，曰意高妙；寫出幽微，如清潭見底，曰想高妙；非奇非怪，剝落文彩，知其妙而不知其所以妙，曰自然高妙。

陳巖肖《庚溪詩話》卷下　本朝詩人與唐世相亢，其所得各不同，而俱自有妙處，不必相蹈襲也。至山谷之詩，清新奇峭，頗造前人未嘗道處，自爲一家，此其妙也。至古體詩，不拘聲律，間有歇後語，亦清新奇峭之極也。然近時學其詩者，或未得其妙處，每有所作，必使聲韻拗捩，詞語艱澀，曰「江西格」也。此何爲哉？呂居仁作《江西詩社宗派圖》，以山谷爲祖，宜其規行矩步，必踵其跡。今觀東萊詩，多渾厚平夷，時出雄偉，不見斧鑿痕，社中如謝無逸之徒亦然，正如魯國男子善學柳下惠者也。

李洪《芸庵類藁》卷六《櫪株集序》　詩於文章爲一體，必欲律嚴而意遠，模寫物狀，吟詠情性。象外之象，境外之境，昔人謂如藍田日暖，良玉生烟，可望而不可置於眉睫之前，其難如是。前輩用心之專，終身不以爲易。

朱熹《清邃閣論詩》　作詩間以數句適懷亦不妨。但不用多作。蓋便是陷溺爾。當其不應事時，平淡自攝，豈不勝如思量詩句。至如眞味發溢，又卻與尋常好吟者不同。

又　文字好用經語，亦一病。老杜詩「致遠思恐泥」，東坡寫此詩到此句云：「此詩不足爲法。」

又　古人詩中有句，今人詩更無句，只是一直說將去。這般詩一日作百首也得。如陳簡齋詩：「亂雲交翠壁，細雨濕青松。」「暖日薰楊柳，濃陰醉海棠。」他是甚麼句法？

又　作詩先用看李、杜如士人治本經。本既立，次第方可看蘇、黃以次諸家詩。

又《朱文公全集》卷六四《答鞏仲至》　來書所論「平淡」二字誤盡天下詩人，恐非至當之言，而明者亦復不以爲非，是則熹所深不識也。夫古人之詩，本豈有意於平淡哉？但對今之狂怪、雕鎪、神頭鬼面，則見其平，對今之肥膩、腥臊、酸鹹苦澀，則見其淡耳。

又卷八四《跋病翁先生詩》　余嘗以爲天下萬事皆有一定之法，學之者須循序而漸進。如學詩，則且當以此等爲法，庶幾不失古人本分、體製。向後若能成就，變化固未易量。然變亦大是難事。果然變而不失其正，則縱橫妙用，何所不可？不幸一失其正，卻似反不若守古本舊法以終其身之爲穩也。李、杜、韓、柳，初亦皆學《選》詩者。然杜、韓變多，而柳、李變少。變不可學，而不變可學。故自其變者而學之，不若自其不變者而學之。乃魯男子學柳下惠之意也。嗚呼！學者其毋惑於不煩繩削之說而輕爲放肆以自欺也哉？

陳造《江湖長翁集》卷二三《雲壑詩序》 古者德業惟重，猶不廢言，可紀也爲文，可歌也爲詩，皆言之所託也。而詩難爲工，必根源于學而歸宿於正。

章甫《自鳴集》卷二《張君明昆仲袖唱和詩見過》 文章雖云一小技，妙處非難亦非易。染絲織錦未足工，點鐵成金始爲貴。

費衮《梁谿漫志》卷七《作詩當以學》 作詩當以學，不當以才，詩非文比，若不曾學，則終不近詩。古人或以文名一世，而詩不工者，皆以才爲詩故也。退之一出「餘事作詩人」之語，後人至謂其詩爲「押韻之文」。後山謂曾子固不能詩，秦少游詩如詞者，亦皆以其才爲之也。故雖有華言巧語，要非本色。大凡作詩以才而不以學者，正如揚雄求合《六經》，費盡工夫，造盡言語，畢竟不似。

又《詩作豪語》 詩作豪語，當視其所養，非執筆經營者可能。馬子才作《浩齋歌》，似亦豪矣，反覆觀之，雕刻工多，意隨語盡。予謂《孟子》七篇，乃眞《浩齋歌》也。歐公作《廬山高》，氣象壯偉，殆與此山爭雄，非公胸中有廬山，孰能至此。郭功甫作《金山行》，前輩多稱之，雖極力造語，而終窘邊幅，信乎不可強也。

又《東坡論石曼卿紅梅詩》 東坡嘗見石曼卿《紅梅》詩云：「認桃無綠葉，辨杏有青枝。」曰：「此至陋語，蓋村學中體也。」故東坡作詩，力去此弊。其《觀畫詩》云：「論畫以形似，見與兒童鄰。賦詩必此詩，定知非詩人。」此言可爲論畫作詩之法也。世之淺近者，不知此理，做月詩便說明，做雪詩便說白，間有不用此等語，便笑其不着題，此風晚唐人尤甚。坡嘗作謝賜御書詩，叙天下無事，四夷畢服，可以從容翰墨之意。末篇云：「露布朝馳玉關塞，捷書夜到甘泉宮。」又云：「文思天子師文母，終閉玉關辭馬武。小臣願對紫薇花，試草尺書招贊普。」蓋因事諷諫，《三百篇》之義也。而或者笑之，曰：「有甚道理後說到陝西獻捷。」此豈可與論詩。若使渠爲之，定衹做一首寫字詩矣。

史彌寧《友林乙稿・評詩》 籌量節物細評詩，詩要天然莫強爲。蛩韻酸寒東野句，鶯吟富貴小山詞。

趙蕃《淳熙稿》卷一《有懷子肅讀其詩卷因成數語》 退之以文鳴，餘事尤長詩。名家賈孟流，未必踰於斯。淵明工五言，亦有歸來辭。廼知意到處，百發無一虧。

又《書紫微集後》 詩家初祖杜少陵，涪翁再續江西燈。陳潘徐洪不可作，閫奧晚許東萊登。遺書散落亦已久，是編頗得十八九。景公千駟何足云，伯夷垂名端不朽。

張鎡《仕學規範》引蒲氏《漫齋錄》 有意中無斧鑿痕，有句中無斧鑿痕，有字中無斧鑿痕，須要體認得。

陳元晉《漁墅類稿・跋宋常父詩後》 作詩如學道，時至自純熟平夷而有遠思，淡泊而有餘味，則至矣。

羅大經《鶴林玉露》卷九 趙昌父云：古人以學爲詩，今人以詩爲學。夫以詩爲學，自唐以來則然，如嘔出心肝，掐擢胃腎，此生精力盡於詩者，是誠弊精神於無用矣。乃若古人，亦何嘗以詩爲學哉。今觀《國風》，間出于小夫、賤吏、婦人、女子之口，未必皆學也，而其言優柔敦切，忠厚雅正。後之經生學士，雖窮年畢世，未必能措一辭，正使以後世之學爲詩，其胸中之不淳不正，必有不能掩者矣。雖貪者賦廉詩，仕者賦隱逸詩，亦豈能逃識者之眼哉！

羅與之《雪坡小稿自叙》 詩本無體，《三百篇》皆天籟自鳴，下逮黃初迄於今，人異韜，故所出亦異。感者弗省，遂艷其各有體也。近過梁谿，見尤延之先生，問余詩自誰氏，余對以異時泛覽，已而病其駁如也。三薰三沐，師黃太史氏，居數年，一語噤不敢吐，始大悟學卽病，顧不若無所學之爲得，雖黃詩，亦偃然高閣矣。

包恢《敝帚藁略》卷二《答曾子華論詩》 蓋古人於詩，不苟作，不多作，而或一詩之出，必極天下之至精，狀理則理趣渾然，狀事則事情昭然，狀物則物態宛然，有窮智極力之所不能到者，猶造化自然之聲也。蓋天機自動，天籟自鳴，鼓以雷霆，豫順以動，發自中節，聲自成文，此詩之至也。【略】其次則所謂未嘗爲詩而不能不爲詩，亦顧其所遇如何耳，或遇感觸，或遇扣擊，而後詩出焉。如《詩》之變風變雅與後世詩之高者是矣。【略】蓋本無情而牽強以起其情，本無意而妄想以立其意，初非彼有所觸而此乘之、彼有所擊而此應之者，故言愈多而愈浮，詞愈工而愈拙。【略】詩自志出者也，不反求於志而徒外求於詩，猶表邪而求其影之正也，奚可得哉？

嚴羽《滄浪詩話・詩辯》 禪家者流，乘有小大，宗有南北，道有邪正。

學者須從最上乘，具正法眼，悟第一義。若小乘禪聲聞辟支果，皆非正也。論詩如論禪，漢魏晉與盛唐之詩，則第一義也；大曆以還之詩則小乘禪也；已落第二義矣；晚唐之詩則聲聞辟支果也。學漢魏晉與盛唐詩者，臨濟下也；學大曆以還之詩者，曹洞下也。大抵禪道惟在妙悟，詩道亦在妙悟，且孟襄陽學力下韓退之遠甚，而其詩獨出退之之上者，一味妙悟而已。惟悟乃爲當行，乃爲本色。然悟有淺深、有分限，有透徹之悟，有但得一知半解之悟，漢魏尚矣，不假悟也。謝靈運至盛唐諸公透徹之悟也。他雖有悟者，皆非第一義也。吾評之非僭也，辯之非妄也，天下有可廢之人，無可廢之言，詩道如是也。若以爲不然則是見詩之不廣，參詩之不熟耳。試取漢魏之詩而熟參之，次取晉宋之詩而熟參之，次取南北朝之詩而熟參之，次取沈、宋、王、楊、盧、駱、陳拾遺之詩而熟參之，次取開元、天寶諸家之詩而熟參之，次獨取李、杜二公之詩而熟參之，又盡取晚唐諸家之詩而熟參之，又取本朝蘇、黄以下諸家之詩而熟參之，其眞是非自有不能隱者。倘猶于此而無見焉，則是野狐外道蒙蔽其眞識，不可救藥，終不悟也。夫學詩者以識爲主，入門須正，立志須高，以漢魏晉盛唐爲師，不作開元、天寶以下人物。若自退屈，即有下劣詩魔入其肺腑之間，由立志之不高也。行有未至，可加工力；路頭一差，愈騖愈遠，由入門之不正也。故曰：學其上，僅得其中；學其中，斯爲下矣。又曰：見過于師，僅堪傳授；見與師齊，減師半德也。工夫須從上做下，不可從下做上，先須熟讀《楚詞》，朝夕風咏，以爲之本；及讀《古詩十九首》、樂府四篇，李陵、蘇武、漢魏五言皆須熟讀，即以李、杜二集枕藉觀之，如今人之治經。然后博取盛唐名家醞釀胸中，久之自然悟入。雖學之不至，亦不失正路。此乃是從頂顆上做來，謂之向上一路，謂之直截根源，謂之頓門，謂之單刀直入也。詩之法有五：曰體制、曰格力、曰氣象、曰興趣、曰音節。詩之品有九：曰高、曰古、曰深、曰遠、曰長、曰雄渾、曰飄逸、曰悲壯、曰凄婉。其用工有三：曰起結、曰句法、曰字眼。其大概有二：曰優游不迫、曰沉着痛快。詩之極致有一：曰入神。詩而入神至矣！盡矣！蔑以加矣！惟李、杜得之，他人得之蓋寡也。夫詩有別材，非關書也；詩有別趣，非關理也。然非多讀書、多窮理，則不能極其至，所謂不涉理路、不落言筌者，上也。詩者，吟咏情性也。盛唐諸人惟在興趣，羚羊挂角，無迹可求。故其妙處透徹玲瓏，不可湊泊，如空中之音、相中之色、水中之月、鏡中之象，言有盡而意無窮。近代諸公乃作奇特解會，遂以文字爲詩，以才學爲詩，以議論爲詩，夫豈不工？終非古人之詩也。蓋于一唱三嘆之音有所歉焉。且其作多務，使事不問興致，用字必有來歷，押韻必有出處，讀之反覆終篇，不知着到何處；其末流甚者，叫噪怒張，殊乖忠厚之風，殆以駡詈爲詩，詩而至此可謂一厄也。然則近代之詩無取乎？曰：有之。吾取其合于古人者而已。國初之詩尚沿襲唐人，王黄州學白樂天，楊文公、劉中山學李商隱，盛文肅學韋蘇州，歐陽公學韓退之古詩，梅聖俞學唐人平澹處，至東坡、山谷始自出己意以爲詩。唐人之風變矣。山谷用工尤爲深刻，其後法席盛行海内，稱爲江西宗派。近世趙紫芝、翁靈舒輩獨喜賈島、姚合之詩，稍稍復就清苦之風，江湖詩人多效其體，一時自謂之唐宗，不知止入聲聞辟支之果，豈盛唐諸公大乘正法眼者哉。嗟乎！正法眼之無傳久矣！唐詩之説未唱，唐詩之道或有時而明也。今既唱其體曰唐詩矣，則學者謂唐詩誠止于是耳，得非詩道之重不幸邪？故予不自量度，輒定詩之宗旨，且借禪以爲喻，推原漢魏以來，而截然謂當以盛唐爲法，（後舍漢、魏而獨言盛唐者謂古律之體備也。）雖獲罪于世之君子不辭也。

又《詩評》　大曆以前分明別是一副言語，晚唐分明別是一副言語，本朝諸公分明別是一副言語，如此見方許具一隻眼。盛唐人有似粗而非粗處，有似拙而非拙處。五言絶句衆唐人是一樣，少陵是一樣，韓退之是一樣，王荆公是一樣，本朝諸公是一樣。盛唐人詩亦有一二濫觴入晚唐者，晚唐人詩亦有一二可入盛唐者，要當論其大概耳。唐人與本朝人詩未論工拙，直是氣象不同。唐人命題言語亦自不同，雜古人之集而觀之，不必見詩，望其題引而知其爲唐人今人矣。大曆之詩高者尚未識盛唐，下者漸入晚唐矣。晚唐之下者亦墮野狐外道鬼窟中。或問唐詩何以勝我朝？唐以詩取士，故多專門之學，我朝之詩所以不及也。

又　詩有詞、理、意興。南朝人尚詞而病于理，本朝人尚理而病于意興；唐人尚意興而理在其中，漢魏之詩詞理意興無迹可求。漢魏古詩其象混沌難以句摘，晉以還方有佳句，如陶淵明「採菊東籬下，悠然見南山」。謝靈運「池塘生春草」之類，謝所以不及陶者，康樂之詩精工，淵明之詩質而自然耳。謝靈運之詩無一篇不佳。黄初之後，惟阮籍《咏懷》之作極爲高古，有建安風骨。晉人舍陶淵明、阮籍嗣宗外，惟左太沖高出一時，陸士衡獨在諸公之下。顏不如鮑，鮑不如謝，文中子獨取顏，非也。建安之作全在氣象，不可尋枝摘葉；靈運之詩已是徹首尾成對句矣，是以不及建安也。謝朓之詩已有全篇似唐人者，當觀其集方知之。戎昱在盛唐爲最下，已濫觴晚唐矣。戎昱之詩有絶似晚唐者，權德輿之詩卻有絶似盛唐者，權德輿或有似韋蘇州、劉長卿處。冷朝陽在大曆才子中爲最下。馬戴在晚唐諸人之上，劉滄、呂溫亦勝諸人。李頻不全是晚唐，間有似劉隨州處。陳陶之詩在晚唐人中最無可觀，薛逢最淺俗。大曆以後吾所深取者，李長吉、柳子厚、劉言史、權德輿、李頻、李益耳。大曆後劉夢得之絶句，張藉、王建之樂府，吾所深取耳。

又《答出繼叔臨安吳景仙書》 僕之《詩辯》，乃斷千百年公案，誠驚世絶俗之談，至當歸一之論。其間說江西詩病，眞取心肝劊子手。以禪喻詩，莫此親切，是自家實證實悟者，是自家閉門鑿迫此片田地，即非傍人籬壁、拾人涕唾得來者，李、杜復生，不易吾言矣。而吾叔靳靳疑之，況他人乎？所見難合固如此，深可嘆也！吾叔謂說禪非文人儒者之言，本意但欲說得詩透徹，初無意于爲文，其合文人儒者之言與否不問也。高意又使回護，毋直致褒貶，僕意謂辯白是非，定其宗旨，正當明目張膽而言，使其詞說沉著痛快，深切著明，顯然易見。所謂不直則道不見，雖得罪于世之君子，不辭也。吾叔《詩說》其文雖勝，然只是說詩之源流、世變之高下耳，雖取盛唐，而無的然使人知所趨向處。其間異戶同門之說，乃一篇之要領。然晚唐本朝謂其如此可也，謂唐初以來至大曆之詩異戶同門，已不可矣。至於漢魏晉宋齊梁之詩，其品第相去高下懸絶，乃混而稱之，謂錙銖而較實有不同處，大率異戶而同門，豈其然乎？又謂韓、柳不得爲盛唐，猶未落晚唐，以其時則可矣。韓退之固當別論，若柳子厚五言古詩尚在韋蘇州之上，豈元、白同時諸公所可望耶？高見如此，毋怪來書有甚不喜分諸體製之說。吾叔誠于此未了然也。作詩正須辨盡諸家體製，然後不爲旁門所惑。今人作詩，差入門戶者，正以體制莫辨也。世之技藝猶各有家數，市縑帛者，必分道地，然后知優劣，況文章乎？僕于作詩不敢自負，至識，則自謂有一日之長，于古今體製若辨蒼素，甚者望而知之。來書又謂忽被人捉破發問，何以答之。僕正欲人發問而不可得者，不遇盤根，安別利器？吾叔試以數十篇詩，隱其姓名，舉以相試，爲能別得體製否？惟辨之未精，故所作惑雜而不純。今觀盛唐集中，尚有一二本朝立作處，毋乃坐視而然耶？又謂盛唐之詩雄深雅健，僕謂此四字但可評文，于詩則用「健」字不得。不若《詩辯》「雄渾悲壯」之語，爲得詩之體也。毫釐之差，不可不辨。坡谷諸公之詩，如米元章之字，雖筆力勁健，終有子路未事夫子時氣象。盛唐諸公之詩如顏魯公書，既筆力雄壯，又氣象渾厚，其不同如此，只此一字便見吾叔腳根未點地處也。所論屈原《離騷》則深得之，實前輩之所未發，此一段文亦甚佳。大概論武帝以前皆好，無可議者。但李陵之詩，非虜中感故人還漢而作，恐未深考。故東坡亦惑江漢之語，疑非少卿之詩，而不考其胡中也。妙喜(是徑山名僧宗杲也)自謂參禪精子，僕亦自謂參詩精子。嘗謁李友山論古今人詩，見僕辨析毫芒，每相激賞，因謂之曰：「我論詩若那吒太子析骨還父，析肉還母。」友山深以爲然。

劉克莊《後村詩話續集》卷二 詩以體物驗工巧。駱賓王《詠桃燈檠》云：「稟質非貪穀，焦心豈憚熬。終知不自潤，何用處脂膏。」語簡而味長。

又《後村先生大全集》卷七《敖茂才論詩》 詩道不勝玄，難於問性天。莫求鄰媼誦，姑付後儒箋。至質翻如俚，尤癯始似仙。吾非肝肺異，先得子同然。

又卷九四《序竹溪詩》 唐文人皆能詩，柳尤高，韓尚非本色。迨本朝則文人多，詩人少。三百年間，雖人各有集，集各有詩，詩各自爲體，或尚理致，或負材力，或逞辨博，少者千篇，多至萬首，要皆經義策論之有韻者爾，非詩也。

又卷九六《王與義詩》 天台王君公矩示余古、律詩四十首，長短句十首，其輕虛如飛燕之舞於掌上，其縮斂如沐猴之戲於棘端。晉人評山濤用少少許勝人多多許，殆爲發也。前輩有學詩如學仙之論。竊意仙者必極天下之輕清，而後易於解脫，未有重濁而能仙也。君之作庶乎輕清矣！然余聞之，丹家冲漠自守，專固不怠，一旦嬰兒成，顖門開，足以不死矣。此養內丹者之事，癯於山澤之仙也。若夫大丹則異於是，傳方訣必有師，安爐竈必有地，致久永必有貲，又必脩三千功行以俟之。及其成也，笙鶴幢節本不期而至。王喬驂乘，韓衆執轡，翩翔大清而朝於帝所，此天仙也，異乎前之癯於山澤者矣。余以其說推之於詩，凡大家數擅名今古，大丹之成者也；小家數各鳴所長，內丹之成者也。

又卷九九《王元度詩》 詩貴輕清，惡重濁。王君詩如人鍊形，跳出頂門，極天下之輕；如人絶粒，不食煙火，極天下之清。

又卷一〇六《趙孟侒詩》詩必窮始工，必老始就，必思索始高深，必煆煉始精粹。【略】夫非窮而工，未老而就，不思索而高深，不煆煉而精粹者，天成也。或以人力爲之，雖勉而不近矣。然有天資，欠學力，一聯半句偶合則有之，至於貫穿千古，包括萬象，則非學有所不能。

又卷一一一《方俊甫小稿》余觀古詩，以六義爲主，而不肯於片言隻字求工。季世反是，雖退之高才，不過欲去陳言以誇末俗。後人因之，雖守詩家之向律嚴，然去風人之情性遠矣！君之詩病在於鍊字而不鍊意，予竊以爲未然。若意義高古，雖用俗字亦雅，陳字亦新，閑字亦警。

林希逸《竹溪鬳齋十一稿續集》卷一二《劉元高詩序》詩，猶射也。棲鵠於侯，而程工拙焉，是曰「的」。强弱，力也；中否，巧也，非的無以別之。若弓之良，其材有六，則詩料也。參均九和，則四鍊也。幹之心必正，不正與視忤，是則思無邪也。射之於吟，取譬若此。

宋伯仁《雪巖吟草序》詩如五味，所嗜不同。宗江西流派者則難聽四靈之音調，讀「日高花影重」之句，其視「青青河畔草」卽路傍苦李，心使然也。古人以詩陶寫性情，隨其所長而已，安能一天下之心如一人之心吁？此詩門之多事也！甚至裂眦怒爭，必欲字字浪僊，篇篇荀鶴，殊未思《騷》《選》文章，於世何用！

王柏《魯齋王文憲公文集》卷一一《跋竹溪吳君詩集》僕聞前人語，學詩者須有夙根，有記魂，有吟骨，有遠心，然後可以穎異。上三者出於天資，不可强。至于遠心，當從學問中來。

陳模《懷古錄》卷上　今之言詩者，皆知尊杜工部，而杜詩之所以好者，則未必能知之。夫有是物可見，而能詠狀之者已難矣。至於物之不可見者，而能詠狀其意者，則尤難也。只如詠馬，東坡賦《韓幹十四馬》云：「後有八匹飲且行，微流赴吻若有聲。前者旣濟出林鶴，後者欲涉鶴俛啄。最後一匹馬中龍，不嘶不動尾搖風。」已自奇拔。然不過與工部「是何意態雄且傑，駿馬蕭梢朔風起」、「可憐九馬爭神駿，顧視清高氣深穩」、「毛爲綠縹兩耳黃，眼有紫焰雙瞳方」等句相馳騁耳。至如「是日牽來赤墀下，迥立閶闔生長風」、「斯須九重眞龍出，一洗萬古凡馬空。玉花卻在御榻上，榻上庭前屹相向」，其筆力已造妙難及，然尚是寫出實事。至若「曾貌先帝照夜白，虎池七日飛霹靂」，「此皆騎戰一敵萬，縞素漠漠開風沙。其餘七匹亦殊絕，迥若寒空動烟雪」、「矯矯龍性合變化，卓立天骨森開張」，此皆以無爲有，描模氣象，脫落筆墨畦徑外，此其獨步千古也。又若「得非園圃裂，毋乃瀟湘翻？悄然坐我天姥下，耳邊已是聞清猿」，此猶可到；「反思前夜風雨急，乃是滿城鬼神入。元氣淋漓障猶濕，眞宰上訴天應泣」則不可到矣。《韋偃戲爲雙松圖歌》云：「兩株慘裂苔蘚皮，屈鐵交錯迴高枝。」此猶可及；「白摧朽骨龍虎死，黑入太陰風雨垂」，則不可及矣。《觀打魚歌》云：「赤鯉騰出如有神」，人猶可到；至如：「潛龍無聲老蛟怒，迴風颯颯吹沙塵」，則人難到矣。又如《觀公孫大娘弟子舞劍器行》云：「㸌如羿射九日落，矯如群帝驂龍翔。來如雷霆收震怒，罷如江海凝清光。」其詠狀處，人固不可及；而其起云：「觀者如山色沮喪，天地爲之久低昂。」「低昂」之句則磊落驚世，非工部誰能知之！夫所謂筆端有口者，以口所欲言者，筆端能言之也。此則口所不能言者，筆端要能言之，眞所謂「筆補造化天無功」。

又卷中　作詩譬如參禪，若參得透徹者，決不走作，若未免走作者，決未曾透徹。雷春伯嘗言：「只爲未曾讀書，但是花頭草艷，終是易厭。」豫章□□□號爲詩人，亦未免此病。山谷云：「爲文而無根蒂，譬如插無枝花，非不照曜風日，其委悴也，可立而待。故作文者皆不可不浚其淵源。」山谷詩大率多用《莊子》事，後山用事語，句意亦多重複。「讀書破萬卷，下筆如有神」，此杜工部之所以不可及也。東坡用事需然，所謂如入武庫，戈矛森森，但不可免造語有易處，故不能及工部。

又卷下　《詩》本於六義。先儒言，風、雅、頌其經，賦、比、興其緯，說最明白。又言，風非《國風》之《風》，雅非《小雅》之《雅》，頌非《商頌》、《魯頌》之《頌》。蓋如秦詩則有富强之風，唐詩則有儉陋之風。齊之風緩，衛之風淫，陳之風巫。一詩有一種氣象，是之謂風。如「赳赳武夫，公侯干城」、「天生蒸民，有物有則」。議論正大者，皆謂之雅。如「樂只君子，福履綏之」、「之子于歸，宜其家人」，贊美之者，皆謂之頌。頌則止於歸美。風與雅則有美有刺。此則風、雅、頌之大綱。賦之爲言鋪也，敷也。鋪者，鋪陳其事；敷繹其意。「齒如瓠犀，螓首蛾眉」、「齊侯之子，衛侯之妻」。此則鋪敷其事者，卽賦。以其有所贊美，賦而有頌體者也。貴麗之風可見矣。「有匪君子，如切如磋，如琢如磨。」「瑟兮、僩兮、赫兮、咺兮。」此等敷繹其意者，亦賦也。以其有所贊美，且莊正，則賦而兼頌、雅者也。整飭之風可見矣。所謂風、雅、頌其經，賦、比、興其緯者，可以是推。興者偶言是物，而興起是事，初無所比喻。如「瞻彼淇澳，綠竹猗猗」，則言君子而偶及於竹，是之謂興。「殷其靁，在南山之陽」，則言及君子行役而偶及於靁，是之謂興。此則有明白之比，有隱然之比。「齒如瓠犀」、「手如柔荑」、「如圭、如璧」、如金、如錫」，明白之比者也。「關關雎鳩，在河之洲」，雎鳩則比后妃之有別，河洲則比后妃之處於幽閑；「南有樛木，葛藟縈之」，則比后妃之能屈尊而接下；「標有梅，其實三兮」，則比盛年之易衰。此則隱然之比者也。明白者，徒比者也，人皆知之。隱然者，興而比者也。讀者但以興，不覺是比，此其意味尤深長。後來如越人「山有木兮木有枝，心說君兮君不知」，此眞得詩人之興者也。陳後山「葉落風不起，山空花自紅」，興中寓比而不覺，此眞得詩人之興而比者也。

趙孟堅《彝齋文編》卷一《詩談》 吾嗤彼云士，努力事詩研。竟日搜枯腸，抽黃對白間。爾何無達觀，跼促自縛纏。不見淵明陶，有詩累百篇。要以寫吾心，出語如流泉。採菊見南山，得句於悠然。少陵動感慨，忠義膽所宣。有時心境夷，亦復輕翩翩。纖纖白雲閑，無心游日邊。風石激而奇，奔迸生雲煙。詎以天然態，而事斧鑿鐫！陶爾一觴酒，警爾心地偏。少焉明月上，高挂西山巔。聽我曳杖歌，金石聲撼天。

李昂英《文溪集》卷五《題鄭宅仁詩稿》 詩詞雖寄興寫物，必有學爲骨，有識爲眼，庶幾鳴當世落後世。不然，是土其形，繪其容，望之宛然若人也，置雨中敗矣。

俞文豹《吹劍錄》 詩可以爲，可以不爲。有其才，有其時，有其興，則爲之可也。志於功名，志於事業，則不爲可也。詩不可無體，亦不可拘於體。蓋詩非一家，其體各異。隨時遣興，即事寫情，意到語工則爲之，豈能一切拘於體格哉！

姚勉《雪坡舍人集》卷三七《再題俊上人詩集》 夫詩，有意、有味、有韻。意欲其圓也，味欲其長也，韻欲其遠也。有此三者，然後使人讀之，而恐卷盡。苟初讀而不知其意，細讀而不見其味，既讀而不覺其韻，何足以謂之詩哉！雖不可讀之，句不可謂之奇也！用不可識之，字不可謂之古也！欲其奇古，必有妙於是者矣！作之多而出之少，求能於己而不求知於人，皆學詩之法也。詩雖小技也，不好則已，好則必求其工！工猶未益也，不工，又何所益哉？【略】詩亦如禪要飽參，未須容易向人談。陣無活法徒奔北，車恐迷途在指南。悟後欲知新句長，讀時須見舊時慚。江湖浪定祗何益，歸看秋空月印潭。

又《適齋詩稿序》 詩貴工乎？雕肝琢胃，鉤章棘語，竦肩如寒，攢眉如愁，鳴吻如蛩，側頭如鶴，數髭斷而字安，片心歸而句得，若是可乎？曰：「未也。」李長吉阿嬰謂嘔出心乃已。然則詩何貴？曰：「貴適。」康節之詩曰：「堯夫非是愛吟詩，詩是堯夫得意時。」詩非愛吟也，得意，則詩耳。堯夫之詩不適乎？三百五篇之詩，固有出於塗歌里詠小夫賤隸之口，未嘗求爲文也，而其文至後世老師宿儒有所不能道，此無他，小夫賤隸不求詩而詩，老師宿儒求詩而反不詩。如此，可與言詩矣。蓬萊妙音，逸出人間宮羽之外；風水相遭之文章，善雕鏤組織者，終莫及也。適之爲詩，妙矣哉！

又卷四一《跋張英玉行卷》 南溪老子詩曰：閉門覓句非詩法，只自征行自有詩。

釋道璨《柳塘外集》卷三《營玉澗詩集序》 詩，主性情，止禮義，非深於學者不敢言。大曆元和後廢六義，專尚浮淫新巧，聲固艷矣，氣固矯矣，詩之道安在哉！然當時君子，要未必不學，特爲風聲習氣所移，迷不知返耳。數十年東南之言詩者皆襲唐聲，而於根本之學，未嘗一日用其力，是故淺陋而無節，亂雜而無章，豈其所自出者有欠歟？予友營玉澗早爲諸生，游場屋數不利，於是以緇易儒，胸中所存，浩浩不可遏，溢而爲詩，本之禮義以浚其源，參之經史以暢其文，遊觀遠覽以利其器，反聞默照以導其歸由。千煆萬煉以歸於平易，自大江大河而入於短淺，輕不浮，巧不淫，肥不腴，瘦不瘠。吾是以知有本者如是而非前所謂不學者所能也。予常謂惟儼詩不傳於後世，而託名於歐陽一序；參寥詩可傳者十數解，藉東坡一語而盛行。世無二公，孰知玉澗者？雖然，玉澗豈託人以傳哉！

又《韶雪屋詩集序》 詩至清而止於活，清之失也癯，活之失也放，此近日詩家大病。無他，學不勝才，氣不勝識，理不勝詞，故未得其眞，先得其似耳。學也，氣也，理也，難與今之有唐聲者言也。

衛宗武《秋聲集》卷五《林丹嵒吟編序》 古之能賦者，譏評古今，嘲弄風月，刻畫事物，以之抒逸思，暢幽憤，紀勝事，贊太平。或以典麗，或以閒雅，或醞藉而精深，或俊邁而清美，苟負所長，皆足以蜚英於時，流芳於後，而不可無學。無學則淺陋鄙俗，而詩不足言矣。尤不可不善用所學，不善用之，其失均也。畏友丹嵒自《冷泉》一絕雋永人口，而詩聲震撼南北，是特囊穎之露耳。及得全藁而玩繹之，如入積玉之圃，而瓌奇錯出，眩目洞心。律五言七言追唐，擬古近《選》，而長篇有三峽倒流、萬馬奔軼之勢，合衆美而兼擅之偉作也。蓋其於經子傳記、歷代詩文，以至九流百家，稗官埜史，靡不誦閱，腹之所貯，手之所集，殆成筍而充棟矣。肆而成章，皆英華膏馥之所流溢，而尤善於用，故自不得不喜也。使淺學者見之，孰不駭汗辟易，豈江湖能賦之士可跂而望其後塵哉？昔蘇、黄以博極緒餘，游戲章句，天運神化，變衒莫測，多後世名儒注釋所不及知者。此藁亦何遜焉！詩者，文之流也。丹嵒既以健筆雄辭頡頏時英而預計偕矣，韻語又奚足浼！然嘗論坡翁有和陶篇槩以相類，而卒不如優孟之學叔敖，何也？靖節違世特立，遊神羲黄，蓋將與造物爲徒，故以其澹然無營之趣，爲悠然自得之語，幽邃玄遠，自詣其極，而非用力所到。猶庖丁之技進於道矣，詩云乎哉！坡之高風邁俗雖不減陶，而抱其宏偉，尚欲有所施用，未能忘情軒冕，玆其擬之而不盡同歟？今丹嵒功名之累已掃除，復能刊落所學而潛心於道，則陶可班矣。予既歎美其已至，又將見其進於是焉，遂書其說於編。

又《陸象翁候鳴吟編序》 詩之爲藝，約文成章，韞精微於隻字之間，寄玄遠於片言之表，漱滌萬物，雕刻象形。墨士騷人，代所不乏，而語其至妙，則曹、劉、顏、謝，有未造其極者。古人謂詩未易言，豈不信然！

舒岳祥《閬風集》卷一〇《劉士元詩序》 詩貴成，成貴專。【略】不專則不成也。詩者，言之最精也，而可以不專者，能之乎？

方逢辰《蛟峰文集》卷六《邵英甫詩集序》 詩不必工，工於詩者泥也。詩所以吟詠性情，足以寄吾之情性之妙可矣，奚必工。前輩有以放而詩者，謝靈謝運是也。有以狂而詩者，李太白是也。有以寓而詩者，陶淵明是也。有以窮而詩者，郊島是也。有以怨而詩者，屈平是也。以文爲者，昌黎。以史爲詩者，少陵。以俠爲詩者，非今之江湖子乎？放也，狂也，寓也，窮也，怨也，文也，史也，雖其爲詩，有不能皆出於情性之正者，而其所以詩，則亦各寄其情性而已。惟俠則詩之罪人焉。

高斯得《恥堂存稿》卷五《題建安李演風露吟小稿》 甚矣，詩之難也。嚴而不隤，平而不俚，清而不泊，幽而不昧，乃可以言詩。今之爲之者不然，險澀以爲嚴，凡近以爲平，寒苦以爲清，黯黮以爲幽。

王應麟《困學紀聞》卷一八 鄧志宏曰：「詩有四忌：學白樂天者忌平易；學李長吉者忌奇僻；學李太白者忌怪誕；學舉子詩者忌說功名。」

牟巘《牟氏陵陽集》卷一二《俞好問詩稿序》 詩直耳目玩耳。自昔詩人往往以之鉥心掐胃，甚至欲嘔其心，而少陵亦有「良工心獨苦」之語。夫愁勞其心，以娛耳目，如膏自煎，蓋可嘆，而世且竟爲之，悲鳴兩吻不肯止，豈所苦未易奪其樂耶？

又卷一三《繆淡圃詩文序》 古人謂粹其文，謂不問以詩，則不俊於口。不俊者，屬辭不得流傳也，此豈有風致可尚耶？詩固無取於鄙樸，使澀而重遲耶？世人朝摹夕擬，句煅字煉，以爲唐詩而終少風致，正如效叔孫敖衣冠而不得其抵掌談笑之意。故必有唐人風致，乃有唐人詩句。半山從宋次道家盡觀唐百家詩，平生硬掙，且復執拗，而詩則唐人也。

又卷一四《高景仁詩藁序》 《商頌》曰：「既和且平，依我磬聲。」又曰：「亦有和羹，既戒既平。」予讀書至此，然後知和平者，物之極致。不但聲之與味爲然，雖詩亦然。夫和平之詞，恬澹而難工，非用力之深，孰能知聲外之聲，味外之味，而造夫詩頌之所謂和且平者乎？故精能之至及造和平，此乃詩之極致也。

葉寘《愛日齋叢鈔》卷三 少陵《除架》、《廢畦》詩，各存興寄。《除架》有功成者退之意，而秋蟲草雀則不悟盛衰者也；《廢畦》有物窮則剝之意，而「悲君白玉盤」，謂過時則賤，可貴盛時，一失爲足惜也。注詩又別有取義。

又：「半山便遣能參透，猶有唐人是一關。」誠齋楊廷秀詩也。「一關」殆言一膜之隔未盡透徹者。又有《送彭元忠》詩：「學者初學陳後山，霜皮晚盡山谷寒。近來別具一隻眼，要踏唐人最上關。」此殆楊廷秀學詩法，故數以爲喻。文公《報鞏仲至帖》云：「來喻所云『漱六藝之芳潤，以求眞淡』，此極至之論。然恐亦須先識得古今體制，雅俗向背，仍更洗滌，得盡胃腸間夙生葷血脂膏，然後此語方有所措。如其未然，竊恐穢濁爲主，芳潤入不得也。近世詩人，正緣不曾透得此關，而規規於近局，故其所就皆不滿人意。」此之云「關」，當異乎楊之說，正爲學詩者設，如半山之視唐人，直論向上一關爾。

《劉辰翁集》卷六《趙仲仁詩序》 劉後村倣《初學記》，駢儷爲書，左旋右抽，用之不盡。至五、七言名對亦出於此。然終身不敢離尺寸，遂欲古詩少許自獻，如不可得。故知唐宋大家數未易兼善也。每賦詩，入手必先得一事，仗而後起，最是一病。近年文最少，詩最盛，計何人不作，何日不有。趙仲仁自盱來，出鉅編商略，迺古詩十四五可取，至五言十可二三，七言視五言又難得。絕句又難得，第其格價，故當獨以古勝，非其才不足兼，家數異也。相過彌月，時時與之上下前人律絕，務進於古，然未嘗及建安以來得失。以爲佳處，已欲無上，不足復贊也。雖然，尙有遺論。後村謂文人之詩與詩人之詩不同，味其言外，似多有所不滿，而不知其所乏適在此也。吾嘗謂詩至建安，五、七言始生，而長篇反覆，終有所未達，則政以其不足於爲文耳。文人兼詩，詩不兼文也。杜雖詩翁，散語可見。惟韓、蘇傾竭變化，如雷霆、河漢，可驚可快，必無復可憾者，蓋以其文人之詩也。詩猶文也，盡如口語，豈不更勝。彼一偏一曲自擅，詩人詩局局焉，靡靡焉，無所用其四體，而其施於文也，亦復恐泥，則亦可以瞭然而憫哉。

又《陳生詩序》 詩在灞橋風雪驢子上，非也。烏啼花落，籬根小落，斜陽牛笛，鷄聲茅店，時時處處，妙意皆可拾得。此猶涉假借。若平生父子兄弟、家人鄰里間，意愈近而愈不近，著力政難。有能率意自道，出于孤臣怨女之所不能者，隨事紀實，足稱名家。卽名家尤不可得，或一二語而止。如孟東野「慈母手中綫」、「歸書但云安」，極羈旅難言之情；如李太白「昨夜梨園雪，弟寒兄不知」，小夫賤隸，誰不能道，而學士大夫或媿之矣。如陳後山「歸近不可忍」以爲精透亦可，以爲鄙褻亦可；如杜子美「問事競挽鬚，誰能卽嗔喝」、「欲起屢見肘，仍嗔問升斗」，乃并與聲音笑貌，彷彿盡之矣；又如古人於奴婢猥下，寫至「孤客親僮僕」，凄然甚矣；又云「僮僕生新敬」，則出處世態，隱約可見；又云「犬因無主善」，則俯仰尤有不忍言者；如陳簡齋「平生老赤腳，每見生怒嗔。揮汗煑我藥，見此媿其勤」，更自風致淸眞，而豈今人不能道哉！履豨者每下愈況，賦車者載獫歇驕。吾評古今甚深密義，得之淺易，他人不能識，乃反笑予。

又卷一五《簡齋詩集序》 詩無論拙惡，忌矜持。「瞻彼日月」，不在情景入玄。「彼黍離離」，不分奇聞異事。流盪自然，要以暢極而止。彼「訏謨定命，遠猶辰告」，雖爲德人深致，若論其感發濃至，故不如「昔我往矣，楊柳依依」句。比之柔腸易斷，復何以學問着力爲哉！【略】余嘗謂晉人語，使壹用爲詩，皆當掩出古今。無它，眞故也。世間用事之妙，韓淮陰所謂「是在兵法，諸君未知之者」。豈可以馬尾而數，蟲魚而注哉！

何汶《竹莊詩話》卷一引《漫齋語錄》 詩涵咏得到自有得處，如化工生物，千花萬草不名一物一態。若模勒前人而無自得，只如世間剪裁諸花，見一件樣只做得一件也。

陳仁子《牧萊脞語》卷七《玄暉宣城集序》 詩盍論興趣，論材力？興趣云者，景物所觸，悠然入詠，若郢人操斤，不假鑱削，自中規矩。材力則冰雪跨懸，錦纘璀璨，若貂鼠之裘，火浣之布，瓌奇偉麗，聚在服飾。凡興趣深而材力弱，不害爲佳；材力高而興趣卑，殆不足揚矣。

又《牧萊脞語二稿》卷八《跋李宗望倚樹吟集》 詩以趣。倚梅而吟者，其趣淸。倚松而吟者，其趣古。倚桃李而吟者，其趣艷以麗。回薄動蕩，伐毛洗髓，人固有於化物而不自覺者。

林景熙《霽山先生集》卷五《顧近仁詩集序》 蓋詩如其文，文如其人也。近世剽竊聲響，竅蚓爭喧，自謂能詩，而不本於吾文。以文其所不能，至裂詩文爲二途，而不知歸一也。豈有拙於文而工於詩哉？

張之翰《西巖集》卷三《方虛谷以詩餞余至松江因和韻奉答》 文章須佔第一手，落第二義世盡有。萬物散在天地間，一寸毫端隨力取。最先胸中要參悟，不爾效顰徒獻醜。

又卷一八《題山雞自愛詩集》 詩之學，非精神雄俊，不足以到骨格開張之時；非文錦絢爛，不足以造皮毛脫落之地。

吳萃《視聽鈔・山谷詩》 詩所以吟詠情性，乃閒中之一適，非欲以求名也。予詩自知其淺，然卻是自作生活，未嘗寄人籬下。若有以艱深之辭文之人，未必以爲淺也。黃魯直詩非不淸奇，不知自立者翕然宗之，如多用釋氏語，卒推墮于溷濆之中，本非其長處也，而乃字字剽竊，萬首一律，不從事于其本而影響于其末，讀之令人厭。

歐陽守道《巽齋文集》卷八《吳叔椿詩集序》 案間有詩集，豈不展翫？然視詩如文，視文如詩，未嘗用詩家法尋其所謂鍛字煉句者，惟意思暇適。命兒童善抑揚音節者雜取《國風》、《雅》、《頌》，歌之，間與相和。當此之時，胸襟悠然，有不可名之樂。視世所謂詩人，苦思得句，而後自快者，予不與易也。然則予不作詩而固享有詩之至味矣。譬之金石絲簧，雅鄭之樂，皆所通用。予直簣桴土鼓，不惟無所好於鄭，乃并與雅不與知。然簣桴土鼓，豈胸中無樂者所能與哉？

又卷一一《又題李雲卿詩卷》 予見詩人多作窮愁羈旅之語，或所遇本不然，而猶寄託以致其思，詩必如此而後工耶？雲卿之詩不然，甫開卷便得其《冬至》一詩，盎然大有生意，爲吟諷數過。是日盡卷讀之，能使予心寬舒怡愉，如得美食甘寢。信乎詩有發於人，而雲卿胸次可想也。

何夢桂《潛齋集》卷五《王樵所詩序》 先輩謂杜工部以詩爲史，韓吏部以文爲詩，繇其胸中儲貯博碩，然後信筆拈出，自成宮商，非抉摘刻削，求工於筆墨言語以爲詩也。太白豪放發於氣，郊島窮悴迫於時，降是無以議爲矣。近代，坡詩如駿馬詭銜，不可羈靮；山谷、後山詩如風天秋隼，霜崖枯槎，不可攀企。要皆各得其所得，自成一家。尙論譜緒，當不在昔人刪後也。邇來詩社豪雋，疊見層出，豈能多遜諸賢下耶！然至於氣彫意耗，骨弱肉浮者，或未免如沈休文所謂「八病」，釋皎然所謂「六迷」者也。樵所詩思婉以清，語勁以澤，不惟後輩當望避三舍，使休文、皎然及見之，固當印可。繇是進進，使之橫驅長騖，迅掣高騫，出意趣於尋常言語、筆墨之外，吾當問子於韓、杜諸公壇上矣。

又《題胡直內適安集》 胡君直內挾詩冊過余，題曰《適安》，請余言。余謂子苦思於詩，將不免飯顆山之譏，亦奚安之適？而自謂若此。直內曰：「人徒見吾之爲詩苦，亦孰知吾之有詩樂哉！夫羈臣寡婦，細夫窶人，其憂思感憤之所鬱積而發於怨刺者，若甚苦矣。至於尸居環堵，抱膝微吟，得句則曳蹤長歌，聲滿天地，凡世間富貴貧賤、利害得喪、可喜可慕、可悲可感者，一不入於吾心，夫孰有以易吾之天樂耶！故其所適，適此而已。」余蹶然起曰：「詩抑末耳，斯言也，其幾於道乎！尙其勖哉。」

又卷六《羅濟川詩集序》 世之評詩者，取少陵夔州以後詩，昌黎潮州以後詩，豈非以其氣老識老而詩隨之。至於王勃滕王閣之句，李賀古樂府之辭，又皆其妙齡絕筆，遂謂詩之工，不係於老少。抑不知其後日所作，視前又當如何？如二君亦當遜韓、杜爲丈人行矣。羅君濟川年少能詩，其思清，其語俊，似其人。嘗挾冊求余說，余惜其才之方進而未涯矣，曰：「姑老之。」非簡也，意將以速成也。請三四，反玆益堅。余非愛予言，子其識諸。後三年見子，子自厭前日之所作，則詩進矣。後十年見子，又自厭三年之所作，則詩益進矣。而猶未也，余髮種種矣，嘗自視前日惡稿，後日悉焚之，皆余所自試者也。醫三折肱，方匕不繆。子他日當信余言，則雖三年十年一變，猶竊遲之。誠若此，子安、長吉諸君，正笑韓、杜於地下矣。

又《王菊山詩集序》 詩止五、七言，尋行數墨，紙不盈尺，不過文章一小技耳，宜若易。然三尺童子調之聲律，握管可就，乃至白首不能名家。甚矣，詩之難也！試數古詩人，亦不多得，建安七子，開元九公，奚寥寥若是，一聯半句流落人間不與焉。近世談詩尤多，造詣絕少。中叟有志於詩，尙矣。中叟詩辭雅而不野，氣溫而不浮，詩進矣，毋謂詩止此。學古人詩如登高山，始莫不急足疾走，暨絕頂在咫尺，則跬步不能進。甚矣，古人之難至也！

又《貴德詩集序》 晉魏而上詩古，律詩初盛於唐，唐以下豈少詩，詩終不競於唐耳。近世詩滿南北，當軼唐，凌厲晉魏。然詩難，操觚弄墨，抽黃對白，四聲八音，人人亦能，求其彷彿古人，卓成一家者，不多見。余嘗漫吟，擬學古人語言，卒不到，以是知詩不易言也。

又卷七《章明甫詩序》 詩，志至焉，氣次之，志百變而不折，故氣亦百變而不衰，知此可與言詩矣。杜少陵在秦、夔，柳子厚在永、柳，坡翁在惠，山谷在宜，皆窘束不自聊賴，而所爲詩，益浩漫峻厲，是豈無故而然耶？其養完，故其發碩茂如此。石溪子罹亂來，且貧且瘁以窮，其事與位又非可與諸先正同日語，隨寓成詩，思深辭苦，淺者悽惋，深者幽憂，若甚蜷局不紓者。然其悲壯憤烈，逸氣橫出，讀之如聽武昌笛，如聞雍門琴，如《垓下歌》、《塞上曲》，令人噫嗚噓唏，不能已已。吾是以悲子所遭若是困踣，而其志卒不屈不撓也。

又《琳溪張兄詩序》 學詩易，學詩而工難。三尺童髫丱而詩之，至紛白而不得其徑庭者，故詩不易言也。古今評詩者稱盛唐，蓋開元上下諸公也。唐詩自陳子昂一唱，至李、杜大成，爲不可及已！其他諸作，視魏建安七子，與晉陶、謝數子，又彼此一時也，況晚唐以下詩乎！今之學詩，未夢到唐人影響，其去魏晉益遠矣！故詩未易言也。琳溪張君老於學，故其詩事核而思遠，不事時世妝以偵逐近好者，駸駸乎古人邯鄲之步矣。學詩如參洞山禪，須不犯正位，而後縱橫變化，其用不窮。若只傍古人籬落，終是鈍漢。

又《錢肯堂詩序》 平易者，詩之正聲也。「心形於聲，心正而後聲正，故知聲可以觀心。肯堂錢君，修謹士也，以其讀書餘暇發之吟詠，不肯鐫心鏤肝，以爲艱深刻苦之語，其辭氣平易似其人。先正融堂先生學派慈湖，其爲文若詩，皆根本義理，肯堂爲融堂群從子弟，意必得其遺餘也。康節先生曰：「吟自在詩自在者，平易之謂也。」夫布帛不麗於紈綺，菽粟不美於膏粱，不知布帛之有餘用，菽粟之有餘味，而紈綺膏粱，知道者厭之。

林洪《山家清事·江湖詩戒》 樽酒論詩，江湖義也。或雖緩於理，而急於一字一句之爭，甚者赭面裂眦，豈義也哉？不思詩之理本同而其體則異，使學《騷》者果如《騷》，《選》者果如《選》；學唐學江西者果如唐如江西，譬之韓文不可以入柳，柳文不可以入韓，各精其所精，如斯而已，豈可執一法以律天下之士哉？此既律彼，彼必律此，勝心起而義俱失矣。於是作戒曰：「詩有不同，同歸於理。己欲律人，人將律己。全此交情，惟默而已。可與言者，斯可言矣。」

居簡《北磵集》卷七《跋常熟長錢竹巖詩集》 竹巖孏翁錢德載問余曰：「子於詩以前輩誰爲準的？」余曰：「以自己爲準的。」竹巖笑曰：「子何言之誕也。」余曰：「事與境觸，情與物感，發之於言，惟志之所之，不至學孫吳，顧方略何如耳？」

韋居安《梅磵詩話》卷中 杜小山耒嘗問句法於趙紫芝，答之云：「但能飽喫梅花數斗，胸次玲瓏，自能作詩。」戴石屏云：「雖一時戲語，亦可傳也。」余觀劉小山詩云：「小窗細嚼梅花蕊，吐出新詩字字香。」羅子遠詩云：「饑嚼梅花香透脾。」亦此意。

吳師道《吳禮部詩話》 作詩之妙，實與景遇，則語意自別。古人模寫之眞，往往後人耳目所未歷，故未知其妙耳。甲寅秋，與黃晉卿夜宿杭佑聖觀，房牆外有古柏一株，月光隔樹，玲瓏晃耀。晉卿曰：「此可賦詩。」後閱默成潘公集，有一詩云：「圓月隔高樹，舉問何以名。鏡懸寶絲網，燈晃雲母屏。」序稱：「因見日未出木表，光景清異，與諸弟約賦。」夜夢人告何不用下二句，乃知此夕發興，與潘公不殊。又壬戌四月，予過京口，遇謝君植，同登北固，臨視大江，風起浪湧，往來帆千百，若凝立不動者，因憶古人「千帆來去風，帆遠卻如閑」之句，誠佳語也。此類甚多，姑記二條，與朋友所共知者。

方回《桐江集》卷一《趙賓暘詩集序》 詩之存於世者，《三百五篇》，聖人删定垂世，爲六藝之一。使人觀之，而有所感發懲創，初不計其言語之工拙，與夫學問之淺深也。後世論詩，必以言語工拙論，而又必推其人學問淺深爲如何。然言論工者，未必學問深；而深於學問者，亦或拙於言語。此詩之所以難言也。舜之命夔曰：「詩言志，歌永言，聲依永，律和聲。」今所謂永言、依永、和聲者，泯不復傳，惟言志尚可論耳。舜之言喜起，皋之言明良，此詩也，卽皋舜之志也。由、求、赤、點所言雖異，皆一時無韻之詩也。大序曰「在心爲志，發言爲詩」，彼塵汚俗染者，葷膻滿腸胃，嗜欲浸骨髓，雖竭力文飾乎外，自以爲近而相去愈遠。古之人，雖閭巷子女風謠之作，亦出於天眞之自然。而今之人反是，惟恐夫詩之不深於學問也，則以道德性命、仁義禮智之説，排比而成詩，惟恐夫詩之不工於言語也，則以風雲月露、草木禽魚之狀，補湊而成詩。以嘩世取寵，以矜己耀能。愈欲深而愈淺，愈欲工而愈拙。此其何故也？靑霄之鳶非不高也，而志在腐鼠，雖欲爲鳳鳴，得乎？是故，詩也者，不可以勇力取，不可以智巧致。學問淺深、言語工拙，皆非所以論詩。

又《程斗山吟稿序》 山谷論老杜詩，必斷自夔州以後。試取其庚子至乙巳六年之詩觀之，秦隴劍門行旅跋涉，浣花草堂居處嘯咏，所以然之故，如繡如畫。又取其丙午至辛亥六年詩觀之，則繡與畫之迹俱泯。赤甲白鹽之間，以至巴峽、洞庭、湘潭，莫不頓挫悲壯，剝浮落華。今之詩人，未嘗深考及此。善爲詩者，由至工而入於不工。工則粗，不工則細；工則生，不工則熟。

又《汪斗山識悔吟稿序》 古詩以漢魏晉爲宗，而祖《三百五篇》、《離騷》。律詩以唐人爲宗，而祖老杜。沿其流止乾淳，溯其源止洙泗。律爲骨，意爲脈，字爲眼，此詩家大概也。然尚有小節當審訂焉。近人作詩，未論意句工拙，所命詩題已多可議。

又卷三《跋遂初尤先生尚書詩》 近世乃有刻削以爲新，組織以爲麗，怒罵以爲豪，譎觚以爲怪，苦澀以爲淸，塵腐以爲熟者，是不可與言詩也。

又卷四《跋俞則大詩》 詩之門戶，權之而銖兩差，量之而分寸舛，則輕重或偏而長短不偶。一首中當有一聯佳，一聯中必當有一句勝，一句中必當有一字爲眼。大篇貴爽逸，小篇貴古淡。鍛煉磨礱，不穩不已，則夫壯而老，日進，月進，歲進，當不止於今所作也。無一書不讀，以養其力；無一息不存，以堅其志，則進矣。

又《桐江續集》卷三一《李君章虚舟亭詩序》　古之作者，以義制器；後之述者，或以器明義，或以器取義。【略】義者理也，理無形而爲物之體。器者物也，物有形而爲理之用。故善言義理者，必於器物有稽焉。【略】然則器一也，而義不同。

又卷三三《清渭濱上人詩集序》　詩則一字不可不工，悟而工，以漸不以頓。寒山、拾得詩工不可言，殆亦書生之不得志而隱於物外者，其用力非一日之積也。

又《瀛奎律髓》卷一　詩忌太工，工而無味，如近人四六及小學答對，則不可兼。必拘此式，又爲「崑體」。善爲詩者備衆體，亦不可無此也。如老杜能變化，爲善之善者。

又卷二〇　詩有興、有比、有賦。如風、雅、頌，與今固殊，而稱人之美即頌也，實書其事曰賦。要説得形狀出，微寓其辭，則比興皆託於斯。

又卷二三　詩不但豪放高勝，非細下工夫有針線不可。

又卷四二　工而啞，不如不必工而響。潘邠老以句中眼爲「響」字，呂居仁又有「字字響，句句響」之説，朱文公又以二人晚年詩不皆響責備焉。學者當先去其啞可也。亦在乎抑揚頓挫之間，以意爲脈，以格爲骨，以字爲眼，則盡之。

又卷四三　意至而詞嚴，不爲事所束縛，詩之第一格也。

又卷四七　詩句句工，但太工則形勝於神耳。

方鳳《存雅堂遺稿》卷三《仇仁父詩序》　余謂作詩當知所主，久則自成一家。唐人之詩，以詩爲文，故寄興深，裁語婉。宋朝之詩，以文爲詩，故氣渾雄，事精實。四靈而後，以詩爲詩，故月露之清浮，烟雲之纖麗。今君留情雅道，滌筆冰甌，其孰之從？仇君曰：近體吾主於唐，古體吾主於《選》。融化故事，往往於融暢圓美中，忽而凄楚蘊結，有《離騷》三致意之餘韻，然後知嚮之所以爲仁父者，窮而故在也。今夫水，雖萬折必東焉；鳥獸大者，喪其群，過鄉翔回焉，鳴號躑躅焉；小者至於燕雀，猶有啁噍之頃焉。由人心生也，使遭變而不悲「黍離」，居嫠而不念「儀髦」，望白雲而不思親，過西州門，聞山陽笛而不懷故，是無人心矣，而尚復有詩哉！

劉因《劉文靖公文集》卷二五《書東坡傳神記後》　形，神之所寓也。形不同焉，而神亦與之異矣。予嘗愛韓魏公記北岳廟之言，曰：「嶄然而石，坳然而谷，泉焉而衆派別，林焉而萬幹擢，岳之形也。倏霽忽冥，伏珍見樣，喜焉而風雨時，怒焉而雷霆發，岳之神也。」予謂惟是形則有是神。於是形而求是神，則得之；不於是形而求是神，則不得也。是以公又曰：「廟而祭焉，非古也。」嗚呼！廟而祭焉，雖非古也，苟即其形，而求其形之精神，聚之一室而致禱焉，則猶方坎圜丘、壇以四望之遺意也。至廟而像之以人，被之衮冕，而王之帝之，形則人，衣冠則人，名則人之稱，而岳烏乎在？於是而求岳之人，亦難矣！人之祭也，主以別名氏，尸以會精神，蓋子孫，則祖考精神之餘也。其祭社也，即其地而表以樹，而主乎石焉，蓋植物之根乎土，土地，精神之發見者，而石則土之類也，是以得其神焉。豈惟是也，喪禮之服，必其人之衣。溫公藏祖考手澤遺文於其廟而祭之，蓋以精神嘗在乎此也。豈惟是也，禮文制度，亦必有精神之所安者。如身爲士，而席則大夫；祭爲卿，而樂則天子：固已居之而不安，聞之而不享。至於昔焉而席地，今焉而匐伏，理有可疑，神亦烏得而流通也哉！由是而推之，凡像設之未極其精，而苟簡於習俗者，皆不若無像設之爲愈也。而程子神女衣冠之辨，土木人身求雨露之説，蓋爲一髭髮之語，相爲發明，其亦精矣。【略】夫畫，形似可以力求，而意思者必至於形似之極，而後可以心會焉。非形似之外，别有所謂意思者也。亦下學而上達也。予去歲題一畫卷云：「烟影天機滅沒邊，誰從毫末出清妍。畫家也有清談弊，到處南華一嗒然。」此又可爲學形似而不至者之戒也。

吳澄《吳文正公集》卷九《張達善文集序》　昔之爲文者曰：不蹈前人一言一句。或曰：此文人之文爾，儒者之文不如是。儒者託辭以明理，而非有意於文也。雖然，周子之《太極圖》、《易通》，張子之《訂頑》、《正蒙》，程子、邵子之《易傳序》、《定性書》、《觀物篇》前無是也。朱子祖述周、程、張、邵，而辭莫有同者焉。誰謂儒者之文不文人若哉！彼文人工於詆訶，以爲洛學興而文壞。夫朱子之學不在於文，而未嘗不力於文也。奏議倣陸宣公而未至，書院學記曼衍繚繞，或不無少損於光潔。若他文，則韓、柳、歐、曾之規矩也，陶、謝、陳、李之律呂也。律之呂之，規之矩之，而非陶非謝，非陳非李，非韓非柳，非歐非曾也。是豈區區剽掠掇拾者而猶有詆訶者乎？噫，儒生之立言也難矣！

又卷一〇《皮達觀詩序》　詩之自然者，所到各隨其所識。迹已然之迹，聲同然之聲，則意若辭不繇己出使然耳，非自然也。

又《一笑集序》詩人網羅走飛草木之情，疑若受役於物。客嘗問焉，予應之曰：江邊一笑，東坡之於水馬；出門一笑，山谷之於水仙。此蟲此花，詩人付之一笑而已，果役於物乎？夫役於物者，未也；而役物者，亦未也。心與景融，物我俱泯，是爲眞詩境界。

又《熊希本詩序》文辭，學之末也；詩，又文辭之末也。若曰「吾詩如是足矣，奚事它學」，夫誰得而彊之？雖然，工之又工，其於鸝音翠羽有辨乎？若曰「此不足爲吾學」，則有上於此者，子試求之。

又卷一一《元復初文集序》儒者以文章爲小技，然而豈易能哉！能之不盡也。非學非識不足以厚其本也，非才非氣不足以利其用也。四者有一之不備，文其能以純備乎？或失則易，或失則艱；或失則淺，或失則晦；或失則狂，或失則萎；或失則俚，或失則靡。故曰不易能也。

又卷一三《丁叔才詩序》唐宋以來之爲詩，出沒變化以爲新，雕鏤繪畫以爲工，牛鬼蛇神以爲奇，而《周南・樛木》等篇何新之有？何工之有？何奇之有？臨川丁叔才教授生徒，以其餘力爲詩章。辭達而已，不惟新、惟工、惟奇之尚。大篇春容，短章參錯。如和陶諸詩，皆清淡有悠然之興，可嘉已。雖然，詩言志，寧高無卑，寧純無雜，寧正無邪。

仇遠《珊瑚木難》卷五《題手書自作律詩三十八首後》近世習唐詩者，以不用事爲第一格。少陵無一字無來處，衆人固不識也，若不用事云者，正以文不讀書之過耳。

朱晞顔《瓢泉吟稿》卷五《題陳克明環籟小稿》學詩如學仙，時至骨自換。或曰仙可學乎？曰：仙不可學。至若脫略陳腐，變化氣質，則幾仙矣。詩道亦然。

劉將孫《養吾齋集》卷一〇《踈勒集序》然詩有可改者，不可改者。篇中之句，句內之字，可改者也。長篇之曲折，不可改者也。長篇兼文體，或從中而起，或出意造作，不主故常，而收拾轉換，奇怪百出，而作詩者每不主議論，以爲文人之詩，不知各有所當，諸大家固有難言者。如昌黎、東坡，眞以文爲詩者，而小律、短絕、回文、近體，往往精絕。後山、簡齋詩律嚴密，而七言古體終似微欠。吾豈敢病昔人哉！然此亦不得而隱者也。

又卷一一《高紺泉詩序》詩雖一技，其難得有過於文。世人第以平仄對偶者爲詩，往往如土偶人，耳目非不具，而神明不運。及稍識入處，白堅墨守，望塵拾唾，襞裙齵齒，嘔啞啁哳，簑笠瀾浪，各自以爲絕世。迺不得如作文，卽至淺者，文從字順，亦足以達。詩於五七字中見意，於千百言外見趣，甚不易得也。一言幾於道，猶且難之，而況於玄度之亹亹哉！

袁桷《清容居士集》卷四八《書杜東洲詩集後》蘇文忠公自渡嶺海以後，詩律大變。蓋其精神氣概，逢海若而不慴；噴薄變化，迎受之而莫辭。昔之善賦詠者，必窮涉歷之遠。至於空巖隱士，其所諷擬，不過空林古澗，語近意短，又安能足以廣耳目之奇，寫胸臆之偉哉！杜君臣傑，乘漕艎，遵神山，閱海市，觀光於上京，食冰嚙雪，足迹之所歷，不盡不止，壯矣哉！故其所爲詩，視其篇題，誠足以奪山林之固陋。至於鍛鍊之工，搜抉之巧，發於心聲自然，合笙鏞之間歌，錯錦綺之奇文，夫豈率意而爲之者？信以知遠遊之有益於斯文也。

又卷四九《跋吳子高詩》詩本性情，能知之矣；本於法度，知之不能詳矣。風、雅、頌，體有三焉。釋雅、頌，復有異焉。夫子之別，明矣！黃初而降，能知風之爲風，若雅、頌，則雜然不知其要領。至於盛唐，猶守其遺法而不變，而雅、頌之作，得之者十無二三焉。故夫綺心者流麗而莫返，抗志者豪宕而莫拘，卒至夭其天年，而世之年盛意滿者猶不悟，何也？楊、劉弊絕，歐、梅興焉，於六義經緯得之，而有遺者也。江西大行，詩之法度，益不能以振。陵夷渡南，糜爛而不可救，入於浮屠、老氏證道之言，弊孰能以救哉？

又《書紇石烈通甫詩後》言詩者以《三百篇》爲宗主，論固善矣。然而鄙淺直致，幾如俗語之有韻者。或病之，則曰：「是性情之眞，奚以工爲？」千士一律，迄莫敢議其非是。紇石烈堯臣，示其先府君《怡閒吟藁》一編。玩其詞旨，藻繪融液，一本於大曆、貞元之盛，而幽深婉順，則幾於《國風》之正矣。府君舊貴族，遺言雅聞，得於先朝之故老。壯歲轍迹半天下，富盛羈愁，感慨歡悅之事，目受而心會，冥搜遠想，不極其摹寫不止。用意若是，故成就實足以自見。

襲璛《靜春堂詩集序》世之爲詩者，學古人欲其似，出己意欲其新，兩端而已。然似者多蹈襲，新者常厓異。唯其似而非似也，新而非新也，得之渾然，又未知古人、己意孰先孰後也，始可言詩耳。一自士去科舉之業，例無不爲詩。北音傷於壯，南音失之浮。詩文不同，宜極于古。

程端禮《畏齋集》卷三《道士吳友雲集序》 余少嗜學詩，不得法。或曰：「當如優孟學孫叔敖，衣冠抵掌談語皆叔敖可也。」即取名家詩晝夜讀之，句擬字摹，以求其似，如是者數年。非獨自喜以爲得，或者亦謬許之矣。先生長者見之曰：「噫！是三年刻楮之智，不亦固乎？古人一家，篇句聲韻，風度老少，自不能似。謝不似陶，杜不似李，建安、大曆、元和諸家各不相似。今愈求其似，將愈不似，縱悉似焉，還之古人，則子無詩矣！能名家乎？」余爽然自失曰：「然則奈何？」曰：「學詩如學仙，時至則自化，在爲之不已焉耳。」余念儒者之學，有大於詩者千萬，烏能畢世爲是以俟其化？

魯貞《桐山老農集》卷三《題趙章泉詩後》 詩者吟詠性情，優游和平，優游不迫。至於用字生澁，鍊句強硬，使人讀之，激唇剌吻而無味，此宋末詩人之失，亦其習之然也。

張翥《午溪集序》 《詩》三百篇外，漢魏、六朝、唐宋諸作，毋慮千餘家，殆不可一一論。五七言、古今律、樂府歌行，意雖人殊，而各有至處。非用心精詣，未知其所得也。余蚤歲學詩，悉取古今人觀之，若有脫然於中者。由是知性情之天、聲音之天，發乎文字間，有不容率易模寫。然亦師承作者，以博乎見聞；游歷四方，以熟乎世故。必使事物情景，融液混圓，乃爲窺詩家室堂。蓋有變若極而無窮，神若離而相貫，意到語盡而有遺音，則夫抑揚起伏、緩急濃淡，力於刻畫點綴，而一種風度自然，雖使古人復生，亦止乎是而已矣。

王禮《麟原前集》卷五《陳子泰詩稿序》 余聞：「辨于味而後可以言詩。」信也。今夫適于口者，若醯，非不酸也，止于酸而已。若醝，非不鹹也，止于鹹而已。以充飢者，或輟焉知其鹹酸之外，醇美膏腴有所乏耳，苟有物焉，既充乎飢，又通于口，豈不饜飫爽快乎人哉？

又《麟原後集》卷三《黃允濟樵唱稿序》 客有問詩法於予者，予應之曰：「六義之經緯，古詩法也。而世尠能明之，況其微妙者乎？三代民性淳厚，詩之美者無溢辭，刺者亦優柔不迫，意見言外，蓋其風化所及，涵養所致而然，此詩之本也。本既立矣，音響節奏又各有說焉。五言古詩貴乎高古朴茂，如漢魏，而淵永有至味。七言歌行沈鬱雄渾，開闔曲折，詞氣如百經戰馬，乃爲盡善。近體律詩又在壯麗痛快，首尾意繹如而不雜。至若絕句，必折旋婉媚，悠然樵歌牧唱之有遺音，嫵然宮粧院靚之有恣態。知此則駸駸乎入作者町畦矣。復何法之可言乎？」

陸文圭《牆東類稿》卷九《跋陳元復詩藁》 然詩有句，句中有字，詩外也；詩有意，意中有趣，詩內也。他日吾見蔑之面而已，是外也；今吾見其心矣，是內也。此可爲識者道。少陵云「親朋無一字，老病有孤舟」、「古牆猶竹色，虛閣自松聲」，句與字也。「勳業頻看鏡，行藏獨倚樓」、「水流心不競，雲在意俱遲」，意與趣也。四體具矣！

虞集《道園學古錄》卷四六《貞一稿序》 愼所當言而不鼓夸浮以爲精神也。言當於是，不爲詭異以駭觀聽也。事達其情，不託蹇滯以爲奇古也。情歸乎正，不肆流蕩以失本原也。

又《雍虞先生道園類稿》卷一八《易南甫詩序》 《詩》三百篇之後，《楚辭》出焉，西都之言賦者盛矣。自魏以降，作者代出。制作之體，愈變而愈新。因唐之詩賦，有聲律對偶之巧，推其前而別之曰古賦。古賦詩有樂歌可以被之樂府。其後也轉爲新聲，豪於才者，放爲歌行之肆，長於情者，變爲傷淫之極。則又推其前者而別之曰古樂府。時非一時，人非一人，古近之體不一。今欲以一人之手成一編之文，合備諸體而皆合作，各臻其妙，不亦難乎？【略】今夫江河之行，湖海之浸，或爲驚濤巨浪之壯，或爲平波漫流之閑，一窪之盈，一曲之勝，其所寓不相似，而各有可觀者焉，以水之同出一源故也。故善賦之君子，又以其非常之才，有餘之興，隨所遇而有作焉，何患乎衆體之不皆妙也？固哉，予昔之言詩乎！【略】性其完也，情其通也，學其資也，才其能也，氣其充也，識其決也，則將與造物者同爲變化不測於無窮焉。

又《古今文鈔》卷二六《杜詩纂例序》 出於國人者謂之風，出於朝廷公卿大夫者謂之雅，用之宗廟郊社者謂之頌，其別不過此三者而已。其義則有比、興、賦之分焉。詩人作詩之初，因其事而發於言，固未嘗自必曰：我爲比，我爲興若賦也。成章之後，亦無出於三義之外者，故學者不得不以例而求之。此亦例之所由纂，所謂譜者是也。【略】或曰：「詩家之妙，乃在於嗟嘆、咏歌之間，以得乎溫柔敦厚於優游淫佚之表。今句比而字舉，果其道乎？」則應之曰：「具波礫點畫之文，則可以成字。八法具而書之精妙著矣，未有失八法而可以爲佳書者也。耳目鼻口之用，則可以成人。百體從而人之神明完矣，未有隳一體而可爲全人者也。然則例之爲說，詎可廢乎？」嘗有問於蘇文忠曰：「公之博洽可學乎？」曰：「可。吾嘗讀《漢書》矣，蓋數過而始盡之。如治道、人物、地理、官制、兵法、貨財之類，每一過，專求一事，不待數過，而事事精覈矣。參伍錯綜，八面受敵，沛然應之而莫禦焉。」文忠之學，未始果出於此，要之讀書之良法也。

程端學《積齋集》卷二《遊赤山詩序》 有人作之境，有天作之境。役吾心，勞人力，積石象山，地穴池壑，彤庭緹幙，金碧照灼，嘉木妖葩，蟠攣倒植，籠養珍禽，檻囚異獸，○與人相廢興者，是謂人作之境。自然之山，自然之水，遠瀾近薄，可眺可止，風氣自清，閒雲自生，幽鳥淸猨，時來自鳴，與天地相始終者，是謂天作之境。人作之境，富貴者樂之；天作之境，貧賤者樂之。故筵列觴俎，崇酒載羞，荆豔趙謳，左右獻酬，飲則絲竹，遊則鑾舟者，富貴者資以樂其境者也。濁酒盈壺，釣水採山，二三同志，提攜以攀，狂謠醉舞，乘興往還者，貧賤者資以樂其境者也。

陳旅《安雅堂集》卷五《靜觀齋吟稿序》 《三百篇》而下，漢、魏諸詩弗可及已。晉、宋間則陶淵明爲最高，後世之務爲平澹者多本諸此，然而甚難也。蓋平則貌凡，澹則味薄，爲平澹而貌不凡、味不薄，此以爲甚難也。唐大名家如杜少陵諸人，不得專以是體論之。若韋蘇州輩，其亦平而不凡、澹而不薄者乎！蓋其天趣道韻之妙，有非學力所能致者，鮑溶輩固徒苦耳。

又卷一三《跋段氏庸者集》 文章貴奇崛而忌奇崛，尙平易而厭平易。古之作者，辭淡而旨醇，貌直而思婉，聲約而韻充。閭巷刺草之言，被之筦弦，可以感人心，召和氣，而易風俗，音之庸也。蓋庸非奇崛，非平易，天下之常言，雖聖人不能易也。

許有壬《至正集》卷三二《周櫟洲詩序》 詩難乎？鄙人女子率爾成章。詩易乎？千百年文人才子雕心劌胃，白首不能已。率爾成者，後世無以尙，雕心劌胃，而論者千創百孔。漢、魏而下可考也。詩有時乎？唐虞賡歌後有《三百篇》，《三百篇》後有騷，騷之後有漢魏、有盛唐。詩有地乎？譜江西者雖曰人不皆江西，詩皆江西，四洪、徐、謝，詩果皆江西乎？謂形異味同，味果皆同乎？由是言之，謂之難不可，謂之易亦不可；論以時不可，論以地亦不可，顧人心所得何如耳。

楊維楨《東維子文集》卷六《鹿皮子文集序》 言有高而弗當，義有奧而弗通，若是者後世有傳焉？無有也。又況言厖而弗律，義淫而無軌者乎？自孔氏後，立言傳世者不知幾人焉，其滅沒不傳、卒與齊民共腐者，亦不知幾人焉。姑以唐人言之：盧殷之文凡千餘篇，李礎之詩凡八百篇，樊紹述著《樊子書》六十卷，雜詩文凡九百餘篇，今皆安在哉？非其文不傳也，言厖義淫，非傳世之器也。自今觀之，孔孟而下，人樂傳其文者，屈原、荀況、董仲舒、司馬遷，又其次王通、韓愈、歐陽脩、周敦頤、蘇洵父子，逮乎我朝，姚公燧、虞公集、吳公澄、李公孝光，凡此十數君子，其言皆高而當，其義皆奧而通也。

又《楊文舉文集序》 文章非一人技也，大而緣乎世運之隆汚，次而關乎家德之醇疵。當世運之隆，文從而隆；家德之醇，文從而醇。

又卷七《兩浙作者序》 嘗論詩與文一技，而詩之工爲尤難，不專其業，不造其家，冀傳於世，妄也。

又《金信詩集序》 言工而弗當於理，義窒而弗達於辭，若是者後世有傳焉？無也。又況言龐而弗律，義淫而弗軌者乎？自《三百篇》後，人傳之者凡幾何人？屈、賈、蘇、李、司馬、揚雄尙矣，其次爲曹、劉、阮、謝、陶、韋、李、杜之迭自名家，大抵言出而精，無龐而弗律也；義據而定，無淫而弗軌也。下此爲唐人之律、宋人樂章、禪林提唱，無鄉牛社下俚之謠，詩之敝極矣。

吳萊《麟溪集》巳集《古詩考錄後序》 蓋古今之言詩者異焉。古之言詩，主於聲，今之言詩，主於辭。辭者，聲之寓也。昔者孔子自衞反魯，乃與魯太師言樂，樂既正矣，而後《雅》《頌》各得其所。史遷則曰：古詩三百餘篇，聖人特取其三百而被之弦歌。所謂洋洋盈耳者，不獨主於聲也。或因其斷章取義，而欲以導其言語之所發，或本其直指全體，而務以約其性情之無邪，是又不以其辭哉。制氏世世在大樂官，蓋頗識其鐘鼓之鏗鏘，而不能言其義。《鹿鳴》、《騶虞》、《伐檀》、《文王》四調，猶得爲漢雅樂之所肄，且混於趙、燕、楚、代之謳者無幾。自其辭言，古今義理之極致一也。自其聲言，則樂師矇瞍之任未必能勝夫齊、魯、韓、毛四家之訓詁者也。雖然，古之安樂、怨怒、哀思之音，蓋將因其辭之所寓者，而盡見之。故當時之聞《韶》者，則從容和緩，觀《武》者，則發揚蹈厲，是獨非以其聲辭之俱備然哉。自漢魏以來，誠不可以望古《三百篇》。至於上下千有餘載，作者間出，如以其聲則沈休文之《樂志》，王僧虔之《技錄》，自能辨之。苟以其辭，則今無越乎黃子之所集者。吾猶恐古之言詩，不專主於聲，而今之言詩，亦不專主於辭也。何則？古之言詩，本無定聲，亦無定韻。聲取其諧，韻取其協。平固未始嘗爲平，仄固未始嘗爲仄，清固未始不叶爲濁，濁固未始不叶爲清。自近世王元長、沈休文之徒，始著四聲，定八病，無復古人深意。新安吳棫材者，乃用是而補音、補韻。先儒亦嘗取是，而叶《詩》、叶《離騷》。蓋古今之字文不同，南北之語言或異，而音韻隨之。是雖不待於叶，而自能叶焉者也。故當觀其辭。然則古之言詩者辭，而言樂者則聲也。采詩之官不置，樂府之署不設，吾無以聲爲也。若夫今之言詩，既曰古、近二體。古體吾不敢知，而近體乃謂之爲律者，何也？又安得不求夫聲辭之俱備，而後爲至哉？考乎古者，考此足矣。

貢師泰《玩齋集》卷六《羽庭詩集序》 夫學詩如學僊，僊不遇不能成僊，詩不悟不足論詩。蟬蛻汙濁之中，神遊太空之表，非超然眞悟者能之乎？【略】雖然，鉛汞之爊，支爲玉樹；黃金出鼎，輕若浮塵。其得於僊者，豈無大小耶？得有小大，則悟於詩者，又豈無淺深耶？不明於徼，不入於道，何足以語此！或曰李白，詩之僊；賀，詩之鬼。然則果有小大淺深矣！

又《重刊石屏先生詩》 詩不讀《三百篇》不足以言詩，然多雜出於里巷男女歌謠之辭，未必皆詩人作也。詩不盡作於詩人，而天下後世捨《三百篇》則無以爲法者，宜必有其故哉。詩一降而爲楚爲漢，再降而爲魏爲晉，宋下至陳、隋，則氣象萎薾，辭語靡麗，風雅之變，於是乎極矣！至唐杜子美，獨能會衆作以繼《三百篇》遺意，自是以來，作者不能過焉。宋三百年，以詩名家者豈無其人，然果有能入少陵之室者乎？

倪瓚《淸閟閣全集》卷一〇《樵海詩集小引》 古人有言：「詩貴眼前句。」又曰：「詩忌矜持。」若夫「莫赤匪狐，莫黑匪烏」，眼前句乎？「昔我往矣，楊柳依依。今我來思，雨雪霏霏」，豈有矜持者乎？至於《離騷》、《九辨》，建安以逮乎陶、鮑、李、杜、韓、韋，未有一言之不由乎實而事乎虛文者也。

宋訥《西隱集》卷六《唐音緝釋序》 詩人立言，雖吟詠性情，其述事，多索古喩今，或感今思古；其寫景，則所歷山川原隰、風土人物之異，所見則昆蟲草木、風雲月露之殊，各萃於詩。至於詩人居臺閣、列朝廷者，所歷所見，莫非城觀宮闕之雄，典章文物之美，器械車馬之壯，華夷會同之盛，殆非山林所歷所見可概論也。然詩之體，有賦有比有興，觀體可得而見。詩之音，清濁高下、疾徐疏數之節，與夫世之治亂、國之存亡，審音可得而考。若夫事之所述，景之所寫，非博極群書，窮搜百家，未易析其事、辨其景也。詩豈易觀哉？唐虞賡歌，《三百篇》之權輿，其來遠矣。漢魏而下，詩載《文選》。《選》之後，莫盛於唐。唐三百年，詩之音幾變矣。文章與時高下，信哉！

孔暘《午溪集序》 大凡詩之本，在乎達性情，善作者不以雕琢爲巧，脂粉爲華也。往時，聞劉須溪先生之語曰：「詩無論拙惡，忌矜持。」又曰：「晋人語言，使壹用爲詩，皆當掩出今古。無他，眞故也。」

舒頔《貞素齋文集》卷二《群英詩會序》 詩之不興也久矣！自《三百篇》以下，漢、魏、李唐諸大家各以詩鳴於時。迨夫宋，其聲寖微。及我元之興也，其音大而跨乎漢、超乎魏、軼乎李唐之上，猗歟盛哉！傳云：「詩言志。」又云：「詩可以興。」鯉趨而過庭，則曰：「學詩乎？」然則詩其可不興乎？興於詩，禮斯立矣。【略】詩之義有六：比、興、賦，風、雅、頌是已；詩之格有四：清、奇、古、怪是已。此舉其大略耳。予謂詩之病亦有六：澁、晦、俗、陋、淺、腐是已。而詩之要有二：圓活、工緻是已。噫！詩豈易言哉？舍是數者，而欲組織爲工，雕琢爲奇，吾未見其可也。自今厥後，凡咏物，工於律，它無所拘。

又《時賢詠物序》 作詩固難，詠物爲尤難。意貴乎含蓄，事貴乎檃括妥帖，迨乎不蹈襲、不塵俗、不堆積，斯爲善矣。而又欲句圓而意新，格高而語壯，知斯數者，可與言詩矣。然非才識兼備、氣局過人者，莫能造此。

李昱《草閣文集·屏詩神文》 神之於詩，實司其柄。我有瑣辭，敢瀆神聽。粤昔風雅，興善懲惡。優柔敦厚，匪媮以薄。曹劉鮑謝，陳宋陰何。神之所惠，烜赫良多。繼兹作者，繽紛蝟毛。狂瀾砥柱，孰障滔滔？有雄者甫，神實助之。縱橫皇緯，顚倒蛟螭。上規渾噩，下拯澆漓。度越千古，允爲我師。我藉神休，舉不違杜。分明町畦，巍立門戶。幽玄深鈎，英華潛咀。脫凡入聖，遺賓求主。衆皆諾諾，我獨諤諤。攘袂切齒，怨誹交作。儇儂學子，求竊糠粃。敝帚千金，輒謂無比。涼涼士流，譎詭強倔。陰攘其語，以爲己出。或睽其實，止狗其名。矇瞍五彩，瘖聾九成。理怪之談，古雅之文。素所研覆，窮朝及曛。自業於詩，爲其所蔽。識小忘大，舉一遺二。是則詩之無益於人也。神其醉飽，速離此鄉。投筆破硯，以趨神行。言既淵居潛處，投隙以覘，但聞啾啾啁啁，嘎嘎嚶嚶，不覩其像。彷佛其聲，曰子誣予哉！余與子游，三十餘年，動與子俱，靜與子專。子躋宦途，予偕子往。馳妍騁俊，攄靈競爽。援筆一揮，光熖萬丈。名公碩卿，擊節嘆賞。子罹窮厄，疇爲子憐。百藝盡卻，我獨居先。微謦少播，聞者欣然。賓朋接踵，弟子駢肩。且子之詩，固嚴格律。臨文設奇，變化不一。裒衣危冠，黃鍾大呂。雅雅魚魚，子詩之古。綠羆玄熊，雕虎驪龍。桓桓糾糾，子詩之雄。翡翠琅玕，珠璣錦繡。晶晶熒熒，子詩之麗。化腐爲神，倏忽翕歘。海怪山妖，囚入詩窟。卽故爲新，斕斑璘璸。幽花野草，觸景生春。以奇爲正，以正爲奇。穰苴淮陰，孰抗其威。凡此數者，深入詩域。雖子之能，實我之力。子宜黽勉，以定其心。益繩于古，靡售於今。胡不自珍，遽形慍喜。周於責人，略於求己。小人嗸嗸，毀譽紛激。洗金以鹽，攻玉以石。世尚矜誇，孰分妍醜。薰蕕黝白，繽紛雜揉。使無侯芭，太守醬瓿。念子自寬，匿瑕容垢。明良五子，昭紀於書。《東山》、《鴟鴞》、《杕杜》、《出車》。聖賢製作，貴於璠璵。謂蔽子學，胡示區區。今因細務，欲棄大業。我辭子行，風馳電掣。子亦有意於留乎？先生於是茫然撫膺，怡然解顏，抵掌嬉笑，從容幽閒。迺傴僂曲躬，易辭改色。延之升堂，永爲上客。

楊載《詩法家數·作詩準繩》 立意，要高古渾厚，有氣概，要沉著，忌卑弱淺陋。鍊句，要雄偉清健，有金石聲。琢對，要寧粗毋弱，寧拙毋巧，寧樸毋華。忌俗野。寫景，景中含意，事中瞰景。要細密清淡，忌庸腐雕巧。寫意，要意中帶景，議論發明。書事，大而國事，小而家事、身事、心事。用事，陳古諷今，因彼證此，不可著跡，只使影子可也。雖死事亦當活用。押韻，押韻穩健，則一句有精神，如杜礎欲其堅牢也。下字，或在腰，或在膝，在足，最要精思，宜的當。

又《榮遇》 榮遇之詩，要富貴尊嚴，典雅溫厚。寫意宜閑雅，美麗清細。如王維、賈至諸公《早朝》之作，氣格雄深，句意嚴整，如宮商迭奏，音韻鏗鏘，眞鱗遊靈沼，鳳鳴朝陽也。學者熟之，可以一洗寒陋。後來諸公應詔之作，多用此體，然多志驕氣盈，處富貴而不失其正者幾希矣。此又不可不知。

又《諷諫》 諷諫之詩，要感事陳辭，忠厚懇惻。諷諭甚切，而不失情性之正；觸物感傷，而無怨懟之辭。雖美實刺，此方爲有益之言也。古人凡欲諷諫，多借此以喻彼。臣不得於君，多借妻以思其夫，或託物陳喻以通其意。要動得人主，回得天意，方是作手。但觀漢魏古詩及前輩所作可見，未嘗有無爲而作者。

又《登臨》 登臨之詩，不過感今懷古，寫景歎時，思國懷鄉，瀟灑遊適，或譏刺歸美，有一定之法律也。中間宜寫四面所見山川之景，庶幾移不動。第一聯指所題之處，宜叙說起。第二聯合用景物實說。第三聯合說人事，或感歎古今，或議論，卻不可用硬事。或前聯先說事感歎，則此聯寫景亦可，但不可兩聯相同。第四聯就題生意，發感慨，繳前二句，或說何時再來。

又《征行》 征行之詩，要發出悽愴之意，哀而不傷，怨而不亂，要發興以感其事，而不失情性之正。或悲時感事，觸物寓情方可。若傷亡悼屈，一切哀怨，吾無取焉。

又《贈別》 贈別之詩，當寫不忍之情，方見襟懷之厚。然亦有數等：如別征戍，則寫死別，而勉之努力效忠；送人遠游，則寫不忍別，而勉之及時早回；送人仕宦，則寫喜別，而勉之憂國恤民，或訴己窮居，而望其薦拔，如杜公「惟待吹噓送上天」之說是也。其餘當量親疏之分，而寫厚薄之情，隨題命意可也。凡送人，多托酒以將意，寫一時之景以興懷，寓相勉之辭以致意。第一聯叙題意起。第二聯合說人事，或叙別，或議論，或寫景。第三聯合說景，或帶思慕之情，或言所居地里山川景物人才之盛，或說事。第四聯或說何時再會，或囑咐，或期望。於中二聯，或倒亂前說亦可，但不可重複，須要次第。末句要有規警，意味淵永爲佳。

又《詠物》 詠物之詩，要托物以伸意。要二句詠狀寫生，忌極雕巧。第一聯須合直說題目，明白物之出處方是。第二聯合詠物之體。第三聯合說物之用，或說意，或議論，或說人事，或用事，或將外物體證。第四聯就題外生意，或就本意結之。

又《讚美》 讚美之詩，多以慶喜、頌禱、期望爲意，貴乎典雅渾厚。用事宜的當親切。第一聯要平直，或隨事命意叙起。第二聯意相承，或用事，必須實說本題之事。第三聯轉說，要變化，或前聯不曾用事，此正宜用引證。蓋有事料，則詩不空疏。結句則多期望之意。大抵頌德貴乎實，若褒之太過，則近乎諛；讚美不及，則不合人情，而有淺陋之失矣。蓋擬人必於其倫，而過猶不及也。

又《賡和》 賡和之詩，當觀元詩之意如何，以其意和之，則更新奇。要造一兩句雄健壯麗之語，方能壓倒元、白。若又隨元詩腳下走，則無光彩，不足觀。其結句當歸着其人方得體。有就中聯歸着者亦可。

又《哭輓》 哭輓之詩，要情真事實。於其人情義深厚，則哭之；無甚情分，則輓之而已矣。當隨人行實作，要切題，使人開口讀之，便見是哭輓某人方好。要移不動爲是，又不可習爲諛詞。中間要隱然有傷感之意。

又《總論》 詩體，《三百篇》流爲《楚詞》，爲樂府，爲《古詩十九首》，爲蘇、李五言，爲建安、黄初，此詩之祖也。《文選》劉琨、阮籍、潘、陸、左、郭、鮑、謝諸詩，淵明全集，此詩之宗也。老杜全集，詩之大成也。守法度曰詩，放情曰歌，體如行書曰行，兼之曰歌行，述本末曰引，悲如蛩螿曰吟，通乎俚俗曰謠，委曲盡情曰曲。詩要有天趣。詩不可鑿空強作，待境而生自工。或感古懷今，或傷今思古，或因事説景，或因物寄意。一篇之中，先立大意，起承轉結，三致意焉，則工緻矣。結體、命意、練句、用字，此作者之四事也。體者，如作一題，須自斟酌，或騷，或選，或唐，或江西。騷不可雜以《選》，《選》不可雜以唐，唐不可雜以江西，須要首尾渾全，不可一句似騷，一句似選。詩要鋪叙正，波瀾闊，用意深，琢句雅，使字當，下字響。觀詩之法，亦當如此求之。凡作詩，氣象欲其渾厚，體面欲其宏闊，血脈欲其貫串，風度欲其飄逸，音韻欲其鏗鏘。若雕刻傷氣，敷衍露骨。此涵養之未至也，當益以學。詩要首尾相應。多見人中間一聯，儘有奇拙，全篇湊合，如出二手，便不家數。此一句一字，必須着意聯合也。大概要沉着痛快，優游不迫而已。長律妙在鋪叙，時將一聯挑轉，又平平説去，如此轉換數匝，卻將數語收拾，妙矣。語貴含蓄。言有盡而意無窮者，天下之至言也。如清廟之瑟，一唱三歎，而有遺音者也。有辭盡而意不盡者，如剡溪歸棹是也；意盡而辭不盡者，如摶扶搖是也。意盡而辭未當盡處，則不可以不盡；辭盡而意不盡者，不可以長語益之也。辭意不盡者，不盡之中，固以深盡之矣。詩有意格。意出於格，先得格也；格出於意，先得意也。意格欲高，句法欲響，只求句字，末矣。詩有内外意。内意欲盡其理，外意欲盡其象，内外意含蓄方妙。詩結尤難。無好結句，可見其人終無成也。詩中用事，僻事實用，熟事虚用。説理要簡易，説意要圓活，説景要微妙。譏人不可露，使人不覺。人所多言，我寡言之；人所難言，我易言之，則自不俗。詩有三多：讀多，記多，作多。句中要有字眼，或腰，或膝，或足，無一定之處。詩有四種高妙：一曰理高妙，二曰意高妙，三曰思怨高妙，四曰自然高妙。作詩要正大雄壯，純爲國事。誇富耀貴、傷亡悼屈一身者，詩人下品。詩要苦思，詩之不工，只是不精思耳。不思而作，雖多亦奚以爲？古人苦心終身，日鍊月鍛，不曰「語不驚人死不休」，則曰「一生精力盡於詩」。今人未嘗學詩，往往便稱能詩，詩豈不學而能哉？詩要鍊字，字者眼也。如老杜詩：「飛星過水白，落月動簷虚。」鍊中間一字。「地坼江帆隱，天晴木葉聞。」鍊末後一字。「紅入桃花嫩，青歸柳葉新。」鍊第二字。非鍊「歸」、「入」字，則是兒童詩。又曰「暝色赴春愁」，又曰「無因覺往來」，非鍊「赴」、「覺」字，便是俗詩。如劉滄詩云：「香銷南國美人盡，怨入東風芳草多。」是鍊「銷」、「入」字。「殘柳宫前空露葉，夕陽川上浩煙波」，是鍊「空」、「浩」二字，最是妙處。作詩要運意高遠，則胸次開闊，自然不爲淺近之見。世之學者，多用意中間兩聯，而不知首尾起結處尤難下筆也。

范梈《木天禁語・内篇》 詩之説尚矣。古今論著，類多言病而不處方，是以沉痼少有瘳日，雅道無復彰時。茲集開元、大曆以來，諸公平昔在翰苑所論秘旨，述爲一編，以俟後之君子賢士大夫之後好學俊彦子弟有志者之告。所謂天地間之寶物，當爲天地間惜之。切慮久而泯沒，特筆之於楮，以與天地間樂育者共之。授非其人，適足招議，故又當慎之。得是説者，猶寐而寤，猶醉而醒。外則用之以觀古人之作，萬不漏一；内則用之以運自己之機，聞一悟十。若夫動天地，感鬼神，神而明之，則又存乎其人也。是編猶古今《本草》，所載無非有益壽命之品。服食者莫自生狐疑，墮落外道。噫！草木之向陽生而性煖者解寒，背陰生而性冷者解熱。此通確之論，至當之理。或專執己見，而不知信，則曰：「神農氏誤後世人多矣。」豈不爲大誣也哉！

又《六關》 篇法，句法，字法，氣象，家數，音節。右一篇詩成，必須精研，合此六關，方爲佳作。不然，則過不無矣。

又《總論》 夫作詩之法，只是自己性情中流出。這個道理，亘古亘今，徹上徹下，未嘗有絲毫間隔，亦無絲毫形跡，觸處皆是，隨感而應，大似色裏膠青，水中鹽味。學者宜向自己腳跟下，把平日聞的見的，盡數掃却，只將古人一箇門戶，日夜參考將去，看他的受用處，畢竟是何面目，悠然觸處磕着，自然得箇分曉。只這分作本領，又不可全身滯在裏許，自具一只眼，始得下手之法。先運起一箇意思，卻逐旋安排句法，如人造屋相似，胸中先定下繩墨間架，然後用工。一詩之中，須是先練意，意思要通暢，然後練句，句要精警，次又練字，字要圓活。好處不必多見，貴乎精神流動。凡作一詩，須是向閙中打坐，沉潛諷詠，看全首成片段不成片段，意思圓活流動如何，方爲了當。作詩先立題目，只就題目上說將去，不可攢東摸西，喚張叫李。今之學者，往往擠撘填奏，所以失之。良辰美景，月下花前，把一切思慮撲下卻，然後將眼中所得風月裁制些許，於月上安排五字看，於風上安排五字看，如不好，又一向思量將去，直待自家向月風有領略處，卻隨請問一箇有眼目人，看他如何爲點化，然後見得自家工夫到與不到。詩興定法不可拘，道前面是如何着語，中二聯是如何安排，後二句是如何結束，此皆是大病痛處。只據自己胸中流將出去，不拘性情風月，皆可着語，只是要不失題目上意思。這四十箇平仄只一面棋盤相似，三十二箇子隨儞如何使用。一局有一局造化。詩道亦然。若是有箇硬粧的法，便是模故紙相似，何可謂之詩？愚嘗問於先生曰：「詩果足以有用乎？」先生曰：「《詩》乃《五經》之一，聖人刪述，有所不廢。且先王以是經夫婦，成孝敬，厚人倫，美教化，移風俗，考得失，動天地，感鬼神，莫近於詩。則詩之爲用，豈不大哉！後人推其流，或美或刺，或警或戒，主文而譎諫，使人聞之者足以感，考之者見政治之得失，善者感發人之善心，惡者懲創人之逸志，故詩人爲無官諫議，亦爲無官御史，則詩之爲學果可謂之無乎？」曰：「然則作詩亦有法耶？」曰：「安得無法？匠石必以規矩而成方圓，射御必不失其馳而後舍矢如破。曲藝且爾，況於詩乎？」曰：「然則奈何？」曰：「作詩之法，大抵盡於《三百篇》，後人直學不得。邵子謂：『畫前原有易，刪後更無詩。』可謂有見。如《三百篇》，篇篇齊整，篇篇有用，篇篇能使人興起，後人如何能及？」曰：「如何是齊整？」曰：「且看《三百篇》，未嘗有一篇半上落下。風雅頌自是風雅頌體面，賦比興自是賦比興體面，無一篇參差錯互，眞是直截齊整，後人如何及得。且如後世之詩，莫高於杜子美，然觀《飲中八仙歌》，一篇之意，層見叠出，凡用韻二『船』字，二『眠』字，『天』字，三『前』字。且『皎如玉樹臨風前』，與『蘇晉長齋繡佛前』，同在一處，說者謂當分爲四章，或分爲八章，如《周詩》分章之意，然終是一歌。又如賈浪仙『萬水千山路，孤舟幾月程』，語雖圓活，中間有多少不齊整處。後之作者大率類此。」曰：「如何是有用？」曰：「只是關人倫風教，道其實事，使可考見得失，不爲無用之詩。如後人多是架空寓言，說無說有，不足憑信，所以雖好，只是閑言耳，不能有補於世。如李太白詩：『白髮三千丈，緣愁是箇長。』楊大年詩：『危樓高百尺，手可摘星辰。不敢高聲語，恐驚天上人。』本不關世教，況又大言過當，雖曰說詩不以文害辭，不以辭害意，然亦何至如此狂誕之甚。故雖爲佳句，亦不過是閑言，作戲一場，況下此者乎？故《三百篇》之後，惟杜子美詩乃爲詩家冠冕，得號爲詩史者，正以其善道實事，有補於世教耳。」曰：「然則又何謂使人興起？」曰：「只是作得意思活動不死殺，言語含蓄有意味，使人讀之，若含商嚼羽。如《雄雉》詩曰：『瞻彼日月，悠悠我思。道之云遠，曷云能來。』《黍離》曰：『悠悠蒼天，此何人哉。』只此數句，含蓄多少意思在，味之使人心下自然感發。如後人之詩，讀之惘然，絕無興起意思。此無他，只是作得死殺了。如《車攻》詩：『蕭蕭馬鳴，悠悠旆旌。』祇『蕭蕭』、『悠悠』二字上有多少含蓄意思。杜子美乃用其句曰：『落日照大旗，馬鳴風蕭蕭。』雖雄健，然便無許多意味。又如《卷阿》詩云：『鳳凰鳴矣，于彼高岡。梧桐生矣，于彼朝陽。菶菶萋萋，雝雝喈喈。』蓋鳳凰，靈鳥也。梧桐，佳木也。高岡，崇峻爽塏之地。當溫和清明之時，而鳳之靈鳥和鳴其上矣，則氣象之美亦可想見，故嘆美曰：『菶菶萋萋，雝雝喈喈。』然既曰『菶菶』，又曰『萋萋』；既曰『雝雝』，又曰『喈喈』，極其嘆美而形容之也。後人如何及得？如王摩詰用其語曰：『漠漠水田飛白鷺，陰陰夏木囀黃鸝。』雖可謂識其關棙，然終是不活動，起人意思不得。」又曰：「大抵詩道去古益遠，則愈趨而下，今之文章直是學古人不得也。」又曰：「大概後人作詩，皆祖《三百篇》。如一字、三字至五字、七字及長短句，《三百篇》中何所不有？後世乃謂李陵之後始有是體，豈不謬哉？如《天作》之詩曰：『彼徂矣，岐。』『岐』字絕。此一字詩也。《維清》詩曰：『肇禋，迄用有成。』『肇禋』句絕，此二字詩也。『殷其靁』，此三字詩也。『關關雎鳩，在河之洲』，此四字詩也。『誰謂雀無角』，此五字詩也。『維昔之富不如時，維今之疚不如茲』，此七字詩也。孰謂是體盡出於李陵之後乎？大抵《三百篇》之法，體無不具，特後人不能察之耳。聖人且又是刪得好，可不究乎？」曰：「然則作詩之法只效《三百篇》乎？」曰：「不然。作詩各有體面，《三百篇》特詩之善者，如風雅頌有風雅頌體面，賦比興有賦比興體面，選體絶句有選體絶句體面，長篇樂府有長篇樂府體面，皆不紊亂。學詩須先將古人諸般體面熟讀數首爲式，使其胸次有主而不妄動，然後安排佈置，自合法度。諺云：『好詩記得三千首，不會吟詩也解吟。』此言雖俚，至理存焉。」曰：「敢問法度如何？」曰：「所謂三宜十忌是也。何謂三宜？一宜意遠，二宜句佳，三宜字當。要詩中有意，意中有句，句中有字，字中有味，方是好詩。」曰：「何謂十忌？」曰：「一忌不知體面，二忌間架不齊，三忌意思不貫，四忌體用不交，五忌語句不倫，六忌文面重疊，七忌音節不調，八忌體製凡陋，九忌不歸正理，十忌體物太泛。大抵識得三宜十忌，則能識詩，而又識古人詩之得失矣。然十忌不在三宜之外，三宜爲綱，十忌爲紀，綱紀全而詩道成矣。」曰：「何謂間架不齊？」曰：「長篇有長篇間架，律詩有律詩間架，絶句有絶句間架。間架最忌不齊。以四句言之，如杜詩：『貞觀銅牙弩，開元錦獸張。花門小箭好，此物棄沙場。』前三句各言一物，落後一句，總繳收拾，如何得齊整？以逐句言之，則或前面二句一樣輕重，或中兩句四句一樣輕重，或後面二句一樣輕重，皆爲間架不齊。如韓致光詩：『征人艸草盡戎妝，征馬蕭蕭立路傍。尊酒闌珊將遠別，秋山迢遞又斜陽。』四句上下截一樣輕重虛實。又如：『星斗疏明禁漏殘，紫泥封後獨憑欄。露和玉屑金盤冷，月射珠光貝闕寒。天襯樓臺籠苑外，風吹絃管下雲端。長卿只爲長楊賦，未識君臣際會難。』中間四句上截一樣輕重，況又是天文字器用字相並爲句，何得爲齊整詩語？又如韓退之：『天街小雨潤如酥，艸色遥看近卻無。最是一年春好處，絶勝煙柳滿皇都。』後二句上二字一樣輕重，詩非不好，只是間架不齊，爲可議也。」曰：「然則意思不貫之説如何？」曰：「上下句不相照應，前面後面不相屬續，血脈不通，首尾衡決，則有是病。且如蘇子瞻《回文》詩：『潮隨暗浪雪山傾，遠浦漁舟釣月明。橋對寺門松徑小，巷當泉眼石波清。迢迢綠樹江天晚，藹藹紅霞海日晴。遥望四山雲接水，碧峰千點數鷗輕。』一詩中，每聯各言一件景物，且既言『釣月明』，又言『江天晚』；既言『江天晚』，又言『海日晴』；既有『潮』，又有『暗浪』、『遠浦』、『石波』、『泉眼』、『江天』、『接水』，及『山傾』、『松徑』、『四山』、『碧峰』許多字面，間架如此不齊，文面如此重疊，緣他只要作回文，故有此等意脈不貫，不合法度之病。又如戴東皋詩：『小園無事少徘徊，多謝佳人送酒來。惜樹不磨修月斧，愛花偏築避風臺。引些渠水添池滿，移箇柴門傍竹開。多謝有情雙白鷺，暫時飛去復飛來。』一詩之中，前六句雷然一律，皆是人事：第一句言遊園，第二句言送酒，第三句言惜樹，第四句言愛花，第五句言引水，第六句言移門。且前面既言『多謝』，後面又言『多謝』，文面如此重疊，間架如此不齊，謂非意思不貫之病而何？又如子美詩：『一片花飛減卻春，風飄萬點正愁人。』又：『且看欲盡花經眼』，此是老杜之作，亦有文面重疊之病，學者不可謂大手筆而莫之敢非也。」曰：「然則體用不交之説何如？」曰：「此是逐句上下轆轤之病。如杜詩：『篳圭苑裏秋風後，長樂館前斜日時。』或以『長樂館』言『秋風』、『篳圭苑裏』言『斜日』亦可。蓋上四句爲體，下三字可以互相換易，便是不交。又如：『越女紅裙濕，燕姬翠黛愁。』亦何必『越女』可言『紅裙』，『燕姬』可言『翠黛』。又如：『落花遊絲白日靜，鳴鳩乳燕青春深。』中間疊景物在一處，又有體無用，如何得交？」曰：「何謂語句不倫？」曰：「上句用虛生，下句用實死，前句用實事，後句用假對，皆是不倫。如杜甫：『犬迎曾宿客，鴉護落巢兒。』顔師古謂十字一意，然終是不倫。蓋鴉有兒而犬無客，兒是鴉之兒，客非犬之客。又如蘇子瞻詩：『繫恨豈無羅帶水，割愁猶有劍鋩山。』蓋『割愁』二字有來歷，『繫恨』二字無來歷。正如汪內將以『千載去家之鶴』對『一時同隊之魚』，爲人所譏。又如杜詩：『竹葉於人既無分，菊花從此不須開。』蓋『竹葉』是比物，『菊花』是正説，亦是不倫。又如蘇詩：『剛腸欺竹葉，衰鬢怯菱花。』便是齊整。句雖軟弱，終是無病可議。又如杜《贈田九判官》：『陳留阮瑀誰爭長，京兆田郎早見招。』下爲當家，上爲借事，亦是不倫。如李嘉祐《送馬將軍》：『自歎馬卿多帶病，還嗟李廣不封侯。』彼此合使一事，亦自齊整。又許渾《丁補闕故居》：『鵩上承塵才幾日，鶴歸華表已千年。』下句暗使丁令威事，而上句僞對，雖不甚覺，然終是不倫。比近世儲泳《哭李雲岫》詩：『采石月寒宮錦濕，玉樓風暖羽車還。』如此等語句，眞是齊整，眞可爲法。」曰：「體製凡陋之説何如？」曰：「命意修辭，不可徑情直叙，不可粉澤膏脂。意刻則拘，文僻則怪，言精則俗，字巧則生。故欲簡淡則恐失於枯，欲典重則恐傷於窒，欲雄健則恐過於剛，欲微婉則恐流於腐，欲富麗則恐陷於嬌，欲飄逸則恐流於放，欲平易則恐失於淺，欲奇險則恐入於怪，欲細膩則恐過於精，欲清新則恐過於巧。大抵作詩體製最難，然要而論之，亦不過自然便好。故雖不可徑情直叙，亦不宜粉澤脂膏。蓋徑情直叙，則意思短淺；粉澤脂膏，則辭句腐脆矣。」曰：「敢問何謂徑情直敘？」曰：「只是不婉曲。如李商隱欲言玄宗、貴妃，而曰：『此日六軍同駐馬，當時七夕笑牽牛。』最是微婉，可謂曲盡妙理。又如韓魏公《罷守北京》詩：『風定曉枝蝴蝶鬧，雨餘荒圃桔槔閑。』時服其微婉。又如魯直《茶詩》：『竹几蒲團聽煮湯，煎成車聲繞羊腸。』故爲子瞻歎服。又如林和靜《梅詩》：『疏影橫斜水清淺，暗香浮動月黄昏。』時人以爲與梅傳神，乃古今梅詩絕唱。又如孟東野詩：『池中青蒲葉如帶，紫菱成角蓮子大。羅裙蟬鬢倚迎風，雙雙伯勞飛向東。』只此四句，含蓄多少意思。但看古人所作，便是悟得詩法。」曰：「何謂粉澤脂膏？」曰：「只是粧點雕鎸。粧點便浮靡，雕鎸刻畫便有斧鑿痕。且如『細雨魚兒動，微風燕子斜』，便自然平易。而羅隱乃曰：『魚衝駭浪雪鱗健，鴉閃斜陽金背光。』便刻畫。又如清新體製，鄭谷詩云：『柳塘春水漫，夕陽山外山。』皆是自然清新，不須粧點。至如蘇詩『翠浪舞翻紅穲稏，白雲穿破碧玲瓏』，黄詩『石屏堆叠翡翠羽，蓮蕩宛轉芙蓉城』，便似不及。又如簡淡之作，王隨云：『一聲啼鳥禁門靜，滿地落花春晝長。』牧之詩：『長空淡淡孤鳥沒，萬古消沉向此中。』意思自然淵永。而杜詩所謂『曉鶯工迸淚，秋水解神傷』，李白詩『眼垂黄葉重陽淚，手把梨花寒食心』，便自吃苦。又如富貴之詩，亦不要粧點富貴字，如『金珠』、『綺繡』等語，貴乎自然氣乃佳。昔人有《登蕭寺旃檀閣》詩云：『醉倚王家玳瑁筵』，識者知其決非貴族。又如白樂天詩：『軸裝曲譜金書字，樹記花名玉篆牌』，或謂此詩爲乞兒相似。晏元獻『梨花院落溶溶月，柳絮池塘澹澹風』，貧家有此景否？又言志之詩，亦須自然。如宋太祖《日詩》：『未離海底千山暗，才到中天萬國明。』如何不是萬乘之主？又寇萊公《華山》詩：『只有天在上，更無山與齊。』如何不作宰相？若李長吉『他日不羞蛇作龍』，李白『我輩豈是蓬蒿人』，但只是空口大言耳。又如雄健體，杜詩『五更鼓角聲悲壯，三峽星河影動摇』，蘇子瞻『令嚴鐘鼓三更月，夜宿貔貅萬竈煙』，皆是自然雄健。至丁晉公《守中都》則云：『天子旌旗分一半，八荒雲雨會中州。』便露圭角。又飄逸之詩，如宋之問《明河篇》：『雲母帳前初泛濫，水晶簾外轉逶迤。』『鴛鴦機上疏螢度，烏鵲橋邊一雁飛。』杜詩：『曉來急雨春風顛，睡美不聞鐘鼓傳。東家蹇驢許借我，泥滑不敢騎朝天。』此皆是自然飄逸。至李白『百年三萬六千日，一日須傾三百杯』，馬子才『天地萬物如吾何，用之解帶食太倉，不用拂枕歸山阿』，便自放蕩。又如蒼古之詩，不用字面大粗。如杜『暮投石壕村，有吏夜捉人』、『瘦妻面復光，癡女頭自櫛』、『霜嚴衣帶斷，指直不得結』，便自然蒼古。若『黄四娘家花滿蹊，千朵萬朵壓枝低』，則未免後人之議。又如孫魴詩：『畫多灰漸冷，坐久席成痕。』沈彬譏其爲田舍翁火爐頭之作。又如奇險之詩，只在於用險語，險詩便驚人。故曰作詩要有驚人之句。杜云：『語不驚人死不休。』何況只此平常說話，奚益於詩？如杜子美『白堆朽骨蛟龍死，黑入太陰雷雨垂』，便自奇險。『峽坼雲埋龍虎睡，江清日抱黿鼉遊』，『抱』字便險。『竹光團野色，舍影漾江流』，『團』字亦險。『路經灩澦雙蓬鬢，天入滄浪一釣舟』、『吳楚東南坼，乾坤日夜浮』，直是包括乾坤許大氣象。他如：『船舷暝戛雲際寺，水面月出藍田關』、『星垂平埜闊，月湧大江流』、『春風波浪芙蓉城，白日雷霆夾城仗』，李賀『黑雲壓城城欲摧，甲光照日金鱗開』，此等語任是人道不到。大抵作詩妙莫妙於體製，難莫難於體製，體製既知，則詩道略備矣。」曰：「然則作詩何謂不歸正理？」曰：「作詩大概要依道理，方有補於世教，庶不謂之空言。杜詩所以高者，以其多憂國之事，能知君臣之義，所以說出便忠厚。李白所以不及子美者，以其篇篇無不說酒說色。又如丁晉公『天門九重開，終當掉臂入』，人謂其不知入公門鞠躬之義。又如陳羽《送人下第》詩：『下第耻爲關右客，成名空羨里中兒。』人便識其量之淺深。如張水部『車服暫停辭社樹，里門先下敬鄉人』，便自忠厚合理。」曰：「敢問體物太泛何如？」曰：「只是不切當，轆轤移動。子美《鸂鶒》詩：『故使籠寬織，須知動損毛。看雲莫悵望，失水任呼好。六翮曾經剪，孤飛卒未高。且無鷹隼慮，留滯莫辭勞。』此未免太泛。凡是籠中水鳥皆可，何必鸂鶒！如《馬》詩：『胡馬大宛名，稜層瘦骨成。竹披雙耳峻，風入四蹄輕。所向無空闊，眞堪託死生。驍騰有如此，萬里可橫行。』又如元微之《李娃行》：『雲髻峨峨高一尺，門前立地看春風。』此不言可知是娼妓。韓退之《華山道士》詩：『洗妝拭面着冠帔，白咽紅頰長眉青。』此不言可知是女道士也。作詩固不可刻畫，亦不可太泛也。大抵作詩之法無過『三宜』、『十忌』，知此則詩之能事畢矣。」曰：「每欲作詩，而苦於不成，何也？」曰：「只是不先立意思，不知體面，不曉間架，若能於三者理會，則自不消勞力刻苦，可以援筆而成。且如欲作一詩，先須立主意定奪，是何等題目，獻賀體面是如何作，投贈體面是如何作，然後卻立間架。起句合如何作，承句合如何作，中間合如何說，結句合如何說，胸中區處既定，則縱橫運筆成章，自不難矣。」曰：「作詩每得一句，上下更轉不得，何如？」曰：「作詩最忌如此。此便是意思不立。凡作詩，先須命意，意得然後行文，文成而後潤色之。所謂一命意，二修辭，三煉字是也。慎勿以先得一句一聯，而因之以成章，如此則意思不相屬，血脈不貫串，此詩家之大病也。李淩陽謂：『作詩從首至尾，語要聯屬，如有理詞狀方好。如蓋嘉運詩：「打起黄鶯兒，莫教枝上啼。啼時驚妾夢，不得到遼西。」上下相續，血脈貫串，可爲標準。』曾蒼山亦謂：『凡詩與韋應物《燈》詩「獨照碧窗久，欲隨煙燼滅。幽人將遽眠，解帶番成結」，皆法律相似，推而至於八句律、長短篇、選體古風、文辭賦序，莫不皆然，則一氣呵成，而文理密就矣。』」曰：「或者謂作詩須下實字，實字多則健，虚字多則弱。古人作詩能言五件事，則句健矣。如杜詩：『旌旗日暖龍蛇動，宮殿風微燕雀高。』此則一句能言五件事。如『鼉吼風奔浪，魚跳日映山』，一句能言三件事。大抵實一字則健一字，虚一字則弱一字矣。此説如何？」曰：「此説固是。但亦有全虚而意味無窮者。如杜詩：『萬事無成虚過日，百年多難未還鄉。』『世亂鬱鬱久爲客，路難悠悠長傍人。』『江上形容吾獨老，天涯風俗自相親。』『南菊再逢人卧病，北書不至雁無情。』『叢菊兩開他日淚，孤舟一繫故園心。』此等語亦未嘗不健。大抵用景物則實，用人事則虚。一詩之中，全用景物，則過實而窒，全用人事，則過虚而輭。故作詩之法，必要虚實均勻，語意和暢，而後爲盡善也。」曰：「或有謂：斲句之法，在善於貼字面。貼字之法，在於用實。梅聖俞《送馬廷評之餘姚縣》：『曉日魚蝦市，秋風橘柚船。』五字皆實，故健。如章仲由學之乃曰：『魚蝦腥市井，橘柚壓江船。』貼兩字便虚弱。不知此説何如？」曰：「是。如溫庭筠《早行》詩：『雞聲茅店月，人跡板橋霜。』五字皆實，亦健。及後來華翠微盜其句，乃曰：『雞翅拍斜茅店月，馬蹄踏破板橋霜。』貼四尖新字於其中，便覺軟弱小巧，意味短淺。且如韋蘇州『春潮帶雨晚來急，野渡無人舟自横』，後寇萊公分開一句作兩句，云：『野水無人渡，孤舟盡日横。』雖犯了詩家盜竊開析之病，然亦不失爲好句者，以其貼得好故也。」曰：「司空文明『樓臺側畔楊花過，簾幕中間燕子飛』，貼得雖虚，亦爲人所稱，如何？」曰：「意則雖佳，語句終是軟弱。比老杜『秦城樓閣煙花外，漢主山河錦繡中』，雖同是富貴體製，然深味之，大有徑庭。」曰：「然則『梨花院落溶溶月，柳絮池塘淡淡風』，『淡淡』、『溶溶』，雖同虚貼，而此善於彼，何耶？」曰：「雖同虚貼，而此亦是一句能言三件事，而彼只説得二件，故不及。」曰：「然則太白詩：『三山半落青天外，一水中分白鷺洲。』夏英公用其句曰：『山勢蜂腰斷，溪流燕尾分。』方知太白猶爲實於彼也。而或者乃以嬌女效顰美之，其故何哉？」曰：「字則稍不虚，而意則未實，何則？體過於用也。如李言『三山半落青天外』，想像其摸寫之意，是甚麼氣象？而夏乃以『蜂腰斷』三字體製山勢，則總只是『山』之一字而已，故字雖實而意則虚矣。此所以不免爲弱。」曰：「然則戴石屏詩：『懶困風光酣午睡，深沉天氣嫁春陰。』意頗實，而或者亦言其弱，何也？」曰：「此虚非虚弱也，病在於小巧。蓋緣粧點『酣』、『嫁』二字，即尖新之病也。大抵作詩怕粧點，粧點便尖新，尖新便小巧。且如李商隱『花如解語迎人笑，草不知名隨意生』，晏元獻『無可奈何花落去，似曾相識燕飛來』，字雖虚，而無尖新小巧之病，便庶幾矣。」曰：「然則又謂作詩有描畫之法，何如？」曰：「羅隱詩：『雲中雞犬劉郎過，月下笙歌煬帝歸。』張祜：『窗間謝女青娥斂，門外蕭郎白馬嘶。』許渾詩：『風傳鼓角霜侵戟，雲捲笙歌月上樓。』『落日殘蟬蕭寺里，白雲飛鳥謝家村。』杜牧詩：『風隨玉輦笙歌迥，雲捲珠簾劍佩高。』古人所謂有聲畫是也。」曰：「或者謂：作詩大抵語意要遠，如杜詩一句在天，一句在地。如：『大聲吹地轉，高浪蹴天浮。』『江漢思歸客，乾坤一腐儒。』『關塞極天惟鳥道，江湖滿地一漁翁。』此是一句在天，一句在地，故舉上句，人不能知其下句，何如？」曰：「然大抵詩中對偶，不要太切，太切則拘滯；亦不要太泛，太泛則不倫。如杜甫『高風下木葉，永夜擁貂裘』、『三分割據紆籌策，萬古雲霄一羽毛』、『縱酒欲謀良夜醉，還家初散紫宸朝』，皆不甚切，然虚實生死未嘗不倫，意思未嘗不貫，此所以爲妙也。至如『紅入桃花嫩，青歸柳色新』，便爲人所議，謂是小兒作對。如魯直詩：『竹筍初生黄犢角，蕨芽新成小兒拳。』亦不免議者，以其屬對太切而拘滯小巧故也。」曰：「或者又曰：善詩者，就景中寫意，不善詩者，去意中尋景。如杜詩：『無邊落木蕭蕭下，不盡長江滾滾來。』『疏燈自照孤帆宿，新月猶懸雙杵鳴。』『殊方日落玄猿哭，故國霜前白雁來。』即景物之中含蓄多少愁恨意思，並不消言愁恨字眼，但寫愁中之景，便自有愁恨之意，若説出『愁恨』二字，便意思短淺，此説何如？」曰：「故是。然亦有就意中言景，而意思深遠者，不可以一概論也。如：『苦遭白髮不相放，羞見黄花無數新。』李頻詩：『遠樹依依如送客，平田漠漠獨傷春。』韋應物詩：『世事茫茫難自料，春愁點點獨成眠。』亦何嘗意思不淵永！大抵善詩者或道情思，或言景物，皆欲意味深長，不至窒塞，不流腐弱，斯爲得體矣。」曰：「敢問煉字之法如何？」曰：「作詩不可使一字無用，須是字字少不得；又不可使一字不佳，須是字字穩當；又不可使一字無來歷，字字要有出處，要無鄙俗方可。如章碣詩：『柳陌雖然風裊裊，葱河猶自雪漫漫』，或議其間『雖然』、『猶自』四字爲閒散之字，敲削之則可。又如賈浪仙詩：『鳥宿池邊樹，僧敲月下門。』『僧敲』本欲作『僧推』，正煉未定，而韓退之過，乃爲其定作『敲』字。又如杜子美『桃花細逐楊花落』，本欲作『桃花欲共楊花語』，後乃改定作『細逐』、『落』三字。又如劉夢得《重九》詩，欲題『糕』字，以爲未經人道，而不敢用。又如奚斯道訪李凌陽詩：『路轉山容換』，而自疑『山容』二字無來歷。又如李凌陽詩：『玉盤行鱗簇青紅，般擁山溪尙一尊』，便不如老杜『水晶之盤行素鱗』。皮日休云：『百煉成字，千煉成句。』杜子美云：『新詩改罷自長吟。』古人用意大率如此。今人所作，其可苟哉！」曰：「古人作律詩，亦復別有法乎？」曰：「有通篇一意，八句只作一意者，有二聯四句只作一意者，有一聯二句只作一意者。如杜詩：『寄與楊員外，山寒少茯苓。歸來稍暄暖，當爲斸青冥。翻動龍蛇窟，封題鳥獸形。兼將老藤杖，扶汝醉初醒。』即是八句一意。又如：『苦憶荆州醉司馬，謫官尊酒定常開。九江落日醒何處，一柱觀頭眠幾迴。可憐懷抱何人盡，欲寄平安無使來。故憑錦水將雙淚，好過瞿塘灧澦堆。』亦是八句一意。如『遙知一片雪，似隔萬重雲』，即是二句一意。又有一篇自相倡和者，如杜詩：『憶昨逍遙供奉班，去年今日侍龍顏。麒麟不動爐煙上，孔雀徐開扇影還。玉几由來天北極，朱衣只在殿中間。孤臣此日腸堪斷，愁對寒雲雪滿山。』此是一篇自相倡和。又如王摩詰：『漁樵不到處，麋鹿自成群』，方干詩：『流年莫相逐，華髮不能容』，劉威詩：『遙知楊柳生何處，似隔芙蓉無路通』，皆是一聯自相倡和，是豈爲無格乎？」曰：「然則絶句有四句皆對，律詩有首尾皆對者，何如？」曰：「此有大病。疊虛則流於弱，疊實則過於窒，非大手筆不能也。如杜詩：『鑿井交棕葉，開渠斷竹根。扁舟輕褭纜，小徑曲通村。』四句各言物，已過於窒，況意思又不貫，使人讀之，漫不知味，如嚼蠟丸也。又如：『天門日射黃金榜，春殿晴曛赤羽旗。宮草微微承委佩，爐煙細細駐遊絲』，又：『雙峰寂寂對春臺，萬竹青青照客杯。細草留連侵座軟，殘花悵望近人開』，中間一樣輕重，何得無病？蓋緣四句皆對，難爲承接意思，難爲避會輕重也。況結句用對，則又難得結句體面。大抵實起虛承者，易爲用功，虛起虛承、實起實承者，則難爲手段。此其所以不貴於對也。」曰：「然則古人作詩，體面果同一機軸否也？」曰：「不然，各有體面。如起句，有直叙，有反難，有問對，有平對，有反對，有聯字。中有正對，有應對，有散結，有對結。如杜『鄭縣亭子澗之濱，戶牖憑高發興新』、『碧山學士焚銀魚，白馬卻走身巖居』，皆是直叙起。『臘日當年暖尙遙，今天臘日凍全消』，此是反難起。『楚王宮北正黃昏，白帝城邊過雨痕』，此是平對起。『丞相祠堂何處尋，錦官城外柏森森』，此是問答起。『五夜漏聲催曉箭，九重春色醉仙桃』，此是反對起。李白『鳳凰臺上鳳凰游，鳳去樓空江自流』，此是聯字起。如韋應物『去年花裏逢君別，今日花開又一年』，此是正對起。如退之『本爲聖明除弊政，敢將衰朽惜殘年』，下句便是應上句，此唱和之格也。至如扇對，則子美『尋常七十，桃楊黃白』之類是也。散結，如『知汝遠來應有意，好收吾骨瘴江邊』，子美『更有紅顏生羽翼，便應黃髮老漁樵』是也。然又有對字，有聯字，有問信，有推開，有順結，有反結，其體不一，大抵順結、反結，皆得正理。推開者，要意淵永，聯字、對、對字、問答者，皆難爲手段。如王摩詰《題延州大像穴》詩：『昔日捨身緣救鴿，今朝出現有何能？』此對字格。如杜甫：『愁極本憑詩遣興，詩成吟詠轉悽涼』、『莫道無金空有壽，有金無壽欲何如』，又如白居易《詠南嶺雪》詩：『仍賴愁猿寒不語，若聞猿叫也愁人』，此是問答格也。杜《九日》詩：『酒闌卻憶十年事，腸斷驪山清路塵』，如魯直《水仙花》詩：『出門一笑大江橫』，此推開格也。羅鄴《黃河》詩：『三千年後知誰在，何必勞君報太平』，王轂《苦熱行》：『何當一夕金風髮，爲我掃除天下熱』，此反結也。」曰：「長篇之法，亦有宜實字多方好者，如岑參《馬》詩：『君家赤驃畫不得，一團旋風桃花色。紅纓紫鞚珊瑚鞭，玉鞍錦韉黃金勒。』多是實字，故易入眼。有疊字者，如韓退之《短檠》詩：『黃簾綠幕朱戶閉，風露氣入秋堂涼』，又《石鼓歌》：『金繩鐵索鎖紐壯，古鼎落水龍騰梭』、『雨淋日炙野火燒』、『鸞翔鳳翥衆仙下』，皆是用疊字，亦無非實，可見實字之健也。大抵長篇一句能言數件事者方好，如李白詩：『清風明月不用一錢買，玉山自倒非人推』，兩句中能言數件事。又如『高堂明鏡悲白髮，朝如青絲暮如雪』、『地崩山摧壯士死，然後天梯石棧相鉤連』，此二句皆言五件事。至如『金樽美酒斗十千，玉盤珍羞值萬錢」、「白雲映水搖空城，白露垂珠滴秋月」、「欲渡黃河冰塞川，欲登太行雲滿山」，便是兩句能言六件事。至於「長安白日照晴空，綠楊細葉裊風」、「禁宮高樓入紫清，金作蛟龍蟠繡楹」，二句之中，已用七物矣。大抵用物愈多，則字面亦多，字面愈多，則語句愈健，語健則爲佳句矣。」曰：「每欲作長篇，而語不能多，何也？」曰：「只是不知體面，不曉間架，而無鋪叙之方也。大抵長篇要有開合，短篇要有收斂，知此則不患無多語矣。予嘗作百韻詩，一夕下筆未停，只得削就百韻，亦使整齊。」曰：「速成如此，亦有說乎？」曰：「無他說也。大抵起句要廣闊，包含天地，萬象皆春，承句如鯨魚破浪，有一擊千里之勢，中間造語十餘韻，只作一句意，如大海波濤，吞天沃日，使人望而驚畏；落句猶萬鈞之弩，穿金貫石，無復動搖，則不得爲。若有一分動搖，則不得爲斷句矣。大約起欲其宏，結欲其盡，仍要篇中不泛濫，是韻要押是事，要皆使是語，皆言是事，方成好作。否則吾見其終日不能成章矣。」

虞集《虞侍書詩法·三造》 三造：一觀，二學，三作。一觀：猶禪宗具摩醯眼，一視而萬境歸元，一舉而群迷蕩跡，超物象表，得造化先。夫如是，始有觀詩分。觀，要知身命落處，與夫神情變化，意境周流，亘天地以無窮，妙古今而獨往者，則未有不得其所以然也。由之可以明十科，達四則，讀二十四品，觀觀不已，而至於道。二學：夫求於古者，必得於今；求於今者，必失於古。蓋古之時，古之人，而其詩似之。故學者欲疏鑿神情，淘汰氣質，遺其迷妄，而反其清眞，未有不如是而得其所以爲詩者。三作：下手處，先須明徹古人意格聲律，具於神境事物，解後欝抑，得其全理。胸中隨寓唱出，自然超絶。若夫刻意創造，終虧天成，苟且經營，必墮凡陋。妙在著述之多，涵養之深耳。然又當求證於宗匠名家之道，庶幾可横絶旁流矣。

又《十科》 十科：意，趣，神，情，氣，理，興，境，事，物。一意：詩先命意，如構宮室，必法度形似備於胸中，始焉斤斧。此以實論，取於譬，則風之於空，春之於世，雖暫有其跡，而無能得之以爲物者。是以造端超詣，變化易成，若立意卑凡，清眞愈遠。二趣：意之所趣不盡而有餘之謂。是猶聽鐘而得其希微，乘月而思於汗漫，窅然眞用，將與造化者同流，此其趣也。三神：其所以變化詩道，濯煉精神，含秀儲眞，超源達本，皆是神也。是由眞心淨想中生，不必盡喻，不必不喻，然月於水，觸處自然。四情：於詩爲色爲染，情染在心，色在境，一時心境會至，而情生焉。其於條達爲清明，滯著爲昏濁。五氣：貴乎流通，靈遠無礙，盛大等乎空量，熏微藹乎春暉，然非果有所自而生之，而生之生者，愈不可知。六理：猶王家之疆理也。今人所發足，將有所卽，靡不由是而達，然猶有所未至，非日積之未深，則足力之病進。於詩亦然，非尋思之未深，則才力之病進，要在馴熟，如與握手俱往。七興：有所興起而言也。故凡一事之感，一物之悟，皆興起也，而其悲歡通塞，總屬自然，非有造設，唯不盡所以盡之。八境：耳聞目擊，神遇意接，凡於形似聲響，皆境也。然達其幽深玄虛，發而爲佳言；遇其淺陋陳腐，積而爲俗意，不能復有心之境。境之於心，心之於境，如鏡取象，境之於心，如燈取影，亦因其虛明淨妙，而實悟自然，故於情想經營，如在圖畫，不著一字，窅然神生。九事：凡引古證今，當如已造，無爲彼奪，緣妄失眞，其於窅然色之膠青，空然水之鹽味，形趣泯合，神造自如。十物：指其一，而詩不可著，復不可脫，著則落在陳腐窠舊，脫則失其所以然。必究其形體之微，而超乎神化之奥。

又《四則》 四則：一句，二字，三格，四律。一句：一詩之中，妙在一句，句爲詩之根。根本不凡，則花葉自異。復如威將示權，奇兵翕合，君子在位，善人皆來。二字：一字之妙，所以合衆要之微，一詩之根，所以生一字之妙。故夫圓活善用，如轉樞機，溫清自然，如瞻珮玉。字法病在煉，在浮，在常，在暗弱，在生強，在無謂，在槍棒，在嘴爪，在不經。三格：猶陶家營器，器本陶家，一土而名狀等差非一，然有古形今製之別，精朴淺深之殊，貴各有其體用之似爾。詩則詩矣，而名製不一，晉漢高古，盛唐風流，與夫西崑晚唐江西皆名家，造立不等，氣象差殊，亦各求其似者耳。四律：所以條達氣神，吹噓興趣，非音非響，誦而得之，猶清風徘徊於幽林，遇之可愛；微徑縈迂於遙翠，求之愈深。

又《詩遇》 詩得諸遇，斯有自然。然而遇者，往往不屬於常情，必其胸中有以絶乎衆見，入乎無有，俛而就之尋常，故其天性流行，隨地自在。倘然一遇，猶之故人，卽其語□契闊。是何有於少□造作。嘗聞古人兩句三年，一吟雙淚，是蓋未至天性，必乎造而出之，熏陶變煉，切磋分寸，雕刻華藻，面目非無所悅於人性，而遇之者遠矣。逸士高僧，絶塵謝俗，隱居山林，周旋惟道，日積月化，猶如仙家煉神出頂。雖曰未忘乎有形，而其相去四大已遠。故一遇而託之語言，是若菜羹瓜食，倍有餘味，而世間厭飫粱肉者，未嘗一相接也。吾於蘇州佳處僅遇一二矣。浩然落日池上，王惟悠然南山，皆其遇也。其曰桃花流水，別有天地，是又若雲漢昭回，仙山縹緲，塵緣煙火，望之邈焉。彼固非有絶乎人，而往者有不逮，處之者不自知其深，後之者自不同其遇，少陵平生風俗政化君臣父子頌詠典歌哀怨流離，自情性以至江山風月，惟在目接而成之，似無非其固有者，是如春風世間，一出而皆遇也。由是觀之，遇不同者，然亦無不同也。善遇者，當有遇乎性也。

揭傒斯《詩法正宗》 學問有淵源，文章有法度。文有文法，詩有詩法，字有字法。凡世間一能一藝，無不有法。得之則成，失之則否。信手拈來，出意妄作，本無根源，未經師友，名曰杜撰。正如有脩無證，縱是一聞千悟，盡屬天魔外道。世言三代無文人，《六經》無文法。不知文人莫盛於三代，文法盡出於《六經》。韓文公言：「其在唐虞，禹其善鳴者也，而假之以鳴；夏之時，五子以其歌鳴；伊尹鳴殷，周公鳴周。周之衰，孔子之徒鳴之，其聲大而遠。」非盛乎？文公又言：「作爲文章，其書滿家。上規姚、姒，渾渾無涯；《周誥》、《殷盤》，詰屈聱牙；《春秋》謹嚴，《左氏》浮誇，《易》奇而法，《詩》正而葩。」又云：「讀《書》者如無《詩》，讀《易》者如無《春秋》。」文法不出於《六經》，將安出乎？或者又曰：「古詩作於田夫野老、幽閨婦女，豈有法乎？」是不然。《三百五篇》出於先王之澤，沉浸醲郁，道化所及，南北同風，性情既正，雅頌自作。及變雅、變風，猶且發乎情，止乎禮義，此人心之詩也。云何《三百五篇》，删後之詩不能彷彿一語？蓋非王者之民，不能作也。豈特删後，《春秋》之時，已不能作，孟子所謂「王者之跡熄而《詩》亡，《詩》亡然後《春秋》作」是也。詩之法度，豈無自來哉？諸君方學詩，姑且言其概。詩易吟，亦未易吟。詩者，人之情性，途歌里詠，皆有可采。擊壤老人，遊衢童子，敕勒之鮮卑，擁棹之越人，人人有之，如之何不易？惟古人苦心終身，旬鍛月煉，不曰「語不驚人死不休」，則曰「一生精力盡於詩」。今人未嘗學詩，往往便謂能詩，豈不學而能哉？以此求工，豈不甚難？甚者未踏李、杜腳板，便已平視鮑、謝，未辨芳洲、杜若，便謂奴僕《離騷》。雖曰一盲引衆，豈無明眼遙觀，祇見其率爾可哂也。若欲眞學詩，須是力行五事：一曰詩本。吟詠本出情性，古人各有風致。學詩者，必先調燮性靈，砥礪風義，必優游敦厚，必風流醞藉，必人品清高，必神情簡逸，則出辭吐氣，自然與古人相似。文中子謂：「文人之行可見。謝靈運，小人哉，其文傲；沈休文，小人哉，其文冶；鮑照、江淹，古之狷者也，其文急以怨；吳筠、孔珪，古之狂者也，其文怪以怒；謝莊、王融，古之纖人也，其文碎；徐陵、庾信，古之夸人也，其文誕；劉孝綽兄弟，鄙人也，其文淫；湘東王兄弟，貪人也，其文繁；謝朓，淺人也，其文捷；江總，詭人也，其文虚。」此非但作文之病，亦作詩之害。若做得好人，必做得好詩也。二曰詩資。王荆公謂：「杜少陵『讀書破萬卷，下筆如有神』，是他自言入神處。」韓文公亦稱：「盧殷於書無不讀，然止用以資爲詩。」山谷謂：「不讀書萬卷，不行地千里，不可看杜詩。杜詩無一字無來處。」東坡謂：「孟浩然如內法酒手而乏材料。」蓋有才無學，如有良將而無精兵，有巧匠而無利器，雖材高如孟浩然，猶不能免譏，況他人乎。今人空疏窘材料者，只是讀少、記少、講明少故也。如晉王恭少學，雖善談論，未免重出，以至對偶偏枯，意氣餒薄，皆無以爲之資耳。三曰詩體。《三百篇》末流爲楚辭、爲樂府、爲《古詩十九首》、爲蘇李五言，爲建安、黄初，此詩之祖也。《文選》劉琨、阮籍、潘、陸、左、郭、鮑、謝諸詩，淵明全集，此詩之宗也。齊、梁、《玉臺》，體製卑弱，然杜甫於陰、何、徐、庾，稱之不置，但不可學其委靡。唐陳子昂《感遇》諸篇，高古簡遠，出人意表；李太白《古風》，韋蘇州、王摩詰、柳子厚、儲光羲等古體，皆平淡蕭散，近體亦無拘攣之態，嘲哳之音，此詩之嫡派也。杜少陵古律各集大成，漸趨浩蕩，正如顔魯公書一出，而書法盡廢，言其渾然天成，略無斧鑿，乃詩家運斤成風手也，是以獨步千古，莫能繼之。其它唐人宋賢，奇作大集，固當徧參博採，難以偏學。韓詩太豪，難學；白樂天太易，不必學；晚唐體太短淺，不足學；東坡詩太波瀾，不可學。若宛陵之淡，山谷之奇，荆公之工，後山之苦，簡齋以李、杜之才，兼陶、柳之體，最爲後來一大宗本。若近世江湖等作，非特不足觀，須是將夙生所記一聯半句，一洗而空，使吾胸中無非古人之語言意思，則下筆不期於高遠而自高遠矣。朱文公《答鞏仲至書》，於詩道源委正變最爲詳盡，玩味之餘，觸類而長，則詩體洞然矣。四曰詩味。唐司空圖教人學詩，須識味外味，坡公嘗舉以爲名言。如所舉「綠樹連村暗」、「棋聲花院閉」、「花影午時天」等句是也。人之飲食，爲有滋味，若無滋味之物，誰復飲食之爲。古人盡精力於此，要見語少意多，句窮篇盡，目中恍然別有一境界意思，而其妙者，意外生意，境外見境，風味之美，悠然辛甘酸咸之表，使千載雋永，常在頰舌。今人作詩，收拾好語，襞積故實，秤停對偶，遷就聲韻，此於詩道有何干涉？大抵句縛於律而無奇，語周於意而無餘。語句之間，救過不暇，均爲無味。槁壤黄泉，蚓而後甘其味耳。若學陶、王、韋、柳等詩，則當於平淡中求眞味，初看未見，愈久不忘。如陸鴻漸遍嘗天下泉味，知楊子中濡爲天下第一水味，則淡非果淡，乃天下至味，又非飲食之味所可比也。但知飲食之味者已鮮，知泉味又極鮮矣。五曰詩妙。詩妙謂變化神奇，遊戲三昧。任淵謂：「看後山詩，如參曹洞禪，不犯正位，切忌死語。」又詩之文，識者譬之散聖安禪，凡正言若反，寓言十九，言景見情，詞近旨遠，不迫切而意獨至者皆是也。莊語不可用，謂之不韻；經書語不可用，謂之抄書。至於說道理，字字著相，句句要好，謂之「作詩必此詩」，皆病也。劉賓客謂：「詩者人之神明。」謂當神而明之，大而化之。如林間月影，見影不見月；如水中鹽味，知味不知鹽；如畫不觀形似，而觀蕭散淡泊之意；如字不爲隸楷，而求風流蕭散之趣。超脫如禪，飄逸如仙，神變如龍虎，抵掌笑談如優孟，詼諧滑稽如東方朔，則極玄造妙矣。諸君儻能養性以立詩本，讀書以厚詩資，識詩體於源委正變之餘，求詩味於鹽梅姜桂之表，運詩妙於神通遊戲之境，則古人不難到，而詩道昌矣。愚見如此，幸相與勉之。

黄清老《詩法》　洞觀天地，眇視萬物，是爲高古；剖出肺腑，不借語言，是爲入神；超達虛空，了悟生死，是爲離衆；寄興悠揚，因彼見此，是爲造巧；隔關寫景，不露形跡，是爲不俗。故意在於閑適，則全篇以雅淡之言發之；意在於哀傷，則全篇以凄惋之情發之；意在於懷古，則全篇以感慨之言發之：此詩之悟意也。意既立，必須得句。句有法，當以妙悟爲上。第一等句，得於天然，不待雕琢，律呂自諧，神色兼備。奇絕者，如孤匡斷峰；高古者，如黄鐘大呂；飄逸者，如清風白雲；森嚴者，如旌旗甲兵；雄壯者，如千軍萬馬；華麗者，如奇花美女：是爲妙句。其次必須造語精工。或動靜，或大小，或眞假，或生死，或遠近，或今古，或虛實，或有無，變化彷彿，使一句之中，常具數節意，乃爲佳句。是以洞觀天地之句，似放誕而非放誕；了達生死之句，似虛無而非虛無；剖出肺腑之句，似粗俗而非粗俗。寄興悠揚之句，意之所至，信手拈來，頭頭是道，不待思索，得之於自然；隔關寫景之句，不落方體，不犯正位，不滯聲色，左右上下，無所不通，似着題而非着題，非悟者不能作也。

又　句既得矣，於句中之字，渾然天成者爲佳。下字必須清，必須圓，必須活，必須響，與一篇之意、一句之意相通，各自卓立，而復相成，是爲本色。若了達生死之句，其字宜高古，宜眞率；洞觀天地之句，其字宜籠放，宜開闊，宜雄渾；剖出肺腑之句，其字宜沉着，宜痛快；寄興悠揚之句，其字宜涵蓄不露，宜優遊不迫；隔關寫景之句，其字宜精工，宜神奇，宜飛動，宜變化，宜峻峭，宜飄逸，每每有似眞非眞，似假非假，若有若無，若彼若此之意，爲得之。總而言之，一詩之中，必先得意；一意之中，必先得句；一句之中，必先得字。先得意，後得句，而字在乎其中，不待求索者，上也。若先得句，因句之所在而生意，或先或後，使意能成就其句之美者，次也。若先得字，因字而生句，因句而生意，意復與句皆成其字之美者，又其次也。故意也，句也，字也，三者全備，爲妙悟。意與句皆悟，而字有虧欠，則爲小疵。若有意無句，則精神無光；有句無意，則徒事粧點。句意俱不足，而惟於一字求工，何足取哉！然意之所忌者，最忌用俗，最忌議論。議論，則成文字而非詩；用俗，則淺近而非古。句之所忌者，最忌虛中之虛，實中之實。須虛中有實，實中有虛。字之所忌者，最忌粧點，最忌襯貼，蓋非本句之所有，而強牽合以成之，是又不可不知。詩法中千萬言語，大意皆不出於此矣。參之。杜陵復出，不易吾言矣。

陳繹曾、石栢《詩譜·二十三題》　送，留須戀戀，勉必拳拳。別，前瞻戀戀，後顧懸懸。逢，樂生於哀，喜極還感。寄，萬里寄言，必有信惠。醻，識曲識直，無言不酬。贈，贈人以言，非諂非刺。答，答指有歸，無離來意。遊，主景。宴，主情。行，行必有故，切忌矯情。至，至必有爲，不宜徒善。歸，歸人皆喜，必有我私。興，物輕意重。謝，物意俱重。登，登峰詣極，所貴眼高。覽，泛覽景物，必有得焉。題，題忌損物。咏，咏忌黏題。思，思必有因，豈徒悽愴。挽，忌似壽詩。壽，忌似挽詩。應製，氣欲嚴肅，辭貴曲麗。賀，忌似攫客。

又《詩譜·三制》《三停》：起，古詩混淪包括，意整語圓。五言律詩聲語重。七言律詩聲起語圓。絕句平實，第一二句是。中，古詩反覆變化，意眞語暢。五言律詩，七言律詩頷響亮警峭拔。絶句精要，第三句是。結，古詩含蓄不盡，意重語重。五言律詩聲細意長。七言律詩聲穩語健。絶句健次，第四句是。

又《十一變》：抒情，抒發眞情。立意，自發新意。寫景，描寫眞景。設事，假設情事。叙事，叙述實意。論事，論説事情。用事，引用古事。擬人，擬著一人。比物，借物喻事。詠物，詠物寄情。論理，論説事理。

又《八用》：入，急换入題。序，平叙事物。轉，就題轉意。折，因轉更深。出，跳出題外。歸，忽歸題中。警，全平以奇爲警，全奇以平爲警。超，超絶常情。

又《詩譜・四情》《十二感》：喜，寓物而見。怒，始欲張而終平。哀，極之而後反。懼，在義理中。愛，在言外。欲，歆動而歸於正。惡，欲忠厚。憂，瞀亂而有處置。羞，不敢盡言。惜，發於深愛。思，眞切則自分數。樂，因物而見。

又《三體》：己，發盡眞情，去浮取切。人，以心體之，眞切猶己。物，心體造化，鼓舞天機。五言古詩，就題取眞情，推究到極處，情狀畢獻於心目間。揀擇其極情切處，提出一兩轉，其餘並寓事中，隱然見之。七言古詩，就題先取景寓情，其間不敢太泄露。五言律詩，就眞情推研到深處用之。七言律詩，就眞情激發到奇絶處用之。五言絶句，撇情入景。七言絶句，掉景入情。

又《詩譜・五景》《十二類》：時候，天文，地理，宮室，人物，鬼神，鳥獸，草木，器物，飲饌，音樂，藝文。凡景皆以時候爲本，人物爲主，隨題消息之。

又《四眞》：適，適然意會，就寫眞景煆煉之。煉，景少之處，就寫眞景煆煉之。扶，枯寂之處，扶取眞景煆煉之。生，幽獨之處，别生眞景煆煉之。

又《三奇》：平，景多之處，平中取奇。奇，景奇之處，其中取奇。雜，景雜之處，平奇奇平。

又《四玄》：仙，仙家想景，煉無爲有。天，清都步景，煉有入無。神，神靈化景，有有無無。理，至理存景，出有入無。五言取其空清者用之，七言取其奇壯者用之。

又《詩譜・七意》《十取》：正當，天理當然，取新去俗。將迎，事未然而逆料之。補續，事已然而補續之。疑難，淺則含疑，深則詰難。反異，或全相反，或有異同。超越，超越常情，迥出至理。規正，事有過失，則規正之。願望，心所願望，取眞去矯。解釋，事有分爭，則解釋之。推極，推情究理，重重搜抉。五言詩意常含蓄，舉一及二，則含蓄矣。七言詩意欲顯露，直要其終而斷之，則顯露矣。

又《詩譜・十病》：違式，體制散亂。無情，七情相干。景非時，景失地。無主，事不實。事牴牾，用事差誤。用事非宜，用事塵俗。意腐，意僻，意邪，思淺。音卒，律亂。字俗，字腐，字不安，語麄，語繁，語碎，辭費，言涉譏訕，心存刻薄，意太迫切，古詩叶韻不合例，五言律失粘失律，七言拗律不合例。

又《詩譜・十一變》《四字變》：虚，實，死，活。

又《四句變》：情，景，事，意。

又《五聲變》：穩，響，起，嘔，細。

又《二篇變》：製，律。字變，一句内忌併，一聯内非對者忌繁，隔聯忌字相似，一篇忌句相似。句變，四者相關，不得碎雜。相從不得過三聯，全篇純一者不拘。聲變，兩句不得相併，兩聯不得相似。起宜重濁，承宜平穩，中宜鏗鏘，結宜輕清。篇變，二者篇篇欲變，若一題聯賦者，變製不變律。

又《詩譜・十三要》《八養氣》：朝廷宗廟宜肅，山河軍旅宜壯，山林神仙宜清，歡娱通達宜和，幽險豪傑宜奇，宮苑佳麗宜麗，覽古搜玄宜古，登臨志士宜遠。右養氣之法，宜澄心靜慮，以此景此意此人事默存於胸中，使之融化，與吾心爲一，則此氣油然自生，當有樂處，詩思自然流動充滿而不可遏矣。切不可作氣，若強作其氣，則昏而不可用，所出之言皆浮辭客氣，非詩也。氣之變萬方，以此例推之。

又《六煆思》：詳，八面中間，推尋欲盡。要，痛芟刻取，撮出至要。博，博覽群書，悉歸部分。精，含精咀華，嗽取芳潤。眞，提要煉眞，天然秀出。雅，嗽芳爾雅，加以潤色。右煉思之法，先煉題，推詳取要是也。次煉料，博覽漱精是也。末煉意，煆眞如雅是也。得眞如雅，得雅如眞，煆思至矣。煆如洪爐煆鐵，礦盡鋼存。

又《四煉法》：險，倒持造化，鬼神莫知。易，渾然天成，人人愜意。今，一時新語，千古闕文。古，楚漢晉唐，情辭純粹。右煉語之法，險易相須，古今不雜，煉如金鼎，火候不疾不徐。

又《四下字》：音，順時之聲，高下中節。意，詳文之意，隱顯得宜。故，平穩之處，宜求古字。新，出奇之處，宜下新字。右下字之法，下穩字處，爲意當有所迴避。故也若新字，須是不經人道過。

又《詩譜・十六情》《五不足》：思，思之切矣，抑而勿思。言，言不可禁，噤而勿言。歎，歎不可忍，止而弗歎。詠，詠不能已，默而勿詠。蹈，怒蹈喜舞，詩可作矣。含蓄至此，雖工，五七言雜文耳。

王近仁《王近仁與友人論詩帖》凡作詩文，當如行雲流水，輕車熟路，不假用力，即無凝滯，使識者讀之，如自己胸中流出乃佳。又須意圓句新，令人一唱三歎，方爲絶作。若長篇大章，必用意滿足，不可氣促語窘。譬之老將用兵，號令百萬之衆，法度嚴整，旗甲精彩，堂堂正正，鼓進金退，動合節奏乃佳。然鐵騎突出，斬將搴旗，驚人駭目，見所未見，斯有大手之奇也。至若喑嗚叱咤，雷激電奔，山岳崩摧，旌旗變色，而馳騁起伏，不失部伍，然後斂衆收武，振旅凱旋，此則神妙矣。如乘雲禦風，鈞天九奏，飄乎若將造王母而宴瑤池，斯又李供奉之仙才也。吁！蔑以加矣。若前輩云，人一己百，人十己千，古人地位亦可到。

佚名《詩法源流》余因問古今詩法，先生曰：「夫詩權輿於《擊壤》、《康衢》之謠，演迤於《卿云》、《南風》之歌，製作於國風、雅、頌《三百篇》之體，此詩道之大原也。《周官》：詩有六義。風，雅，頌爲之經，賦，比，興爲之緯。風，雅，頌各有體，作詩者必先定是體於胸中，而後作焉。風之體，如後世之歌謠，采之民間而被之聲樂者也。其言主於達事情，通諷諭。《二南》爲風之始，純乎美者也，故謂之正風。諸國之風兼美刺，故謂之變風。《豳風》則詩之正而事之變，故亦以屬於變風焉。雅之體，如後世之五、七言古詩，作於公卿大夫，而用之朝會燕饗者也。其言主於述先德，通下情。事有大小，故有《大雅》焉，有《小雅》焉。成、康以上之詩，專於美，故謂之正雅；成、康以後之詩，兼美刺，故謂之變雅。變風、變雅皆因正風、正雅而附見焉。頌之體，如後世之古樂府，作於公卿大夫，而用之宗廟，告於神明者也。其言主於美盛德，告成功。《商頌》、《周頌》其正，而《魯頌》則不當作而作，比之風雅，蓋亦變之類也。」姜堯章云：「守法度曰詩，放情曰歌，體如行書曰行，兼之曰歌行，述事本末曰引，悲如蛬螿曰吟，通俚俗曰謠，委曲盡情曰曲。」觀於此言，可以得（或作『驗』）風、雅、頌各有體之言矣。然其言猶有未盡者。蓋詩有體、有義、有聲。以體爲主，以義爲用，以聲合體。如今人慢詞、耍令之類，體制固殊，音律亦異，義之用，則存乎其人爾。自樂書不傳，得其體制，而失其音律，是可惜也。若其義，則朱子之傳詳矣。《詩》亡而《離騷》作，亦《國風》之變也。朱子《集註》以屈原所作爲首，而附學《騷》者於後，是亦夫子刪詩而附諸國風於《二南》之意。「自漢以來，由《騷》之變而爲賦，故班固曰：『賦者，古詩之流也。』李陵、蘇武，始爲五言詩。當時去古未遠，故猶有《三百篇》之遺意也。」「魏晉以來，則世降而詩隨之。故載於《文選》者，詞浮靡而氣卑弱。要以天下分裂，三光五岳之氣不全，而詩聲遂不復振爾。劉禹錫有言：『八音與政通，而文章與時高下。』豈不信歟。其間獨淵明詩，淡泊淵永，夐出流俗，蓋其性情然也。後世獨稱陶、韋、柳爲一家，殆論其形，而未論其神者也。」「唐海宇一而文運興，於是李、杜出焉。太白曰：『大雅久不作』，子美曰：『恐與齊梁作後塵』，其感慨之意深矣。太白天才放逸，故其詩自爲一體；子美學優才贍，故其詩兼備衆體，而述綱常，繫風教之作爲多。《三百篇》以後之詩，子美又其大成也。昌黎後出，厭晚唐流連光景之弊，其詩又自爲一體，老泉所謂『蒼然之色，淵然之光』者是也。唐人以詩取士，故詩莫盛於唐。然詩者原於德性，發於才情，心聲不同，有如其面。故法度可學，而神意不可學。是以太白自有太白之詩，子美自有子美之詩，昌黎自有昌黎之詩。其它如陳子昂、李長吉、白樂天、杜牧之、劉禹錫、王摩詰、司空曙、高、岑、賈、許、姚、鄭、張、孟之徒，亦皆各自爲一體，不可強而同也。」「自五星聚奎，而啓宋之文治。歐、蘇、王、黄出焉，其文章之餘，猶足以名世。後山、簡齋、放翁、晦翁、誠齋，亦其傑者也。然宋詩比唐，氣象夐別。今以唐、宋詩雜比而觀之，雖平生所未讀者，亦可辨其孰爲唐，孰爲宋也。蓋唐人以詩爲詩，宋人以文爲詩。唐詩主於達性情，故於《三百篇》爲近；宋詩主於立議論，故於《三百篇》爲遠。然達性情者，國風之餘；立議論者，國風之變，固未易以優劣也。」「詩至宋南渡末，而弊又甚焉。高者刻削矜持太過，卑者模倣掇拾爲奇。深者鉤玄撮怪，至不可解；淺者杜撰張皇，有若俳優。至此而古人作詩之意泯矣。然陷溺其中者，方以能詩自負，見有深理如晦翁之作者，則指之曰：此儒者詩也；見有淺俚如誠齋之作者，則指之曰：此俗學詩也。吁！是豈徒不知詩哉！尤不足以知誠齋、晦翁矣！蓋晦翁詩，如《蒸民》、《懿戒》諸作，不害其爲《二雅》之正；誠齋詩，如《竹枝》、《欸乃》之作，不害其爲《國風》之餘也。」「本朝有亘古所無之混一，故有亘古所無之氣運。一時文人，如劉靜修、吳草廬、姚牧庵、盧疏齋、元復初、趙子昂諸先達，固以名世矣。大德中，有清江德機范先生，獨能以清拔之才，卓異之識，始專師李、杜，以上溯《三百篇》。其在京師也，與伯生虞公、仲弘楊公、曼碩揭公諸先生，倡明雅道，以追古人。由是而詩學丕變，范先生之功爲多。曼碩揭公語人曰：『近年詩流善評論者，無如劉會孟；能賦者，僅見范德機。』豫章熊雪嶠謂余曰：『范公詩如絕色婦人，淨洗脂粉，與人鬭妍，故無有及者。』渝川周靜之謂余曰：『范公踐履不愧古人，故其詞翰亦不愧古人。要皆自胸中流出，不可彊學而能也。』是可以觀公論矣。」「吾嘗親承范先生之教曰：『詩貴乎實而已。實則隨事命意，遇景得情，如傳神寫照，各盡狀態，自不致有重複套襲之患。』又曰：『詩能不失家數，不失法度，雖疏拙亦不害也。不然，雖大好，秖大謬爾。』又曰：『作詩作文，係其人所養如何。古人所以不可及者，只是養得好。』又曰：『如近世詩有云：「王謝風流在何處，爭如劉阮醉陶陶。」此江湖體制下者，不過戲臺上鼓吹閑語耳。』又曰：『吾平生作詩，稿成，讀之不似古人，即焚去改作。今人詩尚險詐，得意處自謂殆過古人。噫！使詩而可險詐求工，則古人先爲之矣。』」余復問作詩下手處，先生曰：「作詩成法，有起、承、轉、合四字。以絕句言之，第一句是起，第二句是承，第三句是轉，第四句是合。律詩，第一聯是起，第二聯是承，第三聯是轉，第四聯是合。或一題而作兩詩，則兩詩通爲起、承、轉、合。如子美詩《八月十五夜月二首》中，『滿目飛明鏡』以下四句，說客中對月，是起；『水路凝雪霜』以下四句，形容月明，是承；『稍下巫山峽』以下四句，言月出沒晦明之地，就含結句之意，是轉；『刁斗皆催曉』以下四句，言兵亂對月之感，是合。如作三首以上，及作古詩、長律，亦以此法求之。《三百篇》，如《周南·關雎》，則以第一章爲起、承，第二章爲轉，第三章爲合。《葛覃》則以第一章爲起，第二章爲承，第三章爲轉、合。《卷耳》則以第一章爲起，第二章、第三章爲承，第四章爲轉、合。《樛木》、《螽斯》、《桃夭》、《兔罝》、《芣苢》、《漢廣》，則每章四句、八句，自爲起、承、轉、合。《汝墳》則以第一章爲起，第二章爲承，第三章爲轉、合。《麟之趾》，則每章一句爲起，二句爲承，三句爲轉、合。其它詩，或長短不齊者，亦以此法求之。古之作者，其用意雖未必盡爾，然文者，理勢之自然，正不能不爾也。但後世風俗澆薄(亦作『訛』)，情性乖戾，故心聲之發，自不能與古人合爾。大抵起處要平直，承處要春容，轉處要變化，合處要淵永。起處戒陡頓，承處戒迫促，轉處戒落魄，合處戒斷送。起處必欲突兀，則承處必不優柔，轉處必至窘束，則合處必至匱竭矣。又以一詩全首論之，須要有賦、有興，有比，或興而兼比尤妙。《三百篇》多以興比重複置之章首，唐律則多以比興就作景聯，古詩則比興或在起處，或在轉處，或在合處。長篇長律，則轉處或有再轉、三轉方合者。若三四十韻以上，則先須布置語意，更不可錯陳。長篇則當先得起句，絕句則當先得後二句，律詩則當先得中四句。律詩固以對偶爲工，然得意處，則意對而語不對亦可。長篇古體，則參差中時出整齊語，尤見筆力。最戒似對不對，但涉江湖鬧熱語，便鄙俗。但用通用門字，無法則軟弱，軟弱猶易療，鄙俗最難醫。詩法雖不盡此，然大要亦不外此。至若升降開合、出沒變化之妙，又在自得，非言所能諭者。法度既立，須熟讀《三百篇》，而變化以李、杜，然後旁及諸家，而詩學成矣。」余因誦子美「老夫清晨梳白頭，玄都道士來相訪」，此二句是起，語極平直，似鄙俗而實非鄙俗也；「握發呼兒延入戶，手提新畫青松障」，此二句是承，語便春容；「障子松林靜窈冥」以下是轉；「已知仙客意相親，更覺良工心獨苦」，是再轉，語意極變化之妙；「松下丈人巾履同」以下是合，乃借松障中實景與當時人事感慨結之，意兼比興，可謂淵永之至矣。又誦太白「惜昔洛陽董糟丘，爲予天津橋南造酒樓」一詩。因曰：「往昔看此等詩處，皆怪其朴陋，今以起處要平直之說求之，方知平生論詩未及此也。」先生曰：「然。此二詩起得有法，故下面轉處，自有無限變化。然詩法有正有變。如子美《惜春》詩云：『一片花飛減卻春，風飄萬點正愁人。』起處似甚突兀，然通篇意是惜春，起處正合如此，乃痛快語，而非陡頓語也。『且看欲盡花經眼，莫厭傷多酒入唇。』一句承上，一句起下，甚得從容之體。第三聯：『江上小堂巢翡翠，苑邊高塚臥麒麟。』就景物中寓感慨意，政得轉處變化之法。結句：『細推物理須行樂，何用浮名絆此身。』若非第七句沉着淵永，則第八句便有斷送之患矣。又如《贈王郎司直短歌行》云：『王郎酒酣拔劍斲地歌莫哀，我能拔爾抑塞磊落之奇才。』起處亦甚突兀，然意卻平直。大概只是說王郎有雄豪之才爾，與今人尚險詐者不同。下面承處兩句云：『豫章翻風白日動，鯨魚跋浪滄溟開。』此是申說『才』字意，便從容，參差中出整齊語。若不如此，即非典雅之作，亦接上兩句不住。『且脫劍佩休徘徊』以下三句是轉處，力量已深勻稱，又就情景上再轉云：『仲宣樓頭春已深，青眼高歌望吾子。』卻以『眼中之人吾老矣』一句結之，七字而含無限之意，勢如截奔馬。此又詩法之變，而不離乎正也。又若太白詩云：『棄我去者昨日之日不可留，亂我心者今日之日多煩憂。』又云：『攀天莫登龍，走山莫騎虎。』又云：『君不見黃河之水天上來。』或以興爲起，或以比爲起，一皆不逾此法，未可以矢口成文視之也。」余因誦子美《醉歌行贈公安顏少府請顧八題壁》詩云：「神仙中人不易得，顏氏之子才孤標。天馬長鳴待駕馭，秋鷹整翮當雲霄。君不見東吳顧文學，又不見西漢杜陵老。詩家筆勢君不嫌，詞翰升堂爲君掃。是日霜風凍七澤，烏蠻落照銜赤壁。酒酣耳熱忘頭白，感君意氣無所惜，一爲歌行歌主客。」因曰：「此詩法度，與《贈王郎司直》詩無一不合。」先生曰：「然。不特詩也，《離騷》、古賦，莫不皆然。屈、宋、班、馬，固用此法，唐、宋諸賢，亦未有能外是法者。如歐公《秋聲》、坡公《赤壁》等賦，已極變化，而起、承、轉、合，截然不亂。又不特騷與賦也，凡爲文章，何莫不由斯道也！」因誦范先生《和鄧善之》詩云：「曩承持節江之東，騎鯨再上蓬萊宮。蓬萊仙人歌白鶴，聲落五湖煙雨中。世間爵祿不易致，何獨去就如飄風。朝廷禮樂須制作，《六經》隱義資發蒙。論思廟堂集耆碩，啓口寧讓前諸公。閉門授書古都市，四輩冠蓋方隆隆。我生生長在窮谷，那有文字爭人雄。謬蒙引論百僚上，負祿府署慚無功。一別十年還又五，昔者少壯今成翁。誰知復客七閩下，隔二千里來詩筒。羸軀頓醒瘴厲惡，賴以慰此心忡忡。越王城南浪自白，越王城西花正紅。」曰：「此以興爲合者也。」復誦伯生虞公《三鳳行贈海東之還江南》詩云：「海東之兄弟，三人如鳳凰。胸臆羽翮皆文章，九年三入天門翔。伯沖天，季驚人，一日四海皆知名。東之之文五色雲，見者眩晃皆眼昏。三進三已之，了若耳不聞。二人得之喜未足云，東之不慍乃可尊。東書江上歸見親，君子之樂樂最眞。」君不見匡廬之山，崷崒而嵯峨，左界豫章，諸川匯爲蠡鄱。其陰浩浩源，導岷經潛沱。山氣東欝不得去，上衡爲紫蓋，直與天相摩。爲雲覆八極，爲雨漲九河。海東之子，能觀山以成德，其進蓋未可量也，偶爾小屈奈爾何。」曰：「此以比興爲轉者也。」又誦仲弘楊先生《寄友人》詩曰：「聞君遊宦處，正值洞庭湖。落日波濤壯，晴天島嶼孤。舟帆通漢沔，風物覽衡巫。天下文章弊，非公孰起予。」曰：「此以興爲承、賦爲轉者也。」又誦曼碩揭先生《贈徐雲章》詩曰：「垂雲厲驚風，萬里摩高圓。蟠泥鼓巨浪，豈顧九重淵。毛生入楚庭，脫穎俄頃間。粲粲徐公子，長笑起丘樊。朝辭豫章臺，暮過匡廬山。大帆割鸚鵡，極目空波瀾。黃鵠錦袍仙，吹笙紫霞端。相顧一笑粲，青春滿南天。黃金築高臺，更覺郭隗賢。聯翩樂劇輩，相逐入幽燕。平明九門開，劍佩如云煙。豈無一字薦，傾倒平生言。東風杏花開，待我薊門前。」曰：「此以比興爲起者也。以上四先生，當今詩人，故舉其四詩爲凡例。其它或有通首皆賦而無比興者，在《風》、《雅》、《頌》亦有其例，但更難作耳。」余復問曰：「周伯弼所編《唐三體詩》，以『虛實』二字爲例，若『四實』中《早春遊望》詩及《經廢寶慶寺》詩，中四句皆景物，似與比興承轉之說不合，何耶？」先生曰：「『雲霞出海曙，梅柳渡江春』，兩句是說早春之景物，於『六義』屬興。『淑氣催黃鳥，晴光轉綠蘋』，兩句是說早春游望，於六義屬賦。『池晴龜出曝，松暝鶴飛回』，兩句是說景物，於『六義』屬興。『古砌碑橫草，陰廊畫雜苔』，兩句是說人事，於『六義』屬賦。伯弼以『四實』概論之，其說疏矣。」余又曰：「若杜詩五、七言絕句，有四句皆對者，又何如？」先生曰：「絕句者，截句也。後兩句對者，是截律詩前四句；前兩句對者，是截律詩後四句；四句皆對者，是截中四句；四句皆不對者，是截前後四句。雖正變不齊，而首尾佈置，亦四句自爲起、承、轉、合，未嘗不同條而共貫也。」余又問曰：「古詩徑敘情實，去《三百篇》爲近；律詩牽於對偶聲律，去《三百篇》爲遠。其亦有優劣耶？」先生曰：「此詩體之正變也。自選體以上，皆純乎正。唐陳子昂、李太白、韋應物之詩，猶正者多而變者少。杜子美、韓退之以來，則正變相半。變體雖不如正體之自然，而音律乃人聲之所同，對偶亦文勢之必有。如子美近體，佳處前無古人，亦何惡於聲律哉！但人之才情，各有所近，隨意所欲，亦可成家，二者固並行而不背也。如杜詩云：『遲日江山麗，春風花草香。泥融飛燕子，沙暖睡鴛鴦。』第一句『遲日江山麗』，是《中庸》天地位之意。第二句『春風花草香』，是《中庸》萬物育之意。起、承處可謂平直而從容矣。第三、四句是申言萬物育之意。然『泥融飛燕子』，是言物之動者得其所也；

『沙暖睡鴛鴦』，是言物之靜者亦得其所也。轉、合處，可謂變化淵永，而升降開合之妙者見矣。作者用心如此之苦，而讀者容易看過，殊不覺也。」曰：「或謂詩法少用助語字，多則爲儒者詩，而非詩人之詩也。此說如何？」先生曰：「《國風》曰：『我心匪席，不可卷也。』《小雅》曰：『壹者之來，俾我祇也。』與《賡歌》之『哉』字、《卿雲歌》之『兮』字相似。太白有云：『乃知兵者是凶器，聖人不得已而用之。』少陵有云：『重爲告曰，杖兮杖兮，爾之生也甚正直。』昌黎有云：『忽忽乎不知余生之爲樂也。』率皆如此。大抵詩者，所以導性情，隨所欲言，無不可者。若以此爲拘忌，不其固哉？」或曰：「《詩大序》云：『是謂四始，詩之至也。』邵子曰：『刪詩之後，世不復有詩矣。』朱子之傳亦曰：『後世雖有作者，孰能加於此乎。』嘗謂詩者，發於人之性情，千萬世猶一日也。豈刪後所能限邪？」先生曰：「《史記》：『《關雎》之亂，以爲風始，《鹿鳴》爲《小雅》始，《文王》爲《大雅》始，《清廟》爲《頌》始。』皆周公所定之樂歌也。夫當教化純被之餘，文明極盛之運，作者之情性，既極其正矣，而又得周公大聖爲之刪潤焉，故皆盡善盡美，而不可復加。邵子所謂『刪後』者，蓋兼指周公所刪潤之詩言之，非專指夫子《三百篇》之刪定也。朱夫子所謂『後世不能復加』者，蓋指《風》、《雅》之正與《周頌》、《商頌》言之，非謂變風、變雅與《魯頌》也。太朴既散，風氣日開，王化不明，人心不古，後世作者，其性情既非古人之正，又不得周公、孔子爲之刪潤表章，則詩之不逮古人，尚何疑耶？郝伯常有言：『自李、杜、蘇、黃，已不能越蘇、李而追三代，矧其下者乎？於是近世又盡爲辭勝之詩，莫不惜李賀之奇，喜盧仝之怪，賞杜牧之警，趨元稹之艷。又下焉者，則爲溫庭筠、李義山、許渾、王建，謂之晚唐。轟轟隱隱，啅噪喧聒，八句一絕，競自爲奇。推一字之妙，擅一聯之工，嘔嘔嚼嚼，味於齒牙之間者，祇是天地風雷、日月星斗、龍虎鸞鳳、金玉珠翠、鶯燕花竹、六合四海、牛鬼蛇神、劍戟綺繡、醉酒高歌、美人壯士等，磨切錙銖，偶韻較律，餖飣排比以爲工，驚嚇唱喊以爲豪，莫不病風喪心，不知有李、杜矣，又焉知三代性情風雅之作哉？草廬吳先生《感興詩》亦云：『周詩三百篇，《離騷》二十五。自從蘇李來，萬變不復古。』皆謂是也。」余又問：「前輩謂：『人工於字、工於畫者，皆爲玩物喪志，與稽康之鍛、阮孚之蠟屐，同爲費精神，於世無補。』今之工詩，得無類此邪？」先生曰：「夫子刪詩，列於《六經》，謂其『可以興，可以觀，可以群，可以怨，邇之事父，遠之事君，多識於鳥獸草木之名』。推之從政專對，而無不可。其所關亦大矣。若作者能以『思無邪』存心，而不墮於奇怪浮靡之失，則固聖人之所不棄也。其或於正學正教，漫不知講，而惟詩是務，則志荒之罪，亦不得辭，而其人其詩亦可知矣。如德機范先生《感秋》詩云：『蒼山秋意長，池館靜如閟。雨止脩竹間，流螢夜深至。皇羲世云遠，雅頌日凋弊。舉手遏頹波，誰識作者意。鳥啼魯東門，泗水不染袂。後去三十年，直可肩聖知。機關係風化，詞語特細事。月冷閉虛簾，坐夢太古帝。揚眉順玉色，盡發養生秘。勿謂學仙難，此道立可致。』觀於此詩，意義深遠矣，學者可不知所感而審所趨哉？」

佚名《詩家一指·普說外篇》 晦庵論詩，所謂讀詩須沉潛諷詠，玩味義理，咀嚼滋味，方有所益。須是先將那詩來吟詠四五十遍了，方可看註。看了註，又吟詠三四十遍，便意思自然融液浹洽，方有是處。詩全在諷詠之功。看詩不必著意裏面而分解，但憑涵泳自好。古人意思溫厚寬和，道得言語，自恁地好。詩看義理外，更看他文章。詩者，古之樂章也，亦如今歌曲，雖然，音節卻不同也。

又《三造》 三造（三段中分關鍵、細意、體系）：詩貴入門之正，行有未至，可加心力，路頭一差，愈騖愈遠。故曰：學其上，僅得其中；學其中，斯爲下矣。凡《三百篇》以降，經史諸書韻語，楚辭、古詩、樂府、李陵、蘇武、漢、魏、晉人語，皆須熟讀，次取李、杜、盛唐名家菁華，枕藉鈎貫，橫流胸中，久之自然悟入。雖未至，亦不失焉。楚、漢、魏、晉、盛唐諸作，斯禪宗最上乘；大曆以還，已落二義；晚唐則聲聞辟支。禪在妙悟，詩道亦然。悟有三：有透徹，有分解，有一知半解。後取諸名家熟參，倘由是而無見焉，是爲外道異端蔽其眞識，終非藥石可能救之病也。詩，情性也，羚羊挂角，無跡可求，所以妙處，瑩徹玲瓏，不可凑泊，水中之月，鏡中之象，萬折東流，千燈一空，言有盡而意無窮，由思惟而非思惟者也。近代之作奇特解會，往往以才學文字議論爲之。夫豈不工，而於古人情性愈覺遠矣。嗚呼，詩之道湮亦久矣。諧會五音，清便宛轉，宮商迭奏，金石相宣，謂之聲律。摹寫景物，巧奪天眞，探索微妙，意與神會，謂之物象。苟無意格以至之，才雖華藻，辭雖雄贍，皆無足取。要在意圓格高，纖穠具備，句老而字不俗，理深而辭不難，才縱而氣不怒，言簡而事不晦。如此之作，始入風騷韻度焉。大篇布置，首尾停均，腰腹肥滿。少乏工緻，病在不精思。不精思而作，多奚以爲？雕刻傷氣，敷演露骨。若鄙而不精巧，過在不雕刻；拙而無委曲，過在不敷演。人所明言者寡之，難言者易之，自然不俗。難處一語而盡，易處莫便放過，僻事實用，熟事虛用，理要簡易，事要圓活，景要微妙。多看自知，多作自好。小句精深，短章藴藉，大篇開闔，乃爲妙也。學有餘，約以用之；意有餘，約以盡之。意中有景，景中有意。思有窒礙，涵養未至也，當益以學問。歲寒知松柏，難處見作者。波瀾起伏，如在江湖中，一波未平，一波已作，亦猶出入變化，不可紀極，而法度不亂。文以文而工，不以文而妙，舍文無妙，聖處自悟。意出格，格出意，先得意如印印泥，止乎義理涵養。意格欲高，句法欲響，始於意格，成於句字，句意欲深遠，句調欲淸古和暢。每家自有風味，如樂各有聲韻，乃是歸宿處。倣者似而失之。對好易得，結好不可得，起好尤不可得。發端忌作舉止，收拾貴有出場。不必太著題，不必多使事。韻不必有出處，字不必拘來歷。字貴響，語貴圓，意要透徹，不可隔靴搔癢。語要脫灑，不可拖泥帶水。語直意淺，脈露味短，音韻散緩迫促，皆爲詩之病。初學寧失之野，不可失之靡麗，野不害氣，靡麗不可復整。學者須熟看古人，求其用心處，久久自然一有個道理。悟入必自功夫中來。先參李、杜，如佛正宗，次第方及諸法。凡作要悟入處。志爲主，氣爲輔，詞爲衛。挹之而源不窮，咀之而味愈長。古作以風調高古爲主，雖意遠語疏，皆爲佳製。欲造平淡，當自崢嶸組麗中來。涵泳力到，自有得處，如造化生物，不主名態。好詩圓美如彈丸。然俗意綺靡，能者輕之，少好風花，老大厭之，惟理合不害正氣。學者須先識古今體制雅俗向背，更洗盡腸胃間宿生葷血脂膏，然後可以去穢濁而入芳潤，由是而眞得矣。語貴含蓄，言有盡而意無窮者，天下之至言也。體物不欲寒乞。須參活句，不參死句。學有二節，其初不識好惡，肆筆而成；及始識羞愧，成之極難；及其透徹，則七縱八横，信手拈來，頭頭是道矣。看詩當具金剛眼睛，庶不眩於旁門小法。辨家數如辨蒼白，方可與言詩。學有力量，如弓人之斗力，未挽不知其難也，力不及則分寸不可強。又如操舟入蜀，屢窮險阻，則日至矣。中流棄去，篙楫不施，維纜不持，其退甚速，且將傾覆。學無他術，惟勤誦參請，勉於有爲。學者先須除淺異鄙陋之象。句叛而不叛於理，言簡而意不遺。觀者要識安身立命處始得。要在氣象，不可尋枝摘葉。貴在詞理意興，有尙詞而病理，尙理而病意。唐以詩取士，故多專門，每以意興爲主，而理在其中。漢魏之詩，詞理意興，無跡可尋。大曆以來，高者尙失盛唐，下者已入晚唐，下者以有宋氣也。唐與宋未論工拙，直是氣象不同。蓋不知有病，何由能作，不觀家法，何由知病，大醇小疵，差可耳。學竟無方作無略，子結成陰花自落。聲律爲最，物象爲骨，意格爲髓。須先立大意，長篇曲折須三致意，方可成章。圓熟多失之平易，老硬多失之乾枯。含蓄天成爲上，破碎雕鎪爲下。百鍊成字，千鍜成句。用事要如禪家語，水中著鹽，飲水方知鹽味。下字如弈棋，三百六十路，都敎要好着，顧臨時如何。句中有眼，如《華嚴經》舉果善知因，譬如蓮花，方其吐花而葩，已具蕊中。詠物不待分明說盡，只彷彿形容，便見妙處。寧拙勿巧，寧朴勿華，寧粗勿弱，寧僻毋俗。用意切忌太過，鍊句脈而意不足，語工意劣，格力必弱。立片言以居要，乃一篇之警策，玆要論也。爲詩要有野意，蓋非文不腴，非質不枯，然始腴而終枯，無中邊之殊，意味自足。寫難狀之景如在目前，含不盡之意見於言外。有一篇命意，有一句命意。學者必先命意，意正則思生，然後擇韻而用，如驅奴隸，故首尾有序。詩以意義爲主，文詞次之。意深義高，雖文詞平易，自然高。作詩者不可以言語求而得，必將觀其意焉。有意新語工，得前人所未道者，斯善矣。屬辭比事，爲通疏情性，無貴用事。若借事以發己意，則變態錯出，用事雖多，亦何妨。夫詩，世多目爲末技，然不用心，不讀書，不歷煉世故，則不足以名家。文字頻改，工夫自出，所以頑鐵久鍊成鋼，鉛錫冶而銀出。詩者情性也，非強諫諍，非逞志憾，非訐於謗訕侵陵，引領以承戈，披襟而受矢，以快一時之忿者，非詩之正也。失詩之指，乃詩之禍也。風雅貴溫厚之氣，用意精深，下語平易。嬉笑之怒，甚於裂眦；長歌之哀，過於慟哭；一字鄙貶，甚於鞭撻。思者卒然遇之而莫遇，物有貶則失焉。古作所以不可及，處其剛柔緩急哀樂之間，風敎則存乎其中矣。詩，言當正其心，心正則道德仁義之語，高雅溫厚之氣，自具於言辭之表。卒與景遇，備以成章，不假繩削，故非常情所能到。思苦言艱，僞詐氣象，終不逃識者之藻鑒云。《風》、《雅》、《頌》既云亡，一變而爲《離騷》，再變而爲西漢五言，三變而歌行雜體，四變而爲沈、宋律詩。晉夏侯湛三言，楚王傅韋孟四言，李陵、蘇武五言，漢司農谷永六言，漢武柏梁七言，高貴鄉公九言。總言之，《三百篇》內，二言、三言、四言、五言、六言、七言、八言、九言、十一二言，皆有之矣。（其說具項平庵《家說》中。）

佚名撰《詩宗正法眼藏》 學詩宜以唐人爲宗，而其法寓諸律。心神節制，字數經緯，小能使大，大能使小，遠能使近，近能使遠，下抗高抑，變化無窮，龍合成章，斤運成風，謂之微妙玄通，何可以匆匆求之乎？我法如是，有謂不必然者，卿用卿法。然詩至唐方可學，欲學詩，且須宗唐諸名家，諸名家又當以杜爲正宗。蓋上一等是六朝，陶、謝爲高。陶意語自成，謝勢氣傳運，皆未易學。又上則建安、黃初諸人，其才挾出，一筆寫成，岳運培塿，海露岸角，高處極高，淺處極淺，亦時近古，古風未漓，宜爾也。然此兩等詩，其旨與《三百篇》義不同。時之盛者，雅頌之旨未能渾以振，而失之晏安；時之衰者，民心之彝無復哀以思，而失之怨懟。近世有論作詩，開口便教人作選體。夫《文選》中諸詩，當時擬作，必各有所屬，今汎而曰選體，吾不識何謂也。且如看杜詩，自有正法眼藏，毋爲傍門邪論所惑。今於杜集中取其鋪叙正，波瀾闊，用意深，琢句雅，使事當，下字切，五、七言律十五首，學者不可草草看過。如此去看古人詩，胸中所閲義理既多，則知近世詩格卑氣弱，莫能逃矣。

佚名《名公雅論》 揭應奉云：生硬、陳腐、差錯、直置、妄誕、綺靡、蹈襲、濁穢、砌合、徘徊，此詩之十病也。當出題不出題，不當出題反出題。初學必須步步要學古，作爲樣子模寫之，如學書之臨帖也。歲月久，自然聲韻相合於古人矣。

又 虞待制云：典雅、拋擲、出塵、瀏亮、縝密、淵雅、溫蔚、宏博、純粹、瑩淨，此詩之十美也。訣曰：「文章伎倆本無多，志意安閑氣宇和。自是幽光輝似玉，不須巇險落塵魔。」

又 李仲元御史云：豫章三日新婦（揭），浦城百戰健兒（楊），蜀郡唐臨晉帖（虞），清江漢法令師（范）。右論四君子之詩，有所長，有所短，時人以爲知音者之言。

又 馬監察云：杜子有言：「《文選》爛，秀才半。」枕籍《離騷》，死生李、杜。揭君典重，楊君雄渾，虞君雅麗，范君淸高。獨小子兼四君子之長而有之，豈不然乎。

又 范應奉云：優游不迫，沉著痛快。力全而不苦澀，氣促而不梟張。痛巧尚直，而神思不得直；廢言尚意，而典麗不得遺。《騷》、《選》、韓、杜爲之骨，十五《國風》、太白爲之藪藻。

又 楊編修云：取材於《選》，效法於唐。僕嘗見虞應奉論詩曰：「陶淵明詩穩重，句句用意作出。」予難之曰：「他曷嘗用意作。蓋淵明高出一世，標格虛明，胸襟冲澹，自然流出肺腑也，他不曾作，句語有渾厚氣象，學者失之滯重。」律詩不必用意，得好句，意在其中。宋人詩多尚意，而不理會句法，所以不足觀。作句在讀，秦、漢以來文字，用三代古故事，古樂府，李、杜皆祖述之。李詩，七言歌行自是好，至於五言古詩又更好。作出來皆無迹，此是他天資超逸處。召對之時，固是氣象，流謫已後，氣愈倜儻不群，略不以世累經意，此其所以號爲詩中僊也。杜詩，五言自是好，七言歌行又更好。老杜全是學力，所以不乏險阻艱難，愈見精到，他一生把做事業看處在詩而已。學詩之法，先須思慕其爲人，平生履歷、操持、實踐，氣象，然後效其文章。不慕其爲人，是挹末流而不尋其源也。如讀釋氏典，不必就其言語上窮之。且如來雪山九年，終日忍饑忍凍，鵲巢於頂，草穿於膝，其如此處是如何，大本上詩得來底自別也，不是假言語。

佚名《詩家模範》 詩者，雖是絺章繪句，卻能大包六合，高視千古。其妙處精思入神，恍恍惚惚，若有若無，千變萬化，不可端倪。自非胸中透徹，無些見地，說不出這一段流出肺腑的言語來，爲之奈何。須熟讀李、杜諸大家數詩，則思過半矣。隨寓感興而爲詩者易，驗物切近而爲詩者難，故太近則陋，太遠則踈，要在平易和緩，而精切稱停，斯乃得之。措詞用意，起承轉折，有支分派別者，驟看似不相關涉，故於無情中乃有情耳。貴在脈絡貫通，精妙入神。若隔靴搔癢，貪首失尾，無大意味，不足語此。詩忌五俗。俗氣不除，雖工何取？俗者，謂如齊東鄙野之人而立于薦紳俎豆之間，觀其氣象，自不容喙，喋喋云乎哉。大篇如長江大河，行雲流水；或如孤峰斷崖，高牙大纛。須要渾渾沄沄，起伏頓挫，對仗有次第方好。如故作奇奇怪怪，欲出人意表，而不顧前後，不成篇章，風斯下矣。五言妙在渾厚平易，語少而意盡，興深而味長。風骨不凡，情景兩得，不奇而自奇。可與忘筌者道。故事略引貼證爾，使多則堆垛。要在使得融化暗合道妙，不露斧鑿痕，是爲作家。造語須參古人妙處，不可太着題，不可太疏蕩。便涉些議論，常令意在言表，歸之於正。不然，泛泛然東説西説，終篇無個着摸，縱恃才博，未免堆垛塵腐之弊。作詩要自知其病，所謂智者能調五臟和也。有病不知，知而不調，病轉深也。詩貴含蓄，優柔不迫。大抵從學問中來，語句自然近理。以理爲主，以氣爲使。叫噪怒張，非詩道也。成一篇詩，便似吏人文案一般，中間要分豁，前後情節逐一斷遣，歸結明白，再無可駁問疑改去處。如此，任屈、宋作衙官，李、杜來照刷，孰云不當乎？詩者吟詠情性也。而於登臨感慨懷思之際，又有説焉。則以我之所聞見，一一發於胸中，商榷古今山川人物，如何以一言而斷制之，豈徒吟詠情性而已。體製、聲音，二者居先。無體製，則不師古；無聲響，則不審音。故詩家者流往往名世者，率以此道也。有開口成文者，人以爲贍；有旬鍛月煉者，人以爲鈍。或以鈍者工，而贍者不工，何也？由思則得之，不思則不得之矣。古人謂三脱稿，良有以也。詩無他技，一才學，二妙悟爾。學要力，悟要識。譬如學禪者不加向上一步工夫，安能覺得本來眞性？直至頂門透徹，則信手拈來，頭頭是道矣。嘗觀沈約詩已似唐人，韓昌黎詩已似宋人，何歟？由悟入有邪正。韓非不求至沈，自不期而然者也。且詩家者流，各有師效。謂少陵愛何遜，太白類陰鏗，豈無旨哉。苟得其矩度，則閉門造車，天下合轍矣。唐人律詩，只是眼前景物，眼前説話，即事起興，寫將出來，便自有高下。有清新富麗者，有雄渾飄逸者，有纖巧刻削寒陋者。體製不一，音節亦異。大抵學者要分別得初唐、盛唐、中唐、晚唐及宋、元人詩，某也如何，某也如是。看得多，識得破，吟咏得到，審其音聲，則而象之，下筆自然高古。若拘拘法度，得其形而不得其神，無超脱變化，千章一律，抑又次焉。大段氣骨要雄壯，興趣要閑曠，語句要條暢，韻脚要穩當，字字要活相，篇篇要響亮。古今稱絶唱，不脱此模樣。句參差，字七門，韻獨用，意十分，眞口訣，識者論。不可太誇奬，不可自寒賤，不可犯時忌，不可張打油，不可押險怪之韻，不可多用花柳鶯燕膚淺之語。莫作算博士，莫作骨董鋪，莫作剌撒堆。有俗體，有平頭、回文、蜂腰、鶴膝、八音、白戰、齊梁間諸體，作之非惟不佳，崎嶇求合，殊失詩人之旨。詩與天地傳神，山川出色，所謂有聲畫是也。其景象位置顧筆力如何爾。夫詩能泣鬼神，鼓動萬有，出諸胸中，膾炙人口，長留於天地之間，傳之不朽，豈小技也哉？乃風化之首。少年看杜詩便學老人語，有傷邁往之氣。若不見得一格，如何長得一格。直至涉歷世故，侵尋暮景，到此方知老杜平生得意不得意處，俱有關世教，豈虛言哉！若止剽竊皮膚飣餖以爲工，無自然之妙，乃畫虎爾。唐人和意不和韻。和韻，以韻生意，故易；和意架空而爲之，故難。學者只把古人詩好爲法者篇篇熟讀而詳味之，因他題目，倣其體，和其意。和得一首，則記此一首，久久皆在胸中，即隨心應口，自然成誦，此詩法快捷方式也，又何必他求哉。律詩難於古詩，絶句難於律詩。人各有所長。有專攻一律者，有體備諸家者。觀古人之詩而優劣自辨。蓋善作者猶陶人之造諸器，坯範在手，無不爲也。五言古詩自漢、魏、兩晉而下，昭明所選，謂之選詩。至盛唐，乃謂之古詩。始陳子昂、李、杜諸大家出，一掃六代之纖弱，以渾厚之風倡天下，而後世斷以唐詩爲宗，何也？無蹈襲雷同之弊，非流連光景之文。詩有別才，非關書也；詩有別趣，非關理也。然不多讀書多窮理，不能至也。昔人之論如此。天地以風水爲聲，如不得其正，則震怒澎湃。人之言也，亦然。苟不得其正，則哀怨之詞作。正者，盛治之音，皆安樂和平，如開元、天寶前之詩是也。非正者，元和以後詩是也。詩之緊關最在結句。結句無力，便沒和殺，不成片段也。中間又要有胸次，有氣魄，有法度，有節奏，有脈絡，有興趣，有議論，有警策，有感慨，有滋味，是爲作手。此詩遇會家吟，未易爲尋常道。大凡臺閣之作，氣象要光明正大；山林之作，要古淡閑雅；江湖之作，要豪放沉着；風月之作，要醖藉秀麗；方外之作，要夷曠清楚；征戍之作，要奮迅淒涼；懷古之作，要慷慨悲惋；宮壺閨房之作，要不淫不怨；民俗歌謠之作，要切而不怒，微而婉。雖寓情寫景不同，而止於忠愛則一。故溫柔敦厚詩教也。

佚名《作詩骨格》 凡作詩，氣象欲其渾厚，體面欲其弘闊，血脈欲其貫通，風度欲其飄逸，音韻欲其鏗鏘。若雕刻傷氣，敷演露骨。此涵養之未至也，當益以學。詩要鋪叙正，波瀾闊，用意深，琢句雅，使事當，下字切。觀詩之法，亦當如此求之。長篇妙在鋪叙，時將一聯挑轉，又平平説將去，如此轉換數匝，卻以數語收拾，則妙矣。詩語貴含蓄。言有遇言無窮者，天下之至也。如清廟之瑟，一唱三嘆而有餘音。大概要沉着痛快，優游不迫。詩有四種高妙：一曰理高妙，二曰意高妙，三曰思怨高妙，四曰自然高妙。句中要有字眼，或腰，或足，或膝，無一定之處。最要的當，所謂要「鍊」字、「下」字者是也。作詩要運意高遠，則胸次開廣，自不謂淺近之見。世之學者多用意中間兩聯，而不知首尾起結尤爲難也。人所常言，我寡言也；人所難言，我易言之，則自不俗。詩有三多：讀得多，記得多，作得多。作詩要苦思。詩之不工，只是不精思耳。不思而作，雖多亦奚以爲。古人苦心講求其句法，鍊字鍛句，曰「語不驚人死不休」，又曰「一生精力盡於詩」，其苦思可知矣。今學者於詩法茫然不知涯涘，往往便稱能詩，嗚呼，詩豈不學而能哉？

佚名《詩教指南集·詩立主意》 學詩之法，先讀《千家》、《盛唐》、《精選》等詩，參透其律。是某主意，托比某事。如韓愈《晚春》云「草不知春不久歸」是也，韋應物《滁州》云「獨憐幽草澗邊生」是也，皆有君子小人之喻。

又《詩立體勢》 詩貴含蓄事情，關係名教。古之善吟者，若吟一事，遠取諸物，近取諸身，言近而指遠，則有賦、比、興在其中矣。

又《認賦比興》 賦者，竟賦其事。如韓愈《貶潮州》云：「一封朝奏九重天，夕貶潮陽路八千。本爲聖朝除弊政，敢將衰朽惜殘年。」此詩爲《佛骨表》貶出而作也。比者，借其物以比其事。如林和靖《梅花》詩云：「衆芳搖落獨暄研，占斷風情向小園」云云。此詩以比己之高潔如梅花之耐歲寒也。興者，下或用事。如借一物爲首起興，如竇叔向《與表兄話舊詩》云：「夜合花開香滿庭，夜深微雨醉初醒(以首二句起興)。遠詩珍重何由達，舊事淒涼不可聽」(後叙事是也)。

又《辨詩俗字俗句》 况吟詩，其中有一字俗者，卽古人豈能無之，如《牧童》詩云：「草鋪橫野六七里，笛弄晚風三四聲。歸來飽飯黃昏後(此句甚俗)，不脫蓑衣卧月明(四句又俗)。」此詩雖有俗字俗句，而其中隱逸安舒之趣，則深遠無窮，學者略其俗而味其趣可也。又如老杜號詩祖，其中亦有淺俗者。如《納涼遇雨》詩云：「落日放舡好，輕風生浪遲。」此句白丁亦能言之。至其奥處，雖鴻儒不能認之，毋徒以俗病也。

又《警妄語》 或問詩人多妄語，信乎？答曰：非敢妄也。但大言者有之。如老杜云：「飲如長鯨吸百川。」楊大年云：「危樓高百尺，手可摘星辰。」王羲之云：「筆陣獨掃千人軍。」文天祥云：「南人志欲扶崑崙，北人志欲黃河呑。」皆因豪氣所發而然也。

又《詩有著題泛說》 著題是實寫題，泛說則空空借說也。如絶句四句俱要著題者難也。或二句著題，二句泛過；或三句著題，一句泛過。如劉後村《鶯梭》詩：「擲柳遷喬大有情，交交時作弄機聲。洛陽三月春如錦，多少工夫織得成。」此詩第三句乃泛過，而意亦在題之中。如東坡《花影》詩：「重重疊疊上瑤臺，幾度呼童掃不開。剛被太陽收拾去，卻教明月送將來。」此詩四句全著題也。泛泛題者，只以題爲名，如劉季孫《題屏》詩：「呢喃燕子語梁間，底事來驚夢裏閑。說與傍人渾不解，杖藜攜酒過芝山。」此詩乃言其志也。

又《革詩疵病》 疵者用字合掌，有小疵耳。病則其理舛也，乃是大失。詩疵，皮日休《病孔雀》詩：「強聽紫蕭如欲舞，困眠紅樹似依屏。因思桂蠹傷肌骨，爲憶松蛾損玉靈。」「因」與「爲」字、「如」與「似」字、「思」與「意」字、「損」與「傷」字，皆合掌，小疵也。詩病，宋邕《述劉阮再到天台》詩頸聯云：「草樹總非前度色，烟霞不似往年春。桃花流水依然在，不見當時勸酒人。」以理評之，既曰總非前度，不似往年，又曰依然在，前後刺謬，大病可破者。東坡詞云：「杜鵑聲裏斜陽暮。」既曰斜陽，又云暮，是重意，亦病也。王荆公亦善吟者，如《殘菊》詩：「黃昏風雨過園林，殘菊飄零滿地金。」歐陽永叔笑曰：「秋花不比春花落，爲報詩人子細吟。」荆公聞之曰：「歐陽九不學之過也。不聞《楚詞》云：『夕餐秋菊之落英。』」歐、王二公文章擅一世，而彼此相笑，豈非於草木之名猶未盡識乎？菊固有落者，永叔之言非也。而《楚詞》之「餐落英」，「落」訓「始」也，乃菊之初開，芳馨有可餐之味耳。荆公之引證亦非也。故詩到全無病處，卽名家亦難言之。

佚名《編類》 杜子美詩云：「蜀相祠堂何處尋，錦官城外栢森森。映階碧草自春色，隔葉黃鸝空好音。三顧頻煩天下計，兩朝開濟老臣心。出師未捷心先死，長使英雄淚滿襟。」觀「自」字、「空」字、「未」字、「先」字，多少感慨。然深味之，則先主之敬禮武侯，武侯之事先主以及後主，始終如一，而各盡其道，非子美其孰能知之。是雖律詩，古意存焉。他人又曰：「伯仲之間見伊呂」，以其人品與其心而言也；「指揮若定失蕭曹」，以其才能事功而言也；「運移漢祚終難復，志決身殲軍務勞」，天命已去漢矣，武侯雖有人品之高，過人之才，亦不能善其後，宜乎食少事多，而終不能久於世也。百世之下，知武侯之心者，其惟子美乎。

又 凡作長律，如作大文字之法，句雖排比，意實圓轉，雖要先立冒頭，拈盡一篇之意，中間抑揚開合，節節有序，後而結尾，超出意外，須要盛水不漏，方是好詩。若句排意亦排，如畫甲乙帳，正成何等模樣耶！

又 朝則與賓友周旋揖讓，暮則偃息其中，一窗南出尤明。至秋之夜，纖雲不興，天宇空碧，明月在庭，流光滿室，四壁盡白，詩興清發，吾乃抱膝長吟，神遊意適，恍如乘雲御風，翱翔乎白玉之京，而周覽乎八極之外。蓋無爽於昔之所得者焉。嗚呼！人之精神，與天地通，故其神交氣感，妙合至道，而況於詩乎？昔人所謂文章得江山之助，信不虛矣。是用紀其所得於天者，以與一二同志共樂焉。或曰：宋人詩雖不及唐，尚與唐人爲賓主，今人詩句句學唐，何異唐人之臣僕？吾應之曰：以唐人之詩法，形容自己之性情，譬猶使之將命耳。吾但見以唐人爲僕，未見臣僕於唐人也。今人作詩有三病：才高者，好生新意，往往琢奇句，押險韻，而不可讀；學博者，好用隱僻故事，往往艱深晦滯，而不可曉。甚至不祖古人規矩，而欲自成一家，往往撰爲不經之語，以眩惑後生，而與古人吟咏性情之旨，於是乎失之遠矣。凡作詩，須慎寫題，古詩題不可吟律詩，律詩題不可吟古詩，押韻須平易，不可艱險，愈艱險愈不自然，而反傷其意趣矣。凡作詩，不可多用故事，多用故事，則客意勝主意矣。用故事，須要隱然不可顯，然須要我去使他，不可教他使我。知此，則無拘滯牽合之病矣。古詩「青青河畔草」，以興「綿綿思遠道」，乃興體也。蓋曰河畔之草，則青青矣，遠道之思，則綿綿矣。然遠道之人，不可得而思，徒有夙昔夢見而已。適夢見在我之傍，忽然夢覺時，則在他鄉矣。他鄉又各異縣焉。是以輾轉不可見也。此句、此意多少曲折。又曰：枯桑知天風矣，海水知天寒矣，今入門之人乃各自取媚於其君，而征人之苦，誰肯相爲言哉。感物興懷，其責同朝之人也深矣。蓋物本無情，人自有心，言無情之物尚知時，而有情之人反不我顧，不如枯桑海水之有知也。

又 學詩之體有六：一曰命意，二曰體制，三曰氣魄，四曰情思，五曰字句，六曰音節。命意要有理，合乎風雅之旨趣。體制要成一家之言，如學《古詩十九首》，一篇首尾不雜別樣句法。氣魄要渾厚，而不至於浮薄淺露。情思要七情所發，出於至誠，婉轉含蓄，有餘不盡。字句要鍛煉精切，渾然天成。音節要轉換鏗鏘，如浮聲切響，雙聲疊韻之類。六法一有不備，則非作者之詩矣。學詩要得《三百篇》六義體制。漢魏西晉，宛然有此意度，東晉以後，漸趨於巧。三謝詩，造語蓋工，而古意益失矣。學詩之法有七字：眞情實景生成句也。漢魏、西晉之詩，如空山道人，草衣木食，而服氣導引，外面無可觀者，而其中神氣極盛。江左以後之詩，如病婦艷妝，外固可以悅人，其中之氣則餒然矣。漢高祖、楚霸王，皆不文之王，然亦能作《大風》、《鴻鵠》、《垓下》、《帳中》之歌。蘇武、李陵，皆將家子，然亦能作五言之詩。其在當時，孰稱其爲詩人乎。但後世學之而不能及，遂宗之以爲法也。古人之詩，事切情眞，出於至誠，如喜而笑，怒而叫，哀而哭泣，痛而呻吟，皆非勉強爲之，故其詩自好。蘇武、李陵之詩是也。後人爲詩者，往往爲人題卷，事情不切於己，旋立意思，旋琢語句，如不喜而強笑，不痛而呻吟，皆非至誠，皆非自然，神氣皆不渾全，所以不好。古詩遠，每恨其句之不工；律詩句工，每恨其意之不遠。意遠，甚宜潛玩；句工，止可詠歌。學詩者，其才各有偏長，故亦各有一偏之好焉。苟能兼取而並用之，不亦彬彬之君子乎。昔人有言曰：「學詩如學仙，時至骨自換。」以用功切至而言也。又曰：「學詩如學禪，要自悟其理。」以識見所得而言也。用功所至，或可必；識見所得，不可必也。待其神會而心得之，然後可與言詩矣。故學之非難，悟之爲難也。凡作詩，敘情則眞情，敘景則眞景，觸於目，感於心，則景與情合，神與事會，自然有趣，有態，有氣，有神，流動充滿，隨遇而得，無拘無閡，渾然天成，自然得到古人佳處，其視區區鬪飣牽合者，天淵不侔矣。凡作詩，先將情景涵泳於胸中，使其興趣神氣，充足有餘，然後發之於詩，自然一氣渾成，而非思索鍛煉之所可及也。誠如是，則神會心得之妙，有非淺近之所能知者矣。吾於四時，最喜秋，尤喜秋之夜。每風清月明，星稀河淡，秋聲在樹，蛩吟在宇，莫不神氣冷然，毛骨竦豎，攬衣徘徊，達旦無寐，至爲歌詩，累月不能措一辭者，一夕盡得之。如是者，蓋有年矣。至正九年春，吾在燕京北城，得倪仲愷之舊館於教忠里，乃卜居焉。其中門之外，一室尤清，架曲薄以承塵，而四壁飾以素楮，瑩然可愛也。遂因之而不革。

張以寧《翠屏集》卷三《黄子肅詩集序》 散乎高下皆詩也。古之爲詩者，發之情性之眞，寓之賦比興之正，有常有變，隨感而應，一是悟言而已矣。其爲用也，協之律呂，播之聲歌，抑揚而反覆，詠歎而淫泆，以感發而歆動之。至其賦之以言志，援之以釋經，皆不膠乎章句之中，而有會於言意之表，是故孔子曰：「興於詩」，「詩可以興」；程子曰：「興於詩者，有『吾與點也』之氣象。吟哦諷詠，姑訓釋而使人自省」，皆言悟也。後乎《三百篇》

莫高於陶，莫盛於李杜，大抵二《雅》賦多而比興少，而杜以眞情眞景精義入神者繼之；《國風》比興多而賦少，而李以眞才眞趣渾然天成者繼之，而爲二大家。陶之繼，則韋、孟、王、柳之得意者，精絶超詣，趣與景會，多出於興，然與《風》、《雅》概有悟然。至乎近代陳氏學杜者，論者謂如參曹洞諸禪，不犯正位，切忌死語，乃以禪諭詩，又其後也。邵武嚴氏，痛矯於論議援據爛熳支離之餘，亦以禪而諭詩，不墮言筌，不涉理路，一主於悟矣。然而生宋氏之季，其才其氣其學，類未能充其言也，君子惜之。

又《山林小景詩序》 畫猶詩也。夫爲詩者，非模擬摽掠以爲似也，非琢雕剞劂以爲工也，非切摩聲病、組織纖巧以爲密且麗也。必也涣然而悟，渾然而來，趣得於心手之間，而神溢於札翰之外，是則詩之善也。於畫亦然。是故古之善畫者必善詩，非獨善畫者之善詩也。蓋凡知詩者，莫不知畫也。不然，譏雪中芭蕉以爲不類，議風吹柳花以爲無香，是惡知畫且惡知詩哉！

又《蒲仲昭詩序》 詩必問學乎？詩非訓詁文詞也。詩不必問學乎？詩莫善乎讀書萬卷之杜甫氏也。去古逾遠，詩不復列於工歌矣。漓而淳之，浮而沉之，返古之風，完古之氣，以追其眇然既墜之遺音，捨問學何求矣。然而論議之蔓，援引之繁，堆積於胸，寖不能化，若兵移屯，亂稾盈地，文且不可爲，况精華而爲詩者乎？故問學者貴乎融者也，譬如大冶聚金，銷而水之，百爾器備，惟所欲爲；又如投鹽於水，掬而飲之，祇見其味，無有鹽跡。此杜甫氏之詩，方之衆作，超然驪黄之外，而投之無不如意者也。嗚呼，其難哉。

又《劉可與紀行詩序》 詩與畫相類，在乎氣之完，趣之詣，故妙於畫者，必千宕萬壑全具吾胸中，而後解衣盤礴，沛然縱筆，急追其所見，乃能脱凡近而入神。【略】古云詩得江山之助，信然。

陳謨《海桑集》卷六《縉雲應仲張西溪詩集序》 詩道如花果，謂其天葩紛敷，必貴乎有實也；詩興如江山，謂其波濤動蕩，岡巒起伏，畢陳乎吾前，然後肆而出之也。必貴乎有實，則綺麗奢靡者，舉不足矜；必肆而後出之，則搜抉肝腸者，皆非自然也。此詩之至也。

又《郭生詩序》 稱詩之規範者，蓋曰寂寥乎短章，春容乎大篇。短章貴清曼纏綿，涵思深遠，故曰寂寥。造其極者陶、韋是也。大篇貴汪洋閎肆，開闔光焰，不激不蔓，反覆綸至，故曰春容。其超然神動天放者，則李、杜也。不及乎寂寥者爲柳子厚、王摩詰、儲光羲、孟浩然。而六朝之靡靡以淫，促促以簡者弗與焉。過乎春容者爲韓退之、蘇子瞻。韓公慷慨論列，如河出崑崙，極海而止，其忠憤激切殆與少陵一飯不忘君者同機。蘇公雄渾傑特，元氣淋漓，引星辰而抉雲漢，眞可與太白神游八極之表。二公俱非絺章繪句之所比也。此詩之至也。

宋濂《宋學士文集・鑾坡前集》卷七《清嘯後稿序》 詩之爲學，自古難言。必有忠信近道之質，藴優柔不迫之思，形主文譎諫之言，將以洗濯其襟靈，發揮其文藻，揚厲其體裁，低昂其音節，使讀者鼓舞而有得，聞者感發而知勸，此豈細故也哉！奈何習之者多如牛毛，而專之者少如麟角也。

又《鑾坡後集》卷三《劉兵部詩集序》 詩，緣情而託物者也。其亦易易乎？然非易也。非天賦超逸之才，不能有以稱其器。才稱矣，非加稽古之功，審諸家之音節體製，不能有以究其施；功加矣，非良師友示之以軌度，約之以範圍，不能有以擇其精；師友良矣，非雕肝琢膂、宵詠朝吟，不能有以驗其所至之淺深；吟詠侈矣，非得夫江山之助，則塵土之思膠擾蔽固，不能有以發揮其性靈。五美云備，然後可以言詩矣。蓋不得助於清暉者，其情沉而鬱；業之不專者，其辭蕪以厖；無所授受者，其製澀而乖；師心自高者，其識卑而陋；受質蹇鈍者，其發滯而拘；古之人所以擅一世之名，雖其格律有不同，聲調有弗齊，未嘗有出於五者之外也。

又《翰苑續集》卷五《猗歟詩有序》 予謂作詩必本於《三百篇》。自李陵專於五言，歷代因之，鮮有復於古者。晉魏之間，雖有作者，音節韻趣，亦有難於言矣。

又《宋學士全集》卷六《霞川集序》 詩其可學乎？詩可學也。然宮羽相變，低昂殊節，而浮聲切響，前後不差，謂之詩乎？詩矣，而非其美者也。辭氣浩瀚，若春雲滿空，倏聚而忽散，謂之詩乎？詩矣，而非其美者也。斟酌二者之間，不拘不縱而臻夫厥中，謂之詩乎？詩矣，而非其美者也。然則詩之美者，其將何如哉？蓋詩者，發乎情，止乎禮義者也。情之所觸，隨物而變遷，其所遭也忳以鬱，則其辭幽；其所處也樂而艷，則其辭荒。推類而言，何莫不然。此其貴乎止於禮義也歟？止於禮義，則幽者能平，而荒者知戒矣。

陶安《陶學士集》卷三《偶成四首》 文何爲小技，理有未全明。妙在無夸靡，悠然寫性情。勻泉常澹泊，五味總調成。垂老方知此，譏予必後生。八珍羅水陸，五采繡文章，美矣孰無好，用之非可常。古今天地運，晝夜日星光。何必驚人眼，相看共久長。清河追鈷鉧，老牧步潮州。全氣有虞子，餘風挹靜修。居然成典雅，正不在雕鎪。更有神交處，淵源訴魯鄒。博學草廬翁，還存荆陸風，歐黃皆後出，繩墨是良工。南土文華盛，中州景慕同。九原不可作，我亦老江東。

朱右《白雲稿》卷四《羽庭稿序》 古詩《三百篇》，以風、雅、頌爲三經，賦、比、興爲三緯。其音節、體製概可考也。後之作者，固蔑以復加；而後之作者，捨是亦無以爲法。自夫王澤下衰，《雅》、《頌》不繼，王官失職，巡狩不陳，而詩樂之教不行於天下尚矣。東周以還，郢騷之怨慕，楊馬之浸衍，晉宋之蕩靡，古意彌失，而音節、體製亦與時下，烏在其能復古乎？

貝瓊《見先生文集》卷一三《跋王逸老書八仙歌後》 凡藝始於學，而卒於悟。學而工，不若悟之神。

徐一夔《始豐稿》卷三《錢南金詩稿序》 詩人之言，貴平易不貴奇怪。橫渠先生有言：《三百篇》之詩，不過舉目前之事而寓至理於其中。此最爲善說詩者。夫詩，情性以本之，問學以充之，才氣以發之，思致以廓之。此之謂詩，不知出此而務炳炳烺烺，以驚世駭俗謂之詩，未可也。《三百篇》不可尚已。涉漢、魏、晉、宋、齊、梁、陳、隋、唐、宋，以及國朝之盛，作者代有其人，大家鉅集具在也。試取而讀之，雖其材力所就不無等差，觀其緣情指事，寂寥乎短章，春容乎大篇，有平易而無奇怪，至於雋永其味，則悠永宏闊而反覆無窮。

又卷五《韋齋稿序》 夫語言精者爲文，詩之於文，又其精者也。故爲文必去陳言，於詩尤所當務。使陳言誠去，則氣自清，韻自遠。

王禕《王忠文公集》卷一三《書劉宗弼詩復》 詩貴乎純，純則體正而意圖；體正故無偏駁之弊，意圖故有超詣之妙。詩之可貴者，其不出於此哉。

唐桂芳《白雲集自序》 夫《六經》皆文也。獨《進學解》曰：「《春秋》謹嚴，《易》奇而法。」謹嚴尚能知之，奇而法，非知道者孰能言之！《易》曰「日中見斗」，有其象而無其理也；「載鬼一車」，無其象而有其理也。《易》雖奇而貴於有法，所以爲經。三代而降，《莊》、《騷》非不奇也，而味於有法。《荀》、《揚》非不謹也，而失於有嚴。唐推韓退之奇而且法，柳子厚謹而且嚴。宋歐陽永叔正則正矣，而近於奇；曾子固謹則謹矣，而近於嚴。陳腐則不奇，詭怪則不法，放恣則不謹，齷齪則不嚴，戛戛乎其難矣。所以詖辭、淫辭、邪辭、遁辭，而知其所蔽、所陷、所離、所窮，豈特言哉！言之精者爲文，文之精者爲詩，初無異理也。【略】文章公器，不爲子孫賢愚而傳與否也。退之之子昶誤金根之讀，子厚之子周六幼甚，其文盛傳，初不係其子也。縱子孫不傳而人自傳之，詩文不貴乎多，陳無己僅有《思亭記》、《黃樓銘》，咸知其能文也。盧仝之《月蝕》，劉叉之《冰柱》、《雪車》，盡知其能詩也。予平生讀書不多，識字可數，文不堪傳遠，姑以文營文塚。風氣融結，待鍾芝菌，詩付詩瓢；魚龍咀嚼，可鼓波濤。明邦家之禎祥，承江海之利涉。後世指而告曰：文塚者，劉蛻也；詩瓢者，唐求也。疵賤姓名，未致泯滅，而詩卷當長留天地間也。輒以文章之利病，諸子之得失，而深告之。

林弼《林登州集》卷一三《華川王先生詩序》 古人之詩，本乎情而以理勝，故惟溫厚平易，而自有餘味。後世之詩，局於法而以辭勝，故雖艱險奇詭，而意則淺矣。夫《三百篇》者，詩人情性之正，而形於溫厚平易之言也。後世能言之士，有極力追倣不能及者，則固非無法也，非無辭也，其法非後世之所謂法，其辭非復世之所謂辭也。蓋情之所發者，正理之所存者，順則形於言也，自有其法，自有其辭，有不待於強爲者也。惟能有得於古人之法之辭，則後之作者皆可以與之方駕並驅，而無愧矣。

烏斯道《春草齋集》卷八《劉職方詩集序》 天下藝之工者，雖出於性聰，亦歷歲滋久然也。何獨藝哉！至於詩亦然。詩之工，非直體裁聲律開闔起伏無可疵焉而已。年益高，功益深，則蒼蒼如喬松勁柏，老雕健鶻，使萎恭披靡之氣屏絶於萬里之外，讀之神自張而氣自王也。豈惟然哉！意遠而詞暢，趣深而景融，神變化而莫之測，識向之工，人見其工，至是而工之迹泯焉。如扁氏之斲輪，郢人之斷堊，服鍊之仙骨蛻而形化，然後爲詩之工也。詩之工固矣！然非味道腴而薄世紛，亦未足以言詩。必理不使情勝，道不爲物溺，天地萬象皆吾之妙焉者也，故吐精萃華，自無不美矣！如《三百篇》皆思無邪，豈流於情欲之私，翦翦焉狀物寫情者所可比哉！

童冀《尚絅齋集》卷二《春草集後序》 夫比興之述，所以探「六義」之賾、擷百氏之英，模倣乎物象而攄陶性情者也。誠理政之本，風教之基，躡藝苑之術徑，涉詞源之津匯者矣。粤自大雅輟響，正始淪音，秉柔翰者方駕乎麗縟之囿，振教鐸者接軫乎紛葩之林，夫其匠意立言，摛華鋪藻，鏤形月露，馳情魚鳥，闖海岳之高深，軼雲霞之窅渺，誠足尚矣。

王行《半軒集》卷五《柔立齋集序》 凡學，必先求知也，能知然後可行。苟知之或未至，行之有過差，則跬步之間，致千里之繆，夫豈小故云哉！詩亦學也，故必謹其始焉。朱子教人爲詩須先學韋、柳。韋、柳固不足以盡詩之妙，然由是而往，雖求至於三百十一篇，亦猶灑掃應對求造夫聖賢之域，雖地位有高卑，道里有遠近，往之則至，終無他歧之惑矣。

又卷八《題陳邦度詩後》 《詩》先《國風》而後《雅》，蓋《風》本時之歌謡，《雅》則禮之樂章也。學《詩》者不先之《風》，無以見詩人發於性情之自然；不歸諸《雅》，無以識君子止乎禮義之中正。此不易之序也。

高啓《鳧藻集》卷二《獨庵集序》 詩之要，有曰格、曰意、曰趣而已。格以辯其體，意以達其情，趣以臻其妙也。體不辯則入於邪陋，而師古之義乖；情不達則墮於浮虛，而感人之實淺；妙不臻則流於凡近，而超俗之風微。三者既得，而後典雅、沖淡、豪俊、穠縟、幽婉、奇險之辭變化不一，隨所宜而賦焉。如萬物之生，洪纖各具乎天；四序之行，榮慘各適其職。又能聲不違節，言必止義，如是而詩之道備矣。夫自漢、魏、晉、唐而降，杜甫氏之外，諸作者各以所長名家，而不能相兼也。學者譽此詆彼，各師所嗜，譬猶行者埋輪一鄉，而欲觀九洲之大，必無至矣。蓋嘗論之，淵明之善曠，而不可以頌朝廷之光；長吉之工奇，而不足以詠丘園之致，皆未得爲全也。故必兼師衆長，隨事摹擬，待其時至心融，渾然自成，始可以名大方而免乎偏執之弊矣。

方孝孺《遜志齋集》卷一一《答張廷壁》 蓋古人之道雖不專主乎爲詩，而其發之於言，未嘗不當乎道。是以《雅》、《頌》之辭烜赫若日月，雄厲若雷霆，變化若鬼神，涵蓄同覆載。誦其詩也，不見其辭，而惟見其理，不知其言之可喜，而惟覺其味之無窮。此其爲奇也，不亦大乎！而作之者初非求爲如是之奇也，本之乎禮義之充，養之乎性情之正，風足以昌其言，言足以致其志，如斯而已耳。後世之作者，較奇麗之辭於毫末，自謂超乎形器之表矣，而淺陋浮薄，非果能爲奇也。【略】不本之務而求攻於末，是猶棄木之根而蟠其枝以爲美，欲其華澤茂，遂弗可得矣。故聖賢君子之文，發乎自然而成乎無爲，不求工奇而至美自足。達而不肆也，嚴而不拘也，質而不淺也，奥而不晦也，正而不窒也，變而不詭也，辯而理，澹而章，秩乎其有儀，煒乎其不枯，而文之奇至矣。然聖賢君子曷嘗容私於其間哉！盈而流，激而發，不求而自得者也。

楊士奇《東里續集》卷五九《書張御史和唐詩後序》 詩自《三百篇》後，歷漢、晉而下有近體，蓋以盛唐爲至。【略】發乎情，止乎禮義，優柔以求之，諷詠以得之，造之之方也。

梁潛《泊庵集》卷七《西垣對雪詩序》 古之人賦詩，或旬月煅煉，深思而巧構，或造次頃刻，忽然得之，而意趣要妙有不可及者。要之，不在遲速，但欲其工耳。速而工，又難能也。

黃淮《介庵集》卷一一《清華集序》 詩原夫本心之正，而充之以氣，資之以學，濟之以才，斯可謂之能賦者矣。蓋氣昌則辭達而不窮，學贍則事覈而不虛浮，才敏則措辭命意無所留礙，奮迅激昂，開闔變化，舉不出乎規矩之外，庶足以發吾心之所蘊，播之當時，垂諸後世，而爲輿論之同歸也。

又《杜律虞註後序》 律詩始於唐而盛於杜少陵，蓋其志之所發也，振迅激昂，不狃於流俗，開闔變化，不滯於一隅，如孫吳用兵，因敵制勝，奇正迭出，行列整然而不亂。其即景詠物，寫情叙事，言人之所不能言，誦之者心醉神怡，擊節蹈抃之不暇，誠一代之傑作也。【略】或謂詩自風、雅、頌變而爲騷些，變而爲古選、歌行，又變而後及唐律，文靖註詩，捨本而逐末何居？夫詩與樂相通，樂有五聲八音，九變而大成，或舉其一聲一音而獨奏之，得不謂之樂乎！詩至於律，其變已極，初唐盛唐，猶存古意，馴至中唐晚唐，日趨於靡麗，甚至排比聲音，摩切對偶以相誇尚，詩道幾乎熄矣！

解縉《文毅集》卷一五《說詩三則》 學詩先除五俗，後極三來。五俗：一曰俗體，二曰俗意，三曰俗句，四曰俗字，五曰俗韻。此幼學入門事。三來者，神來、氣來、情來是也。蓋神不來則濁，氣不來則弱，情不來則泛。苟不關於神，不屬於氣，不由於情，此外道也，非得心得髓之妙也。

李時勉《古廉文集》卷四《戴古愚詩集序》 鄉里有復古謝先生者，篤學老成，工爲詩。君攜所業造而問焉，先生曰：「不知古，不知今。自漢魏以來，至於今日，作者非一人，不能窮探歷考，知其要妙之所在。則視今之作，與古無以異，欲有所造詣難矣。蓋詩有體格，有制作，有音律，有興象。必辨其體格，詳其制作，審其音律。體格明，製作精，音律諧，而後可以言詩。至於興象，則在乎其人學問之至，用力之久，自當得之，非可以言喻。子歸而求之，有餘師，不必我也。」

朱權《西江詩法・詩家模範》 詩者，雖是絺章繪句，卻能大包六合，高視千古。其妙處精思入神，恍恍惚惚，若有若無，千變萬化，不可端倪。自非胸中透徹無些見地，說不出這一段流出肺腑的語言來，爲之奈何，須熟讀李杜諸大家數詩，則思過半矣。隨寓感興而爲詩者易，驗物切近而爲詩者難，故太近則陋，太遠則疏，要在平易和緩而精切稱停，斯乃得之。措詞用意，起承轉折，有支分派別者，驟看似不相關涉，故於無情中乃有情耳。貴在脈絡貫通，精妙入神。若隔靴搔癢，貪首失尾，無大意味，不足語此。詩忌五俗。俗氣不除，雖工何取？俗者，謂如齊東鄙野之人而立於薦紳俎豆之間，觀其氣象，自不容喙，喋喋云乎哉。大篇如長江大河，行雲流水，或如孤峰斷崖，高牙大纛，須要渾渾沄沄，起伏頓挫，隊仗有次弟方好。如故作奇奇怪怪，欲出人意表而不顧前後，不成篇章，風斯下矣。五言妙在渾厚平易，語少而意盡，興深而味長。風骨不凡，情景兩得，不奇而自奇。可與忘筌者道。故事略引貼證爾，使多則堆垛。要在使得融化暗合道妙，不露斧鑿痕，是爲作家。造語須參古人好處，不可太着題，不可太疏蕩。便涉些議論，常令意在言表，歸之於正。不然，泛泛然東說西說，終篇無個着模，縱恃才博，未免堆垛塵腐之弊。

又 作詩要自知其病，所謂智者能調五臟和也。有病不知，知而不調，病轉深也。

又 成一篇詩，便似吏人文案一般，中間要分豁，前後情節逐一斷遣，歸結明白，再無可駁問疑改去處。如此，任屈宋作衙官，李杜來照刷，孰云不當乎。

又 體製聲音，二者居先。無體製，則不師古；無聲響，則不審音。故詩家者流往往名世者，率以此道也。

又 有開口成文者，人以爲瞻；有旬鍛月鍊者，人以爲鈍。或以鈍者工而瞻者不工，何也？由思則得之，不思則不得之矣。古人謂三脫藁，良有以也。

又 詩無他技，一才學二妙悟爾。學要力，悟要識。譬如學禪者不加向上一步工夫，安能覺得本來眞性？直至頂門透徹，則信手拈來，頭頭是道矣。

又 大段氣骨要雄壯，興趣要閒曠，語句要條暢，韻腳要穩當，字字要活相，篇篇要響亮。古今稱絕唱，不脫此模樣。

又 句參差，字七門，韻獨用，意十分。眞口訣，識者論。

又 有俗體。如平頭、迴文、蜂腰、鶴膝、八音、白戰、齊梁間諸體，作之非惟不佳，崎嶇求合，殊失詩人之旨。

又 不可太誇獎，不可自寒賤，不可犯時忌，不可張打油，不可押險怪之韻，不可多用花柳鶯燕膚淺之語。莫作算博士，莫作骨董鋪，莫作剌撒堆。

又 少年看杜詩便學老人語，有傷邁往之氣。若不見得一格，如何長得一格。直至涉歷世故，侵尋暮景，到此方知老杜平生得意不得意處，俱有關於世教，豈虛言哉！若止剽竊皮膚，飣餖以爲工，無自然之妙，乃畫虎爾。

又 唐人和意不和韻。和韻，以韻而生意，故易；和意，則架空而爲之，故難。學者只把古人詩好爲法者篇篇熟讀而詳味之，因他題目，倣其體，和其意。和得一首，則記此一首，久久皆在胸中，卽隨心應口，自然成誦。此詩法捷徑也，又何必他求哉。

又《作詩骨格》 詩要鋪敘正，波瀾闊，用意深，琢句雅，使事當，下字切。觀詩之法，亦當如此。求之長篇，妙在鋪敘時將一聯挑轉，又平平說將去，如此轉換數匝，卻以數語收拾，則妙矣。

又 詩有三多：讀得多，記得多，作得多。

又 作詩要苦思。詩之不工，只是不精思耳。不思而作，雖多亦奚以爲。古人苦心講求其句法，鍊字鍛句，曰「語不驚人死不休」，又曰「一生精力盡於詩」，其苦思可知矣。今學者於詩法茫然不知涯涘，往往便稱能詩。嗚呼，詩豈不學而能哉。

又《詩宗正法眼藏》 學詩宜以唐人爲宗，而其法寓諸律。心神節制，字數經緯。小能使大，大能使小。遠可使近，近可使遠。下抗高抑，變化無窮。龍合成章，斤運成風。謂之微妙玄通，何可以匆匆求之乎。我法如是，有謂不必然者，卿用卿法。然詩至唐方可學，欲學詩且須宗唐諸名家。諸名家又當以杜爲正宗。

又《作詩準繩》「九法」 立意　要高古渾厚有氣概，要沉着。忌卑弱淺陋。鍊句　要雄偉清健，有金石聲。琢對　要寧粗毋弱，寧拙毋巧，寧樸毋華。

忌俗對。寫景，要景中含意，事中瞰景。要細密清淡。忌庸腐雕巧。寫意要意中帶景，議論發明。書事，大而國事，小而家事、身事、心事。用事陳古諷今，因彼證此。不可着迹，只使影子可也。雖死事亦當活用。押韻押韻穩健，則一句有精神，如杜磉欲其堅牢也。下字，或在腰，或在膝，或在足。最要精思，宜的當。

又《古詩要法》　凡作古詩，體格句法俱要蒼古，且先立大意，鋪叙既定，然後下筆，則文墨貫通，意無斷續，整然可觀。

又《五言古詩法》　或興起，或比起，或賦起。須要寓意深遠，托辭溫厚，反覆優游，雍容不迫。或感古懷今，或懷人傷己，或瀟灑閒適。寫景要雅淡，推人心之至情，寫感慨之微意，悲喜含蓄而不傷，美刺宛曲而不露，要有《三百篇》之遺意。觀漢魏諸古詩，藹然有感動人處，如《古詩十九首》，皆當熟讀，久之自見其趣。

又《榮遇詩法》　此詩格體當尊嚴典雅，溫厚富貴。寫意宜閒暇，美麗，清細。杜公、王維、賈至諸公《早朝大明宮詩》氣格雄深，句意嚴整，如宮商迭奏，音韻鏗鏘，眞鳳鳴朝陽也。學者熟之，可以一洗塞陋。其後諸公應詔之作，亦多用此體，然多志驕氣盈，處富貴而不失其正者幾希矣。此又不可不知也。

又《登臨留題詩法》　此詩不過感今懷昔，寫景嘆時，思國懷鄉，瀟灑遊適，或寓歸美譏刺之意，中間宜寫四面所見山川之景，庶幾移不動。首聯指所題之處，或隨意叙說起。二聯合詠實景。三聯說人事，或感嘆古今，或議論，或前聯先說人事感嘆，則此聯寫景。其結句可就題主意發感慨，繳前二句，或說何時再來。

又《贈行詩法》　此詩當寫不忍之情，方見襟懷之厚。然亦有數等：如別征戍，則寫死別而勉之用力效忠；送別遠遊，則寫不忍別而勉之及時早回；送別仕宦，則寫喜別而勉之憂國恤民，或言己之窮困而望其薦引，如「惟待吹噓送上天」之句是也；其餘當量親疏之分而寫厚薄之情，隨題命意可也。凡送別，多托酒以寫一時之景以興懷，寓相勉之辭以致意。首聯取意起。二聯合說人事，合叙別，或議論，或寫景。三聯或說景，帶思慕之情，或言所去地理山川景物人事之盛，或用事貼意。末聯或勉其早歸，或說何時再會，或囑咐，或期望。大抵結句要有規警，意味淵永爲佳。

又《征行詩法》　此詩要發出淒愴之意，哀而不傷，怨而不亂。要發興以感其事，而不失情性之正。或悲時感事，觸物寓情。若夫傷亡悼屈，一切哀怨，吾無取焉。

又《詠物詩法》　此詩可託物而伸意。要一聯詠狀寫生，忌極雕巧。首聯合直說題目，明白物之出處。二聯合詠物之體。三聯合說物之用，或議論，或用事體貼，或說人事。結句就題外生意，或就本意結之。

又《讚美詩法》　此詩多以慶喜頌禱期望爲意，大體貴乎典雅渾厚。用事宜的當親切。首聯要平直，或隨事命意叙起。二聯意相承，或用事，必須實說本題之事。三聯轉說，要變化，或前聯不曾用事，此正宜用引證，蓋有事料則詩不空疏。結句則多期望之意。大抵頌德貴乎實。若褒之太過，則近乎諛；讚美不及，則不合人情而有淺陋之失矣。美人情必於其倫，而過猶不及也。

又《賡和詩法》　此詩當觀元詩之意如何。以其意和之，則更新奇，要造一兩句雄健壯麗之語，方能壓倒元白。若又隨元詩腳下走，則無光彩，不足觀。其結句，當歸着其人方得體。亦有就中聯歸着者，亦可。

又《哭挽詩法》　此詩要情眞事實。若於其人情義深厚，則哭之；無甚情分，則挽之。當隨人行狀實事作，要切題，使人開口讀之便見是哭挽其人方好。要移不動爲是。又不可習爲諛詞。中間要隱然有傷感之意。

又《作樂府法》　嘗謂詩不足以盡其意，變而爲詞，名曰詩餘。詞不足以盡其意，變而爲曲，名曰樂府。大概法度與詩法同，觀賦體則知作套數之法矣，觀歌行則知作小令之法矣。今取其新樂府四章爲作樂府模範。要知得氣概如此，方是法度。《夜月瑤琴》（即《撥不斷》）：「撚霜髭，寫鳥絲，先生要了閑中事。醉吟成數首詩，興來掃破千張紙，與誰同志。指飛鴻，望歸驄，十年不做京華夢。半世趑趄命未通，一詩可繼《中興頌》，任人嘲弄。」《滿庭芳》：「乾坤草廬，些兒名利，如許頭顱。爲其□□有一種誤，謙得讀書。龍泉劍結末了子胥。犢鼻□□□□□□。□□□，不如老圃，醉後賦閑居。狂歌楚辭，閑臨晉帖，靜和陶詩。平生但好這三般事，荒廢多時。熬日月一張故紙，染秋霜兩鬢新絲。林泉志，蹉跎到此，猶未有買山貲。」大凡作樂府，其命意、用事、聯句、鑄字、起承轉合，皆與詩法同，捨詩法則不可也。然樂府之比詩，可以盡其情，可以和其辭，故曰詩不能盡其意，而有樂府之作也。

黃子肅《詩法》 總而言之，一詩之中，必先得意；一句之中，必先得字。先得意，後得句，而字在乎其中，不待求索者，上也；若先得句，因句之所在而生意，或先或後，使意能成就其句之美者，次也；若先得字，因字而生句，因字而生意，意復與句皆成其字之美者，又其次也。故意也、句也、字也，三者全備爲妙悟；意與句皆悟而字有虧欠，則爲小疵。若有意無句，則精神無光；有句無意，則徒事妝點；句意俱不足，而惟于一字求工，何足取哉！然意之所忌者，最忌用俗，最忌議論，議論則成文字而非詩，用俗則淺近而非古。句之所忌者，最忌虛中之虛，實中之實；須虛中有實，實中有虛。字之所忌者，最忌妝點，最忌襯貼，蓋非本句之所有，而強牽合以成之，是又不可不知。詩法中千言萬語，大意皆不出乎熟矣參之。

黃溥《詩學權輿》卷三《造語》 語意：語句脫灑，不可拖泥帶水。最忌骨董，最忌趁貼。下字貴響，造語貴圓，命意貴透，不可隔靴搔癢。

又卷四《用事》 三易：沈隱侯曰：「文章當從三易。易見事，一也；易識事，二也；易讀誦，三也。」邢子才曰：「沈侯文章用事不使人覺，若胸臆語。」祖孝徵曰：「沈詩云：『崖傾護石髓。』此豈用事耶？」按坡詩：「神山一合五百年，風吹石髓堅如鐵。」乃嵇康、王烈事，則「崖傾護石髓」非不用事也。

又卷六《思意》 作詩固在有興，尤在構思之精耳。思之既精，則神會意得，順理成章，不期工而工矣。苟不澄心精思，而草草爲之，則雖多，亦奚以爲？世之作者，其鄙而不精巧，即不雕琢之過；拙而無委曲，即不涵養之過。大抵人所易言，我寡言之，人所難言，我易言之，自不俗。

又 生民有曰：作詩雖要有情致，然其抑揚高下得到，自有得處，方能如化工生物，千花萬草不名一物一態。若只摹勒前人舊規，無自得之趣，只如世間剪裁諸花，見一件樣子只做得一件也，雖工，抑豈能名家傳世也哉？

又卷七《含蓄》 詩文要含蓄不露，便是好處。古人說雄深雅健，此便是含蓄不露也。用意十分，下語三分，可幾風雅，可追李杜。下語十分，晚唐之作也。用意要精深，下語要平易。此詩家之定格。

又 嬉笑之怒，甚於裂眥；長歌之哀，過於慟哭。此語誠然。元微之在江陵，聞白樂天降江州，作絕句云：「殘燈無焰影幢幢，此夕聞君謫九江。垂死病中驚坐起，江風吹雨入寒窗。」樂天以爲此句他人尚不可聞，況僕心哉？

又《雜態》 薛許昌《答書生贈詩》云：「百首如一首，卷初如卷終。」譏其不能變態也。大抵屑屑較量，屬句平勻，不免氣骨寒局。殊不知詩家要當有情致，抑揚高下，使氣宏拔，快字凌紙。又有事皆破觚爲圓，挫剛成柔，始爲有功者。昔人所謂「縛虎手」也。

又卷八《詩病》 作詩淺易，鄙陋之氣不除，大可惡也。客問：何從去之？或曰：熟讀唐李義山詩，與宋朝黃魯直詩，而深思之，則去也。去非少學詩於崔德符，嘗問詩之要，崔曰：「凡作詩，工拙未論，大要忌俗而已。」

又 作詩貴雕琢，又畏有斧鑿痕；貴破的，又畏粘皮骨；此所以爲難。李商隱《柳詩》云：「動春何限葉，撼曉幾多枝？」其有斧鑿痕也。石曼卿《梅》詩云：「認桃無綠葉，辨杏有青枝。」恨其粘皮骨也。能脫此二病，始可以言詩矣。

又 詩有語忌，有語病。語病易除，語忌難變。最忌骨董，最忌趁貼，最忌乖崖，最忌拖泥帶水而語不脫灑，最忌隔靴搔癢而意不通透。

又卷九《學詩要訣》 朱子答學者問詩節開來諭：欲漱六藝之芳潤，以求眞淡。此誠極之論。然亦恐須先識得古今體製雅俗鄕背，仍更洗滌得盡腸胃間夙生葷血脂膏，然後此語方有所措。如其未然，竊恐穢濁爲主，芳潤之不得也。近世詩人正緣不曾透得此關，而規矩於近局，故其所就，皆不滿人意，無足深論。

又 意格欲高，句法欲響。敘事體物，欲意中有景，景中有意，波瀾開合，如在江湖中，一波未平，一波已作。如兵家之陣，方以爲正，又復是奇；方以爲奇，忽復是正。出入變化，不可紀極，而法度不亂，是爲作者。

又 小詩要精深，短章要醞藉。大篇要開合，難說處要一語盡，易說處莫便放過。僻事實用，熟事虛用。說理要簡易，說事要圓活，說景要微妙。學有餘，而約以用之，善用事者也。意有餘，而約以畫之，善措辭者也。乍敘事，而間以理言，得活法者也。篇終必出人意表，或反終篇之意，乃爲妙也。

又 下字貴響，造語貴圓。句意欲深，音調欲淸，氣格欲高。不必太着題，不在多使事。用字不必拘來歷，押韻不必有出處。對句好可得，發句好難得，結句好尤難得。古人云：「詩難處在結裹，譬如番刀須用結裹，若南人便非本色。」

又 作詩必要悟入處，有所悟之，自然度越諸子。悟入之理，正在工夫勤惰間耳。如張長史見公孫大娘舞劍，頓悟筆法，如張者，專意此事，未嘗少忌胸中，故能遇事有得，遂造神妙。使他人觀舞劍，有何干涉？非獨作文字書而然也。

又 范季隨嘗曰：今人有少時文名太著，久而不振者，其咎安在？陳子蒼曰：無他，止學耳。初先悟解，無益也。如人操舟入蜀，窮極艱阻，則曰：「吾至矣。」於中流棄去，篙柁不施，維纜不持，其退甚速，則將傾蓋矣！如人之詩止學耳。

《陳獻章集》卷二《與胡僉憲提學》 大凡文字不厭改，患改之不多耳，惟改方能到妙處，而發之易者恆不能多改。比見閣下於此詩略不經意，以爲當終置之，不復改。此詩雖不改亦無害，但不知其於他文如何，深以不及對面一扣爲恨。後得此紙，然後知閣下非吝於改，而改之益善。日令兒輩誦此二句以爲喜。昔者嘗聞歐公作一小簡，反覆改之，有改至八九次者。歐公期於言者也，其不苟有如此，宜其傳之遠也。

周瑛《翠渠摘稿》卷四《讀陳節判纓詩集》 予嘗謂詩有景有情有事，景眞情眞事眞，便爲佳作。

孫緒《沙溪集》卷一三《無用閑談》 不專心致志，學弈亦不得成，況讀書作文字乎？唐人「手八叉」而成詩，不自覺其手之叉也；「斷數鬚」而得句，不自知其鬚之斷也。李賀以被蒙頭，酣睡不動，忽掀被而必有好句，王筠注水葫蘆，傾以復注，忽擲之於地，必有好詩。張祜每苦吟，妻孥喚之不應，曰：「吾方口吻生花，豈恤汝輩？」張九成讀書，縣吏往候，九成不爲禮，問亦不答，曰：「黃卷中方與聖賢對，何暇與俗吏語？」高鳳不知有雷雨，賈島不知有京兆尹。《易》曰：「艮其背，不獲其身；行其庭，不見其人。」內不見己，外不見人。如此，爲學胡爲不成？

程敏政《篁墩文集》卷三九《書艾郎中所藏山谷眞蹟後》 古之妙詞翰者，不拘一律，往往隨其興之所到爲之，故自有佳處，非具眼者莫識也。韓子爲樊宗師《志》，卽是樊文；與孟郊倡和，便作郊語，豈故爾殊耶？其才力兼人，觀者莫能盡其捭闔檢縱之妙爾。

李東陽《麓堂詩話》 唐人不言詩法，詩法多出宋，而宋人於詩無所得。所謂法者，不過一字一句，對偶雕琢之工，而天眞興致，則未可與道。其高者失之捕風捉影，而卑者坐於黏皮帶骨，至於江西詩派極矣。惟嚴滄浪所論，超離塵俗，眞若有所自得，反覆譬說，未嘗有失。顧其所自爲，徒得唐人體面，而亦少超拔警策之處。予嘗謂，識得十分，只做得八九分，其一二分乃拘於才力，其滄浪之謂乎。若是者往往而然，然未有識分數少而作分數多者，故識先而力後。

又 詩貴不經人道語。自有詩以來，經幾千百人，出幾千萬語，而不能窮。是物之理無窮，而詩之爲道亦無窮也。今令畫工畫十人，則必有相似而不能別出者，蓋其道小而易窮。而世之言詩者，每與畫並論，則自小其道也。

又 長篇中須有節奏，有操，有縱，有正，有變，若平鋪穩布，雖多無益。唐詩類有委曲可喜之處，惟杜子美頓挫起伏，變化不測，可駭可愕，蓋其音響與格律正相稱，回視諸作，皆在下風。然學者不先得唐調，未可遽爲杜學也。

又 詩有三義，賦止居一，而比興居其二。所謂比與興者，皆託物寓情而爲之者也。蓋正言直述，則易於窮盡，而難於感發。惟有所寓托，形容摹寫，反復諷咏，以俟人之自得。言有盡而意無窮，則神爽飛動，手舞足蹈而不自覺。此詩之所以貴情思而輕事實也。

又 古歌辭貴簡遠。《大風歌》止三句，《易水歌》止二句，其感激悲壯，語短而意益長。《彈鋏歌》止一句，亦自有含悲飲恨之意。後世窮技極力，愈多而愈不及。予嘗題柯敬仲墨竹曰：「莫將畫竹論難易，剛道繁難簡更難。君看蕭蕭祇數葉，滿堂風雨不勝寒。」畫法與詩法通者，蓋此類也。

又 律詩起承轉合，不爲無法，但不可泥。泥於法而爲之，則撐拄對待，四方八角，無圓活生動之意。然必待法度既定，從容閑習之餘，或溢而爲波，或變而爲奇，乃有自然之妙，是不可以強致也。若併而廢之，亦奚以律哉？

又 昔人以「打起黃鶯兒」、「三日入廚下」爲作詩之法。後乃有以「谿迴松風長」爲法者。猶論學文以《孟子》及《伯夷傳》爲法，要之未必盡然，亦各因其所得而入而已。所入雖異，而所至則同。若執一而求之，甚者乃至於廢百，則刻舟膠柱之類，惡可與言詩哉。

又 詩有別材，非關書也。詩有別趣，非關理也。然非讀書之多、明理之至者，則不能作。論詩者無以易此矣。彼小夫賤隸，婦人女子，眞情實意，暗合而偶中，固不待於教。而所謂騷人墨客、學士大夫者，疲神思，弊精力，窮壯至老而不能得其妙，正坐是哉。

又 作涼冷詩易，作炎熱詩難。作陰晦詩易，作晴霽詩難。作閑靜詩易，作繁擾詩難。貧詩易，富詩難。賤詩易，貴詩難。非詩之難，詩之工者爲難也。

又 「南山與秋色，氣勢兩相高」，不如「千崖秋氣高」；「野火燒不盡，春風吹又生」，不如「春入燒痕青」，謂其簡而盡也。

又《李東陽集·詩前稿》卷六《洗句亭》 洗句復洗句，洗句先洗心。心淸絕塵滓，句清無哇淫。洗句尚可淺，洗心須用深。所用有深淺，水哉何古今。有句莫太淸，太淸寡知音。知音苦不遇，獨和滄浪吟。

又《文前稿》卷八《鏡川先生詩集序》 詩與諸經同名而體異。蓋兼比興，協音律，言志厲俗，乃其所尚。後之文皆出諸經。而所謂詩者，其名固未改也，但限以聲韻，例以格式，名雖同而體尙亦各異。【略】說者謂詩有別才，非關乎書，詩有別趣，非關乎理。然非讀書之多，識理之至，則不能作。必博學以聚乎理，取物以廣夫才，而比之以聲韻，和之以節奏，則其爲辭，高可諷，長可詠，近可以播，而遠可以傳矣。豈必模某家，效某代，然後謂之詩哉！

王鏊《震澤長語》卷下《文章》 世謂詩有別才，是固然矣。然亦須博學，亦須精思。唐人用一生心於五字，故能巧奪天工。今人學力未至，舉筆便欲題詩，如何得到古人佳處！

楊循吉《序國初朱應辰詩》 予觀詩不以格律體裁爲論，惟求能直吐胸懷，實叙景象，讀之可以諭，婦人小子皆曉所謂者，斯定爲好詩，其他餖飣攢簇，拘拘拾古人涕唾以斯新學生，雖千篇百卷，粉飾備至，亦木偶之假線索以舉動者，吾無取焉。大抵景物不窮，人事隨變，位置遷易，在在成狀，古人豈能道盡不復可置語？淸篇新句，目中競列，特患吟哦不到耳！

陳沂《拘虛詩談》 學四言者當詠味《風》、《雅》，長辭當詠味楚騷，五言古必宗蘇、李，近體必宗開元以前，七言長歌必宗太白，七言律必宗少陵，絕句必以太白爲師。縱力不能及，詠味久則入步正，不蹈旁蹊矣。如入禪學者，必談《心經》、《法華》、《楞嚴》、《楞伽》、《圓覺》、《金剛》等經，皆如詩之名家。但不可再視律、論、《傳燈》所載，皆是下徹，惟資談論，不足求上乘進步也。

唐寅《六如居士全集》卷七《作詩三法序》 詩有三法，章、句、字也。三者爲法，又各有三。章之爲法，一曰氣韻宏壯，二曰意思精到，三曰詞旨高古。詞以寫意，意以達氣，氣壯則思精，思精則詞古，而章句備矣。爲句之法，在模寫，在煅煉，在剪裁，立議論以序一事，隨聲容以狀一物，因游以寫一景。模寫之欲傳神，以得其似。鍛煉之欲如制藥，以極其精。剪裁之欲如縫衣，必稱其體，是爲句法。而用字之法，寔行乎其中，妝點之如舞人，潤色之如畫工，變化之如神仙。字以成句，句以成章，爲詩之法盡矣。吾故曰：詩之爲法有三，曰章、句、字。而章、句、字之法，又各有三也。

朱承爵《存餘堂詩話》 詩非苦吟不工，信乎？古人如孟浩然眉毛盡落，裴祐袖手，衣袖至穿，王維走入醋甕，皆苦吟之驗也。

又 作詩之妙，全在意境融徹，出音聲之外，乃得眞味。如曰：「孫康映雪寒窗下，車胤收螢敗帙邊。」事非不覈，對非不工，惡，是何言哉？

李夢陽《空同集》卷六二《再與何氏書》 古人之作，其法雖多端，大抵前疏者後必密，半闊者半必細，一實者必一虛，疊景者意必二，此予之所謂法，圓規而方矩者也。沈約亦云：「若前有浮聲，則後須切響。一簡之內，音韻盡殊；兩句之中，輕重悉異。」卽如人身，以魄載魂，生有此體，卽有此法也。《詩》云：「有物有則。」故曹、劉、阮、陸、李、杜能用之而不能異，能異之而不能同。今人止見其異而不見其同，宜其謂守法者爲影子，而支離失眞者以捨筏登岸自寬也。

又卷六六《論學上篇第五》 知《易》者可與言詩：比興者，縣象之義也；開闔者，陰陽之例也；發揮者，情；往來者，時；大小者，體；悔吝者，驗之言；吉凶者，察乎氣。

又《論學下篇第六》 古詩妙在形容之耳，所謂水月鏡花，所謂人外之人，言外之言。宋以後則直陳之矣。於是求工於字句，所謂心勞日拙者也。形容之妙，心了了而口不能解，卓如，躍如，有而無，無而有。

王廷相《王氏家藏集》卷二八《與郭價夫學士論詩書》 嗟夫，言徵實則寡餘味也，情直致而難動物也。故示以意象，使人思而咀之，感而契之，邈哉深矣，此詩之大致也。然措手施斤，以法而入者有四務；眞積力久，以養而充者有三會。謂之務者，庸其力者也。謂其會者，待其自至者也。何謂「四務」，運意、定格、結篇、鍊句。意者，詩之神氣，貴圓融而忌闇滯。格者，詩之志嚮，貴高古而忌蕪亂。篇者，詩之體質，貴貫通而忌支離。句者，詩之肢骸，貴委曲而忌直率。是故超詣變化，隨模肖形，與造化同工者，精於意者也；搆情古始，侵《風》匹《雅》，不涉凡近者，精於格者也；比類攝故，辭斷意屬，如貫珠累累者，精於篇者也；機理混含，辭尠意多，不犯輕佻者，精於句者也。夫是四務者，藝匠之節度也，一有不精，則不足以軒翥翰塗，馳跡古苑，終隨代汩沒爾。何謂「三會」？博學以養才，廣著以養氣，經事以養道也。才不贍，則寡陋而無文；氣不充，則思短而不屬；事不歷，則理舛而犯義。三者所以彌綸四務之本也。要之，名家大成，罔不具此。然非一趨可至也，力之久而後得者也。故曰「會」，如不期而遇也。此工詩之大凡也。譬醫之治例，三焦五臟，風寒暑濕，藥有定品，方有定擬，工醫者能循持而守之，雖無大益，保無大繆矣。雖然，工師之巧，不離規矩；畫手邁倫，必先擬摹。《風》《騷》樂府，各具體裁；蘇、李、曹、劉，辭分界域。欲擅文囿之撰，須參極古之遺，調其步武，約其尺度，以爲我則，所不能已也。久焉純熟，自爾悟入，神情昭於肺腑，靈境徹於視聽，開闔起伏，出入變化，古師妙擬，悉歸我闥。由是搦翰以抽思，則遠古卽今，高天下地，凡具形象之屬，生動之物，靡不綜攝，爲我材品；敷辭以命意，則凡九代之英，《三百》之章，及夫仙聖之靈，山川之精，靡不會協，爲我神助。此非取自外者也，習而化爲我者也。故能擺脫形模，凌虛搆結，春育天成，不犯舊跡矣。乃若諸家所謂雄渾、冲澹、典雅、沉著、綺麗、含蓄、飄逸、清俊、高古、曠逸等類，則由夫資性學力，好尚致然，所謂萬流宗海，異調同工者也。究其六轡在手，城門之軌，則一而已。

安磐《頤山詩話》 詩如參禪，有彼岸，有苦海，有外道，有上乘。迷者不能登彼岸，沉者不能出苦海，魔者不能離外道，凡者不能超上乘。雖不離乎聲律，而實有出於聲律之外，嚴滄浪所謂一味妙悟者，蓋爲是也。

邊貢《華泉集》卷一四《題史元之所藏沈休翁高鐵溪詩卷》 兵法有奇有正，詩法亦然，而知者寡矣。休翁、鐵溪，固詩家之登壇者也。由今觀之，蓋高得其奇，而沈得其正。世之論詩者多厭正而喜奇，喜奇則難矣，正固不易造也。奇非正，則多失；正非奇，則茸然不振，其病均耳。守之以正，而時出其奇，非老將孰能當之！

顧璘《息園存稿文》卷九《與陳鶴論詩》 詩之爲道，貴于文質得中。過質則野，過文則靡，無氣弗壯，無才弗華，無情弗蘊。

陸深《儼山續集》卷一〇《與郁直齋七首》之三 作詩一事，古人論之詳矣。要先認門庭，乃運機軸，須發之性情，寫乎胸次，然後體裁格律辯焉。

徐禎卿《談藝錄》 朦朧萌坼，情之來也；汪洋漫衍，情之沛也；連翩絡屬，情之一也；馳軼步驟，氣之達也；簡練揣摩，思之約也；頡頏累貫，韻之齊也；混沌貞粹，質之檢也；明雋清圓，詞之藻也。高才閒擬，濡筆求工。發旨立意，雖旁出多門，未有不由斯戶者也。至於《垓下》之歌，出自流離；「煑豆」之詩，成於草率。命詞慷慨，並自奇工。此則深情素氣，激而成言，詩之權例也。

又 詩貴先合度，而後工拙。縱橫、格軌，各具風雅。繁欽《定情》，本之鄭衛；「生年不滿百」，出自《唐風》；王粲《從軍》，得之二《雅》；張衡《同聲》，亦合《關雎》。諸詩固自有工醜，然而並驅者，託之軌度也。

張含《張愈光詩文選・跋楊太史邯鄲才人嫁爲廝養卒婦》 夫學詩，惟其神，不於其形。《詩》《騷》曰經，何則於古。故詩必自成其家，而後可傳也。苟從體規矩，以盡方圓，則貌象雖符同，而性情咸隱矣。奚詩之云？故全乎神，而後經，外經不可以言詩矣。

又《李何精選詩序》 以舌爲耳者，恆學古虐今，噫，其固哉。詩豈有古今？顧作者何如耳。

孫承恩《文簡集》卷三四《書西湖十景題詠後跋》 景致之在天地間，惟人所取，要似飲河者，各隨其量。至欲發於題詠，則又似傳神，必妙如顧、陸，併其性情韻度而得之其法。則坡翁所謂「須得其意思所在，要令活潑潑地」。是故詠景者亦必有神會心得之妙，語下超然，脫略形像，使讀之者躍然于心目間，有不知手舞足蹈者，斯爲至到。而況欲蹙煩就簡，取足數言之內，尤不可不知。若拘拘然描寫粗跡以求似，卽使無一不似，而意興微矣！然則反是而取興遇遠，惝恍汗漫，離失本意，則又奚以題咏爲也？

朱淛《天馬山房遺稿》卷二《夢劒緒言後序》 思不苦，詩不工。夫詩固于思乎出也。隨其思之所極，盎然出之，何莫非詩，而至于苦思焉？

俞弁《山樵暇語》卷一　古人作詩，皆有所養而不假雕琢，故其氣象非後世所能及。如《葛覃》言告師氏二章，在當時不過直言其實事耳，然熟玩之，便可見其勤儉孝敬之實。他詩大率多類此，初非有意而作也。今人所養，既不如古，顧乃勞心焦思於一字一句間，愈工而愈離也。善學詩者，盍亦養之於始乎。

又　老杜：「讀書破萬卷，下筆如有神。」葛常之云：「欲下筆，自讀書始；不讀書，則其源不長，其流不遠。欲求波瀾汪洋浩渺之勢，不可得矣！」蕭千巖云：「書不讀，詩不可爲；然以書爲詩則不可。」千巖之語，猶葛氏之意也。嚴滄浪謂：「詩有別材，非關書也。」恐非確論。

又　近世好高者，喜學晉魏間詩，然極力模寫，終不可及，翻爲怪怪奇奇，不可致詰之語，誠學者之大病。如謝玄暉「魚戲新荷動，鳥散餘花落」，老杜「細雨魚兒出，微風燕子斜」，渾然天成，不假雕琢者也，曾何奇怪之有？

又　楊南峰云：「作詩不以格律體裁爲論，惟求能直吐胸懷，實敘景象，讀之可以諭，婦人小子皆曉所謂者，斯定爲好詩。其他飽飣攢簇，拘拾古人涕唾，以欺新學生者，雖千篇萬卷，粉飾備至，亦木偶之假綫索以舉動者耳。吾無取焉。大抵爲詩，當使挹之而源不窮，咀之而味愈長，斯造作家之奧。」

楊慎《升庵集》卷六六《論詩畫》　東坡先生詩曰：「論畫以形似，見與兒童鄰。作詩必此詩，定知非詩人。」此言畫貴神，詩貴韻也。然其言有偏，非至論也。晁以道和公詩云：「畫寫物外形，要物形不改。詩傳畫外意，貴有畫中態。」其論始爲定，蓋欲以補坡公之未備也。

又《升庵遺集》卷二三《飾雉集序》　詩曰：「九變復貫，知言之選。」信夫！蓋不變則不新，不新則不奇。學者喜其新而謹其變，愛其奇而不戾於古可也。

又《丹鉛總錄》卷一九《詩話・讀書萬卷》　杜子美云：「讀書破萬卷，下筆如有神。」此子美自言其所得也。讀書雖不爲作詩設，然胸中有萬卷，則筆下自無一點塵矣。近日士夫，爭學杜詩，不知讀書果曾破萬卷乎？如其未也，不過拾《離騷》之香草，丐杜陵之殘膏而已。

邵經邦《藝苑玄機》　詩之思，「詩有別思，非關理也」，可爲知者道乎？夫《清廟》、《緝熙》，莫非至理所寓，未可不謂之詩，此外別無所謂理也。人惟狃於習俗，謂與經生不同，故往往粘皮帶骨，不免有餖酸脂粉、頭巾村俗之病矣。

又　詩之病，昵而不親，遠而不疏，空而不淡，厭而不文，直而不可見，晦而不可明，高而自抗，卑而自諂，美而諛，禱而妄，淒淒而不憂，揚揚而不喜，泛而無止，捷而無激，亂不斷，足不續，雷同而不偶，反比而不叶，呼而無慮，滯而無關。此皆不足以爲詩也。

又　詩之義，錦繡膾炙也。織紝既工，而體裁長短必須相稱。烹庖洵美而臠割方正，始可登俎。是故不至於排比，聲律不已也。矧天有陰陽，地有方位，人有比類，而謂聲無偶乎？必欲謂《三百篇》變而爲騷，騷變而爲五言，五言變而爲律，此正不善通變者。

又　詩之趣，主於引導性情，必性適情怡，然後加以山川之效靈，風月之助美，油油然不可遏矣。若不能和暢於衷，而藉外物以發其未發，是何異牽偶人而下拜，鮮有周旋中禮者？

又　詩與文貴有氣骨，無氣骨，殺青染素人耳。今人多被舊題、舊事、舊話所厭，故胸次不高。胸次不高，則氣骨委靡。必欲發其雋邁英爽之氣，臨文須將古人谿徑放在一邊，不問先秦、兩漢、初盛中晚，且只暢發我胸中一段議論，卻將他言語比竝，看是如何？如此啟憤，煞有增益？

又　詩貴妙悟超脫，僊家所謂「超凡入聖」，若非功成行滿，何由白日上昇？余嘗自驗作詩，今年自一樣，明年又自一樣，待過十年，又自當別。若謂自外得之，固不可。若僅自去苦學，亦復不得，須優遊涵養，待得居安資深時，自能脫然有會悟處，不知再十年後，又當何如？

又　詩之魔，凡有毛病沒見識處，皆謂之魔。人知滌腸洗胃，而留詩魔於中，未必不害人也。今有一言近俗，一字鄙俚者，當如淫聲惡色遠之，勿令流入肺腑，庶於所忽時亦有可觀者。

謝榛《詩家直說》卷一　凡作近體，誦要好，聽要好，觀要好，講要好。誦之行雲流水，聽之金聲玉振，觀之明霞散綺，講之獨繭抽絲。此詩家四關。使一關未過，則非佳句矣。

又　詩有造物，一句不工，則一篇不純，是造物不完也。造物之妙，悟者得之。譬諸產一嬰兒，形體雖具，不可無啼聲也。趙王枕易曰：「全篇工緻而不流動，則神氣索然。」亦造物不完也。

又《餘師錄》曰：「文不可無者有四：曰體，曰志，曰氣，曰韻。」作詩亦然。體貴正大，志貴高遠，氣貴雄渾，韻貴雋永。四者之本，非養無以發其眞，非悟無以入其妙。

又 景多則堆垛，情多則闇弱，大家無此失矣。八句皆景者，子美「棘樹寒雲色」是也。八句皆情者，子美「死去憑誰報」是也。

又 寫景述事，宜實而不泥乎實。有實用而害於詩者，有虛用而無害於詩者，此詩之權衡也。

又 唐人詩法六格，宋人廣爲十三，曰：「一字血脈，二字貫串，三字棟梁，數字連序，中斷，鈎鎖連環，順流直下，單抛，雙抛，內剝，外剝，前散，後散。」謂之屠龍絕藝。作者泥此，何以成一代詩豪邪？

又 史詩勿輕作。或已事相觸，或時政相關，或獨出斷案。若胡曾百篇一律，但無景感慨而已。《平城》詩曰：「當時已有吹毛劍，何事無人殺奉春。」《望夫石》詩曰：「古來節婦皆消朽，獨爾不爲泉下塵。」惟此二絕得體。

又 詩有不立意造句，以興爲主，漫然成篇，此詩之入化也。

又卷二 或曰：「詩，適情之具。染翰成章，自然高妙，何必苦思，以鑿其眞？」予曰：「『新詩改罷自長吟』，此少陵苦思處。使不深入溟渤，焉得驪頷之珠哉？」

又 詩不厭改，貴乎精也。唐人改之，自是唐語，宋人改之，自是宋語，格詞不同故爾。省悟可以超脫，豈徒斲削而已！

又 作詩勿自滿。若識者詆訶，則易之。雖盛唐名家，亦有罅隙可議，所謂瑜不掩瑕是也。已成家數，有疵易露；家數未成，有疵難評。

又 詩有天機，待時而發，觸物而成，雖幽尋苦索，不易得也。如戴石屏「春水渡旁渡，夕陽山外山。」屬對精確，工非一朝，所謂「盡日覓不得，有時還自來。」

又 詩有四格：曰興，曰趣，曰意，曰理。太白《贈汪倫》曰：「桃花潭水深千尺，不及汪倫送我情。」此興也。陸龜蒙《詠白蓮》曰：「無情有恨何人見，月曉風清欲墮時。」此趣也。王建《宮詞》曰：「自是桃花貪結子，錯教人恨五更風。」此意也。李涉《上于襄陽》曰：「下馬獨來尋故事，逢人惟說峴山碑。」此理也。悟者得之，庸心以求，或失之矣。

又 趙章泉謂「作詩貴乎似」，此傳神寫照之法。當充其學識，養其氣魄，或李，或杜，順其自然而已。

又 作詩要割愛。若倶爲佳句，間有相妨者，必較重輕而去之。此《文賦》所謂「離之則雙美，合之則兩傷」，士衡先得之矣。

又 詩無神氣，猶繪日月而無光彩。學李、杜者，勿執於句字之間，當率意熟讀，久而得之。此提魂攝魄之法也。

又 學詩者當如臨字之法，若子美「日出東籬水」，則曰「月墮竹西峰」；若「雲生舍北泥」，則曰「雲起屋西山」。久而入悟，不假臨矣。

又 詩不可太切，太切則流於宋矣。

又 作詩最忌蹈襲。若語工字簡，勝於古人，所謂「化陳腐爲新奇」是也。

又卷三 凡詩債叢委，固有緩急，亦當權變。若先作難者，則殫其心思，不得成章，復作易者，興沮而語澀矣。難者雖緊要，且置之度外。易者雖不緊要，亦當冥心搜句，或成三二篇，則妙思種種出焉，勢如破竹。此所謂「先江南而後河東」之法也。

又 凡作文，靜室隱几，冥搜邈然，不期詩思遽生，妙句萌心，且含毫咀味，兩事兼舉，以就興之緩急也。予一夕欹枕面燈而卧，因詠「蜉蝣」之句，忽機轉文思，而勢不可遏，置彼詩草，率書嘆世之語云：「天地之視人，如蜉蝣然；蜉蝣之視人，如天地然。蜉蝣莫知人之有終也，人莫知天地之有終也。」

又 作詩本乎情景，孤不自成，兩不相背。凡登高致思，則神交古人，窮乎遐邇，繫乎憂樂，此相因偶然，著形於絕跡，振響於無聲也。夫情景有異同，模寫有難易，詩有二要，莫切於斯者。觀則同於外，感則異於內，當自用其力，使內外如一，出入此心而無間也。景乃詩之媒，情乃詩之胚，合而爲詩，以數言而統萬形，元氣渾成，其浩無涯矣。同而不流於俗，異而不失其正，豈徒麗藻炫人而已。然才亦有異同，同者得其貌，異者得其骨。人但能同其同，而莫能異其異。吾見異其同者，代不數人爾。

又 自古詩人養氣，各有主焉。蘊乎內，著乎外，其隱見異同，人莫之辨也。熟讀初唐、盛唐諸家所作，有雄渾如大海奔濤，秀拔如孤峰峭壁，壯麗如層樓疊閣，古雅如瑤瑟朱絃，老健如朔漠橫鵰，清逸如九皋鳴鶴，明淨如亂山積雪，高遠如長空片雲，芳潤如露蕙春蘭，奇絕如鯨波蜃氣，此見諸家所養之不同也。學者能集衆長，合而爲一，若易牙以五味調和，則爲全味矣。

又 凡立意措辭，欲其兩工，殊不易得。辭有短長，意有小大，須搆而堅，束而勁，勿令辭拙意妨。意來如山，巍然置之河上，則斷其源流而不能就辭；辭來如松，挺然植之盤中，窘其造物而不能發意。夫辭短意多，或失之深晦；意少辭長，或失之敷演。名家無此二病。

又 夫萬景七情，合於登眺。若面前列群鏡，無應不眞，憂喜無兩色，偏正惟一心，偏則得其半，正則得其全。鏡猶心，光猶神也。思入杳冥，則無我無物，詩之造玄矣哉！

又 或問作詩中正之法。四溟子曰：「貴乎同不同之間。同則太熟，不同則太生。二者似易實難，握之在手，主之在心。使其堅不可脫，則能近而不熟，遠而不生。此惟超悟者得之。」

又 古人作詩，譬諸行長安大道，不由狹斜小徑。以正爲主，則通於四海，略無阻滯。若太白、子美，行皆大步，其飄逸沉重之不同，子美可法，而太白未易法也。

又 凡作詩不宜逼眞。如朝行遠望，青山佳色，隱然可愛，其烟霞變幻，難於名狀；及登臨，非復奇觀，惟片石數樹而已。遠近所見不同，妙在含糊，方見作手。

又 作詩譬如有人日持箕帚，遍於市廛掃沙，簸而揀之，或破錢折簪，碎銅片鐵，皆投之於袋，饑則歸飯，固不如意，往復不廢其業。久而大有所獲，非金則銀，足贍卒歲之需，此得意在偶然爾。夫好物得之固難，警句尤不易得。掃沙不倦，則好物出；苦心不休，則警句成。

又 凡作詩，悲歡皆由乎興，非興則造語弗工。歡喜之意有限，悲感之意無窮。歡喜詩，興中得者雖佳，但宜乎短章；悲感詩，興中得者更佳，至於千言反覆，愈長愈健。熟讀李、杜全集，方知無處無時而非興也。

又 作詩能不自滿，此大雅之胚也。雖躋上乘，得正法眼評之尤妙。勤以進之，苦以精之，謙以全之。能入乎天下之目，則百世之目可知。

又 作詩有專用學問而堆垛者，或不用學問而勻淨者，二者悟不悟之間耳。惟神會以定取捨，自趨乎大道，不涉於歧路矣。譬如楊陞庵狀元謫戍滇南，猶尚奢侈，其粳、糯、黍、稷、脯、臠、殽、鱠種種羅於前，而飣不周品，此乃用學問之癖也。又如客遊五臺山訪禪侶，廚下見一胡僧執爨，但以清泉注釜，不用粒米，沸則自成饘粥。此無中生有，暗合古人出處。此不專於學問，又非無學問者所能到也。

又卷四 作詩得之多寡遲速，統繫於心，因分內、外二說，俾人易曉。此作近體之法，然古體亦有異同處，學者權宜用之。

又 詩乃模寫情景之具，情融乎內而深且長，景耀乎外而遠且大。當知神龍變化之妙，小則入乎微罅，大則騰乎太宇。此惟李、杜二老知之。古人論詩，舉其大要，未嘗喋喋以泄眞機，但恐人小其道爾。詩固有定體，人各有悟性。夫有一字之悟，一篇之悟，或由小以擴乎大，因著以入乎微，雖小大不同，至於渾化則一也。或學力未全，而驟欲大之，若登高臺而摘星，則廓然無着手處。若能用小而大之之法，當如行深洞中，捫壁盡處，豁然見天，則心有所主，而奪盛唐律髓，追建安古調，殊不難矣。予著《詩說》猶如孫武子作《兵法》，雖不自用神奇，以平列國，能使習之者戡亂策勛，不無補於世也。

又 作詩亦有權宜，或先句法而後體製。譬匠氏選材，雖有巨細長短，而各致其用，可堂則堂，不可則亭矣。于濆《塞下曲》，先得「烏鳶已相賀」之句，出自《淮南子》「大廈成而燕雀相賀」。此「賀」字尤有味，如賦一絕則不孤此句，流於敷演，格斯下矣。詩云：「紫塞曉屯兵，黃沙披甲卧。戰鼓聲未齊，烏鳶已相賀。燕然山上雲，半是離鄉魂。衛霍待富貴，豈能無乾坤？」予擬一絕云：「漢將討樓蘭，旗蕩朔雲破。戰鼓半天聲，烏鳶已相賀。」

又 凡作詩要知變俗爲雅，易淺爲深，則不失正宗矣。因觀于濆《沙場》詩：「士卒浣征衣，交河水流血。」施肩吾《及第後過江》詩：「江神亦世情，爲我風色好。」二作如此。胡不云「戰士浣征衣，忽變交河色」，「尙憶布衣歸，江神亦風浪」，庶得穩帖。

又 作詩有三等語：堂上語，堂下語，階下語。知此三者，可以言詩矣。凡上官臨下官，動有昂然氣象，開口自別。若李太白「黃鶴樓中吹玉笛，江城五月落梅花」，此堂上語也。凡下官見上官，所言殊有條理，不免局促之狀。若劉禹錫「舊時王謝堂前燕，飛入尋常百姓家」，此堂下語也。凡訟者說得顛末詳盡，猶恐不能勝人。若王介甫「茅簷長掃淨無苔，花木成蹊手自栽」，此階下語也。有學晚唐者，再變可躋上乘；學宋者，則墮下乘而變之難矣。

又《四溟山人全集》卷一一《周子才見過談詩》 詩家超悟方入禪，畫蛇添足何爭先。半夜冰霜苦自取，三春花鳥愁相牽。神遊浩渺下無地，氣轉混茫中有天。杜陵老子昨夢見，笑來更拍狂夫肩。

皇甫汸《解頤新語》 詩有六義：一曰風。上以風化下，下以風刺上；言之者無罪，聞之者足以戒，故曰風。《左傳》：齊人伐魯，求救於晉。晉人不許。穆叔見中行獻子，賦《圻父》，獻子曰：偃知罪矣。穆叔賦而晉人不得怨之，是言之者無罪也。獻子服罪，是聞之者足以戒也。二曰賦。賦者，鋪也。鋪采摛文，體物寫志也。《漢書》：不歌而頌謂之賦。《釋名》曰：賦者，敷也，敷布其義也。揚雄曰：賦者，將以風之，必推類而言，極麗靡之辭，閎侈鉅衍，競於使人不能加也。三曰比。不敢斥言，比類以見也。《記》曰：不學博依，不能安詩。詩人比興之辭，多依託物理。而物理至賾也。故金錫以喻明德，珪璋以辟秀民，螟蛉以類教誨，蜩螗以寫號呼，澣衣以擬心憂，卷席以方志固，凡斯切象，皆比義也。四曰興。興者，感發興起也。《詩》三百篇，大抵聖賢發憤所由作也。漢益州刺史王襃，宣感濾以舒音，被中和而詠德。五曰雅。雅者，正也。政有小大，故有小雅焉，有大雅焉。淮南八公之流，擬之而作小山大山。荀卿曰：君子安雅。六曰頌。頌，容也，所以美盛德而述形容也。化偃一國謂之風，風正四方謂之雅，容告神明謂之頌。

又 辭取達意，意培其根，妙於發生。辭暢其枝，貴乎華粲，兼之恆難。故彥輔敘述，次比於黃門；禆諶命草，潤色於東里。

又 史云：其調也尚遠，其旨也在深，其理也貴當，其辭也欲巧。

又 或謂詩不應苦思，苦思則喪其天眞，此殆不然。方其收視反聽，研精殫思，寸心幾嘔，修髯盡枯，深湛守默，鬼神將通之矣。

李舜臣《愚谷集》卷六《毛詩出比自序》 《詩》有六義，唯三曰比、四曰興者，義難言也。何也？朱所謂比，毛之所謂興也，而毛寓比於興。夫既曰比曰興，義宜有別。嘗考之：興之言象也，事存於物之中；比之言類也，事而與物偕舉。若是，毛所謂興，聖人復生，豈可易哉！惟不出比，以興該之，漏於是矣。又以《詩》多引古，以風比義也。何也？物情與事偶似其形，古人與今或異其趣，於是有引古以風今，有出物以質事，二者皆比義也。然引古以風今者，多以通篇；出物以質事者，篇數語爾。

孫陞《孫文恪公集》卷一四《與陳山人論詩書》 主張風雅，深入堂奧，宜屬作者，僕非謂己能也。足下乃欲盡舍所習而從我，我與足下豈異習哉？古今論詩，主格調高古、宛亮，嚴滄浪諸人發明殆悉，足下所知也。僕向云：先結構而後修詞，蓋主最上乘說也。今海內詩人，摹擬唐之聲調，皆足成名。老杜最尚格，亦云：「語不驚人死不休。」試觀杜律，冲澹而有氣骨者甚多，不皆入選。而入選者，詞率清麗。可見風容色澤，亦詩家之所崇尚也。李空同氏者，振古雄才，今之老杜，僕何敢望！足下擬之過矣。若所與何大復辯論，詆其好詞乖法之失，信有之。然何氏亦嘗詆李，謂其作疏鹵，間涉於宋。然乎？否乎？總之，負氣求勝，各不相下之言，未足憑也。李氏穠厚而不重濁，蒼老而不枯寂，含蓄而不窒晦，卽所譏評宋人數語，可概識也。曰宋人主理不主調，而唐調亡於宋。黃、陳二家學杜，而其詞艱澀不香色流動，若入神廟，土木而冠服然者。語在李集中，足下何不取而觀之？何氏亦今代人豪，嘗刊定《王右丞詩》。王詩尚調，何近之。歷數古今名家大方，宗杜者不廢王右丞，李不貶何，此又可以觀也。詩如盡意興所到，形神畢具，稱善盡。詩又如樂，羽干在列，節奏比和，稱備樂。故詩不得舍聲調而專氣骨，不得遺色相而事模臨；樂不得廢音響而尋條理。詩本難言，然可意求，格由深造，亦從調入。足下所爲聲調，可當宛亮，繼今脫去淺近，進之高古，開闔照應，倒插頓挫，變化不窮，則固從此其入門也。僕非知詩者，然亦豈專氣骨，而不事聲調者哉？

《李開先集·閒居集》六《市井艷詞又序》 學詩者，初則恐其不古，久則恐其不淡；學文者，初則恐其不奇，久則恐其不平；學書、學詞者，初則恐其不勁、不文，久則恐其不軟、不俗。唐荊川之於詩，王南江之於文，方兩江之於書，予之於詞，其事異而理同，致百而慮一者乎！

何良俊《何翰林集》卷九《剪綵集序》 詩之爲道，可不謂難哉！予嘗括而論之，其大端有二：夫鋪張篇什，全在體裁；潤色辭條，莫先菁藻。譬之衮冕，實繁典章，苟欲擅美一時，必待兼資二者。是故張施采色，著在夏謨，次差等威，詳於禮籍，所謂合則雙美，棄則兩乖者也。

王愼中《遵巖集》卷九《五子詩集序》 詩之爲道誠深，而其事則微矣。櫛字訂句，協比聲律，使其詞有足玩，音有可諷，亦事之微者也，宜非人之所難至。然名公大人，有鴻烈偉業章施當世者，嘗患不能一，往往竭其生平之勤，爭工拙於片言隻韻之間，不克快其所欲。而野夫田父，閨人孽女，縱其貪慕憂思之所感，託類切物以詠歌其志，時輒造於精微。蓋其道之深者，寓於天地之間，動於人心，觸於物變，雖其轉喉掉吻，衝口肆意，而欣戚促舒，中挑外引，每與深者值。嗟乎，是亦怪矣！其事之微，雖當世烜赫巨力之人，不可以徒得；其道之深，則匹夫匹婦，不勞而獲焉。茲詩之道所以爲深，而其事亦卒不得謂之微也。

又卷二四《寄道原弟書七》 來書所問，詩作豈容易談？第一要有學問，第次亦要才力不弱。每見世所謂才子，所作不但去古人遠，雖何、李二公尚隔多少層數。然今人易足，又眼不明，或已有輕視兩公之心，而自謂所作者乃初唐也。不知初唐本未是詩之佳者，故唐人極推陳子昂，以其能變初爲盛，而李、杜繼出，此道遂振，同時高、岑、王、孟，乃其大家，今只取此六家詩讀之，便知其妙，而見今人之所爲者皆陋淺無足觀矣。故爲詩於今之時者，使眞做出初唐詩，已爲擇術不高，況又不如初唐？今且勿說到骨髓處，只說箇大概。初唐之詩，千篇一律，數家之集，皆若一人，而一人之作，亦若一首，其聲調雖俊美，體格雖涵厚，而變化終不足。盛唐之詩，則人人有眼目，篇篇有風骨。卽此以觀，亦略見不同大致矣。

胡直《衡廬精舍藏稿》卷八《刻擊壤集摘要序》 幾先，故體微；體微，故應妙；應妙，則化而順；化順則達而充。夫旣充充然達矣，然後能交食於地，而交樂乎天。故樂非欲言也，而不能不爲言；言非欲韻也，而不能不爲韻；韻非爲詩也，而不能不爲詩。

譚浚《說詩》卷上《情詞》 漢語謂：「不歌而頌者賦。」乃有詞人之賦，則不誦而歌者。詩必得詩人之情。情至而詞至者，古以則；詞侈而情亡者，麗以淫。古之詩歌，情至而詞不至，則嗟嘆而不已；詞盡而意不盡，則舞蹈而不覺。後之賦誦，則刻琢一字之奇，搜索一語之巧，駢儷一聯之俳，拘束一韻之協。此兩漢之詞工於《騷》、《詩》，六朝之詞工於漢魏。詞愈工而情愈短，情愈短而體愈下矣。朱子曰：「仲宣《登樓賦》去《騷》遠而不及漢作矣，然過曹、陸諸詞。」猶得詩人之情也。

又《專一》 文學貴乎專，詞義忌乎雜。屈平、宋玉不聞著述，馬遷、劉向不見歌謠。自成一家者可久，多而寡得者奚爲？齊君失路，管子請隨之老馬；樊遲問稼，孔子使學之老農。老農之智不聖於尼父，老馬之智不賢於夷吾，農、馬專一，固所能也。柳子厚曰：「褒貶本乎著述，詞正而禮備，可藏於簡冊。諷諭本乎比興，言暢而意美，其流爲謠誦。」如張燕公以著述之餘攻比興而莫能極；張曲江以比興之隟窮著述而不克備。此李、杜詩最而文格未光，韓、柳文美而詩體未粹。豈聰明而不逮哉？亦才力難兼耳。是以一家之作，工拙天懸；一人之思，純疵壤隔，能選之而不作者，鮮矣。必仰山鑄銅不和於鉛錫，煮海爲鹽不雜於涓埃者得焉。

又《氣象》 夫詩言志，志克持者養其氣，氣不餒者慊其心。心有裁制，理乃自然。是集而生於中，則形而象於外，是謂氣象。或輦轂不適山林，或俚巷不達江海，或俗儒不通世途，稗語不趣翰苑，疏放不拘禮囿，末世不逮盛時也。嚴氏曰：「未論漢唐工拙，直是氣象不同。詩有詞、理、意、興，漢魏以前，氣象渾厚，無迹可求。南朝尙詞而病於理，宋人尙理而病於意，唐人尙意，興而理亦在之。」又謂：「唐以詩取士，故多專門之學，宋作所以不及也。」

又《精神》 程子華曰：「生之所自謂之精，精之相薄謂之神。」精危則滯，神惛則伏。精立則氣不孤，神化則機不息。欲傾群言之瀝液，以漱六藝之芳潤。必神思精詣，玄覽修觀，迹在山林，心馳廊廟，思入風雲，道通天地，機來切今，氣往轢古。故曰：「一生精力盡於詩」，又曰：「語不驚人死不休。」靈運竟日思詩不就，忽夢惠連，得「池塘生春草」之句，自謂神工也。此謂「詩成覺有神，神工接混茫」是也。

又卷中《副景》 景適性情之內，情融景物之中，則情景兩得。次則情景代勝。下則情景俱違。故曰：「天地以合，四時以敘，萬物以昌，七情以當。」如《古詩》：「枯桑知天風」，又「明月皎夜光」八句，景也。「思君令人老」四句，情也。「獨宿累長夜」，終篇情也。唐律詩：「月隨碧山轉，水合青天流。」「氣蒸雲夢澤，波撼岳陽城。」景也。「水流心不競，雲在意俱遲。」景在情也。「感時花濺淚，恨別鳥驚心。」情觸景也。「白首多年病，秋風昨夜涼。」一情一景也。

《徐渭集·徐文長佚草》卷四《徐青藤自書詩文冊次韻答釋者二首》 寫情詩貴切緻，難于不頭巾。寫景詩輕鬆，難于不理趣。東坡云：「茶苦怕不美，酒美怕不辣。」辣難矣哉！

吳國倫《甔甀洞稿》卷三九《胡祭酒集序》 夫學以益才，文以足言，皆明訓也。中人承學，鮮究斯義，大較有三疾焉：師心者非往古而捐體裁，負奇者縱才情而蔑禮法，論道講業者則又譏薄藝文以爲無當于世。嗟乎！茲不學之過也！藉令體裁可捐，則方員何取于規矩？禮法可逾，則華實不必由本根。謂藝文無當于世，猶之責騶麟之不耕而以司晨病鸞鳳也，不已誣乎？夫師心負奇，其詞骩骳曼衍勿談矣。乃論道講業，名爲聖人之徒也，何至叛體？要之訓詁鄙俗之戒，侏儒大雅，糟粕微言，以自掩其孤陋，猶曰我具體聖人足矣，焉用文之，其誰欺乎？

來知德《來瞿唐先生日錄》卷三《入聖工夫字義》 又如古今詩人，分明有一段別才。且如「春水船如天上坐，老年花似霧中看」、「無可奈何花落去，似曾相識燕歸來」、「秋水才深四五尺，野航恰受二三人」、「上方月曉聞僧語，下界林疏見客行」、「昔人已乘黃鶴去，此地空餘黃鶴樓」、「巷南巷北人招飲，一晴一雨花耐看」。通是眼前景致，口頭語，令人可愛。其不善于詩者，雖勉強效顰，能學其易，不免落俗；學其難，不免點鬼。

王世貞《藝苑卮言》卷一 西京、建安，似非琢磨可到，要在專習。凝領之久，神與境會，忽然而來，渾然而就，無岐級可尋，無色聲可指。三謝固自琢磨而得，然琢磨之極，妙亦自然。

又 首尾開闔，繁簡奇正，各極其度，篇法也；抑揚頓挫，長短節奏，各極其致，句法也；點掇關鍵，金石綺綵，各極其造，字法也。篇有百尺之錦，句有千鈞之弩，字有百鍊之金。文之與詩，固異象同則。孔門一唯，曹溪汗下後，信手拈來，無非妙境。

又 才生思，思生調，調生格。思即才之用，調即思之境，格即調之界。

又卷二 《詩》旨有極含蓄者，隱惻者，緊切者，法有極婉曲者，清暢者，峻潔者，奇詭者，玄妙者。騷賦古選樂府歌行，千變萬化，不能出其境界，吾故摘其章語，以見法之所自。其《鹿鳴》、《甫田》、《七月》、《文王》、《大明》、《緜》、《棫樸》、《旱麓》、《思齊》、《皇矣》、《靈臺》、《下武》、《文王》、《生民》、《既醉》、《鳧鷖》、《假樂》、《公劉》、《卷阿》、《烝民》、《韓奕》、《江漢》、《常武》、《清廟》、《維天》、《烈文》、《昊天》、《我將》、《時邁》、《執競》、《思文》，無一字不可法，當全讀之，不復載。

又卷四 剽竊模擬，詩之大病，亦有神與境觸，師心獨造，偶合古語者。如「客從遠方來」、「白楊多悲風」、「春水船如天上坐」，不妨俱美，定非竊也。其次，裒覽既富，機鋒亦圓，古語口吻間，若不自覺。如鮑明遠「客行有苦樂，但問客何行」之於王仲宣「從軍有苦樂，但問所從誰」；陶淵明「雞鳴桑樹顛，狗吠深巷中」之於古樂府「雞鳴高樹顛，狗吠深宮中」。王摩詰「白鷺」、「黃鸝」，近世獻吉、用修亦時失之，然尚可言。又有全取古文，小加裁剪，如黃魯直《宜州》用白樂天諸絕句，王半山「山中十日雨，雨晴門始開。坐看蒼苔色，欲上人衣來」，後二語，全用輞川，已是下乘。然猶彼我趣合，未致足厭。乃至割綴古語，用文已漏，痕迹宛然。如「河分岡勢」、「春入燒痕」之類，斯醜方極。模擬之妙者，分岐逞力，窮勢盡態，不唯敵手，兼之無迹，方爲得耳。若陸機《辨亡》、傅玄《秋胡》，近日獻吉「打鼓鳴鑼何處船」語，令人一見匿笑，再見嘔噦，皆不免爲盜跖、優孟所訾。

又卷七 謝茂秦年來益老詩，嘗寄示擬李、杜長歌，醜俗稚鈍，一字不通，而自爲序，高自稱許。其略云：「客居禪宇，假佛書以開悟。暨觀太白、少陵長篇，氣充格勝，然飄逸沈鬱不同，遂合之爲一，入乎渾淪，各塑其像，神存兩妙。此亦攝精奪髓之法也。」此等語何不以溺自照。又兪仲蔚古調本是名家，五言律亦不惡，沾沾爲七言律不已，何也？乃知宇宙大矣，無所不有。王允寧生平所推伏者，獨杜少陵，其所好談說，以爲獨解者，七言律耳。大要貴有照應，有開闔，有關鍵，有頓挫，其意主興主比，其法有正插，有倒插。要之杜詩亦一二有之耳，不必盡然。予謂允寧釋杜詩法如朱子注《中庸》一經，支離聖賢之言，束縛小乘律，都無禪解。

又《弇州山人續稿》卷二〇三《答帥膳部》 大抵有韻與無韻語，其軸一也：庀材宜博，師匠宜古，入思宜深；篇主脈，句主眼，勿庸，勿晦，勿促，勿碎。

李贄《騷壇千金訣》 詩議。明文成公劉基曰：「詩學亦難言矣，然大要不越《三百篇》之旨，或興或賦或比，而分途則美刺兩端耳。美不貴諛，諛近諂；刺不貴激，激近暴。諂者喪氣節，暴者干罪戾，安在其爲性情之止哉！故善宗《三百篇》者于詩義則思過半矣。」又曰：「詩貴有節音，語不中宮商者，意雖工，終滯人唇吻也，非盡善之道。」

又 明學士方孝孺曰：「作詩最重丰致，意欲圓，語欲活，氣欲流暢。藏深思于寓言之中，發天趣于模題之外可也。」

又 明狀元林環曰：「詩重琢句尚矣。然面君之詩不在字句間爭奇，顛倒錯亂之語，怪僻不經之字，最宜剪削。惟平心和氣，婉語深思，委曲詳明，庶得人臣之正告君之義。」又曰：「說主上字眼不可借物來對，恐致輕主之罪。廟號國諱不可輕犯。又或時事大謬爲臣子不忍明言者，不可直寫，以正直之心作忠厚之詞，庶不失風人之本旨。」

又 明編脩唐順之曰：「《詩學大成》一書爲作者之入門。初學者于此書詳觀熟玩其事迹，接其成句，按其韻律，化而裁之，于詩無苦難矣。」明宗伯瞿景淳曰：「作詩不過『情景』二字，情景兼者爲上，遍到者次之。」明司寇王鳳洲曰：「詩家最難得者氣象，而氣象則各以類殊，作者須折題而通之，又會題而通之。如翰苑題寫出翰苑氣象。此會題而通之乃人所難也，學者須默識焉。」

李蓘《黃谷瑣譚》卷二 杜詩：「平生性僻耽佳句，語不驚人死不休。」是詩尚奇也。又曰：「賦詩新句穩，不免自長唫。」是詩尚穩也。奇而穩，穩而奇，循茲二法，可登騷壇。

又《元藝圃集序》 宋詩深刻而痼於理，元詩膚俚而鄰於詞，是二者其弊均也。而學人之辨於理也爲尤難。詩有至理，而理不可以爲詩。而宋人之謂理也，固文字之辨也，箋解之流也，是非褒貶大義也。玆其於風雅也遠矣。詞固詩餘也，雖膚俚，猶有故也。達於此，可與言詩矣。

王世懋《藝圃擷餘》 作古詩先須辨體，無論兩漢難至，苦心模倣，時隔一塵。即爲建安，不可墮落六朝一語。爲三謝，縱極排麗，不可雜入唐音。小詩欲作王、韋，長篇欲作老杜，便應全用其體。第不可羊質虎皮，虎頭蛇尾，詞曲家非當家本色，雖麗語博學無用，況此道乎？

又 詩有古人所不忌，而今人以爲病者。摘瑕者因而酷病之，將并古人無所容，非也。然今古寬嚴不同，作語者既知是瑕，不妨并去。如太史公蔓辭累句常多，班孟堅洗削殆盡，非謂班勝于司馬，顧在班分量宜爾。今以古人詩病，後人宜避者，略具數條，以見其餘。如有重韻者，若任彥昇《哭范僕射》一詩，三壓「情」字；老杜排律，亦時誤有重韻。有重字者，若沈雲卿「天長地闊」之三「何」；至王摩詰尤多，若「暮雲空磧」、「玉靶角弓」，二「馬」俱壓在下，「一從歸白社，不復到青門。」「青菰臨水映，白鳥向山翻。」「青」「白」重出，此皆是失點檢處，必不可借以自文也。又如風雲雷雨，有二聯中接用者，一二三四，有八句中六見者，今可以爲法邪？此等病盛唐常有之，獨老杜最少，蓋其詩即景後必下意也。又其最隱者，如雲卿《嵩山石淙》，前聯云「行漏」「香爐」，次聯云「神鼎」「帝壺」，俱壓末字；岑嘉州「雲隨馬」「雨洗兵」，「花迎蓋」「柳拂旌」，四言一法；摩詰「獨坐悲雙鬢」、「白髮終難變」，語異意重；《九成宮避暑》，三四「衣上」「鏡中」，五六「林下」「巖前」，在彼正自不覺，今用之，能無受人揶揄？至于失嚴之句，摩詰、嘉州特多，殊不妨其美，然就至美中亦覺有微缺陷。如吾人不能運，便自誦不流暢，不爲可也。至于首句出韻，晚唐作俑，宋人濫觴，尤不可學。

呂坤《去僞齋集》卷三《陳少邱詩集序》 夫詩不範品格、傍風雅、入眞澹，即千萬語皆支也；詩不關世道，即千萬語皆贅也；詩是矣，而人非，即千萬語皆僞也，是謂三蔽。嘻！唐諸公免是者，可屈三五指，餘子誠名家，余不暇更僕矣。夫詩，余奚知哉？余知詩人，脫略拘攣，呑吐一世，詩人之襟度也；消融芥蔕，物我皆春，詩人之性情也；色態龐雜，觸目是道，詩人之識趣也；愁苦侵尋，別有樂處，詩人之雅抱也；情景相遭，天機自流，詩人之眞味也；幽岑獨契，授受不能，詩人之妙解也。是謂六得。唐諸公備是者，可居吾三五指。餘子誠名家，余不暇更僕矣。

又《呻吟語》卷六《詞章》 詩詞文賦，都要有個憂君愛國之意，濟人利物之心，春風舞雩之趣，達天見性之精。不爲贅言，不襲餘緒，不道鄙迂，不言幽僻，不事刻削，不徇偏執。

又 詩低處在覓故事尋對頭，高處在寫胸中自得之趣，說眼前自在之景。

祝世祿《環碧齋小言》 詩以詠情也，而束於律，其情常不調適。故詩以律工，亦以律衰。工不如拙，整不如散。情見乎詞，可使千載之下，讀之悲酸，如見其人，如見其心，何必藻繢以爲事！

彭汝讓《木几冗談》 古之所爲文者在創造，今之所爲文者在模擬。古之所爲詩者在情致，今之所爲詩者在聲響。

焦竑《澹園集》卷二二《題陳少明詩》 學書有臨、摹二法：摹如梓人作室，梁棟榱桷，悉據準繩；臨如雙鵠摩空，翩翩浩蕩，棲止各異。蓋摹得其形，臨得其意，自不同也。至于得心應手，神融象滋，無意而皆意，不法而自法，斯妙于書者已。倘步趨古人，而略不見我之筆意，縱極工好，未免奴書之誚，非名品也。

屠隆《白榆集》卷一《貝葉齋稿序》 然詩道大都與禪家之言通矣。夫禪者，明寂照之理，修止觀之義，言必寂而後照、必止而後觀也。兀然枯坐，聞者冥心。空而不空，不空而空；住而不住，不住而住。無見而無所不見，而卒歸之乎無見，而又不以無見名；無解而無所不解，而卒歸之乎無解，而又不以無解名。一旦言下照了，乃徹眞境。夫詩道亦類是矣。語云：「用志不分，乃凝于神。」夫天下之物，何者非神所到；天下之事，何者非神所辨哉？方其凝神此道，萬境俱失；及其忽而解悟，萬境俱冥，則詩道成矣。古今能言者不少，往往以材溢格，以格掩材，體局于資，情傷于氣，作如牛毛，合如麟角，殺青之業，及身而止，非必盡由天賦，則其凝神之不至也。神潛九天，則操蛇之神下；神潛九淵，則象罔之珠出，而況聲詩之道哉！

又《馮咸甫詩草序》 夫聲詩之道，其思欲沈，其調欲響，其骨欲蒼，其味欲雋，而總之歸于高華秀朗。其豐神之增減，大都視其材矣。材多則情贍而思溢，光景無盡；材少則境迫而氣窘，精芒易窮，則其大較也。

又《鴻苞節錄》卷六《論詩文》 詩道之所爲貴者，在體物肖形，傳神寫意，妙入元中，理超象外，鏡花水月，流霞迴風，人得之解頤，鬼聞之欲泣也。

又 詩非博學不工，而所以工非學；詩非高才不妙，而所以妙非才。杜撰則離，離非超脫之謂。格雖自創，神契古人，則體離而意未嘗不合。程古則合，合非摹擬之謂。字句雖因，神情不傳，則體合而意未嘗不離。

又 詩道有法，昔人貴在妙悟，新不欲杜撰，舊不俗勦襲，實不欲粘滯，虛不欲空疏，濃不欲脂粉，澹不欲乾枯，深不欲艱澁，淺不欲率易，奇不欲譎怪，平不欲凡陋，沈不欲黯慘，響不欲叫嘯，華不欲輕豔，質不欲俚野。如禪門之作三觀，如元門之鍊九還。觀孰斯現心珠，鍊久斯結黍米，豈易臻化境哉！

姚舜牧《重訂詩經疑問序》 嘗讀三經、三緯之說，竊有疑焉。三經風、雅、頌是已。而三緯曰賦、曰比、曰興，蓋通融取義，謂所賦之有比有興耳，非截然謂此爲賦，此爲比、此爲興也；唯截然分而爲三，于是求之不得其說，則將謂賦而興又比也，賦而比又興也，而寖失其義矣。【略】若稽實待虛，斷章取義，凡詩皆可通用矣，是而作者之志則有一定不易者也。【略】倘以意逆詩人之志于千載之上，則一字各函一義，而其中雋永之味，眞有足啟萬世之咀嚼者。奈之何詩義之湮而莫識也！又奈之何陳說汩沒于所習，而卽有能探其旨者付之勿問也！

陳于陛《意見・文章》 作文不必論奇古，須自成一家意見，讀之首尾成章不逗漏，便是好文。且可觀其人之行事、功業、受用。今人但務新奇剽竊，全無由衷眞的之見。余辟之如常人衣布袍。猶是好衣，若以綾羅等割截補綴，其値雖貴，終非完衣；如貧家食菽粟，尙是好食，若乞兒從墦間乞得，酒肉雖多，終賤鄙可耻也。

于愼行《穀山筆麈》卷八《詩文》 古人之詩如畫意，人物衣冠不必盡似，而風骨宛然。近代之詩如寫照，毛髮耳目無一不合，而神氣索然。彼以神運，此以形求也。漢唐之古風，盛唐之近體，贈送酬答不必知其爲誰，而一段精神意氣，非其所與者不足當之。所謂寫意也。近代之詩，贈送酬答必點出姓氏、地名、官爵，甲不可乙，左不可右，以爲工妙，而不知其反拙矣。此所謂寫照也。

梁橋《冰川詩式》卷三《鍊句》 夫詩貴鍊句，尙矣。統貫聯屬，意與格寔主之。故諧會五音，清便宛轉，宮商迭奏，金石相宣，謂之聲律；摹寫景象，巧奪天眞，探索幽微，妙與神會，謂之物象。苟無意與格以主之，雖藻辭麗句，無取也。要在意圓格高，纖穠具備。句老而字不俗，理深而意不雜，才縱而氣不怒，言簡而事不晦，識超今古，思入玄妙，方爲作者，而詩道畢矣。

又卷九《學詩要法上》 夫詩者，心之所之，在心爲志，發言爲詩。故詩者感物而生，天動神解，本于情流，弗由蹊逕。善說詩者以識爲主，而貴入門之正；以悟爲得，而底透徹之精。詩者，可以易視乎？是故學詩之法，不可弗講也。夫作詩莫先于澄神。澄神之法有四：屏欲、棄染、息慮、定神。四者爲之所，則吾心靜徹虛明。以此照物，何物不照；以此照理，何理不明；以此役神，何神不妙；以此屬辭，何辭不精。

又 夫學詩莫先于清識，清識有四：有天理，有物理，有事理，有神理。萬理不同，同歸于是，謂之至理。至理一本，其變無方，謂之衆理。至理惟當心解，更不可以言求，以言求者是謂無識。衆理必須根幹枝葉脈絡紋理纖悉推究，目無不眞見，心無不眞知，口無不可以眞言，是謂眞識。眞識之目有四：一曰其然，耳可聞、目可見之實體；二曰當然，心可知、身可行之正理；三曰所以然，口不可言，心不可思，理勢自然之所必至；四曰不然，正理之外，百種邪僻，所當防戒者于此。四者推研之，庶幾可以見理而進于眞識矣。夫學詩莫先于立志，志之不立，終歸無成。然立志之目有八：心情必欲通神明，度量必欲包宇宙，聽明必欲察毫釐，裁處必欲合聖賢，識趣必欲度漢魏，變化必欲該百家，體製必欲象沈、宋，格力必欲造李、杜。立志于此，此心斷定不回，不顧世俗之毁譽，不憚心力之勞瘁，勇往直前，不讓第一等與他人，方可與言詩。

又　作詩貴知變。變之目有三：一曰字變，虛實死活是也。二曰句變，情景事意是也。三曰聲變，穩、響、起、嗢、細是也。字變，一句内忌併一聯内非對者，忌繁隔聯，忌字相似，一篇忌句相似。句變，情、景、事、意四者相間，不得碎雜相從，不得過三聯。若全篇純一者不拘。聲變，兩句不得相併，兩聯不得相似，起宜重濁，承宜平穩，中宜鏗鏘，三者篇篇欲變，若一題聯賦者，變製不變律。

又　作詩之妙有六：一曰格。格者，古人未嘗有意如此，精神所到，不知其然而然耳。心悟者，隨機而用之，不可執一。二曰體。諸家體製，古人未嘗有意如此，風俗才力，有所拘限，不知其然而然耳。心悟者，隨宜而象之，不可執一。三曰情。喜怒哀樂，人之至情，未嘗有意，事至物來，不知其然而然耳。心悟者，隨感而應之，不可執一。四曰性。仁義禮知，人之本性，未嘗有意，理所當然，不知其然而然。心悟者，隨理而用之，不可執一。五曰聲。六曰律。五聲十二律，八音之韻，物之至音。天籟自鳴，非人所爲。材各有適，不知其然而然耳。心悟者，隨聲而叶之，不可執一。六者雖到化處，心嘗存于腔子中，自然出于精細，精細可造自然。

又　作詩要煅思。煅思之要有六：一曰詳。八面中間，推尋欲盡。二曰要。痛芟刻取，撮出至要。三曰博。博覽群書，悉歸部分。四曰精。含精咀華，漱取芳潤。五曰眞。提要錬眞，天然色出。六曰雅。漱芳爾雅，加以潤色。煅思之法，先煅題，推詳取要。次煅料，博覽漱精。末煅意。煅眞加雅，得眞如雅，得雅如眞，煅思至矣。

又　詩有六義，實則三體。風、雅、頌者，詩之體；賦、比、興者，詩之法。故賦、比、興又所以製作乎風、雅、頌。凡詩中有賦起，有比起，有興起。風之中有賦、比、興，雅、頌之中亦有賦、比、興。此詩學之正源，作者之準則。作詩有六關：有篇法，有句法，有字法，有氣象，有家數，有音節。每一篇成，須精研，合此六關，方佳。

又　詩之篇法有四：有以字論者，有以意論者，有以故事論者，有以血脈論者。

又　作詩練句不如練字，練字不如練意，練意不如練格。

又　詩之機出于天造，取之非有其方，得之非覩其竅，要之貴有性悟。

又　文以文而工，不以文而妙。舍文無妙，聖處自悟。意出格，格出意，先得意，如印印泥，止乎義理。意格欲高，句法欲響。始于意格，成于句字。句意欲深遠，句調欲清古和暢。古人詩每家自有風味。如樂，各有聲韻，乃是歸宿處。倣者似而易。詩要悟入，志爲主，氣爲轉，詞爲衛，挹之而源不窮，咀之而味愈長。

又　學詩須先識古今體製，雅俗向背，更洗滌盡腸胃間宿生葷血脂膏，然後可以去穢濁而入芳潤，由是而眞得矣。學無他術，惟勤誦參詣，勉于有爲。學詩者先須除淺異鄙陋之象，句叛而理不叛，言簡而意不遺。觀詩者，要識安身立命處，始得要在氣象，不可尋枝摘葉。

又　小句精深，短章縕藉，大篇開闔，乃妙。

又　學有餘約以用之，意有餘約以盡之。

又　雕刻傷氣，敷演露骨。若鄙而不精巧，過在不雕刻；拙而無委曲，過在不敷演。

又　作詩，思有窒礙，涵養未至，當益以學問。歲寒知松柏，難處見作手。

又　詩貴含蓄，言有盡而意無窮者，天下之至言也。體物不欲寒乞，須參活句，無參死句。

又　古人作詩，以風調高古爲主，雖意遠語疏，皆爲佳作。詩以意義爲主，文詞次之。意深義高，雖文詞平易，自是奇作。

又　詩貴含蓄，優游不迫。大抵從學問中來，語句自然近理，以理爲主，以氣爲使，叫譟非詩道也。

又　詩者不可以言語求而得，意新語工，得前人所未到者，斯善。

又　古人之詩，所以不可及處，剛柔、緩急、哀樂、喜怒之間，風教存乎其中。

又　學詩要自悟。意出于格，先得格也；格出于意，先得意也。意格欲高，句法欲響，故始于意格，成于句字。句意欲深、欲遠，句調欲清、欲古、欲和，是爲作者。

又　詩者用意貴精深，下語貴平易。

又　寫景，景中含意，事中瞰景，貴細密清淡，忌庸腐新巧。

又　詩貴精思，貴多看，貴多作。精思自深，多看自會，多作自好。

又　大凡詩氣象欲其渾厚，忌俗；體面欲其宏大，忌狂；血脈欲其貫串，忌露；韻度欲其飄逸，忌輕。

又　說理要簡易，說事要圓活，說景要微妙。

又　作詩有口訣：平淡不流于淺俗，奇古不鄰于怪僻，題咏不窘于物象，叙事不病于聲律。比興深者通物理，用事工者如己出。格見于成篇，渾然不可鐫；氣出于言外，浩然不可屈。此作詩之法。

又　詩者宣志而道和，貴婉不貴嶮，貴質不貴靡，貴情不貴繁，貴融洽不貴工巧。

又　學詩須取材于《選》，効法于唐。

又　學詩須枕籍《騷》、《選》，死生李、杜。

又　作律詩，情中有景，景中有情，以事爲意，以意融事，情景迭出，事意貫通，律詩之妙者也。

又　詩貴去陳腐，不在奇怪，不在難解。

又　作詩貴以陳爲新，以拙爲巧。思精而意深，意轉而語佳，方是過人處。

又　作詩須從陶、柳門中來，乃佳。不如是，無以發蕭散冲淡之趣，不免局促塵埃，無由到古人佳處。學詩須先看李、杜，如士人治本經，本立，方可以次看諸家詩。

又　詩貴發穠纖于簡古，寄至味于淡薄。

又　作詩須憂中有樂，樂中有憂，方是深妙。

又　爲詩要有野意，要有天趣。貴聞道，貴不帶聲色。

又　詩者，世多目爲末技，然不用心，不讀書，不歷練世故，則不足以名家。

又　作詩頻改，工夫自出。頑鐵久鍊成鋼，鉛錫冶而銀出。

又　嬉笑之怒，甚于裂眥；長歌之哀，過于慟哭。一字鄙貶，甚于鞭撻。

又　作詩不知風、雅之意，不可以作詩。詩尙諷諫，惟言之者無罪，聞之者足以戒，乃爲有補。

又　詩要鋪叙正，波瀾闊，用意深，琢句雅，使字當下字響。觀詩之法，亦當如此求之。

又　詩有九法：榮遇之詩，要富貴尊嚴，典雅溫厚。寫意宜閑雅，美麗清細。如王維、賈至諸公《早朝》之作，氣格雄深，句意嚴整，如宮商迭奏，音韻鏗鏘，眞麟游靈沼，鳳鳴朝陽也。學者熟之，可以一洗寒陋。後來諸公應詔之作，多用此體。然志驕氣盈，處富貴而不先其正者，幾希矣。此又不可不知。諷諫之詩，要感事陳辭，忠厚懇惻。諷諭甚切，而不失性情之正；觸物感傷，而無怨懟之辭。雖美實刺，此方爲有益之言也。古人凡欲諷諫，多借此以諭彼，臣不得于君，多借妻以思其夫，或托物陳喻，以通其意。但觀漢魏古詩，及前輩所作可見，未嘗有無爲而作者。登臨之詩，不過感今懷古，寫景嘆時，思國懷鄉，瀟灑游適，或譏刺歸美，有一定之法律也。中間宜寫四面所見山川之景，庶幾移不動。第一聯指所題之處，宜叙說起。第二聯合用景物實說。第三聯合說人事，或感嘆古今，或議論，卻不可用硬事。或前聯先說事感嘆，則此聯寫景亦可，但不可兩聯相同。第四聯就題主意發感慨，繳前二句，或說何時再來。征行之詩，要發出悽愴之意，哀而不傷，怨而不亂；要發興以感其事，而不失情性之正。或悲時感事，觸物寓情方可。若傷亡悼屈，一切哀怨，吾無取焉。贈別之詩，當寫不忍之情，方見襟懷之厚。然亦有數等，如別征戍，則寫死別，而勉之努力效忠。送人遠游，則寫不忍別，而勉之及時早回。送人仕宦，則寫喜別，而勉之憂國恤民。或訴己窮居，而望其薦拔，如杜公「唯待吹噓送上天」之說是也。凡送人，多托酒以將意，寫一時之景，以興懷寓相勉之辭以致意。第一聯叙題意起。第二聯合說人事，或叙別，或議論。第三聯合說景，或帶思慕之情，或說事。第四聯合說何時再會，或囑付，或期望。于中二聯或倒亂前說亦可，但不可重複，須要次第。末句要有規警，意味淵永爲佳。咏物之詩，要托物以伸意，須要二句咏狀寫生，忌極雕巧。第一聯須合直說題目，明白物之出處方是。第二聯合咏物之體。第三聯合說物之用，或說意，或議論，或可說人事，或用事，或將物體證。第四聯就題外生意，或就本意結之。贊美之詩，多以慶喜、頌禱、期望爲意，貴乎典雅渾厚，用事宜的當親切。第一聯要平直，或隨事命意叙起。第二聯意相承，或用事，必須實說本題之事。第三聯轉説要變化，或前聯不曾用事，此正宜用引證，蓋有事料，則詩不空疏。結句則多期望之意。大抵頌德貴乎實，若褒之太過，則近乎諛，贊美不及則不合人情，而有淺陋之失矣。賡和之詩，當觀元詩之意如何，以其意和之，則更新奇。要造一兩句雄健壯麗之語，方能壓倒元白；若又隨元詩腳下走，則無光彩，不足觀。其結句當歸着其人，方得體。有就中聯歸着者亦可。哭挽之詩，要情眞事實。于其人，情義深厚則哭之；無甚情分，則挽之而已矣。當隨人行實，作要切題，使人開口讀之，便見是哭挽某人方好，中間要隱然有感傷之意。

又　詩有五理：曰美者，如「都來消帝道，渾不用兵防」，美君有道德，以服遠人也。曰刺者，如「桑柘廢來猶納稅，田園荒去尚徵徭」，刺役劇之重也。曰規者，如「幸無偏照處，剛有不明時」，規聖人行號令，有不明時也。曰箴者，如「日暮碧雲合，佳人期不來」，箴佞人進而使賢人未仁也。曰誨者，如「明河川上沒，芳草露中衰」，誨明時草澤中賢人不得用也。

又卷一〇《學詩要法下》　詩有六義，後世賦別爲一大文，而比少興多，詩人之全者，惟杜子美能兼之，如《新月》詩：「光細弦欲上，影斜輪未安。」謂位不正，德不充，風之事也。「微升古塞外，已隱暮雲端。」謂纔升卽隱，似當日之事。「河漢不改色，關山空自寒。」河漢是矣，而關山自凄然，有所感興也。「庭前有白露，」露乃天之恩澤，雅之事也。「暗滿菊花團。」謂天之澤止及于庭前之菊，其成功之小也如此。頌之事也。

又　學詩者貴乎似，論詩者可以言盡耶？少陵《春水生》二詩云：「二月六夜春水生，門前小灘渾欲平。鸕鷀鸂鶒莫漫喜，吾與汝曹俱眼明。」「一夜水高二尺強，數日不敢更禁當。南市津頭有船賣，無錢卽買繫籬傍。」曾空青《清樾軒》二詩云：「卧聽灘聲滮滮流，冷風凄雨似深秋。江邊石上烏臼樹，一夜水長到梢頭。」「竹間嘉樹密扶疏，異鄉物色似吾廬。清曉開門出負水，已有小舟來賣魚。」似耶不似耶？學詩者不可以不辨。

又　唐人咏物詩，于景意事情外，別有一種思致，不可言傳，必心領神會始得。此後人所以不及唐也。如陸魯望《白蓮詩》云：「素蘤多蒙別艷欺，此花眞合在瑤池；還應有恨無人覺，月曉風清欲墮時。」妙處不在言句上，宋人都曉不得。如東坡《咏荔支》、梅聖俞《咏河豚》，此等類非詩，特俗所謂偈子耳。

又　五、七言古詩仄韻者，上句末字類用平聲。惟杜子美多用仄，如《玉華宮》、《哀江頭》諸作，概亦可見。其音調起伏頓挫，獨爲趫健，似別出一格。回視純用平字者，便覺萎弱無生氣。自後則韓退之、蘇子瞻有之，故亦健於諸作。此雖細故末節，蓋舉世歷代而不之覺也。偶一啟鑰，爲知音者道之。若用此太多，過於生硬，則又矯枉之失，不可不戒也。

趙南星《趙忠毅公詩文集》卷七《蘇杏石先生詩集序》　陸士衡之論文也，以「詩緣情而綺靡」，或者譏之，以爲綺靡自六朝詩耳。《詩》三百篇具在，不綺靡耶？亦《三百篇》有《三百篇》之綺靡，六朝有六朝之綺靡耳。故詩非徒才也，必與情兼妙而後能之。才與情合而成趣，成趣之謂能言，諳趣之謂知言。人有諳趣而能言之者乎？則盈天地間一丘一壑、一雲一石、一花一草、一飛一動，莫非趣也。而大言、而小言、而短言、而永言、而正言、而倒言、而古言、而今言、而莊言、而詼言，莫非趣也。

胡應麟《詩藪內編》卷一　孔曰：「草創之，討論之，脩飾之，潤色之。」千古爲文之大法也。孟曰：「不以文害辭，不以辭害意，以意逆志，是爲得之。」千古談詩之妙詮也。

又　世謂三代無文人，《六經》無文法。吾以爲文人無出三代，文法無大《六經》，彖、象、大傳，一何幽也；誥、頌、典、謨，一何雅也；《春秋》高古簡嚴，禮樂宏肆浩博，謂聖人無意於文乎，胡不示人以璞也？夫周之所尚，孔之所脩，四教所先，四科所列，何物哉！

又　《詩》三百五篇，有一字不文者乎，有一字無法者乎？《離騷》，風之衍也；《安世》，雅之纘也；《郊祀》，頌之闡也；皆文義蔚然，爲萬世法。惟漢樂府歌謠，采摭閭閻，非由潤色。然質而不俚，淺而能深，近而能遠，天下至文，靡以過之。後世言詩，斷自兩漢，宜也。

又卷二　詩不易作者五言古，尤不易作者古樂府。然樂府貴得其意，不得其意，雖極意臨摹，終篇勦襲，一字失之，猶爲千里；得其意，則信手拈來，縱橫佈置，靡不合節，正禪家所謂悟也。然殊不易言矣。

又　禪家戒事、理二障，余戲謂宋人詩，病政坐此。蘇、黃好用事，而爲事使，事障也；程、邵好談理，而爲理縛，理障也。

又卷四 作詩不過情、景二端。如五言律體，前起後結，中四句，二言景，二言情，此通例也。唐初多於首二句言景對起，止結二句言情，雖豐碩，往往失之繁雜；唐晚則第三、四句多作一串，雖流動，往往失之輕儇，俱非正體。惟沈、宋、李、王諸子，格調莊嚴，氣象閎麗，最爲可法。第中四句大率言景，不善學者，湊砌堆疊，多無足觀。老杜諸篇，雖中聯言景不少，大率以情間之。故習杜者，句語或有枯燥之嫌，而體裁絶無靡冗之病。此初學入門第一義，不可不知。若老手大筆，則情景混融，錯綜惟意，又不可專泥此論。

又卷五 詩最貴麗，而麗非金玉錦繡也。晏同叔以「笙歌院落」爲三昧，固高出「至寶丹」一等。然「梨花院落」又待入小石調矣。麗語必格高氣逸，韻遠思深，乃爲上乘。

又 蘇長公詩無所解，獨二語絶得三昧，曰：「作詩必此詩，定知非詩人。」蓋詩惟詠物不可汗漫，至於登臨、燕集、寄憶、贈送，惟以神韻爲主，使句格可傳，乃爲上乘。今於登臨則必名其泉石，燕集則必紀其園林，寄贈則必傳其姓氏，眞所謂田莊牙人，點鬼簿、粘皮骨者。漢、唐人何嘗如此？最詩家下乘小道。即一二大家有之，亦偶然耳，可爲法乎！

又 「清暉能娛人，遊子澹忘歸」，凡登覽皆可用。「微雲淡河漢，疏雨滴梧桐」，凡燕集皆可書。「海日生殘夜，江春入舊年」，北固之名奚與？「天闕象緯逼，雲卧衣裳冷」，奉先之義奚存？而皆妙絶千古，則詩之所尚可知。今題金山而必曰金玉之金，詠赤城而必云赤白之赤，皆逐末忘本之過也。

又 昔人云：「寧爲有瑕玉，不作無瑕石。」此猶落第二義。夫三身之論一源，九方之相千里，耳目口鼻，咸可相通；驪黄牝牡，悉置亡問。吾所知者上乘之禪，天下之馬而已，有瑕無瑕云乎哉！噫！未易爲拘拘者道也。

又 漢、唐以後談詩者，吾於宋嚴羽卿得一「悟」字。於明李獻吉得一「法」字，皆千古詞場大關鍵。第二者不可偏廢，法而不悟，如小僧縛律；悟不由法，外道野狐耳。

又 作詩大要不過二端：體格聲調，興象風神而已。體格聲調有則可循，興象風神無方可執。故作者但求體正格高，聲雄調鬯，積習之久，矜持盡化，形迹俱融，興象風神，自爾超邁。譬則鏡花水月，體格聲調，水與鏡也；興象風神，月與花也。必水澄鏡朗，然後花月宛然。詎容昏鑑濁流，求覩二者？故法所當先，而悟不容強也。

又 何仲默謂：「富於材積，使神情領會，天機自流，臨景結構，不傍形迹。」此論直指眞源，最爲吃緊，於往代作家大旨，初無異同舍筏之云。以獻吉多擬則前人陳句，欲其一切捨去，蓋芻狗糟粕之謂，非規矩謂也。獻吉不忿，拈起法字降之。學者但讀獻吉書，遂以捨筏爲廢法，與何規李本意，全無關涉，細繹仲默書自明。

又卷六 調古則韻高，情眞則意遠，華玉標此二者，則雄奇俊亮，皆所不貴。論雖稍偏，自是五言絶第一義。若太白之逸，摩詰之玄，神化幽微，品格無上，又不可以是泥也。

又《外編》卷一 「欲罷不能，既竭吾材，如有所立卓爾。」本顔回見道語。然實詩家妙境。神動天隨，寢食咸廢，精凝思極，耳目都融，奇語玄言，恍惚呈露，如游龍驚電，掎角稍遲，便欲飛去，須身詣其境知之。

又 「九方皋相馬」一節，《南華》本不爲詩家說，然詩家無上菩提盡具此。蓋作詩大法，不過興象風神，格律音調。格律卑陬，音調乖舛，風神興象，無一可觀，乃詩家大病。至於故實矛盾，景物汗漫，情事參差，則驪黄牝牡類也。製作誠工，即在楚言秦，當壯稱老，後世但覩吾詩，寧辨何時何地。即洗垢索瘢，可謂文人無實，不可謂句語不工。不爾，即三者纖毫曲盡，焉能有無。

又卷二 詩文不朽大業，學者雕心刻腎，窮晝極夜，猶懼弗窺奥妙，而以游戲廢日可乎？孔融離合，鮑照建除，溫嶠迴文，傅咸集句，亡補於詩，而反爲詩病。自兹以降，摹放實繁，字謎、人名、鳥獸、花木，六朝才士集中，不可勝數。詩道之下流，學人之大戒也。

又卷五 詩之筋骨，猶木之根幹也；肌肉，猶枝葉也；色澤神韻，猶花蕊也。筋骨立於中，肌肉榮於外，色澤神韻充溢其間，而後詩之美善備，猶木之根幹蒼然，枝葉蔚然，花蕊爛然，而後木之生意完。斯義也，盛唐諸子庶幾近之。宋人專用意而廢詞，若枯枿槁梧，雖根幹屈盤，而絶無暢茂之象。元人專務華而離實，若落花墜蕊，雖紅紫嫣熳，而大都衰謝之風。故觀古詩於六代、李唐，而知古之無出漢也，觀律體於五季、宋、元，而知律之無出唐也。

唐時升《三易集》卷八《與會長石編修書》 作詩之道，非難非易。易，故《三百篇》多出於野夫遊女；難，故成一家言者，代不數人。若僕之懶慢廢學，非曰能之，間嘗從事於斯而得其彷彿焉。譬諸組織，一經一緯，一玄一素，雖由女工之手，而必成於杼軸，衡縮疏密輕重，各有其度，不可違也。能取古人之言而吟諷之，嗟嘆之，久之，知其言之所以然，又知其言之不得不然。由是而得之杳杳之中，出之恍惚之際，不規規於古人而自與之合。如是知不爲作者笑矣，乃其神而化之，則存乎其人耳。至於是，而又不能無得失，則如迴飆之撾，賞音者知之，勞薪之炊，知味者辨之。若夫輕心掉之，怠心易之，昏氣出之，矜氣作之，此皆詞人所當反覆也。

江盈科《雪濤詩評》 凡詩，欲雅不欲文，文則爲文章矣。凡詩，欲暢於衆耳衆目，若費解費想，便是啞謎，非詩矣。凡詩不能不使故事，然忌堆積，堆積便贅矣。凡詩，析看一句要一句渾淪，合看八句要八句渾淪，若一句不屬一氣，一篇不如一句，便湊泊不成詩矣。

陳繼儒《讀書鏡》 詩文，小技耳。然深沉則力勁，綜博則澤鮮。由淺而達，由達而老，由老而化，而絢爛生焉。以此行世，即百賞譽，未必得我之骨髓；百彈射，未必損我之皮膚。

張溥《七録齋詩文合集·近稿》卷四《宋九青詩序》 夫無才之人不可與言詩，惡其無文也；無情之人不可與言詩，惡其非質也。雖然，才至矣，非學不行；情至矣，非詩不立。

周齊曾《囊雲文集補遺·始可與言詩序序》 詩與序，若相與以爲因緣，不孤起，亦不孤止。然詩不皆有序者，其意旨悉著於詩，無庸序也，人知之。至意旨悉著於序，亦無庸詩也，人或未之知。蓋序有隱不盡藏、吐不盡露者，當留其餘以爲詩地，故序與詩不得偏廢。若序已處於其盡，進之更無路，退之更無途，是序無餘也，詩無地矣。無地之詩，是爲重出。【略】使人讀詩如讀未竟之序，是不如無詩。故詩與序不必兩存。後之人無從見當時之詩之若何也，庶幾思之，思之何故有序無詩。或其神靈變幻，無復可以有加於序；或其神靈變幻，無復可以有過於詩，則無詩之序奇，無詩之詩更奇。

黃諄耀《陶庵全集》卷二一《陶庵自監録三》 作詩文摹畫兒女情態，爲後生狂藥，其罪不細。吾今生戒之。

方以智《通雅詩說》 姑以中邊言詩，可乎？勿謂字櫛句比爲可屑也，從而叶之，從而律之，詩體如此矣。馳驟迴旋之地有限矣，以此和聲，以此合拍，安得不齒齒辨當耶？落韻欲其卓立而不可迻也，成語欲其虛實相間而熨帖也，調欲其稱，字欲其堅。字堅則老，或故實，或虛宕，無不鄭重；調稱則和，或平引，或激昂，無不宛雅。是故玲瓏而歷落，抗墜而貫珠，流利攸揚，可以歌之無盡。如是者論倫無奪，媚于節奏，所謂邊也。中間發抒蘊藉，造意無窮，所謂中也。措詞雅馴，氣韻生動，節奏相叶，蹈厲無痕，流連景光，賦事狀物，比興頓折，不即不離，用以出其高高深深之致，非作家乎？非中邊皆甜之蜜乎？又況誦讀尚友之人，開幬覆代錯之目，舞吹毛灑水之劍，俯仰今古，正變激揚，其何可當。由此論之，詞爲邊，意爲中乎？詞與意，皆邊也。素心不俗，感物造端，存乎其人，千載如見者，中也。俗之爲病，至難免矣。有未能免而免者存，聞樂知德，因語識人，此幾知否？

又 《關尹子》曰：「道寓，天地寓。」舍可指可論之中邊，則不可指論之中，無可寓矣。捨聲調字句雅俗可辨之邊，則中有妙意，無所寓矣。此詩必論世論體之論也，此體必論格論嚮之論也。韓脩武曰：「汲汲乎惟陳言之務去。」數見不鮮，高懷不發，此誦讀詠歌之情，即天地之情也（如天地則不舊，乾坤寰宇則舊。莊禪最與詩通，然「矢橛」、「巴鼻」，亦太粗生。理語典奥，有時亦湊。又況數百年之時文批語耶？「秋風」而爲「商飈」，「曉日」而爲「朝暾」，殊屬可厭。然兩間風力所轉，翻字法門。奈「黑豆」何要以體格時宜論之？假如退之生割，義山刻艷，長吉詭激，宋元樸俚，果是其人，成語成家，何妨別路）。冒以急口媮快，優人之白，牧童之歌，與《三百》乎何殊？然有說焉，閩人語閩人，閩語故當；閩人而與江淮吳楚人語，何不從正韻而公談？夫《史》、《漢》、韓、蘇、《騷》、《雅》、李、杜，亦詩文之公談也。但曰吾有意在，則執樵販而問訊，呼市井而詬誶，亦各有其意在，其如不中節奏，不堪入耳何？此一喻也，謂不以中廢邊。

又 法嫺矣，詞贍矣，無復懷抱，使人興感，是平熟之土偶耳。倣唐泝漢，作相似語，是優孟之衣冠耳。天分有限，又不肯學。良工不示人以樸，不如勿作。然有解焉，不作詩論，隨人示樸，何傷乎？

陸時雍《詩鏡總論》 氣太重，意太深，聲太宏，色太厲，佳而不佳，反以此病，故曰：「穆如清風。」

又　詩有靈襟，斯無俗趣矣；有慧口，斯無俗韻矣。乃知天下無俗事，無俗情，但有俗腸與俗口耳。古歌《子夜》等詩，俚情褻語，村童之所赧言，而詩人道之，極韻極趣。漢《鐃歌》樂府，多寠人乞子兒女里巷之事，而其詩有都雅之風。如「亂流趍正絶」，景極無色，而康樂言之乃佳，「帶月荷鋤歸」，事亦尋常，而淵明道之極美，以是知雅俗所由來矣。夫虛而無物者，易俗也；無而不理者，易俗也；卑而不揚者，易俗也；高而不實者，易俗也；放而不制者，易俗也；局而不舒者，易俗也；奇而不法者，易俗也；質而無色者，易俗也；文而過飾者，易俗也；刻而過情者，易俗也；雄而尚氣者，易俗也；新而自師者，易俗也；故而不變者，易俗也；典而好用者，易俗也；巧而過斲者，易俗也；多而見長者，易俗也；率而好盡者，易俗也；修而畏人者，易俗也；媚而逢世者，易俗也。大抵率眞以布之，稱情以出之，審意以道之，和氣以行之，合則以軌之，去迹以神之，則無數者之病矣。

又　詩不患無材，而患材之揚；詩不患無情，而患情之肆；詩不患無言，而患言之盡；詩不患無景，而患景之煩。知此始可與論雅。

又　善言情者，呑吐深淺，欲露還藏，便覺此衷無限。善道景者，絶去形容，略加點綴，即眞相顯然，生韻亦流動矣。此事經不得着做，做則外相勝而天眞隱矣，直是不落思議法門。每事過求，則當前妙境，忽而不領。古人謂眼前景致，口頭言語，便是詩家體料。所貴於能詩者，祇善言之耳。摠一事也，而巧者繪情，拙者索相。摠一言也，而能者動聽，不能者忤聞，初非別求一道以當之也。

又　詩之所以病者，在過求之也，過求則眞隱而僞行矣。然亦各有故在，太白之不眞也爲材使，少陵之不眞也爲意使，高岑諸人之不眞也爲習使，元白之不眞也爲詞使，昌黎之不眞也爲氣使。人有外藉以爲之使者，則眞相隱矣。

又　書有利澀，詩有難易。難之奇，有曲澗層巒之致；易之妙，有舒雲流水之情。王昌齡絶句，難中之難；李青蓮歌行，易中之易。難而苦爲長吉，易而脱爲樂天，則無取焉。人力不與，天致自成，難易兩言，都可相忘耳。

又　叙事議論，絶非詩家所需，以叙事則傷體，議論則費詞也。然總貴不煩而至，如《棠棣》不廢議論，《公劉》不無叙事。如後人以文體行之，則非也。戎昱「社稷依明主，安危托婦人」、「過因讒後重，恩合死前酬」，此亦議論之佳者矣。

又　詩貴眞，詩之眞趣，又在意似之間，認眞則又死矣。柳子厚過於眞，所以多直而寡委也。《三百篇》賦物陳情，皆其然而不必然之詞，所以意廣象圓，機靈而感捷也。

又　實際內欲其意象玲瓏，虛涵中欲其神色畢著。

又　有韻則生，無韻則死；有韻則雅，無韻則俗；有韻則響，無韻則沈；有韻則遠，無韻則局。物色在於點染，意態在於轉折，情事在於猶夷，風致在於綽約，語氣在於呑吐，體勢在於遊行，此則韻之所由生矣。陸龜蒙、皮日休知用實而不知運實之妙，所以短也。

張懋修《墨卿談乘》卷七《文詩·機柚》　詩文機柚，欲遠之而若近，近之而若遠；顯事而用晦，晦事而用顯；淺之而彌深，深之而彌淺；簡也而使繁，繁也而使簡。噫！此非吾臆言也，《易》、《詩》、《書》之淵旨也。文人習矣而不察，或固矣而無變，由博而之約，則左右逢源矣。

轂齋主人《獨鑒録》　詩文各有體，詩律不可以爲文，猶文字不可以爲詩也。究而通之，冥而會之，詩與文非二也。有體裁，有法度，有門戸，有規格，有氣象，有關繫，有抑揚，有起伏，有含蓄，有虛實，有輕重，有照映，其機一也。吾嘗謂文中故有詩，詩中故有文，人自不得耳。此殆難以口舌爭也。

又　昔人謂史須三長，才、學、識也。予謂詩亦然，非博學，非逸才，非卓識，不可爲也。

又　詩本溫柔敦厚，比興微婉，《三百篇》凡説忠愛孝友，勞苦哀怨，憂勤莊儉，豐凶理亂，美刺閔惡，規誨誘懼，若此類皆隱然不露，意在言外。若宋人開頭便露盡，此所以傷於直截，失之膚淺，殊乏藴藉，非《三百篇》之旨也。

林希恩《詩文浪談》　林子曰：豈惟篇章之大之有其法哉？是雖至於一句一字之間，則皆有其法，不可得而損益之者矣。此固成於變化，非屬擬議。然而不有擬議焉，又安足以成變化之能哉？

錢曉《庭幃雜録》下　問作詩之法，曰：以性情爲境，以無邪爲法，以人倫物理爲用，以温柔敦厚爲教，以凝神爲入門，以超悟爲究竟。

又 詩文有主有從。文以載道，詩以道性情，道卽性情，所謂主也，其文詞從也。但使主人尊重，卽無僕從，可以遺世獨立而藴藉有餘。今之作文者類有從無主，鞶帨徒飾而實意索然。

謝天瑞《詩法大成》卷八《詩正體》 律詩須情中有景，景中有情。以事爲意，以意融事，情意迭出，事意貫通，方爲近體之妙。

王思任《王季重雜著・雜序・倪翼元宦遊詩序》 會心之時，目不能出，舌不能莅，偶舉其神似者，作韻自咏，此以爲詩矣。詩以言己者也，而今之詩則以言人也。自歷下登壇，欲擬議以成其變化，於是開叔敖抵掌之門，莫苦於今之爲詩者，曰：如何而漢魏，如何而六朝，如何而唐宋，古也，今也，盛也，晚也，皆擬也，人之詩也，與己何與？

王昌會《詩話類編》卷二《忌不歸正理》 作詩大概要依道理，方不謂之空言。杜詩所以高者，以其多憂國之事，能知君臣之義，所以説出便忠厚。李白所以不及子美者，以其篇篇無不説酒説色也。又如丁晉公「天門九重開，終當掉臂入」，人謂其不知入公門鞠躬之義。又如陳羽《送人下第》詩「下第恥爲關右客，成名空羨里中兒」，人便識其量之淺深。若□水部「車服暫停辭社樹，里門先下敬鄉人」，便自忠厚合理。

又卷三《名論下》 詩之作法有八：曰起句要高遠，曰結句要不着迹，曰承句要穩健，曰下字要有金石聲，曰上下相生，曰首尾相應，曰轉折要不着力，曰占地步。蓋首兩句先須闊占地步，然後六句若有本之泉，源源而來矣；地步一狹，譬猶無根之潦，可立而竭也。

又 首尾開闔，繁簡奇正，各極其度，篇法也。抑揚頓挫，長短節奏，各極其致，句法也。點掇關鍵，金石綺彩，各極其致，字法也。篇有百尺之錦，句有千鈞之弩，字有百煉之金。文之與詩，固異象同則也。孔門一唯，曹溪汗下，信手拈來，無非妙境。

又 「婉」、「暢」二字，亦是詩家切要語。蓋暢而不婉則近於粗，婉而不暢則入於晦。

又 詩不可強作，不可徒作，不可苟作。強作，則無意；徒作，則無益；苟作，則無功。

又 凡作一詩，須是向閙中打坐，沉潛諷詠，看全首成片段不成片段，意思圓活流動如何，方爲了當。

又 作詩先立題目，只就題目上説將去，不可攛東摸西，唤張叫李。今之學者往往擠擠塡湊，所以失之。良辰美景，月下花前，把一切思慮撲下，卻然後將眼中所得風月，裁制些許，於月上安排五字看，於風上安排五字看。如不好，又一向思量將去，直待自家向風月有領略處，卻隨請問一個有眼目人，看他如何爲點化，然後見得自家工夫到與不到。

又 作詩每得一句，上下更湊不得，何如？曰：作詩最忌如此，此便是意思不立。凡作詩，先須命意，意得，然後行文；文成，而後潤色之。所謂一命意，二修辭，三煉字是也。愼勿以先得一句一聯，而因之以成章，如此，則意思不相屬，血脈不貫串，此詩家之大病也。李凌陽謂作詩從首至尾，語要聯屬，如有理詞狀方好。如蓋嘉運詩：「打起黄鶯兒，莫教枝上啼。啼時驚妾夢，不得到遼西。」上下相續，血脈貫串，可謂標準。曾蒼山亦謂此詩與韋應物《燈》詩：「獨照碧窗久，欲隨煙燼滅。幽人將遽眠，解帶翻成結。」皆法律相似。推而至於八句律、長短篇、選體、古風、文辭、賦、序莫不皆然，則一氣呵成，而文理密就矣。

又 善詩者，就景中寫意，不善詩者，去意中尋景。如杜詩「無邊落木蕭蕭下，不盡長江滾滾來」、「疎燈自照孤帆宿，新月猶懸雙杵明」、「殊方落日玄猿哭，故國霜前白雁來」，卽景物之中含蓄多少愁恨意思，並不着愁恨字眼，便見意思深遠。然亦有就意中言景，而意思深遠者，不可以一概論也。如「苦遭白髮不相放，羞見黄花無數開」，李頎詩「遠樹依依如送客，平田漠漠獨傷春」，韋應物詩「世事茫茫難自料，春愁黯黯獨成眠」，亦何嘗意思不淵永？大抵善詩者，或道情思，或言景物，皆欲意味深長，不至窒塞，不流腐弱，斯爲得體矣。

又 秀才作詩不脱俗，謂之頭巾氣。和尚作詩不脱俗，謂之酸餡氣。閨閣過於華艷，謂之脂粉氣。能脱此等氣，則不俗矣。至於朝廷典則之詩，謂之臺閣氣。隱逸恬澹之詩，謂之山林氣。此二者，必有其一，卻不可少。

又 詩中有僧，但取其幽寂雅澹，可以裝點景致。有仙，但取其瀟灑超脱，可以擺落塵滓。若言僧，而泥於空幻；言仙，而惑於怪誕，遂以爲必不可無者，乃癡人前説夢耳。

又 意者，詩之神氣，貴圓融而忌闇滯。格者，詩之志向，貴高古而忌蕪亂。篇者，詩之體質，貴貫通而忌支離。句者，詩之肢體，貴委曲而忌直率。是故超詣變化，隨模肖形，與造化同工者，精於意者也。搆情古始，侵風匹雅，不涉凡近者，精於格者也。比類攝故，辭斷意續，如貫珠累累者，精於篇者也。機理渾含，辭尟意多，不犯輕佻者，精於句者也。

又 近體，誦之行雲流水，聽之金聲玉振，觀之明霞散綺，講之獨繭抽絲。詩有造物，一句不工，則一篇不純，是造物不完也。

王文祿《詩的》 詩家三昧，必由悟入。今尚舉業，詩訣不傳，無知詩者。孫樵《與王霖書》曰：「樵嘗得爲文眞訣於來無擇，來無擇得之於皇甫持正，皇甫持正得之於韓吏部退之。樵之後，爲文眞訣不得傳矣。」今須深悟之，乃有得。今人不肯好學，又且自高，則信乎文之愈下也。《皇甫持正集》、《孫可之集》、《韓昌黎集》皆有刻。獨《來無擇集》未見，不知有傳否，可惜也。一篇亦無可尋。

又 乙亥季春，燈下看杜詩而悟作文之法。蓋作文不在詞句之工，而在性情之正。杜先悟之曰：「文章有神。」神主意，正也。杜値天寶之季，兵亂世危，其愛君憂民之心，經國匡時之略，每於詩中見之。所謂「有神」，非苟作者，宜其垂世之不朽云。故曰一切惟心造也。今作詩文而無主意，空談則虛且僞，說鈴耳，安得垂！

又 杜詩意在前，詩在後，故能感動人。今人詩在前，意在後，不能感動人。蓋杜遭亂，以詩遣興，不專在詩，所以叙事、點景、論心，各各皆眞，誦之如見當時氣象，故稱詩史。今人專意作詩，則惟求工於言，非眞詩也。空同詩自叙亦曰：「予之詩非眞也。」王叔武所謂文人學子之韻言耳。是以詩貴眞，乃有神，方可傳久。

又《文脈》卷一《文脈總論》 爲文須有文心，始可與言文。蓋識見高明，不染利欲，若莊周，屈平及李太白，超然塵外，百代無繼之。匪文難，文心難也。心或夾雜，本失矣，詞華曷生哉？且爲文如蠶口抽絲作繭，一聞響則口停而絲腸斷矣。使亂乃心，文焉得妙？

溫璜《溫寶忠先生遺稿》卷六《論文偶錄》 盛世文，妙在說不出，愈含蓄愈有精神；衰世文，妙在說得透，越痛快越多意氣。

董斯張《吹景集》卷一《朝玄閣雜語》 詩亦有五行，色像火，音像金，味像土，脈像水，枝葉像木。若夫空以運之，其昊蒼一氣之旋乎？

譚元春《譚友夏合集》卷二三《題簡遠堂詩》 夫詩文之道，非苟然也。其大患有二：樸者無味，靈者有痕。故有志者常精心于二者之間，而驗其候以爲淺深：必一句之靈，能回一篇之運；一篇之樸，能養一句之神，乃爲善作。譚子曰：古人一語之妙，至于不可思議，而常借前後左右寬裕樸拙之氣，使人無可喜而忽喜焉。如心居內，目居外，神光一寸耳，其餘皆皮肉膚毛也。若滿身皆心，心外皆目，人乃大不祥矣。然前後左右所以藏此一語者，亦必眞如古人之寬樸。苟以古人不可思議之語，藏于今人漫無精氣之篇，將并其妙語而累之。譬如人懷仙佛之心，而所裏皮肉膚毛疥癩猶可，豈可市井乎？予進而求諸靈異者十年，退而求諸樸者七八年，于所謂靈與樸者，終隔而不合，而其意亦未嘗不思以傳也，所謂名根也。人不忘名，則自愛名；若有根，則不浮。藏諸名山，傳之其人。沉碑于水，安知後世不在山巔？所以取之者遠，矜之者重。不必親見名之我歸，而寧忍百年之寂寂，以自結于不可知之人，其爲根亦良可念矣。嘗見迫于求傳者不傳，避一世之誹，貪衆人之譽，究竟不切于後世之好惡，而生前心血光陰付之可惜。又有步趨古人，久淹晚出，以爲可傳者不傳。夫古人所以傳之處，未必皆在所傳處；而古人所自傳之路，豈有復爲人可以傳之路？雖毫釐相準，苦心有年，然迷于山者漸深漸迷矣。譚子言至此，竦然喪其所謂名根，曰：「靈與樸，吾所不敢忘也。傳不傳，固亦有數耳，吾何知焉，吾何知焉！」

張次仲《張待軒先生遺集》卷九《待軒隨筆》 作文之要在起承轉闔，作詩之要亦在起承轉闔。曉得此法，以吾之情意而加之氣勢、華采、字句、章法，自堪不朽；弗然，辭雖工弗善也。

吳應箕《樓山堂集》卷一六《楊學博詩序》 情者，生乎人者也；無情，詞安從眞？非其人，情安得正？無情而有詞，詞不眞焉，其失也僞；情不正而有詞，詞即眞焉，生心之害詎有已哉！故我朝詩人之失，失于貌古，而古人有以詩自貌者，後世無能廢其詞，又相率而貌之，如潘、陸、沈、謝之作，曾有以其爲亂臣賊子之言而棄而不諷者乎？

謝肇淛《小草齋詩話》卷一《內篇》 《三百篇》中，莊語、理語、綺語、情語、悲壯語、詰屈語、窮愁語、富貴語無不具。二言、三言、五言、六言、七言、八言、九言、長短言無不具。騷體、賦體、選體、柏梁體無不具。字法、句法、章法、起法、對法、結法無不具。「赤芾金舄」，「清廟顯相」，莊語也；「訏謨定命」，「秉彝物則」，理語也；「角枕錦衾」，「竹苞松茂」，綺語也；「風雨雞鳴」，「白駒空谷」，情語也；「蕭蕭馬鳴，悠悠旆旌」，悲壯語也；「俴收厹矛」，「跋胡疐尾」，詰屈語也；「鉼罄罍耻」，「葛屨履霜」，窮愁語也；「朱芾斯皇」，「鳳凰于飛」，富貴語也。「祈父」、「肇禋」，二言也；「山有榛，隰有苓」，三言也；「知子之來之，雜佩以贈之」，五言也；「今也每食無餘」六言也；「二之日鑿冰冲冲」，七言也；「我不敢傚我友自逸」，八言也；「王曰於乎何辜今之人」，九言也；「胡爲乎株林」，「緇衣之宜兮」，長短言也。「謂爾遷于王都，曰予未有室家」，騷體也；「靈囿、靈沼」，賦體也；「誰謂雀無角，何以穿我屋」，選體也；「濬哲」數章，柏梁體也。「琴瑟友之」，「日月其除」，字法也；「雞棲于塒，日之夕矣，羊牛下來」，句法也；《關雎》一頭兩比，《葛覃》兩比一結，《淇澳》、《江沱》之類，三比未必微異，章法也；「七月流火」，「秩秩斯干」，起法也；「昔我往矣，楊柳依依，今我來思，雨雪霏霏」，對法也；「騋牝三千，仲山甫永懷，以慰其心」，結法也。姑舉其一，不能殫述，熟讀神會，久當自見。似易極難，斷非經聖人之手不至此，此作詩之大門戶也。

又 悟之一字誠詩家三昧，而今人藉口於悟，動舉古人法度而屑越之，不知詩猶學也，聖人生知亦須好古敏求，問禮問官，步步循規矩，況智不逮古人，而欲以意見獨創，幷廢繩墨，此必無之事也。昔人謂得兔而忘蹄，得魚而忘筌，今則未見魚兔而盡棄筌蹄矣，尙何得之冀乎？古人詩雖任天眞，不廢追琢，「秉彝」之訓與「芣苢」幷陳，「於穆」之章與「鰷鱨」雜奏。漢唐以來法度逾密，自長慶作俑，眉山濫觴，脫縛爲適，入人較易，上士憚於苦思，下駟藉以藏拙，反古師心，徑情矢口，是或一道也。謂得藝林正印，不佞未敢云然。

又 詩以法度爲主，入門不差，此是第一義。而曰氣、曰骨、曰神、曰情、曰理、曰趣、曰色、曰調，皆不可闕者。苟擅其一，足以名家，而膠於一，未有不病者。具體古人，運用方寸，蓋有之矣，我未之見也。

又 嚴儀卿曰：「詩有別才，非關學也。詩有別趣，非關理也。」此言矯宋人之失耳。要之天下豈有無理之文章，又豈有不學之詩人哉！但當亭毒醞釀，融其渣滓，化而出之，使人共知，又使人不知。如富家翁設宴，屋宇奴僕，飲饌聲色，事事精辦，不必堆金列玉而後知其富也。若窮措大勉強假貸，鋪張遮掩，雖有一二鮭菜可口，終席之間未免周章，翌日有不速之客，廚下洗然矣。古人詩文亦有不學而能者，如賤豎、幼女、村甿、麄卒，或數語之偶合，或慧根之夙成，未可執是，便謂讀書無益也。

又 詩之難言也。以爲必才乎？而或才彌高者，去之彌遠。以爲必學乎？而或學彌富者，用之彌滯。蓋高於才者爲才所使，往往騖外而枵中，如李廣行師不設刁斗，可襲也。富於學者爲學所累，往往跋前而疐後，如苻堅大舉，士卒囂亂，易敗也。故善用才者如馭駿馬，雖越山驀澗而銜轡不失。善用學者如制名香，雖料劑紛雜而氣吐空清。至於奇童少女不學而自能，野衲村夫無才而偶合，此是宿根，難以常論。要之，儀卿之所謂悟者近是。

又 「悟」之一字從何着手？從何置念？頓悟不可得矣。卽漸悟者，窮精殫神，上下古今，發憤苦思，不寢不食，一旦豁然貫通，一徹百徹，雖漸而亦頓也。譬如盲子終日合眼，不見天地，一旦開目，從眼前直至天邊一總得見，非今日見一寸，明日見一尺。若不思不學而坐以待悟，終無悟日矣。

又 參禪者，聞擊竹轢鍋皆能悟道，此理可思，功非一日，悟非偶然矣。詩無悟性，卽步步依唐人口吻，千似萬似，只是做得神秀地位，較之獦獠尙隔數塵在。

又 作詩如美人，丰神體態，骨肉色澤，件件勻稱，鉛華妝飾亦豈盡卸不御？至於一種綽約流轉，天然生機，有傳神人所不能到者。今人讚畫象動曰形神酷肖，只少一口氣耳。不知政這一口氣，千難萬難。

又 詩不可太着議論，議論多則史斷也。不可太述時政，時政多則制策也。不可太艷麗，艷麗則詞曲也。不可太整齊，整齊則對子也。不可太鋪叙，鋪叙則遊記也。不可太堆積，堆積則賦序也。故子美《北征》、退之《南山》、樂天《琵琶》《長恨》、微之《連昌》，皆體之變，未可以爲法也。胡曾《咏史》，玉川《月蝕》，墮惡道矣。《琵琶》《長恨》虛實相半，猶近本色。

又 詩境貴虛，故仙語勝釋，釋語勝儒。詩情貴眞，故閨語勝市，市語勝朝。詩興貴適，故湖海之語勝於臺閣。詩意貴寂，故窮愁之語勝於富貴。詩無色，故意語勝象，淡語勝穠。詩無着，故離語勝卽，反語勝正。

又 繪繡者乏神情，摹擬者寡自得，太奇者病理，過工者損格，涉議者聲卑，牽理者趣失，意多者詞不流，事僻者調不逸，無主者雜，自用者舛。

又 初學者寧淺無深，寧法無逸。淺可輔之以學力，深而墮不可藥也。

法可濟之以神識，逸而敗不可挽也。

又 詩以興爲首義，故作詩何常？惟要情境皆合，神骨俱清。故其地則崇岫浚壑，精舍祇林，其人則道侶高踪、名姝國士，其時則和風素月、霽雪夕陽，其事則煮茗焚香、高談小酌，其物則幽鳥名花、茂林怪石，其器則筆床書庋、談麈茶囊，其情則登高望遠、送别思歸。境以適來，情隨遇發，如風篁石澗，自然成韻矣。梅都官日課詩一篇，謂之苦於攻詩則可，謂得詩之趣則未也。

又 根鈍者無進步，心雜者無入機，好媮者神昏，言易者識淺。

又卷二《外篇上》 陸士衡《文賦》曰：「詩緣情而綺靡，賦體物而瀏亮。」此兩語已占六朝風氣矣。詩尚綺靡故不能玄遠，賦惟體物故不復溫贍。魏文帝亦曰：「詩賦欲麗。」賦麗可也，詩而求麗，何啻千里！

又 詠物一體，而賦、比、興兼焉。既欲曲盡體物之妙，而又有意外之象，象外之語，濃淡離卽，各合其宜。音韻響而不啞，氣格雄而不纖。噫！亦難矣！他姑毋論，卽如《梅花》詩，「暗香」、「疏影」兩語自是擅場，所微乏者氣格耳。「玉鱗」、「素手」，近而稍遠，「雪滿山中」、「月明林下」，離而實合。老杜「幸不折來傷歲暮，若爲看去亂鄉愁」，謂之情至語可耳，謂爲梅花傳神，吾未敢以爲然也。

又《文海披沙》卷三《畫病》 作畫如作詩文，少不檢點，便有紕繆，如王摩詰雪中芭蕉，雖閩、廣有之，然右丞關中極寒之地，豈容有此耶？畫昭君而有帷帽，畫二疎而有芒蹻，畫陶母剪髮而手戴金釧，畫漢高帝過沛而有僧，畫鬬牛而尾舉，畫飛雁而頭足俱展，畫擲骰呼六而張口，皆爲識者指摘，終爲白玉之瑕。

又 作詩文與書畫一也，準則於前人之法度，而參合以自己之豐神。然而法度易遵，豐神難運，故詩文有讀破萬卷而不能下筆者，書有日臨法帖而不知筆意者，畫有逐一規倣而全無墨氣，終成俗品者，要在於悟而已。

又卷六 詩句之妙，政在無意中得之。「池塘生春草」，語亦平淡；「曲終不見人」，詞雖警拔，而亦詩人所能到語也。至于「子孫間爲客」、「清光何處無」、「落葉滿長安」，似口吻常語，而皆得意，喜極發狂，要在神會，難以語人。

婁堅《學古緒言》卷二《錢密緯寒玉齋詩序》 詩必也博綜以濬其源，深思以極其趣，毋眩於俗以需中之自得，毋急於名以俟衆之自歸。持論則毋狃於時代，而但諦觀其所就，取裁則毋矜於華靡，而務力通其所從。苟能是，卽漢魏晋唐之遺音，將亦時見。於宋之作者而喋喋焉，沿襲口耳以輕肆詆訾者，或實未有窺也。

袁中道《珂雪齋近集》卷三《淡成集序》 天下之文，莫妙於言有盡而意無窮，其次則能言其意之所欲言。《左傳》、《檀弓》、《史記》之文，一唱三嘆，言外之旨，藹如也。班孟堅輩，其披露亦漸甚矣。蘇長公之才，實勝韓、柳，而不及韓、柳者，發洩太盡故也。詩亦然，《三百篇》及蘇、李《河梁》、《古詩十九首》，何其沉鬱也。陳思王、謝康樂輩出，而英華始漸洩矣。杜工部、李青蓮之才實勝王維、李頎，而不及王維、李頎者，亦以發洩太盡故也。

馮復京《說詩補遺》卷一 靈趣雄才，得自天授。精思妙詣，必以學求。然天授之奇者，不可以不學，學力之至者，未必不可以勝天也。

又 或曰：「詩惡乎學？」予應之曰：「學古而已。」曰：「然則上皇以降，其無詩乎？」予曰：「此天地之元聲，假人以宣之也。自史皇觀鳥，文義顯附。伶倫聽鳳，宮徵暗和。《虞書》曰：『歌永言，聲依永，律和聲。』其論已密於後世矣。裔是而降，夏歌浩衍，商頌沈深，國風優柔，雅頌典則，有不循軌度者無有哉。古者詩三千餘篇，孔子删之爲三百，其所删去十九，必皆言之無文，行之不遠者也。」

又 學詩之始，先辨體式，爲此體不能離此式。如人身，顱必在上，趾必在下；猶制器，至圓不加於規，至方不加於矩。

又 體裁之正大者，神韻未嘗不超，意象之幽遠者，精采似欲小減。此二張、三孟沖澹一派，雖自成絕調，律家三昧，正受固當有歸。

又 七言律作法，盡於胡元瑞。所云：「意若貫珠，言如合璧，組繡相宣以爲色，宮徵互合以成聲。思欲深厚有餘，而不可失之晦；情欲纏綿不迫，而不可失之流。肉不可使勝骨，而骨又不可太露；詞不可使勝氣，而氣又不可太揚。寓古雅於精工，發神奇於典則。」予又謂章法與其鑱削瘦勁，不如渾厚冠裳。字句與其浮響倒裝，不如沈實平正。與其學杜陵之蒼老危仄，不如學王李之風華秀朗。與其爲大曆之清空文弱，不如爲景龍之縟藻豐腴。發端貴于氣象遠大，句格渾成。結尾貴于收頓得法，意興無盡。中二聯，對極整切，而中含變化，機極圓暢，而自在莊嚴，和平而不悲冗，雄偉而不粗豪。斯得格調之正，而備諸法之全者也。

又　詠物詩，粘着題面則太板笨，離去本色則太迂浮。託物寄興，如班姬之製，則工妙自然；指事呈形，若梁世之作，則塡砌可厭。况乎義理議論，種種野狐，名家猶患體格易卑，拙乎，宜其醜態畢具。詩家妙境甚多，無爲拈此，自取困屈。

又　詩有恒體，予既備著之矣。神用之妙，可得而詮。一曰達才，二曰構意，三曰澄神，四曰會趣，五曰標韻，六曰植骨，七曰練氣，八曰和聲，九曰芳味，十曰藻飾。

又　一曰「達才」者，予向云凡爲其體，須以某爲正宗，以何爲極則，此標的之大凡也。然人之材質豈可矯哉，利鈍通塞，原於陰陽胎化，循涯適分，鮮克通圓，易務違方，未由取濟。夫爲高因陵，導川卬浦，必就所易，以避所難，善學者亦在乎達其才而已。能此體，正不必兼彼體。工我法，正不必用他法。試以古作者評之，枚李以古詩鳴，沈宋以近體著，陳思之淸綺，不爲魏武之莽蒼，杜陵之渾融，不效東山之飄逸。然而名家各擅，何必具體大成哉。

又　二曰「構意」者，《書》曰「詩言志」，苟情志無主，則詠歌可以不作矣。然憲先進之典刑，偶目前之酬酢，或爲文而造情，固應匠心而命管也。意遠者，格必高。意醇者，體必正。意壯者，氣必雄。意精者，詞必簡。文術萬變，思路一揆。近取衿帶之前，冥搜象繫之外。興來神答，則濡翰聯翩；理伏景幽，則含毫渺默。晋人作《意賦》，被詰乃曰：「在有意無意之間。」嗚呼，此間亦微矣哉。神化所至，未之或知，必思其次，則刻腎鏤腸，固天眞之司契，窺情鑽貌，亦得意之妙筌也。彼畏難怯慮者，何足以語此。

又　意煩則亂，意盡則貧，故劉彥和曰：「貫一爲拯亂之藥，博聞爲饋貧之糧。」意深則隱，意浮則散，故范蔚宗曰：「以意爲主，則其旨必見，以情傳意，則其詞不流。」

又　語云：「男子樹蘭，美而不芳，繼子得食，肥而不澤，情不與之相往來也。」若乃不疾而呻，無喪而慼，心懸魏闕，而興托皐壤，遇同萍梗，而感切肺腑，情與貌違，聲隨口散，何足與詣幾神之邃域，窺性情之眞境哉。

又　三曰「澄神」者，夫心之精神，是謂聖。於以驅使意匠，吟詠性靈，實總其環樞，妙其吐納矣。凡神欲淸而冰玉映徹，非枯淡之謂也。凡神欲王而榮衛條鬯，非憤盈之謂也。神欲沉而生色堪挹，非淪晦之謂也。神欲遠而淵源相接，非迂漫之謂也。無象可求，無方可執，造化不能秘，鬼神不能思。必澡雪靈臺，涵濡學府，內不煩黷以損和，外不纒牽以縈惑。天機洞啓，眞宰默酬，從容於矩矱之中，邂逅於旦暮之際，庶幾乎罄澄心妙萬物者也。夫識窺元始，則曰窮神，法合自然，則曰盡神，亦務全此神而已矣。

又　四曰「會趣」者，蓋詩以道性情，性情所向，涉則成趣。上溯漢魏，下迄盛唐，善鳴諸家，莫不以興趣爲主。故一字之微，穆如感物；片言之善，逌爾會心。思涉樂其必笑，方言哀而已歎，登山則情滿於山，臨水則志溢於水，由其得趣之深也。苟靈趣不會，則筆性翩反。昔任昉能文博學，五言殆同書抄，韓愈多才愛奇，諸篇遂無合作，此其證矣。然胸襟自得，非可力強而致，必也涵泳風騷，徘徊光景，便逸興起而飄舉，高情結而雲蒸，則生惡可已挹之不窮，即作者亦豈自知其然哉？

又　五曰「標韻」者，鴻鈞播氣，雕刻萬有，色象音聲之外，各有韻焉。雲峰烟嶂，靜練淪漣，山水之韻也。秀幹芳甤，吟蟲囀鳥，百物之韻也。至如美媛以倩盼呈姿，列仙以冲虛御辨，詩之有韻亦猶是耳。漢風韻藏於意表，魏製韻溢於格中，嗣宗之韻冲曠，太冲之韻孤高，淵明之韻自然，靈運之韻清遠，子美之韻沉深而有味，太白之韻飄舉而欲仙，王孟之韻閒淡而絕塵，高岑之韻秀令而近雅，靡不旨趣無窮，芬芳可佩，作者雖已會，衆條必待斯成品矣。梁陳浮淫，其韻俗，中唐空踈，其韻淺。試取熟參，當自超悟。

又　六曰「植骨」者，骨所以樹體也。江淹云：「楚謠漢風，固非一骨。」劉勰云：「沈吟鋪辭，莫先於骨。」詩之有骨尙矣。骨欲堅貞而忌靡弱，喜凝重而惡飄輕，所由負聲有力，振采得序者也。然束骨以筋，筋緩則骨懦；附骨以肌，肌削則骨出；塡骨以髓，髓竭則骨枯；榮骨以色，色瘁則骨朽。節度緊嚴者，詩之筋也；詞句豐茂者，詩之肌也；情理精實者，詩之髓也；事義鮮美者，詩之色也。兼此四者，則精神悅澤，而骨鯁植立矣。書家云：「骨之妙如純綿裹針。」此言可通於詩。梁陳之骨如妾婦，江西之骨如僵屍，吾無取焉爾。

又　七曰「練氣」者，人之得氣，有正有偏，詩家抒情搆會，連類屬詞，必由斯充體焉。氣正者淸和而隱厚，滂沛而陡舉；氣偏者濁躁而圭角，憔悴而委頓。所稱善養，必留有餘，無使困乏；主暢遂，無至鬱淤；循檢格，無流淫放；休天鈞，無傷雋逸；澄神思，無陷流俗；礪鋒潁，無墮卑陬。斯可注滿於噴玉之中，環周於貫珠之内矣。又魏文論偉長「時有齊氣」，然則甄授所凝，練染可鑠，況乎世運污隆，超然拔俗者，其惟無待之豪傑乎。

又 八曰「和聲」者，古人之詩，必中金石，被管絃，以感神人，教國子，非音聲之道末由而徹入矣。後世雖詩樂異流，然未有彈響不諧，而遣調得所，寫送不巧，而符采克炳者也。若夫古今雅鄭之殊，低昂沈切之變，予於諸體之内，已陳崖略。元瑞云：「律詩全在音節，格調、風神盡具音節中。李、何相駁書，俊亮沈着，金石鞞鐸等喻，皆是物也。」古詩樂府何獨異是。

又 九曰「芳味」者，氤氳鬱烈，鼽之觸鼻者，芳也；醇粹豐腴，嘗之雋永者，味也。然辟芷幽蘭，豈曰不芳，太羹玄酒，豈曰無味。又芳而無味，則山澤之癯瘦，味而不芳，則河朔之羶肥矣。

又 十曰「藻飾」者，物相雜，故曰文，染翰灑思，黼黻其章，文人才子，每變愈極。善乎劉生之言曰：「自然會妙，譬草木之熠英華，枚李之伏采也；潤色取美，辟繒帛之染朱綠，盛唐之振秀也。若老莊清虛，田莊樸野，則陶匏土簋類矣。江左淫靡垂冗縟，則玉葉綵花類矣。」

又 總論詩道，格律、才情二者而已。非製之以格律，則如樵歌牧唱，可諧里耳，而慚大雅之奏。非運之以才情，則如禺馬俑人，僅肖枯骼，而絕生動之機。然精於格律者，熔裁本體，而離方遯員，則才情之秀逸也。富於才情者，孚甲新意，而謝華啓秀，則格律之神變也。二者不相爲用，而可與言詩者，吾未之見也。

又 書家之論云：「拘則乏勢，放又少則。純骨無媚，純肉無力。」又云：「有功無性，神彩不生。有性無功，神彩不實。」畫家云：「失於神而後妙，失於妙而後精。」皆可移以論詩，書畫與詩同是天地間神物，其理實有相通者。

又 何仲默云：詩有中正之則，過不及均謂之不至。不及之病易見，若過於清則苦，過於麗則俗，過於新則尖，過於老則穉，過於勍則瘦，過於壯則麤，過於圓則流，過於暢則衍，過於深則涉論斷，過於巧則淪滑稽。雖大家名手，時或蹈此。

又 嚴滄浪《詩法》有「絕到」之語，如云「詩道法在妙悟，須是本色，須是當行」，「發端忌作舉止，收拾貴在出場，不必太着題，不必多使事」，此深於措撰者也。又云「須參活句，勿參死句」，此妙於研閱者也。

又 作詩，勿用六朝強造語，又不得用儒生酸餡語，勿用大曆以後事，又不得用子史晦僻事。

又 今之爲詩者，蓋亦有八病焉。好古法者，專務剽摹。取世資者，專攻頌禱。淺夫蕩子，信口謳吟。學究老生，腐心板對。識偏者束縛小乘，才弱者蹶頓中路。欲兼各擅之長，而牽課局外，則如競日之夸父。欲創無前之格，而陸梁規中，則如花後之狂禪。非去斯八病，將終於畔道也已夫。

郝敬《藝圃傖談》卷一《古詩》 《三百篇》經聖人考訂，其志中正，其氣和平，其詞溫柔敦厚，此之謂雅。秦漢以來，爲辭賦，敷演富麗，尚有委蛇忠厚之情，無凌厲排傲之氣。漢魏未遠風雅。六朝靡麗，亦不失溫柔。至唐人四韻近體興，古意遂亡矣。大都古今雖異，聲音之道，終不越鄭雅兩途。雅聲平淡，鄭聲壯浪而繁促。繁促則不和，壯浪則不平。故曰淫也。淫者，放也。過度則放。天地有六氣，過而不節，是生六淫，淫生六疾。非必男女燕溺謂之淫也。男女之情，聖人不能無。《關雎》不淫，樂不過其節耳。有情欲之感，而無慆溺之私，雖鄭而非鄭也。若其舒慘過度，雖微男女之私，亦淫也。言詩者，宜首辨此。

又 詩有六藝。風、雅、頌，析爲三經。而賦、比、興，非判爲三緯也。經始於風，變而爲雅，再變而爲頌。頌去風浸遠，然無風不可以爲詩。雖雅頌亦風也。緯始於賦，中於比，終於興。興者，詩之情。詩盡乎興矣。故六義以風始，以興終。明乎風與興，而詩幾矣。《易》曰：「巽爲風。」詩者，巽言也。風入爲聲，風行而聲達。造化所以鼓舞群動也，故曰興於詩。聞風興起，則異世同神。故風首三經。《二南》，文王所以興起百世也。賦比無興，不可以爲賦比，雅頌無風，不可以爲雅頌。今謂某詩爲賦爲比，某詩爲興，謬也。雖風豈無雅，《二南》與《豳》，亦雅也。頌豈無風，魯頌亦風也，而三緯可推矣。

又 言詩多方，總之不離溫柔敦厚。唐人拘聲偶，自不得不落近體。說者詭稱氣格，掩其失，絀六朝伸唐，非公論也。凡詩爲氣格易，爲溫柔難。既近體矣，何患不氣格。正爲氣格損溫柔，雖欲如六朝靡曼不可得耳。六朝靡曼，秖是爲文氣弱。詩靡曼，猶近之。

又 說者謂詩不貴纖麗。既墮近體，限聲偶，又避纖麗，是諱十而言二五也。詆六朝爲嫵媚，惡梁、陳爲緩弱。又崇尚聲偶，於聲偶中又分初、盛、中、晚，誰優誰劣，講張難憑。其實三代以下，《三百篇》一律。漢魏、六朝、唐，各自爲一律，六朝不如漢魏者，其質直不如也，其體則同。唐併其體非矣。纖媚既不如質直，近體可以尙古體乎？六朝雖不及漢、魏，猶近之。全唐不及六朝，愈遠矣。要之，皆非古也。而漢魏、六朝，未甚遠於古。

又 近時評詩嫌熟。熟自是佳境。若以腐濫目熟，是不知熟也。以生澀爲佳，是不知詩也。溫厚正在熟，敦厚不在生澀。除卻此四字，千古無詩。

又 近體之敗興，無如俳律。使有情者不得展措，滯鈍者託以藏拙。唐人編類書，守括帖，專辦此耳。塞功令、逢主司、射科目，故不辭勞拙。今既不以之課士，士苦欲效之。一種悶腔滯氣，染著人，如疊板砌甓，含氐吞針。性情之道，溫柔之意盡矣。須以古風揉其附合枝撑之迹，抑其浮淫亢厲之氣，乃庶幾焉。

又 昔人以畫爲有形之詩，詩爲有聲之畫。蓋畫不難似，難於不似。丹青不貴色，貴不著色。論詩今不如古，論畫古不如今。古人尙丹青，近世學士純用淡墨如寫字。古人興致爲詩，近世貪緣名利，純用聲偶。故知畫之品者，可與言詩。元人寫意，畫家之縉紳也。唐人聲偶，詩家之傭保也。

又 佳句不如佳篇，篇佳者，句不必盡佳。大方論篇，小家論句。古體多佳篇，近體多佳句。

又 後世詩不離情、境、辭三者。卽所謂興、比、賦也。太上寄情，漢魏十九首是也。其次寫境，六朝諸人之作是也。其次尙辭，唐以後近體是也。

又 凡詩，辭、情、境三者合，乃爲眞詩。辭、情合，境不合，爲假詩。辭與境合，情不合，爲浮詩。情，境合，辭不合，爲鈍詩。

又卷二《樂府》 凡文字，貴令人可解。近時俗士論詩，謂不必盡解。夫詩亦有不必盡解者，情至語深，意在言外也。若必以不解爲至，以隱奧爲希奇，何爲其然！世推漢郊祀鼓吹等歌辭不可及，正坐此耳。

又卷三《唐體》 詩法嚴於唐，而詩情損於唐。詩以寫情，非以明法。詩以溫柔爲體，律以嚴厲爲工。律嚴害情。氣格骨力，雄猛整齊，論文則可，非賞音之理也。

又 後世論詩，妙處在不著迹。如李白《廬山瀑布》詩云：「飛流直下三千尺，疑是銀河落九天。」比物脱化圓妙，使人解頤。至徐凝云：「今古長如白練飛，一條界破青山色」，未免著迹，自謂過之，其實不然。蘇子瞻詆爲惡詩，云：「古今惟有謫仙師」，抑揚又太過。二詩著與不著之辨耳。論者謂有意無意之間，文章妙境。唐人送別詩多矣，當世惟唱王維《陽關》一首；從軍詩多矣，獨推王昌齡「龍城」二絶。二詩正是有意無意之間。

又 唐人尙聲偶，溫柔之意雖微，而猶存敦厚。宋人聲偶益趨奇險，時複雜以諧謔譏刺。輕薄佻巧之習，流濫不止。淫爲詩餘小辭，下與敎坊雜弄爲伍，秖供優人賣笑之資。鄭聲之淫於斯爲甚。

又 唐人非不靡曼，論者徒以聲偶壯厲稱氣格。六朝靡曼，何嘗無氣格。若以唐人聲偶較，反覺六朝融洽無痕。近體劄強如揉木，如束薪，反傷氣格。文章氣格不在壯厲，詩本溫柔，何嘗無氣格。如近體俳律，只似疊板砌甓，何貴爲氣格乎？

又 古人以興趣爲詩，唐人以功課爲詩。較聲偶，爭巧拙，用一生全力取勝，故近體精絶。今世學士大夫，釋褐以後，嘗試而爲此，功力遠不逮，徒勦襲其聲偶，秖自呈其陋。不如仿古，爲澤中之雉，其天全耳。

又 詩極變於杜甫，而韓愈效之。先輩謂甫「以詩爲文」，愈「以文爲詩」。詩文同而體別也。詩近性情，文直寫胸臆。文所難言者，詩以咏之。《五經》同文而別有風雅，其來遠矣。夫旣謂之詩，又焉可以爲文？鹵莽混同，自是後人馳騁之習，非詩之正體也。唐人破壞古詩，但不敢侮《三百篇》，而詆梁、陳以前爲靡曼。靡曼近溫柔。馳騁凌厲，則去風雅遠矣。韓愈《薦孟郊》云：「有窮者孟郊，受材實雄鷔。橫空盤硬語，妥帖力排奡。」夫橫空排奡，是詩家獰態，未爲佳。愈之薦郊，實自薦也。蓋退之爲文樸直，爲詩奇險。如和皇甫湜陸渾山、答鄭餘慶、樊宗師等作，與孟郊等聯句，皆艱澀不可讀。豈得概以爲佳？其材氣迅猛，與子美風期相親，故云：「李杜文章在，光燄萬丈長。」夫「光燄」非風雅本色也。又云：「百怪入我腸，刺手拔鯨牙」，又云：「垠崖劃崩豁，乾坤擺雷硠」，此等豈風雅正義？李杜所以稱雄伯，《三百篇》所以絶響矣。

又 說者謂風人之情，微婉無迹，以說理爲忌。余謂風不過三經之一體，所謂興也。雅言正，頌言莊，賦言直，比言切，豈必雅頌皆不如風，賦比皆不如興乎？卽如《三百篇》聲諧語調，理明情暢，自然可觀可興。必如所謂鏡花水月，不說盡，不道破，言外寄託，有意無意，以爲三昧。此口頭伎倆，非敦厚之體，正大之情。或流爲淫靡邪淫，或崎嶇傲僻，何以爲詩？

又　凡詩興到，語不求工，自有生氣。如子美「不見旻公三十年」、「去年茲辰捧御床」、「清江一曲抱村流」之類，一氣呵成，活動可風。

又　唐詩藻麗，實過六朝。六朝藻麗無氣骨，所以妖冶少莊雅；唐詩尚氣骨，故不厭藻麗。有藻麗無氣骨，便是元宋小辭。四聲合律，對偶相扶。然後格局整齊，聲亮氣雄。故近體作而新聲變，大雅亡矣，世運固然。詩愈工，品愈卑矣。

又　詩有理與意，然後曉暢，可觀可風。近體所貴，在有意無意、可曉不可曉之間。謂之林風水月。甚者虛景浮辭，全無旨趣。但取音響嘹亮，辭采高華，卽稱佳作。要之未有無義理可爲文，無意趣而可爲詩也。

又《談經·毛詩》　不微不婉，徑情直發，不可以爲詩；一覽而盡，言外無餘，不可以爲詩；美謂之美，刺謂之刺，拘執繩墨，不可以爲詩；意盡乎此，不通於彼，膠柱則合，觸類則滯，不可以爲詩。朱說皆犯此數者。

莊元臣《文訣》　嘗評古今詩畫升降之品曰：古人於詩寫意，於畫刻畫；今人於詩刻畫，於畫寫意。詩寫意，故虛而能含，若刻畫則露而無味矣；畫刻畫，故形象逼眞，若寫意則簡而失似矣。畫物不似物，同於兒戲；作詩必此詩，見齊學究。詩畫，相反有如此者。

徐光啟《毛詩六帖講義》卷一《關雎章》　《詩》之取興如《易》之取象，未有無意義者。自《詩》學不傳，而人皆昧昧然矣！則是後之讀《詩》者，於多識鳥獸草木之名，一句尚未能盡，而況於所謂興、觀、群、怨，事父母君者哉！讀《詩》非如讀他經，只是諷詠以昌之一句爲要。蓋《六經》皆記聖人之言，而《詩》獨記聖人之聲。天下之感人者，莫如聲。而今只心平氣和，將古人之詩三復一過，便是有不覺手舞足蹈之意。此南容三復白圭，所以爲善讀詩也。「關雎」在《詩》則爲首篇，正始也。在樂則爲卒章，成終也。此樂而不淫，哀而不傷，夫子所以嘆也。說者以爲清商之律，惜也其繁音促節不可以考矣！凡興體有義相因者，有語相應者，相因相應兼備者多義，不相因而語又不相應者絕少。如此詩首章，以物之耦，興人之耦，物摯而有別，人則和樂而恭敬，義相因也。二章、三章以事理當然爲興，而且上下呼喚成文，則義既相因，而語又相應也。

又卷二《隰桑》　唐人之詩有云：「胸中辟積千般事，到得相逢一句無。」蓋非不欲道也，不能道也。此正難形容處，詩人卻善形容之，眞可謂合於人情者也。

許學夷《詩源辯體》卷一　風人之詩，詩家與聖門其說稍異。聖門論得失，詩家論體製。至論性情、聲氣，則詩家與聖門同也。若搜剔字義，貫穿章旨，不惟與詩家大異，亦與聖門不合矣。

又卷一七　嚴滄浪云：「詩道惟在妙悟。然有透徹之悟，有一知半解之悟。盛唐諸公，透徹之悟也。」愚按：漢、魏天成，本不假悟；六朝雕刻綺靡，又不可以言悟；初唐沈、宋律詩，造詣雖純，而化機尚淺，亦非透徹之悟；惟盛唐諸公，領會神情，不倣形跡，故忽然而來，渾然而就，如僚之於丸，秋之於奕，公孫之於劍舞，此方是透徹之悟也。

又　胡元瑞云：「七言律五十六字之中，意若貫珠，言如合璧。其貫珠也，如夜光走盤而不失回旋曲折之妙；其合璧也，如玉匣有蓋而絕無參差扭捏之痕。綦組錦繡，相鮮以爲色；宮商角徵，互合以成聲。思欲深厚有餘，而不可失之晦；情欲纏綿不迫，而不可失之流。肉不可使勝骨，而骨又不可太露；詞不可使勝氣，而氣又不可太揚。莊嚴則清廟明堂，沈着則萬鈞九鼎，高華則朗月繁星，雄大則泰山喬嶽，圓暢則流水行雲，變幻則凄風急雨。一篇之中，必數者兼備，乃稱全美。」愚按：元瑞此論，本欲兼衆善、集大成，而實不免於罔世。作者造詣既深，興趣既遠，則下筆悠圓，而衆善兼備，乃不期然而然者；若必有意事事合法，則不惟初學無可措手，卽深造之士，亦難於結撰矣。故孔門一貫之說，惟曾子得之，而他不及也。後之君子，必有謂予知言者。

又卷二四　學詩者識貴高，見貴廣。不上探《三百篇》、楚騷、漢、魏，則識不高；不遍觀元和、晚唐、宋人，則見不廣。識不高不能究詩體之淵源，見不廣不能窮詩體之汗漫，上不能追躡風、騷，下不能兼收容衆也。

又卷三〇　詩先定其正變，而後論其淺深，否則，愈深愈僻，必有入於怪惡者。許渾五、七言律，情致雖淺而造語實工，譬之庖製，則五味多而眞味少。杜牧七言律，用意雖深而造語實僻，譬之惡品異類，食之則螫口中顙，不能下嚥，反謂之美味可乎？楊用修深貶許渾，而謂晚唐律詩，義山而下，惟牧之爲最。其說本於宋人，此不識正變而徒論深淺也。

又卷三四　學者聞見廣博，則識見精深。苟能於《三百篇》而下一一參究，并取前人議論一一紬繹，則正變自分，高下自見矣。今之學者聞予數貶古人，輒相詆訾，雖其質性之庸，亦是其聞見不廣故也。譬之學書者，識見不廣，偶見一帖可意，遂終身篤好，不復向上尋覓，便是井蛙夏蟲耳。試於古篆秦隸而下一一究心，則知古人千品萬彙，高下不齊，一肢半體，未足以槩其全也。

又 不讀《三百篇》不可以讀漢、魏，不讀漢、魏不可以讀唐詩。嘗觀論漢、魏五言者，多不先其體製，由不讀《三百篇》也。又觀選唐人五言古，多不辨其純雜，由不讀漢、魏也。故諸家論詩選詩，於五、七言律，十得其五；於七言古，十得其三；於五言古，十不得一也。

又 學者以識爲主，以才力輔之。初、盛唐諸公，識見皆同，輔之以才力，故無不臻於正。元和、晚唐諸子，識見各異，而專任才力，故無不流於變。嘗聞之先君云：「嘉靖間考試時義，諸負文望者咸私決其等第，十不失一。」今則上下各從所好矣。蓋盛世尚同，而衰世尚異，亦理勢之自然耳。今之爲詩者非無才力，而人各有心，以至於不可揣識，斯又元和、晚唐之下也。

又 學者以識爲主，則有階級可循，而無顛躓之患。今之學者，或先平正而後詭誕，或先藻麗而墮庸劣，蓋識見不足，以詭誕爲新奇，以庸劣爲本色耳。釋慧秀詩初年稍見藻麗，晚歲遂墮庸劣，正是識見不足故也。

又 學者以識爲主，其功夫才質不可偏廢。有功夫而無才質，則拙刻遲鈍，而不能窺神聖之域；有才質而無功夫，則少年才俊，往往發其英華，騁其麗藻，晚年才盡，則醜陋盡彰，支離百出矣。書畫亦然。

又 學者以識爲主，造詣日深，則識見益廣矣。今或有爲古人所恐者，有爲盛名所恐者，有爲豪縱所恐者，有爲詭誕所恐者，皆造詣不深，而識見不廣故也。如初、盛唐諸公，已自妍媸不同；大曆而後，益多庸劣。今例以古人之詩而不敢議，此爲古人所恐也。如李獻吉律詩，入選者誠足上配古人，其餘鹵莽，多不足觀。今但以獻吉之詩而不敢議，此爲盛名所恐也。至若才力豪縱者，頃刻千言，漫無紀律；資性詭誕者，怪險蹶起，而蹊徑轉紆。初學觀之，震心眩目，俛首受屈，此爲豪縱、詭誕所恐也。苟造詣日深，識見益廣，則精粗自分，好醜自別，卽李、杜全集，瑕疵莫掩，況他人乎？

又 凡學詩，當取古人所長，濟己之短，乃爲善學，所謂「取諸人以爲善」是也。如己不能馳騁，當盡力學古人馳騁；己不能渾涵，當盡力學古人渾涵。以至古雅高華，和平閒遠，莫不皆然。今之學詩者，己不能馳騁，遂謂詩不必馳騁；己不能渾涵，遂謂詩不必渾涵。則自護其短，終不能上達古人矣。

又 詩有本末，體氣本也，字句末也。本可以兼末，末不可以兼本。予少學古詩，於漢、魏主體，於李、杜主氣，故於元嘉以後之詩，多所不喜；而於唐人以律爲古者，尤所痛疾。大本既立，旁及支末，則凡六朝、唐人所稱佳句，多有可取，而於後人所謂詩眼者，亦間有可述。今之學者，專心於字法、詩眼，於古人所稱佳句已不能識，又安知有體氣耶？

又卷三五 或問予：子極詆晚唐、宋、元人詩法，然則詩無法乎？曰：有。《三百篇》、漢、魏、初、盛唐之詩，皆法也。自此而變者，遠乎法者也。晚唐、宋、元諸人所爲詩法者，弊法也。由乎此法者，困於法者也。且漢、魏、六朝體製相懸，初、盛、中、晚氣格亦異，晚唐、宋、元諸人略不及之，顧獨於章句之間，搜剔穿鑿，愈深愈遠，詩道至此，不啻掃地矣。

又 李獻吉與何仲默論詩，互相掊擊。何云：「佛有筏喻，捨筏則達岸矣，達岸則捨筏矣。」李云：「筏我二也，猶兔之蹄，魚之筌，捨之可也。規矩者，方圓之自也，卽欲捨之，烏乎舍？」李爲得之。然予謂學者必先造乎規矩，而能馳騁變化於規矩之中，斯足以盡神聖之妙，所謂「從心所欲不踰矩」是也。苟初不及乎規矩，而欲馳騁變化以從心，鮮有不敗矣。今按：仲默律詩悉合規矩，而獻吉歌行又能馳騁變化於規矩之中，則又不可不知。

又 予嘗謂學詩者當取古人所長，濟己之短，乃爲善學。于鱗謂唐無五言古詩，太白七言古往往強弩之末，此雖意見有偏，亦是己不能騁而忌人之騁耳。觀其所選唐人五、七言古，是豈足以知唐人，又豈足以知李、杜哉？

又 王元美《藝苑卮言》，首泛引前人之論，次則自《三百篇》、騷賦、漢、魏、六朝、唐、宋、昭代之詩，以及子史文章，詞曲書畫，靡不詳論，最爲宏博。然志在兼總，故亦互有得失。其論漢、魏五言，沈、宋律詩，李、杜古詩最爲有得。至或以李、杜五言古不及靈運，又古律獨推子美而不及太白、盛唐，自是偏見，至盛推同列而多貶古人，雖曰私衷，亦識有所偏耳。

趙宧光《彈雅·雅俗》 何謂格？毋論解不解，至處可轉，至處可粘，粘斷不移是也。何謂調？毋論通不通，聲出成悲，聲出成喜，悲喜自生是也。格如法書，妙在識與不識；調如名畫，眞不在象與不象。

又 詩貴似淺非淺，不得似深非深。一覽了然，若謂不必解者矣，及詳說之，意味悠長，非初學可到，是謂似淺非淺。讀不可解，若謂有爲而出者矣，及轉閱之，則學識蕪陋，全無來歷，是謂似深非深。雖然，非第一義。淺能深用，深能淺用，塵腐化清新，幽悔化顯著，方是開門見山。

又 裁詩，去其不好處，尚未得是也；去其不是處，尚未得好也。即好矣，未必佳；佳矣，未必妙；妙矣，未必玄；玄矣，未必眞；眞矣，未必閑適；閑適矣，未必古；古矣，未必雅。雅，始可言詩。

又 詞不盡事，詩之體也。意不盡詞，詩之格也。聲不盡意，詩之調也。調可奪格，格可奪體，反是則俚耳。

又 藝文有得失，有妍媸。文尚得失，詩尚妍媸。後世學士每以妍媸勝。至于今日，得失全抛，妍媸用事，彼哉彼哉！

又 詩之得失有二：一事理，一格調。格調能奪事理者，詩文各有所司也。理奪事，調奪格，爲上格；事奪理，格奪調，爲下格。世人反之。

又 妍媸多門，有風旨之妍，有情興之妍，有景物之妍，有清麗之妍，有濃艷之妍，有高曠之妍，若夫八珍五色之妍，不成其爲妍也。

又 文章中之有詩，如古篆中之有摹印，山河中之有泉石，七寶中之有骨董，八珍中之佳茗，九鼎中之茱蘭，尊罍中之玄酒，圖畫中之倪迂，法書中之古帖，皆從此道中灑盡本來面目，別發一段意興，方始眞知實見。文章云乎？議論云乎？紀事云乎？皆不然也。才說意妙，已落二乘。以事說詩，故騷變而爲漢魏；以意說詩，故盛唐變而爲中晚，其他趣而下者，何代不然，皆無足論。

又 詩貴託諷，若篇篇着意，遂成腐儒。詩貴情興，若篇篇恣情，遂成放誕。詩貴景眞，若篇篇賦景，便落粗淺。是以說詩者三法并列。妙在興而賦，賦而比，永言之道也。古人數語便含三義，是以不可及。

又 賦景必有奇色，則景亦意矣。起興脫去時流，則興卽眞境也。

又 徐文學取篇篇換機局，方爲高手；余則以爲千篇不改局，方成一家言。變在臨事導文，不在機局換調。試令屈平擬雅，陶潛作騷，坐見其廢，局變不成局矣。風人就雅鑄雅，無斧鑿痕；唐人鍛俗鑄雅，有痕無鑿；六朝鑄而不鍛，宋人并廢爐錘，風雅掃地矣。至于禪家，則又鍛而不暇鑄者，所謂道其所道，非詩人之謂道也。故曰詩則詩，禪則禪。禪可以言偈，不可以言詩。比之後世之作，但可以爲諺，不可以爲詩。詩自有詩道，渾則廢矣。

又 體制，格也。音聲，調也。色澤，彩彰也。三者各具雅俗，雅俗各有性情。得之者天，修之者人。

又 衡言詩避時俗，務趣古雅。何謂古？格是也。何謂雅？調是也。雅必古，不古非雅也；古不必雅，雅乏則俚諺也。俚諺足有可觀，但不可謂之雅耳。遠雅非詩也，于俗謂之諺，在法謂之偈。至若誦以德，箴以訓，銘以自持，皆似詩而非詩。

又 《離騷》不惜變雅而雅則存，漢魏無意可否而雅不失，六代求雅于句，不求雅于篇；求雅于色，不求雅于聲，若存若亡，未可爲定。初唐就俗作用，雅義猶有在也。開元而後，轉俗成雅，取其用心，大德已往，求雅成俗。彼哉彼哉。宋人不知雅俗何物，自許脫骨，并失本心矣。元人全用俗調，至于今日，何所不有，惜乎不見眞面目耳。

又 詩半是人工，半是天工。漢以前天勝人，唐則人勝天，六代全用人工，所以不敵，中晚蹈其前轍，不自覺也。

又 詩亦文也，似同而異。文章，有事有理，有格有調。詩不皆然，調能奪格，格能奪理，理能奪事。調出于興；格之與理，比賦兼作；事，則全賦耳。賦爲主，何後之？詩言志耳，賦，何志之有？若謂理最乎？不然也。理足障文，文足障詩，各還所重，毋相奪倫。

又 詩之道，全以興爲主，若賦若比，皆其渣滓也。詩之體，全以聲爲主，若事若理，皆其渣滓也。興成聲，韻成調。以押腳爲韻者，韻之渣滓也。以高古爲調者，調之渣滓也。禮云禮云，不在玉帛，樂云樂云，不在鐘鼓，始可與言詩。

又 同類清濁，如搔頭則清，空耳則濁；筆格則清，筆筩則濁；几榻則清，檯椅則濁。此故易曉者，因古今殊途也。

又 情眞，景眞，誤殺天下後世。不典不雅，鄙俚叠出，何嘗不眞？于詩遠矣！古人胸中無俗物，可以眞境中求雅，今人胸中無雅調，必須雅中求眞境。如此求眞，眞如金玉；如彼求眞，眞如沙礫矣。大抵漢唐之眞如此，宋人之眞如彼；初盛之眞如此，晚唐之眞如彼。二法懸殊，不可不辯。

又《格制三下》 詩以興與韻爲命脈。興非賦比興之興也，亦情興云爾。韻非東冬江支之韻也，亦韻致云爾。「興」「韻」二字，多從骨髓中來。無此清骨，求之甚難。賴有嚴羽卿參詩法，急須回頭，別有活路周行具在也。

又 長篇，自初唐人以調奪格，至于盛唐，古人之格調並失。所存者，漢人意義，猶有故物存耳。過此，議論用事，文章而已，非詩也。即謂之詩，別造一個世界。

又 中晚所以易入人者，以其曲而通，巧而中。流俗所貴者耳目一新，認新巧爲高奇，不自覺其趣彼之下耳。此李商隱西崑體之所以得行也。侵侵乎入于卑格雌聲矣。所謂尙工巧者，失之氣格。

又 格調二法，余數千言未盡者，弇州一句概之曰「格卽調之界」云云。一個「界」字，又足概格調諸法，名言哉！

又 以聲持心，不自覺其日減于雅調，漢魏卽其前修矣。以意持心，不自覺其日染于下風，中晚卽其後轍矣。理以出文，文能析理，能文之文也。理以掩文，文以障理，二可以無言也。

又《取材四上》 詩人不特須學須才，世間法有一不通，卽于此道有偏枯之病。不知山水卽不能言，不知泉石卽不能言，不知博古卽不能言，不知經濟卽不能言，不知臺閣卽不能言，不知風韻卽不能言，不知執持卽不能言，不知權變卽不能言，不知典謨卽不能言，不知詞曲卽不能言。

孫承宗《高陽文集》卷一《春秋房同門稿序》 夫文體害於庸而好奇，不害於奇也。【略】奇負獨識，力可全昌。而或馳偏鋒以耦世，彼其氣岸之凌厲，不傍門倚戶，以持一先生之言。而庸者無大力遠識，執異說而不化，獨奇託之而睇天下耳鑒，令天下寧庸無奇，間者知奇託亦庸也。則又拾遺沛以矯劇談，而自詡先民之槩。夫附豪者唾面，附名者加膝，至覼其傍門倚戶，竊恐因人熱爲利耳。

顧起元《懶眞草堂集・文集》卷一五《陳堯勳詩序》 凡有韻之文皆號曰詩。自修辭之士與談學之士不相爲用而交譏，於是猶之爲詩也，核其實廼始分道而馳矣。辭者曰：夫夫而以學爲詩，是宋人之濫觴也，辭不勝，奈何跳而匿諸理？學者曰：夫夫而以詩爲詩，是唐人之餘閏也，意不勝，奈何靡而飾諸辭？而世之論者且建鼓而衷曰：詩有別材，非關學也；詩有別趣，非關理也。白戰者求其說而不得，則臚傳而誦之，以是爲篤論。夫世亦安有渺學而可言材、睽理而可言趣哉？學者材之府庫，而材之精，學所不能至也。理者趣之淵源，而趣之深，理所不能盡也。然則士欲寄精於風雅，而遠追乎溫柔敦厚之遺，自非博學以聚之，窮理以昌之，於以牢籠天地，經緯古今，原本山川，極命草木，徒步虛而炫采，矜弋獲以自雄，不已遠矣！

鄧雲霄《冷邸小言》 詩之最上者，須在禪味中悟入。唐之詩入禪者無如王摩詰、孟浩然。王則珠纓寶絡，而如意指點，寂若無言。孟雖破衲芒鞋，而一鉢之中，降龍而有餘地。杜子美眼高一世，而曰「吾憐孟浩然」，又曰「高人王右丞」，知言矣。

又 詩雖富貴壯麗，亦須帶俊逸蹁躚，方稱妙技。如杜工部「旌旗日煖龍蛇動，宮殿風微燕雀高」，評詩者謂非得微字，終墮癡肥。王摩詰「九天閶闔開宮殿，萬國衣冠拜冕旒」，評詩者亦諷爲帖子語。觀此可知其概矣。

又 「詩有別才，非關書也。」嚴儀卿羽嘗言之矣。然書亦何可廢，但當以才情駕馭之，如淮陰將兵，多多益善。彼懦將者，千軍萬馬擁入帳中，主人且無著足處。晉最稱張華博物，然其詩大繁縟，乏遠致。昔人謂其「風雲氣少，兒女情多」，蓋亦不善用博者乎！故用而不用，如撒鹽水中，則得之矣。

又 凡觀詩者，先觀其係死係活，次觀其或俗或雅。如八句整齊豐滿而首尾不貫，神情不屬，與掛八塊板何異，此死詩也。句雖佳甚，終是繪土木而人之非人矣。卽使首尾相貫，神情相屬，而用事堆垛，肥腰腫面，終乏風流，防風九畝，無霸十圍，豈堪同席，當爲詞壇棄物耳。天下只一理究竟相符，予觀堪輿家言，全合詩法。如詩貴起伏頓跌也，彼云「一起一伏斷了斷」；詩貴前疏後密，前有浮聲則後須切響也，彼云「明堂容萬馬，水口不容針」；詩貴倒插、反言乃有力有味也，彼云「翻身轉面去張潮，不怕八風搖」；詩貴含蓄不露也，彼云「灰中線，草裏蛇」，又云「隱隱隆隆，穴在其中」；詩貴一聯之中有反正，一首之中有呼應也，彼云「橫來直受，陰來陽受」；又詩貴鏡花水月，只在影子上弄機關也，彼云「東岸月生西岸白，上方起雲下方陰」；詩有正中之奇、奇中之正也，彼云「梧桐葉上生偏子，芍藥枝頭出正心」；詩戒雄壯峻急也，彼云「第一莫下劍脊龍，殺師在其中」；詩戒緩弱瀰沈也，彼云「大地若非廉作祖，爲官也不至公卿」；詩貴結句悠然而有餘意也，彼云「福祿悠長，定見水纏玄武」；詩貴秀拔而挺出也，彼云「層巒千疊，不如平地一錐」；詩戒飽滿癡肥，直率而欠婉也，彼亦惡飽面頑金、死鰍死鱔。作詩之法，堪輿具之，看詩者當如看地矣。

又 問詩法，予曰：汝知脈理乎？散漫無歸著者，魚游也；鶻突而雄怒者，雀啄也；氣斷而神枯者，屋漏也。三者詩之死證也，不可醫也。其滯也，緩也，澁也，數也，弦也，雖未死亦氣奄奄也。惟和平而溫厚，秀爽而流動，氣脈圓通，音韻鏗鎗，此四至一息，詩家之大年矣。

又 又問詩法，曰：汝知吹簫乎？氣太微則一映而無聲，氣太旺則聲遏而不發。惟吐氣如蠶絲，優遊紆徐，直貫而出，穿雲裂石，皆一縷所振矣。初盛唐詩，樓上之簫也，聽之隨風飄揚，逸韻哀音，沁人腑肺，而殊無指爪唇舌之迹。中晚，近耳之簫也，但聞點指擫摘，蹙唇舔嗒，何韻之有？即韻亦滯響耳。宋則吹火筒，全然無響，付之祖龍可也。

又 凡作詩者須置身於仙掌，濯魄於冰壺，吹灑得淨，方不墮俗。《離騷》也，晉人語也，陶也，韋也，孟也，皆仙掌冰壺，可以吹灑者也。

又 學書者學一「永」字則各體皆備，詩家亦有「永」字，其杜之「一片花飛減卻春」乎！其中字字相生，句句叫應，流轉無窮，諸法盡矣。

又 爲詩者受胎於《三百篇》，成骨於《離騷》、漢、魏、晉，長肉於六朝之俊逸華腴者，然後取初盛唐之閑雅風流以爲舉止談笑。雖甚韶秀，不帶綺紈氣；雖甚豪舉，不作駡坐語，可謂文人也已。

又 凡詩須一聯景，一聯情，固也，然亦須情中插景，景中含情。顯露者爲中乘，渾化者爲上駟。如杜之「孤嶂秦碑在，荒城魯殿餘。」景中情也。王之「流水如有意，暮禽相與還。」情中景也，然猶顯露者也。至杜之「片雲天共遠，永夜月同孤。」誰共耶？誰同耶？不落思議，乃情景渾化之極矣。

又 詩家「情景、氣格、風調」六字，缺一則非詩。然其中最難者是「風」字，蓋如人之風流者，一段飄逸，不在言笑，不落形骨，不寄衣妝，轉盼含顰，咳唾步趨，皆覺可悅。惟裊絲飄雪，差可擬比，全不由人力矣。

又 詩貴謙沖溫厚，風韻自然可挹，如老杜云：「白頭授簡焉能賦，愧似相如爲大夫。」綽有典刑，不墮浮薄。若李于鱗則云：「主家池館帝城隅，上客相如漢大夫。」癡蠢之氣薰人，眞村漢耳。

又《漱玉齋文集》卷一《陳儀翔夢覺草序》 夫詩有別才，亦有別趣，蓋才具稟先，趣遊於象外。才不堪拓而故恢之，是廓革也；趣無所自得而故嘗之，是土木而骸之也。要以才趣兩傳而識度爲主，則縱橫闔闢，惟吾所命。使人讀之暢然，徐而玩之泠然悟，爽然若手舞足蹈而不能已，彼其胸中未數數然也，則吾友儀翔氏庶幾近之。

王嗣奭《管天筆記外編》卷下《文學》 鄭宮坊以偉嘗與余論詩云：詩不如文，須意在言外，忌一眞忌易見，忌全篇營營一隅。貴如山中有雲，貴如畫家平遠，貴如禪家棒喝，兩悟自然，他人作一段謎猜，不害其有理無理也。然亦有直有顯有曲。又云：格勿入近，近則落楦；字勿用輕，輕則落浮。格要如一朝成一制，字要如一礎承一柱。又云：神藏于肉，而肉不可太多；筋絡于骨，而骨不可太少。俱是詩家三昧。

又 詩文各自有法。既爲之，須按其法，即道學先生不得謂詩文緒餘而不加之意，此亦有物有則之理也。但爲詩而止以詩人自待，爲文而止以文士自待，詩文縱佳，減一格矣。李、杜以詩名，韓、蘇以文名，其所重者有在矣。可曰詩人之詩、文士之文而已耶。

又 今詩人滿天下，而識詩訣者少。訣惡乎在？夫子所云「一言以蔽」者，正授人以詩訣而人不知也。思苟無邪，則子爲眞孝，臣爲眞忠，喜怒哀樂必無妄發。而發之于詩，理趣盎溢，即眼前山光水色，鳥韻花香，皆爲理趣之助，而愈玩愈佳。故老杜詩極多忠君愛國語，而人不厭，發自眞心也。後人無其心而倣效其語，人遂厭之。而近有好新異者，以談及君國爲戒，猶之懲噎廢食，可笑也。

又 鄭所南云：詩之法，祖于《三百篇》，下逮曹子建、陶淵明輩。詩之律，宗于盛唐，主以杜，兼之李，次以孟浩然、高適、王維輩。要在漱詩書之潤，益其靈根。歲月至，才華吐爲天芬。其體製欲溫柔敦厚，雅潔瀏亮。意新語健，興趣高遠，追淳古之風，歸于性情之正，毋爲時之所奪焉。

又 作詩者情景相發，不可放過。情景相乖，不必強做。強做必不佳。

宋孟清《詩學體要類編》卷一引《詩法》 詩從學問中來，詩貴含蓄，優柔不迫，大抵從學問中來，語句自然近理。以理爲主，以氣爲使，叫譟怒張，非詩道也。

劉世偉《過庭詩話》卷上 作詩先要平其心氣，心氣不平，所作必不渾涵。大則取禍，小則招辱，豈特工拙之間耶？

又 將欲作詩，先要占住地步，地步高則不落萎薾，地步一差，爲句縱工，亦且不揚，而况未必工乎！

又 先兄小軒進士云：詩不厭短，意盡則止，亦不厭長，愈出愈奇。此言可味。

孫慎行《詩雜論》 昔人謂詩非關理者也，而自聖門來《學》、《庸》、《孝經》、《家語》，無在不本。詩至唐名顯門，乃談道術者，即大家曾不及。以爲掇拾腐爛，所云追本風雅，其言左矣。余獨以爲風雅終不亡。嗚呼，道不足而以德，德不足而以行，行不足而以事，事不足而以言，言而程之以道，則眇然矣。然而未嘗不于是寄徑，又況有其言者，盡非徒言類也。

魏學洢《茅簷集》卷六《春夜與仲弟論文數條》 運用之妙，存乎一心，蓋才情之傑出也。才與情一乎？曰：是不同。能撫弄柔翰者，盡才也，妙極哀樂之致者，幾人哉？古人中唯三閭大夫與司馬子長情最深。讀其文，如刺船蓬萊，海水洞湧，山林杳冥，悄然將移我情，蓋皆得情之哀者也。《詩》三百篇，其可歌可舞可悲可涕者，情不啻千變，而苟非有慧心焉曲盡之，安用不情之藻績乎？故曰：情生文，文生情，才與情合，斯之謂文人。

陳子龍《安雅堂稿》卷二《李舒章古詩序》 自《三百篇》以後，可以繼風雅之旨，宣悼暢鬱，適性情而寄志趣者，莫良於古詩。蓋措思非一端，取境無定準，博諭而不窮，言近而指遠，君子幽居曠懷，娱道無悶之善物也。爲之有三難：一曰托意，二曰徵材，三曰審音。夫深永之致皆在比興，感慨之衷麗於物色。故言之者無罪，而使人深長思，足以興善而達情，此托意之微也。典謨雅頌之質以茂，騷賦諸子之宏以麗，以及山經海志之詭以肆，上自星漢，下及淵泉，擷掇之餘，即成清奏，此徵材之博也。詞貴和平，無取伉厲，樂稱肆好，哀而不傷。使讀之者如鼓琴操瑟，曲終之會，希聲不絶，此審音之正也。《古詩十九首》邈焉寡儔，下迨曹、劉，斯爲合作。其後阮公《咏懷》，幾於百首，鍾記室稱其言在耳目之内，情寄八荒之表。旨哉！非獨善評嗣宗，實亦古詩之法矣。

錢謙益《牧齋初學集》卷三一《劉司空詩集序》 萬曆之季，稱詩者以淒清幽眇爲能，於古人之鋪陳終始，排比聲律者，皆訾警抹殺，以爲陳言腐詞。海内靡然從之，迄今三十餘年。甚矣詩學之舛也！譬之於山川，連岡隋障，逶迤平遠，然後有奇峰仄澗，深巖複壁，窈窕而忘歸焉。譬之於居室，前堂後寢，弘麗靚深，然後有便房曲廊，層軒突夏，紆迴而迷復焉。使世之山川，有詭特而無平遠，不復成其爲造物；使人之居室，有突奥而無堂寢，不復成其爲人世。又使世之覽山水造居室者，舍名山大川不游，而必於詭特，則必將梯神山，航海市，終之於鬼國而已；舍高堂邃宇弗居，而必於突奥，則必將巢木杪，營窟室，終之於鼠穴而已。今之爲詩者舉若是，余有憂之而愧未有以易也。今年與劉司空敬仲先生相見請室，得盡見其詩。盧子德水之評贊，可謂精且詳矣。而余獨喜其淵靜閒止，優柔雅淡，意有餘於匠，枝不傷其本。居今之世，所謂復聞正始之音者與？使世之學者，服習是詩，奉爲指南，必不至悼慄眩運，墮鬼國而入鼠穴，余又何憂焉？

又卷四〇《馮已蒼詩序》 孟子不云乎：君子深造之以道，欲其自得之也。又曰：博學而詳説之，將以反説約也。余以爲此學詩之法也。杼山之言曰：取由我衷，得若神表。文外之旨，但見情性，不覩文字。嚴羽卿以禪喻詩，歸之妙悟，此非所謂自得者乎？説約者乎？深造也，詳説也，則登山之蹊，渡水之筏也。「讀書破萬卷，下筆如有神」，「别裁僞體親風雅，轉益多師是汝師」，得之者妙無二門，失之者邈若千里。此下學之徑術，妙悟之指歸也。荀卿曰：誦數以貫之，思索以通之，爲其人以處之，除其害者以持養之。以是學詩也，其幾矣乎？

又《有學集》卷一七《王貽上詩序》 嗟夫！詩道淪胥，浮僞並作，其大端有二。學古而贋者，影掠滄溟、弇山之賸語，尺寸比擬，此屈步之蟲，尋條失枝者也。師心而妄者，懲創《品彙》、《詩歸》之流弊，眩運掉舉，此牛羊之眼，但見方隅者也。之二人者，其持論區以别矣。不知古學之由來，而勇於自是，輕於侮昔，則亦同歸於狂易而已。貽上之詩，文繁理富，銜華佩實。感時之作，惻愴于杜陵；緣情之什，纏綿於義山。其談藝四言：曰典，曰遠，曰諧，曰則。沿波討源，平原之遺則也；截斷衆流，杼山之微言也；别裁僞體，轉益多師，草堂之金丹大藥也。平心易氣，耽思旁訊，深知古學之由來，而於前二人者之爲，皆能淘汰其瘢結，祓除其嘈囋。思深哉！《小雅》之復作也，微斯人，其誰與歸？

又卷四八《再與嚴子論詩語》 今之論詩者，亦知評量格律，講求聲病，搰搰焉以爲能事。由古人觀之，所謂口耳之間兼寸耳。人以兩輪卷葉爲耳，亦知有大人之耳，張兩耳以爲市，人以時集會其上乎？人以一尺口齒爲面，亦知有無首之民，乳爲目，臍爲口，操干戚而舞乎？今之論詩，循聲按響，尺尺而寸寸者，兩輪之耳，一尺之面也。古人之詩，海涵地負，條風凱風，出納于寸管之中，大人之耳市，刑天之臍口也。今人窮老于詩，歐絲泣珠，沾沾焉以爲有得而自喜，知盡能索，終不出兩輪尺面之間，不已遼乎？得生於喜，喜生於愛，是爲愛魔，亦爲詩魔。此魔入人之肺腑，能招引種種庸妄詩魔，以爲伴侶，魔日強而詩日下。唐人之授劍術也：「凡刺人必先斷其所愛，然後決之。」此言雖誕，可以爲學道學詩之善喻。陸士衡曰：「苟傷廉而愆義，亦雖愛而必捐。」亦此志也。

賀貽孫《詩筏》 詩以蘊藉爲主，不得已溢爲光怪爾。蘊藉極而光生，光極而怪生焉。李、杜、王、孟，及唐諸大家，各有一種光怪，不獨長吉稱怪也。怪至長吉極矣，然何嘗不從蘊藉中來。

又 詩文之厚，得之內養，非可襲而取也。博綜者謂之富，不謂之厚。穠縟者謂之肥，不謂之厚。粗僿者謂之蠻，不謂之厚。

又 詩文有神，方可行遠。神者，吾身之生氣也。老杜云：「讀書破萬卷，下筆如有神。」吾身之神，與神相通，吾神既來，如有神助。豈必湘靈鼓瑟，乃爲神助乎？老杜之詩所以傳者，其神傳也。田横謂漢使者云：「斬吾頭，馳四十里，吾神尚未變也。」後人摹杜，如印板水紙，全無生氣。老杜之神已變，安能久存！

又 神者，靈變惝恍，妙萬物而爲言。讀破萬卷而胸無一字，則神來矣，一落滓穢，神已索然。

又 古今必傳之詩，雖極平常，必有一段精光閃鑠，使人不敢以平常目之。及其奇怪，則亦了不異人意耳。乃知「奇」、「平」二字，分拆不得。

又 詩有畫境焉，有化境焉，兼之爲難。

又 清空一氣，攪之不碎，揮之不開，此化境也。然須厚養氣始得，非淺薄者所能僥倖。

又 詩與文以不斷不續爲至，然須於似斷似續處求之。

又 詩之近自然者，入想必須痛切；近沉深者，出手又似自然。

又 不爲酬應而作，則神清；不爲諂瀆而作，則品貴；不爲迫脅而作，則氣沉。

又 詩有眼，猶弈有眼也。詩思玲瓏，則詩眼活；弈手玲瓏，則弈眼活。所謂「眼」者，指詩、弈玲瓏處言之也。學詩者，但當於古人玲瓏中得眼，不必於古人眼中尋玲瓏。今人論詩，但穿鑿一二字，指爲古人詩眼，此乃死眼，非活眼也。鑿中央之竅，則混沌死；鑿字句之眼，則詩歌死。

又 五言古以不盡爲妙，七言古則不嫌於盡。若夫盡而不盡，不盡而盡，非天下之至神，孰能與於斯？

又 極用意人詩文得意處，每從不經意處得之。極不經意人詩文得意處，每從用意處得之。

又 學古人詩，不可學其粗俗，非不可學，不能學也。非極細人不能粗，非極雅人不能俗。

又 胸中無事則識自清，眼中無人則手自辣。

又 不貴能學，貴於學而能捨，捨之乃所以爲學也。無所不捨，斯無所不學矣。

又 歌者上如抗，下如墜，纍纍然若貫珠。詩人筆端，亦具此妙。

又 煉句、煉字，詩家小乘，然出自名手，皆臻化境。蓋名手煉句如擲杖化龍，蜿蜒騰躍，一句之靈，能使全篇俱活。煉字如壁龍點睛，鱗甲飛動，一字之警，能使全句皆奇。若煉一句只是一句，煉一字只是一字，非詩人也。

又《水田居文集》卷二《示兒一》 作詩乃極苦之境，極難之事。《四書》本經可窺聖域，舉業文字可致通顯，爲之極樂，學之極易。捨其樂易而趨苦難，是亦不可以已乎？【略】蓋作詩貴悟門，悟門不在他求，曰取《三百篇》及漢唐人佳詩，反覆吟詠，自能悟入。若無悟門，但于古詩及漢魏晉唐人詩內聲容字句，摹擬描畫，如在琉璃屏外拍美人肩，雖表裏洞見，然所拍者終是琉璃不是美人。若捨《三百篇》漢魏晉唐而別尋悟門，如涉江海者，本無神通，漫學折蘆浮杯（此□三袁），損棄舟航，凌空飛渡。此兩種病，近代名家往往有之。然悟門不能遽開，積累時日，庶幾一朝遇之。

傅山《霜紅龕集》卷三《偶借「法」字翻杜句答補巖》 問詩看法妄，索解旁人癡。知此不知彼，一是還一非。情性配以氣，盛衰惟其時。滄溟發病語，慧業生《詩歸》。捉得竟陵訣，弄渠如小兒。風有方圓否？水因摶擊高。偏才遇亂世，噴口成波濤。按著盛唐覓，突灑奴目逃。不論河嶽氣，私各光燄豪。文人不相下，直不貞文曹。針芥膠臭味，旗鼓權勁矛。擬議屬誰何，小技咅心勞。

又卷一七《題〈湯安人張氏死烈辭〉後》 文字直如此做，貞樸不枝，可喜也。數年來見開士文筆頗多，比漸進自然矣，是學問大進處。清清割割，造此一道不枝不蔓。先儒云：只有可減，無可添，與禪學「解黏」一般。詩亦當如此作。可取鹿門先生五言細讀，造就當世一詩僧不難也。此意雪林極解，有作時時請益，不眞不淡處卽毁卻，專向自己心地上作老實話。韻也可，出韻也可。黏連向背，都是方内人取第功夫，高格高調全不用也。

又《書〈文賦〉後》 我今讚嘆，於彼陸生。作文利害，隨子之變。各人甘苦，各各自知。未聞得證，而不斷臂。人喜亦喜，人悲亦悲。毫沒交涉，謂獲至寶。蠢魚募緣，沿門乞討。原非豐生，無此文福。滿眼芳潤，其奈不漱。重淵有魚，子無鈎何。曾云有翰，奈汝無繳。披者未得，而況未振。古今須臾，四海一瞬。課虛責有，叩寂求音。敢不按部，趨來就班。至意司契，離方遯圓。片言居要，其警安在？怵他我先，雖愛必捐。牢落無偶，非汝境界。無上甚深，不向汝道。竭情多悔，率意寡尤。玆物在我，汝其竭之。戮力非余，作何見解。空懷自惋，爲可憐愍。陸生陸生，莫爲人道。無耳根人，說亦不聞。無眼識者，見如不見。大法不私，上根不竊。規矩具在，能者得之。慙愧珍重，須下苦力。書此賦了，復漫書此偈，以贊士衡。此陸生廿時作，已冥搜入微矣。我今鬚白，何曾夢見。然不敢襲故以爲彌新，稍稍知耻，且爲來世下讀書種子耳。

又卷二〇 禿翁之言曰：拙不必藏。畸人之言曰：拙亦不必見。傅壽毛之言曰：性之拙處，是其眞際，不必藏也。詩又小技，果不必見，見則人皆笑之，畏人之笑而不見之于人，則終無成就時矣。獨覺辟支，豈易圓滿。但不當爲搖頭之馬子侯耳。後魏《釋老志》之言曰：漸積勝業，陶冶粗鄙，經無數形，澡鍊神明，乃證無生，而得佛道。吾不以此言說法，而以此言論詩。苟能至此，性不必藏，詩可以見，見無所見，藏無所見，虛靜通照，大巧若拙，拙豈易言哉！當自信心始矣！雪峰參。

又卷二四《復雪開士》 從來詩僧，但以句勝，不以篇勝也。寧隘寧澀，毋甘毋滑。至于寧花柳，毋瓶鉢，則脫胎換骨之法，以魔口說佛事，是大乘最上義。卽古以詩名者，亦不多得。雪峰開士，苦心高興，終當有合，如「囂塵中有地，忠孝外無天」十字，何處突此奇特。若句句如此，便當一棒打死皎然，齊己輩矣。《華嚴》原有捨得三昧之義。人敎捨某字某句，不若自己回復，覺不穩處卽勇捨卻，如孟生之于破甑。久久一切俗調塵氣，到不得庵摩羅果筆底矣。

又卷二五《家訓》 如爾得句「白鷺朝雲下，晴天疏柳中」十字，高情朗調，遂欲登盛唐之席。「白鷺」句更好。然一連讀下，爲一意，不得作對偶格看。句偶神通物色近遠，老夫每有此撰。此撰非至思之結，正不必究其來處。

吴喬《圍爐詩話》卷一 詩貴有含蓄不盡之意，尤以不着意見、聲色、故事、議論者爲最上。義山刺楊妃事之「夜半宴歸宫漏永，薛王沈醉壽王醒」是也。稍着意見者，子美《玄元廟》之「世家遺舊史，道德付今王」是也。稍着聲色者，子美之「落日留王母，微風倚少兒」是也。稍用故事者，子美之「伯仲之間見伊吕，指揮若定失蕭曹」是也。着議論而不大露圭角者，羅昭諫之「静憐貴族謀身易，危覺文皇創業難」是也。露圭角者，杜牧之《題烏江亭》詩之「勝負兵家未可期，包羞忍耻是男兒。江東子弟多才俊，捲土重來未可知」是也。然已開宋人門徑矣。宋人更有不倫處（宋楊誠齋《題武惠妃傳》之「壽王不忍金宫冷，獨獻君王一玉環」，詞雖工，意未婉。惟義山之「薛王沈醉壽王醒」，其詞微而意顯，得風人之體）。

徐增《而庵詩話》 作詩之道有三：曰寄趣，曰體裁，曰脫化。今人而欲詣古人之域，捨此三者，厥路無由。夫碧海鯨魚，自别於蘭苕翡翠，此古人之體裁也；唐人應制之作，皆合於西方聖教，此古人之寄趣也；少陵詩人宗匠，從「熟精《文選》理」中來，此古人之脫化也。夫作詩必須師承；若無師承，必須妙悟。雖然，卽有師承，亦須妙悟，蓋妙悟、師承，不可偏舉者也。是故由師承得者，堂構宛然；由妙悟得者，性靈獨至。詩固非聊爾事也，騷人墨客從而小之則小，菩薩丈夫從而大之則大。故作詩而無關於内聖，勿作也；作詩而無關於外王，亦勿作也。有唐三百年間，詩人若王摩詰之字字精微，杜子美之言言忠孝，此其選也。雖然，吾猶有憾焉。以摩詰天子不能統杜陵宰相，杜陵宰相不能攝摩詰天子，豈内聖外王，道難兼至歟？又豈妙悟師承，詣有偏至？竊見今之詩家，俎豆杜陵者比比，而皈依摩詰者甚鮮。蓋杜陵嚴於師承，尚有尺寸可循；摩詰純乎妙悟，絕無迹象可卽。作詩者能於師承妙悟上究心，則詣唐人之域不難矣。

又 詩須到家。所謂到家者，於古人詩中，路路都有。若止得一路兩路，則非到家。試看衲子沿門持鉢募糧，不知歷過多少人家，方滿得者個鉢子；到得煮熟時，氣味件件相和。至此田地，纔爲到家也。夫詩自《三百篇》

以至於唐，體製不一，要自風會變遷之所致。吾等生千百載後，備觀前人所作，不探其志趣之所在，而徒求於字句聲口之間。無論其詩不似，即極似矣，總無當處。此詩所以貴自得也。天地之氣，日趨於薄，詩人之習，日就於容易便利。於是皆走活法而避死法，所以去古愈遠。李北地云：「不讀唐以後書。」余謂欲學《三百篇》者，不當讀春秋以後詩；學五言與樂府者，不當讀魏、晉以後詩；學近體者，不當讀晚唐以後詩。塞濫溢之門，堅上進之路，耑心致志，面如灰，鼻如冰，十年廿年，討其消息，庶幾可詣其境也。讀唐人詩，須觀其如何用意，如何用筆，如何裝句，如何成章，如何起，如何結，如何開，如何闔，如何截，如何聯，自有得處。夫五言與七言不同；律與絶句不同。字有字法，句有句法，章有章法。不知連斷則不成句法；不知解數則不成章法；總不出頓挫與起承轉合諸法耳。即蓋代才子，不能出其範圍也。

又 作詩如撫琴，必須心和氣平，指柔音澹，有雅人深致，爲上乘。若純尚氣魄，金戈鐵馬，乘斯下矣。學詩須從板實起，後來可得嶙峋。若遽事流動，便是應酬活套法也。今人詩要見好，所以工於字句之間；古人詩不要見好，所以妙於篇章之外。

又 作古詩最忌拖曳，復忌痛快。拖曳則冗長，痛快則罄盡。

又 歌行尤重頓挫，下句尤要警策，用意尤要整密，收縱得宜，調度合拍。譬如跳獅子，鑼也好，鼓也好，獅子也跳得好，三回九轉，周身本事，全副精神，俱顯出來，方是善作歌行者。詩乃人之行略，人高則詩亦高，人俗則詩亦俗，一字不可掩飾，見其詩如見其人。詩之等級不同，人到那一等地位，方看得那一等地位人詩出。學問見識如碁力酒量，不可勉強也。今人好論唐詩，論得著者幾個？譬如人立於山之中間，山頂上是一種境界，山腳下又是一種境界，此三種境界各不同。中間境界人論上境界人之詩，或有影子；至若最下境界人而論最上境界人之詩，直未夢見也。作詩須思透出一路去。古人各自成家，不肯與人雷同；而今人耑事摹倣。所以唐無漢，魏之蹟，而今人多漢、魏之膚。以此惑一時則可，而遂欲傳後世耶？作詩須學變，每一年變幾次，於詩自然有得。

又 詩須到十分。今人儘有妙到九分，獨有一分不到；此一分不到，則九分終不到也。一分者，法是也。夫百丈之吳綾蜀錦，不知裁剪成服，而斜披橫纏於體，可乎？昔之學詩者，病在冗濫，冗濫則禮樂不興；今之學詩者，病在橫厲，橫厲則干戈日起。關繫世道人心不小。

又 作詩須被人罵過幾年，纔有進步。若追逐時好，以博一日之名，則朝華夕萎，不能久也。或問余曰：「詩如何作方得新？」余曰：「君不見古人之詩乎？千餘年來常在人目前而不厭。今人詩甫脱稿，便覺塵腐畢集。以古人學古，今人不學古。故欲新必須學古。」作詩須先攻一體，逐體次第而進；體體得手，方是作者。大抵詩貴人說；曹子建何等才調，當時無有出其右者，人或有商榷，應時改定，故稱「繡虎」。

又 嚴滄浪以禪論唐初、盛、中、晚之詩，虞山錢先生駁之甚當。愚謂滄浪未爲無據，但以宗派硬爲分配，妄作解事。滄浪病在不知禪，不在以禪論詩也。恐人不解錢先生意，特下一轉語。

又 臨下筆時，須以千古一人自待，作出來猶然落人牙後，世間人見識不高者，勿與他一般樣。作詩人人稱好，畢竟有一人說不好，此一人可畏也；人人說不好，獨有一人稱好，此一人可恃也。吾平生立願只要遇見此一人，生前不可得，待之身後可也；身後即不可得，待之千載後可也。古之詩有至今日而始見其好者，有至今日而始見其不好者。此要以本領見識爲主，勿以一時毁譽爲定評也。

又 余三十年論詩，祇識得一「法」字，近來方識得一「脱」字。詩蓋有法，離他不得，卻又即他不得；離則傷體，即則傷氣。故作詩者先從法入，後從法出，能以無法爲有法，斯之謂脱也。夫作詩必須心閒，顧心閒惟進乎道者有之。進乎道者，於其中之所有，無不盡知盡見。夫既力能爲之，便將此事放下，成木雞之德；然後臨作詩時，則我無不達之情，而詩亦無不合之法矣。昔昭文彈琴爲絶調而口不言琴，是蓋有得於閒之一字者。

又 有佳句者，氣多不全。鍊句卻是一病，然又不得不鍊。有意無意，斯得之矣。學問到底不過一個實法，詩作到底亦不過在幾個字，求奇求異，總隔一層。古人詩着實費力，卻在不費力上見好，往往然也。

又 好詩須在一刹那上攬取，遲則失之。

費經虞《雅倫》卷一二《製作》 詩者，文之精華，不經選擇，使辭采煥麗，豈堪入風雅之林？譬如織作，綫必熟練；譬如用兵，士必挑擇。設任意爲之，使土飯塵羹、黃葦白茅滿前，何以爲詩？大抵選辭《六經》、史、漢以前爲上，六朝、唐人次之，宋以後又次之。詩家有一定之辭料，與文家、辭家不同。亦有有出處而不可用之辭，不可謂我有出處而任意用之也。

又卷二二《瑣語》 太史公言：「好學深思」，此四字，立身成業，學問到家，無不繇之，而詩文尤要。學而不好，思而不深，亦不濟事。聽其談論，乃哲匠宗工；觀其製作，相去衆人不遠，皆出浮慕，未嘗眞進工夫。故料美是材，器精是匠，不逢良匠，美材都壞。所以學詩者如牛毛，而入彀者如麟角。物有大小，詩亦有大小，不必李、杜、元、白、溫、李鉅集長篇，而後謂之詩也，只要當家，不必過責人，當家亦自不易得。

又 歐陽公所謂詩好須讀多、做多、商量多。此三事若不多，則其所就，見其一不見其二，見其偏不見其全，見其定不見其通。

又 讀破萬卷，下筆有神。讀破非徒記誦而已，老學究經史詩賦爛熟，下筆便用不得。

又 若要成家，不可隨人轉動，又不可妄自主宰。倘有此等病痛，便蘇李下生，也救伊不得。

又 詩有五佳：一意佳，二句佳，三字佳，四事佳，五題佳。

又 詩之大端無他，一言以蔽之，曰：透過。不透過，終隔一層，非是作者語。要源源如萬斛泉，卻毫無飣餖；須空空如一竿竹，而無不精華。

又 初學做詩有近似處，輒然自喜以爲得，此亦人之恆情。只要肯用工夫，日進一日，自然後來曉得古人落地處。若遂滿假起來，此謂自暴自棄。

又 詩要辭在題中，意出題外；韻在句中，趣浮句外。

又 詩文欲求傳，不在躁急成名。只要苦心做去，果然當家，足以服才人之心，天下後世必有知己，若徒取與人倡和，無一段眞精神，名也成不得，傳也傳不得。

又 詩要曉轉換。得聞一法，執定不移，此不知詩者也。又要入規矩。師心冥行，率意揑造，此未悟詩者也。

又 自有「三偸」之語，以生呑活剝爲能。自有獨創之言，以杜撰妄作爲是。總皆按牛頭吃草。

又 作詩者當自愼，大賢不責人過甚，豈可以愛憎形於筆墨，致虛言賈禍。覽詩者勿苛求，何必就字句強爲媒孽，似有所指，亦宜笑而置之。故明哲保身之君子，不以言辭獲咎；優容萬彙之大人，不因詩文害人。

又 詩要使人讀之拍案起舞，旁通別解，無所不妙才好。

又 有謂詩非力學可致，有謂詩以工苦得之，分而論之，皆偏也。蓋天資、學力二者皆不可少：無天資而全用學力，道也祇道得八分；若恃天資而不本學問，悞卻大半。

又 詩不妙悟則不能入，不力學則不能精。

又 高雅之流知學古而未知所以學古，上者亦成異路，下者遂作障礙，此處豈可不求明眼人腦後一鍼耶？

又 詩要吐棄一切，不食煙火，方能超脫凡流，所謂代不數人，人不數篇。

又 王、李謂詩有一定規格，多出摹倣。是猶以西施之貌，當類南威；秦娥之音，宜同王豹，開後學失盡性情之端。鍾、譚謂詩出自性靈而止，是以亂髮垂鬟，不加膏沐，捲蘆截竹，盡棄笙竽，啟狂夫絕棄繩墨之漸。要之，皆偏論也。規模出之古人，意興直舒胸臆，庶幾可哉。

又 凡做詩十首五首，不甚差失，字句平穩，篇章妥帖，然卻無大高妙處，五分詩也；再加精采，始入得古人閫奧，若止此而已，其詩在可傳不可傳之間。有一種要奇、要深、僻澀怪肆，佳者二分成詩，下者尚不成詩。然此一種得人指授，肯就章程，便要到十分地位，爲必傳之作，倘安其所是，反與妥帖者相去懸絕。

又 詩有一種生氣，則精光射人而不可揑造；詩有一段古法，則製作入彀而不可爛熟。

又 古人詩文有個大法，有個傍法。大法一定不移，傍法偶一爲之。大法如住宅妻子奴婢所居，蓄積所在；傍法如別業，時一登眺遊覽，與款客而已。大法如鷄豚魚羊酒飯之物，日日供饌；傍法如山珍海錯，偶一設之而已。後人不知此二法，以爲古人曾有此體，遂專去學古人傍法，譬如將妻子奴婢都在別業中住，把亭榭反作壞，日日將江瑤柱當飯吃，自然發風動氣，此學者所當知也。平生所見高人俊士，才情學問眞有可追往喆，垂後世者。至若苦心虛心，不數人而已，苦心人如吳保安贖友，虛心人如尹夫人見邢大人而大哭也。許多良材都爲不肯折節壞去，眞可痛惜！

又 有二種接引人法：沉涵典籍，要他洗濯；高材敏切，要他淹博。

又 惟先賢是依者，別調難，新難；欲自我作古者，入彀難，雅難。

又　後世不惟不就正古人，反欲將古人就己；不惟自己將文辭入向僻處，又欲取古人文辭爲證據，入向僻處，非好學深思，鮮不墮雲霧中。

又　鍾伯敬云：「古人雖氣極逸、材極雄，未有不具深心幽致而可入詩者。」此說甚好。

又　詩要到家，只是不隔。旅中房屋器用飲食雖濟楚，畢竟隔一層。若到家，即竹樹鷄豚皆自家物，風雅但要如此。趙翼黃言人少時儘有才名，後來名漸衰落，文辭罷秃，只是一點才氣，兼之初學正鋭，故有可觀。積以歲月，家事日多，工夫漸懶，所得原淺，化爲烏有，衆人不服矣。皆未嘗實獲指授，究心一番。譬如學弈，只是聰明，並未傳國手譜着，如何得好？吾常謂親友，千里尋師，閉戶誦讀，除此二法，即天才絕人，走到正路，亦頭破足穿矣。此語良然。楊大年不喜杜少陵詩，謂之村夫子，歐陽公亦不喜；蘇子瞻不喜孟東野、賈浪仙；顧華玉不喜温飛卿。人之所見，各有不同也。諸公豈因不喜而有損？而楊、歐、蘇、顧亦皆名人。故君子論文章，不可執定己見，又不可因人是非。元白之詩，唐人已有議論，而後人亦有學之者，亦有非之者。大抵爲詩家一體，其率易輕佻太甚者，固不可爲法。若《琵琶行》、《長恨歌》、《連昌宮詞》，亦是絕物。

又　學詩如釀酒，自曬稻、春米、蒸飯、拌麯，歷多少境界而後酒美，尚窨如許歲月而後酒成，皆非一日可至。詩至成酒，上天下地，橫說竪說，無所不可。釀而不成酒，必把作不良也。

又　詩文先定是非，而後言工拙。有徑寸之書尚未是，在將來何用？九尾狐狸亦能天資國色，只不曾變到眞人身。辨是非正自要識力。

又　詩有是而工者，有是而未工者；有遠隔而未是者，有似是而非者，惟似是而非最難辨。王介甫《咏竹》云：「未出土時先有節，到參天處也無心。」此二語只粗疏不秀潤，未似是而非，乃介甫痛悔，以爲刻入詩牌，不可追改。晚年用力於唐人，始盡深婉不迫之致。君子宜自慎也。不學古人，必是亂道，專就古人字句上摹倣，又恐陳陳相因，爛熟失眞。故學詩之法，先取其佳而深喜者學之，待自家有身份後，集先輩精英，更新機杼。

葉矯然《龍性堂詩話初集》　江右徐仲光芳云：「詩之道，以氣格爲上，而結構亦不可遂輕；以性情爲先，而聲響亦不可遂廢。詞莫陋於縟贅，而徑率之句亦不可謂之自然；境莫妙於目前，而凡俚之言亦不可名爲眞至。韻而不靡，樸而不龐，淡而不枯，工而不詭。使事而不流於雜，談理而不墜於腐，模古而不傷於痕，蹈空而不病於鑿。」亦作家之言也。石倉所謂「此道之難，難如登天」。

宋徵璧《抱眞堂詩話》　詩之規格，巧行乎其間矣。夫千金良驥，馳騁康莊，又何取乎泛駕？

侯方域《陳其年詩序》　夫詩之爲道，格調欲雄放，意思欲含蓄，神韻欲閒遠，骨采欲蒼堅，波瀾欲頓挫，境界欲如深山大澤，章法欲清空一氣。杜少陵云：「讀書破萬卷，下筆如有神。」不讀萬卷，豈易言清，不破萬卷，豈易言空哉？

施閏章《陳伯璣詩序》　論詩於今海內，其類有四：躭近望遠，土苴古體，一也。遺實采華，矜氣悦目，二也。歷下、竟陵，互相齮齕，三也。諛辭駢巧，干澤取憐，四也。屏茲四類，而其詩或庶幾矣。

王夫之《薑齋詩話》卷一《詩譯》　「詩可以興，可以觀，可以羣，可以怨。」盡矣。辨漢、魏、唐、宋之雅俗得失以此，讀《三百篇》者必此也。可以云者，隨所以而皆可也。於所興而可觀，其興也深；於所觀而可興，其觀也審。以其羣者而怨，怨愈不忘；以其怨者而羣，羣乃益摯。出於四情之外，以生起四情；遊於四情之中，情無所窒。作者用一致之思，讀者各以其情而自得。故《關雎》，興也；康王晏朝，而即爲冰鑑。「訏謨定命，遠猷辰告。」觀也；謝安欣賞，而增其遐心。人情之遊也無涯，而各以其情遇，斯所貴於有詩。是故延年不如康樂，而宋、唐之所繇升降也。謝疊山、虞道園之說詩，井畫而根掘之，惡足知此？

又卷二《夕堂永日緒論》　興、觀、羣、怨，詩盡於是矣。經生家析《鹿鳴》、《嘉魚》爲羣，《柏舟》、《小弁》爲怨，小人一往之喜怒耳，何足以言詩？可以云者，隨所以而皆可也。《詩》三百篇而下，唯《十九首》能然。李、杜亦髣髴遇之，然其能俾人隨觸而皆可，亦不數數也。又下或一可焉，或無一可者。故許渾允爲惡詩，王僧孺、庾肩吾及宋人皆爾。

又　「海暗三山雨」接「此鄉多寶玉」不得，迤邐說到「花明五嶺春」，然後彼句可來，又豈嘗無法哉？非皎然、高棅之法耳。若果足爲法，烏容破之？非法之法，則破之不盡，終不得法。詩之有皎然、虞伯生，經義之有茅鹿門、湯賓尹、袁了凡，皆畫地成牢以陷人者，有死法也。死法之立，總緣識量狹小。如演雜劇，在方丈臺上，故有花樣步位，稍移一步則錯亂。若馳騁康莊，取塗千里，而用此步法，雖至愚者不爲也。

又 近體中二聯，一情一景，一法也。「雲霞出海曙，梅柳渡江春。淑氣催黄鳥，晴光轉緑蘋」，「雲飛北闕輕陰散，雨歇南山積翠來。御柳已爭梅信發，林花不待曉風開」，皆景也，何者爲情？若四句俱情，而無景語者，尤不可勝數。其得謂之非法乎？夫景以情合，情以景生，初不相離，唯意所適。截分兩橛，則情不足興，而景非其景。且如「九月寒砧催木葉」，二句之中，情景作對；「片石孤雲窺色相」四句，情景雙收，更從何處分析？陋人標陋格，乃謂「吳楚東南坼」四句，上景下情，爲律詩憲典，不顧杜陵九原大笑。愚不可瘳，亦孰與瘳之？

又 起承轉收，一法也。試取初盛唐律驗之，誰必株守此法者？法莫要於成章；立此四法，則不成章矣。且道「盧家少婦」一詩作何解？是何章法？又如「火樹銀花合」，渾然一氣；「亦知戍不返」，曲折無端；其他或平鋪六句，以二語括之；或六七句意已無餘，末句用飛白法颺開，義趣超遠。起不必起，收不必收，乃使生氣靈通，成章而達。至若「故國平居有所思」，「有所」二字虛籠喝起，以下曲江、蓬萊、昆明、紫閣，皆所思者，此自《大雅》來。謝客五言長篇，用爲章法；杜更藏鋒不露，摶合無垠，何起何收？何承何轉？陋人之法，烏足展騏驥之足哉？近世唯楊用修辨之甚悉。用修工於用法，唯其能破陋人之法也。

又 起承轉收以論詩，用教幕客作應酬或可。其或可者，八句自爲一首尾也。塾師乃以此作經義法，一篇之中，四起四收，非蠢蟲相銜成青竹蛇而何？兩間萬物之生，無有尻下出頭，枝末生根之理。不謂之不通，其可得乎？

又 《樂記》云：「凡音之起，從人心生也。」固當以穆耳協心爲音律之準。「一三五不論，二四六分明」之説，不可恃爲典要。「昔聞洞庭水」，「聞」、「庭」二字俱平，正爾振起。若「今上岳陽樓」易第三字爲平聲，云「今上巴陵樓」，則語蹇而戾於聽矣。「八月湖水平」，「月」、「水」二字皆仄，自可；若「涵虛混太清」易作「混虛涵太清」，爲泥磬土鼓而已。又如「太清上初日」，音律自可；若云「太清初上日」，以求合於粘，則情文索然，不復能成佳句。又如楊用修警句云：「誰起東山謝安石，爲君談笑淨烽煙。」若謂「安」字失粘，更云「誰起東山謝太傅」，拖沓便不成響。足見凡言法者，皆非法也。釋氏有言：「法尚應捨，何況非法？」藝文家知此，思過半矣。

又 作詩亦須識字。如「思」、「應」、「教」、「令」、「吹」、「燒」之類，有平、仄二聲，音別則義亦異。若粘與押韻，於此鶻突，則荒謬止堪嗤笑。唐人不尋出處，不誇字學，而犯此者百無一二。宋人以博核見長，偏於此多誤。杜陵以鄺侯「鄺」字作「才何切」，平聲粘，緣《史》、《漢》注自有兩説，非不識字也。至廉頗音「婆」，相如音「湘」，則考據精切矣。蘇子瞻不知《軒轅彌明詩序》「長頸高結」，「結」字作「潔」音，稗子之所恥爲，而孟浪若此！近見有和人韻者，以「葑菲」作「芳菲」字音押，雖不足道，亦可爲不學人永鑒。

又 唯孟浩然「氣蒸雲夢澤」，不知「雲土夢作乂」，「夢」本音「蒙」；「青陽逼歲除」，不知「日月其除」，「除」本音「住」。浩然山人之雄長，時有秀句；而輕飄短味，不得與高、岑、王、儲齒。近世文徵仲輕秀與相頡頏，而思致密贍，駸駸欲度其前。

又 一解弈者，以誨人弈爲游資。後遇一高手與對弈，至十數子，輒揶揄之曰：「此教師碁耳！」詩文立門庭使人學已，人一學即似者，自詡爲「大家」，爲「才子」，亦藝苑教師而已。高廷禮、李獻吉、何大復、李于鱗、王元美、鍾伯敬、譚友夏，所尚異科，其歸一也。纔立一門庭，則但有其局格，更無性情，更無興會，更無思致；自縛縛人，誰爲之解者？昭代風雅，自不屬此數公。若劉伯溫之思理，高季迪之韻度，劉彦昺之高華，貝廷琚之俊逸，湯義仍之靈警，絶壁孤騫，無可攀躡，人固望洋而返；而後以其亭亭嶽嶽之風神，與古人相輝映。次則孫仲衍之暢適，周履道之蕭清，徐昌穀之密贍，高子業之戍削，李賓之之流麗，徐文長之豪邁，各擅勝場，沈酣自得。正以不懸牌開肆，充風雅牙行，要使光燄熊熊，莫能揜抑，豈與碌碌餘子爭市易之場哉？李文饒有云：「好驢馬不逐隊行。」立門庭與依傍門庭者，皆逐隊者也。

又 建立門庭，自建安始。曹子建鋪排整飾，立階級以賺人升堂，用此致諸趨赴之客，容易成名，伸紙揮毫，雷同一律。子桓精思逸韻，以絶人攀躋，故人不樂從，反爲所掩。子建以是壓倒阿兄，奪其名譽。實則子桓天才駿發，豈子建所能壓倒邪？故嗣是而興者，如郭景純、阮嗣宗、謝客、陶公，乃至左太沖、張景陽，皆不屑染指建安之羹鼎，視子建蔑如矣。降而蕭梁宮體，降而王、楊、盧、駱，降而大曆十才子，降而溫、李、楊、劉，降而江西宗派，降而北地、信陽、琅邪、歷下，降而竟陵，所翕然從之者，皆一時和哄漢耳。宮體盛時，卽有庾子山之歌行，健筆縱橫，不屑煙花簇湊。唐初比偶，卽有陳子昂，張子壽扢揚大雅。繼以李、杜代興，杯酒論文，雅稱同調，而李不襲杜，杜不謀李，未嘗黨同伐異，畫疆墨守。沿及宋人，始爭疆壘。歐陽永叔亟反楊億、劉筠之靡麗，而矯枉已迫，還入於枉，遂使一代無詩，掇拾誇新，殆同觴令。胡元浮艷，又以矯宋爲工，蠻觸之爭，要於興觀羣怨，絲毫未有當也。伯溫、季廸以和緩受之，不與元人競勝，而自問風雅之津。故洪武間詩教中興，洗四百年三變之陋。是知立才子之目，標一成之法，扇動庸才，旦倣而夕肖者，原不足以羈絡騏驥。唯世無伯樂，則駕鹽車上太行者，自鳴駿足耳。

又 所以門庭一立，舉世稱爲「才子」、爲「名家」者有故。如欲作李、何、王、李門下廝養，但買得《韻府羣玉》、《詩學大成》、《萬姓統宗》、《廣輿記》四書置案頭，遇題查湊，卽無不足。若欲吮竟陵之唾液，則更不須爾，但就措大家所誦時文「之」、「於」、「其」、「以」、「靜」、「澹」、「歸」、「懷」熟活字句湊泊將去，卽已居然詞客。如源休一收圖籍，卽自謂酇侯，何得不向白華殿擁戴朱泚邪？爲朱泚者，遂褎然自以爲天子矣。舉世悠悠，才不敏，學不充，思不精，情不屬者，十姓百家而皆是。有此開方便門大功德主，誰能捨之而去？又其下，更有皎然《詩式》一派，下游印紙門神，待塡朱綠者，亦號爲詩。莊子曰：「人莫悲於心死。」心死矣，何不可圖度予雄邪？

又 立門庭者必餖飣，非餖飣不可以立門庭。蓋心靈人所自有，而不相貸，無從開方便法門，任陋人支借也。人譏西崑體爲獺祭魚，蘇子瞻、黃魯直亦獺耳；彼所祭者肥油江豚，此所祭者吹沙跳浪之鱨鯊也，除卻書本子，則更無詩。如劉彥昺詩：「山圍曉氣蟠龍虎，臺枕東風憶鳳皇。」貝廷琚詩：「我別語兒溪上宅，月當二十四回新。」「如何萬國尚戎馬，只恐四鄰無故人。」用事不用事，總以曲寫心靈，動人興觀羣怨，卻使陋人無從支借。唯其不可支借，故無有推建門庭者，而獨起四百年之衰。

又 建立門庭，已絕望風雅。然其中有本無才情，以此爲安身立命之本者，如高廷禮、何大復、王元美、鍾伯敬是也。有才情固自足用，而以立門庭故自桎梏者，李獻吉是也。其次則譚友夏亦有牙後慧，使不與鍾爲徒，幾可分文徵仲一席，當於其五、七言絕句驗之。

又 曹子建之於子桓，有仙凡之隔。而人稱子建，不知有子桓，俗論大抵如此。**又** 王敬美風神蘊藉，高出元美上者數等。而俗所歸依，獨在元美。元美如吳夫差，倚豪氣以爭執牛耳，勢之所凌灼，亦且如之何哉？敬美論詩，大有玄微之旨。其云河下傭者，阿兄卽是。揮毫落紙，非雲非煙，爲五里霧耳。如《送蔡子木詩》：「一去蔡邕誰倒屣，可憐王粲獨登樓。」恰好安排，一呼卽集，非河下傭而何？元美末年以蘇子瞻自任，時人亦譽爲「長公再來」。子瞻詩文雖多滅裂，而以元美擬之，則辱子瞻太甚。子瞻，野狐禪也，元美則吹螺、搖鈴、演《梁皇懺》，一應付僧耳。「爲報鄰雞莫驚覺，更容殘夢到江南。」元美竭盡生平，能作此兩句不？

又 「落日照大旗，馬鳴風蕭蕭」，豈以「蕭蕭馬鳴，悠悠旆旌」爲出處邪？用意別，則悲愉之景原不相貸，出語時偶然湊合耳。必求出處，宋人之陋也。其尤酸迂不通者，既於詩求出處，抑以詩爲出處考證事理。杜詩：「我欲相就沽斗酒，恰有三百青銅錢。」遂據以爲唐時酒價。崔國輔詩：「與沽一斗酒，恰用十千錢。」就杜陵沽處販酒，向崔國輔賣，豈不三十倍獲息錢邪？求出處者，其可笑類如此。

又 一部杜詩爲劉會孟陻塞者十之五，爲千家註沈埋者十之七，爲謝疊山、虞伯生汙蠛更無一字矣。開卷《龍門奉先寺》詩：「天闕象緯逼，雲臥衣裳冷。」盡人解一「臥」字不得，祇作人臥雲中，故於「闕」字生許多胡猜亂度。此等下字法，乃子美早年未醇處，從陰鏗、何遜來，向後脫卸乃盡，豈黃魯直所知邪？至「沙上鳧雛傍母眠」，誣爲嘲誚楊貴妃、安祿山，則市井惡少造謠歌誚鄰人閨閫惡習，施之君父，罪不容於死矣。

毛先舒《詩辯坻》卷一 詩須博洽，然必斂才就格，始可言詩。亡論詞采，卽情與氣，亦弗可溢。胸貯幾許，一往傾瀉，無關才多，良由法少。如瓠子弛其正道，鉅野汎溢，又惡宣房之塞，其孰能不波？古今談詩家，其持論大有三弊，而世鮮覺悟，其失往往雷聲，余當辯之。其一則以作詩必有合於古之「六義」，斯言似已，然風、雅、頌固是分體，不必詳論。以賦、比、興言之，此三者是詩人之志。蓋卽婦人童兒發口矢辭，非直陳事，卽婉轉附物，或因感抒述，三者之內，必有攸當。是凡詩中，自有此三義，非謂具此三義而後爲詩成也。譬諸樂然，有五音耳，任舉陶瓦叩之，弦索彈之，亦必中宮羽之一音，豈謂不爲瑲器者便無音耶？自謂詩備「六義」，然後爲佳，而牽拘膠盭，不勝其敝，但有櫛比，無復神來。又或以莊辭爲備「六義」，殆又不然。夫古人作詩，取在興象，男女以寓忠愛，怨誹無妨貞正，故《國風》可錄，而《離騷經》辭乃稱不淫不亂。《詩》三百篇，大抵言情爲多，乃用《尚書》、《禮運》之義相繩，何其固耶？即以麗辭果流佚者，但可指爲靡音，目爲變聲，不可謂外於「六義」。何則？就其靡變，亦必固自有賦比興耳。自斯言出，而《楚辭》、樂府盡爲外篇，而傅玄《豔歌行》爲賢於《陌上桑》，李唐一代便當尸祝退之，然後晚唐衰宋之作，悉登高坐矣。此一弊也。漢變而魏，魏變而晉，調漸入俳，法猶抗古。六代靡靡，氣稍不振，矩度斯在。何者？俳者近拙，拙猶存古；藻者徵實，實猶存古。嗣是入唐，爲初爲盛，麟德、乾封間，氣魄已見，開元而後，奇肆跌宕，窮姿極情，譬猶篆隸流爲行草耳。穗跡雲書，永言告絕，懷古之士，猶增欷歔。然而談者方誇爲中興，謂足高掩六季，何邪？且近體是唐代所開，而研思搆彩，皆滋潤六朝，十四大家，概乎沾汜，奈何愛唐棣之偏反，忘鄂跗之韡韡。至古體詩，居然酏水之別，益無論已。此二弊也。詩主風骨，不耑文彩，第設色欲稍增新變耳。自皎然以竊占白雲芳草詆劉、李諸賢，而近代亦誚白雪黃金，中原紫氣，是則誠然，然要非大疵也。初、盛唐之烏鵲、鳳凰，南山、北斗，龍闕、鳳城，横汾、宴鎬，漢、魏人之鳳凰、鴛鴦，雙鵠、鳴雁，驚風、白日，臚陳竹素，覽者初不訝之。又如古詩，草蟲、楊柳，便屬相思；騤牡、鏘鸞，輒施行邁；萬年眉壽，以爲頌禱；於皇陟降，用格神明。若持卑辭相格，亦復可議。要期合律，雖遞襲而不妨乎高，苟乖大雅，則彌變彌墮。于是斯有彥伯澀體，長吉鬼才。近如唐六如之俚鄙，袁中郎之佻倪，竟陵鍾、譚之纖猥，亦俱自謂能超象跡之外，不知呵佛未易，直枉入諸趣耳。此三弊也。（《三弊篇》）

又　詩有八徵，可與論人。一曰神，二曰君子，三曰作者，四曰才子，五曰小人，六曰鄙夫，七曰瘵，八曰鼠。神者，不設矩矱，卒歸于度，任舉一物，旁通萬象。于物無擇，而涉筆成雅；于思無豫，而往必造微。以爲物也，是名理也；以爲理也，是象趣也。攬之莫得而味之有餘，求之也近而即之也遠。神乎神乎！胡然而天乎？君子者，澤于大雅，通于物軌，陳辭有常，攄情有方，材非芳不攬，志非則不吐，及情而止，使人求之，淵乎其有餘，怡然其若可與居。推其心也，拾國香爲餐，而猶畏其汙也；薰祓正襟以占辭，而猶畏有口過也。是君子者也。作者，攬羣材，通正變，以才裁物，以氣命才，以法馭氣，以不測用法。其用古人之法，猶我法也。猶假八音以奏曲，鍾石之韻往，而吾中情畢得達焉。故其詩如奇雲霏霧而非炫也，如震霆之疾驚而非外強也，滄乎若洞庭之微波而不竭其瀾也，中閎而已矣，是作者也。才子者，有情有才，亦假法以範之，時有過差，時或不及，殆其當也，則爲雅辭，不可爲昌言。分有偏至，不能兼也；法有一體，不能合也。然而氣必清明，辭必周澤，斯稱才子矣。小人者，法不勝才，才不勝情，注辭而傾，抒憤如盈，務竭而無後慮，其小人之心聲乎？故其詩若懠若爭，若訛若嚜，雖羅罼于豐翰，而不可爲飾，君子視之，並器不入。鄙夫者，窘乎材者也。乃欲自見，故匿質而昭文，中亡情而索辭，辭孱則假于物輔。故取物也，不以益中，以塗茨外，趦趄睥睨，冀無窺者。故其語散而不貫，氣時張而時萎，思不盈尺，辭聯尋丈，使人壓之。瘵者，病也。望之膚立，按之無脈，如呻吟之音，雖長逾促，謂之細甚，是曰詩瘵。鼠也者，小而善竊，狡而不能爲物害，故以取喻爲詩者，是強解事人也。未能知之，先欲言之，襲彼之語，以市于此，矛盾而不恤，被攻而無怍色，掎摭無當，聒而不休，操筆迴惑，猶廁鼠之見人犬而數驚恐也，是曰詩鼠。審聲詩之士，以是八徵，參驗無失，則可以觀人矣。爲詩者慎以自驗，務治其中心而底于純，可以無跌，匪曰文章，至道寓焉。余故詳著之於篇。（《八徵篇》）

又　鄙人之論云：「詩以寫發性靈耳，值憂喜悲愉，宜縱懷吐辭，蘄快吾意，眞詩乃見，若模擬標格，拘忌聲調，則爲古所域，性靈斯掩，幾亡詩矣。」予案是說非也。標格聲調，古人以寫性靈之具也。由之斯中隱畢達，廢之則辭理自乖。夫古人之傳者，精于立言爲多，取彼之精，以遇吾心，法由彼立，杼自我成，柯則不遠，彼我奚間？此如唱歌，又如音樂，高下徐疾，豫有定律，案節而奏，自足怡神，聞其音者，歌哭抃舞，有不知其然者，政以聲律節奏之妙耳。倘啓脣縱恣，戛擊任手，砰磅伊亞，自爲起闋，奏之者舞節，則聆之者不訢，欲寫性靈，豈復得耶！離朱之察，不廢璣衡；夔、曠之聰，不斥琯律。雖法度爲借資，實明聰之由人。藉物見智，神明逾新，標格聲調，何以異此！鄙人之論又云：「夫詩必自闢門戶，以成一家，倘蹈前轍，何由特立！」此又非也。上溯玄始，以迄近代，體既屢變，備極範圍，後來作者，予心我先，卽有敏手，何由創發？此如藻采錯炫，不出五色之正間；爻象遞變，不離八卦之奇偶。出此則入彼，遠吉則趨凶。借如萬曆以來，文凡幾變，詩復幾更，哆口高談，皆欲呵佛。然而文尚雋韻者，則黃、蘇小品；談眞率者，近施、羅演義。詩之佻褻者，傚《吳歌》之呢呢；齷齪者，拾學究之餘瀋。嗤笑軒冕，甘側輿臺，未餐霞露，已飫糞壤。旁蹊躑躅，曾何出奇；呫呫喋喋，伎倆頗見。豈若思古訓以自淑，求高曾之規矩耶？若乃借旨釀蜜，取喻鎔金，因變成化，理自非誣。然採取炊冶，功必先之，自然之效，罕能坐獲。要亦始于稽古，終于日新而已。（《鄙論篇》）

又卷三 詩必相題，猥瑣、尖新、淫褻等題，可無作也。詩必相韻，故拈險俗生澀之韻，及限韻、步韻，可無作也。

又卷四 詩本無定法，亦不可以講法。學者但取盛唐以上、《三百》以下之作，隨拈當吾意者，以題參詩，以詩按題，觀其起結，審其頓折，下字琢句，調聲設色，曲加尋推，極盡吟諷，自應有得力處。然後旁推觸類，一以貫之，仰觀古昔，高下在心矣。詎復虛憍之氣，捃摭之華，能恫喝者耶！法老則氣靜，學邃則華歛，才高則辭簡，意深則韻遠。詩有十似：激戾似遒，凌兢似壯，鋪綴似麗，佻巧似雋，底滯似穩，枯瘠似蒼，方鈍似老，拙稺似古，艱棘似奇，斷碎似變。

趙士喆《石室談詩》卷上《總論》 前輩有言，子弟凡病皆可醫，惟俗不可醫。余以爲俗不可醫，惟詩爲甚。滄浪論詩有五俗，曰俗意、俗體、俗調、俗語、俗字。然而字句之俗，其病淺；格調之俗，其病深；最下則意俗也。所謂意俗，不獨晚唐，卽漢魏盛唐亦或不免。如王粲《公讌》詩云：「嘉肴充方圓，旨酒盈金罍。顧我賢主人，與天眞巍巍。」劉楨則云：「生平未始聞，歌之安能詳。投翰長太息，綺麗不可忘。」儼然似妾婦乞兒。沈佺期《龍池》詩云：「爲告寰中百川水，來朝此地莫東歸。」王摩詰《公主莊應制》云：「仙家未必能勝此，何事吹簫向碧空？」此皆是優伶諢語，豈止意俗而已乎。元美雖善論體裁，然不能曠觀於時代之外，未免以其漢魏盛唐而曲護之。若滄浪所摘王粲稱曹操爲聖君，蓋俗惡之極，流而爲悖，《春秋》之法所必誅，而不以聽者，是又當別論云。

又 字句之俗者，視意俗體俗者，似覺易醫，然不可忽。字句之俗者有二，似樸而實鄙，曰粗俗；似典而實腐，曰庸俗。粗俗者當醫之以雅，庸俗者當醫之以新，則二患除矣。二患雖除，而氣或有所不貫，意或有所未妥，亦宜速改。蓋字不妥則累句，句不妥則累篇。《書譜》有云：「一點未安，如佳人之眇一目；一畫所失，如壯士之折一肱。」所云點者，卽字病，畫者，卽句病。曾眇一目而可爲佳人，折一肱而可爲壯士乎？謝茂秦曰，凡字之未妥者勿憚屢改，譬如試帽，久必有一合頭者。又言凡改詩甚難，方改此句，其用字又犯彼句，或當存此句，而再改彼；或當仍彼，而復改此。務使彼此無妨，譬如唐太宗用兵，八方俱服，然後爲太平也。初學者不可不知。

黃生《詩麈》卷一 至妙莫如眞，至奇莫如平，至醲莫如淡，至貴莫如淸。落想欲得遠，運腕欲得輕，寫景欲得別，敘事欲得明。難字不可用，險韻不可賡，生路不可走，熟徑不可行。意愈深愈淺，思愈入愈精，神愈凝愈栗，趣愈癡愈靈。玉以磨而潔，珠以養而瑩，山以聳而秀，川以回而瀠。審能服膺此語，而不以詩擅一代之名，未之有也。

又卷二 謝四溟論學詩之要，謂取古人詩，「熟讀之以奪神氣，歌詠之以求聲調，玩味之以裒精華」。予嘗述此三言以曉初學之士，以爲神氣如人之骨相，肥臃者病不淸奇，羸瘠者病不伉健，猥濁者病不翹秀，寒儉者病不敷腴。惟詩亦然。知己之病，則當取古人之詩爲藥。熟讀古人之詩，則日計不足，歲計有餘，其病不期去而自去矣。此奪神氣之法也。聲調如歌之音節，《樂記》狀歌云：「累累乎如貫珠。」「貫珠」云者，聲調圓美之謂也。沈休文以「八病」示禁，大抵聲調圓美，卽無此病。犯此病者，音調卽欠圓美。「八病」之說，昔人雖不甚拘，然犯之者亦寡。第常取而諷詠之，久之自有所得，不患其聲調之不圓美也。精華如草木之滋榮。草木一也，有英華暢茂者，有憔悴枯槁者。此無他，地之膏壤，天之雨露，人之培植，三者不齊故也。三者俱至，其榮茂必倍尋常。俱不至者反是。今人作詩，枯淡無精采，與衰草腐木何異？試取古人之詩，時加玩味，自然得其所益，其精采亦必倍於他日矣。

又 陳無己云：「學詩如學仙，時至骨自換。」此喻極善。今人所作，體氣凡下，不能追步古人者，緣是俗骨，非仙骨耳。夫所謂學仙者，必古初有是羽化沖舉之人，我慕其道，而又得其訣，綿綿若存，用之不勤，及其至也，蟬蛻龍變，不知其然而然，則仙道成而沖舉可待矣。詩之爲道亦若是。且如漢魏、盛唐諸家，沖舉羽化之人也。舉之者雖不能一蹴而至，然苟得其訣，火候勻停，則丹成而骨自換，亦有不知其然而然者。若雜學宋、元及近代之作，正如學仙者不知眞訣，墮入旁門，至死無成，只增魔障而已。

又 爲詩不學古人則無本。徒學古人，拘拘繩尺不敢少縱，則無以自立爲後世必傳之地。此擬議以成變化，乃詩家之要論也。漢、魏變《風》、《騷》，而實本乎《風》、《騷》。唐人兼變漢、魏、六朝，而實本乎漢、魏、六朝。生唐人之後而更欲求變，厥功實難。何也？其體已成，所變者不過其辭藻風旨故也。此如冠裳佩玉之制既備，後人但期周旋揖讓，中矩中度，以勿倍先王之制，斯已爾。然而守法之士，繩趨尺步，徒襲叔敖之衣冠。標新之士，詭服異裝，適形野夫之了鳥。是故正中有變，變而不離乎正，擬議之功，誠未易言。尼父云：「縱(柳子厚、白樂天、王介甫諸文，皆引《論語》『從』作『縱』。)心所欲，不逾矩。」竊謂聖學可通於詩學，知此可與言詩矣。

又 雖有奇技淫巧，不能捨規矩以爲器；雖有飲羽穿札，不能外彀率以爲射。捨規矩以爲器，是無器也；外彀率以爲射，是無射也。詩家千變萬化，不能出古人範圍。學者未能洞厥源流，窺其潭奥，遽欲自辟乾坤，別成世界，是將廢規矩而爲公輸，去彀率而爲後羿，猶之乎無詩已矣。

又 詩有寫景，有叙事，有述意三者，即《三百篇》之所謂賦比興也。事與意，只賦之一字盡之，景則兼比賦而有之。大較漢、魏詩賦體多，唐人詩比興多。六朝未嘗無賦比興，然非《三百》之所謂賦比興也。宋人未嘗無賦比興，然止可謂宋人之賦比興也。

又 意貴深，語貴淺，意不深則薄，語不淺則晦。寧失之薄，毋失之晦。今人之所謂深者，非深也，晦也，此不知匠意之過也。

又 形家論龍穴沙水，喜逆而惡順。惟詩亦然。逆則力厚，順則勢走，此章、句、字三者，倒叙、倒裝、倒插之法所宜講也。主之以骨格，運之以風神，調之以音節，和之以氣味，四者備而詩道無餘藴矣。

又 一畫家語余云：「看畫之法，當置身空中，以目下視，然後峰巒之層迭，川谷之逶迤，咫尺可窮萬里。若就平地觀之，則第能見一層耳。」此言妙得畫理。予因悟詩家構思匠意，亦必遊神廣莫之鄉，置身寥廓之域，齊古今如旦暮，視人物如蟣蝨，下筆始能超絶，出語始得驚人。

又 詩之爲道，與其多而不精，曷若不多而精。是故詠新篇，不如改舊作；喜與時俗唱和，不若歡同往哲晤言。誠取古人之詩，時加諷繹，學其入想之曲，學其出筆之趣，學其命意之遠，學其托興之深，神解既合，天機自啓，如是而不以詩名一世者，未之有也。

又 談詩道於今日，非上材敏智之士則不能工。何也？以其非童而習之，爲父兄師長所耳提面命者也。大抵出於攻文業舉之暇，以其餘力爲之，既不用以取功名，博科第，則於此中未必能專心致志，深造自得，以到古人所必傳之處。以故凡稱詩而以工鳴者，非上材敏智之士未易幾此。其次則必遇多聞直諒之友，相與研摩古今，指摘瑕瑜，趣向不誤，加以功力，亦能有成。不然，人詩亦詩，此唱彼和，積成卷帙，自命詩人，源流不知，體格莫辨，與夫詩家風神、骨力、興象、聲光之屬，俱不解爲何物。既已自命爲詩人矣，雖有識者，亦將隨聲讚頌之不暇，惡敢效三益而箴八病耶？伏承吾子惠顧，其禮甚恭，其辭甚遜，焰然退然，大異乎世之浮誇自喜者；投詩一帙，必望僕爲攻玉之錯，不願爲悦客之脂。僕雖鄙陋，無能裨益高深，然豈敢虚盛意，而不獻其一得乎？展讀大作，首首穩當，略無出入之處。然覺有一種不煩思索，不費推敲，語句提筆便到，以故病處尋不出，佳處亦尋不出，此之謂穩則可，謂之工則未也。凡詩之稱工者，意必精，語必秀，句有句法，字有字法，章有章法。大作似信手信口，直率成篇，而于古人法度之精嚴，意境之深曲，風骨興象之生動，未之有得焉。夫爲詩而不期傳世則已，必期傳世，安可汩沒于時流之中，不思拔足以追古人耶？欲追古人，則當熟讀古人之詩，先求其矩矱，次求其意境，次求其興象風骨。得之於心，自能應之於手，一吟一詠，使讀者不知爲今人之詩，則其傳於後世也可必矣。尊稿有佳句，已爲一一標出，然試問吾子何以稱佳？恐亦不能自言其故。緣是想頭筆路，暗合古人，雖得之於手，實未嘗得之於心也。其佳處既不能自知，則其病處又安能知之？能穩而不能工，是即時人之大病也。至於古體，則並穩字亦難許，由未晰歷代源流支派之同異，則自度其才力之所能爲。才大者兼攻衆體，才小者專學一家，又或醞釀衆美以自成一古。豈其不詳體制，不講家數，但講對偶，即可謂之古詩乎哉！以其不從古人中來，是故句稚而少蒼，意直而少曲，言必盡而旨無餘，形雖具而神不王，不可不一反求之也。至葩經體，尤不必作；此體雖工，亦不足稱。善學《三百篇》者，無如漢魏之樂府，唐人之絶句。彼蓋得其性情神理之所在，豈斤斤句格是效而已乎？

又 唐人多以句法就聲律，不以聲律就句法。故語意多曲，耐人咀嚼，後人不知此法，順筆寫去，故語意淺顯，詩人一讀卽了，味同嚼蠟矣。如杜子美：「清旭楚宮南，霜空萬嶺含。」順之當云：「萬嶺楚宮南，霜空清旭含。」「北歸沖雨雪，誰憫敝貂裘。」順之則云「誰憫敝貂裘，沖雨雪北歸」也。「戶外昭容紫袖垂，雙瞻御座引朝儀」，乃「昭容戶外引朝儀，御座雙瞻紫袖垂」也。「花近高樓傷客心，萬方多難此登臨」，乃「高樓花近此登臨，萬方多難客傷心」也。此特句法之一端，明者可以類通。

又 唐詩多主興象，故常有言外之味。雖去《三百篇》遠，而性情特與之相近。自宋人尊老杜爲詩史，於是塡故實，著議論，寖入惡道，而詩人之性情，遂不可復見矣。松必大夫，竹必子猷，菊必淵明，梅必和靖，御史必衣繡，邑宰必彈琴，貫朽粟紅，何取適用？試觀子美每至叙事難措詞處，卽用古人影掠，我能使故實，不爲故實使，後人豈易效顰？至如用「促織」事云：「草根吟不穩，床下夜相親。」用「螢火」事云：「幸因腐草出，敢近太陽飛。未足臨書卷，時能點客衣。」正如風裏花香，水中鹽味，何嘗有迹可求哉！

又 詩家下筆，當有千秋自命之意。凡讀古人詩，覺其性情風概如現在目前者，皆古人出其筆墨以質諸異代者也。是故每叙一事，務使後人如諗其故；每述一意，務使後人如見其情；每寫一景，務使後人如値其時，歷其地。詩至此，方可稱工，方可信其必傳於後。而今人每苦下筆不能了快，於叙事一種尤甚。蓋有甲知之而乙不能知者，同遊知之而外人不能知者，又安望異代之人讀其詩而相悅以解耶？此無故，下筆時不爲他人作計較故。蓋以己辭達己意，詩成自讀，己意未嘗不了了，而他人讀之殊不然，此最學詩之大病。惟有一法，讀己詩只如讀他人詩，更只如讀前人詩，若未出於己口，過於己目，細細推勘，不輕放過，久之卽工拙利鈍，默然自解。繼此下筆，自無不亮之景，不透之情事矣。

又 陳後山云：「學詩如學仙，時至骨自換。」嚴滄浪云：「禪道在妙悟，詩道亦在妙悟。」一以仙喻詩，一以禪喻詩，並可稱善喩。時至骨換，此以工夫火候言也。至「悟」之一字，則是解粘去縛，單刀直入，第一法門。然禪家求悟，在參話頭；詩家求悟，參個什麼？此須個人自家理會，「踏破鐵鞋無覓處，得來全不費工夫」，如是如是。

又 偶與友人閱一時流詩，予曰：「此公以老手自負，當世亦盛相推重，然其詩殊有病痛，非但他人不能識，卽彼亦不能自知。緣此道識眞者少，彼卽負詩名，則亦以名推之而已。至於此公雅意學杜，杜詩雄跨百代，在處處見己胸襟，見己身分；此公亦學其用意，而才力不足以副之，是以了然於心，不能了然於筆，此其詩之大病。然既以老手自負，則雖有病痛，彼終不能自知也。」因爲友人指摘數處，友稱服，云：「世人但見聲調鏗鏘，詞句新倩，便目爲佳，如君論詩，眞是透入骨髓，詩中好醜，纖毫莫遁。」予曰：「看詩如看美人，粉白黛綠，金搖玉脫，非所以爲美也。其美在肌理骨格。肌理骨格，一有微疵，外飾雖佳，不足稱矣。今之爲詩者，但見塗脂敷粉，便以美人目之，彼豈知天下之正色哉！」友人笑曰：「而今而後不惟得看詩法，且得看美人法矣。」

又 今人稱才識兼到者，曰：有手眼。蓋無眼則讀書無得，無手則所作不工。而手之工拙，恆視乎眼之高下。蓋有眼力到十分，手力只到六七分者矣，未有具四五分之眼力，而可得十分之手力者也。且夫眼之所識，何以能至於手？手眼之交，心實引之。惟心之空洞靈透到十分，則手、眼兼得之矣。或曰：「人非上智，此心不能盡到十分空洞靈透之地，奈何？」曰：「此有物窒之耳。」曰：「何物？」曰：「人我山是也。古人學必兼問，故曰『好問則裕』，曰『不恥下問』。今人稍有眉目者，便以下問爲恥，足己自封，其心之不空洞、不靈透也固宜。」

又 宋人學識，大概膚陋。故于古人得其皮毛，不得其神髓。又言論風旨，動師前輩，雖有儁才，亦難自拔。詩道不振，職此故也。明人之才，實遠勝宋人，故不肯自安卑近，力追漢、魏、盛唐，次猶擷芳六朝，希聲大曆。其蔽也，才爲法縛，情爲才掩，骨體具矣，神髓猶未。後來者又以翻案爲奇，雖趨險仄一路，尖新小巧，生梗空疏，以語古人，僅云影響，並皮毛亦無之矣。

又 今人喜騖新奇，有談古法者，反嗤鄙之曰：「惡用是朽斷紅腐者爲哉！吾人自有性靈，取之無禁，用之不竭，所以頡頏古人者盡在是矣。亦步亦趨，甘爲奴隸，不亦愚乎？」爲此說者，似是而實非也。夫性靈在我，必因古人以爲用，比則公輸雖巧，必以規矩成方員；師曠雖聰，必以律呂正音聲。恃性靈而廢規格，是猶徒手而制器，空耳而聆音也。且今之所謂新奇者，吾知之矣，以爲古詩之必不可復學漢魏也，取之性靈，則漢魏自我作矣；律詩之必不可復學唐也，取之性靈，則唐自我作矣。爲此說者，豈不自空千古？然視其所作，格調字句之間，務鈎深弔詭以自異。不知與漢魏、唐人相背弛者，適與宋、元相湊泊。蓋諸體之規制既定，才情雖具，變而復之，區區字句之間，欲求新立異，豈知昔人已先我而爲之哉！宋、元學古人而誤而流爲外道，猶可言也；今人欲超古人，而反得宋、元所學之古人，不幾墮入邪魔乎？且復有明知唐以前不可學，而專學宋人者。語云：「取法乎上，僅得其中。」今學宋人，是取法乎下矣，吾不知其所得居何等也。

又　馮元成云：「文章之爲用也，法必古程，機貴神解。法出乎古，非古人自法也。物之有則，開合自然，天爲之創，機出自我，非私臆也。匠之制物，尺寸不爽，神爲之屍。」按此數語，非獨摛文者奉爲寶鏡，即拈韻者亦當采爲元珠也。

又　思光又云：「可師耳以心，不可使耳爲心師。」此千古學問之要訣也。夫「師耳以心」者，謂學而反之於思也。「耳爲心師」，則學而不思，終無以自得於己矣。孟子曰：「思則得之，不思則不得。」思也者，其集神明之庭，啓天機之鑰乎？蓋人心之靈，不用則錮，錮則天機不開，天機不開則神明不集。故有經史子集背誦如流，問以其義，則舌卷口噤者，昔人是有「書廚」之目。即或讀《史記》不知班孟堅，讀《南華》不知列禦寇，是則中有窒礙，彼此不能通貫。豈知萬理雖棼，要歸一理，使無冥通默會之妙，安能盡古今之書而讀之哉！凡此皆學而不思，心靈爲書所錮，自絶其天機故也。管子曰：「思之思之，思之不通，鬼神將通之。」此言人第患不思耳，未有思而不得者也。當其未得，則悶然若迷蠶，困然其若羈。及其既得，則沛然莫禦，欣欣然如獲其故。此其眞有鬼神來告哉？不過化吾之心以爲輪，化我之思以爲馬，因而乘之以遊乎曠朗之途，息駕於無垠之野而已矣。千古學問文章，不出思光前後兩語。予特因其説而暢言之，以告同志焉。

又　凡書畫文皆有天然一定之則，止藉我手成之，我口喧之耳。合乎其則則工，不合則否。同是手也，同是口也，然而有合有不合。何也？其人之手口，不能盡如化工之肖物故也。《詩》不云乎：「天生烝民，有物有則。」彼造物者不過因其則而肖之，曷嘗有心於是哉！人之盡其藝者，能如化工之無心，則成於手者忘其手，出於口者忘其口，手、口俱忘而神行乎其間，則藝成，而天下以絶藝歸之。故書曰法書，畫曰妙畫，詩曰絶調，文曰至文。觀者第賞其神妙，而不知其所以然。作者第爲人見賞，亦不自知其所以然。所以然者非他，不過合乎天然之則而已。庖丁之解牛，不見牛也；匠石之運斤，不見鼻也；善遊者之沒水，不見水也。「不見」也者，忘其所事之謂也。夫人不能即事而忘所事，則其藝之入神也無日矣。然則如之何而後可以幾此？《易》曰：「不習，無不利。」賈子曰：「習慣如自然。」習則熟，熟則忘，忘則化，化則神，神則天。

李沂《秋星閣詩話·八字訣》　學詩有八字訣，曰：多讀多講多作多改而已。蓋作詩先問是非，後分工拙。初學須日課一首，或間日課一首。勤作則心專徑熟，漸開門路；否則勉強支吾，終篇爲幸，未可云是，遑論工拙乎？然非多讀古人之詩即多作亦無用，譬無源之水，立見其涸矣。夫貴多讀者，非欲謏襲意調、偷用字句也，惟取觸發我之性靈耳。但古人之詩，思理精妙，法則嚴密，非淺衷俗學可得而窺。篇有無窮之格，句有無窮之調，字有無窮之義，審問明辨，而後旨趣可得。是故詩欲多講，苟草草讀過，漫同嚼蠟，雖盈腹笥何益？宜其握管運思，如墮烟霧也。若作而不改，尤爲不可。作詩安能落筆便好？能改則瑕可爲瑜，瓦礫可爲珠玉。子美云：「新詩改罷自長吟。」子美詩聖，猶以改而後工，下此可知矣。昔人謂：「作詩如食胡桃、宣栗，剝三層皮方有佳味。」作而不改，是食有刺栗與青皮胡桃也。又云：「一首五言律，如四十位賢人，不可著一屠沽兒。」言一字之疵，足爲通篇之累，而可不審乎？苟依此訣，不患詩不進矣。

又《勸虚心》　詩能自改，尚矣。但恐不能自知其病，必資師友之助。粧必待明鏡者，妍媸不能自見也。特患自滿，不屑就正於人；病不求醫，必成錮疾矣。當今不乏美才之士，皆以自滿之故，累千萬篇，自誇富有，而不足傳後。譬春米既熟，乃可入腹，糠粃則愈多愈厭耳。彼盜虚聲者，務速務多，以欺瞽人，不足言也。苟有求工之心，則必曰親師友，虚懷請益，去其瑕疵，歸於純粹，可以成名而無難。曹子建《與楊德祖書》云：「世人著作，不能無病，僕常好人譏彈其文，有不善，應時改定。」夫以曹子建之才，猶欲就正於人，以自知其所不足。今人專自滿假，吾不知今人之才與子建何如也？夫心不虚，由不好學耳，未有好學而心不虚者。先兄平庵，識高學博，時人罕當其意，席間作詩，或爲之更一二字，即喜動顏色；江右魏叔子，當今文章鉅公，人或指其未安處，援筆立改，皆予所目擊者。蓋虚受益，滿招損，心虚而後學進，學愈進，心愈虚，虚心者爲學之門，亦爲學之驗也。

又《審趣向》 人皆知當學唐詩，而乃有云不必學唐詩者；人皆知當學盛唐，而乃有云不必學盛唐者，此好立異之過也。唐以詩取士，萃數百年天下人之精神，揣摩研究，盛唐尤爲極盛，到今如日月中天，好異者舍之謬矣。遡而上之，當學漢、魏，但恐徒得漢、魏之糟粕耳？優孟衣冠，不足貴也。至於六朝，五言當學陶，七言當學鮑。初唐乍興，正始之音，然尚帶六朝餘習；盛唐始盡善，「中」「晚」如強弩之末，氣骨日卑矣。近日士人喜學「中」「晚」，一友素號能詩，不幸而嬰此疾；後見其詩，總不成章，寡識自誤也。取法乎上，僅得乎中；取法乎下，將何得乎？宋、元彌下矣，至有明始一振。國初諸賢，頓軼元、宋、中、晚唐而上之，厥後名流輩出，李獻吉則一代詩人之冠冕也。但學濟南則鶩藻麗而害清眞，學竟陵則蹈空虛而傷氣格，不可不知耳。夫人自有性情，原不必摹倣前人。然善射者不能舍的，良匠不能舍規矩；師心自用，謂古不足法，非狂則愚也。孔子曰：「信而好古。」苟欲修身，必希賢聖，詩文何獨不然？況入手時歧路甚多，尤宜審擇。派苟不正，則如背康莊，由邪徑，費精神於無用之地，而終不足以成名，不亦重可惜乎？

又《指陋習》 陋習略舉有五：一曰不擇題；二曰限韻；三曰步韻；四曰濫用；五曰犯古人成語。夫欲作好詩，必先擇好題；今人作詩，喜用纖小之題，或用俗題，或用自撰不穩之題，觀其題劣，則詩不覽可知矣。若夫限韻，不過欲以險字窘人耳；不求詩工，祇誇韻險，井蛙之見，非大方所取也。步韻尤今日通病，此例宋人作俑，前此未有也。觀唐人唱和之什，不必同韻，同體，况步韻乎？今一詩成，步者紛紛，一韻屢見，如蔗柤重嚼，有何滋味？牽扯湊合，梏人才情，導人苟簡，詿誤後學，莫此爲甚。濫用者，由欲廣聲氣，故索之卽應，有以介壽索者，有以哀輓索者，有以歌頌索者，有以旌表索者，此等甚多；詩既不佳，徒勞神思，或預辦套語，臨時書付，詩名愈廣，詩品愈卑；更有逢人輒贈，用充禮物，詩之不幸，一至於此，大可傷也。偷句最爲鈍賊，詞家深以爲戒；連用三字，便覺索然，偶犯，速改可也。

又《戒輕梓》 詩穩而後示人。然不穩而示人，猶可改也。今人詩尚未穩，輒付梓，付梓則播之通國，不可復改，深足惜也。原其付梓之意，本因好名。若詩果佳，斯得名矣；苟詩未穩，兼多謬戾，人將指摘非笑，何名之可得？雖謂之不好名可也。予每言今日好名者寡，正謂此耳。詩穩而後示人，此乃眞好名者也；必欲求穩，則愈知詩之不可不改也。夫輕梓非獨其人之過，抑亦友之過也。吾未見以詩質之於友，而友肯直言其疵者；吾未見覽人之詩而不極口贊之者。彼見人之極贊之也，曰可梓矣，遂肆然而梓之。殊不悟邀譽者乃招毀之物，博名者卽敗名之具也。是猶女子欲衒容色，而誤以泥塗爲粉黛，施諸顏面，人望見之，必掩口而走矣。

又《勉讀書》 讀書非爲詩也，而學詩不可不讀書。詩須識高，而非讀書則識不高；詩須力厚，而非讀書則力不厚；詩須學富，而非讀書則學不富。昔人謂子美詩無一字無來處，由讀書多也。故其詩曰：「讀書破萬卷，下筆如有神。」此老自言其得力處。又嘗以教其子曰：「熟精《文選》理，休覓綵衣輕。」竊見人於應酬嬉遊宴會博弈及蓄種種玩好，莫不殫精竭力而爲之；至於讀書則否。縱多才多藝，叩以學術，無異面牆也。苟以應酬嬉遊宴會博弈及蓄種種玩好之精神用之於讀書，則識見日益高，力量日益厚，學問日益富；詩之神理乃日益出，詩之精彩乃日益煥，何患不能樹幟於詞壇而蜚聲於後世乎？

汪琬《堯峰文鈔》卷二八《綺里詩選序》 陳後山有言：「詩欲其好，則不能好；子美之於詩，奇常新陳無不好者。後山可謂知子美矣。雖然，天下之物無奇而非常也，無新而非陳也；求新於新，求奇於奇，牛鬼蛇神未足與言奇也，裁雲鏤月未足與言新也。采目前之景，而道其意中之所欲發，極流俗所刊落以爲陳者常者，一經子美出之，而臭腐皆神奇，平澹皆絢爛矣。此其所得，固宜超然絕出於新奇之上者也，而豈後人之欲好者所能髣髴而頡頏哉？

又卷二九《顧息齋集序》 義理之學，一也；經術之學，一也；史學，一也；辭章之學又一也。學至於辭章，疑若稍易，而世之文士終其身殫精竭神於中，卒未有造其全者。杜子美之詩，舉世宗之，號爲集大成矣，而無韻之言輒不可讀；蘇明允、曾子固皆不長於詩；子瞻之於詩若文，雄邁放逸，其天才殆未易幾及，而倚聲爲小詞，則不如周、秦遠甚。儻猶輪人不能造弓，圬人不能操斧斤，以斲櫨榱也，惟其殫精竭神於一藝，夫然後可以盡其變而入於神且化，所謂藝之至者不兩能與？

葉燮《原詩·內篇》 或曰：「今之稱詩者，高言法矣。作詩者果有法乎哉？且無法乎哉？」余曰：「法者，虛名也，非所論於有也；又法者，定位也，非所論於無也。子無以余言爲惝恍河漢，當細爲子晰之。自開闢以來，天地之大，古今之變，萬彙之賾，日星河嶽，賦物象形，兵刑禮樂，飲食男女，於以發爲文章，形爲詩賦，其道萬千。余得以三語蔽之：曰理、曰事、曰情，不出乎此而已。然則詩文一道，豈有定法哉！先揆乎其理；揆之於理而不謬，則理得。次徵諸事；徵之於事而不悖，則事得。終絜諸情；絜之於情而可通，則情得。三者得而不可易，則自然之法立。故法者，當乎理，確乎事，酌乎情，爲三者之平準，而無所自爲法也。故謂之曰「虛名」。又法者，國家之所謂律也。自古之五刑宅就以至於今，法亦密矣。然豈無所憑而爲法哉！不過揆度於事、理、情三者之輕重、大小、上下，以爲五服五章、刑賞生殺之等威差別，於是事、理、情當於法之中。人見法而適愜其事、理、情之用，故又謂之曰「定位」。乃稱詩者，不能言法所以然之故，而嘵嘵曰法，吾不知其離一切以爲法乎？將有所緣以爲法乎？離一切以爲法，則法不能憑虛而立。有所緣以爲法，則法仍託他物以見矣。吾不知統提法者之於何屬也？彼曰：「凡事凡物皆有法，何獨於詩而不然！」是也。然法有死法，有活法。若以死法論，今譬一人之美，當問之曰：「若固眉在眼上乎？鼻口居中乎？若固手操作而足循履乎？」夫妍媸萬態，而此數者必不渝，此死法也。彼美之絕世獨立，不在是也。又朝廟享燕以及士庶宴會，揖讓升降，叙坐獻酬，無不然者，此亦死法也。而格鬼神、通愛敬，不在是也。然則彼美之絕世獨立，果有法乎？不過即耳目口鼻之常，而神明之。而神明之法，果可言乎！彼享宴之格鬼神、合愛敬，果有法乎？不過即揖讓獻酬而感通之。而感通之法，又可言乎！死法，則執塗之人能言之。若曰活法，法既活而不可執矣，又焉得泥於法！而所謂詩之法，得毋平平仄仄之拈乎？村塾中曾讀《千家詩》者，亦不屑言之。若更有進，必將曰：律詩必首句如何起，三四如何承，五六如何接，末句如何結；古詩要照應，要起伏。析之爲句法，總之爲章法。此三家村詞伯相傳久矣，不可謂稱詩者獨得之秘也。若舍此兩端，而謂作詩另有法，法在神明之中，巧力之外，是謂變化生心。變化生心之法，又何若乎？則死法爲「定位」，活法爲「虛名」。「虛名」不可以爲有，「定位」不可以爲無。不可爲無者，初學能言之；不可爲有者，作者之匠心變化，不可言也。夫識辨不精，揮霍無具，徒倚法之一語，以牢籠一切。譬之國家有法，所以儆愚夫愚婦之不肖而使之不犯，未聞與道德仁義之人講論習肄，而時以五刑五罰之法恐懼之而迫脅之者也。惟理、事、情三語，無處不然。三者得，則胸中通達無阻，出而敷爲辭，則夫子所云「辭達」。達者，通也。通乎理、通乎事、通乎情之謂。而必泥乎法，則反有所不通矣。辭且不通，法更於何有乎？曰理、曰事、曰情三語，大而乾坤以之定位，日月以之運行，以至一草一木、一飛一走，三者缺一，則不成物。文章者，所以表天地萬物之情狀也。然具是三者，又有總而持之，條而貫之者，曰氣。事、理、情之所爲用，氣爲之用也。譬之一木一草，其能發生者，理也。其既發生，則事也。既發生之後，夭矯滋植，情狀萬千，咸有自得之趣，則情也。苟無氣以行之，能若是乎？又如合抱之木，百尺干霄，纖葉微柯以萬計，同時而發，無有絲毫異同，是氣之爲也。苟斷其根，則氣盡而立萎。此時理、事、情俱無從施矣。吾故曰：三者藉氣而行者也。得是三者，而氣鼓行於其間，絪縕磅礴，隨其自然，所至即爲法，此天地萬象之至文也。豈先有法以馭是氣者哉！不然，天地之生萬物，舍其自然流行之氣，一切以法繩之，夭矯飛走，紛紛於形體之萬殊，不敢過於法，不敢不及於法，將不勝其勞，乾坤亦幾乎息矣。草木氣斷則立萎，理、事、情俱隨之而盡，固也。雖然，氣斷則氣無矣，而理、事、情依然在也。何也？草木氣斷，則立萎，是理也；萎則成枯木，其事也；枯木豈無形狀？向背、高低、上下，則其情也。由是言之：氣有時而或離，理、事、情無之而不在。向枯木而言法，法於何施？必將曰：法將析之以爲薪，法將斵之以爲器。若果將以爲薪、爲器，吾恐仍屬之事、理、情矣；而法又將遁而之他矣。天地之大文，風雲雨雷是也。風雲雨雷，變化不測，不可端倪，天地之至神也，即至文也。試以一端論：泰山之雲，起於膚寸，不崇朝而偏天下。吾嘗居泰山之下者半載，熟悉雲之情狀：或起於膚寸，瀰淪六合；或諸峰競出，升頂即滅；或連陰數月；或食時即散；或黑如漆；或白如雪；或大如鵬翼；或亂如散鬊；或塊然垂天，後無繼者；或聯綿纖微，相續不絕；又忽而黑雲興，土人以法占之，曰：「將雨」，竟不雨；又晴雲出，法占者曰：「將晴」，乃竟雨。雲之態以萬計，無一同也。以至雲之色相，雲之性情，無一同也。雲或有時歸，或有時竟一去不歸；或有時全歸，或有時半歸，無一同也。此天地自然之文，至工也。若以法繩天地之文，則泰山之將出雲也，必先聚雲族而謀之曰：吾將出雲而爲天地之文矣。先之以某雲，繼之以某雲；以某雲爲起，以某雲爲伏，以某雲爲照應，爲波瀾，以某雲爲逆入，以某雲爲空翻；以某雲爲開，以某雲爲闔，以某雲爲掉尾。如是以出之，如是以歸之，一一使無爽，而天地之文成焉。無乃天地之勞於有泰山，泰山且勞於有是雲，而出雲且無日矣！蘇軾有言：「我文如萬斛源泉，隨地而出。」亦可與此相發明也。

又 或曰：「先生言作詩，法非所先，言固辯矣。然古帝王治天下，必曰大經大法。然則法且後乎哉？」余曰：帝王之法，即政也。夫子言「文武之政，布在方策」。此一定章程，後人守之；苟有毫髮出入，則失之矣。修德貴日新，而法者舊章，斷不可使有毫髮之新。法一新，此王安石之所以亡宋也。若夫詩，古人作之，我亦作之。自我作詩，而非述詩也。故凡有詩，謂之新詩。若有法，如教條政令而遵之，必如李攀龍之擬古樂府然後可。詩，末技耳，必言前人所未言，發前人所未發，而後爲我之詩。若徒以效顰效步爲能事，曰：「此法也。」不但詩亡，而法亦且亡矣。余之後法，非廢法也，正所以存法也。夫古今時會不同，即政令尚有因時而變通之；若膠固不變，則新莽之行周禮矣。奈何風雅一道，而踵其謬戾哉！

又 曰理，曰事，曰情，此三者足以窮盡萬有之變態。凡形形色色，音聲狀貌，舉不能越乎此。此舉在物者而爲言，而無一物之或能去此者也。曰才，曰膽，曰識，曰力，此四言者所以窮盡此心之神明。凡形形色色，音聲狀貌，無不待於此而爲之發宣昭著。此舉在我者而爲言，而無一不如此心以出之者也。以在我之四，衡在物之三，合而爲作者之文章。大之經緯天地，細而一動一植，詠嘆謳吟，俱不能離是而爲言者矣。在物者前已論悉之。在我者雖有天分之不齊，要無不可以人力充之。其優於天者，四者具足，而才獨外見，則羣稱其才；而不知其才之不能無所憑而獨見也。其歉乎天者，才見不足，人皆曰才之歉也，不可勉強也；不知有識以居乎才之先，識爲體而才爲用，若不足於才，當先研精推求乎其識。人惟中藏無識，則理、事、情錯陳於前，而渾然茫然，是非可否，妍媸黑白，悉眩惑而不能辨，安望其敷而出之爲才乎！文章之能事，實始乎此。今夫詩，彼無識者，既不能知古來作者之意，並不自知其何所興感、觸發而爲詩。或亦聞古今詩家之論，所謂體裁、格力、聲調、興會等語，不過影響於耳，含糊於心，附會於口；而眼光從無着處，腕力從無措處。即歷代之詩陳於前，何所抉擇？何所適從？人言是，則是之；人言非，則非之。夫非必謂人言之不可憑也；而彼先不能得我心之是非而是非之，又安能知人言之是非而是非之也！有人曰：「詩必學漢魏，學盛唐。」彼亦曰：「學漢魏，學盛唐。」從而然之。而學漢魏與盛唐所以然之故，彼不能知，不能言也。即能效而言之，而終不能知也。又有人曰：「詩當學晚唐，學宋，學元。」彼亦曰：「學晚唐，學宋，學元。」又從而然之。而學晚唐與宋元所以然之故，彼又終不能知也。或聞詩家有宗劉長卿者矣，於是羣然而稱劉隨州矣。又或聞有崇尚陸游者矣，於是人人案頭無不有《劍南集》，以爲秘本，而遂不敢他及矣。如此等類，不可枚舉一槩。人云亦云，人否亦否，何爲者耶？夫人以著作自命，將進退古人，次第前哲，必具有隻眼而後泰然有自居之地。倘議論是非，聾瞽於中心，而隨世人之影響而附會之，終日以其言語筆墨爲人使令驅役，不亦愚乎！且有不自以爲愚，旋愚成妄，妄以生驕，而愚益甚焉！原其患，始於無識，不能取捨之故也。是即吟咏不輟，累牘連章，任其塗抹，全無生氣。其爲才耶？爲不才耶？惟有識，則是非明；是非明，則取捨定。不但不隨世人腳跟，並亦不隨古人腳跟。非薄古人爲不足學也；蓋天地有自然之文章，隨我之所觸而發宣之，必有克肖其自然者，爲至文以立極。我之命意發言，自當求其至極者。昔人有言：「不恨我不見古人，恨古人不見我。」又云：「不恨臣無二王法，但恨二王無臣法。」斯言特論書法耳，而其人自命如此。等而上之，可以推矣。譬之學射者，盡其目力臂力，審而後發；苟能百發百中，即不必學古人，而古有后羿、養由基其人者，自然來合我矣。我能是，古人先我而能是，未知我合古人歟？古人合我歟？高適有云：「乃知古時人，亦有如我者。」豈不然哉！故我之著作與古人同，所謂其揆之一；即有與古人異，乃補古人之所未足，亦可言古人補我之所未足，而後我與古人交爲知己也。惟如是，我之命意發言，一一皆從識見中流布。識明則膽張，任其發宣而無所於怯，橫說豎說，左宜而右有，直造化在手，無有一之不肖乎物也。且夫胸中無識之人，即終日勤於學，而亦無益，俗諺謂爲「兩腳書櫥」。記誦日多，多益爲累。及伸紙落筆時，胸如亂絲，頭緒既紛，無從割擇，中且餒而膽愈怯，欲言而不能言。或能言而不敢言，矜持於銖兩尺矱之中，既恐不合於古人，又恐貽譏於今人。如三日新婦，動恐失體；又如跛者登臨，舉恐失足。文章一道，本攄寫揮灑樂事，反若有物焉以桎梏之，無處非礙矣。於是，強者必曰：

「古人某某之作如是，非我則不能得其法也。」弱者亦曰：「古人某某之作如是，今之聞人某某傳其法如是，而我亦如是也。」其黠者心則然而秘而不言；愚者心不能知其然，徒誇而張於人，以爲我自有所本也。更或謀篇時，有言已盡，本無可贅矣，恐方幅不足，而不合於格，於是多方拖沓以擴之，是蛇添足也。又有言尚未盡，正堪抒寫，恐逾於格而失矩度，亟闔而已焉，是生割活剝也。之數者，因無識，故無膽，使筆墨不能自由，是爲操觚家之苦趣，不可不察也。昔賢有言：「成事在膽」，「文章千古事」，苟無膽，何以能千古乎？吾故曰：無膽則筆墨畏縮。膽既詘矣，才何由而得伸乎？惟膽能生才，但知才受於天，而抑知必待擴充於膽邪！吾見世有稱人之才，而歸美之曰：「能斂才就法。」斯言也，非能知才之所由然者也。夫才者，諸法之蘊隆發現處也。若有所斂而爲就，則未斂未就以前之才，尚未有法也。其所爲才，皆不從理、事、情而得，爲拂道悖德之言，與才之義相背而馳者，尚得謂之才乎？夫於人之所不能知，而惟我有才能知之，於人之所不能言，而惟我有才能言之，縱其心思之氤氳磅礴，上下縱橫，凡六合以内外，皆不得而囿之；以是措而爲文辭，而至理存焉，萬事準焉，深情托焉，是之謂有才。若欲其斂以就法，彼固掉臂遊行於法中久矣。不知其所就者，又何物也？必將曰：「所就者，乃一定不遷之規矩。」此千萬庸衆人皆可共趨之而由之，又何待於才之斂耶？故文章家止有以才禦法而驅使之，決無就法而爲法之所役，而猶欲詡其才者也。吾故曰：無才則心思不出。亦可曰：無心思則才不出。而所謂規矩者，即心思之肆應各當之所爲也。蓋言心思，則主乎内以言才；言法，則主乎外以言才。主乎内，心思無處不可通，吐而爲辭，無物不可通也。夫孰得而範圍其心，又孰得而範圍其言乎！主乎外，則囿於物而反有所不得於我心，心思不靈，而才銷鑠矣。吾嘗觀古之才人，合詩與文而論之，如左邱明、司馬遷、賈誼、李白、杜甫、韓愈、蘇軾之徒，天地萬物皆遞開闢於其筆端，無有不可舉，無有不能勝，前不必有所承，後不必有所繼，而各有其愉快。如是之才，必有其力以載之。惟力大而才能堅，故至堅而不可摧也。歷千百代而不朽者以此。昔人有云：「擲地須作金石聲。」六朝人非能知此義者，而言金石，喻其堅也。此可以見文家之力。力之分量，即一句一言，如植之則不可仆，横之則不可斷，行則不可遏，住則不可遷。《易》曰：「獨立不懼。」此言其人；而其人之文當亦如是也。譬之兩人焉，共適於途，而值羊腸蠶叢峻棧危梁之險。其一弱者，精疲於中，形戰於外，將裹足而不前，又必不可已而進焉。於是步步有所憑藉，以爲依傍，或藉人之推之挽之，或手有所持而捫，或足有所緣而踐。即能前達，皆非其人自有之力，僅愈於木偶，爲人舁之而行耳。其一爲有力者，神旺而氣足，徑往直前，不待有所攀援假借，奮然投足，反趨弱者扶掖之前。此直以神行而形隨之，豈待外求而能者！故有境必能造，有造必能成。吾故曰：立言者，無力則不能自成一家。夫家者，吾固有之家也。人各自有家，在己力而成之耳；豈有依傍想象他人之家以爲我之家乎！是猶不能自求家珍，穿窬鄰人之物以爲己有，即使盡竊其連城之璧，終是鄰人之寶，不可爲我家珍。而識者窺見其裏，適供其啞然一笑而已。故本其所自有者而益充而廣大之以成家，非其力之所自致乎！然力有大小，家有巨細。吾又觀古之才人，力足以蓋一鄉，則爲一鄉之才；力足以蓋一國，則爲一國之才；力足以蓋天下，則爲天下之才。更進乎此，其力足以十世，足以百世，足以終古，則其立言不朽之業，亦垂十世，垂百世，垂終古，悉如其力以報之。試合古今之才，一一較其所就，視其力之大小遠近，如分寸銖兩之悉稱焉。又觀近代著作之家，其詩文初出，一時非不紙貴，後生小子，以耳爲目，互相傳誦，取爲模楷；及身沒之後，聲問即泯，漸有起而議之者。或間能及其身後，而一世再世，漸遠而無聞焉。甚且詆毀叢生，是非競起，昔日所稱其人之長，即爲今日所指之短。可勝歎哉！即如明三百年間，王世貞、李攀龍輩盛鳴於嘉隆時，終不如明初之高、楊、張、徐，猶得無毀於今日人之口也；鍾惺、譚元春之矯異于末季，又不如王、李之猶可及於再世之餘也。是皆其力所至遠近之分量也。統百代而論詩，自《三百篇》而後，惟杜甫之詩，其力能與天地相終始，與《三百篇》等。自此以外，後世不能無入者主之，出者奴之，諸說之異同，操戈之不一矣。其間又有力可以百世，而百世之内，互有興衰者，或中湮而復興，或昔非而今是，又似世會使之然。生前或未有推重之，而後世忽崇尚之，如韓愈之文，當愈之時，舉世未有深知而尚之者；二百餘年後，歐陽修方大表章之，天下遂翕然宗韓愈之文，以至於今不衰。信乎，文章之力有大小遠近，而又盛衰乘時之不同如是！欲成一家言，斷宜奮其力矣。夫内得之於識，而出之而爲才；惟膽以張其才；惟力以克荷之。得全者，其才見全；得半者，其才見半；而又非可矯揉蹴至之者也，蓋有自然之候焉。

千古才力之大者，莫有及于神禹。神禹平成天地之功，此何等事！而孟子以爲行所無事，不過順水流行坎止自然之理，而行疏瀹、排決之事。豈別有治水之法，有所矯揉以行之者乎！不然者，是行其所有事矣。大禹之神力，遠及萬萬世；以文辭立言者，雖不敢幾此，然異道同歸，勿以篇章爲細務自遜，處於沒世無聞已也。大約才、識、膽、力，四者交相爲濟。苟一有所歉，則不可登作者之壇。四者無緩急，而要在先之以識；使無識，則三者俱無所託。無識而有膽，則爲妄，爲鹵莽，爲無知，其言背理叛道，蔑如也。無識而有才，雖議論縱橫，思致揮霍，而是非淆亂，黑白顛倒，才反爲累矣。無識而有力，則堅僻妄誕之辭，足以誤人而惑世，爲害甚烈。若在騷壇，均爲風雅之罪人。惟有識，則能知所從、知所奮、知所決，而後才與膽力，皆確然有以自信，舉世非之，舉世譽之，而不爲其所搖，安有隨人之是非以爲是非者哉！其胸中之愉快自足，寧獨在詩文一道已也！然人安能盡生而具絕人之姿，何得易言有識！其道宜如《大學》之始於「格物」。誦讀古人詩書，一一以理、事、情格之，則前後、中邊、左右、向背，形形色色，殊類萬態，無不可得；不使有毫髮之罅，而物得以乘我焉。如以文爲戰，而進無堅城，退無橫陣矣。若舍其在我者，而徒日勞於章句誦讀，不過勦襲、依傍、摹擬、窺伺之術，以自躋於作者之林，則吾不得而知之矣！

又《外篇》五十年前，詩家羣宗嘉隆七子之學。其學五古必漢魏，七古及諸體必盛唐。於是以體裁、聲調、氣象、格力諸法，著爲定則。作詩者動以數者律之，勿許稍越乎此。又凡使事、用句、用字，亦皆有一成之規，不可以或出入。其所以繩詩者，可謂嚴矣。惟立說之嚴，則其途必歸於一，其取資之數，皆如有分量以限之，而不得不隘。是何也？以我所製之體，必期合裁於古人；稍不合，則傷於體，而爲體有數矣！我啓口之調，必期合響於古人；稍不合，則戾於調，而爲調有數矣！氣象、格力無不皆然，則亦俱爲有數矣！其使事也，唐以後之事戒勿用，而所使之事有數矣！其用字句也，唐以前未經用之字與句，戒勿用，則所用之字與句亦有數矣！夫其說亦未始非也；然以此有數之則，而欲以限天地景物無盡之藏，並限人耳目心思無窮之取，卽優於篇章者，使之連咏三日，其言未有不窮，而不至於重見疊出者寡矣！夫人之心思，本無涯涘可窮盡、可方體，每患於局而不能攄、局而不能發；乃故囿之而不使之攄，鍵之而不使之發，則萎然疲苶，安能見其長乎！故百年之間，守其高曾，不敢改物，熟調膚辭，陳陳相因，而求一軼羣之步，弛跅之材，蓋未易遇矣！於是楚風懲其弊，起而矯之。抹倒體裁、聲調、氣象、格力諸說，獨闢蹊徑，而栩栩然自是也。夫必主乎體裁諸說者或失，則固盡抹倒之，而入於瑣屑、滑稽、隱怪、荆棘之境，以矜其新異，其過殆又甚焉！故楚風倡於一時，究不能入人之深，旋趨而旋棄之者，以其說之益無本也。近今詩家，知懲七子之習弊，掃其陳熟餘派，是矣。然其過，凡聲調字句之近乎唐者，一切屏棄而不爲，務趨於奥僻，以險怪相尚，目爲生新，自負得宋人之髓。幾於句似秦碑，字如漢賦，新而近於俚，生而入於澀，眞足大敗人意。夫厭陳熟者，必趨生新；而厭生新者，則又返趨陳熟。以愚論之：陳熟、生新，不可一偏；必二者相濟，於陳中見新，生中得熟，方全其美。若主於一，而彼此交譏，則二俱有過。然則詩家工拙美惡之定評，不在乎此，亦在其人神而明之而已。

又 陳熟、生新，二者於義爲對待。對待之義，自太極生兩儀以後，無事無物不然。日月、寒暑、晝夜，以及人事之萬有，生死、貴賤、貧富、高卑、上下、長短、遠近、新舊、大小、香臭、深淺、明暗，種種兩端，不可枚舉。大約對待之兩端，各有美有惡，非美惡有所偏於一者也。其間惟生死、貴賤、貧富、香臭，人皆美生而惡死，美香而惡臭，美富貴而惡貧賤。然逢、比之盡忠，死何嘗不美！江總之白首，生何嘗不惡！幽蘭得糞而肥，臭以成美；海木生香則萎，香反爲惡。富貴有時而可惡，貧賤有時而見美，尤易以明。卽莊生所云「其成也毁，其毁也成」之義。對待之美惡，果有常主乎！生熟、新舊二義，以凡事物參之，器用以商周爲寶，是舊勝新；美人以新知爲佳，是新勝舊；肉食以熟爲美者也，果食以生爲美者也。反是則兩惡。推之詩，獨不然乎！舒寫胸襟，發揮景物，境皆獨得，意自天成，能令人永言三歎，尋味不窮，忘其爲熟，轉益見新，無適而不可也。若五內空如，毫無寄托，以勦襲浮辭爲熟，搜尋險怪爲生，均爲風雅所擯。論文亦有順、逆二義，并可與此參觀發明矣。

又 詩家之規則不一端，而曰體格，曰聲調，恆爲先務，論詩者所謂總持門也。詩家之能事不一端，而曰蒼老，曰波瀾，目爲到家，評詩者所謂造詣境也。以愚論之，體格、聲調與蒼老、波瀾，何嘗非詩家要言妙義！然而此數者，其實皆詩之文也，非詩之質也；所以相詩之皮也，非所以相詩之骨也。試一一論之。言乎體格，譬之於造器，體是其製，格是其形也。將造是器，得般、倕運斤，公輸揮削，器成而肖形合製，無毫髮遺憾，體格則至美矣；乃按其質，則枯木朽株也，可以爲美乎！此必不然者矣。夫枯木朽株之質，般、輸必且束手，而器亦烏能成！然則欲般、輸之得展其技，必先具有木蘭、文杏之材也；而器之體格，方有所托以見也。言乎聲調，聲則宮商叶韻，調則高下得宜，而中乎律呂，鏗鏘乎聽聞也。請以今時俗樂之度曲者譬之。度曲者之聲調，先研精於平仄陰陽。其吐音也，分唇鼻齒齶、開閉撮抵諸法，而曼以笙簫，嚴以鼙鼓，節以頭腰截板，所爭在渺忽之間。其於聲調，可謂至矣。然必須其人之發於喉、吐於口之音以爲之質，然後其聲繞梁，其調遏雲，乃爲美也。使其發於喉者啞然，出於口者颯然，高之則如蟬，抑之則如蚓，吞吐如振車之鐸，收納如鳴窌之牛；而按其律呂，則於平仄陰陽、唇鼻齒齶、開閉撮抵諸法，毫無一爽，曲終而無幾微愧色。其聲調是也，而聲調之所麗焉以爲傳者，則非也。則徒恃聲調以爲美，可乎？以言乎蒼老，凡物必由稚而壯，漸至於蒼且老，各有其候，非一於蒼老也。且蒼老必因乎其質，非凡物可以蒼老概也。即如植物，必松柏而後言蒼老。松柏之爲物，不必盡干霄百尺；即尋丈楹檻間，其鱗鬣夭矯，具有淩雲磐石之姿。此蒼老所由然也。苟無松柏之勁質，而百卉凡材，彼蒼老何所憑藉以見乎？必不然矣。又如波瀾之義，風與水相遭成文而見者也。大之則江湖，小之則池沼，微風鼓動而爲波爲瀾，此天地間自然之文也。然必水之質空虛明淨，坎止流行，而後波瀾生焉，方美觀耳。若汙萊之瀦，溷廁之溝瀆，遇風而動，其波瀾亦猶是也，但揚其穢，曾是云美乎？然則波瀾非能自爲美也；有江湖池沼之水以爲之地，而後波瀾爲美也。由是言之，之數者皆必有質焉以爲之先者也。彼詩家之體格、聲調、蒼老、波瀾，爲規則，爲能事，固然矣；然必其人具有詩之性情、詩之才調、詩之胸懷、詩之見解以爲其質。如賦形之有骨焉，而以諸法傳而出之；猶素之受繪，有所受之地，而後可一一增加焉。故體格、聲調、蒼老、波瀾，不可謂爲文也，有待於質焉，則不得不謂之文也；不可謂爲皮之相也，有待於骨焉，則不得不謂之皮相也。吾故告善學詩者，必先從事於「格物」，而以識充其才，則質具而骨立，而以諸家之論優游以文之，則無不得，而免於皮相之譏矣。

魏禮《魏季子文集》卷八《答楊御李書》 求其格，求其勢，求其句與字，求其章，是之謂法。章法之妙，鬬亂而不亂，始則春潦滿眼，終則縮川灌河，神龍見首不見尾，率然之，蛇擊其尾則首至者，執此有要，川河自有徑，神龍率然自有首尾也。其爲春潦也，川河也，無首尾也，首尾俱至也，一也。此操法之妙，有以運之也。義蜂詩慷慨悲激，烈性男子，大浸稽天而不溺，大旱金石流、土山焦而不熱，死生驚懼榮辱之端，不入其胸中，乃能有所詣，而不奪吾志。草木之微，有春不能榮，冬不能殺者，天地失其權。區區之心，竊所跂望。

田雯《古歡堂集》卷二五《鹿沙詩集序》 夫詩盛於唐，尤莫盛於盛唐。王、孟、李、杜，世皆俎豆之矣。猶夫今之爲文者，率學歐、曾，尋聲擬跡，非不貌似古人，吾究不知其神理安在也。宋人之詩，與夫唐人之詩，渠有異道乎？惟其生於宋也，二程、邵子競趨理學，遂以訓詁語入四聲，去風人之旨實遠。南轅以後，楊誠齋輩又俚俗過甚。於是談風雅者，一槩牴牾窳之，謂宋詩爲非，譬啜狂泉而病噑囈也。嗟夫！亦嘗擷摭宋代梅、歐、王、蘇、黃、陸各大家之詩，按其篇章，而一闋其大略否乎？束書不觀之徒，寓目「雲淡風輕」一首，輒詆宋人之詩比比是矣。余嘗謂學詩者，宜分體取法乎前人，五言古體必根柢於漢、魏，下及鮑、謝、韋、柳也；五、七言近體，則王、孟、錢、劉，晚唐溫、李諸人也；截句則王、李、白、蘇、黃、陸也。至於歌行，惟唐之杜、韓，宋之歐、王、蘇、陸，其鼓駭駭，其風瑟瑟，旌旗壁壘，極闔闢雄蕩之奇，非如是不足以稱神明變化也。學詩者何分唐宋，總之以匠心求工，爲風雅之歸而已。然戛戛乎難之。

陳玉璂《學文堂文集》卷三《殷鳴夏詩序》 孔子曰：「不學詩，無以言。」又曰：「詞達而已。」知立言之道，取達意而止。則凡作詩者，不審其意之所發，徒引繩刻墨以求工，皆非達之謂。昔人謂陶彭澤詩直據胸臆，信手寫出，無有不工；其用心最苦而立說最嚴者，莫如沈休文，讀其時，祗見綑縛齷齪，滿卷累牘，未曾道出好句，豈非不達之過哉！然詞取達意，而任其意之所發，鄙率輕肆，決裂以爲體，則流弊不可勝窮，故惟彭澤而後能工，非彭澤者，鮮不病也。況彭澤以前之詩，諸體未備，至于唐，其體既多，則其法各立，故夫開闔轉折、經緯錯綜之妙，有不能盡同者。大約彭澤之詩，以無法爲法，其爲法也密；唐人之詩以有法爲法，其爲法也嚴。惟密故不易窺，惟嚴故不可越也。殷子鳴夏學博士弟子員，坐公事摧挫不得志于時，因悉力爲詩；其詩莫不各繩于法，如畎畝之有畛域，味之有酸鹹，樂之有宮商角羽，而其意之所發，則能悉達其胸中所欲言。嗟乎！士得志，則以其言奏之明堂清廟之間，著爲詠歌，垂諸金石；不得志，而山林泉石，流連光景，以寫其無聊抑鬱不平之氣，有時忠義所感觸，或及于時事得失、人物臧否，以迄廢興成敗之故，未嘗不動有心者之歎慕，而傳之後日，使論世者有所考焉。兩者其爲不朽，將毋同與？

孔尚任《湖海集》卷九《山濤詩集序》 予嘗論詩有二道：曰工，曰佳。工者多出苦吟，佳者多由快詠。古人謂詩窮而後工，特爲工者言耳；而佳詩，則必風流文采翩翩豪邁，能發廟朝太平之音，較之窮而後工者，有風雅正變之殊焉。蓋詩以言性情也，變者之情易見，正者之情難知。

又卷一〇《古鐵齋詩序》 吾友程子穎叔，南國之詩人也，又善爲文，每試必雋，問其爲文之法，曰：「吾多讀書而以己意運之。」夫爲文之法與爲詩之法雖別，其多讀書而以己意運之則同。古者魯衛秦鄭，各有其風，各不相襲，而各傳於後。今穎叔以己意爲文，而每試必雋，又以己意爲詩，而寧有不傳於後者乎？

查慎行《敬業堂詩集》卷三四《錢玉友有見寄長篇，極論作詩之旨，終以傳世相期許，兼承不朽之託，連日阻風虎丘，舟中無事，賦此奉酬》 吾觀工畫人，胸本藴丘壑。雲烟資變幻，山水赴脈絡。又聞國手碁，惜子不輕落。翻新布奇勢，全局如一著。良醫去成見，因病施方藥。巧匠先量材，運斤乃盤礴。羿射無詭遇，騶琴有醳攫。高僧厭苦空，八棒解拘縛。老仙出狡獪，九鎖啓橐籥。惟詩亦云然，衆美視斟酌。神功須力到，佳境豈意度。人皆信手成，孰肯苦心作。同心得錢子，洞見非隔膜。惜哉方逃禪，此道付糟粕。偶然一吐露，萬象互醻酢。足知精進幢，隨事無退卻。投篇過推許，不量余所作。平生知己分，夙昔慎唯諾。寧待遲暮年，重爲不朽託。君其益自愛，藏稾手親削（玉友近編所作詩九卷，名《撫雲集》）。

沈德潛《說詩晬語》卷上 事難顯陳，理難言罄，每託物連類以形之。鬱情欲舒，天機隨觸，每借物引懷以抒之。比興互陳，反覆唱歎，而中藏之懽愉慘戚，隱躍欲傳，其言淺，其情深也。倘質直敷陳，絶無蘊蓄，以無情之語而欲動人之情，難矣。王子擊好《晨風》，而慈父感悟；裴安祖講《鹿鳴》，而兄弟同食；周盤誦《汝墳》，而爲親從征。此三詩別有旨也，而觸發乃在君臣、父子、兄弟，唯其「可以興」也。讀前人詩而但求訓詁，獵得詞章記問之富而已，雖多奚爲？

又 詩貴性情，亦須論法，亂雜而無章，非詩也。然所謂法者，行所不得不行，止所不得不止，而起伏照應，承接轉換，自神明變化於其中。若泥定此處應如何，彼處應如何（如磧沙僧解《三體唐詩》之類），不以意運法，轉以意從法，則死法矣。試看天地間水流雲在，月到風來，何處著得死法？

又 曾子固下筆時，目中不知劉向，何論韓愈！子固之文，未必高於中壘、昌黎也；然立志不苟如此。作詩須得此意。

又 賈生《惜誓篇》曰：「黄鵠一舉兮見山川之紆曲，再舉兮覩天地之方員。」作文作詩，必置身高處，放開眼界，源流升降之故，瞭然於中，自無隨波逐浪之弊。

又 詩不學古，謂之野體。然泥古而不能通變，猶學書者但講臨摹，分寸不失，而己之神理不存也。作者積久用力，不求助長，充養既久，變化自生，可以換卻凡骨矣。漢魏詩只是一氣轉旋，晉以下始有佳句可摘，此詩運升降之別。

又 詩至於宋，性情漸隱，聲色大開，詩運一轉關也。康樂神工默運，明遠廉儁無前，允稱二妙。延年聲價雖高，雕鏤太過，不無沈悶；要其厚重處，古意猶存。

又 詩有當時盛稱而品不貴者，王維之「白眼看他世上人」，張謂之「世人結交須黄金」，曹松之「一將功成萬骨枯」，章碣之「劉項原來不讀書」，此粗派也；朱慶餘之「鸚鵡前頭不敢言」，此纖小派也；張祜之「淡掃蛾眉朝至尊」，李商隱之「薛王沉醉壽王醒」，此輕薄派也。又有過作苦語而失者，元稹之「垂死病中驚起坐，暗風吹雨入船窗」，情非不摯，成蹙蹶聲矣；李白「楊花落盡子規啼」，正不須如此說。

又 鍾伯敬云：「但欲洗去故常語，然別開一徑，康馗有弗踐者焉。故器不尚象，淫巧雜陳，聲不和律，艷詄競響。」此持論極善，且似自砭其失處。蓋詩當求新於理，不當求新於徑。譬之日月，終古常見，而光景常新，未嘗有兩日月也。

又 隱侯云「彈丸脱手」，固是詩家妙喻。然過熟則滑，唯生熟相濟，於生中求熟，熟處帶生，方不落尋常蹊徑。

又 詩中高格，入詞便苦其腐；詞中麗句，入詩便苦其纖，各有規格在也。然腐之爲病，塡詞者每知之；纖之爲病，作詩者未盡知之。

又《歸愚文鈔》卷一二《李玉洲太史詩序》 古來論詩家，主趣者有嚴滄浪，主法者有方虛谷，主氣者有楊伯謙，主格者有高廷禮。而近代朱竹垞則主乎學。之五者，均不可廢也，然不得才以運之，恐趣非天趣，法非活法，氣非浩氣，格非高格，即學亦徒見其汗漫叢雜而無所歸。蓋詩之爲道，人與天兼焉，而趣而法而氣而格而學，從乎人者也，而才則本乎天者也。人可強，而天不可強，故從來以詩鳴者，隨其所長，俱可自見，而詩人中之稱才人者，古今來祇數餘人相望於天地之間。

田同之《西圃詩說》 不微不婉，徑情直發，不可爲詩。一覽而盡，言外無餘，不可爲詩。美謂之美，刺謂之刺，拘執繩墨，不可爲詩。意盡於此，不通於彼，膠柱則合，觸類則滯，不可爲詩。知此四者，始可與言詩矣。

又 古人作詩，先有題而後有詩，未有詩成後以題強肖者。故說來雖極平淡，無不入妙，蓋與題有關，是即聲情並至也。今人但觸物造句，雖極警拔，而前後強湊，漫無指歸，即強置一題，究屬不合耳。

方貞觀《輟鍛錄》 故作詩未辨美惡，當先辨是非。有出入經史，上下古今，不可謂之詩者；有尋常數語，了無深意，不可不謂之詩者。會乎此，可與入詩人之域矣。詩必言律。律也者，非語句承接，義意貫串之謂也。凡體裁之輕重，章法之短長，波瀾之廣狹，句法之曲直，音節之高下，詞藻之濃淡，於此一篇略不相稱，便是不諧於律。故有時寧割文雅，收取俚直，欲其相稱也。杜子美云：「老去漸于詩律細。」嗚乎！難言之矣。未有熟讀唐人詩數千百首而不能吟詩者，未有不讀唐人詩數千百首而能吟詩者。讀之既久，章法、句法、用意、用筆、音韻、神致，脫口便是，是謂大藥。藥之不效，是無詩種，無詩種者不必學詩。藥之必效，是謂佛性，凡有覺者皆具佛性，具佛性者即可學詩。

又 作詩以意爲主，而句不精煉，妙意不達也；煉句以達爲主，而音不合節，雖達非詩也。然則音韻之於詩亦重矣哉！今人不知，誤以高響爲音韻，其失之更遠。

薛雪《一瓢詩話》 「擬古」二字，誤盡蒼生！聲調字句，若不一一擬之，何爲擬古？聲調字句，若必一一擬之，則仍是古人之詩，非我之古詩也。輕言擬古，試一思之。

又 畫于絹素上觀之，觀畫也；于未到絹素上觀之，作畫也。觀畫易，作畫難。試看余寫此一幅墨蘭，汲水滌硯洗筆磨墨時，何事非蘭？及至伸紙拂拭，未經落手，蘭在何許？一經下筆，蘭在紙上，間不容髮。其風晴雨露之態，向背遠近之情，無不一一具在。乃至添荆棘，綴白石，蒼苔紫芝，綠竹芳草，隨意點染，無不相宜。若汲水滌硯洗筆磨墨時無此蘭，及至伸紙落筆時有此蘭，欲其風晴雨露之態，向背遠近之情，以至隨意點染，無不相宜，必不得之數也。假饒用盡苦工，極力描寫，不過如今之攢根倒插接葉小花之派，非不嫵媚可人，直如女紅墨繡而已。豈能有宋元之鄭所南、趙吳興，有明之文待詔、陳古白之流風餘韻耶？作詩之訣，于此推求，思過半矣。

又 范德機云：「吾平生作詩，稾成讀之，不似古人，即焚去。」余則不然，作詩稾成讀之，覺似古人，即焚去。

又 人之才情，各有所近。或正或變，或正變相半，只要合法，隨意所欲，自成一家。如作書不論晉、唐、宋、元，只要筆筆妥當，便是能書。余故曰：不妨如快劍砍陣，駿馬下阪；又不妨如回風舞絮，落花縈絲。

又 排比聲韻，較量屬對以爲工，誇繁鬪縟、綴錦鋪花以爲麗，驚哄喝喊，叫嘯怒罵以爲豪，枯澹無神、索寞無味以爲幽，坐此惡疾，終身不愈，永不能立李杜之門，安望其能見李杜以前哉！

又 杜浣花云「晚歲漸于詩律細」，又云「語不驚人死不休」。有云：「兩句三年得，一吟雙淚流。」有云：「吟成五箇字，撚斷數莖鬚。」有云：「一句坐中得，寸心天外來。」有云：「夜吟曉不休，苦吟鬼神愁。」有云：「險覓天應悶，狂搜海欲枯。」有云：「生應無輟日，死是不吟時。」如此者不一而足，可見古人作詩不易。何以今人搖筆便成？其一、其二、其三，連篇累牘，不幾年間，刻稾問世矣！

又 作詩非應舉，何必就程式？熱趕名場之人，豈有眞詩好文？元遺山云：「縱橫正有淩雲筆，俯仰隨人亦可憐。」

又 著作脫手，請教友朋，倘有思維不及，失于檢點處，即當爲其竄改塗抹，使成完璧；切不可故爲諛美，任其滲漏，貽譏于世。然有一輩，負固不服，反以此而修怨者，亦不可不防，但看平日相與何如耳。大凡今人著作，既經鏤板者，及試草硃卷等類，切不可動筆。倘偶然動筆者，切不可寘案頭，令人見之。提得筆起，放得筆倒，纔是書家。撇得出去，拗得入來，方爲作者。王右軍字字變換，提得起、放得倒也。杜工部篇篇老成，撇得出、拗得入也。顯而易見者，右軍《蘭亭序》、工部《哀王孫》。世人習于聞見，不肯細心體認，故不覺耳。

又 《易》云：「風行水上，渙。」乃天下之大文也。起伏頓挫之中，盡抑揚反覆之義，行乎所當行，止乎所當止，一波一瀾，各有自然之妙，不爲法轉，亦不爲法縛。

又 格有品格之格，體格之格。體格，一定之章程；品格，自然之高邁。品高雖被綠蓑青笠，如立萬仞之峰，俯視一切；品低即拖紳搢笏，趨走紅塵，適足以誇燿鄉閭而已。所以品格之格與體格之格，不可同日而語。

又 詩文家最忌雷同，而大本領人偏多于雷同處見長。若舉步換影，文人才子之能事，何足爲奇？惟其篇篇對峙，段段雙峰，卻又不異而異，同而不同，纔是大本領，眞超脫。

又 詩之用，片言可以明百義；詩之體，坐馳可以役萬象。所以杜浣花集古今大成于開、寶間，上薄《風》、《騷》，下淩屈、宋，無有議者。

又 「敏捷詩千首」，不過一時推許之辭，如「安得思如陶謝手，令渠述作與同遊」，「李侯有佳句，往往似陰鏗」之類，非直以敏捷爲美事也。若以敏捷爲美，則「晚歲漸於詩律細」，「語不驚人死不休」，又何謂乎？大凡人具敏捷之才，斷不可有敏捷之作。溫太原八叉手而八韻成，致有「絲飄弱柳平橋晚，雪點寒梅小苑春」，上下情景不相屬，竟是園亭對子；「蘇小風姿迷下蔡，馬卿才調似臨邛」，用事雜沓不倫，且難講解，非以敏捷悞之乎？李青蓮倚馬而萬言可待，未必果然。

又 「罄澄心以凝思，渺衆慮而爲言」，「課虛無以責有，叩寂寞而求音」，陸士衡之言也。可見欲求工到，必藉冥搜。

又 許彥周謂：「韓昌黎『銀燭未銷窗送曙，金釵欲醉座添春』，殊不類其爲人。」可知如來三十二相、八十種好，何所不現？大詩家正不妨如是。

又 「狀難寫之景，如在目前；含不盡之意，見于言外。」「作者得于心，覽者會其意。」此是詩家半夜傳衣語，不必舉某人某句爲證。

又 有就此處說者，有就彼處說者，皆比興之流也。如裴說《寄邊衣》詩曰：「愁捻金鍼信手縫，惆悵無人試寬窄。」就此處說者也。余有《秋夜縫衣》詩曰：「料得比來消瘦去，謹依原樣不加寬。」是就彼處說者也。

又 唐釋齊己作《風騷旨格》，六詩、六義、十體、十勢、二十式、四十門、六斷、三格，皆繫以詩，不減司空表聖。獨是十勢，立名最惡，宛然少林棍譜，暇日當爲易去，乃妙。

又 綺而有質，豔而有骨；淸而不薄，新而弗尖；稗官野史，盡作雅音；馬勃牛溲，盡收藥籠。執畫戟莫敢當前，張空弮猶堪轉戰。如是作法，方不愧老成。

又 論唐人切不可分初、盛、中、晚，論宋人切不可分南、北。未知近律，勿問古詩。詩學未到，莫望樂府。其餘雜體，一切掃卻，纔是風雅正人。至于詩餘曲調，僅可酒酣耳熱時，拈付歌童舞女，作樽前片刻新聲。

又 屬思久之，詩思漸集，又當淘汰盡情，然後鍊成一首，自無可議。如戚南塘選軍，于編伍時，著眼挑剔，然後嚴其紀律，信其賞罰，練其膽藝，訓其進退，何有不動如雷電、止若山岳者哉！

姚培謙《松桂讀書堂詩話》 朱子稱太白詩非無法乃聖于法者，此語眞是詩文三昧。蓋所謂法者，文成而法自寓，非先有法而文從之也。

李重華《貞一齋詩說》 詩有三要，曰：發竅於音，徵色於象，運神於意。何謂音？曰：詩本空中出音，卽莊生所云「天籟」是已。籟有大有細，總各有其自然之節；故作詩曰吟、曰哦，貴在叩寂寞而求之也。求之果得，則此中或悲或喜，或激或平，一一隨其音以出焉。如洞簫長笛各有竅，一一按律調之，其淒鏘要眇，莫不感人之深。今不悟其音而惟吾所爲，猶斷竹而妄吹之也。如是以爲文字且不可，奚當於詩？何謂象與意？曰：物有聲卽有色，象者，摹色以稱音也。如舞曲者動容而歌，則意愜悉關飛動，無論興比與賦，皆有怳然心目者。故詩家寫景，是大半工夫。今讀古人詩，望而知爲誰氏作。象固然矣，斯不獨徵聲，又當選色也。意之運神，難以言傳，其能者常在有意無意間。何者？詩緣情而生，而不欲直致其情；其蘊含祗在言中，其妙會更在言外。《易》曰：「鼓之舞之以盡神。」善寫意者，意動而其神躍然欲來，意盡而其神渺然無際，此默而成之，存乎其人矣。曰：是三者孰爲先？曰：意立而象與音隨之，余所以先論音，緣人不知韻語由來，則綴輯牽合，舉謂之詩，卽千古自然之節胥泯焉；若悟其空中之音，則取象命意，自可由淺入深。故指示初學，音特居首也。詩有五長，曰：以神運者一，以氣運者二，以巧運者三，以詞運者四，以事運者五。曰：神與氣互相爲用，曷以離而二之也？曰：《詩品》云：「行神如空，行氣如虹。」夫神妙物於不知，氣入物於無間，固各有當也。詩之宗莫若李、杜。杜生氣遠出，而總以神行其間；李神彩飛動，而皆以浩氣舉之。是兩人得之於天，各擅其長矣。惟夫杜之妙，神行而氣亦行；李之妙，氣到而神亦到，此其所以未易優劣爾。若歷代名家，或凝神以發英，或振氣以舒秀，尤了然可指者。詩之尤貴神也，惟其意在言外也；若氣，則凡爲文無不貴之，豈獨詩然乎哉？我之微分其等者此也。曰：孔子謂詩可以言，是能言莫若詩，巧何列於三也？曰：孔子所謂能言，盡乎詩之道矣。凡詩無拙言之者也，吾所謂巧，爲好奇立異言之，非古人所謂巧也。好奇而不詭於正，立異而不入於邪，是亦用意以自樹者，若東野、長吉、義山是也。今或尚巧而流於誕，則失之矣；此六義所不入也。曰：絕妙好詞，古人尚焉，詞何以居四？曰：詞之妙，神氣備而詞從之也。若神氣索而翦詞求工，特貌似而實非其眞。故古人命意以遣詞，非因詞以造意也。吾不謂詞工者，顧失之，恐人徒取乎詞焉爾。曰：沈博絕麗，揚雄所善，況律體非隸事無以措詞，事果居末與？曰：《詩》三百篇，其故實或未盡知之。然卽元公、吉甫所作，奧博雅馴，或取材典墳邱索有之耳。後世駢體興而律作焉，不隸事無以供駢偶之資，揆諸「六義」中，歸於比焉，斯得矣；而比固不止隸事也。況詩道興居多而賦兼之，何居其專以隸事比也？倘隸事無當於比，毋乃幷其義失之耶？凡多讀書爲詩家最要事，而胸有萬卷，徒欲助我神與氣耳，其隸事不隸事，詩人不自知，讀詩者亦不知，夫乃謂之眞詩，若有心自眩其多，安得不居末乘哉？曰：詩以風骨爲要，何以不論？曰：風含於神，骨備於氣，知神氣卽風骨在其中。況吾所言古人未及言之也，若風骨言之數數矣。

又　興之爲義，是詩家大半得力處。無端說一件鳥獸草木，不明指天時而天時恍在其中；不顯言地境而地境宛在其中，且不實說人事而人事已隱約流露其中。故有興而詩之神理全具也。比，不但物理，凡引一古人，用一故事，俱是比，故比在律體尤得力。賦爲敷陳其事而直言之，尚是淺解。須知化工妙處，全在隨物賦形。故自屈、宋以來，體物作文，名之曰賦，卽隨物賦形之義也。相如論作賦之法，是何等能事。

又　太白謂：「《大雅》久不作。」則《頌》更斷然無之。惟《小雅》、《國風》時或間有合耳。韓、柳二公，共爲《雅》詩，氣味視古略近。子美則《風》、《雅》兼備，但正少而變居多耳。今人身當其任，不得不作《頌》體。若平常吟詠，看局面大小，正須斟酌「風、雅」二字。

又　詩求文理能通者，爲初學言之也；詩貴修飾能工者，爲未成家言之也。其實詩到高妙處，何止於通？到神化處，何嘗求工？論山水奇妙曰：「徑路絕而風雲通。」徑路絕者，人之所不能通也。如是而風雲又通，其爲通也至矣。古文亦必如此，何況於詩？作詩從形跡處求工，便是巧匠鐫雕，美人梳掠，決非一塊生氣浩然從肝腑流出。有以可解不可解爲詩中妙境者，此皆影響惑人之談。夫詩言情不言理者，情愜則理在其中，乃正藏體於用耳。故詩至入妙，有言下未嘗畢露，其情則已躍然者。使善說者代爲指點，無不亹亹動人，卽匡鼎解頤是已。如果一味模糊，有何妙境？抑亦何取於詩？

又　鍾嶸所論，是強別源流；表聖所評，亦麤排品類。能者須於言外領略，原未辦入門階級。嚴滄浪以禪悟論詩，王阮亭因而選《唐賢三昧集》。試思詩教自尼父論定，何緣墮入佛事？

黃子雲《野鴻詩的》　不眞，不新，不樸，不雅，不渾，不可與言詩。學古人詩，不在乎字句，而在乎臭味。字句，魄也，可記誦而得。臭味，魂也，不可以言宣。當於吟咏時，先揣知作者當日所處境遇，然後以我之心，求無象於窅冥惚怳之間，或得或喪，若存若亡，始也茫焉無所遇，終焉元珠垂曜，灼然畢現我目中矣。現而獲之，後雖縱筆揮灑，卻語語有古人面目。

又　眼不高，不能越衆；氣不充，不能作勢；膽不大，不能馳騁；心不死，不能入木。此四者，作詩之大旨也。

又　凡詩有不足之病，卽以前人對病之法治之：病在怯弱，療之以陳思；病在蒙晦，療之以記室；病在清癯，療之以光祿；病在陳腐，療之以宣城；病在沾滯，療之以參軍；病在魯鈍，療之以簡文；病在淺率，療之以開府。若此者不可悉數，在學者審擇所處而已。六朝中有不可學者四：不細意貼題而摸稜成章者，一也；行文渙溢而漫無結束者，二也；不本性靈，專以典故塡砌，而辭旨不能融暢者，三也；對偶如夾道排衙，無本末輕重之別，可存可削者，四也。

又　從搖颺而得者，其詩也神；從錘鍊而得者，其詩也精；從鼓盪而得者，其詩也有氣。

又 專一可以立基；泛覽可以兼善。

又 自漢以迄中唐，詩家引用典故，多本之於經、傳、《史》、《漢》，事事灼然易曉；下逮溫、李，力不能運清眞之氣，又度無以取勝，專搜漢、魏諸祕書，括其事之冷寂而罕見者，不論其義之當與否，擒剟塡綴於詩中，以詩燿己之學問淵博。俗眼被其衒惑，皆爲之捲舌伸眉，咄咄嗟賞，師承唯恐或後。吁！二人志慮若此，其品操又安用考厥平生而後知其邪僻哉？

又 記誦實胸中，何患氣機艱澀；登臨徧宇內，自然心目開張。晚唐後專尙鏤鐫字句，語雖工，適足彰其小智小慧，終非浩然盛德之君子也。韓、柳之文，陶、杜之詩，無句不琢，卻無纖毫斧鑿痕者，能鍊氣也。氣鍊則句自鍊矣。雕句者有跡；鍊氣者無形。

查爲仁《蓮坡詩話》 家伯初白老人嘗教余詩律，謂：「詩之厚，在意不在辭；詩之雄，在氣不在直；詩之靈，在空不在巧；詩之淡，在脫不在易；須辨毫髮於疑似之間。所著《敬業堂集》，中分小集，多至十餘種。宋人惟楊誠齋有之。老人歸田以及患難，又有《餘生》、《詔獄》、《生還》三集，家七倫弟刻於嘉善。老人有句云：「座中放論歸長悔，醉裏題詩醒自嫌。」「人來絕域原拚命，事到傷心每怕眞。」又有《花朝晴示僧道楷》詩云：「初日烘雲碎作霞，討春人競出江涯。老來不喜閒桃李，別約山僧看菜花。」此與宋魏野所作「城裏爭看城外花，獨來城裏訪僧家。殷勤覓得新鑽火，爲我旋烹岳麓茶」意相似。詩以澹而彌永。陳對漚《歲莫卽事》云：「羈緒宵來頗未降，空階獨繞影成雙。一堆老雪明如月，臘供詩人牢落窗。」深得澹中之味。

邊連寶《病餘長語》卷四 俗謂詩人慣打誑語，信然，且自《三百篇》而已然，如《卷耳》之詩只「嗟我懷人」四字是實話，其餘如采卷耳，陟崔嵬，酌金罍等，都是誑語。蓋誑語正所以烘托實話，非詩人眞打誑語也，只此已增後人多少神智，開後人無數法門。然亦有以專說實話入妙者，又有眼前極瑣屑實事，他人以爲不足寫，不屑寫，而寫來尤妙者，如老杜《羌村詩》云「隣人滿牆頭，感歎亦欷歔」，又云「羣雞正亂叫，客至雞鬥爭，驅雞上樹木，始聞扣柴荊」；《北征詩》云「學母無不爲，曉妝隨手抹」，「問事競挽鬚，誰能卽嗔喝」；《遭田父泥飲》云「迴頭指大男，渠是弓弩手」等，皆眼前之實景實事，他人以爲不足寫，不屑寫，而寫來入妙者也。

冒春榮《葚原詩說》卷二 詩欲高華，然不得以浮冒爲高華。詩欲沉鬱，然不得以晦澀爲沉鬱。詩欲雄壯，然不得以粗豪爲雄壯。詩欲沖淡，然不得以寡薄爲沖淡。詩欲奇矯，然不得以詭僻爲奇矯。詩欲典則，然不得以庸腐爲典則。詩欲蒼勁，然不得以老硬爲蒼勁。詩欲秀潤，然不得以嫩弱爲秀潤。詩欲飄逸，然不得以佻達爲飄逸。詩欲質厚，然不得以板滯爲質厚。詩欲精采，然不得以雕繪爲精采。詩欲清眞，然不得以鄙俚爲清眞。詩家雅俗之辨，盡於此矣。

又卷三 近代詩流，非上智之士，不能擅專家而稱國能。何也？以其非童而習之，爲父兄師長所耳提而面命者也。大抵於舉業之暇偶爲之，既不用以取科名，則於斯事，未必專心致志，深造自得，以到古人所必傳之處。故凡稱詩而成家者，人非上智，未易獲此。今國家制科取士，倂用詩律，廷試館課，詩賦專重；且有功令，責成於儒學校官，先考察其能與否而黜陟之，則庠序之師生，不啻家貞觀而戶天寶矣。此詩之不可不亟講也。予嘗謂詩律兼古文、時文法，聽者若未深信。但見經生輩多有時文氣，而作詩反不知用時文之起承轉合法，可發一笑。至其拘於聲律，不得不生倒敘、省文、宿脈、映帶諸法，並與古文同一關捩。是故不知時文者不可與言詩，不知古文者尤不可與言詩，動謂詩妨於文，不亦怪哉！

又卷四 凡詩無論古今體、五七言，總不離「起承轉合」四字，而千變萬化出於其中。近體分起承轉合，自不必言。若古體之或短或長，則就四字展之、縮之、頓之、挫之而已。起結例用二語或四語。而杜《送王砅評事》則「我之曾老姑」至「盛事垂不朽」凡三十八句，總只當一起。《北征詩》「至尊尙蒙塵」以下四十八句，總只當一結。至轉法，或一轉，或數轉，惟視其詩之短長。此類不可枚舉。又有卽起卽承、卽承卽轉、卽轉卽合者，亦惟意所至，隨手成調。總之，法則一，而出入變化乎法者固不一也。

又 詩家下筆，卽當有千秋自命之意。凡讀古人詩，覺其性情風概如現在目前者，皆古人出其筆墨以質諸異代者也。是故每敘一事，務使後人如稔其故；每述一事，務使後人如値其時、歷其地。詩至此方可稱工，方可信其必傳於後。而今人每苦下筆不能了快，於敘事一種尤甚。蓋有甲知而乙不能知者，同游知之而外人不能知者，又安望異代之人讀其詩而相悅以解耶？此無他，下筆時不爲他人作計，故以己辭達己意。詩成自讀，己意未嘗不了了，而他人讀之殊不然。此最學詩之大病。惟有一法，讀己詩只如讀他人詩，更只如讀前人詩，若未嘗出於己口，過於己目，細細推勘，不輕放過，久之自工拙利鈍，默然自解。從此下筆，自無不亮之景，不透之情事矣。

喬億《劍谿説詩》卷下 先生教初學先爲五律，蓋古詩無牆壁，七律法度又過嚴也。凡作詩本領在平日，臨搦翰惟落想、取境、謀篇、鍊氣，將脱稿逐字逐句細加敲煉，層層都到，能事畢矣。如落想凡近，取境平熟，縱謀篇鍊氣，不爲好詩。未嘗謀篇鍊氣，遽欲逐字逐句細加敲煉，亦枉費工夫，蓋全體未安，如何遽商量字句也？此數層工夫缺一不得，次第亦顛倒不得。詩勿遽論高下，且辨是非。詩不在深，在眞。欲驚俗眼，斷無好詩，蓋先自棄於高聽也。爲詩者不祖開元，大曆有故：一爲格韻高，非後人易到，但習復長慶以下詩爲便利，以至瑣碎寒窘，入鄙體俗體而不自知。一爲語清省，無以展拓才思，徑放筆爲韓、蘇，規模始大，以至亂雜無章，名野體而不可得。是無惑乎「學如牛毛，成如麟角」也。

汪師韓《詩學纂聞・四美四失》 宋元後詩人有四美焉：曰博，曰新，曰切，曰巧。既美矣，失亦隨之。學雖博，氣不清也，不清則無音節；文雖新，詞不雅也，不雅則無氣象；且也切而無味，則象外之境窮；巧而無情，則言中之意盡。「枯楊生華」，何可久也？「翰音登於天」，何可長也？其旨遠，其詞文，其言曲而中，其事肆而隱，可與言詩，必也其通於《易》。

吴雷發《説詩菅蒯》 作詩固宜搜索枯腸，然着不得勉強。故有意作詩，不若詩來尋我，方覺下筆有神。詩固以興之所至爲妙，唐人云：「幾處覓不得，有時還自來。」進乎技矣。詩格不拘時代，惟當以立品爲歸，誠能自成一家，何用寄人籬下。但古來詩人衆矣，安必我之詩格不偶有所肖乎？今人執一首、一句，以爲此似前人某某，殊爲膠柱之見。夫一人之詩，平奇濃淡，未必每首、每句俱限一格，何得執一斑以定全豹耶？

又 嘗見論人詩者，謂賦體多而興比少。此世俗之責人無已也。詩豈以興比爲高而賦爲下乎？如詩果佳，何論興比賦；設令不佳，而謬學興比，徒增醜態耳。況詩在觸景生情，何必先横「興比賦」三字於胸。今必以備體爲工，無乃陋甚。詩須鑱入，尤貴自然。但講鑱入而不求自然，恐雕琢易於傷氣；但講自然而不求鑱入，恐流入於空腔熟調，且便於枵腹者流。宜先從事於鑱入，然後求其自然，則得矣。

又 一首貴一氣貫注，凡詩之精鍊者，或少排宕流利，若能兼之，斯爲上乘。落想時必與衆人有雲泥之隔，及寫出卻仍是眼前道理。文辭能千古常新者，恃有此耳。

又 或於詩句之易解者，輒訾爲平庸。因謂之曰：詩之爲道，恐非易言。即以子説論之，詩莫工於杜，試隨摘其句曰：「新詩句句好」、「美名人不及」、「卻怕有人知」、「河魚不論錢」、「二月已破三月來」、「無處告訴只顛狂」、「耶孃妻子走相送」、「但願殘年飽喫飯」、「只願無事長相見」等句，若非出自少陵集中，爾輩見之，豈不欲噴飯耶？總之，文辭一道，唯其是而已矣。是則生澀亦佳，爽直處亦佳；否則爽直者易粗率，生澀者欲自掩其陋劣，而醜狀愈不可耐矣。吾謂善用者，雖鄙語恆言，俱臻妙境；不善用者，雖經史所載，但覺塵腐而已。有強解詩中字句者。或述前人可解不可解不必解之説曉之，終未之信。余曰：古來名句如「楓落吴江冷」，就子言之，必曰楓自然落，吴江自然冷；楓落則隨處皆冷，何必獨曰吴江？況吴江冷亦是常事，有何喫緊處？即「空梁落燕泥」，必曰梁必有燕，燕泥落下，亦何足取？不幾使千秋佳句，興趣索然哉？且唐人詩中，鐘聲曰「濕」，柳花曰「香」，必來君輩指摘。不知此等皆宜細參，不得強解。甚矣，可爲知者道也！論詩者往往以時之前後爲優劣，甚而曰宋詩斷不可學。彼蓋拾人唾餘，鈍者以之自欺，黠者以之欺人。且詩學之源，固宜溯諸古。至於成功，則無論其爲漢、魏、六朝，爲唐，爲宋、元、明，爲本朝也。一代之中，未必人人同調。豈唐詩中無宋，宋詩中無唐乎？一人之詩，或有似漢、魏、六朝處，或有似唐、宋、元、明處，必執其似漢、魏、六朝者，而曰此大異唐、宋、元、明；執其似唐、宋、元、明者，而曰此大異漢、魏、六朝，何其見之左也？使宋詩果不可學，則元、明尤屬糞壤矣；元、明以後，又何必更作詩哉？但恐不善學者，或得其皮毛，或得其疵纇，則不可耳。然前古之詩，豈獨無皮毛疵纇乎？在善學者不論何代，皆能採其菁華；惟能運一己之性靈，便覺我自爲我。夫效顰者非即謂之西子，然不得謂西子之外無美人也；戴折角巾者非即謂之林宗，然不得謂林宗之外無良士也。黄九煙云：「唐、宋、元、明不如漢、魏、六朝，漢、魏、六朝，宜不如《三百篇》，《三百篇》終不如上古，何不返諸盤古之前、混沌之始乎？」茲言大破俗論。東坡云：「終日説龍肉，不如喫豬肉。」今人日食惡草具而尚不知味，乃必執人人而喫龍肉，且曰爾斷不可偶嘗豬肉。我不知其肺腸何似？

又 從古詩人，大約憤世疾邪者居多。今人作詩，切戒罵人。勢必爭妍取憐，學爲妾婦之道。宜乎詩稿中無非祝頌之詞，諂諛之態，而氣骨全不見也。但刺譏之中，須隱而彰，始爲得體耳。至於深可憎惡者，原自不妨痛快。即《三百篇》中，何嘗無痛罵不留餘地處，以後又不必論矣。夫強越人以文冕，猶可也；養鶯雛以死鼠，可乎哉？從事於詩者，其要有三：曰高、曰細、曰熟。所謂熟者，乃漸老漸熟之謂，非衆人習徑也。學古須有獨見，不然，則易得其短，難取其長。世人貴遠賤近，謂古人有美無惡。至問其所以爲美，則終不能言；宜其賤玉貴砥，去取皆左矣。夫刻求古人之短，正能識其長處；古人有知，必不以浮慕者爲知己。以此論之，則牝牡驪黃之外，自有眞賞，人奈何不以目爲用而以耳爲用乎？

又 詩要移步換形，而尤宜於排律；詩要議論奇恣，而尤宜於古風。前所謂縹緲閒曠，可以無所不宜，而於絶句尤不可少。

又 余凡諸立論，斷不肯拾人牙慧，寧爲人所訕笑，而人云亦云，終有所不能爲也。惟從來至當不易之論，則雖人云亦云，有所不辭。苟其說似正，而其中有弊，便掊擊不遺餘力，無論其爲古人之言及今人之言也。如詩要寄託遠大，老杜詩中，時時以君國爲念，故爾不同。此說是矣，然以鄙見論之，有不盡然者。高人隱士之詩，以世外之人，而爲世外之語，寂靜之中，具有妙理。今謂其不以君國爲念而吐棄之乎？如謂詩之志在君國者，其人立朝，必有可觀。是重其人而兼重其詩也。吾謂詩自詩而人自人，若以人求詩，則古來當惟皋、夔、伊、呂諸人爲能詩，後世當惟房、杜、韓、富諸人爲能詩矣。且范希文自做秀才時便以天下爲己任，王介甫以新法害天下，兩人之行如是懸絶，而詩名獨不能不讓拗相公者，又何說也？陶靖節《閒情》一賦，歐陽文忠《江南柳》一詞，豈能爲兩公累耶？今人執古人緒言以繩天下，輒欲優劣詩人。在卓越者固有定見，卑陋者不得其解，遂謂題目大則詩亦大，捨其一身、一家現在之位及一切良辰美景，而務夸大其詞；甚且多方詭遇，以求合乎時人。夫詩之所爭者，果僅在此否？

馬位《秋窗隨筆》 嚴滄浪云：「押韻不必有出處，用事不必拘來歷。」名手超脫，固自不妨，不可爲訓也。

袁枚《隨園詩話》卷三 夫用兵，危事也；而趙括易言之，此其所以敗也。夫詩，難事也；而豁達李老易言之，此其所以陋也。唐子西云：「詩初成時，未見可嘗處，姑置之，明日取讀，則瑕疵百出，乃反覆改正之。隔數日取閲，疵累又出，又改正之。如此數四，方敢示人。」此數言，可謂知其難而深造之者也。然有天機一到，斷不可改者。余《續詩品》有云：「知一重非，進一重境；亦有生金，一鑄而定。」人或問余以本朝詩，誰爲第一？余轉問其人：《三百篇》以何首爲第一？其人不能答。余曉之曰：詩如天生花卉，春蘭秋菊，各有一時之秀，不容人爲軒輊。音律風趣，能動人心目者，即爲佳詩，無所爲第一、第二也。有因其一時偶至而論者，如「不愁明月盡，自有夜珠來」一首，宋居沈上。「文章舊價留鸞掖，桃李新陰在鯉庭」一首，楊汝士壓倒元、白是也。有總其全局而論者，如唐以李、杜、韓、白爲大家，宋以歐、蘇、陸、范爲大家，是也。若必專舉一人，以覆蓋一朝，則牡丹爲花王，蘭亦爲王者之香，人于草木，不能評誰爲第一，而況詩乎？王夢樓侍講云：「詩稱家數，猶之官稱衙門也。衙門自以總督爲大，典史爲小；然以總督衙門之擔水夫，比典史衙門之典史，則亦寧爲典史，而不爲擔水夫。何也？典史雖小，尚屬朝廷命官；擔水夫衙門雖尊，與他無涉。今之學杜、韓不成，而矜矜然自以爲大家者，不過總督衙門之擔水夫耳。」葉橫山先生云：「好摹倣古人者，竊之似，則優孟衣冠；竊之不似，則畫虎類狗。與其假人餘焰，妄自稱尊；孰若甘作偏裨，自領一隊？」

又卷四 題古蹟能翻陳出新最妙。河南邯鄲壁上或題云：「四十年中公與侯，雖然是夢也風流。我今落魄邯鄲道，要替先生借枕頭。」嚴子陵釣臺或題云：「一着羊裘便有心，虛名傳誦到如今。當時若着簑衣去，烟水茫茫何處尋？」凡事不能無弊，學詩亦然。學漢、魏、《文選》者，其弊常流于假；學李、杜、韓、蘇者，其弊常失于粗；學王、孟、韋、柳者，其弊常流于弱；學元、白、放翁者，其弊常失于淺；學溫、李、冬郎者，其弊常失于纖。人能取諸家之精華，而吐其糟粕，則諸弊盡捐。大概杜、韓以學力勝，學之，刻鵠不成，猶類鶩也。太白、東坡以天分勝，學之，畫虎不成，反類狗也。佛云：「學我者死。」無佛之聰明而學佛，自然死矣。詩少作則思澁，多作則手滑；醫澁須多看古人之詩，醫滑須用剗進幾層之法。

又卷五 詩人家數甚多，不可硜硜然域一先生之言，自以爲是，而妄薄前人。須知王、孟淸幽，豈可施諸邊塞？杜、韓排奡，未便播之管絃。沈、宋莊重，到山野則俗。盧仝險怪，登廟堂則野。韋、柳雋逸，不宜長篇。蘇、黄瘦硬，短於言情。悱惻芬芳，非溫、李、冬郎不可。屬詞比事，非元、白、梅村不可。古人各成一家，業已傳名而去。後人不得不兼綜條貫，相題行事。雖才力筆性，各有所宜，未容勉強；然寧藏拙而不爲則可，若護其所短，而反譏人之所長，則不可。所謂以宫笑角，以白詆青者，謂之陋儒。范蔚宗云：「人識同體之善，而忘異量之美，此大病也。」蔣苕生太史《題隨園集》云：「古來只此筆數枝，怪哉公以一手持。」余雖不能當此言，而私心竊向往之。

又卷七　孫過庭《書譜》云：「學書者，初學先求平正，進功須求險絶，成功之後，仍歸平正。」予謂學詩之道，何以異是？爲人，不可以有我，有我，則自恃佷用之病多，孔子所以「無固」、「無我」也。作詩，不可以無我，無我，則剿襲敷衍之弊大，韓昌黎所以「惟古于詞必己出」也。北魏祖瑩云：「文章當自出機杼，成一家風骨，不可寄人籬下。」詩有幹無華，是枯木也。有肉無骨，是夏蟲也。有人無我，是傀儡也。有聲無韻，是瓦缶也。有直無曲，是漏卮也。有格無趣，是土牛也。選詩如用人才，門户須寬，採取須嚴。能知派別之所由，則自然寬矣。能知精采之所在，則自然嚴矣。余論詩似寬實嚴，嘗口號云：「聲憑宫徵都須脆，味儘酸鹹只要鮮。」從古講六書者，多不工書。歐、虞、褚、薛不硜硜於《説文》、《凡將》。講韻學者，多不工詩。李、杜、韓、蘇不斤斤於分音列譜。何也？空諸一切，而後能以神氣孤行；一涉箋註，趣便索然。老學究論詩，必有一副門面語：作文章，必曰有關係，論詩學，必曰須含蓄。此店舖招牌，無關貨之美惡。《三百篇》中有關係者，「邇之事父，遠之事君」是也。有無關係者，「多識於鳥獸草木之名」是也。有含蓄者，「棘心夭夭，母氏劬勞」是也。有說盡者，「投畀豺虎」，「投畀有昊」是也。

又卷八　《漫齋語錄》曰：「詩用意要精深，下語要平淡。」余愛其言，每作一詩，往往改至三五日，或過時而又改。何也？求其精深，是一半工夫；求其平淡，又是一半工夫。非精深不能超超獨先，非平淡不能人人領解。朱子曰：「梅聖俞詩，不是平淡，乃是枯槁。」何也？欠精深故也。郭功甫曰：「黄山谷詩，費許多氣力，爲是甚底？」何也？欠平淡故也。有汪孝廉以詩投余，余不解其佳。汪曰：「某詩須傳五百年後，方有人知。」余笑曰：「人人不解，五日難傳；何由傳到五百年耶？」王崑繩曰：「詩有眞者，有僞者，有不及僞者。眞者尚矣，僞者不如眞者；然優孟學孫叔敖，終竟孫叔敖之衣冠尚存也。使不學孫叔敖之衣冠，而自著其衣冠，則不過藍縷之優孟而已。譬人不得看眞山水，則畫中山水，亦足自娱。今人詆呵七子，而言之無物，庸鄙粗啞，所謂不及僞者是矣。」

又卷九　王西莊光祿，爲人作序云：「所謂詩人者，非必其能吟詩也。果能胸境超脱，相對溫雅，雖一字不識，眞詩人矣。如其胸境齷齪，相對塵俗，雖終日咬文嚼字，連篇累牘，乃非詩人矣。」余愛其言，深有得于詩之先者。故錄之。

又卷一〇　學問之道，《四子書》如户牖，《九經》如廳堂，《十七史》如正寢，雜史如東西兩廂，注疏如樞闑，類書如廚櫃，説部如庖湢井匽，諸子百家詩文詞如書舍花園。廳堂正寢，可以合賓，書舍花園，可以娱神。今之博通經史而不能爲詩者，猶之有廳堂大廈，而無園榭之樂也。能吟詩詞而不博通經史者，猶之有園榭而無正屋高堂也。是皆不可偏廢。人閒居時，不可一刻無古人；落筆時，不可一刻有古人。平居有古人，而學力方深；落筆無古人，而精神始出。

又卷一二　人人共有之意，共見之景，一經說出，便妙。盛復初《獨寐》云：「燈盡見窗影，酒醒聞笛聲。」符之恒《湖上》云：「漏日松陰薄，搖風花影移。」女子張瑤英《偶成》云：「短垣延月早，病葉得秋先。」鄭璣尺《雪後遊吳山》云：「人來饑鳥散，日出凍雲升。」顧文煒《立夏》云：「病骨先愁暑，殘花尚戀春。」女子孫雲鳳《巫峽道中》云：「烟瘴寒雲起，灘聲驟雨來。」沈大成《登淨慈寺》云：「花氣隨雙屐，湖光納一窗。」姜西溟《野行》云：「橋欹眠折葦，檻倒坐雙鳧。」魚門太史云：「古文有可讀者，有可觀者。」余謂詩亦然，有可讀者，有可觀者。可觀易，可讀難。

又卷一五　詩文自須學力，然用筆構思，全憑天分。往往古今人持論，不謀而合。李太白《懷素草書歌》云：「古來萬事貴天生，何必公孫大娘渾脱舞。」趙雲松《論詩》云：「到老始知非力取，三分人事七分天。」

又卷一六　徐朗齋（嵩）曰：「有數人論詩，爭唐、宋爲優劣者，幾至攘臂。乃援嵩以定其說。嵩乃仰天而歎，良久不言。衆問何歎。曰：『吾恨李氏不及姬家耳！倘唐朝亦如周家八百年，則宋、元、明三朝詩，俱號稱唐詩，諸公何用爭哉？須知論詩只論工拙，不論朝代。譬如金玉，出於今之土中，不可謂非寶也。敗石瓦礫，傳自洪荒，不可謂之寶也。』衆人聞之，乃閉口散。」余謂：詩稱唐，猶稱宋之斤、魯之削也，取其極工者而言，非謂宋外無斤，魯外無削也。朗齋，癸卯科爲主考謝金圃所賞，已定元矣，因三場策不到而罷。謝刊其薦卷，流傳京師，故朗齋《咏唐寅畫像》云：「錦瑟華年廿五春，虎頭金粟是前身。虚名麗六流傳徧，下第江南第一人。」「麗六」者，其場中坐號也。次科亦卽登第。

又　余常謂：美人之光，可以養目；詩人之詩，可以養心。自格律嚴而境界狹矣，議論多而性情漓矣。

又《隨園詩話補遺》卷一　人問：「杜陵不喜陶詩，歐公不喜杜詩，何耶？」余曰：「人各有性情。陶詩甘，杜詩苦；歐詩多因，杜詩多創：此其所以不合也。元微之云：『鳥不走，馬不飛，不相能，胡相譏？』凡菱筍魚蝦，從水中采得，過半個時辰，則色味俱變；其爲菱筍魚蝦之形質，依然尚在，而其天則已失矣。諺云：『死蛟龍，不若活老鼠。』可悟作詩文之旨。然人莫不飲食也，鮮能知味也。作者難，知者尤難。

又卷二　詩能入人心脾，便是佳詩，不必名家老手也。金陵弟子岳樹德滋園，初學爲詩，《銅陵夜泊》云：「櫓聲乍住月初明，散步江皋宿雁驚。忽聽隣舟故鄉語，縱非相識也關情。」《古寺》云：「寺荒僧去鐘猶在，碑老苔生字半存。」《小艇》云：「滿載誰知都是月，輕飛始信不關風。」其弟樹仁，字樂山，亦能詩，《題隨園》云：「依山偶蓋看花樓，樓上看花五十秋。到此任爲門外客，匆匆行過也回頭。」《曉步》云：「黄鸝啼破綠楊烟，喚醒東風二月天。宿露欲晞雲氣散，嶄新山色到人前。」「日日循途自往還，胸中繪得好溪山。今朝貪看沿堤柳，走過平橋錯轉彎。」《春閨》云：「吟罷伊誰共唱酬，金爐香燼漏聲稠。侍兒俯仰偸眠態，似向燈旁暗點頭。」

又卷三　孔子論詩，但云：「興觀羣怨。」又云：「温柔敦厚。」足矣。孟子論詩，但云：「以意逆志。」又云：「言近而指遠。」足矣。不料今之詩流，有三病焉：其一、塡書塞典，滿紙死氣，自矜淹博。其一、全無蘊藉，矢口而道，自夸眞率。近又有講聲調而圈平點仄以爲譜者，戒蜂腰、鶴膝、疊韻、雙聲以爲嚴者，栩栩然矜獨得之秘。不知少陵所謂：「老去漸於詩律細。」其何以謂之律？何以謂之細？少陵不言。元微之云：「欲得人人服，須教面面全。」其作何全法，微之亦不言。蓋詩境甚寬，詩情甚活，總在乎好學深思，心知其意，以不失孔、孟論詩之旨而已。必欲繁其例，狹其徑，苛其條規，桎梏其性靈，使無生人之樂，不已傎乎！唐齊己有《風騷旨格》，宋吳潛溪有《詩眼》，皆非大家眞知詩者。

又卷六　詩，如射也，一題到手，如射之有鵠，能者一箭中，不能者千百箭不能中。能之精者，正中其心；次者中其心之半；再其次者，與鵠相離不遠；其下焉者，則旁穿雜出，而無可捉摸焉。其中不中，不離「天分學力」四字。孟子曰：「其至爾力，其中非爾力。」至是學力，中是天分。

又卷七　文以情生，未有無情而有文者。韻因詩押，未有無詩而先有韻者。余雅不喜人以一題排挨上下平作三十首，敷衍湊拍，滿紙浮詞，古名家斷無此種。至於上用「秋」字，下用「花」字，如「秋月秋雲」、「桃花桂花」之類，連緜數十首，是作類書《羣芳譜》，非咏詩也。

又卷八　詩有通首平正，無可指摘，而絶不招人愛。晋人稱王安北相對不厭，去後人亦不思是也。唐霍王元軌有賢名。或問人：「霍王何長？」其人曰：「無長。」問者愕然。乃答曰：「人必有所短也，而後見所長。霍王無所短，又何所見其長？」二事，皆可參悟。

又《小倉山房詩集》卷一五《改詩》　改詩難於作，辛苦無定程。萬謀箸不下，九轉丹難成。【略】役使萬書籍，不汩方寸靈。恥據一隅霸，好與全軍爭。【略】寧亢不願墜，寧險毋甘平。動必拔龍角，靜可察螉蠅。選調如選將，非勝不用兵。下字如下石，石破天方驚。豈敢追前輩，亦非異後生。【略】止怒莫如詩，歌之可怡情。多文以爲富，擁之勝百城。【略】上鳴國家盛，下使羣賢賡。

又卷一六《用定聲錄韻贈周青原》　「六義」非一體，源流各有合。八音非一器，硍散紘匏雜。大響奏鈞天，簫韶兼衆樂。百川會東海，隨宜供吐納。戔戔目論者，取徑乃取狹。略探《文選》理，嫌韓、蘇粗遝。未窺李杜藩，先笑温李弱。強界唐與宋，如以裘屏葛。所見同陳蜳，將肘類肉鴨。龜玆自稱王，李重不足殺。【略】妍媸鑒古人，胸懸萬年蛤。《毛詩》三百篇，去其味嚼蠟。童子歌滄浪，何妨便取法。修業不息版，訓練三千甲。慘淡役心靈，別造牟尼塔。廉如雞食跖，貪如魚祭獺。色如江濯錦，聲如鼙過闔。譬服龍虎虵，奔馳泰華嶽。審格先審題，用墨如用藥。會見月宮桂，專待吳剛斵。

又卷二三《箴作詩者》 倚馬休夸速藻佳，相如終竟壓鄒枚。物須見少方爲貴，詩到能遲轉是才。清角聲高非易奏，優曇花好不轉開。須知極樂神仙境，修煉多從苦處來。

又卷二八《看山有得作詩示霞裳》 青山若弟兄，比看相黨附。恰又恥雷同，各自有家數。或以股肱分，或以瑣碎布。低者卑侍尊，高者頭屢顧。隱者意深藏，豪者勢顯露。間或生奇峰，當空一幟樹。總是氣脈聯，安排有法度。從無雜亂皴，貽譏化工誤。所以仁者心，深契非浮慕。寄語詩文家，於此當有悟。

又《小倉山房文集》卷一七《答蘭垞第二書》 來書極言唐詩之弊，故以學宋爲解，所陳諸弊，僕不以病唐人，乃以病吾子，何也？子亦知孔子之道，歷萬世而無弊者乎？然鄉之氓有學孔子者，終日食不厭精，膾不厭細，人但呼爲飲食之人，不呼爲孔子也，是豈孔子之弊哉？子之弊唐，毋乃類是！且弊有多寡，學者當擇其寡者而趨之。程朱講學，陸王亦講學，其于聖道互有是非，然天下士多尊程朱，少尊陸王，故何也？程朱流弊不過迂拘，陸王之弊一再傳而姦猾竄焉，其弊大，故其教不昌。唐詩之弊，子既知之矣，宋詩之弊，而子亦知之乎？不依永，故律亡；不潤色，故采晦。又往往疊韻，如蝦蟆繁聲，無理取鬧；或使事太僻，如生客闌入，舉座寡懽。其他禪障理障，庾詞替語，皆日遠夫性情。病此者，近今吾浙爲尤，雖瑜瑕不掩，有可傳者存，然西施之顰，伯牛之癩，固不如其勿顰勿癩也，況非西施與伯牛乎？說者曰：黃河之水，泥沙俱下。才大者無訾焉。不知所以然者，正黃河之才小耳。獨不見夫江海乎？清瀾浮天，纖塵不飛，所有者萬怪百靈，珊瑚木難，黃金銀爲宮闕而已，焉覩所謂泥沙者哉！善學詩者，當學江海，勿學黃河。然其要，總在識。作史者，才、學、識缺一不可，而識爲尤。其道如射然，弓矢，學也；運弓矢者，才也；有以領之使至乎當中之鵠，而不病于旁穿側出者，識也。作詩有識，則不狗人，不矜己，不受古欺，不爲習囿。杜稱多師爲師，《書》稱主善爲師，自唐虞以來，百千名家皆同源異流，一以貫之者也，何暇取唐宋國號而擾擾焉分界於胸中哉？吾子亦先澄其識而已矣，毋輕論詩！

又卷一九《答友人某論文書》 人必有所不能也，而後有所能。世之無所不能者，世之一無所能者也。【略】宋以後，人心不古，喜多爲之，沿其流而不溯其源，夫是故雖能之，而與夫不能者，亦無以異也。【略】足下來教曰：「詩不如文，文不如著書，人必兼數者而後傳。」此誤也。夫藝，苟精，雖承蜩畫筴，亦傳；藝苟不精，雖兵農禮樂，亦不傳。傳不傳，以實求，不以名取，安在其兼不兼也？然僕意以爲，專則精，精則傳；兼則不精，不精則不傳，與足下異矣。【略】要知爲詩人，爲文人，談何容易。入文苑，入儒林，足下亦宜早自擇，寧擇一而深造，毋泛涉而兩失也。

又《隨園尺牘》卷三《答王孟樓侍講》 詩宜自出機杼，不可寄人籬下。譬作大官之家奴，不如作小邑之簿尉。何也？簿尉雖卑，終是朝廷命官。家奴雖豪，難免主人笞駡。今之尊韓抱杜，而皮傅其儀形者，能無悚悔？又云詩如佛法，有正法眼藏，有狡獪神通。參正法者，不貴神通；夸神通者，渺視正法。

又卷四《答章觀察招飲》 名手作詩，經營慘淡，一日中未必得一二佳句。其所謂對客揮毫，萬言立就者，皆以欺婦女童蒙，而不可以示識者也。

又卷五《與羅甥》 作詩如交友也，倘兩友相見，終日一味作寒暄通套語，而不能聽一句肺腑之談，此等泛交，如何可耐？足下之詩，敷衍唐人皮面，不能表見性情，有類泛交之友。靜言思之，亦自覺少味矣。至於摹韓學杜，自負大家，則又如趙文華夸在太師門下，舉以傲人，而不知他人之門面，不足以爲自己之牌坊也。凡如此類，俱宜深維而苦思之。

錢思敏等《增訂詩法》卷一《總論》 詩有七要：格古、調逸、氣舒、詞渾、意員、思冲、情眞。七者備而詩迺工也。《三百篇》，商彝周鼎，班剝陸離，蔑以加矣。兩漢祖騷，冠冕佩玉，世運之自然也。唐取士以詩，初則幽巖積雪，中則微陽古松，晚則朱囊繡閣。宋襲其餘，以理學入詩，又別爲一格矣。洪武間，大開風氣，弘正、嘉隆，作者聿興。祖述唐風，尤其著也。迄我昭代，聖聖相承，崇尚古學，上而鉅卿名公，下而騷人詞客，彬彬郁郁，各有著作。七要俱備，直駕前人，將來家吟戶誦，豈患無章程哉！

又卷四《八病說》 臨文有得必有失，而詩尤甚，而律詩尤甚，況排律乎。唐人著作，映照千秋，然尺璧微瑕，不能相掩。後人才不及唐，未得其瑜，而先有其疵，可乎？昔梁沈休文爲律韻之祖，所論詩家八病：曰平頭，曰上尾，曰蜂腰，曰鶴膝，曰大韻，曰小韻，曰正紐，曰旁紐。指摘過嚴，而今之作者，不必拘拘，亦宜知之，因爲拈出。

楊際昌《國朝詩話》卷二 詩家連篇歌咏，須意思錯綜，章法聯貫，分之自爲一章，合之統如一章；又有行乎不得不行之情寄托其間，在作者方非誇鬭，在讀者不厭流連。否則材雖富，句雖佳，總未免平原才多之患，風雅遺則，轉於是衰矣。稽諸前哲，古體則《十九首》、阮嗣宗《咏懷》、陳伯玉《感遇》、李太白《古風》；近體則杜少陵《秋興》，人人膾炙，稍有訾議者，必嗤其妄，作者原自不苟也。虞山以下，非獨多篇，且頻頻叠韻，瑕瑜究不相掩。

謝鳴盛《範金詩話》卷上 古云：風、雅、頌，詩之體；賦、比、興，詩之用。其用云何？竊以爲此先民教人學詩之法，雅頌皆當作如是觀，不獨國風宜爾也。蓋歌吟謂之賦，如《左傳》所載莊入而賦，姜出而賦，晋公子賦《河水》，秦伯賦《六月》之類皆歌吟。古詩幷非敷陳直言已意之謂也，由是以思學詩之法，蓋爲歌吟之而興趣生焉。興、觀、群、怨隨境而發，遠邇多識，觸類而通，如後世裴安祖講《鹿鳴》而兄弟同食，周盤誦《汝墳》而爲親從征，豈非興寄無端歟？其因此悟彼，如聖門子夏之因論詩而知禮，子貢之因論學而咏詩，豈非工於比物者歟？學詩而得此意則眞活潑潑地矣。若必以某章爲興爲賦爲比，縱令絲毫不爽於學者，何所會心？古人不求甚解，略觀大意，其此旨也。夫聖人讀《易》之法有四，竊取則焉，賦則以言者尚其辭，興則以動者尚其變，比則以製器者尚其象，惟以卜筮者尚其占，是專爲讀《易》而說。其三者凡讀書皆當具此意，又不獨《易》與詩爲然。柳子云：比興出於虞夏之詠歌，殷周之風雅，其抑有以先得我心乎！

趙翼《甌北詩話》卷四 香山《長慶集》以諷諭、閒適、感傷三類分卷，而古調、樂府、歌行各體，即編於三類之内；《後集》不復分此三類，但以格詩、律詩分卷。古來詩未有以「格」稱者，大曆以後始有。「齊梁格」、「元和格」，則以詩之宗派而言；「轆轤格」、「進退格」，則律詩中又增限制。無所謂「格詩」也。兹乃分格、律二種，其自序謂：「邇來復有『格律詩』。」《洛中集記》亦曰：「分司東都以來，賦『格律詩』凡八百首。」序《元少尹集》亦曰：「著格詩若干首，律詩若干首。」是「格」與「律」對言，實香山創名。此外亦無有人稱「格詩」者。既以格與律相對，則古體詩、樂府、歌行，俱屬格詩矣。而俗本於《後集》十一卷之首格詩下，復繫歌行雜體字樣，是直以格詩又爲古詩中之一體矣。汪立名辨之甚晰。

又卷一二 詩有一首中用重韻者。任彥昇《哭范僕射》一詩，三押「情」字。沈雲卿「天長地潤」一詩，三押「河」字。王維「暮雲空磧」一首，兩押「馬」字。「一從歸白社，不復到青門。青菰臨水映，白鳥向山翻。」「青」「白」二字，一首中重出。《九成宮避暑》，三四「衣上」、「鏡中」，五六「林下」、「巖前」，句法亦重出。岑嘉州「雲隨馬」、「雨洗兵」，「花迎蓋」、「柳拂旌」，一首中句法亦重（王世懋《藝圃擷餘》）。張謂《別韋郎中詩》，八句中五地名。盧象《雜詩》，八句中四地名。王昌齡《送朱越》一絶，四句中四地名。孟浩然《宴榮山人池亭》律詩，四句中用八人姓名（田藝衡《香宇詩談》）。謝惠連詩：「屯雲蔽層巓，驚風湧飛流。零雨潤墳澤，落雪灑林邱。浮氣晦厓巘，積素惑原疇。」六句句法相似。張正見詩：「含香老顔駟，執戟異揚雄。惆悵崔亭伯，幽憂馮敬通。王嬙沒故塞，班女棄深宮。」六句中引用六古人。王世懋、都穆、田藝衡皆以爲今人詩若此，必厭其重複，在古人正不若是拘也；然究是詩中之病。若李太白「峨嵋山月半輪秋，影入平羌江水流。夜發清溪向三峽，思君不見下渝州。」四句中用五地名，毫不見堆垛之迹。此則浩氣噴薄，如神龍行空，不可捉摸，非後人所能模彷也。駱賓王「林疑中散地，人似上皇時。芳杜湘君曲，幽蘭楚客詞」，二聯中用四典，亦不見其重叠，此又剪裁之妙。

姚鼐《惜抱軒文集》卷六《答翁學士書》 昨相見承教，勉以爲文之法。蚤起，又得手書，勸掖益至。非相愛深，欲增進所不逮，曷爲若此？鼐誠感荷不敢忘。雖然，鼐聞今天下之善射者，其法曰平肩臂，正脰，腰以上直，腰以下反句磬折，支左絀右；其釋矢也，身如槁木，苟非是不可以射。師弟子相授受，皆若此而已。及至索倫蒙古人之射，傾首欹肩僂背，發則口目皆動，見者莫不笑之；然而索倫蒙古人之射遠，貫深而命中，世之射者，常不逮也。然則射非有定法，亦明矣。夫道有是非，而技有美惡。詩文皆技也，技之精者，必近道。故詩文美者，命意必善。文字者，猶人之言語也，有氣以充之，則觀其文也，雖百世而後，如立其人而與言於此；無氣，則積字焉而已。意與氣相御而爲辭，然後有聲音節奏，高下抗墜之度，反覆進退之態，采色之華。故聲色之美，因乎意與氣而時變者也。是安得有定法哉？自漢魏晋宋、齊梁陳隋、唐趙宋元明及今日，能爲詩者，殆數千人，而最工者數十人；此數十人，其體製固不同，所同者，意與氣足主乎辭而已。人情執其學所從入者爲是，而以人之學非也；及易人而觀之，則亦然。譬之知擊棹者欲廢車，知操轡者欲廢舟，不知其不可也。

又《惜抱軒詩集》卷四《與張荷塘論詩》 薰蕕非同根，鶢鶋豈竝處？欲作古賢辭，先棄凡俗語。青巖萬仞立，丹鳳千里翥。寶氣照山川，芳華出霧雨。快此大美聚，亦使小拙撫。淺易詢竈嫗，險怪趨虯戶。焉知難易外，横縱入規矩。小黠弄狡獪，窺隙目用鼠。不知虎視雄，一嘯風林莽。嘵嘵雜市井，喁喁媚兒女。至言將不出，曩哲遭腹侮。謂獲昔未搜，頗疑今者愈。嗟哉余病耄，柰此衆簧鼓。絃上矢難留，蓄憤終一吐。不期得吾心，君先樹幟羽。將埽妄且庸，略示白與甫。病几偶對論，陽氣上眉宇。東南百俊彥，解者未十五。寡和君勿嫌，終世一仰俯。有得昔幾人，屈指君試數。

吳騫《拜經樓詩話》卷一 陳爰立先生（枚），乾初從子也。【略】其論詩云：「以溫厚蘊藉爲體，以風雅鼓盪爲用。思入深沈，調出俊爽。宏麗詩不落濃俗，幽靜詩不落枯淡。雄句宜渾不宜粗，婉句宜細不宜巧。一觀意思，二觀體裁，三觀句調，四觀神韻，四者皆得，方爲全詩。四者中更以意思神韻爲主。」觀此可以覘其詩學之造詣矣。

翁方綱《石洲詩話》卷一 子昂、太白蓋皆疾梁陳之艷薄，而思復古道者。然子昂以精深復古，太白以豪放復古。必如此，乃能復古耳。若其揣摹於形迹以求合，奚足言復古乎？

又 盛唐諸公之妙，自在氣體醇厚，興象超遠。然但講格調，則必以臨摹字句爲主，無惑乎一爲李、何，再爲王、李矣。愚意拈出龍標、東川，正不在乎格調耳。

又卷二 唐人詩至白公，自不當盡以阮亭先生所講第一義繩之。蓋白公詩，格調、聲音之皆不事也。阮亭力戒人看《長慶集》，但取其一二小詩。此在阮亭先生，固當如此。阮亭獨標神韻，言各有當耳。阮亭先生意中，卻非抹煞白公之妙也。看《十選》中所取自見。尚恨胡孝轅《十籤》，阮亭未嘗全見耳。

又 詩不但因時，抑且因地。如杜牧之云：「南山與秋色，氣勢兩相高。」此必是陝西之終南山。若以詠江西之廬山，廣東之羅浮，便不是矣。即如「夜足霑沙雨，春多逆水風」，不可以入江、浙之舟景。「閶闔晴開詄蕩蕩，曲江翠幕排銀牓」，不可以詠吳地之曲江也。明矣！今教粵人學爲詩，而所習者，止是唐詩，只管蹈襲，勢必盡以西北方高明爽塏之時景，熟於口頭筆底，豈不重可笑歟？所以閩十子、吳四子、粵五子皆各操土音，不爲過也。格調自要高雅，不以方隅自限，此則存乎其人耳。

又卷三 詩人雖云「窮而益工」，然未有窮工而達轉不工者。若青蓮、浣花，使其立於廟朝，製爲雅頌，當復如何正大典雅，開闢萬古！而使孟東野當之，其可以爲訓乎！

又《復初齋文集》卷八《詩法論》 歐陽子援揚子制器有法，以喻書法，則詩文之賴法以定也審矣。忘筌忘蹄，非無筌蹄也。律之還宮，必起於審度，度即法也。顧其用之也無定方，而其所以用之，實有立乎法之先，而運乎法之中者。故法非徒法也，法非板法也。且以詩言之，詩之作，作於誰哉？則法之用，用於誰哉？詩中有我在也，法中有我以運之也。即其同一詩也，同一法也，我與若俱用此法，而用之之理，用之之趣，各有不同者，不能使子面如吾面也。同一時，同一境，同一事之作，而其用法之所以然，父不能得之於子，師不能傳之於弟，即同一在我之作，而今歲不能倣昨歲語，今日不能用昨日之語，況其隔時地，分古今，而強我以就古人之法，強執古人以定我之法，此則蔑古之尤者也，而可謂之效古哉？故曰：文成而法立。法之立也，有立乎其先，立乎其中者，此法之正本探原也。有立乎其節目，立乎其肌理界縫者，此法之窮形盡變也。杜云「法自儒家有」，此法之立本者也。又曰「佳句法如何」，此法之盡變者也。夫惟法之立本者，不自我始之，則先河後海，或原或委，必求諸古人也。夫惟法之盡變者，大而始終條理，細而一字之虛實單雙，一音之低昂尺黍，其前後接筍、乘承轉換、開合正變，必求諸古人也，乃知其悉準諸繩墨規矩，悉校諸六律五聲，而我不得絲毫以己意與焉。故曰禹之治水，行其所無事也。行乎所不得不行，止乎所不得不止，應有者盡有之，應無者盡無之，夫然後可以謂之詩，夫然後可以謂之法矣。

又《格調論上》 詩之壞於格調也，自明李、何輩誤之也。李、何、王、李之徒，泥於格調，而僞體出焉，非格調之病也，泥格調者病之也。夫詩豈有不具格調者哉？《記》曰：「變成方謂之音。」方者，音之應節也，其節即格調也。又曰：「聲成文謂之音。」文者，音之成章也，其章即格調也。是故噍殺嘽緩、直廉和柔之別，由此出焉。是則格調云者，非一家所能概，非一時一代所能專也。古之爲詩者，皆具格調，皆不講格調，格調非可口講而筆授也。唐人之詩，未有執漢魏六朝之詩，以目爲格調者，宋之詩，未有執唐詩爲格調；卽至金元詩，亦未有執唐宋爲格調者。獨至明李、何輩，乃泥執《文選》體，以爲漢魏六朝之格調焉，泥執盛唐諸家以爲唐格調焉。於是不求其端，不訊其末，惟格調之是泥，於是上下古今只有一格調，而無遞變遞承之格調矣。至於漁洋變格調曰神韻，其實卽格調耳；而不欲復言格調者，漁洋不敢議李、何之失，又惟恐後人以李、何之名歸之，是以變而言神韻，則不比講格調者之滋弊矣。然而又慮後人執神韻爲是，格調爲非，則又不知格調本非誤，而全壞於李、何輩之泥格調者誤之，故不得以不論。

又《格調論中》 「熟精《文選》理」，非謂效其體也。漁洋先生乃謂理字不必深求其解，故李滄溟之純用《選》體者，直謂唐無五言古詩矣。所謂唐無五言古詩者，正謂其無《選》體之五言古詩也。先生乃譏滄溟者，不合其下句觀之，而但執唐無五古一句，以歸咎於滄溟，滄溟不受也。豈知滄溟之咎，正專在此唐無五言古詩一句乎？彼謂唐之古詩皆不倣效《選》體耳，豈知唐古詩正以不倣《選》體爲正，唐人尚以不倣《選》體爲正，而後之爲詩者，轉欲《選》體之倣耶？此所謂舛也。且卽以《選》體言之，《文選》自漢魏迄齊梁，非一體也，而概目曰《選》體可乎？如謂《文選》諸家之詩，共合而目爲《選》體，則只一體，非衆體矣。中間何以復有擬古之作乎？卽觀《選》詩中有擬古之篇，則知古之上復有古焉，何可泥執而混爲一乎？泥而一之，則是蔑古而已。此則正受古人之憾，正受古人之笑而已矣。然則學之汲古師古何爲也哉？曰：聖言好古敏求，而夏殷之禮不能於杞宋徵之。凡所以求古者，師其意也；師其意，則其迹不必求肖之也。孔子於《三百篇》，皆弦而歌之，以合於《韶》《武》之音，豈《三百篇》篇篇皆具《韶》《武》節奏乎？抑且勿遠稽《三百篇》，卽以唐音最盛之際，若杜若李若右丞、高、岑之屬，有一效建安之作，有一效謝、顔之作者乎？宋詩盛於熙豐之際，蘇、黃集中有一效盛唐之作者乎？直至明朝而李、何在前，王、李踵後，乃有文必西漢、詩必盛唐之說，因而遂有五言必效《選》體之說。五言不效《選》體，則謂之唐無五言古詩。然則七古亦將必以盛唐爲正矣，則何不云宋無七言古詩，而彼不敢也，是以漁洋代爲下轉語曰：蘇詩七律不可學。是則直曰：蘇無七律，而有其七律。夫然後可以繼李滄溟之論耳。漁洋豈但謂蘇七律不可學，又謂白詩不可學。夫謂七律宜宗盛唐，則杜固居其正無疑也。然又謂五古宜宗《選》體，《選》體之說不能旁通也。故又變格調爲神韻，而以王孟韋柳當其正，則杜之五古又居其變。同一杜詩，而七言居其正，五言居其變，然則仰窺弦歌韶武之音，其將必以《清廟》、《思文》之什爲正，而《東山》、《鴟鴞》之音爲變乎？其將何以爲後學者之準式？吾故曰：作詩勿泥選體。

又《格調論下》 化格調之見，而後詞必己出也；化格調之見，而後教人自爲也；化格調之見，而後可以言詩；化格調之見，而後可以言格調也。今且勿以意匠之獨運者言之，且勿以苦心孤詣戛戛獨造者言之，今且以效古之作若規倣格調者言之。古之擬樂府者，若《行路難》，其初本以行旅閱歷言也，其後漸擴寫情事矣；若《巫山高》，其初以雲雨十二峰言也，其後漸以曠望之懷言矣。如原題所指某事，而後來擬作變而推廣者，不可勝原也。惟其如此，所以賴有《樂府解題》也。若使其後來擬作，悉依原本爲之，則何爲而有解題之作乎？又如鄴中集之有擬作，江文通之有擬作，丹素甘辛之喻，亦特就其體制而申析之，以爲此某家之格制如此，則其後來學者之引伸，類長不皆如此，又可知也。若使人人篇篇悉依倣此式而爲之，則曷爲拈此以擬出之哉？又若阮、陳以後，《詠懷》、《感遇》諸篇，皆名曰效古也，後人詩集亦多效之，亦正可見其全集諸作，皆不執此體式，而特假此題樣以見端，此亦正是古調不盡可概施之徵驗而已矣。然吾擧此如江文通擬古之作，如陳伯玉《感遇》之作，特其偶一爲之可耳。蘇子美之四言，非復韋孟之四言也。四言，古制也，尚且如此，況五、七言乎？東坡之和陶，非復柴桑之五言，非復左司之五言也。五言近古，尚且如此，況七言乎？今如鐫類帖於石者，其首卷必黃庭、樂毅、洛神、東方讚諸古楷也，或其所據之本，出於某代某家，中間實有訂正舛訛者，則可耳；不則陳陳相因，誰其賞之乎？今編刻一集，其卷端必冠以擬古感興諸題，而又徒貌其句勢，其中無所自主，其外無以自見者，誰復從而誦之？夫其題內有擬古倣古者，尚且宜自爲格制，自爲機杼也，而況其題本出自爲，其境其事屬我自寫者？非古人之面，而假古人之面，非古人之貌，而襲古人之貌，此其爲頑鈍不靈、泥滯弗化也。可鄙可恥，莫甚於斯矣。吾自日接親戚賓友，有必應言之言，有必應答述之語，而顧妄作戲場優伶之聲音色笑，以爲中節，雖奴隸之愚賤，村野之牧豎，皆將起而非笑之，而操觚者顧自蹈之，豈理也哉！

又《神韻論上》 《詩》三百篇，聖人皆弦歌之，以求合於《韶》、《武》之音。《韶》《武》，古樂也，盛德之所同也，謂《清廟》、《猗那》合之可也，謂《節南山》、《雨無正》合之可乎？謂《關雎》、《鵲巢》合之可也，謂《株林》、《匪風》合之可乎？是必有標乎音之本者矣，以其義言之，則聖人一言蔽之，曰「思無邪」。以其音言之，則曰「樂不淫，哀不傷」，曰「各得其所」，曰「洋洋盈耳」，而未有一言該其所以然者，音之理通於微，而音之發非一緒，在善讀者領會之而已。況乎漢魏六朝以後，正變愈出愈棼，而豈能撮舉其所以然？盛唐之杜甫，詩教之繩矩也，而未嘗言及神韻，至司空圖、嚴羽之徒，乃標舉其概，而今新城王氏暢之。非後人之所詣，能言前古所未言也。天地之精華，人之性情，經籍之膏腴，日久而不得不一宣洩之也。自新城王氏一倡神韻之說，學者輒目此爲新城言詩之秘，而不知詩之所固有者，非自新城始言之也。且杜云：「讀書破萬卷，下筆如有神。」此「神」字，即神韻也。杜云：「熟精文選理。」韓云：「周詩《三百篇》，雅麗理訓誥。」杜牧謂李賀詩「使加之以理，奴僕命騷可矣。」此「理」字，即神韻也。神韻者，徹上徹下，無所不該，其謂「羚羊挂角，無迹可求」，其謂「鏡花水月，空中之象」，亦皆即此神韻之正旨也，非墮入空寂之謂也。其謂雅人深致，指出「訏謨定命，遠猷辰告」二句以質之，即此神韻之正旨也。非所云「理」字，不必深求之謂也。然則神韻者，是乃所以君形者也。昔之言格調者，吾謂新城變格調之說，而衷以神韻，其實格調即神韻也。今人誤執神韻，似涉空言，是以鄙人之見，欲以肌理之說實之，其實肌理亦即神韻也。昔之人未有專舉神韻以言詩者，故今時學者，若欲目神韻爲新城王氏之學，此正坐在不曉神韻爲何事耳。知神韻之所以然，則知是詩中所自具，非至新城王氏始也。其新城之專舉空音鏡象一邊，特專以針炙李、何一輩之癡肥貌襲者言之，非神韻之全也。且其誤謂「理」字不必深求其解，則彼新城一叟實尚有未喻神韻之全者，而豈得以神韻屬之新城也哉？

又《神韻論中》 君子引而不發，躍如也；中道而立，能者從之。中道而立，非界在難易之間之謂也。朱子集註蓋偶用某家之說，以中爲難易遠近之中間。此中字一誤會，則「而立」二字亦不得明白矣。道無邊際之可措，道無四隅之可竟，道無難易遠近之可言也，然而其中其外，則人皆見之。中道而立者，言教者之機緒，引躍不發，只在此道內，不能出道外一步，以援引學者助之使入也，只看汝能從我否耳，其能從者，自能入來也。道是一個大圈，我只立在此大圈之內，看汝能入來與否耳。此即詩家神韻之說也。今以藝事言之，寫字欲運腕空靈，即神韻之謂也。其不知古人之實得，而欲學其運腕空靈，必致手不能握筆矣。知其所以然，則吾兩手寫字，其沉鬱積力，全用於不執筆之左手，然後其執筆之右手，自然輕靈，運轉如意矣。以爲文之理喻之，則即據上游之謂也。然則何以能得神韻乎？曰置身題上，則黃鵠一舉，見山川之紆曲，再舉，見天地之圓方。文之心也，文之骨也，法外之意也。夫然後可以針對癡肥貌襲之弊也。彼癡肥貌襲，正患坐在題中，舉眼不見四周之輪光。「不識廬山眞面目，只緣身在此山中。」癡肥既不可，削枯又不可。似，既非也，不似又非也。是以李何固謬，王李又謬；抑湯若士、徐天池輩之矯變李何，亦又非也；抑且公安、竟陵之矯變李何，又無謬不出也。然而新城以三昧標舉盛唐諸家，盛唐諸家其體盛大，貌其似者，固不能傷之，徒自敝而已矣。矯其說者，一以澄夐淡遠味之，亦不墮一偏也。何者？盛唐元是眞詩，横看成嶺，側看成峰，隨其人自得之而已矣。至於舉明朝徐昌穀、高子業之一得，遂欲於五言截去杜、韓、蘇、黃以下，直以此接漢、魏、盛唐作者，則又非正論矣。夫陳伯玉之在初唐，以上接漢、魏可也；韋左司在中唐，以接陶亦可也；高、徐、皇甫諸家，在明以遙接漢、魏、盛唐則不可也。此則言神韻者之偏辭也。綜而計之，所謂置身題上者，必先身入題中也。射者必入彀，而後能心手相忘也；筌蹄者必得筌蹄，而後筌蹄兩忘也。詩必能切己、切時、切事，一一具有實地，而後漸能幾於化也，未有不有諸己、不充實諸己，而遽議神化者也。是故善教者，必以規矩焉，必以彀率焉。神韻者，以心聲言之也。心聲也者，誰之心聲哉？吾故曰：先於肌理求之也。知於肌理求之，則刻刻惟規矩彀率之弗若是懼，又奚必其言神韻哉？

又《神韻論下》 詩以神韻爲心得之秘，此義非自漁洋始言之也，是乃自古詩家之要眇處，古人不言，而漁洋始明著之也。神韻者，非風致情韻之謂也。吾謂神韻，即格調者，特專就漁洋之承接李何、王李而言之耳。其實神韻，無所不該，有於格調見神韻者，有於音節見神韻者，亦有於字句見神韻者，非可執一端以名之也；有於實際見神韻者，亦有虛處見神韻者，有於高古渾樸見神韻者，亦有於情致見神韻者，非可執一端以名之也。此其所以然，在善學者自領之，本不必講也。吾既爲漁洋之承李何，而不得不析言之，乃今又爲近人之誤會者，更不得不析言之。世之不知而誤會者，吾安能一一析之，今姑就吾所近見，其最不通者莫如河間邊連寶之論詩，目漁洋爲神韻家，是先不知神韻乃自古詩家所共具，漁洋偶拈出之，而别指之曰：神韻家有是理乎？彼既不知神韻是詩中所固有矣，乃反歸咎於嚴儀卿之言鏡花水月，涉於虛無，爲貽害於後學，此非罵嚴儀卿也，特舉以罵漁洋耳。漁洋詩專取神韻，而不能深切，則誠有之，然近日之譏漁洋者，持論皆不得其平也。請申析之。詩自宋金元，接唐人之脈，而稍變其音，此後接宋金元者，全恃眞才實學以濟之；乃有明一代，徒以貌襲格調爲事，無一人具眞才實學，以副之者。至我國朝文治之光，乃全歸於經術，是則造物精微之秘，衷諸實際，於斯時發洩之，然當其發洩之初，必有人焉，先出而爲之伐毛洗髓，使斯文元氣復還於沖淡淵粹之本，然而後徐徐以經術實之也。所以賴有漁洋首倡神韻，以滌蕩有明諸家之塵滓也。其援嚴儀卿所云「鏡中之花，水中之月」者，正爲滌除明人塵滓之滯習言之，卽所謂「詩有别才非關學」之一語，亦是專爲騖博滯迹者偶下砭藥之詞，而非謂詩可廢學也。須知此正是爲善學者言，非爲不學者言也。司空表聖《詩品》亦云：「不著一字，盡得風流。」夫謂「不著一字」，正是謂函蓋萬有也，豈以空寂言耶？漁洋之詩，雖非李何之滯習，而尚有未盡化滯習者，如詠焦山鼎，只知鋪陳鐘鼎款識之料；如詠漢碑，只知叙説漢末事，此皆習作套語，所以事境偶有未能深切者，則未知鋪陳排比之，卽連城玉璞也。蓋漁洋未能喻「熟精《文選》理」「理」字之所以然，則必致後人誤會「詩有别才」之語，致墮於空寂，則亦當使人知神韻初不如此，而豈可反誤以神韻爲漁洋咎乎？若趙秋谷之議漁洋，謂其不切事境，則亦何嘗不中其弊乎？學者惟以讀書切己爲務，日從事於探討古人，考析古人，則正惟恐其不能徹悟於神韻矣。神韻者，視其人能領會，非人人皆得以問津也，其不能悟及此者，奚爲而必強之，其不知而強附空闊以爲神韻，與其不知而妄駁神韻者，皆坐一不知之咎而已。不知何害，不知而妄議，則爲害滋甚耳。

又卷一五《倣同學一首爲樂生别》 樂生蓮裳，將之揚州，予爲題扇一詩曰：「分刌量黍尺，浩蕩馳古今。」蓋言詩之意，盡在是矣。而生以集序爲屬，尚未喻吾言乎？故倣介甫之别子固，復爲文以贈之。夫所謂「分刌黍尺者」，肌理針線之謂也。遺山之論詩曰：「鴛鴦繡出從君看，不把金針度與人。」此不欲明言針線也。少陵則曰：「美人細意熨貼平，裁縫滅盡針線迹。」善哉乎。究言之，長言之，又何嘗不明言針線與？白香山曰：「劚石破山，先觀鑱迹；發矢中的，兼聽弦聲。」而昌黎曰：「將軍欲以巧伏人，盤馬彎弓故不發。」然則巧力之外，條理寓焉矣。昔李、何之徒，空言格調，至漁洋乃言神韻。格調、神韻，皆無可著手也，予故不得不近而指之，曰肌理。少陵曰：「肌理細膩骨肉勻。」此蓋係於骨與肉之間，而審乎人而天之合，微乎艱哉！智勇俱無所施，則惟玩味古人之爲要矣。姜白石云：「求與古人合，不如求與古人離；求與古人離，不若不求與古人離而不能不離，不求與古人合而不能不合。」

李調元《雨村詩話》卷下 杜詩之妙，有以意勝者，有以篇法勝者，有以俚質勝者，有以倉卒造狀勝者。如「劍外忽傳收薊北」一首，倉卒間寫出欲歌欲哭之狀，使人千載如見。杜詩有最瑣屑事，且爲莫須有而煌煌成篇者。如「聞道雲安麴米春，纔傾一盞卽醺人。乘舟取醉非難事，下峽消愁定幾巡。長年三老遙憐汝，棙柁開頭捷有神。已辦青錢防雇直，當令美味入吾唇」。蓋爲酒詠也。而酒並未見，懸憶成篇，因用「聞道」二字以虛之，所謂無聊之甚也。杜老原不在此處要好，而亦未嘗不好，故題曰《撥悶》。人遇舟行岑寂，紙筆在前，往往有此興致。近見王漁洋批本，全行批抹。嗟乎！此漁洋詩之所以不如杜也。俗謂「朱貪多，王愛好」，信然。朱謂竹垞。

又 杜詩箋註有《千家註》，有《五百家註》，然總遜近日仇兆鰲《詳註》，可謂集大成矣。作詩之法，少陵嘗自言之矣。曰「别裁僞體親風雅」，言正其所從入也。曰「熟精《文選》理」，言有根柢也。曰「前輩飛騰入，餘波綺麗爲」，曰「篇終接混茫」，言有收束也。曰「新詩改罷自長吟」，曰「老去漸于詩律細」，夫以太白之才，雄奇跌蕩，而猶欲與「細論文」，然則「細」之一字，其詩學之金針乎？詩不可以貌爲，少陵《發同谷》諸篇，昌黎、東野聯句，皆偶立一體。至昌谷之奇詭，義山之獺祭，各有寓意，不可以貌爲。乃今人襲取二李隱僻字句，以驚世眩目，叩其中絶無所謂，是皆無病呻吟，效顰而不自知其醜者。詩以道性情，自淵明而上溯《三百篇》，何嘗有不可解字句，使人眩惑，而其意之所托，或興或比，往往出人意表，千百載竟無能道破者。余嘗謂古之詩文，句平而意奇，後人句奇而意平，可笑也。

又 《詩》三百篇有正有變，後人學焉而各得其性之所近。《楚騷》之幽怨，少陵之憂愁，太白之飄豔，昌谷、玉川之奇詭，東野、閬仙之寒儉，從乎變者也。陶靖節以下，至于王昌齡、王維、孟浩然、高適、岑參、韋應物、儲光羲、錢起輩，俱發言和易，近乎正者也。白居易以和易享遐齡，長吉以瑰詭而致夭折。《記》曰：「和故百物不失。」冬寒故景短，夏酷烈而秋悲，春日遲遲，信可樂也。知此可與言詩矣。

又《童山文集》卷五《凫塘集序》 人喜則思陶，陶斯咏，故咏詩主陶情，而作詩由陶甄。今之善爲陶者，莫過於饒，然有八法焉：一曰采石，饒窯陶上，以祁門爲上品。若用高嶺，則質不純正矣。二曰鍊泥，以缸浸泥，細濾入絹，以作胚胎。若不澄淨，則色不滋潤矣。三曰配釉，釉貴純粹，無灰不成，灰出平樂，鍊以鳳尾草，和泥成漿，泥十灰一。若泥少灰多，則光不鮮瑩矣。四曰護匣，瓷坯宜淨，一粘泥滓，即成斑駁，揀黑黄沙略加鏃削，燒過護坏，若不護，入火則柔不受冶矣。五曰定模，塼埴之法，器中膊，豆中縣，即今模子，必須與原樣相似。若無規範，則式不畫一矣。六曰車圓，器制不一，圓者如盤盂鐘楪，塼泥置盤，以竹撥輪，隨手拉坏，自然如意。如手法稍滯，則形不圓轉矣。七曰琢器，方者如瓶罍尊彝，凡有稜角，壓成刀，截爲段，當角者廉之，當折者挫之，然後選式付匠。若彌縫不周，則工不渾成矣。八曰選青，瓷器悉藉青料，采紹興、金華諸山，名曰頂圓子，黑綠潤澤，全者爲上。若選料不精，則器不完全矣。非陶有之，作詩亦然。詩尤甚於陶也，采之《三百》、漢、魏、六朝、《騷》、《選》，以立其基，此詩中之采石也。加以淘磨精液，簡鍊鎔鑄，以利其用，此詩中之鍊泥也。本乎《左傳》、《史記》、莊、老諸子，以擷其精，此詩中之配釉也。去其粗率俚俗，不切陳言，以嚴其範，此詩中之護匣也。參于陶、謝、徐、庾、李、杜、韓、蘇，以立其格，此詩中之定模也。凡悲懽愁樂，鳥獸草木，各肖其題而不粘滯，此詩中之車圓也。凡雕詞琢句，長篇短什，必極其巧而不傷雅，此詩中之琢器也。詩以氣爲主，而尤貴有色。老杜曰：「昔聞洞庭水，今上岳陽樓。」氣也。小杜曰：「高摘屈宋艷，濃熏班馬香。」色也。此詩中之選青也。五色雕鏤，而無奇氣以行之，名曰餖飣。一氣呵成，而無采色以麗之，名曰淡薄。淡薄者，容有味，而餖飣者必無神，與其餖飣，不如其淡薄也。凫塘之詩，深知詩者也，自少而壯，自朝廟而江湖，律則戛玉敲金，古則横空盤硬，喜則和風甘雨，悲則嚙雪咀霜，有王、孟、韋、柳之醇古澹腴，無盧、李、孟、賈之險僻古怪。蓋其天資學力二者兼到，陶鎔于諸大家，而又加以鼓鑄萬彙，每有吟詠，無不振之以聲氣，敷之以彩色。譬之于陶，則八法皆備，求所謂不純正、滋潤、光瑩、受冶、畫一、圓轉、渾成、完全者，殆無一焉，又何有淡薄餖飣之誚乎？是能陶彙萬物者也，故與之説陶。知陶者，可與讀此詩矣。

方薰《山静居詩話》 余嘗謂詩盛於唐，至宋、元以來，格法始備。論者概以溫柔敦厚，語意含蓄爲法則，不悟《三百篇》亦惟《二南》有之，餘皆非一格矣。

洪亮吉《北江詩話》卷一 怪可醫，俗不可醫。澀可醫，滑不可醫。孫可之之文，盧玉川之詩，可云怪矣。樊宗師之記，王半山之歌，可云澀矣。然非餘子所能及也。近時詩人，喜學白香山、蘇玉局，幾於十人而九，然吾見其俗耳，吾見其滑耳。非二公之失，不善學者之失也。

又 詩固忌拙，然亦不可太巧。近日袁大令枚《隨園詩集》，頗犯此病。

又卷二 詩文之可傳者有五：一曰性，二曰情，三曰氣，四曰趣，五曰格。詩文之以至性流露者，自《六經》四始而外，代殊不乏，然不數數覯也。其情之纏綿悱惻，令人可以生，可以死，可以哀，可以樂，則《三百篇》及《楚騷》等皆無不然。「河梁」、「桐樹」之於友朋，秦嘉、荀粲之於夫婦，其用情雖不同，而情之至則一也。至詩文之有真氣者，秦、漢以降，孔北海、劉越石以迄有唐李、杜、韓、高、岑諸人，其尤著也。趣亦有三：有天趣，有生趣，有别趣。莊漆園、陶彭澤之作，可云有天趣者矣；元道州、韋蘇州亦其次也。東方朔之《客難》，枚叔之《七發》，以及阮籍《詠懷》，郭璞《遊仙》，可云有生趣者矣。《僮約》之作，《頭責》之文，以及鮑明遠、江文通之涉筆，可云有别趣者矣。至詩文講格律，已入下乘。然一代亦必有數人，如王莽之摹《大誥》，蘇綽之倣《尚書》，其流弊必至於此。明李空同、李于鱗輩，一字一句，必規倣漢、魏、三唐，甚至有竄易古人詩文一二十字，即名爲己作者，此與蘇綽等亦何以異！本朝邵子湘、方望溪之文，王文簡之詩，亦不免有此病。則拘拘於格律之失也。

又 寫景易，寫情難；寫情猶易，寫性最難。若全椒王文學鼇詩二斷句，直寫性者也：「呼奴具朝餐，慰兒長途飢。關心雨後寒，試兒身上衣。」「兒飢與兒寒，重勞慈母心。天地有寒燠，母心隨時深。」實能道出慈母心事。

又卷三 作詩造句難，造字更難。若造境、造意，則非大家不能。近日順德黎明經簡，頗擅此長。惜年甫四十而卒。然所存諸詩，尚足以睥睨一世。

又卷四 詩可以作、可以不作，則不作可也。陸劍南六十年間萬首詩，吾以爲貽誤後人不少。

又 或曰：今之稱詩者衆矣，當具何手眼觀之？余曰：除二種詩不看，詩即少矣。假王、孟詩不看，假蘇詩不看是也。何則？今之心地明了而邊幅稍狹者，必學假王、孟；質性開敏而才氣稍裕者，必學假蘇詩。若言詩能不犯此二者，則必另具手眼，自寫性情矣。是又余所急欲觀者也。

趙懷玉《竹初詩鈔序》 論詩於今日難矣。朝方擩翰，暮已殺青，幾於家刻一編，架不勝庋。其號爲顯門之業者，非不聲稱籍甚。綜其所失，約有四端：苟爲驚人，徒尚虛響，雕飾外具，經緯中紊，一也；力掃藭深，務歸平正，才或未逮，覽之意索，二也；才分優矣，萬範忽如，濫觴所及，殊乖大雅，三也；便便腹笥，食古未化，非苦詰屈，則涉餖飣，四也。夫情理設位，而文采行乎其中，求其犂然各當於心者，殆罕其遇焉。

法式善《梧門詩話》卷二 詩有氣象。乙巳、丙午間，畢秋帆尚書撫河南，以亢旱得雨，集同人爲喜雨詩，詩多佳者。先生一聯云：「五更驟入清涼夢，萬物平添歡喜心。」詞氣自與諸人不同。

又 氣骨語入詩中，最足動人。韋約軒先生《題木蘭苑》一絶云：「壁上紗籠舊迹存，王郎往事不堪論。儒冠餓死尋常事，肯受闍黎一飯恩。」先生少年具此奇概，宜其老而不衰。

又卷四 詩貴神似，不貴形似。王翾如（起鵬）「社雨一番江燕至，春寒十日杏花稀」，與翁霽堂（照）「一聲啼鳥破春寂，數點落花生晝寒」，王鉢山（思）「千里懷人逢白雁，一秋卧病負黄花」，同一取徑，而翾如、鉢山差蘊藉矣。

又 詩之工拙不在字句多少，故有節取轉見蒼茫者。楊笠湖（潮觀）《柴關見雪》一章，余錄四句云：「曉起出茅簷，但覺寒雲密。不知前山中，已是一夜雪。」直是王孟小詩矣。又有「護花遲剪燭，養火早封煤」句，亦佳。

又卷五 近來尊漁洋者以爲得唐賢三味，貶之者或以唐臨晋帖少之。二說皆非平心之論。夫漁洋自有不可磨滅之作，其講格調，取丰神而無實理，非其至者耳。後人式微，不克振其家聲，可爲悼歎。邇有漁洋從曾孫祖昌文學，字子文，以所作《秋水集》見質，眞能延文簡一脈者。《對月懷王中齋》云：「雨過蒼苔合，黄昏獨掩扉。月明花影靜，風定竹聲微。悄釋紅螺盞，涼生白袷衣。抱琴彈古調，惆悵賞音違。」《爲周寵錫題金佶畫》云：「家住鐵山下，柴門臨碧溪。持竿坐磯上，曉月秋如珪。別來道里遠，每憶鴂鶗啼。今朝看圖畫，宛到石橋西。」

又 詩貴句奇而理平，意豪而事切。如黄仲則句：「茅店燈青鵋嘯鬼，荒林月黑虎驅倀。」奇險極矣，然非誕語也。鮑野雲挽王夢樓句：「寶刀夜月横滄海，鐵板秋風唱大江。」豪壯極矣。蓋夢樓在琉球得一寶刀，時佩之。歸田數十年，終日不廢絲竹，一經拈出，便覺確不可易。金陵孫蓮水贈夢樓句云：「風雨驅馳一枝筆，江山歌舞兩船花。」亦肖其爲人。

又卷七 隨園論詩專主性靈。余謂性靈與性情相似，而不同遠甚。門人鮑鴻起（文逵）辯之尤力，嘗云：「取性情者，發乎情，止乎禮義，而澤之以《風》、《騷》、漢、魏、唐、宋大家，俾情文相生，辭意兼至，以求其合。若易情爲靈，凡天事稍優者，類皆枵腹可辦，由是街談俚語無所不可，蕪穢輕薄，流弊將不可勝言矣。」余深是之。

錢泳《履園譚詩》 詩文家俱有三足，言理足、意足、氣足也。蓋理足則精神，意足則蘊藉，氣足則生動。理與意皆輔氣而行，故尤必以氣爲主，有氣即生，無氣則死。但氣有大小，不能一致，有若看春空之雲，舒卷無迹者；有若聽幽澗之泉，曲折便利者；有若削泰華之峰，蒼然而起者；有若勒奔踶之馬，截然而止者。倏忽萬變，難以形容，總在作者自得之。

又 沈歸愚宗伯與袁簡齋太史論詩判若水火，宗伯專講格律，太史專取性靈。自宗伯三種《別裁集》出，詩人日漸日少；自太史《隨園詩話》出，詩人日漸日多。然格律太嚴固不可，性靈太露亦是病也。余嘗論詩無格律，視古人詩即爲格，詩之中節者即爲律。詩言志也，志人人殊，詩亦人人殊，各有天分，各有出筆，如雲之行、水之流，未可以格律拘也。故韓、杜不能強其作王、孟，溫、李不能強其作韋、柳。如松柏之性，傲雪凌霜；桃李之姿，開華結實。豈能強松柏之開花、逼桃李之傲雪哉？《尚書》曰：「聲依永，律和聲。」即謂之格律可也。

又 元中峰和尚《詠雪》詩云：「凍雲四合雪漫漫，誰解當機作水看？」近人《詠牡丹》詩云：「漫道此花眞富貴，有誰來看未開時？」此詩家先後一層法也。

又 作詩易於造作，難於自然。坡公嘗言：「能道得眼前眞景，便是佳句。」余嘗在燈下誦前人詩，每有佳句，輒拍案叫絕。一妾在旁問何妙若此，試請解之？余爲之講釋。乃曰：「此自然景象，何足取耶？」余笑曰：「吾所取者，正爲自然也。」

孫原湘《天眞閣集》卷四一《吳禮部素脩堂集序》 詩者，天下之達道。道有隆汙，於是乎體有正變，有美刺，以寓懲勸。風雅頌者，所處之不同；賦比興者，所感之不同，要其發乎至情以期無歉乎！達道者一而已。後世詩道寖衰，有賦而無比興者，頌刺每溢其實；有比興而無賦者，粉飾漸離其本。其詩未嘗不傳，非天下之達道也，不可謂之詩也。

袁潔《蠡莊詩話》卷一 人不可爲鄉愿之人，尤不可爲鄉愿之詩。故雄渾之詩令人驚心動魄，幽折之詩令人釋躁平矜，新艷之詩令人怡情悅目。若徒字順句適，平平無奇，套語浮詞，令人望而生厭。嘗見一老學究，久負詩名，及取其詩而讀之，膽小氣促，見淺才迂，絕無動人處，因號之曰中庸先生。表兄胡晉軒諷以詩云：「分唐界宋辨纖濃，沉實高華任所宗。最是模稜無取處，誤人千古只中庸。」

又卷七 作詩移步換形，本無一定。故同一題也，今日用之則爲佳句，明日用之則爲陳言。此處用之則爲佳句，彼處用之則爲陳言。全在有人有我，因地因時。情景既眞，斯立言不泛。

又卷九 作詩不外「理、法、格、調」四字。四者具備，又要有性靈以貫注之。譬諸作室，院落分明，丈尺井然，理法也。牆垣戶牖，鳥革翼飛，格調也。作室既成，必須有人以居之，方不是空空一所房子。既有理法格調，又要性靈之謂也。此中甘苦，良非易易。簡齋先生全集編成，自題絕句云：「不負人間過一回，編成六十卷書開。莫嫌覆瓿些些物，多少功勳換得來。」

又 戴秋厓曰：余以爲作詩先要有性靈，然後講求理、法、格、調。譬之先有人而後可以作室也。反轉言之，其理自一。

延君壽《老生常談》 看古人詩，要這等去講究，自家作了詩，要這等去推敲，漸漸打將去，便到好處。然於搆思拈筆時，則不必如此。若預先安排，我某處照應某處，胸中先有死法，筆下便無靈機。惟平日能領悟得功夫深了，則閉門造車，出門自然合轍。惟長律五十韻百韻，卻宜先分段落層次，又不在此例。

又 作詩先要能下死工夫，如甘茂謂城不下當以宜陽之郭爲墓，示必死也。工部之「語不驚人死不休」可證。當以氣爲主，雷掣電轟，不及掩耳。人稱石曼卿詩如飢鷹乍歸，迅速不可言。東坡之「筆所未到氣已吞」可證。臨時還須審視巧拙，然後落筆，一發則中其要害。昌黎之「盤馬彎弓惜不發」可證。脫稿後又當細細推敲，隔日再視，隔數日、隔年餘再視，事過情遷，閱之尙如冷水澆背，陡然一驚，是一團精誠之氣，結於紙上，便永遠不可磨滅。訂全集時，當虛心與朋友商其去取，妙能割愛。工部之「晚節漸於詩律細」可證。歷觀古人所云，此是何等鄭重事，可輕心掉弄？如只是掠影浮光，天下何者不可爲，必要作詩？

又 在牆上見人所黏詩草，案上見人所刻硃卷，論當從寬。蓋能中式，能倡和，便好。若是刻了集，是出問世人，便恕不過去。此刊行之不可造次也。然有人吹毛索瘢，想來尙是有斑之豹皮，直得去吹索。緜津似不如漁洋，人能知之。當時有合刻詩稿，人吹索漁洋，不吹索緜津，是緜津死漁洋不死也。古人謂蓋棺然後論定，到蓋棺了，人品學問已定，一切功名勢位，窮檐陋巷，皆無分別，則眞評出矣。

又 從小先讀古體詩，發筆時當從五律入手。此體爲試帖之源，且可上開古體，下啓七言。亦有先從歌行入者，余友雋三是也。若先從七律，一落俗格油腔，便不可醫治。少年做不通詩，容易教得好；中年做俗通詩，斷斷教不好。何也？溼革之鼓永不響，墮檐之瓦猶有聲也。

又 詩有空寫而不覺其空者，不讀書人效之，便味同嚼蠟。屈翁山云：「白鷺一溪影，桃花何處灣？」其神韻色澤，味之彌長。欲爲此等，當先讀書。即如太白「牀前明月光」一首，似不從讀書得來，然其機神一片，又非藉書卷之氣以發性靈，則斷斷不能。古人所傳，亦有思婦勞人之什，然持較氣味終別。又有故典與題全沒關涉，信手拈來，妙不可言者。翁山《太白祠》句云：「才人自古蛟龍得，太白三閭兩水仙。」讀之令人驚喜。如此捏合用事，豈非妙手！

吳嵩梁《石溪舫詩話・朱孝純》 夢樓先生以八音論詩，謂子潁如金鐘，予如玉笛，藏園如戰鼓，隨園如琵琶。予請先生自道其實，不得謙讓。笑曰：「予詩如笛，但非玉聲，故不及君耳。」予問：「琴聲爲誰？」慨然曰：「難，難！」予謂：「先生平日推隨園爲奇才，擬以琵琶，不已褻乎？」曰：「琵琶妙處最能移人，此老獨絕之技即在于此，故非奇才不能。君才似蔣，而稍遜其横；情似素，而不盡其妍；氣似朱，而不極其縱。然以衰艷之思，發清壯之響，穿雲裂石，往而復返，此正聲也。」嗚呼！聲詩之道，感人入微，自唐以後才力馳騁已到十分，講音節者寥寥矣。夢樓翁此語雖一時興會所及，卻是此中三昧。

又《樂鈞》 蓮裳與予居同郡，生同歲，又與伯兄茗香拔貢同科，故定交最早且密。丙辰自粵東歸，示予行卷，佳什頗多，予議其七古長篇未免太盡，君謂：「非此發揮不透。」予曰：「唐人多短篇，宋人多長篇。唐人非不能長也，其旨貴蘊藉，而不欲馳騁以竭其才；宋人非不欲短也，其筆易流宕，而不能沈頓以養其氣。好盡透，而力量反不能盡透；能留有餘於不盡，則無所不透不盡矣。」別後，再見于題襟館，則向之長篇多所删改，所作則益精悍不可當。每有詠懷古跡及感述時事之篇，淋漓悲壯，其力陷堅陣，其氣捲怒潮，其聲叶絲管而鏘金石也。

又《方雪齋詩集序》 嵩梁曩從先生論詩，輒主三成之説，謂必成句成章然後可以成家，否則才軼於法，理窒於詞，雖有性靈，終歸湮汩而已。聞者以爲卑不足道，先生獨韙其言。由今觀之，彼以虚憍浮靡之習，竊附壇坫以自雄者，客氣易盡，眞味索然，求其一章一句之傳亦不可得，而先生之詩膾炙士林如此，豈非其用功深而得性情之正耶！

又《秋藥先生詩序》 余從先生論詩，嘗謂工易而妙難，工在句中，妙在句外。

宋咸熙《耐冷譚》卷一一 作詩之道，嗜不篤則思不專。思不專，不能知此中之甘苦。矢口吟哦，雖亦時有佳句，而欲嶄至古人，難矣。

又 喜作詞，詩必至流于纖巧。古大家多禁之，初學尤不宜深嗜篤好。蓋不獨傷詩品，實有關人品也。

又卷一五 詩之可傳，不必在長篇大作也。聊爾短述，而人心風俗之大，四德五常之美，無一不函蓋，而又不涉理路，不落言詮。陶宏景「山中何所有」，陶淵明「春水滿四澤」，二短章，寥寥二十字，千古豈能廢之。作者無意於詩，讀者知其妙不能言其妙，至此可追蹤風雅矣。

黄承吉《夢陔堂詩集》卷四五《爲飲泉刊詩因憶昔時與飲泉論詩之況不禁成歌》 邇來作詩苦流利，餧去筆力難禁留。天門對峙不屹住，地軸廻轉無中收。自知退減人不覺，轉覺馳騁如奔騮。大凡隨語輒界斷，句始鐵畫詞銀鉤。少年專精頗殫極，强欲百態窮區陬。方期沿溯盡源委，千支萬派隨周流。志猛無如力不濟，未沉摘頷翻浮泅。風詩自是關禮樂，非許下士通冥搜。道如牆仞辭璧飾，不賁奚以文剛柔。虚談大雅略藻繢，三百曷不常言謳。標裁歷與時代變，粲然列組垂千秋。音聲至理本開闢，德成與藝咸相投。六朝文士罕實踐，賦才天與偏奇優。英華到彼管發越，進以道義疇能侔。中權勁旅一鈐鍵，幾人隻手迴羣牛。杏壇若使餘子入，升堂定許同曹劉。老矣吾生不及學，欲吞雲夢空回頭。平原躍馬亦常技，誰能勒絏騰山邱。

又《夢陔堂文集》卷三《答焦里堂書》 得足下書，忭躍無似。僕作序時，欲申論古今詩之源流得失，以序體不當如是，思以片語隱括其義，融會數四，甫得要言。方謂旨遠詞微，知者蓋寡，不謂足下一見而破其的也。嘗試以外之義論之：「河梁」「孤竹」，製異風騷；招隱、遊仙，詞非漢魏。畛埒既判，踰越斯形。然而疆域未終，則其棲託有地，文藻聲律之變，非數易無以窮之，故必至唐而詩之界始盡。《睢》《麟》而下，開、寶以上，遞外而恆內焉。譬之堂序窔奥，互有不同，而蔽之以垣墉，閑之以棖闑，跬步所加，自無不合，過此皆外焉者矣。或曰：宋之不能爲唐，猶唐之不能爲兩漢六代，時使之然也。然吾謂惟唐以前可以論世次升降，唐以後則不可。今有求食者於此，不得膴腒，必思稻粱；不得稻粱，必思麤糲。至於麤糲，而食之界以盡，斷未有求至於金革竹箭，以爲不得不然者也。惟詩之道，豈不然哉。且試就外之義而極論之：大凡爲詩者，情不檢謂之外，詞不擇謂之外，骨不固謂之外，采不張謂之外，音不適謂之外，體不種謂之外，不當有而有謂之外，不當無而無謂之外，詞掩乎情謂之外，采斆乎骨謂之外，音違乎體謂之外。内心一佚，衆釁潛通，疾疢之緣，數難更僕。若夫顓蒙之倫，妄襲古貌；浮慕之輩，但識今情。不知草木鳥獸之名，而自矜高妙；絶無酬酢吐納之具，而自詡淹通。斯又外中之外，不可以詩論者也。

又《與梅蘊生書》 而來書以其詩無人好之爲可歎。僕謂今人或有好者，不可知。然僕之歎，乃歎古人先已罕好之者。夫好之，則必效之；效之則雖不能至，而其賢者則必有以少得其所趣所含所凝。然獨運之神夷然卻縮之力。竊嘗聞之：昔年有擅拳勇者，當世無敵，然形貌委隨傴僂，若不能步。其使技乃反手向内，對面輒倒物仆人，遠出尋仞之外。有叩之者，則曰：「吾固未嘗反手向内也。物之所值而心動焉，遂自然如是耳。」因思列子云商邱子力無敵於天下，而未嘗用其力者，非眞不用力也，蓋力至而一如無力，斯爲立言之旨。乃其六親，則固莫之知矣。夫詩至於唐，其能裂犀兕之革，曳九牛之尾者，不乏人也。然而方舉手向外之不暇，內云乎哉？且外向豈爲非勇，而內觀實益徑途，此僕少詩所謂「世人瞠視鼎百鈞，謂其輕於瓠五石」及「世人但識嵳峨好，爭識須彌納芥時」者。然此等立言，最恐爲空疎無學者所藉託，是以僕生平不以隻字見之品話論詩。蓋甫離此，則又蹈乎彼；且未嘗離乎此，而已先蹈乎彼矣。故至有無力恒人，四體皆羸，筋骨不備，而轉以無力之力自謂埒啇邱者，言之曷可勝言；若正言之，則又違乎衆耳。

又卷九《且齋談記》 凡學莫易於詩，而莫難於詩。五尺童子，粗知聲律，開口成詠，此其易也；通儒文雄，畢世吟哦，動輒得咎，此其難也。夫不知其難則已，知其難，欲避其難，而難愈甚，則難之至也。凡學之歧途一二而已，甚者三五七八而已，其所趨向者，直入而已，其得之也一。得卽得而已。惟詩則入乎此，卽出乎此，去其弊卽罹其弊，弊無窮，出入無窮，卽難爲無窮。卽無弊矣，不難矣，而得一境，亦不過一境，則猶是難也，猶之弊也，弊在入乎此，而不能入乎彼，設入乎彼，則又已出乎彼也。且得一境，又不能實得一境，弊在入乎此，而不能立乎此，則入乎此，而又已出乎彼也。凡以心志、音聲、氣體、格律、神致、詞采一切等況之，必不能淺深高下、出入進退，安然犂然而各合，則難之至也。所以然者，蓋凡學皆以樹中之一氣自拔爲千芳，惟詩則以樹外千芳逗和於一樹，非爲雜糅，體固如斯，纖忽戾宜，全芳俱失，此其所以難耳。予於此道研究有年，每有所作，方自以爲無弊，及逾時而觀，則弊滋，則不能入，則入而卽出，又逾時而復然，然後知此事之實難，而予終不得入古人之閫奧斷斷然矣。故必知作詩之難，而後可以觀人之詩，而知其難易。夫詩，藝也，卽道也。然道非藝不張，則固有見難爲易者。譬如見人彎十力弓，則但曰此彎弓而已，不知其乃十力也。則又有見易爲難者，譬如見人彎一力弓，則亦曰此彎弓者也，不知其僅一力也。則又有覷難易而一之者，譬如見人彎一力、十力弓，則皆曰此彎弓者也，不知此一力，彼十力也。則又有視難易而反之者，譬如見人彎一力弓，其作態轉逾十力，則直曰此乃十力，彼一力也，不知一力之十力，十力之一力也。則又有就己之易以爲難者，譬如見人彎一力弓而已，固一力，則竟曰此乃十力也，不知人己之皆一力也。是不獨作詩之難，而辨詩之良不易也。惟其難作，是以難辨，惟其難辨，是以難作。予研究有年，乃至今日見古人之作，而猶貿然卒無以辨，不過稍知其難。及至己作，則百弊滋，則不能入，入而卽出，而終不能卽得而適合，則難之至也。夫坐昧之道，浩乎無涯，澄至之途，非可企及，豈作詩、觀詩者之過歟？良以凡學莫難於詩，萬隙相乘，何自泯其毫末；一光並徹，無從達以周流。古人自立一家，入此出彼，尚猶有憾，況其懸絕者乎？更何有於吾輩之沾沾者乎？至於爲學之道，門戶習氣必不可存。予學詩不能令人皆學詩，吾輩論詩至是不能責學詩者之必於是。己則不足，何與於人？鄒衍之於天，非知天也，亦談之而已矣。

方東樹《昭昧詹言》卷一 李習之云：「文、理、義三者兼併，乃能獨立於一時而不泯於後代。」習之學於韓公，故其言精審如此，乃法言也，微言也。

又 文者，辭也；其法萬變，而大要在必去陳言。理者，所陳事理、物理、義理也；見理未周，不賅不備，體物未亮，狀之不工，道思不深，性識不超，則終於粗淺凡近而已。義者，法也；古人不可及，只是文法高妙，無定而有定，不可執著，不可告語，妙運從心，隨手多變，有法則體成，無法則傖荒。率爾操觚，縱有佳意佳語，而安置布放不得其所，退之所以譏六朝人爲亂雜無章也。

又 非淹貫墳籍，不能取詞。非深思格物，體道躬行，不能陳理。若徒向他人借口，縱說得端的，亦只勦說常談。強哀者無涕，強笑者無歡，不能動物也。非數十年深究古人，精思妙悟，不解義法。

又 大抵筆懦力薄，不足以自達其意；或有才筆矣，而又粗獷，此皆辭上事。若氣體輕浮，寡要不歸，不能持論，是理上事。貫乎二者，詞理俱得，而文法不妙，亦猶夫凡俗而已。其要歸於學識。

又 有文通而理不通者，是學上事。有理通而文不通者，是才上事。文與理俱清通而平滯，無奇妙高古驚人，是法上事。然徒講義法，而不解精神氣脈，則於古人之妙，終未有領會悟入處，是識上事。

又 朱子曰：「學文學詩，須看得一家文字熟，向後看他人亦易知。」姬傳先生云：「凡學詩文，且當就此一家用功，良久盡其能，眞有所得，然後捨而之他。不然，未有不失於孟浪者。」

又 李習之曰：「創意遣詞，皆不相師。故其讀《春秋》也，如未嘗有

《詩》」云云。竊謂此所謂入薝蔔之林，不齅餘香者。當其讀時學時，先須具此意識，以專取之。既造微有得，然後更徙而之他。如曹、阮、陶、謝、鮑、杜、韓、蘇、黄諸家，一一用功，實見各開門戶，獨有千古者，方有得力處。否則，優孟笑啼，皆僞也。

又 古人得法帖數行，專精學之，便足名家。歐公得舊本韓文，終身學之。此即宗杲「寸鐵殺人」之指。孟子謂：「深造之以道，欲其自得之也。資深居安，則取之左右逢其源。」古人之進德修業，未有不如此者也。右軍云：「使寡人耽之若此，未必謝之。」

又 讀萬卷書，又深解古人文法，而其氣懦弱，其辭平緩無奇者，陸士衡是也。豈眞患才之多與？抑人之得天者固各有所限也。如荀子義理本領豈不足，而文乃不如李斯。故知詩文雖貴本領義理，而其工妙，又別有能事在。

又 凡學詩之法：一曰創意艱苦，避凡俗淺近習熟迂腐常談，凡人意中所有。二曰造言，其忌避亦同創意，及常人筆下皆同者，必别造一番言語，卻又非以艱深文淺陋，大約皆刻意求與古人遠。三曰選字，必避舊熟，亦不可僻，以謝、鮑爲法，用字必典。用典又避熟典，須換生。又虚字不可隨手輕用，須老而古法。四曰隸事避陳言，須如韓公翻新用。五曰文法，以斷爲貴。逆攝突起，崢嶸飛動倒挽，不許一筆平順挨接。入不言，出不辭，離合虚實，參差伸縮。六曰章法，章法有見於起處，有見於中間，有見於末收。或以二句頓上起下，或以二句横截。然此皆粗淺之迹，如大謝如此。若漢、魏、陶公，上及《風》、《騷》，無不變化入妙，不可執著。鮑及小謝，若有若無；間有之，亦甚短淺，然自成章。齊、梁以下，有句無章。迨於杜、韓，乃以《史》、《漢》爲之，幾與《六經》同工。歐、蘇、黄、王，章法尤顯。此所以爲復古也。

又 朱子論文：忌意凡思緩（歐《六一居士傳》）；輭弱；沒緊要；不子細；辭意一直無餘；浮淺；不穩；絮（説理要精細，卻不要絮）；巧（東坡時傷巧）；昧晦（荆公、子固）；不足（歐公）；輕；薄；冗（南豐改後山文事，可思）。愚謂此雖論文，皆可通之於詩。

又 文字精深在法與意，華妙在興象與詞。

又 字句文法，雖詩文末事，而欲求精其學，非先於此實下功夫不得。此古人不傳之秘，謝、鮑、韓、黄屢以詔人，但淺人不察耳。

又 韓公云：「爲古文豈獨取其句讀不類於今者耶？思古人而不得見，學古道則欲兼通其辭，通其辭者，本志乎古道者也。」公之意以辭爲筌蹄。世論公爲「因文見道」，觀此則公實「因道求文」，而併得其文焉。顧求句讀不類於今，非學文之本，而已爲三昧秘密。田饒曰：「雞有五德，而君猶瀹而食之，以其所從來近也。」今欲學詩文，當審斯二義。

又 薑塢先生曰：「字句章法，文之淺者，然神氣體勢，皆因之而見。」又曰：「凡文字貴持重，不可太近颯灑，恐流於輕便快利之習。故文字輕便快利，便不入古。纔説仙才，便有此病。太白、東坡，皆有此患。」按：此皆精識造微之論。

又 又曰：「宋以後不講句字之奇，是一大病。」余謂獨南豐講之，而世人不之知。嘗論南豐字句極奇，而少鼓蕩之氣。又篇法少變換，斷斬、逆折、頓挫，無兀傲起落，故不及杜、韓。大約南豐學陶、謝、鮑、韓工夫到地，其失在不放，一字一句，有有車之用，無無車之用。然以句格求之，則其至者，直與陶、謝、鮑、韓並有千古，其次者亦非宋以來詩家所夢及。惜乎世罕傳誦，遂令玄文處幽，不得與六一、介甫、山谷並耀。豈其文盛而詩晦，亦有命存耶？公自言：「但取當時能託意，不論何代有知音。」公固不以世俗之知，縈其曠遠之高致矣。

又 朱子曰：「韓子爲文，雖以力去陳言爲務，而又必以文從字順各識其職爲貴。」此言乃指出文章利害，旨要深趣，貫精粗而不二者矣。淺俗之輩，指前相襲，一題至前，一種鄙淺凡近公家作料之意與辭，充塞胸中喉吻筆端，任意支給，雅俗莫辨，頃刻可以成章，全不知有所謂格律品藻之説，迷悶迎拒之艱。萬手雷同，爲傖俗可鄙，爲浮淺無物，爲粗獷可賤，爲纖巧可憎，爲凡近無奇，爲滑易不留，爲平順寡要，爲遣詞散漫無警，爲用意膚泛無當，凡此皆不知去陳言之病也。又有一種浮淺俗士，未嘗深究古人文律，貫序無統，僻晦翳昧，顛倒脱節，尋其意緒，不得明了。或輕重失類，或急突無序，或比儗不倫，或疏密離合，浮切不分，調乖聲啞，或思不周到，或事義多漏，或贅疣否隔，爲駢拇枝指，或下字懦，又不切不確不典，凡此皆爲不知文從字順各識其職之病。

又 祇是一熟字不用，以避陳言，然卻不是求僻，乃是博觀而選用之，非可以餖飣外鑠也。至於興寄用意尤忌熟，亦非外鑠客氣假象所能辦。若中無所有，向他人借口，祗開口便被識者所笑。二者既得，又須實下深苦功夫，精思審辨古人行文用筆章法音響之變化同異，而眞知之。須使後世讀其言，服其工妙，而又考其人，論其世，皆本其平生性情行事而載之，乃能不朽。

又　以新意清詞，易陳言熟意，惟明遠、退之最嚴。政如顔公變右軍書，爲古今一大界限。所謂詞必己出，不隨人作計。後來白石、山谷，又重申厲禁。無如世人若罔聞知。只坐辭熟，轉晦意新；而況意又未新邪？然纔洗此病，又入魔道。如近人某某，隨口率意，盪滅典則，風行流傳，使風雅之道，幾於斷絕。而後一二賢古者，起而與之相持，而才又不能敵之。古今道德文章，不出此二界，而眞統恒虛無人焉。

又　以謝、鮑、韓、黄深苦爲則，則凡漢、魏、六代、三唐之熟境，熟意，熟詞，熟字，熟調，熟貌，皆陳言不可用。非但此也，須知《六經》亦陳言不可襲用，如用之則必使入妙。

又　能多讀書，隸事有所迎拒，方能去陳出新入妙。否則，雖亦典切，而拘拘本事，無意外之奇，望而知爲中不足而求助於外，非熟則僻，多不當行。姬傳先生云：「阮亭四法，一『典』字中，有古體之典，有近體絶句之典，近體絶句之典，必不可入古詩。其『遠』『諧』『則』三字亦然。」可知非博必不能典。

又　韓、黄之學古人，皆求與之遠，故欲離而去之以自立。明以來詩家，皆求與古人似，所以多成剽襲滑熟。

又　求與古人似，必求與俗人遠。若不先與俗人遠，則求似古人亦不可得矣。

又　姜白石擺落一切，冥心獨造。能如此，陳意陳言固去矣，又恐字句率滑，開傖荒一派。必須以謝、鮑、韓、黄爲之圭臬，於選字隸事，必典必切，必有來歷。如此固免於白腹杜撰矣，又恐撏撦稗販，平常習熟濫惡，則終於大雅無能悟入。又必須如謝、鮑之取生，韓公之翻新，乃始眞解去陳言耳。

又　好用虛字承遞，此宋後時文體，最易軟弱。須横空盤硬，中間擺落斷翦多少輭弱詞意，自然高古。此惟杜、韓二公爲然，其用虛字必用之於逆折倒找，令人莫測。須於《三百篇》及杜、韓用虛字處，加意研揣。

又　謝、鮑、杜、韓，其於閒字語助，看似不經意，實則無不堅確老重成鍊者，無一慵字率字便文漫下者。此雖一小事，而最爲一大法門。苟不悟此，終不成作家。然卻非雕飾細巧，只是穩重老辣耳。如太白豈非作祖不二，大機大用全備？世人不得其深苦之意，及文法用筆之險，作用之妙，而但襲其詞，率成滑易。此原不足爲太白病，但末流不可處，要當戒之。太白之後，眞知太白，惟有歐陽公。其言太白用意用筆之險，曰：「迴視蜀道如平川。」此語可謂眞能學太白矣。

又　欲成面目，全在字句音節，尤在性情。使人千載下如相接對。

又　作詩切忌議論，此最易近腐，近絮，近學究。

又　叙述情景，須得畫意，爲最上乘。

又　用事忌出一處一書，如既本昔人陳意，事詞又出一處，此最不可。姑舉某詩某句以「荆、凡」對「臧、穀」爲例。

又　薑塢先生曰：「大凡文字援據，雖有詳略，然必具見端末。」余謂作詩無援據之事，而必有序題。大凡變化恣肆，文法高古，超妙入神，全在此一事上講求。

又　又曰：「昌黎於作序原由，能簡潔，而文法硬札高古。」余以此言移之於詩，如杜公、陶、謝皆然。而漢、魏、阮公，尤錯綜變化不見迹，及尋其意緒，又莫不有歸宿。每見小才説一事，非平鋪挨叙，冗絮可憎，即缺略無頭緒，尋其意脈，不得明了。

又　凡正發議正用事而又冗衍，無不墮陳腐學究無味鈍根者。然解用吾説，而誠不立，功不深，亦徒粗獷傖氣。言者心聲，未可強而能也。

又　古人之妙，有著議論者，則石破天驚；有不著議論，盡得風流者。然此二派皆有流病，非眞有得者，不知其故。

又　以議論起，易入陳腐散漫輕滑。以序事起，忌平鋪直衍冗絮迂緩。此惟謝、鮑、山谷最工。前人謂小謝工於發端，乃是一格耳，未足蔽一切法也。惟杜公峥嶸飛動之勢，遂爲古今第一妙象，然專學之又有病，惟眞好學深思者辨之。

又　漢、魏之人，無不飛行絶迹，精深超妙，奇恣變化，蕩漾不可執著，然自厚重不佻。纔一講馳驟，而不會古人深妙，則入於麤獷傖俗。

又　固是要厚重，然卻非段落板滯，一片承遞，無變化法妙者。山谷學杜、韓，一字一步不敢滑，而於中又具參差章法變化之妙。以此類推，可悟詩家取法之意。孫過庭論書法遲疾，可參悟。

又　薑塢先生曰：「文字最忌低頭說話。」余謂大抵有一兩行五六句平衍騃說，卽非古。如賈生文，句句逆接橫接。杜詩亦然。韓公詩間有順叙者，文則無一挨筆。

又　行文必有奇棱，必有正汁，卻不許挨衍。

又　題之正面，只宜指點帶出，不宜絮衍。

又　題面題緒，作恉歸宿，必交代淸楚，又忌太分明。此是一大事，作者與庸手凡俗，所由判霄塵也。譬名手作畫，無不交代谿徑道路明白者。然旣要淸楚交代，又不許挨順平鋪直叙，騃蹇冗絮緩弱。漢、魏人大抵皆草蛇灰線，神化不測，不令人見。苟尋繹而通之，無不血脈貫注生氣，天成如鑄，不容分毫移動。昔人譬之無縫天衣，又曰：「美人細意熨貼平，裁縫滅盡針線迹。」此非解讀《六經》及秦、漢人文法，不能悟入。試取《詩》、《書》及《大學》、《中庸》經傳沈潛玩味，自當有解悟處。

又　亦有平鋪直賦，而其氣體自高峻不可及。如《雅》、《頌》諸作，豈必草蛇灰線之引脈乎？《秦風・小戎》，典制閨情並舉而不相害，可以識古人之體例。大約古人之文，無不是直底，後人都要曲，曲則不能雄，但非直率無運轉耳。讀《小戎》詩可識橫空盤硬、拉雜造創之法。

又　古人文法之妙，一言以蔽之曰：語不接而意接。血脈貫續，詞語高簡，《六經》之文皆是也。俗人接則平順騃蹇，不接則直是不通。韓公曰：「口前截斷第二句。」太白云：「雲台閣道連窈冥。」須於此會之。

又　詩文以瓌怪瑋麗爲奇，然非粗獷傖俗，客氣矜張，餖飣句字，而氣骨輕浮者，可貌襲也。薑塢先生曰：「柳州《論鐘乳書》從李斯《逐客書》來，然如中段設采奇麗處，李則隨意揮斥，不露圭角，而葩艷陸離；柳則似有意搜用怪奇，費氣力模擬，而筋骨呈露。」愚謂學者可卽此意尋之，當有悟入處。又如韓、蘇《石鼓》，自然奇偉，而吳淵穎《觀秦丞相斯嶧山刻石墨本碑》則爲有意搜用字料，而傖俗餖飣，氣骨輕浮。至錢牧翁《西嶽華山碑》，益爲無取。

又　詩文第一筆力要強，薑塢先生評韓公《紀夢詩》曰：「以崚嶒健倔之筆，叙狀情事，亦詩家所未有。」愚謂韓公筆力無非崚嶒健倔，學者姑卽此一篇求之，如眞有解悟，定自得力。此詩頗難解，不得其眞詮，則引人入蕰薩假象。

又　薑塢先生曰：「文法要莽蒼硬札高古。」

又　又曰：「文須有『入不言兮出不辭』之意。」余謂又須知精氣入而粗穢除。否則入不言出不辭，恐成孟浪粗莽。

又　用意高妙，興象高妙，文法高妙，而非深解古人則不得。

又　大約古文及書、畫、詩，四者之理一也。其用法取境亦一。氣骨間架體勢之外，別有不可思議之妙。凡古人所爲品藻此四者之語，可聚觀而通證之也。

又　凡詩、文、書、畫，以精神爲主。精神者，氣之華也。

又　有章法無氣，則成死形木偶。有氣無章法，則成粗俗莽夫。大約詩文以氣脈爲上。氣所以行也，脈絡章法而隱焉者也。章法，形骸也，脈所以細束形骸者也。章法在外可見，脈不可見。氣脈之精妙，是爲神至矣。俗人先無句，進次無章法，進次無氣。數百年不得一作者，其在玆乎！

又　歷城周編修書昌論文章：「有所法而後能，有所變而後大。」世人坐先不能眞信好古，不知其深妙而思取法，惟以面目相襲，浮淺雷同，何況於變。王禹卿論書曰：「勤於力者不能知，精於知者不能至。」此二語亦名言也。朱子曰：「李、杜、韓、柳，亦學《選》詩，然杜、韓變多，柳、李變少。」以朱子之言推之，蘇、黃承李、杜、韓之後，而又能變李、杜、韓故意，離而去之，所以爲自立也。自此以外，千餘年詩家，除大曆、長慶、溫、李、西崑諸小乘蒴記不論，其餘名家，無不爲杜、李、韓、蘇、黃五家嗣法派者。至於漢、魏、阮、陶、謝、鮑，皆成絕響。故後世詩人只可謂之學李、杜、韓、蘇、黃而不能變，不可謂能變《選》詩也。如放翁之於坡，青邱之於太白，空同之於少陵是也。

又　姚姬傳先生嘗敎樹曰：「大凡初學詩文，必先知古人迷悶難似。否則，其人必終於此事無望矣。」先生之敎，但言求合之難如此，矧其變也。蓋合可言也，變不可言也。近世有一二庸妄鉅子，未嘗至合，而輒矜求變。其所以爲變，但糅以市井諧諢，優伶科白，童孺婦嫗淺鄙凡近惡劣之言，而濟之以雜博，餖飣故事，蕩滅典則，欺誣後生，遂令古法全亡，大雅殄絕。則又不如且求合之，爲猶存古法也。

又　漢、魏、曹、阮、杜、韓，非但陳義高深，意脈明白，而又無不文法高古硬札。其起處雄闊，擘頭湧來，不可端倪；其接處橫絶，恣肆變化，忽來忽止，不可執著，所以爲雄。康樂似犯駢蹇滯病，而實則經營苦思，凝厚頓折，深不可測，高不可及。

又 子建、阮公，皆雄渾高古，而阮公精神文法，蟠空恣肆，神化無方，尤奇。子建莊重，直似《六經》。阮公似史遷、《莊子》。

又 段落明白，始於東漢（如班叔皮《王命論》等作），昔賢以此爲文意之衰。然詩猶未爾。如《十九首》及孔北海、曹氏父子，劉、阮、陶公、劉琨，皆魏、晋人作，而高古如彼。不特此也，如謝、鮑之參差，猶存古法，但短淺耳。俗士尚不解鮑、謝，何況漢、魏之天衣無縫者耶？

又 詩文須神氣渾涵，不露圭角。漢、魏以下，惟陶公能爾。大謝以人巧肖天工，已自遜之，是根本不逮，然猶自渾厚。

又 作詩必用本題故典及字句作料，乃是鈍根。王阮亭乃一生不悟。

又 阮亭用事，多出餖飣，與讀書有得，溢出爲奇者迥不侔。玩李、杜、韓、蘇所讀之書，博贍精熟，故其使事取字，密切贍給，如數家珍。今人未嘗讀一書，而徒恃販買餖飣，故多不切不確；切矣確矣，往往又蕚蔖不合。雖山谷不免此病。

又 近代眞知詩文，無如鄉先輩劉海峰、姚薑塢、惜抱三先生者。薑塢所論，極超詣深微，可謂得三昧眞詮，直與古作者通魂授意；但其所自造，猶是凡響塵境。惜翁才不逮海峰，故其奇恣縱橫，鋒刃雄健，皆不能及；而清深諧則，無客氣假象，能造古人之室，而得其潔韻眞意，轉在海峰之上。海峰能得古人超妙，但本源不深，徒恃才敏，輕心以掉，速化剽襲，不免有詩無人；故不能成家開宗，衣被百世也。

又卷二 夫人亦孰不各有其胸臆，而不學則率皆凡鄙淺俗。或嘗學矣，而不深究古人文法之妙，則其成詞又率皆凡近淺劣。有其胸臆，又稍知文法，而立志不純，用功不深，終不能求合古人，而泯然離其迹也。

又卷三 學《選》詩當避《選》體，此是微言密旨，杜、韓所以爲百世師也。不但避其詞與格，尤當避其意。蓋《選》詩之詞格與意，爲後人指襲，在今日已成習熟陳言。往者海峰先生好擬古人之意格，豈不爲客氣僞詩乎？今學漢、魏、阮公，當玩其文法高妙，氣體雄放，而避其詞意。原本前哲，直書即目，領略古法，而又不蹈襲，凡學古人皆然。且阮公尤不易學。必處阮公之遇，懷阮公之志與事，乃見其沈痛傷心。今既非其人，而於其詩，讀之尚未能通其詞，達其意，得其指趣歸宿，毫無眞得力處，而漫云吾學阮公，亦見其自謾而已。

又卷一〇 凡諸詩家，大抵語氣雌弱，境界隘小，氣骨輕浮。縱有佳句，不過前人熟徑。即有標新領異，又失之新巧傖俗。乃知作家之未易到也。

又 詩文句意忌巧，東坡時失之此，遂開俗人。故作者寧樸無巧。至於凡近習俗庸熟，不足議矣。要之，惟學山谷，能已諸病。故陳後山雖僅得其清鍊沈健、洗剝渺寂之一體，而終勝冶態凡響近境者也。

又卷一一《總論七古》 七言長篇，不過一叙、一議、一寫三法耳。即太史公亦不過用此三法耳，而顛倒順逆，變化迷離而用之，遂使百世下目眩神摇，莫測其妙，所以獨掩千古也。

又 一叙也，而有逆叙、倒叙、補叙、插叙，必不肯用順用正。一議也，或夾叙夾議，或用於起最妙，或用於後，或用於中腹。一寫也，或夾於議中，或夾於叙中，或用於起尤妙，或隨手觸處生姿。

又 無寫但叙議，不成情景，非作家也。然但恃寫，猶不入妙；必加倍起棱汁漿，或文外遠致，此爲造極。

又 欲知插叙、逆叙、倒叙、補叙，必眞解史遷脈法乃悟，以此爲律令；小才小家學之，便成亂雜不通也。此非細故，乃一大門徑，非哲匠不解其故。所謂章法奇古，變化不測也。坡、谷以下皆未及此。惟退之、太史公文如是，杜公詩如是。

又 大約不過叙耳、議耳、寫耳，其入妙處，全在神來氣來，紙上起棱，骨肉飛騰，令人神采飛越。此爲有汁漿，此爲神氣。

又 其能處，只在將叙題、寫景、議論三者，顛倒夾雜，使人迷離不測，只是避直、避平、避順。

又 起法以突奇先寫爲上乘，汁漿起棱，橫空而來也。其次則隊仗起。其次乃叙起。叙起居十之九，最多亦最爲平順。必曲，必襯，必開合，必起筆勢，必夾寫，必夾議。若平直起，老實叙，此爲凡才，杜、韓、李、蘇、黄諸大家所必無也。

又 汁漿起棱，不止一處，愈多愈妙，段段有之乃妙，題後墊襯出汁起棱更妙。此千餘年不傳之秘，盡於此矣。乃太史公、退之文法也，惟杜公詩有之。

又 敘在法，存乎學；寫在才氣，存乎才；議在胸襟識見，存乎識；一詩必兼才、學、識三者。起棱在神氣，存乎能解太史公之文；汁漿存乎讀書多，材料富。凡以上諸法，無如杜公。今一一評之，細心體察，久之自有悟入處。

又 命意不深則傖，下字不典則傖，取境不遠則傖。文法不超妙，則尋常俗士皆能到，一望易盡，安足貴乎？

又 艾千子論文曰：「道理正，魄力大，氣味醇，色澤古。」此亦可通之於詩。今欲勝人，全要在此數字中講究。非苦心深思，不能領略古人之妙也。

又 不尋其命意，則讀其詩不知其歸宿，亦並不能悟其文法所以爲奇爲妙，爲變爲逆，爲棱爲汁，爲景象爲精彩也。

又 須要自念，必能斬新日月，特地乾坤，方可下手。苟不能，不如不作。

又 豪語須於困苦題發之；失志時不可作頽喪語；苦語須於佛仙曠達題發之；流連光景須有悟語，見道根；山水憑吊須發典重語；酬贈應答須發經濟語；如此乃爲超悟，古作家不傳之秘，而非學究傖父腐語正論所能解此秘奧。

又 詩中夾以世俗情態，困苦危險之情，杜公最多，韓亦有之。山水風月，花鳥物態，千奇萬狀，天機活潑，可驚可喜，太白、杜公、坡公三家最長。古今興亡成敗，盛衰感慨，悲涼抑鬱，窮通哀樂，杜公最多，韓公亦然。以事實典重飾其用意，加以造創奇警，語不驚人死不休，此山谷獨有；然亦從杜中得來者，不過加以造句耳。雜以嘲戲，諷諫諧謔，莊語悟語，隨興生感，隨事而發，此東坡之獨有千古也。

又 段落層次不待言，惟每段中有浮聲切響，乃不流於滑率。又一氣渾轉中，必有奇情快句，令人驚心動魄。此詩文中一大作用，高曾不易之規矩也。

又 杜公如佛，韓、蘇是祖，歐、黃諸家五宗也。此一燈相傳。

又 杜、韓、李、蘇四家，能開人思界，開人法，助人才氣興會，長人筆力，由其胸襟高，道理富也。歐、王兩家，亦尚能開人法律章法。山谷則止可學其句法奇創，全不由人，凡一切庸常境句，洗脫淨盡，此可爲法；至其用意則淺近，無深遠富潤之境，久之令人才思短縮，不可多讀，不可久學。取其長處，便移入韓，由韓再入太白、坡公，再入杜公也。

又 敘事能敘得磊落跌宕中又插入閑情，文外遠致，此惟杜公有之。

又 學詩從山谷入，則造句深而不襲；從歐、王入，則用意深而不襲，章法明辨。

又 李、杜、韓、蘇四大家，章法篇法，有順逆開闔展拓，變化不測，着語必有往復逆勢，故不平。韓、歐、蘇、王四家，最用章法，所以皆妙，用意所以深曲。山谷、放翁未之知也。

又 大家用事，若不知其用事者，此其妙也。用事全見瘢痕，視不典而不足於用者雖賢，去大家境界遠矣。

又 他人數語方能明者，只須一句卽全現出，而句法復有餘地，此爲筆力。韓公獨步。

又 詩道性情，只貴說本分語。如右丞、東川、嘉州、常侍，何必深於義理，動關忠孝；然其言自足有味，說自家話也。不似放翁、山谷，矜持虛憍也。四大家絕無此病。

又 凡短章，最要層次多。每一二句，卽當一大段，相接有萬里之勢。山谷多如此。凡大家短章皆如此。必備敘、寫、議三法，而又須加以遠勢，又加以變化。

又 李、杜、韓、蘇，非但才氣筆力雄肆，直緣胸中蓄得道理多，觸手而發，左右逢原，皆有歸宿，使人心目了然饜足，足以感觸發悟心意。餘人胸無所欲言而強爲，筆力既弱，章法又板，議論又卑近淺俚，故不足觀。山谷筆稍強猶可；放翁但於詩格中求詩，其意氣不出走馬飲酒，其胸中實無所有。故知詩雖末藝，而修辭立誠，不可掩也。

又 讀韓公與山谷詩，如制毒龍，斂其爪牙橫氣於盂鉢中，抑遏閟藏，不使外露，而時不可掩。以視浮淺一味囂張，如小兒傅粉，搔首弄姿，不可耐矣。觀韓《長安雨洗》一首可見。

又 凡結句都要不從人間來，乃爲匪夷所思，奇險不測。他人百思所不解，我卻如此結，乃爲我之詩。如韓《山石》是也。不然，人人胸中所可有，手筆所可到，是爲凡近。

又 古人論文，必曰：「一語不落凡近。」此數百年，小家不能自立，祇是不解此義。而其才力功夫，學問識見，又實不能脱此。以凡近之心胸，凡近之才識，未嘗深造篤嗜篤信，不知古人之艱窮怪變險阻難到可畏之處，而又無志自欲獨出古今，故不能割捨凡近也。凡近意、詞、格三者，涉筆信手苟成，即自得意，皆由不知古人之妙。語云：「但脱凡近，即是古人。」有接筍而鬆者，有不接筍而促者，皆不知緒故也。靜會自己之氣，乃知之。

又　詩文以起爲最難，妙處全在此，精神全在此。必要破空而來，不自人間，令讀者不測其所開塞方妙。

又　莫難於起句。不能如太白、杜、坡天外落筆，便當以退之爲宗，且得老成安定辭也。

又卷一四《通論七律》　七律之妙，在講章法與句法。句法不成就，則隨手砌湊，輭弱平緩，神不旺，氣不壯，無雄奇傑特。章法不成就，則率漫複亂，無先後起結、銜承次第、淺深開合、細大遠近虛實之分，令人對之惛昧，不得爽豁。故句法則須如鑄成，一字不可移易，又須有奇警華妙典貴，聲響律切高亮。章法則須一氣呵成，開合動蕩，首尾一線貫注。

又　一題有一題本意本事，所謂安身立命處也，須交代點逗分明。大家冠絶古今，所以能嗣《風》、《騷》，比於經者，全在此處。六代小名家已不足以知此，矧其下焉者乎！

又　歷觀小才，多是辭不能達意。尋其意緒，影響亂移，似是實非，不得明了。本不聞有此大法，又苦力弱，不得自由。故其下字用事，必是不穩不切。其運思用意，必是浮淺凡陋。其成辭得句，必是穉率晦僻。其承接先後，必是亂雜無章，不能從順。間有成就可觀者，亦終不免氣骨輕浮。

又　固是要交代點逗分明，而叙述又須變化，切忌正說實說，平叙挨講，則成呆滯鈍根死氣。或總挈，或倒找，或横截，或補點，不出離合錯綜，草蛇灰線，千頭萬緒，在乎一心之運化而已。故嘗謂詩與古文一也，不解文事，必不能當詩家著録。震川謂：「曉得文章掇頭，文字就可做了。」諦觀陶、謝、杜、韓諸大家，深嚴邃密，律法森然，無或苟且信手者也。一題數首，每首又各有主意主句，須使讀者尋繹分明，一一拈得出，然後乃見其用意用法及行文變化之妙，合之又共成一大章法，如杜公《秋興》、《諸將》等是也。故欲自家詩好，必先在善讀古人；能識得古人，而後乃可言學。朱子《詩經序》言之詳矣。詩人成詞，不出情、景二端，二端又各有虛實遠近大小死活之殊，不可混淆，不可拘板。大約宜分寫，見界畫：或二句情，二句景；或前情後景，前景後情；或上下四字三字，互相形容；尤在情景交融，如在目前，使人津詠不置，乃妙。

又　起句須莊重，峰勢鎮壓含蓋，得一篇體勢。起忌用宋人輕側之筆，如放翁「早歲那知世事艱」，須以爲戒；而以「高館張燈酒復清」、「風急天高猿嘯哀」、「玉露凋傷楓樹林」等爲法。震川論《史記》起勢來得勇猛者圈。杜公多有之。杜又有一起四句，將題情緒叙盡，後半換筆換意換勢，或轉或託開。大開大合，惟杜公有之，小才不能也。尋常五六多作轉勢，不如仍挺起作揚勢更佳。結句大約別出一層，補完題蘊，須有不盡遠想。大概如此，不可執著。結句要出場，用意須高大深遠沈著，忌淺近浮佻凡俗。用字須典覈，忌熟忌舊，卻又忌生僻。隸事以蘇、黃爲極則，所謂「雲山經雨始鮮明」也。以我用事，驅使得他爲我用乃妙。若使事重滯，見事不見我，如錢牧翁、王阮亭多有此病。韓公多翻用，使熟者皆生，化朽腐爲神奇，此一秘巧也。

又　謝茂秦戒用大曆以後事，雖拘，然不可不曉其意。但有一種題，若不用後世事，則不能成詞，以古事不給今用也。至佛典字宜戒用。杜公、輞川尚不覺，坡公已嫌太多。近日如錢牧翁，則但見習氣可憎，令人欲噦。

又　興會選色，須鮮明妍茂，忌衰颯黯淡。

又　音響最要緊。調高則響。大約即在所用之字平仄陰陽上講，須深明雙聲疊韻喜忌，以求沈約四聲之說。同一仄聲，而用入聲，用上、去聲，音響全別，今人都不講矣。

又　初唐章法、句法皆備，惟聲響色澤，猶帶齊、梁。盛唐而後，厥有二派，演爲七家。以此二派，登峰造極，幾於既聖，後人無能出其區宇，故遂爲宗。

又　何謂二派？一曰杜子美：如太史公文，以疎氣爲主，雄奇飛動，縱恣壯浪，凌跨古今，包舉天地，此爲極境。一曰王摩詰：如班孟堅文，以密字爲主，莊嚴妙好，備三十二相，瑤房絳闕，仙官儀仗，非復塵間色相；李東川次輔之，謂之王、李。

又　何謂七家？在唐爲李義山，實兼上二派；宋則山谷、放翁；明則空同、于鱗、卧子、牧齋。以爲惟七家力能舉之。而大曆十子、白傅、東坡，皆同剪記，不與傳燈。此論雖未確，而昔人評品之嚴，亦可想見其高門貴格，不容混濫也。故王元美論七律曰：「七字爲句，字皆調美。八句爲篇，句皆穩暢。雖復盛唐，殆不數人，人不數首。古推子美，今或于鱗。驟似駭耳，久當論定。」賀黄公曰：「作詩雖不拘字句，然往往以字不工而害其句，句不工而害其篇。」

又 杜公所以冠絶古今諸家，只是沈鬱頓挫，奇横恣肆，起結承轉，曲折變化，窮極筆勢，迥不由人。山谷專於此苦用心。

又 韓公云：「艱窮怪變得，往往造平淡。」後人只是出之容易。須是苦思，勿先趨平淡。

又 七律句法，先須學堅峻用力，進以雄奇傑特，典貴警拔，惟其自然所出，總之「語不驚人死不休」也。最忌巧，巧則傷氣而輕卑矣，晚唐是已。

又 詩有用力不用力之分。然學詩先必用力，久之不見用力之痕，所謂炫爛之極，歸於平淡。此非易到，不可先從事於此，恐入於淺俗流易也。故謂學者宜先學鮑、謝，不可便先學陶公。七律宜先從王、李、義山、山谷入門，字字著力。但又恐費力有痕迹，入於搊撦飣餖，成西崑派，故又當以杜公從肺腑中流出，自然渾成者爲則。要之此二派前人已分立門戶，須善體之。七古宜從韓公入。

又 學一家而能尋求其未盡之美，引而伸之，以益吾短，則不致優孟衣冠，安牀架屋之病。如空同之於杜，青邱之於太白，雖盡其能事作用，終不免於呑剝撏撦太似之譏；必如韓公、山谷，方是自成一家，不隨人作計。古之作者，未有不如此而能立門戶者也。

又 詩不可墮理趣，固也。然使非義豐理富，隨事得理，灼然見作詩之意，何以合於興、觀、羣、怨，足以感人，而使千載下誦者流連諷詠而不置也。此如容光觀瀾，隨處觸發，而測之益深，自可窺其藴蓄。惟多讀書有本者如是，非即此詩語句而作講義也。若乃無所欲語而强爲之詞，盜襲剿竊，雷同百家，客意易雜，支離泛演，意既無真，詞復陳熟，何取也！

又 大約胸襟高，立志高，見地高，則命意自高。講論精，功力深，則自能崇格。讀書多，取材富，則能隸事。聞見廣，閲歷深，則能締情。要之尤貴於立誠。立誠則語真，自無客氣浮情、膚詞長語、寡情不歸之病。

又 初、盛諸公及杜公，隸事用字，無一不典不確，細按無不精巧穩妙，所以衣被千古。明何大復《武昌聞邊報》結句「請纓誰爲繫樓蘭」。姚薑塢先生曰：「賈誼請繫單于頸，終軍請以長纓繫南越，無繫樓蘭事。且當時邊報，又無與西域也。」阮亭《祭告西嶽》，有「著紫伽梨苦未能」句。姚云：「著紫伽梨者，所謂殿前賜紫號國師者也。欲蕭疎雲水之外，而取此爲喻，非也。」又「上游」見《漢書·項籍傳》，文穎曰：「游即流也。」則「上游」之「游」，即讀爲「流」。孫蕙詩「上游」與「流」字並韻，非也。」按此等不可勝指。可見後世詩人無非浪莽粗才，其隸事似是而非，皆若此耳。是烏得當作家著録！

又 學於杜者，須知其言高旨遠，一也；奇警而出之自然，流吐不費力，二也；隨意噴薄，不裝點做勢安排，三也；沈著往來，不拘一定而自然中律，四也。此惟蘇、黄之才，能嗣彷彿。他人卑離凡近，義淺詞碎，一也；略有一二警句，必費力流汗赤面，二也；安排起結，無不貫足，三也；非不合律則爲律詩，四也。此雖深造如義山，尚不能全美。而楊、劉以下，更不夢見。况今世傖才村夫，夢談囈語者耶！所謂章法，大約亦不過虚實順逆，開合大小，賓主人我情景，與古文之法相似。有一定之律，而無一定之死法，變化恣肆奇警在人。自俗人爲之，非意緒複沓而顛倒不通，即不得明豁。但杜公雄直揮斥，一氣奔放中，井井有律，不同野戰傖俗，又不爲律縛而輭弱不起。

梁章鉅《退庵隨筆》 凡作詩，不可有時文氣，惟試帖詩，當以時文法爲之。先讀紀文達師之《唐人試律説》，以定格局，其花樣，則所選《庚辰集》盡之。晚年又有《我法集》之刻，其苦心指引處，尤爲深切著明。時賢所作，驚才絶豔，儘有前人所不及者，而扶質立幹，不能出吾師三部書之範圍也。

又《三管詩話》卷中 （袁）醴庭有《閲近人詩集漫作》云：「士生三代後，患在不好名。好名亦好道，所貴心專精。好名亦好術，最上惟研經。餘功及子史，南面羅百城。胸中有千古，腹内多甲兵。其次習一藝，藝成名即成。如何今之人，但耽吟性情？作詩大易事，巴詞亦可聽。作詩大難事，妙悟由心生。讀書復養氣，氣平心自平。因之涉物趣，洋溢來縱横。正聲在天地，何爲不平鳴？聲希味更淡，體格亦所爭。于此苟未備，守口當如瓶。」此醴庭自抒所得，精理名言，非復嚴滄浪之但拈妙悟者矣。

許喬林《養默山房詩稿序》 墨卿之詩，以倜儻行氣，以經緯運才，以綜練著識，以謹嚴持律，以古腴得味，以雋逸契神，兼斯六者而衷乎心術之正，故氣可任天下之重，才可贊非常之原，識可定紛紜之議，其持律也如師貞而刑允。至其神味之卓乎緊表，有如霜皐清唳，雪塢寒香，則心術之正主之，不能強而至也。人見其才大氣盛識卓律精，已斂手推服，不知其原本乎忠孝，磅礴乎氣節，發揮乎性情，而範圍於和平敦厚之旨趣者，醞釀久而入神，饜飫深而知味。古之詩教本如是，而楚騷所由，直接風人也。

黄培芳《香石詩話》卷一 作詩以眞爲主，而有六要：曰正、曰大、曰精、曰鍊、曰熟、曰到。正者，取路正也；大者，法大家也；精者，戒粗腐也；鍊者，去淺率也；熟者，由成章至於純熟也；到者，由筆到臻於獨到也。章法成，筆力到，猶之淺也。純熟而獨到，則至矣。諸家無不期於熟，熟所同也。諸家各有獨到處，是則同而異也。

又 詩有正，必有奇，而奇不可以率。人有大家，亦有名家，而取法必貴上，先其正者、大者，而後旁通以博諸家之趣可也，合百家以自成一家可也。

又 觀古人之詩，當擬其精英，棄其糟粕，糟粕不能棄，將亦不能得其精英矣。

又卷二 阮亭獨標神韻以爲宗主，固有偏而不舉之處，然不失風人蘊藉之旨。學之而弊，刻鵠不成尚類鶩，若徒以輕剽爲工，直是畫狗不成，更將何類耶？

管同《因寄軒文二集》卷一《答甘晗人書》 同聞之師曰：詩之爲道，意欲其高，卑則下；辭欲其雅，俚則俗。夫高必視乎所懷，雅必視乎所學。然則詩之爲道，舍立志讀書無他術矣。今之論者，援《國風》、樂府之作，以爲詩貴性靈，不取學問。夫《國風》、樂府出於閭巷小夫，幽閨婦女，彼其人皆偶然得之而執筆不能再作者也。周、召之雅頌，屈、宋之騷辭，漢、魏、唐、宋十數大家之作，閎闊而典厚，變化而離奇，取之不窮，探之不竭，是則出於學問之詩，而後人之所當效法矣。今爲詩者，不以十數大家自命，而竊附於古小夫婦女之偶然。小夫婦女之偶然，卒不可得，遂乃率其胷臆，肆其手口，不根之談，無稽之說，鄙倍纖薄，褎積乎紙上，此今人所以日爲詩而其詩日不善也。論者又謂詩本性情，必學古人，則古人又何學？是大不然。古之聖神觀鳥蹟而造書，覩科斗而作字，今爲書者舍《說文》《玉篇》則不能知筆畫。祖述憲章，自孔子不能不師古，而爲詩文者，矜其智出於孔子之上，不亦傎乎。由前之說可以植詩之本，由後之說可以得詩之徑，同之所聞於師者如此。

錢儀吉《衎石齋記事續稿》卷五《北郭集序》 昔吾父教儀吉詩曰：「孺子，詩律未易言也，不可無詩情。情亦未易至也，不可無詩況。詩況云者，情移而味出，充其極，卽比興風雅不外是。」儀吉謹識之。中年稍悟斯旨。舅氏餘齋先生及朱杍廬先生，皆嘗教予詩，餘齋先生曰：「子詩自有家法，文端宗伯學不盡，勿傚隨園。」蓋以時尚所趨，戒從俗也。又曰：「漢魏樂府詩，唐宋大家集，隨意讀之，博其旨趣，及自作詩，但卽目前情景寫出，無求似前人。」一日偶言黎二樵，頗推許，云：「此是自作詩，惟有意崛奇，欲爲昌谷奴僕命騷，然不可有二。」因言某先生工雅，自是好詩，惜味近甜，甜則去古已遠。先生論詩宗旨如此。杍廬先生有評本，手迹尚存，所獎許，愧不敢承。其論詩則曰：「杜詩微妙，蘇詩通脱，都是言下了然若可解。不可解最是誤人入魔道。元遺山論文喻以國手下棊，箸箸有箸落。蓋深有鑒於蹈空之弊也。」又曰：「說理歸於雅，便不腐。」又曰：「談禪須了徹，不可生翳，偶然湊泊，又不可有意求之。」又曰：「求深反晦，求脱易離。」此皆中予隱疾者。

厲志《白華山人詩說》卷一 直而能曲，淺而能深，文章妙訣也。有大可發揮，絶可議論，而偏出以淺淡之筆，簡淨之句，後之人雖什佰千萬而莫能過者，此《三百篇》之眞旨，漢、魏人間亦有之。

又 予小時頗喜作了然語，後知其不可，痛改之。夫作詩之異于說話者，以其有所醞釀而出，非若說話之可以直情逕遂也。故雖語極清脆，亦極有趣味，雖人人稱誦之，而予終以爲不然。

又 意味氣韻，古人各有專長，少陵實能兼之。常將此四者并聚胸中，偶一感觸，遂並起而應之，故其詩獨勝人一地。後人不能具此四美在胸，如何能學步也！

又 五言古凡率句，拙句，甚至俗句，都還不妨，最怕是有懈句。古人詩多鍊，今人詩每不解鍊。鍊之爲訣，鍊字、鍊句、鍊局、鍊意，盡之矣。而最上者，莫善于鍊氣，氣鍊則四者皆得。所謂鍊氣之文，《三百篇》後竟不多見。作詩原要有氣勢，但不可瞋目短後，劍拔弩張，又不可如曹蜍、李志之爲人，雖活在世上，亦自奄奄無生氣。其要總在精神內斂，光響和發，斯爲上乘。

又卷二 依題闡貼，氣必至于庸俗。離題高騰，致每見其超佚。

又 舍高古而就卑淺，期在明顯，于文氣自然條達。棄卑近而希高古，期在幽奧，於文氣須防斷塞。

又 能在閒句上、淡句上見力量，能于無字外、無象外摹神味，此眞不愧好手。

又 毘陵惲子居先生云：「乾、嘉諸文士，諱言一個『法』字，因怕死于法，乃竟至于無法，此又過也。」

劉開《惺淵齋詩草序》 吾嘗謂詩之爲道，本於四始、六藝，而人之性各有所近，其才亦各有所長，故其於《三百篇》也，或有得於風，或有得於雅。其得於風者，太白是也；其得於雅者，少陵是也。太白體物工妙，託諷深微，而每取喻男女，故比興之體爲多；少陵激發忠憤，哀怨頓挫，而每直抒時事，鋪陳終始，故賦體爲多。要以合於溫厚之旨，則俱無以易矣。

又《擬古詩序》 詩之源出於唐虞，而其道亦莫備於唐虞。舜命夔曰：「詩言志，歌永言。」是古今之言詩者未有出此範圍者也。然唯《三百篇》能盡二者之蘊，溫柔敦厚，穆如清風，此言志之美也。言之不足，故長言之；長言之不足，故嗟嘆之，此永言之遺也。唯其長言之也，而其意始盡；唯其嗟嘆之也，而其意始無盡。故永言與言志二者相依爲用，有其志故言不虛，言之永而志乃見，所謂一唱三歎有遺音者是也。降至後世，有言志而無永言，徒以爲詩道性情而已，而所以道其性情者不知也。匪唯虞廷詩歌之旨僅存其名，卽《三百篇》之長言嗟嘆亦無復過而問者矣。蓋古之書詩與樂合，《三百篇》之詩皆以被之絃歌，故性情與音節俱臻其妙；後世詩與樂分，古樂亡而聲音之道不講，故性情是而音節非。然音節既失，則詞無往復詠嘆流連之致，而性情亦爲之異焉。非不深且摯也，而出之不覺其永，則是所以道之者不如古也。所以詩人或賦一事而浸淫以陳之，反覆以咏之，言重詞複，而意不見其不足。後人抒懷刻意，唯恐其重，唯懼其複，句更語變，而意不見其有餘。何則？言中用意者多，言外見意者少也。蓋清廟之瑟不可得而聞也久矣。漢魏古詩直接《三百篇》溫柔敦厚之遺，是於言志者得之，而詩人之重複咏嘆，意簡而彌達，辭長而不繁，亦僅存其彷彿而未能得其全也。藻繪既興，白素孰尚？鄭衛競作，雅音孰追？夫詩人之妙，有言止於此，不加一辭，而辭自深者；有意止於此，不必更用意，而意自永者。觀之者不覺，歌之而後見焉。古時詩歌爲一，不可歌者不得爲詩，後人詩自詩，而歌自歌，此永言之所以失也。今詞曲中尙有重詞，命歌之體未嘗非古音之遺。然樂師俗工習其曲而昧其義，故歌不能通之於詩學。士大夫矜彼才藻，炫彼性靈，爲辭而昧其音，故詩不能通之於歌。是則可慨也已。或曰：樂府諸體，抑揚委曲，非可以形諸詠歌者乎？曰：其辭雖可歌，然俚而不古。卽《十九首》中之《客從遠方來》、甄后《塘上行》、繁欽《定情篇》亦有得於永言之遺，然神理氣味，聲音節奏，較之《三百篇》之長言嗟嘆，則似有間。識者必能辨之矣。我朝詩教浸深，既有得夫性情之正，復講求乎音律之原。士之有志詩歌者，不可守偏而承闕。

謝堃《春草堂集》卷二《與諸弟論詩八首》 杜固不可疎，亦莫泥於杜。泥則失其眞，疎則無法度。村莊好女兒，自有怡人處。何必學西施，翻爲脂粉汚。 大約作文章，下筆毋草草。貴直而不贏，忌纖而不巧。隨手拈得來，眼前景便好。道家丹不成，畢竟火候少。

姚瑩《東溟外集》卷一《張南山詩序》 詩有可以學而至者，有不可以學而至者；有可以悟而得者，有不可以悟而得者。格律之精深，聲響之雄切，筆力之沈勁，藻飾之工麗，此可以學而至也。意趣之沖淡，興象之高超，神境之奇變，情韻之緜邈，此不可以學而至也。學而至者，不待妙悟；不可學者，非悟不能。若夫忠孝之懷，溫厚之思，卓越之旨，奇邁之氣，忽而沈摯，忽而激烈；作之者歌泣無端，讀之者哀樂並至。是則天趣天籟，又豈可以悟得者乎。漢魏以前是矣。盛唐作者，妙悟爲多。李、杜二公，可悟不可悟之間者也，天與學兩至之矣。昌黎、眉山，則其詩也卽其文也，去風騷漢魏之音遠矣。雖然，性情正，胸懷曠，才力峻，學問博，得之于心，應之于手，舉人世可驚可喜可哭可笑之事，一于詩發之。千載以下讀其詩，如見其人，如見其世。此則天與人合，不學焉不至，不悟焉不得，而實不關乎學與悟者也。夫如是，則其文也皆其詩也，所以並稱于李、杜也。世之爲詩者，其以學至耶？以悟得耶？抑不由學與悟而得之天也？明何、李之論詩，以學至也。學之失，則有形合神異者矣。王阮亭之言悟，捄其失也，而非廢學也。悟之失，則又有以不至爲至，不得爲得者矣，沈歸愚是也。于是錢籜石、翁覃溪輩思有以振之，取杜與蘇，日伐其毛而洗其髓。于杜、蘇則有功矣，要亦言其詞句體製耳，有不得而言者，二君未由及之也。故二君之詩，雖異俗學之浮聲，實亦古人之游魄。天趣天籟，吾未之見也，眞氣不存焉耳。近一二名賢，取材六朝，而借徑于少陵、眉山。其家法吾莫能非也，然而有翦綵爲花，範土爲人者矣。門下從而和之，出入攀援，自以爲工。吾讀其詩，泛泛然不能得其人也與其世也。不得已而強指之，則曰某者六朝，某者杜，某者蘇而已。噫，是亦異矣。嶺南言詩，自馮魚山而一變。彼誦法覃溪者也，三五年來稍雜以他說，而莫有悟其失者。

潘德輿《養一齋詩話》卷二　陸生仲雪喜爲詩，弱冠得四五卷，皆清光滿紙。予走筆爲詩話十則以遺之，曰：詩有三境，學詩亦有三境。先取清通，次宜警鍊，終尚自然，詩之三境也。先愛敏捷，次必艱苦，終歸大適，學詩之三境也。夫鍊意、鍊氣、鍊格、鍊詞，皆鍊也。近人專以鍊字爲詩，既求小巧，必入魔障。而一味高言者，未講磨鍊，遽希自然，彼詡神來，吾嫌手滑耳。詩第一法，不苟作而已。名家集中，無題、遣興諸作，不可枚舉。然明璫玉佩，實託喻夫君臣；燕雀桑麻，仍自抒其蘊蓄。蓋脂粉媟褻，究非正始之音；鄉里瑣言，何與風人之旨？此而不辨，觸處迷塗。詩理，性情者也。理尚清眞，詞須本色。若金閨之彥，結念山林；蓬戶之儒，侈言經濟，情詞僞妄，夫何取焉？然循分無譏，而擇言貴雅。使身拖紫綬，但夸閥閱高華；影對青燈，頻訴飢寒憔悴，志不廣大，君子亦笑之矣。況夫屈壯盛之歲，誦聖賢之書，以悲涼則非時，以怨尤則非理，而乃鬱伊善感，侘傺無聊，揆之進德養福之方，殆均無當歟？斯義也，在讀書則爲變化氣質之良箴，在譚詩亦爲陶冶性靈之妙法，非參俗諦，非惑禨祥。僕卽恨人，業已悔其少作；士果有志，均宜宏此遠謨。尚性情者無實腹，崇學問者乏靈心，論甘忌辛，詩教彌以不振；必當和爲一味，乃非離之兩傷。杜云「語不驚人死不休」，陸云「詩到無人愛處工」，執彼非此，皆成膠柱之瑟。蓋少陵自言往境，故其下接云「老去詩篇渾漫與」；放翁自叙成家，故他處復云「翦裁妙處非刀尺」。匯而觀之，壯年都宜刻鍊，老成乃得渾然。蓋兵貴拙速，不貴巧遲，作詩一道，正與相反。古之傳者，五字播其芳聲；今之作者，千篇儕於廢紙。苦境不過，甘處不來，卽苦卽甘，乃屬懸解。此中妙境，難爲人言。但取多多以爲觀美，一寸靈臺，究何樂哉！詩不可爲人強作，必勃勃不可以已也而後爲之。滄浪云：「和韻最害人詩。」此雖元、白、皮、陸諸公爲之，然皆爲人強作之一端也。而意興既到，惟所樂爲者，卻又宜全力與俱。初定意格，終研詞句，如良醫診脈，精神入微；如法吏斷獄，反覆勘問。凡易悅而自足，皆文章之大病也。

又　「辭達而已矣」，千古文章之大法也。東坡嘗拈此示人，然以東坡詩文觀之，其所謂達，第取氣之滔滔流行，能暢其意而已。孔子之所謂達，不止如是也。蓋達者，理義心術，人事物狀，深微難見，而辭能闡之，斯謂之達，達則天地萬物之性情可見矣。此豈易事，而徒以滔滔流行之氣當之乎？以其細者論之，「楊柳依依」，能達楊柳之性情者也；「蒹葭蒼蒼」，能達蒹葭之性情者也。任舉一境一物，皆能曲肖神理，托出毫素，百世之下，如在目前，此達之妙也。《三百篇》以後之詩，到此境者，陶乎？杜乎？坡未盡逮也。

梅曾亮《柏梘山房文集》卷四《朱尚齋詩集叙》　尚齋先生以詩集見示，受而讀之，蓋以吾之性情合乎唐賢之格調，而於世之標領新異，矜尚奇博者，夷然不屑也。曰：「吾所得之古者不在是，則莫吾易也。」夫詩亦何必不奇不博不新不異者，而必貴夫古人，何也？曰：「吾非貴古也，貴古之能得其眞。今責丹青者曰：吾欲使山淵易其狀，草木變其質，蟲魚鳥獸恢其形，夫人而能之也。第曰，山如履其石，水如臨其流，蟲魚鳥獸草木如撫其鱗甲羽毛柯葉，則非國能者將縮手而不進。夫人人能之者，不可爲難能；而難能者必屬於一人所獨能者矣。然而山淵易其狀，草木變其質，蟲魚鳥獸恢其形，不可以爲不奇不博不新不異也，而卒不爲能者之所難，與求者之所貴。至於詩則反賤其難而貴其易，曰古人無異乎人者，此古人之所以不可及歟？今先生之詩，其登臨游宦之所得，風俗利病之所經，觸於情，感於物者，人人之所同也。而獨以其不爲奇博新異者，適肖其情與物之眞，而若忽然而得之。夫忽然而得之者，其詞常爲千百思之所不能易，此非求之古人中不可得也。故曰眞也。或曰：詩者，不得舒其意之所作也。先生之令吾宜有惠政焉，亦既行其意矣，而其詩慨然燋然於民事重有憂者，則先生之志乎古者，豈僅詩云乎哉！」

又《何子貞詩序》　古今治詩者多矣，有專於詩者之詩，有其人其學不專於詩者之詩。專於詩者，句磨而字琢之，勞其神而苦其心，矻矻然。舉天地之大，萬物之多，而惟吾詩之知。若夫不專於詩者，諸子百家之說，有一不知焉，吾耻也；詩古文詞金石丹青書法有一不能焉，吾病也。其於詩也，特其無所不能者之一能，而非其專能也。

陳僅《竹林答問》 問：沈約八病當忌否？詩法有古人不之忌而今人不可不忌者，如重韻、重字、複調、複典之類。詩律貴嚴，不能以古人解也。從未有古人所忌而今人可不之忌者，惟沈約八病，大半爲驅古變律之用，今古律已劃然，正無需於此。至正紐、旁紐、大韻、小韻，唐人已不之遵，村學究斤斤講守，反成拙累，亦何益之有？

又問：漁洋謂鍊意，或謂安頓章法，慘淡經營處耳。此語漁洋亦自覺未安，究何如爲鍊意？漁洋之言，乃鍊局之法。鍊意則同是一意，或高出一層，或翻進一層，或加以含蓄，或出以委婉，有與人不同處。即如登峴山者，胸中誰不有羊公數語，而孟浩然「人事有代謝」四句，更有人再能著筆否？此可隅反。又問：鍊意、鍊句、鍊字三項工夫，一詩中能並到否邪？鍊句、鍊字皆以鍊意爲主，句、字須從意中出也。

又問：王筠稱沈約詩爲「彈丸脫手」，言其圓熟也。故曰「文到妙來無過熟」。而韓子蒼言：「詩不可太熟，亦須令生。」近人論文，一味忌語生，往往不佳。此言何謂邪？詩不宜太生，亦不宜太熟，生則澀，熟則滑，當在不生不熟之間，「捶鉤鳴鏑」，其候也。詩不宜太露，亦不宜太隱，露則淺，隱則晦，當在不露不隱之間，「草蛇灰綫」，其趣也。詩不宜陳，亦不宜新，陳則俗，新則巧，當在不陳不新之間，「初日芙蓉」，其光景也。

又問：生熟之候既聞命矣，敢問如何是露？詩有十病，總其歸曰露。意露則淺，氣露則粗，味露則薄，情露則短，骨露則戾，辭露則直，血脈露則滯，典實露則支，興會露則放，藻采露則俗。王世懋謂少陵無露句者此也。

又問：露固不可，敢問何以得新？繁處獨簡，簡處獨繁；平處忽聳，聳處忽平；合處能離，離處能合，此運局之新也。因小見大，因近見遠，因平見險，因易見難，因人見己，因景見情，此命意之新也。平字得奇，俗字得雅，樸字得工，熟字得生，常字得險，啞字得響，此鍊字之新也。

又問：最苦是一題到手，門面膚套，似是而非之語，紛至沓來；及至打掃凈盡，則又無一字；竟不知從何處落想，有把筆終日不得一句者，將何以救之？大凡作詩，無執筆尋詩之理。一題入手，先掃心地，一片光明，必使萬邪悉屏，然後從容定意，意定而後謀局，局定則思過半矣。於是從首至尾，一路結構，慘淡經營，迨全詩在胸，下筆迅寫。脫稿後字句未愜，乃有推敲塗改一番工夫。譬之大將領十萬師，先觀其令嚴夜寂，有聞無聲，便知是將才。次則定謀，次則遣將。至營陣既列，變化在手，不待接仗而決其必勝矣。苟胸無全詩而字字苦吟，律詩且不可，況古體乎？

又問：虞待制論詩有「抛擲」二字，漁洋解以爲「撇脫」，不知「撇脫」何義？撇謂抛撇，脫謂脫離。余嘗謂董香光以「透脫」二字論書，作詩亦然。意貴透，辭貴脫。意必能脫，而後彌透；辭必能透，而後彌脫。脫即「抛擲」之謂也。

王壽昌《小清華園詩談》卷上《總論》 詩有四正：性情宜正，志向宜正，本源宜正，是非取舍宜正。詩有六要：心要忠厚，意要纏綿，語要含蓄，義要分明，氣度要和雅，規模要廣大。詩有四清：心境欲清，神骨欲清，氣味欲清，意致音韻欲清。詩有三眞：言情欲眞，寫境欲眞，紀事欲眞。詩有三超：識見欲超，氣象欲超，語意欲超。詩有四高：格欲高，興欲高，地步欲高，手眼亦欲高。詩有四近：宜近情，宜近理，宜近風雅，宜近畫圖。詩有三深：情欲深，意欲深，味欲深。詩有三淺：意欲深而語欲淺，鍊欲精而色欲淺，學欲博而用事欲淺。詩有三嚴：紀律欲嚴，對仗欲嚴，棄取欲嚴。詩有三寬：聲病無礙者宜寬（如蜂腰、鶴膝之類），俗論太刻者宜寬（如論杜詩每聯上句第七字，上去入間用之類），瑜多瑕少者宜寬。詩有三留：留好意以待發揮，留好字以助警策，留好韻以振精神。詩有四不可：骨不可露，氣不可浮，情不可過，意不可偏。詩有四勿傷：鍊勿傷氣，曲勿傷意，淡勿傷味，瘦勿傷神。詩有三不盡：景盡情不盡，語盡意不盡，興盡味不盡。詩有三可借：故事可借，字意可借，古人句可借。詩有三不欲勝：文不欲勝質，境不欲勝情，情不欲勝理。詩有五不可失：麗不可失之豔，新不可失之巧，淡不可失之枯，壯不可失之粗豪，奇不可失之穿鑿。詩有五可五不可：可頌不可諛，可刺不可訕，可怨不可疾，可樂不可淫，可哀不可傷。詩有四能四不可不能：能放不可不能收，能入不可不能出，能呼不可不能應，能卽不可不能離。

黃爵滋《仙屏書屋自序》 予幼嘗從讀於家素堂先生，先生日事吟詠，案頭自《昭明文選》外，惟王漁洋、沈歸愚兩先生所選古今諸體詩集，取而翫之，已知《三百篇》爲古詩之源，而古詩又爲唐宋以來諸大家之源也。已復徧取近時聞人諸集讀之，喟然歎大道之榛蕪，而習俗之波靡也。顧見聞未廣，識趣不專，閒適指歸，殊少成就。嘗遊廬山登絕頂，五老峰頭，目無障礙，洵如鴻鵠高舉，見天地之方圓矣。雖然，力不堅者，無以永其神也；慮不通者，無以閎其用也。嘗觀儕俗之作，有數非焉：或聲調便利，靡而不振；或意旨蹇澀，枯而不澤，若是者非體；或馳騁揮霍，剽而不留；或堆垛襞積，滯而鮮通，若是者非氣；或貌似神離，虛而不實；或以文飾俗，雜而不清，若是者非理；或苦心束縛，自謂親切；或任情泛濫，自謂周至，若是者非法。去茲數非，求其一是，然後可以語山水之助，發智仁之妙也。而其道之靡窮，業之不倦，則又貴有畢生之閱歷，同志之觀摩焉。

秦瀛《小峴山人文集》卷三《東皐先生詩鈔序》 詩之爲道，淵源《三百篇》，有賦焉，有比興焉。近今之詩，有賦，無比興，此詩所以衰也。唐人詩稱李杜：太白歌行得楚騷之遺；少陵則原本變風變雅，而得其所謂怨而不怒者。二公詩往往託物比興，詞旨荒忽，讀者莫測其意之所在，而詩於是爲極至焉。是故作詩者，必其性情既厚，植之以骨幹，傅之以釆色，諧之以律呂。舍是以言詩，非詩也。

何曰愈《退庵詩話》卷一 詩有四趣：曰理趣，曰情趣，曰景趣，曰別趣。嚴滄浪論詩深中肯綮，但謂「詩有別趣，非關理也」，是得其一而遺其三者也。至謂「詩有別材，非關學也」，余頗不以爲然。夫詩之爲道也，似易而實難。如里巷歌謠，童稚可學。若求傳世，有總角學之至白首而不工者，豈可勝數？自漢、魏以來，學者何啻恒河沙數？迄今觀之，稱大家者，代不過數人，稱名家者亦不過數十人，則其難易可知矣。豈不學者所能窺其蘊奧哉！細觀《三百篇》，多從格物致知來。鍾嶸《詩品》論漢、魏、六朝詩，雖極詳細，其指摘瑜瑕處，亦頗愜人意；第列爲三品，多以愛憎爲高下，尚難爲定評。學者察之。

又 有六要：一、命意；二、措詞；三、琢句；四、煉字；五、選韻；六、起結。

又 有六法：曰格調，曰氣象，曰體裁，曰詞旨，曰章法，曰聲韻。

又 有八病：無意義，一病也；無情趣，二病也；粗率，三病也；鄙俚，四病也；聲韻不諧，五病也；法度錯雜，六病也；油腔滑調，七病也；押韻生強，八病也。

又 有四否：才高勿炫露，否則流於輕薄；學富忌鋪砌，否則損於氣脈；詞煉要自然，否則傷於斧鑿；情多宜蘊藉，否則失於淫鄙。

又 短篇欲其精警含蓄，大篇欲其波瀾開闔。

又 釋皎然謂得題須要苦思，有「不入虎穴，不得虎子」之論。《藝圃擷餘》亦云：「沈思忽至，種種眞相自現。」斯言似猶未盡善也。此中工夫造詣，進一層又有一層，歷一境又有一境，惟苦學者得之。語之不工，非思有所不逮，乃學力未逮也。苟不苦學，徒欲苦思，所得者幾希矣。

又卷六 詩家天分，質也；學問，飾也；窮理，德也。

周昌基《春陵館詩話》卷中 詩要造語超脫，筆不著楮，破空而行。唐人詩云：「山僧不解數甲子，一葉落知天下秋。」淵明詩云：「雖無紀曆志，四時自成歲。」便覺唐人費力，而元亮超脫。讀陶詩者，須知其胸次浩然，有一段淵源樸茂不可到景況。唐大家莫不於此問津，王右丞得其清腴，孟山人得其閒遠，儲太祝得其樸實，韋左司得其沖和，柳儀曹得其峻潔。古人百體具備，莫名其妙，學者自得其性之所近，又可以名一家而樹一幟。然學古人者，始患其不似，不似則未入其門，於彼尚未有所得；繼又患其太似，太似則未知其化，又何能獨樹一旗。學陶如王、孟諸人，眞是入乎其中，而又能出乎其外矣。國朝王司寇，五言古今詩能胎息淵明，而不襲其貌者。

又 杜工部云「爲人性癖耽佳句，語不驚人死不休」，尚是有意爲之；不如「老去漸於詩律細」爲得自然之趣。蓋作詩雖苦心雕琢，而出語仍絕不見其雕琢之苦，乃爲絕妙好詞。所謂「看似平常最奇險，成如容易卻艱辛」，眞道盡此中甘苦矣。予讀《甌北集》，愛其意無不新，語無不奇，而卻又極現成之至，無斧鑿痕也。

又卷下 點染風花，何妨少爲失實。若小小送別，動欲沾巾；聊作旅人，便云萬里。登陟培塿，輒比華嵩；偶遇庸才，頌言良哲。以至本居泉石，更懷遯世；業作歡娛，忽言悲痛。準之立言之體，均爲失度。《記》曰：「志之所至，詩亦至焉。」本乎志以言詩，庶不蹈數者之患。

蔣湘南《子良詩存序》 畋漁古人之詩而役於古人者有三賊：摶土雕木，狐鼠仙佛，一也；摸金盜玉，淵藪逋逃，二也；吹竹彈絲，猶雜子女，三也。畋漁古人之詩而神於古人者有三德：不夷不惠，清和之間，一也；金聲玉振，始終條理，二也；握奇張翼，撒星倏變，三也。善爲詩者除三賊而成三德，不善爲詩者則德不勝賊焉。百餘年來，詩人之集塞屋欲破，而求一三德俱備，神於古而不爲古役者，鮮矣。【略】夫詩之體有古今，而賦、比、興之義無古今，三者皆因境以達情者也。境千變，情亦千變，運我之境與情以範古人之詩則可；貪古人之詩，而棄我之境與情，則不可。吾不解世之言詩者何以必曰兩漢、曰六朝、曰唐宋也。兩漢、六朝、唐宋之人各有其眞境眞情，而後各有其眞詩。我之境，不必與古人之境同；我之情，不必與古人之情同；則我之詩，不必與古人之詩同。我爲我之眞詩而已。有眞詩，自有眞氣；有眞氣，自成眞法。眞則德，僞則賊。德盛賊衰，奴僕命古，此子良之詩之所以獨成一格而卓然不惑者矣。

何紹基《與汪菊士論詩》 地盤最要打得大，如有一塊大地，則室、屋、樓、亭，聽其所爲，若先止方丈地，則一亭已無可布置矣。苟且之見，動云學陶、韋，不知陶、韋胸中多少道理，人品多少高冷，而果能陶、韋乎？好高者動云兩京，不知兩京時所見所聞皆周、秦，家世傳衍皆周、秦，其人幷不必爲詩也，一篇一句，偶然傳後，而吾乃以多篇多句者效之，與《法言》、《文中》僭擬聖經何異？卽使眞肖，亦優孟衣冠耳。做人要做今日當做之人，卽做詩要做今日當做之詩，必須書卷議論，山水色相，聚之務多，貫之務通，恢之務廣，煉之務重，卓之務特，寛作丈量，堅作築畚，使此中無所不有，而以大氣力包而舉之。然未嘗無短篇也，尺幅千里矣；未嘗無淡旨也，清潭百丈矣。譬如一所大院，正房客屋，幽亭曲榭，林鳥池魚，茂草荒林，要無所不有，才好才好。

又 詩貴有奇趣，卻不是說怪話，正須得至理，理到至處，發以仄徑，乃成奇趣。詩貴有閑情，不是懶散，心會不可言傳；又意境到那里，不肯使人不知，又不肯使人遽知，故有此閑情。

王柏心《余旬甫續楚吟序》 飛衛之射，造父之御，騶衍之談，惠施之辨，趙武靈之變車用騎，項籍之行軍，皆師心獨運，超古今而獨絕者也。【略】詩之爲道，豈其好高務難，必出於此哉！然而古今代相嬗也，人才代相耀也，規規爲循守故轍，神理索然，無以厭服人之心志，震動千百世之耳目。河嶽英靈之氣不將歸於闇汶耶！

又《黃仙嶠詩序》 詩之本在志，言則其質也，聲與律則其節也，四者合而詩之體備，闕一焉則戾矣。自詠歌始，肇衍而爲國風雅頌，爲漢魏六朝樂府古詩，高下不同，文質異宜，然皆兼是四者，未之或闕。唐代諸家又號最盛，蓋渢渢乎中和可經矣。自爾以還，變而主理，或主意趣，或主卷籍，雖日新富有，不蹈故常，然波瀾盛，聲律衰矣。夫詩發於志之所嚮，而言有不能徑遂者，則必往復詠歎，幾欲吐之，幾欲茹之。又有音調疾徐亢墜，必自然合度，不入於嘽緩噍殺，然後作之者，導宣堙鬱，無所底滯，卽諷之者，亦淵然莫盡曲。然有得動蕩乎血脈精氣之間，而旁皇乎神明肌髓之內，故可貴也，而得此者惟唐人最深。

又《鄧孝旃詩序》 余嘗病作詩之失，其端有四：寓旨不深，則淺陋而易窮；蓄義不宏，則迫狹而無度；抗音不振，則響墜而韻沈；樹骨不堅，則力撓而詞躓。風騷日遠，波靡相沿，將使建安之雄才徒懸于往代，開、寶之作者不覩于來兹。自非疏亮不羣，瑰奇特立者，卽無能懸寶璐以屏燕石，奏朱絃而斥皇荂。

鄭獻甫《答友人論詩書》 夫詩之學甚難，而詩之言甚易，其權既已泛泛無所歸，則姑且付之鄉里狂生、江湖游客，是兩者既泛泛而執其權，故詩之品益卑，而詩之名亦益賤。前者有數巨公窺及此，于是倡爲至易之說，以誘夫至愚之人，曰：「來！吾敎爾詩。不必讀書也，不必用典也，不必談格也，第率爾之所欲言者言之，而已佳矣。」天下人樂其敎之易從，而爲之易就也，遂翕然以爲宗，紈袴公子，游冶少年，星羽雜流，舉竄而入其中。前者唱于，後者唱喁，而詩于是掃地盡矣。僕平日外交友朋，內訓子弟，從未敢妄言詩者，誠耻之也。夫詩不特當有才情，當有學問，幷當有閱歷。有才情而無學問，是李陵之張空拳也，可獨戰而不可衆戰；有學問而無才情，是王邑之擁大衆也，可懼敵而不可勝敵；有才學而無閱歷，是子房之坐談兵也，可恭軍而不可行軍。是故卷阿從游，柏梁應制，朝廷之閱歷也；青海射雕，長城飲馬，邊塞之閱歷也；潯陽商婦，新豐老翁，身世之閱歷也；元和頌德，淮西紀功，承平之閱歷也；彭衙哀離，秦中諷諭，離亂之閱歷也；夔府詠古，海外標奇，山水之閱歷也。古人有如此之閱歷，故能運如此之學問，而張如此之才情，造詣既深，邊幅亦富。今乃欲以一孔生，持三寸管，出而與古之人爭，不亦謬乎！且彼創爲至易之說，以誘至愚之人者，彼其人要自有才，特非圖名，卽圖利耳！而紈袴公子，游冶少年，星羽雜流，舉墜其術而不悟其非也。不然，彼其言如此，何其詩不盡如此？且詩有與古人相合者，何哉？夫古人之所獨能爲者，吾既不得爲；古人之所不屑爲者，吾又不敢爲。則亦惟取古之所共爲、吾之所可爲者，自爲之而已矣。其法有三：一曰題目。凡祝嘏、哀挽、題圖、謝饋、分題、和韻，此應酬之惡題也，不可輕作。閑居、村居、即景、即目、書見、書懷，此庸陋之俗題也，不可妄作。又「關關雎鳩」、「呦呦鹿鳴」、「采采芣苢」、「翹翹錯薪」，古人無空咏物者，至唐人而後，有空咏物，然非别有寄托，即别有感慨。近人以此題爲易，刻畫者如俗工寫眞，離即者如兒童猜謎，讀之令人笑來，此尤不可率作。至于考試題、詩社題，舉視乎此，如此則題目雅矣。一曰體格。登山臨水，寄恨言情，五古所宜也，宜清奇，宜深幽，宜淡宕，着一率語則非。標奇紀盛，感事懷古，七古所宜也，宜雄直，宜激昂，宜流走，著一軟語則非。五律宜高渾圓潔，右丞、左司爲佳；七律宜滿足清華，工部、義山爲勝；五排宜瀾翻流轉，香山、微之爲工。五絶宜一字不可溢，七絶宜百言不能盡。近人自知爲絶句必不佳，爲古體又不工，遂皆遁爲律，其實不過減句試帖，拓字試帖耳。學者先宜辨此，則體格雅矣。一曰言語。人動稱：野夫游女，讀何書？野夫游女，誠不讀書，獨不聞「吉甫作誦，穆如清風」乎？又稱：「采蘭」「贈芍」出何典？「采蘭」「贈芍」，誠不須典，然獨不讀「小戎俴收，五棨梁輈」乎？「生爲遠别離，死爲長不歸」，延年句也，謝莊笑之；「水牛浮鼻過，沙鳥點頭行」，羅隱句也，楊慎笑之；「太極圈兒大，先生帽子高」，定山句也，世之兒童亦笑之，而況乳臭余子，信口亂道乎！其他若公座應酬語、記室寒暄語、市人醉駡語、學究談心語、娼妓媚語、村嫗絮語、野人讕語，皆不得一涉其筆，如此則言語雅矣。若曰吾貴性靈語，則上所陳，孰非性靈語哉？僕之所見如此。若其詩，則自昔至今，皆不足道也。

戴熙《張茶農悔昨集序》 方余學詩畫時嘗言：詩畫之原出於造物，世知師造物，不知不善師者之不如不師也。陽開陰闔，春溫秋肅，高朗幽深，可怡可愕者，造物之詩也；善畫者，則師以爲畫，藏無形於有形，乃沈酣而振邁，高山巨川，長林豐草，恢宏怪變，可欣可悼者，造物之畫也；善詩者，則師以爲詩，化有形爲無形，乃蒼渾而雄奇。昔觀茶農之畫，超物象以取態，今見茶農之詩，隨境遇以構思，茶農得不謂之善師造物者耶？

林昌彝《射鷹樓詩話》卷三 作詩最忌詩名太甚，每見詩家名甚之後，多率意爲之。朱竹垞、袁簡齋應鴻詞科後，詩格一變，而簡齋尤甚，學者當深戒之。

又卷四 善弓者，師弓不師羿；善舟者，師舟不師奡；善心者，師心不師聖；(關尹子語。)善詩者，師詩不師古。然不師古者，不襲古耳，不摹古耳，不泥古耳，非戾古也。所謂學之太似，轉與古人遠矣。作詩者，須前無古人，後無來者，方可爲大家。若篇法、句法、字法必求肖古人，徒爲古人執箕帚耳。前明何、李詩好摹擬前人，往往有此病。陸務觀云：「詩欲工，而工亦非詩之極也。鍛鍊之久，乃失本指；斲削之甚，反傷正義。纖麗足以移人，誇大足以蓋衆，故論久而後公，名久而後定。」(《十駕齋養新錄》引《何君墓表》。)

又卷五 朱子論詩，謂虞、夏以來，下及漢、魏，自爲一等。自晉、宋間，顔、謝以後，下及唐初，自爲一等。自沈、宋以後，定著律詩，下及《文選》、漢、魏古詞，以盡乎郭景純、陶淵明之所作，自爲一編，而附於《三百篇》、《楚詞》之後，以爲詩之根本準則。又於其下二等之中，擇其近於古者，各爲一編，以爲之羽翼輿衛。其不合者，則悉去之，不使其接於吾之耳目，而入於吾之胸次，要使方寸之中，無一字世俗言語意思，則其詩不期於高遠而自高遠矣。四農謂詩之源流得失，實盡此數十言之中。學者誠知詩無可學，而日治其性情學問，則詩不學而亦能之。必不得已，遵朱子所論，而採摘精審，專一沈潛，庶乎其不悖於聖人之詩教，而足爲能詩之士矣。

又卷七 世謂説經之士多不能詩，以考據之學與詞章相妨。余謂不然。近代經學極盛，而奄有經學詞章之長者，國初則顧亭林炎武也，朱竹垞彝尊也，毛西河大可也；繼之者朱竹君筠也，邵二雲晉涵也，孫淵如星衍也，洪稚存亮吉也，阮芸臺元也，羅臺山有高也，王白田懋竑也，桂未谷馥也，焦里堂循也，葉潤臣名灃也，魏默深源也，何子貞師紹基也；吾鄉則龔海峰景瀚也，林暢園茂春也，謝甸男震也，陳恭甫壽祺先生也。諸君經術湛深，其於詩，或追踪漢、魏，或抗衡唐、宋，誰謂説經之士，必不以詩見乎？

又卷一〇 詩有煙火氣則塵，有脂粉氣則纖，有蔬荀氣則儉，無是三者而或矯同立異，或外強中乾，則亦爲餒而爲敗。故詩不可以無氣，而氣尤不可以襲而取，不可以僞爲。其氣逸而雄、清而壯者，漢，魏以來，少陵一人而已。蘇子瞻云：「天下幾人學杜甫，誰得其皮與其骨？」皮且不可得，而況得其神髓乎哉？此無他，骨不靈而氣以頹，心不俠而氣以懾，雖日取杜詩而讀之，而去杜益遠矣。

又卷一五　潘四農云：「詩最爭意、格，詞意富健矣，格不清高，可作而不可示人；格調清高矣，意不精深，可示人而不可傳遠。」有以論意格腐談者，中有所短故耶！

又卷一九　近見某先輩有云：「余少喜爲詩，近見某氏詩佳，不復爲矣。」此某先輩好勝之過也。詩發乎情，婦人孺子皆可爲之，亦皆有天籟，何必因見某氏之詩而遽不復爲乎！余謂先輩於詩雖極力爲之，決不能遽臻絕頂，以平日有好勝之心在也。晉、宋時競尚詩歌，當其時，耳目漸染，雖不學者亦能出口成章，如沈慶之手不知書，眼不識字，及逼令作詩，衆坐稱其辭意之美。今讀其詩，有先民之質表，無後來之華藻，然則學詩者貴通其大意，聞其風指，至於妃配對偶，表飾典實，抑末矣。慶之詩云：「微命實多幸，得逢時運昌。朽老筋力盡，徒步還南岡。辭榮此聖世，何媿張子房。」

又《書荃兒詩卷》　學詩如學畫，意惟求其眞。學詩如學書，風骨須磷磷。萬卷讀破如有神，世人欲斧杜文手，祇恐杜家長鑱復驚人。東坡有子萬事足，斜川一集超羣倫。爾父治經四十載，窮愁仰屋搜皇墳。餘事頗歷大雅羣，執橐曾禦千人軍。學詩須得詩中旨，且把金針度與爾。不願爾學徐凝號惡詩，亦不願爾恃才空闢靡。詩到無人愛處工，有如花未開時方爲美。詩家妙詣幾人知，願爾學爲吟詩兒。

林鈞《樵隱詩話》卷一　詩有可看者，有可讀者，有耐看者，有耐讀者，則大家、名家之別也。如陶詩初看一過，似不見其佳處，再三閱之而其味出，細讀之而其味愈深，倣而學之，則不可及矣。此其所以爲絕詣也。唐宋諸名公，無不讀而學之者，及其成也，又絕不相類，此所謂善學者也。今人論詩，乃必謂似古人某家，何也？余有句云：「詩味深長方耐讀，心能淡泊自無求。」又云：「人耐困窮心自暇，詩歸平淡味方長。」又云：「論詩笑作徐家狗，學古休同穎士奴。」

又　余不甚喜隨園詩，而獨服其論詩之言，蓋詩主性靈，此千古不磨之論也。

又卷八　詩以氣壯爲上，局勢次之，詞華又次之。對仗雖工，落下乘矣。

沈善寶《名媛詩話》卷五　風人之詩，長於言情，故得弦外之音。學人之詩，晦於用意，轉少天然之韻。從古如斯，不僅閨閣。

張文虎《舒藝室雜著・六半樓詩鈔序》　詩之道至易而至難，身之所即，耳目所及，心思所會，隨其抒寫，而皆可合於賦比興之義，可謂無難矣。及其櫽栝錘鍊，使俗者雅，陳者新，緐者縮之簡，隱者達之顯，往往同寫一景，而工拙殊科，同舉一辭，而姸醜異致，此豈易言者哉？取乎人之意中，而出乎人之意外，斯易與難兼得之矣。

又《王雲卿詩稿序》　曰凡學固求其至也。求其至莫若專且勤，苟專且勤無弗至者。而俗以爲性情有近有不近，非也。弗專弗勤，雖近猶不能至。予總角學爲詩，師友皆曰：孺子可敎也。於是益自喜，以爲誠近之。稍長，嗜好益雜，一藝未就，厭其苦而遷焉。及遷它藝，復然。逮老且嬾，益一切罷去，輒舉其悔以勸人。

楊希閔《詩榷・詩軌例言》　詩有六義，風爲最要。入人之深，感人之速，無過乎是。次則比、興，詩無比、興，妙處不見，意境亦狹。「麻紙語三葛，我薄汝麤疏。猛虎依深山，但願松柏長。」非比，安得佳？廬江小吏詩，非「孔雀東南飛」興起，安得圓妙。此猶一支一節論。他如阮公《詠懷》，景純《遊仙》，淵明《述酒》、《讀山海經》，太白《蜀道難》、《遠別離》之類，皆是比、興，深得騷人之遺。昧者質求之，死言下多矣。少陵以後，比、興漸微，惟義山校有餘韻。他則止是喻語，與比、興又別。宋蘇、黃詩，亦止是喻語多，比、興甚少。喻語不善爲之，便同猜謎，比、興則高妙超遙，有「入不言兮出不辭，乘回風兮載雲旗」意。是故六義之中，風也，比也，興也，校雅、頌、賦，其用尤妙遠切要哉。

又　自古詩皆入樂，《三百篇》至漢、魏、六朝皆然。初唐尚沿其舊。盛唐諸公，如右丞、龍標、供奉絕句猶然。他體雖未盡然，亦猶有可歌者。截斷此意明，萌牙少陵。少陵詩，沈鬱頓挫，豈復可議。然而骨幹漸粗，音節略重。自是以後，音節一道，益罕問津。劉夢得間有遺意，然亦微矣。夫詩既不可入樂，則必有變而通其窮者。孰通之，長短句是也。譬之儒敎衰，則佛敎盛。詩之入樂熄，則長短句入樂起也。唐末五代人，詩不佳，長短句輒勝絕。北宋二晏、歐、秦妙能長短句，獨詩仍不可歌。嗚呼，此皆詩以杜、韓爲質的之故也。南宋夢牕、竹屋諸家，所爲長短句，裝字飾詞，音節又大遠於唐末五代。窮而不反，遂又變爲元人南北曲。可見聲音之在宇宙，如江河行地，不流此即溢彼，此源流支別之顯然者也。是故，論詩之體格、意度，無論少陵可法，卽韋、柳諸家，何不可法？若論音節，雖少陵時未盡，矧少陵下乎？明之前後七子，竊見乎是。崆峒才大，差能張軍。大復、昌穀領解亦善，而絲緒單薄，自檢點則有餘，抗前賢則不足也。吾之《詩軌》，論乎轍迹，音節一道，亦詩家軌轍一樞轄哉！近代王漁洋、姚惜抱，論詩亦講音節，然止在五、七言平仄句字侈弇變化間，爲去俗入雅之地則可，仍不可以入樂也。沈約四聲八病，已是末節。近人周松靄更有《杜詩雙聲疊韻譜說》，雖鑿鑿可徵，究於詩道奚益？周君自爲詩又何如？徒使學者汩沒性靈，拘牽枝葉而已。果究心《三百篇》、《楚騷》、漢魏人詩，探喉自有眞放，那得有此印板文章。譬如《唐律疏義》，條件至密，要無明刑者耳，其不可致刑措決也。若皐陶爲士，定不須此，自然無枉無縱，刑措不難。

又 夫詩旣求之風與比興、與音節矣，修詞亦大要也。此義稽留山人言之善，其言曰：「詞所以達情也。情不可見，言以宣之。言善，使人歌詠流連而不能已已。赤子悲則號，喜則笑，情庸渠不眞，非其母莫喻者，不善言也。鴉之鳴烏烏，牛之鳴喒喒，人莫愛聞者。黃鳥睍睆其音，則聽者樂焉。故雅俗之相去也遠矣。夫有情而不善言，則如不言。有情而言之，庳陋俚下，而無所擇，取誚百世，則不如嘿焉。故尙詞失之情，猶不失爲詞也。尙情失之詞，則情幷失。夫詩者，思也，惟其情之宣。今失情而崇詞，詞無所附。失詞而併失情，情又無由顯。詩之亡在此二族矣。」又曰：「志，非有獨感，莫強作也。夫抱獨感者情生詞，不者詞亦生情。夫生情之詞，詞乃善矣。詞不能生情，如土木偶被文繡，何以惑陽城，迷下蔡？故尙詞失之情，終亦未得云詞也。」右所論，可謂微妙深至，情、詞之要盡是，無以加矣。詩入樂歌，要自有道。今其法不傳，惟存什一於《大成樂譜》。又止是雅奏，未極風騷。嫖姚散朗、激壯淋漓之妙，尋厥墜緒，大概又存什一於唐代樂工笛色譜。由其譜逆溯漢、魏歌謠，知其不可句與費解者，如「妃呼豨」、「何軒奴軒」之類，多是散聲襯字，傳寫譌敓，不能盡得端委曲折，約略可悟也。唐人《陽關三疊》，亦有傳譜，未知眞如是否。安得神瞽，更爲定之，使感人心而復古奏也。

劉熙載《藝概·詩概》 詩可數年不作，不可一作不眞。陶淵明自庚子距丙辰十七年間，作詩九首，其詩之眞，更須問耶！彼無歲無詩，乃至無日無詩者，意欲何明？

又 或問：詩偏於叙則掩意，偏於議則病格，此說亦辨意格者所不遺否？曰：遺則不是，執則淺矣。又「其詩孔碩，其風肆好」，後世爲詩者，於「碩」、「好」二字須善認。使非眞碩，必且迂；非眞好，必且靡也。

又 詩不清則蕪，不穆則露。「穆如清風」，宜吉甫合而言之。

又 凡詩迷離者要不間，切實者要不盡，廣大者要不廓，精微者要不僻。

又 詩要避俗，更要避熟。剝去數層方下筆，庶不墮「熟」字界裏。詩要超乎空、欲二界。空則入禪，欲則入俗。超之之道無他，曰「發乎情止乎禮義」而已。

又 或問：詩何爲富貴氣象？曰：大抵富如昔人所謂「函蓋乾坤」，貴如所謂「截斷衆流」便是。

又 詩質要如銅牆鐵壁，氣要如天風海濤。

又 詩不可有我而無古，更不可有古而無我，典雅、精神，兼之斯善。

又 鍾嶸謂阮步兵詩可以陶寫性靈，此爲以性靈論詩者所本。杜詩亦云：「陶冶性靈存底物，新詩改罷自長吟。」

又 元微之作《杜工部墓誌》，深薄宋、齊間吟寫性靈、流連光景之文。其實性靈光景，自風雅肇興便不能離，在辨其歸趣之正不正耳。

又 詩涉脩飾，便可憎鄙，而脩飾多起於貌爲有學，而不養本體。晉東海王越與阮瞻書曰：「學之所入淺，體之所安深。」善夫！

又 詩一往作遺世自樂語，以爲仙意，不知卻是仙障。仙意須如陰長生古詩「遊戲仙都，顧愍羣愚」二語，庶爲得之。抑《度人經》所謂「悲歌朗太空」也。

又 詩一戒滯累塵腐，一戒輕浮放浪。凡出辭氣當遠鄙倍，詩可知矣。

又 詩中固須得微妙語，然語語微妙，便不微妙。須是一路坦易中，忽然觸著，乃足令人神遠。

又 花鳥纏緜，雲雷奮發，絃泉幽咽，雪月空明，詩不出此四境。

又 《詩》「喓喓草蟲」，聞而知也；「趯趯阜螽」，見而知也；「有車鄰鄰」，知而聞也；「有馬白顚」，知而見也。詩有外於知與聞見者耶？

又 「清風明月不用一錢買」，上四字共知也，下五字獨得也。凡佳章中必有獨得之句，佳句中必有獨得之字。惟在首在腰在足，則不必同。

又 「曲徑通幽處，禪房花木深」，六一賞之；「四更山吐月，殘夜水明

過矣。樓」，東坡賞之。此等處古人自會心有在，後人或強解之，或故疑之，皆

許奉恩《二知軒詩續鈔序》 夫詩學流弊，至今極矣。或故爲艱深以欺人，或務趨怪僻以矯世，或徒事雕繢而眞意不存，或專抒性靈而俚俗未免，或依託大家而但襲面貌，或師心自造而不就範圍，甚至區別門戶，雜沓蠭紫，各執一見，互相攻詆，無怪詩人日多，詩教日靡。不有人焉，主盟風雅，爲之挽頹波，障狂瀾，勢必至橫流旁決，而無所底止矣。

何栻《子良詩存序》 藝不專，不足以成名；思不壹，不足以通神。能銳不能堅，不足以言志；能周不能摯，不足以言情。山可頹也，而不頹者眞人之窮；水可腐也，而不腐者窮人之眞。惟其眞也，故能久；惟其窮也，故能貞。知此乃可以解人之詩，爲解詩之人。

陳璞《宛湄書屋詩鈔序》 詩有才豪氣猛，恣意馳騁，誇多鬥捷，甚或叫囂拉雜以爲雄邁者，探其中枵然無有也。此所謂可以驚四筵而不可以適獨坐。故必清和朗暢，深婉款摯，使人味之而彌永，引之而不盡。斯「情往似贈，興來如答」，爲詩之極。

王德馨《雪蕉齋詩話》卷四 詩各有習，學詩者不可囿于習。問：何以能不囿于習？曰：亦惟深參比興之義，上追風雅之原，以力矯其性情之偏，一歸于正而已。昔皇甫汸言：「關中之詩粗，燕趙之詩厲，齊魯之詩侈，河內之詩矯，楚之詩蕩，蜀之詩澀，晉之詩鄙，江西之詩質，浙之詩嘽，吳下之詩靡。」數語雖似太泥，然學者亦不可不知。

程鴻詔《鷄澤脞錄》 書曰：詩言志。孔子曰：思無邪。又曰：可以興，可以觀，可以羣，可以怨。邇之事父，遠之事君。孟子曰：以意逆志，是爲得之。《禮記·經解篇》曰：溫柔敦厚，詩教也。《詩序》曰：正得失，動天地，感鬼神，莫近於詩。蘇長公曰：詩須有爲作。朱子曰：詩以道性情。合觀此數言，則作詩者不可不先審宗旨也。宗旨得性情之正，則詩之本原不差矣。此其一也。宗旨既正，則須審體裁。體裁有風有雅有頌，而風之中有正風有變風，雅之中有正雅有變雅。屈原轉而爲騷。騷亦變雅之餘也。不近風雅頌，是謂俚俗。即不謬於風雅矣，而一篇之中，忽風忽雅，亦雜而不能成章。杜少陵曰：「別裁僞體親風雅。」試觀古人詩其流傳膾炙人口者，有一非風雅之遺則乎？則體裁不可不審也。此其二也。宗旨正矣，體裁是矣，必講法度。一篇之中，如何起，如何承，如何轉，如何收，長篇有長篇之法，短篇有短篇之法。一連數首或數十首，亦有聯接分章之法，不必刻刻求合，而自神明變化於其中，則法度之必不可紊也。此其三也。宗旨正矣，體裁是矣，法度嚴矣，而猶有不可以爲詩者，則音節不和暢也。詩之音節在字句，而尤在無字句處。一字不合，則全句受累；一句不合，則全篇受累。音節諧和而暢達，盡去志微噍殺流辟邪散諸音，而一歸之優柔中平之響，方可謂詩。此其四也。然亦有宗旨體裁法度音節俱合，而猶不可謂之詩者，則以其拘拘求合而無神韻以運之也。如木偶象人，耳目鼻口手足雖無一不具，究與生人迥不相同，則神韻尤不可不講也。但神韻之說，在人心領而神會之，此非可以言傳也。宗旨體裁法度音節俱是，而更進之以神韻，合此五者，則詩之能事備矣，非第平仄合、押韻穩、裁對工、琢句巧、典實富，遂可謂之爲詩也。自《三百篇》後以迄於今，詩之傳者不少。每篇每章以此五者求之，擇其尤合者，日日寢食其中，求之有得，然後爲之，願勿以爲老生常談也。

李元度《歐陽坦齋師文集序》 嘗侍坐風雩亭，從容請益，問詩古文法。師詔之曰：若知立言之要乎？今夫立言之道，莫著乎《易》。《家人》之《象》曰：「君子以言有物。」夫有所爲而爲之謂物，必讀書深，見理明，博究乎天道人事物理之蕃變，乃能指事類情，持之有故，所謂物也。孔子釋《乾》之九三曰：「修辭立其誠。」惟立誠，故有物，否則雖強自弸彋，亦《記》所謂不誠無物者而已。惟詩亦然。詩之爲教，微矣。古之人未嘗欲名其詩也，而固已有詩，雖野人女子農夫皆能自言其情。情之所至而詩自至。蓋性情得其正，斯能合乎溫柔敦厚之教，而無伉厲怨誹纖靡之病。不惟作者之性情見，讀者之性情忽不知其何以易焉。今人以詩爲博聲華爭壇坫之具，自汩其性情，舍己之詩以摹擬古人之詩，詩之所以衰也。尹吉甫之自頌曰：「穆如淸風。」而孔子贊爲知道，道豈易言知哉？肆而爲伉厲，激而爲怨誹，流而爲纖靡，皆無與於性情之事者也。蓋吾師教人，其大指不外此。

胡鳳丹《盾餘齋試帖詩序》 作詩之有詩律，猶行軍之有軍律也。軍律不嚴，則人心渙散，步伐錯亂，一旦大敵當前，進退維谷，雖百萬衆無能爲也。至於詩律，若但選聲選色，鍊意鍊詞，苟背乎法度，即日試萬言，徒冗闒耳，讀者奚取焉！

王棻《與友人書》　詩之難言久矣。尙性情者得其本，其失也少文；矜辭采者得其用，其失也無本。講格律者其體高矣，而少自得之趣；言神韻者其致雅矣，而乏博大之觀。此其故由于才有所偏，而其弊成于學無所得。古今稱能詩者，必曰杜甫氏。甫之言曰：「讀書破萬卷。」又曰：「熟精《文選》理。」由前之言，則甫之詩學爲甚博；由後之言，則甫之詩學爲甚精。是甫所以雄一時而名後世者，非獨才高使然，亦其學之博大精深，有以匠其才而成其器也。同時唯李白氏才高于甫，而學稍不逮，故足以匹于甫而無愧；論者猶或以其學不逮甫少之，則過也。後之學詩者，夫人而能宗甫之詩，而皆不能宗甫之學。故雖情眞辭富，律細韻超者，代不乏人，而卒鮮能與甫匹。唯韓愈氏學博千古，文高于李、杜，而詩宗之，瓌瑋奇特，自成一家，蓋有本者如是，信不虛矣。其次，則宋之蘇軾氏，文宗韓而詩兼學杜，其才雄，其學贍，故其歌行雄深奔放，可鼎杜、韓。而明李夢陽氏亦庶幾能學杜之學者。其餘則皆瞠乎後矣。雖曰才有所不逮，亦其學之不振有以限之也。或曰：古《詩》三百五篇，孔子皆弦歌之。列國之風，多里巷歌謠之作，而命意溫厚，詞采斐然，有非後世文人學士所及者。故曰「詩有別才，非關學也」，豈不信哉？余曰：不然。夫古民與今民一也。今之里巷歌謠之作，有逮風詩者乎？無有也。匪特今然也。漢之時，去《三百篇》未遠，而「尺布斗粟」之篇，「燕尾」、「羊頭」之什，大都與近世歌謠相類，而去詩遠甚。且匪特漢然也；即在東周以上，作詩之時，其古逸之流傳而不列于經者，亦皆不逮詩遠甚。然后知風詩之與歌謠，振古分爲二體矣。其出于閭巷小民之作，則謂之歌謠，雖亦采風者所不廢，而不得以入于經。別爲一書，名之曰諺，蓋自夏時已然；故諸書得以據而引之，而或別之曰夏諺、曰周諺也。其載在風詩者，則皆列國大夫、隱逸君子、學士秀民之所作，或攬俗而興歌，或本事而托諷，亦有幽閑之休，自寫其情，如《考槃》、《衡門》諸篇所云者。至于風俗政教，或因得而概見，此則後人推論得之，而非其詩之本然也。凡此皆得錄而獻之太史者也。太史者，古之選詩之官也。于是比其聲韻，攬其詞采，既擇其文之雅馴者，繫于列國而爲《風》，而其事之關于朝廷宗廟者，則升而列于《雅》、《頌》，而于《雅》詩之中，又以體近乎風者爲《小雅》，而義近于頌者爲《大雅》，分爲四類而合爲一書。蓋將以敎當世之才士，俾學者而可以授政專對、事父事君、博物不窮者也。烏有不學之詞，入于其中者哉？其《風》詩所載，或有涉于婦人女子之事，咏歌小民之情，則皆代爲之言，曲盡其意，此正古之聖賢智周萬物之能事，而詩可以言之一端，蓋古詩之旨類然，如《豳風·鴟鴞》諸篇，尤大彰明較著者。而或以爲其人之所自作，謬矣。風、雅、頌者，古詩之體也，猶後世之有樂府、古詩、律、絕也。其始作也，有邦國者必有《風》，有朝廷者必有《雅》，有宗廟者必有《頌》。而其事則《雅》、《頌》難于《國風》，《大雅》難于《小雅》，而《頌》爲尤難。蓋所謂動天地，感鬼神者，將于是乎在，而其義則非聖賢莫能爲也。故列國之風皆有可采，而雅頌闕如；非無有也，以其不足存而去之也。唯魯秉周禮，而多君子，故其所作，文高事核，有足存者。而衛武《賓筵》、《懿戒》二篇，體備乎雅，而又朝廷之作也，故亦得以列于《二雅》而無愧。苟爲不然，則雖《關雎》作于周後，《七月》作于周公，《黍離》作于周之大夫，而不得入于雅者，何哉？其體故風也，猶律詩不可以爲古，而古詩又自異于樂府也。蓋三者之詞，既同出于大夫君子秀民有學者之所作，而其體之高下難易之不同有如此者，此古之詩教所以爲嚴，而學詩之道如是其不易也。杜甫氏知其然也，故其爲詩也，導源于《風》、《雅》，游泳乎《離騷》，浸淫乎漢、魏，泛濫于六朝，而以己之爲海焉。至其平時寢饋之學，尤不可得而窺也。于乎！斯其所以爲至歟！今之言詩者則不然。尙性情者樂于空疏，修詞采者安于浮淺，工格律而摹擬之弊生，講神韻而浮泛之辭滋；每下愈況，則且并四者而去之，以師心爲學問，以空疏爲性情，以剽竊支離爲詞采，以陳腐纖側爲才華，而詩之弊有不可言者矣。今觀足下之詩，其道景也實，其言情也眞，蓋非無才者，尙其懋于學哉！學詩之法，必以杜爲宗；學杜之法，必以學爲本。學杜之詩而不能爲杜者有之矣，未有學杜之學而不能爲杜者也。才者懸于天而不可強者也，學者由于人而可自爲者也，足下勉之哉！約情復往，以植爲本；枕經葄史，以大其藏；規《騷》、《選》，攬宋、唐，以正其趨；獵百家，參小說，以盡其變；絜人情，窮物理，以致其用。如是，則本末交修，內外兼盡，不期爲杜而杜將自至矣，不必爲杜而亦無所不至也。以之爲漢、魏則漢、魏，以之爲六朝則六朝，以之爲唐、宋、元、明則唐、宋、元、明。譬如乘千斛船，出于無津涯之海，培以九萬里之風，挂席千丈，一駕百更，樂何如也！且非特詩也；聖賢之道，名公卿爲事業，隱君子之風，詎有外是乎？《三百篇》之敎，如是而已矣。杜、韓、蘇之學，如是而已矣。願與有志之士共勉之。

陳熙春《詩法撮要》 昔沈約論作律詩，有四聲八病。四聲如「天子聖哲」，夫人而知之矣。所謂「八病」，乃專指音韻而言。作詩至研求音韻，其事在推敲句調之後，爲精益求精，登峰造極之詣。然始基不可不立也。作詩始基，譬諸作室，必先詳定界址（審題之法），酌明間架（布局之法），積灰磚，運木石（徵才選韻之法），將柱礎牆根，一一築固，然後漸次施工（琢句、鍊字、設色、諧聲諸法）。以成上棟下宇之規，備致鳥革翬飛之美。若始基不固，縱憑空結撰，八面玲瓏，極之傑閣凌霄，層樓插漢，終恐風雷震撼，日炙雨淋，搖動不安，傾頽必易。此獨標神韻，不求腳踏實地，竹坨老人所由致誚於阮亭也。要知試帖之詩，與古近體雖異，法律則同，與文法亦大略相同。學者自入塾開講，便執筆效作韻語。舉凡審題、布局、徵材、選韻，諸法講究有素，本無待於繁言。顧欲研求音韻，不得不先言句調。欲推敲句調，不得不先言根基。今將入手各法，分別開列於右，理淺近而語簡明，爲初學計，識者諒之。

又《八法》 一曰審題：題爲何人詩句，因何事，在何地何時所作。爲言情，爲賦景，或情中有景，或景中有情，一一審清來歷，則胸中自有主張。又單就言情而論，凡忠孝節義，無非眞情所發，或意主頌揚，或意主規勸，或爲詠懷，總離不得一箇「情」字。至於憤時嫉俗，感歎憂傷之句，場中向不命題。故一切沉悶背晦字面，斷不可犯其筆端。此層審清，則比事屬詞，益有把握。尤須細審題格，或單扇，或雙扇；或前單後雙，或前雙後單；或上輕下重，或上重下輕；或爲兩截，或爲雙關；或隱託喻言，或巧妙拆字。門類雖多，即茲可概。若夫題出經史子集，並宜查明出處。精審乎此，而布局之基已立矣。 一曰布局：試帖八韻，猶時文之八股。其中淺深次第，離合照應諸法皆備。位置停勻，則氣機緊湊，骨節靈通。否則凌雜繁複，漫無紀律，何以爲詩？凡作詩者，類以前四句破題。能將題字一一拆開，點次清妥，已自可觀。然欲求得機得勢，則正起不如反振，順叙不如逆翻。又有凌空起步，借賓定主諸法，均爲力求出色之筆。第三韻爲頸聯，如人身之有咽喉，通氣進食，全由於此。此處隔塞，則通體不靈。蓋此處尚係前路，猶時文之提比，宜於力爭上游，渾括大意，籠罩全題，留得下文發揮地步。或勘定題目，當從何處下手，便先爲安放調妥，使下聯能受發揮。否則凌躐無次，下聯無轉身地矣。四、五兩聯，如人身之胸腹，時文之中股，務須靠實詮發，精神洋溢，方爲切中要害。或因三、四聯，語意精實，則第五聯可用開合之筆。使機神動盪，血脈流通，尤爲得訣。第六、七聯，猶時文之後比束比，或寄餘意，或用陪襯，總以不形竭蹶爲妙。末聯收結，例用頌揚，然亦必須與題比附，不可失之浮泛，亦復不宜多擡，以防錯誤。又如雙扇題，須按定先後抒寄，不可隨意取便，致失紀律。 一曰徵材：部署既定，而不能操空卷憑枵腹以從事也，則徵材尚焉。平時多看多記，蘊蓄宏深，則隨事運用，自爾取之不竭。若臨時翻閱，亦須多多益善，方能左右逢原。蓋律詩體裁，以刻劃題面爲主，胸無積卷，則捉襟肘見，納履踵決，豈不見寒乞相。雖然，驅使典故，亦非塡砌之謂也。妙於剪裁，則簇簇生新，活剝生呑，則陳腐堪厭。又有羌無故實之題，而説來花團錦簇，鮮豔奪目者，則熟於烘雲托月之法也。尤非廣爲搜羅善於驅遣不爲功。安得以遺貌取神，而自詡爲白描高手哉？或謂多錢善賈，長袖善舞，吾知之矣。然往往有徵材極博，而爲韻所窘，不能如意指揮，可奈何，則又有選韻之法在。 一曰選韻：題中官限之字，無論落在何韻，總須將本韻細閲一過，取其與題義相比附者，多揀幾箇，貯在心頭，使與胸中所有典故，兩相融會。則十箇字自然如生鐵鑄成，不顯斧鑿痕迹。萬不可有了上句，再找下句，有了上九字，再找一末字。押腳若遇窄韻，而又與題不甚比附，則當用引韻之法。引韻者，從遠處引而近之也。作者遇此等窄韻，則胸中本有典故，均不足恃，須要從韻腳生意，方能熨貼出色。然亦有因難見巧者，是在功夫純熟耳。至於韻中一切板重沉晦生硬，及不興會之字，俱不宜押，亦不宜連押實字，連押虛字，以期變換生新。知此，而推敲句調之法，可與言矣。 一曰琢句：試帖之詩，雖篇止六韻八韻，句止五字，而句法調法，錯綜變化，不可端倪。悉心錘鍊，則渾脫圓融，句成而調即隨之。切不可輕易下筆，一落紙上，則迹象已滯，難於更改。務宜成誦在心，涵泳在口，覺有未當，再事推敲，庶幾變動不拘，有神無迹。其最易犯之病：一爲碰頭。如上聯頭兩字用一虛一實（麗日祥雲之類），或一實一虛（月白風清之類），或用雙實（露珠月鏡及風霜雨露類）雙虛（空濛寥廓及可有能類）字，而下聯又連接用此類字面，是猶二人碰頭也（上皆借天文字樣起例，餘可類推）。一爲躡足。如下聯末二字，與上聯末二字相類（單雙虛實之類），是後人躡前人之足也。一爲折腰。詩句中間，一字用虛活字面掉轉，取其搖擺靈動。若下聯接連用此等句法，則腰輭弱欲析矣。一爲裂腹。詩句中間一字，用堅實字面撐持，取其挺拔有力。若下聯接連用此等句法，則腹脹滿欲裂矣。一爲踏虛。如上聯遺貌取神，用白描筆法，最爲詩中超脱之旨，但下聯不可再用此法，再用則全係空中樓閣，毫不著實，是踏虛也。一爲砌實。詩中運用典故，以不粘不脱爲佳，偶爾塡用實典，本無傷於大雅，但接連堆垜，全不見翦裁組織之巧，則板重可厭，就砌實也。凡此諸病，皆屬句調之累，犯之則節奏不諧，無以盡反復抑揚之致。昔人評詩有曰：「端莊雜流利，剛健含婀娜」，最能形容出句調妙處。是故善於吟咏者，通篇從不作一複調。一曰鍊字：鍊字本與琢句一事，兹特分别言之。蓋字法有虛有實，有動有靜，有輕有重，有剛有柔，務須稱量而出。【略】總而言之，一字支離，雖佳句亦爲減色；一字驚醒，卽常語亦能驚人。至於斟酌對句，則字法尤須稱量虛實動靜輕重剛柔，以期銖兩悉稱，方無餘憾之留。一曰著色：著色之法，亦琢句中事，兹並爲拈出。丹青家精心皴染，而不掩其韻致，詩家何獨不然？况應試之詩，尤忌枯寂。務以五色成文，鮮妍奪目爲佳。然過於闇淡，固不足觀，過於豔冶，亦嫌太膩。惟淺深相間，濃淡相兼，鮮明而不失之焉，莊雅而不流於俗，斯爲秀色可餐。初學作詩，於著色之病，有當切戒者二：一爲喬粧（爲喬而野也）。粉飾爲工，鄰於重濁，譬諸鄉村婦女，本乏丰韻，又不善於修飾，花花草草，滿頭亂插，紅紅綠綠，渾身儘穿。在彼以爲盡態極妍，見之者欲嘔欲吐，是喬粧也。一爲重染。如干支卦爻顔色數目鳥獸魚蟲各字面，煊染家自不容廢，但上聯已用過此類字面，則下聯卽當改換，以免繁複。若用過又用，如塗塗附，是重染也。此皆初學易犯之病，允宜懸爲厲禁。若夫光怪陸離，煸爛五色，乃三代鼎彝法物，非試帖所有，亦非試帖所宜，不敢過爲高論。一曰和聲：沈約所論八病，專指音韻而言，故八法以和聲終焉。魏慶之《詩人玉屑》云：休文所論詩有八病：一爲平頭。謂第一、第二字不得與第六、第七字同聲，如：「今日良宴會，讙樂莫具陳。」「今」、「讙」皆平聲，「日」、「樂」皆入聲是也。二爲上尾。謂第五字不得與第十字同聲，如：「青青河畔草，鬱鬱園中柳。」「草」、「柳」皆上聲是也。三爲蜂腰。謂第二字不得與第五字同聲，如：「聞君愛我甘，竊欲自修飾。」「君」、「甘」皆平聲，「欲」、「飾」皆入聲是也。四爲鶴膝。謂第五字不得與第十五字同聲，如：「客從遠方來，遺我一書札。上言長相思，下言久離别。」「來」、「思」皆平聲是也。五爲大韻。謂如「聲」、「鳴」爲韻，上九字不得用「驚」、「傾」、「平」、「榮」等字是也。六爲小韻。謂除大韻一字外，九字中不得有兩字同韻，如「遙」、「條」之類是也。七爲旁紐。八爲正紐。謂十字内，兩字疊韻爲正紐，若不共一紐，而有雙聲爲旁紐，如「流」、「久」爲正紐。「流」、「柳」爲旁紐是也。按《梁書》：沈約，字休文，撰《四聲譜》。高祖問周捨曰：「何謂四聲？」捨曰：「天子聖哲」是也。又《南史·陸厥傳》：時盛爲文章，沈約、謝朓、王融，以氣類相推轂，汝南周彦倫善識聲韻，然約等文皆用宫商，將平、上、去、入四聲，制爲韻譜，有平頭、上尾諸病。五字之中，音韻悉異，角徵不同，世呼爲永明體（此條録《困學紀聞註》）。此李百藥所謂上陳應劉，下述沈謝，剛柔清濁，音若壎篪也。詩詣至是茂矣，美矣，蔑以加矣。雖然，千金之產，積始錙銖，百尺之臺，築從分寸，學者不順循其法，厚立其基，而遽期神動天隨，自然入妙，則吾未之前聞。

汪琬《隨山館尺牘》卷下《與松人》 學古人文字有形有神。初必形似，然後可言神似也。然所謂形似者，上則規仿格局，下則摹擬聲調，非撏撦字句，如生吞活剝之爲也。山翁動言學古人不在形貌，然此豈初學所能！而某某教其門人，又日以撏撦爲事。蓋一失之過高，一失之過卑，鄙人皆不敢謂然也。

王韜《弢園文録外編》卷七《蘅花館詩録自序》 竊嘗謂所貴乎詩者，與苟同，寧立異，必自淺之深，由麤而精。歷觀古人作，亦有不盡佳，要其研精殫力，積數年十年而後成，自有一家面目在，夫豈徒以絺章飾句爲事哉？性情之用眞，而學問亦寓乎其中，然後始可與言詩矣。

王闓運《湘綺樓論詩文體法》 詩緣情而綺靡。詩，承也，持也；承人心性而持之，以風上化下，使感於無形，動於自然。故貴以詞掩意，托物寄興，使吾志曲隱而自達，聞者激昂而欲赴；其所不及設施，而可見施行，幽曠窈眇，朗抗猶心，遠俗之致，亦於是達焉；非可快意騁詞，自仗其偏頗，以供世人之喜怒也。自周以降，分爲五、七言，皆賢人君子不得志之所作。晉人浮靡，用爲談資，故入以玄理；宋、齊遊宴，藻繪山川；梁、陳巧思，寓言閨闥：皆知情不可放，言不可肆，婉而多思，寓情於文，雖理不充周，猶可諷誦。唐人好變，以《騷》爲《雅》，直指時事，多在歌行；覽之無餘，文猶足艷。韓、白不達，放弛其詞。下逮宋人，遂成俳曲。近代儒生，深諱綺靡，乃區分奇偶，輕詆六朝，不解緣情之言，疑爲淫哇之語，其原出於毛、鄭，其後成於里巷，故風雅之道息焉。

又《論詩示黃鐒》 七言較五言爲易工，以其有痕迹可尋，易于見好，李、杜門徑，尤易窺尋；然不先工五言，則章法不密，開合不靈，以體近于俗，先難入古，不知五言用筆法，則歌行全無步武也。既能作五言，乃放而爲七言易矣。切記太白四言之說，四言與詩絕不相干。作詩必先學五言，五言必讀漢詩，而漢詩甚少，題目種類亦少，無可端摩處，故必學魏、晉也。詩法備于魏、晉、宋、齊但擴充之，陳、隋則開新派矣。自來推曹子建爲大家，無一靈妙句。阮嗣宗稍後之，便高華變化不可方物，而不爲大家者，重意不重詞也，詩之旨則以詞掩意。如以意爲重，便是陶淵明一派，鍾嶸以爲陶詩出于《百一》不言出《詠懷》者，陶語句更明白易曉也。學阮、陶只可處悲憤亂世，若富貴閑適便無詩，學曹尚有可發舒，比老莊、山水、宮體爲闊大，可以應用。此外諸家皆其支流，雖各有妙而不外此。曹以後則大陸足繼之。唐人極重五律，以爲四十賢人，此中、晚名家，專工帖括，化而爲四韻之說，與制義名家改作古文，而生義法，其所經營，皆聲希味淡，自有甘苦，他人不能喻也。自齊、梁新體興，而五律自爲一種，要以超逸取致。杜少陵乃有沉着頓挫、前後照應之法。

葉煒《煮藥漫抄》卷上 天上有文曲星而無文直星，可見詩文貴曲不貴直。爲人之道則不然。故君子之筆意曲而詞直，小人之筆意曲而詞亦曲。

又 紀曉嵐尚書云：「凡作長篇，忌收處潦草，如水無歸墟，山無根麓。鋪排不難，難於氣格，層次不難，難於機軸。《長慶集》詩儘有滔滔如話者，終不免輕俗之譏。」愚謂此說雖指長律而言，然古文、七古詩皆可隅反。

又卷下 詩不可盡，觀朱慶餘「含情欲說宮中事，鸚鵡前頭不敢言」句可知。詩不可實，觀白樂天「忽聞海上有仙山，山在虛無飄渺間」句可知。

朱庭珍《筱園詩話》卷一 詩人以培根柢爲第一義。根柢之學，首重積理養氣。積理云者，非如宋人以理語入詩也，謂讀書涉世，每遇事物，無不求洞析所以然之理，以增長識力耳。勿論《九經》、《廿一史》，諸子百家之集，與夫稗官雜記，莫不有理存乎其中。詩人上下古今，讀破萬卷，非但以博覽廣見聞也。讀經則明其義理，辨其典章名物，折衷而歸於一是。讀史則核歷朝之賢奸盛衰，制度建置，及兵形地勢，無不深考，使歷代數千年之成敗因革，悉了然於心目之間。讀諸子百家之集，一切稗官雜記，則務澈所以作書之旨，別白其醇疵得失眞僞，使無遁於鏡照，而又參觀互勘，以悟其通而達其變。設身處地，以會其隱微言外之情，則心心與古人印證，有不得其精意者乎？而又隨時隨地，無不留心，身所閱歷之世故人情，物理事變，莫不洞鑒所當然之故，與所讀之書義，冰釋乳合，交契會悟，約萬殊而豁然貫通，則耳目所及，一游一玩，皆理境也。積蓄融化，洋溢胸中，作詩之際，觸類引伸，滔滔湧赴，本湛深之名理，結奇異之精思，發爲高論，鑄成偉詞，自然迥不猶人矣。此可以用力漸至，而不可猝獲也。

又 積理而外，養氣爲最要。蓋詩以氣爲主，有氣則生，無氣則死，亦與人同。昌黎曰：「氣，水也；言，浮物也。水大而物之大小浮者畢浮，氣盛則聲之高下與言之長短皆宜。」東坡曰：「氣之盛也，蓬蓬勃勃，油然浩然，若水之流於平地，無難一瀉千里，及其與山石曲折，隨物賦形，一日數變，而不自知也。蓋行所當行，止所當止耳。」是皆善於言氣者。夫氣以雄放爲貴，若長江、大河，濤翻雲湧，滔滔莽莽，是天下之至動者也。然非有至靜者宰乎其中，以爲之根，則或放而易盡，或剛而不調，氣雖盛，而是客氣，非眞氣矣。故氣須以至動涵至靜，非養不可。養之云者，齋吾心，息吾慮，游之以道德之途，潤之以詩書之澤，植之在性情之天，培之以理趣之府，優游而休息焉，蘊釀而含蓄焉，使方寸中怡然涣然，常有鬱勃欲吐暢不可遏之勢，此之謂養氣。及其用之之際，則又鎭之以理，主之以意，行之以才，達之以筆，輔之以理趣，範之以法度，使暢流於神骨之間，潛貫於筋節之內，隨詩之抑揚斷續，曲折縱橫，奔放充滿於中，而首尾蓬勃如一。斂之欲其深且醇，縱之欲其雄而肆，揚之則高渾，抑之則厚重，變化神明，存乎一心，此之謂鍊氣。似乎氣之爲氣，誠中形外，不可方物矣。然外雖浩然茫然，如天風海濤，有搖五嶽、騰萬里之勢，內實淵渟嶽峙，骨重神寒，有沈靜致遠之志。帥氣於中，爲暗樞宰，若北辰之繫衆星，以靜主動。此之謂醇而後肆，此之謂動而實靜，故能層出不窮，不致一發莫收，一覽易盡也。在識者謂之道氣，詩家謂之眞氣。所云鍊氣者，卽鍊此眞氣也；養氣者，卽養此眞氣也。彼剽而不留，或未終篇而索然先竭者，正坐不知養氣與鍊耳。蓋養於心者，功在平日；鍊於詩者，功在臨時。養氣爲詩之體，鍊氣則詩之用也。予幼作《論詩絕句》云：「正聲自古由中出，眞氣從來不外馳。」略見大意，可參看矣。

又 律詩謀篇，貴一氣相生，詞意渾成，精光熊熊，聲調響亮。用筆則貴有抑揚頓挫，開闔縱擒之奇。造語鍊句，則貴生辣警拔，力厚思沈，又須無斧鑿痕迹，雖鍊而不傷氣格，乃爲上乘。司空所謂「返虛入渾，積健爲雄」是也。蓋運實還虛，純以神行，破空而來，參以活相，則筆欲離紙飛舞，有不高渾者乎？鍊字必使字健而能舉，鍊句必使句健而能舉，鍊氣又使氣健而能舉，鍊筆又使筆健而能舉。積字成句，積句成章，而氣與筆，則先積之於無字句之中，繼積之於有字句之外，以成通章。格調意味，音節法度，風神之用者也。積健則厚，有不雄壯者乎？自周氏論詩，有四實四虛之法，後人多拘守其說，謂律詩法度，不外情景虛實。或以情對情，以景對景，虛者對虛，實者對實，法之正也。或以景對情，以情對景，虛者對實，實者對虛，法之變也。於是立種種法，爲詩之式。以一虛一實相承，爲中二聯法。或前虛後實，或前景後情，此爲定法。以應虛而實，應實而虛，應景而情，應情而景，或前實後虛，前情後景，及通首言情，通首寫景，爲變格、變法，不列於定式。援據唐人詩以證其說，臚列甚詳。予謂以此爲初學說法，使知虛實情景之別，則其說甚善，若名家則斷不屑拘拘於是。詩中妙諦，周氏未曾夢見，故泥於迹相，僅從字句末節著力，遂以皮毛爲神骨，淺且陋矣。夫律詩千態百變，誠不外情景虛實二端。然在大作手，則一以貫之，無情景虛實之可執也。寫景，或情在景中，或情在言外。寫情，或情中有景，或景從情生。斷未有無情之景，無景之情也。又或不必言情而情更深，不必寫景而景畢現，相生相融，化成一片。情卽是景，景卽是情，如鏡花水月，空明掩映，活潑玲瓏。其興象精微之妙，在人神契，何可執形迹分乎？至虛實尤無一定。實者運之以神，破空飛行，則死者活，而舉重若輕，筆筆超靈，自無實之非虛矣。虛者樹之以骨，鍊氣鎔滓，則薄者厚，而積虛爲渾，筆筆沈著，亦無虛之非實矣。又何庸固執乎？總之詩家妙悟，不應著迹，別有最上乘功用，使情景虛實各得其眞可也，使各逞其變可也，使互相爲用可也，使失其本意而反從吾意所用，亦可也。此固不在某聯宜實，某聯宜虛，何處寫景，何處言情，虛實情景，各自爲對之常格恆法。亦不在當情而景，當景而情，當虛而實，當實而虛，及全不言情，全不言景，虛實情景，互相易對之新式變法。別有妙法活法，在吾方寸，不可方物。六祖語曰：「人轉《法華》，勿爲《法華》所轉。」此中消息，亦如是矣。

又 作史者以才學識爲三長，缺一不可。詩家亦然。三者並重，而識爲尤先，非識則才與學恐或誤用，適以成其背馳也。然鍊識之道，不外乎得眞傳而已。傳授旣眞，則千古名大家不言之祕，若合符契，而消息一貫，精神相通，視萬法皆由心出，得力於詩之外，精進於詩之中，自不難超凡入聖矣。釋家最重傳法，一脈親承，衣鉢密付，然後能明心見性，得無上菩提，以成佛作祖。道家內丹口訣，亦須密得指授，而後能性命雙修，三化朝元，五炁聚頂，以證仙班。詩人欲求成名家大家，千秋不朽，非得眞傳，契自古詩家心法，安可得哉！若夫無所師承，而能成家者，自非生知天縱之才，未之有也。雖得眞傳之後，仍須學養功深，方能成就。然心有主宰，其識已精，則用力確有把握，自日見進境。故積理養氣，用筆運法，使典取神，皆仗識以領之。識爲詩中先天，理法才氣爲詩之後天。有先天以導其前，有後天以赴於後，以先天爲天功，以後天爲人力，能合天人功力，並造其極，斯大成矣。亦如二氏之門，未得道則師度，旣得道仍是自度，迨功行圓滿，然後能證果飛昇，其理一也。箇中消息，非言語所能盡，亦不敢盡筆於書，洩露造化之祕。姑述大致於此，有志者宜自求之。今人好看前哲批點諸集，及諸家選本評論，各種詩話詩法，以求作詩路徑，而不知虛心請業於名師鉅手。不知自古迄今，所有選家詩家，評語緒論，並詩話中標舉議論法程，皆古人糟粕而已，原非精華所在。況眞僞不一，是非互見，絕無盡美盡善者。蓋各大家均自重其道，孰肯輕洩，是以不著專論詩文法之書。其著書論詩文法及作詩話者，多非專門名家，非自逞臆說，卽附會古人，其佳者亦只略見大意，引而不發，無堪奉爲師法者。若專從故紙堆求詩，何能得古大家不言祕旨，傳詩中眞消息三昧哉？不過依傍附和，寄人籬下，終身得人之得，而不能自得其得矣。嗟夫！昔方虛谷《律髓》小序云：「詩雖小道，然立志必高，讀書必多，用力必勤，師傳必眞。四者不備，不可言詩。」河間紀文達公深賞其言，而尤嘉其以師傳之眞爲第一義。謂「古今詩人，皆有傳授，其能卓然成家，自立於當時，不朽於後世者，皆得眞傳者也。不得眞傳，無能自立者」。噫！斯言盡之矣。詩家之用筆，須如庖丁之用刀，官止神行，以無厚入有間，循其天然之節，於骨肉理湊肯綮處，銳入橫出，則批郤導窾，游刃恢恢有餘，無不迎鋒而解矣。人所難言，累百言而不能了者，我須一刀見血，直刺題心，以數精湛語了之，則人難我易，倍覺生色。人所易言，娓娓而道之處，彼不經意，而平鋪直敘，我轉難言之，慘淡經營，加以凝鍊，平者側行逆出使之奇，直者波折迴環使之曲，單者夾寫迸層使之厚，淺者剝進翻入使之深，則人易我難，無一敗筆，自臻精妙完美之詣。如正言不能警動，則反言之，或譬喻言之，或借賓以陪，而主自定。正寫不見透徹，則左右側寫，或對面著筆以返照之。實寫不覺玲瓏，則虛處傳神，或傍敲側擊以射注挑剔之。本位無可著力，則前後高下，兩邊襯託，或四面烘染以逼取之。與夫斷而遙連，補出妙意，連而中斷，插入奇峰，種種用筆之微，不能盡形容語言。慧心人宜於李、杜、韓、蘇四大家，密參細求，自當知吾説矣。

又 骨有餘而韻不足，格有餘而神不足，氣有餘而情不足，則爲板重之病，爲晦澀之病，非平實不靈，即生硬枯瘦矣。初唐諸人、西江一派是也。肉有餘而骨不足，詞有餘而意不足，風調有餘而神力不足，則爲綺靡之病，爲膚浮之病，非塗澤堆垛，即空調虛腔矣。西崑、晚唐派中人及明七子是也。必也有骨有肉，有筆有書，文質得中，詞意恰稱，始無所偏重矣。有格有韻，有才有情，有氣有神，有聲有色，殺活在手，奇正從心。雄渾而兼沈著，高華而實精切，深厚而能微妙，流麗而極蒼堅，如此始爲律詩成就之詣。蓋骨肉停匀，而色聲香味無不具足也。自盛唐後，代無幾人。若及此詣，便是大家之詩。

又卷二 《古詩十九首》及蘇武、李陵五言詩，皆和平溫厚，高渾自然，始終一氣相生，化盡筆墨痕迹。此詩家元音，五古正宗也。學者宜沈潛反覆，息心靜氣，探討於神味意境之間，以求換骨，不可以字句聲調，襲其面目也。醞釀既深，涵養既熟，得其氣息，自然高妙渾厚矣。無縫天衣，斷非凡手鍼綫。學陶詩、《選》體及古樂府者，皆當如此用力。若不求醞釀涵養，自培根本，以期遺貌取神，而但摹倣其句調，誇面目之相肖，是蹈僞體，甘步前明李于鱗輩後塵矣，何益之有！

又 學古詩以醞釀涵養爲上乘功夫，然不但求詩於詩也。求詩於詩，必不能超凡入聖，直逼古人。積理於經，養氣於史，鍊識儲材於諸子百家，閲歷體驗於人情世故，格物壯觀於花鳥山水，勿論讀書涉世，接物縱游，皆於詩有益。詩人觸處會心，貫通融悟，蓄積深厚，醞養粹精，一於詩發之，大小淺深，引之即出，其言有物，自然勝人。釋氏所謂大地山河，無非妙諦，即詩家工候純熟之界也。此乃化境神工，決不易到，亦決不可不到者。

又卷四 學詩須由上而下，自源及流，從古至今。入手尤須力爭上游，先熟《三百篇》、《騷》、《選》古詩，以次並及唐、宋。若宋以後詩，博覽之以廣見聞，參證得失，不必奉爲師法。如是則勢順，雖爲其難，終能深造自立。若由今而古，自後代而溯前人，則逐末忘本，其勢逆，雖爲其易，終無所得，決不能自立，成就一家之言也。

又 詩家以不登應酬作爲妙，此是正論。而袁枚非之，謂李、杜、蘇、韓集中，強半應酬詩也。萬里之外，情文相生，又可廢乎？今若可删，昔可無贈。誰謂應酬詩不能工耶？噫！此借以文己過，強詞奪理之言也。大朋友列五倫之一，「同心之言，其臭如蘭」，《周易》亦有取焉。勿論贈答唱和之作，但有深意，有至情，即是眞詩，自應存以傳世，不得謂之應酬。即投贈名公鉅卿，或感其知，或頌其德，或紀其功，或述其義，但使言由衷發，無溢美逾分之詞，則我係稱情而施，彼亦實足當之，有情有文，仍是眞詩。即其人無功德可傳，而實能略分忘位，愛士憐才，於我果有深交厚誼，則知己之感，自有不容已於言者。意既眞摯，情自纏綿，本非違心之詞，亦是眞詩，均不得以應酬論。所謂應酬者，或上高位，或投泛交，既無功德可頌，又無交情可言，徒以慕勢希榮，逐利求知，屈意頌揚，違心諛媚，有文無情，多詞少意，心浮而僞，志躁以卑。以及祝壽賀喜，述德感恩，謝餽贈，叙寒暄，徵逐酒食，流連讌遊，題圖贊像，和韻疊章。諸如此類，豈非詞壇干進之媒，雅道趨炎之徑！清夜捫心，良知如動，應自忸怩，不待非議及矣。是皆誤於「應酬」二字者也。則不登應酬之作，所以嚴詩教之防，不濫作應酬之篇，所以立詩人之品，何可少也！考袁枚一生，最工獻諛時貴，其集具可覆按，直藉詩以漁利耳，乃故作昧心之語，以飾己過，亦可醜也。後生勿受其愚。

又 詩人用筆，要提得空，放得下，轉得快，入得透，出得輕，又要能剛能柔，能大能小，能正能奇，能使死者生，能使斷者續，能使笨者靈，方盡用筆之妙。蓋以一筆作數筆用，又以數筆作一筆用也。此須如庖丁之用刀，游刃於虛，以無厚入有間，故迎刃而解，批郤導窾，官止神行，雖一日解十二牛，猶若新發於硎。精藝入神，非可盡以言傳。學者目擊道存，悟澈三昧，得用筆之妙於天，忘用筆之法於手。心之所至，筆亦至焉，心所不至，筆先至焉。筆中有筆，筆外亦有筆，即無筆處無非筆，而有筆處反若無筆。如是則筆等神龍，足補造化，天不能限，人何能測乎！

蔣學堅《懷亭詩話》卷一 袁簡齋、沈歸愚兩家論詩，幾如朱、陸論學，格不相入。近人皆左袒竹嘯軒，而於小倉山房抵排不遺餘力。要之，簡齋專主性靈，正軌時軼；歸愚好談格調，生氣全無。其失均也。孔子曰：「過猶不及。」詩道何獨不然哉！

又卷四 嚴滄浪以「別裁」、「別趣」論詩，人多訾之。殊不知下云：「然非多讀書，多窮理，則不能極其至。」玩此二句，亦甚惡空疏一派，原非教人不讀書、不窮理也。

又 徐江菴濤嘗謂頻伽曰：「詩之爲道，一縱一横。在唐則青蓮爲横，工部爲縱；昌黎爲横，東野爲縱。後如歐陽永叔、蘇眉山、陸放翁，横之類也；梅聖俞、黄山谷、陳無己，縱之類也。」以「縱」「横」二字論詩極新。頻伽亦以爲然，載入《樗園消夏錄》中。

范啓瑋《蠡園詩話》 吾有友人云：「爲文難，爲經濟之文更難；爲詩難，爲詩中之史尤難。」

又 嘗聞士爲知己者死，女爲悦己者容。俗語云：「酒逢知己千杯少，話不投機半句多。」余此次入都，攜有自撰蠡園詩文數卷，不第爲選缺計，以爲若遇一二知己，或談詩文或談經濟，不圖祿位，冀有補于朝政之萬一。豈料考試廢，士人以文字爲無用，詩賦更所不講，即爲内外官者，尤不知經濟爲何用。偶與舊科甲談，伊亦以廢時文，開學堂爲得計，可謂遍都中無談文者，鬱鬱不得志而歸。余有詩云：「軍門無意留王猛，客邸誰人識馬周。」孫燮臣中堂、鄒紫東右丞兩出處皆未去，陶淵明之辭彭澤，張翰之憶蓴鱸，皆有托而逃焉。

又 古今文章，不過命意清新，措詞華麗，上自龍門，下逮歐蘇，皆能氣勢如虹，各標精義。或引經以據典，或指事以陳辭，每倣名家以立格。惟三蘇指陳政事得失，利於施行，所謂文章中經濟矣。

李公度《塞愚詩話叙》 西人有言，世運隆昌，詩星大明。斯言也，固無異於吾中古時代之所云。夫眼簾不能回觀數千百年者，不足與論過去之物件。腦膜不能豫儲數千百年者，不足與考未來之徵兆。故西人之説詩者，曰浮客觀的光景，沈主觀的契合，主觀的若存若不存，是曰詩豪，此格之上者。結主觀的契合，描客觀的光景，客觀的若存若不存，是曰詩庸，此格之中者。逼客觀的光景，蕩主觀的契合，主觀的，客觀的，均若存若不存，是曰詩俘，此格之下者。余喜其言之簡而中也。

黄遵憲《人境廬詩草自序》 士生古人之後，古人之詩號專門名家者，無慮百數十家，欲棄去古人之糟粕，而不爲古人所束縛，誠戛戛乎其難。雖然，僕嘗以爲詩之外有事，詩之中有人；今之世異于古，今之人亦何必與古人同。嘗于胸中設一詩境：一曰，復古人比興之體；一曰，以單行之神，運排偶之體；一曰，取《離騷》樂府之神理而不襲其貌；一曰，用古文家伸縮離合之法以入詩。其取材也，自群經三史，逮于周、秦諸子之書，許、鄭諸家之注，凡事名物名切于今者，皆采取而假借之。其述事也，舉今日之官書會典方言俗諺，以及古人未有之物，未辟之境，耳目所歷，皆筆而書之。其煉格也，自曹、鮑、陶、謝、李、杜、韓、蘇訖于晚近小家，不名一格，不專一體，要不失乎爲我之詩。誠如是，未必遽躋古人，其亦足以自立矣。然余固有志焉而未能逮也。詩有之曰：「雖不能至，心向往之。」

鄒弢《三借廬贅談》卷九 作詩須有師承，若無師承，必須妙悟。雖然，即有師承，亦須妙悟，二者不可偏廢也。是故由師承得者，堂構宛然；由妙悟得者，性靈獨至。

又 作詩須先攻一體，而後逐體次第而進，體體得手，方是到家。苟九分已到，獨有一分工夫不到，則九分終不到也。一分者法是也。百丈綾錦未知剪裁，海錯山珍，未知調和，可乎？

又 學古人詩不可過離，亦不可過即；離則傷法，即則傷氣。必須先從法入，後從法出。能以無法爲有法，斯爲得之。

袁祖光《綠天香雪簃詩話》卷一 昔高忠憲謂季思有絶人之慧，絶人之識，絶人之趣，又有季思出諸口者不漫作無味語，筆諸書者不漫作無味詞，措諸躬者不漫作無味事。解斯言者可與論詩矣。昔人《詠鸜鵒》云：「學人言語何關係，終日曉曉恰可憎。」爲作無味詞者發也。

又卷二 「惟古於辭必己出」，「語不驚人死不休」，「欲語羞雷同」，韓、杜語也。「文章須自出機軸，成一家風骨，何能共人同生活。」祖瑩語也。梁鴻滅火復炊，不因人熱。六師談禪，必於空慧境界別開一法門，皆知有我在故耳。今人談書法則曰摹某碑帖，談詩文則曰倣某大家，拾人矢橛，自忘其醜，此所謂公等碌碌，因人成事者也。某《詠鏡》云：「此處本來無我相，相看畢竟受人憐。」

又　陸詩「詩到無人愛處工」，不及「俗人猶愛未爲詩」措詞之妙也。蓋詩至恰到好處，能使雅素共愛，未必不工，不然亦當使俗者不愛而不俗者愛之也。必以無人愛始爲工，未免絕人太甚矣。半癡有句云：「花到春濃何處買，詩無人愛未爲工。」

又卷三　順我者爲助，逆我者爲寇。非獨虎豹之窺，盜賊之入室，虱蚤之戕膚爲然。欲非正者寇我心，學非正者寇我志，言非正者寇我聲，助我者一，寇我者百，寇所以懲我，亦所以成我也。上者泯寇，次則防寇，下禦寇焉。禦寇而不勝，主我矣。多閱《時務報》，文之寇也，習聞新名詞，詩之寇也。近日遊歷少年，詩質甚美，而累幅皆用新名詞，習爲故常，不知抉擇，寇入爲主之故也。

又卷五　孔子云「告諸往而知來，可與言詩」，學詩者如巧匠焉，學人之方而自成者圓，學人之直而自成者曲。取其神不在襲其貌也。不然蜾蠃負螟蛉之子，犬羊披麒麟之楦，三分肖十分醜矣。印板文章亦復何貴耶？

又卷六　厭古喜新，人之情也。工于趨時，不存古意，去詩愈遠。譬諸衣飾，短長寬窄，今昨各異。人爲時世妝，己爲褐寬博，則群然迂之矣。惟道人避俗，老處深山中，一巾一裘，冬綿夏葛，不知人間甲子，雖萬古常新可也。俯仰因人，彼變我就，直隨風草、應聲蟲耳，可貴也幾希。

狄葆賢《平等閣詩話》卷一　鄭太夷先生曰：「作詩當求獨至處。孟（東野）詩勝韓，正在此耳。眞氣旁薄，奇語突兀橫空而來，非苦吟極思那能到？千古一人而已。」

命　意

劉義慶《世說新語・文學》　庾子嵩作《意賦》成，從子文康見，問曰：「若有意邪，非賦之所盡；若無意邪，復何所賦？」答曰：「正在有意無意之間。」

范曄《獄中與諸甥侄書》　常恥作文士文，患其事盡於形，情急於藻，義牽其旨，韻移其意。雖時有能者，大較多不免此累，政可類工巧圖繢，竟無得也。常謂情志所託，故當以意爲主，以文傳意。以意爲主，則其旨必見；以文傳意，則其詞不流。然後抽其芬芳，振其金石耳。此中情性旨趣，千條百品，屈曲有成理，自謂頗識其數。嘗爲人言，多不能賞，意或異故也。性別宮商，識清濁，斯自然也。觀古今文人，多不全了此處，縱有會此者，不必從根本中來。言之皆有實證，非爲空談。年少中，謝莊最有其分。手筆差易，文不拘韻故也。

王昌齡《詩格・論文意》　凡作詩之體，意是格，聲是律，意高則格高，聲辨則律清，格律全，然後始有調。用意於古人之上，則天地之境，洞焉可觀。古文格高，一句見意，則「股肱良哉」是也。其次兩句見意，則「關關雎鳩，在河之洲」是也。其次古詩，四句見意，則「青青陵上柏，磊磊澗中石。人生天地間，忽如遠行客」是也。又劉公幹詩云：「青青陵上松，飂飂谷中風。風弦一何盛，松枝一何勁。」此詩從首至尾，唯論一事，以此不如古人也。

又　詩本志也，在心爲志，發言爲詩，情動於中而形於言，然後書之於紙也。高手作勢，一句更別起意，其次兩句起意。意如涌煙，從地昇天，向後漸高漸高，不可階上也。下手下句弱於上句，不看向背，不立意宗，皆不堪也。

又　凡文章皆不難，又不辛苦。如《文選》詩云：「朝入譙郡界」、「左右望我軍」。皆如此例，不難、不辛苦也。

又　夫作文章，但多立意。令左穿右穴，苦心竭智，必須忘身，不可拘束。思若不來，即須放情卻寬之，令境生。然後以境照之，思則便來，來即作文。如其境思不來，不可作也。

又　夫置意作詩，即須凝心，目擊其物，便以心擊之，深穿其境。如登高山絕頂，下臨萬象，如在掌中。以此見象，心中了見，當此即用。如無有不似，似以律調之定，然後書之於紙，會其題目。山林、日月、風景爲眞，以歌詠之。猶如水中見日月，文章是景，物色是本，照之須了見其象也。

又　夫文章興作，先動氣，氣生乎心，心發乎言，聞於耳，見於目，錄於紙。意須出萬人之境，望古人於格下，攢天海於方寸。詩人用心，當於此也。

又　夫詩，入頭即論其意。意盡則肚寬，肚寬則詩得容預，物色亂下。至尾則卻收前意，節節仍須有分付。

又 夫詩，一句即須見其地居處。如「孟春草木長，繞屋樹扶疏。衆鳥欣有託，吾亦愛吾廬」。若空言物色，則雖好而無味，必須安立其身。

又 詩頭皆須造意，意須緊，然後縱横變轉。如「相逢楚水寒」，送人必言其所矣。

又 凡屬文之人，常須作意。凝心天海之外，用思元氣之前，巧運言詞，精練意魄。所作詞句，莫用古語及今爛字舊意。改他舊語，移頭換尾，如此之人，終不長進。爲無自性，不能專心苦思，致見不成。凡詩人，夜間牀頭，明置一盞燈。若睡來任睡，睡覺即起，興發意生，精神清爽，了了明白。皆須身在意中。若詩中無身，即詩從何有。若不書身心，何以爲詩。是故詩者，書身心之行李，序當時之憤氣。氣來不適，心事不達，或以刺上，或以化下，或以申心，或以序事，皆爲中心不決，衆不我知。由是言之，方識古人之本也。

又 凡作詩之人，皆自抄古今詩語精妙之處，名爲隨身卷子，以防苦思。作文興若不來，即須看隨身卷子，以發興也。詩有飽肚狹腹，語急言生。至極言終始，未一向耳。若謝康樂語，飽肚意多，皆得停泊，任意縱横。鮑照言語逼迫，無有縱逸，故名狹腹之語。以此言之，則鮑公不如謝也。

又 詩有無頭尾之體。凡詩頭，或以物色爲頭，或以身爲頭，或以身意爲頭，百般無定。任意以興來安穩，即任爲詩頭也。

又 凡詩，兩句即須團卻意，句句必須有底蓋相承，翻覆而用。四句之中，皆須團意上道，必須斷其小大，使人事不錯。詩有上句言物色，下句更重拂之體。如「夜聞木葉落，疑是洞庭秋」，「曠野饒悲風，颼颼黄蒿草」，是其例也。

又 詩有上句言意，下句言狀；上句言狀，下句言意。如「昏旦變氣候，山水含清暉」，「蟬鳴空桑林，八月蕭關道」是也。

又 凡詩，物色兼意下爲好。若有物色，無意興，雖巧亦無處用之。如「竹聲先知秋」，此名兼也。

又 凡高手，言物及意，皆不相倚傍。如「細柳夾道生，方塘涵清源」，又「方塘涵白水，中有鳧與雁」，又「綠水溢全塘」，「馬毛縮如蝟」，又「池塘生春草，園柳變鳴禽」，又「青青河畔草」，「鬱鬱澗底松」，是其例也。

又 詩有天然物色，以五綵比之而不及。由是言之，假物不如真象，假色不如天然。如此之例，皆爲高手。如「池塘生春草，園柳變鳴禽」，如此之例，即是也。中手倚傍者，如「餘霞散成綺，澄江靜如練」，此皆假物色比象，力弱不堪也。

又 詩有意好言真，光今絶古，即須書之於紙；不論對與不對，但用意方便，言語安穩，即用之。若語勢有對，言復安穩，益當爲善。

又 詩有傑起險作，左穿右穴。如「古墓犂爲田，松柏摧爲薪」，「馬毛縮如蝟，角弓不可張」，「鑿井北陵隈，百丈不及泉」，又「去時三十萬，獨自還長安。不信沙場苦，君看刀箭瘢」，此爲例也。

又 詩有意闊心遠，以小納大之體。如「振衣千仞崗，濯足萬里流」，古詩直言其事，不相映帶，此實高也。相映帶詩云：「響如鬼必附物而來」，「天籟萬物性，地籟萬物聲」。

又 詩有覽古者，經古人之成敗詠之是也。詠史者，讀史見古人成敗，感而作之。雜詩者，古人所作，元有題目，撰入《文選》，《文選》失其題目，古人不詳，名曰雜詩。樂府者，選其清調合律，唱入管弦，所奏即入之樂府聚之。如《塘上行》、《怨詩行》、《長歌行》、《短歌行》之類是也。

又 詠懷者，有詠其懷抱之事爲興是也。古意者，若非其古意，當何有今意；言其傚古人意，斯蓋未當擬古。寓言者，偶然寄言是也。

又 詩有「明月下山頭，天河横戍樓。白雲千萬里，滄江朝夕流。浦沙望如雪，松風聽似秋。不覺煙霞曙，花鳥亂芳洲」。並是物色，無安身處，不知何事如此也。詩有平意興來作者，「願子勵風規，歸來振羽儀。嗟余今老病，此別恐長辭」。蓋無比興，一時之能也。

又 詩有「高臺多悲風，朝日照北林」，則曹子建之興也。阮公《詠懷詩》曰：「中夜不能寐（謂時暗也），起坐彈鳴琴（憂來彈琴以自娱也）。薄帷鑒明月（言小人在位，君子在野，蔽君猶如薄帷中映明月之光也），清風吹我襟（獨有其日月以清懷也）。孤鴻號外野，翔鳥鳴北林（近小人也）。」

又 凡作文，必須看古人及當時高手用意處，有新奇調學之。詩貴銷題目中意盡。然看所見景物與意愜者當相兼道。若一向言意，詩中不妙及無味。景語若多，與意相兼不緊，雖理通亦無味。昏旦景色，四時氣象，皆以意排之，令有次序，令兼意說之爲妙。且日出初，河山林嶂涯壁間，宿霧及氣靄，皆隨日色照著處便開。觸物皆發光色者，因霧氣濕著處，被日照水光發。

至日午，氣靄雖盡，陽氣正甚，萬物蒙蔽，卻不堪用。至晚間，氣靄未起，陽氣稍歇，萬物澄靜，遂目此乃堪用。至於一物，皆成光色，此時乃堪用思。所說景物，必須好似四時者。春夏秋冬氣色，隨時生意。取用之意，用之時，必須安神淨慮。目睹其物，卽入於心。心通其物，物通卽言。言其狀，須似其景。語須天海之內，皆納於方寸。至淸曉，所覽遠近景物及幽所奇勝，概皆須任意自起。意欲作文，乘興便作。若似煩卽止，無令心倦。常如此運之，卽興無休歇，神終不疲。

又 凡神不安，令人不暢無興。無興卽任睡，睡大養神。常須夜停燈任自覺，不須強起。強起卽惛迷，所覽無益。紙筆墨常須隨身，興來卽錄。若無紙筆，羇旅之間，意多草草。舟行之後，卽須安眠。眠足之後，固多淸景，江山滿懷，合而生興。須屏絕事務，專任情興。因此，若有製作，皆奇逸。看興稍歇，且如詩未成，待後有興成，卻必不得強傷神。學古文章，不得隨他舊意，終不長進。皆須百般縱橫，變轉數出，其頭段段皆須令意上道，卻後還收初意。「相逢楚水寒」詩是也。

又《詩中密旨·詩有二格》 詩意高謂之格高，意下謂之格下。古詩：「耕田而食，鑿井而飲。」此高格也。沈休文詩：「平生少年日，分手易前期。」此下格也。

釋皎然《詩議·論文意》 凡詩者，惟以敵古爲上，不以寫古爲能。立意於衆人之先，放詞於群才之表，獨創雖取，使耳目不接，終患倚傍之手。或引全章，或插一句，以古人相黏二字、三字爲力，厠麗玉於瓦石，殖芳芷於敗蘭，縱善，亦他人之眉目，非己之功也，況不善乎？時人賦孤竹則云「冉冉」，詠楊柳則云「依依」，此語未有之前，何人曾道？謝詩曰：「江菼亦依依。」故知不必以「冉冉」繫竹，「依依」在楊。常手傍之，以爲有味，此亦強作幽想耳。且引靈均爲證，文譎氣貞，本於《六經》，而製體創詞，自我獨致，故歷代作者師之。此所謂勢不同，而無模擬之能也。若比君於堯，舜，況臣於稷，卨(思列反也)，綺里之高逸，於陵之幽貞，褒貶古賢，成當時文意，雖寫全章，非用事也。古詩：「胡馬依北風，越鳥巢南枝」；「南登灞陵岸，迴首望長安」；「彭、薛纔知耻，貢公不遺榮。或可優貪競，豈足稱達生」。此三例，非用事也。

又 或云：今人所以不及古者，病於儷詞。予曰：不然。《六經》時有儷詞。揚、馬、張、蔡之徒始盛。「雲從龍，風從虎。」非儷耶？「昔我往矣，楊柳依依。今我來思，雨雪霏霏。」非麗耶？但古人後於語，先於意。因意成語，語不使意，偶對則對，偶散則散。若力爲之，則見斤斧之跡。故有對不失渾成，縱散不關造作，此古手也。

又 或曰：詩不要苦思，苦思則喪於天眞。此甚不然。固須繹慮於險中，採奇於象外，狀飛動之句，寫冥奧之思。夫希世之珠，必出驪龍之頷，況通幽含變之文哉？但貴成章以後，有其易貌，若不思而得也。「行行重行行，與君生別離」，此似易而難到之例也。

又 且文章關其本性。識高才劣者，理周而文窒；才多識微者，句佳而味少。是知溺情廢語，則語樸情暗；事語輕情，則情闕語淡。巧拙淸濁，有以見賢人之志矣。大抵而論，屬於至解，其猶空門證性有中道乎。何者？或雖有態而語嫩，雖有力而意薄，雖正而質，雖直而鄙，可以神會，不可言得，此所謂詩家之中道也。又古今詩人，多稱麗句，開意爲上，反此爲下。如「盈盈一水間，脈脈不得語」，「臨河濯長纓，念別悵悠悠」，此情句也。如「白雲抱幽石，綠篠媚淸漣」，「露濕寒塘草，月映淸淮流」，此物色帶情句也。

又 夫詩工創心，以情爲地，以興爲經，然後淸音韻其風律，麗句增其文彩。如楊林積翠之下，翹楚幽花，時時間發。乃知斯文，味益深矣。

又 又有人評古詩，不取其句，但多其意，而古人難能。予曰：不然。旨全體貞，潤婉而興深，此其所長也。請復論之，曰：夫寒松白雲，天全之質也；散木擁腫，亦天全之質也。比之於詩，雖正而不秀，其擁腫之材。《易》曰：「文明健。」豈非兼文美哉？古人云：「具體唯子建、仲宣，偏善則太沖、公幹，平子得其雅，叔夜含其潤，茂先凝其淸，景陽振其麗，鮮能兼通。」況當齊、梁之後，正聲寖微，人不逮古，振頹波者，或賢於今論矣。

又《詩式·取境》 評曰：或云，詩不假脩飾，任其醜樸。但風韻正，天眞全，卽名上等。予曰：不然。無鹽闕容而有德，曷若文王太姒有容而有德乎？又云，不要苦思，苦思則喪自然之質。此亦不然。夫不入虎穴，焉得虎子。取境之時，須至難至險，始見奇句。成篇之後，觀其氣貌，有似等閑不思而得，此高手也。有時意靜神王，佳句縱橫，若不可遏，宛如神助。不然，蓋由先積精思，因神王而得乎？

又《重意詩例》 評曰：兩重意已上，皆文外之旨。若遇高手如康樂公，覽而察之，但見情性，不覩文字，蓋詩道之極也。向使此道尊之於儒，則冠《六經》之首。貴之於道，則居衆妙之門。精之於釋，則徹空王之奥。但恐徒揮其斤而無其質，故伯牙所以歎息也。疇昔國朝協律郎吳兢與越僧玄監集秀句，二子天機素少，選又不精，多採浮淺之言，以誘蒙俗。特入瞽夫偸語之便，何異借賊兵而資盜糧，無益於詩教矣。一重意。如宋玉云：「晰兮若姣姬，揚袂鄣日而望所思。」二重意。曹子建云：「高臺多悲風，朝日照北林。」王維云：「秋風正蕭索，客散孟嘗門。」王昌齡云：「別意猨鳴外，天寒桂水長。」三重意。古詩云：「浮雲蔽白日，游子不顧返。」四重意。古詩云：「行行重行行，與君生別離。」宋玉《九辯》云：「憭慄兮若在遠行，登山臨水兮送將歸。」

又 夫詩人造極之旨，必在神詣。得之者妙無二門，失之者邈若千里，豈名言之所知乎？故工之愈精，鑒之愈寡，此古人所以長太息也。若非通識四面之手，皆有好丹非素之失僻，況異於此乎？今所撰《詩式》，列爲等第，五門互顯，風韻鏗鏘。使偏嗜者歸于正氣，功淺者企而可及，則天下無遺才矣。

又《立意總評》 評曰：前無古人，獨生我思。驅江、鮑、何、柳爲後輩，於其間或偶然中者，豈非神會而得也？其例曰：「迢迢牽牛星，皎皎河漢女。」「枯桑知天風，海水知天寒。」又：「河中之水向東流，洛陽女兒名莫愁。」「臨河濯長纓，念別悵悠悠。」「畫作秦王女，乘鸞向煙霧。」鮑照：「剉蘗染黄絲，棼亂不可治。」吳均：「鷯雛若上天，寄聲向明月。」又古詩：「客從遠方來，遺我雙鯉魚。呼童烹鯉魚，中有尺素書。」又：「門有車馬客，駕言發故鄉。念君久不歸，濡跡滯江湘。」柳惲：「汀洲采白蘋，日落江南春。洞庭送歸客，瀟湘逢故人」之例是也。詩人意立變化，無有倚傍，得之者懸解其間。若論降格，更須評之。如潘岳《悼亡詩》：「庶幾有時衰，莊缶猶可擊。」思之極也。雖有依倚，吾無恨焉。如「明月入綺窗，髣髴想蕙質」，斯不及矣。

白居易《文苑詩格·創結束》 爲詩須創入意，解題目，然後放曠辭理。若爲大詩，十六字一度結束。若爲小詩，首末辭理相解，末句一時束，不離創意。

又《杼柝入境意》 或先境而入意，或入意而後境。古詩：「路遠喜行盡，家貧愁到時。」「家貧」是境，「愁到」是意。又詩：「殘月生秋水，悲風慘古臺。」「月」、「臺」是境，「生」、「慘」是意。若空言境，入浮艷；若空言意，又重滯。

又《諷諫》 爲詩不裨益，即須諷諫，依《離騷》、《雅》。古詩云：「蒼鷹獨立行，衆鳥不敢飛。」此乃自喻也。

又《叙舊意》 每見爲詩者，多於本事中更說舊意，須舊意更說新意。古詩：「細雨濕衣看不見，餘花落地更無聲。」此是消息，不合更說。又古詩：「如何百年內，不見一人閑。」此舊意說新景爲佳矣。

賈島《二南密旨·論總顯大意》 大意，謂一篇之意。如皇甫冉送人詩：「淮海風濤起，江關幽思長。」此一聯見國中兵革、威令併起。「同悲鵲遶樹，獨作鴈隨陽。」此見賢臣共悲忠臣，君恩不及。「山晚雲和雪，門寒月照霜。」此見恩及小人。「由來濯纓處，漁父愛瀟湘。」此見賢人見幾而退。李嘉祐《和苗員外雨夜伴直》：「宿雨南宮夜，仙郎伴直時。」此見亂世臣節也。「漏長丹鳳闕，秋冷白雲司。」此見君臣亂暗之甚。「螢影侵堦亂，鴻聲出塞遲。」此見小人道長，侵君子之位。「蕭條吏人散，小謝有新詩。」此見佞臣已退，賢人進逆耳之言。李端詩：「盤雲雙鶴下，隔水一蟬鳴。」此賢人趨進兆也。下一句即韋金部在他國，孤進失期，乃招之也。「古道黄花發，青蕪赤燒生。」此見他國君子道消，正風移敗，兵革併起。「茂陵雖有病，猶得伴君行。」此見前國賢人，雖未遂大志，尤喜無兵革。以上三篇，略而列之，用顯大意。

徐夤《雅道機要·明意包內外》 內外之意，詩之最密也。苟失其轍，則如人去足，如車去輪，其何以行之哉？贈人。外意須言前人德業，內意須言皇道明時。詩曰：「夜閑同象寂，晝定爲吾開。」送人。外意須言離別，內意須言進退之道。詩曰：「遙山來暮雨，別浦去孤舟。」題牡丹。外意須言美艷香盛，內意須言君子時會。詩曰：「開處百花應有愧，盛時羣眼恨無言。」花落。外意須言風雨之象，內意須言正風將變。詩曰：「不能延數日，開即是春風。」鷓鴣。外意須明飛自在，內意須言小得失。詩曰：「雨昏青草湖邊過，花落黄陵廟裏啼。」聞蟬。外意須言音韻悠揚，幽人起興；內意須言國風蕪穢，賢人思退之故。詩曰：「斜陽當古道，久客獨踟躕。」

又《叙搜覓意》 凡爲詩須搜覓。未得句，先須令意在象前，象生意後，斯爲上手矣。不得一向祇搆物象，屬對全無意味。凡搜覓之際，宜放意深遠，體理玄微。不須急就，惟在積思，孜孜在心，終有所得。古人爲詩，或云得句先要頷下之句，今之欲高，應須緩就，若閬仙經年、周樸盈月可也。

徐衍《風騷要式·創意門》 美頌不可情奢，情奢則輕浮見矣；諷刺不可怒張，怒張則筋骨露矣。賈島《題李頻山居》詩：「暫去還來此，幽期不負言。」此言小人將退也。薛能《題牡丹》詩：「見欲欄邊安枕席，夜深閒共説相思。」此賢人復得相逢也。賈島《夕思》詩：「會欲東浮去，將何可致君。」此賢人思欲趨進也。鄭谷《維舟江》詩：「更共幽雲約，秋隨絳帳還。」此言賢人在位也。周朴《秋深》詩：「巷有千家月，人無萬里心。」此比屋可封也。劉長卿詩：「自恨長沙謫去，江潭春草萋萋。」此小人縱横也。賈島《感令狐相公賜衣》：「卽入調商鼎，期分是與非。」此刺時之不明也。劉得仁《秋望》：「西風蟬滿樹，東岸有殘暉。」此小人爭先而據位也。

王夢簡《詩格要律》 夫初學詩者，先須澄心端思，然後遍覽物情。所以晝公云：放意須險，定句須難。雖取由我衷，而得若神授。

范仲淹《范文正公集》卷六《唐異詩序》 嘻！詩之爲意也，範圍乎一氣，出入乎萬物，卷舒變化，其體甚大。故夫喜焉如春，悲焉如秋，徘徊如雲，崢嶸如山；高乎如月星，遠乎如神仙；森如武庫，鏘如樂府。羽翰乎教化之聲，獻酬乎仁義之醇。上以德於君，下以風於民。不然何以動天地而感鬼神哉！而詩家者流，厥情非一：失志之人其辭苦，得意之人其辭逸，樂天之人其辭達，覯閔之人其辭怒。如孟東野之清苦，薛許昌之英逸，白樂天之明達，羅江東之憤怒。此皆與時消息，不失其正者也。

梅堯臣《續金針詩格·詩有内外意》 詩曰：「旌旗日暖龍蛇動。」「旌旗」，喻號令也；「日暖」，喻明時也；「龍蛇」，喻君臣也；「宮殿風微燕雀高」。「宮殿」，喻朝廷也；「風」，喻政敎也；「燕雀」，喻小人也。又詩：「島嶼分諸國，星河共一天。」言明君理化一統也。

又《詩有五理》 一曰美。詩曰：「都來銷帝道，深不用兵防。」美君文德，以服遠人也。二曰刺。詩曰：「桑柘廢來猶納稅，田園荒去尚徵苗。」刺政煩斂重也。三曰箴。詩曰：「日暮碧雲合，佳人殊未來。」箴佞人進而賢人未仕也。四曰規。詩曰：「幸無偏照處，剛有不明時。」規聖人行事有所未至也。五曰誨。詩曰：「明河川上沒，芳草霧中衰。」喻明時草澤中賢人不得進用也。

又《詩有三體》 一曰頌。詩曰：「明堂坐天子，月朔朝諸侯。」此頌太平也。二曰雅。詩曰：「纔分天地色，便禁虎狼心。」此正君臣也。三曰風。詩曰：「宮中誰第一，飛燕在朝陽。」風聖人不用正人也。

《蘇軾文集》卷六七《題柳厚詩二首》 詩須要有爲而作，用事當以故爲新，以俗爲雅，好奇務新，乃詩之病。

黄庭堅《山谷外集》卷六《論作詩文》 始學詩，要須每作一篇，輒須立一大意，長篇須曲折三致焉，乃爲成章耳。讀書要精深，患在雜博。因按所聞，動靜念之，觸事輒有得意處，乃爲問學之功。【略】作詩遇境而生，便自工耳。

馬永卿《嬾眞子》卷一 古人吟詩，絶不草草；至於命題，各有深意。老杜《獨酌詩》云：「步屧深林晚，開樽獨酌遲。仰蜂黏落絮，行蟻上枯梨。」《徐步》詩云：「整履步青蕪，荒庭日欲晡。芹泥隨燕嘴，花蕊上蜂鬚。」且獨酌則無獻酬也，徐步則非奔走也，以故蜂蟻之類，微細之物，皆能見之。若夫與客對談，急趨而過，則何暇視詳至於是哉！僕嘗以此理問僕舅氏，舅氏曰：《東山》之詩蓋嘗言之：「伊威在室，蠨蛸在戶」，「町畽鹿場，熠燿宵行」，此物尋常亦有之，但人獨居閑時乃見之耳。杜詩之源出於此。

楊時《龜山先生語録》卷二 作詩不知風雅之意，不可以作。詩尚譎諫，唯言之者無罪，聞之者足以戒，乃爲有補。若諫而涉于毁謗，聞者怒之，何補之有！觀東坡詩只是譏誚朝廷，殊無溫柔敦厚之氣，以此人故得而罪之。若是伯淳詩，則聞之者自然感動矣。因舉伯淳《和溫公諸人禊飲》詩云：「未須愁日暮，天際乍輕陰。」又《泛舟》詩云：「只恐風花一片飛。」何其溫厚也。

范溫《潛溪詩眼·命意用事》 詩有一篇命意，有句中命意。如老杜上韋見素詩，布置如此，是一篇命意也。至其道遲遲不忍去之意，則曰「尚憐終南山，回首清渭濱」；其道欲與見素别，則曰「常擬報一飯，況懷辭大臣」。此句中命意也。蓋如此然後頓挫高雅。又有意用事，有語用事。李義山「海外徒聞更九州」，其意則用楊妃在蓬萊山，其語則用鄒子云「九州之外，更有九州」。如此然後深穩健麗。

李頎《古今詩話·歐江論韓詩》 凡詩以意義爲主，文詞次之。或意深義高，雖文詞平易，自是奇作。世人見古人語句平易，倣傚之而不得其意義，便入鄙野可笑。

蔡絛《西清詩話》卷上 作詩者，陶冶物情，體會光景，必貴乎自得。蓋格有高下，才有分限，不可強力至也。譬之秦武陽，氣蓋全燕，見秦王則戰掉失色；淮南王安，雖爲神仙，謁帝猶輕其舉止，此豈由素習哉？余以謂少陵、太白，當險阻艱難，流離困躓，意欲卑而語未嘗不高；至於羅隱、貫休，得意偏霸，誇雄逞奇，語欲高而意未嘗不卑。乃知天稟自然，有不能易者也。

謝采伯《密齋筆記》卷三 果齋先生云：「作詩寫字都先要有骨，則其進未易量。」

又 余與客論文曰：「今人文不及古人藻繪處。」客問曰：「如何是藻繪處？」答曰：「古人文純是骨而後藻生焉。今人文尚無骨，安敢望其藻繪處？」客又問曰：「如何是骨？」答曰：「立意是也。字古不如語古，語古不如意古。」

胡仔《苕溪漁隱叢話前集》卷三七引呂本中《童蒙詩訓》 徐師川言：作詩自立意，不可蹈襲前人。因誦其所作《慈母溪詩》，且言慈母溪與望夫山相對，望夫山詩甚多，而慈母溪古今無人題詩。末兩句云：「離鸞只說閨中事，舐犢那知母子情！」

張鎡《仕學規範》卷三九引《童蒙詩訓》 山谷云：「詩文唯不造空強作，待境而生，便自工耳。」山谷謂秦少章云：「凡始學詩須要每作一篇，先立大意；長篇須曲折三致意，乃爲成章。」

吳可《藏海詩話》 凡裝點者好在外，初讀之似好，再三讀之則無味。要當以意爲主，輔之以華麗，則中邊皆甜也。裝點者外腴而中枯故也，或曰「秀而不實」。晚唐詩失之太巧，只務外華，而氣弱格卑，流爲詞體耳。又子由叙陶詩「外枯而中膏，質而實綺，癯而實腴」，乃是叙意在內者也。

曾敏行《獨醒雜志》卷四 汪彥章爲豫章幕官。一日，會徐師川於南樓，問師川曰：「作詩法門，當如何入？」師川答曰：「即此席間杯柈果蔬，使令以至目力所及，皆詩也。君但以意剪裁之，馳驟約束，觸類而長，皆當如人意。切不可閉門合目，作鐫空忘實之想也。」

陳善《捫蝨新話下集》卷二《文章要宛轉回復首尾俱應如常山蛇勢》 桓溫見八陣圖曰：「此常山蛇勢也。擊其首則尾應，擊其尾則首應，擊其中則首尾俱應。」予謂此非特兵法，亦文章法也。文章亦要宛轉回復。首尾俱應，乃爲盡善。山谷論文亦云：「每作一篇，先立大意，須曲折三致意，乃成章爾。」此亦常山蛇勢也。

又卷四《文章關紐》 文章要須于題外立意，不可以尋常格律而自窘束。東坡嘗有詩曰：「論畫以形似，見與兒童鄰。作詩必此詩，定非知詩人。」此便是文章關紐也。予亦嘗有和人詩云：「鮫綃巧織在深泉，不與人間機杼聯。要知妙在筆墨外，第一莫爲醒者傳。」竊自以爲得坡公遺意，但不知句法古人多少？

魏慶之《詩人玉屑》卷六引《陵陽先生室中語》 凡作詩須命終篇之意，切勿以先得一句一聯，因而成章；如此則意不多屬。然古人亦不免如此。如述懷、即事之類，皆先成詩，而後命題者也。

又 作詩必先命意，意正則思生，然後擇韻而用，如驅奴隸；此乃以韻承意，故首尾有序。今人非次韻詩，則遷意就韻，因韻求事；至於搜求小說佛書殆盡，使讀之者惘然不知其所以，良有自也。

李衡《樂庵語錄》卷四 文章以意爲主，亦以誠爲主，苟不出於誠意，便是亂道。且如作詩，老便說老，貧便說貧；若未老說老，不貧說貧，便不是誠意。

陳知柔《休齋詩話》 詩貴有野意。人之爲詩要有野意。蓋詩非文不腴，非質不枯，能始腴而終枯，無中邊之殊，意味自長，風人以來得野意者，惟淵明耳。如太白之豪放，樂天之淺陋，至於郊寒島瘦，去之益遠。

《陳亮集》卷一四《桑澤卿詩集序》 嘗聞韓退之之論文曰：「紆餘爲妍，卓犖爲杰。」黃魯直論長短句，以爲「抑揚頓挫，能動搖人心」。合是二者，於詩其庶幾乎？至於立意精穩，造語平熟，始不刺人眼目，自餘皆不足以言詩也。

又卷一六《書作論法後·意與理勝》 大凡論不必作好語言，意與理勝，則文字自然超衆。故大手之文不爲詭異之體而自然宏富，不爲險怪之辭而自然典麗，奇寓於純粹之中，巧藏於和易之內。不善學文者，不求高於理與意，而務求於文彩詞句之間，則亦陋矣。故杜牧之云：「意全勝者，辭愈樸而文愈高；意不勝者，辭愈華而文愈鄙。」昔黃山谷云：「好作奇語，自是文章一大病；但當以理爲主，理得而辭順，文章自然出群拔萃。」

葛立方《韻語陽秋》卷三 東坡在儋耳時，余三從兄諱延之，自江陰擔簦萬里，絕海往見，留一月。坡嘗誨以作文之法曰：「儋州雖數百家之聚，州人之所須，取之市而足，然不可徒得也，必有一物以攝之，然後爲己用。所謂一物者，錢是也。作文亦然，天下之事，散在經子史中，不可徒使，必得一物以攝之，然後爲己用。所謂一物者，意是也。不得錢不可以取物，不得意不可以用事，此作文之要也。」吾兄拜其言而書諸紳。

陳模《懷古錄》卷中　予嘗聞歐公《〈論〉尹師魯墓誌》云：「《春秋》之義，痛之益至，則其辭益深，子般卒是也，詩人之意，責之愈切，則其言愈緩，《君子偕老》是也。不必號天叫屈，然後爲師魯稱冤。」歐公之所以論《春秋》與《詩》者，正取此意。蕭千巖《題訪戴圖》云：「枯槎噪乾雀，交臂失夫君。寂寞一樽酒，憑窗空水雲。」或問：「此詩何以好？」雲齋曰：「此是反取，所以好。蓋他人必説子猷憶戴子，（此）詩反説安道憶子猷，立意自是與人不同，所以好。」然亦須斟酌。杜牧之《赤壁》云：「東風不與周郎便，銅雀春深鎖二喬。」則意勝於理矣。雷春伯爲岳陽教官，郡守偶同僚屬賦洞庭遺迹，春伯首句言洞賓嘗應舉，有濟世之意，末聯云：「何物鍾離相邂逅，靈丹一訣誤先生。」衆人皆羡其爲仙，春伯返以其入異端者乃其不幸，意便高。東坡《泗州僧伽塔》詩云：「耕田欲雨刈欲晴，去得順風來者怨。若使人人禱輒遂，造化應須日千變。」以他人禱風獲應，當如何稱之，而此詩反剖破禱祈之惑。《題鬼谷子故居》云：「遺書今未忘，小數不足觀。秦儀固新學，見利不知患。嗟時無桓文，使彼二子顛。死敗無足怪，夫子固使然。」今人到鬼谷子故居，將乞靈畏敬之不暇，而坡乃方爲許大批判，此又非是故爲反題。所責乎大賢者，能破千古之惑者是也。模從學雲齋時，有攜《石鼎聯句圖》求跋語者，雲齋即援筆贊之云：「夷居傲物，語輒侵人，老黄冠非守默與唯者，二子自屈不較，豈攻之斯害歟？然逃刑而卒爲畫工所窺，逃名而終賴昌黎公以顯，初亦何爲誑爲！使倚吾牆，以杖扣其脛曰：『至人無迹，太上忘言。』」則亦反取之意。

姚勉《雪坡舍人集》卷三八《送黄強立序》　文之不古久矣！士之號能古文者，艱其辭怪其字蹇其句讀耳。以是爲古，如之何其古也？文之所以妙者，意也。意不足而文有餘，不若文有盡而意無窮也。夫意無窮而後文有味，意非文之所以妙乎？雖然，意必至于理，理至焉，意次焉。唐韓退之理勝于辭，李元賓辭勝于理。或謂使天假元賓年，必與退之埒。是不然，元賓年愈高，辭當愈勝，決不勝退之之理也。抑退之之理亦未爲至也。以博愛言仁，以三品言性，以外形骸，以理自勝，爲識道理。

舒岳祥《閬風集》卷二《贈楊佳孫》　作詩意得在句先，下筆直寫意所到。世間惟俗最難醫，剖石得玉加精巧。初如面壁無所睹，一點圓明通萬竅。

王應麟《困學紀聞》卷一七《張文潛論文詩》　文以意爲車，意以文爲馬。理強意乃勝，氣盛文如駕。理維當即止，妄説即虛假。氣如決江河，勢順乃傾寫。

胡祗遹《紫山大全集》卷八《高吏部詩序》　詩學至唐爲盛，多者數千篇，少者不下數百，名世者幾百家。觀其命意措辭則人人殊，亦各言其志也。裁之以義理性情，則淺深高下，自有等級。

王惲《秋澗集》卷四二《淇奧唱和詩序》　彼王公大人、羈旅草野之士，遇其志得意滿，與夫幽憤無聊，見於詞章者多矣，然未免有豪宕夸毗之意，幽憂憔悴之狀。

又卷四四《文辭先後》　文之作，其來不一：有意先而辭後者，有辭先而就意者。意先而就辭者易，辭先而就意者難。意先辭後，辭順而理足，辭先意後，語難而理乖。此必然理也，學者最當知之。

又卷七一《題三百家詩選後》　潛溪稱唐人尤用意小詩，其命意與所叙述，初不減長篇，而促爲四句，意工理盡，高簡頓挫，所以難耳。【略】余亦曰：自簡古而發穠纖，由穠纖而出議論，此小詩所以最難工者也。

方回《桐江集》卷四《跋許萬松詩》　詩必擺俗好，棄少作而備衆體，則立言不朽。【略】古詩有六義，風刺其一耳。老杜所以獨雄百世者，其意趣全古之六義，而其格律又備後世之衆體。

劉辰翁《須溪集》卷六《蕭禹道詩序》　嘗過友人，坐間有杜詩一部，試開卷，第一句云「一縣蒲萄熟」，余問此有意否？其人大笑曰：「『一縣蒲萄熟』，即一縣蒲萄熟耳。」余曰：「題爲寓目，下言苜蓿，政謂此二物皆北地所生，今滿眼見矣。」未喻，信手復閲一卷，指第一句「生平鶡冠子」，舊解曰：「鶡冠子，隱人也。」其人即不復問，揖余坐，余因自念此顏駟之歎也。故其下云「眼復幾時暗，耳從前月聾」，其厭世自悼如此。肯疊「鶡冠子」對「鹿皮翁」，徒道一隱字哉，今人未必知古人，而有輕古人之色，漫謂尋常語，即尋常意，試使宿留思之，未有不自見而色已如此。

袁桷《清容居士集》卷二一《李景山鳩巢編後序》　近世言詩家頗輩出，淩厲極致，止於清麗，視建安、黄初諸子作，已憒憒不復省。鈎英掇妍，刻畫眉目，而形幹離脫，不可支輔。其凡偶拙近者，率悻悻直致，棄萬物之比興，謂道由是顯，「六義」之旨，闕如也。

譚景星《村西集》卷三《通馮翰林書》 不肖亦嘗學文矣，其未爲之，此心淡乎於烏有也。及其意之至，其猶江河之暴決，風雨之驟至，山川之廓霽，不可遏抑，有不容自已，不得不爲之文也。吾不知斯文也，藏之方寸，出有入無，隱顯莫測，而汗瀾浩蕩，優柔雍容，明白皎潔。其來何方，其去何處，其止何所，吾亦疑其爲神之無方。以不肖之所知者，此其理也，非所謂爲文也。非所謂爲文，而不可以有加也。以是而方閣下之文者，亦短綆之測海，尺箠之量空也。以不肖之窮居索處，所交無度越流俗之與儕，所居無達聞大觀以自廣，所學無奇書異史以廣識，豈足以破陳言、厲高志，習與性成，恐遂鄙陋，而後切切於學以自力也。仲尼曰：「言之無文，行而不遠。」而李翺亦謂文、理、義三者兼幷，乃能獨立乎一時，而不泯於後。其信然耶，其信然耶。

又《李仲德詩集序》 子雲稱孟子曰：「夫有意而不至者有矣，未有無意而至者也。」嗟乎，有意尚患不至，況無意乎？然余平生所爲，每以無意至。非無意也，無爲之爲也。又不可概論。故李翰與進士梁載言論古今文章之病有六：尚異者欲其險，好理者欲其通，溺于時者泥於對，病于是者不必對，愛難則憚其近，喜易則憚其深，六也。陸機怵他人之我先，韓愈惟陳言之務去。凡爲文者，雖義深理當，而詞不工，不成爲文，且不能傳。文、義、理，三者備矣，然後獨立一時，不泯泯於後也。爲詩與文，其揆一爾。

曾李《詩則》 作詩以命意爲主。古人云：操詞易，命意難。信不誣矣。命意欲其高遠超詣，出入意表，與尋常迥絕，方可爲主。古人造語每意精語潔，字愈多，意愈多，意在言外，悠然而長，黯然而光，此非後人之所能及。

朱權《西江詩法·詩法大意》 大凡作詩，先須立意。意者，一身之主也。如送人，則言離別不忍相捨之意；寄贈，則言相思不得見之意；題詠花木之類，則用《離騷》芳草之意。故詩如馬，意如善馭者，折旋操縱，先後疾徐，隨意所之，無所不可。此意之妙也。又如將之用兵，或攻或戰，或屯或守，或出奇以取勝，或不戰以收功，雖百萬之衆，多多益辦，而敵人莫能窺其神。此意之妙也。意在於假物取間意，則謂之比；意在於托物興辭，則謂之興；意在於鋪張實事，則謂之賦。但貴圓活透徹，辭語相頡頏，常使意在言表，涵蓄有餘不盡，乃爲佳耳。是以，妙悟者意之所向，透徹玲瓏，如空中之音，雖有所聞，不可彷彿。如象外之色，雖有所見，不可描模。如水之味，雖有所知，不可求索。洞觀天地，眇視萬物，是爲高古；剖出肺腑，不惜言語，是爲入神；超達虛空，了悟生死，是爲離衆；寄興悠揚，因彼見此，是爲造巧；隔關寫境，不露形跡，是爲不俗。故意在於閑適，則全篇以雅淡之言發之；意在於哀傷，則全篇以悽惋之情發之；意在於懷古，則全篇用感慨之言發之：此詩之悟意也。意既立，必須得句，句有法，當以妙悟爲上。第一等句得於天然，不待雕琢，律呂自諧，神色兼備。奇絕者如孤崖斷峰，高古者如黃鐘大呂，飄逸者如清風白雲，森嚴者如旌旗甲兵，雄壯者如千軍萬馬，華麗者如奇花美女，是爲妙句。其次必須造語精工。或動靜，或大小，或眞假，或生死，或遠近，或今古，或虛實，或有無，變化彷彿，使一句之中常具數節意，乃爲佳句。是以洞觀天地之句，似放誕而非放誕；了達生死之句，似虛無而非虛無；剖出肺腑之句，似粗俗而非粗俗；寄興悠揚之句，意之所至，信手拈來，頭頭是道，不待思索，得之於自然；隔關寫境之句，不落方體，不犯正位，不滯聲色，左右上下無所不通，似着題而非着題，非悟者不能作也。句既得矣，於句中之字，渾然天成者爲佳。下字必須清，必須活，必須響，與一篇之意一句之意相通，各自卓立而復相成，是爲本色。能了達生死之句，其字宜高古，宜眞率；洞觀天地之句，其字宜籠放，宜開闊，宜雄渾；剖出肺腑之句，其字宜沉着，宜痛快；寄興悠揚之句，其字宜涵蓄不露，宜優游不迫；隔關寫境之句，其字宜精工，宜神奇，宜飛動，宜變化，宜峻峭，宜飄逸，每每有似眞非眞，似假非假，若有若無，若彼若此之意，爲得之。總而言之，一詩之中必先得意，一句之中必先得字。先得意後得句，而字在乎其中不待求索者，上也。若先得句，因句之所在而生意，或先或後，使意能成就其句之美者，次也。若先得字，因字而生句，因字而生意，意復與句皆成其字之美者，又其次也。故意也，句也，字也，三者全備爲妙悟。意與句皆悟，而字有虧欠，則爲少疵。若有意無句，則精神無光；有句無意，則徒是妝點；句意俱不足，而惟於一字求工，何足取哉！然意之所忌者，最忌用俗，最忌議論，議論則成文字而非詩。用俗則淺近而非古。句之所忌者，最忌虛中之虛，實中之實。須虛中有實，實中有虛。字之所忌者，最忌妝點，最忌襯點，蓋非本句之所有而強牽合以成之，是又不可不知。詩法中千言萬語，大意皆不出於熟矣。參之杜陵復出，不易吾言矣。

又《**作詩骨格**》 作詩要運意高遠，則胸次開廣，自不謂淺近之見。世之學者多用意中間兩聯，而不知首尾起結尤爲難也。

黄溥《**詩學權輿**》**卷三**《**命意**》 以意爲主：魏文帝曰：「文以意爲主，以氣爲輔，以詞爲衛。」凡爲詩當使挹之而源不窮，咀之而味愈長。曾子固曰：「詩當使一覽無遺，語盡而意不窮。」

又 古詩之意：詩者不可言語求而得，必將觀其意焉。故其譏刺是人也，不言其所爲之惡，而言其爵位之尊、車服之美，而民疾之，以見其不堪也；「君子偕老，副笄六伽，赫赫師尹，民具爾瞻」是也。其頌美是人也，不言其所爲之善，而言其容貌之盛，冠佩之華，而民安之，以見其無愧也；「緇衣之宜兮，敝予又改爲，服其命服，朱芾斯皇」是也。

又卷六《**思意**》 詩之作，必先意格；意格必欲高遠；高遠必須涵養。但意出於格者，先得格也；格出於意者，先得意也。吟詠性情，揆序事物，始於意格，成於章句，協於音律，止乎禮義。《三百篇》之門户亦可窺矣。

又 古云：「文以意爲主，以氣爲輔，以詞爲衛。」爲詩亦然。若杜子美《劍閣》詩云：「吾將罪眞宰，意欲劃疊嶂。」與太白「槌碎黄鶴樓，劃卻君山好」語亦無異，然《劍閣》詩意在剷平僭竊，尊崇王室，凜凜有義氣。「槌碎」、「劃卻」之語，但一味豪放了，故「文以氣爲主」者，此也。

又 山谷云：詩文不可鑿空强作，待境而生，便自工耳。每作一篇，先立大意。長篇須曲折三致意，乃可成章。呂居仁云：或勵精潛思，不便下筆；或遇事困惑，時時舉揚，工夫一也。古之作者正如是耳。惟不可鑿空强作，出於牽强，如小兒就學，俯就課程耳。

又 守法度曰詩。詩人法度可學，而神意則不可學。故龔聖任云：「學詩渾似學參禪，語可安排意莫傳。會意卽超聲律界，不須鍊石補青天。」「學詩渾似學參禪，幾許搜腸覓句聯。欲識少陵奇絶處，初無言句與人傳」者，亦以此耳。

又 詩之有思，卒然遇之而莫遏，有物敗之，則失之矣。故昔人言「覃思」、「垂思」、「抒思」之類，皆欲其思之來。而所謂「亂思」、「蕩思」者，言敗之者易也。鄭綮「詩思在灞橋風雪中驢子上」，唐求詩「所遊歷不出二百里」，則所謂思者，豈尋常咫尺之間所能發哉？前輩論詩思多生於杳冥寂寞之境，而志意所如，往往出乎埃溘之外。謝無逸問潘大臨：「近曾作詩否？」潘云：「秋來日日是詩思，昨日捉筆，得『滿城風雨近重陽』之句，忽催租人至，令人意敗，輒以此一句奉寄。」亦可見思難而易敗也。

又 朱子云：凡詩文，巧中貴有渾然意思，便巧也不覺。歐公詩自好，所以喜梅聖俞詩，蓋枯淡之中自有意思。歐公最喜《送行》詩，云：「曉日都門道，微涼苑樹秋。」又喜常建兩句：「曲徑通幽處，禪房花木深。」自言平生要學不得。今人都不識此意。

又 陳無己云：山谷最愛舒某「扶輿度陽焰，窈窕一川花」云，謂包含數箇意。

又卷七 詩有句含蓄者，杜甫曰：「勳業頻看鏡，行藏獨倚樓。」鄭云叟曰：「相看臨遠水，獨自上孤舟。」是也。有意含蓄者，如《宮詞》曰：「銀燭秋光冷畫屏，輕羅小扇撲流螢。天階夜色涼如水，卧看牽牛織女星。」又《嘲人》詩曰：「怪來妝閣閉，朝下不相迎。總向春圖裏，花間笑語聲。」是也。有句意俱含蓄者，如《九日》詩曰：「明年此會知誰健，更把茱萸仔細看。」又《宮怨》曰：「寶杖平明宮殿開，暫將紈扇共徘徊。玉容不及寒鴉色，猶帶朝陽日影來。」是也。又白樂天云：「淚滿羅巾夢不成，夜深前殿按歌聲。紅顏未老恩先斷，斜倚薰籠坐到明。」

李東陽《**懷麓堂詩話**》 詩貴意。意貴遠不貴近，貴淡不貴濃。濃而近者易識，淡而遠者難知。如杜子美「鈎簾宿鷺起，丸藥流鶯囀」、「不通姓字粗豪甚，指點銀缾索酒嘗」、「銜泥點涴琴書內，更接飛蟲打著人」，李太白「桃花流水杳然去，别有天地非人間」，王摩詰「返景入深林，復照莓苔上」，皆淡而愈濃，近而愈遠，可與知者道，難與俗人言。王介甫得之，曰：「坐看蒼苔色，欲上人衣來。」虞伯生得之，曰：「不乃清江轉柁鼓，洗盞船頭沙鳥鳴。」曰：「繡簾美人時共看，階前青草落花多。」楊廉夫得之，曰：「南高峰雲北高雨，雲雨相隨惱殺儂。」可謂閉戶造車，出門合轍者矣。

又 作詩不可以意徇辭，而須以辭達意。辭能達意，可歌可詠，則可以傳。王摩詰「陽關無故人」之句，盛唐以前所未道。此辭一出，一時傳誦不足，至爲三疊歌之。後之詠别者，千言萬語，殆不能出其意之外。必如是，方可謂之達耳。

朱承爵《存餘堂詩話》 古樂府命題，俱有主意，後之作者，直當因其事用其題始得。往往借名，不求其原，則失之矣。如劉猛、李餘輩，賦《出門行》不言離別，《將進酒》乃叙烈女事，至於太白名家，亦不能免此病。鄭樵作《樂略》叙云：「然使得其聲，則義之同異又不足道。」樵謬矣。

顧璘《息園存稿文》卷九《題饒介之諸賢懷古詩卷後》 文以立意爲宗，辭乃色澤耳，正惡其勝本。

鄭善夫《少谷集》卷一九《書三・答鄒衛辰》 大抵作詩，立格命意欲如立崑崙山頂，下觀四海，絶去煙火，不可跟隨衆人。古人亦曾有云也。

邵經邦《藝苑玄機》 詩之意，貴於人所不經，嘗能死中求生，無中求有，則過人遠矣。昌黎《羑里操》曰：「臣罪當誅兮，天王聖明。」余吊王原案，嘗竊其意。或乃以爲貶之，此村兒前不可言醜婦者。

謝榛《詩家直説》卷一 託物寓意貴乎渾成，犯題亦可，不犯亦可。若子美「黑鷹不省人間有，雙飛玉立並清秋」是也。范德機明暗之説鑿矣。

又 詩有辭前意、辭後意。唐人兼之，婉而有味，渾而無跡。宋人必先命意，涉於理路，殊無思致。及讀《世説》：「文生於情，情生於文。」王武子先得之矣。

又 宋人謂作詩貴先立意。李白斗酒百篇，豈先立許多意思而後措詞哉？蓋意隨筆生，不假布置。

又卷二 詩以一句爲主，落於某韻，意隨字生，豈必先立意哉？楊仲弘所謂「得句意在其中」是也。

又 長篇古風，最忌鋪叙，意不可盡，力不可竭，貴有變化之妙。

又卷三 作詩不必執於一個意思，或此或彼，無適不可，待語意兩工乃定。《文心雕龍》曰：「詩有恆裁，思無定位。」此可見作詩不專於一意也。

又卷四 詩貴乎遠而近。然思不可偏，偏則不能無弊。陸士衡《文賦》曰：「其始也，收視反聽，躭思傍訊，精鶩八極，心遊萬仞。」此但寫冥搜之狀爾。唐劉昭禹詩云：「句向夜深得，心從天外歸。」此作祖於士衡，尤知遠近相應之法。凡靜室索詩，心神渺然，西遊天竺國，仍歸上黨昭覺寺，此所謂「遠而近」之法也。若經天竺，又向扶桑，此遠而又遠，終何歸宿？或造語艱深奇澀，殊不可解，抑樊宗師之類歟？

又 作詩有相因之法，出於偶然。因所見而得句，轉其思而爲文。先作而後命題，乃筆下之權衡也。一夕，讀《道德經》：「大巧若拙。」「巧」「拙」二字，觸其心思，遂成《自拙嘆》云：「出門何所營？蕭條掩柴荆。中除不灑掃，積雨莓苔生。感時倚孤杖，屋角鳩正鳴。千拙養氣根，一巧喪心萌。巢田亦偶爾，焉知身後名？不盡太古色，天末青山横。」《漫書野語》云：「太古之氣渾而厚，中古之風純而樸。」夫因樸生文，因拙生巧，相因相生，以至今日。其大也無垠，其深也叵測，孰能返樸復拙，以全其眞，而老於一丘也邪？

譚浚《説詩》卷上《意志》 内意欲盡其義，性情之隱微，言行之樞機也；外意欲盡其象，風景之奇偉，氣度之盤礴也。内外含蓄，義理淵澄，以志意爲本，詞語次之。説事簡易，説情雅正，説景微妙，説聞不言聞，説見不言見，中而有定，和而有節，神情者思不孤，物色者意必副，則微詞盡物而精義入神矣。宋潛溪曰：「上焉者師其意，詞固不似，而氣象無不同；下焉者師其詞，詞則似矣，而求其精神之所寓，固未嘗近也。」

又《曲折》 句若重複，意自曲折。《大雅》云：「王猶允塞，徐方既來。徐方既同，天子之功。四方既平，徐方來庭。徐方不回，王曰旋歸。」此歸功天子之意曲折也。《國風》云：「云誰之思，西方美人。彼美人兮，西方之人兮。」此思賢之意曲折也。《頌》云：「儀式刑文王之典。」又曰：「自古在昔，先民有作。」又曰：「匪且有且，匪今斯今。振古如兹。」皆曲折之詞也。

又卷中《托意》 《離騷》以善鳥香草比君子，惡禽臭物比小人。或托男女寓意君臣，如靈修比己，以婦悦夫之名；美人比君，以男悦女之號。《九歌》因舊俗祀神，更其詞以寄己意。以神比君，人慕神也。山鬼陰賤不可比君，則以人比君，鬼喻己也。以椒蘭、菌桂、蓀芷、江離、揭車、杜若，皆設空言，並非實有，而史遷《屈原傳》有令尹子蘭之説，班氏《古今人表》有令尹子椒之名。王逸因注司馬子蘭、大夫子椒。後勿誤焉。

李贄《騷壇千金訣》 明學士商輅曰：「詩在托物寓言，然最忌譏誚，必得微詞婉諷之意，使知之者不爲無益，即不知亦非所以取禍，則善矣。」明文莊公丘濬曰：「作詩須先得意，意得則詞自達，韻自協，篇自易成。若漫不立意，而徒致飾于字句之間，則不入于割裂，即入于補綴，未善也。」

又 征行之詩要發出悽愴之意，哀而不傷，怨而不亂。要發興以感其事，觸物寓情方可，若傷亡悼屈，一切哀怨，吾無取焉。贈别之詩當寫不

王昌會《詩話類編》卷二　上下句不相照應，前後面不相屬續，血脈不通，首尾衡決，則有是病。且如蘇子瞻《回文詩》：「潮隨暗浪雪山傾，遠浦魚舟釣月明。橋對寺門松徑小，巷當泉眼石波清。迢迢綠樹江天曉，靄靄紅霞海日晴。遙望四山雲接水，碧峰千點數鷗輕。」二詩中每聯各言一件景物，且既言「釣月明」又言「江天曉」，既言「江天曉」又言「海日晴」；既有「潮」，又有「暗浪」、「遠浦」、「石波」、「泉眼」、「江天」、「接水」及「山傾」、「松徑」、「四山」、「碧峰」許多字面，間架如此不齊，文面如此重疊，緣他只要作回文，故有此等意脈不貫、不合法度之病。又如戴東臯詩：「小園無事少徘徊，多謝佳人送酒來。惜樹不磨修月斧，愛花偏築避風臺。引些渠水添池滿，移個柴門傍竹開。多謝有情雙白鷺，暫時飛去復飛來。」一詩之中，前六句雷然一律，皆是人事。第一句言游園，第二句言送酒，第三句言惜樹，第四句言愛花，第五句言引水，第六句言移門。且前面既言「多謝」，後面又言「多謝」，文面如此重疊，間架如此不齊，非病意思不貫而何？又如子美詩云「一片花飛減卻春，風飄萬點正愁人」，又「且看欲盡花經眼」，此是老杜之作，亦有文面重疊之病，學者不可謂「大手筆」而莫之敢非也。

又卷三　每一題到，茫然思不相屬，幾謂無措，沉思久之，如瓴水去空，亂絲抽緒，種種縱橫坌集，卻於此時要下剪裁手段，寧割愛，勿貪多。又如數萬健兒，人各自爲一營，非得大將軍方略，不能整頓攝服，使一軍無譁，若爾朱榮處貼葛榮，百萬衆求之。詩誰當爲比？

謝肇淛《小草齋詩話》卷一《內篇》　宋人論詩云：「鍊句不如鍊字，鍊字不如鍊意。」夫字句可鍊也。意者偶然觸物而成，着境而應，若有若無，如月印萬川，謂川各一月可也，謂川皆無月可也，寧可思議摸捉而鍊之邪！

袁宏道《袁中郎全集》卷三二《風林纖月落》　畫有工似，有工意。工似者親而近俗，工意者遠而近雅。作詩亦然。余此詩從似而入意者也。何遜之題梅也，似而意者也；子美之「幸不折來」，意而意者也。李群玉之「玉鱗寂寂」可謂工似，然亦不俗；如林處士之「霜禽粉蝶」，俗矣。至云「疎影橫斜」、「水邊籬落」，可謂意中之似；若李錦瑟輩，直謎而已。如《雪詩》則云「欲舞定隨曹植馬」，《人日》則云：「舜格有苗，周稱流火」，此可與工意者道哉？謂之似亦未也。唐人詠月多矣，如云：「只益丹心苦，能添白髮明」，深沉古雅，非子美不能。至云：「暫將弓并曲，番與扇俱圓」，此惡道語也，似而俗忍之情，方見襟懷之厚。然亦有數等，如別征戍則寫死別，而勉之效忠，送人遠游則寫不忍別，而勉之及時早回，送人仕宦則寫喜別，而勉之憂國恤民，或訴己窮居而望其薦拔，如杜公「惟待吹噓送上天」之說是也。

周履靖《騷壇秘語》卷上　十取：正當，天理當然，取新去俗。將迎，事未然而逆料之。補續，事未然而補續之。疑難，淺則含疑，深則詰難。反異，或全相反，或有異用。超越，超越常情，迥出至理。規正，事有過失，則規正之。願望，心所願望，取眞去矯。解釋，事中紛爭，則解釋之。推極，推情究理，重重搜抉。五言詩，句常含蓄，舉一反三，則含蓄矣。七言詩，意欲顯露其要，其中而斷之，則顯露矣。

梁橋《冰川詩式》卷九《學詩要法上》　作詩有一篇命意，有一句命意。

又　立意，要高古，渾厚有氣概；要沉著，忌卑弱淺陋。

又　寫意，要意中帶景，議論發明。

又　詩不可鑿空強作，待境而生自工。或感古懷今，或傷今思古，或因事說景，或因物寄意，一篇之中，先立大意，起承轉結，三致意焉，則工緻矣。

又卷一〇《學詩要法下》　詩意貴開闢。凡作詩，使人讀第一句知有第二句，讀第二句知有第三句，次第終篇，爲至妙。如老杜「莽莽天涯雨，江村獨立時；不愁巴道路，恐濕漢旌旗」是也。

又　大概作詩要從首至尾，語脈聯屬，如有理詞狀。古詩云：「喚婢打鴉兒，莫叫枝上啼；啼時驚妾夢，不得到遼西。」可爲標準。

陸時雍《詩鏡總論》　專尋好意，不理聲格，此中晚唐絶句所以病也。詩不待意，卽景自成。意不待尋，興情卽是。王昌齡多意而多用之，李太白寡意而寡用之。昌齡得之椎練，太白出於自然，然而昌齡之意象深矣。劉禹錫一往深情，寄言無限，隨物感興，往往調笑而成。「南宮舊吏來相問，何處淹留白髮生」？「舊人惟有何戡在，更與殷勤唱渭城」。更有何意索得？此所以有水到渠成之說也。

又　五言古非神韻綿綿，定當捉衿露肘。劉駕、曹鄴以意撐持，雖不迨古，亦所謂「鐵中錚錚，庸中姣姣」矣。善用意者，使有意如無，隱然不見。造無爲有，化有爲無，自非神力不能。以少陵之才，能使其有而不能使其無耳。

者也。

馮復京《說詩補遺》卷一　詩有矜率立成，而思致索寞，聲采不飛者，必待鐫瀝以窮巧。有鍛鍊删改，而神氣內凋，斧鑿外露者，則不如優游以懌懷。白香山晚作知足語，千篇一律，太任意之過也。李崆峒江西後作，意苦者辭反常，詞艱者意反近，太刻意之過也。

許學夷《詩源辯體》卷二七　詩有景象，即風人之興比也。唐人意在景象之中，故景象可合不可離也。王建《贈盧汀》詩「功證詩篇離景象」，此實自謂，意以爲初、盛唐不離景象，故其意不能盡發。今欲悉離景象，悉發眞意，故其詩卑鄙至是，此唐人錯悟受魔之始也。趙凡夫云：「文論得失，詩尙妍媸。」此則全不論妍媸矣。

趙宧光《彈雅・雅俗》　古詩煉聲，今詩煉意。煉意在詩前，煉聲在詩後。聲有推敲，意無推敲。人謂意亦當煉者，此煉句煉字耳，非煉意也。意而煉，非情矣，詩則不成，何論工拙。至若趣尙景色，彼哉彼哉！意如命，聲如性，仙釋是以不敵。

又　禪機有轉語，詩調亦有轉語。恍然會心，因爲廣其說。有一轉再轉，以至多轉，皆其妙境。不見其轉者，又謂之上乘。若但文字相高，風斯下矣。至若不轉意而但轉物，此詞曲匡也。

又　文須意具，乃始動筆。詩則每篇具一意，具一意作一篇，具十意作十篇，若九意十篇，即是贅肬，其或同意而有異句，但作副本幷存非法意定而措詞，詞成而選調。調謂之推敲，詞謂之鍛煉，意謂之造立。至于取格，則在未作詩詞。

又《格制三下》　詩之好處，全不在意，假令無意，詩則不佳。此中參求，方辨得美惡，若于此語不解，直是未足與言者。好詩在意，爲意所傷者比比有之，興不足也。興乏非詩人，非詩人勿與論詩。故曰詩有別才，非關學；詩有別趣，非關理。

又《取材四上》　翻案前言，有直用全句而著落有異者，有直用全篇而割列增損以入樂府者，有順其詞而反其意者，有詞意並同而聲調少轉，超逸前人之上者。此法若謂易與，最爲難及。風力氣量，時代限之耳。最下者竊其意更其詞，若謂瞞人穿踰何有？又有偶同前言，失于趨避，乃小疵，不必論。

顧起元《懶眞草堂集・文集》卷一四《白下遊草序》　自昔雅人韻士，所以點翰抽毫、尋聲定律者，靡不有所托寄，以發其靚幽華曠之思焉。故登高望遠，則廓落之旨伸；求友懷人，則嚶鳴之響叶。蓋眺矚迥斯興象開，悰愫深斯風理洽。

鄧雲霄《冷邸小言》　「勸君更盡一杯酒，西出陽關無故人。」「莫愁前路無知己，天下何人不識君。」同一送別詩而意政相反，各有其妙，蓋別詩以情爲主便能動人。

又　詩貴發興高曠，不墮蹊徑，忽然而起，意遠情深。五言余最愛「士有不得志，栖栖吳楚間。」「樓頭廣陵近，九月在南徐。」「易簡高人意，匡床竹火爐。」「二月湖水清，家家春鳥鳴。」「山月隨客來，主人興不淺。」七言最愛「朝聞遊子唱離歌，昨夜微霜初度河。」「雀啄江頭楊柳花，鵁鶄鸂鶒滿晴沙。」「北人南去雪紛紛，雁叫汀洲不可聞。」皆意在筆外，可以類推。

賀貽孫《詩筏》　作詩須一意渾融，前後互映。如李頎《送王昌齡》詩云：「漕水東去遠，送君多暮情。淹留野寺出，向背孤山明。前望數十里，中無蒲稗生。夕陽滿舟楫，但愛微波清。舉酒林月上，解衣沙鳥鳴。夜來蓮花界，夢裏金陵城。歎息此離別，悠悠江海行！」因第二句有「暮情」二字，自此後，不獨夕陽微波，月上鳥鳴，夜來花界，夢裏金陵，種種暮景，而滿篇幽澹悲涼，字字皆「暮情」也。暮景易寫，暮情難描，此爲獨絕。

又　寫生家每從閒冷處傳神，所謂「頰上加三毛」也。然須從面目顴頰上先着精彩，然後三毛可加。近見詩家正意寥寥，專事閒語，譬如人無面目顴頰，但見三毛，不知果爲何物！

又　古人詩文所以勝我者，不過能言吾意之所欲言耳，吾所矜爲創獲者，古人皆已先言之。以吾之意，出古人手，較吾言倍爲親切。試取古人意，出吾手，格格不甚暢快，始見吾短。

吳喬《答萬季埜詩問》　又曰：「下手處如何？」答曰：「姑言其淺處。如少陵《黑鷹》、曹唐《病馬》，其中有人；袁凱《白燕》詩，膾炙人口，其中無人，誰不可作？畫也，非詩也。空同云：『此詩最著最下。』蓋嫌其唯有丰致，全無氣骨耳。安知詩中無人，則氣骨丰致，同是皮毛耶？」又問：「唐人詩，盡如《黑鷹》、《病馬》否？」答曰：「不能。崔鴛鴦、鄭鷓鴣，皆以一詩得名，詩中絕無二人，有志者取法乎上耳。」諸君因以拙作相質。答曰：「眼見易遠，下足處必近，後人何敢與古人同日語耶？」諸君相逼不已。答曰：「拙草名托物，非咏物也。如《蜂詩》云：『利劍行空猶俠客，細腰成病似詩人。』《燈花》云：『脂浮初夜根無托，炮落三更子不成。』《落花》云：『來歲東皇別造蘖，不曾容汝復青枝。』其中有不佞在。無手病，有賢子，不處革運者，不得作此語也。」諸君又曰：「同朋發矢，方知中的與否，煩君亦作《白燕》詩見示。」偶爾妄言，撞此禍事，袁公必大笑於前，吾兄必大笑於今矣。

又　又問：「命意如何？」答曰：「詩不同於文章，皆有一定之意，顯然可見。蓋意從境生，熟讀新、舊《唐書》、《通鑑》、稗史，知其時事，知其處境，乃知其意所從生。如少陵《麗人行》，不知五楊所爲，則『丞相嗔』之意沒矣。『落日留王母』之刺太眞女道士亦然。馬嵬事，鄭畋云：『終是聖明天子事，景陽宮井又何人？』與少陵『不聞夏殷衰，中自誅褒妲』正同。此命意之可法者也。」

又　問曰：「丈夫於唐詩，皆如義山《無題》之見作者意乎？」答曰：「是。何言歟？安可淺視唐人也？茅塞之心，有見者，有不見者，有疑者。其見者，如韓偓《落花》云：『眼尋片片隨流去』，言昭宗之出幸也。『恨滿枝枝被雨侵』，言諸王之被殺也。『縱得苔遮猶慰意』，望李克用、王師範之勤王也。『若教泥汙更傷心』，恨韓建之爲賊臣弱帝室也。『臨堦一盞悲春酒，明日池塘是綠陰』，悲朱溫之將篡弑也。明人云：不讀大曆以後一字。其所自作，未有命意如晚唐此詩之深遠者也，可易言『初』『盛』哉？疑者不可枚舉，止就致堯言之。如『動天金鼓逼神州』一律，觀其起句及『杜郵』『鳳池』，酷似李茂貞兵犯京師，天子賜宰相杜讓能死，代其姬人之作，而題又絕不相近。白傅輓元微之云：『銘旌官重威儀盛，騎吹聲繁鹵簿長。後魏帝孫唐宰相，六年七月葬咸陽。』此詩有似具文見意。『具文見意』，乃杜元凱《左傳序》之言，謂但紀其事，不著議論而意自見。周伯弜以王建『五色雲中駕六龍』後二首卻哀惜當之。此所不同者，極其褒美，無哀惜之義，卽似譏刺。然與平生交情不合故也。」

又《圍爐詩話》卷一　問曰：「先生每言詩中須有人，乃得成詩。此說前賢未有，何自而來？」答曰：「禪者問答之語，其中必有人，不知禪者不覺耳。余以此知詩中亦有人也。人之境遇有窮通，而心之哀樂生焉。夫子言詩，亦不出于哀樂之情也。詩而有境有情，則自有人在其中。如劉長卿之『得罪風霜苦，全生天地仁。青山數行淚，白首一窮鱗』。王鐸爲都統詩曰：『再登上相慚明主，九合諸侯愧昔賢。』有情有境，有人在其中也。子美《黑白鷹》、曹唐《病馬》亦然。魚玄機《詠柳》云：『枝迎南北鳥，葉送往來風。』黄巢《咏菊》曰：『堪與百花爲總領，自然天賜赭黄袍。』蕩婦、反賊詩，亦有人在其中。故讀淵明、康樂、太白、子美集，皆可想見其心術行己，境遇學問。劉伯溫、楊孟載之集亦然。惟弘、嘉詩派濃紅重綠，陳言剿句，萬篇一篇，萬人一人，了不知作者爲何等人，謂之詩家異物，非過也。」問曰：「弘、嘉人外，豈無讀其詩而不見其人者乎？」答曰：「楊素、唐中宗、薛稷、宋之問、賀蘭進明、蘇渙，其人可數。」

又　問曰：「唐人命意如何？」答曰：「心不孤起，仗境方生。熟讀新、舊《唐書》、《通鑑》、稗史、雜記，乃能于作者知其時事，知其境遇，而後知其詩命意之所在。如子美《麗人行》，豈可不知五楊事乎？試看《本事詩》，則知篇篇有意，非漫然爲之者也。」

又　一篇詩祇立一意，起手、中間、收結互相照應，方得無懈可擊。唐人必然。宋至明初，猶不大失。弘、正以後，一句七字猶多不貫，何况通篇！

又　意由于識。馬嵬事吟咏甚多，而子美云：「不聞夏殷衰，中自誅褒妲。」曲折有含蓄，子瞻稱之。鄭畋云：「肅宗迴馬楊妃死，雲雨雖亡日月新。終是聖明天子事，景陽宮井又何人？」人知其有宰相器。劉夢得、白樂天直言六軍逼殺天子之妃矣！

又　唐人詩意不必在題中。如右丞《息夫人怨》云：「莫以今時寵，能忘舊日恩！看花滿眼淚，不共楚王言。」使無稗說載其爲寧王奪餅師妻作，後人何從知之。可見《西施篇》之「賤日豈殊衆，貴來方悟稀。邀人傅香粉，不自著羅衣。君寵益嬌態，君憐無是非」，當是爲李林甫、楊國忠、韋堅、王鉷輩而作。元微之「未必諸郎知曲誤，一時偷眼爲迴腰」，亦是胸有所不快，適于舞者發之也。崔國輔云：「悔不盛年時，嫁與青樓家。」亦必有故，意不易見也。

又　唐人于詩中用意，有在一二字中，不說破不覺，說破則其意煥然者。如崔國輔《魏宮詞》云：「朝日點紅粧，擬上銅雀臺。畫眉猶未了，魏帝使人催。」稱「帝」者，曹丕也。下一「帝」字，而其母「狗彘不食其餘」之語自見，嚴于鈇鉞矣！《詩歸》評「媚甚」。呵呵！

又　韓翃《寒食》詩云：「春城無處不飛花，寒食東風御柳斜。日暮漢宮傳蠟燭，輕烟散入五侯家。」唐之亡國由于宦官握兵，實代宗授之以柄。此詩在德宗建中初，只「五侯」二字見意，唐詩之通于《春秋》者也。

又　詩意之明顯者，無可著論，惟意之隱僻者，詞必紆回婉曲，必須發明。溫飛卿《過陳琳墓》詩，意有望于君相也。飛卿于邂逅無聊中，語言開罪于宣宗，又爲令狐綯所嫉，遂被遠貶。陳琳爲袁紹作檄，辱及曹操之祖先，可謂酷毒矣。操能赦而用之，視宣宗何如哉？又不可將曹操比宣宗，故托之陳琳，以便于措詞，亦未必眞過其墓也。起曰「曾于青史見遺文，今日飄零過古墳」，言神交，叙題面，以引起下文也。「詞客有靈應識我」，刺令狐綯之無目也。「霸才無主始憐君」，「憐」字詩中多作「羨」字解，因今日無霸才之君，大度容人之過如孟德者，是以深羨于君。「石麟埋沒藏春草」，賦實境也。「銅雀荒涼起暮雲」，憶孟德也。此句是一詩之主意。「莫怪臨風倍惆悵，欲將書劍學從軍」，言將受辟于藩府，永爲朝廷所棄絶，無復可望也。怨而不怒，深得風人之意。以李頎之「新加大邑綬仍黄，近與單車向洛陽。顧盼一過丞相府，風流三接令公香」，「知君官屬大司農，詔幸驪山職事雄。歲發金錢供御府，晝看仙液注離宮」等視此，直是應酬死句。

又　詩苦于無意，有意矣又苦于無辭。如聶夷中之「鋤禾日當午，汗滴禾下土。誰知盤中餐，粒粒皆辛苦」。詩之所以難得也。

又　漢、魏也，晉、宋也，梁、陳也，三唐也，宋、元也，明也，不須看讀，遥望氣色，迥然有別。此何以哉？辭爲之也。猶夫衣冠舉止，可以觀人也。有意無詞，錦褉子上披蓑衣矣。

又　詩不可以言求，當觀其意。譏刺是人，不言其所爲之惡，而言其爵位之尊，車服之美，而民疾之，以見其不堪，「君子偕老，副笄六珈」，「赫赫師尹，民具爾瞻」是也。頌美是人，不言其所爲之善，而言其容貌之盛，冠服之華，而民安之，以見其無愧，「緇衣之宜兮」，「服其命服」是也。喬謂漢、唐爲黄河，《三百篇》爲星宿海。

又　唐人之命意，宋、明或有暗合者，至于措詞，則如北出開原、鐵嶺，五官雖同，迥非遼左人之語言矣。郡中卽事，若宋、明人爲之，必是直陳本意。羊士諤云：「紅衣落盡暗香殘，葉上秋光白露寒。越女含情已無限，莫教長袖倚欄干！」余友賀黄公曰：「是以思婦比孤臣，寓留滯周南之感耳。」余謂今人作此詩，人必共以無謂譏之矣，那得不共作直陳本意之詩乎！風氣使然，智者莫如之何！

又　禪者有云：「意能刻句，句能刻意，意句交馳，是爲可畏。」夫意刻句，宜也。而句亦能刻意，與意交馳，不須稟意而行，故曰「可畏」。詩之措詞，亦有然者，莫以字面求唐人也。臨濟再參黄公案，禪之句刻意也。「薛王沉醉壽王醒」，詩之句刻意也。

徐增《而庵詩話》　吾嘗語作詩者：須要向題意上透出一層，見識到那里，字句亦隨到那里，方有第一等詩作出來。

又　今人論詩輒云有意無意、可解不可解。此二語悮人不淺。吾觀古詩無一字無着落，須細心探討，方不墮入雲霧中，則將來詩道有興矣。

賀裳《載酒園詩話》卷一《用意》　楊文公《談苑》曰：「余知制誥日，與余恕同考試，出義山詩共讀，酷愛一絶曰：『珠箔輕明拂玉墀，披香前殿鬬腰肢。不須看盡魚龍戲，終遣君王怒偃師。』擊節稱歎曰：『古人措辭寓意如此之深妙，令人感慨不已。』」余初讀此語，殊自茫然，暨思得之，此詩只形容女子慧心，男子一妬字耳。偃師事載《列子》：「周穆王自崑崙歸，途遇一獻工人名偃師，造能倡者獻王，顉(音欽)其頤則歌合律，捧其手則舞應節。王與盛姬觀之，技將終，倡者瞬其目招王侍妾。王大怒，欲誅偃師。偃師立剖散倡者，廢其心則口不能言，廢其肝則目不能視，廢其腎則足不能步，皆革木膠漆丹青之所爲，悉假物也。」余因自歎其鈍，而羨古人之敏，自此粗知執筆。每舉以問人，亦未有應聲而解者。今人之病，正在求奇字句，全不想古人用意處耳。義山又有《亂石》一詩，亦深妙。（黄白山評：「『余初讀此語』以下，皆賀自語。查本集題是《宮妓》，則是御前承應之人。此詩使事雖僻，而命意殊屬無禮，以古『齒君路馬有誅』之律律之，則義山洵風雅罪人矣。」）又曰：「用意貴深至，以用事發己之意，則必易見其意，方妙。義山用事晦僻，正詩家之大病，乃因楊語而遽稱之，亦是隨人頞頞者爾。」）余嘗選之而衆以爲疑。余曰：「『虎踞龍蟠縱復横』，卽柳州所云『怒者虎鬬，企者鳥厲』也。『星光漸歛雨痕生』，乃用星隕地爲石兼將雨則礎潤二意。『不須併礙東西路，哭殺廚頭阮步兵』，魏步兵廚有美酒，阮籍因乞爲步兵校尉，又常駕車而出，不由徑路，每遇途窮，則慟哭而返。亂石塞路，有類途窮，此義山寄托之詞，而意味深遠，不解其義，烏知其美乎！」義山又有《食筍呈座中》詩「皇都陸海應無數，忍剪凌雲一寸心」，《蜀桐》詩「枉教紫鳳無棲處，斲作秋琴彈《廣陵》」，亦即《亂石》意，但以不使事，故語亮然。《食笋》詩感慨已盡于言內。叔夜死而《廣陵散》不傳，言外有知音難遇意，此語亦深也。

又 作詩貴于用意，又必有味，斯佳。義山《槿花》詩：「燕體傷風力，鷄香積露文。殷鮮一相雜，啼笑兩難分。月裏寧無姊，雲中亦有君。三清與仙島，何事亦離羣？」此詩殊不可解。余嘗句揣之：「燕體」句言花枝娟弱，搖曳風中，猶燕之受風也。「鷄香」者，鷄舌香，入直者含之，言花含露而香似之，蓋以對上「燕」字耳。第三句言其色，第四句言其態。第五、第六又因「啼笑」句來，以美人喻花，又非凡間美人可擬，故引「月姊」、「雲君」，以「仙島」、「離羣」結之，見是天所謫降者。不徒奧僻，實亦牽強支離，有心勞日拙之憾。按「月姊」二句，又用之《李花》詩，當是其得意語，實不然。義山又有《李花》詩「自明無月夜，強笑欲風天」，詠物只須如此，何必詭僻如前作。又《宿晉昌亭聞驚禽》曰：「羈緒鰥鰥夜景侵，高窗不掩見驚禽。飛來曲渚煙方合，過盡南塘樹更深。」數語寫景如畫。後聯「胡馬嘶和榆塞笛，楚猿吟雜橘村砧。失羣掛木知何限，遠隔天涯共此心」。始以「羈緒」而感「驚禽」，又因「驚禽」而思及「塞馬」、「楚猿」之失偶傷離者，雖則情深，徑路何紆折也！謝茂秦曰：「詩貴乎遠而近，凡靜室索詩，心神渺然，西遊天竺國，仍歸上黨昭覺寺，此所謂遠而近之法也。若經天竺，又向扶桑，此遠而又遠，于何歸宿？」此詩未免犯此病。

費經虞《雅倫》卷二一《瑣語》 學詩立意，要與古人顛頏，方有出頭，不當僅與眼前爭競。立意不高，則終身不免凡俗，此最是要緊處。

周容《春酒堂詩話》 有人問曰：「絕句如何鍊意？」予曰：「意在句中。」友不悟。予笑曰：「崔惠童詩『今日殘花昨日開』，若是『昨日開花今日殘』，便削然無意矣。」

王夫之《薑齋詩話》卷一《詩譯》 「采采芣苢」，意在言先，亦在言後，從容涵泳，自然生其氣象。卽五言中，《十九首》猶有得此意者，陶令差能彷彿，下此絕矣。「采菊東籬下，悠然見南山」、「衆鳥欣有託，吾亦愛吾廬」，非韋應物「兵衛森畫戟，燕寢凝清香」所得而問津也。

又 唐人《少年行》云：「白馬金鞍從武皇，旌旗十萬獵長楊。樓頭少婦鳴箏坐，遙見飛塵入建章。」想知少婦遙望之情，以自矜得意，此善於取影者也。「春日遲遲，卉木萋萋；倉庚喈喈，采蘩祁祁。執訊獲醜，薄言還歸。赫赫南仲，玁狁于夷。」其妙正在此。訓詁家不能領悟，謂婦方采蘩而見歸師，旨趣索然矣。建旌旗，舉矛戟，車馬喧闐，凱樂競奏之下，倉庚何能不驚飛，而尙聞其喈喈？六師在道，雖曰勿擾，采蘩之婦亦何事暴面于三軍之側耶？征人歸矣，度其婦方采蘩，而聞歸師之凱旋。故遲遲之日，萋萋之草，鳥鳴之和，皆爲助喜。而南仲之功，震于閨閣，室家之欣幸，遙想其然，而征人之意得可知矣。乃以此而稱南仲，又影中取影，曲盡人情之極至者也。

又 始而欲得其歡，已而稱頌之，終乃有所求焉，細人必出於此。《鹿鳴》之一章曰：「示我周行。」二章曰：「示民不佻，君子是則是效。」三章曰：「以燕樂嘉賓之心。」異於彼矣。此之謂大音希聲。希聲，不如其始之勤勤也。

又 「子之不淑，云如之何」、「胡然我念之，亦可懷也」，皆意藏篇中。杜子美之於韋左丞，亦嘗知此乎？

杜子美「故國平居有所思」，上下七首，於此維繫，其源出此。俗筆必於篇終結鎖，不然則迎頭便喝。

又 句絕而語不絕，韻變而意不變，此詩家必不容昧之幾也。「天命玄鳥，降而生商。」降者，玄鳥降也，句可絕而語未終也。「薄汚我私，薄澣我衣。害澣害否，歸寧父母。」意相承而韻移也。盡古今作者，未有不率繇乎此；不然，氣絕神散，如斷蛇剖瓜矣。近有吳中顧夢麟者，以帖括塾師之識說詩，遇轉則割裂，別立一意；不以詩解詩，而以學究之陋解詩，令古人雅度微言，不相比附。陋子學詩，其弊必至於此。

又 知「池塘生春草」、「胡蝶飛南園」之妙，則知「楊柳依依」、「零雨其濛」之聖於詩；司空表聖所謂「規以象外，得之圜中」者也。

又 謝靈運一意回旋往復，以盡思理，吟之使人卞躁之意消。《小宛》抑不僅此，情相若，理尤居勝也。王敬美謂「詩有妙悟，非關理也」，非理抑將何悟？

又卷二《夕堂永日緒論》 無論詩歌與長行文字，俱以意爲主。意猶帥也。無帥之兵，謂之烏合。李、杜所以稱大家者，無意之詩，十不得一二也。煙雲泉石，花鳥苔林，金鋪錦帳，寓意則靈。若齊梁綺語，宋人摶合成句之出處（宋人論詩，字字求出處），役心向彼掇索，而不恤己情之所自發，此之謂小家數，總在圈繢中求活計也。

又 把定一題、一人、一事、一物，於其上求形模，求比似，求詞采，求故實；如鈍斧子劈櫟柞，皮屑紛霏，何嘗動得一絲紋理？以意爲主，勢次之。勢者，意中之神理也。唯謝康樂爲能取勢，宛轉屈伸，以求盡其意，意已盡則止，殆無剩語；夭矯連蜷，煙雲繚繞，乃眞龍，非畫龍也。

又 王子敬作一筆草書，遂欲跨右軍而上。字各有形埒，不相因仍，尚以一筆爲妙境，何況詩文本相承遞邪？一時一事一意，約之止一兩句；長言永歎，以寫纏綿悱惻之情，詩本教也。《十九首》及《上山采蘼蕪》等篇，止以一筆入聖證。自潘岳以凌雜之心，作蕪亂之調，而後元聲幾熄。唐以後間有能此者，多得之絶句耳。一意中但取一句，「松下問童子」是已。如「怪來妝閣閉」，又止半句，愈入化境。近世郭奎「多病文園渴未消」一絶，髣髴得之。劉伯溫、楊用修、湯義仍、徐文長有純凈者，亦無歇筆。至若晚唐餖湊，宋人支離，俱令生氣頓絶。「承恩不在貌，教妾若爲容。風暖鳥聲碎，日高花影重。」醫家名爲關格，死不治。

又 《小雅·鶴鳴》之詩，全用比體，不道破一句，《三百篇》中創調也。要以俯仰物理，而咏歎之，用見理隨物顯，唯人所感，皆可類通；初非有所指斥一人一事，不敢明言，而姑爲隱語也。若他詩有所指斥，則皇父、尹氏、暴公，不憚直斥其名，歷數其慝，而且自顯其爲家父，爲寺人孟子，無所規避。詩教雖云溫厚，然光昭之志，無畏於天，無恤於人，揭日月而行，豈女子小人半含不吐之態乎？《離騷》雖多引喻，而直言處亦無所諱。宋人騎兩頭馬，欲博忠直之名，又畏禍及，多作影子語，巧相彈射，然以此受禍者不少。既示人以可疑之端，則雖無所誹誚，亦可加以羅織。觀蘇子瞻烏臺詩案，其遠謫窮荒，誠自取之矣。而抑不能昂首舒吭以一鳴，三木加身，則曰「聖主如天萬物春」，可恥孰甚焉！近人多效此者，不知輕薄圓頭惡習，君子所不屑久矣。

又 《大雅》中理語造極精微，除是周公道得，漢以下無人能嗣其響。陳正字、張曲江始倡《感遇》之作，雖所詣不深，而本地風光，駘宕人性情，以引名教之樂者，風雅源流，於斯不昧矣。朱子和陳、張之作，亦曠世而一遇。此後唯陳白沙爲能以風韻寫天眞，使讀之者如脫鉤而游杜蘅之沚。王伯安厲聲吆喝：「箇箇人心有仲尼。」乃游食髠徒夜敲木板叫街語，驕橫鹵莽，以鳴其「蠢動含靈，皆有佛性」之說，志荒而氣因之躁，陋矣哉！

毛先舒《詩辯坻》卷一 高手下語，唯恐意露；卑手下語，唯恐意不露。高手遺調，唯恐過于甘口，卑手反之。此古近高下之由判也。

又卷四 命意見巧，文章之賤工也。而世多聽熒，索解政少。

黄生《詩麈》卷一 凡詩腸欲曲，詩思欲癡，詩趣欲靈。意本如此，而語反如彼，或從其左右前後曲折以取之，此之謂詩腸。狂欲上天，怨思塡海，極世間癡絶之事，不妨形之於言，此之謂詩思。以無爲有，以虛爲實，以假爲眞，靈心妙舌，每出常理之外，此之謂詩趣。

又 詩腸之曲，如岑參：「勤王敢道遠，私向夢中歸。」（本怨赴邊庭歸期難必，語故如此。）杜甫：「漸喜交遊絶，幽居不用名。」（本怨交遊絶迹，反以喜言也。）又：「萬方頻送喜，無乃聖躬勞。」（非恐聖躬勞于應接，正恐聖心狃目前收京之喜，不爲剪滅朝食之計耳。所以知詩中有此意者，因上文有「雜虜橫戈數，功臣甲第高」二語，故結句云云。可謂妙於立言矣。）詩思之癡，如李白：「剗卻君山好，平鋪湘水流。巴陵無限酒，醉殺洞庭秋。」如杜甫：「斲卻月中桂，清光應更多。」如萬楚：「河水浮落花，花流東不息。應見浣紗人，爲道長相憶。」詩趣之靈，如李白：「歲晚或相訪，青天騎白龍。」又：「白髮三千丈，緣愁似個長。不知明鏡裏，何處得秋霜。」杜甫：「山鬼迷春竹，湘娥倚暮花。」李洞：「硯磨青露月，茶吸白雲鐘。」唐人惟具此三者之妙，故風神灑落，興象玲瓏。自宋以後，此妙不傳，所以用盡氣力，終難追配唐賢，爲此故也。

又 今之作者，惟不能命意，徒求工於字句，故避熟趨生，避舊趨新。若知命意，則生卽在熟之中，新不出舊之內。蓋立意不猶人，則神骨自超，風度自異，若區區在字句求新，神骨依舊凡下，氣度依舊猥衰，是猶村漢著新衣，何足令人改觀，徒增醜態而已。

裘行簡《譚詩管見·題跋》 作文者，辭達理擧，惟求其是，作詩寧獨不然。卽玉溪生號爲「獺祭」，然亦必以意勝，醞釀深厚，正自托諷。否則塗脂抹粉，滿幅詞華，而按其意趣，竟不解何謂，寧尚合於言志之旨歟？

魏禧《魏叔子文集》卷九《唐邢若詩叙》 今天下詩稱極盛矣，然論者以爲漢魏三唐皆可學而至，獨《三百篇》則不能；予則謂漢、魏、三唐，人庸有學之而不至，《三百篇》詩，特患人不欲爲，欲之顧未有不能者。蓋《三百篇》，學士大夫以至征夫思婦皆有之，不假學問，而能工者，意眞也。人無眞意而求工于詩，辟猶附塗而粉澤之，施以繪彩，則幾何其能久也。

魏禮《魏季子文集》卷七《愁藪詩序》 昔之論詩者，不尙言理，不尙使事，而在乎虛靈渾灝，得自然之境，穩順于聲律，令無底滯，以爲言理則氣累，使事多則實而不靈，有垂風雅之道。然而言理者，雅頌不勝指矣，如風之蓁竹、秉心塞淵、淑愼其身之類，何嘗不言理也？東山、七月、公劉、奕蕩之章，何嘗不使事使物也？又以爲詩之敎，溫柔敦厚，稍涉怒張者，非詩之旨；而巷伯、牆茨，何以列諸風雅乎？蓋喜怒哀樂，自然之情，善作詩者，不泥夫理與事，喜怒哀樂緣情而抒寫，其所謂虛靈渾灝、溫柔敦厚者自在也。故天不以日月星辰爲累，亦不以晴淑而廢風雷雪霜，因時而動，成歲功，以授民事，固自然之境。

王士禛《帶經堂詩話》卷二九 問：蕭亭先生論詩修辭爲要，辭佳而意自在其中，未達其旨。以意爲主，以辭輔之，不可先辭後意。

又 問：又云鍊句不如鍊字，鍊字不如鍊意，意何以鍊？鍊意或謂安頓章法，慘淡經營處耳。

田雯《古懽堂集》卷二四《楓香集序》 詩變而日新，則造語命意必奇，皆詩人之才與學爲之也。夫新，非矯也，天下事無一不處日新之勢，況詩乎！顧以詩之新者，譬之文錦焉，織以天孫之巧，濯以蜀江之波，而後天吳紫鳳其色鮮也。又如湛盧焉，采五山之鐵精，鎔六合之金英，而後龜文縵理，其鋒淬也。不然今之爲詩沿常襲故，率以舊窠俳體充斥滿前，是殆今與昔一丘之貉。是以塵飯土羹充大官之饌也，可乎哉？卽曰奇亦非怪與誕也。自有風雅以來，學者之心思日出，陵今轢古，自具機軸。昌黎所云「巧匠斵山骨」、「險語破鬼膽」，庶幾近之。若夫詩中奇字亦前人所不廢。班馬等賦所以使人傾耳嵬目者，正由時出奇字以映帶於行墨之間耳。吾黨之士，雅懷復古，其誰不願熏班馬之香，而上子雲之亭也耶？

又《石樓和蘇詩序》 昔人作詩有擬古者，無追和古人者。追和古人，見於蘇公之和陶。當公謫居儋耳，寘家羅浮之下，獨攜幼子過負擔渡海，葺茅竹而居之，日啗薯芋，因自謂半生出處較淵明爲有愧，故欲以晚節規摹其萬一。今按其詩，自《時運》以至劉柴桑，凡一百有九篇，大略依陶韻爲之。至其記事用意，則又兩人各不相襲，以是知詩道之大，惟眎其人自爲闢闔，而非一切拘牽聲韻者所得參也。世之爲和詩者，吾竊疑之。河梁之詠，彼訓此唱，已發其端，讀之如見蘇、李當日促席對語時。魏、晉而下，以迄於唐，和詩者日衆，然有意相呼應而韻別者，有用韻而頓放次第各異者。步韻之詩，唐元、白、皮、陸諸家爲最，而後之學詩者，遂尊之。卷舌同聲，擬足並跡，搰搰役於一家之體製，一時之情事，其爲詩豈復知有變化哉。

張謙宜《絸齋詩談》卷一 詩家不許於詩中談理，亦有所見。蓋理由我運，則操縱如意，或虛或實，或大或小，隨其識力所到，變沒隱見於語言外者，皆詩之根也。若以我聽理，非十成死語不敢下，非陳陳相因者不敢言，由是板木臃腫，酸腐油膩之病，交萃一時，雖澡洗頻加，舊性難改，順口而成，依然塵土，其於詩也，愈遠愈支，不可救藥矣。且古人文章各有體裁，若令詩專主於理，不主於比興風雅，卽何不爲有韻之《四書》、《五經》，而須後人之叨叨置喙耶！況善談理者，不滯於理，美人香草，江漢雲霓，何一不可依託，而直須仁義禮智不離口，太極天命不去手，始謂之談理乎？願與主持斯道者共商之。

又 文章名理，世鮮兼長。詩非不要理，只是人不能於詩中見理耳。理無不包，語無不韻者，《三百篇》之《雅》、《頌》是也。不必以理爲名，詩妙而理無不通者，《離騷》以訖漢、魏是也。但求詞佳不墮理窠者，兩晉、六朝以訖三唐是也。祇求理勝不暇修詞者，程、朱、邵子輩是也。風氣日下，得一層必失一層，若天限之，生古人以後者，何處下手？詩中談理，肇自三《頌》。宋人則直洩道祕，近於鈔疏，將古法婉妙處，盡變平淺，反覺腐而可厭。

又卷三 造意是詩骨，故居第一。然意有雅俗、直婉、淺深、順逆、續斷之不同，何可不審？且如遊山看花，本是雅事，故作清態向人，便是俗；贈答衣冠，本是俗事，其中若有道義交情，眞摯不可沒處，亦何傷雅。又如刺則宜直，諷則宜婉，然終不如婉之妙。譬如清溪垂釣，雖淺亦足得魚；大海探珠，非深不能獲寶。續斷之妙，如晴絲裊樹，落花點水，正於零零碎碎中有全體一氣之妙。凡此數者，機到便應，若是先下安排，便不活不神。

又 詩，與其詞勝於意，毋寧意勝於詞。蓋意尙可以生詞，詞必不能生意也。詩之工拙，有先判於字句之前者，只是爭箇意思好不好。所謂思路，亦卽行於意中；所謂識見，亦卽寓於意中；所謂胸襟，亦卽見於意中。人生惟識見胸次不可勉強，當隨其閱歷學問以漸而高。至思路，則要當下便擴充，初借古人詩以引之，繼用吾之心以通之，博考今人得失以驗之，久久自有得力矣。近人思路膚淺者有二病：一是憚於用心，苟且自了；一是聞見不廣，無所揀擇。譬如莊家漢走到縉紳班中，所說不過是耕種話，緣他胸中止有一事，其識見亦拘於此耳。故讀書明理，博物洽聞，皆所以養吾識而啓吾思者也。

趙執信《談龍錄》 崑山吳修齡論詩甚精，所著《圍爐詩話》，余三客吳門徧求之不可得。獨見其與友人書一篇，中有云：「詩之中，須有人在。」余服膺以爲名言。夫必使後世因其詩以知其人，而兼可以論其世，是又與於禮義之大者也。若言與心違，而又與其時與地不相蒙也，將安所得知之而論之？修齡又云：「意喻之米，文則炊而爲飯，詩則釀而爲酒。飯不變米形，酒則變盡。噉飯則飽，飲酒則醉。醉則憂者以樂，喜者以悲，有不知其所以然者。如《凱風》、《小弁》之意，斷不可以文章之道平直出之也！」至哉言乎！余讀《金史·文藝傳》，眞定周昂德卿之言曰：「文章工於外而拙於內者，可以驚四筵而不可以適獨坐，可以取口稱而不可以得首肯。」又云：「文以意爲主，以言語爲役。主強而役弱，則無令不從。今人往往驕其所役，至跋扈難制，甚者反役其主。雖極詞語之工，而豈文之正哉！」余不覺俛首至地。蓋自明代迄今，無限鉅公，都不曾有此論到胸次。嗟乎，又何尤焉！始學爲詩，期於達意。久而簡澹高遠，興寄微妙，乃可貴尚。所謂言見於此而起意在彼，長言之不足而咏歌之者也。若相競以多，意已盡而猶刺刺不休，不憶祖詠之賦《終南積雪》乎！

沈德潛《說詩晬語》卷上 諷刺之詞，直詰易盡，婉道無窮。衛宣姜無復人理，而《君子偕老》一詩，止道其容飾衣服之盛，而首章末以「子之不淑，云如之何」二語逗露之；魯莊公不能爲父復讐，防閑其母，失人子之道，而《猗嗟》一詩，止道其威儀技藝之美，而章首以「猗嗟」二字譏歎之。蘇子所謂不可以言語求而得，而必深觀其意者也。詩人往往如此。仲初《當窗織》云：「當窗卻羨青樓倡，十指不動衣盈箱。」人卽無志節，何至羨青樓倡邪？文昌《節婦吟》云：「感君纏綿意，繫在紅羅襦。」贈珠者知有夫而故近之，更褻於羅敷之使君也，猶感其意之纏綿耶？雖云寓言贈人，何妨圓融其辭，然君子立言，故自有則。

又卷下 用意過深，使氣過厲，抒藻過穠，亦是詩家一病。故曰「穆如清風」。意主渾融，惟恐其露；意主蹈厲，惟恐其藏。究之恐露者味而彌旨，恐藏者盡而無餘。朱子云：「《楚詞》不皆是怨君，被後人多說成怨君。」此言最中病痛。如唐人中少陵故多忠愛之詞，義山間作風刺之語，然必動輙牽入，卽偶爾賦物，隨境寫懷，亦必云主某事，刺某人，水月鏡花，多成粘皮帶骨，亦何取耶？

又 詩貴寄意，有言在此而意在彼者。李太白《子夜吳歌》本閨情語，而忽冀罷征；《經下邳圯橋》本懷子房，而意實自寓；《遠別離》本詠英皇，而借以咎肅宗之不振、李輔國之擅權。杜少陵《玉華宮》云「不知何王殿，遺搆絕壁下」，傷唐亂也；《九成宮》云「巡非瑤水遠，跡是雕牆後」，垂夏殷鑑也；他若諷貴妃之釀亂，則憶王母於宮中；刺花敬定之僭竊，則想新曲於天上。凡斯託旨，往往有之。但不如《三百篇》有小序可稽，在讀者以意逆之耳。

方世舉《蘭叢詩話》 詩要有理，不是「萬物靜觀皆自得，四時佳興與人同」纔爲理。一事一物皆有理，祇看《左傳》臧孫達之言「先王昭德塞違者，如昭其文也」之類，皆是說理，可以省悟於詩。杜牧之叙李賀集，種種言其奇妙，而要終之言曰：「稍加以理，奴僕命《騷》可也。」可見詞雖有餘而理或不足是大病。

田同之《西圃詩說》 古人詩意在言外，故從容不迫，蘊蓄有味，所謂溫厚和平也。若劍拔弩張，無所不至，祇自形其橫俗之態耳，何詩之有？

薛雪《一瓢詩話》 人知作詩避俗句，去俗字，不知去俗意尤爲要緊。

又 看詩須知作者所指，纔是賈胡辨寶。若一味率執己見，未免有吠日之誚。一友作《秋雨》詩，首句云：「雨入秋來密。」蓋實指其時也。有人評之曰：「起句太率。嫌入春、入夏、入冬皆可。」余聞之，不覺失笑。其友詰余，余曰：「非敢笑君也。我笑杜浣花『年過半百不稱意』，亦覺太率。人生不稱意，三十、四十、六十、七十皆可，何獨半百耶？」一時座客無不絕倒。

又 用前人字句，不可幷意用之。語陳而意新，語同而意異，則前人之字句，卽吾之字句也。若蹈前人之意，雖字句稍異，仍是前人之作，嚼飯喂人，有何趣味？

又 昌黎先生云：「陳言務去。」可知不去陳言，終無新意。能以陳言而發新意，纔是大雄。古今來能有幾人？若以餖飣爲有出，拾綴爲搴神，已落前人圈閫，豈能自見性情？

李重華《貞一齋詩話》 吾鄉顧茂倫先生有《英華選本》，名噪當時。聞其教人作詩云：「凡意境平淡，須用奇險字樣；命意奇傑，須用平近語言。」余幼即懷疑久之，及後徧閱古人詩，知斷無是理，想其徒妄託師說。夫詩以運意爲先，意定而徵聲選色，相附成章；必其章、其聲、其色，融洽各從其類，方得神彩飛動，所謂「言語通眷屬」是也。今必意詞相背，譬猶傀長風寫作靜水；烘澹月繪作頹雲，無怪守其言者，終身不得佳作也。

黃子雲《野鴻詩的》 命題何者爲最難？一曰樂府，蓋古人作之者多也。詞意要必由中而發，不拾先進唾餘，寄託有在，方見我之志慮，方成吾之文章，且聲調又與古風異。一曰記事，太詳則語冗而勢渙，故香山失之淺；太簡則意闇而氣餒，故昌谷失之促。二者均有過不及之弊，非有才氣溢涌、手眼兼到者不能。一曰咏物，不達物之理，即狀物之情，物理易明，物情難肖。有唐咏物諸什，少陵外無一可者，唯玉谿差得二三，然少全作。大抵才識淺者，不能刻入正面，取其省力易爲，或比擬，或夾寫，如是而已。雖雕文鏤采，曼聲逸韻，惡能切其繁而嚌其胾哉？第正面易於窒礙，窒礙復近乎猜謎，則非空靈不可也。空靈而後物情得。由此推之，卉木也，飛走也，煙雲也，山川也，狀之無難事矣。

又 詩固有引類以自喻者，物與我自有相通之義。若「錦瑟無端五十絃，一絃一柱思華年」，物我均無是理。「莊生曉夢」四語，更又不知何所指，必當日獺祭之時，偶因屬對工麗，遂强題之曰「錦瑟無端」，原其意亦不自解，而反弁之卷首者，欲以欺後世之人，知我之篇章興寄，未易度量也。子瞻亦墮其術中，猶斤斤解之以適、怨、清、和，惑矣！《馬嵬》詩云：「如何四紀爲天子，不及盧家有莫愁？」何擬人不倫乃爾？《蜀中離席》詩，上半酷傚少陵，頸聯云：「座中醉客延醒客，江上晴雲雜雨雲。」此乳臭語耳；雖從「桃花細逐楊花落，黃鳥時兼白鳥飛」二句脱來，薰蕕判然。若「美酒成都堪送老，當罏仍是卓文君」，又入魔鬼道矣。《隋宮》詩：「玉璽不緣歸日角，錦帆應是到天涯。」「日角」非太宗然也，前代之君亦有之，況二字究未能穩貼，明知先有下句，不得已借以强對；然只此一聯，語雖工而作意何在？唯《韓碑》一首乃爲可取，惜「彼何人哉軒與羲」句，惡劣不堪誦耳。

鄭燮《板橋集·與舍弟書十六通·范縣署中寄舍弟墨第五書》 作詩非難，命題爲難。題高則詩高，題矮則詩矮，不可不慎也。少陵詩高絕千古，自不必言，即其命題，已早據百尺樓上矣。通體不能悉舉，且就一二言之：《哀江頭》、《哀王孫》，傷亡國也；《新婚別》、《無家別》、《垂老別》、《前、後出塞》諸篇，悲戍役也；《兵車行》、《麗人行》，亂之始也；《達行在所》三首，慶中興也；《北征》、《洗兵馬》，喜復國望太平也。只一開卷，閲其題次，一種憂國憂民忽悲忽喜之情，以及宗廟丘墟，關山勞戍之苦，宛然在目。其題如此，其詩有不痛心入骨者乎！至于往來贈答，杯酒淋漓，皆一時豪傑，有本有用之人，故其詩信當時，傳後世，而必不可廢。放翁詩則又不然，詩最多，題最少，不過山居、村居、春日、秋日、即事、遣興而已。豈放翁爲詩與少陵有二道哉？蓋安史之變，天下土崩，郭子儀、李光弼、陳元禮、王思禮之流，精忠勇略，冠絕一時，卒復唐之社稷。在《八哀詩》中，既略敍其人；而《洗兵馬》一篇，又復總其全數而贊歎之，少陵非苟作也。南宋時，君父幽囚，棲身杭越，其辱與危亦至矣。講理學者，推極于毫釐分寸，而卒無救時濟變之才；在朝諸大臣，皆流連詩酒，沉溺湖山，不顧國之大計。是尚得爲有人乎！是尚可辱吾詩歌而勞吾贈答乎！直以山居、村居、夏日、秋日，了卻詩債而已。且國將亡，必多忌，躬行桀、紂，必曰駕堯、舜而軼湯、武。宋自紹興以來，主和議，增歲幣，送尊號，處卑朝，括民膏，戮大將，無惡不作，無陋不爲。百姓莫敢言喘，放翁惡得形諸篇翰以自取戾乎！故杜詩之有人，誠有人也；陸詩之無人，誠無人也。杜之歷陳時事，寓諫諍也；陸之絕口不言，免羅織也。雖以放翁詩題與少陵並列，奚不可也！近世詩家題目，非賞花即讌集，非喜晤即贈行，滿紙人名，某軒某園，某亭某齋，某樓某巖，某村某墅，皆市井流俗不堪之子，今日纔立別號，明日便上詩箋。其題如此，其詩可知，其詩如此，其人品又可知。吾弟欲從事于此，可以終歲不作，不可以一字苟吟。慎題目，所以端人品，厲風教也。若一時無好題目，則論往古，告來今，樂府舊題，儘有做不盡處，盍爲之。

袁枚《隨園詩話》卷二 詩無言外之意，便同嚼蠟。杭州俞蒼石秀才《觀繩伎》云：「一綫騰身險復安，往來不厭幾回看。笑他着腳寬平者，行路如何尚說難？」又：「雲開晚霽終殊旦，菊吐秋芳已負春。」皆有意義可思。嚴冬友壯年不仕，《韋曲看桃花》云：「憑君眼力知多少，看到紅雲盡處無。」

又卷五 詩須善學，暗偷其意，而顯易其詞。如《毛詩》云：「嗟我懷人，寘彼周行。」唐人學之云：「提籠忘採葉，昨夜夢漁陽」是也。唐人詩云：「憶得去年春風至，中庭桃李映瑣窗。美人挾瑟對芳樹，玉顏亭亭與花雙。今年花開如舊時，去年美人不在茲。借問離居恨深淺，只應獨有庭花知。」宋人學之云：「去年除夕歸自北，行李到門天已黑。今年除夕客南方，雪滿關山歸不得。老妻望我眼將穿，只道今年似去年。古樹夕陽鴉影亂，猶同小女立門前。」

又卷六 司空表聖論詩，貴得味外味。余謂今之作詩者，味內味尚不能得，況味外味乎？要之，以出新意、去陳言爲第一着。《鄉黨》云：「祭肉不出三日，出三日，則不食之矣。」能詩者，其勿爲三日後之祭肉乎！

又卷一四 寫景有句同而意不同者：元人云：「石壓筍斜出。」宋人云：「斷橋斜取路。」近人劉春池云：「鳥喧晴樹樂于人。」魯星村云：「炎天几席熱于人。」嘯村云：「雪中無陋巷。」星村云：「遠岸無高樹。」皆句同而意不同也。亦有句不同而意同者，如：「岸闊樹難高」、「遠樹浪頭生」，與「遠岸無高樹」意思相同，皆不害其爲佳也。詩以進一步爲佳：杜門懸車，高尚也；而張寶臣《致仕》云：「門爲看山寧用杜？車還駕鹿不須懸。」別離，苦事也；而黃石牧《送別册子》云：「一度送行傳一畫，人生那厭別離多。」《寄衣》，古曲也；而盛青嶁《出門》云：「檢點篋中裘葛具，早知別後寄衣難。」「打起黃鶯兒」，懼驚夢也；而朱受新《春鶯》云：「任爾樓頭啼曉雨，美人夢已到漁陽。」

又卷一五 詩能令人笑者必佳。雲松《咏眼鏡》云：「長繩雙目繫，橫橋一鼻跨。」古漁《客邸》云：「近來翻厭夢，夜夜到家鄉。」張文端公云：「姑作欺人語，報國在文章。」尹似村《詠貧》云：「笥能有幾衣頻典，錢値無多畫幸存。」劉春池《立春》云：「門前久已無車馬，尙有人來送土牛。」古漁《哭陳楚鈞》云：「才可閉門身便死，書生強健要飢寒。」蔣心餘《咏京師雞毛炕》云：「天明出街寒蟲號，自恨不如雞有毛。」香亭和余《咏帳》云：「垂處便宜人語細。」余乍讀便笑。香亭問故，余曰：「縱粗豪客，斷無在帳中喊叫之理。」又《咏杖》曰：「隔戶聲先步履來。」皆眞得妙。

又《隨園詩話補遺》卷一〇 詩有見道之言，如梁元帝之「不疑行舫往，惟看遠樹來。」庾肩吾之「只認己身往，翻疑彼岸移。」兩意相同，俱是悟境。王梵志云：「昔我未生時，冥冥無所知。天公忽生我，生我復何爲。無衣使我寒，無食使我饑。還你天公我，還我未生時。」八句是禪家上乘。陳後山云：「美人梳洗時，滿頭間珠翠。豈知兩片雲，戴著幾村稅。」四語是《小雅》正風。

又《小倉山房詩集》卷二《意有所得輒書數句》 落筆不經意，動乃成蘇韓。將文用韻耳，揮霍非所難。須知此兩賢，騷壇別樹旛。白象或可駕，朱絲未容彈。畢竟詩人詩，刻苦鏤心肝。

又《隨園尺牘》卷一〇《答祝芷唐太史》 欲作好詩，先要好題。必須山川關塞離合悲懽，纔足以發抒情性，動人觀感。若不過今日賞花，明日飲酒，同寮爭逐，吮墨揮毫，剔齱無休，多多益累，縱使李、杜復生，亦不能有驚人之句，況我輩生於今日，求傳尤難，九州大矣，詩人多矣，家家鶴漆，戶戶犀渠，敝帚千金，堆箱塞架，問肯翻於一卷者，有幾人哉？劉勰云：陸士龍亦有鋒穎而諛辭不剪，終累文骨。元相云：欲得人人服，須敎面面全。君子多乎哉？不多也！閣下才豪氣猛，同唱和者又才出公下，所到披靡，因之易於語言，動輒刺刺，使人讀之，惟恐其不了，語多生煩，韻多必湊，此一定之勢也。據鄙見宜加烹煉，直者曲之，來者拒之，易者難之，淺者深之，伉爽者蘊藉之，如陳年之酒，一石僅存數升，百鍊之鋼千爐纔鑄一劍，自然神光照耀，意味深長，精兵三千，勝羸師十萬。

楊際昌《國朝詩話》卷一 作詩貴有達識。嚴陵釣臺詩，往往說成千古人品只有隱逸，甚而揶揄光武，菲薄雲臺，尤可哂也。遼陽蘇小眉（良嗣）七言古詩結云：「試想羊裘老子非熊翁，隱顯雖殊道則同。丈夫遭遇各有命，何事拘牽形迹中！」最爲豁達。

曾廷枚《西江詩話》卷下 林確齋云：「世人論詩稍涉道理，便云殊有宋氣。其實出之精蘊，便是風雅至處。說理精實者，雅、頌蓋不勝指矣。如《風》之『瞻彼淇澳，秉心塞淵』之類，亦得概異宋氣目之乎？」

方薰《靜居緒言》 詩有議論者，有含意者，只在其詩之當與否。以謂詩必不可着議論，則便有壞塹造作之僞。古詩之作，徐行以達其意，疾赴以合其節，竅之以發其機，縱之以趁其勢，勒之以致其力，揚之以取其態，抑之以蓄其氣，涵之以完其神，虛之以生其韻，實之以固其理，轉之以出其論，反之以足其趣。興會情遙，語闌意在，則不盡之味得矣。

又 客有過余，論五、七言律詩，何以爲妙境？余曰：「細按自來語論，無過杜陵『意愜關飛動，篇終接混茫』二語，包羅殆盡。」

又「意在筆先」，此喫緊語。往往詩有一二累字，改之則句乏老致，存之則不無瑕疵。昔人所謂易字難于代句，蓋患在不先陶鑄于胸中，至有躊躇于筆下。東坡有云：「沙在米或當棄，在飯或當揀，在口則不能去，必欲棄則飯俱矣。」好詩如天地自然之氣以成之物，探索而不卽得者，猶玉之在璞，金之在冶，非錐鑿爐橐之工不獲也。

又《山靜居詩話》 詩貴有不盡意，然亦須達意。意達與題清切而不模糊，措語妙者，則曲折如意，頭頭是道。溧陽彭光斗賁園詩最達意，人所不能狀之情景，極會出之筆下。

洪亮吉《北江詩話》卷二 詩人愛用六朝，然能出新意者亦少。惟陳布衣毅《牛首山》詩極爲警策，云：「似愁人世興亡速，不肯回頭望六朝。」

又 詩人用意，有不謀而合者，宋陳子高詩云：「涙眼生憎好天氣，離腸偏觸病心情。」而吾友汪助教端光云：「並無歧路傷離別，正是華年算死生。」雖取徑各別，而用意則同。然二聯亦皆前人所未道也。

又卷五 詩奇而入理，乃謂之奇。若奇而不入理，非奇也。盧玉川、李昌谷之詩，可云奇而不入理者矣。詩之奇而入理者，其惟岑嘉州乎！如《遊終南山》詩：「雷聲傍太白，雨在八九峯。東望紫閣雲，西入白閣松。」余嘗以乙巳春夏之際，獨遊南山紫、白二閣，遇急雨，回憩草堂寺，時原空如沸，山勢欲頹，急雨劈門，怒雷奔谷，而後知岑之詩奇矣。又嘗以己未冬杪，謫戍出關，祁連雪山，日在馬首，又晝夜行戈壁中，沙石嚇人，沒及髁膝，而後知岑詩「一川碎石大如斗，隨風滿地石亂走」之奇而實確也。大抵讀古人之詩，又必身親其地，身歷其險，而後知心驚魄動者，實由於耳聞目見得之，非妄語也。

法式善《梧門詩話》卷一〇 言者無罪，聞者戒，故曰風。曾記蔣心餘《絕句》云：「寒飈半渡阻前之，罷誦南風解慍詩。悟到人生無逆境，保全只在轉頭時。」頃見陸筱飲山水小幀上題云：「輕舟齊趁大江大，浪捲濤飛欲拍空。莫以好風帆力健，最難收是急流中。」寄託深遠，併合風人之旨。

袁潔《蠡莊詩話》卷三 詩帶諷刺最妙。常州蔣二松嗣曾《詠鼠》云：「終日鑽營常索索，每思傾軋更支支。花陰不少狸奴在，憐爾飛揚得幾時。」《自題二松圖小照》云：「天公派就堪憎樣，白眼看人過一生。」《寄楊斐園》云：「男兒別有千秋業，金紫豪華得幾年。」

又 作詩各有命意之所在，後人不可輕於改易。《續山左詩鈔》中盛名諸公之外，餘皆有所點竄。如趙秋谷幼女趙慈詩《立冬前二日雨》云：「換節連宵雨，催寒半夜霜。」或改爲「屋塌經旬雨，衣單半夜霜。」又《絕句》云：「西廊月轉無人到，自折荷花帶露歸。」妙在西廊月轉以起「歸」字意，或改爲西池，且言西廊何以有荷。某友笑曰：「假如汝不居水底不食魚蝦耶？」因有呈請學使，不欲其先人詩入刻者，學使復加校閲，板多穵補，然眞贋已過半矣。

延君壽《老生常談》 詩無新意，讀之不能發人性靈。人每謂非不能作新語，生於古人後，已被其說盡了，更從何處說起。此皆隔鞾搔癢，不肯深入，讀書顢頇，以欺人自欺耳。果能得間而入，何患無新意。今錄黃仲則詩，以作一證：「子雲耽清淨，家貧常晏如。奇字世不識，不知讀何書？苦爲玄秘言，惜此名山軀。後塵匪能步，尙哉珍令譽。」夫以舉世不識之奇字而一人讀之，則所讀究是何書，必深有識之疑。往日頗有此意，解人先得之耳。「古交戒情盡，今交患情離。苦自留其餘，不知將贈誰？寶劍既心許，慨然脫相遺。安用挂樹日，悲此宿草爲！」慧心慧眼，方許讀書。又一首云：「行行向京洛，冠蓋織古今。疲極或慨息，偶云慕泉林。長揖挽之去，至竟非其心。朝來出門望，車迹恐不深。驚流少潛魚，疾飈無安禽。亮矣子陵釣，愍哉嵇生琴！」此種事向來沒人好意思說破，此竟直抉其心，用「長揖挽之」云云，仲則大是刻薄鬼。

宋咸熙《耐冷譚》卷五 理學語難以入詩，入詩輒陳腐。惟能借景寓意，高渾不露乃佳。昌黎詩：「池光天影共青青，拍岸纔添水數餅。坐待夜深明月去，試看涵泳幾多星。」東坡詩：「山耶雲耶遠莫知，煙空雲散山依然。」皆理語也，而超妙如此。杜子美：「水流心不競，雲在意俱遲。」亦理語也，超妙又在韓、蘇之上。若朱子《武夷山櫂歌》則較露矣。

厲志《白華山人詩說》卷一 作詩務在足意，意不足，詩可不作。每讀古樂府之佳者，皆有無限深意在內，發而爲文，千古不朽。後世徒以時流之筆仗，描繪古詞之膚末，讀之總不動人心目，由其少眞意也。唐人樂府，太白最多，太白唯借其名目，運以己意，甚有與古詞絕不相似者，此其所以爲佳。

又 古人作詩，因題得意，因意得象，本是虛懸無著，偶有與時事相隱合者，遂牽強附會，徒失眞旨。不知古人之詩，如仁壽殿之鏡，向著者自然了了寫出，于鏡無與也。孫幼連云：「吾儕作詩，非有心去湊合人事，是人事偶然來撞著我，卽以我爲人事而發亦可。」亦卽此意也。

又 今人作詩，氣在前，以意尾之。古人作詩，意在前，以氣運之。氣在前，必爲氣使，意在前，則氣附意而生，自然無猛戾之病。劉公幹詩，讀之亦無甚深意。意依情生，情厚則意與俱厚，祇覺纏綿悱惻，縈繞簡編，十日不散。其詩之勝人處，實其情之過人所致。

方東樹《昭昧詹言》卷一 漢、魏、阮公、陶公、杜、韓皆全是自道己意，而筆力強，文法妙，言皆有本。尋其意緒，皆一綫明白，有歸宿，令人了然。其餘名家，多不免客氣假象，並非從自家胸臆性眞流出。如醴陵《雜擬》、陸士衡等《擬古》，吾不知其何爲而作也。惟大家學有本源，故說自己本分話，雖一滴一勺，一卷一撮，皆足見其本。孟子所謂「容光水瀾」也。如是方合於興、觀、羣、怨六義之旨。

又 古人詩文無不通篇一意到底者。此是微言，須深思玄悟，毋忽！

又 屈子之詞與意，已爲昔人用熟，至今日皆成陳言，故《選》體詩不可再學，當懸以爲戒。無知學究，盜襲坌集，自以爲古意，令人憎厭。故貴必有以易之，令見自家面目。否則人人可用，處處可移。此杜、韓、蘇、黄所以不肯隨人作計，必自成一家，誠百世師也。大約古人讀書深，胸襟高，皆各有自家英旨，而非徒取諸人。夫屈子幾於經，淺者昧其道而襲其辭，安得不取憎於人。朱子論柳宗元《對天問》，以爲學未聞道，而誇多衒巧之意，猶有雜乎其間。柳此文乃以正屈子者而猶然，況不及柳者乎？

又 屈子、杜公時出見道語、經濟語，然惟於旁見側出，忽然露出乃妙；若實用於正面，則似傳注語錄而腐矣。或卽古人指點，或卽事指點，或卽物指點，愈不倫不類，愈見妙遠不測。苦語亦然，不宜自己正述，恐失之卑儉寒乞；若說則索興說之，須是悲壯蒼凉沈痛，令人感動心脾，如《奉先述懷》等作。

又 固貴立意，然古人只似帶出，似借指點，或借證明，而措語又必新警，從無正衍實說。此當於《十九首》、漢、魏、阮公求之。若袁宏《咏史》，實謇滯吃吶，叔夜《贈二郭》，鋪陳平鈍，皆無足取。今世詩人，咏懷擬古，祇解辦此而已。

又 但從詩作詩，而詩外無餘境道理，則祇成爲詩人而已。古人所以必言之有物，自己有眞懷抱。故曰：「乃知君子心，用才文章境。」又曰：「詩罷地有餘，篇中發清省。」又曰：「高懷見物理，詩家一標準。」「清詩近道要，識子用心苦。」「情窮造化理，學貫天人際。」若但從古人句格尋求，而不得其用意，非落窠臼，卽成模擬形似。或能造眞理，詩外有餘境矣，而才力不雄，句法不妙，不快人意，又成鈍根。

又 意已經前人說過，切忌襲用。或借作證，或借指點作慨歎。如魏武帝用微子、《東山》詩，劉越石用太公諸人，而自己行文以驅使之則可。

又 凡作文與詩，有一題本分所當有者，有作家自己才學識襟抱之所有者。既自家有才有學識，又必深有得於古人，眞傳一脈，方爲作者。若僅於詞足盡題，奚有異觀。

又 用意高深，用法高深，而字句不典不古不堅老，仍不能脫凡近淺俗。故字句亦爲文家一大事。

又 不知用意，則淺近；不知用法，則板俗；不知選字造語，則滑熟平易。

潘德輿《養一齋詩話》卷一 詩有一字訣，曰「厚」。偶詠唐人「夢裏分明見關塞，不知何路向金微」，「欲寄征鴻問消息，居延城外又移軍」，便覺其深曲有味。今人只說到夢見關塞，託征鴻問消息便了，所以爲公共之言，而寡薄不成文也。

又 詩最爭意格。詞氣富健矣，格不清高，可作而不可示人；格調清高矣，意不精深，可示人而不可傳遠。有以論意格爲腐談者，中其所短故耶？

陳世鎔《求志居集》卷二七《與陳作甫書》 沈朗亭謂弟去其應酬之作，可以名家。夫名家何敢當，然謂應酬卽不名家，則似非也。凡倫類之交接，以詩文相贈答，皆應酬也。要有眞意貫乎其中，題應酬而文固非應酬。若《三百篇》讌饗通用之樂，不必詞之協乎其人，以今觀之，則亦應酬之作，而夫子不刪，蓋其作之時，必有不能已于應酬之故。而亦不可以過量，故只能以通用之詞應酬之，而頌美之中不忘規戒，其旨趣固自可尋也。

王壽昌《小清華園詩談》卷上 何謂是非取捨？曰：好賢如《緇衣》，惡惡如《巷伯》，故賢愚不分，不足以論人；是非不辨，不足以論事；取捨不明，不足以御事變而服人心。是故太沖《詠史》，其是非頗不乖人心所同然；嗣宗《詠懷》，其予奪幾可繼《春秋》之筆削。他如陶題甲子，見受禪之非宜；

謝過廬陵，雪沉冤于既死。此後惟杜工部，論事則云：「幽薊餘蛇豕，乾坤尚虎狼。諸侯春不貢，使者日相望。愼勿吞青海，無勞問越裳。大君先息戰，歸馬華山陽」（《有感》，下同）。「丹桂風霜急，青梧日夜凋。由來強幹地，未有不臣朝。授鉞親賢往，卑宮制詔遙。終依古封建，豈獨聽簫韶！」又：「韓公本意築三城，擬絶天驕拔漢旌。豈謂盡煩回紇馬，翻然遠救朔方兵？胡來不覺潼關隘，龍起猶聞晉水清。獨使至尊憂社稷，諸君何以答昇平」（《諸將》，下同）。「回首扶桑銅柱標，冥冥氛祲未全銷。越裳翡翠無消息，南海明珠久寂寥。殊錫曾爲大司馬，總戎皆插侍中貂。炎風朔雪天王地，只在忠臣翊聖朝。」論人則如：「蜀主窺吳幸三峽，崩年亦在永安宮。翠華想像空山裏，玉殿虛無野寺中。古廟杉松巢水鶴，歲時伏臘走村翁。武侯祠屋常鄰近，一體君臣祭祀同」（《詠懷古蹟》，下同）。「諸葛大名垂宇宙，宗臣遺像肅清高。三分割據紆籌策，萬古雲霄一羽毛。伯仲之間見伊呂，指揮若定失蕭曹。運移漢祚難恢復，志決身殲軍務勞。」如此等作，讀之可見其經濟之實學，筆削之微權焉。他如「漢家青史上，計拙是和親。社稷依明主，安危託婦人。豈能將玉貌，便擬靖胡塵？地下千年骨，誰爲輔弼臣」（戎昱《和蕃》）。暨「猿鳥猶疑畏簡書，風雲常爲護儲胥。徒令上將揮神筆，終見降王走傳車。管樂有才眞不忝，關張無命欲何如！他年錦里經祠廟，《梁父》吟成恨有餘」（李商隱《籌筆驛》）。又「西師萬衆幾時回？哀痛天書近已裁。文吏何曾重刀筆，將軍猶自舞輪臺。幾時拓土成王道？從古窮兵是禍胎。陛下好生千萬壽，玉樓常御白雲杯」（《漢南書事》）。數詩亦其後勁者矣。

又 何謂忠厚？曰：平子《四愁》，悲路遠之莫致；子建《七哀》，願爲風以入懷。《塘上行》（陸機擬作）之「願君廣末光，照妾薄暮年」，被棄而猶懷顧戀；《石首城》（謝靈運作）之「皎皎明發心，不爲歲寒欺」，遭讒而素心不渝，可謂厚矣。然此非徒「臣罪當誅，天王聖明」，爲是善則歸親，過則歸己之語而已也。必其至誠惻怛之意充溢于中，隨其所發，無非慈祥豈弟之音。如元次山（結）之「追呼尚不忍，況乃鞭撻之」（《春陵行》），杜少陵之「彤廷所分帛，本自寒女出」（《自京赴奉先縣詠懷》），乃爲眞忠厚耳。他如岑嘉州（參）之「不擇南州尉，高堂有老親。樓臺重蜃氣，邑里雜鮫人。海暗三山雨，花明五嶺春。此鄉多寶玉，愼莫厭清貧」（《送張子尉南海》）。雖不必爲忠厚之語，而忠厚之意自盎然於楮墨之間，乃所謂「仁義之人，其言藹如」者。餘如王右丞之「執政方持法，明君無此心」，劉隨州（長卿）之「得罪風霜苦，全生天地仁」，錢員外之「窮達戀明主，耕桑亦近郊」，裴僕射（度）之「道直身還在，恩深命轉輕」之類，亦猶有詩人溫厚之遺云。

何曰愈《退庵詩話》卷一 詩發乎性情而不盡主乎性情。若無理以運之，則如隋李諤所云「連篇累牘，不出月露之形；積案盈箱，盡是風雲之狀」矣。試觀李青蓮、杜少陵、張曲江、韓昌黎、白香山、蘇子瞻、陸放翁諸公所以稱大家者，正以其忠君愛國、言關風化耳。欲學大家，須從窮理體道起。所謂窮理體道者，非如老學究擁臯比、談經義之謂，乃人心風俗之謂。孔子曰：「《詩》三百，一言以蔽之，曰：思無邪。」則詩之義可想矣。皎然謂「詩有七德」，一曰「識理」。姜白石亦云「發乎情，止乎禮義」，又曰「詩有四種高妙，一曰理高妙」，斯爲近之。

又 仔臣又問煉意，阮亭以「安頓章法，慘澹經營」答之。愚意「安頓章法」是命意，非煉意；「慘澹經營」是苦思，亦非煉意。所謂煉意者，乃溫柔敦厚之謂。均詠楊妃也，「如何四紀爲天子，不及盧家有莫愁」，句非不工，字非不煉也，特意傷儇薄，故後人議之。「終是聖明天子事，景陽宮裏又何人？」便得風人之旨，此煉意者也。

嚴挺中《藥欄詩話甲集》 詩以在人意中爲妙。蔣伯生明府（因培）署汶上縣，其尊人舊治也，畫《汶上縣春圖》，徵詩。六琴和其原韻云：「共驚措大新官樣，私說郎君舊小名。」

何紹基《與汪菊士論詩》 昔人云：詩必有爲而作，方爲不苟。此語不易解，如遇忠孝節烈有關係風教者，樂得做一篇，然此等題，作者或百人，佳篇不得三四，除此三四篇外，雖有爲而作，仍無關係了。有時小題乘興，而所見者遠大，則不必有爲而作，而理足詞文，字句之外，大有關係。故大家之集，題目大小雜出，而未有無正經性情道理寄托者，此之謂有爲而作，非必盡要莊重正大題也。惟冶游之題，必無有關係語，古人亦有存者，偶不經意，非後人所當效也。且詩文先要使子弟看得去。爲要做詩方讀書，如何來得及？然細心打量，亦無來不及者。人可一日不讀書乎？當讀者何書？經史而已。《六經》之義，高大如天，方廣如地，潛心玩索，極意考究，性道處固啓發性靈，即器數文物，那一件不從大本原出來。考據之學，往往于文筆有妨，因不從道理識見上用心，而徒務鉤稽瑣碎，索前人瘢垢，用心既隘且刻，則聖賢眞意不出，自家靈光亦閉矣。故讀經不可不考據，而門徑宜自審處。恃孔、賈之符，倚程、朱之勢，互相誹薄者，皆無與于聖經者也。子史百家皆以博其識而長其氣，但論古人宜寬厚，不宜刻責，非故爲仁慈也，養此胸中春氣，方能含孕太和。若論史務刻，則讀經書難得力，蓋聖人用心，未有不從其厚者。知此意，則經史之學可做成一貫矣。積理養氣，皆從此爲依據。至于作詩，則吾嘗謂天下吝嗇人、刻薄人、狹隘人、粘滯人，俱不會作詩，由先不會讀書也。孔子曰：「溫柔敦厚，詩教也。」

又 詩無佳句，則馨逸之致不出；然務求佳句，尙非詩之正路。詩以意爲主，韻爲輔。句之佳者，乃時至氣化，自然流出；若勉強求之，則往往有椎鑿痕迹。如草木氣茂，開出好花，誠爲可觀；亦有枝杆節葉勃勃有氣，而不開花者，其勁氣秀色，自不可掩也。

劉熙載《藝概·詩概》 詩之局勢非前張後歛，則前歛後張，古體律絶無以異也。

又 詩以離合爲跌宕，故莫善於用遠合近離。近離者，以離開上句之意爲接也。離後復轉，而與未離之前相合，卽遠合也。

又 篇意前後摩盪，則精神自出。如《豳風·東山》詩，種種景物，種種情思，其摩盪祇在「徂歸」二字耳。

又 論詩者，或謂鍊格不如鍊意，或謂鍊意不如鍊格。惟姜白石《詩說》爲得之，曰：「意出於格，先得格也；格出於意，先得意也。」

朱庭珍《筱園詩話》卷一 詩以超妙爲貴，最忌拘滯獃板。故東坡云：「賦詩必此詩，定非知詩人。」謂詩之妙諦，在不卽不離，若遠若近，似乎可解不可解之間。卽嚴滄浪所謂「鏡中之花，水中之月，但可神會，難以迹求」。司空表聖所謂「超以象外，得其環中」是也。蓋興象玲瓏，意趣活潑，寄託深遠，風韻泠然，故能高踞題巓，不落蹊徑，超超玄著，耿耿元精，獨探眞際於箇中，遙流淸音於絃外，空諸所有，妙合天籟。放翁云：「文章本天成，妙手偶得之。」亦卽此種境詣。詩至此境，如畫家神品逸品，更出能品奇品之上。凡詩皆貴此詣，不止詠物詩以此詣爲最上乘。乃是神來之候，其著想立意，用筆運法，無不高妙。若藐姑仙人，迥非塵中美色可比。非以不切題旨，别生枝節爲訓也。解人難索，後代詩家，未契眞詮，誤會祕旨，雖標神韻以爲正宗，卻執法相而求形似。抹月批風，淺斟低唱，流連光景，修飾詞華，似是而非，半吞微吐，特作欲了不了之語，多搆旁敲側擊之言，故爲歇後，甘蹈虛鋒。自詫王、孟嗣音，陶、韋的派，而不知馬首之絡，到處可移，狗尾之冠，終難續用。贋鼎飯色，詎足混眞，徒枉費心力耳。至近代詠物詩，誤此一關，尤爲塵劫。詞意諧俗，骨甘自貶；鉛華媚人，色並非眞。靡靡之音，陳陳之套，千手一律，萬口同腔。外面似乎鮮妍風致，實則俗不可醫，令人欲嘔矣。不善求超脫，流弊一至於此！初學可不從切實處爲下手用功地乎？

又 《金史·文苑傳》錄周德卿之言曰：「文章徒工於外者，可以驚四筵，不可以適獨坐，以其中無我故也。」趙秋谷深佩此論，以爲名言。因謂詩中無我，卽非作者，必也詩中有我在焉，始可謂之眞詩，無忝作家，乃足傳世。其見誠卓。然近代詩人，又多誤會其旨，反益流弊。夫所謂詩中有我者，不依傍前人門戶，不摹倣前人形似，抒寫性情，絶無成見，稱心而言，自鳴其天。勿論大篇短章，皆乘興而作，意盡則止。我有我之精神結搆，我有我之意境寄託，我有我之氣體面目，我有我之材力準繩，決不拾人牙慧，落尋常窠臼蹊徑之中。任舉一篇一聯，皆我之詩，非前人所已言之詩，亦非時人意中所有之詩也。是爲詩中有我，卽退之所謂詞必己出，陳言務去也。並非自佔身份，不論是何題目，其詩中必寫自家本身，或發牢騷，或鳴得意，或寓志願，或矜生平，卽爲有我在也。果力能獨造，生面别開，不肯步人後塵，寄人籬下，則無語不自出心裁，亦無詩不自有眞我。後人讀吾詩者，無不見我性情，知我心志，我之襟胸識力，學養才氣，畢流傳於詩矣。何庸處處自佔身份，惟恐人不知耶？今人誤會詩中有我之意，乃欲以詩佔身份，於是或詭激以鳴淸高，或大言以誇識力，或曠論以矜風骨，或憤語以洩不平。不惟數見不鮮，呶呶可厭，而任意肆志，亦乖溫厚含蓄之旨，品斯下矣。卒之言爲心聲，違心之言，矯情之詞，縱自佔地步，終難逃識者洞鑒。何益之有！甚至一花一木一禽一鳥之微，詠物詩中，亦必夾寫自家身份境遇，以爲寄託。巧者不過雙關綰合，喧客奪主，嫌其賣弄，終不融浹耳。否則牽連含混，賓主不分，詠物卻帶詠人，說人又兼說物。抑或以物當人，以人當物，分寸意境，夾雜莫辨，作一篇似可解而實不可解之語，尤爲可笑。彼方津津得意，自謂可見身份，詩中有我。邇來作家名士，大都病此。嗟乎！詩中有我，豈自佔身份，豫爲矜人地步之謂乎？

韻律

沈約《宋書・謝靈運傳論》 若夫敷衽論心，商榷前藻，工拙之數，如有可言。夫五色相宣，八音協暢，由乎玄黃律呂，各適物宜。欲使宮羽相變，低昂互節，若前有浮聲，則後須切響。一簡之內，音韻盡殊；兩句之中，輕重悉異。妙達此旨，始可言文。至於先士茂製，諷高歷賞。子建函京之作，仲宣灞岸之篇，子荆零雨之章，正長朔風之句，並直舉胸情，非傍詩史。正以音律調韻，取高前式。自靈均以來，多歷年代，雖文體稍精，而此秘未覩。至於高言妙句，音韻天成，皆暗與理合，匪由思至。張、蔡、曹、王，曾無先覺；潘、陸、顔、謝，去之彌遠，世之知音者，有以得之，此言非謬。如曰不然，請待來哲。

又《答陸厥書》 宮商之聲有五，文字之別累萬。以累萬之繁，配五聲之約，高下低昂，非思力所學，又非止若斯而已也。十字之文，顛倒相配，字不過十，巧歷已不能盡，何況復過於此者乎？靈均以來，未經用之於懷抱，固無從得其髣髴矣。若斯之妙，而聖人不尚，何耶？此蓋曲折聲韻之巧，無當於訓義，非聖哲立言之所急也。是以子雲譬之雕蟲篆刻，云壯夫不爲。自古辭人，豈不知宮羽之殊，商徵之別。雖知五音之異，而其中參差變動，所昧實多，故鄙意所謂此秘未睹者也。以此而推，則知前世之文，便未悟此處。若以文章之音韻，同絃管之聲曲，則美惡妍蚩，不得頓相乖反。譬猶子野操曲，安得忽有闡緩失調之聲？以《洛神》比陳思他賦，有似異手之作。故知天機啓則律呂自調，六情滯則音律頓舛也。士衡雖云炳若縟錦，寧有濯色江波，其中復有一片是衛文之服。此則陸生之言，即復不盡者矣。韻與不韻，復有精粗，輪扁不能言，老夫亦不盡辨此。

空海《文鏡秘府論》天卷引沈約《答甄公論》 昔神農重八卦，卦無不純；立四象，象無不象。但能作詩，無四聲之患，則同諸四象。四象既立，萬象生焉；四聲既周，群聲類焉。經典史籍，唯有五聲，而無四聲。然則四聲之用，何傷五聲也。五聲者，宮商角徵羽，上下相應，則樂聲和矣；君臣民事物，五者相得，則國家治矣。作五言詩者，善用四聲，則諷詠而流靡；能達八體，則陸離而華潔。明各有所施，不相妨廢。昔周、孔所以不論四聲者，正以春爲陽中，德澤不偏，即平聲之象；夏草木茂盛，炎熾如火，即上聲之象；秋霜凝木落，去根離本，即去聲之象；冬天地閉藏，萬物盡收，即入聲之象：以其四時之中，合有其義，故不標出之耳。是以《中庸》云：聖人有所不知，匹夫匹婦，猶有所知焉。斯之謂也。

陸厥《與沈約書》 范詹事自序：性別宮商，識清濁，特能適輕重，濟艱難。古今文人多不全了斯處，縱有會此者，不必從根本中來。尚書亦云：自靈均以來，此秘未睹。或闇與理合，匪由思至。張、蔡、曹、王，曾無先覺；潘、陸、顔、謝，去之彌遠。大旨鈞使宮羽相變，低昂舛節。若前有浮聲，則後須切響。一簡之內，音韻盡殊；兩句之中，輕重悉異。辭既美矣，理又善焉。但觀歷代衆賢，似不都闇此處，而云此秘未睹，近於誣乎？案范云不從根本中來，尚書云匪由思至，斯可謂揣情謬於玄黃，擿句差其音律也。范又云時有會此者，尚書云或闇與理合。則美詠清謳，有辭章調韻者，雖有差謬，亦有會合。推此以往，可得而言：夫思有合離，前哲同所不免；文有開塞，即事不得無之。子建所以好人譏彈，士衡所以遺恨終篇。既曰遺恨，非盡美之作，理可詆訶。君子執其詆訶，便謂合理爲闇，豈如指其合理，而寄詆訶爲遺恨邪？自魏文屬論，深以清濁爲言；劉楨奏書，大明體之致。岨峿妥帖之談，操末續顛之說，興玄黃於律呂，比五色之相宣。苟此秘未睹，兹論爲何所指邪？故愚謂前英已早識宮徵，但未屈曲指的。若今論所申，至於掩瑕藏疾，合少謬多，則臨淄所云，人之著述，不能無病者也。非知之而不改，謂不改則不知，斯曹、陸又稱竭情多悔，不可力彊者。今許以有病有悔爲言，則必自知無悔無病之地，引其不了不合爲闇，何獨誣其一合一了之明乎？意者亦質文時異，古今好殊，將急在情物，而緩於章句。情物文之所急，美惡猶且相半；章句之所緩，故合少而謬多。義兼於斯，必非不知明矣。《長門》、《上林》，殆非一家之賦；《洛神》、《池雁》，便成二體之作。孟堅精整，《詠史》無虧於東主；平子恢富，《羽獵》不累於憑虛。王粲《初征》，他文未能稱是；楊修敏捷，《暑賦》彌日不獻。率意寡尤，則事促乎一日；翳翳愈伏，而理賒於七步。一人之思，遲速天懸；一家之文，工拙壤隔。何獨宮商律呂，必責其如一邪？論者乃可言未窮其致，不得言曾無先覺也。

劉勰《文心雕龍・聲律》 夫音律所始，本於人聲者也。聲含宮商，肇自血氣，先王因之，以制樂歌。故知器寫人聲，聲非學器者也。故言語者，文章關鍵，神明樞機，吐納律呂，脣吻而已。古之教歌，先揆以法，使疾呼中宮，徐呼中徵。夫商徵響高，宮羽聲下，抗喉矯舌之差，攢脣激齒之異，廉肉相準，皎然可分。今操琴不調，必知改張。摛文乖張，而不知所調。響在彼絃，乃得克諧，聲萌我心，更失和律，其故何哉？良由外聽易爲巧，而內聽難爲聰也。故外聽之易，絃以手定；內聽之難，聲與心紛；可以數求，難以辭逐。凡聲有飛沈，響有雙疊，雙聲隔字而每舛，疊韻雜句而必睽；沈則響發而斷，飛則聲颺不還，並轆轤交往，逆鱗相比，迕其際會，則往蹇來連，其爲疾病，亦文家之吃也。夫吃文爲患，生於好詭，逐新趣異，故喉脣糺紛；將欲解結，務在剛斷。左礙而尋右，末滯而討前，則聲轉於吻，玲玲如振玉；辭靡於耳，纍纍如貫珠矣。是以聲畫妍蚩，寄在吟詠，滋味流於下句，氣力窮於和韻。異音相從謂之和，同聲相應謂之韻。韻氣一定，故餘聲易遣；和體抑揚，故遺響難契。屬筆易巧，選和至難，綴文難精，而作韻甚易。雖纖意曲變，非可縷言，然振其大綱，不出兹論。若夫宮商大和，譬諸吹籥；翻回取均，頗同調瑟。瑟資移柱，故有時而乖貳；籥含定管，故無往而不壹。陳思、潘岳，吹籥之調也；陸機、左思，瑟柱之和也。概舉而推，可以類見。又詩人綜韻，率多清切，《楚辭》辭楚，故訛韻實繁。及張華論韻，謂士衡多楚，《文賦》亦稱知楚不易，可謂銜靈均之聲餘，失黄鐘之正響也。凡切韻之動，勢若轉圜；訛音之作，甚於枘方；免乎枘方，則無大過矣。練才洞鑒，剖字鑽響，疎識闊略，隨音所遇，若長風之過籟，南郭之吹竽耳。古之佩玉，左宫右徵，以節其步，聲不失序。音以律文，其可忽哉！贊曰：標情務遠，比音則近。吹律胸臆，調鐘脣吻。聲得鹽梅，響滑榆槿。割棄支離，宮商難隱。

鍾嶸《詩品序》　昔曹、劉殆文章之聖，陸、謝爲體貳之才，銳精研思，千百年中，而不聞宮商之辨，四聲之論。或謂前賢偶然不見，豈其然乎？嘗試言之，古曰詩頌，皆被之金竹，故非調五音，無以諧會。若「置酒高殿上」、「明月照高樓」，爲韻之首。故三祖之詞，文或不工，而韻入歌唱。此重音韻之義也，與世之言宮商異矣。今既不被管絃，亦何取於聲律耶？【略】余謂文制本須諷讀，不可蹇礙。但令清濁通流，口吻調利，斯爲足矣。至如平上去入，則余病未能；蜂腰、鶴膝，閭里已具。

上官儀《筆札華梁・文病》　第一，平頭。第二，上尾。第三，蜂腰。第四，鶴膝。如班姬詩云：「新裂齊紈素，皎潔如霜雪。裁爲合歡扇，團團似明月。」「素」與「扇」同去聲是也。此云第三句者，舉其大法耳。但從首至末，皆須以次避之。若第三句不得與第五句相犯，第五句不得與第七句相犯，犯法準前也。第五，大韻。第六，小韻。第七，傍紐。第八，正紐。

佚名《文筆式・文病》　第一，平頭。平頭詩者，五言詩第一字不得與第六字同聲，第二字不得與第七字同聲。同聲者，不得同平上去入四聲。犯者名爲犯平頭。平頭詩曰：「芳時淑氣清，提壺臺上傾。」如此之類，是其病也。又詩曰：「山方翻類矩，波圓更若規。樹表看猿掛，林側望熊馳。」又詩曰：「朝雲晦初景，丹池晚飛雪。飄枝聚還散，吹楊凝且滅。」第二，上尾。上尾詩者，五言詩中，第五字不得與第十字同聲，名爲上尾。詩曰：「西北有高樓，上與浮雲齊。」如此之類，是其病也。又曰：「可憐雙飛鳧，俱來下建章。一箇今依是，拂翮獨先翔。」又曰：「蕩子別倡樓，秋庭夜月華。桂葉侵雲長，輕光逐漢斜。」若以「家」代「樓」，此則無妨。第三，蜂腰。蜂腰詩者，五言詩一句之中，第二字不得與第五字同聲。言兩頭粗，中央細，似蜂腰也。詩曰：「青軒明月時，紫殿秋風日。曈曨引夕照，晻曖映容質。」又曰：「聞君愛我甘，竊獨自彫飾。」又曰：「徐步金門出，言尋上苑春。」第四，鶴膝。鶴膝詩者，五言詩第五字不得與第十五字同聲。言兩頭細，中央粗，似鶴膝也。以其詩中央有病。詩曰：「撥棹金陵渚，遵流背城闕。浪蹙飛船影，山掛垂輪月。」又云：「陟野看陽春，登樓望初節。綠池始沾裳，弱蘭未央結。」第五，大韻。大韻詩者，五言詩若以「新」爲韻，上九字中，更不得安「人」、「津」、「隣」、「身」、「陳」等字。既同其類，名犯大韻。詩曰：「紫翮拂花樹，黄鸝閑綠枝。思君一歎息，啼淚應言垂。」又曰：「遊魚牽細藻，鳴禽哢好音。誰知遲暮節，悲吟傷寸心。」第六，小韻。小韻詩，除韻以外，而有迭相犯者，名爲犯小韻病也。詩曰：「搴簾出戶望，霜花朝瀁日。晨鶯傍杼飛，早燕排軒出。」又曰：「夜中無與語，獨寤撫躬歎。唯慙一片月，流彩照南端。」凡小韻，居五字內急，九字內少緩。然此病雖非巨害，避爲美。第七，傍紐。傍紐詩者，五言詩一句之中有「月」字，更不得安「魚」、「元」、「阮」、「願」等之字。此即雙聲，雙聲即犯傍紐。亦曰，五字中犯最急，十字中犯稍寬。如此之類，是其病。詩曰：「魚游見風月，獸走畏傷蹄。」如此類者，是又犯傍紐病。又曰：「元生愛皓月，阮氏願清風。取樂情無已，賞翫未能同。」又曰：「雲生遮麗月，波動亂遊魚。涼風便入體，寒氣漸鑽膚。」傍紐者，據傍聲而來與相忤也。然字從連韻，而紐聲相參。若「金」、「錦」、「禁」、「急」、「陰」、「飲」、「蔭」、「邑」，是連韻紐之。若「金」之與「飲」，「陰」之與「禁」，從傍而會，是與相參之也。如云：「丈人且安坐，梁塵將欲飛。」「丈」與「梁」，亦「金」、「飲」之類，是犯也。第八，正紐。正紐者，五言詩「壬」、「衽」、「任」、「入」四字爲一紐。一句之中，已有「壬」字，更不得安「衽」、「任」、「入」等字。如此之類，名爲犯正紐之病也。詩曰：「撫琴起和曲，疊管泛鳴驅。停軒未忍去，白日小踟躕。」又曰：「心中肝如割，腹裏氣便燋。逢風迴無信，早雁轉成遙。」(「肝」、「割」同紐，深爲不便。)正紐者，謂正雙聲相犯。其雙聲雖一，傍正有殊。從一字紐之得四聲，是正也。若「元」、「阮」、「願」、「月」是。若從他字來會成雙聲，是傍也。若「元」、「阮」、「願」、「月」是正，而有「牛」、「魚」、「妍」、「硯」等字，來會「元」、「月」等字成雙聲是也。如云：「我本漢家子，來嫁單于庭。」「家」、「嫁」是一紐之內，名正雙聲，名犯正紐者也。傍紐者，如：「貽我青銅鏡，結我羅裙裾。」「結」、「裙」是雙聲之傍，名犯傍紐也。又一法，凡入雙聲者，皆名正紐。第九，水渾病。謂第一與第六之犯也。假作《春詩》曰：「沼萍遍水纈，榆莢滿枝錢。」又曰：「斜雲朝陳列，迴娥夜抱弦。」第十，火滅病。謂第二與第七之犯也。卽假作《閨怨詩》曰：「塵暗離後鏡，帶永別前腰。」又曰：「怨心千過絕，啼眼百迴垂。」第十一，木枯病。謂第三與第八之犯也。卽假作《秋詩》曰：「金風晨泛菊，玉露宵沾蘭。」又曰：「玉輪夜進轍，金車晝滅途。」第十二，金缺病。謂第四與第九之犯也。夫金生兌位，應命秋律於西方。上句向終，下句欲末，因數命之，故生斯號。卽假作《寒詩》曰：「獸炭陵晨送，魚燈徹宵燃。」又曰：「狐裘朝除冷，褻褥夜排寒。」第十三，闕偶病。謂八對皆無，言靡配屬。由言匹偶，因以名焉。假作《述懷詩》曰：「鳴琴四五弄，桂酒復盈杯。」又曰：「夜夜憐琴酒，優游足暢情。」第十四，繁說病。謂一文再論，繁詞寡義。或名相類，或名疣贅。卽假作《對酒詩》曰：「清觴酒恆滿，綠酒會盈杯。」又曰：「滿酌余當進，彌甌我自傾。」

又《文筆十病得失》　平頭，第一句上字，第二句上字，第一句第二字、第二句第二字，不得同聲。詩得者：「澄暉侵夜月，覆瓦亂朝霜。」失者：「今日良宴會，歎樂難具陳。」筆得者：「開金繩之寶曆，鉤玉鏡之珍符。」失者：「嵩巖與華房迭遊，靈漿與醇醪俱別。」然五言頗爲不便，文筆未足爲尤。但是疥癬微疾，非是巨害。　上尾，第一句末字、第二句末字，不得同聲。詩得者：「縈鬢聊向牖，拂鏡且調妝。」失者：「西北有高樓，上與浮雲齊。」筆得者：「玄英戒律，繁陰結序。地捲朔風，天飛隴雪。」失者：「同源派流，人易世疎。越在異域，情愛分隔。」筆復有隔句上尾，第二句末字，第四句末字，不得同聲。得者：「設醴未同，興言爲歎。深加將保，行李遲書。」失者：「同乘共載，北游後園。輿輪徐動，賓從無聲。」又有踏發聲，第四句末字、第八句末字，不得同聲。得者：「夢中占夢，生死大空。得無所得，菩提純淨。教其本有，無比涅槃。示以無爲，性空般若。」失者：「聚斂積寶，非惠公所務；記惡遺善，非文子所談。陰虬陽馬，非原室所構；土山漸臺，非顏家所營。」又諸手筆，第二句末與第三句末同聲，雖是常式，然止可同聲，不應同韻。　蜂腰，第一句中，第二字、第五字不得同聲。詩得者：「惆悵崔亭伯。」失者：「聞君愛我甘。」筆得者：「刺是佳人。」(四言)失者：「揚雄《甘泉》。」(四言)得者：「雲漢自可登臨。」(六言)「摩赤霄而理翰。」(六言)失者：「美化行乎江、漢。」(六言)「襲元、凱之軌高。」(六言)得者：「高巘萬仞排虛空。」(七言)「盛軌與三代俱芳。」(七言)「猶聚鵠之有神鵷。」(七言)失者：「三仁殊塗而同歸。」(七言)「偃息乎珠玉之室。」(七言)得者：「雷擊電鞭者之謂天。」(八言)失者：「潤草沾蘭者之謂雨。」(八言)或云：「平聲賒緩，在用最多，參彼三聲，殆爲太半。」　鶴膝，第一句末字、第三句末字不得同聲。詩得者：「朝關苦辛地，雪落遠漫漫。含冰陷馬足，雜雨練旗竿。」失者：「沙幕飛恆續，天山積轉寒。無同亂郢曲，逐扇掩齊紈。」「客從遠方來，遺我一書札。上言長相思，下言久離別。」筆得者：「定州跨躡夷阻，領袖蕃維。跱神岳以鎭地，疎名川以連海。」「『原隰龍鱗』，班頌何其陋；『桑麻條暢』，潘賦不足言。」失者：「琁玉致美，不爲池隍之用；桂椒信好，而非園林之飾。」「西郊不雨，彌迴天眷；東作未理，卽動皇情。」如是皆次第避之，不得以四句爲斷。若手筆得故犯，但四聲中安平聲者，益辭體有力。如云：「能短能長，既成章於雲表；明吉明凶，亦引氣於蓮上。」　大韻，一韻以上，不得同於韻字。如以「新」字爲韻，勿復用「隣」、「親」等字。詩得者：「運阻衡言革，時泰玉階平。」失者：「新裂齊紈素，鮮潔如霜雪。」筆得者：

「播盡善之英聲，起則天之雄響。百代欽其美德，萬紀懷其至仁。」失者：「傾家敗德，莫不由於憍奢；興宗榮族，必也藉於高名。」凡手筆之式，不須同韻。或有時同韻者，皆是筆之逸氣。如云：「握河沈璧，封山紀石。邁三五而不追，踐八九之遥跡。」小韻，二句內除本韻，若已有「梅」字，不得復用「開」、「來」字。詩得者：「功高履乘石，德厚贈昭華。」失者：「昊天降豐澤，百卉挺葳蕤。」若故疊韻，兩字一處，於理得通。故謝朓詩云：「悵望南浦時，徙倚北梁步。」以筆準詩亦如此。筆得者：「西辭酆邑，南據江都。」失者：「西辭豐邑，東居洛都。」若故疊韻，理通亦爾。故徐陵《殊物詔》云：「五雲曖曃，鱗宗所以效靈；六氣氛氳，柔和所以高氣。」正紐，凡四聲爲一紐，如「壬」、「荏」、「衽」、「入」，詩二句內，已有「壬」字，則不得復有「荏」、「衽」、「入」等字。詩得者：「《離騷》詠宿莽。」失者：「曠野莽茫茫。」凡諸手筆，亦須避之。若犯此聲，則齟齬不可讀。得者：「藉甚岐嶷，播揚英譽。」失者：「永嘉播越，世道波瀾。」傍紐，雙聲是也。如詩二句內有「風」一字，則不得復有此等字。詩得者：「管聲驚百鳥，衣香滿一園。」失者：「壯哉帝王居，佳麗殊百城。」若故雙聲者，得有如此。故庾信詩云：「胡笳落淚曲，羌笛斷腸歌。」筆得者：「六郡豪家，從來習馬；五陵貴族，作性便弓。」失者：「曆數已應，而《虞書》不以北面爲陋；有命既彰，而周籍猶以服事爲賢。」若故雙聲者，亦得有如此。如云：「鑒觀上代，則天祿斯歸；逖聽前王，則曆數攸在。」如是次第避之，不得以二句爲斷。或云，若五字內已有「阿」字，不得復用「可」字。此於詩章，不爲過病。但言語不浄潔，讀時有妨也。今言犯者，唯論異字。如其同字，此不言。言同字者，如云：「文物以紀之，聲明以發之。」「大東小東」、「自南自北」等是也。或云，凡用聲，用平聲最多。五言內非兩則三，此其常也。亦得用一用四。若四，平聲無居第四；若一，平聲多在第二，此謂居其要也。猶如宮羽調音，相參而和。又云，賦頌有第一、第二、第三、第四或至第六句相隨同類韻者。如此文句，儻或有焉，但可時解鐙耳，非是常式。五三文內，時一安之，亦無傷也。又，辭賦或有第四句與第八句而復韻者，並是丈夫措意，盈縮自由，筆勢縱横，動合規矩。製作之道，唯筆與文。文者，詩、賦、銘、頌、箴、讚、弔、誄等是也；筆者，詔、策、移、檄、章、奏、書、啓等也。卽而言之，韻者爲文，非韻者爲筆。文以兩句而會，筆以四句而成。文繫於韻，兩句相會，取於諧合也；筆不取韻，四句而成，任於變通。故筆之四句，比文之二句，驗之文筆，率皆如此也。體既不同，病時有異。其文之犯避，皆準於前。假令文有四言、六言、七言等，亦隨其句字，準前勘其聲病，足悟之矣。其蜂腰，從五言內辨之，若字或少多，則無此病者也。筆有上尾、鶴膝、隔句上尾、踏發等四病，詞人所常避也。其上尾、鶴膝，與前不殊。束晳表云：「薄冰凝池，非登廟之珍。」「池」與「珍」同平聲，是其上尾也。左思《三都賦序》云：「魁梧長者，莫非其舊。風謠歌舞，各附其俗。」「者」與「舞」同上聲，是鶴膝也。隔句上尾者，第二句末與第四句末同聲也。如鮑照《河清頌序》云：「善談天者，必徵象於人；工言古者，必考績於今。」「人」與「今」同聲是也。但筆之四句，比文之二句。故雖隔句，猶稱上尾。亦以次避，第四句不得與第六句同聲，第六句不得與第八句同聲也。踏發（音廢）者，第四句末與第八句末同聲也。如任孝恭書云：「昔鍾儀戀楚，樂操南音。東平思漢，松柏西靡。仲尼去魯，命曰遲遲。季後過豐，潸焉出涕。」「涕」與「靡」同聲是也。凡筆家四句之末，要會之所歸。若同聲，有似踏而機發，故名踏發者也。若其間際有語隔之者，犯亦無損，謂上四句末，下四句初，有「既而」、「於是」、「斯皆」、「所以」、「是故」等語也。此等之病，並須避之。其鶴膝，近代詞人或有犯者。尋其所犯，多是平聲，如溫子昇《寒陵山碑序》云：「並寂漠銷沈，荒凉磨滅。言談者空知其名，經過者不識其地。」又邢子才《高季式碑序》云：「楊氏八公，歷兩都而後盛；荀族十卿，終二晉而方賤。」又魏收《文宣謚議》云：「九野區分，四游定判。賦命所甄，義兼星象。」（「沈」與「名」、「公」與「卿」、「分」與「甄」並同聲，是筆鶴膝也。）文人劉善經云：「筆之鶴膝，平聲犯者，益文體有力。」豈其然乎？此可時復有之，不得以爲常也。其雙聲疊韻，須以意節量。若同句有之，及居兩句之際而相承者，則不可矣。同句有者，還依前注。其居兩句際相承者，如任孝恭書云：「學非摩揣，誰合趙之連鷄。但生與憂偕，貧隨歲積。」「鷄」與「偕」相承而同韻，是其類也。又徐陵《勸進表》云：「蚩尤三冢，寧謂嚴誅。」「誅」、「冢」相承，雙聲是也。然聲之不等，義各隨焉。平聲哀而安，上聲厲而舉，去聲清而遠，入聲直而促。詞人參用，體固不恆。請試論之：筆以四句爲科，其內兩句末並用平聲，則言音流利，得靡麗矣。兼用上、去、入者，則文體動發，成宏壯矣。看徐、魏二作，足以知之。徐陵《定襄侯表》云：「鴻都寫狀，皆旌烈士之風；麟閣圖形，咸紀誠臣之節。莫不輕死重氣，效命酬恩。棄草莽者如歸，膏平原者相襲。」(上對第二句末「風」，第三句末「形」；下對第二句末「恩」，第三句末「歸」，皆是平聲。)魏收《赤雀頌序》云：「蒼精父天，銓與象立；黄神母地，輔政機修。靈圖之跡鱗襲，天啓之期翼布。乃有道之公器，爲至人之大寶。」(上對第二句末「立」，第三句末「地」；下對第二句末「布」，第三句末「器」，皆非平聲是也。)徐以靡麗標名，魏以宏壯流稱，觀於斯文，亦其效也。又名之曰文，皆附之於韻。韻之字類，事甚區分。緝句成章，不可違越。若令義雖可取，韻弗相依，則猶舉足而失路，弄掌而乖節矣。故作者先在定聲，務諧於韻，文之病累，庶可免矣。

舊題魏文帝《詩格·八病》 平頭一：謂句首二字並是平聲是犯。古詩：「朝雲晦初景，丹池晚飛雪。飄披聚還散，吹揚凝且滅。」上尾二：謂第五字與第十字同聲是犯。古詩：「蕩子到娼家，秋庭夜月華。」「桂華侵雲長，輕光逐漢斜。」內「家」字與「華」字同聲，是韻卽不妨。若側聲字，同上去入，卽是犯也。蜂腰三：謂第二字與第五字同聲是犯。古詩：「徐步金門旦，言尋上苑春。」鶴膝四：謂第五字與第十五字同聲是犯。古詩：「陟野看陽春，登樓望初柳。綠池始沾裳，弱葉未映綬。」言「春」與「裳」字同是平聲，故曰犯。上去入亦然。大韻五：謂二句中字與第十字同聲是犯。古詩：「端坐苦愁思，覽衣起四遊。」又古詩：「胡姬年十五，春日正當壚。」「愁」與「遊」、「胡」與「壚」是犯也。小韻六：謂九字中有「明」字，又用「清」字是犯。古詩：「薄帷鑒明月，清風吹我襟。」正紐七：謂十字中有「元」字，又用「阮」、「願」、「月」字是犯。古詩：「我本良家子，來嫁單于庭。」「家」與「嫁」字，乃是犯也。旁紐八：謂十字中有「田」字，又用「寅」、「延」字是犯。古詩：「田夫亦知禮，寅賓延上坐。」

元兢《詩髓腦·調聲》 聲有五聲，角徵宮商羽也。分於文字四聲，平上去入也。宮商爲平聲，徵爲上聲，羽爲去聲，角爲入聲。故沈隱侯論云：「欲使宮徵相變，低昂舛節，若前有浮聲，則後須切響。一簡之內，音韻盡殊；兩句之中，輕重悉異。妙達此旨，始可言文。」固知調聲之義，其爲大矣。調聲之術，其例有三：一曰換頭，二曰護腰，三曰相承。一、換頭者：若兢《於蓬州野望》詩云：「飄飖宕渠域，曠望蜀門隈。水共三巴遠，山隨八陣開。橋形疑漢接，石勢似烟迴。欲下他鄉淚，猿聲幾處催。」此篇第一句頭兩字平，次句頭兩字去上入；次句頭兩字去上入，次句頭兩字平；次句頭兩字又平，次句頭兩字去上入；次句頭兩字又去上入，次句頭兩字又平。如此輪轉，自初以終篇，名爲雙換頭，是最善也。若不可得如此，卽如篇首第二字是平，下句第二字是用去上入；次句第二字又用去上入，次句第二字又用平。如此輪轉終篇，唯換第二字，其第一字與下句第一字用平不妨。此亦名爲換頭，然不及雙換。又不得句頭第一字是去上入，次句頭用去上入，則聲不調也。可不愼歟！此換頭，或名拈二。拈二者，謂平聲爲一字，上去入爲一字。第一句第二字若安上去入聲，第二、第三句第二字皆須平聲。第四、第五句第二字還須上去入聲，第六、第七句第二字安平聲，以次避之。如庾信詩云：「今日小園中，桃花數樹紅。欣君一壺酒，細酌對春風。」「日」與「酌」同入聲。只如此體，詞合宮商，又復流美，此爲佳妙。二、護腰者：腰，謂五字之中第三字也。護者，上句之腰不宜與下句之腰同聲。然同去上入則不可，用平聲無妨也。庾信詩曰：「誰言氣蓋代，晨起帳中歌。」「氣」是第三字，上句之腰也。「帳」亦第三字，是下句之腰。此爲不調。宜護其腰，愼勿如此也。三、相承者：若上句五字之內，去上入字則多，而平聲極少者，則下句用三平承之。用三平之術，向上向下二途，其歸道一也。三平向上承者，如謝康樂詩云：「溪壑斂暝色，云霞收夕霏。」上句唯有「溪」一字是平，四字是去上入，故下句之上用「云霞收」三平承之，故曰上承也。三平向下承者，如王中書詩曰：「待君竟不至，秋雁雙雙飛。」上句唯有一字是平，四去上入，故下句末「雙雙飛」三平承之，故云三平向下承也。

又《文病》 一、平頭。平頭詩者，五言詩第一字不得與第六字同聲，第二字不得與第七字同聲。同聲者，不得同平上去入四聲，犯者名爲犯平頭。此平頭如是，近代成例，然未精也。欲知之者，上句第一字與下句第一字，同平聲不爲病，同上去入聲，一字卽病。若上句第二字與下句第二字同聲，無問平上去入，皆是巨病。此而或犯，未曰知音。今代文人李安平、上官儀，皆所不能免也。二、上尾。上尾詩者，五言詩中，第五字不得與第十字同聲，名爲上尾。如陸機詩云：「衰草蔓長河，寒木入雲煙。」(「河」與「煙」平聲)。此上尾。齊、梁已前，時有犯者。齊、梁已來，無有犯者。此爲巨病。若犯者，文人以爲未涉文途者也。唯連韻者，非病也。如「青青河畔草，綿綿思遠道」是也(下句有云「鬱鬱園中柳」也)。三、鶴膝。四、蜂腰。蜂腰詩者，五言詩一句之中，第二字不得與第五字同聲。言兩頭粗，中央細，似蜂腰也。詩曰：「聞君愛我甘，竊獨自彫飾」。「君」與「甘」非爲病；「獨」與「飾」是病。所以然者，如第二字與第五字同去上入，皆是病，平聲非病也。此病輕於上尾、鶴膝，均於平頭，重於四病。清都師皆避之。已下四病，但須知之，不必須避。五、大韻。大韻詩者，五言詩若以「新」爲韻，上九字中，更不得安「人」、「津」、「隣」、「身」、「陳」等字，既同其類，名犯大韻。此病不足累文，如能避者彌佳。若立字要切，於文調暢，不可移者，不須避之。六、小韻。小韻詩，除韻以外，而有迭相犯者，名爲犯小韻病也。此病輕於大韻，近代咸不以爲累文。七、傍紐。傍紐者，一韻之內，有隔字雙聲也。此病更輕於小韻，文人無以爲意者。又若不隔字而是雙聲，非病也。如「清切」、「從就」之類是也。八、正紐。正紐者，一韻之內，有一字四聲分爲兩處是也。如梁簡文帝詩云：「輕霞落暮錦，流火散秋金。」「金」、「錦」、「禁」、「急」是一字之四聲，今分爲兩處，是犯正紐也。此病輕重，與傍紐相類，近代咸不以爲累，但知之而已。競於八病之別爲八病。自昔及今，無能盡知之者。近上官儀識其三，河間公義府思其餘事矣。八者何？一曰齟齬，二曰叢聚，三曰忌諱，四曰形跡，五曰傍突，六曰翻語，七曰長擷腰，八曰長解鐙。一、齟齬病。齟齬病者，一句之內，除第一字及第五字，其中三字，有二字相連同上去入是。若犯上聲，其病重於鶴膝，此例文人以爲秘密，莫肯傳授。上官儀云：「犯上聲是斬刑，去入亦絞刑。」如曹子建詩云：「公子敬愛客。」「敬」與「愛」是，其中三字，其二字相連同去聲是也。平聲不成病，上去入是重病，文人悟之者少，故此病無其名。兢案《文賦》云：「或齟齬而不安」，因以此病名爲齟齬之病焉。二、叢聚病。叢聚病者，如上句有「雲」，下句有「霞」，抑是常。其次句復有「風」，下句復有「月」，「雲」、「霞」、「風」、「月」，俱是氣象，相次叢聚，是爲病也。如劉鑠詩云：「落日下遙林，浮雲靄曾闕。玉宇來清風，羅帳迎秋月。」此上句有「日」，下句有「雲」，次句有「風」，次句有「月」，「日」、「雲」、「風」、「月」相次四句，是叢聚。蓋略舉氣象爲例，觸類而長，庶物則同。上十字已有「鸞」對「鳳」，下十字不宜更有「凫」對「鶴」；上十字已有「桂」對「松」，下十字不宜更用「桐」對「柳」。俱是叢聚之病，此又悟之者鮮矣。三、忌諱病。忌諱病者，其中意義，有涉於國家之忌是也。如顧長康詩云：「山崩溟海竭，魚鳥將何依。」「山崩」、「海竭」，於國非所宜言，此忌諱病也。此病或犯，雖有周公之才，不足觀也。又如詠雨詩稱「亂聲」，泝水詩云「逆流」，此類皆是也。四、形跡病。形迹病者，謂於其義相形嫌疑而成。如曹子建詩云：「壯哉帝王居，佳麗殊百城。」即如近代詩人，唯得云「麗城」，亦云「佳麗城」。若單用「佳城」，即如滕公佳城，爲形跡病也。文中例極多，不可輕下語也。五、傍突病。傍突病者，句中意旨，傍有所突觸。如周彥倫詩云：「三畝不足情，三冬俄已畢。」「三畝」涉其親，寧可云「不足情」也？此與忌諱同，執筆者咸宜戒之，不可輒犯也。六、翻語病。翻語病者，正言是佳詞，反語則深累是也。如鮑明遠詩云：「雞鳴關吏起，伐鼓早通晨。」「伐鼓」，正言是佳詞，反語則不祥，是其病也。七、長擷腰病。長擷腰病者，每句第三字擷上下兩字，故曰擷腰。若無解鐙相間，則是長擷腰病也。如上官儀詩云：「曙色隨行漏，早吹入繁笳。旗文縈桂葉，騎影拂桃花。碧潭寫春照，青山籠雪花。」上句「隨」，次句「入」，次句「縈」，次句「拂」，次句「寫」，次句「籠」，皆單字，擷其腰於中，無有解鐙者，故曰長擷腰也。此病或名「束」。八、長解鐙病。長解鐙病者，第一、第二字意相連，第三、第四字意相連，第五單一字成其意，是解鐙；不與擷腰相間，是長解鐙病也。如上官儀詩云：「池牖風月清，閒居遊客情。蘭泛樽中色，松吟絃上聲。」「池牖」二字意相連，「風月」二字意相連，「清」一字成四字之意。以下三句，皆無有擷腰相間，故曰長解鐙之病也。擷腰、解鐙並非病，文中自宜有之，不間則爲病。然解鐙須與擷腰相間，則屢遷其體。不可得句相間，但時然之。近文人篇中有然，相間者偶然耳。然悟之而爲詩者，不亦盡善者乎。此病亦名「散」。

崔融《唐朝新定詩格·文病》 第一，相類病。「從風似飛絮，照日類繁英。拂巖如寫鏡，封林若耀瓊。」此四句相次，一體不異。「似」、「類」、「如」、「若」，是其病。第二，不調病。是名不調，不調者，謂五字內除第一、第五字，於三字用上、去、入聲相次者。平聲非病限。此是巨病，古今才子多不曉。如「晨風驚疊樹，曉月落危峰」。「月」次「落」，同入聲。如「霧生極野碧，日下遠山紅」。「下」次「遠」，同上聲。如「定惑關門吏，終悲塞上翁」。「塞」次「上」，同去聲。第三，叢木病。詩云：「庭稍桂林樹，簷度蒼梧雲。棹唱喧難辨，樵歌近易聞。」「桂」、「梧」、「棹」、「樵」，俱是木，即是病也。第四，形跡病。形跡病者，於其義相形嫌疑而成。如曹子建詩云：「壯哉帝王居，佳麗殊百城。」「佳山」、「佳城」，非爲形跡墳埏，不可用。又如「侵天」、「干天」，是謂天與樹木等，犯者爲形跡。他皆傚此。第五，翻語病。翻語病者，正言是佳詞，反語則深累是也。如鮑明遠詩云：「鷄鳴關吏起，伐鼓早通晨。」「伐鼓」，反語「腐骨」，是其病。第六，相濫病。相濫者，謂「形體」、「塗道」、「溝淖」、「淖泥」、「巷陌」、「樹木」、「枝條」、「山河」、「水石」、「冠帽」、「襦衣」，如此之等，名曰相濫。上句用「山」，下句用「河」；上句有「形」，下句安「體」；上句有「木」，下句安「條」。如此參差，乃爲善焉。若兩字一處，自是犯焉，非關詩處。或云兩目一處是。第七，涉俗病。詩曰：「渭濱迎宰相。」官之「宰相」，卽是涉俗流之語，是其病。

又《調聲》 傍紐者：「風小」、「月膾」、「奇今」、「精酉」、「表豐」、「外厥」、「琴羈」、「酒盈」。紐聲雙聲者：土，煙，天，隖，右已前四字，縱讀爲反語，橫讀是雙聲，錯讀爲疊韻。何者？「土煙」、「天隖」是反語。「天土」、「煙隖」是雙聲。「天煙」、「土隖」是疊韻。乃一「天」字而得雙聲、疊韻。略舉一隅而示，餘皆放此。

王昌齡《詩格·調聲》 凡四十字詩，十字一管，卽生其意。頭邊廿字一管亦得。六十、七十、百字詩，廿字一管，卽生其意。語不用合帖，須直道天眞，宛媚爲上。且須識一切題目義最要，立文多用其意，須令左穿右穴，不可拘撿。作語不得辛苦，須整理其道、格(格，意也。意高爲之格高，意下爲之下格)。律調其言，言無相妨。以字輕重清濁間之須穩。至如有輕重者，有輕中重，重中輕，當韻之卽見。且「莊」字全輕，「霜」字輕中重，「瘡」字重中輕，「床」字全重。如「清」字全輕，「青」字全濁。詩上句第二字重中輕，不與下句第二字同聲爲一管。上去入聲一管。上句平聲，下句上去入；上句上去入，下句平聲。以次平聲，以次又上去入；以次上去入，以次又平聲。如此輪迴用之，直至於尾。兩頭管上去入相近，是詩律也。五言平頭正律勢尖頭。皇甫冉詩曰(五言)：「中司龍節貴，上客虎符新。地控吳襟帶，才光漢縉紳。泛舟應度臘，入境便行春。處處歌來暮，長江建鄴人。」又錢起《獻歲歸山詩》曰(五言)：「欲知愚谷好，久別與春還。鶯暖初歸樹，雲晴卻戀山。石田耕種少，野客性情閑。求仲時應見，殘陽且掩關。」又陳潤《罷官後卻歸舊居詩》曰：「不歸江畔久，舊業已凋殘。露草蟲絲濕，湖泥鳥跡乾。買山開客舍，選竹作魚竿。何必勞州縣，驅馳效一官。」又五言絕句詩曰：「胡風迎馬首，漢月送娥眉。久戍人將老，長征馬不肥。」五言側頭正律勢尖頭。又崔曙《試得明堂火珠詩》曰：「正位開重屋，凌空出火珠。夜來雙月滿，曙後一星孤。天淨光難滅，雲生望欲無。終期聖明代，國寶在名都。」齊梁調詩。張謂《題故人別業》詩曰(五言)：「平子歸田處，園林接汝墳。落花開戶入，啼鳥隔窗聞。池淨流春水，山明斂霽雲。晝遊仍不厭，乘月夜尋君。」何遜《傷徐主簿詩》曰(五言)：「世上逸羣士，人間徹總賢。畢池論賞託，蔣逕篤周旋。」又曰：「一旦辭東序，千秋送北邙。客簫雖有樂，鄰笛遂還傷。」又曰：「提琴就阮籍，載酒覓揚雄。直荷行罩水，斜柳細牽風。」七言尖頭律。皇甫冉詩曰：「閑看秋水心無染，高臥寒林手自栽。廬阜高僧留偈別，茅山道士寄書來。燕知社日辭巢去，菊爲重陽冒雨開。殘薄何時稱獻納，臨岐終日自遲迴。」又曰：「自哂鄙夫多野性，貧居數畝半臨湍。谿雲帶雨來茅洞，山鵲將雛上藥欄。仙籙滿牀閑不厭，陰符在篋老羞看。更憐童子宜春服，花裏尋師到杏壇。」

又《論文意》 夫用字有數般：有輕，有重；有重中輕，有輕中重；有雖重濁可用者，有輕清不可用者。事須細律之。若用重字，卽以輕字拂之，便快也。夫文章，第一字與第五字須輕清，聲卽穩也。其中三字縱重濁，亦無妨。如「高臺多悲風，朝日照北林」。若五字並輕，則脫略無所止泊處；若五字並重，則文章暗濁。事須輕重相間，仍須以聲律之。如「明月照積雪」，則「月」、「雪」相撥，及「羅衣何飄颻」，則「羅」、「何」相撥，亦不可不覺也。

又 夫詩格律，須如金石之聲。《諫獵書》甚簡小直置，似不用事，而句句皆有事，甚善甚善。《海賦》太能。《鵩鳥賦》等，皆直把無頭尾。《天臺山賦》能律聲，有金石聲。孫公云「擲地金聲」，此之謂也。《蕪城賦》，大才子有不足處，一歇哀傷便已，無有自寬知道之意。

殷璠《河嶽英靈集·論》 昔伶倫造律，蓋爲文章之本也。是以氣因律而生，節假律而明，才得律而清焉。寧預於詞場，不可不知音律焉。孔聖刪詩，非代議所及。自漢、魏至於晉、宋，高唱者十有餘人；然觀其樂府，猶有小失。齊、梁、陳、隋，下品實繁，專事拘忌，彌損厥道。夫能文者，匪謂四聲盡要流美，八病咸須避之，縱不拈綴，未爲深缺。卽「羅衣何飄飄，長裾隨風還」，雅調仍在，況其他句乎？故詞有剛柔，調有高下，但令詞與調合，首末相稱，中間不敗，便是知音。而沈生雖怪曹、王曾無先覺，隱侯言之更遠。璠今所集，頗異諸家：既閑新聲，復曉古體。文質半取，風騷兩挾。言氣骨則建安爲傳，論宮商則太康不逮，將來秀士，無致深惑。

釋皎然《詩式·明四聲》 樂章有宮商五音之説，不聞四聲。近自周顒、劉繪流出，宮商暢於詩體，輕重低昂之節，韻合情高，此之未損文格。沈休文酷裁八病，碎用四聲，故風雅殆盡。後之才子，天機不高，爲沈生弊法所媚，懵然隨流，溺而不返。

白居易《金鍼詩格·詩有八病》 一曰平頭。二曰上尾。三曰蜂腰。四曰鶴膝。五曰大韻。六曰小韻。七曰旁紐。八曰正紐。

又《詩有齊梁格》 四平頭，謂四句皆用平字入是也；兩平頭，謂第一句、第三句用平字入是也。

王叡《炙轂子詩格·側聲體》 常建《弔王將軍墓》：「嘗聞關西將，可奪單于壘。今與山鬼鄰，殘兵哭遼水。」

又《互律體》 詩云：「八月九月蘆花飛。」上四字全用側聲。「南溪老翁垂釣歸。」上四字全用平聲。「秋山入簷翠滴滴。」律全用平。「野艇倚檻雲依依。」律全用側。

又《背律體》 《詠柳詩》：「日落水流西復東，春光不盡柳何窮。巫娥廟裏低含雨，宋玉宅前斜帶風。」此後第五句第二字合用側聲帶起，卻用平聲，是背律也。「不將榆莢共爭翠，深感杏花相映紅。」此是大才，不拘常格之體。

又《訐調體》 李郢詩：「青蛇上竹一種色，黄蝶隔溪無限情。」此「種」字合用平而用側，是訐調也。

鄭谷等《新定詩格》 凡詩用韻有數格：一曰葫蘆，一曰轆轤，一曰進退。葫蘆韻者，先二後四；轆轤韻者，雙出雙入；進退韻者，一進一退。失此則謬矣。

方夕《泊宅編》卷七 東坡《岐亭》詩凡二十六句，而押六韻。或云無此格。退之有《雜詩》一篇，亦二十六句押六韻。

沈括《夢溪筆談》卷一五 古人文章，自應律度，未以音韻爲主。自沈約增崇韻學，其論文則曰：「欲使宮羽相變，低昂殊節，若前有浮聲，則後須切響。一簡之内，音韻盡殊；兩句之中，輕重悉異。妙達此旨，始可言文。」自後浮巧之語，體制漸多，如傍犯、蹉對、假對、雙聲、疊韻之類。詩又有正格、偏格，類例極多。故有三十四格、十九圖、四聲、八病之類。今略舉數事。如徐陵云：「陪遊馺娑，騁纖腰於結風；長樂鴛鴦，奏新聲於度曲。」又云：「厭長樂之疏鐘，勞中宫之緩箭。」雖兩長樂，意義不同，不爲重複，此類爲傍犯。如《九歌》：「蕙肴蒸兮蘭藉，奠桂酒兮椒漿。」當曰蒸蕙肴，對奠桂酒，今倒用之，謂之蹉對。如「自朱邪之狼狽，致赤子之流離」，不唯「赤」對「朱」、「耶」對「子」，兼取「狼狽」、「流離」，乃獸名對鳥名。又如「廚人具鷄黍，稚子摘楊梅」，「當時物議朱雲小，後代聲名白日長」，以「鷄」對「楊」，以「朱雲」對「白日」，如此之類，皆爲假對。如「幾家村草裏，吹唱隔江聞」，「幾家」、「村草」與「吹唱」、「隔江」皆雙聲。如「月影侵簪冷，江光逼履清」，「侵簪」、「逼履」皆疊韻。詩第二字側入，謂之正格，如「鳳曆軒轅紀，龍飛四十春」之類。第二字平入謂之偏格，如「四更山吐月，殘夜水明樓」之類。唐名賢輩詩，多用正格。如杜甫律詩，用偏格者十無一二。

胡仔《苕溪漁隱叢話前集》卷一引《蔡寬夫詩話》 秦、漢以前，字書未備，既多假借，而音無反切，平側皆通用。如「慶雲」、「卿雲」，「臯陶」、「咎繇」之類，大率如此。《詩》：「瞻彼日月，悠悠我思；道之云遠，曷云能來！」「燕燕于飛，下上其音；之子于歸，遠送于南。」「思」與「來」、「音」與「南」，皆以爲協聲。魏、晉間此體猶在，劉越石「握中有白璧，本自荆山璆。惟彼太公望，共此渭濱叟」，潘安仁「位同單父邑，愧無子賤歌。豈敢陋微官，但恐忝所荷」是也。自齊、梁後，既拘以四聲，又限以音韻，故大率以偶儷聲響爲工，文氣安得不卑弱乎？惟陶淵明、韓退之時時擺脱世俗拘忌，故「棲」字與「乖」字、「陽」字與「清」字，皆取其傍韻用，蓋筆力自足以勝之也。

又卷二引《蔡寬夫詩話》 聲韻之興，自謝莊、沈約以來，其變日多。四聲中又別其清濁，以爲雙聲，一韻者以爲疊韻。蓋以輕重爲清濁爾，所謂「前有浮聲，則後有切響」是也。王融《雙聲詩》云：「園蘅眩紅葩，湖荇曄黄華。回鶴横淮翰，遠越合雲霞」，以此求之可見。自唐以來，雙聲不復用，而疊韻間有。杜子美「卑枝底結子，接葉暗巢鶯」，白樂天「戶大嫌甜酒，才高笑小詩」之類，皆因其語意所到，輒就成之，要不以是爲工也。陸龜蒙輩遂以皆用一音，引「後牖有朽柳，梁王長康強」爲始於梁武帝，不知復何所據。所謂蜂腰、鶴膝者，蓋又出於雙聲之變，若五字首尾皆濁音，而中一字清，卽爲蜂腰；首尾皆清音，而中一字濁，卽爲鶴膝，尤可笑也。

又卷一四引《蔡寬夫詩話》 文章變態，固亡窮盡，然高下工拙，亦各繫其人才。子美以「盤渦鷺浴底心性，獨樹花發自分明」爲吳體，以「家家養烏鬼，頓頓食黄魚」爲俳諧體，以「江上誰家桃樹枝？春寒細雨出疏籬」爲新句，雖若爲戲，然不害其格力。李義山「但覺遊蜂饒舞蝶，豈知孤鳳憶雛鸞」，謂之當句有對，固已少貶矣。而唐末有章碣者，乃以八句詩平側各有一韻，如「東南路盡吴江伴，正是窮愁暮雨天。鷗鷺不嫌斜雨岸，波濤欺得送風船。偶逢島寺停帆看，深羨漁翁下釣眠。今古若論英達算，鴟夷高興固無邊」，自號變體，此尤可怪者也。

又卷二六引《緗素雜記》 鄭谷與僧齊已、黄損等共定今體詩格云：「凡詩用韻有數格：一曰葫蘆，一曰轆轤，一曰進退。葫蘆韻者，先二後四；轆轤韻者，雙出雙入；進退韻者，一進一退，失此則謬矣。」余按《倦遊雜錄》載唐介爲臺官，廷疏宰相之失。仁廟怒，謫英州别駕，朝中士大夫以詩送行者頗衆，獨李師中待制一篇爲人傳誦。詩曰：「孤忠自許衆不與，獨立敢言人所難。去國一身輕似葉，高名千古重於山。並遊英俊顔何厚，未死奸諛骨已寒。天爲吾君扶社稷，肯教夫子不生還？」此正所謂進退韻格也。按《韻略》：「難」字第二十五，「山」字第二十七，「寒」字又在二十五，而「還」字又在二十七。一進一退，誠合體格，豈率爾而爲之哉！近閲《冷齋夜話》，載當時唐、李對答語言，乃以此詩爲落韻詩。蓋渠伊不見鄭谷所定詩格有進退之説，而妄爲云云也。

又卷三八引《緗素雜記》 世俗相傳，古詩不必拘於用韻。余謂不然。如杜少陵《早發射洪縣南途中作》，「及」字韻詩皆用「緝」字一韻，未嘗用外韻也。及觀東坡《與陳季常》「汁」字韻，一篇詩而用六韻，殊與老杜異，其他側韻詩多如此。以其名重當世，無敢訾議，至荆公則無是弊矣，其《得子固書因寄以及字韻詩》，其一篇中押數韻，亦止用「緝」字一韻，他皆類此，正與老杜合。苕溪漁隱曰：「黄朝英之言非也。老杜側韻詩，何嘗不用外韻。如《戲呈元二十一曹長》『末』字韻，一篇詩而用五韻；《南池》『谷』字韻，一篇詩而用四韻，《客堂》『蜀』字韻，一篇詩而用三韻。此特舉其二三耳，其他如此者甚衆。今若以一篇詩偶不用外韻，遂爲定格，則老杜何以謂之能兼衆體也。黄既不細考老杜諸詩，又且輕議東坡，尤爲可笑。」六一居士云：「韓退之工於用韻，其得韻寬，則波瀾横溢，泛入傍韻，乍還乍離，出入回合，殆不可拘以常格，如《此日足可惜》之類是也；得韻窄，則不復傍出，而因難以見巧，愈險愈奇，如《病中贈張十八》之類是也。譬夫善馭良馬者，通衢廣陌，縱横馳逐，惟意所之；至於水曲蟻封，疾徐中節，而不蹉跌，乃天下之至工也。」且退之於用韻，猶能如此，孰謂老杜反不能之。是又非黄所能知也。

又卷二引《潘子眞詩話》 皮日休云：「梁武帝詩『後牖有朽柳』，沈約詩『偏眠船舷邊』，疊韻興焉。《詩》曰『螮蝀在東』，又曰『鴛鴦在梁』，雙聲興焉。」王玄謨問謝莊：「何者爲雙聲？何者爲疊韻？」答曰：「互護爲雙聲，磝碻爲疊韻。」當時伏其捷。丁晉公在朱崖，作州郡名配古人姓名等詩及雙聲疊韻，甚有源委。雙聲：「九曲流清泚，重輪抱祥光。」疊韻：「紫蠟茱萸結，紅綃荳蔻房。」林和靖有「草泥行郭索，雲木叫鈎輈」，而山谷《效徐庾慢體》云：「翡翠釵梁碧，石榴裙褶紅」，皆疊韻雙聲也，語尤工。

又卷七 苕溪漁隱曰：「律詩之作，用字平側，世固有定體，衆共守之。然不若時用變體，如兵之出奇，變化無窮，以驚世駭目。如老杜詩云：『竹裏行廚洗玉盤，花邊立馬簇金鞍。非關使者徵求急，自識將軍禮數寬。百年地辟柴門逈，五月江深草閣寒。看弄漁舟移白日，老農何有罄交歡。』此七言律詩之變體也。韋蘇州云：『南望青山滿禁闈，曉陪鴛鷺正差池，共愛朝來何處雪，蓬萊宫裏拂松枝。』老杜云：『山瓶乳酒下青雲，氣味濃香幸見分，鳴鞭走送憐漁父，洗盞開嘗對馬軍。』此絶句律詩之變體也。東坡嘗用此變體作詩云：『華髪蕭蕭老遂良，一身萍掛海中央。無錢種菜爲家業，有病安心是藥方。才疎正類孔文舉，癡絶還同顧長康。萬里歸來空泣血，七年供奉殿西廊。』『總角黎家三小童，口吹蔥葉送迎翁。莫作天涯萬里意，溪邊自有舞雩風。』『半醒半醉問諸黎，竹刺藤梢步步迷。但尋牛矢覓歸路，家在牛欄西復西。』又有七言律詩，至第三句便失粘，落平側，亦别是一體。唐人用此甚多，但今人少用耳。如老杜云：『搖落深知宋玉悲，風流儒雅亦吾師。悵望千秋一灑淚，蕭條異代不同時。江山故宅空文藻，雲雨荒臺豈夢思。最是楚宫俱泯滅，舟人指點到今疑。』嚴武云：『漫向江頭把釣竿，懶眠沙草愛風湍。莫倚善題《鸚鵡賦》，何須不著鵕鸃冠，腹中書籍幽時曬，肘後醫方静處看。興發會能馳駿馬，終須重到使君灘。』韋應物云：『夾水蒼山路向東，東南山豁大河通。寒樹依微遠天外，夕陽明滅亂流中。孤村幾歲臨伊岸，一雁初晴下朔風。爲報洛橋遊宦侶，扁舟不繫與心同。』此三詩起頭用側聲，故第三句亦用側聲。老杜云：『暮春三月巫峽長，皛皛行雲浮日光。雷聲忽送千山雨，花氣渾如百和香。黃鶯過水翻回去，燕子銜泥濕不妨。飛閣捲簾圖畫裏，虛無只少對瀟湘。』韋應物云：『與君十五侍皇闈，曉拂爐煙上玉墀。花開漢苑經過處，雪下驪山沐浴時。近臣零落今猶在，仙駕飄飄不可期。此日相逢非舊日，一杯成喜亦成悲。』此二詩起頭用平聲，故第三句亦用平聲。凡此皆律詩之變體，學者不可不知。」

嚴有翼《藝苑雌黃》 古人用韻，如《文選·古詩》、杜子美、韓退之，重複押韻者甚多。《文選·古詩》押二「促」字，曹子建《美女篇》押二「難」字，謝靈運《述祖德詩》押二「人」字、《南圖詩》押二「同」字、《初去郡詩》押二「生」字，沈休文《鍾山應教詩》押二「足」字，任彥昇《哭范僕射詩》押三「情」字、兩「生」字，陸士衡《赴洛詩》押二「心」字、《猛虎行》押二「陰」字、《擬古詩》押二「音」字、《豫章行》押二「陰」字，阮嗣宗《詠懷詩》押二「歸」字，王正長《雜詩》押二「心」字，張景陽《雜詩》押二「生」字，江淹《雜體詩》押二「門」字，王仲宣《從軍詩》押二「人」字，杜子美、韓退之，蓋亦做古人之作。子美《飲中八仙歌》押二「船」字、二「眼」字、二「天」字、三「前」字，《園人送瓜詩》押二「草」字，《上後園山腳》押二「粱」字，《北征》押二「日」字，《夔州詠懷》押二「旋」字，《贈李秘書》押二「虛」字，《贈李邕》押二「厲」字，《贈汝陽王》押二「陵」字，《喜岑薛遷官》押二「萍」字。退之《贈張籍詩》押二「更」字、二「狂」字、二「鳴」字、二「光」字，《岳陽樓別竇司直》押二「向」字，《李花》押二「花」字，《雙鳥》押二「州」字、二「頭」字、二「秋」字、二「休」字，《和盧郎中送盤谷子》押二「行」字，《示爽》押二「然」字，《義魚》押二「銷」字，《寄孟郊》押二「奧」字。其餘詩人用韻如此者亦多，意到卽押爾。

蔡絛《西清詩話》卷上 詩之聲律，至唐始成。然亦多原六朝旨意，而造語工夫，各有微妙。何遜《入西塞詩》：「薄雲巖際出，初月波中上。」至少陵《江邊小閣》則云：「薄雲巖際宿，孤月浪中翻。」雖因舊而益妍，此類獺髓補痕也。《玉臺集序》：「金星將婺女爭華，麝月與嫦娥競爽。」北齊碑云：「浮雲共嶺松張蓋，秋月與巖桂分叢。」庾子山《馬射賦》：「落花與芝蓋齊飛，楊柳共春旗一色。」王勃《滕王閣記》：「落霞與孤鶩齊飛，秋水共長天一色。」薛逢云：「原花將晚照爭紅，怪石與寒流共碧。」「銀章與朱紱相輝，熊軾共隼旟爭貴。」語意互相剽竊，所謂左右拔劍，彼此相笑，於少陵精粗有間矣。學者當知，古人所謂須機杼自成一家風骨，不可與人同生共活也。

葛立方《韻語陽秋》卷二 連綿字不可挑轉用，詩人間有挑轉用者，非爲平側所牽，則爲韻所牽也。羅昭諫以「泬寥」爲「寥泬」，是爲平側所牽，《秋風生桂枝詩》所謂「寥泬工夫大」是也。又以「汍瀾」爲「瀾汍」，是爲韻所牽，《哭孫員外詩》所謂「故侯何在淚瀾汍」是也。

吳可《藏海詩話》 和平常韻要奇特押之，則不與衆人同。如險韻，當要穩順押之方妙。

許月卿《百官箴》卷二《百官箴用韻》 韻本於聲，聲本於氣，氣本於理。自太極之動靜而有陰陽，自陰陽之闔闢而有人物，得其偏且塞者爲物，得其正且通者爲人。人得陰陽之氣正而且通，故有自然之聲韻，有自然之律呂，初非勉強矯拂而爲之也。勉強矯拂則非自然之韻，非自然之韻則非自然之聲，非自然之聲則非自然之氣，非自然之氣則非自然之理。自謝莊、沈約、周顒，以浮聲切響創爲聲律之制，而古韻亡矣。古韻雖亡而其在人聲者不可泯也。生於後世而欲求古人之音韻者，不於自然之人聲求之，將於何而求之？故人聲之自然，非勉強非矯拂，而有自然之節制，有自然之疆域，秩乎其不可亂，確乎其不可移，此人聲之天也。人聲之天卽人心之天也。自然卽天，天卽理，韻書可泯，此不可泯。

費袞《梁谿漫志》卷七《作詩押韻》 作詩押韻是一奇，荆公、東坡、魯直押韻最工，而東坡尤精於次韻，往返數四，愈出愈奇。如作梅詩雪詩，押「暾」字「叉」字；在徐州，與喬太博唱和，押「粲」字，數詩特工。荆公和「叉」字數首，魯直和「粲」字數首，亦皆傑出。蓋其胸中有數萬卷書，左抽右取，皆出自然，初不着意要尋好韻，而韻與意會，語皆渾成，此所以爲好。若拘於用韻，必有牽強處，則害一篇之意，亦何足稱。坡在嶺外，《和淵明懷古田舍》詩云：「休閒等一味，妄想生愧靦。」自注云：「淵明本用緬字，今聊取其同音字。」《和程正輔同遊白水巖》詩云：「恣傾白蜜收五稜，細斸黃土栽三椏。」自注云：「來詩本用砑字，惠州無書，不見此字所出，故且從木奉和。」且東坡欲和此二韻似亦不難矣，然才覺牽合，則寧捨之，不以是而壞此篇之意也。後人不曉此理，纔到和韻處，以不勝人爲恥，必劇力冥搜，縱不可使，亦須強押。正如醉人語言，全無倫類，可以一笑也。

魏了翁《鶴山先生大全文集》卷五二《古郫徐君詩史字韻序》 詩以吟詠情性爲主，不以聲韻爲工，以韻爲工，此晉、宋以來之陋也，迨其後復有次韻，有用韻，有賦韻，有探韻，則又以遲速較工拙，以險易定能否，以抉擿前志爲該洽，以破碎大體爲新奇，轉失詩人之旨，重以纂類之書充廚牣几，而爲士者之乏體習持養之功滋，欲速好徑之病流風靡靡，未之能改也。

戴昺《東野農歌集》卷四《有妄論宋唐詩體者答之》 不用雕鎪嘔肺腸，辭能達意即文章。性情元自無今古，格律何須辨宋唐？人道鳳簫諧律呂，誰知牛鐸有宮商！少陵甘作村夫子，不害光芒萬丈長。

歐陽守道《巽齋文集》卷一二《陳舜功詩序》 沈休文長於音韻，自謂：「靈均以來，此秘未覩。」唐李德裕非之，以爲古辭如金石琴瑟，尚於至音；今文如絲竹鞞鼓，迫於促節。大概謂韻局則句累，不若不韻之爲愈也。夫自局於韻，猶病累句，況一用他人之韻，不局且累乎？唐人於詩，和意不和韻，亦曰：「和詩固不必韻也。」近世往往以和韻爭工，甚則有追和古作全帙無遺，如東坡之於靖節翁者，語意天成，一出自然，不似用他人韻也。

吳師道《吳禮部詩話》 轆轤出入用韻，必有奇句乃可，如李師中送唐介詩是也。若句韻尋常，用此何爲。又必用韻連而聲協者，若東冬、寒山、爻豪、清青之類，今人乃間越用之，或一在上平，一在下平，皆非是。

方回《桐江集》卷三《跋吳友梅詩》 物之初，未始有聲也，形相戛、氣相磨，而後聲生焉。莫盛於《韶》，足以儀鳳舞獸。老嫗之篪、牧子之笛，至微也，而或聞之者，爲驚怛凄愴，何耶？是故詩人之詩，其盛者鐘律鏗鏘，享帝薦廟之樂也；其微者亦猶一吹一彈之成音焉。三百五篇□□寒郊瘦島雖微，可廢乎哉？

戴表元《剡源文集》卷七《程宗旦古詩編序》 語之成文者有韻，猶樂之成音者有均，一也。均法廢，世以胡部新聲爲古樂，韻學流人，又以唐人近體爲古詩矣。可不痛哉！余嘗有意緒正其事，以爲樂出於中聲，與人之歌詩最爲不遠。三百篇《國風》、《雅》、《頌》可以被弦歌、薦宗廟者，本不求如後世音切之備。然當時人之誦念精熟，士大夫尋常叙述，邂逅寄託，必取斷章一二以流暢其意者，語成文而有韻故也。漢魏後，詩猶入樂府，遇其理到處，流傳至今。兒童婦女輩，能諷之興起，若如今人直謂之無詩無樂可也。

陳櫟《陳定宇先生文集》卷五《論詩歌聲音律》 樂之生成純乎天，難以出於帝世者望後世也。夫樂由天作者也，所謂天者，何也？樂之生，原於人心之天，而樂之成，協於造化之天也。本於性情，則謂之詩，詩實出於人心之天。歌也，聲也，皆其發舒而不容已者，而稽之度數，則謂之律。律爲生氣之元，造化生生不窮之天寓焉，由斯而播於音，則樂之生也，斯成矣。詩出於心聲萌動之天，而律根乎陽氣萌動之天，皆自然而然，而非人爲之使然，故曰「天也」。此有虞以樂教命后夔，所爲純乎天而獨盡善也。後世亦知樂原於詩而當協於律矣，奈之何所謂詩者已不古，而所以求之律者尤非古，其想望虞帝之樂，以爲何如也？班固志漢禮樂，而援虞廷命夔之辭，固爲知所宗者，然帝世純乎天之樂，則豈漢之敢望哉！愚觀詩爲樂之所由生，而歌與聲形焉；律爲樂之所自成，而音諧焉。當時之詩，如上而「喜起明良」之歌，下而九功之歌、康衢之謠皆是也，而其詳不可得聞已。當時之律，則律度量衡之同，六律五聲八音之聞，如是而止，其詳亦不可得聞已。然樂生於詩之天，而成於律之天，則命夔之辭，精密該備，萬世之下，言樂者其誰能外之？帝世之人，心志一於正理之天，詩之吟詠性情，皆天也。情動於中而形于言，言而既形矣。言之不足，不容不永歌之，歌而永也，必有長短之節，其聲亦有高下清濁之殊，而宮商角徵羽之聲，依歌之永而形焉。故歌聲之長而濁者爲宮，以漸清且短則爲商也、角也、徵也、羽也。斯時也，歌者詩之歌，聲者歌之聲，此樂所由生。而本之性情之天者，未可以樂言也，必由人聲而播於樂聲，散於金石至革木之音，斯可以樂言矣。然叶人聲而使之和，豈人力所能與？於斯曰：是有稽之度數之律焉，乃聲氣之元，而純乎造化之天者也。律之起，自伏羲、黃帝以來，尚矣，以陰陽分則陽律陰呂，以陽統陰言則均之爲律。律雖十二也，然黃鐘一律，實爲律本，吹以考聲，列以候氣，吹之而氣和，候之而氣應。以定黃鐘之長，三分損一，隔八取之，律娶妻，呂生子，生生不窮，而十二律俱定焉。是黃鐘者，陽生之始，陽氣之動，爲聲氣之元。而下生上生乎十二律者也。雖有十二律之不同，實一黃鐘而已。未和以律，則爲依永之聲；既和以律，則爲成文不亂之聲。如黃鐘爲宮，則太簇爲商，姑洗爲角，林鐘爲徵，南呂爲羽，大不過宮，小不過羽，長短清濁，無毫髮差。由是以此五聲被之八音，音無不諧，而樂無不成矣。聲之未和以律，則原於人心聲詩之天，聲之既和以律，則協於造化聲氣之天：此舜樂之生成所爲純乎天也，此《韶》所以盡善，而《魯論》一書，夫子所以於《韶》三致意也。重華往矣！樂備於周，六詩之教、六律六同之奏見於《周官》，其得命夔遺意，則不與重華俱往也。《詩》亡，《春秋》作，而樂始壞，賴孔子興詩成樂之教，使雅頌得所，而後樂復正。正之未幾，而摯齊干楚，魯樂又非矣。漢興，謂無意於樂不可。高祖《大風》之歌，孝武《秋風》之辭，悲壯慷慨，視古詩已有愧，況房中之楚聲、樂府之淫靡？抑又可知，詩既如此，律尤非矣。張蒼雖云定律，實補綴未詳也。孝武置協律郎官，以李延年爲都尉，頗著新聲，然未達音律之原。律豈如是其易協哉？元帝以知律自命，劉歆亦號研精，孟堅《漢志》，皆歆手出也，而律終莫之定。詩非古之詩，降而蘇武、李陵，又降而建安七子，而詩之歌與聲不可和於律。律非古之律，晉氏以下，求之金石之尺，梁隋以來，參之纍黍之數。尺之互有短長也，黍之地力不齊，而大小難準也，而鐘律不定，終不可諧於音，遂使生成純乎天之樂，與重華一去而不可復得焉，徒以重君子懷古之嘆而已。愚故曰難以出於帝世者望之後世也。抑又疑之：劉昭之補《後漢志》也，謂伏羲作《易》，紀陽氣之初以爲律，法審然，則《易》、律一也。《易》之陰陽如環無端，而律之相生窮於仲呂，何也？意者《易》以道陰陽，故終則有始；律以陽統陰，於陰則不書，故終不復始歟？《易》盡天下之變，善與惡無不備也；律致中和之用，止於至善而已。《易》無不備，則十二律、六十調無過黃鐘一聲而已。故仲呂有十二律之窮，反生惟得八寸七分，爲奇，所以爲變律之首，而不成黃鐘之正聲。若黃鐘正聲，則常爲君而不復爲衆律役焉。是理也，在聲爲中聲，在氣爲中氣，在人爲未發之中與發而中節之和焉。吁！詩本於性情，而爲中和之聲，律稽之度數，而爲中和之音，則樂其天矣，誰謂帝世之樂果不可復也哉？

侯克中《艮齋詩集》卷八《諧音格》 詩貴於音韻諧叶，此卷用韻，一以音同字異者爲之，自我作古，後或有取焉。

辛文房《唐才子傳》卷四 詩律自沈、宋之下，日益靡嫚，鎪章刻句，揣合浮切；音韻婉諧，屬對藻密，而閑雅平淡之氣不存矣。

韓性《中庵集序》 聲音與政通，而文詞者，聲之寓也。

歐陽玄《圭齋文集》卷七《虛籟集序》 古人之詩，被之絃歌，其入人之深，猶有待於聲。今人之詩，簡牘而已。或一字之工，一言之妙，眞能使人心存而不忘。以是往往知音於千里之外，會心於百世之下，求其所以然，而莫知孰使然，非天乎？

許有壬《至正集》卷三一《擊壤同聲集序》 聲在天地間爲雷霆，爲崑崔竅穴，爲鳥獸之鳴，與凡細蟲之可聞者，爲水之磯瀧，物之戛磨，雖重輕清濁和戾之不同，其出於激一也。在人爲言，而行不與焉。言有喜怒，皆激也。而精者爲文，文之精者爲詩，聲而至是，萬物之聲蔑加矣。康衢之謠，擊壤之歌，其淳未漓，其朴未凋，其發於聲，洪龐渾厚，而自然之文，實具於中。及靡靡之聲作，淫哇嘈雜，天下化之，雖以《小雅》不免怨誹，況騷乎，況降而益下者乎？

楊維楨《東維子文集》卷七《蕉囱律選序》 詩至律，詩家之一厄也。東坡嘗舉杜少陵句曰：「五更鼓角聲悲壯，三峽星河動影搖。」「五夜漏聲催曉箭，九重春色醉仙桃。」是後寂寥無聞。吾亦有云：「露布朝馳玉關塞，捷書夜報甘泉宮。」「令嚴鐘鼓三更月，野宿貔貅萬竈煙。」爲近之耳。余嘗奇其識而韙其論，然猶以爲未也。余在淞，凡詩家來請詩法無休日，《騷》、《選》外談律者十九。余每就律舉崔顥《黃鶴》、少陵《夜歸》等篇，先作其氣而後論其格也。崔、杜之作，雖律而有不爲律縛者，惜不與老坡參講之。

李祁《雲陽集》卷四《周德清樂府韻序》 天地有自然之音，非安排布置所可爲也。以安排布置爲之者，人也，非天也。天地既判，而人與之並立焉，草木生焉，禽獸居焉。凡具形色肖貌於天地之間者，莫不有聲焉，有聲則音隨之矣。清濁高下，抑揚徐疾，何莫而非自然之音哉？聲音具而歌詠興，虞廷載賡，《三百篇》之權輿也。商頌周雅，漢魏以來樂府之根柢也。當是時也，韻書未作，而作者之音調諧婉，俯仰暢達，隨其所取，自中節奏，亦何莫而非自然之音哉？韻書作而拘忌多，拘忌多而作者始不如古矣。古之詩，未有律也，而律詩自唐始。精於律者，固已有之，至杜工部而雄傑渾厚，掩絶今古。然以比之漢魏諸作，則意趣風格，蓋亦有不然者矣。古之賦，未有律也，而律賦自唐始。朝廷以此取士，鄉老以此訓子，兢兢焉較一字於毫忽之間，以爲進退予奪之機。組織雖工，徘偶雖切，而牽制局促，磔裂以盡人之才。故自律賦既作，迨今六七百年之間，而曾無一篇可傳於後世，曾無一字可益於世教。凡若此者，皆韻書之貽患也。嗟乎！韻書之作也，果何人哉？使其果聖人也，則吾不可得而議也。使其非聖人也，則亦安得而盡信之哉？孟子之於武城，取其二三策，而其言曰：「盡信書，不如無書。」夫以聖人之書，而孟子猶未之盡信，而況於後之書乎，況若沈氏之書者乎？今且直以一方之音，而欲行之於天下，以一人之見，而欲行之於萬世，偏仄固陋，遂爲成書。使後之人，遵而用之，如衆工之守繩墨，小吏之持法令，靳靳乎不敢少有遷移。吁，亦可嘆也已！予自幼入小學學詩，常怪夫東冬之不相通也，清青之不相用也，則執以問諸師。師曰：「此有清濁，非爾所知。」及長而益疑，則又以質諸鄉之先輩，則鄉之先輩，亦有疑之者矣。疑之而著而爲書者有之矣，恨世變莫知所存，亦莫能憶究其説，常往來於懷。高安周德清，通音律，善樂府，舉沈氏之書而洗空之，考其源流，指其疵繆，特出己見，以陰陽定平聲之上下，而向之東冬鍾江等韻，皆屬下平。以中原之音，正四方之音，而向之「混、緩、范、犯」等字，皆歸去聲。此其最明白而易見者，它亦未暇悉論也。

劉鑑《稗編》卷三六《論聲韻》 聲韻之學，其來尚矣。凡窮經傳史，以聲求字，必得韻而後知，韻必得法而後明，法必得傳而後通，誠諸韻之總括，訂字之權衡也。雖五十一之音均同一致，孰不以韻爲則焉？但能歸韻母之橫豎，審清濁之重輕，即知切腳皆有名派，聲音妙用本乎自然。若以浮淺小法，一概求切而不究其源者，予亦未敢輕議其非，但恐施於誦讀之間，則習爲蔑裂矣。略如：時忍切，腎字；時掌切，上字，同是濁音，皆呼如去聲，卻將上字呼如清音賞字。其蹇切，件字；其兩切，強字，亦如去聲，又以強字呼如清音硫，丘仰切字。然則亦以時忍切，如啞字；其蹇切，如遣字，可乎？倘因礙致思而欲叩其詳者，止是清濁之分也。又如符羈切，如肥字，本是皮字；都江切，如當字，本字椿字；士魚切，如殊字，本是鋤字；詳里切，如洗字，本是當字，本是椿字，此乃門法之分也。如是誤者豈勝道耶！其雞稱齎，癸稱菊、稱韭字之類，乃方言之不可憑者，則不得已而姑從其俗。至讀聖賢之書，首貴乎知音，其可不知稽其本哉！今述《經史正音切韻指南》，與韓氏《五音集用》互爲體用，諸用字音，皆由此韻而出也。

范梈《木天禁語·音節》 馬御史云：「東夷、西戎、南蠻、北狄，四方偏氣之語，不相通曉，互相憎惡。惟中原漢音，四方可以通行，四方之人皆喜於習説。蓋中原天地之中，得氣之正，聲音散布，各能相入。是以詩中宜用中原之韻，則便官樣不凡。押韻不可用啞韻，如五支、二十四鹽，啞韻也。」

陳繹曾《詩譜》 宮：穩，上平，全濁。商：響，下平，次濁。角：超，上，不清不濁。徵：嘔，去，次清。羽：細，入，全清。響、超音揚，嘔、細音抑，穩聲和叶，其間而用之，循環無端，然有疏有密，消息用之。

又 二聲：平，上平下平；仄，上去入。五言律詩，貴字平仄諧和。七言律詩，貴拗律，句頭欲起，句腰欲嘔，句尾欲響。八句之內，六響一穩一嘔，結句貴諧和。五言絕句，貴拗律。七言絕句，貴諧和。

又 五言古詩，主穩，響、起不得暴揚，嘔、細不得驟抑。七言古詩，情樂者貴響、起，不得驟用嘔、細；情哀者貴嘔、細，不得暴用響、起。音凡叶端一字中本宮，從此高下，取此相間，復終於本宮，累累無端，如貫珠是也。七言律詩，雖哀亦響、起。凡律高則用重，律中則用正，律下則用子律，大要欲調匀。凡律聲聲有五音，字字有十二律，消息活法用之。

又 八音：金，韻在斷句外，淵然留有餘之意。石，韻在斷句處，璆然含不足之意。絲，韻在抑揚轉折中，悠然有無窮之意。竹，韻在餘聲轉折處，嫋嫋有不盡之意。匏，韻在衆聲匯合處，洞有廣大之風。土，韻在始終無跡處，渾渾有無端之象。革，韻在聲中，振動群聽。木，韻在聲外，節宣衆音。一音獨作，各依其韻，衆音合奏，並諧其韻。

又 十二律：黃鐘，仲冬之月，冬至之炁，元和之端。大呂，季冬之月，大寒之炁，太陽之極。大簇，孟春之月，立春之炁，少陽之始。夾鐘，仲春之月，春分之炁，少陽之中。姑洗，季春之月，清明之炁，太陽之始。中呂，孟夏之月，立夏之炁，太陽之中。蕤賓，仲夏之月，夏至之炁，微陽之中。林鐘，季夏之月，大暑之炁，太陽之極。夷則，孟秋之月，立秋之炁，少陰之始。南呂，仲秋之月，秋分之炁，少陰之中。無射，季秋之月，霜降之炁，少陰之成。應鐘，孟冬之月，立冬之炁，太陰之始。

佚名《沙中金集·押虛字》 黃雞催曉不須愁，老客世人非我獨。（坡）人惜共遊今孰在，樹猶如此我何堪。（六一）自從西征復何有，欲致南烹歎久久。（坡）起攜蠟炬遶空屋，欲事煎烹無一可。（坡）邇來變化驚可述，昔號剛強今亦頗。（坡）問之無乃求之歟，答我不然聊復爾。（坡）我本漁樵孟諸野，一生自是悠悠者。（馬子才）我本疎頑固當爾，子猶淪落況些餘。（坡）當代不飲酒，虛名安在哉。（山谷）再遊應眷眷，聊亦寄吾曾。（坡）人生重意氣，出處夫豈徒。（坡）安得相付子，過聽君談笑。（坡）拙則近乎直，而直豈拙歟。（坡）曾開遺俗即存

者，豈若吾身親見之。外不自持如醉者，中無他歉若羞然。（海棠）

又《倒字押韻》 古人詩押字，或有語顛而於理無害者。（《藝苑雌黃》）星河盡涵泳，俯仰迷下上。紫樹雕斐亹，碧流滴瓏玲。岸樹共紛披，渚牙相緯經。（作去聲）是時山水秋，光景何鮮新。棄去可奈何，吾其死茅菅。（《詩》：「露彼菅茅。」）命衣備藻火，賜業兼拊搏。（《書》：「搏拊琴瑟。」）奈何任埋沒，不自求騰軒。古史散左右，詩書置前後。君恩太山重，不見酬稗稊。法吏多少年，磨淬出角圭。諒非軒冕族，應對多差參。胡不上書自薦達，坐令四海如虞唐。（坡） 居鄰北郭古寺空，杏花兩株能白紅。高士例須憐麴蘗，丈夫終莫生畦畛。千鐘萬鼓咽耳喧，攢雜啾嚄沸篪塤。 閉門長安三日雪，推書撲筆歌慨慷。（杜） 祇今年才四十五，後日懸知漸莽鹵。（並韓詩。《漢皐詩話》云：「惟韓愈、孟郊輩才豪放，有此等語，後人難倣傚。」） 愛汝玉山草堂靜，高秋爽氣多鮮新。（杜） 興廢何足弔，萬古一仰俯。（坡）

又 第二聯、第三聯失粘： 鳳凰臺上鳳凰遊，鳳去臺空江自流。吳宮花草埋幽徑，晉代衣冠成古丘。三山半落青天外，二水中分白鷺洲。總爲浮雲能蔽日，長安不見使人愁。（李太白） 首尾失粘： 汪龍溪：扁舟徑度石頭去，看盡江南江北山。忽驚雨作縆縻下，坐見風排鷗鷺還。一生能作屐幾緉，十口恨不房三間。作牋料理向公子，有酒尚開寒士顏。 絕句失粘： 新豐綠樹起黃埃，數騎漁陽探使回。霓裳一曲千峰上，舞破中原始下來。 五言失粘（八句反入格）： 不汎最清曠，及來愁已空。數點石泉雨，一溪霜葉風。業在有山處，道歸無事中。酌盡一杯酒，老夫顏便紅。 五言絕句失粘： 都無看花臺，偶到樹邊來。可憐枝上色，一一爲誰開。 七言失粘： 半醒半醉問諸梨，竹束藤梢步步迷。但尋牛矢復歸路，家在牛欄西復西。 總角梨家三四童，口吟葱葉送迎翁。莫作天涯萬里意，溪邊自有舞雩風。（坡《被酒獨行至西梨》） 第三聯失粘： 華髮蕭蕭老遂良，一身萍挂海中央。無錢種菜爲家業，有病安心是藥方。才疎絕類孔文舉，癡絕還同顧長康。 萬里來歸空泣血，七年供奉殿西廊。 第四聯失粘： 米盡無人典破裘，送行萬里一鄒遊。解舟又欲攜君去，歸舍聊須與婦謀。聞道年來丹伏火，不愁老去雪蒙頭。剩買山田添鶴口，廟堂新拜富元侯。

又《失粘句》 律詩有定體，然時出變體，如兵出奇，變化無窮，尤足驚世駭俗也。引韻便失粘（名江左體杜《卜居》）： 浣花溪水水西頭，主人爲卜林塘幽。已知出郭少塵事，更有澄江銷客愁。無數蜻蜓齊上下，一雙鸂鶒對沉浮。東行萬里堪乘興，須向山陰上小舟。 第二聯失粘（杜《詠懷古蹟》）： 搖落深知宋玉悲，風流儒雅亦吾師。悵望千秋一灑淚，蕭條異代不同時。江山故宅空文藻，雲雨荒臺豈夢思。最是楚宮多泯滅，舟人指點到今疑。 第三聯失粘（杜《仲夏嚴公枉駕》）： 竹裏行廚洗玉盤，花邊立馬簇金鞍。非關使者徵求急，自識將軍禮數寬。百年地僻柴門迥，五月江深草閣寒。看弄漁舟移白日，老農何有罄交歡。 第四聯失粘（柳宗元《挽呂衡》）： 衡嶽新摧天柱峰，士林憔悴泣相逢。祇今文字傳青簡，不使功名上景鐘。三畝空留懸磬室，九原猶寄若堂封。遙想荆州人物論，幾回中夜惜元龍。（句有挽意）

佚名《詩教指南集·作詩用韻》 詩中押韻，先要看詩韻精熟，須認某字在某韻，至若東冬、江岡、清青、頻平之類，須字字熟記。當吟之際，則用一韻，諸韻在其左右矣。韻若生疏，雖有好興，亦凝滯不達，無佳句矣。是吟家之一坑塹也。

曾李《詩則》 造語妥帖，琢對稱停，不患無音節矣。詩貴有音節氣象。優遊則音節自足，觀《楚辭·九歌》可見。

陳謨《海桑集》卷一〇《答或人》 或問詩至唐而拘四聲，始有律之名。律者取其可歌也，今人律唐之律，若塡曲腔，然亦皆可歌乎？ 曰： 曷爲而不可也！夫情發於聲，詩言志也；聲成文謂之音，歌永言也。五聲依夫歌之永；十二律和夫聲之依。詩歌固有自然之律，而聲律緣以起也。【略】曰或命唐詩爲音可乎？ 曰可。曰謂中唐無盛唐之音，晚唐復無中唐之音然乎？ 曰非然也。朱子論風雅頌部分，蓋曰辭氣不同，音節亦異。論風雅頌正變，蓋曰其變也事未必同，而各以其聲附之。蓋變風風之聲，故附正風；變雅雅之聲，故附正雅。時異事異，故辭氣亦異。然而以聲相附者，聲猶後世所云調。若腔也，盛唐、中唐、晚唐，律同則音同。謂其辭氣不同可，謂其音不同不可。況盛唐亦有辭氣類晚唐者，晚唐復有類盛唐者乎！ 嘗欲取盛唐諸家和平正大高明俊偉者，不分古體律絕，類爲盛唐詩。其辭氣頗類晚唐者，類爲晚唐之祖，合爲一卷，中唐、晚唐各爲一卷。其辭氣頗類盛唐者，則類爲各卷之首。中唐、晚唐、盛唐所謂係一人之本者，詩之正變則詩人之性情，而辭氣不同耳。使學習之審如是，晚唐可入盛唐；不如是，盛唐則至晚唐靡靡而後已，亦少補也。

宋濂《宋學士文集·翰苑續集》卷二《洪武正韻序》 人之生也則有聲，聲出而七音具焉。所謂七音者，牙、舌、唇、齒、喉及舌、齒各半是也。智者蔡知之，分其清濁之倫，定爲角、徵、宫、商、羽以至於半商、半徵，而天下之音盡在是矣。然則音者，其韻書之權輿乎？夫單出爲聲，成文爲音，音則自然協和不假勉彊而後成。虞廷之賡歌，康衢之民謠，姑未暇論，至如《國風》、《雅》、《頌》四詩，以位言之，則上自王公，下逮小夫賤隸，莫不有作，以人言之，其所居有南北東西之殊，故所發有剽疾重遲之異。四方之音，萬有不同。孔子删詩，皆堪被之弦歌者，取其音之協也。音之協，其自然之謂乎。不特此也，楚漢以來，《離騷》之辭，《郊祀》、《安世》之歌，以及於魏晉諸作，曷嘗拘於一律，亦不過協比其音而已。【略】嗚呼，音韻之備，莫踰於四詩，詩乃孔子所删，捨孔子而弗之從？而唯區區沈約之是信，不幾於大惑歟！

童冀《尚絅齋集》卷二《金華集下·詩叶韻辨》 音韻之書，古未有也，非古無音韻也，未嘗有其書也。赤子生而五方同音，其本然也；長而變於時俗，其習然也。然閭巷小人妾婦孺子見於歌謠者，初未嘗變也。自沈約撰「四聲韻」，一以當世之音爲主，正音於是微矣，然古之載籍具存，識者尚能辨之也。至宋吴棫復取古之正音變於今者爲叶韻焉，韻不待叶也。唐陸德明釋群經，間有叶韻之言，未敢的爲之名也。陸氏猶未足徵也。漢鄭康成爲詩箋，其名物度數音韻之説詳矣，誠有之，則鄭氏言之矣。鄭氏亦未足徵也。齊、魯、韓三家以《詩》專門。三家未嘗言之也，不寧惟是，子夏親傳聖人之經，其序詩也有曰：「情發於聲，聲成文謂之音。」音韻固重矣，誠有之，子夏寧靳而不以語人乎？子夏猶賢者也，《三百篇》親删於聖人，取其善惡可爲勸戒者以訓後世，曾謂音之不正，而聖人不删正之乎？然詩猶非聖人所自作也。《易》之爻象皆出於聖人，其韻語猶詩也。自今觀之，秦漢以前載於竹帛者皆可考也，東都而下，音漸不古，沈約已承其誤，吴氏察之弗精，又强名焉，過矣，不然，則先秦古書若天明慶行之屬，無一語作今韻者，其是非較然矣。夫文有音韻者猶弗之能察，則無音韻之可考者又可既耶？嗟夫，聖人之大經大法載諸方册，後世所當明辨之者宜亦多矣。人多忽之，顧屑屑乎音韻之辨，亦末矣。

黄溥《詩學權輿》卷二《韻譜》 古韻：取其音之相通者，如晉謝靈運用古韻「祐」字協「燭」之類。唐人惟韓退之、柳子厚，白居易用古韻，如「牙」字、「資」字、「毛」字，皆協「魚」字韻之類。今韻：即唐人押韻。協韻：如《楚辭》、《選》詩多用協韻，即所謂古韻也。借韻：如押「七支」韻，可借「八微」，或「十二齊」之類。次韻：依原倡之詩逐一次其韻，不和詩意。肇於盛唐，至宋元尤重之。分韻：人各分一字爲韻。起於唐，盛於宋元。和韻：步其韻和之。和詩：只和其意，不次其韻。如唐岑參《奉和賈至舍人早朝大明宫》之類。用韻：用彼之韻，亦不必次之。韓退之《和皇甫湜陸渾山谷》是也。今人多不曉。一韻兩用：古詩曹子建《美女篇》用兩「難」字之類。一韻三用：古詩任彦昇《哭范僕射》詩，三用「皆」字。有三韻六七用者：古詩《焦仲卿妻》詩是也。重用二十許韻者：古詩《焦仲卿妻》詩見也。有取六七許韻者，如「東」、「冬」、「江」、「陽」、「庚」、「青」之類，韓愈《此日足可惜》篇是也。古詩全不押韻者：如《采蓮曲》之類。律詩百五十韻者：如王元之有百五十五言律。律詩止三韻者：如李益詩：「漢家今上郡，秦塞古長城。有日雲常慘，無風沙自驚。當今天子聖，不戰四夷平」是也。轆轤韻：一詩用二韻，如前二聯用「山」字，後二聯用「寒」字。雙出雙入，取其音之協者。進退韻：一詩用二韻，單出單入，如初聯用「七支」，次聯用「八微」，第三聯復用「七支」，第四聯復用「八微」是也。如李師中《送唐介謫官》詩曰：「孤忠自許衆不與，獨立敢言人所難。去國一身輕似葉，高名千古重於山。並遊英俊言何厚，未死奸諛骨已寒。天爲吾君扶社稷，肯教夫子不生還？」葫蘆韻：一詩用兩韻，先二後四。以上三韻並鄭谷與僧齊己所校定。

又 平側各押韻：唐末有章碣者，乃以八句詩平側各有一韻，如「東南路盡吴江畔，正是窮愁暮雨天。鷗鷺不嫌斜雨岸，波濤欺得逆風船。偶逢島寺停帆看，深羨漁翁下釣眠。今古若論英達筭，鴟夷高興固無邊。」自號變體，此尤可怪。《蔡寬夫詩話》：「有律詩上下句雙用韻者，第一句、三句、五句、七句押一仄韻，第二句、四句、六句、八句押一平韻。」

又 雙聲疊韻：《南史·謝莊傳》曰：「王元謨問莊，何者爲雙聲？何者爲疊韻？答曰：『互護爲雙聲，磝碻爲疊韻。』」某按古人以四聲爲切韻，紐以雙聲疊韻，必以五音爲定。蓋謂東方喉聲爲木音，西方舌聲爲金音，南方齒聲爲火音，北方唇聲爲水音，中央牙聲爲土音也。雙聲者，同音而不同韻也。疊韻者，同音而又同韻也。「互」、「護」同爲脣音，而二字不同韻，故謂之雙聲。「礉碻」同爲牙音，而二字又同韻，故謂之疊韻。若「彷彿」、「熠燿」、「駃騠」、「慷慨」、「咿喔」、「霢霂」皆雙聲也，若「侏儒」、「童蒙」、「崆峒」、「巃嵸」、「螳螂」、「滴瀝」皆疊韻也。按李群玉詩曰：「方穿詰曲崎嶇路，又聽鉤輈格磔聲。」「詰曲」、「崎嶇」乃雙聲也，「鉤輈」、「格磔」乃疊韻也（《學林新編》）。皮日休《雜體詩序》曰：「詩云『蝃蝀在東』，又曰『鴛鴦在梁』，雙聲起於此也。」

又 重押韻：韓退之好押狹韻累句以示工，而不知重疊用韻之爲病也。《雙鳥》詩押兩「頭」字，《杏花》詩押兩「花」字。苕溪漁隱曰：「讀皇甫湜《安園沱》詩亦押兩『閑』字，『日夜不得閑』，『君子不可閑』。蓋退之好重疊用韻，以盡己之詩意，不恤其爲病也。《飲中八僊歌》曰『知章騎馬似乘船』，又曰『天子呼來不上船』；一曰『眼花落井水底眠』，又曰『長安市上酒家眠』；一曰『汝陽三斗始朝天』，又曰『舉觴白眼望青天』；一曰『皎如玉樹臨風前』，又曰『蘇晋長齋繡佛前』，又曰『脱帽露頂王公前』。此歌三十二句而押二『船』字，二『眠』字，二『天』字，三『前』字，當時論詩者曰，此歌一首是八段，不嫌於重用韻也。」予按：子美此歌以《飲中八僊歌》五字爲題，則是一歌也。此歌首尾於「船」字韻中，亦未嘗移別韻，則非分爲八段，蓋子美古律詩重用韻者亦多，況於歌乎。如《園人送瓜》詩曰：「沉浮亂冰玉，愛惜如芝草」，又曰「園人非故侯，種此何草草」，一篇押二「草」字也。《北征》詩曰：「維時遇艱虞，朝野少暇日」，又曰：「老夫情懷惡，嘔泄卧數日」，一篇押二「日」字也。《夔府詠懷》詩曰：「雖云隔禮數，不敢墜周旋」，又曰：「淡交隨聚散，澤國遶回旋」，一篇押二「旋」字也。《贈李邕》詩曰：「旋逐早聯翩，低垂困炎厲」，又曰：「哀贈終蕭條，恩沒延揭厲」，一篇押二「厲」字也。《喜薛題岑參遷官》詩曰：「棲遲分半菽，浩蕩逐浮萍」，又曰：「你思調玉燭，誰定握青萍」，一篇押二「萍」字也。《寄賈岳州隽巴州兩閣老》詩曰：「討胡愁李廣，奉使待張騫」，又曰：「如公盡誰隽，志必在騰騫」，一篇押二「騫」字也。子美詩如此類甚多，雖然子美非劫意爲此者，蓋有所本也。按《文選》載古詩曰：「晨風懷苦心，蟋蟀傷局促」，又曰：「音響一何悲，絃急知柱促」，一篇押二「促」字也。曹子建《美女篇》曰：「明珠交玉體，珊瑚間木難」，又曰：「佳人慕高義，求賢良獨難」，一篇押二「難」字也。謝靈運《述祖德》詩曰：「段生蕃魏國，展季救魯人」，又曰：「惠物辭所賞，勵志故絶人」，一篇押二「人」字也。阮嗣宗《詠懷詩》曰：「何當行路子，磬折忘所歸」，又曰：「黃鵠遊四海，中路將安歸」，一篇押二「歸」字。其餘詩人如此用疊韻者甚多，不可俱舉，意到即押耳，奚獨於《飲中八仙歌》而致怪耶？子瞻《送江公著》詩曰：「忽憶釣臺歸洗耳」，又曰：「亦念人生行樂耳」，自注曰：「二『耳』義不同，故得重用。」蓋子瞻自不必注也。

又卷四 陳君節言：「煉句不如煉韻。」王直方以爲若只覓好韻，則或首尾不貫穿，語意有乖戾，亦未穩帖。

楊守陳《楊文懿公文集》卷二五《詩壇雅韻序》 人之生也，有形斯有聲，有心斯有志，志發於言而爲詩；聲成文而員謂之韻。自古詩無不韻者。世既降，詩體屢變，韻學寖微。虞後夔所典之歌，永周太師所教之詩音，世莫傳其奧。於是西域反切之學入而江左聲病之説興焉。魏晋已有《聲類》、《韻集》諸編，述者世益久，皆泯，莫睹矣。惟《唐韻略》、《宋韻補》傳至今焉。【略】唐之詩，其格有足法，而韻多可訾。今作近體者，苟唐其格而洪武其韻，則音正以諧，祇益媺耳，何害其唐哉？作古體者，不須言矣。《雅韻》之編，其欲俾人捨譌韻從正音，以趨於古哉？雖然天地萬物皆有自然協比之音，有不待強而合者，雖風霆之鉅，蛞蚓之微且爾，而況於人自壤叟衢童逮桑濮之賤，彼烏知音律而矢口成詩？夫孰非韻信自然者，自然之音與天地萬物同，而可折之以四聲、限之以數十韻乎？嗟乎，古者詩作而韻生，後世乃依韻以作詩，詩道之盛衰於是乎繫。吾安得隆古之英與論大音之妙哉？

游潛《夢蕉詩話》 作詩以聲之相叶者爲韻，其聲以合四方之同者爲正。國初定有《洪武正韻》，一洗沈約方音之偏，誠通典也。何陋儒俗士狃於聞見，至今襲之而不可變，是匪怪歟？今直以唐詩就彼韻辨之：王健《凉州歌》云：「三秋陌上早霜飛，羽獵平田淺草齊。錦背蒼鷹初出按，五花驄馬喂來肥。」所用「齊」字，不在微韻。李賀《昌谷》詩云：「掃斷馬蹄痕，衙回自閉門。長鎗江米熟，小樹棗花春。向壁懸如意，當簾閲角巾。犬書曾去洛，鶴病悔遊秦。土甑封茶葉，山杯鎖竹根。不知船上月，誰棹滿溪雲？」亦是眞、元二韻雜用。蓋沈約在齊、梁、陳時，并居鈞要，音韻以詩賦取士，積習久矣，及唐有天下，亦竟因之而已。東、冬何異？麻、遮何同？固非不有知之，顧何士之科試去取，一視諸此，知之而孰能不遵之哉？惟歷考前輩諸説可見。

李東陽《麓堂詩話》 古詩與律不同體，必各用其體乃爲合格。然律猶可間出古意，古不可涉律，古涉律調，如謝靈運「池塘生春草」、「紅藥當堦翻」，雖一時傳誦，固已移於流俗而不自覺。若孟浩然「一杯還一曲，不覺夕陽沉」、杜子美「獨樹花發自分明，春渚日落夢相牽」、李太白「鸚鵡西飛隴山去，芳洲之樹何青青」、崔顥「黄鶴一去不復返，白雲千載空悠悠」，乃律間出古，要自不厭也。予少時嘗曰：「幽人不到處，茅屋自成村。」又曰：「欲往愁無路，山高谿水深。」雖極力摹擬，恨不能萬一耳。

又 古律詩各有音節，然皆限於字數，求之不難。惟樂府長短句，初無定數，最難調疊。然亦有自然之聲。古所謂「聲依永」者，謂有長短之節，非徒永也。故隨其長短，皆可以播之律呂，而其太長太短之無節者，則不足以爲樂。今泥古詩之聲，平側短長，句句字字，摹倣而不敢失，非惟格調有限，亦無以發人之情性。若往復諷詠，久而自有所得。得於心而發之乎聲，則雖千變萬化，如珠之走盤，自不越乎法度之外矣。如李太白《遠別離》、杜子美《桃竹杖》，皆極其操縱，曷嘗按古人聲調，而和順委曲乃如此。固初所學未到，然學而未至乎是，亦未可與言詩也。

又 陳公父論詩專取聲，最得要領。潘禎應昌嘗謂予詩宫聲也。予訝而問之。潘言其父受於鄉先輩曰：「詩有五聲，全備者少，惟得宫聲者爲最優，蓋可以兼衆聲也。李太白、杜子美之詩爲宫，韓退之之詩爲角，以此例之，雖百家可知也。」予初欲求聲於詩，不過心口相語，然不敢以示人。聞潘言，始自信以爲昔人先得我心。天下之理，出於自然者，固不約而同也。趙撝謙嘗作《聲音文字通》十二卷，未有刻本。本入内閣而亡其十一，止存總目一卷，以聲統字，字之於詩，亦一本而分者。於此觀之，尤信。門人輩有聞予言，必讓予曰「莫太泄漏天機」，否也！

又 詩韻貴穩。韻不穩，則不成句。和韻尤難，類失牽強，強之不如勿和。善用韻者，雖和，猶其自作。不善用者，雖所自作，猶和也。

又 今之歌詩者，其聲調有輕重、清濁、長短、高下、緩急之異，聽之者不問而知其爲吳爲越也。漢以上古詩弗論。所謂律者，非獨字數之同，而凡聲之平仄，亦無不同也。然其調之爲唐、爲宋，爲元者，亦較然明甚。此何故耶？大匠能與人以規矩，不能使人巧。律者，規矩之謂，而其爲調，則有巧存焉。苟非心領神會，自有所得，雖日耳提而教之，無益也。

又 詩有純用平側字而自相諧協者。如「輕裾隨風還」，五字皆平。「桃花梨花參差開」，七字皆平。「月出斷岸口」一章，五字皆側。惟杜子美好用側字，如「有家有客字子美」，七字皆側。「中夜起坐萬感集」，六字側者尤多。「壁色立積鐵」、「業白出石壁」，至五字皆入，而不覺其滯。此等雖難學，亦不可不知也。

又 五、七言古詩仄韻者，上句末字類用平聲。惟杜子美多用仄。如《玉華宫》、《哀江頭》諸作，概亦可見。其音調起伏頓挫，獨爲趫健，似別出一格。回視純用平字者，便覺萎弱無生氣。自後則韓退之、蘇子瞻有之，故亦健於諸作。此雖細故末節，蓋舉世歷代而不之覺也。偶一啟鑰，爲知音者道之。若用此太多，過於生硬，則又矯枉之失，不可不戒也。

蔡清《虚齋集》卷一《論詩》 詩學在程、朱，當爲後世主張了，奈何亦混衆人作律詩。夫詩以言志耳，豈必用平側對偶而後成其言哉。既拘對偶，則有當言者，以不諧聲律而已之；又有不必言者，姑以湊押聲律矣。是何趣味？是何道理？其始創爲律詩者，决非有大人之志，有不俗之見者也。

王廷相《王氏家藏集》卷四〇《律呂論・五音》 「五音從詩章之音節乎？」曰：「詩章從五音者也，非五音之從詩也。何也？五音在人聲氣有定，而詩章之字則無定。如『公』字本宫音也，使在第四聲，則亦可以協羽；『張』字本商音也，使在第二聲，則亦可以爲徵。何也？爲人聲氣節度所奪，雖本音平仄清濁素定，而亦不能拘矣。故詩之一字，即人之一聲；人之一聲，即律之一管。故五聲五管，七聲七管，並舉而次第吹之，以協其詩而和其聲。儒者不察，乃有一律而具五聲、一律而具七聲之說，遂使六十聲八十四調之論紛紛於後世，可勝歎哉。」

又《雅述》下篇 上古惟有九韻：東、冬，一也；江、陽，二也；支、微、齊、魚、灰、佳，三也；眞、文、侵，四也；寒、先、元、删、覃、鹽、咸，五也；郊、蕭、豪，六也；歌、麻，七也；庚、青、蒸，八也；尤，九也。其間庚叶陽、東叶陽之類，亦甚多，可見古人取韻甚寬。自沈約《四聲韻》出，唐人科舉，用以校士，而聲韻遂拘。後之學者，不深致考，以爲至當，守之不疑，殊可鄙嘆！夫韻古莫如《詩》，韻正莫如《詩》。

邵經邦《藝苑玄機》 詩之律，律猶法也，貴乎嚴毅峻整，縝密而不亂，然不可以比硬叶。必深造自得，如取諸左右，則氣象雄渾，不期古而自古；情衷粹美，不學文而自文。閑雅與作態不侔，蘊藉與穿鑿相忤。具目者，寧不能辨子都耶？

又　詩之調，如吟弄絲竹，雖按其徽軫，無其孔竅，不善者不能出一聲，善者會切法譜，又多於梵音，上高下抑，揚隨吾意。使吾觀漢魏間詩，多直語，少平叶，今欲一概定爲法譜，固不可訓。若長篇連什之中，亦須忽然變出，譬如八音並陳，也須間叶，若再能審翕如皎如之妙，何患不盡善盡美乎？

黄佐《泰泉集》卷四一《振美堂藁序》　《書》曰：「詩言志，歌永言，聲依永，律和聲。」夫詩也者，樂之始也。樂也者，詩之成也。自樂律不傳，今之所知者，詩律而已。杜少陵所謂「晚節漸於詩律細」者是也。嘗竊評三曹、阮、陶、謝之詩，優游雅澹，其音律如黄鐘、大呂。王、楊、盧、駱之詩，繁縟清絶，其音律如無射、應鐘。兼是二體，如《周官》之大合樂，庶幾其集大成乎？古今大家，亦惟少陵乃能與於此。【略】夫律之爲言，法也。出師以律，是謂軍法；問讞以律，是謂刑法。師而不律，則士志弗齊；刑而不律，則民情弗得。其與詩，樂一道也。

謝榛《詩家直説》卷一　古詩之韻如《三百篇》協用者，「西北有高樓，上與浮雲齊」是也。如洪武韻互用者，「灼灼園中葵，朝露待日晞」是也。如沈韻拘用者，「有鳥西南飛，熠熠似蒼鷹」是也。漢人用韻參差，沈約《類譜》，始爲嚴整。「早發定山」，尚用「山」、「先」二韻。及唐以詩取士，遂爲定式。後世因之，不復古矣。楊誠齋曰：「今之《禮部韻》，乃是限制士子成文，不許出韻，因難以見工爾。至於吟咏性情，當以《國風》《離騷》爲法，又奚《禮部韻》之拘哉？」鄭國忠曰：「不用沈韻，豈得謂之唐詩？」古詩自有所叶，如：「靡室靡家，玁狁之故。」曹大家字本此。

又　詩宜擇韻。若秋、舟，平易之類，作家自然出奇；若眸、甌，粗俗之類，諷誦而無音響；若鍑、搜，艱險之類，意在使人難押。

又　范德機曰：「詩當取材於漢、魏，而音律以唐爲宗。」此近體之法，古詩不泥音律，而調自高也。

又卷三　凡字異而意同者，不可概用之，宜分乎彼此，此先聲律而後義意，用之中的，尤見精工。然禽不如鳥，翔不如飛，莎不如草，凉不如寒，此皆聲律中之細微。作者審而用之，勿專於義意而忽於聲律也。

譚浚《説詩》卷上《音律》　音以律文，歌先揆法。「疾呼中宫，徐呼中徵，徵商響高，宫羽聲下。抗喉矯舌之差，攢唇激齒之異。沉則響發而斷，飛則聲揚不還，並轆轤交送，鱗羽相比。」所謂「前有浮聲，後須切響。一簡之内，音韻盡殊；兩句之中，輕重悉備。」故佩玉者，左宫右徵，以節其步，則聲不失序矣。夫文字既製，音韻即傳。觀唐堯之時，聞《康衢》之謠，而問於大夫。大夫謂之古詩，其來邈矣。虞舜命夔典樂，教詩和律，蓋其次也。此諧聲轉注六書之教，行於周官保氏，《三百篇》可見矣。何「四聲」、「八病」？齊梁之陋，又甚於沈約也哉！

又《用韻（古今韻）》　朱子曰：「古用叶韻，以頭一字爲準。」《楚詞》叶不定，以轉注也。古韻寬疏惟好，後分韻嚴切反，隔矣。由周顒構其説，沈約著其書，唐因準之。分清濁輕重，以『東』、『冬』、『鍾』不同也。韓愈『此日足可惜』，旁出六韻。杜甫《戲呈元》，旁出五韻。故法古諸體用古韻，律、絶、近體，唐韻可也。」吴棫作《韻補》，叶音即六書之諧聲。楊升庵集《轉注》亦六書之一。

又卷中《惑韻（隻韻）》　獨孤及曰：「世以八病四聲爲梏，拳拳守之，如奉法令。聞皋陶、史克之作，呷然笑之。痛流俗之惑人也久矣。」李德裕曰：「詞高爲工，不泥音韻。意盡而止，不拘隻偶。故篇無足曲，詞寡累句。班固書贊多用叶韻，猗歟元勛，佐漢舉信之類。曹植《七哀》出四韻，《文選》有五韻、七韻、十一韻、十三韻也。今文四韻至百韻無有隻者。古詞如金石，尚于至音，今文如鞞鼓，迫于促節，則聲律爲弊甚矣。」

又《重韻》　古詩一篇一韻。六七用者，曰《焦仲卿妻》是也。一字二、三用者：任彦昇《哭范僕射》，三「情」字也。曹植《美女篇》，二「難」字也。杜甫《八仙歌》，二「船」字、二「眠」字、二「天」字、三「前」字也。

又《外韻》　先二後四曰「葫蘆韻」。雙出雙入曰「轆轤韻」。一進一退曰「進退韻」。首句尾句用外韻曰「借韻」。此律詩之韻，古詩則否。

又《押韻》　倒字押韻，經體既多。陶之「起坐弄書琴」、杜之「高秋爽氣相鮮新」。全不押韻，古《採蓮曲》也。押啞韻，五支二十四鹽。押響韻，中原黄鐘之音也。

又《疊韻》　陸龜蒙詩序云：「疊韻起于梁武帝詩，云『後牖有朽柳』，侍臣皆唱和之。」《南史》謝莊曰：「叠韻（同音同韻也），如『磝』、『碻』，同牙音又同韻也。」「童蒙」、「空同」、「侏儒」、「螳螂」、「滴瀝」皆是。或曰：「卑枝低結子，接葉暗巢鶯。」正切卑、賓邊卑，回切枝、眞氈枝；正切接、精箋接，回切葉、寅延葉，疊韻也。此本淺也，而鑿之使深矣。

又《雙聲》 皮日休《詩序・雜體》云：「《詩》曰：『蝃蝀在東。』又曰：『鴛鴦在梁。』此雙聲之起。」謝莊曰：「雙聲，同音不同韻也。」如「互、護」，同爲唇音，不同韻也。如「彷彿」、「熠耀」、「騏驥」、「慷慨」、「咿喔」、「霡沐」皆是。或曰：「嬌鶯新睍睆，乳燕舊呢喃。」正切睍、興、掀、晼，回切睆、興、掀、睍，正切泥、寧、年、喃，回切喃、寧、年、泥，雙聲也。此謂本易也，而求之使難矣。

又《聲病》 四聲起於周顒，八病嚴於沈約，此齊梁之靡靡也。病云平頭一，上尾二，蜂腰三，鶴膝四，大韻五，小韻六，正紐七，旁紐八也。白樂天云：「八病，惟上尾、鶴膝最忌。」上尾者，如「西北有高樓，上與浮雲齊。」病指「樓」、「齊」二字同聲也。鶴膝者，如「客從遠方來」三句，病指「來」、「思」皆平聲也。右二作，漢詩之冠冕，而指其病，不亦愈于沈、白之作無病者乎！

又《偏聲》 律詩起句第二字平聲爲正格，仄入爲偏格。引韻失粘，如杜甫詩：「浣花溪水水西頭，主人爲卜林塘幽。」「花」字、「人」字皆平聲。二聯失粘，如杜詩：「搖落深知宋玉悲。」「落」字與第三句「望」字皆仄聲。三聯失粘，如柳詩：「衡岳新摧天柱峰。」第六句平聲，第八句「想」字仄聲。首尾失粘者，如「扁舟徑度石頭去」一句，第三句、第五句、第七句之第二字皆平聲也。以諸作推之，善學者豈局局乎聲韻哉！

又《拘韻》 史正義云：「先儒音字比方，至魏孫炎始作反音，又未甚切。」晁氏曰：漢魏以前無反切，許氏《說文》、鄭氏《箋註》，但曰「讀若某」。及自西域之書入中國，至齊梁間盛行，而後周顒、沈約有聲病之說。隋陸法言附爲《廣韻》，分五音之呼吸，別四聲之清濁，乃有音同韻異，如「東」、「冬」，「青」、「清」之不雜。此豈三代兩漢所未然，後世反以夷音而拘束耶？故歷叙之而歷辨之，欲復其古也。知者察焉。

王世貞《藝苑卮言》卷一 和韻聯句，皆易爲詩害，而無大益，偶一爲之可也。然和韻在於押字渾成，聯句在於才力均敵，聲華情實中不露本等面目，乃爲貴耳。騷賦雖有韻之言，其於詩文，自是竹之與草木，魚之與鳥獸，別爲一類，不可偏屬。騷辭所以總雜重複，興寄不一者，大抵忠臣怨夫，惻怛深至，不暇致詮，亦故亂其叙，使同聲者自尋，修郄者難摘耳。今若明白條易，便乖厥體。

又卷三 沈休文所載「八病」，如平頭、上尾、蜂腰、鶴膝、大韻、小韻、旁紐、正紐，以上尾、鶴膝爲最忌。休文之拘滯，正與古體相反，唯近律差有關耳，然亦不免商君之酷。今按「平頭」，謂第一字不得與第六字同平聲；律詩如「風勁角弓鳴，將軍獵渭城」，「風」之與「將」，何損其美？「上尾」謂第五字不得與第十字同聲，如古詩「西北有高樓，上與浮雲齊」，雖隔韻何害？律固無是矣。使同韻如前詩「鳴」之與「城」，又何妨也。「蜂腰」謂第二字與第四字同上去入韻，如老杜「望盡似猶見」、江淹「遠與君別者」之類，近體宜少避之亦無妨。「鶴膝」第五字不得與第十五字同，如老杜「水色含群動，朝光接太虛，年侵頻悵望」之類，八句俱如是則不宜，一字犯亦無妨。五「大韻」，謂重疊相犯，如「胡姬年十五，春日獨當壚」，又「端坐苦愁思，攬衣起西游」，「胡」與「壚」、「愁」與「遊」犯。六「小韻」，十字中自有韻，如「薄帷鑒明月，清風吹我襟」，「明」與「清」犯。七「傍紐」，十字中已有「田」字，不得着「宣」、「延」字。八「正紐」，十字中已有「壬」字，不得着「衽」、「任」。後四病尤無謂，不足道也。

又《弇州山人四部稿》卷七〇《校正詩韻小序》 沈休文以四聲製韻，自謂靈均以來，此秘未覩，陸韓卿難之而不得，斌道人演之而始明。後有珙法師者，復以喉、舌、齒、唇、牙，改隸五方，而纖悉盡矣。故詩之有四聲也，自休文始也；字之有切也，自神珙始也。然傳休文者謂雖妙有詮辨而諸賦往往與之乖。自唐人爲五、七言律，乃獨皆祖之，而約韻自是重後世矣。元周德清者，其裁駁小有致耳，乃遂欲以三聲而奪四聲，君子譏之。夫詩不能不唐，則韻不得不沈，固也。【略】夫句之有韻也，與書之有結構也，平險雖異裁，而諧詣無迹，其爲道同也。詩以韻入，書以結構入，而思皆過半矣。

又《弇州山人續稿》卷一八二《書牘・顔廷愉》 至于詩，古體用古韻，近體必用沈韻。下字欲妥，使事欲穩；四聲欲調，情實欲稱；轂率規矩，定而後取。機于性靈，取則于盛唐，取材于獻吉、于鱗輩，自不憂落夾矣。

陳第《讀詩拙言》 夫詩必有韻，詩之致也。《毛詩》之韻，不可一律齊也。

蓋觸物以攄思，本情以敷辭，從容音節之中，宛轉宮商之外，如清漢浮雲，隨風聚散，蒙山流水，依坎推移，斯其所以妙也。故有四句而兩韻者，《關雎》首章之類是也；有四句兩韻又轉而他韻者，《關雎》次章之類是也；有四句而各兩韻者，《伯兮》首章之類是也；有八句而四韻者，《碩鼠》之類是也；有十二句而六韻者，《小明》首章之類是也；有三句而兩韻者，《采葛》之類是也；有三句而皆韻者，《十畝之間》之類是也；有四句而皆韻者，《還》之類是也；有五句皆韻者，《鳲鳩》卒章之類是也；有五句皆韻，轉而五句又皆韻者，《甫田》一、二章之類是也；有六句皆韻者，《猗嗟》三章之類是也；有八句皆韻，轉二句以成其韻者，《甫田》三章之類是也；有六句三韻，轉而六句又三韻者，《頍弁》首章之類是也；有三句爲韻，十二句四韻者，《采芑》次章之類是也；雖然，此易讀也。有六句六韻，轉二句一韻，又轉三句一韻以足之，如《七月》之五章也者；有二句二韻，轉二句二韻，又三句二韻以足之，如《斯干》之首章也者；有三句三韻，轉三句一韻，又二句一韻以足之，如《無羊》之次章也者；有二句二韻，轉三句一韻，又二句一韻以足之，如《小旻》之五章也者；有四句三韻，又承上二句一韻，又三句一韻以足之，如《大田》之三章也者；忽而不察，則氣脈不聯。雖然，此猶易讀也。有起而不韻，如「我徂東山，滔滔不歸」、「文王曰咨，咨女殷商」之類；有收而不韻，如「于嗟麟兮」、「于嗟乎騶虞」、「其樂只且」、「狂童之狂也且」、「文王烝哉」、「于胥樂兮」之類，皆自然之音，無俟補湊。雖然，此猶易讀也。《生民》之卒章，「以迄于今」而接「上帝居歆」也，「今」、「歆」相韻，隔三句而非支。《瞻卬》之次章，以「女覆奪之」而起「女覆說之」，「奪」、「脱」相呼，合八句而二韻。不通其變，則音有爲由。雖然，此猶易讀也。有「云升彼虛矣，以望楚矣」，又「樂只君子，福祿膍之。優哉游哉，亦是戾矣」、「虎拜稽首，對揚王休。作召公考，天子萬壽」，此數者，皆仄以承平也，然節奏調暢，自是可讀。蓋四聲之辨，古人未有；中原音韻，此類實多。舊音必以平叶平，仄叶仄也，無亦以今而泥古乎。總之，《毛詩》之韻，動乎天機，不費雕刻，難與後世同日論矣。

馮復京《說詩補遺》卷一　所以謂四聲八病不必拘者，蓋自聲病法立，詩多拘忌。鍾嶸、皎然及近代弇州，皆力辨其失，而胡元瑞更著爲功令。予謂其法與律體微有相關，宜加檢括。然天機所啓，音律自調，不必濡翰之時，先設此畏途，以窘神思也。細閱沈全集，如平頭，第一、第二字不得與第六、第七字同聲。沈詩「王喬飛鳧舄，東方金馬門」、「陳王聞鷄道，安仁採樵路」是也。上尾，第五字不得與第十字同聲。沈詩「天蟜乘絳仙，螭衣方陸離」是也。蜂腰，第二字不得與第五字同聲，所以兩頭中心小如蜂腰之形。沈詩「秋風生桂枝，虛館清溪滿」、「風枝」、「館滿」是蜂腰也。鶴膝，第五字不得與第十五字同聲。沈詩「洛陽大道中」，中隔「佳麗實無比」一句，「燕裾傍日開」中，「開」是鶴膝也。大韻，如沈詩「長安輕薄兒」，以「兒」字爲韻，九字中又犯「子」字也。小韻，如沈詩「年春媚遠人，燈光半隱牀」，「春人」、「光牀」，當句自相犯也。旁紐，如沈詩「麗日屬元巳，參差互相望」，「麗巳」「相望」旁轉聲互犯也。正紐，如「壬袵任入」十字中，有「壬」字更着「袵、任」字爲犯。如沈詩「願爲昭陽景，持照長門宮」，「昭、照」正轉聲相犯也。蓋束縛既急，迴避不周，家有短垣而自踰之，隱侯之謂矣。有瑕戮人，其亦爲法之敝乎。

蔡復一《譚友夏合集》卷二三《寒河集序》　詩樂至一也。《三百篇》何刪哉？存其可以樂者而已。詩而不可樂，非眞詩也。音曰清音，感曰幽感，思以音通，音以感慧，而詩樂之理盡是矣。吾居有疑焉：音行五而寄八，無非自然也，自然之徵，人之所宜，不若其所未宜，傳送之直尋，或不若依寓之隱約。孰謂絲竹肉之有間者？而取捨其中？曰漸近自然。千年心目，莫能自出，嘈然和之。彼殆未聞夫非絃之絃，非指之指也。樂亡而稱詩者，離音而事藻，離感而取目，而眞詩危。存於八代，衆波沿接，持論益膚，一以爲摹古，一以爲運我，皆然也，而皆未然。夫自然眞詩，雖無擇而存，而其行於世也，細若氣，微若聲，不可以迹，古作者遺編炯炯向人，如精神之在骨體。非善相者，孰察其人之天？而學人心成於習，偕來者衆，而故我日以孤，眞想一綫，如石火之瞥見，而不可再追。蓋生熟安而主客變，已之精神莫知其所往矣，况能深求作者之精神乎？嗚呼！古之爲樂也，受其一器，莫不喪我以從之，五官七情，蕩然無留，而後高深爲之遇，入之愚，出之聖，是謂幽感。幽感之於音至矣，通乎神明往來之無間，古之與我，無地可寄取捨，而可浮且易言之哉！

陳衎《槎上老舌》「銘體非詩」　世之美韓昌黎者，皆謂其序文如《書》，銘如《詩》，然序如《書》可矣，銘如《詩》，不徒不知詩，且不知銘矣。蓋詩無論古□律，皆以音爲主，豈得混爲一塗？此後人不善觀昌黎處也。顧詩之音亦難言矣。釋氏以通禪爲大悟，以通音爲小悟。旨哉其說。

梁橋《冰川詩式》卷五《審聲》　審聲者何？聲不審，非律也。古人作詩，自應律度，未嘗以音韻爲主。自沈約崇尚韻學，則欲使宮商相變，低昂殊節。若前有浮聲，則後有切響。一篇之内，音韻盡殊；兩句之中，輕重悉異。妙達此旨，方可言詩。是則審聲之不可以已也。

又卷九《學詩要法上》　學詩莫先于知音聲，宮、商、角、徵、羽五音，以穩、響、起、細、嘔代之。響、起音揚，嘔、細音抑，穩聲和。學詩時須取李、杜盛唐詩，以穩、響、起、細、嘔五字調切之久，自當心解。臨詩時，取五字叶其間而用之。循環無端，有消息調停之妙，方入詩家閫室。（穩上平全濁，響下平次濁，起上不清不濁，嘔去次清，細入全清。）

又　學詩莫先于知律調。黄鐘十一月聲嘔中，太簇正月聲起上，姑洗三月聲起上，蕤賓五月聲細中，夷則七月聲響下，無射九月聲響上，太呂十二月聲嘔下，夾鐘二月聲起中，中呂四月聲細上，林鐘六月聲細上，南呂八月聲響中，應鐘十月聲嘔上。欲知律，須于夜中静虚時，聽十二月律地本然之聲。聽眞耳熟，則詩之律自然能辨。若有風聲間之，則驗八方來處而定十二辰之方位，以還宮法推之，便知是本律中何調。若不應還宮法，即是奸聲。知此則詩中之調可識。五言古詩主穩，響、起不得暴揚，嘔、細不得驟抑。七言古詩情樂者，貴響、起，不得驟用嘔、細；情哀者貴嘔、細，不得暴用響、起。七言律詩，雖哀亦響、起。律高用重律，中則用正律，下則用千律。大要調句叶律，起端一字中本宮，從此高下取次相間，復歸于本宮。累累無端如貫珠。凡律又聲聲有五音字，字有十二律消息，活法用之，在人自得之耳。

又　詩有音節，故東夷、西戎、南蠻、北狄四方偏氣之語，不相通曉，互相憎惡，皆不可用。唯中原漢音，四方可以通行，四方之人，皆喜于習說。蓋中原天地之中，得氣之正，聲音散布，各能相入。是以詩中宜用中原之韻。則便官樣。凡押韻不可用啞韻，如五支、二十四塩，啞韻也。

又　押韻，要穩健。韻穩健，則一句有精神，如柱磉欲其堅牢。

又卷一〇《學詩要法下》　詩有純用平側字而自相諧協者。如「輕裾隨風還」，五字皆平；「桃花梨花參差開」，七字皆平；「日出斷岸口」一章，五字皆側。惟杜子美好用側字，如「有客有客字子美」，七字皆側；「中夜起坐萬感集」，六字側者尤多；「壁色立積鐵」、「業白出石壁」，至五字皆入而不覺其滯，此等雖難學，亦不可不知也。

又　五、七言古詩側韻者，上句末字類用平聲，惟杜子美多用側。如《玉華宮》、《哀江頭》諸作，概亦可見。其音調起伏頓挫，獨爲趫健，以別出一格。回視純用平字者，便覺萎弱無生氣。自後則韓退之、蘇子瞻有之，故亦健於諸作。此雖細故末節，蓋舉世歷代而不之覺也。

胡應麟《詩藪内編》卷四　陰鏗《安樂宮》詩：「新宮實壯哉，雲裏望樓臺。迢遞翔鵾仰，聯翩賀燕來。重檐寒霧宿，丹井夏蓮開。砌石披新錦，雕梁畫早梅。欲知安樂盛，歌管雜塵埃。」右五言十句律詩，氣象莊嚴，格調鴻整，平頭上尾，八病咸除，切響浮聲，五音并協，實百代近體之祖。考之陳後主、張正見、庾信、江總輩，雖五言八句，時合唐規，皆出此後。則近體之有陰生，猶五言之始蘇、李，而楊用脩未及援引，曷在其好古耶！

郝敬《藝圃傖談》卷一《古詩》　辭以達志，歌以寫聲。聲有清濁高下，辭惟一律。故《三百篇》可弦歌，皆以聲按辭也。後世鼓吹樂府，以辭合聲，故辭變爲煩促妖哇之聲，此鄭聲之所由來也。

又　詩有意、有辭、有音，而音爲本色。無音但意與辭，凡文章皆然，舍聲音，别於辭意間，索隱僻爲深奥，貴艱澀爲高古，余狂而不信也。

又卷二《樂府》　詩，樂章也。凡詩皆可唱嘆以比絲竹，皆可裁截以入鼓吹。蓋樂本音，詩亦音也。八音生於器；詩歌生於肉。樂無詩不成章，器無人聲不成響。故《風》《雅》《頌》之詩，皆可被之管絃。惟《頌》專爲郊廟祭祀作，《風》《雅》雖不爲樂作，亦可合樂。卽今北詞南腔，改頭換尾皆合。故漢《鐃歌》雜鼓吹，後世樂府用其目，變其詞，無所不合。各有腔調活套轉移，不必其詞之同也。

又卷三《唐體》　詩主聲，聲主和平，此不易之理也。凌厲奮猛，馳騁飛揚，非風雅本色。一落近體，自然爾耳。但就近體中亦有和平者耳。如王、孟、高、岑、李頎、劉長卿輩，自是一代正聲。李白、杜甫氣魄材具有餘，而壯浪不羈，時有猛猂之習。近代論唐詩，推初、盛而卑中、晚，不知中、晚人正薄初、盛，欲陶洗磨礱以求冲雅。非不能企而及之，實欲斂而退之也。

徐復祚《花當閣叢談》卷七　今學士大夫凡爲文章、騷、賦、銘、誄、詩、詞，所斤斤奉若三尺，不敢一字相假者，非沈約《四聲韻》乎？其金、元詞曲、傳奇、樂府，始宗周德清《中原音韻》，特作詞人與歌工集之耳，學士大夫不知也。然二公之韻，大有可商。約之始爲《四聲韻》也，自託爲「靈均以來，未始有覩，抉天地之祕旨，可稱入神」，然在當時已見斥於梁武，受駁於陸厥，後至隋，劉臻過陸法言，論及聲韻大要，謂吳楚則傷輕淺，燕趙則傷重濁，秦隴則上聲爲入，梁益則平聲似去，然有音切卽寓於字義中者，如之乎切諸也，而已切耳也，如是切爾也，何不切盍也，不可切叵也，至於閭里鄙語亦有以音切爲呼者，如突鸞爲團，屈陸爲曲，鶻崙爲渾，鶻盧爲壺，忒煞爲大音代，咳洛爲殼，凡此非有師學授受也，天然自成，莫知所以。約所謂入神殆此類耶？然祁連爲天，故天山爲祁連，穹廬爲居，故名所居爲穹廬，卽胡人且然矣，烏用詫爲入神也。元周德清痛恨其訛，欲以中土冶音勝之，而中土之音固自勝也。蓋洛邑，天下之中，帝王都會，德清參較方俗，考覈古今，故其製爲《中原音韻》稍爲折衷。或者以三聲奪四聲病之，然大江以北，幷無入聲，悉叶入平、上、去三聲，在在然也。德清之駁沈約也，卽約復起，恐無以答。謂靴在戈韻，車邪遮嗟卻在靴，不叶車，車卻叶麻，元暄鴛言褰焉不叶先，卻叶昆，溫門孫翻不叶寒山，卻叶魂痕，其音何以相着？灰不叶揮，杯不叶裨，梅不叶糜，雷不叶羸，必呼梅爲埋，雷爲來，方與咍臺叶，如此呼吸，非鴂舌而何？然此特大略耳。約之病實不止此，如東冬一聲也，何分爲二？弇州謂同戎弓中等，其音濁，故屬陽，屬東，宗松攻逢等，其音清，故屬陰屬冬，不知東爲多龍切，同爲徒龍切，其清濁陰陽較然，胡得以同入東？且「東、冬」二字俱多龍切，安所別乎！況何韻無陰陽？卽如三江內，江邦陰矣，龐幢非陽乎？又何以不分也！卽空同先生亦謂宜分，愚不能得其說。最可笑者，「凡、帆」二字入十五咸，閉口韻，與衫嚴同叶，此則卽鴂其舌，恐亦不能翻調矣。明興，高帝召儒臣宋濂等諭之：韻學起於江左，殊失正音，有獨用當併爲通用者，如東冬、清青之屬，亦有一韻當拆爲二韻者，如虞模麻遮之屬，皆當改正。後纂集成書，大約依三衢毛居正論，凡獨用併爲通用者，如微之與脂、魚之與虞、欣之與諄、青之與清、覃之與咸、尾之與旨、語之與麌、隱之與軫、迥之與靜、感之與豏、未之與去、御之與遇、焮之與稕、徑之與勁、勘之與陷、迄之與術、錫之與昔、合之與洽是也。有一韻拆而爲二，麻字韻自奢字以下、馬字韻自寫字以下、禡字韻自籍字以下是也。又有以中原雅聲正考如冬鍾第二韻俱併入東韻，江第三入陽韻，挑出元字等入先韻、翻字殘字等入刪韻之類是也。其字畫大以《說文》爲正，今偏傍點畫舛錯者並依毛晃正之，如又攴、毋母、殳殳、美美之類是也。高帝初，立法甚嚴，犯者不赦，然今偏傍點畫之類唯題奏本用之，他不盡然也；音韻唯御製用之，他不能盡然也。大率吾輩爲唐律、絶句，自應用唐韻；爲古體，自應用古韻。若夫作曲，則斷斷當從《中原音韻》，入沈約四聲，如前所拈出數處，不但歌者棘喉，聽者亦自逆耳。試觀元人馬、關、王、鄭諸公雜劇有是病否？或曰：若然，則新篁池閣當作池果唱乎？恐笑破人口也。曰：不然。以閣字輕出而後收之以果，此在凡入聲皆然，不但一閣字，觸類可通。此唯吾友秦季公知之，近唯松陵沈平輿、若張伯起，則純是庚青零丁齒音矣。

又《三家村老曲談》 但詩有詩韻，曲有曲韻。詩韻則沈隱侯之四聲，自唐至今，學人韻士兢兢守如三尺，罔敢踰越；曲韻則周德清之《中原音韻》，元人無不宗之。曲之不可用詩韻，亦猶詩之不敢用曲韻也。假如今有詩人於此，取上平十三元一韻，以元、軒、冕等字與先韻叶，以「昆、溫、門、孫」等字與眞韻叶，以「煩、幡、潘、藩」等字與寒、刪二韻叶，不幾笑破人口乎！

孫能傳《剡溪漫筆》卷四《四聲韻始》 世傳四聲韻始於沈休文。按：晉呂靜放李登《聲類》之法作《韻集》五卷，宋周顒著《四聲切韻》，皆在休文之前。其謂「靈均以來，此祕未洩」，則字句之間，調其宮商，審其輕重，如周舍所云「天子聖哲」之類，乃發自休文耳。

趙宧光《彈雅·雅俗一》 詩者，聲之骨也，言志之詩已落第二義，用志爲法，如塡詞匡，乃是正脈。然詩之與詞大有不侔。詩之聲調，自然而合；詞曲之調，如模印泥。詩避詞調如避鋒鏑，一中則詩之命脈已斷，猶未足形容，其可畏也。深箸詩之貴乎聲調，不惜毒藥作金丹。若痼疾不痊，反受其毒者，此不知余言者也。牛溲馬孛，良醫所不棄，是余之言乎。

又《聲調二》 凡論詩，有可說者，有不可說者。格可說，調不可說；意義可說，聲韻不可說也。然則如何而可，但須多引衆作，比量數則，則不可說者，人人自能通之于心，措之于筆矣。嚴氏所謂參詩須熟者是也。若我能說之，彼能聽之，何用參焉？莫泛觀嚴氏「參」之一字。

又 嚴氏言：「讀騷之久，方識眞味。」竟不言所以，渾渾奈何。蓋騷之妙，妙在楚聲悽斷耳，故其下文云須歌詠之，抑揚頓挫，涕泗滿襟，然後謂之能讀《離騷》，不然，扣釜撞甕耳。雖若微露其機，然讀者又認作忠悃可悲之思而已，終不顯聲之妙也，何不早以聲調說出？直至後論孟浩然，始云「有金石宮商之聲」，亦已晚矣。況釋屈而誦孟，倒置不倫。

又 劉勰云：詩爲樂心，聲爲樂體。余則以爲如以心體比詩，則當云：聲爲樂心，詩爲樂體，乃明樂之正途。若劉此言在《明詩》條則可，《樂府》則不可，今而在《樂府》條矣，余故謂之失言。內子謂劉不差，不必改，余曰：子左體右心，遂有此說。體之于樂，無用之物，不得不借體宅心耳。以詩爲心，不如無樂。

又 凡初學詩，一解字面，二解故實，三解意指，然後分屬六詩，微及格調。格有二十四類，可以數計；調則高下隨時，無形可擬。韻學世所不攻，語之反令退舍，是以但有比量，使知輕重清濁，開闔陰陽，彷彿求之，所謂得之罔象可耳。比于禪機，格似漸教，調似頓教。惟其語言文字之外，作者所以難道，觀者所以難通。

又 聲教之與義學，古昔聖王并行而不信。余故曰：韻語之作，聲而非義。漢人而下，以義奪聲，賴初、盛二唐漸入佳境，至于中、晚，終作殘燈餘焰也。今余力在聲韻說詩，尤懼世無鍾子，王元長有言「宮商與義理俱生」，可謂千古同調，惜未竟其說耳。

又 詩有別才，非關學者，調是也。詩有別趣，非關理者，興是也。詩莫先于調與興，莫要于調與興，莫玄于調與興，以調與興持心，詩之能事畢矣。

又 詩有抑揚，雖粗亦細，雖俗亦雅，雖淺亦深，雖易亦難。抑揚者，聲調之謂也。無此者反是。

又 詩有無聲之字，有無意之字。無聲之字，言在意外，無意之字，意在聲中。意外之言，人既已知之矣，聲中之意，古今所共昧也。何也？在聲不在意也。不在意，何言意在聲中，聲卽詩之意也。知意爲意，得詩之淺者也。知聲爲意，其深于詩乎？小言之詞與曲，大言之律與呂，聽鐘鼓瑟琴而意義音聲輕重辨矣。能辨乎此，始元虞伯生譏蘇子瞻製詞如詩之謬云云，余則以爲彈詩如聽曲，方能得詩。

又 凡格必因于調，調不必出于格也。卽如屈子諸作，若賦若詩，若文若說，四格具備，總謂之楚詞者，以其聲之楚也。後之擬騷格者，擬其格而調隨之。調不楚，不成騷矣。

又 詩不尙意，無意不成其爲詩也。尙與不尙，二義絕然，必有分矣。上古之詩，惟聲是事，若詞若意，亦寄焉而已。後代之詩，惟意是求，若事若理，亦寄焉而已。漢人意函聲，盛唐聲函意，皆其至者。六朝尙詞，中晚尙意，非其至者。

又《格製三下》 詩之格調，譬古漢併列，古爲格，漢爲調；漢、魏、唐併列，漢爲格，唐爲調。余如此立論。若謂格調之名，都無定號矣，又不然也。遷轉格調，權也，非正也。其實，則體爲格，聲爲調。故隔一代之聲可爲體格，非若一時方俗日用之音也。是故《風》、《雅》本歌舞之具。漢不能歌《風》、《雅》，別爲樂府詩以供歌咏，于時《風》、《雅》但可作格而不可言調。唐用絕句爲歌，則樂府又爲格，不可言調。由茲而下，詩變爲詞，詞變爲曲，代代如之。此何以故？古今之音，太半不通也，不相通則十九失其調。是以但可存而爲格，不能據以成調，勢所必至。能知古音，前言皆贅也。

又 詩之聲調寄于風雅，風雅存而古音不亡也。朱氏乃謂「孔子深絕其聲，于樂以爲法，嚴立其詞，于詩以爲戒」。是以許氏引季札美秦風曰：「是之謂夏聲。聲卽詞也，安有既立其詞而又能絕其聲之理乎？」云云。余則以爲：風者，從其俗以採之，以照後世也，故曰思無邪。凡拂其俗，則邪矣。美俗爲不美之詩，不美俗爲美詩，皆邪也。或曰：「如子之言，不幾于導後世以不美乎？」則將譍之曰：「不有雅誦在乎，不有放鄭聲一語乎？」三百竟而采風之微指託之掌上矣。

又 《詩原》謂「漢人樂府已不必盡被管弦」云云。余按：古人無詩不成樂，至漢而稍失之，故創爲樂府，專此一事。何乃伯清謂「漢已不必然」？且問何代樂府始合樂歌乎？又曰：「如某歌等篇，與古詩初無少異。」又曰：「有歌行篇引等目，名雖不同而體無甚分別，後人必欲于樂府諸名辨之，恐未免穿鑿」云云。此正不知樂府爲何物之論也。謂後世失傳可，謂在漢卽不必協樂，則不可。

又 伯清以後人不能辨別樂府，遂謂前人未必皆合，此大謬也。試言漢人不能《周南》，唐人不能漢樂，宋人不能唐絕，勝國以下不能唱詞調，意正同也。若問畢竟所以不能者在何處？代代人人無以應我矣。何也？此代代人人自失傳也。失傳自然難答，能答則未始失傳矣。至于今之歌曲，辨悉豪芝。一字，陰陽失所，舌爲之橛甥不通。一句平仄與異，調爲之數閱相犯。知音者如睹白黑，不知音者馬耳春風。若强問古音於今人，似求馬耳以清明閶闔歟？何以爲報哉！能知其所以不知，則歷代經史百家，一身耳目肝膽，故自不昧也。歸而求之，有餘師。

又《詩原》謂，排律聲調四句一轉，故有雙韻無單韻云云。此法前此無人道。轉憶古詩數解合篇，出自風雅。是以唐人每每裁作絶句以入樂府，皆同前法。則知排律宜續絶句之後，不當在五律之後也。其或篇後單韻二句，則値作一章六句可耳。《正聲集》不錄韻以此。

又 排律雙韻一轉，取則風雅及古解，其轉意不轉韻，杜甫《八仙歌》以之。凡後世和韻，此其濫觴也。

又 古人詩篇篇可歌，後世以義奪音，漢唐所存無幾，不得已而別制樂府及詞調，去此無可歌也。至于今日，幷詞俱亡，惟曲可歌。歌曲者惟匡調自務，若義若理又若甚輕，于是音義判而爲二。

又《塵言七》《詩原》以韓白同論，謂「退之奇險，樂天流便，雖甚相反，而快心露骨則同」云云。余則以爲，詩取聲調，無聲不成詩。白雖鄙俚，聲調不乏。韓則全不知聲調爲何物，奚可同年而語。無論後世詩家自有定論。即退之稱樂天爲詩仙，其自知故不昧也。後之贊韓者，因其文而幷譽其詩，可笑也已。

王文祿《詩的》 客曰：「律以律詩也，詩律非止律詩也。一字有一字律，一句有一句律，一章有一章律，律卽樂之五音六律，故曰音律。」又曰：「法律不特律詩，古詩、古文皆然也。善悟者推類盡之。」

又《文脈》卷一《文脈總論》 文顯于目也，氣爲主；詩詠于口也，聲爲主。文必體勢之壯嚴，詩必音調之流轉。是故文以載道，詩以陶性情，道在中矣。

方以智《通雅詩說》 休文知四聲韻，多江南之音，豈能知陰陽七音之精乎？詩可寬叶，正韻時宜，古仍可通也。詞則必論挺齋內外中聲矣。七言二六旣諧，其餘自諧，非謂可不諧也。拗體亦諧拗體之響，古風自諧古風之調。作家老手，定叶天然。

陸時雍《詩鏡總論》 詩被於樂，聲之也。聲微而韻，悠然長逝者，聲之所不得留也。一擊而立盡者，瓦缶也。詩之饒韻者，其鉦磬乎？「相去日以遠，衣帶日以緩」，其韻古；「攜手上河梁，遊子暮何之」，其韻悠；「高臺多悲風，朝日照北林」，其韻亮；「晨風飄岐路，零雨被秋草」，其韻矯；「采菊東籬下，悠然見南山」，其韻幽；「皇心美陽澤，萬象咸光昭」，其韻韶；「扣枻新秋月，臨流別友生」，其韻清；「野曠沙岸淨，天高秋月明」，其韻冽；「天際識歸舟，雲中辨江樹」，其韻遠。凡情無奇而自佳，景不麗而自妙者，韻使之也。

董說《豐草庵文集》卷二《詩均微》 如波乍起而伏，如雲忽斷而續，此詩之妙於均也。其遺聲未墜，在古樂府也，譜之失傳，在古樂府之音節難知也。故知古樂府之音，知詩韻矣。此從流遡源也。知詩韻，則知古樂府之音，此從源及流也。詩有隔韻，隔句爲韻也。「葛之覃兮，施于中谷」，「谷」爲韻之第一也。「維葉萋萋，黃鳥于飛」，自協也，此所隔之句也。「集于灌木」，「木」爲「谷」之第二韻也。「其鳴喈喈」，句之孤行者也。「予曰有疏附」，「附」爲韻之第一也。「予曰有先後」、「予曰有奔奏」，「後」、「奏」協也，此所隔之句也。「予曰有禦侮」，「侮」爲「附」之第二韻也，此隔韻之略也。詩有雙韻，隔韻之雙行者也。「無已太康，職思其居。好樂無荒，良士瞿瞿。」「太康」、「無荒」，「康」唱而「荒」和者也。「其居」、「瞿瞿」，「居」唱而「瞿」和者也。「春日載陽，有鳴倉庚。女執懿筐，遵彼微行，爰求柔桑。」「陽」也、「筐」也、「桑」也，韻之從「陽」者也。「庚」也、「行」也，韻之從「庚」者也。此雙行之略也。詩有首尾韻，第一句與末句聲相應也。「經始靈臺，經之營之。庶民攻之，不日成之。經始勿亟，庶民子來。」第一句之「臺」與末句之「來」，聲相應也。詩有倒韻，上句有韻，下句無韻，違習見而謂之倒也。《思齊》之末章「肆成人有德」，「德」爲第一韻也。「小子有造」，下句之散行者也。「古之人無斁」，「斁」爲「德」之第二韻也，此上句之協也。「譽髦斯士」，「士」不協「造」，此下句不協也。詩有音和，不別四聲之異，以同音相和也。「雝雝在宮，肅肅在廟。不顯亦臨，無射亦保。」「廟」聲去也，「保」聲上也。「明明在下，赫赫在上。天難忱斯，不易維王。天位殷適，使不挾四方。」初「上」短聲也，次「王」、次「方」，皆長聲也。夫短聲者世所言聲之側也，長聲者世所言聲之平也。今執紅牙而度字者猶有音和之遺焉，元人已來曲譜可徵也。詩有孤行，謂散句不協於韻也。「文王曰咨，咨女殷商。人亦有言，顛沛之揭。枝葉未有害，本實先撥。殷鑒不遠，在夏后之世。」「揭」、「撥」協也，「世」之句爲孤行矣。詩有回環之韻，相續之句，連如環而前後不協也。「載馳載驅」，前句之不協者也。「歸唁衛侯，驅馬悠悠」，此二句者所謂回環之韻也。「言至于漕」，後句之不協者也。詩有藏韻，謂藏韻于章句之中而句尾不協也。《周頌》「於穆清廟，肅雝顯相。濟濟多士，秉文之德。對越在天，駿奔走在廟，不顯不承，無射于人斯。」第一句之「於」字生第二句之「多」字，以至于第八句之「無」字，一韻也。第四句之「德」字生第五句之「越」字，以至于第八句之「射」字，二韻也。第四句之「文」字生第六句之「奔」字，以至于第八句之「人」字，三韻也。此韻之伏藏而神異者也。此數端者皆古樂府之遺法也。

林希恩《詩文浪談》 《書》曰：「詩言志，歌永言，聲依永，律和聲。」此言詩之貴聲也，而聲必有律。唐虞以前，有近體乎？而曰律者何也？豈非無其律不足以和聲哉！故聲之有律，非特近體爲然也。孔子曰：「興於詩。」又曰：「詩可以興。」又曰：「鄭聲淫。」然豈惟雅樂之聲得其情性，自得而能興也。雖至鄭、衛之什，亦皆有其聲矣。靡靡動人，邪淫溺志。《記》曰：「移風易俗，莫善於樂。」故樂也者，詩之可被於聲者樂也。

又 夫詩之聲也，豈曰平而平、仄而仄焉已哉？即平之聲，有輕有重，有清有濁；而仄之聲，亦有輕有重，有清有濁，此天地自然之聲也。而唐以後鮮有知之者。不知輕重清濁之聲，且不可以循古之恒裁，而况能盡詩之變體邪？今以律之變體言之，如曰「昔人已乘白雲去」，又曰「北城擊柝復欲罷」，又曰「七月六日苦炎熱」等若干章，此又專在於輕重清濁之間爾，平仄云乎哉？由是觀之，則唐人之所謂變體者，乃以變其平仄之聲者也。而輕重清濁之間，蓋有不可得而變之矣。

又 或曰：平仄尚矣，豈復有輕重清濁之聲歟？林子曰：然。若平仄之聲，即幼童能辨之，豈其盡詩之情耶？然而輕重清濁之聲，亦皆出於自然也。不知輕重清濁之聲之自然，而曰能盡詩之情者，余弗知之矣。或曰：古體亦有聲歟？林子曰：古體亦皆聲也。即如「羅衣何飄飄，輕裾隨風旋」，此十言皆平也。又如「有客有客字子美」，此七言皆仄也。夫平仄既不論矣，而輕重清濁之聲其可以不知乎？故不知聲者，不可與言詩也。

謝天瑞《詩法大成》卷八《詩正體》 五言律詩貴字字平仄諧和，失粘、失律，皆不合例。

劉世偉《過庭詩話》卷上 古詩一韻兩用，除曹子建《美女篇》用兩「難」字，謝康樂《述祖德》詩用兩「人」字，《文選》阮嗣宗「灼灼西頹日」篇用兩「歸」字，又杜詩□□□用兩「浪」字，孟浩然《適越別張主簿》與《越中逢太一子》二詩俱用兩「會」字，説者謂吳會之會屬地名，與會晤之會不同，故重用之，然亦不可以此爲法也。

賀貽孫《詩筏》 前輩有禁人用啞韻者，謂押韻要官樣，勿用啞韻，如四支與十四鹽皆啞韻，不可用也。而不知詩家妙處，全在押韻，押韻妙處，決不在官樣。果禁啞韻，則孔子訂詩，當預作四韻删正，「燕婉」、「戚施」之句，必不列於《風》，而「昭假遲遲」、「式於九圍」，不列於《頌》矣，可爲噴飯。

又 自元、白及皮、陸諸人以和韻爲能事，至宋而始盛，至今踵之。而皮日休、陸龜蒙更有藥名、古人名、縣名諸詩。又有離合體，謂以字相拆合成文也。有反覆體，謂反覆讀之皆成文也。有疊韻體，如皮詩所謂「穿煙泉潺湲，觸竹犢觳觫」是也。有雙聲體，皮詩所謂「疏杉低通灘」之類是也。有風人體，皮詩所謂「江上秋風起，從來浪得名。送風猶挂席，苦不會帆情」是也。夫《離合詩》起於孔文舉「漁父屈節」之詩，然文舉詩以骨氣奇逸傳，不以離合傳也。疊韻起於梁武帝、沈休文之「後牖有朽柳」、「偏眠船舷邊」，然武帝、休文詩以詞采風流傳，非以疊韻傳也。迴文反覆起於竇滔妻，然婦人語耳。雙聲體，據皮襲美云起於「蝃蝀在東」、「鴛鴦在梁」，然皆無心自合，非有意爲之也。至於藥名起於梁武帝，縣名起於齊竟陵王，彼亦偶爲之，豈以此見長哉？皮、陸二子，清才絶倫，其所爲詩，自有可傳，必欲炫才鬭巧，以駭俗人，則亦過矣！鮑明遠有《建除詩》，又有《數名詩》，然明遠所謂俊逸者，終在彼不在此也。然則學皮、陸者，亦學其可傳者而已，無炫聰明以争一時伎倆，自失千秋也。

傅山《再復雪開士》 李洞之「小片當吟落，空香入定聞」，非僧詩，而氣味全似僧詩。雪峰學五言近體，但于此十字中想情想境，擬而爲之，會能到也。韻腳只求愜當，押得穩處，即出韻不妨爲好詩。若被韻拘莽，于韻中取一硬字押之，不顧妍媸，但稱知韻，一字便可累一章矣。切忌之，切忌之。平處險押，險處平押，濃處淡押，淡處濃押，顛倒變幻，熟之自辨。

賀裳《載酒園詩話》卷一《音調》 人之臧否，不在形骸；詩之工拙，不專聲調。捉刀人鬚眉不及崔琰，不害其爲英雄。若侏儒自惡其短，而高冠巍屐重裘，飾爲魁梧也，不大可笑乎！且作詩宜有氣格，不宜有氣質。宋人誤以氣質爲氣格，遂以生硬爲高，鄙俚爲樸。始于數名家作俑，至末流益甚。如王庭珪《送胡澹庵謫新州》「癡兒不了公家事，男子要爲天下奇」，立意亦佳，但上句口角浮薄，下句有悻悻之狀。又如俞秀老「夜深童子喚不醒，猛虎一聲山月高」，此豈佳事，而謂可與「爐煙消盡寒燈晦，童子開門雪滿松」，「日午獨覺無餘聲，山童隔竹敲茶臼」並驅也？至所謂折句法，尤可憎。如胡考「鸕鷀杯且酌清濁，麒麟閣懶畫丹青」，正所謂折腰之步，令人嘔噦。（黄白山評：「宋詩原不必置之齒頰，如譏村婦之醜，笑貧家之儉，卻是又何足道！折腰句法，本出唐人，如『斑竹岡連山雨暗，枇杷門向楚天秋』，『木奴花映桐廬縣，青雀舟隨白鷺濤』，何嘗可厭。惟宋人學步，遂入惡道耳。」）至如楊次公「八十丈虹晴臥影，一千頃玉碧無瑕」，僧顯萬「河搖星斗三更後，月掛梧桐一丈高」，摹擬處總落麄俗。又黄白石《咏雪》「願縮天人散花手，放渠奔走趁晨炊」，語既酸鄙，狀尤扭捏。卽劉過《送王簡卿》「放開筆下閒風月，收拾胸中舊甲兵」，亦非雅談也。宋人力貶綺靡，意欲澹雅，不覺竟入酸陋。如戴敏才「引此渠水添池滿，移箇柴門傍竹開」，二虛字惡甚。其子復古「一心似水惟平好，萬事如棋不着高」，高菊磵「主人一笑先呼酒，勸客三杯便當茶」，王夢弼「三年受用惟栽竹，一日工夫半爲梅」，方翥《寄友》「胸中襞積千般事，到得相逢一語無」，程東夫「荒村三月不肉味，幷與瓜茄倚閣休」，當時自以爲入情切事，不知皆村兒之語，徒供後人捧腹耳。宋詩之惡，生硬、鄙俚兩途盡之。更有二種，「山如仁者壽，水似聖之清」，太學究氣；「浮雲一任閒舒卷，萬古青山只麼清」，太禪和氣，皆淩夷風雅者也。吴體詩子美時或作之，其音節和平溫麗者，不徒八九而已。如孔子侃侃之容，亦只朝與下大夫言時，遇上大夫則已誾誾，私覿則愉愉，燕居又申申夭夭矣，豈終日行乎！東坡曰：「今人學杜甫詩，得其粗俗而已。」誠然誠然。（黄白山評：「此語豈非爲山谷而發？」）

費經虞《雅倫》卷九《格式》 一、三、五不論者，謂七言律詩第一字、第三字、第五字如當用平聲者，可用仄；當用仄聲者，可用平；又可平對平，仄對仄也。二、四、六分明者，謂第二字、第四字、第六字當用平者，一定用平；當用仄者，一定用仄，必不可移也。若五言律詩則一、三不論，二、四分明矣。此法要知。其間格律不同者，不過別調，不在此例。（錫瓚按：一、三、五不論，固舉其大凡。然一、三、五正須細細調之，方協音調。凡上句第三字皆宜平聲，下句第一字皆宜仄聲，一定不移。又初唐音調最細，上去二聲用之，有別陰平、陽平，不可參錯，故韻致獨圓。中唐而後，此法漸疎矣。）

又 前二句不對，中四句對，後兩句不對。平仄諧和，立意用事安穩，乃常用之格，故曰大格，包羅諸家體調故也。而有正側之分者，仄起則第七句上二字平好，轉第八句下二字平好，收若平起，則轉與收皆不便矣。此唐人律法之奥，先輩秘訣之不輕傳者也。其餘格法多端，各有名式，或以平仄論，或以押韻論，或以字句論，具載於後。正側二格皆可用。五言律不用引韻者多，用引韻者亦十之三，發其例於此。

又 方虛谷云：平仄不粘，唐人詩多用此體，而《詩人玉屑》名爲「江左體」，謂之「骨含蘇李」，非大家不能。按：六朝詩多四韻，有對聯，已似唐人五言律，但不粘貫，與平仄切對耳。故初唐多有，至沈、宋定爲律格，世皆效之，而齊、梁舊體亡矣。然中分四平、四仄，諸格皆從江左變來。

又 唐人有前四句粘起，後四句不粘接，而別有粘，爲中分格。然此等格皆自沈、宋定近體後始論，前此無有是說，世以沈、宋後近體說沈宋前，謂不合律，非是。

又卷一二《製作》 詩以格律、聲調爲主。近代諸公，言格律矣，而聲調未之講也。詩無聲調，何以入法？何以進步古人、宗師當代？所謂調者有四：曰高調，金鏞鼉鼓，響聲入雲是也；曰緩調，琴瑟笙竽，從容閒適是也；曰清調，簫管長吟，感幽動遠是也；曰平調，水流路直，柳綠桃紅是也。詩不從四調，出必杜撰文辭，旨乖韻失，不成章矣。然調高易粗疎，而難韞藉，其失也礦悍；調緩易拖沓，而乏風華，其失也軟弱；調平多輕率，而少精鍊，其失也鄙俗；調清多幽細，而不振拔，其失也孱削。斟酌於聲調，則文采燦然，音節安和矣。緩調尤難，故朱晦庵云：「晉宋間詩多閒淡，杜工部等詩常忙了。」非苦心章句人，未易知此語。若以絶句論，又有一種樸茂奥側，亦甚古雅，在四調之外，終非絶句本色。學者詳之。

又卷二四《音韻》 經虞年少時，得許氏《說文》舊本，沉涵於內頗久。故於古今字韻不敢遂謂淹貫，然亦略識大旨。古者書同文，未嘗言字同音也。蓋同一文而各國方言不同耳。自漢末造音韻，遞增遞嚴。遂以一音爲定，而其不合者，則謂之古韻協韻，其實非也。今世所行詩韻，咸稱沈約，究其源流，則先輩所論，可得而詳也。翻切未立之時，古人著書，但曰讀如某字。至漢末，孫叔言始創反語，魏秘書孫炎乃作翻音，又謂之切腳。此後世音韻所始。後周顒作《四聲譜》，梁沈約因之爲《韻類》，又作八病。約既貴顯，書遂大行。考其所自，不始於約也。約本南人，其言多南音。非中原正聲，而世反奉爲金科玉條，可嘆也已。隋開皇初，陸法言同諸公撰《切韻論》，稱：吕靜《韻集》、夏侯該《韻略》、陽休之《韻略》、周思言《音韻》、李季節《音譜》、杜臺卿《韻略》，則韻書不出一人手矣。唐郭知元又爲《拾遺》、《緒正》。天寶中，孫愐更增字撰《唐韻》，盛行於世。則唐詩用韻，已非沈約，乃法言本也。宋加修葺，謂之《禮部韻》，科場用之。平水劉淵，併上平聲爲十五韻，下平聲亦十五韻。今世所行是也。不惟非沈約，亦非唐韻，亦非禮部舊韻，乃劉淵所合。古二百六韻，黃公紹會劉淵、毛晃併爲一百七韻。洪武間以舊韻多江左偏音，與中原乖互，詔儒臣重修。乃取毛晃舊韻，與周德清《中州音韻》互相校定，於是有分者，有合者。分則歌、麻是也；合則東、冬是也。平聲定爲二十二韻，上聲二十二韻，去聲二十二韻，入聲十韻，共七十六韻。賜名《洪武正韻》，而後大一統之音出矣。上下遵用。故當時禮部會試，以之入闈。而士子卷錄，百官章奏皆用之，著爲功令。自永樂取士，專用王安石所改制義，不以詩賦。惟翰林館課叶押。而儒生草野吟嘔，仍劉淵韻也。止一二老學通儒，間入篇章。或曰韻不唐則詩不唐。詞客畏人指議，皆因循舊水。殊不知今世所行，何嘗爲沈約、唐韻哉！自唐取士用沈韻，反以南音爲正，而他皆爲協，爲古，差誤已久，烏可郡辨而邑止耶。且唐人近體，如一東、二冬兼用。名作如林，未曾細究耳。况乎唐人詩理、意興、格調、風致迥然不同，不專以押不出韻爲工。後人嚴於押韻，其詩與唐相去何啻千里！經虞以爲大一統之音，見於大一統之世。宜依館閣諸公遵用。苟眞能入古人閫奥，則正韻所押，不害其爲唐風也。故論次先輩之説，仍以唐、宋韻書所押之字附後，以便兼用。吳棫《補叶》、楊慎《轉注》亦加收采。不但以供吟咏，考經讀史亦有所助云。（錫瓚按：沈約之偏，已見於前。沈韻不合於《三百》、《楚詞》、漢詩者，不可枚舉。且周頌、漢人《上陵》、《蜀國刺》、《從軍行》、《江南》皆不用韻。必謂沈韻如金科玉律之不可亂，眞兒童之見。先祖先父《雅倫》所采源以《正韻》爲主。錫瓚仍載《禮部韻》，略使人知古韻與今韻不同。至或守或通，聽乎其人之自擇。《正韻》別有專書，可考而得也。）

錢澄之《二龍唱和詩引》 吾讀二方子唱和詩而有悟於聲氣之故也。夫詩者，聲之事也。聲者，氣爲之也。推律元者，必驗氣以審聲，聲之本諸氣信矣。《易·文言》分别物類，乃有「同聲相應，同氣相求」之辨。而今於人倫之類，稱朋友曰同聲，稱兄弟必曰同氣。夫同聲不必同氣者有矣，要未有氣同而聲不同者也。而有不同者，君子以爲氣之沴矣。譬如治律者，一音不調，議者必求諸黄鐘之本，是故詩小道也，語其微通乎造化。唱和一事，語其要根極倫理。

吳喬《答萬季埜詩問》 昨東海諸英俊問：「出韻詩，唐人多有之，而王麟洲極以爲非，何也？」答曰：「出韻必是起句，起句可用仄聲字，出韻何傷？蓋起句不在韻數中，故一絕止言二韻，一律止言四韻。如《滕王閣詩》本是六韻，而序云：『四韻俱成。』以『渚』、『悠』不在韻數中故也。」

又 又問：「和詩必步韻乎？」答曰：「和詩之體不一：意如答問而不同韻者，謂之和詩；同其韻而不同其字者，謂之和韻；用其韻而次第不同者，謂之用韻；依其次第者，謂之步韻。步韻最困人，如相毆而自縶手足也。蓋心思爲韻所束，於命意布局，最難照顧。今人不及古人，大半以此。嚴滄浪已深斥之。而施愚山侍讀嘗曰：『今人祇解作韻，誰會作詩？』此言可畏。出韻必當嚴戒，而或謂步韻思路易行，則陷溺其心者然也。此體元、白不多，皮、陸多矣，至明人而極。」

又 又問：「施愚山所謂今人祇解作韻者若何？」答曰：「每得一題，守住五字，於《韻府羣玉》、《五車韻瑞》上，覓得現成韻腳了，以句輳韻，以意輳句，扭捻一上，自心自身，俱不照管，非做韻而何？陷溺之甚者，遂至本是倡作，亦覓古人詩之韻而步之，烏得不爲愚山所鄙哉？古詩不對偶，不論黏，不拘長短，韻法又寬。唐律悉反之，已是束縛事。若又步韻，陶、謝、李、杜，無以措手。」

又《圍爐詩話》卷一 梵偈四五七字爲句而無韻，殊不礙讀，子瞻雜文多效之。詩入歌喉，故須有韻，韻乃其末務也。故《三百篇》叶者居多，《菁菁者莪》篇叶「儀」以就「莪」、「阿」，固可，叶「莪」、「阿」以就「儀」，亦無不可，于意無傷故也。詩宗《三百篇》，自當遵其用韻之法。漢至六朝，此意未失。休文四聲韻，小學家言，本不爲詩，詩人亦不遵用。唐玄宗時，孫愐始就陸法言之《切韻》以爲《唐韻》。肅宗時以此爲取士之式，詩從此受桎梏。元、白作步韻詩，直是殖醢。或曰古體可用古韻，唐體當用《唐韻》。夫然則唐體別自爲詩，不宗《三百》耶？古人多有韻，韻又皆叶用，毛晃誤以爲古人實有是讀而作《古韻》，何異于袞衣玉食之世，論茹毛飲血事耶？」

又 古人作詩，不惟不拘韻，并不拘四聲，宜平則仄讀爲平，宜仄則平讀爲仄，觀「望」、「忘」二字可見。《三百》至晉、宋皆然，故不言聲病。休文作四聲韻，而聲病之説起焉。可知聲病雖王元長等所立，而實因乎沈氏之四聲矣。梁武帝不許四聲，詩中高見。

又 詩本樂歌，定當有韻，猶今曲之有韻也。今之《曲韻》，「庚」、「青」、「眞」、「文」等合用，初無礙乎歌喉。詩已不歌，而韻部反狹，奉《平水韻》如聖經國律，而置性情之道如弁髦，事之顛奴失主，莫甚于此！

又 《青箱雜記》載鄭谷、齊己、黄損等定今體詩格云：「用韻有數格，曰葫蘆，曰轆轤，曰進退。葫蘆韻者，先二後四；轆轤韻者，雙出雙入；進退韻者，一進一退。」引李師中《送唐介》詩云：「孤忠自許衆不與，獨立敢言人所難。去國一身輕似葉，高名千古重如山。並遊英俊顔何厚？未死奸諛骨已寒。天爲吾皇扶社稷，肯教夫子不生還？」八句詩二「難」三「寒」同部，二「山」、四「還」又一部，爲進退韻格之證。而葫蘆、轆轤未有引證。別本詩話引太白「我攜一尊酒」爲葫蘆韻之例，引「漢帝寵阿嬌」爲轆轤韻之例，乃古詩也。

又 《唐韻》視今之《平水韻》，「冬」分「鐘」，「支」分「脂」，似乎狹矣，而有葫蘆韻用法，轆轤韻用法，進退韻用法，有嫌韻，有兼韻，有通用，有轉用，有叶用，作者猶得輾轉言情。《平水韻》似寬，而葫蘆等諸法俱廢，則實狹矣。

又 問曰：「二美大呵出韻詩，是否如何？」答曰：「出韻必是起句，起句可用仄聲字，出韻何妨。蓋律詩止言四韻，絶句止言二韻，王子安《滕王閣詩》八句六韻，而序曰『四韻俱成』，以『渚』與『悠』不在韻數中也。出韻詩雖是晚唐變體，然非晚不及盛之關係處。如元美兄弟之説，但不出韻，即是盛唐耶？」

又 問曰：「用韻以何者爲準則？」答曰：「韻書自曹魏李登、梁沈約以來，其故甚繁，此難具述。唐之官韻今不可得，北宋《禮部韻》，余曾見二本，皆一東、二冬、三鐘者也。名《廣韻》者，因《唐韻》而廣之者也，即此可以知《唐韻》矣。今世通行之一東、二冬、三江、四支之韻，乃宋理宗時平水劉淵，并舊韻之二百六部，以爲一百七部而成之者也。舊韻一東獨用，二冬、三鐘通用，淵則竟并通用者爲一部。古韻通轉者，東、冬、江、陽、庚、青、蒸七韻爲一部，支、微、齊、佳、灰、魚、虞、歌、麻、尤十韻爲一部，眞、文、元、寒、刪、先六韻爲一部，侵、覃、鹽、咸四韻爲一部。韻之通轉，又分兩界，有入聲者十七部爲一界，無入聲者十三部爲一界，兩界不相通轉。通轉有部、有類、有界，平上去各自通轉爲部，東董送、眞軫震通轉爲類，有入聲、無入聲通轉爲界。非此則謂之叶，叶乃通轉之窮也。自《平水韻》行，而北宋之《禮部韻》詩家名公俱未經目，界部通轉叶之法俱不講，唐人葫蘆、轆轤、進退之法，何所考哉！」

又 唐人有嫌韻、兼韻之法。嫌韻即出韻也。兼韻亦名干韻，謂兼取通用韻中一二字也。嫌韻與兼韻可通用，不可轉用。寒與刪、先得相兼，以其通用故也。而轉用之眞、文、元則不可。

又 唐人排律有兼韻者，東兼冬、庚兼青是也。叶，即協也。不用如字之聲者謂之轉，轉一二字而不全部通轉者謂之叶。通用乃劉淵并韻已前之法，今世所刻《平水韻》猶仍其名。

又 子美《飮中八仙歌》押二「船」字，二「眠」字，二「天」字，三「前」字。説者謂此篇是八段，不妨重押。《學林新編》云：「觀詩題，則是一歌也。通篇在『船』字中押，不移別韻，則非分八段。」蓋子美詩重韻者不少，因歷舉諸篇以及《十九首》、曹子建、謝康樂、陸士衡、阮嗣宗、江文通、王仲宣重韻之句，以見古有此體，子美因之。其言甚辨。余謂古人重詩而輕韻，故《十九首》以下多有重韻之詩；後人重韻而輕詩，見重押者駭爲異物耳。施愚山謂步韻者是做韻，非做詩。余謂自唐以來，以意湊韻，重韻輕詩者，皆是做韻。

又 嚴滄浪云：「任昉《哭范雲》詩，重韻兩『生』字、三『情』字。《天廚禁臠》（《禁臠》洪覺範著）乃謂平韻可重押，或平或仄韻不可者。彼就子美《飮中八仙歌》立説，陋矣！」《焦仲卿妻作》重二十許韻。

又 古人作詩，不以辭害志，不以韻害辭。今人奉韻以害辭，泥辭以害志。十二侵乃舌押上腭成聲，非閉口也，閉口則無聲矣。韻家別爲立部，非也。縱使侵等果是閉口字，亦爲小學審聲中事，與詩道何涉？此又詩人奉行之過也。

又 宋人詩餘，寒删先元，魚虞通用，實合于《三百篇》至六朝叶用之義。後人因此而立詞韻，則非也。

又 今有癖疥之疾而爲害甚大，本舉手可除，而人樂此美疢，固留不舍，習以成風，安然不覺者，是步韻和人詩。夫和詩之體非一，意如問答而韻不同部者，謂之和詩；同其部而不同其字者，謂之和韻；同其字而次第不同者，謂之用韻；次第皆同，謂之步韻。蕭衍、王筠《和太子懺悔》詩，始是步韻。步韻，乃趨承貴要之體也。

又 詩思與文思不同。文思如春氣之生萬物，有必然之道，詩思如醴泉朱草，在作者亦不知所自來，限以一韻，即束詩思。唐時試士限韻，主司因得易見高下耳。今日何可爲之耶？若又步韻，同于桎梏，命意布局，俱難如意。後人不及前人，而又困之以步韻，大失計矣！施愚山曰：「今人祇是做韻，誰人做詩？」獅子一吼，百獸腦裂。做韻定五字，于《韻府羣玉》、《五車韻瑞》上覓得現成韻脚了，以字湊韻，以句湊篇，扭捏一上，全無意義章法，非做韻而何？步至數人，并韻字亦覺可厭。古詩不對偶，無平仄，韻得叶用，唐詩悉反之，已是難事，若又步韻，李、杜無以見長。

又 步韻，元、白猶少，皮、陸已多，今則非步韻無詩矣。陷溺之甚者，遂謂步韻詩思路易行，又或倡作而步古人詩之韻。

又 古人視詩甚高，視韻甚輕，隨意轉叶而已，以詩乃吾之心聲，韻以諧人口吻故也。唐人局于韻而詩自好，今人押韻不落即是詩。故古人有詩無韻，唐人有韻有詩，今人惟有韻無詩。得一題，詩思不知發何處，而先押一韻，何異置楊以待電光。

又 問曰：「先生不肯步韻，人以爲傲，信乎？」答曰：「敬也，非傲也。步韻何難，不過順口弄人耳。朱溫將諸客遊園，自語曰：『好大柳樹！』數客起應曰：『好大柳樹！』溫又曰：『可作車轂。』數客起應曰：『可作車轂。』溫厲聲曰：『車轂須用堅木，柳那可用？書生好順口弄人，皆此類也。』悉撲殺之。溫雖凶人，然此事則不侮，邁俗遠矣！詩人自相步韻猶可，步貴人韻，須慮撲殺。貴人倡作勿用『徘徊』、『潺湲』等字，使趨承者有所措手，亦仁者之居心也。」

又 晚唐章碣八句詩，平仄各押韻：一畔、二天、三岸、四船、五看、六眠、七算、八邊。無聊之思，亦將以爲格而步之乎！

又 人之登廁，不可無書，無書則不暢。書須淺陋，不足嚴待，又逐段易了者，《韻府羣玉》、《五車韻瑞》最善。展卷終是有益，而應酬簡易，此爲捷徑。若自好之士而作詩時用之，則自塞詩路，以做韻而已。明詩無深造，二書爲之也。

葉矯然《龍性堂詩話續集》 凡古韻叶音甚夥，姑舉東韻一字言之。如「朋」叶「篷」，楊用修深詆沈約入蒸韻之謬，而引《棠棣》：「每有良朋，蒸也無戎。」逸詩：「翹翹車乘，招我以弓。豈不欲往，畏我友朋。」又《太玄》：「一與六爲宗，二與七爲朋。」又劉楨《魯都賦》：「和族綏宗，肅戒友朋。」爲叶東之據。陳季立(第)《古音考》謂「朋」有兩音，與「東」叶者，以用修之引爲然。與「蒸」叶者，則有《椒聊》：「蕃衍盈升，」「碩大無朋。」《菁莪》：「在彼中陵」，「錫我百朋。」《魯頌》：「三壽作朋，如岡如陵」爲然。楊去奢時偉又謂「升」亦音宗，「陵」亦音隆，引《儀禮》「八十縷爲一宗」，宗，古「升」字。《小雅》「與爾臨衝」，《韓詩》作「隆衝」。劉熙《釋名》：「陵，隆也。」《易・坎卦》：「維心亨，乃以剛中。天險不可升，地險山川丘陵。」歷歷援據。三公所言皆是，見前輩考訂核詳處，一東爲然，他叶可類推矣。

又 古樂府多用「爲」字韻，如「君家婦難爲」，「雖班輸亦奚以爲」，「芳是香所爲」。子美亦多用之，如《送王侍御往東川》云「此贈怯輕爲」，《從驛至東屯》云「一學楚人爲」，《同舍弟宴書齋》云「書齋聞爾爲」，《宴使君東樓》云「樂任主人爲」，《偶題》云「餘波綺麗爲」，不一而足。李卓吾謂「遇險韻，雖宗匠如子美，亦不能佳」。蓋不知其所本也。

周容《春酒堂詩話》 家嚴常語容曰：「文公叶《詩經》諸韻，似亦有不必拘者。如『六月食鬱及薁，七月亨葵及菽』，『菽』叶『薁』也。『八月剝棗，十月穫稻』，『稻』與『棗』叶，轉韻矣，何必強『棗』爲『走』，強『稻』爲『徒苟反』也。『爲此春酒，以介眉壽』，『酒』叶『壽』，又轉矣。又《鹿鳴》詩，何必叶『鳴』、『苹』、『笙』入七陽乎？一章兩韻，經中多有。」

又 又曰：「《雅》、《頌》稱什，猶軍法以十人爲什也。此即是唐人律字之祖，律者亦猶軍之有律也。」

又 有以九言詩見示者，余曰：「詩至七言極矣，漢《柏梁》原已等之諧談俗語；《黃庭經》語語歌行矣，晉人喜書之而未嘗爲之，豈當時亦鄙其體爲道流醮章之類而不足學歟？七言且然，況九言哉！」

毛先舒《詩辯坻》卷二 十三覃韻古詩少見，梁吳孜《春閨怨》用之。觀《毛詩》「節彼南山」首章，又「亂之初生，僭始既涵；亂之又生，君子信讒」，又「泰山巖巖，魯邦所詹」，知覃、鹽、咸三韻古蓋通用矣。

又卷四 詩作七古，宜從唐人詩韻，乃爲無弊。五古須論體裁風雅，宜用先秦韻，漢、魏稍密，晉、宋漸近于唐韻矣。倘于韻學未能精，只以唐韻行之爲妥。如古詩《關雎》首章，《皇皇者華》第五章，《天保》九如兩章，漢詩「今日良宴會」、「攜手上河梁」、「骨肉緣枝葉」等篇，亦符唐韻。下此益復可知，無所譏駁。倘不知古韻離合而妄通之，必爲識者所笑。

又 古歌行押韻，初唐有方，至盛唐便無方。然無方而有方者也，亦須推按，勿得縱筆以擾亂行陣，爲李將軍之廢刁斗也。古人有變韻不變意、變意不變韻之法。如子美「內府殷紅瑪瑙盤，婕妤傳詔才人索。盤賜將軍拜舞歸，輕紈細綺相追飛」，四句一事，卻故將二句屬上文韻，變二句屬下文韻，此變韻不變意。「貴戚權門得筆跡，始覺屏障生光輝」，與上「盤賜」二句意不相屬，卻聯爲同韻，此變意不變韻。讀之使人惚恍，尋之絲跡宛然，此亦行文之一奇也。

黃生《詩麈》卷一 有平起，有仄起，有引句即用韻起。仄起者，其聲峭急。平起者，其聲緩和。仄起而用韻者，其響更切。平起而用韻者，其聲稍浮。下筆宜自消息。如「獨有宦遊人，偏驚物候新」（杜審言）、「詔出未央宮，登壇拜總戎」（岑參）、「犬吠水聲中，桃花帶雨濃」（李白）、「柳暗百花明，春深五鳳城」（王維）、「落日在簾鉤，溪邊春事幽」（杜甫）、「何地避春愁，終年憶舊遊（顧況），此皆仄起用韻者也。如「琵琶馬上彈，行路曲中難」（董思恭）、「佳人眠洞房，回首見垂楊」（劉希夷）、「諸生日萬盈，四十乃知名」（高適）、「宮衣亦有名，端午被恩榮」（杜甫）、「蘇耽佐郡時，近出白雲司」（嚴維）、「春城乞食還，高論此中聞」（韓翃）、「空爲《梁父吟》，誰竟是知音」（喻凫），此皆平起用韻者也。

又卷二 論詩之要領，「聲」、「色」二字可以盡之。書曰：「詩言志，歌永言。」古人之詩，未有不協聲律者。自唐以前，能詩之士，未有不知音律者。故言詩而聲在其中。《騷》、《雅》、漢魏、六朝、三唐之聲各不同，以樂隨世變，故聲亦隨世變也。自宋人逐腔填詞，以長短句爲樂府，而詩遂僅爲紙上之言。其體雖效古人，不過揣摩其音響而已，豈能知歷代之詩之聲之所以出哉！近世更思標新立異，就字句間弄巧，或並其音響而失之，詩道之所以益喪也。漢以前詩，皆不假雕繪，直道胸臆，此所謂太白不飾也。然而眞色在焉。魏、晉而下，始事藻飾，矜尚字句，采獲典實，於是詩始有色矣。色之爲物，久則必渝。漢人詩所以久而愈新者，是眞色，非設色故也。六朝之色，在當時非不可觀，至唐則已陳。故唐人另調丹黃，染成新采，於是其色一變。宋之色黯然無光，其染采之水不潔故也。

又 詩之有韻，猶字之有體，皆數變而至今者也。書家如大篆、八分、隸、楷，學者用筆不可雜，雜則見笑於大方。詩韻如《風》、《騷》、《選》、唐、宋、元，學者用之亦不可混，混則取譏於識者。律詩遵沈韻不必言，宋人詩餘，取韻稍寬，大要似《洪武正韻》。元人入聲配入平上去，本爲北曲之用，而今之爲南曲者亦遵之，與律詩必遵沈韻，雖《洪武正韻》重以帝王之權，亦不能奪；皆習與體成，不可易也。至爲古詩則必用古韻。古韻無一定之譜，故人未易了了。近世朱氏作《韻總持》一書，分古、唐、元三種，似已不知古韻又自分二種，有《風》、《騷》之韻，有漢魏之韻。今若作賦、頌、箴、銘之類，當依四詩、《楚辭》用之。若作古詩，當依《選》體用之。漢魏之異於《風》、《騷》者，以稍具四聲及少叶韻故也。至於眞文、庚青、侵尋三韻，有開口閉口鼻音之異，非獨周氏爲歌曲而設，自《風》、《騷》而降，更無相犯。《風》、《騷》雖不拘四聲，而必拘此三韻。眞文自通寒山元先，庚青自通陽，侵尋自通鹽覃咸，各以類從，不少混也。今之爲詩者，以爲出沈韻即入古韻耳，一篇之中，眞、庚不分，侵、蒸並見。一二詩家巨擘，亦時犯此，無論初學。法冠龐服，楚客吳吟，其詩縱工，惡能傳誦於後世哉！

汪琬《堯峰文鈔》卷二五《重訂韻補序》 凡字莫不有聲有音，故平上去入四音爲之經，宮、商、角、徵、羽、半徵、半商七音爲之緯，而後切韻協韻興焉，所以盡韻學之正變也。夾漈鄭氏獨倡急慢諧聲之說，如中之協十陽，激之協十八藥，皆協韻也。而鄭氏以中央之急聲，爲張取證於古豔歌；以激搏之急聲，爲郭取證於《西京賦》。此其說蓋本梵書之合音，而於《六經》諸子所謂協韻之道尚未之備也。惟吳棫才老所作《韻補》最爲淹洽，嗣後朱晦庵先生遂悉采之，以協《詩》三百篇與楚《離騷》，蓋其爲大儒取重如此，非徒有功於小學而已也。

王士禛《律詩定體·五言仄起不入韻》 粉署依丹禁，城虛爽氣多(如單句「依」字拗用仄，則雙句「爽」字必拗用平)。好風天上至(如上字拗用平，則第三字必用仄救之。古人第三句拗用者多，若第四句則不可)，涼雨曉來過。翠島浮香靄，瑤池瀁綠波。九重開視草，時復幸鸞坡(注乃單拗，雙拗之法)。 平作○，仄作●，必不可易者作○○●●，平可以換仄者作◎，仄可以換平者作⊙，凡可不論者勿論(二四定式止作○●)。五律，凡雙句二四應平仄者，第一字必用平，斷不可雜以仄聲，以平平止有二字相連，不可令單也。其二四應仄平者，第一字平仄皆可用，以仄仄三字相連，換以平韻無妨也。大約仄可換平，平斷不可換仄，第三字同此。若單句第一字，可勿論。

又《五言仄起入韻》 夏過日初長(第三字用仄聲，餘與不入韻者同)，連朝雨送涼。捲簾書帙靜，開戶燕泥香。賜果來東閣，分冰近玉牀。小臣叨侍從，屢得被恩光。

又《五言平起不入韻》 桂枝家共折，雞樹代相傳。忝向鸞臺下，仍看雁影連。夜聞方步月，漏盡欲朝天。知去丹墀近，明王許薦賢。 凡第三字俱以平仄平仄聯下，與仄起不入韻者相同。

又《五言平起入韻(平起入韻者少，與仄起入韻同)》 花枝暖欲舒，粉署夜方初。世職推傳盛，春刑是減餘。芸香能護字，鉛槧喜呈書。此地從頭白，經年望輦車。

又《七言平起不入韻》 振衣直(此字可平，凡仄可使單)上江天閣，懷古仍(此字關係)登海嶽樓。三楚風濤盃底合，九江雲物坐中收。石簾落照翻孤影，玉帶山(此字關係)門訪舊遊。我醉吟詩最高(二字本宜平仄，而「最高」二字係仄平，所謂單句第六字拗用平，則第五字必用仄以救之，與五言三四一例)頂，蛟龍驚起暮潮秋。 凡七言第一字俱不論。第三字與五言第一字同例。凡雙句第三字應仄聲者可換平聲，應平者不可換仄聲。

又《七言平起入韻》 輕陰小雨夜連晨，中使傳呼散紫宸。天氣薰蒸疑作暑，風光迴轉欲留春。班分輦道花迎佩，仗出宮牆柳映人。獨喜聯鑣歸去早，六街消盡馬蹄塵。

又《七言仄起入韻》 待旦金(此字必平，凡平不可令單。此字關係。起句比三、五、七句)門漏未稀，雞鳴月落露霏霏。珠璣燦列星文動，劍佩森(此字關係)嚴綵仗飛。十二鳳樓開瑞色，三千鳧舄慶垂衣。太平有道凝旒日，萬國風(此字關係)雲護紫微。

又《七言仄起不入韻》 不見閉門陳正字，嶺雲江樹五年餘。秋風欲下華陽館，粵客纔通尺素書。蒲澗紅泉應不改，羅浮翠羽夢全疎。天南耆舊今頭白，珍重新詩獨起予。

又《王文簡古詩平仄論》 謝太傅問王子猷曰：「云何七言詩？」對曰：「『昂昂若千里之駒，泛泛若水中之鳧。』此命名所自也。」七言古自有平仄。若平韻到底者，斷不可雜以律句。其要在第五字必平。如韓詩《謁衡嶽廟遂宿嶽寺題門樓》：「五嶽祭秩皆三公，四方環鎮嵩當中。火維地荒足妖怪，天假神柄專其雄。噴雲泄霧藏半腹，雖有絕頂誰能窮？我來正逢秋雨節，陰氣晦昧無清風。潛心默禱若有應，豈非正直能感通？須臾靜掃衆峰出，仰見突兀撐青空。紫蓋連延接天柱，石廩騰擲堆祝融。森然魄動下馬拜，松柏一逕趨靈宮。粉牆丹柱動光彩，鬼物圖畫填青紅。升階傴僂薦脯酒，欲以菲薄明其衷。廟令老人識神意，睢盱偵伺能鞠躬。手持盃珓導我擲，云此最吉餘難同。竄逐蠻荒幸不死，衣食纔足甘長終。侯王將相望久絕，神縱欲福難爲功。夜投佛寺上高閣，星月掩映雲朣朧。猿鳴鐘動不知曙，杲杲寒日生於東。」第五字既平，第四字又必仄。如歐陽詩《啼鳥》：「窮山候至陽氣生，百物如與時節爭。官居荒涼草樹密，撩亂紅紫開繁英。花深葉暗耀朝日，日暖衆鳥皆嚶鳴。鳥言我豈解爾意，綿蠻但愛聲可聽。南窗睡多春正美，百舌未曉催天明。黃鸝顏色已可愛，舌端啞咤如嬌嬰。竹林靜啼青竹筍，深處不見惟聞聲。陂田遶郭白水滿，戴勝穀穀催春耕。誰謂鳴鳩拙無用？雄雌各自知陰晴。雨聲蕭蕭泥滑滑，草深苔綠無人行。獨有花上提葫蘆，勸我沽酒花前傾。其餘百種各嘲哳，異鄉殊俗難知名。我遭讒口身落此，每聞巧舌宜可憎。春到山城苦寂寞，把盞常恨無娉婷。花開鳥語輒自醉，醉與花鳥爲交朋。花能嫣然顧我笑，鳥勸我飲非無情。身閒酒美惜光景，惟恐鳥散花飄零。可笑靈均楚澤畔，離騷憔悴愁獨醒。」第四字第五字平仄既合，第二字可平可仄，然不如平之諧也。古人多用平。如蘇詩《武昌西山》：「春江淥漲蒲萄醅，武昌官柳知誰栽？憶從樊口載春酒，步上西山尋野梅。西山一上十五里，風駕兩腋飛崔嵬。同遊困臥九曲嶺，褰衣獨到吳王臺。中原北望在何許？但見落日低黃埃。歸來解劍亭前路，蒼崖半入雲濤堆。浪翁醉處今尚在，石臼抔飲無樽罍。

爾來古意誰復嗣？公有妙語留山限。至今好事除草棘，常恐野火燒蒼苔。當時相望不可見，玉堂正對金鑾開。豈知白首同夜直？卧看椽燭高花摧。江邊曉夢忽驚斷，銅環玉鎖鳴春雷。山人帳空猿鶴怨，江湖水生鴻雁來。請公作詩寄父老，往和萬壑松風哀。」右詩第二字用仄者，纔六句耳（方綱按：此條云：「第二字用仄者，纔六句耳。」此語有誤。末句「往和」，「和」字去聲，非平聲也。今以○記之，知非先生手稿原本也。即「卧看」「看」字可平可仄，然此處亦作仄，非作平也。必無一連四句第二字皆平之理耳。此首凡十四韻，而對句之第二字用平者六，用仄者八，則此條所云古人多用平者，失其實矣。借使先生當日偶爾援及此詩，亦不爲定論耳。又按：此條所云第二字多用平者，指對句言耳。然對句第二字，古人初無多用平聲之説。即以此卷内先生所舉諸篇言之，如《衡嶽廟》一首，凡十六韻，而其對句第二字用平者纔三句，《石鼓》一首，凡三十三韻，而其對句第二字用平者纔八句。八句之内，「其年始改稱元和」一句，「年」字則因上句第七字以平聲另提其勢，與他句不同。而末句「嗚呼」，「呼」字是正收通篇，音節亦與他句不同。除此二句外，其第二字用平者，纔六句耳。惡見有所謂第二字多用平者耶？蓋出句第五字多用仄，是以第二字多用平也。若對句則第五、六、七字既皆多用平，而第二字又多用平，毋乃不均乎？此條必非先生之言，所不得不辨者也）。至其出句第五字多用仄，如間有用平者，則第六字多仄。如蘇詩《自金山放船至焦山》：「金山樓觀何耽耽？撞鐘擊鼓聞淮南。焦山何有有脩竹，採薪汲水僧兩三。雲霾浪打人迹絶，時有沙戶祈春蠶。我來金山更留宿，而此不到心懷慙。同遊盡返決獨往，賦命窮薄輕江潭。清晨無風浪自湧，中流歌笑倚半酣。老僧下山驚客至，迎笑喜作巴人談。自言久客忘鄉井，只有彌勒爲同龕。困眠得就紙帳暖，飽食未厭山蔬甘。山林飢卧古亦有，無田不退寧非貪？展禽雖未三見黜，叔夜自知七不堪。行當投劾謝簪組，爲我佳處留茆庵。」至出句之第二字，又多用平。如蘇詩《答呂梁仲屯田》：「亂山合沓圍彭門，官居獨在懸水村。居民蕭條雜麋鹿，小市冷落無雞豚。黄河西來初不覺，但訝清泗奔流渾。夜聞沙岸鳴甕盎，曉看雪浪浮鵬鯤。呂梁自古喉吻地，萬頃一抹何由吞？坐觀入市卷閭井，吏民走盡餘王尊。計窮路斷欲安適？吟詩破屋愁鳶蹲。歲寒霜重水歸壑，但見屋瓦留沙痕。入城相對如夢寐，我亦僅免爲魚黿。旋呼歌舞雜詼笑，不惜飲釂空缾盆。念君官舍冰雪冷，新詩美酒聊相溫。人生如寄何不樂？任使絳蠟燒黄昏。宣房未築淮泗滿，故道堙滅瘡痍存。明年勞苦應更甚，我當畚鍤先黥髡。付君萬指伐頑石，千鎚雷動蒼山根。高城如鐵洪口快，談笑卻掃看崩奔。農夫掉臂免狼顧，秋穀布野如雲屯。還須更置軟腳酒，爲君擊鼓行金樽。」總之，出句第二字平、第五字仄，其餘四仄五仄亦諧。落句第五字平、第四字仄，上有三仄四仄，亦皆古句正式。如蘇詩《遊徑山》：「衆峰來自天目山，勢若駿馬奔平川。中途勒破千里足，金鞭玉鐙相回旋。人言山住水亦住，下有萬古蛟龍淵。道人天眼識王氣，結茅晏坐荒山巔。精誠貫山石爲裂，天女下試顔如蓮。寒窗暖足來樸渥，夜鉢咒水降蜿蜒。雪眉老人朝扣門，願爲弟子長參禪。爾來廢興三百載，奔走吳會輸金錢。飛樓湧殿壓山破，朝鐘暮鼓驚龍眠。晴空仰見浮海蜃，落日下數投林鳶。有生共處覆載内，擾擾膏火同烹煎。近來愈覺世議隘，每到寬處差安便。嗟余老矣百事廢，卻尋舊學心茫然。問龍乞水歸洗眼，欲看細字銷殘年。」古大家亦有别律句者（方綱按：此句愚有説詳于後），然出句終以二五爲憑，落句終以三平爲式；間有雜律句者，行乎不得不行，究亦小疵也（方綱按：既云行乎不得不行，則不得云疵矣，何以又云究亦小疵哉！先生豈有如此自相矛盾之語，愚有説詳後卷）。如蘇詩《送劉道原歸覲南康》：「晏嬰不滿六尺長，（别律句）高節萬仞陵首陽。青衫白髮不自歎，富貴在天那得忙（别律句）！十年閉戶樂幽獨，百金購書收散亡（别律句）。朅來東觀弄丹墨，聊借舊史誅姦强。孔融不肯下曹操，汲黯本自輕張湯。雖無尺箠與寸刃，口吻排擊含風霜。自言靜中閲世俗，有似不飲觀酒狂。衣巾狼籍又屢舞，旁人大笑供千場。交朋翩翩去略盡，惟我與子猶彷徨。世人共去君獨厚，豈敢自愛恐子傷（别律句）。朝來告别驚何速（律句），歸意已逐征鴻翔。匡廬先生古君子，挂冠兩紀鬢未蒼（别律句）。定將文度置膝上，喜動隣里烹豬羊。君歸爲我道姓字，幅巾他日容登堂。」（方綱按：此首内注出云「别律句」者凡六句，其實古人並非有意與律句相别也。且推其本言之：古詩之興也，在律詩之前，雖七言古詩大家多出於唐後，而六朝以上，已具有之，豈其預知後世有律體而先爲此體以别之耶？是古詩體無「别律句」之説審矣。即此卷開首一條云：平韻到底者，斷不可雜以律句。此語亦似過泥耳。）又如歐陽詩《聖俞會飲時聖俞赴湖州》：「傾壺豈徒彊君飲（别律句）？解帶且欲留君談。洛陽舊友一時散，十年會合無二三。京師旱久塵土熱，忽値晚雨涼纖纖。滑公井泉釀最美，赤泥印酒新開緘。更吟君句勝啖炙，杏花妍媚春酣酣。吾交豪俊天下選，誰得衆美如君兼。詩工鑱刻露天骨，將論縱横輕玉鈐。遺編最愛孫武説，往往曹、杜遭夷芟。關西幕府不能辟，隴山敗將死可慚（別律句）。嗟余身賤不敢薦，四十白髮猶青衫。吳興太守詩亦好，往奏玉琯和《英咸》。盃行到手莫辭醉，明日舉棹天東南。」（方綱按：此首内注出「別律句」者凡二句，皆屬對之句也。既是對句，自應合二句同讀之，乃見音節也。不特此也，古人一篇之中，句句字字，皆是一片宫商，未有專舉其一句以見音節者，則焉有專於某句特有意「別律句」者乎？今即以此首論之，「關西幕府不能辟，隴山敗將死可慚」此二句若依漁洋先生所講三平之法，則隴山句第四字既仄，自應五、六皆平矣；今乃五、六皆仄者何也？蓋此篇十二韻對句皆三平之調，只前半第四句「無二三」，略於第六字間入一仄字耳。至第七韻「詩工鑱刻露天骨，將論縱横輕玉鈐」，此聯對偶乃於對句第四字用平，第五字又用平，而第六字用仄，此在通篇中爲稍變矣。則此下豈得不再有一略變之句以配應之？所以「關西」二句又作對聯。「隴山」句第四字既仄，則疑於三平之不變者矣。故特將五、六用仄，非以示其矯變，正以拍其諧合也。試取此上下對偶之數句，按節吟之，而後知愚説不妄也，而豈得專於「隴山」句注云「別律句」耶？至若此篇起句，亦注云「別律句」則更不然矣。此理甚微，請細論之：「傾壺豈徒强君飲，解帶且欲留君談。洛陽舊友一時散，十年會合無二三。京師旱久塵土熱，忽値晚雨涼纖纖。滑公井泉釀最美，赤泥印酒新開緘。更吟君句勝啖炙，杏花妍媚春酣酣。」昔年讀此詩時，有友人在旁，疑上下數句相去不遠，「涼纖纖」、「春酣酣」似嫌複者。愚曰：不然。歐陽公自注云：君詩有「春風酣酣杏正妍」之句，蓋此句是引用梅聖俞詩語，與上句「涼纖纖」本不相犯，此一説也；尚有不盡此者，此篇「强君飲」一層，「留君談」又一層，「吟君句」又一層，此三層若參差鼎峙遙相配者，則「涼纖纖」之實景，與「春酣酣」之虚景，又豈不可參差若相配乎？在古人原出以無意，而其實天然之節奏，皆於無意中拍合之，未有特出有心，別乎律句，以爲古詩者也。即如下篇先生所舉之韓《石鼓歌》起首四句，第一句末三字「石鼓文」，第二句末三字「石鼓歌」，第四句末三字「石鼓何」，正是同聲相應之理。東坡《安州老人食蜜歌》結四句云：「因君寄與雙龍餅，鏡空一照雙龍影。三吳六月水如湯，老人心似雙龍井。」即是三疊相應之法也。歐陽詩之「强君飲」、「留君談」、「吟君句」則遙遙相盼，又是一種吸應之法。文章千變萬化，如碧空之雲，無一同者，無一複者，而無一處不自成章法，不可泥也。此下條於《石鼓歌》起句既注云「別律句」，又云「妙在石字入聲」，似尚未喻此理。愚謂此等處，恐是先生偶然語及，而門弟子輒筆之於册，似皆非先生定論耳？）又如韓詩：《石鼓歌》：「張生手持石鼓文（別律），勸我試作石鼓歌（別律句）。少陵無人謫仙死，才薄將奈石鼓何（別律句，又妙在『石』字入聲）。周綱陵遲四海沸，宣王憤起揮天戈，大開明堂受朝賀，諸侯劍佩鳴相磨。蒐于岐陽騁雄俊，萬里禽獸皆遮羅。鐫功勒成告萬世，鑿石作鼓隳嵯峨。從臣才藝咸第一，揀選撰刻留山阿。雨淋日炙野火燎，鬼物守護煩撝呵。公從何處得紙本？毫髮盡備無差訛。辭嚴義密讀難曉，字體不類隸與蝌。年深豈免有缺畫？快劍斫斷生蛟鼉。鸞翔鳳翥衆仙下，珊瑚碧樹交枝柯。金繩鐵索鎖紐壯，古鼎躍水龍騰梭。陋儒編詩不收入，二《雅》褊迫無委蛇（方綱按：委，平聲，音逶，今作●誤）。孔子西行不到秦，掎摭星宿遺羲娥。嗟余好古生苦晚，對此涕淚雙滂沱。憶昔初蒙博士徵，其年始改稱元和（別律句。方綱按：此句原刻有誤，今改正）。故人從軍在右輔，爲我量度掘臼科（別律句）。濯冠沐浴告祭酒，如此至寶存豈多？氈苞席裹可立致，十鼓祇載數駱駝（別律句）。薦諸太廟比郜鼎，光價豈止百倍過（別律句）。聖恩若許留太學，諸生講解得切磋（別律句）。觀經鴻都尚填咽，坐見舉國來奔波。剜苔剔蘚露節角，安置妥帖平不頗。大廈深簷與蓋覆，經歷久遠期無他。中朝大官老於事，詎肯感激徒媕婀（方綱按：媕音諳，今作●誤）。牧童敲火牛礪角，誰復著手爲摩挲（方綱按：此爲字去聲，今作〇誤）。趙飴山《續譜》於此字亦誤作平，説詳後卷）。日銷月鑠就埋沒，六年西顧空吟哦，羲之俗書趁姿媚，數紙尚可博白鵝（別律句）。繼周八代爭戰罷，無人收拾理則那（別律句）。方今太平日無事，柄任儒術崇邱軻（別律句）。安能以此上論列？願借辯口如懸河。石鼓之歌止於此，嗚呼吾意其蹉跎」（方綱按：此首内注出「別律句」者凡十一處，皆不必泥也。説已見前）。又如蘇詩《和蔣夔寄茶》：「我生百事常隨緣，四方水陸無不便。扁舟渡江適吳越，三年飲食窮芳鮮。金虀玉鱠飯炊雪，海螯江柱初脱泉。臨風飽食甘寢罷，一甌花乳浮輕圓。自從捨舟入東武，沃野便到桑麻川。翦毛胡羊大如馬，誰記鹿角腥盤筵？廚中蒸粟埋飯甕，大杓更取酸生涎。柘羅銅碾棄不用，脂麻白土須盆研。故人猶作舊眼看，謂我好尚如當年。沙溪北苑強分別，水腳一線爭誰先？清詩兩幅寄千里，紫金百餅費萬錢（別律句）。吟哦烹嚥兩奇絶，只恐偸乞煩封纏。老妻稚子不知愛，一半已入薑鹽煎。人生所遇無不可，南北嗜好知誰賢？死生禍福久不擇，更論甘苦爭蚩妍！知君窮旅不自釋，因詩寄謝聊相鐫」（方綱按：此首内注出「別律句」者只一句，實不必也。篇内○●皆是正式，但以爲有意別於律句，則非）。若仄韻到底，間似律句無妨。以用仄韻半非近體，其平仄抑揚，多以第二字、第五字爲關捩。如蘇詩《石鼓》：「冬十二月歲辛丑，我初從政見魯叟。舊聞石鼓今見之，文字鬱律蛟蛇走。細觀初以指畫肚，欲讀嗟如箝在口。韓公好古生已遲，我今況又百年後。強尋偏旁推點畫，時得一二遺八九。我車既攻馬亦同，其魚維鱮貫之柳。古器縱橫猶識鼎，衆星錯落僅名斗。模糊半已似瘢胝，詰曲猶能辨跟肘。娟娟缺月隱雲霧，濯濯嘉禾秀莨莠。漂流百戰偶然存，獨立千載誰與友？上追軒頡相唯諾，下揖冰斯同鷇鷇。憶昔周宣歌《鴻雁》，當時籀史變蝌蚪。厭亂人方思聖賢，中興天爲生耆耇。東征徐夷闞虓虎，北伐犬戎隨指嗾。象胥雜遝貢狼鹿，方召聯翩賜圭卣。遂因鼓鼙思將帥，豈爲考擊煩矇瞍！何人作頌比《崧高》？萬古斯文齊岣嶁。勳勞至大不矜伐，文武未遠猶忠厚。欲尋年歲無甲乙，豈有名字記誰某？自從周衰更七國，竟使秦人有九有。掃除詩書誦法律，投棄俎豆陳鞭杻。當年何人佐祖龍？上蔡公子牽黄狗。登山刻石頌功烈，後者無繼前無偶。皆云皇帝巡四國，烹滅強暴救黔首。《六經》既已委灰塵，此鼓亦當遭擊剖。傳聞九鼎淪泗上，欲使萬夫沉水取。暴君縱欲窮人力，神物義不汙秦垢。是時石鼓何處避？無乃天公令鬼守。興亡百變物自閑，富貴一朝名不朽。細思物理坐歎息，人生安得如汝壽？」又如韓詩《寒食日出遊（贈張十一院長）》：「李花初發君始病，我往看君花轉盛。走馬城西惆悵歸，不見千株雪相映。爾來又見桃與梨，交開紅白如爭競。可憐物色阻攜手，空展霜縑吟九詠。紛紛落盡泥與塵，不共新粧比端正。桐華最晚今已繁，君不強起時難更。關山遠別固其理，寸步難見始知命。憶昔與君同貶官，夜渡洞庭看斗柄。豈料生還得一處，引袖拭淚悲且慶。各言生死兩追隨，直置心親無貌敬。念君又署南荒吏，路指鬼門幽且夐。三公盡是知音人，曷不薦賢陛下聖？囊空甑倒誰救之？我今一食日還併。自然憂氣損天和，安得康強保天性？斷鶴兩翅鳴何哀！縶驥四足氣空橫。今朝寒食行野外，綠楊市岸蒲生迸。宋玉亭邊不見人，輕浪參差魚動鏡。自嗟孤賤足瑕疵，特見放縱荷寬政。飲酒寧嫌醆底深？題詩尚倚筆鋒勁。明宵故欲相就醉，有月莫愁當火令。」又如歐陽詩《讀張李二生文贈石先生》：「先生二十年東魯，能使魯人皆好學。其間張續與李常，剖琢珉石得天璞。大圭雖不假雕琢，但未磨礱出圭角。二生固是天下寶，豈與先生私褚橐？先生示我何矜誇！手攜文編謂新作。得之數日未暇讀，意欲百事先屏卻。夜歸獨坐南窗下，寒燭青熒如熠爚。病眸昏澀乍開緘，燦若月星明錯落。辭嚴意正質非俚，古味雖淡醇不薄。千年佛老賊中國，禍福依憑羣黨惡。拔根掘窟期必盡，有勇無前力何犖？乃知二子果可用，非獨詞堅由志確。朝廷清明天子聖，陽德彙進羣陰剝。大烹養賢有列鼎，豈久師門共藜藿？予慚職諫未能薦，有酒且慰先生酌。」若換韻者，已非近體，用律句無妨。大約首尾腰腹須銖兩勻稱爲正。如王右丞詩《桃源行》：「漁舟逐水愛山春，兩岸桃花夾去津。坐看紅樹不知遠，行盡青溪不見人。山口潛行始隈隩，山開曠望旋平陸。遙看一處攢雲樹，近入千家散花竹。樵客初傳漢姓名，居人未改秦衣服。居人共住武陵源，還從物外起田園。月明松下房櫳靜，日出雲中雞犬喧。驚聞俗客爭來集，競引還家問都邑。平明閭巷掃花開，薄暮漁樵乘水入。初因避地去人間，及至成仙遂不還。峽裏誰知有人事，世中遙望空雲山。不疑靈境難聞見，塵心未盡思鄉縣。出洞無論隔山水，辭家終擬長游衍。自謂經過舊不迷，安知峰壑今來變。當時只記入山深，青溪幾曲到雲林。春來遍是桃花水，不辨仙源何處尋」（方綱按：此篇凡七換韻，惟第二段、第六段是六句，餘皆四句。若以第二字、第四字上下粘聯之格論之，第一段「坐看」，第四段「平明」，第六段「塵心」「出洞」「自謂」凡五句皆不粘也。蓋至第五段「世中遙望空雲山」放出三平之調，所以第六段竟至全不用粘，此亦勢所必然，不假安排者也。末段仍用粘，則與前半亦略相配應。此則其時尚去初唐未遠，不比後來換韻者，多以不粘爲正格耳）。又如歐陽詩《千葉紅梨花》：「紅梨千葉愛者誰？白髮郎官心好奇。徘徊繞樹不忍折，一日千市看無時。夷陵寂寞千山裏，地遠氣偏時節異。愁烟苦霧少芳菲，野卉蠻花鬬紅紫。可憐此樹生此處，高枝絶豔無人顧。春風吹落復吹開，山鳥飛來自飛去。根盤樹老幾經春，眞賞今纔遇使君。風輕絳雪鐏前舞，日暖繁香露下聞。從來奇物產天涯，安得移根植帝家？猶勝張騫爲漢使，辛勤西域徙榴花」（方綱按：此篇惟「一日千市看無時」一句是三平之調，餘皆不粘。末四句則用粘聯結之，此則非稍變不能結也。粘者，不粘之變也。大約唐、宋已後大家爲七古之正調，凡換韻者，總以不粘爲正，此一語可當發凡矣）。又如杜詩《丹青引（贈曹將軍霸）》：「將軍魏武之子孫，於今爲庶爲清門。英雄割據雖已矣，文彩風流猶尚存。學書初學衛夫人，但恨無過王右軍。丹青不知老將至，富貴於我如浮雲。開元之中常引見，承恩數上南薰殿。凌烟功臣少顔色，將軍下筆開生面。良相頭上進賢冠，猛將腰間大羽箭。褒公鄂公毛髮動，英姿颯爽來酣戰。先帝天馬玉花驄，畫工如山貌不同。是日牽來赤墀下，迥立閶闔生長風。詔謂將軍拂絹素，意匠慘淡經營中。斯須九重眞龍出，一洗萬古凡馬空。玉花卻在御榻上，榻上庭前屹相向。至尊含笑催賜金，圉人太僕皆惆悵。弟子韓幹早入室，亦能畫馬窮殊相。幹惟畫肉不畫骨，忍使驊騮氣凋喪！將軍畫善蓋有神，必逢佳士亦寫眞。即今飄泊干戈際，屢貌尋常行路人。途窮反遭俗眼白，世上未有如公貧。但看古來盛名下，終日坎壈纏其身」（方綱按：此篇凡五段，中間雖亦有一二句近似粘聯者，然如此氣勢充盛之大篇，古今七言詩第一壓卷之作，豈復可以尋常粘調目之？直謂通首不粘可矣。以愚意：若以換韻銖兩匀稱言之，則此篇五段，每段八句，似亦可以拈出作式，然第以換韻作式，則終覺崑崙、洞庭，元氣混茫，遽以位置於盆山溪沼之間，愚竊未敢也）。又如蘇詩《往富陽新城李節推先行三日留風水洞見待》：「春山磔磔鳴春禽，此間不可無我吟。路長漫漫傍江浦，此間不可無君語。金鯽池邊不見君，追君直過定山村。路人皆言君未遠，騎馬少年清且婉。風巖水穴舊聞名，只隔山溪夜不行。溪橋曉溜浮梅萼，知君繫馬巖花落。出城三日尚逶遲，妻孥怪罵歸何時。世上小兒誇疾走，如君相待今安有」（方綱按：此篇八換韻。每段一句，皆作不粘論）。右詩換韻皆極匀稱，亦有不盡然者。如杜詩《元都壇歌》：「故人昔隱東蒙峰，已佩含景蒼精龍。故人今居子午谷，獨在陰崖結茅屋。屋前太古元都壇，青石漠漠常風寒。子規夜啼山竹裂，王母晝下雲旗翻。知君此計成長往，芝草琅玕日應長。鐵鏁高垂不可攀，致身福地何蕭爽！」《高都護驄馬行》：「安西都護胡青驄，聲價欻然來向東。此馬臨陣久無敵，與人一心成大功。功成惠養隨所致，飄飄遠自流沙至。雄姿未受伏櫪恩，猛氣猶思戰場利。腕促蹄高如踣鐵，交河幾蹴曾冰裂。五花散作雲滿身，萬里方看汗流血。長安壯兒不敢騎，走過掣電傾城知。青絲絡頭爲君老，何由卻出橫門道」（方綱按：以上二首皆換韻之正格，不知何以又於匀稱之外分別觀也。恐非先生定論）。《石犀行》：「君不見秦時蜀太守，刻石立作三犀牛。自古雖有厭勝法，天生江水向東流。蜀人矜誇一千載，泛溢不近張儀樓。今年灌口損戶口，此事或恐爲神羞。終藉隄防出衆力，高擁木石當清秋。先王作法皆正道，詭怪何得參人謀？嗟爾三犀不經濟，缺訛只與長川逝。但見元氣常調和，自免洪濤恣凋瘵。安得壯士提天綱？再平水土犀奔茫」（方綱按：此篇凡三換韻，前六韻十二句，中二韻四句，末二韻二句，似乎多寡參差矣。然合拍吟之，只是以四句收束十二句，以二句收束四句，此理易明，絕非參差也）。又如蘇詩《吳中田婦歎》：「今年粳稻熟苦遲，庶見霜風來幾時？霜風來時雨如瀉，杷頭出菌鎌生衣。眼枯淚盡雨不盡，忍見黃穗臥青泥！茆苫一月壠上宿，天晴穫稻隨車歸。汗流肩赬載入市，價賤乞與如糠粞。賣牛納稅拆屋炊，慮淺不及明年饑。官今要錢不要米，西北萬里招羌兒。龔黃滿朝人更苦，不如卻作河伯婦」（方綱按：此篇前一韻凡七韻十四句，後一韻凡二韻二句。「苦」與「婦」不同部，蘇、黃諸家古詩往往如此，非正也，此又當別論。而其前韻於第十一句插入一韻，以振其勢，此則一韻中隨手之變，其法與杜《石犀行》之中間換韻處相似而不同，要其以音節爲頓挫則一也，亦是正格，不得以參差異之）。《武昌銅劍歌》：「雨餘江青風卷沙，雷公躡雲捕黃蛇。蛇行空中如枉矢，電光煜煜燒蛇尾。或投以塊鏗有聲，雷飛上天蛇入水。水上青山如削鐵，神物欲出山自裂。細看兩脅生碧花，猶是西江老蛟血。蘇子得之何所爲？蒯緱彈鋏咏新詩。君不見淩煙功臣長九尺，腰間玉具高拄頤」（方綱按：此篇換韻之格，乍看似參差，而實整齊之至也。末一韻多一長句，故第一韻少二句，以蓄其勢，第五句、六句仍順承三、四句之韻，則中間仍是四句一韻，前後伸縮，音節天然，豈得以參差異之）。右換韻多寡不一，雖是古法，不可爲常也（方綱按：以上於換韻匀稱之外，又舉杜詩三首，蘇詩二首。其杜詩前二首仍與換韻匀稱者無異，不必言矣，其杜詩後一首及蘇詩二首，則皆變而不離於正，細論之亦元非變耳。右軍之書勢似欹而反正，焉有筆筆必取匀整以爲正格者哉？乃此刻本載先生手記，於後三詩止圈記其似律之二語，亦於換韻之法無所關係。蓋此本直是先生當日偶對門弟子匆匆語次，以筆蠡記一二之大略，又未知當日語次，口講指畫，更有何等微妙之談？今但存此手記之迹，後人遂以爲先生之定論而刊之，以印定學人眼目，其去刻舟膠柱者幾何矣？此方綱所以不得不詳辨也。此刻諸詩内先生手圈處，亦尚有偶然隨筆略記一二而未及合前後審定者，今既因其爲先生手迹而具仍之，故附述於此）。又有長短句者，唐惟李太白多有之；然不必學。如《蜀道難》：「噫吁嚱，危乎高哉！蜀道之難難於上青天。蠶叢及魚鳧，開國何茫然！爾來四萬八千歲，不與秦塞通人煙。西當太白有鳥道，可以横絶峨眉巔。地崩山摧壯士死，然後天梯石棧相鉤連。上有六龍迴日之高標，下有衝波逆折之迴川。黄鶴之飛尚不得過，猨猱欲度愁攀緣。青泥何盤盤！百步九折縈巖巒。捫參歷井仰脅息，以手撫膺坐長歎。問君西遊何時還？畏途巉巖不可攀。但見悲鳥號枯木，雄飛呼雌遶林間。又聞子規啼，夜月愁空山。蜀道之難難於上青天，使人聽此凋朱顔。連峰去天不盈尺，枯松倒挂倚絶壁。飛湍瀑流争喧豗，砯崖轉石萬壑雷。其險也如此，嗟爾遠道之人胡爲乎來哉！劍閣崢嶸而崔嵬，一夫當關，萬夫莫開。所守或匪親，化爲狼與豺。朝避猛虎，夕避長蛇。磨牙吮血，殺人如麻。錦城雖云樂，不如早還家。蜀道之難難於上青天，側身西望長咨嗟！」效之而無其才，洵難免滄溟英雄欺人之誚（方綱按：漁洋先生答郎梅谿問云：「七言長短句，惟李太白多有之，滄溟謂其英雄欺人是也。或有句雜《騷》體者，總不必學，乃爲大雅。」今此本則云效之而無其才，難免斯誚，語較平允矣。然先生五七言詩鈔，於太白此等篇，皆已入選，則此云不必學者，究非定論也。又按：古詩平仄是無一定而實有至定者。既經元、明以來，爲古體者，間有出入失諧之弊，今若不加剖説，則外間竟以爲古詩不論平仄矣）。

又《帶經堂詩話》卷二九　問：字中五音何以分别？古人作詩，原爲歌誦，其宫、商、角、徵、羽乃其旨要，如有不叶，終未合法，宜於何書探討？　詩但論平仄清濁，詩餘亦然；唯元人曲則辨五音，故有中州韻、中原韻之别。（蕭亭云：五音分於清濁，清濁出於喉、齒、牙、舌、脣，如公、贛、貢、穀，喉音，屬宫之宫；中、腫、衆、祝，齒音，屬宫之商；悤、總、謥、蔟，牙音，屬宫之角；東、董、凍、篤，舌音，屬宫之徵；蒙、蠓、夢、木，脣音，屬宫之羽，此其一隅也。清濁分而五音自判矣。今人作詩但論平仄，而抑揚清濁多所不講，似亦非是。試述一例：「歸來飽飯黄昏後，不脱蓑衣卧月明」，「飽飯」二字皆仄，轉作飯飽，「黄昏」二字皆平，轉作昏黄，則不諧矣。雖然，《三百篇》而後，未必盡被管絃，但求寫意興而已，故寧使音律不叶，不使辭意不工，此杜律之所以多拗體也。不特詩爲然，傳奇之曲乃必用之謳歌者，湯若士先生「四夢」，多不合譜，有改其《牡丹亭》以叶音律者，先生題詩曰：「醉漢瓊筵風味殊，通仙鐵笛海雲孤。縱饒割就時人景，終媿王維舊《雪圖》。」此亦可作一證。）

又　問：蕭亭先生嘗以平中清濁、仄中抑揚見示，究未能領會（已下劉氏問）。　清濁如通、同、清、情四字，通、清爲清，同、情爲濁；仄中如入聲有近平、近上、近去等字，須相間用之，乃有抑揚抗墜之妙，古人所謂一片宫商也。

又　問：嘗見批袁宣四先生詩，謂古詩一韻到底者，第五字須平，此定例耶？抑不盡然耶？　一韻到底，第五字須平聲者，恐句弱似律句耳。大抵七古句法、字法皆須撑得住，拓得開，熟看杜、韓、蘇三家自得之。

又　問：古詩以音節爲頓挫，此語屢聞命矣，終未得其解。　此須神會。以粗迹求之，如一連二句皆用韻，則文勢排宕，即此可以類推。熟子美、子瞻二家自了然矣。專爲七言而發。

又　問：沈休文所列八病必應忌否？　蜂腰、鶴膝、雙聲、疊韻之類，一時記不能全，須檢書乃可條答。

又　問：蕭亭先生曰：所云以音節爲頓挫者，此爲第三、第五等句而言耳。蓋字有抑有揚，如平聲爲揚，入聲爲抑，去聲爲揚，上聲爲抑。凡單句住腳字，必錯綜用之，方有音節，如以入聲爲韻，第三句或用平聲，第五句或用上聲，第七句或用去聲。大約用平聲者多，然亦不可泥，須相其音節變换用之，但不可於入聲韻單句中，再用入聲字住腳耳。此説足盡音節頓挫之旨否？　此説是也。然其義不盡於此，此亦其一端耳。且此語專爲七言古詩而發。當取唐杜、岑、韓三家，宋歐、蘇、黄、陸四家七古諸大篇，日吟諷之，自得其解。

又　問：又曰每句之間亦必平仄均匀，讀之始響亮。古詩既異於律，其用平仄之法，於無定式之中亦有定式否？　毋論古、律，正體、拗體，皆有天然音節，所謂天籟也。唐、宋、元、明諸大家，無一字不諧，明何、李、邊、徐、王、李輩亦然，袁中郎之流便不了了矣。

又　問：詩有平仄字一句純用，而音節自諧者，如「桃花梨花參差開」，「有客有客字子美」，此遵何法？　五平、五仄體，自昔有之，頗近游戲。

又　問：昔人謂韻不必有出處，字不必拘來歷，其然豈其然（蒿廬云：

二語亦出《滄浪詩話》，固須善會。字《滄浪》作事)。杜子美、蘇子瞻詩，無一字無來歷；善押強韻莫如韓退之，卻無一字無出處也。

張謙宜《絸齋詩談》卷三《用韻指略》 柴方炳字虎臣，家杭州，所謂「西陵十子」也，順治間名人。所著《古韻通》，援據《三百篇》暨漢、魏、六朝詩爲證，所以當遵韓、柳，多用《唐韻》不載之字，近於臆說。近來邵子細《韻略》，合騷賦碑誌諸韻，強作詩韻，遂至平上去入混作一堆，若用出，必遭詞壇嗤笑。至坊刻本子所云某韻通某韻轉某韻，尤爲粗鄙。叶韻惟《三百篇》、《離騷》間有，後來名家倣效，誰能信之！

又 《三百篇》用韻，不與騷、賦、漢、魏同。蓋古人順口成詩，如今里唱俗謳，落腳字易於上口便罷，原不能盡合後人法。又彼時念字，必不同於今，如「荷」之入「麻」，「頭」之入「魚」是也。執沈約韻求叶《三百篇》，不穿鑿，必支離，文人枉費心思。

又 凡拈韻，不可以口頭熟字略與領韻聲近，便道定是一部，按本字眞看得是，方可下筆，勿因興發直寫下去。名人往往有此失。況北人音與俗諧者，多不合韻。如「立」字多作去聲，似與「利」同部，其實「立」是入聲，卽古詩亦不相通。至律詩，如東、冬，庚、青，元、寒、刪、先等，尤不可大意。若已刻，所失尤多。戒之戒之！

又 少陵《北征》篇韻腳七十，以柴氏《古韻通》繩之，通法不錯。質、物、屑正通月、曷，黠通屑，屑通質，此旁通也。幼時以土音讀之，字多不諧，心疑古人亦有不檢，今始信其謹嚴，此柴氏《古韻通》所以可從。《北征》凡七百字，重二「日」二「折」，皆不能換之字；兩「卒」字音義各別，非重例，古人五、七言不避重字，況長篇耶！

又 學究爲後生評詩，有走韻者，必詫之笑之，鄙爲不入門。若官人名士有走韻，多爲回護，曰彼所見者多，或別有據也，否則南方叶法不同也，又或云傳寫刻字之訛也。其實是膽放手滑，自大自恃，昧心欺人之甚者耳。吾所見非一，特記以戒學者，當謹律例，勿作詞壇話柄。

趙執信《談龍錄》 詩家用字，最忌鄉音。今吳越之士，每笑北人多失黏。而鄉音之失，南中尤甚。是小節也，而殊費淘汰。阮翁昔嘗謂余曰：「吾鄉若老夫與子與修來，庶免於傖之誚也。」相與一笑。

又 次韻詩，以意赴韻，雖有精思，往往不能自由。或長篇中一二險字，勢雖強押，不得不於數句前預爲之地，紆迴遷就，以致文義乖違，雖老手有時不免。阮翁絕意不爲，可法也。

又 元、白，皮、陸，並世頡頏，以筆墨相娛樂。後來效以唱酬，不必盡佳，要未可廢。至於追用前人某詩韻，極爲無謂，猶曰偶一爲之耳。遂有專力於此，且以自豪者，彼其思鈍才庸，不能自運，故假手舊韻，如陶家之倚模製，漁獵類書，便於牽合，或有蹉跌，則曰韻限之也。轉以欺人，嘻，可鄙哉！

又《趙秋谷所傳聲調譜·前譜》 五言古詩《秦越人洞中詠》(于鵠)「扁鵲得(拗字)仙處，傳是西南峰(三平聲字)。年年山下人(下句是律，上句第五字必平。第三字平，亦拗以別律)，長見騎白龍(上註言：凡下句是律之調如此，非謂此句，而此句亦非律也)。洞門黑無底(拗句同律)。日夜惟雷風(三平)。清齋將入時(平)，戴星兼抱松(拗律句，一本脫拗字誤。拗在第一字仄，第三字平)。石徑陰且寒(平)，地響知遠鐘(古句)。似行山林(三平)外，聞葉履聲重(上句不律，下句可律。此句律)。底礙更俯身(平。上四字仄。方綱按：此句底乃低字之訛也，何以謂上四字仄耶)，漸遠晝夜(四仄)同。時時白蝙蝠(律句)，飛入茅衣中(三平)。行久路轉窄(四仄)，靜聞(平。不平則爲律矣)水淙(平)淙。但願逢一人(平)，自得朝天宮(三平)。」間有律句，卽以古句救之。總之兩句一聯中，不得全與律詩相亂也。

又《息舟荆溪入陽羨南山遊善權寺呈李功曹》(羊士諤) 「結纜蘭渚曉，紫嵓(平)上(仄)連(平)岡。晏溫値初霽(二四平。起句二四仄，得此句調甚協)，去遶山河長(三平)。獻歲冰雪盡，細(仄，在律詩則爲失調)泉在路傍。行披松杉入(四平)。激瀾橫石梁。層閣表精廬(律)，飛甍切雲翔。沖襟得高步，清眺極遠(三仄)方。潭嶂積(仄)佳氣，荑英多(平)早芳(二句律中拗，救句可用)。具觀澤(仄)國秀，重使春心傷(三平)。念遵煩(平)促途(與澤國句並拗律)，榮利鶩隙光。勉君脫冠意，共匿無何鄉(三平)。」(方綱按：此所舉五言二首，內以「聞葉履聲重」、「時時白蝙蝠」、「層閣表精廬」皆目爲律句，非也。又所謂拗律句、古句者，亦皆非也。凡爲古詩必無有意與律體相拗之理，其目爲似拗者，皆其極和諧處也。前卷已於七言詩具論其概矣。五言正變源流，則愚於下卷詳之。又按：于、羊二家皆中唐時詩人。而五言之作，上自漢、魏，下及唐、宋，音節因乎格調，格調因乎家數，家數因乎風會淵流品藻，萬有不同，烏可執一時之體製，賅萬世之繩墨乎？自漁洋先生論五七言詩，大約以對句末三字疊峙三平，以見蒼勁，是固然已。相傳秋谷得緒論於漁洋，及其筆之於書，抑又不屑墨守漁洋三平之式，故特於貞元之世，舉此三篇，稍於三平之調，潤澤大略，以爲五言之則，具在此矣。然黃初以降，陶、謝擅其精能，王、孟以還，杜陵屹爲砥柱，多師以爲師，言豈一端已也。愚於此譜，信知是秋谷所自述，而非漁洋之原本爾。」

又七言古詩《西山詩和者三十餘人再次前韻爲謝》（蘇軾）「朱顏發過如春醅，胸中梨棗初未栽。丹砂未易埽白髮，赤松卻欲參黃梅。寒溪本自遠公社（拗律句），白蓮翠竹依崔嵬。當時石泉照金像，神光夜發如五臺。飲泉鑑面得眞意（亦拗律），坐視萬物皆浮埃。欲收暮景返田里（亦拗律），遠泝江水窮離堆。還朝豈獨羞老病，自歎才盡傾空罍。諸公渠渠若夏屋，吞吐風月淸隅隈。我如廢井久不食，古甃缺落生陰苔。數詩往復相感發，汲新除舊寒光開。遙知二月春江闊（律句），雪浪倒捲雲峰摧。石中無聲水亦靜，云何解轉空山雷。欲就諸公評此句（律句），要識憂喜何從來。願求南宗一勺水，往與屈賈湔餘哀。」

又《和蔣夔寄茶》「我生百事常隨緣，四方水陸無不便（第五字平，第六字仄，便非律句）。扁舟渡江適吳越（仄。此字不可輕用平聲），三年飲食窮芳鮮（此三字平，第四字必仄；如第四字平，則第六字必仄以救之。此法人多不知）。金虀玉膾飯炊雪（拗律句），海螯江柱初脫泉。臨風飽食甘寢罷，一甌花乳浮輕圓。自從捨舟入東武，沃野便到桑麻川。剪毛胡羊大如馬，誰記鹿角腥盤筵。廚中烝粟埋飯甕，大杓更取酸生涎。柘羅銅碾棄不用，脂麻白土須盆研。故人猶作舊眼看，謂我好尚如當年。沙谿北苑強分別（拗律），水腳一線爭誰先？淸詩兩幅寄千里（上句雖不論，亦宜少拗乃健。拗律句。此正謂第五字拗也），紫金百餅費萬錢（卽六字仄，獨令末一字平，亦可）。吟哦烹噍兩奇絕（拗律），只恐偸乞煩封纏。老妻稚子不知愛（拗律），一半已入薑鹽煎。人生所遇無不可，南北嗜好知誰賢？死生禍福久不擇，更論甘苦爭蚩妍！知君窮旅不自釋，因詩（此二字不論）寄謝聯相鐫。」（方綱按：此條內云上句雖不論，又云此二字不論，此則顯然與漁洋之論不合。漁洋平仄論亦載此詩，每於第二字用平聲處，加以圈識，而此本則以出句爲不必論，徒然拈舉拗律等句而已。是則秋谷只記得漁洋所說對句末三字宜用三平之語，而於其他祕妙，概未及也。此惡可以冒爲漁洋手定之書乎？又按：前卷新城所刻平仄論，雖亦只是漁洋偶然拈示人語，然於七言則已合杜、韓、歐、蘇諸家各體略具其概矣。今秋谷所述《前譜》，既稱得自漁洋，而於五言止載中唐二篇，自漢、魏以及三唐皆所不事研求也；於七言止載蘇詩二篇，於杜、韓已下諸家亦皆不復參擇也。試與學人平心翫之，孰果漁洋之眞本乎？）

又樂詞《正月》（李賀）「上樓迎春新春歸（六字皆平），暗黃（平）著柳宮漏遲。薄薄淡靄弄野（六字皆仄）姿（第七字用平，下句可律），寒綠幽風生短絲（律句，第五字用平，少拗以叶之）。錦牀曉卧玉（拗字）肌冷，露臉未開（平）對朝（平）暝。官街柳帶不（拗字）堪折，蚤晚菖蒲勝綰結。」

又《三月》「東方風來滿眼春，花城柳暗愁殺人。複宮深凝竹風起，新翠舞衿淨如水。光風轉蕙百（拗）餘里，暖霧驅雲撲天地。軍妝宮妓埽（拗）蛾淺，搖搖錦旗夾城暖。曲水飄香去不歸，梨花落盡成秋苑（此二句亦宜少拗乃健。謂二句俱律也）。」（方綱按：此末二句自應諧和，方可收束。秋谷乃載此詩而議其不健，何也？嘗見漁洋手評杜詩《醉時歌》末句「生前相遇且銜盃」，云結似律甚不健。此蓋先生一時未定之說，而秋谷所專服膺者爾。）

又《五月》「雕玉押簾額，輕縠籠虛門。井汲鉛華水（律句），扇織鴛鴦紋（三平）。迴雪舞涼殿，甘露洗空綠（第一句同，此二句皆拗律也）。羅袖從徊翔（三平），香汗滴寶粟。」

又《七月》「星依雲渚冷（律句），露滴盤中圓（三平）。好花生木末（律句），衰蕙愁空園（三平。第三字不平，亦律句矣）。夜天如玉砌，池葉極青錢（二句律）。僅厭舞（仄）衫薄，稍知花（平）簟寒（二句拗律）。曉風何拂拂（律），北斗光闌干。」

又《九月》「離宮散螢天似水，竹黃池冷芙蓉死（律句）。月綴金鋪光脈脈，涼院虛庭空淡白（二句亦律）。露華飛飛風草草，翠錦斑斕滿層道（拗律）。雞人罷唱曉瓏璁，鴉啼金井下疎桐（二句亦律）。」

又《十月》「玉壺銀箭稍難傾（律），釭花夜笑凝幽明。碎霜斜舞上羅幕（拗律），燭龍兩行照飛閣。珠幃怨卧不成眠（律），金鳳刺衣著體寒（第五字仄，與拗律少異）。長眉對月鬭彎環（律）。」（方綱按：李長吉《河南府試十二月樂詞》，在《長吉集》中之一體，元自諧合《雲韶》。顧欲舉古今七言詩式，甫載東坡二篇而遽及於此。姑勿論杜、韓諸大家正聲正格皆未之及，卽以張、王、元、白旁及諸作者，音節之繁不一，豈能遍悉舉隅，而僅載長吉之樂詞，是惡足以程式後學乎？即如其後卷《續譜》，於長短句雜言則先載任華一篇於《蜀道難》之前，於「《柏梁》體」則先載《陸渾山火》於《箜篌引》之前，亦可謂失倫矣。愚非敢妄議前人，第以古詩平仄，學人知者既少，今欲指陳以為準式，則絲毫不可紊者也。今故於秋谷《前譜》全載其五、七言數篇，略論其概；而於其《後譜》、《續譜》，第載其題目，亦為略言其概。俾學人知其譜之不可為據，而益潛心翫索古人之作，庶幾實有心得也。

又《後譜》五言古詩《與高適薛據同登慈恩寺塔》（岑參） 無一聯是律者。平韻古體，以此為式。（方綱按：此內所注出律句，皆可不必也。且所云無一聯是律，為古體之式，抑又過泥之論耳。說見愚所撰後卷。）

又《崔濮陽兄季重前山興》（王維） 末二句入律，盛唐人時有之。（方綱按：末二句諧者，亦視全篇音節到此不得不然耳，豈必僅盛唐有之哉？）

又《青谿》 近體有用仄韻者。仄韻古詩，卻自不同，只在粘聯及上句落字中細玩之。（方綱按：此條所論最合，學者宜熟復焉。）

又《秋登萬山寄張五》（孟浩然） 平平仄平仄，為拗律句，乃仄韻古詩下句正調也。（方綱按：此條亦極是。但於篇中注出律句、拗律句為非是耳。故刪去其所圈記之詩，而獨存其評。）

又《夏日南亭懷辛大》 開元、天寶之間，鉅公大手，頗尚不循沈、宋之格。至中唐以後，詩賦試帖日嚴，古近體遂判不相入。然盛唐諸公詩，亦無四句純律者，今人不得藉口也。（方綱按：此條亦未嘗不是，但總是有心與律相異耳。有心與律相異，而不深求古詩所以抗墜抑揚之故，則終於不得其解也。故愚意惟欲講古詩音節上下合拍相生相應之所以然，則自然合節矣，不必注出律句、拗律句等式，致滋拘閡也。）

又七言古詩《同族弟金城尉叔卿燭照（通首在此二字著眼）山水壁畫歌》（李白） 末句亦是仄韻，七言古詩正調也，與五言同。（方綱按：此篇內注云：九字句只以下七字為主。雖如此說，然究竟上二字「若」「如」亦相乘除。即如杜詩云：「皎如一段清冰出萬壑，置在迎風露寒之玉壺。」其上二字「如」「在」亦相乘除也。）

又《夢遊天姥吟留別》（方綱按：《扶風豪士歌》、《夢遊天姥吟》二篇，雖句法音節極其變化，然實皆自然入拍，非任意參錯也。秋谷於《豪士篇》但評其神變，於《天姥篇》則第云：「觀此知轉韻元無定格。」正恐難以示後學耳。）

又《樂遊園歌》（杜甫）（方綱按：此篇內於「拂水」以下六句，注云：「純用律調六句，卻妙絕。」然實未言其所以然也。「卻憶」句轉調而下，乃是句句拍節出之，初不必目為律耳。其法只在「皇天慈」句以三平峙其後，故八句皆第一字仄，而益見諧和也。顧乃第於「聖朝」句第一字云：「可平。」似尚未圓此旨。）

又《渼陂行》 轉韻格調，已盡於此。（方綱按：此首乃轉韻中之重規疊矩者，若謂轉韻之理盡在於此，固無不可；然古人轉韻之格，其變無方，豈可以一言概之？）

又《丹青引》（方綱按：此等大篇，豈可以律句、拗句等語泥之？愚有說詳後卷。）

又《寄韓諫議注》 此平韻不轉格也，妙不板排。（方綱按：平韻不轉，即一韻到底之格也，第以不板排為妙乎？元遺山云：「藩籬如此亦區區。」）

又《陸渾山火和皇甫湜用其韻》（韓愈） 古詩平韻句法盡於此中。《柏梁》句句用韻，雜律句其中，猶不用韻之句偶入律調，以下句救之也。此篇各種句法俱備。然中有數句，雖是古體，止可用於《柏梁》。至於尋常古詩，斷不可用；轉韻尤不可用，用之則失調矣，當細辨之。如「仄仄平平平平平、仄仄仄平平平平」是也。又如「平平平平仄平平」，亦當酌用之。轉韻中不宜，以其乖於音節耳。（方綱按：此二條所論皆是。但謂：古詩不用韻之句偶入律調，下句救之。此說尚過泥。古人作詩無一字不諧宮商，即其偶然似律之句，皆係必應如此，並非不得已姑著此句，而尚煩下文出救兵以解之，則是上句已先自蹈於踰閑，而又自為彌縫其闕，無此理也。蓋一云救，必已有病而後救之，苟上句之不愆，奚下句之待救？若然則無怪前卷新城刻本內阮亭先生云：間有雜律句者，究亦小疵也。即是此一種議論，秋谷所以有救之一說，不知此特漁洋偶然一時未定之論，不可以為據也。此內又云：古詩平韻句法盡於此。此亦尚未然。蓋若論平韻句法，未可但於「《柏梁》體」求之也。且即以一層言之，七言古詩多以上四下三為句法，而此首卻有上三下四者，凡二句，「溺厥邑囚之崑崙」、「雖欲悔舌不可捫」是也。此則七言句法之變，而卻不注出，何也？）

又《石鼓歌》（方綱按：此篇愚有説，詳後卷。）

又《雪後寄崔二十六丞公》押韻强穩，開宋人法門。（方綱按：韓詩如此者甚多，宋人自學此耳，豈必云開其門乎？）

又《韓碑》（李商隱）七言古不轉韻平聲格已盡矣，仄韻可推。（方綱按：此篇謂平韻之格已盡，似矣，然於「詠神聖功」「功」字平聲，則尚未論及也。愚有説，詳後卷。）

又齊梁體《和杜麟臺元志春情》（沈佺期）「嘉樹滿中園，氛氳羅秀色。不見（不粘上句）仙山雲，倚琴空太息。沉思若在夢，緘怨似無憶。青春（不粘上句）坐南移，白日忽西匿。峨眉（不粘上句）返清鏡，閨中不相識。（末二句古體，亦與古詩相入。）」（方綱按：此篇所注出不粘者皆是也。其云：「末二句古體，亦與古詩相入。」則古體、古詩奚別焉？）

又《宿東亭曉興》（白居易）「溫溫土爐火，耿耿紗籠燭。獨抱一張琴，夜入東齋宿（折腰）。窗聲度殘漏（此句卻粘不折腰，正調），簾影浮初旭。頭癢曉梳多，眼昏春睡足。負暄簷宇下（第五字用仄），散步池塘曲。南雁去未迴，東風來何速？雪依瓦溝白（第五字仄），草繞牆根綠。何言（不粘上句）萬戶州？太守常幽獨。」若上句末字平及下聯與上聯相粘，便是仄韻律詩矣。（方綱按：此首之論亦是，但前篇以「齊梁體」標目，卻不可以概此。）

又《邊笳曲》（溫庭筠）「朔管迎秋動（末字仄），雕陰雁來早。上郡（不粘）隱黄雲，天山吹白草。嘶馬（不粘）渡寒磧（末字仄），朝陽照雪堡。江南戍客心，門外芙蓉老。」

又《晴雲》（李商隱）「緩逐煙波起，如妬柳綿飄。故臨飛閣度，欲入迴波銷（三平）。縈歌憐畫扇，敞景弄柔條。更奈天南位，牛渚宿殘宵（次句與末句上下不粘，只本句調）。」（方綱按：此二首所論俱是。）

又半格詩（方綱按：此三字標目非是，應删去。）

又《小閣閒坐》（白居易）「閣前竹蕭蕭（第五字平），閣下水潺潺（律句）。拂簟卷簾坐，清風生其間（五字平）。靜聞新蟬鳴，遠見飛鳥（可平。惟此詩此字以獨仄見律）還（以上古體）。但有巾挂壁（第五字仄，古句），而無客叩關。二疏返故里（第五字仄），四老歸舊山（古句）。吾亦適所願（第五字仄），求閒而得閒（後六句齊梁。第二字上下粘，末字上下諧）。」（方綱按：此篇所注出律句、古句、古體、「齊梁體」，皆拘泥不可據也。「遠見飛鳥還」「鳥」字必仄，斷無此字可平之理。秋谷但泥於所聞漁洋三平之説，而不知此句音節之不同也。此句若末三字三平，則以下音節皆轉不出矣。又按：白香山集中所云半格詩者，謂此卷中半是格詩也。此乃以「半格」二字聯讀，作體格之標目者，誤也。又按：秋谷此譜内附論律詩平仄，今本不應置論，惟是中間有不可不説者：杜《早梅》七律起句，「東閣官梅動詩興」句，注云：起句卽拗，今俗云必拗第三句者，非也。按此種句法，不過以第五、第六兩字平仄互换，乃古人之正格，元不得云拗，且又何處有「俗云必拗第三句」之説？此皆不可爲據。杜「所思」七律下評云：此種詩不可不學，不可專學；不學則無格，專學則滑矣。此條實不可解。至其謂：絶句始於六朝，元非近體，後人誤以爲絶律。此自是正論，附識於此。又有所謂《續譜》者，前載曹植《怨歌行》七解，謂：樂府惟漢、魏中著解者多，大約不著解者通爲一章，意句不得重複，前後綰應森細，著解者詞意循環相生，宜檢郭茂倩《樂府詩集》。此條之論皆是。次載任華「寄杜拾遺」一首，謂：雜言只在末四字中尋筋節。又云：雜言既無定局，字句多寡長短，皆可任意。按：任華此詩，本不可舉以爲式。而所謂末四字者，既無定則，又云皆可任意。此豈可以示後學乎？又載《蜀道難》一首、《箜篌引》一首，於《蜀道篇》既無所闡發，於《箜篌篇》則謂與《陸渾山火》句法相同，其假借處亦同。按：《箜篌篇》在《陸渾篇》之前，乃反載於《續譜》，已失先河後海之義。又謂其假借處亦同，此篇内句法，豈得目爲假借乎？愚於後卷詳之。）

顧嗣立《寒廳詩話》《藝苑雌黄》曰：「古詩押韻，或有語顛倒而理無害者，如退之以『參差』爲『差參』，以『玲瓏』爲『瓏玲』是也。」《漢皋詩話》云：「韓愈、孟郊輩故有『湖江』、『白紅』、『慨慷』之句，後人亦難倣效。」德清胡朏明（渭）曰：「《漢書·揚雄傳》甘泉賦：『和氏瓏玲。』與清、傾、嶸、嬰、成爲韻。《文選》左思《雜詩》：『歲暮常慨慷。』與霜、明、光、翔、堂爲韻。是『玲瓏』、『慷慨』，前古已有顛倒押韻者，非創自韓公也。」

沈德潛《説詩晬語》卷上　詩以聲爲用者也，其微妙在抑揚抗墜之間。讀者静氣按節，密詠恬吟，覺前人聲中難寫，響外别傳之妙，一齊俱出。朱子云：「諷咏以昌之，涵濡以體之。」眞得讀詩趣味。

又　轉韻初無定式，或二語一轉，或四語一轉，或連轉幾韻，或一韻疊下幾語。大約前則舒徐，後則一滾而出，欲急其節拍以爲亂也。此亦天機自到，人工不能勉強。

又　三句一轉，秦皇《嶧山碑》文法也。元次山《中興頌》用之，岑嘉州《走馬川行》亦用之。而三句一轉中，又句句用韻，與《嶧山碑》又別。

又　歌行轉韻者，可以雜入律句，借轉韻以運動之，純綿裹針，軟中自有力也。一韻到底者，必須鏗金鏘石，一片宫商，稍混律句，便成弱調也。不轉韻者，李、杜十之一二，（李如《粉圖山水歌》，杜如《哀王孫》、《瘦馬行》類。）韓昌黎十之八九。後歐、蘇諸公，皆以韓爲宗。或問：「何者古詩中律句？」曰：「不露文章世已驚，未辭剪伐誰能送。」「何者別於律句？」曰：「五岳祭秩皆三公，四方環鎮嵩當中。」

又　七字每平仄相間。而義山《韓碑》一篇中，「封狼生貙貙生羆」七字，平也；「帝得聖相相曰度」七字，仄也。氣盛，則言之短長與聲之高下皆宜。

又卷下　詩中韻脚，如大廈之有柱石，此處不牢，傾折立見。故有看去極平，而斷難更移者，安穩故也。安穩者，牢之謂也。杜詩「懸崖置屋牢」，可悟韻脚之法。

又　律詩起句，可不用韻。故宋人以來，有入別韻者。然必於通韻中借入，如「冬」韻詩起句入「東」，「支」韻詩起句入「微」，「豪」韻詩起句入「蕭」、「肴」是也。若「庚」、「青」韻詩起句入「眞」、「文」、「寒」、「删」、「先」韻詩起句入「覃」、「鹽」、「咸」，亂雜不可爲訓。

又　古人同作一詩，不必同韻；即同韻，亦在一韻中，不必句句次韻也。自元、白創始，而皮、陸倡和，又加甚焉。以韻爲主，而以意相從，中有欲言，不能通達矣。近代專以此見長，名曰「和韻」，實則趂韻，宜血脈橫亘，句聯意斷也。有志之士，當不囿於俗。

又　毛稚黄云：「詩必相題，猥瑣、尖新、淫褻等題，可無作也；詩必相韻，故拈險俗生澀之韻，可無作也。」昏昏長夜，得此豁然。

方世舉《蘭叢詩説》　古體皆有平仄，但非律體一定，無譜可言，惟熟讀深思，乃自得之。趙秋谷宫坊笑人古詩不諧，不諧則讀不便串，古有此謇澀無宫商之古詩乎？一篇之中，又當間用對句，李天生太史言之。對乃健舉，如《古詩十九首》中「胡馬嘶北風，越鳥巢南枝」是也。余推而求之，七古亦多，歌行尤甚。至若杜、韓二家，有通篇對待者，益見力量。

又　七古音節，李承六朝，杜溯漢、魏，韓旁取《柏梁》、《黄庭》。譬之曲子，李南曲，杜、韓北曲。元、白又轉而爲南曲，日趨於熟，亦宜略變。然歌行終以此爲圓美，吹竹彈絲，嬌喉宛轉，畢竟勝雷大使舞。

又　換韻，老杜甚少，往往一韻到底。太白則多，句數必匀，匀則不緩不迫，讀之流利。元、白歌行，或一韻即換，未免氣促，今讀熟不覺耳。吾輩終當布置均平。

又　叶韻必不可用。不得其脣吻喉舌清濁高下，而惟韻書之附見者是從，徒見窘迫。於本韻中不得已而掙搼以便棘手，曾何合於自然之古音乎？李間有之，杜則絶無，昌黎惟用之於四言。四言宜也，是倣《三百篇》。若他體用之，則龜兹王驢非驢、馬非馬矣。

又　通韻亦不可依。今韻注者，如一東通二冬，祇冬之半耳，「鐘」字以下則不通。《廣韻》依古另爲三鐘，後每部一一分署；今上下平各十五部，乃後人所并耳。作古詩當以《廣韻》爲主。

又　通祇五古耳，七古不通。昔在京言之，館閣諸君問所依據，余舉杜以例其餘。徧尋杜集，果然惟《憶昔》七古二首中通一二字，或偶誤耳。七古之通自東坡始，人利其寬而託鉅公以自便耳。

又　昌黎五古通韻有汎濫常格之外者，歐陽子不求其故而臆説之，不可爲讀書法也。余考得《史記·龜筴傳》「乃刑白雉，及與驪羊」一段，凡二十六韻，雜用東、江、陽、庚、青、元、寒、先、眞諸部，此韓之所本也。詳在《韓箋》，不復具。

又　押韻未有不取易者，如東韻之「中」，支韻之「時」，灰韻之「來」，庚韻之「情」，皆似易而實難，往往如柳絮漂池，風又引去，須當如春人下杵，脚脚著實。宜田嘗舉杜「江從灌口來」，晚唐人「巴蜀雪消春水來」，以一「來」字見萬里險急排蕩之勢。太白「落日故人情」，老杜「因見古人情」，以實字寫虚神，有點睛欲飛之妙。又如義山「卻話巴山夜雨時」，東坡「春在先生杖履中」，「時」字、「中」字皆有力。引證甚當，足解人頤。

又　古人用韻之不可解者，唐李賀、元薩都剌，近體皆古韻，今昔無議之者，特記之邂逅解人。

薛雪《一瓢詩話》　轉韻最難，音節之間，有一定當轉入某韻而不可強者。若五古，漢、魏無轉韻之體，至唐漸多，而杜浣花、韓昌黎竟亦不然，究屬老手。樂府宜被管絃，或數句或四句一轉，始覺宛轉有致。若七古則一韻爲難，苟非筆力扛鼎，無不失之板腐；要其波瀾層疊，變幻縱横，通篇一韻，儼若跌换，亦惟杜、韓二公能之。

又 古人收韻有極不妥處，如「落霞更在夕陽西」之類，宋人最多。因其句子單薄，淺人認爲清拔，忘其韻之與本句相戾也。

又 琴有正調、外調。調者，調也，五音不可少紊。苟于指法輕重疾徐之間，宫中雜角，徵中帶羽，便非純音。不獨聽者不覺，彈者亦不自知。《廣陵散》後，此響遂絕。所以子期死而伯牙不復鼓琴，有旨哉！作詩何獨不然？今人但知于勾剔抹挑、吟猱綽注間求之，必無純調。

又 一韻幾押，重字疊出，意複辭犯，失黏借起，雖古人亦往往有之，恐是失檢點處。吾人寧且避之，勿藉爲口實。

又 四平頭，四實，四虛，前後輕重，蜂腰，鶴膝，詩中之羸病，極易犯而極不宜犯。

李重華《貞一齋詩說·詩談雜錄》 律詩止論平仄，終身不得入門。既講律調，同一仄聲，須細分上去入，應用上聲者，不得誤用去入，反此亦然。就平聲中，又須審量陰陽清濁，仄聲亦復如是。至古體雖不限定平仄，逐句各有自然之音，成熟後自知。古、近二體，初學者欲悟澈音節，他無巧妙，只須將古人名作，分别兩般吟法：吟古詩如唱北曲，吟律詩如唱崑曲。蓋古體須頓挫瀏灕，近體須鏗鏘宛轉，二者絕不相蒙，始能各盡其妙。余嘗論欲識詩篇工拙，先聽吟詠合離，此最是捷徑法。今無論古、近，俱付一樣口角吟之，神理全失，何由闖入門庭？

又 詩之音節，不外哀樂二端。樂者定出和平，哀者定多感激。更辨所關巨細，分其高下洪纖，使興會胥合，自然神理，胥歸一致。即樂者使人起舞，哀者使人泣下，所謂「意愜關飛動」也。

又 凡格局洪纖，最要與題相稱，其音律即各從其類。纖細題用不著黄鐘、大吕；閎偉題用不著密管繁絲。

又 莊生所云「天籟」者，言爲心聲，人心中亦各具竅穴，借韻語發之。其能者自然五音六律，與樂相和，此即「吹萬不同」之謂也。

又 同一著述，文曰作文，詩曰吟詩。龍鳴曰吟，彈琴者絃指齟齬成音亦曰吟，蓋從空裏求音，與詞妙會。陸士衡所謂「扣寂」是已。彼凑合爲句，毋乃彈之不成聲乎？

又 匠門業師問余：唐人作詩何取於雙聲疊韻，能指出妙處否？余曰：以某所見，疊韻如兩玉相扣，取其鏗鏘；雙聲如貫珠相聯，取其宛轉。業師歎賞久之。

又 業師又云：假如一首中，七句壯士聲情，著一句美人音節，便氣體全乖。又如杜老大半鐘吕之音，義山大半箏琵之響，須索間雜不得。

又 或謂：唐人音律，于鱗始得其傳，至阮亭尤極精細。余謂：就唐人言之，音律元非一種。大家名家，各自爲調。且如李、杜篇什，甫聞謦欬，便易分别誰某；其餘凄鏘磊落者，細玩之都具本來面目。于鱗所得，祇是官樣㲉子耳。阮翁骨性既佳，摹擬漸熟，因於王、孟、錢、劉諸家，有宛然恰肖處。若持此卓自樹立，迥然獨出頭地，何難駕元、明作者而上之，惜其亦步亦趨而止也。

又 音節一道，難以言傳，有略可淺爲指示者，亦得因類悟入。如杜律「羣山萬壑赴荆門」，使用「千山萬壑」，便不入調，此輕重清濁法也。又如龍標絕句「不斬樓蘭更不還」，俗本作「終不還」，便屬鈍句，此平仄一定法也。又如杜五言「曲留明怨惜，夢盡失懽娱」，「怨惜」换作「怨恨」，便不穩叶，此仄聲中分辨法也。

黄子雲《野鴻詩的》 叶韻毋論險易，貴推擠不動。易者尚新，險者尚穩。

又 韻有通轉，何也？音相同者謂之通，音不同者謂之轉。如：「一東」通「冬」，轉「江」是也。

又 和韻人皆爲難，我獨爲易。就韻構思，先有倚藉，小弄新巧，即可壓衆。然究不能成大器，聊一爲之可也。嚴滄浪云：「和韻最害人詩。」信然。此風盛於元、白、皮、陸，本朝諸賢，乃以此而鬬工，抑又何與？

邊連寶《病餘長語》卷一 七古一韻到底者，莫妙於魚虞，而蕭豪次之，歌麻次之，東冬次之，佳灰又次之。以此數韻者，聲隆而氣厚，高而不浮，縮而不啞，非他韻所及。然未登堂嚌胾者，方笑爲追蠡之見耳。

冒春榮《葚原詩說》卷一 毛稚黄云：「作詩先相題，猥瑣、尖新、淫褻、幺魔等題，可無作也。作詩先擇韻，險俗、僻澀之韻，可弗用也。」詩句之韻，如大廈之立石柱，此處不牢，傾倒立見。故有看去極平而斷難更易者，安穩故也。杜詩云「懸崖置屋牢」，可悟韻腳之法。

又 四方偏氣之語，不相通曉，惟中原漢音，天下通行。蓋中原天地之中，得氣之正，聲音散布，各能相入，是以詩中宜用中原之韻，則使人人可曉。押韻不宜多用啞韻，如四支、十四鹽兩韻中多啞字，須擇而用之。

又 五律句中，於平仄仄平用占之外，一三字雖不拘，然必須音韻合調，使呼應愜順。若於不拘平仄字，隨筆填湊成句，句雖無病，調則有病。宜平而仄，宜仄而平，誦之自不合調矣。

又 偶作散行，亦必有不得不散之勢乃佳。苟難於屬對，率爾放筆，是借散行以文其陋。又有通體俱散者，李白《夜泊牛渚》，孟浩然《晚泊潯陽》，僧皎然《尋陸鴻漸》等作，興到成詩，無與人力。此外有八句平對、五六散行、前半扇對之式，皆詩之變格。作詩不學古人則無本，徒學古人，拘之繩尺，不敢少縱，則無以自立。「擬議以成變化」，乃詩家之要論也。

又 歸愚沈氏《說詩晬語》云：「古人同作一詩，不必同韻；即同韻亦在一韻中，不必句句次韻也。自元、白創始，而皮、陸唱和，又加甚焉。以韻爲主，而以意相從，中有欲言，不能通達矣。近代專以此見長，名曰『和韻』，實則趁韻，宜其血脈橫亘，句聯意斷也。有志之士，當不囿於俗。」

又 《緗素雜記》云：「凡詩用韻有數格，一曰葫蘆，二曰轆轤，三曰進退。葫蘆韻者，先二後三；轆轤韻者，雙出雙入；進退韻者，一進一退。」韓子蒼有進退格詩曰：「盜賊猶如此，蒼生困未蘇。今年起安石，不用哭包胥。子去朝行在，人應問老夫。髭鬚衰白盡，瘦地日攜鋤。」蓋「蘇」、「夫」二韻皆在七虞，「胥」、「鋤」在六魚也。

又 五律起句多用仄韻，亦有起句即用平韻者。宋人又入別韻，謂之「孤雁入羣格」。然亦必於通韻中借入，如冬韻詩起句入東，支韻詩起句入微，豪韻詩起句入蕭、肴是也。雜亂則不可爲訓。至李笠翁於結句又創爲「孤雁出羣」，近人五律亦用之，尤謬之甚者也(《五言律說》)。

又卷二 律用平仄，固有定體，時亦有變體。如杜甫《詠懷古蹟》「搖落深知宋玉悲，風流儒雅亦吾師。悵望千秋一灑淚」，又《贈嚴武》詩「漫向江頭把釣竿，懶眠沙草愛風湍。莫倚善題《鸚鵡賦》」，此是第三句用失占格。又韋應物「夾水蒼山路向東，東南山豁大河通。寒樹依微遠天外」，亦是此格。又杜甫《喜嚴武見過》詩「竹裏行廚」一首，第四句失占格。又杜審言《春日京中有懷》：「今年遊寓獨遊秦，愁思看春不當春。上林苑裏花徒發，細柳營前葉漫新。公子南橋應盡興，將軍西第幾留賓。寄語洛城風日道，明年春色倍還人。」第三句及結聯失占格。又蘇瓌《興慶池應制》云：「金闕平明宿霧收，瑤池式宴俯清流。瑞鳳飛來隨帝輦，祥魚出戲躍王舟。帷齊綠樹當筵密，蓋轉緗荷接岸浮。如臨竊比微臣懼，若濟叨陪聖主遊。」李白《鳳凰臺》云：「鳳凰臺上鳳凰遊，鳳去臺空江自流。吳宮花草埋幽徑，晉代衣冠成古丘。三山半落青天外，二水中分白鷺洲。總爲浮雲能蔽日，長安不見使人愁。」如此數首，七言律之變也。

又卷三 五言排律以聲調爲上，先求平仄無訛。如起句以仄平平仄仄，對以平仄仄平平，下即接仄仄平平仄，平平仄仄平。總以句中第二句爲紐，首句平，次句仄，三句次字用仄，四句次字又用平，五句次字又以平接。如此類推，可無失黏之慮。

又 試帖例用六韻，首句以仄起爲是，或押韻起亦可，此不在六韻之數。二句或對或不對，隨時置局。次聯承起意而暢足之。三聯須旁敲遠應，推宕擊題。四聯、五聯聚精會神，正在於此使題無剩義，筆有餘情。結句多用頌揚，或寓請託，然亦當與題合拍，不徒泛言。作者能另出精意，補前所未及，則氣足神旺，而爲後勁矣。

又卷四 漢、魏詩不忌重韻，《柏梁臺》韻用三「之」、三「治」、二「哉」、二「時」、二「來」、二「材」，《陌上桑》用三「頭」、二「隅」、二「餘」、二「夫」、二「鬚」，《廬江小吏》詩四「語」、五「言」、三「由」、四「母」、二「取」、二「子」、四「歸」、二「之」、二「君」、六「門」，蘇武「骨肉緣枝葉」重「人」字，「結髮爲夫婦」重「時」字，曹子建《棄婦詩》重「庭」、「靈」、「鳴」、「成」、「寧」字，阮籍「灼灼西隤日」重「歸」字，張協《雜詩》重「生」字，謝靈運《君子有所思行》重「歸」字，沈約《鍾山詩》重「足」字，任昉《哭范僕射》三「情」字、二「生」字。至唐始嚴重韻，而盧照隣《長安古意》重「相」字，李白《襄陽歌》重「杯」字、《廬山謠》重「長」字，杜甫《牽牛織女》詩重「中」字、《自京赴奉先縣詠懷》三「卒」字、《八哀詩》張九齡一首重「省」字、重「境」字，《園人送瓜》重「草」字、《寄狄明府》重「濟」字、《飲中八仙歌》用三「前」、二「船」、二「眠」、二「天」，韓愈《此日足可惜》詩重「光」、「鳴」、「更」、「城」、「狂」、「江」字。宋人疑古無重韻，遂分杜公《飲中八仙》爲八章，非也。

又 轉韻初無定式，或二語一轉，或四語一轉，或連轉幾韻，或一韻疊下幾語，大約前則舒徐，後則一滾而出，欲急其節拍以爲亂也。此亦天機自到，人工不能勉強。

又　竊謂古詩之要在格，律詩之要在調，亦如遏雲社中所謂北力在絃，南力在板耳。絃可操縱於手，板不可游移於腔；調可默運於心，格不能不模範於古。唐人古詩，無有不從前代入者，子昂從阮入，王、孟、韋、柳從陶入，李頎、常建、王昌齡諸人從晉、宋入，太白從齊、梁入，獨老杜從漢、魏入，取法乎上，所以卓絕衆家。中唐諸子，其變斯極，長吉學《楚騷》不得，而趨於詭僻；退之追《風》、《雅》不及，而逃於生峭；孟郊之苦吟，盧仝之狂囂，創不成創，因無所因；張、王樂府，時有遺聲，元、白唱酬了無深致，要之皆彼善於此也。晚唐人變無所復之，不得不往於近體，才力所限，豈可強哉！

喬億《劍谿說詩》卷下　性情，詩之體；音節，詩之用。音節難言也，近體在字句輕重清濁，古體在氣調舒疾低昂。音節不但四聲，必兼喉舌腭齒唇，方爲盡善。《困學紀聞》曰：「李虛己初與曾致堯倡酬，致堯謂曰：『子之詩雖工而音韻猶啞。』虛己初未悟。既而得沈休文所謂『前有浮聲，後須切響』，遂精於格律。」愚謂古人詩固音節鏗鏘，有時調啞，又未嘗不妙，天趣足也。凡讀詩宜沉緩而悠圓，其滋味自出，音節亦自有會心。

又《劍谿說詩又編》　魏、晉以前詩，句法渾淪，讀之幾忘其有韻，至顏、謝韻腳琤琤。太白使韻如轉丸，變易不常。杜五言徹首尾一韻，韻皆平正（惟「迴眺積水外，始知衆星乾」，「乾」字險，餘皆渾渾無奇）。及觀退之用韻，或轉或不轉，並神施鬼設，極搏攫之奇。此固爲大才，亦詩遜李、杜專門，未免造作耳。

又　趙飴山贊善所撰《聲調譜》，列唐、宋人詩數十篇，篇中拗字拗句，分區平仄，注明其下。用此施之近體，可裨於初學，古詩則難口授，何況筆譚？乃幷李、杜歌行，如《扶風豪士》、《夢遊天姥》、《渼陂行》、《丹青引》亦字字準以律調譜之，是以伶工節拍按鈞天廣樂也。竊見詩人佇興，變動無方，音節亦從之，正昌黎所謂「聲之高下皆宜」。飴山乃桎梏名篇，桁楊聲律，使人盡效尤，皆詩囚矣。風竹流泉，候蟲時鳥，莫不含宮咀商，音響自然，豈亦嘗赴節與？詩道本大，飴山自小之，此謂雕蟲，此謂傳奇伎倆也。

汪師韓《詩學纂聞・頌可無韻》　頌者詩之一體，而王子淵《聖主得賢臣頌》，韓文公《伯夷頌》，皆不用韻。因思《周頌》之文，多有求其韻而不得者，後儒強爲叶之，恐是本無韻也。此義古人未曾言及。顧寧人雖謂詩有無韻之句，亦但指一句，非謂全篇，且不專指頌也。

又《通韻》　律詩不出韻，古詩可用通韻，一定之理也。近乃有上江詩人作《詩話》，謂五古可通，七古不可通。其說尊杜，謂杜詩七古通韻者僅數處，必是傳寫之訛。以余考之，殊不其然。杜詩七古如《王宰畫山水圖歌》，中段用東韻，而中有「雲氣隨飛龍」句；又《君不見簡蘇徯》用東韻，而有「一斛舊水藏蛟龍」句；《歲暮行》亦東韻，而云「今年米賤大傷農」；又云「割慈忍愛還租庸」，「龍、農、庸」三字皆冬韻也。《醉爲馬墜》一篇及《暮秋枉裴道州手札》之前半，又《久雨期王將軍不至》之前半，俱屋、沃通用。而《久雨詩》又有云「人生會面難再得」，得在職韻，本不通而叶用也。又如《陪王侍御登東山最高頂》中用腫韻，而云「四坐賓客色不動」，乃董韻也。《古柏行》末段用送韻，而云「萬牛回首邱山重」，又云「古來才大難爲用」，「重、用」俱宋韻也。《病後過王倚飲》用霰韻，而云「多病沈年苦無健」，乃願韻也。若夫《悲陳陶》用紙韻，而末云「日夜更望官軍至」，乃寘韻。《寄狄明府》用薺韻，而中云「太后當朝多巧計」，乃霽韻，是又上、去兩聲通轉矣。蓋韻雖可通，亦不可雜，凡唐人詩皆然，豈獨杜詩？亦不獨七言爲然矣。今謂杜詩七古無通者，《杜集》具在，豈皆錯誤耶？且當時李、杜並名，李詩通韻者多矣；後人並稱杜、韓，韓詩亦有之矣。況七言不始於唐，自漢、魏以來有之。漢、魏之七言，其用韻與五言同也。何爲少陵有心立異乎？《詩話》又謂七古通韻始於蘇詩。余觀廬陵、宛陵、半山、山谷無不通韻，其他尤不勝數，何得獨咎蘇詩？竊觀古人之作，其長篇一韻到底者，多不通韻；而轉韻之詩，乃有通韻者。蓋轉韻用字少，故反不拘；不轉韻者用字多，故因難見巧。由是推之，如江、佳、文、咸等窄韻不肯通，其東、冬、魚、虞、刪、先、庚、青等寬韻，則常通。又如陽韻無通，而有江；庚韻內數字可通，尤韻無通，而有魚、虞韻內數字可通，亦此意也。然此亦文人之見，若論其理，但要下字確不可易。苟確矣，雖通何礙？若其勉率支湊，雖不出韻何取？即如青蓮《灞陵行》之結處用庚韻，而云「黃鸝愁絕不忍聽」，聽在青韻；昌黎《記夢》之起處用元韻，而云「百二十刻須臾間」，間在刪韻。設欲改去「聽」字、「間」字，卻用何字耶？

又《長篇轉韻一氣》　鮑明遠《梅花落》一篇，前云：「中庭雜樹多，偏爲梅咨嗟。問君何獨然？念其霜中能作花。」以上麻韻也；後云：「露中能作實，搖蕩春花媚春日。念爾零落逐寒風，徒有霜花無霜質。」以上質韻也。霜中露中，一氣轉韻，求之前人，若漢鐃歌《戰城南》一章云：「梁築室，何以南？何以北？禾黍不穫君何食？願爲忠臣，忠臣安可得？思子良臣，良臣誠可思。朝行出攻，暮不夜歸。」以「得」字叶上北、食，而「思」字卻從轉韻。後則太白《扶風高士歌》云：「脫吾帽，向君笑。飲君酒，爲君吟。張良未逐赤松去，橋邊黃石知我心。」亦其體也。

又《七言轉韻首句》 七言古詩轉韻，漢張平子《思元賦》系詞，其肇端矣。轉韻之首句，古無不用韻者，惟江總持詩，有「雲聚懷清四望臺」（《宛轉臺》）、「來時向月別姮娥」（《新入姬人應令》）二句無韻，此在唐以前者。唐七古以少陵爲宗，少陵集中惟「先生有道出羲皇」（《醉時歌》）、「或從十五北防河」（《兵車行》）、「君不見東吳顧文學」（《醉歌行》）、「先帝侍女八千人」（《舞劍器行》）、「杖兮杖兮，爾之生也甚正直」（《桃竹杖行》）、「憶昔霓旌下南苑」（《哀江頭》），此六處轉句無韻。其他名人集中，偶一有之。如太白之「匈奴以殺戮爲畊作」（《戰城南》），喬知之之「南山羃羃兎絲花」（《古意和李侍郎》），東坡之「不羨白衣作三公」（《賀朱壽昌蜀中得母》），虞伯生之「丹邱越人不到蜀」（《題墨竹》），「圖中風景偶相似」（《柯博士畫》）等是也。然一篇中只偶一句耳。今人有至連轉皆出韻者，竟與四言五言一例，音節乖舛甚矣。

又《律詩通韻》 律詩亦有通韻，自唐已然，而在東、冬、魚、虞爲尤多。如明皇《餞王晙巡邊》長律乃魚韻，次聯用「符」字，十聯用「敷」字，符、敷皆虞韻也。蘇頲《出塞》五律乃微韻，次聯用「麾」字，則支韻也。杜陵《寄賈嚴兩閣老》五十韻乃先韻，末句用「騫」字，則元韻也；又《崔氏玉山草堂》七律乃眞韻，三聯用「芹」字，則文韻也。劉長卿《登思禪寺》五律乃東韻，三聯用「松」字，則冬韻也。戴叔倫《江鄉故人集客舍》五律乃冬韻，三聯用「蟲」字，則東韻也。閭邱曉《夜渡淮》五律乃覃韻，次聯用「帆」字，則咸韻也。魏兼恕《送張兵曹》五律乃東韻，首聯用「農」字，則冬韻也。宋若昭《麟德殿》長律乃東韻，四聯用「濃」字，五聯用「宗」字，濃、宗皆冬韻也。耿湋《紫芝觀》五律乃冬韻，首聯用「風」字，則東韻也。釋滄交《望樊川》五律乃冬韻，首聯用「中」字，則東韻也。至如李賀《追賦畫江潭苑》五律，雜用「紅、龍、空、鐘」四字，此則開後人「轆轤」、「進退」之格，詩中另爲一體矣。其東韻之有「宗」字，魚韻之有「胥」字，必是唐韻原是如此，非屬通韻。如耿湋《詣順公問道》五律之末聯，王維《和晉公扈從溫湯》長律之第八聯，楊巨源《聖壽無疆詞》長律其八之末聯，司空曙《和常舍人集賢殿》長律之第三聯，俱用東韻，而有「宗」字。李白《鸚鵡洲》一章，乃庚韻而押「青」字；此詩《唐文粹》編入七古，後人編入七律，其體亦可古可今，要皆出韻也。元人律詩通韻尤多，名家之集，如元遺山《望王李歸程》乃虞韻，中聯用「徐」字；《寄楊飛卿》乃冬韻，中聯用「蟲」字；《華不注山》乃刪韻，末聯用「寒」字。虞伯生《還鄉》乃支韻，末聯用「如」字。薩天錫五言如《寄石民瞻》之用庚、青；七言如《酌桂芳庭》之用青、蒸，皆是「進退格」。至五言《寄王御史》乃眞韻，而首聯用「垠」字；七言《病中夜坐》乃文韻，而末聯用「喧」字。又如楊廉夫《益府白兎》用寒、刪；《出都》其二用支、微；《喬夫人鼓琴》用庚、青，亦皆「進退格」。至如《嬉春體》「楊子休官」一章，前四句用刪韻「還、山」二字，後四句用寒韻「彈、殘」二字，直是轉韻律詩矣。是則通體通韻者，唐以後人尤多，或是古韻，或是誤記，或另一體，非可概論也。唐律第一句多用通韻字，蓋此句原不在四韻之數，謂之「孤雁入羣」；然不可通者，亦不用也。「進退格」乃是兩韻相間而成，亦必韻本相通，非可任意也。

又《七言律有散體》 唐人五言四韻之律多不對者，七言無之。乃有七言長律而不對者，如李義山《七月二十八日夜與王鄭二秀才聽雨夢後作》：「初夢龍宮寶燄然，瑞霞明麗滿晴天。旋成醉倚蓬萊樹，有箇仙人拍我肩。少頃遠聞吹細管，聞聲不見隔飛烟。逡巡又過瀟湘雨，雨打湘靈五十絃。瞥見馮夷殊悵望，鮫綃休賣海爲田。亦逢毛女無憀極，龍伯擎將華嶽蓮。恍惚無倪明又暗，低迷不已斷還連。覺來正是平階雨，獨背寒燈枕手眠。」此詩調諧響協，若編入古體，則凡筆力孱弱者皆得援以藉口矣，故斷其爲長律而無疑也。至馮鈍吟謂義山有轉韻律詩，此乃指《偶成》轉韻一篇，特古詩之調平而似律者耳。

袁枚《隨園詩話》卷一 余作詩，雅不喜疊韻、和韻及用古人韻。以爲詩寫性情，惟吾所適。一韻中有千百字，憑吾所選，尙有用定後不慊意而別改者；何得以一二韻約束爲之？既約束，則不得不湊拍；既湊拍，安得有性情哉？《莊子》曰：「忘足，履之適也。」余亦曰：「忘韻，詩之適也。」

又 《文選》詩，有五韻、七韻者。李德裕所謂：「意盡而止，成篇不拘於隻偶也。」

又卷四　古人詩有全篇用平聲者，天隨子《夏日詩》四十字皆平聲。有全篇用仄聲者，梅聖俞《酌酒與婦飲》一篇皆仄聲。有通首不用韻者，古《采蓮曲》是也。有平仄各押韻者，唐末章碣，以八句詩平仄各有一韻，是也。

又　杭人土音，呼「朋」作「蓬」之本音，「崩」爲「蓬」之陽音，皆「一東」韻也。韻書都收入「十烝」，則與「一東」遠矣。然《左傳》：「翹翹車乘，招我以弓；豈不欲往，畏我友朋。」《三國志》：「張昭作《陶謙哀詞》曰：『喪覆失恃，民知困窮。曾不旬月，五郡潰崩。』」是將「朋、崩」二字，俱押入「一東」也。

又　近有《聲調譜》之傳，以爲得自阮亭，作七古者，奉爲秘本。余覽之，不覺失笑。夫詩爲天地元音，有定而無定，至恰好處，自成音節，此中微妙，口不能言。試觀《國風》、《雅》、《頌》、《離騷》、樂府，各有聲調，無譜可塡。杜甫、王維七古中，平仄均調，竟有如七律者；韓文公七字皆平，七字皆仄；阮亭不能以四仄三平之例縛之也。倘必照曲譜排塡，則四始六義之風掃地矣。此阮亭之七古，所以如杞國伯姬，不敢那移半步。

又卷六　顧寧人言：「《三百篇》無不轉韻者。唐詩亦然。惟韓昌黎七古，始一韻到底。」余按《文心雕龍》云：「賈誼、枚乘，四韻輒易；劉歆、桓譚，百韻不遷：亦各從其志也。」則不轉韻詩，漢、魏已然矣。

又　欲作佳詩，先選好韻。凡其音涉啞滯者、晦僻者，便宜棄捨。「葩」即「花」也，而「葩」字不亮；「芳」即「香」也，而「芳」字不響：以此類推，不一而足。宋、唐之分，亦從此起。李、杜大家，不用僻韻；非不能用，乃不屑用也。昌黎鬭險，掇《唐韻》而拉雜砌之，不過一時遊戲：如僧家作盂蘭會，偶一布施窮鬼耳。然亦止於古體、聯句爲之。今人效尤務博，竟有用之於近體者。是猶奏雅樂而雜侏儒，坐華堂而宴乞丐也，不已傎乎！

又卷九　邵子湘作《韻略》，以「江」、「陽」爲必不可通。余讀《史記·龜筴傳》、韓昌黎《此日足可惜》及李翺《祭韓公》諸篇，「江」、「陽」皆通。猶以爲彼固合「東」、「青」、「庚」而通之甚廣，未足據也。及讀岑嘉州《陪狄員外早秋登府西樓》一篇云：「常愛張儀樓，西山正相當。車馬隘百井，里閈盤三江。」此短篇五古也，唐人用韻甚嚴，何濫通乃爾？因而廣考之，方知子湘之陋。《尚書》：「論道經邦，燮理陰陽。」《戴記》：「無服之喪，以畜萬邦。」此《六經》通「江」、「陽」之證也。《孔雀東南飛》云：「東家第三郎，窈窕世無雙。」樊毅《西嶽碑》云：「其德休明，則有禎祥。荒淫臊穢，篤災必降。」《柳敏碑》云：「山陵元室，建斯邦兮；不飭不凋，隕履霜兮。」《三國志》楊戲《蜀君臣贊》云：「保據河江，家破軍亡。」《晉書》云：「二陸三張，中興過江。」《宋書·大社之祝》曰：「地德普施，惠存無疆。乃建大社，以保萬邦。」漢《紫玉歌》云：「一日失雄，三年感傷。雖有衆鳥，不爲匹雙。」荀勗《正德舞歌》云：「煥炳其章，光乎萬邦。」庾信《柳遐墓銘》云：「起茲禮數，峻此戎章。長離宛宛，刷羽凌江。」《吳越春秋》《河梁歌》云：「諸侯怖懼皆恐惶，聲傳海內威遠邦。」呂溫《昭陵功臣贊》云：「經綸八方，晏海澄江。」李翰《裴旻射虎贊》云：「弧矢之說，以威四方。羣虎既夷，狄人來降。」此漢、唐樂府通「江」、「陽」之證也。至宋諸大家，尤不勝屈指。

又　詩有音節清脆，如雪竹冰絲，非人間凡響，皆由天性使然，非關學問。在唐則青蓮一人，而溫飛卿繼之。宋有楊誠齋，元有薩天錫，明有高青邱。本朝繼之者，其惟黃莘田乎？

又卷一二　偶見坊間俗韻，有以「眞元」通「庚青」者，意頗非之。及讀《三百篇》，爽然若失。「山榛」、「隰苓」，「十眞」通「九青」。「有鳥高飛，亦傅於天。彼人之心，於何其臻。曷予靖之，居以凶矜。」是「一先」、「十一眞」、「十蒸」俱通也。《楚辭》：「肇錫余以佳名，字余曰靈均。」「八庚」通「十眞」也。其他《九歌》、《九辨》，俱「九青」通「文元」。無怪老杜《與某曹長詩》，「末」字韻旁通者六；東坡《與季長詩》，「汁」字韻旁通者七。

又　余祝彭尚書壽詩，「七虞」內誤用「餘」字，意欲改之。後考唐人律詩，通韻極多，因而中止。劉長卿《登思禪寺》五律，「東」韻也，而用「松」字。杜少陵《崔氏東山草堂》七律，「眞」韻也，而用「芹」字。蘇頲《出塞》五律，「微」韻也，而用「麾」字。明皇《餞王晙巡邊》長律，「魚」韻也，而用「符」字。李義山屬對最工，而押韻頗寬，如「東、冬」、「蕭、肴」之類，律詩中竟時時通用。唐人不以爲嫌也。

又《隨園詩話補遺》卷一　同一樂器：瑟曰鼓，琴曰操。同一著述：文曰作，詩曰吟。可知音節之不可不講。然音節一事，難以言傳。少陵「羣山萬壑赴荆門」，使改「羣」字爲「千」字，便不入調。王昌齡「不斬樓蘭更不還」，使改「更」字爲「終」字，又不入調。字義一也，而差之毫釐，失以千里，其他可以類推。

又《隨園尺牘》卷一〇《答祝芷唐太史》 欲作詩，先選好韻。唐人用韻，非響者不押，非穩者不押，非清脆者不押，非在眼前者不押，所以易於傳誦，可播管弦。獨昌黎以險韻矜奇，東坡以疊韻見巧，此不過一時興到，以儒爲戲，乘人而鬭其捷，如僧家作盂蘭會，布施餓鬼夜叉，非正法眼藏上乘神通也。沈隱侯云：文章當從三易，言易讀、易解、易記也。易記則易傳矣。若險韻疊韻，當其作時，亦頗費捃摭，倘過三日，自家亦不省記矣，自家不記，而欲人記之乎？人不能記，而欲人傳之乎？須知險韻疊韻，亦因韓蘇他詩佳，他文好，聲名重而傳至今，非因險韻疊韻而至今，方知有韓蘇也。慕西施者，效其顰；學鑿齒者，效其跛，不已傎乎？尹文端公酷好疊韻次韻，枚爭之曰：疊韻次韻，是與一人敵耳，曷不選好韻好題與千人萬人千世萬世敵乎？公曰：子言良是，然我兩江事繁，那有工夫翻韻書，借一韻構思，貪在車中牀上俱便故也。此是做總督者之苦心，而翰林閒官，似可不必。

錢思敏等《增訂詩法》卷一《調聲說》 天地有自然之聲，不待安排布置。宮商有不遠之則，即在喉、舌、唇、牙，每字必有四聲，亦有止於三聲少入聲者，如詞似寺之類是也。大要平聲哀而安，上聲厲而舉，去聲清而遠，入聲直而促。初起爲平，升上爲上，過去爲去，從下爲入。象一字之有四角也。譬之萬物，春而萌動，夏而發升，秋而凋謝，冬而歸藏。象一歲之有四時也。至於初學，但論平仄，不必拘拘四聲，以上去入俱仄韻故也。

又《調聲圖》

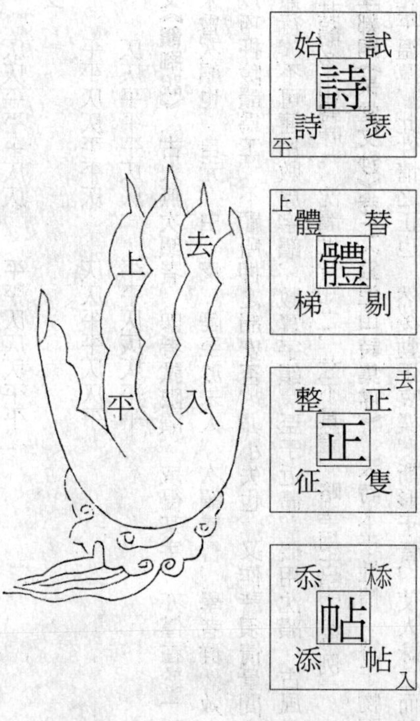

又《辨韻說》 韻有古韻，有今韻，有中州韻。梁以前之詩，率皆古韻。沈休文之韻一出，學者宗之。朝廷以之程士，所謂禮部韻是也。唐人近體，一皆步趨，是謂近韻。國朝李笠翁韻部悉本諸此，簡便當從。至中州韻，謂之音韻，用於詞曲，不可雜也。總之，韻忌生澁鄙俚，險怪字面，蓋金鐵玉石，雜陳於前。點鐵成金，是誠在我，因石得玉，存諸其人，急宜自辨。

又《詩粘說》 詩粘者，調平仄，協聲音。或五言，或七言。粘字成句，中無乖戾之病也。此法惟近體用之，而其要只以第二字爲主。如仄仄起，通篇即用仄仄粘。平平起，通篇即用平平粘。四句爲絕句，依前四句平仄，再作四句，便成律詩。五、七言皆然。若作排律，則依起首四句平仄，排排對去，至八句不止，便是排律也。

又《詩粘體・五言粘（絕句仄仄起粘）》

仄仄平平仄　平平仄仄平
平平平仄仄　仄仄仄平平

又（合前便成律詩粘，後做此）

仄仄平平仄　平平仄仄平
平平平仄仄　仄仄仄平平

又（平平起粘）

平平平仄仄　仄仄仄平平
仄仄平平仄　平平仄仄平

又

平平平仄仄　仄仄仄平平
仄仄平平仄　平平仄仄平

又《七言粘（仄仄起粘）》

仄仄平平仄仄平（起句平聲押韻）　平平仄仄仄平平
平平仄仄平平仄　仄仄平平仄仄平

又

仄仄平平平仄仄　平平仄仄仄平平
平平仄仄平平仄　仄仄平平仄仄平

又（平平起粘）

平平仄仄仄平平　仄仄平平仄仄平

仄仄平平平仄仄　平平仄仄仄平平

又

平平仄仄平平仄　仄仄平平仄仄平

仄仄平平平仄仄　平平仄仄仄平平

又《韻腳說》　古人無次韻者。即考試限韻，或得某字，亦僅在於一韻門內，未曾次韻也。自元、白、皮、陸至於宋人，次韻盛行，學者群然效之，甚至以巧押險韻爲工，不顧所押之韻安否，非小失也。又作詩須情景間出，虛實兼行，不可連用數虛字韻，數實字韻。至于近體，概用沈韻。古風當用古韻（其韻多用轉叶）。沈韻世皆知之，茲不具證，略舉用古韻者爲例。

李鄴嗣《杲堂文鈔》卷二《錢退山詩集序》　夫詩本于性情，感于物而後動，和平溫厚，此性情之正也。然後動于哀樂，斯形于音，使人詠之而其聲逾長，玩之而其味愈淡，而不厭。故練絲調瑟，倡者一人，和者不過三人，雖未嘗極音，而其聲如有不盡者焉；玄酒在尊，太羹不加和，雖未嘗致味，而其味如有不盡者焉。是以《五經》之有聲詩，猶五穀之有良稻也，以其味澹而逾長也。《三百篇》以降，屈大夫獨能長言之，其在漢人，惟蘇屬國、枚生，晉人惟陶公，唐人惟張曲江、王右丞、劉文房、韋蘇州，此數君子俱能善抑揚，其聲溫然可誦，其餘即曹氏銅雀父子、鮑參軍、杜公、韓昌黎，非不爲文章之伯，然自以其老氣橫古今而已，求所爲詠嘆之，延連反覆之，尚有所未至焉。夫向謂未甚讀書之人，俱可爲詩，久之而乃知古今文章之伯，猶有所未能至，若是夫詩之甚不易也！但漢魏以來，世有作者，雖其聲不同，未盡有合于和平溫厚，要能各宜其所欲言，自成一家。故曰：人之所不可爲僞者，聲也，謂其生於人心也。至近日詩人始各誦一先生之言，奉爲模楷，剽聲竊貌，轉相擬倣，以致自溺其性情而不出。夫秦音亢厲，吳音靡曼，此其性然也；今乃欲盡變其生心之音，使越無吟，齊無謳，楚無豔，而俱操爲秦聲、吳聲，則其僞亦甚矣。夫于所不可爲僞者，而亦僞爲之，則其操之，且將不成聲，況求其抑揚可誦耶？

何焯《義門先生集》卷六《復董訥夫》　垂問詩樂諧協之本，即非淺學所及知。然以《虞書》之次序求之，古人固先有詩，而後被之聲歌，故曰「聲依永」；若必待宮商上下相應，發言爲詩，則是永依聲也。陳王、士衡之作，於時謂之乖調，劉彥和以爲「無詔伶人，事謝弦管」，豈必皆與樂爲一哉？然自永明，沈、謝始變新體，神龍、景雲而後，沈、宋裁爲律詩，一清一濁，用字甚嚴，稍有出入，即爲詩病，雖非入樂，律所必諧。開、寶諸家，時有不拘，王右丞、錢考功則一字輕重皆不苟矣。以後如香山，如溫、李，如致光，全集具在，其雙聲疊韻之對仗，不惟兩字顯然可指而數也，有間一字，間兩字，間三字，四字、五字亦必輕重相準，利吻輕唇無纖毫差忒者。白詩注中載：王右丞「秦川一半夕陽開」，乃想夫憐第二句。則當日諸公詩，舉可歌也。元微之稱昌黎近體云：「玉磬聲聲徹，金鈴箇箇圓。輕新便妓唱，微妙入僧禪。」其爲律詩，亦何嘗專事倔強者乎？子美集中，間作吳體，則仄調硬語之祖，此不過偶爾遊戲。皮、陸唱和，欲體之無所不備，始相倣效。至宋而山谷老人專以此自雄，謂如是乃杜陵也，其無乃偏得其一支一節，而遺其大全乎？元之張伯雨又專法山谷，他人固不然矣。既略聲病，何名律詩？「寧律不諧，勿使句弱」，恐不得爲通論也。嚴滄浪之論詩，爲宋季而發，未嘗非對症之藥。理學之門徒既盛於是，理路有隣於偈頭者矣，議論有比於彈劾者矣，溫柔之意微，俚率之風熾，滄浪之言亦以云救也。然詩者，發乎情，止乎理義，昌黎謂「正而葩」者，《三百篇》之體源；士衡謂「緣情而綺靡」者，漢謠魏什之門戶；謂之「不涉理路、不落言詮」，而一以禪爲喻，則又未見其眞，而徒爲捕風捉影之譚，以誤後人矣。元、明以來，靡然從風，莫之匡改。牧齋、定遠昌言掊擊，各因乎詩病之所趨，以加之針石也。牧齋議論具見本集，定遠有《嚴氏糾謬》一卷，近已刊行，世兄但取而觀之，必將自求至是之歸，而一時矯枉之失，亦可悟於言表也。短詠大篇，同一道耳，新城之《三昧集》，乃鍾、譚之唾餘；五、七言古詩之選，又道聽於牧齋之緒論，而去取失當，至吳立夫早逝，其詩全然生吞活剝，不合古人節度，取爲七言之殿，可以知其不越耳鑒，茫無心得，又何足置几案間哉？客來不已，而尊紀行促，語無倫次，唯知已度外矜恕，至幸。臨書馳仰。

謝鳴盛《範金詩話》卷上　魏伯子言：「惟頌無韻而有節，節妙于韻，惟韻有節有韻，節與韻俱妙。」此語是古人未傳之秘，凡詩不明于韻中之節，則音響終不能諧。五、七言古體皆然。而四言與樂府非于此有神悟，尤無所準。蓋節無定而有定，如今黎園子弟度曲之有拍版。知笙笛絃鼓之操縱于版，則知聲詩高下疾徐之有節矣。不然雖日誦《毛詩》，亦終無由窺其涯涘。

又卷下　《詩經》叶韻自朱子采吳才老《韻補》定之，而後《三百篇》乃可詠歌，且言叶韻，當以頭一韻爲準。然篇中所叶往往不盡然，甚或通章俱叶，無一韻用本音者。吳氏《韻補》原有二說：曰通，曰叶。今并其本通韻者而亦叶之，後人是以疑焉。顧亭林則謂「上古但有音，初無所謂韻別作詩音」，其說又未免過。求于古中旁通，曰：尺生于黍，還以尺正黍。韻之與音，亦猶是耳。然自沈約立四聲以來，韻書岐出，代各異制，學者幾無所適從。近俗傳笠翁韻，其通轉多杜撰，甚爲誤人。康熙間毗陵邵子湘博考古本以定今韻，采杜、韓諸家詩以定通轉，復從經子史傳之文以徵叶韻，引證明確，考核精詳，名曰《古今韻略》，至爲可信。有志古詩者，案頭所必須也。嗚盛嘗本《康熙字典》以校《詩經正韻》通叶，而所資于是書者多矣。韓文公謂：「凡爲文須略識字。」先儒豈是輕薄之言？蓋勉人以知字之不易識也。

趙翼《甌北詩話》卷一一《黃山谷詩》 自中唐以後，律詩盛行，競講聲病，故多音節和諧，風調圓美。杜牧之恐流於弱，特創豪宕波峭一派，以力矯其弊。山谷因之，亦務爲峭拔，不肯隨俗爲波靡，此其一生命意所在也。究而論之，詩果意思沉着，氣力健舉，則雖和諧圓美，何嘗不沛然有餘？若徒以生闢爭奇，究非大方家耳。山谷詩，如：「世上豈無千里馬，人中難得九方皋。」《潛夫詩話》謂可爲律詩之法。又如：「與世浮沉惟酒可，隨人憂樂以詩鳴。」此眞獨闢蹊徑。至如洪龜父所賞：「蜂房各自開戶牖」，「蟻穴或夢封侯王。」「黃流不解涴明月，碧樹爲我生涼秋。」此不過昔人未經道過，其實無甚意味。吳曾《能改齋漫錄》記「歐陽季默問東坡云：『山谷詩何處最好？』坡不答。季默舉其《雪詩》云：『夜聽疎疎還密密，曉看整整復斜斜。』亦佳耶？坡曰：『正是佳處。』」此雖東坡鑒賞，然終不免村氣矣。

又卷一二《雙聲體》 東坡有口喫詩「故居劍閣隔錦官」一首，又「郊居江干堅關扃」一首，使口喫者讀之，必噴飯也。然此本雙聲體，史繩祖《學齋呫嗶》載唐人姚合《洞庭蒲萄架詩》云：「葡藤洞庭頭，引葉漾盈搖。皎潔鈎高掛，玲瓏影落寮。陰烟壓廷屋，濛密夢冥苗。清秋青且翠，冬到凍都凋。」是唐人已有此體，非坡創也。

又《甌北集》卷三九《題周松靄杜詩雙聲叠韻譜括略》 詩以詠我言，本從聲韻出。中有條縷分，古疎後漸密。隱侯辨仄平，孫炎著反切。關鍵一以開，千載莫能易。雙聲與疊韻，六朝始梳櫛。碻磝音響連，腥瘦字母壹。北有魏伯起，南有謝希逸（碻磝叠韻，見《南史·謝莊傳》。腥瘦雙聲，見《北史·魏收傳》）。此法皆講求，秘矜專門術。杜陵益精嚴，對屬百不失。侵簪月影寒，逼履江光徹（杜詩侵簪叠韻，逼履雙聲，見《雲溪友議》）。老去詩律細，此亦細之一。倘其可不拘，何以名爲律？無何讀杜者，過眼付一瞥。但誇奔絕塵，不屑駕循轍。海昌有周子，遙契得眞訣。手著《括略》編，韻學乃盡泄。從來文字緣，每隨氣運闢。古人抉其大，後人剔其窄。非必後所增，都自鑿空獲。卽如近體詩，古人所未識。抑揚抗墜間，妙有自然節。古人縱復生，不能變此格。是知本天籟，豈鑽牛角僻。兹譜雖小道，源出脣齒舌。詎畫混沌眉，乃導崑崙脈。反語田顚童，測字杭兀朮。矯揉尚稱奇，矧此諧皦繹。允作杜功臣，藝苑更繩尺。音籤韻府外，別豎一幟赤。

吳騫《拜經樓詩話》卷二 何無忌與人論詩云：「欲作佳詩，必先尋佳韻，未有佳詩而無佳韻者也。韻有宜於甲而不宜於乙，宜於乙而不宜於甲者。題韻適宜，若合函蓋，惟在構思之初，善巧揀擇而已。若七言歌行，抑揚轉換，用韻頓挫處，尤宜喫緊。理會此處，最能見人平日學力淺深，工夫疏密。乃至排律長選，亦宜斟酌，韻腳穩妥，庶無牽強搭湊之失。」可見工詩者未有不留意於韻。今人衝口吟哦，但求叶韻，甚則次韻疊韻，連篇累牘，徒使昏焦腕脫，令人生厭。無忌名白，溫州人。少爲郡小史，司李龍君御異其才，爲加冠，集諸名士賦詩以醮之，且延譽於海內，遂有盛名。崇正初，以老壽終於梅嶼山中。有《汲古堂集》。

又 周松靄大令，夙精《華嚴》字母之學。嘗著《悉曇奧論》，又輯《杜詩雙聲疊韻括略》。以爲音聲之道，本乎天籟。若夫雙聲疊韻，則《三百篇》已肇其權輿。漢、魏洎晉、宋以前，大都闇與理合。齊、梁而降，風氣尚屬初開。唐賢明此者多，而少陵更擅勝場。惜自來讀杜者，無慮千百家，從未有論及於此。其體例有雙聲正格、疊韻正格、雙聲同音通用格、疊韻平上去三聲通用格、雙聲借用格、疊韻借用格、雙聲廣通格、疊韻廣通格、雙聲對變格、疊韻對變格、散句不單用格、古詩四句內照應格，凡十二類。所摘古近體詩句，自杜外，附漢、魏、六朝至唐、宋諸家。自謂凡數易稿，閱二十餘年而後成，其致力可謂勤矣。此書實發千古之祕要，非深通音韻者，不能知其妙也。

翁方綱《石洲詩話》卷三 一篇之中，步步押險，此惟韓公雄中出勁，所以不露韻痕。然視自然渾成、不知有韻者，已有間矣。至若梅宛陵以清瘦之筆，每押險韻，無韓之豪，而肖韓之勁，恐未必然也。

又 次韻用韻，至蘇公而極其變化。然不過長袖善舞，一波三折。又與韓公之用力真押者不同，未可概以化境目之。

又 換韻之中，略以平調句子，使之神縮舒和，亦猶夫末句之有可放平者也。尤以平韻與仄韻相參錯，乃見其勢，卻須以三平正調攙和之。

又 七古平韻到底者，單句末一字忌用平聲，固已。然亦有文勢自然，遂成音節者。以蘇詩論之，即如：「問今太守爲誰歟？雪眉老人朝扣門」；「潮陽太守南遷歸，山耶雲耶遠莫知」；「畫山何必山中人，汝應奴隸蔡少霞」之類，皆行乎其所不得不然者也。若「欲從稚川隱羅浮，故人日夜望我歸」，乃於一篇中有二句，要之，非出自然，則固不可耳。

又 東坡《和蔡景繁海州石室》詩，阮亭不取入七言詩選，蓋以爲音節非正調也。然此間呼吸消納，自不得不略通其變。其于正調之理一也。詩二十韻，單句以仄押句尾者，凡十一句。單句第五字用仄者，凡十七句。此則所以與對句第五字相爲吐翕，而可以不須皆用仄矣。蘇詩似此者尚多，可以類推。《古夫于亭問答》所載：「張蕭亭論單句住腳字，如以入爲韻，則第三句或用平，第五或用上，第七或用去。必錯綜用之，方有音節。」其言雖是，然猶未盡其窾卻也。

又卷四 七古末句放平，初無一定之式，只看上面下來如何耳。又看通體如何。

又卷五 七古仄韻，一韻到底，苦難撐架得住。每於出句煞尾一字，以上、去、入三聲配轉，與平聲相間用之。到撐不住時，必以仄字硬撐也。

又《五言詩平仄舉隅》 二十年前，在粵東使院九曜池上與學侶論詩，偶識此二卷，不足示人也。今因著錄漁洋先生平仄論，不得已而附此於後，良而恧然！ 壬子十月二日方綱識。

阮嗣宗《詠懷》（錄七） 夜中不能寐，起坐彈鳴琴。薄帷鑒明月，清風吹我襟。孤鴻號外野，朔鳥鳴北林。徘徊將何見，憂思獨傷心（第四句「我」字、末句「獨」字，皆必須用仄者，清風「風」字則提起之健筆也）。平生少年時，輕薄好絃歌。西遊咸陽中，趙李相經過。娛樂未終極，白日忽蹉跎。驅車復來歸，反顧望三河。黃金百鎰盡，資用常苦多。北臨太行道，失路將如何！（阮亭先生以五言出句、第三字與對句第三字相乘。然對句第三字之平仄，亦必兼合上句煞尾一字節拍定之。其似變調而實非變調者以此。有謂五平之句，對必五仄，五仄之句，對必五平者，有謂對句全似律，則其出句必極拗，出句全似律，則其對句必極拗者。此皆閱歷之言，而究非平心定氣之論。若此篇「西遊咸陽中」五平句也，其對句反用二仄三平，何嘗五平必對五仄乎？「白日忽蹉跎」對句全似律也，其出句既用仄字煞尾，仍用第二字仄第四字平，與五律起句亦相似，何嘗對句似律，出句必拗乎？豈但已哉，其下又有「反顧望三河」一句全似律者，而其氣反勁，其節轉和，是何故哉？）昔聞東陵瓜，近在青門外。連畛距阡陌，子母相鉤帶。五色曜朝日，嘉賓四面會。膏火自煎熬，多財爲患害。布衣可終身，寵祿豈足賴？灼灼西隤日，餘光照我衣。迴風吹四壁，寒鳥相因依。周周尚銜羽，蛩蛩亦念饑。（此二「亦」字，十倍之勁。）如何當路子，磬折忘所歸。豈爲夸譽名？憔悴使心悲。甯與燕雀翔，不隨黃鵠飛。黃鵠遊四海，中路將安歸？步出上東門，北望首陽岑。下有采薇士，上有嘉樹林。良辰在何許？凝霜霑衣襟（「霜」字平聲，在第二字尤勁）。寒風振山岡，元雲起重陰。鳴雁飛南征，鶗鴂發哀音。素質游商聲，悽愴傷我心（即五平五仄之句，亦各自有變化歸宿，如前篇「西遊咸陽中」是出句，則筋脈在「咸」字、「中」字，此篇「凝霜霑衣襟」是對句，則筋節全在二「霜」字，不可一概而論也）。湛湛長江水，上有楓樹林。皋蘭被徑路，青驪逝駸駸。遠望令人悲，春氣感我心。三楚多秀士，朝雲進荒淫。朱華振芬芳，高蔡相追尋。一爲黃雀哀，淚下誰能禁（平對仄，仄對平，此乘除闔闢之理也；平因平，仄因仄，此乘除變化之理也）。徘徊蓬池上，還顧望大梁。綠水揚洪波，曠野莽茫茫。走獸交橫馳，飛鳥相隨翔。是時鶉火中，日月正相望。朔風厲嚴寒，陰氣下微霜。羈旅無儔匹，俛仰懷哀傷。小人計其功，君子道其常。豈惜終憔悴，詠言著斯章。

張景陽《雜詩》（錄三） 秋夜涼風起，清氣蕩暄濁。蜻蛚吟階下，飛蛾拂明燭。君子從遠役，佳人守煢獨。離居幾何時？鑽燧忽改木。房櫳無行跡，庭草萋以綠。青苔依空牆，蜘蛛網四屋。感物多所懷，沈憂結心曲（此則阮亭先生所講仄韻詩之正調也。然「萋」字必平，以上句仄在尾也）。述職投邊城，羈束戎旅間。下車如昨日，望舒四五圓（第三、四字亦必上去相扭）。借問此何時？胡蝶飛南園。流波戀舊浦，行雲思故山。閩越衣文蛇，胡馬願度燕。風土安所習，由來有固然。結宇窮岡曲，耦耕幽藪陰。荒庭寂以閒，幽岫峭且深（第三、四字亦以上去互扭）。淒風起東谷，有渰興南岑。雖無賓畢期，膚寸自成霖。澤雉登壟雊，寒猿擁條吟。溪壑無人跡，荒楚鬱蕭森。投耒循岸垂，時聞樵採音。重基可擬志，迴淵可比心。養眞尙無爲，道勝貴陸沉。游思竹素園，寄辭翰墨林。

左太沖《詠史》（錄二） 弱冠弄柔翰，卓犖觀羣書。著論準《過秦》，作賦擬《子虛》。邊城苦鳴鏑，羽檄飛京都。雖非甲胄士，疇昔覽穰苴（第三字變化排蕩）。長嘯激清風（「風」字平聲排蕩），志若無東吳。鉛刀貴一割，夢想騁良圖。左眄澄江湘，右盼定羌胡。功成不受爵，長揖歸田廬。 鬱鬱澗底松，離離山上苗。以彼徑寸莖，蔭此百尺條。世胄躡高位，英俊沉下僚。地勢使之然（此極勁之筆，非律句也），由來非一朝。金張藉舊業，七葉珥漢貂。馮公豈不偉？白首不見招（徑以中間第三字一連四仄作收，其勢一往無前）。

又《招隱》二首 杖策招隱士，荒塗橫古今。巖穴無結構，邱中有鳴琴。白雲（一作「雪」）停陰岡，丹葩曜陽林。石泉漱瓊瑤，纖鱗或（亦作「善」）浮沉。非必絲與竹，山水有清音。何事待嘯歌，灌木自悲吟。秋菊兼餱糧，幽蘭間重襟。躊躇足力煩，聊欲投吾簪（亦有樞紐，轉在第四字者，如「非必絲與竹」四句是也）。經始東山廬，果下自成榛。前有寒泉井，聊可瑩心神。峭蒨青蔥間，竹柏得其眞。弱葉棲霜雪，飛榮流餘津（此五字皆平，則怡愉恬適之至矣。又與阮公篇中不同，其歸宿則仍在第三字，所以至和且平也）。爵服無常玩，好惡有屈伸。結綬生纏牽，彈冠去埃塵。惠連非吾屈，首陽非吾仁。相與觀所尙，逍遙撰良辰（「飛榮流餘津」五字皆平，而彌諧和者，以其上七句第二字皆仄也。所以每句第二字，最爲音節關鍵）。

劉越石《重贈盧諶》 握中有懸璧，本自荊山璆。惟彼太公望，昔在渭濱叟（此句「渭」字在第三字，間以一仄）。鄧生何感激？千里來相求。白登幸曲逆，鴻門賴留侯。重耳任五賢，小白相射鉤。苟能隆二伯，安問黨與讐？中夜撫枕歎，想與數子遊。吾衰久矣夫，何其不夢周（此以下皆一氣捲掣而下，不復可以變化名之）。誰云聖達節？知命故不憂。宣尼悲獲麟，西狩涕孔邱。功業未及建，夕陽忽西流。時哉不我與，去乎若雲浮。朱實隕勁風，繁英落素秋。狹路傾華蓋，駭駟摧雙輈（「摧」字平聲，亦略控制）。何意百鍊剛，化爲繞指柔（性情之愉戚，事景之舒慘，聲詞之正變，蓋各有當也。阮亭先生固亦云：山水閑適宜王、韋，敘述鋪張宜老杜，原非盡以楊夢山、皇甫兄弟概天下之作者。而今之論者或執其一以爲先生云爾，不亦誤乎）。

陶靖節《遊斜川》 開歲倏五日，吾生行歸休。念之動中懷，及辰爲茲遊。氣和天惟澄，班坐依遠流。弱湍馳文魴，閑谷矯鳴鷗。迥澤散遊目，緬然睇曾邱。雖微九重秀，顧瞻無匹儔。提壺接賓侶，引滿更獻酬。未知從今去，當復如此不？中觴縱遙情，忘彼千載憂。且極今朝樂，明日非所求（陶詩，琴聲也。王、孟、韋、柳皆自此出，而原非句句三平耳，其筋搖脈動，轉以第四字生發之）。

又《五月旦作和戴主簿》 虛舟縱逸棹，回復遂無窮（「遂」字妙仄）。發歲始俛仰，星紀奄將中。南窗罕悴物，北林榮且豐。神淵寫時雨，晨色奏景風（三、四字上去互扭）。既來孰不去，人理固有終。居常待其盡，曲肱豈傷沖？遷化或夷險，肆志無窊隆。即事如已高（「高」字妙平），何必升華嵩？

謝康樂《於南山往北山經湖中瞻眺》 朝旦發陽崖，景落憩陰峰。舍舟眺迥渚，停策倚茂松。側逕既窈窕，環洲亦玲瓏。俯視喬木杪，仰聆大壑淙。石橫水分流，林密蹊絕蹤。解作竟何感，升長皆豐容。初篁苞綠籜，新蒲含紫茸。海鷗戲春岸，天雞弄和風。撫化心無厭，覽物眷彌重。不惜去人遠，但恨莫與同。孤游非情歎，賞廢理誰通（謝詩密麗，其平仄皆於掩映顧盼出之。昔敖臞翁謂如「東海揚帆，風日流麗」。雖言天藻之工，亦備依永之理。而或者謂爲不肖，其亦不知審音者矣）。

又《從斤竹澗越嶺溪行》 猿鳴誠知曙，谷幽光未顯。巖下雲方合，花上露猶泫。逶迤傍隈隩，迢遞陟陘峴。過澗既厲急，登棧亦陵緬。川渚屢經復，乘流翫迴轉。蘋萍泛沈深，菰蒲冒清淺。企石挹飛泉，攀林摘葉卷。想見山阿人，薜蘿若在眼。握蘭勤徒結，折麻心莫展。情用賞爲美，事昧竟難辨。觀此遺物慮，一悟得所遣。

又《廬陵王墓下作》 曉月發雲陽，落日次朱方。含凄泛廣川，灑淚眺連岡。眷言懷君子，沈痛切中腸。道消結憤懣，運開申悲涼。神期恆若存，德音初不忘。徂謝易永久，松柏森已行。延州協心許，楚老惜蘭芳。解劍竟何及，撫墳徒自傷。平生疑若人，通蔽互相妨。理感心情動，定非識所將。脆促良可哀，夭枉特兼常。一隨往化滅，安用空名揚？舉聲泣已灑，長歎不成章（「不」字必仄，乃可收也。此首入律者凡十三句，而純以正調開合頓挫，豈得謂之變哉）。

魏徵《述懷》中原還逐鹿，投筆事戎軒。縱橫計不就，慷慨志猶存。杖策謁天子，驅馬出關門。請纓繫南越，憑軾下東藩。鬱紆陟高岫，出沒望平原。古木鳴寒鳥，空山啼夜猿。既傷千里目，還驚九折魂。豈不憚艱險？深懷國士恩。季布無二諾，侯嬴重一言。人生感意氣，功名誰復論（對句一連五句，皆第二字仄，第四字平。又一連五句，皆第二字平，第四字仄，而卻峻嶒之極，又諧和之極。讀此一首，則上而六朝，下而三唐，正變源流，無法不備矣。豈其必於對句末用三平耶？愚故於唐人五言，特舉此篇以見法，不可泥乃眞法耳）。

杜甫《望岳》南岳配朱鳥，秩禮自百王。欻噏領地靈，澒洞半炎方。邦家用祀典，在德非馨香。巡狩何寂寥？有虞今則亡。洎吾隘世網，行邁越瀟湘。渴日絕壁出，漾舟清光旁。祝融五峰尊，峰峰次低昂。紫蓋獨不朝，爭長嶫相望。恭惟魏夫人，羣仙夾翺翔。有時五峰氣，散風如飛霜。牽迫限脩途，未暇杖崇岡。歸來覬命駕，沐浴休玉堂。三歎問府主，曷以贊我皇？牲璧忍衰俗，神其思降祥。

又《秋行官張望督促東渚刈稻向畢清晨遣女奴阿稽豎子阿段往問》東渚雨今足，佇聞粳稻香。上天無偏頗，蒲稗各自長。人情見非類，田家戒其荒。功夫競搰搰，除草置岸傍。穀者命之本，客居安可忘？青春具所務，勤墾免亂常。吳牛力容易，並驅動莫當。豐苗亦已概，雲水照方塘。有生固蔓延，靜一資隄防。督領不無人，提挈頗在綱。荆揚風土煖，肅肅候微霜。尙恐主守疎，用心未甚臧。清朝遣婢僕，寄語踰崇岡。西成聚必散，不獨陵我倉。豈要仁里譽？感此亂世忙。北風吹蒹葭，蟋蟀近中堂。荏苒百工休，鬱紆遲暮傷（杜詩無一首非譜也，略舉二篇，以見其概。卽《北征》、《南山》可推矣，卽元、白、蘇、黃可推矣）。

又《七言詩平仄舉隅》 **王龍標《箜篌引》**盧谿郡南夜泊舟，夜聞兩岸羌戎謳。其時月黑猿啾啾，微雨沾衣令人愁。有一遷客登高樓，不言不寐彈箜篌。彈作薊門桑葉秋，風沙颯颯青冢頭。將軍鐵驄汗血流（「汗」字妙仄，若非此字之仄，則不得勢矣），深入匈奴戰未休（此以似律之句作開宕）。黃旗一點兵馬收，亂殺胡人積如邱。瘡病驅來役邊州，仍披漠北羔羊裘。顏色飢枯掩面羞（此非律句），眼眶淚滴深兩眸。思還本鄉食犛牛，欲語不得指咽喉。或有強壯能咿嚘，意說被他邊將讐。五世屬藩漢主留，碧毛氈帳河曲遊。橐駝五萬部落稠，敕賜飛鳥金兜鍪。爲君百戰如過籌，靜掃陰山無鳥投（此非律句）。家藏鐵券特承優，黃金千斤不稱求。九族分離作楚囚，深谿寂寞絃苦幽，草木悲感聲颼飀。僕本東山爲國憂，明光殿前論九疇。麤讀兵書盡冥搜，爲君掌上施權謀。洞曉山川無與儔，紫宸詔發遠懷柔。搖筆飛霜如奪鉤（此非律句），鬼神不得知其由。憐愛蒼生比蚍蜉，朔河屯兵須漸抽。盡遣降來拜御溝，便令海內休戈矛。何用班超定遠侯？史臣書之得已不（古詩音節以律句爲抽放，凡有長句疊句者皆然，而《柏梁》體尤不可不和轉筋脈，讀此可知其概。蘀石云：七言「《柏梁》體」，尤以第五字之仄見筆力）。

杜少陵《麗人行》三月三日天氣新，長安水邊多麗人。態濃意遠淑且眞，肌理細膩骨肉勻（五、六字入上互扭，於中間作推宕）。繡羅衣裳照暮春，蹙金孔雀銀麒麟。頭上何所有？翠微㔩葉垂鬢脣（「㔩」字平聲，開筆）。背後何所見？珠壓腰衱穩稱身（五、六字亦以上去互扭）。就中雲幕椒房親，賜名大國虢與秦（五、六入上互扭）。紫駝之峰出翠釜，水精之盤行素鱗。犀筯厭飫久未下，鸞刀縷切空紛綸。黃門飛鞚不動塵（五、六字之仄，皆因「塵」字疊入一句故也。下句「送八」二字亦然），御廚絡繹送八珍。簫鼓哀吟感鬼神（此亦非律句也，須細看其筋搖脈轉之妙），賓從雜遝實要津（應上「不動」「送八」兩句也。下句乃放出正聲）。後來鞍馬何逡巡，當軒下馬入錦茵（五、六用仄搖曳之，「入」上互扭）。楊花雪落覆白蘋，青鳥飛去銜紅巾。炙手可熱勢絕倫（第五字用仄，又一勒），愼莫近前丞相嗔。

又《哀王孫》長安城頭頭白烏，夜飛延秋門上呼。又向人家啄大屋，屋底達官走避胡。金鞭斷折九馬死，骨肉不得同馳驅。腰下寶玦青珊瑚，可憐王孫泣路隅！問之不肯道姓名，但道困苦乞爲奴。已經百日竄荆棘，身上無有完肌膚。高帝子孫盡隆準，龍種自與常人殊。豺狼在邑龍在野，王孫善保千金軀。不敢長語臨交衢，且爲王孫立斯須（「立」字筋搖脈轉）。昨夜東風吹血腥，東來橐駝滿舊都。朔方健兒好身手，昔何勇銳今何愚！竊聞天子已傳位，聖德北服南單于。花門剺面請雪恥，愼勿出口他人狙。哀哉王孫愼勿疎，五陵佳氣無時無（篇中疊入一韻者凡三句。「青珊瑚」、「臨交衢」二句，皆以三平正調疊入，所以下句緊接「泣路隅」、「立斯須」句，皆以第五字微變，以承其勁勢，而第六字則「路」字仍仄，「斯」字乃漸放平，此則自有淺深次第之不同矣。至末句「愼勿疎」則必以仄字疊入，方可用三平正調作收，此一定之勢也。「問之不肯道姓名」、「昨夜東風吹血腥」二句，皆於出句用平字煞尾，然皆在三平疊韻極勁之勢方接之下，此可以悟其乘除轉變之理矣。阮亭先生謂七言平韻到底者，出句不可用平聲字煞尾。此蓋言其大略，而未及於潤澤爾）。

又《韋諷錄事宅觀曹將軍畫馬圖》 國初已來畫鞍馬，神妙獨數江都王。將軍得名三十載（此定是「三」字，有作「四」字者不知音節者也。若作「四」字，則第一句「畫鞍馬」「畫」字既仄，而此第三句之第五字又用仄，則是印板文字矣）。人間又見眞乘黃。曾貌先帝照夜白，龍池十日飛霹靂。內府殷紅馬腦盤，婕妤傳詔才人索。盤賜將軍拜舞歸，輕紈細綺相追飛。貴戚權門得筆跡，始覺屏障生光輝。昔日太宗拳毛騧，近時郭家獅子花。今之新圖有二馬，復令識者久歎嗟（五、六字上去互扭）。此皆戰騎一敵萬，縞素漠漠開風沙。其餘七匹亦殊絕，迥若寒空動烟雪。霜蹄蹴踏長楸間，馬官廝養森成列。可憐九馬爭神駿，顧視清高氣深穩。借問苦心愛者誰？後有韋諷前支遁（第四字用仄，第五字用平，此正調之互換處，皆必然之勢也）。憶昔巡幸新豐宮，翠華拂天來向東。騰驤磊落三萬匹，皆與此圖筋骨同。自從獻寶朝河宗，無復射蛟江水中（「朝」字平，「江」字又平。蘀石云：「此兩句要得崚嶒之勢，然後結句放平來，超超然和而暢，有遠神矣」）。君不見金粟堆前松柏裏，龍媒去盡鳥呼風（「內府殷紅馬腦盤，婕妤傳詔才人索」雙律句也。「盤賜將軍拜舞歸」以單句律句承接之。「霜蹄蹴踏長楸間，馬官廝養森成列」此二句亦以「可憐九馬爭神駿」單句律句承接之。而「霜蹄」句卻已換一「長」字，蓋正當中間勁氣橫空而來，風利不得泊也。至于「金粟堆前」二句，則「新豐宮」句以下堂堂之陣，壁壘精勁之極，勢不得不和以收之矣。益可見《贈鄭虔醉時歌》末二句有云：「結似律甚不健者」是未定之論也。蘀石云：「初唐古詩多諧似律句，然不可以律句目之。盛唐諸公不肯諧，所以健，然其諧者亦是恰應如是。「更聞臺閣求三語，遙想風流第一人」、「自惜蔡邕今已老，更將書籍與何人？」此皆對而諧以作結也。但通首諧者，結句之出句第二字，卽與上句第二字相粘亦可，否則結句之第二字必要不與上句第二字相粘爲更妙。如此首「自從」「無復」二句，如駿馬騰踏而來。金粟之「粟」字與上句「復」字卻已粘矣，而妙在用「君不見」則粘而不粘。末二句之直放出更爲和暢也」）。

又《丹青引（贈曹將軍霸）》 將軍魏武之子孫，於今爲庶爲清門。英雄割據雖已矣，文彩風流猶尙存。學書初學衛夫人，但恨無過王右軍。丹青不知老將至，富貴於我如浮雲。開元之中常引見，承恩數上南薰殿。凌烟功臣少顏色，將軍下筆開生面。良相頭上進賢冠，猛將腰間大羽箭。褒公鄂公毛髮動，英姿颯爽來酣戰。先帝天馬玉花驄，畫工如山貌不同。是日牽來赤墀下，迥立閶闔生長風。詔謂將軍拂絹素，意匠慘淡經營中。斯須九重眞龍出，一洗萬古凡馬空。玉花卻在御榻上，榻上庭前屹相向。至尊含笑催賜金，圉人太僕皆惆悵。弟子韓幹早入室，亦能畫馬窮殊相。幹惟畫肉不畫骨，忍使驊騮氣凋喪！將軍畫善蓋有神，必逢佳士亦寫眞。卽今飄泊干戈際，屢貌尋常行路人（「行」字必平，與「猶尙存」句同，並非律句）。途窮反遭俗眼白，世上未有如公貧。但看古來盛名下，終日坎壈纏其身（此七古之名篇，杜集之傑作，而中間近律之句凡十餘句，此何說乎？則說者必曰：「其氣格雄渾，令人不覺也。」如是則必規摹其字句以爲氣格雄渾矣。故凡評杜公之氣格雄渾者，其必從事於字句之盛唐、字句之杜無疑也，又安可以塞李、何輩之口耶？蓋杜公初不僅以句句必三平而後謂之正調，其換韻入仄者，亦初不僅以句必仄平仄而後謂之正調爾。有神氣在第六字者，有神氣在第四字者，有神氣幷在第二字者，有神氣幷在上句者，有神氣幷遙唱在前段者，句句勁放，實句句迴合，必無純以硬語盤空者也。蘀石云：「此篇乃杜之大篇而整飭者，四韻一轉，凡五韻。兩仄三平，蓋卽四句之常調，而加一倍遂乃大而整。《洗兵馬》六韻一轉，凡四韻，兩平兩仄，而《洗兵馬》篇一以諧句見排奡之力」）。

又《冬狩行》 君不見東川節度兵馬雄，校獵亦似觀成功。夜發猛士三千人，清晨合圍步驟同。禽獸已斃十七八，殺聲落日迴蒼穹。幕前生致九青兕，馲駝㟪峞垂元熊。東西南北百里間，髣髴蹴踏寒山空。有鳥名鸜鵒，力不能高飛逐走蓬（「逐走」入上互扭）。肉味不足登鼎俎（此二句兩「不」字見音節），何爲見羈虞羅中（「羈虞」兩個平聲，此逼極無可轉身之字）。春蒐冬狩候得同，使君五馬一馬驄（「五馬」下又着「一馬」字，音節之至妙也）。況今攝行大將權，號令頗有前賢風。飄然時危一老翁，十年厭見旌旗紅。喜君士卒甚整肅，爲我迴轡擒西戎。草中狐兔盡何益？天子不在咸陽宮。朝廷雖無幽王禍（「幽」字逼極無可轉身，此平聲之極盡處），得不哀痛塵再蒙。嗚呼得不哀痛塵再蒙（雖有一直放出三平之正調處，而無垂不縮，無往不收。全以五、六之抽掣變轉與上句之提空挺起相爲乘承，此等皆可當杜之七言平韻到底者。其《瘦馬行》末句「明年」二字既平、「春」字又平，亦正其撑拄不放處，與篇内「三軍」「毛暗」二句相爲激應收束，初非律句收平者比也。然杜公固未嘗以七言平韻到底之作，句句對用三平爲正耳）。

又《觀公孫大娘弟子舞劍器行》 昔有佳人公孫氏，一舞劍器動四方。觀者如山色沮喪，天地爲之久低昂。㸌（音酷）如羿射九日落，矯如羣帝驂龍翔。來如雷霆收震怒，罷如江海凝清光。絳唇珠袖兩寂寞，況有弟子傳芬芳。臨潁美人在白帝，妙舞此曲神揚揚。與余問答既有以，感時撫事增惋傷（此句第六字仄，即是節拍）。先帝侍女八千人，公孫劍器初第一。五十年間似反掌，風塵傾動昏王室。梨園子弟散如烟，女樂餘姿映寒日。金粟堆南木已拱（此第五字又仄，如往而復），瞿唐石城草蕭瑟。玳筵急管曲復終，樂極哀來月東出。老夫不知其所往，足繭荒山轉愁疾（結處一氣不可收轉之音也。前半收處猶略用「惋」字變轉，以作節拍，至後半收處，更無復節拍之可言矣。此皆各因情景而生節奏，非可劃定此首爲上下兩半篇之式也）。

韓文公《八月十五夜贈張功曹》 纖雲四卷天無河，清風吹空月舒波。沙平水息聲影絶（第五字平，爲轉韻地），一盃相屬君當歌。君歌聲酸辭且苦，不能聽終淚如雨。洞庭連天九疑高，蛟龍出没猩鼯號。十生九死到官所，幽居默默如藏逃。下牀畏蛇食畏藥，海氣溼蟄熏腥臊。昨者州前搥大鼓，嗣皇繼聖登夔皋。赦書一日行萬里，罪從大辟皆除死（第五字平聲，開宕）。遷者追迴流者還，滌瑕蕩垢朝清班。州家申名使家抑，坎軻祇得移荆蠻。判司卑官不堪説，未免捶楚塵埃間。同時輩流多上道（第五字平，爲轉韻地），天路幽險難追攀。君歌且休聽我歌，我歌今與君殊科。一年明月今宵多，人生由命非由他。有酒不飲奈明何（末句第五字必仄，方能收得住）。

又《謁衡嶽廟遂宿嶽寺題門樓》 五嶽祭秩皆三公，四方環鎮嵩當中。火維地荒足妖怪，天假神柄專其雄。噴雲泄霧藏半腹，雖有絶頂誰能窮？我來正逢秋雨節，陰氣晦昧無清風。潛心默禱若有應，豈非正直能感通！須臾淨掃衆峰出，仰見突兀撑青空。紫蓋連延接天柱，石廩騰擲堆祝融。森然魄動下馬拜，松柏一逕趨靈宫。粉牆丹柱動光彩，鬼物圖畫填青紅。升階傴僂薦脯酒，欲以菲薄明其衷。廟令老人識神意，睢盱偵伺能鞠躬。手持盃珓導我擲，云此最吉餘難同。竄逐蠻荒幸不死，衣食纔足甘長終。侯王將相望久絶，神縱欲福難爲功。夜投佛寺上高閣，星月掩映雲曈曨。猿鳴鐘動不知曙，杲杲寒日生於東（此始以句第五字用平矣。是阮亭先生所講七言平韻到底之正調也。蓋七古之氣局，至韓、蘇而極其致爾）。

又《石鼓歌》 張生手持石鼓文（須此「文」字平聲撑空而起，所以三句「石」字皆仄），勸我試作石鼓歌。少陵無人謫仙死，才薄將奈石鼓何！周綱陵遲四海沸，宣王憤起揮天戈。大開明堂受朝賀，諸侯劍佩鳴相磨。蒐于岐陽騁雄俊，萬里禽獸皆遮羅。鐫功勒成告萬世，鑿石作鼓隳嵯峨。從臣才藝咸第一，揀選撰刻留山阿。雨淋日炙野火燎，鬼物守護煩撝呵。公從何處得紙本？毫髮盡備無差訛。辭嚴義密讀難曉，字體不類隸與蝌（此句五、六上去互扭，是篇中小作推宕）。年深豈免有缺畫，快劍斫斷生蛟鼉。鸞翔鳳翥衆仙下，珊瑚碧樹交枝柯。金繩鐵索鎖紐壯，古鼎躍水龍騰梭。陋儒編詩不收入，二《雅》褊迫無委蛇。孔子西行不到秦（此句末字用平聲峙起，此是中間頓宕，全以撑拄爲能），掎摭星宿遺羲娥。嗟余好古生苦晚，對此涕淚雙滂沱。憶昔初蒙博士徵，其年始改稱元和。故人從軍在右輔，爲我量度掘臼科。濯冠沐浴告祭酒，如此至寶存豈多？氈苞席裹可立致，十鼓祇載數駱駝。薦諸太廟比郜鼎，光價豈止百倍過？聖恩若許留太學，諸生講解得切磋。觀經鴻都尚填咽，坐見舉國來奔波。剜苔剔蘚露節角，安置妥帖平不頗。大廈深簷與蓋覆，經歷久遠期無他。中朝大官老於事，詎肯感激徒媕婀？牧童敲火牛礪角（此句乃雙層之句，在韓公最爲宛轉矣。所以下句僅換第五字，亦與篇中諸句之換仄者不同），誰復着手爲摩挲？日銷月鑠就埋没，六年西顧空吟哦。羲之俗書趁姿媚，數紙尚可博白鵝。繼周八代爭戰罷，無人收拾理則那！方今太平日無事，柄任儒術崇邱軻。安能以此上論列？願借辯口如懸河。石鼓之歌止於此，嗚呼吾意其蹉跎（平聲正調，長篇一韻到底之正式）。

李義山《韓碑》 元和天子神武姿，彼何人哉軒與羲？誓將上雪列聖恥，坐法宫中朝四夷。淮西有賊五十載，封狼生貙貙生羆。不據山河據平地，長戈利矛日可麾。帝得聖相相曰度，賊斫不死神扶持。腰懸相印作都統，陰風慘澹天王旗。愬武古通作牙爪，儀曹外郎載筆隨。行軍司馬智且勇，十四萬衆猶虎貔。入蔡縛賊獻太廟，功無與讓恩不訾。帝曰汝度功第一（中間頓宕紆迴，於此第五字用平處見之），汝從事愈宜爲辭。愈拜稽首蹈且舞，金石刻畫臣能爲。古者世稱大手筆，此事不係於職司。當仁自古有不讓，言訖屢頷天子頤。公退齋戒坐小閣，濡染大筆何淋漓！點竄《堯典》《舜典》字，塗改《清廟》《生民》詩。文成破體書在紙，清晨再拜鋪丹墀。表曰臣愈昧死上，咏神聖功書之碑。碑高三丈字如斗，負以靈鼇蟠以螭。句奇語重喻者少，讒之天子言其私。長繩百尺拽碑倒，麄砂大石相磨治。公之斯文若元氣，先時已入人肝脾。湯盤孔鼎有述作，今無其器存其詞。嗚呼聖王及聖相，相與烜赫流淳熙。公之斯文不示後，曷與三五相攀追？願書萬本誦萬遍，口角流沫右手胝。傳之七十有二代，以爲封禪玉檢明堂基（第四字變換者二句，皆極力摹倣韓公之撑拄也。而前句以二「貔」字相磨戛出之尚自不覺，後句以「功」字撑出又以「書」字硬接，則勁勢到二十分矣。此句内五平間以二仄，而其勢較前句之七平者更勁，是豈得以七仄七平之例泥之乎）？

蘇文忠《遊徑山》 衆峰來自天目山，勢若駿馬奔平川。中塗勒破千里足（此「千」字所以不遽用仄者，以第一句「山」字之勢高起也，此所以和其氣），金鞭玉蹬相回旋。人言山佳水亦佳，下有萬古蛟龍淵。道人天眼識王氣，結茅晏坐荒山巔。精誠貫山石爲裂，天女下試顔如蓮。寒窻暖足來樸朔，夜鉢咒水降蜿蜒。雪眉老人朝扣門（此句末字平，以伸其氣，方不是呆板聲調），願爲弟子長參禪。爾來廢興三百載（此句第五字平，與前句「來」字皆因中間橫插入「門」字一聲也），奔走吳會輸金錢。飛樓湧殿壓山破，朝鐘暮鼓驚龍眠。晴空仰見浮海蜃，落日下數投林鳶。有生共處覆載内，擾擾膏火同烹煎。近來愈覺世議隘，每到寬處差安便。嗟余老矣百事廢，卻尋舊學心茫然。問龍乞水歸洗眼，欲看細字銷殘年（在韓則勢愈挺勁者，在蘇則氣愈圓和，其舒散迴環，全於正調見之。則其他作之可以不句句正調者，及其知之一也）。

又《和蔣夔寄茶》 我生百事常隨緣，四方水陸無不便（第六字用仄小變，因第一句三平也）。扁舟渡江適吳越，三年飲食窮芳鮮。金虀玉鱠飯炊雪，海螯江柱初脱泉。臨風飽食甘寢罷（第五字用平以舒和其氣，此在首段也），一甌花乳浮輕圓。自從捨舟入東武，沃野便到桑麻川。剪毛胡羊大如馬，誰記鹿角腥盤筵。廚中蒸粟埋飯甕（此第五字用平，以開展其氣，此在篇之中間也），大杓更取酸生涎。柘羅銅碾棄不用，脂麻白土須盆研。故人猶作舊眼看，謂我好尚如當年。沙溪北苑强分別，水脚一線爭誰先？清詩兩幅寄千里，紫金百餅費萬錢。吟哦烹嘗兩奇絶，只恐偷乞煩封纏。老妻稚子不知愛，一半已入薑鹽煎。人生所遇無不可（此第五字用平以舒和其氣，此在篇末也），南北嗜好知誰賢？死生禍福久不擇，更論甘苦爭嗤妍！知君窮旅不自釋，因詩寄謝聊相鐫（氣之舒和圓轉，必隨其段落之勢，亦不止於句法相應）。

又《書韓幹牧馬圖》 南山之下，汧渭之間。想見開元天寶年（此正調之領句也，全與律句不同）。八坊分屯隘秦川（此句第二字、第四字用平，最要緊），四十萬匹如雲烟。騅駓駰駱驪騮騵，白魚赤兔騂皇䮧。龍顱鳳頸獰且妍，奇姿逸態隱駑頑（此以似律之句駘宕）。碧眼胡兒手足鮮（又以律句接轉，亦因「開元」句未成律句，所以釀出此等句），歲時翦刷供帝閑。柘袍臨池侍三千（此與「八坊」句同），紅妝照日光流淵。樓下玉螭吐清寒，往來蹙踏生飛湍。衆工舐筆和朱鉛（多少層重樓疊翠，方頓出「先生」句），先生曹霸弟子韓（「弟子」二字重按，氣緊）。廄馬多肉尻脽圓（此第五字用平接開，以舒其氣），肉中畫骨誇尤難。金羈玉勒繡羅鞍（又以律句駘宕），鞭箠刻烙傷天全，不如此圖近自然（此句乃「八坊」句之變，也所以拍將結之勢）。平沙細草荒芊綿，驚鴻脱兔爭後先。王良挾策飛上天，何必俯首服短轅（此結一句之五、六字入上互扭，所以緊拍一篇之音節）。

又《書王定國所藏煙江疊嶂圖》 江上愁心千疊山，浮空積翠如雲烟。山耶雲耶遠莫知（第一句既押平起，此句又裝平於尾，此通篇所以必用長句動蕩之也），烟空雲散山依然。但見兩崖蒼蒼暗絶谷，中有百道飛來泉。縈林絡石隱復見，下赴谷口爲奔川。川平山開林麓斷（「林」字必平，以舒緩其氣），小橋野店依山前。行人稍度喬木外（此句第五字再以平聲舒緩之，亦因實景到此二句束盡也，不然，則無可轉身矣），漁舟一葉江吞天。使君何從得此本？點綴毫末分清妍。不知人間何處有此境？徑欲往置二頃田（第五字仄，變換關紐之妙）。君不見武昌樊口幽絶處（纔過關紐，所以要開之於此，第五字必平也），東坡先生留五年。春風搖江天漠漠（第五字平聲，再開，亦以對，不覺），暮雲捲雨山娟娟。丹楓翻鴉伴水宿，長松落雪驚醉眠。桃花流水在人世，武陵豈必皆神仙？江山清空我塵土，雖有去路尋無緣。還君此畫三歎息，山中故人應有招我歸來篇（此與七言到底者雖同一三平之正調，而微有不同。蓋有長句伸縮其間，則句句皆帶動轉之勢矣）。

黄文節《聽宋宗儒摘阮歌》 翰林尚書宋公子，文采風流今尚爾（擇石云：「第二句『今』字平聲，空裏縮得好，下皆疊此音節也。」蓋此篇第一句是韻，而其下出句皆以平聲颺起，颺到「飛鴻」「鴻」字，聲音已大矣，又一「秋」字，又一「年」字，對對險峻之勢以撐拄之，不如是，不足以言絶技也。一路排壓到無可轉身，妙極矣，然後轉平韻，則自然不得不字字句句衝出去矣）。自疑者域是前身，囊中探丸起人死（擇石云：「此句最見節奏」）。貌如千歲枯松枝，落魄酒中無定止（擇石云：「此句卽『囊中』句之音節而疊上去」）。得錢百萬送酒家，一笑不問今餘幾（擇石云：「此句又疊上去」）。手揮琵琶送飛鴻，促絃聒醉驚客起。寒蟲催織月籠秋，獨雁叫羣天拍水。楚國羈臣放十年，漢宮佳人嫁千里。深閨洞房語恩怨，紫燕黄鸝韻桃李。楚狂行歌驚市人，漁父拏舟在葭葦。問君枯木着朱繩，何能道人意中事？君言此物傳數姓，元璧庚庚有横理。閉門三月傳國工，身今親見阮仲容。我有江南一邱壑，安得與君醉其中？曲肱聽君寫松風（此篇之「文彩風流今尙爾」、「自疑者域是前身」、「落魄酒中無定止」、「寒蟲催織月籠秋，獨雁叫羣天拍水」、「楚國羈臣放十年」、「問君枯木著朱繩」，皆不可以律句目之。蓋山谷之平仄，其似極順處，乃皆其極逆處。此於阮亭先生所講三平正調之理之外，別闢洞天。詩家音節，必到此乃極其矯變。而此篇乃其最平正通達之作。其於仄韻不肯輕放，出仄平仄之正調，則拗怒之中，轉餘圓勁，故錄此以見七言之體段音節，必至蘇、黄而極其致；而蘇之圓折如意與黄之變轉而不失其正，途雖殊而理則一也。然古詩中所插平仄適均之句，亦原是恰好應爾，原皆不可謂之律句，又不但山谷已也。擇石云：「『曲肱聽君寫松風』『寫』字必要仄，此一仄字，抵得百十個平聲字之響也。」有此一仄字之筆力聲響，而後上句「其中」二字之節奏始足，而前半仄韻之對句縮上去不放下來之神理，一齊於平韻償還矣）。

又《復初齋文集》卷八《唐人律詩論》　律詩則自唐始也，其必以唐人律詩俎豆不祧無疑也。然而源流升降之故，難言之矣。古詩自漢、魏訖陳、隋，其正變得失，人皆知之，至於律，則概之曰唐律云爾，豈惟渾概云唐律哉？乃至言五律者，專習爲大曆十子，以爲五律之正也。乃至近日言七律者，亦自中、晚唐作者言之，其他人不知者勿論已，卽以新城王漁洋深於詩者，亦首舉劉文房七律以教後學，然則古詩第從何遜、吳均以下爲圭臬也可乎？論古詩者必由建安、黄初，以衷諸謝、鮑，則唐律自必由右丞、少陵基之，未有可畏難而小就者也。若近人之拈舉賈長江、姚武功五律者，則將謂古詩必以齊、梁、陳之作爲職志歟？夫中晚以下諸家，非不欲效右丞、少陵也，力不勝也。夫在唐時，中晚諸家力所不能勝者，而後人顧能勝之乎？曰：非欲人人皆學右丞、少陵也，詩之理則實如此而已矣。士人束髮入塾，未有先誦子史集者，必先誦讀孔孟之書，豈人人能效聖賢乎？讀書之理則如是也。然雖非人人能效爲聖爲賢，而自帖括取士以來，凡操筆爲文者，皆自言孔孟之言始。其法行之歷數百年矣，較昔之詩賦論策取士，坦而易趨者，布帛菽粟，近於日用飲食之需也。未有疑其違道轉遠者也。若作詩則切己言志，又非代古立言之比，至於律詩則更非衍擬古效古之比矣。唐之玉溪、樊川，已不肯爲大曆以後之律詩，至蘇黄而益加厲矣，此卽教人自爲之理也。至於放翁、遺山、道園律詩，則眞克自爲矣，有一篇之襲唐調乎？惟遺山五律不克自振，吾已詳言之矣。夫惟日與古人相劘切，日以古作者自期，而後無一字之襲古也。夫惟無一字襲古，而後漸漸期於師古也，豈特律詩也哉！

李宗文《律詩四辨》卷一《辨粘》　首聯仄起唱，句末字不押韻。

正粘　**仄仄平平仄，**（第一字可平）**平平仄仄平。**（第一字忌仄）

變粘第一格：仄仄仄仄仄，平平平仄平。　草色日向好，桃源人去稀。（王《送錢少府》）　亂後碧井廢，時淸瑤殿深。（杜《銅瓶》）　士有不得志，棲棲吳楚間。（孟《廣陵別薛》）　客裡有所過，歸來知路難。（杜《歸來》）　弱質豈自負，移根方爾瞻。（杜《嚴鄭公階下新松》）　小雨夜復密，廻風吹早秋。（杜《夜雨》）　志士惜妄動，知深難固辭。（杜《別崔漠》）

仄仄仄仄仄，仄平平仄平。　致此自僻遠，又非珠玉裝。（杜《蕃劍》）　五載客蜀郡，一年居梓州。（杜《去蜀》）　二月二十二，木蘭開坼初。（李《木蘭》）

仄仄仄仄仄，平平仄仄平。　暗暗淡淡紫，融融冶冶黄。（李《菊》）

右一格唱句五字皆仄，而對句凡三變：首變叠用四平者，以救唱句，使不至轉勝也；次變第三字用平，則以救本句首字之仄，非關唱句矣。以三變平仄自叶衡之，唱句似可不救。然仄音既勝，須以對句相濟，然後琴瑟不至專壹，故首變爲變之正。

變粘第二格：平仄仄仄仄，平平平仄平。　吾道昧所適，驅車還向東。（孟《京還留別》）　幽意忽不愜，歸期無奈何。（杜《遊何將軍山林》）　摧折不自守，秋風吹若何。（杜《蒹葭》）　空外一鷙鳥，河間雙白鷗。（杜《獨立》）　孤雁不飲啄，哀鳴聲念羣。（杜《孤雁》）　梔子比衆木，人間誠未多。（杜《梔子》）　春夢亂不記，春原登已重。（李《樂遊原》）

平仄仄仄仄，仄平平仄平。 人事有代謝，往來成古今。（孟《與諸子登峴山》） 奔峭皆赤甲，斷崖當白鹽。（杜《入宅》） 微雨不滑道，斷雲疎復行。（杜《雨》） 高閣客竟去，小園花亂飛。（李《落花》）

平仄仄仄仄，平平仄仄平。 吾友太乙子，飡霞卧赤城。（孟《尋天臺山作》） 秋半百物變，溪魚去不來。（韓《獨釣》）

右一格對句三變，如前格。所異者，唱句首字用平耳。論見前。

變粘第三格：仄仄平仄仄，平平平仄平。 促織鳴已急，輕衣行向重。（王《黎拾遺昕》） 瀨石三百里，沿洄千嶂間。（孟《下瀨石》排律） 日落風亦起，城頭烏尾訛。（杜《日暮》） 二月頻送客，東津江欲平。（杜《泛江送客》） 肅肅花絮晚，菲菲紅素輕。（杜《春遠》） 藹藹花蕊亂，飛飛蜂蝶多。（杜《絶句六首》）

仄仄平仄仄，仄平平仄平。 窈窕清禁闥，罷朝歸不同。（杜《奉答岑參》） 浩浩終不息，乃知東極臨。（杜《長江二首》）

仄仄平仄仄，仄平仄平平。 雨後來更好，繞池偏青青。（韓《閑遊》）

右一格唱句惟第三字用平，而對句仍三變。前二變與前二格同，第三變卻將第三、第四字平仄對拗，又是一法。

變粘第四格：仄仄仄平仄，平平平仄平。 日暮馬行疾，城荒人住稀。（孟《祭陽館》） 少小學書劍，秦吳多歲年。（孟《傷峴山雲表上人》） 一別十年事，相逢淮海濱。（韋《贈崔員外》） 不獨避霜雪，其如儔侶稀。（杜《歸燕》） 帶甲滿天地，胡爲君遠行。（杜《送遠》） 李徑獨來數，愁情相與懸。（李《李花》） 惜別夏仍半，廻途秋已期。（李《酬令孤補闕》排律）

仄仄仄平仄，仄平平仄平。 井邑傳巖上，客亭雲霧間。（王《登河北城》） 木落雁南渡，北風江上寒。（孟《早寒江上》） 上國旅遊罷，故園生事微。（韋《送姚孫》） 孟氏好兄弟，養親唯小園。（杜《孟氏》） 避地歲時晚，竄身筋骨勞。（杜《避地》） 上國社方見，此鄉秋不歸。（李《越燕》） 麈尾與邛杖，幾年離石壇。（溫《贈僧雲棲》）

仄仄仄平仄，平平仄仄平。 白日既云暮，朱顏亦已酡。（孟《崔明府宅》） 黯黯閉宮殿，霏霏蔭薜蘿。（溫《巫山廟》）

觀》） **仄仄仄平仄，仄平仄仄平。** 出谷未停午，至家已夕曛。（孟《遊精思

右一格唱句惟第四字用平，而對句凡四變。其首變即榕村說蜂腰對法也，詳「蜂腰」條下。第四變首字用仄，而第三字竟不救，又是一法。

變粘第五格：平仄仄平仄，仄仄平仄平。 軺駕一封急，蜀門千嶺曛。（韋《送顏司議》） 家本洞庭上，歲時歸思催。（孟《泝江》） 扶病送君發，自憐猶不歸。（杜《贈韋贊善》） 南國晝多霧，北風天正寒。（杜《山館》） 桐槿日零落，雨餘方寂寥。（李《秋日晚思》） 山近覺寒早，草堂霜氣晴。（溫《早秋山居》）

平仄仄平仄，平平仄仄平。 巖壑轉微徑，雲林隱法堂。（王《過福禪師》） 川暗夕陽盡，孤舟泊岸初。（孟《宿武陵》） 才有幕中畫，而無塞上勳。（孟《送吳宣從事》）

平仄仄平仄，平平平仄平。 人事一朝盡，荒蕪三徑休。（孟《尋滕逸人》） 花穩掖垣暮，啾啾栖鳥過。（杜《春宿左省》） 明府豈辭滿，藏身方告勞。（杜《比鄰》） 何限倚山木，吟詩秋葉黃。（杜《和裴廸》） 清曉盥秋水，高窗留夕陰。（溫《正見寺》）

右一格唱句第一、第三字平仄對換，而對句凡三變：首變與唱句皆以一三平仄互換爲對，得變中之正；次變自粘，蓋唱句平仄雖顛倒而實停勻，可以不救也。三變疊用四平。

變粘第六格：仄仄平平仄，仄平平仄平。 下第常稱屈，少年心獨輕。（韋《送槐廣》） 晚憩支公室，故人逢右軍。（孟《同王九題就師山房》排律） 萬里橋南宅，百花潭比莊。（杜《懷錦水居止二首》） 珠館薰然久，玉房梳掃餘。（李《槿花》） 灑砌聽來響，卷簾看已迷。（李《細雨成詠》排律）

仄仄平平仄，平平平仄平。 忽解羊頭削，聊馳熊首幡。（王《送封太守》） 向夕槐煙起，葱蘢池館曛。（孟《初出關》） 側聽絃歌宰，文書遊夏徒。（孟《同盧明府》） 再有朝廷亂，難知消息眞。（杜《傷春》排律） 荏弱樓前柳，輕空花外窗。（溫《春日寄岳州從事》）

右一格唱句正粘，而對句再變。初變三平以救首字之仄，至唱句無所用其救也。再變疊四平。

變粘第七格：平仄平平仄，平平平仄平。 春岸桃花木，雲帆楓樹林。（杜《南征》）

右一格唱句挍前格唱句第一字用平爲異，然皆得爲正粘也。蓋唱句仄起

者，其第一字平仄固所不論。

變粘第八格：平仄平仄仄，平平平仄平。朱李沉不冷，彫胡炊屢新。（杜《熱三首》）

首聯仄起，唱句末字押韻。

正粘　仄仄仄平平，（第一字可平）**平平仄仄平。**（第一字忌仄）

變粘第一格：仄仄平仄平，平平平仄平。北闕休上書，南山歸敝廬。（孟《歲暮歸南山》）二月湖水清，家家春鳥鳴。（孟《晚春》）

仄仄平仄仄，平平仄仄平。八月湖水平，涵虛混太清。（孟《臨洞庭作》）

右一格唱句第三、第四字平仄對換，而對句凡再變。

變粘第二格：平仄仄仄平，平平仄仄平。花竹有薄埃，嘉遊集上才。（溫《題安豐里》）

右一格唱句中三字疊仄。

變粘第三格：仄仄仄平平，平平平仄平。宛洛有風塵，君行多苦辛。（王《送邱爲住唐州》）十五綵衣年，承歡慈母前。（孟《送張參明》）落日在簾鉤，溪邊春事幽。（杜《落日》）故道木陰濃，荒祠山影東。（溫《題蕭山廟》）

仄仄仄平平，仄平平仄平。涕泗不能收，哭君余白頭。（杜《重題》）

右一格唱句自粘，而對句凡再變。次變第三字之平，所以救首字之仄也。

變粘第四格：平仄仄平平，平平平仄平。何幸遇休明，觀光來上京。（孟《送袁太祝》）相近竹參差，相過人不知。（杜《過南鄰朱山人水亭》）經客有餘音，他年終故林。（溫《經李羽士東樓》）

首聯平起，唱句末字不押韻。

正粘　平平平仄仄，（首字可仄）**仄仄仄平平。**（首字可平）

變粘第一格：仄平仄平仄，平仄平平平。拂衣去何處，高枕南山南。（孟《京還贈張維》）

仄平仄平仄，仄仄平平平。所思竟何在，悵望深荆門。（王《寄荆州張丞相》）水樓一登眺，半出青林高。（孟《與杭州薛司戶》）義公習禪寂，結宇依空林。（孟《大禹寺》）

仄平仄平仄，仄仄平仄平。月中一雙鶴，石上千尺松。（溫《寄山中人》）

仄平仄平仄，平仄平仄平。楚關望秦國，相去千里餘。（孟《送盧少府》）

右一格唱句第三、第四字平仄對換，而對句凡四變。唱句原可不救，其第三變、四變亦各以其第三、第四字平仄互換爲對者也。

變粘第二格：仄平仄仄仄，平仄仄平仄。亦知戍不返，秋至拭清砧。（杜《擣衣》）洛陽昔陷沒，胡馬犯潼關。（杜《洛陽》）

仄平仄仄仄，仄仄仄平平。蜀琴久不美，玉匣細塵生。（孟《贈道士恭寥》）一桃復一李，井上占年芳。（李《判春》）

右一格唱句疊四仄，而對句自粘。

變粘第三格：平平仄仄仄，平仄仄平平。男兒一片氣，何必五車書。（孟《送告八》）三川不可到，歸路晚山稠。（杜《晚行口號》）幽人不倦賞，秋暑貴招邀。（李《無題》）

平平仄仄仄，仄仄仄平平。幽尋得此地，詎有一人曾。（王《韋給事山居》）卑棲卻得性，每與白雲深。（王《留別錢起》）官閑得去住，告別戀音徽。（韋《送元倉曹》）青冥亦自守，軟弱強扶持。（杜《苦竹》）全溪不可到，況復盡餘醅。（李《子初全溪》）都無色可並，不奈此香何。（李《荷花》）

右一格唱句連三仄，而對句自粘。

變粘第四格：仄平平仄仄，仄仄平平平。結茅臨古渡，臥見長淮流。（韋《淮上遇洛陽李主簿》）

右一格唱句自粘，而對句連三平。

變粘第五格：仄平平平仄，平仄仄仄平。與君園廬並，微尚頗亦同。（孟《題張野人園廬》）

右一格句中三字平仄各連爲對，尤變中之變。

首聯平起，唱句末字押韻。

正粘　平平仄仄平，仄仄仄平平。

變粘第一格：平平平仄平，仄仄仄平平。野老門前江岸迴，柴門不正逐江開。（杜《野老》）白社幽閒君暫居，青雲器業我全疎。（李《和劉評事》）驅車何日閑，擾擾路岐間。（溫《途中有懷》）

平平平仄平，平仄仄平平。丞相祠堂何處尋，錦官城外柏森森。（杜《蜀相》） 隋堤楊柳煙，孤櫂正悠然。（溫《送淮陰孫令之官》）

右一格唱句疊四平，而對句自粘。

變粘第二格：仄平平仄平，仄仄仄平平。 照梁初有情，出水舊知名。（李《無題》）

右一格唱句第三字之平乃以救首字之仄，故對句自粘。

次聯仄起。

正粘 仄仄平平仄，（第一字可平）平平仄仄平。（第一字忌仄）

變粘第一格：仄仄仄仄仄，平平平仄平。 竹碧轉悵望，池清尤寂寥。（李《無題》） 未必斷別淚，何曾妨夢魂。（李《魏侯第東北樓堂郢叔言別》） 夜夜桂露濕，村村桃水香。（李《玄微先生》排律）

仄仄仄仄仄，平平仄仄平。 結構意不淺，嵓潭趣轉深。（孟《和于判官排律》） 一女竹上淚，孤臣水底魂。（韓《晚泊江口》）

右一格唱句五字皆仄，對句拗首聯無「仄平平仄平」一變。

變粘第二格：平仄仄仄仄，平平平仄平。 非爾更苦節，何人符大名。（杜《送竇九歸成都》）

平仄仄仄仄，仄平平仄平。 良會不復久，此生何太勞。（杜《王閬州筵排律》）

右一格唱句惟首字平聲，對句拗首聯無「平平仄仄平」粘法。

變粘第三格：仄仄平仄仄，平平平仄平。 暢以沙際鶴，兼之雲外山。（王《汎前陂》） 日隱桑柘外，河明閭井間。（王《淇上即事》） 落日池上酌，清風松下來。（孟《裴司士見訪》） 左右瀍澗水，門庭緱氏山。（孟《題李十四莊》） 未息豺虎鬥，空慚鴛鷺行。（杜《暮春題瀼西新賃草屋》） 闇闇書籍滿，輕輕花絮飛。（杜《宴胡侍御》）

仄仄平仄仄，仄平平仄平。 萬里音信斷，數年雲雨乖。（孟《奉先張明府休沐》排律） 主人送客何所作，行酒賦詩殊未央。（杜《章梓州橘亭餞成都竇少尹》）

右一格唱句惟第三字平聲，對句拗首聯無「仄平仄平平」一變。

變粘第四格：仄仄仄平仄，平平平仄平。 落日鳥邊下，秋原人外閑。（王《登裴廸秀才小臺作》） 策馬雨中去，逢人關外稀。（韋《送榆次林明府》） 一徑野花落，孤村春水生。（杜《遣意》） 映階碧草自春色，隔葉黃鸝空好音。（杜《蜀相》） 況與故人別，那堪羈宦愁。（韓《祖席》） 敢伐不加點，猶當無愧辭。（李《譔彭陽公志文畢有感》） 梅花大庾嶺頭發，柳絮章臺街裡飛。（李《對雪》） 候騎不傳箭，回文空上機。（溫《送并州郭書記》）

仄仄仄平仄，仄平平仄平。 遠自鶴林寺，了知人世空。（韋《夜遇詩僧》） 已近苦寒月，況經長別心。（杜《擣衣》） 一條雪浪吼巫峽，千里火雲燒益州。（李《送崔玨》） 古樹老連石，急泉清露沙。（溫《盧岵山居》）

仄仄仄平仄，平平仄仄平。 鳥道一千里，猿啼十二時。（王《送楊長史》） 草木本無意，枯榮自有時。（孟《江上寄崔國輔》） 日弄清淺，林端逆上流。（孟《送張祥之房陵》）

右一格唱句惟第四字平聲，對句拗首聯無「仄平仄仄平」一變。

變粘第五格：平仄仄平仄，仄平平仄平。 衫裛翠微潤，馬銜青草嘶。（杜《自閬州領妻子卻赴蜀山行》） 歌發百花外，樂調深竹間。（李《南潭上排律》） 先知風起月含暈，猶自露寒花未開。（李《正月崇讓宅》） 沙淨有波迹，岸平多草煙。（溫《送人南遊》）

平仄仄平仄，平平平仄平。 相去日千里，孤帆天一涯。（孟《宿永嘉江》） 移職自樊沔，芳聲聞帝畿。（孟《聞裴侍御朏》） 簷雨亂淋幔，山雲低度牆。（杜《秦州雜詠》） 風月自清夜，江山非故園。（杜《日暮》） 鳧雁野塘水，牛羊春草煙。（溫《渚宮晚春》）

右一格唱句第二、第三字平仄對換，對句拗首聯無「平平仄仄平」粘法。

變粘第六格：仄仄平平仄，仄平平仄平。 貰得新豐酒，復聞秦女箏。（王《與盧象集朱家》）

仄仄平平仄，平平平仄平。 古木無人徑，深山何處鐘。（王《過香積寺》） 北土非吾願，東林懷我師。（孟《秦中感秋》） 燭吐蓮花豔，粧成桃李春。（孟《宴崔明府》排律） 水北樓臺近，城南車馬稀。（韋《賦得鼎門》） 養拙干戈際，全生麋鹿羣。（杜《暮春題瀼西新賃草屋》） 舊來好事今能否，老去新詩誰與傳。（杜《因許八奉寄江寧旻上人》）

右一格唱句正粘，而對句再變，與首聯同。

變粘第七格：平仄平平仄，平平平仄平。 徒御猶迴首，田園方掩扉。

（王《送崔九》）家住青山下，門前芳草多。（韋《送別覃孝廉》）昔年曾是江南客，此日初爲關外心。（李《出關宿盤館》）

右一格唱句按前格唱句首字用平爲異，說具首聯。

變粘第八格：平仄平仄仄，平平平仄平。江歛洲渚出，天虛風物清。（杜《獨坐》）

平仄平仄仄，仄平平仄平。流水如有意，暮禽相與還。（王《歸嵩山作》）卷簾飛燕還拂水，開戶暗蟲猶打窓。（李《水齋》）

平仄平仄仄，平平仄仄平。耕釣方自逸，壺觴趣不空。（孟《題張野人園廬》）

右一格唱句第三、第四字平仄對換，而對句三變，按首聯爲備。

次聯平起。

正粘　平平平仄仄，（首字可仄）**仄仄仄平平。**（首字可平）

變粘第一格：仄平仄仄仄，平仄仄平平。隱居不可見，高論莫能酬。（孟《梅道士》）峴山不可見，風景令人愁。（孟《途中九日》）

仄平仄仄仄，仄仄仄平平。以吾一日長，念爾聚星稀。（孟《送洗然弟》）祇應盡客淚，復作掩荆扉。（杜《贈韋贊善》）幾年一會面，今日復悲歌。（杜《湖中送敬十使君》）

仄平仄仄仄，平仄平平平。素琴入爽籟，山酒和春容。（溫《正見寺》）

右一格唱句叠四仄，而對句凡三變。第二變即榕村說「蜂腰」對法，首聯所未備。

變粘第二格：平平仄仄仄，平仄仄平平。門看五柳識，年算六身知。（王《慕容承攜素饌見過》）春雷百卉坼，寒食四鄰清。（孟《李氏園卧疾》）平田出郭少，盤壠入雲長。（孟《行至漢川》排律）親朋盡一哭，鞍馬去孤城。（杜《送遠》）風輕粉蝶喜，花暖蜜蜂喧。（杜《弊廬遺興》）秋池不自冷，風葉共成喧。（李《雨》）沙禽失侶遠，江樹著煙輕。（李《城上》）

平平仄仄仄，仄仄仄平平。林花掃更落，徑草踏還生。（孟《晚春》）横行塞北盡，獨步漢南來。（孟《與張折衝遊耆闍寺》）猶存袖裏字，忽怪鬢中絲。（韋《揚州偶會前洛陽盧耿主簿》）塵中老盡力，歲晚病傷心。（杜《病馬》）猶聞蜀父老，不忘舜謳歌。（杜《懷錦水居止》）風能坼芡觜，露亦染梨腮。（韓《獨釣》）梅應未假雪，柳自不勝煙。（李《曉坐》）初陽到古寺，宿鳥起寒林。（溫《正見寺》）

右一格唱句連三仄，對句粘法與首聯同。

變粘第三格：平平平仄仄，仄仄平平平。如何關塞阻，轉作瀟湘遊。（杜《去蜀》）

右一格唱句自粘，對句連三平。

變粘第四格：平平仄平仄，平仄平平平。寒燈坐高館，秋雨聞疎鐘。（王《黎拾遺昕》）

平平仄平仄，平仄仄平平。歸來一登眺，陵谷尚依然。（孟《傷峴山》）

右一格唱句第三、第四字平仄對換，而對句再變，唱句原可不救，故第二變自粘。

三聯仄起。

正粘　仄仄平平仄，（首字可平）**平平仄仄平。**（首字忌仄）

變粘第一格：仄仄仄仄仄，平平平仄平。草木歲月晚，關河霜雪清。（杜《送遠》）粉壁正蕩水，緗幃初卷燈。（李《僧院牡丹》）稍稍落蝶粉，班班融燕泥。（李《細雨成詠》）寄恨一尺素，含情雙玉璫。（李《夜思排律》）

仄仄仄仄仄，仄平平仄平。漸與骨肉遠，轉於僮僕親。（孟《除夜》）洗幘豈獨古，濯纓良在兹。（孟《陪張丞相》排律）不卷錦步幛，未登油壁車。（李《朱槿花》）

右一格唱句五字皆仄，對句變法有首聯之「仄平平仄平」，卻無「平平仄仄平」，與次聯異。

變粘第二格：平仄仄仄仄，平平平仄平。河漢不改色，關山空自寒。（杜《初月》）求之流輩豈易得，行矣關山方獨吟。（李《復至裴明府所居》）

平仄仄仄仄，仄平平仄平。腸斷未忍掃，眼穿仍欲歸。（李《落花》）啼久豔粉薄，舞多香雪翻。（李《小桃園》）

平仄仄仄仄，平平仄仄平。寒日夕始照，風江遠漸平。（韓《次石頭驛》）

右一格唱句惟首字平聲，對句變法與首聯同。

變粘第三格：仄仄平仄仄，平平平仄平。稍稍烟集渚，微微風動襟。

（杜《送嚴侍郎》排律） 暮景巴蜀僻，春風江漢清。（杜《送李卿》）

仄仄平仄仄，仄平平仄平。 竹閉窓裡日，雨隨堦下雲。（孟《同王九》排律） 早泊雲物晦，逆行波浪慳。（杜《銅官渚守風》） 賈傳才未有，褚公書絶倫。（杜《發潭州》）

仄仄平仄仄，平平仄仄平。 遠岫重叠出，寒花散亂開。（韓《獨釣》）

仄仄平仄仄，平平仄平平。 獨坐殊未厭，孤斟詎能醒。（韓《閑遊》）

右一格唱句惟第三字平聲，而對句凡四變。其第一、第二變則首聯、次聯所同。

變粘第四格： **仄仄仄平仄，平平平仄平。** 日夜故園意，汀洲春草生。（孟《永嘉別張子容》） 草露亦多濕，蛛絲仍未收。（杜《獨立》） 虎氣必騰踔，龍身寧久藏。（杜《蕃劍》） 鳥下見人寂，魚來聞餌馨。（韓《獨釣》） 淚續淺深綆，腸危高下絃。（李《曉坐》） 減粉與園籜，分香沾渚蓮。（李《李花》） 此意竟難坼，伊人成古今。（溫《登李羽士東樓》）

仄仄仄平仄，仄平平仄平。 落帽恣歡飲，授衣同試新。（孟《九日》） 就枕滅明燭，扣船聞夜漁。（孟《宿武陵》） 遂性在耕稼，所交唯賤貧。（韋《冬夜宿司空野居》） 雪嶺界天白，錦城曛日黃。（杜《懷錦水居止》） 負米夕葵外，讀書秋樹根。（杜《孟氏》） 雨氣燕先覺，葉陰蟬遽知。（李《送豐都李尉》） 薄宦梗猶汎，故園蕪已平。（李《蟬》） 獨鳥楚山遠，一蟬關樹愁。（溫《寄友人》）

仄仄仄平仄，平平仄仄平。 曳曳半空裡，溶溶五色分。（孟《行至汝墳》） 沈約只能瘦，潘仁豈是才。（李《寄裴衡》）

右一格唱句唯第四字平聲，對句三變與次聯同。

變粘第五格： **平仄仄平仄，仄平平仄平。** 鄖國稻苗秀，楚人菰米肥。（王《送友人南歸》） 樵子暗相失，草蟲寒不聞。（孟《遊精思觀》） 喬樹別時綠，客程關外長。（韋《送黎六郎》） 春色豈相訪，衆雛還識機。（杜《歸燕》） 花亞欲移竹，鳥窺新卷簾。（杜《入宅》） 流處水花急，吐時雲葉鮮。（李《月》） 巢暖碧雲色，影孤清鏡輝。（溫《詠山雞》）

平仄仄平仄，平平仄仄平。 山館夜聽雨，秋猿獨叫羣。（韋《送顏司議》） 柳眉空吐效顰葉，榆莢還飛買笑錢。（李《和題眞娘》） 朱戶雀羅設，黃門馭騎來。（溫《安豐里》）

平仄仄平仄，平平平仄平。 菱蔓弱難定，楊花輕易飛。（王《歸輞川作》） 鄉淚客中盡，歸帆天際看。（孟《早寒江上》） 疎樹共寒意，遊禽同暮還。（韋《同韓郎中閑庭南望》） 江漢故人少，音書從此稀。（杜《贈韋贊善》） 妻子寄他食，園林非昔遊。（杜《過故斛斯校書莊》） 窗迥有時見，簷高相續翻。（李《雨》） 村小犬相護，沙平僧獨歸。（李《桂林路中》） 江上幾人在，天涯孤棹還。（溫《送人東遊》）

右一格唱句第一、第三字平仄對換，對句三變與首聯同。

變粘第六格： **仄仄平平仄，仄平平仄平。** 豈意餐霞客，忽隨朝露先。（孟《傷峴山雲表上人》）

仄仄平平仄，平平平仄平。 挂席樵風便，開軒琴月孤。（孟《尋張五》） 晚對青山別，遙尋芳草行。（韋《送槐廣》） 匡衡抗疏功名薄，劉向傳經心事違。（杜《秋興》）

右一格唱句正粘，對句變法與首次聯同。

變粘第七格： **平仄平平仄，平平平仄平。** 寒迥山河淨，天長雲樹微。（王《送崔興宗》）

右一格唱句首字挍前格用平爲異說具前。

變粘第八格： **平仄平仄仄，平平平仄平。** 誰採籬下菊，應閑池上樓。（孟《途中九日》）

平仄平仄仄，仄平平仄平。 生理飄蕩拙，有心遲暮違。（杜《登舟將適漢陽》排律） 中憲方外易，尹京將就拘。（李《哭虔州楊侍郎》排律） 花白風露晚，柳清街陌閑。（溫《題薛昌之》）

平仄平仄仄，平平仄仄平。 高鳥能擇木，羝羊漫觸藩。（孟《寄趙正字》）

右一格唱句第三、第四字平仄對換，對句變法與次聯同。

三聯平起。

正粘 **平平平仄仄**，（首字可仄）**仄仄仄平平**。（首字可平）

變粘第一格： **仄平仄平仄，仄仄平平平。** 牧童望村去，獵犬隨人還。（王《淇上卽事》） 暫遊阻詞伯，卻望懷青關。（杜《暫如臨邑》）

仄平仄平仄，仄仄平仄平。 臥聞海潮至，起視江月斜。（孟《宿永嘉江》）

右一格唱句第三、第四字平仄對換，對句變法得首聯之半。

變粘第二格：平平仄仄仄，平仄仄平平。官橋祭酒客，山木女郎祠。（王《送楊長史》）山藏伯禹穴，城壓伍胥濤。（孟《與杭州薛司戶登樟亭驛》）門無俗士駕，人有上皇風。（孟《題張野人》）皇華一動詠，荆國幾謳吟。（孟《和于判官》排律）

平平仄仄仄，仄仄仄平平。寒山獨過雁，暮雨遠來舟。（韋《淮上遇洛陽李主簿》）隨風隔幔小，帶雨傍林微。（杜《螢火》）

右一格唱句連三仄，對句粘法與首次聯同。

末聯仄起。

正粘　仄仄平平仄，（第一字可平）平平仄仄平。（第一字忌仄）

變粘第一格：平仄仄仄仄，平平平仄平。因向智者說，遊魚思舊潭。（孟《贈張維》）君意在利涉，知音期暗投。（孟《送張祥之房陵》）

右一格唱句首字平聲，而對句無他變。

變粘第二格：仄仄平仄仄，平平平仄平。撫躬道直誠感激，在野無賢心自驚。（李《贈田叟》）

仄仄平仄仄，平平仄仄平。舊徑蘭勿翦，新堤柳欲陰。（孟《和于判官排律》）

右一格唱句第三字用平，而對句再變。

變粘第三格：仄仄仄平仄，平平平仄平。了自不相顧，臨堂空復情。（王《待儲光羲》）細雨荷鋤立，江猿吟翠屏。（杜《暮春題瀼西新賃草屋》）客意自如此，非關行路難。（溫《西遊書懷》）

仄仄仄平仄，仄平平仄平。慰此斷行別，邑人多頌聲。（韋《奉送從兄宰晉陵》）誰人爲報故交道，莫惜鯉魚時一雙。（李《水齋》）日暮鳥飛散，滿山蕎麥花。（溫《處士盧岵山居》）

仄仄仄平仄，平平仄仄平。復值接輿醉，狂歌五柳前。（王《輞川閑居》）語笑且爲樂，吾將達此生。（王《與盧象集朱家》）萬里獨飛去，南風遲爾音。（孟《送袁十》）未有桂陽使，裁書一報君。（韋《對韓少尹》）

右一格唱句惟第四字平聲，對句三變，與次聯、三聯同。惟首聯多「仄平仄仄平」二變。

變粘第四格：平仄仄平仄，平平仄仄平。知爾不能薦，羞稱獻納臣。（王《送邱爲》）

平仄仄平仄，平平平仄平。唯有白雲外，疏鐘聞夜猿。（王《酬虞部蘇員外》）晨策已云整，當同林下期。（韋《酬李博士》）鸞鳳戲三島，神仙居十洲。（李《牡丹》）唯有一杯酒，相思高楚天。（溫《送人南遊》）

右一格唱句第一、第三字平仄對換，對句拗首聯無「平平仄仄平」粘法。

變粘第五格：仄仄平平仄，仄平平仄平。憶想蘭陵鎮，可宜猿夜啼。（王《送張五諲》）

仄仄平平仄，平平平仄平。好去扁舟客，青雲何處期。（韋《送李二》）所謝非玄度，聊將詩興同。（韋《夜遇詩僧》）用盡閨中力，君聽空外音。（杜《擣衣》）

右一格唱句正粘，對句再變，諸聯均同。

變粘第六格：平仄平平仄，平平平仄平。霄漢時回首，知音青瑣闈。（王《留別錢起》）江漢風流地，遊人何處歸。（王《送崔九》）行旅時相問，潯陽何處邊。（孟《夜渡湘水》）

右一格唱句首字拗前格，用平爲異。

末聯平起。

正粘　平平平仄仄，（首字可仄）仄仄仄平平。（首字可平）

變粘第一格：仄平仄仄仄，平仄仄平平。坐聞《白雪》唱，翻入棹歌中。（孟《和李侍御》）別離已昨日，因見古人情。（杜《送遠》）

仄平仄仄仄，仄仄仄平平。故巢儻未毀，會傍主人飛。（杜《歸燕》）

右一格唱句疊四仄，對句自粘，與首聯同。

變粘第二格：平平仄仄仄，平仄仄平平。須令外國使，知飲月支頭。（王《送平澹然》）當杯已入手，歌妓莫停聲。（孟《晚春》）方期九日聚，還待二星廻。（孟《峴山餞房琯》）叨逢罪己日，霑灑望青霄。（杜《收京三首》）行看五馬入，蕭颯已隨軒。（韓《郴州祈雨》）持竿至日暮，幽詠欲誰聽。（韓《閑遊》）徐妃久已嫁，猶自玉爲鈿。（李《李花》）良宵一寸焰，回首是重幃。（李《如有》）

平平仄仄仄，仄仄仄平平。茱萸正可佩，折取寄情親。（孟《九日》）開筵且共賞，莫待繡衣新。（韋《早春對雪》）庭前有白露，暗滿菊花團。（杜《初月》）

右一格唱句連三仄，對句粘法與首次三聯均同。

變粘第三格：平平平平仄，仄仄仄平平。 東南高亭上，莫使有風塵。（王《送元中丞》）

右一格唱句直連四平，對句自粘不救。

變粘第四格：平平仄平仄，平仄平平平。 聊題一詩興，因寄盧徵君。（孟《行至汝墳》）

右一格唱句三四對换，此法唐人多用，雖應制不避。對句叠四平可備一變，唱句不必救也。

杜《送盧十四》第五聯 長路更執紼，此心猶倒衣。

孟《和于判官》第八聯 耆舊眇不接，崔徐無處尋。

又卷二《辨病小引》 詩之名以律也，吾不知其所取。或以平仄鄰比朋當，比之晉、魏以上詩，尤易以叶律歟？或以周顒、沈約創爲八病之條，如政事之有律，凜乎其不可犯歟？不可知也。自周、沈列其條，後之人因爲之解。其解各出，取而按之成句，所不敢犯者惟上尾一病，其他句中則或一犯或兼犯，不可僕數。夫字有其義，不可移也；聲要於諧，不可强也。有時於聲戾，於字順，古人至於不可兼顧，而擇其要，則惟字求其職而已。爰於分條之下先會其解，次取成句之犯者，每家略舉一二條，俾學者權其緩急，得所避就，作《辨病》。笠翁論旁紐，推及雙聲，故以雙聲、叠韻附後。清溪李宗文書。

《辨病》 周顒、沈約論詩八病：一曰「平頭」，二曰「上尾」，三曰「蜂腰」，四曰「鶴膝」，五曰「大韻」，六曰「小韻」，七曰「正紐」，八曰「旁紐」。

平頭 榕村説曰：「平頭者，謂首字同韻也。如唱句首字東韻，則對句首字不當復用東韻。」李笠翁曰：「二平頭病，第一字不得與第六字同聲，第二字不得與第七字同聲，如『今日良宴會，歡樂難具陳』，『今』、『歡』同聲，『日』、『樂』同聲是也。」按：笠翁説不明，必須一、六與二、七皆同聲始病，抑一同六，二同七，即爲病乎？考律句體，二平則七必仄，二仄則七必平，苟非拗體，絶無同聲之二、七矣。如病在一、六，不律二、七，則一平六亦平，一上六亦上，一去入六亦去亦入者，律句比比而然，何必唐人。榕村以一、六同韻爲解，犯者如左。　王《訓嚴少尹》首聯「公門暇日少，窮巷故人稀」（「公」、「窮」同蒙韻）。《送崔興宗》末聯「方同菊花節，相待洛陽扉」（「方」、「相」同陽韻）。　孟《歸至郢中》首聯「遠遊經海嶠，返棹歸山阿」（「遠」、「返」同阮韻）。《送袁太祝》三聯「隨牒牽黄綬，離羣會墨卿」（「隨」、「離」同支韻）。《送張子容》末聯「無使谷風誚，須令友道存」（「無」、「須」同虞韻）。　韋《假中對雨》三聯「流麥非關忘，收書獨不能」（「流」、「收」同尤韻）。杜《秦州雜詠》第五首前兩聯「南使宜天馬，由來萬匹强。浮雲連陣沒，秋草徧山長」（「由」、「浮」、「秋」同尤韻）。《自瀼西荆扉》首聯「白鹽危嶠北，赤甲古城東」（「白」、「赤」同陌韻）。《課小竪鉏次聯》「背堂資僻遠，在野興清深」（「背」、「在」同隊韻）。《奉送韋中丞》三聯「王室仍多故，蒼生倚大臣」（「王」、「蒼」同陽韻）。　韓《和席八》第八聯「芳菲含斧藻，光景暢形神」（「芳」、「光」同陽韻）。　李《北樓》首聯「春物豈相干，人生只强歡」（「春」、「人」同眞韻）。　王《十二兄》次聯「更無人處簾垂地，欲拂塵時簟竟牀」（「人」、「塵」同眞韻）。　溫《題安豐里》首聯「花竹有薄埃，嘉遊集上才」（「花」、「嘉」同麻韻）。《李羽處士》次聯「已恨流鶯期謝客，更將浮蟻與劉郎」（「流」、「浮」同尤韻）。

上尾 榕村説曰：「上尾者，末字同韻也。除首兩句韻脚可以相叶，餘聯則末字當避。」李笠翁曰：「二上尾病，第五字不得與第十字同聲。如『西北有高樓，上與浮雲齊』，『樓』、『齊』同聲是也。」按：榕村謂禁同韻，笠翁則併同聲禁之。按律詩押平韻者，第十字平則第五字必仄，未有犯此者。但如杜《杜位宅守歲》首聯「守歲阿戎家，椒盤已頌花」，又如孟《臨洞庭》首聯「八月湖水平，涵虚混太清」，第五、第十用韻乃同，必如榕村解始備。

蜂腰 榕村説曰：「蜂腰者謂五字中四平夾一仄、或四仄夾一平也。」李笠翁曰：「三蜂腰病，第二字不得與第五字同聲，兩頭大中心細，如蜂腰也。如『聞君愛我甘，切欲自脩飾』，『君』、『甘』同平聲，『欲』、『飾』同入聲也。」按：笠翁此説以律詩求之，如對句第五字押平韻者，適遇第二字當平，固不得而避也。殆對句平同，必出句同上、同去、同入，而後爲病歟？考成句竟有同韻者，條列於後。　孟《崔明府宅》首聯「白日既云暮，朱顔亦已酡。」王《送楊長史》次聯「鳥道一千里，猿啼十二時。」李《寄裴衡》三聯「沈約只能瘦，潘仁豈是才。」韋《對韓少尹》末聯「未有桂陽使，裁書一報君。」李《判春》首聯「一桃復一李，井上占年芳。」杜《贈韋贊善》次聯「祇應盡客淚，復作掩荆扉。」杜《送遠》末聯「别離已昨日，因見古人情。」（以上二格出句皆四仄夾一平，而對句平仄自叶者也。其有對句平仄先後多寡淩錯，則出句或以相救，故不舉爲例。下放此。）溫《途中有懷》首聯「驅車何日閑，擾擾路岐間。」（此格出句四平夾一仄，惟首聯出句用韻者有之。）溫《春日寄岳》首聯「荏弱樓前柳，輕空花外窓。」王《送崔九》次聯「徒御猶迴首，田園方掩扉。」韋《送槐廣》三聯「晚對青山別，遥尋芳草行。」杜《擣衣》末聯「用盡閨中力，君聽空外音。」杜《過南隣》首聯「相近竹參差，相過人不知。」（以上二格對句皆四平夾一仄，而出句自叶者也。又對句應有「平仄平平平」一格，檢成句，間或用以救出句耳，想必有故。）李《李花》首聯「李徑獨來數，愁情相與懸。」韋《送榆次林》次聯「策馬雨中過，逢人關外稀。」杜《獨立》三聯「草露亦多濕，蛛絲仍未收。」溫《西遊書懷》末聯「客意自如此，非關行路難。」溫《正見寺》次聯「素琴入爽籟，山酒和春容」（以上二格出句皆四仄夾一平，而以四平夾一仄爲之對者也。聞之父大人曰：「蜂腰雖病，若乃兩句並犯，平仄相當，謂之拗對，間亦可用。」又對句「平仄平平平」一格惟溫《正見寺》用之，亦以救出句四仄一平之病。可見此格古人少用）。右所舉蜂腰如榕村說。王《送孫秀才》次聯「玉枕雙文簟，金盤五色瓜」（「椀」、「簟」同上，「盤」、「瓜」同平）。《涼州郊外》三聯「灑酒澆芻狗，焚香拜木人」（「酒」、「狗」同有韻）。韋《淮上逢李》末聯「日夕逢歸客，那能忘舊遊」（「夕」、「客」同陌韻）。溫《寄清涼寺》次聯「窓間半偈聞鐘後，松下殘棋送客回」（「偈」、「後」同去，「棋」、「回」同下平聲）。右所舉蜂腰如笠翁說。

鶴膝 榕村說曰：「鶴膝者，謂下三字累三平，或疊三仄也。」李笠翁曰：「四鶴膝病，第五字不得與第十五字同聲。如『客從遠方來，遺我一書札。上言長相思，下言久離別』，『來』、『思』皆平聲也。若一句舉其法，第三字不得與第五字相犯，第五字不得與第七字相犯。」按：笠翁以同用平聲在第五、第十五字卽爲「鶴膝」，求之律詩，倘首句不押平韻，必與第三句末字仄聲相犯，且推之三、五、七句末字皆仄，所謂「鶴膝」，每詩數犯矣。顧其引以爲例，則「來」也、「思」也，竊意「來」入灰，「思」入支，於古韻可通。使雖同平聲，而非出於佳、灰、支、微、齊，未必於聲卽病也。考成句竟有本韻相犯者，條列於後。所云第三、第五、第七字相犯，卽榕村說之禁疊三也。王《韋給事山居》首聯「幽尋得此地，詎有一人曾。」孟《晚春》次聯「林花掃更落，徑草踏還生。」孟《與杭州薛》三聯「山藏伯禹穴，城壓伍胥濤。」韓《閑遊》末聯「持竿至日暮，幽詠欲誰聽」（以上出句皆疊三仄，而對句平仄自叶者。下倣此說，具「蜂腰」條下）。杜《去蜀》次聯「如何關塞阻，轉作瀟湘遊」（對句疊三平而出句自叶者。句末疊三平通，蜂腰、鶴膝，皆所少用如此）。杜《贈王十》三聯「時危未授鉞，勢屈難爲功。」溫《谿上行》次聯「雪羽襬褷立倒影，金鱗撥刺跳晴空」（以上出句疊三仄，而疊三平以爲對者，亦是拗體）。右所舉鶴膝如榕村說。王《過感化寺》前聯「暮持筇竹杖，相待虎溪頭。催客聞山響，歸房逐水流」（「杖」、「響」同養韻）。孟《送張子容》前聯「夕曛山照滅，送客出柴門。惆悵野中別，殷勤醉後言」（「滅」、「別」同屑韻）。韋《送開封盧少府》前聯「雄藩車馬地，作尉有光輝。滿席賓常侍，闐街燭夜歸」（「地」、「侍」同寘韻）。《路逢崔元二侍御》中聯「俱是攀龍客，空爲避馬人。見招翻跼蹐，相問甚殷勤」（「客」、「蹐」同陌韻）。《陪王郎中》後聯「暮館花微落，春城雨暫寒。甕間聊共酌，莫使宦情闌」（「落」、「酌」同藥韻）。杜《移居夔州》二、三、四聯「春知催柳別，江與放船清。農事聞人說，山光見鳥情。禹功饒斷石，且就土微平」（「別」、「說」同屑韻，「別」、「說」、「石」又同入聲）。韓《义魚》第十五、十六聯「如棠名既誤，釣渭日徒消。文客驚先賦，篙工喜盡謠」（「誤」、「賦」同遇韻）。李《寓目》前聯「園桂懸心碧，池蓮飫眼紅。此生眞遠客，幾別卽衰翁。」（「碧」、「客」同陌韻。）《送豐都李尉》前聯「萬古商於地，憑君泣路岐。固難尋綺季，可得信張儀」（「地」、「季」同寘韻）。《槿花》首聯「珠館薰然久，玉房梳掃餘」（「梳」、「餘」同魚韻）。溫《題采藥翁》中聯「衣濕术花雨，語成松嶺煙。解藤開澗戶，踏石過溪泉」（「雨」、「戶」同麌韻）。《贈僧岳雲》二、三、四聯「一室故山月，滿瓶秋澗泉。禪庵過微雪，鄉寺隔寒烟。應共白蓮客，相期松桂前」（「月」、「雪」、「客」同入聲）。《馬嵬驛》後聯「香輦卻歸長樂殿，曉鐘還下景陽樓。甘泉不得重相見，誰道文成是故侯」（「殿」、「見」同霰韻）。《谿上行》後聯「風翻荷葉一向白，雨濕蓼花千穗紅。心羨夕陽波上客，片時歸夢釣船中」（「白」、「客」同陌韻）。《西江貽釣叟》次聯「夜淚潛生《竹枝曲》，春潮遥聽木蘭舟」（「竹」、「曲」同屋韻）。右所舉鶴膝如笠翁說。

大韻 榕村說曰：「大韻者，謂犯韻脚字也，如既以其字爲韻脚，則句中不可復用。」按：所謂句中，如卽用韻脚之本句，則犯者少，如通首句中多有犯者，條列於後。李笠翁曰：「五大韻病，如五言以『新』字爲韻，九字內用『津』、『人』字爲大韻，如『胡姬年十五，春日正當壚』，『胡』、『壚』同聲是也」。按：笠翁此條以同韻爲同聲，小韻倣此。　王《送孫秀才》第二句「山(犯)況復建平家」(韻脚)，七句「莫厭田家(犯)苦」。孟《遊景空寺》第二句「山(犯)腰度石關」，末句「疑是入雞山」(韻脚。又「山」、「關」卽笠翁大韻)。《遊精思題觀主山房》第二句「初憐竹逕深」(韻脚)，末句「深(犯)得坐忘心」(「深」、「心」卽笠翁大韻)。　李《潭州》第一句「潭州官舍暮樓空」(韻脚)。五句「陶公戰艦空(犯)灘雨」。《贈趙協律》第六句「東(犯)山事往妓樓空」，末句「我欲西征君又東」(韻脚。「東」、「空」卽笠翁大韻)。《蜀中離席》第六句「江上晴雲(本句犯)雜雨雲」。溫《偶遊》第一句「曲巷斜臨一水間」(韻脚)，「休向人間(犯)覓往還」(「間」、「還」卽笠翁大韻)。《華陰韋氏絕句》第二句「陌塵宮樹是非間」(韻脚)，「別向人間(犯)看華山」(「間」、「山」卽笠翁大韻)。　右所舉大韻如榕村說。

又　王《輞川閑居》次聯「時倚簷前樹，遠看原上村」(「原」、「村」同元韻)。　孟《送袁十》首聯「早聞牛渚詠，今見脊令心」(「今」、「心」同侵韻)。《赴京途中》次聯「窮陰連晦朔，積雪滿山川」(「連」、「川」同先韻)。　韋《送顏司議》次聯「詎分江轉字，但見路緣雲」(「分」、「雲」同文韻)。　杜《九日楊奉》首聯「今日潘懷縣，同時陸浚儀」(「時」、「儀」同支韻)。《喜達行在》三聯「影靜千官裏，心蘇七校前」(「千」、「前」同先韻)。　李《曉坐》首聯「後閤罷朝眠，前墀思黯然」(「前」、「然」同先韻)。《楚澤》次聯「集鳥翻漁艇，殘虹拂馬鞍」(「殘」、「鞍」同寒韻)。《赴職梓潼》三聯「烏鵲失栖長不定，鴛鴦何事自相將」(「長」、「鴦」、「相」、「將」俱陽韻)。　右所舉大韻如笠翁說。

小韻　榕村說曰：「小韻者，謂犯句中字也。如前句用此字，則後句不得復用。」　李笠翁曰：「六小韻病，除本韻外九字中不得有兩字同韻。如『客子已乖離，那宜遠相送』，『子』、『已』同聲，『離』、『宜』同聲，卽小韻病。五字內最忌，九字內稍緩。」　王《喜祖三至》第三句「不枉故人駕」，五句「行人返深巷」(「人」字犯)。　《與盧象集》第一句「主人能愛客」，五句「柳條踈客舍」(「客」字犯)。　孟《永嘉上浦館》第一句「逆旅相逢處」，末句「失路一相悲」(「相」字犯)。　《李少府與楊九》第四句「猶憶歲寒松」，五句「煙火臨寒食」(「寒」字犯)。　《姚開府山池》第一句「主人新邸地」，五句「軒車人已散」(「人」字犯。「人」、「新」卽笠翁小韻病)。　杜《舡下夔州》第二句「石瀨月娟娟」，五句「晨鐘雲外濕」，六句「勝地石堂烟」，七句「柔櫓輕鷗外」(「石」、「外」字犯)。《冬深》第一句「花葉隨天意」，三句「早霞隨類影」(「隨」字犯)。《題鄠縣郭》第六句「一擬問高天」，末句「逢人問幾賢」(「問」字犯)。《吹笛》第一句「吹笛秋山風月清」，四句「月傍關山幾處明」(「山」字犯)。　李《無題》第一句「含情春晼晚」，七句「歸去橫塘晚」(「晚」字犯)。　《漢南書事》第一句「西師萬衆幾時迴」，五句「幾時拓土成王道」(「幾時」二字犯)。《井絡》首聯「井絡天彭一掌中，漫誇天設劍爲峰」(「天」字犯)。《贈兄閬之》第二句「私書幽夢約忘機」，五句「幽徑定携僧共入」，八句「莫損幽芳久不歸」(「幽」字三犯)。　溫《西江貽釣叟》第五句「事隨雲去身難到」，七句「昨日歡娛竟何事」(「事」字犯)。

右所舉小韻如榕村說。

又　王《酬比部楊員外》末聯「羡君棲隱處，遙望白雲端」(「君」、「雲」同文韻)。《送崔三》末聯「魯連功未報，且莫蹈滄洲」(「報」、「蹈」同號韻)。　孟《崔明府宅》三聯「長袖平陽曲，新聲《子夜歌》」(「長」、「陽」同陽韻)。　《宿武陵》末聯「雞鳴問何處，人物是秦餘」(「人」、「秦」同眞韻)。　韋《夜遇詩僧》三聯「驚禽翻暗葉，流水注幽叢」(「流」、「幽」同尤韻)。　杜《秦州雜詠》次聯「神魚人不見，福地語仍傳」(「神」、「人」同眞韻)。　《渡江》三聯「渚花兼素錦，汀草亂青袍」(「汀」、「青」同青韻)。　《堂成》末聯「旁人錯比楊雄宅，懶惰無心作《解嘲》」(「旁」、「楊」同陽韻)。　《贈李白》絕句「痛飲狂歌空度日，飛揚跋扈爲誰雄」(「空」、「雄」大韻，「狂」、「揚」小韻)。　李《清河》末聯「年華無一事，只是自傷春」(「事」、「自」同寘韻，「只」、「是」同紙韻)。　《訪隱者》絕句「滄江白日樵漁路，日暮歸來雨滿衣」(「歸」、「衣」大韻，「路」、「暮」小韻)。

右所舉小韻如笠翁說。

正紐　榕村說曰：「正紐者，本聲相犯。如以東爲韻，句中復用東韻字是也。」　按：此說與笠翁所辨大韻病同，詳前條。李笠翁曰：「七正紐病，『壬』、『紝』、『任』入一紐，句內有『壬』字，不得更犯『紝』、『任』入字也。如『我本漢家女，來嫁單于庭』，『家』、『嫁』卽正紐。」按：此禁四聲相犯，家乃「嫁」平，嫁乃「家」去也。　王《酬虞部蘇員外》次聯「石路枉迴駕，山家誰候門」(「駕」犯「家」去聲)。　《送封太守》三聯「帆映丹陽郭，楓攢赤岸村」(「映」犯「陽」去聲)。　孟《裴司士見訪》首聯「府寮能枉駕，家醞復新開」(「家」、「駕」犯)。　《陪李侍御》首聯「欣逢柏臺舊，共謁聽公禪」(「聽」、「公」小韻，

「公」、「共」正紐）。《送張參明》三聯「四座推文舉，中郎許仲宣」（「舉」、「許」小韻，「中」、「仲」正紐）。杜《秦州雜詠》次聯「叢篁低地碧，高柳半天青」（「地」犯「低」去聲）。《苦竹》「味苦夏虫避，叢卑春鳥疑」（「卑」、「疑」大韻，「卑」、「避」正紐）。《贈李白》絶句「秋來相顧尙飄蓬，未就丹砂愧葛洪」（「尙」犯「相」去聲）。《空囊》末聯「囊空恐羞澀，留得一錢看」（「囊」、「空」小韻，「空」、「恐」正紐）。　李《異俗》三聯「虎箭侵膚毒，魚鈎刺骨銛」（「虎」犯「膚」上聲）。《辛未七夕》三聯「清漏漸移相望久，微雲未接過來遲」（「遲」、「移」大韻，「微」、「未」正紐）。《舊將軍》絶句「雲臺高議正紛紛，誰定當時蕩寇勳」（「雲」、「紛」大韻，「當」、「蕩」正紐）。　溫《南湖》三聯「蘆葉有聲疑霧雨，浪花無際似瀟湘」（「露」犯「無」去聲）。《春日偶作》三聯「自欲放懷猶未得，不知經世竟如何」（「竟」犯「經」去聲）。

旁紐　榕村說曰：「旁紐者，四聲相犯也。如以東爲韻，句中不可用『董』、『送』等韻字。」按：此說亦禁四聲相犯，似與笠翁所論正紐無辨。顧笠翁所禁惟在本紐，如句中用「東」字，則以「董」、「挏」、「督」爲正紐，「同」、「動」、「洞」、「毒」爲旁紐。此外則禁所不及也。此併「送」禁之，併隸於「董」、「送」二韻字概禁之，廣矣。又笠翁統十字均避四聲，此惟在押韻一字，故當句論之，笠翁爲嚴，以四聲論之，榕村爲嚴。　李笠翁曰：「八旁紐病，一句內有『月』字，更不可用『元』、『沅』、『願』字，此是雙聲卽旁紐也。五字中急，十字中稍緩。」按：笠翁旁紐之辨似四聲不必相貫，如「元」、「沅」、「願」、「月」四字以閩音呼之，「元」爲下平，「月」爲下入，「沅」卻是上上，「願」卻是上去。是雖於「元」字上平聲爲同紐，卻非「元」字本紐，故爲紐之旁出者。至雙聲不必論紐，別條詳後。　孟《同盧明府早秋》末聯「欲知臨泛久，荷露漸成珠」（「露」、「珠」相犯）。　杜《北鄰》末聯「時來訪老疾，步屧到蓬蒿」（「到」、「蒿」相犯）。　李《和題眞娘》次聯「胥樹斷絲悲舞席，出雲清梵想歌筵」（「胥」、「筵」相犯）。　右所舉旁紐如榕村說。

又　王《凉州郊外》末聯「女巫紛屢舞，羅襪自生塵」（「舞」犯「巫」上上聲）。　孟《除夜樂城》首聯「雲海訪甌閩，風濤泊島濱」（「濤」犯「島」下平聲）。　杜《將別巫峽》首聯「苔竹素所好，萍蓬無定居」（「素」犯「所」下去聲）。《和裴廸登蜀州》首聯「東閣官梅動詩興，還如何遜在揚州」（「動」犯「東」下上聲）。《江上值水》三聯「新添水檻供垂釣，故著浮槎替入舟」（「垂」犯「水」下平聲）。　李《秋日晚思》末聯「平生有遊舊，一一在烟霄」（「有」犯「遊」上上聲）。《覽古》三聯「長樂瓦飛隨水逝，景陽鐘墮失天明」（「水」犯「隨」上上聲）。　溫《送陳嘏之侯官》次聯「殷勤爲報同袍友，我亦無心似海槎」（「袍」犯「報」下平聲）。　右所舉旁紐如笠翁說。

雙聲叠韻　《南史》王玄謨問謝莊曰：何者爲雙聲叠韻？答曰：玄、瓠爲雙聲，磝、碻爲疊韻。　按：同韻爲疊韻固易明了，雙聲則同母也。希逸所舉玄、瓠，以閩音十五字母呼之，同出「喜」母，是也。《吟窗雜錄》「留連千里賓，獨待一年春」，此頭雙聲句也。「我出崎嶇嶺，君行磝碻山」，此腹雙聲句也。按：「留連」同「柳」母，「獨待」同「地」母，「崎嶇」同「棄」母，「碻」字字典不載。　李《無題》次聯「夢爲遠別啼難喚，書被催成墨未濃。」近解曰：「夢」、「別」同重唇，「書」、「成」同正齒，「爲」、「遠」同喉音，「啼」、「難」同舌音，皆雙聲也。　按：此說以喉唇齒舌分別雙聲，以三十六字母考之，重唇之音凡有四母，「邦」、「滂」、「並」、「明」是也。卽以閩音十五字母考之，亦有三母，「邊」、「頗」、「聞」是也。此聯「夢」、「別」二字，「夢」入「聞」母，「別」入「邊」母，若用「邊」母內字，凡糅於「頗」、「聞」者皆爲雙聲；用「邦」母內字，凡糅於「滂」、「並」、「明」者皆爲雙聲，則所避廣矣。《留贈畏之》三聯「郎君下筆驚鸚鵡，侍女吹笙弄鳳凰」。近解曰：「君」、「驚」，「見」母；「女」、「弄」，「來」母。按：以閩音呼之，「君」、「驚」同「求」母，「女」、「弄」同「柳」母。此則雙聲之正解也。又按：「驚」、「鸚」同庚韻，「弄」、「鳳」同送韻。義山此聯蓋以雙聲兼疊韻而各爲對，以見其工。　溫《李先生別墅望僧舍寶刹因作雙聲》「棲息消心象，檐楹溢豔陽。簾櫳蘭露落，鄰里柳陰凉。高閣過空谷，孤竿隔古岡。潭廬同澹蕩，彷彿復芬芳。」按：此作以閩音呼之，「棲息消心象」同「時」母，「檐楹溢豔陽」同「鶯」母；「簾櫳蘭露落」、「鄰里柳陰凉」皆「柳」母，惟「陰」入「鶯」母；「高閣過谷」、「孤竿隔古岡」皆「求」母，惟「空」入「棄」母；「潭同澹蕩」皆「地」母，惟「廬」入「柳」母；「彷彿復芬芳」同「喜」母。又以四聲呼之，「豔」爲「檐」去聲，「溢」爲「楹」上入聲，「落」爲「櫳」入聲，「古」爲「孤」上聲，「彷」爲「芳」上聲，「復」爲「芳」下入聲，「彿」爲「芬」入聲。其中如「楹」、「溢」、「芳」、「復」，意笠翁所謂旁紐者是。　杜《遊何將軍山林》次聯「卑枝低結子，接葉暗巢鶯。」按：「卑枝」同「支」韻，「接葉」同「葉」韻，此疊韻對法。　溫《題賀知章故居疊韻作》：「癡砌翳薜荔，枯湖無菰蒲。老嫗(音襖)寶稾草，愚儒輸逋租。」《雨中與李先生期垂釣先後相失因作疊韻》：「隔石覓屐跡，西磎迷雞啼。小鳥擾曉沼，犁泥齊低畦。」按：二詩每句同出一韻，惟「砌翳薜荔」皆霽韻，「癈」獨隊韻。「隔石屐跡」皆陌韻，「覓」獨錫韻。蓋以古韻佳、灰、支、微、齊五部，庚、青、蒸三部原通用故也。則所謂疊韻不必本韻，即通用之韻亦得曰疊。杜《高柟》次聯「近根開藥圃，接葉製茅亭。」按：「近根」同「求」母，「接葉」同葉韻。《石鏡》次聯「冥寞憐香骨，提攜近玉顏。」按：「冥寞」同「聞」母，「提攜」同齊韻。《承聞故房相公》三聯「劍動新身匣，書歸故國樓。」按：「新身」同眞韻，「故國」同「求」母。《寄高三十五書記》三聯「主將收才子，崆峒足凱歌。」按：「主將」同「時」母，「崆峒」同東韻。又按：以上四聯或雙聲對疊韻，或疊韻對雙聲，唐人均用之，不必杜公也。至雙聲疊韻雖統一句論之，所講求者尤在於兩字相聯，如四聯之比。附(第一句尾字不押本韻，用通韻，一名「天邊雁」。) 李《井絡》：「井絡天彭一掌中，漫誇天設劍爲峰。陣圖東聚夔江石，邊柝西懸雪嶺松。堪歎故君成杜宇，可能先主是眞龍。將來爲報姦雄輩，莫向金牛訪舊蹤。」按：此詩乃用二冬韻也，而東、冬、江，古韻可以通用，故首句押「中」字。《牡丹》：「錦幃初卷衛夫人，繡被猶堆越鄂君。垂手亂翻雕玉佩，招腰爭舞鬱金裙。石家蠟燭何曾剪，荀令香爐可待薰。我是夢中傳彩筆，欲書花葉寄朝雲。」按：此詩用十二文韻也，而眞、文、元、寒、刪、先，古韻可以通用，故首句押「人」字。

又卷三《辨調小引》 律詩平仄之序，一二句相反，二三句相承，其一定也。以五言明之：如第一句第二字仄，第四字平，則第二句二字卻用平，四字用仄，非相反乎。至第三句之第二字與二句用平，四字用仄，序則相承。從此推之，五句於四句猶三之於二，四句於三句猶二之於一也。從此而六句、七句、八句，以至於十韻、數十韻、百韻，相反相承之序都不異此。考之諸家，間有宜反而承、宜承而反者，其爲調固不若宜反宜承者之諧叶。顧調之變也，標而出之，以類相從，可以預通其變，以備屬調之窮。於每句爲粘，於成篇爲調，其爲平仄之參錯，一也。作《辨調》。清溪李宗文書。

《辨調》第一格 (第五句宜承而反。)《和太常韋主簿五郎溫湯寓目》(王)「漢主離宮接露臺，秦川一半夕陽開。青山盡是朱旗繞，碧磵翻從玉殿來。新豐樹裏行人度，小苑城邊獵騎迴。聞道甘泉能獻賦，懸知獨有子雲才。」《寓居灃上精舍寄于張二舍人》(韋)「萬木叢雲出香閣，西連碧磵竹林園。高齋獨宿遠山曙，微霰下庭寒雀喧。道心淡泊對流水，生事蕭踈空掩門。時憶故交那得見，曉排閶闔奉明恩。」《有客》(杜)「幽棲地僻經過少，老病人扶再拜難。豈有文章驚海內，漫勞車馬駐江干。竟日淹留佳客坐，百年粗糲腐儒餐。不嫌野外無供給，乘興還來看藥欄。」《宣政殿退朝晚出左掖》「天門日射黃金榜，春殿晴曛赤羽旗。宮草微微承委珮，鑪烟細細駐遊絲。雲近蓬萊常五色，雪殘鳷鵲亦多時。侍臣緩步歸青瑣，退食從容出每遲。」 附(第五句宜承而反，首二句平仄參錯。)《灩澦》(杜)「灩澦既沒孤根深，西來水多愁太陰。江天漠漠鳥雙去，風雨時時龍一吟。舟人漁子歌迴首，估客胡商淚滿襟。寄語舟航惡年少，休翻鹽井橫黃金。」

第二格 (第七句宜承而反。)《過乘如禪師蕭居士嵩丘蘭若》(王)「無著天親弟與兄，嵩邱蘭若一峰晴。食隨鳴磬巢烏下，行踏空林落葉聲。迸水定侵香案濕，雨花應共石狀平。深洞長松何所有，儼然天竺古先生。」《答王員外戲贈》(苑咸)「蓮花梵字本從天，華省仙郎早悟禪。三點成伊猶有想，一觀如幻自忘筌。爲文已變當時體，入用還推間氣賢。應同羅漢無名欲，故作馮唐老歲年。」《早朝大明宮呈兩省僚友》(賈至)「銀燭朝天紫陌長，禁城春色曉蒼蒼。千條弱柳垂青瑣，百囀流鶯繞建章。劍珮聲隨玉墀步，衣冠身惹御爐香。共沐恩波鳳池裏，朝朝染翰侍君王。」《清明日憶諸弟》(第八句依本調，不承七句。)(韋)「冷食方多病，開襟一忻然。終令思故郡，煙火滿晴川。杏粥猶堪食，榆羹已稍煎。唯恨乖親燕，坐度此芳年。」《閑遊第二首》(韓)「茲遊苦不數，再到遂經旬。萍蓋汙池淨，藤籠老樹新。林鳥鳴訝客，岸竹長遮鄰。子雲祇自守，奚事九衢塵。」

第三格 (第三句宜承而反。)《積雨輞川莊作》(王)「積雨空林煙火遲，蒸藜炊黍餉東菑。漠漠水田飛白鷺，陰陰夏木囀黃鸝。山中習靜觀朝槿，松下清齋折露葵。野老與人爭席罷，海鷗何事更相疑。」《重酬苑郎中》「何幸含香奉至尊，多慚未報主人恩。草木盡能酬雨露，榮枯安敢問乾坤。仙郎有意憐同舍，丞相無私斷掃門。楊子解嘲徒自遣，馮唐已老復何論。」《春日與王維過新昌里訪呂逸人不遇》(裴迪)「恨不逢君出荷蓑，青松白屋更無他。陶令五男曾不有，蔣生三徑枉相過。芙蓉曲沼春流滿，薜荔成帷晚靄多。聞道桃源好迷客，不如高卧盻庭柯。」《至開化里壽春公故宅》(韋)「寧知府中吏，故宅一徘徊。歷階存往敬，瞻位泣餘哀。瘞井沒荒草，陰牖生綠苔。門前車馬散，非復昔時來。」《自鞏洛舟行入黃河即事寄府縣僚友》「夾水蒼山路向東，東南山豁大河通。寒樹依微遠天外，夕陽明滅亂流中。孤村幾歲臨伊岸，一雁初晴下朔風。爲報洛橋遊宦侶，扁舟不繫與心同。」《送章八元秀才擢第往上都應制》「決勝文場戰已酣，行應辟命復才堪。旅食不辭遊闕下，春衣未換報江南。天邊宿鳥生歸思，關外晴山滿夕嵐。立馬欲從何處別，都門楊柳正毿毿。」《次石頭驛寄江西王十中丞閣老》（韓）「憑高試迴首，一望豫章城。人由戀德泣，馬亦別羣鳴。寒日夕始照，風江遠漸平。默然都不語，應識此時情。」

第四格（第五句、第七句宜承俱反。）《送方尊師歸嵩山》（王）「仙官欲往九龍潭，毛節朱幡倚石龕。山壓天中半天上，洞穿江底出江南。瀑布杉松常帶雨，夕陽彩翠忽成嵐。借問迎來雙白鶴，已曾衡岳送蘇躭。」《所思》（杜）「苦憶荆州醉司馬，謫官樽俎定常開。九江日落醒何處，一柱觀頭眠幾回。可憐懷抱向人盡，欲問平安無使來。故憑錦水將雙淚，好過瞿塘灧澦堆。」

第五格（第三句、第五句宜承俱反。）《苑舍人能書梵字兼達梵音皆曲盡其妙戲爲之贈》（王）「名儒待詔滿公車，才子爲郎典石渠。蓮花法藏心懸悟，貝葉經文手自書。《楚詞》共許勝楊馬，梵字何人辨魯魚。故舊相望在三事，願君莫厭承明廬。」《出塞作》「居延城外獵天驕，白草連天野火燒。暮雲空磧時驅馬，秋日平原好射鵰。護羌校尉朝乘障，破虜將軍夜渡遼。玉靶角弓珠勒馬，漢家將賜霍嫖姚。」《燕李錄事》（韋）「與君十五侍皇闈，曉拂爐烟上赤墀。花開漢苑經過處，雪下驪山沐浴時。近臣零落今猶在，仙駕飄颻不可期。此日相逢思舊日，一杯成喜亦成悲。」《城西陂泛舟》（杜）「青娥皓齒在樓船，橫笛短簫悲遠天。春風自信牙檣動，遲日徐看錦纜牽。魚吹細浪搖歌扇，燕蹴飛花落舞筵。不有小舟能盪槳，百壺那送酒如泉。」附（第三、第五句宜承俱反，第一句平仄參錯。）《即事》（杜）「暮春三月巫峽長，皛皛行雲浮日光。雷聲忽送千峰雨，花氣渾如百和香。黃鶯過水翻迴去，燕子銜泥濕不妨。飛閣捲簾圖畫裡，虛無只少對瀟湘。」附（第三、第五句宜承俱反，第二句平仄參錯。）《柏學士茅屋》（杜）「碧山學士焚銀魚，白馬卻走身巖居。古人已用三冬足，年少今開萬卷餘。晴雲滿戶團傾蓋，秋水浮堦溜決渠。富貴必從勤苦得，男兒須讀五車書。」

第六格（第三句不承二句，第七句不承六句。）《春日與裴迪過新昌里訪呂逸人不遇》（王）「桃源一向絕風塵，柳市南頭訪隱淪。到門不敢題凡鳥，看竹何須問主人。城外青山如屋裡，東家流水入西鄰。閉戶著書多歲月，種松皆老作龍鱗。」

第七格（第三、五、七句宜承俱反。）《酌酒與裴迪》（王）「酌酒與君君自寬，人情翻覆似波瀾。白首相知猶按劍，朱門先達笑彈冠。草色全經細雨濕，花枝欲動春風寒。世事浮雲何足論，不如高卧且加餐。」《送常侍御卻使西蕃》（韋）「歸奏聖朝行萬里，卻銜天詔報蕃臣。本是諸生守文墨，今將匹馬靜烟塵。旅宿關河逢暮雨，春耕亭鄣識遺民。此去多應收故地，寧辭沙塞往來頻。」《過融上人蘭若》（孟）「山頭禪室挂僧衣，牎外無人溪鳥飛。黃昏半在下山路，卻聽泉聲戀翠微。」《涼州詞第二首》「異方之樂令人悲，羌笛胡笳不用吹。坐看今夜關山月，思殺邊城遊俠兒。」《李司馬橋了承高使君自成都迴》（杜）「向來江上手紛紛，三日成功事出羣。已傳童子騎青竹，總擬橋東待使君。」《戲爲六絕句》第二首「楊王盧駱當時體，輕薄爲文哂未休。爾曹身與名俱滅，不廢江河萬古流。」《答楊梓州》「悶到房公池水頭，坐逢楊子鎮東州。卻向青溪不相見，迴船應載阿戎遊。」《夜意》（李）「簾垂幕半卷，枕冷被仍香。如何爲相憶，魂夢過瀟湘。」

第八格（第二句宜反而承。）《人日》兩篇（杜）「元日到人日，未有不陰時。冰雪鶯難至，春寒花較遲。雲隨白水落，風振紫山悲。蓬鬢稀疏久，無勞比素絲。」《村夜》「蕭蕭風色暮，江頭人不行。村春雨外急，鄰火夜深明。胡羯何多難，漁樵寄此生。中原有兄弟，萬里正含情。」《卜居》「浣花流水水西頭，主人爲卜林塘幽。已知出郭少塵事，更有澄江銷客愁。無數蜻蜓齊上下，一雙鸂鶒對沉浮。東行萬里堪乘興，須向山陰上小舟。」《題僧泰恭院》第二首（溫）「微生竟勞止，晤言猶是非。出門還有淚，看竹暫忘機。爽氣三秋近，浮生一笑稀。故山松菊在，終欲掩荆扉。」附（第二句宜反而承，三句仍歸本調。）《承聞河北諸道節度入朝歡喜口號絕句》十二首（杜）「漁陽突騎邯鄲兒，酒酣并轡金鞭垂。意氣即歸雙闕舞，雄豪復遣五陵知。」《梨花下贈劉師命》（韓）「洛陽城外清明節，百花寥落梨花發。今日相逢瘴海頭，共驚爛熳開正月。」

第九格（第四句宜反而承。）《送姚孫還河中》（韋）「上國旅遊罷，故園生事微。風塵滿路起，行人何處歸。留思芳桂飲，惜別暮春暉。幾日投關郡，河山對掩扉。」《寄裴處士》「春風駐遊騎，晚景淡山暉。一問清泠子，獨掩荒園扉。草木雨來長，里閭人到稀。方從廣陵宴，花落未言歸。」附(第四句宜反而承，第五句仍歸本調。)《次同冠峽》(韓)「今日是何朝，天晴物色饒。落英千尺墮，遊絲百丈飄。泄乳交巖脈，懸流揭浪摽。無心思嶺北，猿鳥莫相撩。」

第十格 (第一句平仄參錯。)《送王十五判官扶侍還黔中》(杜)「大家東征逐子迴，風生洲渚錦帆開。青青竹笋迎船出，日日江魚入饌來。離別不堪無限意，艱危深仗濟時才。黔陽信使應稀少，莫怪頻頻勸酒盃。」《題鄭縣亭子》「鄭縣亭子澗之濱，戶牖憑高發興新。雲斷岳蓮臨大路，天晴宮柳暗長春。巢邊野雀羣欺鷰，花底山蜂遠趂人。更欲題詩滿青竹，晚來幽獨恐傷神。」《二月二日》(李)「二月二日江上行，東風日暖聞吹笙。花鬚柳眼各無賴，紫蝶黃蜂俱有情。萬里憶歸元亮井，三年從事亞夫營。新灘莫悟遊人意，更作風簷夜雨聲。」《江畔獨步尋花七絶句》(杜)「黃師塔前江水東，春光懶困倚微風。桃花一簇開無主，可愛深紅愛淺紅。」《三絶句》「無數春笋滿林生，柴門密掩斷人行。會須上番(去聲)看成竹，客至從嗔不出迎。」《華師》(李)「孤鶴不睡雲無心，衲衣筇杖來西林。院門晝鎖迴廊靜，秋日當堦柿葉陰。」

第十一格 (第二句平仄參錯。)《黃草》(杜)「黃草峽西船不歸，赤甲山下行人稀。秦中驛使無消息，蜀道兵戈有是非。萬里秋風吹錦水，誰家別淚濕羅衣。莫愁劍閣終堪據，聞道松州已被圍。」《白帝》「白帝城中雲出門，白帝城下雨飜盆。高江急峽雷霆鬥，翠木蒼藤日月昏。戎馬不如歸馬逸，千家今有百家存。哀哀寡婦誅求盡，慟哭秋原何處村。」《覃山人隱居》「南極老人自有星，《北山移文》誰勒銘。徵君已去獨松菊，哀壑無光留戶庭。予見亂離不得已，子知出處必須經。高車駟馬帶傾覆，悵望秋天虛翠屏。」《江畔獨步尋花七絶句》「東望少城花滿煙，百花高樓更可憐。誰能載酒開今盞，喚取佳人舞繡筵。」「黃四娘家花滿蹊，千朵萬朵壓枝低。留連戲蝶時時舞，自在嬌鶯恰恰啼。」「不是愛花卽肯死，只恐花盡老相催。繁枝容易紛紛落，嫩葉商量細細開。」

第十二格 (第三、第四句平仄參錯。)《望岳》(杜)「西岳崚嶒竦處尊，諸峰羅立似兒孫。安得仙人九節杖，拄到玉女洗頭盆。車箱入谷無歸路，箭括通天有一門。稍待西風凉冷後，高尋白帝問眞源。」《雨不絶》「鳴雨既過漸細微，映空搖颺如絲飛。堦前短草泥不亂，院裏長條風乍稀。舞石旋應將乳子，行雲莫自濕仙衣。眼邊江舸何忽促，未待安流逆浪歸。」《赤甲》「卜居赤甲遷居新，兩見巫山楚水春。炙背可以獻天子，美芹由來知野人。荆州鄭薛寄書近，蜀客郗岑非我鄰。笑接郎中評事飲，病從深酌道吾眞。」

第十三格 (第一聯、二聯平仄參錯。)《題省中院壁》(杜)「掖垣竹埤梧十尋，洞門對霤常陰陰。落花遊絲白日靜，鳴鳩乳燕青春深。腐儒衰晚謬通籍，退食遲迴違寸心。袞職曾無一字補，許身愧比雙南金。」《江雨有懷鄭典設》「春雨闇闇塞峽中，早晚來自楚王宮。亂波分披已打岸，弱雲狼藉不禁風。寵光蕙葉與多碧，點注桃花舒小紅。谷口子眞正憶汝，岸高瀼滑限西東。」《曉發公安》「北城擊柝復欲罷，東方明星亦不遲。鄰雞野哭如昨日，物色生態能幾時。舟楫眇然自此去，江湖遠適無前期。出門轉盼已陳迹，藥餌扶吾隨所之。」

第十四格 (第一聯、三聯平仄參錯。)《暮春》(杜)「卧病擁塞在峽中，瀟湘洞庭虛映空。楚天不斷四時雨，巫峽常吹千里風。沙上草閣柳新闇，城邊野池蓮欲紅。暮春鴛鷺立洲渚，挾子翻飛還一叢。」

第十五格 (通首平仄參錯。)《寄贈王將軍承俊》(杜)「將軍膽氣雄，臂懸兩角弓。纏結青驄馬，出入錦城中。時危未授鉞，勢屈難爲功。賓客滿堂上，何人高義同。」《鄭駙馬宅宴洞中》「主家陰洞細烟霧，留客夏簟青琅玕。春酒盃濃琥珀薄，冰漿椀碧瑪瑙寒。誤疑茅堂過江麓，已入風磴霾雲端。自是秦樓壓鄭谷，時聞雜珮聲珊珊。」《崔氏東山草堂》「愛汝玉山草堂靜，高秋爽氣相鮮新。有時自發鐘磬響，落日更見漁樵人。盤剝白鴉谷口栗，飯煮青泥坊底芹。何爲西莊王給事，柴門空閉鎖松筠。」《九日》「去年登高郪縣北，今日重在涪江濱。苦遭白髮不相放，羞見黃花無數新。世亂鬱鬱久爲客，路難悠悠常傍人。酒闌卻憶十年事，腸斷驪山清路塵。」《至後》「冬至至後日初長，遠在劍南思洛陽。青袍白馬有何意，金谷銅駝非故鄉。梅花欲開不自覺，棣萼一別永相望。愁極本憑詩遣興，詩成吟詠轉凄凉。」《立春》「春日春盤細生菜，忽憶兩京梅發時。盤出高門行白玉，菜傳纖手送青絲。巫峽寒江那對眼，杜陵遠客不勝悲。此身未知歸定處，呼兒覓紙一題詩。」《白帝城最高樓》「城尖徑昃旌旆愁，獨立縹緲之飛樓。峽坼雲霾龍虎卧，江清日抱黿鼉遊。扶桑西枝封斷石，弱水東影隨長流。杖藜歎世者誰子，泣血迸空迴白頭。」《愁(強戲爲吳體)》「江草日日喚愁生，巫峽泠泠非世情。盤渦鷺浴底心性，獨樹花發自分明。十年戎馬暗萬國，異域賓客老孤城。渭水秦山得見否，人今罷病虎縱横。」《晝夢》「二月饒睡昏昏然，不獨夜短晝分眠。桃花氣暖眼自醉，春渚日落夢相牽。故鄉門巷荆棘底，中原君臣豺虎邊。安得務農息戰鬥，普天無吏横索錢。」《暮歸》「霜黄碧梧白鶴栖，城上擊柝復烏啼。客子入門月皎皎，誰家搗練風凄凄。南渡桂水闕舟楫，北歸秦川多鼓鞞。年過半百不稱意，明日看雲還杖藜。」《春水生二絶》「一夜水高二尺強，數日不可更禁當。南市津頭有船賣，無錢即買繫籬旁。」《詣徐卿覓果栽》「草堂少花今欲栽，不問綠李與黄梅。石笋街中卻歸去，果園坊裏爲求來。」《絶句漫興九首》「手種桃李非無主，野老牆低還似家。恰似春風相欺得，夜來吹折數枝花。」「舍西柔桑葉可拈，江畔細麥復纖纖。人生幾何春已夏，不放香醪如密甜。」《夔州歌十絶句》「瀼東瀼西一萬家，江北江南春冬花。背飛鶴子遺瓊蕊，相趁鳧雛入蔣芽。」「東屯稻畦一百頃，北有澗水通青苗。晴浴狎鷗分處處，雨隨神女下朝朝。」「蜀麻吴塩自古通，萬斛之舟行若風。長年三老長歌裡，白晝攤錢高浪中。」「憶昔咸陽都市合，山水之圖張賣時。巫峽曾經寶屏見，楚宫猶對碧峰疑。」「武侯祠堂不可忘，中有松柏參天長。干戈滿地客愁破，雲日如火炎天凉。」《偶題》（李）「小亭閒眠微醉消，山榴海柏枝相交。水文簟上琥珀枕，傍有墮釵雙翠翹。」《日射》「日射紗窗風撼扉，香羅掩手春事違。迴廊四合掩寂寞，碧鸚鵡對紅薔薇。」王貽上《分甘餘話》：「唐人拗體律詩有二種：其一，蒼莽歷落中自成音節，如老杜『城尖徑仄旌旆愁，獨立縹緲之飛樓』諸篇是也；其一，單句拗第幾字，則偶句亦拗第幾字，抑揚抗墜，讀之如一片宫商，如趙嘏之『溪雲初起日沉閣，山雨欲來風滿樓』，許渾之『湘潭雲盡暮山出，巴蜀雪消春水來』是也。」

第十六格（首二句平仄參錯。）《春水生二絶》（杜）「二月六夜春水生，門前小灘渾欲平。鸕鷀鸂鶒莫漫喜，吾與汝曹俱眼明。」《憑何十一少府邕覓榿木栽》「草堂塹西無樹林，非子誰復見幽心。飽聞榿木三年大，與致溪邊十畝陰。」《絶句漫興九首》「眼見客愁愁不醒，無賴春色到江亭。即遣花開深造次，便教鶯語太丁寧。」「熟知茅齋絶低小，江上燕子故來頻。銜泥點汙琴書內，更接飛蟲打著人。」「二月已破三月來，漸老逢春能幾迴。莫思身外無窮事，且盡生前有限杯。」「隔戶楊柳弱嫋嫋，恰似十五女兒腰。誰謂朝來不作意，狂風挽斷最長條。」《江畔獨步尋花七絶句》「江上被花惱不徹，無處告訴只顛狂。走覓南隣愛酒伴，經旬出飲獨空牀。」《夔州歌十絶句》「中巴之東巴東山，江水開闢流其間。白帝高爲三峽鎮，夔州險過百牢關。」《解悶十二首》「翠瓜碧李沉五

甃，赤梨蒲萄寒露成。可憐先不異枝蔓，此物娟娟長遠生。」《別盈上人》（韓）「山僧愛山出無期，俗士牽俗來何時。祝融峰下一迴首，即是此生長別離。」《暮秋獨遊曲江》（李）「荷葉生時春恨生，荷葉枯時秋恨成。深知身在情長在，悵望江頭江水聲。」

洪亮吉《北江詩話》卷一 《三百篇》無一篇非雙聲叠韻。降及《楚辭》與淵、雲、枚、馬之作，以迄《三都》、《兩京》諸賦，無不盡然。唐詩人以杜子美爲宗，其五七言近體，無一非雙聲叠韻也。間有對句雙聲叠韻，而出句或否者，然亦不過十分之一。中唐以後，韓、李、溫諸家亦然。至宋、元、明詩人，能知此者漸鮮。本朝王文簡頗知此訣，集中如「他日差池春燕影，祇今憔悴晚烟痕」此類數十聯，亦可追蹤古人。然叠韻易曉，而雙聲難知。則聲音、訓詁之學宜講也。

又卷二 王新城尚書作《聲調譜》，然尚書生平所作七言歌行，實受聲調之累。唐、宋名家、大家，均不若此。

法式善《梧門詩話》卷二 王西樵謂次韻不過欲省思力，朱竹垞亦往往好用杜韻。客有問者，曰：「無他，只捆了好打耳。」息翁生平疊韻詩極多，晚年刊《春及堂集》，則皆不載也。然如「節過九日風眞健，天到三潭月似低。」「生前可審論文細，病後才知用藥低。」「空心酒易三分醉，袖手棋無半著低。」「近知舊社朋情好，喜見豐年米價低。」「將軍都護心能壯，贊普昆彌首自低。」此類置之《林臥遙集》中，魄力無不及也。

又卷三 前人論十一「眞」韻難押，如「人」字、「身」字等韻，一入庸手，便如嚼蠟。余見夢堂相國《春柳疊韻詩》：「斜日故低嘶馬路，淡煙漸隔倚樓人。」「別院曉風初到燕，寒江細雨正愁人。」「細葉藏烏仍往日，故枝繫馬又何人。」押「人」字俱蘊藉。又見其《朱孝廉止宿草堂》二句：「寒禽曳影頻移樹，片月飛光欲瞰人。」更以奇勝。

翟翬《聲調譜拾遺・五言古詩》 《尋高鳳石門山中元丹邱》（李白）尋幽無前期（五平字句），乘興不覺遠（四仄字句）。蒼崖渺（仄）難（平）涉（拗律句。詳見五言律體中），白日忽欲晚（五仄字句）。未（仄）窮三（平）四山（拗律句），已歷千萬轉（亦拗律句。俱詳五言律體中）。寂寂聞猿愁（三平。平韻古詩正調），行行見雲收。高松來好月（律句），空谷宜清秋（三平）。溪深古雪在（下三字仄，律句微拗），石斷寒泉流（三平）。峰巒秀中天，登眺不可盡（四仄）。

丹邱遙相呼(五平)，顧我忽(仄)而(平)哂(拗律句。亦仄韻古詩正調)。遂造窮谷間，始(仄。在律爲失調，須第三字以平救之。古詩不拘也)知靜者閒。留歡達永夜(三仄)，清曉方言還(三平)。

又《月下獨酌》 花間一壺酒(拗律句)，獨酌無相親(三平)。舉杯邀明月，對影成三人(三平)。月既不解飲(五仄)。影徒隨(平)我身(拗律句。亦平韻古詩正調)。暫伴月(仄，妙)將影(拗律句)，行樂須(平)及(仄)春。我歌月徘徊，我舞影(仄)凌(平)亂(拗律句)。醒時同交歡，醉後各分散(拗律句。同前)。永結無情遊，相期(平)邈(仄)雲(平)漢(拗律句。仄韻古詩正調)。

又《夏日李公見訪》(杜甫) 遠林暑(仄。拗)氣靜，公子過(平)我遊。貧居類村塢，僻近城南樓(三平)。旁舍頗淳朴，所願亦易(四仄)求。隔屋喚西家(落字平。律句)，借問有酒(四仄)不？牆頭過濁醪(落字平。律句)，展席俯清流(律句)。清風左右至(三仄)，客意已驚秋(律句)。巢多衆鳥鬭，葉密鳴蟬稠。苦遭此物聒，孰謂吾廬幽？水花晚色靜(拗。同首句及第十五句)，庶足充淹留。預恐樽中盡，更起爲君謀(二句律。不粘亦健)。

又《郡齋中雨與諸文士燕集》(韋應物) 兵衛森畫戟，宴寢凝清香。海上風雨至(拗。同首句)，逍遙池(平拗。不平則律矣)閣涼。煩痾近消散，嘉賓復滿堂(律句)。自慚居處崇(落字平。亦拗律句)，未瞻斯民康(四平字句)。理會是非遣，性達形跡忘。鮮肥屬時禁，蔬果幸見(三仄)嘗。俯飲一盃酒，仰聆金玉章。神歡體自輕(落字平。律句)，意欲凌風翔。吳中盛文史，羣彥今汪洋。方知大藩地，豈曰財賦強？

又《畫鶻行》(杜甫) 高堂見生鶻，颯爽動秋骨。初驚無拘攣，何得立突兀？乃知畫師妙，巧刮造化窟。寫作神俊姿，充君眼中物。烏鵲滿樛枝(律句)，軒然恐其出。側腦看青霄，寧爲衆禽沒。長翮如刀劍(律句)，人寰可超越。乾坤空崢嶸，粉墨且蕭瑟。緬思雲沙際，自有烟霧質。吾今意何傷，顧步獨紆鬱！ 讀古詩有不悉者，須於五、七言律體中求之。蓋凡律詩拗調，皆古詩句法也。但古詩句法，有可以參入律體者，有必不可以參入律體者。是當細撿有所分辨耳。《趙譜》論古詩頗詳盡，由此與《趙譜》參之，庶幾無遺義矣。

又《七言古詩》《侍從宜春苑奉詔賦龍池柳色初青聽新鶯百囀歌》(李白)

東風已綠瀛洲草(律句)，紫殿紅樓覺春好(拗律句。仄韻古詩正調)。池南柳色半青青(律句)，縈煙嫋娜拂綺城。垂絲百尺挂雕楹(律句)，上有好鳥(此字必仄)相和鳴(三平，妙。平韻古詩正調)，間關早得春風情(忽單一句。三平，妙。以上皆疊韻)。春風卷入碧雲去(律句微拗。此句落字必仄)，千門萬戶皆春聲(三平，妙。此下斷宜轉韻)。是時君王在鎬京(此句疊韻，猶轉韻也)，五雲垂輝耀紫清。仗出金宮隨日轉，天迴玉輦繞花行(二句律)。始向蓬萊看舞鶴，還過茝若聽新鶯。新鶯飛繞上林苑，願入簫韶雜鳳笙(後六句微參律調，音節妙絕，有繞梁之致)。

又《戲題畫山水圖歌》(杜甫) 十日畫一水，五日畫一石(五仄句)。能事不受相促迫(疊韻妙)，王宰始肯留眞跡。壯哉崑崙方壺圖，挂君高堂之素壁。巴陵洞庭日本東，赤岸水與銀河通。中有雲氣隨飛龍(單句。三平，妙)。舟子漁人入浦溆(落字仄)，山木盡亞洪濤風(三平，妙。單句疊韻，與前詩同)。尤工遠勢古莫比(換韻，與前詩參看)，咫尺應須論萬里。焉得并州快剪刀(二句律)，剪取吳淞半江水。

又《天育驃騎歌》 吾聞天子之馬走千里(九字句)，今之畫圖無乃是。是何意態雄且傑？駿尾蕭梢朔風起。毛爲綠縹兩耳黃，眼有紫燄雙瞳方。矯矯龍性合變化，卓立天骨森開張。伊昔太僕張景順，監馬攻駒閱清峻。遂令大奴字(仄，妙)天育，別養驥子憐神俊。當時四十萬匹馬，張公嘆其材盡下。故獨寫眞傳世人，見之座右久更新。年多物化空形影，嗚呼健步無由騁(二句律。不粘亦健)。如今豈無騕褭與驊騮？時無王良伯樂死卽休(九字句，拗健)。

又《醉歌行》 陸機二十作文賦(首句不押韻)，汝更小年能綴文。總角草書又神速，世上兒子徒紛紛。驊騮作駒已汗血，鷙鳥舉翮連青雲。詞源倒流三峽水，筆陣橫掃千人軍。只今年纔十六七，射策天門期第一(律句)。舊穿楊葉眞自知，暫蹶霜蹄未爲失。偶然擢秀非難取(律句)，會是排風有毛質。汝身已見唾成珠(亦變律句)，汝伯何由髮如漆？春光澹沱(仄聲)秦東亭，渚蒲芽白水荇青。風吹客衣日杲杲，樹攪離思(仄聲)花冥冥。酒盡沙頭雙玉瓶(疊韻妙)，衆賓皆醉我獨醒。乃知貧賤別更苦，吞聲躑躅涕淚零。

又《陪王侍御同登東山最高頂宴姚通泉晚攜酒泛江》 姚公美政誰與儔？不減昔時陳太邱。邑中上客有杜史，多暇日陪驄馬遊。東山高頂羅珍羞(疊韻，與轉韻同格)，下顧城郭消我憂。清江白日落欲盡，復攜美人登綵舟。笛聲憤怨哀中流(疊韻，同前)，妙舞逶迤夜未休(律句)。燈前往往大魚出，聽曲低昂如有求(三句拗律)。三更風起銀浪湧，取樂喧呼覺船重。滿空星河光破碎，四座賓客色不動。請公臨深莫(上下字皆平，此字仄，妙)相違，迴船罷酒上馬歸。人生歡會豈有極？無使霜露霑人衣。此古詩歌行極則也。其用韻轉換，聲調高下疾徐處，皆當細意會之。神明於此，餘可望而知也。《趙譜》謂：「平平平平仄平平句法，尋常轉韻，古詩不可輕用。」信矣。然李、杜、韓諸家詩中，亦間用之，而未見有礙。由其詩純用古調，而盛氣又足以勝之也。否則不宜著此矣。平韻古詩，無論轉韻及不轉韻，凡仄仄仄平平平平及仄仄平平平平平等句法，皆不可用。杜、韓詩筆力最橫絕，未嘗有此。唐人間有用之者，要是踰閑之弊，不可不知。以上二條所論句法，頗宜《柏梁》體。

又《八月十五夜贈張功曹》(韓愈) 纖雲四卷天無河，清風吹空月(仄)舒波。沙平水息聲影絕，一杯相屬君當歌。君歌聲酸辭正苦，不能聽終淚如雨。洞庭連天九(仄)疑高(句同前)，蛟龍出沒猩鼯號。十生九死到官所，幽居默默如藏逃。下牀畏蛇食畏藥，海氣濕蟄薰腥臊。昨者州前搥大鼓(律句)，嗣皇繼聖登夔皋。赦書一日行千里，罪從大辟皆除死(二句律，不粘)。遷者追回流者還，滌瑕蕩垢朝清班。州家申名使(仄，妙)家抑，坎軻祇得移荆蠻。判司卑官(平)不(仄，妙。上下字平，此字宜仄)堪(平)說(與上聯句同，亦詳見七律中)，未免捶楚塵埃間。同時輩流多(平)上(仄，妙。上字平，此字宜仄)道(句法見前，亦詳七律中。當與上二句參看)，天路幽險難追攀。君歌且休聽我歌(即用起處原韻。「歌」字韻複，複韻古人多有之)，我歌今與君殊科。人生由命非由他，有酒不飲奈明何(四句疊韻)。純用古調，無一聯是律者；轉韻亦極變化。

又《夜上西城聽梁州》(李益) 行人夜上西城宿，聽唱《梁州》雙管逐。此時秋月滿關山，何處關山無此曲？鴻雁新從北地來，聞聲一半卻飛回。金河戍客腸應(平聲)斷，更在秋風百尺臺。

又《送客之江寧》(韓翃) 春流送客不應(平)賒，南入徐州見柳花。朱雀橋邊看淮水(拗律句，甚諧)，烏衣巷裏問王家。千閭萬井無多事，闢戶開門向山翠。楚雲朝下石頭城，江燕雙飛瓦官寺。吳士風流甚可親，相逢嘉賞日應(平)新。從來此地誇羊酪，自有蓴羹味可人。此古詩純用律調者。《趙譜》謂：「中唐後，古近體判不相入。」或未可信。然裒觀李、杜、韓、柳諸集，無古詩純用律調者。古詩用律調，詩格之卑也。昔人謂：「晚唐無古詩。」亦謂此也。

又《人日寄杜二拾遺》(高適) 人日題詩寄草堂(律句)，遙憐故人思故(上二字平，此字必仄)鄉。柳條弄色不忍見，梅花滿枝空斷腸。身在南蕃無所預(律句)，心懷百憂復(仄)千慮。今年人日空相憶，明年人日知何處(二句律)。一臥東山三十春(拗律句)，豈知書劍老風塵(律句)。龍鍾還忝二千石，愧爾東西南北人(二句拗律)。

又《喜韓尊相過》(岑參) 三月灞陵春已老(律句)，故人相逢耐醉倒。甕頭春酒黃花脂，祿米只充沽酒(仄)資(與前詩第二句參看)。長安城中足(仄)年少，獨共韓侯開口笑(律句)。桃花點地紅斑斑，有酒留君且莫還(律句)。與君兄弟日攜手(拗律句)，世上浮名好是閒(律句)。此亦古詩中金科玉律也，總有近律處，斷無亂入《柏梁》體者，可與《趙譜》杜少陵《樂遊園歌》參看。

又《入奏行》(杜甫) 竇侍御，驥之子，鳳之雛。年未三十忠義俱，骨鯁絕代無。炯如一段清冰出萬壑，置在迎風寒露之玉壺。蔗漿歸廚金盌凍，洗滌煩熱足以寧君軀。政用疏通合典則，戚聯豪貴耽文儒。兵革未息人未蘇，天子亦念西南隅。吐蕃憑陵氣頗麤，竇氏檢察應時須。運糧繩橋壯士喜，斬木火井窮猿呼。八州刺史思一戰，三城守邊卻可圖。此行入奏計未小，密奉聖旨恩宜殊。繡衣春當霄漢立，綵服日向庭幃趨。省郎京兆必俯拾，江花未落還成都。江花未落還成都(複句)，肯訪浣花老翁無(複韻)。爲君酤酒滿眼酤，與奴白飯馬青芻。此古詩長短句不轉韻格，篇中疊韻猶轉韻也，可與轉韻詩例看。

又《五言律詩》《奉答岑參補闕見贈》(杜甫) 窈窕清禁(宜平而仄)闥，罷(仄)朝歸(平字拗救)不同(第三字用平，救上句亦救本句。本句第一字仄，故第三字必平也)。君隨丞相後，我住日華東。冉冉柳(宜平而仄)枝碧(拗句)，娟娟花(平)蕊紅(第三字平，所以救上句第三字之仄。拗同第一句。上句亦可不救)。故(仄)人得(宜平而仄)佳(宜仄而平)句(拗句。《趙譜》云：第三字仄，第四字平，則第一字必平。觀此似不必拘)，獨贈白頭翁。

又《夜雨》 小雨夜復密(五仄字，拗句)，迴風吹(平字拗救)早秋。野涼侵閉戶，江滿帶維舟。通籍恨多病(拗，同前詩第五句)，爲郎忝薄遊(不救上句，與前詩五、六句參看）。天寒出巫峽（同前詩第七句。《趙譜》云「第一字必平」者若此），醉別仲宣樓。杜律凡五字全仄及仄仄平仄仄、平仄仄仄仄等句，皆用拗救。《趙譜》所論，直與符合。然唐人亦有不用拗救者。趙云：「不救便落調。」恐未必然。凡律詩，上句拗，下句猶可參用律調；下句拗，則上句必以拗調協之。此不易之法。

又《空囊》 翠柏苦猶食，晨霞高可餐。世人共（宜平而仄）鹵莽（《趙譜》謂中唐後無此調，亦非。證例在韓愈、裴説詩），吾道屬艱難。不爨井晨凍，無衣牀夜寒。囊空恐羞澀，留得一錢看。

又《暫遊臨邑至嶠山湖亭奉懷李員外率成示興》 野亭逼湖水（拗句。凡下句連用三平聲字者，此句必拗），歇馬（此句此字必仄）高林間（三平）。鼉吼風奔浪，魚跳日映山。暫遊阻詞伯（同首句），卻望懷青關（同第二句）。靄靄生雲霧，唯應促駕還。

又《秦州雜詩》 蕭蕭古塞冷（三仄，亦律詩拗句），漠漠秋雲低（三平字句）。黄鵠翅垂雨，蒼鷹饑啄泥。薊門誰自北？漢將獨征西。不意書生耳，臨衰聽鼓鼙。

又《去蜀》 五載客蜀郡（《趙譜》云：「五仄及四仄句中須有入聲字。」其説甚妙，細參之），一年居（平）梓州。如何關塞阻？轉作瀟湘遊（上句不作拗調，故下聯以拗調救之。今人有不論上下聯字句而突著三平聲字者，非也。七言律詩倣此）。萬事已黄髮，殘生隨白鷗（救上二句在此。前詩得三四拗調亦協，須細參之）。安危大臣在，何必淚長流？

又《翫月呈漢中王》 夜（仄）深（平）露（仄）氣清（拗句。詳註李白詩），江月滿江城（首句拗，次句可不救）。浮客轉危坐，歸舟應獨行？關山同一照，烏鵲自多驚。欲得淮王術，風吹暈已生。

又《南陽送客》（李白） 斗酒勿爲薄（拗句），寸心貴不忘（同前詩首句。《趙譜》云：「下句第二字平，第一字及第三字用仄爲落調。」觀此似不可信。然上句不拗，下句亦不可著此，今人失調處在不論上下句，細參之）。坐惜故人去，偏令遊子傷。離顔怨芳草，春思（去聲）結垂楊。揮手再三別，臨歧空斷腸。

又《送友人東歸》（戴叔倫） 萬里楊柳色，出關送故人（同前詩第一、第二句）。輕烟拂流水，落日照行塵。積夢江湖闊，憶家兄弟貧（「兄」字平，救本句「憶」字之仄）。徘徊灞亭上，不語自傷春。按：此等句法，唐人間有用之者，亦只在起調，他處未嘗著也。世人所以不信《趙譜》，正以此等詩與《趙譜》所論間有不合故爾，書不盡言，言不盡意，旁推交通，以盡其變，要在善讀者加之意焉。

又《獨釣》（韓愈） 獨往南塘上，秋晨景氣佳。露排四岸草（同杜詩「世人共鹵莽」句），風約半池萍。鳥下見人寂，魚來聞餌馨。所嗟無可召，不得倒吾瓶。秋半百物晦（四仄），溪魚去不來（不救上句，可與杜甫《夜雨》詩參看）。風能拆芡角，露亦染梨腮。遠岫重疊見（拗句），寒花散亂開（不救上句，可與杜甫《奉答岑參》詩參看）。所期終莫至，日暮與誰迴？

又《道林寺》（裴説） 獨立凭危欄，高低落照間。寺分一派水（拗句，與杜、韓詩參看。《趙譜》謂中唐後無此調者，非也），僧鎖半房山。對面浮世隔，垂簾到老閒（二句亦可與前詩參看）。煙雲與塵土，寸步不相關。

又《江園書事寄盧綸》（司空曙） 種柳南江邊（三平），閉門三（平字拗救）四年。俗人那勝竹，凡鳥不如蟬。嗜酒漸思渴，讀書多欲眠。平生故交在，白首遠相憐。

又《臨洞庭湖贈張丞相》（孟浩然） 八月湖（平）水（仄）平（拗句起，與李白詩之「楚水清若空」、包何詩之「願以金秤錘」等句同），涵虛混太清。氣蒸雲夢澤，波撼岳陽城。欲濟無舟楫，端居恥聖明。坐觀垂釣者，徒有羨魚情。唐人五、七言近體詩，起調多作拗句。知詩律於起調較寬也。

又《七言律詩》《題省中院壁》（杜甫） 掖垣（拗字。宜仄而平）竹埤（平）梧十（第四字平，此字必仄）尋（拗句），洞門對霤常陰陰（三平。粘）。落花游絲白日晚（三仄，妙。不粘。同第一句），鳴鳩乳燕青春深（三平。同第二句。粘。以下俱粘）。腐儒衰晚謬（拗字。宜平而仄）通籍（拗句），退食遲回違（此字平，所以救上句第五字之仄）寸心（拗句。七言中第五字，即五言第三字，當合五言律參之）。袞職曾無一字補（三仄，妙。下句著三平聲字，故此略拗以協之），許身媿比雙南金。

又《鄭駙馬宅宴洞中》 主家陰洞細（仄）烟霧（拗句），留客（仄，妙）夏簟青琅玕（此句與上句不粘，第二字妙仄，以不粘爲粘。不粘句不可不拗）。春酒杯濃琥珀薄，冰漿椀碧瑪瑙（宜平而仄）寒（拗可）。誤（仄，妙）疑（宜仄而平）茅堂過（上下字平，此字必仄）江（平）麓（拗句），已入（仄，妙）風磴霾雲端。自是秦樓壓鄭谷，時聞雜珮聲珊珊。

又《崔氏東山草堂》愛汝玉(仄)山草(宜平而仄)堂(宜仄而平)靜(拗句。《趙譜》云：「第三字必平。」而此偏仄。可與五言中「故人得佳句」句參看)，高秋爽氣相鮮新。有時自發鐘(宜仄而平)磬(宜平而仄)響(拗句)，落日更見漁樵人(此與上句不粘，故拗。可與前詩第一、第二句參看)。盤剝白鴉谷口栗，飯煮青泥坊(必平。)底芹(二句不粘而拗，略與上同)。何爲西莊王給事，柴門空閉鎖松筠？

又《卜居》浣花溪水水西頭，主人爲卜林塘幽(拗句。與上不粘)。已知出郭少塵事，更有澄江銷客愁(第二句拗，必須此拗調救之)。無數蜻蜓齊上下，一雙鸂鶒對沈浮。東行萬里須乘興，須向山陰上小舟。

又《九日》去年(宜仄而平)登高郪縣北，今日(宜平而仄)重在涪江濱。苦遭白髮不相放，羞見黃花無數新(四句正粘)。世亂(宜平而仄)鬱鬱久爲(必平)客，路難(宜仄而平)悠悠長傍(必仄)人。酒闌卻憶十年事，腸斷驪山清路塵。

又《將赴成都草堂途中有作先寄嚴鄭公》錦(仄，妙)官(宜仄而平)城西生事微，烏皮几在還思歸。昔去爲(仄)憂亂兵入(同「愛汝玉山草堂靜」句。不粘。以下粘)，今來已恐鄰人非。側身天地更懷古，回首風塵甘息機。共說總戎雲鳥陣，不妨遊子芰荷衣。

又《赤甲》卜居赤甲遷居新(三平)，兩見巫山楚水春。炙背(仄，拗)可以獻天(必平)子，美芹(平，拗)由來知野(必仄)人(第二句不救首句，故須以此救之。同《卜居》詩三、四句)。荆州鄭薛寄書遠，蜀客郗岑非我鄰。笑接中郎評事飲，病從深酌道吾眞。

又《江雨懷鄭典設》春雨闇闇塞峽中(拗句)，早晚(宜平而仄)來自楚王宮(拗句)。亂波(宜仄而平)分披已打岸(拗句)，弱雲狼藉不禁風(上句亦可不救)。寵光蕙葉與多碧，點注桃花舒小紅。谷口子眞正憶爾(拗句。第四字平變而仍律)，岸高瀼滑限西東(白居易詩：「出郭已行十五里，惟銷一曲慢霓裳。」句與此同)。

又《立春》春日春盤細生菜(拗句。趙氏所云第三字必平者若此)，忽憶兩(仄)京梅(此字平，所以救本句第三字之仄)發時。盤出高門行白玉，菜傳纖手送青絲。巫峽寒江那對眼，杜陵遠客不勝悲(此句亦變律調。然唐人詩中亦間用之)。此身(拗字。宜仄而平)未(仄，妙)知歸(平，妙)定處(拗句。同前詩第三句)，呼兒覔紙一題詩。

又《十二月一日》今朝臘月春(平)意(宜平而仄)動(拗句。同「有時自發鐘磬響」句)，雲安(平)縣前江可(必仄)憐(拗句)。一聲何處送(仄)書雁，百丈誰家上瀨船(《趙譜》云：「上句必用拗救。」亦非。可與《省中院壁詩》第五、第六句參看)。未將梅蕊驚愁眼，更取椒花媚遠天。明光起草人所羨(同第一句)，肺病幾時朝(平。拗救)日邊。

又《望嶽》西岳崚嶒竦處尊，諸峰羅列如兒孫(三平)。安得仙人九節杖(三仄，妙。下句拗，故此略拗以協之)，拄到(宜平而仄)玉女洗頭盆(同「早晚來自楚王宮」句)。車箱入谷無歸路，箭栝通天有一門。稍待西風涼冷後，高尋白帝問眞源。

又《見螢火》巫山秋夜螢(宜仄而平)火(宜平而仄)飛(拗句。首句拗，可不救)，簾疏巧入坐人衣。忽驚屋裏琴書冷，復亂簷前星宿稀。卻繞井欄添個個，偶經花蕊弄輝輝。滄江白髮愁看汝，來歲如今歸未歸？

又《題鄭縣亭子》鄭縣(宜平而仄)亭子澗之濱(拗句起)，戶牖憑高發興新(不救，同前)。雲斷岳蓮臨大路，天晴宮柳暗長春。巢邊野雀羣欺燕，花底山峰遠趁人。更欲題詩滿青竹，晚來幽獨恐傷神。

又《長沙送李十一銜》與子避地西康州(三平)，洞庭(平)相逢十(第二字平，此字可仄)二秋(拗救上句)。遠愧上方曾賜履，竟非吾土倦登樓。久存膠漆應難並，一辱泥塗遂晚收。李杜齊名眞忝竊，朔雲寒菊倍離憂。

又《龍池篇》(沈佺期)龍池(平)躍龍龍已飛，龍德先天天(平。拗救)不違(不粘。說見前)。池開天漢分黃道，龍向天門入紫微。邸第樓臺多氣色，君王鳧雁有光輝。爲報寰中百川水，來朝此地莫東歸。

又《黃鶴樓》(崔顥)昔人(平)已乘黃鶴去(拗句，見前)，此地空餘黃(平)鶴樓(不粘，拗)。黃鶴一去不復返(六仄，拗句)，白雲千載空悠悠(三平拗救)。晴川歷歷漢陽樹，芳草萋萋鸚鵡洲。日暮鄉關何所似？煙波江上使人愁。

又《題東溪公幽居》(李白)杜陵(宜仄而平)主人清且廉(拗句起)，東谿卜築歲將淹。宅近青山同謝朓，門垂碧柳愛陶潛。好鳥迎春歌後院，飛花送酒舞前簷。客到但知留一醉，盤中惟有水晶鹽。

又《題濬公山池》（李頎）　遠公遁跡廬山岑（三平），開山（宜仄而平）幽居祇（平）樹林。片石孤雲窺色相，清池皓月照禪心。指揮如意天花落，坐臥閒房春草深。此外俗塵都不染，惟餘元度許相尋。王敬美謂詩無一句拗者，此詩獨於第二句下一拗調，於理不合，因改「開山」字爲「開士」。其後毛大可極力非之，以爲此詩本兩句拗，若改「山」爲「士」，則反成一句拗矣。以矛刺盾，王復何言？又按：此詩文義亦斷依原本，改易不得。蓋「開山」字本承上句一直說下，謂遠公來遁跡廬山，而開山以居。故結用元度與遠公故事，終始以比體暗照濬公。若添出「開士」一層，便不成章法，筆力亦疲苶矣。然如毛大可訓「開山」句，謂以開山之僧而幽居祇垣，添一「僧」字而文理亦轉覺澁滯。噫！說詩之難，固未可以輕心掉之也。

又《酌酒與裴迪》（王維）　酌酒與君君自寬，人情翻覆似波瀾。白首相知猶按劍，朱門先達笑彈冠。草色全經細雨濕（三仄），花枝欲動春風寒（三平）。世事浮雲何足問？不如高臥且加餐。於中聯偶著拗調，求之前人詩中，亦不多見。豈是時詩律未嚴，沿襲齊、梁之遺與？

又《靈寶縣西》（吳融）　碧溪激激流殘陽，晴沙兩兩眠鴛鴦（不粘）。柳花無賴苦多暇，蛺蝶有情長自忙。千里宦遊成底事？每年風景是他鄉。高歌一曲垂鞭去，盡日無人識楚狂。

又《曲江感春》（羅隱）　江頭日暖花又開，江東行客心悠哉。高陽酒徒半雕落，終南山色空崔嵬。聖代也知無棄物，侯門未必用非才。一船明月兩竿竹，家住五湖歸去來。

又《春日長安卽事》（崔魯）　一百五日又欲來（與「春雨闇闇寒峽中」句同），梨花桃花參差開（七平字句）。行人自笑不得（宜平而仄）意（拗句），匹馬獨吟眞（平救）可哀（起作拗調，得此二句，甚協）。杏酪漸澆鄰舍粥，榆烟將變舊罏灰。玉樓春暖笙歌夜，肯信愁腸日九迴？

又《七言絕句》《漫興》（杜甫）　眼見客愁愁不醒，無賴春色到江亭。卽遣花開深造次，便教鶯語太丁寧。　手種桃李非無主，野老牆低還是家。恰是春風相（仄聲，音悉。此字不仄便失律）欺得，夜來吹折數枝花。　熟知茅齋絕（仄）低小（拗句。見前），江上燕子故來頻。銜泥點污琴書內，更接飛蟲打著人。　二月已破三（平，妙）月來（拗句，見前），漸老逢春能（平救）幾回？莫思身外無窮事，且盡生前有限杯。

又《登廬山五老峰》（李白）　廬山東南五老峰，青天削出金芙蓉。九江秀色可攬結，吾將此地巢雲松。

又《山中與野人對酌》　兩人對酌山花開（三平），一杯（平）一杯復（第二字平，此字可仄）一杯（拗救上句）。我醉欲眠君且去，明朝有意抱琴來。

又《黃鶴樓送孟浩然之廣陵》　故人（平）西辭黃鶴樓（拗句），烟花三月下揚州。孤帆遠影碧空盡，惟見長江天際流。

又《齊梁體》《寄贈王十將軍承俊》（杜甫）　將軍膽氣雄，臂懸兩角弓（不粘）。纏結青驄馬，出入錦城中（不粘）。時危未授鉞，勢屈難爲功（三平）。賓客滿堂上，何人高義同（四句正粘）。

又《示全眞元常》（韋應物）　余辭郡符去，爾爲外事牽。寧知風雪夜，復此對牀眠？始話南池飲，更詠西樓篇（三平。不粘）。無將一會易，歲月坐推遷。

又《初發揚子寄元大校書》　悽悽去親愛（落字仄），泛泛入煙霧。歸棹洛陽人，殘鐘廣陵樹。今朝爲此別（仄），何處還相遇？世事波上舟，沿洄安得住？

又《酬友人》（溫庭筠）　辭榮亦尙素，倦遊非夙心。寧復思金籍？獨此臥烟林（四句與上下不粘，只本句調）。閒雲無定貌，佳樹有餘陰。坐久芰荷發，鉤闌茭葦深。游魚自搖漾，浴鳥故浮沉。唯君清夕露（不粘），一爲灑幽襟。

延君壽《老生常談》　和古人詩，用古人韻，當於自家現在所處之地、所遇之人，一一盤算，聽我處分，然後是自家詩，攙不到古人集中。東坡《和李白潯陽紫極宮感秋詩序》略云「紫極宮，今天慶觀也。道士胡洞微，以石本示余，蓋其師卓玘之所刻。玘有道術，節義過人，今亡矣。太白詩云：『四十九年非，一往不可復。』今予亦四十九，感之，次其韻」云云。句云：「緬懷卓道人，白首寓醫卜。謫仙固遠矣，此士亦難復。」余謂此和太白詩也，乃從一卓道人倒落出太白來，用筆奇橫不測。若只追想太白，則人人能之矣。

宋咸熙《耐冷譚》卷一　古無四聲，故臨文用韻，皆得以四聲通轉法協之。漢詩中如「安所求子死，桓東少年場。生時諒不謹，枯骨後何葬」。「張」有「帳」音，與帳本通用，故「葬」亦可通讀作「張」。「公與守相駕蜚魚，往來倏忽遠熹娛，慰此吏民屯厥苦。」魚、娛一聲之轉，故得與苦協。不知者或改作

「居」，非也。若此之類，難更僕數，自漢以來，古音遂亡矣。

又卷四　五、七律詩，首句通韻，詩家謂之「獨鶴出羣格」。唐宋皆有之，如李義山：「錦帷初卷衛夫人，繡被猶堆越鄂君。」朱文公「去歲瀟湘重九時，滿城風雨客思歸」之類。僕集中《行脚僧》云：「野鶴與孤雲，天邊伴此身。」蓋用此格也。

又卷六　《離騷》、《九歌》、《九章》、《遠遊》、《九辯》，其通篇用韻，或二三韻，或四五韻，以至十餘韻，雖長短不同，要無不轉者。惟其轉也，故無拘束之患，而得以暢所欲言。此固古例。自東方朔《七諫·沉江》篇，始通篇一韻。王褒《九懷·匡機》、危俊《陶壅》三篇，王逸《九思·憫上》篇，皆用其例。音節平緩而少精采，未必不由乎此。顧亭林云：「使就此一韻，引而伸之，非不可以成章，而于義必有不達。」可稱篤論。然云「古人用韻，無過十字，魏晉以上亦然」，則兩漢已有過十韻者矣。其說未允。或又謂《九歌·東皇大一》亦止一韻，然此以短篇耳，非通例也。

又卷一六　古詩有自然之天籟，卻有一定之音節。今人作古詩，謂上下聯平仄可以不拘，此不知詩者也。趙秋谷《聲調譜》旁圈平仄，未免固陋。善作詩者，雖無庸拘泥秋谷之言，然爲初學者，舉以一隅，自不至偭規矩而改錯也。

梁章鉅《退庵隨筆·學詩》　古詩純乎天籟，雖不拘平仄，而音節未有不諧者。至律詩則不能不講平仄矣。乃不知何時何人，創爲一三五不論之說，以疑誤後學；村師里儒，靡然從之。律詩且如此，則更何論古詩乎？不知律詩平仄固嚴，卽古詩不拘平仄，而實別有一定之平仄，不可移易。卽拗體之律詩，而其中亦有必應拗之字及必應相救之字。唐、宋大家之詩具在，覆按自得，皆非可以意爲之者也。自明以來，雖詞壇老宿，間有不盡合者。不知此卽自然之天籟，自有詩學以來，不約而同，若稍歧出，卽爲落調，雖詞華極美，格意極高，終不得謂之合作。吾聞人尤多不講此者，執裾而談，尙疑信參半，毋怪其不能旗鼓中原也。

又　《禮記·王制》「同律」，鄭注云：「同陰律也。」疏云：「所以先言陰律者，以同爲平聲，平爲發語之本，今古悉然。」夫古無四聲，而孔疏已於《王制》發之。然則作古詩者，其可不講平仄乎？古詩平仄，古無專著爲書，今欲講求其理，則不可不看王漁洋《古詩平仄論》及趙秋谷《聲調譜》。相傳秋谷問古詩聲調於漁洋，漁洋祕不以告，秋谷乃就唐人諸集，排比勾稽，自得其法，因筆之於書，以發漁洋之覆。其實從前及同時諸名家，皆知之而不屑言，其不知者不能言，又不屑問，遂終身墮五里霧中。自漁洋、秋谷之書行，此說幾於家喻戶曉矣。乃近人作古體詩，仍有不講聲調者，其不屑言乎？抑不能言乎？此余所以不能默然無言也。惟《聲調譜》後列李賀《十二月樂府》，所標平仄，不甚可解，姑置之可矣。

又　七古以平韻到底者爲正格，不可雜以律句。其要在出句第五字多用仄，落句第五字必用平。出句之第五字既用仄，則第二字必用平；落句之第五字必用平，則第四字必用仄。出句如平平仄仄仄平仄，或平平平平仄平仄，或仄平仄平仄平仄，間有不如是者，亦須與律句有別。落句如平平仄仄平平平，或仄仄仄仄平平平，或平平仄仄平仄平，間有不如是者，亦須與律句有別。大抵出句聲律尙寬，落句則以三平押韻爲正調。其有四平切脚者，如少陵之「何爲見羈虞羅中」，義山之「詠神聖功書之碑」，則爲落調，唐大家中所僅見，不必效之。若五平切脚，則直是不入調，唐、宋、元、明諸大家所無。前明何、李、邊、徐、王、李輩，尙不犯此病，袁中郎之流，多不能了了矣（一句一韻之《柏梁》體，不在此限）。

又　七古有仄韻到底者，則不妨以律句參錯其間，以用仄韻，已別於近體，故間用律句，不至落調。如昌黎《寒食日出遊》詩凡二十韻，而律句十四見；東坡《石鼓詩》凡三十韻，而律句十五見。其篇中換韻者，亦可用律句，如少陵之《丹青引》，東坡之《往富陽新城》皆是。而王右丞之《桃源行》凡三十二句，律句至二十三見。此皆唐宋大家可據爲典要者（四句轉韻之初唐體，不在此限）。

又　仄韻到底之七古，出句住脚，必須平仄間用，且必須上去入相間用之。如以入聲爲韻，第三句或用平聲，第五句或用上聲，第七句或用去聲。大約多用平聲，而以仄聲錯綜之，但不可於入聲韻出句之住脚，再用入聲字耳。若平韻到底之七古，則出句住脚，但須上去入相間，而忌用平聲。王漁洋已詳言之。今人於仄韻之出句，往往不知間用平仄，而於平韻之出句住脚，反多用平聲，殊不可解。殆以古人詩中間有不拘者，如韓公《石鼓歌》之「孔子西行不到秦」及「憶昔初蒙博士徵」，坡公《游徑山》之「雪眉老人朝扣門」，歐陽公《啼鳥》之「獨有花上提壺盧」。然合唐、宋兩朝數大家之詩，其出句用平者，不過此數處，則非後人所可藉口也（篇中轉韻疊韻者，不在此限）。

又 五古出句住腳，亦當平仄間用，與七古同；惟平韻之出句住腳，不忌用平聲，則與七古異。漢、魏以至唐、宋諸大家詩，可覆按也。至近體之出句住腳，人惟知唐賢有忌用一紐之說，不知杜詩中凡一三五七句住腳字，上去入三聲，亦必隔別用之，莫有疊出者。昔朱竹垞寄查德尹書，謂富平李天生之論如此，以爲少陵自詡「晚節漸於詩律細」，此可徵其細處，爲他家所不能。予初聞是言，尚未深信，退而考之，惟八首與天生所言不符。其一《鄭駙馬宅宴洞中》云「春酒杯濃琥珀薄」，又云「誤疑茅堂過江麓」，又云「自是秦樓壓鄭谷」，疊用三入聲字。其一《江村》云「老妻畫紙爲棋局」，又云「多病所須惟藥物」，疊用二入聲字。其一《秋興》云「織女機絲虛夜月」，又云「波漂菰米沉雲黑」，疊用二入聲字。其一《江上値水》云「爲人性僻耽佳句」，又云「老去詩篇渾漫興」，又云「新添水檻供垂釣」，疊用三去聲字。其一《題鄭縣亭子》云「雲斷岳蓮臨大路」，又云「巢邊野雀羣欺燕」，疊用二去聲字。其一《至日遣興》云「欲知趨走傷心地」，又云「無路從容陪語笑」，疊用二去聲字。其一《卜居》云「已知出郭少塵事」，又云「無數蜻蜓齊上下」，又云「東來萬里堪乘興」，疊用三去聲字。其一《秋盡》云「菊邊老卻陶潛菊」，又云「雪嶺獨看西日落」，又云「不辭萬里長爲客」，疊用三入聲字。既而以宋、元舊雕本暨《文苑英華》證之，則「江麓」作「江底」，「多病」句作「賴有故人分祿米」，「夜月」作「月夜」，「漫興」作「漫與」，「大路」作「大道」，「語笑」作「笑語」，「上下」作「下上」，「西日落」作「西日下」，合之天生所云，八詩無一犯者。由是推之，「七月六日苦炎熱」下第三句不應用「蠍」字，作「苦炎蒸」者是也；「謝安不倦登臨賞」下第七句不應用「府」字，作「登臨費」者是也。循此說以勘，雖長律百韻，諸本字義之異，可審擇而正之。此義蓋前人所未發也。

又 七古以第五字爲關捩，五古以第三字爲關捩，其理一也。五古出句，聲律稍寬。對句則亦以三平爲正調，如仄仄平平平是也，或亦用平平平仄平，或仄仄平仄平，間有不如是者，但不入律卽可。或謂六朝以前，五古皆不避律句。此似是而非之說也。古詩之興，在律詩之前，豈能預知後世有律句而避之？若後來律體既行，則自命爲作古詩者，又豈可不講避忌之法？此如古時未有韻學之名，出口成詩，罔非天籟。若後世韻書既行，則自應有犯韻出韻之禁，又豈得藉口古人之天籟，而盡棄韻書不觀乎？朱子贈人詩：「知君亦念我，相望兩咨嗟」（自注云：「望，平聲」）。夫「望」字作去聲讀自可，而必注平聲者，豈非力避律句乎？

又 宋、元詩人，於古體平仄，多有未諧，近體平仄，尚無走作。明人則不能，大抵皆爲一三五不論之俗說所誤耳。一三五不論，並不可施於古體，何況近體？其依附此說者，皆由不知有單拗雙拗之法也。近體詩以本句平仄相救爲單拗，出句如少陵之「清新庾開府」，對句如右丞之「暮禽相與還」是也。兩句平仄相救爲雙拗，如許渾之「溪雲初起日沉閣，山雨欲來風滿樓」是也。《聲調譜》所講此例頗精，其餘變例，皆本此而推之，而一三五不論之謬，不攻自破矣！

又 作近體詩，自有《佩文齋詩韻》可以遵守。若古體詩，則宜參用古韻，且依邵青門（長蘅）《古今韻略》用之。蘇齋師嘗云：「邵青門所著書，惟《韻略》可取。其論古詩用韻，恪遵杜、韓，可法。」今坊本韻書，所注古韻相通之處，當分別觀之。平韻尚無大出入，仄韻則多不可據。如四質與十三職、十二錫、十四緝亦斷不可通，十二錫與十四緝亦不可通。在昔蘇、黃及近人吳梅村皆如此混用，我輩則斷不可耳。

又 作古詩但用通韻，不必用轉韻，叶韻則尤不必。雖古人有之，今人又何必悉效之。往往見人於詩賦句末，旁注叶字，而讀之實不能叶，豈非徒勞而罔功乎？

又 古體詩用韻之寬，莫如昌黎。如《此日足可惜》一首，通用東、冬、江、陽、庚、青六韻；《元和聖德詩》，通用語、麌、馬、有、哿五韻，則後學似不宜效之。《六一詩話》謂其「得韻寬，則泛入旁韻，乍還乍離，出入回合，不可拘以常格，如《此日足可惜》之類。得韻窄，則不復旁出，而因難見巧，愈險愈奇，如《病中贈張十八》之類。此譬如善馭馬者，通衢廣陌，縱橫馳騁，惟意所之；至於蟻封水曲，又疾徐中節，不少蹉跌。此天下之至工也。」然韓集中窄韻古詩，亦不止《病中贈張十八》一首。如《陪杜侍御遊湘西兩寺》一首，又《會合聯句》三十韻，洪容齋謂除「蠓」、「蛹」二字，《唐韻》未收，餘皆不出二腫之內。今按「蠓」、「蛹」二字《韻略》本收在二腫，則皆本韻也。

又 七律有全首不入律者，謂之吳體，與拗體詩不同。方虛谷《瀛奎律髓》合之拗字類中，非也。如杜少陵之《題省中院壁》、《愁》、《晝夢》、《暮歸》諸詩皆是。其訣在每對句第五字以平聲救轉，故雖拗而音節仍諧。宋人黃山谷以下，多效爲之。

又 古人之音，隨時遞變，後人亦止能尋其迹，而實無由聞其聲，則以今人言古韻，亦祇以意而已。沈約以吳音爲人口實，吾閩之音，又有甚焉。而言古韻者，實莫善於閩人，則亦惟古書之是據而已。講古韻者，自吾閩之吳才老(棫)始，惟《韻補》一書，頗多謬誤。連江陳季立(第)因之作《毛詩古音考》、《屈宋古音義》，則條例貫通，考證精密。顧亭林之《音學五書》，實從此出。亭林之學，又傳之安溪李文貞公。康熙間御定《音韻闡微》，即出文貞之手。昔劉貢父(攽)《中山詩話》，載閩士試《清明象天賦》，破題云：「天道如何，仰之彌高。」會考官亦同里，遂中選。宋人以此事爲閩人笑柄。然蘇子由，蜀人也。其集第一卷《嚴碑》長韻，磨、訛、高、豪、何、曹、齊、戈亦相間而用，則知宋人用韻多似此，又豈得獨誚閩音乎？

黃培芳《香石詩話》卷一 余嘗撰《國風詩法隅舉》，言後世騷詞歌行之句調、音節，無不源於《三百篇》者，從兄虛谷先生(謙)見而深韙之。

又 或問七古三平正調。余曰：「七古中能多用此調，音節自諧。因舉浣花叟《觀公孫大娘弟子舞劍器行》示之。篇中如『驂龍翔』、『凝清光』、『傳芬芳』、『神揚揚』一路，皆三平正調也。『增獨惋傷』句，『惋』字忽轉聲，因下段轉入仄聲韻。此處領起，殊有換羽移宮之妙。可知極變化，正極自然也。後來虞伯生《題旦景初僉司畫》一首，通體用三平調，臨末『摩挲老目百不堪』亦轉仄，下句『抽朝簪』三字，仍用三平唱收，深得其妙。」

又 趙秋谷《聲調譜》中多拘滯迂拙不可通處，故子才非之。然子才所作七古，往往落調，甚至不成章，似乎楚失而齊亦未爲得也。人謂杜可學而李不可學，非也。有法則皆可學，嚴滄浪云：「少陵詩法如孫吳，太白詩法如李廣。」

沈銘彝《竹岑詩話》 五言古轉韻，音節最難，梁武帝《西洲曲》後，惟李太白《長干行》一篇可嗣響。

黃承吉《夢陔堂詩集》卷一六《讀前人詩有作》 聲音與政通，大樂由詩出。情聲兩相會，動輒關得失。作詩貴擇情，所忌在放泆。無須被笙鏞，自覺應六律。人心愛歌咏，天籟自洋溢。發舒一越中，將使勝文質。風俗之所繫，志氣之所帥。是謂大文章，與道合爲一。非以騁縟繁，厥志在刪述。《六經》本燦著，學士鮮由率。乃至爲過情，何以副琴瑟。或者又徑情，是之謂無術。旨遠而辭微，循虛以責實。千來不忘祖，賢者入堂室。騷情不失正，漢聲無剽疾。高深詎可攀，近古實當日。有唐李、杜興，廣大固無匹。未妨關雎意，流爲董狐筆。方今聖人世，民志本專壹。亶符奏雲門，天下盡膠漆。儒生偶嘯歌，休哉正逢吉。將以和正聲，防情更宜密。作者吾未能，但欲戒狂潏。斯論冀可存，悠悠長抱膝。

又卷二七《與客談漁洋詩賦簡》 客有問予曰：「君於漁洋詩數稱之，何也？」曰：「詩不有聲乎？非必其聲之至也，就其所自爲者之聲而叩之，而人亦罕協也。詩不有情與詞乎？非必其至也，就其所自爲者之情詞而印之，而人亦罕適也。漁洋則於其所爲者而能協之適之，予慕而弗能及，是以稱之也。」

又卷三二《知音篇》 知詞易也，知意易也，知情不易也，知音尤不易也，故古人言知必於音也。《文心雕龍》有《知音篇》，客讀之而問予，予無以應也，因更作此篇。 古者制律呂，抒發本自然。鳳鳴豈藉器，厥吭端由天。聲入緣心通，開口即管絃。絲竹落我後，我居宣播先。斯意誰善會？茫茫空中傳。風輒假物鳴，水亦相廻旋。彌綸自配合，節奏如絲聯。毫髮一失當，百度無由全。緬懷大著作，非譜非宮懸。至聽實領取，奚待宮商塡？俗耳苦不知，無端四糾纏。綆汲日顛倒，豈能聽流泉？所以古之人，於此三嘆旃。豈直爲樂律，文章亦通焉。成文必五色，色聲兩相緣。聲從何處來？此境非妄筌。可說不可說，譬彼虛空禪。莫逆始爲笑，不歡孰能姸？昔人固已矣，來者方紛然。載讀彥和作，因之發長篇。

潘德輿《養一齋詩話》卷七 同里丁儉卿，考證宏富，偶以秋谷《聲調譜》平仄之一定者爲疑。作書以答之曰：按譜中所註古詩字音平仄一定者，如于鵠「年年山下人」句，趙氏注曰：「下句是律，上句第五字必平。」愚按：不獨平韻五古，即仄韻五古亦然。如襄陽「天邊樹若薺，江畔洲如月」，「薺」字必用仄聲者，以下句是律也。蓋不如此，恐與律詩混耳，此無可疑者也。「靜聞水淙淙」句，趙氏注「聞」字曰：「此字不平則爲律。」蓋亦恐與律詩混耳，亦無可疑者也。東坡「扁舟渡江適吳越」句，趙氏注「越」字曰：「此字不可輕用平聲。」蓋仄韻七古上句尾可仄，平韻七古上句尾若用平聲則不諧，杜公「昔隨劉氏定長安」，「問之不肯道姓名」，究竟變格非法，亦無可疑者也。李賀「衰蕙愁空園」句，趙氏注曰：「第三字不平，則律句矣。」蓋李賀此詩參用齊、梁，不盡合調，惟此句得法，故趙氏特注此句以明之，亦無可疑者也。太白「怳驚起而長嗟，失向來之煙霞」句，趙氏注曰：「此四句皆六言，若非下句用三平則失調。」蓋不惟恐與賦類，仍爲音節較響耳，亦無可疑者也。杜詩「屢貌尋常行路人」，趙氏注「行」字云：「平最要緊。」蓋七古第七字平，第五字必平，乃爲正調，而「屢貌」句又必得「行」字平聲，乃非律句，故云「最要緊」也，亦無可疑者也。李義山「相與烜赫流淳熙」句，趙氏注「赫」字曰：「此字必仄。」蓋下面三平，此處亦平，則音不諧。如「封狼生貙貙生羆」七字平聲，轉覺其諧，而一「赫」字易平聲則不諧者，以字之平仄相雜故也。韓詩「快劍斲斷生蛟鼉」、「杲杲寒日生於東」，皆用此義，不可枚舉。獨《陸渾山火》詩：「風怒不休何軒軒」、「命黑螭偵焚其元」、「溺厥邑囚之崑崘」不然，故趙氏謂止可用於《柏梁》體，尋常七古斷不可用。蓋《柏梁》句句用韻，自相諧應，他詩不爾，慮不諧矣，亦無可疑者也。趙氏謂「平平平平仄平平句，於轉韻中不宜」。蓋轉韻最喜流美，此等非古非律之句，殊覺聱牙，故不合用，亦無可疑者也，以上八則，趙氏所謂古詩一定之平仄，義例皆確不可易。僭疏其意如此，亦未知當否也。若其不必一定者，趙氏既未特下重筆，此在後人之變通，以合天然之節奏爾。然趙氏亦有可疑者，如東坡「四方水陸無不便」句，趙氏注云：「第五字平，第六字仄，便非律句。」愚按：此句「不」字，必易平聲方諧，若「不」字不改，則「陸」字必易平聲方諧。趙氏止以非律句注之，未盡音節之妙也。「紫金百餅費萬錢」，愚按：此句誠非律矣，究不如「水腳一綫爭誰先」、「一半已入薑鹽煎」爲不轉韻七古之正調也。趙氏注云：「卽六字仄，獨令末一字平亦可。」是其啞更甚於坡句，彌不入調也。若謂七古專用正調，恐不能變化參錯，相生相應，得「四方水陸」、「紫金百餅」等一二句間之，更見挺動。卽如此說，趙氏亦當注明，不得如所注云云也。右丞「我心素已閒」，襄陽「北山白雲裏」，趙氏注云：「皆天然古句。」愚按：「北山白雲裏」，誠天然入古，「我心素已閒」，不律則有之，若謂其爲天然之古，則必「我素心已閒」而後可也。此皆僕之所疑於趙氏者也。近歙人吳蘇泉紹澯《聲調譜說》，較趙氏爲益詳，其言一定之平仄，亦均不誤。惟注老杜「征衣颯飄颻」「颯」字下云：「此字用仄妙。」愚按：上句「連笮動嫋娜」已四仄矣，此處卽易「颯」字爲平聲，亦未見其不妙也。又注「高通荆門路」「荆」字云：「必平。」愚按：「荆」字卽易仄聲，亦是古句，今云「必平」，是必宜用四平聲也。五古得四平三平句誠佳，然亦何其滯也！總之此事不可不嚴，不可太滯。吳氏謂「不屑章句者，奸聲詖律，盡裂閑檢，墨守者又形模肖而生氣少」，眞篤論也。僕嘗謂漁洋不肯以此譜示人，不如秋谷之有遠見。秋谷云：「不知此者，固未爲能詩；僅無失調而已，謂之能詩可乎？故輒以語人無隱。」此三、四語，較之吳氏尤曲而盡也。然漁洋答劉大勤云：「無論古律正體拗體，皆有天然音節。唐、宋、元諸大家，無字不諧，明何、李、邊、徐、王、李亦然，袁中郎之流，便不了了矣。」又云：「七言古凡一韻到底者，其法度悉同。惟仄韻詩單句末一字，可平仄相間用，平韻詩單句末一字，忌用平聲，若換韻者則當別論。」是漁洋亦未嘗不以聲調示人也，特不如趙氏之備耳。凡趙氏所致譏於漁洋者甚多，其詞氣憤懣，非盡由論詩之相失，恐自以蹉跌不振，由漁洋門下所擠故耶？抑以婦舅之親，不能出氣力相拔故耶？要之《聲調》一譜，則趙氏之功爲大，殆歷劫不敝者也。

又卷一〇 近人論詩，多以蜂腰爲病。然如楊盈川「天將下三宮，星門列五戎。坐謀資廟略，飛檄佇文雄」。駱義烏「晚風連朔氣，新月照邊秋。竈火通軍壁，烽煙上戍樓」。明皇帝「火龍明鳥道，鐵騎繞羊腸。白霧埋陰壑，丹霞助曉光。澗泉含宿凍，山木帶餘霜」。張曲江「寵錫從仙禁，光華出漢京。山川勤遠略，原隰軫皇情」。錢仲文「苦調淒金石，清音入杳冥。蒼梧來怨慕，白芷動芳馨。流水傳湘浦，悲風過洞庭」。皆歷世相傳之名作，而亦犯此病，並不累其氣體，何也？乃知此病，在詩爲至小，而徒去此病，亦不足以爲佳詩耳。

陳僅《竹林答問》 問：沈休文《晉書·謝靈運傳論》云：「子建『函京』之作，仲宣『灞岸』之篇，子荆『零雨』之章，正長『朔風』之句，並直舉胸臆，非傍詩史，正以音律調韻，取高前式。」休文蓋假四詩以爲四聲之準也。古詩之轉爲律，休文一文之力，何以能之？抑別有說歟？ 休文何能爲力！夫古詩之不能不爲唐律，此聲音之自然，卽作者亦不知其然而然。故魏、晉之音調異於兩漢，宋、齊之音調異於魏、晉，自梁以降至陳、隋，則名雖古詩，已全律體，非一朝一夕之故也。姑就《文選》中求之。其兩句十字，聯仗精工，平仄諧暢，全是律偶者：魏曹植「始出嚴霜結，今來白露晞」。劉楨「清談同日夕，情眄叙憂勤」。阮籍「傾城迷下蔡，容好結中腸」。晉潘岳「迴溪縈曲阻，峻坂路威夷」。陸機「飛鋒無絕影，鳴鏑自相和」。「逝矣經天日，悲哉帶地川」。宋謝靈運「長林羅戶穴，積石擁階基」。「亂流趨正絕，孤嶼媚中川」。「溯溪終水涉，登嶺始山行」。謝惠連「昔離秋已兩，今聚夕無變」。謝瞻「鴻門消薄蝕，垓下殞欃槍」。鮑照「扶宮羅將相，夾道列王侯」。「冠霞登綵閣，解玉飲椒庭」。「歸華先委露，別葉早辭風」。「蜀琴抽《白雪》，郢曲寫《陽春》」。齊謝朓「獨鶴方朝唳，饑鼯此夜啼」。「緣源殊未極，歸徑窅如迷」。「戢翼希驤首，乘流畏曝鰓」。梁虞羲「乘墉揮寶劍，蔽日引高旍」。「胡笳關下思，羌笛隴頭鳴。骨都先自讋，日逐次亡精」。徐悱「金溝朝灞滻，甬道入鴛鴦」。江淹「終軍才始達，賈誼位方尊」。「翠山方藹藹，青浦正沈沈」。其如唐律單拗聯者：曹植「《陽阿》奏奇舞，京洛出名謳」。張華「居懽惕夜促，在感怨宵長」。陸機「凝冰結重澗，積雪被長巒」。「王迹隤陽九，帝功興四遐」。「綺態隨顔變，沈姿無乏源」。「豐條並春盛，落葉後秋衰」。「美服改聲聽，居愉遺舊情」。鮑照「鱗鱗夕雲起，獵獵曉風遒」。「登艫眺淮甸，掩泣望荆流」。劉琨「顧瞻望宮闕，俯仰御飛軒」。陶潛「泛覽《周王傳》，流觀《山海圖》」。顔延年「立俗迕流議，尋山洽隱淪」。「神御出瑤軫，天儀降藻舟」。「兩闈阻通軌，對禁限清風」。「流雲藹青闕，皓月鑒丹宮」。「陰風振涼野，飛雪瞀窮天」。謝靈運「遠巖映蘭薄，白日麗江皐」。「白雲抱幽石，綠篠媚清漣」。「攀崖照石鏡，牽葉入松門」。「銅陵映碧澗，石磴瀉紅泉。既枉隱淪客，亦棲肥遯賢」。謝惠連「浮氛晦崖巘，積素惑原疇」。「夕陰結空幕，宵月皓中閨」。「微芳起兩袖，輕汗染雙題」。鮑照「開芳及稚節，含采各驚春」。「腰鐮刈葵藿，倚杖牧雞豘」。「含沙射流影，吹蠱痛行暉」。「人情賤恩舊，世議逐衰興」。「心賞猶難恃，貌恭豈易憑」。「窮途悔短計，晚志重長生。從師入遠岳，結友事仙靈。五圖發金紀，九籥隱丹經。風餐委松宿，雲卧恣天行」。「暫游越萬里，近別數千齡」。謝朓「雲去蒼梧野，水還江漢流。停驂我悵望，輟棹子夷猶」。「窗中列遠岫，庭際俯喬林」。「逶迤帶淥水，迢遞起朱樓」。「凝笳翼高蓋，疊鼓送華輈」。「山積陵陽阻，溪流春穀泉」。「結髮倦爲旅，平生早事邊」。「桃李成蹊徑，桑楡蔭道周」。陸厥「勃海方淫滯，宜城誰獻酬」。徐悱「鮮車騖華轂，汗馬躍銀鞍」。至散句，則曹植「謙謙君子德，磬折欲何求」。「欲歸忘故道，顧望但懷愁」。「盛年處房屋，中夜起長歎」。王粲「懼無一夫用，報我素餐誠」。張載「朱光馳北陸，浮景忽西沈」。張翰「暮春和氣應，白日照園林」。陶潛「叩枻新秋月，臨流別友生」。鮑照「九塗平若水，雙闕似雲浮」。「擊鐘陳鼎食，方駕自相求」。「五侯相餞送，高會集新豐」。「胡風吹朔雪，千里度龍山」。「豔陽桃李節，皎潔不成妍」。謝朓「歲華春有酒，初服偃郊扉」。江淹「日落長沙渚，曾陰萬里生」。「寒陰籠白日，大谷晦蒼蒼」。以上諸句，已純乎律體，不必隱侯之「命師誅後服，授律緩前禽。函轘方解帶，嶢武稍披襟」，「晨趨朝建禮，晚沐卧郊園」，「網蟲隨戶織，夕鳥傍櫩飛」，「喈流牽弱藻，斂翮帶餘霜」，「東出千金堰，西臨雁鶩陂」等句，爲唐賢啓先軌也。

又問：每句用韻，三句一换韻，如岑嘉州《走馬川行》，豈其創格，抑有所本邪？　此體及兩句一换韻詩，昔人謂之促句换韻體，實本於《毛詩·九罭》篇兩句一换之格。古辭《東飛伯勞歌》，崔顥《盧姬篇》，皆是本於《匏有苦葉》篇。此格《三百篇》中最多，詳見予所作《詩誦》中。大抵後人詩體，無不源出《毛詩》。如子建《贈白馬王》詩體，本《文王》、《下武》、《既醉》諸篇。昌黎《南山》詩，「或」字一段本《北山》，疊字一段本《碩人》末章及《斯干》五章。學者自幼將《三百篇》滑口讀過，從不於此等處體會，安得復有悟入？

又問：苕溪漁隱謂三句换韻，其法三疊而止，何邪？　此謬論也。彼但見山谷詩耳。

又問：促句换韻體有五句一轉韻者，如老杜《短歌行贈王郎司直》一篇，第三句不用韻，此其定法歟？　每句用韻，要是正格。東坡《太白贊》七句一轉韻，亦每句用韻。其長篇則如老杜《大食刀歌》，前韻十七句，後韻十五句，法度盡同，特長短有異耳。《大食刀歌》前韻末「芮公」兩句，承上轉下處，另作一關鍵，則前後仍各是十五韻也。

又問：如前數詩，皆前後兩韻，老杜平韻轉仄，東坡前後皆平，有異法否？　此隨興所至，並無異法。《天廚禁臠》强造爲平頭、换韻之名，直是無理取鬧。

又問：古樂府有有韻者，亦有無韻者，昔人謂其別有樂譜，然否？　《周頌》諸篇亦多無韻，此樂府之源也。其聲要不可考矣。

又問：古樂府音節有可尋否？　樂府音節，雖每篇各異，大抵前路多紆徐，後路多曲折。其節拍前舒後急，離合往復，有「朱絃疏越，一唱三歎」之神，可以意會，不可以言傳。梁、陳、初唐以五律爲樂府，盛唐以七絕爲樂府，殊有古樂今樂之慨矣！

又　問：古辭《上留田》，每句間以「上留田」三字，後人擬之者似不多見？　康樂所擬，亦見郭茂倩《樂府詩集》。後人有擬之爲《董逃行》者，記在高青丘集中。山署無書可查，老而善忘，殊自愧也。《樂府題解·丁都護歌》有「每問必呼丁都護」之語，若依本事擬作一篇，當必入妙也。

又　問：七古每句用韻，今人謂之《柏梁》體。叔父以爲不然，何邪？　每句用韻，體本於《毛詩》，後人自昧其源耳。《柏梁》體，聯句所始。必於古詩中求之，則魏文《燕歌行》，其可考者也。

又　問：漢、魏、六朝五古尠有轉韻者，唐人五古尚然，而七古則大抵轉韻者多，何也？　七古行之以氣，句字既冗，長篇難於振厲。轉韻長古較易於一韻到底者，以韻轉則氣隨之翕張，不至一往而竭故也。唐初盛諸家，獨韻長古絶少。惟昌黎之氣最盛，特好爲之，而少變化亦坐此。然必氣盛，方可言變化。初學七言，仍當以一韻到底入手，所以充其氣也。若五古字少，又以神韻爲主，神韻不可促，故轉韻特難。《古詩十九首》惟「行行重行行」與「冉冉孤生竹」二首換韻，其音節轉捩處，便近樂府。五言長古濫觴於齊、梁，汪洋於杜、韓、元、白，終非正格。

又　問：然則古詩當以一韻到底爲正格矣？　此卻不然。論其源，則《三百篇》詩無不轉韻者，即其中有一韻相承至十二句以上，未有不換韻，蓋作詩之定式也。豈得謂《三百篇》非正格乎？

又　問：氣以運意，轉韻詩當何以運意？　轉韻以意爲主，意轉則韻換，有意轉而不換韻，未有韻換而意不轉者。故多寡緩急，皆意之所爲，不可勉强。

又　問：然則轉韻之長短緩急無定法乎？　此中亦實有規矩，難以言傳。其法莫備於杜詩，有每段八句四句法律森嚴者，有間以促韻者，有變化不可端倪者，大抵前紆徐而後急促，所謂亂也。熟玩之自能心領神會。予所著《詩誦》一書，論《三百篇》轉韻之法甚備，可以溯源。

又　問：七古轉韻似當以一平一仄相間，抑可不拘否？　未嘗盡拘。但長古轉韻，平仄自須約略相間，方極高下鏗鏘之致。惟仄韻有三而平韻祇一聲，此中亦自有變化。宋人詩已有不甚了了者矣。

又　問：七言古詩換韻之句必用韻，何故？　轉韻七古，凡換頭之句必有韻，與五古轉韻異，與歌行雜言亦異。蓋五古原本《三百篇》，雜言句法伸縮，其換韻自有御風出虚之妙。七言則句法嘽緩，轉韻處必用促節醒拍，而後脈絡緊遒，音調圓轉。古今作者，皆無異軌。惟少陵《醉時歌》「先生有道出羲皇」，《哀江頭》「憶昔霓旌下南苑」，《劍器行》「先帝侍女八千人」，三換頭皆無韻。細玩之，乃各有法外法，使後人倣之，則立蹶矣。

又　問：律詩有仄仄平平、平平仄仄相間之例，古詩似可不拘。　雖不宜拘，但亦須略相間。嘗見宋、元人詩，有十餘句全用平入者，音節便覺平靡。此亦一病，不可不知。若轉韻詩，尤不相宜。

又　問：仄韻古詩凡單句有全用平聲住脚者，或無妨與？　此必不可。但取古人詩細按之自知。而近時人每犯之，不思之過也。

又　問：平韻五古單句末一字似可用平聲，古人亦嘗如此。　平韻五古單句住脚可用平聲，與七古異。然三聯中連用平聲尚可，四聯連用，則八句住脚字皆平聲，音節盡痺靡矣。若犯同韻字，如第一句末用「支」字，第三句末用「微」字，第五句末用「齋」字，尤爲大忌。

又　問：音韻或叶或通，其用之之道有分别否？　叶韻只可用之樂府，若施之古詩，終嫌聱牙。蓋古詩主於讀，樂府主於歌，古人分通、叶二法，名義固自釐然。

又　問：古詩聲韻當何從？　作古詩，聲調須堅守杜、韓、蘇三家法律。至用韻，當以杜、韓爲宗主。韓詩間溢入叶韻，蘇詩則偶有紊界處，不可爲典要也。

又　問：古詩多家，其聲調有可宗有不可宗，何也？　古詩聲調亡於晚唐，至宋歐、蘇復之，南渡以後微矣，至金、元而亡，再復於明弘治、嘉靖間，至袁、徐、鍾、譚而又亡，本朝諸大家振起之。故欲知聲調之法，杜、韓其宗也，盛唐諸家其輔也，宋則歐、蘇、黄、陸而已。自「一三五不論，二四六分明」之瞽説起，村學究奉爲金科玉律，將并律詩之聲調而亡之，是深可恨也。

又　問：諸大家聲調，於大同中亦似有小異，當何從？　作古詩欲講聲調，先須辨體，非特漢、魏、晉、宋、齊、梁、初唐、盛唐之别，即開、寶諸公，王、岑、李、杜五七古，聲律音節，較然如涇、渭之不相混。用其體即用其聲調，必不可參入他家。善學者恬吟密詠，自了然於心口之間，難爲迂拘偭錯者道也。

又 問：三平三仄之說何如？ 三平三仄專爲七古而設，而一韻到底者爲尤嚴。第六字尚可通用，第五字斷不可移易。若第五字應平而仄，則以第六字救之，此聲調中第一關鍵也。若轉韻詩，又當視其體製，以成變化耳。

又 問：趙秋谷《聲調譜》，頗爲後人譏貶，如叔父言，譜必不可廢乎？ 難言之矣。要之詩必使人可讀，吾寧從其可讀者，不敢以鉤輈格磔強目爲古詩也。試思杜、韓諸家，原未嘗按譜填詞，何以倚馬千言，意無一句不合聲調者，可知爲天籟之自然矣。如若人言，非獨聲調可廢，即平仄音韻，亦何嘗非後起困人之具邪！

又 問：變體律詩與古詩，聲調同異安在？ 變律聲調與古詩異，與尋常拗句亦異，法度亦大不相同，試取杜詩細參之便知。前人有誤以老杜變律編入古詩者矣。

又 問：盛唐人別有一種古律，其音節何如？ 盛唐人古律有兩種：其一純乎律調而通體不對者，如太白「牛渚西江夜」，孟浩然「挂席東南望」是也。其一爲變律調而通體有對有不對者，如崔國輔「松雨時復滴」，岑參「昨日山有信」是也。雖古詩仍歸律體。故以古詩爲律，惟太白能之，岑、王其輔車也；以古文爲詩，惟昌黎能之，少陵其先路也。

又 問：昔人謂律詩每句之間，必平仄均勻，讀之始音節諧暢，有可指示者與？ 律詩貴鏗鏘抗墜，一片宮商，故非獨單句住腳字須三聲互換，即句首第一字亦不可全平全仄。又七律每句第三字亦不宜全平，以防調啞。少陵《移居白帝》五律，第三、五句住腳皆入聲，而「別」、「說」又同九屑韻。《將赴成都寄鄭公》第二首，八句句頭字一平七仄。《長沙送李十二》句首字八仄。要是失檢處，不可以出於杜，遂援爲例也。

又 問：押韻之法，何以得穩？ 須於韻中求句，不可於句下求韻。

又 問：韻或不佳奈何？ 韻不佳，不如且止。寇萊公賦《池上柳》，四押「青」字不倒，遂止不作。夫賦柳押「青」韻似不甚難，而古人矜愼若是，此其所以不可及也。善乎毛穉黃之言曰：「詩必相題，故猥瑣、尖新、淫褻等題可無作也。詩必相韻，故枯險、啞俗、生澀之韻可無作也。」作詩豈不貴於選韻哉？

又 問：古詩中有入律句者，其聲調安在？ 如李、韓詩體，斷不可參入律詩一語，杜、王、高、岑體，則可偶參一句。其有兩句者，必仄體也。唐初四傑體，則有兩句，長慶體，則更有四句純律。結語則高、岑體亦間有以律句收之。然此種惟施於轉韻七古，以助其鏗鏘之節奏耳。若一韻到底，斷無此例。

王壽昌《小清華園詩談》卷下 宜以詩生韻，不宜以韻生詩。意到其間自然成韻者，上也；句到其間韻自來湊者，次也；以句求韻尚覺妥適者，又其次也；若由韻而成詩，是詩由韻生而非由我作，詩之下者也。詩之天然成韻者，如謝康樂之「遠巖映蘭薄，白日麗江皐」，鮑明遠之「複澗隱松聲，重巖伏雲色」，謝宣城之「魚戲新荷動，鳥散餘花落」，柳惲之「亭皐木葉下，隴首秋雲飛」，蕭慤之「芙蓉露下落，楊柳月中疎」，「泉鳴知水急，雲來覺山近」，庾子山之「路高山裏樹，雲低馬上人」，駱義烏之「樓觀滄海日，門對浙江潮」，杜員外之「日氣含殘雨，雲陰送晚雷」，宋延清之「風來花自舞，春入鳥能言」，郭代公之「久戍人將老，長征馬不肥」，楊師道之「芳草無行徑，空山正落花」，陳拾遺之「風泉夜聲雜，月露宵光冷」，張燕公之「洞房懸月影，高枕聽江流」，張曲江之「去舟乘月後，歸鳥息人前」，宗楚客之「太液天爲水，蓬萊雪作山」，王右丞之「樓高萬戶上，輦過百花中」，「遠樹蔽行人，長天隱秋塞」，「五湖三畝宅，萬里一歸人」，「隔牖風驚竹，開門雪滿山」，孟襄陽之「落日池上酌，清風松下來」，「微雲淡河漢，疎雨滴梧桐」，太白之「即事已如夢，後來我誰身」，「碧雲斂海色，流水折江心」，岑嘉州之「近鐘清夜寺，遠火點江村」，高常侍之「夕陽連積水，邊色滿秋空」，「海對羊城闊，山連象郡高」，崔曙之「斜光照疎雨，秋氣生白虹」，少陵之「無風雲出塞，不夜月臨關」，「入簾殘月影，高枕遠江聲」，「遠水兼天淨，孤城隱霧深」，「地平江動蜀，天闊樹浮秦」，祖員外之「林藏初霽雨，風退欲歸潮」，李東川之「芳草日堪把，白雲心所親」，「秋聲萬戶竹，寒色五陵松」，「漁舟帶晚火，山磬發孤烟」，李嶷之「月色偏秋露，竹聲兼夜泉」，劉隨州之「香隨青靄散，鐘過白雲來」，錢員外之「村落通白雲，茆茨隱江葉」，李冶之「遠水浮仙棹，寒星伴使車」，賈浪仙之「轉壑驚飛鳥，穿山踏亂雲」，李義山之「五更疎欲斷，一樹碧無情」，溫飛卿之「雞聲茅店月，人迹板橋霜」，沈雲卿之「漢家城闕疑天上，秦地山川似鏡中」，岑嘉州之「朝登劍閣雲隨馬，夜渡巴江雨洗兵」，少陵之「路經灩澦雙蓬鬢，天入滄浪一釣舟」，劉隨州之「長安萬里傳雙淚，建德千峰寄一身」，楊夔之「數片石從青嶂得，一條泉自白雲來」，賈浪仙之「山鐘夜渡空江水，汀月寒生古石樓」，溫飛卿之「波上馬嘶看棹去，柳邊人歇待船歸」，李義山之「內苑只知含鳳嘴，屬車無復插雞翹」，李郢之「蘭葉露光秋月上，蘆花風起夜潮來」，譚用之之「秋風萬里芙蓉國，暮雨千家薜荔村」之類是也。韻之自然與句湊者，謝宣城之「雲端楚山見，林表吳岫微」，范彥龍(雲)之「江干遠樹浮，天末孤烟起」，梁元帝之「遠樹雲裏出，遙船天際歸」，沈雲卿之「小池殘暑退，高樹早涼歸」，陳拾遺之「巖懸青壁斷，地險碧流通」，張燕公之「千峰出浪險，萬木抱烟深」，李巨山之「雲霞仙路近，琴酒俗塵疎」，太白之「邊月隨弓影，胡霜拂劍花」，右丞之「窗中三楚盡，林外九江平」，「白雲迴望合，青靄入看無」，李東川之「萬物我何有，白雲空自幽」，少陵之「片雲天共遠，永夜月同孤」，錢員外之「牛羊下山小，烟火隔雲深」，郎士元之「河源飛鳥外，雪嶺大荒西」，李尚書(嶝)之「雲飛北闕輕陰散，雨歇南山積翠來」，高常侍之「白雲勸盡杯中物，明月相隨何處眠」，少陵之「豫章翻風白日動，鯨魚跋浪滄溟開」，「思家步月清宵立，憶弟看雲白日眠」，錢員外之「長樂鐘聲花外盡，龍池柳色雨中深」，李君虞之「幾處吹笳明月夜，何人倚劍白雲天」，元微之之「萱近北堂穿土早，柳偏東面受風多」，李義山之「一春夢雨常飄瓦，盡日靈風不滿旗」，溫飛卿之「不見水雲應有恨，偶逢鷗鷺便成家」，李羣玉之「城臨戰壘黃雲晚，馬度寒沙夕照微」，吳融之「雲低遠渡帆來重，潮落寒沙鳥下頻」之類是也。以句求韻而尚妥適者，江文通之「庭樹發紅彩，閨草含碧滋」，沈雲卿之「月明三峽曉，潮滿九江春」，陳拾遺之「野戍荒烟斷，深山古木平」，太白之「霜威出塞早，雲色渡河秋」，丘爲之「鳥與孤帆遠，烟和獨樹低」，劉隨州之「春風吳渚綠，古木剡溪深」，錢員外之「鵲驚隨葉散，螢遠入烟流」，郎士元之「春色臨關盡，黃雲出塞多」，張正言之「看花尋徑遠，聽鳥入林迷」，皇甫冉之「草色村橋晚，蟬聲江樹稀」，許渾之「魚沈秋水淨，鳥宿暮山空」，宋員外之「巖邊樹色含風冷，石上泉聲帶雨秋」，少陵之「檻林礙日吟風葉，籠竹和烟滴露梢」，盧允言之「路繞寒山人獨去，月臨秋水雁空驚」，劉夢得之「沉舟側畔千帆過，病樹前頭萬木春」，許郢州之「山翠萬重當檻出，水光千里抱城來」，溫飛卿之「鵰邊認箭寒雲重，馬上聽笳塞草愁」之類是也。至若陸士衡之「鮮膚一何潤，秀色若可餐」，謝宣城之「池北樹如浮，竹外山猶影」，沈休文之「野棠開未落，山櫻發欲然」，杜員外之「雲標金闕迥，樹杪玉堂懸」，孟山人之「天邊樹若薺，江畔洲如月」，太白之「檐飛宛溪水，窗落敬亭雲」，常少府之「戰餘落日黃，軍敗鼓聲死」，王右丞之「鼇身映天黑，魚眼射波紅」，岑嘉州之「逐虜西踰海，平胡北到天」，高常侍之「思深常帶別，聲斷爲兼秋」，少陵之「薄雲巖際宿，孤月浪中翻」，又《孤雁》「誰憐一片影，相失萬重雲」，張均之「水光浮日出，霞彩映江飛」，韋蘇州之「日落羣山陰，天清百泉響」，錢員外之「月臨朱戟靜，河近畫樓明」，盧允言之「覆陣烏鳶起，燒山草木鳴」，李義山之「晚晴風過竹，深夜月當花」，少陵之「子規夜啼山竹裂，王母畫下雲旗翻」，「三年笛裏關山月，萬國兵前草木風」，錢員外之「輕寒不入宮中樹，佳氣常浮仗外峰」，皇甫侍御之「家住層城鄰漢苑，心隨明月到胡天」，白香山之「清句三朝誰是敵，白鬚四海半爲兄」，李義山之「夜捲牙旗千帳雪，朝飛羽騎一河冰」，鄭都官(谷)之「飲澗鹿喧雙派水，上樓僧踏一梯雲」，吳融之「水上驛流初過雨，樹籠隄去不離鶯」，沈彬之「邊騎不來沙路失，國恩深後海城荒」，一韻之響，遂能振起百倍精神，此又不可不知者。

何曰愈《退庵詩話》卷一 或問：古詩論平仄否？余曰：古詩雖不論平仄，然無平仄則乏抑仰抗墜之妙，卽平仄中亦有清濁高下之分。律詩平仄有一定之格，故人易知之，易能之。若古體則千變萬化，原無定格，故人難知之，難能之，但多讀自能領會。趙秋谷作《聲調譜》，拘泥亦不足法。

又 五言一起用平韻最難，而雄渾尤難，唐名人中亦不可多得。

又 用韻無論古、今體，須要清濁相間，讀之便覺一片宮商，若純用清聲，如陸士衡所云：「譬幺弦之獨張，言雖切而不和。」若純用濁聲，又如樂工張樂，舍金、石、絲、竹而獨擊匏、土，則鈞天之響、雲英之奏奚自而成？

又卷三 律詩起句出韻，乃「孤雁出群體」也，古人常有之，未有用通韻者，惟元人楊維楨《鳳仙花》詩疊用「先」、「寒」、「刪」三韻。詩云：「金鳳花開色更鮮，佳人染得指頭丹。彈箏亂落桃花瓣，把酒輕浮玳瑁斑。拂鏡火星流夜月，畫眉紅雨過春山。有時漫托香腮想，疑是胭脂點玉顏。」無論其用古通，於律體未合，而八句中惟起語是詠花，餘七句皆詠指甲耳。

又卷四 押險韻要工穩而有味。王荊公尖叉韻當時往復唱和，皆不及東坡「試掃北臺看馬耳，未隨埋沒有雙尖」也。「雙尖」二字，妙在從上句「馬耳」生出，不然，亦平平耳。

林昌彝《射鷹樓詩話》卷一四　偶體轉韻之詩，近人多茫然不曉。隋孫萬壽《贈京邑知友》詩，本比偶體，惟轉韻處皆散起，初轉云：「飄飄如木偶，棄置同芻狗。」轉云：「牛斗盛妖氛，梟獍已成羣。」又轉云：「羇游歲月久，歸思嘗搔首。」又轉云：「心絮亂如絲，空懷疇昔時。」又轉云：「昔時游帝里，弱歲逢知己。」又轉云：「勝地盛賓僚，麗景相攜招。」又轉云：「登高視矜帶，鄉關白雲外。」又轉云：「回首望孤城，愁人益不平。」按偶體轉韻舊格，近代忽忽不講矣。

張澍《養素堂文集》卷五《洪芰唐刺史巴音草序》　不聞飌刁刁而靁虺虺乎？不聞鳥秋秋而蟲彗彗乎？猗禕哉，自然之音也，浸假而托之于物，爲參差，爲長離，爲國腹，爲居巢，則必不能如天籟。齊之人工謳，吳之人工歈，越之人工吟，楚之人工豔，雖滔朗連犿，繁幽淫蠱，要各本其水土之氣以爲音，何居芰唐之非巴人而爲巴音也？昔宋玉對襄王曰：陵陽白雪，朝日魚離，和者不過數人，芰唐得毋盡和者之寡，而投以時好乎？夫蠶叢之辭，龍歸之曲，斷椶之謠，穆護之歌，恐亦非睟者之所樂聽。意若曰余宦于巴，凡耳目所接無之非巴也，不得不以巴概詩。今即其詩，味之不稺琱文，一歸雅道，以睎味五均而嗀音者語，難同年矣，然則壯厲激揚，廉悍清勦，余安能爲秦聲哉。

梅曾亮《柏梘山房詩集自序》　疊韻之巧，盛于蘇、黃；和韻之風，流于元、白。意在騁捷徑之險巇，示回翔之善迹。夫妥貼于製韻，既外重之患深；欲深明其本章，又典傅之患起。矜此難能，競于碎義，是猶削足適屨，屈頭便冠，此又一蔽也。

鍾秀《觀我生齋詩話》卷四《詩聲·四聲三十韻》　平聲清而和，上聲列而亢，去聲沈而遠，入聲促而收。後之呼音者又以每音各分上下爲八音，究之上去二音僅各有一聲，間有二音，亦甚少也。明郭一經曰：「古人呼字只有三聲，平仄入而已。平分陰陽，仄分上去，入分淺深，是爲六音。故古人有上去互押，無平入相混者。」又曰：「平陰者位居東北，其聲平而重濁。或謂之下平，或謂之沈。在八卦屬艮，五行屬土，地屬青、齊、燕、薊，故燕、薊之音涉於重濁。在一日屬子丑，陽氣方升；在一歲屬冬至，一陽生後，乃氣運之始也。平陽者位居東方，其聲平而和。或謂之上平，或謂之浮。在八卦屬震，五行屬木，地屬徐、揚、東吳，故吳、楚之音偏於輕浮。在一日屬朝，一歲屬春，乃氣運流通而未布也。仄上者位居東南，其聲厲而舉。在八卦屬巽，五行屬火之始然，地屬蠻越，故南蠻之人鴂舌。在一日屬辰巳，一歲屬夏，乃氣運發揚暢達之際也。仄去者位居西南，其聲清而遠。在八卦屬坤，五行屬火之既熾，地屬交、廣，故僰玀之人音清而梗化。在一日屬未申，一歲屬季夏炎溽之際，乃氣運極盛將復之時也。入淺者位居西方，其聲直而疑。在八卦屬兑，五行屬金，地屬川、蜀山險，其土音清直，故呼平聲似去。在一日爲暮，一歲屬秋，乃氣運之變而將收也。入深者位居西北，其聲直而促。在八卦屬乾，五行屬金，地屬秦、晉山隴之間，土音直濁而質實。在一日爲昏，一歲屬冬閉藏之際，乃氣運至極而歸根復命之時也。」以上所説雖涉新奇，而至理亦不外是。惟所云「平入不相混」，殊有未檢。如《三百篇》之「零露漙兮」、「清揚婉兮」，平上相混也。「先生如達」、「無菑無害」，入去相混也。則又不得以此説拘矣。三十韻者，東、董、送、屋一韻，冬、腫、宋、沃一韻，江、講、絳、覺一韻，支、紙、寘一韻，微、尾、未一韻，魚、語、御一韻，虞、麌、遇一韻，齊、薺、霽一韻，佳、蟹、泰、卦一韻，灰、鮪、隊一韻，眞、軫、震、質一韻，文、吻、問、物一韻，元、阮、願、月一韻，寒、旱、翰、曷一韻，刪、潸、諫、黠一韻，先、銑、霰、屑一韻，蕭、篠、嘯一韻，肴、巧、效一韻，豪、浩、號一韻，歌、哿、箇一韻，痲、馬、禡一韻，陽、養、漾、藥一韻，庚、梗、敬、陌一韻，青、迥、徑、錫一韻，蒸、拯、證、職一韻，尤、有、宥一韻，侵、寑、沁、緝一韻，覃、感、勘、合一韻，鹽、琰、豔、葉一韻，咸、豏、陷、洽一韻。内十七部有入聲，十三部無入聲。梁沈約所撰四聲久亡，隋陸法言《切韻》、唐孫愐《唐韻》亦亡，故今所用者乃劉平水所删併宋景祐時《禮部韻略》也。詳考韻中頗多可疑，如一東、二冬之分至今未得其説。元周德清病《劉韻》之偏於江左，故訂《中原音韻》一書。明太祖亦以《劉韻》祇一方之音，故訂《洪武正韻》。然二書當時則行，易世則否。惟《平水韻》至今流傳。尤西堂曰：「昔楊升庵謂『榮』音與『融』同，故《越絶書》云：『種留封侯，不知令終。二賢比德，種獨不榮。』宜入東、冬韻，今入庚韻，蓋誤以『榮』爲『縈』也。」余亦疑入庚之「兄」與「瓊」，十蒸之「肱」皆不叶，今考《中原音韻》乃知「榮」字屬容字切，「兄」字屬凶字切，「瓊」字屬窮字切，「肱」字屬公字切。據西堂之言，則韻書尚須更訂，而《中原音韻》與《洪武正韻》之以數韻合併一韻者，不得謂之無說也。韻書上、下平不過以卷帙繁重而分，非如陰平、陽平及《玉海》上平宮、下平商之臆說也。古韻相通，謂東、冬、江通，支、微、齊、佳、灰通，魚、虞通，眞、文、元、寒、删、先通，蕭、肴、豪通，歌、麻通，庚、靑、蒸通，侵、覃、鹽、咸通，惟尤、陽不通。平韻通者，仄韻亦通。如平聲東、冬、江通，則上聲董、腫、講亦可句通。餘可類推。或注曰「通」，可以徑通；或注曰「轉」，音轉而後通。其實一也。通韻，聲音相近，固所宜知；至若叶韻，則每不能明言其故。竊謂可叶者，後人可法古人而用之；其不可叶者，雖古人經用亦不得藉口也。如毛西河欲分東、冬、江、陽、庚、靑、蒸爲一部，眞、文、元、寒、删、先爲一部，侵、覃、鹽、咸爲一部，支、微、齊、佳、灰、魚、虞、歌、麻、尤爲一部，魚、虞、歌、麻、蕭、肴、豪、尤爲一部。每部各相爲叶，併叶及三聲對韻，此卽本於七音以分部次也。蓋東、冬、江、陽等七韻爲宮音、變宮音，眞、文、元等六韻爲商音，侵、覃等四韻爲羽音，支、微、齊、佳、灰、魚、虞、歌、麻九韻爲徵音、變徵音，蕭、肴、豪、尤四韻爲角音。至於魚、虞之韻能生蕭、肴、豪、尤，而歌、麻二韻又與魚、虞同爲變徵，惟支、微、齊自生佳、灰，於蕭、肴、豪三韻本無涉。獨尤韻其半入支與虞，故支、微、齊叶及佳、灰、魚、虞、歌、麻、尤，而不及蕭、肴、豪。蕭、肴、豪叶及魚、虞、歌、麻、尤，而不及支、微、齊、佳、灰也。此雖尤氏一人之說，而參以上古及漢、魏叶韻之文，大約各部相叶爲多。則後人凡作古詩箴銘之屬，皆可與通韻並用。他如吳才老《韻補》、楊升庵《轉注》、顧亭林《音學五書》、邵子湘《古今韻略》、毛西河《古今通韻》，叶韻中多有收及同部及同部三聲。對韻之外，下引古人經用何處，以爲注釋。如一東收「調」字，二冬收「心」字之類，蓋未有韻書以前，作者往往用其鄉音。苟宮徵有差，豈得執方言以爲據乎？學者每字必求其歸可也。

又《五音三十六母》 何謂五音？牙音、舌音、喉音、齒音、脣音也。牙音爲角，屬木、屬東、屬春。舌音爲徵，屬火、屬南、屬夏。喉音爲宮，屬土、屬中、屬四季月。齒音爲商，屬金、屬西、屬秋。脣音爲羽，屬水、屬北、屬冬。復有半舌、半齒「來」字一部、「日」字一部，今「來」部併入舌音「泥」部，「日」字無音可併，另爲一部，以附齒音。則仍爲五音也。法門中有辨五音例曰：「欲知宮舌居中，欲知商口開張，欲知角口縮卻，欲知徵舌柱齒，欲知羽撮口取。」此爲不易定論。他如司馬溫公以脣音爲宮，喉音爲羽。冰川《詩式》以牙音爲宮，舌音爲商，喉音爲角，齒音爲徵，皆不可從。蓋古人五音之分，原非無彷。土空之聲中宮，金扣之聲中商，木折之聲中角，火鳴之聲中徵，水泛之聲中羽。夫喉音隱洪，自應屬土；齒音清勁，自應屬金；牙音峭厲，自應屬木；舌音發揚，自應屬火；脣音浮敞，自應屬水。西域所傳字母舊有三十六部，以盡攝天下之音。牙音分爲四部，見、溪、羣、疑也。舌音分爲八部，舌頭端、透、定、泥也，舌上知、徹、澄、娘也。脣音分爲八部，重脣幫、滂、竝、明也，輕脣非、奉、敷、微也。齒音分爲十部，齒頭精、清、從、心、邪也，正齒照、穿、牀、審、禪也。喉音分爲四部，曉、匣、影、喻也。半齒半舌音分二部，來、日也。此蓋復分開閉，別清濁，存疑似於五音之中也。舌頭、輕脣、齒頭，稍開也；舌上、重脣、正齒，稍開也。牙音見部最清，溪部次清，羣部半清半濁，疑部最濁。推之他音，亦各有清濁。故凡切韻等書，其○者最清，⊙者次清，◐者半清半濁，●者最濁。舉牙音一部，可以類推。至來、日二部，似齒似舌，疑而未定。古人亦闕之而已。近日有以字母多有類同，因爲合而併之者，於是併羣於溪，併廷於透，併來於泥，併照於知，併澄、穿、牀於徹，併竝於滂，併敷、奉於非，併從於清，併邪於心，併審於禪，併匣於曉，併喻於影，合不併諸部，共爲二十部。其部分較省於舊，而天下之音亦無有遺者，此所謂後人之神明前說也。

又《反切》 自漢以前，已有二聲合爲一字者，迨後漢孫炎註《爾雅》，始顯著反切之名。其後自西域傳入中國，盛行於齊、梁時。曰「反」者，既有本音而復反爲別音也。曰「切」者，則直切此音耳。如「中」字讀平聲，則曰某某切；讀仄聲，則曰某某反也。但古來混用已久，統而同之可也。元劉若愚《西域切韻指南》條目最詳，但其中有類隔、交互、互用等法，凡二十門。有切得此字，乃呼爲彼字，是欲明而反晦矣。近日韻家又加經、堅等字，皆爲雜法，不如宋濂所謂上字爲聲，下字爲韻，聲韻苟協，則正音不能逃矣。何謂聲？如見、溪、羣、疑等是也。何謂韻？如東、冬、江、支等是也。每兩字切出一字，切出之字必與上一字同見、溪、羣、疑之聲，與下一字同東、冬、江、支之韻。如迦空切出「工」字，「工」字與「迦」字同爲見部字母所攝牙音最清之聲，與「空」字同爲一東之韻也。推之，凡牙音最清之聲合一東韻中之字，切出皆爲「工」字。以暨夫萬有不齊之字，不過同此一聲一韻合爲切法矣。學者學爲切韻，須明標箭之法，標者，設侯以待箭也。每兩字將切一字，先將上一字用見、溪、羣、疑逐字念去，看至何部字母此字始出，則此部字母卽標也。便將下一字亦用見、溪、羣、疑逐字念去，到上部字母看出何音，便是切出之字，有似箭中標也。卽如「迦空」切，先將「迦」字念去曰「迦見迦」，是「迦」字至「見」字已出，見部便是標也。復將「空」字念去曰「空見工」，而上字之音已得矣。更如「拒嫣」切，先將「拒」字念去曰「拒見莒、溪拒」，是「拒」字至「溪」字乃出，溪部便是標也；復將「嫣」字念去曰「嫣見嫣、溪虧」，便知「拒嫣」切音「虧」也。餘可類推。又須識得挽上挽下之法，如上一字上平上仄，下一字亦係上平上仄。上一字下平下仄，下一字亦係下平下仄。此便是上下一樣，卽可隨口切去，不用挽法。如上一字上平上仄，下一字是下平下仄，便須將下一字挽作上平上仄，以從上字。如東晴切，便須將「晴」字挽作「精」字，隨口念去，是音「丁」也。如上一字下平下仄，下一字是上平上仄，便須將下一字挽作下平下仄，以從上字。如同簡切，便須將「簡」字挽作「諫」字，隨口念去，是音「旦」也。苟不知挽上，則東晴切是「庭」字。了不知挽下，則同簡切，是「氈」字了。切韻中多有聲無字者，如見部無董韻中字，則見董切，有音無字也。司馬溫公曰：「韻無字，則點窠以足之，謂之寄聲。」今《切韻》等書中之〇皆是也。切韻之法本天籟之自然，鄭樵謂漫聲爲二，急聲爲一。如漫聲爲「者焉」，急聲爲「旃」。漫聲爲「者與」，急聲爲「諸」。漫聲爲「而已」，急聲爲「耳」。漫聲爲「之矣」，急聲爲「只」是也。今更考古來切法有因切而見義者，如「何不」切盍，「不可」切叵，「戚人」切親，「臭芳」切香，「還來」切回，「叱人」切嗔，「窘中」切窮，「閻頭」切樓，「徒登」切騰，「帝圖」切都，「居鑾」切官，「老翁」切聾，「樹燎」切燒，「力倒」切老，「雅歌」切哦，「泛舟」切浮，「喜早」切好，「怨留」切憂，此皆切而並知其訓者也。有因字而見切者：如「女良」切娘，「言門」切誾，「矢引」切矧，「目少」切眇，「火斤」切炘，「至秦」切臻，「口亥」切咳，「目文」切旼，「與車」切轝，「角奇」切觭，「火共」切烘，「心悤」切憁，此皆分其字卽可爲本字之切者也。切法之妙如此，豈人力所能強爲哉！

又《雙聲疊韻》 知反切，則知雙聲疊韻矣。以兩字切一字，上一字卽與切出之字爲雙聲，下一字卽與切出之字爲疊韻。所謂雙聲，同見、溪、羣、疑等部之聲也。所謂疊韻，同東、冬、江、支等部之韻也。如前所云「迦空」切「工」字，迦與工是雙聲，空與工是疊韻。「拒嫣」切「虧」字，拒與虧是雙聲，嫣與虧是疊韻。學者但認定同一字母所出，不論平仄皆爲雙聲，則知弓、攻雙聲，弓、掎亦雙聲，弓、葛，弓、貴皆雙聲也。蓋數字皆爲牙音之最清者，則皆爲見部字母之所出也。餘可類推。若疊韻，則不過同在一韻之中。有韻書可以檢尋，兹不贅。雙聲疊韻，齊、梁盛行，但考之《三百篇》已有自然而中者。如「高岡」、「元黃」雙聲也，「崔嵬」、「虺隤」疊韻也。是知詩中原有此法，蓋亦天籟之自然者。後人或雙聲對雙聲，疊韻對疊韻，或雙聲對疊韻，或疊韻對雙聲。如少陵之「信宿漁人還泛泛，清秋燕子故飛飛」，「信宿」、「清秋」雙聲也。李山甫之「腰裹似龍隨日換，輕盈如燕逐年新」，「腰裹」、「輕盈」疊韻也。溫庭筠之「石麟埋沒藏秋草，銅雀荒涼對古墳」，「埋沒」雙聲，「荒涼」疊韻也。白居易之「山鬼跳蹻惟一足，峽猨哀怨過三聲」，「跳蹻」疊韻，「哀怨」雙聲也。

又《古體詩平仄》 古詩平仄，父不能授之於子，蓋可以意會不可以言傳也。大約每句末三字三平、三仄及孤平、孤仄居多，而押韻之句尤要。五古有全句皆平者，如薛稷之「西登咸陽途」；有全句皆仄者，如太白之「大雅久不作」。七古有全句皆平者，如義山之「封狼生貙貙生貔」，有全句皆仄者；如少陵之「有客有客字子美」。氣之所至，自成音節，有不知其所以然者，誠天籟也。

又《近體詩平仄》 沈休文曰：「有前浮聲，則後須切響。全篇之內，音韻皆殊，兩句之中，重輕互異。」於以知詩聲之妙，全在抑揚。抑之太過則聲必促，揚之太過則聲必浮，抑揚盡致，是在能審音者。均一平字，而陰陽已分；均一仄字，而上去入尤別。欲抑之，則宜用陰平及入聲。欲揚之，則宜用陽平及去聲。惟上聲可抑可揚，隨其所置。五言近體每句第三字必與第五字相反，此常法也。古人集中間有不然者，必補救也。第一句如少陵之「涼風起天末」，第三句如錢起之「鐘聲自仙掖」，第五句如王維之「遙知遠林際」，第七句如高適之「牀頭一壺酒」，此數句第五字既仄，則第三字應平，因各句第四字皆應仄而用平，故第三字皆補仄也。第二句如岑參之「宦情多欲闌」，第四句如劉昚虛之「遠水隨天流」，第六句如孟浩然之「永懷塵外蹤」，第八句如儲光羲之「異鄉誰可求」，此數句第五字既平，則第三字應仄，因各句第一字皆應平而用仄，故第三字皆補平也。此則五言對句第二字用平，第一字不可用仄，第一字用仄，第三字當補平之例也。推之第一句押平韻者亦與此同。此皆本句之自爲補救也。他如孟浩然之「落日池上酌，清風松下來」，「來」字既平，則「松」字應仄，因出句「上」字是應平而用仄，而出句「池」本字係應平又不得言補，故於對句第三字補之也。又如浩然之「一從襄陽住，幾度梨花飛」，出句中三字平，首尾皆仄，故對句第三字補平也。少陵之「河漢不改色，關山空自寒」，出句首一字平，下四字皆仄，故對句第三字補平也。又「草木歲月晚，關河霜雪清」，出句五字皆仄，故對句第三字補平也。此皆兩句之合爲補救也。

又 七言近體每句第五字必與第七字相反，此常法也。古人集中亦間有不然者，必補救也。第一句如少陵之「蜀主窺吳幸三峽」，第三句如獨孤及之「說劍嘗宗漆園吏」，第五句如宋之問之「妬女猶憐鏡中髮」，第七句如溫庭筠之「每過朱門愛庭樹」，此數句第七字既仄，則第五字應平，因各句第六字皆應仄而用平，故第五字皆補仄也。第一句用韻者如羅隱之「江頭日暖花又開」，「開」字既平，則「花」字應仄，因「又」字是第六字應平而用仄，故「花」字補平也。又第二句如少陵之「抱病起登江上臺」，第四句如趙嘏之「半夜雨聲前計非」，第六句如陳日贊之「繡管鏤成金玉篇」，第八句如劉滄之「古渡月明聞棹歌」，此數句第七字既平，則第五字應仄，因各句第三字皆應平而用仄，故第五字皆補平也。此則七言對句第四字用平，第三字不可用仄；第三字用仄，第五字當補平之例也。推之第一句押平韻者亦與此同，如許渾之「三十六峰橫一川」是也。他如句中第二字用平，第一字必不可用仄；第一字用仄，第三字便當補平。第一句用韻者如李商隱之「去年花裏逢君別」，第二句如殷文圭之「十洲烟景四時和」，第三句如王維之「九天閶闔開宮殿」，第四句如譚用之之「醉殘紅燭夜吟多」，第五句如劉長卿之「日斜江上孤帆影」，第六句如杜荀鶴之「月將松影過溪來」，第七句如錢起之「卻慚身外牽纓冕」，第八句如劉禹錫之「再三珍重主人翁」皆是也。以上數句，亦皆本句之自爲補救者。外此如許渾之「野蠶成繭桑柘盡，溪鳥引雛蒲稗深」，「深」字既平，則「蒲」字應仄，因出句「柘」字是應平用仄，而出句「桑」字本係應平又不得言補，故於對句第五字補之也。此亦兩句之合爲補救之法也。

又 補救外復有互換之法。五言如岑參之「白鳥下公府，青山當縣門」，此以第三字互換也。又如孟浩然之「與君園廬並，微尚頗亦同」，此以第四字互換也。推之他字亦可互換矣。七言如李商隱之「竇融表已來江右，陶侃軍宜次石頭」，此以第一字互換也。又如王維之「草色全經細雨濕，花枝欲動春風寒」，此以第五字互換也。推之他字亦可互換矣。此法全篇皆可用之，但宜音節自然耳。

又 補救互換之處，非孤平孤仄，則三平三仄。非補救互換而用孤平孤仄，不論何處皆謂之蜂腰，以兩字夾一字如蜂腰也。非補救互換而於句末用三仄三平，皆謂之鶴膝，以三字疊下如鶴膝也。學者如未解補救，但認定孤平必對孤仄，三仄必對三平，則亦自成互換矣。

又 萬不得已則甯爲孤仄，毋爲孤平。蓋句多一平字尚可，多一仄字則棘口難讀，亦陽欲有餘、陰欲不足之意也。唐人犯孤仄多在第一句、第三句、第七句、第八句，中間犯者甚少。間有一二，亦每在句首三字，未有在句中句末者。然唐人句首三字犯孤平者亦有之，如少陵之「舍南舍北皆春水」之類，故後人有謂第一字平仄可勿論者，而吾甯爲其嚴者矣。惟五言第三句末三字三仄者，唐人最多，少陵十居其三，其在第一句、第五句、第七句者亦時有之。得毋以五言出句聲調無妨沈實耶？但末三字既皆仄，則上二字必皆平矣。外此五言如姚文燦之「花發故園暮」，駱賓王之「心跡一朝舛」，以第一字應仄用平，故第三字補仄。如「宦情多欲闌」等句，則補平之法唐人已不多見。至若王無功之「山山惟落暉」，少陵之「春寒花較遲」，及七言之「漢王城北雪初霽，一百五日又欲來」等聯，併一切五言、七言之一、三、五，二、四、六差錯者，在古人失之無心，不可以爲法也。補救互換亦名拗句，若通首皆然，謂之拗體。昔杭堇浦論七律不喜拗體，袁子才謂詩境甚寬，有因拗而轉峭者。因誦倪紫珍《客中憶西湖》云：「江水不如湖水澄，南峰涼暖時堪登。入雲但問采樵客，踏葉偶隨歸寺僧。一掬泉因瘦蛟活，滿山桂與青霞蒸。白波渺渺未可渡，空倚葛陂三尺藤。」似此八句一調平仄，便索然無味矣。要之，古今名手無不重古體者，平日玩味諷詠總在古詩，故作近體，時露槎枒離奇之槩，不爲律縛，蓋無意於拗而拗乎其所不得不拗也。若不得其中之古趣，任意湊泊，貌爲佶屈聱牙，是在以拗體爲文過藏身之藪也，可乎哉？

又《作詩用韻》古詩平韻轉仄，仄韻轉平，或仄韻轉仄皆可，惟平韻轉平，其聲多飛揚不定。又轉韻多於出句便轉，對句方好相協。古詩押仄韻，出句末一字自應用平。押平韻，出句末一字自應用仄。然古人詩中亦有不盡然者，總視其聲之叶與否耳。

又　古人詩往往有以險韻見奇者，昌黎最多，少陵亦間有之。初學無其才力，幸勿輕易效之。毛西河云：「纖題險韻，皆不必作。」誠至言也。

又　韻中有字同義異者，可雙用。如四支有二「兹」字，一訓此，一訓龜兹國名，卽其音亦有微差。此雖一詩并用，不得謂之重複。亦有字異而義實同者，如六麻之花、華，蘤皆同一義，并用一詩中，則爲複矣。惟「華」字六麻亦有二字，一讀陰平，訓榮耀，若用此音訓，乃與字同義異者相符。偶舉爲例，餘可類推。

又《詩中聲病》　前所言蜂腰、鶴膝，皆爲聲病。而聲病不止此也。復有犯韻之病四，犯聲之病二。犯韻者，一謂犯本韻，如既用一東爲韻，則凡一東中字皆本韻也。犯本韻，篇中皆忌。一謂犯通韻，如既用一東爲韻，則凡二冬、三江中字皆通韻也。犯通韻，惟押韻之句忌。一謂犯三聲對韻，如既用一東爲韻，則凡一董、一送、一屋中字皆三聲對韻也。犯三聲對韻，惟押韻之句二、四、六忌。一謂句中自犯三種韻，如第二字既用一東中字，第四字復用一董、一送、一屋中字，第六字復用二冬、三江中字，第四字既用一董、一送、一屋中字，第六字復用一東中字，與夫並非雙聲而東、冬、江等二字相連，冬、董、送、屋等二字相連，皆此一例也。犯聲者，一謂句末犯聲，如兩句末一字皆用牙音之類也。一謂句中犯聲，如二、四、六之字同用牙音之類也。統蜂腰、鶴膝及犯韻、犯聲，共有八種，乃眞八病。若近日坊間所刊布者，直以訛傳訛耳。

王柏心《百柱堂全集》卷三三《審音一首序蔡霽麓尺澤齋詩》　予於論詩常持審音之說。【略】五音蓋出天地之自然，兆於人之陶詠，文而爲詩，詩成而不離乎音，然各中於其所適，不能齊焉。音大者宮，高者商角，細者徵羽，其中也肖乎人之才與所適之時。三代無論矣，漢、魏及唐多商角之音，惟子建、太白、子美、退之間有雜入宮音者，宋則多徵羽之音，惟永叔、子瞻、務觀時兼商角，此其大較也。夫宮音，寬廣不迫切，故才高而時值其盛者，則間一中之；商角雖遒亮激烈，然近急矣，故挾高才處季運者，往往中之；徵羽益煩促，故陳意而務宣其隱，指事而務窮其變，析理而務探其深，則所中不出徵羽。詩工拙，初不事此，特音有鴻殺高下，域於才與時之分爾。此又其大較也。蔡子之詩，以予視之，殆亦中商與角者乎！

又卷三六《治聲一首贈余虞伯》　士之哀樂過人者，才必有過乎人者也。彼其屏營傍徨，或悼古賢喆懷奇不偶，或閔閭閻疾苦，或有觸於身世所遭，羈孤屢空，崎嶇行役。其志悲，其慮危，其言鬱焉，激焉，愀愴焉，若攀重崖，臨深淵，懍慄而不敢留。其聲激朗壯烈，悽乎如冷風，浩乎如驚濤，使人累唏霑襟，悦若有亡者，甚矣其過也。然非庸俗之所得議也。古之詩人多有類是者，如蘇武、李陵、曹植、阮籍、鮑昭、陳子昂、張九齡、李白、杜甫之流，莫不皆然。夫通於樂，被於聲者，莫尚乎詩。詩之道，太上聲依永，其次治其偏，其次壹於偏。吾嘗綜覽自昔聲歌，唯《三百篇》則五聲成律，後世作者，其最精乃中商聲，蘇李以還皆然。今夫商居陰而用陽，天地之嚴肅氣也。古者佩玉左徵角，右宮羽，商不列焉，懼偏也。而後世爲詩，其聲乃壹於商，嗟乎，豈非過也耶！豈非過也耶！然而非庸俗人之所能議也。商之爲聲必高才之士乃近之壹之，於此又加偏焉，則必志微噍殺猛起廣賁，氣日增其亢，心日長其驕，殆將以性情之故，反爲性情害也，可不大懼矣乎！雖然，其持之，則有道矣；其治之，則有方矣。吾聞商動肺而和，正義有屢斷之用焉。於時爲秋，有告成之實焉。若斷之以義，而成之以實，其何偏之有！伶州鳩曰聲應相保曰龢，細大不踰曰平。此治樂之說也。是故得乎治樂之說而聲治，得乎治聲之說而詩治，得乎治詩之說，而性情治。

林鈞《樵隱詩話》卷一　詩有意相同，措詞亦略相同，而工拙霄壤者，蓋欠聲調也。趙松雪之子侍御（忘名）《詠七夕》云：「初月纖纖照露臺，枉將瓜果鬧嬰孩。今宵自有經年約，何暇閑情送巧來。」不如《隨園詩話》所載閨秀某者云「銀漢橫斜玉露催，穿針瓜果飣妝臺。一宵要話經年別，那有工夫送巧來」爲佳。兩詩無心雷同，而趙之不如某者，風韻聲調不及也。故詩以性靈爲經，以格調爲緯，缺一不可。

又卷八　詩律最細，其大旨可一言以蔽之曰：參差不同而已。其押韻也，則虛實相間；其用意也，則情景相間；其造句也，則倒裝針等法相間；其用字也，則天文、地理、草木、禽獸等字相間。知參差之道，則於詩思過半矣。作文之法，亦不外是。不獨詩文爲然也。《易》之爲道，生於奇偶錯綜，天下事皆作如是觀可也。

于春霅《浴泉詩話》卷二 金王從之《滹南詩話》云李師中《送唐介詩》雜壓寒、刪二韻，《冷齋夜話》謂其落韻，而《緗素雜記》云此用鄭谷等進退格，《藝苑雌黃》則疑而兩存之。予謂皆不然。謂之落韻者，固失之太拘，而以爲有格者，亦私立名字而不足據。古人何嘗有此哉。意到卽用，初不必校，古律皆然，胡乃妄爲云云也。但律詩比古稍嚴，必親鄰之韻乃可耳。

劉熙載《藝概·詩概》 問韻之相通與不相通，以何爲憑？曰：憑古。古通者，吾亦通之。《毛詩》、《楚辭》，漢魏、六朝詩，杜、韓諸大家詩，以及他古書中有韻之文，皆其準驗也。辨得平聲韻之相通與不相通，斯上聲去聲之通不通因之而定。東、冬、江通，則董、腫、講通矣，送、宋、絳亦通矣。推之支、微、齊、佳、灰通，則紙、尾、薺、蟹、賄通，寘、未、霽、泰、卦、隊通。魚、虞通，則語、麌通，御、遇通。眞、文、元、寒、刪、先通，則軫、吻、阮、旱、潸、銑通，震、問、願、翰、諫、霰通。蕭、肴、豪通，則篠、巧、皓通，嘯、效、號通。歌、麻通，則哿、馬通，箇、禡通。庚、青、蒸通，則梗、迥通，敬、徑通。侵、覃、鹽、咸通，則寢、感、儉、豏通，沁、勘、豔、陷通。陽無通，則養亦無通，漾亦無通。尤無通，則有亦無通，宥亦無通。入聲韻之通不通，亦於平聲定之。東、冬、江通，則屋、沃、覺通。眞、文、元、寒、刪、先通，則質、物、月、曷、黠、屑通。庚、青、蒸通，則陌、錫、職通。侵、覃、鹽、咸通，則緝、合、葉、洽通。陽無通，則藥亦無通。

王德馨《雪蕉齋詩話》卷一 詩之叠韻、和韻、次韻，阮亭、隨園兩先生皆所不喜。大抵此風始于中晚唐元、白、皮、陸諸家，沿至宋蘇、陸輩。然和韻亦祇唱和諸作，疊韻亦祇二三四疊而已。降而至今，至數十首，夸多鬭巧。按其詩，亦止各騁才藻，未必盡從性情流出，甚至甘蔗渣兒，嚼過又嚼，毫無滋味。末流至此，亦何怪二公出而力矯其弊也。

又 步韻詩近體較易，古體長短節，尤難押得自然。吾郡泰順周吾《山居卽事》，用東坡《臘日遊孤山》詩韻云：「靈山下，田爲湖。怡情佳致無時無。開遍山花名莫辨，飛來好鳥常自呼。灌園食力同妻孥。豈必鐘鼎爲歡娛。山樓軒敞容山入，我愛山如畫屏紆。山獨許我此結廬。山從得我山不孤。有時山中恣獨往，身衣荷芰冠茅蒲。自笑非士非農夫。興到每自忘朝晡。人生當境在適意，富貴或恐非良圖。唱予和汝樂有餘。醉來一枕夢蘧蘧。眼前好景忍旋逋。頻將詩筆相追摹。」如此步韻，眞純任自然，雖使王、袁二公見之，當破格相賞。周吾，字子臺，布衣。著有《靈山草堂詩集》。

又卷二 王漁洋《池北偶談》云：「予六七歲始入鄉塾受《詩》，至《燕燕》、《綠衣》等篇，便覺棖觸欲泣，亦不自知其所以然。稍長，遂頗悟興觀群怨之旨。」予亦記少時入塾讀書，至《魏風》之《伐檀》，《唐風》之「豈曰無衣」及《秦風》之「於我乎夏屋」等篇，便喜隨其音節，反覆沈吟不置。後讀唐人七古長短節詩，覺從前所讀諸詩，皆有此意，實不知其所以然而然者。

又卷三 自來押韻之險，無過韓蘇，由其胸藏積卷，故左旋右抽，無不如意。今之末學後生，無韓蘇之才與學，才上詩壇，便欲以此等處製勝，一遇險難字，未有不露牽強之迹，是欲顯詩之奇，適足爲詩之累，切宜戒之。

朱庭珍《筱園詩話》卷二 古詩音節，須從神骨片段間，體會其抑揚輕重，伸縮緩急，開闔頓挫之妙，得其自然合拍。五音相間，無定而有定之音調節奏，乃能鏗鏘協律，可被管絃。雖穿雲裂石，聲高壯而清揚，然往而復迴，餘音繞梁，言盡而聲不盡，篇終猶有遠韻。以人聲合天籟，故曰詩爲天地元音也。此中妙旨，自非講求平仄所可盡，第不從平仄講求，初學何由致力，漸悟古人不傳之祕哉！王阮亭《平仄定體》、趙秋谷《聲調譜》，初學宜遵之。始從平仄講求音節，及工夫純熟之候，自能悟詩中天然之音之節，縱筆爲之，無不協調矣。

又卷四 阮亭先生所講聲調音節，最爲入細，作七古不可不知。所謂「以音節爲抑揚，以筆力爲操縱」二語，眞七古妙諦也。凡字以輕清爲陽，以重濁爲陰。用陽字爲揚，用陰字爲抑。平聲爲揚，仄聲爲抑。而陽中之陰，陰中之陽，與夫字雖陽而音啞，字雖陰而聲圓者，箇中又各有區別，用時必須逐字推敲，難以言盡。作平韻一韻到底七古，不惟上句落脚之字，宜上去入三聲間雜用之，不可犯複，卽下句四仄三平，亦須酌其音而用之。總須鏗鏘金石，一片宮商，無啞字、啞韻、雌聲、重聲梗滯其間，自然協調。至押仄韻七古，上句落脚平字，須調於上下平輕重之間；落脚仄字，須避下句押韻本聲。如押入韻，則用上去二聲，不可再用入聲字，以犯下句韻脚之聲。押去、上韻亦然。攙雜互用，音節乃妙。至轉韻七古，或六句一轉，或四句一轉，八句一轉，不可多寡過於懸殊，致畸輕畸重，總須匀稱。所押之韻，亦要平仄相間。至中間忽夾一段句句押韻者，須一滾而出，如濤翻雲湧；又須急其節拍，爲繁音變調，若風馳雨驟之交至，卽古騷賦中亂詞之遺也。斟酌平仄陰陽響啞，而選擇用之，參差錯雜，相間成音，此卽五聲迭奏之意，人籟上合天籟矣。若夫用筆之道，貴操縱自然，不可恃才馳騁。當筆陣縱横，一掃千軍之際，而力爲駕馭，莫令一往不返。使縱中有擒，伸中有縮，以開闔頓挫爲收放抑揚。此七古用筆之妙訣，先生其先得我心乎？

蔣學堅《懷亭詩話》卷三 作拗體詩最難。《一粟廬詩》有《贈張叔未丈》七律一首云：「清儀一閣撐竹田，百城坐擁忘歲年。抱名山業大手筆，現壽者相龐眉仙。明誠金石自有録，襄陽耆舊殊足傳。別來時復憶顏色，春風杖履應陶然。」古奧之中又極自然，隨園所謂「此等詩若平仄一諧，便無味矣」。

張翼廷《塞愚詩話》卷二 袁子才不喜步韻，以詩被韻拘，易於造作，然亦有因韻而見巧思者。嘗見湖南譚笠莊步友人原韻二章云：「西京歷遍復遊燕，籌筆論交已半年。滿篋琴書聞折柳，一程風月送征鞭。鴻謀久識心田靜，虎視空垂腹地涎。千里榆關終日到，更欣王道自便便。」「悲歌慷慨賦《離騷》，迎刃焉能小試刀。穩泛鴨頭春水緑，飛騰鵬背彩雲高。梅逢騷使花傳信，柳送行人汁染袍。借箸願君籌實事，維新慎勿效皮毛。」因韻生意，尚無矯柔造作之弊，殊可取也。笠莊余不識，汪補予爲余録之。

袁祖光《緑天香雪簃詩話》卷四 雙聲疊韻之學近世詩家多不講，及夢湘《廬嶽集》中二首頗佳云：「一葉翳煙隱，洗心宵象虛。山深數松瘦，江靜幾家居。鶴化後何恨，魚遊依有餘。月園如欲語，楚澤此踟躇。」「宿昔心相惜，招招之子舟。哀形欷泣血，去昳悄清秋。旅燕應如魘，黃花合號侯。高岡故關隔，老淚落南樓。」按是體始于漢魏，六朝人多藉以唱和。庾信詩云：「貴館居金谷，關扃隔藁街。冀君見果顧，郊間光景佳。」「高階既激澗，廣閣更交柯。葛巾久乖角，菊徑簡經過。」唐溫飛卿亦仿爲之，如《李先生別墅望僧舍寶剎》云：「棲息消心象，簷楹溢豔陽。簾櫳蘭露落，鄰里柳林涼。高閣過空谷，孤竿隔古岡。潭庭同澹蕩，彷彿復芬芳。」後東坡亦有此體，卽《戲和正甫一字韻》詩是也。末二句「改更句格各蹇吃，姑固狡獪加間關」，「間關」二字混疊韻而非雙聲，未知蘇本有訛誤否？

又卷六 七律詩有用仄韻者，日本人依田稼堂學之，如《下嶺小憩》云：「不知六月山中熱，滿袂涼風天地別。深樹留春偶聽鶯，遙岑入夏猶看雪。此時貪勝賞心深，終日探詩吟意切。薄酒纔傾茅店頭，林巒水石倍奇絕。」着筆殊不黏帶。又有句云：「扁舟古峽鶴横掠，短笛寒江人獨眠。」亦是雋語。

劉師培《文說·和聲篇第三》 物失其平則鳴，情動於中則言；情感於物，則形於聲；聲能成文，斯謂之音。故音訓爲飲（《白虎通》云：「音，飲也，言其剛柔清濁和而相飲也」），聲訓爲鳴（《白虎通》曰：「聲，鳴也」）。上古未有文字，先有語言，物各一名，言各一義，或循天籟（如一二、天地、父母、我彼諸字音是），或效物音（如牛羊、竹木、鴉鵲蛙諸字音是），或因形定聲，或因聲見義。故心同此理，卽同此音，目爲元音，誰曰不宜？

又 太古之文，有音無字。謠諺二體，起源最先。謠訓「徒歌」，諺訓「傳言」。蓋言出於口，聲音以成，是爲有韻之文，咸合自然之節。則古人之文，以音爲主。故和聲依永，八音於焉克諧；六律五聲，五言於焉出納。聲音之道，與政通矣。

又 况三代之時，學憑記誦。師儒之學，口耳相傳；經典之文，聲韻相叶。故聲教記於《禹貢》，文言著於羲經，太學錫成均之名，四教爲樂正所掌。而六藝之文，諸子之書，莫不叶音而足語，立均而出度（見《國語》）。試觀《周易》六爻，《尚書》二典，老聃傳《道德》之經，屈子作《離騷》之賦，以及箴銘垂訓，鐘鼎鏤詞，凡茲古藉，半屬韻文。况詩以調律，樂以播音，嗟嘆永歌，引宮刻羽，用之邦國，被之管弦，審音之精，此其證矣。

又 且古用韻文，厥有二故：一則創字之原，音先義後；解字之用，音近義通。古人作文，比類合義，韻既相叶，義必相符。一則奇字硬語，佶屈聱牙；惟韻語偶文，便於諷誦。故外史諭書名，臣籀作《史篇》，使呫畢之儒，事半功倍。綜斯二因，遂崇偶體：或抑揚以協律，或經緯以成章，或間句而協音（阮芸臺《文韻說》曰：「《詩·關雎》鳩、洲、逑押腳有韻，而女字不韻，得、服、側押腳有韻，而哉字不韻；此正子夏所謂聲成文之宮羽也」），或隔章而轉韻（《詩經》之韻不可一律齊，有四句兩韻，又轉而兩韻者，《關雎》次章之類是也；有四句而各兩韻者，《伯兮》首章之類是也；有八句而四韻者，《碩鼠》之類是也；有十二句而六韻者，《小明》首章之類是也；有三句而兩韻者，《采葛》之類是也；有三句而皆韻者，「十畝閑閑」之類是也。餘可類求），或用韻不拘句末（王懷祖曰：「《三百篇》用韻，有字字相對極密，非後人所有者，如有瀰、有鷕，濟盈、雉鳴，不、求，其軌、其牡，鳳凰鳴矣、梧桐生矣，於彼高岡、於彼朝陽，奉奉、雍雍，萋萋、喈喈，無一字不相韻。」予案：《詩經》有本句自叶之法，如「于嗟乎不承權輿」，乎、輿爲韻，「于嗟乎騶虞」，乎、虞爲韻，又如「于嗟麟兮」，嗟讀爲齊，與兮爲韻，「于胥樂兮」，胥讀爲西，與兮爲韻，「其樂只且」，樂讀爲羅，與且爲韻，是用韻不拘句末也），或協聲即在語端（此例爲前人所未發，如《易經》「積善之家，必有餘慶」，積與必韻，《書經》「冀州，既載壺口，治梁及岐，既修太原，至於岳陽」，冀與「既、治、至」三字韻，此例《詩經》尤多，《老子》、《楚詞》亦有之，不具引），或益助詞以足句（如《詩・關雎篇》用「之」字，《十畝之間》用「兮」字是也，是即《詩・大序》所謂「言之不足，故嗟嘆之，嗟嘆之不足，故永歌之也」。屈、宋用「兮」及「些」字，亦即此旨），或譜古調以成音（例如「彼候人兮」，「季女斯饑」，本古樂音，見《呂覽》，而《曹風》又用之，此即譜古調以成音也。與後世古詩篇多用「飲馬長城窟」、「青青河畔草」爲首句同。又如《詩經》之中，多用「彼其之子」句，則此句亦當日所傳之古音也。又漢代樂府有《朱露》，即出於《魯頌》之《振鷺》，亦其證也），此句中之韻也。至於觸物抒情，侔色揣稱，或掇雙聲之字，或采疊韻之詞（如《關雎》之詩，「參差」、「優游」，即雙聲也，「窈窕」、「輾轉」，即疊韻也，餘可類推。至於唐人猶有用此例者，如杜少陵詩云：「奮飛超等級，容易失沈淪。」白樂天詩云：「荏苒星霜換，迴環節候遲。」「奮飛」、「容易」、「荏苒」、「迴環」，皆雙聲也。杜詩云：「卑枝低結子，接葉暗巢鶯。」「低枝」、「接葉」即疊韻也。餘證甚多，見去歲《論文雜記》中），或用重言（如「關關」、「喈喈」、「萋萋」之類），或用韻語（如「王室如毀，雖則如毀」，以及「伐柯伐柯」之類是），此字中之音也。況音區輕重（《山海經》郭注云：「藷藇，今江南單呼爲藷，音儲，語有輕重耳。」《顏氏家訓》云：「其間輕重清濁，猶未可曉。」而《廣韻》有辨四聲輕清重濁法，《通志・七音略》亦謂「內轉之清，有輕中重、輕中輕、重中重、重中輕諸法，外轉亦然」），言判疾除（《韓非子》曰：「疾呼中宮，徐呼中商。」韋昭《國語注》曰：「疾呼則茅蒐成韎。」而《顏氏家訓》亦有徐言疾言之語），聲音之學，自古有之。雖四聲未辨，字無平仄之分（如《堯典》：「平章百姓，百姓昭明。」「姓」字爲仄音，「明」字爲平音。《易・坤卦》：「積善之家，必有餘慶，積不善之家，必有餘殃。」「慶」字爲仄音，「殃」字爲平音。《詩・甫田》云：「我田既臧，農夫之慶。」《假樂》云：「保佑命之，自天申之。」《子衿》云：「青青子佩，悠悠我思。」《雞鳴》云：「蟲飛薨薨，甘與子同夢。」《蓼蕭》云：「其德不爽，壽考不忘。」臧、申、思、薨、忘皆平音，慶、命、佩、夢、爽皆仄音。又如《老子》云：「五味令人口爽，馳騁田獵令人發狂。」《太玄經》云：「嘻嘻自懼，忘彼愆虞。」亦平韻、仄韻互協之證。蓋古代清濁平仄之分，尚未大別，故古無四聲，蓋愈古則音愈簡），而兩語相承，音有低昂之判。是以長言短言，見於《公羊》之注（《公羊傳》：「《春秋》伐者爲客，伐者爲主。」何注云：「伐人者爲客，讀伐，長言之；見伐者爲主，讀伐，短言之。」顧氏亭林曰：「今之平仄，即古之長短言」）；開口合口，詳於《廣韻》之書（《廣韻》末附《辨十四聲例法》：「一開口聲，二合口聲。」江慎修曰：「開口即內言，即外轉，合口即外言，即內轉。」內言外言，亦見《顏氏家訓》）。觀風虎雲龍，音殊高下（阮芸臺《文韻說》曰：「《文言》固有韻，亦有平仄聲音，即如『濕燥龍虎』八句，何等聲音，無論『龍虎』二句，不可顛倒，若改爲『龍虎濕燥睹』，即無聲音矣，此豈聖人天成暗合，全不由於思至哉」）；氣求聲應，語判洪纖。章句之間，各叶宮羽。雖曰音韻天成，暗與理合（此二句見沈約《宋書・謝靈運傳論》），然口舌相調，形氣相軋（張子《正蒙》云：「聲者，形氣相軋而成」），洞合天然之律，亦由意匠之工（阮芸臺曰：「自古聖賢屬文，時亦皆有意匠」）。此則沈約所謂「韻與不韻，各有精粗」者矣（《答陸厥書》）。

又 秦、漢以降，文體日滋。然集字爲句，駢異而同，抽句匪隻，摛詞非單，而駢字以音爲主，偶文以韻爲宗。《文心雕龍》曰：「有韻者文也，無韻者筆也。」然水土氣別，則音分清濁；古今代嬗，則聲有異同。同一字而音韻互歧，同一音而形體各判。故「讀如」、「讀若」，半爲譬況之詞；「當作」、「當爲」，亦屬旁通之證。然施之於文，則言各有當。觀漭沆、庬鴻，一音相轉，而平子、長卿用之各別：（平子《西京賦》云：「滄池漭沆。」長卿《封禪文》云：「湛恩庬鴻。」案：漭沆、庬鴻，四字音近義同，而一用漭沆，一用庬鴻者，則以聲音有高下之殊耳。）崴嵬、泒瀼，二字相通，而太沖、景純用之各殊（太沖《吳都賦》云：「隱賑崴嵬。」景純《江賦》云：「㴸淪泒瀼。」案：此四字亦音近義同，而用之各殊，亦以聲音有輕重之分耳）。蓋音有小大之區，語有翕張之異；若用字偶失，則音節相乖：屬文之士，不可不察也。

又 若夫《上林》之作，易「逍遙」爲「消搖」；《長楊》之篇，以「桔隔」代「戛擊」。「千眠」（《文賦》）、「盱瞑」（《南都賦》），音義相同；「漫衍」（《甘泉賦》）、「曼延」（《西京賦》），言辭靡別。則以洪荒字簡，一字兼數字之音；後代義明，數字歸一字之用。審音惟取相符，用字不妨偶異。蓋音同字異，亦可旁通；而音異字同，不容相假。則作文以音爲重，彰彰明矣。

又 厥後孫炎注經，始言反切（《顏氏家訓》曰：「孫叔言創《爾雅音義》，是漢末人獨知反語。」陸德明《經典釋文》曰：「孫炎始爲反語，魏朝以降漸繁。」張守節《史記正義》同）；曹植論韻，暗合梵音（曹植感魚山神，製四十二契，慧皎以爲「梵響無授，始陳思王」，見李氏《音鑑》）。而《聲類》編於李登（魏李登撰《聲類》十篇），《韻集》成於呂靜（晉呂靜因《聲類》而撰《韻集》，始有韻書之稱），以累萬之字，配五聲之音（《魏書·江式傳》曰：「靜作《韻集》五卷，宮商角徵羽，各爲一篇。」唐封演《聞見記》曰：「魏李登撰《聲類》十卷，凡一萬一千五百二十字，以五聲命字。」是五聲之分，始於李、呂，在齊、梁之前），尋聲推韻，自此始矣。

又 及齊、梁之間，文士輩出，盛解音律，始製四聲（《南齊書·陸厥傳》曰：「汝南周顒，善識音韻，沈約、謝朓、王融，文皆用宮商，以平上去入爲四聲，以此製韻，不可增減，世呼爲永明體。」《梁書·沈約傳》云：「撰《四聲譜》，以爲在昔詞人，累千載而不悟。高祖嘗問周捨曰：『何謂四聲？』捨曰：『天子聖哲是也。』然帝竟不遵用。」封演《聞見記》曰：「周顒好爲體語，因此切字皆有紐，紐有平上去入之異，永明中，沈約文詞精拔，善解音律，遂撰《四聲譜》。」案：沈氏之書一卷，見於《隋書·經籍志》，此後則言者愈衆矣）。雖仄韻知區去入（顧亭林《音論》曰：「今考江左之文，自梁天監以前，多以去入二聲通用，以後則若有界限，絕不相通，是知四聲之論，起於永明，而定於梁、陳之間也」），而平音未判陰陽（考約等只言平上去入，而未分陰平陽平，故只言四聲，而不言五聲也）。然諸家之文，善識聲韻，五字之中，音韻悉異；兩句之內，角徵不同（以上見《南齊書·陸厥傳》。鄒漢勛《五韻論》曰：「五字之中，音韻悉異者，音目同紐，韻謂同類，言五字詩一句之中，非正用重言連語，不得復用同韻同音之字，犯之即爲病；兩句之內，角徵不同者，考五聲大小之次，宮爲大，商角次之，徵羽又次之。平聲本有陰陽四聲，本於五音，咸出於自然，稍知呼吸文字，即能辨之。」又云：「宮商猶言平仄，爲文皆用宮商，猶言爲文皆用平仄；兩句之內，角徵不同，猶言兩句住句之字，一平一仄耳。」又「案《文心雕龍·聲律》篇云：『凡聲有飛沈，響有高下，雙聲隔字而每舛，疊韻雜句而必睽。』此亦『五字之中，音韻悉異，兩句之內，角徵不同』之證，足證南朝文士，其論文章之聲病，固不減於沈隱侯也。」此論最精）。又謂前有浮聲，後須切響，律呂各適物宜，低昂奚容舛節，一簡之內，音韻盡殊，偶語之中，輕重悉異（沈約《宋書·謝靈運傳論》曰：「夫五色相宣，八音協暢，由於玄黃律呂，各適物宜，欲使宮羽相變，低昂舛節，若前有浮聲，則後須切響，一簡之內，音韻盡殊，兩句之中，輕重悉異。妙達此旨，始可言文。」阮芸臺作《文韻說》，亦引此語爲證。案：此語亦精，所謂「前有浮聲」者，即平韻也，所謂「後須切響」者，即仄韻也，皆亦文分平仄之證）。蓋叶韻貴調，必同聲相應；而摛辭貴偶，必異音相從。是猶簫管之音，首貴克諧；而琴瑟之音，不可專一。特語末韻詞，有譜可憑；句內聲病，涉筆易犯。故往往閲之斐然，而誦之拗格。推其失致，厥有二因：一則以拗詞自矜，致聲失其節；一則以連語相貫，致音涉於同（連語者，即一語之中多用雙聲及疊韻之各字也）。故宣之於口，或音涉鈎輈；若繩之以文，則體乖排偶。此則彥和所謂「作韻甚易，選和至難」者矣（見《文心雕龍·聲律篇》）。

又 隋、唐之際，韻學日精：易四聲爲五音（齊、梁之間，僅以平上去入爲四聲，而平聲未分陰陽，然《隋書·經籍志》云：「梁有《五音韻》一卷。」五音之說，亦發明於六朝，特唐人始分陰陽爲二），合衆字爲一韻（如《廣韻》、《唐韻》諸書是，是爲韻書之祖）。審聲有脣舌喉齒之殊（《玉篇》末附《五音聲論》云：「東方喉聲，西方舌聲，南方齒聲，北方脣聲，中央牙聲。」《廣韻》亦曰：「脣聲清，舌聲清，齒聲牙聲喉聲俱濁。」《釋名》云：「天，坦也，以舌頭言之。」又：「天，顯也，以舌腹言之。」又曰：「開脣言之，風，放也。合脣言之，風，氾也。」則舌聲脣聲之說，中國古籍亦有言之者矣。其說在六朝之前），合音有徵角宮商之異（《玉篇》末附《五聲論》云：「欲知商，開口張；欲知宮，舌居中；欲知角，舌縮卻；欲知徵，舌柱齒；欲知羽，撮口聚。」其說本於《管子》。鄒漢勛謂：「上爲宮，陰陽平爲商角，去入爲徵羽」）。引字調音，各有清濁（孫氏《唐韻》曰：「引字調音，各自有清濁」）；分類別等，咸造精微（分類者，即同紐之字也，凡同紐之字，皆爲同類；別等者，即同韻之字也，凡同韻之字，皆爲同等。故音韻有四等，一等洪大，二等次大，三四皆細，而四尤細，皆見江慎修《四聲清切韻》）。然音學愈明，斯文韻愈密。故陰、何詩什，遂開近體之先；徐、庾文篇，無復單行之體。賦必叶律，送迎互換其聲；文必成章，進退遞新其格。推之沈、宋之詩，音中羣雅；溫、李之文，勢若轉圜。或拗韻以協聲(據趙秋谷《聲調譜》，則古詩及拗體之詩，亦必協自然之律)，或激昂以競響。然調有緩急，音有抗墮，科律所設，不可誣也。

又 況唐人之詩，紹古樂府。故「朝雨渭城」，聲可裂笛；「秋風汾水」，歌以寄思。中唐以降，競尚倚聲，繁促相宣，短長互用，按律造譜，由詞製調。故聲轉於吻，則轆轤交往；辭靡於耳，亦短修互叶。觀《清平調》進於李白，樂部傳歌；《菩薩蠻》撰於飛卿，歌筵競唱。是古人辭曲，暗合樂章。及大晟設官，宮聲羽聲判其制：此北宋之事。蒙古宅夏，南曲北曲異其音。雖曼音徘曲，未克移風；而促韻繁聲，咸能入樂：此又文韻最精之證也。

又 然欲精文韻，厥有三端：一曰撰韻。三代以上，言各異聲，音區夏、楚，韻判《雅》、《南》。況百里之內，聲有不同；千年之中，語有遞轉。然古人用韻，多與今違；係本古音，非由叶韻。(吳才老於《詩經》韻之殊於後世者，皆曰叶韻，非也。)故「儀」與「阿」叶，則「儀」讀爲「莪」；(《詩・菁菁者莪》篇。其旁證則《洪範》「頗」與「儀」協，《管子》「磋」與「儀」協，《太玄》「頗」與「儀」協。)「下」與「滸」叶，則「下」讀爲「虎」。(《詩・緜》篇。其旁證則《楚詞》「舞」與「下」協，「處」與「下」協，「渚」與「下」協。)「筵」音叶「秩」(《賓之初筵》篇)，故「山」可叶「歸」(《東山》篇)；「今」音叶「茲」(《載芟》篇)，故「塵」可叶「底」(《無將大車》篇)。又「閉」讀爲「鼈」，則潘、顏之作可徵；「謳」讀爲「獄」，則曹、陸之詞可據。「岳」讀爲「獄」，則陸與司馬相符；「袂」讀爲「決」，則沈與江淹相合。及雙聲互轉，致古韻多淪。(古韻之轉爲今韻，其故悉由雙聲，見《小學發微》。)後世韻書既設，通叶亦寬，然選韻必取同紐，作文必用今音。若昌黎之詩，以「城」叶「江」，杜牧之曲，以「信」叶「深」，姜夔以「陰」叶「雲」，陸游以「寄」叶「水」，或數韻通叶，或四聲失調，則又用韻之失矣。又古人作文，多用方音，《公羊》侈用齊言，《離騷》亦徵楚語。雖律以雅言，韻訛實甚；然施之鄉國，音讀易諧。故徵之古昔，楚臣以土風協樂；驗之近代，宋人以里語入詞。特處封建之朝，則《國風》可齊《雅》、《頌》；值同文之世，則訛音甚於枘方。方音之用，詎免鄙倍之譏乎！【略】二曰發音。文以代言，取肖神理。上古立言，罕用助語，欲傳語尾之餘音，則擇實詞爲虛用。故出言之際，軒輊異情，虛字一乖，判於燕越。一字之失，一句爲之蹉跎，一句之誤，通篇爲之梗塞。然實字必徵其義，虛詞必聆其音。故「只」爲語已之詞，用「只」則文氣下引(《說文》「只」字下云：「語已詞也，從口，象氣下引之形也」)；「乎」爲語餘之助，用「乎」則文聲上揚(《說文》「乎」字下云：「語之餘也，從兮，象聲上越揚之形也」)。「曰」、「曶」二字，咸爲出氣之詞(《說文》「曰」字下云：「象口氣出也。」「曶」字下云：「出氣詞」)；「之」、「其」兩字，亦屬代詞之例。且「則」字、「乃」字，同爲轉下之文，而意分緩急；「也」字、「耶」字，同爲終竟之詞，而語判信疑。義各有歸，淆用斯舛。若夫《周詩》以「伊」字爲起詞，《楚騷》以「羌」字爲轉語，《書》紀《皐謨》，則「事」字居言詞之間，《孟》論勇士，則「施」字爲發語之聲，使作者偶缺其文，則誦者不能成韻。又如「遑暇」重言，「庸何」並列，「期期」象口吃之聲，「耳耳」表不然之意，雖施諸縑墨，係屬費詞，然傳其聲貌，非此莫由。故詞氣之說，創於曾氏，而《音辭》之篇，著於之推，蓋頓挫異致，斯咏嘆殊情。至若「且」字用於《鄭詩》，「些」字見於《楚詞》，是猶元曲助字，純用方言。然助言偶舛，則餘韻失傳，釋詞之學，豈可忽乎？【略】三曰選字。文字不同，各如其面，字各有音，施之或異。兩字相聯，或音判剛柔；兩義相符，或用分雅俗。故黃沙白草，發爲粗厲之音，海水天風，怳睹寂寥之境。銘功誦烈，其音大而宏；範水模山，其音清以遠。美人香草，其音婉轉而彌長；玉宇瓊樓，其音慷慨而激越。雜綺語則音多柔靡，誦軍歌則音入渾雄。文韻異同，各視其體。觀《甘泉》、《籍田》之篇，齋肅麗則；《長門》、《洛神》之作，哀怨清冷。《感舊》、《嘆逝》，乃《山鬼》之遺音；《西征》、《北征》，亦《涉江》之遺響。《九歌》懷楚，幽杳悲涼；《七發》諫吳，浩瀚清壯。蓋配字殊科，則吐詞異響。是以表章之文，雍容而叙致；碑誄之筆，悽愴而纏綿。書啓之作，必朗暢以陳詞；頌贊之篇，必琳瑯而入誦。論說擅縱橫之筆，詞必類於蘇、張；箴銘以清壯爲工，聲必諧乎金奏。言如綸綍，乃詔冊之正宗；音涉哀思，乃賦騷之變體。其故何哉？則用字不同之故也。況復應制之文，多黃鐘、大呂之音；弔古之篇，傳《麥秀》、《黍離》之怨。賦物之篇，響逸而調遠；逞詞之作，鋒發而韻流。作者集字以成章，誦者循聲而得貌。此朱氏所由作《駢雅》，宋人所由輯《漢雋》也。綜斯三義，方可言文。

又 或謂四聲乃古代所傳，五音特樂歌所用，文韻之說，近於拘牽。夫膠柱鼓瑟，刻舟求劍，以此言音，誠爲背古。然古人佩玉，行《肆夏》而奏《采齊》，伶工譜歌，上如抗而下如墜，小技猶然，況於文乎？是以宣尼聞樂，洋洋乎盈耳；師乙論音，累累如貫珠。推之曳履歌商，聲若出於金石；歙豳息蠛，音並合於籥章(見《周禮》)。是則論樂之理，通於論文，和聲之章，斯能鳴盛。觀史遷論文，自取曲終而奏雅；昌黎詮道，亦謂氣盛則言宜。妙達此旨，方可言文。昔梁元帝之論文也，謂「宮徵靡曼，唇吻遒會」(見《金樓子・立言篇》)。又曰：「吟詠風雅，流連哀思，斯謂之文。」以證文筆之殊)，劉彥和《文心雕龍》，亦曰「聲不失序，音以律文」(近世之書，若趙秋谷《聲調譜》、蔣氏《詞律》，以及阮芸臺《文韻說》，皆講文韻者必讀之書也)，欲求立言之工，曷以此語為法乎(古人之文，其可誦者文也，其不可誦者筆也，文筆不同，亦見阮氏《揅經室集》)。

又 附錄：明季陳季立《讀詩拙言》論古韻語(季立名第，明代閩人，所作論古音書甚多，《讀詩拙言》一書，刻入淩氏《傳經堂叢書》中，此條論古韻最精，特開顧、戴之先，故特錄之，以為考文韻者之一助)。

又 說者謂自五季之衰，外夷入寇，驅中原之人，入於江左，而河、淮南北，間雜夷言，聲音之變，或自此始。然一郡之內，聲有不同，繫乎地者也；百年之中，語有遞轉，繫乎時者也。況有文字而後有音讀，由大小篆而八分，由八分而隸，凡幾變矣，音能不變乎？所貴誦詩讀書，尚論其當世之音而已矣。《三百篇》，詩之祖，亦韻之祖也，作韻書者，宜權輿於此。溯源沿流，部提其字，曰古音某，則今音行而古音庶幾不泯矣。自周至後漢，音已轉移，其未變者實多。愚考《說文》，「訟」以「公」得聲，「福」以「偪」得聲，「霾」以「貍」，「斯」以「其」，「脫」以「兌」，「節」以「即」，「溱」、「臻」皆「秦」，「闐」、「塡」皆「眞」，「者」讀「旅」，「涘」讀「矣」，「滔」讀「由」，「玖」讀「芑」；又「我」讀「俄」也，故「義」有「俄」音，而「儀」、「議」因之得聲矣，且以「莪」、「娥」、「蛾」、「鵝」、「峨」、「硪」、「哦」、「誐」之類例之，「我」可讀平也奚疑乎？「可」讀「阿」也，故「奇」有「阿」音，而「猗」、「錡」因之得聲矣，且以「何」、「河」、「柯」、「軻」、「珂」、「婀」、「苛」、「訶」之類例之，「可」可讀平也，亦奚疑乎？凡此皆《毛詩》音也。徐鉉修《說文》，槩依孫愐之《切韻》，是以唐音而反律古矣。厥後諸韻書，引古詩如晨星，而於唐、宋名家之詞，每數數焉，無亦譜子孫而忘祖宗乎？嗟夫！《說文》之音多與時違，幾為溝中之斷矣，愚獨取之以讀《詩》，豈偶也哉？豈偶也哉？

結構

《文筆式・論體》 凡作文之道，構思為先，亟將用心，不可偏執。何者？篇章之內，事義甚弘，雖一言或通，而衆理須會。若得於此而失於彼，合於初而離於末，雖言之麗，固無所用之。故將發思之時，先須惟諸事物，合於此者。既得所求，然後定其體分。必使一篇之內，文義得成(謂篇從始至末，使有文義，可得連接而成也)；一章之間，事理可結(章者，若文章皆有科別，敘義可得連接而成事，以為一章，使有事理，可結成義)。通人用思，方得為之。大略而論：建其首，則思下辭而可承；陳其末，則尋上義不相犯；舉其中，則先後須相附依。此其大指也。若文繫於韻者，則量其韻之少多。若事不周圓，功必疎闕。與其終將致患，不若易之於初。然參會事情，推校聲律，動成病累，難悉安穩。如其理無配偶，音相犯忤，三思不得，足以改張。或有文人，昧於機變，以一言可取，殷勤戀之，勞於用心，終是棄日。若斯之輩，亦膠柱之義也。又文思之來，苦多紛雜，應機立斷，須定一途。若空勸品量，不能取捨，心非其決，功必難成。然文無定方，思容通變，下可易之於上，前得迴之於後(若語在句末，得易之於句首；或在前言，可迻於後句也)。研尋吟詠，足以安之；守而不迻，則多不合矣。然心或蔽通，思時鈍利，來不可遏，去不可留。若也情性煩勞，事由寂寞，強自催逼，徒成辛苦。不若韜翰屏筆，以須後圖，待心慮更澄，方事連緝。非止作文之至術，抑亦養生之大方耳。

又《定位》 凡製於文，先布其位，猶夫行陳之有次，階梯之有依也。先看將作之文，體有大小(若作碑、誌、頌、論、賦、檄等，體法大；啓、表、銘、讚等，體法小也)。又看所為之事，理或多少(敘人事、物類等，事理有多者，有少者)。體大而理多者，定製宜弘；體小而理少者，置辭必局。須以此意，用意準之，隨所作文，量為限定(謂各準其文體事理，量定其篇句多少也)。既已定限，次乃分位，位之所據，義別為科(雖主一事為文，皆須次第陳敘，就理分配，義別成科，其若夫、至如、于是、所以等，皆是科之際會也)。衆義相因，厥功乃就(科別所陳之義，各相準望連接，以成一文也)。故須以心揆事，以事配辭(謂人以心揆所為之事，又以此事分配於將作之辭）。總取一篇之理，折成衆科之義（謂以所爲作篇之大理，分爲科別小義）。其爲用也，有四術焉：一者分理務周（謂分配其理，科別須相準望，皆使周足得所，不得令或有偏多偏少者也）。二者叙事以次（謂叙事理須依次第，不得應在前而入後，應入後而出前，及以理不相干，而言有雜亂者）。三者義須相接（謂科別相連，其上科末義，必須與下科首義相接也）。四者勢必相依（謂上科末與下科末，句字多少及聲勢高下，讀之使快，即是相依也。其犯避等狀，已具「聲病」條內。然文縱有非犯而聲不便者，讀之是悟，即須改之，不可委載也）。理失周，則繁約互舛（多則義繁，少則義約，不得分理均等，是故云舛也）。事非次，則先後成亂（理相參錯，故失先後之次也）。義不相接，則文體中絶（兩科際會，義不相接，故尋之若文體中斷絶也）。勢不相依，則諷讀爲阻（兩科聲勢，自相乖舛，故讀之以致阻難也）。若斯並文章所尤忌也。故自於首句，迄於終篇，科位雖分，文體終合。理貴於圓備，言資於順序，使上下符契，先後彌縫（上科與下科，事相成合，若符契然。科之先後，皆相彌縫，以合其理也）。擇言者不覺其孤（言皆符合不孤），尋理者不見其隙（隙，孔也。理相彌合，故無孔也）。始其宏耳。又文之大者，藉引而申之（文體大者，須依其事理，引之使長，又申明之，便成繁富也）。文之小者，在限而合之（文體小者，亦依事理，豫定其位，促合其理，使歸約也）。申之則繁，合之則約。善申者，雖繁不得而減（言雖繁多，皆相須而成義，不得減之令少也）。善合者，雖約不可而增（言雖簡少，義並周足，不可增之使多）。皆在於義得理通，理相稱愜故也。若使申而越其義（謂申之乃虛相依託，越於本義也），合而遺其理（謂合之傷於疎略，漏其正理也），疎穢之起，實在於兹（理不足，故體必疎；義相越，故文成穢也）。此固文人所宜用意。或有作者，情非通晤，不分先後之位，不定上下之倫，苟出胸懷，便上翰墨，假相聚合，無所附依，事空致於混淆，辭終成於隙碎。斯人之輩，吾無所裁矣。篇既連位而合，位亦累句而成。然句無定方，或長或短。長有逾於十，如陸機《文賦》云：「沈辭怫悦，若遊魚銜鉤而出重淵之深；浮藻聯翩，猶翔鳥纓繳而墜曾雲之峻。」（下句皆十一字也）短有極於二，如王褒《聖主得賢臣頌》云：「翼乎，若鴻毛之順風；沛乎，若巨鱗之縱壑。」（上句皆兩字也）在於其内，固無待稱矣（謂十字以下，三字已上，文之常體，故不待稱也）。然句既有異，聲亦互舛，句長聲彌緩，句短聲彌促，施於文筆，須參用焉（雜文筆等，皆句字或長或短，須參用也。其若詩、讚、頌、銘，句字有限者，非也）。就而品之，七言已去，傷於大緩；三言已還，失於至促。準可以間其文勢，時時有之。至於四言，最爲平正，詞章之内，在用宜多。凡所結言，必據之爲述。至若隨之於文，合帶而以相參，則五言、六言，又其次也。至如欲其安穩，須憑諷讀，事歸臨斷，難用辭窮（言欲安施句字，須讀而驗之。在臨時斷定，不可預言者也）。然大略而論，忌在於頻繁，務遵於變化（若置四言、五言、六言等體，不得頻繁，須變化相參用也）。假令一對之語，四句而成（筆皆四句合成一對），便用四言，以居其半，其餘二句，雜用五言、六言等（謂一對語内，二句用四言，餘二句或用五言、六言、七言是也）。或經一對、兩對已後，乃須全用四言（若一對四句，並全用四言也）。既用四言，又更施其雜體（還謂上下對内，四言與五言等參用也）。循環反覆，務歸通利。然「之」、「於」、「而」、「以」間句，常頻對有之，讀則非便，能相迴避，則文勢調矣（謂「而」、「以」、「之」、「於」等間成句者，不可頻對體同）。然施諸文體，互有不同：文之大者，得容於句長（若碑、誌、論、檄、賦、誄等，文體大者，得容六言以上者多）。文之小者，寧取於句促（若表、啓等，文體法小，寧使四言以上者多也）。何則？附體立辭，勢宜然也。細而推之，開發端緒，寫送文勢，則六言、七言之功也；泛叙事由，平調聲律，四言、五言之能也；體物寫狀，抑揚情理，三言之要也。雖文或變通，不可專據（謂有任人意改變，不必當依此等狀）。叙其大抵，實在於兹。其八言、九言、二言者，時有所值，可得施之，其在用至少，不復委載也。

白居易《金鍼詩格》：第一聯謂之「破題」，欲如狂風捲浪，勢欲滔天；又如海鷗風急，鸞鳳傾巢，浪拍禹門，蛟龍失穴。第二聯謂之「頷聯」，欲似驪龍之珠，善抱而不脱也。亦謂之「撼聯」者，言其雄贍遒勁，能捭闔天地，動搖星辰也。第三聯謂之「警聯」，欲似疾雷破山，觀者駭愕，搜索幽隱，哭泣鬼神。第四聯謂之「落句」，欲如高山放石，一去不迴。

釋神彧《詩格·論破題》：詩有五種破題：一曰就題，二曰直致，三曰離題，四曰粘題，五曰入玄。一曰就題，用題目便爲首句是也。周朴《湖州安吉縣詩》：「湖州安吉縣，門外與雲齊。」周朴《登靈巖寺上方詩》：「雨後靈巖寺上方，如何云者合思量。」張祜《春遊東林寺詩》：「一到東林寺，春深景致芳。」禪月《寄南行客詩》：「見説南行客，迢迢有似無。」二曰直致，就題中通變其事，以爲首句是也。崔補闕《詠邊庭雪》：「萬里一點白，長空鳥不飛。」此用一「白」字，傷其雪體，故云直致。如周朴《登福唐縣樓》：「咸通五載後伏裏，登此福唐縣上樓。」又古人《早行詩》：「早起赴前程，鄰鷄尚未鳴。」三曰離題，外取其首句，免有傷觸是也。齊己《漁父詩》：「湘潭春水滿，湘岸草青青。」曹松《聞猿詩》：「曾宿三巴路，今來不願聽。」禪月《牡丹詩》：「萬計交人買，華軒保惜深。」崔補闕《春閨》：「寒食月明雨，落花香滿泥。」林先輩《登山》：「數歇未到頂，穿雲勢漸孤。」四曰粘題，破題上下二句，重用其字是也。禪月詩：「得力未得力，苦吟夏又殘。」此乃一句內粘二字也。方干詩：「至業未得力，至今猶苦吟。」此乃上下共粘二字也。送僧詩：「一衲與一錫，一身索索輕。」此乃上下共粘三字也。古詩：「行行重行行，與君生別離。」此乃一句粘四字也。《別友人詩》：「昔年相別今又別，今別遠將昔別同。」此乃兩句粘四「別」字，又粘二「今」、二「昔」字。大凡破題，切詳此例。五曰入玄，取其意句綿密，祇可以意會，不可以言宣也。賈島《送人》：「半夜長安雨，燈前越客心。」此乃上下句不言送人，而意在送人。鄭谷《題雁》：「八月悲風九月霜，蓼花紅淡葦條黃。」此乃上下句不言雁而意就雁也。歐陽詹《贈老僧》：「笑向何人談古時，繩牀竹杖自扶持。」此乃上下句不言老僧而意見老僧。以上五種惟入玄最妙。

又《論頷聯》　詩有頷聯，亦名束題，束盡一篇之意。其意有四到：一曰句到意不到，二曰意到句不到，三曰意句俱到，四曰意句俱不到。《中秋月詩》：「此夜一輪滿，清光何處無。」是句到意不到也。《詠扇詩》：「汗流浹背曾施力，氣爽中秋便負心。」是意到句不到也。《詠柳詩》：「巫娥廟裏低含雨，宋玉宅前斜帶風。」是意句俱到也。《除夜詩》：「高松飄雨雪，一室掩香燈。」是意句俱不到也。

又《論詩腹》　詩之中腹亦云頸聯，與頷聯相應，不得錯用。《詠菊詩》：「晚成終有分，欲採未過時。」此兩句是詠物而寄意。《送人下第》：「曉楚山雲滿，春吳水樹低。」此是送人所經之處，失意可量。《別同志》：「天淡滄浪晚，風悲蘭杜秋。」此兩句別所經之景，情緒可量。

又《論詩尾》　詩之結尾亦云斷句，亦云落句，須含蓄旨趣。《登山詩》：「更登奇盡處，天際一仙家。」此句意俱未盡也。《別同志》：「前程吟此景，爲子上高樓。」此乃句盡意未盡也。《春閨詩》：「欲寄迴紋字，相思織不成。」此乃意句俱盡也。

梅堯臣《續金針詩格·詩有四格》　十字句格一，詩曰：「日離山一丈，風吹花數苞。」此喻明君理國，教令纔出，小人各安其所也。十四字句格二，詩曰：「雨露施恩無厚薄，蓬蒿隨分有枯榮。」此喻君澤流，而卑賤之人各安其分也。五隻字格三，詩曰：「萬里八九月，一身西北風。」言萬里，遠方；八、九月，行役之時。忠臣啣君遠命而不辭勞也。拗背字格四，詩曰：「祇有照壁月，更無吹葉風。」言明時無滋彰之教令也。

《王直方詩話·作詩如雜劇》　山谷云：「作詩正如作雜劇，初時布置，臨了須打諢，方是出場。」蓋是讀秦少章詩惡其終篇無所歸也。

胡仔《苕溪漁隱叢話前集》卷七引《詩眼》　古人律詩亦是一片文章，語或似無倫次，而意若貫珠。《十二月一日》詩云：「今朝臘月春意動，雲安縣前江可憐。」此詩立意念歲月之遷易，感異鄉之飄泊。其曰：「一聲何處送書雁，百丈誰家上水舡？」則羈愁旅思，皆在目前。「未將梅蕊驚愁眼，要取楸花媚遠天。」梅望春而花，楸將夏而乃繁，言滯留之勢，當自冬過春，始終見梅楸，則百花之開落皆在其中矣。以此益念故國，思朝廷，故曰：「明光起草人所羨，肺病幾時朝日邊。」《聞官軍收河北》詩云：「劍外忽傳收薊北，初聞涕淚滿衣裳。」夫人感極則悲，悲定而後喜，忽聞大盜之平，喜唐室復見太平。顧視妻子，知免流離，故曰：「卻看妻子愁何在？」其喜之至也，不知手之舞之，足之蹈之，故曰：「漫展詩書喜欲狂。」從此有樂生之心，故曰：「白日放歌須縱酒。」於是率中原流寓之人同歸，以青春和暖之時卽路。故曰：「青春作伴好還鄉。」言其道途則曰：「欲從巴峽穿巫峽。」言其所歸則曰：「便下襄陽到洛陽。」此蓋曲盡一時之意，愜當衆人之情，通暢而有條理，如辯士之語言也。《遊子》詩云：「巴蜀愁誰語，吳門興杳然。」巴蜀既無可與語，故欲遠之吳會。「九江春草外」，則想象將來吳門之景物。「三峽暮帆前」，則去路先涉三峽之風波。「厭就成都卜，休爲吏部眠」，君平之卜所以養生，畢卓之酒所以忘憂，今皆不能如意，則犯三峽之險，適九江之遠，豈得已也哉？夫奔走萬里無所稅駕，傷人世險隘，不能容己，故曰：「蓬萊如可到，衰白問群仙」終焉。後之騷人亦多此意，《題桃》詩云：「小徑升堂舊不斜，五株桃樹亦從遮。」此詩意在第一句，舊堂小徑，從來不斜，又五桃遮掩之，已若圖畫矣。中間四句皆舊日事。方天下太平，家給食足，有桃實則饋貧人，故曰：「高秋總饋貧人實。」和氣應期而至，人意閑而樂之，故曰：「來歲還舒滿樹花。」家家有忠厚之風，處處有魯恭之化，故曰：「窗戶每宜通乳燕，兒童莫信打慈鴉。」及題此詩時，所向皆寡妻群盜，何暇如此，故曰：「寡妻群盜非今日，天下車書正一家」時也。然所謂意若貫珠，非唯文章，書亦如是。歐陽文忠言：「用筆當使指運，而腕不知，方其運也，左右前後，不免欹側，及其定也，上下如引繩，此之謂筆正。」山谷稱：「公主擔夫爭道，其手足肩背皆有不齊，而輿未嘗不正。」指與擔夫，則如遺詞；腕與輿，則如命意。故唐文皇稱右軍書云：「煙霞雲斂，狀若斷而還連；鳳翥龍盤，勢如斜而反直。」與文章眞一理也。今人不求意處關紐，但以相似語言爲貫穿，以停穩筆畫爲端直，豈不淺近也哉？

又卷一〇引《詩眼》 山谷言文章必謹佈置，每見後學，多告以《原道》命意曲折。後予以此概考古人法度，如杜子美《贈韋見素詩》云：「紈絝不餓死，儒冠多誤身。」此一篇立意也，故使人靜聽而具陳之耳。自「甫昔少年日」至「再使風俗淳」，皆儒冠事業也。自「此意竟蕭條」至「蹭蹬無縱鱗」，言誤身如此也。則意舉而文備，故已有是詩矣；然必言其所以見韋者，於是有厚愧眞知之句。所以眞知者，謂傳誦其詩也。然宰相職在薦賢，不當徒愛人而已，士故不能無望，故曰：「竊效貢公喜，難甘原憲貧」；果不能薦賢則去之可也，故曰：「焉能心快快，只是走踆踆」；又將入海而去秦也。然其去也，必有遲遲不忍之意，故曰：「尚憐終南山，回首清渭濱」；則所知不可以不別，故曰：「常擬報一飯，況懷辭大臣」；夫如此是可以相忘於江湖之外，雖見素亦不得而見矣，故曰：「白鷗沒浩蕩，萬里誰能馴」終焉。此詩前賢錄爲壓卷，蓋佈置最得正體，如官府甲第廳堂房室，各有定處，不可亂也。韓文公《原道》，與《書》之《堯典》蓋如此，其他皆謂之變體可也。蓋變體如行雲流水，初無定質，出於精微，奪乎天造，不可以形器求矣。然要之以正體爲本，自然法度行乎其間。譬如用兵，奇正相生，初若不知正而徑出於奇，則紛然無復綱紀，終於敗亂而已矣。《原道》以仁義立意，而道德從之，故老子舍仁義，則非所謂道德，繼叙異端之汩正，繼叙古之聖人不得不用仁義也如此，繼叙佛老之舍仁義則不足以治天下也如彼，反覆皆數疊而復結之以先王之教，終之以人其人，火其書，必以是禁止而後可以行仁義，於是乎成篇。若《堯典》自「若稽古帝堯」至「格於上下」，則堯之大略也；自「克明俊德」至「于變時雍」，言堯修身以及天下也。於是「乃命羲和」言天事，「若予采」、「若時登庸」言人事，「洪水方割」言地事，三才之道既備，繼之以遜位終焉。然則自古有文章，便有佈置，講學之士不可不知也。

黃徹《碧溪詩話》卷五 《莊子》文多奇變，如「技經肯綮之未嘗」，乃未嘗技經肯綮也。詩句中時有此法，如昌黎「一蛇兩頭見未曾」，「拘官計日月」，「欲進不可又」，「君不強起時難更」，坡「迨此雪霜未」，「茲謀待君必」，「聊亦記吾曾」。餘人罕敢用。

張鎡《仕學規範》卷三九引蒲氏《漫齋錄》 五字詩以第三字爲句眼，七字詩以第五字爲句眼，古人鍊字只於句眼上鍊。

又 七字句法不要有閑字，若減兩字成五言，而意思足，便是有閑字也。

又引《呂氏童蒙訓》 潘邠老語饒德操云：作長詩須有次第本末方成文字，譬如做客，見主人須先入大門，見主人升階就坐說話乃退。今人作文字都無本末次第，緣不知此理也。

姜夔《白石道人詩說》 作大篇，尤當布置：首尾勻停，腰腹肥滿。多見人前面有餘，後面不足；前面極工，後面草草，不可不知也。

陳模《懷古錄》卷中 「門外猧兒吠，知是蕭郎至。剗襪下芳堦，冤家今夜醉。扶得入羅幃，不肯脫羅衣。醉則從他醉，猶勝獨眠時。」此唐人詞也。前輩謂此可以悟詩法。或以問蒼山，蒼山曰：「此只是轉多。且如喜其至，剗襪下堦，是一轉矣；而苦其今夜醉，又是一轉；喜其入羅幃，又是一轉；不肯脫羅衣，又是一轉；後兩句自開釋，又是一轉。」或又問曰：「昔人《殘燈》詩云：『幽人將遽眠，解帶翻成結。』前輩或以爲詩法，何也？」蒼山曰：「此又非以轉多而取，特以比作詩者，情雖切而辭不可迫急耳。譬如欲遽眠而急於解帶，翻成結也。故作詩者，須要詞不迫切而意獨至方是。」

佚名《詩憲·布置含蓄》 布置者，謂詩之全篇用意曲折也。《詩眼》云：「山谷嘗言文章必謹布置。每見後學多告以《原道》命意曲折，嘗以概考古人法度，如《贈韋左丞詩》，前賢錄爲壓卷，蓋布置最得正體。《原道》與《書》之《堯典》蓋如此。其他皆爲變體。」含蓄者，言不盡意也。《冷齋夜話》云：「有句含蓄者，如『勳業頻看鏡，行藏獨倚樓』。有意含蓄者，如『天街夜色涼如水，臥看牽牛織女星』。有句意含蓄者，如『明年此會知誰健，醉把茱萸仔細看』。」

方回《瀛奎律髓》卷二六《變體類小序》　周伯弜《詩體》，分四實四虛、前後虛實之異。夫詩止此四體耶？然有大手筆焉，變化不同。用一句說景，用一句說情。或先後，或不測。

又卷二九　起兩句言題，中四句言景，末兩句擺開言意。盛唐詩多如此。

佚名《杜陵詩律五十一格·秋興八首》　接項格（第三、第四緊接第二句）。玉露凋傷楓樹林（起興於秋而生七句），巫山巫峽氣蕭森（上四字承「楓樹」，下三字承「玉露凋傷」）。江間波浪兼天涌（上四字承「巫峽」，下三字承「氣蕭森」），塞上風雲接地陰（上四字承「巫山」，下三字承「氣蕭森」。此聯共承第二句，如首項之相接）。叢菊兩開他日淚，孤舟一繫故園心。寒衣處處催刀尺（此句復應第三聯，而生下句），白帝城高急暮砧。交股格（第一、第三、第六句，第二、第四、第五句，各相起應，詞意通貫，交錯如股。第七句設爲問答以結之，是曰歸題）。夔府孤城落日斜，每依南斗望京華。聽猿實下三聲淚，奉使虛隨八月槎。畫省香爐違伏枕，山樓粉堞隱悲笳。請看石上藤蘿月，已映洲前蘆荻花。纖腰格（第三聯爲腰，與前聯絕不相類，如腰之纖而弗稱，意脈實與「坐翠微」相應，而上通首句。第二、第四句歸題）。千家山郭靜朝暉，日日江樓坐翠微。信宿漁人還泛泛，清秋燕子故飛飛。匡衡抗疏功名薄，劉向傳經心事違。同學少年多不賤，五陵衣馬自輕肥。續腰格（起聯言天子、神仙事，次聯言神仙事，三聯爲腰，言天子事以續之，而後起結聯驚秋自歎、心存魏闕之情）。蓬萊宮闕對南山，承露金莖霄漢間。西望瑤池降王母，東來紫氣滿函關。雲移雉尾開宮扇，日繞龍鱗識聖顏。一卧滄江驚晚歲，幾回青瑣點朝班。首尾互答格（首句上半句言夔州，下半句言京華也。次句兼完首句之意，而興起後兩聯。至結聯，語雖異，意則同。首應「瞿塘」、「秦中」、「曲江」，又互換爲結也。此篇爲第二句歸題）。瞿塘峽口曲江頭，萬里風烟接素秋。華蕚夾城通御氣，芙蓉小苑入邊愁。珠簾繡柱圍黃鵠，錦纜牙檣起白鷗。回首可憐歌舞地，秦中自古帝王州（右瞿塘、曲江二地，相去如千里，秋氣於風烟中自相通，此兩句作成一句，謂之十四字句。律詩以仄起爲正體，平起爲變體。此詩平起，而又兩句串作一句，是謂變中之變）。首尾相同格（同，應也。首以昆明，結以江湖。中兩聯言乘興播起，秋氣蕭條，昆明之景不異江湖以歸題）。昆明池水漢時功，武帝旌旗在眼中（假漢言唐，卽今見古）。織女機絲虛夜月，石鯨鱗甲動秋風。波漂菰米沉雲黑，露冷蓮房墜粉紅。關塞極天唯鳥道，江湖滿地一漁翁。筸蹄格（筸爲車輔，猶髀從輔髖。中聯對峙如蹄，首尾但筸之而不對。筸、髀同此股也。髖，音寬，兩股間也）。昆吾御宿自逶迤，紫閣峰陰入渼陂。香稻啄餘鸚鵡粒，碧梧棲老鳳凰枝。佳人拾翠春相問，仙侶同舟晚更移。綵筆昔曾干氣象，白頭吟望苦低垂。雙蹄格（中兩聯對偶相等，如蹄之各雙）。聞道長安似奕碁（一篇之總），百年世事不勝悲。王侯第宅皆新主，文武衣冠異昔時（弈也）。直北關山金鼓振，征西車馬羽書遲。魚龍寂寞秋江冷，故國平居有所思。

又《諸將》　歸題格（首句言胡虜，結句歸責諸將，故曰歸題）。漢朝陵墓對南山，胡虜千秋尚入關。昨日玉魚蒙葬地，早時金盌出人間。見愁汗馬西戎逼，曾閃朱旗北斗閑。多少材官守涇渭，將軍且莫破愁顏。

又《狂夫》　歸題變格（變者，前六句與題無豫也，唯結句出「狂夫」二字耳）。萬里橋西一草堂，百花潭水卽滄浪。風含翠篠娟娟淨，雨裛江蕖冉冉香。厚祿故人書斷絕，恒飢稚子色凄凉。欲塡溝壑唯疎放，自笑狂夫老更狂。　撰題格（乘興賦詩已就而無題，乃取詩意撰之爲題，如《客至》之類）。　掇題格（詩成無題，遂於篇中掇字爲題，如《返照》、《狂夫》之類）。

又《諸將》　歇續格（再歇再續，錯綜成篇）。洛陽宮殿化爲烽，休道秦關百二重（「休道」二字，有入致，有斡旋，可見盜賊長驅，如入無人之境。觀此聯則唐似之矣。是歇也）。滄海未全歸禹貢，薊門何處覓堯封（「滄海」，言山東；未全，則存者猶多；「何處」，則淪沒未復。觀此則猶未亡。是續也）。朝廷衮職誰能補，天下軍儲不自供（上言股肱，下言州牧。衮職誰補，則太平無期；軍儲不供，則職貢多缺。觀此則無可恃者。是又歇也）。稍喜臨邊王相國，肯銷金甲事春農（縉紳所爲則猶可恃，又續也）。

又《送韓十四歸江東省覲》　問答格。兵戈不見老萊衣，歎息人間萬事非。我已無家尋弟妹，君今何處訪庭闈（此承起聯而問韓生）。黃牛峽靜灘聲轉，白馬江寒樹影稀（從此而往，以「訪庭闈」代韓生答，第三聯體似第二聯，故曰變）。此別應須各努力，故鄉猶恐未同歸。

又《燕子來舟中》　開合格（開合猶起應，凡四開四合而成篇）。湖南爲客動經春，燕子銜泥兩度新。舊入故園嘗識主，如今社日遠看人。可憐處處巢居室，何異飄飄託此身。暫語舩檣還起去，穿花落水益霑巾（右一、三、五、七句開，二、四、六、八句合。結句如見舟中，歸題）。

又《十二月一日》期必格（期，期之也。在冬期春，必至有此）。即看燕子入山扉，豈有黃鸝歷翠微（期之也）。短短桃花臨水岸，輕輕柳絮點人衣（必至有此）。春來準擬開懷久，老去親知見面稀。他日一杯難強進，重嗟筋力故山違。

又《詠懷古迹》抑揚格（凡再揚再抑而成篇）。諸葛大名垂宇宙，宗臣遺像肅清高（揚之也）。三分割據紆籌策，萬古雲霄一羽毛（功大名小，時勢使然。「雲霄」喻高，「羽毛」喻小，抑之也）。伯仲之間見伊呂，指揮若定失蕭曹（揚之也）。運移漢祚終難復，志決身殲軍務勞（抑之也）。

又《諸將》多少格（再多再少，似歇續而異）。回首扶桑銅柱標，冥冥氛祲未全銷（盜賊多也）。越裳翡翠無消息，南海明珠久寂寥（職貢少也）。殊錫曾爲大司馬，總戎皆插侍中貂（榮貴者多也）。炎風朔雪天王地，只在忠臣翊聖朝（效功者少也）。今昔格（今言諸將，昔言嚴武，武死，蜀今亂也）。錦江春色逐人來（昔也），巫峽清秋萬壑哀（今也。蓋春自成都，秋在夔州）。正憶往時嚴僕射，共迎中使望鄉臺（昔也）。主恩前後三持節，軍令分明數舉杯（昔也）。西蜀地形天下險，安危須仗出群才。

又《吹笛》出字應格（正中之變。正謂仄起，變謂出「風月」二字）。吹笛秋山風月清，誰家巧作斷腸聲（明出「風月」二字，以冠二聯，「誰家」以起第三聯）。風飄律呂相和切，月傍關山幾處明。胡騎中宵堪北走，武陵一曲想南征。故園楊柳今搖落，何得愁中卻盡生（馬援有《折楊柳》、《武溪深》、《關山月》等曲）。

又《江村》疊字格（首聯二「江」、二「村」，次聯「自去自來」、「相親相近」）。清江一曲抱村流，長夏江村事事幽（「江村」二字從上摘來，「事事幽」三字，散作下六句）。自去自來堂上燕（村中一事之幽），相親相近水中鷗（續中一事之幽）。老妻畫紙爲棋局（村中事幽），稚子敲針作鉤（字中事幽）。多病所須惟藥物，微軀此外更何求（結句以身事幽）。

又《冬至》雙字格（以雙字起，以數目字結，映帶當然）。年年此日長爲客，忽忽窮愁泥殺人。江上形容吾獨老，天涯風俗自相親。杖藜雪後臨丹極，鳴玉朝來散紫宸。心折此時無一寸，路迷何處是三秦。四對格（四聯皆相對偶，即前篇《冬至》詩）。八實格（八句皆用實事，亦即前篇《冬至》詩）。

又《詠懷古迹》對起格（言支離、漂泊，起聯便對偶）。支離東北風塵際，飄泊西南天地間。三峽樓臺淹日月，五溪衣服共雲山。羯胡事主終無賴，□□哀時且未還。庾信平生最蕭瑟，暮年詩賦動江關。對聯格（即《秋興》第二首「請看石上藤蘿月，已映洲前蘆荻花」）。散起格（即《秋興》第三首「千家山郭靜朝暉，日日江樓坐翠微」）。

又《奉送蜀州柏二別駕將中丞命赴江陵起居衛尚書太夫人因示從弟行軍司馬位》散結格（即前篇「庾信平生最蕭瑟，暮年詩賦動江關」）。中丞問俗畫熊頻，愛弟傳書彩鷁新。遷轉五州防禦使，起居八座太夫人。楚宮臘送荊門水（江陵），白帝雲偷碧海春（夔州）。凡律體以虛字散句起者，次聯必用實事景物承接，三聯乃以虛字活句轉應。此篇次聯便用活句虛字，而三聯乃貼以景物實對者，蓋因首聯用實字故也。諸格本因虛實動靜之法錯綜得名，非謂強局此格而後成章也）。爲報惠連詩不惜，知吾斑鬢總如銀。

又《恨別》一意格（前格一詩叙數事，此格只叙恨別一事）。洛城一別四千里，胡騎長驅五六年。草木變衰行劍外，兵戈阻絕老江邊。思家步月清宵立，憶弟看雲白晝眠。聞道河陽近乘勝，司徒急爲破幽燕。

又《暮登西安寺鐘樓寄裴十》兩重格（一重公自歎，一重是言裴十）。暮倚高樓對雪峰，僧來不語自鳴鐘（可見薄客）。孤城返照紅將斂，近市浮煙翠且重。多病獨愁常闃寂，故人相見未從容。知君苦思緣詩瘦，太向交遊萬事慵。

又《詠懷古迹》節節生意格（一句下生一句）。蜀主窺吳幸三峽，崩年亦在永安宮。翠華想像空山裏，玉殿虛無野寺中。古廟杉松巢水鶴，歲時伏臘走村翁。武侯祠屋長鄰近，一體君臣祭祀同。

又《諸將》結上生下格（句則四生四結，聯則兩生兩結）。韓公本意築三城（生下句），擬絕天驕拔漢旌（結上句，此聯生下句）。豈謂盡煩回紇馬（生下句），翻然遠救朔方兵（結上句，此聯結上聯）。胡來不覺潼關隘（承上聯，生下句），龍起猶聞晉水清（結上句，生下聯）。獨使至尊憂社稷（承上句，生下句），諸君何以答昇平。

又《峽中覽物》興兼比格（起聯興，次聯比）。曾爲掾吏趨三輔，憶在潼關詩興多。巫峽忽如瞻華嶽，蜀江猶似見黃河。舟中得病移衾枕，洞口經春長薜蘿。形勝有餘風土惡，幾時回首一高歌。

又《客至》興兼賦格。舍南舍北皆春水，但見群鷗日日來（興）。花徑不曾緣客掃，蓬門今始爲君開（賦）。盤飧市遠無兼味，樽酒家貧只舊醅（賦）。肯與鄰翁相對吟，隔籬呼取盡餘盃（興）。

又《返照》興賦兼比格。楚王宮北正黄昏，白帝城西過雨痕（興而賦）。返照入江翻石壁，歸雲擁樹失山村（賦而興比也。「返照」興比衰年，「歸雲」興比歸意）。衰年病肺唯高枕，絶塞愁時早閉門（此賦也，即織腰格）。不可久留豺虎亂，南方實有未招魂（賦而興歸意）。

又《宣政院退朝晚出左掖》藏頭格（硬句起便似頷聯，至頷聯卻以軟句承之，至頸聯又貼以硬句，結聯復軟。剛柔相間，斐然成章）。天門日射黄金榜，春殿晴曛赤羽旗。宫草霏霏承委佩，爐烟細細駐遊絲（應第二句）。雲近蓬萊常五色，雪殘鳷鵲亦多時（應第一句）。侍臣緩步歸青瑣，退食從容出每遲。　顯頭格（對起如「楚王宮北正黄昏」，散起如「暮倚高樓對雪峰」）。

又《登高》句聯分應格（前四句相應起，後二聯相應結）。風急天高猿嘯哀（下見落木），渚清沙白鳥飛回（下見長江）。無邊落木蕭蕭下（應首句），不盡長江滾滾來（應次句）。萬里悲秋長作客，百年多病獨登臺（應上聯，起下聯）。艱難苦恨繁霜鬢，潦倒新停濁酒盃（應上聯結）。

又《詠懷古迹》中聯牙鎖格（交叉相應）。群山萬壑赴荆門，生長明妃尚有村。一去紫臺連朔漠（起第五句），獨留青塚向黄昏（起第六句）。畫圖省識春風面（應第三句），環珮空歸夜月魂（應第四句）。千古琵琶作胡語，分明怨恨曲中論。

又《夜》聯珠格（雙起，雙乘，雙轉，雙結，句意分貫，故曰聯珠）。露下天高秋氣清（此句貫第三、第五、第七句），空山獨夜旅魂驚（此句貫第四、第六、第八句）。踈燈自照孤帆宿，新月猶懸雙杵鳴。南菊再逢人卧病（前輩謂「新月猶懸」、「南菊再逢」爲四字句，「雙杵應」、「人卧病」爲三字句，蓋四字、三字，上下意不相關，兩句合作一句，工部多用此法），北書不至雁無情。步蟾倚杖看牛斗，銀漢遥遥接鳳城。

又《曲江對雨》三駢格（駢，並也，雙也。謂雙起、雙應、雙貼）。城上春雲覆苑牆，江亭晚色静年芳（並起，如網舉綱）。林花著雨臙脂落，水荇牽風翠帶長（「花」應「苑牆」，「荇」應「江亭」）。龍武新軍深駐輦，芙蓉别殿謾焚香（上句貼「苑牆」，下句貼「江亭」）。何時詔此金錢會，暫醉佳人錦瑟傍。

又《小至》分字起應格。天時人事日相催，冬至陽生春又來。刺繡五紋添死線（應人事），吹葭六管動浮灰（應天時）。岸容待臘將舒柳，山意衝寒欲放梅（上半句應冬至，下半句應春來）。雲物不殊鄉國異，教兒且覆掌中杯。

又《贈田九判官》前三對格（前三聯皆對，惟結聯不對）。崆峒使節上青霄，河隴降王款聖朝。宛馬總肥春苜蓿，將軍只數漢嫖姚。陳留阮瑀誰爭長，京兆田郎早見招。麾下賴君才並入，獨能無意向漁樵。

又《宿府》後三對格（起聯不對，後三聯皆對）。清秋幕府井梧寒，獨宿江城蠟炬殘。永夜角聲悲自語，中天月色好誰看。風塵荏苒音書絶，關塞蕭條行路難。已忍伶俜十年事，强移棲息一枝安。

又《公安送韋二少府匡贊》先事後景格。逍遥公後世多賢，送爾維舟惜此筵。念我能書數字至，將詩不必萬人傳。時危兵甲黄塵裏，日短江湖白髮前。古往今來皆涕淚，斷腸分手各風烟。

又《題張氏隱居》體用渾成格（景事相錯，句聯中見）。春山無伴獨相求，伐木丁丁山更幽。澗道餘寒歷冰雪，石門斜日到林丘。不貪夜識金銀氣，遠害朝看麋鹿遊。乘興杳然迷出處，對君疑是泛虚舟。

又《野望》拗句格（此格拗在句上，後格拗在句下）。金華山北涪水西（「華」字當仄而拗作平，「北」字當平而拗作仄），仲冬風日始凄凄。山連越嶲蟠三蜀，水散巴渝下五溪。獨鶴不知何事舞，飢烏似欲向人啼。射洪春酒寒仍（一作「因」）緑，目極傷神誰爲攜。

又《和裴迪登蜀州東亭送客逢早梅相憶見寄》拗字格。東閣官梅動詩興（「動」字當平，「詩」字當仄），還如何遜在揚州。此時對雪遥相憶，送客逢春可自由。幸不折來傷歲暮，若爲看去亂鄉愁。江邊一樹垂垂發，朝夕催人自白頭（一本「春」作「花」，「鄉」作「春」）。

又《詠懷古迹》拗粘格（第三句當平而仄，謂之失粘）。搖落深知宋玉悲，風流儒雅亦吾師。悵望千秋一灑淚，蕭條異代不同時。江山故宅空文藻，雲雨荒臺豈夢思。最是楚宫俱泯滅，舟人指點至今疑（「千」字對「一」、「異」字對「同」，謂之扇對。如：「書籤藥里封蛛網，野店山橋送馬蹄。」「長年三老遥憐汝，捩柂開頭捷有神。」「捨舟策馬論兵地，拖玉腰金報主身。」「楊花細逐桃花落，黄鳥時兼白鳥飛。」皆此法也）。

范梈《木天禁語・篇法》有以字論者，有以意論者，有以故事論者，有以血脈論者。

又《七言律詩篇法》　唐人李淑，有《詩苑》一書，今世罕傳。所述篇法，止有六格，不能盡律詩之變態。今廣爲十三格，檃括無遺。猶六十四卦之重，不出八卦；八卦之生，不離奇耦，可謂神矣。目曰屠龍絶藝。此法一泄，天造顯然。

一字血脈、二字貫穿、三字棟梁、數字連序、中斷、鈎鎖連環、順流直下、雙抛、單抛、内剥、外剥、前散、後散。

右十三格，圈點成圖於左，猶星在天，粲然可指而說也。

《一字血脈》

《鴛鴦》　崔珏

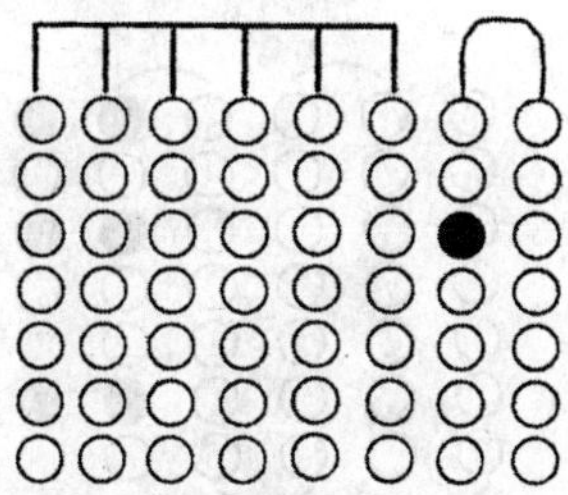

翠鬣紅衣舞夕暉，水禽情似此禽稀。
纔分煙島猶回首，衹度寒塘亦共飛。
映霧盡迷朱殿瓦，逐梭齊上玉人機。
採蓮無限蘭橈女，笑指中流羨爾歸。

《二字貫穿》（《三字棟梁》在内）

《江村》　杜子美

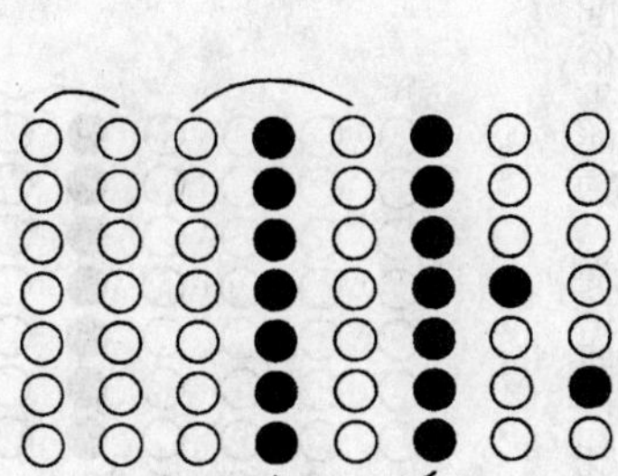

清江一曲抱村流，長夏江村事事幽。
自去自來堂上燕，相親相近水中鷗。
老妻畫紙爲碁局，稚子敲針作釣鈎。
多病所須唯藥物，微軀此外更何求。

《三字棟梁》

《南遷》　柳子厚

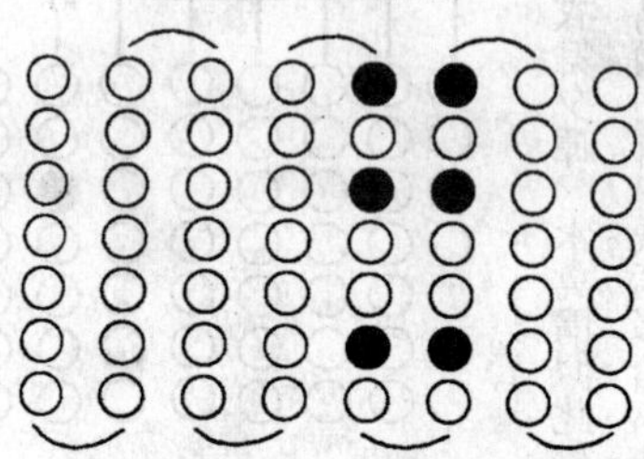

瘴江南下接雲煙，望盡黃茅是海邊。
山腹雨晴添象跡，潭心日暖長蛟涎。
射工巧伺遊人影，颶母偏驚旅客船。
從此憂來非一事，豈容華髮待流年。

《數字連序》（《中斷》在內）

《中丞弟得除江陵併起居衛尚書夫人》

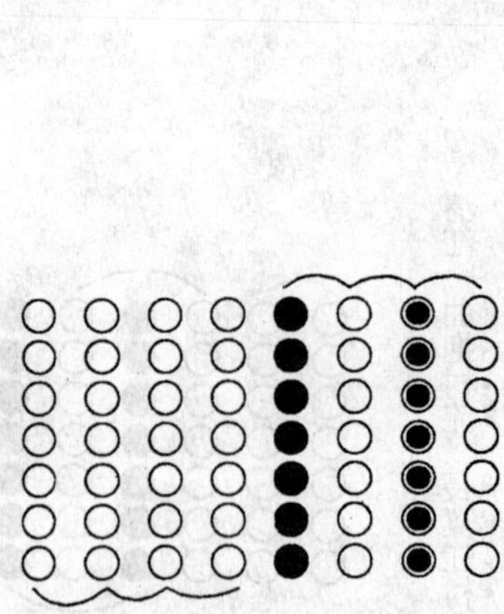

中丞問俗畫熊頻，愛弟傳書綵鷁新。
遷轉九州防禦使，起居八座太夫人。
楚宮騰送荊門水，白帝雲偷碧海春。
爲報惠連詩莫惜，嗟予斑鬢總如銀。

《鈎鎖連環》

《草》

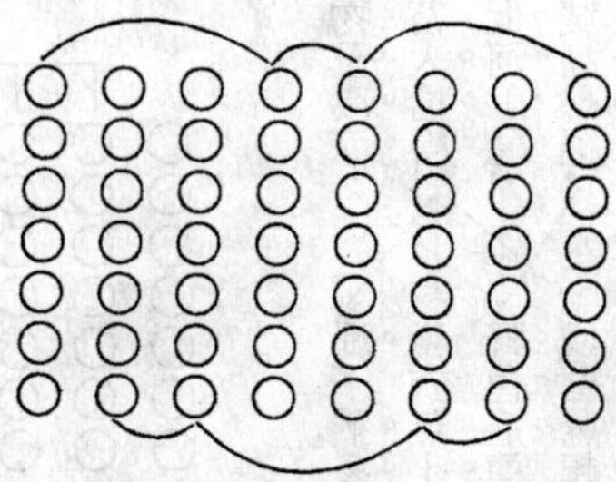

百花苑路易萋陰，五穀塍疇苦見侵。
農父芟時嫌若刺，宮人鬬處惜如金。
別離空惹王孫恨，麃耨深勞稷畯心。
綠野荒蕪好歸去，朱門閑僻少相尋。

《順流直下》

《張鍊師》 劉禹錫

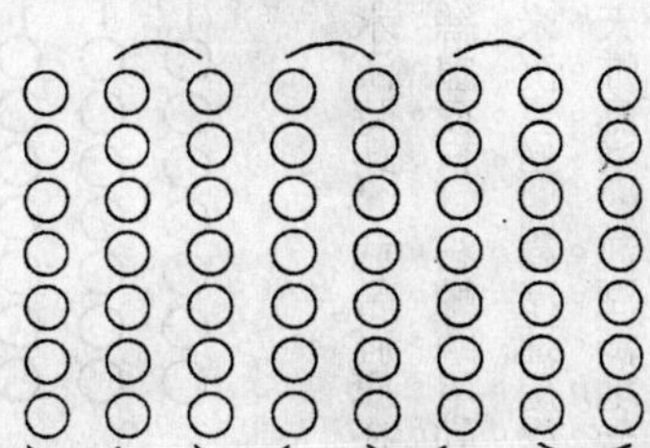

東嶽眞人張鍊師，高情雅淡世間稀。
堪爲烈女書青簡，久事元君住翠微。
金縷機中抛錦字，玉清壇上著霓衣。
雲衢不用吹簫伴，祇擬乘鸞獨自歸。

《雙抛》

《汴門用兵後》 吳融

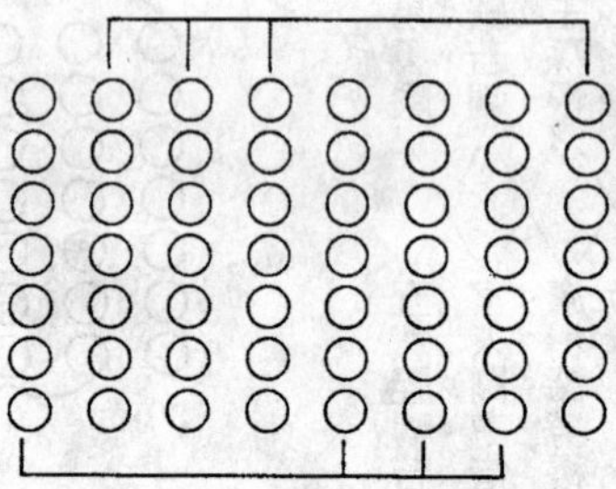

隋堤風物已凄涼，堤下猶多古戰場。
金鏃有苔人拾得，鐵衣無土鳥銜將。
邊聲暗促河聲急，野色遥連日色黃。
獨上高城高愁絕，戍鼙驚起鴈行行。

《單抛》

《秋興》 杜少陵

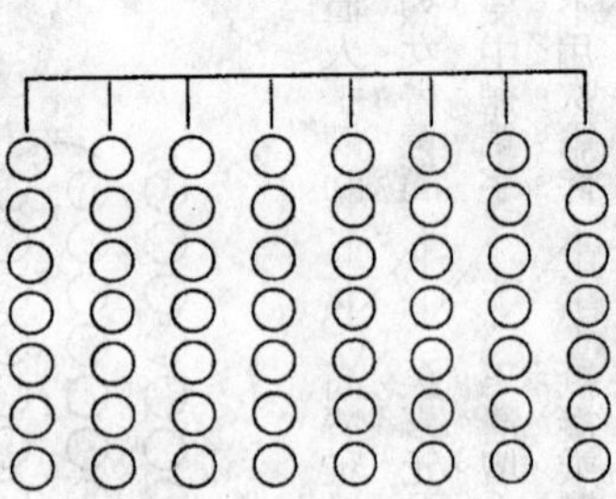

昆明池水漢時功，武帝旌旗在眼中。
織女機絲虛夜月，石鯨鱗甲動秋風。
波飄菰米沉雲黑，露冷蓮房墜粉紅。
關塞極天惟鳥道，江湖滿地一漁翁。

《內剝》

《玉臺觀》 前人

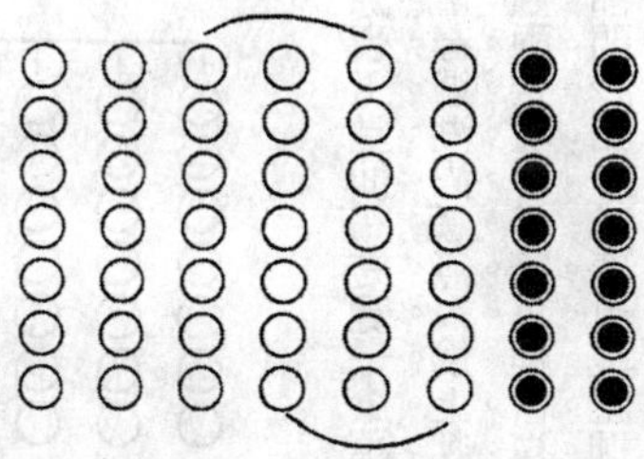

中天積翠玉臺遙，上帝高居絳節朝。
遂有馮夷來擊鼓，始知嬴女善吹簫。
（江光隱見黿鼉窟，石勢參差烏鵲橋。）
更有紅顏生羽翰，便應黃髮老漁樵。

《外剝》

《錦瑟》 李商隱

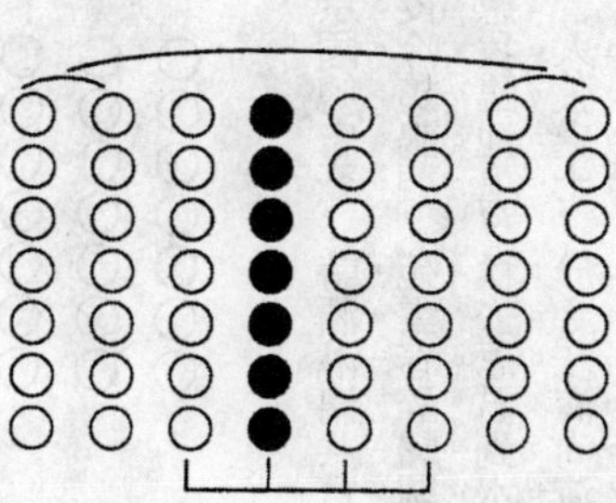

錦瑟無端五十絃，一絃一柱思華年。
莊生曉夢迷蝴蝶，望帝春心托杜鵑。
滄海月明珠有淚，藍田日暖玉生烟。
此情可待成追憶，祇是當時已惘然。

《前散》

《送戴鍊師歸隱》

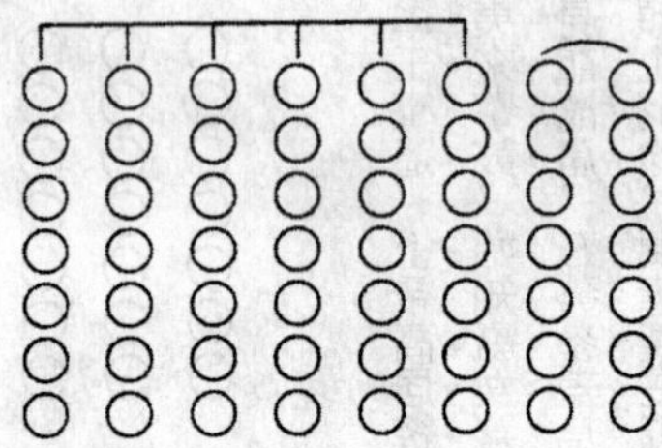

桃花源裏玉堂仙，秀覽千巖萬壑烟。
有客重尋鑑湖酒，無人爲上剡溪船。
龍行靈雨空壇淨，鰲負神宮複道懸。
回首都門眇如許，春風長記柳飛綿。

《後散》（《二字貫穿》在內）

《感興寄友》

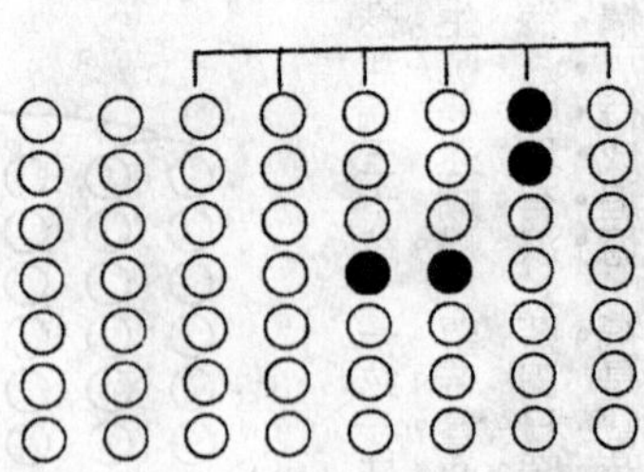

十年京國總忘憂，詩酒淋漓共賞游。
漢月夜吟鳷鵲觀，苑雲春醉驌驦裘。
書來慰我臨池上，秋去思君到水頭。
爲憶昔人張處士，於今江海尚淹留。

又《五言長古篇法》分段，過脈，回照，讚歎。凡作一篇，先分爲幾段幾節。每節句數多少，要略均齊。首段是序子，序了一篇之意，皆含在中。結段要照起段。且選詩分段，節數甚均，三句則皆三句，四句、六句、八句，則皆四、六、八句，並不參差。杜卻不甚如此太拘，然亦不太長，不太短也。次要過句。過句名爲血脈，引過次段。過處用兩句，一結上，一生下，爲最難，非老手未易了也。回照，謂十步一回頭，要照題目，五步一消息，要閑語。讚歎，方不甚迫促。長篇怕亂雜，一意爲一段。以上四法，備《北征》詩，舉一隅之道也。

又《七言長古篇法》分段，過段，突兀，字貫，讚歎，再起，歸題，送尾。分段，如五言。過段，亦如之，稍有異者。突兀萬仞，則不用過句，陡頓便說他事。杜能如此，岑參專高此法，爲一家數。字貫，前後重三疊四，用兩三字貫串，極精神好誦，岑參所長。讚歎，如五言。再起，且如一篇三段，說了前事，再提起從頭說去，謂反覆有情。如《魏將軍歌》、《松障子歌》是也。歸題，乃本末一二句繳上起句，又謂之顧首。如《蜀道難》、《古別離》、《洗兵馬行》是也。送尾，則生一段餘意結末，或反用，或比喻用，如《墜馬歌》曰：「君不見嵇康養生被殺戮。」又曰：「如何不飲令人哀。」長篇有此，便不迫促，甚有從容意思。

又《五言短古篇法》辭簡意味長，言語不可明白說盡，含糊則有餘味。如：「步出城東門，悵望江南路。前日風雪中，故人從此去。」「忽見明月光，疑是地上霜。起頭望明月，低頭思故鄉。」「開簾見新月，便卽下階拜。細語人不聞，北風吹裙帶。」編修楊仲弘曰：「五言短古，衆賢多不知來處。乃只是《選》詩結尾四句，所以含蓄無限意，自然悠長。」此論惟趙松雪翁承旨深得之，次則豫章「三日新婦」曉得。淸江知之，卻不多用。

又《七言短古篇法》辭明意盡，與五言相反。如：「休洗紅，洗紅紅色變。不惜故縫衣，記得初揉茜。人命百年能幾何？後來新婦今爲婆。」又：「石人前，石橋邊，六角黄牛二頃田，帶經躬耕三十年。」

又《樂府篇法》每要麄，多用俚語，而文采之妙矣。張籍第一，王建次之，長吉虛妄，不必效爲。岑參有氣，惜語硬，又次之。張、王最古，上格。如《焦仲卿妻》、《木蘭詞》、《羽林郎》、《霍家姝》、《三婦詞》、《大垂手》、《小垂手》等篇，皆爲絶唱。李太白樂府，氣語皆自此中來，不可不知也。要訣在於反本題結，如《山農詞》，結卻用「西江賈客珠百斛，船中養犬多食肉」是也。又有含蓄不發結者，又有截斷頓然結者，如「君不見蜀葵花」是也。老翁家貧在山住，耕種山田三四畝。苗疎稅多不得食，輸入官倉化爲土。歲暮鋤犁傍空室，呼兒登山收橡栗。西江賈客珠百斛，船中養犬多食肉。

又《絶句篇法》首句起。《畫松》：畫松一似眞松樹，待我尋思記得無。曾在天台山上見，石橋南畔第三株。次句起。《金陵卽事》。第三句起。前二句皆閑，至第三句方詠本題。扇對。《存歿口號》：席謙不見近彈棊，畢曜仍傳舊小詩。玉局他年無限笑，白楊今日幾人悲。鄭公綵繪隨長夜，曹霸丹青已白頭。天下何曾有山水，人間不解重驊騮。間對。首句閑，次句說本題；第三句閑，結再說本題，應第二句，卽《磨笄山》詩是也。順去。松下問童子。問余何事棲碧山《湘中老人》：行到水窮處。《首座茶》。藏詠。《井》、《方鏡》、《逢李龜年》：岐王宅裏尋常見，崔九堂前幾度聞。正是江南好風景，落花時節又逢君。中斷別意。前二句說本題，後二句說題外意：願領龍驤十萬兵。四句不聯：兩個黄鸝鳴翠柳。遲日江山麗。借喻。借本題說他事，如詠婦人者，必借花爲喻；詠花者，必借婦人爲比。右十法，絶句之篇法也。此最爲緊，推此以往，思過半矣。

又《句法》問答：誰其獲者婦與姑，何日東歸花發時。當對：白狐跳梁黄狐立，婦女行泣夫走藏。上三下四：鳳凰樂奏鈞天曲，烏鵲橋通織女河。上四下三：金馬朝回門似水，碧雞天遠路如年。上二下五：不貪夜識金銀氣，遠害朝看麋鹿遊。上五下二：杖藜歎世者誰子，中天月色好誰看。上應下呼：素練抹林雲氣薄，明珠穿草露華新。上呼下應：林花著雨胭脂落，水荇牽風翠帶長。行雲流水：春日鶯啼修竹裏，仙家犬吠白雲間。顚倒錯亂：香稻啄餘鸚鵡粒，碧梧棲老鳳凰枝。言倒理順：海岸夜深嘗見日，寒巖四月始知春。議論句，宋人用之：三分割據紆籌策，萬古雲霄一羽毛。又：管樂有才眞不忝，關張無命欲何如。直書句：鄭縣亭子澗之濱，一去三年竟不歸。兩句成一句：屢將心上事，相與夢中論。又：蕭蕭千里馬，箇箇五花文。又：白頭兄弟中年後，瘴海程途萬里餘。上一下二字成聯：掖垣竹埤梧十尋。曾氏曰：「古人造語，每意精語潔，字愈少意愈多，意在言外，悠然而長，黯然而光。此非後人之所及。」

又《續添》凡例：只有明、暗二例，諸作皆然（杜甫、鄭谷四詩可法)。明二首。《黑鷹》(杜甫):黑鷹不省人間有,度海疑從北極來。正翮搏風超紫塞,玄冬幾夜宿陽臺。虞羅自覺虛施巧,春雁同歸必見猜。萬里寒空只一日,金眸玉爪不凡材。《雙鷺》(鄭谷):雙鷺應憐水滿池,風飄不動頂絲垂。立當青草人先見,行傍白蓮魚未知。一足獨拳寒雨裏,數聲相叫早秋時。林塘得爾須增價,況與詩家物色宜。暗二首。《白鷹》(杜甫):雲飛玉立盡清秋,不惜奇毛恣遠遊。在野只教心力破,千人何事網羅求。一生自獵知無敵,百中爭能耻下鞲。鵬礙九天須卻避,兔經三窟莫深憂。《鷓鴣》(鄭谷):暖戲煙蕪錦翼齊,品流應得近山雞。雨昏青草湖邊過,花落黃陵廟裏啼。遊子乍聞征袖濕,佳人纔唱翠眉低。相呼相喚湘江曲,苦竹叢深春日西。起句。實叙,狀景,問答,反題故事,順題故事,吊古,傷今,頌美,時序,客愁,感嘆。結句。勸戒,祝頌,自感,自愛,問信,寄憶,寄書,寄詩,相思,世道,兵戈,我亦,懷古,故事,欣歡,景燕,激烈,何年遊,何由往,那可再,何日歸。已上凡例,明暗并起句、結句四法,律詩、絕句、長短篇通用,無出此者。唯童謠一家,不在此例,不可不知也。作者深造博學,始能著心,必將有得。謹之慎之,不可妄授。漫錄於此。

范梈《詩學禁臠·頌中有諷格(幸溫泉宮)》星斗疏明禁漏殘,紫泥封後獨憑欄。露和玉屑金盤冷,月射珠光貝闕寒。天襯樓臺籠苑外,風鳴歌管下雲端。長卿只解長門賦,未識君臣濟會難。第一聯上句言宮中之景,下句自叙玉堂夜直作詔,此時方畢。第二聯言宮中之景,應第一句。第三聯序己之榮遇密邇,以應第二句。第四聯言陳后廢處長門宮,聞相如善賦,以千金與相如爲賦,以諷天子,武帝悟,後得還位。起聯宿歸在此。以見今日之榮遇,長卿知其一,而未知其二也,兼有諷意。

又《美中有刺格(上裴晉公)》四朝憂國鬢成絲,龍馬精神海鶴姿(上句賦,下句比)。天上玉書傳詔夜,陣前金甲受降時。曾經庾亮三更月,下盡羊曇兩路棋。惆悵舊堂扃綠野,夕陽無限鳥飛遲。第二聯上句叙尊任之隆,下句叙元勛之建,皆應第一聯二句。第三聯上句亦是應第一句。第四聯是刺朝廷不用老臣,下句見唐衰氣象。

又《先問後答格(三月三日泛舟)》江南風景復如何?聞道新亭更可過。處處藝蘭春浦綠,萋萋芳草遠山多。壺觴須就陶彭澤,風俗猶傳晉永和。更使輕橈隨轉去,微風落日水增波。初聯上句言江南之煙景,是一篇之主意。「復如何」,問之之詞;「聞道」,乃答之之詞。次聯應第一句,煙景之態。三聯應第二句。末聯結上。懽樂無窮,煙景已晚,有俯仰興懷之寓。

又《感今懷古格(憶遊天臺寄道流)》憶昨天臺到赤城,幾朝仙籟耳邊生。雲龍出水風聲急,海鶴鳴臯日色清。石筍半山移步險,桂花當澗拂衣輕。今來盡是人間夢,劉阮茫茫何處行。初聯上句是起下五句之意,下句及次聯二句、三聯二句,形容天臺之景。結尾上句是憶之意,下句指道流而言。

又《一句造意格(子初郊墅)》看山酌酒君思我,聽鼓離城我訪君。臘雪已添橋下水,齋鐘不散檻前雲。雲陰松柏濃還淡,歌襍漁樵斷更聞。亦擬城南買煙舍,子孫相約事耕耘。初聯一句以興下句,而下句乃第一句之主意。第二聯、第三聯,皆言郊墅之景,末聯結句羨郊墅之美,亦欲卜鄰於其間,有悠然源泉之意,此乃詩家最妙之機也。

又《兩句立意格(寫意)》燕雁迢迢隔上林,高秋望斷正長吟。人間路止潼關險,天上山惟玉壘深。日向花間留遠照,雲從城上結層陰。三年已制相思淚,更入新愁卻不禁。初聯上句起第二句,第二句起頸聯。蓋頷聯是應第一句,頸聯是應第二句,結尾是總結上六句。思之切,慮之深,得乎性情之正也。

又《物外寄意格(感事)》長年方憶少年非,人道新詩勝舊詩。十畝野塘留客釣,一軒風雨共僧棊。花間醉任黃鸝語,池上吟從白鷺窺。大造不將爐冶去,有心重立太平基。初聯首言是非之悟,以詩爲言,則他事可知,此唐人一種玄解。次聯言氣象閙雜,行樂無人相似,不與上聯相接,似若散緩,然詩之進退正在裏許。頸聯言閙中自得,與物忘機,而宰相之量也。結尾言進退在君,任者不可不重。八句之意,皆出之言外。

又《雅意詠物格(答群公屬和)》草玄山巷少塵埃,丞相清晨送馬來。初自塞垣銜玉勒,忽行山徑破蒼苔。尋花緩轡逶迤去,帶月輕鞭蹀躞回。不與王侯與詞客,知輕富貴重清才。初聯上句是自叙,下句入題。次聯二句皆承第二句。頸聯形容馬之馴服。末聯上句應「草玄」,下句半應「丞相」,半應「草玄」。起結二句,皆美丞相好士也。

又《一字貫篇格(思夫)》自從車馬出門朝,便入空房守寂寥。玉枕夜寒魚信杳,金釧秋盡雁書遙。臉邊楚雨臨風落,頭上秦雲向日銷。芳草又衰還不至,碧天霜冷轉無聊。初聯「守」字貫篇,次聯、頸聯,思夫之切,「守寂寥」之氣象，淚之落，髮之銷，守之切，而情之至。落聯無時已邁，望車音之不至，與君臣會合之難，而臣之望其君之恩光，爲何如也。

又《起聯應照格〈洛水〉》一道潺湲濺短蓑，年年惆悵是春過。莫言行路聽如此，流入深宮恨更多。橋畔月來清見底，柳邊風去綠生波。縱然滿眼添歸思，未把漁竿奈爾何。初聯目洛水之濺短蓑，遂起惆悵之情。次聯承惆悵。頸聯承初句。落聯目洛水起休官之興，因濺短蓑起把漁竿之懷，此所以起聯應照之妙也。

又《一意格〈江陵道中〉》三千三百江西水，自古如今要路津。月夜歌謠有漁父，風天氣色屬商人。沙村好處多逢寺，山葉紅時絕勝春。行到南朝征戰地，古來名將必爲神。起聯以古今言之，有感慨奮厲之意。次聯以景物而言。頸聯見勝概之無窮。落聯言神廟見古之名臣，隨世立功而廟食，嘆今人何如哉。一句生一句，而全篇旨趣，如行雲流水，篇終激厲。

又《雄偉不常格〈送元源中丞赴新羅國〉》赤墀賜對使殊方，恩重烏臺紫綬光。玉節在船清海怪，金函開詔拜夷王。雪晴漸覺山川異，風便寧知道路長。誰得似君將雨露，海東萬里灑扶桑。初句以「殊方」指新羅也，只起句說盡題目。第二句言其以中丞而奉使，無復遺缺，此是妙手。頷聯應第一句。頸聯言殊方之景。落聯「雨露」者，天子之澤也。「灑」之一字，又見恩澤之被於殊方也。氣象宏麗，節奏高古，實雄偉不常也。孰謂島叟之言，而無警人之語乎？

又《想像高唐格〈楚宮〉》月姊曾逢下彩蟾，傾城消息隔重簾。已聞玉佩知腰細，更辨絃歌覺指纖。暮雨自歸山悄悄，秋河不動夜厭厭。王昌且在牆東住，未必金堂得免嫌。初聯言曾逢，又言重簾，蓋彷彿塵音之意也。二聯、三聯是才清，落聯述王昌故事，其意深矣。

又《撫景寓嘆格〈惜春〉》惜春連日醉昏昏，醒後衣裳見酒痕。細水漾花歸別浦，斷雲含雨入孤村。人閒易得芳時恨，地迥難招自古魂。慚愧流鶯相厚意，淸晨猶爲到西園。初聯痛惜韶華，以酒自遣。頷聯有「歸」、「入」二字響，乃句中之眼，詳味有無窮之意。頸聯上句言芳時往矣，不可再得；下句言古人一去，不可再見。作詩必如此，方爲警策，方爲妙手。末聯上句，托物起興，以鳥之如此，猶且有厚意而復至，何人情炎凉，勢去則散，翟公書門之意也。承上句古人不見，乃感古懷今之意。

又《事叙己情格〈仲春寫懷〉》省從騎竹學謳吟，便滯光陰役此心。寓目不能閒一日，閉門常勝得千金。牕懸夜雨殘鐙在，庭掩春風落絮深。惟有故人同此興，近來何事懶相尋。初聯上句言好詩之早，下句言好詩之苦。頷聯上句承上句，下句又言嗜吟之苦。頸聯形容苦吟之景，以己苦吟比沈彬之苦吟亦如此。

佚名**《雜咏八體·咏物體》（要有比刺體用）**《詠柳》：一種參差翠拂頭，解招黃鳥說因由。輕籠雨檻全無緒，斜搭風簷半不收。山驛路傍春繫馬，水亭津口夜維舟。青青更有傷心處，落日杏花相對愁。起句略見柳樣，承句以招黃鳥，則是柳明矣。輕籠雨檻、斜搭風簷，字字體狀得絕。山驛繫馬、水亭維舟，柳之用盡矣。過句、結句帶感慨極妙。蓋杏與柳同時，而季世末俗，杏無所托，徒見柳得其時耳。此是比刺意。所謂詠物有體用者，如絲麻菽粟，可爲充食之用；金玉羽毛，可爲禮器之用。大忌說得小家相，至小之物，也要關係至大道理，大抵要關大議論，不可只作一場話說便罷，要有無窮意味。葉水心所謂爲文不關世道，雖工無益。

又《詠題古蹟體》（要有感慨風思）許渾（字仲晦，潤州丹陽人）《凌歊臺》一首：宋祖凌歊樂未迴，三千歌舞宿層臺。湘潭雲盡暮山出，巴蜀雪消春水來。行殿有基荒薺合，寢園無主野棠開。百年便作萬年計，巖畔古碑空綠苔。起句見作臺人，承句見作臺之由，寓諷刺。頸聯見四止體狀，寓感慨。頷聯見臺下景物，寓興發傷感。過、結寓譏嘲，以諷後人，此風詩也。

又《送贈體》（要見離別大義節概）李嘉祐（字從一，趙州人）《宋中舍遊江東》一首：孤城郭外送王孫，越水吳州共爾論。野寺山邊斜有徑，漁家竹裏半開門。青楓獨映搖前浦，白鷺閑飛過遠村。若到西陵征戰處，不看秋草自傷魂。起句要見別處，承句要見他所往處。頸聯要見別地景物，以寓勿忘，頷聯一句說我在此對如此景物，寓愁意，一句見它所去清高脫灑，過結大要有關涉，非常人相期望之意也。

又《寄友體》（要見憶念之情，有非常之趣）《懷友》一首：憶昔青燈夜對床，冷猿聲裏早梅香。一從去櫂衝寒雪，幾度憑欄到夕陽。秋思漸於蟬外覺，別愁空入雁邊長。江楓也解離人意，不遣西風葉盡黃。起句見昔日相親之情處，承句見非常人相得之情。頸聯一句憶別時，一句說別後相思，有比譏時。頷聯對景傷情，過結言景物也，替人愁也。切忌兒女小家相。要見我與它兩人高尚處。

又《謁見體》（要見自高，所干非不義也）《謁人》一首：揮鞭直指望長安，得兩蛟龍肯暫安。帝里鶯花三月暖，客氈風雨五更寒。到頭富貴來時易，空手文章行路難。昨夜燈花綴金粟，我公應不等閑看。起句見我來謁意，承句說我非常人。頸聯一句說它得意，一句說我失意，寓謁請。頷聯言遇不遇有命焉。過結言我亦得吉兆而來，公必不虛以常人待我。

又《吊挽體》（要見有關世道，所傷感者）《挽隱士》一首：篋中遺草是琅玕，對此令人灑淚看。三徑尚存行迹在，數螢猶自照書殘。晨光不借家門曉，暝色空流隴樹寒。欲問皇天天更遠，有才無命說應難。起句便要見物在人亡，謂之一棒打死人也。承句寓傷感。頸聯體狀其人生前德性，不可作頌德詩說。頷聯寓悲慘意，亦是一體。此聯體不一，或於此言其雖死，有子可傳，恰似不曾死一般。又或言其雖死，事業可爲後世用。過結要關涉大體，言此人之死，與世道有相關，非如碌碌庸庸之與草木同腐者之比。

又《酬謝體》（要見常所贈謝亦非常） 陸龜蒙（字魯望）《謝賜硯詩》一首：霞骨堅來玉自愁，琢成物象古釵頭。澄沙脆弱聞應伏，青鐵沈埋見亦羞。最稱風亭批碧簡，還將雪竇清寒流。君能把贈閑吟客，偏寫江南物象酬。起句見非常物，承句見此物形象妙處。頸聯體狀得意極妙，頷聯言我得之爲用亦非常。過結言又如此之物，贈如此之人，我豈可不偏寫江南之物象，以酬謝非常之賜。

佚名《詩教指南集·起聯結練句三法·起句練法》 一、兩平對偶。「兩個黃鸝鳴翠柳，一行白鷺上青天」（杜子美《絕句》）。「鷄鳴紫陌曙光寒，鶯囀皇州春色闌」（岑參《早朝》詩）。「三點五點映山雨，一枝兩枝臨水花」（吳融《閑望》詩）。二、提綱挈領。□也：如柳子厚《登城樓寄四州友人》云：「城上高樓接大荒，海天愁思正茫茫」（「愁思」二字是綱領，發一律之端）。輕風亂颭，密雨斜侵。領樹遮目，江曲似腸（四句皆愁思之事，含蓄懷友意）。結句恨身居百越之地，有書不能寄焉（亦是愁思也）。比也：李商隱《錦瑟》詩云：「錦瑟無端五十絃，一絃一柱思華年」（「思」字爲綱領）。莊生夢蝶，望帝托鵑。海珠有淚，田玉生煙（此四句適、怨、清、和，皆含「思」字）。結句「當年惘然」（「惘」字亦含「思」字）。三、上句生下。賦也：唐彥謙《失鶴》詩云：「西風吹卻九皋禽，一片閑雲萬里心。碧落有情空悵望，瑤臺無路可追尋」（鶴一失去于千里之外，徒爲悵望，則無路可追，此一句生一句也）。賦也：章碣《春別》詩：「擲下離觴指亂山，趨程不待鳳笙殘。花邊馬嚼金銜去，樓上人垂玉筯看」（此上句生下句）。賦也：□□□：「喚婢打鴉兒，莫教枝上啼。啼時驚妾夢，不得到遼西」（自首自尾，語聯屬相生之）。

又《聯句練法》 一、豪邁灑落。「丹鳳晝飛群木冷，一龍秋臥九江清」（用之《貽處士》）。「豹略讀殘關塞月，角弓挽起雁門秋」（上許□兵詩）。二、錯綜問答。「紅稻啄殘鸚鵡粒，碧梧棲老鳳凰枝」（杜詩。若直敘，不過曰「鸚鵡啄殘紅稻粒」云云也，此錯綜也）。「林下聽經秋苑鹿，江邊掃葉夕陽僧」（鄭谷詩。此問答也。「林下聽經」是問，「秋苑鹿」是答，下句倣此）。三、下句承上（不對之對，流水相承者）。「若教丹桂在平地，更有何人肯苦心」（羅鄴《下第》詩）。「爲客正當無雁處，故園誰道有書來」（曹松《南海旅次》詩）。「塵世難逢開口咲，菊花須插滿頭歸」（杜公《九日》詩）。

又《結句練法》 一曰一事結。「飲餘回首話歸路，遙指白雲天際頭」（洞濱《贈人》詩）。「王昌且在牆東住，未必金堂得免嫌」（商隱《楚宮》詩）。二曰二事結。「遙望戍樓天欲曉，南城鼙鼓白雲飛」（皮日休《閨情》詩）。三曰三事結。「幾度相思一惆悵，水寒烟煖落花前」（用之《贈處士》）。

佚名《編類》 詩本音律之文，古樂府音律，世遠莫傳，學者按《解題》而擬其意，至於音律則非矣。然余有一說焉。昔荊軻歌易水爲變徵之聲，士皆垂淚涕泣；復爲羽聲慷慨，士皆瞋目髮盡上指冠。然則，可以爲徵，亦可以爲羽，豈有一定之律哉？顧歌之者如何耳。論其大要，不失乎浮聲切響而已。

宋濂《宋學士文集·翰苑別集》卷七《杜詩舉隅序》 《詩》三百篇，上自公卿大夫，下至賤隸小夫婦人女子，莫不有作。而其託於六藝者，深遠玄奧，卒有未易釋者。故序詩之人，各述其作者之意，復分章析句以盡其精微。至於《東山》一篇，序之尤詳，且謂：一章言其完，二章言其思，三章言其室家之望女，四章樂男女之得及時，一覽之頃，綱提領挈，不待註釋而其大旨煥然昭明矣。嗚呼，此豈非後世訓詩者之楷式！

宋訥《西隱集》卷六《紀行程詩序》 昔人論杜少陵以詩爲文、韓昌黎以文爲詩者，蓋詩貴有布置也，有布置則有得其正，造其妙矣。故學詩當學杜，則所學法度森嚴規矩端正，得其師焉。

朱權《西江詩法·律詩要法》 五言、七言，句語雖殊，法律則一。起句尤難。起句先須闊占地步，要高遠，不可苟且。中間兩聯句法，或四字截，或兩字截，須要血脈貫通，音韻相應，對偶相停，上下勻稱。有兩句共一意者，有各意者。若上聯已共意，則下聯須各意。前聯既詠狀，後聯須說人事。兩聯最忌同律。頸聯轉意要變化，須多下實字，字實則自然響亮，而句法健。其尾聯要能開一步，別運生意結之，然亦有合起意者亦妙。

又《七言古詩法》 要鋪叙得好。要有開合，要風度，要迢遞，要險怪雄偉，要鏗鏘波瀾。開合如江海之波，一波既作，一波復隨。又如兵陣，方以爲正，又復爲奇；方以爲奇，忽復是正。出入變化，不可紀極。備是法者，惟李杜也。

又《絕句詩法》 要宛曲回環，句絕而意不絕，蹙繁就簡。多以第三句關之，第四句發之。有實接，有虛接。承接之間，開與合相關，反與正相依，順與逆相應。一呼一吸，宫商自諧。大抵起承二句固難，然不過平直叙起爲佳，從容承之爲是。至如宛轉變化工夫，全在第三句。若於此轉變得好，則第四句如順流之舟矣。

李東陽《麓堂詩話》 人但知律詩起結之難，而不知轉語之難，第五、第七句尤宜著力。如許渾詩，前聯是景，後聯又說，殊乏意致耳。

譚浚《說詩》卷上《篇章》 《詩疏》曰：「篇者，出情鋪事明而編也。章者，總義包體以明情也。」言以成章，章以聯編，必開闔照應，倒插頓挫。或前疏者後密，半闊者半細，一實者一虛，定勢而變通，勿拘於迫促。詞達而理舉，無取於冗長。詞有煩簡，法須刪布者，矩矱其綱目。刪者，削除其繁亂也。舉事類爲綱，陳條理爲目。《易》曰：「取類也大，則事不繁。」《中庸》曰：「文理密察則條不亂。」姜白石曰：「小詩精深，短章蘊藉，大篇開合。或一作數解，或一題數作，須宜布置，無失倫次。」

又《體法》 孔穎達曰：「詩章之法，不常厥體。或重章共述一事，《采薇》之類是也。或一事疊爲數章，《甘棠》之類是也。或首同而末異，《東山》之類是也。或首異而末同，《漢廣》之類是也。或事訖而更申，《既醉》之類是也。或重章而事別，《鴟鴞》之類是也。或隨時而改易，《何草不黃》之類是也。或因事而變文，《文王有聲》之類是也。或一章而再言，《采采芣苢》之類是也。或三章而一發，《賓之初筵》之類是也。篇有數章，章有數句，章句衆寡不等，句字多少不同。」包括詩體，孰踰此說？

又卷中《分篇》 凡詩篇大約三分：大篇一分頭，五分腹，三分尾；小篇一分頭，三分腹，一分尾。起欲緊重而包含，中欲充滿而曲折，結欲詞輕而意足。篇段要分明，不露其迹。蓋意分而語串，意串而語分也。戴帥初曰：「作者宜致意焉。」篇中三段各致其意，故操詞易，命意難，如構宫室，必法度形似備于胸中，始施斤鉞也。

又《命題》 作詩者，每不追于古。命題者，亦鮮能于今。以一篇文意命題者，如《楚詞·橘頌》、漢《天馬歌》、《孤兒行》也。以一句命題者，漢《陌上桑》、《白頭吟》也。命題不在篇句者，漢《折楊柳行》、《飲馬長城窟》也。命題以首句二字者，《三百篇》、漢樂府詞也。或曰：觀古今諸集，不必玩詩，望見題引，而世代人品可辨矣。

又《序節》 序其作詩之意，引其所胤之詞。舜用作歌，先述其意。《五子之歌》，史臣作序。《詩》三百篇《大序》、《小序》，毛萇、衛宏爲之。《楚詞》則序貫篇首。《招魂》有帝告巫陽對而下召曰。荀卿直云：「天下不治，請陳佹詩。」賈誼《服賦》，以歲月故問先之。又篇章既成，撮其大要爲節曰「亂」。《國語》曰「輯(成也)之亂」。《史記》曰：「《關雎》之亂爲風始。」《禮》曰：「既奏以文，又亂以武。」又曰「倡」(唱發歌句)、曰「誶」(音碎，一作信，告也)、曰「少歌」、曰「小歌」，皆音節之名，樂之卒章也。後世傚之，而序跋尤繁矣。

李贄《騷壇千金訣》 明學士楊士奇曰：「詩之氣勢最忌斷續，如頷聯與起句不接，腹聯與頷聯不接，結句又與前聯不相管攝，便非詩也。作詩須一氣呵成，貫珠而下，不露痕迹方妙。」

又 登臨：登臨之詩不過感今懷古，寫景嘆時，思國懷鄉，瀟灑游適，或譏刺歸美，有一定之法律也。中間宜寫四面所見山川之景，庶幾移不動。第一聯指所題之處，宜叙說起，第二聯合用景物實說，第三聯合說人事，或感嘆古今，或議論，卻不可用硬事。或前聯先說事感嘆，則此聯寫景亦可，但不可兩聯相同。第四聯就題生意，發感慨，繳前二句，或說何時再來。

梁橋《冰川詩式》卷九《學詩要法上》 詩貴三停：有起、有中、有結。凡起，古詩要混淪包括，語整意圓；五言律詩要聲穩語重；七言律詩要聲起語圓；絕句要平實，第一二句是。凡中，古詩要反覆變化，意眞語暢；律詩頷頸疏通峭拔；絕句要精要，第三句是。凡結，古詩含蓄不盡，意重語輕；五言律詩聲細意長；七言律詩聲穩語健；絶句健決，第四句是。

又 作詩之法，前疏者後必密，半闊者半必細，一實者必一虛，疊景者義必二。

趙宧光《彈雅・格制三下》 弇州論詩三法：首尾開闔，繁簡奇正，各極其度，篇法也；抑揚頓挫，長短節奏，各極其致，句法也；點綴關鍵，金石綺綵，各極其造，字法也。篇有百尺之錦，句有十鈞之弩，字有百煉之金，云云。余將以人身譬之：篇如全體，句如一肢，字如一節。篇重在格高，句重在調和，字重在穩亮。格當擬時代，先一代，一代之高；調當擬風氣，得風氣，風氣之正；字當擬騷，步騷雅，騷雅有文。

胡應麟《詩藪外編》卷六 七言律最難結構，五言古差易周旋。元人則不然，七言律韻稱者多，五言古完善者寡，致力與不致力耳。

謝天瑞《詩法大成》卷八《詩正體》 作大篇當布置，首尾停勻，腰腹肥滿。多見人前面有餘，後面不足。前面極工，後面草草。不可不知。

又 作大篇須有開闔乃妙。

王昌會《詩話類編》卷二《論起承轉合》「起承轉合」四字，施之絶句則可，施之於律則未盡然。且以律詩論之，首句是起，二句是承，中二聯則襯貼題目，如經義之大講。七句則轉，八句則合耳。如杜子美《江村》詩，「清江一曲抱村流」，是起；「長夏江村事事幽」，是承；「自去自來堂上燕，相親相近水中鷗」，此物意之幽也。「老妻畫紙爲棋局，稚子敲針作釣鈎」，此人事之幽也。至「多病所需惟藥物，微軀此外復何求」，則一句合，大抵無非幽事耳。若非中聯襯貼，則所爲幽事者果何在耶？又如「丞相祠堂何處尋」，是以問語起；「錦官城外柏森森」，是以答語承。「映階碧草自春色，隔葉黃鸝空好音」，是賦祠堂之景物也。「伯仲之間見伊呂，指揮若定失蕭曹」，是評祠堂之人物也。「出師未捷身先死，長使英雄淚滿襟」，則一句轉，一句合，以致嘆恨之意耳。若謂中二聯襯貼者卽是轉合，則何以見其爲「丞相祠堂」哉？

又《忌間架不齊》 長篇有長篇間架，律詩有律詩間架，絶句有絶句間架，最忌不齊。以四句言之，如杜詩「貞觀銅牙弩，開元獸錦張。花門小箭好，此物棄沙場」，前三句各言一物，落後一句總繳收拾。如何得齊整？以逐句言之，則或前面二句一樣輕重，或中兩句、四句一樣，或後面兩句一樣輕重，皆爲間架不齊。如韓致光詩「征人草草盡戎裝，征馬蕭蕭立路傍。尊酒闌珊將遠別，秋山迢遞又斜陽」，四句上下截一樣輕重虛實。又如「星斗疏明禁漏殘，紫泥封後獨憑闌。露和玉屑金盤冷，月射珠光貝闕寒。天襯樓臺籠苑外，風吹絃管下雲端。長卿只爲《長楊賦》，未識君臣際會難」，中間四句上截一樣輕重，況又是天文字、器用字相並爲句，何得爲齊整詩語？又如韓退之「天街小雨潤如酥，草色遙看近卻無。最是一年春好處，絶勝烟柳滿皇都」，後二句上二字一樣輕重。詩非不好，只是間架不齊，爲可議也。

吳喬《答萬季埜詩問》 又問：「布局如何？」答曰：「古詩如古文，其布局千變萬化。七律頗似八比：首聯如起講、起頭，次聯如中比，三聯如後比，末聯如束題。但八比前中後一定，詩可以錯綜出之，爲不同耳。七絶，偏師也，或鬭山上，或鬭地下，非必堂堂之陣，正正之旗者也。五律氣脈須從五古中來，『初』『盛』皆然，中唐鮮矣。明人多以七律餘材成之，是以悉不足觀。五絶最易成篇，卻難得好。五古須通篇無偶句，漢、魏則然，晉、宋漸有偶句，履霜堅冰，至唐人遂成律。明之選唐詩者，『中原還逐鹿』、『秋氣集南礀』皆置古詩中，盲矣。」

又 又問：「金聖歎謂唐詩必在第五句轉，信乎？」答曰：「不盡然也。如曹鄴『荻花蘆葉滿汀洲，一簇笙歌在水樓。金管曲長人盡醉，玉簪恩重獨生愁。』於第二聯流水對中轉去。杜少陵律詩如古詩，難論轉處，而『童穉情親』篇竟無後半首，何以曰第五句轉乎？起承轉合，唐詩之大凡耳，不可固也。」

又《圍爐詩話》卷一 起聯如李遠之「有客新從趙地回，自言曾上古叢臺」，太傷平淺。劉禹錫之「王濬樓船下益州，金陵王氣黯然收」稍勝。而少陵之「童稚情親四十年，中間消息兩茫然」，能使次聯「更爲後會知何地，忽漫相逢是別筵」倍添精彩，更勝之矣。至于義山之「海外徒聞更九州，他生未卜此生休」，則勢如危峰矗天，當面崛起，唐詩中所少者。而「昨夜星辰昨夜風，畫樓西畔桂堂東」，乃是具文見意之法。起聯以引起下文而虛做者，常道也。起聯若實，次聯反虛，是爲定法。結句收束上文者，正法也；宕開者，別法也。上官昭容之評沈、宋，貴有餘力也。「曲終人不見，江上數峰青」，貴有遠神也。義山《馬嵬》詩一代傑作，惜于結語說破。絶句是合，律及長詩是結。溫飛卿《五丈原》詩以「譙周」結武侯，《春日偶成》以「釣渚」結旅情。劉長卿之「白馬翩翩春草綠，邵陵西去獵平原」，宕開者也。子美「褥段」詩之「振我粗席塵，愧客茹藜羹」，收上文者也。此法人用者多。

又卷二 長篇須有間架，以杜氏祖孫二詩爲法。審言《和李嗣眞奉使存撫河東》，敘事之有間架者也。起手八聯，寬衍大局也。「已屬羣生泰」以下，出朝廷存撫之意，即出嗣眞也。「城闕周京轉」以下，出河東也。「昔出諸侯靜」，因河東爲高祖興王之地而追敘之也。「隱隱帝鄉還」以下，敘嗣眞之奉使也。「雨霈鴻私滌」以下，實敘存撫之事也。「殺氣西衝白」以下，暢言旁及也。「緬邈朝廷問」以下，敘嗣眞之眷注才學也。「澄清得使者」二語，完奉使之事也。「莫以崇班閟」以下，自託也。末聯總收前文也。子美《上韋左丞》詩，人誤置之古詩中，實排律言情之有間架者也。黃山谷所說最善：起手曰「紈袴不餓死，儒冠多誤身」，是一篇正意（略略點出，作眼目破題也），故令韋靜聽而具陳之（如出題）。「甫昔少年日」以下，言儒冠之求志也。「此意竟蕭條」以下，言誤身也。意舉而文備，宜乎有是詩矣。是詩獨獻于韋者，以厚愧眞知在讚誦佳句也。大臣職在薦賢，不徒愛士，故效貢禹之彈冠而走跋涉也。知韋不能薦，故欲去秦也。臨去有惓惓之情，故托意于終南、渭水也。去不可以不別知交，故曰「常擬報一飯，況懷辭大臣」也。一去不可復見，故結語云云也。余謂山谷之說是詩極善。然宋人知賦而不知興比，用興比則有縱横出沒，與此二篇不同。韋左丞名濟，山谷以爲見素。兼興比者，如義山《聖女祠》詩云：「杳藹逢仙跡，蒼茫滯客途。何年歸碧落？此地向皇都。消息期青雀，逢迎異紫姑。腸迴楚客夢，心斷漢宮巫。從騎裁寒竹，行車蔭白楡。星娥一去後，月姊更來無？寡鵠迷蒼壑，羈凰怨翠梧。惟應碧桃下，方朔是狂夫。」首句，出題也。次句，自述也。三句，言聖女也。四句，又自述也。「消息」二句，讚聖女也。「腸迴」句，謂異于襄王之媟侮。「心斷」句，言不同巫蠱之狂邪，尊聖女也。「從騎」二句，又自述行踪，興也。「星娥」、「月姊」，比聖女之不可得見也。「寡鵠」，言想念之切也。結用「方朔」，以王母比聖女也。此本虛題，不可全用賦義，故雜出興比以成篇，其間架亦不得如前二詩之截然也。

徐增《而庵詩話》 唐律多有失銜者，以重解數故也。今人不知何故亦失銜。失銜句讀去有從高墜下的氣勢方妙。唐人不肯作次韻詩，亦爲解數故。作古詩以解數爲主，然須變換；不然，以四句板板排下去，有何生趣？

又 余嘗得佳句喜極，及至詩成時，卻改到不見好處方歇手。乃知古人爲了章法，塗抹佳句至多也。

又 釋迦說法，妙在兩輪，故無死句。作詩有對，須要互旋，方不死於句下也。詩貴有轉手，非熟於法者不能。

又 聖歎《唐才子書》，其論律分前解、後解，截然不可假借。聖歎身在大光明藏中，眼光照徹，便出一手，吾最服其膽識。但世間多見爲常，少見爲怪，便作無數議論。究其故，不過是極論起承轉合諸法耳。然當世已有鑑之者，余不敢復贅一辭也。

又 律分二解，二解合來只算一解，一解止二十八字。前解如二十七個好朋友赴一知己之招，意無不洽，言無不盡，吹彈歌舞，飲酒又極盡量，賓主歡然，形骸都化；後解即是前解二十八個好朋友，酬酢依然，只是略改換筵席，顛轉主賓。前是一人請二十七人；此是二十七人合請一人也。

又 詩無一定腔拍，只須爭落筆；第一句起頭一二字尤要緊。

又 解數及起承轉合，今人看得甚易，似爲不足學。若欲精於此法，則累十年不能盡。宗家每道佛法無多子；愚謂詩法雖多，而總歸於解數、起承轉合，然則詩法亦無多子也。學人當於此下手，儘力變化，至於大成，不過是精於此耳。向來論詩，皆屬野狐，正法眼藏，畢竟在此不在彼也。解數、起承轉合，何故而知其爲正法眼藏也？夫作詩須從看詩起，吾以此法觀唐詩及唐已前詩，無不煥然照面，若合符節，故知其爲正法眼藏無疑也。

賀貽孫《詩筏》 作詩有一題數首，而起結雷同，最是大病。如陳正字《感遇》諸篇起句云「吾觀龍變化」，又云「吾觀崑崙化」，又云「深居觀元化」，又云「幽居觀大運」是也。且其病不止於此，凡感遇詠懷，須直說胸臆，巧思夸語，無所用之。正字篇中屢用「仲尼」、「老聃」、「西方」、「金仙」、「日月」、「崑崙」等語者，非本色也。若張曲江《感遇》，則語語本色，絕無門面矣，而一種孤勁秀澹之致，對之令人意消。蓋詩品也，而人品係之。「草木有本心，何求美人折」，三復此語，爲之浮白。大抵正字別有佳處，不專在《感遇》數詩。《感遇》三十八篇，雖矯矯不羣，然吾所愛者，「吾觀龍變化」一首耳。

又 發語難得有力，有力故能挽起一篇之勢；結語難得有情，有情故能鎖住一篇之意。能挽起一篇，故一篇之情亦動；能鎖住一篇，故一篇之勢亦完，兩相資也。唐中宗正月晦日幸昆明池賦詩，羣臣應制。殿前結綵樓，命上官昭容選一首爲新翻御製曲。羣臣悉集其下，須臾紙落如飛，各認其名而懷之。既退，惟沈、宋二詩不下。又移時，一紙飛墜，則沈詩也。評曰：

「二詩工力悉敵，沈詩落句云：『微臣雕朽質，羞覩豫章才。』蓋詞氣已竭。宋詩云：『不愁明月盡，自有夜珠來。』猶自健舉。」所云「健舉」，豈非結語有情，通篇之勢亦完耶！昭容婦人，乃能辨工拙於毫釐如此，令人嘆服不置。但結語猶易得，若發語有力，則雖唐人名家，亦人不數篇而已，故發語尤難。

賀裳《載酒園詩話》卷一《前後失貫》 作詩宜首尾貫徹，老杜《簡蘇徯》曰：「君不見道邊廢棄池，君不見前者摧折桐。百年死樹中琴瑟，一斛舊水藏蛟龍。丈夫蓋棺事始定，君今幸未成老翁，何恨憔悴在山中。」頗有高致，但結句曰「深山窮谷不可處，霹靂魍魎兼狂風」，忽如此轉，不惟與上意相反，味亦索然，縱竿頭進步，不宜爾。駱義烏《玩初月》詩「忌滿光恆缺」，雖着議論，故自佳。但後二句「既能明似鏡，何用曲如鈎」，何爲又別立論頭，不顧前旨也。

施閏章《蠖齋詩話·近體結句》 結句有承上意者，須蛛絲馬跡乃佳。如杜《八月十五夜月》，六句「林棲見羽毛」，下又云：「此時瞻白兔，直欲數秋毫。」《西閣雨望》，六句「秋林駐遠情」，下又云：「滴池朱檻濕，萬慮倚簷楹。」《茅堂檢校收稻》，六句「嘗新破旅顏」，下又云：「紅鱗終日有，玉粒未吾慳。」就事直結，畢竟犯複少味。

又《奇句》 「空梁落燕泥」，自是偶然；「楓落吳江冷」，不聞對語。「庭草無人隨意綠」亦然。此物何關天巧，亦若爲造物所靳。至「無可奈何花落去」，晏元獻以「似曾相識燕歸來」偶句，當時稱爲神合；然舍此亦別無可著語。

周容《春酒堂詩話》 詩不審章而論句，遂趨中晚。然少陵章法，又須求其不可測處，否則如「丞相祠堂」與「諸葛大名」諸篇，爲宋人師承，涉於議論，失詩本色。嗟乎！既免中晚之卑，又免宋人之橫，吾於近代中，將起誰氏而與言詩乎？

毛先舒《詩辯坻》卷四 詩言情寫景叙事，收攏拓開，點題掉尾，俱是要格。律尤須謹嚴，頹唐可時有耳。借如律詩，中二聯一實一虛，一黏一離；起須高渾，勢冒全篇；結欲悠圓，盡而有餘；轉折收縱，宜使合度，勿得後先倒置，舒促失節，然後可以告成篇矣。

又 古風長篇，先須搆局，起伏開闔，線索勿紊。借如正意在前，掉尾處須擊應；若正意在後，起手處先須伏脈。未有初不伏脈而後突出一意者，亦未有始拈此意而後來索然不相呼應者。若正意在中間，亦要首尾擊應。實叙本意處，不必言其餘，拓開作波瀾處，却要時時點著本意，離卽之間方佳。此如畫龍，見龍頭處卽是正面本意，餘地染作雲霧。雲霧是客，龍是主，卻于雲霧隙處都要隱現爪甲，方見此中都有龍在，方見客主。否是，一半畫龍頭，一半畫雲霧耳，主客既無別，亦非可爲畫完龍也。

黄生《詩麈》卷一 詩之五言八句，猶文之四股八比，不過以起承轉合爲篇法而已。起聯當說破題意，次聯則承其意而下，第三聯則略開一步，尾聯則又收轉，與起聯相應，以完一篇之意。此處最不宜草草，結處有精神，前路雖平皆不足爲纇。苟一結衰憊，前路雖工不稱完璧矣。

又 中二聯非寫景，卽叙事，或述意三體。以「虛實」二字括之，寫景爲實，事、意爲虛。故立四實四虛，前實後虛，前虛後實之式。大抵一虛一實者其常，全實全虛者其變。就中惟四虛體宜少爲。蓋近體一道，不寫景而專叙事與述意，是謂有賦而無比興，韻致不見生動，意味卽不見淵永，結構雖工，不足貴也。善詩者常欲得生動之致，淵永之味，則中二聯不嫌俱寫景。然有大景、小景、遠景、近景、全景、半景（景中見事見意），四實中又當暗自分別。若不辨此法，亦難稱作家也。

又 如「雲霞出海曙，梅柳渡江春。淑氣催黄鳥，晴光轉綠蘋」（杜審言），一大景，一小景也。「浮雲連海岱，平野入青徐。孤嶂秦碑在，荒城魯殿餘」（杜甫），一遠景，一近景也。「退朝花底散，歸院柳邊迷。樓雪融城濕，宫雲去殿低」（杜甫），一半景，一全景也。

又 詩以導其意之所欲言。古體不拘排偶，可以直抒己意，故雖有句法，鍛煉之功尚少。至如五言八句，聲律對偶軌格一定，必欲鑄意成辭，命辭遣意，非鍛煉句法何以見工？唐人句法備有多種，職此之故，後之學詩者不能盡悉其法，雖有妙句，僅屬暗合。問其何以稱妙，且不自知，況能盡變化哉！

又 句法最忌直率，直則淺，率則薄。此「婉潤」二字爲近體之要訣。卽以唐人較之，戴叔倫「如何百年內，不見一人閑」（直率），何如趙嘏之「星星三鏡髮，草草百年身」（婉潤）。韓愈之「況與故人別，那堪羈宦愁」（直率），何如靈一之「官柳鄉愁亂，青山客路遙」（婉潤）。貫休之「故國在何處，多年未得歸」（直率），何如司馬札「芳草失歸路，故鄉空暮雲」（婉潤）。兩相比較，工拙自見。

又 說見不得直言見，說聞不得直言聞。如岑參「見雁思鄉信，聞猿積淚痕」，不如柳宗元「愁深楚猿夜，夢斷越雞晨」較爲醞藉。然亦有詩眼在「見聞」二字者。如張祜「樹影中流見，鐘聲兩岸聞」，溫庭筠「果落見猿過，葉乾聞鹿行」，則非二字不足以發其意，又未可概論。

又 宋人論句法，謂句中有眼（以單字爲眼）。宜著意煉此一字。然此特句法之一耳。試問杜之「清新庾開府，俊逸鮑參軍」，溫庭筠之「雞聲茅店月，人迹板橋霜」，眼在何處？不盡讀唐詩，識其錘煉之妙，未可輕言句法也。

又 以十字道一事者拙也，約之以五字則工矣。以五字道一事者拙矣，見數事於五字則工矣。如韋應物「浮雲一別後，流水十年間」，權德輿則以「十年曾一別」五字盡之。如高適「大都秋雁少，只是夜猿多」，馬戴云「楚雲沾猿暮，湘水拂雁秋」，猿、雁之外，更道數事。

又 唐人煉句，有倒裝、橫插、明暗、呼應、藏頭、歇後諸法（凡二十種）。法所從生，本爲聲律所拘。十字之中，意不能直達，因委屈以就之。所以律詩句法多於古詩，實由唐賢開此法門。後人不能盡曉其法，所以句多率直，意多淺薄。不堪與前人較量工拙，其故實在於此。

又 如五字爲句，則上二下三，上三下二，上一下四，上四下一，上二下二中一，上一中二下二，上一下一中三，八法盡之。七字爲句，則上四下三，上三下四，上五下二，上二下五，上一下六，上六下一，上二中二下三，上二中四下一，上一中四下二，上一中三下三，十法盡之。

又 上二下三，如「玉劍浮雲騎，金鞭明月弓」（盧照鄰），「澗水空山道，柴門老樹村」（杜甫）。上三下二，如「把君詩過日，念此別驚神」（杜甫），「一封書未返，千樹葉皆飛」（于武陵）。上一下四，如「臺倚烏龍嶺，樓侵白雁潭」（許渾），「雁惜楚山晚，蟬知秦樹秋」（司空曙）。上四下一，如「雀啄北窗晚，僧開西閣寒」（喻鳧），「蓮花國土異，貝葉梵書能」（護國）。上二中一下二，如「旌旃朝朔氣，笳吹夜邊聲」（杜審言），「星河秋一雁，砧杵夜千家」（韓翃）。上二中二下一，如「春風騎馬醉，江月釣魚歌」（司空圖），「晴山開殿翠，秋水卷簾寒」（許渾）。上一中二下二，如「地盤山入寒，河繞國連天」（張祜），「井鑿山含月，風吹磬出林」（賈島）。上一下一中三，如「星臨萬戶動，月傍九霄多」（杜甫），「劍留南斗近，書寄北風遙」（祖詠）。此皆以五字成句，而句中有讀者也。

又 上四下三，如「九天閶闔開宮殿，萬國衣冠拜冕旒」（王維），「龍武新軍深駐輦，芙蓉別殿慢焚香」（杜甫）。上三下四，如「洛陽城見梅迎雪，魚口橋逢雪送梅」（李紳），「斑竹岡連山雨暗，枇杷門向楚天秋」（韓翃）。上二下五，如「朝罷香煙攜滿袖，詩成珠玉在揮毫」（杜甫），「霜落雁聲來紫塞，月明人夢在青樓」（劉滄）。上五下二，如「不見定王城舊處，常懷賈傅井依然」（杜甫），「同餐夏果山何處，共釣寒濤石在無」。上一下六，如「盤剝白鴉谷口栗，飯煮青泥坊底芹」（杜甫），「煙橫博望乘槎水，日上文王避雨陵」（唐彥謙）。上六下一，如「忽驚屋裏琴書冷，複亂簷前星宿稀」（杜甫），「忽從城裏攜琴去，許到山中寄藥來」（賈島）。上二中二下三，如「旌旗落日黃雲動，鼓角陰風白草翻」（李頻），「論舊舉杯先下淚，傷離臨水更登樓」（楊巨源）。上一中三下三，如「魚吹細浪搖歌扇，燕蹴飛花落舞筵」（杜甫），「門通小徑連芳草，馬飲春泉踏淺沙」（郎士元）。上二中四下一，如「河山北枕秦關險，驛路西連漢畤平」（崔顥），「宮中下見南山盡，城上平臨北斗懸」（杜審言）。上一中四下二，如「詩懷白閣僧吟苦，俸買青田鶴價偏」（陸龜蒙）。此皆以七字成句，而句中有讀者也。

又 起聯有對起，有散起。唐人散起者多，惟老杜好用對起。其對起法，又有兩意分對者，有一意相承者，大抵熟於詩律，故拈著便對。若對起是兩意，則次聯必分應之。或中二聯各應一句，或中二聯止應一句，至尾聯再應一句。或前三聯各開說，用尾聯總收。近體莫多於老杜，故法亦莫備于老杜。

又 唐人起法，惟務平直，不事奇巧。蓋此爲一篇之冒，但當徐徐引起題意，以後再著精采可耳。

又 近體以起承轉合爲首尾腰腹，此脈絡相承之次第也。首動則尾隨，首擊則尾應，腹承首後，腰居尾前，不過因首尾以爲轉動而已。是故一詩之氣力在首尾，而尾之氣力視首更倍。如龍行空，如舟跋浪，嘗以尾爲力焉。唐人佳句可摘者，聯爲夥，起次之，結又有次之，可見結之難工也。其法有尾聯見意者，有尾聯點題者，有尾聯進步者，有尾聯宕開者，有尾聯寓意者，有尾聯補綴者，具僕所選《唐詩矩》中，不觀全詩，則不足以識其意，故不標出。

又　以上論五言之法，並通於七言，第七言增加二字，句長則氣易弱，惟少用虛字，句格自然挺健。兼此體常擇題而作。今人既不知擇題，又不知七言律難於五言律，率爾便作，體氣骩骳，正如病夫強襲衣冠耳。

又　凡詩無論古今體，五、七言，總不離起承轉合四字，而千變萬化出於其中。近體分起承轉合，自不必言。若古體之短或長，則就四字展之縮之、頓之挫之而已。起結例用二結，或四語，而杜《送王砅評事》則「我之曾老姑」至「盛事垂不朽」凡三十八句，總只當一起。《北征》詩，「至尊尚蒙塵」以下四十八句，總只當一結。至轉法，或一轉，或數轉，惟視其詩之短長，此類不可枚舉。又有即起即承、即承即轉，即轉即合者，亦意所至，隨手成調。總之，法則一，而出入變化乎法者，固不一也。

又卷二　昔蘇子瞻在黃，諸妓皆有詩。獨李琪者未之及。臨行，坐客代爲之請。公即席書二句云：「東坡三載黃州住，何事無言及李琪。」仍放筆。與客飲酒談笑。客疑語即率易，又未成篇，從容爲之再請。坡大笑云：「幾忘出場。」隨續二語云：「恰似西川杜工部，海棠雖好不留詩。」於是衆共歡賞而罷。予謂「出場」二字，是作近體詩要訣。蓋前路不妨平易，一篇之意全在結處見精神，最宜警策生動，或收拾一篇，或更進一步，或另開一境。既有「出場」，則前路皆同鱗爪，而此比驪龍之珠矣。若前路仍有佳語，固是上乘。或前路語佳而結處平常，使人讀至此，無一唱三歎之意，豈非明月之類乎？

又　作詩不患無題，患有好題無佳詩耳。何謂好題？可以當《三百篇》之興觀群怨者，上也；如漢魏之述事、詠懷、贈言、喻志，次也；如六朝之流連光景，吟賞風物，又次也。唐人承其後，前代規制，至此大備。其命題更自不苟。如同一宴會題，題中人名，彼此互闕，此是各有契分，不相濫及。又或但舉一二人，而餘則從略。以此推之，則其不肯輕易假借，率爾應酬斷可識矣。是故作詩必擇題，製題必擇人。人不佳則累其題，題不佳則累其詩，下筆不可不慎也。此外如書懷、寫景之類，亦必遇題而後有詩，未有懸詩以待題者。遇題而後有詩，則詩中方得見自己性情。若徒蓄勃勃作詩之興，逢題即和，逢人即詩，雖富有篇什，而己之性情汩沒多矣。此識者讀其題而可逆卜其詩之不工也。昔有問作賦之法于司馬長卿者，長卿曰：「能讀千賦則善賦，能觀千劍則善劍。」詩之爲道，亦猶是爾。博觀古人之衆制，乃以啓沃方寸之靈源。第初時識其繩尺部伍，必不敢率意苟作，此時半字皆無，至有終年不成一詩者。久則得其意味，熟其機趣，沛然川至，滃然雲興，不自知其詩之所自來。是眞懸詩以待題之時，而亦必無可累其詩之題矣。

王士禛《帶經堂詩話》卷三　或問：「詩工於發端如何？」應之曰：「如謝宣城『大江流日夜，客心悲未央』，杜工部『帶甲滿天地，胡爲君遠行』，王右丞『風勁角弓鳴，將軍獵渭城』、『萬壑樹參天，千山響杜鵑』，高常侍『將軍族貴兵且強，漢家已是渾邪王』，老杜『將軍魏武之子孫，於今爲庶爲清門』是也。」

又　律詩貴工於發端，承接二句尤貴得勢，如懶殘履衡岳之石，旋轉而下，此非有伯昏無人之氣者不能也。如「萬壑樹參天，千山響杜鵑」，下即云：「山中一夜雨，樹杪百重泉。」「昔聞洞庭水，今上岳陽樓」，下云：「吳楚東南坼，乾坤日夜浮。」「古戍落黃葉，浩然離故關」，下云：「高風漢陽渡，初日郢門山。」「錦瑟怨遙夜，遶絃風雨哀」，下云：「孤燈聞楚角，殘月下章臺。」此皆轉石萬仞手也。

又　予少時有一聯云：「山雲遙變夏，水草靜當軒。」汪苕文、程周量皆喜之。六合李侍郎聖一獨云：「律詩一聯中，銖兩須字字相稱。『軒』字恐對『夏』字不過。」余深服之。又余少時最好李太白「牛渚西江夜」、孟浩然「掛席幾千里」諸篇，數數擬之。董侍御玉虬規余云：「律詩須句句做，未可但騁逸氣。」余亦深服之。此皆余五十年論文益友，今俱宿草，追思愴然，聊記之以示來者。

又卷一五　韓、蘇七言詩學《急就篇》句法，如「鴉鴟鷹鵰雉鵠鵾」，「騅駓駰駱驪騮騵」等句，予既載之《池北偶談》；近又得五言數語，韓詩「蚌螺魚鱉蟲」，盧仝「鰻鱣鮎鯉鮹」，「鸂鶒鴿鷗梟」，蔡襄「弓刀甲盾弩，筋皮毛骨羽」，然此種句法，間作七言可耳，五言即非所宜，解人當自知之。潙山問仰山：作麼生是無異名底道理？仰曰：瓶盤釵釧券盂盆。此句似《柏梁詩》體。（宗柟附識：芷齋述蒿廬先生云：先生和吳孟舉《種菜》詩亦有「葵韭薤蓼蘇」之句，想不過游戲爲之耳。愚按《柏梁詩》乃後人擬作，語多非體，大官令句已屬可笑，若五言與律，前賢雖有之，斷不足法。）

又卷二七　予嘗謂古人詩，且未論時代，但開卷看其題目，即可望而知之；今人詩且未論雅俗，但開卷看其題目，即可望而辯之。如魏晉人製詩，題是一樣，宋、齊、梁、陳人是一樣，初、盛唐人是一樣，元和以後又是一樣，北宋人是一樣，蘇、黃又是一樣；明人製題汎濫，漸失古意，近則年伯、年丈、公祖、父母，俚俗之談盡竄入矣，詩之雅俗又何論乎！詩題有一二字不古，遂分雅俗，如古人祇有同韻、和韻，而今人則改作步韻、武韻矣；古祇有絕句，今人則改作截句矣；古人贈答，或云「以詩贈之」、「以詩寄之」，今則改「詩以贈之」、「詩以寄之」矣。此類未易更僕，但取古人集觀之，雅俗自辯，當以三隅反也。（宗柟附識：《柳南隨筆》：唐宋人酬和詩，有所謂次韻者，謂如其次第，先後不易也；有所謂依韻者，謂同在一韻，而所押之字則不相同也；有所謂用韻者，謂用彼韻，而不如其次第也。今人或未深考，有渾而稱之者矣。）

又卷二九　問：范德機謂律詩第一聯爲起，第二聯爲承，第三聯爲轉，第四聯爲合；又曰「起承轉合」四字，施之絕句則可，施之律詩則未盡然，似乎自相矛盾。起承轉合，章法皆是如此，不必拘定第幾聯、第幾句也；律絕分別，亦未前聞。

龐塏《詩義固說》卷上　詩有題，所以標明本意，使讀者知其爲此事而作也。古人立一題於此，因意標題，以詞達意，後人讀之，雖世代懸隔，以意逆志，皆可知其所感，詩依題行故也。若詩不依題，前言不顧後語，南轅轉赴北轍，非病則狂，聽者奚取？自宋以還，詩家每墮此，不省古人用意所在，而借口云寄慨在無論次處。嗚呼！無倫次可以爲詩耶？題目既定，句以成篇，字以成句，五字、七字必令意全句中，不可增減，而後謂之完足。近見有句於此，亦可卜度其意之所在，而覺句中少數字而不顯切。又有三五字已盡本意，而強增一二字以趁韻脚，牽率矯強，百醜具見，何以爲詩？作者須於一句之中，首尾自相呼應，一篇之中，前後句相呼應，相生相續以成章，然後無背於古而可以傳也。

又　天地之道，一闢一翕；詩文之道，一開一合。章法次序已定開合，段落猶須勻稱，少則節促，多則脈緩，促與緩皆傷氣，不能盡淋漓激楚之致。觀古歌行妙處，一句趕一句，如高山轉石，欲住不能，以抵歸宿之處乃佳。其法亦無一定，惟斟酌得中爲主。其開處有事物與本意相通者，不妨層層開去，只要收處斷得住，一二句掉合本題，自然錯綜離奇，聳人心目。

又卷下　射有的則決拾有準，軍有旗則步伐不亂，賦詩命題，即射之的，軍之旗也。近日詩家，亦知立題，而莫解詮題，濫塡景物，生插故事，章法次第，漫不講焉。譬若箭發不指的，軍行不視旗，其不爲節制家所誚者幾希矣！

張謙宜《絸齋詩談》卷三　初下手，不要心高，只要耑講布置章句，使意思透，規矩熟。千奇百怪，俱自此做去。凡做詩，先相題之來處去處，此卽吾之起結所從生也。次搜題之層數，與夫內境外境。且如一書房，內面之陳設，是謂內境；外面之院落盆景，是謂外境。既有兩樣，卽是層數，或由外看進，或自內看出，卽吾之頸聯腹聯起承轉折章法也。我造題，我又先看題，次運題，缺者補之，醜處遮之，難處斡旋之，然後可以告成篇矣。詩之結，乃其到頭緊要一著，如蠶作繭，如樹結果，須以通身氣力赴之。造題製序，當法唐人。

趙執信《談龍錄》　凡一題數首者，皆須詞意相副，無有缺漏枝贅，其先後亦不可紊也。顧小謝每舉少陵兩《過何將軍園林》詩以示學者，余謂此詩家最淺近處。不見《文選》所錄魏晋人詩：分章者，尋其首尾，如貫珠然。近人試爲兩首，都無次第。不潛心也。

又　句法須求健舉，七言古詩尤亟。然歌行雜言中，優柔舒緩之調，讀之可歌可泣，感人彌深，如白氏及張王樂府具在也。今人幾不知有轉韻之格矣。此種音節，懼遂亡之。奈何！

姚培謙《松桂讀書堂詩話》　嚴滄浪稱太白發端句謂之開門見山，東坡謂文字最難得起句，意正如此。但文字猶可以理解求，詩則聲到界破，全在神運。

沈德潛《說詩晬語》卷上　《文王》七章，語意相承而下，陳思《贈白馬王》詩，顏延之《秋胡行》，祖其遺法。

又　詩篇結局爲難，七言古尤難。前路層波疊浪而來，略無收應，成何章法？支離其詞，亦嫌煩碎。作手於兩言或四言中，層層照管，而又能作神龍掉尾之勢，神乎技矣。

又　起手貴突兀，王右丞「風勁角弓鳴」，杜工部「莽莽萬重山」、「帶甲滿天地」，岑嘉州「送客飛鳥外」等篇，直疑高山墜石，不知其來，令人驚絕。

又　三、四語多流走，亦竟有散行者，然必有不得不散之勢，乃佳。苟艱於屬對，率爾放筆，是借散勢以文其陋也。又有通體俱散者，李太白《夜泊牛渚》、孟浩然《晚泊潯陽》、釋皎然《尋陸鴻漸》等章，興到成詩，人力無與，匪垂典則，偶存標格而已。外是八句平對，五六散行，前半扇對之式，皆極詩中變態。

又　三、四貴勻稱，承上斗峭而來，宜緩脈赴之。五、六必聳然挺拔，別開一境。上既和平，至此必須振起也。崔司勳《贈張都督》詩「出塞清沙漠，還家拜羽林」，和平矣，下接云「風霜臣節苦，歲月主恩深。」杜工部《送人從軍》詩「今君度沙磧，累月斷人烟」，和平矣，下接云「好武寧論命，封侯不計年。」《泊岳陽城下》詩「岸風翻夕浪，舟雪灑寒燈」，和平矣，下接云「留滯才難盡，艱危氣益增。」如此拓開，方振得起。溫飛卿《商山早行》，於「雞聲茅店月，人跡板橋霜」下，接「槲葉落山路，枳花明驛牆。」周處士朴《賦董嶺水》，於「禹力不到處，河聲流向西」下，接「過衙山色遠，近水月光低。」但覺直塌下去。

又　中二聯不宜純乎寫景，如「明月松間照，清泉石上流。竹喧歸浣女，蓮動下漁舟。」景象雖工，詎爲模楷？至宋陸放翁，八句皆寫景矣。

又　收束或放開一步，或宕出遠神，或本位收住。張燕公「不作邊城將，誰知恩遇深」，就夜飲收住也。王右丞「君問窮通理，漁歌入浦深」，從解帶彈琴宕出遠神也。杜工部「何當擊凡鳥，毛血灑平蕪」，就畫鷹說到眞鷹，放開一步也。就上文體勢行之。

又　唐玄宗「劍閣橫雲峻」一篇，王右丞「風勁角弓鳴」一篇，神完氣足，章法句法字法，俱臻絕頂，此律詩正體。而太白「五月天山雪，無花只有寒。笛中聞《折柳》，春色未曾看。」一氣直下，不就羈縛。右丞「萬壑樹參天，千山響杜鵑。山中一夜雨，樹杪百重泉。」分頂上二語而一氣赴之，尤爲龍跳虎臥之筆。此皆天然入妙，未易追摹。

又卷下　一首有一首章法，一題數首，又合數首爲章法。有起、有結、有倫序、有照應，若闕一不得，增一不得，乃見體裁。陳思《贈白馬王》，謝家兄弟酬答，子美《遊何將軍園》之類是也。又有隨所興觸，一章一意，分觀錯雜，總述纍纍。射洪《感遇》、太白《古風》、子美《秦州雜詩》之類是也。後人一題至十數章，甚或二三十章，然意旨辭采，彼此互犯，雖搆多篇，索其指歸，一章可盡，不如割愛之爲愈已。

又　詩不可不造句。江中日早，殘冬立春，亦尋常意思，而王灣云：「海日生殘夜，江春入舊年。」一經錘鍊，便成警絕，宜張曲江懸以示人。

又　姜白石《詩說》謂：「一篇之妙，全在結句。如截奔馬，辭意俱盡。如臨水送將歸，辭盡意不盡。又有意盡辭不盡，剡溪歸櫂是也。辭意俱不盡，溫伯雪子是也。」微妙語言，諸家未到。

方世舉《蘭叢詩話》　七律八句，五、六最難，此腹耳。腹怕枵，一枵則《孟》之陳仲子，《莊》之子桑戶，有匍匐耳，尚何助於四體之手舞足蹈哉！何以充之？要跳出局外，以求理足，又歛入局中，以使氣昌，是在熟誦工夫。

又　第七句又難，此尾耳。尾要掉，不掉則如棄甲曳兵而走，安能使落句善刀而藏，爲之四顧，爲之躊躇滿志哉！何以掉之？要思鷹鸇轉尾，翔而後集。八句是集，七句要翔。

又　宮詹公嘗問人：「汝輩作詩，今從何句作起？」此佛門棒喝。蓋料皆先有項聯，而後裝頭，此則非頭矣。內而血脈，外而肢骸，全係乎首以領之，可不貫冒，可不自然耶？故必先得起句，卻又非下筆卽得之滑句。

又　七律章法，宜田尤善言之。祇就一首，如劉夢得《西塞山懷古》，白香山所讓能，其妙安在？宜田云：「前半專敘孫吳，五句以七字總括東晉、宋、齊、梁、陳五代，局陣開拓，乃不緊迫。六句始落到西塞山，『依舊』二字有高峰墮石之捷速。七句落到懷古，『今逢』二字有居安思危之遙深。八句『蘆荻』是卽時景，仍用『故壘』，終不脫題。此摶結一片之法也。至於前半一氣呵成，具有山川形勢，制勝謀略，因前驗後，興廢皆然，下祇以『幾回』二字輕輕兜滿，何其神妙！」宜田又言：「七律八句，要摶結完固，宛轉玲瓏，句中寓有層疊，乃妙。若祇是四層，未見圓活，俗語所謂『死版貨』。」

薛雪《一瓢詩話》　格律聲調，字法句法，固不可不講，而詩卻在字句之外。故《三百篇》及漢魏古詩，後章與前章略換幾句或幾字，又是一種詠歎丰神，令人吟繹不厭。後世徒于字句求之，非不工也，特無詩耳。

又　得句先要鍊去板腐。後人于高遠處，則茫然不會；于淺近處，最易求疵。如溫太原《早行詩》「鷄聲茅店月，人跡板橋霜」未嘗不佳，而俗子偏指摘之，謂似村店門前對子。若余早行所作「朝暾迷海角，殘月掛春城」，又不知遭如何指摘也。

又　一題到手，必觀其如何是題之面目，如何是題之體段，如何是題之神魂；做得題之神魂搖曳，則題之面目、體段，不攻自破矣。

又　杜詩云：「毫髮無遺恨，波瀾獨老成。」最爲詩家傳燈衣鉢。大凡詩中好句，左瞻右顧，承前啓後，不突不纖，不橫溢于別句之外，不氣盡于一句之中，是句法也。起須劈空，承宜開拓，一聯蜿蜒，一聯崒嵂，景不雷同，事不疏忽，去則辭樓下殿，住則回龍顧祖，意外有餘意，味後有餘味，不落一路和平，自有隨手虛實，是章法也。悟此句法、章法，然後讀此二句，益信杜公「毫髮」字、「波瀾」字非汎寫，而實是一片婆心，指點後人作詩之法。

又　人云：起要平直，戒陡頓；承要從容，戒迫促；轉要變化，戒落魄；合要淵永，戒斷送。起處必欲突兀，承處必不優柔，轉處不致窘束，合處必不致匱竭。此是擔板漢參卻死語，臘月三十日，依舊手忙脚亂。

又　詩有從題中寫出，有從題外寫入；有從虛處實寫，實處虛寫；有從此寫彼，有從彼寫此；有從題前搖曳而來，有從題後迤邐而去。風雲變幻，不一其態。要將通身解數，踢弄此題，方得如是。

又　詩有一句足者，有兩句足者，亦有一氣貫注者，與不知詩者吟看，每令人急殺。愁讀「雌霓」，眞有其事。

又　分題拈韻，詩家之厄也。題與詩必須相配，纔有好詩。看此題宜作何體，然後據體搆思，庶幾當行。一遭牽合，未免捉襟露肘。

又　爲人要事事妥當，作字要筆筆安頓，詩文要通體穩稱，乃爲老到。止就詩論，寧使下句襯上句，不可使上句勝下句；然上下句悉敵，纔是天然工到。如「歸日樓臺非甲帳，去時冠劍是丁年。」「風捲蓬根屯戊己，月移松影守庚申。」「此日六軍同駐馬，當時七夕笑牽牛。」「陣圖東聚燮江石，邊柝西縣雪嶺松」之類，則又不可力爭者也。

又　從來談詩，必摘古人佳句爲證，最是小見。

又　詩有通首貫看者，不可拘泥一偏。如柳河東《嶺南江行》，一首之中，瘴江、黃茆、海邊、象跡、蛟涎、射工、颶母，重見疊出，豈復成詩？殊不知第七句云「從此憂來非一事」，以見謫居之所，如是種種，非復人境，遂不覺其重見疊出，反若必應如此之重見疊出者也。

李重華《貞一齋詩話》　詩有數章聯合一篇者，如陳思《贈白馬王》、顏延之《秋胡》詩等類是已。此皆大、小《雅》體裁，一氣注成，不宜割裂。近見竟陵、濟南選本，時復不見首尾，摘取一二。無論自形其短，兼亦詒誤後學。至如唐人律體，有每題數首或一二十首者，各自成篇，似可分別採擇。然杜老《諸將》、《秋興》等篇，亦統共合成，與古詩同揆，斷不得意爲去取。總之，杜集中幾章聯絡，即律體亦與古無異耳。

又　七律章法，大曆諸公最純熟，然無能出杜老範圍。相其用筆，大概三、四須跟一、二，五、六須起七、八；更有上半引入下半，頓然翻轉；有中四句次第相承，而首尾緊相照應；有上六句寫本題而末後颺開作結。其法變化不拘，若止覓得中四好對聯，另行裝卻頭脚，斷無其事。

又　匠門先生云：「詩中用實字要融豔，用虛字要健練。」此最詩家祕訣，於七律尤須喫緊記著。

又　詩之難，難在籠罩沈著。故有絕大題目，今人幾首寫不盡者，古人只一首了之，即此可以覘手法高下。乃有些小題詠或偶爾贈答，今人故意多作幾章，不過欲欺罔庸俗人耳。

又　或謂絕大題一首了卻，固是高手；些小題偏作得長篇大幅，尤屬才人手法奇變。余曰：獅子搏兔用全力，終屬獅子之愚。

黃子雲《野鴻詩的》　身置題內而意達於外，雖縱橫馳騖，不離箇中；身遠題外，縱意入於內，雖彌縫補漏，不免捉襟。

又　詩不難乎起而難乎氣，不難乎結而難乎神。

又　賦詩先須做題；題不古，詩亦不必作。

又　初學時無論古今體詩，一題在手，先安排法局，然後下筆。及工夫粹精，隨事隨物，流出胸臆，自成確當不可易之格，自有獨造未經道之語。

又　古人特創一題，作爲詩歌，蓋由情不自禁，言出乎中，有風動瀾回之妙。後人動欲摹擬，不闇乎理，卽滯於物，雖極意翻新，不能越其範圍。若傅毅《七激》、張衡《七辨》、崔駰《七依》、馬融《七廣》、曹植《七啓》、王粲《七釋》、張協《七命》、傅玄《七林》，皆規倣枚乘《七發》，猶未能高駕前修。今藝林之士，豈更有度越數公者哉？要之，各言其志，或者不求似而反似之也。

冒春榮《葚原說詩》卷一　今人詩集，不特詩不如古人，開卷一覽詩題，則去古人遠矣。學詩須先學製題。毛稚黃云：「作詩先相題，猥瑣、尖新、淫褻、幺魔等題，可無作也。」

又　詩之五言八句，如制藝之起承轉合爲篇法也。起聯道破題意，次聯承其意，第三聯用開筆，結句收轉，與起聯相應，以成章法。須著精神，切弗草率。苟一結衰憊，前路雖佳，亦非全璧。

又 詩有賦起，有比起，有興起，有兩句雙起而下六句分發其意者，有篇中主在一句餘承其意者，有六句俱若散布而意在結句者。

又 起聯有對起，有散起。唐人散者居多，惟杜甫好用對起。其對起法，有一意相承者，又有兩意分對者，大抵熟於詩律，故拈著便對。若起聯是兩意，則次聯必分應之，或中二聯各應一句，或中二聯止應一句，至末聯再應一句，或前三聯各開說，用末聯總收。近體詩莫多於老杜，故法莫備於老杜。

又 起聯須突兀，須峭拔，方得題勢，入手平衍，則通身無氣力矣。有開門見山道破題意者，有從題前落想入者，亦有倒提逆入者，俱以得勢爲佳。

又 有平起，有仄起，有引句即用韻起。仄起者，其聲峭急；平起者，其聲和緩；仄起而用韻者，其響更切；平起而用韻者，其聲稍浮。下筆自得消息。如杜審言「獨有宦游人，偏驚物候新」，岑參「詔出未央宮，登壇拜總戎」，李白「犬吠水聲中，桃花帶雨濃」，王維「柳暗百花明，春深五鳳城」，杜甫「落日在簾鉤，溪邊春事幽」，顧況「何地避春愁，終年憶舊遊」，此皆仄起用韻者也。如董思恭「琵琶馬上彈，行路曲中難」，劉希夷「佳人眠洞房，回首見垂楊」，高適「諸生曰萬盈，四十乃知名」（萬盈，高適甥也），杜甫「宮衣亦有名，端午被恩榮」，嚴維「蘇耽佐郡時，近出白雲司」，韓翃「春城乞食還，高論此中閒」，喻鳧「空爲《梁父吟》，誰竟是知音」，此皆平起用韻者也。至郎士元之「暮蟬不可聽，落葉豈堪聞」，高仲武謂「工於發端」。試問「不可聽」、「豈堪聞」有兩意乎？此起句之最率者。

又 詩有就題便爲起句者，如李白「牛渚西江夜」，周朴「湖州安吉縣，門與白雲齊」，張祜「一到東林寺，春深景致芳」是也。又有離題爲起句者，如齊己《漁父》詩「湘潭春水滿，湘岸草青青」，曹松《聞猿》詩「曾宿三巴路，今來不願聽」，于鵠《牡丹》詩「萬計教人買，華軒保惜深」，崔道融《春閨》詩「寒食月明雨，落花香滿泥」是也。有第一句點題者，如《杜杖》詩云「一條寒澗木」，《賈島舊居》云「先生居處所」，《看山》云「木末露孤頂」，《貧居》云「貧居少變故」，《懷隱者》云「寂寥思隱者」是也。第二句點題者，如《送無可》詩云「圭峰霽色新，送此草堂人」，《得唐應圖信》詩云「故人離別久，孤雁度良宵」，《訪道者不遇》云「寂寂白雲裏，尋眞不見眞」，《送友生》云「相逢未作期，相送復何之」是也。又有第三句見題者，如《寄方干》云「賀監舊山川，空來近百年。聞君琴與鶴」，《贈願上人》云「滄海日未出，九衢人已行。吾師無事坐」，《哭李建州》云「令終歸故里，末歲道如初。舊識誰爲誌」是也。有第四句見題者，如《送僧歸華山》云「此生披衲過，在處得身閑。日午遊都市，天寒歸華山」，《送李秀才南歸》詩云「頻年住帝畿，猶著舊麻衣。南國二親老，西風萬里歸」是也。

又 近體以「起承轉合」爲首尾腰腹，此脈絡相承之次第也。首動則尾隨，首擊則尾應。腹承首後，腰居尾前，不過因首尾以爲轉動而已。是故一詩之氣力在首尾，而尾之氣力視首更倍，如龍行空，如舟破浪，常以尾爲力焉。唐人佳句，二聯爲多，起次之，結句又次之，可見結之難工也。其法有於結句見詩意者，有點明題字者，有放開一步，或宕出遠神，或就本位收住者，有寓意者，有補綴者。張說「不作邊城將，誰知恩遇深」，就題上「夜飮」作收也。王維「君問窮通理，漁歌入浦深」，從上句「解帶」、「彈琴」宕出遠神也。杜甫「何當擊凡鳥，毛血灑平蕪」，就畫鷹說到眞鷹，放開一步法也。凡結句皆就上文體勢成之，舉一可以反三。結句須含蓄爲佳，如登山詩「更登奇盡處，天際一仙家」，此句意俱未盡也；別友詩「前程吟此景，爲子上高樓」，此乃句盡意未盡也。春閨詩「欲寄回文字，相思織不成」，此則意句俱盡矣。王元美謂：「章法之妙，有不見句法者；句法之妙，有不見字法者。」此最上法門，即工巧之至而入自然者也。學者工夫未到，豈能頓詣此境？故作詩必先謀章法，句法、字法，久之從容於法度之中，使人不易得其法。若不講此，非邪魔即外道矣。一首有一首章法，一題數首又合數首爲章法，有起結，有次序，有照應，闕一不得，增一不得，乃見體裁。陳思《贈白馬王》、謝家兄弟酬答，杜少陵《遊何將軍山林》之類是也。今人一題數首至二三十首，意思詞采，彼此互見，雖構多篇，索其指歸，一首可了。買菜求益，不如割愛爲愈。

喬億《劍谿說詩》卷下 論詩當論題。魏、晉以前，先有詩，後有題，爲情造文也；宋、齊以後，先有題，後有詩，爲文造情也。詩之眞僞，並見於此。

又 謝康樂製題，輒多佳境。

又 唐人製題簡淨，老杜一字、二字拈出，更古。《天末懷李白》，當屬「天末」名篇，旁注「懷李白」，猶夫「不見李生久」以「不見」名篇，旁注「近無李白消息」也。而諸刻本五字悉居中，直傳寫之訛，校閲未加察詳耳。

又 唐人間作長題，細玩其詩，如題安放，極見章法。長題亦權輿於謝，藝苑宗之。題詳盡，則詩味淺薄無餘藴（邱庸謹爲此説，不得以杜不盡爾非之）。詩題至於玉局，别搆佳境，唐人家法，爲稍變矣。元人詩題太細碎，殊欠渾雅。唱和須擇人，作詩須擇題。

袁枚《隨園詩話》卷五 詩有有篇無句者，通首清老，一氣渾成，恰無佳句令人傳誦。有有句無篇者，一首之中，非無可傳之句，而通體不稱，難入作家之選。二者一欠天分，一欠工夫。必也有篇有句，方稱名手。

又卷一二 沈存中云：「詩徒平正，若不出色，譬如三館楷書，不可謂不端整；求其佳處，到死無一筆。」此言是也。然求佳句，詩便難作。戴殿撰有祺句云：「但得閒身何必隱，不躭佳句易成詩。」

錢思敏等《增訂詩法》卷一《題面説》 古人題中字不輕用，必斟酌穩妥，其間頗多寓意。作詩必顧題，不可失旨，亦有詩成然後裝題者，總之命題不苟而已。

又《章法説》 作詩先知章法。一章章法，起承轉合是矣。數章章法，有由淺入深者，由反及正者，有每章各詠一事，合數章成篇不能增減者。既知章法，則一題一首，自然前矛後勁，奇正相生。一題數首，自然馬跡蛛絲，鉤聯不斷，而無畫蛇添足之失矣。

又《句法説》 五言句法，則上四下一，或上三下二，上二下三。七言句法，則上六下一，或上四下三，上五下二。俱有自然之節。然前用何樣句法，則後須變换。其間有起句、對句、結句，俱須渾成，不得扭揑生凑折開。逐句俱有思理，合攏數句自相融貫，方爲名手。

又《起承轉合説》 不論近體、古風，皆要知「起承轉合」之法。起勢用力者，須如開門見山，突兀動觀。用趣者，須如閒雲出壑，輕逸自在。承處須不即不離，筍凑脈流。轉處，須變化健捷，曲折不窮。合處，須回龍顧祖，不致散漫無情。又須凝結成穴，風廻氣聚，有淵永含蓄不盡之致。短篇忌窒塞，須字字相生。長篇忌錯亂重複，須佈置間架。一題幾章者，須有首尾。各自成章者，須有淺深。總之，一篇一章，一句一字，俱有起承轉合，精此而法無遺蘊矣。

趙翼《甌北詩話》卷一 詩家好作奇句警語，必千錘百鍊而後能成。如李長吉「石破天驚逗秋雨」，雖險而無意義，祇覺無理取鬧。至少陵之「白摧朽骨龍虎死，黑入太陰雷雨垂」，昌黎之「巨刃磨天揚」、「乾坤擺礌硠」等句，實足驚心動魄；然全力搏兔之狀，人皆見之。青蓮則不然。如「撫頂弄盤古，推車轉天輪。女媧戲黄土，團作愚下人。散在六合間，濛濛如沙塵」（《上雲樂》），「舉手弄清淺，誤攀織女機」（《游泰山》），「一風三日吹倒山，白浪高於瓦官閣」（《横江詞》），皆奇警極矣，而以揮灑出之，全不見其錘鍊之迹。其他刻露處，如「長風入短袂，兩手如懷冰」（《新平少年》），「客土植危根，逢春猶不死」（《樹中草》），「蟪蛄啼青松，安見此樹老」（《擬古》），「羅幃舒卷，似有人開；明月直入，無心可猜」（《獨漉篇》），「莫捲龍鬚席，從他生網絲；且留琥珀枕，或有夢來時」（《白頭吟》），皆人所百思不到，而入青蓮手，一若未經搆思者。後人從此等處悟入，可得其眞矣。

又卷二 一題必盡題中之義，沉著至十分者，如《房兵曹胡馬》，既言「竹批雙耳」、「風入四蹄」矣，下又云：「所向無空闊，眞堪托死生。」《聽許十一彈琴》詩，既云「應手捶鉤」、「清心聽鏑」矣，下又云：「精微穿溟涬，飛動摧霹靂。」以至稱李白詩「筆落驚風雨，詩成泣鬼神」，稱高、岑二公詩「意愜關飛動，篇終接混茫」，稱姪勤詩「詞源倒流三峽水，筆陣獨掃千人軍」。《登慈恩寺塔》云：「俯視但一氣，焉能辨皇州？」《赴奉先縣》云：「朱門酒肉臭，路有凍死骨。」《北征》云：「夜深經戰場，寒月照白骨。」《述懷》云：「摧頹蒼松根，地冷骨未朽。」此皆題中應有之義，他人説不到，而少陵獨到者也。

又 有題中未必有此義，而冥心刻骨，奇險至十二三分者，如《望嶽》之「盪胸生層雲，决眥入歸鳥」，《登慈恩寺塔》之「七星在北户，河漢聲西流」，《三水觀漲》之「聲吹鬼神下，勢閲人代速」，《送韋評事》之「鳥驚出死樹，龍怒拔老湫」，《劉少府畫山水幛》之「反思前夜風雨急，乃是蒲城鬼神入。元氣淋漓幛猶濕，眞宰上訴天應泣」，《韋偃畫松》之「白摧朽骨龍虎死，黑入太陰雷雨垂」，《鐵堂峽》之「徑摩蒼穹蟠，石與厚地裂」，《木皮嶺》之「仰干塞大明，俯入裂厚坤」，《桃竹杖》之「路幽必爲鬼神奪，拔劍或與蛟龍爭」，《登白帝城樓》之「扶桑西枝封斷石，弱水東影隨長流」（扶桑在東，而曰「西枝」，弱水在西，而曰「東影」，正極言其地之高，所眺之遠），皆題中本無此義，而竭意摹寫，寧過無不及，遂成此意外奇險之句，所謂十二三分者也。至於尋常寫景，不必有意驚人，而體貼入微，亦復人不能到。如東坡所賞「四更山吐月，殘夜水明樓」、「暗飛螢自照，水宿鳥相呼」等句，若不甚經意，而已十分圓足，益可見其才力之獨至也。

又卷三 盤空硬語，須有精思結撰。若徒擣摭奇字，詰曲其詞，務爲不可讀以駭人耳目，此非眞警策也。昌黎詩如《題炭谷湫》云：「巨靈高其捧，保此一掬慳。」謂湫不在平地，而在山上也。「吁無吹毛刃，血此牛蹄殷。」謂時俗祭賽此湫龍神，而已未具牲牢也。《送無本師》云：「鯤鵬相摩窣，兩擧快一噉。」形容其詩力之豪健也。《月蝕詩》：「帝箸下腹嘗其皤。」謂烹此食月之蝦蟇，以享天帝也。思語俱奇，眞未經人道。至如《苦寒行》云：「啾啾窻間雀，【略】所願晷刻淹。不如彈射死，卻得親炰燖。」謂雀受凍難堪，翻願就炰炙之熱也。《竹簟》云：「倒身甘寢百疾愈，卻願天日恒炎曦。」謂因竹簟可愛，轉願天不退暑，而長臥此也。此已不免過火；然思力所至，寧過毋不及，所謂矢在弦上，不得不發也。至如《南山詩》之「突起莫間簉」、「詆訐陷乾竇」、「仰喜呀不仆」、「堛塞生怐愗」、「達枿壯復奏」；《和鄭相樊員外》詩之「禀生肖勦剛」、「烹斡力健倔」、「龜判錯袞黻」、「呀豁疚掊掘」；《征蜀》詩之「剟膚浹痍瘡，敗面碎剠刮」、「巖鈎踔狙猿，水漉雜鱣蜻」；「投奅鬧碚礔，塡隍傶傄偺」、「爇堞熇歊熺，抉門呀拗閾」、「跧梁排郁縮，闖竇揳窟窡」；《陸渾山火》之「盂池波風肉陵屯」、「電光䃂磹頳目暖」：此等詞句，徒聱牙轖舌，而實無意義，未免英雄欺人耳。其實《石鼓歌》等傑作，何嘗有一語奧澁，而磊落豪橫，自然挫籠萬有。又如《喜雪獻裴尚書》、《咏月和崔舍人》以及《叉魚》、《咏雪》等詩，更復措思極細，遣詞極工，雖工於試帖者，亦遜其穩麗。此則大才無所不辦，並以見詩之工，固在此不在彼也。

又 自沈、宋創爲律詩後，詩格已無不備。至昌黎又斬新開闢，務爲前人所未有。如《南山詩》內鋪列春夏秋冬四時之景；《月蝕詩》內鋪列東西南北四方之神；《譴瘧鬼》詩內歷數醫師炙師詛師符師是也。又如《南山詩》連用數十「或」字；《雙鳥詩》連用「不停兩鳥鳴」四句；《雜詩》四首內一首連用五「鳴」字；《贈別元十八》詩連用四「何」字：皆有意出奇，另增一格。《答張徹》五律一首，自起至結，句句對偶，又全用拗體，轉覺生峭。此則創體之最佳者。

又 昌黎不但創格，又創句法，《路旁堠》云：「千以高山遮，萬以遠水隔。」此創句之佳者。凡七言多上四字相連，而下三字足之。乃《送區宏》云：「子去矣時若發機。」《陸渾山火》云：「溺厥邑囚之崑崙。」則上三字相連，而下以四字足之。自亦奇闢，然終不可讀。故集中只此數句，以後亦莫有人彷之也。

又卷五 坡詩不以鍊句爲工；然亦有研鍊之極，而人不覺其鍊者。如：「年來萬事足，所欠惟一死。」「饑來據空案，一字不堪煮。」「周公與管蔡，恨不茅三間。」「人間無正味，美好出艱難。」「劍米有危炊，氈針無穩坐。」「舌音漸獠變，面汗嘗騂羞。」「雲碓水自春，松門風爲關。」「潛鱗有飢蛟，掉尾取渴虎。」此等句在他人雖千鎚萬杵，尚不能如此爽勁，而坡以揮灑出之，全不見用力之迹，所謂天才也。

又卷一二 古人句法，有不宜襲用者。白香山「東澗水流西澗水，南山雲過北山雲」，蓋脫胎於「東家流水入西鄰」之句，然已遜其醞藉。梅聖俞又彷之爲「南嶺禽過北嶺叫，高田水入低田流」，則磨牛之踏陳迹矣；乃歐陽公誦之不去口。黃山谷又彷之爲「野水自流田水滿，晴鳩卻喚雨鳩來」，周少隱《竹坡詩話》亦謂其「語意高妙」，而不知愈落窠臼也。邵長衡《西湖詩》「南高雲過北高宿，裏湖水出外湖流」，亦同此病。

又《甌北集》卷三六《論詩》 着色原資妙選材，也須結搆匠心裁。可憐絕艷芙蓉粉，塗在無鹽臉上來。

翁方綱《石洲詩話》卷一 漁洋云：「韓、蘇七言詩，學《急就篇》句法。如『鴉鴟鷹鵰雉鵠鵾』、『騅駓駰駱驪騮騵』等句。近又得五言數語，韓詩『蚌螺魚鼈蟲』，盧仝『鰻鱣鮎鯉鰌』云云。然此種句法，間作七言可耳；五言卽非所宜，解人當自知之。」蓋漁洋先生所謂五古者，專指《唐賢三昧》一種淡遠之體而言；此體幽閑貞靜，何可雜以急管繁絃？他日先生又謂「東坡效韋蘇州之作，是《生查子》詞」者，卽此旨也。至於五言詩，則初不限以一例。先生又嘗云：「感興宜阮、陳，山水閒適宜王、韋，鋪張叙述宜老杜。」若是則格由意生，自當句由格生也。如太白云：「天上白玉京，十二樓五城。」若以「十二樓五城」之句入韋蘇州詩中，豈不可怪哉？不必至昌黎、玉川方爲盡變也。

又卷二 陸魯望謂張祜：「元和中作宮體小詩，辭曲豔發。及老大，稍窺建安風格，誦樂府錄，知作者本意，短章大篇，往往間出諫諷怨譎，時與六義相左右，善題目佳境言不可刊置他處，此爲才子之最。」此段論詩極有見。而其所自作，未能擇雅。何也？所謂不可刊置別處，非如今日八股體，曲曲鈎貫之謂也。乃言每一篇，各有安身立命處耳。如太白《遠別離》、《蜀道難》等篇，極其迷離，然各篇自有各篇之歸宿收拾。即如樂府各題，各自一種神氣。以此易彼，則毫釐千里矣。

李調元《雨村詩話》卷上　樂府製題，提筆爲要，篇中安章頓句，各有其故，或在題前，或在題後，或題不足而詩補之，或詩不足而題補之。如《上邪》一首，作者胸中有無限深意，非若今人之草草下筆也。

又　樂府長短雖殊而法則一，短者一句中包含多義，長者卽將短章析爲各解，此卽律詩之前後分解也。分解不出「起承轉合」四字。若知分解，則能析字爲句，析句爲章，雖千萬言，皆有紀律。如四體百骸，合而成人，能轉旋無礙者，心統之也。老子曰：「當其無有車之用。」故文章妙處，俱在虛空，或奇峰插天，或千流萬壑，或喧湍激瀨，或烟波浩渺，祇須握定線索，十方八面，自會憑空結撰，並不費力也。今人補綴裒集，遮掩耳目，何足言文乎？觀樂府「雞鳴高樹巔」一篇，可以悟矣。

又　文章亦如造化也。四序雖定而萬物之生成不然，穀生于夏而收于秋，麥生于冬而成于夏，有一定之時，無一定之物也。文之起承轉合亦然。徐文長曰：「冷水澆背，陡然一驚，便是興、觀、羣、怨之副本。」唯能于虛空中卒然而起，是謂妙起。本承也，而反特起，是謂妙承。至于轉，尤難言，且先將上文撇開，如杜詩云：「江雲飄素練，石壁斷空青。」此殆是轉之神境。所以古樂府偏于本題所無者，忽然排宕而出，妙在有意無意之間，如白雲捲空，雖屬無情，卻有天然位次。只是心放活，手筆放鬆，忽如救火捕賊，刻不容遲；忽如蛇遊鼠伏，徐行慢衍，是皆轉筆之變化也。至于合處，或有轉而合者，有合而開者，有一往情深去而不返者。人所到，我不必爭到；人不到，我卻獨到。要在人神而明之。果能久于其道，定與古人並驅也。

又　凡詩有有題者，有無題者。有題是詩之正面，無題是詩之反面。如樂府《隴西行》，何篇中無隴西之意？爲尊者諱也。立是名，補詩之不足也。「隴西」二字是題正面，全詩卻是反射旁擊。漢武有事于西南，窮兵黷武，隴西男子，無不荷戈從戎，巨室細民莫敢匿。故篇中備言婦人待客，委曲盡禮，以見家中無男子也。言豪富者何無男子，貧窮者豈容燕息乎？夫勞苦疆場，必餐風宿露，今反寫歡樂，其勞苦卻在言外，使後人于無字處默會也。寫隴西以反襯天下，寫豪富反襯貧苦，寫婦人反襯男子，寫閨門反襯邊廷，可悟作文之法。若唐以後人作《隴西行》，必備寫山川風景，有何妙意？《善哉行》乃倉卒棄家，最不堪事，而反曰「善哉」，蓋事拙而自慰之詞也。故詩貴反用，詩題亦然。

又卷下　論詩拘于首聯、頷聯、腹聯、尾聯，直是本領不濟，所謂跳不出古人圈套。如太白起句云：「犬吠水聲中，桃花帶露濃。」又云：「五月天山雪，無花祇有寒。」隨手拈來，俱如奇峰峭壁，插地倚天。才人固無所不可，若他人有此句，必用入腹聯矣。太白與崔顥，皆盛唐人，其時風氣相似。《鳳凰臺》詩，太白自詠《鳳凰臺》耳，人乃以爲太白學崔顥《黃鶴樓》而作，何其小視太白也！太白仙才，豈拾人牙慧者？而更作俚語有「一拳打倒黃鶴樓」之句，俗子以僞亂眞，可恨如此，乃知小說之誤人。

又　《何將軍山林十首》，章法細密，爲杜詩五律之冠不待言。其三章忽云：「萬里戎王子，何年別月支？異花開絕域，滋蔓匝清池。漢使徒空到，神農竟不知。露翻兼雨打，開拆日離披。」文氣似與上下文絕不相蒙。《銷夏錄》曰：「馬上無事，與鄭廣文閒說其來歷，遂成此詩，遂不連接，而法脈有天然之妙，文章唯太史公有此奇橫。」愚謂通首皆比也。公與鄭俱有才不遇，故感慨獨深。

又　詩有借葉襯花之法。如杜詩「今夜鄜州月，閨中只獨看」，自應說閨中之憶長安，卻接「遙憐小兒女，未解憶長安」，此借葉襯花也。總之古人善用反筆，善用傍筆，故有伏筆，有起筆，有淡筆，有濃筆，今人曾夢見否？

又　「西蜀櫻桃也自紅」，「也自紅」三字，感慨悲涼，令人低徊不已。總之胸中先有無限感慨，然後遇題而發，故有此三字吐出。杜老最工此法。

又　詩先要起句得手。杜詩云「客睡何曾着」，又云「亦知戍不返」，如此起法，何人有此？永定河觀察蘭公以余言爲然，嘗朗誦以爲樂。

又　作詩須用活字，使天地人物，一入筆下，俱活潑潑如蠕動，方妙。杜詩「客睡何曾着，秋天不肯明」，「肯」字是也。卽元方回《瀛奎律髓》之所謂「眼」也。

宋咸熙《耐冷譚》卷一　作詩須開乎擒題。唐賢大家最擅場此，猶畫家大落墨法也。五、七古長篇，尤宜熟講于此。杜子《北征》云：「皇帝二載秋，閏八月初吉。杜子將北征，蒼皇問家室。」《渼陂行》云：「岑參兄弟皆好奇，攜我遠來遊渼陂。」昌黎《石鼓歌》云：「張生手持石鼓文，勸我試作石鼓歌。」《桃源圖行》云：「神仙有無何渺茫，桃源之說誠荒唐。流水環迴三百轉，生綃數幅垂中堂。」微之《連昌宮詞》云：「連昌宮中滿宮竹，歲久無人森似束。」如此類者甚多。後人不講此法，遇一題輒爲推究其緣起，看似篇長氣盛，而筋弛詞蔓，其去古人遠矣。

潘德輿《養一齋詩話》卷四 詩不盡於句法，初學好於此求詩，因即拈此示之。偶與兒輩談及元僧圓至詩云：「『春路晴猶滑，山亭晚更涼。』欲求句法，先準諸此，便無直率雜湊病。」兒輩常憶此語。予笑曰：「此淸矣，未厚也。如岑嘉州『舟移城入樹』，錢仲文『煙火隔雲深』，一句凡幾轉折，此乃句法之正傳耳。然此厚矣，未化也。子建『明月照高樓』，陶公『依依墟里烟』，斯入於化，以此求《三百篇》風旨不遠矣。雖然，化境非初學所知，正傳猶非初學所能，仍於淸者效之，庶幾不致躐等，不誤歧途，而可以馴致也。」

陳僅《竹林答問》 問：滄浪「結句好難得，發句好尤難得」，然與？ 鄙意結句爲難。入手時一鼓作氣，可以自主，至結句鼓衰力竭，又須從上生意，一有不屬，全篇盡棄，故好者尤尠。梁、陳之詩無結句，唐末詩亦然。此雖關於運會，亦當時但爭工字句，故不免作強弩之末也。

又 問：姜白石《詩說》云：「篇終出人意表，或反終篇之意，皆妙。」此是作結句之法邪？ 白石當是論古詩。然古、律總是一法，要亦不拘於此，須看其全篇結搆何如耳。

又 問：白石云：「一篇全在末句，有辭意俱盡，辭盡意不盡，辭意俱不盡之分。」其說何如？ 此最有妙理。宋人詩話，惟《白石道人詩說》可取，次則《滄浪詩話》，大醇小疵，餘當節取而已。

又 問：詩有以起承轉合言者，是否？ 此不易之法，古人亦屢言之。但變化在手，不可板分也。

又 問：今所傳《唐詩合解》，以上下解分注，果有當否？ 此大悞人！天下豈有橫風吹斷之律詩乎？

王壽昌《小清華園詩談》卷下 七律發端倍難於五言，如杜員外「今年遊寓獨遊秦，愁思看春不當春」之奧折，錢員外「二月黃鸝飛上林，春城紫禁曉陰陰」，暨盧允言「東風吹雨過青山，卻望千門草色閒」之幽秀，劉得仁「御林聞有早鶯聲，玉檻春香九陌晴」之朗潤，竇叔向「夜合花開香滿庭，夜深微雨酒初醒」之閒逸，司空文明「迢遞山河擁帝京，參差宮殿接雲平」之沉鬱，杜牧之之「江涵秋影雁初飛，與客攜壺上翠微」之淸超，溫飛卿之「澹然空水共斜暉，曲島蒼茫接翠微」之蒼秀，元微之之「鳳有高梧鶴有松，偶來江外寄行蹤」之鬆爽，尚可備脫胎換骨之用。然但宜師其勢，不當倣其意。如太白《鳳凰臺》詩，已不免世俗訾議，不若崔司勳《黃鶴樓》之於《龍池篇》，如鳴蟬之脫殼而出也。

又 結句貴有味外之味，絃外之音。言情則如沈休文之「夢中不識路，何以慰相思」，陳後主之「當由分別久，夢來還自疑」，包融之「春夢隨我心，悠揚逐君去」，王右丞之「解纜君已遙，望君猶竚立」，錢員外之「惟憐一燈影，萬里眼中明」，李昌符之「乍歸猶似客，鄰叟亦相過」，奚賈之「君是何年隱，如今成白頭」，岑嘉州之「山迴路轉不見君，雪上空留馬行處」，丁仙芝之「酒後留君待明月，還將明月送君回」，太白之「願隨夫子天壇上，閒與仙人掃落花」，又「請君試問東流水，別意與之誰短長」，「借問欲棲珠樹鶴，何年卻向帝城飛」，高常侍之「聖代即今多雨露，暫時分手莫躊躕」，張祕書之「願君到處自題名，他日知君從此去」，韓翃之「別後依依寒夢裏，共君攜手在東田」。紀事則有顏特進（延之）之「屢薦不入官，一麾乃出守」，謝法曹（惠連）之「腰帶準疇昔，不知今是非」，木蘭之「雄兔脚撲朔，雌兔眼迷離。雙兔傍地走，安能別我是雄雌」，太白之「吾亦澹蕩人，拂衣可同調」，少陵之「萬方頻送喜，無乃聖躬勞」，「西蜀地形天下險，安危須仗出羣材」，戎昱之「自有盧龍塞，烟塵飛至今」，右丞之「玉靶角弓珠勒馬，漢家將賜霍嫖姚」，元微之之「我是玉皇香案吏，謫居猶得住蓬萊」。寫景則有左太沖之「相與觀所尙，逍遙撰良辰」，謝康樂之「惜無同懷客，共登青雲梯」，鮑明遠之「不見長河水，淸濁俱不息」，蕭慤之「不愁花不飛，到畏花飛盡」，儲太祝之「想見中林士，巖扉常不關」，太白之「只愁歌舞散，化作彩雲飛」，少陵之「天寒翠袖薄，日暮倚修竹」，劉隨州之「溪花與禪意，相對亦忘言」，錢員外之「曲終人不見，江上數峰青」，張若虛之「不知乘月幾人歸，落月搖情滿江樹」，白香山之「到岸請君回首望，蓬萊宮在海中央」，馬戴之「別有一條投澗水，竹筒斜引入茶鐺」，伍喬之「山磬數聲敲暝天」。寓諷則有王仲宣之「克符周公業，奕世不可追」，傳長虞(咸)之「但願隆弘美，王度日清夷」，謝宣城之「故人心尙爾，故心人不見」，沈休文之「願以潺湲沫，霑君纓上塵」，杜少陵之「故老思飛將，何時議築壇」，「願聞哀痛詔，端拱問瘡痍」，劉隨州之「行當蒙顧問，吳楚歲頻飢」，李東川之「早晚薦雄文似者，故人今已賦《長楊》」，盧允言之「幾日政聲流戶外，九江行旅得相歡」。書懷則有魏文帝之「棄置勿復陳，客子常畏人」，阮步兵之「願覩卒歡好，不見悲別離」，劉太尉之「何意百鍊鋼，化爲繞指柔」，孟山人之「永懷愁不寐，松月夜窗虛」，韋蘇州之「何因不歸去，淮上有秋山」，杜員外之「寄語洛城風日道，明年春色倍還人」，太白之「仰天大笑出門去，我輩豈是蓬蒿人」，少陵之「同學少年多不賤，五陵衣馬自輕肥」，又「魚龍寂寞秋江冷，故國平居有所思」。言樂則有蘇許公之「宸遊對此歡無極，鳥弄歌聲雜管絃」。言哀則有少陵之「夜闌更秉燭，相對如夢寐」。是皆一唱而三歎，慷慨有餘音者。

何曰愈《退庵詩話》卷一 《古夫於亭問答》：問：「中二聯必須分情景否？」王阮亭謂「不論者非，拘泥者亦非」，九字深中窾要。蓋律詩頸、腹聯分情景者，正格也。景起景承，情起情承，然又泥不得。如少陵《初月》、《野望》等篇，則終篇全寫景。《擣衣》、《病馬》、《得舍弟消息》諸作，則終篇全寫情。而《登兗州城樓》及《對雪》二作，則中二聯全寫景。《促織》、《空囊》二作，則中二聯又全寫情。如此類者，亦難枚舉。精于律者莫如少陵，則不必拘死法亦可知矣。又有景中情，情中景，學者尤須辨之。

又 范德機謂律詩以第一聯爲起，第二聯爲承，第三聯爲轉，第四聯爲合。斯言是矣。又謂起、承、轉、合施之絕句則可，施之律詩則未盡然。王阮亭謂其自相矛盾，洵然。絕詩以起語爲起，次語爲承，三語爲轉，四語爲合。律詩多四句，故雙起、雙承、雙轉、雙合。自是定格，間有不然者，乃變體，非正格也。

又 劉仔臣問「頭重腳輕」之病于王阮亭，以「首尾腰腹勻稱」爲答。此特一端耳，「頭重腳輕」之論似不專爲句數多寡而發。若起手如濃雲鬱興，震雷俱發，及收結處意懈筆弱，味如嚼蠟，亦是「頭重腳輕」。

林昌彝《射鷹樓詩話》卷一三 詩有篇法極佳，當刪累句者。刪之則爲完篇，不刪則成蛇足。建寧張亨甫《江山船曲》末十二句必刪之方成完璧，今錄其全詩云：「煙波日悠悠，悠悠見衢州。儂家江山船，灣在西門頭。船頭紫檀香，船尾白沙棠。紅艙捲翠幙，白晝多輝光。衣裳照江水，誰家好郎子？莫欲去蘇杭，儂船好無比。郎來且安息，爲郎悅顏色。儂家同年妹(同年者，桐嚴之謔耳)，世上難再得。江上好花開，鴛鴦成雙來。阿姊彈錦瑟，阿嫂勸金罍。錦瑟一聲聲，江風都有情。鴛鴦不肯去，飛上船頭行。」至此作結，較見有餘不盡之意，篇法亦自渾成。乃末復接以「五日蘭谿口，十日桐廬首。七里灘中魚，更貴紹興酒。布帆緩緩去，姊姊如泥絮。半月到杭州，纏綿留不住。江邊風飄飄，江上花搖搖。妹爲八月節，郎作錢塘潮」。此十二句豈非蛇足乎！

又卷二〇 古詩有數十韻俱用五言，末以七言四語作結。此體唐人李東川常爲之，而高達夫、岑嘉州亦偶有之。李東川《送郝判官》云：「楚城木葉落，夏口青山轉。鴻雁向南時，君乘使者傳。楓林帶水驛，夜火明山縣。千里送行人，蔡州如眼見。江連清漢東逶迤，遙望荊陽相蔽虧。應問襄陽舊風俗，爲予騎馬習家池。」余選詩話，適登此格，友人有力辨古來詩斷無此格者，故錄以示之。

佚名《不敢居詩話》 律句最爭起勢，工部爲長。如《行次昭陵》云：「舊俗疲庸主，群雄問獨夫。讖歸龍鳳質，威定虎狼都。」《重經昭陵》：「草昧英雄起，謳歌歷數歸。風塵三尺劍，社稷一戎衣。」均是高唱而入。惟王右丞埒之。《終南山》云：「太乙近天都，連山到海隅。白雲迴望合，青靄入看無。」《觀獵》云：「風勁角弓鳴，將軍獵渭城。草枯鷹眼疾，雪盡馬蹄輕。」固可相提並論。

張燮承《小滄浪詩話》卷四 余於隨園之論詩得二句。一曰：「我不覓詩詩覓我。」一曰：「有章法無句法，非詩也；有句法無章法，亦非詩也。」詩之章法，卻與文之按部就班不同。

劉熙載《藝概·詩概》 伏應、提頓、轉接、藏見、倒順、綰插、淺深、離合諸法，篇中、段中、聯中、句中均有取焉。然非渾然無迹，未善也。

又 少陵寄高達夫詩云：「佳句法如何？」可見句之宜有法矣。然欲定句法，其消息未有不從章法篇法來者。

又 「河水清且漣」、「閒關車之牽」，皆是五言，且皆是上二字下三字句法，而意有順倒之不同。詩無論五、七言及句法倒順，總須將上半句與下半句比權量力，使足相當。不然，頭空足弱，無一可者。

王德馨《雪蕉齋詩話》卷五 作好詩必須有好詩題。吾輩埋頭案上，苦無奇聞異見，所爲詩，除往來贈答吟風弄月外，更無一新樣題目，最易令閲者生厭，必須于讀書論史之下，留心拈取，遇有可驚可喜之事，即放筆爲之。有好詩題，自然有好詩。余閲《笠翁一家言》，有《白頭花燭詞》，此題最爲新奇。原序云：「余閲《湖州府志》，有歸安女倪氏，許聘陳敏八，敏八從軍不返，誤以死聞。倪矢志不嫁，越五十年而敏八歸，始成婚姻之禮，時年六十一矣。以六十霜雪盈頭，號爲白頭花燭。惜府志無詩，因爲補咏。」詩云：「女子貴守貞，不嫁乃常事。能嫁更爲奇，務免風人刺。倪氏歸安女，許聘十三四。厥夫遠從軍，久乏平安字。人言沙場沒，耗音日三至。皆爲議再醮，侯門爭結駟。女願作鬼妻，之死矢靡二。茹荼五十載，爲餐絶鹽豉。一旦息烽烟，遠人忽焉至。父母暨媒妁，云亡且乏嗣。誰爲主婚媾。男女皆由自。男鬢不勝花，女髮無可髢。祇爲霜雪上，難以飾珠翠。不如尚本色，翻足稱人瑞。人瑞世間有，孤行不成對。更喜出童心，行樂皆猶未。爲歡洵若何，如夢亦如醉。以此續風詩，《周南》所不諱。」向非留心拈取，安得有此好題，又何從得此好詩。

朱庭珍《筱園詩話》卷一 詩人搆思之功，用心最苦，始則於熟中求生，繼則於生中求熟，遊於寥廓逍遙之區，歸於虚明自在之域，工部所謂「意匠慘淡經營中」也。每一題到手，先須審題所宜，宜古宜今，我作何體，布置略定，然後立意。立意宜審某意爲題所應有，某意爲題所應無，某意爲人人所共見，某意爲我所獨得，某爲先路正面，某爲左右對面，孰重孰輕，孰賓孰主，一一審擇於微，分毫不爽，於題之眞際妙諦，一眼注定，不啻立竿見影。然後沈思獨往，選意鍊詞，凡人人所共有之意，及題中一切應付供給之語，不思而得者，與夫尋常蹊徑所有之意境典故，搖筆即來湊手者，皆一掃而空之，專於題之眞際，人所未有，我所獨見處著想，追入要害。迨思路幾至斷絶之際，或觸於人，或動於天，忽然靈思泉湧，妙緒絲抽，出而莫禦，汩汩奔來，於是烹鍊之，翦裁之，振筆而疾書之，自然迥不猶人矣。所謂成竹在胸，借書於手；又所謂兔起鶻落，迅追所見，稍縱即逝也。今人憚於費心，非枝枝節節而爲之，即以應酬了事。心思尚不能鋭入，何能鋭出？未曾用心至思路欲斷之候，何能望有思路湧出之時，安可希得心應手之技乎？

又卷三 七律貴有奇句，然須奇而不詭於正，若奇而無理，殊傷雅音，所謂「奇過則凡」也。如趙秋谷之「客舍三千兩雞狗，島人五百一頭顱」，不惟顯露槎枒，絶無餘味，亦嫌求奇太過，無理取鬧矣。此外如詩話所傳「金欲兩千酬漂母，鞭須六百報平王」，「羲畫破天煩妹補，羿弓饒月待妻奔」，皆故爲過火語，實無取義，不可爲訓。石破天驚之句，出人意外者，其意仍須在人意中也。

又卷四 凡五、七律詩，最爭起處。凡起處最宜經營，貴用斗峭之筆，灑然而來，突然湧出，若天外奇峰，壁立千仞，則入手勢便緊健，氣自雄壯，格自高，意自奇，不但取調之響也。起筆得勢，入手即不同人，以下迎刃而解矣。如陳思王之「驚風飄白日，忽然歸西山」，謝康樂之「昏旦變氣候，山水含清暉」，謝宣城之「大江流日夜，客心悲未央」。有唐杜審言之「獨有宦遊人，偏驚物候新」，王右丞之「太乙近天都，連山到海隅」、「萬壑樹參天，千山響杜鵑」，孟山人之「八月湖水平，涵虚混太清」、「山暝聽猿愁，滄江急夜流」，杜工部之「細草微風岸，危檣獨夜舟」、「帶甲滿天地，胡爲君遠行」，「四更山吐月，殘夜水明樓」、「莽莽萬重山，孤城山谷間」，岑嘉州之「送客飛鳥外，城頭樓最高」，皇甫冉之「暝色赴春愁，歸人南渡頭」，溫飛卿之「古戍落黄葉，浩然離故關」，韋端己之「清瑟泛遙夜，繞絃風雨哀」，李玉溪之「高閣客竟去，小園花亂飛」，馬戴之「孤雲與歸鳥，千里片時閒」，宋人王半山之「春風取花去，酬我以清陰」、「客思似楊柳，春風千萬條」，陳後山之「水淨偏明眼，城荒可當山」、「晨起公私迫，昏歸鳥雀催」、「留滯常思動，艱虞卻悔來」，陳簡齋之「白菊生新紫，黄蕪失舊青」、「暖日薰楊柳，濃春醉海棠」，葛無懷之「月趁潮頭上，山隨舵尾行」。以上諸聯，或雄厚，或緊遒，或生峭，或恣逸，或高老，或沈著，或飄脱，或秀拔，佳處不一，皆高格響調，起句之極有力、最得勢者，可爲後學法式。作詩宜效此種起筆，自不患平矣。作律詩雖爭起筆，尤貴以氣格勝。須要成竹在胸，操縱隨手，自起至結，首尾元氣貫注，相生相顧，鎔成一片。精力彌滿，渾淪無迹，自然高厚沈雄，官止神行，所謂中聲也。此詣惟工部、右丞擅長，他人鮮及，乃近體最上大乘法門。然代不數人，人不數篇，非火候純足，意興兼到，時一得之，難以強求。次者，起筆既得勢，首聯斗拔警策，則三、四宜展寬一步，稍放和平，以紓其氣而養其度，所謂急脈緩受也。不然，恐太促太緊矣。三、四和平，則五、六宜振拓，切忌平拖，順流放過去。一平順，後半即率弱不稱，須用提筆振起，方爲得手。要著力凝鍊，必使成傑句警語，鎮得住，撐得起，拓得開，勒得轉，以爲上下關鍵，乃一篇樹骨之要害處也。五、六既好，結句則相機取神，切無忽略草率，就勢行之。或推開一步，或追入一層，或反掉以顧首，或紆徐以取姿，或從旁點而正意不露，或翻餘波而遠韻悠然，總要全副精神赴之，如是則章法完密，無懈可擊矣。若起勢非糾健，係屬平起，則三、四不得不著力凝鍊，以求警策。而以五、六爲筋節血脈，放緩一步，舒上下之氣，通前後之息。結句又用提筆振作，以爲歸宿可也。古人律詩法度，大致多此二式，略拈出以爲初學下手用筆之助。然詩家貴參活法，忌泥死法，千變萬化，不可執一律拘。是又在人能神而明之，有定實無定也。

周茹香《烟嶼樓詩集總評》 舍人詩好用經語，醞釀裁翦，往往令人不覺。又曰：其五、七古渾灝流轉，蒼莽無際，固爲有目共賞。余尤愛其一氣呵成，中仍各自有段落，少或二三韻，多或六七韻，極分明，又極停匀也。詩本《三百篇》，《三百篇》中無一篇不分章節者，樂府分解，猶其遺意。作詩無段落，是《三百篇》可無章節矣。後世詩人或未必守此矩矱，故吾鄉仇滄柱先生注杜詩嘗極言之。讀舍人詩，覺前輩典型，尚自去人不遠。

范啓璋《蠡園詩話》 近人做律詩或絶句，起筆每每忽略，不知古人名作多重首句，如李白《淸平調》首句云：「一枝紅豔露凝香，雲雨巫山枉斷腸。」杜牧之《遊齊山詩》云：「江涵秋影雁初飛。」即近人《詠秋柳詩》云：「棲鴉流水點秋光。」

袁祖光《綠天香雪簃詩話》卷二 作詩以製題爲要，題不好，雖有佳詩終不入大家之選。方六嶽爲余删詩，悉塗去秋菱、秋蓮、秋芡諸作，謂詩非不可，取試看古大家集中，幾人有此題目否？余深服其言。今見某偷父有《含英集》詩三百首，皆問梅、探菊、培蘭、養竹諸題，屬余代定，余曰：「我不能定大稿，唯六嶽能之。」問：「何以故？」余取六嶽所代删諸詩示之，其人索言袖稿而去。

又卷三 宓子賤未至單父，迎者相接於道，子賤曰：車驅之，車驅之，所謂陽鱎者至矣。作詩一題到手，即有一種供給應付之語，不假沈思而至，是亦詩中之陽鱎也。嚴逐此輩，不令充役，另選精兵苦加訓練，詩方不俗。

技巧

劉勰《文心雕龍・練字》 是以綴字屬篇，必須揀擇：一避詭異，二省聯邊，三權重出，四調單複。詭異者，字體瑰怪者也；曹攄詩稱「豈不願斯遊，褊心惡啕呶。」兩字詭異，大疵美篇，况乃過此，其可觀乎！聯邊者，半字同文者也。狀貌山川，古今咸用，施於常文，則齟齬爲瑕，如不獲免，可至三接，三接之外，其字林乎！重出者，同字相犯者也。《詩》、《騷》適會，而近世忌同，若兩字俱要，則寧在相犯。故善爲文者，富於萬篇，貧於一字，一字非少，相避爲難也。單複者，字形肥瘠者也。瘠字累句，則纖疎而行劣；肥字積文，則黯黕而篇闇；善酌字者，參伍單複，磊落如珠矣。凡此四條，雖文不必有，而體例不無。若値而莫悟，則非精解。

又《物色》 是以詩人感物，聯類不窮；流連萬象之際，沈吟視聽之區；寫氣圖貌，既隨物以宛轉；屬采附聲，亦與心而徘徊。故灼灼狀桃花之鮮，依依盡楊柳之貌，杲杲爲出日之容、瀌瀌擬雨雪之狀，喈喈逐黃鳥之聲，喓喓學草蟲之韻。皎日嘒星，一言窮理；參差沃若，兩字連形。並以少總多，情貌無遺矣。雖復思經千載，將何易奪。

又《麗辭》 造化賦形，支體必雙；神理爲用，事不孤立。夫心生文辭，運裁百慮，高下相須，自然成對。唐虞之世，辭未極文，而皐陶贊云：「罪疑惟輕，功疑惟重。」益陳謨云：「滿招損，謙受益。」豈營麗辭，率然對爾。《易》之《文》《繫》，聖人之妙思也。序《乾》四德，則句句相銜；龍虎類感，則字字相儷；乾坤易簡，則宛轉相承；日月往來，則隔行懸合。雖字句或殊，而偶意一也。至於詩人偶章，大夫聯辭，奇偶適變，不勞經營。自揚、馬、張、蔡，崇盛儷辭，如宋畫吳冶，刻形鏤法，麗句與深采幷流，偶意共逸韻俱發。至魏晉群才，析句彌密，聯字合趣，剖毫析釐。然契機者入巧，浮假者無功。故麗辭之體，凡有四對：言對爲易，事對爲難，反對爲優，正對爲劣。言對者，雙比空辭者也；事對者，並舉人驗者也；反對者，理殊趣合者也；正對者，事異意同者也。長卿《上林賦》云：「修容乎禮園，翺翔乎書圃。」此言對之類也；宋玉《神女賦》云：「毛嬙鄣袂，不足程式；西施掩面，比之無色。」此事對之類也；仲宣《登樓賦》云：「鍾儀幽而楚奏，莊舄顯而越吟。」此反對之類也；孟陽《七哀》云：「漢祖想枌榆，光武思漢水。」此正對之類也。凡偶辭胸臆，言對所以爲易也；徵人之學，事對所以爲難也；幽顯同志，反對所以爲優也；並貴共心，正對所以爲劣也。又言對事對，各有反正，指類而求，萬條自昭然矣。張華詩稱「遊雁比翼翔，歸鴻知接翮」，劉琨詩言「宣尼悲獲麟，西狩泣孔丘」，若斯重出，卽對句之駢枝也。是以言對爲美，貴在精巧；事對所先，務在允當。若兩事相配，而優劣不均，是驥在左驂，駑爲右服也。若夫事或孤立，莫與相偶，是夔之一足，趻踔而行也。若氣無奇類，文乏異采，碌碌麗辭，則昏睡耳目。必使理圓事密，聯璧其章，疊用奇偶，節以雜佩，乃其貴耳。類此而思，理自見也。贊曰：體植必兩，辭動有配。左提右挈，精味兼載。炳爍聯華，鏡靜含態。玉潤雙流，如彼珩珮。

蕭繹《金樓子・立言》 古來文士，異世爭驅，而慮動難固，鮮無瑕病。陳思之文，羣才之儁也。武帝誄云：「尊靈永蟄。」明帝頌云：「聖體浮輕。」浮輕有似於蝴蝶，永蟄可擬於昆蟲，施之尊極，不其嗤乎。

上官儀《筆札華梁・八階》 一詠物階，二贈物階，三述志階，四寫心階，五返酬階，六讚毀階，七援寡階，八和詩階。第一，詠物階。詩曰：「雙眉學新綠，二臉例輕紅。言模出浪鳥，字寫入花蟲。」又曰：「灑塵成細跡，點水作圓文。白銀花裏散，明珠葉上分。」第二，贈物階。詩曰：「心貞如玉性，志潔若金爲。託贈同心葉，因附合歡枝。」又曰：「合暝刺縫罷，守啼方達曙。帶長垂兩巾，代人交手處。」第三，述志階。詩曰：「有鳥異孤鸞，無羣飛獨漾。鶴戲逐輕風，起嚮三臺上。」又曰：「丈夫懷慷慨，膽上涌波奔。只將三尺劍，決搆一朱門。」第四，寫心階。詩曰：「命禮遣舟車，佇望談言志。若值信來符，共子同琴瑟。」又曰：「插花花未歇，薰衣衣已香。望望遙心斷，悽悽愁切腸。」第五，返酬階。詩曰：「盛夏盛炎光，燋天燋氣烈。」又曰：「清階清溜瀉，涼戶涼風入。」第六，讚毀階。詩曰：「施朱桃惡采，點黛柳慚色。」又曰：「皓雪已藏暉，凝霜方疊影。」第七，援寡階。詩曰：「女蘿本細草，抽莖信不功。憑高出嶺上，假樹入雲中。」又曰：「愁臨玉臺鏡，淚垂金縷裙。」第八，和詩階。「花桃微散紅，萌蘭稍開紫。客子情已多，春望復如此。」又曰：「風光搖隴麥，日華映林蘂。春情重以傷，歸念何由弭。」

又《屬對》 第一，的名對。天地、日月、好惡、去來、輕重、浮沈、長短、進退、方圓、大小、明暗、老少、凶儜、俯仰、壯弱、往還、清濁、南北、東西，如此之類，名正名對。詩曰：「東圃青梅發，西園綠草開。砌下花徐去，階前絮緩來。」又曰：「送酒東南去，迎琴西北來。」

又 第二，隔句對。隔句對者，第一句與第三句對，第二句與第四句對。如此之類，名爲隔句對。詩曰：「昨夜越溪難，含悲赴上蘭。今朝逾嶺易，抱笑入長安。」又曰：「相思復相憶，夜夜淚沾衣。空悲亦空歎，朝朝君未歸。」

又 第三，雙擬對。雙擬對者，一句之中所論，假令第一字是「秋」，第三字亦是「秋」，二「秋」擬第二字，下句亦然。如此之類，名爲雙擬對。詩曰：「夏暑夏不衰，愁陰秋未歸。炎至炎難卻，涼消涼易追。」又曰：「議月眉欺月，論花頰勝花。」春樹春花、秋池秋日、琴命清琴、酒追佳酒、思君念君、千處萬處。如此之類，名雙擬對。

又 第四，聯綿對。聯綿對者，不相絶也。一句之中，第二字、第三字是重字，卽名爲聯綿對。但上句如此，下句亦然。詩曰：「看山山已峻，望水水仍清。聽蟬蟬響急，思鄉鄉別情。」又曰：「嫩荷荷似頰，殘河河似帶。」「初月月如眉。」朝朝、夜夜、灼灼、菁菁、赫赫、輝輝、汪汪、落落、索索、蕭蕭、穆穆、堂堂、巍巍、訶訶。如此之類，名聯綿對。

又 第五，異類對。異類對者，上句安「天」，下句安「山」；上句安「雲」，下句安「微」；上句安「鳥」，下句安「花」；上句安「風」，下句安「樹」。如此之類，名爲異類對。非是的名對，異同比類，故言異類對。但解如此對，並是大才。籠羅天地，文章卓秀，才無擁滯，不問多少，所作成篇，但如此對，益詩有功。詩曰：「天清白雲外，山峻紫微中。鳥飛隨去影，花落逐搖風。」又曰：「風織池間字，蟲穿葉上文。」

又 第六，雙聲對。詩曰：「秋露香佳菊，春風馥麗蘭。」奇琴、精酒；妍月、好花；素雪、丹燈；翻蜂、度蝶；黃槐、綠柳；意憶、心思；對德、會賢；見君、接子。如此之類，名雙聲對。

又 第七，疊韻對。詩曰：「放暢千般意，逍遙一箇心。漱流還枕石，步月復彈琴。」徘徊、窈窕、眷戀、彷徨、放暢、心襟、逍遙、意氣、優遊、陵勝、放曠、虛無、護酌、思惟、須臾。如此之類，名曰疊韻對。

又　第八，迴文對。詩曰：「情親由得意，得意遂情親。新情終會故，會故亦新情。」

又　第九，同類對。同類對者，雲霧、星月、花葉、風煙、霜雪、酒觴、東西、南北、青黄、赤白、丹素、朱紫、宵夜、朝旦、山岳、江河、臺殿、宫堂、車馬、途路。

又《論對屬》　凡爲文章，皆須對屬。誠以事不孤立，必有配匹而成。至若「上」與「下」、「尊」與「卑」、「有」與「無」、「同」與「異」、「去」與「來」、「虚」與「實」、「出」與「入」、「是」與「非」、「賢」與「愚」、「悲」與「樂」、「明」與「暗」、「濁」與「清」、「存」與「亡」、「進」與「退」，如此等狀，名爲反對者也。（事義各相反，故以名焉。）除此以外，並須以類對之：「一二三四」，數之類也；「東西南北」，方之類也；「青赤玄黄」，色之類也；「風雲霜露」，氣之類也；「鳥獸草木」，物之類也；「耳目手足」，形之類也；「道德仁義」，行之類也；「唐虞夏商」，世之類也；「王侯公卿」，位之類也。及於偶語重言，雙聲疊韻，事類甚衆，不可備叙。

又　在於文筆，變化無恆。或上下相承，據文便合。若云「圓清著象，方濁成形。」「七曜上臨，五嶽下鎮」（「方」、「圓」、「清」、「濁」、「象」、「形」、「七」、「五」、「上」、「下」，是其對）。或前後懸絶，隔句始應。若云「軒轅握圖，丹鳳巢閣；唐堯秉曆，玄龜躍淵」（「軒轅」、「唐堯」、「握圖」、「秉曆」、「丹鳳」、「玄龜」、「巢閣」、「躍淵」是也）。或反義並陳，異體而屬。若云「乾坤位定，君臣道生。或質或文，且昇且降」（「乾坤」、「君臣」、「質文」、「昇降」並反義，而同句陳之。「乾坤」與「君臣」對，「質文」與「昇降」對，是異體屬也）。或同類連用，别事方成。若云「芝英蓂莢，吐秀階庭。紫玉黄銀，揚光巖谷」（「芝英蓂莢」與「紫玉黄銀」、「階庭」與「巖谷」，同類連對，而别事相成）。此是四途，偶對之常也。比事屬辭，不可違異。故言於上，必會於下；居於後，須應於前。使句字恰同，事義殷合（若上有四言，下還須四言；上有五字，下還須五字。上句第一字用「青」，下句第一字用「白」、「黑」、「朱」、「黄」等字；上句第三字用「風」，下句第三字即用「雲」、「煙」、「氣」、「露」等。上有雙聲、疊韻，下還即須用對之）。猶夫影響之相逐，輔車之相須也。

又　若其上昇下降，若云「寒雲山際起，悲風動林外」（「山際」在上句第三，第四言，是昇；「林外」在下句第四、第五字，是降）。前複後單，若云「日月揚光，慶雲爛色」（「日月」兩事，是複；「慶雲」一物，是單）。語既非倫，事便不可。然文無定勢，體有變通，若又專對不移，便復大成拘執。可於義之際會，時時散之。

又　夫對屬者，皆並見以致辭（謂並見事類以成辭）。假令云：「便娟翠竹，聲韻金風；的歷紅荷，光垂玉露。」「翠竹」與「紅荷」、「金風」與「玉露」，是異事並見也。凡爲對者，無不悉然也）。不對者，必相因成義（謂下句必因上句，止憑一事以成義也）。假令敍家世云：「自兹以降，世有異人。」敍先代云：「布在方策，可得言焉。」敍任官云：「我之居此，物無異議。」敍能官云：「望之於君，固有慚色。」敍瑞物云：「委之三府，不可勝記。」敍帝德云：「巍巍蕩蕩，難得名焉。」皆下句接上句以成義也）。何則？偶辭在於參事（凡爲對屬，皆偶其辭，事若不雙，辭便有闕，故須參用，始得成之也），孤義不可别言故也（若不取對，即須就一義相因以置言，故不可用别也）。

又　在於文章，皆須對屬。其不對者，止得一處二處有之。若以不對爲常，則非復文章（若常不對，則與俗之言無異）。就如對屬之間，甚須消息。遠近比次，若敍瑞云：「軒轅之世，鳳鳴阮隃；漢武之時，麟遊雍畤」（持「軒轅」對「漢武」，世懸隔也）。大小必均，若敍物云：「鮒離東海，得水而遊；鵬翥南溟，因風而舉」（將「鮒」擬「鵬」，狀殊絶也）。美醜當分，若敍婦人云：「等毛嬙之美容，類嫫母之至行」（「毛嬙」、「嫫母」，貌相妨也）。强弱須異，若敍平賊云：「摧鯨鯢如折朽，除螻蟻若拾遺」（「鯨鯢」、「螻蟻」，力全校也）。苟失其類，文即不安。以意推之，皆可知也。而有以「日」對「景」，將「風」偶「吹」，持「素」擬「白」，取「鳥」合「禽」，雖復異名，終是同體。若斯之輩，特須避之。故援筆措辭，必先知對，比物各從其類，擬人必於其倫。此之不明，未可以論文矣。

佚名《文筆式·六志》　一曰直言志。直言志者，謂的申物體，指事而言，不藉餘風，别論其詠。即假作《屏風詩》曰：「緑葉霜中夏，紅花雪裏春。去馬不移跡，來車豈動輪。」二曰比附志。比附志者，謂論體寫狀，寄物方形。意託斯間，流言彼處。即假作《贈别詩》曰：「離情絃上急，别曲雁邊嘶。低雲百種（千過）鬱，重露幾（千）行啼。」三曰寄懷志。寄懷志者，謂情含鬱抑，語帶幾微。事側（例）膏肓，詞褒譎詭。即假作《幽蘭詩》曰：「日月雖不照，馨香要自豐。有怨生幽地，無由逐遠風。」四曰起賦志。起賦志者，謂斥論古事，指列今詞。模春秋之舊風，起筆札之新號。或指人爲定，就跡行以題篇；或立事成規，造因由而遣筆。附申名況，託志流(浮)言。例此之徒，皆名起賦。卽假作《賦得魯司寇詩》曰：「隱見通榮辱，行藏備卷舒。避席談曾子，趨庭誨伯魚。」五曰貶毁志。貶毁志者，謂指物實佳，興文道惡，他言作是，我說宜非。文筆見貶，言詞致毁，證善爲惡，因以名之。卽假作《田家詩》曰：「有意嫌千石，無心羨九卿。且悅丘園好，何論冠蓋生。」六曰讚譽志。讚譽志者，謂心珍賤物，言貴者不如；意重今人，云先賢莫及。詞褒筆味，玄欺豐歲之珠；語讚文峰，劇勝飢年之粟。小中生大，短內生長，拔滯昇微，方云讚譽。卽假作《美人詩》曰：「宋臘何須說，虞姬未足談。頰態花翻愧，眉成月倒慙。」

又《屬對》 第一，的名對。的名對者，正也。凡作文章，正正相對。上句安「天」，下句安「地」；上句安「山」，下句安「谷」；上句安「東」，下句安「西」；上句安「南」，下句安「北」；上句安「正」，下句安「斜」；上句安「遠」，下句安「近」；上句安「傾」，下句安「正」。如此之類，名爲的名對。初學作文章，須作此對，然後學餘對也。詩曰：「東圃青梅發，西園綠草開。砌下花徐去，階前絮緩來。」第二，隔句對。隔句對者，第一句與第三句對，第二句與第四句對。如此之類，名爲隔句對。詩曰：「昨夜越溪難，含悲赴上蘭。今朝逾嶺易，抱笑入長安。」第三，雙擬對。雙擬對者，一句之中所論，假令第一字是「秋」，第三字亦是「秋」，二「秋」擬第二字，下句亦然。如此之類，名爲雙擬對。詩曰：「夏暑夏不衰，秋陰秋未歸。炎至炎難卻，涼消涼易追。」第四，聯綿對。聯綿對者，不相絕也。一句之中，第二字第三字是重字，卽名爲聯綿對。但上句如此，下句亦然。詩曰：「看山山已峻，望水水仍清。聽蟬蟬響急，思鄉鄉別情。」第五，互成對。互成對者，「天」與「地」對，「日」與「月」對，「麟」與「鳳」對，「金」與「銀」對，「臺」與「殿」對，「樓」與「榭」對。兩字若上下句安，名的名對。若兩字一處用之，是名互成對。言互相成也。詩曰：「天地心間靜，日月眼中明。麟鳳千年貴，金銀一代榮。」第六，異類對。異類對者，上句安「天」，下句安「山」；上句安「雲」，下句安「微」；上句安「鳥」，下句安「花」；上句安「風」，下句安「樹」。如此之類，名爲異類對。非是的名對，異同比類，故言異類對。但解如此對，並是大才。籠羅天地，文章卓秀，才無擁滯，不問多少，所作成篇。但如此對，益詩有功。詩曰：「天清白雲外，山峻紫微中。鳥飛隨去影，花落逐搖風。」第七，賦體對。賦體對者，或句首重字，或句首疊韻，或句腹疊韻；或句首雙聲，或句腹雙聲。如此之類，名爲賦體對。似賦之形體，故名賦體對。詩曰：句首重字：「褭褭樹驚風，麗麗雲蔽月。」「皎皎夜蟬鳴，朧朧曉光發。」句腹重字：「漢月朝朝暗，胡風夜夜寒。」句尾重字：「月蔽雲曬曬，風驚樹褭褭。」句首疊韻：「徘徊四顧望，悵悢獨心愁。」句腹疊韻：「君赴燕然戍，妾坐逍遙樓。」句尾疊韻：「疎雲雨滴瀝，薄霧樹朦朧。」句首雙聲：「留連千里賓，獨待一年春。」句腹雙聲：「我陟崎嶇嶺，君行嶢峭山。」句尾雙聲：「妾意逐行雲，君身入暮門。」第八，雙聲對。第九，疊韻對。第十，迴文對。第十一，意對。詩曰：「歲暮臨空房，涼風起坐隅。寢興日已寒，白露生庭蕪。」又曰：「上堂拜嘉慶，入室問何之。日暮行採歸，物色桑榆時。」第十二，頭尾不對。今江東文人作詩，頭尾多有不對。如「俠客倦艱辛，夜出小平津。馬色迷關吏，雞鳴起戍人。露鮮華劍影，月照寶刀新。問我將何去，北海就孫賓。」此卽首尾不對之詩，其有故不對者若之。第十三，總不對對。如「平生少年日，分手易前期。及爾同衰暮，非復別離時。勿言一罇酒，明日難共持。夢中不識路，何以慰相思。」此總不對之詩，如此作者，最爲佳妙。夫屬對法，非直風花竹木用事而已。若雙聲卽雙聲對，疊韻卽疊韻對。

舊題魏文帝《詩格·對例》 一二三四，數之對。東西南北，方之對。韓魏燕趙，國之對。王侯公卿，勢之對。陳張衛霍，姓之對。信布良平，名之對。長卿孟德，字之對。金木水火，物之對。

又《六志》 直言一。謂的中物體，指事而直。《畫屏風詩》：「去馬不移足，來車豈動塵。」比附二。謂論體寫狀，寄物方形。《贈別詩》：「離情絃上怨，別曲雁邊嘶。」寄懷三。謂含情鬱抑，語帶幾微。《幽蘭詩》：「有怨生幽地，無情逐遠風。」賦起四。謂就跡題篇，因事遣筆。《讚魯司寇詩》：「避席談曾子，趨庭誨伯魚。」貶毁五。謂指物實佳，興文要毁其美。《田家詩》：「且悅丘園死，未甘冠蓋榮。」讚譽六。謂小中出大，短內生長。《古詩》：「粧罷花更醜，眉成月對慙。」

又《雜例》 一曰根，二曰身，三曰花。根者古事，身者物理，花者當時風花。《詠竹詩》：「梁王園路側，皆共竹相逢。」根也。「匿實私招鳳，生枝密養龍。」身也。「直將搖落節，羞對歲寒松。」花也。

又《八對》 正名一。古詩：「東圃青梅發，西園綠草開。砌下花徐去，階前絮緩來。」隔句二。古詩：「昨夜越溪難，含悲赴上蘭。今朝踰嶺易，抱笑入長安。」雙聲三。古詩：「留連千里賓，獨待一年春。」此頭雙聲句也。又古詩：「我出崎嶇嶺，君行磝硌山。」此腹雙聲句也。又古詩：「野外風蕭索，雲裏日朧朦。」此尾雙聲句也。疊韻四。古詩：「徘徊四顧望，悵快獨心愁。」此頭疊韻也。又古詩：「君赴燕然戍，妾守逍遙樓。」此腹疊韻也。又古詩：「踈雲雨滴瀝，薄霧樹朦朧。」此尾疊韻也。連綿五。古詩：「望山山似峻，看水水仍清。」異類六。古詩：「鳥飛隨去影，花落逐搖風。」迴文七。古詩：「親情由得意，得意逐情親。」雙擬八。古詩：「夏暑夏復衰，秋陰秋未歸。」

元兢《詩髓腦·對屬》《易》曰：「水流濕，火就燥。雲從龍，風從虎。」《書》曰：「滿招損，謙受益。」此皆聖作切對之例。況乎庸才凡調而對，而不求切哉。一、正對。正對者，若「堯年」、「舜日」，「堯」、「舜」皆古之聖君，名相敵，此爲正對。若上句用聖君，下句用賢臣；上句用「鳳」，下句還用「鸞」，皆爲正對也。如上句用「松桂」，下句用「蓬蒿」，「松桂」是善木，「蓬蒿」是惡草，此非正對也。二、異對。異對者，若「來禽」、「去獸」，「殘月」、「初霞」。此「來」與「去」、「初」與「殘」，其類不同，名爲異對。異對勝於同對。三、平對。平對者，若青山、綠水，此平常之對，故曰平對也。他皆倣此。四、奇對。奇對者，若「馬頰河」、「熊耳山」，此「馬」、「熊」是獸名，「頰」、「耳」是形名，既非平常，是爲奇對。他皆倣此。又如「漆沮」、「四塞」，「漆」與「四」是數名，又兩字各是雙聲對。又如古人名，上句用「曾參」，下句用「陳軫」，「參」與「軫」者，同是二十八宿名。若此者，出奇而取對，故謂之奇對。他皆倣此。五、同對。同對者，若「大谷」、「廣陵」，「薄雲」、「輕霧」。此「大」與「廣」、「薄」與「輕」，其類是同，故謂之同對。同類對者，雲霧，星月，花葉，風煙，霜雪，酒觴，東西，南北，青黃，赤白，丹素，朱紫，宵夜，朝旦，山岳，江河，臺殿，宮堂，車馬，途路。六、字對。字對者，若「桂楫」、「荷戈」，「荷」是負之義，以其字草名，故與「桂」爲對。不用義對，但取字爲對也。七、聲對。聲對者，若「曉路」、「秋霜」，「路」是道路，與「霜」非對，以其與「露」同聲故。八、側對。側對者，若「馮翊」(地名，在右輔也)、「龍首」(山名，在西京也)。此爲「馮」字半邊有「馬」，與「龍」爲對；「翊」之半邊有「羽」，與「首」爲對。此爲側對。又如「泉流」、「赤峰」，「泉」字其上有「白」，與「赤」爲對。凡一字側耳，即是側對，不必兩字皆須側也。以前八種切對，時人把筆綴文者多矣，而莫能識其徑路。于公義藏之於篋笥，不可示於非才。深秘之，深秘之。

崔融《唐朝新定詩格·十體》 一、形似體。形似體者，謂貌其形而得其似，可以妙求，難以粗測者是。詩云：「風花無定影，露竹有餘清。」又曰：「映浦樹疑浮，入雲峰似滅。」(如此即形似之體也)。二、質氣體。質氣體者，謂有質骨而作志氣者是。詩曰：「霧烽黯無色，霜旗凍不翻。雪覆白登道，冰塞黃河源。」(此是質氣之體也)。三、情理體。情理體者，謂抒情以入理者是。詩曰：「遊禽暮知返，行人獨未歸。」又云：「四鄰不相識，自然成掩扉。」(此即情理之體也)。四、直置體。直置體者，謂直書其事，置之於句者是。詩曰：「馬銜苜蓿葉，劍瑩鸊鵜膏。」又曰：「隱隱山分地，蒼蒼海接天。」(此即是直置之體)。五、雕藻體。雕藻體者，謂以凡事理而雕藻之，成於妍麗，如絲彩之錯綜，金鐵之砥鍊是。詩曰：「岸綠開河柳，池紅照海榴。」又曰：「華志怯馳年，韶顏慘驚節。」(此即是雕藻之體)。六、映帶體。映帶體者，謂以事意相愜，復而用之者是。詩曰：「露花疑濯錦，泉月似沈珠。」(此意花似錦，月似珠，自昔通規矣。然蜀有濯錦川，漢有明珠浦，故特以爲映帶)。又曰：「侵雲蹀征騎，帶月倚彫弓。」(「雲」、「騎」與「月」、「弓」是複用，此映帶之類)。又曰：「舒桃臨遠騎，垂柳映連營。」七、飛動體。飛動體者，謂詞若飛騰而動是。詩曰：「流波將月去，潮水帶星來。」又曰：「月光隨浪動，山影逐波流。」(此即是飛動之體)。八、婉轉體。婉轉體者，謂屈曲其詞，婉轉成句是。詩曰：「歌前日照梁，舞處塵生襪。」又曰：「泛色松煙舉，凝華菊露滋。」(此即婉轉之體)。九、清切體。清切體者，謂詞清而切者是。詩曰：「寒葭凝露色，落葉動秋聲。」又曰：「猿聲出峽斷，月彩落江寒。」(此即是清切之體)。十、菁華體。菁華體者，謂得其精而忘其粗者是。詩曰：「青田未矯翰，丹穴欲乘風。」鶴生青田，鳳出丹穴。今只言「青田」，即可知鶴，指言「丹穴」，即可知鳳，此即是文典之菁華。又曰：「曲沼疎秋蓋，長林卷夏帷」(曲沼，池也)。又曰：「積翠徹深潭，舒丹明淺瀨」

（「丹」即霞、「翠」即煙也。今只言「丹、翠」，即可知「煙、霞」之義。況近代之儒，情識不周於變通，即坐其危險。若茲人者，固未可與言）。

又《九對》 第一，切對。謂象物切正不偏枯。第二，雙聲對。詩曰：「洲渚遞縈映，樹石相因依。」第三，疊韻對。第四，字對。字對者，謂義別字對是。詩曰：「山椒架寒霧，池篠韻涼飈。」「山椒」即山頂也，「池篠」傍池竹也。此義別字對。又曰：「何用金扉敞，終醉石崇家。」「金扉」、「石崇」即是。又曰：「原風振平楚，野雪被長菅。」即「菅」與「楚」爲字對。第五，聲對。聲對者，謂字義俱別，聲作對是。詩曰：「彤騶初驚路，白簡未含霜。」「路」是途路，聲即與「露」同，故將以對「霜」。又曰：「初蟬韻高柳，密蔦掛深松。」「蔦」草屬，聲即與「飛鳥」同，故以對「蟬」。第六，字側對。字側對者，謂字義俱別，形體半同是。詩曰：「忘懷接英彥，申勸引桂酒。」「英彥」與「桂酒」，即字義全別，然形體半同是。又曰：「玉雞清五洛，瑞雉映三秦。」「玉雞」與「瑞雉」是。又曰：「桓山分羽翼，荆樹折枝條。」「桓山」與「荆樹」是。如此之類，名字側對。第七，切側對。切側對者，謂精異粗同是。詩曰：「浮鐘宵響徹，飛鏡曉光斜。」「浮鐘」是鐘，「飛鏡」是月，謂理別文同是。第八，雙聲側對。雙聲側對者，謂字義別，雙聲來對是。詩曰：「花明金谷樹，葉映首山薇。」「金谷」與「首山」字義別，同雙聲對。又曰：「翠微分雉堞，丹氣陰簷楹。」「雉堞」對「簷楹」，亦雙聲側對。第九，疊韻側對。疊韻側對者，謂字義別聲同，名疊韻對是。詩曰：「平生披黼帳，窈窕步花庭。」「平生」、「窈窕」是。又曰：「自得優遊趣，寧知聖政隆。」「優遊」與「聖政」，義非正對，字聲勢疊韻。　夫爲文章詩賦，皆須屬對，不得令有跛眇者。跛者，謂前句雙聲，後句直語，或復空談。如此之例，名爲跛。眇者，謂前句物色，後句人名，或前句語風空，後句山水。如此之例，名眇。何者？風與空則無形而不見，山與水則有蹤而可尋，以有形對無色。如此之例，名爲眇。

李嶠《評詩格・詩有九對》 切對一。謂象物切正不偏枯。　切側對二。詩曰：「魚戲新荷動，鳥散餘花落。」字對三。詩曰：「山柳架寒露，池篠韻涼飈。」字側對四。謂字義俱別，形體半同。詩曰：「玉雞清五洛，瑞雉映三秦。」聲對五。謂字義別，聲名對也。詩曰：「躁蟬韻高柳，密蔦掛深松。」雙聲對六。詩曰：「洲渚近環映，樹石相因依。」雙聲側對七。詩曰：「花明金谷樹，菜映首山薇。」疊韻對八。詩曰：「平明披黼帳，窈窕步花庭。」疊韻側對九。詩曰：「浮鐘霄響徹，飛鏡晚光斜。」

又《詩有十體》 形似一。謂貌其形而得似也。詩曰：「風花無定影，露竹有餘清。」質氣二。謂有質骨而依其氣也。詩曰：「霜峰暗無色」、「雪覆登道白」。情理三。謂叙情以入理致也。詩曰：「遊禽知暮返，行客獨未歸。」直置四。謂直書可置於句也。詩曰：「隱隱山分地，蒼蒼海接天。」雕藻五。謂以凡目前事而雕妍之也。詩曰：「岸綠開河柳，池紅照海榴。」影帶六。謂以事意相愜而用之也。詩曰：「露花如濯錦，泉月似沉鉤。」婉轉七。謂屈曲其詞，婉轉成句也。詩曰：「流波將月去，潮水帶星來。」飛動八。詩曰：「空葭凝露色，落葉動秋聲。」清切九。詩曰：「猿聲出峽斷，月影落江寒。」精華十。詩曰：「青田擬駕鶴，丹穴欲乘鳳。」

王昌齡《詩格・論文意》 夫詩，有生殺迴薄，以象四時，亦稟人事，語諸類并如之。諸爲筆，不可故不對，得還須對。夫語對者，不可以虛無而對實象。若用草與色爲對，即虛無之類是也。【略】詩不得一向把，須縱橫而作。不得轉韻，轉韻即無力。落句須含思，常如未盡始好。如陳子昂詩落句云：「蜀門自兹始，雲山方浩然」是也。夫文章之體，五言最難，聲勢沈浮，讀之不美。句多精巧，理合陰陽。包天地而羅萬物，籠日月而掩蒼生。其中四時調於遞代，八節正於輪環。五音五行，和於生滅；六律六呂，通於寒暑。凡文章不得不對。上句若安重字、雙聲、疊韻，下句亦然。若上句偏安，下句不安，即名爲離支；若上句用事，下句不用事，名爲缺偶。故梁朝湘東王《詩評》曰：「作詩不對，本是吼文，不名爲詩。」夫作詩用字之法，各有數般：一敵體用字，二同體用字，三釋訓用字，四直用字。但解作詩，一切文章，皆如此法。若相聞書題、碑文、墓誌、赦書、露布、牋、章、表、奏、啓、策、檄、銘、誄、詔、誥、辭、牒、判，一同此法。今世間之人，或識清而不知濁，或識濁而不知清。若以清爲韻，餘盡須用清；若以濁爲韻，餘盡須濁；若清濁相和，名爲落韻。凡文章體例，不解清濁規矩，造次不得製作。製作不依此法，縱令合理，所作千篇，不堪施用。但比來潘郎，縱解文章，復不閑清濁；縱解清濁，又不解文章。若解此法，即是文章之士。爲若不用此法，聲名難得。故《論語》云：「學而時習之。」此謂也。若思而不學，則危殆也。又云：「思之者，德之深也。」

又《勢對例五》 勢對一。陸士衡詩：「四座咸同志，羽觴不可筭。」曹子建詩：「誰令君多念，遂使懷百憂。」以「多念」對「百憂」、以「咸同志」對「不可筭」是也。 疎對二。陸士衡詩：「哀風中夜流，孤獸更我前。」此依稀對也。又詩：「人生無幾何，爲樂常苦晏。」此孤絕不對也。 意對三。陸士衡詩：「驚飈褰反信，歸雲難寄音。」古詩：「四顧何茫茫，東風搖百草。」句對四。曹子建詩：「浮沉各異勢，會合何時諧。」 偏對五。重字與雙聲、疊韻是也。

又《十七勢》 第一，直把入作勢。直把入作勢者，若賦得一物，或自登山臨水，有閑情作，或送別，但以題目爲定；依所題目，入頭便直把是也。皆有此例。昌齡《寄驩州詩》入頭便云：「與君遠相知，不道雲海深。」又《見譴至伊水詩》云：「得罪由己招，本性易然諾。」又《題上人房詩》云：「通經彼上人，無跡任勤苦。」又《送別詩》云：「春江愁送君，蕙草生氛氳。」又《送別詩》云：「河口餞南客，進帆清江水。」又如高適云：「鄭侯應棲遑，五十頭盡白。」又如陸士衡云：「顧侯體明德，清風肅已邁。」 第二，都商量入作勢。都商量入作勢者，每詠一物，或賦贈答寄人，皆以入頭兩句平商量其道理，第三、第四、第五句入作是也。皆有其例。昌齡《上同州使君伯詩》言：「大賢本孤立，有時起經綸。伯父自天稟，元功載生人」（是第三句入作）。又《上侍御七兄詩》云：「天人俟明略，益、稷分堯心。利器必先舉，非賢安可任。吾兄執嚴憲，時佐能鉤深」（此是第五句入作勢也）。 第三，直樹一句，第二句入作勢。直樹一句者，題目外直樹一句景物當時者，第二句始言題目意是也。昌齡《登城懷古詩》入頭便云：「林藪寒蒼茫，登城遂懷古。」又《客舍秋霖呈席姨夫詩》云：「黃葉亂秋雨，空齋愁暮心。」又：「孤煙曳長林，春水聊一望。」又《送鄢賁觀省江東詩》云：「楓橋延海岸，客帆歸富春。」又《宴南亭詩》云：「寒江映村林，亭上納高潔」（此是直樹一句，第二句入作勢）。 第四，直樹兩句，第三句入作勢。直樹兩句，第三句入作勢者，亦題目外直樹兩句景物，第三句始入作題目意是也。昌齡《留別詩》云：「桑林映陂水，雨過宛城西。留醉楚山別，陰雲暮淒淒」（此是第三句入作勢也）。 第五，直樹三句，第四句入作勢。直樹三句，第四句入作勢者，亦有題目外直樹景物三句，然後卽入其意；亦有第四第五句直樹景物後入其意，然恐爛不佳也。昌齡《代扶風主人答》云：「殺氣凝不流，風悲日彩寒。浮埃起四遠，游子彌不歡」（此是第四句入作勢）。又《旅次盩厔過韓七別業詩》云：「春煙桑柘林，落日隱荒墅。泱漭平原夕，清吟久延佇。故人家於茲，招我漁樵所」（此是第五句入作勢）。 第六，比興入作勢。比興入作勢者，遇物如本立文之意，便直樹兩三句物，然後以本意入作比興是也。昌齡《贈李侍御詩》云：「青冥孤雲去，終當暮歸山。志士杖苦節，何時見龍顏。」又云：「眇默客子魂，倏鑠川上暉。還雲慘知暮，九月仍未歸。」又：「遷客又相送，風悲蟬更號。」又崔曙詩云：「夜臺一閉無時盡，逝水東流何處還。」又鮑照詩云：「鹿鳴思深草，蟬鳴隱高枝。心自有所疑，傍人那得知。」 第七，謎比勢。謎比勢者，言今詞人不悟有作者意，依古勢有例。昌齡《送李邕之秦詩》云：「別怨秦、楚深，江中秋雲起（言別怨與秦、楚之深遠也。別怨起自楚地，既別之後，恐長不見，或偶然而會。以此不定，如雲起上騰於青冥，從風飄蕩，不可復歸其起處，或偶然而歸爾）。天長夢無隔，月映在寒水」（雖天長，其夢不隔，夜中夢見，疑由相會。有如別，忽覺，乃各一方，互不相見。如月影在水，至曙，水月亦了不見矣）。 第八，下句拂上句勢。下句拂上句勢者，上句說意不快，以下句勢拂之，令意通。古詩云：「夜聞木葉落，疑是洞庭秋。」昌齡詩云：「微雨隨雲收，濛濛傍山去。」又云：「海鶴時獨飛，永然滄洲意。」 第九，感興勢。感興勢者，人心至感，必有應說，物色萬象，爽然有如感會。亦有其例。如常建詩云：「泠泠七絃遍，萬木澄幽音。能使江月白，又令江水深。」又王維《哭殷四詩》云：「泱漭寒郊外，蕭條聞哭聲。愁雲爲蒼茫，飛鳥不能鳴。」 第十，含思落句勢。含思落句勢者，每至落句，常須含思，不得令語盡思窮。或深意堪愁，不可具說，卽上句爲意語，下句以一景物堪愁，與深意相愜便道。仍須意出成感人始好。昌齡《送別詩》云：「醉後不能語，鄉山雨雰雰。」又落句云：「日夕辨靈藥，空山松桂香。」又：「墟落有懷縣，長煙溪樹邊。」又李湛詩云：「此心復何已，新月清江長。」 第十一，相分明勢。相分明勢者，凡作語皆須令意出，一覽其文，至於景象，恍然有如目擊。若上句說事未出，以下一句助之，令分明出其意也。如李湛詩云：「雲歸石壁盡，月照霜林清。」崔曙詩云：「田家收已盡，蒼蒼唯白茅。」 第十二，一句中分勢。一句中分勢者，「海淨月色眞。」 第十三，一句直比勢。一句直比勢者，「相思河水流。」 第十四，生殺迴薄勢。生殺迴薄勢者，前說意悲涼，後以推命破之；前說世路矜騁榮寵，後以至空之理破之入道是也。 第十五，理入景勢。理入景勢者，詩不可一向把理，皆須入景，語始清味。

理欲入景勢，皆須引理語，入一地及居處，所在便論之。其景與理不相愜，理通無味。昌齡詩云：「時與醉林壑，因之惰農桑。槐煙稍含夜，樓月深蒼茫。」第十六，景入理勢。景入理勢者，詩一向言意，則不清及無味；一向言景，亦無味。事須景與意相兼始好。凡景語入理語，皆須相愜，當收意緊，不可正言。景語勢收之，便論理語，無相管攝。方今人皆不作意，慎之。昌齡詩云：「桑葉下墟落，鶤鷄鳴渚田。物情每衰極，吾道方淵然。」第十七，心期落句勢。心期落句勢者，心有所期是也。昌齡詩云：「青桂花未吐，江中獨鳴琴。」（言青桂花吐之時，期得相見，花既未吐，即未相見，所以江中獨鳴琴）。又詩云：「還舟望炎海，楚葉下秋水。」（言至秋方始還。此送友人之安南也）。

又《起首入興體十四》 感時入興一。古詩：「凜凜歲云暮，螻蛄多鳴悲。涼風率以厲，遊子寒無衣。」江文通詩：「西北秋風起，楚客心悠哉。日暮碧雲合，佳人殊未來。」此皆三句感時，一句敘事。 引古入興二。張茂先詩（缺）。 犯勢入興三。古詩（缺）。 先衣帶，後敘事入興四。古詩：「清風動帷簾，晨月燭幽房。佳人處遐遠，蘭室無容光。」此兩句衣帶，兩句敘事。古詩：「蟬鳴空桑林，八月蕭關道。」此一句衣帶，一句敘事。 先敘事，後衣帶入興五。陸士衡詩：「遠遊越山川，山川修且廣。」此一句敘事，一句衣帶。古詩：「行行重行行，與君生別離。相去萬餘里，各在天一涯。道路阻且長，會面安可期。胡馬依北風，越鳥巢南枝。」此六句敘事，兩句衣帶。 敘事入興六。謝靈運詩：「時竟夕澄霽，雲歸日西馳。密林含餘情，遠峰隱半規。久昧昏墊苦，旅館眺郊岐。」此五句敘事，一句入興。古詩：「遙聞木葉落，疑是洞庭秋。中霄起長望，正見滄海流。」此三句敘事，一句入興。 直入比興七。左太沖詩：「鬱鬱澗下松，離離山上苗。以彼徑寸莖，蔭此百尺條。」此詩頭兩句比入興也。潘安仁詩：「微身輕蟬翼，弱冠忝嘉招。」此詩一句比入興也。 直入興八。陸士衡詩：「顔侯體明德，清風肅已邁。」此入頭直叙題中之意。 託興入興九。古詩：「青青河畔草，綿綿思遠道。」此起於《毛詩·國風》之體。 把情入興十。劉公幹詩：「秋日多悲懷，感慨以長歎。」江文通詩：「遠與君別者，乃在雁門關。」此寄人、懷人，皆自此起興。 把聲入興十一。王少伯詩：「潨潨三峽水，別怨流《楚辭》。」此耳聞也。古詩：「白楊多悲風，蕭蕭愁殺人。」此心聞也。 景物入興十二。曹子建詩：「明月照高樓，流光正徘徊。」此詩格高，不極辭於怨曠，而意自彰。 景物兼意入興十三。王正長詩：「朔風動秋草，邊馬有歸心。」古詩：「竹聲先知秋。」 怨調入興十四。阮籍詩：「獨坐空堂上，誰可與歡者。」曹植詩：「端坐苦愁思，攬衣起西遊。」此體哀而不傷也。 已上凡十四體，皆本意極處。

又《常用體十四》 藏鋒體一。劉休玄詩：「堂上流塵生，庭中綠草滋。」此不言愁而愁自見也。 曲存體二。王仲宣詩：「朝入譙郡界，曠然銷人憂。」此乃直叙其事而美之也。 立節體三。王仲宣《詠史》：「生爲百夫雄，死爲壯士規。」劉公幹詩：「風聲一何盛，松枝一何勁。」 褒貶體四。曹子建詩：「大國多良材，譬海出明珠。」此褒體也。劉越石詩：「何意百鍊鋼，化爲繞指柔。」此貶體也。 賦體五。謝惠連詩：「皎皎天月明，奕奕河宿爛。」此呈其秋懷之物，是賦體也。 問益體六。陸士衡詩：「借問子何之，世網嬰我身。」 象外語體七。謝玄暉詩：「孤燈耿宵夢，清鏡悲曉髮。」 象外比體八。魏文帝詩：「高山有崖，林木有枝。憂來無方，人莫知之。」 理入景體九。丘希範詩：「漁潭霧未開，赤亭風已颺。」江文通詩：「一聞苦寒奏，再使艷歌傷。」顔延年詩：「凄矣自遠風，傷哉千里目。」 景入理體十。鮑明遠詩：「侵星赴早路，畢景逐前儔。」謝玄暉詩：「天際識孤舟，雲中辨江樹。」 緊體十一。范彦龍詩：「物情棄疵賤，何獨顧衡闈。」 因小用大體十二。左太沖詩：「振衣千仞崗，濯足萬里流。」謝惠連詩：「裁用箧中刀，縫爲萬里衣。」 詩辨歌體十三。陶淵明詩：「佳人美清夜，達曙酣且歌。歌竟長歎息，持此感人多。明明雲間月，灼灼葉中花。豈無一時好，不久當如何。」從「明明」以下便是所歌。 一四團句體十四。謝靈運詩：「遊當羅浮行，息必廬霍期。」此上節一字，下節四字。

又《詩有六式》 淵雅一。詩有一覽意窮，謂之浮淺。阮嗣宗詩：「中夜不能寐，起坐彈鳴琴。」 不難二。王仲宣詩：「朝入譙郡界，曠然銷人憂。」此謂絕斤斧之痕也。 不辛苦三。王仲宣詩：「逍遙河堤上，左右望我軍。」此謂宛而成章也。 飽腹四。調怨閑雅，意思縱橫。謝靈運詩：「出谷日尚早，入舟陽已微。」此回停歇意容與。 用事五。謂如己意而與事合。謝靈運《廬陵王墓詩》：「灑淚眺連崗。」「連崗」是諸侯事也，古者諸侯葬連崗。 一管摶意六。謝玄暉詩：「繐帷飄井幹，罇酒若平生。」此一管論酒也。劉公幹詩：「誰謂相去遠，隔此西掖垣。拘限清切禁，中情無由宣。」此一管說守官有限，不得相見也。

又《詩有六貴例》 傑起一。鮑明遠詩：「馬毛縮如蝟，角弓不可張。」直意二。劉公幹詩：「豈不罹凝寒，松柏有本性。」又詩：「方塘含白水，中有鳧與雁。」此高手也。謝玄暉詩：「餘霞散成綺，澄江靜如練。」此綺手也。穿穴三。古詩：「古墓犁爲田，松柏摧爲薪。」挽打四。曹子建《贈友人》：「端坐苦愁思，攬衣起西遊。」出意五。劉公幹詩：「細柳夾道生，方塘含清源。」心意六。顔延年詩：「淒矣自遠風，傷哉千里目。」

又《落句體七》 言志一。陶淵明詩：「養眞衡茅下，庶以善自名。」此志在閑雅也。范彦龍詩：「豈知鷦鷯者，一粒有餘貲。」此志在知足也。勸勉二。古詩：「棄捐勿復道，勉力加餐飯。」此義取自保愛也。引古三。陸士衡詩：「感物多遠念，慷慨懷古人。」含思四。陸韓卿詩：「惜哉時不與，日暮無輕舟。」陳拾遺詩：「蜀門自兹始，雲山方浩然。」歎美五。謝靈運詩：「自從食萍來，唯見今日美。」抱比六。陸士衡詩：「仰觀陵霄鳥，羡爾歸飛翼。」怨調七。陸士衡詩：「空房來悲風，中夜起歎息。」

又《詩中密旨·詩有六病例》 齟齬病一。一句除第一字及第五字，其中三字同上聲及去、入聲也。平聲都不爲累，若犯上聲，其病重於上尾；若犯去、入聲，其病重於鶴膝。上官儀所謂「犯上聲是斬形」也。長擷腰病二。每一句上下兩字之腰無解鐙相間。上官儀詩：「曙色隨行漏，早吹入繁笳。」長解鐙病三。第一、第二字義相連，第三、第四字義相連。上官儀詩：「池牖風月清，閑居遊客情。」叢雜病四。上句有「雲」，下句有「霞」；次句有「風」，下句有「月」。沈休文詩：「寒瓜方卧壠，秋菰正滿陂。紫茄紛瀾熳，綠芋鬱參差。」「瓜」、「菰」、「茄」、「芋」同是草類，是叢雜也。形跡病五。篇中勝句清詞，其意涉忌諱者是也。反語病六。篇中正字是佳詞，反語則深累。鮑明遠詩：「伐鼓早通晨。」「伐鼓」則正字，反語則反字。

又《句有三例》 一句見意，「股肱良哉」是也；兩句見意，「關關雎鳩，在河之洲」；四句見意，「青青陵上柏，磊磊澗中石。人生天地間，猶如遠行客。」

又《犯病八格》 支離病一。五字之法，切須對也，不可偏枯。詩曰：「春人對春酒，芳樹間新花。」缺偶病二。詩中上句引事，下句空言也。詩曰：「蘇秦時刺股，勤學我便登。」落節病三。一篇之中，合春秋言是犯。詩曰：「菊花好泛酒，榴花好插頭。」叢木病四。詩句中皆有木物也。詩曰：「庭梢桂林樹，簷度蒼梧雲。」相反病五。詩中兩句相反，失其理也。詩曰：「晴雲開遠野，積霧掩長洲。」相重病六。詩意並物色重疊也。詩曰：「驅馬清渭濱，飛鑣犯夕塵。川波增遠蓋，山月下重輪。」側對病七。凡詩字體全別，其義相背。詩曰：「恆山分羽翼，荆樹折枝條。」聲對病八。字義全別，借聲類對。詩曰：「疎蟬高柳谷，桂蔦隱松深。」

又《詩有九格》 重疊用事格一。詩曰：「淨宮連薄望，香刹對承華。」是也。上句立興，下句是意格二。詩曰：「明月照高臺，孤光正徘徊。」是也。上句立興，下句是比格三。詩曰：「青青陵上柏，磊磊澗中石。人生天地間，猶如遠行客。」是也。上句體物，下句狀成格四。詩曰：「朔風吹飛雨，蕭蕭江上來。」是也。上句體時，下句狀成格五。詩曰：「昏旦變氣候，山水含清輝。」是也。上句體事，下句意成格六。詩曰：「雖無玄豹姿，終隱南山霧。」是也。句中比物成語意格七。詩曰：「餘霞散成綺，澄江靜如練。」是也。句中疊語格八。詩曰：「既爲風所開，還爲風所落。」是也。句中輕重錯謬格九。詩曰：「天子憂征伐，黎民常自怡。」是也。

又《詩有三得》 得趣一。謂理得其趣，詠物如合砌，爲之上也。詩曰：「五里徘徊鶴，三聲斷續猿。如何俱失路，相對泣離鐏。」是也。得理二。謂詩首末確語，不失其理，此謂之中也。詩曰：「世冑躡高位，英俊沉下僚。」是也。得勢三。詩曰：「孟春物色好，攜手共登臨。放曠丘園裏，逍遥江海心。」

佚名《詩式·六犯》 一、支離。不犯詩曰：「春人對春酒，新樹間新花。」犯詩曰：「人人皆偃息，唯我獨從容。」二、缺偶。謂八對皆無，言靡配屬。由言匹偶，因以名焉。詩上引事，下須引事以對之。若上缺偶對者，是名缺偶。犯詩曰：「蘇秦時刺股，勤學我便眈。」不犯詩曰：「刺股君稱麗，懸頭我未能。」三、相濫。謂一首詩中，再度用事。一對之內，反覆重論。文繁意疊，故名相濫。犯詩曰：「玉繩耿長漢，金波麗碧空。星光暗雲裏，月影碎簾中。」四、落節。凡詩詠春，即取春之物色；詠秋，即須序秋之事情。或詠今人，或賦古帝。至於雜篇詠，皆須得其深趣，不可失義意。假令黄花未吐，已詠芬芳；青葉莫抽，逆言蓊鬱。或專心詠月，翻寄琴聲；或意論秋，雜陳春事。或無酒而言有酒，無音而道有音，並是落節。若是長篇託意，不許限。即假作《詠月詩》曰：「玉鉤千丈掛，金波萬里遙。蚌虧輪影滅，蓂落桂陰銷。入風花氣馥，出樹鳥聲嬌。獨使高樓婦，空度可憐宵。」又《詠春詩》曰：「何處覓消愁，春園可暫遊。菊黄堪泛酒，梅紅可插頭。」五、雜亂。凡詩發首誠難，落句不易。或有製者，應作詩頭，勒爲詩尾；應可施後，翻使居前，故曰雜亂。假作《憶友詩》曰：「思君不可見，徒令年鬢秋。獨驚積寒暑，迢遞阻風牛。粤余慕樵隱，蕭然重一丘。」六、文贅。凡五言詩，一字文贅，則衆巧皆除；片語落嫌，則人競褒貶。今作者或不經雕匠，未被揣磨，輒述拙成，多致紕繆。雖理義不失，而文不清新。或用事合同，而辭有利鈍。即假作《秋詩》曰：「熠燿庭中度，蟋蟀傍窗吟。條間垂白露，菊上帶黄金。」又《詠秋詩》曰：「熠燿流寒火，蟋蟀動秋音。凝露如懸玉，攢菊似披金。」此則無贅也。

殷璠《河嶽英靈集序》 夫文有神來、氣來、情來，有雅體、野體、鄙體、俗體。編紀者能審鑒諸體，委詳所來，方可定其優劣，論其取捨。至如曹、劉詩多直致，語少切對，或五字並側，或十字俱平，而逸價終存。然挈瓶膚受之流，責古人不辨宫商，詞句質素，恥相師範。於是攻乎異端，妄爲穿鑿，理則不足，言常有餘，都無興象，但貴輕豔。雖滿篋笥，將何用之？自蕭氏以還，尤增矯飾。武德初，微波尚在。貞觀末，標格漸高。景雲中，頗通遠調。開元十五年後，聲律風骨始備矣。實由主上惡華好樸，去僞從眞，使海内詞人，翕然尊古，有周風雅，再闡今日。

釋皎然《詩議·詩對有六格》 的名對。詩曰：「日月光天德，山河壯帝居。」雙擬對。詩曰：「可聞不可見，能重復能輕。」隔句對。詩曰：「始見西南樓，纖纖如玉鉤。末映東北墀，娟娟似娥眉。」聯綿對。詩曰：「望日日已晚，懷人人未歸。」互成對。詩曰：「歲時傷道路，親友在東西。」異類對。詩曰：「離堂思琴瑟，別路繞山川。」又宋員外詩，以「早潮」偶「故人」，非類爲類是也。

又《詩有八種對》 鄰近對。詩曰：「死生今忽異，歡娱竟不同。」又詩曰：「寒雲輕重色，秋水去來波。」上是義，下是正名也。此對大體似的名，的名窄，鄰近寬。交絡對。賦曰：「出入三代，五百餘載。」或謂此中「餘」屬於「載」，不偶「出入」。古人但四字四義皆成對，故偏舉以例焉。當句對。賦曰：「薰歇燼滅，光沉響絶。」含境對。賦曰：「悠遠長懷，寂寥無聲。」背體對。詩曰：「進德智所拙，退耕力不任。」偏對。詩曰：「蕭蕭馬鳴，悠悠旆旌。」謂非極對也。古詩：「古墓犂爲田，松柏摧爲薪。」又詩：「日月光太清，列宿耀紫微。」又詩：「亭皋木葉下，隴首秋雲飛。」全其文采，不求至切，得非作者變通之意乎？若謂今人不然，沈給事詩亦有其例。詩曰：「春豫過靈沼，雲旗出鳳城。」此例多矣。但天然，雖虚亦實。如古人以「芙蓉」偶「楊柳」，亦名聲類對。假對。詩曰：「不獻胸中策，空歸海上山。」或有人以「推薦」偶「拂衣」之類是也。雙虚實對。詩曰：「故人雲雨散，空山來往跡。」此對當句義了，不同互成。

又《詩有十五例》 一、重疊用事之例。詩曰：「淨宫連博望，香刹對承華。」二、上句用事，下句以事成之例。詩曰：「子玉之敗，屢增惟塵。」上句出《傳》，下句出《詩》。三、立興以意成之例。詩曰：「營營青蠅，止於樊。愷悌君子，無信讒言。」又詩曰：「明月照高樓，流光正徘徊。上有愁思婦，悲歎有餘哀。」四、雙立興以意成之例。詩曰：「鼓鐘鏘鏘，淮水湯湯，憂心且傷。」又詩曰：「青青陵上柏，磊磊澗中石。人生天地間，忽如遠行客。」五、上句古，下句以即事偶之例。詩曰：「昔聞汾水游，今見塵外鑣。」六、上句立意，下句以意成之例。詩曰：「假樂君子，顯顯令德。宜民宜人，受祿于天。」七、上句體物，下句以狀成之例。詩曰：「朔風吹飛雨，蕭蕭江上來。」八、上句體時，下句以狀成之例。詩曰：「昏旦變氣候，山水含清暉。」九、上句用事，下句以意成之例。詩曰：「雖無玄豹姿，終隱南山霧。」十、當句各以物色成之例。詩曰：「明月照積雪，朔風勁且哀。」十一、立比以成之例。詩曰：「餘霞散成綺，澄江靜如練。」十二、覆意之例。詩曰：「延州協心許，楚老惜蘭芳。解劒竟何及，撫墳徒自傷。」十三、疊語之例。詩曰：「故人心尚爾，故心人不見。」又詩曰：「既爲風所開，還爲風所落。」十四、避忌之例。詩曰：「何況雙飛龍，羽翼臨當乖。」又詩曰：「吾兄既鳳翔，王子亦龍飛。」十五、輕重錯謬之例。陳王之誄武帝，遂稱「尊靈永蟄」；孫楚之哀人臣，乃云「奄忽登遐」（子荆《王驃騎誄》）。此錯謬一例也。見《顔氏傳》。今於古律之上，始末酷論，以祛未悟，則反正之道，可得而聞也。

又《詩式》卷一《對句不對句》 評曰：上句偶然孤發，其意未全，更資下句引之方了。其對語一句便顯，不假下句，此□□少相敵，功夫稍殊。請試論之：夫對者，如天尊、地卑，君臣、父子，蓋天地自然之數。若斤斧跡存，不合自然，則非作者之意。又詩家對語，二句相須，如鳥有翅，若惟擅工一句，雖奇且麗，何異乎鴛鴦五色，隻翼而飛者哉？

又《三不同：語、意、勢》 評曰：不同可知矣，此則有三同。三同之中，偷語最爲鈍賊。如漢定律令，厥罪不書。應爲鄧侯務在匡佐，不暇采詩，致使弱手無才，公行劫掠。若許貧道片言可折，此輩無處逃刑。其次偷意。事雖可罔，情不可原，若欲一例平反，詩教何設？其次偷勢。才巧意精，若無朕跡。蓋詩人閫域之中偷狐白裘之手，吾亦賞俊，從其漏網。

又《偷語詩例》 如陳後主《入隋侍宴應詔》詩云：「日月光天德。」取傅長虞《贈何劭王濟》詩：「日月光太清。」上三字語同，下二字義同。

又《偷意詩例》 如沈佺期《酬蘇味道》詩：「小池殘暑退，高樹早涼歸。」取柳惲《從武帝登景陽樓》詩：「太液滄波起，長楊高樹秋。」

又《偷勢詩例》 如王昌齡《獨遊》詩：「手攜雙鯉魚，目送千里雁。悟彼飛有適，嗟此罹憂患。」取嵇康《送秀才入軍》詩：「目送歸鴻，手揮五絃。俯仰自得，遊心太玄。」

白居易《金鍼詩格·詩有物象比》 日月比君后。龍比君位。雨露比君恩澤。雷霆比君威刑。山河比君邦國。陰陽比君臣。金石比忠烈。松柏比節義。鸞鳳比君子。燕雀比小人。蟲魚草木，各以其類之大小輕重比之。

又《詩有扇對格》 第一句對第三句，第二句對第四句。

又《詩有六對》 一曰正名，天地、日月是也；二曰同類，花葉、草芽是也；三曰連珠，蕭蕭、赫赫是也；四曰雙聲，黃槐、綠柳是也；五曰疊韻，彷徨、放曠是也；六曰雙擬，春樹、秋池是也。

又《詩有四字對》 一曰疊韻字對；二曰疊語字對；三曰骨肉字對；四曰借聲字對。

又《文苑詩格·明五七言》 凡爲七言詩，須減爲五言不得，始是工夫。今詩云：「風散池篁聞戲鳥，霞光粉壁見題詩。」今但言「池篁聞戲鳥，粉壁見題詩」亦得。又詩云：「金鈿來往當春風，玉繩嗟吒下秋漢。」此七言去兩字不成也。

又《依帶境》 爲詩實在對屬，今學者但知虛實爲妙。古詩云：「日暮碧雲合，佳人殊未來。」此上句先叙其事，下句拂之。古詩：「昏旦變氣候，山水含光輝。」此並先勢，然後解之也。

又《菁華章》 詩有屬對，方知學之淺深。古詩：「金波麗鳷鵲，玉繩低建章。」此名對爲麗也。

又《雕藻文字》 夫文字須雕藻三兩字文彩，不得全真致，恐傷鄙樸。古詩云：「初篁包綠籜，新蒲含紫茸。」又古詩：「日戶晝輝靜，月林霞影明。」有此勢，可精求之。

又《聯環文藻》 爲詩不論小大，須聯環文藻，得隔句相解。古詩云：「擾擾羈遊子，營營市井人。懷金近從利，負劍遠辭親。」此第四句解第一句，第三句解第二句。今詩云：「青山碾爲塵，白日無閑人。自古推高車，爭利入西秦。」此第三句解第一句，第四句解第二句。

又《招二境意》 或於一句之中用物色，第五字招第二字爲上格。今詩云：「亂石不知數，積雪如到門。」

又《東麗常格》 爲詩有當面叙事，內隱一字，古語皆有此體。《古詩》云：「糾糾葛屨，可以履霜。」此云不可以履霜也，隱一「不」字也。又古詩：「海水知天寒。」此言不知也。又古詩：「黃鳥不戀枝。」此言豈不戀也。

又《語窮意遠》 爲詩須精搜，不得語剩而智窮，須令語盡而意遠。古詩云：「餘霞散成綺，澄江靜如練。」又古詩：「前有寒泉井，了然水中月。」此語盡意未窮也。

又《重疊叙事》 每見爲詩，上句說了，下句又說。文不相依帶，只傷重疊。今詩云：「夜久冰輪側，更深珠露懸。」「夜久」、「更深」是重也。

賈島《二南密旨·論物象是詩家之作用》 造化之中，一物一象，皆察而用之，比君臣之化。君臣之化，天地同機，比而用之，得不宜乎。

又《論引古證用物象》 四時物象節候者，詩家之血脈也。比諷君臣之化深。《毛詩》曰：「殷其雷，在南山之陽。」雷，比教令也。「他山之石，可以攻玉。」此賢人他適之比也。陶潛《詠貧士》詩：「萬族各有托，孤雲獨無依。」以孤雲比貧士也。以上例多，不能廣引，作者自可三隅反也。

又《論總例物象》 天地、日月、夫婦，君臣也，明暗以體判用。 鐘聲，國中用武，變此正聲也。 石磬，賢人聲價變，忠臣欲死矣。 琴瑟，賢人志氣也，又比廉能聲價也。 九衢、道路，此喻皇道也。 笙簫、管笛，男女思時會，變國正聲也。 同志、知己、故人、鄉友、友人，皆比賢人，亦比君臣也。 舟楫、橋樑，比上宰，又比攜進之人，亦皇道通達也。馨香，此喻君子佳譽也。蘭蕙，此喻有德才藝之士也。金玉、珠珍、寶玉、瓊瑰，此喻仁義光華也。飄風、苦雨、霜雹、波濤，此比國令，又比佞臣也。水深、石磴、石逕、怪石，此喻小人當路也。幽石、好石，此喻君子之志也。巖嶺、崗樹、巢木、孤峰、高峰，此喻賢臣位也。山影、山色、山光，此喻君子之德也。亂峰、亂雲、寒雲、翳雲、碧雲，此喻佞臣得志也。黄雲、黄霧，此喻兵革也。白雲、孤雲、孤煙，此喻賢人也。澗雲、谷雲，此喻賢人在野也。雲影、雲色、雲氣，此喻賢人才藝也。煙浪、野燒、重霧，此喻兵革也。江湖，此喻國也，清澄爲明，混濁爲暗也。荆棘、蜂蝶，此喻小人也。池井、寺院、宫觀，此乃喻國位也。樓臺、殿閣，此喻君臣名位，消息而用之也。紅塵、驚埃、塵世，此喻兵革亂世也。故鄉、故國、家山、鄉關，此喻廊廟也。松竹、檜柏，此賢人志義也。松聲、竹韻，此喻賢人聲價也。松陰、竹陰，此喻賢人德廕也。巖松、溪竹，此喻賢人在野也。鷺、鶴、鸞、雞，此喻君子也。百草、苔、莎，此喻百姓衆多也。百鳥，取貴賤，比君子、小人也。鴛鴻，比朝列也。泉聲、溪聲，此賢人清高之譽也。他山、他林、鄉國，比外國也。筆硯、竹竿、桂楫、槳、棹、櫓，比君子籌策也。黄葉、落葉、敗葉，比小人也。燈、孤燈，比賢人在亂，而其道明也。積陰、凍雪，比陰謀事起也。片雲、晴靄、殘霧、殘霞、蝃蝀，此比佞臣也。木落，比君子道清也。竹杖、藜杖，比賢人籌策也。猿吟，比君子失志也。

王叡《炙轂子詩格・一篇血脈條貫體》 李太尉詩云：「遠謫南荒一病身，停舟暫吊汨羅人。」此詩首一句發語，次一句承上吊屈原。「都緣靳尚圖專國，豈是懷王厭直臣。」此二句爲頷下語，用爲吊汨羅之言。「萬里碧潭秋景静，四時愁色野花新。」此腹内二句，取江畔景象。「不勞漁父重相問，自有招魂拭淚巾。」此二句爲斷章，雖外取之，不失此章之旨。

又《雙關體》 李端公詩：「卻到城中事事傷，惠休歸寂賈生亡。誰人收得章句篋。」「句」字亦合用平，今用側字，亦是許調。「獨我重經苔蘚房。一命未沾爲逐客，萬緣初盡別空王。」此一句哭賈生，一句哭僧，是雙關也。

又《模寫景象含蓄體》 詩云：「一點孤燈人夢覺，萬重寒葉雨聲多。」此二句模寫燈雨之景象，含蓄悽慘之情。

又《兩句一意體》 詩云：「如何百年内，不見一人閑。」此二句雖屬對，而十字血脈相連。

又《句病體》 詩云：「沙摧金井竭，樹老玉堦平。」上句五字一體，血脈相連。若「樹」與「玉堦」是二物，各體血脈不相連。

又《句内叠韻體》 詩云：「風吹榆莢葉，雨打木瓜花。」此詩「莢葉」、「瓜花」末句叠韻。

李洪宣《緣情手鑑詩格・束散法》 詩曰：「山暗雲凝樹，江春水接天。」「雲」字、「水」字是束散也。

又《審對法》 如方干詩：「鶴盤遠勢投孤嶼，蟬曳殘聲過別枝。」此即深失力也，切宜忌之。

又《自然對格》 杜紫薇詩：「人世難逢開口笑，菊花須插滿頭歸。」「人世」對「菊花」是也。

徐夤《雅道機要・叙句度》 凡爲詩者，須分句度去着：或語，或句；或含景語，或一句一景，或句中語；或破題，或頷聯，或腹中，或斷句，皆有勢向不同。北宗則二句見意，南宗則一句見意。破題。構物象，語帶容易，勢須緊險。頷聯。爲一篇之眼目。句須寥廓古淡，勢須高舉飛動，意須通貫，字須子細裁剪。腹中。句勢須平律細膩，語似拋擲，意不疎脱。斷句。勢須快速，以一意貫兩意。或背斷，或正斷。須有不盡之意堆積於後，脈脈有意。北宗句。詩曰：「一爲嵩岳客，幾葬洛陽人。」南宗句。詩曰：「睡逢明月盡，愁對好山銷。」破題句。詩曰：「東遊誰見待，尺紙寄長安。」頷聯句。詩曰：「龍怒秋騰海，鰲迴夜動船。」腹中句。詩曰：「沙井泉澄疾，秋鐘韻盡遲。」正斷。詩曰：「別有微涼處，相思不似君。」又詩：「除卻相思夢，音信誰爲傳。」背斷。詩曰：「忽然歸故國，猶想過灞陵。」又詩：「因悲在朝市，終日醉醺醺。」詩斷。詩曰：「吟苦相思處，天寒水不流。」又詩：「寸心來又去，煙浪杳漫漫。」詩語。詩曰：「果落新萍散，龜行細草開。」又詩：「遠雲收海渚，静角掩山城。」含景語。詩曰：「空將未歸意，說向欲行人。」又詩：「古跡應重別，生緣不暫停。」一景一語。詩曰：「一宿夜湖水，千山叫蜀禽。」句中語。詩曰：「寄宿山中鳥，相尋海畔僧。」又詩：「養雛成大鶴，種子作高松。」

徐衍《風騷要式・琢磨門》 夫用文字，要清濁相半。言雖容易，理必求險。句忌凡俗，意便質厚。如鄭谷《送友人》詩：「流年俱老大，失意自東西。」此君子離位也。鄭谷《沙苑》詩：「日暮前心速，愁聞孤雁聲。」此賢人他適也。齊己《落照》詩：「夕照背高臺，殘鐘殘角催。」此君昏而德音薄矣。鄭谷《冬日書情》：「雲橫漢水鄉魂斷，雪滿長安酒價高。」此佞臣橫行也。鄭谷《春曉書情》：「鶯春雁夜長如此，賴有幽居近酒家。」此失志而自銷愁也。齊己《靜院》詩：「浮生已問空王了，箭急光陰一任催。」此句凡君子思退也。鄭谷《杭州城樓》詩：「歲窮歸未得，心逐片帆還。」此比君子捨此適彼。李建勳《留別鍾山》：「偏尋雲壑重題石，欲下山門更倚松。」此憂國之情未廢也。虛中《寄司空圖》：「豈思爲鄰者，西南太岳青。」此未忘臣節也。今之詞人循依此格，則自然無古無今矣。

黃滔《黃御史公集》卷七《與王雄書》 夫儷偶之辭，文家之戲也，焉可賁其戲於作者乎！是若揚優喙干諫舌，啼妾態參婦德，得不爲罪人乎。是乃掃除聲律，直寫一二，強名曰書。

司空圖《司空表聖文集》卷三《與極浦書》 戴容州云：「詩家之景如藍田日暖，良玉生煙，可望而不可置於眉睫之前也。」象外之象，景外之景，豈容易可談哉！

祖士衡《龍學文集》卷一四《西齋話記》 古人作詩引用故實，或不原其美惡，但以一時中的而已。如李端於郭曖席上賦詩，其警句云：「新開金埒教調馬，舊賜銅山許鑄錢。」善則善矣，而鑄錢乃比鄧通爾，既非令人，又非美事，何足美哉！大凡用故事，多以事淺語熟，更不思究，便率爾而用之，往往有誤矣。只如李商隱《逢王二十八入翰林詩》云：「定知欲報淮南詔，急召王褒入九重。」漢武帝以淮南王安屬爲諸父，善文辭，尊重之，每爲報書及賜，常召司馬相如等視草乃遣。褒是宣帝時人。邇者王禹偁作《筍詩》亦云：「稚川龍過頻回首，認得青青數代孫。」稚川，即葛洪之字，投杖化龍，乃費長房爾。蓋是使葛陂之事，此乃不思之由。又孫僅《傳巖詩》云：「刑人一旦起幽深，功業煌煌照古今。」且傳說已非刑人，蓋時有胥靡脩築巖道，而說在困約中，代之以假其資，是爲胥靡傭賃也，豈可謂說爲刑人哉！

歐陽修《六一詩話》 聖俞嘗語余曰：「詩家雖率意而造語亦難。若意新語工，得前人所未道者，斯爲善也。必能狀難寫之景，如在目前；含不盡之意，見於言外，然後爲至矣。賈島云『竹籠拾山果，瓦瓶擔石泉』，姚合云『馬隨山鹿放，鷄逐野禽棲』，等是山邑荒僻，官況蕭條，不如『縣古槐根出，官清馬骨高』爲工也。」余曰：「語之工者固如是。狀難寫之景，含不盡之意，何詩爲然？」聖俞曰：「作者得於心，覽者會以意，殆難指陳以言也。雖然亦可略道其髣髴。若嚴維『柳塘春水漫，花塢夕陽遲』，則天容時態，融和駘蕩，豈不如在目前乎？又若溫庭筠『鷄聲茅店月，人跡板橋霜』，賈島『怪禽啼曠野，落日恐行人』，則道路辛苦，羈愁旅思，豈不見於言外乎？」

又《歐陽文忠公集》卷一三〇《作詩須多誦古今詩》 作詩須多誦古今人詩，不獨詩爾，其他文字皆然。

釋景淳《詩評·象外句格》 詩曰：「微陽下喬木，遠燒入秋山。」又詩：「聽雨寒更盡，開門落葉深。」又詩：「萬里殘秋籟，孤船半夜猿。」

又《當句對格》 詩曰：「無人來問我，白日又黃昏。」又詩：「船中江上景，晚泊早行時。」

又《當字對格》 詩曰：「大匠運斧刀，掄材無短長。」又詩：「水石秋歸早，山南馬去多。」

又《假色對格》 詩曰：「因遊樵子徑，得到葛洪家。」又詩：「捲簾黃葉落，鏁印子規啼。」

又《假數對格》 詩曰：「白首爲遷客，青山繞萬州。」又詩：「白地一回雨，兒孫拾得金。」

又《十字句格》 詩曰：「一年惟一夕，長恐有雲生。」又詩：「杏園啼百舌，誰醉在花傍。」又詩：「長因送人處，記得別家時。」

又《十字對格》 詩曰：「未有一夜夢，不歸千里家。」又詩：「空將未歸信，說向欲行人。」又詩：「往往語復默，微微雨灑松。」

又《隔句對格》 詩曰：「昔去候溫涼，秋山滿院香。今來從辟命，春物遍岑陽。」

又《璞玉格》 如玉未琢，同天真也。詩曰：「寡妻存子息，破宅在林泉。」又詩：「別離同雨夜，道路近雲州。」又詩：「須知垂釣者，半是苦耕人。」又詩：「有家從小別，無寺不言歸。」又詩：「池塘生春草，園柳變鳴禽。」又詩：「忘機一病客，冥目坐秋山。」

又《雕金格》 猶如眞金，加乎雕飾也。詩曰：「秋江洗一鉢，寒日曬三衣。」又詩：「風高群木落，夜久數星流。」又詩：「相思深夜雨，未答去年書。」又詩：「落花人獨立，微雨燕雙飛。」又詩：「空山行客少，獨樹晚蟬多。」又詩：「孤燈照舊室，一雁過前村。」又詩：「路經秋雨後，人入亂峰來。」又詩：「獨樹知秋早，孤舟覺夜寒。」

又《鏤水格》 著句輕，清斬好看也。詩曰：「窗風枯硯水，山雨潤琴絃」。又詩：「馬饑餐落葉，鶴宿曬殘陽。」又詩：「移花兼蝶至，買藥得雲饒。」又詩：「河分崗勢斷，春入燒痕青。」又詩：「買山兼夜月，移竹帶春風。」又詩：「葉落山形瘦，天高斗柄低。」又詩：「石盆栽藥瘦，松火焙茶香。」

又 凡爲詩要識體勢，或狀同山立，或勢若河流。今立二勢格：一曰盤古格，二曰騰驤格。 盤古格一，詩曰：「毛女當空戶，日高猶未梳。」又詩：「石室人心定，水潭月影殘。」又詩：「還知舊山夜，卧聽瀑泉時。」又詩：「白髮無心鑷，青山去意多。」又詩：「衣褐惟羸布，筐箱只素書。」又詩：「竹籠拾山果，瓦瓶擔石泉。」又詩：「陶情新竹葉，辟惡古菱花。」又詩：「故園從小別，夜雨近秋聞。」以上並是形勢，但不得動。 騰驤格二，詩曰：「泝流隨大旆，到岸見全軍。」又詩：「經秋禪客病，積雨石樓荒。」又詩：「瓶殘秦地水，錫入晉山雲。」又詩：「書劍別南州，炎荒萬里遊。」又詩：「拂琴天籟寂，欹枕海濤生。」又詩：「山盤樵徑上，人到雪房遲。」以上並是語勢，不定作用者也。

又 詩有二斷：一曰離題斷，二曰抱題斷。 離題斷一，《聞泉》詩：「幾曾廬岳聽，到曉與僧同。」又《對雲》詩：「翻憶舊山青碧裏，遶庵閒伴野僧禪。」又《對柱杖》詩：「不似湘江竹，斑斑有淚痕。」此是離題而斷也。 抱題斷二，《新栽松》詩曰：「他日成陰後，清風吹海濤。」又《新栽竹》詩：「會待成林日，新抽錦籜看。」又《落花》詩：「繁艷根株在，明年向此期。」此是抱題而斷也。

又《獨體格》 廖處士《遊般若寺上方》詩：「榔栗步溪光。」此說路上去之意。「隨雲到上方。」此說到寺見物也。「經秋禪客病，積雨石樓荒。古蘚麋鹿跡，陰崖松檜香。」此四句說寺中內外景也。「平生豁所思，吟嘯倚蒼蒼。」此說最高也，「蒼蒼」是天也。此詩只說寺中意，別無作用，故名獨體。

又 詩有四題體：一曰第一句見題；二曰第二句見題；三曰第三句見題；四曰第四句見題。除此四句之外，不見題者大謬也。 第一句見題格，《柱杖詩》：「一條寒澗木。」《經賈島舊居》：「先生居處所。」《看山》：「木末露孤頂。」《貧居詩》：「貧居少變故。」《懷隱者》：「寂寥思隱者。」 第二句見題格，《送無可》：「圭峰霽色新，送此草堂人。」《得唐應圖信》：「故人離別久，孤雁渡良音。」《訪道者不遇》：「寂寂白雲門，尋眞不見眞。」《送友生》：「相逢未作期，相送復何之。」 第三句見題格，《寄方干》：「賀監舊山川，空來近百年。聞君與琴鶴。」《贈顧上人》：「滄海日未出，九衢人已行。吾師無事坐。」《哭李建州》：「令終歸故里，末歲道如初。舊友誰爲誌。」 第四句見題格，《送僧歸華山》：「此生披衲過，在處得身閒。日午遊都市，天寒歸華山。」《送李秀才南歸》：「頻年住帝畿，猶着舊麻衣。南國二親老，西風萬里歸。」

又《擒縱格》 《看水詩》：「范蠡東流闊，靈均北泛長。誰知遠煙浪，別有好思量。」此是言古之二賢人也。「故國門前急，天涯棹裏忙。」此兩句說水，未說看。「難收樓上興，渺漫見斜陽。」此二句方見看水，縱意也。

梅堯臣《續金針詩格·詩有三煉》 煉句一。詩曰：「嚴霜百草白，深院一株青。」 煉字二。詩曰：「此中涵帝澤，到底接天光。」本作「此波」，改爲「此中」，是煉字也。 煉意三。詩曰：「喚人看腰褭，欲嫁惜娉婷。」「腰褭」，駿馬也；「娉婷」，佳人也。待有識之人而喚，擇有行之人而嫁，不可喚無識之人看馬，召無行之人配貞女，賢人亦然。

又《詩有四字對》 疊韻字對一。詩曰：「磴危攀薜荔，石滑踐莓苔。」 疊語字對二。詩曰：「青春背我堂堂去，白髮欺人故故生。」 骨肉字對三。詩曰：「晚蕊初開紅芍藥，秋房初結白芙蓉。」 借聲字對四。詩曰：「關河一棲旅，楊柳十東風。」

《陳輔之詩話·冥搜造極》 人心思究經術，往往不能致精，唯詩冥搜造極，所謂「應須入海求」。唐人有云：「句自夜中得，心從天外歸。」

方勺《泊宅編》卷九 陳去非謂予曰：「秦少游詩如刻就楮葉，陳無己詩如養成內丹。」又曰：「凡詩人，古有柳子厚，今有陳無己而已。」又曰：「崔鷗能詩，或問作詩之要，答曰：『但多讀而勿使。』斯爲善。」

徐積《節孝語錄》 文字要多作，多作方思熟。

又 作詩切不可斥言事。至於美人，亦不可斥言。試觀《詩》之風、雅、頌，所美所刺，未嘗不婉順而歸之於正。

沈括《夢溪筆談》卷一四 詩人以詩主人物，故雖小詩，莫不埏蹂極工而後已。所謂旬鍛月煉者，信非虛言。小說：崔護《題城南》詩，其始曰：「去年今日此門中，人面桃花相映紅。人面不知何處去，桃花依舊笑春風。」後以其意未全，語未工，改第三句曰：「人面只今何處在」，至今所傳此兩本，唯《本事詩》作「只今何處在」。唐人工詩，大率都如此，雖有兩「今」字，不恤也，取語意爲主耳。後人以其有兩「今」字，只多行前篇。

又 韓退之集中《羅池神碑銘》有「春與猿吟兮秋鶴與飛」，今驗石刻，乃「春與猿吟兮秋鶴與飛。」古人多有此格，如《楚詞》：「吉日兮辰良」，又「蕙餚蒸兮蘭藉，奠桂酒兮椒漿。」蓋欲相錯成文，則語勢矯健耳。杜子美詩：「紅稻啄餘鸚鵡粒，碧梧棲老鳳凰枝。」此亦語反而意全。韓退之《雪詩》：「舞鏡鸞窺沼，行天馬度橋。」亦效此體，然稍牽強，不若前人之語渾成也。

胡仔《苕溪漁隱叢話前集》卷一引《蔡寬夫詩話》 晉、宋間詩人造語雖秀拔，然大抵上下句多出一意。如「魚戲新荷動，鳥散餘花落」，「蟬噪林逾靜，鳥鳴山更幽」之類，非不工矣，終不免此病。其甚乃有一人名而分用之者，如劉越石「宣尼悲獲麟，西狩泣孔丘」，謝惠連「雖好相如達，不同長卿慢」等語，若非前後相映帶，殆不可讀，然要非全美也。唐初餘風猶未殄，陶冶至杜子美，始淨盡矣。

又卷七引《蔡寬夫詩話》 安祿山之亂，哥舒翰與賊將崔乾祐戰潼關，見黃旗軍數百隊，官軍以爲賊，賊以爲官軍，相持久之，忽不知所在。是日昭陵奏陵內前石馬皆汗流。子美詩所謂「玉衣晨自舉，鐵馬汗常趍」，蓋記此事也。李晟平朱泚，李義山作詩復引用之云：「天教李令心如日，可待昭陵石馬來。」此雖一等用事，然義山但知推美西平，不知於昭陵似不當耳。乃知詩家使事難。若子美，所謂不爲事使者也。

又卷二三引《蔡寬夫詩話》 詩家有假對，本非用意，蓋造語適到，因以用之。若杜子美「本無丹竈術，那免白頭翁」，韓退之「眼穿長訝雙魚斷，耳熱何辭數爵頻」，借丹對白，借爵對魚，皆偶然相值；立意下句，初不在此。而晚唐諸人，遂立以爲格。賈島「捲簾黃葉落，開戶子規啼」，崔峒「因尋樵子徑，得到葛洪家」爲例，以爲假對勝的對，謂之高手，所謂癡人面前不得說夢也。

又《後集》卷二五引《蔡寬夫詩話》 荊公嘗云：「詩家病使事太多，蓋皆取其與題合者類之，如此乃是編事，雖工何益？若能自出己意，借事以相發明，情態畢出，則用事雖多，亦何所妨。」故公詩如「董生只爲公羊感，豈肯捐書一語眞」，「桔槔俯仰何妨事？抱甕區區老此身」之類，皆意與本題不類，此眞所謂使事也。

《東坡全集》卷一〇一《學問》 頃歲孫莘老識歐陽文忠公，嘗乘間以文字問之。云：「無它術，惟勤讀書而多爲之，自工。世人患作文字少，又懶讀書，每一篇出，即求過人。如此，少有至者。疵病不必待人指擿，多作自能見之。」此公以其嘗試者告人，故尤有味。

黃庭堅《山谷別集》卷六《論作詩文》 新詩日有勝句，甚可喜。要當不已，乃到古人下筆處。小詩文章之末，何足甚工？然足下試留意，奉爲道之：詞意高勝，要從學問中來爾。後來學詩者，時有妙句。譬如合眼摸象，隨所觸，體得一處，非不即似，要且不是。若開眼，則全體見之，合古人處不待取證也。

又 吟詩不必務多，但意盡可也。古人或四句、兩句便成一首，今人作詩，徒用三十、五十韻，子細觀之，皆虛語矣。要須意律諒田夫、女子皆得以知之。蓋詩之言近而指遠者，乃得詩之妙。【略】作詩句要須詳略，用事精切，更無虛字也。如老杜詩，字字有出處，熟讀三五十遍，尋其用意處，則所得多矣。

孔平仲《孔氏談苑・作詩如雜劇》 山谷云：「作詩正如作雜劇。初時布置，臨了須打諢，方是出場。」

又《作詩貴圓熟》 謝眺云：「好詩圓美流轉如彈丸。」故東坡云：「中有清圓句，銅丸飛柘彈。」蓋詩貴圓熟也。然圓熟多失之平易，老硬多失之乾枯，能不失二者之間，則可與古作者並驅矣。

李之儀《姑溪居士後集》卷一五《雜題跋》 作詩字字要有來處，但將老杜詩細考之，方見其工，若無來處，即謂亂道亦可也。王舒王解字云：「『詩』從『言』從『寺』，『寺』者，法度之所在也。」可不信哉？近得蔡天啓句法，頗得其趣。嘗記其一聯云：「草長蝴蝶狂深見，興盡黃蜂欲退飛。」乃「穿花蛺蝶深深見」與「六鷁退飛過宋都」也。然用之惟在不覺，若覺則不工矣。

馬永卿《嬾眞子》卷二 舊說載王禹玉久在翰苑，曾有詩云：「晨光未動曉驂催，又向壇頭飲社杯。自笑治聾終不是，明年強健更重來。」或曰：古人之詩，有此意乎？」僕曰：「白樂天爲忠州刺史，《九日題塗溪》云：『蕃草席鋪楓岸葉，竹枝歌送菊花杯。明年尙作南賓守，或値重陽更一來。』亦此意也。」但古人作詩，必有所擬，謂之神仙換骨法。然非深於此道者，亦不能也。

趙令畤《侯鯖錄》卷一　東坡云：「世之對偶如紅生白熟、手文腳色，二對無復加也。」又云：「『與我周旋寧作我，爲郎憔悴卻羞郎。』亦的矣。」余詩中有「青州從事」對「白水眞人」，公極稱之云：「二物皆不道破，爲妙。」

又卷三　古人作律詩有當句對者，兩句更不須對。如陸龜蒙詩云「但說漱流並枕石，不辭蟬腹與龜腸」是也。

陳師道《後山詩話》　閩士有好詩者，不用陳語常談。寫投梅聖俞，答書曰：「子詩誠工，但未能以故爲新，以俗爲雅爾。」

又　寧拙毋巧，寧樸毋華，寧粗毋弱，寧僻毋俗，詩文皆然。

又　永叔謂爲文有三多：看多、做多、商量多也。

又《後山居士文集》卷一《次韻答秦少章》　學詩如學仙，時至骨自換。縹緲鴻鵠上，衆目焉能玩。

阮閱《詩話總龜前集》卷九引《王直方詩話》　對句法，人不過以事以意，出處備具，謂之妙。荆公曰：「平昔離愁寬帶眼，迄今歸思滿琴心。」又曰：「欲寄荒寒無善畫，賴傳悲壯有能琴。」不若東坡特奇，如曰：「見說騎鯨遊汗漫，亦曾捫蝨話酸辛。」又曰：「龍驤萬斛不敢過，漁舟一葉從掀舞。」以鯨爲蝨對，龍驤爲漁舟對，大小氣燄之不等，其意若玩世，謂之秀傑之氣，終不可沒。

又　山谷與余詩云：「百葉湘桃苦惱人。」又云：「欲作短歌憑阿素，丁寧誇與落花風。」其後改「苦惱」作「觸撥」，改「歌」作「章」，改「丁寧」作「緩歌」。余以爲詩不厭多改。

胡仔《苕溪漁隱叢話前集》卷一四引《王直方詩話》　潘惇嘗以詩呈山谷，云：「作詩須要開廣，如老杜『日月籠中鳥，乾坤水上萍』之類。」惇云：「那便到此？」山谷云：「無此只是初學詩一門戶耳。」

又卷一五引《王直方詩話》　山谷嘗謂余云：「作詩使《史》、《漢》間全語爲有氣骨。」後因讀浩然詩，見「以吾一日長」、「異方之樂令人悲」及「吾亦從此逝」，方悟山谷之言。

又卷三〇引《王直方詩話》　荆公云：「凡人作詩，不可泥於對屬。如歐陽公作《泥滑滑》云：『畫簾陰陰隔宮牆，禁漏杳杳深千門。』『千』字不可以對『宮』字。若當時作朱門，雖可以對，而句力便弱耳。」

又卷三八引《王直方詩話》　謝朓嘗語沈約曰「好詩圓美流轉如彈丸」，故東坡《答王鞏》云「新詩如彈丸」，及《送歐陽季弼》云「中有清圓句，銅丸飛柘彈」。蓋謂詩貴圓熟也。然圓熟多失之平易，老硬多失之乾枯。不失於二者之間，可與古之作者并驅矣。

又卷四七引《王直方詩話》　山谷論詩文不可鑿空強作，待境而生，便自工耳。每作一篇，先立大意，長篇須曲折三致意，乃可成章。

魏慶之《詩人玉屑》卷八引《王直方詩話》　陳君節，字明信，言鍊句不如鍊韻。余以爲若只覓好韻，則失於首尾不相貫穿。

魏泰《臨漢隱居詩話》　頃年嘗與王荆公評詩，予謂：「凡爲詩，當使挹之而源不窮，咀之而味愈長。至如永叔之詩，才力敏邁，句亦清健，但恨其少餘味爾。」

又　詩惡蹈襲古人之意，亦有襲而愈工若出於己者。蓋思之愈精，則造語愈深也。魏人章疏云：「福不盈身，禍將溢世。」韓愈則曰：「歡華不滿眼，咎責塞兩儀。」李華《弔古戰場文》曰：「其存其沒，家莫聞知。人或有言，將信將疑。娟娟心目，夢寐見之。」陳陶則曰：「可憐無定河邊骨，猶是春閨夢裏人。」蓋愈工於前也。

又　老杜云：「美名人不及，佳句法如何。」蓋詩欲氣格完邃，終篇如一，然造句之法亦貴峻潔不凡也。

魏慶之《詩人玉屑》卷八引《東皋雜錄》　魯直嘲小德，有「學語春鶯囀，書窗秋雁斜」。後改曰：「學語囀青鳥，塗窗行暮鴉。」以是詩文不厭改也。

范溫《潛溪詩眼・學詩貴識》　山谷言學者若不見古人用意處，但得其皮毛，所以去之更遠。如「風吹柳花滿店香」，若人復能爲此句，亦未是太白。至於「吳姬壓酒勸客嘗」，「壓酒」字他人亦難及。「金陵子弟來相送，欲行不行各盡觴」，益不同。「請君試問東流水，別意與之誰短長？」至此乃眞太白妙處，當潛心焉。故學者要先以識爲主，如禪家所謂正法眼者。直須具此眼目，方可入也。

又《句法》　句法之學，自是一家工夫。昔嘗問山谷：「耕田欲雨刈欲晴，去得順風來者怨。」山谷云：「不如『千巖無人萬壑靜，十步回頭五步坐。」此專論句法，不論義理，蓋七言詩四字三字作兩節也。此句法出《黃庭經》，自「上有黃庭下關元」已下多此體。張平子《四愁詩》句句如此，雄健穩愜。至五言詩亦有三字二字作兩節者。老杜云：「不知西閣意，肯別定留人。」肯別邪？定留人邪？山谷尤愛其深遠閑雅，蓋與上七言同。

又《句法以一字爲工》 句法以一字爲工，自然穎異不凡，如靈丹一粒，點鐵成金也。浩然云：「微雲澹河漢，疏雨滴梧桐」，工在「澹」「滴」字。如陳舍人從易偶得《杜集》舊本，至《送蔡都尉》云：「身輕一鳥」，其下脱一字。陳公因與數客各以一字補之，或曰疾，或曰落，或曰起，或曰下，莫能定。其後得一善本，乃是「身輕一鳥過」。陳公歎服，一「過」字爲工也。如淮海小詞云「杜鵑聲裏斜陽暮」，東坡曰：「此詞高妙，但既云斜陽，又云暮，則重出也。」余因此識作詩句法，不可重疊也。

唐庚《唐子西文錄》 凡作詩，平居須收拾詩材以備用。退之作《范陽盧殷墓誌》云「於書無所不讀，然止用以資爲詩」，是也。

又 古之作者，初無意於造語，所謂因事以陳詞，如杜子美《北征》一篇，直紀行役爾，忽云「或紅如丹砂，或黑如點漆。雨露之所濡，甘苦齊結實」。此類是也。文章只如人作家書乃是。

蔡正孫《詩林廣記》卷三引《漢皋詩話》 字有顛倒可用者，如「羅綺、綺羅」，「圖畫、畫圖」，「毛羽、羽毛」，「白黑、黑白」之類，方可縱橫。惟韓愈、孟郊輩才豪，故有「湖江」、「白紅」、「慨慷」之句，後人亦難倣效。若不學矩步而學奔逸，誠恐「麟麒」、「凰鳳」、「木草」、「川山」之句紛然矣。

許顗《彥周詩話》 凡作詩若正爾填實，謂之「點鬼簿」，亦謂之「堆垛死屍」。能如《猩猩毛筆詩》曰：「平生幾兩屐？身後五車書。」又如「管城子無食肉相，孔方兄有絶交書」，精妙明密，不可加矣，當以此語反三隅也。

又 作詩押韻是一巧，《中秋夜月詩》，押尖字數首之後，一婦人詩云：「蚌胎光透殼，犀角暈盈尖。」又記人作《七夕詩》，押「潘」、「尼」字，衆人竟和，無成詩者。僕時不曾賦，後因讀《藏經》，呼喜鵲爲芻尼，乃知讀書不厭多。

江少虞《事實類苑》卷六五引《李希聲詩話》 諫議大夫鮮于公子駿守揚州，嘗至隋煬帝九曲池等處，徘徊賦詩，俾郡中屬和，用陰字韻。郡人秦少游和云：「司花人遠樹陰陰」，蓋用煬帝司花女故事也。有教官頗通經術而詩非所長，和詩有「蒼鼠卧花陰」之句。鮮于公讀之，笑曰：「老杜《玉華宮詩》云『蒼鼠卧古瓦』，蓋宮久廢，故蒼鼠竄於瓦間。今乃卧于花陰，此無限殺大四體也。」

釋普聞《詩論》 論曰：詩家云鍊字莫如鍊句，鍊句莫若得格。格高本乎琢句，句高則格勝矣。天下之詩莫出於二句：一曰意句，二曰境句。境句則易琢，意句難製。境句人皆得之，獨意不得其妙者，蓋不知其旨也。所以魯直、荆公之詩出於流輩者，以其得意句之妙也。何則？蓋意從境中宣出，所以此詩作荆公集中之眼者，妙在斯耳。

王銍《四六話》卷上 文章有彼此相資之事，有彼此相須之對，有彼此相須而曾不及當時事，此所以助發意思也。唐人方有此格，謂之互換格，然語猶拙，至後人襲用講論而意益妙。如楊汝士《陪裴晉公東雒夜宴詩》曰：「昔日蘭亭無艶質，此時金谷有高人。」止於此而已。至永叔《和杜歧公詩》曰：「元、劉事業時無取，姚、宋篇章世不知。」

釋惠洪《冷齋夜話》卷一《换骨奪胎法》 山谷云：「詩意無窮，而人之才有限，以有限之才，追無窮之意，雖淵明、少陵不得工也。然不易其意而造其語，謂之换骨法；窺入其意而形容之，謂之奪胎法。」如鄭谷《十日菊》曰：「自緣今日人心別，未必秋香一夜衰。」此意甚佳，而病在氣不長。西漢文章雄深雅健者，其氣長故也。曾子固曰：「詩當使人一覽語盡而意有餘，乃古人用心處。」所以荆公作《菊詩》則曰：「千花萬卉雕零後，始見閑人把一枝。」東坡則曰：「萬事到頭終是夢，休，休，休，明日黃花蝶也愁。」又如李翰林詩曰：「飛鳥不盡暮天碧。」又曰：「青天盡處沒孤鴻。」然其病如前所論。山谷作《登達觀臺》詩曰：「瘦藤拄到風煙上，乞與遊人眼界開。不知眼界闊多少，白鳥去盡青天回。」凡此之類，皆「换骨」法也。顧況詩曰：「一别二十年，人堪幾回別。」其詩簡拔而立意精確。舒王作《與故人》詩云：「一日君家把酒盃，六年波浪與塵埃。不知烏石江頭路，到老相逢得幾回。」樂天詩曰：「臨風杪秋樹，對酒長年身。醉貌如霜葉，雖紅不是春。」東坡南中作詩云：「兒童悮喜朱顔在，一笑那知是醉紅。」凡此之類，皆「奪胎」法也。學者不可不知。

又《的對》 東坡曰：世間之物，未有無對者，皆自然生成之象。雖文字之語亦然，但學者不思耳。如因事，當時爲之語曰：「劉蕡下第，我輩登科。」則其前有「雍齒且侯，吾屬何患」。太宗曰：「我見魏徵常媚嫵。」則德宗乃曰：「人言盧杞是奸邪。」

又卷三《山谷集句貴拙速不貴巧遲》 集句詩，山谷謂之百家衣體，其法貴拙速，而不貴巧遲。如前輩曰「晴湖勝鏡碧，衰柳似金黃」，又曰「事治閑景象，摩挱白髭鬚」，又曰「古瓦磨爲硯，閑砧坐當床」，人以爲巧。然皆疲費精力，積日月而後成，不足貴也。

又卷四《詩用方言》 句法欲老健有英氣，當間用方俗言爲妙。如奇男子行人群中，自然有穎脱不可干之韻。老杜《八仙詩》序李太白曰「天子呼來不上船」，「船」，方俗言也，所謂襟紐是也。「家家養烏鬼，頓頓食黃魚」，川峽路人家多供事烏蠻鬼，以臨江故頓頓食黃魚耳。俗人不解，便作養畜字讀，遂使沈存中自差烏鬼爲鸕鷀也。「夜闌更秉燭，相對疑夢寐」，更互秉燭照之，恐尚是夢也。作「更」字讀，則失其意甚矣。山谷每笑之，如所謂「一霎社公雨，數番花信風」之類是也。江左風流，久已零落，士大夫人品不高，故奇韻滅絶。東晉韻人勝士最多，皆無出謝安石之右，煙飛空翠之間，乃攜娉婷登臨之。與夫雪夜訪山陰故人，興盡而返；下馬據胡床，作三弄而去者異矣。

又《詩言其用不言其名》 用事琢句，妙在言其用不言其名耳。此法唯荆公、東坡、山谷三老知之。荆公曰：「含風鴨緑鱗鱗起，弄日鵝黃裊裊垂。」此言水柳之用而不言水柳之名也。東坡《别子由》詩：「猶勝相逢不相識，形容變盡語音存。」此用事而不言其名也。山谷曰：「管城子無食肉相，孔方兄有絶交書。」又曰：「語言少味無阿堵，冰雪相看有此君。」又曰：「眼見人情如格五，心知世事等朝三。」「格五」，今之蹙融是也。《後漢》注云：「常置人於險處耳。」然句中眼者，世人尤不能解。語言者，蓋其德之候也。故曰：「有德者必有言。」王荆公欲革歷世因循之弊，以新政化，作《雪詩》，其略曰：「勢合便疑包地盡，功成終欲放春回。農家不驗豐年瑞，祇欲青天萬里開。」

又《王荆公東坡詩之妙》 對句法，詩人窮盡其變，不過以事、以意、以出處具備謂之妙。如荆公曰：「平昔離愁寬帶眼，迄今歸思滿琴心。」又曰：「欲寄歲寒無善畫，賴傳悲壯有能琴。」乃不若東坡微意特奇，如曰：「見説騎鯨遊汗漫，亦曾捫蝨話辛酸。」又曰：「蠶市風光思故國，馬行燈火記當年。」又曰：「龍驤萬斛不敢過，漁舟一葉縱掀舞。」以「鯨」爲「蝨」對，以「龍驤」爲「漁舟」對，小大氣焰之不等，其意若玩世。謂之秀傑之氣終不可没者，此類是也。

又卷六《象外句》 唐僧多佳句，其琢句法，比物以意而不指言某物，謂之「象外句」。如無可上人詩曰：「聽雨寒更盡，開門落葉深。」是以落葉比雨聲也。又曰：「微陽下喬木，遠燒入秋山。」是以微陽比遠燒也。

又卷一〇《詩忌深刻》 黃魯直使余對句，曰：「呵鏡雲遮月。」對曰：「啼妝露著花。」魯直罪余於詩深刻見骨，不務含蓄。余竟不曉此論，當有知之者耳。

又《天廚禁臠》卷上《近體三種頷聯法》 此杜子美詩也。其法頷聯雖不拘對偶，疑非聲律。然破題引韻已的對矣。謂之偷春格，言如梅花偷春色而先開也。山谷嘗用此法作茶詞曰：「烹茶留客駐雕鞍，有人愁遠山。别郎容易見郎難，月斜窗外山。自郎去後憶前懽，畫屏金博山。一杯春露莫留殘，與郎扶玉山。」蓋下押四「山」字，上「鞍」「難」「懽」「殘」皆有韻，如是乃知其工也。【略】此賈島詩也。頷聯亦無對偶，然是十字叙一事，而意貫上二句。及景聯方對偶分明，謂之蜂腰格，言若已斷而復續也。【略】此鄭谷詩也。頷聯與破題便作隔句對，若施之於賦，則曰「幾思靜話，對夜雨之禪床，未得重逢，照秋燈之影堂」也。

又《四種琢句法》 近體詩以聲律爲標準，每錙銖而較之，蓋其法嚴甚。然妙意欲達，而爲詩語所礙則奈何，曰：有假借之法。《月中桂》：「根非生下土，葉不墜秋風。」《贈隱者》：「五峰寒不下，萬木幾經秋。」《月中桂》，省題詩也。二詩皆以「秋」對「下」，蓋「下」之同聲也。《山行》：「因尋樵子徑，偶到葛洪家。」《遊山寺》：「殘春紅藥在，終日子規啼。」此以「子」對「洪」，又以「紅」對「子」，皆假其聲也。《宿柏巖》：「閒聽一夜雨，更對柏巖僧。」《移居》：「住山今十載，明日又遷居。」此以「一夜」對「柏巖」，又以「十」對「遷」，假千百之數耳。《宿西林寺》：「聽雨寒更盡，開門落葉深。」《登樓晚望》：「微陽下喬木，遠燒入秋山。」此唐僧無可詩也。退之所稱「島、可」，島謂賈島也。此句法最有奇趣，然譬之嚼蝤蛑，不能多得。一夜蕭蕭，謂必雨也，及曉乃落葉也，其境清絶可知。方遠望謂斜陽自喬木而下，乃是遠燒入山，其遠可知矣。

又《用事法》 《雙竹》：「饑殘夷叔風姿瘦，泣盡娥英粉淚乾。」《酴醾花》：「露濕何郎試湯餅，日烘荀令炷爐香。」《雙竹》，僧慧律詩。《酴醾》，山谷作也。以伯夷、叔齊，娥、英二女比其清癯有淚爲絶好。酴醾花美而有韻，不以女子比之，而以二美丈夫比之爲工也。然淵才又以謂不如「雨過溫泉浴妃子，露濃湯餅試何郎」，亦兼用美丈夫也。

又《就句對法》《贈僧》：「往往語復默，微微雨灑松。」又：「水邊林下何時去，薄宦虛名欺得人。」前賈島詩，後司空曙所作。「往往」不可對「微微」，「去」字不可對「人」字，乃就詩一句以作對，以「語」對「默」，以「雨」對「松」，以「水邊」對「林下」，以「薄宦」對「虛名」也。

又《十字對句法》《梅》：「前村深雪裏，昨夜一枝開。」《別所知》：「相看臨遠水，獨自上孤舟。」前對齊己作，後對鄭谷作，皆以十字叙一事，而對偶分明。

又《十字句法》「如何青草裏，亦有白頭翁。」又：「夜來乘好月，信步上西樓。」前對李太白詩，後對司空曙詩。既以言十字對句矣，此又言十字句，何以異哉？曰：「青草裏」不可對「白頭翁」，「夜來」不可對「信步」。以其是一意，完全渾成，故謂之十字句。其法但可於頷聯用之，如於景聯用，則當曰「可憐蒼耳子，解伴白頭翁」爲工也。

又《十四字對句法》「自攜瓶去沽村酒，卻著衫來作主人。」又：「卻從城裏攜琴去，誰到山中寄藥來。」前對王操詩，後對清塞詩，皆翛然有出塵之姿，無險阻之態。以十四字叙一事，如人信手斲木，方圓一一中規矩。其法亦宜頷聯用之也。

又《詩有四種勢》寒松病枝。芙蓉出水。轉石千仞。賢鄙同笑。《巳師茆齋》：「江蓮搖白羽，天棘蔓青絲。」《山寺》：「麝香眠石竹，鸚鵡啄金桃。」《九日》：「竹葉與人既無分，菊花從此不須開。」《關山道中》：「野店初嘗竹葉酒，天寒正落豆秸灰。」前三對子美詩，後一對東坡詩。「麝香」，小鹿子也。「石竹」，野花之微弱叢，薄薄而纖短者。其事隱而相濫，故注其詩者曰：麝香，鹿也。天棘，柳也。青絲、白羽比物也。竹葉，酒名也。江蓮、黄菊，皆稱體之名，世所共識。而對以異名，則是句法之病。雖是病，然施之於「寒松格」，則不害爲好。「豆秸灰」，比雪也。所謂「寒松病枝」，唐晝公名之。《山居》：「風定花猶落，鳥鳴山更幽。」《雨過》：「涼生初過雨，靜極忽歸僧。」《遊康王觀》：「棋聲深院靜，幡影石壇高。」前對舒王集句，次僧保暹作，後司空曙所作。讀之自然，令人愛悅，不假人言，然後爲貴也。此謂「芙蓉出水」。晉謝靈運名之。《華清宮》：「雷霆施號令，星斗煥文章。」又《懷古》：「經來白馬寺，僧到赤烏年。」前杜牧之詩，後靈徹詩。言天子之事，以「號令」比「雷霆」，必當以「文章」比「星斗」，其勢不如此不能止其詞也。東漢西國僧，以白馬負經至洛陽，而吳赤烏年中，康僧會始領僧二十四員到建業。此所謂「轉石千仞」，譬如以石自千仞岡上而下，不到地而不止。此歐陽公名之。《宮怨》：「昔爲芙蓉花，今作斷腸草。以色事於人，能得幾時好。」《春日曲江》：「朝回日日典春衣，每日江頭盡醉歸。酒債尋常行處有，人生七十古來稀。穿花蛺蝶深深見，點水蜻蜓款款飛。傳語春光共流轉，暫時相賞莫相違。」《與子由別和其詩》：「別期漸近不堪聞，風雨蕭蕭正斷魂。猶勝相逢不相識，形容變盡語音存。」《龍山雨中》：「山行三日雨沾衣，幕阜峰前對落暉。野水自添田水滿，晴鳩卻喚雨鳩歸。靈源大士人天眼，雙塔老師諸佛機。白髮蒼顔重到此，問君還見昔人非。」《宮怨》，李太白作。《春日》，杜子美作。《別子由》，東坡作。《龍山雨中》，山谷作。「斷腸草」，其花美好，亦名芙蓉。「尋常」，七尺爲尋，八尺爲常。形容去盡，但識其音聲，見東漢《黨錮傳》夏馥言兄弟也。鳩見雨卽逐其婦，晴則呼其婦，以喻君怒其臣卽逐之，怒息卽詔其歸爾。此謂「賢鄙同笑」，謂其賢愚讀之，皆意解而愛敬之也。以賢者知其用事所從出，而愚者不知，不知猶爲好也。此秦少遊名之。

又《詩分三種趣》奇趣。天趣。勝趣。《田家》：「高原耕種罷，牽犢負薪歸。深夜一爐火，渾家身上衣。」江淹《效淵明體》：「日暮巾柴車，路暗光已夕。歸人望煙火，稚子候簷隙。」此二詩脫去翰墨痕迹，讀之令人想見其處，此謂之奇趣也。《宮詞》：「白髮宮娥不解悲，滿頭猶自插花枝。曾緣玉貌君王寵，準擬人看似舊時。」《大林寺》：「人間四月芬菲盡，山寺桃花始盛開。長恨春歸無覓處，不知轉入此中來。」此二詩，前乃杜牧之作，後乃白樂天作。其詞語如水流花開，不假功力，此謂之天趣。天趣者，自然之趣耳。《東林寺》：「昔爲東掖垣中客，今作西方社裏人。手把楊枝臨水坐，閑思往事似前身。」《長安道中》：「鏡中白髮悲來慣，衣上塵痕拂轉難。惆悵江湖釣魚手，卻遮西日望長安。」前詩白樂天作，後詩杜牧之作。吐詞氣宛在事物之外，殆所謂勝趣也。

又《錯綜句法》《秋興》：「紅稻啄殘鸚鵡粒，碧梧棲老鳳凰枝。」又：「綠成白雪桑重綠，割盡黄雲稻正青。」又：「林下聽經秋苑鹿，江邊掃葉夕陽僧。」前子美作，次舒王作，次鄭谷作。然是三種錯綜，以事不錯綜則不成文章。若平直叙之，則曰：「鸚鵡啄殘紅稻粒，鳳凰棲老碧梧枝。」而以「紅稻」於上，以「鳳凰」於下者，錯綜之也。言「綠成」則知白雪爲絲，言「割盡」則知黄雲爲麥也。秦少遊得其意，時發奇語，其作《睡足軒》則曰：「長年憂患百端慵，開付僧坊頗有功。地撤蔽虧僧界静，人除荒穢玉奩空。青天並入揮毫裏，白鳥時來隱几中。最是人間佳絕處，夢殘風鐵響丁東。」

又《折腰步句法》《宿山中》：「幽人自愛山中宿，更近葛洪丹井西。庭前有個長松樹，半夜子規來上啼。」《南園》：「花枝草蔓眼前開，小白長紅越女腮。可憐日暮嫣然態，嫁與春風不用媒。」《送蜀僧》：「卻從江夏尋僧晏，又向東坡別巳公。當時半破娥眉月，還在平羌江水中。」前詩韋應物作，次李長吉作，又次東坡作。雖中失粘而意不斷也。

又《絕弦句法》《寄遠》：「燕鴻去後湖天暖，欲寄知音問水居。十歲弄竿今八十，錦鱗吞釣不吞書。」《送道士》：「歲暮抱琴何處去，洛陽三十六峰西。生平不識先生面，不得一聽烏夜啼。」前詩僧謙作，後詩賈島作。其詩語似斷絕而意存，如弦絕而意終在。

又《影略句法》《落葉》：「返蟻難尋穴，歸禽易見窠。滿廊僧不厭，一個俗嫌多。」《柳》：「半煙半雨村橋畔，間杏間桃山路中。會得離人無限意，千絲萬絮惹春風。」前詩劉義作，後詩鄭谷作。賦落葉而未嘗及凋零飄墜之意，賦柳而未嘗及嫋嫋弄日垂風之意。然自然知是落葉，知是柳也。

又卷中《比物句法》《書事》：「輕陰閣小雨，深院晝慵開。坐看蒼苔色，欲上人衣來。」又：「若耶溪上踏莓苔，興盡張帆載酒回。汀草岸花渾不見，青山無數逐人來。」前詩王維作，後詩舒王作。兩詩皆含其不盡之意，子由謂之不帶聲色。

又《造語法》如沙如草，皆衆人所用。山間林下，寂寞之濱，所與之遊處者，牛羊鷗鳥耳。而舒王造而爲語曰：「坐分黄犢草，卧占白鷗沙。」其筆力高妙，殆若天成。凡貧賤，則語言不爲人所敬，信歲寒不變，則無如松竹。山谷則造而爲語曰：「語言少味無阿堵，冰雪相看有此君。」其語便韻。

又《賦題法》「若不得流水，還應過別山」者，題野燒也。「嚴霜百草白，深院一株青」者，題小松也。前人以爲工，但是題其意爾，非能狀其體態也。如子美題雨，則曰：「紫崖奔處黑，白鳥去邊明。」樂天賦琵琶，則曰：「銀瓶忽破水漿迸，鐵騎突出刀槍鳴。」又曰：「四弦一聲如裂帛。」此皆能曲盡萬物之情狀。若雨、若音聲，其不可把玩如石火電光，非人之才力能攬取之。然此但得其情狀，非能寫其不傳之妙哉。如山谷《題蘆雁圖》則妙絕。曰：「惠崇煙雨蘆雁，坐我瀟湘洞庭。欲喚扁舟歸去，傍人謂是丹青。」

又《用事補綴法》《南華會蘇伯固》：「扁舟震澤定何時，滿眼廬山覺又非。芳草池塘惠連夢，上林鴻雁子卿歸。口香知是曹溪水，眼净同看古佛衣。不向南華問消息，此生何處是眞依。」《猩猩筆》：「好飲醉魂在，能言機事疏。平生幾量屐，身後五車書。物色看王會，勳勞在石渠。一毫能濟世，端用謝楊朱。」前東坡詩，後山谷詩。《漢書》：武帝射雁，得蘇武書。無「鴻」字，東坡添「鴻」字，故改「春草池塘」爲「芳草池塘」。阮孚言：「人生能著幾量屐。」魯直以下句非全句，故改「人生」爲「平生」也。若以「春草」對「上林」、以「人生」對「身後」，固不佳哉。特以「生」不易動，則對非的偶爾。

又《比興法》《野外》：「老妻畫紙爲棋局，稚子敲鍼作釣鈎。」《送路六侍御入朝》：「不分桃花紅勝錦，生憎柳絮白於綿。」《絕句》：「不如醉裏風吹盡，可忍醒時雨打稀。」三詩皆子美作也。妻比臣，夫比君，棋局，直道也。鍼合直而敲曲之，言老臣以直道成帝業，而幼君壞其法。稚子，比幼君也。「錦」、「綿」，色紅白而適用。朝廷用直材，天下福也。而直材者忠正，小人諂諛似忠，詐奸似正，故爲子美所不分而憎之也。小人之愚弄朝廷，賢人君子不見其成敗則已，如眼見其敗，亦不能不爲之歎息耳。故曰「可忍醒時雨打稀」。

又《奪胎句法》「河分崗勢斷，春入燒痕青。」僧惠崇詩也。然「河分崗勢」不可對「春入燒痕」，東坡用之，爲奪胎法。曰：「似聞決決流冰缺，盡放青青入燒痕。」以「冰缺」對「燒痕」，可謂盡妙矣。「一別二十年，人堪幾回別」者，顧況詩也。而舒王亦用此法曰：「一日君家把酒杯，六年波浪與塵埃。不知烏石岡邊路，到老相尋得幾回。」

又《換骨句法》《春日》：「有情芍藥含春淚，無力薔薇卧曉枝。」又：「白蟻撥醅官酒熟，紫綿揉色海棠開。」前少遊詩，後山谷詩。夫言花與酒者，自古至今，不可勝數，然皆一律。若兩傑，則以妙意取其骨而換之。

又《**遺音句法**》《扇》：「玉斧修成寶月團，月邊仍有女乘鸞。青冥風露非人世，鬢亂釵橫特地寒。」《宿東林寺》：「溪聲便是廣長舌，山色豈非清淨身。夜來八萬四千偈，他日如何舉似人。」前舒王作，後東坡作。此所謂讀之令人一唱而三歎，譬如朱弦發越，有遺音者也。秦少遊欲效之，作一首曰：「獼猴鏡裏三身現，龍女珠中萬象開。爭似此堂人散後，水光清泛月華來。」終若不及也。東坡曰：「善畫者畫意不畫形，善詩者道意不道名。」故其詩曰：「論畫以形似，見與兒童鄰。作詩必此詩，定知非詩人。」借如賦山中之境，居人清曠，不過稱之深，稱住山之久，稱其閑逸，稱其寂默，稱其高遠。能道其意者，不直言其深，而意中見其深。如文靚詩曰：「松陰行不盡，疎雨下無時。世事幾興廢，山中人未知。」又不直言其住山之久，而意中見其久。如賈島詩曰：「頭髮梳千下，休糧帶病容。養雛成大鶴，種子作高松。白石通宵煮，寒泉盡日舂。不曾離隱處，那得世人逢。」又不直言其閑逸，而意中見其閑逸。如王維詩曰：「中歲頗學道，晚家南山陲。興來獨自往，事勝心自知。行到水窮處，坐看雲起時。偶然值林叟，語笑無還期。」又不直言其寂默，而意中見其寂默。如晝公詩曰：「月色靜中見，泉聲幽處聞。影孤長不出，行道在深雲。」又不直言其高遠，而意中見其高遠。如王維詩曰：「山中多法侶，禪誦自成群。城郭遙相望，唯應見白雲。」

又 詩家尤貴遣詞頓挫，舒王常擊節賞歎東坡《日日出東門詩》。其略曰：「百年寓華屋，千載歸山丘。何事羊公子，不肯過西州。」此遣詞頓挫也。杜子美詩，言山間野外，意在譏刺風俗。如《三絕句》詩曰：「楸樹馨香倚釣磯，斬新花蘂未應飛。」言後進爆貴，可榮觀也。「不如醉裏風吹盡，可忍醒時雨打稀。」言其恩重才薄，眼見其零落，不若未受恩眷之時。雨比天恩，以雨多，故致花易壞也。「門外鸕鶿久不來，沙頭忽見眼相猜。」言貪利小人，畏君子之譏其短也。「自今以後知人意，一日須來一百回。」言君子以義養正，瑜瑾匿瑕，山藪藏疾，不發其惡。而小人未革面，諂諛不能媿恥也。「無數春筍滿林生，柴門密掩斷人行。會須上番看成竹，客至從嗔不出迎。」言唯守道爲歲寒也。前輩多法其意作，如韓稚圭詩曰：「風靜曉枝蝴蝶鬧，雨匀春圃桔槔閑。」亦以雨比天恩。又蔡持正詩曰：「風搖熟果時聞落，雨滴餘花亦自香。」亦以雨比天恩也。「桔槔」比宰相功業之就，已退閑矣，時公在相州作帥。「熟果」比大臣時黜落，時公在安州。

又 律詩拘於聲律，古詩拘於句語，以是詞不能達。夫謂之「行」者，達其詞而已，如古文而有韻者耳。自唐陳子昂一變江左之體，而歌行暴于世，作者輩能守其法，不失爲文之旨，唯杜子美、李長吉。今專指二人之詞以爲證。夫謂之「歌」者，哀而不怨之詞，有豐功盛德則歌之，詭異希奇之事則歌之。其詞與古詩無以異，但無鋪叙之語，奔驟之氣。其遺語也，舒徐而不迫，峻特而愈工。吟諷之而味有餘，追繹之而情不盡。叙端發詞，許爲雄誇跌蕩之語，及其終也，許置諷刺傷悼之意。此大凡如此爾。「行」者詞之遣無所留礙，如雲行水流，曲折溶曳，而不爲聲律語句所拘。但於古詩句法中得增辭語耳。如李賀《將進酒》、《致酒行》、《南山田中行》，杜甫《麗人行》、《貧交行》、《兵車行》。

又 「歌」者亦古詩之流，但有卓絕之事，可以歌詠者，至節要處，任其詞爲抑揚之語。如李賀《觱篥歌》、《採玉歌》、《莫舞歌》，杜甫《醉時歌》、《樂遊園歌》、《山水障歌》。

又卷下《**古詩押韻法**》 古詩以意爲主，以氣爲客。故意欲完，氣欲長，唯意之往而氣追隨之。故於韻無所拘，但行於其所當行，止於其不可不止。蓋得其韻寬，則波瀾泛入傍韻，乍還乍離，出入回合，殆不可拘以常格。如韓退之《此日足可惜》之類是也。得韻窄，則不復傍出，而因難見巧，愈險愈奇。如韓退之《病中贈張十八》之類是也。歐陽文忠公曰：「予嘗與聖俞論此，以謂譬如善馭良馬者，通衢廣陌，縱横馳逐，惟意所之。至於水曲蟻封，疾徐中節而不蹉跌，乃天下之至工也。」聖俞戲曰：「前史言退之爲人木強，若寬韻可自足，而輒傍出，窄韻難獨用，而反不出。豈非其拗強而然歟。」坐客皆大笑之也。

又《**破律琢句法**》 此六句乃七言琢句法也。「仰看曉月掛木末，天風吹衣毛骨寒。」此對十四字，而上下兩字平側皆隔五字。此句法健特。「曉月掛木末」五字是側，而「看」字是平。「天風吹衣寒」五字是平，而「骨」字是側。如「華裙織翠青如蔥，金環壓臂搖玲瓏。」此對十四字，而四字是側。然二字側以襯出五字平，則文雄勁。凡律詩一句亦有四字平側者：「無可奈何花落去，似曾相識燕歸來。」然皆照映相間，讀之妥貼，非如古詩側三字四字連殺，平亦如之也。「除風吹黃沙，日暮水光在。孤鴻翻雲影，哀猿聲一再。關河斷音書，客子隔嶺海。」此六句，乃五言琢句法也。

又《頓挫掩抑法》 此東坡賦《蘆雁》詩也。欲叙雁閒暇之態，故筆力頓挫如此。【略】夫言頓挫者，乃是覆卻，使文彩粲然。非如常格詩，但排比句語而成。熟讀之，殊無氣味。

又《換韻殺斷法》 前杜子美《高都護驄馬詩》，後東坡《贈別雲上人詩》，蓋法杜子美所作也。雲以馬圖餉坡，坡還之。前換三韻，皆四句兼平仄韻相間。及將斷，即折四句爲兩韻。若不爾，便不合格。今人信意換韻者，不知此也。

又《平頭換韻法》 此東坡作《李太白贊》也。自「天人」至「矧肯求」一韻七句，方換頭韻，又是平聲。自「東望」至「君應聞」一韻又七句。蓋其法不得雙殺，若雙殺者，不得此法也。

又《促句換韻法》 此詩三句三疊而止，其法不可過三疊。然促兩疊可謂之促句法，以兩疊則俱且平聲，或用側聲。【略】此二疊俱用側聲也。【略】此兩疊俱用平聲也。

又《子美五句法》 此格即事遣興可作。如題物、贈送之類，皆不可用。

又《杜甫六句法》 此句含譏刺，有謂而作。若法之，但作放言遣興，不可寄贈。

又《古意句法》 寄情於君臣交友之際，必托二物以比況。漢蘇、李已來，作者多如此。

又《四平頭韻法》 此杜甫作《八僊歌》也。凡押兩「天」字，兩「眠」字，兩「船」字，三「前」字，唯平頭韻可重押。若或側韻，則不可押。李商隱亦用此體作《九日詩》。

又《分佈用事法》 何謂分佈用事法？曰：凡二事比類於前，而後發其宏妙也。

又《窠因用事法》 「陸機二十作《文賦》。」又曰：「看射猛虎終殘年。」此略提其事之因，不聲其所以然。若此者，多如排布用事，非高才博學者莫能也。

蔡絛《西清詩話》卷上 薛許昌《答書生贈詩》：「百首如一首，卷初如卷終。」譏其不能變態也。大抵屑屑較量屬句平勻，不免氣骨寒局，殊不知詩家要當有情致，抑揚高下，使氣宏拔，快字淩紙。又用事能破觚爲圜，剉剛成柔，始爲有功，昔人所謂縛虎手也。蘇子美《窮居和長安帥葉清臣見寄》：「玉帳夜嚴兵似水，茅齋春靜草如煙。」東坡嘗作詩：「天邊鴻鵠不易得，便令作對隨家雞。」又曰：「坐驅猛虎如群羊。」眞佳語也。

又 歐陽文忠公曰：「爲文要當做不盡，乃有餘味。」又曰：「爲文之體，初欲奔放，抗志氣於八極之表，久當收節，使簡嚴正，或時肆發以自舒，勿拘一體，則盡善矣。」其論梅聖俞詩曰：「譬如妖韶女，老自有餘態。又如食橄欖，眞味久愈在。」公文章周流天壤，斯文主盟，信不誣已。

又 熙寧初，張侍郎掞以二府成，詩賀王文公。公和曰：「功謝蕭規慚漢第，恩從隗始詫燕臺。」示陸農師。農師曰：「蕭規曹隨，高帝論功，蕭何第一。皆摭故實，而『請從隗始』，初無『恩』字。」公笑曰：「子善問也。韓退之《鬥雞聯句》『感恩慚隗始』，若無據，豈當對『功』字耶。」乃知前人以用事一字偏枯，爲倒置眉目，返易巾裳，蓋慎之如此。

又 作詩妙處在以故事敘實事，王文公尤高勝。熙寧中，華山圮，冰木稼。不久，韓魏公薨。公作詩：「木稼嘗聞達官怕，山頽果見哲人萎。」用孔子語「太山其頽乎」。《舊唐史》：寧王卧疾，引諺語曰：「木稼達官怕。」必大臣當之，吾其死矣。已而果然。此故事叙實事也。

又 王君玉謂人曰：「詩家不妨間用俗語，尤見工夫。」雪止未消者，俗謂「待伴」。嘗有《雪詩》：「待伴不禁鴛瓦冷，羞明常怯玉鈎斜。」「待伴」、「羞明」皆俗語，而采拾入句，了無痕纇，此點瓦礫爲黄金手也。

又 杜少陵云：「作詩用事，要如釋氏語：水中著鹽，飲水乃知鹽味。」此說詩家密藏也。如「五更鼓角聲悲壯，三峽星河影動搖。」人徒見凌轢造化之氣，不知乃用事也。《禰衡傳》：「撾漁陽摻，聲悲壯。」《漢武故事》：「星辰影動搖，東方朔謂民勞之應。」則善用故事者，如繫風捕影，豈有迹耶？此理迨不容聲，余乃顯言之，已落第二矣。

又卷中 黄魯直貶宜州，謂其兄元明曰：「庭堅筆老矣，始悟抉章摘句爲難。要當於古人不到處留意，乃能聲出衆上。」元明問其然，曰：「某近詩『醉鄉閑處日月，鳥語花間管弦』是也。」此優入詩家藩閫，宜其名世如此。

嚴有翼《藝苑雌黄》 僧惠洪《冷齋夜話》載介甫詩云：「春殘葉密花枝少，睡起茶多酒盞疏。」「多」字當作「親」，世俗傳寫之誤。洪之意蓋欲以少對密，以疏對親。予作荆南教官，與江朝宗匯者同僚，偶論及此。江云：「惠洪多妄誕，殊不曉古人詩格。此一聯以『密』字對『疏』字，以『多』字對『少』字，正交股用之，所謂蹉對法也。」

胡仔《苕溪漁隱叢話後集》卷一九引《藝苑雌黃》 文人用故事有直用其事者，有反其意而用之者。元之《謫守黄岡謝表》云：「宣室鬼神之問，豈望生還；茂陵《封禪》之書，惟期死後。」此一聯每爲人所稱道，然皆直用賈誼、相如之事耳。李義山詩：「可憐夜半虚前席，不問蒼生問鬼神。」雖說賈誼，然反其意而用之矣。林和靖詩：「茂陵他日求遺藁，猶喜曾無《封禪書》。」雖說相如，亦反其意而用之矣。直用其事，人皆能之；反其意而用之者，非識學素高，超越尋常拘攣之見，不規規然蹈襲前人陳迹者，何以臻此。

又 前輩論詩有奪胎換骨之說，信有之也。杜陵《謁玄元廟》，其一聯云：「五聖聯龍袞，千官列雁行。」蓋紀吴道子廟中所畫者。徽宗嘗制《哲廟挽詩》，用此意作一聯云：「北極聯龍袞，秋風折雁行。」亦以雁行對龍袞。然語意中的，其親切過於本詩，不謂之奪胎可乎？不然，徒用前人之語，殊不足貴。且如沈佺期云：「小池殘暑退，高樹早涼歸。」非不佳也，然正用柳惲「太液微波起，長楊高樹秋」之句耳。蘇子美云：「峽束滄淵深貯月，巖排紅樹巧妝秋。」非不佳也，然正用杜陵「峽束滄江起，巖排石樹圓」之句耳。語雖工，而無別意。

又卷二七引《藝苑雌黃》 古人詩押字，或有語顛倒而於理無害者，如韓退之以「參差」爲「差參」，以「玲瓏」爲「瓏玲」是也。比觀王逢原有《孔融詩》云：「虚云座上客常滿，許下惟聞笑習脂。」黄魯直有《和荆公西太一宫》六言詩云：「啜羹不如放麑，樂羊終愧巴西。」按：《後漢史》有「脂習」而無「習脂」，有秦「西巴」而無「巴西」，豈二公之誤邪？

莊綽《雞肋篇》卷上 杜子美《石犀行》云：「自免洪濤恣凋瘵。」與濟、逝爲韻。《種萵苣》云：「信宿罷瀟灑。」與耳、始同押。《後出塞》云：「恐是霍票姚。」作平聲。《八仙歌》押兩「船」字，《狄明府》兩「濟」字。「灑」字有三音，而瘵但切側界。去病爲票姚校尉。服虔注《漢書》：「音飄摇。」顔師古云：「票音平妙反，姚音羊召反。票姚，勁疾之貌也。荀悦《漢紀》作票鷂字。去病後爲票騎將軍，尚取票姚之字耳。今讀者音飄摇，則不當其義也。」詩人拘于聲律，取其意而略其義也。如「濟濟清濟」，音雖同而義異。故兩「船」字，或者遂謂「不上船」，爲蜀人以衣襟爲船。余嘗至舟中問土人，則不然。後見范傳正《太白新墓誌》云：「玄宗泛白蓮池，召公作序。時公已被酒于翰苑中，命高力士扶以登舟。」杜之所歌，蓋此事耳。

張表臣《珊瑚鈎詩話》卷一 詩以意爲主，又須篇中鍊句，句中鍊字，乃得工耳，以氣韻清高深眇者絶，以格力雅健雄豪者勝。元輕白俗，郊寒島瘦，皆其病也。

曾季貍《艇齋詩話》 東坡論作詩，喜對景能賦，必有是景，然後有是句。若無是景而作，即謂之「脫空」詩，不足貴也。

又 人問韓子蒼詩法，蒼舉唐人詩：「打起黄鶯兒，莫教枝上啼；幾回驚妾夢，不得到遼西。」予嘗用子蒼之言，遍觀古人作詩，規模全在此矣。如唐人詩：「妾有羅衣裳，秦王在時作。爲舞春風多，秋來不堪著。」又如：「曲江院裏題名處，十九人中最少年。今日春光君不見，杏花零落寺門前。」又如荆公詩：「淮口西風急，君行定幾時？故應今夜月，未便照相思。」皆此機杼也，學詩者不可不知。

何薳《春渚紀聞》卷七 自昔詞人琢磨之苦，至有一字窮歲月，十年成一賦者。白樂天詩詞，疑皆沖口而成，及見今人所藏遺稿，塗竄甚多。歐陽文忠公作文既畢，貼之牆壁，坐卧觀之，改正盡善，方出以示人。薳嘗于文忠公諸孫望之處，得東坡先生數詩稿，其和歐叔弼詩云：「淵明爲小邑」，繼圈去「爲」字，改作「求」字，又連塗「小邑」二字作「縣令」字，凡三改乃成今句。至「胡椒銖兩多，安用八百斛」，初云：「胡椒亦安用，乃貯八百斛」，若如初語，未免後人疵議。又知雖大手筆，不以一時筆快爲定，而憚於屢改也。

葉寘《愛日齋叢鈔》卷三 陶詩：「結廬在人境，而無車馬喧。」少陵《東樓》詩：「雖有車馬客，而無人世喧。」就古語一轉，正使事之法。如《莊子》外篇：「忘足屨之適也，忘要帶之適也。」東坡《九日》云：「要適忘帶，足適忘屨。」卻乍讀似與《莊子》意別，亦是不爲古事所使也。

謝采伯《密齋筆記》卷三 節孝先生曰：「文字要多作，多作方思熟。」余無日不爲文，無時不吟哦。歐陽公謂：「爲文有三多：看多，作多，商量多。」蘇文定公云：「前輩文但看、作多。」

徐度《卻掃編》卷中 魏昌世言：無己平生惡人節書，以爲苟能盡記不忘，固善，不然徒廢日力而已。夜與諸生會宿，忽思一事，必明燭翻閲，得之乃已。或以爲可待旦者，無己曰：不然，人情樂因循，一放過則不復省矣。故其學甚博而精，尤好經術，非如唐之諸子作詩之外，他無所知也。

又 陳參政去非，少學詩于崔鷗德符，嘗請問作詩之要。崔曰：「凡作詩工拙所未論，大要忌俗而已。天下書雖不可不讀，然慎不可有意於用事。」去非亦嘗語人言，本朝詩人之詩，有慎不可讀者，有不可不讀者，慎不可讀者梅聖俞，不可不讀者陳無己也。

葉夢得《石林詩話》卷上 王荆公晚年詩律尤精嚴，造語用字，間不容髮。然意與言會，言隨意遣，渾然天成，殆不見有牽率排比處。如「含風鴨綠鱗鱗起，弄日鵝黄裊裊垂」，讀之初不覺有對偶。至「細數落花因坐久，緩尋芳草得歸遲」，但見舒閑容與之態耳。而字字細考之，若經檃括權衡者，其用意亦深刻矣。嘗與葉致遠諸人和頭字韻詩，往返數四，其末篇有云：「名譽子眞矜谷口，事功新息困壺頭。」以谷口對壺頭，其精切如此。後數日，復取本追改云：「豈愛京師傳谷口，但知鄉里勝壺頭。」至今集中兩本並存。

又 詩下雙字極難，須使七言、五言之間除去五字、三字外，精神興致，全見於兩言，方爲工妙。唐人記「水田飛白鷺，夏木囀黄鸝」爲李嘉祐詩，王摩詰竊取之，非也。此兩句好處，正在添「漠漠」、「陰陰」四字，此乃摩詰爲嘉祐點化，以自見其妙，如李光弼將郭子儀軍，一號令之，精彩數倍。不然，如嘉祐本句，但是詠景耳，人皆可到。要之當令如老杜「無邊落木蕭蕭下，不盡長江滚滚來」，與「江天漠漠鳥雙去，風雨時時龍一吟」等，乃爲超絶。近世王荆公「新霜浦溆綿綿白，薄晚林巒往往青」，與蘇子瞻「浥浥爐香初泛夜，離離花影欲摇春」，皆可以追配前作也。

又 詩之用事，不可牽强，必至於不得不用而後用之，則事辭爲一，莫見其安排鬬湊之迹。蘇子瞻嘗爲人作挽詩云：「豈意日斜庚子後，忽驚歲在己辰年。」此乃天生作對，不假人力。溫庭筠詩亦有用甲子相對者，云：「風捲蓬根屯戊己，月移松影守庚申。」兩語本不相類。其題云：「與道士守庚申，時聞西方有驚事。」□□適然，固不可知。然以其用意附會觀之，疑若得此對而就爲之題者，此蔽於用事之弊也。前輩詩材，亦或預爲儲蓄，然非所當用，未嘗强出。余嘗從趙德麟假陶淵明集本，蓋子瞻所閱者，時有改定字，末手題兩聯，云「人言盧杞是姦邪，我覺魏公眞嫵媚」。又「槐花黄，舉子忙；促織鳴，懶婦驚」，不知偶書之耶，或將以爲用也。然子瞻詩後不見此語，則固無意於必用矣。王荆公作韓魏公挽辭云：「木稼曾聞達官怕，山頹今見哲人萎。」或言亦是平時所得。魏公之薨，是歲適雨木冰，前一歲華山崩，偶有二事，故不覺爾。

又卷中 荆公詩用法甚嚴，尤精於對偶。嘗云：用漢人語，止可以漢人語對，若參以異代語，便不相類。如「一水護田將綠去，兩山排闥送青來」之類，皆漢人語也。此法惟公用之不覺拘窘卑凡。如「周顒宅在阿蘭若，婁約身隨窣堵波」，皆因梵語對梵語，亦此意。嘗有人面稱公詩「自喜田園安五柳，但嫌尸祝擾庚桑」之句，以爲的對。公笑曰：「伊但知柳對桑爲的，然庚亦自是數。」蓋以十干數之也。

又 「池塘生春草，園柳變鳴禽。」世多不解此語爲工，蓋欲以奇求之耳。此語之工，正在無所用意，猝然與景相遇，借以成章，不假繩削，故非常情所能到。詩家妙處，當須以此爲根本，而思苦言難者，往往不悟。鍾嶸《詩品》論之最詳，其略云：「『思君如流水』，既是即目，『高臺多悲風』，亦惟所見，『清晨登隴首』，羌無故實，『明月照積雪』，詎出經史。古今勝語，多非補假，皆由直尋。顔延之、謝莊尤爲繁密，於時化之，故大明、泰始中，文章殆同書抄。近任昉、王元長等，辭不貴奇，競須新事。爾來作者，寖以成俗，遂廼句無虚語，語無虚字，牽攣補衲，蠹文已甚，自然英旨，罕遇其人。」余每愛此言簡切，明白易曉，但觀者未嘗留意耳。自唐以後，既變以律體，固不能無拘窘，然苟大手筆，亦自不妨削鐻於神志之間，斲輪於甘苦之外也。

又卷下 詩語固忌用巧太過，然緣情體物，自有天然工妙，雖巧而不見刻削之痕。老杜「細雨魚兒出，微風燕子斜」，此十字殆無一字虚設。雨細着水面爲漚，魚常上浮而淰，若大雨則伏而不出矣。燕體輕弱，風猛則不能勝，惟微風乃受以爲勢，故又有「輕燕受風斜」之語。至「穿花蛺蝶深深見，點水蜻蜓款款飛」，「深深」字若無「穿」字，「款款」字若無「點」字，皆無以見其精微如此。然讀之渾然，全似未嘗用力，此所以不礙其氣格超勝。使晚唐諸子爲之，便當如「魚躍練波抛玉尺，鶯穿絲柳織金梭」體矣。七言難於氣象雄渾，句中有力，而紆徐不失言外之意。自老杜「錦江春色來天地，玉壘浮雲變古今」，與「五更鼓角聲悲壯，三峽星河影動摇」等句之後，嘗恨無復繼者。韓退之筆力最爲傑出，然每苦意與語俱盡。《和裴晉公破蔡州回詩》所謂「將軍舊壓三司貴，相國新兼五等崇」，非不壯也，然意亦盡於此矣。不若劉禹錫《賀晉公留守東都》云：「天子旌旗分一半，八方風雨會中州」，語遠而體大也。

又 古今論詩者多矣，吾獨愛湯惠休稱謝靈運爲「初日芙蕖」，沈約稱王鈎爲「彈丸脫手」兩語，最當人意。「初日芙蕖」，非人力所能爲，而精彩華妙之意，自然見於造化之妙，靈運諸詩，可以當此者亦無幾。「彈丸脫手」，雖是書寫便利，動無留礙，然其精圓快速，發之在手，鈎亦未能盡也。然作詩審到此地，豈復更有餘事。韓退之《贈張籍》云：「君詩多態度，藹藹春空雲。」司空圖記戴叔倫語云：「詩人之辭，如藍田日暖，良玉生煙。」亦是形似之微妙者，但學者不能味其言耳。

又 詩禁體物語，此學詩者類能言之也。歐陽文忠公守汝陰，嘗與客賦雪於聚星堂，舉此令，往往皆閣筆不能下。然此亦定法，若能者，則出入縱橫，何可拘礙。鄭谷「亂飄僧舍茶煙濕，密灑歌樓酒力微」，非不去體物語，而氣格如此其卑。蘇子瞻「凍合玉樓寒起粟，光搖銀海眩生花」，超然飛動，何害其言玉樓銀海。韓退之兩篇，力欲去此弊，雖冥搜奇譎，亦不免有縞帶銀杯之句。杜子美「暗度南樓月，寒生北渚雲」，初不避雲月字。若「隨風且開葉，帶雨不成花」，則退之兩篇，工殆無以愈也。

佚名《漫叟詩話》 嘗見陳本明論詩云：「前輩謂作詩當言用勿言體，則意深矣。若言冷則云『可嚥不可漱』，言靜則云『不聞人聲聞屐聲』之類。」

兪文豹《吹劍錄外集》 東坡云：「作詩必此詩，定知非詩人。」宋莒公詩：「漢皋佩解臨江失，金谷樓危到地香。」一似非落花詩。近來體格又別，不用事，不著相，而意在言外。

葛立方《韻語陽秋》卷一 近時論詩者，皆謂偶對不切，則失之麄；太切，則失之俗。如江西詩社所作，慮失之俗也，則往往不甚對，是亦一偏之見爾。老杜《江陵詩》云：「地利西通蜀，天文北照秦。」《秦州詩》云：「水落魚龍夜，山空鳥鼠秋。」「叢篁低地碧，高柳半天青。」《豎子至》云：「相梨且綴碧，梅杏半傳黃。」如此之類，可謂對偶太切矣，又何俗乎？如「雜蕊紅相對，他時錦不如」，「磨滅餘篇翰，平生一釣舟」之類，雖對不求太切，而未嘗失格律也。學詩者當審此。

又 律詩中間對聯，兩句意甚遠，而中實潛貫者，最爲高作。如介甫《示平甫詩》云：「家世到今宜有後，士才如此豈無時。」《答陳正叔》云：「此道未行身有待，古人不見首空回。」魯直《答彥和詩》云：「天於萬物定貧我，智效一官全爲親。」《上叔父夷仲詩》云：「萬里書來兒女瘦，十月山行冰雪深。」歐陽永叔《送王平甫下第詩》云：「朝廷失士有司恥，貧賤不憂君子難。」《送張道州詩》云：「身行南雁不到處，山與北人相對愁。」如此之類，與規規然在於媲青對白者，相去萬里矣。魯直如此句甚多，不能概舉也。

又 梅聖兪五字律詩，於對聯中十字作一意處甚多。如《碧瀾亭詩》云：「危樓喧晚鼓，驚鷺起寒汀。」《初見淮山》云：「朝來汴口望，喜見淮上山。」《送兪駕部》云：「何時鷁舟上，遠見爐峰迎。」《送張子野》云：「不知從此去，當見復何如。」《和王尉》云：「度鳫不曾下，新文誰寄評。」《畫寢詩》云：「及爾寂無慮，始知機盡空。」如此者不可勝舉。詩家謂之「十字格」，今人用此格者殊少也。老杜亦時有此格，《放船詩》云：「直愁騎馬滑，故作泛舟回。」《對雨》云：「不愁巴道路，恐濕漢旌旗。」《江月》云：「天邊長作客，老去一霑巾。」

又卷二 陳去非嘗爲余言：「唐人皆苦思作詩，所謂『吟安一箇字，撚斷數莖鬚』，『句向夜深得，心從天外歸』，『吟成五字句，用破一生心』，『蟾蜍影裏清吟苦，舴艋舟中白髮生』之類是也。故造語皆工，得句皆奇，但韻格不高，故不能參少陵逸步。後之學詩者，倘或能取唐人語而掇入少陵繩墨步驟中，此連胸之術也。」余嘗以此語似葉少蘊，少蘊云：「李益詩云：『開門風動竹，疑是故人來。』沈亞之詩云：『徘徊花上月，虛度可憐宵。』皆佳句也。鄭谷掇取而用之，乃云：『睡輕可忍風敲竹，飲散那堪月在花。』眞可與李、沈作僕奴。」由是論之，作詩者興致先自高遠，則去非之言可用；倘不然，便與鄭都官無異。

又 詩家有換骨法，謂用古人意而點化之，使加工也。李白詩云：「白髮三千丈，緣愁似箇長。」荊公點化之，則云：「繰成白髮三千丈。」劉禹錫云：「遙望洞庭湖水面，白銀盤裏一青螺。」山谷點化之，則云：「可惜不當湖水面，銀山堆裏看青山。」孔稚圭《白苧歌》云：「山虛鐘磬徹。」山谷點化之，則云：「山空響管絃。」盧仝詩云：「草石是親情。」山谷點化之，則云：「小山作朋友，香草當姬妾。」學詩者不可不知此。

又 詩之有思，卒然遇之而莫遏，有物敗之則失之矣。故昔人言覃思、垂思、抒思之類，皆欲其思之來，而所謂亂思、蕩思者，言敗之者易也。鄭綮詩思在灞橋風雪中驢子上，唐求詩所游歷不出二百里，則所謂思者，豈尋常咫尺之間所能發哉！前輩論詩思多生於杳冥寂寞之境，而志意所如，往往出乎埃壒之外。苟能如是，於詩亦庶幾矣。

又卷三 作詩貴彫琢，又畏有斧鑿痕，貴破的，又畏黏皮骨，此所以爲難。李商隱《柳詩》云：「動春何限葉，撼曉幾多枝。」恨其有斧鑿痕也。石曼卿《梅詩》云：「認桃無綠葉，辨杏有青枝。」恨其黏皮骨也。能脫此二病，始可以言詩矣。劉夢得稱白樂天詩云：「郢人斤斲無痕迹，仙人衣裳棄刀尺。世人方內欲相從，行盡四維無處覓。」若能如是，雖終日斲而鼻不傷，終日射而鵠必中，終日行於規矩之中，而其迹未嘗滯也。山谷嘗與楊明叔論詩，謂以俗爲雅，以故爲新，百戰百勝。如孫、吳之兵，棘端可以破鏃；如甘蠅飛衛之射，捏聚放開，在我掌握。與劉所論，殆一轍矣。

佚名《詩說雋永》 夏均父嘗言詩之比類，直要相停。常與客泛舟，載肥妓而飲濁酒。其詩曰：「蟻浮金椀濁，妓壓畫船低。」

周紫芝《竹坡詩話》 凡詩人作語，要令事在語中而人不知。余讀太史公《天官書》：「天一、槍、棓、矛、盾動搖，角大，兵起。」杜少陵詩云：「五更鼓角聲悲壯，三峽星河影動搖。」蓋暗用遷語，而語中乃有用兵之意。詩至於此，可以爲工也。

又 有明上人者，作詩甚艱，求捷法於東坡，作兩頌以與之。其一云：「字字覓奇險，節節累枝葉。咬嚼三十年，轉更無交涉。」其一云：「衡口出常言，法度法前軌。人言非妙處，妙處在于是。」乃知作詩到平淡處，要似非力所能。東坡嘗有書其姪云：「大凡爲文，當使氣象崢嶸，五色絢爛，漸老漸熟，乃造平淡。」余以不但爲文，作詩者尤當取法於此。

胡仔《苕溪漁隱叢話前集》卷八引《童蒙詩訓》 老杜云：「新詩改罷自長吟。」文字頻改，工夫自出。近世歐公作文，先貼于壁，時加竄定，有終篇不留一字者。魯直長年多改定前作，此可見大略，如《宗室挽詩》云：「天網恢中夏，賓筵禁列侯」，後乃改云：「屬舉左官律，不通宗室侯」，此工夫自不同矣。

又卷一三引《童蒙詩訓》 潘邠老言：「七言詩第五字要響，如『返照入江翻石壁，歸雲擁樹失山村』，『翻』字、『失』字是響字也。五言詩第三字要響，如『圓荷浮小葉，細麥落輕花』，『浮』字、『落』字是響字也。所謂響者，致力處也。」予竊以爲字字當活，活則字字自響。

又卷三五引《童蒙詩訓》 徐師川云：「爲詩文常患意不屬，或只得一句，語意便盡，欲足成一章，又惡其不相稱。」師川云：「但能知意不屬，則學可進矣。凡注意作詩文，或得一兩句而止。若未有其次句，即不若且休，養鋭以待新意。若盡力，須要相屬。譬如力不敵而苦戰，一敗之後，意氣沮矣。」

又卷四九引呂本中《與曾吉甫論詩第一帖》 寵諭作詩次第，此道不講久矣，如本中何足以知之。或勵精潛思，不便下筆；或遇事因感，時時舉揚。工夫一也。古之作者，正如是耳。惟不可鑿空強作，如小兒就學，俯就課程耳。《楚辭》、杜、黄，固法度所在，然不若遍考精取，悉爲吾用，則姿態横出，不窘一律矣。如東坡、太白詩，雖規摹廣大，學者難依，然讀之使人敢道，澡雪滯思，無窮苦艱難之狀。亦一助也。要之，此事須令有所悟入，則自然越度諸子。悟入之理，正在工夫勤惰間耳。如張長史見公孫大娘舞劍，頓悟筆法。如張者，專意此事，未嘗少忘胸中，故能遇事有得，遂造神妙；使他人觀舞劍，有何干涉。非獨作文學書而然也。和章固佳，然本中猶竊以爲少新意也。近世次韻之妙，無出蘇、黄，雖失古人唱酬之本意，然用韻之工，使事之精，有不可及者。

又引呂本中《與曾吉甫論詩第二帖》 詩卷熟讀，深慰寂寞。蒙問加勤，尤見樂善之切，不獨爲詩賀也。其間大概皆好，然以本中觀之，治擇工夫已勝，而波瀾尚未闊，欲波瀾之闊去，須於規摹令大，涵養吾氣而後可。規摹既大，波瀾自闊，少加治擇，功已倍于古矣。試取東坡黄州以後詩，如《種松》、《醫眼》之類，及杜子美歌行及長韻，近體詩看，便可見。若未如此，而事治擇，恐易就而難遠也。退之云：「氣，水也；言，浮物也。水大，則物之浮者，大小畢浮。氣之與言，猶是也。氣盛，則言之長短，與聲之高下皆宜。」如此，則知所以爲文矣。曹子建《七哀》詩之類，宏大深遠，非複作詩者所能及，此蓋未始有意於言語之間也。近世江西之學者，雖左規右矩，不遺餘力，而往往不知出此，故百尺竿頭，不能更進一步，亦失山谷之旨也。

張鎡《仕學規範》卷三九引《童蒙詩訓》 詩詞高勝要從學問中來。後來學詩者雖時有妙句，譬如合眼摸象，隨所觸體，得一處，非不即似，要且不是。若開眼，全體見之，合古人處，不待取證也。

又 學詩須熟看老杜、蘇、黄，先見體式，然後遍考他作，自然工夫度越他人。

胡仔《苕溪漁隱叢話前集》卷九 苕溪漁隱曰：「律詩有扇對格，第一與第三句對，第二與第四對，如少陵《哭台州鄭司戶蘇少監詩》云：『得罪臺州去，時危棄碩儒。移官蓬閣後，谷貴歿潛夫。』東坡《和鬱孤臺》詩云：『解後陪車馬，尋芳謝朓洲。淒涼望鄉國，得句仲宣樓。』又唐人絕句亦用此格，如『去年花下留連飲，暖日夭桃鶯亂啼。今日江邊容易別，淡煙衰草馬頻嘶』之類是也。」

又《後集》卷九　苕溪漁隱曰：「詩句以一字爲工，自然穎異不凡，如靈丹一粒，點石成金也。浩然云：『微雲澹河漢，疏雨滴梧桐。』上句之工，在一『淡』字，下句之工，在一『滴』字。若非此二字，亦烏得而爲佳句哉？如《六一居士詩話》云：『陳舍人從易偶得《杜集》舊本，文多脫誤，至送蔡都尉云：身輕一鳥，其下脫一字。陳公因與數客論，各以一字補之。或云疾，或云落，或云起，或云下，或云度：莫能定。共後得一善本，乃是身輕一鳥過。陳公嘆服。余謂陳公所補數字不工，而老杜一過字爲工也。』又如《鍾山語錄》云：『暝色赴春愁。下得赴字最好，若下起字，便是小兒語也。無人覺來往。下得覺字大好。足見吟詩，要一兩字工夫。』觀此，則知余之所論，非鑿空而言也。」

又卷三四　苕溪漁隱曰：「梅聖俞有《續金針詩格》，張天覺有《律詩格》，洪覺範有《禁臠》，此三書皆論詩也。聖俞《金針詩格》云：有內外意：內意欲盡其理，外意欲盡其象，內外含蓄，方入詩格。如『旌旗日暖龍蛇動，宮殿風微燕雀高。』旌旗喻號令，日暖喻明時，龍蛇喻君臣，言號令當明時，君所出，臣奉行也。宮殿喻朝廷，風微喻政教，燕雀喻小人，言朝廷政教才出，而小人向化，各得其所也。如『島嶼分諸國，星河共一天』，言明君理化一統也。』天覺《律詩格》辨諷刺云：諷刺不可怒張，怒張則筋骨露矣。若『廟堂生莽卓，巖谷死伊周』之類也，未如『花濃春寺靜，竹細野池幽。』花濃喻媚臣秉政，春寺比國家，竹細野池幽，喻君子在野未見用也。『沙鳥晴飛遠，漁人夜唱閑。』沙鳥晴飛遠，喻小人見用，漁人比君子，夜，不明之象，言君子處昏亂朝，退而樂道也。『芳草有情皆礙馬，好雲無處不遮樓。』芳草比小人，馬喻勢利之輩，云喻諂佞之臣，樓比鈞衡之地。若此之類，可謂言近而意深，不失風騷之體也。其說數十，悉皆類此。覺範《禁臠》云：杜子美詩言山間野外事，意在譏刺風俗，如《三絕句》曰：『楸樹馨香倚釣磯，斬新花蘂未應飛。』言後進暴貴，可榮觀也。『不如醉裏風吹盡，可忍醒時雨打稀。』言其恩重材薄，眼見其零落，不若未受恩眷時，比天恩以雨多，故致花易壞也。『門外鸕鶿久不來，沙頭忽見眼相猜。』言貪利小人，畏君子之譏其短也。『自今已後知人意，一日須來一百回。』言君子蒙以養正，瑾瑜匿瑕，山藪藏疾，不發其惡，而小人未革面諂諛，不知愧恥也。『無數春筍滿林生，柴門密掩斷人行。會須上番看成竹，客至從嗔不出迎。』言唯守道爲歲寒也。前輩多法其意作之，如韓稚圭詩曰：『風定曉枝蝴蝶鬧，雨勻春圃桔槔閑。』又蔡持正詩曰：『風搖熟果時閑落，雨滴餘花亦自香。』以雨比天恩也，桔槔比宰相功業之就，已退閑矣。時公在相州作。熟果比大臣黜落，時公在安州。覺範舊遊天覺之門，宜其論詩之相似也。余謂論詩若此，皆非知詩者。善乎山谷之言曰：『彼喜穿鑿者，棄其大旨，取其發興，于所遇林泉人物，草木魚蟲，以爲物物皆有所托，如世間商度隱語者，則詩委地矣。』」

張戒《歲寒堂詩話》卷上　詩以用事爲博，始于顏光祿而極于杜子美；以押韻爲工，始于韓退之而極于蘇、黃。然詩者，志之所之也。情動于中而形於言，豈專意於詠物哉？子建「明月照高樓，流光正徘徊」，本以言婦人清夜獨居愁思之切，非以詠月也，而後人詠月之句，雖極其工巧，終莫能及。淵明「狗吠深巷中，雞鳴桑樹顛」，本以言郊居閒適之趣，非以詠田園，而後人詠田園之句，雖極其工巧，終莫能及。故曰：「言之不足，故長言之。長言之不足，故詠歎之。詠歎之不足，故不知手之舞之，足之蹈之。」後人所謂含不盡之意者此也，用事押韻，何足道哉！蘇、黃用事押韻之工，至矣盡矣，然究其實，乃詩人中一害，使後生只知用事押韻之爲詩，而不知詠物之爲工，言志之爲本也，風雅自此掃地矣。

又　人才各有分限，尺寸不可強。同一物也，而詠物之工有遠近，皆此意也，而用意之工有淺深。章八元《題雁塔》云：「十層突兀在虛空，四十門開面面風。卻訝鳥飛平地上，忽驚人語半天中。回梯倒踏如穿洞，絕頂初攀似出籠。」此乞兒口中語也。梅聖俞云：「復想下時險，喘汗頭目旋。不如且安坐，休用窺雲煙。」何其語之凡也。東坡《眞興寺閣》云：「山林與城郭，漠漠同一形。市人與鴉鵲，浩浩同一聲。側身送落日，引手攀飛星。登者尙呀咻，作者何以勝。」《登靈隱寺塔》云：「足勸小舉相，前路高且長。漸聞鐘磬音，飛鳥皆下翔。入門亦何有，雲海浩茫茫。」意雖有佳處，而語不甚工，蓋失之易也。劉長卿《登西靈寺塔》云：「化塔凌虛空，雄規壓川澤。亭亭楚雲外，千里看不隔。盤梯接元氣，坐壁棲夜魄。」王介甫《登景德寺塔》云：「放身千仞高，北望太行山。邑屋如蟻塚，蔽虧塵霧間。」此二詩語雖稍工，而不爲難到。杜子美則不然，《登慈恩寺塔》首云：「高標跨蒼天，烈風無時休。自非曠士懷，登兹翻百憂。」不待云「千里」、「千仞」、「小舉足」、「頭目旋」而窮高極遠之狀，可喜可愕之趣，超軼絶塵而不可及也。「七星在北戶，河漢聲西流。羲和鞭白日，少昊行清秋。」視東坡「側身」、「引手」之句陋矣。「秦山忽破碎，涇渭不可求。俯視但一氣，焉能辨皇州？」豈特「邑屋如蟻塚，蔽虧塵霧間」，山林城郭，漠漠一形，市人鴉鵲，浩浩一聲而已哉？人才有分限，不可强乃如此。

佚名《北山詩話》 梁庾肩吾《山齋》云：「蜂歸憐蜜熟，燕入重泥乾。」欲仰天庭掞，終知學步難。」太白亦云：「高文掞天庭。」予嘗聞子蒼云：「詩語當用前人已道過字方穩。」

又 少陵云：「儒冠多誤身。」師川贈杜十云：「儒冠還誤少陵孫。」東坡云：「陛楯諸郎空雨立，故應慚悔不儒冠。」語意出奇，此正合釋氏所謂轉物之理。

又 詩之説云，不可蹈襲。且曰字字要有來歷。此皆詩病。自换骨法興，詩體方備，典律精奥。

又 詩人趣尚，當與流俗異乃佳。自非神仙輩流，地位中人難任此責。陳無己云：「學詩如學仙，時至骨自换。」韓子蒼云：「學詩正如初學禪，未悟且遍參諸方。一朝悟罷正法眼，信手拈出卽成章。」可與知者道也。

吳可《藏海詩話》 畫山水者，有無形病，有有形病；有形病者易醫，無形病則不能醫。詩家亦然。凡可以指瑕鐫改者，有形病也。混然不可指摘，不受鐫改者，無形病，不可醫也。

又 凡詩切對求工，必氣弱。寧對不工，不可使氣弱。

又 凡文章先華麗而後平淡，如四時之序，方春則華麗，夏則茂實，秋多則收斂，若外枯中膏者是也，蓋華麗茂實已在其中矣。

陳善《捫蝨新話》上集卷三 世傳歐陽公平昔爲文，每草就，紙上淨訖，卽黏掛齋壁，臥興看之，屢思屢改，至有終篇不留一字者。蓋其精如此。大抵文以精故工，以工故傳遠，三折肱始爲良醫，百步穿楊始名善射，其可傳者皆不苟者也。唐人多以小詩著名，然率皆旬鍛月煉，以故其人雖不甚顯，而詩皆可傳，豈非以其精故耶？然人説楊大年每遇作文，則與門人賓客投壺弈棋，語笑喧嘩而不妨屬思，以小方紙細書，揮翰如飛，文不加點，每盈一幅則命門人傳錄，頃刻之際成數千言，以此似爲難及。然歐公、大年要皆是大手，歐公豈不能與人鬥捷哉？殆不欲苟作云爾。

又 文人自是好相採取，韓文、杜詩號不蹈襲者，然無一字無來處，乃知世間所有好句，古人皆已道之，能者時復暗合孫吳爾。大抵文字中自立語最難，用古人語又難於不露筋骨，此除是具倒用大司農印手段始得。

又 文章不使事最難，使事多亦最難。不使事難於立意，使事多難於遣辭。能立意者，未必能造語；能遣辭者，未必能免俗，此又其最難者。大抵爲文者多，知難者少。

又 山谷嘗言作詩正如作雜劇，初時佈置，臨了須打諢，方是出場。予謂雜劇出場，誰不打諢，只是難得切題可笑爾。山谷蓋是讀秦少章詩，惡其終篇無所歸，故有此語。然東坡嘗有謝賜御書詩曰：「小臣願對紫薇花，試草尺書招贊普。」秦少章一見，便曰：「如何便説到這裏？」少章之意，蓋謂東坡不當合鬧，然亦是不會看雜劇也。據坡自注云：時熙河新獲鬼章，是日涇原復奏夏賊數十萬人皆遁去。故其詩云：「莫言弄墨數行書，須信時平由主聖。犬羊散盡沙漠空，捷烽夜到甘泉宮。似聞指揮築上郡，已覺談笑無西戎。」乃知坡詩意自有在。

魏慶之《詩人玉屑》卷五引《陵陽先生室中語》 凡作詩，使人讀第一句知有第二句，讀第二句知有第三句，次第終篇，方爲至妙。如老杜「莽莽天涯雨，江村獨立時。不愁巴道路，恐濕漢旌旗」是也。

又 大槩作詩要從首至尾語脈聯屬，如有理詞狀。古詩云：「喚婢打鴉兒，莫教枝上啼。啼時驚妾夢，不得到遼西。」可爲標準。

又卷六引《陵陽先生室中語》 古人作詩，多用方言，今人作詩，復用禪語。蓋是厭塵舊而欲新好也。

又 僕嘗請益曰：「下字之法當如何？」公曰：「正如弈棋，三百六十路都有好著，顧臨時如何耳。」僕復請曰：「有二字同意，而用此字則穩，用彼字則不穩，豈牽于平仄聲律乎？」公曰：「固有二字一意，而聲且同，可用此而不可用彼者。《選》詩云：『庭皐木葉下』，『雲中辨煙樹』，還可作『庭皐樹葉下』，『雲中辨煙木』。至此，唯可默曉，未易言傳耳。」

又卷七引《陵陽先生室中語》 使事要事自我使，不可反爲事使。僕曰：「如公《太一圖詩》：『不是峰頭十丈花，世間那得蓮如許！』當如是耶？」公徐曰：「事可使即使，不須强使耳。」

又 嘗與公論對偶，如「剛腸欺竹葉，衰鬢怯菱花」，以鏡名對酒名，雖爲親切，至如杜子美云：「竹葉於人既無分，菊花從此不須開」，直以「菊花」對「竹葉」，便蕭散不爲繩墨所窘。公曰：「枸杞因吾有，雞棲奈汝何？」蓋借「枸杞」以對「雞棲」。「冬溫蚊蚋在，人遠鳧鴨亂。」人遠如鳧鴨然，又直以字對而不對意，此皆例子，不可不知。子瞻《岐亭》詩云：「洗盞酌鵝黃，磨刀切熊白。」是用例者也。

吴曾《能改齋漫録》卷一七 韓子蒼言：「作語不可太熟，亦須令生。近人論文，一味忌語生，往往不佳。東坡作《聚遠樓》詩，本合用『青山綠水』對『野草閑花』，以此太熟，故易以『雲山烟水』，此深知詩病者。」予然後知陳無己所謂「寧拙毋巧，寧樸毋華，寧粗毋弱，寧僻毋俗」之語爲可信。

鄧肅《栟櫚集》卷二五《詩評》 或人問詩於鄧子，鄧子曰：詩有四忌，學白居易者忌平易，學李長吉者忌奇僻，學李太白者忌怪誕，若學作舉子詩者，尤忌說功名。平易之過，如抄録帳目，了無精采；奇僻之過，如作隱語，專以罔人；怪誕之過，有類乞丐道人，作飛仙無根論語；功名之過，如諂諛卦影詩，不說青紫則必論旌麾，此尤可羞也。若能不作此數格，然後可以論詩。東坡曰：「要知西掖承平事，記取劉郎種竹初。」此雖平易，自有精采。又曰：「陽蟲隕羿喪厥喙，羽淵之化帝祝尾。」此雖奇僻，自非隱語。又曰：「歲寒冰冷天地閉，爲我起蟄鞭魚龍。」此雖怪誕，要非乞丐道人所能近似也。至論功名，則曰：「正與群帝驂龍翔，獨留杞梓扶明堂。」是豈復有卦影氣味乎？此四者，不可以筆墨求之，要運於筆墨之外者，自有所謂浩然之氣充塞乎天地之間，學者不可不知也。

張九成《横浦心傳》卷上 或問：山谷《與王觀復書》云：「詩文雖興寄高遠，而語言生硬，不諧音律，或詞氣不逮初造意時，此特讀書未精博耳。」或曰：「謂今人往往讀書雖精博，而於詩詞多不諧音律，或詞氣不逮初造意者，此病又在何處？」先生曰：「學能通倫類者少，須是達理，理自得趣；不然，精博自精博，於詩全不干事。穎悟者雖不甚讀書，下語便自可喜。不知山谷當時所見，以此理推之否？」

又 嘗見呂居仁論詩，每句中須有一兩字響，響字乃妙指。如「身輕一鳥過，飛燕受風斜」，「過」字、「受」字皆一句中響字也。某平生不能作詩，每讀樂天詩，便自意明；但不費力處便佳耳。嘗舉以告居仁，居仁云：「不費力極難，用意到者自知。」

周孚《蠹齋鉛刀編》卷一八《寄周日新》 夫前輩所謂「活法」，蓋讀書博，用功深，不自知其所以然而然，故「活法」當自悟中入，自工夫中入。而今人乃作一等不工無味之辭，而曰「吾詩無艱澁氣，此活法也」。苟如此，則三百六篇并《離騷》可焚去矣！此非可造次，後山蓋云：「學詩如學仙，時至骨自換。」第勿忽遽，優而游之，饜而飫之，久則至矣。近年，人倒以詩爲容易，故卒不造古人藩域。

胡寅《斐然集》卷一八《致李叔易》 大人嘗言：學詩者必分其義。如賦、比、興，古今論者多矣，惟河南李仲蒙之說最善。其言曰：「叙物以言情，謂之賦，情物盡也；索物以托情，謂之比，情附物者也；觸物以起情，謂之興，物動情者也。」故物有剛柔、緩急、榮悴、得失之不齊，則詩人之情性亦各有所寓。非先辨乎物則不足以考情性。情性可考，然後可以明禮義而觀乎詩矣。

龔昱《樂庵語録》卷三 先生曰：「向守婺女，有學者贄文求見，因問作詩活法，遂贈之詩曰：學詩如參禪，初不在言句。傴僂巧承蜩，梓慶工削鐻。借問孰師承，妙處應自悟。向來大江西，洪徐暨韓呂。山谷擅其宗，諸子爲之輔。短句與長篇，一一皆奇語。卓爾自名家，無愧城南杜。君詩亦可人，羞作女工蠹。正臨百尺竿，到此方進步。我性文字空，志在學農圃。老矣甘摧頹，肯復事雕組。少讀《三百篇》，每自歎無補。一念絶邪思，得處忘我所。學詩如參禪，無舍亦無取。立雪謾齊要，斷臂徒自苦。君欲問活法，活法無覓處。」

又卷四 作文須要鍊意，鍊意而後鍊句，鍊句而後鍊字，不可輕易拈出。頃見東坡《梅花辭》藁，塗抹殆盡，天才尚如此，况强勉學爲文章者哉！

吴聿《觀林詩話》 杜牧之云：「杜若芳州翠，嚴光釣瀨喧。」此以杜與嚴爲人姓相對也。又有「當時物議硃雲小，後代聲名白日懸」，此乃以「硃雲」對「白日」，皆爲假對，雖以人姓名偶物，不爲偏枯，反爲工也。如涪翁「世上豈無千里馬，人中難待九方皋」，尤爲工致。

又 反語，其來遠矣，晉宋間尤尚。今都下有三番四番語，亦此類。往過宛丘道中，逆旅壁間見畫一婦人鞋樣，下題云：「不信但看羊子解，便須通道菊兒薑。」雖是鄙語，亦殊精絶。

陳巖肖《庚溪詩話》卷上 晉、宋間，沃州山帛道猷詩曰：「連峰數千里，修林帶平津。茅茨隱不見，雞鳴知有人。」後秦少游詩云：「菰蒲深處疑無地，忽有人家笑語聲。」僧道潛號參寥，有云：「隔林彷彿聞機杼，知有人家在翠微。」其源乃出於道猷，而更加鍛煉，亦可謂善奪胎者也。

又卷下 古今以體物語形於詩句，或以人事喻物，或以物喻人事，如唐許渾《題崔處士幽居》云：「荆樹有花兄弟樂，橘林無實子孫忙。」語亦工矣。及觀柳子厚《過盧少府郊居》云：「蒔藥閑庭延國老，開樽虚室值賢人。」則語尤自在而意勝。至東坡因章質夫以書送酒六壺，書至而酒不至，坡答以詩云：「豈意青州六從事，化爲烏有一先生。」則上下意相關，而語益奇矣。

又 宋景文有詩曰：「捫蝨須逢英俊主，釣鰲豈在牛蹄涔。」以小物與大爲對，而語壯氣勁可嘉也。而東坡一聯曰：「聞説騎鯨遊汗漫，亦嘗捫蝨話悲辛。」則律切而語益奇矣。

黄徹《䂬溪詩話》卷三 韋應物《贈李侍御》云：「心同野鶴與塵遠，詩似冰壺徹底清。」又《雜言送人》云：「冰壺見底未爲清，少年如玉有詩名。」此可爲用事之法，蓋不拘故常也。

又 老杜「十暑岷山葛，三霜楚戶砧」，「九鑽巴噀火，三蟄楚祠雷」，其書歲月也新矣。樂天云：「吴郡兩回逢九月，越州四度見重陽。」又：「去年八月十五夜，曲江池畔杏園邊。今年八月十五夜，湓浦沙頭水館前。」又：「前年九日餘杭郡，呼賓命宴虚白堂。去年九日到東洛，今年九日來吴鄉。兩邊蓬鬢一時白，三處菊花同色黄。」其質直叙事，又是一格。

又卷四 用自己詩爲故事，須作詩多者乃有之。太白云：「《滄浪》吾有曲，《相子》棹歌聲。」樂天：「須知菊酒登高會，從此多無二十場。」明年云：「去秋共數登高會，又被今年減一場。」《過栗里》云：「昔嘗詠遺風，著爲十六篇。」蓋居渭上，醞熟獨飲，曾效淵明體爲十六篇。又《贈微之》云：「昔我十年前，曾與君相識。曾將秋竹竿，比君孤且直。」蓋舊詩云「有節秋竹竿」也。坡赴黄州，過春風嶺，有兩絶句，後詩云：「去年今日關山路，細雨梅花正斷魂。」至海外，又云：「春風嶺下淮南村，昔年梅花曾斷魂。」又云：「柯邱海棠吾有詩，獨笑深林誰敢侮。」又《畫竹》云：「吾詩固云爾，可使食無肉。」

又 老杜「塗窮反遭俗眼白」，本用阮籍事，意謂我輩本宜以白眼視俗人，至小人得志，嫉視君子，是反遭其眼白，故倒用之。亦如「水清反多魚」，乃倒用水至清則無魚也。夢得「酌我莫憂狂，老來無逸氣」，乃倒用蓋次翁「無多酌我」。「寄謝嵇中散，予無甚不堪」，倒用《絶交論》。坡云：「後生可畏吾衰矣，刀筆從來錯料堯。」周昌以趙堯刀筆吏，後果無能爲，所料信不錯，而云「錯料堯」，亦以涉譏謗倒用爾。又有「窮鬼卻須呼」，「乃知飯後鍾」，「闍黎蓋具眼」，「他年五君詠」，「山王一時數」，皆倒用也。

又卷九 凡作詩有用事出處，有造語出處，如「五陵衣馬自輕肥」，雖出《論語》，總合其語，乃潘岳「裘馬悉輕肥」。「柳絮才高不道鹽」，雖謝女事，乃借張融以《海賦》示人，人評其賦，但不道鹽耳。「紅袖泣前魚」，本《戰國策》事，乃陸韓卿《中山王孺子妾歌》「安陵泣前魚」。坡作《太白畫像詩》云：「大兒汾陽中令君，小兒天臺坐忘眞。」其事乃用白交汾陽于行伍中，竟脱白於禍；天臺司馬子微謂：「白有仙風道骨，可與神遊八極之表。」所造之語，乃《禰衡傳》云：「大兒孔文舉，小兒楊德祖。」

又卷一〇 李商隱詩好積故實，如《喜雪》云：「班扇慵裁素，曹衣詎比麻。鵝歸逸少宅，鶴滿令威家。」又「洛水妃虚妒，姑山客謾誇」，「聯辭雖許謝，和曲本慚巴」。一篇中用事者十七八。嘗觀臨川《詠棗》止數韻：「餘甘入鄰家，尚得饞婦逐。贄享古已然，《豳詩》自宜録。」用「女贄棗修」，「八月剥棗」。「誰云食之昏」，用范曄「棗膏昏蒙」。「願比赤心投，皇明儻予燭」，用蕭琛「陛下投臣以赤心，臣敢不報以戰慄」。以是知凡作者，須飽材料。傳稱任昉用事過多，屬辭不得流便。余謂昉詩所以不能傾沈約者，乃才有限，非事多之過。坡集有全篇用事者，如《賀人生子》，自「鬱葱佳氣夜充閭，喜見徐卿第二雛」，至「我亦從來識英物，試教啼看定何如」；《戲張子野買妾》，自「錦里先生自笑狂，身長九尺鬢眉蒼」，至「平生謬作安昌客，略遺彭宣到後堂」，句句用事，曷嘗不流便哉。

周紫芝《竹坡詩話》 詩中用雙疊字易得句。如「水田飛白鷺，夏木囀黄鸝」，此李嘉祐詩也。王摩詰乃云：「漠漠水田飛白鷺，陰陰夏木囀黄鸝。」摩詰四字下得最爲穩切。若杜少陵「風吹客衣日杲杲，樹攪離思花冥冥」，「無邊落木蕭蕭下，不盡長江滚滚來」，則又妙不可言矣。

又　錢塘強幼安爲余言，頃歲調官都下，始識博士唐庚，因論坡詩之妙，子美以來，一人而已。其叙事簡當，而不害其爲工。如《嶺外詩》，叙虎飲水潭上，有蛟尾而食之，以十字說盡云：「潛鱗有饑蛟，掉尾取渴虎。」虎著『渴』字便見飲水意，且屬對親切，他人不能到也。

邵博《邵氏聞見後録》卷一七　唐詩家有假對律，曰『床頭兩甕地黃酒，架上一封天子書』。又『三人鐺腳坐，一夜掉頭吟』。又『須欲沾青女，官猶佐子男』等句是也。或鄙其不韻，如杜子美『枸杞因吾有，雞棲奈汝何』，又『飲子頻通汗，懷君想報珠』，杜牧之『當時物議朱雲小，後代聲名白日懸』，亦用此律也。

林之奇《拙齋文集》卷二《記聞下》　紫微云：句中要有眼，非是要句句有之，只一篇之中一兩句有眼便是好詩。老杜詩篇篇皆然。

吳沆《環溪詩話》卷一　環溪又謂，用此格私按所作，則五言詩中，每句用上兩物，即成氣象；用三物卽稍工，然絶少，所可舉者，不過三五聯耳。七言詩中，每句用上三物卽成氣象；用四物卽愈工，然愈少，所可舉者，不過二三聯而已。至一句用及五物者，僅有一聯。至用半天下、滿天下之説，求之在己者絶無，於人亦未見其有也。然後知詩道之難也如此，而古今之美，備在杜詩，無復疑矣。

又　環溪嘗以所作質於宗老，**【略】**宗老云：「五言詩、七言詩俱有關竅，不可不知。」環溪問故，宗老云：「五言詩要第三字實，七言詩要第五字實，若合此，雖平淡亦佳；不合此，雖巧亦無巧矣。如吾弟詩：『燕忙將入夏，蠶暖正眠春。水痕纔破臘，雲黯似知春。』不是不巧，只是第三字不合虛了。比『雲黯天如近，雨餘山似春』，便不干事。」環溪深服其言，因徧指他詩，無不驗者。

又　或問環溪：「百韻詩是如何作？」環溪云：「百韻詩只是八句，大抵十餘韻當一句，但是氣象稍宏，波瀾稍闊。首句要如鯨鯢拔浪，一擊之間，便知其有千里之勢。于落句要如萬鈞強弩，貫金透石，一發飲羽，無復有動搖之意。萬有一分可搖，卽不得爲斷句矣。嘗記余在岳陽時，欲作四十韻詩，詠岳陽風物，而首與尾同，賓與主類，無復純一，稿屢成而輒毀。既讀杜詩，未半年間，會丞相張公過臨川，急欲求見，則一夕而成百韻。前爲此困，而後此不復知其困矣。百韻初投張公，再謁，卽顧環溪曰：『夜來三復百韻，筆力有餘，可謂善賞人也。』不旋踵而百韻之名，播於五邑矣。」

又卷二　或人問環溪曰：「百韻詩見士大夫諷詠多矣，然而所賞，往往不同，或喜『霜皮圍四十，水擊黑三千』，或喜『山河歸整頓，天地入陶甄』。或云『但存忠貫日，未問寫凌烟』，乃是假對中之妙者；或云『遠吸金莖露，高攀玉井蓮』，灑落不凡。或云『風度優囊笏，恩光邁賜鞭』，最善用事，爲張相是風流宰相，又是勳業大臣，囊笏所以譽其風流，賜鞭所以表其勳業，又皆是張家事。『李唐光夾日，炎漢赫中天』，二事最好，爲張相有平難之功，又有中興之功。或云『共承天柱折，獨斡斗杓旋』，爲見得衆人共難，而他獨有功之意。或云『懷古歌鴻雁，傷今拜杜鵑』，於時最切。歌鴻雁有懷想宣王中興之意，拜杜鵑有感傷明皇入蜀之意。」環溪笑云：「予初作此詩之時，一夕要成百韻，是事皆使，是韻皆押，何暇及此？是亦諸公求予詩之過，然亦見諸公好惡之不同也。此詩大槩讀而不厭者，爲一氣貫之，其間無甚歇滅而已。」或人又問：「爲百韻，豈無灼然得意者乎？」環溪云：「有美者，人與之鑑。予之妍醜，何能逃於諸公？然始者私心自謂得意處，纔有兩聯，乃詩家精神，不意諸公所賞，皆不及此。」或人問故，環溪云：「如『王氣周旋內，胡塵笑語邊』，乃是形容張相扈駕之精神。如諸公所賞，皆是詩中骨格而已。如『浮雲開斥堠，飛鳥避戈鋋』，乃是形容張相入蜀之精神。自是而外，或發之以椒蘭，或潤之以丹漆，以通血脈，以成肌膚，備體而已。故詩有肌膚，有血脈，有骨格，有精神。無肌膚則不全，無血脈則不通，無骨格則不健，無精神則不美。四者備，然後成詩，則不待識者而知其佳矣。雖然，百韻之詩，有首句又有斷句，如『蜀道開天險，雄誇億萬年』，『停空蟠瑞氣，蓋代出眞賢』，卽是首句。自是而下，盡說得行。如『國步艱難盡，公歸早晚遄』，『願爲元結頌，磨石待高鐫』，卽是斷句。自是而上，盡載得起。其間又有放下拈起處，如波瀾曲折，皆在于我，然後爲善詩。善馭者可以取長道，雖百里亦可；善詩者可以取長篇，雖數十韻亦可。能了百韻，則自三四十韻而下，皆可不學而能，故善詩之道無他，譬之善馭而已。」

又　環溪仲兄問：「山谷詩亦有可法者乎？」環溪曰：「山谷除拗體似杜而外，以物爲人一體最可法。于詩爲新巧，于理亦未爲大害。」仲兄云：「何謂以物爲人？」環溪云：「山谷詩文中，無非以物爲人者，此所以擅一時之名，而度越流輩也。然有可，有不可。如『春至不窺園，黃鸝頗三請』，是用主人三請事。如《詠竹》云：『翩翩佳公子，爲政一窗碧。』是用正事，可也。又如『殘暑已趨裝，好風方來歸。苦雨已解嚴，諸峰來獻狀』，謂『殘暑趨裝』、『好風來歸』、『苦雨解嚴』、『諸峰獻狀』，亦無不可。至如『提壺要酤我，杜宇賦式微』，則近于鑿，不可矣。不如『把菊避席』、『雲月供帳』、『黃花韜光』、『白鷗起予』、『蘭含章而鳥許可』。以至《演雅》一篇，大抵以物爲人，而不失爲佳句，則是山谷所以取名也。」仲兄曰：「善。」又問：「吾弟亦嘗有此作乎？」環溪云：「前此有數聯，蓋偶然而合；後此有數聯，則擬而合也。弟在岳陽時，嘗有『厭看花笑客，忍受草欺人』，又有『水流成獨往，山勢作朋來』，『春令乍來風掠地，寒威潛退雪消峰』，又《詠雪詩》『爭屯未就雲頭合，結黨欲成風勢高』等句，時未知有山谷，蓋偶然而合也。是後有『葉稀林脱穎，沙現水分鑒』，《詠竹》云『起於懷素節，嘉乃伴虚心』，又『柔桑翠竹相傾倒，細草幽花自發明』，『草迷花徑煩調護，波泊蓮塘欠節宣』等句，時則知有山谷，蓋效之而作也。」仲兄又問：「二友人嘗選吾弟詩，乃惜其氣格止于杜，欲勉而上至風雅，如何？」環溪云：「正恐知風雅之名而不知其實也。」仲兄云：「何謂風雅之實？」環溪云：「豈以四字作句，四句成章者謂之風雅？亦豈以發乎情性，止乎禮義者謂之風雅乎？如以發乎情性止乎禮義皆謂之風雅，則杜詩無往而非風雅矣。」仲兄釋然而喜曰：「何謂杜之風雅？」環溪云：「杜甫詩中如《新婚别》、《垂老别》、《無家别》，皆風也。如《劍門》、《石筍》、《石犀》、《古柏行》、《遭田父泥飲》，皆蜀國之風也。如《壯遊》一篇，該齊、趙、吳、越，則四國之風也。如《劍器行》、《花卿歌》、《驄馬行》，各指一事，則風之小者也。如《八哀詩》詠八公，則當代名臣。《杜鵑行》，則託諷于君。《麗人行》，有關于風之大者也。如《新安吏》、《潼關吏》、《兵車行》、《石濠吏》、《悲陳陶》、《後出塞》，則雅之小者也。如《北征》、《憶昔》二首、《冬狩行》、《哀王孫》，則雅之大者也。如《贈左相二十韻》、《贈太常張卿二十韻》、《贈鮮于京兆》、《贈特進汝陽王》，各二十韻，以至《入奏行》、《春陵行》、《裴施州》、《丹青引》，則頌之小者也。如《謁玄元皇帝廟》、《行次昭陵》、《重經昭陵》，以至《洗兵馬》，則頌之大者也。如之何然後爲風、雅、頌乎？」仲兄曰：「妙！非吾弟不能至此。杜甫固重于世，今得吾弟之言，乃益重矣。太白如何？」環溪曰：「太白雖喜言酒色，然正處亦甚多，如《古風》之五十九首，皆雅也。如《蜀道難》、《烏棲曲》、《上留田》、《白頭吟》、《猛虎行》等，非風乎？如《上雲樂》、《春日行》、《胡無人》、《陽春歌》、《宜春苑奉詔》等，非頌乎？雖不可責其備，求其全，然捨李則又無以配乎杜矣。」「然則韓詩如何？」環溪云：「韓詩無非雅也，然則有時乎近風，如《誰家子》、《華山女》、《僧澄觀》，則近于風乎？如《失藤杖》、《蘄州笛竹》、《桃源圖》，則亦風之類也。如《謝賜櫻桃》、《和裴僕射》，則近乎頌矣。如《題南嶽》、《歌石鼓》、《調張籍》而歌李、杜，則頌之類也。雖風頌若不足，而雅正則有餘矣。故捨乎韓，則又無以配乎李也。故曰：近古人詩，唯有一祖二宗。」

又卷三　環溪嘗謂詩之工不在對句，然亦有時而用，第泥于對而失詩之意，則不可耳。伯兄一日看東坡詩云：「凍合玉樓寒起粟，光搖銀海眩生花。」再三嘆其佳對。環溪云：「以銀對玉則佳矣，以海對樓則未盡善。」伯兄云：「祇是『銀海』、『玉樓』皆身上事，海不是海，樓不是樓，所以爲佳耳。」環溪云：「若就身上覓時，何不將玉山對銀海。」伯兄喜曰：「相當時坡意偶不及此，留與吾弟今朝作對耳。」

又　環溪嘗謂：古今詩人未有不用事，觀杜詩『繡衣屢許攜佳醞，皂蓋能忘折野梅。戲假霜威促山簡，眞成一醉習池回』，是四句中，渾將太守御史事實使，到詩人豈可以不用事？然善用之，即是使事；不善用之，則反爲事所使。事只是衆人家事，但要人會使，如『黃綺終辭漢，巢由不見堯』。巢由、黃綺是人能知，至『終辭漢』、『不見堯』六字，即非杜甫不能道矣。巢由合下不見堯，黃綺初年不出，但終能辭漢而已。又從風鴛、雨燕上説來，風鴛雨燕以喻禍難，藏近渚，集深條以喻避禍難之意，則用意尤深矣。又如『前軍蘇武節，左將呂虔刀』，蘇武節，呂虔刀二事，亦人所共知，至『前軍』、『左將』四字，即非杜甫不能道矣。又如『弟子貧原憲，諸生老服虔』，原憲、服虔二事亦衆所共知，至『弟子』、『諸生』四字，即非杜甫不能道矣。『前軍』、『左將』、『弟子』、『諸生』八字皆實，故下面驅遣得動，是名使事。若取次用一虛字貼之，即名羊將狼兵，安能使之哉？

袁文《甕牖閒評》　余先父作詩至少，每得句須不凡。【略】嘗謂前輩作詩正不欲區區比類，惟善形容者自能體貼，使人一見便知詠某物，如此方爲奇特。老父之作，正有合前人之意矣。

釋普聞《詩論》　論曰：詩家云鍊字莫如鍊句，鍊句莫若得格。格高本乎琢句，句高則格勝矣。天下之詩莫出于二句：一曰意句，二曰境句。境句則易琢，意句難製。境句人皆得之，獨意不得其妙者，蓋不知其旨也。所以魯直、荆公之詩出于流輩者，以其得意句之妙也。何則？蓋意從境中宣出，所以此詩作荆公集中之眼者，妙在斯耳。魯直寄黄從善詩云：「我居北海君南海，寄雁傳書謝不能。桃李春風一杯酒，江湖夜雨十年燈。」云云。初二句爲破題，第三、第四句爲頷聯。大凡頷聯皆宜意對，春風桃李但一杯，而想像無聊，屢空爲甚。飄蓬寒雨十年燈之下，未見青雲得路之便，其羈孤未遇之歎具見矣，其意句亦就境中宣出。「桃李春風」、「江湖夜雨」皆境也，昧者不知，直謂境句，謬矣。陳去非詩云：「一官不辨作生涯，幾見秋風捲岸沙。」境也。著「幾見」二字，便成意句。愚亦嘗法之。《送求僧行者》云：「山林夜雨厭孤寂，春風幾番沙草碧。衣盂無計若爲傳，負春空墜腰間石。」云云。已上皆古人未曾言之。雖然其來亦有所自也。陳無已詩云：「枯松倒影半溪寒、(境)，數箇沙鷗似水安(境中帶意。)曾買江南十本畫，歸來一筆不中看(意)。」石屋詩云：「八峰春到了，雙澗雨晴初(境)。小屋鈎簾坐(境中帶意)，人間無畫圖(意)。」《禁臠》謂：「奪胎法者，石屋之詩見之，然其境句不勝耳。」又詩失名云：「千金欲買吳州畫，今向吳州畫裏行(意)。小雨半收蒲葉冷，漁人歸去釣船横(境)。」此亦前模之自出也。愚亦效顰曰：「水闊天長雁影孤，眠沙鷗鷺倚黄蘆。半收小雨西風冷(境)，藜杖相將入畫圖(意)。」又曰：「十里沙隄水滿湖，着霜葦草未全枯。曉來細雨藏鷗鷺，何處人間有畫圖？」大凡但識境意明白，覷見古人千載之妙，其猶視諸掌。

孫奕《示兒編》卷九《詩說·假對》 詩律有借對法。苟下字工巧，賢於正格也。少陵《北鄰》云：「愛酒晉山簡，能詩何水曹。」《贈張四學士》云：「紫誥仍兼綰，黄麻似《六經》。」又：「無復隨高鳳，空餘泣聚螢。」《送楊六使西蕃》云：「子雲清自守，今日起爲官。」《寄韋有夏郎中》云：「飲子頻通汗，懷君想報珠。」《九日》云：「坐開桑落酒，來折菊花枝。」蓋用「山簡」對「水曹」、「兼綰」對「六經」、「高鳳」對「聚螢」、「子雲」對「今日」、「飲子」對「懷君」、「桑落」對「菊花」，亦「清秋方落帽，子夏正離羣」之比也。如少游與子瞻同席，自矜髭鬚之美曰：「君子多乎哉？」子瞻戲曰：「小人樊須也。」尤借對之的。

又《偏枯對》 詩貴於的對而病於偏枯，雖子美尚有此病。如《重過何氏》曰：「手自栽蒲柳，家纔足稻粱」(毛氏注《詩》云：「楊柳，蒲柳也」)。《寄李白》曰：「稻粱求未足，薏苡謗何頻。」《田舍》曰：「櫸柳枝枝弱，枇杷樹樹香。」此以一草木對二草木也。《贈崔評事》曰：「燕王買駿骨，渭老得熊羆。」《得舍弟消息》曰：「浪傳烏鵲喜，深負鶺鴒詩。」《寄高詹事》曰：「天上多鴻雁，池中足鯉魚。」《寄李白》曰：「幾年遭鵩鳥，獨泣向麒麟。」又曰：「麒麟不動爐烟轉，孔雀徐開扇影還。」此以一鳥獸對二鳥獸也。《秋野》曰：「吾老甘貧病，榮華有是非。」《寄李白》曰：「未負幽棲志，兼全寵辱身。」《偶題》曰：「作者皆殊列，聲名豈浪垂。」《上韋左相》曰：「聰明過管輅，尺牘倒陳遵。」是以二字對一意也。《人日》曰：「冰雪鶯難至，春寒花較遲。」是以二景物對一物也。《歸雁》曰：「見花辭瘴海，避雪到羅浮。」(惠州二山)是以一水對二山也。《月夜》曰：「遙憐小兒女，未解憶長安。」是以二人對一郡也。《上韋左相》曰：「巫咸不可問，鄒魯莫容身。」是以一人對二國也。《贈太常張卿均》曰：「友于皆挺拔，公望各端倪。」是以歇後對正語也。《龍門》曰：「往還時屢改，川水日悠哉。」是以實對虛也。大手筆如老杜則可，然未免爲白圭之玷，恐後學不可效尤。

又《倒用字》 詩中倒用字獨昌黎爲多。《醉贈張秘書》曰：「元凱承華勳。」《赴江陵》云：「所學皆孔周。」《歸彭城》云：「閭里多死饑。」「下言引龍夔。」《城南聯句》云：「戞鼓侑牢牲。」又：「百金交弟兄。」《赴江陵》云：「殷勤謝友朋。」《孟東野失子》云：「薄厚胡不均。」《重雲》云：「身體豈寧康。」《送惠師》云：「超然謝朋親。」《答張徹》云：「碧海滴瓏玲。」《苦寒》云：「調和進梅鹽。」《東都遊春》云：「渚牙相緯經。」《雜詩》云：「詩書置後前。」《寄崔立之》云：「不約論財資。」又：「無人角雄雌。」《孟先生》云：「應對多差參。」又：「此格轉嶇嶔。」《符讀書》云：「寒饑出無驢。」《人日登高》云：「盤蔬冬春雜。」《南內朝賀》云：「不見醻稗稊。」又：「磨淬出角圭。」《晚秋聯句》云：「惟學平貴富。」《贈唐衢》云：「坐令四海如虞唐。」《八月十五夜贈功曹》云：「嗣皇繼聖登夔皋。」《贈劉師服》云：「後日懸知漸莽鹵。」《杏花》云：「杏花兩株能白紅。」又：「百片飄泊隨西東。」《感春》云：「兩鬢雪白趨埃塵。」《和盤谷子》云：「推書撲筆歌慨慷。」皆倒字類也。

又卷一〇《詩說·練字》 詩人嘲弄萬象，每句必須練字。子美工巧尤多，如《春日江村詩》云：「過懶從衣結，頻遊任履穿。」又云：「經心石鏡月，到面雪山風。」《陪王使君晦日泛江》云：「稍知花改岸，始驗鳥隨舟。」《漫興》云：「糝徑楊花鋪白氈，點溪荷葉疊青錢。」皆練得句首字好也。《北風》云：「爽攜卑濕地，聲拔洞庭湖。」《壯遊》云：「氣劘屈賈壘，目短曹劉牆。」《泛西湖》云：「豉化蓴絲熟，刀鳴鱠縷飛。」《早春》云：「紅入桃花嫩，青歸柳葉新。」《秋日夔府詠懷》云：「峽束滄江起，岩排石樹圓。」《建都十二韻》云：「風斷青蒲節，霜埋翠竹根。」《柴門》云：「足了垂白年，敢居高士差。」皆練得第二字好也。《復愁》云：「野鶻翻窺草，村船逆上溪。」《移居東屯》云：「子能渠細石，吾亦沼清泉。」《收稻》云：「誰云滑易飽，老藉軟俱匀。」《遣悶》云：「暑雨留蒸濕，江風借夕涼。」《柴門》云：「石亂上雲氣，杉清延月華。」《水宿遣興》云：「高枕翻新月，嚴城疊鼓鞞。」《過津口》云：「和風引桂楫，春日漲雲岑。」《春歸》云：「遠鷗浮水靜，輕燕受風斜。」《泛江作》云：「風蝶勤依槳，春鷗懶避船。」《春日江村》云：「捫蘿澀先登，陟巘炫反顧。」皆練得句腰字好也。《寫懷》云：「無貴賤不悲，無富貧亦足。」《風疾舟中伏枕書懷》云：「烏几重重縛，鶉衣寸寸針。」《橋陵詩》云：「王劉美竹潤，裴李春蘭馨。」《謁玄元皇帝廟》云：「仙李盤根大，猗蘭奕葉光。」《贈虞十五司馬》云：「爽氣金天豁，清談玉露繁。」《絕句》云：「江碧鳥逾白，山青花欲燃。」《寄張十二彪》云：「數篇吟可老，一字買堪貧。」皆練得句尾字好也。至於「綠垂風折筍，紅綻雨肥梅」、「雪嶺界天白，錦城曛日黃」、「破柑霜落爪，嘗稻雪翻匙」、「霧交纔灑地，風逆旋隨雲」、「檢書燒燭短，看劍引杯長」、「紫崖奔處黑，白鳥去邊明」，皆練得五言全句好也。「無邊落木蕭蕭下，不盡長江滾滾來」、「旁見北斗向江底，仰看明月當空大」、「返照入江翻石壁，歸雲擁樹失山村」、「影遭碧水潛勾引，風妒紅花卻倒吹」，皆練得七言全句好也。

陳騤《文則》己　詩人之用助辭，辭必多用韻。有用「也」辭，若「何其處也，必有與也。」有用「而」辭，若「俟我于著乎而，充耳以素乎而。」有用「矣」辭，若「陟彼砠矣，我馬瘏矣。」有用「忌」辭，若「抑磬控忌，抑縱送忌。」有用「兮」辭，若「其實七兮，迨其吉兮。」有用「之」辭，若「知子之順之，雜佩以問之。」有用「止」辭，如「既曰庸止，曷又從止。」有用「且」辭，若「椒聊且，遠條且。」如四句六句者多矣，今不備載。又《禮記》非詩人之文，助辭之上，亦有韻協。如曰：「禮行於郊，而百神受職焉，禮行於社，而百貨可極焉，禮行於祖廟，而孝慈服焉，禮行於五祀，而正法則焉。」此則用「焉」辭，而「職」「極」「服」「則」爲協。

洪邁《容齋續筆》卷三　唐人詩文，或於一句中自成對偶，謂之當句對。蓋起於《楚辭》「蕙烝蘭藉」、「桂酒椒漿」、「桂櫂蘭枻」、「斲冰積雪」。自齊梁以來，江文通、庾子山諸人亦如此。如【略】杜詩「小院回廊春寂寂，浴鳧飛鷺晚悠悠」、「清江錦石傷心麗，嫩蘂濃花滿目斑」、「書籤藥裹封蛛網，野店山橋送馬蹄」、「戎馬不如歸馬逸，千家今有百家存」、「犬羊曾爛漫，宮闕尚蕭條」、「蛟龍引子過，荷芰逐花低」、「干戈況復塵隨眼，鬢髮還應雪滿頭」、「百萬傳深入，寰區望匪他」、「象牀玉手」、「萬草千花」、「落絮遊絲」、「隨風照日」、「青袍白馬」、「金谷銅駝」、「竹寒沙碧」、「菱刺藤梢」、「長年三老」、「捩柂開頭」、「門巷荊棘底」、「君臣豺虎邊」、「養拙干戈」、「全生麋鹿」、「捨舟策馬」、「拖玉腰金」、「高江急峽」、「翠木蒼藤」、「古廟杉松」、「歲時伏臘」、「三分割據」、「萬古雲霄」、「伯仲之間」、「指揮若定」、「桃蹊李徑」、「梔子紅椒」、「庾信羅含」、「春來秋去」、「楓林橘樹」、「復道重樓」之類，不可勝舉。李義山一詩，其題曰《當句有對》，云：「密邇平陽接上蘭，秦樓鴛瓦漢宮盤。池光不定花光亂，日氣初涵露氣乾。但覺游蜂饒舞蝶，豈知孤鳳憶離鸞。三星自轉三山遠，紫府程遙碧落寬。」其他詩句中，如「青女素娥」對「月中霜裏」，「黃葉風雨」對「青樓管絃」，「骨肉書題」對「蕙蘭蹊徑」，「花鬚柳眼」對「紫蝶黃蜂」，「重吟細把」對「已落猶開」，「急鼓疏鐘」對「休燈滅燭」，「江魚朔雁」對「秦樹嵩雲」，「萬戶千門」對「風朝露夜」，如是者甚多。

又卷一五　詩文當有所本，若用古人語意，別出機杼，曲而暢之，自足以傳示來世。左太沖《詠史》詩曰【略】白樂元《續古》一篇全用之曰【略】語意皆出太沖，然含蓄頓挫，則不逮也。

又《容齋五筆》卷三　作詩要有來處，則爲淵源宗派。然字字執泥，又爲拘澀。

陸游《渭南文集》卷一五《楊夢錫集句杜詩序》　文章要法，在得古作者之意。意既深遠，非用力精到，則不能造也。前輩於《左氏傳》、《太史公書》、韓文、杜詩，皆熟讀暗誦，雖支枕據鞍間，與對卷無異。久之，乃能超然自得。

又《老學庵筆記》卷五　李虛己侍郎，字公受，少從江南先達學作詩，後與曾致堯倡酬。曾每曰：「公受之詩雖工，恨啞耳。」虛己初未悟，久乃造入。以其法授晏元獻，元獻以授二宋，自是遂不傳。然江西諸人，每謂五言第三字，七言第五字要響，亦此意也。

楊萬里《誠齋詩話》 詩有實字而善用之者，以實爲虛。杜云：「弟子貧原憲，諸生老伏虔。」「老」字蓋用「趙充國請行，上老之」。有用文語爲詩句者，尤工。杜云：「侍臣雙宋玉，戰策兩穰苴。」蓋用如「六五帝，四三王」。東有用法家吏文語爲詩句者，所謂以俗爲雅。坡云：「避謗詩尋醫，畏病酒入務。」如前卷僧顯萬探支闌入，亦此類也。

又 庾信《月》詩云：「渡河光不濕。」杜云：「入河蟾不沒。」唐人云：「因過竹院逢僧話，又得浮生半日閑。」坡云：「殷勤昨夜三更雨，又得浮生盡日涼。」杜《夢李白》云：「落月滿屋樑，猶疑照顏色。」山谷《簟詩》云：「落日映江波，依稀比顏色。」退之云：「如何連曉語，只是說家鄉。」呂居仁云：「如何今夜雨，只是滴芭蕉。」此皆用古人句律，而不用其句意，以故爲新，奪胎換骨。

又 東坡《煎茶》詩云：「活水還將活火烹，自臨釣石汲深清。」第二句七字而具五意：水清，一也；深處清，二也；石下之水，非有泥土，三也；石乃釣石，非尋常之石，四也；東坡自汲，非遣卒奴，五也。「大瓢貯月歸春甕，小杓分江入夜瓶。」其狀水之清美極矣。「分江」二字，此尤難下。「雪乳已翻煎處腳，松風仍作瀉時聲。」此倒語也，尤爲詩家妙法，即少陵「紅稻啄餘鸚鵡粒，碧梧棲老鳳凰枝」也。「枯腸未易禁三椀，臥聽山城長短更。」又翻卻盧仝公案。仝吃到七椀，坡不禁三椀。山城更漏無定，「長短」二字，有無窮之味。初學詩者，須學古人好語，或兩字，或三字。如山谷《猩猩毛筆》：「平生幾兩屐，身後五車書。」「平生」二字《論語》，「身後」二字，晉張翰云：「使我有身後名。」「幾兩屐」阮孚語，「五車書」莊子言惠施。此兩句乃四處合來。又「春風春雨花經眼，江北江南水拍天。」春風春雨，江北江南，詩家常用。杜云：「且看欲盡花經眼。」退之云：「海氣昏昏水拍天。」此以四字合三字，入品便成詩句，不至生硬。要誦詩之多，擇字之精，始乎摘用，久而自出肺腑，縱橫出沒，用亦可，不用亦可。

又 詩家用古人語，而不用其意，最爲妙法。如山谷《猩猩毛筆》是也。猩猩喜著屐，故用阮孚事。其毛作筆，用之鈔書，故用惠施事。二事皆借人事以詠物，初非猩猩毛筆事也。《左傳》云：「深山大澤，實生龍蛇。」而山谷《中秋月》詩云：「寒藤老木被光景，深山大澤皆龍蛇。」《周禮·考工記》云：「車人蓋圜以象天，軫方以象地。」而山谷云：「丈夫要宏毅，天地爲蓋軫。」《孟子》云：「《武成》取二三策。」而山谷稱東坡云：「平生五車書，未吐二三策。」孔子、老子相見傾蓋，鄒陽云：「傾蓋如故。」孫伻與東坡不相識，乃以詩寄坡，坡和云：「與君蓋亦不須傾。」劉寬責吏，以蒲爲鞭，寬厚至矣。東坡詩云：「有鞭不使安用蒲。」老杜有詩云：「忽憶往時秋井塌，古人白骨生青苔，如何不飲令心哀。」東坡則云：「何須更待秋井塌，見人白骨方銜杯。」此皆翻案法也。予友人安福劉浚字景明，《重陽詩》云：「不用茱萸仔細看，管取明年各強健。」得此法矣。

又《誠齋集》卷八三《頤庵詩稿序》 夫詩何爲者也？尚其詞而已矣。曰：「善詩者去詞。」然則尚其意而已矣。曰：「善詩者去意。」然則去詞去意，則詩安在乎？曰：「去詞去意，而詩有在矣。」然則詩果焉在？曰：「嘗食夫飴與茶乎？人孰不飴之嗜也，初而甘，卒而酸。至於茶也，人病其苦也，然苦未既，而不勝其甘。詩亦如是而已矣。」

樓鑰《攻媿集》卷五二《雪巢詩集序》 詩之衆體，惟大篇爲難，非積學不可爲；而又非積學所能到。必其胸中浩浩包括千載，筆力宏放，間見層出，如淮陰用兵，多多益辨，變化舒捲，不可端倪，而後爲不可及，君蓋于此有得者。

費袞《梁谿漫志》卷七《詩人詠史》 詩人詠史最難，須要在作史者不到處別生眼目，正如斷案不爲胥吏所欺，一兩語中須能說出本情，使後人看之便是一篇史贊，此非具眼者不能。自唐以來，本朝詩人最工爲之。如張安道《題歌風臺》，荊公詠范增、張良、揚雄，東坡《題醉眠亭》、《雪谿乘興》、《四明狂客》、《荊軻》等詩，皆其見處高遠，以大議論發之於詩。汪遵《讀秦史》、章碣《題焚書坑》二詩，亦甚佳。至如世所傳胡曾《詠史詩》一編，只是史語上轉耳，初無見處也。青社許表民讀《項羽傳》，作詩云：「眼中漫說重瞳子，不見山河遶雍州。」其識見亦甚高遠。

史彌寧《友林乙稿·詩禪》 詩家活法類禪機，悟處工夫誰得知？尋著這些關捩子，《國風》《雅》《頌》不難追。

趙崇鉘《鷗渚微吟·學詩》 神仙不可學，願學長不死。學詩如學仙，呑霞潔塵滓。渚花流水香，煙霏暮山紫。涼飈入修竹，一笑鳴綠綺。

張鎡《仕學規範》引《皇朝類苑》 薛許昌答書生贈詩：「百首如一首，卷初如卷終。」譏其不能變態也。大抵屑屑較量，屬句平匀，不免氣骨寒局，殊不知詩家要當有情致，抑揚高下，使氣宏拔，又用事能破觚爲圓，剉剛成柔，始爲有功者。昔人所謂縛虎手也。

又引《蒲氏漫齋録》 自做詩，須是看多做多，使自家機杼風骨先立，然後使得經史中全語作一體也。如自出語弱，卻使經史中全語，則頭尾不相勾副，如兩村夫舁一枝畫樑，自覺經史語在人眼中，不入看也。

又 詩涵養得到，自有得處。如化工生物，千花萬草，不名一物一態，若模勒前人無自得，只如世間剪裁楮花，見一件樣，只做得一件也。

又《南湖集》卷八《次韻呂浩然四首》二 作詩誰道有梯階，當下由人肯放開。字字不爲聲病縛，知君得處自天來。

戴復古《石屏詩集》卷七《論詩十絶》 曾向吟邊問古人，詩家氣象貴雄渾。雕鎪太過傷於巧，樸拙惟宜怕近村。意匠如神變化生，筆端有力任縱横。須教自我胸中出，切忌隨人脚後行。陶寫性情爲我事，留連光景等兒嬉。錦囊言語雖奇絶，不是人間有用詩。欲參詩律似參禪，妙趣不由文字傳。箇裏稍關心有悟，發爲言句自超然。詩本無形在窈冥，網羅天地運吟情。有時忽得驚人句，費盡心機做不成。作詩不與作文比，以韻成章怕韻虚。押得韻來如砥柱，動移不得見工夫。

羅大經《鶴林玉露》卷三 楊誠齋云：「詩固有以俗爲雅，然亦須經前輩鎔化，乃可因承。如李之耐可，杜之遮莫，唐人裏許、若箇之類是也。唐人寒食詩不敢用『餳』字，重九詩不敢用『餻』字，半山老人不敢作梅花詩。彼固未敢輕引里母、田父，而坐之『平王之子，衛侯之妻』之側也。」余觀杜陵詩亦有全篇用常俗語者，然不害其爲超妙。如云：「一夜水高三尺强，數日不可更禁當。南市津頭有船賣，無錢即買繫籬傍。」又云：「江上被花惱不徹，無處告訴只顛狂。走覓南鄰愛酒伴，經旬出飲獨空床。」又云：「夜來醉歸衝虎過，昏黑家中已眠卧。傍見北斗向江低，仰看明星當空大。」「庭前把燭嗔兩炬，峽口驚猿聞一箇。白頭老罷舞復歌，杖藜不寐誰能那」是也。誠齋多效此體，亦自痛快可喜。

又 作詩必以巧進，以拙成，故作字惟拙筆最難，作詩惟拙句最難。至于拙，則渾然天全，工巧不足言矣。古人拙句，曾經拈出，如「池塘生春草」，「楓落吴江冷」，「澄江凈如練」，「空梁落燕泥」，「清暉能娛人，遊子澹忘歸」，「大江流日夜，客心悲未央」，「明月入高樓，流光正徘徊」，「採菊東籬下，悠然見南山」，如此等類，固已多矣。以杜陵言之，如「兩邊山木合，終日子規啼」，「野人時獨往，雲水曉相參」，「喜無多屋宇，幸不礙雲山」，「在家長早起，憂國願年豐」，「若無青嶂月，愁殺白頭人」，「百年渾得醉，一月不梳頭」，「一徑野花落，孤村春水生」，此五言之拙者也。「春水船如天上坐，老年花似霧中看」，「遷轉五州防御使，起居八座太夫人」，「竹葉于人既無分，菊花從此不須開」，「莫思身外無窮事，且盡生前有限杯」，「雷聲忽送千峰雨，花氣渾如百和香」，「秋水纔添四五尺，野航恰受兩三人」，「酒債尋常行處有，人生七十古來稀」，此七言之拙者也。他難殫舉，可以類推。杜陵云：「用拙存吾道。」夫拙之所在，道之所存也，詩文獨外是乎！

又卷一〇 詩莫尚乎興，聖人言語，亦有專是興者，如：「逝者如斯夫，不舍晝夜。」「山梁雌雉，時哉時哉。」無非興也。故特不曾隱括協韻爾。蓋興者因物感觸，言在於此而意寄於彼，義味乃可識，非若賦比之直言其事也。故興多兼比、賦，比、賦不兼興，古詩皆然。

又卷一六 作詩要健字撑拄，要活字斡旋。如：「紅入桃花嫩，青歸柳葉新。」「弟子貧原憲，諸生老伏虔。」「入」與「歸」字，「貧」與「老」字，乃撑拄也。「生理何顔面，憂端且歲時。」「名豈文章著，官應老病休。」「何」與「且」字，「豈」與「應」字，乃斡旋也。撑拄如屋之有柱，斡旋如車之有軸。文亦然，詩以字，字以句。

袁燮《絜齋集》卷八《跋西園詩集》 歐陽公言語妙天下，渾然精粹，無片言半辭舛駁於其間，可謂至矣。而張之壁間，往復觀之，一字未安，改之乃已。譬之美玉，極雕琢之工，而後瑩乎其可觀也。

張端義《貴耳集》 「春水滿泗澤，夏雲多奇峰。秋月揚明輝，冬嶺秀孤松。」淵明詩，絶句之祖，一句一絶也。作詩有句法，意連句圓。有云：「打起黄鶯兒，莫教枝上啼。幾回驚妾夢，不得到遼西。」一句一接，未嘗間斷。作詩當參此意，便有神聖工巧。

包恢《敝帚藁略》卷二《答傅當可論詩》 前輩嘗有「學詩渾似學參禪」之語。彼參禪固有頓悟，亦須有漸修始得。頓悟如初生孩子，一日而肢體已成；漸修如長養成人，歲久而志氣方立。此雖是異端語，亦有理，可施之於詩也。

祝穆《古今事文類聚別集》卷六《奪胎換骨》 詩惡蹈襲古人之意，亦有襲而愈工，若出於己者。魏人章疏云：「福不盈身，禍將溢世。」韓愈則曰：「歡華不滿眼，咎責塞兩儀。」李華《弔古戰場》云：「其存其歿，家莫聞知。人或有言，將信將疑。悁悁心目，夢寐見之。」陳陶則云：「可憐無盡河邊骨，猶有春閨夢裏身。」蓋工於前也。

劉克莊《後村先生大全集》卷一〇九《陳秘書集句詩》 昔之文章家未有不取諸人以爲善，然融液衆作而成一家之言，必有大氣魄；陵暴萬象而無一物不爲吾用，必有大力量。唐人評昌黎公之文雄偉不常，比之武事。余謂詩亦然。

又卷一三二《回信庵書》 大率有意於求工者率不能工，惟不求工而自工者，爲不可及。求工不能工者滔滔皆是，不求工而自工者，非有大氣魄、大力量不能。

林希逸《竹溪鬳齋・十一稿續集》卷一三《跋王融林鏻詩》 詩有鍊字、鍊句者，有鍊意、鍊格者，此香山居士舊法也。然不止是。風雅之傳幾千載，古今作者幾百家，或喻以彈丸，或喻以組繡，或以比洞庭之合樂，或以比龍淵之探珠，先後形容，猶可置喙。【略】則「四鍊」之工固在於詩之中，而自喻之樂則在於詩之外矣。

又《黃紹谷集跋》 後山嘗曰：「學詩如學仙，時至骨自換。」余則曰：學詩如學禪，小悟必小得。仙要積功，禪有頓教。譬之捲簾見道，滅教明心，是所謂一超直入者。

嚴羽《滄浪詩話・詩法》 學詩先除五俗：一曰俗體，二曰俗意，三曰俗句，四曰俗字，五曰俗韻。有語忌，有語病。語病易除，語忌難除。語病古人亦有之，惟語忌則不可有。須是本色，須是當行。對句好可得，結句好難得，發句好尤難得。發端忌作舉止，收拾貴在出場。不必太著題，不必多使事，押韻不必有出處，用事不必拘來歷。下字貴響，造語貴圓。意貴透徹，不可隔靴搔癢；語貴脫灑，不可拖泥帶水。最忌骨董，最忌襯貼。語忌直，意忌淺，脈忌露，味忌短。音韻忌散緩，亦忌迫促。詩難處在結裹，譬如番刀須用北人結裹，若南人便非本色。須參活句，勿參死句。詞氣可頡頏，不可乖戾。律詩難于古詩，絶句難于八句，七言律詩難于五言律詩，五言絶句難于七言絶句。學詩有三節：其初不識好惡，連篇累牘，肆筆而成；既識羞愧，始生畏縮，成之極難；及其透徹，則七縱八橫，信手拈來，頭頭是道矣。看詩須着金剛眼睛，庶不眩于旁門小法（禪家有金剛眼睛之說）。辨家數如辨蒼白，方可言詩（荊公評文章，先體制而後文之工拙）。詩之是非不必爭，試以己詩置之古人詩中，與識者觀之而不能辨，則眞古人矣。

陳模《懷古錄》卷中 馮去疾知興國日，見市賣詩客，以磨墨思量罰錢一貫爲標榜者，馮喚之前而試之。詩客請題，時馮方踞坐而視其鞋子，云「卽此是」。應聲曰：「太守一對鞋，恰似船兩隻。如何不是船，載得二千石。」馮稱賞之。由前三句看，眞謂之亂道可也，全在第四句，喚起得來好。有王某者，江西詩客，見秦檜，未見，先以幅子書：「打起黃鶯兒，莫教枝上啼。啼時驚妾夢，不得到遼西。」云：「解此卽可見。」王以幅子書云：「到處尋春春不見，枝頭劈破幾重雲。歸來檢點梅花樹，春色梢頭已十分。」秦大喜，王時已在仕途，因拔引之。有問王：「答此奚謂？」王曰：「彼於三句後轉歸新意，吾所書詩意亦然。」蓋與鞋子詩同機軸。檜雖不足道，而於此詩亦有可見者。蒼山曰：「二詩者，四句中一轉新意。韋蘇州云：『見他夫婿好，有女初嫁人。』有兩句一轉，斧鑿不露。」予謂杜詩：「永夜角聲悲自壯，中天月色好誰看？」蓋言角聲悲矣，然而自壯；月色好矣，然而誰看？此又每一句之中自轉者。

又 或有以詩示予者云：「數椽茆屋因梅好，三弄蕉琴有月知。」予改其四字而云：「三間茅屋因梅好，一曲蕉琴有月知。」便覺氣象渾然。蓋作詩下字處全在體認。且如一樣是樓，下小樓則細嫩，下紅樓則絶艷，下西樓則神藏殺沒，下南樓則雄壯。氣象各有所宜。若錯下一字，則便不安。故作文作詩，皆以體認氣象爲第一義。

又卷下 使古事，一句做兩句使，數句卻作一句使，用其辭不用其意，用其意不用其辭。作詩，以不用其辭爲奪胎體，不用其意爲換骨體。

方岳《秋崖集》卷二七《答許教》 某故嘗以爲「易奇而法」，昌黎之言也。「好奇自是文章一病」，山谷之言也。然則學者將何從？秋崖曰：奇，可也；好奇，不可也。夫人而好奇也，夫人而不能奇也。長江大河滔滔汩汩，至其絶呂梁、衝砥柱，則堰；而風雷噴薄，魚龍悲嘯，又有不得而不奇者。若夫激溝瀆之頑石，而落之爲犇放，舒之爲淪漣，不謂不奇；而與夫長江大河之滔滔汩汩，忽然而絶呂梁，衝底柱之奇，則有間矣。

又卷三八《奚朝瑞詩》 醉語客曰：「吟安一箇字，撚斷數莖髭。」詩可以苦而攻；「學詩如學仙，時至骨自換」，不可以苦而悟也。優而柔之，使自得之。吾見子蟬蛻矣。

姚勉《雪坡舍人集》卷一一《題雲窗》 詩材無限思無窮，斂在唐人四句中。參透此關猶細事，作詩知道始爲工。

又卷三七《黃端可詩序》 「吟詩必工詩，定知非詩人」，坡仙語也。詩固主於詠物，然在於自然之工，而不在於工於求似。「疏影橫斜水清淺，暗香浮動月黃昏」，此眞梅矣，亦眞詩矣！「認桃無緑葉，辨杏有青枝」，梅乎哉？詩乎哉？抑古之詩又不在咏物之工也！

范晞文《對牀夜語》卷二 蕭千巖德藻云：詩不讀書不可爲，然以書爲詩，不可也。老杜云：「讀書破萬卷，下筆如有神。」讀書而至破萬卷，則抑揚上下，何施不可，非謂以萬卷之書爲詩也。

又 五言律詩，固要貼妥，然貼妥太過，必流於衰。苟時能出奇，於第三字中下一拗字，則貼妥中隱然有峻直之風。

釋道璨《柳塘外集》卷一《贈明侍者》 好詩無音律，至文難言說。學之無他術，先要心路絕。兀坐送清晝，萬事付一拙。如是三十年，大巧自發越。萬象赴淘冶，百怪乞提挈。興來忽運筆，妙處無前哲。古來翰墨士，外此別無訣。【略】須從言外參，莫向紙上竊。

周密《齊東野語》卷六《詩用事》 陳簡齋嘗語人以作詩之要云：「天下書雖不可不讀，然愼不可有意於用事。」正謂此也。今人或以用事多爲博贍，誤矣。

又《浩然齋雅談》卷上 張建自號蘭泉，其論詩云：作詩不論長篇短韻，須要詞理具足，不欠不餘，如荷上灑水，散爲露珠，大者如豆，小者如粟，細者如塵，一一看之，無不圓成，始爲盡善。

何汶《竹莊詩話》卷一引《漫齋語錄》 學詩須是熟看古人詩，求其用心處，蓋一語一句不苟作也。如此看了，須是自家下筆要追及之，不問追及與不及，但只是當如此學，久之，自有箇道理。若今人不學不看古人做詩樣子，便要與古人齊名，恐無此道理。陳無己云：「學詩如學仙，將至骨自換。」此語得之。

又 詩文皆要含蓄不露便是好處，古人說雄深雅健，此便是含蓄不露也。用意十分，下語三分，可幾風雅；下語六分，可追李、杜；下語十分，晚唐之作也。用意要精深，下語要平易，此詩人之難。

陳仁子《牧萊脞語二稿》卷八《跋曾逢堯詩》 古以學問爲詩，後世以聲律爲詩。以學問爲詩，既函且傳。以聲律爲詩，不窶則陋。

張之翰《西巖集》卷一八《書翁存中字說後》 文章所貴乎不孟浪，不冗長，不隨人後，必卓然自有所見，從胸中流出可也。

鄭震《讀書愚見·作文之法》 文章本無說，風行水上，繁星麗天，第一說也。回旋曲折，開合收縱，千變萬化，俱要自然，與天地萬物相似。【略】由淺而深，作文最妙。若夫感動之情，箴規之意與文章法度節奏一步進一步，多少涵蓄，讀之令人神悚。如《桃夭》之詩，句法又變，其一曰：「灼灼其華。」其二曰：「有蕡其實。」其三曰：「其葉蓁蓁。」字眼上皆有造化。作詩者尤不可不知。

蕭立之《蕭冰崖詩集拾遺》卷中《題東畈陳上舍吟稿二首》 後山詩法似參禪，參到無言意已傳。莫以家鷄踈野鶩，短檠踈雨月光前。

又《贈丁高士三首》 參詩安用走天涯，學詩學仙同一家。何處歸來有詩法，麻姑擲米作丹砂。

佚名《詩憲》 奪胎者，因人之意，觸類而長之，雖不盡爲因襲，又□不至於轉易，蓋亦大同而小異耳。《冷齋夜話》云：「規模其意而形容之，謂之奪胎。」換骨者，意同而語異也。《冷齋》云：「不易其意而造其語，謂之換骨。」朱暐逢年云：「今人皆拆洗詩耳，何奪胎換骨之有！」

陳叔方《潁川語小》卷下 文之隱顯起伏，皆由語助。雖西方之書猶或用之，蓋非假此以成聲，則不能盡意。其精微杳眇，惟在所用之確，而不問乎少多也。《毛詩》有一篇全用「兮」字者，如《猗嗟》是也；有全用「矣」字者，如《桑中》是也；亦有全用「也」字者，如《牆有茨》、《君子偕老》是也。然「也」字用多最難。韓文公《祭潮州大湖神文》一篇全用「也」字，亦不過有韻腳而綴「也」字，若《毛詩》然。

韋居安《梅磵詩話》卷上 詩人喜用全語。東坡《戲徐君猷孟亨之皆不飲酒》詩云：「公獨未知其趣耳，臣今時復一中之。」近世王才臣詩云：「歸去來兮覺今是，不知我者謂何求。」鄉人方君遇詩云：「是有命焉非幸致，不知我者謂何求。」方秋崖《送客水月園》詩云：「翁之樂者山林也，客亦知夫水月乎？」潘倬詩云：「逝者如斯未嘗往，後之視昔亦猶今。」下語皆渾然天成，然非詩之正體。

又 奪胎換骨之法，詩家有之，須善融化，則不見蹈襲之跡。陸魯望詩云：「溪山自是清涼國，松竹合封蕭灑侯。」戴式之《贈葉竹山》詩云：「山中便是清涼國，門下合封蕭灑侯。」王性之詩云：「雲氣與山爲態度，月華借水作精神。」式之《舟中》詩云：「雲爲山態度，水借月精神。」如此下語，則成蹈襲。李淑《詩苑》云：「詩有三偸語，最是鈍賊，學詩者不可不戒。」

又 七言律詩有上三下四格，謂之折腰句。白樂天守吳門日，答客問杭州詩云：「大屋簷多裝雁齒，小航船亦畫龍頭。」歐陽公詩云：「靜愛竹時來野寺，獨尋春偶到溪橋。」盧贊元《雨》詩：「想行客過溪橋滑，免老農憂麥隴乾。」劉後村《衛生》詩云：「採下菊宜爲枕睡，碾來芎可入茶嘗。」《胡琴》詩云：「出山雲各行其志，近水梅先得我心。」皆此格也。

姜夔《白石道人詩說》 雕刻傷氣，敷衍露骨。若鄙而不精巧，是不雕刻之過；拙而無委曲，是不敷衍之過。

又 人所易言，我寡言之；人所難言，我易言之，自不俗。

又 花必用柳對，是兒曹語。若其不切，亦病也。

又 難說處一語而盡，易說處莫便放過。僻事實用，熟事虛用。說理要簡切，說事要圓活，說景要微妙。多看自知，多作自好矣。

又 學有餘而約以用之，善用事者也；意有餘而約以盡之，善措辭者也；乍叙事而間以理言，得活法者也。

又 不知詩病，何由能詩？不觀詩法，何由知病？名家者各有一病，大醇小疵，差可耳。

又 篇終出人意表，或反終篇之意，皆妙。

又 語貴含蓄。東坡云：「言有盡而意無窮者，天下之至言也。」山谷尤謹於此。清廟之瑟，一唱三歎，遠矣哉！後之學詩者，可不務乎？若句中無餘字，篇中無長語，非善之善者也；句中有餘味，篇中有餘意，善之善者也。

又 體物不欲寒乞。

又 意中有景，景中有意。

又 思有窒礙，涵養未至也，當益以學。

又 波瀾開闔，如在江湖中，一波未平，一波已作。如兵家之陣，方以爲正，又復是奇；方以爲奇，忽復是正。出入變化，不可紀極，而法度不可亂。

又 意出于格，先得格也；格出于意，先得意也。吟詠情性，如印印泥，止乎禮義，貴涵養也。

又 意格欲高，句法欲響，只求工于句、字，亦末矣。故始於意格，成於句、字。句意欲深、欲遠，句調欲清、欲古、欲和，是爲作者。

又 一篇全在尾句，如截奔馬。詞意俱盡，如臨水送將歸是已；意盡詞不盡，如摶扶搖是已；詞盡意不盡，剡溪歸棹是已；詞意俱不盡，溫伯雪子是已。所謂詞意俱盡者，急流中截後語，非謂詞窮理盡者也。所謂意盡詞不盡者，意盡於未當盡處，則詞可以不盡矣，非以長語益之者也。至如詞盡意不盡者，非遺意也，詞中已彷彿可見矣。詞意俱不盡者，不盡之中，固已深盡之矣。

又《白石道人詩集》卷首《自序》二 作者求與古人合，不若求與古人異；求與古人異，不若不求與古人合而不能不合，不求與古人異而不能不異。彼惟有見乎詩也，故向也求與古人合，今也求與古人異；及其無見乎詩已，故不求與古人合而不能不合，不求與古人異而不能不異。其來如風，其止如雨，如印印泥，如水在器，其蘇子所謂不能不爲者乎？

周弼《三體唐詩》選例 七言截句：一、實接。截句之法，大抵第三句爲主，以實事寓意，接處轉換有力，若斷而續，涵蓄不盡之趣。此法久失其傳，世鮮有知之者矣。一、虛接。第三句以虛語接前兩句也。亦有語雖實，而意虛者，于承接之間，略加轉換，反正順逆，一呼一喚，宮商自諧。一、用事。詩中用事，易于窒塞，況二十八字之間尤難。堆疊必融事爲意，乃爲靈動。若失之輕率，則又鄰于里謠巷歌，可擊筑而謳矣。一、前對。接句兼備虛實兩體，但前句作對，接處微有不同，相去一間，特在稱停之間耳。一、後對。此體唐人用者亦少。必使末句雖對而詞足意盡，若未嘗對，方爲擅場。一、拗體。此體絕高，必得奇句，方見標格。所謂風流挺特，不煩繩削而自合者。神來之候，偶一爲之可耳。一、側體。其說與拗體相類，發興措辭，以奇健爲工。 七言律詩：一、四實。其說在五律，但造句差長，微有分別。七字當爲一串，不可以五言泛加兩字，最難飽滿易疎弱。又前後多患不相照應，自唐人中工此者，亦有數，可見其難矣。一、四虛。其說亦在五言，然比之五言，少近于實。蓋句長而全虛，恐流于柔弱，要須景物之中情思通貫，斯爲得之。一、前虛後實。頸聯、頷聯之分，五言人多留意，至七言則自廢其說。音節諧婉者甚寡，故標此以待識者。一、前實後虛。其法同上。景物情思互相揉絆，無迹可尋，精于此法，自爾變化不窮矣。一、結句。詩家之妙全在一結，遒逸婉麗，言盡而意未止，乃爲當行。一、咏物。唐末爭尚此體，不拘所咏，別入外意，而不失摹寫之巧有足喜者。五言律詩：一、四實。中四句全寫景物。開元、大曆多此體。華麗典重之中，有雍容寬厚之態。是以難也，後人爲之，未免堆垛少味。一、四虛。中四句皆寫情思，自首至尾，如行云流水，空所依傍。元和以後流于枯瘠，不足采矣。一、前虛後實。前聯寫情而虛，後聯寫景而實。實則氣勢雄健，虛則態度諧婉。輕前重後，劑量適均，無窒塞輕佻之患。大中以後多此體，至今宗唐詩者尚之。一、前實後虛。前聯寫景，後聯寫情。前實後虛易流于弱，蓋發興盡則難于繼，落句稍間以實，其庶乎。一、一意確守格律。揣摩聲病，詩家之常，若軼出度外，縱横恣肆，外如不整，中實應節，則非造次所能也。一、起句。發首兩句平穩者多，奇健者少。然發句太重，後聯難稱，必全篇停匀乃佳。一、結句。五言結句與七言微異。七言韻長，以醞藉爲主，五言韻短，以陡健爲工。

魏慶之《詩人玉屑》卷一「晦庵抽關啓鑰之論」 來喻欲漱六藝之芳潤，以求眞澹，此誠極至之論。然亦恐須先識得古今體製雅俗鄉背，仍更洗滌得盡腸胃間夙生葷血脂膏，然後此語方有所措。如其未然，竊恐穢濁爲主，芳潤入不得也。近世詩人，正緣不曾透得此關，而規規於近局，故其所就皆不滿人意，無足深論。

又「誠齋翻案法」 孔子、老子相見傾蓋，鄒陽云傾蓋如故。孫侔與東坡不相識，以詩寄，東坡和云：「與君蓋亦不須傾。」劉寬爲吏，以蒲爲鞭，寬厚至矣。東坡云：「有鞭不使安用蒲。」杜詩云：「忽憶往時秋井塌，古人白骨生蒼苔，如何不飲令心哀。」東坡云：「何須更待秋井塌，見人白骨方銜盃。」此皆翻案法也。余友人安福劉浚，字景明，《重陽詩》云：「不用茱萸子細看，管取明年各強健。」得此法矣。

又 唐律七言八句，一篇之中，句句皆奇；一句之中，字字皆奇。古今作者皆難之。余嘗與林謙之論此事，謙之慨然曰：「但吾輩詩集中，不可不作數篇耳。」如杜《九日詩》：「老去悲秋強自寬，興來今日盡君歡。」不徒入句便字字對屬，又第一句頃刻變化，纔說悲秋，忽又自寬。以「自」對「君」，「自」者，我也。「羞將短髮還吹帽，笑倩旁人爲正冠」，將一事翻騰作一聯。又孟嘉以落帽爲風流，少陵以不落爲風流。翻盡古人公案，最爲妙法。「藍水遠從千澗落，玉山高並兩峰寒」，詩人至此，筆力多衰，今方且雄傑挺拔，喚起一篇精神，非筆力拔山，不至於此。「明年此會知誰健，醉把茱萸子細看」，則意味深長，幽然無窮矣。東坡《煎茶詩》云：「活水還將活火烹，自臨釣石汲深清」，第二句七字而具五意：水清，一也；深處取清者，二也；石下之水，非有泥土，三也；石乃釣石，非尋常之石，四也；東坡自汲，非遣卒奴，五也。「大瓢貯月歸春甕，小杓分江入夜瓶」，其狀水之清美極矣。「分江」二字，此尤難下。「雪乳已翻煎處脚，松風仍作瀉時聲」，此倒語也，尤爲詩家妙法，即少陵「紅稻啄餘鸚鵡粒，碧梧棲老鳳凰枝」也。「枯腸未易禁三碗，卧聽山城長短更」，又翻却盧仝公案：仝吃到七碗，坡不禁三碗。山城更漏無定，「長短」二字，有無窮之味。

又「趙章泉詩法」 或問詩法於晏叟，因以五十六字答之云：「問詩端合如何作，待欲學耶毋用學。今一禿翁曾總角，學競無方作無略。欲從鄙律恐坐縛，力若不加還病弱。眼前草樹聊渠若，子結成陰花自落。」

又「趙章泉謂規模既大波瀾自闊」 贛川曾文清公題吳郡所刊東萊呂居仁公詩後語云：「詩卷熟讀，治擇工夫已勝，而波瀾尚未闊；欲波瀾之闊，須令規模宏放，以涵養吾氣而後可。規模既大，波瀾自闊，少加治擇，功已倍於古矣。」蕃嘗苦人來問詩，答之費辭，一日閱東萊詩，以此語爲四十字。異日有來問者，當謄以示之云：「若欲波瀾闊，規模須放弘。端由吾氣養，匪自歷階升。勿漫工夫覔，況於治擇能。斯言誰語汝，呂昔告於曾。」

又「趙章泉論詩貴乎似」 論詩者貴乎似，論似者可以言盡耶！少陵《春水生》二首云：「二月六夜春水生，門前小灘渾欲平。鸕鷀溪鶒莫漫喜，吾與汝曹俱眼明。」「一夜水高二尺強，數日不敢更禁當。南市津頭有船賣，無錢卽買繫籬傍。」曾空青《清樾軒》二詩云：「卧聽灘聲濺濺流，冷風凄雨似深秋。江邊石上烏臼樹，一夜水長到梢頭。」「竹間嘉樹密扶疎，異鄉物色似吾廬。清曉開門出負水，已有小舟來賣魚。」似耶不似耶？學詩者不可以不辨。

又「趙章泉學詩」　閱《復齋閑紀》所載吳思道、龔聖任學詩三首，因次其韻：「學詩渾似學參禪，識取初年與暮年。巧匠曷能雕朽木，燎原寧復死灰然。」「學詩渾似學參禪，要保心傳與耳傳。秋菊春蘭寧易地，清風明月本同天。」「學詩渾似學參禪，束縛寧論句與聯。四海九州何歷歷，千秋萬歲孰傳傳。」

又「吳思道學詩」　吳可思道：「學詩渾似學參禪，竹榻蒲團不計年。直待自家都了得，等閑拈出便超然。」「學詩渾似學參禪，頭上安頭不足傳。跳出少陵窠臼外，丈夫志氣本衝天。」「學詩渾似學參禪，自古圓成有幾聯。春草池塘一句子，驚天動地至今傳。」

又「龔聖任學詩」　龔相聖任：「學詩渾似學參禪，悟了方知歲是年。點鐵成金猶是妄，高山流水自依然。」「學詩渾似學參禪，語可安排意莫傳。會意即超聲律界，不須鍊石補青天。」「學詩渾似學參禪，幾許搜腸覓句聯。欲識少陵奇絕處，初無言句與人傳。」

又卷三《唐人句法》　連珠（句中字相對）：「百年雙白鬢，一別五秋螢。四年三月半，新筍晚花時。」（元稹《題褒城驛》）「遠山芳草外，流水落花中。」（司空曙《鮮于秋林園》）「千峰孤燭外，片雨一更中。」（韓翃《夜宴》）「空城流水在，荒澤舊村稀。」（李嘉祐）「萬水千山路，孤舟盡日程。」（賈島）「窗燈寒几淨，簷雨曉階愁。」（楊衡）「五湖三畝宅，萬里一歸人。」（沈佺期詩）「疊嶂縣流平地起，危樓曲閣半天開。」（劉憲《山莊應制》）「積水長天迷遠客，荒城極浦足寒雲。」（皇甫曾《送李錄事》）　合璧（句中意相關）：「舟移城入樹，岸闊水浮村。」（岑參《泛渼陂》）「沙平寒水落，葉脫晚枝空。」（褚亮《喜霧》）「霧卷晴山出，風恬晚浪收。」（李嶠《初霧》）「徑滑苔粘履，潭深水沒篙。」（白居易《獻裴令公》）「砌冷蟲喧坐，簾疏月到床。」（岑參《送鄭侍御》）「山曉雲和雪，汀寒月照霜。」（皇甫冉《送權騂》）「海曙雲浮日，江遙水合天。」（劉滄《發浙江》）「簾燕酬鶯語，庭花雜絮飄。」（姚合）「風傳鼓角霜侵戟，雲卷笙歌月上樓。」（許渾《將南行陪崔尚書宴》）「三春月照千山路，十日花開一夜風。」（溫飛卿《寄苗紳》）　眼用活字（五言以第三字爲眼，七言以第五字爲眼）：「孤燈燃客夢，寒杵搗鄉愁。」（岑參《客舍》）「夜燈移宿鳥，秋雨禁行人。」（張蠙《經荒驛》）「危峰入鳥道，深谷富猿聲。」（鄭世翼《巫山高》）「白沙留月色，綠竹助秋聲。」（李白《題宛溪館》）「春陰妨柳絮，月黑見梨花。」（鄭谷《村舍》）「風枝驚散鵲，露草覆寒蛩。」（戴叔倫《客舍》）「草砌消寒翠，花缸斂夜紅。」（駱賓王《初秋》）「反照開嵐翠，寒潮蕩浦沙。」（趙嘏《江行》）「萬里山川分曉夢，四鄰歌管送春愁。」（許渾《贈何押衙》）「鶯傳舊語嬌春日，花學嚴粧妒曉風。」（章孝標《古宮行》）　眼用響字：「青山入官舍，黃鳥出宮牆。」（岑參《送鄭少府赴滏陽》）「荷香銷晚夏，菊氣入新秋。」（駱賓王《晚泊》）「靜窗尋客話，古寺覓僧棋。」（姚合《寄王度》）「片帆通雨露，積水隔華夷。」（李益《使新羅》）「遠帆春水闊，高寺夕陽多。」（許渾）「春流無舊岸，夜色失諸峰。」（曹松《九松書事》）「煙蕪斂暝色，霜菊發寒姿。」（權德輿《九日宴》）「路轉青山合，峰廻白日曛。」（陳子昂《入峽》）「沙頭宿鷺聯拳靜，船尾跳魚撥剌鳴。」（杜甫）「長承密旨歸家少，獨奏邊機出殿遲。」（王建《贈王守澄內侍》）　眼用拗字：「掬水月在手，弄花香滿衣。」（于良史《春山》）「渡口月初上，人家漁未歸。」（劉長卿《餘干旅舍》）「殘雪入林路，暮山歸寺僧。」（皇甫曾《送僧》）「孤雁背秋色，遠帆開浦煙。」（周賀《送楊岳歸巴陵》）「雁惜楚山晚，蟬知秦樹秋。」（司空曙《題江陵臨沙驛樓》）「殘影郡樓月，一聲關樹雞。」（劉滄《早行》）「雲卷四山雪，風凝千樹霜。」（許渾《早發路中次甘水》）「樹密早蜂亂，江泥輕燕斜。」（杜甫）「寒林葉落鳥巢出，古渡風高漁艇稀。」（杜牧《五湖館水亭懷別》）「卷簾陰薄漏山色，欹枕韻寒宜雨聲。」（秦韜《玉竹》）　眼用實字：「夜潮人到郭，春霧鳥啼山。」（張凡《贈薛鼎臣》）「旅愁春入越，鄉夢夜歸秦。」（白居易《避地越地江樓望歸》）「後峰秋有雪，遠澗夜鳴泉。」（司空曙《寄僧》）「星河秋一雁，砧杵夜千家。」（韓翃《秋夜即事》）「野渡波遙月，寒城雨翳鐘。」（方干《從兄韋郜》）「古寺碑橫草，陰廊畫雜苔。」（顧況《廢寺》）「殘暑蟬催盡，新秋雁帶來。」（白居易《宴散》）「雪夜書千卷，花時酒一瓢。」（許渾《寄友人》）「半夜臘因風卷去，五更春被角吹來。」（曹松《除夜》）「朝登劍閣雲隨馬，夜渡巴江雨洗兵。」（岑參《奉和相公發苔昌》）　實字粧句：「日月低秦樹，乾坤繞漢宮。」（杜甫）「樹翳樓臺月，帆飛鼓角風。」（周繇《送薛尚書》）「沙岸江村近，松門山寺深。」（孟浩然《送人》）「茶爐天姥客，棋席剡溪僧。」（溫庭筠《宿僧寺》）「銀龍銜燭燼，金鳳起爐煙。」（蕭放《冬夜對妓》）「冰城朝浴鐵，地道夜御枚。殘藥沾雞犬，靈香出鳳麟。」（顧況）「玉檢茱萸匣，金泥蘇合香。」（吳均《秦王卷衣》）「旌旗日暖龍蛇動，宮殿風微燕雀高。」（杜甫《早朝》）「潮生水國蒹葭響，雨過山城橘柚疏。」（許渾）　虛字粧句：「長貧惟要健，漸老不禁愁。」（張籍《寄王中丞》）「已行難避雪，何處合逢花。身外唯須醉，人間半是愁。」（司空曙）「飄飖搏擊便，容易往來遊。」（杜甫）「未滿先求退，歸閑不厭貧。」（李嘉祐《送房明府》）「乍見翻疑夢，相悲各問年。」（錢起）「與世長疎索，唯僧得往還。」（朱慶餘）「只憂連夜雨，又過一年春。」（李敬方《飲酒》）「豔麗最宜新着雨，嬌嬈全在欲開時。」（鄭谷《海棠》）「漸老更思深處隱，多閑惟借上方眠。」（賈島）首用虛字：「無風雲出塞，不夜月臨關。」（杜甫）「無人花色慘，多雨鳥聲寒。」（李嘉祐《江陰道中》）「以吾爲世舊，憐爾繼家風。」（李嘉祐《送張秀才》）「出關逢落葉，傍水見寒花。」（李嘉祐《送韋九往濠州》）「到江吳地盡，隔岸越山高。」（僧處默《吳越紀事》）「似暖花消地，無聲玉滿堂。」（李景《春雪》）「載酒尋山宿，思人帶雪過。」（司空曙《贈李端》）「無邊落木蕭蕭下，不盡長江滚滚來。」（杜甫）「但將酩酊酬佳節，不用登臨怨落暉。」（杜牧之《九日》）上三下二（七言上五下二）：「野店寒無客，風巢動有禽。」（周繇《送宇文虞》）「似梅花落地，如柳絮因風。」（本朝王淡交《雪詩》）「送終時有雪，歸葬處無雲。」（任藩《哭友人》）「永夜角聲愁自語，中天月色好誰看。」（杜甫《宿府》） 輕重對（意高則不覺）：「江流天地外，山色有無中。」（王維《漢江》）「獨來成悵望，不去泥欄干。」（唐彥謙《惜花》）「自當舟楫路，應濟往來人。」（張衆甫《三州渡》）「桑麻深雨露，燕雀半生成。」（杜甫《屛跡》）「三分割據紆籌策，萬古雲霄一羽毛。」（杜甫）「門臨莽蒼經年閉，身遠嫖姚幾日歸。」（李嘉祐）

又卷四《風騷句法》　五言。萬象入壺（上接下，下連上）：「野曠天低樹，江清月近人。」「石粱高瀉月，樵路細侵雲。」重輪倒影（上下接連）：「落日下平楚，孤煙生洞庭。」「波光搖海月，星影入城樓。」新月驚鼇（上接下）：「金波麗鳷鵲，玉繩低建章。」「曉雲僧衲潤，殘月客帆明。」衣袞乘龍（下連上）：「卷幔來風遠，移床得月多。」「水涵天影闊，山拔地形高。」眞人御鳳（高步清虛）：「白露明河影，清風淡月華。」「露彩方泛灩，月華始徘徊。」常娥奔月（脫棄塵凡）：「看竹雲垂地，尋僧雪滿船。」「鑿池寒月入，掃地白雲生。」公明布卦（推究物情）：「馬倦時銜草，人疲數望城。」「犬迎曾宿客，鴉護落巢兒。」東方占鵲（精窮物理）：「芹泥隨燕嘴，花粉上蜂鬚。」「魚爛緣吞餌，蛾又爲撲燈。」陶壁飛梭（雷電交馳）：「江聲秋入寺，雨氣夜侵樓。」「雪埋寒樹短，雲壓夜城低。」碧海求珠（采摭故實）：「舜耕餘草木，禹鑿舊山川。」「卿月升金掌，王春度玉墀。」華林擷芳（搜捕事蹟）：「山藏伯禹穴，城壓伍胥濤。」「鷗眠陶令醉，鶴唳屈原醒。」閒雲惹碧（人逐景）：「石縫銜枯草，查根漬古苔。」「林迸穿籬筍，藤飄落水花。」遊絲拖翠（景逐人）：「石角鉤衣破，藤枝刺眼新。」「步壑風吹面，看松露滴身。」怪石籠雲（物對景）：「春波何恨綠，白鳥自由飛。」「夕寒山翠重，秋靜雁行高。」晚山啣日（景對物）：「寒禽棲古柳，破月入微雲。」「曉來山鳥鬧，雨過杏花稀。」風轉斷蓬（寄跡）：「高鳥黃雲暮，寒蟬碧樹秋。」「十暑岷山葛，三霜楚戶砧。」鱗處涸轍（窮命）：「萬事已黃髮，殘生隨白鷗。」「不爨井晨凍，無衣床夜寒。」龍吟虎嘯（飛動）：「野雲低度水，簷雨細隨風。」「亂雲低薄暮，急雪舞回風。」鶴盤鳳翥（變動）：「林花掃更落，徑草踏還生。」「泉聲到池盡，山色上樓多。」枕石漱流（抱道）：「貌將松共瘦，心與竹俱空。」「雨中耕白水，雲外斷青山。」拂塵破暗（修行）：「觸風香損印，沾雨磬生衣。」「瓶殘秦地水，錫入晉山雲。」月浸梨梢（明白）：「蘿月掛明鏡，松風鳴夜弦。」「小蓮娃欲語，幽筍稚相攜。」泉飛雲竇（清爽）：「露館濤驚枕，空庭月伴琴。」「雪殘僧掃石，風動鶴歸松。」獨鳥投林（幽居）：「門靜眠山鹿，階閒立水禽。」「秋草閒三徑，寒塘獨一家。」孤鴻出塞（旅情）：「客愁連蟋蟀，亭古帶蒹葭。」「鳥聲非故國，春色是他山。」曉粧呵鏡（晦明）：「水暗蒹葭霧，月明楊柳風。」「綠水明秋日，青山隔暮雲。」夜筵滅燭（蔽覆）：「池光不受月，野氣欲沉山。」「雪深迷郢路，雲暗失陽臺。」文豹隱霧（安時）：「尋泉上山遠，看筍出林遲。」「紙窗明覺曉，布被暖知春。」靈龜曳尾（守分）：「風落收松子，天寒割蜜房。」「草閣平春水，柴門掩夕陽。」絕壁垂藤（攀仰）：「鳥道掛疎雨，人家殘夕陽。」「遠水靜林色，微雲生夕陽。」佩印還鄉（喜悅）：「罷扇風生竹，移床月過庭。」「乘舟泊山寺，着履到漁家。」江南芳信（春）：「柳色煙中遠，鶯聲雨後新。」「風輕粉蝶喜，花暖蜜蜂喧。」河朔劇飲（夏）：「乳燕並頭語，紅葵相對開。」「清風醒病骨，快雨破煩心。」宋玉生悲（秋）：「晚花惟有菊，寒葉已無蟬。」「氣爽衣裳健，風疎砧杵鳴。」袁安高臥（冬）：「凍缸粘柱礎，宿火陷爐灰。」「凍泉依細石，晴雪落長松。」啓明戒旦（早）：「林殘數枝月，髮冷一梳風。」「路明殘月在，山靜宿雲收。」長庚告昏（晚）：「疎鐘吟落照，歸路指平蕪。」「牛羊歸徑險，鳥雀聚枝深。」蜀錦舒空（晝）：「風暖鳥聲碎，日高花影重。」「窺魚光照鶴，洗鉢影搖僧。」承露擎虛（夜）：「露竹偷燈影，煙松護月明。」「微雲淡河漢，疎雨滴梧桐。」珠樹敲風（風）：「慢隨雲葉動，高逐桂枝生。」「幽澗迷松韻，閒窗動竹聲。」寶髻簪花（花）：「紫蠟粘爲帶，紅酥點作蕤。」「落時猶自舞，掃後更聞香。」寒梅欺雪（雪）：「宿浦人迷徑，歸林鳥失巢。」

「客帆迷古渡，蓄帳隱平沙。」澄江浸月(月)：「影開金鏡滿，輪抱玉壺清。」「流處水花急，吐時雲葉鮮。」一氣飛灰：「青門弄煙柳，紫閣舞雲松。」「白髮千莖雪，丹心一寸灰。」三劍凌空：「池綠苔猶少，林黃柳尚疎。」「拔青松直上，鋪碧水平流。」三星共色：「晚果紅低樹，秋苔綠遍牆。」「古壇青草合，往事白雲空。」四瑞效靈：「鴨頭新綠水，雁齒小紅橋。」「柳庭垂綠穗，蓮浦落紅衣。」五色捧筆：「石苔縈棹綠，山果拂舟紅。」「浪花吹更白，嵐色染還青。」麟角表瑞：「虎嘯夜林動，鼉鳴秋澗寒。」「燕靜銜泥起，蜂喧抱蕊回。」老蚌含珠：「宮鶯嬌欲醉，簷燕語還飛。」「隨蜂收野蜜，尋麝采生香。」荆山鑄鼎：「破海鯨波息，登山豹霧開。」「杜穿蜂溜蜜，棧缺燕添巢。」商嶺采芝：「小池兼鶴靜，古木帶蟬秋。」「將軍分虎竹，戰士卧龍沙。」連珠散彩：「醉上山翁馬，寒歌甯戚牛。」「寒草煙藏虎，高松月照鵰。」衆星環極(繼體守文)：「北斗承三獻，南風入五弦。」「冕旒當翠殿，幢戟滿彤庭。」彗氣橫天(除舊布新)：「業定商周鼎，功包天地爐。」「風塵三尺劍，社稷一戎衣。」芟除荆棘(禁暴)：「箭飛瓊羽合，旗動火雲張。」「鼎魚猶假息，穴蟻欲何逃。」蕩滌腥羶(禦戎)：「落日黃雲動，陰風白草翻。」「邊月隨弓影，胡霜拂劍花。」王民鼓腹(謳歌)：「湛露浮堯酒，薰風起舜歌。」「漢典方寬律，周官正采詩。」白鶴棲松(高尚)：「石壁藤爲路，山窗雲作屏。」「水痕侵岸柳，山翠借廚煙。」玄蟬飲露(清潔)：「白石磨樵斧，青竿理釣絲。」「籬下黃花菊，丘中白雪琴。」鷦鷯巢林(隨分)：「酒熟憑花勸，詩成倩鳥吟。」「無竹栽蘆看，思山疊石爲。」精衛塡海(辛苦)：「藻密行舟澁，灣多轉楫頻。」「棧懸斜閉石，橋斷卻尋溪。」雷公拭劍(晶熒)：「木落寒郊迥，煙開疊嶂明。」「沙明連浦月，帆白滿船霜。」蓮女遺簪(棄置)：「寶劍依塵席，陰符寄藥囊。」「雨拖金鎖甲，苔卧綠沉槍。」明鑒張空(追感)：「古殿吳花草，深宮晉綺羅。」「行人問宮殿，耕者得珠璣。」竹敲寒夢(悽愴)：「寶箏橫塞雁，怨笛落江梅。」「風葉亂辭木，雪猿清叫山。」火浣重燒(始終)：「皂雕寒始急，天馬老能行。」「落日心猶壯，秋風病欲蘇。」隴水分流(向背)：「巢許山林志，夔龍廊廟珍。」「白日依山盡，黃河入海流。」揮毫染素(入畫)：「鷺巢橫卧柳，猿飲倒垂藤。」「千峰隨雨暗，一逕入雲斜。」炫紫奪朱(逼眞)：「拂黛月生指，理鬢雲滿梳。」「雙眸剪秋水，十指剝春葱。」麋鹿相親(山林)：「亂藤遮石壁，絕澗護雲林。」「籬落生孫竹，門庭上女蘿。」梟鸞同處(憎愛)：「惜花愁夜雨，病酒怨春鶯。」「惜蜂收蜜少，嫌蠹曝書頻。」洞庭搖櫓(雙句有聲)：「霜猿啼曉夢，巖鳥和秋吟。」「秋風吹渭水，落果滿長安。」蟾輪輾空(雙句無聲)：「孤舟依岸靜，獨鳥向人閒。」「流年川暗度，往事月空明。」天仙搖珮(上句有聲)：「興闌啼鳥喚，坐久落花多。」「山虛風落石，樓靜月侵門。」阿香挽車(下句有聲)：「音書秋雁斷，機杼夜蛩催。」「澄潭寫度鳥，空嶺應鳴猿。」鶯囀喬林(先聞後見)：「海風吹不斷，江月照還空。」「林晚鳥爭樹，園春蝶護花。」雁陣驚寒(先見後聞)：「塔影掛青漢，鐘聲和白雲。」「晴虹橋影出，秋雁櫓聲來。」金鱗躍浪(雙句俱動)：「浴鳧含藻戲，驚鷺帶魚飛。」「鏡好鸞空舞，簾疎燕誤飛。」秋水涵虛(雙句俱靜)：「竹裏柴扉掩，庭前鳥雀行。」「蕭散煙霞晚，凄清天地秋。」香斷金猊(先動後靜)：「笙歌歸院落，燈火下樓臺。」「衆鳥高飛盡，孤雲獨去閑。」高僧出定(先靜後動)：「野花寒更發，山月暝還來。」「秋盡蟲聲急，夜深山雨重。」竹影掃塵(動中有靜)：「聽錫樵停斧，窺禪鳥立槎。」「雲穿擣藥屋，雪壓釣魚船。」潭底遊犀(靜中有動)：「古木花猶發，荒臺雨尚懸。」「庭閑花自落，門閉水空流。」飛鳥度池(動中有靜，靜中有動)：「日出衆鳥散，山暝孤猿吟。」「風轉雲頭斂，煙消水面開。」齊學楚語(借聲)：「關河一棲旅，楊柳十東風。」「捲簾黃葉下，鎖印子規啼。」胡越同舟(異類)：「白狗黃牛峽，朝雲暮雨時。」「萬里八九月，一身西北風。」輔車相依(唇齒)：「蛟龍得雲雨，雕鶚在秋天。」「鸞凰識雲路，雞鶩戀柴扃。」連璧遊春(肢體)：「脛弱秋添絮，頭風曉費梳。」「雲截山腰斷，風驅雨腳回。」比目游泳(骨肉)：「驊騮思故第，鸚鵡失佳人。」「蒲深鸂鶒戲，花暖鷓鴣眠。」秀麥分岐(疊韻)：「連錢嚼金勒，鑿落寫銀罌。」「蹉跎長泛梗，輾轉屢鳴雞。」嘉禾合穎(疊韻骨肉)：「綴席茱萸好，浮舟菡萏衰。」「寶瑟玫瑰柱，金羈玳瑁鞍。」羝羊觸藩(踟躕)：「買山猶未得，諫獵又非時。」「行矣前途晚，歸歟故國賒。」遊蟻循環(時令)：「流水桃花色，春洲杜若香。」「麥天晨氣潤，槐夏午陰清。」獨鳥銜煙(穿楊)：「海對羊城闊，山連象郡高(廣州)。」「疏鐘天竺曉，一雁海門秋(錢塘)。」飛星入月(中的)：「粉光深紫膩，肉色退紅嬌(牡丹)。」「露傾金盞小，風引道冠欹(黃葵)。」甘蠅貫蝨(神妙)：「數枝紅蓼畔，一片白雲孤(鷺鷥)。」「竹批雙耳峻，風入四蹄輕(馬)。」呂布中戟(精絕)：「野火燒不盡，春風吹又生(草)。」「東屯滄海闊，南讓洞庭寬(水)。」箭落雙鴻(必中)：「篆經千古澁，影瀉一堂寒(鏡)。」「湘水瀉秋碧，古風吹太清(琴)。」芳草親步(留連)：「美花多映竹，好鳥不歸山。」「荷風驚浴鳥，橋影聚行魚。」狂絮飄空(牽意)：「柳帶誰能結，花房未肯開。」「燕來紅壁語，鶯就綠窗啼。」巫峰斂翠（感動）：「曉日臨窗久，春風入夢長。」「芳草牽愁遠，丁香結恨深。」卓氏懷春（飄蕩）：「晚晴風過竹，深夜月當花。」「拂簟承花落，開簾待燕歸。」 七言。古鏡重磨（晦明）：「饑鳳羽毛寒不鎩，卧龍頭角老方高。」「驥雖老去壯心在，鶴縱病來仙骨清。」遼鶴思歸（感懷）：「殊方日落玄猿哭，舊國霜前白雁來。」「疎燈自照孤帆宿，新月猶懸雙杵鳴。」晴鷗點岸（閒靜）：「掛冠傲吏垂綸坐，絶粒高僧擁衲眠。」「老鶴巢邊松最古，毒龍潛處水偏清。」珷玞象玉（比並）：「草螢有耀終非火，荷露雖圓豈是珠。」「滿砌荆花鋪紫毯，隔牆榆莢撒青錢。」玉葉飄空（變態）：「黄蜂銜退海潮上，白蟻戰酣山雨來。」「鶯驚鳳輦穿花去，魚畏龍顔上釣遲。」篆香嫋碧（着莫）：「流水帶花穿巷陌，夕陽和樹入簾櫳。」「拂石坐來衫袖冷，踏花歸去馬蹄香。」芳洲拾翠（引用）：「杯酒英雄君與操，文章微婉我知丘。」「詩成白也知無敵，花落虞兮可奈何。」行雲度月（隱見）：「嘉樹倚樓青瑣暗，晚雲藏雨碧山寒。」「風吹藥蔓迷樵徑，水暗蘆花失釣船。」貧女理粧（隨分）：「好鳥迎春歌後院，飛花送酒舞前簷。」「飛來白鷺卽佳客，相對好花如美人。」晚霞成綺（相似）：「蜃散雲收破樓閣，虹殘水照斷橋梁。」「魚下碧潭當鏡躍，鳥還青嶂拂屏飛。」晴雲駐彩（容色）：「唾融春日揉金縷，狂發秋霞顫翠翹。」「皓齒乍分寒玉細，黛眉輕蹙遠山微。」睡成珠玉（辭藻）：「翰林風月三千首，吏部文章二百年。」「詩篇落處風雲動，筆力停時造化閑。」妙入丹青（模寫）：「水隔澹煙疏柳寺，路經微雨落花村。」「雲藏島外啼猿樹，竹鎖橋邊賣酒家。」穩步康莊（平易）：「睫在眼前長不見，道非身外更何求。」「無可奈何花落去，似曾相識燕歸來。」長嘯雲烟（高致）：「青山有雪諳松性，碧落無雲稱鶴心。」「共閑作伴無如鶴，與老相隨只有琴。」霞襯赤城（神仙）：「來時一見蟠桃熟，別後三驚碧海乾。」「六甲風雷藏寶籙，一壺天地雜靈砂。」雲集金田（禪律）：「秋水靜於僧眼碧，晚山濃似佛頭青。」「瓶添澗水盛將月，衲掛松枝惹得雲。」藕折輕絲（飄蕩）：「閑聽鶯語移時立，思逐楊花觸處飛。」「紅粉尚留香幕幕，碧雲初斷信沉沉。」梅損瓠犀（情味）：「花邊馬嚼金銜去，樓上人垂玉筯看。」「窗殘花月人何處，簾卷春風燕復來。」女夷鼓歌（春景）：「柳絲嫋嫋風繅出，草縷茸茸雨剪齊。」「梅無驛使飄零盡，草怨王孫取次生。」祝融御轡（夏景）：「園林換葉梅初熟，池館無人燕學飛。」「綠香熨齒冰盤果，清冷侵肌水殿風。」蓐收執矩（秋景）：「林間暖酒燒紅葉，石上題詩掃綠苔。」「風荷老葉蕭疎綠，水蓼殘花寂寞紅。」玄冥乘坎（冬景）：「雨被北風吹作雪，水愁東海亦成冰。」「冰堅九曲河聲斷，雪擁千峰嶽色低。」碧落吹簫（上句有聲）：「風引漏聲來枕上，月移花影到窗前。」「睡輕可忍風敲竹，飲散那堪月在花。」清江鼓瑟（下句有聲）：「蒼苔路熟僧歸寺，紅葉聲乾鹿在林。」「一溪晚綠浮鸂鶒，萬樹春紅叫杜鵑。」散耀垂文（雙句可觀）：「千竿碧立依林竹，一點黄飛透樹鶯。」「粉蝶園飛花轉影，彩鴛雙泳水生文。」鏘金戛玉（雙句可聞）：「羌管一聲何處曲，流鶯百囀最高枝。」「深秋簾幕千家雨，落日樓臺一笛風。」歸雲入洞（先動後靜）：「野蒿自發空臨水，江燕初歸不見人。」「綠竹掛衣涼處歇，清風展簟困時眠。」蟄蟲應雷（先動後靜）：「放魚池涸蛙急聚，棲燕梁空雀自喧。」「簾箔可垂嫌隔燕，釣竿慵把恐驚魚。」綠樹吟鶯（景對物）：「巢燕養雛渾去盡，江花結子已無多。」「樂意相關禽對語，生香不斷樹交花。」彩禽入鑒（物對景）：「映階碧草自春色，隔葉黄鸝空好音。」「寺隔江聲秋月上，樓依野色夕禽還。」龍吟雲起（比附對）：「夜棲少共雞爭樹，曉浴先饒鳳占池（鶴）。」「若非琥珀休爲枕，不是琉璃莫作屏（簟）。」虎嘯風生（比類對）：「初分隆準山河秀，乍點重瞳日月明（晝）。」「翼薄乍舒宮女鬢，蛻輕全解羽人屍（蟬）。」蘭艾同畦（愛憎對）：「蛇蝎性靈生便毒，蕙蘭根異死猶香。」「風卻有情偏動竹，雨渾無賴不饒花。」鳥獸先知（巢穴對）：「湘潭雲盡暮山出，巴蜀雪消春水來。」「雷霆入地建溪險，星斗逼人梨嶺高。」葛藤相連（疊韻對）：「解凍池塘風淅瀝，近秋郊野月嬋娟。」「鸂鶒刷毛花蕩漾，鷺鷥拳足雪離披。」鄧艾稱名（疊語對）：「雲頭灩灩開金餅，水面沉沉卧彩虹。」「青春背我堂堂去，白髮欺人故故生。」

又卷五《口訣·三不可》引《驪塘文集》 危稹逢吉曰：「詩不可強作，不可徒作，不可苟作。強作則無意，徒作則無益，苟作則無功。」

方回《瀛奎律髓》卷三 得一句卽撰一句對，而無活法，不可爲訓。

又 誰謂爲詩不當用事乎？用事而不爲事所用，可也。

又 詩貴一輕一重對說，一曲《梁州》，爲樂幾何？

又卷一〇 未有名爲好詩而句中無眼者。

又卷一二 詩中不可無虛字，然用虛字而不切，則泛也。

又卷一四 兩句言景，兩句言情。詩必如此，則淨潔而頓挫也。

又卷二一 善用事者化死事爲活事。

又 詩家善用事者，藏一字於句中。「銀壺酒易賒」，非易也，乃不易也。

錢囊既已空矣，酒可以易賒乎？但吟此者，着些斷續輕重，卽見意矣。

又「舟重竟無聞」，可謂善言舟中聽雪之狀。凡用事必須翻案。

又《桐江集》卷一《送俞唯道序》 大概律詩當專師老杜、黄、陳簡齋，稍寬則梅聖俞，又寬則張文潛，此皆詩之正派也。五言古，陶淵明爲根柢，三謝尚不滿人意，韋、柳善學陶者也。七言古，須守太白、退之、東坡規模。絕句，唐人後惟一荆公，實不易之論。但不當學姚合、許渾，格卑語陋，恢拓不前。唐二孟、近世呂居仁、尤、蕭、楊、陸，但可爲助，飽讀勤作，苦思屢改，則日異而月不同矣。予嘗有言，善詩者，用字如杜之立礎，用事如射之中的，布置如八陣之奇正，對偶如六子之偶奇。至於剔奇抉怪，如在大空中，本無一物，雲霞雷電、雨露霜雪，屢變而不窮。鍛一字者，一句之始，字字穩則句成而無鍛迹；鑄一句者，一篇之始，句句圓則篇成而無鑄痕。其初運思旋轉，如游絲之漾天；其終成章妥貼，如磐石之鎮地。

又卷三《跋尤冰寮詩》 詩不過文章之一端，然必欲佳句膾炙人口，殆百不一二也。非有上下古今之博識，出入天地之奇思，則雖欲日煅月煉，以求其佳，亦不能矣。

又卷四《跋俞伯初詩》「穩貼」二字，一生受用不盡，詩自是□□詩話，自是一般聲響，自是一般風味，題目、稱謂、送贈、唱和，種種不同，然必字字穩貼乃可。

又卷五《吳尚賢詩評》 詩未問工不工，且要對屬親切，輕輕重重得其平，又復情多而景少，淡多而麗少。

劉辰翁《須溪集》卷六《趙仲仁詩序》 劉後村倣《初學記》駢儷爲書，左旋右抽，用之不盡，至五、七言名對亦出於此，然終身不敢離尺寸，遂欲古詩少許自獻如不可得，故知唐宋大家數未易兼善也。每賦詩，入手必先得一事，伏而後起，最是一病。近年文最少，詩最盛，計何人不作，何日不有。【略】後村謂文人之詩與詩人之詩不同，味其言外似多有所不滿，而不知其所乏適在此也。吾嘗謂詩至建安，五、七言始生，而長篇反復，終有所未達，則政以其不足於爲文耳。文人兼詩，詩不兼文也。杜雖詩翁，散語可見，惟韓、蘇傾竭變化，如雷霆河漢，可驚可快，必無復可憾者，蓋以其文人之詩也。詩猶文也，盡如口語，豈不更勝彼一偏一曲？自擅詩人詩，局局焉，靡靡焉，無所用其四體，而其施於文也，亦復恐泥，則亦可以睕然而憫哉。

又《劉孚齋詩序》 作詩如作字，凡一齋第，一類欲以少許對多多許，然氣骨適稱，識者蓋深許之。「桑麻深雨露，燕雀半生成」，以「生成」對「雨露」，字意政等，怨而不傷。使皆如「青歸柳葉，紅入桃花」，上下語脈，無甚慘黯，卽與村學堂對屬何異？後山識此，故云：「功名不朽聊通袖，海道無違具一舟。」幾無一字偶切。簡齋識此，故云：「一涼恩到骨，四壁事多違。」此今人所謂偏枯失對者，安知妙意政阿堵中。作詩如作字，横眉豎鼻，所差幾何，而清俗相去遠甚。嘗與客言老杜「親朋盡一哭，鞍馬去孤城」。客言：近世戴式之亦云：「此行堪一哭，何日見諸君？」余曰：「俗矣。」因人舉誠齋《高安賦》云：「江西個是奇絶處，天下幾多虛得名。」中對「著此横絶，氣蓋宇宙。」客言，卽某人云：「天下有樓無此高。」余笑曰：「又俗矣。」卽同言同意，愈近愈不近，詩至是，難言耳。」

又《陳宏叟詩序》 小隱陳君以九日過我，因爲誦老杜「舊摘人頻異」，徒一「頻」字，而上下二三十年存歿離合之際，無不具見。但覺去年明年之感，未極平生。又如「衣冠卻扈從」，爲還京之喜，與先時不及扈從，而今扈從，道旁觀者之歎，班行回首之悲，盡在一「卻」字中。然此尤以虛字見意。如「遠愧梁江總，還家尚黑頭」，纔一「梁」字耳，舉梁而入陳，入隋，不勝其媿。人知江令之爲隋臣而已，三誦此語，復何必深切著明、攘臂而起、正色而議哉？往往讀者又以實字忽之。今人詩，五字或贅二字，不可以不知也。

又《題王學生詩》 詩之妙，後世由之，而不知老杜「衣冠卻扈從」，徒一「卻」字，而昔之宜扈從而不扈從，與後之欣喜復辟、初得見漢官者，舍其枯而集其菀者，具是有焉。文章之髓，豈在險艱？援據終日，吶吶而又不能道，豈不亦可笑哉！

王義山《稼村類藁》卷四《題胡靜得編祖黄谿詩集序》 今人言詩必曰工於詩，嗚呼！詩至於工，病矣。【略】不求工於詩，而行雲流水，詩之天也。

又卷五《趙東村希夔詩集序》 東坡謂子美夔州以後詩，句法簡易而大功出焉。山谷謂子美夔州以後詩，不煩繩削而規矩自合。《捫蝨新話》亦云，子美夔州以後詩，簡易純熟，無斧鑿痕如彈丸。果爾，則子美夔州以前詩，句法有未簡易者乎？規矩有未合者乎？未至於純熟如彈丸乎？諸君子之病吾子美也何故？嘗愛誠齋謂子美聖於詩。夫聖，孔子不居，詩敢居乎？詩至於大而化則聖矣。子美夔州以前詩，大而化之之聖也；夔州以後詩，聖而不可知之神矣。神則天。濂溪云：士希賢，賢希聖，聖希天，學不可一蹴造也。由希賢然後希聖，由希聖然後希天。東村有志於夔，當自子美夔州以前之詩入，由子美之聖希子美之天，進進不已，安知東村不夔州以後詩乎？顏何人哉，希之則是。

郝經《郝文忠公陵川文集》卷三〇《唐宋近體詩選序》事有至大，物有至多者，萬言之文不足以盡其理，詩四句，何以畢之？所謂至簡而至粹者也。故必平帖精當，切至清新，理不晦而語不滯，庶幾其至矣。

劉壎《水雲村稿》卷一三《詩說》至元辛卯秋，予與故友易雪厓閒游南城鄉，至歐橋，訪小谿周文郁(名從周，淳祐丙午中鄉舉)。因過坡下，訪綵墅黄衛道(名蘭，登科，仕爲興國軍通判，除榷院)。就往金谿縣之曾坊，訪平山曾仲材(名子良，咸淳戊辰登科，仕至嚴州淳安令)。三先生者，皆予舊識也。前修雅望，綽有典型，從容說詩，各得一論，足以補後學之闕漏。今二十有七年矣，雪厓翁壬辰歲先逝，三先生亦相繼僊去，宰木俱拱，惟予僅存，而亦年近釣璜。懼來日之有限，前聞之易亡也，因摭其說，載家集以示吾孫。小谿翁曰：昔在行都，訪白雲趙宗丞參詩法，因問何以有盛唐、晚唐、江湖之分。趙公曰：此當以斤兩論，如「齊魯青未了」，如「乾坤繞漢宮」，如「吳楚東南坼」，如「天兵斬斷青海戎，殺氣南行動坤軸」，如「白摧朽骨龍虎死，黑入太陰雷雨垂」等句，是多少斤兩？比「風煖鳥聲碎，日高花影重」，即輕重見矣。此盛唐、晚唐之分，江湖不必論也。已而訪蒼山翁曾子實，以趙公語質之，曾謂趙公言是。適有一客從旁竊笑，心怪之而未敢叩。異時徐問客何爲笑，曾公曰：「有故。蓋白雲之說雖當，顧其自作，則起末皆未是，客之所以笑也。」文請問歌行，曾公曰：「凡歌行，止合以老杜爲法。」其後又謁看雲翁黄希聲參詩。黄公簡默莊重，不事莊辯，止云：「詩只如此做，做來做去，到平淡處即是。」又曰：「詩貴平淡，做到此地位自知耳。」三詩人之所以語小谿者如此，小谿以其說授予。【略】予訪綵野黄榷院，年八十有四矣，精健不衰，氣象溫雅，有乾、淳遺老風致，忠厚之味藹然。從容談詩，有曰：「詩貴平易自然，最要血脈貫通，有倫有序。」因舉梅詩「牆角數枝梅」云云。又舉月詩「朧朧離海角」云云。此二篇，血脈貫通，次序不差，是一樣子也。越二日，往金谿訪平山曾公，作詩多雄健。於近世詩深取蒼山翁，且云：「少謁蒼翁於行都，翁曰：君作豐大，合作顛詩一番，然後約而歸之，正乃有長進。」問何謂顛詩？曰：「若太白、長吉、盧仝是已。」然性不喜爲此體，竟不果學。今老而思當時，儻不以己見横於胸次，而從前輩之教，用工一番，則吾詩當不止此，歎息久之。予以諸老前後言語參玩，乃知前輩作詩俱有節度，如今人率爾五、七字湊砌成章，遽名曰詩，宜其不足傳矣。學不廣，聞不多，其何能淑？予竊愧夫造詣之不深，而又慮夫前世之不傳，故纂其所聞，以爲詩說也。日或嗣有見教者，顧雖老憊，猶願續書。延祐丁巳重陽日，記於東軒。

吳澄《吳文正公集》卷一八《劉巨川詩序》嗚呼！詩不易能也。世之事斯技也衆矣，或如春華之煒燁，或如秋樹之瞀零，或如洪河之洶湧，或如弱水之底滯，或如騏驥之馳驟，或如蚤蝨之緣延。或如禮法進趍之士，折矩周規；或如狂病叫呼之人，踰垣上屋；或如三軍一將之令，整肅精明；或如一皿百蟲之蠱，蠕動雜揉。人之能不能，萬不齊也，而豈可彊哉？【略】風二十五，騷二十五，可以羣，可以怨，可以動天地，可以齊日月。何也？蓋有在於辭句之外者。李、杜、王、蘇，亦莫不然。

又《唐詩三體家法序》言詩本於唐，非固於唐也。自河梁之後，詩之變至於唐而止也。於一家之中則有詩法，於一詩之中則有句法，於一句之中則有字法。謫仙號爲雄拔，而法度最爲森嚴，況餘者乎？立心不專，用意不精，而欲造其妙者，未之有也。元和蓋詩之極盛，其體製自此始散。僻事險韻以爲富，率意放辭以爲通，皆有其漸，一變則成五代之陋矣。異時厭棄纖碎，力追古製，然猶未免陰蹈元和之失。大篇長什未暇深論，而近體三詩法則先壞矣。「一鳩雙燕」或者方且謙遜，而「落木長江」得意之句，自謂於唐人活計得之，眩名失實，是時昧者之過耳。永嘉嘗有意於變體，姚、賈以上蓋未之思。故今所編摭閱誦數百家，擇取三體之精者，有詩法焉，有句法焉，有字法焉，大抵皆規矩準繩之要言。其略而不及詳者，欲夫人體驗自得，不以言而玩也。

吳渭《月泉吟社詩》上《詩評》詩有六義，興居其一。凡陰陽寒暑，草木鳥獸，山川風景，得於適然之感，而爲詩者皆興也。《風》《雅》多起興，而《楚騷》多賦與比，漢魏至唐，傑然如老杜《秋興》八首，深詣詩人閫奧，興之入律者宗焉。《春日田園雜興》，此蓋借題於石湖，作者固不可舍田園而泛言，亦不可泥田園而他及。舍之則非此題之詩，泥之則失此題之趣。有因春日田園間景物，感動性情，意與景融，辭與意會。一吟風頃悠然，自見其爲雜興者，此眞雜興也。不明此義而爲此詩，他未暇悉論。往往叙實者多入於賦，稱美者多近於頌，甚者將「雜興」二字體貼，而相去益遠矣。

楊維楨《東維子文集》卷一一《送寫神葉清友序》 古今稱傳神者，晉之顧長康氏。長康寫照非徒得人之形似，而併以其情性精爽者得之，此古今之稱妙也。其寫裴叔則頰上益以三毛，而裴之神明見；寫謝幼輿置之巖石之裏，而謝之情性知。傳神而不得其精爽情性，徒求規規之形似，其去土木之偶奚遠哉？

宋訥《西隱集》卷六《紀行程詩序》 昔人論杜少陵以詩爲文、韓昌黎以文爲詩者，蓋詩貴有布置也。有布置，則有得其正，造其妙矣。故學詩當學杜，則所學法度森嚴，規矩端正，得其師焉。

楊載《詩法家數・詩學正源》 風、雅、頌、賦、比、興，詩之六義，而實則三體。風、雅、頌者，詩之體；賦、比、興者，詩之法。故賦、比、興者，又所以製作乎風、雅、頌者也。凡詩中有賦起，有比起，有興起。然風之中有賦、比、興，雅、頌之中亦有賦、比、興，此詩學之正源，法度之準則。凡有所作，而能備盡其意，則古人不難到矣。若直賦其事，而無優游不迫之趣，沉著痛快之功，首尾率直而已，夫何取焉？

又《律詩要法》 起、承、轉、合。破題，或對景興起，或比起，或引事起，或就題起。要突兀高遠，如狂風捲浪，勢欲滔天。 頷聯，或寫意，或寫景，或書事，用事引證。此聯要接破題，要如驪龍之珠，抱而不脫。 頸聯，或寫意，寫景，書事，用事引證。與前聯之意相應相避，要變化，如疾雷破山，觀者驚愕。 結句，或就題結，或推開一步，或繳前聯之意，或用事。必放一句作散場，如剡溪之棹，自去自回，言有盡而意無窮。 七言，聲響，雄渾，鏗鏘，偉健，高遠。 五言，沉靜，深遠，細嫩。 五言，七言，句語雖殊，法律則一。起句尤難。起句先須闊占地步，要高遠，不可苟且。中間兩聯，句法或四字截，或兩字截，須要血脈貫通，音韻相應，對偶相停，上下勻稱。有兩句共一意者，有各意者。若上聯已共意，則下聯須各意；前聯既詠狀，後聯須說人事。兩聯最忌同律。 頸聯轉意要變化，須多下實字。字實則自然響亮，而句法健。其尾聯要能開一步，別運生意結之，然亦有合起意者，亦妙。詩句中有字眼。兩眼者妙，三眼者非。且二聯用連綿字，不可一般。中腰虛活字，亦須迴避。五言字眼多在第三，或第二字，或第五字，或在第二及第五字。 字眼在第三字，「鼓角悲荒塞，星河落曉山。」「江蓮搖白羽，天棘蔓青絲。」「竹光團野色，舍影漾江流。」 字眼在第二字，「屏開金孔雀，褥隱繡芙蓉。」「碧知湖外草，紅見海東雲。」「坐對賢人酒，門聽長者車。」 字眼在第五字，「兩行秦樹直，萬點蜀山尖。」「香霧雲鬟濕，清輝玉臂寒。」「市橋官柳細，江路野梅香。」 字眼在第二、五字，「地坼江帆隱，天清木葉聞。」「野潤煙光薄，沙暄日色遲。」「楚設關河險，吳吞水府寬。」 杜詩法多在首聯兩句，上句爲頷聯之主，下句爲頸聯之主。 七言律難於五言律。七言下字較麄實，五言下字較細嫩。七言若可截作五言，便不成詩，須字字去不得方是。所以句要藏字，字要藏意，如聯珠不斷，方妙。

又《古詩要法》 凡作古詩，體格、句法俱要蒼古，且先立大意，鋪叙既定，然後下筆，則文脈貫通，意無斷續，整然可觀。 五言古詩。 五言古詩或興起，或比起，或賦起。須要寓意深遠，托辭溫厚，反覆優游，雍容不迫。或感古懷今，或懷人傷己，或瀟灑閑適。寫景要雅淡，推人心之至情，寫感慨之微意，悲懽含蓄而不傷，美刺婉曲而不露，要有《三百篇》之遺意方是。觀漢魏古詩，藹然有感動人處。如《古詩十九首》，皆當熟讀玩味，自見其趣。 七言古詩。七言古詩要鋪叙，要有開合，有風度，要迢遞險怪，雄俊鏗鏘，忌庸俗軟腐。須是波瀾開合，如江海之波，一波未平，一波復起。又如兵家之陣，方以爲正，又復爲奇；方以爲奇，忽復是正。出入變化，不可紀極。備此法者，唯李、杜也。開合粲然，音韻鏗然，法度森然，神思悠然，學問充然，議論超然。

范梈《木天禁語・六關・字法》 《事文類聚》事不可用，多宋事也。又不可用俚語偏方之言。摘用《史記》、《西漢書》、《東漢書》、《新、舊唐書》、《晉書》字樣，集成聯對。 一副當：白虎觀，碧鷄坊，金僕姑，玉具欘，高鼻胡人，平頭奴子，眉語，目成，從長，護短。有用字琢對句之法，先須作三字對或四字對起，然後粧排成全句，不可逐句思量，卻似對偶，不成作手也。或二字對起亦可。路頭異處在此，捕風捉影，如何成詩。至謹至謹。

陳繹曾《文筌》 卽景貴眞，故事貴切，設事貴新。 四卽事：正，以溫柔道之，而藹然可見。邪，以忠厚道之，而凜然可畏。疑，以從容道之，而斷在其中。妄，以滑稽道之，而辨在其中。 五故事：正用，的切本題，必然當用。反用，用其事，而反其意。借用，本不切題，借用一端。暗用，用其語，而隱其名。活用，本非故用，因言及之。此乃用事之妙。六設事：夢寐，以言夢必依幻。古人，言古必依實。神示，言神必依疑。仙靈，言仙必依想。鳥獸，託動物必依才。草木，託植物必依類。叙即事取出清虛處，用故事取着圓活處，假設事語似礙而情理暗通。

佚名《沙中金集·眼用實字》 凡詩眼用實字，方得句健（五言以第三字爲眼，七言以第五字爲眼）。「夜潮人到郭，春霧鳥啼山。」（張凡）「愁旅春入越，鄉夢夜歸秦。」「星河秋一雁，砧杵夜千家。」（韓偓）「古砌碑橫草，陰廊畫雜苔。」（司空曙）「殘暑蟬催盡，新秋雁帶來。」「感時花濺淚，恨別鳥驚心。」「行雲星隱見，疊浪月光芒。」（杜）「陳兵劍閣山將動，飲馬珠江水不流。」「雪意未成雲着地，秋聲不斷雁連天。」「風傳鼓角霜侵戟，雲捲笙歌月上樓。」「楊柳風多潮未落，蒹葭霜冷雁初飛。」「花前雨澀春猶冷，江上風高雨乍晴。」「梅子黃時天更雨，松花落盡晚猶風。」「半夜臘因風捲去，五更春被角吹來。」「花迎劍佩星初落，柳拂旌旗露未乾。」「朝登劍閣雲隨馬，夜渡巴江雨洗兵。」（岑參）「丹青霜葉秋明滅，水墨煙林暮有無。」

又《眼用響字》 潘邠老云：「七言詩第五字要響，五言詩第三字要響，致力處也。」「白沙留月色，弰竹助秋聲。」（太白）「芹泥隨燕觜，花蕊上蜂須。」（工部）「孤燈燃客夢，寒杵搗鄉愁。」（岑參）「荷香銷晚夏，菊氣入新秋。」（駱賓王）「煙蕪斂暝色，霜菊發寒姿。」（權德輿）「颸風枯硯水，山雨慢琴絃。」（靈澈）「楊柳梳煙碧，酴醾架雪香。」「綠陰生晝寂，孤健表春餘。」「夜潭鍾月魄，溪面印冰姿。」「衆綠結夏帷，老樹駐紅粧。」（宛丘）「淺灘淘落月，遠樹納殘星。」（菊澗）「返照入江翻石壁，歸雲擁樹失山村。」（杜）「萬里江山分曉夢，四鄰歌吹送春愁。」「平地風煙橫白鳥，半山雲木卷蒼藤。」（王平甫《甘露寺》元是「飛白鳥」，東坡云：精神全在「卷」字上，但以「飛白鳥」不稱，可易以「橫」字。平甫笑服）。「春將國色熏花骨，日借黃金縷水紋。」（山谷）「鶯傳舊語嬌春日，花學嚴粧對曉風。」「魚市人家滿斜日，菊花天氣近新霜。」

又《眼用拗字》 亦魯直換字拗句之法。「掬水月在手，弄花香滿衣。」（杜）「孤鳥背秋色，遠帆開浦煙。」（周賀）「樹蜜早蜂亂，江泥輕燕斜。」（杜）「雁識楚山晚，蟬知秦樹秋。」（司空曙）「雲捲兩山雪，風輕千樹霜。」（許渾）「渡口月初上，人家漁未歸。」（劉長卿）「殘雪入林路，暮山歸寺僧。」（皇甫曾）「殘影郡樓月，一聲關樹雞。」（劉滄）「驥雖老去壯心在，鶴縱病來僊骨清。」「殘星幾點雁橫塞，長笛一聲人倚樓。」（趙嘏）「班行失事國輕重，道路不言心是非。」（龍洲）「珠藏老蚌夜光迸，豹隱南山春霧深。」（善權）「寒林月落鳥巢出，古渡風高釣艇稀。」（杜）「歲豐奴僅拾殘穗，日晚婢方烹苦薇。」（後村）「卷簾陰薄漏山色，欹枕韻寒宜雨聲。」（秦韜玉）

又《拗句換字》 詩話云：「當平聲處，以仄聲易之，其氣健然不群。此魯直法也。」「一雙白魚不受釣，三寸黃柑尤自青。」「外江三峽且相接，斗酒新詩終日疎。」「負鹽出井此溪女，打鼓發船何處郎。」「沙上草閣柳新綠，城邊野池蓮欲紅。」（杜）「寵光蕙葉與多碧，點注桃花舒小紅。」「柳條弄色不忍見，梅花滿枝空斷腸。」（杜）「只今滿座一尊酒，後夜此堂空月明。」「清談落筆一萬字，白眼舉觴三百杯。」（山谷）「田中誰問不納履，坐上適來何處蠅。」（山谷）「鞦韆門巷火新改，桑柘田園春向分。」（山谷）「忽乘舟去值花雨，寄得書來應麥秋。」（山谷）「貧賤人忙亦是錯，復歸夢多其如空。」（曾鞏）「陰風攪短日，冷雨濕不晴。」（韓）「死生在片議，窮達獨一言。」「霜降水返壁，風落木歸山。」（山谷）「簾影垂晝寂，竹陰生夏涼。」（茶山）

又《用子母字粧句》 「竹疎煙補密，梅瘦雪添肥。」「曉荷重映晚，秋草碧於春。」「社日雨多晴較少，春風晚暖雨猶寒。」（誠齋）「擁爐可使弩身直，飲酒能令嬌面紅。」（放翁《寒》）「更漏有無風逆順，紙窗明暗月高低。」「曲風吹巷涼偏勁，圓月窺窗影卻方。」（西樵）「桐陰午轉涼如夜，藕葉秋多卻勝花。」

又《扇對格》 又名隔對句。此格出於白氏《金鍼》，以第一句對第三句，第二句對第四句也。「得罪台州去，時危去碩儒。移官蓬閣溪，穀貴歿潛魚。」「幾思聞靜語，夜雨對禪床。未得重相見，秋燈照影堂。」（鄭谷《吊僧》）「前年家水東，回首夕陽麗。去年家水西，濕面春雨細。」（坡《遷居》）「空腸吐餘思，靜似蠶綴蔟。寸田結初果，秀若銅生綠。」（坡《高夢劉見寄》）「邂逅陪車馬，尋芳謝朓洲。淒涼望鄉國，得句仲宣樓。」（坡《用鬱孤臺和朝奉》）「蕭蕭秋風引，葉落渭水清。喧喧陽春歌，花明錦江城。」（蔡九峰）「相思復相憶，夜夜淚沾衣。空歎復空淚，朝朝君未歸。」「著意尋彌明，長頭高結喉。無心逐定遠，燕頷飛上頭。」（坡《送吳正輔》）「雖慚抱朴子，金鼎陋蟬蛻。猶賢柳州柳，廟俎薦丹荔。」（坡《遷居》）「君方卒功名，一汎范蠡舟。我亦霈沾渥，漸解張儀囚。」「寧須張子房，萬戶自擇留。尤勝嵇叔夜，孤墳甘長幽。」「稚川眞長生，少從鄭公遊。孝章偶不死，免爲文舉憂。」（坡）「暮歸走馬沙河塘，爐煙裊裊十里香。朝遊曳杖青牛嶺，崖山咽咽千山靜。」（坡）「去年音問隔淮州，百謫誰知我亦憂。前日杯盤共江渚，一歡相屬豈人謀。」（半山《酬朱昌叔》）「昔年共照松溪影，松折碑荒僧已無。今日還歸錦城事，雪鋪花謝夢如何。」（鄭都官）「去年花下流連飲，暖日夭桃鶯亂啼。今日江邊容易別，淡煙衰草馬頻嘶。」（唐人）「可惜鶯啼花落處，一壺濁酒送殘春。可憐月好風涼夜，一部清歌伴老身。」「子方得病古山陽，耆手風生謝刀筆。我正含毫紫薇閣，病眼昏花困書檄。」

又《句中對》 如王勃「龍光射斗牛之墟，徐孺下陳蕃之榻」是也。「桑麻深雨露，燕雀半生成。」「江流天地外，山色有無中。」（王維）「胡越書難到，存亡夢豈知。」（崔峒）「今空無古篆，宋復有唐文。」（後村）「四年三月半，新筍晚花時。」（元稹）「遠山芳草外，流水落花中。」（司空曙）「落花遊絲白日靜，鳴鳩乳燕青春深。」（杜）「小院迴廊春寂寂，浴鳧飛鷺晚悠悠。」（杜）「白頭青鬢有存沒，落日斷霞無古今。」（張）「無情有恨何人見，月冷風清欲墜時。」（皮日休）「孤雲獨鳥川光暮，萬井千山海氣深。」（李嘉祐）「高江急峽雷霆鬥，古木蒼藤日月昏。」「桃花細逐楊花落，黃鳥時兼白鳥飛。」（杜）「閒對紅裙辭白酒，但愁新進笑陳人。」（坡）「三國是非春夢斷，六朝城闕埜花開。」（沈存中）「三分割據紆籌策，萬古雲霄一羽毛。」（杜）

又《巧對》 「雁兒爭水馬，燕子逐牆烏。」（杜）「行看子城過，卻望女牆遙。」（誠齋）「紙鳶風恰穩，秧馬水新肥。」（李玉溪）「野禽啼杜宇，山蝶夢莊周。」（太白）「蠶貪桑眼出，蜂趁蜜脾忙。」（鄭北山）「籬落生絲竹，門庭上女蘿。」「時難將進酒，家遠莫登樓。」（唐子西）「綠楊垂手舞，黃鳥緩聲歌。」「經來白馬寺，僧到赤烏年。」（靈澈。東漢，西國僧以白馬負經至洛陽，而吳赤烏年中，康僧會始領僧二十餘員至建業。）「范子歸來思狡兔，呂公何意兆非熊。」（山谷）「簾額低垂紫燕忙，蜜脾已滿黃蜂靜。」（杜）「半世功名一雞肋，平生道路九羊腸。」（誠齋）「自知老境要灰心，卻笑小時空血指。」（周癖齋）「抗顏末路空屠龍，貽笑一生眞畫虎。」（游默齋）「愁心別後無詩草，病眼燈前有醉花。」（致堂）「蜘蛛影里清吟罷，蚱蜢舟中白髮生。」「石燕拂雲晴亦雨，江豚吹浪夜還風。」（許渾）「草解忘憂憂底事，花名含笑笑何人。」「平日解愁寬帶眼，乞今歸思滿琴心。」（半山）「微風蹙水魚鱗浪，滿日烘晴曙色天。」「世事眞如夢，人生不等閒。利名雙轉轂，今古一憑欄。春水渡旁渡，夕陽山外山。吟邊思小范，共把此詩看。」（石屏）

又《交股對》 如《九歌》「蕙殽蒸兮蘭藉，奠桂酒兮椒漿」是也。又名蹉對，蓋以「蒸蕙殽」對「奠桂酒」。「春深葉密花枝少，睡起茶多酒盞疎。」（半山《晚春》。僧惠洪《冷齋夜話》云：「『多』字當作『親』字，蓋以『密』對『少』，『親』對『疎』。」《藝苑雌黃》云：「惠洪多妄誕，不曉詩格。此以『密』對『疎』，『多』對『少』，正交股用之。」）「影遭碧水潛勾引，風妬紅花卻倒吹。」（杜）「舳艫爭利涉，來往接風潮。」（孟浩然）「讀書能愈病，聽話勝觀書。」

又《借韻對》 詩話云：「『自朱耶之狼狽，致赤子之流離。』乃獸名對鳥名，謂之借對。」「根非生下土，葉不墜秋風。」「佳山今十載，明日又遷居。」「廚人具雞黍，稚子摘楊梅。」（孟浩然）「水春雲母碓，風掃石榴花。」（太白）「飲子頻通汗，懷君相報珠。」（杜）「枸杞因吾有，雞棲奈爾何。」（杜）「眼昏常訝雙魚影，耳熱何辭數爵頻。」（韓）「姓名雖蒙齒錄，袍笏未復牙緋。」

又《律詩不對》 盛唐多作此體。

又《頷聯不對》 謂之蜂腰格。十字而一事，而意貫上二句，若已斷而復續。（《禁臠》）「下第唯空囊，如何住帝鄉。杏園啼百舌，誰醉在花旁。淚落故山遠，病來春草長。知音逢豈易，孤棹負三湘。」

又《聯不對》 謂之偷春格。蓋引韻二句已對，如「梅花偷春色先開」也。「無家對寒食，有淚如金波。斫卻月中桂，清光應更多。仳離放紅蘂，想像顰青娥。牛女漫愁思，秋期猶渡河。」（杜）

又《不對處對》 「掛席東南望，青山水國遙。舳艫爭利涉，來往接風潮。問我今何適，天台訪石橋。坐看霞色晚，疑是赤城朝。」（孟浩然）

又《起句對》 「萬事誰能問，一名猶未知。貧窮多累日，閒適過少年。燈下和愁睡，花前帶淚悲。無媒長委命，轉覺命堪疑。」（雍陶）「天上碧陶和露種，日邊紅杏依雲栽。芙蓉生在秋江上，不向東風怨未開。」

又《末句對》 「皇皇三十載，書劍兩無成。山水尋吳越，風塵厭帝京。扁舟汎湖海，長揖謝公卿。且樂盃中酒，誰論世上名。」「書劍催人不暫閒，洛陽羈旅復秦關。容顏歲歲愁中改，鄉國時時夢裡還。」「悞入仙人碧玉壺，一歡那復問親疎。杯盤狼藉吾何敢，車馬雍容子甚都。此夜新聲聞百里，他年故事紀南徐。欲窮風月三千界，願代人天百億軀。」

又《首尾對》 「歷歷緣荒岸，冥冥入遠天。每同沙草發，長共水雲連。搖落風潮早，離披海雨偏。故鄉遊子意，常在客舟前。」「柳絮飛時別洛陽，梅花開後在三湘。世情已逐浮雲去，離恨又隨江水長。」「十年歸客但心傷，三徑無人已自荒。夕宿靈臺伴煙月，晨趨庭禮逐衣裳。久看麋鹿隨芳草，謬荷鵷鸞借未行。縱有諫書猶未獻，春風拂地日空長。」(唐人)「簷前白日應可惜，籬下黃花爲誰有。行子迎霜未換衣，主人得錢始沽酒。蘇秦憔悴時多飲，蔡澤恓惶世爲醜。縱使登高只斷腸，不如獨坐空回首。」(唐人少陵多作此體)

又《以物爲人》「風泉兩部樂，松竹三益友。」(《南史》：「孔稚珪不樂世務，庭草不剪，中有蛙鳴。或謂曰：『欲爲陳蕃乎？』珪笑曰：『我以此當兩部鼓吹。』」坡《遊武昌寒溪西山寺》語。)「蚊虻當家口，草木是親情。」(玉川。東坡云：「堪笑荒唐玉川子，莫厭家口若爲親。」)「初期橘爲奴，漸見桐有孫。」(坡。宣義序荆州記：李衡仕吳爲丹陽太守，於武昌龍陽泛舟，橘千株，臨死，語其子曰：「吾有千頭木奴，不責汝衣食，歲有千匹絹亦足耳。」)「大暑去酷吏，清風來故人。」(杜)「殘暑已趣裝，好風方來歸。」(山谷)「春去不窺園，黃鳥再三請。」(山谷)「已遣亂蛙成兩部，更邀明月作三人。」「鬱鬱蒼髯眞道友，絲絲紅萼是鄉人。」(坡)「水裏笙歌蛙兩部，山中奴婢橘千頭。」(坡《贈王子直》)「猿鳥不須懷悵望，溪山應亦笑歸來。」(半山)

又《虛字粧句》 欲其輕清，不欲其軟弱。「飄飄搏擊便，容易往來遊。」(杜)「乍逢如未識，相問各凄然。」「未老先求退，歸來不厭貧。」(李嘉祐)「能飛歸不得，雖去有何求。」「更病可無醉，猶寒已自和。」(後山)「見後卻無語，別來長獨愁。」「落時猶自舞，掃後卻聞香。」「且然聊爾可，得也自知之。」(山谷《和范德儒》)「更爲後會知何地，忽慢相逢是別筵。」(杜)「說靜故知尤有動，無閒底處更求忙。」(坡)「無媒自進誰識之，有才不用今老矣。」(坡)「君有問焉非所願，世無知者始爲眞。」(後山)「老病已多惟欠死，貪嗔雖盡尚餘癡。」「漸老更思深處隱，閒多惟惜上方眠。」(賈島)「未醉已知醒後憶，欲開先見落時愁。」「詩可以興還得謗，莫賢乎己在忘機。」「夜如何其斗初落，歲云暮矣天無情。」(李師中)「時復中之徐邈聖，無多酌我次公狂。」(坡)

又《下三字用經史字》「山到江湄窮則變，水歸峽口窒斯通。」「山如仁者靜，風似聖之清。」(誠齋)「曉山仁者靜，夜月聖之清。」(唐子西)「佳月明且哲，好風聖之清。」「日暮於誰屋，天寒陟彼岡。」

又《公取古詩句》 此格最新，始於太白。「解道澄江靜如練，令人卻憶謝元暉。」(太白)「帝遣銀河一派垂，古來惟有謫仙詞。」(坡)「卻憶當年江處士，能言秋色霧人家。」(陳覺民)「如何故國三千里，空唱歌詞滿六宮。」(杜牧之)「開卷愛公如李益，解言明月逐人來。」(韓子蒼)「令人還憶柳州柳，亂道千山絕飛鳥。」(誠齋)「愛君古錦囊中句，解道今秋似去秋。」「獨睡南窻月，今秋似去秋。」「子犯亦有言，臣尤自知之。」(韓)「韓子亦嘗謂，收斂加冠巾。」「退之嘗有云，青蒿依長松。」「蛾眉山月半輪秋，影入平羌江水流。謫仙此語誰解道，請君見月時登樓。」(坡。劉原父戲歐公曰：永叔於韓公文，有公取竊取，如此兩聯，是之謂公取。《邵氏聞見錄》)

又《坡用佛書語》「欲深苦海浪，先乾愛河冰。」(《哭幹兒》)

又《流水句》 洪覺梵《禁臠》云：「其法兩句敘一事，如人信手斲木，方圓一一中規矩，宜於頷聯用之。又名十字對、十四字對。」「如何青草裏，也有白頭翁。」(太白)「仰面貪看鳥，回頭錯應人。」(杜)「忽聞哀痛詔，又下聖明朝。」(杜)「長因送人處，憶得別家時。」(唐人)「碑已無文字，人尤敬子孫。」(任藩)「若不得流水，還應過別山。」(唐人)「如何萬家縣，不見一枝梅。」(茶山)「若無三日雨，那得一年秋。」「不知何處雨，便覺此間涼。」「自言行腳好，卻厭住家閑。」(唐人)「爲何百年內，不見一人閑。」(唐人)「安得雲如蓋，能令雨瀉盆。」(坡)「羞將短髮還吹帽，笑倩旁人來正冠。」「竹葉於人既無分，菊花從此不須開。」(杜)「自攜瓶去沽村酒，卻着衫來作主人。」(王操)「遙知楊柳是門處，似隔桃花無路通。」「世上豈無千里馬，人間那得九方皐。」(山谷)「卻從城裏攜琴去，許到山中寄藥來。」「江客不堪憑北望，塞鴻何事又南飛。」(劉長卿)「夜來過嶺忽聞雨，今日到溪都是花。」「向來耳畔只聞雨，今日眼前俱是花。」「只消半夜雨聲作，便領一年寒氣來。」

又《錯綜句》 二句移換之法，尤爲詩家之妙矣。「紅(一作『香』)稻啄餘鸚鵡粒，碧梧棲老鳳凰枝」(杜。若直敘之，則曰：「鸚鵡啄餘紅稻粒，鳳凰棲老碧梧枝。」而以紅稻、碧梧在上，鳳凰、鸚鵡在下，錯綜之也)。「溶溶院落梨花月，淡淡池塘柳絮風」(休齋。以「梨花院落溶溶月，池塘柳絮淡淡風」二句換移之，即前錯綜之法)。「雪色已翻煎處腳，松風仍作瀉時聲」(誠齋。此倒語即前句法，尤爲詩家妙矣)。「繰成白雪桑垂綠，割盡黃雲稻正青」(半山。言繰成則知白雪爲絲，割盡則知黃雲爲麥)。「木杪北山煙冉冉，草邊南澗水泠泠。」「林下聽經秋苑鹿，溪邊掃葉夕陽僧。」(鄭谷)「柳絮打殘連夜雨，桃花吹散五更風。」「翡翠啄成千嶂碧，琉璃瀉出一溪寒。」「一千里色中秋月，十里軍聲半夜潮。」「紅珠斗帳櫻桃熟，金錯屏風孔雀開。」「野禽啼杜宇，山蝶夢莊周。」「花酣蓬報謝，葉在柳呈疎。」（唐人）「寶鏡窺鸞影，紅粧裛淚痕。」「舞鑑鸞窺沼，行天馬渡橋。」（韓）

又《疊三實字句》「仙人視吾曹，何異蜂蟻蜩。」（坡《九日次定國》）「蘇石破篆文，不辨瞿李袁。」（山谷《遊愚溪》）「山童頗來服，見其父孫翁。」（山谷）「駕車六九五，十四蛟螭虯。」（玉川《月食》）「埜草花葉細，不辨薋菉葹。」（退之《寄崔立之》。薋，音咨，蒺藜也。菉，音綠，生芻也。葹，音施，枲耳也。三者皆惡草。出《離騷經》云：「薋菉葹以盈室。」）「咲彼三子歐蘇梅，無事自作雪羽爭。」（坡）「誰與莫逆溪山我，幸甚無能詩酒棋。」（秋崖）「有人難立百官上，不爲廟中羔兔蛙。」（山谷《和蒲志同》。《霍光傳》：「霍山曰：『丞相擅減宗廟兔蛙，可以此罪也。』」）

又《疊五實字》「風雨晦明淫，跛鱉瘖聾盲。」（坡《張寺丞益齋》）「風月煙霧雨，榮悴各一時。」（山谷）「蚌蠃魚鱉蟲，瞿瞿以徂徂。」（韓《別趙子》）

又《疊七實字》「岷峨之山中巴江，桂椒柟櫨楓柞樟。」「異人間出駭四方，嚴（君平）王（褒）陳（子昂）李（白）司馬（相如）楊（雄）。」（後山《贈二蘇》）「騅駓駰駱驪騮騵（馬色），白魚赤兔騂皇驕。」（坡《韓幹畫馬圖》）「鴉鵶鷹雕雉鵠鵾，燖炰煨爊熟飛奔。」（昌黎《陸渾山火》）

又《折腰句》讀之若不律，自是一格。「野店寒無客，風巢動有禽。」「送終時有雪，歸葬處無雲。」（任藩）「似梅花落地，如柳絮因風。」「靜愛竹時來野寺，獨尋春處過溪橋。」（六一）「黃四娘教看花去，謝三郎勸釣魚休。」「管城子無食肉相，孔方兄有絕交書。」（山谷）「鸚鵡杯難別清濁，麒麟閣懶畫丹青。」（漁隱）「開山佛已成胡鬼，住院僧尤說李王。」（後村）「永夜角聲悲自語，中天月色好誰看。」（杜）

又《歇後句》「予有折足鐺，中餘五合陳。」（坡《贈月長老》。坡詩大抵取其意足言陳，王介甫《和州詩》則云：「粟餘三釜陳」，必先有「粟」字，方使「陳」字。坡詩如「已遣亂蛙成兩部」，亦暗帶「樂」字，故葉石林謂坡詩有歇後語，然不害其爲奇也。）「當初只爲將勤補，到底翻爲弄巧成。」（拙字）「斷送一生惟有，破除萬事無過。」（酒字）

佚名《詩教指南集·詩不越賦比興》賦、比、興全用。宋邕《述漢武帝思李夫人》詩（賦、比、興相雜，全用不遺）：「惆悵朱顏不復歸（賦也），晚秋黃葉滿天飛（興也）。迎風細荇傳香粉，隔水殘霞見畫衣（比也）。白玉帳寒鴛夢絕，紫陽宮遠雁書稀（賦也）。夜深池上蘭橈歇，斷續歌聲接太微（興也）。」疎《梅花》，比也。「衆芳搖落獨暄妍（喻出類也），占斷風情向小園（喻才也）。疎影橫斜水清淺（喻盛德也），暗香浮動夜黃昏（喻美名）。霜禽欲下先偷眼（喻親賢也），粉蝶如知合斷魂（喻慕德）。幸有微吟可相狎（喻知己者），不須檀板共金樽（喻微倖小人可遠也）。」《憂旱》，興也。「捧日人無傳說心（喻秉政者），黎民何處望甘霖（喻良澤也）。晴光煑地炎如冶（喻威勢也），火色流空爍似金（喻桎梏也）。萬姓尚能供賦稅（喻稅斂也），九重誰復禱桑林（喻旱熯也）。微軀不滿長三尺（喻蒸民也），激起新愁一萬尋（喻憂也）。」《上兵憲》，賦也。「山斗名高天下馳（喻位尊也），幾年當道領樞機（喻登要路）。兒童開口說司馬（喻德也），胡虜低頭拜子儀（喻威也）。政教有天行日月（喻治也），威聲無地著狐狸（喻奸佞不見容也）。色絲藏在心胸裏（喻□也），留待君王補袞衣（喻□主而登相位也）。」

又《小題大作》《彈綿詩》，賦而比。「迸破青囊褪玉關，竹爐烘趕上弓彈。水漂柳絮漁吹暖，秋老蘆花雁叫寒。雪裏王恭披鶴氅，磯頭尙父弄魚竿。如今幸喜皇租減，始信蒼生衣袴完。」《趕蠒詩》：「梓匠裝成巧樣殊，分明坤軸配干樞。天根掣動風雷孔，斗柄潛回日月殂。花逐暖雲輕捲絮，子翻晴霰亂誰珠。民無凍餒歌襦袴，不問陽春有卻無。」（右二詩題甚小，而句甚宏大。其中用花柳、魚鳥、天地、日月、風雷之詞，用句雖高，譬理取近，得詩家之大法也。且《彈綿》結之以衣袴，《趕蠒》結之以歌襦，有補於世教）。

羅性《羅德安文集》卷三《寸草心說》良於爲喻者，莫良於詩。《三百篇》篇數詎少哉？「風」「雅」「頌」類析異其名，囿於興，囿於賦，囿於比，非名於詩者弗喻也。比猶喻也。喻焉而詞屬，故興而喻，賦而喻，詞非葩者，賦、興以並之，出於性情之眞，良然。其喻善，使人油然而感發；喻惡，使人坦然而懲創，未嘗泛不切，去人情甚相遠。若《棘心》喻其哀，《蓼莪》喻其哀，《南陔》、《白華》喻其孝，詞逸而音傳於笙，要皆喻之最良者也。《詩》亡，而春秋而戰國，唯孟軻氏稱善喻。其云喻，尤長於征詩。故閉邪陳善，稽人情最爲近，靡不範以正。先正序其書，謂有風人之託物、《二雅》之正言，信哉言也。是豈膚謭者能喻其喻哉？

胡廣《性理大全書》卷五六《論詩》 文字好用經語，亦一病。

又 詩須是平易不費力，句法渾成。如唐人玉川子輩，句語雖險怪，意思亦自有渾成氣象，因舉陸務觀詩：「春寒催喚客嘗酒，夜靜臥聽兒讀書。」不費力，好。

又 古人詩中有句，今人詩更無句，只是一直說將去，這般詩一日作百首也得。如陳簡齋詩：「亂雲交翠壁，細雨濕青林。暖日熏楊柳，濃陰醉海棠。」他是甚麽句法！

朱權《西江詩法》三《詩家模範》 詩貴含蓄，優柔不迫。大抵從學問中來，語句自然近理。以理爲主，以氣爲使。叫譟怒張，非詩道也。

又 詩之緊關最在結句。結句無力，便沒合殺，不成片段也。中間又要有胸次，有氣魄，有法度，有節奏，有脈絡，有興趣，有議論，有警策，有感慨，有滋味，是爲作手。此詩遇會家吟未易爲尋常道。

又五《作詩骨格》 句中要有字眼，或腰，或足，或膝，無一定之處，最要的當，所謂要鍊字、下字者是也。

又一一《字眼》 詩句中有字眼。兩眼者妙，三眼者非。且二聯用連綿字不可一般中腰，虛活字亦須回避。五言字眼，多在第三，或第二字或第四字或第五字。字眼在第一字：「剖開混沌竅，創出鴻濛根。」（出《採芝吟》）字眼在第二字：「光吞壺裏天，香落梅邊影。」（出《採芝吟》）字眼在第三字：「道德爲郛郭，乾坤作蘊袍。」（出《採芝吟》）字眼在第四字：「我命不妨天尙在，此生惟有道長存。」（出《壺天集》）字眼在第五字：「青山茅屋宜藏老，紅葉柴門可避喧。」（出《感興詩》）字眼在第二、第五字：「雲閑天地闊，月冷松風寒。」（出《採芝吟》）「驚回鶴夢歸書舍，喚醒詩魔入醉鄉。」（出《感興詩》）「茶沸松濤疑是雨，酒醒槐夢不知明。」（出《感興詩》）「風送竹聲來枕上，月隨流水到柴門。」（出《感興詩》）杜詩法多在首聯兩句。上句爲領聯之主，下句爲頸聯之主。七言律難於五言律。七言下字較粗實，五言下字較細嫩。七言若可截作五字便不成詩，須字字不可去方是。所以句要藏字，字要藏意，如聯珠不斷爲妙。

黃子肅《詩法》 意既立，必須得句。句有法，當以妙悟爲上。第一等句得于天然，不待雕琢，律呂自諧，神色兼備。奇絕者如孤崖斷峰，高古者如黃鐘大呂，飄逸者如清風白雲，森嚴者如旌旗甲兵，雄壯者如千軍萬馬，華麗者如奇花美女，是爲妙句。其次必須造語精工，或動靜，或大小，或眞假，或生死，或遠近，或今古，或虛實，或有無，變化彷彿，使一句之中常具數節意，乃爲佳句。是以洞觀天地之句，似放誕而非放誕；了達生死之句，似虛無而非虛無；剖出肺腑之句，似粗俗而非粗俗；寄興悠揚之句，意之所至，信手拈來，頭頭是道，不待思索，得之于自然。隔關寫景之句，不落方體，不犯正位，不滯聲色，左右上下，無所不通，似着題而非着題，非悟者不能作也。

又 句既得矣，于句中之字，渾然天成者爲佳。下字必須清，必須活、必須響，與一篇之意、一句之意相通，各自卓立而復相成，是爲本色。若了達生死之句，其字宜高古，宜眞率；洞觀天地之句，其字宜籠放，宜開闊，宜雄渾；剖出肺腑之句，其字宜沉着，宜痛快；寄興悠揚之句，其字宜涵蓄不露，宜優游不迫；隔關寫景之句，其字宜精工，宜神奇，宜飛動，宜變化，宜峻峭，宜飄逸；每每有似眞非眞、似假非假、若有若無、若彼若此之意爲得之。

周敘《詩學梯航·命題》 作詩命題，大爲要事。或有先立題後賦詩者，或有因詩成而綴題者，隨其賦興，有此二端。然自有詩以來，命題之語，代各不同，視其題語之純駁，則知所作之高下，而可以窺其識見之淺深也。兩漢尙矣。由漢而下，魏、晉詩人賦詠，篇什無藉於題，特立題以紀辭耳。其語甚簡，如魏文帝《芙蓉池作》、曹子建《情詩》、劉公幹《贈五官中郎將》、王仲宣《從軍詩》、陶淵明、阮嗣宗《詠懷》，皆只一語略題賦詩之意。詩中興趣蕭散，不爲題所拘繫。宋齊以往，漸加繁細，如沈休文《新安江水至清淺深見底貽京邑遊好》、顏延年《車駕幸京口三月三日侍遊曲阿後湖作》、謝靈運《石門新營所住四面高山迴溪石瀨茂林脩竹》、謝玄暉《暫使下都夜發新林至京邑贈西府同僚》、江文通《從冠軍建平王登廬山香爐峰》、任彥昇《贈郭桐廬出谿口見候余既未至郭仍進村維舟久之郭生方至》、何水部《從主移西州寓直齋內霖雨不晴憶郡中遊聚》之類，始覺受制於題。漸流至唐，愈加精密矣。嘗觀唐人之作，一詩之意具見題中，更無罅隙。其所長者，雖文采不加而意思曲折，叙事甚備而措辭不繁。所以覺唐見周人，詩無閑句。蓋唐詩以法律名家，故其規矩謹嚴，不少放縱。如杜少陵《冬日洛城北謁玄元皇帝廟廟有吳道子畫五聖圖》、又《至德二載甫自京金光門出閒道歸鳳翔乾元初從左拾遺移華州掾與親故別因出此門有悲往事》，又《王十七侍御掄許攜酒至草堂奉寄此詩便請邀高三十五使君同到》；李太白《經亂離後天恩流夜郎憶舊遊書懷贈江夏韋太守良宰》、《博平鄭太守自廬山千里相尋入江夏北市門見訪卻之武陵立馬贈別》，又《聞丹丘子於城北營石門幽居中有高鳳遺跡僕離群遠懷亦有棲遁之志因敘舊以寄之》，又《翫月金陵城西孫楚酒樓達曙歌吹日晚乘醉着紫綺裘烏紗巾與酒客數人棹歌秦淮往石頭訪崔四侍御》；王維《同盧拾遺過韋給事東山別業二十韻給事首春休沐維已陪遊及乎是行亦預聞命會無車馬不果斯諾》，韋蘇州《張彭州前與緱氏馮少府各惠寄一篇多故未答張已云沒因追哀叙事兼遠簡馮生》，柳子厚《奉和周二十二丈酬郴州侍郎衡江夜泊得韶州書並附當州生黄茶一封率然成篇代意之作》，武元衡《和陽三舍人晚秋與崔二舍人張秘監苗考功同遊昊天觀時中書寓直不得陪隨因追往年曾與舊僚聯遊此觀紀題在壁已有淪亡書事感懷輒以呈寄兼呈東省三給事之作楊君見徵鄙詞因以繼和》，劉長卿《送馬秀才移家京洛便赴擧》，錢起《經七盤路阻寇聞李端公先到南楚因以贈之》。如此之類，不能枚擧。至無可書，始有題曰：送某人、寄某人、遊某地，詠某物，述某事而已。但有餘意，必形於題。宋人命題雖曰明白，而其造語陳腐，讀之殊無氣味，有非唐人之比。雖歐、蘇、黄、陳負當世大林者，尚不能變，蓋氣習使然。元朝諸公承宋舊染，互相傳襲，自非確然有識論，不溺於流俗，而或自拔於晉、唐者，幾何人哉！欲效一物，必獲其肖，諺所共論。凡學漢、魏詩，其題必祖漢、魏；擬齊梁，必倣諸齊梁；唐體亦然，各貴乎似。以齊、梁、唐人之語，題於漢、魏古詩之首，是猶如近世巾帽而被玄端之服，不免爲識者所誚；以漢、魏題目而冠諸齊、梁、唐體之上，亦不倫矣。如是者，大綱既失，可與議詩云乎？

又《通論》 初時好惡未辨，連篇累牘，肆筆而成，不暇改抹，既識羞愧，始生畏縮，成之極難。及其透徹，縱横紛錯，隨吾所用，天人一矣。須在看多、做多，商量又多。推敲改抹，字字句句，不容苟且，日煅月煉，期於必傳。用字不可粘湊，押韻不可牽強，句語不可尋常，首尾不可各別，故事不可不謹用。要如水中著鹽，飲水乃鹽味。舊詩不可盜襲，但可脫胎換骨，默會方知本元。不可令有村俗氣，不可令有斧鑿痕。詞忌直，意忌淺，脈忌露，味忌短，音韻忌散緩，亦忌迫促。篇章忌堆積，亦忌貼僻。發端忌作擧止，收拾貴有出場。意貴通透，語貴脫灑。語忌須除，語病必去。認處要眞，做處要著，聲口要和，斤兩要停，說理要簡易，說事要圓活，說景要微妙。血脈相通，辭理俱到。不可切切，不可泛泛，不可罵詈，不可叫噉，不可徒作，不可強爲。氣高而不可怒，才贍而不可疏。欲宛而不得刻，欲奇而不得怪。欲情緣而離深僻，欲經史而離書生。須是本色，須是當行。小篇欲器局闊大，意趣充足；大篇欲首尾停匀，腰腹肥滿。長篇讀之不覺其長，惟恨盡之太速；短章讀之愈覺意趣深遠，耽玩不休。其間波瀾開闔，如在江湖中，一波未平，一波已作。若兵家之陣，方以爲正，又復是奇，方以爲奇，忽復是正，出入變化不可紀，而法度不亂。難處尤在收拾，譬若番刀，須用北人結裹，南人便非本色。中間必能狀寫物之景，如在目前；含不盡之意，見於言外。如清廟之瑟，一唱而三嘆，然後爲至。更須多閲經、史，以爲帑藏；深明義理，以爲見識，熟玩《毛詩》、《離騷》，又漢魏諸詩，以爲根本。而取財於晉、唐，宜將宋人之詩一切屏去，不令接於吾目，使不相漸染其惡，庶得以遂吾之天。不然一論於彼，雖竭大湖波，徒費煎滌矣。觀古人之詩，亦當取其所長，捨其所短。如杜工部排律大篇，開闔展轉，是其所長；短律絶句，粗率極多，乃其短處。李太白詩，長篇闊幅，縱横放逸，是其所長；片言隻字，時有疏脫，乃其短處。韓昌黎以文爲詩，是其所長；好押險韻，遂至辭意不貫，乃其短處。李商隱善於用事，是其所長；然用之太多，未免詞艱氣弱，乃其短處。豈可謂古人名盛所作皆是？毋論妍媸，追隨其後，往往如此，而至紕繆者多矣。若論其妙，在於雄渾自然，幽柔深遠，蕭散高妙，宛轉蘊藉，典重爾雅，精深圓健，清新俊逸，祈辭造理。其偏處，則豪放奇怪，平易綺麗，寒苦幽野。其失處，雕巧刻露，粗俗率直，寂寥簡短散漫，鄙俚陳腐。要當精思力學，乃自得之。嗟夫，詩之爲藝至矣，古今未嘗不同也。何今人之不古若哉？由其志之立與否也。昔李長吉苦吟，其母謂：「是兒必欲嘔出心乃止。」李洞以金鑄爲賈島，師之以自力。陶淵明、阮嗣宗、杜審言、柳子厚等，僅百數篇，卒不能磨滅，非其立志堅確，妙悟入神，何以傳遠！今之學者，立志既不如古人，讀書又不若古人，所見聞又不逮乎古人，率然成詠，輒欲過於古人，難矣哉！然則，如之何而可？曰，必求古人之所以用心，然後可。曰，古之人用心曷從而求之？曰精，曰一，可以求之。求之於鹵莽滅裂而至有成者，吾未之見也；精一以求而不至於成，吾亦未之見也。天下之事無適不然，況詩乎哉！故爲論著如上。

黄溥《詩學權輿》卷三《命意》　句外之意：楊誠齋云：「詩有句中無其辭而句外有其意者。《巷伯》之詩，蘇公刺暴公之譖己，而曰：『二人同行，誰爲此禍？』又杜云：『遣人向市賒香秔，喚婦出房親自饌。』上言其力貧，故曰『賒』；下言其無使令，故曰『親』。又『東歸貧路自覺難，欲别上馬身無力。』上有相干之意而不言，下有戀别之意而不忍。又『朋酒日歡會，老夫今始知』，嘲其獨遺己而不招也。又《夏日不赴》而云『野雪興難乘』，此不言熱而反言之也。」唐人云：「葛溪漫淬干將劍，卻是猿聲斷客腸。」又云：「釣臺如今亦有垂綸者，自是江魚賣得錢。」唐人《長門怨》：「錯把黄金買詞賦，相如自是薄情人。」又崔道融云：「如今卻羨相如富，猶有人間四壁居。」

又《造語》　造語有所本：初學詩者，須用古人好語，或兩字，或三字。如山谷《猩猩毛筆》詩：「平生幾兩屐，身後五車書。」「平生」兩字出《論語》，「身後」二字，晉張翰云「使我有身後名」。「幾兩屐」，阮孚語。「五車書」，莊子言惠施。此四句乃四處合來。又「春風春雨花經眼，江北江南水拍天」。「春風春雨」、「江北江南」，詩家常用，杜云「且看欲盡花經眼」，退之云「海氣昏昏水拍天」，此以四字合三字，入口便成詩句，不至生硬，要誦詩之多，擇字之精，始乎摘用。久而自出肺腑，縱横出没，用亦可，不用亦可。

又　詠物善造語：詠物詩不待分明說盡，只彷彿形容，便見妙處。如魯直《酴醾》詩云：「露濕何郎試湯餅，日烘荀令炷爐香。」義山《雨詩》云：「戚戚度園瓜，依依傍水軒。」此不待說，雨自然知是雨也。後來陳無己多用此體（《呂氏童蒙訓》）。東坡詩云：「賦詩必此詩，定知非詩人。」不能道也。魯直作詠物詩，曲當其理，如《猩猩筆》詩：「平生幾兩屐，身後五車書。」其必此詩哉！

又　善於造語：詩有實字，而善用之者以實爲虚。杜云：「弟子貧原憲，諸生老伏虔。」「老」字蓋用趙充國請行上老之語。有用文語爲詩句者，杜云：「侍臣雙宋玉，戰策兩穰苴。」蓋用如「六五帝」、「四三王」之意。此皆善造語者。

又卷四《下字》　工在一字：詩句以一字爲工，自然穎異不凡，如靈丹一粒，點鐵成金也。浩然云：「微雲淡河漢，疏雨滴梧桐。」上句之工在一「淡」字，下句之工在一「滴」字，若非此兩字，亦烏得爲佳句也哉？如陳舍人從易偶得杜集舊本，文脱誤，至《送蔡都尉》云：「身輕一鳥」其下脱一字，陳公因與數客各用一字補之，或云「疾」，或云「落」，或云「起」，或云「下」，莫能定。其後得一善本，乃是「身輕一鳥過」，陳公嘆服。余謂陳公所補四字不工，而老杜一「過」字爲工也。如《鍾山語録》云：「暝色起春愁」，下得「起」字最好，若不下「起」字，便是小兒語也。「無人覺來往」，下得「覺」字太好。足見吟詩要一兩字功夫。觀此，則知余之所論非鑿空而言也。

又　李、杜下字：李太白詩：「吴姬壓酒唤客嘗」，見新酒初熟，江南風物之美，工在「壓」字。老杜《畫馬》詩：「戲拈秃筆掃驊騮」，初無意於畫，偶然天成，工在「拈」字。柳詩「汲井漱寒齒」，工在「汲」字。又杜甫云：「脩竹不受暑」、「野航恰受兩三人」、「吹面受和風」，「受」字皆入妙。老坡猶愛「輕燕受風斜」，以謂燕迎風低飛，乍前乍卻，非「受」字不能形容也。至於「能事不受相促迫」、「莫受二毛侵」，雖不及前句警策，要自穩愜爾。

又　歐陽永叔詞云：「堤上遊人逐畫船，拍堤春水四垂天，緑楊樓上出鞦韆。」此等語皆絶妙，只一「出」字，是後人着意道不到處。

又《用事》　反意爲意：文人用故事，有直用其事者，有反其意而用之者。李義山詩：「可憐半夜虚前席，不問蒼生問鬼神。」雖說賈誼，然反其意而用之矣。林和靖詩：「茂陵他日求遺稿，猶喜曾無封禪書。」雖說相如，亦反其意而用之矣。直用其事，人皆能之；反其意而用之者，非學業高人，超越尋常拘攣之見，不規規然蹈襲前人陳跡者，何以臻此？如《海棠》詩云：「蜀地名花擅古今，一林氣可壓千林。譏談更到無香處，常恨人言太刻深。」此所謂翻案法，蓋反其意而用之也。《雪詩》云：「說道羞明卻不羞，日光玉潔共飛浮。天人胸次明如洗，肯似人間只暗投。」俗謂雪之夜落爲「羞明」，此反其語而用之，與用「海棠」事如出一律。

又　用事天然：東坡最善用事，既顯而易讀，又切當。若《招持服人遊湖不赴》云：「卻憶呼盧袁彦道，難邀駡坐灌將軍。」柳氏求字，答云：「君家自有元和腳，莫厭家雞更問人。」天然奇特。用事親切：東坡《和李公澤雪詩》云：「弊裘羸馬古河濱，野闊天低糝玉塵。自笑餐氊典屬國，來看喚酒謫仙人。」爲蘇李也，用事親切如此，他人不及也。

又　詩句固難用經語，然善用不勝其韻。李師中云：「夜如何其斗欲落，歲云莫矣天無晴。」又「山如仁者靜，風似聖之淸。」又「詩成白也知無敵，花落虞兮可奈何。」

又《屬對》 有五字對，有十字對。劉長卿「滄浪千萬里，日夜一孤舟。」

又 有十四字對。劉長卿「江客不堪頻北望，塞鴻何事又南飛」是也。

又 有扇對，又謂之隔句對。如鄭都官「昔年共照松溪影，松折碑荒僧已無。今日還思錦城事，雪消花謝夢何如」之類是也。蓋以第一句對第三句，第二句對第四句。

又 有借對。孟浩然「廚人具雞黍，稚子摘楊梅」，太白「水舂雲母碓，風掃石楠花」，少陵「竹葉於人既無分，菊花從此不須開」之類是也。

又 有就對者。又曰「當句有對」。如少陵「小院迴廊春寂寂，浴鳧飛鷺照悠悠」，李嘉祐「孤雲獨鳥川光暮，萬井千山露氣秋」是也。前輩於文亦多此體，如王勃「龍光射斗牛之墟，徐孺下陳蕃之榻」，乃就句對也。

又 有律詩徹首尾對者。如杜子美《垂白篇》之類。

又 有律詩徹首尾不對者。如李太白「牛渚西江夜」之篇皆文從字順，音韻鏗鏘，八句皆無對偶矣。

又 有前四句不對，至頸聯方對者。如賈島《下第》篇之類是也。

又 有起句便對，頷聯不對，頸聯又對者。如杜子美「無家對寒食」之類。

又 對偶不拘繩墨。昔人對偶，如「剛腸欺竹葉，衰鬢怯菱花」，以鏡名對酒名，雖爲親切，至如杜子美云：「竹葉於人既無分，菊花從此不須開」，直以「菊花」對「竹葉」，便蕭散不爲繩墨所窘。又有人曰：「枸杞因吾有，雞棲奈若何？」蓋借「枸杞」以對「雞棲」。「冬溫蚊蚋在，人遠鳬鴨亂」，「人遠」、「鳬鴨」又直以字對而不對意。此皆例子，不可不知。子瞻《坡亭》詩云：「洗盞酌鵝黃，磨刀切熊白。」用是例者也。

又《煅煉》 唐人雖小詩必極工而後已，所謂旬鍛月煉，信非虛言。皮日休云：「百煉爲字，千煉成句。」崔護《題城南》詩其始曰：「去年今日此門中，人面桃花相映紅。人面不知何處去，桃花依舊笑春風。」後以其意未完，語未工，改第三句云「人面祇今何處在」。蓋唐人工詩大率如此，雖有兩「今」字，不恤也，取語意爲主耳。

又 許彥章移守臨川，曾吉甫以詩迓之云：「白玉堂中曾草詔，水晶宮裏近題詩。」先以示子蒼，子蒼爲改兩字，云「白玉堂深曾草詔，水晶宮冷近題詩。」迥然與前不侔，蓋句中有眼也。古人煉字，只於眼上煉。蓋五字詩以第三字爲眼，七字詩以第五字爲眼也。

又卷七《含蓄》 篇章以含蓄天成爲上，破碎雕鎪爲下。如楊大年西崑體，非不佳也，而弄斤操斧太甚，所謂七日而混沌死也。以平夷恬淡爲上，怪險蹶趨爲下。如李長吉錦囊句，非不奇也，而牛鬼蛇神太甚，所謂施諸廊廟則駭矣。

又卷八《詩病》 「花」必用「柳」對，是兒曹語。若其不切，亦詩之病也。不知詩病，何由能詩？不觀詩法，何由知病？自古名家者，各有一病。喜辭銳，怒辭戾，哀辭傷，樂辭荒，愛辭結，惡辭絶，欲辭屑樂而不淫，哀而不傷，其惟《關雎》者乎？

又 古人詩押字，或有語顛倒而無害於理者。如韓退之以「參差」爲「差參」，以「玲瓏」爲「瓏玲」是也。比觀王逢原有《孔融》詩云：「虛云座上客常滿，許下惟聞哭習脂。」黃魯直有《和荊公六言》云：「啜羔不如放麑，樂羊終愧巴西。」按：《後漢史》有「脂習」無「習脂」，有「秦西巴」無「巴西」，豈二公之誤耶？《漢皋詩話》云：「字有顛倒可用者，如『羅綺』『綺羅』，『圖畫』『畫圖』，『毛羽』『羽毛』，『白黑』『黑白』之類，方可縱橫。惟韓愈、孟郊輩才高，故有『湖江白紅慨慷』之語，後人亦難倣效。若不學矩步而學奔逸，誠恐『麟麒』、『凰鳳』、『木草』、『川山』之句紛然矣。」

陳沂《拘虛詩談》 宋人詩如藏經中律、論，厭唐人多涉於景而無情致。不知詩人所賦皆隱然於不言之表，若吐露盡，更復何說？宋人無知詩者，惟嚴滄浪之論極是，但滄浪所自作者，殊不類其所談。

朱承爵《存餘堂詩話》 作詩凡一篇之中，亦忌用自相矛盾語。東坡有「日日出東門，尋步東城遊。城門抱關卒，怪我此何求。我亦無所求，駕言寫我憂」。章子厚評之云：「前步而後駕，何其上下紛紛也？」東坡聞之曰：「吾以尻爲輪，以神爲馬，何曾上下乎？」參寥子謂其文過，似孫子荊曰：「所以枕流，欲洗其耳。」然終是詩病。

《陳獻章集》卷一《送張方伯詩跋》 某嘗謂：「作詩非難，斟酌下字輕重爲難耳。」如此詩第五句「淸」字，既硏於心，又參諸友，左揆右度，終不可易，而非公九載之守不渝，某亦豈敢孟浪？蓋一字之下，其難如此，詩其易言哉？

李東陽《麓堂詩話》「鷄聲茅店月，人跡板橋霜」，人但知其能道羈愁野況於言意之表，不知二句中不用一二閑字，只提掇出緊關物色字樣，而音韻鏗鏘，意象具足，始爲難得。若強排硬疊，不論其字面之清濁，音韻之諧舛，而云我能寫景用事，豈可哉！

又 詩用實字易，用虛字難。盛唐人善用虛，其開合呼喚，悠揚委曲，皆在於此。用之不善，則柔弱緩散，不復可振，亦當深戒，此予所獨得者。夏正夫嘗謂人曰：「李西涯專在虛字上用工夫，如何當得？」予聞而服之。

又 律詩對偶最難。如賈浪仙「獨行潭底影，數息樹邊身」，至有「兩句三年得」之句，許用晦「湘潭雲盡暮山出，巴蜀雪消春水來」，皆有感而後得者也。戴石屏「夕陽山外山」，對「春水渡傍渡」，亦然。若晏元獻對「無可奈何花落去，似曾相識燕歸來」，尤覺相稱耳。

又 「風雨」字最入詩。唐詩最妙者，曰「風雨時時龍一吟」，曰「江中風浪雨冥冥」，曰「筆落驚風雨」，他如「夜來風雨聲」、「洗天風雨幾時來」、「山雨欲來風滿樓」、「山頭日日風和雨」、「上界神仙隔風雨」，未可僂數。宋詩惟「滿城風雨近重陽」，爲詩家所傳，餘不能記也。

又 詩用倒字、倒句法，乃覺勁健。如杜詩「風簾自上鉤」、「風窗展書卷」、「風鶯藏近渚」，「風」字皆倒用；至「風江颯颯亂帆秋」，尤爲警策。予嘗效之曰：「風江捲地山蹴空，誰復壯遊如雨翁」，論者曰：「非但得倒字，且得倒句」。予不敢應也。論者乃舉予《西涯》詩曰：「『不知城外春多少，芳草晴烟已滿城。』以爲此倒句非耶？」予於是得印可之益，不爲少矣。

又 「夢」字，詩中用者極多。然說夢之妙者亦少。如「重城不鎖還家夢」、「一場春夢不分明」、「夢裏還家不當歸」，乃覺親切。陳媿齋師召在南京，嘗有《夢中詩》寄予。予戲答之曰：「舉世空驚夢一場，功名無地不黃粱。憑君莫向癡人說，說向癡人夢轉長。」以夢爲戲，亦所謂不爲虐者也。

徐禎卿《談藝錄》 詩不能受瑕。工拙之間，相去無幾，頓自絕殊。如《塘上行》云：「莫以豪賢故，棄捐素所愛。莫以魚肉賤，棄捐葱與薤。莫以麻枲賤，棄捐菅與蒯。」《浮萍篇》則曰：「茱萸自有芳，不若桂與蘭。新人雖可愛，無若故所歡。」本自倫語，然佳不如《塘上行》。

徐充《暖姝由筆》 詩看用事，字看用筆，畫看用墨，三者不失，能事盡矣。

俞弁《山樵暇語》卷一 李西厓《麓堂詩話》云：「詩用實字易，用虛字難。盛唐人善用虛字，其開合呼喚，悠揚委曲，皆在於此。用之不善，則柔弱緩散，不復可振，亦當深戒。」予閱梅純《備忘錄》云：「詩最忌用虛字，蓋虛字多則涉議論，非所以吟詠性情也。宋人所以不逮唐者，正爲主於議論爾。間有矯其習者，又多刻削太甚，不復有渾然之氣。智巧日滋，太朴日散，雖有作者，亦莫如之何也已。」二公之論不同如此，識之以俟太博聞者質焉。

又 古人善用助語作詩者，如王介中甫《送人下第》云：「命也豈終否，時乎不暫留。勉哉藏素業，以待歲之秋。」近時謝方石有「兩漢以來皆智力，《六經》之外幾刪脩」。又云：「秦晉以來寧有治，虞周之上不同風。」莊定山又云：「開闢以來元有此，蓬萊之外更無山。」王彝常云：「三代以來方有學，《六經》之外更無書。」其他尚多，不能枚舉。詩之正體有如是耶？余不敢議，亦不敢從。

又 詩中用經書全語而不滯于經書者，如楊誠齋「山如仁者靜，風似聖之清」。唐子西「曉山仁者靜，夜月聖之清」，又云：「詩成白也知無敵，花落虞兮可奈何。」東坡有「公獨未知其趣耳，臣公時復一中之」。方秋崖「公之樂者山林也，客亦知夫水月乎」？如是等句則佳。若「逝者如斯未嘗往，後之視昔亦猶今」，則滯矣。

又 凡人作詩要用事，在語中而人不知者，方妙。如徐師川《贈張仁詩》云：「詩如雲態度，人似柳風流。」殊不覺用事。按《南史》曰：此柳風流可愛，似張緒少年時。詩至於此，可謂工矣。戴式之有「梅花丈人行，柳色少年時」，殆亦此類。

楊慎《丹鉛總錄》卷一三《訂訛・古詩後人妄改》 古人詩句，不知其用意用事，妄改一字便不佳。孟蜀牛嶠《楊柳枝》詞：「吳王宮裏色偏深，一簇烟條萬縷金。不忿錢塘蘇小小，引郎松下結同心。」按古樂府《小小歌》有云：「妾乘油壁車，郎乘青驄馬。何處結同心，西陵松柏下。」牛詩用此意，詠柳而貶松，唐人所謂尊題格也。後人改「松下」作「枝下」，語意索然矣！

又卷一九《詩話・詩文用字須有來歷》 先輩言杜詩韓文，無一字無來歷。予謂自古名家皆然，不獨杜、韓兩公耳。劉勰云：「灼灼狀桃花之鮮，依依盡楊柳之貌，喈喈逐黃鳥之聲，嗷嗷學鴻雁之響，雖復思經千載，將何易奪？」信哉其言。試以灼灼舍桃而移之他花，依依去楊柳而著之別樹，則不通矣。

邵經邦《藝苑玄機》　詩之情，婉娩可畫，而四時景態眞切，如「春日鶯啼修竹裏，僊家犬吠白雲間」；「近照入江翻石壁，歸雲擁樹失山村」；「石出倒聽楓葉下，櫓搖背指菊花開」；「沙村白雪仍含凍，江縣紅梅已放春。」此四景卽欲倩人模寫入畫，恐一時善態者，促筆未能就也。

又　詩之景，在於不可名狀，所謂似有而無，似眞而假。余嘗避暑參寥泉，時盛夏，天無片雲。日薄午，忽有聲掀天揭地而來，耳不暇聽，目不暇接，頃刻而止，旋視之，乃大雨經雷峰來，從荷葉上過，蓋不啻十里，何論萬柄。立者、偃者、高者、下者，盡被打翻入水，不可諦聽矣。又嘗大雪泛湖，既離岸側，則咫尺莫辨，向之山川、土物，宛然一混沌中。此二景以爲有而人不及知，以爲無則余所經見，若要識也，須從這裏過。

謝榛《詩家直說》卷一　詩文以氣格爲主，繁簡勿論。或以用字簡約爲古，未達權變。善用助語字，若孔鸞之尾，不可少也。太白深得此法。予讀《文則》、《冀越記》、《鶴林玉露》，皆謂作古文不可去助語字，俱引《檀弓》「沐浴佩玉」爲證。余見略同。

又　作詩繁簡各有其宜，譬諸衆星麗天，孤霞捧日，無不可觀。若《孔雀東南飛》、《南山有鳥》是也。

又　作詩不可用難字，若柳子厚《奉寄張使君八十韻》之作，篇長韻險，逞其學問故爾。

又　用事多則流於議論。子美雖爲「詩史」，氣格自高。

又　《鶴林玉露》曰：「詩惟拙句最難。至於拙則渾然天成，工巧不足言矣。」若子美「雷聲忽送千峰雨，花氣渾如百和香」之類，語平意奇，何以言拙？劉禹錫《望夫石詩》：「望來已是幾千載，只是當年初望時。」陳後山謂「辭拙意工」是也。

又　作詩譬諸用兵，愼敵則勝。命題雖易，不可率然下筆。至於渾化，無施不可。

又　律詩重在對偶，妙在虛實。子美多用實字，高適多用虛字。惟虛字極難，不善學者失之。實字多則意簡而句健，虛字多則意繁而句弱。趙子昂所謂兩聯宜實是也。

又　李西涯曰：「詩用實字易，用虛字難。盛唐人善用虛字，開合呼應，悠揚委曲，皆在於此。用之不善，則柔弱緩散，不復可振。」夏正夫謂涯翁善用虛字，若「萬古乾坤此江水，百年風日幾重陽」是也。西涯虛實，以字言之；子昂虛實，以句言之。二公所論，不同如此。

又　《金鍼詩格》曰：「內意欲盡其理，外意欲盡其象。內外涵蓄，方入詩格。若子美『旌旗日暖龍蛇動，宮殿風微燕雀高』是也。」此固上乘之論，殆非盛唐之法。且如賈至、王維、岑參諸聯，皆非內意，謂之不入詩格，可乎？然格高氣暢，自是盛唐家數。太白曰：「剗卻君山好，平鋪湘水流。巴陵無限酒，醉殺洞庭秋。」迄今膾炙人口。謂有含蓄，則鑿矣。

又　左舜齊曰：「一句一意，意絕而氣貫。」此絕句之法。一句一意，不工亦下也；兩句一意，工亦上也。以工爲主，勿以句論。趙、韓所選唐人絕句，後兩句皆一意。舜齊之說，本於楊仲弘。

又　長篇之法，如波濤初作，一層緊於一層。拙句不失大體，巧句最害正氣。

又　凡起句當如爆竹，驟響易徹；結句當如撞鐘，清音有餘。鄭谷《淮上別友》詩：「君向瀟湘我向秦。」此結如爆竹而無餘音。予易爲起句，足成一首，曰：「君向瀟湘我向秦，楊花愁殺渡江人。數聲長笛離亭外，落日空江不見春。」

又卷二　大篇決流，短章斂芒，李、杜得之。大篇約爲短章，涵蓄有味；短章化爲大篇，敷演露骨。

又　詩以兩聯爲主，起結輔之，渾然一氣。或以起句爲主，此順流之勢，興在一時。

又　意巧則淺，若劉禹錫「遙望洞庭湖水面，白銀盤裏一青螺」是也。句巧則卑，若許用晦「魚下碧潭當鏡躍，鳥還青嶂拂屏飛」是也。

又　陳繹曾曰：「凡律高則用重，律中則用正，律下則用子。」律大要欲調句耳，詩至於化，自然合律，何必庸心爲哉？

又　律詩無好結句，謂之虎頭鼠尾。卽當擺脫常格，夐出不測之語。若天馬行空，渾然無跡。張祜《金山寺》之作，則有此失也。

又　排律結句，不宜對偶。若杜子美「江湖多白鳥，天地有青蠅」，似無歸宿。

又 詩以佳句爲主，精鍊成章，自無敗句。所謂「善人在坐，君子俱來」。

又卷三 詩忌粗俗字，然用之在人，飾以顏色，不失爲佳句。譬諸富家廚中，或得野蔬，以五味調和，而味自別，大異貧家矣。紹易君曰：「凡詩有鼠字而無貓字，用則俗矣，子可成一句否？」予應聲曰：「貓蹲花砌午。」紹易君曰：「此便脱俗。」

又 凡襲古人句，不能翻意新奇，造語簡妙，乃有愧古人矣。謝莊《月賦》：「洞庭始波，木葉微脱。」蓋出自屈平「洞庭波兮木葉下」。譬以石家鐵如意，改製細巧之狀，此非古良冶手也。王勃《七夕賦》：「洞庭波兮秋水急。」意重氣迫，而短於點化，此非偷狐白裘手也。許渾《送韋明府南遊》詩：「木落洞庭波。」然措詞雖簡而少損氣魄，此非縮銀法手也。

又 走筆成詩，興也；琢句入神，力也。句無定工，疵無定處。思得一字妥帖，則兩疵復出；及中聯愜意，或首或尾又相妨。萬轉心機，乃成篇什。譬如唐太宗用兵，甫平一僭竊，而復干戈迭起；兩獻捷，方欲論功，餘寇又延國討；百戰始定，歸於一統，信不易爲也。夫一律猶一統也：兩聯如中原，前後如四邊；四邊不寧，中原亦不寧矣。思有無形之戰，成有不賞之功，子建以詞賦爲勛績是也。

又卷四 詩有至易之句，或從極難中來，雖非緊關處，亦不可忽。若使一句齟齬，則損一篇元氣矣。

又 凡作詩要情景俱工，雖名家亦不易得。聯必相配，健弱不單力，燥潤無兩色。能用此法，則不墮歧路矣。少陵狀景極妙，巨細入玄，無可指摘者；寫情失之疏漏，若「讀書難字過，對酒滿壺頻」，上句眞率自然，下句爲韻所拘爾。昌黎寫情亦有佳者，若「飲中相顧色，別後獨歸情」，辭澹意濃，讀者靡不慨然；每拙於寫景，若「露排四岸草，風約半池萍」，下句淸新有格，上句聲調齟齬，使無完篇，則血脈不周，病在一譬故爾。

又 詩賦各有體製，兩漢賦多使難字，堆垜聯綿，意思重疊，不害於大義也。詩自蘇、李五言暨《十九首》，格古調高，句平意遠，不尚難字，而自然過人矣。詩用難韻，起自六朝，若庾開府「長代手中浛」，沈東陽「願言反魚脩」，從此流於艱澀。唐陸龜蒙「織作中流百尺濮」，韋莊「汧水悠悠去似絣」，「濮」、「絣」二字，近體尤不宜用。譬若王羲之偕諸賢於蘭亭脩禊，適高麗使者至，遂延之席末，流觴賦詩，文雅雖同，加此眼生者，便非諸賢氣象。韓昌黎、柳子厚長篇聯句，字難韻險，然誇多鬭靡，或不可解。拘於險韻，無乃庾、沈啟之邪？

又 凡五、七言造句，以情會景，可長者工而健，可短者簡而妙，若良匠選材，長短各適其用爾。

又 凡造句已就，而復改削求工，及示諸朋好，各有去取，或兼愛不能自定，可兩棄之，再加沉思，必有警句。譬泅者入海，捨蚌珠而獲驪珠，自不失重輕也。予《元日有感》詩後聯：「神會徐陳侶，心從屈宋師。」復改「神會應徐在，心通屈宋知」。因衆論不同，難爲優劣，遂別造一聯，所謂割愛之法也。附詩云：「七十尚躭詩，閑來命酒巵。隔宵增一歲，耐老慰群兒。糟粕求新味，雲霄入苦思。嗟哉世無補，花鳥日相期。」

皇甫汸《解頤新語》卷四 詩須五言不可加，七字不可減，爲妙。昔棗強尉張懷慶素好偷竊李義府詩：「鏤月爲歌扇，裁雲作舞衣。自憐迴雪影，好取洛川歸。」加「生情」「出性」「照鏡」「來時」，演爲七字。魏扶知禮闈入貢院詩：「梧桐葉落滿庭陰，鎖閉朱門試院深。曾是當年辛苦地，不將今日負前心。」及放榜，無名子削其「梧桐」「鎖閉」「曾是」「不將」，删爲五言。事雖成戲，詩本滲漏。王維「漠漠水田飛白鷺」，李白「風動荷花水殿香」，王用李嘉祐，李用何仲言。致恨千載。樂天云：「金鈿來往當春風，玉繩蹉跎下雲漢。」去兩字不成矣。

又 語欲妥貼，故字必推敲。蓋一字之瑕，足以爲玷。片語之纇，並棄其餘。此劉生所謂改章難於造篇，易字艱於代句者也。裴子野云：人皆成於手，我獨成於心。見否雖異，刊改則一。

譚浚《說詩》卷上《總辨・依托》 王氏曰：「比、興雜出，意在詞表，引喻借論，不露本情。如魏俗儉嗇，不言菲食，而曰：『園有桃，其實之肴。』不言薄衣，而曰：『糾糾葛屨，可以履霜。摻摻女手，何以縫裳。』則衣食儉嗇自見。秦俗強悍，不言樂鬭，而曰：『豈曰無衣，與子同袍。王於興師，修我戈矛。』則輕死自見。齊俗昏禮廢壞，不言不親迎，而曰：『俟我於著乎而，充耳以素乎而。』則不親迎自見。東國困於賦役，不怨天，而曰：『維南有箕，不可以簸揚；維北有斗，不可以挹酒漿。』則天之不恤自見。如《離騷》不言德修，而曰：『余既滋蘭之九畹兮，又樹蕙之百畝。畦留夷與揭車兮，雜杜衡與芳芷。』則美德自章。不言己之守道，而曰：『固時俗之工巧兮，偭規矩以改措，背繩墨以追曲兮，競周容以爲度。」則守己自明，皆包蘊本根，標題色相也。」

又《事實》 深意者，藏用其事；約理者，反說其實。如杜云：「五更鼓角聲悲壯，三峽星河影動搖。」藏用《禰衡傳》「撾漁陽慘聲悲壯」，及《漢武故事》「星辰動搖」也。又云：「更尋嘉樹傳，莫忘《角弓》詩。」藏用《左傳》韓宣子聘魯，賦《角弓》及譽嘉樹事也。如杜牧詩：「東風不與周郎便，銅雀春深鎖二喬。」又曰：「南軍不袒左邊袖，四皓安劉是滅劉。」又李商隱《賈生詩》：「可憐夜半虛前席，不問蒼生問鬼神。」皆反言其事也。王荆公云「詩家使事，不爲事使」是也。

又《語類》 明引者異於暗沿，托彼者異於即此。《書》云：「皇祖有訓。」《詩》云：「先民有言，詢於芻蕘。」又曰：「人亦有言，進退惟谷。」明引也。賈誼《服賦》摭鶡冠之語，相如《上林》撮李斯之書，暗沿也。《離騷》、《九歌》，漢詩《紈扇》、《織女》，李陵《別武》引仲尼、鍾子，梁鴻《適吳》，求季札、魯連，皆托彼而言事也。杜詩云：「咫尺應須論萬里」，即用蕭文奐「畫扇山水咫尺內，便覺萬里爲遙」之語。李義山詩：「海外徒聞更九州」，用鄒子「九州之外，更有九州」之說，皆即事而言此也。故沿革成語，擴充同類，譬寸轄製輪，尺樞運闔矣。

又《得式・精緻》 曹子建云：「離言辨白，分毫析釐。改章難於造篇，易字艱於代句。必考殿最於錙銖，定去留於微茫。」呂氏曰：「文字頻改，工夫自出。」子西曰：「苦吟成篇，未見羞處。明日取讀，瑕疵百出。故杜『新詩改罷自長吟』也。」

又《簡約》 除煩以約，理舉而義不孤。去濫以清，通制而義不混。學有餘而約用之，善用事者也。意有餘而約以盡之，善措詞者也。若士衡才優而詞繁綴，士龍思劣而好清省，謝艾繁而不可刪，王濟略而不可益。復齋云：「樂天云：『野火燒不盡，春風吹又生。』不若長卿詩『春入燒痕青』爲簡也。」

又《抑揚》 詩以言志，志以意逆，設詞雖過，司意無妨。故抑或甚其詞，揚或極其意，如詩言速則「人爲飄風」，久則「一日三歲」，怨則「南箕翕舌」，訟則謂「雀有角矣」。□則「堇荼如飴」，變則「桃蟲爲鳥」。皆不然而然，甚言其極也。

又《失格・磨鍊》 成器者，剛柔爲用。製作者，平化爲功。苟失其宜，不鬪則鈍。故摹體以定習，因性以鍊才。樂天云：「鍊字不如鍊句，鍊句不如煉意，鍊意不如鍊格。」蔡寬夫云：「『紅稻啄餘鸚鵡粒』二句，非自然工也。」

又《雕飾》 追琢其章，素以爲絢，經之文采，後之儀式。窮刻削則傷巧而不壯，繁彩繪則淫麗而不雅。唐子西曰：「『池塘生春草』、『澄江淨如練』，如鼻無堊，斤將曷運；如目無膜，篦將曷施。如李商隱改杜『桃花欲共楊花語』，雕飾矣。」

又《砌合》 各代兼收，體之駁雜。異才並蓄，篇之繁縟。同詞重意，文之疣贅。左思云：「相如《上林》引盧橘，楊雄《甘泉》陳玉樹，班固《西都》嘆比目，張衡《西京》游海若，皆非所有。」荆公云：「用漢人語，參以異代，體不相類，詩固不佳。」

又《錯誤》 斯言有玷，古不可爲。擬人失倫，於今尤甚。謬以自爲是，毋謂人不知。西清云：「凡用事就討閱時記，乃不誤也。如王維詩『衛青不敗由天幸』，乃霍去病，非衛也。李白詩『應寫黃庭籠白鵝』，舊說乃《道德經》也。」

又《局迷》 局見謂明，無由洞達。迷執謂眞，不能裁究。王岐公詩用金玉富貴，荆公謂之「玉寶冊」。玉泉子云：「楊炯詩好用古人名，時謂之『點鬼簿』；駱賓好用數目對，時謂之『算博士』。如杜愁、李酒，性然。」

又《經體・儷語》 句字偶儷，意義聯屬，不局於聲，不束於律。今作參之古式，得矣。《詩》曰：「發彼小豝，殪此大兕。」又曰：「遘憫既多，受侮不少。」又曰：「誨爾諄諄，聽我藐藐。」又曰：「無縱詭隨，以謹惛怓。式遏寇虐，無俾民憂。無棄爾勞，以爲王休。」又曰：「匪鶉匪鳶，翰飛戾天。匪鱣匪鮪，潛逃於淵。」又曰：「無矢我陵，我陵我阿。無飲我泉，我泉我池。」此皆順流對偶，元無勉強也。

又《取諧》 正文相協者詞之常，權文相協者詞之變。常不協助詞者，「左右流之，寤寐求之。」「其實七兮，迨其吉兮」之類。變助詞爲協者，「是究是圖，亶其然乎。其虛其邪，既亟只且」之類。有換文以協者，《小雅》：「六轡如濡，至周爰咨。」諏四章也，只換數字耳。互文以協者，《大雅》：「恒之秬秠，是獲是畝。恒之穈芑，是任是負。」「秬秠」亦「任負」，「穈芑」亦「獲畝」也。錯文交協者，《頌》之《雝》篇「雝雝間協，辟公肅肅」，間協穆穆」也。分章承協者，《頌》之「有瞽有瞽，在周之庭。」三節協「瞽」字，三節協「庭」字韻也。

又《斷句》 句隨短長，古調自若，樂府猶然。後之體製，則刻畫矣。有長句者，《小雅》云：「我不敢傚我友自逸。」《頌》云：「學有緝熙于光明。」又《召旻篇》中多用長語也。有短句者，《小雅·魚麗》篇「鱨鯊」，《周頌·維清》篇「肇禋」。又「振振鷺」，《頌》詩篇中多用短語也。《小雅·北山》篇「或燕燕居息」十二句，皆「或」字發語。《大雅·綿》篇末章「予曰有」四句，《生民》篇「誕寘之」四句，皆重複而不殺也。

又《虛助》 字虛者句活，詞助者文壯。如舟之舵，如戶之樞也。《周南·漢廣》篇每章疊「不可」字，每句以「思」字助之。《召南·江有汜》篇每章疊「不我」字二句。《齊風·著》篇「俟我於著乎而」十二句，皆「乎而」助之。《還》篇、《猗嗟》二篇，每章每句，皆「兮」字助之。《鄘風·牆有茨》三章，皆「也」字助之。《齊風·鷄鳴》末章，皆「之」字助之。《小雅·魚麗》末三章，皆「矣」字助之。《衛風·碩人》末三章，皆「雙」字助之。《鄭風》：「叔善射忌，又良御忌。」《鄘風》：「母也天只，不諒人只。」《小雅》：「日月陽止，征夫歸止。」不尚息焉，又已焉哉。既亟只且，上愼旃哉。」「忌」、「止」、「只」、「且」、「旃」、「焉」，皆助詞也。

又《問詞》 詞本於人情，情通於彼此。或設言相謂，或設問相答。《大雅》：「魚在在藻，王在在鎬。」上「在」者問，下「在」者答也。《鄭風》：「女曰：『鷄鳴』，士曰：『昧旦』。『子興視夜』。」又「女曰：『觀乎！』士曰：『既且』。『且往觀乎！』」皆女問士答，而女復云也。《魏風》：「不知我者，謂我士也驕。彼人是哉？子曰：『何其』。」又父曰：「嗟！予子行役，夙夜無已。上愼旃哉！」皆設人相語也。《小雅》：「夜如何其？夜未央。」又如：「伊誰云從，維暴之云。」《大雅》：「其肴維何」六句，皆設問而自答也。又如「誰謂」、「謂之」、「予曰」、「無曰」、「雖曰」、「言告」、「言歸」之類。

又《疊語》 古多疊詞，今何相忌。經用虛字，俗何不然？《詩》有「侯主侯伯，侯亞侯旅，侯彊侯以」（六「侯」字也）。「迺慰迺止，迺左迺右，迺疆迺理，迺宣迺畝」（八「迺」字也）。「維熊維羆，維虺維蛇」。又云：「价人維藩，大師維垣【略】」（六句詩皆「維」字也）。「乃安斯寢，乃寢乃興，乃占我夢」（四「乃」字也）。「弗躬弗親，庶民弗信，弗問弗仕」（五「弗」字也）。「如壎如篪，如璋如圭，如取如攜」（六「如」字也）。「拊我畜我，長我育我，顧我復我，出入腹我」（七「我」字也）。「既優既渥，既霑既足。」「以饗以祀，以妥以侑。」「自東自西，自南自北。」「爰居爰處，爰笑爰語。」「于以采蘩，于沼于沚。」「克明克類，克長克君。」「是類是禡，是致是附。」「有驈有皇，有驪有黃。」「或剝或享，或肆或將。」「我任我輦，我車我牛。」「載震載夙，載生載育。」「不虧不崩，不震不勝。」「飲之食之，教之誨之。」「菶菶萋萋，雝雝喈喈。」《詩篇》中一句疊字，二句對疊，隔句間疊，助語虛詞，不勝枚錄，好古者自玩焉。

又卷中《詩論·選言》 志以發言，言以生句，句以成章，章以成篇。篇、章、句、言，必須選鍊。陸士衡曰：「立片言以居一篇之警策。」一避詭異，字體奇怪也。如三人不識，將成字妖矣。二省聯邊，半字同文也。或至三接之外，其爲字林矣。三權重出，同字相犯也。如兩字俱要，相避爲難。四諷單複，字體虛實也。或累肥瘠，參伍爲善。白石云：「意格欲高，句法欲響。只求工于句字，末矣。」寬夫云：「鍊字勝則意不足，意不足則格力弱矣。」

又《章句·接句》 次章首句字接前章尾字。《大雅·既醉篇》「介爾昭明，昭明有融」數章也。曹植《贈白馬王彪詩》也。

又《重句》 首章首句重出篇中，《周南·樛木篇》也。下句接上句，《鄘風·相鼠篇》也。重出句下，張衡《四愁》、靈帝時《董逃》、魏武《秋胡行》也。

又《斷續句》 後二句互相續接前二句。杜甫詩「待爾嗔烏鵲」、李白詩「毛不隨井」四句，及杜《存歿口號》二作也。

又《問答句》 句中問答，如漢詩「誰其獲者婦與姑，丈夫何在西擊胡」之類也。又見《問詞》。

又《順流句》 二句一事，順意成文。李白詩：「如何青草裏，也有白頭翁。」杜甫詩：「還轉五州防禦使，起居八座太夫人。」

又《拗句》 字當平聲，易之以仄。當仄，易之以平。其言逆而氣健。如司空曙詩「雁識楚山晚，蟬知秦樹秋。」杜詩：「一雙白魚不受釣，三寸黃柑猶自青。」

又《用舊句》 始于太白云：「解道澄江淨如練，令人却憶謝玄暉。」杜牧云：「如何故國三千里，空唱歌詞滿六宮。」（崔佑絕句）

又《用經句》 漢《古詩》云：「攜手同車歸」、「涕泣零如雨」、「道路阻且長」，皆《詩經》語，加「歸」字、「零」字、「路」字也。

又《用文句》杜牧詩云：「受圖黃石老，學劍白猿翁。」用庾信《墓志銘》加「老」、「翁」字也。

又《加減句》王維詩：「漠漠水田飛白鷺，陰陰夏木囀黃鸝。」李嘉祐減「漠漠」、「陰陰」四字。張祜《思歸樂詩》減王維律詩四句。

又《翻言句》韋應物詩：「詩似冰壺澈底清。」又云：「冰壺澈底未爲清。」

又《反意句》杜詩云：「陂塘五月秋」，又「六月風日冷」，又「五月江深草閣寒」。方干詩：「寒岩四月始知春」。

又《假言句》李白云：「江城五月落梅花(曲)。」杜云：「竹葉(酒)于人既無分。」

又《眞僞句》杜詩云：「筍根稚子無人見，沙上鳧雛傍母眠。」

又《藏字句》杜云：「岐王宅裏尋常見，崔九堂前幾度聞」(藏「君」字)。

又《大言句》李白云：「白髮三千丈。」又云：「燕山雪花大如席。」

又《謬言句》杜甫云：「霜皮溜雨四十圍，黛色參天二千尺」(大而短不稱)。

又《梵語詩(又爲雙聲疊韻)》「方穿詰曲崎嶇路，又聽鈎輈格磔聲。」(李群玉)

又《誕語句》「太華峰頭玉井蓮，花開十丈藕如船。」(韓文公)

又《一句三意(又虛字多)》「對食暫飡還不能，一去三年竟不歸。」

又《一句一意(又實字句)》《枇杷詩》：「枇杷橘栗桃李梅。」(七實字)又《上林》、《子虛賦》多實字，如梗、柟、橡、樟、桂、椒、木蘭之類。

又《字眼句》「旅愁春入越，鄉夢夜歸秦。」「朝登劍閣雲隨馬，夜渡巴江雨洗兵。」此實字爲眼。五言第三字爲眼，七言以五字爲眼。杜詩多用「俯」字、「自」字、「受」字，此虛字眼也。

王世貞《藝苑卮言》卷一 《風》、《雅》三百，《古詩十九》，人謂無句法，非也；極自有法，無階級可尋耳。《三百篇》刪自聖手，然旨別淺深，詞有至未。今人正如目滄海，便謂無底，不知湛珊瑚者何處？詩不能無疵，雖《三百篇》亦有之，人自不敢摘耳。其句法有太拙者，「載獫歇驕」(三名皆田犬也)；有太直者，「昔也每食四簋，今也每食不飽」；有太促者，「抑罄控忌」，「既亟只且」；有太累者，「不稼不嗇，胡取禾三百廛」；有太庸者，「乃如之人也，懷昏姻也，大無信也不知命也。」其用意有太鄙者，如前「每食四簋」之類也；有太迫者，「宛其死矣，他人入室」；有太粗者，「人而無儀，不死何爲」之類也。《三百篇》經聖刪，然而吾斷不敢以爲法而擬之者，所摘前句是也。《尚書》稱聖經，然而吾斷不敢以爲法而擬之者，《盤庚》諸篇是也。孔子曰：「辭達而已矣。」又曰：「修辭立其誠。」蓋辭無所不修，而意則主於達，今《易繫》、《禮經》、《家語》、《魯論》、《春秋》之篇存者，抑何嘗不工也。揚雄氏避其達，而故晦之作《法言》；太史避其晦，故譯而達之作《帝王本紀》，俱非聖人意也。

又卷二 「相去日以遠，衣帶日以緩」，「緩」字妙極。又古歌云：「離家日趨遠，衣帶日趨緩」，豈古人亦相蹈襲耶？抑偶合也。「以」字雅，「趨」字峭，俱大有味。「東風搖百草」，「搖」字稍露崢嶸，便是句法，爲人所窺。「朱華冒綠池」，「冒」字更捩眼耳。「青袍似春草」，復是後世巧端。

又卷四 謝茂秦論詩，五言絕以少陵「日出籬東水」作詩法；又宋人以「遲日江山麗」爲法。此皆學究教小兒號嗄者。若「打起黃鶯兒，莫敎枝上啼。啼時驚妾夢，不得到遼西」與「山中何所有？嶺上多白雲。只可自怡悅，不堪持贈君」二法，不惟語意之高妙而已，其篇法圓緊，中間增一字不得，着一意不得，起結極斬絕。然中自紓緩，無餘法而有餘味。

又 唐人詩云：「海色晴看雨，鐘聲夜聽潮」，至周以言，則云：「海色晴看近，鐘聲夜聽長。」唐僧詩云「經來白馬寺，僧到赤烏年」，至皇甫子循，則云：「地是赤烏分教後，僧同白馬賜經時。」雖以剽語得名，然猶未見大決撒。獨李太白有「人烟寒橘柚，秋色老梧桐」句，而黃魯直更之曰：「人家圍橘柚，秋色老梧桐。」晁無咎極稱之，何也？余謂中只改兩字，而醜態畢具，眞點金作鐵手耳。又有點金成鐵者，少陵有句云「昨夜月同行」，陳無已則云「勤勤有月與同歸」；少陵云「暗飛螢自照」，陳則曰「飛螢元失照」；少陵云「文章千古事」，陳則云「文章平日事」；少陵云「乾坤一腐儒」，陳則云「乾坤着腐儒」；少陵云「寒花只暫香」，陳則云「寒花只自香」。一覽可見。

孫鑛《姚江孫月峰先生全集》卷九《與呂甥玉繩論詩文書》 詩可以興，其道最近人，而亦可斷續爲之，與宦情不礙。然須深沉求之，乃覺有味。今且將《三百篇》及風雅、廣逸，及《詩乘》置篋中，碎摘其佳句，信手錄一帙，日諷咏之，自能令詩思勃勃。此事須求自得，不必逐時好；又須覓不經人道語，然亦不可强索，情神合，自有入妙處。得一首合作便足引滿自慶，勝作影套子語百首也。詩道惟在以句求，玩漢魏詩深，自有悟入。然亦不須欲速，久而融會貫徹，則信手妙境矣。張景陽、左太沖、鮑明遠於《詩選》中尤慷慨陷厲可喜，劉越石亦跌蕩不群，常目之，亦可大發才思，或即定之爲師亦可。唐詩若太多，不能盡刻，只刻律詩，盡一代爲《唐律紀》，猶勝於斷自盛唐而止。甥今詩宗何家？蘇、李之五言，李、杜之近體，人人能言之，然恐未必眞有入。頃在山中，雜觀鮑明遠、劉文房，頗有獨造。

李蓑《黄谷瑣譚》卷一　詩多用「採薇」字，或以爲嫌，宜避之，此盲人説也。詩人用事原不盡循來歷，《後漢書·申屠蟠傳》：「昔人之隱巢茹薇。」魏文帝：「上山採薇，薄暮苦饑。」魏明帝：「心惆悵，歌採薇。」劉越石：「資糧既乏盡，薇蕨安可食？」王維：「看山免採薇。」又：「遂令東山客，不得顧採薇。」儲光羲：「平明去採薇，日入行刈薪。」又：「淹留膳茶粥，共我飯蕨薇。」又：「還山聊採薇。」李白：「昔在南陽城，惟飡獨山蕨。」「有口莫食首陽蕨。」杜甫：「愁絶故山薇。」「山中疾採薇。」秦系：「散髮行歌自採薇。」韓愈：「採薇於山，緡魚於淵。」李夢陽：「躡翼尚忍西山餓。」豈皆禁語耶！知此可與論詩矣。

又卷二　古人詩有一、二字欠安者。如陸士衡「拊翼同枝條，翻飛各異尋」，「尋」字未穩，「三秋猶足收，萬世安可思」，「收」字未穩；「將遵其陳迹，收功單于旃」，「旃」字未穩。至「振旅勞歸士，受爵槀街傳」，既不顯梟首字，則「槀街傳」不明。阮步兵「三楚多秀士，朝雲進荒淫」，不注爲進諫，則「荒淫」字不白。總之句病也。

王世懋《藝圃擷餘》　今人作詩，必入故事。有持清虚之説者，謂盛唐詩即景造意，何嘗有此？是則然矣，然以一家言，未盡古今之變也。古詩，兩漢以來，曹子建出而始爲宏肆，多生情態，此一變也。自此作者多入史語，然不能入經語。謝靈運出而《易》辭、《莊》語，無所不爲用矣。剪裁之妙，千古爲宗，又一變也。中間何、庾加工，沈、宋增麗，而變態未極。七言猶以閑雅爲致，杜子美出而百家稗官，都作雅音；馬浡牛溲，咸成鬱致，于是詩之變極矣。子美之後，而欲令人毁靚妝，張空拳，以當市肆萬人之觀，必不能也。其援引不得不日加而繁。然病不在故事，顧所以用之何如耳。善使故事者，勿爲故事所使。如禪家云：「轉《法華》，勿爲《法華》轉。」使事之妙，在有而若無，實而若虚，可意悟不可言傳，可力學得，不可倉卒得也。宋人使事最多，而最不善使，故詩道衰。我朝越宋繼唐，正以有豪傑數輩，得使事三昧耳。第恐二十年後，必有厭而掃除者，則其濫觴末弩爲之也。

又　今人作詩，多從中對聯起，往往得聯多而韻不協，勢既不能易韻以就我，又不忍以長物棄之，因就一題，衍爲衆律。然聯雖旁出，意盡聯中，而起結之意，每苦無餘。于是别生枝節而傅會，或即一意以支吾，掣衿露肘。浩博之士，猶然架屋疊牀，貧儉之才彌窘，所以《秋興》八首，寥寥難繼，不其然乎？每每思之，未得其解。忽悟少陵諸作，多有漫興，時于篇中取題，意興不局，豈非柏梁之餘材，創爲別館；武昌之剩竹，貯作船釘？英雄欺人，頗窺伎倆，有識之士，能無取裁？

又　談藝者有謂七言律，一句不可兩入故事，一篇中不可重犯故事。此病犯者故少，能拈出亦見精嚴。然我以爲皆非妙悟也。作詩到情神傳處，隨分自佳，下得不覺痕迹，縱使一句兩入，兩句重犯，亦自無傷。

又　每一題到，茫然思不相屬，幾謂無措。沉思久之，如瓴水去窒，亂絲抽緒，種種縱横坌集，卻于此時要下剪裁手段，寧割愛，勿貪多。又如數萬健兒，人各自爲一營，非得大將軍方略，不能整頓攝服，使一軍無譁，若爾朱榮處貼葛榮百萬衆，求之詩家，誰當爲比？

温純《温恭毅集》卷七《詞致錄序》　對偶音律，自天地剖判以來有之。山峙水流，日晝月夕，八埏度剖，列宿纏分，非對偶乎？水樂蟲絲，松濤竹韻，萬籟隱發，空谷互譍，非音律乎？

周履靖《騷壇秘語》卷上《變第十一》　四字變：虚、實、死、活。四句變：情、景、事、意。五聲變：穩、響、起、嗢、細。

又《二篇·製律》　字變，一句内忌併，一聯内非對者忌繁，隔聯忌字相似，一篇忌句相似。句變，四者相間不得碎雜，相泛不得過三聯，若全篇純一者不俱。聲變，兩句不得相併，兩聯不得相似。起宜重濁，承宜平穩，中宜鏗鏘。

又卷中《要第十三·六煉思》　詩，八面中間，推尋欲盡。要，痛芟刻取，摽出至要。博，博覽群書，悉歸部分。精，含精咀華，漱取芳潤。眞，提要鍊眞，天然色出。雅，漱芳爾雅，加以潤色。右煉思法。先煉題，推詳取要是也。次煅料，博覽湫精是也。末煉意，煅眞加雅是也。得眞如雅，得雅如眞，煅思至矣。煅如洪鐵，鑛盡鋼存。

又《四煉語》 險，倒持造化，鬼神莫知。易，渾然天成，人人愜意。古，楚漢晋唐，情辭純粹。今，一時新語，千古闕文。右煉語之法。險易相須，古今不雜。煉如金鼎，火候不疾不徐。

又《四煉字》 音，順時之聲，高下中節。意，詳文之意，隱顯得宜。故，平穩之處，宜求古字。新，出奇之處，宜下新字。右下字之法。不穩之處爲意，當有所迴避故也。若下新字，須尋不經人道語，又須只在眼前，切忌怪僻。

又卷下 扇對：《存殁口號》二首。問對：首句問，次句說本題，第三句又問，第四再說本題，應二句。即《摩笄山》詩也。順去：「松下問童子」，「問余何意棲碧山」，「湘中老人讀黃老」。藏咏：井，方鏡。四句不聯：「兩個黃鸝鳴翠柳」，「遲日江山麗」。中分別意：前二句說本題，後二句說題外意，「願領龍驤十萬兵」。借喻：借本題說他事，如咏婦人者，必借花爲咏，如咏花必借婦人爲咏。王氏曰：「絕句，截句也。後兩句對者，是截律詩前四句也；前兩句對者，是截律詩後四句也；如四句皆對者，是截去律詩前後四句也；如四句皆不對者，是截取律詩前後四句也。雖正變不齊，而首尾布置，四句自爲起承轉合。」

姚舜牧《重訂詩經疑問》卷二 《柏舟》，解詩者類云詩人欲刺其非，反稱其美，以存忠厚，是則然矣。若是詩，則所謂「子之不淑，云如之何」者，刺耶美耶？愚謂詩體固存忠厚，而詩意自有是非，如此章之旨，本文昭然，其明刺，非反稱其美以寓刺也。

梁橋《冰川詩式》卷三《練句》 練句之法，有險、易、古、今四端。險者，倒持造化，鬼神莫知。易者，渾然天成，人人愜意。古者，楚、漢、晋、唐，情辭純粹。今者，一時新句，千古闕文。然又須險易相須，古今不雜，如金鼎火候，不疾不徐，故謂之練。至于句中之字，又有音、意、故、新四法。音者，順時之聲，高下中節。意者，詳文之意，隱顯得宜。故者，平穩之處，宜求古字。新者，出奇之處，宜下新字。但新字須求不經人道語，又須只在眼前，最忌在僻。知此，則詩法思過半矣。

又 五言練句法 五言詩以第三字爲眼。古人練字，只于句眼上練。五言詩第三字要響。詩眼用實事法。詩眼用實事，方得句健。「星河秋一雁，砧杵夜千家」，「行雲星隱見，叠浪月光芒」。

又 按：琢對之法，先須作三字對或四字對起，然后粧排成句。不可逐句思量，卻似對偶，不成作手。或二字對起亦可。路頭差處，在此捕風捉影，如何成詩？然用字、用事，又不可用俚語及偏方之言。凡摘用古經傳史書字樣，集成聯對，務要求一副當語言，二字如「眉語」、「目成」，三字如「白虎觀」、「碧鷄坊」，四字如「高鼻胡人」、「平頭奴子」，推類可知。

又 七言練句法：七言詩以第五字爲句眼。古人練句，直以句眼上練，句眼字練，則句自精神。

又卷九《學詩要法上》 詩，即事貴眞，故事貴切，設事貴新。即事有四：曰正者，以溫柔道之，而藹然可愛；曰雅者，以忠厚道之，而凜然可畏；曰疑者，以從容道之，而斷在其中；曰妄者，以滑稽道之，而辨在其中。故事有五：曰正用，的切本題，的然當用；曰反用，用其事而反其意；曰借用，本不切題，借用一端；曰暗用，用其語而隱其名；曰活用，本非故事，因言及之，此乃用事之妙。設事有六：曰夢寐，言夢必依約；曰古人，言古必依實；曰神祇，言神必依疑；曰仙靈，言仙必依想；曰鳥獸，托動物必依才；曰草木，托植物必依類。

又 詩之題，曰送者，留須戀戀，勉必拳拳。曰別者，前瞻戀戀，後顧懸懸。曰逢者，樂生于哀，喜極還感。曰寄者，萬里寄言，必有實惠。曰酬者，識曲聽眞，無言不酬。曰贈者，贈人以言，非諂非刺。曰答者，答旨有歸，無雜采意。曰游者，立景。曰宴者，立意。曰行者，行必有故，切忌矯情。曰至者，至必有爲，不宜徒喜。曰歸者，歸人皆喜，必有我和。曰與者，物輕意重。曰謝者，物意俱重。曰登者，登峰詣極，所貴眼高。曰覽者，沉覽景物，意因有得。曰思者，思必有因，非徒凄愴。曰題者，題忌積物。曰咏者，咏忌粘題。曰挽者，忌似壽詩。曰壽者，忌似挽詩。曰賀者，忌似攫客。曰應製者，氣欲嚴肅，辭貴曲麗。他如曰赴、曰會、曰遇、曰賞、曰示、曰陪、曰見、曰謁、曰偕、曰同、曰從、曰訪、曰聞、曰問、曰尋、曰領、曰簡、曰戲、曰上、曰呈、曰興、曰懷、曰思、曰憶、曰先、曰守、曰書、曰述、曰吟、曰賦、曰古意、曰即事、曰寓言、曰出、曰寓、曰放、曰泛、曰進、曰憩、曰餞、曰幸、曰愁、曰傷、曰苦、曰哭、曰哀，其題不同，皆因感得意，因意得題。

又　詩之作用有九：曰入者，急喚入題；曰叙者，平叙事物；曰轉者，就題轉意；曰折者，因轉更深；曰出者，跳出題外；曰歸者，忽歸題中；曰警者，全平以奇，爲警全奇，以平爲警；曰超者，絶超常情；曰撇者，撇情入事。

又　作詩之法有八：曰起句要高遠，曰結句要不著迹，曰承句要穩健，曰下字要有金石聲，曰上下相生，曰首尾相應，曰轉折要不着力，曰占地步。

又　詩家病使事太多。天下事雖不可不讀，然謹不可有意于用事。

又　詩貴有波瀾起伏，如在江湖，一波未平，一波又作。出入變化，不可紀極，而法度不亂，方是作者。

又　詩有語忌，有語病，語病易除，語忌難除。語病古人亦有之，惟語忌則不可有。

又　對句好，可得；結句好，難得；發句好，尤難得。

又　作詩屬辭比事，爲通疏性情，無貴用事。若借事以發己意，變態錯出，用事雖多亦何妨。

又　詩中用事，僻事實用，熟事虚用。

又　識人不可露，使人不覺。

又　鍊句，要雄偉清健，有金石聲。

又　琢對，要寧粗毋弱，寧拙毋巧，寧樸毋華，忌俗野。

又　用事，陳古諷今，因彼證此，不可著迹，只使影子可也，雖死亦當活用。

又　下字，或在腰，或在膝，或在足，最要精宜的當。

又　學有餘而約以用，善用事者也；意有餘而約以盡，善措辭者也；乍叙事而間以理，言得活法者也。

又　作詩者句無餘字，篇無長語，非善之善者也。句中有餘意，篇中有餘意，善之善者也。

又　難説處，一言而盡；易説處，莫便放過。

又　詩貴言簡而意不遺，句豪而理不畔。

又　詩有二得：絶句則當先得後二句，律詩則當先得中四字。律詩固以對偶爲工，然得意者意對語不對，方是横出格外妙手。

又　詩不要有閑字。七言若減兩字成五言，而意思足，便是閑字。

又　律詩七言八句，一篇之中，句句皆奇；一句之中，字字皆奇，古今作者皆難之。

又　作詩之法，每下一字，俗間言語，要無一字無來處。

又　作詩對偶，不切則失之粗，太切則失之俗。

又　詩貴不煩繩削而自合程度，巧于斧斤窘括者失之。

又　詩貴有奇絶不可及之語。

又　詩佳處在用事造語之外，使人虚心諷咏，乃能見之，方妙。

又　作詩好句須要好字。

又　詩人用事，有乘詩意到處，輒從其方言爲之，亦自一體，但不可以爲常。

又卷一〇《學詩要法下》　論詩謂對偶不切，則失之粗；太切，則失之俗。此一偏之見耳。如老杜《江陵》詩云「地利西通蜀，天文北照秦」，《秦州》詩云「水落魚龍夜，山空鳥鼠秋」之類，可謂對偶太切矣。又何俗乎？如「雜蕋紅相對，他時錦不如」，「磨滅餘篇翰，平生一釣舟」之類，不求太切，而未嘗失格也。學者當審此。

又　因襲者，因前人之語也。以陳爲新，以拙爲巧，非有過人之才，則未免以蹈襲爲媿矣。如「水田飛白鷺，夏木囀黄鸝」，此李嘉祐詩也；王摩詰衍之爲七言曰：「漠漠水田飛白鷺，陰陰夏木囀黄鸝。」而興益遠。「九天閶闔開宫殿，萬家衣冠拜冕旒」，王摩詰詩也，杜子美刪之爲五言曰：「閶闔開黄道，衣冠拜紫宸。」而語益工。

又　作詩貴雕琢，又畏有斧鑿痕；貴確的，又畏粘皮骨。此所以爲難。李商隱《柳》詩云：「動春無限葉，撼曉幾多枝。」恨其有斧鑿痕也。石曼卿《紅梅》詩云：「認桃無緑葉，辨杏有青枝。」恨其粘皮骨也。能曉此等病，始可言詩矣。

又　作詩要一字兩字工。王介甫嘗讀杜詩云：「無人覺往來」，下得「覺」字太好；「暝色赴春愁」，下得「赴」字太好。若下「起」字，此即小兒語。

又　劉滄詩云：「香銷南國美人盡，怨入東風芳草多。」是鍊「銷」「入」字。

又　「殘柳宫前空露葉，夕陽川上浩烟波。」是鍊「空」「浩」二字，最是妙處。

又　吟詩喜作豪句，須不畔於理方善。如東坡《觀崔白冬景圖》云：「扶桑大繭如甕盎，天女織綃雲漢上。往來不遺鳳御梭，誰能鼓臂投三丈。」此語豪而甚工。石敏芳《橘林文中咏雪》有：「燕南雪花大於掌，冰柱懸簷一千丈」之語，豪則豪矣，然安得爾高屋耶？余觀李太白《北風行》云：「燕山雪花大如席」；《秋浦歌》云：「白髮三千丈。」其句可謂豪矣，柰無此理。何如秦少游《秋日絕句》云：「連卷雌蜺挂西樓，逐雨追晴意未休，安得萬妝相向舞，酒酣聊把作纏頭。」此語亦豪而工矣。

又 詩有連珠句，如白樂天《書天竺寺》詩云：「一山門作兩山門，兩寺元從一寺分。東澗水流西澗水，南峰雲起北峰雲。前臺花發後臺見，上界鍾清下界聞。遙想吾師行道處，天香桂子落紛紛。」故東坡有詩云：「空咏連珠吟疊璧。」蓋謂是也。

又 朱文公云：古人詩中有句，今人詩只一直說，如簡齋詩云「亂雲交翠壁，細雨濕青林」之類，他是什么句法。歐陽公《雪詩》多大篇，然已屏去白事。故東坡少時之作，亦多有犯此者。如：「也知不作堅牢玉，無奈能開頃刻花。」又云：「但覺衾裯如潑水，不知庭戶已堆鹽。」後亦作不犯白事，如「白戰不許持寸鐵」一篇，雖無白事，亦坦然老健，直有少陵氣象。

又 作詩不可大着題。世有《青衿集》一編，以授學徒，可以諭蒙。若《天詩》云：「戴盆徒仰止，測管詎知之。」《席詩》云：「孔堂魯子避，漢殿戴馮重。」可謂著題，但如東坡所謂「賦詩必此詩」也。

又 詩用倒字、倒句法，乃覺勁健。如杜詩「風簾自上鉤」、「風窗展書卷」、「風鴛藏近渚」，「風」字皆倒用。至「風江颯颯亂帆秋」，尤爲警策。

胡應麟《詩藪·內編》卷四 作詩最忌合掌，近體尤忌，而齊、梁人往往犯之，如以朝對曙，將遠屬遙之類。初唐諸子，尚襲此風，推原厲階，實由康樂。沈、宋二君，始加洗削，至於盛唐盡矣。

又 李夢陽云：「疊景者意必二，闊大者半必細。」此最律詩三昧。如杜：「詔從三殿去，碑到百蠻開。野館濃花發，春帆細雨來。」前半闊大，後半工細也。「浮雲連海岱，平野入青徐。孤障秦碑在，荒城魯殿餘。」前景寓目，後景感懷也。唐法律甚嚴惟杜，變化莫測亦惟杜。

又 詩自模景述情外，則有用事而已。用事非詩正體，然景物有限，格調易窮，一律千篇，只供厭飫。欲觀人筆力材詣，全在阿堵中。且古體小言，姑置可也，大篇長律，非此何以成章！

又 用事患不得肯綮，得肯綮，則一篇之中，八句皆用，一句之中，二字串用，亦何不可！婉轉清空，了無痕迹，縱橫變幻，莫測端倪。此全在神運筆融，猶斲輪甘苦，心手自知，難以言述。

又卷五 對起則杜之「風急天高猿嘯哀，渚清沙白鳥飛迴」。實爲妙絕。而岑參「雞鳴紫陌」、「柳嚲鶯嬌」二起，工麗婉約，亦可諷詠。右丞多仄韻對起，無風韻，不足多效。蓋仄起宜五言，不宜七言也。

又 有起句妙而接句不稱者：「東望望春春可憐」，「長安雪後似春歸」，「聞道長安似弈碁」，「建牙吹角不聞喧」是也。

又 結句則杜審言：「寄語洛城風日道，明年春色倍還人。」沈佺期：「兩地江山萬餘里，何時重謁聖明君。」崔顥：「日暮鄉關何處是，煙波江上使人愁。」王維：「玉靶寶弓珠勒馬，漢家將賜霍嫖姚。」高適：「聖代只今多雨露，暫時分手莫踟躕。」岑參：「莫向他鄉怨離別，知君到處有逢迎。」劉長卿：「白馬翩翩春草綠，邵陵西去獵平原。」姚合：「誰得似君將雨露，海東萬里灑扶桑。」大率唐人詩主神韻，不主氣格，故結句率弱者多。惟老杜不爾，如「醉把茱萸仔細看」之類，極爲深厚渾雄。然風格亦與盛唐稍異，間有濫觴宋人者，「出師未捷身先死」之類是也。

又 唐五言律起句之妙者：「獨有宦遊人，偏驚物候新」；「春氣滿林香，春遊不可忘」；「八月湖水平，涵虛混太清」；「銀燭吐青煙，金樽對綺筵」；「柳暗百花明，春深五鳳城」；「萬壑樹參天，千山響杜鵑」；「風勁角弓鳴，將軍獵渭城」；「灞上柳枝黃，爐頭酒正香」；「犬吠水聲中，桃花帶雨濃」；「片雨過城頭，黃鸝上戍樓」；「駿馬似風飈，鳴鞭出渭橋」；「巫山十二峰，皆在碧空中」。或古雅，或幽奇，或精工，或典麗，各有所長，不必如七言也。

又 仄起高古者：「故鄉杳無際，日暮且孤征」；「士有不得志，栖栖吳楚間」；「人事有代謝，往來成古今」；「樓頭廣陵近，九月在南徐」。苦不多得。蓋初盛多用工偶起，中晚卑弱無足觀。覺杜陵爲勝：「嚴警當寒夜，前軍落大星」；「不識南塘路，今知第五橋」；「今夜鄜州月，閨中只獨看」；「帶甲滿天地，胡爲君遠行」；「吾宗老孫子，質樸古人風」；「韋曲花無賴，家家惱殺人」；皆雄深渾樸，意味無窮。然律以盛唐，則氣骨有餘，風韻少乏。惟「風林纖月落，花隱掖垣暮」絕工。亦盛唐所無也。

又 唐五言多對起，沈、宋、王、李，冠裳鴻整，初學法門，然未免繩削之拘。要其極至，無出老杜。如「國破山河在，城春草木深」；「戰哭多新鬼，愁吟獨老翁」；「冠冕通南極，文章落上臺」；「死去憑誰報，歸來始自憐」；「城晚通雲霧，亭深到芰荷」；「秋月仍圓夜，江村獨老身」；「四更山吐月，殘夜水明樓」；「江漢思歸客，乾坤一腐儒」；「路出雙林外，亭窺萬井中」；「滿目悲生事，因人作遠遊」；「寺憶曾遊處，橋憐再渡時」之類，對偶未嘗不精，而縱橫變幻，盡越陳規，濃淡淺深，動奪天巧。百代而下，當無復繼。

又 結句之妙者：「玉關殊未入，少婦莫長嗟」；「今朝風日好，宜入未央遊」；「君王多樂事，還與萬方同」；「升沈應已定，不必問君平」；「辭君向天姥，拂石卧秋霜」；「金吾不禁夜，玉漏莫相催」；「坐看霞色起，疑是赤城標」；「回看射雕處，千里暮雲平」；「聖朝無闕事，自覺諫書稀」；「君王好長袖，新作舞衣寬」。杜則「明朝有封事，數問夜如何」；「經過自愛惜，取次莫論兵」；「親朋滿天地，兵甲少來書」；「安危大臣在，不必淚長流」；「萬里黃山北，園陵白露中」；「無由覩雄略，大樹日蕭蕭」。唐人五言律，對結者甚少，惟杜最多。「無家問消息，作客信乾坤」之類，卽不盡如對起神境，而句格天然，故非餘子所辦，材富力雄故耳。

又 盛唐句法，渾涵如兩漢之時，不可以一字求。至老杜而後，句中有奇字爲眼，才有此句法，便不渾涵。昔人謂石之有眼爲硏之一病，余亦謂句中有眼爲詩之一病。如「地坼江帆隱，天淸木葉聞」，故不如「地卑荒野大，天遠暮江遲」也。如「返照入江翻石壁，歸雲擁樹失山村」，故不如「藍水遠從千澗落，玉山高並兩峰寒」也。此最詩家三昧，具眼自能辨之。（齊梁以至初唐，率用豔字爲眼，盛唐一洗，至杜迺有奇字。）

又 詠物著題，亦自無嫌於切；第單欲其切，易易耳。不切而切，切而不覺其切，此一關前人不輕拈破也。

又 李駁何云：「七言律若可翦二字，言何必七也？」此論不起於李，前人三令五申久矣。顧詩家肯綮，全不係此，作詩大法，惟在格律精嚴，詞調穩愜，使句意高遠，縱字字可翦，何害其工？骨體卑陬，雖一字莫移，何補其拙？如老杜「風急天高」，乃唐七言律第一首。今以此例之，卽八句無不可翦作五言者。又如「江間波浪兼天涌，塞上風雲接地陰」；「五更鼓角聲悲壯，三峽星河影動搖」等句，上二字皆可翦。亦皆杜句最高者，曷嘗坐此減價？又如王維：「漠漠水田飛白鷺，陰陰夏木囀黃鸝」。李嘉祐翦爲：「水田飛白鷺，夏木囀黃鸝」。「九天閶闔開宮殿，萬國衣冠拜冕旒」。老杜翦爲：「閶闔開黃道，衣冠拜紫宸」。何害王句之工？卽如宋人「爲看竹因來野寺，獨行春偶過溪橋」，上下粘帶，不可動搖，而醜拙愈甚。自詩家有此論，舉世無不謂然，甚矣獨見之寡也。

又卷六 對結者須意盡，如王之渙：「欲窮千里目，更上一層樓」。高達夫：「故鄉今夜思千里，霜鬢明朝又一年。」添著一語不得乃可。

又《外編》卷五 凡用事用語，雖千鎔百煉，若黃金在冶，至鑄形成體之後，妙奪化工，無復絲毫痕迹，乃爲至佳。藉讀之少令人疑似，便落第二義，況顯搜隱僻，巧作形模，此崑體之所以失也。然本唐遺法，故格調風致，種種猶在。熙寧諸子，負其才力，一變而爲議論，又一變而爲簿牒，又一變而爲俳優，遂令後世詞壇，列爲大戒。元人而下，此義幾亡。明至嘉隆，始復吐氣云。

陸時雍《詩鏡總論》 古之爲尙，非徒樸也，實以其精。今人觀宋器，便知不逮古人甚遠。商彝周鼎，洵可珍也。不求其精，而惟其樸。以疎頑爲古拙，以淺俚爲玄澹，精彩不存，面目亦失之遠矣。

又 凡法妙在轉，轉入轉深，轉出轉顯，轉搏轉峻，轉敷轉平。知之者謂之「至正」，不知者謂之「至奇」，誤用者則爲怪而已矣。

轂齋主人《獨鑒錄》 詩文好用事，自是一病，然在詩尤所深忌。乃如用事而不用，而渾然不見其用事之迹，此則禪之上乘。

惠康野叟《識餘》卷二《詩考》 詩中聯最忌板對，如孟襄陽「何如石嵓趣，自入戶庭間。不見穿針婦，空懷故國棲。忽逢青鳥使，邀入赤松家。主人開舊館，留客醉新豐」，對而不對，獨臻其妙。

黃廷鵠《詩冶·凡例》 詩之趣味全在言表，或咏此而寓彼，或不言而深於言，使思之者自會，咀之者無盡爾。若窮極其言，快意爲工，便隔一塵，此詩人文人之別。

陳衎《槎上老舌·詩文瑑語》 詩以排偶致工，《三百篇》「楊柳依依」、「雨雪霏霏」等句是也。文以錯綜爲妙，《康誥》「如汝封刑人殺人，無或刑人殺人如汝封」、《春秋》「隕石於宋五」，「六鷁退飛」等句是也。或曰下「如汝封」爲衍文，謬矣。

又《工拙》 詩文「工拙」二字，難言久矣。其要大率以虛字活句斡旋，則入目易佳；以實字板腔塡積，則成章亦拙。曾聞蘇文忠見諸子課業，凡虛字少實字多者，必塗抹擲還。

王昌會《詩話類編》卷一《體格·一字血脈格》 謂起聯生一有意字，中二聯皆此字行乎其中，故謂之血脈。此與一字貫篇不同：彼一字是着力字，此一字是有意字。五言如杜甫《晴》詩云：「久雨巫山暗，新晴錦繡文。碧知湖外草，紅見海東雲。竟日鶯相和，摩霄鶴數羣。野花乾更落，風處急紛紛。」七言如杜《鴛鴦》詩云「翠鬣紅衣舞夕暉，水禽情似此禽稀。纔分烟島猶回首，只渡寒塘亦共飛。映霧盡迷朱殿瓦，逐梭齊上玉人機。採蓮無限蘭橈女，笑指中流羨爾歸」是也。一以「晴」字爲血脈，一以「情」字爲血脈也。

又《一字貫篇格》 謂起聯中立一着力字，中二聯俱要見此字意。頷聯淺，頸聯深，結聯總言，亦要含起聯所立字意。如皇甫冉《途中送權曙二兄》云：「淮海風濤起，江關幽思長。同悲鵲繞樹，獨坐雁隨陽。山晚雲和雪，汀寒月映霜。由來濯纓處，漁父愛滄浪。」一「幽」字是着力字也。

又《二字貫穿格》 謂起聯立二字或用二事，中二聯分應之或倒應之，或每聯各句應之，結聯脫言亦要含意。五言如杜甫《陪諸貴公子丈八溝攜妓納涼晚際遇雨》云：「雨來霑席上，風急打船頭。越女紅裙濕，燕姬翠黛愁(雨)。纜侵堤柳繫，幔卷浪花浮(風)。歸路翻蕭颯，陂塘五月秋。」此中二聯分應者也。又如第二聯先應「風急」，第三聯方應「雨來」，卽謂之「續腰格」，蓋三聯爲腰也。如杜「蓬萊宮闕對南山，承露金莖霄漢間。西望瑤池降王母，東來紫氣滿函關。雲移稚尾開宮扇，日繞龍鱗識聖顏。一自滄江驚歲晚，幾回青瑣點朝班」。是首聯言天子、神仙兩字，次聯先應神仙，而腰聯方續應天子，故名「續腰格」，亦名「織腰格」，其實卽二字貫穿而倒應之者也。又如《江村》詩云：「清江一曲抱村流，長夏江村事事幽。自去自來堂上燕，相親相近水中鷗。老妻畫紙爲棋局，稚子敲針作釣鈎。多病所須惟藥物，微軀此外更何求。」此每聯各句應者也。

又《數字連序格》 謂頷聯或頸聯句中字與意連序不斷，或五字，或七字，無上斷、下斷及二字、三字妝排句法。五言如李洞《鄠北李先生舍》云：「圭峰秋後夜，亂葉落寒墟。四五百竿竹，二三千卷書。雲深猿盜栗，雨霽蟻沾蔬。只隔門前水，如同萬里餘。」七言如杜《中丞得除江陵并起居衛尚書夫人》云：「中丞問俗畫熊頻，愛弟傳書彩鷁新。遷轉九州防禦使，起居八座太夫人。楚宮臘送荆門水，白帝雲偸碧海春。爲報惠連詩莫惜，嗟予斑鬢總如銀。」

又《鈎鎖連環格》 自首聯至末聯句意相鈎連，如首聯上句說好下句說不好；頷聯上句說不好下句說好，頸聯、末聯亦如之。或以事相因鈎連亦通。五言如杜《野望》云：「清秋望不極，迢遞起層陰。遠水兼天淨，孤城隱霧深。葉稀風更落，山迥日初沉。獨鶴歸何晚，昏鴉已滿林。」七言如《詠草》云：「百花苑路易萋陰，五谷墢疇苦見侵。農父芟時嫌若刺，宮人門處惜如金。別離空惹王孫恨，麃耨深勞稷畯心。綠野荒蕪好歸去，朱門閑僻少相尋。」

又《單抛格》 謂首聯上句起，下句單意說，下頷聯、頸聯、末聯或事或景皆應首句，一順說去也。五言如杜《秦州雜詩》云：「南使宜天馬，由來萬匹強。浮雲連陣沒，秋草徧山長。聞說眞龍種，仍殘老驌驦。哀鳴思戰鬥，迥立向蒼蒼。」七言如《秋興》云：「昆明池水漢時功，武帝旌旗在眼中。織女機絲虛夜月，石鯨鱗甲動秋風。波漂菰米沉雲黑，露冷蓮房墜粉紅。關塞極天唯鳥道，江湖滿地一漁翁。」

又《雙抛格》 愚謂首聯二句兩事並行叫起，中二聯句句各應上兩事，而末聯總結也。詩家引杜律《汴門用兵後》云：「隨堤風物已凄涼，堤下仍多古戰場。金簇有苔人拾得，鐵衣無土鳥銜將。邊聲暗促河聲急，野色遙連日色黃。獨上高城更愁絕，戍鼙驚起雁行行。」謂上句言風物，下句言古戰場，以兩事叫起是矣。而謂頷聯應戰，頸聯應風物，則與續腰格同耳，何謂「雙抛」？此還是句句各含上兩事也。

又《內剝格》 謂暗用本題事而取義於事內，中二聯或先景後事，或先事後景，皆隱題於內，至末聯方正言之。五言如杜《禹廟》云：「禹廟空山裏，秋風落日斜。荒庭垂橘柚，左屋畫龍蛇。雲氣生虛壁，江聲走白沙。早知乘四載，疏鑿控三巴。」七言如《玉臺觀》云：「中天積翠玉臺遙，上帝高居絳節朝。遂有馮夷來擊鼓，始知嬴女善吹簫。江光隱見黿鼉窟，石勢參差烏鵲橋。更有紅顏生羽翼，便應黃髮老漁樵。」蓋主於賦者也。

又《外剝格》 謂取他事明題意，而更取義於事外，中二聯或引兩事，或引四事，事外立意，使讀者自得之。五言如靈一《靜林寺》云：「靜林溪路遠，蕭帝有遺踪。水擊羅浮磬，山鳴于闐鐘。燈傳三世火，樹老五株松。無數烟霞色，空聞昔卧龍。」七言如李義山《錦瑟》詩云：「錦瑟無端五十絃，一絃一柱思華年。莊生曉夢迷蝴蝶，望帝春心托杜鵑。滄海月明珠有淚，藍田日暖玉生烟。此情可待成追憶，只是當時已惘然。」蓋主于比者也。

又《前散後散格》 頷聯雖對而散，頸聯的對而整，謂之前散後整格，如皇甫冉《送韓司直》中兩聯云「復送王孫去，其如春草何？山明殘雪在，滿湖夕陽多」是也。此又名「蜂腰格」。又頷聯的對而整，頸聯雖對而散者，謂之前整後散格，如劉禹錫《眺望》，中兩聯云「河流添馬頰，原色動龍鱗。萬里思歸客，一杯逢故人」是也。

又《前多後少格》 謂首聯與次聯一意，頸聯自爲一意，落聯上句結前四句，下句結頸聯二句。或末聯統結前意。如杜《諸將》第三首云：「回首扶桑銅柱標，冥冥氛祲未全銷。越裳翡翠無消息，南海明珠又寂寥。殊錫曾爲大司馬，總戎皆插侍中貂。炎風朔雪天王地，只在忠臣翊聖朝。」

又《句相照應格》 謂以首聯起頷聯，而頷聯上句應首聯上句，下句應首聯下句。又以頸聯起末聯，而末聯上句應頸聯上句，下句應頸聯下句。前四句一意，後四句一意，而題意自照應也。如杜《九月一日遇孟十二倉曹十四主簿兄弟》云：「藜杖侵寒露，蓬門起曙烟。力稀經樹歇，老困撥書眠。秋覺追隨書，來因孝友偏。清談見滋味，爾輩可忘年。」

又《明暗二例格》 作詩之法，無出於此。五言如白居易《咏草》云：「離離原上草，一歲一枯榮。野火燒不盡，春風吹又生。遠芳侵古道，晴翠接荒城。又送王孫去，萋萋滿別情。」又如杜甫《房兵曹胡馬》云：「胡馬大宛名，鋒稜瘦骨成。竹批雙耳峻，風入四蹄輕。所向無空闊，眞堪托死生。驍騰有如此，萬里可橫行。」七言如杜《黑鷹》云：「黑鷹不省人間有，渡海疑從北極來。正翮搏風超紫塞，玄冬幾度宿陽臺。虞羅自覺虛施巧，春雁同歸必見猜。萬里寒空只一日，金眸玉爪不凡材。」又如鄭谷《雙鷺》云：「雙鷺應憐水滿池，風飄不動頂絲垂。立當青草人先見，行傍白蓮魚未知。一足獨拳寒雨裏，數聲相叫早秋時。林塘得爾須增價，況與詩家物色宜。」此俱所謂「明例」也。五言如杜《螢火》云：「幸因腐草出，敢近太陽飛。未足臨書卷，時能點客衣。隨風隔幔小，帶雨傍林微。十月清霜重，飄零何處歸？」又如僧玄寶《路》詩云：「南北東西去，芒芒萬古塵。關河無盡處，風雪有行人。險極山通蜀，平多地入秦。營營名利者，來往豈辭頻。」七言如杜《白鷹》云：「雲飛玉立盡清秋，不惜奇毛恣遠游。在野只教心力破，於人何事網羅求？一生自獵知無敵，百中爭能恥下韝。鵬礙九天須卻避，兔經三窟莫深憂。」又如鄭谷《鷓鴣》云：「暖戲烟蕪錦翼齊，品流應得近山鷄。雨昏青草湖邊過，花落黃陵廟裏啼。游子乍聞征袖濕，佳人纔唱翠眉低。相呼相喚湘江曲，苦行叢深春日西。」俱所謂「暗例」也。數詩俱佳，故備錄之。

又《興兼比格》 如《峽中覽勝》云：「曾爲掾吏趨三輔，憶在潼關詩興多。巫峽忽如瞻華嶽，蜀江猶似見黃河。舟中得病移衾枕，洞裏經春長薜蘿。形勝有餘風土惡，幾時回首一長歌？」此起聯興、次聯比也。

又《興兼賦格》 如《客至》云：「舍南舍北皆春水，但見群鷗日日來(興)。花徑不曾緣客掃，蓬門今始爲君開(賦)。盤飧市遠無兼味，樽酒家貧只舊醅(興)。肯與鄰翁相對飲，隔籬喚取盡餘杯(興)。」或前四句興而後四句賦，或頷聯興而頸聯賦，或興、賦兼比，每聯一句，各自興、賦、比，其法不同。

又《接項格》 謂首聯第一句起頸聯，第二句方起頷聯。而頷聯二句必接首聯第二句，頸聯二句必接首聯第一句也。五言如杜《秋野》云：「易識浮生理，難教一物違。水深魚極樂，林茂鳥知歸。吾老甘貧病，榮華有是非。秋風吹幾杖，不厭北山薇。」七言如《秋興》云：「玉露凋傷楓樹林，巫山巫峽氣蕭森。江間波浪兼天湧，塞上風雲接地陰。叢菊兩開他日淚，孤舟一係故園心。寒衣處處催刀尺，白帝城高急暮砧。」

又《交股格》 第一、第三、第六句，第二、第四、第五句，各相起應，詞意通貫交錯如股，末聯設爲問答以結之也。如杜「夔府孤城落日斜，每依南斗望京華。聽猿實下三聲淚，奉使虛隨八月槎。畫省香爐違伏枕，山樓粉堞隱悲笳。請看石上藤蘿月，已映洲前蘆荻花」是也。又有句法交股對者，如「春深葉密花枝少，睡起茶多酒盞疏」，以「少」對「疏」，以「密」對「多」，是交互如股者也。

又《牙鎖格》 爲首聯一事叫起中聯，而頷聯上句起第五句，下句起第六句，頸聯或順應或倒應也。如杜《詠懷古迹》云：「羣山萬壑赴荊門，生長明妃尚有村。一去紫臺連朔漠，獨留青塚向黃昏。畫圖省識春風面，環珮空歸月夜魂。千古琵琶作胡語，分明怨恨此中論。」此順應者也。又《巴西驛亭呈竇使君》云：「向晚波微綠，連空岸卻青。日兼春有暮，愁與醉無醒。漂泊猶杯酒，踟躕此驛亭。相看萬里別，同是一浮萍。」此倒應者也。

又《應字格》謂首聯立二字，頷聯分應之。如《吹笛》云：「吹笛秋山風月清，誰家巧作斷腸聲？風飄律呂相和切，月傍關山幾處明？」以「風」、「月」二字頂針作句，此格甚新。

又《扇對格》以第一句結第三句，以第二句對第四句也。五言如「邂逅陪車馬，尋芳謝朓州。凄涼望鄉國，得句仲宣樓」（坡）。七言如「去年花下留連飲，暖日夭桃鶯亂啼。今日江邊客易別，淡烟衰草馬頻嘶」（唐句）是也。又有首尾扇對，中聯扇對，古無此格。今擬用之，如明《梁橋》詩云：「夏來幽興愜，攜酒問芳蘋。昨日花前醉，青衫藉玉人。今宵月下飲，翠袖舞紅茵。老去流光易，乘時欲恬神。」

又卷二《名論上·論賦比興》問：周伯弼所編《三體詩法》以虛實爲例，若《早春游望》與《經廢寶慶寺》詩中之聯皆言景物，與賦比興承轉之說不同，何也？曰：世有謂「雲霞出海曙，梅柳渡江春」兩句是說早春，於「六義」是賦；「淑氣催黃鳥，晴光轉綠蘋」兩句是早春景物，於「六義」是興。「池晴龜出曝，松瞑鶴飛迴」兩句言景物，於「六義」是興。「古砌碑橫草，陰廊畫雜苔」兩句是說人事，於「六義」是賦。伯弼以「四虛四實」概論之，疏矣。夫詩之有興，與本題不相着，但借此以起耳。稍與題目干涉，則便爲比爲賦。朱子《詩傳》甚分明，治《詩經》者皆能辨之。周伯弼《三體詩法》以「虛實」分之，誠疏矣。然於《早春游望》詩中分賦與興未是，於《廢寶慶寺》詩分興、賦亦未是。蓋賦早春則言早春之景，賦廢寺則言廢寺之景，「雲霞出海曙，梅柳渡江春」，此早春也。「淑氣催黃鳥，晴光轉綠蘋」，亦早春也，未嘗以前爲賦而以後爲興也。龜之出曝，鶴之飛迴，則寺之無僧可知矣。碑之橫草，畫之雜苔，則寺之廢久矣。此可見，亦未嘗以前爲興，後爲賦也。故二詩中聯謂襯貼如經義之大講爲是，而轉承之說爲非。況律詩題有所指者，其詩皆賦；無所指者，然後假物以興。如「囀枝黃鳥近，泛渚白鷗輕。一逕野花落，孤村春水生」。四句皆興。「簷影微微落，津流脈脈斜。野船明細火，浴鷺聚團沙」，「野日荒荒白，春流泯泯清。渚浦隨處有，村逕逐門成」，此題皆無所指，但遣興漫成耳。故前四句亦以興起，若直賦一事，又何待興哉！故以「虛實」論律中聯，失之疏；於律景聯分賦、比、興，失之鑿。二者皆非。

又《一忌體用不交》此是逐句上下轆轤之病。如杜詩「畢圭香裏秋風候，長樂館前斜日明」，或以「長樂館前」言「秋風」、「畢圭花裏」言「斜日」亦可。蓋上四字爲體，下三字爲用，可以互相換易，便是不交。又如「越女紅裙濕，燕姬翠黛愁」，亦何必「越女」可言「紅裙」、「燕姬」可言「翠黛」？又如「落花游絲白日靜，鳴鳩乳燕青春深」，中間叠景物在一處，又有體無用，如何得交？

又《一忌語句不備》上句用虛生，下句用實死，前句用實事，後句用假對，皆是不備。如杜甫：「犬迎曾宿客，鴉護落巢兒。」顔師古謂「十字一意」，然終是不備。蓋鴉有兒而犬無客，「兒」是鴉之「兒」，「客」非犬之「客」也。又如蘇子瞻詩「繫恨豈無羅帶水，割愁猶有劍芒山」，蓋「割愁」二字有來歷，「繫恨」二字無來歷。正如《汪內將謝表》以「千載去家之鶴」對「一時同隊之魚」，爲人所譏。又如杜詩「竹葉於人既無分，菊花從此不須開」，蓋「竹葉」是比物，「菊花」是正說，亦是不倫。又如蘇詩「剛腸欺竹葉，衰鬢怯菱花」，便是齊整句，雖輭弱，終是無病可議。又如杜《贈田九判官》「陳留阮瑀誰爭長，京兆田郎早見招」，下爲當家，上爲借事，亦是不倫。如李嘉祐《送馬將軍》「自笑馬卿多帶病，還嗟李廣不封侯」，彼此各使一事，亦自齊整。又許渾《丁補闕故居》「鵬上承塵才幾日，鶴歸華表已千年」，下句暗使丁令威事，而上句僞對。雖不甚覺，然終是不倫比。近世儲泳《哭李雲岫》詩：「采石月寒宮錦濕，玉樓風暖羽車還。」如此等句眞是齊整，眞可爲法。

又《一忌徑情直叙》只是不婉曲。如李商隱欲言玄宗、貴妃，而曰：「此日六軍同駐馬，當時七夕笑牽牛。」最是微婉，可謂曲盡妙理。又如韓魏公《罷守北京》詩：「風定曉枝蝴蝶鬧，雨餘荒圃桔槔閑。」時服其微婉。又如魯直《茶》詩：「竹几蒲團聽煮湯，煎成車聲繞羊腸。」胡爲子瞻嘆服。又如林和靖《梅》詩：「疏影橫斜水清淺，暗香浮動月黃昏。」時人以爲與梅傳神，乃古今梅詩絕唱。又如孟東野詩：「池中青蒲葉如帶，紫菱成角蓮子大。羅裙蟬鬢倚迎風，雙雙伯勞飛向東。」只此四句，含蓄多少意思！但看古人所作，便自悟得詩法。

又《一忌粉澤脂膏》只是妝點雕鎸。妝點便浮靡，雕鎸刻畫便有斧鑿痕。且如「細雨魚兒動，微風燕子斜」，便自然平易。而羅隱乃曰：「魚銜駭浪雪鱗健，鴉閃斜陽金背光。」便刻畫。又如清新體製，鄭谷詩云：「柳塘春水漫，夕陽山外山。」皆是自然清新，不須妝點。至如蘇詩「翠浪舞翻紅䆉稏，白雲穿破碧玲瓏」，黄詩「石屏堆叠翡翠羽，蓮蕩宛轉芙蓉城」，便似不及。又如簡淡之作，王隨云：「一聲啼鳥禁門靜，滿地落花春晝長。」牧之詩：「長空澹澹孤鳥沒，萬古消沉向此中。」意思自然淵永。而杜詩所謂「曉鶯工迸淚，秋水解傷神」，李白詩「眼垂黃葉重陽淚，手把梨花寒食心」，便自喫苦。又如富貴之詩，亦不要妝點。富貴字，如「金」、「珠」、「綺」、「繡」等。詩貴乎自然氣乃佳。昔人有《登蕭寺旃檀閣》詩云「醉倚王家玳瑁筵」，識者知其決非貴族。又如樂天詩「軸裝曲譜金書字，樹記花名玉篆牌」，或謂此詩爲乞兒相。似晏元獻「梨花院落溶溶月，柳絮池塘澹澹風」，貧家有此景否？又言志之詩，亦須自然。如宋太祖《日》詩「未離海底千山暗，才到中天萬國明」，如何不是萬乘之主！又寇萊公《華山》詩「只有天在上，更無山與齊」，如何不作宰相！若李長吉「他日不羞蛇作龍」，李白「我輩豈是蓬蒿人」，俱只是空口大言耳。又如雄健體，杜詩「五更鼓角聲悲壯，三峽星河影動搖」，蘇子瞻「令嚴鐘鼓三更月，夜宿貔貅萬竈烟」，皆是自然雄健。至丁晉公《守中都》則云：「天子旗旄分一半，八荒雲雨會中州。」便露圭角。又飄逸之詩，如宋之問《明河篇》：「雲母帳前初泛濫，水晶簾外轉逶迤。鴛鴦樓上疏鶯度，烏鵲橋邊一雁飛。」杜詩：「曉來急雨春風顛，睡美不聞鐘鼓傳。東家蹇驢許借我，泥滑不敢騎朝天。」此皆是自然飄逸。至李白「百年三萬六千日，一日須傾三百杯」，馬之才「天地萬物如吾何，用之解帶食太倉，不用拂枕歸山阿」，便自放蕩。又如蒼古之詩，不用字面大粗。如杜「暮投石壕村，有吏夜捉人」，「瘦妻面復先，癡女頭自櫛」，「霜嚴衣帶斷，指直不得結」，便自然蒼古。若「黃四娘家花滿蹊，千朵萬朵壓枝低」，則未免後人之議。又如孫魴詩「劃多灰漸冷，坐久席成痕」，沈琳譏其爲「四舍翁火爐頭之作」。又如奇險之詩，只在於用語驚人。故曰：作詩要有驚人句。杜云：「語不驚人死不休。」平常説話，奚益於詩？如杜子美「白堆朽骨蛟龍死，黑入太陰雷雨垂」，便自奇險。「峽坼雲埋龍虎睡，江清日抱黿鼉游」，「抱」字便險；「竹光團野色，舍影漾江流」，「團」字亦險。「路經灩澦雙蓬鬢，天入滄浪一釣舟」，「吳楚東南坼，乾坤日夜浮」，直是包括乾坤，許大氣象。大抵作詩，妙莫妙於體製，難亦莫難於體製。既知，則詩道略備矣。

又《一忌體物太泛》 只是不切當轆轤移動。子美《鸂鶒》詩「故使籠寬織，須知動損毛。看雲莫悵望，失水任呼號。六翮曾經剪，孤飛卒未高。且無鷹隼慮，留滯莫辭勞」，此未免大泛。凡是籠中水鳥皆可，何必鸂鶒？如《馬詩》：「胡馬大宛名，稜層瘦骨成。竹批雙耳峻，風入四蹄輕。所向無空闊，眞堪託死生。驍騰有如此，萬里可橫行。」便自絶當。又如元微之《李娃行》：「雲髻峨峨高一尺，門前立地看春風。」此不言可知是娼妓。韓退之《華山道士》詩：「洗妝拭面着冠帔，白咽紅頰長眉青。」此不言可知是女道士也。作詩固不可刻畫，亦不可太泛也，大抵作詩之法。知此則詩之能事畢矣。

又卷三《名論下》 作詩道一淺字不得，道一深字又不得。其妙正在不深不淺，有意無意之間。

又 或者謂作詩須下實字，實字多則健，虛字多則弱。古人作詩能言五件事，則句健矣。如杜詩：「旌旗日暖龍蛇動，宮殿風微燕雀高。」此則一句能言五件事。如：「鼉吼風奔浪，魚跳日映山。」一句能言三件事。大抵實一字，則健一字；虛一字，則弱一字矣。此説如何？曰：此説固是，但亦有全虛而意味無窮者。如杜詩：「萬事無成虛過日，百年多難未還鄉。」「世亂鬱鬱久爲客，路雖悠悠長傍人。」「江上形容吾獨老，天涯風俗自相親。」「南菊再逢人臥病，北書不至雁無情。」「叢菊兩開他日淚，孤舟一繫故園心。」此等語亦未嘗不健。大抵用景物則實，用人事則虛。一詩之中全用景物，則過實而窒；全用人事，則過虛而軟。故作詩之法，必要虛實均匀，語意和暢，而後爲盡善也。

又 或有謂斷句之法在善於貼字面。貼字之法在於用實。梅聖俞《馬廷評之餘姚縣》：「曉日魚蝦市，秋風橘柚船。」五字皆實，故健。如章仲由學之乃曰：「魚蝦腥市井，橘柚壓江船。」貼兩字，便虛弱。不知此説何如？曰：是。如溫庭筠《早行》詩：「鷄聲茅店月，人跡板橋霜。」五字皆實，亦健。及後來華翠微盜其句，乃曰：「鷄翅拍斜茅店月，馬蹄踏破板橋霜。」貼四尖新字於其中，便覺軟弱小巧，意味短淺。且如韋蘇州「春潮帶雨晚來急，野渡無人舟自橫」，後寇萊公分開一句作兩句，云：「野水無人渡，孤舟盡日橫。」雖犯了詩家盜竊、開析之病，然亦不失爲好句者，以其貼得好故也。曰：司空文明「樓臺側畔楊花過，簾幕中間燕子飛」，貼得雖虛，亦爲人所稱，如何？曰：意則雖佳，語句終是軟弱，比老杜「秦城樓閣煙花外，漢主山河錦繡中」，雖同是富貴體製，然深味之，大有徑庭。曰：然則「梨花院落溶溶月，柳絮池塘淡淡風」，「淡淡」「溶溶」雖同虛貼，而此善於彼，何耶？曰：雖同虛貼，而此亦是一句能言三件事，而彼只説得二件，故不及。曰：然則太白詩「三山半落青天外，二水中分白鷺洲」，夏英公用其句曰：「山勢蜂腰斷，溪流燕尾分。」方知太白猶爲實於彼也。而或者乃以嬌女效顰美之，其故何哉？曰：字則稍不虛，而意則未實，何則體過於用也。如李言「三山半落青天外」，想像其模寫之意，是甚麼氣象？而夏乃以「蜂腰斷」三字體製山勢，則總只是山之一字而已，故字雖實而意則虛矣。此所以不免爲弱。曰：然則戴石屏詩「懶困風光酣午睡，深沉天氣嫁春陰」，意頗實，而或言其弱，何也？曰：此虛，非弱也。病在於小巧。蓋緣妝點「酣」、「嫁」二字，即尖新之病也。大抵作詩怕妝點，妝點便尖新，尖新便小巧。且如李商隱：「花如解語迎人笑，草不知名隨意生。」晏元獻：「無可奈何花落去，似曾相識燕飛來。」字雖虛，而無尖新、小巧之病，便庶幾矣！

又 作詩有描畫法，如羅隱詩「雲中鷄犬劉郎過，月下笙歌煬帝歸」，張祜「窗間謝女青娥斂，門外蕭郎白馬嘶」，許渾詩「風傳鼓角霜侵戟，雲捲笙歌月上樓」、「落日殘蟬蕭寺裏，白雲飛鳥謝家村」，杜牧詩「風隨玉輦笙歌迥，雲捲珠簾劍佩高」，古人所謂詩有聲畫是也。

又 作詩不可使一字無用，須是字字少不得。又不可使一字不佳，須是字字穩當。又不可使一字無來歷，字字要出處，要無鄙俗方可。如章碣詩：「柳陌雖然風裊裊，葱河猶自雪漫漫。」或議其間「雖然」、「猶自」四字爲閒散之字，敲削之則可。又如賈浪仙詩：「鳥宿池邊樹，僧敲月下門。」本欲作「僧推」，正煉未定，而韓退之過，乃爲定作「敲」字。又如杜子美「桃花細逐楊花落」本欲作「桃花欲共楊花語」後乃改定，作「細逐」、「落」三字。又如劉夢得《重九詩》欲題「糕」字，以爲未經人道，而不敢用。又如奚斯道《訪李陵詩》「路轉山容換」，而自疑「山容」二字無來歷是也。

又 今人作詩多從中對聯起，往往得聯多，而韻不協，勢不能易韻以就我，又不忍以長物棄之，因就一題，衍爲衆律。然聯雖旁出，意盡聯中，而起結之意，每苦無餘，於是別生枝節而傳會，或即一意以支吾，製衿露肘，浩博之士，猶然架屋疊床；貧儉之才，彌窘所以。《秋興》八首，寥寥難繼，每每思之，未得其解。忽悟少陵諸作多有漫興，時於篇中取題，意興不局。豈非柏梁之餘材創爲別館，武昌之剩竹貯作船釘？英雄欺人，頗窺伎倆，有識之士，能無取裁？

王文祿《詩的》 作詩不明賦、比、興，猶醫藥不明君臣佐使也，豈得爲詩？故曰：「刪後無詩。」《葛生》詩曰：「夏之日，冬之夜。」江淹《別賦》翻之爲：「夏簟清兮晝不暮，冬釭凝兮夜何長。」華且細矣。白樂天翻之爲《長恨歌》曰：「遲遲更鼓初長夜，耿耿銀河欲曙天」，則粗矣。較於「夏之日」、「冬之夜」，何含蓄哉！朱《註》曰：「夏日冬夜，獨居憂思，於是爲切。詩中不明言憂思，而於『夏日』、『冬夜』中見之，其意微婉如此。」凡言出憂思，字則俚矣。故曰：「作詩不可有煙火氣」。若令兄、令弟、父母、夫婦、朋友、君臣，俗字眼皆非也。若指父母，借「岵屺」、「桑梓」言；若指兄弟，借「棠棣」、「鶺鴒」言；若指夫婦，借「雎鳩」、「蔦蘿」言；若指朋友，借「谷風」、「雞壇」言；若指君臣，借「卷阿」、「鳳梧」言。觸類而長之，所謂鏡中之影水中之燈，方妙也。

又 詩聯中有詩眼，若鄭少谷「閉門春事生黃葉，去國秋山長白雲」，不知詩眼矣。蓋「生」對「長」，皆一意，必「長」對「消」、「生」對「隱」。若曰「生黃葉」，必對「隱白雲」，則一反一正矣。如《壇經》云：「問有答無，問無答有；問始答終，問終答始。」觸類而長，方爲妙云。

又 詩題必首句或第二句承出，方見題目。如杜題《蜀相祠》律詩，首句曰：「丞相祠堂何處尋」，次曰：「錦官城外柏森森」，此二句猶時文之破題、承題，則蜀相祠方明白也。若前聯第三句、第四句，及後聯第五句、第六句指出題目，則偏矣。何大復《呂公祠》律詩，首句曰：「落日蕩漾古水濱，邯鄲城邊逢暮春」，前聯曰：「越王臺樹草花盡，呂公祠堂松桂新。」題乃「呂公祠」，非「越王臺」。今以「越王臺」對「呂公祠」，非題意也。不特偏，且虛矣。題止曰「祠」，句中不宜綴「堂」字於「祠」字下。惟深知詩律之嚴者，方能悟此。不特詩法當嚴，文法亦當嚴，故曰：「《春秋》謹嚴。」

溫璜《溫寶忠先生遺稿》卷六《論文偶錄》 讀上句便知下句，難以留人竟覽；讀數句，不知何句，安足發人深省？

李應昇《落落齋遺集》卷一〇《觀文叔詠物詩序》 作詩者寫景易而詠物難。景多千變之容，嘗在意言夢想之別；物有一成之質，須在色聲香味之中。故寫景者每病于刻虛，詠物者每窮于蹠實。嚴滄浪云：「詩有別才、別趣，而非讀書明理則無以極其至。」斯篤論也。古詩詠物，三百爲最，東坡云「『詩』有體物之工」，如「桑之未落，其葉沃若」，他物殆不可以當此。少陵諸詩，善于借景寫物，因物寓景，如「遠鷗浮水靜，輕燕受風斜」，可謂妙極其趣，至

「靜」字微理，尤寫出野鷗忘機之妙。彼以「認桃無綠葉，辨杏有青枝」賦紅梅者，與三家村語何異！乃知賦物如寫照，得其意思所在而已，不在使事配形也。

謝肇淛《小草齋詩話》卷二《外篇上》 作詩富貴中須著情致語，如「輕寒不入宮中樹」、「漏聲遙在百花中」是也；酸寒中須着渾蓄語，如「永夜角聲悲自語」、「三湘愁鬢逢秋色」是也；雄壯中須着婉致語，如「十對紅粧伎打毬」、「春城月出人皆醉」是也；綺靡中須着典重語，如「高雲不動碧嵯峨」、「星河無影禁花寒」是也；色相中須着淡遠語，如「幸不折來傷歲暮」、「落日亭亭向客低」是也。虛實相參，濃淡間出，骨肉匀稱，離合適宜，須以意會，難以定執。

又 作詩第一對病是道學，何者？酒色放蕩，禮法所禁，一也；意象空虛，不踏實地，二也；顛倒議論，非聖非法，三也；議論杳眇，半不可解，四也；觸景偶發，非有指譬，五也。宋時道學諸公詩無一佳者，至於黃勉齋登臨詩，開口便云：「登山如學道，可止不可已。」此正是「辟如爲山」注疏耳。晦翁詩卻有不着相處，然便欲以《感遇》擬子昂，終覺不侔。王荆公云：「詩家病使事太多，蓋皆取其與題合者類之，如此，乃是編事，雖工何益？」至哉言也，可謂中宋人膏肓之病矣。蘇、黃雖筆底縱橫，未免坐此，卽荆公亦徒能言之耳，時時墮入箇中也，韓、杜誤之也。

戴君恩《讀風臆評》 《關雎》詩之妙全在翻空見奇。此詩只「窈窕淑女，君子好逑」便盡了，卻翻出未得時一段，寫箇牢騷憂受的光景；又翻出已得時一段，寫箇歡欣鼓舞的光景，無非描寫「君子好逑」一句耳。若認做實境，便是夢中說夢。局陣絕妙，分明指點後人作賦法。

又 《卷耳》情中之景，景中之情，宛轉關生，摹寫曲至，故是古今閨思之祖。詩貴遠不貴近，貴澹不貴濃。唐人詩：「裊裊城邊柳，青青陌上桑。提籠忘采葉，昨夜夢漁陽。」亦猶是《卷耳》四句意耳。試取以相較，遠近濃澹孰當擅場？

馮復京《說詩補遺》卷一 對偶之變體，如駱賓王「背流桐柏遠，逗浦木蘭輕」，孟浩然「主人開舊館，留客醉新豐」，名曰借對。少陵「桃花細逐楊花落，黃鳥時兼白鳥飛」、「小院迴廊春寂寂，浴鳧飛鷺晚悠悠」，名曰就句對。晚唐詩有以第一句對第三句，第二句對第四句，名曰扇對。此皆作者嬉弄伎倆，宋人妄立名色，詩家奇妙，全不在此。

又 沈約云：「緝事比類，非對不發，惟覩事例，頓失精采。」鍾嶸云：「古今勝語，多非補假，皆由直尋。」凡此數語，皆以破除事障。自西崑搜僻，眉山堆垛，而後之論者，遂以用事爲大戒。豈知伊公調鼎，必聚甘鮮；陶朱治生，恒資物力。若夫千載記乘四部典冊，誠詩苑之禁臠，而騷壇之寶藏也。且摭景色於目前，則物貌易窮。寫悲愉於幽腑，則情瀾易竭。非博物宏覽，陶古鑄今，何以集彼菁英，成斯經構。明使暗使，正用變用，通融出入，心矩相調，幻化靈奇，規環自協，何嘗不引伸觸長，富有日新哉。若懸虛釜以待炊，張空弮而凌陣，吾未見其可也。

又 作詩之難易，有相反者。特達少年，奔騁狂慧則易。摩研宿學，熟嘗肯綮則難。壯歲所易者精奇，而所難者變化。頹齡所易者自然，而所難者追琢。賦咏之初，一意憤悱，燥如涸澤。其發舒也，似難而寔易。苦思之後，萬象羅會，棼如亂絲，其剪裁也，似易而寔難。人知句字之難於推敲，而不知全篇之易於蕪累，則纖瑕不能有全瑜。人知胸腹之易於鋪衍，而不知結尾之難於警策，則末弩不能穿薄縞，千古同緒，暗令曩篇，則無難追嗜。他人先我，強捐己愛，則寔易傷廉。

又 詩所以不欲太切者，蓋相馬必略玄黃，工畫惟主氣韻。詳覩古人之作，貴於興象諧合，風神秀遠，何嘗拘攣纖密以爲工哉。今人餖飣實事，拘泥來歷，城邑山川，幾同地志，鳥獸草木，大類《本草》，甚至投贈餞送，繫以姓名，配以官秩。不如是者，以爲汗漫。嗚呼，世道交相喪，其來漸矣。

又 詩有賦，比，興三義。賦者，布也。興者，感也。布義感懷，情理一揆。比者，喻也。托物見志，淺深殊趣。故四言之比深微悠寬，五、七言之比，指切顯明。漢詩「新裂齊紈素」，一篇之比也。「枯桑知天風」二句之比也。入唐，則賦興多而比少，如宋人之解杜詩，穿鑿附會，狂囈不休，詩道之蟊賊矣。

又 詩有不必拘禁忌者，沈約之「四聲八病」是也。若語意之合掌，字類之繁複，則不可借古自文。

又 樂府多方言，律絕多俗字。惟漢魏古詩最爲馴雅，非獨後世「惹」字，「忙」字，「這」字，「耶」字，「遮莫」，「等閒」之類，爲古體者必不可誤犯。卽如「華」字本呼瓜切，借爲胡瓜切，「閒」字本居閒切，又借音閒，世俗僞謬，別作「花間」二字，其文不典，恐但可用於六朝體中，用爲漢體則近流俗。

又　助語有不可入詩者，焉乎也耳歟等字，如公幹「不得與比焉」，竟爲「焉」字傷全篇之美。惟排律押韻，或有成熟可用者。「乎」字如高適「霄漢在茲乎」，「也」字如摩詰「廬山我心也」，浩然「誰能效丘也」。「耳」字如何偃「坐守零落耳」，「歟」字如元結「如此佳木歟」，俱不佳。助語，有可入詩者，「哉、之、者、矣」等字，然必如繆熙伯「誰能離此者」，陰子堅「新宮實壯哉」，古樂府「宿昔夢見之」，謝玄暉「心事俱已矣」，用有着落則可。若陶詩「天宣去此哉」，永爲世笑之。沈約「雲霄一永矣」，則湊字趁韻而已。又如吳筠「一年流淚同，萬里相思各」。「各」字少趣，此乃求巧而得拙也。

又卷二　章法之妙，不見句法；句法之妙，不見字法。鏡花水月，興象玲瓏，其神化所至邪？以漢諸樂府較之，如《相逢行》、《陌上桑》，雖自然工妙，微有蹊徑可尋，終未若《十九首》靈和獨稟，神用無方也。

郝敬《藝圃傖談》卷一《古詩》　古詩有是情者，或不必卽爲是辭；有是辭者，或不必定有是事。如孟子所論《云漢》、《北山》之類云爾。後世詩有是辭，全無是事。詠是詩，初無是心。如韋應物「春潮帶雨晚來急」，潁川何嘗通潮？戴叔倫「萬里未歸人」，去家半日程耳。但取成句，不關情境，豈非誕耶？

又卷三《唐體》　近體有聲偶，猶今制義有對股也。其格本卑。但近體詩，聲華壯厲，人喜之。而制義雅言平淡，故人易厭耳。其束功令，爲名利筌蹄則一也。然近體詩傳，制義獨不堪傳。文章遭際，有幸不幸哉！

又　唐人詩佳者，多不使事。自然清越，一味情興風致，溢於音律辭彩之外。誦之心爽神怡。斯爲性情之理，聲音之道，風人之致也。後人作詩，專喜用故實，由其才思短，興盡辭窮，不得不牽率塡補。雖妝綴富麗，終匪天趣。後世詩家，幸有前人故實可用，若《三百篇》，前無古人，字句皆成典刑。所以爲作者。

孫能傳《剡溪漫筆》卷一《歇後語》　詩文用歇後語亦是一疵，東京魏晉以來多有之。崔駰云：「非不欲室也，惡登牆而摟處」；崔琰云：「哲人君子，俄有色斯之志」；傅亮云：「照鄰殆庶」；王融云：「風舞之情咸蕩」，皆載在《文選》，不以爲嫌，終不可爲法。陶淵明詩「再喜見友于」；梁武帝「戲到溉文章，假手孫蓋日，得無貽厥之力乎？」後學相承，遂謂兄弟爲「友于」，子孫爲「貽厥」。少陵詩「山鳥幽花皆友于」、昌黎詩「豈謂貽厥無基址」、顏魯公《郭汾陽家廟碑》「友于著睦，貽厥有光」，皆未免俗。若爾則率土之濱莫非王，何以云倒綳孩兒也？

徐光啟《毛詩六帖講義》卷一《卷耳章》　凡托言皆是幻想，非實事也。採物幻想也，登高飲酒亦幻想也。思而不遂，輾轉想像。展轉起滅遂有幾許境界，幾起事件耳。詩以道性情、又曰「詩言志」，此之謂也。此作實說便說不通。此等詩中多有之，如「採綠」、「何人斯」、「採馳」之類，不一而足可以類推。細讀《離騷》便曉此意。

許學夷《詩源辯體》卷一六《盛唐》　古人爲詩，有語語琢磨者，有一氣渾成者。語語琢磨者稱工，一氣渾成者爲聖。語語琢磨者，一有相類，疑爲盜襲；一氣渾成者，興趣所到，忽然而來，渾然而就，不當以形似求之。試觀浩然五言律入錄者，無一句人不能道，然未有一篇人易道也。後人才小者輒慕浩然，然但得其淺易耳。

趙宧光《彈雅・雅俗》　以句取詩，極不知詩者也。以字求句，卻善知句矣。句不能病詩，字卻能害句，何也？詩是全體，句本一支。此以異取。

又　字法，取亮者每失之雅，才子之過也。取雅者每失之亮，學士之過也。相須不失，此中最難，不學無以言。雅如正法，亮如天魔，魔力亂正。惟法眼能辨之，否則未有不中其毒者。是以後世高才捷足，十九隊其云霧。

又　有同字清濁，如「過」字「望」字，平則清，仄則濁；「觀」字「忘」字，仄則清，平則濁，是則稍難解也。又如彼此互爲清濁者，如望必轉平如忘，忘又轉仄如望，此尤難解矣。又如同事異名，用此則清，用彼則濁，宜綠處不可安碧，宜碧處不可安綠，宜荷處不可安蓮，宜蓮處不可安荷，則更難解矣。此無難，同字同聲，以配合爲清濁，人自不察耳。一字自爲清濁，先天也；衆聲合爲清濁，後天也。先天爲天工，後天爲人工。天工爲天籟，人工爲地籟，籟成而強名之曰調。

又《格制三下》　排律之四句爲法，比之書法偏傍。合成結構，叙而成字，以至字成行，行成篇。又比之繪事，作墨葉者五聚，畫竹者三歧相錯，畫梅者二千交加，畫蘭者左布右列，集而成圖，餘音勝語。不妨筆下推敲，若執而不變，翻成病矣。

又　詩有後章反覆前草，其詞不異，卽稍移片語而無別義者，此正作詩之本旨。其義淳而不雜，其用反覆吟咏，其法被之管弦。後人之騷與詩，亦類有之。《孔雀東南飛》、《自君之出矣》，以至曲調之合前，皆是也。說者獨指屈原爲詞多重複，味得其情。謝靈運詩，煉句之罪人也。許氏能言古詩亡于謝，而不箸其所以亡之故。余故特爲發明之。凡詩若文，必有血脈貫通者，非強求之也。在未作時具有一局，是以自然相粘。至于律詩，爲格制所拘，遂多不接。唐人深解于此，每致力焉。而胡元瑞謂：「晚唐五律之第三、四句多作一串，雖流動，往往失之輕儇。」許伯清又爲之辨冤，謂「初盛實多此法，晚唐僅見而已」云云。余則以爲，此乃貫古今詩文共同之道路，人自失之耳，何必辨何代用之何代不用乎。

又 五言可增，七言可減，皆非好句。

又 弇州論風雅古詩，人謂無句法，非也，無階級可尋云云。余曰：此未得腰領。古詩在篇不在句，後世取其句字爲法，謂之步武可耳，何常先自有法。

又 一詩全在一結，結無意味，皆賦景之作，非詩人旨也。故第二聯謂之頷聯，謂之頸聯。似謂六句皆過文。倒底方爲腹心之物，不以多少短長分形體也。故古賦萬言鋪陳，直至末後，方致諷諫，尤有風人之法。

劉世偉《過庭詩話》卷上 用字須要舊有字面，最忌杜撰，如司馬長卿，韋蘇州云「馬卿猶有壁」，杜子美云「多病馬卿無起日」，戴叔倫云「買賦何須問馬卿」，皆減去二字，不以爲異。至司馬君實未有稱馬實者，偶爾說出，便是杜撰，又鍾子期，《滕王閣賦》稱鍾期，減中一字。又王子喬世稱王子，又稱王喬。《古詩十九首》稱云：「仙人王子喬，難可以等期」。阮嗣宗云：「自非王子喬，誰能常美好」，固概舉矣。宋之問云：「王子賓仙去」，許用晦云：「王子求仙月滿臺，」皆減去下一字。杜子美云：「看君宜着王喬履」，韓定辭云：「羨君時復見王喬」，又嵇康《養生論》：「王喬爭年」，皆減去中一字，此古人所曾道破者，餘固不得遽爾也。

又 詩有問答者，如「問春桂」、「春桂答」，卻是古調；玉川子「客贈石」、「石請客」、「蛺蝶請客」、「客請蝦蟆」之類，似大險怪者，非其才不必爲耳。

又 律詩有以人對事物者，杜詩「西望瑤池降王母，東萊紫氣滿函關」、「織女機絲虛夜月，石鯨鱗甲動秋風」是也。蓋「函關」暗用老子故事以對「王母」，且東西字已太丁對，故虛實錯綜，方稱妙手，而「織女」「石鯨」俱指昆明池所有石刻相對，尤爲的礫，然初學法此，必至汗漫無紀，其失事對者，毋借口於此。

又 作詩專用套數熟事固不可，若歐陽公《雪中會客賦詩》，凡玉、月、梨、梅、練、絮、白、舞、鵝、鶴、銀等事，皆請勿用，名爲禁體，亦奚可哉！

又 七言句不止上三下四、上四下三，杜詩「獨鶴不知何事舞，飢鳥似欲向人啼」，此上二下五也，後山「漢庭用少公何在」，此上五下二也。

又 詩有隔句用韻者，謂之進退韻，如南唐相李建勳詩云：「不喜長亭柳，枝枝擬送君。惟憐北窗桂，樹樹鮮留人。圓缺都如月，東西只似雲。愁看離席散，歸蓋動行塵。」此第二句與第六句爲一韻，第四句與第八句爲一韻，首四句又兼扇面對矣，此刻意纖巧，無復深沉氣象，無惑乎流而爲俳也。

又 詩有發問者，起句易得佳，聯中難得佳。孟浩然：「如何春月柳，猶意歲寒松。」比之張祜：「幾代儒家業，何年佛寺碑。」僧皎然：「何年有此路，幾客共霑襟。」差爲渾含，此亦盛唐、中唐之別。

又 詩有用疊字而不重者，乃粘上生下格也。楊炯《郢城愁望》云：「白首思歸歸不得，空山聞雁雁聲哀」，乃用此法。此易流於俗，故只絕句用之，若「有意栽花花不發，無心插柳柳成陰」，則太俗矣。

又 先人論宮詞體要沉鬱婉切，喜而不暱，怨而不愴，有警有愛，不鈍不俚，是數者稱爲難作。

又 偷春體最不難作，須有警句勝之。若無警句，不如只從常格。

又 凡詩用古人姓名字號，謂之點鬼簿。唯杜少陵極善安置，如七言律用之首二字，則「宓子彈琴邑宰日，終軍棄繻英妙時」。「匡衡抗疏功名薄，劉向傳經心事違」。三、四字則「陳留阮瑀誰爭長，京兆田郎早見招」。「但見文翁能化俗，焉知李廣不封侯」。五、六字則「籬邊老卻陶潛菊，江上徒逢袁紹杯」。「卜築應同蔣詡徑，爲園須似邵平瓜」。六、七字則「扁舟不獨如張翰，皂帽應兼似管寧」。「瀟湘不得歸關羽，河內猶宜借寇恂」。又單用第六字，則「滄海未全收禹貢，薊門何處覓堯封」。疊用三、四字，則「荊州鄭薛寄書近，蜀客郗岑非我鄰」。疊用六、七字，則「伯仲之間見伊呂，指揮若定失蕭曹」。其法不一，要在學者善識之耳。後之作者，每首只可用一聯，長篇隔數聯再

又　宋人「月到梧桐上」、「風來楊柳邊」、「月到天心處，風來水面時」，畢竟死板無佳致，彼視蕭慤「芙蓉露下落，楊柳月中疏」，渺若河漢。故詩只用一二字轉關點綴，便是化汞成金。

又　王籍「蟬噪林逾靜，鳥鳴山更幽」，當時以爲文外獨絕。然兩句一意，不免合掌，還帶六朝氣。而《顔氏家訓》輒以此爲從《毛詩》「蕭蕭馬鳴，悠悠旆旌」生來，此語亦當體會。

又　「飛花入戶笑床空」，此李白最佳句也。不知梁蕭子範已先道之：「落花徒入戶，何解妾床空。」李白略改兩字，便覺競爽，而意兩不同，此亦可悟字法。

又　詩家貴有怪語。怪語與癲語，凝語相類而興象不同，杜工部云：「斫卻月中桂，清光應更多。」李太白云：「我且爲君槌碎黃鶴樓，君亦爲吾踢卻鸚鵡洲。」此眞團造天地手段。蘇東坡云：「我持此石歸，袖中有東海。」抑又次之。

又　詩語有入癡境方令人頤解而心醉，如「微雨夜來過，不知春草生」、「庭前時有東風入，楊柳千條盡向西」。此等景興非由人力。

又　「科頭箕踞長松下，白眼看他世上人。」識者猶嫌其傲之過。「春風得意馬蹄疾，一日看盡長安花。」識者猶嫌其喜之過。大抵詩以和平溫厚爲主，稍露聲色，便墮外道。

又　「一千里色中秋月，十萬軍聲半夜潮。」句何壯也，而昔人惡其寒儉。吁！知壯之爲寒儉，則知壯矣。

又　送別詩第一忌切姓，第二忌切官，第三忌切地，第四忌説陞遷，能去此四者別尋生活，則自有一段新意躍於筆端矣。或疑之。余曰：「凡送別詩者便是餞行講話，但話而有韻可聽耳。其姓與官及地，你我所知，何須再説。如送行時舉杯祝之曰：願君高轉。果有味乎？在講話覺其無味，入於詩焉得佳？蓋悵離傷別，非念之則慰之，不然則規之勉之，古人作法皆是如此，亦其情不得不如此耳。」

又　問：詩何謂眞麗？曰：「『長樂鐘聲花外盡，龍池柳色雨中深』、『雲裏帝城雙鳳闕，雨中春樹萬人家』。」問：「何謂眞壯？」曰：「『五更鼓角聲悲壯，三峽星河影動搖』、『殘星幾點雁橫塞，長笛一聲人倚樓』。」如此類推，可得其解。

用亦可，然須錯綜上下之。不然，眞簿子也。

孫愼行《詩雜論》　對偶非詩之正也，唐人病之矣。五言排偶，唯子美獨善，後則樂天、義山姑有取焉。謂其關代之人，昔事之廢興，人之終始，不可不備也，不則奚取乎靡靡者爲。

又　夫古有樸言之而愈文，有長言之亹亹而愈覺蓄無盡者，《焦仲卿妻》之詩是也。蓋人情物狀，欸欸不厭，天籟之發，匪人爲奪巧，古人所以有一唱三歎之感，大羹玄酒之思也。

鄧雲霄《冷邸小言》　詩家煉字，雖貴高華清越，然亦必如漁陽摻，淵淵作金石聲。倘一失足，便墜詩餘，識者欲嘔矣。

又　詠物詩不可黏皮帶骨，必比興高遠，如水月鏡花，方稱妙手。如雍陶《詠白鷺》詩云：「立當青草人先見，行近白蓮魚不知。」非不甚切，愈覺鄙俗。其最高者無如開元名公《詠白牡丹》云：「別有玉盤承露冷，無人起就月中看。」其清逸飄揚，冉冉欲仙，令人心醉。若義山之《錦瑟》，非子瞻拈出，幾不可曉，終不可爲法也。

又　詩有一兩句而跨越千萬里，中之情緒密如絲牽者，此乃無上菩提。如劉文房「已是洞庭人，猶看灞陵月」、孟東野「長安日下影，又落江湖中」已稱妙絕，又不如陳陶「可憐無定河邊骨，猶是春閨夢裏人」。所謂泣鬼神者非耶！

又　杜工部詩「薄雲巖際宿，孤月浪中翻」。正用何遜「薄雲巖際出，初月波中上」也。然「宿」、「翻」二字，終是青出於藍，以宿靜而翻動也。「出」、「上」二字則合掌矣。於此可悟字法。

又　唐郎士元「暮蟬不可聽，落葉豈堪聞」。高仲武謂其善於發端。然細味之，終覺合掌，不如楊素「秋風吹故林，秋聲不可聽」，其韻更遠。又如「蟬噪林逾靜，鳥鳴山更幽」，亦以下句累上句，不如隋李德林「谷靜禽多思」，殊有無聲之妙。

又　詩貴句中有開闔，以上下動蕩也，杜工部「江間波浪兼天湧，塞上風雲接地陰」是也。夫波浪本在下也，而曰兼天；風雲本在上，而曰接地，其中動蕩處便覺神氣流通。其法古已有之，隋孫萬壽詩曰：「驚波上濺日，喬木下臨雲。」夫非其尺度歟？又：「懸峰白雲上，掛月青山下。」則超神入聖矣。

又 詩忌以叫噪爲豪，以高擡自己爲高，此特可謂村夫俗物，面目可憎，語言無味，孰如王謝子弟不言不笑，卻自風流。張子房狀貌如婦人好女，乃能持金鎚幾奪祖龍之魄。如孟襄陽「當杯一入手，歌妓莫停聲」，其閒雅灑落，何等風致。杜工部「但覺高歌有鬼神，安知餓死填溝壑」，何嘗矜誇自詡，而憤烈之氣，干空薄雲，不可逼視。

又 詩戒用僻學，方不落宋人穢吻。《詩》疏稱黃鸝爲摶黍、白鷺爲春鋤。王摩詰詩「漠漠水田飛白鷺，陰陰夏木囀黃鸝」，何等雅致，有目皆知其佳。王安石乃改云「蕭蕭摶黍聲中日，漠漠春鋤影外天」，不知者駭爲鬼語，知者必悶而欲嘔。又如陸放翁詩云「遊山雙不借，取水一軍持」，不借，草履也；軍持，淨瓶也。蘇東坡詩云「三杯軟飽後，一枕黑甜餘」，軟飽，醉也；黑甜，晝寢也。林和靖詩云「草泥行郭索，雲木叫鉤輈」，郭索，蟹行躁也；鉤輈，鷓鴣聲也。此皆宋代名流而穢吻可厭如此。詩家劫運，至此極矣，宜其并吞於胡元，以其人語全帶死氣也。

又 詩貴一聯之中顧盼有情，其最妙者無如杜陵氏「岸花飛送客，檣燕語留人」，其風致情態，聽之可忘肉味。

又 詩最忌者切，亦忌不切，惟如水墨寫意畫爲佳。若太白之《鳳凰臺》、王灣之「北固」、杜少陵之「奉先寺」，何曾涉地名、故事及佛家語，可以類推。

又 詩有同用一事而變化不同，愈出愈妙，如云：「懸知曲不誤，無事畏周郎。」又云：「周郎不回顧，今日管絃調。」又云：「欲得周郎顧，時時誤拂絃。」此不類三折肱爲良醫乎？予亦有翻古一結，《落花詩》云：「怪底風姨故相妒，開時元解笑春風。」此被古人曾兩翻矣，古云「自是桃花貪結了，錯教人恨五更風」，此爲風脫罪也。又云「春風與開了，卻又笑春風」，此爲花入罪也。予詩則風花兩認不是，自覺味遠於古。

又 問：「詩至盛唐，試一高吟，輒覺音韻妥適，清響遏雲，中、晚皆不及，何也？」予曰：「惟虛故響。鐘鼓也，笙簫也，琴瑟也，皆中虛者也。盛唐用事點化，中不填實，全是神情丰韻，故可舞可歌。中、晚事勝於韻，詞勝於情，如打檀板、撞石鼓，雖響不揚。至宋人則槌乾牛皮一片耳，全用事故也。」

又 詩貴用事，而人不知其用，乃臻妙境，如杜之「荒庭垂橘柚，古屋畫龍蛇」、「五更鼓角聲悲壯，三峽星河影動搖」、「春日鶯啼修竹裏，仙家犬吠白雲間」。是也。

又 李獻吉云：「疊景者意必二，闊大者半必細。」此言洩律詩三昧。杜之「吳楚東南坼，乾坤日夜浮」，此疊景而意二也，然極闊大矣。下卽接以「親朋無一字，老病有孤舟」，又何情緒凄愴而極其細也。又「錦江春色來天地，玉壘浮雲變古今」，下卽接以「北極朝廷終不改，西山寇盜莫相侵」，亦是景二而上闊下細。大都唐人多得此法，不獨杜爲然。若只管闊大說去，便無收殺，自少風致。不觀善歌者乎，一聲高必一聲低，詩安得不爾！名園花石，部置參差，古董爐瓶，決無一對。故詩之對偶，須變化開闔，呼應顧盼，兩句字雖排比，而意迴不同，脈潛相貫，始稱上諦。不然則貂璫几案，物物相配，俗氣薰人矣。齊、梁、陳、隋詩所以流於綺靡不振者，只是對中合掌，初唐猶沿其習，沈宋以後，洗削殆盡。

又 近體之難，莫難於七言律，意若貫珠，言如合璧。其貫珠也，如夜光走盤而不失回旋曲折之妙；其合璧也，如玉匣有蓋而絕無參差扭捏之痕。綦組錦繡，相鮮以爲色；宮商角徵，互合以成聲。思欲深厚有餘而不可失之晦，情欲纏綿不逼而不可失之流，肉不可使勝骨而骨又不可太露，詞不可使勝氣而氣又不可太揚，莊嚴則清廟明堂，沈著則萬鈞九鼎，高華則朗月繁星，雄大則泰山喬岳，圓暢則流水行雲，變幻則凄風急雨。一篇之中，必數者兼備，乃稱全美，此浙人胡元瑞之言也。眞得七言律之肯綮。予更加兩言曰：華須空色相，味要入仙禪。其集大成也夫！

又 詩用諛語最可鄙，唐應制詩尤甚。若略點綴無跡則佳，張說「鶴飛不去隨青管，魚躍翻來入彩航」，暗用「鳳皇來儀」、「白魚入舟」事，何等雅致，遠出「殿上堯尊開北斗，樓前舜樂動南薰」上矣。

又 詞家於歌行爲高步闊視，凡有才者皆能之。然不難於直敘平鋪，而難於起伏頓跌；不難於豪宕奇詭，而難於蘊藉風流；不難於胸腹拓張，而難於首尾有力。譬之統百萬軍，部伍終不可亂也。

又 詩道景雖極高極闊，亦須說得縹緲方不落俗。老杜「二儀清濁還高下，三伏炎蒸定有無。」獻吉「霜色諸天鏡，窗風四海濤。」皆飄飄欲仙，不見誇口。

王嗣奭《管天筆記外編》卷下《文學》 劉夢得賦《九日》詩，以《五經》無

「糕」字，竟不敢用。此見唐人作詩用字之法。蓋詩之用字宜典，但「糕」字原見《周禮》糗養註，而劉不知，故宋子京譏之。今有作詩而俗談諺語盡入篇中，奚可哉？

又 古人詩有對法，錯綜而讀之，不覺其參差。如「裙拖六幅瀟湘水，鬢綰巫山一段雲」、「紫駝之峰出翠釜，水晶之盤行細鱗」，句法最妙。

又 「雲無心而出岫，鳥倦飛而知還」二句，皆頂「矯首」「遐觀」來，兩喻一意，轉換呼應，文法最妙。在詩「蟄龍三冬卧，老鶴萬里心」，同一文法。

張懋修《墨卿談乘》卷七《文詩·秤字》 律詩一聯須輕重相等，出句、對句不可彼昂此低，如天平秤兑銖兩，一移則針口不對。縱出句佳而對句不稱，對句佳而出句未妥，皆非輕重相等者也。

陳子龍《安雅堂稿》卷三《譚子雕蟲序》 托象連類，本出於詩人；寓言體物，極於騷雅。故嘒嘒寫玄蟬之音，趯趯傳阜螽之狀，蜩螗刺政，青蠅諭讒，凡愉悼感激之懷，皆造端於觸發。比興所以獨長，風流所以不墜也。

費經虞《雅倫》卷一〇《格式·麟趾格》 八句皆對，古謂之麟趾格，如麟之行步整齊也（《室中語》云：「少陵近體，卒章有時而對，然語意皆卒章意。今人放之，臨了多作一景聯，使一篇之意無所歸，大可笑也」）。

又《垂條格》 前六句對，後二句不對，名垂條格，如條下散。

又《雀屏格》 前四句不對，後四句對，名雀屏格，言如孔雀之尾麗於後也。

又《並蒂芙蓉格》 二字合對，若花之並蒂也，亦謂之雙同。唐人用於首二句甚多，三、四句次之，五、六句又次之，結句甚少。結用自梁湯僧濟「此人今何在？此物今空傳」來，然何以一首刻本尚有不同？如儲光羲「一山盡天苑，一峰開宮道」、「花飛羽衛天，鳥游雲空輿」、「雙燕初命子」、「春景嬌春臺」，則並蒂變格，雙同在內者尚多，不盡列。

又《流水格·雙格》 三、四句不對，《玉屑》謂之流水格，太白多此體，晚唐尤盛。亦有用於五、六句者，爲變格。

又《蜂腰格》 《玉屑》云：項聯亦無對偶，然是十字叙一事而意貫上二句，及腹聯始對偶分明。謂之蜂腰格，言若已斷而復續也。《詩話類編》又載劉禹錫《眺望》詩，謂前整後散爲蜂腰格（貫上三句，謂杏園醉花乃登第者，與下第意接也。後四句方說下第）。

又卷一五《製作·用事》 用事之法，有實用，有虛用，有反用，有借用。大抵唐人主於辭清韻遠，氣格浮動，風致蕭疎；至於切題，相類其次也。宋人不知古人此法，故其詩話多有妄論。彈字，彈事，彈韻，穿鑿不當者，如論「衛青不敗由天幸」，云乃去病事。殊不如摩詰之意謂衛青不敗亦天幸耳。又：「望夷宮中鹿爲馬，秦人半死長城下。」謂王介甫詩佳，用事欠精，「指鹿」不在望夷宮，此乃二世事，長城則始皇也。不知介甫之意，謂趙高之禍乃始皇暴虐所致，取班固之言爲之也。如此之類，不可枚舉。但相承誤用，則當斟酌。實用：「匡衡抗疏功名薄，劉向傳經心事違」是也；反用：「陶令辭彭澤，梁鴻入會稽」是也；借用：「不厭向平婚嫁早，翻嫌陶令去官遲」是也（錫瓚按：沈休文曰：「文章當從三易：易見事，一也，易識字，二也，易誦，三也。」任彥昇與沈齊名，時人云「任筆沈詩」。彥昇晚節著詩，用事過多，欲以傾沈。同時邢子才，服沈而輕任，魏收慕任而毀沈，是知彥昇用事過多，一時矯枉，遂流繁縟礙理。大抵不用事者，清眞有味；然連篇累牘，則薄弱寒儉。用事者，富麗豐厚；然過多，則搊撦穿鑿，喪其眞趣。二者較之，寧以不用爲貴。又，用事與用字不同。庾子山、李義山喜用事，昌黎喜用字。用事，秦漢以上爲貴；用字，說文以前爲貴）。

又《鍊句》 古人詩貴意旨，不尙句法，六朝漸有佳句之說。然「清晨登隴首」、「高臺多悲風」、「斜月照簾櫳」，在今日不稱佳句。吳均：「雁足印黃沙」，沈約病其太陰，則前賢不以雕斲爲工可知。中唐而後，爭事刻琢，而元氣遂削。恐唐賢所謂名句，古人未必盡許也。觀六朝、唐人、宋、明所稱之句，而時代好尙不同可知矣。擇其顯著詩話者，錄之爲煉句之法，其他好句，不盡載也。

又《屬對》 詩之有對，由來久矣，「胡馬依北風，越鳥巢南枝」，但漢魏偶一聯耳。晉宋以來，詩屬對之法不一：有音聲之對，雙聲疊韻是也；有平仄之對，金線咽泉是也；有法度之對，流水、當句、扇對、開對、綿接、連序、倒插、蹉對、牙成、迴文、閤子、折腰、借對、影對是也，其餘皆虛實對也，其中對法又有的中的、有的中差、差中的。如：二對千，乃的中的；貳對千，是的中差也；獨對千，卻是差中的也；他放此。惟差中差，不可對，又不可以通對借口也。

又 集字成句，集句成篇。句有長短，篇亦有長短。句之長：六言、七言，句之短：四言、五言。篇之長，如《離騷》、《天問》、韋孟《述祖》、《焦仲卿妻》，以至唐人歌行，排律是也；篇之短，如《大風》、《垓下》、《子夜》及唐絶句是也。雖長短不同，其爲成篇一也。古人無有篇法：如此起，如此説，如此過，如此接，如此收束，止此而已。晉人便有色澤、矩度、俊艷，一切都出矣。逮乎唐人，古法盡失，而起、止、過、落，非法不可，如物之方，稜角森然。古不然也，古人氣味穆然，古人法度，無迹可求，但諷詠之，覺聲色臭味都無，學者能醞釀而出之，斯爲上焉。長篇有規模，有次第，有提掇，有點染，有收拾，有過脈，有截斷，有起伏，有補出，諸法要含蓄而不晦，要透露而不盡，要典雅，要潔峻，要醖藉，要委曲，要超絶，要頓挫抑揚，要首尾停匀，中有裝載。宋至近代，言長篇，動舉杜子美爲規，以雄渾爲上。殊不知，雄渾不過詩中一種耳。至於古人優柔溫厚，崎嶇歷落，似斷似續，重重複複，止而不止，説了又説，如水上之漣漪，花中之霧露，纏綿懇至，一唱三歎，豈後人所能到？止可言唐人更各有一段精光，緊拔一也，字少尤難入神極妙，論散在各體，聊舉篇法大端於此。

又《列章》 古人詩，一章而止。設有數章，亦他人爲會集。故不論章法。自唐人，每題列數章，章法之説遂不可不講。大抵一章一意，然亦不可拘，別有妙處。若長篇只取唐人爲法，則否矣。篇短亦然，雖法不盡同，而其爲古人有數章止一意者。首章宜取題之大端，末章要取題之餘意，中間雖有次第，亦不可太拘。又有單拋格於列章之中，令標一義，始不板然。列章至十數章而止。後人咏物題，多至百章，必無佳者，亦何足取哉？

又卷二四《瑣語》 用字皆有來歷，博學也，塵腐則不可；用字不必拘來歷，高手也，空疎則不可。

又 若字字句句要有出處，必流于濁陋；若句句字字要新奇，自然成妄誕。古人用過字才用，不濁陋便高爽；古人説過話不説，不妄誕便新奇。古人所見也是這些道理，所遇也是這些事物，所入也是這些意思，所用也是這些字眼。何以古人便高妙？後人便卑鄙？此處豈可不着實尋思，求得一條身分正路？作詩意要深遠，篇要渾成，句要穩秀，字要清新。深遠則意不佻，晦不可；渾成則篇不雜，敷不可；穩秀則句不庸，嫩不可；清新則字不陋，生不可。

又 將俚語度入詩中，非老手不能。難得好，不可勉強。

又 不可用道學語、機鋒、教乘語、鉛汞語、閨閣語、熱鬧語、生強語、鑿空語、事實語、排比語、腐語、調笑語、符讖語、俗語、窘促語、腔架語、敷衍語、雕刻語、沉晦語、淺薄語。

又 惠休稱靈運詩爲「初日芙蕖」，休文稱王筠詩爲「彈丸脱手」。學詩人要悟此兩語。

又 下字琢句立篇，不要求奇，不要求新，不要求別，不要求古，不要求深，不要求高，祇要求妥當。所謂妥當，精妙恰好，亦奇、亦新、亦別、亦深、亦古、亦高。

又 凡作詩，通章只一句工，寧舍通章就一句。若一章成可有可無之詩，不若只存一句。

又 字求穩當，句求妥帖，學詩者多能之；能於穩當妥帖外別有超詣精妙處，則鮮見其人矣。

又 咏物詩要八句皆入題，必是俗格。

又 遊山水、覽名勝之作非不要切實，但謂句句不可移易他處，亦屬俗格。論贈答詩必欲切其官爵、姓氏、里地、時日，亦屬卑格。

又 用虛字要沉實不浮，用實字要轉移流動。

又 語要天造地設，而卻新香別味。

又 下字響則調高，知響而不知蘊藉則浮；下字靜則句古，知靜而不知蕭疎則啞；下字輕則體秀，知輕而不知深透則膚；下字實則格老，知實而不知圓活則板。

又 有等觀人詩，不論氣象趣味才調何如，只求下字用事有出處否，不失粘否，不走韻否，對工緻否，切題否。假使字字有來歷，韻一些不走，平仄一毫不悮，對法一字不差，句句着題，若是厭物，要他何用？倘字句聲律有差失，亦詩之病也。

又 詩要鋒鋩，不可拗口；要平淡，不可罷秃。

又 詩者，雅言也，既不可雜，又不可晦。其語不得過遠人情，其事不得亂據典籍。選辭鍊字，命意作格，件件斟酌。非見古人所有事。辭便可用，韻中所有字便可押者也。賓媚人見《左傳》，巨無霸見《後漢書》，無爲謂見《莊子》，用在詩中，可能雅否？

又 楊岱嘗問近體法，答曰：「先賢有箇微妙精深之秘訣，長老相傳，歷代寶之，今以遺子，子善守勿失；一起便一落，一露便一藏，一到便一轉，一過便一舍。起落者，勢也；露藏者，意也；到轉者，篇法也；過舍者，句法也。知起不知落，則失勢；知露不知藏，則失意；知到不知轉，則失篇；知過不知舍，則失句。起要陡，落要捷，露要含蓄，藏要了然，到要實在，轉要透脫，過要輕妙，舍要斷絕。此四語互相爲用，亦各自成局，倒翻之亦可。一首或全有其法，或不全有其法。千岐萬派，要不出此四者，此乃古人所謂嚼鏃良技。苟非其人，莫妄傳授！」

又 古人用事有法，辭可用則用其辭，字可用則用其字，名可用則用其名，地可用則用其地，俱不可用，只取其事，潤以佳辭而出之。古法不傳，後世不悟，稗官野史，鄙字陋辭，亂妄入筆，以爲闊大學杜，而詩遂惡劣矣。

又 講題已盡，便宜開一步，然不是此題又不好。

又 作詩人不可不知體格，然詩入微處，不專在體格。

又 詩專用辭華不好，專去辭華亦不好。獨守則不高，盡削又不潤。

又 一篇、一句、一字皆要移不動，如老農捆帚，不要似婢子縛闌桿。

又 用虛字押虛字，須極有意味，極有氣象。

又 鍊句擊題，要如鷹拏燕雀，鶻打寒鴉，才算高手。

又 鍊句要骨中有肉，若無肉者，是謂之枯。屬對要律中有力，若無力，是謂之鬆。立篇要格中有致，若無致，是謂之板。下字要錘鍊中有自然，若無自然，是謂之雕。倘肉不從骨中出，是謂癡肥；有力不從律中出，是謂莽蕩；致不從格中出，是謂柔靡；自然不從錘鍊中出，是謂率易。

又 有語佳而景不在者，有景在而語不佳者。景不在者失之深，語不佳者失之易。

又 古人所傳警句，皆天然渾成無牽強者。

吳喬《答萬季埜詩問》 問云：「今人忽尚宋詩如何？」答曰：「爲此說者，其人極負重名，而實是清秀李于鱗，無得於唐。唐詩如父母然，豈有能識父母更認他人者乎？宋之最著者蘇、黃，全失唐人一唱三嘆之致，況陸放翁輩乎？但有偶然撞著者，如明道云：『未須愁日暮，天際是輕陰。』忠厚和平，不減義山之『夕陽無限好，只是近黃昏』矣。唐人大率如此，宋詩鮮也。唐人作詩，自述己意，不必求人知之，亦不在人人說好；宋人皆欲人人知我意，明人必欲人人說好，故不相入。然宋詩亦非一種，如梅聖俞卻有古詩意，陳去非得少陵實落處。不知今世學宋詩者，尊尚誰人也？子瞻、魯直、放翁，一瀉千里，不堪咀嚼，文也，非詩矣。」

又 又問：「唐詩亦有直遂者，何以獨咎宋人？」答曰：「世間龍蛇混雜，誠是淆訛公案也。七律自沈、宋以至溫、李，皆在起承轉合規矩之中。唯少陵一氣直下，如古風然，乃是別調。白傅得其直遂，而失其氣。昭諫益甚。宋自永叔而後，竟以爲詩道當然，謬引少陵以爲據；而不知少陵婉折者甚多，不可屈古人以遂非也。且唐人直遂者亦不止少陵，皆少分如是，非詩道優柔敦厚之本旨也。《三百篇》亦有《相鼠》等，豈可使作《小弁》、《凱風》者如此直遂出語耶？雖宋人詩薄，明人詩厚，直遂則同。禪家宗旨既亡，必不能復；詩教優柔敦厚之旨亦然，唯一嘆耳！」

又 又問：「嚴滄浪之說詩，貴妙悟，如何？」答曰：「作詩者於唐人無所悟入，終落宋、明死句。貴悟之言是也，但不言六義，從何處下手而得悟入？彼實無見於唐人，作玄妙恍惚語耳。且道理之深微難明者，以事之粗淺易見者譬而顯之。禪深微，詩粗淺，嚴氏以深微者譬粗淺，既已顛倒；而所引臨濟、曹洞等語，全無本據，亦何爲哉？」又告之曰：「唐人精於詩，而詩話則少；宋人詩離於唐，而詩話乃多。今人拘於宋人之說詩，而不問其與唐人違合，莫不稱王稱伯，狐魅後學，使尊奉己說；學之者亦尊奉一先生之言，如聖經王律，愚何人而敢爲此？諸君皆智慧絶人，當自取法乎上。唐人數百家，各有能事，非鄙朽一人所能盡測也。已前所說，不過我心所見者云爾，非唐人止於此也。諸君當屏絶宋以後議論，細讀唐人之詩，自必深有所得；不獨王、李、鍾、譚以己意判唐人者不足道，即鄙朽以唐人論唐人者，亦不足道。且人之學問，莫非以楔出楔，前去者是楔，後入者獨非楔乎？唐人多有不合於漢、魏者，何況《三百篇》？功德天黑暗女寸步不離，堅守唐人之詩，猶是金屑在眼，後人之說，亦何爲哉？至於羔雁應酬之用，則明人自有榘矱，可稱當行作家，『刺繡文不如倚市門』也。」

又 又曰：「請將風、雅、頌，再詳細言之。」答曰：「《離騷》出於變風、變雅，唐人大抵宗之，不可具述。如『明堂聖天子，月朔朝諸侯』、『得罪風霜苦，全生天地仁。青山數行淚，白首一窮鱗』、『身多疾病思田里，邑有流亡愧俸錢』，盛唐人《早朝》諸篇，不可謂非二《雅》之遺音也。少陵《玄元廟詩》，極似《頌》體，而《頌》乃稱道老君功德於宗廟中，此詩多諷刺，體似《頌》

而意非也。今世用於宗廟中者，皆是元曲宮調，難以詩言，此義置之可也。」

又　問：「詩唯情景，其用處何如？」答曰：「《十九首》言情者十之八，叙景者十之二。建安之詩，叙景已多，日甚一日。至晚唐有清空如話之説，而少陵如『暫往北鄉去』等，卻又全不叙景。在今卑之無甚高論，但能融景入情，如少陵之『近淚無乾土，低空有斷雲』，寄情於景，如嚴維之『柳塘春水漫，花塢夕陽遲』，哀樂之意宛然，斯盡善矣。明人於此，大不留心，所以無味。」

又《圍爐詩話》卷一　問曰：「言情叙景若何？」答曰：「詩以道性情，無所謂景也。《三百篇》中之興『關關雎鳩』等，有似乎景，後人因以成煙雲月露之詞，景遂與情並言，而興義以微。然唐詩猶自有興，宋詩鮮焉。明之瞎盛唐，景尚不成，何況于興？」古詩多言情，後世之詩多言景，如《十九首》中之「孟冬寒氣至」，建安中之子建《贈丁儀》「初秋涼氣發」者無幾。日盛一日，梁、陳大盛，至唐末而有清空如話之説，絶無關于性情，畫也，非詩也。夫詩以情爲主，景爲賓。景物無自生，惟情所化。情哀則景哀，情樂則景樂。唐詩能融景入情，寄情于景。如子美之「近淚無乾土，低空有斷雲」，沈下賢之「梨花寒食夜，深閉翠微宮」，嚴維之「柳塘春水漫，花塢夕陽遲」，祖詠之「遲日園林好，清明烟火新」，景中哀樂之情宛然，唐人勝場也。弘、嘉人依盛唐皮毛以造句者，本自無意，不能融景；況其叙景，惟欲闊大高遠，于情全不相關，如寒夜以板爲被，赤身而掛鐵甲。景同而語異，情亦因之而殊。宋之問《大庾嶺》云：「明朝望鄉處，應見嶺頭梅。」賈島云：「無端更渡桑乾水，卻望并州是故鄉。」景意本同，而宋覺優游，詞爲之也。然島句比之問反爲醒目，詩之所以日趨于薄也。

又　詩不越乎哀樂，境順則情樂，境逆則情哀。《明良之歌》，順而樂也，《棫樸》、《旱麓》其類也。《五子之歌》，逆而哀也，《民勞》、《南山》其類也。後世不關哀樂之詩，是爲異物。余與友人説詩曰：「古人有通篇言情者，無通篇叙景者，情爲主，景爲賓也。情爲境遇，景則景物也。」又曰：「七律大抵兩聯言情，兩聯叙景，是爲死法。蓋景多則浮泛，情多則虛薄也。然順逆在境，哀樂在心，能寄情于景，融景入情，無施不可，是爲活法。」又曰：「首聯言情，無景則寂寥矣，故次聯言景以暢其情。首聯叙景，則情未有著落，故次聯言情以合乎景，所謂開承也。此下須轉情而景，景而情，或推開，或深入，或引古，或邀賓，須與次聯不同收，或收第三聯，或收至首聯，看意之所在而收之，又有推開暗結者。輕重虛實，濃淡深淺，一篇中參差用之，偏枯卽不佳。」又曰：「意爲情景之本，只就情景中有通融之變化，則開承轉合不爲死法，意乃得見。」又曰：「子美詩云：『晚節漸于詩律細。』律爲音律，拗句詩不必學。」

又　問曰：「措詞如何？」答曰：「詩人措詞，頗似禪家下語。禪家問曰如何是佛？非問佛，探其迷悟也；以三身四智對，謂之韓盧逐兔，喫棒有分。雲門對曰『乾屎橛』，作家語也。劉禹錫之《玄都觀》二詩，是作家語。崔珏《鴛鴦》，鄭谷《鷓鴣》，死説二物，全無自己，韓盧逐兔，喫棒有分者也。禹錫詩，前人説破，見者易識，未説破者當以此意求之，乃不受瞞。不然，非落于宋，卽墮于明，喫棒未有了日在。」問曰：「唐人故意瞞人乎？」答曰：「祖師語豈曾瞞人，爲人看不出，不得道祖師不瞞人。唐人詩豈曾瞞人，爲人看不出，不得道唐人不瞞人也。其瞞宋人者淺，瞞明人者深。」

又　問曰：「造句鍊字如何？」答曰：「造句乃詩之末務，鍊字更小，漢人至淵明皆不出此。康樂詩矜貴之極，遂有琢句。梁、陳別論。陳伯玉復古之後，李、杜諸公偶一涉之，不以經意。中唐猶不甚重，至晚唐而人皆注意于此。所存既小，不能照顧通篇，以致神氣蕭颯。詩道至此，大厄運也。」盛唐人之用字，實有後人難及處。如王右丞之「鑾輿迴出千門柳，閣道回看上苑花」，其用「迴出」、「回看」，景物如見。子美之「石出倒聽楓葉下，櫓搖背指菊花開」，亦然。而「野航恰受兩三人」、「旭日散雞豚」，「受」字、「散」字更非他字可易，甚不費力。「宿火陷爐灰」，「陷」字精確，雖衰颯猶好。至杜荀鶴之「風暖鳥聲碎」，方干之「香杭倩水春」，「碎」字、「倩」字費力甚矣！宋人詩話多論字句，以致後人見聞愈狹。然鍊字與琢句不同，琢句者，淘汰陳濁也。常言俗語，惟靖節、子美能用之；學此，便流于堯夫《擊壤集》五、七字爲句之語錄也。祖詠之「萬里寒光生積雪，三邊曙色動危旌」，子美之「麒麟不動爐烟上，孔雀徐開扇影還」，其用「生」、「動」、「不動」、「徐開」字，能使詩意躍出，是造句之妙，非琢鍊之妙也。子美之「峽坼雲霾龍虎睡，江清日抱黿鼉遊」，晚唐人險句之祖也；「盤渦浴鷺底心性」，王建詩之祖也。太白之「如何青草裏，也有白頭翁」，用虛字，流水對易見。子美之「雲移雉尾開宮扇，日繞龍鱗識聖顏」，不用虛字，流水對難見。劉長卿之「身隨敝履經殘雪」，皇甫冉之「菊爲重陽冒雨開」，開晚唐門徑也。鍊字乃小家筋節。四六文，梁、陳詩之餘，鍊字之妙，大不易及。子瞻文集只「山高月小，水落石出」八字耳。永叔曾無一字。唐詩鍊字處不少，失此字便粗糙。畫家云「烘染過度即不接」，若吟鍊句之謂也。注意于此，即失大端。唐僧無可云「聽雨寒更盡，開門落葉深」，以雨聲比落葉也。又云「微陽下喬木，遠燒入秋山」，以遠燒比微陽也。比物以意而不指其物，謂之象外句，非苦吟者不能也。張蠙云：「牆頭細雨垂纖草，水面回風聚落花」，花聚由「回」，草垂由「細」，工矣！【略】宋人眼光祇見句法，其詩話于此有可觀者，不可棄之。開、寶諸公用心處，在詩之大端，而好句自得。大曆以後，漸漸束心于句，句雖佳而詩之大端失矣。

又 詩之失比興，非細故也。比興是虛句活句，賦是實句。有比興則實句變爲活句，無比興則實句變成死句。許渾詩有力量，而當時以爲不如不作，無比興，說死句也。明人不知比興而說唐詩，開口便錯。義山之「侍臣最有相如渴，不賜金莖露一杯」，言雲表露試之治病，可知眞僞，諷憲、武之求仙也。白雪樓大詩伯以爲宮怨，評曰：「望幸之思悵然。」呵呵！宋詩率直，失比興而賦猶存。弘、嘉人詩無文理，幷賦亦失之。

又卷六 句中虛字多則薄弱，實字多則窒塞，猶是皮毛之論。子美之「數回細寫愁仍破，萬顆勻圓訝許同」，不見薄弱；「落花遊絲白日靜，鳴鳩乳燕青春深」，不見窒塞，有意故也。于鱗之「河堤使者大司空」，「上客相如漢大夫」，「東方千騎古諸侯」，「仙郎起草漢明光」，「牂牁萬里越王臺」，有何意味？是飽噉棗栗，窒塞欲死者之語也。

徐增《而庵詩話》 學唐詩先須鍊筆，到得伸縮如意，自有好詩作出來。

又 詩言志。古人善詩者，皆不喜以故事塡塞；若塡塞則詞重而體不靈，氣不逸，必俗物也。本地風光，用之不盡。或有故事赴於筆下，即用之不見痕迹，方是作者。

又 夫詩一字不可亂下；禪家著一擬議不得，詩亦著一擬議不得；禪須作家，詩亦須作家；學人能以一棒打盡從來佛祖，方是個宗門大漢子；詩人能以一筆掃盡從來窠臼，方是個詩家大作者。可見作詩除去參禪，更無別法也。

葉矯然《龍性堂詩話初集》 近人作詩，率多賦體，比者亦少，至興體則絕不一見。不知興體之妙，在於觸物成聲，衝喉成韻，如花未發而香先動，月欲上而影初來，不可以意義求者，《國風》、古樂府多有之。徐文長謂「今之南北東西雖殊方，而婦女、兒童、耕夫、舟子、塞曲征吟、市歌巷引，無不皆然，默會自有妙處」。知言哉！

傅山《雜記》 「雖云常謝客，太寂亦思人。月性閑階滿，秋聲半夜眞。歌連鄉夢了，坐歷久寒頻。如此森森柏，微喧恕好賓。」起得自然，收得完足。且莫說七言律難得周到，五言律八句中，那得句句教人待看也。但是一氣寫來，連綿不斷者，便可喜，不必句句較也。

賀貽孫《詩筏》 古詩之妙，在首尾一意而轉折處多，前後一氣而變換處多。或意轉而句不轉，或句轉而意不轉；或氣換而句不換，或句換而氣不換。不轉而轉，故愈轉而意愈不窮；不換而換，故愈換而氣愈不竭。善作詩者，能留不窮之意，蓄不竭之氣，則幾於化。

又 長篇難矣，短篇尤難。長篇易冗，短篇易盡。此其所以尤難也。數句之中，已具數十句不了之勢；數十句之後，尚留數十句不了之味。他人以數十句難了者，我能以數句便了；他人以數句易了者，我能以數十句不了。固由才情，亦關學力。

又 下虛字難在有力，下實字難在無跡。然力能透出紙背者，不論虛實，自然渾化。彼用實而有跡者，皆力不足也。

又 下語忌杜撰，押韻忌現成。

又 昔人論文云：「貴在升裏能轉，斗裏能量。」作詩亦然。

又 詩律對偶，圓如連珠，渾如合璧。連珠互映，自然走盤；合璧雙關，一色無痕。八句一氣而氣逾老，一句三折而句逾遒。逾老逾沉，逾遒逾宕。首貴聳拔，意已趨下；結須流連，旨則收上。七言固爾，五字亦然。神而化之，存乎其人，非筆舌所能宣也。

又 前輩有教人煉字之法，謂如老杜「飛星過水白，落月動沙虛」，是煉第三字法；「地坼江帆隱，天清木葉聞」，是煉第五字法之類。不知古人落想便幻，觸景便幽，「飛星過水白」與《人日》詩「雲隨白水落」皆當時實有此境，入他想中，無非空幻。「落月動沙虛」，則滿眼是幻，不可思議，但非老杜形容不出耳。豈胸中先有「飛星水白」、「落月沙虛」八字，而後煉「過」、「動」二字以欺人乎？「天清木葉聞」與孟浩然「荷枯雨滴聞」，兩「聞」字亦眞亦幻，皆以落韻自然爲奇，即作者亦不自知，何暇煉乎？落韻自然，莫如摩詰，如「潮來天地青」，「行踏空庭落葉聲」，「青」字、「聲」字偶然而落，妙處豈復有痕迹可尋？總之本領人下語下字，自與凡人不同，雖未嘗不煉，然指他煉處，卻無爐火之迹。若不求其本領，專學他一二字爲煉法，是藥汞銀，非眞丹也。吾嘗謂眼前尋常景，家人瑣俗事，說得明白，便是驚人之句。蓋人所易道，卽人所不能道也。如飛星過水，人人曾見，多是錯過，不能形容，虧他收拾點綴，遂成奇語。駭其奇者，以爲百煉方就，而不知彼實得之無意耳。卽如「池塘生春草」，「生」字極現成，卻極靈幻。雖平平無奇，然較之「園柳變鳴禽」更爲自然。「楓落吳江冷」，「空梁落燕泥」，與摩詰「雨中山果落」，老杜「葉裏松子僧前落」，四「落」字俱以現成語爲靈幻。又如老杜「杖藜還客拜」，「舊犬喜我歸」，王摩詰「野老與人爭席罷」，高達夫「庭鴨喜多雨」，皆現成瑣俗事，無人道得，道得卽成妙詩，何嘗煉「還」字、「喜」字、「罷」字以爲奇耶？詩家固不能廢煉，但以煉骨煉氣爲上，煉句次之，煉字斯下矣。惟中晚始以煉字爲工，所謂「推敲」是也。然如「僧敲月下門」，「敲」字所以勝「推」字者，亦只是眼前現成景，寫得如見耳。若喉吻間吞吐不出，雖經百煉，何足貴哉？

又 作詩必句句着題，失之遠矣，子瞻所謂「賦詩必此詩，定非知詩人」。如咏梅花詩，林逋諸人，句句從香色摹擬，猶恐未切；庾子山但云「枝高出手寒」，杜子美但云「幸不折來傷歲暮，若爲看去亂鄉愁」而已，全不黏住梅花，然非梅花莫敢當也。如子美《黑白二鷹》詩，若在今人，必句句在「黑白」二字尋故實，子美卻寫二鷹神情，只劈頭點出黑白。如一幅雙鷹圖，從妙手繪出，便覺奇矯之骨，摶空之氣，驚秋之意，俱從紙上活現，只輕輕將粉墨染黑白二色而已。又如劉希夷《嵩嶽聞笙》詩云：「月出嵩山東，月明山益空。山人愛清景，散髮卧秋風。風止夜何清，獨夜草蟲鳴。仙人不可見，乘月近吹笙。」前七句憑空說來，不露「笙」字，而笙中天籟清機，已繚繞耳邊矣。至第八句方出「笙」字，便接以「絳唇吸靈氣，玉指調眞聲，眞聲是何曲，三山鸞鶴情」四句，擡出吹笙者於雲霞縹緲之上。至「昔去落塵俗，願言聞此曲。今來卧嵩岑，何幸承幽音。神仙樂吾事，笙歌銘夙心」六句，方輕點「聞」字，而以低徊容與結之，絕不黏笙，卻句句是笙，句句是聞笙，句句是嵩嶽聞笙也。又如李頎《琴歌》云：「主人有酒歡今夕，請奏鳴琴廣陵客。月落城頭烏半飛，霜淒萬樹風入衣。銅鑪華燭燭增輝，初彈《淥水》後《楚妃》。一聲已動物皆靜，四座無言星欲稀。清淮奉使千餘里，敢告雲山從此始。」只第二句點出「琴」字，其餘滿篇霜月風星，烏飛樹響，銅鑪華燭，清淮雲山，無端點綴，無一字及琴，卻無非琴聲，移在箏笛琵琶觱篥不得也。又如岑參《宿東谿王屋李隱者題》，若只將隱者高處贊歎，便是俗筆。岑詩云：「山店不鑿井，百家同一泉。晚來南村黑，雨色和人煙。霜畦吐寒菜，沙雁噪河田。隱者不可見，天壇飛鳥邊。」只寫山中幽絕景況，已有一高人宛然在目矣。又如太白《訪戴天山道士不遇》詩云：「犬吠水聲中，桃花帶雨濃。樹深時見鹿，谿午不聞鐘。野竹分清靄，飛泉挂碧峰。無人知所去，愁倚兩三松。」無一字說「道士」，無一字說「不遇」，卻句句是「不遇」，句句是「訪道士不遇」。何物戴天山道士，自太白寫來，便覺無煙火氣。此皆以不必切題爲妙者。不能盡舉，姑以數首概其餘耳。

又 詩有極尋常語，以作發局無味，倒用作結方妙者。如鄭谷《淮上別故人》詩云：「揚子江頭楊柳春，楊花愁殺渡江人。數聲風笛離亭晚，君向瀟湘我向秦。」蓋題中正意，只「君向瀟湘我向秦」七字而已，若開頭便說，則淺直無味，此卻倒用作結，悠然情深，令讀者低徊流連，覺尚有數十句在後未竟者。唐人倒句之妙，往往如此，姑舉其一爲例。

賀裳《載酒園詩話》卷一《用事》 《西清詩話》稱少陵用事無跡，如「繫風捕影」，因言「五更鼓角聲悲壯」，乃用禰衡《撾漁陽操》，其聲悲壯事；「三峽星河影動搖」，乃用漢武時星辰動搖，東方朔謂民勞之應事。余意解則妙矣，然少陵當日正是古今貫串于胸中，觸手逢源，譬如秫和麴蘗而成醴，嘗者更辨其孰爲黍味，孰爲麥味耳。唐哥舒翰與祿山將崔乾祐戰潼關，見黄旗軍數百隊，官軍與賊互疑，忽隱不見，是日昭陵奏石馬汗流。李晟平朱泚，義山作詩引之：「天教李令心如石，可待昭陵石馬來？」蔡寬夫曰：「此與少陵『玉衣晨自舉，鐵馬汗常趨』，同一等用事，但知推奉西平，不知于昭陵似不當。」不知「可待」二字，語甚圓活，何嘗有傷。卽謂其貶刺哥舒，作者亦無此意，何況昭陵。按：杜詩作于天寶五載，詔天下通一藝者詣京師，公自洛歸應詔，途次昭陵而作。時祿山未叛，公詩自言靈爽赫奕耳，蔡眞瞶瞶。義山《西溪》詩：「野鶴隨君子，寒松揖大夫。」上句用穆王南征，一軍盡化，君子爲猿鶴，小人爲沙蟲事；下句則秦皇避雨事也。其意則自傷淪落荒野，所見君子惟有鶴，大夫惟有松而已。思路雖深，神韻殊不高雅。落花詩，宋人推宋莒公兄弟「漢皐珮冷臨江失，金谷樓危到地香」、「將飛更作迴風舞，已落猶成半面粧」，余襄公「金谷已空新步障，馬嵬徒見舊香囊」。余意三詩俱善形容，語亦工麗，若使事着題，又無痕跡，當以子京爲第一，公序次之，襄公又次之。「將飛」、「已落」，不問而知爲落花。余公詩如不讀至「清賞又成經歲別」，再不看題，幾疑爲悼亡矣。此皆祖于義山咏蜂：「宓妃腰細難勝露，趙后身輕欲倚風」，思路至此，眞爲幽渺。至山谷咏竹而曰「程嬰杵臼立孤難，伯夷叔齊食薇瘦」，終嫌晦澀。此不過言「苦節」二字耳。歐、梅惡西崑之使事，力欲矯之。然如梅聖俞《咏蠅》曰「怒劍休追逐，凝屛漫指彈」，亦事也，豈言出其口而忘之乎？余意俗題不得雅事襯貼，何以成文？但不宜句句排砌如類書耳。宋人論詩，多用心于無用之地，風氣使然，名家不免。如山谷之注「喚起」、「催歸」爲二鳥名，東坡之自負「玉樓」、「銀海」，事則然矣。然並無佳處，韓詩不過平常，蘇語且不免粗豪之累。作詩用意固當于其大者，不在尺尺寸寸。（黃白山評：「宋人識趣甚陋，故專以此等爲工，其詩多爲使事所累耳。」）詩中使事如使材，在能者運用耳。石崇以蠟代薪，釜中之味，不因而加腆。桓溫以竹頭治舟，遂成平蜀之功。（黃白山評：「薪火猛，蠟火緩，其味自宜有別。若味不加腆，何事用此！」）如顧況《哀囝》詩頗鄙樸，務觀用爲《戲遣老懷》曰：「阿囝略如郎罷意」，便成一則典故，且語雖謔而有情致，此能化俗事爲雅者也。又羅景綸《貓捕鼠》詩曰：「陋室偏遭黠鼠欺，狸奴雖小策勳奇。拖喉莫訝無遺力，應記當年骨醉時。」此用唐蕭妃臨死曰「願武爲鼠吾爲貓」事也。貓捕鼠本俗事，不足入詠，得此映帶遂雅。晉荀勗久在中書，專管機事，久之以守尙書令，甚惘惘，或有賀之者，勗曰：「奪我鳳凰池，諸君賀我耶！」故後人呼中書爲鳳池。衛瓘見樂廣而奇之，命諸子造焉，曰：「此人之水鏡，見之瑩然。」樂非眞有鏡，荀非眞有池也。飛卿《和太常嘉蓮》詩曰：「同心表瑞荀池上，半面分粧樂鏡中。」推其意不過言蓮生池內，池內水澄如鏡，照見花影耳，卻如此使事，反覺支離。卽牋啓中，已屬混語，况入之于詩！後有厭薄崑體者，正此種流弊。（黃白山評：「此恐用樂昌破鏡事，較於『半面分粧』字有情耳。」）語有乍看似佳，細思則瘡痏百出者。如戴敏才「惜樹不磨修月斧，愛花須築避風臺」，亦大費雕鏤而出。但花雖畏風，非臺可避，用飛燕事殊不當。修月事見《酉陽雜俎》，然伐樹何必修月之斧，修月之斧亦非人間所有。若用吳剛伐樹事，又與修月無干。總之止務瑰奇，不求妥貼，以眩俗目可耳，與風雅正自徑庭。陸務觀《梅花》詩「屑玉定煩修月戶」，亦有修月事，語卻佳，以玉與梅花同白，比擬便有情也。然「堆金難買破天荒」，卻俗。

又《三偷》 謝惠連《擣衣》詩曰：「腰帶準疇昔，不知今是非。」至張籍《白紵歌》則曰：「裁縫長短不能定，自持刀尺向姑前。」裴說《寄邊衣》則曰：「愁捻銀針信手縫，惆悵無人試寬窄。」雖語益加姸，意實原本于謝，正子瞻所云：「鹿入公庖，饌之百方，究其所以美處，總無加于煮食時」也。然庖饌變換得宜，實亦可口。又如金昌緒：「打起黃鶯兒，莫敎枝上啼。啼時驚妾夢，不得到遼西。」令狐楚則曰：「綺席春眠覺，紗窗曉望迷。朦朧殘夢裏，猶自在遼西。」張仲素更曰：「裊裊城邊柳，青青陌上桑。提籠忘採葉，昨夜夢漁陽。」或反語以見奇，或循蹊而別悟，若盡如此，何病于偷。偷法一事，名家不免。如劉夢得：「山圍故國周遭在，潮打空城寂寞回。淮水東邊舊時月，夜深還過女牆來。」杜牧之：「煙籠寒水月籠沙，夜泊秦淮近酒家。商女不知亡國恨，隔江猶唱《後庭花》。」韋端己：「江雨霏霏江草齊，六朝如夢鳥空啼。無情最是臺城柳，依舊煙籠十里堤。」三詩雖各詠一事，意調實則相同。愚意偷法一事，誠不能不犯，但當爲韓信之背水，不則爲虞詡之增竈，愼毋爲邵青之火牛可耳。若霍去病不知學古兵法，究亦非是。升庵曰：「謝靈運詩『明月入綺窗，髣髴想蕙質』，乃杜工部『落月屋梁』之所祖。」余以杜雖本于謝，杜語殊勝。「綺窗」、「蕙質」，未免修飾；「屋梁」、「顏色」，自是老氣也。至杜審言「水作琴中聽」，溫庭筠化爲「偶逢秋澗似琴聲」，又似韻勝其質。古有出藍生冰之言，良然。《隱居語錄》曰：「詩惡蹈襲古人之意，亦有襲而愈工，若出于己者，蓋思之愈精，則造語愈深也。李華《吊古戰場》曰：『其存其沒，家莫聞知。人或有言，將信將疑。悁悁心目，寢寐見之。』陳陶則曰：『可憐無定河邊骨，猶是春閨夢裏人』，蓋工于前也。」余以以文爲詩，此謂之出處，何得爲蹈襲。若如此苛責，則作詩者必字字杜撰耶。又如宋錢希白「雙蜂上簾額，獨鵲裊庭柯」，陳後齋以爲本于韋蘇州《聽鶯曲》：「有時斷續聽不了，飛去花枝猶裊裊。」余以韋是飛去之後，花枝自裊，力在「飛」字；錢乃初集之時，鵲與枝同裊，景尤可愛也。意不相同，何妨並美。（黃白山評：「必著『飛去』二字，『裊』字始見其工。若錢句入『裊』字，殊覺費力而有迹。宋之去唐，毫釐千里，而猶賞其語景可愛，眞擔板漢也。」）杜牧《邊上聞笳》詩：「何處吹笳薄暮天，塞垣高鳥沒狼煙。遊人一聽頭堪白，蘇武爭經十九年！」令狐楚《塞上曲》：「陰磧茫茫塞草腓，桔槔烽上暮煙飛。交河北望天連海，蘇武曾將漢節歸。」二詩同用蘇武事而俱佳，然杜詩止于感嘆，令狐便有激發忠義之意，杜不如也。至胡曾竊杜語爲詠史，無論蹈襲可恥，立意先淺直矣，固不足言。聶夷中詩，有古直悲涼之氣，但皆竊美于人。如「鋤禾日當午，汗滴禾下土」，李紳詩也，但改一「田」字，上加以「父耕原上田，子斸山下荒。六月禾未秀，官家已修倉。」又如「生在綺羅下」、「君淚濡羅巾」，本東野《征婦怨》，移其次篇後四語于前，前篇則刪前四句，第改「綠羅」爲「綺羅」，「千里」爲「萬里」，「羅巾常在手」爲「今在手」，「今得隨妾身」爲「日得隨路塵」，「如得風」爲「如煙飛」。至「欲別牽郎衣」，則直用無所更定。夫偷語爲鈍賊，玆更直盜其篇，較之館職諸公撏撦義山，作劫尤劇矣。吾不能爲之曲說。（黃白山評：「此皆後人傳寫之譌，移張作李，非當時明盜之也。」）凡盜法者，妙于以相似之句，用之相反之處。如陳堯佐「千里好山雲乍斂，一樓明月雨初晴」，寫酣適之景如見。至楊萬畢《梧桐夜雨》詩「千里暮雲山已黑，一燈孤館酒初醒」，又覺淒颯滿目。如此相同，不惟無害，且喜其三隅之反矣。又喬知之《長信宮樹》曰「餘花鳥弄盡，新葉蟲書遍」，沈佺期《芳樹》曰「啼鳥弄花疎，遊蜂飲香遍」，二語頗相似。然喬乃高秋，沈則春暮也。沈詠芳樹，故用「遊蜂飲香」。長信，班婕妤所居，班以《團扇詩》傳，故只寫秋意。語雖同，下筆各有斟酌。詩有同出一意而工拙自分者。如戎昱《寄湖南張郎中》曰：「寒江近戶漫流聲，竹影當窗亂月明。歸夢不知湖水闊，夜來還到洛陽城。」與武元衡「春風一夜吹鄉夢，又逐春風到洛城」，顧況「故園此去千餘里，春夢猶能夜夜歸」同意，而戎語爲勝，以「不知湖水闊」五字，有搔頭弄姿之態也。然皆本于岑參「枕上片時春夢中，行盡江南數千里」。至方幹「昨日草枯今日青，羈人又動故鄉情。夜來有夢登歸路，不到桐廬已及明。」則又竿頭進步，妙于奪胎。韓偓《哭花》：「若是有情爭不哭，夜來風雨葬西施。」韋莊《殘花》：「十日笙歌一宵夢，苧蘿煙雨失西施。」兩君同時，當非相襲，然韓語自勝。（黃白山評：「予謂韋語勝。」）盜法一事，詆之則曰偷勢，美之則曰擬古。然六朝人顯據其名，唐人每陰竊其實，雖謂之偷可也。獨宋人則偷亦不能，如介甫愛少陵「鉤簾宿鷺起，丸藥流鶯囀」，後得句云「青山捫蝨坐，黃鳥挾書眠」，自謂不減于杜，人亦稱之。然二語何異截鶴脛而使短，直與「雪白後園僵」等耳，此眞房太尉兵法。詩家雖厭蹈襲，然如劉浚「不用茱萸仔細看，管取明年各強健」，豈不尤鈍。卽樂天翻子美「斲卻月中桂，清光應更多」，爲「月中幸有閒田地，何不中央種兩株」，亦猶芻狗之再夢也。

又《翻案》 晚唐人多好翻案。如溫飛卿則有「但得戚姬甘定分，不應眞有紫芝翁」，徐寅則有「張均兄弟今何在，卻是楊妃死報君」。此猶陰平之師，出奇倖勝則可，若認爲通衢，豈止壺頭之困！王介甫《明妃曲》二篇，詩猶可觀，然意在翻案。如：「家人萬里傳消息，好在氈城莫相憶。君不見咫尺長門閉阿嬌，人生失意無南北。」其後篇益甚，故遭人彈射不已。至高季迪長篇，則翻案愈奇，結句曰：「妾語還憑歸使傳，妾身沒虜不須憐。願君莫殺毛延壽，留畫商巖夢裏賢。」意則正矣，有此事否？恐終是文人之語，非兒女子之言也。余因思此題終不及儲光羲「胡王知妾不勝悲，樂府皆傳漢國詞。朝來馬上《箜篌引》，稍似宮中閑夜時」。大都詩貴入情，不須立異，後人欲求勝古人，遂愈不如古矣。（黃白山評：「此眞在裏之言。」）又郭代公曰：「自嫁單于國，長銜漢掖悲。容顏日憔悴，有甚畫圖時。」樂天則曰：「漢使卻迴憑寄語，黃金何日贖蛾眉？君王若問妾顏色，莫道不如宮裏時。」似此翻案卻佳，蓋尤爲切情合事也。

又《詠史》 詠史詩雖是意氣棲託之地，亦須比擬當于其倫。如：「漢業存亡俯仰中，留侯于此每從容。固陵始議韓彭地，複道方圖雍齒封。」嗚呼，是徒知進言之易，不知中節之難也。隆準公雖云大度，城府實較重瞳尤甚，留侯善藏其用，此語最當。（黃白山評：「宋人詩總不在話下，取而雌黃之，則其識趣已先陋矣。」）若知無不言，臣子之義宜爾，抑知躁之與瞽，亦侍君子者之所當戒耶。又曰：「天下紛紛未一家，販繒屠狗尙雄誇。東陵豈是無能者，獨傍青門手種瓜。」此詩乍觀則佳，細思則謬。邵平身居侯爵，不能救秦之亡，何稱能者？觀其說蕭相國，蓋一明哲保身之士耳。絳、灌與高帝同起徒步，少困閭里，自是秦之失人，反以其屠販爲笑乎？吾亦知介甫是寄託之言，終傷輕率。至詠王章曰：「區區女子無高意，追憶牛衣暖卽休。」此論卻高，非俗子可到。「輕刑死人衆，短喪生者偷。仁孝自此薄，哀哉不能謀。露臺惜百金，霸陵無高丘。淺恩施一時，長患被九州。」此詩亦美而未善。大抵荆公目無千古，初見神宗，問唐太宗何如主？卽云：「太宗不足法，當以堯、舜爲師。」宜其幷薄漢文也。究所設施，國亂民愁，神宗之世，安能及文帝萬一！從來文人，多好妄語，最可惡者，如薛能之薄諸葛，然猶是書生大言耳。介甫則實有一種沾沾自負處，此詩已爲異日復肉刑嚆矢。子瞻作《秦穆公墓》詩曰：「昔公生不誅孟明，豈有死之日而忍用其良。乃知三子殉公意，亦如齊之二子從田横。」語意高妙。然細思之，終是文人翻案法。《黄鳥》之詩曰：「臨其穴，惴惴其慄。」感恩而殺身者然乎？讀者毋作癡人前說夢可也。（黄白山評：「子瞻好作史論，然評斷多誤，如范增、晁錯論，皆錯斷了，此詩亦其類也。」）子由曰：「桓文服荆楚，安取破國都？孔明不料敵，一世空馳驅。」余以此言太謬，丕之于漢，豈若楚之于周哉！漢賊不兩立，鞠躬盡瘁，豈得與共主尚存者等！（黄白山評：「南渡以前，《紫陽綱目》未出，諸公皆據陳壽《三國志》帝魏寇蜀，且因其『應變將略非其所長』之語，並孔明亦不甚取。如老泉論劉備之用諸葛孔明，治國之才，則非將也。子由詩貶孔明，亦猶乃翁之見耳。古來詩人，惟子美可稱孔明知己。如《蜀相》詩及『諸葛大名垂宇宙』一律，推服甚至，眞不以成敗論英雄者耶！」）人惟忘情者能作極不情之事，如柳下惠坐懷不亂是也。眞如浮雲過太虛，無一毫計較沾滯。孔子見衛夫人，卽此種力量。李華《詠史》曰：「沂水春可涉，泮宮映楊葉。麗色異人間，珊珊搖珮環。展禽恆獨處，深巷生禾黍。城上飛海雲，城中暗春雨。適來鳴珮者，復是誰家女？泥沾珠綴履，雨濕翠毛簪。電影閉蓮臉，雷聲飛蕙心。自言沂水曲，采蘋兼采菉。歸徑雖可尋，天陰光景促。憐君貞且獨，願許君家宿。徒勞惜衾枕，子不顧雙蛾。豔質誠可重，淫風如禮何！周王惑褒姒，城闕成陂陁。」則此女直一登牆窺宋之東家，展先生亦特一魯男子耳。此欲形其介，反失聖人之大也。詠四皓曰：「後代無其人，戾園滿秋草。」暗諷太子瑛、光王瑤、鄂王琚之事，可謂切妙。然如「側聞驪姬事，申生不自保。暫出商山雲，朅來趨灑掃」，一何直戇！當時潛移默奪，寧至作此語言。至賈幼鄰《詠馮昭儀當熊》曰：「王孫莫諫獵，賤妾解當熊。」爾日捐軀衛主，正倉卒中計無復之之事，豈恃此而遂任其君冒險。一場好事，被鈍筆敘壞，大不解事。

又《豔詩》 正人不宜作豔詩，然《毛詩》首篇卽言河洲窈窕，固無妨于涉筆，但須照攝樂而不淫之義乃善耳。唐崔顥、崔國輔皆以豔詩名，司勳較司馬，則殊有蘊藉。如「愁來欲奏相思曲，抱得秦箏不忍彈」，尙是止乎禮義。至「時芳不待妾，玉珮無處誇。悔不盛年時，嫁與青樓家」，語雖工，未免激而傷雅。王龍標「忽見陌頭楊柳色」，卽「時芳不待妾」意也，妙在不說出。「悔教夫壻覓封侯」亦卽此悔，但悔得稍正。王適「已能憔悴今如此，更復含情一待君」，徐安期「不須面上渾粧卻，留着雙眉待畫人」，蔡環「但恐愁容不相識，爲教恆着別時衣」，皆《草蟲》、《杕杜》之遺音，「飛蓬」、「曲局」之轉境也。（黄白山評：「徐乃《催粧》詩，殊非此解。」）卽劉希夷「願作輕羅着細腰，願爲明鏡分嬌面」，徐安貞「曲成虛憶青蛾斂，調急遙憐玉指寒。銀鑰重關聽未闢，不如眠去夢中看」，尙寫虛景，不失《漢廣》、《秣駒》之意。至元稹、杜牧、李商隱、韓偓，而上宮之迎，垝垣之望，不惟極意形容，兼亦直認無諱，眞桑、濮耳孫也。元、白、溫、李，皆稱豔手。然樂天惟「來如春夢幾多時，去似朝雲無覓處」一篇爲難堪，餘猶《國風》之好色。飛卿「曲巷斜臨」、「翠羽花冠」、「微風和暖」等篇，俱無刻劃。杜紫微極爲狼籍，然如「綠楊深巷馬頭斜」，「馬鞭斜拂笑回頭」，「笑臉還須待我開」，「背插金釵笑向人」，大抵縱恣于旗亭北里間，自云「青樓薄倖」，不虛耳。元微之「頻頻聞動中門鎖，猶帶春酲懶相送」，李義山「書被催成墨未濃」，「車走雷聲語未通」，始眞是浪子宰相，清狂從事。（黄白山評：「李爲幕客，而其詩多牽情寄恨之語，雖不明所指，大要是主人姬妾之類。文人無行，至此極矣，而後人於其所作猶慕而好之，眞風雅罪人。」）唐人豔詩，妙于如或見之。如崔顥「閒來鬬百草，度日不成粧」，儼然一閨秀。王維「散黛恨猶輕，插釵嫌未正。同心勿遽遊，幸待春粧竟」，儼然一宮嬪。韓致堯「隔簾窺綠齒，映柱送微波」，直畫出一手語之紅綃矣。（黄白山評：「綠齒，屐也。」）孟襄陽，素心士也。其《庭橘》詩「並生憐共蔕，相示感同心」，一何婉昵！至若「照水空自愛，折花將遺誰」，眞有生香增色之妙，覺老杜「香霧雲鬟」、「清輝玉臂」，未免太宮樣粧矣。王諲《閨怨》曰「昨來頻夢見，夫壻莫應知」，情癡語也。情不癡不深。然其《後庭怨》曰：「獨立每看斜日盡，孤眠直至殘燈死。」迷離至此，毋論作詩當以此爲轉步，人事亦或宜有此感通。張潮《江風行》曰：「商賈歸欲盡，君今向巴東。巴東有巫山，窈窕神女顔。常恐遊此方，果然不知還。」亦以癡而入妙。「妾夢不離江水上，人傳郎在鳳凰山」，卽《小雅》「赫赫南仲，薄伐西戎」意，妙得風聞恍惚，驚疑不定之意。劉方平《京兆眉》曰：「新作蛾眉樣，誰將月裏同。

有來凡幾日，相效滿城中。」似嘲似惜，卻全是一片矜能炫慧之意，筆舌至此，可謂入微。人各有能有不能，不宜強作以備體。李獻吉一代大手，輕豔殊非所長，效義山作無題曰：「班女愁來賦興豪」，「豪」字戇甚。閨閣語言，寧傷婉弱，不宜壯健耳。

又《詠物》 詠物詩惟精切乃佳，如少陵之詠馬詠鷹，雖寫生者不能到。至于晚唐，氣益靡弱，間于長律中出一二俊語，便囂然得名。然八句中率着牽湊，不能全佳，間有形容入俗者。如雍陶《白鷺》詩曰「立當青草人先見，行傍白蓮魚未知」，可爲佳絕。至「一足獨拳寒雨裏，數聲相叫早秋時」，已成俗韻。此黏皮帶骨之累也。末句「林塘得爾須增價，況是詩家物色宜」，竟成打油惡道矣。鄭谷以《鷓鴣》詩得名，雖全篇勻淨，警句竟不如雍。如「雨昏青草湖邊過，花落黃陵廟裏啼」，不過淡淡寫景，未能刻畫。（黃白山評：「鄭語正以韻勝，雍句反以刻畫失之。賀之評賞倒置如此！」）又崔珏《鴛鴦》詩凡數章，其佳句如「暫分煙島猶回首，只渡寒塘亦並飛」，「溪頭日暖眠沙穩，渡口風寒浴浪稀」，「紅絲毳落眠汀處，白雪花成蹙浪時」，亦微有致，但神似亦不及雍也。至「映霧盡迷珠殿瓦，逐梭齊上玉人機」，語雖可觀，然遯之瓦與錦，終屬牽曳。又「琴上只聞交頸語，窗前空展共飛詩」，亦鄭谷「遊子乍聞征袖濕，佳人纔唱翠眉低」類耳。至「翡翠莫誇饒彩飾，鸊鵜須羨好毛衣」，益枵然告匱，不復能捋馬而秣以應客。樂天《鶴》詩「低頭祇恐丹砂落，曬翅常疑白雪消」，意態俱佳。然「轉覺鸕鶿毛色下，苦嫌鸚鵡語聲嬌」，亦不老氣也。至宋人謂詠禽須言標致，祇及羽毛飛鳴則陋，此論亦僻不足從。（黃白山評：「此論是極意刻畫，翻墮惡道。至以鷺鷥、鸚鵡相比，益令人欲嘔，豈止『不老氣』而已。蓋鶴本清高之物，自不致以二禽反形也。」）山谷《酴醿》詩：「露濕何郎試湯餅，日烘荀令炷爐香。」楊誠齋云：「此以美丈夫比花也。」余以所言未盡，上言其白，下言其香耳。又云：「此詩出奇，古人未有。」余以此亦余、宋落花一類，總出玉溪，固非獨創。余又思此二語雖佳，尚不及東坡《紅梅》詩「寒心未肯隨春態，酒暈無端上玉肌」，尤無痕跡。當時卻盛稱其《海棠》詩「朱唇得酒暈生臉，翠袖卷紗紅映肉」，此猶屏甘鮮而專取厚胾也。嘗歎宋人論詩如飲狂泉，如梅聖俞詠芡詩「蝟毛蒼蒼磔不死，銅盤矗矗釘頭生」，如此形容，眞堪發笑，較之「一足獨拳」，尤爲惡趣。羅隱《牡丹》詩「若教解語應傾國，任是無情也動人」，何等風致，反謂不能臻其妙處。如此風氣，眞詩中百六之運。宋人詠物詩亦自有工者，如林和靖《蝴蝶》詩「清宿露花應自得，暖爭風絮欲相高」，神情俱似矣。後二語用韓憑、莊周事，亦佳。李君虞曰「梁空繞復息，簷寒窺欲遍」，眞似早燕。詠物如此，晚唐人俱拜下風，何論于宋！

又《詠事》 東坡曰：「論畫以形似，見與兒童鄰。賦詩必此詩，定知非詩人。」此言論畫，猶得失參半，論詩則深入三昧。（黃白山評：「蘇本作『定非知詩人』。此謂讀詩者不宜拘執，與上句論畫不宜呆板同意，非指作詩而言。然此語有病。可知蘇、黃二公解古人詩多誤，正是胸中先作此見解耳。」）昔人稱退之「一間茅屋祭昭王」爲晚唐第一，余以不如許渾《經始皇墓》遠甚：「龍蟠虎踞樹層層，勢入浮雲亦是崩。一種青山秋草裏，路人惟拜漢文陵。」本詠秦始，卻言漢文。韓原詠昭王廟，此則于題外相形，意味深長多矣。即摩詰「莫以今時寵，能忘舊日恩。看花滿眼淚，不共楚王言。」正以詠餅師婦佳耳，若直詠息夫人，有何意味。此編詩者之陋。「宿昔青門裏，蓬萊仗數移。花嬌迎雜樹，龍喜出平池。落日留王母，微風倚少兒。宮中行樂祕，少有外人知」。「少兒」句指秦、虢、韓。「留王母」，玄宗數召方士入禁中，頗有神仙之好，故特借漢武事寓言之。此詩較之「飛燕昭陽」，眞風流蘊籍。

又《佳句各有所宜》 詩中佳句，有宜于作絕句者，有宜于作律詩者。如高適《哭單父梁少府》，本係古詩長篇，《集異記》載旗亭伶官所謳，乃截首四句爲短章：「開篋淚沾臆，見君前日書。夜臺猶寂寞，疑是子雲居。」以原詩並觀，絕句果言短意長，淒涼萬狀。雖不載刪者何人，必開元中鉅匠也。（黃白山評：「此即歌者摘四句入調耳，計及刪之之人，何癡至此！余嘗欲刪齊己《劍客》詩。趙微明《古離別》二首後四語作絕句，乃佳。《劍客》云：『拔劍繞殘樽，歌終便出門。西風滿天雪，何處報人恩？』《古離別》云：『爲別未幾日，一日如三秋。猶疑望可見，日日上高樓。』前詩寫劍客行徑風生，後詩寫思婦癡情可掬，贅後四語，其妙頓減。又如太白『長安一片月，萬戶擣衣聲。秋風吹不盡，總是玉關情』。亦宜刪後二句作一絕。」）朱長文「瓜步早潮吞建業，蒜山晴雪照揚州」，不惟寫景工，兼有氣象，卻是律詩中好語。忽然遽止，令讀者悵悵如失，有蛟龍無股之歎。

又《一聯工力不均》 詩有名爲佳聯而上下句工力不能均敵者，如夏子喬「山勢蜂腰斷，溪流燕尾分」，陳傳道「一鳩鳴午寂，雙燕話春愁」，唐子西「一片雲明外暗，斜日雨邊晴」，皆下句勝上句，李濤「掃地樹留影，拂床琴有聲」，則上句勝下句，以此知工力悉配之難。（黃白山評：「凡兩句不能並工者，必是先得一好句，徐琢一句對之。上句妙於下句者，必下句爲韻所縛也。下句妙於上句者，下句先成，以上句湊之也。如老杜『接宴身兼杖』，何等工妙，下句『聽歌淚滿衣』，則庸甚。然此韻中除『衣』字別無可對。『百年地僻柴門迥，五月江深草閣寒』，上句費力，下句天成。題下注云『得寒字』。五月中『寒』字頗難入詩，想杜公先爲此字運思，偶成七字，然後湊成一篇，其上句之不稱宜也。」）宋延清初唐名家，然如「秋虹映晚日」，固不及下句「江鶴弄晴煙」之妙。又《江南曲》：「採花驚曙鳥，摘葉餵春蠶。」摘葉餵蠶僅一事，因採花而鳥驚，一句中有兩折，亦上句勝也。

又《詩嫌於盡》 劉希夷「將軍闢轅門，耿介當風立」，頗甚氣岸。陶翰「日落沙塵昏，背河更一戰」，尤爲健決。劉結曰「獻凱歸京師，軍容何翕習」，盡興語也。陶結曰「東出咸陽門，哀哀淚如霰」，敗興語也。崔國輔《從軍行》曰：「塞北胡霜下，營州索兵救。夜裏偷道行，將軍馬亦瘦。刀光照塞月，陣色明如畫。傳聞賊滿山，已共前鋒鬬。」一段踴躍之氣，勃勃言下。觀上官昭儀評沈、宋《晦日昆明》詩優劣，足定數詩高下。劉長卿曰：「回首虜騎合，城下漢兵稀。白刃兩相向，黃雲愁不飛。手中無尺鐵，徒欲穿重圍。」亦妙于作不了語。其摹寫悍勇，則神彩更在崔上。

又《字法》 作詩雖不必拘拘字句，然往往以字不工而害其句，句不工而害其篇。如林處士「鳥戀藥欄長獨立，樹欺詩壁半旁生」，膾炙今古。愚意「欺」字未善，當作愛惜遜避之意，始與「旁生」字相應。又東坡長君邁有「葉隨流水歸何處，牛帶寒鴉過別村」，寫景亦佳，然「何處」固不及「別村」之工。作詩雖貴句烹字鍊，至入險僻，則亦可憎。如武允蹈「露萱鉗宿蝶，風木撼鳴鳩」，極其苦搜，十字中止得一「鉗」字，餘更不新。然新而入俗，何貴于新？又「屋頭風過雁，燈背月移窗」，亦由苦吟而出，究竟不雅。下字尤忌氣質，如王鎬《送潘文叔》「催租例擾潘邠老，付麥誰憐石曼卿」，語意俱佳，「例」字卻張致可厭。（黃白山評：「易以『頗』字，稍虛活。」）古有佳事入之詩反俗者，如王介甫應學士召，王介以詩諷之曰：「蕙帳一空生曉寒」，極有清氣，上句「草廬三顧動春蟄」，一何鄙俚，皆由不鍊字之故。若以雅字易去「動春蟄」，則善矣。風土詩雖宜精切，亦以韻勝爲貴。如許棠《送龍州樊使君》曰「土產惟宜藥，王租只貢金」，周繇《送人尉黔中》曰「公庭飛白鳥，官俸請丹砂」，古所共推。然許語無周之雅，不得謂樸直勝點染也。余兒時嘗聞先君語曰：「方幹暑夜正浴，時有微雨，忽聞蟬聲，因而得句。急叩友人門，其家已寢，驚起問故。曰：『吾三年前未成之句，今已獲之，喜而相告耳。』乃『蟬曳餘聲過別枝』也。」後余見其全詩，上句爲「鶴盤遠勢投孤嶼」，殊厭其太露咬文嚼字之態，不及下語爲工。凡作詩鍊字，又必自然無跡，斯爲雅道。（黃白山評：「必是先有下句，然後尋上句作對，故一自然，一勉強。」）

又《屬對》 佳句每難佳對，義山之才，猶抱此恨。如《秋日晚思》「枕寒莊蝶去」，雖用莊周夢蝶事，實是寒不成寐耳，對曰「窗冷胤螢消」，此卻是眞螢，未免借對，不如上句遠矣。（黃白山評：「二句並不佳。」）《雪》詩「馬似困鹽車」，佳句也，上云「人疑遊麵市」，卻醜。《深樹見櫻桃一顆》曰：「痛已被鶯含」，事容有之，實爲俊句，上句「惜堪充鳳食」，又涉牽湊。《僧壁》曰：「琥珀初成憶舊松」，實勝賈島「種子作喬松」，總言禪臘之久耳，上句「蚌胎未滿思新桂」，語雖工，思之殊不甚關切。陶瑾《山居》「江燕定巢來自數，巖花落子結還稀」，相傳爲佳句。然江燕以定巢而其來自數，意從「巢」字斷，巖花已落，子結還稀，意乃斷于「落」字，由此言之，對殊不工。（黃白山評：「本言落子，非落花也。」）宋人巧獵名色，正對外，有就對，有蹉對，有扇對，惟所言假對，最穿鑿可厭。如「廚人具雞黍，稚子摘楊梅」，謂以「楊」借「羊」。「因尋樵子徑，偶到葛洪家」，謂以「子」借「紫」，以「洪」借「紅」。「五峰高不下，萬木幾經秋」，謂以「下」借「夏」。「閒聽一夜雨，更對柏巖僧」，是以「柏」借「百」。「住山今十載，明日又遷居」，是以「遷」借「千」。眞支離鄙細，但可與寫別字人解嘲。（黃白山評：「本唐人有此對法，而未立名目，宋人因爲之目耳，不得以穿鑿病之。」）宋人口法大家，實競小巧。如「曾求竹醉日，更問柳眠時」，工而纖，亦有「赤子」、「朱耶」之勝。又呂居仁《海陵雜興》曰「土俗尊魚婢，生涯欠木奴」，當時以爲佳對。余因思岑參《北庭》詩「雁塞通鹽澤，龍堆接醋溝」，可謂天生巧合，盛唐人卻不以此標榜。對仗精工，誠爲佳事，但作詩必先觀大意，往往以爭奇字句之間，意不得遠，則亦不貴。飛卿《山中與道友夜坐聞邊防不寧因示同志》曰：「龍沙鐵馬犯煙塵，迹近羣鷗意倍親。風捲蓬根屯戊己，月移松影守庚申。韜鈐豈足爲經濟，巖壑何嘗是隱淪。心許故人知此意，古來知者竟誰人？」漢有戊己校尉。又人身有三尸蟲，每遇庚申日，乘人之寐，訴人過於上帝，道家于此日，輒不寐以守之。溫以邊警，又與道友夜坐，故用此二事，組織干支，眞爲工巧。但上下不貫，乍觀觸目，締思則言外殊無感發人意。（黄白山評：「此詩起二句倒叙題面，中兩聯並分承此二句，而末聯總結其意。謂其上下不貫，何不觀其全篇章法，而單摘其一聯耶！」）若其詠《蘇武廟》曰「回日樓臺非甲帳，去時冠劍是丁年」，運思雖亦小巧，卻一意貫串，泯然無跡，妙矣。中晚人好以虛對實，如元微之「花枝滿院空啼鳥，塵榻無人憶卧龍」，李義山「此日六軍同駐馬，當時七夕笑牽牛」，皆援他事對目前之景。然持戟徘徊，憑肩私語，皆明皇實事，不爲全虛，雖借用牽牛，可謂巧心濬發。（黄白山評：「此法實濫觴於少陵，如『驥子』對『鶯歌』，『如馬』對『飲猿』，《如意舞》對《白頭吟》之類。」）對有工而反俗者，如許渾《贈王山人》「君臣藥在寧憂病，子母錢多豈患貧」，固知鍊句必先揀料。（黄白山評：「晚唐對仗工而反俗者甚多，如『萬卷祖龍坑外物，一泓孫楚耳中泉』，『煙横博望乘槎水，日上文王避雨陵』，『數枝豔拂文君酒，半里紅欹宋玉牆』。」）

又《音調》 宋人好用成語入四六，後并用之于詩，故多硬澀。如丁謂《送錢尉》詩「不能刺刺對婢子，已是昂昂眞丈夫」，所謂食生不化者也。范石湖營壽藏作詩曰「縱有千年鐵門限，終須一箇土饅頭」，眞欲笑殺。（黄白山評：「唐人有張打油一派，尸祝至今，凡胸無書卷而性喜吟詠者皆宗之。」）宋人亦往往有佳思，苦以拙句敗之。如王鎬「澄江明月一竿絲」，未免意清語重，上句「凍雪寒梅雙屐蠟」，字字壘砌，豈復成語？雖然，無平不陂，物情顛倒，安知此種不仍爲病顙駒，所冀雲霧不常迷，百世下終難逃明眼人鑒别耳。

趙士喆《石室談詩》卷上《總論》 余嘗爲一初學言，我輩作詩愼勿用俗字及生字，然二者又有辨焉。凡作古詩者，或間用生字，斷斷不可用俗字。作近體者，在善用俗字，斷斷不可用生字。如陸士衡詩「望舒離金虎」，謝元暉詩「匪直望舒圓」，皆無妨其古雅。唐律云：「不必燃宮燭，中流有望舒。」鍾伯敬云：「批字醜則眞醜矣。」杜詩有云：「秋水纔深四五尺，野航恰受兩三人。」「恰」、「纔」二字，絶有精神，有景色，使用漢魏體中，豈不堪噴飯乎？雖然惟老杜乃善用俗字。若初唐人，寧用「初添四五尺，止受兩三人」，而不敢用「纔」與「恰」。自老杜創開此綻，膾炙人口，元白效之。於長慶至於晚季，街談巷語，盡入篇章，而雅道亡矣。謝茂秦言，唐詩用生字者，「願言返魚篠」，又「安得中流百尺篊」，固堪一笑。然此等弊今人絶少。以「篠篊」等字，原不在其筆端也。或又爲險韻所拘，不得已而委曲遷就者，此弊與用生字等，戒之戒之。

又 王元美言作詩者勿涉議論，觀古大家，其詩未嘗無議論也。「豈不爾思，室是遠爾」，便是議論之祖。《十九首》有云：「服食求神仙，多爲藥所誤。不如飲美酒，被服紈與素。」陶元亮云：「人生會有道，衣食固其端。孰是都不營，而以求自安。」老杜則云：「憶昨狼狽初，事與古先别。不聞夏殷衰，中自誅褒妲。」元次山云：「安人天子命，符節我所持。州縣忽亂亡，得罪復是誰？」則純乎議論矣。或者謂古風用議論則可，近體用之則不可，此亦未然。蓋古風篇大，故議論之用多，近體篇小，故議論之用少。然中晚人作七言詩，有四句之中而三轉者，其轉處卽議論也。又如杜牧之詠項籍及周郎事，翻案見奇，論英雄於成敗之外，此非議論之最顯者乎？吾蓋嘗平心論之，《三百篇》、《十九首》，以及陶公，非有意於議論，但其詩靈圓活潑，如珠走盤，故有似於議論耳。老杜乃眞議論者，然本其至性之所發，而瓌詞灝氣，足以佐之，令讀者渾然不覺，所以爲佳。杜牧所謂「抱羞忍恥是男兒，未免露頭巾本色」。若歐陽公《明妃詩》，元美已笑爲論學繩尺。至云「漢廷當論畫，師功更迂闊」，不情之甚，作詩至此，安得不墜魔境乎？初學之士識見未定，骨格未成，凡涉議論者，一切戒之，亦未嘗不可。

又 昔人云，熟爛故事宜暗用，隱僻故事宜明用，自是確論。然熟事亦不妨明用，顧其用之者何如。有引起而用者，如「野曠呂蒙營，江深劉備城」之類。有點化而用者，如「莫將和氏淚，濕卻老萊衣」。有以反語而用者，如「遠愧梁江總，還家尚黑頭」之類。謂之使事者在我，有以駕馭之。如元帥之使部曲，部曲之使健兒，直呼其名，有何不可？所以有明暗之分者，蓋以僻事不可不明用。如帳下腹心，便堪頤指；其疏遠者，不得不加以符檄耳。得此訣者，至僻之事可使，至明之事亦可使也。漢晉唐宋皆可使，卽《五經》、《四書》，童而習之，其事亦無不可使。老杜《謝賜衣》詩有云：「自天題處溼，當暑著來輕」，此用《論語》及《毛詩》，令讀者渾然不覺，深得暗用之妙。然「以文常會友，惟德自成鄰」，則用亦未嘗不佳。徐文長《買磬》詩曰：「半肩荷簣過門笑，一葉師襄入海遊」，全用《論語》，不惟不腐，反饒風韻，非老手大家不能至此。但初學不宜效顰。

又卷下《論各體》 假對是詩中妙境，然須在有意無意，而聯合有情，如老杜之「薄俗防人面，全身學馬蹄」，「信宿漁人還泛泛，清秋燕子故飛飛」，斯善於假矣。又如唐詩：「新作一渾山縣長，舊傳三禮甲科名」、「此日六軍同駐馬，當時七夕笑牽牛」，及元人之「鞦韆院落人初下，春半園林酒正中」，皆屬假對。蓋人面、馬蹄、鞦韆、春半則虛實對；漁人、燕子、一渾、三禮則以聲對；六軍、七夕、駐馬、牽牛則人思議之不到者也。或意對而字不對，如：「有酒每邀東省月，退朝長對掖門松。十年放逐同梁苑，中夜悲歌泣孝宗。」又或句法字眼無不對，而新彩異常，如：「卧病山中生桂樹，懷人江上落梅花。春風鴻雁書千里，夜色樓臺雪萬家。」何嘗不妙，此可與悟者言耳。

施閏章《蠖齋詩話·詩用故典》 古人詩入三昧，更無從堆垛學問，正如眼中着不得金屑。坡公謂浩然詩韻高才短，嫌其少料。評孟良是，然坡詩正患多料耳。坡胸中萬卷書，下筆無半點塵，爲詩何獨不然？

又《詩用而字》 「結廬在人境，而無車馬喧」，陶公偶然入妙；次之「孰是都不營，而以求自安」，便下一格。劉繪「别離不可再，而我更重之」，孟浩然「榜人苦奔峭，而我忘險艱」，二語差不覺。至杜審言「重以崇班閡，而云勝托捐」，浩然「聞君重高節，而得奉清歡」，稍覺索然。甚且用作五律起句，如《送蘇六從軍》：「才有幕中畫，而無塞上勳。」更使不得。

又《用焉字》 「焉」字用作押韻最難穩。劉楨「我獨抱深感，不得與比焉」，用法清健。其次則元結「豈不如賊焉」，杜甫「古人歌已矣，吾道卜終焉」，在排律百韻中，間用飄逸。杜必簡「澄清得使者，作頌有人焉」，杜甫「枕帶還相似，柴荆即有焉」，俱不佳。梅聖俞「窮通可問焉」，用作結句，尤收不住。

又《用哉字》 潘尼「協心毗聖世，畢力讚康哉」，謝朓「耳目暫無擾，懷古信悠哉」，沈約「洞房殊未曉，清光信悠哉」，陳子昂「五陵盡喬木，昭王安在哉」，杜甫「往來時屢改，川陵日悠哉」，「狼狽風塵裏，羣臣安在哉」，「疏鑿功雖美，陶鈞力壯哉」，「野橋齊渡馬，秋望轉悠哉」，「江流大自在，坐穩興悠哉」，略可。餘未免有心學步。沈、陳風韻氣槩，已勝潘、謝；至于鱗「登高作賦大夫哉」，殆不成語。

又《用之字》 阮籍「千秋萬歲後，榮名安所之」，老杜「客愁全爲減，捨此欲何之」，「萬方聲一槩，吾道竟何之」，「干戈猶未已，弟妹各何之」，稍弱。又「出門轉盼已陳蹟，藥餌扶吾隨所之」，差可。至杜荀鶴「于人不得已，非我欲爲之」，「白髮多生矣，青山可住之」，五言律長城壞矣。

又《三友詩》 唐人用桃花燕子作對，往往入妙。近見吾友邢昉孟貞：「平蕪燕子風初下，野寺桃花日共尋。」葛遷非馬：「桃花欲放湖邊寺，燕子初歸江上村。」梅磊杓司：「楊柳風低棲海燕，桃花水漲上河豚。」

《用經語》 詩用經語，有增一字而複者：潘安仁「畏此簡書忌」，增一字而妙者：杜工部「馬鳴風蕭蕭」。

《詩改一字》 元薩天錫詩：「地濕厭聞天竺雨，月明來聽景陽鐘。」膾炙於時。山東一叟鄙之，薩往問故，曰：「此聯固善，『聞』『聽』二字一合耳。」薩問：「當易以何字？」叟徐曰：「看天竺雨。」薩疑「看」字所出，叟曰：「唐人有『林下老僧來看雨』。」薩俯首，拜爲一字師。

周容《春酒堂詩話》 又嘗謂容曰：「古人詩無字不體情體物，移易不可，初視殊不覺也，及爲妄改者形出始見。如古詩云：『枕郎左邊，隨郎轉側。』二語爲李于鱗取去，改『左』爲『右』，豈非點金成鐵！」容聞之，不禁失笑。不特見先生讀書體貼，亦以見先生接引後學之懷，坦易可親如此。

王夫之《薑齋詩話》卷一《詩譯》 「昔我往矣，楊柳依依；今我來思，雨雪霏霏。」以樂景寫哀，以哀景寫樂，一倍增其哀樂。知此，則「影靜千官裏，心蘇七校前」，與「唯有終南山色在，晴明依舊滿長安」，情之深淺宏隘見矣。況孟郊之乍笑而心迷，乍啼而魂喪者乎？

又 「庭燎有煇」，鄉晨之景，莫妙於此。晨色漸明，赤光雜煙而靉䨴，但以「有煇」二字寫之。唐人《除夕》詩「殿庭銀燭上熏天」之句，寫除夜之景，與此彷彿，而簡至不逮遠矣。「花迎劍佩」四字，差爲曉色朦朧傳神；而又云「星初落」，則痕迹露盡。益歎《三百篇》之不可及也。

又 蘇子瞻謂「桑之未落，其葉沃若」，體物之工，非「沃若」不足以言桑，非桑不足以當「沃若」，固也。然得物態，未得物理。「桃之夭夭，其葉蓁蓁」，「灼灼其華」，「有蕡其實」，乃窮物理。夭夭者，桃之穉者也。桃至拱把以上，則液流蠹結，花不榮，葉不盛，實不蕃。小樹弱枝，婀娜妍茂爲有加耳。

又 「女也不爽，士貳其行；士也罔極，二三其德。」語似排偶，而下三語與上一語相匹。李白「劍閣重開蜀北門，上皇車馬若雲屯；少帝長安開紫極，雙懸日月照乾坤」，竊取此法而逆用之。蓋從無截然四方八段之風雅也。

又　用複字者，亦形容之意。「河水洋洋」一章是也。「青青河畔草，鬱鬱園中柳」，顧用之以駘宕。善學詩者，何必有所規畫以取材？

又　興在有意無意之間，比亦不容雕刻。關情者景，自與情相爲珀芥也。情景雖有在心在物之分，而景生情，情生景，哀樂之觸，榮悴之迎，互藏其宅。天情物理，可哀而可樂，用之無窮，流而不滯，窮且滯者不知爾。「吳楚東南坼，乾坤日夜浮。」乍讀之若雄豪，然而適與「親朋無一字，老病有孤舟」相爲融浹。當知「倬彼雲漢」，頌作人者增其輝光，憂旱甚者益其炎赫，無適而無不適也。唐末人不能及此，爲「玉合底蓋」之説，孟郊、溫庭筠分爲二壘。天與物其能爲爾鬮分乎？

又卷二《夕堂永日緒論》「池塘生春草」、「胡蝶飛南園」、「明月照積雪」，皆心中目中與相融浹，一出語時，即得珠圓玉潤，要亦各視其所懷來，而與景相迎者也。「日暮天無雲，春風散微和」，想見陶令當時胸次，豈夾雜鉛汞人能作此語？程子謂見濂溪一月，坐春風中。非程子不能知濂溪如此，非陶令不能自知如此也。

又　「僧敲月下門」，祇是妄想揣摩，如説他人夢，縱令形容酷似，何嘗毫髮關心？知然者，以其沈吟「推敲」二字，就他作想也。若即景會心，則或推或敲，必居其一，因景因情，自然靈妙，何勞擬議哉？「長河落日圓」，初無定景；「隔水問樵夫」，初非想得。則禪家所謂「現量」也。

又　詩文俱有主賓。無主之賓，謂之烏合。俗論以比爲賓，以賦爲主，以反爲賓，以正爲主，皆塾師賺童子死法耳。立一主以待賓，賓無非主之賓者，乃俱有情而相浹洽。若夫「秋風吹渭水，落葉滿長安」，於賈島何與？「湘潭雲盡暮煙出，巴蜀雪消春水來」，於許渾奚涉？皆烏合也。「影靜千官裏，心蘇七校前」，得主矣，尚有痕迹。「花迎劍佩星初落」，則賓主歷然，鎔合一片。

又　身之所歷，目之所見，是鐵門限。即極寫大景，如「陰晴衆壑殊」、「乾坤日夜浮」，亦必不踰此限。非按輿地圖便可云「平野入青徐」也，抑登樓所得見者耳。隔垣聽演雜劇，可聞其歌，不見其舞；更遠則但聞鼓聲，而可云所演何齣乎？前有齊、梁，後有晚唐及宋人，皆欺心以炫巧。

又　一詩止於一時一事，自《十九首》至陶、謝皆然。「夔府孤城落日斜」，繼以「月映荻花」，亦自日斜至月出，詩乃成耳。若杜陵長篇，有歷數月日事者，合爲一章，《大雅》有此體。後唯《焦仲卿》、《木蘭》二詩爲然。要以從旁追叙，非言情之章也。爲歌行則合，五言固不宜爾。

又　以神理相取，在遠近之間，纔着手便煞，一放手又飄忽去，如「物在人亡無見期」，捉煞了也。如宋人《咏河魨》云：「春洲生荻芽，春岸飛楊花。」饒他有理，終是於河魨沒交涉。「青青河畔草」與「綿綿思遠道」，何以相因依，相含吐？神理湊合時，自然恰得。

又　情、景名爲二，而實不可離。神於詩者，妙合無垠。巧者則有情中景，景中情。景中情者，如「長安一片月」，自然是孤棲憶遠之情；「影靜千官裏」，自然是喜達行在之情。情中景尤難曲寫，如「詩成珠玉在揮毫」，寫出才人翰墨淋漓、自心欣賞之景。凡此類，知者遇之；非然，亦鶻突看過，作等閒語耳。

又　「欲投人處宿，隔水問樵夫。」則山之遼廓荒遠可知，與上六句初無異致，且得賓主分明，非獨頭意識懸相描摹也。「親朋無一字，老病有孤舟」，自然是登岳陽樓詩。嘗試設身作杜陵，憑軒遠望觀，則心目中二語居然出現，此亦情中景也。孟浩然以「舟楫」、「垂釣」鈎鎖合題，卻自全無干涉。

又　「更喜年芳入睿才」與「詩成珠玉在揮毫」，可稱雙絶。不知者以「入」字、「在」字爲用字之巧，不知渠自順手湊著。

又　不能作景語，又何能作情語邪？古人絶唱句多景語，如「高臺多悲風」、「胡蝶飛南園」、「池塘生春草」、「亭皋木葉下」、「芙蓉露下落」，皆是也，而情寓其中矣。以寫景之心理言情，則身心中獨喻之微，輕安拈出。謝太傅於《毛詩》取「訏謨定命，遠猷辰告」，以此八字如一串珠，將大臣經營國事之心曲，寫出次第；故與「昔我往矣，楊柳依依；今我來思，雨雪霏霏」同一達情之妙。

又　有大景，有小景，有大景中小景。「柳葉開時任好風」，「花覆千官淑景移」，及「風正一帆懸」，「青靄入看無」，皆以小景傳大景之神。若「江流天地外，山色有無中」，「江山如有待，花柳更無私」，張皇使大，反令落拓不親。宋人所喜，偏在此而不在彼。近唯文徵仲《齋宿》等詩，能解此妙。

又　情語能以轉折爲含蓄者，唯杜陵居勝，「清渭無情極，愁時獨向東」，「柔艣輕鷗外，含悽覺汝賢」之類是也。此又與「忽聞歌古調，歸思欲霑巾」更進一格，益使風力遒上。

又　含情而能達，會景而生心，體物而得神，則自有靈通之句，參化工之妙。若但於句求巧，則性情先爲外蕩，生意索然矣。松陵體永墮小乘者，以無句不巧也。然皮、陸二子差有興會，猶堪諷咏。若韓退之以險韻、奇字、古句、方言矜其餖飣之巧，巧誠巧矣，而於心情興會一無所涉，適可爲酒令而已。黄魯直、米元章益墮此障中。近則王謔庵承其下游，不恤才情，別尋蹊徑，良可惜也。

又　對偶有極巧者，亦是偶然湊手，如「金吾、玉漏」、「尋常、七十」之類，初不以此礙於理趣。求巧則適足取笑而已。賈島詩：「高人燒藥罷，下馬此林間。」以「下馬」對「高人」，噫！是何言與！

毛先舒《詩辯坻》卷三　詩不專貴用事而不害乎用事，所謂太虛不拒萬有，眞空不離色相也。詩貴自然而又不害乎錘鍛，所謂良金不憚燀冶，美玉不嫌琱琢也。

又卷四　作詩對仗須精整，不定以靑對白，以冬對夏，以北對南爲也，要審死活、虛實、平側。借如「登山臨水」，「高山流水」，「登」、「臨」爲活，「高」、「流」爲死，不得易位相對仗也，或有假借作變對耳。又如「高山流水」，「吳山越水」，「高」、「流」爲虛，「吳」、「越」爲實，亦不得易位爲對仗也，或假借斯有之。又如「山水」二字，平可對「雲霞」。若「江水」，乃說江中之水，二字側不可對「雲霞」，但可以「山雲」對之。卽以一物對二物，亦無不可，總須論字面平側。如以「鸚鵡」對「龍蛇」，或對「鵷鸞」，以一對二之類；若以「鸚鵡」對「神龍」、「彩鸞」，便是以平對側，非其法也。以二對一亦然。如「楓柳」可對「梧桐」，「春柳」便不可與「梧桐」對耳。有自對者，必簡「伐鼓撞鐘驚海上，新粧袨服照江東」，摩詰「赭圻將赤岸，擊汰復揚舲」，又云「門外青山如屋裏，東家流水入西隣」，子美「桃花細逐楊花落，黄鳥時兼白鳥飛」。又有借對者，如「高鳳」對「聚螢」、「世家」對「道德」、「鳥道」對「漁翁」。「高鳳」本人，乃借「鳳」對「螢」耳。「世家」義本側，乃借其字面作平對「道德」耳。「漁」借作「魚」對「鳥」。如此古人間有，亦只是遊戲法，不爲經理。古最忌合掌對，如「朝」對「曉」、「聽」對「聞」之類，古人亦多有之（玄宗「馬色分朝景，鷄聲逐曉風」，郎君胄「暮蟬不可聽，落葉豈堪聞」），雖時有拙致，似不足效。

又　詩用連二字有可顛倒互換者，有不可顛倒互換者。如「雲烟」可作「烟雲」，「山河」可作「河山」之類，此可以互換者也。「雲霞」卽不可作「霞雲」，「山川」卽不可作「川山」，此不可互換者。總以昔人運過適于上口者爲順耳。嘗見詩流用「丘壑」爲「壑丘」，又有稱「海湖」者，眞可笑也。司馬相如賦「鸞鳳飛而北南」，曹植樂府「下下乃窮極地天」，「地天泰」本《易》卦。又《禮記》「吾得坤乾焉」，「坤乾」是商《歸藏易》。《王風》「羊牛下來」，《齊風》「顛倒裳衣」，如此類須有所本可以倒互。然終近古調，入近體似未宜，斯在作者酌其當耳。

又　詩有駢字，如「崔嵬」、「嵯峩」、「岧嶤」之類。詩有複字，如「悠悠」、「瀟瀟」、「茫茫」之類。近體斷無單押之法，或審有出處，可間押入古詩耳，然亦須愼之。

黄生《詩麈》卷一　近體中有起聯對而次聯不對者（昔人謂之偷春體，予易名爲換柱對）。有前二聯並不對者。有以第三句對首句，第四句對次句者（昔人謂之扇對，予易名開門對）。有全首皆對者（老杜多此體）。有全首俱不對者（太白多此體）。皆屬變格。詩道純熟，或間出而用之。

又　「言從石菌閣，新下穆陵關。獨向池陽去，白雲留故山」。（王維）「無家對寒食，有淚如金波。斫卻月中桂，清光應更多」。（杜甫）「清晨入古寺，初日照高林。曲徑通幽處，禪房花木深」。（常建）此換柱對格也。「昔年秋露下，羈旅逐東征。今歲春光動，崎嶇別上京」。（韓愈）「幾思同靜話，夜雨對禪床。未得重相見，秋燈照影堂」。（鄭谷）此開門對格也。

又　又有兩句中字法參差相對者（舊名蹉對，予易名犄角對），如「衆水會涪萬，瞿唐爭一門」（杜甫），「衆水」與「一門」對，「涪萬」與「瞿唐」對；「舳艫爭利涉，來往任風潮」（孟浩然），「舳艫」與「風潮」對，「利涉」與「來往」對是也。

又　又有對而不對，不對而對者，如「春風灞水上，飲馬桃花時」（李頎），「芳草歸時遍，情人故郡多」（韋應物），雖不對而聲勢自足相應，不得以不對病之。蓋律詩對固宜切，然太切則又欠生動，宋人所謂對法要存性是也。至若「江漢思歸客，乾坤一腐儒」（杜甫），則上句「思歸」是聯字，下句「腐儒」是聯字。「風鳴兩岸葉，月照一孤舟」（孟浩然），則上句「兩岸」是聯字，下句「孤舟」是聯字。合讀若對，拆看實不對，此犯詩病，不可學也。

又　對法不可不工，亦不宜太切。如淸風明月，青山綠水，黄鶯紫燕，桃紅柳綠，便是蒙館對法。予猶記十許歲時，長老輩文酒之會，席間先祖命予出謁。時茉莉盛開于庭，長者出對云「白玉花開香入席」，予即對云「黃金釀熟色浮杯」。舉座讚賞，且訝其能以酒對花，不類學童想路。不知予已私能爲詩矣。

又　張藉「花下紅泉色，雲西乳鶴聲」，工在「乳」字；杜甫「卷簾惟白水，隱几亦青山」，好在二「白」字。若以「白」對「紅」，以「綠」對「青」，即索然矣。

又　對法不可合掌。如一動必一靜，一高必一下，一縱必一橫，一多必一少，此類可以遞推。如耿湋「冒寒人語少，乘月燭來稀」（「稀」「少」合掌），賈島「流星透疏木，走月逆行雲」（「流」「走」合掌），曹松「汲水疑山動，揚帆覺岸行」（「行」「動」合掌），顧在鎔「犬爲孤村吠，猿因冷木號」（並聲），崔顥「川從陝路去，河繞華陰流」（並水），皆爲病也。

又　用字宜雅不宜俗，宜穩不宜險，宜秀不宜粗。一句之工，未足庇其全首；一字之病，便足累其通篇。下筆時最當斟酌。蓋近體與古詩不同，既以五言八句爲限，其體則方，其調則圓。昔人謂「四十賢人，內中者一屠沽兒不得」，眞確論也。

又　詩中用字，大抵取之群書與出之胸臆二者。取之善則無病，取之不善則爲累。大概係詩家常用者，自然秀而穩，反是則粗而險。係近體常用者，自然雅而清，反是則俗而濁。世有喜新厭熟，務用詩中不常用之字者，固不可與言詩矣。至於古詩之字難輕入近體，尤宜亟辨。如風（近）飈颸（古），月（近）蟾魄（古），山峰（近）巒岑巘岡陵（古），池塘（近）沼瀦（古），舟船（近）航艖舠艭舸艫（古），車（近）軺轅輿（古）之類。緣六朝爭尚綺靡，專以他字代本字。自唐賢律體既成，斂華就實，掃滌繁蕪，一歸大雅。後之爲詩者，豈可不辨古、律之體，一概施用乎？

又　有一類之字，若可通用，畢竟此善彼不善者。如賈島「僧敲月下門」，初用「推」字，不能自決，待退之而後決之。齊己「前村深雪裏，昨夜一枝開」（《早梅》），本作「數枝」，因鄭谷言而始易之。用字之宜酌度如此。

又　用字之妙無過老杜。只常用之字一經其手，便使後人再換一字不得。如「湖闊兼雲霧，樓孤屬晚晴」，「芹泥隨燕嘴，花蕊上蜂鬚」，「山鬼迷春竹，湘娥倚暮花」，「紅入桃花嫩，春歸柳葉新」，「眼穿當落日，心死著寒灰」，皆不易更換。又貫用「兼」字、「受」字、「帶」字、「赴」字、「報」字、「破」字、「封」字、「送」字、「動」字，無不入妙。宜就其全集摘出之。

又　所謂出之胸臆者，非謂未經人用，創作自我也。即以杜詩而論，如「花重錦官城」（花繁曰「重」）、「月傍九霄多」（月滿曰「多」）、「東林竹影薄」（影稀曰「薄」）、「力稀經樹歇」（力倦曰「稀」）、「天寒關塞深」（塞遠曰「深」）、「暫時花戴雪」（花輕曰「戴」），皆以人所常用之字，而用法與人不同，便覺有奇理，有別趣。此屬意匠經營之巧，非出自胸臆而何？

又　詩莫難於寫景，以古今共此風光物色，前人已無奇不搜，無妙不出。今時有作，開口即忌爲前人道過，欲謝朝華而啓夕秀，不亦難乎？雖然，人患無筆耳。有筆，則何景不可寫，何物不可詠？其神來之句，天然湊泊，雖若出於古人，而實古人所未道。語云「陶奇撰幽，不乏心匠」，正謂此也。前輩如萬茂先云：「湖闊煙無盡，山空月自寒。」程孟陽云：「高樹猶霞氣，孤帆已月華。潮滿炊煙白，山移睥睨青。」寫景甚眞，何嘗經人道過？又，予友屈翁山云：「日月相呑吐，乾坤自混茫。」（觀海）此二語惟老杜能道，然亦老杜所未道（屈集佳句甚多，此特識其大者）。又，友人胡君惠詩一冊，予劇賞其二語云：「花飛新葉出，月落曙光來。」不惟出自新撰，而陰陽消息之理，尋常道破，豈直妙于寫景而已乎！

又　詩家寫有景之景不難，所難者寫無景之景而已。此亦惟老杜饒爲之，如「河漢不改色，關山空自寒」，寫初月易落之景。「秋日新沾影，寒江舊落聲」，寫微雨易晴之景。「日長惟鳥雀，春遠獨柴荆」，寫花事既罷之景。偏從無月無雨無花處著筆，後人正難措手耳。

又　寫景中有用地名一例，下筆最宜選擇。若地名不雅，即爲用字之累。如杜「劍閣星橋北，松州雪嶺東」（詠蜀道圖），全蜀地名多矣，何獨拈此四處？蓋取其字雅秀故也。又如七言絕「已收滴博雲間戍，欲奪蓬婆雪外城」，地名殊極褦襶，卻用「雲間」、「雪外」調劑之，便不覺其礙眼。眞詩家化工手也。

又　憶友人陳伯璣論詩云：「『姑蘇城外寒山寺』，自是天成妙句。若作『金陵城外報恩寺』，即不妙矣」（見陳所刻《詩慰》中）。按：陳此論亦入細，第能道其然，而不能道其所以然。所以然者，豈非地名不雅之故乎？

又　寫景之句，以雕琢致工爲妙品，眞境湊泊爲神品，平淡眞率爲逸品。

如「芳草平仲綠，清夜子規啼」（沈佺期）、「明月松間照，清泉石上流」（王維）、「雨中山果落，燈下草蟲鳴」（同）、「綠樹村邊合，青山郭外斜」（孟浩然）、「松生青石上，泉落白雲間」（賈島）、「泉聲入秋寺，月色遍寒山」（于武陵），皆逸品也。如「日落江湖白，潮來天地青」（王維）、「四更山吐月，殘夜水明樓」（杜甫）、「野徑雲俱黑，江船火獨明」（同）、「柳塘春水漫，花塢夕陽遲」（嚴維）、「雞聲茅店月，人迹板橋霜」（溫庭筠），皆神品也。若其他登妙品者，則不可枚舉也。

又　詩道以自然爲工，工巧次之。工巧之至，始入自然。自然之妙，無須工巧。高廷禮列子美於「大家」，不居「正宗」之目，此其微旨可見。五言如孟浩然《過故人莊》、王維《終南別業》，七言如崔曙《九日登仙臺》、李頎《送魏萬之京》、高適《送王李二少府》、劉方平《秋夜寄皇甫冉鄭豐》，皆不事雕繢，妙極自然者也。

又　王元美謂：「章法之妙，有不見句法者；句法之妙，有不見字法者。」此最上一乘法門，即工巧之至而入自然者也。詩家火候未至，豈能頓詣此境？故作詩不談章、句、字三法，非邪魔即外道。

又　朱晦翁常自言：「將淵明詩平仄用字，一一依它，做到一月後，便解自做，不要他本子。」按：此是學詩一粗法，初學亦可用之。不拘作古今體，取前人一詩爲式，依其平仄作去（律則效其句法），至純熟後，便似公孫大娘渾脱舞矣。

又　古體太摹古人，則性靈不露；純用己法，則古調有乖。當如臨書者，用古人意七分，參己意三分，庶幾精神足相映發。

又卷二　煉字莫過於六朝，煉句莫過於唐人。漢魏以神氣勝，故不爭奇於字句。

又　程伯子云：「凡詩書中言帝者，便有個主宰底意思；言天者，便有個包涵遍覆底意思。」此語大可爲詩文用字之訣。蓋天即帝，帝即天，第用之各有所宜。若當帝而天，當天而帝，則於理有礙矣。是故詩文之用字，不宜信手，必於上下文語意熨貼無痕，方不礙眼。此不獨論詩，凡古文、時文同一道也。

又　詩必有線索，虚字呼應是也。線索在詩外者勝，在詩內者劣。今人多用虚字，線索必露，使人一覽略無餘味，皆由不知古人詩法故耳。或問線索在詩內、詩外之説，曰：此即書法可喻。書有眞、有行、有草，行、草牽掣聯帶，此線索之可見者也。眞書運筆，全在空中，故不可見。然其精神顧盼，意態飛動處，亦實具牽掣聯帶之用。此惟善書者知之。故詩外之線索，亦惟善詩者得之。

又　近體用字最宜斟酌。俚字不可用，文字尤不可用。昔人云：五言律如四十賢人，中間著一屠沽兒不得。用俚字，是著屠沽兒也。用文字，則著學究矣。至語助入詩，自是腐宋陋習。若熟讀唐人詩，則此等字面，不期去而自去矣。

又　近體以氣格爲主，風神爲輔。用事不化則傷氣格，用字不妙則損風神。

又　唐人惟老杜書破萬卷，使事用字多從經史中來。然下筆有神，融洽無迹，餘人豈可藉口哉！

又　詩中以虚字爲筋節脈絡。承接喚應之間，有當用處，有不必用處。不必用處而用則句不健，當用而不用則意不醒，此中最宜消息。

熊榮《譚詩管見》　句中用重字，唯太白最佳，如「早臥早行君早起，冬夜夜寒覺夜長」，疊得最妙，不許後人輒效顰也。高達夫「慕君爲人與君好」、「愛君且欲君先達」、「送君還山識君心」，亦不覺複累。至常建「青絲素絲紅綠絲，織成錦衾當爲誰」？俱爲絶調，政難依樣畫葫蘆也。

王士禛《帶經堂詩話》卷三　虞伯生《送袁伯長扈駕上都》詩中聯云：「山連閣道晨留輦，野散周廬夜屬櫜。」以示趙承旨，子昂曰：美則美矣。若改「山」爲「天」，「野」爲「星」，則尤美。虞深服之。蓋鍊字鍊句之法，與篇法竝重，學者不可不知，於此可悟三昧。

又　七言律有以疊字益見悲壯者，如杜子美「無邊落木蕭蕭下，不盡長江滾滾來」，「江天漠漠鳥雙去，風雨時時龍一吟」是也。有以疊字益見蕭散者，如王摩詰「漠漠水田飛白鷺，陰陰夏木囀黃鸝」，徐昌穀「開軒歷歷明星夕，隱几蕭蕭古木秋」，王敬美「山鳥自呼泥滑滑，行人相對馬蕭蕭」是也。《詩小雅》：「蕭蕭馬鳴，悠悠旆旌」，「楊柳依依，雨雪霏霏」。此用疊字之始，後人千古受用不盡。

又卷一五　范仲闇（文光）在金陵嘗云：鐘聲獨宜著蘇州用，唐人「姑蘇城外寒山寺，夜半鐘聲到客船」，如云「聚寶門外報恩寺」，豈非笑柄？予與陳伯璣（允衡）論此，因舉古今人詩句，如：「流將春夢過杭州」，「滿天梅雨是蘇州」，「二分無賴是揚州」，「白日澹幽州」，「黄雲畫角見并州」，「澹煙喬木隔綿州」，「曠野見秦州」，「風聲壯岳州」，風味各肖其地，使易地即不宜。若云「白日澹蘇州」，或云「流將春夢過幽州」，不堪絶倒耶？

又　地名各有所宜，故友陳伯璣嘗語予：「姑蘇城外寒山寺，夜半鐘聲到客船」，若作「金陵城外報恩寺」，有何意味。此雖謔語，可悟詩家三昧，予因廣之云：「流將春夢過杭州」，「滿天梅雨是蘇州」，「白日澹幽州」，「黄雲畫角見并州」之類，皆不可移易。予二十年前在廣陵有句云「綠楊城郭是揚州」，好事者至取爲圖畫。若云「白日澹蘇州」，「流將春夢過幽州」，有不捧腹絶倒者耶？宋人謂「五月臨平山下路，藕花無數滿汀洲」，改六月便不佳，亦此意也。

又　偶與學子言詩用字，不可臆爲杜撰，即如古人名字：司馬長卿，「長」字無平聲；相如，「相」字無仄聲，「如」字或作上聲；馬援，「援」字無平聲；曹操，「操」字無平聲之類；今人率通融以就己便，非也。又如樂毅稱樂生，賈誼稱賈生，司馬長卿稱馬卿，李膺稱李君，阮籍稱阮公，嵇康稱嵇生，山濤稱山公，王導稱王公，郗愔稱郗公，謝安石、謝靈運、謝朓皆稱謝公，庾亮稱庾公，王凝之稱王郎，袁粲稱袁公，江淹稱江郎，徐陵自稱徐君，杜甫稱杜公，李白稱李生，孟浩然稱孟公，韓愈稱韓公，韋應物稱韋公，白居易稱白公，歐陽修稱歐公，蘇軾稱蘇公；又謝惠連、謝朓皆稱小謝，宋祁稱小宋，蘇轍稱小蘇，杜牧稱小杜之類，皆有所本，即是出處，不可假借。若杜甫稱杜生，李白稱李公，知復爲誰耶？

又卷一七　富平李天生因篤，年三十棄諸生，博學強記，《十三經》注疏尤極貫穿，長律得少陵家法，常以四十韻詩贈曹秋岳，曹歎曰：數百年無此作矣。李有句云：「林谷關音本，乾坤老象才。」予謂理語、經語最不易下，坡公寫杜詩至「致遠恐終泥」，停筆謂學人云：此句不足爲法。王敬美云：曹子建後作者多能入史語，不能入經語，謝康樂出而《易》辭《莊》語無不爲用。然則用經固以康樂爲宗也。

又　作詩用事以不露痕跡爲高，往董御史玉虬（文驥）外遷隴右道，留別予輩詩云：「逐臣西北去，河水東南流。」初謂常語，後讀《北史》，魏孝武帝西奔宇文泰，循河西行，流涕謂梁禦曰：「此水東流，而朕西上。」乃悟董語本此，深歎其用古之妙。

又　或謂作詩使事，必用六朝已上爲古，此説亦拘墟不足信，要之唐宋事須選擇用之，不失古雅乃可。如劉後邨詩專用本朝故實，畢竟欠雅，如：「鍊句豈非林處士，鬻書莫是穆參軍」，「艱虞夷甫方謀窟，老懶堯夫少出窩」，「未愛潘郎呼作友，便教米老拜爲兄」，「山房惜未從公擇，書局聞曾擬道原」，「立志如歐母，生兒似富公」，「野人只識羹芹美，相國安知食筍甘」（富鄭公事），「事先白傅求閑後，銜似溫公約史年」，「公閑去伴种司諫，我懶思尋靖長官」，「清於坡老遊杭市，儉似乖崖在劍州」，「軍皆歌范老，民各像乖崖」，「賈董奇才無地立，歐蘇精鑒與人同」，「安知李廌揮門外，不覺劉幾入轂中」，此類數十聯，皆宋事也。後見後邨四六亦然。

又　予向謂劉後邨詩好用本朝人事，近見宋末王義山《稼邨集》效顰尤可厭，如：「爭道老泉生二秀，最難錦水又三劉」，「師魯僅存遺集在，樂天無限故人思」，「田園彭澤菊三徑，意思濂溪草一般」，「上帝遺符徵范鎮，斯民失怙哭溫公」，「梅花窗下《參同契》，綠草庭前《太極圖》」，「榜文爭看乖厓押，士類歡呼常袞來」，「無己許令參後社，庭堅端的是前身」，「有時覓句尋歐約，不慣斟羔學党家」，此眞下劣詩魔，惡道坌出矣！宋末如王義山、何夢桂之流，酸腐庸下，而詩文獨傳至今，文之傳不傳，信有命邪！

又卷一八　右丞詩：「萬壑樹參天，千山響杜鵑。山中一夜雨，樹杪百重泉。」興來神來，天然入妙，不可湊泊，而《詩林振秀》改爲「山中一丈雨」，《潼川志》作「春聲響杜鵑」，《方輿勝覽》作「鄉音響杜鵑」，此何異點金成鐵，故古人詩一字不可妄改。如謝茂秦改宣城「澄江淨如練」作「秋江」，亦其類也。近餘姚譚宗纂《唐律秋陽》，諸名家詩無不妄加點竄，古人何不幸，橫遭黥劓如此！

又卷二九　問：詩中用典故，死事何以活用？昔董侍御玉虬（文驥）外遷隴右道，龔端毅公（鼎孳，禮部尚書）及予輩賦詩送之，董亦有詩留別，起句云：「逐臣西北去，河水東南流。」初以爲常語，徐乃悟其用魏主「此水東流，而朕西上」之語，歎其用事之妙。此所謂活用也。問：鍾嶸《詩品》云：吟詠性情，何貴用事？白樂天則謂文字須雕藻兩三字文采，不得全直致，恐傷鄙樸。二説孰是？仲偉所舉古詩如「高臺多悲風」，「明月照積雪」，「清晨登隴首」，皆書即目，羌無故實，而妙絶千古。若樂天云云亦是，而其自爲詩卻多鄙樸，特其風味佳，故雖云元輕白俗，而終傳於後耳。問：作律詩忌用唐以後事，其信然歟？自何李、李王以來，不肯用唐以後事，似不必拘泥。然六朝以前事，用之卽多古雅，唐宋以下便不盡爾，此理亦不可解。總之，唐宋以後事，須擇其尤雅者用之；如劉後邨七律專好用本朝事，直是惡道。問：少陵詩以經中全句爲詩，如《病橘》云「雖多亦奚爲」，《遣悶》云「致遠思恐泥」，又如「丹青不知老將至，富貴於我如浮雲」之句，在少陵無可無不可，或且歎爲妙絕，苦効不休，恐易流於腐，何如？以《莊》《易》等語入詩，始謝康樂。昔東坡先生寫杜詩至「致遠思恐泥」句，停筆語人曰：此不足學。故前輩謂詩用史語易，用經語難。若「丹青」二句，筆勢排宕，亦自不覺耳。問：荆公謂漢人語仍以漢人語對用，異代則不類，此定式否？在大家無所不可，非定式，亦非確論也。如以《左氏》、《國語》、《檀弓》、《國策》語對漢人語，何不可之有？推之魏晉已下皆然。古人又謂經語對經語，史語對史語，差有理。問：詩中用古人及數目，病其過多，若偶一用之，亦謂之點鬼簿，算博士耶？唐詩如「故鄉七十五長亭」，「紅闌四百九十橋」，皆妙，雖算博士何妨！但勿呆相耳。所云點鬼簿，亦忌堆垛，高手驅使自不覺也。

田雯《古歡堂集雜著》卷一　奇字亦前人所常用，而於古體最宜，不知者誦以爲怪。嗟夫！詩文固不必怪也。然班、馬等賦，所以使人鬼眼澒耳者，政由時出奇字以襯復之。方今文章尙古，吾黨之士，獨不欲訪子雲之亭，而熏班、馬之香歟？

又卷四　用古人成語作己詩，前輩恆有之，若用諺語得天然之趣者，則未多見。南宋高菊磵《淸明對酒》云：「南北山頭多墓田，淸明祭掃各紛然。紙灰飛作白蝴蝶，淚血染成紅杜鵑。日落狐狸眠塚上，夜歸兒女笑燈前。人生有酒須當醉，一滴何曾到九泉？」收處用來妙絕。

龐塏《詩義固說》卷下　練句要歸自然，或五言，或七言，必令極圓極穩，讀者上口，自覺矯矯有氣。若一字不圓，便鬆散無力。

又　近體詩，今人往往有出句無對句，或青黃紫綠，外雖分偶，而意實合掌。其病在詩非一氣串下，若一氣串下，則出之與對，淺深不同，安得合掌耶？

張謙宜《絸齋詩談》卷一　一氣運掉，掣轉如意，故事湊筆也。厚厚堆起，與本意絕不相關者，強搬故事也。

又　詩用經書成語，是佛魔關，一有不妙，喪身失命矣，正不得借口唐人也。

又　用奇字奇語，全要有配有襯，不則似乞丐破帽上嵌夜明珠。

又卷三　格如屋之有間架，欲其高竦端正；調如樂之有曲，欲其圓亮淸粹，和平流麗；句欲鍊如熟絲，方可上機；字欲琢如嵌寶器皿，其珠玉珊翠之屬，恰與欵竅相當。機所以運字句，氣所以貫格調。若神之一字，不離四者，亦不滯於四者。發於不自覺，成於經營布置外，但可養不可求，可會其妙，不可言其所以然。讀詩而偶遇之，當時存胸中，咏哦以竟其趣，久久自悟已。

又　造意搆篇，此是大框廓。工夫細密，又在鍊句琢字，雖近迹象，神明卽寓其中。於讀詩時，細心密詠，便見古人氣格從何處生來，反照求合，隨力所能純熟，自長一格價。楊戩夏先生有言：「大家之文，賞音者必略其字句，而不知大家之妙，正在修詞。試讀王、唐、瞿、薛之作，其不成句法者有乎？其用字不熨貼者有乎？」此言蓋爲詩家琢句發也。夫積字成句，一字不穩則全句病，故字法宜鍊，積句成章，一句病則全章亦病，故句法不可不琢。且句之布置起落，卽是章法，非句外另有章也；字之平排側注，虛實呑吐，卽成句法，非字外另有句也。所謂鍊字者，非兩合爲一，少併成多之類。只是字字有來歷，字字相照顧，無處不明淨，無處不牢固，然後托得我意思出，藏得我意思住。然又須渾成不見斧鑿痕，如做塡金嵌寶器皿，光彩耀目，而以手捫之，平滑無礙，迹若天成。此非料足，實是手高。鍊字之法，莫妙於換了再看。熟字不穩換生字，生字不穩，亦不妨換熟字。雅俗虛實，喨啞明晦，死生寬緊之類，莫不互更迭改，務求快心。久久習慣，久久淹博，自然矢不虛發矣。所謂琢句，非是故意蹺蹊以爲新穎，安於庸腐以爲名理，溺於浮豔以爲風流，惑於仙佛以爲高曠，假借老病以爲感慨，忿口罵世以爲悲壯，故意頹放枯瘠以爲老氣。必須文從理順之中，有洗舊翻新之巧。意不盡於句中，景已溢於興外。刻苦卻不扭捏，平易卻不膚淺。初仍作意，久洊自然。務使五、七字內，線穿鐵鑄，一字搖撼不動，增減不得爲度。鍊句之法，莫如徐諷勤改，其緊要尤在審勢。如通體壯麗，忽著淸淡句不得。餘可類推。上文氣緊，須用緩句；上文氣重，須用勁句。下文向裏，則上句放開；下句拖漾，則上句捲收。此皆古人成法，不可離者。但不可推句掩意，愛句傷氣耳。若夫句中分派頭，此又隨人筆性學力，不可豫定者也。

又 詩中所用虛實字及典故，細細檢點，有相礙者、相犯者，有事不犯而意犯者，時時換改，務令處處闘會，互相助勢爲妙。又有生新字轉落套，平常字恰入情者，更宜審之。

趙執信《談龍錄》 山陽閻百詩(若璩)，學者也。《唐賢三昧集》初出，百詩謂余曰：「是多舛錯，或校者之失，然亦足爲選者累。」如王右丞詩：「東南御亭上，莫使有風塵」，「御」誤「卸」，江淮無「卸亭」也。孟襄陽詩，「行侶時相問，涔陽何處邊？」「涔」誤「潯」，涔陽近湘水，潯陽則遼絕矣。祖咏詩：「西還不遑宿，中夜渡京水。」「京」誤「涇」，京水正當圃田之西，涇水則已入關矣。余深韙其言，寓書阮翁，阮翁後著《池北偶談》，内一條云：「詩家惟論興會，道里遠近，不必盡合。如孟詩：『暝帆何處泊？遙指落星灣。』落星灣在南康」云云，蓋潛解前語也。噫！受言實難。夫「遙指」云者，不必此夕果泊也，豈可爲「潯陽」解乎？

沈德潛《說詩晬語》卷上 以詩入詩，最是凡境。經史諸子，一經徵引，都入詠歌，方別於潢潦無源之學(曹子建善用史，謝康樂善用經，杜少陵經史並用)。但實事貴用之使活，熟語貴用之使新，語如己出，無斧鑿痕，斯不受古人束縛。

又 詩有不用淺深、不用變換、略易一二字而其味油然自出者，妙於反覆咏歎也。《芣苢》、《殷其靁》後，張平子《四愁》得之。

又 《鴟鴞》詩連下十「予」字，《蓼莪》詩連下九「我」字，《北山》詩連下十二「或」字，情至不覺音之繁、詞之複也。後昌黎《南山》用《北山》之體而張大之(下五十餘「或」字)。然情不深而侈其詞，只是漢賦體段。

又 梁、陳、隋間，專尚琢句。庾肩吾云：「雁與雲俱陣，沙將蓬共驚。」「殘虹收宿雨，缺岸上新流。」「水光懸蕩壁，山翠下添流。」陰鏗云：「鶯隨入戶樹，花逐下山風。」江總云：「露洗山扉月，雲開石路煙。」隋煬帝云：「鳥驚初移樹，魚寒欲隱苔。」皆成名句。然比之小謝「天際識歸舟，雲中辨江樹。」痕迹宛然矣。若淵明「采菊東籬下，悠然見南山」、「平疇交遠風，良苗亦懷新」。中有元化，自在流出，烏可以道里計？

又 中聯以虛實對、流水對爲上，即徵實一聯，亦宜各換意境。略無變換，古人所輕。即如「蟬噪林逾靜，鳥鳴山更幽。」何嘗不是佳句？然王元美以其寫景一例少之。至「圓荷浮小葉，細麥落輕花。」宋人已議之矣。

又 晚唐人詩「鷺鷥飛破夕陽煙」、「水面風回聚落花」、「芰荷翻雨潑鴛鴦」固是好句，然句好而意盡句中矣。又張蠙《洞庭湖》詩「青草浪高三月渡，綠楊花撲一溪烟」，「綠楊」一語，分明邨港小景，賦洞庭湖宜爾邪？「破」字、「聚」字、「潑」字、「撲」字，求新在此，不登大雅之堂正在此。

又卷下 古人不廢鍊字法，然以意勝而不以字勝，故能平字見奇，常字見險，陳字見新，樸字見色。近人挾以鬬勝者，難字而已。

又 點染風花，何妨少爲失實。若小小送別，而動欲沾巾；聊作旅人，而便云萬里；登陟培塿，比擬華嵩；偶遇庸人，頌言良哲；以至本居泉石，更懷遯世之思；業處歡娛，忽作窮途之哭：準之立言，皆爲失體。

又 援引典故，詩家所尚，然亦有羌無故實而自高，臚陳卷軸而轉卑者。《記》曰：「志之所至，詩亦至焉。」本乎志以成詩，惡有數者之患？假如作田家詩，只宜稱情而言；乞靈古人，便乖本色。

又 對仗固須工整，而亦有一聯中本句自爲對偶者。五言如王摩詰「赭圻將赤岸，擊汰復揚舲」。七言如杜必簡「伐鼓撞鐘驚海上，新妝袨服照江東」。杜子美「桃花細逐楊花落，黃鳥時兼白鳥飛」之類。方板中求活，時或用之。

又 寫景寫情，不宜相礙，前說晴，後說雨，則相礙矣。亦不可犯複，前說沅澧，後說衡湘，則犯複矣。即字面亦須避忌，字同義異者，或偶見之；若字義俱同，必從更易。如「暮雲空磧時驅馬」，「玉靶角弓珠勒馬」，終是右丞之累。杜詩云「新詩改罷自長吟」，改則弊病去，長吟則神味出。

又 古人有誤用事實處。弦高本犒秦師，謝康樂云：「弦高犒晉師。」《莊子》「柳生左肘」，柳，瘍類也；王右丞《老將行》云「今日垂楊生左肘」，是以瘍爲樹矣。又「衛青不敗由天幸」句，誤用霍去病事；而高常侍《送渾將軍出塞》，亦云「衛青未肯學孫吳」。同時誤用，未知何故。

顧嗣立《寒廳詩話》 作詩用故實，以不露痕迹爲高，昔人所謂使事如不使也。盛庶齋(如梓)謂：「杜詩：『荒庭垂橘柚，古壁畫龍蛇。』皆寓禹事，於題禹廟最切。『青青竹筍迎船出，白白江魚入饌來。』皆養親事，於題中扶侍字最切。」余謂：「劉賓客詩：『樓中飲興同明月，江上詩情爲晚霞。』一用庾亮，一用謝朓，讀之使人不覺，亦是此法。」阮亭先生云：「往年董御史玉虬(文驥)外遷隴右道，留別余輩詩云：『逐臣西北去，河水東南流。』初謂常語，後讀《北史》魏孝武帝西奔宇文泰，循河西行，流涕謂梁禦曰：『此水東流，而朕西上。』乃悟董語本此，深歎其用古之妙。」

又　韓昌黎詩句有來歷，而能務去陳言者，全在於反用。如《醉贈張祕書》詩，本用嵇紹鶴立鷄羣語，偏云「張籍學古淡，軒鶴避鷄羣。」《縣齋有懷》詩，本用向平婚嫁畢事，偏云「如今便可爾，何用畢婚嫁？」《送文暢》詩，本用老杜「每愁夜中自足蝎」句，偏云「照壁喜見蝎。」《薦士》詩，本用《漢書》「強弩之末不能入魯縞」語，偏云「強箭射魯縞。」《嶽廟》詩，本用謝靈運「猿鳴誠知曙」句，偏云「猿鳴鐘動不知曙。」此等不可枚舉。學詩者解得此祕，則臭腐化爲神奇矣。

又　犀月謂昌黎詩「將軍欲以巧伏人，盤爲彎弓惜不發」，此中機括，彷彿見作文用筆之妙。又善用反襯法，如《鄭羣贈簟》「攜來當晝不得臥，卻顧天日恆炎曦」是也。又善用深一步法，如《病鴟》「計校生平事，殺卻理亦宜。亮無責報心，固以聽所爲」是也。

又　詩家點染法，有以物色襯地名者，如鄭都官「雨昏青草湖邊過，花落黃陵廟裏啼」是也。有以地名襯物色者，如韋端己「落星樓上吹殘角，偃月營中挂夕暉」是也。

又　秀水李竹嬾（日華）曰：「李嘉祐詩：『水田飛白鷺，夏木囀黃鸝。』王摩詰但加『漠漠』『陰陰』四字，而氣象闢生。江爲詩：『竹影橫斜水清淺，桂香浮動月黃昏。』林君復改二字爲『疏影』『暗香』以詠梅，遂成千古絕調。二說所謂點鐵成金也。若寇萊公化韋蘇州『野渡無人舟自橫』句爲『野水無人渡，孤舟盡日橫』，已屬無味；而王半山改王文海『鳥鳴山更幽』句爲『一鳥不鳴山更幽』，直是死句矣。學詩者宜善會之。」（褚逢椿云：「王荆公嘗語山谷云：『古稱鳥鳴山更幽，我謂不若不鳴山更幽。』」）

又　阮亭先生謂林君復詩：「陰沈畫軸林間寺，零亂棋枰湖上田。」寫景最工。程孟陽（嘉燧）有句曰：「古寺正如昏壁畫，層湖都作水田衣。」本林而工又過之。嘗作絕句曰：「陂塘點點鳥犍出，夏木陰陰白鳥飛。也似江南好風景，水田一帶學僧衣。」蓋用孟陽句也。

又　章碣《焚書坑》詩：「竹帛煙銷帝業虛，關河空鎖祖龍居。坑灰未冷山東亂，劉項原來不讀書。」陳剛中《博浪沙》詩：「一擊車中膽氣豪，祖龍社稷已驚搖。如何十二金人外，猶有民間鐵未消？」同一意也，而不覺其蹈襲，可悟脫換之妙。

又　古人有一字之師，昔人謂如光弼臨軍，旗幟不易，一號令之，而百倍精采。張橘軒詩：「半篙流水夜來雨，一樹早梅何處春？」元遺山曰：「佳則佳矣，而有未安。既曰：『一樹』，烏得爲『何處』？不如改『一樹』爲『幾點』，便覺飛動。」又虞道園嘗以詩詣趙松雪，有「山連閣道晨留輦，野散周廬夜屬櫜」之句。趙曰：「美則美矣，若改『山』爲『天』、『野』爲『星』，則尤美。」又薩天錫詩：「地濕厭聞天竺雨，月明來聽景陽鐘。」道園見之曰：「詩信佳矣，但有一字不穩。『聞』與『聽』字義同，盍改『聞』作『看』？唐人『林下老僧來看雨』，又有所出矣。」古人論詩，一字不苟如此。

又　己蒼先生嘗謂：「世人詩集中如有《擬鐃歌》、《和江淹雜擬》及《東坡尖叉韻》，此人必不知詩。悠悠此世，解我語者畢竟無幾人！」又曰：「詩有擬不得者，江文通《雜體》是也；有和不得者，『尖叉』是也。知此者可與言詩。」

田同之《西圃詩說》　情景妙合，風格自上，不爲古役，不墮蹊徑者，最也。隨質成分，隨分成詣，門戶既立，聲實可觀者，次也。或名爲閏繼，實則盜魁，外堪皮相，中乃膚立，以此言家，久必敗矣！

又　詩中俚語，蓋無所不盡，匪直淺俗也。彼鄭聲淫，其聲固在，至於詞之俚，則無所不盡。並其聲而亡之，風雅委地矣。

又　詩之妙，在一字兩字工夫。然一字兩字，不惟在學問見解，而一時之心思興會，亦有到有不到，推敲之間，殊難把捉矣。

又　今人作詩必入故事，有持清虛之說者，謂盛唐詩卽景造意，何嘗有此。是則然矣，然病不在故事，顧所以用之何如耳。善使故事者，勿爲故事所使，有而若無，實而若虛，可意悟不可言傳，可力學得不可倉卒得也。宋人使事最多而最不善使，故詩道衰。獨有明詩人能越宋而繼唐者，正得使事三昧耳。

方貞觀《輟鍛錄》　作詩不能不用故實，眼前情事，有必須古事襯托而始出者。然用事之法最難，或側見，或反引，或暗用，吸精取液，於本事恰合，令讀者一見了然，是爲食古而化。若本無用意處，徒取經史字面，鋪張滿紙，是侏儒自醜其短，而固高冠巍屐，綠衣紅裳，其惡狀愈可憎也。

又　詩中點綴，亦不可少，過於枯寂，未免有妨風韻。然須典切大雅，稍涉濃縟，便爾甜俗可厭。吾最愛周繇《送人尉黔中》云：「公庭飛白鳥，官俸請丹砂。」亦何雅切可風也！點綴與用事，自是兩路。用事所關在義意，點綴不過爲顔色丰致而設耳。今人不知，遂以點綴爲用事，故所得皆淺薄，無大深意。

又 作詩最忌敷陳多於比興，詠歎少於發揮，是卽南北宗所由分也。

又 立題最是要緊事，總當以簡爲主，所以留詩地也。使作詩義意必先見於題，則一題足矣，何必作詩？然今人之題，動必數行，蓋古人以詩詠題，今人以題合詩也。詩中不宜有細註腳。一題既立，流連往復，無非題中情事，何必更註？若云時事之有關係者，不便直書題中，亦不應明註詩下；且時事之有關係者，目前人所共知，異代史傳可考，又何必註？若尋常情事，無關重輕，而於題有合者，非註不明；既云於題有合，自應一目了然，又何須註？若云於題無甚關合，註解正所以補題，此卽牽強湊泊之謂也，烏足云詩？用事選料，當取諸唐以前，唐以後故典，萬不可入詩，尤忌以宋、元人詩作典故用。

又 古人於事之不能已於言者，則托之歌詩；於歌詩不能達吾意者，則喻以古事。於是用事遂有正用、側用、虛用、實用之妙。如子美《荆南兵馬使太常卿趙公大食刀歌》云：「萬歲持之護天子，得君亂絲爲君理。」此側用法也。劉禹錫《葡萄歌》云：「爲君持一斗，往取涼州牧。」此虛用法也。李頎《送劉十》云：「聞道謝安掩口笑，知君不免爲蒼生。」此實用也。李端《尋太白道士》云：「出遊居鶴上，避禍入羊中。」此正用也。細心體認，得其一端，已足名家，學之不已，何患不抗行古人耶！

薛雪《一瓢詩話》 作詩能不隸事而渾厚老到，方是實學。若捃摭故實，翻騰舊句，或故尋僻奥，以炫醜博，乍可潛形牛渚，終遭溫嶠燃犀。

又 不去纖響，惟務雕繢，僅同百衲琴，軿湊雖工，膠滯清音，究非上品。

又 講解切不可穿鑿傳會，議論切不可欹刻好奇。未能灼見，不妨闕疑。如竹坡老人駁柳子厚《別弟宗一》詩末句云「欲知此後相思夢，長在荆門郢樹烟」，謂：「夢中安能見郢樹烟？只當用『邊』字。蓋前有『江邊』故耳。」此語已屬夢中說夢。後又改云：「欲知此後相思處，望斷荆門郢樹烟。」是魔不醒矣。殊不知別手足詩，辭直而意哀，最爲可法。觀此一首，無出其右。

又 有一種故實字句入不得詩者，如稊稗相似，斷宜拔去，方不敗苗。

又 對仗之法，古人讀書多，用法備，常有不似對而實對者。淺言之，如「尋常」對「七十」之類。又有兩字對一字者頗多，不可不自理會，動云刊誤。惟杜浣花「問知人客姓，誦得老夫詩」之句，疑「來」字與「人」字流傳易訛，恐是「問知來客姓」。細玩之，「來」字較「人」字差勝。苦無善本爲證。

又 古人用字之法極妙。曾見善本《樊川集》「杜詩韓筆愁來讀」，「筆」字何等靈妙！俗本刻作「杜詩韓集愁來讀」，詩神頓損。

又 用事全在活潑潑地，其妙俱從比興中流出。一經刻畫評駁，則悶殺才人，喪盡風雅也。故村學究時文家斷不可與談詩。何也？有識量者，得其道，守其道，以俟知者。倘識量未定，爲其所移，一盲引衆盲，相將入火坑矣。

又 有意逞博，翻書抽帙，活剝生吞，搜新炫奇。猶夫生客滿座，高貴接席，爲主人者，虛躬浹洽，有何受用處？不若知己數人，賓主相忘，談經論史，其樂何如耶！又如借本經營，原非己物，終歲紜紜，徒見踽踖。不若四弓之田，一畝之宮，採山釣水，嘯歌閑閑，卽腰金衣紫，亦不肯與之相易也。

又 將現成救急字眼，湊上幾字，遂成一句；通首拖泥帶水，黏成八句，謂之律詩。近來漫天塞地，皆是此輩。

又 王阮亭先生云：「劉後村七律專好用本朝事，直是惡道。」乃有竟將本人名號用入，更厭。杜浣花亦偶有之，便覺大雅，所以不可及也。

又 李西涯謂：「作詩不用閑言助字，自然意象具足」，此爲最難。要知五言尙多，七言頗不易，一落村學究對法，便不成詩。陳聲伯舉「西風酒旗市，細雨菊花天」爲深秋景物，宛然在目，初不假語助而得。又引自作「野航秋水岸，林屋夕陽山」、「酒盆压樹影，茶鼎潤松聲」爲比，則覺筆力蕪弱，且有穉氣。余有《春日重過玉柱山房》詩云：「一林蒸朮火，數里焙茶香。」較更蒼潤，而不假閑言助字者。

又 口熟手溜，用慣不覺，亦詩人之病，而前人往往有之。若李長吉之「死」，鄭守愚之「僧」，溫飛卿之「平橋」，韋端己之「夕陽」，不一而足。薩天錫之「芙蓉」，李滄溟之「風塵」，則又爲後生也。

又 篇中鍊句，句中鍊字，鍊得篇中之意工到，則氣韻清高深渺，格律雅健雄豪，無所不有，詩文之能事畢矣。

又 發端斷不可草率，對仗切不可齊整。要知草率發端，下無聲勢；齊整對仗，定少氣魄。

又 宋人喜以現成語、虛字眼鍊入詩用，致來後人生硬麤鄙、陵夷風雅之議。

姚培謙《松桂讀書堂詩話》 劉舍人云：「富于萬篇，貧于一字。」凡一字難下處，不但如老杜「身輕一鳥過」「過」字、「瘦鶴病頸閣」「閣」字之類。人不能道，即本分當用字，偶有遺忘，便足困人。如曾茶山《和曾宏父餉柑》詩：「莫餉君家樊素口，瓠犀微齴遠山顰。」「齴」字更無別字可以代得，今俗下韻書多不收。詩不可以強作，強作必多鋪排，鋪排便是陳腐。詩文妙處總在一個轉字，然轉處之妙全由起處得來，起處不得力，便無轉法。東坡云：「文章難得在起句，起句得力，以下便直掃將去。」作詩若先得項聯、中聯者，便是亂道。

又 言在此而意卻在彼，最是詩家妙境。如老杜《夏日李公見訪》一章云：「遠林暑氣薄，公子過我游。貧居類村塢，僻近城南樓。傍舍頗淳樸，所願亦易求。隔屋喚西家，借問有酒不。牆頭過濁醪，展席俯長流。清風左右至，客意已驚秋。巢多衆鳥斗，葉密鳴蟬稠。苦道此物聒，孰謂吾廬幽？水花晚色靜，庶足充淹留。預恐尊中盡，更起爲君謀。」通篇順文讀去，不過寫新涼留客借酒不足更復謀添之耳。不知其寫暑氣薄，寫近村塢，寫長流，寫清風，寫水花，總不是寫眼前景物，只寫好客到來、無酒飲客、又惟恐客去一段情事。夫貧居無可游，而公子肯來，想因地僻暑薄故耶？顧既來矣，客見四壁蕭然，竟怱怱告別，如何？則慰之曰：鄰居淳樸，西家之酒易借也。酒既借矣，客知所借有限，略飲幾杯，又將告別，如何？則又款之曰：鳥鬬，蟬鳴，水花，到晚更佳也。客既肯留矣，便好起身再去覓酒。若使早露窘色，客既不安，那肯久住耶？公之以朋友爲性命如此！讀者往往不覺。

又 唐人咏馬嵬詩極多，或叙事，或議論，皆非無爲而作。獨玉溪生一篇，則但就貴妃心中摹寫，譏其至死猶不悟也。據鴻都道士言，海外仙山，貴妃所托。然此恐非貴妃所樂，蓋其意在生生世世爲夫婦耳。中聯上句結上生下。下句極言當日蠱惑情事，直至宛轉就絕于尺組之下，應猶恨九重天子不能庇一婦人。女色之禍人如此，而上皇之不早覺悟，隱然恨在言外。此用意之最深者。或謂落句失本朝臣子之體，甚不知詩也。

李重華《貞一齋詩說》 詩有情有景，且以律詩淺言之：四句兩聯，必須情景互換，方不複沓；更要識景中情，情中景，二者循環相生，即變化不窮。

又 寫景是詩家大半工夫，非直即眼生心，詩中有畫，實比興不踰乎此。

又 詩家奧衍一派，開自昌黎；然昌黎全本經學。次則屈、宋、揚、馬亦雅意取裁，故得字字典雅。後此陸魯望頗造其境。今或滿眼陸離，全然客氣；問所從，則曰我韓體也。且謂四庫書俱尋常聞見，於是專取說部，摭拾新奇，以誇繁富。不知說部之學，眉山時復用之者，不過借作波瀾，初非靠爲本領。今所尚止在於斯，乃正韓、蘇大家吐棄不屑者，安得以奧衍目之？

又 凡對屬運用，或史對經，或子對史，不得大段懸絕。此亦銖兩輕重法，舉隅可以類推。

又 裁翦書籍成詩，黃山谷最欲以此見長，後賢緣此宗仰。然錘鍊固多，痕跡亦復不少。若古大家未有不融化而出。譬彼百花釀蜜，豈容渣滓入口？

又 作詩專尚隸事，看詩專重出典，慎勿以知詩許之。

又 匠門業師謂：平生所抱歉者，仙釋二氏書，篇中罕能運用。余曰：以某管見，詩以《風》《雅》爲宗，二氏原不入局。以故少陵引用特鮮；義山始參半攔入，坡公則隨手掇拾，不以爲嫌。究其實，與删詩之旨顯然懸隔。且如昌黎專闢二氏，今其詩卓然爲一代宗師。是則運用闕如，正屬好處，安得自以爲歉？業師聞此爽然。

黄子雲《野鴻詩的》 詩之淺深，有在一兩字内見者。如：康節手抄少陵《藍田崔氏》詩，至「明年此會知誰健？醉把茱萸仔細看」，「醉」字誤書「好」字，一時咸稱善；不知一字之間，風氣頓殊，妍醜迥別矣。

又 作詩用苦心不待言；造句時尚須用全力以助其氣，庶字字立得起敲得響。縱極平常淺淡語，以力運之而出，便勃然生動。

又 凡詩中稱人姓，或以郡名，或以前人之名號代之，最是庸鄙。如：《北夢瑣言》稱馮涓爲長樂公，《冷齋夜話》稱陶穀爲五柳公之類。

邊連寶《病餘長語》卷一 詩句寧出弱而對強，勿出強而對弱，其起落承接亦然。如阮亭「窗前明月影，洞口綠蘿陰」，若非對句，出句成何語？然有對句，翻覺出句入妙。蓋「綠蘿陰」卽「明月影」之所爲也。

又卷三 詩人體物之工，眞有入非非想者。然其實只在眼前，如□□句云：「鶴盤遠勢投孤嶼，蟬曳殘聲過別枝。」「盤」字固佳，「曳」字尤爲出神入化。此眞化工之筆也。宋張子野云：「欲圖江色不上筆，靜覓鳥聲深在蘆。」而東坡則云：「水色色相洗，碧色動軒楹。」此乃居然上筆矣。宋僧某云：「風蒲獵獵弄輕柔，上立蜻蜓不自由。」妙矣，然不如「蜻蜓立釣絲」五字之尤妙也。又劉夢得云：「堦蟻相逢如偶語，園蜂遠去恐違程。」林和靖云：「鶴間臨水久，蜂嬾得花踈」。二聯出句都妙絶。大要此等句，都由目擊而存，非可懸想而得。須知天地間此種妙景正復不少，不遇明眼細心人，便拈不出耳。他如韓孟《城南》詩中，如「乾穟紛拄地，化蟲枯挶（居玉切）莖（言化蟲已枯，尚挶持于草木之莖也）。囚飛黏網動，盜啄接彈驚。逗翳翅相築（逗，止也。翳，陰也。言鳥止于林陰，其翅相觸也），擺幽尾交搒（搒，擊也。言蛇豗擺于幽僻，其尾相擊也）」等句，並有雕刻萬物之能。又「紅皺（棗也）曬簷瓦，黃團（瓜也）擊門衡」，亦復點綴村景入畫。然與前所引句不一例。至叙美人之聲態，則曰「嬌應如在寤，頽意若含酲」，每讀輒爲心醉。知二老於此，興復不淺也。

又卷六 雅頌之體多直，國風之體多曲，而用意之最深者，莫如碩人一篇，蓋莊公惑于嬖妾，莊姜以靜正不善淫失寵，詩人刺之，合應向他論正經道理，今卻閣起道理不論，一味專講欲情，其首章意謂，你難道嫌他境地卑微，他卻族類貴盛如此；次章意謂，難道嫌他醜惡，他又其美如此；三章意謂，索性初來時便已反目，卻也無怪你當初何嘗不親近他，則後來之踈遠其故可知；卒章意云，或者嫌他母家貧，而粧資薄，乃其國之饒富如此，妾媵之美盛如此，卽以俗情而論莊姜，亦萬無可棄之理，乃竟棄之，則莊公之邪妄回惑，不但出于天理之外，且出于俗情之外矣，此是以退步爲加倍法，故其用意常在語言文字之外，自有此詩以來，此意從未經人拈出也。

又卷八 詩未有不煉字者，如關關爲雌雄相應之和聲，並非《爾雅》現成訓詁（《爾雅》固有此訓，然《爾雅》卽所以解詩，蓋先有詩而後有《爾雅》，非先有《爾雅》而關關之詩用《爾雅》也），這便是詩人自己造得，石曼卿詩云，「樂意相關禽對語，生香不斷樹交花」，其出句便從此脫胎。又如「窈窕」二字，都從穴，並非婦人身上字面，詩人卻以形容淑女，「幽間貞靜」四字注得亦妙，蓋窈窕本有幽靜之義，加以「間」字、「貞」字，則切淑女矣，後人如「窈窕青瑣闥」之類，卻是用其本義，乃或反謂其借用《毛詩》，所謂秀才不識字也。詩人未有不煉句者，如「莫赤匪狐，莫黑匪烏」，語甚奇崛，若作「莫匪赤狐，莫匪黑烏」，或作「赤莫匪狐，黑莫匪烏」，成何句法。又後來，詩人用韻之變，大要亦皆本于《三百》，如《葛覃》之首章用雙韻（谷木爲一韻，凄喈爲一韻），《兔罝》全篇都用雙韻（罝叶子余反，與夫應）。韓退之《張徹銘辭》亦用雙韻，朱子以爲用《葛覃》《兔罝》之例是也。大要文字之法備于《六經》，後人只在義理上講求便忘其文字之妙耳，如「君子不器」、「有教無類」，只以四字爲篇，「觚不觚」，以七字成篇，中連用四「觚」字，此等處只因讀滑不覺，一經拈出，便覺耳目一新。

又卷一〇 作詩不可襲舊，能於古人舊作中翻進一層更妙，孟郊《俠客行》云：「十年磨一劍，雙刃未曾試，今日把示君，誰有不平事」，劉叉詩則云：「一條古時水，向我手心流，臨行瀉贈君，莫搏細碎讐」，孟但云報讐而已，劉則云「莫搏細碎讐」，是較孟進一層也。余詩又云，「贈君一古劍，兩刃明霜雪，休將龍虎精，輕染庸人血」，則較劉又進一層也，然劉前二句尤爲警絶。詩中用文章語尤難，用得妙覺成分外奇崛，用得不妙便成笑柄，如太白《蜀道難》云：「其難也如此，嗟爾遠道之人胡爲乎來哉」，奇矣。又《戰城南》云：「乃知兵者是凶器，聖人不得已而用之」，用作煞句尤奇。戴通乾（亨）《八古詠》中《古劍》云：「惟其驚北斗，所以在豐城」，蓋其被劾時曾受拘係，故反其事而用之也。惟其所以，直是奇絶，每見吾邑後生學此句法，輒爲噴飯。余作《八古詠古鼎》前四句云：「九鼎眞神物，爐錘天地初，自非神聖德，何以克當諸」，語亦老健，然有所本，平原董曲江（元度）曾言向在山左書院，山長爲傅公王露（辛丑探花），每教諸生作詩，皆不聽，乃命作咏懷詩，曰：「此題甚寬，展可任意爲之。」有獻七絶者，起句云：「吾人從事于修途，豈可苟爲而已乎」，聞者無不捧腹。李太白詩云：「玳瑁筵中懷裏醉，芙蓉帳底奈君何」，元微之詩云：「依稀似覺雙鬟動，潛被蕭郎卸玉釵」，一種情事，但覺李豪快而元淫艷何也。

又 杜云：「風急天高猿嘯哀，渚清沙白鳥飛迴」，兩句凡十四字，共言六事，而每句三事，又各自相承，是何等力量。溫飛卿詩云：「繡羽花冠碧樹雞，未明先向短牆啼」，二句只衍得「雞叫」二字耳，此之謂詞費。

冒春榮《葚原說詩》卷一　中二聯或寫景，或叙事，或述意，三者以虛實分之。景爲實，事意爲虛，有前實後虛、前虛後實法。凡作詩不寫景而專叙事與述意，是有賦而無比興，卽乏生動之致，意味亦不淵永，結構雖工，未足貴也。善詩者常欲得生動之致，淵永之味，則中二聯多寓事意於景。然景有大小、遠近、全略之分，若無分別，亦難稱作手。如：「雲霞出海曙，梅柳渡江春。淑氣催黃鳥，晴光轉綠蘋。」（杜審言）一大景，一小景也。「浮雲連海岱，平野入青徐。孤嶂秦碑在，荒城魯殿餘。」（杜甫）一遠景，一近景也。「退朝花底散，歸院柳邊迷。樓雪融城溼，宮雲去殿低。」（杜甫）一半景，一全景也。至「蟬噪林逾靜，鳥鳴山更幽。」（王籍）王元美以寫景一例少之。又「圓荷浮小葉，細麥落輕花。」（杜甫）宋人已議之矣。寫景寫情，不宜相礙，前說晴，後說雨，則相礙矣。亦不可犯複，前說沅、澧，後說衡、湘，則犯複矣。字面亦須避忌，字同音異者，或偶見之，若字義俱同，必從更易。律詩以對仗工穩爲正格。有前二聯不相屬對者；有起聯對而次聯用流水句者，謂之換柱對；有以第三句對首句、第四句對次句者，謂之開門對。爲類頗多，姑略舉之。有全首俱對者，老杜多此體；有全首俱不對者，太白多此體，皆屬變格，或間出而用之。「玉窗朝日映，羅帳春風吹。拭淚攀楊柳，長條踠地垂。」（沈佺期）「言從石菌閣，新下穆陵關。獨向池陽去，白雲留故山。」（王維）「無家對寒食，有淚如金波。斲卻月中桂，清光應更多。」（杜甫）「遺榮期入道，辭老竟抽簪。豈不惜賢達，其如高尚心。」（唐玄宗）「清晨入古寺，初日照高林。曲徑通幽處，禪房花木深。」（常建）此換柱對格也。「昔年秋露下，羈旅逐東征。今歲春光動，崎嶇別上京。」（韓愈）「幾思聞靜話，夜雨對禪牀。未得重相見，秋燈照影堂。」（鄭谷）「昨夜越溪難，含悲赴上蘭。今朝踰嶺易，抱笑入長安。」（失名）此開門對格也。有兩句中字法參差相對者，謂之犄角對。如「衆水會涪萬，瞿唐爭一門」（杜甫），「衆水」與「一門」對，「涪萬」與「瞿唐」對。「舳艫爭利涉，來往任風潮」（孟浩然），「舳艫」與「風潮」對，「利涉」與「來往」對是也。有本句中自相對偶者，謂之四柱對。如「赭圻將赤岸，擊汰復揚舲」（王維），「四年三月半，新筍晚花時」（元稹），「遠山芳草外，流水落花中」（司空曙）是也。有雙聲對者，如「留連千里賓，獨待一年春」，此頭雙聲也。「我出崎嶇嶺，君行礉硌山」，此腹雙聲也。「野外風蕭索，雲裏月朦朧」，此尾雙聲也。又有疊韻對者，如「徘徊四顧望，悵怏獨心愁」，「平明披黼帳，窈窕步花庭」，此頭疊韻也。「疏雲雨滴瀝，薄霧樹朦朧」，「磴危攀薜荔，石滑踐莓苔」，此尾疊韻也。有借字音相對者，謂之假對。如「枸杞因吾有，雞栖奈爾何」（杜甫），「廚人具雞黍，稚子摘楊梅」（孟浩然），一借「枸」作「狗」，一借「楊」作「羊」。「根非生下土，葉不墮秋風」，「五峰高不下，萬木幾經秋」，俱借「下」作「夏」。「因遊樵子徑，得到葛洪家」，「捲簾黃葉落，鑠印子規啼」，「殘春紅藥在，終日子規啼」，以「紅」、「黃」對「子」，皆假色也。「白首爲遷客，青山繞萬重」，「閒聽一夜雨，更對柏巖僧」，以「遷」對「萬」，以「柏」對「一」，皆假數也。有次聯不對至第三聯方對者，謂蜂腰對，言已斷而復續也。如賈島詩「下第惟空囊，如何在帝鄉？杏園啼百舌，誰醉在花傍？淚落故山遠，病來春草長。知音逢豈易，孤棹負三湘」是也。有對而不對，不對而對者，如李頎「春風灞水上，飲馬杏花時」，雖不對而聲勢自相應。若杜甫「江漢思歸客，乾坤一腐儒」，則上句「思歸」是聯字，下句「腐儒」是聯字，合讀若對，字實不對，亦不可不知其疵也。三、四句法貴勻稱，承上陡峭而來，宜緩脈赴之；五、六必聳然挺拔，別開一境，上既和平，至此必須振起也。崔顥《贈張都尉》詩：「出塞清沙漠，還家拜羽林。」和平矣，下接云：「風霜臣節苦，歲月主恩深。」杜甫《送人從軍》詩：「今君渡沙磧，累月斷人烟。」和平矣，下接云：「好武寧論命，封侯不計年。」《泊岳陽城下》詩：「岸風翻夕浪，舟雪灑寒燈。」和平矣，下接云：「留滯才難盡，艱危氣益增。」如此拓開，方振得起。溫岐《商山早行》，於「雞聲茅店月，人跡板橋霜」下接「槲葉落山路，枳花明驛牆」，周朴賦《董嶺水》，於「禹力不到處，河聲流向西」下接云「過衙山色遠，近水月光低」，便直塌下去，少振拔之勢。對句宜工，亦不宜太切，如清風、明月，綠水、青山，黃鶯、紫燕，桃紅、柳綠，便是蒙館對法。對法不可合掌，如一動必一靜，一高必一下，一縱必一橫，一多必一少，此類可以遞推。如耿湋「冒寒人語少，乘月燭來稀」，「稀」、「少」合掌。李宗嗣「普天皆滅焰，匝地盡藏烟」，「皆」、「盡」合掌。賈島「流星透疏木，走月逆行雲」，「流」、「走」合掌。曹松「汲水疑山動，揚帆覺岸行」，「行」、「動」合掌。顧在鎔「犬爲孤村吠，猿因冷木號」，「號」、「吠」並聲。崔顥「川從陝路去，河繞華陰流」，「川」、「河」並水。此皆詩之病也。

又　作詩以導其意所欲言，古體不拘排偶，可以直抒己意，故雖有句法，鍛鍊之工尚少。至五言八句，聲律、對偶，格式一定，必須鑄意成辭，命辭遣意，非鍛鍊句法，何以見工？唐人句法，備有多種，説者不能悉舉，學者玩習既久，可自得變化之妙。句法最忌直率，直率則淺薄而少深婉之致。戴叔倫之「如何百年内，不見一人閒」，不若趙嘏「星星一鏡髮，草草百年身」。韓愈之「況與故人别，那堪羈宦秋」，不若靈一「官柳鄉愁亂，春山客路遥」。貫休之「故國在何處，多年未得歸」，不若司馬札「芳草失歸路，故鄉空暮雲」。兩相比較，淺薄深婉自見。以十字道一事者，拙也，約之以五字則工矣。以五字道一事者，拙也，見數事於五字則工矣。如韋應物「浮雲一别後，流水十年間」，權德輿則以「十年曾一别」五字盡之。如高適「大都秋雁少，只是夜猿多」，馬戴則云「楚雨霑猿暮，湘雲拂雁秋」，「猿」、「雁」之外更道數事。此所謂鍊字、鍊句尤不如鍊意也。唐玄宗「劍閣横雲峻」一篇，王維「風勁角弓鳴」一篇，神完氣足，章法、句法、字法俱臻上乘，此五律正格。而李白「五月天山雪，無花祇有寒，笛中聞《折柳》，春色未曾看」，一氣直下，不就羈縛。王維「萬壑樹參天，千山響杜鵑。山中一夜雨，樹杪百重泉」。分頂上二語，而一氣赴之，尤爲龍跳虎臥之筆。皆天然入妙，未易攀躋，然學者不可不從此問津。句法有倒裝横插、明暗呼應、藏頭歇後諸法。法所從生，本爲聲律所拘，十字之意，不能直達，因委曲以就之，所以律詩句法多於古詩，實由唐人開此法門。後人不能盡曉其法，所以句多直率，意多淺薄，與前人較工拙，其故卽在此。五字爲句，有上二下三，上三下二，上一下四，上四下一，上二下二中一，上二中二下一，上一中二下二，上二下一中三，凡八法。上二下三，如「玉劍浮雲騎，金鞭明月弓」（盧照鄰），「澗水空山道，柴門老樹村」（杜甫）。上三下二，如「把君詩過日，念此别驚神」（杜甫），「一封書未返，千樹葉皆飛」（于武陵）。上一下四，如「臺倚烏龍嶺，樓侵白雁潭」（許渾），「雁惜楚山晚，蟬知秦樹秋」（司空曙）。上四下一，如「雀啄北窗晚，僧開西閣寒」（喻凫），「蓮花國土異，貝葉梵書能」（僧護國）。上二中一下二，如「旌旗朝朔氣，笳吹夜邊聲」（杜審言），「星河秋一雁，砧杵夜千家」（韓翃）。上二中二下一，如「春風騎馬醉，江月釣魚歌」（司空曙），「晴山開殿翠，秋水掩簾寒」（許渾）。上一中二下二，如「地盤山入海，河繞國連天」（張祜），「井鑿山含月，風吹磬出林」（賈島）。上二下一中三，如「星臨萬戶動，月傍九霄多」（杜甫），「劍留南斗近，書寄北風遥」（祖詠）。此皆以五字成句，而句中有讀者也。唐人多以句法就聲律，不以聲律就句法，故語意多曲，耐人尋味。後人不知此法，順筆寫去，一見了然，無意味矣。如老杜「清旭楚宫南，霜空萬里含」，順之當云「萬里楚宫南，霜空清旭含」也。「北歸衝雨雪，誰憫敝貂裘」，順之當云「誰憫貂裘敝，北衝雨雪歸」也。「野禽啼杜宇，山蝶夢莊周」，順之當云「莊周山蝶夢，杜宇野禽啼」也。玩此可以類推。詩句中有眼，須鍊一實字，句便雅健。如「行雲星隱見，疊浪月光芒」（杜甫），「古砌碑横草，陰廊畫雜苔」（司空曙），「旅愁春入越，鄉夢夜歸秦」（杜甫），「星河秋一雁，砧杵夜千家」（韓翃），「夜潮人到郭，昏霧鳥啼山」（張祜），「殘暑蟬催盡，新秋雁帶來」（白居易）。又須用一響字，如「白沙留月色，綠竹助秋聲」（李白），「孤燈然客夢，寒杵搗鄉愁」（岑參），「荷香銷晚夏，菊氣入新秋」（駱賓王）。又有故用一拗字者，如「掬水月在手，弄花香滿衣」（于良史），「渡口月初上，人家漁未歸」（劉長卿），「殘影郡樓月，一聲關樹鷄」（劉滄）。此皆第三字致力也。詩中用字，本之書卷，出之胸臆，取之善則無病，否則爲累。大概詩家常用者，自然秀而隱，反是則笨而險；近體中常用者，自然雅而清，反是則俗而濁。世有喜新厭熟，務用艱澀字面者，固不可與言詩矣。至於古詩字料，尤難入近體。六朝人競尚綺靡，專以他字替本字，自唐興律體，掃滌繁蕪，一軌大雅，學者所宜亟辨，惡可混用乎？

又 用字宜雅不宜俗，宜穩不宜險，宜秀不宜笨。一字之工，未足庇其全首；一字之病，便足累其通篇，下筆時最當斟酌。蓋近體與古詩不同，既以五言八句爲限，其體則方，其調則圓。詩腸須曲，詩思須癡，詩趣須靈。意本如此而説反如彼，或從題之左右前後曲折以取之，此之謂曲腸。狂欲上天，怨思塡海，極世間癡絶之事，不妨形之於言，此之謂癡思。以無爲有，以虚爲實，以假爲眞，靈心妙舌，每出人意想之外，此之謂靈趣。詩腸之曲，如宋之問「不寄西山藥，何由東海期」，本羨天台道士之成仙，反言以激之，正深望其寄藥。岑參「勤王敢道遠，私向夢中歸」，本怨赴邊庭，歸期難必，卻反言不敢道遠，夢中可歸。張九齡「自匪常行邁，誰能知此音」，本憚行邁，反説曲江溪中溪水松石之音，足以怡人。杜甫「漸喜交遊絶，幽居不用名」，本怨朋友絶跡，反以喜言。又「萬方頻送喜，無乃聖躬勞」，非恐聖躬勞於應接，正恐聖心狃目前收京之喜，不爲剪滅朝食之計耳。所以知詩中有此意者，以上文有「雜虜横戈數，功臣甲第高」二語，故結句云云，可謂妙於立言矣。詩思之癡，如李白「剗卻君山好，平鋪湘水流。巴陵無限酒，醉煞洞庭秋」。杜甫「斲卻月中桂，清光應更多」。萬楚「河水浮落花，花流東不息。應見浣紗人，爲道長相憶」。詩趣之靈，如李白「歲晚或相訪，青天騎白龍」。又「白髮三千丈，緣愁似箇長。不知明鏡裏，何處得秋霜」。杜甫「山鬼迷春竹，湘娥倚暮花」。唐人惟具此三者之妙，故風神灑落，興象玲瓏。自宋以後，此妙不傳，所以用盡氣力，終難與唐人作敵也。

又 近體以氣格爲主，風神爲輔，用事不化則傷氣格，用字不妙則損風神。唐人惟老杜「讀書破萬卷」，使事用字，多從經史中來。然下筆有神，融洽無迹，尤非餘子所能學步。用字最宜斟酌，俚字不可用，文字又不可用。用俚字是劉昭禹《郡閣閒談》所謂「四十個賢人，著一屠沽兒不得」也。用文字則又學究矣。至語助入詩，自是宋人陋習。若潛玩唐人詩，則無此失。詩中以虛字爲筋節脈絡，承接呼應之間，有當用處，有不當用處。不當用而用則句不健，當用而不用則意不醒。此中最宜消息。虛字呼應，是詩中之綫索也。綫索在詩外者勝，在詩內者劣。今人多用虛字，綫索畢露，使人一覽略無餘味，皆由不知古人詩法故耳。或問綫索在詩外詩內之說，曰：此卽書法可喻。書有眞、有行、有草，行草牽繫聯帶，此綫索之可見者也；眞書運筆全在空中，故不可見，然其精神顧盼，意態飛動處，亦實具牽繫聯帶之妙。此惟善書者知之。故詩外之綫索，亦惟善詩者得之。嚴滄浪謂「詩有別材，非關書也」，以言神明妙悟，不專學問之意，非教人廢學也。誤用其說者，因有原伯魯之譏。而今之談藝家，又專尚漁獵，若家有類書、韻府，便稱作者。究其流極，厥弊維均。吾恐楚則失矣，齊亦未爲得也。詩家寫有景之景不難，所難在寫無景之景，此惟老杜能之。如「河漢不改色，關山空自寒」，寫初月易落之景，「日長惟鳥雀，春遠獨柴荆」，寫花事既罷之景，偏從無月無花處著筆。寫景之句，以工緻爲妙品，眞境爲神品，淡遠爲逸品。如「芳草平仲綠，清夜子規啼」（沈佺期），「明月松間照，清泉石上流」（王維），「雨中山果落，燈下草蟲鳴」（同上），「綠樹村邊合，青山郭外斜」（孟浩然），「松生青石上，泉落白雲間」（賈島），「泉聲入秋寺，月色徧寒山」（于武陵），皆逸品也。如「日落江湖白，潮來天地青」（王維），「四更山吐月，殘夜水明樓」（杜甫），「野徑雲俱黑，江船火獨明」（同上），「雞聲茅店月，人跡板橋霜」（溫庭筠），皆神品也。若唐句可稱妙品者，則不可勝舉矣。學詩者每作一題，必先立意。不能命意者，沾沾於字句，方以避熟趨生爲工。若知命意，迥不猶人，則神骨自超，風度自異。僅在字句求新者，猶村漢著新衣，徒增醜態而已。作懷古詩，必切時地。杜甫《公安縣懷古》中聯云：「灑落君臣契，飛騰戰伐名。」簡而能該，眞史筆也。詠物必從大處著筆，勿落纖巧。杜甫詠《房兵曹胡馬》云：「所向無空闊，眞堪託死生。」馬之德性調良，俱以十字傳出。歸愚沈氏云：「詩貴性情，亦須論法，雜亂無章，非詩也。所謂法者，行乎不得不行，止乎不得不止，而起伏照應，承接轉換，自神明變化於其中。若泥定此處應如何，彼處應如何，不以意運法，轉以意從法，則死法矣。天地間水流雲在，月到風來，何處著得死法？」詩以自然爲上，工巧次之。工巧之至，始入自然；自然之妙，無須工巧。高廷禮列老杜於大家，不居正宗之目，此其微旨。五言如孟浩然《過故人居》，王維《終南別業》，又《喜祖三至留宿》，李白《送友人》，又《牛渚懷古》，常建《題破山寺後禪院》，宋之問《陸渾山莊》，此皆不事工巧極自然者也。

又卷二 予所論五言律法，亦可通於七言。第於五言增二字，則句易失於弱，惟以實字爲虛字，則句調自然健拔。近人不知七律難於五律，率爾便作，以爲應酬之具，開卷十倍他體，相習成風，無所改悔。世稱杜子美爲詩聖，按：其正集詩凡一千四百二十四首，別本附錄四十八首，其中七律僅一百五十首。每稱唐人七律之多，無如子美，而七律於諸體，纔十之一。子美旣聖矣，猶嚴於法，則其難能也可知。七律難於五律，七言句若可截去二字作五言，便不成詩。須字字去不得，方是好詩。所以句要藏字，字要藏意，如連珠不斷方妙。近人作七言律，或有宗仰盛唐，專主氣格，識見非不高，但矯枉過正，又如笨伯，不能行動。大抵氣格固不可廢，風神亦不宜減，此在虛實之間，善自探討。氣格以主之，風神以運之，斯爲上乘。作詩先須立意，意者，一身之主也。如送人，則言離別不忍相舍之意；寄贈，則言相思不得見之意；題詠花木之類，則用《離騷》芳草之意。故詩如馬，意如善馭者，折旋操縱，先後疾徐，隨意所之，無所不可，此意之妙也。又如將之用兵，或攻或戰，或屯或守，或出奇以取勝，或不戰以收功，雖百萬之衆，多多益善，而敵人莫能窺其神，此意之妙也。意在於假物取意則謂之興，罕譬而喻則謂之比，鋪張實事則謂之賦。但貴圓合透徹，辭語相頡頏，務使意在言表，涵蓄有餘不盡，乃爲佳耳。是以妙悟者，意之所向，透徹玲瓏，如空中之音，雖有聞而不可彷彿；如象外之色，雖有見而不可描摸；如水中之味，雖有知而不可求索。洞觀天地，眇視萬物，是爲高古。剖出肺腑，不借語言，是爲入神。超遠虚空，了悟生死，是爲離象。寄興悠揚，因彼見此，是爲造巧。隔關寫景，不露形迹，是爲不俗。故意在於閒適，則全篇以雅淡之言發之；意在於哀傷，則全篇以悽婉之情發之；意在於懷古，則全篇以感慨之言發之。此詩之悟意也。意既立，必須得句。第一字句得於天然，不待雕琢，律呂自諧，神色兼備，奇絶者如孤崖斷峰，高古者如黄鐘大呂，飄逸者如清風白雲，森嚴者如旌旗甲兵，雄壯者如千軍萬馬，華麗者如奇花美女，如是爲妙句。其次必須造語精工，或動静大小，眞假生死，遠近古今，虚實有無，或變化彷彿，一句之中，常具數節義，乃爲佳句。是以洞觀天地之句，似放誕而非放誕；剖出肺腑之句，似粗俗而非粗俗；了達生死之句，似虚無而非虚無；寄興悠揚之句，意之所至，信手拈來，頭頭是道，不待思索，得于自然；隔關寫景之句，不落方體，不犯正位，不滯聲色，左右上下，無所不通，似著題而非著題，非悟者不能作也，可概得矣。下字必須清活響，與一篇之意、一句之意相通，各自卓立，而復相承，自爲本色。若洞觀天地之句，其字宜籠放，宜開闊，宜雄渾；剖出肺腑之句，其字宜沉著，宜痛快；了達生死之句，其字宜高古，宜眞率；寄興悠揚之句，其字宜涵蓄不露，宜優游不迫；隔關寫景之句，其字宜精工，宜神奇，宜飛動，宜變化，宜峻峭，宜飄逸，每每有似眞非眞，似假非假，若有若無，若彼若此之意，斯爲得之。總之，一詩之中，必先得意；一句之中，必先得字。先得意，後得句，而字在乎其中，不待求索者，上也。若先得句，因句之所在而生意，或先或後，使意能成就其句之美者，次也。若先得字，因字而生意生句者，又其次也。故意也，句也，字也，三者全備而妙悟，意與句皆悟而字有虧欠，則爲小疵。若有意之句則精神無光，有句之意則徒事妝點，句意俱不足，而惟於一字求工，何足道哉！然意之所忌者，最忌用俗，最忌議論。議論則成文字而非詩，用俗則涉淺近而非古。句之所忌者，最忌虚中之虚，實中之實，須虚中有實，實中有虚。字之所忌者，最忌妝點襯貼，妝點襯貼，蓋非本句之所有，而強牽合以成之者，又不可不知。唐人命題，便自不苟。如一宴會題，題中人名，彼此互闕，此是各有契分，不相濫及。又或單舉一二人，而餘則從略。以此推之，則其不肯輕易假借，率爾應酬，斷可識矣。是故作詩必擇題，製題必擇人，人不佳則累其題，題不佳則累其詩，下筆不可不愼也。此外如書懷、寫景之類，亦必遇題而後有詩，未有懸詩以待題者。遇題而後有詩，則詩中方得見自己性情。若徒蓄勃勃作詩之興，逢題即和，逢人即詩，雖富有篇什，而己之性情汩沒多矣。此識者讀其題而可逆卜其詩之不工也。昔有問作賦之法於司馬長卿者，長卿曰：「能讀千賦則善賦，能觀千劍則善劍。」詩之爲道，亦猶是爾。博觀古人衆製，乃以啓沃方寸之靈源。第初時識其繩尺部位，必不敢率意苟作。此時半字皆無，至有終年不成一詩者。久則得其意味，熟則機趣自生，沛然川至，滃然雲起，不自知其詩之所由來。是眞懸詩以待題之時，而亦必無累其詩之題矣。起句可不用韻，故宋人以來，有入别韻者，謂「孤雁入羣體」。然必於通韻中借入，如冬韻詩起句入東，支韻詩起句入微，豪韻詩起句入蕭、肴是已。若庚、青韻詩起句入眞、文，寒、刪、先韻詩起句入覃、鹽、咸，雜亂不可爲訓。李笠翁以結句亦用别韻，謂之「孤雁出羣體」，此斷不可爲訓。律詩或興起，或比起，或引事起，或就題起，句要突兀高遠。頷聯要承接，如驪龍之珠，抱而不脱。頸聯或寫意，或寫景，與前聯之意相應，又要變化。結句或就題，或開一步，或繳前聯之意，言有盡而意無窮。七字爲句，中二聯最忌重調。句法則有上四下三，上三下四，上二下五，上五下二，上一下六，上六下一，上二中二下三，上二中三下二，上二中四下一，上一中四下二，上四中一下二，上三中一下三，此十二法盡之。上四下三，如「九天閶闔開宫殿，萬國衣冠拜冕旒」（王維）、「龍武新軍深駐輦，芙蓉别殿漫焚香」（杜甫）。上三下四，如「洛陽城見梅迎雪，魚口橋逢雪送梅」（李紳）、「斑竹岡連山雨暗，枇杷門向楚天秋」（韓翃）。上二下五，如「朝罷香烟攜滿袖，詩成珠玉在揮毫」（杜甫）、「霜落雁聲來紫塞，月明人夢在青樓」（劉滄）。上五下二，如「不見定王城舊處，長懷賈傅井依然」（杜甫）、「同餐夏果山何處，共釣寒濤石在無」。上一下六，如「盤剝白鴉谷口栗，飯煮青泥坊底芹」（杜甫）、「烟横博望乘槎水，日上文王避雨陵」（唐彦謙）。上六下一，如「忽驚屋裏琴書冷，復亂簷前星宿稀」（杜甫）、「卻從城裏攜琴去，許到山中寄藥來」（賈島）。上二中二下三，如「旌旗落日黄雲動，鼓角因風白草翻」（李頻）、「論舊舉杯先下淚，傷離臨水更登樓」（楊巨源）、「百年地僻柴門迥，五月江深草閣寒」、「五更鼓角聲悲壯，三峽星河影動搖」（杜甫）。上二中三下二，如「魚吹細浪搖歌扇，燕蹴飛花落舞筵」（杜甫）、「門通小徑連芳草，馬飲春泉踏淺沙」（郎士元）。上二中四下一，如「山河北枕秦關險，驛路西連漢畤平」(崔顥)，「宮中下見南山盡，城上平臨北斗懸」(蘇頲)。上一中四下二，如「詩懷白閣僧吟苦，俸買青田鶴價偏」(陸龜蒙)。上四中一下二，如「永夜角聲悲自語，中天月色好誰看」(杜甫)。上三中一下三，如「黄金甲鎖雷霆印，紅錦絛纏日月符」。此皆以七言成句，句中有讀者也。七律平叙易於徑遂，雕鏤失之佻巧，比五言爲難。屬對宜穩，遣事宜切，鍊字宜老，音調宜高，而總歸於血脈動盪，首尾渾成。今人祇於一詩中爭一聯出色，取青配白，有好句無章法，所以去古日遠也。七律不難中二聯，難在發端及結句耳。發端與結句，唐人無不妙者，然亦無轉入他調及收頓不住之病。篇法有起有束，有收有斂，有喚有應，大抵一開則一合，一揚則一抑，一象則一意，無偏用者。句法有倒插，有折腰，有交互，有掉字，有倒叙，有混裝對，非老杜不能也。倒插句法，如「織女機絲虛夜月，石鯨鱗甲動秋風」，順講則「夜月虛織女機絲，秋風動石鯨鱗甲」，與「畫省香爐違伏枕，山樓粉堞隱悲笳」皆是。折腰句法，如「漁人網集澄潭下，估客船隨返照來」，「集」字、「隨」字，句中之腰也。交互句法，如「花徑不曾緣客掃，蓬門今始爲君開」，謂花徑不曾因客而掃，今爲君掃，蓬門不曾爲客而開，今爲君開，上下兩意，交互成對。掉字句法，如「桃花細逐楊花落，黄鳥時兼白鳥飛」，及李商隱「座中醉客延醒客，江上晴雲雜雨雲」之類。倒叙句法，如「侵陵雪色還萱草，漏洩春光有柳條」，「有」已有「還」，「還」有「有」，一字兩相關帶，故是倒叙。混裝對句法，如「澗道餘寒歷冰雪，石門斜日到林丘」，謂歷澗道冰雪，尚有餘寒，到石門林丘，已見斜日，故爲混裝對。形家論龍穴沙水，喜逆而惡順，惟詩亦然。逆則力厚，順則勢走，此章、句、字三者倒叙、倒裝、倒押之法所宜講也。

又 施愚山閏章論王維、岑參、杜甫和賈至《早朝》詩，惟杜甫無法。既題早朝，則「雞鳴」、「曉鐘」、「衣冠」、「閶闔」，律法如是矣。王維歉於岑參者，岑能以「花迎」、「柳拂」、《陽春》一曲，補舍人原唱「春色」二字，則王稍減耳，其他無不同者。何則？律故也。杜卽不然。王母「仙桃」，非朝日也。堂成而燕雀賀，非朝時境也。「五夜」便「日暖」耶？舛也。且「日暖」非早時也。若夫「旌旗」之「動」，「宮殿」之「高」，未嘗朝者也。曰「朝罷」，亂也。「詩成」與早朝半四句，乏主客也。如是非律矣。若以爲少陵而不可議，是寶夏后氏之璜而忘其考也。溫、李七律，以屬對擅長。義山「此日六軍同駐馬，當時七夕笑牽牛」，飛卿「回日樓臺非甲帳，去時冠劍是丁年」，對句用逆挽法，詩中得此一律，便化板滯爲活跳。若徒工屬對而乏意義，又不講通首章法，譬之剪綵爲花，全無活相，弗尚也。

又卷三 《詩法源流》云：「絶句者，截句也。後兩句對者是截律詩前四句，前兩句對者是截律詩後四句，皆對者是截中四句，皆不對者是前後各截兩句。」此說相沿已久，亦非定論。愚謂絶句首尾布置，以四句爲起承轉合，與律詩作法不同。律詩要句律舂容，布置匀稱，絶句則字字謹嚴，意思圓活。或謂律詩截前四句則無轉合，截後四句則無起承，截中聯者詩固有之，若截首尾，恐前二句散緩，後二句必不相應也。絶句之法，要婉曲迴環，句絶而意不絶，多以第三句爲主，而第四句發之。有實接，有虛接，承接之間，開與合相關，反與正相依，順與逆相應，一呼一吸，宮商自諧。大抵起承二句固難，然不過平直叙起，從容承之；至如婉轉變化工夫，全在第三句，若於此轉變得好，則第四句如順流之舟矣。絶句字句雖少，含蘊倍深。其體或對起，或對收，或兩對，或兩不對，格句既殊，法度亦變。對起者，其意必盡後二句。對收者，其意必作流水呼應，不然則是不完之律。亦有不作流水者，必前二句已盡題意，此特涵泳以足之。兩對者，後二句亦有流水，或前暗對而押韻，使人不覺。亦有板對四句者，此多是漫興寫景而已。兩不對者，大抵以一句爲主，餘三句盡顧此句，或在第一，或在第二，或在第三、四。亦有以兩句爲主者，又有兩呼兩應者，或分應，或各應，或錯綜應。又有前後兩截者，有一意直叙者，有前二句開說、後二句綰合者，有以倒叙爲章法者，有以錯叙爲章法者。惟此體最多變局，在人善用之。對起，如杜甫「岐王宅裏尋常見，崔九堂前幾度聞。正是江南好風景，落花時節又逢君」(以後二句見意)。對收，如杜審言「知君書記本翩翩，爲許從戎赴朔邊？紅粉樓中應計日，燕支山下莫經年」(流水呼應)。劉長卿「昨夜承恩宿未央，羅衣猶帶御爐香。芙蓉帳小雲屏暗，楊柳風多水殿涼」(涵泳)。兩對，如長孫佐輔「愁多不忍醒時別，想極還尋靜處行。誰遣同衾又分手，不如行路本無情」(呼應)。押韻對起，如杜審言「遲日園林悲昔遊，今春花鳥作邊愁。獨憐京國人南竄，不似湘江水北流」。板對四句，如朱長文「龍向洞中銜雨出，鳥從花裏帶香飛。白雲斷處見明月，黄葉落時聞擣衣」。兩不對，如賈至「紅粉當壚弱柳垂，金花臘酒解酴醾。笙歌日暮能留客，醉殺長安輕薄兒」(首句佳主)。李白「楊花落盡子規啼，聞道龍標過五谿。我寄愁心與明月，隨風直到夜郎西」（次句作主）。王昌齡「昨夜風開露井桃，未央前殿月輪高。平陽歌舞新承寵，簾外春寒賜錦袍」（三句作主）。杜牧「銀燭秋光冷畫屏，輕羅小扇撲流螢。天階夜色涼如水，臥看牽牛織女星」（四句作主）。韓翃「春城無處不飛花，寒食東風御柳斜。日暮漢宮傳蠟燭，輕烟散入五侯家」（三、四作主）。白居易「帝子吹簫逐鳳凰，空餘仙洞號華陽。落花何處堪惆悵，頭白宮人掃影堂」（一、二作主）。兩呼兩應，如李白「故人西辭黃鶴樓，烟花三月下揚州。孤帆遠影碧空盡，惟見長江天際流」（一呼二應，三呼四應，此各應法）。王昌齡「故園今在灞陵西，江畔逢君醉不迷。小弟鄰莊尙漁獵，一封書寄數行啼」（一呼三應，二呼四應，此分應法）。劉禹錫「江南江北望烟波，入夜行人相應歌。《桃葉》傳情《竹枝》怨，水流無限月明多」（一呼四應，二呼三應，此錯應法）。前後兩截，如王昌齡「寒雨連江夜入吳，平明送客楚山孤。洛陽親友如相問，一片冰心在玉壺」（前送客，後寄訊，分兩截）。一意直叙，如薛維翰「白玉堂前一樹梅，今朝忽見數枝開。兒家門戶重重閉，春色何緣得入來」。前分後合，如王維「新豐美酒斗十千，咸陽游俠多少年。相逢意氣爲君飲，繫馬高樓垂柳邊」（一言酒，二言人，三、四始合說）。倒叙，如楊貴妃「羅袖動香香不已，紅蕖裊裊秋烟裏（此二句在後）。輕雲嶺上乍搖風，嫩柳池邊初拂水」（此二句在前，詠舞也。舞者先緩拍，後催滾，故必用倒叙看始合）。錯叙，如白居易「人道中秋明月好，欲邀同賞意如何？華陽洞裏秋潭上，今夜清光此最多」（第二句當在後）。又如王昌齡「眞成薄命久尋思，夢見君王覺後疑。火照西宮知夜飲（覺後），分明複道奉恩時（夢中）」（此代言望幸之情也。「分明複道」云云，既而「火照」云云，夢中情事宛然。覺後猶疑非夢，展轉尋思，君恩徒在夢中，豈非眞成薄命乎？此詩以四三二一爲一二三四，錯叙到底，是以千年來無人解此）。明李滄溟論七言絕句，推王昌齡「秦時明月」爲第一，王鳳洲推王翰「蒲萄美酒」爲第一。國朝王漁洋則推王維之「渭城」，李白之「白帝」，王昌齡之「奉帚平明」，王之渙之「黃河遠上」。蓋滄溟、鳳洲主氣，漁洋主神，各自有見。歸愚沈氏謂「李益之『回樂峰前』，柳宗元之『破額山前』，劉禹錫之『山圍故國』，杜牧之『烟籠寒水』，鄭谷之『揚子江頭』諸作，亦堪接武。」歸愚謂「王昌齡『昨夜風開露井桃』一首，只說他人之承寵，而己之失寵，悠然可思，此求響於絃指外也。」又如韋蘇州詩：「南望青山滿禁闈，曉陪鴛鷺正差池。共愛朝來何處雪，蓬萊宮裏拂松枝。」老杜《答嚴公送酒》詩：「山瓶乳酒下青雲，氣味濃香幸見分。鳴鞭走送憐漁火，洗盞開嘗對馬軍。」此絕句之變體也。七言絕句，以體近情遙，含吐不露爲主。只眼前景，口頭話，而有絃外音，味外味，神氣超遠。太白有焉。意貴深，語貴淺。意不深則薄，語不淺則晦。寧失之薄，不失之晦。今人之所謂深者，非深也，晦也。此不知匠意之過也。主之以骨格，運之以風神，調之以音節，和之以氣味，四者備而詩道無餘蘊矣。絕句尤宜永遵。

又卷四 五言古，詩之根本也。其餘諸體，詩之枝葉也。蓋溯所從來，自《風》、《騷》而漢、魏，自漢、魏而唐，唐雖創爲近體，實奄有前代之規。屈指當時，古有兼工，律無獨盛，惟晚唐人棄古不務，始專爲近體。由此觀之，則其難易之數可知，其本末之辨亦可知。後人畏難就易，故多攻律體，少製古風，非所謂知本者也。予嘗語從游輩，凡學詩須從五言古入手，盡探古今作者之源流，得其風概，充之以學力，漸次出入變化，自成大家。如從五言律詩入者，亦可成名家，但局度恐不能闊大，便遜五古入手者一籌。不知詩者，或漫然從七絕七律作起，躐等而進，誤入旁門，終成外道。古體專事摹擬，則性靈不露；純用己法，則古調有乖。當如臨書者用古人意七分，參己意三分，精神足相映發。五言古詩，或興起，或比或賦，須寓意深遠，託詞溫厚，反覆優游，含蓄婉轉，推人心之至情，寫感慨之微意，潛玩漢、魏諸詩自得。有感時入興者，如「凜凜歲云暮，螻蛄夕鳴悲。涼風率以厲，遊子寒無衣」。有先叙事後入興者，如陸士衡「遠遊越山川，山川修且廣」。有直入比興者，如「鬱鬱澗底松，離離山上苗，以彼徑寸莖，蔭此百尺條」。有直入興者，如陸士衡「顧侯體明德，清風肅已邁」。有託興入興者，如「青青河畔草，綿綿思遠道」。有把情入興者，如劉公幹詩「秋日多悲懷，感慨以長歎」，江淹詩「遠與君別者，乃至雁門關」。此寄人懷人，皆自此起興。有把聲入興者，如「淚淚三峽水，別怨流楚辭」，此耳聞也。「白楊多悲風，蕭蕭愁殺人」，此心聞也。有景物入興者，如曹子建詩「明月照高樓，流光正徘徊」，此詩格高，不極辭於怨曠而意自彰。有景物兼意入興者，如王正長詩「朔風動秋草，邊馬有歸心」是也。有怨調入興者，如阮籍詩「獨坐空堂上，誰可與歡者」，又曹植詩「端坐苦愁思，攬衣起四游」，此哀而不傷者也。短篇貴詞簡味長，言不可盡。長篇須分爲幾段幾節，句數多少要略均齊。首段是序，一篇之意，皆含其中。結段要照起段。《文選》所載詩，分段節數甚均。杜詩卻不拘，亦不爲冗長，亦不過爲短幅也。次要過脈句引過次段，用以束上起下。要回照，所謂十步一回頭；又要照題目，所謂五步一消息。要閒語贊歎，方不甚迫促。長篇最忌亂雜，一意一段。以上四法，備《北征》詩。五言古長篇難於鋪叙，鋪叙中有峰巒起伏，則長而不漫。短篇難於收斂，收斂中能含蘊無窮，則短而不促。又長篇必倫次整齊，起結完備，方爲合格。短篇超然而起，悠然而止，不必另綴。起結苟反其位，兩者俱傎。七言短篇，宜詞明意盡，與五言較易。長篇分段一如五言，過脈亦如之。稍有意異者，突兀萬仞，則不用過句陡頓，便說他事。少陵多如此，岑參亦尚此法，如《魏將軍歌》、《松樹障子歌》是也。七言古要鋪叙，有開合，有風度。要迢遞險怪，雄俊鏗鏘，忌庸俗軟弱。須波瀾開闊，如江海之波，一波未平，一波復起，又如兵家之陣，方以爲正，又復爲奇，方以爲奇，又復是正，出入變化，不可紀極。須開合粲然，音韻鏗然，法度森然，神思悠然，學問充然，議論超然。詩篇結句爲難，七言古尤難。前路層波疊浪而來，略無收應，成何章法？支離其詞，亦嫌煩碎。作手於兩言或四言中，層層照管，而又能作神龍掉尾之勢，神乎技矣！七言古或雜以兩言、三言、四言、五六言，皆七言之短句也。或雜以八九言、十餘言，皆伸以長句，而故欲振蕩其勢，迴旋其姿也。其間忽疾忽徐，忽翕忽張，忽停瀠，忽轉擊，乍陰乍陽，屢遷光景，莫不有浩氣鼓盪。其機如吹萬之不窮，如江河之滔漭而奔放，斯長篇之能事極矣。四語一轉，蟬聯而下，特初唐人一法，所謂「王楊盧駱當時體」也。樂府中不宜雜古詩體，恐散樸也，作古詩正須得樂府意。古詩中不宜雜律詩體，恐凝滯也，作律詩正須得古風格。與寫篆八分不得入楷法，寫楷書宜入篆八分法同意。擬古樂府，當相其題之時代而以意消息之，雖不可太摹，亦不宜太遠。優孟衣冠，固非俊物，張冠李戴，亦豈當行？稱詩者莫盛於唐，惟去漢、魏日遠，古體遂乏渾厚之氣。擬古樂府，則以太白爲正宗，而少陵及元、白、張、王其變也。五古以子昂、太白、王、孟、韋、柳爲正，子昂復古之功尤大，少陵則變而不失其正也。至七古以高、岑、王、李頎及太白、少陵、昌黎爲正，而王、楊、盧、駱四傑其變也。陳後山云：「學詩如學仙，時至骨自換。」嚴滄浪云：「禪道在妙悟，詩道亦在妙悟。」一以仙喻詩，一以禪喻詩，並可稱善喻。「時至骨換」，此以工夫火候言也。至「悟」之一字，則是解粘去縛，單刀直入，第一法門。然禪家求悟在參話頭，詩家求悟參箇什麼？此須各人自家理會。「踏破鐵鞋無覓處，得來全不費工夫」，如是如是。吾友姜香岩恭壽云：「嚴氏以禪喻詩，虞山馮定遠嘗短之，謂夫禪自漢明帝時始，詩莫妙於《三百篇》，時無禪也。」此說謬甚。以禪喻詩，非以禪入詩，所謂臭味在酸鹹外是也，所謂不參死句是也，所謂不拖泥帶水活潑潑地是也，所謂脱胎換骨是也，所謂意起於彼，言在於此，使人領悟卽得，不可以呆相求之是也。若馮定遠說，是謂禪和子說偈語、打機鋒也，其於嚴氏之解，謬以千里矣。佛教雖自漢興，然禪說已久，若老若莊，又何爲者也？是馮君不特不知詩之妙，並於禪之說亦貿然矣。予憶丙辰館香岩白蒲書室，其子展甫十歲，從予授讀《兩都賦》及《古詩十九首》，時與香岩挑燈論詩，偶筆此條。論詩之要領，「聲色」二字足以盡之。《書》曰：「詩言志，歌永言。」古人之詩未有不協聲律者，自唐以前，能詩之士未有不知音律者，故言詩而聲在其中。也。自宋人逐腔填詞，以長短句爲樂府，而詩遂僅爲紙上之言。其體雖效古《騷》、《雅》、漢、魏、六朝、三唐之聲各不同，以樂隨世變，故聲亦隨世變人，不過揣摩其音響而已，豈能知歷代之詩之聲之所從出哉？近世更思標新立異，就字句間弄巧，或並其音響而失之，詩道之所以益喪也。漢以前詩，皆不假彫繪，直道胸臆，此所謂太白不飾也，然而眞色在焉。魏、晉而下，始事藻飾，務尚字句，採獲典實，於是詩始有色矣。色之爲物，久則必渝。漢人詩所以久而益新者，是眞色，非設色故也。六朝之色，在當時非不可觀，至唐則已陳，故唐人另調丹黃，染成新采，於是其色一變。宋之色黯然無光，其染采之水不潔故也。

喬億《劍谿說詩》卷下 勿寫無意之景，勿措無味之辭。「意中有景，景中有意」，姜白石語也。余謂意中有景固妙，無景亦不害爲好詩。若景中斷須有意，無意便是死景。景物萬狀，前人鈎致無遺，稱詩於今日大難。惟句中有我在，斯同題而異趣矣（以下二條，劉補齋學士見與予同）。節序同，景物同，而時有盛衰，境有苦樂，人心故自不同。以不同接所同，斯同亦不同，而詩文之用無窮焉。景有神遇，有目接。神遇者，虛擬以成辭，屈、宋已下皆然，所謂五城十二樓，縹緲俱在空際也。目接則語貴徵實，如靖節田園，謝公山水，皆可以識曲聽眞也。景物所在，性情卽於是焉存。

又 作詩須辨材料，何者宜入近體，何者宜入古體，又何者宜入七古而并不可入五古。五古材料可入七古，七古材料如何輕入五古（此專指韓、蘇體，非唐初四子歌行）。

又　少陵曰：「作詩用事，要如釋語『水中著鹽，飲水乃知鹽味』。」東坡曰：「用事當以故爲新，以俗爲雅，好奇務新，乃詩之病。」荆公曰：「用漢人語，止可以漢人語對，若參以異代語，便不相類。」愚謂少陵語尤精到，坡語亦佳，荆舒則太拘忌矣。他詩不具論，李、杜二集可覩也。邢子才曰：「沈侯文章用事，不使人覺，若胸臆語也。」正與杜旨同。古人用事即是用意，加以眞氣行之，健筆舉之，故徵引雖繁，不爲事累。《南史》謂「任昉用事過多，屬辭不得流便」。後人喜用事者，尚鑒兹哉。《詩品》曰：「吟咏情性，亦何貴於用事。」愚謂情性有難以直抒者，非假事陳詞則不可，顧所用何如耳！

汪師韓《詩學纂聞・文用人名》　以人名入詩文，或姓或名，有衹稱一字者。《日知錄》有二名止用一字之條，博徵經傳，不獨詩文也。而詩文之載在《文選》者，固不僅顧氏所摘。如班固《幽通賦》稱重黎曰黎，張衡《思元賦》稱勃鞮字伯楚而曰伯，此二名而舉一也。左思《蜀都賦》稱諸葛亮曰葛，此雙姓而舉一也。若《幽通賦》稱條侯周亞夫曰條，乃爵也；四皓曰皓，乃號也。其應連三四字而摘舉其二者：《幽通賦》稱衛叔武曰衛叔；陸機《宴元圃詩》稱世祖武皇帝曰世武；嵇康《琴賦》稱王昭君曰王昭，稱晉之師曠字子野而曰晉野；陸厥《孺子妾歌》稱班婕妤曰班婕，又《西征賦》稱鄭桓公友曰桓友是也。其兩人並稱而錯雜者：王褒《洞簫賦》曰牙、曠，乃伯牙、師曠也，曰般、匠，乃公輸般、匠石也；馬融《長笛賦》曰彭、胥，乃彭咸、伍子胥也；《幽通賦》曰高、頊，乃高陽氏、顓頊也，曰孔、昊，乃孔子及太昊也，曰宣、曹，乃周宣王及曹伯陽也；陸機《演連珠》曰蒲、宓，乃子路宰蒲及宓子賤也（《文選》注：宓作密，謂卓茂爲密令也。然《宋書》内亦有云蒲、宓之化），曰曾、史，乃曾子、史魚也；阮籍《詣蔣公奏記》曰鄒、卜，乃鄒衍、卜子夏也；孫楚《送征西官屬》詩曰彭、聃，乃彭祖、李聃也；潘岳《夏侯誄》曰閔、參，乃閔子騫、曾參也；謝靈運《去郡詩》曰羲、唐，乃伏羲、唐堯也；顏延之《陶徵士誄》曰夷、皓，乃伯夷、四皓也，曰巢、高，乃巢父、伯成子高也；江淹《雜體詩》曰堯、老，乃唐堯、老聃也；劉峻《辨命論》曰容、彭，乃容成公、彭祖也，曰伊、顏，乃伊尹、顏回也。又有以二名而分用之者：《思元賦》曰：「穆屆天以悦牛兮，豎亂叔而幽主。」穆與叔乃叔孫穆子也，牛與豎乃豎牛也。又有稱謂不拘者：《思元賦》之文君乃文王也；《辨命論》之文公乃周公也。他如相如《子虛賦》稱孫陽爲陽子，鄧曼爲曼姬；揚雄《上林賦》稱公孫賀爲孫叔是也。然此在古人則可，後人惟前人所已有者，方可襲用，莫敢創造，自唐人已然矣。唐如李太白《扶風豪士歌》曰：「原、嘗、春、陵六國時。」謂平原君、孟嘗君、春申君、信陵君也；韓昌黎《贈崔立之詩》曰：「東、馬、嚴、徐已奮飛。」謂東方朔、司馬相如、嚴安、徐樂也，凡皆本諸《文選》班固《西都賦》曰：「節慕原、嘗，名亞春、陵。」任昉《答七夕詩啓》曰：「與賈、馬而入室，比嚴、徐而待詔。」初非創製。及後李義山《韓碑》詩，以李愬、韓公武、李道古、李文通四人合之曰：「愬、武、古、通作牙爪。」此亦因《平淮西碑》文中先有「乃敕顏、允（李光顏、烏重允）、愬、武、古、通」之語而承用之也。

又《時俗語入詩》　唐人每以唐時語入詩，亦猶先儒注《經》有文莫、相人耦、曉知、一孔之類也。如遮莫（猶言儘教）、頻煩（猶言鄭重）、得得（猶言特特）、至竟（猶言到底）、不當作（猶云先道個不該也。孟襄陽詩：「更道明朝不當作」）、生（可憐生、太瘦生、太忙生文類）、聖得知（見韓詩，然不得其解）、不分、生憎（杜詩：「不分桃花紅勝錦，生憎柳絮白於綿」）、赤憎（猶云生憎。杜詩：「赤憎輕薄遮入懷」）、隔是（猶言已是也。元微之詩：「隔是身如夢。」「隔」又作「格」。白詩：「如今格是頭成雪。」顧況詩：「市頭格是無人別」）、至如阿堵（猶言這個）、寧馨（猶言恁地。「寧」字平、仄兩音），則舊有此語，而唐始入詩也。相於（曹子建詩）、揭來（《楚詞》）、訝許（庾信詩：「訝許能含笑。」杜詩用之），則舊詩有之，而唐人襲用也。他若潦倒（猶言蘊藉。杜詩：「多才依舊能潦倒。」按：北齊崔㥄子贍性簡傲，自天保以後，重吏事，謂容止醖藉者爲潦倒，而贍終不改焉。杜正用此。至《夔府》詩「形容眞潦倒」，則不如是解）、愁絶倒（絶倒，笑也。而愁亦可言。杜詩：「才兼鮑照愁絶倒。」又《別蘇徯》詩：「絶倒爲驚呼」），豈亦當時語耶？又俗以一日爲一天，杜詩有之，其《三川觀水漲》詩云：「北上惟土山，連天走窮谷。」連天，正謂連日也。

又《對舉字》　凡形容字有兩字各義者，人多混而不分。即如：峥潺，山水之聲也；爛漫，水火之象也（「漫」作「熳」非，六書無此字，「爛」字卻可作「瀾」）。《洞簫賦》「憚怋瀾漫」是也）；契闊，離合之情也；憂虞，悲喜之別也；揭來，去來之異也（後人詩直作「忽來」「適來」用）；樸僿，文質之極也。正如：軒輊、依違、然疑、淹速以對舉見意。

又《平仄互用字》 字有平仄異義而入詩不異者，《池北偶談》嘗論之而有所未盡，今推廣之。如離別之離（去聲）、急難之難（平聲。杜詩：「何時救急難」。高適詩：「賢兄救急難」）。中酒之中，中興之中（平仄互用）。上應之應（平聲。杜詩：「郎官列宿應」）。判捨之判（平聲。杜詩：「相留可判年」。又有「縱飲久判人共棄」，「先判一飲醉如泥」。仍作平聲），望（平聲）、忘（去聲）、那（平聲。那能、那得之類）、但（平聲。杜詩：「窮愁但有骨」。陸天隨詩：「但和大小包」）、祇（多祇同音。見《論語疏》，本無仄音）、只（平聲。杜審言詩：「只應伴月歸」）、相（入聲。杜詩：「恰似春風相欺得」。白詩：「如何不相離」）、重（再也。去聲）、予（我也。上聲）、十（平聲。音「旬」。見白詩）、琵（入聲。白詩）、司勳、司馬之司（入聲。白詩）、請（平聲。白詩：「請錢不早期」）、扇（平聲）、膏（去聲。白詩：「仁風扇道路，陰雨膏閭閻」）、蒲（入聲。白詩：「燕姬酌蒲桃」）、量（平聲。白詩：「三年隨例未量移」）、些（平、去二聲。《楚辭》）、底（《顏氏家訓》云：「何物爲底物。」平仄兩用）、分（去聲。劉夢得詩：「停杯處分不須吹」）、挑（上聲。王建詩：「每日臨行空挑戰。」羅虬詩：「不應琴裏挑文君」）、長（去聲。段成式詩：「玳牛獨駕長擔車」）、纔（去聲。獨孤及詩：「徒言漢水纔容紉」）、親（去聲。盧綸詩：「人主人臣是親家」）、廝（唐人作平聲。五代作入聲。陶穀詩：「尖擔帽子卑凡廝」）、粗（上聲。蘇詩，古、律俱有）、左元放之放（平聲。蘇詩）、司馬相如之如（上聲。蘇詩）、連（上聲。陸放翁詩：「拭盤堆連展」）、蝗（去聲。放翁詩：「燒灰除菜蝗」）、檠（平仄兩用）。其他雙聲疊韻之字，如張王、蒼茫、莽蒼、曨暡（俱應平而仄）、漫汗么麼、嫖姚（俱應仄而平），雜見唐、宋人詩。至若打頭風、屋打頭之打（音頂），不必作「頂」字也。爭如、爭得，爭奈之爭（音從，上聲），不必作「怎」字也。此又習焉不察者也。

吳雷發《說詩菅蒯》 詩之屬對，固在工確。然間有自然成對處，雖字句稍借，正不害其爲佳。今人於一二字輒多嗤點，縱非忌刻，亦是識見不廣。試觀老杜句，如：「晚涼看洗馬，森木亂鳴蟬」，「紫鱗衝岸躍，蒼隼護巢歸」，「且食雙魚美，誰看異味重」，「華館春風起，高城煙霧開」，「漢使從空到，神農竟不知」，「霧樹行相引，蓮峰望或開」，「城郭終何事，風塵豈駐顏」，「天上多鴻雁，人間足鯉魚」，「蛟龍得雲雨，鵰鶚在秋天」，「已知出郭少塵事，更有澄江銷客愁」，「慣看賓客兒童喜，得食階除鳥雀馴」，「扁舟繫纜沙邊久，南國浮雲水上多」，「老去詩篇渾漫興，春來花鳥莫深愁」，「宛馬總肥秦苜蓿，將軍只數漢嫖姚」，「林花着雨胭脂濕，水荇牽風翠帶長」，「碁局動隨幽澗竹，袈裟憶上泛湖船」，「籬邊老卻陶潛菊，江上徒逢袁紹杯」，「正憐日破浪花出，更復春從沙際歸」，以今人論之，必以爲欠工確矣。然於老杜則忽之，於後人則必刻求。如謂老杜則可，後人則不可，將厚責後人耶？是薄待老杜耶？抑姑置老杜耶？是薄待後人矣。第在作詩者，不可藉口以自恕耳。

又 詩要字字有來歷，人所知也。然機杼又要絕不猶人。夫才者猶面目也，彼強人同己者固不可，即以我肖人，亦屬無識。試以我之面目而求肖乎人，豈不醜惡可憎乎？然面目難肖，而世俗之態，極易漸染。務須高自位置，寶我天真，鍊我骨格，使世俗之態不能入，自有一種不可磨滅之氣，傲兀而超凡耳。

又 羅大經《鶴林玉露》云：杜陵詩「桑麻深雨露，燕雀半生成」，後山詩「輟耕扶日月，起廢極吹噓」，或謂虛實不類。殊不知生爲造，成爲化，吹爲陰，噓爲陽，氣勢力量與雨露、日月正相配也。愚按：此論是爲古人曲護，而其說頗鑿。古人用此，亦是偶然，在兩公或未必見及此。且即無此解，虛實未嘗不可活對。古人有知，甚無取後人之曲護也。試即類推之，如「氣色皇居近，金銀佛寺開」，得無曰氣爲陽色爲陰乎？又「竟日淹留佳客至，百年粗糲腐儒餐」，「淹留」二字，又當何解？

馬位《秋窗隨筆》 人知陶詩古淡，不言有琢句處。如：「微雨洗高林，清飆矯雲翮」，「神淵寫時雨，晨色奏景風」，「青松夾路生，白雲宿簷端」。詩固不於字句求工，即如此等句，後人極意做作，不及也。況大體乎？

又 《芥隱筆記》：樂天詩：「去歲暮春上巳，共泛洛水中流。今歲暮春上巳，獨立香山下頭。」子瞻用之爲海外《上元》詩。愚謂此格不專出樂天，唐人中極多，如：「去年花裏留連飲，暖日夭桃鶯亂啼。今日江邊容易別，淡煙衰草馬頻嘶。」又「昔年洛陽社，貧賤相提攜。今日長安道，對面隔雲泥」是也。即子瞻猶有「前年家水東，回首夕陽麗。去年家水西，溼面春風雨」，「去年花落在徐州，對酒酣歌美清夜。今年黃州見花發，小院閉門風露下」，嚴滄浪所謂「扇對」是也。

又 雲溪子曰：杜舍人牧《楊柳詩》云：「巫娥廟裏低含雨，宋玉堂前斜帶風。」滕郎中邁云：「陶令門前罥接䍦，亞夫營裏拂旌旗。」俱不言「楊柳」二字，最爲妙也。如此論詩，詩了無神致矣。詩人寫物，在不即不離之間，「昔我往矣，楊柳依依」，只「依依」兩字，曲盡態度。太白「春風知別苦，不遣柳條青」，何等含蓄，道破「柳」字益妙。若雲溪所論，則是晚唐人《詠蜻蜓》云：「碧玉眼睛雲母翅，輕於粉蝶瘦於蜂。」石曼卿《紅梅》詩：「認桃無綠葉，辨杏有青枝。」亦得謂好詩耶？

又 趙松雪《題秋胡戲妻圖》詩云：「相逢桑下說黃金，料得秋胡用計深。不是別來渾未識，黃金聊試別來心。」雖翻案新奇，失詩人溫厚之風；由末世人心不古，用意狙詐，而作此論。在秋胡當日，尚無是意。顏延之詩直敘其事，故妙。

又 《竹坡詩話》：柳子厚《別弟宗一詩》云：「零落殘紅倍黯然，雙垂別淚越江邊。一身去國六千里，萬死投荒十二年。桂嶺瘴來雲似墨，洞庭春盡水如天。欲知此後相思夢，長在荆門郢樹煙。」「煙」字只當用「邊」字，蓋前有「江邊」故耳。不然，當改云：「欲知此後相思處，望斷荆門郢樹煙。」如此卻似穩當。予謂非是。既云夢中，則夢境迷離，何所不可到，甚言相思之情耳。一改「邊」字，膚淺無味；若易以「處」字「望斷」字，又太直，不成詩矣。詩以言情，豈得沾沾以字句求之？宋人論詩，吾所不取。唯嚴儀卿《詩話》是正派。

袁枚《隨園詩話》卷一 陸魯望過張承吉丹陽故居，言：「祜善題目佳境，言不可刊置別處，此爲才子之最也。」余深愛此言。自古文章所以流傳至今者，皆卽情卽景，如化工肖物，着手成春，故能取不盡而用不竭。不然，一切語古人都已說盡；何以唐、宋、元、明，才子輩出，能各自成家而光景常新耶？卽如一客之招，一夕之宴，開口便有一定分寸，貼切此人、此事，絲毫不容假借，方是題目佳境。若今日所咏，明日亦可咏之；此人可贈，他人亦可贈之：便是空腔虛套，陳腐不堪矣。尹文端公在制府署中，冬日招秦、蔣兩太史及余飲酒，曰：「今日席上，皆翰林，同衙門，各賦一詩。」蔣詩先成，首句云：「卓午人停問字車。」公笑曰：「此教官請客詩也。」秦懼不肯落筆。余亦知難而退。公不許。乃呈一律云：「小集平泉夜舉觴，春風座上不知霜。偶然元老開東閣，難得羣仙共玉堂。」公大喜曰：「開口已包括全題。白傅夸劉禹錫《金陵懷古》詩，『前四句已探驪珠。』此之謂矣！」

又 余每作咏古、咏物詩，必將此題之書籍，無所不搜；及詩之成也，仍不用一典。常言：人有典而不用，猶之有權勢而不逞也。

又卷二 改詩難于作詩，何也？作詩，興會所至，容易成篇；改詩，則興會已過，大局已定，有一二字于心不安，千力萬氣，求易不得，竟有隔一兩月，于無意中得之者。劉彥和所謂：「富于萬篇，窘于一字」，眞甘苦之言。《荀子》曰：「人有失針者，尋之不得，忽而得之，非目加明也，眸而得之也。」所謂「眸」者，偶睨及之也。唐人句云：「盡日覓不得，有時還自來。」卽「眸而得之」之謂也。

又 詩貴翻案：神仙，美稱也；而昔人曰：「丈夫生命薄，不幸作神仙。」楊花，飄蕩物也；而昔人云：「我比楊花更飄蕩，楊花只有一春忙。」長沙，遠地也；而昔人云：「昨夜與君思賈誼，長沙猶在洞庭南。」龍門，高境也；而昔人云：「好去長江千萬里，莫教辛苦上龍門。」白雲，閒物也；而昔人云：「白雲朝出天際去，若比老僧猶未閒。」「修到梅花」，指人也；而方子雲見贈云：「梅花也有修來福，着個神仙作主人。」皆所謂更進一層也。

又卷三 詩有認假爲眞而妙者，唐人《宿華山》云：「危欄倚遍都無寐，猶恐星河墜入樓。」宋人《咏梅花帳》云：「呼童細掃瀟湘簟，猶恐殘花落枕旁。」有認眞爲假而妙者，宋人《雪中觀妓》云：「恰似春風三月半，楊花飛處牡丹開。」元人《美人梳頭》云：「紅雪忽生池上影，烏雲半捲鏡中天。」

又 詩不可不改，不可多改。不改，則心浮；多改，則機窒。要像初搨《黃庭》，剛到恰好處。孔子曰：「中庸不可能也。」此境最難。予最愛方扶南《滕王閣》詩云：「閣外青山閣下江，閣中無主自開窻。春風欲搨滕王帖，蝴蝶入簾飛一雙。」嘆爲絕調。後見其子某云：「翁晚年嫌爲少作，刪去矣。」予大驚，卒不解其故。桐城吳某告予云：「扶南三改《周瑜墓》詩，而愈改愈謬。」其少作云：「大帝君臣同骨肉，小喬夫婿是英雄。」可稱工矣。中年改云：「大帝誓師江水綠，小喬卸甲晚粧紅。」已覺牽強。晚年又改云：「小喬粧罷胭脂濕，大帝謀成翡翠通。」眞乃不成文理！豈非朱子所謂「三則私意起而反惑」哉？扶南與方敏恪公爲族兄，敏恪寄信，苦勸其勿改少作，而扶南不從。方知存幾句好詩，亦須福分。

又 詩家有不說理而眞乃說理者，如唐人《咏棋》云：「人心無算處，國手有輸時。」《咏帆》云：「恰認己身住，翻疑彼岸移。」宋人：「君王若看貌，甘在衆妃中。」「禪心終不動，仍捧舊花歸。」《雪》詩：「何由更得齊民煖，恨不偏於宿麥深。」《雲》詩：「無限旱苗枯欲盡，悠悠閒處作奇峰。」許魯齋《卽景》云：「黑雲莽莽路昏昏，底事登車尙出門？直待前途風雨惡，蒼茫何處覓烟村？」無名氏云：「一點緇塵涴素衣，瘢瘢駁駁使人疑。縱教洗偏千江水，爭似當初未涴時？」

又卷四 詩用經書成語，有對仗極妙者。前輩盧玉岩云：「頭既責余余責頭，腹亦負公公負腹。」近人吳文溥云：「人非磨墨墨磨人，我自註經經註我。」姚念慈云：「野無靑草霜飛後，菊有黃花雁到初。」汪韓門云：「白皃化後成衰老，黃雀飛來謝少年。」胡稚威云：「春水綠波芳草色，雜花生樹亂鶯飛。」朱鹿田《得子》云：「我求壯艾三年藥，汝似王瓜五月生。」皆用經書、樂府成語也。余戲集樂府云：「背畫天圖，子星歷歷；東升日影，雞黃團團。」

又 凡作人貴直，而作詩文貴曲。孔子曰：「情欲信，詞欲巧。」孟子曰：「智譬則巧，聖譬則力。」巧，卽曲之謂也。崔念陵詩云：「有磨皆好事，無曲不文星。」洵知言哉！或問：「詩如何而後可謂之曲？」余曰：「古詩之曲者，不勝數矣；卽如近人王仔園《訪友》云：『亂烏棲定夜三更，樓上銀燈一點明。記得到門還不扣，花陰悄聽讀書聲。』此曲也。若到門便扣，則直矣。方蒙章《訪友》云：『輕舟一路繞烟霞，更愛山前滿澗花。不爲尋君也留住，那知花裏卽君家。』此曲也。若知是君家，便直矣。宋人《咏梅》云：『綠楊解語應相笑，漏洩春光恰是誰。』《咏紅梅》云：『牧童睡起朦朧眼，錯認桃林欲放牛。』咏梅而想到楊柳之心，牧童之眼，此曲也；若專咏梅花，便直矣。」

又 吟詩自註出處，昔人所無。歐公譏元稹註《桐柏觀碑》，言之詳矣。況詩有待于註，便非佳詩。韓門先生《蚊烟詩》十二韻，註至八行，便是蚊類書，非蚊詩也。《贈友》云：「知來匪鵲休論往，爲主如鴻喜得賓。」上句註：「《淮南子》：『乾鵲知來而不知往。』」下句註：「《孔疏》：『鴻以先至者爲主，後至者爲賓。』」作詩何苦乃爾？惟張雪子雲南典試歸，將近長安而歿，先生哭之云：「路紓雙節重，天近一星沉。」便覺清妙。又有《咏柳絮》一絕云：「沾襟撩袖自矜妍，未化爲萍絕可憐。嘆息春風竟何意，團揉無處不成綿。」

又 詩得一字之師，如紅爐點雪，樂不可言。余祝尹文端公壽云：「休夸與佛同生日，轉恐恩榮佛尙差。」公嫌「恩」字與佛不切，應改「光」字。《咏落花》云：「無言獨自下空山。」邱浩亭云：「空山是落葉，非落花也；應改『春』字。」《送黃宮保巡邊》云：「秋色玉門涼。」蔣心餘云：「『門』字不響，應改『關』字。」《贈樂清張令》云：「我慙靈運稱山賊。」劉霞裳云：「『稱』字不亮，應改『呼』字。」凡此類，余從諫如流，不待其詞之畢也。浩亭詩學極深，惜未得其遺稿。

又 詩文用字，有意同而字面整碎不同，死活不同者，不可不知。楊文公撰《宋主與契丹書》，有「隣壤交懽」四字。眞宗用筆旁抹批云：「鼠壤？糞壤？」楊公改「隣壤」爲「隣境」，眞宗乃悅。此改碎爲整也。范文正公作《子陵祠堂記》，初云：「先生之德，山高水長。」旋改「德」字爲「風」字，此改死爲活也。《荀子》曰：「文而不采。」《樂記》曰：「聲成文謂之音。」今之詩流，知之者鮮矣！

又卷五 抱韓、杜以凌人，而粗腳笨手者，謂之權門托足。倣王、孟以矜高，而半呑半吐者，謂之貧賤驕人。開口言盛唐及好用古人韻者，謂之木偶演戲。故意走宋人冷徑者，謂之乞兒搬家。好疊韻、次韻、刺刺不休者，謂之村婆絮談。一字一句，自註來歷者，謂之骨董開店。

又 詩以比興爲佳。王孟亭箴輿守懷慶時，與盧中丞焯同寅。王被劾罷官。二十年後，盧爲浙江巡撫，王往見之，盧相待甚優，許其薦舉。而王自傷老矣，不欲再談往事。《西湖小集》詩云：「再移畫舫春應老，重撥朱絃恨轉生。」

又 詩家活對最妙。宋人《贈某》云：「每憐民若子，還喜稻成孫。」眞山民《咏杜鵑》云：「歸心千古終難白，啼血萬山都是紅。」華亭李進《哭友》云：「誄詞作自先生婦，遺稿歸于後死朋。」王介祉《咏牡丹》云：「相公自進姚黃種，妃子偏吟李白詩。」李穆堂《賀安溪相公生子》云：「其間原必有，幾日辨之無。」沈椒園《登陶然亭》云：「每來此地皆重九，有約同遊至再三。」胡宗緒祭酒《贈友》云：「兩人拍手齊大笑，一路同行到小姑。」皆活對也。

又 用事如用兵，愈多愈難。以漢高之雄略，耐韓信只許其能用十萬。可見部勒驅使，談何容易。有梁溪少年作懷古詩，動輒二百韻。予笑曰：

「子獨不見唐人《咏蜀葵》詩乎？」其人請誦之。曰：「能共牡丹爭幾許，被人嫌處只緣多。」

又「傳」字「人」旁加「專」，言人專則必傳也。堯、舜之臣只一事，孔子之門分四科，亦專之謂也。唐人五言工，不必七言也；近體工，不必古風也。宋以後，學者好誇多而鬬靡。善乎方望溪云：「古人竭畢生之力，只窮一經；後人貪而兼爲之，是以循其流而不能溯其源也。」

又卷六 凡作詩，寫景易，言情難。何也？景從外來，目之所觸，留心便得；情從心出，非有一種芬芳悱惻之懷，便不能哀感頑艷。然亦各人性之所近：杜甫長于言情，太白不能也。永叔長于言情，子瞻不能也。王介甫、曾子固偶作小歌詞，讀者笑倒，亦天性少情之故。

又 唐人近體詩，不用生典。稱公卿，不過臯、夔、蕭、曹；稱隱士，不過梅福、君平；叙風景，不過「夕陽」、「芳草」；用字面，不過「月露風雲」，一經調度，便日月斬新。猶之易牙治味，不過鷄豬魚肉；華佗用藥，不過青粘漆葉，其勝人處，不求之海外異國也。余《過馬嵬吊楊妃》詩曰：「金鳥錦袍何處去，只留羅襪與人看。」用《新唐書・李石傳》中語，非僻書也，而讀者人人問出處。余厭而删之，故此詩不存集中。

又 詩人用字，大概不拘字義，如上下之「下」，上聲也；禮賢下士之「下」，去聲也。杜詩：「廣文到官舍，繫馬堂堦下。」又「朝來少試華軒下，未覺千金滿高價。」是借上聲爲去聲矣。王維：「公子爲嬴停四馬，執轡愈恭意愈下。」是借去聲爲上聲矣。

又卷七 詩有現前指點語最佳。香樹尙書《題紅葉》云：「一夜流傳霜信偏，早衰多是出頭枝。」程魚門《觀打漁》云：「旁人束手休相怪，空網由來撒最多。」張哲士《觀弈》云：「笑渠斂手推枰後，始羡從旁攏袖人。」宋人詩云：「無事閉門防俗客，愛閑能有幾人來。」哲士《月夜》云：「恐有閑人能見訪，滿庭涼影未關門。」兩意相反，而皆有味。

又 用典一也，有宜近體者，有宜古體者，有近古體俱宜者，有近古體俱不宜者。用典如水中著鹽，但知鹽味，不見鹽質。用僻典如請生客入座，必須問名探姓，令人生厭。宋喬子曠好用僻書，人稱「孤穴詩人」，當以爲戒。

或稱予詩云：「專寫性情，不得已而適逢典故；不分門戶，乃無心而自合唐音。」雖有不及，不敢不勉。

又卷一〇 毛西河言：「古人詩題，所云『遙同』者，即遙和也。謝朓《同謝咨議銅雀臺詩》、盧照鄰《同紀明孤雁詩》，皆是和詩，非同游也。」

又卷一一 隱僻之典，作詩文者不可用，而看詩文者不可不知。有人誦明季楊維斗先生詩，曰：「『吾宫蘿蔔火，咳唾地榆生。』所用何書？」余按：《北史》：「魏昭成皇帝所唾處，地皆生榆。」「蘿蔔火」不知所出。後二十年，閱《洞微志》：「齊州有人病狂，夢見紅裳女子，引入宫中，歌曰：『五靈樓閣曉玲瓏，天府由來是此中。惆悵悶懷言不盡，一丸蘿蔔火吾宫。』旁一道士云：『君犯大麥毒也。少女心神，小姑脾神，知蘿蔔制麵毒，故曰火吾宫。火者，毁也。』狂者醒而食蘿蔔，病遂愈。」夏醴谷先生督學楚中，歲試題：《象日以殺舜爲事》。有一生文云：「象不徒殺之以水，而并殺之以火也。不徒殺之於火，而又殺之以酒也。」幕中閱文者大笑，欲批抹而置之劣等。夏公不可，曰：「恐有出處，且看作何對法。」其對比云：「舜不得于母，而遂不得于父也；舜雖不得于弟，而幸而有得于妹也。」通篇文亦奇警。夏公改置一等，欲召而問之，而其人已遠出矣。余按：舜妹敤首與舜相得，載《帝王世紀》。祖君彦檄煬帝云：「蘭陵公主逼幸告終，不圖敤首之賢，反蒙齊襄之恥。」是此典六朝人已用之。惟以酒殺舜，不知何出。又十餘年，讀馬驌《繹史》，方知象飲舜以藥酒，見劉向《列女傳》。

又卷一二 詩中用虎點綴者最少：吳竇莱有句云：「樵聲密雲隔，虎跡落花封。」雪嶠大師有句云：「殘雪枝頭雪未消，熟眠老虎始伸腰。」唐人句云：「夜深童子喚不起，猛虎一聲山月高。」

又 詩改一字，界判人天，非個中人不解。齊己《早梅》云：「前村深雪裏，昨夜幾枝開。」鄭谷曰：「改『幾』字爲『一』字，方是早梅。」齊乃下拜。某作《御溝》詩曰：「此波涵帝澤，無處濯塵纓。」以示皎然。皎然曰：「『波』字不佳。」某怒而去。皎然暗書一「中」字在手心待之。須臾，其人狂奔而來，曰：「已改『波』字爲『中』字矣。」皎然出手心示之，相與大笑。

又 詩有正喻夾寫，似是而非之語，是妙。王介祉《咏鐵馬》云：「依人簷宇下，底作不平鳴？」香亭《阻風》云：「想通天上銀河易，力挽人間風氣難。」周之桂《咏秋暑》云：「傍曉燈偏光燄大，罷官人更熱中多。」董曲江太史《過十八灘》云：「漫誇利涉乘風便，始信中流立脚難。」周詩成時，適有罷官者冒酷暑入都，讀者愈覺其佳。

又 讀詩不讀史，便不知作者事何所指。李燾《長編》載：宋眞宗爲李沆還債三十萬。故宋人詩云：「新祠民祭祀，舊債帝償還。」《唐書》載：王毛仲奏明皇：願得宋璟爲客。帝許之。故徐騎省《贈陳侍郎花燭》云：「坐客亦從天子賜，更籌須爲主人留。」

又卷一三 唐人詩中，往往用方言。杜詩：「一昨陪錫杖。」「一昨」者，猶言昨日也。王逸少帖：「一昨得安西六日書。」晉人已用之矣。太白詩：「遮莫枝根長百尺。」「遮莫」者，猶言儘教也。干寶《搜神記》：「張華以獵犬試狐。狐曰：『遮莫千試萬慮，其能爲患乎？』」晉人亦用之矣。孟浩然詩：「更道明朝不當作，相期共鬭管絃來。」「不當作」者，猶言先道個不該也。元稹詩：「隔是身如夢，頻來不爲名。」「隔是」者，猶云已如此也。杜牧詩：「至竟辥亡爲底事。」「至竟」者，猶云究竟也。

又 余嘗謂魚門云：「世人所以不如古人者，爲其胸中書太多。我輩所以不如古人者，爲其胸中書太少。昌黎云：『非三代、兩漢之書不敢觀。』亦卽此意。東坡云：『孟襄陽詩非不佳，可惜作料少。』施愚山駁之云：『東坡詩非不佳，可惜作料多。詩如人之眸子，一道靈光，此中着不得金屑，作料豈可在詩中求乎？』予頗是其言。或問：『詩不貴典，何以少陵有讀破萬卷之說？』不知『破』字與『有神』三字，全是教人讀書作文之法。蓋破其卷，取其神；非囫圇用其糟粕也。蠶食桑而所吐者絲，非桑也；蜂采花而所釀者蜜，非花也。讀書如喫飯，善喫者長精神，不善喫者生痰瘤。」

又卷一四 譏刺語，用比興體，便不露。英夢堂云：「桃花嗜笑非無故，燕子矜飛太自輕。」陳古漁云：「無名草長非關雨，得煖蟲飛不待春。」皆有所指也。

又卷一五 詩賦爲文人興到之作，不可爲典要。上林不產盧橘，而相如賦有之。甘泉不產玉樹，而楊雄賦有之。簡文《雁門太守行》而云「日逐康居與月氏」。蕭子暉《隴頭水》而云「北注黃河，東流白馬」。皆非題中所有之地。蘇武詩，有「俯看江漢流」之句。其時武在長安，安得有江漢？《爾雅》：「山有穴爲岫。」謝玄暉詩：「牎中列遠岫。」徐浩文：「孤岫龜形。」皆誤指爲山巒。劉琨《答盧諶》詩：「宣尼悲獲麟，西狩涕孔丘。」宣尼卽孔丘也。謝朓《秋懷》詩：「雖好相如色，不同長卿慢。」長卿卽相如也。康樂：「揚帆采石華，挂席拾海月。」「揚帆」卽「挂席」也。孟浩然：「竹間殘炤入，池上夕陽微。」「夕陽」卽「殘炤」也。使後人爲之，必有「關門閉戶掩柴扉」之誚矣。杜少陵《寄賈司馬》詩：「諸生老伏虔。」東漢服虔並不老。所云伏虔者，伏生也；伏生不名虔。《示僚奴阿奴》云：「曾驚陶侃胡奴異。」胡奴，侃之子；非奴僕也。杜詩：「乘槎消息近，無處問張騫。」此卽世俗所傳張騫乘槎事也。然宋之問詩云：「還將織女支機石，重訪成都賣卜人。」是明用《荆楚歲時記》織女教問嚴君平事。獨不知君平爲王莽時人，張騫乃武帝時人：相去遠矣！汪韓門云：「《檀弓》：『齊莊公襲杞。杞梁死焉。其妻迎其柩于路而哭之哀。』《孟子》：『杞梁妻善哭其夫，而變國俗。』《左傳》但言杞妻辭齊侯之吊，而不言哭。《檀弓》、《孟子》雖言哭，未言崩城事也。《說苑・立節篇》云：『其妻聞夫亡而哭，城爲之阤。』《列子傳》云：『枕其夫之屍于城下，哭十日而城崩。』亦未言長城也。長城築于齊威王時，去莊公百有餘年；而齊之長城，又非秦始皇所築長城。唐釋貫休乃爲詩曰：『秦人築土一萬里，杞梁貞婦啼嗚嗚。』則竟以杞梁爲秦時築城之人，而其妻所哭崩，乃卽秦之長城矣。」俗傳梁灝八十登科，有「龍頭屬老成」七言詩一首。《黃氏日抄》、《朝野雜記》俱駁正之，以爲灝中狀元時，年才二十六耳。余按《宋史》灝本傳：雍熙二年舉進士，賜進士甲科，解褐，大名府觀察推官。景德元年卒，年九十二。雍熙至景德相隔只十餘年，而灝壽已九十二，則八十登科之說，未爲無因。

又 今舉子于場前揣主司所命題而預作之，號曰「擬題」。按：宋何承天私造《鐃歌》十五篇，不沿舊曲，而以己意咏之，號曰「擬題」，此二字之始。今遂以爲士子揣摩之稱。

又《隨園詩話補遺》卷一 又有人問先生曰：「大題目用全力了卻，固見力量；倘些小題，亦用長篇，豈不更見才人手段？」先生笑曰：「獅子搏兔，必用全力；終是獅子之愚。」

又 近日有巨公教人作詩，必須窮經讀注疏，然後落筆，詩乃可傳。余聞之，笑曰：且勿論建安、大曆、開府、參軍，其經學何如。只問「關關雎鳩」、「采采卷耳」，是窮何經、何注疏，得此不朽之作？陶詩獨絕千古，而「讀書不求甚解」。何不讀此疏以解之？梁昭明太子《與湘東王書》云：「夫六典、三禮，所施有地，所用有宜。未聞吟咏情性，反擬《內則》之篇；操筆寫志，更摹《酒誥》之作。『遲遲春日』，翻學《歸藏》；『湛湛江水』，竟同《大誥》。」此數言，振聾發聵，想當時必有迂儒曲士，以經學談詩者，故爲此語以曉之。

又　家常語入詩最妙。陳古漁布衣《咏牡丹》云：「樓高自有紅雲護，花好何須綠葉扶。」國初，徐賈時《寄妾》云：「善保玉容休怨別，可憐無益又傷身。」

又　詩用眼前之典，能貼切便佳。陳燭門《贈李天山》云：「老人吹火竊劉向，天子臨軒問長卿。」楊兼山《在戶部歲暮》云：「孫簿當年猶登竈，崔丞近日只哦松。」姚姬傳《贈陶生》云：「貧無素業彈長鋏，行入朱門着小冠。」語俱妙。而姚詩似有所諷。

又卷二　口頭話，說得出便是天籟。誦芬《冬暖》云：「草痕回碧柳舒芽，眼底翻嫌歲序差。可惜輕寒重勒住，不然開遍小桃花。」黃蛟門《竹枝》云：「自揀良辰去踏青，相邀女伴盡娉婷。關心生怕朝來雨，一夜東風側耳聽。」范瘦生有句云：「高手不從時尚體，好詩只說眼邊情。」又某有句云：「階前不種梧桐樹，何處飛來一葉風。」「貪着夜涼牕不掩，秋蟲飛上讀書燈。」

又卷六　凡古人用雙字者，如依依、潺潺、悠悠、匆匆之類，指不勝屈。唐、宋名家，從無單用一字者。近今詩人貪押韻，又貪疊韻，遂不得已而往往單用之，此大謬也！作者當以爲戒。

又卷八　近體詩有前用「花」字，後用「葩」字者，皆名手所無也。初學人不可不知。凡他用韻字義之犯重者，皆可類推。

又卷一〇　詩家兩題，不過「寫景、言情」四字。我道：景雖好，一過目而已忘；情果眞時，往來於心而不釋。孔子所云「興觀羣怨」四字，惟言情者居其三。若寫景，則不過「可以觀」一句而已。因取閒時所錄古人言情佳句，如吳某云：「平生不得意，泉路復何如。」《贈友》云：「乍見還疑夢，相悲各問年。」《寄遠》云：「路長難計日，書遠每題年。無復生還想，還思未別前。」七言如：「相見或因中夜夢，寄來都是隔年書。」「重來未定知何日，欲別殷勤更上樓。」「涼月不知人散盡，殷勤還下畫簾來。」「饒雖難忍臨期淚，詩尚能傳別後情。」「三尺焦桐七條綫，子期師曠兩沉沉。」「最怕酒闌天欲曉，知君前路宿何村。」「願將雙淚啼爲雨，明日留君不出城。」「垂老相逢漸難別，大家期限各無多。」「若比九原泉路隔，只多含淚一封書。」

又《隨園尺牘》卷四《再答黃生》　詩文，非易事也。一字之未協，一句之末工，往往才子文人，窮老盡氣，而不能釋然於懷，亦惟深造者，方能知其瘢結。

又卷五《與楊蘭坡明府》　大抵古人用典，惟恐人知；今人用典，惟恐人不知。明季以來，時文學興，古文學少，人人空疎。于是一二名士，先有自夸博雅之意，然後落筆。僕嘗笑其心術不端。須知：詩貴性情，不貴塗澤；文肆而質纖，古人所戒。鍾嶸《詩品》云：「高臺多悲風，攜手上河梁。」皆一時情景所觸，羌無故實，竟成絕調。大明泰始中，夸用典故，文章遂同抄書，文體大壞。南史稱沈隱侯用事，能知其胸臆之所出，教人讀之不知有典，所以難及。此皆前哲明訓，不可不知。況詩果流傳，百千年後，自有後人替我箋註，何勞我之喋喋不憚煩哉？或云：「古事不宜註，近事宜註，使人知此詩之所由作。」此說是也。然李義山《錦瑟》一篇，寧使後人東猜西揣，聚訟紛紛，而當時絕不多下一註，亦可想見古人之落落大方矣。

又卷一〇《答祝芷塘太史》　宋人詩話最能誤人，如稱梅聖俞詩到人愛處，黃魯直詩到人不愛處，似以不愛者爲勝，閣下詩亦有詩不求工之語，殊不知鳳皇芝草，婦女共欽爲祥瑞；青天白日，愚人亦知其清明。孔子曰：「情欲信，詞欲巧。」聖人修詞尚且不避巧字，而況今之爲文章者乎！是以春秋時鄭國詞命先草創，後討論，再修飾而潤色之，亦不過求巧求人愛而已。聖人頗加稱許。

錢思敏等《增訂詩法》卷一《字法說》　詩之鍊字，如傳神之點睛，一身靈動在于兩瞳，通章精采生於一字。又如九轉之丹，黍米點化，瓦礫成金。務須腐字要新，生字要熟，虛字要實，死字要活，俗字要雅。至于詩眼，尤當加意（五言第三字爲眼，七言第五字爲眼）。

又《情景說》　作詩非情則景，然布景須暗與情相屬。如雁哀猿怨，便起離思。花媚鳥和，自饒遊興是也。布情須暗與景相關，如勞人思婦，觸目無不凄涼。吊古傷今，隨指皆成感慨是也。大約景之喧寂，與情之悲歡，一一符合。因叙景可知其情，因寫情宛睹其景。景不離情，情不離景，方不泛駕。

又卷三《考試題說》　考試之題，非祥瑞則典故，或古人成句也。俱要揄揚盡致，鋪叙有體，考訂明晰，引證確切爲貴，或末後歸到自己求進之意。大約場屋所命，多係無情、無景之題。作者平日須博通群籍，分類而求，則臨題自知出處矣。氣局須寬大，音調須閎亮，字句須華練，脈理須緊密，對仗須精整。起須峻峭，中須從容轉動，結須渾融。忌在窘澀而不裕，低咽而不揚，膚浮而不透，懈緩而不嚴，杜撰而不典，斷續而不貫，錯亂而不清，呆板而不活，駁雜而不純，淺露而不蓄。數者，凡作詩皆宜熟知，而功名之際，尤宜加意。

又《上投題說》上投之題，皆身在下位用於當事者。其人或係世胄，須叙其家門。或任事權，須稱其功德。或係舊交，須追論其疇昔游處。或係通家，須鋪陳其父祖欵曲。中間或引用同姓古彥，以見閥閱淵源。或歸美所居山水，以見地靈人傑。或揄揚其現在官職，以見器局有餘，將來當更超擢。若欲求見，須言企慕之誠。若欲干請，須言貧困之狀。若欲乞其薦達，須先自謙抑，然後言略有何長足取，末俱歸於感恩，思効報德不忘之情。或不欲徑露傷雅，則借託於物象，如蠅之附驥，婦之媚夫，絲蘿之附喬木等類。又須地步據得高，架子張得大，使人尊敬而不敢輕狎。若韓昌黎上宰相諸書爲妙。忌在太誇近諛，太卑近諂，或忤犯不知避諱，而近於不諳事宜。

又《榮遇題說》榮遇之題四種，爲應制，爲朝，爲直宿，爲賜物。其氣象須富貴尊嚴，其風規須典雅溫厚，其思致須殷勤忠謹，其詞采須藻麗清新。大約應制，如已有聖製在前者，須稱美其所詠之事，或兼美聖製，如奉詔竟，作者亦須稱美其所詠之事，二者皆宜述其事之大概，使觀者了然，又宜援引古來帝王同類典實相證，而言今日與之匹休，或言今日更勝之至，末或述自己躬逢其盛，欣喜無任之意。或祝聖祚鞏固，或祈聖壽永長，或勉聖德益進無斁，或謙言自己無才無德，不能揄揚厥美。朝亦有二，如早朝，則言入朝情景，或述在朝及退朝之事。如退朝，則言退朝情景，亦有先說在朝，而歸到退朝者。直宿，須言直宿情景，或寓忠愛於憂盛危明，或寄風指於身閒思退，或感恩圖報，矢靖生平。賜物，須貼切其物，若詠物之例，掩題而看，必非他物可以籠統。又須見天恩隆重，拜登知感爲貴。忌在寒儉而失之陋，繁縟而失之俗，觸犯忌諱而失之不祥。

又《慶賀題說》賀題不一，如陞官、科第、壽誕、婚嫁、生子、遷移之類，俱要切確其人其事。或用典實以形容之，忌在寬泛而涉套，質率而涉俚，不祥而涉嫌。

又《功德題說》功德之題，須言其生平、學問、操守以爲立德、立功之本。又須言其未任事時，所患何病。朝野憂惑，懸望之意何狀，以爲立德立功之由。然後詳叙其如何立功，如何立德。又須說到立德、立功之後，如何光景，如何歌思在人，如何榮寵及身。或祝其異日再立功德。忌在草野而傷于不經，踈率而傷于漏，窒塞而傷于晦。

又《紀述題說》紀述之題，凡有祥瑞、典禮、武功、文德之類，職在儒臣，每作爲歌詠，以侈陳其事。必須揄揚欣忭，鳴盛宣和，亦須條載明備，事詳筆簡。或寓勸勉君德，忠愛無已之旨，其所忌與功德略同。

又《志喜題說》有爲天道而喜者，有爲朝事而喜者，有爲人事而喜者，有爲境地、物象而喜者。須從未喜之前說到可喜之時，其喜倍爲洋溢。忌在怯而尚鬱，躁而太放。

又《諷諫題說》諷諫之題，有言今而托之於古者；有言人而托之於仙者；有言人而托之於物者。亦有淡寫輕描，汎常叙述，雖不加評論，然令人反覆有餘思，最爲高手。但此等義例，難以盡陳，其詩亦難備引，學者舉一反三可矣。

又《詠史題說》或檃括其人之一生，或偶舉其事之一節，賢者須欽慕取法，不賢者須貶抑示戒。前案未確者，須翻案出陳，使後人讀之，勝於觀史爲妙。忌在刻薄而傷厚，庸腐而無奇，誣罔而不能服人之心。

又《詠物題說》詠物之題，有明詠者，明明說出其物而詠之也。有暗詠者，暗暗想像其物而詠之也。俱須寫其出處，寫其典故，寫其形狀，寫其性情。或借之以寓意，或譜之以備考，皆宜不即不離，掩題如見爲妙。忌在太粘着，太浮泛。

又《登臨題說》登臨之題，須寫四面山川之景，與一時遊涉之情。或泉石，或林巒，或烟雲，或花鳥之類，皆景也。或感今，或吊古，或思國懷鄉，或怡襟適趣，皆情也。任其所感觸而用之。忌在浮汎而不醒動，游移而不貼切。

又《憑吊題說》憑吊之題有二種。或記當年之盛衰，則歎目前之空幻，此言古也。若傷近時之搖落，則想舊日之繁華，此言今也。忌在膚滯而不能動於中，哀傷而不能知其故。

又《哭挽題說》於其人，情義深厚則哭之，平交則挽之。須切其人生平，讀之便見是哭挽何人方好。忌在哀而太傷，套而不切。

又《題記題說》題記之題，或因其地而題者，或因乎我而題者。因其地則與登臨略同，因乎我則與志喜憑吊略同。

又《古意題説》 取往古之意，傳今日之情。或取古事而飾以今辭，或取古調而傳以今指。以敘古如今，敘今如古爲妙。忌在摹形而失情，循名而昧體。

又《閨情題説》 以文人之筆，代紅女之思。其間有傷從軍行役者，則寫仳離之懷；有比忠君戀國者，則寫繾綣之致。忌在粗而不潤，直而不婉。

又卷四《尋訪題説》 尋訪題二種，有尋訪者，有尋訪不遇者。其尋訪，須寫自己來意，或寫其人之性情，或寫其家之風景。其於尋訪不遇者，須寫悵悵惋惜之致，或寫其家之閒寂，或寫其時之疑訝。忌在庸俗寡趣，浮悶寡情。

又《喜晤題説》 喜晤題二種：或晤舊識，則寫舊情。或晤新友，則寫新喜。或敘其人，或敘自己。忌在膚而不切，直而少致。

又《賦贈題説》 賦贈題，或讚美，或規勸，俱須道己欵曲，肖彼行藏，間寫贈時之景。忌在質魯無文，直崛少情。

又《酬答題説》 酬答之題，如但答其意，則曰和某人。倘用其韻，則曰用某人韻。如挨次其韻，不復更換顛倒，則曰次韻其詩。當觀原詠，若答柬相似，須不即不離。忌在雷同而無以自見，寬泛而失於離根。

又《留别題説》 留别之題，須寫不忍别之意。或依依其人，或戀戀其地，或述聚日歡情，或記别時風景，或傷去路之遙，或悲會期之杳。忌在去住無意緒敘，前後少思理。

又《送别題説》 送别有數等，如别征戍，則寫黯慘，而勉之努力効忠。送人遠遊，則寫不忍别，而勉之及時早回。送人仕宦，則寫欣喜，而勉之憂國恤民。或訴己窮居，而望其薦拔。中多托酒以將意，亦觸景而寄情。所忌與留别同。

又《寄懷題説》 寄懷與賦贈相類。或敘目前之景，或寫胸中之意。寄之彼人，當使千里如面談。所忌亦與賦贈同。

又《旅寓題説》 旅寓之題，或述客中況味，或述地主禮節，或述其地佳勝，或思朝，或思鄉，或思歸，種種不一。若得意者，須見隨遇而安之意。若失所者，須見傍徨無依之意。倘留而思，則言他方之可念。欲去而敘，則言此處之難堪。所忌與登臨同。

又《邊塞題説》 邊塞之題，有陳風沙之苦，有陳鋒鏑之危，有陳鄉國之思，皆主規諫人主黷武。有陳軍武之盛，則爲揚厲當時戰功。所忌與諷諫、功德同。

楊際昌《國朝詩話》卷一 詩景有虚有實，若虚實之間，不必常有此，卻自應有此，惟高手自然寫出，新穎可喜。錢虞山「春風蘊藉養花天」，田山薑「衣上新泥燕子來」，李武曾「故人船到月當門」，施愚山「寒禽日暖作春啼」，皆臻妙境，可爲初學舉隅。

又 詩家用着力字多見重複，或由材窘，然情景既工，亦不須避。如杜工部屢用「動」字，反奇妙也。邱南齋（象升）《嶺南集腰古驛》句：「雨沉埋古驛，榕老逼危樓。」《茶亭晚行》句：「晚雲摩石黑，驟雨逼天青。」二「逼」字皆佳。《那烏山》句：「樹陰昏古廟，澗水溜殘磯。」《出洋》句：「蜃氣昏如雨，鼉聲暴似風。」兩「昏」字皆佳。

又卷二 詩題至無可翻新，可以不作，作必須挽以深厚，否則愈新愈尖，愈尖愈薄，不成雅響。如《咏明妃》，其一也。柏鄉相公二絶，獨渾成。詩云：「深宫不覩君王面，命薄何由怨畫師。時上龍堆聽曉角，高鴻陣陣過焉支。」「金屋自藏傾國色，寧甘沙漠死紅顔。年年青草知何意，牧馬悲鳴散黑山。」

謝鳴盛《範金詩話》卷上 往曾松門先生教初學入手，每舉杜公《登兖州城樓》詩，起止承接，正大分明，寫景道情，遠近次第，班班不紊。學者熟此，而後講求變化，自無手忙脚亂之患。鳴盛深服其教人極有準則，不似時俗作夸張籠統話欺人。唐初王績之《野望》、孫逖之《宿云門寺閣》諸什，皆是此法，即變化環生，似無定格。而大要起法必得穩括渾含，中間兩聯必須聯絡顧盼，淺深暢遂，第七句或就本位勒住，如截奔馬，或借勢帶收帶宕，如鵬翼將摶，至八句便鏗爾，餘音悠然不竭，此爲正軌。倘首尾各不相顧，中間如四扇板壁，縱有佳句，亦不足觀。起手最宜有振迅之勢，其法不一，略舉數格。如宋之問「馬上逢寒食」，杜甫「今夜鄜州月」，是直起法；李嶠「漢帝無戎臣，絲言命錦輪」，司空曙「黄葉前朝寺，無僧寒殿開」，韋應物「思親當自去，不第未蹉跎」，是原起法；張説「東壁圖書府，西園翰墨林」，是排起法，猶近常格；至岑參「送客飛鳥外，城頭樓最高」，李白「犬吠水聲中，桃花帶雨濃」，張九齡「海上生明月，天涯共此時」，則冲降突起法也；杜審言

「獨有宧游人，偏驚物候新」，杜甫「亦知戍不返，秋至拭淸砧」，則半腰截起法也；高適「謫去君無恨，閩中我舊過」，馬戴「孤雲與歸鳥，千里片時還」，韓愈「淮南悲木落，而我亦傷秋」，又逆流倒起法也。如此類者不能悉數。時手專詩中聯，予友胡芥浦與予從兄退庵獨喜講起法，以爲不如是則通首頽靡不振，其言當矣。然起好結尤宜好，前半首好，後半首更宜好，如王、孟二家，襄陽工于前半首，何如摩詰前或淡淡入，後雋永不窮之爲可味乎？若夫挺挺而起，復挺挺而止，通首堅厚不復，雖杜工部一代作手，亦不過十數首。說詩家動以五律最易，試深講求，何可易言哉！昔人謂五言律如四十賢人，著一屠沽不得，予謂卽四十屠沽亦著一賢人不得。學初盛唐，固帶不得中晚氣象，卽學中晚而用一二語似初盛亦直是不律。初盛唐時，陳、張、宋、杜、高、沈多是渾朴而透闢，王、孟清俊中兼呈逸致，太白濃艷中自寓高起，惟少陵專以悲壯沉雄爲主，而細密匀稱尤爲獨擅，終唐之世，五律品格無出諸公右者，學者各就其性質所近深取則焉，自不致墮入纖俗卑靡一派，琢煉骨氣，全須入手不差。詩到中晚，每多捉襟露肘之狀，卽其強爲大言而局度終小，風氣遞降，眞有不可解者，後此繼初盛之軌，其在前明乎？宋元又不及中晚唐矣。通首用虛字斡旋最妙，卻須絕大力量，老杜平生亦惟《搗衣》一首。登岳陽樓詩推孟襄陽、杜工部爲第一，襄陽起手勝杜，而後四句則工部超然獨遠，至劉長卿通章草率，而「中流沒太陽」句更屬笑柄。太凡題詩遇前有名作，自計無可開生面，不如不作之爲愈也。魏叔子教人學詩當從古詩入手，極是。但恐非上智不能，不如從五律入手，中下悉有所準。蓋五律去古體未遠，上學漢魏六朝，下學三唐近體，胸中略有把握，轉手則自不難。若時俗從七律《排律》五、七絕句始求其品地，能高者千百中一二而已。

又卷下 先高祖《程山日錄》云：米元章學書無一定之帖，采各帖字之佳者用之，此法最善。不但當采一字，卽一筆有法，亦當采取，久之，方能合成一家。此集思廣益之道也。嗚盛因是知詩必求全首佳者而學之，卽三唐亦不多觀。吾惟卽其善與不善列之以爲法戒，豈不均爲我師乎？起句之妙，如蘇頲「東望望春春可憐」，賈曾「銅龍曉闢問安迴」，祖咏「燕臺一去客心驚」，杜甫「花近高樓傷客心」、「風急天高猿嘯哀」、「聞道長安似弈棋」、「群山萬壑赴荆門」、「露下天高秋氣淸」，王維「明到衡山與洞庭」，賈島「此心曾與木蘭舟」，李商隱「猿鳥猶疑畏簡書」之類，皆突兀超邁，足以籠蓋通章。其不善者多是直起而粗鹵，如沈佺期「南方歸去再生天」，杜甫「歲暮陰陽催短景」、「支離東北風塵際」，王維「仙官欲住九龍潭」，李頎「知君官署大司農」，楊巨源「關西諸將揖容光」，皇甫冉「北人南去雪紛紛」，司空曙「綠楊垂穗亂鳥飛」之類是也。結句之妙在承載得上六句而提起下一句，悠然不盡，回眸一顧，秋波自遠。其法惟杜工部最工，如「可憐後主還祠廟，日暮聊爲梁父吟」、「請看石上藤蘿月，已映洲前蘆荻花」、「回首可憐歌舞地，秦中自古帝王州」、「關塞極天惟鳥道，江湖滿地一漁翁」、「明年此會知誰健，醉把茱萸子細看」、「獨使至尊憂社稷，諸君何以答昇平」，然杜集如此者，正復未易多得。他如張謂「不醉郎中桑落酒，教人無奈別離何」、「由來此貨稱難得，多恐君王不忍看」，皇甫冉「聞道王師猶轉戰，誰能談笑解重圍」，亦可法也。至收結荒頽，作者不免，卽少陵「運移漢祚難恢復，志決身殲軍務勞」，則與岑參「西望鄉關腸欲斷，對君衫袖淚痕斑」，劉長卿「臨水自傷流落久，贈君爲有淚沾衣」，李商隱「晝號夜哭兼幽顯，早晚星關雪涕收」、「天荒地變心難折，若比傷春意未多」，同爲粗淺無味矣。又如蘇頲「漢家曾卓巡游賦，何似今來應聖明」，王維「聞道甘泉能獻賦，懸知獨有子云才」，岑參「獨有鳳凰池上客，陽春一曲和皆難」，薛逢「今日路旁誰不指，穰苴門戶慣登壇」，錢起「題柱盛名兼絕唱，風流誰繼漢田郎」，直與俗下膚庸酬贈之作無異。又李商隱「如何四紀爲天子，不及盧家有莫愁」，直狗尾續貂矣。若柳宗元之「欲知此後相思夢，長在荆門郢樹烟」，宋人已改其「烟」字無着落。起結不善，縱中間對仗精巧，譬之堂屋上漏下濕，雖四柱雕鏤彩繪，豈得目之爲奐麗乎？去短就長，鑒觀于古，則風又不啻師友矣。律法與人咸知以對仗爲工，景以對景，情以對情，遂若一定之法，或一聯情一聯景便稱名作矣，若能情景互寫，三唐中已僅見數聯。如沈佺期「九月寒砧催木葉，十年征戍憶遼陽」，高適「只言啼鳥堪求侶，無那春風欲送行」，皇甫冉「江客不堪頻北望，塞鴻何事又南飛」，李商隱「座中醉客延醒客，江上晴雲雜雨雲」，李端「秦地故人成遠夢，楚天凉雨在孤舟」，溫庭筠「一院落花無客醉，五更殘月有鶯啼」，堪與少陵「叢菊兩開他日淚，孤舟一繫故園心」、「春水船如天上坐，老年花似霧中看」、「聽猿實下三聲淚，奉使虛隨八月槎」、「南菊再逢人卧病，北書不至雁無情」數聯並美矣。至于「一去紫臺連朔漠，獨留青塚向黃昏」、「悵望千秋一灑淚，蕭條異代不同時」、「昨日玉魚蒙葬地，早時金盌出人間」、「豈謂盡煩回紇馬，翻然遠救朔方兵」、「正憶往時嚴僕射，共迎中使望鄉臺」、「憶昨賜霑門下省，退朝擎出大明宮」，皆一氣貫注，化去對偶痕迹，十四字如同一句。此惟杜老一人而已，三唐中竟無可取以相匹者，宜乎其爲詩聖！浣花集中惟《秋興》、《諸將》、《曲江》、《詠懷古跡》一題數首，品其高下，畢竟以《諸將》五首爲最，《咏懷古跡》前四首尚是堂堂正正好詩，至第五首，惟群推「伯仲之間見伊呂，指揮若定失蕭曹」爲名句，然比擬誇贊未足爲奇，且結句更屬粗率，視《蜀相》一首借古寫心，何啻床分上下！七律中懷古自崔司勳《黄鶴樓》肇端，其詩如神龍在霄，無跡可求，若概以爲圭臬，雖杜公亦恐弗及，然春容大雅之作後賢孔多，如劉長卿之《過賈誼祠》「漢文有道恩猶薄，湘水無情吊豈知」，溫庭筠之《陳琳墓》「詞客有靈應識我，霸才無主始憐君」，不廢議論，自寓隱衷，詞旨亦復蘊蓄，洵堪作則。又有一種似點綴眼前景色而巧合題典，如李商隱之《隋宮》「于今腐草無螢火，終古垂楊有暮鴉」，劉滄之《經煬帝行宮》「香銷南國美人盡，怨入東風芳草多」亦化盡形跡。又李商隱《馬嵬》「此日六軍同駐馬，當時七夕笑牽牛」，杜牧《金谷懷古》「桃李香消金古在，綺羅魂斷玉樓空」，溫庭筠《蘇武廟》「回日樓臺非甲帳，去時冠劍是丁年」，對仗精巧而筆意縱控，亦非塡砌者可比。至通首匀稱，則劉禹錫之《西塞山》、許渾之《金陵》及《題衛將軍廟》，情景兼到，濃淡適宜，議者以後人之襲用，遂疑作手之鮮，實際獨《黄鶴樓》一首，太白居然摹擬，轉共推爲名作而弗以爲病，甚矣，世人之耳識也。他如劉禹錫《題眞娘墓》「芳魂雖死人不怕，蔓草逢春花自開」，《望夫山》「近來豈少征人婦，笑采蘼蕪上北山」，《神女廟》「星河好夜聞清佩，雲雨歸時帶異香」，杜牧《題武關》「鄭袖嬌嬈酣似醉，屈原憔悴去如蓬」，《題青云館》「四皓有芝輕漢祖，張儀無地與懷王」，《西江懷古》「魏帝縫囊眞戲劇，符堅投箠更荒唐」，溫庭筠《馬嵬佛寺》「才信傾城是眞語，直教墜地始甘心」，李商隱《聖女祠》「人間定有崔羅什，天上應無劉孝威」，《楚宮》「空歸腐敗猶難復，更困腥臊豈易招」，《眞娘墓》「柳眉空吐效顰葉，榆莢還飛買笑錢」，《井絡》「將來爲報奸雄輩，莫向金牛訪舊蹤。」《詠史》「歷覽前賢國與家，成由勤儉破由奢」之類，或塡砌庸俗，或輕薄纖靡，似笑似謔，如嗔如詈，與稗官小說何殊？選者匯登犂棗，燕石瓊琚，并相什襲，學者不大放眼孔，則幾爲勸學（荀子有《勸學篇》）死，應不獨笑蔡謨一人而已。季弟筠初嘗論：懷古詩七律尤難，醖釀深醇以使事，必須烹煉鎔化，泯然無迹，著議論必須意在言表，褒貶抑揚，無喜怒之色，方爲高手，若直作贊語，便爲下乘。至過祠廟，則稱廟貌巍峨；過墓下，則稱穹碑崒嵂，如此之類，殊覺雷同增厭。七字須煉之如生鐵，鑄成若可截爲五言，或中間兩字硬插，或竟成三截，豈是好句？唐人亦有此弊，如李益「從來凍合關山路」，皇甫冉「秋水長天隨遠客，荒城極浦足寒雲」，皆贅設上兩字，不似少陵「無邊落木蕭蕭下，不盡長江滚滚來」，著力正在上兩字也。又司空曙「青鏡流年看發變」，元微之「壺中天地乾坤大」，白居易「松排山面千重翠」，劉方平「長辭西雍青門路」，李商隱「邊柝西懸雪嶺松」皆生湊兩字于五字之中，豈若老杜「林花著雨燕脂濕，水荇牽風翠帶長」，句中自相呼吸乎？又韓翃「蟬聲驛路秋山里」，皇甫冉「萋萋藉草遠山多」，元微之「歌待新詩促翰林」，李群玉「入夜笳聲含白髮」，武元衡「笛怨柳營烟漠漠」，白居易「竹霧曉籠銜嶺月」，韋莊「曉發獨辭殘月店」，一句中三四截，幾同亂堆瓦片，試看老杜「思家步月清宵立，憶弟看雲白日眠」，迹似疊砌，卻不斷隔，能明其故則思過半矣。至詩中韻脚須如獅子滚毬，全身精力俱注射球中，方不粘著，亦不脫離，若沈佺期「殿里爭先并是梅」，韓愈「相國新兼五等崇」，溫庭筠「隴上羊歸塞草烟」，李商隱「朝飛羽騎一河冰」皆屬趁韻，選家多贊賞之，眞所不解，卽杜工部「此日嘗新任轉蓬」，下三字亦是凑上，詎宜以其名家而冒昧相師，學者誠推此類，以爲法戒，自無斷離不成句之弊。凡一句中重用同音字眼，亦是一病，如沈佺期「坐近爐烟講法筵」，李商隱「大隱龍宮無限地」之類是也。卽隔句如老杜「竹葉于人既無分，菊花從此不須開」，「竹」「菊」兩字同音，讀去終覺窒礙，又許渾《朝臺送客》一首中「趙佗馬援越國蠻，鄉江雲海雨嶺北」，蓼花八句平頭，盡是人物地名，雖沈約八病之說，大雅所不拘，但如此板列豈堪爲法。古人名句有偶然相同而各成其妙者，宗楚客有「雲里孤峰類削成」之句，崔灝則云「天外三峰削不成」，柳宗元有「驚風亂颭芙蓉水，密雨斜侵薜荔牆」一聯，譚用之則云：「秋風萬里芙蓉國，暮雨千家薜荔邨」，迹似相摹較勝，其實不過偶然適合耳。然可知專事寫景，到後人幾無著想，往往費力敲成佳句，及多閱前編，竟如勦襲，良堪惋惜。故予嘗謂：詩中必須有我在，五官雖同，而面目則子與文殊，卽景寓情，果以我之眞意出之，自不致人疑我爲天上偸桃客也。唐與宋元之別，在雅俗幾希之間，學唐詩每淪入宋元，其故何在？在不知唐詩中亦多俗格，如李白「東樓喜奉連枝會」、「百年粗糲腐儒餐」、「漫卷詩書喜欲狂」，李頎「新加大邑綬仍黄」，岑參「色借玉柯迷曉騎，光添銀燭晃朝衣」，萬楚「汗血每隨邊地苦，蹄傷不憚隴雲寒」，韋應物「世事茫茫難自料，春愁黯黯獨成眠」，元微之「山茗粉含鷹嘴嫩，海榴紅綻錦窠勻」、「同登科後心相合，初得官時髭未生」，韓翃「蠻府參軍趨傳舍，交州刺史拜行衣」，杜牧「劉郎浦夜侵船月，宋玉亭春弄袖風」，白居易「夢兒亭古傳名謝，教妓樓新道姓蘇」，李商隱「求之流輩豈易得，行矣關山方獨吟」，如此類者，置之宋元詩中豈復有別。此學古者所以必具金剛眼而後胸有定風珠也。

又世俗于門内之行或多未講，而獨斤斤于祖父之名是諱，甚至刻其遺集亦并諱之，祇書署字別號，令覽者莫知爲誰，向間有書名者，必借巨公塡諱，掩耳盗鈴，以是爲孝，殊不可解也。《論》、《孟》皆子思與諸弟子所記，何以一無所諱。禮曰「臨文不諱」，豈未之前聞耶？予近并見有刻其集亦諱曰某者，尤爲謬妄，古人文字詩題于朋友，俱直書其名。君子疾沒而名不稱，奚爲今之人而名反畏人稱也？太白于少陵爲前輩，而杜集中稱其名，較今人稱弟子而尤倨。曰「白也詩無敵」，曰「汝與山東李白好」，曰「南尋禹穴見李白」。他如「張旭三杯草聖傳」，「焦遂五斗方卓然」，「弟子韓幹早入室」，「岑參兄弟皆好奇」，「吾甥李潮下筆親」，凡不一而足。又其自稱則曰「甫也諸侯老賓客」、「道甫問訊今何如」。其名時諷詠于人口，固宜其名著千古也。後人卽大書其名，吾猶懼泯泯也，而偏自諱之意，果何居？

趙翼《甌北詩話》卷九　七律不用虚字，全用實字，唐時賈至等《早朝大明宫》諸作，已開其端。少陵「五更鼓角」、「三峽星河」、「錦江春色」、「玉壘浮雲」數聯，杜樊川「深秋簾幕千家雨，落日樓臺一笛風」，趙渭南「殘星幾點雁横塞，長笛一聲人倚樓」，陸放翁「樓船夜雪瓜洲渡，鐵馬秋風大散關」，皆是也。然不過寫景。梅村則並以之叙事，而詞句外自有餘味，此則獨擅長處。如《贈袁韞玉》云：「西州士女章臺柳，南國江山玉樹花。」十四字中，無限感慨，固爲絶作。他如《揚州感事》云：「將軍甲第櫜弓臥，丞相中原拜表行。」《吊衛紫岫殉難》云：「埋骨九原江上月，思家百口隴頭雲。」《寄遼左故人》云：「樂浪有吏崔亭伯，遼海無家管幼安。」「桑麻亭障行人斷，松杏山河戰骨空。」《贈淮撫沈清遠》云：「去國丁年遼海月，還家甲第浙江潮。」《雜感》云：「金城將吏耕黄犢，玉壘山川祭碧雞。」「雞豚絶壁人烟少，珠玉空江鬼哭高。」《贈陳定生》云：「茶有一經眞處士，橘無千絹舊清卿。」《送永城吳令》云：「山懸尹來三月雨，人家兵後十年耕。」《送安慶朱司李》云：「百里殘黎半啇賈，十年同榜盡公卿。」《送李書雲典試蜀中》云：「兵火才人羈旅合，山川奇字亂離搜。」《送顧蒨來典試粤東》云：「使者千旄開五管，諸生禮樂化三苗。」《送曹秋岳謫粤東》云：「海外文章龍變化，日南風俗鳥鉤輈。」《寄房師周芮公》云：「廣武登臨狂阮籍，承明寂寞老揚雄。」此數十聯，皆不著議論，而意在言外，令人低徊不盡。其他如《宴孫孝若山樓》云：「明月笙歌紅燭院，春風書畫緑楊船。」《西泠閨咏》云：「紫府蕭閒詩博士，青山遺逸女尚書。」《無題》云：「千絲碧藕玲瓏腕，一卷芭蕉宛轉心。」《投贈督府馬公》云：「江山傳箭旌旗色，賓客圍棋劍履聲。」《長安雜咏》云：「奉轡射生新宿衛，帶刀行炙舊名王。」《滇池鐃吹》云：「朱鳶縣小輸賓布，白象營高掛柘弓」，「魚龍異樂軍中舞，風月蠻姬馬上簫。」《送曹秋岳官廣東左轄》云：「五管清秋開使節，百蠻風静據胡牀。」《送林衡者歸閩》云：「征途鶗鴂聲中雨，故國桄榔夢裏天。」《送隴右道吳贊皇》云：「城高赤坂魚鹽塞，日落黄河鳥鼠秋。」《送同官出牧》云：「壯士驪山秋送戍，豪家渭曲夜探丸。」《送楊猶龍按察山西》云：「紫貂被酒雲中火，鐵笛迎秋塞上歌。」《送朱遂初憲副固原》云：「荒祠黑水龍湫暗，絶坂丹崖鳥道盤。」《聞台州警》云：「雁積稻粱池萬頃，猿知擊刺劍千年。」此數十聯，雖無言外意味，而雄麗華贍，自是佳句。《送馮子淵總戎》云：「十二銀箏歌芍藥，三千練甲醉葡萄。」《俠少》云：「柳市博徒珠勒馬，柏堂箏妓石華裙。」《訪吳永調》云：「南州師友江天笛，北固知交午夜砧。」《觀蜀鵑啼劇》云：「親朋形影燈前月，家國音書笛裏風。」雲間公《讌》云：「三江風月尊前醉，一郡荆榛笛裏聲。」此則雜湊成句耳。其病又在專用實字，不用虚字，故掉運不靈，斡旋不轉，徒覺堆垛，益成呆笨。如《贈陳之遴謫戍遼左》云：「曾募流移耕塞下，豈遷豪傑實關中。」何嘗不典切生動耶？

又卷一〇　詩寫性情，原不專恃數典，然古事已成典故，則一典已自有一意，作詩者借彼之意，寫我之情，自然倍覺深厚，此後代詩人不得不用書卷也。吳梅村好用書卷，而引用不當，往往意爲詞累。初白好議論，而專用白描，則宜短節促調，以遒緊見工；乃古詩動千百言，而無典故驅駕，便似單薄。故梅村詩嫌其使典過繁，翻致膩滯；一遇白描處，卽爽心豁目，情餘於文。初白詩又嫌其白描太多，稍覺寒儉；一遇使典處，卽清切深穩，詞意兼工。此兩家詩之不同也。如初白與朱竹垞各咏甘泉漢瓦兩詩相較：竹垞詩光怪陸離，令人不敢逼視；初白詩平易近人，便難爭勝。至與竹垞《水碓聯句》、《觀造竹紙聯句》，各搜典故，運用刻劃，工力悉敵，莫可軒輊。有書無書之異，了然可見矣。

又卷一二　宋人詩，與人贈答，多有切其人之姓，驅使典故，爲本地風光者。如東坡與徐君猷、孟亨之同飲，則以徐、孟二家故事，裁對成聯；送鄭戶曹，則以鄭太、鄭虔故事，裁對成聯；又戲張子野娶妾，專用張家事點綴縈拂，最有生趣。自是，秦少游贈坡詩：「節旄零落氈餐雪（蘇武），辨舌縱横印佩金（蘇秦）。」山谷贈坡詩：「人間化鶴三千歲（蘇耽），海上看羊十九年（蘇武）。」皆以切合爲能事；然以蘇武比坡黄州之謫，尚可映帶，蘇秦、蘇耽，何爲者耶？山谷又有《題郭明甫西齋》云：「東京望重兩并州（郭伋、郭丹），遂有汾陽整綴旒（郭子儀），翁伯入關傾意氣（郭解），林宗異代想風流（郭泰）。」此不過述其家世，於其人何與耶？

又《葉石林詩話》：「王荆公有詩云：『老景春可惜，無花可留得。莫嫌柳渾青，終恨李太白。』以古人姓名藏句中，實屬創見。」按權德輿詩云：「藩宣秉戎寄，衡石崇位勢。年紀信不留，弛張良自愧。樵蘇則爲愜，瓜李斯可畏。不顧榮宦尊，每陳農畝利。家林顧巖巘，負郭躬斂積。忌滿寵生嫌，養蒙恬勝智。疎鐘皓月曉，晚景丹霞麗。澗谷永不諼，山梁冀無累。頗符生肇學，得展禽尚志。從此直不疑，支離疏世事。」則唐人已有此體矣。

吴騫《拜經樓詩話》卷四　昔人論詩，有用巧不如用拙之語。然詩有用巧而見工，亦有用拙而逾勝者。同一咏楊妃事，玉溪云：「夜半燕歸宫漏永，薛王沈醉壽王醒。」此用巧而見工也。馬君輝云：「養子早知能背國，宫中不賜洗兒錢。」此用拙而逾勝也。然皆得言外不傳之妙。（君輝名玉，紹興人。明末爲三韓令。有《來鵲軒集》。）

翁方綱《石洲詩話》卷二　韓致堯《寒食日重遊李氏園亭》一篇，以七律作扇對格，此前人所少也。

又《詩話》載唐僧齊己謁鄭谷獻詩：「自封修藥院，别下着僧床。」谷覽之云：「請改一字，方可相見。」經數日，再謁，改云：「别掃着僧床。」谷嘉賞，結爲詩友。此一字，元本改本俱無好處，不知鄭谷何以賞之？唐詩僧多卑卑之格，惟皎然、靈一差勝。

又卷三　《娱老堂詩話》謂詩有以法家、史、文語爲對者；如東坡《七月五日作》「避謗詩尋醫，畏病酒入務」之類。後來陸放翁亦時有之，然究非雅道也。

又　情景脱化，亦俱從字句鍛鍊中出，古人到後來，只更無鍛鍊之迹耳。而《宋詩鈔》則惟取其蒼直之氣，其於詞場祖述之源流，概不之講。後人何目而含英咀華？勢必日襲成調，陳陳相因耳。此乃所謂腐也。何足以服嘉、隆諸公哉？

又卷五　子昂云：「作詩用虚字，殊不佳；中兩聯，填滿方好。」以此力矯時弊。此言雖近于有意，然初學正不可不知。

李宗文《律詩四辨》卷四《辨體小引》　律詩之體，首聯、末聯不對而散，中二聯則整對，其大較也。其抒寫題面，借物懷人，援古剴今，有事關君父之大，則託美人、芳草、漢武、楚襄，其志彌苦而取辭彌隱，蓋惟恐人之知之者，忠厚之至也。情極於憤怨之專，雖天地若爲變動，和風可凄，甘雨可苦，詩之所以能貫金石、泣鬼神者，此也。此其蘊多於中二聯見之。而首聯一唱所以引題，末聯一振所以完題。所以使神氣流宕，局法迴環者，其體多散。考成句，間有宜散反整、宜整反散。夫情文所至，何所不可，豈若調之有所干乎！博而臚之，以見體不拘於一定，作辨體。清溪李宗文書。

又《辨體》　第一格（八句皆整對）。《陪姚使君題惠上人房》：「帶雪梅初暖，含烟柳尚青。未窺童子偈，得聽法王經。會理知無我，觀空厭有形。迷心應覺悟，客思不遑寧。」《老病》：「老病巫山裏，稽留楚客中。藥殘他日裹，花發去年叢。夜足霑沙雨，春多逆水風。合分雙賜筆，猶作一飄蓬。」《水檻遣心》（第一首）：「去郭軒楹敞，無村眺望賒。澄江平少岸，幽樹晚多花。細雨魚兒出，微風燕子斜。城中十萬戶，此地兩三家。」《登高》：「風急天高猿嘯哀，渚清沙白鳥飛廻。無邊落木蕭蕭下，不盡長江滚滚來。萬里悲秋常作客，百年多病獨登臺。艱難苦恨繁霜鬢，潦倒新停濁酒杯。」《宇文晁尚書之甥崔彧司業之孫尚書之子重汎鄭監前湖》：「郊扉俗遠長幽寂，野水春來更接連。錦席淹留還出浦，葛巾敧側未迴船。尊當霞綺輕初散，棹拂荷珠碎却圓。不但習池歸酩酊，君看鄭谷去夤緣。」《寓興》：「薄宦仍多病，從知竟遠遊。談諧叨客禮，休澣接冥搜。樹好頻移榻，雲奇不下樓。豈關無景物，自是有鄉愁。」第二格（前六句整，末聯散收）。《從岐王過楊氏别業》：「楊子談經所，淮王載酒過。興闌啼鳥喚，坐久落花多。逕轉廻銀燭，林開散玉珂。嚴城時未啟，前路擁笙歌。」《勅借岐王九成宮避暑應教》：「帝子遠辭丹鳳闕，天書遙借翠微宮。隔窗雲霧生衣上，卷幔山泉入鏡中。林下水聲喧語笑，巖間樹色隱房櫳。仙家未必能勝此，何處吹簫向碧空。」《同盧明府餞張郎中除義王府司馬》：「上國山河裂，賢王邸第開。故人分職去，潘令寵行來。冠蓋趨梁苑，江湘失楚材。預愁軒騎動，賓客散池臺。」《歸夢》：「道路時通塞，江山日寂寥。偷生唯一老，伐叛已三朝。雨急青楓暮，雲深黑水遙。夢歸歸未得，不用《楚辭》招。」《閣夜》：「歲暮陰陽催短景，天涯霜雪霽寒宵。五更鼓角聲悲壯，三峽星河影動搖。野哭千家聞戰伐，夷歌數處起漁樵。卧龍躍馬終黄土，人事音書漫寂寥。」《訪隱》：「路到層峰斷，門依老樹開。月從平楚轉，泉自上方來。薙白羅朝饌，松黄暖夜盃。相留笑孫綽，空解賦《天台》。」《和劉評事永樂閒居見寄》：「白社幽閑君暫居，青雲器業我全踈。看封諫草歸鸞掖，尚賁衡門待鶴書。蓮聳碧峰關路近，荷翻翠扇水堂虛。自探典籍忘名利，欹枕時驚落蠹魚。」第三格（首聯散起，後六句整）。《詠徐正字畫青蠅》：「誤點能成物，迷眞許一時。筆端來已久，座上去何遲。顧白曾無變，聽雞不復疑。詎勞才子賞，爲入國人詩。」《自洛之越》：「遑遑三十載，書劍兩無成。山水尋吳越，風塵厭洛京。扁舟泛湖海，長揖謝公卿。且樂杯中酒，誰論世上名。」《酬韋韶州見寄》：「養拙江湖外，朝廷記憶踈。深慚長者轍，重得故人書。白髮絲難理，新詩錦不如。雖無南去雁，看取比來魚。」《秋興八首》之三：「夔府孤城落日斜，每依北斗望京華。聽猿實下三聲淚，奉使虛隨八月槎。畫省香爐違伏枕，山樓粉堞隱悲笳。請看石上藤蘿月，已映洲前蘆荻花。」「蓬萊宮闕對南山，承露金莖霄漢間。西望瑤池降王母，東來紫氣滿函關。雲移雉尾開宮扇，日繞龍鱗識聖顔。一卧滄江驚歲晚，幾迴青瑣點朝班。」「昆明池水漢時功，武帝旌旗在眼中。織女機絲虛夜月，石鯨鱗甲動秋風。波漂菰米沉雲黑，露冷蓮房墜粉紅。關塞極天惟鳥道，江湖滿地一漁翁。」《送李八秘書赴杜相公幕》：「青簾白舫益州來，巫峽秋濤天地迴。石出倒聽楓葉下，櫓搖背指菊花開。貪趨相府今晨發，恐失佳期後命催。南極一星朝北斗，五雲多處是三台。」《行次昭應縣道上送戶部李郎中充昭義攻討》：「將軍大旆掃狂童，詔選名賢贊武功。暫逐虎牙臨故絳，遠含雞舌過新豐。魚遊沸鼎知無日，鳥覆危巢豈待風。早勒勳庸燕石上，佇光綸綍漢庭中。」第四格（首聯整起，次聯卻散。此蓋以首聯代次聯，故又名「偷春體」）。《閑園懷蘇子》：「林園雖少事，幽獨自多違。向夕開簾坐，庭陰葉落微。鳥從煙樹宿，螢傍水軒飛。感念同懷子，京華去不歸。」《尋梅道士》：「彭澤先生柳，山陰道士鵞。我來從所好，停策夏雲多。重以觀魚樂，因之鼓枻歌。崔徐跡未朽，千載揖清波。」《月》三首之第二首：「併照巫山雨，新窺楚水清。羈棲愁見裏，二十四迴明。必驗升沉體，如知進退情。不違銀漢落，亦伴玉繩横。」《送陳翃之侯官兼簡李常侍》：「縱得步兵無綠蟻，不緣句漏有丹砂。殷勤爲報同袍友，我亦無心似海查。春服照塵連草色，夜船聞雨滴蘆花。山梅自是青雲客，莫羨相如卻到家。」第五格（第三聯整對，前後六句都散）。《武陵泛舟》：「武陵川路狹，前棹入花林。莫測幽源裡，仙家信幾深。水迴青嶂合，雲度綠谿陰。坐聽閑猿嘯，彌清塵外心。」《贈司勳杜十三員外》：「杜牧司勳字牧之，清秋一首《杜秋》詩。前身應是梁江總，名總還曾字揔持。心鐵已從千鏌利，鬢絲休歎雪霜垂。漢江遠吊西江水，羊祜韋丹盡有碑。」《題白石蓮花寄楚公》：「白石蓮花誰所共，六時長捧佛前燈。空庭苔蘚饒霜露，時夢西山老病僧。大海龍宮無限地，諸天雁塔幾多層。漫誇鶖子眞羅漢，不會牛車是上乘。」第六格（第二聯整對，前後六句都散）。《舟中晚望》：「挂席東南望，青山水國遙。舳艫爭利涉，來往任風潮。問我今何適，天台訪石橋。坐看霞色晚，疑是赤城標。」《都下送辛大之鄂》：「南國辛居士，言歸舊竹林。未逢調鼎用，徒有濟川心。余亦忘機者，田園在漢陰。因君故鄉去，遙寄《式微》吟。」第七格（一句、三句對，二句、四句對，亦名「扇對」）。《送李員外院長分司東都》：「去年秋露下，羈旅逐東征。今歲春光動，驅馳別上京。飲中相顧色，送後獨歸情。兩地無千里，因風數寄聲。」《奉使常山早次太原呈副使吳郎中》：「朗朗聞街鼓，晨起似朝時。翻翻走驛馬，春盡是歸期。地失嘉禾處，《風》存《蟋蟀》辭。暮齒良多感，無事涕垂頤。」第八格（通首無整對，平仄卻合律）。《洛下送奚三還揚州》：「水國無邊際，舟行共使風。羨君從此去，朝夕見鄉中。余亦離家久，南歸恨不同。音書若有問，江上會相逢。」

洪亮吉《北江詩話》卷一 余最喜觀時雨既降、山川出雲氣象，以爲實足以窺化工之藴。古今詩人，雖善狀情景者，不能到也。陶靖節之「平疇交遠風，良苗亦懷新」，庶幾近之。次則韋蘇州之「微雨夜來過，不知春草生」，亦是。此陶、韋詩之足貴。他人描摹景色者，百思不能到也。

又 唐詩人去古未遠，尚多比興，如「玉顔不及寒鴉色」、「雲想衣裳花想容」、「一片冰心在玉壺」及玉溪生《錦瑟》一篇，皆比體也。如「秋風江上草」、「黃河水直人心曲」、「孤雲與歸鳥，千里片時間」，以及李、杜、元、白諸大家，最多興體。降及宋、元，直陳其事者十居其七八，而比興體微矣。

又卷二　詩人之工，未有不自識字讀書始者。即以唐初四子論，年僅弱冠，而所作《孔子廟碑》，近日淹雅之士，有半不知其所出者。他可類推矣。以韓文公之頫視一切，而必諄諄曰：「凡爲文辭，宜略識字。」杜工部，詩家宗匠也，亦曰：「讀書難字過。」可見讀書又必自識字始矣。弄麞宰相，伏獵侍郎，不聞有詩文傳世，職是故耳。近時士大夫，亦有讀「鍼灸」之「灸」爲「炙」、「草菅」之「菅」爲「管」，呼「金日磾」「万俟卨」一如本字者，則「弄麞」「伏獵」，又可以分謗矣。

又　詩家例用倒句法，方覺奇峭生動，如韓之《雉帶箭》云：「將軍大笑官吏賀，五色離披馬前墮。」杜之《冬狩行》云：「草中狐兔盡何益？天子不在咸陽宮。」使上下句各倒轉，則平率已甚。夫人能爲之，不必韓、杜矣。

又　人但知陶淵明詩一味眞淳，不塡故實，而以爲作詩可不讀書。不知淵明所著《聖賢羣輔錄》等，又考訂精詳，一字不苟也。

又卷三　作富貴語，不必金、玉、珠、寶也，如「夜深斜搭鞦韆索，樓閣冥濛細雨中」，及「夜深臺殿月高低」，僅寫雨及月，而富貴氣象宛然。然尚有樓、臺、殿、閣字也。溫八叉詩云：「隔竹見籠疑有鶴，捲簾看畫靜無人。」韋端己詩：「銀燭樹前長似晝，露桃花裏不知秋。」第二等人家，即無此氣象。近人詩，則「天氣清涼人好睡，闌干閒在月明中」，及「路暗迷人百種花」亦是。余前有《送春》詩云：「三面水亭簾不捲，百花香裏度殘春。」又《初夏》云：「居然一服清涼散，不啖荷珠即露珠。」正不必用八寶丹，自爾不寒儉也。

又卷四　用前人名句入詩，倣於元遺山，而成於王文簡。然必不得已則用其全句可也。若王文簡用杜詩「意象慘淡經營中」，而必改末一字爲「成」字，非湊韻，則直欲掩其迹耳。點金成鐵，其能爲文簡解乎！

又　詩有俚語而可傳者，江甯燕秀才山南句云：「神仙怪底飛行速，天上程途不拐彎。」思之卻有至理。

徐傳詩《星湄詩話》卷二　律詩結句用對最要自然，不見對句之痕乃佳。（黃）野鴻先生七律，往往對結極爲擅長，如「三年未似蘇卿別，萬事眞同丁令歸」、「醉插花枝上東閣，自吟詩句倚南窗」、「餘年常得貧無恙，吾黨還看興不同」、「霄漢但瞻黃鵠舉，江湖一任白鷗回」、「垂白得遊麟鳳世，彼蒼不負芰荷衣」、「欲令皓首頻相見，未若青山早卜鄰」、「六翮摶風皇極北，三秋引領大江南」、「寒食鄉關身漸遠，異方花柳首頻搔」、「深憑鄰姬將新句，回斡岡陵入舊年」、「禮意每來蒙款款，嶺雲欲贈負年年」、「歡賞風光三月破，淹留文酒一時誇」、「林壑棲遲深有得，乾坤消息邈無垠」、「騎省板輿須祿養，步兵錦瑟只酣眠」、「由來萬古情深地，難免三秋恨滿天」。俱極自然。

又　（石泉公）又云：律詩有字音、字面對法，如孟浩然「廚人具雞黍，稚子摘楊梅」，以「楊」對「雞」。岑參：「雞鳴紫陌曙光寒，鶯囀皇洲春色闌」，以「皇」對「紫」，此字音對。韓昌黎：「眼穿常訝雙魚斷，耳熱何辭數爵頻。」以「爵」對「魚」，此字面對。

又　（石泉公）又云：詩人美其人，則曰「彼留子嗟」，「彼留子國」，直舉其姓字。刺其人則曰「羔裘豹袪」，「羔裘豹褎」，僅舉其衣服，而不言其人。所謂「溫柔敦厚，詩教也」，作詩須知此意。

法式善《梧門詩話》卷一　詩有情餘於言者。余最愛施小鐵太常（朝幹）《悼亡詩》「白水貧家味，紅羅嫁日衣」二語。絕無傷悼字面，深於傷悼矣。

又卷四　寫景詩眞則不傷膚潤，雅則不落纖巧。

又卷五　作詩翻案恐傷忠厚。沈文慤公《昭君圖》兩首結句：「君王不好色，遣妾去和親。」「無金償畫手，妾自誤平生。」彌覺溫柔耐誦。

又卷一〇　詩有直用前人句，易一二字而更妙者。「曾爲大梁客，倍感信陵恩」，張紫峴「未爲大梁客，亦感信陵恩」是也。有盡翻前人句而愈妙者，「大都秋雁少，只是夜猿多」，石遠梅「猿多雁少尋常事，只有慈烏易斷魂」是也。

又卷一一　詩能包括史事，一語勝人千百者。施小鐵「平世受凡才」、「年飢出吏才」是也。張寄槎有「文章損吏才」，王柳村「能傳不負才」，用「才」字韻並佳。

熊璉《澹仙詩話》卷一　凡詩有情無景，如村翁談家常；有景無情，如繡女描花樣。景不雅則無致，情不深亦無味。寫景須點綴幽峭，使人起興。寫情必纏綿激切，令人下淚。情中有景不俗，景中有情乃活。

又　詩用古人姓名字，一兩句尚可。曾有人一首中至七八見，見者笑云：「客已請齊，但欠酒席矣。」

又卷二　前人道過語，雖極新奇，後人再四翻用，便成熟套。須要深一層意方妙，至於翻駁亦要近理，不必矯情強辨。

又　眼前景，口頭語，妙手揮來，都成好句。所以化座爲奇，點石成金，一經俗筆，便道不出。愈覺拉拉雜雜，令人生厭矣。

又卷四　詩境卽畫境也。畫宜峭，詩亦宜峭；詩宜曲，畫亦宜曲；詩宜遠，畫亦宜遠。風神氣骨，都從興到。故昔人畫中有詩，詩中有畫。

又　東坡詩「若把西湖比西子，澹粧濃抹總相宜」，予謂爲詩亦然。或澹或濃，各極其妙，總在乎用筆耳。

陸坊問、徐熊飛答《修竹廬談詩問答》　問：「古人讀書萬卷，目空今古，往往低首於一二尋常之語。如顧況之於春風野火，歐公之於禪房花木，此類殊多，豈古人亦有性情之偏耶？抑實有妙詣，後人不能窺測耶？」答：「興趣所到，無迹可求。山澤之臞，往往無心得之。學士大夫竭力追倣，失之愈遠。此嚴滄浪所謂妙悟也。昌黎心折於閬仙，歐陽傾倒於常尉，東坡極口於參寥。一則因天機不可湊泊，一則古人愛才之心不啻饑渴之於飲食，故推獎不無過當耳。」

錢泳《履園譚詩》　蒙古法時帆先生，工詩，尤長五律，爲世傳誦。余一日謁先生於京邸，索余書一小額曰：四十賢人之室。是時吳蘭雪舍人亦在座，因問所典，先生曰：「昔人論五言律詩如四十賢人，其中著一屠沽兒不得；而四十人中又須人人知己，心心相印，方臻絕詣。」余謂：「觀此則凡古今體五、七言皆然；如人之身，微有一點痛癢，則滿身不適也。」先生與蘭雪俱以余爲知言。

又　有某孝廉作詩善用僻典，尤通釋氏之書，故所作甚多，無一篇曉暢者。一日示余二詩，余口噤不能讀。遂謂人曰：「記得少時誦李、杜詩，似乎首首明白。」聞者大笑。始悟詩文一道，用意要深切，立辭要淺顯，不可取僻書釋典，夾雜其中。但看古人詩文，不過將眼面前數千字搬來搬去，便成絕大文章。乃知聖賢學問，亦不過將倫常日用之事，終身行之，便爲希賢希聖，非有六臂三首牛鬼蛇神之異也。

又　口頭言語，俱可入詩，用得合拍，便成佳句。如歸眞子之「無可奈何仍話別，不曾眞個已魂銷」，槃溪弟之「未免有情終靦覥，明知無益卻思量」，皆妙。

袁潔《蠡莊詩話》卷一　寫景之句，全在憑虛刻鏤，不落恒蹊。如鄒曉屏先生句云：「林藏兩厓合，樓出一峰高。」

又　詩用相形字法，卽有意味。如尹文端公句云：「老去情懷笑亦悲。」笑與悲相形。鐵梅庵先生句云：「中年生女作兒看。」女與兒相形。法梧門學士句云：「淡花開不濃。」淡與濃相形。朱笥河先生句云：「合歡樹底看離席。」合與離相形。周籀書先生句云：「江從白雪連邊黑，天向黃沙盡處青。」白與黑相形，黃與青相形。余曾有句云：「樹近風聲遠，樓高月影低。」

又　題有極熟而能生新者。王芸岩司馬仲淮《咏書中乾蝴蝶》云：「我有梅花詩百首，養君取作小羅浮。」清新可愛。題有極俗而能雅切者，俞鶴岑先生永斯《咏婦人高底》云：「影借三分勢，人添一寸長。」刻劃甚工。

又卷三　題有絕不可入詩，而寫來卻自雅切者。如黃九烟先生《別集》有《情寶》七律，錄其一云：「何愁混沌鑿虛空，竅妙天然在箇中。泉泛漁津疑丙穴，山分鳥道想蠶叢。御溝葉小隨波送，桃洞春深有路通。卻恨守宮能印臂，花房夜夜擣殘紅。」又云：「縱眠冰簟中偏暖，乍解羅襦別有香。」又云：「火齊吐時傾漢殿，丸泥封處異函關。」皆雅切，不露痕迹。

又卷四　裁對字眼，始於六朝。如庾信賦「窈窕名燕，逶迤姓秦」。「燕」、「秦」借用國名。崔融詩「匣氣冲牛斗，山形轉鹿盧」，以「牛」、「鹿」作對，已開近世帖括家纖巧法門。

又　運用典故，須出以顯豁，如前人詩云「雲中下蔡邑，林際春申君」。觀者不解。余以意釋之，謂雲中葉落，林間黃歇也。作詩如此，與燈謎何異？唐人詩《簷前飛七百》，以七百爲鳥，人以爲笑。近人詩內「忘言對七條」，以七條爲琴，毋乃類是。

又卷五　紀曉嵐先生嘗曰：詩用倒裝句法，乃有曲致。杜工部《秋興八首》中「香稻啄餘鸚鵡粒，碧梧棲老鳳凰枝」，若作「鸚鵡啄餘香稻粒，鳳凰棲老碧梧枝」，便覺平直。又如「蝶來風有致，人去月無聊」，常州趙仁叔一生傳此二句，若作「風來蝶有致，月去人無聊」，便無生趣。

又　凡故實有兩岐者，取其近是者用之。如墨子謂吳亡，西子自沈香水溪。而王子年《拾遺記》則有范蠡載西施之說。其說兩岐，要之墨去吳亡不遠，王爲晉人，當從墨子。吳江楊維貢《南蘇臺懷》古云：「麋鹿荒臺落日斜，行成往事重含嗟。西施一死堪酬國，吳主多情亦破家。香水人歸春見月，錦帆柳暗暮飛鴉。館娃宮殿今何在，只有山僧掃落花。」

又卷六　詩用反托之筆，最不平直。如隨園《呈望山相公》云：「十畝水田三頃竹，知公且自讓門生。」比鋪張功業更妙。贈奇方伯云：「羞把封疆祝賢者，知君心早薄公卿。」比頌禱升遷更佳。余作詩常用此法。《吳門送別曹梅村》云：「此日征帆須小住，江南尚有未看花。」《題譚霽軒有魚圖》云：「鎮日持竿圖上立，何曾釣得一魚來。」和某友云：「消盡窮愁千萬斛，人間那有不平鳴。」

又　作詩堆砌故實，謂之獺祭。大雅弗尚，然亦未可以空拳白戰也。

又卷七　詩用「老」字，易於得趣。前人「老至居人下」、「兒童欺我老」、「人老更離家」、「老病人扶再拜難」、「老去悲秋強自寬」、「老年花似霧中看」、「老見異書猶眼明」，皆自然流出。近日漢軍王綺書「老婦持家絮語多」句，直過前人。徐冰崖「老覺逢人羨少年」、「老後衣冠不愛時」、「老來待僕似兒孫」，亦頗有趣。

又卷八　詩有他人之句，一經借用轉勝原題者。如「更無人到處，祇有月來時」，爲吳滄川《秋夜詩》。繼蓮龕方伯喜誦之。後作《早梅詩》，即用此二句續成其詩云：「一朵先偷放，春風知未知？更無人到處，祇有月來時。暖意回深谷，寒香逗故枝。去年驢背上，曾見獨尋詩。」較原詩更爲親切。

延君壽《老生常談》　作詩當陳言之務去。所謂陳言，有一題即有一種口頭套話。如送人，則有「驪歌」、「驛柳」、「惜別」、「分手」、「把杯」、「灑淚」等字。其他類此。此種字未嘗不許用，我有眞氣以帥之，則俗字化雅，粗字化細。言短音長，隨形賦物，學古人纔能操戈入室。

又　作詩先自家擬題目，或偶有得句足成，再加以題；或是先生所命，或同道中共擬。能做自家題目，不能做人家出的，與能小題、不能大題，皆是工夫不到。於可以動得手時候，漸漸鍊至酒酣鬬捷，優伎當前，總可還他一首妥當詩出來，方能出門依人生活。如今日之雋三是也。若不用出門謀生，卽爲陳無已之靜卧吟榻，未嘗不可。

又　近時海內名下士，有「作詩要新，作字要舊」之說。我想字要舊，是不寫館閣體之謂。然名士之字，長一片，短一片，亦有舊的太可笑者。詩要新，「新」字要認得眞切，有從字面新進去者劣，有從意思新出來者優，不可不辨。放翁謂「文章本天成，妙手偶得之」。天成之物象，未有不新者，試看天上風雲，頃刻有新色。

又　作詩題目大小雅俗，詩之長篇短句，一不能用意，則可以不作。如徐青藤《題抱琵琶美人》，此等題最難討好。句云：「行到花陰忽回首，去年此日嫁明妃。」又丁辛《老屋半閒堂》云：「秋蟲若解裹樊厄，也直湖山養相公。」黃莘田《瓶花》云：「膽瓶便算黃金屋，一晌春風貯阿嬌。」皆有意致。若以爲小詩初不經意，出筆一率，味同嚼蠟。志此以例其餘。

又　作詩不必有出典，而形容能盡極妍態，令人一讀一驚喜。東坡《浴罷》句云：「老雞卧糞土，振羽瞑雙目。倦馬輾風沙，奮鬣一噴玉。」此等生造，能與昌黎之「赤龍拔鬚血淋漓」，各有虛實不同之妙。

又　詩貴能參活語，何也？今試略言之：東坡《是日至下馬磧憩於北山僧舍有閣曰懷賢南直斜谷西臨五丈原諸葛孔明所從出師也》，前半皆言山川形勝，當日出師云云。末幅忽著二句云：「山僧豈知此，一室老煙霞。」則題中「北山僧舍」四字，方有著落，此參活句一證也。羅昭諫《題潤州妙善寺前石羊》，注：「吳主孫權與蜀主劉備嘗置此會。」第五、六句云：「英雄已往時難問，苔蘚何知日漸深。」此又一證也。書此付常棠，以當一隅。

又　七律之對仗靈便不測，雖不必首首如是，然此法則不可不會用。東坡贈僧云：「每逢蜀叟談終日，便覺峨眉翠掃空。」黃仲則之《游西山道中》「漸來車馬無聲地，忽與雲山有會心」，似從此化出。此等緣故，不是有心去學，讀得古人多了，自有不知不覺之妙。又東坡《和晁同年九日》云：「古來重九皆如此，別後西湖付與誰？」《喜雪御筵》云：「偶還仗內身如寄，尙憶江南酒可賒。」得此可以類推。東坡喜笑怒罵固多，然亦有極蘊藉之作。如《次韻王鬱林》云：「平生多難非天意，此去殘年盡主恩。」又《元日過丹陽明日立春寄魯元翰》云：「竹馬異時寧信老，土牛明日莫辭春。」學者當細心檢點，不可鹵莽草率，道聽塗說。

宋咸熙《耐冷譚》卷九　律詩中寫景之句，前人摹擬略盡。後之作者往往與之暗合。然知之當即改去，否則不知者疑其剽竊矣。僕謂詩有醞釀，有寄託，戛戛獨造，前無古人，便無雷同之弊。

又　摹古徒求貌似，如神祠中土偶，非不端嚴靜好，生氣索然矣。亡友王愓庵之詩曰：「人心不同如其面，心之虛靈善于變。古人早化爲異物，何可使形白日現。」與隨園老人之言暗合。

又卷一一 詩要健字撐柱，活字斡旋。如「紅入桃花嫩，表歸柳色新」。「弟子貧原憲，諸生老伏虔」。「入」與「歸」字、「貧」與「老」字乃撐柱也。「生理何顔面，憂端且歲時」，「名豈文章著，官因老病休」。「何」與「且」字、「豈」與「因」字，乃斡旋也。撐柱如屋之有柱，斡旋如車之有軸。作文亦然，詩以字，文以句。

又卷一二 以議論運化故實，唐李義山始導先路。予謂阮亭《姑蘇懷古三首》，可與《馬嵬籌筆》爭長。惜末首結句「傷心更有南陽宰，不獨寒潮泣子胥」，「胥」字誤叶入七虞，蓋偶然失撿，然二語甚佳，竟不能改。

黃承吉《夢陔堂詩集》卷四七《偶觀藝苑雌黃謂太白秋浦歌白髮三千丈語雖豪而無此理漫然成作》 東家雲錦張，西鄰誚其臬。明明隔牆藩，翻謂所見是。自從品藻繁，大半供噱齒。蒙昧積古今，隱約空譽毀。荆榛可勝闢，今夕但言此。試舉風人辭，反覆持向似。壹發焉五豝，杭河詎一葦。蠅鳴豈似雞，荼甘那如薺。若非言中明，都覺句下死。不見雲漢詩，久發靡孑旨。眞知茂巨細，統會必終始。一往無限歧，徒勞測涯涘。

方東樹《昭昧詹言》卷六 作詩固是貴有本領，而字句率滑，不典不固，終無以自拔於流俗。今以鮑、謝兩家爲之的，於謝取其華妙章法，一字不率苟隨意；於鮑取其生峭澀奧，字字鍊，步步留，而又一往俊逸。明遠詩令人不可斷截，其思清意屬，句重有味，無懈筆敗筆也。一字不苟，故能如此。

又 作詩，本領是一事，氣格體勢文法是一事，句法字法是一事。薑塢先生曰：「昭明所選鮑樂府八首，阮亭只取三首，《放歌行》亦不錄，蒙所未喻。」愚謂《放歌行》或尚可去，若不取《白頭吟》，眞是不知子都之姣矣。

又卷七 大抵下字必典，而不空率；造語必新，而不襲熟；凝重有法，思清文明，而不爲輕便滑易；同一用事，而尤必擇其新切者；同一感寄，而恆含蓄；同一寫景，而必清新：古之作者皆同，而玄暉尤極意芊綿蒨麗。其於曹公之蒼涼悲壯，子建之質厚高古，蘇、李、阮公之激蕩慓忽，淵明之脫口自然，仲宣之跌宕壯闊，公幹之緊健親切，康樂、明遠之工巧驚奇，皆不一襲似，故爾克自成一家。退之所謂力去陳言如是。然玄暉於公幹、康樂、明遠三家，時相出入，綿情纏綿似公幹，琢句似謝、鮑。

又卷九 韓公去陳言之法，眞是百世師。但其義精微，學者不易知。如云「公詩無一字無來歷」，夫有來歷，皆陳言也，而何謂務去之也？則全在於反用翻用，故著手成新，化朽腐爲神奇也。非如小才淺學，剽剟餖飣，換用生僻之可厭，適見其內不足而求助於外，客兵又不服用，但覺齟齬不安而已。

又 原本前哲，卻句句直書即目，所以非蹈襲陳言：此是三昧微言。苟能於言下契悟，比於禪家參證，一霎直透三關矣。

又 既解此意，則直取眞境，而脫橅擬之迹，故曰還他本等，不獵取近似之詞。然而不別創造一等語句，必使己出，自成一家，則仍是陳言，以熟詞晦其新意也。此山谷所以得自成一家，亦百世師也。

又 選字固非剽剟餖飣，換用生僻，求助於外，然亦不可不精擇。但讀書不博，縱欲擇之而無可擇，如窶人居室，什器無多，不得不將就用故物矣。

又 詩文以豪宕奇偉有氣勢爲上，然又恐入於粗獷猛厲，骨節粗硬。故當深研詞理，務極精純，不得矜張，妄使客氣，庶不至氣骨粗浮而成傖俗。

又 詩文貴有雄直之氣，但又恐太放，故當深求古法，倒折逆挽，截止橫空，斷續離合諸勢。惟有得於經，則自臻其勝。

又 「高詞媲皇《墳》」與「至寶不雕琢，神功謝鋤耘」是兩境，上言「艱窮怪變」，下言「平淡」。此公自述兼此二能，不拘一律也。

又 選字避陳熟，固矣。而於不經意語助虛字，尤宜措意：必使堅重穩老，不同便文，隨意帶使。此惟杜、韓二家最不苟。東坡則多率便矣，然要自穩老，非庸愜比。

陸鎣《問花樓詩話》卷一 詩宜含蓄，唐人不露論鋒，所以可貴。

又 詩有一字之差，工拙迥別。劉駕在晚唐，詩格最卑；東坡，大才也。駕詩「馬上續殘夢」句，妙絶一世，坡老易作「瘦馬兀殘夢」，了無意趣矣。

又卷三 作詩忌寒乞態。

梁章鉅《退庵隨筆》卷二〇 古詩多展轉相襲，如「胡馬依北風，越鳥巢南枝」，語本用《韓詩外傳》「代馬依北風，飛鳥棲故巢」，而《文選·赭白馬賦》注引曹顔遠《感舊賦》又有「胡馬仰朔雲，越鳥巢南樹」之句。又如古樂府「雞鳴桑樹顛，狗吠深宮中」，陶公亦云：「犬吠深巷中，雞鳴桑樹顛。」何遜詩「薄雲巖際出，初月波中上」，老杜亦云：「薄雲巖際宿，孤月浪中翻。」沈佺期詩「船如天上坐，人似鏡中行」，老杜亦云：「春水船如天上坐，老年花似霧中看。」杜詩「夜足霑沙雨，春多逆水風」，白香山亦云：「巫山夜足霑沙雨，隴水春多逆浪風。」此類甚衆，不可枚舉。亦有全篇襲之者，徐孝穆《鴛鴦賦》：

「山雞映水那相得，孤鸞照鏡不成雙。天下眞成長會合，無勝比翼兩鴛鴦。」黃山谷《題畫睡鴨》云：「山雞照影空自愛，孤鸞舞鏡不成雙。天下眞成長會合，兩鳧相倚睡秋江。」白香山《寄行簡》詩：「相去六千里，地絕天邈然。十書九不達，何以開憂顏？渴人多夢飲，飢人多夢餐。春來夢何處，合眼到東川。」黃山谷截爲兩首，一云：「相望六千里，天地隔江山。十書九不到，何用一開顏！」一云：「病人多夢醫，囚人多夢赦。如何春來夢，合眼在鄉社。」又《黔南十絕》，亦全用香山《花下對酒》、《渭川舊居》諸作。此在古人，或居然暗合，或偶爾戲爲，今人無庸相訾，學者亦未可藉口也。

又 趙松雪嘗言作律詩用虛字殊不佳，中兩聯須塡滿方好。此語雖力矯時弊，幼學者正不可不知。唐人如賈至《早朝大明宮》等作，實開其端。此外則少陵之「五更鼓角聲悲壯，三峽星河影動搖」，「錦江春色來天地，玉壘浮雲變古今」，杜樊川之「深秋簾幕千家雨，落日樓臺一笛風」，陸放翁之「樓船夜雪瓜州渡，鐵馬秋風大散關」皆是。本朝惟吳梅村最爲擅長，趙甌北《十家詩話》所摘凡數十聯。劉公戩謂「七律如強弓硬弩，古來能開到十分滿者，殆無幾人」。每以此意讀前人七律詩，庶動筆時自不至有滑調耳。

又 作近體詩前後複字須避，卽古體詩亦不宜重疊用之。劉夢得贈白樂天詩：「雪裏高山頭白早」，又：「于公必有高門慶」，自注云：「高山本高，高門使之高，二字爲義不同。」觀唐人之忌複字如此，我輩又焉得不檢點乎？

黃培芳《香石詩話》卷一 詩言性情，所貴情餘于語，張曲江《望月懷遠》云：「海上生明月，天涯共此時。」語極淺而情極深，遂爲千古絕調。

又 律句有借對之工，天然入妙者。如張船山《詠懷舊遊》云：「洞庭惡浪君山碧，樊口輕車我馬黃。」以「我馬」對「君山」是也。

又 詩貴獨造，如查初白「萬井雲煙扶小閣，四山雷雨動空城」，似得未曾有。

又 錢籜石云：「《三百篇》都是疊。」此語可參。

又 或問：「何謂雙單字法？」曰：「如工部《渼陂行》『黯慘』、『琉璃』、『散亂』、『啁啾』、『沈竿』、『續蔓』、『菱葉』、『荷花』、『湘妃』、『漢女』、『金支』、『翠旗』，皆雙字也。曰歌，曰舞，曰有，曰無，曰雷，曰雨，曰神，曰靈，皆單字也。」又如「動影裊窕沖融間」一句中，嵌入「裊窕」、「沖融」等雙字，「間」字便是單也。此卽疊法。由三頓五頓，至一字一頓，各極其變，多用此等句，則不虛弱，最爲七古要法。

又 《毛詩》中「關關」、「呦呦」是字之疊也。「鼓瑟」、「吹笙」、「鼓簧」是句之疊也。子美《兵車行》，籜石謂其奇耦消納，全從《毛詩》得來，而紙上乃無一字。

又 詩有落落獨造，彌覺淸眞雋永。彼嗜奇好怪者不與焉。趙光祿（文哲）《冒雨行老秧田道中，啼猿滿山，率爾成詠》云：「一峰十萬樹，一樹四五猿。一猿千百聲，雜以風雨喧。一日十二時，一程三十里。一軍六千人，盡在猿聲裏。爾猿有何悲，子啼續母啼。爾本斷腸物，不關生別離。三朝複三暮，一鳴更一躍。好似征夫苦，翻唱從軍樂。」張南山云：「此詩至『盡在猿聲裏』，句意已足。於此處煞住，更覺渾然天籟。」

又卷二 翻案詩出以蘊藉爲妙，徐巨源《題桃源圖》云：「落英芳草閉桑麻，客到驚聞世代賒。津路早知紅樹引，秦人應悔種桃花。」

又 論詩主一新字未嘗不是，亦當有辨。不過如昔人所謂《離騷》同芷蕙、蚪螭，不必假借于《毛詩》之《關雎》、《芣苢》；唐人用江梅、岸柳、獨鶴、群鴉，亦不必假借於《離騷》。不暇舍現在而他求耳。若不明此指，一味以輕脆佻滑爲新，子才倡之於前，雨村揚之於後，幾何不率風氣日流于卑薄，是可歎也。

又 詩有故用古人字句點綴者，陸放翁《春行》句云：「猩紅帶露海棠濕，鴨綠平隄湖水明。」原注：杜子美「曉看紅濕處，花重錦官城」，李太白「蜀江紅且明」。用「濕」字、「明」字可謂奪造化之功，世未有拈出者。余珠江舟行，經蓮塘柳渡有句云：「芙蓉出水鮮無際，楊柳非花態轉多。」出句用李青蓮「清水出芙蓉」，對句用梁元帝「楊柳非花樹」，屬對頗覺天然。

又 詩用「亂山」，前人有「官如春夢短，客比亂山多」，甚新穎。溫莊亭《過歸峽》句云「孤帆入亂山」，用來亦自奇警。

又 魚山先生謂大家詩不可以佳句求之，或以爲疑。余謂大家出語未嘗不警鍊，而不乞靈於此，只是篇法之妙不見有句法。而所謂篇法之妙，又不徒沾沾於起承轉合。如籜石翁謂「其神在空際，紙上無一字，方消得去」是也。魚山先生又云：「學詩徒向中、晚佳句索解，數日之內便可稱詩人，此種工夫本無甚可說，稍知詩者卽能之矣。」

顧鷟《紫琅詩話》卷八　詩有用俚語而自然雋雅者。居雨十《閒居》云：「柴門深處老年華，石渚城南第十家。若問明朝何所事，穿衣吃飯畫梅花。」

沈銘彝《竹岑詩話》　詩有用經語的確不嫌其腐者，如孫補山相公《南征》詩「韋先鄭犒情原怯，幕有齋烏計必逃。已分紀侯成大去，頓令衛國慶忘亡」是也。

潘煥龍《卧園詩話》卷一　韓昌黎詩寬韻多旁出，窄韻每獨用，固爲因難見巧，然非天分學力二者兼優，則弄巧反成拙矣。其集中五七古多於仄韻，用排偶極五花八門之奇，所以不爲李、杜牢籠也。

又　詩中借對不過意到筆隨，後人專以此見長，便成買櫝還珠。李玉溪駐馬牽牛、丁年甲帳，對仗極工，人終譏其獺祭。杜詩「雜耕心未已，嘔血事酸辛」，「子雲清自守，今日起爲官」，「殊錫曾爲大司馬，總戎皆插侍中貂」，何嘗不偶一爲之，然究不害其爲大家也。

又　杜詩「衆流歸海意，萬國奉君心」，以上句興起下句；蘇詩「酒闌病客惟思睡，蜜熟黄蜂亦懶飛」，下句卻從上句生出，可以悟詩之變化。

又卷四　朱竹垞謂其友富平李天生論律詩，一、三、五、七句用仄字，上、去、入三聲，少陵必隔别用之，莫有疊出者，他人則不能爾。即此已可見老杜詩律之細。李漁謂：詩宜分别字音。如一東之「豐、楓、風」，義别而聲韻則同；若連用之便覺粘口，亦詩家之大忌也。

又卷六　作詩須手眼高超。予愛宋思堂别駕論詩絶句有云：「得心應手奪天工，都在經營慘淡中。龍抱珠眠藏頷下，探來不是小神通。看似無情卻有情，神光一注要分明。眼前景象胸中事，筆不通靈寫不成。」思堂亦有贈予詩二絶云：「溱洧民風悵久頽，問誰能濟猛寛才。羡君雅化追東里，依舊人歌衆母來。」「巘樹騷壇獨擅場，扶輪更爲選詩忙。有才始肯將才愛，不使遺珠碧海藏。」

陳僅《竹林答問》　問：鍾嶸《詩品》云：「吟咏性情，何貴用事？」其所引諸詩云云，亦自有理，然否？　鍾記室自爲大明、泰始中諸人下砭語耳。作詩自有兩種，有不須用事者，有當用事者。但須事來就我，不可有襞積湊砌之痕耳。至廊廟典章，天廷掞藻，而欲以儉腹當之，此唐末詩人所以見窘於紫薇也。

又　問：兩漢詩無用事者，詩之用典起於何人？　史語入詩，始於曹子建。玄語入詩，始於孫子荆。經語入詩，始於謝康樂。

又　問：昔人言「覯閔既多，受侮不少」，爲對偶之始。然《康衢》「鑿井而飲，耕田而食」，《商頌》「赫赫厥聲，濯濯厥靈」，似更在前矣。　此言是也。大凡天地間有聲必有韻，有物必有偶，故音韻對偶之學，非强而成也。所異者，古人無心，今人有意耳。必欲返律爲古，琢雕而樸，是謂中國之聲文，不如夷貊侏離之語也。其可乎？

又　問：昔人論七絶作法，有謂首句當斬然而斷者，有謂以第二句作轉關者，有謂以一句一意爲正格者，有謂以對偶爲正格者，考之唐詩，殊不盡然。　此皆舉其一篇言之。大凡論詩，總不宜挾偏見，過求新奇，反招後人指摘也。

又　問：律詩中二聯，既名爲聯，自當以平對爲正格？　是固然。但譬如兩扇板門，要能開闔方好，否則用釘釘殺，有何趣味？若兩聯皆實，豈不成關門閉户掩柴扉乎？

又　問：律詩一聯，常難得相稱，其病若何而除？　古人謂「園柳變鳴禽」不如「池塘生春草」，即大家亦所不免，惟對句勝者較優。其病正在於祇求工於字句耳。李、杜獨無此病，從可知矣。

又　問：鍊字之法何如？　有鍊實字者，如老杜「浮雲連海岱，平野入青徐」，「連」字、「入」字爲單鍊；「花妥鶯捎蝶，溪喧獺趁魚」，「妥、捎」，「喧、趁」，每句各兩字爲雙鍊。此其一隅也。有鍊虚字者，如「江山有巴蜀，棟宇自齊梁」，「有」字、「自」字是也。有鍊半虚半實字者，如「桑麻深雨露，燕雀半生成」是也。有鍊疊字者，如「練練川上雲，纖纖林表霓」，「練練」、「纖纖」是鍊。然猶有本也。若「野日荒荒白，江流泯泯清」，「山市戎戎暗，江雲淰淰寒」，戛戛生造，而景象神趣，全在數叠字内現出，巧奪天工矣。鍊實字易，詩人多能之。鍊虚字難，鍊半虚半實字及鍊叠字更難，此事盛唐以後，尠乎爲繼矣！

又　問：《詩人玉屑》謂「古人鍊字，只於眼上鍊，五字詩以第三字爲眼，七字詩以第五字爲眼」。然否？　鍊字無定處，眼亦無定處。古今豈有印板詩格邪？

又　問：陳君節言：「鍊句不如鍊韻。」韻何以鍊？　唐人「天清木葉聞」，「雨餘看柳重」等句，鍊在韻上一字，當即所謂鍊韻也。選韻易，鍊韻難。王直方「只覓好韻」之語，乃是選韻，非鍊韻也。

又 問：鍊字與鍊句，似無異法？ 鍊字在字上用力，若鍊句，當以渾成自然爲尚，著一毫斧鑿痕不得，不能以字法論也。宋人《詩眼》謂「好句要須好字」，以「鍊字不如鍊句」語爲未安，不亦謬乎？

又 問：叔父嘗謂作詩選字是一番工夫，如何是選字？ 譬如「花」、「葩」一也，而「葩」字較俗。「甜」、「甘」一也，而「甘」字較板。「愁」、「憂」一也，而「憂」字較拙。「西風」、「秋風」一也，而「秋」字較滯。又如「芳」、「香」一也，而「芳」字實指花身者用之，「香」字虚指花氣者用之。「落木」、「落葉」一也，而「木」字雄，闊大之景用之；「葉」字細，幽悄之景用之。反是則不穩，可以類推。

又 問：作詩用事之法何如？ 用事之法，實事虚用，死字活用，常事翻用，舊事新用，兩事合用，旁事借用。事過煩則裁之以簡約，事過苦則出之以和平，事近褻則持之以矜莊，事近怪則寄之以淡雅。寫神仙事除鉛汞語，寫僧佛事除蔬筍味，寫儒先事除頭巾氣，寫仕宦事除冠帶樣。本餘事也，或用之作正面；本正事也，或用之作餘波。甚且名作在前，人避我犯，目中且無千古，何至人云亦云邪？

王壽昌《小清華園詩談》卷上 鍊字不如鍊句，鍊句不如鍊意，鍊意不如鍊格。何謂鍊字？曰：如王子安之「蘭氣薰山酌，松聲韻野絃」，岑嘉州之「澗花然暮雨，潭樹暖春雲」之類是也。何謂鍊句？曰：如少陵之「美花多映竹，好鳥不歸山」，太白之「山隨平野盡，江入大荒流」，劉隨州(長卿)之「竹憐新雨後，山愛夕陽時」之類是也。何謂鍊意？如左太沖之「非必絲與竹，山水有清音」，庾子山之「今朝梅樹下，定有詠花人」，常少府之「天際一帆影，預懸離別心」，暨王灣之「客路青山外，行舟綠水前。潮平兩岸闊，風正一帆懸。海日生殘夜，江春入舊年。鄉書何處達？歸雁洛陽邊」(《次北固山下》)之類是也。何謂鍊格？如古之「橘柚垂華實，乃在深山側。聞君好我甘，竊獨自雕飾。委身玉盤中，歷年冀見食。芳菲不相投，青黄忽改色。人倘欲我知，因君爲羽翼」，及右丞之「絶域陽關道，胡沙與塞塵。三春時有雁，萬里少行人。苜蓿隨天馬，葡萄逐漢臣。當令外國懼，不敢覓和親」(《送劉司直赴安西》)。少陵之「西蜀櫻桃也自紅，野人相贈滿筠籠。數回細寫愁仍破，萬顆匀圓訝許同。憶昨賜沾門下省，退朝擎出大明宮。金盤玉筯無消息，此日嘗新任轉蓬」(《野人送朱櫻》)。其餘如《秋興八首》、《諸將五篇》等作，皆格之最整鍊者也。

潘德輿《養一齋詩話》卷一 劉夢得「瀼西春水縠紋生」句，晏同叔謂作生熟之「生」解乃健。予思之不得其義，殆宋人鍊字之法，力求峭健，多拗曲而不明，並以此忖度唐賢歟？趙昌父謂「古人以學爲詩，今人以詩爲學」。鍊字之法傳，即「以詩爲學」之一端也。

又卷三 對偶上下相稱最難。戴石屏以「塵世夢中夢」，對「夕陽山外山」固不佳，即「春水渡旁渡」，猶未盡致也。然此等終不需費力求之，雖得一名聯，又何足以盡詩妙哉！「五月天山雪，無花只有寒。笛中聞《折柳》，春色未曾看」。「正月今欲半，陸渾花未開。出關見青草，春色正東來」。「帶甲滿天地，胡爲君遠行？親朋盡一哭，鞍馬去孤城」。「萬壑樹參天，千山響杜鵑。山中一夜雨，樹杪百重泉」。此數公之於律體，如大匠運斤成風，如駿馬直下千丈，何曾似石屏等之瑣瑣刻畫哉！此詩體高下大小之判，入門者不可不審。

又卷七 用前人成句入詩詞者極多，然必另有意象以點化之，不能用入排偶或直寫偶句也。如歐公長短句云：「平山欄檻倚晴空，山色有無中。」此實別有意象。故坡公復作長短句云：「認得醉翁語，山色有無中。」以王摩詰語專歸之歐，轉見別致。若韋蘇州「綠陰生晝寂，孤花表春餘」，而王荆公直襲「綠陰」全句，又對之曰「幽草弄秋妍」，此可云意象點化乎？葉石林猶附和之曰：「大抵荆公閱唐詩最多，其去取之間，用意尤精。」貢諛亦至矣。石林又云：「頃見晁無咎舉魯直『人家圍橘柚，秋色老梧桐』，自以爲莫能及。」吾不解黄魯直、晁无咎、葉石林皆博雅之流，竟不讀李太白詩耶！太白「人煙寒橘柚，秋色老梧桐」，千古名句，兒童皆能拾誦，而魯直乃襲之，又故易二字耶？抑果由暗合耶？劉貢父云：「諷古人詩多，則往往爲己得。」吾謂後人作詩，無論立志太卑，有意襲古，與讀詩太多無意合古者，要當精心洗滌，斯免詬笑。特書此以存鑒焉。

又卷一〇 詩積故實，固是一病，矯之者則又曰詩本性情。予究其所謂性情者，最高不過嘲風雪，弄花草耳，其下則歎老嗟窮，志向齷齪。其尤悖理，則荒淫狎媟之語，皆以入詩，非獨不引爲恥，且曰此吾言情之什，古之所不禁也。於虖！此豈性情也哉？吾所謂性情者，於《三百篇》取一言，曰

「柔惠且直」而已。此不畏彊禦，不侮鰥寡之本原也。老杜云「公若登臺輔，臨危莫愛身」，直也；「窮年憂黎元，歎息腸内熱」，柔惠也。樂天云「況多剛狷性，難與世同塵」，直也；「不辭爲俗吏，且欲活疲民」，柔惠也。兩公此類詩句，開卷卽是，得古詩人之性情矣。舍此而言性情，詩之螟螣也。「性情」二字，頗不易言，更勿誤認。

又 宋宣和間，教坊大使袁祹應制詩：「金瓶芍藥三千朵，玉軸琵琶四百絃。」此眞教坊使語也。今之詩人，好寫富貴家景色者，亦教坊詩耳。然如魏華父先生《墨梅》詩：「素王本自難緇涅，墨者胡爲亂等差？玄裏只知楊子白，皜中謾見聖人汙。」以理學經術入詠物小詩，不獨寡情韻，並覺褻聖經。此又矯風華而爲方正之過，皆於詩格爲最下也。

梅曾亮《柏梘山房詩集自序》 且夫爲鐘則大，爲鈴則小；其物則是，其言則非。故山谷《爾雅》之演，乃香傳之微詞；元亮《山經》之讀，亦陽秋之隱語。蓋夆牢乎萬物，得反復于三隅。豈徒極命蠢生，叩景玩物？心在一啄，神厲九霄。此則武王之銘，同乎金石之錄；《離騷》之經，資乎草木之書。體雖沿于皮、陸，義難疏于毛、鄭。此又一蔽也。【略】右軍《蘭亭》之咏，不殊常語；安仁《金谷》之詩，未聞好詞。何者？意非積蓄，詞由豪舉。且獨在之慨，常抱影而彌甚；掩卷之笑，非朋從所與知。今則對客進牘，字惟談歡；舉杯當歌，聲必論感。以常談爲才語，謂暴謔爲高言。此又一蔽也。【略】語得來處，拙而足珍；言乃無稽，巧而必斥。世有擅六藝之場，累一集之富，而違孫卿則典之戒，或蹈籍氏忘祖之譏。譬之鶡冠自喜，弁師不存其名；龍鮓多怪，湯官本無其制。昔人謂所作不以悉難，難則不知所出。此又一蔽也。

梁紹壬《兩般秋雨盦隨筆》卷二《一典兩用》 劉越石詩：「宣尼悲獲麟，西狩泣孔丘。」謝惠連詩：「雖好相如達，不同長卿慢。」一典兩用，擷詞錯綜法也，然此等究不可爲法。

又《疊字詩》 詩有一句疊三字者。吳融秋樹詩：「一聲南雁已先紅，槭槭凄凄葉葉同。」是也。有一句連三字者。劉駕詩：「樹樹樹梢啼曉鶯，夜夜夜深聞子規。」是也。有兩句連三字者。白樂天詩：「新詩三十軸，軸軸金玉聲。」是也。有一句四疊字者。古詩：「行行重行行。」木蘭詩：「喞喞復喞喞。」是也。有兩句互疊字者。王胄詩：「年年歲歲花常發，歲歲年年人不同。」是也。有三聯疊字者。古詩「青青河畔草」六句是也。有七聯疊字者，昌黎《南山》詩「延延離又屬」十四句是也。至李易安詞：「尋尋覓覓，冷冷清清，凄凄慘慘戚戚。」連下十四疊字，則出奇勝格，眞匪夷所思矣。

沈濤《匏廬詩話》卷中 詩家用「乾坤」字多廓而腐，余最愛國初佚老奚大蒙「詩酒有乾坤」之句。近人蔣心餘《秦淮懷古》云「南朝幾片風流地，酒色乾坤戰馬場」，亦奇崛可喜。又張船山太守(問陶)《讀桃花扇傳奇》云「秀才複社君聽曲，如此乾坤絶可憐」，皆化朽腐爲神奇。

又 詩人狀難寫之景，全在用字之工，石曼卿「折花移鳥聲」，妙在「移」字；嚴坦叔「風池行落葉」，妙在「行」字。若換個字，便不成文。所謂好句正須好字耳。

何曰愈《退庵詩話》卷一 鍾嶸謂：「詩貴吟詠性情，何貴用事？」此特爲笨伯說小乘法耳。若得大智慧，參破上乘禪，妙手空空，方且與造物者遊。如太空之雲，變幻不可方物；如天孫之錦，神妙不可名狀。其用事正如師曠調五音，造父馭八駿，無施不可，無往不宜，豈以用事爲病哉！且押險韻固非徵事不能制勝，屬奇對亦非徵事不能警策。顧用之何如耳。若得使事三昧，化板爲活，翻陳爲新，有若無，實若虛，使其事而泯其迹，又雅切而有致趣，雖語語徵典，韻韻用事，亦何傷乎？若一味堆垛，是抄書，非用事也。

又 王漁洋論詩，余甚爲之傾倒，但謂五言詩不宜著議論，微與余不合。詩不過情與景耳，五、七言無以異也。議論卽情也，人各有情，亦人各有見解。天下未有無情之人，亦未有無情之詩。若舍情而言詩，非平鋪直敘，卽趁韻敷衍，雖瓊敷玉藻，亦與蟬噪等譏，吾未見其爲能事也。上溯《風》、《騷》，下及諸名家，或感物攄懷，或借題寄意，或觸事發論，一慨三歎，俯仰低徊，然後能使讀者悠然神往，吟詠不置。若言外無意，或言隨詞盡，則徒殃梨棗，直爲後人用覆醬瓿耳。

又 或謂用字必有來歷，押韻必有出處，似近於太拘。然謂用字不必須來歷，押韻不必要出處，則亦誤盡天下學者矣。韓文、杜詩所以稱絶詣者，正以其無一字無來歷耳。

又 東坡寫杜詩至「致遠思恐泥」句，謂不足學，信爲有見。用經句爲詩，乃才人遊戲三昧，不必歎爲絶調，亦未可厚非，可偶然，不可常然。用之又須如天造地設，乃佳。如「丹青不知老將至，富貴於我如浮雲」，運用自然，又安得而訾之耶？若「致遠思恐泥」及《病橘》云「雖多亦奚爲」，則未免爲才累耳。

又 荆公謂「用漢人語仍須漢人語對，用異代則不倫」，眞執拗語。作詩之道如梓氏雕木，工人織錦，花樣隨心，豈有一定死法？正如造物然，宇宙之内飛潛動植，無物不生，無態不有耳。如子瞻戲徐、孟二生不飲云：「公獨未知其趣耳，臣今時復一中之。」用徐邈、孟嘉事，以晉語對漢語，能不謂之佳乎？總之，用事要雅切而自然，對仗要工穩而有致趣，便爲能事，不必問爲何世何代也。

又 何、李、李、王數家不肯用唐以後事，此原數子偏僻處，今人乃有以爲口實者，殊咄咄可怪。典者，往事之謂。豈唐以前爲往事，唐以後不爲往事耶？抑唐以前爲典要，唐以後不爲典要耶？良工之側無棄材，運用取捨，視人之巧拙何如耳。

周昌基《春陵館詩話》卷下 「作詩要新，然當求新於理，不當求新於徑。譬之日月，終古常見，而光景常新，未嘗有兩日月也。鍾伯敬云：「但欲洗去故常語，然別開一徑康道，有弗踐者焉。故器不尙象，淫巧雜陳；聲不和律，艷詄競響。」此誠至當不易之論也。嚴儀卿謂：「詩有別才，非關學也。」按此謂當神明妙悟，不專學問，非教人廢學也。然今之談藝家，有專主漁獵前人，則是家有類書，便成作者。究其流極，絕弊維均，正恐楚則失之，齊亦未爲得也。詩家援據典故，古今所尙。然亦有羌無故實而自得風趣者，以意勝也。假如作田家詩，只宜稱情而言，陶靖節詩所以獨成絕調。必徵引事實，殊乖本色矣。詩貴於情景中寓理，則生趣盎然。杜詩「江山如有待，花柳自無私」、「水深魚極樂，林茂鳥知歸」、「水流心不競，雲在意俱遲」，俱入理趣。邵子則云：「一陽初動處，萬物未生時。」以理語成詩，便覺索然。王右丞不用禪語，時得禪理，何等雅致。若東坡詩云：「兩手欲遮瓶裏雀，四條深怕井中蛇。」言外尙有餘味耶？今人用字面，有與古人不同者。如「蒼皇」字，古人多作蒼黃，少陵「誓欲隨君去，形勢反蒼黃」、「蒼黃已就長途往，邂逅無端出餞遲」。柳州「蒼黃見驅逐，誰識死與生」。又「數州之犬，倉皇吠噬」，無作倉皇者。然則「倉皇」二字應是後人誤用，因「倉卒皇遽」而連及之也。又今人負恩爲辜負，按辜、罪也，絕非此意。少陵「孤負滄洲願」，昌黎「孤負平生志」，李陵《答蘇武書》「孤負陵心」及「陵雖孤恩」，更在唐人以前，皆作孤，無用辜者。

又 詩家造句，不可不講。王灣詩云：「海日生殘夜，江春入舊年。」只是江中日早，殘冬立春意耳，一經錘鍊，便成警絕。

嚴挺中《藥欄詩話》甲集 詩用替代字最可厭，如竹曰「綠篠」，荷曰「朱華」，以及「蒼官」、「黃奶」等類，令人悶悶。必如李義山「青女素娥俱耐冷，月中霜裏鬬嬋娟」，始可謂之新巧。

又 至性至情語，似易而實難。或以淺目之，非知詩者也。袁子才先生《病中贈内》云：「千金盡買群花笑，一病才徵結髮情。」《送女還吳》：「好如郎在安眠食，莫帶啼痕對舅姑。」此種眞摯語，在唐惟香山，在宋惟放翁耳。近代諸公，集中不多見此。

又 詩用干支字，不以新奇出之則可厭。如沈桐威之「屈戌牢鈎防露眼，秘辛私授試風懷」，始稱新巧。

又 詩中取材各有所宜，雖一草一木亦須位置得當。如「夭桃垂柳，雅稱閨闈；綠竹紅蕉，恰誼秋館。」「梧高柏古，繪蕭寺之風光；梅老松蒼，是深山之點綴。」「白楊只宜墳墓，衰草應切戰場。」此其大略，可以類推。因物起興，即景生情，會心人自加選擇耳。使顛倒而妄施之，幾何不來「遲遲春心，翻同《歸藏》；湛湛江水，竟同《大誥》」之誚耶！

又 以孔子擬人終竟不可，惟師弟或偶用耳。王安石《哭王雱》詩云：「斯文信有寄，天豈偶生才？一日鳳鳥去，千秋梁木催。」竟以孔子擬子矣，怪妄如是！

又 五、七律有通首不對者，如「牛渚西江夜」是也。有通首對者，如「風急天高猿嘯哀」是也。有首二句對，三四不對者，「清晨入古寺」是也。有隔位對者，「裙拖六幅湘江水，鬢綰巫山一段雲」是也。

何紹基《與汪菊士論詩》 落筆要面面圓，字字圓。所謂圓者，非專講格調也，一在理，一在氣。理何以圓？文以載道，或大悖于理，或微礙于理，便于理不圓。讀書人落筆，謂其悖理礙理，似未必有其事，豈知動筆用心，稍偏即理不圓，稍隔即理不圓，此病作家中尙時時有之，況初學乎？試言其略：如方仕進向上，動輒云歸隱；本事未必能應變，動輒見危難，而作旁觀之太息；居親喪而吟咏，賦悼亡而過傷；此悖與礙也。悼亡既如此痛，則以不續弦爲是。泛泛友朋，即作摯交語，則除此友朋外，更不相與它人爲是。以此類推，要理圓是極難了，非平日平心積理，凡事到前銖兩斟酌，下筆時又銖兩斟酌，安得理無滯礙乎？氣何以圓？用筆如鑄，元精耿耿貫當中，直起直落可也，旁起旁落可也，千回萬折可也，一戛即止亦可也，氣貫其中則圓。如寫字用中鋒然，一筆到底，四面都有，安得不厚，安得不韻，安得不雄渾，安得不淡遠？這事切要握筆時提起丹田，高著眼光，盤曲縱送，自運方得此氣。當眞圓，大難大難。

林昌彝《射鷹樓詩話》卷三 作詩隸事而有神韻最難。陳臥子對吳梅村自誦其近作得意之句云：「禁苑起山名萬歲，複宮新戲號千秋。」力則有之，巧則未也。王阮亭《襄陽懷古》云：「豈有酖人羊叔子，更無悔過竇連波。」巧則有之，趣則未也。不如恭甫先生「日邊名士多於鯽，江上歸心不爲鱸」，其風韻綿遠不可及。

又卷一一 詩有家常語，愈質而愈妙者。如福山鹿木公先生（林松）《歸家喜友人見訪》云：「煙火閒空竈，妻兒住外家。」蓋客初到家，而眷屬在外家尙未歸也。可與洪稚存太史（亮吉）詩「妻常歸寧兒罷讀」，同一入妙。

佚名《不敢居詩話》 詩中用助語字，如老杜：「古人稱逝矣，吾道卜終焉。」坡公：「倦客再遊行老矣，高僧一笑故依然。」皆妙。他若曾幼度：「不可以風霜後葉，何傷于月雨餘雲。」王稚登柬白子中：「使乎吾語汝，白也近何如。」亦有致。

又 詠古詩要有言外意。唐人詠息夫人云：「至竟息亡緣底事，可憐金谷墜樓人。」近人則云：「無言空有恨，兒女粲成行。」

林鈞《樵隱詩話》卷一 詩有更一字而覺佳者。余曾有句云：「一路飛花繞錦衣。」友人爲更「繞」字爲「撲」字，余深歎服。蓋「繞」字不響，而「撲」字響也。故古人論詩有半個字之說。

又 學古名家詩，須去其糟粕，取其精華。俚俗字眼及詩中多用「如」、「似」等字，最令人生厭，而古名家多有此等。昔人譏放翁詩多「如」、「似」，已言之詳矣。而今人之不善學者，因見名家曾用之，我何以不可用耶？不知此是名家敗筆，不可爲法。且其才力極大，能點鐵成金，運俗字而雅。今人無其才力而專啜其糟粕，宜今之不如古也。

又卷五 詩用方言，惟竹枝詞乃可，然必須化俗爲雅，方能成趣。如張南陔司馬《除夕和友人竹枝詞》云：「大街小巷滑如油，走向南頭複北頭。」買得春聯門口貼，要裝體面架難丟（粵語謂失體爲丟架）。」

又卷八 詩貴於鍊。鍊格爲上，鍊句次之，鍊字爲下。不知鍊則不足言詩矣。

又 詩不可不師古，而不可專師古。不由古人則無法，若必欲求其相似，如明七子得李杜之皮毛，甚無謂也。善哉，黎二樵之言曰：「其初傍門戶，繼乃獨樹幟。」隨園之言曰：「今人學李杜而不知變化，縱與李杜無二，後之人亦不肯讀之，何也？舍眞李、杜不讀而讀假李、杜耶？」予謂古人者，規矩準繩也。良工之作物，固不能舍規矩準繩而其器成。或方或圓，初不似規矩準繩也。奈何今之作詩者，不若匠人耶？

又卷一二《海山詩話》云：詩從旁面著筆方妙。文畹先生《月下懷人》云：「祇有素娥能赴約，拂牆花影夜深時。」此論固當，然予謂凡詩文詞賦，宜旁敲側擊，前後高下陪襯，方見其佳。且能層出不窮。一入正面，便無文字矣。凡從正面詮寫刻畫者，皆呆人也，必無佳句。

又 余論詩最不喜以對仗爲工。近人詩皆以卦名支干等字嵌入取巧，自以爲佳，余頗不喜閱此等句。惟《晴帆集》中無之，取法于古，力爭上游，加人一等矣。

張燮承《小滄浪詩話》卷四 觀此知食古而化與剿竊正自不同，嘗見鄉人自題園亭云：「柳暗花明又一亭。」不禁失笑，彼方自詫善用古人句，易一字而景趣適合，不知彼之一亭，與放翁之一村，其字法雅俗與境界之有味無味，懸絕霄壤，豈止上下床之分耶！

劉熙載《詩概》 鍊篇、鍊章、鍊句、鍊字，總之所貴乎鍊者，是往活處鍊，非往死處鍊也。夫活亦在乎認取詩眼而已。詩眼有全集之眼，有一篇之眼，有數句之眼，有一句之眼；有以數句爲眼者，有以一句爲眼者，有以一二字爲眼者。冷句中有熱字，熱句中有冷字；情句中有景字，景句中有情字。詩要細筋入骨，必由善用此字得之。詩有雙關字，有偏舉字。如陶詩「望雲慚高鳥，臨水愧遊魚」，「雲」、「鳥」、「水」、「魚」是偏舉，「高」、「遊」是雙關。偏舉，舉物也；雙關，關己也。

王德馨《雪蕉齋詩話》卷一 秀才作詩，大忌頭巾氣，整襟危坐，說的是冠冕大話，毫無風趣，最易令閱者噴飯。須知詩與文異，文家議論，要發得痛快，詩則有絕大議論，而偏從極沒要緊處着一二語，點化而去，如宋人絕句云：「山猶故險水猶奔，無復當時濺泪痕，自是人心隨地別，櫓聲帆色盡君恩。」又元遺山《雪香亭》詩云：「羅綺深宮二十年，更持桃李向誰妍。人生只合梁園死，金水河頭好墓田。」二詩，一則是每飯不忘君意，一則是勸宮嬪等殉難意。乃宋作偏從櫓聲帆色上輕輕帶出，無作僅就墓田作贊詞。此等筆意，正未足爲方巾腐儒道也。遺山詩卻本唐張祜詩：「人生只合揚州死，禪智山光好墓田。」

又卷二　詩用比體，固居六義之一，但放翁集中，多明填如似字樣，致令讀者生厭，被朱竹垞摘出百餘聯以爲戒。東坡集中，此類雖多，然其古體《百步洪》一首中，連用八比，《和錢安道寄惠建茶》、《守歲》等詩中，以人比物，又開後人無數法門。

又　盜襲前人名句，本爲陋習，然亦有卓然自立而可與原作并傳者。如王錫朋咏李白，有「氣吞高力士，眼識郭汾陽」十字，又，李蘭貞女士五律云：「千仞翔孤鳳，高歌一代中。在天猶被謫，入世豈能容。氣奪高驃騎，恩深郭令公。再回唐社稷，諸將莫言功。」三聯似全襲王句，然卻自以格勝。

又卷四　詩之寫景，貴在相題，杜少陵《禹廟》句云：「荒庭垂橘柚，古壁畫龍蛇。」方爲典切。至《蜀相》詩云「映階碧草自春色，隔葉黃鸝空好音」，雖于寫景中寓吊古之意，究覺與題不稱，幸頭聯能振得起，故至今推爲杰構。

又　詩用語助字，自老杜「去矣英雄事，傷哉割據心」句後，宋蘇、黃亦屢用之。宋曾幼度云：「不可以風霜後葉，何傷于月雨餘雲。」明黃助《寄友》云：「以吾一日長乎爾，如此三星粲者何？」國朝胡西垞云：「何草不黃秋以後，伊人宛在水之湄。」張野樓《懷友》云：「逝者如斯江上水，愛而不見意中人。」李雨村云：「其可再乎忙止酒，未爲晚也急刪詩。」無名氏《致仕》云：「天之未喪斯文也，我亦何爲不豫哉。」「爰來胥宇蟻成垤，無以爲家燕入秋。」

余楙《白嶽庵詩話》卷上　詩貴翻案，然須各如胸次之欲吐者。何章人云：「人家最好住吳淞，日日銀鱸野膳充。若到倦遊憶鄉味，不知已負幾秋風。」袁芳谷云：「三高祠下意彷徨，幾度扶笻倚夕陽。爲謝季鷹須諒我，蓴鱸雖美是他鄉。」王碧山云：「陔蘭泣露棣華空，破鏡銷沉紙閣中。已分故園如逆旅，鱸魚何事又秋風！」

又　宋人詩有雜以俚諺者，如劉龍洲「退一步行安樂法，道三個好喜因緣」，又「天堂從此去，眞個是杭州」。此種吐屬，殊欠雅馴。近見王修竹《十二月竹枝詞》《四月》云：「四月新晴正麥秋，叢祠佛閣事清遊。磋砣莫近黃梅節，風又烏頭雨白頭。」王杏園和云：「茱花落後豆花香，幾棱才分未下秧。不雨不晴雲卵色，者番天氣爲蠶娘。」又張詩隱陶《詠子夜夏歌》：「郎如黃梅天，一日十八變。妾既嫁與郎，敢不隨郎轉。」皆禾諺也。語較雋永。按王季重云：「梅雨在四五月，如婦人之怒，易構而難解。又如少年無行子，盟在耳間，須臾翻覆。」取喻奇而確，可爲張注腳。

又卷下　前人作對有以同音巧合者。如陳洽八歲時，與父同行，見兩舟一遲一速，父命對，云：「兩船並行，櫓速不如帆快。」音與魯肅、樊噲同。洽應云：「八音齊奏，笛清難比簫和。」音與狄青、蕭何同，見《息影偶錄》。朱竹垞、徐勝力爲同徵友，竹垞居梅里，勝力居禾城，勝力嘗邀竹垞飲，竹垞或移尊往勝力家飲。二公嘗以名相戲，有「今日朱移樽（朱名彝尊），明日徐家宴（徐名嘉炎）」之謔，亦絕對也。

鄭弢《三借廬筆談》卷八《詩境》　詩之境各自不同，唐人之詩非不可學，然不可言易，須到如何一等境界，方看到如何一等地步。譬如著棋之巧，飲酒之量，舉物之力，總須由漸功深，不能有一毫勉強。

朱庭珍《筱園詩話》卷一　近人主王、孟、韋、柳一派，以神韻爲宗者，謂詩不貴用典，又以不著議論爲高，此皆一偏之曲見也。名手制勝，正在使事與議論耳。嚴滄浪謂用典使事之妙，如鏡中之花，水中之月，可以神會，不可言傳。又謂如著鹽水中，但辨其味，不見其形。所喻入妙，深得詩家三昧。大抵用典之法，在融化剪裁，運古語若己出，毫無費力之痕，斯不受古人束縛矣。正用不如反用，明用不如暗用，或借賓以定主，或托虛以襯實。死事則用之使活，熟事則用之使生。渲染則波瀾疊翻，鎔鑄則鑪錘在握。驅之以筆力，馭之以才情，行之以氣韻，俾自在流出，如鬼斧神工，不可思議，而一歸於天然，斯大方家手筆矣。杜陵句云：「美人細意熨貼平，裁縫滅盡鍼綫迹。」放翁云：「天機雲錦用在我，剪裁妙處非刀尺。」皆箇中精詣也，學者詳之。自宋人好以議論爲詩，發洩無餘，神味索然，遂招後人史論之譏，謂其以文爲詩，乃有韻之文，非詩體也。此論誠然。然竟以議論爲戒，欲盡捐之，則因噎廢食，膠固不通矣。大篇長章，必不可少叙事議論，即短篇小詩，亦有不可無議論者。但長篇須盡而不盡，短章須不盡而盡耳。

敘事卽伏議論之根，論議必顧敘事之母。或敘事而含議論，議論而兼敘事。或以議論爲敘事，敘事爲議論。錯綜變幻，使奇正相生，疏密相間，開闔抑揚，各極其妙，斯能事矣。人但知敘事中之敘事，議論中之議論，與夾敘夾議之妙，而抑知敘事外之敘事，議論外之議論，與夫不敘之敘，不議之議，其筆外有筆，味外有味，尤爲玄之又玄，更臻微妙乎！夫不盡而盡者，情深於中，韻溢於外，言簡意該，詞近旨遠。如畫家縮本，咫尺具萬里之勢，則不盡而已深盡之。盡而不盡者，包羅萬有，衆妙畢臻。如岱宗之長五嶽，以大山宮小山，中包無數峰巒溪澗。如武侯之列八陣，以大陣藏小陣，中變無數門戶方圓。任登峰造極，鉤深致遠，終不能窮其曲折義蘊，則無所不盡，而實多有餘不盡也。學者知此詣，則得大家祕傳矣。

又　作詩先貴相題，題有大小難易，內中自有一定之分寸境界。作者務相題之所宜，以爲搆思命意之標準。標準既立，子細斟酌於措詞、著色、使典、布局之間，以期分寸適合，境界宛肖，自然切當不移。箇中消息，極密極微，差之毫釐，謬以千里。七子之浮聲空調，正坐不知相題行事，一味擊鼓鳴鐘，高唱「大江東去」，所以分寸不合，情景不切，是爲僞詩，非眞詩也。若眞詩，則宜剛宜柔，或大或小，清奇濃淡，因題而施，自無不合乎分際，恰到好處者。通首並無一語空談，一字浪下，銖兩絲毫，皆經秤量而出，權衡至當，安得有膚浮之患哉！魏叔子曰：「小題大作，是俗士最得意之筆。」紀文達公曰：「獅子搏兔，必用全力，終是獅子之愚。」味此兩言，益知詩家分寸境界，不可稍踰題限。今之粗才，動作長篇，賣弄筆鋒，尤好徵引塗澤，自炫博雅，費盡氣力，轉使人厭，亦何益哉！甚至小小賦物，一題作數十首，與夫一題而和韻疊韻，屢步不已者，曷不知分量乃爾！

又卷二　古人詩法最密，有章法，有句法，有字法。而字法在句法中，句法在章法中，一章之法，又在連章之中，特渾含不露耳。至於連章則尤難，合觀之，連章若一章；分觀之，各章又自成章。其先後次第，自有一定不紊之條理，觀工部《秋興》、《諸將》、《詠懷古迹》、《前後出塞》諸作可見。以工部之才力，而生平連章七律，只《秋興》作至八首，亦可見古人鄭重矣。自宋後，才不逮古，偏好以多爲貴，動作連章，呶呶不休，殊可厭也。宋人作梅花七律，至六十首；元人疊咏和韻，亦一題至數十首。近人尤好以一題順押上下平韻，作三十首。甚至咏物小題，亦多至數十首，且有至百首者。如王蒲衣之《無題百首》，陳其年之《梅花百詠》，鄺湛若之《赤鸚鵡》三十首，黎美周之《黃、白牡丹》各二十首，屈悔翁之《書中乾蝴蝶》二十首、《春草、秋草》各三十首，鮑以文之《夕陽》二十首，侯坤之《水中梅影》三十首，以及流傳《雁字》六十首、《淚詩》三十首之類，皆七律也。絕無意境、氣格、篇法，但點綴詞藻，裁紅剪翠，飣餖典故，徵事塡書，雖字句修飾鮮妍，究無風旨，亦終不免重複敷衍，雖多亦奚以爲！此雅道中魔趣，初學戒之。

又卷三　宋人七律句中好用虛字，每流滑弱，南渡後尤甚。趙松雪力矯其失，謂七律須有健句壓紙，爲通篇警策處，以樹詩骨。此言極是。又謂七律中二聯，以用實字無一虛字爲妙，則矯枉過正，未免偏矣。詩之工拙，句之軟健，在筆力氣勢，不在用字虛實也。用虛字者，能莊重精當，使虛字如實字，則運虛爲實，句自老成。用實字者，能生動空靈，使實字如虛字，則化實入虛，句自峭拔。是在平日體貼之功，臨文運用之妙耳。用筆果超妙，運氣果雄渾，則勿論用虛用實，皆可成妙句也，何必定忌虛字耶？純用實字，傑句最少，不可多得。古今句可法者，如少陵「五更鼓角聲悲壯，三峽星河影動搖」，「錦江春色來天地，玉壘浮雲變古今」，「西山白雪三城戍，南浦清江萬里橋」，「路經灩澦雙蓬鬢，天入滄浪一釣舟」數聯，皆雄渾高壯，氣勢凌跨一切，又復確切老當，景中有情，詩中有我，既非空聲，亦無用力痕迹，眞大手筆也。王右丞「九天閶闔開宮殿，萬國衣冠拜冕旒」，氣象闊大，而稍欠精切；「雲裏帝城雙鳳闕，雨中春樹萬人家」，秀健而欠雄厚，又遜一格矣。劉中山「天子旌旗分一半，八方風雨會中州」，李義山「永憶江湖歸白髮，欲迴天地入扁舟」，高唱入雲，氣魄雄厚，亦名句之堪嗣響工部者。宋人傑句，如東坡之「令嚴鐘鼓三更月，野宿貔貅萬竈煙」，放翁之「四海一家天歷數，兩河百郡宋山川」，「樓船夜雪瓜州渡，鐵馬秋風大散關」，陳簡齋之「晚木聲酣洞庭野，晴天影抱岳陽樓」，楊誠齋之「千古英雄鴻去外，六朝形勝雪晴中」。金元遺山之「劫前寶地三千界，夢裏瓊枝十二樓」。元人楊仲孚之「大地山河微有影，九天風露寂無聲」。明人宋仲敏之「禾黍秋風周洛邑，山河殘照漢咸陽」，「翠華去國三千里，玉璽傳家九十年」，高青丘之「四塞河山歸版籍，百年父老見衣冠」，李空同之「金繪社稷和戎日，花石君臣棄國秋」，王鳳洲之「夜月旌旗五馬渡，秋風草木八公山」，陳卧子之「九龍移帳春無草，萬馬窺邊夜有霜」，「金陵文武牙籤盡，建業風流《玉樹殘》」，「三市銅駝愁夜月，五陵石馬泣秋風」。國初錢牧齋之「桃葉春流亡國淚，槐花秋冷故宮煙」，「神愁玉璽歸新室，天泣銅人別漢家」。以上各聯，或沈雄，或悲壯，或淒麗，或新警，雖遜老杜，亦卓然可傳，皆當參看，亦可取益也。

又　元遺山詩云：「神仙不到秋風客，富貴空悲春夢婆。」哀婉淒麗，情文雙到，故天下後世傳爲名句，非僅以「秋風客」對「春夢婆」爲工緻也。玉溪生「此日六軍同駐馬，當時七夕笑牽牛」，飛卿「回日樓臺非甲帳，去時冠劍是丁年」，此二聯皆用逆挽句法，倍覺生動，故爲名句。所謂逆挽者，倒撲本題，先入正位，敘現在事，寫當下景，而後轉溯從前，追述已往，以反襯相形，因不用平筆順拖，而用逆筆倒挽，故名。且施於五、六一聯，此係律詩筋節關鍵處。中晚以後之詩，此聯多隨筆敷衍，平平順下。二詩能於此一聯，提筆振起，逆而不順，遂倍精采有力，通篇爲之添色。是以傳誦人口，亦非以「馬」、「牛」、「丁」、「甲」見長，故求工對仗也。然使二聯出工部手，則必更神化無迹，並不屑以「此日」、「當時」、「回日」、「去時」字面明點，必更出以渾成，使人言外得之。蓋工部以我運法，其用法入化；溫、李就法用法，其馭法有痕，此大家所由出名家上也。後人學其句，而不得所以然之妙，僅以字句對仗求工。如宋人「人間化鶴三千歲，海上看羊十九年」，徒湊兩典；切姓以爲工對，究之與其人身分，毫不相合，何所取義乎？元人「鞦韆院落春將半，夏五園林月正中。楊柳昏黃水西月，梨花明白夜東風」，徒掇拾華澤字面，串湊成句，不惟景盡句中，了無意味，而格卑氣靡，弄巧反拙矣。若明人之「春風顛似唐張旭，天氣和如魯展禽」，「白鷺下田千點雪，黃鶯上樹一枝花」，則卑靡纖佻，已近魔道。近人之「月影分明三太白，水光蕩漾百東坡」，「酒瓶在手六國印，花露上身一品衣」，「事無可奈仍歸趙，人恐相沿又發棠」，「白蛺蝶飛芳草外，紅蜻蜓立藕花中」，「柳條軟似千行綫，荷葉圓於五兩錢」，或工整而乏意趣，或雕鑿而入尖巧，或寫景瑣屑，小而易盡，或取譬淺佻，俚而傷雅。既無高格，又失遠神，皆下下乘詩也，不可爲訓。學者勿爲所惑，從而效颦。

又　使事運典，最宜細心。第一須有取義，或反或正，用來貴與題旨相浹洽，則文生於情，非強爲比附，味同嚼蠟也。次則貴有剪裁融化，使舊者翻新，平者出奇，板重化爲空靈，陳悶裁爲巧妙。如是則筆勢玲瓏，興象活潑，用典徵書，悉具天工，有神無迹，如鏡花水月矣。所以多多逾善，雖用書卷，而不覺爲才情役使故也。不善用者，則以詞累意，其病百出。非好學深思之士，心細如髮者，斷不能樹極清之詩骨，提極靈之詩筆，驅役典籍，從心所欲，無不入妙也。吳梅村詩云：「蘇小宅邊桃葉渡，昭君村畔木蘭舟。」王阮亭詩云：「景陽宮外文君井，明聖湖邊道韞家。」二聯同一病痛。夫「桃葉渡」不在「蘇小宅邊」，而「昭君村」亦無「木蘭舟」故實；「文君井」、「道韞家」與「景陽宮」、「明聖湖」天各一方，風馬牛不相及也，上下全無交涉。本各自一事，今乃強以兩典扭合，湊成一句，毫不相生，徒取字面鮮妍好看，但修飾外面而已，實無意義融貫於中，前後竟判然兩截。如此塗澤支離，眞用典苦事矣。梅村、阮亭兩大詩家，猶犯此病，皆心不細之失。若顧寧人、朱竹垞，讀書多而心思細，則斟酌分寸，決無此累矣。又阮亭《三國小樂府》中一首云：「長揖橫刀出，將軍一世雄。頭顱行萬里，失計殺田豐。」此首咏袁本初事，其病全在三句。夫長揖橫刀而出及殺田豐，皆言袁紹事，而第三句忽用公孫康語。史載紹子尚及熙敗奔遼東，見公孫康，天寒，求坐席，康曰：「汝頭顱將行萬里，何席之有？」是「頭顱行萬里」，乃紹子熙、尚，非紹身也。今用此語，緊承「將軍一世雄」句，下文又接「失計」，則似袁紹之「頭顱」眞「行萬里」，因「失計殺田豐」而貽誤喪身者然。文義相左，與事不符。若謂此句指紹子，則前後均言紹事，前既無根，後又無接，何以憑空插入，未免突兀少緒，上下竟不相貫。若言紹，則紹未斷頭也。三國事何致誤記！豈非因心思不細，以致詩骨不清，詩筆不靈，故意反爲詞所累，弗克暢達耶！予爲酌改曰：「兒頭行萬里，遺恨殺田豐。」只換三字，迥然改觀，詞意顯豁，上下貫串矣。不過用心於一兩字間，斟酌而出，即判若天淵。箇中分寸所爭，毫釐千里。故心細則詞意清，使事切，法自完密。古人重下字工夫，有以也夫！

又卷四　律詩鍊句，以情景交融爲上，情景相對次之，一聯皆情、一聯皆景又次之。然一聯皆寫情，則兩句須有變幻，不可一律，致犯合掌之病。一聯皆寫景亦然，或上句寫遠，下句寫近，或上句寫所聞，下句寫所見。總寫一句自有一句之意境，兩句迥然不同，卻又呼吸相應，此爲至要。情景交融者，景中有情，情中有景，打成一片，不可分拆。如工部「感時花濺淚，恨別鳥驚心」，「捲簾殘月影，高枕遠江聲」，「村春雨外急，鄰火夜深明」，「風月自清夜，江山非故園」，「露從今夜白，月是故鄉明」，「山鬼吹燈滅，廚人語夜闌」，「落日心猶壯，秋風病欲蘇」；右丞「白雲迴望合，青靄入看無」，「松風吹解帶，山月照彈琴」，「行到水窮處，坐看雲起時」，「時倚簷前樹，遠看原上村」，「大壑隨階轉，羣峰入戶登」；常建「山光悅鳥性，潭影空人心」；嘉州「白髮悲花落，青雲羨鳥飛」等句，皆是句中有人，情景兼到者也。情景相對者，如工部「白首多年病，秋天一味涼」，「幾年逢熟食，萬里逼清明」；宋之問「老至居人下，春歸在客先」；顧況「一家千里外，百舌五更頭」等句，一句情對一句景是也。至一聯皆情、一聯皆景佳句，詩家更多，不可勝數。其兩句寫成一例，意境合掌，不可爲訓者，如「蟬噪林逾靜，鳥鳴山更幽」一聯。王介甫以寫景略無變幻，兩句一律少之，上句改爲「風定花猶落」，而以「鳥鳴山更幽」作對，謂如此則上句靜中有動，下句動中有靜，不致合掌，便成寫景名句。所論入微，初學詳之。律詩中二聯，不宜一味寫景。有景無情，固非好手所爲；景多於情，亦非佳處。蓋詩要文質協中，情景交化，始可深造入微。若南宋、晚唐之詩，竟有八句皆景者，是最下乘禪，當以爲戒。劍南、石湖平調詩，尤多誤犯此病。不止一律中只鍊一聯佳句，而首尾多未完善，令後人疑先得句而後足成篇，故多率筆，羣爲口實也。近代詩家，工五律者，莫如屈翁山、施愚山二君；工七律者，自劍南、遺山後，明則青丘、牧齋，我朝則陳元孝爲第一，時人則閩中張亨甫際亮亦工此體，二君皆一代天才也。

又 詩不可入詞曲尖巧輕倩語，不可入經書板重古奧語，不可入子史僻澀語，不可入稗官鄙俚語，不可入道學理語，不可入游戲趣語，幷一切禪語丹經修煉語，一切殺風景語，及爛熟典故與尋常應付公家言，皆在所忌，須掃而空之，所謂陳言務去也。自宋以來，如邵堯夫、二程子、陳白沙、莊定山諸公，則以講學爲詩，直是押韻語錄。其好二氏書者，又以禪機丹訣爲詩，直是偈語道情矣。此外講考據者，以考據爲詩；工詞曲者，以詞曲爲詩；好新穎者，以冷典僻字、別名瑣語入詩；好游戲者，以稗官小說、方言俚諺入詩。凌夷至今，風雅掃地。有志之士，急須別裁僞體，掃除羣魔，力扶大雅，上追元音，勿爲左道所惑，誤入迷津。若夫已入歧途者，宜及早回頭，捐除故技，更求正道，如康崑崙之於段師，雖失之東隅，猶可救之桑榆也。

蔣學堅《懷亭詩話》卷二 放翁七律詩多以「如」對「似」，昔人曾訾之。然眼前常語，一經烹煉，能出無窮清新，當推此公獨步。如「山重水複疑無路，柳暗花明又一村」，「萬里因循成客久，一年容易又秋風」，「無窮江水與天接，不斷海風吹月來」，「癡雲不散常遮塔，野水無聲自入池」，「發無可白方爲老，酒不能賒始覺貧」，「香浮鼻觀烹茶熟，喜動眉間鍊句成」，「客從謝事歸時散，詩到無人愛處工」，「雲歸時帶雨數點，木落又添山一峰」，「瓶花力盡無風墮，爐火灰深到曉溫」，「山寒酒過平日量，窗黑書虧半日功」，「天爲念貧偏與健，人因見懶誤稱高」，「小樓一夜聽春雨，深巷明朝賣杏花」，「無端忤俗坐狂耳，甚欲讀書如懶何」，此數聯皆耐人尋味，余最愛誦之。

又 冷泉亭向懸董香光書「泉自幾時冷起，峰從何處飛來」楹聯。亂後重書，則改爲「泉自源頭冷起，峰從天外飛來」，下一轉語，便覺無味。

又卷三 昔人詩云：「五月臨平山下路，藕花無數滿汀洲。」或謂藕花盛於六月，何不曰「六月」而曰「五月」？不知改「五」爲「六」便不佳。此可爲知者道，難與俗人言也。余謂「藕」字亦妙，如說「荷花」，便不成詩矣。

又卷四 詩貴翻案。吊死，哀事也，而季開生《送左大來先生葬》詩則云：「黃泉翻羨故人多。」搖落，當怨也，而吳嘉紀《落葉》詩則云：「何須怨搖落，多事是春風。」「浣衣」，婦職也，而董以寧《閨怨》詩則云：「留得當時臨別淚，經年不忍浣衣裳。」望夫，宜哭也，而毛先舒《裁衣曲》則云：「莫使衣上沾猩紅，君見淚痕不肯著。」報國，非官不可也，而王頊齡《送李天生歸養》詩則云：「大儒報國豈須官。」送客，宜嗟也，而李良年《憶方虎客宛溫》詩則云：「不敢更嗟鄉國遠，有人還在萬峰西。」征夫，無不憶家者也，而陳學洙《送友南還》詩則云：「故園兄弟如相問，只道征夫不憶家。」楊妃，唐之禍水也，而黃庭《馬嵬》詩則云：「蒙塵莫漫尤傾國，猶剩唐家土半邱。」「楓落吳江冷」，崔信明壓卷詩也，而沈樹本《贈王載揚》詩則云：「誰知『楓落吳江冷』，未是崔郎壓卷詩。」劉伯倫，以醉得名者也，而葉肇梓《懷古》詩則云：「利名役役眞成醉，只有先生是獨醒。」元宵，宜樂也，而汪俊元《憶家》詩則云：「別離人度團欒節，白髮紅顏各斷腸。」斷炊，可慮也，而畢著《村居》詩則云：「明日斷炊何必慮，且攜鴉嘴種梅花。」愛子，恆情也，而邵長蘅《苦亡兒士騄》詩則云：「過愛翻成薄，求全屢受笞。」古人此類甚多，略舉一二，以爲學詩者式。

又 「天遣不同韓富沒，姓名留冠黨人碑」，王漁洋《謁文忠烈公祠》詩也，沈歸愚宗伯以黨人碑中當推司馬光第一、文彥博次之，易「冠」爲「重」；「丹楓江冷人初去，黄葉聲多酒不辭」，崔不雕澔墅《舟中》詩也，宗伯以「丹楓」、「黄葉」合掌，易「丹楓」爲「白蘋」，足見老輩詩律之細。惟以蜀中距滇無萬里，易鈕稼先《題黄夫人寄升庵詩》「萬里夢生還」句爲「兩地夢生還」，論似太拘，遠不如原句之佳也。

范啓瑋《蠡園詩話》 今人賦物賦景，僅言物，僅言景，雖措詞工雅貼切而究竟了無意藴，吾每喜暗用雙關。

張翼廷《塞愚詩話》卷一 詩有必無其事而説來最足醒目者，楊虞臣二尹名贊華者，江蘇揚州人，隨程平齋軍門來朝駐防，嘗有句云：「千巖萬壑白雲封，古寺霜天石氣濃。日上破樓僧未起，山猿偷打一聲鍾。」意則新矣，然必無其事。有有其事而説來不近情理者，如鄭板橋「帶月連星咬一瓢」是也。余亦有《晚渡詩》云：「長途日暮遠山青，策騎加鞭未肯停。昏夜不知人渡水，馬蹄踏碎滿天星。」

又卷二 詩貴含蓄亦有不留餘地者。西湖岳王墓，《隨園詩話》載有「青山有幸埋忠骨，白鐵無辜鑄佞臣」之句。諸暨蔡孝廉英亦有句云：「地如有覺難容跪，鐵亦何怨遭此汙。」與《詩》「投畀豺虎，豺虎不食；投畀有北，有北不受」，同爲疾惡已甚之辭。草本有俗名老少年者，故謂之老來少，經霜尤豔，實名雁來紅。戴渭川先生印光容曾述一詩云：「漢使傳書托便鴻，上林一箭墮西風。至今血染階前草，一度秋風一度紅。」又有《咏一丈紅詩》者「五尺短牆遮不住，尚留一半與人看」，皆可誦也。

又 詩貴性情，亦實有其事而語方眞摯，記得幼年有句云：「覓得詩人三兩個，柳陰深處聽黄鸝。」至今情景歷歷在目。又清明掃墓有句云：「試向重泉殷禱祝，阿娘知否已生孫。」憶先慈見背，余甫十齡，語出眞誠，不自知其言之痛也。

袁祖光《綠天香雪簃詩話》卷四 苦摹唐句，能別開意境始爲合作。近讀丹徒戴築瑤（冠瀛）「餘霜留馬足，落葉上人衣」，「峰勢迎人面，雲痕落馬頭」，「弓滿影隨月，花多香亂衣」等句，近于襲古，而自具機杼。又《平山堂》一絶云：「山與堂平快遠望，隔江一覽總茫茫。閑來待試金焦屐，第一江山是故鄉。」殊渾脱。

又卷四 宋人詩「隘巷短兵相接處，殺人如草不聞聲」，日本人下注云：「恐非我日本刀不能也。」唐人詩「千金女兒倚門立」，某旁注云：「下三字當減價五百。」

又 中邦言語文學爲萬國冠，盡人知之。今日科學講義，率攙入東西名詞，故作不甚通曉之文以難學者，豈學中文防其過文，不如取材異邦，或可返質耶？王鄭甫有句云：「齊傳遍楚國，夷言殊未通。或持佶屈語，以濟《六經》窮。」立言頗見微婉。

又卷五 司空表聖云「梅止於酸，鹽止於鹹，飲食不可無鹽梅，而其美常在於鹽梅之外」者，以得味之和故也。陶淵明「讀書不求甚解」，杜少陵「讀書破萬卷」，無一字無來處，皆有書味蓄之於中，故各臻妙境。義山獺祭，臨文誇博，雖適於詩味，得毋猶有鹽梅之質存歟？

又卷六 古人詩有交股對法，亦曰蹉對。李義山「裙拖六幅湘江水，鬢挽巫山一段雲」，元元之「春殘葉密花枝少，睡起茶多酒醆疏」皆是。又元人句「千金寶劍藏秋水，滿馬春愁壓繡鞍」，「古路三叉低見月，一林秋葉早經霜」，亦合是格。

又卷七 詩不以渲染富麗爲佳，如美人天然姿態，自生聲逸，施之脂粉，轉非廬山眞面目矣。徐松友（枬）《題墨牡丹》云：「國色何須借粉脂，卻將清墨寫花枝。太眞縱是朝酣酒，終遜朝天素面時。」

劉師培《文説·序》 昔《文賦》作於陸機，《詩品》始於鍾嶸，論文之作，此其濫觴。彥和紹陸，始論《文心》；子由述韓，始言文氣。後世以降，著述日繁，所論之旨，厥有二端：一曰文體，二曰文法。《雕龍》一書，溯各體之起源，明立言之有當，體各爲篇，聚必以類，誠文學之津筏也。若夫辨論文法，書各不同，或品評全篇，或偶舉隻語，或發例以見凡，或標書以誌義；至於纂類摘比之書，標識評點之冊，本爲文之末務，豈學文之階梯？自蘇評《檀弓》，歸評《史記》，五色標記，各爲段落，乃舍意而論文，且蹈虛以避實，以示義法，以矜秘傳，因一己之私心，作萬世之法程，由是五祖傳燈，靈素受籙，師承所在，罔敢或遺，可謂文章之桎梏矣。（趙執信作《聲調譜》，謂古人之詩，宜有音節，遂穿鑿附會，無所不至，其失與論文之書同。）或謂規矩方圓，非言克傳，文本天成，妙手偶得。其言雖異，其失則同。震且文人，會心言外，或知其當然，昧其所以，而字類分區，文詞綴繫，咸矜自得，罕識本源，學者憾焉。

又《析字篇第一》自古詞章，導源小學。蓋文章之體，奇偶相參，則侔色揣稱，研句鍊詞，使非析字之精，奚得立言之旨？故訓詁名物，乃文字之始基也。昔西漢詞賦，首標卿、雲，摛詞貴當，隸字必工，此何故哉？則辨名正詞之效也。觀司馬《凡將》、子雲《訓纂》，詳徵字義，旁及物名，分別部居，區析昭明；及撮其單詞，儷爲偶語，故擷擇精當，語冠羣英。則字學不明，奚能出言有章哉？夫作文之法，因字成句，積句成章，欲侈工文，必先解字。然字各有義，事以驗名，用字偶乖，即背正名之旨。觀古代鴻儒，銓繹字義，界說謹嚴，不容稍紊：如穴爲土室（《說文》云：「穴，土室也」），洨訓水都（《說文》云：「洨，水都也」），葦即大葭（《說文》葦字下云：「大葭也」），萑稱小菽（《說文》萑字下云：「萑，菽之小者」），主階訓阼（《說文》阼字下云：「主階也」），比田爲畕（《說文》畕字下云：「比田也」），笑不破顏謂之弞（《說文》云：「笑不破顏曰弞，式忍切」），辛能蹙鼻謂之辠（《說文》云：「辠，言辠人蹙鼻苦辛之憂」），闢爲開閉之門（《說文》云：「闢，開閉門也」），楺訓屈伸之木（《說文》云：「楺，屈伸木也」），是古人狀物，各有專名，以達難顯之情，以括重言之語。後世文人，用字多歧，制改漆書，猶言「執簡」；民皆被髮，仍述「抽簪」，此固用字之失矣。然以木注酒，其名爲杯，及易木爲甃，應更何字？以革爲箠，其字作鞭，及舍革用竹，應易何名？乃事物日增，名詞未益，以固有之名，代新詞之用，學士文人，互相因襲，用之文字，播之詩歌，字義之淆，自此始矣。舉斯二例，餘可旁求。且上古造字，以類物情，極意形容，有如圖繪：嗾爲使犬（《說文》云：「嗾，使犬也」），嘂訓呼鳴（《說文》：「嘂，呼鳴重言之」），星見雨除謂之姓（姓音省，《說文》云：「姓，雨而夜除星見也。」是義與晴殊），風吹浪動謂之颭（職言切，《說文》云：「颭，風吹浪動也」），泉一見一否爲瀱（《爾雅》云：「泉一見一否曰瀱。」《說文》亦引此文），雲半有半無曰霼（《說文》「霼」字下云：「《逸周書》曰：『霼霼升雲，半有半無』」），推之月初生爲霸（《說文》「霸」字下云：「霸，月始生霸然也」），水半見曰酓（《說文》「酓」字下云：「繹酒也，從酓，水半見於上」），象態既殊，名稱即別，古代鴻文，皆沿此例。流連萬象之際，沉吟視聽之區；言必象物，音必附聲。故「參差」狀荇菜之名，「沉浮」盡揚舟之態；「杲杲」爲日出之容，「霏霏」擬雪飛之狀；「依依」繪楊柳之情，「呦呦」學鹿鳴之韻：可謂國門可懸，一字莫易者矣。後世不然。日夕雨止，亦沿「晴」字之稱（「晴」字爲雨止，晝間雨止日出始謂之晴；莫夜間雨止，則當另用「姓」字矣），日入而風，亦襲「暴」字之名（《爾雅》曰：「日出而風爲暴。」非大風可稱暴也），水不注川，亦名爲溪（《爾雅》曰：「水注川曰溪」），地非山脊，亦號爲岡（《爾雅》曰：「山脊，岡」），非攻石而稱磨（《爾雅》曰：「石謂之磨」），非錯金而稱鏤（《爾雅》曰：「金謂之鏤」），路非四達，亦昌稱衢（《爾雅》曰：「四達謂之衢」），絮匪一苫，亦標紙字（《說文》云：「紙，絮一苫也」），瓊爲赤玉（《說文》），而白花亦號瓊花；翡爲赤鳥，而翠玉亦名翡翠；推之非木株而亦號爲根，非竹枝而亦稱爲箇：名與實違，此又文士之通失也。且文苑之英，字學多疏，率爾操觚，緣飾附會，假設名詞，獨標奇語，因事著稱，緣物生義：善惡懸殊，則曰「天淵判隔」；友朋聚首，則曰「萍水相逢」；以「青雲」爲得志，以「白水」爲誓詞。文士沿襲成風，後人以意逆志。是則名詞之字，別有代詞，而法語之言，易爲隱語，以詞害義，此其一矣。別有慧業才人，創造險語，鬼斧默運，奇句自矜，或顛倒以爲奇，或割裂以示巧：由是「墜心危涕」，文通互易其文；「啄粟棲枝」，子美自顛其語。不知言貴有序，詞貴立誠，江、杜之文，不可謂之非違則也。嗚呼！前世之文，字必師古，周、秦故訓，賴文以傳；後世之文，字必背古，俗訓歧義，因文而興。豈非小學之蠹哉？今欲文質相宜，出言不紊，其惟衷《爾雅》以辨言，師許君之《解字》（觀《說文自序》中多排偶之詞，即置之《文選》之中，亦出類拔萃之作），則工文之士，必出於小學家矣。心知其意，解釋分明，庶立言咸有淵源，而出詞遠於鄙倍矣。若夫未解析詞，徒矜凝錦，是則無根之水無源之水耳，烏足以文學哉！

又《記事篇第二》皇古學術，溯源史官，記動記言，實惟史職；是記事之文，起原至古。觀虞、夏之書，據事直錄，事必徵實，言匪蹈虛，故《堯典》測天，《禹貢》治水，垂一王之法，布不刊之言。推之《神農本草》、《黃帝內經》，簡要詳博，不雜蕪詞。降及周代，文史日繁。然姬公《官禮》，孔氏《春秋》，一則法典之書，一則史編之體。蓋文以記事，故事外無文；若詞涉不經，言等子虛，書而不法，後世何觀？無徵不信，此之謂歟！後世之文，多昧此旨，雖碑傳之作，博徵文獻，游記之文，模範山水，然記事失實，厥有數端。一曰寓言。自《國風》之詩，託物興懷，義標比興，詞等無稽；然「漢有游女」，遂傳贈珮之文（《詩》言「漢有遊女」，本比興之詞耳，《韓詩》遂傳鄭交甫贈佩之事，後世詞人，襲用其說，一若漢水之實有此神），鄭詠狡童，妄託辭昏之說（《詩·狡童篇》，《毛序》最確，近人以辭昏之事附會之，非也）。又如靈均作《湘君》之歌，宋玉奏《神女》之賦，構造虛詞，婉而多諷；乃湘水傳鼓瑟之蹤，高唐爲夢游之地，咸有神祠，詳於方志，習俗相沿，有若信史。況東周以降，策士踵興，設爲荒誕之詞，以助縱橫之筆。乃「嫠不恤緯」，韓嬰用以釋詩（《左傳》記子太叔之語，本係寓言，《韓詩外傳》遂誤爲漆室女之事，又誤以憂周爲憂魯），「妾覆藥酒」（見《戰國策》），子政垂之彤史，可謂昧於擇言者矣。至若列子貴虛，莊周譎詭，借物寓意，夫豈有徵？若昧厥旨義，證以實詞，是猶待兔而守株，豈僅刻舟而求劍。故夔僅一足（《呂氏春秋》），堯有八眉，襲謬沿訛，疑非爲是，用之於文，穢莫大焉。漢代以還，譌言日興：海客乘槎（見《博物志》），則誤爲博望；姮娥竊藥，則指爲羿妻；王母本西方之國，目爲列仙；羲和乃司歷之臣，稱爲日馭；於洛神則信爲宓妃，於武陵則尊爲仙跡：朱紫莫別，不可殫論，其弊一也。二曰虛設。自「民靡孑遺」，識《雲漢》之害詩；「血流漂杵」，證《武成》之多譌：言過其失，自古有之。及遞相稱述，曲意形容，屬詞比事，其失也誣。後世文人，飾詞矯說，或尊己而卑人，或援古以證今，事每憑虛，詞多烏有：若王沈《魏錄》，濫述貶甄之詔；陸機《晉史》，虛張拒葛之風：曲筆阿時，非一日矣。又如劉玄以俠烈著聞，而范史力言其懦弱（《漢·更始傳》既言其身在微賤，結客報仇，及叙其卽位後，則又言其羞愧流汗，刮席不敢視，非誣而何）；宋祖輟誦讀之業，而沈書侈述其文詞（見《史通》）：虛美相酬，言多爽實。至若魏收修史，延壽成書，比索虜於禹、湯，夷南朝於蠻、貊，道武名官，則曰遠師少皞，柔然通使，則曰追慕漢高，擬非其倫，殊乖實錄。甚至加虛鍊飾，博採謏言，喻過其體，詞沒其義：論逆臣則稱爲問鼎，稱巨寇則目以長鯨；記貢納必飾百牢，叙朝會必稱萬國；孔門弟子，則曰三千；漠北胡兵，則曰十萬；漢兵敗績，睢水爲之不流；赤眉納降，積甲高於熊耳；董生乘馬，不知牡牝；翟公之門，可張雀羅：事資虛飾，是曰支詞。若烏白馬角，顯燕丹之精誠；犬吠鷄鳴，神劉安之仙術：以虛爲實，來者難誣，所謂鳧脛雖短，續之則憂，畫虎不成，反類畫狗者矣。推之班固《兩京》，左思《三都》，言雖成理，事或渺冥。唐代以降，文體日淆，言無準的，語非有中：以李實之苛殘，而昌黎頌爲仁吏；以孫復之穿鑿，而永叔奉爲經師：移的就箭，掩耳盜鈴，迷惑後世，夫豈一端？其弊二也。三曰訛誤。夫佛肸畔晉，孔子卒已數年，而《論語》記「磨磷涅淄」之喻；吳王浚邗，夏代實無此水，而《孟子》有「排淮注江」之文：書籍舛誤，經典猶然。若夫顔闔對君，載爲顔淵；闞我作亂，移之宰我；《列子》書論尼父，而曰與鄭穆同時；扁鵲醫療虢公，而曰爲趙簡治疾。又如莒僅彈丸，而孟堅稱爲大國（《五行志》）；秦非小弱，而榮緒稱爲小邦（臧榮緒《晉書》曰：「苻秦地劣於趙」）：苟非別加研覈，何以判別是非？推之杜陵詩史，誤伏勝爲服虔（杜詩：「諸生老服虔。」此指濟南伏生言）；劍南文雄，誤許渾爲許遠。桓溫與仲文並世，乃庾信之虛詞；九齡賞蘇挺之文，爲容齋所駁正。虎頭則釋以人名（蘇詩：「卻下虎頭城。」此卽虔州言也，注家誤爲顧虎頭，斯言誠大謬矣），赤壁則移其地望。傳聞失實，考證多疏，賢者不免，況其下乎？況訛言亂眞，別有一因：怯書今語，勇效昔言，碑銘所勒，傳記所書，或虛引他邦，冒爲己邑，如稱袁則飾之陳郡，言劉則繫之彭城是也；或侈用古官，施之今職，如京尹必稱京兆，不計都邑之遷移，相臣必號平章，不計官階之同異是也；或虛引古事，飾爲雅言，如苻堅撫盤，易爲「推案」；洛干脫帽，易爲「免冠」是也。綜斯三失，言與事違，今古以之不純，眞僞由其相亂，故詮事失眞，與訛言同，其弊三也。嗟乎，古人以事爲主，凡記事必以文，後人以文爲主，或因文以害義，故古事因文而傳，近事因文而晦，以文勝質，此之謂乎？是以文苑之英，詞林之秀，必參觀古籍，博覽羣書，參互考驗，窮流溯源，斯能出語有章，立言不朽；若徵材聚事，徒供獺祭之需，恐摘句尋章，不越蟲雕之技，以此言文，不亦誤乎！

又《耀采篇第四》 昔《大易》有言：「道有變動故曰爻，爻有等故曰物，物相雜故曰文。」《考工》亦有言：「青與白謂之文，白與黑謂之章。」蓋伏羲畫卦，卽判陰陽；隸首作數，始分奇偶。一陰一陽謂之道，一奇一偶謂之文。故剛柔交錯，文之垂於天者也；經緯天地，文之列於謚者也。三代之時，一字數用，凡禮樂法制，威儀言辭，古籍所載，咸謂之文。是則文也者，乃英華發外秩然有章之謂也。由古迄今，文不一體。然循名責實，則經史諸子，體與文殊；惟偶語韻詞，體與文合。昔孔美唐堯，特著「煥乎」之喻；《詩》歌衛武，亦標「有斐」之稱。以文雜質，則曰「彬彬」；舍質從文，乃稱「郁郁」。觀於「文」字之古義，可以識文章之正宗矣。況《易》以六位而成章，《書》

爲四言之嚆矢，太師采詩，咸屬韻語，宣尼贊《易》，首肇文言，遐稽六藝之書，半屬偶文之體（觀《尚書堯典》之文，「分命羲仲」四節，文筆相似，「九族既睦，平章百姓，百姓昭明，協和萬邦」，句法已成對待，「慎徽五典」四句亦然，「流共工」二句亦然。《禹貢》以下，偶語尤多。《易》、《詩》之用偶語者，則更不知凡幾矣）。是猶工繪事者，必待五采之彰施，聆樂音者，必取八音之迭奏。惟對待之法未嚴，平側之音未判，乃偶寓於奇，非奇別於偶，雖句法奇變，長短參差（如《書經》、《易經》之文是也，然對偶排列者甚多），然音律克諧，低昂應節（見《和聲篇》）。故訓辭爾雅，抽句匪單，或運用疊詞（古籍之文，多取雙字雙義用之，以厚其氣），或整列排語（如《書經》及《禮記》、《易繫詞》是）。三代文體，即此可窺。況復鄭修詞命，子產於焉潤色；晉主盟會，仲尼以爲多文。直情徑行，戎、狄之道乃如此（《檀弓》）；言不雅馴，縉紳先生所難言。道集於躬，出詞氣斯遠鄙倍；言以足志，非文辭不克爲功。是則文章一體，與直言殊。故艷采辯說，韓非首正其名；翰藻沈思，昭明復標其體。詩賦家言，與六藝九流異類；文苑列傳，共儒林道學殊科。自古以來，莫之或爽也。東周以降，文體日工：屈、宋之作，上如《二南》；蘇、張之詞，下開《七發》。韓非著書，隱肇連珠之體，荀卿《成相》，實爲對偶之文。莫不振藻簡策，耀采詞林。西漢文人，追蹤三古，而終軍有奇木白麟之對，兒寬攄奉觴上壽之辭，胎息微萌，儷形已具。迨及東漢，文益整贍，蓋踵事而增，自然之勢也。故敬通、平子之倫，孟堅、伯喈之輩，揆厥所作，咸屬偶文，用字必宗故訓，摛詞迥脫恆谿，或掇麗字以成章，或用駢音以叶韻，觀雍容揄揚之頌，明堂清廟之詩，不少篇章，胥關體制。若夫當塗受籙，正始開基，洛中則七子無雙，吳下則聯翩競爽，才思雖弱於西京，音律實開夫典午。六朝以來，風格相承，刻鏤之精，昔疏而今密；聲韻之叶，舊澁而新諧。凡江、范之弘裁，沈、任之巨製，莫不短長合節，追琢成章。故《文選》勒於昭明，屏除奇體，《文心》論於劉氏，備列偶詞，體制謹嚴，斯其證矣。厥後《選》學盛行，詞華聿振，徐、庾遷聲於河朔，燕、許振采於關中，排偶之文，於斯爲盛。趙宋初業，崇實黜華，或運陳言，或標遠致，雖麗詞務去，然科律未更。是則駢文之一體，實爲文類之正宗：故《三都》、《兩京》、《甘泉》、《籍田》，金聲玉潤，繡錯綺交，賦體之正宗也；宣公興元之詔，文饒《會昌》之集，文贍義精，句奇語重，制勅之正宗也；劉琨《勸進》，庾讓《辭官》，婉轉以陳詞，雍容以敘致，書表之正宗也；中郎《太邱》之碑，魏公《李密》之誌，流鬱以運氣，俊偉以佐才，碑誌之正宗也；玄晏揚太沖之文，彥昇述文憲之作，以及「曲水流觴」之敍，「落霞孤鶩」之文，序文之正宗也；趙至《入關》之作，鮑照《大雷》之篇，叔庠擢秀於桐廬，士龍吐奇於鄮縣，游記之正宗也；班彪《王命》，叔夜《養生》，干寶《論晉》，賈生《過秦》，論體之正宗也；頌則《出師》、《中興》，銘則《燕然》、《劍閣》，箴則子雲《百官》，贊則劉向《列女》，莫不音中韶雅，語異聱牙，頌銘箴贊之正宗也；孔璋《檄魏》，賓王《討周》，檄文之正宗也；士季之《酹諸葛》，義山之《祭伏波》，祭文之正宗也。蓋文之爲體，各自成家，言必齊偕，事歸鏤繪，以妃青媲白之詞，助博辨縱橫之用。故「立誠」之詞，著於《周易》；「交錯」之訓，載於許書；況復蒼后翠嫣，鳥獸紀迒蹄之跡；赤文綠字，龜龍闡《河洛》之精；川岳絢其光采，鐘球播其鏗鏘。蓋渾噩之風既革，巍煥之運斯開，觀纁緅紺絳，織文有新組之華；珺瑀珩璜，衝牙叶雜佩之響，物固宜然，況於文乎？或謂梁、陳之文，務華而不實；詩人之賦，由麗而入淫，雖矜斧匠之工，恐貽俳優之誚。不知剪采爲花，色香自別，惟白受采，眞宰有存。故史尚浮誇之體，聲擬輕重之和，實爲文章之正鵠，豈擬小技於雕蟲。至韓、柳修詞，歐、曾循軌，以散行之體，立古文之名。然三代之時，文與語別，六朝以降，文與筆分。若屏斥偶體，崇尚奇詞，是則反樸歸眞，力守老聃之論；舍文從質，轉追棘子之談，空疏之譏，詎可免歟？觀《典論》著於魏帝，備列詩賦之章，《文賦》創於陸機，不列序碑之體，則單行之詞，實與文章有別，有何疑乎？

類　別

摯虞《文章流別論》　書云：「詩言志，歌永言。」言其志謂之詩。古有採詩之官，王者以知得失。古之詩有三言、四言、五言、六言、七言、九言。古詩率以四言爲體，而時有一句、二句雜在四言之間，後世演之，遂以爲篇。古詩之三言者，「振振鷺，鷺于飛」之屬是也，漢郊廟歌多用之。五言者，「誰謂雀無角？何以穿我屋」之屬是也，于俳諧倡樂多用之。六言者，「我姑酌彼金疊」之屬是也，樂府亦用之。七言者，「交交黄鳥止于桑」之屬是也，于俳諧倡樂多用之。古詩之九言者，「泂酌彼行潦挹彼注兹」之屬是也，不入歌謡之章，故世希爲之。夫詩雖以情志爲本，而以成聲爲節。然則雅音之韻，四言爲正，其餘雖備曲折之體，而非音之正也。

顔延之《庭誥》　荀爽云：「詩者，古之歌章。」然則，雅頌之樂篇全矣。以是後之□詩者，率以歌爲名。及秦勒望岱，漢祀郊宫，辭著前史者，文變之高制也。雖雅聲未至，弘麗難追矣。逮李陵衆作，總雜不類，元是假託，非盡陵制。至其善寫，有足悲者。摯虞文論，足稱優洽。柏梁以來，繼作非一，所纂至七言而已。九言不見者，將由聲度闡誕，不協金石。至於五言流靡，則劉楨、張華；四言側密，則張衡、王粲。若夫陳思王，可謂兼之矣。

劉勰《文心雕龍·樂府》　樂府者，聲依永，律和聲也。鈞天九奏，既其上帝；葛天八闋，爰乃皇時。自《咸英》以降，亦無得而論矣。至於塗山歌於候人，始爲南音；有娀謡于飛燕，始爲北聲；夏甲歎于東陽，東音以發；殷整思於西河，西音以興。音聲推移，亦不一概矣。匹夫庶婦，謳吟土風，詩官采言，樂胥被律，志感絲篁，氣變金石。是以師曠覘風于盛衰，季札鑒微於興廢，精之至也。夫樂本心術，故響浹肌髓，先王慎焉，務塞淫濫。敷訓胄子，必歌九德；故能情感七始，化動八風。自雅聲浸微，溺音騰沸，秦燔《樂經》，漢初紹復，制氏紀其鏗鏘，叔孫定其容典。於是《武德》興乎高祖，《四時》感于孝文，雖摹《韶》《夏》，而頗襲秦舊，中和之響，闃其不還。暨武帝崇禮，始立樂府，總趙代之音，撮齊楚之氣，延年以曼聲協律，朱馬以騷體製歌，《桂華》雜曲，麗而不經；《赤雁》群篇，靡而非典，河間薦雅而罕御，故汲黯致譏于《天馬》也。至宣帝雅詩，頗效《鹿鳴》；邇及元、成，稍廣淫樂；正音乖俗，其難也如此。暨後漢郊廟，惟雜雅章，辭雖典文，而律非夔、曠。至於魏之三祖，氣爽才麗，宰割辭調，音節靡平。觀其《北上》衆引，《秋風》列篇，或述酣宴，或傷羈戍，志不出於滔蕩，辭不離於哀思，雖三調之正聲，實《韶》《夏》之鄭曲也。逮于晋世，則傅玄曉音，創定雅歌，以詠祖宗；張華新篇，亦充庭萬。然杜夔調律，音奏舒雅，荀勖改懸，聲節哀急，故阮咸譏其離聲，後人驗其銅尺，和樂之精妙，固表裏而相資矣。故知詩爲樂心，聲爲樂體。樂體在聲，瞽師務調其器；樂心在詩，君子宜正其文。好樂無荒，晋風所以稱遠；伊其相謔，鄭國所以云亡。故知季札觀樂，不直聽聲而已。若夫豔歌婉孌，怨志詄絶，淫辭在曲，正響焉生！然俗聽飛馳，職競新異。雅詠溫恭，必欠伸魚睨；奇辭切至，則拊髀雀躍；詩聲俱鄭，自此階矣。凡樂辭曰詩，詠聲曰歌，聲來被辭，辭繁難節。故陳思稱李延年閑于增損古辭，多者則宜減之，明貴約也。觀高祖之詠《大風》，孝武之歎來遲，歌童被聲，莫敢不協；子建、士衡，咸有佳篇，並無詔伶人，故事謝絲管，俗稱乖調，蓋未思也。至於軒岐鼓吹，漢世鐃挽，雖戎喪殊事，而並總入樂府，繆襲所制，亦有可算焉。昔子政品文，詩與歌別，故略具樂篇，以標區界。贊曰：八音摛文，樹辭爲體。謳吟坰野，金石雲陛。《韶》響難追，鄭聲易啓。豈惟觀樂，於焉識禮。

又《明詩》　若夫四言正體，則雅潤爲本；五言流調，則清麗居宗。華實異用，惟才所安。【略】至於三六雜言，則出自篇什；離合之發，則明於圖讖；回文所興，則道原爲始；聯句共韻，則柏梁餘製：巨細或殊，情理同致，總歸詩囿，故不繁云。

鍾嶸《詩品序》　夫四言文約意廣，取效風騷，便可多得。每苦文繁而意少，故世罕習焉。五言居文詞之要，是衆作之有滋味者也，故云會於流俗。豈不以指事造形、窮情寫物，最爲詳切者邪。

任昉《文章緣起》　《六經》素有歌詩誄箴銘之類，《尚書》帝庸作歌，《毛詩》三百篇，《左傳》叔向詒子産書，魯哀公孔子誄，孔悝鼎銘，虞人箴，此等自秦漢以來，聖君賢士沿著爲文章名之始。【略】三言詩，晋散騎常侍夏侯湛所作。四言詩，前漢楚王傅韋孟諫楚夷王戊詩。五言詩，漢騎都尉李陵與蘇武詩。六言詩，漢大司農谷永作。七言詩，漢武帝柏梁殿聯句。九言詩，魏高貴鄉公作。【略】歌，燕荆軻作易水歌。【略】讚，司馬相如作荆軻讚。頌，漢王褒聖主得賢臣頌。【略】樂府，古詩也。【略】傳贊，漢劉歆作《列女傳》贊。【略】離合詩，孔融作四言離合詩。【略】歌詩，漢枚臯作麗人歌詩。

蕭統《文選序》　詩者，蓋志之所之也，情動於中而形於言。《關雎》《麟趾》，正始之道著；桑間濮上，亡國之音表。故風雅之道，粲然可觀。自炎漢中葉，厥塗漸異。退傅有在鄒之作，降將著河梁之篇，四言五言，區以別矣。又少則三字，多則九言，各體互興，分鑣並驅。頌者，所以游揚德業，褒讚成功。吉甫有穆若之談，季子有至矣之嘆。舒布爲詩，既言如彼；總成爲頌，又亦若此。

蕭子顯《南齊書・文學傳論》 屬文之道，事出神思，感召無象，變化不窮。俱五聲之音響，而出言異句；等萬物之情狀，而下筆殊形。吟詠規範，本之雅什；流分條散，各以言區。若陳思代馬群章，王粲飛鸞諸製，四言之美，前超後絕。少卿離辭，五言才骨，難與爭鶩。桂林湘水，平子之華篇；飛館玉池，魏文之麗篆：七言之作，非此誰先？【略】顯宗之述傅毅，簡文之擿彥伯，分言製句，多得頌體。【略】五言之製，獨秀衆品。習玩爲理，事久則瀆。在乎文章，彌患凡舊；若無新變，不能代雄。

釋皎然《詩議・論文意》 夫詩有三、四、五、六、七言之別，今可略而敘之。三言始於《虞曲》、《元首》之歌，四言本出《國風》，流於夏世，傳至韋孟，其文始具。六言散在《騷》、《雅》，七言萌於漢。五言之作，《召南・行露》已有濫觴；漢武帝時，屢見全什，非本李少卿也（以上略同古人）。少卿以傷別爲宗，文體未備，意悲詞切，若偶中音響，《十九首》之流也。古詩以諷興爲宗，直而不俗，麗而不巧，格高而詞溫，語近而意遠，情浮於語，偶象則發，不以力制，故皆合於語，而生自然。建安三祖、七子，五言始盛，風裁爽朗，莫之與京。然終傷用氣使才，違於天眞，雖忌松容，而露造跡。正始中，何晏、嵇、阮之儔也，嵇興高逸，阮旨閑曠，亦難爲等夷。論其代，則漸浮侈矣。晉世尤尚綺靡。古人云：「采縟於正始，力柔於建安。」宋初文格，與晉相沿，更頗顇矣。

吳兢《樂府古題要解》卷上 樂府之興，肇於漢魏。歷代文士，篇詠實繁。或不睹於本章，便斷題取義。贈夫利涉，則述《公無度河》；慶彼載誕，乃引《烏生八九子》；賦雉斑者，但美繡頸錦臆；歌天馬者，唯叙驕馳亂蹋。類皆若茲，不可勝載。遞相祖習，積用爲常，欲令後生，何以取正？余頃因涉閱傳記，用諸家文集，每有所得，輒疏記之。

又 案相和而歌，並漢世街陌謳謠之詞，絲竹更相和，執節者歌之。本一部，魏明帝分爲二部，更遞夜宿。本十七曲，後爲十三曲。

又 按舊史稱白紵吳地所出，《白紵舞》本吳舞也。梁武帝令沈約改其詞爲四時之歌，若「蘭葉參差桃半紅」卽其春歌也。周處《風土記》云：「吳黃龍中，童謠云：『行白者，君追汝，句驪馬。』後孫權征公孫淵，海浮乘舶，白也。時和歌猶云行白紵。」蓋出于此。

又 案漢明帝定樂有四品，最末曰《短簫鐃歌》，軍中鼓吹之曲。舊說黃帝所造，以建武揚德。《周禮》所謂「王大捷則愷樂，軍大獻則愷歌」是也。

又 按蔡邕云：「清商曲，其詞不足采著。」其曲名有《出郭西門》、《陸地行車》、《夾鐘》、《朱堂寢》、《奉法》等五曲，非止《王昭君》等。一說清商曲，南朝舊樂也。永嘉之亂，中朝舊曲散落江右，無復宋梁新聲。元魏孝文帝篡漢，收其所復南音，謂之清商樂，卽此等是也。隋平陳，因置酒清商署，若《巴渝》、《白紵》等曲皆在焉。

元稹《樂府古題序》 《詩》訖于周，《離騷》訖于楚，是後詩之流爲二十四名：賦、頌、銘、贊、文、誄、箴、詩、行、詠、吟、題、怨、歎、章、篇、操、引、謠、謳、歌、曲、詞、調，皆詩人六藝之餘，而作者之旨。由操而下八名，皆起於郊祭、軍賓、吉凶、苦樂之際。在音聲者，因聲以度詞，審調以節唱。句度短長之數，聲韻平上之差，莫不由之準度。而又別其在琴瑟者爲操、引，採民甿者爲謳、謠，備曲度者，總得謂之歌、曲、詞、調。斯皆由樂以定詞，非選調以配樂也。由詩而下九名，皆屬事而作，雖題號不同，而悉謂之爲詩可也。後之審樂者，往往採取其詞，度爲歌曲，蓋選詞以配樂，非由樂以定詞也。而纂撰者，由詩而下十七名，盡編爲樂錄。樂府等題，除鐃吹、橫吹、郊祀、清商等詞在樂志者，其餘木蘭、仲卿、四愁、七哀之輩，亦未必盡播於管弦明矣。後之文人，達樂者少，不復如是配別，但遇興紀題，往往兼以句讀短長，爲歌詩之異。劉補闕云：「樂府肇於漢、魏。」按仲尼學《文王操》，伯牙作《流波》、《水仙》等操，齊犢沭作《雉朝飛》，衛女作《思歸引》，則不於漢、魏而後始，亦以明矣。況自風、雅至於樂流，莫非諷興當時之事，以貽後代之人。沿襲古題，唱和重複，於文或有短長，於義咸爲贅賸。尚不如寓意古題，刺美見事，猶有詩人引古以諷之義焉。

皮日休《松陵集序》 詩有六義，其一曰比。比者，定物之情狀也。則必謂之才。才之備者，於聖爲六藝，在賢爲聲詩。噫！春秋之後，頌聲亡寢，降及漢氏，詩道若作。然《二雅》之風，委而不興矣。在詩有三言、四言、五言、六言、七言、九言之作。三言者，曰：「振振鷺，鷺于飛」是也；五言者，曰：「誰謂雀無角，何以穿我屋」是也；六言者，曰：「我姑酌彼金罍」是也；七言者，曰：「交交黃鳥止于桑」是也；九言者，曰：「泂酌彼行潦挹彼注茲」是也。蓋古詩以四言爲本，而漢氏方以五言、七言爲之也。其句亦出於《毛詩》。五言者，李陵曰「攜手上河梁」是也；七言者，漢武曰「日月星辰和四時」是也。爾後盛於建安。建安以降，江左君臣，得其浮豔，然詩之六義微矣。逮及吾唐開元之世，易其體爲律焉，始切於儷偶，拘於聲勢。然《詩》云：「遘閔既多，受侮不少。」其對也工矣。《堯典》曰：「聲依永，律和聲。」其爲律也甚矣。由漢之唐，詩之道盡矣。吾又不知千祀之後，詩之道止於斯而已耶！後有變而作者，予不得以知之。

王叡《炙轂子詩格・論章句所起》 三言起《毛詩》云：「摽有梅。」「殷其靁。」四言起《毛詩》云：「關關雎鳩。」「呦呦鹿鳴。」五言起《毛詩》云：「誰謂雀無角。」六言起《毛詩》云：「俟我於堂乎而。」七言起《毛詩》云：「尚之以瓊華乎而。」八言起《毛詩》云：「不知我者謂我何求。」九言起於韋孟詩，又始於李白云：「古來唯見白骨黃沙田。」

又《三韻體》 李益《塞下曲》：「漢家今上郡，秦塞古長城。有日雲常慘，無風沙自驚。當今聖天子，不戰四夷平。」

又《連珠體》 《柏梁殿》：「玉纓翠佩垂輕羅，香汗微漬朱顔酡。爲君起唱白紵歌，清聲裊雲思繁多。」

又《六言體》 詩云：「白雲千里萬里，明月前溪後溪。君向長沙謫宦，江潭春草萋萋。」

又《三五七言體》 李白詩：「秋風清，秋月明。落葉聚還散，寒烏棲復驚。相思相見知何日，此時此夜難爲情。」

高承《事物紀原・聯句》 自漢武帝爲柏梁詩使羣臣作七言，始有聯句體。梁何遜集多有其格。唐文士爲之者亦衆，凡聯一句或二句，亦有對一句出一句者。五子之歌有其一、其二之文，則又聯句之體也。其事見於《夏書・五子之歌》。始於漢武帝柏梁之作而成於何遜也。

又《唱和》 帝舜與皋陶乃賡載歌，則唱和之初也。亦本於《詩》之《蘀兮》「倡，予和女」之義。其事新見於齊梁時，顔延年、謝玄暉始之也。

又《五言》 李翰《蒙求》曰：「李陵初，詩始變其體，作五言格也。」其始亦本於《詩》「仳仳彼有屋」、「蔌蔌方有穀」之類。《六帖》曰：「谷永始作六言。」亦《詩》「公尸來燕來寧」之類也。

又《七言》 劉義慶《世説》曰：「王子猷詣謝公。云：『詩何七言？』子猷曰：『昂昂若千里之駒，泛泛若水中之鳧。』」此語出《離騷》。《東方朔傳》曰：「漢武在柏梁臺上使羣臣作七言。」七言之作始起於此也。

方勺《泊宅編》卷四 聯句或云起于《柏梁》，非也。《式微》詩曰：「胡爲乎泥中？胡爲乎中露？」泥中、中露，衛之二邑。劉向以謂此詩二人所作，則一在泥中，一在中露，其理或然。此則聯句之所起也。

沈括《夢溪筆談》卷五 古詩皆詠之，然後以聲依詠以成曲，謂之協律。其志安和，則以安和之聲詠之；其志怨思，則以怨思之聲詠之。故治世之音安以樂，則詩與志，聲與曲，莫不安且樂；亂世之音怨以怒，則詩與志、聲與曲，莫不怨且怒。此所以審音而知政也。詩之外又有和聲，則所謂曲也。古樂府皆有聲有詞，連屬書之。如曰賀賀賀、何何何之類，皆和聲也。今管弦之中纏聲，亦其遺法也。唐人乃以詞填入曲中，不復用和聲。此格雖云自王涯始，然貞元、元和之間，爲之者已多，亦有在涯之前者。又小曲有「咸陽沽酒寶釵空」之句，云是李白所製，然李白集中有《清平樂》詞四首，獨欠是詩。而《花間集》所載「咸陽沽酒寶釵空」，乃云是張泌所爲。莫知孰是也。今聲詞相從，唯里巷歌謡及《陽關》、《搗練》之類，種類舊俗。然唐人塡曲，多詠其曲名，所以哀樂與聲尚相諧會。今人則不復知有聲矣，哀聲而歌樂詞，樂聲而歌怨詞，故語雖切而不能感動人情，由聲與意不相諧故也。

又卷一四 小律詩雖末技，工之不造微，不足以名家，故唐人皆盡一生之業爲之。至於字字皆煉，得之甚難，但患觀者滅裂，則不見其工，故不唯爲之難，知音亦鮮。設有苦心得之者，未必爲人所知。若字字皆是無瑕可指，語意亦掞麗，但細論無功，景意縱全，一讀便盡，更無可諷味。此類最易爲人激賞，乃詩之《折楊》、《黃華》也。譬若三館楷書作字，不可謂不精不麗，求其佳處，至死無一筆，此病最難爲醫也。

胡仔《苕溪漁隱叢話前集》卷一引《蔡寬夫詩話》 五言起于蘇武、李陵，自唐以來，有此說。雖韓退之亦云然。蘇、李詩世不多見，惟《文選》中七篇耳。世以蘇武詩云：「寒冬十二月，晨起踐凝霜。俯觀江漢流，仰視浮雲翔」，以爲不當有江漢之言，或疑其僞。予嘗考之此詩，若答李陵則稱江漢決非是。然題本不云答陵，而詩中且言結髮爲夫婦之類，自非在虜中所作，則安知武未嘗至江漢邪？但注者淺陋，直指爲使匈奴時，故人多惑之，其實無據也。《古詩十九首》，或云枚乘作，而昭明不言，李善復以其有「驅車上東門」與「遊戲宛與洛」之句爲辭兼東都。然徐陵《玉臺》分「西北有浮雲」以下九篇爲乘作，兩語皆不在其中；而「凜凜歲云暮，冉冉孤生竹」等，別列爲古詩。

則此十九首，蓋非一人之辭，陵或得其實。且乘死在蘇、李先，若爾則五言未必始二人也。

王得臣《麈史》卷二 梁鍾嶸作《詩評》，掎摭本根，總核華實，收昭明之所遺，可謂至矣。其序云：「夏歌曰：『郁陶乎余心』。《楚辭》曰：『名余曰正則』，雖詩體未全，然略是五言之濫觴。」予以爲不然，《虞書》載《賡歌》之詞曰：「元首叢脞哉。」至周詩三百篇，其五字甚多，不可悉舉。如《行露》曰：「誰謂雀無角，何以穿我屋？誰謂汝無家，何以速我獄？」《小旻》曰：「匪先民是程，匪大猷是經。維邇言是聽，惟邇言是爭。」至於《北山》之篇其下三章，率皆五字。又《十畝之間》，則全篇五字耳。然則始于虞，衍于周，逮漢專爲全體矣。

又 世言七言詩肇于柏梁而盛于建安。考之，豈獨柏梁哉？《鄘風》曰：「送我乎淇之上矣。」《王風》曰：「知我者謂我心憂。」《鄭風》曰：「還予授子之粲兮。」《齊風》曰：「遭我乎猺之間兮。」又曰：「尚之以瓊華乎而。」《魏風》曰：「胡取禾三百廛兮。」《豳風》曰：「二之日鑿冰沖沖，三之日納於凌陰。」《小雅》曰：「以燕樂嘉賓之心。」又曰：「如彼築室於道謀。」《大雅》曰：「維昔之富不如時，維今之疚不如茲。昔也日辟國百里，今也日蹙國百里。」《頌》曰：「學有緝熙于光明。」又曰：「予其懲而毖後患」、「儀式刑文王之典。」又曰：「自今以始歲其有，君子有穀詒孫子。」楚狂《接輿歌》曰：「今之從政者殆而。」項籍歌曰：「力拔山兮氣蓋世，時不利兮騅不逝。」漢高歌曰：「大風起兮雲飛揚。」皆七字之濫觴也。然則柏梁之作亦有所祖襲矣。唐劉存乃以「交交黃鳥止於棘」爲七言之始，蓋合兩句以言，誤也。

李之儀《謝人寄詩并問詩中格目小紙》 凡所謂古與近體，格與半格，及曰「嘆」、曰「行」、曰「曲」、曰「謠」之類，皆出於作者一時之所寓，比方「四詩」而強名之耳。方其意有所可，浩然發於句之長短，聲之高下，則爲「歌」。欲有所達，而意未能見，必遵而引之，以致其所欲達，則爲「行」。事有所感，形於嗟歎之不足，則爲「嘆」。千歧萬轍，非詰屈折旋則不可盡，則爲「曲」。未知其實，而遽欲驟見，始彷彿傳聞之得，而會於必至，則爲「謠」。「篇」者，舉眞全也。「章」者，次第陳之，互見而相明也。近體見於唐初，賦平聲爲韻，而平側協其律，亦曰律詩。由有近體，遂分往體，就以賦側聲爲韻，從而別之，亦曰古詩。格如律，半格鋪叙抑揚，間作儷句，如老杜《古柏行》者。

張耒《明道雜志》 七言、五言、四言、三言，雖論詩者謂各有所起，然《三百篇》中，皆有之矣，但除四言，不全章如此耳。韻雖起沈休文，而自有《三百篇》則有之矣。但休文四聲，其律度尤精密耳。余嘗讀沈休文集中有九言詩。休文雖作者，至牽於鋪言足數，亦不能工，僅成語耳。黄九說雄雌詩何以見取于夫子，應是取趁韻耳。謂「瞻彼日月」以下至篇終，韻極不倫也。韓吏部《此日足可惜》詩，自嘗字八行字又八「江」字、「崇」字，雖越逸出常制而讀之不覺，信奇作也。子瞻說讀吏部古詩，凡七言者，則覺上六字爲韻，設五言則上四字爲韻，設如「君不強起時難更」、「挂一念萬漏」之類是也。不若老杜語韻渾然天成，無牽強之迹，則退之於詩誠未臻其極也。韓退之窮文之變，每不循軌轍，古今人作七言詩，其句脈多上四字，而下以三字成之。如「老夫清晨梳白頭」、「先帝天馬玉花驄」之類，而退之乃變句脈以上三下四，如「落以斧斤引纆徽」、「雖欲悔舌不可捫」之類是也。退之作詩，其精工乃不及柳子厚。子厚詩律尤精，如「愁深楚猿夜，夢知越雞晨」、「亂松知野寺，餘雪記山田」之類，當時人不能到。退之以高文大筆，從來便忽略小巧，故律詩多不工，如陳商小詩敘情賦景，直是至到而已，脫詩人常格矣。柳子厚乃兼之者，良由柳少習時文，自遷謫後，始專古學，有當世詩人之習耳。

蔡絛《西清詩話》卷上 魯公嘗云：應制詩，人罕得體，獨少陵深踐閫域，如「翼亮貞文德，丕承戢武威」。「戢武威」，唐人猶間能道之，至「丕承」字，何人敢入詩？亦道所不到也。是眞得應制體。不在於南金大貝，疊積滿前。前輩亦論，詩家何假金玉而後見富貴。東坡評王禹玉詩是「至寶丹」，何金珠玳瑁之多也。

又 古人濡筆弄翰者，不貴雕文織采，過爲精緻，必先識題，則可議當否。知此乃可究工拙，不然，破的者鮮矣。嘗侍魯公燕居，顧爲某曰：「汝學詩，能知歌、行、吟、謠之別乎？近人昧此，作歌而爲行，制謠而爲曲者多矣。且雖有名章秀句，若不得體，如人眉目娟好而顛倒位置，可乎？」余退讀少陵諸作者，默有所契，惟心語口，未嘗爲人語也。

又 藥名詩，世云起自陳亞，非也。東漢已有「離合體」，至唐始著「藥名」之號，如張籍《荅鄱陽客》「江皋歲暮相逢客，黃葉霜前半夏枝。子夜吟詩向松桂，心中萬事喜君知」是也。

又 集句自國初有之，未盛也。至石曼卿，人物開敏，以文爲戲，然後大著。嘗見手書《下第偶成》：「一生不得文章力，欲上青雲未有因。聖主不勞千里召，嫦娥何惜一枝春。鳳凰詔下雖霑命，豺虎叢中也立身。啼得血流無用處，著朱騎馬是何人？」又云：「年去年來來去忙，爲他人作嫁衣裳。仰天大笑出門去，獨對東風舞一場。」至元豐間，王文公益工於此。人言起自公，非也。

張表臣《珊瑚鉤詩話》卷三　余近作《示客》云：「刺美風化，緩而不迫謂之風；采摭事物，摛華布體謂之賦；推明政治，莊語得失謂之雅；形容盛德，揚厲休功謂之頌；幽憂憤悱，寓之比興謂之騷；感觸事物，托于文章謂之辭；程事較功，考實定名謂之銘；援古刺今，箴戒得失謂之箴；猗遷抑揚，永言謂之歌；非鼓非鐘，徒歌謂之謠；步驟馳騁，斐然成章謂之行；品秩先後，叙而推之謂之引；聲音雜比，高下短長謂之曲；吁嗟慨嘆，悲憂深思謂之吟；吟詠情性，總合而言志謂之詩；蘇李而上，高簡古澹謂之古；沈宋而下，法律精切謂之律；此詩之語衆體也。帝王之言，出法度以制人者謂之制；絲綸之語，若日月之垂照者謂之詔；制與詔同，詔亦制也；道其常而作彝憲者謂之典；陳其謀而成嘉猷者謂之謨；順其理而迪之者謂之訓；屬其人而告之者謂之誥；即師衆而申之者謂之誓；因官使而命之者謂之命；出于上者謂之敎；行于下者謂之令。時而戒之者，敕也；言而喻之者，宣也；諮而揚之者，贊也；登而崇之者，册也；言其倫而析之者，論也；度其宜而揆之者，議也；别嫌疑而明之者，辨也；正是非而著之者，説也。記者，記其事也；紀者，紀其實也；纂者，纘而述焉者也；策者，條而對焉者也；傳者，傳而信之也；序者，緒而陳之也；碑者，披列事功而載之金石也；碣者，揭示操行而立之墓隧也；誄者，累其素履，而質之鬼神也；誌者，識其行藏，而謹其終始也；檄者，激發人心，而喻之禍福也；移者，自近移遠，使之周知也；表者，布臣子之心，致君父之前也；牋者，修儲后之問，申宫闈之儀也；簡者，質言之而略也；啓者，文言之而詳也；狀者，言之于公上也；牒者，用之于官府也。捷書不緘，插羽而傳之者，露布也；尺牘無封，指事而陳之者，劄子也；青黄黼黻，經緯以相成者，總謂之文也，此文之異名也。客有問古今體制之不一者，勞于應答，乃著之篇以示焉。

佚名《愛日齋叢鈔》卷三　詩之六言，古今獨少。洪氏云：「編唐人絶句，七言七千五百首，五言二千五百首，合爲萬首。而六言不滿四十，信乎其難也。」後村劉氏選唐宋以來絶句，至續選始入六言。其序云：「六言尤難工，柳子厚高才，集中僅得一篇。惟王右丞、皇甫補闕所作妙絶，今古學者所未講也。使後世崇尚六言，自予始，不亦可乎？」又云：「六言如王介甫、沈存中、黄魯直之作，流麗似唐人，而妙巧過之。後有深於詩者，必曰：『翁之言然』。」又云：「野處編六言，終唐三百年，止得三十餘篇。余於本朝得七十篇，倍于唐矣。」今後村集中多六言，事偶尤精，近代詩家所難也。蕭氏《文選叙》有云：「自炎漢中葉，厥途漸異，退傅有在鄒之作，降將著河梁之篇，四言五言，區以别矣。又少則三字，多則九言，各體互興，分鑣並驅。」又云：「三言八字之文」，注者謂韋孟傅楚元王孫，代作四言詩，諷王自此始。李陵降匈奴，蘇武别河梁上，作五言詩自此始。三字起夏侯湛，九言出高貴鄉公。三言謂漢武《秋風辭》，八字謂魏文帝樂府詩。獨不著古有六言七言者。項平父説詩，句二言至八言，以「我姑酌彼金罍」爲六言。按《文章緣起》又始于漢大司農谷永。予觀嵇叔夜有六言詩十首，視唐人體制固先矣。

胡仔《苕溪漁隱叢話前集》卷二七引《漫叟詩話》　嘗見近世作藥名詩，或未工，要當字則正用，意須假借，如「日仄柏陰斜」是也。若「側身直上天門東」，「風月前湖夜」，「東」、「湖」二字，即非正用。孔毅夫有詩云：「鄙性常山野，尤甘草舍中。鈎簾陰卷柏，障壁坐防風。客土依雲實，流泉駕木通。行當歸老矣，已逼白頭翁。」又：「此地龍舒國，池隍獸血餘。木香多野橘，石乳最宜魚。古瓦松杉冷，旱天麻麥疏。題詩非杜若，箋膩粉難書。」

葉夢得《石林詩話》卷中　古詩有離合體，近人多不解。此體始於孔北海，余讀《文類》，得北海四言一篇云：「漁父屈節，水潛匿方，與時進止，出寺弛張。吕公磯釣，闔口渭旁，九域有聖，無土不王。好是正直，女回于匡，海外有截，隼逝鷹揚。六翮不奮，羽儀未彰，龍蛇之蟄，俾也可忘。玟琁隱曜，美玉韜光。無名無譽，放言深藏，按轡安行，誰謂路長。」此篇離合「魯國孔融文舉」六字。徐而考之，詩二十四句，每四句離合一字。如首章云：「漁父屈節，水潛匿方，與時進止，出寺弛張。」第一句「漁」字，第二句「水」字，「漁」犯「水」字而去「水」，則存者爲「魚」字。第三句有「時」字，第四句有「寺」字，「時」犯「寺」字而去「寺」，則存者爲「日」字。離「魚」與「日」而合之，則爲「魯」字。下四章類此。殆古人好奇之過，欲以文字示其巧也。

朱翌《猗覺寮雜記》卷一 古無長短句，但歌詩耳。今《毛詩》是也。唐此風猶在，明皇時李太白進《木芍藥·清平調》，亦是七言四句詩。臨幸蜀，登樓聽歌李嶠詞「山川滿目淚沾衣」，亦正是一絶句詩。今不復有歌詩者。淫聲日盛，閭巷猥褻之談，肆言於内集公燕之上。士大夫不爲，非可怪也。

葛立方《韻語陽秋》卷三 省題詩自成一家，非他詩比也。首韻拘於見題，則易於牽合，中聯縛於法律，則易於駢對，非若遊戲於煙雲月露之形，可以縱横在我者也。王昌齡、錢起、孟浩然、李商隱輩皆有詩名，至於作省題詩，則疎矣。王昌齡《四時調玉燭詩》云：「祥光長赫矣，佳號得温其。」錢起《巨魚縱大壑詩》云：「方快吞舟意，尤殊在藻嬉。」孟浩然《騏驥長鳴詩》云：「逐逐懷良馭，蕭蕭顧樂鳴。」李商隱《桃李無言詩》云：「夭桃花正發，穠李蕊方繁。」此等句與兒童無異，以此知省題詩自成一家也。

又 詩體如八音歌、建除體之類，古人賦詠多矣。用十二神爲詩者，始見於沈炯，山谷亦嘗效爲之。余友人莫之用，其祖戬，嘗以辯舌説賊，脱百人於死，意其後必昌，而之用乃貧不能以自存，天理殆難曉也。余嘗以此格作詩贈之云：「抱犬高眠已云足，更得牛衣有餘燠。起來敗絮擁懸鶉，誰羨龍髯織冰縠。踏翻菜園底用羊，從他春雷吼枯腸。擊鐘烹鼎莫渠愛，小芼自許猴葵香。半世饑寒孔移帶，鼠米占來身漸泰。吉雲神馬日匝三，樗蒲肯作豬奴態。虎頭食肉何足誇，陰德由來報宜奢。丹灶功成無躍兎，玉函方秘緣青蛇。」

胡仔《苕溪漁隱叢話前集》卷二七 《禽言詩》當如《藥名詩》，用其名字隱入詩句中，造語穩貼，無異尋常詩，乃爲造微入妙，如《藥名詩》云：「四海無遠志，一溪甘遂心。」遠志、甘遂，二藥名也。《禽言詩》云：「喚起窗全曙，催歸日未西。」喚起、催歸，二禽名也。梅聖俞《禽言詩》，如「泥滑滑，苦竹岡」之句，皆善造語者也。

又卷四八 魯直《觀伯時畫馬詩》云：「儀鸞供帳饕蝨行，翰林濕薪爆竹聲，風簾官燭淚縱横。木穿石盤未渠透，坐窗不邀令人瘦，貧馬百菽逢一豆。眼明見此玉花驄，徑思著鞭隨詩翁，城西野桃尋小紅。」此格，《禁臠》謂之促句换韻，其法三句一换韻，三迭而止。此格甚新，人少用之。余嘗以此格爲鄙句云：「青玻璃色瑩長空，爛銀盤掛屋山東，晚涼徐度一襟風。天分風月相管領，對之技癢誰能忍，吟哦自恨詩才窘。掃寬露坐發興新，浮蛆琰琰拋青春，不妨舉醆成三人。」

朱弁《風月堂詩話》卷上 詩之句法，自三言至七言，《三百篇》中皆有之矣。三言，如「麟之趾」、「夜未央」、「從夏南」、「思無邪」之類是也。五言，如「誰謂鼠無牙」、「胡爲乎株林」、「或燕燕居息」、「或盡瘁事國」之類是也。七言，如「維昔之富不如時」、「維今之疚不如兹」、「學有緝熙于光明」之類是也。而世之論五言則指蘇、李，論七言則指《柏梁》爲始，是不求其源也。

吴可《藏海詩話》 五言詩不如四言詩，四言詩古，如七言又其次者，不古耳。評詩自四言遞降至七言，此風會使然耳。後世論詩只論其工不工，何必問其古不古也。

陳善《捫蝨新話上集》卷一 《詩》三百篇，孔子皆被之弦歌，古人賦詩見志，蓋不獨誦其章句，必有聲韻之文，但今不傳爾。琴中有《鵲巢操》、《騶虞操》、《伐檀》、《白駒》等操，皆今詩文，則知當時作詩皆以歌也。又，琴古人有謂之「雅琴」、「頌琴」者，蓋古之爲琴，皆以歌乎詩，古之雅、頌即今之琴操爾。雅、頌之聲固自不同，鄭康成乃曰《豳風》兼雅、頌。夫歌風焉得與雅，頌兼乎？舜《南風歌》、楚《白雪辭》，本合歌舞；漢帝《大風歌》、項羽《垓下歌》，亦入琴曲。今琴家遂有《大風起》、《力拔山》之操，蓋以始語名之爾。然則古人作歌，固可彈之於琴，今世不復知此。予讀《文中子》，見其與楊素、蘇瓊、李德林語，歸而援琴鼓《蕩之什》，乃知其聲至隋末猶存。

又 韓以文爲詩，杜以詩爲文，世傳以爲戲。然文中要自有詩，詩中要自有文，亦相生法也。文中有詩，則句語精確；詩中有文，則詞調流暢。謝玄暉曰：「好詩圓美流轉如彈丸。」此所謂詩中有文也。唐子西曰：「古人雖不用偶儷，而散句之中暗有聲調，步驟馳騁，亦有節奏。」此所謂文中有詩也。前代作者皆知此法，吾請無出韓、杜。觀子美到夔州以後詩，簡易純熟，無斧鑿痕，信是如彈丸矣。退之《畫記》，鋪排收放，字字不虚，但不肯入韻耳。或者謂其殆似甲乙帳，非也。以此知杜詩、韓文，闕一不可。世之議者遂謂子美無韻語殆不堪讀，而以退之之詩但爲押韻之文者，是果足以爲韓、杜病乎？文中有詩，詩中有文，知者領予此語。

鄭樵《通志·樂略一·正聲序論》 古之詩曰歌行，後之詩曰古、近二體。歌行主聲，二體主文。詩爲聲也，不爲文也。浩歌長嘯，古人之深趣。今人既不尚嘯，而又失其歌詩之旨，所以無樂事也。凡律其辭則謂之詩，聲其詩則謂之歌，作詩未有不歌者也。詩者樂章也，或形之歌詠，或散之律呂，各隨所主而命。主於人之聲音，則有行，有曲。散歌謂之行，入樂謂之曲。主於絲竹之音者，則有引，有操，有吟，有弄，各有調以主之，攝其音謂之調，總其調亦謂之曲。凡歌行雖主人聲，其中調者皆可以被之絲竹。凡引操吟弄雖主絲竹，其有辭者皆可以形之歌詠。蓋主於人者有聲必有辭，主於絲竹者取音而已，不必有辭。其有辭者通可歌也。

俞成《螢雪叢說》卷上 「天子居丹扆，廷臣獻六箴」，此省題詩也。「白髮不愁身外事，六幺且聽醉中詞」，此律詩也。二公之所以對者，見之於詩，無非借數而已。《周以宗強賦》「故蒼籙之興起，始諸姬而阜康」，《東門種瓜》詩「青門無外事，尺地足生涯」，二公之所以對者，見於賦詩，無非借數與器而已。詩史以「皇眷」對「紫宸」，曲詞以「清風」對「紅雨」，或以「青州從事」對「烏有先生」，或以「披綿黃雀」對「通印子魚」，「因朱耶之板蕩，致赤子之流離」，「談笑有鴻儒，來往無白丁」，是皆老於文學而見於駢四儷六之間者，自然假借，使得好不知膾炙幾千萬口也。嘗記陳季陸應行先生舉似作賦之法，用「高皇」對「小白」。

又 省題詩考官以古人詩句命題，尾字屬平，全押在第二韻上，不拆破者並用全句對全句。曩嘗省試「王度日清夷」詩，許琮以「聖圖天廣大」爲對，並是老杜全句，最爲難得，曠古以來無此作。又如上庠孫應時作「奏賦入明光」，出杜甫《壯遊》，對韓文公《齪齪》詩「排雲叫閶闔」，亦自難得，惜乎非一家詩也。若無渾然天成之句，不免拆破四柱，中使只要穩貼，下得好，不拘倒置先後，更於點化上着工夫，亦自可以冠場。余嘗欲以杜詩「扈聖登黃閣」（《奉贈嚴八閣老》），對「亨衢照紫泥」（《奉贈太常卿》）；以「泥融飛燕子」對「地僻舞鵾雞」（並《絕句》），蓋效許公詩體也。又欲以「獻納紆皇眷」（《奉贈鮮于京兆二十韻》）聯「衣冠拜紫宸」（《太歲日詩》）之句，蓋效前輩假對詩格也，當有流水高山之遇。

周紫芝《太倉稊米集》卷五一《古今諸家樂府序》 世之言樂府者，知其起于漢魏，盛于晉宋，成于唐，而不知其源實肇于虞舜之時。舜命夔典樂，教胄子，而曰：「詩言志，聲依永，律和聲。」及《益稷篇》叙舜與皋陶賡歌之詞，而曰：「股肱喜哉，元首起哉！百工熙哉，元首明哉！股肱良哉，庶事康哉！」則歌詩之作，自是而興。至孔子刪《詩》定《書》，取三百六篇。當時燕饗祭祀、下管登歌，一皆用之，樂府蓋起于此。而議者以爲自漢高祖作《大風歌》，使沛中小兒和而歌之，乃有樂府。是不然。《雉朝飛》者，齊宣王時牧犢子之所作也。《薤露歌》者，田橫死而門人作此歌以葬橫也。《秋胡行》者，秋胡之妻死，後人哀而作歌焉。秋胡子，魯人也。《杞梁妻》者，杞植妻妹朝日之所作也。杞植戰死而其妻哭之哀。植亦齊人也。凡此之類不一，皆見于春秋戰國之時，則其來遠矣。魏、晉、宋歷唐，而其作益多。後人之作，其不與古樂府題意相協者十八九，此蓋不可得而考者，余不復論。獨恨其歷世既久，事失本眞，至其弊也，則變爲淫言，流爲褻語，大抵以艷麗之詞，更相祖述，至使父子兄弟不可同席而聞，無復有補于世教。陳後主時東海徐陵序《玉臺新詠》十卷，謂之艷歌詞。肆帷幄之言，瀆君臣之分，此謂害教之大者。至于古人規箴訓誨之意，傷今思古之作，與夫感創時物，紀述節義，使後人歌詠其言，而有悲愁感慨之意，則爲之掃地矣。然而歌詞之麗，如梁簡文、陳叔寶輩皆以風流婉媚之言，而文以閨房脂澤之氣，婉而深，情而有味，亦大有可人意者。至唐而諸君子出，乃益可喜。余嘗評諸家之作，以謂李太白最高，而微短于韻；王建善諷，而未能脫俗；孟東野近古而思淺；李長吉語奇而入怪；惟張文昌兼諸家之善，妙絕古今。近出張右史，酷嗜其作，亦頗逼眞。余嘗見其《輸麥行》，自題其尾云：「此篇張文昌而語差繁。」則知其效籍之意蓋甚篤，而樂府亦自是爲之反魂矣。

郭茂倩《樂府詩集》卷一《郊廟歌辭》 《樂記》曰：「王者功成作樂，治定制禮。是以五帝殊時，不相沿樂，三王異世，不相襲禮。」明其有損益也。然自黃帝已後，至於三代，千有餘年，而其禮樂之備，可以考而知者，唯周而已。《周頌·昊天有成命》，郊祀天地之樂歌也；《清廟》，祀太廟之樂歌也；《我將》，祀明堂之樂歌也；《載芟》、《良耜》，藉田社稷之樂歌也。然則祭樂之有歌，其來尚矣。兩漢已後，世有制作。其所以用於郊廟朝廷，以接人神之歡者，其金石之響，歌舞之容，亦各因其功業治亂之所起，而本其風俗之所由。武帝時，詔司馬相如等造《郊祀歌》詩十九章，五郊互奏之。又作《安世歌》詩十七章，薦之宗廟。至明帝，乃分樂爲四品：一曰《大予樂》，典郊廟上陵之樂。郊樂者，《易》所謂「先王以作樂崇德，殷薦上帝」。宗廟樂者，《虞書》所謂「琴瑟以詠，祖考來格」。《詩》云「肅雍和鳴，先祖是聽」也。二曰雅頌樂，典六宗社稷之樂。社稷樂者，《詩》所謂「琴瑟擊鼓，以御田祖」。《禮記》曰「樂施於金石，越於音聲，用乎宗廟社稷，事乎山川鬼神」是也。永平三年，東平王蒼造光武廟登歌一章，稱述功德，而郊祀同用漢歌。魏歌辭不見，疑亦用漢辭也。武帝始命杜夔創定雅樂。時有鄧靜、尹商，善訓雅歌，歌(詩)[師]尹胡能習宗廟郊祀之曲，舞師馮肅、服養曉知先代諸舞，夔總領之。魏復先代古樂，自夔始也。晉武受命，百度草創。泰始二年，詔郊廟明堂禮樂權用魏儀，遵周室肇稱殷禮之義，但使傅玄改其樂章而已。永嘉之亂，舊典不存。賀循爲太常，始有登歌之樂。明帝太寧末，又詔阮孚增益之。至孝武太元之世，郊祀遂不設樂。宋文帝元嘉中，南郊始設登歌，廟舞猶闕。乃詔顔延之造天地郊登歌三篇，大抵依倣晉曲，是則宋初又仍晉也。南齊、梁、陳，初皆沿襲，後更創制，以爲一代之典。元魏、宇文繼有朔漠，宣武已後，雅好胡曲，郊廟之樂，徒有其名。隋文平陳，始獲江左舊樂。乃調五音爲五夏、二舞、登歌、房中等十四調，賓祭用之。唐高祖受禪，未遑改造，樂府尙用前世舊文。武德九年，乃命祖孝孫修定雅樂，而梁、陳盡吳、楚之音，周、齊雜胡戎之伎，於是斟酌南北，考以古音，作爲唐樂，貞觀二年奏之。按郊祀明堂，自漢以來，有夕牲、迎神、登歌等曲。宋、齊以後，又加祼地、迎牲、飲福酒。唐則夕牲、祼地不用樂，公卿攝事，又去飲福之樂。安、史作亂，咸、鎬爲墟，五代相承，享國不永，製作之事，蓋所未暇。朝廷宗廟典章文物，但按故常以爲程式云。

又卷一三《燕射歌辭》 《周禮·大宗伯》之職曰：「以飲食之禮親宗族兄弟，以賓射之禮親故舊朋友，以饗燕之禮親四方之賓客。」《大行人》：「掌大賓之禮、大客之儀以親諸侯，以九儀辨諸侯之命，等諸臣之爵，以同邦國之禮而待其賓客。上公饗禮九獻，食禮九舉；侯伯饗禮七獻，食禮七舉；子男饗禮五獻，食(舉)禮五舉。諸侯之卿各下其君二等，大夫、士皆如之。」凡正饗，食則在廟，燕則在寢，所以仁賓客也。《儀·燕禮》曰：「工歌《鹿鳴》、《四牡》、《皇皇者華》。笙入，奏《南陔》、《白華》、《華黍》。乃間歌《魚麗》，笙《由庚》；歌《南有嘉魚》，笙《崇丘》；歌《南山有臺》，笙《由儀》。遂歌鄉樂：《周南》：《關雎》、《葛覃》、《卷耳》；《召南》：《鵲巢》、《采蘩》、《采蘋》。」此燕饗之有樂也。《大司樂》曰：「大射，王出入奏《王夏》，及射令奏《騶虞》，詔諸侯以弓矢舞。」《樂師》：「燕射，帥射夫以弓矢舞。」《大師》：「大射，帥瞽而歌射節。」此大射之有樂也。《王制》曰：「天子食，舉以樂。」《大司樂》：「王大食，三宥，皆令奏鐘鼓。」漢鮑業曰：「古者天子食飲，必順四時五味，故有食舉之樂，所以順天地、養神明、求福應也。」此食舉之有樂也。《隋書·樂志》曰：「漢明帝時，樂有四品。其二曰雅頌樂，辟雍饗射之所用。則《孝經》所謂『移風易俗，莫善於樂』。《禮記》曰：『揖讓而治天下者，禮樂之謂也。』三曰黃門鼓吹，天子宴羣臣之所用。則《詩》所謂『坎坎鼓我，蹲蹲舞我』者也。」漢有殿中御飯食舉七曲，太樂食舉十三曲，魏有雅樂四曲，皆取周詩《鹿鳴》。晉荀勖以《鹿鳴》燕嘉賓，無取於朝，乃除《鹿鳴》舊歌，更作行禮詩四篇，先陳三朝朝宗之義。又爲王公上壽酒、食舉樂歌詩十二篇。司律陳頎以爲三元肇發，羣后奉璧，趨步拜起，莫非行禮，豈容別設一樂，謂之行禮。荀譏《鹿鳴》之失，似悟昔繆，還制四篇，復襲前軌，亦未爲得也。終宋、齊已來，相承用之。梁、陳三朝，樂有四十九等，其曲有《相和》五引及《俊雅》等七曲。後魏道武初，正月上日饗羣臣，備列宮縣正樂，奏燕、趙、秦、吳之音，五方殊俗之曲，四時饗會亦用之。隋煬帝初，詔秘書省學士定殿前樂工歌十四曲，終大業之世，每舉用焉。其後又因高祖七部樂，乃定以爲九部。唐武德初，讌享承隋舊制，用九部樂。貞觀中，張文收造讌樂，於是分爲十部。後更分讌樂爲立坐二部。天寶已後，讌樂西涼、龜兹部著錄者二百餘曲，而清樂天竺諸部不在焉。

又卷一六《鼓吹曲辭》 鼓吹曲，一曰短簫鐃歌。劉瓛定軍禮云：「鼓吹未知其始也，漢班壹雄朔野而有之矣。鳴笳以和簫聲，非八音也。騷人曰『鳴篪吹竽』是也。」蔡邕《禮樂志》曰：「漢樂四品，其四曰短簫鐃歌，軍樂也。黃帝岐伯所作，以建威揚德，風敵勸士也。」《周禮·大司樂》曰：「王師大獻，則令奏愷樂。」《大司馬》曰：「師有功，則愷樂獻于社。」鄭康成云：「兵樂曰愷，獻功之樂也。」《春秋》曰：「晉文公敗楚於城濮。」《左傳》曰：「振旅愷以入。」《司馬法》曰：「得意則愷樂、愷歌以示喜也。」《宋書·樂志》曰：「雍門周說孟嘗君：『鼓吹于不測之淵。』說者云：『鼓自一物，吹自竽籟之屬，非簫鼓合奏，別爲一樂之名也。』然則短簫鐃歌，此時未名鼓吹矣。應劭《漢鹵簿圖》，唯有騎執箛，箛卽笳，不云鼓吹。而漢世有黃門鼓吹。漢享宴食舉樂十三曲，與魏世鼓吹長簫同。長簫短簫，《伎錄》並云：『孫竹合作，執節者歌。』又《建初錄》云：『《務成》、《黃爵》、《玄雲》、《遠期》，皆騎吹曲，非鼓吹曲。』此則列於殿庭者名鼓吹，今之從行鼓吹爲騎吹，二曲異也。又孫權觀魏武軍，作鼓吹而還，此應是今之鼓吹。魏、晉世，又假諸將帥及牙門曲蓋鼓吹，斯則其時方謂之鼓吹矣。」按《西京雜記》：「漢大駕祠甘泉、汾陰，備千乘萬騎，有黄門前後部鼓吹。」則不獨列於殿庭者名鼓吹也。漢《遠如期曲》辭，有「雅樂陳」及「增壽萬年」等語，馬上奏樂之意，則《遠期》又非騎吹曲也。《晉中興書》曰：「漢武帝時，南越加置交趾、九眞、日南、合浦、南海、鬱林、蒼梧七郡，皆假鼓吹。」《東觀漢記》曰：「建初中，班超拜長史，假鼓吹麾幢。」則短簫鐃歌，漢時已名鼓吹，不自魏、晉始也。崔豹《古今註》曰：「漢樂有黄門鼓吹，天子所以宴樂羣臣也。短簫鐃歌，鼓吹之一章爾，亦以賜有功諸侯。」然則黄門鼓吹、短簫鐃歌與横吹曲，得通名鼓吹，但所用異爾。漢有《朱鷺》等二十二曲，列於鼓吹，謂之鐃歌。及魏受命，使繆襲改其十二曲，而《君馬黄》、《雉子斑》、《聖人出》、《臨高臺》、《遠如期》、《石留》、《務成》、《玄雲》、《黄爵》、《釣竿》十曲，並仍舊名。是時吳亦使韋昭改製十二曲，其十曲亦因之。而魏、吳歌辭，存者唯十二曲，餘皆不傳。晉武帝受禪，命傅玄製二十二曲，而《玄雲》、《釣竿》之名不改舊漢。宋、齊並用漢曲。又充庭十六曲，梁高祖乃去其四，留其十二，更製新歌，合四時也。北齊二十曲，皆改古名。其《黄爵》、《釣竿》，略而不用。後周宣帝革前代鼓吹，製爲十五曲，並述功德受命以相代，大抵多言戰陣之事。隋製列鼓吹爲四部，唐則又增爲五部，部各有曲。唯《羽葆》諸曲，備叙功業，如前代之制。初，魏、晉之世，給鼓吹甚輕，牙門督將五校悉有鼓吹。宋、齊已後，則甚重矣。齊武帝時，壽昌殿南閤置《白鷺》鼓吹二曲，以爲宴樂。陳後主常遣宫女習北方簫鼓，謂之《伐北》，酒酣則奏之。此又施於燕私矣。按《古今樂錄》，有梁、陳時宫懸圖，四隅各有鼓吹樓而無建鼓。鼓吹樓者，昔簫史吹簫於秦，秦人爲之築鳳臺。故鼓吹陸則樓車，水則樓船，其在庭則以簨虡爲樓也。梁又有鼓吹熊羆十二案，其樂器有龍頭大棡鼓、中鼓、獨揭小鼓，亦隨品秩給賜焉。周武帝每元正大會，以梁案架列於懸間，與正樂合奏。隋又於案下設熊羆貙豹，騰倚承之，以象百獸之舞。唐因之。

又卷二一《横吹曲辭》 横吹曲，其始亦謂之鼓吹，馬上奏之，蓋軍中之樂也。北狄諸國，皆馬上作樂，故自漢已來，北狄樂總歸鼓吹署。其後分爲二部，有簫笳者爲鼓吹，用之朝會、道路，亦以給賜。漢武帝時，南越七郡，皆給鼓吹是也。有鼓角者爲横吹，用之軍中，馬上所奏者是也。《晉書·樂志》曰：「横吹有鼓角，又有胡角。按《周禮》云『以鼖鼓鼓軍事』。舊説云，蚩尤氏帥魑魅，與黄帝戰於涿鹿，帝乃始命吹角爲龍鳴以禦之。其後魏武北征烏丸，越沙漠而軍士思歸，於是減爲(半)[中]鳴，尤更悲矣。横吹有雙角，即胡樂也。漢博望侯張騫入西域，傳其法於西京，唯得《摩訶兜勒》一曲。李延年因胡曲更造新聲二十八解，乘輿以爲武樂，後漢以給邊將，和帝時萬人將軍得用之。魏、晉以來，二十八解不復具存，而世所用者有《黄鵠》等十曲。」其辭後亡。又有《關山月》等八曲，後世之所加也。後魏之世，有《簸邏迴歌》，其曲多可汗之辭，皆燕魏之際鮮卑歌，歌辭虜音，不可曉解，蓋大角曲也。又《古今樂錄》有《梁鼓角横吹曲》，多叙慕容垂及姚泓時戰陣之事，其曲有《企喻》等歌三十六曲，樂府胡吹舊曲又有《隔谷》等歌三十曲，總六十六曲，未詳時用何篇也。自隋已後，始以横吹用之鹵簿，與鼓吹列爲四部，總謂之鼓吹，並以供大駕及皇太子、王公等。一曰棡鼓部，其樂器有棡鼓、金鉦、大鼓、小鼓、長鳴角、次鳴角、大角七種。棡鼓金鉦一曲，夜警用之。大鼓十五曲，小鼓九曲，大角七曲，其辭並本之鮮卑。二曰鐃鼓部，其樂器有歌、鼓、簫、笳四種，凡十二曲。三曰大横吹部，其樂器有角、節鼓、笛、簫、篳篥、笳、桃皮篳篥七種，凡二十九曲。四曰小横吹部，其樂器有角、笛、簫、篳篥、笳、桃皮篳篥六種，凡十二曲。夜警亦用之。唐制，太常鼓吹，令掌鼓吹。施用調習之，節以備鹵簿之儀，而分五部。一曰鼓吹部，其樂器如隋棡鼓部而無大角。棡鼓一曲十疊，大鼓十五曲，嚴用三曲，警用十二曲，金鉦無曲以爲鼓節。小鼓九曲，上馬用一曲，嚴警用八曲。長鳴一曲三聲，上馬，嚴警用之。中鳴一曲三聲，用與長鳴同。二曰羽葆部，其樂器如隋鐃鼓部而加錞于，凡十八曲。三曰鐃吹部，其樂器與隋鐃鼓部同，凡七曲。四曰大横吹部，其樂器與隋同，凡二十四曲。黄鍾角八曲，中呂宫二曲，中呂徵一曲，中呂商三曲，中呂羽四曲，中呂角四曲，無射二曲。五曰小横吹部，其樂器與隋同。其曲不見，疑同用大横吹曲也。凡大駕行幸，則夜警晨嚴。大駕夜警十二曲，中警七曲，晨嚴三通。皇太子夜警九曲，公卿已下夜警七曲，晨嚴並三通。夜警衆一曲，轉次而振也。

又卷二六《相和歌辭》 《宋書·樂志》曰：「相和，漢舊曲也，絲竹更相和，執節者歌。本一部，魏明帝分爲二，更遞夜宿。本十七曲，朱生、宋識、列和等復合之爲十三曲。」其後晉荀勖又採舊辭施用於世，謂之清商三調歌詩，即沈約所謂「因絃管金石造歌以被之」者也。《唐書·樂志》曰：「平調、清調、瑟調，皆周房中曲之遺聲，漢世謂之三調。」又有楚調、側調。楚調者，漢房中樂也。高帝樂楚聲，故房中樂皆楚聲也。側調者，生於楚調，與前三調總謂之相和調。《晉書·樂志》曰：「凡樂章古辭存者，並漢世街陌謳謠，《江南可採蓮》、《烏生十五子》、《白頭吟》之屬。」其後漸被於弦管，即相和諸曲是也。魏晉之世，相承用之。承嘉之亂，五都淪覆，中朝舊音，散落江左。後魏孝文宣武，用師淮漢，收其所獲南音，謂之清商樂，相和諸曲，亦皆在焉。所謂清商正聲，相和五調伎也。凡諸調歌詞，並以一章爲一解。《古今樂錄》曰：「傖歌以一句爲一解，中國以一章爲一解。」王僧虔啓云：「古曰章，今曰解，解有多少。當時先詩而後聲，詩叙事，聲成文，必使志盡於詩，音盡於曲。是以作詩有豐約，制解有多少，猶詩《君子陽陽》兩解，《南山有臺》五解之類也。」又諸調曲皆有辭、有聲，而大曲又有豔、有趨、有亂。辭者其歌詩也，聲者若羊吾夷伊那何之類也，豔在曲之前，趨與亂在曲之後，亦猶吳聲西曲前有和，後有送也。又大曲十五曲，沈約並列於瑟調。今依張永《元嘉正聲技錄》分於諸調，又別叙大曲於其後。唯《滿歌行》一曲，諸調不載，故附見於大曲之下。其曲調先後，亦準《技錄》爲次云。

又卷四四《清商曲辭》 清商樂，一曰清樂。清樂者，九代之遺聲。其始即相和三調是也，並漢魏已來舊曲。其辭皆古調及魏三祖所作。自晉朝播遷，其音分散，苻堅滅涼得之，傳於前後二秦。及宋武定關中，因而入南，不復存於內地。自時已後，南朝文物號爲最盛。民謠國俗，亦世有新聲。故王僧虔論三調歌曰：「今之清商，實由銅雀。魏氏三祖，風流可懷。京洛相高，江左彌重。而情變聽改，稍復零落。十數年間，亡者將半。所以追餘操而長懷，撫遺器而太息者矣。」後魏孝文討淮漢，宣武定壽春，收其聲伎，得江左所傳中原舊曲《明君》、《聖主》、《公莫》、《白鳩》之屬，及江南吳歌、荆楚西聲，總謂之清商樂。至於殿庭饗宴，則兼奏之。遭梁、陳亡亂，存者蓋寡。及隋平陳得之，文帝善其節奏，曰：「此華夏正聲也。」乃微更損益，去其哀怨，考而補之，以新定律呂，更造樂器。因於太常置清商署以管之，謂之「清樂」。開皇初，始置七部樂，清商伎其一也。大業中，煬帝乃定清樂、西涼等爲九部。而清樂歌曲有《楊伴》，舞曲有《明君》、《幷契》。樂器有鐘、磬、琴、瑟、擊琴、琵琶、箜篌、筑、箏、節鼓、笙、笛、簫、箎、塤等十五種，爲一部。唐又增吹葉而無塤。隋室喪亂，日益淪缺。唐貞觀中，用十部樂，清樂亦在焉。至武后時，猶有六十三曲。其後歌辭在者有《白雪》、《公莫》、《巴渝》、《明君》、《鳳將雛》、《明之君》、《鐸舞》、《白鳩》、《白紵》、《子夜》、《吳聲四時歌》、《前溪》、《阿子》及《歡聞》、《團扇》、《懊憹》、《長史變》、《丁督護》、《讀曲》、《烏夜啼》、《石城》、《莫愁》、《襄陽》、《(西)〔棲〕烏夜飛》、《估客》、《楊伴》、《雅歌》、《驍壺》、《常林歡》、《三洲》、《採桑》、《春江花月夜》、《玉樹後庭花》、《堂堂》、《泛龍舟》等三十二曲，《明之君》、《雅歌》各二首，《四時歌》四首，合三十七首。又七曲有聲無辭，《上(柱)〔林〕》、《鳳雛》、《平調》、《清調》、《瑟調》、《平折》、《命嘯》，通前爲四十四曲存焉。長安已後，朝廷不重古曲，工伎寖缺，能合於管弦者唯《明君》、《楊伴》、《驍壺》、《春歌》、《秋歌》、《白雪》、《堂堂》、《春江花月夜》等八曲。自是樂章訛失，與吳音轉遠。開元中，劉貺以爲宜取吳人，使之傳習。以問歌工李郎子。郎子北人，學於江都人俞才生。時聲調已失，唯雅歌曲辭，辭典而音雅。後郎子亡去，清樂之歌遂闕。自周、隋已來，管弦雅曲將數百曲，多用西涼樂。鼓舞曲多用龜茲樂。唯琴工猶傳楚、漢舊聲及清調。蔡邕五弄，楚調四弄，謂之九弄。雅聲獨存，非朝廷郊廟所用，故不載。《樂府解題》曰：「蔡邕云：『清商曲，又有《出郭西門》、《陸地行車》、《夾鐘》、《朱堂寢》、《奉法》等五曲，其詞不足采著。』」

又卷五二《舞曲歌辭》 《通典》曰：「樂之在耳者曰聲，在目者曰容。聲應乎耳，可以聽知，容藏於心，難以貌觀。故聖人假干戚羽旄以表其容，發揚蹈厲以見其意，聲容選和而後大樂備矣。《詩序》曰：『詠歌之不足，不知手之舞之足之蹈之。』然樂心內發，感物而動，不覺手之自運，歡之至也。此舞之所由起也。」舞亦謂之萬。《禮記外傳》曰：「武王以萬人同滅商，故謂舞爲萬。」《商頌》曰：「萬舞有奕。」則殷已謂之萬矣。《魯頌》曰：「萬舞洋洋。」衛詩曰：「公庭萬舞。」然則萬亦舞之名也。《春秋》魯隱公五年：「考仲子之宮，將萬焉。(因)〔公〕問羽數於衆仲，衆仲對曰：『天子用八，諸侯六，大夫四，士二。舞所以節八音而行八風，故自八而下，於是初獻六羽，始用六佾也。』」杜預以爲六六三十六人，而沈約非之，曰：「八音克諧，然後成樂，故必以八人爲列。自天子至士，降殺以兩，兩者減其二列爾。預以爲一列又減二人，至士止餘四人，豈復成樂。服虔謂天子八八，諸侯六八，大夫四八，士二八，於義爲允也。」周有六舞：一曰帗舞，二曰羽舞，三曰皇舞，四曰旄舞，五曰干舞，六曰人舞。帗舞者，析五綵繒，若漢靈星舞子所持是也。羽舞者，析羽也。皇舞者，雜五綵羽，如鳳皇色，持之以舞也。旄舞者，氂牛之尾也。干舞者，兵舞持盾而舞也。人舞者，無所執，以手袖爲威儀也。《周官·舞師》：「掌教兵舞，帥而舞山川之祭祀。教帗舞，帥而舞社稷之祭祀。教羽舞，帥而舞四方之祭祀。教皇舞，帥而舞旱暵之事。」樂師亦掌教國子小舞。自漢以後，樂舞寖盛。故有雅舞，有雜舞。雅舞用之郊廟、朝饗，雜舞用之宴會。晉傅玄又有十餘小曲，名爲舞曲。故《南齊書》載其辭云：「獲罪於天，北徙朔方。墳墓誰掃，超若流光。」疑非宴樂之辭，未詳其所用也。前世樂飲酒酣，必自起舞。詩云「屢舞仙仙」是也。故知宴樂必舞，但不宜屢爾。譏在屢舞，不譏舞也。漢武帝樂飲，長沙定王起舞是也。自是已後，尤重以舞相屬，所屬者代起舞，猶世飲酒以杯相屬也。灌夫起舞以屬田蚡，晉謝安舞以屬桓嗣是也。近世以來，此風絕矣。

又卷五七《琴曲歌辭》 琴者，先王所以修身、理性、禁邪、防淫者也，是故君子無故不去其身。《唐書·樂志》曰：「琴，禁也。夏至之音，陰氣初動，禁物之淫心也。」《世本》曰：「琴，神農所造。」《廣雅》曰：「伏羲造琴，長七尺二寸，而有五弦。」揚雄《琴清英》曰：「舜彈五弦之琴而天下化。」《琴操》曰：「琴長三尺六寸六分，象三百六十〔六〕日。廣六寸，象六合也。文上曰池，池，水也，言其平。下曰濱，濱，賓也，言其服也。前廣後狹，〔象〕尊卑(象)也。上圓下方，法天地也。五弦，象五行也。文王、武王加二弦以合君臣之恩。」《古今樂錄》曰：「今稱二弦爲文武弦是也。」應劭《風俗通》曰：「七弦，法七星也。」《三禮圖》曰：「琴第一弦爲宮，次弦爲商，次爲角，次爲羽，次爲徵，次爲少宮，次爲少商。」桓譚《新論》曰：「今琴四尺五寸，法四時五行也。」崔豹《古今注》曰：「蔡邕益琴爲九弦，二弦大，次三弦小，次四弦尤小。」梁元帝《纂要》曰：「古琴名有清角，黃帝之琴也。鳴鹿、循況、濫脅、號鍾、自鳴、空中，皆齊桓公琴也。繞梁，楚莊王琴也。綠綺，司馬相如琴也。焦尾，蔡邕琴也。鳳皇，趙飛燕琴也。自伏羲制作之後，有瓠巴、師文、師襄、成連、伯牙、方子春、鍾子期，皆善鼓琴。而其曲有暢、有操、有引、有弄。」《琴論》曰：「和樂而作，命之曰暢，言達則兼濟天下而美暢其道也。憂愁而作，命之曰操，言窮則獨善其身而不失其操也。引者，進德修業，申達之名也。弄者，情性和暢，寬泰之名也。其後西漢時有慶安世者，爲成帝侍郎，善爲《雙鳳離鸞》之曲，齊人劉道強能作《單鳧寡鶴》之弄，趙飛燕亦善爲《歸風送遠》之操，皆妙絕當時，見稱後世。若夫心意感發，聲調諧應，大弦寬和而溫，小弦清廉而不亂，攫之深，醳之愉，斯爲盡善矣。古琴曲有五曲、九引、十二操。五曲：一曰《鹿鳴》，二曰《伐檀》，三曰《騶虞》，四曰《鵲巢》，五曰《白駒》。九引：一曰《烈女引》，二曰《伯妃引》，三曰《貞女引》，四曰《思歸引》，五曰《霹靂引》，六曰《走馬引》，七曰《箜篌引》，八曰《琴引》，九曰《楚引》。十二操：一曰《將歸操》，二曰《猗蘭操》，三曰《龜山操》，四曰《越裳操》，五曰《拘幽操》，六曰《岐山操》，七曰《履霜操》，八曰《朝飛操》，九曰《別鶴操》，十曰《殘形操》，十一曰《水仙操》，十二曰《襄陵操》。自是已後，作者相繼，而其義與其所起，略可考而知，故不復備論。」《樂府解題》曰：「《琴操》紀事，好與本傳相違，存之者，以廣異聞也。」

又卷六一《雜曲歌辭》《宋書·樂志》曰：「古者天子聽政，使公卿大夫獻詩，耆艾修之，而後王斟酌焉。」然後被於聲，於是有採詩之官。周室下衰，官失其職。漢、魏之世，歌詠雜興，而詩之流乃有八名：曰行，曰引，曰歌，曰謠，曰吟，曰詠，曰怨，曰歎，皆詩人六義之餘也。至其協聲律，播金石，而總謂之曲。若夫均奏之高下，音節之緩急，文辭之多少，則繫乎作者才思之淺深，與其風俗之薄厚。當是時，如司馬相如、曹植之徒，所爲文章，深厚爾雅，猶有古之遺風焉。自晉遷江左，下逮隋、唐，德澤寖微，風化不競，去聖逾遠，繁音日滋。豔曲興於南朝，胡音生於北俗。哀淫靡曼之辭，迭作並起，流而忘反，以至陵夷。原其所由，蓋不能制雅樂以相變，大抵多溺於鄭、衛，由是新聲熾而雅音廢矣。昔晉平公說新聲，而師曠知公室之將卑。李延年善爲新聲變曲，而聞者莫不感動。其後元帝自度曲，被聲歌，而漢業遂衰。曹妙達等改易新聲，而隋文不能救。嗚呼，新聲之感人如此，是以爲世所貴。雖沿情之作，或出一時，而聲辭淺迫，少復近古。故蕭齊之將亡也，有《伴侶》；高齊之將亡也，有《無愁》；陳之將亡也，有《玉樹後庭花》；隋之將亡也，有《泛龍舟》。所謂煩手淫聲，爭新怨哀，此又新聲之弊也。雜曲者，歷代有之，或心志之所存，或情思之所感，或宴游歡樂之所發，或憂愁憤怨之所興，或叙離別悲傷之懷，或言征戰行役之苦，或緣於佛老，或出自夷虜。兼收備載，故總謂之雜曲。自秦、漢已來，數千百歲，文人才士，作者非一。干戈之後，喪亂之餘，亡失既多，聲辭不具，故有名存義亡，不見所起，而有古辭可考者，則若《傷歌行》、《生別離》、《長相思》、《棗下何纂纂》之類是也。復有不見古辭，而後人繼有擬述，可以概見其義者，則若《出自薊北門》、《結客少年場》、《秦王卷衣》、《半渡溪》、《空城雀》、《齊謳》、《吳趨》、《會吟》、《悲哉》之類是也。又如漢阮瑀之《駕出北郭門》，曹植之《惟漢》、《苦思》、《欲遊南山》、《事君》、《車已駕》、《桂之樹》等行，《磐石》、《驅車》、《浮萍》、《種葛》、《吁嗟》、《鰕䱇》等篇，傅玄之《雲中白子高》、《前有一樽酒》、《鴻雁生塞北行》、《昔君》、《飛塵》、《車遙遙》篇，陸機之《置酒》，謝惠連之《晨風》，鮑照之《鴻雁》。如此之類，其名甚多，或因意命題，或學古叙事，其辭具在，故不復備論。

又卷七九《近代曲辭》《荀子》曰「久則論略，近則論詳」，言世近而易知也。兩漢聲詩著于史者，唯《郊祀》、《安世》之歌而已。班固以巡狩福應之事，不序郊廟，故餘皆弗論。由是漢之雜曲，所見者少，而相和、鐃歌，或至不可曉解。非無傳也，久故也。魏、晉已後，訖於梁、陳，雖略可考，猶不若隋、唐之爲詳。非獨傳者加多也，近故也。近代曲者，亦雜曲也，以其出於隋、唐之世，故曰近代曲也。隋自開皇初，文帝置七部樂：一曰西涼伎，二曰清商伎，三曰高麗伎，四曰天竺伎，五曰安國伎，六曰龜茲伎，七曰文康伎。至大業中，煬帝乃立清樂、西涼、龜茲、天竺、康國、疏勒、安國、高麗、禮畢，以爲九部，樂器工衣於是大備。唐武德初，因隋舊制，用九部樂。太宗增高昌樂，又造讌樂，而去禮畢曲。其著令者十部：一曰讌樂，二曰清商，三曰西涼，四曰天竺，五曰高麗，六曰龜茲，七曰安國，八曰疏勒，九曰高昌，十曰康國，而總謂之燕樂。聲辭繁雜，不可勝紀。凡燕樂諸曲，始於武德、貞觀，盛於開元、天寶。其著錄者十四調二百二十二曲。又有梨園，別教院法歌樂十一曲，雲韶樂二十曲。肅、代以降，亦有因造。僖、昭之亂，典章亡缺，其所存者，概可見矣。

又卷八三《雜歌謠辭》言者，心之聲也；歌者，聲之文也。情動於中而形於言，言之不足故嗟嘆之，嗟嘆之不足故永歌之。歌之爲言也，長言之也。夫欲上如抗，下如墜，曲如折，止如槁木，倨中矩，句中鈎，纍纍乎端如貫珠，此歌之善也。《宋書·樂志》曰：「黃帝、帝堯之世，王化下洽，民樂無事，故因擊壤之歡，慶雲之瑞，民因以作歌。其後風衰雅缺，而妖淫靡曼之聲起。周衰，有秦青者，善謳，而薛談學謳於秦青，未窮青之伎而辭歸。青餞之於郊，乃撫節悲歌，聲震林木，響遏行雲。薛談遂留不去，以卒其業。又有韓娥者，東之齊，至雍門，匱糧，乃鬻歌假食。既去而餘響繞梁，三日不絕。左右謂其人不去也。過逆旅，逆旅人辱之，韓娥因曼聲哀哭，一里老幼悲愁垂涕相對，三日不食。遽追之，韓娥還，復爲曼聲長歌，一里老幼喜躍抃舞，不能自禁，忘向之悲也。乃厚賂遣之。故雍門之人善歌哭，効韓娥之遺聲。衛人王豹處淇川，善謳，河西之民皆化之。齊人綿駒居高唐，善歌，齊之右地亦傳其業。前漢有魯人虞公者，善歌，能令梁上塵起。若斯之類，並徒歌也。《爾雅》曰：『徒歌謂之謠。』《廣雅》曰：『聲比於琴瑟曰歌。』《韓詩章句》曰：『有章曲曰歌，無章曲曰謠。』梁元帝《纂要》曰：『齊歌曰謳，吳歌曰歈，楚歌曰豔，浮歌曰哇，振旅而歌曰凱歌，堂上奏樂而歌曰登歌，亦曰升歌。』」故歌曲有《陽陵》、《白露》、《朝日》、《魚麗》、《白水》、《白雪》、《江南》、《陽春》、《淮南》、《駕辯》、《淥水》、《陽阿》、《採菱》、《下里巴人》，又有長歌、短歌、雅歌、緩歌、浩歌、放歌、怨歌、勞歌等行。漢世有相和歌，本出於街陌謳謠。而吳歌雜曲，始亦徒歌，復有但歌四曲，亦出自漢世，無弦節作伎，最先一人唱，三人和，魏武帝尤好之。時有宋容華者，清徹好聲，善唱此曲，當時特妙。自晉已後不復傳，遂絕。凡歌有因地而作者，《京兆》、《邯鄲歌》之類是也；有因人而作者，《孺子》、《才人歌》之類是也；有傷時而作者，微子《麥秀歌》之類是也；有寓意而作者，張衡《同聲歌》之類是也。甯戚以困而歌，項籍以窮而歌，屈原以愁而歌，卞和以怨而歌，雖所遇不同，至於發乎其情則一也。歷世已來，歌謳雜出。今并採錄，且以謠讖繫其末云。

又卷九〇《新樂府辭》樂府之名，起於漢、魏。自孝惠帝時，夏侯寬爲樂府令，始以名官。至武帝，乃立樂府，采詩夜誦，有趙、代、秦、楚之謳。則採歌謠，被聲樂，其來蓋亦遠矣。凡樂府歌辭，有因聲而作歌者，若魏之三調歌詩，因弦管金石，造歌以被之是也。有因歌而造聲者，若清商、吳聲諸曲，始皆徒歌，既而被之弦管是也。有有聲有辭者，若郊廟、相和、鐃歌、橫吹等曲是也。有有辭無聲者，若後人之所述作，未必盡被於金石是也。

新樂府者，皆唐世之新歌也。以其辭實樂府，而未常被於聲，故曰新樂府也。元微之病後人沿襲古題，唱和重複，謂不如寓意古題，刺美見事，猶有詩人引古以諷之義。近代唯杜甫《悲陳陶》、《哀江頭》、《兵車》、《麗人》等歌行，率皆即事名篇，無復倚旁。乃與白樂天、李公垂輩，謂是爲當，遂不復更擬古題。因劉猛、李餘賦樂府詩，咸有新意，乃作《出門》等行十餘篇。其有雖用古題，全無古義，則《出門行》不言離別，《將進酒》特書列女。其或頗同古義，全創新詞，則《田家》止述軍輸，《捉捕》請先螻蟻。如此之類，皆名樂府。由是觀之，自風雅之作，以至于今，莫非諷興當時之事，以貽後世之審音者。儻採歌謠以被聲樂，則新樂府其庶幾焉。

陳埴《木鐘集》卷六《詩》 大率興詩，如《關雎》之詩是。蓋二句託物，二句言事，辭實相對立而意不比，是之謂興。比詩不言事，祇取物之親切者詠之，如《螽斯》之詩是。賦詩或直言事，或感物意，非比興者是，如《卷耳》之詩，晦翁所解者也。然比詩亦有言物而復言事者，又不可以例觀也。大約賦詩有兼比者，興詩亦有兼比者，如《麟趾》之詩，前二句是興，後一句「于嗟麟兮」之類乃是比。他可類推。若是後去，詩有十二句、上下成一章者，祇看起初辭意以別三體。《詩傳》之例，凡説興而比者，謂上文是興體，下文是比體。若「南有喬木」之類，是他一章中自分比興，非謂比中含興、興中含比。若興中含比者，乃興而有比義，如《關雎》、《鵲巢》之類，雖則含比，祇可斷以興。比中含興者，乃比而不實，如《白華》之類半比半興，悉斷之比。則前後有此例者更觀玩。《凱風》前兩章皆以「凱風自南」起詞，《詩傳》以首章爲比，而又以次章爲興。不知一物六義，詩中曾有此體否？三虚一實非興體，兩語虚起，兩句實應，此興體也。【略】比類多説物，不見説事。上兩句意未盡發，下兩句正所謂一唱三嘆，一人獨唱而三人備和之，如《麟之趾》之類。《生民》詩「履帝武敏歆」，或以爲帝嚳之行，或以爲蹈巨人之跡。巨人跡據詩辭直是有如此，天地間事有非耳目所常見聞者甚多，不可信耳目而小天地。【略】《關雎》王化之基，遷史乃謂周道衰，詩人本之衽席，而《關雎》作。《鹿鳴》、《小雅》之盛，遷史亦謂仁義陵遲。《鹿鳴》，刺焉，何謂也？四始之詩不應以亂世之作冠於《風》、《雅》之首！今但玩其詩，刺體邪，美體邪？古今説者皆説詩之辭不足凴據，惟有詩文可據。從甲説則詩文爲近，從乙説則詩文爲遠。從甲可乙，此説詩之法，亦斷按之法。

楊萬里《誠齋詩話》 詩有一句七言而三意者。杜云：「對食暫餐還不能。」退之云：「欲去未到先思回。」有一句五言而兩意者。陳後山云：「更病可無醉，猶寒已自知。」詩有句中無其辭，而句外有其意者。《巷伯》之詩，蘇公刺暴公之譖己，而曰：「二人同行，誰爲此禍。」杜云：「遣人向市賒香粳，喚婦出房親自饌。」上言其力窮，故曰賒；下言其無使令，故曰親。又：「東歸貧路自覺難，欲別上馬身無力。」上有相干之意而不言，下有戀別之意而不忍。又：「朋酒日歡會，老夫今始知。」嘲其獨遺己而不招也。又夏日不赴而云「野雪興難乘」，此不言熱而反言之也。

又 五、七字絶句最少，而最難工，雖作者亦難得四句全好者，晚唐人與介甫最工於此。如李義山憂唐之衰云：「夕陽無限好，其奈近黄昏。」如：「青女素娥俱耐冷，月中霜裏鬥嬋娟。」如：「芭蕉不解丁香結，同向春風各自愁。」如：「鶯花啼又笑，畢竟是誰春。」唐人《銅雀臺》云：「人生富貴須回首，此地豈無歌舞來。」《寄邊衣》云：「寄到玉關應萬里，戍人猶在玉關西。」《折楊柳》云：「羌笛何須怨楊柳，春光不度玉門關。」皆佳句也。如介甫云：「更無一片桃花在，爲問春歸有底忙。」「只是蟲聲已無夢，三更桐葉强知秋。」「百囀黄鸝看不見，海棠無數出牆頭。」「暗香一陣風吹起，知有薔薇澗底花。」不減唐人，然鮮有四句全好者。杜牧之云：「清江漾漾白鷗飛，緑淨春深好染衣。南去北來人自老，夕陽長送釣船歸。」唐人云：「樹頭樹底覓殘紅，一片西飛一片東。自是桃花貪結子，錯教人恨五更風。」韓偓云：「昨夜三更雨，臨明一陣寒。薔薇花在否，側臥捲簾看。」介甫云：「水際柴扉一半開，小橋分路入青苔。背人照影無窮柳，隔屋吹香並是梅。」東坡云：「暮雲收盡溢清寒，銀漢無聲轉玉盤。此生此夜不長好，明月明年何處看。」四句皆好矣。

王楙《野客叢書》卷一七《藥名詩》 《西清詩話》云：「藥名詩起自陳亞，非也，東漢已有離合體，至唐始著藥名之號，如張籍《荅鄱陽客詩》云『江臯歲暮相逢地，黄葉霜前半夏枝。子夜吟詩向松桂，心中萬事豈君知』是也。」僕謂此説亦未深考，不知此體已著於六朝，非起於唐也。當時如王融、梁簡文、元帝、庾肩吾、沈約、竟陵王皆有，至唐而是體盛行，如盧受采、權、張、皮、陸之徒多有之。吳曾《漫録》謂藥名詩，庾肩吾、沈約亦各有一者，非始於唐。所見亦未廣也。本朝如錢穆父、黄山谷之輩，亦多此作。

姜夔《白石道人詩説》 守法度曰詩，載始末曰引，體如行書曰行，放情曰歌，兼之曰歌行，悲如蛩螿曰吟，通乎俚俗曰謠，委曲盡情曰曲。

戴栩《浣川集》卷一〇《婁南伯墓誌銘》 文之體不相沿，其究一爾，且吟咏以情性，論著以理義，古人未有越此者，世所同知。而或不能自通於古人，以其情性否而理義閡也。

包恢《敝帚稿略》卷二《論五言所始》 五言之體，説者類以爲始於漢之蘇李，曾不思詩原於虞夏之歌。「鬱陶乎予心」、「顔厚有忸怩」，五言已權輿於《五子歌》矣。厥後《三百篇》中，諸體畢備，而五言尤彰彰可見。

又卷五《書撫州呂通判開詩稿後》 説詩者以古體爲正，近體爲變。古體尚風韻，近體尚格律，正變不同調也。然或者於格律之中而風韻存焉，則雖曰近體而猶不失古體，特以入格律爲異爾。蓋八句之律，一則所病有各一物一事斷續破碎，而前後氣脈不相照應貫通，謂之不成章；二則所病有刻琢痕跡，止取對偶精切，反成短淺而無眞意餘味，止可逐句觀，不可成篇觀，局於格律，遂乏風韻，此所以與古體異。

嚴羽《滄浪詩話·詩體》 風雅頌既亡，一變而爲《離騷》，再變而爲西漢五言，三變而爲歌行雜體，四變而爲沈宋律詩。五言起于李陵蘇武（或云枚乘），七言起于漢武柏梁，四言起于漢楚王傅韋孟，六言起于漢司農谷永，三言起于晉夏侯湛，九言起于高貴鄉公。以時而論則有：建安體（漢末年號，曹子建父子及鄴中七子之詩），黄初體（魏年號，與建安相接，其體一也），正始體（魏年號，嵇、阮諸公之詩），太康體（晉年號，左思、潘岳、二張、二陸諸公之詩），元嘉體（宋年號，顔、鮑、謝諸公之詩），永明體（齊年號，齊諸公之詩），齊梁體（通兩朝而言之），南北朝體（通魏、周而言之，與齊梁體一也），唐初體（唐初猶襲陳隋之體），盛唐體（景云以後開元、天寶諸公之詩），大曆體（大曆十才子之詩），元和體（元、白諸公），晚唐體，本朝體（通前後而言之），元祐體（蘇、黄、陳諸公），江西宗派體（山谷爲之宗）。以人而論則有：蘇李體（李陵、蘇武也），曹劉體（子建、公幹也），陶體（淵明也），謝體（靈運也），徐庾體（徐陵、庾信也），沈宋體（佺期、之問也），陳拾遺體（陳子昂也），王楊盧駱體（王勃、楊炯、盧照鄰、駱賓王也），張曲江體（始興文獻公九齡也），少陵體，太白體，高達夫體（高常侍適也），孟浩然體，岑嘉州體（岑參也），王右丞體（王維也），韋蘇州體（韋應物也），韓昌黎體，柳子厚體，韋柳體（蘇州與儀曹合言之），李長吉體，李商隱體（即西崑體也），盧仝體，白樂天體，元白體（微之、樂天其體一也），杜牧之體，張籍、王建體（謂樂府之體同也），賈浪仙體，孟東野體，杜荀鶴體，東坡體，山谷體，後山體（後山本學杜，其語似之者但數篇，他或似而不全，其他則本其自體耳），王荆公體（公絶句最高，其得意處高出蘇、黄、陳之上，而與唐人尚隔一關），邵康節體，陳簡齋體（陳去非與義也，亦江西之派而小異），楊誠齋體（其初學半山、後山，最後亦學絶句于唐人，已而盡棄諸家之體而別出機杼，蓋其自序如此也）；又有所謂選體（選詩時代不同，體制隨異，今人例謂五言古詩爲選體，非也），柏梁體（漢武帝與群臣共賦，其言每句用韻，後人謂此體爲柏梁體），玉臺體（玉臺體乃徐陵所序，漢、魏、六朝之詩皆有之。或者但謂纖艷者爲玉臺體，其實則不然），西崑體（即李商隱體，然兼溫庭筠及本朝楊、劉諸公而名之也），香奩體（韓偓之詩皆裾裙脂粉之語，有《香奩集》），宫體（梁簡文傷于輕靡，時號宫體。其他體制尚或不一，然大概不出此耳）。有古詩，有近體（即律詩也），有絶句，有雜言，有三、五、七言，（自三言而終以七言。隋鄭世翼有此詩：「秋風清，秋月明，落葉聚還散，寒鴉棲復驚。相思相見知何日，此日此夜難爲情」。）有半五六言（晉傅玄「鴻雁生塞北」之篇是也），有一字至七字（唐張南史雪月花草等篇是也。又隋人應詔有三十字，凡三句七言，一句九言，不足爲法，故不列于此也）。有三句之歌（高祖《大風歌》是也。《古華山畿》二十五首，多三句之詞，其他古人詩多如此者），有兩句之歌（荆卿《易水歌》是也。又古詩有青驄白馬共戲樂女兒子之類，皆兩句之詞也），有一句之歌（《漢書》「枹鼓不鳴董少年」，一句之歌也，又漢童謡「千乘萬起上北邙」，梁童謡「青絲白馬壽陽來」皆一句也）。有口號（或四句或八句），有歌行（古有《鞠歌行》、《放歌行》、《長歌行》、《短歌行》，又有單以歌名者行名者，不可枚述），有樂府（漢成帝定郊祀，立樂府，采齊楚趙魏之聲以入樂府，以其音詞可被于弦歌也。樂府俱被衆體，兼統衆名也），有楚詞（屈原以下倣楚詞者皆謂之楚詞），有琴操（古有《水仙操》，辛德源所作；《别鶴操》，高陵牧子所作），有謡（沈炯有《獨酌謡》，王昌齡有《箜篌謡》，穆天子之傳有《白雲謡》也）。曰吟（古詞有《隴頭吟》，孔明有《梁父吟》，相如有《白頭吟》），曰詞（《選》有漢武《秋風詞》，樂府有《木蘭詞》），曰引（古曲有《霹靂引》、《走馬引》、《飛龍引》），曰咏（《選》有《五君咏》，唐儲光羲有《群鴻咏》），曰曲（古有《大堤曲》，梁簡文有《烏棲曲》），曰篇（《選》有《名都篇》、《京洛篇》、《白馬篇》），曰唱（魏武帝有《氣出唱》），曰弄（古樂府有《江南弄》），曰長調，曰短調。有四聲，有八病（四聲設于周顒，八病嚴于沈約。八病謂平頭、上尾、蜂腰、鶴膝、大韻、小韻、旁紐、正紐之辨。作詩正不必拘此蔽法，不足據也）。又有以歎名者（古詞有《楚妃歎》、《明君歎》），以愁名者（《文選》有《四愁》，樂府有《獨處愁》），以哀名者（《選》有《七哀》，少陵有《八哀》），以怨名者（古詞有《寒夜怨》、《玉階怨》），以思名者（太白有《靜夜思》），以樂名者（齊武帝有《估客樂》，宋臧質有《石城樂》），以別名者（子美有《無家別》、《垂老別》、《新婚別》）。有全篇雙聲疊韻者（東坡經字韻詩是也）。有全篇字皆平聲者（天隨子夏日詩四十字皆是平，又有一句全平一句全仄者），有全篇字皆仄聲者（梅聖俞「酌酒與婦飲」之詩是也），有律詩上下句雙用韻者（第一句第三、五、七句押一仄韻，第二句第四、六、八句押一平韻者，唐章碣有此體，不足爲法，謾列于此，以備其體耳，又有四句平入之體，四句仄入之體，無關詩道，今皆不取），有轆轤韻者（雙出雙入），有進有退韻者（一進一退），有古詩一韻兩用者（《文選》曹子建《美女篇》有兩「難」字，謝康樂《述祖德》詩有兩「人」字，後多有之），有古詩一韻三用者（《文選》任彦昇《哭范僕射》詩三用「情」字也），有古詩三韻六七用者（《古焦仲卿篇》詩是也），有古詩重用二十許韻者（《焦仲卿妻》詩是也），有古詩旁取六七許韻者（韓退之《此日足可惜》篇是也，凡雜用東、冬、江、陽、庚、青六韻。歐陽公謂退之遇寬韻則故旁入他韻，非也，此乃用古韻耳，于《集韻》自見之），有古詩全不押韻者（古《采蓮曲》是也），有律詩至百五十韻者（少陵有古韻律詩，白樂天亦有之，而本朝王黄州有百五十韻五言律），有律詩止三韻者（唐人有六句五言律，如李益詩「漢家今上郡，秦塞古長城。有日雲常慘，無風沙自驚。當今天子聖，不戰四方平」是也），有律詩徹首尾對者（少陵多此體，不可概舉），有律詩徹首尾不對者（盛唐諸公有此體。如孟浩然詩：「挂席東南望，青山水國遙。軸轤爭利涉，來往接風潮。問我今何適，天台訪石橋。坐看霞色晚，疑是石城標。」又「水國無邊際」之篇，又太白「牛渚西江夜」之篇，皆文從字順，音韻鏗鏘，八句皆無對偶），有後章字接前章者（曹子建《贈白馬王彪》之詩是也），有四句通義者（如少陵「神女峰娟妙，昭君宅有無。曲留明怨惜，夢盡失歡娛」是也），有絶句折腰者，有八句折腰者，有擬古，有連句，有集句，有分題（古人分題或各賦一物，如云送某人分題得某物也，或曰探題），有分韻，有用韻，有和韻，有借韻（如押七之韻可借入微或十二齊韻是也），有協韻（《楚詞》及《選》詩多用協韻），有今韻，有古韻（如退之「此日足可惜」詩用古韻也，蓋《選》詩多如此）。有古律（陳子昂及盛唐諸公多此體），有今律，有頷聯，有頸聯，有發端，有落句（結句也），有十字對（劉眘虛「滄溟千萬里，日夜一孤舟」），有十字句（常建「一徑通幽處，禪房花木深」等是也），有十四字對（劉長卿「江客不堪頻北望，塞鴻何事又南飛」是也），有十四字句（崔顥「黄鶴一去不復返，白雲千載空悠悠」，又太白「鸚鵡西飛隴山去，芳洲之樹何青青」是也），有扇對（又謂之隔句對，如鄭都官「昔年共照松溪影，松折碑荒僧已無。今日還思錦城事，雪消花謝夢何如」是也，蓋以第一句對第三句，第二句對第四句），有借對（孟浩然「廚人具鷄黍，稚子摘楊梅」，太白「水春雲母碓，風掃石楠花」，少陵「竹葉于人既無分，菊花從此不須開」是也），有就句對（又曰當句有對，如少陵「小院回廊春寂寂，浴鳧飛鷺晚悠悠」，李嘉祐「孤雲獨鳥川光暮，萬里千山海起秋」是也。前輩于文亦多此體，如王勃「龍光射斗牛之墟，徐孺下陳蕃之榻」，乃就對也）。論雜體則有風人藁砧（上句述其語，下句釋其義，如古《子夜歌》、《讀曲歌》之類則多用此體），古樂府「藁砧今何在？山上復安山。何當大刀頭，破鏡飛上天。」其辭隱語也），五雜俎（見樂府），兩頭纖纖（亦見樂府），盤中（《玉臺集》有此詩，蘇伯玉妻作，寫之盤中，屈曲成文也），回文（起于竇滔之妻織錦以寄其夫也），反覆（舉一字而誦，皆成句，無不押韻，反覆成文也。李公《詩格》有此二十一字詩），離合（字相折合成文，孔融「漁父屈節」之詩是也，雖不關詩之重輕，其體制亦古），建除（鮑明遠有建除詩，每句首冠以「建」、「除」、「平」、「定」等字，其詩雖佳，蓋鮑本工詩，非因建除之體而佳也），字謎，人名，卦名，數名，藥名，州名（如此詩只成戲謔，不足法也），又有六甲十屬之類，及藏頭，歇後等體（今皆削之，近世有李公《詩格》，泛而不備，惠洪《天廚禁臠》最爲誤人，今此卷有旁參二書者，蓋其是處不可易也）。

佚名《詩談》　梁太常任昉云：「《六經》所有歌、詩、書、詠之類，此蓋取秦漢以來聖君賢士沿襲爲文名之始起。」故因暇日録其緣起，抑亦用新好事者之目云。三言詩自晉散騎常侍夏侯湛始，四言詩自前漢楚王韋孟諫楚夷王戊始，五言詩自漢騎都尉李陵與蘇武別始，六言詩自漢大司農谷永始，七言詩自漢武帝柏梁臺殿聯句始，九言詩自魏高貴鄉公始，賦自大夫宋玉始，歌自荆軻作《易水歌》始，《離騷》自楚三閭大夫屈原始，《反離騷》自漢揚雄始，離合詩自漢孔融作四言《離合詩》始，歌詩自枚皋作《麗人行歌》始，挽詞自魏光祿勳繆襲始。

陳模《懷古錄》卷中　樂府多有名同而意不同者也。且如《巫山高》，古作多言從軍難，後人則多以神女命意。《公無渡河》，古作多言媍止其夫徒涉，後人則間以泛舟冒險命意。如此類不一。古樂府獨陳張正見多好者，然亦不過詠題目，而比衆則有餘韻耳。惟本朝諸作者，樂府必要各出新意，如《明妃曲》之類可見。近時三山潘枋庭堅樂府，篇篇寓新意。如《金銅仙人辭漢歌》云：「茂陵弓劍松烟紫，彊自驅來向何處？霸城土凹牛脚腫，司馬門高自翁仲。」《定情》詩云：「人人笑妾陋，偏得夫君憐。不爲夫君憐，縱美向誰妍？」《行路難》云：「君不見風雨孤舟老漁夫，換〔魚〕得錢醉踏舞。何曾上到玉堂來，□竟不識崖州路。」《青青河畔草》云：「青我者雨露，黄我者雪霜，天公實云然，委落庸何傷。」雖句語有未渾成細嫩處，然皆有所發越。故作記而必寓警拔之議論，樂府而必立高人之新意。雖若破體，然使其庸庸而無以起人意，則亦不足貴。蒼山曰：「樂府自有音調，所謂清調、側調、平調是也。李太白始信意說去，不問音調。杜工部則不作樂府，而《悲陳陶》、《悲〔青〕坂》則隱然樂府風味。若不曉音調，不若以工部爲法。」

衛宗武《秋聲集》卷五《李黄山乙稿序》　前輩評詩之難，謂一絕尤於五言，五言尤於七韻。蓋以其字約而理融，句精而趣遠，有長吟累辭所不能到者，是則然矣。鋪張發揚，開闔旋折，思窮氣竭，蓬蓬焉而起，汩汩焉而流，滃滃焉而族，振厲激越，敷餘汪洋，布濩浩瀚，出奇用正，變衒錯陳，以成春容之篇，顧不難歟？故予嘗謂短章猶深林孤芳，遙岑寸碧，固爲奇觀，而意匠之纖巧者率能之；大篇若萬花競春，千巖挺秀，要非才學膚淺者所可爲。然昔之能詩者蕃矣，多莫得全美，何哉？尺短寸長，要不容強齊耳。

張之翰《西巖集》卷一八《題人資山集》　詩固多體，有館閣、有山林、有神仙、有英雄。蓋人之不齊，所作亦不齊。

陳仁子《牧萊脞語二稿》卷六《劉竹間詩序》　詩有體，亦非有體。陶冲澹，韋靚深，韓富艷，諸老非不能盡兼衆長，根以天賦，肆以學力，吐葩鏤穎，各成一家。凡詩有效長吉體、玉川體、賈孟體，獨以無效杜體。蓋杜如黄收純衣，周折規矩。長吉輩如鷸毛翠幬，不可常設。

韋居安《梅磵詩話》卷上　絕句括盡題意方佳。清獻趙公《八詠樓》詩云：「隱侯詩價滿東吳，《八詠》篇章意思殊。聞說當時淸瘦甚，不知還爲苦吟無？」又《繡川湖》詩云：「東南山水聞之久，未省人曾說義烏。萬頃波濤驚客眼，始知中有繡川湖。」二詩括盡題意，得絕句體。

又卷中　省題詩自成一家機軸，非他詩比，葛常之《韻語陽秋》蓋嘗言之。然騷人墨客雖從事於時文，至作省詩，亦不爲格律所縛。楊廷秀序訓蒙省詩，亦曰「以騷人之情性，寓舉子之刀尺」，眞名言也。余觀紹定戊子科，括蒼秋試，出「賞月延秋桂」詩，舉子朱光破云：「詠與桂相投，延之桂亦留。賞渠今夜月，了我此生秋。」結云：「不須零碎折，和鑒抱歸休。」下語奇崛，考官爲之擊節。是年取解，次年龍飛榜擢第。

元好問《遺山集》卷三六《東坡詩雅引》　五言以來，六朝之謝、陶，唐之陳子昂、韋應物、柳子厚最爲近《風》、《雅》，自餘多以雜體爲之。詩之亡久矣，雜體愈備，則去《風》、《雅》愈遠，其理然也。

方回《瀛奎律髓》卷二五《拗字類序》　五言律亦有拗者，止爲語句要渾成，氣勢要頓挫，則換易一兩字平仄，無害也，但不如七言「吳體」全拗爾。

郝經《郝文忠公陵川文集》卷三〇《唐宋近體詩選序》　五言難於七言，四句難於八句，何者？言愈簡而義愈精也。譬如觀山，諸山掩映，中有奇峰一二，則諸山皆美矣。若一二奇峰，平地而立，便有峭拔秀潤氣，非樓石、劍門、少華則不能比。絕句全篇，詩人所尤重也。

牟巘《陵陽集》卷一二《厲瑞甫唐宋百衲集序》　詩雅四言，漢以來遂爲五、七言。唐開元之際，又始儷偶爲律詩。論者謂詩之道，至是略盡，殆不可復變。宋百餘年乃有集句者出，其不變之變歟？求之回文、離合、雙聲、疊韻、建除、郡邑名諸體，無與集句類者，惟聯句近之。但柏梁則君臣同時，昌黎則朋友同席，視集句遠裒古作頗異焉，實始於半山王公。

何夢桂《潛齋集》卷五《唐月心集句序》　荆公晚年好作集句，正不免黄太史一笑。余謂不然，集句雖古人糟粕，然用之如諸葛孔明學黄帝兵法，作八陣圖，必其方圓曲直，縱橫離合，悉在吾胸中，而後可以應敵而不窮。不然，齟齬牽合倉卒，鮮有不敗者。

劉壎《水雲村稾》卷五《新編絕句序》　詩至律，難矣，至絕句，尤難矣，至五言絶句，又大難矣。辭彌寡，意彌深，格彌嚴，味彌遠。豈比夫大篇長歌，可以浩蕩縱横，衍之而多者。唐人翻空幻奇，首變律絶，獨步一時。廣寒霓裳，節拍餘韻，飄落人間，猶挾青冥浩邈之響。後世乃以社鼓漁榔，欲追僊韻，千古吟魂應爲之竊笑矣。詩至於唐，光岳英靈之氣爲之匯聚，發爲風雅，殆千年一瑞世。爲律，爲絶，又爲五言絶，去唐愈遠，而光景如新。歐、蘇、黄、陳諸大家，不以不古廢其篇什品詣，殆未易言。世俗士下此數百級，乃或卑之。昔人天然秀發，得獨自高。僕學詩數十年，心地汗馬，媿無一語，彷彿望唐，見其愈簡而愈難也。選絶句若干首，置几案間，日取「柴門静掩」、「天風獨清」、「老鶴梳翎」、「晴花迎露」等篇，一諷誦之。楚冠南音，翁倡兒和，想千古吟魂，亦復爲之竊笑於地下，聞詩聲而問：「子何所得者？」則將應之曰：「一洲蘆荻殘風月，自作深林不語僧。」

又《新編七言律詩序》 七言近體，肇基盛唐，應虞韶協漢律不傳之妙，風韻掩映千古，花萼夾城。漢文有道「病中送客」、「秦地山河」等篇，意旨高騫，音節遒麗。宋三百年，理學接洙泗，文章追秦漢，視此若不屑爲。然桃李春風，弓刀行色，猶堪並轡分鑣。近世詩宗數大家，拔出風塵，各擅體致，皆自出機軸。則工古有人，工絶句有人，而桂舟諶氏律體尤精，咸謂唐律中興焉。故知此道在天地間，未易能，亦未嘗絶。夫律，聖人制作之初，測陰陽，定清濁，應高下，和神人，一累黍不中，不曰律。詩亦如之。彼範圍五十六字爾，淸麗或病格力之卑浮，沈鬱類困語言之鈎棘，亦一累黍不中，不曰律。故雖未嘗絶，亦未易能。然熟讀妙品，自有悟入。選古今律詩若干首，置几案間，日取諷咏之，儻私我百年，或有見優孟意，是叔敖復生，未可知也。分前後卷，前卷俱古人，首以唐賢，後卷俱今人，首以桂舟氏。吁，蜀之日，越之雪，定乎未定也。逮時久論定矣，必復有如杜、劉、許、李眞詩人者出，而興「恨不同時」之言，然惜不令封德彝輩見之耳。

又《禁題絶句序》 有律詩而後有絶句，絶句至宋而後尚禁體，其法以不露題字爲工，以能融題意爲妙，蓋舉子業之餘習也。世之以文會友者，或用此以驗才思工拙，謂之義試詩。其爲説曰：體物精切者，詩家一蓺也。於是搜幽抉祕，窮極鍛錬。其天巧所到，精工敏妙，有令人賞好不倦者，眞文人樂事也歟！舊時編萃至多，亂離之後，頗多散逸。乃日隨所有，遴其佳者，時課一題，以訓吾兒。由是精思，儻能觸類而長，則通一畢萬，寧不愈於飽食終日，無所用心者邪？夫束字二十有八，而景色彰表，律呂協和，局於搴擬而能超，疲於締搆而能靈，殆亦難矣。雖然，是特兒童小技，而非詩之極致也。賡歌昉於舜廷，至《三百篇》以來，跨漢魏，歷晋唐，以迄於宋，以詩名家者亡慮千百。其正派單傳，上接《風》、《雅》，下逮漢唐，宋惟涪翁，集厥大成，冠冕千古，而淵深廣博，自成一家。嗚呼，至是而後可言詩之極致矣。善乎，劉玉淵之言曰：「淵明詩之佛，太白詩之僊，少陵僊佛備，山谷可僊可佛，而儼然以六經禮樂臨之。」蓋論詩之極致矣。學詩不以杜、黄爲宗，豈所謂識其大者？

吴澄《吴文正集》卷二二《谷口樵歌序》 唐初創近體詩，字必屬對偶，聲必諧平仄。由是詩分二體，謂蕭《選》所載漢魏以來詩爲古體，而近體一名律詩。善古體者詆之曰：「古體之律尤精也，近體惡得專律之名哉？」予解之曰：「彼所謂律，非謂詩法也，特以其有對偶平仄之拘而謂之律爾。若以詩法爲律，則二體詩各有律，近體誠不得專其名也。」

楊載《詩法家數·絶句》 絶句之法，要婉曲回環，刪蕪就簡，句絶而意不絶。多以第三句爲主，而第四句發之。有實接，有虚接。承接之間，開與合相關，反與正相依，順與逆相應，一呼一吸，宫商自諧。大抵起承二句固難，然不過平直叙起爲佳，從容承之爲是。至如宛轉變化工夫，全在第三句，若於此轉變得好，則第四句如順流之舟矣。

陳繹曾、石柏《詩譜》 十八名：詩，五言章句整潔，聲音平淡；七言章句參差，音聲雄渾。歌，情揚辭遠，音聲高暢。吟，情抑辭鬱，音聲沉細。行，情順辭直，音聲瀏亮。曲，情密辭婉，音聲縟諧。謠，情譎辭寓，音聲質俚。風，情切辭遠，音聲古淡。唱，與歌、行、曲通。嘆，情戚辭老，音長聲絶。樂、懽，情和辭直，音聲舒緩。解，與歌、曲、嘆、樂通。引，情長辭蓄，音聲平永。弄，情活辭麗，音聲圓壯。調，情逸辭雅，音聲清壯。辭，情長辭雅，音聲平亮。舞，情通辭麗，音聲應節。怨，情沉辭鬱，音聲凄斷。謳，情揚辭直，音聲高放。

陳櫟《陳定宇先生文集·和詩説》 詩歌有唱和，尚矣。自舜作歌，皋賡歌始，春秋時賦詩必答，然不過賦古人詩耳。孔子與人歌而善，必使反之，而後和之。和即賡也，答也。降而李陵、蘇武，詩體雖變，唱答則同。又降而至盛唐，詩體又變，唱答不變，杜、韓諸集，班班可考。然有和意不和韻，尚有古意。又降而白樂天、元微之之徒，則和韻矣，全失古意。然如「車」、「斜」、「家」、「花」，韻尚可押，愈降愈下，以至於今，波頽風靡，益可厭惡。詩非詩，韻非韻，險韻、俗韻、獨腳韻，往往而是，詩之天趣，絲毫無有，豈詩也哉！和韻詩前輩多非之，韓陵陽不喜和人韻，楊誠齋深言和韻之弊，見於《答徐賡書》，其言深切痛快。此等議論，後生想耳未聞，亦慮不到，率謂見人有詩卽當和韻耳。近有一等無知之徒，效人爲園亭若干詠，題扁蹈襲而俗，辭語鄙俚而謬，且以和韻強人。無知者又爲之先和，而宛轉以求于人，應之者亦紛紛用其韻，一是皆不知而妄作，何等詩乎！證之先民，裴迪之於王輞川，韓昌黎之于劉虢州，蘇長公之于文洋州，楊誠齋之于向薌林，少者十餘詠，多者五十詠，只取和其題意，並無和韻之例，後生亦嘗考之乎？唱者爲轉求者，應之者率皆冥冥不知其非，以爲當，良可慨嘆。今書此示初學。

任士林《松鄉集》卷七《書唐人集句後》　「活剝張昌齡，生吞郭正一」，昔人所譏也。自王介甫、石曼卿始集古人句爲戲，孔毅父遂刻意爲之，蘇子瞻已不恕矣。近世百家衣盛出，能不無「天吳與紫鳳，顛倒在短褐」之失耶？某氏子新意如硎，久事游歷，使能原性情之所感，知禮義之所止，儒先生當避閫閾。如搜掠未窮，鼓不足而諷席，雖李商隱之祭魚，楊文公之衲被，衹見其勞，而發亦止耳。名山大川，清氣未歇，其必有以語之者，試挾此以行。

袁桷《清容居士集》卷四九《書番陽生詩》　然則詩果何自哉？唐詩之完，成於文敏，詩繇文敏興矣。詩盛於唐，終唐盛衰，其律體尤爲最精。各得所長，而音節流暢，情致深淺，不越乎律呂。後之言詩者，不能也。自次韻出而唐風益絶，豪者俚，腴者質，情性自別，皆規規然禪人韻偈爲宗，益不復有唐之遺音矣。【略】噫！儒者之事，博而且難，泛焉以講，將勞而寡成。守一而充之，因以考夫風雅之微旨，知詩之立言各有其體，諷諫詠賦，無不曲盡其情狀。

李繼本《一山文集》卷四《鄧伯言玉笥詩集序》　大抵詩之體裁各以其類，雅頌有雅頌之製，風騷有風騷之製。漢魏人則漢魏人語，六朝唐人則六朝唐人語。譬諸公輸子之成方圓，必由規矩；師曠之正聲音，必範律度；而庖丁之解牛，必中肯綮。故其詩，高者薄霄漢，深者溢河海，振之沮金石，奏之諧韶濩。由是而薦郊廟，感鬼神，廣聲敎，移風俗，振古不可廢也。

劉詵《桂隱文集》卷二《夏道存詩序》　詩之爲體，《三百篇》之後，自李陵、蘇武送別河梁，至無名氏十九首、曹魏六朝、唐韋柳爲一家，稱爲古體。自漢柏梁秋風詞，馴至唐李杜爲一家，稱爲歌行。古體非筆力遒勁高峭不能，歌行非才情浩蕩雄傑不能。

虞集《雍虞先生道園類稿》卷一七《新編古樂府序》　昔者，周有大司樂，以六代之樂教國子，則黃帝之《雲門》、《卷》、《咸》，舜之《韶》，夏之《夏》，商之《濩》，周之《武》也。書傳所記，則又有顓頊之《六莖》、帝嚳之《英》，帝堯之《章》，而不與者，豈已不傳於當時耶？夫子之作也，聞《韶》見《武》，於商之樂，僅得《商頌》十二篇。千載而下，欲有以盡見夫古人之制作，豈不遐哉邈乎？夫樂之爲器八，所以備六律五音者，有其聲而已；所貴乎人聲者，有其文辭焉。音聲之傳，工失其肄習，則易以亡絶。歌之有辭，則意義之通，可以兼音聲而得之。此夫子慨歎於《韶》、《武》之辨，而刪《詩》之志興矣。翕、純、皦、繹，徒見其始終於語太師之言，而其官有秦、楚河海之適，女樂之餽至，聖人亦將如之何哉？自衛而歸，《雅》、《頌》得所，言樂者庶乎可知其正也。夫子有聞於齊，後亦無傳。而齊景公君臣相說之樂，有《徵招》、《角招》，則亦《韶》之餘裔也。齊宣王見孟子，而曰「非能好先王之樂」，豈至是時，《韶》猶有在者乎？《大武》之舞，記禮者存焉，而其詞有《繁》、《遏》、《渠》之詩，則吾夫子之手定者也。王通氏曰：「通於夫子，有罔極之恩。」如詩之類乎？夫《三百篇》之詩，皆可弦歌，郊社、宗廟，朝廷賓客燕饗，用之備矣。二《南》正本，始於閨門，《豳風》序先公之遺業，皆係於《國風》者，則猶列國之事云耳。桑間濮上之變，間於《葛屨》、《蟋蟀》之遺者，則猶太師陳之，以觀其治亂之跡者也。《易》所謂「先王作樂崇德，殷薦之上帝，以配祖考」，非《國風》之謂矣。是故六代之樂，成均之教廢，而學者無聞。《康衢》、《擊壤》等篇，雖泰山一毫芒，猶可追見帝王之治化，亦猶一言一辭之存耳。王通氏生乎魏晉數百年之後，有以見聖人之遺意，將爲續詩，而卒無傳於代者，蓋無復有二《南》、《雅》、《頌》之可錄者矣。嗚呼！自黃鐘之宮，爲律六十，及正變之聲，而七均成焉。盛德大業之興，可得而用之，所謂《咸》、《英》、《韶》、《濩》之不可復聞，其故何哉？有志之士掇拾其遺辭於簡冊，將以考求其音律於千載之上，則可謂有志於古者矣。

又卷三五《跋陳君章所藏觀志能新樂府引》　樂府者，上下進退協和，音調婉轉委曲，極其流麗以爲工，長於情者之能事。志氣剛直者，無流連光景之意，無憂怨呻吟之和。其爲辭也，豪宕放曠則有之，憤疾感傷則有之，良非樂府之所尚矣。前右榜進士翰林應奉觀志能，前在憲府，以剛見稱，執筆史館，以不佞爲直，豈復有沈淪幽鬱之逸志哉？吾聞《詩》三百篇，皆被弦歌，《雅》《頌》出於大夫君子，《國風》猶先王流澤之遺者也。《楚辭》之作，忠而能怨。秦漢之間，莫或見焉，皆可歌者，及漢中盛，樂府始立，爰及曹魏，辭益悲壯。自是而降，風流靡焉。然則作而成之，非有禮義由乎其中，性情達乎其外，孰能返《大雅》之盛乎？吾由是知歌之善者，柔不如剛之達，曲不如直之遂也。

李孝光《五峰集》卷一《樂府詩集序》 凡樂之制，群聖人所增更，至於周而大備。周之歌樂，盡聖人之徒之所自作，其報祀天地百神，又皆遵用黄帝、堯、舜、禹、湯之樂舞。宗廟之中，神且下，則奏九德之歌，九磬之舞。舞《招舞》也，歌《招詩》也。然則自《雲門》以下，樂皆自有歌，因可知矣。周時於黄帝、堯、舜相去二千有餘歲，而樂猶不壞，由先王世世肄業，存以遺後聖。故周公爲樂，頗遵用之。是皆群聖人之所作，宜乎動蕩天地，變化國俗，曾不崇朝而後致。或稱伏羲之立基，神農之下謀，祝融之屬續，顓頊之五莖，帝嚳之六英，以質故弗用。余曰不然。豈其制久而遂亡，不可復索？意周公不能無遺憾。向使猶有存者，則周公並用之矣。自漢高時爲武德之舞，驂用招舞而更曰文，始武舞而更曰五行。又因秦樂人制宗廟樂詩三侯之章，而房中樂、楚聲，至令唐山夫人爲歌。及孝武世益爲十九章，則有宛馬、產芝、白麟、赤蛟之物，以明得意。至是聖制遂泯，而黄帝以下之詩，於是始併亡矣！此非獨漢過。秦已帝秦以爲功德，上兼三五，改古制度，不師聖哲，棄先王之道勿復用。漢因而不修過，秦過也，漢不得不任之。且公子完去陳，虞招猶不廢。田仲微，大夫也，負擔流離之際，不敢失墜。誠令漢訪求之，是時去古未遠，什二三倘可得也。孔子至自衛，歎曰：「吾自衛反魯，然後樂正，雅頌各得其所。」乃取殷周之詩，皆絃歌之，以求夫韶舞雅頌之音。孔子所爲歎，殆周公之意也。然則後之繼周者，盍亦思其本矣。由今論之，殷、周之詩具在。漢至於唐，若茂倩所次，又弗可考。遺其所不可知，而講其所可知，其殆庶幾乎！

吴萊《淵穎集》卷七《與黄明遠第三書論樂府雜説》 正聲微茫，雅韻廢絶，未有慨然致力于古學者。但所言樂家所採者爲樂府，不爲樂家所採者爲古詩。遂合樂府、古詩爲一通，以定作詩之法，不無疑焉。竊意古者樂府之說，樂家未必專取其辭，特以其聲爲主，聲之徐者爲本，疾者爲解。解者何？樂之將徹，聲必疾，猶今所謂闋也。《漢書》云：「樂家有制，氏以雅樂，世世在大樂官，第能識其鐘鼓鏗鏘而已，不能言其義。」此則豈無其辭乎？辭者特聲之寓耳。故雖不究其義，獨存其聲也。漢初因秦雅人以制樂，《韶》爲《文始》，《武》爲《五行》。《房中》有《壽人》，《壽人》後易名《安世》，其辭十有九章，乃出於唐山夫人之手。《文始》、《五行》，有聲無辭。後世又皆變名易服，以示不相沿襲，其聲實不全殊也。及武帝定郊祀，立樂府，舉司馬相如等數十人作爲詩賦。又採秦、楚、燕、代之謳，使李延年稍協律呂，以合八音之調，如以辭而已矣，何待協哉？必其聲與樂家牴牾者多。然孝惠二年，夏侯寬已爲樂府令，則樂府之立，又未必始於武帝也。豈武帝之世，特爲新聲，不用舊樂耶？自漢世古辭號爲樂府，沈約《樂志》、王僧虔《技錄》，則具載其辭，後世已不能悉得其聲矣。漢魏以降，大樂官一皆賤隸爲之。魏三祖所作及夫歌章古調，率在江左。雖若淫哇綺靡，猶或從容閒雅有士君子之風，隋文聽之以爲華夏正聲。當時所有者六十四曲，及鞞、鐸、巾、拂等四舞，皆存。唐長安中工技漸缺，其能合于管絃，去吴音浸遠。議者謂：「宜取之吴人，使之傳習。」開元以後，北方歌工，僅能歌其一曲耳。時俗所知多西涼龜茲樂，倘其辭之淪缺，未必止存一曲。豈其聲之散漫已久，不可復知耶？奈何後世擬古之作，曾不能倚其聲以造辭，而徒欲以其辭勝。齊梁之際，一切見之新辭，無復古意。至於唐世，又以古體爲今體。宫中樂《河滿子》特五言而四句耳，豈果論其聲耶？他若《朱鷺》、《雉子斑》等曲，古者以爲標題下則皆述別事，今返形容二禽之美以爲辭。果論其聲，則已不及乎漢世兒童巷陌之相和者矣，尚何以樂府爲哉？傳有之：「興於詩，立於禮，成於樂。」蓋詩之與樂，固爲二事。詩以其辭言者也，樂府以其聲言者也。今則欲毀樂府而盡爲古詩，以謂既不能歌，徒與古詩均耳，殆不可令樂府從此而遂廢也。又聞學琴者言：琴操多出乎楚漢，或有聲無辭，其意輒高遠可喜，而有辭者反不逮。是則樂家未必專取其辭，而特以其聲爲主者，又明矣。嘻，今之言樂府者，得無類越人之歌而楚人之說乎。昔者，鄂君子晳之泛舟新波之中也，榜枻越人歌之曰：「濫兮抃草濫予昌枑澤予昌州州䰈州焉乎秦胥胥縵予乎昭澶秦喻慘惿隨河湖。」鄂君子晳曰：「吾不知越歌，子試爲我楚說之。」乃召越譯而楚說之曰：「今夕何夕兮，搴洲中流。今日何日兮，得與王子同舟。蒙羞被好兮，不訾詬耻。心幾煩而不絶兮，得知王子。山有木兮木有枝，心說君兮君不知。」其聲則越，其辭則楚。楚越之相去也不遠，猶不能辨，又況自今距古千有餘年，而欲究其孰非孰是，不亦難乎？昔唐史臣吳兢有《樂府解題》，近世莆田鄭樵又爲《樂府正聲遺聲》。然性愛奇，卒無所去取。兢則列叙古樂，而復引吳均輩新曲，均豈可與漢魏比倫哉。若樵，又以天時、人事、鳥獸、草木各附其類，無時世先後，而欲以當聖人所删之逸詩，是亦無異乎文中子之續詩也。今欲一定作詩之法，且以考古自名。古樂府之名，不可以不存，存之則其辭是也，擬之則其聲非也。不然，吾願以李、杜爲法。太白有樂府，又必摹擬古人已成之辭，要之或其聲之有似者，少陵則不聞有樂府矣。

胡翰《胡仲子文集》卷四《古樂府詩類編序》 周衰，禮樂崩壞，而樂爲尤甚。是制氏爲時樂官，能紀其鏗鏘鼓舞，而不能言其意，則天下之知者鮮矣。況先王之聲音度數，不止其所謂鏗鏘鼓舞，其人固不能盡紀也。以是言之，豈不難哉！若聲詩者，古之樂章也。《雅》、《鄭》得失，存乎其辭，辨其辭而意可見，非若聲音度數之難知。而國家之制作，民俗之歌謡，詩人之諷咏，至于後世，遂無《雅》、《頌》之音。雖用之郊廟朝廷，被之鄉人邦國者，猶夫世俗之樂耳。獨何歟？蓋詩之爲用，猶史也。史言一代之事，直而無隱。詩繫一代之政，婉而微章。辭義不同，由世而異。中古之盛，政善民安，化成俗，美人情，舒而不迫，風氣淳而不散。其言莊以簡，和以平，用而不匱，廣而不宣，直而有曲，體順成而和動，是謂德音。及其衰也，列國之言各殊，儉者多嗇，強者多悍，淫亂者忘反，憂深者思蹙。其或好樂而無主，困敝而思治，亦隨其俗之所尚，政之所本，人情風氣之所感。故古詩之體，有美有刺，有正有變，聖人並存而不廢。唯所以用之郊廟朝廷，非《清廟》、《我將》之《頌》，不得奏於升歌宗祀；非《鹿鳴》、《四牡》、《大明》、《文王》之《雅》，不得陳於會朝燕享。内之爲閨門，外爲之鄉黨，非《關雎》、《麟趾》，則《鵲巢》、《騶虞》之《風》，情深而文明，氣盛而化神，故可以感鬼神，和上下，美教化，移風俗。今茂倩之所次，有是哉。以其所謂郊祀、安世、黄門、鼓吹、鐃歌、横吹、相和、琴操、雜曲考之，漢辭質而近古，其降也爲魏。魏辭溫厚，而益趨於文，其降也爲晋。晋之東，其辭麗，遂變而爲南北。南音多豔曲，北俗雜胡戎，而隋唐受之。故唐初之辭，婉麗詳整，其中宏偉精奇，其末纖巧而不振。雖人竭其才，家尚其學，追琢襞積，曾不能希列國之《風》，而況欲反乎《雅》、《頌》之正，滋不易矣。是以郊廟祭祀，則非有祖宗之事，美盛德，告成功之實；會朝燕享，君臣之間，則非有齊莊和悦之意，以發先王之德，盡群下之情。哇聲俚曲，若秦楚之謳，巴渝之舞，涼伊之技，莫不雜出以爲中國朝廷之用。慆心盈耳，不復知其爲敎化風俗之蠹矣。夫民不幸，不見先王之禮樂。考其聲詩，蓋有足言者。然以唐虞之盛，不能無憾焉。吾於此見其風氣之淳，人情之泰，政治俗尚之美，皆非古矣。其治亂得失，是非邪正，雖去之千數百載，不待其言之著而今皆可見者，則詩之爲用，豈不猶史之事哉！故合而論之，以寓吾去取之意，將望於後之作者焉。

左克明《古樂府·自序》 漢武帝立樂府官採詩，以四方之聲，合八音之調，用之甘泉圜丘，此樂府之名所由始也。歷世相承，古樂廢缺，雖修舉不常，而日就泯沒。博洽推究，師授莫明，於是凡其諸樂舞之有曲，與夫歌辭可以被之管絃者，通其前後，俱謂之樂府。上追三代，下逮六朝，作者迭興，倣效繼出，雖世降不同，而時變可考。紛紛沿襲，古意略存，或因意命題，或學古叙事，尚能原閨門衽席之遺，而達於朝廷宗廟之上。方《三百篇》之詩爲近，而下視後世詞章留連光景者有間矣。

又卷二《鼓吹曲歌辭》 鼓吹曲，一曰短簫鐃歌。劉瓛《定軍禮》云：「鼓吹，未知其始，或曰黄帝岐伯所作，以建威揚德，風勸敵士。」蔡邕《禮樂志》曰：「漢樂四品，其四曰短簫鐃歌，軍樂也。」《建初伎錄》云：「列于殿庭者名鼓吹。」按：孫權觀魏武帝軍作鼓吹而還，此應是今之鼓吹。《晋中興書》曰：「漢武帝時，南越加置七郡，皆假鼓吹。班超拜長史，假鼓吹麾幢。」則短簫鐃歌，漢時已名鼓吹，不自魏晋始也。《西京雜記》：「漢大駕祠甘泉汾陰，備千乘萬騎，有黄門前後部鼓吹。」則不獨列于殿庭者名鼓吹也。《古今註》曰：「漢樂有黄門鼓吹，而短簫鐃歌，鼓吹之一章爾。」然則黄門鼓吹、短簫鐃歌與横吹曲，得通名鼓吹，但所用異爾。漢有二十二曲列于鼓吹，謂之《鐃歌》。而存者十八篇，曰《朱鷺》、《思悲翁》、《艾如張》、《上之回》、《擁離》、《戰城南》、《巫山高》、《上陵》、《將進酒》、《君馬黄》、《芳樹》、《有所思》、《雉子班》、《聖人出》、《上邪》、《臨高臺》、《遠如期》、《石流》。而《務成》、《玄雲》、《黃雀》、《釣竿》四篇，其辭已亡。魏文帝受命，使繆襲改造十二曲，曰《楚之平》、《戰滎陽》、《獲呂布》、《克官渡》、《舊邦》、《定武功》、《屠柳城》、《平南荆》、《平關中》、《應帝期》、《邕熙》、《太和》。吴亦令韋昭改製十二曲，曰《炎精缺》、《漢之季》、《攄武師》、《伐烏林》、《秋風》、《克皖城》、《關背德》、《通荆門》、《章洪德》、《從歷數》、《承天命》、《玄化》。而《君馬黄》、《雉子班》、《聖人出》、《臨高臺》、《遠如期》、《石流》、《務成》、《玄雲》、《黄雀》、《釣竿》十曲，並仍其舊名。晉武帝受禪，命傅玄製二十二曲，曰《靈之祥》、《宣受命》、《征遼東》、《宣輔政》、《時運多難》、《景龍飛》、《平玉衡》、《文皇統百揆》、《因時運》、《惟庸蜀》、《天序》、《大晋承運期》、《金靈運》、《於穆我皇》、《仲春振旅》、《夏苗田》、《仲秋獮田》、《從天道》、《唐堯》、《玄雲》、《伯益》、《釣竿》，而《玄雲》、《釣竿》名不改舊。宋何承天於義熙末年秋，製十五篇，皆擬漢舊名，大抵別增新意，其義與古辭不合，疑未嘗被於歌聲也。如齊王融、謝朓、梁昭明太子統、范雲、陳蘇子卿等，追擬古題，立義不同。

又卷三《横吹曲歌辭》　横吹曲，其始亦謂之鼓吹，馬上奏之，乃軍中之樂也。自漢已來，北狄樂總歸鼓吹署，其後分爲二部。有簫笳者爲鼓吹，用之朝會、道路；有鼓角者爲横吹，用之軍中馬上所奏者是也。《晉書·樂志》曰：「横吹有鼓角，又有胡角，即胡樂也。漢張騫入西域，傳其法於西京，唯得《摩訶兜勒》一曲。李延年因胡曲更造新聲二十八解。」魏晉以來唯傳十曲，一曰《黄鵠》，二曰《隴頭》，三曰《出關》，四曰《入關》，五曰《出塞》，六曰《入塞》，七曰《折楊柳》，八曰《黄覃子》，九曰《赤之楊》，十曰《望行人》。後有《關山月》、《洛陽道》、《長安道》、《梅花落》、《紫騮馬》、《驄馬》、《雨雪》、《劉生》八曲，合十八曲古辭，間有存者。

又卷四《相和歌辭》　相和，漢舊曲也。「絲竹更相和」，執節者歌，本一部，魏明帝分爲二。晉荀勖採舊辭施用於世，謂之清商三調歌詩，即沈約所謂「因絃管金石造歌以被之」者也。唐《樂志》云：「平調、清調、瑟調，皆周《房中曲》之遺聲，漢世謂之三調。」又有楚調，漢《房中樂》也，與前三調總謂之相和調。張永《元嘉技錄》云：「有吟嘆四曲，亦列於相和歌。」又有大曲十五篇，分於諸調。唯《滿歌行》一曲，諸調不載，故附見於大曲之下云。

又卷六《清商曲歌辭》　清商樂，一曰清樂。清樂者，九代之遺聲，其始即相和三調是也。并漢魏已來舊曲，其辭皆古調，晉馬南渡，其音亡散。宋武定關中，收其聲伎，南朝文物，斯爲最盛焉。後魏孝文、宣武相繼南伐，得江左所傳舊曲，及江南吴歌，荆楚西聲，總謂之清商。至於殿庭饗宴，則兼奏之。後隋平陳，文帝善其節奏，曰：「此華夏正聲也。」乃微更損益，以新定律吕，因於太常置清商署以管之，謂之清樂。隋室喪亂，日益淪缺。唐貞觀中用十部樂，清樂亦在焉。至武后長安已後，朝廷不重古曲，工伎廢弛，於吴音轉遠矣。曲之存者，僅有《子夜》、《上聲》、《歡聞》、《前溪》、《阿子》、《丁督護》、《讀曲》、《神弦》等曲，俱列於吴聲。而西曲，則《石城樂》、《烏夜啼》、《烏栖曲》、《估客》、《莫愁》、《襄陽》、《江陵》、《共戲》、《壽陽》等曲，或舞曲，或倚歌，則雜出於荆、郢、樊、鄧之間。以其方俗，故謂之西曲。及梁天監中，武帝改西曲，製《江南弄》、《爲龍笛》、《採蓮》、《採菱曲》，沈約製《鳳笙》等曲，與西曲總列於清商云。

又卷八《舞曲歌辭》　周有六舞，一曰帗舞，二曰羽舞，三曰皇舞，四曰旄舞，五曰干舞，六曰人舞。周官舞師掌敎四舞，樂師掌敎國子小舞。自漢魏以後，樂舞寖盛，故有雅舞，有雜舞。雅舞用之郊廟朝饗，雜舞用之宴會。雜舞者，《公莫》、《巴渝》、《鐸舞》、《拂舞》、《白紵》之類是也。始皆出於方俗，後寖陳於殿庭，蓋宴會所奏，率非雅舞。宋武帝大明中，亦以雜舞施於廟庭，朝會用樂，則兼奏之。而《巴渝舞》，則漢高帝所作，王粲改創其辭，以述魏德，於太祖廟奏之。而《鐸舞》、《巾舞》，古辭有聲而辭不可讀。《拂舞》則有《白鳩》、《獨漉》等曲。《白紵》宜是吴舞，本吴地所出也，故列於舞曲云。

又卷九《琴曲歌辭》　《唐書·樂志》曰：「琴，禁也。夏至之音，陰氣初動，禁物之淫心也。」《世本》曰：「琴，神農所造。」《廣雅》曰：「伏羲造琴用五弦。」揚雄曰：「舜彈五絃之琴而天下化。」《琴操》云：「文王、武王，加二絃以合君臣之恩。今稱二絃爲文武絃是也。」自伏羲製作之後，有瓠巴、師襄、伯牙、子期，皆善鼓琴，而其曲有暢，有操，有引，有弄。其後西漢時有慶安世、劉道彊、趙飛燕，皆以琴稱。古有五曲，曰《鹿鳴》、《伐檀》、《騶虞》、《鵲巢》、《白駒》。九引曰《烈女》、《伯妃》、《貞女》、《思歸》、《霹靂》、《走馬》、《箜篌》、《琴引》、《楚引》。十二操曰《將歸》、《猗蘭》、《龜山》、《越裳》、《拘幽》、《岐山》、《履霜》、《朝飛》、《別鶴》、《殘形》、《水仙》、《襄陵》焉。

又卷一〇《雜曲歌辭》 漢魏之世，歌詠雜興，而詩之流乃有八，曰行、引、歌、謠、吟、詠、怨、嘆者，皆詩人六義之餘也。如三曹、七子，猶有古之遺風焉。自晋楚江左，下逮六朝，風化寖薄，繁音日滋，新聲熾而雅音廢矣。故齊、陳、隋之將亡也，有《伴侶》、《無愁》、《玉樹後庭花》、《泛龍舟》等曲，此則新聲之極也。自秦漢以來，文人才士，作者非一，或情思之所感，或宴游之所發，或叙離別悲傷之懷，或言征戰行役之苦，故有名存義亡，不見所起。而有古辭可考者，則若《傷歌行》、《生別離》、《長相思》之類是也。古辭已亡而後人繼有擬述者，則若《出自薊北門》、《結客少年場》、《齊謳》、《吳趨》之類是也。又如曹植之《惟漢苦》、《思欲遊》、《桂之樹》等行，《白馬》、《僊人》、《飛龍》等篇，陸機、鮑照之《君子有所思》、《北風》、《苦熱行》之類，其篇甚多。或因意命題，或學古叙事，其辭見後，不復備論。

佚名《編類》 凡文章之有音韻者，如銘、箴、頌、贊、辭、賦，皆古詩之流，體制雖不同，而理則一也。唐虞之際有《賡載歌》，夏有《五子之歌》，殷之亡，周之興也，有《麥秀》、《采薇》之歌。《賡載》之歌著於經，《麥秀》、《采薇》見於史，孔悝之《鼎銘》，正考父之《鼎銘》，《三緘其口銅人銘》，亦皆紀錄於方策。學詩者苟能觸類而推，一以貫之，則古今之詩道畢矣。

宋訥《西隱集》卷六《送崔判簿朝京詩序》 古人贈別，不以物而以詩。申伯出封於謝，尹吉甫作詩以送之，而有《崧高》。仲山甫築城於齊，尹吉甫作詩以送之，而有《烝民》。贈別以詩，見於經矣。李陵贈蘇武，則詩有「攜手上河梁」之辭；蘇武別李陵，詩有「征夫懷往路」之句。以詩贈別，又見於史與傳矣。自後，若李謫仙《思鳴臯》，杜少陵《入奏行》，歐六一《廬山高》等作，莫非贈別之詩也。詩爲贈別而作，其來遠矣。詩客騷人當祖道，以登山臨水之思，發而爲詩贈別者，所以不容已也。

瞿佑《詠物詩自序》 大抵詠物之作，拘於題，則固執不通，有黏皮帶骨之陋，遠於題，則空疏不切，有捕風繫影之失，故自昔名家鮮有此作。

高棅《唐詩品彙・五言古詩叙目・正始上》 五言之興，源於漢，注於魏，汪洋乎兩晋，混濁乎梁陳，大雅之音幾於不振。唐氏勃興，文運丕溢。太宗皇帝，龍鳳之姿，天文秀發，延覽英賢，首倡斯道。其幸慶善宮等作，時已被之管絃。明良滿庭，賡歌贊治，若夫世南屬和，匡君以正，魏徵終篇，約君以禮：辭之忠厚，豈曰文爲？及乎永徽以還，四傑並秀於前，四友齊名於後，劉氏庭芝古調，上官儀新體，雖未遏其微波，亦稍變乎流靡。【略】神龍以還，品格漸高，頗通遠調，前論沈、宋比肩，後稱燕許手筆，又如薛少保之「郊陝」篇，張曲江公《感遇》等作，雅正沖澹，體合風騷，駸駸乎盛唐矣。

又《長篇》 五言長篇，自古樂府《焦仲卿》而下，繼者絶少，唐初亦不多見。逮李、杜二公始盛。至其鋪陳終始，排比聲韻，大或千言，次猶數百，辭意曲折，隊仗森嚴，人皆雕飭乎語言，我則直露其肺腑；人皆專犯乎諱忌，我則回護其褒貶：此少陵所長也。太白又次之。韓愈晚出，力追前人。先輩嘗謂《南山》詩與少陵《北征》互有優劣。斯言近之。善乎嚴滄浪有云，李、杜、韓三公之詩如金鳷擘海，香象渡河，龍吼虎嘯，鼉翻鯨躍，大槍大刃，君王親征，氣象各別。【略】學者觀之，亦足以廣其藻思耳！

又《七言古詩叙月・正始》 七言雖云始自漢武《栢梁》，然歌謠等作出自古也，如寗戚之《商歌》，七言略備，迨漢則純乎成篇。下及魏晋，相繼有述，其間雜以樂府長短句、詞、吟、曲、引、篇、行、詠、調之屬，皆名爲詩。唐初作者亦少，獨宋之問數首爲時所稱，又如郭代公《寶劍篇》，張燕公《鄴都引》，調頗凌俗，然而文體聲律，抑揚頓挫猶未盡善。

又《正變上》 漢武帝立樂府官采詩，以四方之音被之聲樂，其來遠矣！後世沿襲，古意略存，或因意命題，或學古叙事，尚能原閨門衽席之遺，而達之於宗廟朝廷之上。去古雖遠猶近。唐世述作者多，繁音日滋：寓意古題，刺美見事者有之；即事名篇，無復倚傍者有之。大曆以還，古聲愈下，獨張籍、王建二家體制相似，稍復古意。或舊曲新聲，或新題古義，詞旨通暢，悲歡窮泰，慨然有古歌謠之遺風，皆名爲樂府。雖未必盡被於絃歌，是亦詩人引古以諷之意歟？抑亦唐世流風之變而得其正也歟？【略】後之審音者，倘采聲以造樂，二子其庶乎？

又《五言絶句叙目・正始》 五言絶句，作自古也。漢魏樂府古辭則有《白頭吟》、《出塞曲》、《桃葉歌》、《歡聞歌》、《長干曲》、《團扇郎》等篇。下及六代，述作漸繁。唐初工之者衆，王、楊、盧、駱尤多。宋之問、韋承慶之流，相與繼出，可謂盛矣。

又《六言附》 六言，始自漢司農谷永。魏晉間，曹、陸間出。至唐初，李景伯有《回波樂府》，亦效此體。逮開元、大曆間，王維、劉長卿諸人相與繼述，而篇什稍屢見。然亦不過詩人賦詠之餘矣。

又《七言絕句叙目・正始》 七言絕句，始自古樂府《挾瑟歌》，梁元帝《烏棲曲》、江總《怨詩行》等作，皆七言四句。至唐初，始穩順聲勢，定爲絕句，然而作者亦不多見。

又《五言律詩叙目・正始》 律體之興，雖自唐始，蓋由梁陳以來儷句之漸也。梁元帝五言八句，已近律體。庾肩吾《除夕》，律體工密。徐陵、庾信，對偶精切，律調尤近。唐初工之者衆，王、楊、盧、駱四君子，以儷句相尚，美麗相矜，終未脱陳隋之氣習。神龍以後，陳、杜、沈、宋、蘇頲、李嶠、二張（說、九齡）之流，相與繼述，而此體始盛，亦時君之好尚矣。凡四時遊幸，諸文臣學士，給翔麟馬以從，或在禁掖，或出離宮，或幸戚里，或遊蒲萄園，登慈恩塔，或渭水祓除，驪山賜浴，卽有燕會，天子倡之，群臣皆屬和。由是海內詞場翕然相習，故其聲調格律，易於同似。其得興象高遠者亦寡矣。

又《七言律詩叙目・正始》 七言律詩，又五言八句之變也。在唐以前，沈君攸七言儷句已近律體。唐初始專此體，沈、宋等精巧相尚。開元初，蘇、張之流盛矣。然而亦多君臣遊倖倡和之什。

黃淮《介庵集》卷三《楊處士挽詩集序》 挽詩之作尚矣。漢有《薤露》、《蒿里》，叙哀以代哭泣，至李延年，分而爲二：《薤露》送王公貴人，《蒿里》送士夫庶人。因命執紼者歌以勸力，故又謂之紼謳者。陶潛自制挽詩，但言死生永隔，無復傷悲，以寓其曠達之意。杜甫作《八哀》悼王恩禮等輩，備述出處、履歷、行業，文章長篇累牘，屢言不厭，是後作挽詩者多倣效焉。誠以盛德在人，既沒而著其思，思之而發於言，言之不足故詠歌之，豈宜紼謳而已哉？

金幼孜《金文靖集》卷七《張宜人輓詩序》 惟輓歌之始，説者謂自漢時田横死，吏不敢哭，故爲此以寄哀音。至李延年分爲二曲，則有《薤露》、《蒿里》之歌。後世因之，迄今而愈盛。至於閨門女婦之什，自非其事卓卓，足爲世勸，或因其子之賢、其母之不獲終養者，亦鮮見焉。

又《大醫院判韓公達輓詩序》 輓歌之始，蓋自漢初田横之門人，以横死不敢發哀，乃以《薤露》、《蒿里》之歌以悲之，而其後李延年遂分爲二曲，《薤露》送王公貴人，《蒿里》以送庶人之葬，然大槩爲吊死侑葬而設也。魏晉隋唐以來，士大夫有悼其故舊親友之逝，遂作爲詩歌以哀輓之，於是詩往往有傳於世。迨宋暨元以至於今，日遠日盛者，蓋有由然矣。**【略】**嗟夫詩本性情，止乎禮義，故凡悲哀愁怨、懽娛離合，必於詩焉發之。蓋人之情有不能自已者如此。

楊榮《文敏集》卷一三《太醫院使蔣公挽詩序》 自《薤露》、《蒿里》之曲傳於世，而哀挽之作緣此而興久矣。然非其人才足以用世、德足以及人、名足以垂後者，抑豈能使人悲思哀慕，形之詩歌，以寓其情於無窮哉！

吴訥《文章辨體序説・古詩》 《詩大序》曰：「詩者，志之所之也。」「詩有六義：曰風，曰雅，曰頌，曰賦，曰比，曰興。」《三百篇》尚矣。以漢魏言之，蘇、李、曹、劉，實爲之首。晉、宋以下，世道日變，而詩道亦從而變矣。晦庵先生嘗答鞏仲至有曰：「古今詩凡三變：自漢魏以上爲一等，自晉宋間顔、謝以後下及唐初爲一等，自沈、宋以後定著律詩下及今日又爲一等。」然自唐初以前，爲詩者固有高下，而法猶未變；至律詩出，而後詩之與法始皆大變，無復古人之風矣。

又《四言》 四言，《國風》、《雅》、《頌》之詩，率以四言成章；若五、七言之句，則間出而僅有也。《選》詩四言，漢有韋孟一篇。魏晉間作者雖衆，然惟陶靖節爲最，後村劉氏謂其《停云》等作突過建安是也。宋齊而降，作者日少。獨唐韓、柳《元和聖德詩》、《平淮夷雅》膾炙人口。先儒有云：「三詩體制不同，而皆詞嚴氣偉，非後人所及。」自時厥後，學詩者日以聲律爲尚，而四言益鮮矣。**【略】**大抵四言之作，拘於模擬者，則有蹈襲風雅辭意之譏；涉於理趣者，又有銘贊文體之誚；惟能辭意融化而一出於性情六義之正者，爲得之矣。

又《五言》 五言古詩，載於昭明《文選》者，唯漢魏爲盛。若蘇、李之天成，曹、劉之自得，固爲一時之冠。究其所自，則皆宗乎《國風》與楚人之辭者也。

又《七言》 七言，世傳七言起於漢武《柏梁臺》體。按《古文苑》云：元封三年，詔群臣能七言詩者上臺侍坐，武帝賦首句曰：「日月星辰和四時。」梁王襄繼之曰：「驂駕駟馬從梁來（音黎）。」自襄而下，作者二十四人，至東方朔而止。每人一句，句皆有韻，通二十五句，共出一韻，蓋如後人聯句而無隻句與不對偶也。

又《歌行》 歌行，昔人論歌辭，有有聲有辭者，若《郊廟》樂章及《鐃歌》等曲是也；有有辭無聲者，若後人之所述作，未必盡被於金石也。夫自周衰採詩之官廢，漢魏之世，歌詠雜興。故本其命篇之義曰「篇」，因其立辭之意曰「辭」，體如行書曰「行」，述事本末曰「引」，悲如蛩螿曰「吟」，委曲盡情曰「曲」，放情長言曰「歌」，言通俚俗曰「謠」，感而發言曰「歎」，憤而不怒曰「怨」，雖其立名弗同，然皆六義之餘也。

又《排律》 排律，楊伯謙云：「唐初五言排律雖多，然往往不純，至中唐始盛。若七言，則作者絕少矣。大抵排律若句鍊字鍛，工巧易能；唯抒情陳意、全篇貫徹而不失倫次者爲難。」故山谷嘗云：「老杜《贈韋左丞詩》，前輩錄爲壓卷，蓋其布置最爲得體，如官府甲第，廳堂房舍，各有定處，不相淆亂也。」作者當以其言爲法。

又《絕句》 絕句，楊伯謙云：「五言絕句，盛唐初變六朝『子夜體』；六言則王摩詰始效顧、陸作；七言，唐初尚少，中唐漸盛。」又按《詩法源流》云：「絕句者，截句也。後兩句對者是截律詩前四句；前兩句對者是截後四句；皆對者是截中四句；皆不對者是截前後各兩句。故唐人稱絕句爲律詩，觀李漢編《昌黎集》凡絕句皆收入律詩內是也。」周伯弜又云：「絕句以第三句爲主，須以實事寓意，則轉換有力，涵蓄無盡。」由是觀之，絕句之法可見矣。

又《聯句詩》 聯句詩，按聯句始著於《陶靖節集》，而盛於退之、東野。考其體，有人作四句，相合成篇，若《靖節集》中所載是也。

又《雜體詩》 雜體詩，昔柳柳州讀退之《毛穎傳》有曰：「『善戲謔兮，不爲虐兮』【略】學者終曰討說。」「習復」，「則罷憊而廢亂，故有『息焉游焉』之說。」譬諸飲食，既「薦味之至者」，而「奇異」「苦鹹酸辛」之物，「雖蜇吻裂鼻，縮舌澀齒，而咸有篤好之者」，「獨文異乎？」予於是知雜體之詩類是也。然其爲體，厥各不同。今總謂之雜者，以其終非詩體之正也。博雅之士，其亦有所不廢焉。

朱權《西江詩法》三《詩家模範》 律詩難於古詩，絕句難於律詩。人各有所長。有專攻一律者，有體備諸家者。觀古人之詩而優劣自辨。蓋善作者猶陶人之造諸器，坯範在手，無不爲也。

又 五言古詩，自漢、魏、兩晉而下經梁昭明所選，則謂之「選詩」。至盛唐，乃謂之「古詩」。始陳子昂、李、杜諸大家出，一掃六代之纖弱，以渾厚之風倡於天下，而後世斷以唐詩爲宗，何也？無蹈襲雷同之弊，非流連光景之文。

王直《抑庵文集》卷四《胡先生挽詩序》 情動於中而形於言，此哀挽之詩所以作也。【略】漢之挽詩有《薤露》、《蒿里》二曲。《薤露》以送王公貴人，《蒿里》以送士大夫庶人，皆歎夫人命之不長。

周敘《詩學梯航·辨格》 凡詩格不同，措辭亦異。舉其正則有如賡歌，本出《尚書》，而三代、漢、唐自爲一格。四言皆祖《毛詩》，而淵明、六朝各成一體。況乎《琴操》、樂府，亦有今調、古調之差；古詩、絕句，又有五言、七言之異。律詩皆以五、七字爲句，而排律之格亦然。古詩既有五、七言之殊，而長短句之法不類，推言其變，非止一端。若古詩有選詩、古風之稱，律詩有今律、古律之辨。選詩見於《文選》所載，古風蓋泛然謂之。今律拘以聲律之嚴，古律唯從句法之順，於是目古詩爲往體，名律詩爲近詩（又名近體）。乃有一句、三句、五句之歌（一句如《漢書》「枹鼓不鳴董少年」，兩句如荆軻《易水歌》，三句如漢高祖《大風歌》，五句如杜工部「曲江蕭條秋氣高」之篇是也），一字至七字之體（如唐張南史《雪》、《月》、《花》、《草》等篇），有三句七言、一句九言者（隋人有應詔詩，多此體），有自三言起以漸加至四、五、六言而終以七言者（隋鄭世翼有此詩），有三言者（起於晉夏侯湛），有六言者（起於漢司農谷永），有九言者（起於高貴鄉公），有半五六言者（晉傅玄《鴻雁生塞北》之篇是也），有三、五、七言者（鄭世翼有此詩），有雜言者（鄭世翼及唐名家有之）。律詩有徹首尾對者（如杜工部《東屯北崦》及《垂白》之類），有徹首尾不對者（如李太白「牛渚西江夜」之篇）。有絕句折腰者（謂中間失粘，如王維「渭城朝雨浥輕塵」之篇是也），有律詩折腰者（如杜工部「竹裏行廚洗玉盤」之篇是也）。律詩有引韻便失粘者（如杜工部「浣花溪水水西頭」之篇是也，謂江東體），有至第三句失粘者（如杜工部「搖落深知宋玉悲」之篇是也）。有前四句不對，至頸聯方對者（如賈島《下第》詩云：「下第唯空囊，如何在帝鄉？杏園啼百舌，誰醉在花傍？淚落故山遠，病來春草長。知音逢豈易，孤棹在三湘」是也，謂之蜂腰體）。有起句便對，頷聯反不對，至頸聯又對者(如杜工部「無家對寒食」之篇之類，謂之偸春體)。有扇對者(如杜工部《哭台州司戶蘇少監》詩：「得罪台州去，時危棄碩儒。移官蓬閣後，穀貴歿潛夫」之類，又名隔句對)。有就句對者(如杜工部：「小院迴廊春寂寂，浴鳧飛鷺晚雙雙」之類)。古詩有三韻者(五言如唐李益「漢家今上郡」之篇，唐人多作之；七言如杜牧《送王侍御赴夏口座主幕》詩之類)，有五韻、六韻以至百韻者(此等唐人多作，於各集中可考而見)。有換韻者(如《十九首·行行重行行》本押「離」韻，至中間換「遠」韻之類)。有古詩全不押韻者(如古《採蓮曲》是也)。有押六七韻者(如韓昌黎「此日足可惜」之篇是也)。有重用兩三韻者(如曹子建《美女篇》兩用「難」字；任彥昇《哭范僕射》詩三用「情」字)。有重用二十許韻者(漢《焦仲卿妻》詩內有之)。

又《述作上·總論諸體》 詩自賡歌，既作有《琴操》焉，始於虞舜《南風》之歌，其後如文王《羑里》之作，高陵《別鶴》之操，商山四皓《紫芝》之曲，異代同符，寫之音徽，宮、商吻合，蓋亦詩之流也。魏、晉以來，詩曲日盛，斯作遂湮。至唐，始有昌黎韓子所擬《將歸》等操，非特獨步有唐，直欲翺翔兩漢之上，後世莫之與京。元朝李季和極力模倣，有《擇木》等數篇足以追配，可謂有志於古。然非熟於三代、秦、漢之作，眞有得其心者，不能然也。是則《琴操》捨三代、秦、漢將何取式哉！《琴操》之後，樂府繼興，由漢及唐，爲體不一。漢、魏古辭，沉潛渾龐，爾雅典古。晉代之音，猶有似焉。齊、梁、六朝，綺靡雕錯，誇誕矜驕。至唐之盛年，作者尤衆，然皆各具一長，若杜子美之典重，李太白之豪放，白樂天之指實，溫飛卿之纖穠，盧仝之怪，劉駕之悲，長吉之鬼仙，義山之風流，皆足名家。至其詞語沉著，情緣周致，元微之、張籍、王建其尤也。蓋三子之作，思遠格幽，材俊巧拙，唯題適從，各當其可；至於鋪叙轉換，斷論出場，莫不曲妙，眞所謂出類拔萃者耶。若唐之樂府，自足名家。要之，不必與漢、魏並論矣。元代宋運，聲詩中興，學太白者有陳剛中，學子美者有李子構、揭曼碩，學樂天者有馬易之，學飛卿者有薩天錫，學張、王者有李季和。此數公皆達而在上，人所共慕。若窮處山林岩穴之士，呻吟謳謠之聲，豈無學古若寧戚之歌，興悲如劉駕之什，亦有膏粱子弟錦繡才人，逞風流如義山，效鬼仙如長吉者，又豈無奇崛之輩、感憤之徒，詭行放言，若盧仝、劉叉之怪者乎？固未暇遍索而枚舉也。百年之間，文獻可徵若此。大抵郊天地薦鬼神之歌，必取式於兩漢；諷君上刺美惡之詞，或效顰於魏、晉；叙事實、騁材華之作，常踵武於有唐。若擬舊題，必各倣其始製之體，此爲妙訣。樂府而後，有長短句(本出漢樂章，見《漢書·郊祀志》)、七言古詩(卽《秋風詞》之類)，二體雖皆起於漢世，然尙不若五言之甚著。開元以後，始極盛矣，李、杜集中，率多賦此。宋之問《明河篇》、白樂天《長恨歌》、元微之《連昌宮辭》、王昌齡《箜篌引》、韓退之《石鼓歌》、李義山《元和碑》、盧仝《月蝕詩》、劉叉《冰柱》、《雪車》，皆傑然之作，足可師法。若蘇東坡《芙蓉城》、歐陽文忠公《廬山高》，在宋人中深不易得。元人如陳剛中、揭曼碩、薩天錫、丁仲容、韓明善、李季和、張伯雨諸公，作者甚衆，足繼唐風。五言長篇，漢已有《焦仲卿妻》等詩，至唐始盛，於李、杜少不下二三十韻，多至百韻。其後詞人踵作，遂成一體。五、七言既著，於是乎有律詩焉。有律詩，遂有排律。排律，卽律詩排叙者也。須先將己之胸次放闊，以次取詩之指意，展開鋪陳錯綜，有條不紊。天吳紫鳳，粲然盈幅，及其冠冕佩玉，球琳鏗鏘，擲地當金石之聲。五言者，唐人須推杜工部爲第一，如《上韋左丞》之類，當反覆詳味，更以盛唐、中唐諸家參取之。七言者，唐詩亦不多見，杜工部《贈鄭廣文虔》一詩可取爲式。比之五言句語，特加清新雅健耳。絕句，亦律詩之流。絕，猶截也，謂八句截爲兩章也。以八句截爲兩章，非四句而何？五言四句，漢已有之，如《藁砧》之詩是也。後如陶淵明四景之作，及三謝、陰、何諸集中往往而有，但不拘聲律，猶古詩耳。至唐，始被以聲律，卽今之所謂絕句。終始雖止二十字，亦未易佳。須一句趁一句，不得閑緩。詞欲有餘，意須充足。如劉長卿賦《秦系頃以家事獲謗因出舊山每荷觀察崔公見知欲歸未遂感其流寓詩以贈之》，首云：「初迷武陵路，復出孟嘗門。」祇此二句，已盡題意。可見其因家事出山，荷崔見知。末云：「回首江南岸，靑山與舊恩。」祇就題意寫出，可見其欲歸未遂之情。祇此二十字，將題中事掇拾無餘。言有盡而意無窮。又如王維《山中送別》詩云：「山中相送罷，日暮掩柴扉。春草年年綠，王孫歸不歸？」中間多少情思。彼一讀而盡者，何其陋哉！七言絕句，全假一段精神。杜牧之、劉禹錫、武元衡，最長於此。如杜牧之《赤壁》詩云：「折戟沉沙鐵未消，自將磨洗認前朝。東風不與周郎便，銅雀春深鎖二喬。」意謂孫氏霸業繫此一舉。使非因風縱火，當時孫公兵氣已餒，卽周郎必不能破操，而二喬爲操有矣。吳之女子爲操所有，吳之社稷可復保乎？此正詩中深意。劉禹錫《烏衣巷》詩云：「朱雀橋邊野草花，烏衣巷口夕陽斜。舊時王謝堂前燕，飛入尋常百姓家。」武元衡《汴州聞角》詩云：「何處金笳月裏悲，悠悠邊客夢先知。單于城上關山曲，今日中原總解吹。」此等極有涵蓄，作者要當如此。

又《述作中·專論五言古詩》 凡作五言古詩，必以漢、魏爲法。漢、魏之詩，最近風雅，語意圓渾，理趣深長，動出天然，不假人力，終篇一覽，穆如清風。《毛詩》、《離騷》，尤不可不熟，務在求其意趣，曲折盡在是矣。且如《關雎》之詩，終篇不過八十字，其所以憂，所以樂，宛轉回互，各極其至，使人諷詠不忘，可見詩人之性情矣。善哉！昔之論詩者曰：「詩，不可以言語求，必將觀其意焉。故其譏刺是人也，不言其所爲之惡，而言其爵位之尊，車服之美，而民疾之，以見其不堪也。『君子偕老，副笄六珈』，『赫赫師尹，民具爾瞻』是也。其頌美是人也，不言其所爲之善，而言其容貌之盛，冠佩之華，而民安之，以見其無愧也。『緇衣之宜兮，敝予又改爲兮』，『服其命服，朱芾斯皇』是也。」（東坡語。）又曰：「詩之爲言，率皆樂而不淫，憂而不困，怨而不怒，哀而不傷。如《綠衣》，傷己之詩也。其言不過曰：『我思古人，俾無訧兮！』《擊鼓》，怨上之詩也，其言不過曰：『土國城漕，我獨南行！』至軍旅數起，大夫久役，止曰：『自詒伊阻。』行役無期，度思其危難以風焉。不過曰『苟無饑渴』而已。至於言天下之事，美盛德之形容，固不言而可知；其與憂愁思慮之作，孰能優遊不迫也。孔子所以有取焉。」（謝顯道語。）而漢魏之詩，猶或有得其餘風也。故學五言者，必以《毛詩》爲祖，漢、魏爲宗。如《文選》古樂府四首《飲馬長城窟行》，興言離居之婦，見河畔青青之草而思其良人之在遠道者，至於夢寐不忘顧見而不可得。再言枯桑無枝葉，則不知天風；海水無凝凍，則不知天寒；以喻婦人在家，則不知夫之信息。雖有親戚之家入門，而皆自愛其所愛，誰肯訪問而言者乎？方其憂思之切。忽有客自遠方而來，遺我水中深隱之物，烹之而得吾良人之書，於長跪而讀之，上有「加飡」、「相憶」之語，可見夫婦之至情有不能已者。如此，其憂而不困之意得矣。《君子行》，首言君子不可妄動，次言瓜田嫂叔之喻，以明嫌疑之可謹如此。中言唯勞謙可以守之，和光則甚難矣。末言周公如此之勞謙，而後世所以稱之爲聖賢也，其能樂而不淫者歟。《傷歌行》，賦言昭昭之月，燭我牀榻，憂人對之不寐，而怪其夜之何長。而況天風微來，帷帳飄動，遂起而攬衣曳帶，屣履下堂，徘徊瞻顧，但見春鳥悲鳴，念其儔匹，適與心會，於是感傷泣涕，佇立而高吟，將舒余之憤，上訴於蒼穹也，非怨而不怒者若是乎？《長歌行》比言葵上之露，待日而晞，猶人之年華，待時而發也。陽春之布澤，而萬物生輝，猶明君之施恩，而賢才獲用也。秋至而華葉焜黃，猶人之過時甚矣；於是相百川之東駛者，何嘗西歸，猶人之歲年一去而不復來矣。豈可「少壯不努力，老大徒傷悲」乎？其哀而不傷者也。又有曹子建樂府四首《箜篌引》，首言置酒歌舞之樂，賓主交承之歡，久不忘，中言如此而有薄終者，則爲義所尤矣。而君子之德謙謙，歌何求乎？蓋守此禮也。至於驚風之變，盛年之去，豈我所欲哉？末言人生同此榮死，則皆歸於山丘矣。然則，先民亦豈有不死者乎？而先民所以處窮約而不憂者，知命故也。知此，則士之進退，莫不有命。豈復可憂哉？《名都篇》賦述都邑之麗，少年之盛，妓藝之衆，馳騁之娛，宴遊之樂，無有窮已。至見日馳雲散，光景之不可攀，則各還城邑，伺明晨而復來耳。雖若惜爲樂之不及，關日月之不居，然亦終不至秉燭夜遊之荒，可謂樂而得其節矣。《美女篇》興言採桑之女服飾之華，容貌之令，衆人共睹，而又居近城郭，閭門高大，誰不仰之？玉帛來求，非一而止。雖以婦人之美，苟不以義，有不可得者，況求賢乎！徒以衆人嗷嗷之求，而不知其意，然彼之所以觀望於衆人者，則有以也。故寧盛年獨處，中夜長嘆，而不至於踰牆鑽穴，自嘆世之不我知而已，亦何尤於人哉？《白馬篇》言幽并遊俠之士，輕捷敢勇，棄身鋒刃，不顧性命者，以名在壯士之籍，義當捐軀赴國，父母且不敢私，況妻子乎！所以然者，以義故也。豈若小人之戛然忘情者哉？亦可哀也矣。於有以比仕而受祿於君，可得以己之私而怠其事耶。皆發乎情而止乎禮義者。此漢魏之詩，所以爲近風雅。漢魏而下，猶有取於晉，如陶淵明之自然，阮嗣宗之典古，則巨擘焉。下此，唯左太沖近之。六朝之詩，有意精工，務求佳句，未免過於刻削。若鮑明遠、顏延年、江文通、任彥昇、沈休文輩，皆能名家，獨三謝高出其類。如「池塘生春草，園柳變鳴禽」、「初篁苞綠籜，新蒲含紫茸」、「芳塵凝瑤席，清醑滿金樽」（並靈運詩）。「魚戲新荷動，鳥散餘花落」、「餘霞散成綺，澄江靜如練」、「日華川上動，風光草際浮」、「花叢亂數蝶，風簾入飛燕」（並宣城詩）。「白露滋園菊，秋風落庭槐」（惠連詩）。皆其得意之句，亦已駸駸乎入於徐、庾矣。徐、庾等輩之詩，如金妝玉點，珠縷翠鋪，非不炫耀，然大本已喪，外觀何益。唐初五言，猶循六朝。景雲以後，風氣稍變，至開元、大曆之間，自成一體。觀其詞語充贍，理氣通暢，雖不及魏、晉之穩微，而其據事直書，展轉開闔，各盡一長，律以風雅，得六義之賦焉，有不必求之漢、魏也。其間若李太白《古風》五十首、杜子美《秦蜀紀行》諸詩，率皆古雅，又非陳子昂《感遇》之可及。獨韋應物、柳子厚二家，情思蕭散，意趣沖澹，最能興發，尤當熟玩。蓋韋得《選》爲多，柳得陶爲近。若宋朱子《感興》二十首，非特跨越晉、唐，直欲凌躐漢、魏。元人如趙子昂《秋懷》、虞伯生《月出古城東》等篇，各得詩人之理致。學者能於此而致思焉，久久成熟，殆有不期而入漢、魏之域矣。

又《述作下·專論唐律》 律詩，必截然祖於唐人。蓋唐以前，未有此體；景雲以後，此體始出，中唐尤盛。謂之律者，猶法律然，有五等之刑、三千之條爲之約束，少失繩墨，即是犯法，爲詩家之罪人矣。然又不可爲法律纏，當如王者之民，皞皞然若不知有法律者，其實未嘗敢逃乎法律之外也。大略先以起、承、轉、合爲一詩之主，既起端於首聯，頷聯便須接其意，頸聯又須宛轉斡旋，至末聯將一詩之意復合而爲一矣。唐人律詩，尤重五言，如岑參、王維、武元衡聲口典重，法度持正，甚可師法。他若錢起之清新，張籍之俊逸，許渾之蒼翠，皆足起興。唯劉長卿興趣優遊，理意充足，指事切實，命意周圓，最當枕藉，以爲終南之捷徑，極是得力。起句先欲拆破題意，令觀者即知此篇爲何而作，中間一聯證實，一聯妝點，互相答應，結語貴有出場，貴有深意，看到盡處，使人不忍讀竟。譬則一段話，初說已見心事，中間愈說愈滋味精神意思，末後敷揚，以爲收合，庶可令衆聳聽，不然則淆亂無序，言者煩而聽者厭矣。假如劉長卿作《巡去岳陽卻歸鄂州使院留別鄭洵侍御侍御先曾謫居此州》起云：「何事長沙謫，相逢楚水秋。」祇此二句，已盡包括題意。頷聯：「暮帆歸夏口，寒雨對巴丘。」此二句特承上句之景以實此。頸聯云：「帝子椒漿奠，騷人木葉愁。」此二句就鄂州事物上變換出，以模寫題意，妝點此詩。結云：「誰憐萬里外，離別洞庭頭。」祇就本題中拈出此二句，收合一詩之意，以爲出場。又如《見秦系離婚後出山居作》云：「豈知惜老病，垂老絕良姻。郄氏誠難負，朱家自愧貧。綻衣留欲故，織錦罷經春。何況蘼蕪綠，空山不見人。」一起便見題意。頷聯只於題意內引兩事，以證實之。頸聯就此題模寫目前之事，以爲妝點。一結尤清新俊逸，而深意寓其中。悽惋之情，惻然見於詞氣之表，將秦系心中所蘊寫盡。數百載之下讀之，如身親見秦系事。唐人中稱長卿詩爲「五言長城」，信不誣也。七言律詩至難作，在唐人中亦歷歷可數。杜工部最爲渾成，中間卻有太平易處，當擇其精好，如《秋興》、《諸將》、《明妃村》、《蜀相》之類學之。杜牧之冠冕佩玉，盡有可學，亦有一、二不合者，須擇而去之也。如岑參、王維等皆有唐之風，若劉長卿溫和而醞藉，錢起清新而葩藻，李商隱情悰而瑰邁，許渾哀思而詞華，皆不失唐人風致，及劉禹錫、羅隱輩皆可取。要當立二杜、岑、王及盛唐名家爲標準，以諸子爲衡衛可也。其法要一句接一句，脈絡須貫通，不可歇斷，纔歇斷，意便不接。中間有說景處，雖似歇斷，而言外之意，其脈絡自然貫通連屬。題詠猶貴乎相著，又不可一向粘皮帶骨。欲令脫灑，不可淺近，淺近則語俗；不可纖巧，纖巧則氣弱；不可氣餒，即是晚唐；不可氣盛，便類宋、元。須教渾成，渾成中卻欲詞華典雅。氣象深沉，全藉韻度，全藉性情，從容涵泳，感嘆無窮。假如杜子美《蜀相》詩首云「丞相祠堂何處尋」，便接以「錦官城外柏森森」，而承之以「映階碧草自春色，隔葉黃鸝空好音」。可見武侯於蜀有許多大功，而今皆忘之，唯有碧草自能春色，黃鸝空復好音而已。因而思其往事，乃云：「三顧頻繁天下計，兩朝開濟老臣心。」轉此一意，已斷武侯之出處，言因當日先主三顧之勤，故武侯所以報施之效，非圖身後之事。而千載之下，蜀人之思不思，焉足繫武侯之重輕哉！若此則先主之顧，乃爲天下之計；武侯之報，實歷事兩朝，老臣之心又可見；當時君臣皆公天下之心，非私心也。結云：「出師未捷身先死，長使英雄淚滿襟。」以收合上文句意。謂當時君臣際遇如此之篤，似可中興漢室，而漢之興與否，祇在武侯一人，惜其出師未捷而先死矣，所以千載之下英雄爲沾襟也。多少筆力，多少意思，杜詩謂之史者，非以此乎？又如杜牧之《長安雜題》云：「觚稜金碧照山高，萬國珪璋捧赭袍。舐筆和鉛欺賈馬，讚公論道鄙蕭曹。東南樓日珠簾捲，西北天宛玉勒豪。四海一家無事日，將軍攜鏡泣霜毛。」一起直是氣概。非此頷聯，何由承接得住？更無頸聯，亦偎貼不起。一結尤高妙，雖祇眼前事，他人決不能寫。句句光彩，字字精神。或有以一篇著名者，若崔顥《黃鶴樓》、鄭谷《鷓鴣》、夏寶松《宿江城》、羅鄴《牡丹詩》之類；以一句著名者，如李嘉祐「野棠自發空流水，江燕初歸不見人」；楊汝士「文章舊價連鸞掖，桃李新陰在鯉庭」(即壓元、白之句)；崔塗

「蝴蝶夢中家萬里，杜鵑枝上月三更」；趙蝦「殘星數點雁橫塞，長笛一聲人倚樓」；劉威「遙知楊柳是門處，似隔芙蕖無路通」；來鵬「侵堦草色連朝雨，滿地梨花昨夜風」，皆爲世所稱道。宋人如王荆公「細數落花因坐久，緩尋芳草得歸遲」；黄山谷「桃李春風一杯酒，江湖夜雨十年燈」之句，未嘗不佳，求其韻度，始覺與戾矣。元人律詩，如趙子昂之新俊，楊仲弘之雄偉，范德機之平正，虞伯生之典雅，非不可喜，方唐之音，直是氣像不類。縱造其域，不過元詩。在宋人則尤有不可學者，又非元人類矣。余故斷以律詩必取唐人爲法，識者試以五言辨之。

黄溥《詩學權輿》卷一《詩之名格》 歌：放情長言，抑揚曲折，必極其趣，不拘其句律，亦嚴守其音韻。肇於屈平之《九歌》，盛於唐宋詩人之作。有一句之歌，若《漢書》「枹鼓不平董少年」之類。有兩句之歌，若荆卿《易水歌》之類。有三句之歌，若漢高祖《大風歌》之類。有五句之歌，若杜子美「曲江蕭條秋氣高」之類。謠：播於徒歌，通乎俚俗者，謂之謠也。古有《康衢》之謠是已，後王昌齡《箜篌謠》，馬子才《長淮謠》，亦其遺意與？騷：《離騷》，離譖、遭憂、怨懟、感激而爲之，卽屈平之所作也。蓋《騷》繼風雅之變，後人多宗之爲辭、爲賦，亦古詩之淵源者也。辭：感觸事情，形於言辭，若屈宋所著之《楚辭》《漁父辭》之類也。其後漢武有《秋風辭》，陶淵明有《歸去來辭》，皆其遺製。樂府：卽古頌之遺意，漢武定郊祀，立樂府，命司馬相如等爲詩賦，諧律呂，合八音，作十九章之歌。大抵以其能備諸體，兼總衆音，故名「樂府」云。古詩：蘇、李以上諸作，高妙、古淡，然有五言《選》體、五言長篇、七言古風之稱；又有絕句、雜言、八句、六句之異。《選》詩，梁昭明太子統之所選，見於《文選》，古風泛然爲之。其製不拘於五、七言，長短句也。操：劉向云：「其道閉塞，悲愁而作者，其曲名曰『操』。」蓋以遇災害憂虞而不失其守故也。若尹伯奇之《履霜操》，孔子之《倚蘭操》是也。行：據詞遺意，步驟馳騁，如雲行水流，無所滯礙，若《苦寒行》之類。合而名之，若《長歌行》、《短歌行》之類，名曰「歌行」，無非推廣古詩中辭語而已。曲：抑揚其辭，比順其音，使高下長短各極其趣，因命曰「曲」。若梁簡文之《烏棲曲》、陶嬰《黄鵠曲》、李太白《青江曲》是已。引：卽其本末先後而品秩之，故名曰「引」。若古詞之《箜篌引》、杜子美之《丹青引》之類。詠：長言以道其志，暢其情，故曰「詠」。若陶淵明之《貧士詠》，顔延年之《五君詠》是已。篇：掇拾事理，鋪序成章，所謂「篇」也。若曹子建之《名都篇》、《白馬篇》之類。歎：志意沈鬱，形於聲歎氣嗟，因名曰「歎」。古詞有《楚妃歎》、《明君歎》是也。吟：幽憂深思，形於嗟慨，故名曰「吟」。若鮑明遠《東武吟》，諸葛孔明《梁甫吟》之類。思：觸物感懷，陶情寫景，以舒其悠悠之懷，若宋之問，盧仝《有所思》是已。別：寫其分離之情，悽愴之意，因以「別」名。若杜子美之《垂老別》、《新婚別》之類。哀：感傷之深，形於聲而有悲慘之意，故曰「哀」。若曹子建、王仲宣之《七哀》是也。愁：憂戚鬱結之情形於呻吟，因名曰「愁」。若張衡《四愁詩》之類。樂：心歡志適，由中發外，自然以成律度，故名曰「樂」。齊武帝有《估客樂》，朱誠質有《石城樂》。調：比合其聲之清濁高下，以成調曲，因名爲「調」。古有長調，短調，瑟調，楚調。近世若《草堂詩餘》，皆其製也。贊：陳事定協，而贊揚其美，若呂和叔爲《勳臣贊》、黄魯直爲《孟浩然贊》、蘇子瞻爲《李白贊》是也。銘：或紀德成名，或述事致警。若武王諸「銘」是已。後世張子厚《西銘》及陵墓碑銘皆是。頌：形容盛德，播揚休功。如漢以後樂府諸詩，作於公卿大夫，而用於宗廟神明，蓋古頌之遺意也。陸機有《功臣頌》，王褒有《賢臣頌》，元結有《中興頌》。文：撰序事物，順理成章，自然合於律度。因以「文」名。若孔德璋有《北山移文》，韓退之有《弔田横文》。唱：抑揚其志，委曲其聲，若魏明帝《氣出唱》之類，卽其格也。弄：憂思憤懣，寓之嘲諷，以舒其懷曰「弄」。若樂府《江南弄》之類，是其體也。律詩：以五、七字爲句，八句爲章。絕句、排律亦以五、七字爲句。絕句惟四句，有五、六、七字之異，以截取律詩一章之旨爲義。排律，擠排其句之多也。律詩亦有今、古之辨。今律拘於聲律之嚴，名爲「近詩」，又名「近體」。古律惟從句法之順而已。律詩體製：律詩發端卽起句也，引韻卽承句也，頷聯卽第二聯也，頸聯卽第三聯也，落句卽結句也。有徹首尾對者，杜詩多此體，不可概舉。有徹首尾不對者，如孟浩然：「掛席東南望，青山水國遙。舳艫爭利涉，來往皆風潮。問我今何適？天台訪石橋。坐看霞色晚，疑是古城標。」是也。有口號，或四句、或八句。有聯句，齊梁間有此體，各賦數句，聯屬成篇，唐韓昌黎最工，如《城南門鷄》等篇是也。有集句，采前人詩句，湊集成篇，如石曼卿《下第詩》：「一生不得文章力，欲上青雲未有因。聖主不勞千里召，姮娥何須一枝春。鳳凰詔下雖沾命，豺虎叢中也立身。啼得血流無用處，着朱騎馬是何人。」或者謂近於戲耳。

又《雜體名義》 柏梁體：《詩話》：漢武帝造柏梁臺成，開宴詔群臣，能爲詩者得上座，因與之共賦七言，每句用韻。後人因之名「柏梁體」，若杜子美《飲中八仙歌》之類，皆其遺製。江左體：取引韻失粘者。引韻便失粘，則若不拘聲律。然其對偶特精到，謂之「骨含蘇、李」。杜子美《卜居》：「浣花溪水水西頭，主人爲卜林塘幽。已知出郭少塵事，更有澄江銷客愁。無數蜻蜓齊上下，一雙鸂鶒對沉浮。東行萬里堪乘興，須向山陰上小舟。」折腰體：有絕句折腰，中失粘而意不斷。「渭城朝雨浥輕塵，客舍青青柳色新。勸君更進一杯酒，西出陽關無故人。」（王維《贈別》）有律詩折腰，到第三聯便失粘，落平側，亦便是一體，唐人用此甚多，但今人少用耳。「搖落深知宋玉悲，風流儒雅亦吾師。悵望千秋一灑淚，蕭條異代不同時。江山故宅空文藻，雲雨荒臺豈夢思？最是楚宮俱泯滅，舟人指點到今疑。」（杜子美《詠懷古蹟》）偷春體：其法頷聯雖不拘對偶，疑非聲律，然破題已的對矣，謂之「偷春格」，言如梅花偷春色而先開也。「無家對寒食，有淚如金波。斫卻月中桂，清光應更多。仳離放紅蕊，想像顰青蛾。牛女漫愁思，積期猶渡河。」（杜子美《寒食月詩》）蜂腰體：頷聯亦無對偶，然是十字叙一事，而意貫上二句，及頸聯方對偶分明，謂之蜂腰體，言若已斷而復續也。「下第唯空囊，如何住帝鄉。杏園啼百舌，誰醉在花傍？淚落故山遠，病來春草長。知音逢豈易，孤棹負三湘。」（賈島《下第詩》）隔句體：破題與頷聯便作隔句對，若施之於賦，則曰：幾思靜話，對夜雨之禪床；未得重逢，照秋燈於影室也。「幾思聞靜話，夜雨對禪床。未得重相見，秋燈照影堂。孤雲終負約，薄宦轉堪傷。夢遠長松榻，遥焚一炷香。」（鄭谷《吊僧》詩）五仄體：晏元獻守汝，梅聖俞往見之。將行，公置酒潁河上，因言：「古人章句中全用平聲，製字穩帖，如『枯桑知天風』是也，恨未見側字詩。」聖俞既引舟，作五側體寄公：「月出斷岸口，影照別舸背。且獨與婦飲，也勝俗客對。月漸上我席，暝色亦稍退。豈必在秉燭，此景亦可愛。」五平體：如「枯桑知天風」之類。唐陸龜蒙有《夏日》詩，四十字皆平聲。回文體：謂倒讀亦成詩也。「潮隨暗浪雪山傾，遠浦漁舟釣月明。橋對寺門松徑小，檻當泉眼石波清。迢迢綠樹江天曉，靄靄紅霞晚日晴。遥望四邊雲接水，碧峰千點數鷗輕。」（東坡《題金山寺》）連環體：前章落句作後章首句，連環不絕，唐宋多此體。拗句體：黄魯直換字對句法。如「只今滿座且尊酒，後夜此堂空月明」，「清談落筆一萬字，白眼舉觴三百杯」，「田中誰問不納履，坐上適來何處蠅」，「鞦韆門巷火新改，桑柘田園春向分」，「忽乘舟去值花雨，寄得書來應麥秋」，其法於當下平字處，反仄字易之，欲其氣挺然不群。前此未有人作此體，獨魯直變之。《苕溪漁隱》曰：此體本出於老杜，如：「寵光蕙葉與多碧，點注桃花舒小紅」，「一雙白魚不受釣，三寸黃柑猶自青」，「外江三峽且相接，斗酒新詩終日疏」，「負鹽出井此溪女，打鼓發船何郡郎」，「沙上草閣柳新暗，城邊野池蓬欲紅」，似此體甚多，聊舉此數聯，非獨魯直變之也。今之俗謂拗句者是也。近律變體：律詩之作，用字平側，世固有定體，衆共守之。然不若時用變體，如兵之出奇，變化無窮，以驚世駭目。如老杜云：「竹裏行廚洗玉盤，花邊立馬簇金鞍。非關使者徵求急，自識將軍禮數寬。百年地闢柴門靜，五月江深草閣寒。看弄漁舟移白日，老農何有罄交歡。」此言律詩之變體也。絕句變體：韋蘇州云：「南望清山滿禁闈，曉作鴛鴦正差池。共愛朝來何處雲，蓬萊宮裏拂松枝。」老杜云：「山瓶乳酒下青雲，氣味濃香幸見分。鳴鞭走送憐漁父，洗盞開嘗對馬軍。」此絕句詩之變體也。絕絃體：其語似斷絃而意存，如絃絕而其意終在也。「燕鴻去後湖天遠，欲寄知音問水居。七歲弄竿今十八，錦鱗吞釣不吞書。」（僧謙《寄遠》）五句格：此格即事遺興可作，如題物、贈送之類，則不可用。「曲江蕭條秋氣高，菱荷枯折隨風濤，遊子空嗟垂二毛。白石素沙亦相蕩，哀鴻獨叫求其曹。」（杜子美）「既事非今亦非古，長歌激越捎林莽，比屋豪華固難數。吾人甘作心似灰，弟侄何傷淚如雨。」（杜子美）六句格：此格但可放言遺興，不可寄贈。杜子美云：「烈士惡多門，小人自同調，名利苟可取，殺身傍權要。何當官曹清，爾輩堪一笑。」山谷云：「三公未白首，十輩擁朱輪。只有人看好，何益百年身。但願身無事，清樽對故人。」促句格：止於兩疊，三句一換韻，或平聲，或側聲皆可。「江南秋色推煩暑，夜來一枕芭蕉雨。家在江南白鷗浦，一生未歸鬢如織。傷心日暮楓葉赤，偶然得句應題壁。蘆花如雪灑扁舟，正是滄江蘭杜秋。忽然驚起散沙鷗，平生生計如轉蓬。一身長在百憂中，鱸魚正羨負秋風。」折句格：六一居士詩：「靜愛竹時來野寺，獨尋春偶過溪橋。」邵康節詩：「在世上官雖不做，出人間事卻能俗。」謂之折句。盧贊元《雪詩》：「想行客過梅橋滑，免老農憂麥壠干。」《苕溪漁隱》：「鸚鵡杯且酌清濁，麒麟閣懶畫丹青。」皆效此格也。天問體：「門外水流何處？天邊樹遶誰家？山絕東西多少？朝朝幾度雲遮？」此詩唐皇甫冉《問李二司直》。蓋用屈原《天問》體也。荆公《勘會賀蘭山主》云：「賀蘭山上幾株松？南北東西共幾峰？買得住來今幾日？尋常誰與坐從容？」全用其意，此體甚新。

又《雜體可略者》 西崑體：此體卽李商隱之作也，然兼溫庭筠及楊大年、劉子儀、錢文僖、晏元獻之詩，號西崑體。玉臺體：徐陵所集漢魏六朝之詩。或謂但取纖豔者爲此體，其實不然。香奩體：卽韓偓所集裙裾脂粉之語，故名香奩。宮體：梁簡文所作，傷於浮靡，故號宮體。禁體：如詠雪禁用「粉」「白」「黛」「綠」等字之詩是也。離合體：以字相拆合成文，孔融「漁父屈節」之詩是也。省題：廣省中出題試進士，如錢起《試湘靈鼓瑟詩》之類。藁砧：樂府：「藁砧今安在？山上復安山。何日大刀頭，破鏡飛上天。」五雜俎：見樂府。建除：宋相鮑照有此詩，句句內有「建除」、「平滿」等十二字。數名：句內用「一」、「二」、「三」等十字，亦鮑照作此詩。字謎：每句包一字，亦鮑照之作。反覆：舉一字而誦，皆成句，無不押韻，反覆成文。藥名：孔毅夫詩云：「鄙性常山野，尤甘草舍中。鈎簾陰卷柏，障避坐防風。客土依雲實，流泉架木通。行當歸老矣，已逼白頭翁。」人名：如唐權德輿《寄衡石崇勢位篇》之類，暗藏人名於句中。兩頭纖纖體：見樂府中之詩。盤中：《玉臺集》蘇伯玉妻作，寫之盤中，屈成文也。有風人：上句述一語，下句釋其義。如《子夜歌》、《讀曲歌》之類，用此體。卦名：取八卦字。州名：取郡邑名。他如「六甲」「十屬」「藏頭」「歇後」「天廚禁臠」等格雖肇於前，皆無足法，略之可也。禽名：古謂之禽言詩也。如「喚起窗前曙，催歸日未西。」「喚起」、「催歸」，二禽名也。因年名體：建安：漢末年號，曹子建父子及鄴中七子之詩，故名「建安體」。黃初：黃初魏年，與建安相繼，其體無二也。正始：魏年，嵇阮諸公之詩也。大康：晉年，左思、潘岳、二張、二陸諸公之詩。元嘉：南宋顏、鮑、謝諸公之詩。永明：齊年號，齊諸公之詩。大曆：唐年號，十才子諸公之詩。漢魏晉：兼三國言之。齊梁：通二朝言之。南北朝：通魏周言之，與齊梁體一也。六朝：通南隋言之。初、盛唐，中唐，晚唐，宋，元祐，江西詩派，元，皇明。因人名體：蘇李：蘇武子卿、李陵少卿始爲五言詩，故名蘇李體(漢)。曹劉：曹植子建、劉楨公幹長於古選(魏)。陶謝：陶淵明元亮(晉)、謝靈運(宋)。陰何：陰鏗、何遜(梁)。徐庾：徐陵、庾信(梁)。沈宋：沈佺期、宋之問。陳拾遺：陳子昂。王楊盧駱：王勃、楊炯、盧照鄰、駱賓王。張曲江：文獻公九齡(以下唐)。杜少陵：杜甫子美。李謫仙：李白太白。元白：元微之、白居易樂天。韋柳：韋蘇州應物、柳子厚宗元。韓昌黎：韓愈退之。高適：達夫。王維：摩詰。孟郊：東野。李賀：長吉。元結：次山。岑嘉州：岑參。李商隱。許渾。盧仝：玉川子。歐陽修：永叔(以下宋)。蘇東坡：軾，子瞻。黃山谷：庭堅，魯直。梅聖俞。邵康節：邵雍，堯夫。司馬光：君實。二程：頤、伯淳，顥、叔正。陳後山：無巳。陳簡齋：與義，去非。馬子才。朱文公：熹，仲晦。王荆公：安石，介甫。楊大年。張文潛：名耒。唐子西。韓子蒼：陵陽令，名駒。王元之：禹偁。楊誠齋：秀夫。陸務觀。謝疊山：枋得，君直。趙子昂：孟頫(以下皆元)。虞伯生：虞集。楊仲弘。范德機。揭曼碩：揭傒斯。劉因：夢吉。黃晉卿：溍。吳草廬：幼清。宋秦少游，名觀。郭功甫：祥正。林逋：和靖。王禹偁：元之。范仲淹：希文。

又卷三《字句之辨》 有雜言。有三言：起於晉夏侯湛。有六言：起於漢司農求。有半五六言：晉傅休言「鴻雁生塞北」之篇是也。有九言：起於高貴鄉公。有三、五、七言：自三言而終以七言。鄭世翼及唐有此體。有一字至七字句：唐張南史《雪》、《月》、《花》、《草》等篇是也。十字句：常建「一徑通幽處，禪房花木深」之類是也。有三言至四、五、六言而終以七言者：隋鄭世翼有此詩。十四字句：崔顥「黃鶴一去不復返，白雲千載空悠悠」，太白「鸚鵡西飛隴上去，芳洲之樹何青青」是也。三十字詩：凡三句七言，一句九言。隋人應詔作此，不足爲法也。四句通詩：如子美「神女峰娟妙，昭君宅有無。曲留明怨惜，夢盡失懽娛」是也。

又《句法》 句之源流：「振振鷺」，三言之所起。「關關雎鳩」，四言之所起。「維以不求懷」，五言之所起。「魚麗於罶魴鯉」，六言之所起。「交交黃鳥止於棘」，七言之所起。「我不敢效我友自逸」，八言之所起。凡此皆詩之句讀源流也。

又卷八《通論》 難易：律詩難於古詩，絕句難於八句，七言律詩難於五言律詩，五言絕句難於七言絕句。

又卷九《詩說》 詩五言長篇宜富而貴，七言長篇宜富而麗。五言律詩宜清而遠，必拘意律；七言律詩宜壯而健，時有拗律。五言絶句宜言絶而意有餘，七言絶句宜言絶而意不足。歌宜通暢響亮，讀之使人興起；行宜快直詳盡；吟宜深沉細詠，讀之使人思怨；曲宜委曲諧韻；謠宜隱蓄近俗；引宜引而不發；頌宜典麗和粹；樂詞宜古雅而諧韻，樂府宜喜怒哀樂各極其情而範之以理，或和、或奇、或古；賦宜敷衍富麗，事意詳盡而語不冗；箴謹嚴切直；騷宜精神痛切而極其情；辭宜古雅、諧韻。

葉盛《〈詩林廣記〉參評》 詩與文稍異者，以詩兼興趣，有感慨調笑風流脫灑處，如長詩落句翻空旁入作散場語是也，然時一出奇可耳。

何喬新《椒丘文集》卷一《論詩》 論詩於三代之上，當究其體製之異；論詩於三代之下，當辨其得失之殊。蓋究其體製，則詩之源流可見；辨其得失，則詩之高下可知矣。是故「詩言志，歌永言」。後世倣之以爲歌，一曰風，二曰賦。後世擬之以爲賦，吟詠性情，轉而爲吟，故嗟嘆之，易而爲嘆。自詩變爲樂府之後，孔子作《龜山操》，伯奇作《履霜操》，卽或憂或思之詩。自詩變爲《離騷》之後，賈誼之《弔湘賦》，揚雄之《畔牢愁》，卽或哀或愁之詩。凡此皆詩之體制源流也。「振振鷺」，三言之所起；「關關雎鳩」，四言之所起；「維以不永懷」，五言之所起；「魚麗於罶魴鯉」，六言之所起；「交交黃鳥止於棘」，七言之所起；「我不敢効我友自逸」，八言之所起，凡此皆詩之句讀源流也。

石珤《熊峰集》卷六《榮哀錄序》 輓之有歌，始於執紼。蓋古者送葬，共力以致喪。於是呻吟悼歎，以寓夫悲痛惻怛之情及生死往反之道。哀鬱於內，而不覺其發於聲音者如此也。其後作者漸廣，亦稍稍稱其德行，著其功業，頗近於誄。然事以詞顯，情以文著，則君子亦固未嘗不與之也。

又《何淑人輓詩序》 蓋古者送葬必執紼，則有歌以相之。其謳吟哽咽之間，而因以寓夫悲思歎悼之意。自《薤露》、《蒿里》而降，作者愈繁，亦往往述其行誼、美其功伐，王公士庶，鮮不用之。雖其言不免於益文，而所以哀終送死之情，則固在其中矣。

周琦《東溪日談錄》卷一六《文詞談》 詩自沈約一變之後，有許多體制出來，故《三百篇》旨大壞於此。其體制如江左體、蜂腰體、轆轤體、隔句體、回文體、偷春體、折腰體、絶弦體、五仄體、五平體、拗體、變體、離合體、人名體、藥名體、蹉對體、扇對體、雙聲叠韻體、平仄各押韻體、八句仄入體、第三句失粘體、促句換韻體、平頭換韻體、六句體、促句體、五句體、奪胎換骨法、點化古語法、抑拗體【略】案：法有許多變態，《三百篇》安得而不壞乎？

丁養浩《西軒效唐集錄》卷九《詠梅集句序爲錢塘友人沈履德作》 集句者何？集詩人之大成也。吾非不得作也，作而與古鳴世者伍，亦若人耳。古之人以詩鳴世者凡幾何人？當其時，彼各以其所長鳴，鳴而未必皆善也。是故以一人言其篇章之善者無幾，以一篇言其句法之善者亦無幾。吾朝而諷焉，夕而詠焉，其善者，吾愛之不啻若自其口出；其不善者，吾不知也。當夫事至物來，景與意會，吾之情不能已於有言，則吾素所善者自然呈露發見，會合而成章。初不期於集，而自無不集，殆亦不得已而有言者也。若是者，謂非集大成可乎？

李東陽《懷麓堂詩話》 詩與文不同體。昔人謂杜子美以詩爲文，韓退之以文爲詩，固未然。然其所得所就，亦各有偏長獨到之處。近見名家大手以文章自命者，至其爲詩，則毫釐千里，終其身而不悟，然則詩果易言哉？

又 集句詩，宋始有之，蓋以律意相稱爲善。如石曼卿、王介甫所爲，要自不能多也。後來繼作者，貪博而忘精，乃或首尾衡決，徒取字句對偶之工而已。

邊貢《華泉集》卷一〇《涉封君輓詩序》 輓詩也者，古虞殯之歌也，後之人咸祖焉。其變也，如誄，又如懷古之詩；其甚也，如詠物之詩，斯極矣。今之輓詩，是詠物之詩之流也。夫人之生也，而吾交焉；死也，而吾見焉，而歌以殯之，夫是以其音也哀，而其言有情也，故如誄焉。未交其生也，未見其死也，而其人美焉，過于其里而吊諸其墓而賦焉。讀之者可以觀，聞之者可以興也，則懷古之詩焉。其生也未交也，其死也未見也，未過其里，未吊其墓也，美惡朦焉，徒據其需之者之文而賦之，其言弗情也，其音弗哀也，其讀之者弗可觀也，其聞之者弗可興也。嗟乎，是詠物而已矣。今之爲輓詩者，類焉。故曰：是詠物之詩之流也。是故虞殯之歌之不傳也久矣。其變也，亦極矣。不得已而思其次焉，誄可也。又其次焉，則懷古亦可也。

徐禎卿《談藝錄》 樂府往往叙事，故與詩殊。蓋叙事辭緩，則冗不精。「翩翩堂前燕」，疊字極促乃佳。阮瑀「駕出北郭門」，視《孤兒行》大緩弱，不逮矣。

邵經邦《藝苑玄機》 詩之體，本無古今，若今分近體、古體，殊無意味。如必欲辨之，律者，物情景態、對待聯屬，風之體也；《選》者，沖和純正、贍麗典則，雅之體也；古詩，精粹嚴毅、端重閒淡，頌之體也。夫惟日用而不知，徒以古體爲繼風雅，而近體自分後代之音，豈齊王好樂而慚於世俗者乎？

黄佐《六藝流別自序》 詩道志，故長於質。【略】志始於詩，以道性情，爲謠爲歌。謠之流，其別有四：爲謳，爲誦，爲諺，爲語。歌之流，其別亦有四：爲咏，爲吟，爲怨，爲歎。其拘拘以爲詩也，則爲四言，爲五言，爲六言，爲七言，爲雜言。其雜近於文而又與詩麗也，則爲騷，爲賦，爲詞，爲頌，爲贊。其專事對偶，亡復蹈古，則律詩終焉。

又卷一《詩藝一》 謠：謠者何？謠，遙也。有章曲曰歌，無章曲曰謠。信口成韻，無樂而徒歌之。其聲逍遙而遠聞也，謠始於兒童市里之言，遒人採之，以聞於大師，協之聲律，亦可歌也。《康衢》之謠合《大雅》、《周頌》而用之，豈《列子》之寓言邪？不可得而知也。　歌：歌者何？歌，柯也，長言之也。長引其聲以誦之，使有曲章，如草木之有柯葉也。《越陳音》曰：「黄帝之世，孝子不忍其親葬之郊野，爲禽獸所害，故作《彈歌》以守之。其歌曰：『斷竹，續竹，飛土，逐宍』」宍，古肉字也。故劉勰曰：「黄歌《彈竹》，質之至也。」

又卷二《詩藝二》 謳：謳者何？謳，區也，言之區區然，齊聲也。齊聲而歌，由衆情也。故天下之人悦服舜、禹，則謳歌歸焉。德與舜、禹相悖，人之怨焉之也，亦從而謳之也。故觀於謳而知民心之向背也。　諺：諺者何也？傳言也。言彥美而傳之也。必有立言之諺，據理立論，及凡市里之言中偏者，皆可傳也。是誦之變也。　語：語者何也？論也，午也，言出於吾而人交午應之也。吾偶言之，而人於吾聽之。是故語也者，夫人之所有也。夫人有之而語，不皆韻也。故其有韻者，人應之益廣焉。是又諺之變也。　詠：詠者何也？言之永也。言之不足而又永言之。擬歌而作，乃不及歌之，自然有意於永其言。　吟：吟者何也？呻也，口吟而申氣也。蓋又詠之發於壹鬱者，呻吟之云爾。舊有《吟嘆曲》，本以入樂，後失其傳，則亦有意於申其壹鬱而爲之。是又詠之變也。蓋詠者，其氣平，吟則不平而鳴矣。　嘆：嘆者何也？嘅而吟也。人嘅則息大而長。長太息者，驚愕不平之聲也。是嘆又重於吟矣。故凡言以嘆名者，皆危急無聊之甚者也。是又吟之變也。　怨：怨者何也？恚也，心惋恨而出聲也。惋恨而發於言。是亦嘆之類也。

又卷三《詩藝三》 四言詩：四言者何？詩之拘拘於四言者也。《三百篇》類多四言，然渾厚成章，出於性情之正。如《卷耳》曰「我姑酌彼金罍，維以不永懷」，則六言兼五言矣。《鹿鳴》曰「我有旨酒，以燕樂嘉賓之心」，則四言兼七言矣。初非拘拘爲也，後世之爲言者，則有意於摛詞，非復出於性情，故局促於四言，而不敢越於矩外。然體自是日變矣。故於逸詩之外集四言詩，皆《三百篇》之變也。　五言詩：五言者何？詩之拘拘於五言者也。如曰「維以不永懷」，曰「誰謂鼠無牙」，曰「之死矢靡它」，曰「如川之方至」，曰「女雖湛樂從」之類，則《三百篇》已有之矣。然尋詳上下文義，不得不爾，初不五言拘也。優施「暇豫之吾吾」，虞姬答項王楚歌，已漸純爲五言矣。西漢蘇、李《河梁》以來，蓋紛如也。五言日盛，而比興日微，《三百篇》之體不可復矣。是詩自五言而大變也。　六言詩：六言詩者何？詩之拘拘於六言者也。如曰「宜爾子孫振振兮」，曰「君子是則是傚」之類，則《三百篇》已有之矣。或用「兮」者，詠歎語助也。始自漢梁鴻《遊吳》，然多浪語。　七言詩：七言詩者何？詩之拘拘於七言者也。《三百篇》中如：「交交黄鳥止於棘」，「君子有酒旨且多」，「如彼築室於道謀」之類，蓋已有之矣。然亦意之所至，不得不成七言，非拘拘爲之也。漢《郊祀樂歌》始純爲七言。《柏梁》以及張衡《四愁》，魏文帝《燕歌行》，則濫觴矣。越之《渡河梁》，王子年之《林池南》，特擬作云爾。是又五言之變也。　雜言詩：雜言者何？詩之長短句也。雖不拘拘爲之，然與《三百篇》文義渾成者異矣。蓋短則三言，如「螽斯羽」，「振振兮」之類。長則八言，如「我不敢傚我友自逸」之類。二句合爲九言，長短相兼，如「維南有箕，不可以簸揚」之類。以「兮」字相喚呼，如「玼兮玼兮，其文翟也」。或又以「兮」字作語助，如「彼美人兮，西方之人兮」。他如「只」、「且」、「乎」、「而」，多因方言，風雅之變，漸成奇藻。然豈後世之所能揚哉？自《佹詩》作於荀卿，而雜言由是興矣。其類詩章者，收之於此。《樂府》文義不可以句，或與詩不甚類者，則歸之樂云。

又卷四《詩藝四》 騷：騷者何也？騷之爲言擾也，遭憂之擾情而成言也。是故引物連類不厭其繁者，以寫情也。體始於屈原之遭讒，爲之《離騷》。離騷也者，離憂也。世因謂爲「楚騷體」。然而秦漢以下，騷亦漸亡矣。頌：頌者何也？誦也，容也，誦盛德而形容之也。其體起於《商》、《周》、《魯頌》，漸近於文，如王褒《聖主得賢臣》，則屯爲議論話、顏弱語矣。詩贊：按《晉書》曹毗《黃帝贊》用五言曰：「體鍊五靈妙，氣含雲霧津。摻石曾城岫，鑄鼎荆山濱」乃詩贊也。後魏常景之贊蜀司馬相如、王褒、嚴君平、揚雄，皆用五言。相如曰「鬱若春烟舉，皎如秋月映」，褒曰「明珠既絶俗，白鵠信驚群」之類，無復贊體矣。後周庾信《春賦》曰：「宜春苑中春已歸，披香殿裏作春衣。」則又以七言詩而爲賦，亦有所自。張衡《兩京賦》又爲散句，忽繼之曰「豈伊不處思於天衢，豈伊不懷歸於枌榆。天命不滔，疇敢以渝」，則眞似古詩矣。其曰「光炎燭天庭，囂聲震海浦」，則又似五言律詩。蓋魏晉以後，體式紛紜，皆由東漢文人啓之也。

又卷五《詩藝五》 律詩：詩之八律，尚矣。律詩專言律，何也？律，法也，律本陽氣與陰氣爲法，陰陽對偶，拘拘聲韻，以法而爲詩也。其流始於魏晉五言聲偶。南北朝用之樂府，亦爲四韻，駢驪華藻，人競膾炙，是爲近體。迄唐，遂以取士。而賦亦有律賦，寖失古意矣。其法盛行至今，非聲偶不以爲詩，以便於吟哦古文爾。排律：律之爲言別也。凡四韻八句爲律詩。自五韻以至百韻列偶駢驪，則皆排也。世傳佳句如「楊柳月中疎」，「鳥鳴山更幽」之類，不過一聯耳。惟楊愼錄其全篇，他無可考。疑其出自排律，後人足之，今不可辨。絶句：絶句者何？句之斷而爲四，與律詩不連者也。故有二聯，不見其全篇，如《採葵》者。亦有本作四句，如《藁砧》、《蠶絲》者。《樂府詩集》多有之，如《出塞》、《上留田》、《折楊柳》之類，如《逐度》、《連折》，則截自排律。

胡纘宗《鳥鼠山人後集》卷二《擬樂府自序》 志發於言之謂詩，詩發於聲容之謂樂府。樂府始自漢，按其聲，玩其辭，意俱在言外，爾雅春容，鼓之渢渢，吹之洋洋，歌之嗢嗢，舞之翩翩，而其音調古矣，故不曰詩府而曰樂府，故不徒曰樂府而曰古樂府，然《康衢》之謠，《南風》之歌，其古樂府乎？至《三百篇》之什，亦有可鼓吹舞者，迨《詩》亡，《黍離》降，續有作，斯不可鼓吹歌舞矣，而漢樂府之所由作也。豈惠、武欲復古詩而合今樂，殆有意於宣天地之音而調陰陽之律乎？應鳳凰之聲而建中和之極乎？

謝榛《詩家直說》卷二 律詩雖宜顏色，兩聯貴乎一濃一淡。若兩聯濃，前後四句淡，則可；若前後四句濃，中間兩聯淡，則不可。亦有八句皆濃者，唐四傑有之；八句皆淡者，孟浩然、韋應物有之。非筆力純粹，必有偏枯之病。

又 六言體起於谷永、陸機長篇一韻，迨張說、劉長卿八句，王維、皇甫冉四句，長短不同，優劣自見。若《君道曲》「中庭有樹自語，梧桐推枝布葉」，此雖高古，亦太寂寥。

又 五言律首句用韻，宜突然而起，勢不可遏，若子美「落日在簾鉤」是也。若許渾「天晚日沉沉」，便無力矣。

又卷四 七言近體，起自初唐應制，句法嚴整。或實字疊用，虛字單使，自無敷演之病。如沈雲卿《興慶池侍宴》：「漢家城闕疑天上，秦地山川似鏡中。」杜必簡《守歲侍宴》：「彈絃奏節梅風入，對局探鉤柏酒傳。」宋延清《奉和幸太平公主南莊》：「文移北斗成天象，酒近南山獻壽杯。」觀此三聯，底蘊自見，暨少陵《懷古》：「一去紫臺連朔漠，獨留青塚向黃昏。」此上二字雖虛，而措辭穩帖。《九日藍田崔氏莊》：「藍水遠從千澗落，玉山高並兩峰寒。」此中二字亦虛，工而有力。中唐詩虛字愈多，則異乎少陵氣象。劉文房七言律，《品彙》所取二十一首，中有虛字者半之，如「暮雨不知湏口處，春風只到穆陵西」之類。錢仲文七言律，《品彙》所取十九首，上四字虛者亦強半，如「不知鳳沼霖初霽，但覺堯天日轉明」，「鴛衾久別難爲夢，鳳管遙聞更起愁」之類。凡多用虛字便是講，講則宋調之根，豈獨始於元、白！高棅所選，以正宗大家爲主，兼之羽翼接武，亦不免三二濫觴者。

皇甫汸《解頤新語》卷三《考證》 樂府則郊廟、燕射、鼓吹、橫吹，樂則有雅樂、凱樂、散樂、俳樂，舞則有文舞、武舞、雅舞、雜舞，又鞞鐸、羽籥、巾帔、干旄、白苧、皇人之舞，歌則有倚歌、雜歌、艷歌、踏歌、相和之歌，曲則有琴曲、舞曲、文曲、淸商之曲，調則有平調、側調、淸調、商調、楚調、瑟調，聲則有正聲、送聲、間絃、契注。《樂錄》云：古曰章，今曰解。解有多少，當是先詩而後聲。詩序事，聲成文，必使志盡於詩，音盡於曲。諸調曲皆有辭有聲，而大曲又有艷有趨有亂，艷在曲之前，趨與亂在曲之後。

李開先《李開先集·閒居集》卷六《西野春遊詞序》 詞與詩，意同而體異，詩宜悠遠而有餘味，詞宜明白而不難知。以詞爲詩，詩斯劣矣，以詩爲詞，詞斯乖矣。

徐師曾《文體明辨序說·古歌謠辭》 古歌謠辭（歌、謠、謳、誦、詩、辭、諺附）：按歌謠者，朝野咏歌之辭也。《廣雅》云：「聲比於琴瑟曰歌。」《爾雅》云：「徒歌謂之謠。」《韓詩章句》云：「有章曲謂之歌，無章曲謂之謠。」則歌與謠之辨，其來尚矣。然考上古之世，如《卿雲》、《采薇》，並爲徒歌，不皆稱謠；《擊壤》、《扣角》，亦皆可歌，不盡皆於琴瑟，則歌謠通稱之明驗也。孔子刪詩，雜取周時民俗歌謠之辭，以爲十五國風，則是古之有詩，皆起於此，故又通謂之詩。至若《國風》以前，歌謠之屬，見諸傳記，不一而足；雖未必當時所作，然亦有可採者。及考其別，則有歌，有謠，有謳，有誦（不歌曰誦），有詩，有辭，不特歌謠二者而已。故今各採一二，以著詩之本始，而以「歌謠」二字括之。至如夏諺、齊語，皆有音韻，亦詩之流也，雖古集不列，而近時談詩者往往取之，故亦附焉。若夫樂府歌辭，雜體歌行，則各見本類，此不混列。

又《四言古詩》 四言古詩：按《詩·大序》云：「詩者，志之所之也；在心爲志，發言爲詩。」即《書》所謂「詩言志」者也。詩含六義，故發乎情，止乎禮義也。古詩三百五篇（《詩》本三百十一篇，除《南陔》、《白華》、《華黍》、《由庚》、《崇丘》、《由儀》六篇無詞，故爲三百五篇），大率以四言成篇。其他三言如「麟之趾」（《周南·麟之趾》篇）、「江有汜」（《召南·江有汜》篇）之類，五言如「維以不永懷」（《周南·卷耳》篇）、「誰謂雀無角」（《召南·行露》篇）之類，六言如「我姑酌彼金罍」（《周南·卷耳》篇）、「政事一埤益我」（《邶風·北門》篇）之類，七言如「送我乎淇之上矣」（《鄘風·桑中》篇）、「還予授子之粲兮」（《鄭風·緇衣》篇）之類，八言如「胡瞻爾庭有懸貆（音暄）兮」（《魏風·伐檀》篇）、「我不敢效我友自逸」（《小雅·十月之交》篇）之類，九言如「四之日其蚤獻羔祭韭」（《豳風·七月》篇）、「洞酌彼行潦挹彼注茲」（《大雅·泂酌》篇）之類，則皆間見雜出，不以成章，況成篇乎？是詩以四言爲主也。然分章複句，易字互文，以致反覆嗟嘆咏歌之趣者居多。迨漢韋孟始製長篇，而古詩之體稍變矣。故今採漢魏以來四言諸詩，分爲正、變二體而列之，使學者有考焉。至論其正體，則梁劉勰所謂「以雅潤爲本」者是也。其三言詩，梁任昉以爲晉散騎常侍夏侯湛作。然考漢樂府《練時日》、《天馬》等歌，皆三言，則非始於湛明矣。今見本類，故茲不列，特著其說於此。

又《樂府》 樂府：按樂府者，樂官肄習之樂章也。蓋自《鈞天九奏》、《葛天八闋》，樂之來尚矣。《咸池》以降，代有作者，故六代之樂，周人兼用之；時世雖更，而玄音不廢，迺知周公制禮之功，於是爲大也。秦有《壽人》之樂、《五行》之舞，大率準周制而爲之。漢興，樂家有制氏，世世在太樂官，雖曰但能紀其鏗鎗鼓舞，而不能言其義，然古樂猶有存焉。高祖時，叔孫通因秦樂人制宗廟樂。其後過沛，自制《風起》之詩，令僮兒歌之，是爲《三侯》之章。而《房中樂》則命唐山夫人造辭，傳至於今。孝惠時，以夏侯寬爲樂府令。迄于文景，習常肄舊，無所增改。至武帝立樂府，乃以李延年爲協律都尉，多舉司馬相如等數十人，造爲詩賦，略論律呂，以合八音之調，可謂盛矣。然延年以曼聲協律，司馬以騷體製歌，《桂華》雜曲，麗而不經；《赤雁》群篇，靡而非典。時有河間獻王奏雅樂而不用，惜哉！哀帝惡其聲而罷之，良有以也。東漢明帝分樂爲四品：一曰《太予樂》，郊廟上陵用之；二曰《雅頌樂》，辟雍饗射用之；三曰《黃門鼓吹樂》，天子宴群臣用之；四曰《短簫鐃歌樂》，軍中用之。其說雖具，而制亦不傳。魏氏所作，音靡節平，雖三調之正聲，實《韶夏》之鄭曲。逮及晉世，則有傅玄、張華之徒，曉暢音律，故其所作，多有可觀。然荀勗改杜夔之調，聲節哀急，見譏阮咸，不足多也。梁、陳及隋，新聲日繁；唐宋以來，制作甚富。然較諸古辭，則相去遠矣。今採漢以下諸辭，分爲九品而列之：一曰祭祀，二曰王禮，三曰鼓吹，四曰樂舞，五曰琴曲，六曰相和，七曰清商，八曰雜曲，其題不襲古而聲調近似者，亦取附焉，名曰新曲，使作者有考焉。嗚呼！樂歌之難甚矣！工於辭者，調未必協；諳於律者，辭未必嘉。善乎劉勰之論曰：「詩爲樂心，聲爲樂體。樂體在聲，瞽師務調其器；樂心在詩，君子宜正其文。」安得律辭兼得者而使之作樂哉！又按樂府命聲，名稱不一，蓋自琴曲之外，其放情長言，雜而無方者曰「歌」；步驟馳騁，疏而不滯者曰「行」；兼之曰「歌行」；述事本末，先後有序，以抽其臆者曰「引」；高下長短，委曲盡情，以道其微者曰「曲」；吁嗟嘅調，悲憂深思，以呻其鬱者曰「吟」；因其立辭之意曰「辭」；本其命篇之意曰「篇」；發歌曰「唱」（魏曹操有《氣出唱》，今不錄）；條理曰「調」（梁江從簡有《採荷調》，今不錄）；憤而不怒曰「怨」；感而發言曰「嘆」（晉石崇有《楚妃嘆》，今不錄）。又有以「詩」名者（古有《嬌女詩》，晉楊方有《合歡詩》，今並不錄），以「弄」名者，以「章」名者（漢廟樂有《三侯之章》，見《楚辭》類），以「度」名者（古有《採桑度》、《青陽度》，今並不錄），以「樂」名者，以「思」名者（宋僧惠休有《江南思》，今不錄），以「愁」名者（梁簡文帝有《獨處愁》，今不錄）。此編雖不悉載，然觀所錄，亦可觸類而長之矣。又按唐庚有云：「古樂府命題，皆有主意，後人用以爲題，直當代其人而措辭。」旨哉斯言，學者所當深念也。

又《五言古詩》 五言古詩：按宋嚴羽云：「風、雅、頌既亡，一變而爲《離騷》，再變而爲西漢五言，三變而爲歌行雜體，四變而爲沈、宋律詩。」然論者以謂五言之源，生于《南風》，衍於《五子之歌》，流於《三百篇》，而廣於《離騷》，特其體未備耳。逮漢蘇、李，始以成篇。嗣是汪洋於漢、魏，汗漫於晉、宋，至於陳、隋，而古調絶矣。唐初，承前代之弊，幸有陳子昂起而振之，遏貞觀微波，決開元之正派，號稱中興。於時李、杜、王、孟之徒，相繼有作。元和以下，遺響復息。故今採漢、魏以來古詩，以類列之，斷自韋應物、韓愈而止，使學者三復而有得焉，則其爲詩不求高古，而自高古矣。至論其體，則劉勰所云「五言流調，清麗居宗」者是也。他如《扶風歌》、《五君咏》、《夏日嘆》等篇，雖云五言，實爲雜體，故兹從略。

又《七言古詩》 七言古詩：按本朝徐禎卿云：「七言沿起，咸曰《柏梁》，然寧戚叩牛，已肇《南山》之篇矣。其爲則也，聲長字縱，易以成文，故藴氣琱辭，與五言略異。」漢、魏諸作既多樂府，唐代名家又多歌行，故此類所錄無幾。然樂府歌行，貴抑揚頓挫，古詩則優柔和平，循守法度，其體自不同也。學者熟復而涵泳之，庶乎其有得矣。

又《雜言古詩》 雜言古詩：按古詩自四、五、七言之外，又有雜言，大略與樂府歌行相似，而其名不同，故别列爲一類，以繼七言古詩之後，庶學者知所辨焉。

又《近體歌行》 近體歌行：按歌行有有聲有詞者，樂府所載諸歌是也；有有詞無聲者，後人所作諸歌是也。其名多與樂府同，而曰咏、曰謡、曰哀、曰别，則樂府所未有。蓋卽事命篇，卽不沿襲古題，而聲調亦復相遠，乃詩之三變也。故今不入樂府，而以近體歌行括之，使學者知其源之有自而流之有别云。

又《近體律詩》 近體律詩：按律詩者，梁、陳以下聲律對偶之詩也。蓋自《北風》有「覯閔既多，受侮不少」之句，其屬對已工；《堯典》有「聲依永，律和聲」之語，其爲律已甚。梁、陳諸家，漸多儷句，雖名古詩，實墮律體。唐興，沈、宋之流，研練精切，穩順聲勢，號爲律詩，其後寖盛。雖不及古詩之高遠，然對偶音律，亦文章之不可缺者。故今採梁、陳以下，訖于晚唐諸家律詩之工者，而五、七言列之，中間又以類從，使學者取法焉。其詩一二名「起聯」，又名「發句」；三四名「頷聯」；五六名「頸聯」；七八名「尾聯」，又名「落句」。間有變體，各附注之。其三韻則五言中之别體也，故列于五言之後。嘗試論之：梁、陳至隋是爲律祖；至唐而有四等，由高祖武德初至玄宗開元初爲初唐，由開元至代宗大曆初爲盛唐，由大曆至憲宗元和末爲中唐，自文宗開成初至五季爲晚唐。然盛唐詩亦有一二濫觴晚唐者，晚唐詩亦有一二可入盛唐者，要當論其大概耳。宋詩尚理，主於議論，而病於意興，於《三百篇》之義爲甚遠。故今所錄，斷自唐止，不使氣格凡下者雜焉。至論其體，則一篇之中，抒情寫景，或因情以寓景，或因景以見情。大抵以格調爲主，意興經之，詞句緯之；以渾厚爲上，雅淡次之，穠艷又次之。若論其難易，則對句易工，結句難工，發句尤難工。七言視五言爲難。五言不可加，七言不可減爲尤難。學者知此而各充其才，則盛唐可復見於今矣。

又《排律詩》 排律詩：按排律原於顔（延之）、謝（瞻）諸人，梁、陳以還，儷句尤切，唐興始專此體，而有排律之名。今自南宋訖于中唐，擇其詩之工者，而以五、七言列之，亦以類從。大抵排律之體，不以鍛鍊爲工，而以布置有序、首尾通貫爲尚，學者詳之。

又《絶句詩》 絶句詩：按絶句詩原於樂府：五言如《白頭吟》、《出塞曲》（《樂府》並不錄）、《桃葉歌》（見《樂府》類）、《歡聞歌》（《樂府》不錄）、《長干曲》（見《樂府》類）、《團扇郎》（《樂府》不錄）等篇。七言則如《挾瑟歌》、《烏棲曲》、《怨詩行》等篇（《樂府》並不錄）。下及六代，述作漸繁。唐初，穩順聲勢，定爲絶句。絶之爲言截也，卽律詩而截之也。故凡後兩句對者是截前四句，前兩句對者是截後四句，全篇皆對者是截中四句，皆不對者是截首尾四句。故唐人絶句皆稱律詩，觀李漢編《昌黎集》，絶句皆入律詩，蓋可見矣。大抵絶句詩以第三句爲主，須以實事寓意，則轉换有力，旨趣深長，雖以杜少陵之聖於詩，而於此尚有遺憾，則此體豈可易而爲之哉？今採晉、宋以下，訖于晚唐諸家詩，而以五、七言列之，仍各以類相從，使學者有所取法焉。

又《六言詩》　六言詩：按六言詩昉於漢司農谷永，魏、晉間曹（植）、陸（機、雲兄弟）間出，其後作者漸多，然不過詩人賦咏之餘耳。今自梁、陳以下，訖于中唐，略採數首，以備一體，而以律詩、三韻、絕句分別之，仍別其類云。

又《和韻詩》　和韻詩：按和韻詩有三體：一曰依韻，謂同在一韻中而不必用其字也；二曰次韻，謂和其原韻而先後次第皆因之也；三曰用韻，謂用其韻而先後不必次也，如韓愈《昌黎集》有《陸渾山火和皇甫湜用其韻》是已（湜詩今不傳，故採此詩不錄）。古人賡和，答其來意而已，初不爲韻所縛。如高適贈杜甫云：「草《玄》今已畢，此外更何言？」甫和之則云：「草《玄》吾豈敢？賦或似相如。」又如韋迢《早發湘潭寄杜甫》云：「相憶無南雁，何時有報章？」甫和云：「雖無南過雁，看取北來魚。」又如高適《人日寄杜甫》云：「龍鐘遠屬二千石（時適爲蜀州刺史），愧爾東西南北人。」（甫嘗有詩云：「甫也東西南北人。」）甫和云：「東西南北更堪論，白首扁舟病獨存。」又如杜甫《和裴迪逢梅相憶見寄》云：「幸不折來傷歲暮，若爲看去亂鄉愁。」迪詩今不傳，意其中必有「欲折來」及「不得同看」之語，故採其意而答之，不問其和韻也。又如杜甫、王維、岑參《和賈至早朝大明宮》詩，各自成篇，甫第云「詩成珠玉在揮毫」，參云「《陽春》一曲和皆難」，并其意不用，况於韻乎？中唐以還，元白、皮陸更相唱和，由是此體始盛，然皆不及他作，嚴羽所謂「和韻最害人詩」者此也。今略採次韻詩二篇，以備一體，且著其說，使學者勿效尤云。此外又有因韻而增爲之者，如唐柳宗元《河東集》有《同劉二十八院長（禹錫）述舊言懷感時書事奉寄澧州張員外使君（署）五十二韻》之作，因其韻增至八十》是也（今不錄）。又有拾其餘韻，凡爲所用者置不取，如《河東集》載《酬韶州裴曹長使君（名未詳）寄道州呂八大使（溫）因以見示二十韻》，《自序》云「韶州幸以詩見及，往復奇麗，邈不可慕，用韻尤爲高絕，余因拾其餘韻酬焉，凡爲韶州所用者置不取，其聲律言數如之」是也（今亦不錄）。此皆由依韻而推廣之，故附著於此。

又《聯句詩》　聯句詩：按聯句詩起自《柏梁》，人各一句，集以成篇。其後宋孝武《華林曲水》，梁武帝《清暑殿》，唐中宗《內殿》諸詩（今並不錄），皆與漢同。唯魏《懸瓠方丈竹堂讌饗》（今不錄），則人各二句，稍變前體。自茲以還，體遂不一：有人各四句者，如《陶靖節集》所載是也；有人各一聯者，如杜甫與李之芳及其甥宇文彧所作是也；有先出一句，次者對之，就出一句，前人復對之者，如《韓昌黎集》所載《城南詩》（今不錄）是也。然必其人意氣相投，筆力相稱，然後能爲之，否則狗尾續貂，難乎免於後世之議矣。

又《雜句詩》　雜句詩：按近體詩自五七言律、排律、絕句之外，復有三句、五句、促句三體。以其非正體也，故列之《附錄》云。後皆倣此。三句詩、五句詩、促句詩：此體詩每三句一換韻，或平或仄皆可，然有兩疊音者，有三疊音者。

又《雜言詩》　雜言詩：按古今詩自四、五、六、七雜言之外，復有五、七言相間者，有三、五、七言各兩句者，有一、三、五、七、九言各兩句者，有一字至七字、九字、十字者，比之雜言，又略不同。

又《雜體詩》　雜體詩：按詩有雜體，一曰拗體，二曰蜂腰體，三曰斷弦體，四曰隔句體，五曰偷春體，六曰首尾吟體，七曰盤中體，八曰迴文體，九曰仄起體，十曰疊字體，十一曰句用字體，十二曰藁砧體，十三曰兩頭纖纖體，十四曰三婦艷體，十五曰五雜俎體，十六曰五仄體，十七曰四聲體，十八曰雙聲疊韻體，十九曰問答體，皆詩之變體也，故並列於此篇。拗體：按律詩平順穩帖者，每句皆以第二字爲主，如首句第二字用平聲，則二句、三句當用仄聲，四句、五句當用平聲，六句、七句當用仄聲，八句當用平聲。用仄反是。若一失粘，皆爲拗體。其詩有入此體而已見律詩絕句類者，即注其下，今復採其所未錄者列之。又有句不拗而字拗者，亦附著焉。蜂腰體：凡頷聯不對，卻以十字叙一事，而意與首二句相貫，至頸聯方對者，謂之蜂腰體，言已斷而復續也。斷弦體：謂語似斷弦而意存也。隔句體：謂起聯與頷聯相對也。絕句亦有之。偷春體：凡起聯相對，而次聯不對者，謂之偷春體，言如梅花偷春色而先開也。首尾吟體：首尾吟者，一句而首尾皆用之也。此體他集不載，唯宋邵雍有之，蓋昉於雍也。雍詩甚富，其中類多格言，但於古人寄興高遠，托諷悠深之義，絕不相似，故皆不錄。姑採元人詩以備一體，庶學者有考焉。盤中體：作詩寫之盤中，屈曲而成文也。迴文體：按迴文詩始於苻秦竇滔妻蘇氏，反覆成章，而陸龜蒙則曰：「悠悠遠道獨煢煢，由是反覆興焉。」及考《詩苑》云：「迴文、反覆，舊本二體：止兩韻者謂之迴文，舉一字皆成讀者謂之反覆。」則蘇氏詩正反覆體也。後人所作，直可謂之迴文耳。以今合而爲一，故并列之。仄起體：謂每句起字皆仄聲也。疊字體：按古詩「青青河畔草」凡十句，而前六句皆用疊字。「迢迢牽牛星」亦十句，而首四句尾二句皆用叠字。然未有以叠字成篇者，後人倣之，始有此體。句用字體。藁砧體。兩頭纖纖體。三婦艷體。五雜俎體。五仄體：謂句中五字皆用仄聲也。宋晏殊守汝陰，梅堯臣往見之，將行，殊置酒潁河上，因言：「古人章句中全用平聲，製字穩帖，如『枯桑知天風』是也，恨未見仄字詩耳。」堯臣既引舟，遂作五仄詩寄之。四聲體。雙聲疊韻體：按《南史·謝莊傳》：「王元謨問莊曰：『何爲雙聲？何爲疊韻？』莊答曰：『互護爲雙聲，磝碻爲疊韻。』」蓋字有四聲，必按五音；北東方喉聲爲木音，南方齒聲爲火音，中央牙聲爲土音，西方舌聲爲金音，北方脣聲爲水音。雙聲者，同音而不同韻也，互護同爲脣音，而不同韻，故謂之雙聲，若彷彿、熠燿、騏驥、慷慨、咿喔、霡霂之類皆是也。疊韻者，同音而又同韻也，磝碻同爲牙音，而又同韻，故謂之疊韻，若侏儒、童蒙、崆峒、巃嵸、螳蜋、滴瀝之類皆是也。此二體詩，古集不多載，唯皮、陸有之。又有上句雙聲、下句疊韻者，如李群玉詩云：「方穿詰曲崎嶇路，又聽鉤輈格磔聲」是也。問答體。

又《雜韻詩》　雜韻詩：按詩家用韻凡數端：一曰葫蘆韻，先二後四者是也；二曰轆轤韻，雙出雙入，每隔二句用韻者是也；三曰進退韻，一進一退，隔一句用韻者是也；四曰顛倒韻，四句同用兩字爲韻，略如反覆詩者是也；五曰平仄兩韻，句中平仄字各協韻者是也。然葫蘆、轆轤二體無所考，故僅取三體錄之。進退韻體（亦名隔句韻體）、顛倒韻體、平仄兩韻體。

又《雜數詩》　雜數詩：按詩有以數爲題者，如四時、四氣、四色、五噫、六憶、六甲、六府、八音、十索、十離、十二屬、百年是也。有以數爲詩者，如數詩數名自一至十是也。

又《雜名詩》　雜名詩：按詩有用建除名者，有用星宿名者，有用道里名者，有用州郡縣名者，有用斜冗名者，有用姓名者，有用將軍名者，有用古人名者，有用宮殿屋名者，有用船車名者，有用藥草樹名者，有用鳥獸名者，有用卦兆相名者，古集所載，僅見數端。然推而廣之，將不止此。

又《離合詩》　離合詩（口字咏、藏頭詩附）：按離合詩有四體：其一，離一字偏旁爲兩句，而四句湊合爲一字，如「魯國孔融文舉」、「思楊容姬難堪」、「何敬容」、「閑居有樂」、「悲客他方」是也；其二，亦離一字偏旁爲兩句，而六句湊合爲一字，如「別」字詩是也；其三，離一字偏旁於一句之首尾，而首尾相續爲一字，如《松閒斟》、《飲巖泉》、《砌思步》是也；其四，不離偏旁，但以一物二字離於一句之首尾，而首尾相續爲一物，如縣名、藥名離合是也。他如口字咏，則字字皆藏口字也。藏頭詩則每句頭字皆藏於每句尾字也。雖非離合，意亦近之，故取以附焉。此外又有歇後詩，如《拙字詩》云「當初只爲將勤補，到底翻爲弄巧成」，《酒字詞》云「斷送一生唯有，破除萬事無過」之類，滑稽之極，一至於此，良可嘆也。故今不錄；姑附其說於此云。

又《詼諧詩》　詼諧詩：按《詩·衛風·淇奥》篇云：「善戲謔兮，不爲虐兮。」此謂言語之間耳。後人因此演而爲詩，故有俳諧體、風人體、諸言體、諸語體、字謎體、禽言體。雖含諷諭，實則詼諧，蓋皆以文滑稽爾，不足取也。然以其有此體，故亦採而列之。俳諧體：謂謔語也。風人體：唐陸龜蒙曰：「《詩》云：『維南有箕，不可以簸揚；維北有斗，不可以挹酒漿。』蓋風俗之言，近乎戲矣。後人倣之，遂有『圍棊燒敗襖，看子故依然』之句。由是此體興焉。」蓋古有采詩之官，命之曰風人，故名其體云爾。諸言體：自宋玉有《大言》、《小言》賦，後人遂約而爲詩。諸語、諸意，皆由此起。諸語體、諸意體、字謎體、禽言體。

譚浚《說詩》卷上《總辨·支流》　班氏謂：「古詩之流者，賦也。」晁氏謂：「古賦之流者，詞也。」元氏又謂：「《詩》、《騷》之流，而有二十四名者：賦、頌、銘、贊、文、誄、箴、詩、行、吟、咏、題、怨、嘆、章、篇、操、引、謠、謳、歌、曲、詞、調也。」若此，則凡韻語悉原於詩。如辨、語、問、答、戒、祝、譟、暢、唱、弄、拍、舞、讙、樂、思、愁、哀、離、別、興、懷、意、口號（占）、百一、招、反，又二十七名矣。必宗六義，克諧五音。「風」義優柔而不直致，「比」義托物而不正言，「興」義舒展而不刺促，「賦」義鄰於文之叙事，「雅」義鄰於文之明理，「頌」義鄰於文之贊德。此故祝氏有辨詩中之文，文中之詩也。其曰：「《二招》、《惜誓》，固續於《騷》。而《秋風》、《歸去來》，則名爲詞；韓吊田橫，柳吊屈平，則名爲文；漢《大風》、《瓠子》，則名爲歌也。名異而用韻則同，語殊而取義不違。宜詳而有辨，勿泥而弗通。」

又卷中《時論・唱和》　朱子曰：「和詩原于《賡歌》。」今失其意也。夫舜歌勅命時幾，皋陶颺言愼憲，舜《卿雲》倡歌，八伯進和。夏人醉歌，伊尹賡和(俱見《尙書大傳》)《玉海》云：「鄭都則七子均賦，梁苑則三英接曲。唱和之制，由是生焉。」嚴氏曰：「次韻最害事。始于元、白，極于蘇、黄。杜甫、王維等和賈至《早朝》詩未如是也。」洪氏曰：「古人答和來意，非若今人次韻所局也。」

又《章句・析言》　隻字爲言，裒言爲句，句止爲章，章畢爲篇。長短相雜者，古經兼于歌詞(說見後《斷句》章)。全篇無異者，後代多于前作。劉氏云：「二言肇于黄世《竹彈》之謠，三言興于虞時《元首》之歌，四言見于夏年《洛汭》之訓，五言廣于周代《行露》之章，六言、七言出于齊風《還》、《著》之篇。舊說曰：「晉夏侯湛始爲三言，漢韋孟始爲四言，漢蘇、李始爲五言，漢谷永始爲六言，漢武柏梁始爲七言，魏高貴鄉公始爲九言。」此謂通篇一體也。一句七言者，漢《董宣歌》「枹鼓不鳴董少平」。一句五言者，明帝時謠「其奈爾曹何」。二句七言者，《越婦採葛歌》、《范舟歌》。二句五言者，《原壤歌》、《左傳・宋人歌》。二句四言：《大傳・夏人歌》、《左傳・役人歌》。三句七言：《孔叢子・獲麟歌》、漢《李夫人歌》。三句五言：《禮記・夢奠歌》。三句四言：《左傳・士蔿歌》、《參乘歌》。三句八言：漢《皇甫歌》。四句三言：漢《匡衡歌》、《潁川歌》。六句三言：漢《廉范歌》、《行者歌》。長句三言：漢武《郊祀歌》。長短句：《左傳・祈招詩》。長篇：荀卿《成相章》。四句六言：孔文舉《讖操詩》。三、四言：《黄澤謠》。三、五言：《戚夫人歌》。三、七言：《商歌》。六、五言：《猛虎行》。三、五、七言：鄭世翼詩、唐李白詩。

又《古篇五言》　寓意深遠，托詞溫厚，推己及人，感今懷古。悲歡則含蓄不過，美刺則婉曲不露，閑適則瀟灑不流，反覆深切而不迫，賦、興、比義而不越。如短句者，漢《上留田》四句、成帝時謠二句也。長篇者，漢《羽林郎》、《陌上桑》也。子美《北征》，退之《南山》，叙事敷衍，陳情附轄，《詩》之變體，《騷》之旁軌。蔡琰《悲憤》之作，開其源也。

又《古篇七言》　鋪叙開合，血氣貫通，風度高雅，波瀾宏闊，音韻鏗鏘，議論超然，學問充之。如短句，則《采葛詞》、《易水歌》也。長篇，漢魏《燕歌行》、《木蘭詞》，唐《兵車行》、《天姥吟》尙矣。

又《雜詩》　不拘流例，遇物卽言，命題曰「雜」。雜宜不越，區而有別。漢《古詩十九首》，魏晉因之。《文選》又以荆軻、《大風》諸作，目爲雜歌。

又《擬古》　後人倣古作命題曰「擬」。嚴氏曰：「自漢有之。梁江淹擬陶、謝、左、郭，皆似，獨擬李陵不似西漢，其鮑、謝擬作，仍自體耳。」

又《律詩》　守法度曰「律」。有古律，謝多此體；有排律，杜多此體。五言律始于沈約，七言律始于沈、宋。

又《古律　排律》　滄浪曰：「靈運詩首尾對，是以不及建安也。」以謝詩爲古，則多有對；爲律，則對不嚴。及唐，諸作盛矣。

又《近律》　五言、七言限于八句，四聲、四韻嚴于法度。七言句難于五言句，七言律難于五言律。七言可截作五言，八句可截作六句，非詩也。楊仲宏曰：「句要藏字，字要藏意。其法有四：起、承、轉、合也。」一、破題曰「起」。或興、比、賦起，或引事就題，必包占高遠，則後可鋪叙矣。二、頷聯曰「承」。或寫景物，或用事實，必承題不脫，則穩健而充滿矣。三、腰聯曰「轉」。或景意事理，必承前引後，相應而相避。貴不空疏而已。四、結尾曰「合」。或繳前聯，或因時感事，期後望遠，言盡意餘，乃克有終也。

又《絶句》　句以絶名，義則數說：一曰不相聯屬曰絶句，一曰絶妙之句，一曰絶取律詩之四句。五言絶句，樂府古詞《出塞詩》也。七言絶句，後周趙王《從軍行》也。絶律前四句，李白「昭君拂玉鞍」詩也。律中四句，如杜「江動月移石」詩也。律後四句，如杜「功蓋三分國」詩也。七言絶倣此，須婉曲回環，删蕪就簡，句絶而意不絶，詞短而情有餘。

又《聯句》　聚客合句成詩曰「聯句」。始于漢孝武柏梁臺詔群臣，能爲七言者上座。自後宋孝武華林都亭、梁武帝清暑殿皆倣爲之，至唐盛矣。

又《集句》　采古句合爲一詩。始于晉傅咸集《毛詩》句、《孝經》句、《易經》句、《周官》句、《論語》句各爲一詩，見《藝文志》。至宋盛矣。

又《名目》　騷：班固曰：「『離』猶『遭』也。」顔師古曰：「擾動曰『騷』。」又曰：「痛極其情曰『騷』。」王逸注：「離，别。騷，愁也。」宋景文公曰：「《離騷》，詞賦之祖。」何氏曰：「漢唐續《騷》，皆宗其矩矱，莫能尙之。」賦：劉向曰：「不歌而誦曰賦。」班固曰：「古詩之流。」揚雄曰：「詩人之賦麗以則，詞人之賦麗以淫。」《左傳》曰：「登高能賦可爲大夫。」鄭莊大隧，士蔿狐裘，短章稱之。荀卿五《賦》，宋玉續《騷》，賈、馬繼之。祝氏曰：「情形于詞故麗，詞合于理故則。取《詩》中賦義爲賦，又取《騷》中麗詞爲詞，則詩人之賦、詞人之賦、賦人之賦異矣。」相如曰：「合綦組成文，列錦繡爲質，一經一緯，一宮一商，賦之迹也。包括宇宙，總覽人物，賦家之心也。」頌：容告神明謂之「頌」。頌者，容也，頌盛德而述形容也。至晉之《輿人》、衛之《南蒯》，則短言野誦，誦之變也。《楚詞》言橘，秦政刻碑，頌之流也。讚：《文心》曰：「頌家之細條曰讚。讚者，明也，唱發之詞也。益讚于禹，伊陟讚于巫咸，颺言以明事，嗟嘆以助詞也。至相如始讚荆軻，班固託讚《書》、《史》，皆約文以總錄，頌體而論詞也。」《昭明》曰：「圖象則讚興」。歌：放情曰歌。《廣雅》曰：「聲比琴瑟曰歌。」《韓詩章句》曰：「有章曲曰歌。」《說文》曰：「歌，咏也。」徐氏曰：「長引其聲以誦之也。」梁元帝《纂要》云：「齊歌曰田謳，吴歌曰歈，楚歌曰艷，浮歌曰哇，振旅而歌曰凱歌，堂上奏樂而歌曰登歌、曰升歌。」《吴歌雜曲》始曰：「徒歌原于《卿雲》、《賡歌》。」《通典》曰：「韓娥鬻歌于齊，故雍門善歌。」謠：通里俗曰謠。《爾雅》曰：「徒歌曰謠。」《韓詩章句》曰：「無章曲謂之謠。堯時《康衢謠》、周穆王《白雲謠》也。」謳：衆歌曰謳。謳，聲有曲折也。歌，長言也。《孟子》云：「王豹處淇而河西善謳（衛人音也）。」《左傳》：「宋人築者謳。」《通典》云：「周衰，秦青善謳。」吟：悲如蛩螿曰吟。吟，呻吟也。《吴越春秋·木客吟》，漢孔明《梁父吟》，卓文君《白頭吟》。行：體如行書曰行。漢有《武溪深行》、《相逢行》也。歌行：行體兼歌體曰歌行。漢有《長歌行》、《艷歌行》。曲：委曲盡情曰曲。又曰：「和樂而作曰曲。」漢《鐃歌曲》、《横吹曲》、《江南曲》、《蒿里曲》。引：述本末曰引。衛女作《思歸引》，子高妻麗玉作《箜篌引》，楚南梁《辟歷引》。篇：長語成章曰篇。《選》有《名都篇》、《白馬篇》，曹植詩也。章（亂、誶）：樂竟爲一章。《離騷》、《九章》又曰亂、曰誶、曰倡。皆樂之卒章，音節之名。詞（辭通）：《說文》云：「在音之內、言之外也。」古雅諧歌曰詞。《左傳》吴《乞糧辭》、周穆王《黄澤辭》，漢武《秋風辭》、樂府古詞、唐人宫詞。咏：聲通于物曰咏。曹植《九咏》，顔延年《五君咏》。嘆：事感于中曰嘆。樂府《楚妃嘆》、《明妃嘆》、《續騷九嘆》。調：聲音和曰調。周樂遺聲有平調、清調、長調、短調。漢並之曰三調。辯：《說文》云：「辯，理也。從言在辩，聞罪人相訟也。」《騷》云：「啓《九辯》。」（禹樂名。）《楚詞》又有伏羲《駕辯》、宋玉《九辯》。

語（言）：發端曰言，答述曰語。《月令注》引里語，崔寔引農語，《史記》引鄙語。古語皆韻語也。唐有雜言、寓言。問（答）：相訊相訪曰問。《騷》有《天問》，唐人有《山中問答》。戒：警訓之詞曰戒。《淮南子》有《人間訓》、《堯戒》、《方朔誡》、《義方誡》。祝：祭主讚詞曰祝。《周禮》六祝之詞，《史記·淳于髡傳》有《禳田祝》，《吴越春秋》有《越臣祝》。箴：中失刺病曰箴。《汲冢周書·防夏箴》、《大正箴》、《管子·弟子職》八箴。銘：正名審用曰銘。《國語·商銘》、《大戴禮·武王銘十七章》，《左傳·鼎銘》。操：窮不失守曰操。《琴曲》云：「憂愁而作曰操。」《古今樂錄·雉朝飛操》、《猗蘭操》，漢《采芝操》。課：擾括曰課。《左傳·衛人登觀課》，樂府又名《諢良夫課》。暢：《琴曲》云：「和樂而作曰暢。」堯時有《神人暢》。唱（倡通）：《左傳》云：「內外倡和。」《史》云：「一倡三嘆。」《戰國策》載：「田單士卒倡。」又魏明帝《氣出唱》，晉夏統《小海唱》。弄：玩戲曰弄。唐志《楚調四弄》，蔡邕《五弄》、《楚漢九弄》，鄭述《龍吟十弄》，（《陽春》、《白雪》、《緑水》、《悲風》、《雙鳳》、《雜鸞》、《别鶴》、《流泉》、《長短》、《側清》。）樂府《江南弄》。拍：擊節曰拍。樂有撫拍（韋屬）、拍板。（木屬，韓子目爲樂句。）蔡琰《胡笳十八拍》。舞：詞節舞曰舞。漢有《公莫舞》。吴有《白紵舞》。鹽：竦動滿座曰鹽。薛道衡作《昔昔鹽》。《玄怪錄》：「籧篨三娘工唱《阿鵲鹽》，更奏新聲《刮骨鹽》。」樂：喜見于外曰樂。宋臧質《石城樂》、《莫愁樂》。劉道彦《襄陽樂》。怨：恚恨于中曰怨。古樂府《獨步怨》，《選》詩：《四怨》、《宫怨》、《閨怨》。思：慮遠曰思。樂府《有所思》，宋惠休《江南思》、《續騷九思》。愁：鬱鬱不得志曰愁。漢張衡《四愁》，樂府《玉階愁》、《寒夜愁》、《宫愁》、《邊愁》、《春愁》。哀：呂向云：「痛而哀，義而哀，感而哀，愁而哀，口嘆而哀，聞見而哀，鼻酸而哀。」漢莊忌《哀時命》，曹植、仲宣《七哀》。離（别）：遠曰離，近曰别。樂府《古别離》、《翁離》、《雙燕離》。後有《潛别離》、《遠别離》、《久别離》、《長别離》、《生别離》，杜甫有《無家别》、《垂老别》、《新婚别》。興：他物引咏曰興。有《古興》、《感興》、《漫興》、《雜興》、《書興》、《寫興》、《遣興》、《春興》、《秋興》。懷：發胸臆所抱者。阮籍《咏懷》，謝惠連《秋懷》、《續騷九懷》。意：心有憶度曰意。比意則隱此事而只題彼物，興意起因他物而說出此事。後有《古意》、《寓意》、《咏意》。口號（口占）：草成速就達意宣情曰口號。

杜有《存歿口號》。《增韻》曰：「隱度其詞，口以授人曰口占。」百一：百慮而有一得之謂。晉應璩作一百三十首，及李彪、李夔各撰二卷。招：招其來歸，以手曰招，又言曰召。宋玉作《招魂》，景差作《大招》，淮南小山《招隱賦》，陸機《招隱詩》。劉勰曰：「帝嚳之世，咸墨歌《九招》。」反：轉覆其事而言之。揚雄《反離騷》，王康琚《反招隱》。

王世貞《藝苑卮言》卷一 四言詩，須本《風》、《雅》，間及韋、曹，然勿相雜也。世有白首鉛槧，以訓故求之，不解作詩壇赤幟；亦有專習潘、陸，忘其鼻祖。要之，皆日用不知者。

又 擬古樂府，如《郊祀》、《房中》，須極古雅，發以峭峻。《鐃歌》諸曲，勿便可解，勿遂不可解，須斟酌淺深質文之間。漢、魏之辭，務尋古色，《相和》、《瑟曲》諸小調，係北朝者，勿使勝質，齊、梁以後，勿使勝文。近事毋俗，近情毋纖。拙不露態，巧不露痕。寧近無遠，寧樸無虛。有分格，有來委，有實境，一涉議論，便是鬼道。

又 七言歌行，靡非樂府，然至唐始暢。其發也，如千鈞之弩，一舉透革，縱之則文漪落霞，舒卷絢爛，一入促節，則淒風急雨，窈冥變幻，轉折頓挫，如天驥下坂，明珠走盤。收之則如橐聲一擊，萬騎忽斂，寂然無聲。

又 歌行有三難：起調一也，轉節二也，收結三也。惟收爲尤難。如作平調，舒徐綿麗者，結須爲雅詞，勿使不足，令有一唱三嘆意。奔騰洶涌，驅突而來者，須一截便住，勿留有餘。中作奇語，峻奪人魄者，須令上下脈相顧。一起一伏，一頓一挫，有力無迹，方成篇法。此是秘密大藏印可之妙。

又 五言律，差易得雄渾，加以二字，便覺費力。雖曼聲可聽，而古色漸稀。七字爲句，字皆調美；八句爲篇，句皆穩暢。雖復盛唐，代不數人，人不數首。古惟子美，今或于鱗，驟似駭耳，久當論定。

又 七言律，不難中二聯，難在發端及結句耳。發端，盛唐人無不佳者；結頗有之，然亦無轉入他調及收頓不住之病。篇法有起有束，有放有斂，有喚有應，大抵一開則一闔，一揚則一抑，一象則一意，無偏用者。句法有直下者，有倒插者，倒插最難，非老杜不能也。字法有虛有實，有沈有響，虛響易工，沈實難至。五十六字如魏明帝淩雲臺材木，銖兩悉配乃可耳。篇法之妙，有不見句法者；句法之妙，有不見字法者。此是法極無迹，人能之至，境與天會，未易求也。有俱屬象而妙者，有俱屬意而妙者，有俱作高調而妙者，有直下不偶對而妙者，皆興與境詣，神合氣完使之。然五言可耳，七言恐未易能也。勿和韻，勿拈險韻，勿傍用韻。起句亦然，勿偏枯，勿求理，勿搜僻，勿用六朝強造語，勿用大曆以後事。此詩家魔障，慎之慎之。

又 絕句固自難，五言尤甚。離首卽尾，離尾卽首，而腰腹亦自不可少。妙在愈小而大，愈促而緩。吾嘗讀《維摩經》得此法：一丈室中，置恆河沙諸天寶座，丈室不增，諸天不減；又一刹那定作六十小劫。須如是觀乃得。

又 古樂府、選體歌行，有可入律者，有不可入律者，句法字法皆然。惟近體必不可入古耳。

又《弇州山人續稿》卷四〇《劉侍御集序》 夫言，人心之聲，而詩文乃其精者：韻而詩，匪韻而文。其用本不相遠，而其究乃不能相通。以故攻之者不能兼造其奧而發其樞。自西京以還，至於今千餘載，體日益廣，而格日以卑。前者毋以盡其變，而後者毋以反其始。嗚呼！古之不得盡變，寧古罪哉；今之不能返始，其又何辭也已！

又卷四二《梁伯龍古樂府序》 凡有韻之言，可以諧管弦者，皆樂府也。《風》、《雅》熄而鐃歌、鼓吹興，其聽者猶恐卧，而燕、魏、齊、梁之調作，絲不盡諧肉，而絕句所由宣；絕句之宛轉不能長，而《花間》、《草堂》之峭倩著；《花間》、《草堂》不入耳，而北聲勁；北聲不駐耳，而南音出。

李贄《騷壇千金訣》 五言古詩：五言古詩或比起、或興起、或賦起，須要寓意深遠，託辭溫厚，反覆優游，雍容不迫。或感古懷今，或懷人傷己，或瀟灑閑適。寫景要雅淡，推人心之至情，懷感慨之微意。悲慨含蓄而不傷，美刺婉曲而不露，要有《三百篇》之微意，方見觀漢魏古詩藹然有感動人處。如《古詩十九首》皆當熟讀玩味，自見其趣。

又 七言古詩：七言古詩要鋪叙，要有開闔，有風度，要迢遞險怪，雄峻鏗鏘，忌庸俗軟腐，須是波瀾開合，如江海之波，一波未平，一波復起；又如兵家之陣，方以爲正，又復爲奇；方以爲奇，又復是正，出入變化，不可紀極。備此法者，惟李、杜也。開合粲然，音韻鏗然，法度森然，神思悠然，學問充然，議論超然。

又 絕句：絕句之法要婉曲回環，刪蕪就簡，句絕而意不絕。多以第三句爲主，而第四句發之。有實接，有虛接，承接之間，開與合相關，反與正相依，順與逆相應，一呼一吸，宮商自諧。大抵起承二句固難，然不過平直叙起爲佳，從容承之爲是。至如宛轉變化，工夫全在第三句，若于此轉變得好，則第四句如順流之舟矣。

孫鑛《唐詩品》 七言古詩，詩中之賦也。子安之《春思》，賓王之《蕩子》、《從軍》不然乎？元美謂爲賦則醜，此亦以今人眼觀耳。

又 元美云：七言歌行，其發也如千石之弩，一舉透革；縱之，則文漪落霞，舒卷絢爛。一入促節，則凄風急雨，窈冥變幻；轉折頓挫，如天驥下坂，明珠走盤。收之，則槖聲一擊，萬騎忽斂，寂然無聲。善論乎！然足當此者絶少。《哀江頭》精工之致，而凄風急雨未備；其《遠別離》乎？然騷家之語也。《麗人行》、《同谷歌》乎？然樂府歌謠家語也。無已，《渼陂行》庶幾焉，本色無愧，乃興思，則但自目前耳。盡美矣，又盡善也，談何容易？

又《姚江孫月峰先生全集》卷九《與余君房論詩文書》 五言律壓卷果是難定。竊謂凡堪壓卷首者，必須自然，須本色，然又須意格高遠，又須音節響，又須是神來之調。不敏前所擬九首，庶幾近之。「東郡趨庭」本色自然有之，中四句雖云宏大，然意隨語盡，不甚高遠，又不響。鍛成偶語，終不是神來。若「冠冕通南極」，則首二句既藻繢，不本色也。第三句更如嚼蠟。「野館」、「春帆」句雖工，然不切勒碑。凡點景，亦必須中情，此一聯只可送爲客商者耳。以送士大夫猶不稱，況翰苑勒碑之使乎？結句又似送遷謫者，銜命勒碑，須是「計日回」方合格。此結殊有憂其不回意，豈得佳乎？「納納乾坤大」，杜詩常語，杜詩中如此者，恐不下數十首，於前四者皆無當焉。若取此等，則又不若「鳳林戈未息」也。「昔聞洞庭水」，眞是神來，又高遠，又本色自然，又響，第結句太漫興。「八月湖水平」起兩句已壯，頷聯復饒氣概，於前四者無愧。頸聯亦得，惟結語意稍卑，然猶勝「戎馬關山北」也。「風勁角弓鳴」精工無疵，惟意象不高遠。前所以取「花隱掖垣暮」者，以其高遠，神來處多耳。「啾啾棲鳥」含比意，不爲累句。若以風雅意律之，恐終讓此首也。

又《與呂甥玉繩論詩文書》 七言近體，勿隨人多作。此體在詩中又別一境，大難口言。古選固是詩本，或太遠；只五言律爲近而正。唐人五言律，不問安、中、晚，無一不佳，杜尤臻神境，若常細玩，詩寧有不工者？詩必工始出，不輕易成篇，亦是入門一訣也。

王世懋《藝圃擷餘》 律詩句有必不可入古者，古詩字有必不可爲律者。然不多熟古詩，未有能以律詩高天下者也。初學輩不知苦辣，往往謂五言古詩易就，率爾成篇。因自詫好古，薄後世律不爲。不知律尙不工，豈能工古？徒爲兩失而已。詞人拈筆成律，如左右逢源，一遇古體，竟日吟哦，常恐失卻本相。「樂府」兩字，到老搖手不敢輕道。

周履靖《騷壇秘語》卷上《二十名》 詩：五言，章句整齊，聲音平實；七言，章句參差，音律雄渾。歌：情揚辭達，音聲高暢。吟：情抑辭鬱，音聲沉細。行：情順辭直，音聲瀏亮。曲：情密辭宛，音聲緒縟。謠：情譎辭寓，音聲質俚。風：情切辭遠，音聲古淡。唱：與歌、行、曲通。樂歌：情和辭直，音聲舒緩。嘆：情戚辭老，音長聲絶。解：與歌、曲、嘆、樂通。引：情長辭蓄，音聲平永。弄：情活辭麗，音聲圓壯。清：情逸辭激，音聲清壯。辭：情長辭雅，音聲平亮。舞：情通辭麗，音聲應節。怨：情沉辭鬱，音聲凄斷。謳：情揚辭直，音聲高放。

又《二十三題》 送：留須繾綣，勉必拳拳。別：前瞻戀戀，後顧懸懸。逢：樂生于哀，哀極還感。寄：萬里寄言，必有實惠。酬：識曲聽直，無言不酬。贈：贈人以言，非諂非刺。答：答指有歸，無離來意。游：主景。宴：主情。行：行必有故，切忌矯情。至：至必有爲，不宜徒喜。歸：歸人皆喜，必有我私。與：物輕意重。謝：物意俱重。登：登峰詣極，所貴眼高。覽：泛覽景物，必有得焉。題：題忌損物。咏：咏忌粘題。思：思必有因，豈徒凄愴？輓：忌似壽詩。壽：忌似輓詩。應制：氣欲嚴肅，辭貴典麗。賀：忌似攫客。

梁橋《冰川詩式》卷一《定體·五言絶句》 五言始于李陵、蘇武，或云枚乘。五言絶句，作自古漢魏樂府古辭，則有《白頭吟》、《出塞曲》等篇。下及六代，述作漸繁。唐人以來，工之者甚衆。絶句，衆唐人是一樣，少陵是一樣，韓退之是一樣。絶句者，截句也，句絶而意不絶。截律詩中或前四句，或後四句，或中二聯，或首尾四句，大抵以第三句爲主。七言絶句倣此。

《易水送別》（唐駱賓王）：此詩是截律詩前四句，其法前散後對：「此地別燕丹，壯士髮衝冠。昔時人已沒，今日水猶寒。」《江令于長安歸揚州九日賦》（唐許敬宗）：此詩是截律詩後四句，其法前對後散：「心逐南雲逝，身隨北雁來。故鄉籬下菊，今日幾花開。」《玩初月》（唐駱賓王）：此詩是截律詩中二聯，其法四名兩對：「忌滿光恆缺，乘昏影暫流。自能明似鏡，何用曲如鈎。」《過酒家》(唐王績)：此詩是截律詩首尾四句，其法四句一意不對：「此日長昏飲，非關養性靈。眼看人盡醉，何忍獨爲醒。」《哭台州司戶蘇少監》(唐杜甫)：此詩是隔句扇對法，以第一句對第三句，以第二句對第四句，詳見《沙中金集》：「得罪台州去，時危棄碩儒。移官蓬閣後，穀貴歿潛夫。」《絶句》(唐杜甫)：此詩是四句四意：「遲日江山麗，春風花草香。泥融飛燕子，沙暖宿鴛鴦。」五言絶句，大法止此。然作之之要，貴婉曲回環，刪蕪就簡，句絶而意不絶。多以第三句爲主，第四句發之。有實接，有虛接，承接之間，開與合相關，反與正相依，順與逆相應，一呼一吸，宫商自諧。大抵起承二句固難，然不過平直叙起爲佳，從容承之爲是，至如宛轉變化，工夫全在第三句。若于此轉變得好，則第四句如順流之舟矣。七言絶句倣此，五言絶句撇情入事，七言絶句掉景入情，當知有此不同。或云五言絶句主情景，七言絶句主意事。

又《七言絶句》七言始于漢武《柏梁》。七言絶句始自古樂府《挾瑟歌》、梁元帝《烏棲曲》、江揔《怨時行》等作，皆七言四句。至唐初，始穩順聲勢，定爲絶句。絶句者，四句不相連屬，或云絶取八句律之四句，或云絶妙之句，詳見五言口號。亦七言四句，草成而就速，達意宣情而已，貴明白條暢。律詩放此。唐人好詩多是征戍、遷謫、行旅、離别之作，往往能感動激發人意。他詩固多，而七言絶句爲甚，句少而意專。辭屬賦、比、興者，其旨深，其味長，可以興，可以觀焉。《寒食汜上》(唐王維)：此詩其法前散後對：「廣武城邊逢暮春，汶陽歸客淚沾巾。落花寂寂啼山鳥，楊柳青青渡水人。」《江南》(唐陸龜蒙)：此詩其法前對後散：「村邊紫豆花垂次，岸上紅梨葉戰初。莫怪烟中重回首，酒旗青紵一行書。」《奉和聖製幸韋嗣立莊應制》(唐李嶠)：此詩其法四句兩對：「萬騎千官擁帝車，八龍三馬訪仙家。鳳凰原上窺青壁，鸚鵡杯中弄紫霞。」《贈花卿(此詩一作古樂府入破第二疊)》(唐杜甫)：此詩其法四句一意不對：「錦城絲管日紛紛，半入江風半入雲。此曲祇應天上有，人間能得幾回聞。」《絶句》此詩其法隔句扇對，以第一句對第三句，以第二句對第四句：「去年花下留連飲，暖日夭桃鶯亂啼。今日江邊容易别，淡烟衰草馬頻嘶。」《絶句》(唐杜甫)：此詩四句四意，不相連屬：「兩個黄鸝鳴翠柳，一行白鷺上青天。窗含西嶺千秋雪，門泊東吳萬里船。」七言絶句，其法如此。大略以第三句爲主，首尾率直而無婉曲，此異時所以不及唐也。其法非惟久失其傳，人亦鮮能知之。有實接者，以實事寓意而接，則轉換有力。有虛接者，以虛語接前兩句，亦有事雖實而意虛者，于承接之間，略加轉换。有用事者，融化其事以爲意，不使所用事窒塞堆叠。大抵第三句爲接句，兼備虛實兩體，四句之中，此句最宜着力。凡作七言絶句，如窗中覽景，立處雖窄，眼界自寬。題廣者，取遠景寸山尺水，愈覺其遥；取近景，一草一木皆有生意。言從字順，辭從興底，命意臻妙，句少而意無窮，方爲作者。唐人以絶句名家者多矣。其詞華而艷，其氣深而長，錦繡其言，金石其聲，讀之使人一唱而三嘆。

又《五言律詩》律體之興，雖自唐始，蓋由梁陳以來儷句之漸也。梁元帝五言八句，已近律體；庾肩吾《除夕》律，詩體工密；徐陵、庾信對律精切，律調尤近。唐初工之者衆，至王、楊、盧、駱以儷句相尚，美麗相矜，終未脱陳、隋之氣習。神龍以後，此體始盛。五言律詩貴沉静，貴深遠，貴細嫩，要聲穩語重。五言律詩，貴字平仄諧和，失粘失律，皆不合例。律詩有起、有承、有轉、有合。起爲破題，或對景興起，或比起，或引事起，或就題起，要突兀高遠，如狂風捲浪，勢欲滔天。承爲頷聯，或寫意，或寫景，或書事，或用事引證，要接破題，如驪龍之珠，抱而不脱。轉爲頸聯，或寫意、寫景、書事、用事引證，與前聯之意相應相避，要變化如疾雷破山，觀者驚愕。合爲結句，或就題結，或開一步，或繳前聯之意，或用事，必放一句作散場，如剡溪之棹，自去自回，言有盡而意無窮。知此，則律詩思過半矣。七言律詩倣此。《早春》(唐杜審言)：此詩起結不對，惟中間頷聯、頸聯對：「獨有宦游人，偏驚物候新。雲霞出海曙，梅柳度江春。淑氣催黄鳥，晴光轉綠蘋。忽聞歌古調，歸思欲沾巾。」《秋日》(唐太宗)：此詩起句亦對，中二聯對，結句不對：「爽氣澄蘭沼，秋香動桂林。露凝千片玉，菊散一叢金。日吐高低影，雲垂點綴陰。蓬瀛不可望，泉石且娱心。」《從軍行》(唐楊炯)：此詩起句不對，中二聯對，結句亦對：「烽火照西京，心中自不平。牙璋辭鳳闕，鐵騎繞龍城。雪暗凋旗畫，風多雜鼓聲。寧爲百夫長，勝作一書生。」《奉和七夕兩儀殿會宴應制》(唐李嶠)：此詩起句對，中二聯對，結句亦對。八句四聯，唐初多用此體，而應制之作尤工：「靈匹三秋會，仙期七夕過。槎來人泛海，橋渡鵲填河。帝縷升銀閣，天機罷玉梭。

誰言七襄咏，重入五弦歌。」《尋陸羽不遇》（唐僧皎然）：此詩八句，一意順下，通不對：「移家雖帶郭，野徑入桑麻。近種籬邊菊，秋來未著花。扣門無犬吠，欲去問西家。報道山中出，歸來每日斜。」《舟中晚望》（唐孟浩然）：此詩不對處對：「挂席東南望，青山水國遙。舳艫爭利涉，來往任風潮。問我今何適，天台訪石橋。坐看霞色曉，疑是赤城標。」《吊僧》（唐鄭谷）：此詩前四句隔句扇對，説見五言絶句：「幾思聞靜話，夜雨對禪床。未得重相見，秋燈照影堂。孤雲終負約，薄宦轉堪傷。夢繞長松榻，遥焚一炷香。」《下第》（唐賈島）：此詩頷聯亦無對偶，是十字叙一事，而意貫上二句。至頸聯方對偶，分明若已斷而復續，謂之蜂腰格：「下第唯空囊，如何住帝鄉。杏園啼百舌，誰醉在花傍。淚落故山遠，病來春草長。知音逢豈易，孤棹負三湘。」《溪行即事》（唐僧靈一）：此詩首二句先對，頷聯雖不對，似非聲律，然破題已先的對，如梅花偷春色而先開，謂之偷春格：「近夜山更碧，入林溪轉清。不知伏牛事，潭洞何縱横。野岸烟初合，平湖月未生。孤舟屢失道，但聽秋泉聲。」《田家元日》（唐孟浩然）：此詩前四句對，後四句散，與蜂腰格相反：「昨夜斗迴北，今朝歲起東。我年已強仕，無祿尚憂農。野老就耕去，荷鋤隨牧童。田家占氣候，共説此年豐。」《送錢拾遺歸兼寄劉校書》（唐郎士元）：此詩頸聯不對，與偷春格相反：「墟落歲陰暮，桑榆烟景昏。蟬聲靜空館，雨色隔秋原。歸客不可望，悠然林外村。終當報芸閣，攜手醉柴門。」

又 五言律詩，大法如此。管見欲將中二聯亦作扇對法，更是一奇格。但未之前聞，不敢強擬。雖然確守格律，揣摩聲病，詩家之常。若時出度外，縱横放肆，外如不整，中實應節，此非造次所能。五言律詩，中間四實四虛，前實後虛，前虛後實，情與景合，淺深異宜，神而明之，存乎其人。凡作五言律詩，先須澄靜此心。如春江無風，湛緑千里，萬象森列，皆有温厚平遠之意。就其中擇取事情極明瑩者而用之，務要涵養寬平，不可迫切。

又《七言律詩》 七言律詩，又五言八句之變也。唐以前七言儷句，如沈君攸已近律體。唐初始專此體，沈佺期、宋之問精巧相尚。開元間此體始盛，然多君臣游幸倡和之什。盛唐作者雖不多，其聲調最遠，品格最高，可爲萬世法程。七言律詩難于五言律詩，七言下字較麄實，五言下字較細嫩。凡作七言律，須字字去不得方是。句要藏字，字要藏意，如聯珠不斷方妙。若七言可截作五言，便不成詩。七言律詩貴聲響，貴雄渾，貴鏗鏘，貴偉健，貴高遠。凡作七言律詩時，須眞情推發到奇絶處用之，以聲律爲竅，物象爲骨，意格爲髓，起承轉合，聯屬流動。七言與五言微有分別。七言造句差長，難飽滿，易疎弱，前後多不相應。自唐人工此者亦有數，可以爲難矣。律詩有四實四虛，前實後虛，前虛後實之别（實爲景，虛爲情）。律詩須情中有景，景中有情，以事爲意，以意融事，情意迭出，事意貫通，方爲近體之妙。《登金陵鳳凰臺》（唐李白）：此詩首尾不對，惟頷聯頸聯對：「鳳凰臺上鳳凰游，鳳去臺空江自流。吳宮花草埋幽徑，晉代衣冠成古丘。三山半落青天外，二水中分白鷺洲。總爲浮雲能蔽日，長安不見使人愁。」《和賈至舍人早朝大明宫之作》（唐岑參）：此詩起句對，中二聯對，唯結句不對：「鷄鳴紫陌曙光寒，鶯轉皇州春色闌。金闕曉鐘開萬戶，玉階仙仗擁千官。花迎劍佩星初落，柳拂旌旂露未乾。獨有鳳凰池上客，陽春一曲和皆難。」《奉和初春幸太平公主南莊應制》（唐李嶠）：此詩起句不對，中二聯與結句俱對：「主家山第接雲開，天子春游動地來。羽騎參差花外轉，霓旌摇曳日邊迴。還將石溜調琴曲，更取峰霞入酒杯。鑾輅已辭烏鵲渚，簫聲猶繞鳳凰臺。」《奉和幸安樂公主山莊應制》（唐宗楚客）：此詩首二句對，中二聯對，末二句亦對，八句四對：「玉樓銀榜枕嚴城，翠蓋紅旂列禁庭。日映層岩圖畫色，風摇雜樹管弦聲。水邊重閣含飛動，雲裏孤峰類削成。幸睹八龍游閬苑，無勞萬里訪蓬瀛。」《題東峰驛用梁郎中韻》（本朝以權（西和人。詩出《雅頌正音》））：此詩八句，一意順下，通不對。文從字順，音韻鏗鏘。盛唐諸公有此體。今録蘭公詩：「香浮緑蟻山中醅，磁甌遠勝青蓮杯。不用笙竽爲佐酒，松風一派從天來。半酣走筆寫新句，飛龍滿壁眞雄哉。故人騎鶴幾時去，空庭寂寂官梅開。」《鸚鵡洲》（唐李白）：此詩頷聯亦不對，至頸聯方對偶，分明若已斷而復續謂之蜂腰格：「鸚鵡來過吳江水，江上洲傳鸚鵡名。鸚鵡西飛隴山去，芳州之樹何青青。烟開蘭葉香風煖，岸夾桃花錦浪生。遷客此時徒極目，長洲孤月向誰明。」《黄鶴樓》（唐崔灝）：此詩首二句先對，頷聯卻不對，然破題已先的對，如梅花偷春色而先開，謂之偷春格（杜少陵《曉發公安詩》頷聯不對，亦是此格）：「昔人已乘白雲去，此地空餘黄鶴樓。黄鶴一去不復返，白雲千載空悠悠。晴川歷歷漢陽樹，芳草凄凄鸚鵡洲。日暮鄉關何處是，烟波江上使人愁。」七言律詩，其法如此，唐人李淑有《詩苑》一書，今世罕傳。然所述篇法，止有六格。范德機《木天禁語》廣爲十二格，又分明、暗二例。《詩法源流》所載二十四格，《詩學禁臠》所載十五格，僧皎然《杼山詩格》、洪覺範《天廚禁臠》、白樂天《金針集》、梅聖俞《續金針集》，發明七言律者詳矣。然皆命意入妙，格外之格，别爲一卷。凡作七言律詩，先須澄靜此心，如秋高月明，獨立華岳之巓，俯視萬象，景皆入奇峭中。就其中擇取沉雄險特者而用之，務要奇峭，不可寬緩。

又《五言排律》 排律之作，其源自顔、謝諸人。古詩之變，首尾排句，聯對精密。梁、陳以還，儷句尤切。唐興，始專此體，與古詩差别。貞觀初作者猶未備，永徽以下，篇什始盛。長篇排律，唐初作者絶少。開元後杜少陵獨步，當時渾涵汪洋，千匯萬狀，至百韻千言，力不少衰。若韓、柳，雖肆才縱力，工巧相矜，要之未爲得體。【略】五言排律大法如此。自五韻至五十韻，盡極變態。山谷云：凡始學詩，每作一篇，先立大意；若長篇，須曲折三致意，乃爲成章。作大篇，當布置首尾停匀，腰腹肥滿。多見人前面有餘，後面不足；前面極工，後面草草。不可不知。作大篇，須有開闔，乃妙。長律妙在鋪叙時將一聯挑轉，又平平説去，如此轉換數匝，卻將數語收拾，乃妙。

又《七言排律》 七言排律，唐人不多見。如太白《别山僧》、高適《宿田家》、子美《題鄭著》及《清明》二首、王仲初《寄韓侍郎》等作，雖聯對精密，而律調未純，終未脱古詩體段。

又《五言古詩》 五言之興，源于漢，注于魏，汪洋乎兩晉，混濁乎梁、陳。大雅之音，幾于不作。至唐貞觀、垂拱間，頗精粹，神龍以還，品格漸高。詩以古名，繼《三百篇》之後而作。朱子嘗欲取漢、魏五言，以盡乎郭景純、陶淵明之詩，以爲古詩之根本推則。五言古詩，或興起，或比起，或賦起，須要寓意深遠，托辭溫厚，反覆優游，雍容不迫。或感古懷今，或懷人傷己，或瀟灑閑適。寫景要雅淡，推人心之至情，寫感慨之微意，悲歡含蓄而不傷，美刺婉曲而不露，要有《三百篇》之遺意。觀之漢、魏古詩，藹然有感動人處可知。【略】五言古詩，雖無定句，《十九首》尙矣。然自六句短古篇放之至百句，大要貴意圓而語深。凡作五言古詩，先須澄靜此心，如滄溟不波，空碧無際，纖月到景，萬象涵精。題目如鏡中物影，悲歡動靜，了無遁情，懷天地于秋毫，洞古今爲一瞬，視彼區區者，吾談笑道之。大抵五言古詩，所養浩蕩，所見詳明，所取精微，所用輕快。

又《七言古詩》 七言古詩，從張衡《四愁詩》來，變柏梁體耳。唐初王勃《滕王閣詩》、宋之問《明河篇》，語皆未之純。至盛唐，作者始盛。七言古詩，貴清壯奇麗，確深渾厚。盛唐工七言古調者多，李、杜而下，論者推高適、岑參、李頎、王維、崔顥數家爲勝。謂張皇氣勢，陟頓始終，綜覈乎古今，博大其文辭，李、杜尙矣。至于沉鬱頓挫，抑揚悲壯，法度森嚴，神情俱詣，一味妙悟，而佳句輒來，遠出常情之外。高、岑數子，誠與李、杜并驅爭先。七言古詩，要鋪叙，要有開合，有風度，要迢遞險怪，雄俊鏗鏘，忌庸俗軟腐。七言古詩，其波瀾開合，如江海之波，一波未平，一波復起。又如兵家之陣，方以爲正，又復爲奇；方以爲奇，忽復是正。出入變化，不可紀極。備此法者，唯李、杜而已。開合粲然，音韻鏗然，法度森然，神思悠然，學問充然，議論超然。【略】凡作七言古詩，先須澄靜此心。如泛舟滄溟，春秋晴雨，風波作止，萬變隨時。題目如大海受風，泠風則微瀾應，疾風則駭浪騰。自然而然，吾取其神奇者而用之。大要古詩七言，所養浩優，所見詳明，所取奇崛，所用峭絶。

又卷二《定體·三言詩》 三言詩起于晉夏侯湛，唐人以來作者甚少。西涯李公《麓堂詩話》，謂三言亦可爲詩，豈未見夏侯湛詩邪？

又《四言詩》 四言詩起于漢楚王傅韋孟。四言最古，在諸詩中獨難，以《三百篇》在前故也。四言詩，自曹氏父子、王仲宣、陸士衡後，惟元亮最高。四言最古，經史韻語、《二南》之前有矣。其經聖人所刪者，出自閭巷謂之風，出自朝廷謂之雅，用之郊廟謂之頌，有賦、比、興之分。

又《五言六句律》 五言六句法，但可放言遺興，不可寄贈。

又《六言絶句》 六言絶句，始于漢司農谷永。自唐王繼效曹陸體賦之，其後諸家往往間見。其法或對或散，亦如五、七言絶句。

又《六言律》 六言八句，作于唐太宗。其後玄宗又作《小破陣樂》，其散見各家集中，法亦如五、七言律詩。

又《六言排律體》 此體唐宋人作者亦絶少。

又《七言六句律》 七言六句律，作者最少，惟李太白一首在古詩中。

又《七言五句》 七言五句，始于晉傅玄《兩儀》詩。此格但可即事遺興，若題物贈送之類，則不可用。

又《九言詩》九言詩起于魏高貴鄉公，貴在渾成勁健。

又《一字至十字詩》古無此體，至宋始有之。然體類四六，而音律有可取也。

又《長短句》長短句者，古歌辭之類。其語峭絶頓挫，其音高下抑揚，有波瀾開闔之勢，流動變化，莫測其涯涘。所貴者麗而不浮，奇而不僻，怪而不俚，參差而不亂。

又《回文詩》回文詩，自晉溫嶠始。或云起自竇滔妻蘇氏，于錦上織成文，順讀與倒讀皆成詩句。今按織錦詩體裁不一，其圖如璇璣，四言、五言、六言，横讀，斜讀皆成章，不但回文。

又《反覆體》此體舉一字而誦皆成句，無不押韻，反覆成文。唐李公《詩格》有此二十字詩。宋錢惟治亦有之。

又《離合體（亦回文）》離合一格字相析合成文。孔融「漁父屈節」之詩是也。

又《聯句詩》聯句者，在坐之人，角其才力，率然成句，聯絡成章，對偶親切，類乎誇奇鬭戲。古無此法，自韓退之始，觀之《石鼎》、《鬥鷄》可見。或云謝宣城、陶靖節、杜工部集中，俱有聯句，聯句不自退之始。

又《集句體》集句者，集古人之句以成篇。宋王安石始盛，石曼卿大著。是雖未足以益後學，亦足見詩家組織之工。

又《騷體》《離騷》楚聲也。始于屈原，其辭幽憂，非所以變風雅者也。後人效之，故有《招隱士》、《山中人》等作。然亦不及古矣（離，遭也。騷，憂也）。作騷辭，宜情深痛切，而極其情。

又《操體》操者，操也，君子操守有常，雖阨窮猶不失其操也。若《南風》、《思親》、《拘幽》、《猗蘭》等操，皆稱聖人之詞，未敢以爲信。然後之作者蓋傚之。唐子西云：《琴操》非古詩，非騷詞，惟退之爲得體。

又《禽言》禽言，鳥語也，因其自呼之名而名之。宋梅聖俞、蘇東坡諸公俱有之。詩宜麗而婉，假喻以達事情，使人快覩而易悅可也。

又《蟲言》蟲言，因蟲之自言而爲之。亦假喻以達事情，使聞者足以警。

又《詩餘》詩餘，即《香奩》、《玉臺》之遺體。言閨閣之情，乃艷詞也。作者雖多，要之貴發乎性情，止乎禮義。

又卷五《審聲·五言絶句平仄式》正格：此法以第二字仄入，謂之正格。偏格：此法第二字平入，謂之偏格。拗句格：五言絶句大抵貴拗律。

又《五言律平仄式》按五言律貴字字平仄諧和，失粘失律皆不合律。然唐人詩亦有數格，今録以備。變格：此法與正律相反，首尾自爲平仄，謂之變律（五言律出康樂，七言律出岑參，此格自唐已有之。康樂詩諸詩法中具載，岑參詩格有表出，録見七言）。拗句格：其法以當下平字處以仄字易之，則其氣挺然不群。此體始于杜子美、李太白。各爲平仄格：其法前二句皆平或仄，後二句皆仄或平。

又《七言律詩平仄式》失粘格：律詩有定體，然時出變體，如兵出奇，變化無窮，尤是驚世駭俗。引韻便失粘格。失律（附）：失律非以爲格，詩貴知病，此亦詩中一病，但不甚忌。

又卷六《研幾·五七言絶句》實接格：絶句之法，以第三句爲主，此法第三句以實事接前二句，是爲實接。虛接格：此法第三句以虛語接前二句，是爲虛接。

又卷七《研幾·五七言律詩》四實格：四實者，中四句皆景物而實，謂之四實。四虛格：四虛者，中四句皆情思而虛，謂之四虛。前實後虛格：前實後虛者，前聯景而實，後聯情而虛。前虛後實格：前虛後實者，前聯情而虛，後聯景而實。前多後少格：前多後少者，首聯與次聯一意，頸聯自爲一意，落聯上句結前四句，下句結頸聯二句，或末聯統結前意。前開後合格：前開後合者，前四句言昔時，開也；後四句言今日之事，合也。前散後整格：前散後整者，頷聯雖對而散，頸聯的對而整。前整後散格：前整後散者，頷聯的對而整，頸聯雖對而散。一字貫篇格：一字貫篇者，起聯中立一字，中二聯俱要見此一字意。頷聯淺，頸聯深，結聯總言，亦要含起聯所立一字之意。一字者，著力字也。二字貫穿格：二字貫穿者，起聯立二字，中二聯分應之，或每聯各句應之，結聯脱言亦要含意。一字血脈格：一字血脈者，起聯生一有意字，中二聯皆此字行乎其中，故謂之血脈。此與一字貫篇不同，彼一字是着力字，此一字是有意字。三字棟梁格：三字棟梁者，中二聯句中以三實字爲棟梁妝句。一句造意格：一句造意者，首聯第一句興起第二句，而第二句乃生意。中間二聯與結聯皆言第二句意思，故謂之一句造意。兩句立意格：兩句立意者，首聯第一句起第二句，頷聯應第一句，頸聯應第二句，末聯總結上六句，故謂之兩句立意，或首聯二句平起總唱，下分應之。　字相連序格：字相連序者，中二聯句中字與意連序不斷，或五字或七字，無上斷、下斷及二字三字妝排句法。　句相照應格：句相照應者，首聯二句各起頷聯二句，而頷聯上句應首聯上句，頷聯下句應首聯下句，頸聯二句各起末聯二句，而末聯上句應頸聯上句，末聯下句應頸聯下句。前四句一意，後四句一意，而題意照應。　接項格：接項者，首聯第一句起頸聯二句，第二句起頷聯二句，然頷聯二句意思承首聯第二句，是謂接項。　充股格：充股者，首聯二句交股起後二聯，頷聯上句應首聯上句，下句應首聯下句；頸聯上句又隨頷聯上句來，下句又隨頷聯下句來，二聯俱本首聯交互對言之；至末聯，又須應起句結前意，起結相應，不獨中聯充股，而又始終一意。　纖腰格：纖腰者，前四句一意，後四句一意；前以景物興起，後以人事見題；中間意思若不相接，而意實相通，但隱而不覺耳。　續腰格：續腰者，首聯起中二聯，然中二聯各相照應，頸聯上句應頷聯上句，頸聯下句應頷聯下句，中二聯相續，謂之續腰。結聯要應首聯。　歸題格：歸題者，首聯與中二聯言他事，至結聯方說歸本題。前六句雖說他事，卻亦要是本題相關之事。　藏頭格：藏頭者，首聯與中二聯六句皆具言所寓之景與情，而不言題意，至結聯方說題之意，是謂藏頭。此與歸題不同：歸題者，結聯明用題之字也；藏頭者，結聯暗用題之事也。　單抛格：單抛者，首聯二句上句起下句，單意說下；頷聯、頸聯或事或景皆應首句意，末聯一順說，亦要應首句。　雙抛格：雙抛者，首聯二句兩事并行，叫起中二聯；中二聯句句各應上兩事，或分應末聯總結。　單蹄格：單蹄者，首聯上句起下句，以一事或一物一地爲主；頷聯、頸聯皆言首聯下句之意；末聯總結，亦因首聯下句寓意。　雙蹄格：雙蹄者，首聯一句以一事物或地名立一篇之大意，中二聯各以兩事發明首聯或分應，末總結前六句，亦謂歸題。　牙鎖格：牙鎖者，首聯一事叫起中聯；頷聯上句起頸聯下句，下句起頸聯上句；而頸聯上句又承頷聯上句，下句又承頷聯下句。交互曲折，各盡其妙。末聯終首聯意。　一意格：一意者，自首聯以至末聯，一句生一句，而全篇旨趣如行雲流水。　鈎鎖連環：鈎鎖連環者，自首聯至末聯，句意相勾連。首聯上句說好，下句說不好，頷聯上句說不好，下句說好。頸聯、末聯如之，或以事相因，鈎連亦通。　順流直下格：順流直下者，一氣說去，自首聯至末聯，命意用事，皆順說如水之就下，快意成章。　內剝格：內剝者，暗用本題事，而取義于事內。頷聯、頸聯或先景後事，或先事後景，皆隱題于內，至末聯方正言之。　外剝格：外剝者，取他事明題意，而更取義于外。中二聯或引兩事，或引四事，事外立意，使讀者自得之。　興兼比格：興兼比者，首聯興起；中二聯以遠事比近事，而興在其中；末聯總結之，上句結比，下句結興(或前四句興，後四句比；頷聯興，頸聯比，亦通)。　興兼賦格：興兼賦者，首聯以情景興起，中二聯以人事賦之，末聯總結(或前四句興，後四句賦，或頷聯興，頸聯賦，亦通)。　比興格：比興者，托物引興，言物而興在其中；又即物比事，興比俱見。　抑揚格：抑揚者，首聯唱起本題，中二聯或各聯一抑一揚，然須扶持正理，少抑即揚，使人讀之，見揚而不見抑，末意要足。　頌中有諷格：頌中有諷者，首聯叙起，中二聯頌之，末聯寓諷。　美中有刺格：美中有刺者，首聯美起，中二聯應之，至末聯即事，以寓刺意。　物外寄意格：物外寄意者，自首聯至末聯皆意在言外，使人讀而自得之。　蓋即此言彼，言此事則他事因之。可知此是唐人一種玄妙處。　雅意咏物格：雅意咏物者，美其物而以雅意咏之。首意自叙，末意歸美他人，但因物看得好，寫意濃厚。　雄偉不常格：雄偉不常者，首聯說盡題意，中聯事景，末聯結意，俱要氣象宏麗，節奏高古，雄偉不凡，句句驚人，方是作者。　想像高唐格：想像高唐者，首聯言其人初見未眞，彷佛擬議其音塵；中二聯皆應首聯彷佛之意；末聯則屬意之深，亦止乎禮義。凡他事見之未眞、求之不得者，亦作想像格。　撫景寓嘆格：撫景寓嘆者，因時景而起嘆，反覆言古人不可復見，而時景可惜，因寓感古懷今之意。或因時景而嘆旅嘆困亦是。情緒欲苦，地步欲高，方是作者。　感今懷古格：感今懷古者，因今事而思古人。首聯起興，中二聯應之，結聯總結前意，而寓懷古之意。　先問後答格：先問後答者，首聯唱起，自爲問答；中二聯皆爲答之之意；末聯總結上意。　應字格：應字者，首聯立二字，頷聯分應之，頸聯接頷聯二句，末總結之。　無題格：無題者，隱諱其意，不欲明言。或隱意，或隱字，使人自得之。　明暗二例：明暗二例者，作詩之法，無出于此。　蓋凡作詩，非明則暗。

又卷八《研幾·五言短古篇法》五言短古篇，貴辭簡意味長，言語不可明白說盡，含糊則有餘味。楊仲弘曰：五言短古，乃是選詩。結尾四句，所以含蓄無限，意自然悠長。

又《七言短古篇法》 七言短古篇，貴辭明意盡，與五言相反。

又卷九《學詩要法上》 詩之名，曰詩者，五言章句整齊，聲音平淡；七言章句參差，聲音雄渾。曰歌者，情揚辭達，音聲高暢。曰吟者，情抑辭鬱，音聲沉細。曰行者，情順辭直，音聲瀏亮。曰曲者，情密辭婉，音聲諧縟。曰謠者，情譎辭寓，音聲質俚。曰風者，情切辭遠，音聲古淡。曰唱者，與歌、行、曲通。曰樂歌者，情和辭直，音聲舒緩。曰嘆者，情戚辭老，音長聲絕。曰解者，與歌、曲、嘆、樂通。曰引者，情長辭蓄，音聲平永。曰弄者，情活辭麗，音聲圓壯。曰清者，情逸辭激，音聲清壯。曰辭者，情長辭雅，音聲平亮。曰舞者，情通辭麗，音聲應節。曰怨者，情沉辭鬱，音聲凄斷。曰謳者，情揚辭直，音聲高放。曰騷者，情深痛加，而極其憤。曰賦者，辭語富麗，事意詳盡。曰操者，情堅辭確，阨窮不失。曰鹽者，與行、吟、曲、引相類。曰篇者，情明事徧，不遺餘意。以至曰別、曰調、曰思、曰哀、曰啼、曰咏、曰文、曰章、曰誄、曰箴、銘、贊、頌，無題，則各有意義。辭、情、音、聲亦異，不能縷陳，而總謂之詩（賦、頌、箴、銘、文、誄、贊，亦可以爲文，其餘皆詩）。

又 律詩難于古詩，絶句難于律詩，七言律詩難于五言律詩，五言絶句難于七言絶句，唯深于詩者知之。

又 七言排律，貴音律和協，體製整齊，忌似古詩口氣。

又卷一〇《學詩要法下》 唐律七言八句，一篇之中句句皆奇，一句之中字字皆奇，惟杜少陵《九日》詩：「老去悲秋強自寬，興來今日盡君歡。」不特入句便字字屬對，又第一句頃刻變化，纔說悲秋，忽又自寬，以「自」對「君」，「自」者，我也。「羞將短髮還吹帽，笑倩傍人爲正冠。」將一事翻騰作一聯。又孟嘉以落帽爲風流，少陵以不落爲風流，翻盡古人公案，最爲妙法。「藍水遠從千澗落，玉山高并兩峰寒。」詩人至此，筆力多衰；今方且雄杰挺拔，喚起一篇精神，自非筆力拔山，不至於此耳。「明年此會知誰健，醉把茱萸子細看。」末聯意味尤爲深長。

胡應麟《詩藪·內編》卷一 曰風、曰雅、曰頌，三代之音也。曰歌、曰行、曰吟、曰操、曰辭、曰曲、曰謠、曰諺，兩漢之音也。曰律、曰排律、曰絶句，唐人之音也。詩至于唐而格備，至于絶而體窮。故宋人不得不變而之詞，元人不得不變而之曲，詞勝而詩亡矣，曲勝而詞亦亡矣。明不致工于作，而致工於述；不求多於專門，而求多於具體；所以度越元宋，苞綜漢唐也。

又卷二 四言簡質，句短而調未舒；七言浮靡，文繁而聲易雜；折繁簡之衷，居文質之要，蓋莫尚於五言。故三代而下，兩漢以還，文人藝士，平生精力，咸萃斯道。至有以一篇之善，半簡之工，名流華貊，譽徹古今者。曰雕蟲小技，吾弗信矣。

又 五言盛於漢，暢於魏，衰於晉、宋，亡於齊、梁。漢，品之神也；魏，品之妙也；晉、宋，品之能也；齊、梁、陳、隋，品之雜也。漢人詩，質中有文，文中有質，渾然天成，絶無痕迹，所以冠絶古今。魏人贍而不俳，華而不弱，然文與質離矣。晉與宋，文盛而質衰，齊與梁，文勝而質滅；陳隋無論其質，即文無足論者。

又 四言《風》、《雅》，七言《離騷》，五言兩漢，圓不加規，方不踰矩矣（《騷》本雜言，舉其重者，《詩》亦不專四言也）。

又 四言不能不變而五言，古風不能不變而近體，勢也，亦時也。然詩至於律，已屬俳優，況小詞艷曲乎！宋人不能越唐而漢，而以詞自名，宋所以弗振也。元人不能越宋而唐，而以曲自喜，元所以弗永也。

又 五言古，先熟讀《國風》、《離騷》，源流洞徹。乃盡取兩漢雜詩，陳王全集，及子桓、公幹、仲宣佳者，枕藉諷詠，功深日遠，神動機流，一旦吮毫，天眞自露。骨格既定，然後沿迴阮、左，以窮其趣，頏頡陸、謝，以采其華；旁及陶、韋，以瀹其思；博考李、杜，以極其變。超乘而上，可以掩迹千秋；循轍而趨，無忝名家一代。

又 兩漢諸詩，惟《郊廟》頗尚辭，樂府頗尚氣。至《十九首》及諸雜詩，隨語成韻，隨韻成趣，辭藻氣骨，略無可尋，而興象玲瓏，意致深婉，眞可以泣鬼神，動天地。魏氏而下，文逐運移，格以人變，若子桓、仲宣、士衡、安仁、景陽、靈運，以詞勝者也；公幹、太沖、越石、明遠，以氣勝者也；兼備二者，惟獨陳思。然古詩之妙，不可復覩矣。

又卷三 七言古詩，概曰歌行。余漫考之。歌之名義，由來遠矣。《南風》、《擊壤》，興於三代之前；《易水》、《越人》，作於七雄之世；而篇什之盛，無如騷之《九歌》，皆七言古所自始也。漢則《安世房中》、《郊祀》、《鼓吹》，咸係歌名，并登樂府。或四言上規《風》《雅》，或雜調下倣《離騷》，名義雖同，體裁則異。孝武以還，樂府大演，《隴西》、《豫章》、《長安》、《京洛》、《東西門行》等，不可勝數，而行之名，於是著焉。較之歌曲，名雖小異，體實大同。至長短《燕鞠》諸篇，合而一之，不復分別。又總而目之，曰《相和》等歌，則知歌者曲調之總名，原於上古，行者歌中之一體，創自漢人明矣。

又 今人例以七言長短句爲歌行，漢、魏殊不爾也。諸歌行有三言者，《郊祀歌》、《董逃行》之類。四言者，《安世歌》、《善哉行》之類。五言者，《長歌行》之類。六言者，《上留田》、《妾薄命》之類。純用七字而無雜言，全取平聲而無仄韻，則《柏梁》始之，《燕歌》、《白紵》皆此體。自唐人以七言長短爲歌行，餘皆別類樂府矣。

又 《白石歌》渾樸古健，漢、魏歌行之祖也；《易水歌》遒爽飛揚，唐人歌行之祖也。

又 詩五言古、七言律至難外，則五言長律，七言長歌，非博大雄深，横逸浩瀚之才，鮮克辦此。蓋歌行不難於師匠，而難於賦授；不難於揮灑，而難於蘊藉；不難於氣概，而難於神情；不難於音節，而難於步驟；不難於胸腹，而難於首尾。又古風近體，黄初、大曆而下，無可著眼。惟歌行則晚唐、宋、元，時亦有之，故徑路叢雜尤甚。學者務須尋其本色，即千言鉅什，亦不使有一字離去，乃爲善耳。

又 古詩窘於格調，近體束於聲律，惟歌行大小短長，錯綜闔闢，素無定體，故極能發人才思。李、杜之才，不盡於古詩而盡於歌行。孟襄陽輩才短，故歌行無復佳者。

又卷四 五言律體，兆自梁、陳。唐初四子，靡縟相矜，時或拗澀，未堪正始。神龍以還，卓然成調，沈、宋、蘇、李，合軌於先；王、孟、高、岑，并馳於後；新製迭出，古體攸分，實詞章改革之大機，氣運推遷之一會也。

又 五言律體，極盛於唐。要其大端，亦有二格。陳、杜、沈、宋，典麗精工；王、孟、儲、韋，清空閒遠。此其概也。然右丞贈送諸什，往往闌入高、岑。鹿門、蘇州，雖自成趣，終非大手。太白風華逸宕，特過諸人。而後之學者，才匪天僊，多流率易。唯工部諸作，氣象嵬峨，規模宏遠，當其神來境詣，錯綜幻化，不可端倪。千古以還，一人而已。

又 學五言律，毋習王、楊以前，毋窺元、白以後。先取沈、宋、陳、杜、蘇、李諸集，朝夕臨摹，則風骨高華，句法宏贍，音節雄亮，比偶精嚴。次及盛唐王、岑、孟、李，永之以風神，暢之以才氣，和之以眞澹，錯之以清新，然後歸宿杜陵，究竟絶軌，極深研幾，窮神知化，五言律法盡矣。

又卷五 七言律於五言律，猶七言古於五言古也。五言古御轡有程，步驟難展；至七言古，錯綜開闔，頓挫抑揚，而古風之變始極。五言律宮商甫協，節奏未舒；至七言律，暢達悠揚，紆徐委折，而近體之妙始窮。

又 七言古差易於五言古，七言律顧難於五言律，何也？五言古意象渾融，非造詣深者，難於湊泊。七言古體裁磊落，稍才情贍者，輒易發舒。五言律規模簡重，即家數小者，結構易工。七言律字句繁靡，縱才具宏者，推敲難合。

又 古詩之難，莫難於五言古。近體之難，莫難於七言律。五十六字之中，意若貫珠，言如合璧。其貫珠也，如夜光走盤，而不失迴旋曲折之妙；其合璧也，如玉匣有蓋，而絶無參差扭捏之痕。綦組錦繡，相鮮以爲色；宮商角徵，互合以成聲；思欲深厚有餘，而不可失之晦；情欲纏綿不迫，而不可失之流；肉不可使勝骨，而骨又不可太露；詞不可使勝氣，而氣又不可太揚。莊嚴，則清廟明堂；沈著，則萬鈞九鼎；高華，則朗月繁星；雄大，則泰山喬嶽；圓暢，則流水行雲；變幻，則淒風急雨。一篇之中，必數者兼備，迺稱全美。故名流哲匠，自古難之。

又 七言律，壯偉者易粗豪，和平者易卑弱，深厚者易晦澀，濃麗者易繁蕪。寓古雅於精工，發神奇於典則，鎔天然於百煉，操獨得於千鈞，古今名家，罕有兼備此者。

又 七言律，對不屬則偏枯，太屬則板弱。二聯之中，必使極精切而極渾成，極工密而極古雅，極整嚴而極流動，迺爲上則。然二者理雖相成，體實相反，故古今文士難之。要之人力苟竭，天眞必露，非蕩思八荒，遊神萬古，功深百煉，才具千鈞，不易語也。

又 余嘗謂七言律，如果位菩薩三十二相，百寶瓔珞，莊嚴妙麗，種種天然，而廣大神通，在在具足，乃爲最上一乘。數語自覺曲盡，未審良工謂爲然否？

又　近體盛唐至矣，充實輝光，種種備美，所少者曰大，曰化耳。故能事必老杜而後極。杜公諸作，眞所謂正中有變，大而能化者。今其體調之正，規模之大，人所共知。惟變化二端，勘覈未徹，故自宋以來，學杜者什九失之。不知變主格，化主境。格易見，境難窺。變則標奇越險，不主故常；化則神動天隨，從心所欲。如五言詠物諸篇，七言拗體諸作，所謂變也。宋以後諸人競相師襲者是，然化境殊不在此。

又　七言律最宜偉麗，又最忌粗豪，中間毫末千里，乃近體中一大關節，不可不知。今粗舉易見者數聯於後：宋人吳江長橋觀月詩，鄭毅夫云：「插天螮蝀玉腰闊，跨海鯨鯢金背高」；楊公濟云：「八十丈虹晴卧影，一千頃玉碧無瑕」；蘇子美云：「雲頭灧灧開金餅，水面沈沈卧彩虹。」三聯世所共稱。歐陽獨取蘇句，而謂二子粗豪，良是。然蘇句苦斤兩稍輕，不若子瞻：「令嚴鐘鼓三更月，野宿貔貅萬竈煙。」自稱偉麗，蓋庶幾焉。又不若老杜：「三年笛裏關山月，萬國兵前草木風。」以和平端雅之調，寓憤鬱悽悷之思，古今壯句者難及此。

又　律詩全在音節，格調風神盡具音節中。李、何相駁書，大半論此。所謂俊亮沈著、金石鞞鐸等喻，皆是物也。

又卷六　五、七言絶句，蓋五言短古、七言短歌之變也。五言短古，雜見漢魏詩中，不可勝數，唐人絶體，實所從來。七言短歌，始於《垓下》；梁陳以降，作者坌然。第四句之中，二韻互叶，轉換既迫，音調未舒。至唐諸子，一變而律呂鏗鏘，句格穩順。語半於近體，而意味深長過之，節促於歌行，而詠歎悠永倍之，遂爲百代不易之體。

又　絶句之義，迄無定説，謂截近體首尾或中二聯者，恐不足憑。五言絶起兩京，其時未有五言律。七言絶起四傑，其時未有七言律也。但六朝短古，概曰歌行，至唐方曰絶句。又五言律在七言絶前，故先律後絶耳。

又　謂七言律難於五言律，是也。謂五言絶難於七言絶，則亦未然。五言絶，調易古，七言絶，調易卑。五言絶，即拙匠易於掩瑕，七言絶，雖高手難於中的。

又　五言絶，尚眞切，質多勝文。七言絶，尚高華，文多勝質。五言絶，昉於兩漢，七言絶，起自六朝；源流迥別，體製自殊。至意當含蓄，語務春容，則二者一律也。

又　五言絶，須熟讀漢、魏及六朝樂府，源委分明，逕路諳熟，然後取盛唐名家李、王、崔、孟諸作，陶以風神，發以興象，眞積力久，出語自超。錢、劉以下，句漸工，語漸切，格漸下，氣漸卑，便當著眼，不得草草。

又　五言絶，唐樂府多法齊、梁，體製自別。七言亦有作樂府體者，如太白《横江詞》、《少年行》等，尚是古調。至少伯《宫詞》、《從軍》、《出塞》，雖樂府題，實唐人絶句，不涉六朝，然亦前無六朝矣。

又　七言絶，體制自唐，不專樂府。然盛唐頗難領略，晚唐最易波流，能知盛唐諸作之超，又能知晚唐諸作之陋，可與言矣。

又　五言古律，清和壯麗，咸足名家。必不可失之峭峻者，五、七言絶也；必不可失之弱靡者，七言古律也。

又　絶句最貴含蓄，青蓮「相看兩不厭，惟有敬亭山」，亦太分曉。錢起「始憐幽竹山窗下，不改青陰待我歸」，面目尤覺可憎，宋人以爲高作，何也？

又《外編》卷一　詩與文體迥不類，文尚典實，詩貴清空；詩主風神，文先理道。三代以上之文，《莊》、《列》最近詩，後人采掇其語，無不佳者，虚故也。

郝敬《藝圃傖談》卷一《古詩》　詩與文異。文主義，詩主聲。文體直，詩體婉。文之辭即志，詩之志或非辭。文有正志無反辭，詩無邪思有旁聲。《三百五篇》，事本各據，而引伸推類，援古證今。四隅旁魄，無往不合。「巧笑」「素絢」，本咏美色，而關乎文質之序。「切磋」「琢磨」，本美賢侯，而合於貧富之理。故詩之爲言也，非按事切理可以尋討者也。是以聖人難言詩。

又　詩者，文之有聲韻者也。文主理，故貴明切。詩主聲，故貴淵厚。詩不厭浮靡。文浮靡，斯不足貴矣。詩微婉，文可直發。詩不厭譎，文嫌吊詭，所以異耳。故詩有不可理求者，而理自在，非謂詩皆不主理也。

又　古詩有歌行，行與興同。所謂詩可以興者也。魏武《短歌行》四言，一代新聲，截取《鹿鳴》首章四句，湊成急響，所以爲短歌。大都曹瞞，風氣豪上，所謂由之瑟也，辭人學此不韻，另置一格論。如王敦、桓溫，不是清談客。

又卷二《樂府》　詩樂本非二。自漢有鼓吹鐃歌，而樂府遂爲新聲，與古詩別矣。後世擬樂府者，或爲古詩。擬古詩者，又不同樂府。今選古詩，則不當混入樂府；專論樂府，不當混入古詩。

又 唐人借樂府題目，寫自己胸臆，實非樂府也。但可謂之唐人歌行之近體耳。濫觴於漢，瀰漫於六朝。鮑明遠《行路難》諸作，潰爲洪流。唐李白《蜀道難》、《天姥吟》等作，遂滔天矣。

又 以樂府鼓吹題目作古詩，則鼓吹皆古詩也。古詩爲妖冶煩促之音，即古詩皆樂府也。今人別樂府爲一體，以漢鼓吹爲宗，專寫男女昵情。承訛習迷，莫知所起。雅、鄭所以不分也。若但用樂府之目，不習樂府之聲。用樂府之聲，實非樂府之志，即《鄭風》何嘗不與《三百篇》同弦歌乎！晉以後郊廟鼓吹，如此者多，而論者不取。反以《清商》、《子夜讀曲》爲佳篇，風雅所以淪胥耳。

又 古詩辭氣平雅，所以爲登歌；後世樂府急促，所以爲鼓吹。故《清商》等曲，不得不爲妖哇悲切之音，不得不爲歡儂俚俗之語。舍男女之情，無可寄託，所以爲鄭聲也。

袁宗道《白蘇齋類集》卷七《刻文章辨體序》 蓋古所稱經國大業，不朽盛事也者，其惟文章乎！故機洩於龜馬，基造於《墳》、《索》，此語文章之始也；摛藻則天壤爲光，抒情則丘陵生韻，此語文章之用也；而未及其體。今夫治室者，廟與寢異，寢與堂異，而廟、寢、堂之中，桷與榱異，節與梲異。彼各有體焉，梓人固不得匠意而運也，而矧夫所稱經國大業，不朽盛事也者乎！吾姑置庖犧以前弗論，論章章較著者，則莫如《詩》、《書》。乃騷、賦、樂府、古歌行、近體之類，則源於《詩》；詔、檄、牋、疏、狀、志之類，則源於《書》。源於《詩》者，不得類《書》；源於《書》者不得類《詩》。此猶廟之異寢，寢之異堂，其體相離，尙易辨也。至於騷、賦不得類樂府，歌行不得類近體，詔不得類檄，牋不得類疏，狀不得類志，此猶桷之異榱，梲之異節也。其體相離亦相近，不可不辨也。至若諸體之中，尊卑殊分，禧祲殊情，朝野殊態，遐邇殊用，疏數煩簡異宜，此猶榱桷節梲之因時修短狹廣也。其體最相近，最易失眞，不可不辨也。故夫不深惟其體，而以臆爲之，則《漁父》、《卜居》之精遠，《阿房》、《赤壁》之宏奇，見爲失騷賦體。「落霞孤鶩」之篇，見爲傷俳；「黃鶴」、「白雲」之句，見爲似古，而况夫他之樸樕者乎！今天下人握夜光，家抱連城，類憚於結撰，傳景輒鳴。自鑿一堂，猥云獨喻千古；全捨津筏，猥云憑陵百代。而古人體裁，一切弁髦，而不知破規非圓，削矩非方。即令沉思出寰宇之外，醞釀在象數之先，終屬師心，愈遠本色矣。則吳公《文章辨體》之刻也，烏可以已哉！抑不佞聞之，胡寬營新豐，至鷄犬各識其家，而終非眞新豐也。優人效孫叔敖，抵掌驚楚王，而終非眞叔敖也。豈非抱形似而失眞境，泥皮相而遺神情者乎！茲集所編，言人人殊，莫不有古人不可湮滅之精神在，豈徒具體者。後之人有能紹明作者之意，修古人之體，而務自發其精神，勿離勿合，亦近亦遠，庶幾哉深於文體，而亦雅不悖輯者本旨，是在來者矣，是在來者矣！

許學夷《詩源辯體》卷一七 古、律之詩，雖各有定體，然以古爲律者，失之過；以律爲古者，失之不及。唐人長於律而短於古，故既多以古爲律，而又多以律爲古也。

又 七言律，近代論者多浮而不切，泛而寡要，予獨於元美、茂秦之說有取焉。元美云：「七言律篇法之妙，有不見句法者；句法之妙，有不見字法者。」茂秦云：「近體誦之行雲流水，聽之金聲玉振，觀之明霞散綺，講之獨繭抽絲。」知此，不惟中、晚無可稱述，即初、盛唐二三篇而外，亦不多得矣。

又卷一八 五言古、七言歌行，其源流不同，境界亦異。五言古源於《國風》，其體貴正；七言歌行本乎《離騷》，其體尙奇。李、杜五言古雖不能如漢、魏之深婉，然不失爲唐體之正。過此，則變幻百出，流爲元和、宋人，不得爲正體矣。

又 七言歌行，體雖縱橫，然後進有才者往往能窺其域。五言古，體雖平典，然自開元、天寶九百年來，求爲岑嘉州者已不多得，求爲李、杜者則益寡矣。蓋歌行大小短長，錯綜闔闢，其勢自然超逸；五言古體有常法，苟非天縱，則長篇廣韻，未有所向而如意者。今人於五言古不能自運，輒自託於漢、魏，蓋昧於西京、建安，多不足以盡變之說也。

趙宧光《彈雅・格制三下》 古、律諸詩，雖各有定體，然以古爲律者失之過，以律爲古者失之不及。唐人長于律而短于古，既多以古爲律，又多以律爲古也。許氏以輕浮綺靡之詞爲宮體，余則以爲，此獨指梁簡文及庾肩吾則可，概稱宮體則不可，宮體須以莊麗嚴律者當之。惜乎不必皆然，徒設其當然之法。

又　弇州論古樂府曰：「先詩而後聲。詩敍事，聲成文，使志盡于詩，音盡于曲云云。」余改定之曰：「先敍而後歌。敍敍意，歌成聲，使意盡于敍，聲盡于歌，方能裁音而成曲。」

又　弇州論七言律，唐人無轉入他調及收頓不住之病云云。余曰：「寧得全無，謂語其大都可耳。」又云：「篇法之妙有不見句法者，句法之妙有不見字法者云云。」余則以爲篇不見句，得之矣；句不見字，薄乎云爾，惡得非病。

又《取材四上》　詞曲于詩，如金如石，如烏頭附子，苟不起死回生，入咽命絕矣。詞調取音不取義，故曲于詩，同出而異用，詞失則廢。詩失猶成。嗟乎！禮失求野，其詩與詞之謂乎！詞調用字，陰陽上去絲毫不犯，況平仄噓吸而可亂蒯乎？詩家以影響揣模，猶自謂推敲聲律者，可以愧死矣。故曰如金如石。至若詞曲，當家好處，不過淫哇口吻，偶然進之乎詩，出詞吐氣，無比匡，是則不得其力而毒已灌心，故曰烏頭附子，非過論也。

李日華《恬致堂集》卷一四《黃貞父先生寓林詩集序》　貞父每曰：「詩難言之，詩難言之。詩之於文，猶酒之於飲食。酒無關解渴濟虛，而達肌膚，發顏色，啚然獨與神明謀；詩之視文，若有議論，若無議論，若有敍述，若無敍述，若有義味，若無義味，若可解，若不可解，若煩思索，若不煩思索。無才人心不能吐一字，而見才則顯斧鑿；無學人必不能妍一句，而見學則牽補綴。」

鄧雲霄《冷邸小言》　或問：「律詩律字之義何居？」曰：「有三義焉：一如法律之律。老吏斷獄，字字經拷打，一毫出入於法，便非正律。一如紀律之律。行兵部伍，結陣須似常山蛇，擊首尾應，雖出奇無窮，總之不離陣法。一如音律之律。宮商清濁高下，須句句要諧和，方可比管絃而入歌舞。盡此三者，始稱律詩矣。」

又　詩俱以陶寫性情，留連風月，然律、絕、歌行其粗細終不同者。律、絕字少而法嚴，如馬度九折坂，須盤旋曲捷，不爽尺寸；又如蹴鞠投壺，輕重高下，難越分毫。歌行長短在我，如走馬射堂前，擲劍橫弰，雖極馳驟傾倒，不厭神幻耳。

又　五、七言律如漁陽三摻，奮袂揚枹，猶易操縱。若五、七言絕則如桓伊據牀三弄，忽然而去，其一段風流閒雅，悠然可愛，方爲合作，其難倍於律遠矣。凡詩結處俱不可說盡，而絕句尤須含蓄，所以爲難。

謝肇淛《小草齋詩話》卷一《內篇》　五言古須有澹然之色，蒼然之音，象外之意，言外之旨。雖不盡襲漢魏語法，亦不當作齊梁以後色相。若語意不玄遠高深，而徒屈軋聲律以就之，如王維「相送方一笑」，不過仄韻律詩，李嶷「林卧避殘暑」，綦毋潛「開士度人久，夕到玉京寢」等篇，不過拗體律詩，張謂「童子學修道」，楊衡「芳蘭媚庭除」，不過拗體排律耳。可謂古風乎？

又　七言律詩尙綺麗則傷風骨，張氣格則乏神情，闘奇崛則損天然之致，務清遠則無金石之聲，意多則不流，景繁則無章，文質彬彬，庶幾近之，即全唐諸子不數篇也。

又　律詩拗體，始自少陵，第可偶爲之耳。太素之色，朱絃之聲，時一浩歌，足清俗耳，然終非其至也。既已謂律矣，可不謹嚴乎！後人效顰，徒增其醜，藏拙者什五，取便者什三。

又　絕句雖短，又是一種學問。子美才非不廣，力非不裕，而往往爲絕句所窘，反不如一二青衣名伎之作，所謂鼠穴之鬬非邪！故嚴儀卿謂詩有別才別趣，吾謂絕句於詩諸體中又有別才別趣耳。

又卷二《外篇》上　詠物，詩之一體也。比象易工，意興難具，苟能爲物傳神，則《鷓鴣》《白燕》足以膾炙千古，如其不然，雖多何益。蓋杜陵上國武庫，已不無利鈍矣，況近代乎！

馮復京《說詩補遺》卷一　作歌行之法，弇州《巵言》言之已詳，曰：「其法也，如千鈞之弩，一舉透革，縱之則文漪落霞，舒卷絢爛，一入促節，則淒風急雨，窈窅變幻，轉折頓挫，如天驥下坂，明珠走盤。收之則如櫪聲一擊，萬騎忽歛，寂然無聲。」又曰：「歌行有三難，起調一也，轉節二也，收結三也。惟收爲尤難，如作平調，舒徐緜麗者，結須爲雅詞，勿使不足，令有一唱三歎意。奔騰洶湧，驅突而來者，須一截便住，勿留有餘。中作奇語峻奪人魄者，須令上下脈相顧，一起一伏，一頓一挫，有力無迹，方成篇法。」弇州此二條，誠作者之金針也。

又　五言律，有徹首尾對者，杜《所思》、《屏跡》、《登牛頭山亭子》之類是也。有徹首尾不對者，但音韻鏗鏘而已，如孟浩然《洛下送奚三》，李白《泊牛渚》之類。又小變之，則首二對起，下俱散文，如太白《長信宮》是也。第三、第四句直下不對者，五律王、孟、李集中多有之。七律崔顥、太白《鸚鵡洲》亦有之。第五、第六句不對者，浩然《晚春》及《舟中曉望》之章，王維七律

「城外青山」「東家流水」之句。句中第二字平仄失粘，聲勢不順者，謂之拗句。全首音節舛謬，句調險棘，如杜《白帝城最高樓》、《曉發公安》、《憩息》之類者，謂之拗字。已上總謂之變體，作家名手，游戲偶涉，若以模楷後進，則斷乎不可。惟諸家拗句不調，由一時縱筆，或可偶踈防，檢王孟頷聯直下，倘天眞溢露，亦得任意縱橫。杜陵仄體，則格乖平整，勢必僵枯，百代悠悠，當絕此弊法。究而論之，所以名律者，正取其音諧對切，則中二聯必應駢儷，無爲規圖自便，以畔正規。

又 五言排律，本取陳隋拗句。古詩加之虛實切比，平仄停勻。再作法之妙，莫如初唐駱宋，大觀之極，止於盛唐少陵。故短章小韻以下，欲得氣象崢嶸，筆力飛動。長篇數十韻以上，欲得條貫有序，位置得所。學問欲得該博，有海含地負之形。才情欲得宏富，有涌泉飛玉之勢，寧過鋪張，而不宜寒儉，寧極雄麗，而不宜枯淡，而又大雅卓爾，不逐輕綺之流，鼓舞盡神，不爲補衲之語，方爲完善。盛唐主韻致，而洗鉛華，則鴻規頓失。中唐厭整縟，而趨條暢，則流調日卑。蓋排律詞本藻贍，故欲澄之使清，格本端嚴，故欲融之使活。譬若高堂數仞，欲以方寸之沉檀構基，膏腴千頃，而以涓滴之醴泉借潤，用物未究，取精太薄。此予所爲極陳初、盛升降之辨，以待後學者也。

又 絕句，章止四語，辭足意完，蓋取斷絕之義，昔宋劉昶，入魏作斷句詩，此其例也。彼謂截近體首尾，或中二聯者，非。斯亦胡元瑞讜言，聖起不易矣。

又 絕句，對起者須工，發端前不得着一意。對結者須嚴，收束後不得添一語。不然，則爲半律矣。五言絕，句短調促，用仄韻不失爲高古。七言絕，聲長字縱，用平韻乃得風神。七絕，平韻散起者，其首句末字變調用仄，則韻乖趣索，順勢用平，則韻協興悠。

又 七言絕，婉麗入情，故世之學者輕于染指。殊不知所貴者興象玲瓏，意味深厚，天眞溢發，極精工又極自在，氣骨渾涵，極神駿又極閒雅，悲而不傷，怨而不怒，和而不流，麗而不淫，極眞切而不凡近，極感慨而不蕭颯，斯可躡王李之高蹤，蛻中晚之卑調。晚唐流靡，雜以議論，最易溺人，往往有竭力銳思而興狂脈露，忽不知其墮落者，予少年有此病，今方悟其失耳。

王昌會《詩話類編》卷二《名論上·論五言》 五言古詩，或興起，或比起，或賦起，須要寓意深遠，託辭溫厚，反覆優游，雍容不迫，推人心之至情，寫感慨之微意，悲歡含蓄而不傷，美刺婉曲而不露。觀漢魏古詩，自是藹然有感人處。

又 五言短古篇法，貴辭簡味長。言語不可明白說盡，含糊則有餘味。如「步出城東門，悵望江南路。前日風雪中，故人從此去」，「忽見明月光，疑是地上霜。起頭望明月，低頭思故鄉」，「開簾見新月，即便下階拜。細語人不聞，北風吹裙帶」。楊仲弘曰：「五言短古，衆賢皆不知來處，乃只是《選》詩頭尾四句，所以含蓄無限，意自悠長。」

又 五言長古篇法，先分爲幾段，幾節，每節句數多少要略均齊。首段是「序子」，「序子」，一篇之意皆含其中。結段要照起段。《選》詩分段，節數甚均，杜詩卻不甚如此太拘，亦不太長、不太短也。次要「過句」，「過句」名爲血脈，引過次段。過處用兩句，一結上，一生下，爲最難，非老手未易了也。又要回照，謂十步一回頭，要照題目；五步一消息，要閑語讚嘆，方不甚迫促。長篇怕亂雜，一意爲一段。以上四法備《北征》，舉一隅之道也。

又《論七言》 七言古詩，要鋪敘，要有開合，有風度，要迢遞、險怪、雄俊、鏗鏘，忌庸俗軟腐。須是波瀾開合，如江海之波，一波未平，一波復起。又如兵家之陣，方以爲正，又復爲奇；方以爲奇，忽復是正，出入變化，不可紀極。須開合粲然，音韻鏗然，法度森然，神思悠然，學問充然，議論超然。

又 七言短古篇法，貴詞明意盡，與五言相反。如：「休洗紅，洗紅紅色變，不惜故縫衣，記得初揉茜，人命百年能幾何？後來新婦今爲婆。」「石人前，石橋邊，六角黃牛二頃田，帶經躬耕三十年。」

又 七言長古篇法，分段如五言，過段亦如之。稍有異者，突兀萬仞，則不用過句，陡頓便說他事。杜詩大多如此。岑參專尚此法爲一家，數字貫前後，重三疊四，用兩三字貫串，極精神好誦。岑參所長讚嘆，如五言再起，且如一篇三段，說了前事，再題起，重頭說去，謂反覆有情。如《魏將軍歌》、《松子障歌》是也。歸題乃本末一二句繳上起句，又謂之顧首。如《蜀道難》、《古別離》、《洗兵馬行》是也。送尾則生一段餘意，結末或反用及比喻用。如《墜馬歌》曰：「君不見，嵇康養生被殺戮。」又曰：「如何不飲令人哀。」長篇有此，便不迫促，甚從容意思。七言律難於五言律，七言下字較粗實，五言下字較細嫩。七言若可截作五言，便不成詩，須字字去不得方是。所以句要藏字，字要藏意，如連珠不斷方妙。

又 七言律不難中二聯，難在發端及結句耳。發端盛唐人無不佳者，結頗有之，然亦無轉入他調及收頓不住之病。篇法有起有束，有放有斂，有喚有應。大抵一開則一闔，一揚則一抑，一象則一意，無偏用者。句法有直下者，有倒插者，最難，非老杜不能也。字法有虛有實，有沉有響。虛響易工，沉實難至。五十六字如魏明帝淩雲臺，材木銖兩悉配乃可耳。篇法之妙有不見句法者，句法之妙有不見字法者，此是法極無迹，人能之；至境與天會，未易求也。有俱屬象而妙者，有俱屬意而妙者，有俱作高調而妙者，有直下不偶對而妙者，皆興神合氣完使之然。

又 七言歌行，靡非樂府，然至唐始暢其發也。如千鈞之弩，一舉透革。縱之則文漪落霞，舒卷絢爛；一入促節，則淒風急雨，窈冥變化，轉折頓挫。如天驥下阪，明珠走盤。收之則如囊聲一擊，萬騎忽斂，寂然無聲。歌行有三難：起調一也，轉節二也，收結三也。惟收爲尤難。如作平調舒徐綿麗者，結須爲雅詞，勿使不足，令有一唱三嘆意。忽奔騰洶湧，驅突而來者，須一截便住，勿留有餘。中作奇語，峻奪人魄者，須令上下脈相顧，一起一伏，一頓一挫，有力無跡，方成篇法。此是秘密大藏印可之妙。

又《論律》 律詩之作，用字平仄，世固有定體，衆共守之。然不若時用變體，如兵之出奇，變化無窮，以驚世駭目。如老杜詩云：「竹裏行廚洗玉盤，花邊立馬簇金鞍。非關使者徵求急，自識將軍禮數寬。百年地僻柴門迥，五月江深草閣寒。看弄漁舟移白日，老農何有罄交歡。」此七言律詩之變體也。律詩破題，或對景興起，或比起，或引事起，或就題起，要突兀高遠，如狂風捲浪，勢欲滔天。頷聯或寫意，或寫景，或書事、用事、引證。此聯要接破題，要如驪龍之珠，抱而不脫。頸聯或寫意、寫景、書事、用事、引證，與前聯之意相應相避，要變化，如疾雷破山，觀者驚愕。結句或就題結，或開一步，或繳前聯之意，或用事，必放一步作散場，如剡溪之棹，自去自回，言有盡而意無窮。七言律貴聲響，貴雄渾，貴鏗鏘，貴偉健，貴高遠。五言貴沉靜，貴深遠，貴細嫩。五言、七言，句語雖殊，法律則一：起句要高遠，不可苟且；兩聯句法或四字結，或兩字結，須要血脈貫通，音韻相應，對偶相亭，上下勻稱。有兩句共一意者，有各意者。若上聯已共意，則下聯須各意；前聯既詠狀，後聯須說人事。兩聯最忌同律。頸聯轉意要變化，須多下實字，字實則自然響沉而句法健。其尾聯要能開一步，別運生意結之。然亦有合前起意，亦妙。

又 律詩起、承、轉、合不爲無法，但不可泥。泥於法而爲之，則撑柱對待，四方八角，無圓活生動之意。然必待法度既定，從容閑習之。餘或溢而爲波，或變而爲奇，乃有自然之妙。是不可以強致也。若並而廢之，亦奚以律爲哉？

又 古人律詩，亦是一片文章語。或似無倫次而意若貫珠。如杜《游子》詩云：「巴蜀愁誰語？吳門興杳然。」謂巴蜀既無可與語，故欲達之吳會。「九江春草外」，則想像將來吳門之景物；「三峽暮帆前」，則去路先涉三峽之風波。「厭就成都卜，休爲吏部眠」，君平之卜，所以養生；畢卓之飲，所以忘憂。今皆不能如意，則犯三峽之險，適九江之遠，豈得已哉！夫奔走萬里，無所稅駕；傷人世險隘，不能容己，故以「蓬萊如可到，衰白問羣仙」終焉。後之騷人亦多此意。今人不求意趣關紐，但以相似語言爲貫穿，豈不淺近也哉？

又 古詩與律不同體。必各用其體，乃爲合格。然律猶可間出古意，古不可涉律。古涉律調，如謝靈運「池塘生春草」、「紅藥當階翻」，雖一時傳誦，已移於流俗而不自覺。若孟浩然「一杯還一曲，不覺夕陽沉」，杜子美「獨樹花發自分明，春渚日落夢相牽」，李太白「鸚鵡西飛隴山去，芳洲之樹何青青」，崔顥「黃鶴一去不復返，白雲千載空悠悠」，乃律間出古，要自不厭也。

又《論絕句》 絕句之法，要婉曲回環，删蕪就簡，句絕而意不絕。多以第三句爲主，而第四句發之。有實接，有虛接。承接之間，開與合相關，反與正相依，順與逆相應，一呼一吸，宮商自諧。大抵起、承二句固難，然不過平直敘起爲佳，從容承之爲是。至如宛轉變化，工夫全在第三句。若於此轉變得好，則第四句如順流之舟矣。

又 絕句故難，五言尤難。離首卽尾，離尾卽首，而腰腹亦自不可少。妙在愈小而愈大，愈促而愈緩。吾嘗讀《維摩經》得此法：「一丈室中置恆河沙諸天寶座，丈室不增，諸天不減。」又：「一剎那定作六十小劫。」須如是觀乃得。

又 絶句者，截句也。後兩句對是截律詩前四句，前兩句對是截律詩後四句；四句皆對，是截律詩中四句；皆不對者，是絶律詩之首尾。是雖正變之不齊，而首尾布置亦由四句爲起、承、轉、合，未嘗不同條而共貫也。絶句之爲截句，此甚有理。但與律詩作法不同。律詩要句律舂容，布置匀稱。絶句則字字緊麗，意以圓活。起、承、轉、合，正作絶句之法，或謂律詩截前四句則無轉合，截後四句則無起承。截中聯者，詩固有之；若截首尾，恐前二句散緩，後二句必不相應也。還只作好句爲是。

又《論樂府》 樂府篇法要訣，在於反本題結。如《山農詞》，結卻用「西江賈客珠百斛，船中養犬多食肉」是也。又有含蓄不發結者，又有截斷頓然結者。如《君不見》、《蜀葵花》是也。《山農詞》曰：「老翁家貧在山住，耕種山田三四畝。苗疏稅多不得食，輸入官倉化爲土。歲暮鋤犁傍空室，呼兒登山收橡栗。西江賈客珠百斛，船中養犬多食肉。」作詩不可使一字無用，須是字字少不得。又不可使一字不佳，須字字穩當。又不可使一字無來歷，須字字要有出處，要無鄙俗。

又 擬古樂府，如《郊祀》、《房中》，須極古雅，發以峭峻。《鐃歌》諸曲，勿便可解，勿遂不可解，須斟酌淺深，質文之間。漢魏之辭，務尋古色。《相和瑟曲》諸小調，係北朝者勿使勝質，齊梁以後勿使勝文。近事毋俗，近情毋纖。拙不露痕，寧近無遠，寧樸無虛。有分格，有來委，有實境。一涉議論，便是鬼道。

又《論長篇》 長篇古體，參差中出整齊語，猶是筆力。最戒似對非對，但涉江湖熱鬧語，便鄙俗。但用通用門字無法，即輭弱。輭弱易療，鄙俗最難醫。詩法雖不盡此，大要亦不外此。至若升降開合，出入變化之妙，又在自得，非教所能與也。

王文祿《詩的》 詩惟七言律爲難，李太白止八首，杜子美爲多，其淺而俚者亦有之。若「岸容待臘將舒柳，山意衝寒欲放梅」，「梅」對「柳」，皆花木門；「衝寒」對「待臘」，皆時令門；「岸」對「山」，皆地理門。今爲人家門，對原造句時，乃門對也。故曰：「一切惟心造。」又，「思家步月清宵立，憶弟看雲白晝眠」，「思家」對「憶弟」，皆人事門；「看雲」對「步月」，皆天文門；「白晝」對「清宵」，皆時令門。又，「春水船如天上坐，老年花似霧中看」，「如」對「似」，皆一意。「天上」、「霧中」皆天也。大凡以「日」對「時」，象時文之合掌，甚可厭也。

又 七言律最難，如時文然。易得排比而版，須活動方妙。杜詩《逢早梅憶寄》四聯，起皆虛而平頭，卻不版。圓活流轉，無逾其妙。若《明妃村》起句對聯，何妙也。只末句乃結第七句，非結全篇，豈若起句雄麗高遠曰「羣山萬壑赴荆門」，此暗指用「地靈人傑」也。「生長明妃尚有村」，如時文承出正意，方有根據，如人咽喉之氣，上貫泥丸，下透尾閭，其氣方長。第三句接曰「一去紫臺連朔漠」，指生嫁之始，若海潮一浪之往也。第四句對曰「獨留青塚向黄昏」，指死葬之終，若海潮一浪之回也，大關鍵定矣。李空同所謂「前之疎也」。第五句曰「畫圖省識春風面」，「春風面」，生也；「畫圖」，死也，死中見生也；「省識」，觀於目也。第六句曰「環珮空歸月夜魂」，「月夜魂」，死也；「環珮」，生也，生中見死也。「環珮」，聞於耳也，此應前二句，始終生死，詩法所謂「雙應」。李空同所謂「後必密也」。第七句曰「千載琵琶作胡語」，應明妃去時及後代，猶帶胡音，則感慨深矣。第八句「分明怨恨曲中論」，此止結得琵琶意。蓋第八句與第七句只做得一句。結尾欠悠長，應不着首句起得有含蓄意。予易二字，則精神百倍，應得首句來。予改曰「分明黄鵠曲中論」，用前漢宮主嫁烏孫王之歌，曰「願爲黄鵠兮歸故鄉」，與明妃事相類。又追上前漢去，則此詩方成八句。使杜復生見之，必心服也。或曰：「恐無人信之。」予曰：「能深知詩者，必信而愛之，難與俗人言也。」杜詩中凡稱令弟、令兄、先生、鄭公大夫、主人、宮主、駙馬、老夫、公子，皆俚語，切不可效之入詩中。宜後人指杜爲「村夫子」也。初唐詩無此俚語。

陳子龍《安雅堂稿》卷二《熊伯甘初盛唐律詩選序》 律詩之作何昉乎，自爻畫之興，一必生二，奇必配耦，文字相錯，然後成章。【略】故風雅之篇或二字駢連，或四言遙匹，不可勝數。如《柏舟》之「覯閔既多，受侮不少」，《旱麓》之「鳶飛戾天，魚躍於淵」，《抑》之「訏謨定命，遠猶辰告」，《雝》之「有來雝雝，至止肅肅」。兩語正對者，可得而指也。下至漢代，最爲近古，而蘇武錄別曰：「歡娛在今夕，燕婉及良辰。」辛延年樂府曰：「長裾連理帶，廣袖合歡襦。」不獨駢比，更諧聲詠。曹、劉而降，益多儷辭；顔、謝以還，竟流排體。至於有唐，更加整截，遂號律詩。蓋前人尚質，意趣適至，偶成合璧。後人尚文，追琢所就，必求中倫，氣機漸開，裁制日巧，斷爲八言，分爲五七，其勢然也。世之言律，以爲和必應宮商之音，嚴若守科條之令，誠然哉！要之造諧，其實難言。放逸則格必疎，拘泥則氣必索，思極冥搜，則寡興會之趣，意取適象，則鮮瑋麗之觀。必使才足以振逞而不傷其體，學足以敷會而不累其情，詞足以發意而境若渾成，色足以揚聲而氣無浮露。字必妥貼，無迹可尋；句必沉著，無巧可按；對必精切，有若自然；韻必平穩，絕無湊響。一篇之成，則八言如貫，數首競奏，則一法不重。此如大匠之運斤，惟其繩墨之熟，故變化自生也。諷詠古作，似若可求，退而含毫，每乖象意，雖嘗殫思，而所立卓爾，以是知非易易矣。

陸時雍《詩鏡總論》 詩四言優而婉，五言直而倨，七言縱而暢，三言矯而掉，六言甘而媚，雜言芬葩，頓跌起伏。四言《大雅》之音也，其詩中之元氣乎？《風雅》之道，衰自西京，絕於晉宋，所由來矣。

謝天瑞《詩法大成》卷八《詩正體·五言律詩》 律體之興，雖自唐始。蓋由梁、陳以來儷句之漸也。梁元帝五言八句，已近律體。庾肩吾《除夕》律，詩體工密。徐陵、庾信，對律精切，律調尤近。唐初工之者衆，至王、楊、盧、駱以儷句相尙，美麗相矜，終未脫陳、隋之氣習。神龍以後，此體始盛。五言律詩，貴沉靜、貴深遠、貴細嫩，要聲穩語重。

又《五言排律》 長律妙在鋪叙，時將一聯挑轉，又平平說去。如此轉換數匝，卻將數語收拾乃妙。

又《七言律詩》 七言律詩難於五言律詩。七言下字較粗實，五言下字較細嫩。凡作七言律，須字字去不得方是。句要藏字，字要藏意，如聯珠不斷方妙。若七言可截作五言，便不成詩。七言律詩貴聲響，貴雄渾，貴鏗鏘，貴偉健，貴高遠。

又 七言與五言微有分別。七言造句差長，難飽滿，易疎弱。前後多不相應。自唐人工此者亦有數，可以爲難矣。

又 凡作七言律詩，先須澄靜此心，如秋高月明，獨立華岳之巔，俯視萬象，景皆入奇峭中。就其中擇取沈雄險特者而用之。務要奇峭，不可寬緩。

宋孟清《詩學體要類編》卷一 守法度曰詩，載始末曰引，體如行書曰行，放情曰歌，兼之曰歌行，鏗鏘之爲樂府，怨而不失所守曰操，悲如蛩螿曰吟，通乎俚俗曰謠，委曲盡情曰曲，聯衆人之語以成篇曰聯句，集衆人之語以成篇曰集句。曰香奩，則脂粉裙襦之辭。曰無題，則含情寓意之作。又有陰何體者，清深而濃麗也。曰言、曰辭、曰篇、曰詠、曰怨、曰嘆，各有音節，此又餘姚宋公傳體要之所備也。

又卷二《五言絕句體》 絕句五言，語短意長，一唱三嘆，近體中之最近古者也。蓋亦是律詩結尾四句，謂之小律，含蓄無盡。

又《五言近體》 律詩號近體，唐人始爲之，清遠華麗，必諧音韻，周伯弜謂有雍容渾厚之態，而無堆積窒礙之患，斯爲妙矣。伯弜又有四實四虛、前虛後實、前實後虛之別，其擇可謂精矣。學者當用心求之。

又《五言排律體》 詩律屢變，意度則一。南朝沈休文輩始尙排偶，音韻相諧，屬對精密。至唐沈宋，又拘以聲病，約句準篇，名曰排律，杜子美有百韻律是也。

又《六言絕句體》 絕句六言，始於漢司農谷永，自唐王維效曹陸體賦之，其後諸家往往間見，而必前兩句對起，後兩句散結，或有四句皆對皆不對者。

又《七言絕句體》 絕句者，截句也。句絕而意不絕。蹙煩就簡，最爲難工。有截律詩，或前四句，或後四句，或中二聯，大抵以第三句爲主，必運意活動，有含蓄不盡之意，承接之間，更加轉換，則宮商自諧。若斷而續，外振起而內不失於平妥，前後相應，雖止四句，有餘味焉。詳而求之，自當有得。

又《拗體絕句》 此絕句之變也，必得可句，時而出之可也。

又《側體絕句》 其說與拗體相類，然發興措辭，則奇健矣。

又《七言律體》 七言律難於五言律，自唐沈佺期、宋之問，倡而爲之，研鍊精切，穩順聲勢，殆變陳隋萎靡之陋，學者宗之，號曰近體。

又《拗體律》 拗體乃唐律之再變也，必得俊句時出而用之，則奇健矣。

又《無題體》 無題之詩起於唐李商隱，多言閨情及宮事，故隱諱不名，而曰無題，其間有隱語，如「身無彩鳳雙飛翼，心有靈犀一點通」，「春蠶到死絲方盡，蠟燭成灰淚始乾」之類可見。

又《咏物體》 咏物起於唐末，如雍陶《池鷺》、鄭谷《鷓鴣》所詠，雖入外意，而不失模寫之巧。有足喜者，周伯弜謂隨寓感興者易，驗物切近者難，此說是矣。

劉世偉《過庭詩話》卷上 歌行最要突兀歇拍，《連昌宮辭》、《長恨歌》雖善叙事，猶太直遂，況其下者乎。杜少陵「酒酣拔劍斲地歌莫哀，我能拔爾抑塞磊落之奇才」，此突兀語也。岑嘉州「君不見蜀葵花」，歇拍語也。

又卷下 大抵絶句要言約意該，餘韻鏗然。七言近體丰韻精爽，沉着婉曲。五言律溜亮痛快，點綴精奇。排律鋪叙典實，顧盼遠到。歌行突兀歇拍，脈絡綿遠。樂府風流激切，雅俗相兼。漢魏古詩渾厚和平，質而不俚。集古天然湊合，不加增損。擬古取格定意，去我從彼。吳體縹緲虛怯，鬆散放逸。

錢謙益《牧齋有學集》卷一七《高念祖懷寓堂詩序》 竊謂和古人之詩，其難有三。牢籠古今，極命庶物，沿流溯源，文從字順，古人之學也。無其學而捃拾，撦撏割剝，剽略枝梧，如窮子之博易，如貧女之縫紝，爲陋而已矣。區明風雅，別裁僞體，標舉興會，萌茁時運，古人之識也。無其識而彷竊，逐響尋聲，拍肩取道，如水母之傭目，如屈蟲之循枝，爲愚而已矣。擺落悠悠，望古遙集，晞髮咸池，濯足東海，古人之志也。無其志而聒噪，夢囈歌哭，狂易叫囂，如豕腹之彭亨，如蠅聲之喧沸，爲妄而已矣。

馮班《鈍吟雜錄·古今樂府論》 古詩皆樂也，文士爲之辭曰詩，樂工協之於鐘呂爲樂。自後世文士或不閑樂律，言志之文，乃有不可施於樂者，故詩與樂畫境。文士所造樂府，如陳思王、陸士衡，於時謂之「乖調」。劉彥和以爲「無詔伶人，故事謝絲管」。則是文人樂府，亦有不諧鐘呂，直自爲詩者矣。樂府題目，有可以賦詠者，文士爲之詞，如《鐃歌》諸篇是矣。樂府之詞，有詞體可愛，文士擬之，如「東飛伯勞」、《相逢行》、「青青河畔草」之類，皆樂府之別支也。七言創於漢代，魏文帝有《燕歌行》，古詩有「東飛伯勞」，至梁末而七言盛，於時詩賦多有七言，或有雜五、七言者，唐人歌行之祖也。聲成文謂之歌。曰「行」者，字不可解，見於《宋書·樂志》所載魏、晋樂府，蓋始於漢人也。至唐有七言長歌，不用樂題，直自作七言，亦謂之歌行。故《文苑英華》歌行與樂府又分兩類。今人歌行題曰古風，不知始於何時。唐人殊不然，故宋人有七言無古詩之論。予按：齊、梁已前，七言古詩有「東飛伯勞」、「盧家少婦」二篇，不知其人代，故題曰古詩也。或以爲梁武，蓋誤也。如唐初盧、駱諸篇有聲病者，自是「齊梁體」。若李、杜歌行不用聲病者，自是古調。如沈佺期「盧家少婦」，今人以爲律詩。唐樂府亦用律詩。唐人李義山有轉韻律詩。白樂天、杜牧之集中所載律詩，多與今人不同。《瀛奎律髓》有仄韻律詩。嚴滄浪云：「有古律詩。」則古、律之分，今人亦不能全別矣。《才調集》卷前題云：「古律雜歌詩一百首。」古者，五言古也；律者，五、七言律也；雜者，雜體也；歌者，歌行也。此是五代時書，故所題如此，最得之，今亦鮮知者矣。大略歌行出於樂府，曰「行」者，猶仍樂府之名也。杜子美作新題樂府，此是樂府之變。蓋漢人歌謠，後樂工采以入樂府，其詞多歌當時事，如《上留田》、《霍家奴》、《羅敷行》之類是也。子美自咏唐時事，以俟采詩者，異於古人，而深得古人之理。元、白以後，此體紛紛而作。總而言之：製詩以協於樂，一也；采詩入樂，二也；古有此曲，倚其聲爲詩，三也；自製新曲，四也；擬古，五也；詠古題，六也；并杜陵之新題樂府，七也。古樂府無出此七者矣。唐末有長短句，宋有詞，金有北曲，元有南曲，今則有北人之小曲，南人之吳歌，皆樂府之餘也。樂府本易知，如李西涯、鍾伯敬輩都不解。請具言之：李太白之歌行，祖述《騷》、《雅》，下迄梁、陳七言，無所不包，奇中又奇，而字字有本，諷刺沈切，自古未有也。後之擬古樂府，如是焉可已。近代李于鱗取晋、宋、齊、隋《樂志》所載，章截而句摘之，生吞活剝，曰「擬樂府」。至於宗子相之樂府，全不可通。今松江陳子龍輩效之，使人讀之笑來。王司寇《卮言》論歌行云：「有奇句奪人魄者。」直以爲歌行，而不言此即是擬古樂府。夫樂府本詞多平典，晋、魏、宋、齊樂府取奏，多聱牙不可通。蓋樂人采詩合樂，不合宮商者，增損其文，或有聲無文，聲詞混填，至有不可通者，皆樂工所爲，非本詩如此也。漢代歌謠，承《離騷》之後，故多奇語。魏武文體，悲涼慷慨，與詩人不同。然史志所稱，自有平美者，其體亦不一。如班婕妤「團扇」，樂府也。「青青河畔草」，樂府也。《文選注》引古詩多云枚乘樂府，則《十九首》亦樂府也。伯敬承于鱗之後，遂謂奇詭聱牙者爲樂府，平美者爲詩。其評詩至云某篇某句似樂府，樂府某篇某句似詩，謬之極矣。樂府之名本於漢。至《三百篇》用之鄉人，用之邦國。樂之大者，正以郊祀爲本。伯敬乃曰：樂府之有郊祀，猶詩之有應制。何耶？又李西涯作詩三卷，次第詠古，自謂樂府。此文既不諧於金石，則非樂也；又不取古題，則不應附於樂府也；又不詠時事，如漢人歌謠及杜陵新題樂府，直是有韻史論，自可題曰史讚，或曰詠史詩，則可矣，不應曰樂府也。詩之爲文，一出一入，有切言者，有微言者，輕重無準，唯在達其志耳。故孟子曰：「不以文害詞，不以詞害志。以意逆志，是爲得之。」西涯之詞，引繩切墨，議論太重，文無比興，非詩之體也。

乃其叙語譏太白用古體，謬矣。西涯筆端高，其集中詩多可觀。惜哉，無是可也。古書叙樂府，唯《宋書》最詳整，其次則《隋書》及《南齊書》、《晉書·樂志》皆不如也。郭茂倩《樂府詩集》爲詩而作，刪諸家樂志作序，甚明而無遺誤，作歌行樂府者，不可不讀。左克明樂府，只取堪作詩料者，可便童蒙學詩者讀之。楊鐵老作樂府，其源出於二李、杜陵，有古題者，有新題者，其文字自是「鐵體」，頗傷於怪。然篤而論之，自是近代高手，太白之後，亦是一家，在作者擇之。今太常樂府，其文用詩。黄心甫作《扶輪集》序云：「今不用詩。」非也。余尚及聞前輩有歌絶句者，三十年來亦絶矣。宋人長短句，今亦不能歌。然嘉靖中善胡琴者，猶能彈宋詞。至於今，則元人北詞亦不知矣，而詞亦漸失本調矣。樂其亡乎！詩之不合於古人，余能正之也；樂之亡，如之何哉？

又《論樂府與錢頤仲》「詩言志，歌永言。」「言之不足，故詠歌之。」然後協之金石絲管，詩莫非樂也。樂府之名，始於漢惠，至武帝立樂府之官，以李延年爲協律都尉，採詩夜誦，有趙、代、齊、魏之歌，又使司馬長卿等造十九章之歌，此樂府之始也。迨魏有三調歌詩，多取漢代歌謡，協之鐘律，其辭多經樂工增損，故有本辭與所奏不同，《宋書·樂志》所載是也。陳王、陸機所製，時稱「乖調」。劉彦和以爲「無詔伶人，故事謝絲管。」則疑當時樂府，有不能歌者，然不能明也。漢時有蘇、李五言，枚乘諸作，然吴兢《樂録》有古詩，而李善注《文選》多引枚乘樂府詩，文皆在古詩中，疑五言諸作，皆可歌也。大略歌詩分界，疑在漢、魏之間。伶倫所奏，謂之樂府；文人所製，不妨有不合樂之詩。樂之所用，在郊廟宴享諸大體，或有民間私造，用之宴飲者。唐之五七言律、長短句，以及今之南北詞，皆樂也，其體亦何常之有？樂府中又有灼然不可歌者，如後人賦《横吹》諸題，及用古題而自出新意，或直賦題事，及杜甫、元、白新樂府是也。歌行之名，本之樂章，其文句長短不同，或有擬古樂府爲之，今所見如鮑明遠集中有之，至唐天寶以後而大盛，如李太白其尤也。太白多效三祖及鮑明遠，其語尤近古耳。酷擬之風，起於近代。李于鱗取魏、晉樂府古異難通者，句摘而字效之，學者始以艱澀遒壯者爲樂府，而以平典者爲詩。吠聲譁然，殆不可止。但取《樂府詩集》中所載讀之，了然可見。蓋魏、晉樂章，既由伶人協律，聲有短長損益，以文就之，往往合二爲一，首尾都不貫，文亦有不盡可通者，如《鐃歌》聲詞混塡，豈可更擬耶？樂工務配其聲，文士宜正其文。今日作文，止效三祖，已爲古而難行矣；若更爲其不可解者，既不入樂，何取於伶人語耶？亦古人所不爲也。漢詩之無疑者，唯《文選》班姬一章，亦樂府也。興深文典，與蘇、李諸作何異？總之，今日作樂府：賦古題，一也；自出新題，二也。捨此而曰某篇似樂府語，某篇似詩語，皆于鱗、仲默之敝法也。選詩者至汲汲取其難通以爲古妙，此又伯敬、友夏之謬也。所知止此而已。

又《論歌行與葉祖德》晉、宋時所奏樂府，多是漢時歌謡，其名有《放歌行》、《豔歌行》之屬，又有單題某歌、某行，則歌行者，樂府之名也。魏文帝作《燕歌行》，以七字斷句，七言歌行之濫觴也。沿至於梁元帝，有《燕歌行集》，其書不傳，今可見者，猶有三數篇。於時南北詩集，盧思道有《從軍行》，江總持有《雜曲文》，皆純七言，似唐人歌行之體矣。徐、庾諸賦，其體亦大略相近。詩賦七言，自此盛也。迨及唐初，盧、駱、王、楊大篇詩賦，其文視陳、隋有加矣。迤於天寶，其體漸變。然王摩詰諸作，或通篇麗偶，猶古體也。李太白崛起，奄古人而有之，根於《離騷》，雜以魏三祖樂府，近法鮑明遠，梁、陳流麗，亦時時間出，譎辭雲搆，奇文鬱起，後世作者，無以加矣。歌行變格，自此定也。子美獨搆新格，自製題目，元、白輩祖述之，後人遂爲新例，陳、隋、初唐諸家，漸漸滅矣。今之歌行，凡有四例：詠古題，一也；自造新題，二也；賦一物，詠一事，三也；用古題而別出新意，四也。太白、子美二家之外，後人蔑以加矣。

又《正俗》古人之詩，皆樂也。文人或不嫻音律，所作篇什，不協於絲管，故但謂之詩。詩與樂府從此分區。又樂府須伶人知音增損，然後合調。陳王、士衡多有佳篇，劉彦和以爲「無詔伶人，故事謝絲管。」則於時樂府已有不歌者矣。後代擬樂府，以代古詞，亦同此例也。文人賦樂府古題，或不與本詞相應，吴兢譏之，此不足以爲嫌，唐人歌行皆如此。蓋詩人寓興，文無定例，率隨所感。吴兢史才，長於考證，昧於文外比興之旨，其言若此，有似鼓瑟者之記其柱也。必如所云，則樂府之文，所謂牀上安牀，屋上架屋，古人已具，何煩贅牘耶？又樂府採詩以配聲律，出於伶人增損併合，剪截改竄亦多，自不應題目，豈可以爲例也？杜子美創爲新題樂府，至元、白而盛。指論時事，頌美刺惡，合於詩人之旨，忠志遠謀，方爲百代鑒戒，誠傑作絶思也。李長吉歌詩，雲韶工人皆取以協金石。杜陵詩史，不知當時何不採取？《文苑英華》又分歌行與樂府爲二。歌行之名，不知始於何時？魏、晉所奏樂府，如《豔歌行》、《長歌行》、《短歌行》之類，大略是漢時歌謠，謂之曰「行」，本不知何解。宋人云：「體如行書。」眞可掩口也。既謂之歌行，則自然出於樂府，但指事詠物之文，或無古題，《英華》分別，亦有旨也。伶工所奏，樂也。詩人所造，詩也。詩乃樂之詞耳，本無定體，唐人律詩，亦是樂府也。今人不解，往往求詩與樂府之别，鍾伯敬至云某詩似樂府，某樂府似詩。不知何以判之？祇如西漢人爲五言者二家，班婕妤《怨詩》，亦樂府也。吾亦不知李陵之詞可歌與否？如《文選注》引古詩，多云枚乘樂府詩，知《十九首》亦是樂府也。漢世歌謠，當騷人之後，文多遒古。魏祖慷慨悲涼，自是此公文體如斯，非樂府應爾。文、明二祖，仰而不迨，大略古直。樂工採歌謠以配聲，文多不可通，《鐃歌》聲詞混塡，不可復解是也。李于鱗之流，便謂樂府當如此作。今之詞人，多造詭異不可通之語，題爲樂府。集中無此輩語，則以爲闕。《樂志》所載五言四言，自有雅則可誦者，豈未之讀耶？陸士衡《擬古詩》、江淹《擬古三十首》，如搏猛虎，捉生龍，急與之較，力不暇，氣格悉敵。今人擬詩，如牀上安牀，但覺怯處種種不逮耳。然前人擬詩，往往只取其大意，亦不盡如江、陸也。

徐增《而庵詩話》 古詩貴質朴，質朴則情眞；又貴緊嚴，緊嚴則格老。

費經虞《雅倫》卷八《格式・歌》 歌之體如《尙書》帝庸作歌，則四言、五言也。五子之歌又雜以三言、九言，至於屈平《九歌》，純用騷體。至於可長可短都無定法，如《漢書》「枹鼓不鳴董少年」，則一句歌也；《史記》「風蕭蕭兮易水寒」，則二句歌也；「大風起兮雲飛揚」，則三句歌也。其後至唐白居易則又累數百句，在當時被之管弦，或有不同後世，但可謂之七言古詩而已。

又《歌行》 司馬相如《美人賦》云：「芳香郁烈，黼帳高張。有女獨處，婉然在牀。」乃歌曰：「獨處室兮廓無依，思佳人兮情傷悲。」歌行似本於此，以孝武乃改新聲，作樂府金人銘，雖似古時，未有後世之樂也。

又《謳》 詩云「我歌且謠」，則謠之來久矣。古書所載之謠亦不同，有一句者，二、三句者，數句者；三言者，五、七言者；類《楚辭》者，如長夜謠、懷歸謠之類。後世自昌以歌行，其意遂晦。

又《行》 行本於樂府，如《猛虎行》、《野田黃雀行》、《君子行》之類，而後人別立名，如《麗人行》、《公子行》、《少年行》之類。其詩四言、五言、七言不等，長短不一，故不載其詩而略論其體焉，他倣此。

又卷九《格式・五言古詩》 其法始於蘇武、李陵，純用五字，不拘長短，不拘屬對，不盡四聲，不用今韻，不使故實，自然高古。然名家所作，各有不同，其體不一。至於唐人，又變古法，別爲一種，未常不高妙，然止可謂之唐人古詩，與漢、魏、六朝之體迥別。格宜古，氣宜靜，色宜淡，神宜遠，辭宜樸，韻宜幽，味宜平，調宜緩，情宜眞，說事宜簡，說景宜藏。譬如人家處子也，言也，笑也，行也，坐也，一切含蓄不露。漢魏笄也，晉將嫁矣，齊梁新婦矣，唐初有子矣，猶含羞澀，未大離於閨閣。至於李、杜、元白，透情盡物，無所不道，如大婦罵兒詈婢，量衣計食，而古詩之變遂極。至於唐後，未免門前買物，牆外尋雞，都無復繩墨，反以簡雅深潔者爲邊幅窘小，而古詩之法亡矣。世之君子非從漢魏發源，考於六朝，或摹倣大家，或任意而出，以爲新奇別調，隨伊名人著論，說短道長，終不謂之古詩也。

又《七言古詩》 七言古詩卽樂府歌行，一變以唐爲宗。然初唐溫厚，盛唐雄壯，中唐清疎，晚唐頗雜，漸失樂府遺意。七古用韻，中唐人每四句一轉，平仄相次，古殊不然也。古歌有兩句一轉韻者，有或二三句、或六七句一轉韻者，平韻仍接平韻，仄韻仍接仄韻者，平仄鱗次不紊者，今姑存其體。又曰：唐人七言古詩，蒼茫包括，中含許多不盡之致，譬之畫家，遠樹難全，一段烟霧隔住，山至千峰萬壑，一條瀑水斷來。此唐人含微入神處，自是一代絕物，後人莫及也。

又《三言》 先輩以爲始《詩》「振振鷺」，然此亦非全體，若專用成篇，漢《郊祀歌》多三言也。

又《四言》 四言古多有之，古歌四言，或三四句，或七八句，與《三百篇》不同。四言古詩非宗匠不能，以其最古雅也。《三百篇》不可學，所學者，漢人四言長篇耳，簡質暢達，用一句唐人律詩不得。

又《六言》 六言始見於谷永，體最古雅。六朝尙有遺意，唐人則其自爲體矣。黃山谷輩當別論可也。

又《擬古》 擬古猶學書者之臨帖也，帖之點畫神理，皆欲其肖，則擬古安能舍所擬而別撰一格及雜以他調也？古擬詩曰「擬某」、曰「當某」、曰「代某」、曰「效某」、曰「學者」、曰「依古」，皆擬也。雖曰建安以來人號古，然曹氏父子之擬古，亦只是同題耳，選詞命意仍各出機軸，尚與後代規矩步趨者有別。陸機《擬十九首》則全擬古之體矣。宋、齊、梁、陳所擬鼓吹，則又不同也。

又《賦古》 取古人詩中一句爲題而賦之，名曰賦古。其法一如咏物，源於擬古。至梁人，多句中意發揮之，與擬古不同矣。

又《四體》 取古人詩，每首用一句，合成一絕，古謂之四體。後人近體、排律、古風、歌行無不爲之，謂之集句，而四體之名亡矣。近代有專用唐詩者，謂之集唐；專用杜詩者，謂之集杜。近日莆田人爲詩牌，削骨縱橫半寸，刻韻于上，平聲赤文，仄聲綠文，每人各分數十字，酒間集之成詩，謂之集字。明時有之，恐卽唐人韻牒也。

又《聯句》 徐伯魯云：「聯句起自《柏梁》，人各一句，集以成篇。其後，宋孝武華林曲水、梁武帝清暑殿、唐中宗内殿諸詩，皆與《柏梁》同。惟魏懸瓠方丈、竹堂讌宴，則人各二句，稍變前體。自兹以還，體遂不一，有人各四句者，《陶靖節集》所載是也；有人各一聯者，如杜甫與李之芳及其甥宇文或所作是也；有先出一句，次者對之就出一句，前人復對之者，如《昌黎集》所載《城南詩》是也。」伯魯之説可謂詳矣。然亦有每人四句或一人只二句者；亦有每人二句，一人又四句者；又有人各賦畢，一、二人又重出多賦者。顔眞卿等《喜皇甫曾侍御見過南樓玩月》則三言聯句；陶潛等聯句則五言；王昊等《寄司空曙李端》則五言律；鮑防等聯句則一字至九字。

又《五言近體》 五言近體，齊、梁已兆其端，隋遂具體，初唐乃盛，至沈、宋而定其格，粘對一毫不敢紊，以平粘平，仄粘仄；平對仄，仄對平，故謂之律詩，猶法律也。亦有不同，詩家不可不知。大都作詩，出語諦當爲要，格法次之。出語妙，而又精格法爲上；出語妙，不合格法次之；知格法，不善出語，風斯下矣。古人有此格法，恐學者未詳，佳句反竄易而壞，又不可因格法而餖飣斧斤以合之，成無用之物也。

又卷一〇《格式·絕句》 絕句之名，未詳所始。至「絕者，截也」，則求其解而不得，遂爲此臆説耳。考古詞多四句，而「藁砧今何在」四首，已題爲「絕句」，則豈待近體既成之後乃截之耶？胡元瑞之説當矣。按：《漢書·元帝本紀》贊云：「自度曲被歌聲，分刌節度，窮極幼眇。」韋昭注曰：「刌，切也，謂能分切句絕，爲之節制也。」則絕乃歌詩中間斷之處，後世遂因以爲名也。觀古樂府所載魏晉樂歌，四句一解，是絕之之義矣。唐人因其歌斷，遂爲短句以就之，而絕句成體。如《水調歌頭》第一疊、《河滿子》第三疊、《排遍》第一、《陸州歌》第三之類，尚見唐人詩題中。而《萬首唐人絶句》，裁長詩止用四句者，皆當時以之入歌者也。絕句之義如此，請以俟考古之君子焉。

又卷一一《格式·五言排律》 五言排律，要開合鋪叙，要氣象規模，風華典雅，諸體皆可入：如古奥、深厚、典雅、雄渾、清新、淡遠、穠郁；又諸對皆可入：如流水對、當句對、蹉對、扇對、虚實對、開對、借對、通對；閣子折腰、雙聲疊韻、金線葫蘆、倒插連綿等法。蓋詩體既長，則其中間架寬闊，不有全局，如何承載？非學問博奥、才具鴻盛，未易臻此。若止查尋類書，編纂事實，序次失倫，首尾不周，可耀淺俗，入於法眼，未死鄙吝耳。

又《覆窠格》 「覆窠」之義未詳。古人以詩辭鄙俚者，名「覆窠體」。楊升庵謂：「卽近世所號打油詩也。」昔張打油、胡釘鉸作詩惡劣，人皆笑之。自打油盛傳，而覆窠之名知者鮮矣。近世所謂打油詩，似古俳諧嘲笑之作，與張打油又異。間嘗取近世打油詩論之，風刺之旨，詩人所不廢；而嘲笑之語，漢唐以來皆有之。如魏程季明嘲熱客、唐長孫無忌嘲歐陽詢等篇，雖善戲謔兮，而正人君子猶有異議。觀裴晋公論韓昌黎游戲之文，張曲江論李長源天衢之什，可知矣。自此風盛行，輕薄之徒恃其小慧，逞彼邪心，引類呼朋，此倡彼和，或出口吻，或加讚揚，狎侮無所不至。取依稀彷彿之事，播爲通都大邑之傳，橫肆譏評，大乖仁恕。甚者，發人陰私，彰人閨壼，指議疎失，媒糵無端，意所不樂，輒加汙衊，風雅厄運，亦至于此。近世之打油詩，蓋文人無行之極，而名賢端士所不樂聞也。其始爲此，不過盃酒閒談，疏狂謔浪，二三賓客掀髯拊掌而已。取快一時，何關大行？不知機心日熾，暗以損己，口過漸積，遂以害人。人之罹此打油詩者，爲衆所指，致成玷缺，矢口虚詞，指爲實證，或不齒于人倫，或遂陷于刑獄，親戚成怨，朋友失歡，非細故也。然爲此者，士君子薄之，鄉里惡之，子弟不重之，雖有文才，不稱善類。且我既侮人，人將侮己，又以空言而招實禍，往往而有。《家語》載老子之言曰：「凡當今之士，聰明深察而近于死者，好譏議人者也；博辯宏遠而危其身者，好發人之惡者也。」況乎福日以消，百祥遠去，災日以厚，諸禍齊興。天厭其妄，神怒其頑。以致功名蹉跎，妻子失意，獄訟結滯，疾病纏綿，流竄遠方，飛災突起，中年夭折，窮困無依，垂老伶仃，不爲人惜，種種惡趣，必有所加。蓋彼能取人所隱避者，刻毒而播之，鬼神亦將收其所愛護者，降奪而罰之。彼方自傷高才命薄，而不知其忮心醞釀，涎唾汙人，恢諧自恣之時，天道固已禍淫矣，特俟之耳。至于積惡降殃，而事不可悔，豈不惜乎！名教自有樂地，何必若此耶？苟能幡然悔過，發露眞誠，飲灰滌腸，吞刀刮胃，痛改前愆，隱惡揚善，則風流儒雅，爲世尊崇，文行兼優，而福澤日賁矣。經虞五六十年所聞所見，人家聰明子弟尤易蹈此，身名俱敗，享受全乖者，十有八九。即有誠實之言，人以爲未必可信；行篤厚之事，人以爲非其本心，悲夫！若不拔本塞源，急加論救，貽誤將來，瀆玷風雅。故詳著之，以爲世戒云。

又卷二二《瑣語》 律詩絶句見人才華工夫，必要到古詩，方見人力量。律絶頗工而古詩不佳，只筭得半截詩人。

又 近體以音韻響亮爲貴，古詩却不然。古詩要質樸鬱奥，一爲響亮之詞，便易浮淺，入不得工部堂室。

又 律詩見人工夫，絶句見人才調，歌行見人力量，古詩見人致趣，樂府見人婉曲。

又 近體絶句與古詩歌行迥然不同，蓋調短音促，不能坦慢說來，然急不得。

朱鶴齡《愚庵小集》卷八《汪周士詩稿序》 夫古之作者，纂緒造端，淪瀾百變，而其中必有根柢焉，上之補裨風化，下之陶寫性情，如伯玉《感遇三十八首》，伯玉詩之根柢也；太白《古風五十九首》，太白詩之根柢也；子美《北征》、《詠懷》、《前、後出塞》及《新安吏》以下諸篇，子美詩之根柢也；退之《南山》、《秋懷》，退之詩之根柢也；樂天《續古詩》、《秦中吟》數十篇，樂天詩之根柢也。唐人論詩，每云工于五言，蓋以五言工則不必問其餘，是五言古爲諸體之根柢，而五言古之根柢安在乎？亦曰求之《三百篇》、《離騷》以及昭明之《選》而已矣。自近體盛行，便于應酬干謁，而世之辭人率以之代羔雁、充筐篚，于是五言古幾廢，即披英散馥，排比極工，不過儷青妃白、流連景光已爾，于六義之道安取乎？豈惟今人，獻吉、于鱗，詩家之雄伯也，其論五言古，則愚有猜焉。獻吉之言曰：李、杜大家不越唐調，不敢目以漢、魏，何況《三百》？于鱗因之云：唐無五言古詩，而有其古詩；陳子昂以其古詩爲古詩，弗取也。夫《三百》不得不變爲屈、宋，屈、宋不得不變爲蘇、李，蘇、李不得不變爲曹、劉，曹、劉不得不變爲齊、梁諸子，齊、梁不得不變爲神龍、景雲，以至開元、天寶，其間格調雖殊，所以補裨風化、陶寫性情者，源流則一。今必專祖漢、魏，以時代限之，而謂初、盛之詩去古皆遠，非通論也。近世爲五言古者多宗選，然剽擬膚澤，幾于像設不靈；或遂概選體而嗤薄之。子美云：「熟精《文選》理。」精其理者，必有神明變化之功焉，而豈徒掇拾其辭句、規橅其步武哉？學者誠取子美之所得深思之，因以求漢、魏、《離騷》，因以求《三百》，則五言之根柢在是，而三唐風軌皆可同條而共貫，奚至如二李之論，判爲淄澠乎？

吳喬《圍爐詩話》卷一 問曰：「詩之體格名目如何？」答曰：「姜白石《詩說》云：『守法度曰詩，載始末曰引，體如行書曰行，放情曰歌，兼之曰歌行，悲如蛩螿曰吟，通乎俚俗曰謠，委曲盡情曰曲。』余憶《珊瑚鉤》之說不然，皆後人附會耳。」

又 《詩史》曰：「古人文章自應律度，不主音韻。沈約遵崇韻學，而曰：『欲使宮羽相變，低昂殊節，若前有浮聲，後須切響。一篇之內，音韻盡殊；兩句之中，輕重悉異。妙達此旨，始可言文。』自後浮巧之語，體製漸多，如旁犯、蹉對、假對、雙聲、疊韻之類。又有正格、偏格，類例極多。故有三十四格、十九圖、四聲、八病之類。旁犯者，如徐陵文一篇中兩用『長樂』，其義不同者是也。蹉對者，如《九歌》之『蕙肴蒸兮蘭藉，奠桂酒兮椒漿』，以『蕙肴蒸』對『奠桂酒』是也。假對者，如『自朱耶之狼狽，致赤子之流離』，『朱』對『赤』、『耶』對『子』，『狼狽』獸名對『流離』鳥名。又如『庖人具鷄黍，稚子摘楊梅』，以『雞』對『楊』是也。如『幾家村草裏，吹唱隔江聞』，『幾家』、『村草』爲雙聲。如『月影侵簪冷，江光逼屐清』，『侵簪』、『江光』爲疊韻。首句第二字仄聲，謂之正格，如『鳳曆軒轅紀』是也；平聲，謂之偏格，如『四更山吐月』是也。唐時名輩多用正格。謝莊謂『互護爲雙聲，磝碻爲疊韻。』余不謂然，以重翻爲雙聲，重切爲疊韻。」

又 《困學紀聞》云：「《式微》乃二人詩，聯句之始也。《柏梁》及賈充與其婦李，亦是聯句。」傅咸《毛詩》皆取經語，集句之始也。禹《玉牒詞》云「祝融司方發其英，沐日浴月百寶生」，七言之祖也。荀卿《成相篇》，亦多七言句。作者涉筆成趣，說者遂以立三十七格。其可留者，不及十條。宋末元初有九言律詩，大是蛇足，只可謂之詩餘耳。此體始于魏。律詩所謂偷春格者，首聯對，次聯不對也。扇對格者，首句與第三句爲對，次句與第四句爲對也。唐時有格詩之名，與律詩並舉，未得的據，疑是八句有聲病而不對偶者耶？

又　《南史》：「王玄謨問謝莊雙聲疊韻。莊曰：『互護爲雙聲，磝碻爲疊韻。』」雙聲同音不同韻，疊韻音韻皆同。「互護」同是脣音而不同韻，「磝碻」同是牙音而又同韻也。「彷彿」、「熠燿」、「咿喔」皆雙聲，「侏儒」、「童蒙」、「空同」皆疊韻。喬謂「互護」紐聲同，「菟路」紐聲不同，而同在遇部。字聲韻書，古今改易多矣。

又　沈括《筆談》以次聯不對者爲蜂腰，引賈島《下第》詩爲證云：「下第惟空囊，如何住帝鄉？杏園啼百舌，誰醉在花旁？淚落故山遠，病來春草長。知音逢豈易，孤棹負三湘。」

又卷二　問曰：「五言古詩如何？」答曰：「此體之名，失實久矣！漢固有高澹、濃詭二種詩，皆入歌喉，皆在樂府。樂府乃武帝所立官署之名。《古詩十九首》，謂是古不知何人所作之詩，亦在樂府中。故樂府之『青青河畔草』、『驅車上東門』，即《十九首》中之第二、第十三首。而《文選》注所引《十九首》，謂之枚乘樂府也。《十九首》皆是高澹之作，後人遂以此爲古詩，而以《羽林郎》、《董嬌饒》等濃詭者爲樂府。後人所見固謬，而此二種詩，終不可相雜也。」余友常熟馮定遠班有《古今樂府論》，考據精詳，而文多難盡載，舉其要義曰：古詩皆樂也，文士之詞曰詩，協之于律曰樂。後世文士不嫻樂律，言志之文，有不可入于聲歌者，故詩與樂判。如陳思王、陸士衡所作樂府，其時謂之「乖調」。劉彥和以爲「無詔伶人，故事謝管絃」是也。樂府之題有可賦咏者，文士爲之詞，如《鐃歌》諸篇是矣。樂府之詞，文采可樂，文士擬之，如《相逢行》、「青青河畔草」是矣。二者乃樂府之別支也。七言創于漢代，魏文帝有《燕歌行》，古詩有「東飛伯勞」，至梁末而大盛，亦有五、七言雜用者，唐人歌行之祖也。聲成文謂之歌。《宋書·樂志》所載魏、晉樂府有歌行。行之爲名不可解，仍其舊而已。亦有不用樂府而自作七言長篇，亦名歌行。故《文苑英華》又分歌行與樂府爲二也。今人謂歌行爲古風，不知所始。唐人不然，故宋人有七言無古詩之說。齊、梁之前，七言古詩有「東飛伯勞」、「盧家少婦」二篇，不知其人代，故曰古詩。或以爲梁武帝，蓋誤也。唐初盧、駱所作有聲病者是齊、梁體；李、杜諸公不用聲病者，乃是古調。如沈佺期「盧家少婦」，體同律詩，則唐樂府亦用律詩也。《才調集》目錄云「古律雜歌詩一百首」。古者，五言古也；律者，五、七言律也；雜者，雜體也；歌者，歌行也。此是五代時書，故所題如此，最爲得之；今亦鮮知者矣！漢人歌謠之采入樂府者，如《上留田》、《霍家奴》、《羅敷行》之類，多言當時事。少陵所作新題樂府，題雖異于古人，而深得古人之理。元、白以後，此體紛紛矣。總而言之：製詩以協于樂，一也；采詩入樂，二也；古有此曲，倚其聲爲詩，三也；自製新曲，四也；擬古，五也；咏古題，六也；并少陵之新題樂府而爲七，古樂府盡此矣。唐末有長短句，宋有詞，金有北曲，元有南曲，今有北人之小曲，南人之吳歌，皆樂府之餘也。樂府不難知，而後人都不解。請具言之：太白歌行祖述《騷》、《雅》，下迄齊、梁七言，無所不包，奇中又奇，而字字有本，諷刺沉切，自古未有也。後人宜以爲法。樂府本詞多平美，晉、魏、宋、齊樂府取奏，多聱牙不可通，由樂人于不合宮商者增損其文，或有聲無文，聲詞混填，至有不可通者，非本詩如是也。李于鱗乃取晉、宋、齊、隋《樂志》所載者，章截而句摘之，生吞活剝，謂之「擬樂府」。而宗子相所作，全不可通。陳子龍輩效之，讀之令人笑來。王元美論歌行云「內有奇語奪人魄者」，直以爲歌行，而不知其爲擬古樂府也。樂府詞體不一，漢人承《離騷》之後，故歌謠多奇語。魏武悲涼慷慨，與詩人不同。而史志所載，亦有平美如班婕妤《團扇》、「青青河畔草」，皆樂府也。《文選》注引古詩多云枚乘樂府，則《十九首》亦樂府也。伯敬承于鱗之說，遂謂奇詭聱牙者爲樂府，平美者爲詩。至謂古詩某篇某句似樂府，樂府某篇某句似古詩，謬之極矣！樂之大者惟郊祀，渠乃曰：「樂府之有郊祀，猶詩之有應制。」何耶？李西涯之樂府，其文不諧金石，則非樂也；不取古題，則不應附于樂府；又不咏時事，則不合于漢人歌謠及杜陵新題樂府，當名爲詠史乃可。夫詩之爲文，一出一入，有切言者，有微言者，輕重無準，惟取達志。李氏之詞，引繩切墨，議論太重，文無比興，非詩之體也(此語歷六百年來，惟定遠言之耳)。而序譏太白用古題，過矣！其集古詩多可觀，惜哉無是可也。古來言樂府者，惟《宋書》最詳整，其次則《南齊書》，《隋書》及《晉書》皆不及也。郭茂倩《樂府詩集》爲詩而作，刪諸家《樂志》作序，甚明白而無遺誤，作歌行樂府者，不可不讀。左克明《樂府》只取堪作詩料者，童蒙所讀也。楊鐵厓樂府，其源出于二李、杜陵，有古題，有新題，文字自是創體，頗傷于怪。然篤而論之，不失爲近代高手，太白之後，亦是一家，在作者擇之。今之太常樂府用詩，黄心甫《扶輪集叙》云「今不用詩」，非也（《史概》所載乃元曲調）。

又 五言古詩，須去其有偶句者而論之，以自西漢至中唐爲全局，猶七言律詩以自初唐至晚唐爲全局也。漢、魏五古之變而爲唐人五古，欲去陳言而趨清新，不得不然，亦猶七律初、盛之變而爲中、晚唐，不得不然也。

又 詩之關係名教風化者，非五古不可。其貴重可見。五絶卽五古之短篇，如嬰兒嚬笑，小小中原有無窮之意，解言語者定不能爲。詩至于五絶，而古今之能事畢矣。竊謂六朝、三唐之善者，蘇、李猶當退舍，況宋以後之人乎！以此體中才與學俱無用故也。五絶，仙鬼勝于兒童女子，兒童女子勝于文人學士，夢境所作勝于醒時。崔國輔《魏宫詞》，妙在意深。而崔顥《長干曲》云：「君家住何處？妾住在横塘。停舟暫借問，或恐是同鄉。」絶無深意，而神采郁然，後人學之，卽爲兒童語矣。丁仙芝《採蓮曲》，五絶句也。《品彙》聯爲一篇，收之五古中，誤也。此詩落想最爲飄忽，如云：「因從京口渡，使報邵陵王。」何處得來？五古五絶亦可相收放。高適《哭梁少府》詩，只取前四句，卽成一絶，下文皆鋪叙也。

又 作四字詩多受束于《三百篇》句法，不受束者惟曹孟德耳。《太平廣記》載劉渢宿山驛，月明，有數女子自屋後出，命酌庭中，歌曰：「明月清風，良宵會同。星河易翻，歡娱不終。綠尊翠杓，爲君斟酌。今夕不飲，何時歡樂？」山谷、子瞻謂爲鬼中子建。又有一篇云：「玉戶金釭，願陪君王。邯鄲宫中，金石絲簧。鄭女衛姬，左右成行。紈綺繽紛，翠眉紅粧。王歡瞻盼，爲王歌舞。願得君歡，長無災苦。」子瞻謂「邯鄲宫中，金石絲簧」二句，不惟人不能作，知之者亦極難得。誠然誠然。孟德英雄，此女貴姬，各言其實境，不受束縛耳。問曰：「七言古詩如何？」答曰：「盛唐人山奔海立，掩前絶後。此體忌圓美平衍，又不可槎枒猙獰。初唐圓美，白傅加以平衍，昌黎稍槎枒，劉叉猙獰，盧仝牛頭阿旁，杜默地獄餓鬼。詩忌出正面，七古尤甚。初唐七古多排句，不如盛唐無排句而矯健。中唐此品遂絶，何況宋、明！長篇結緊，方收得住。結前若緊，結卻宜寬。長詩宜于趨承貴要，故世事之用非五排卽七古，詩那得佳！七古須于風檣陣馬中不失左規右矩之意。五古易于冗，七古易于濫。長篇于意轉處換韻則氣暢，平仄諧和是元、白體。

高適《燕歌行》云：「漢家烟塵在東北，漢將辭家破殘賊。男兒本自重横行，天子非常賜顔色。摐金伐鼓下榆關，旌旆逶迤碣石間。校尉羽書飛瀚海，單于獵火照狼山。山川蕭條極邊土，胡騎憑陵雜風雨。戰士軍前半死生，美人帳下猶歌舞！大漠窮秋塞草腓，孤城落日鬬兵稀。身當恩遇常輕敵，力盡關山未解圍。鐵衣遠戍辛勤久，玉筯應啼别離後。少婦城南欲斷腸，征人薊北空回首。邊庭飄颻那可度，絶域蒼茫無所有。殺氣三時作陣雲，寒聲一夜傳刁斗。相看白刃雪紛紛，死節從來豈顧勳？君不見沙場征戰苦，至今猶憶李將軍。」詩之繁于詞者，七古五排也。五排有間架，意易見，七古之順叙者亦然。達夫此篇，縱横出沒如雲中龍，不以古文四賓主法制之，意難見也。四賓主法者，一主中主，如一家惟一主翁也；二主中賓，如主翁之妻妾兒孫奴婢，卽主翁之分身以主内事者也；三賓中主，如主翁之朋友親戚，任主翁之外事者也；四賓中賓，如朋友之朋友，與主翁無涉者也。於四者中除卻賓中賓，而主中主亦只一見，惟以賓中主勾動主中賓而成文章，八大家無不然也。《燕歌行》之主中主，在憶將軍李牧善養士而能破敵。于達夫時，必有不恤士卒之邊將，故作此詩。而主中賓，則「壯士軍前半死生，美人帳下猶歌舞」，「相看白刃雪紛紛，死節從來豈顧勳」四語是也（「豈顧勳」，卽「死是戰士死，功是將軍功」之意）。其餘皆是賓中主。自「漢家烟塵」至「未解圍」，言出師遇敵也。此下理當接以「邊庭」云云，但逕直無味，故横間以「少婦」、「征人」四語。「君不見」云云，乃出正意以結之也。文章出正面，若以此意行文，須叙李牧善養士能破敵之功烈，以激厲此邊將。詩用興比出側面，故止舉「李將軍」，使人深求而得，故曰「言之者無罪，而聞之者足以戒」也。王右丞之《燕支行》，正意只在「終知上將先伐謀」，法與此同。右丞之《隴頭吟》，卻又不然，起手四句是賓，「關西老將不勝愁」六句是主，主多于賓，乃是賦義。

【略】七絶是七古之短篇，以李、杜之作，一往浩然，爲不失本體。王龍標七絶，如八股之王濟之也。起承轉合之法，自此而定，是爲唐體，後人無不宗之。七絶乃偏師，非必堂堂之陣，正正之旗，有或鬬山上，或鬬地下者。七絶與七古可相收放，如駱賓王《帝京篇》，李嶠《汾陰行》，王泠然《河邊枯柳》，本意在末四句，前文乃鋪叙耳。只取末四句，便成七絶。七絶之起承轉合者，衍其意可作七律，七律亦可收作七絶。七絶，唐人多轉，宋人多直下，味短。劉夢得、李義山之七絶，那得讓開元、天寶。岑參《凱歌》第二三句云：「捷書先奏未央宮，天子預開麟閣待。」竟似平偶，何也？五排，即五古之流弊也。至庚子山，其體已成，五律從此而出。排律之名，始于《品彙》。唐人名長律，宋人謂之長韻律。此體無聲病者不善，如唐太宗《正日臨朝》等，虞世南《慎刑》，蘇味道《在廣》，皆不發調。陳拾遺《白帝》、《峴山》二篇，古厚敦重，足稱模範。【略】盛唐排律，聖也；子美，神也。說子美則諸公自見。【略】五言律詩，若略其形迹而以神理聲調論之，則對偶而五聯六聯者，如楊炯之《送劉校書從軍》，不對偶而八句者，如沈約之《別范安成》，柳惲之《江南曲》，皆律詩也。陳子昂之「故人洞庭去」，與岑參之《送衛憑》，文理何異，而可以一爲古一爲律乎？五、七言律皆須不離古詩氣脈，乃不衰弱，而五言尤甚也。五律守起承轉合之法，如于武陵之「人間惟此路，長得緑苔衣。及戶無行跡，遊方應未歸。平生無限事，到此盡知非。獨倚松門久，陰雲昏翠微」，離古詩氣脈者也。不離古詩氣脈者，子美爲多。【略】七律造句比五言爲難，以其近于流俗也。七律之法，起結散句，中二聯排偶。其體方，方則滯。叙景言情，遠不如古詩之曲折如意，以初唐古律相較可見矣。七律止宜于臺閣，餘處不稱。景龍既有此體，以其便于人事之用，日盛月滋，不問何處皆用七律，謂之近體，實詩道之一厄也。學初盛則端莊而不能快意，學中晚則流利而傷于淺薄。自宋以來，多傷淺薄。弘、正間人，矯語初盛，而淺心粗氣，不能詳求初盛命意遣詞之妙，遂流爲強梗膚殼，又唐體之一厄也。律詩有二體，如沈佺期《古意》云「盧家少婦鬱金堂，海燕雙棲玳瑁梁」，以雙棲起興也。「九月寒砧催木葉」，言當寄衣之時也。「十年征戍憶遼陽」，出題意也。「白狼河北音書斷」，足上文征戍之意。「丹鳳城南秋夜長」，足上文「憶遼陽」之意。「誰爲含情獨不見，更教明月照流黃」，完上文寄衣之意。題雖曰《樂府古意》，而實《擣衣曲》之類。八句如鈎鏁連環，不用起承轉合一定之法者也。子美《曲江》詩亦然。其云「一片花飛減卻春」，言花初落也。「風飄萬點正愁人」，言花大落也。「且看欲盡花經眼」，言花落盡也。「一片」，「萬點」，「減卻春」，「正愁人」，「欲盡經眼」，情景漸次而深，興起第四句以酒遣懷之意。「小堂巢翡翠」，言失位猶有可意事。「高塚臥麒麟」，言富貴終有盡頭時。落花起興至此意已完。「細推物理須行樂」，因落花而知萬物有必盡之理。「細推」者，自一片、萬點、落盡、飲酒、塚墓，皆在其中，以引末句失官不足介懷之意。此體子美最多。遵起承轉合之法者，亦有二體：一者合于舉業之式，前聯爲起，如起比虛做，以引起下文；次聯爲承，如中比實做；第三聯爲轉，如後比又虛做；末聯爲合，如束題，杜詩之《曲江對酒》是也。一者首聯爲起，中二聯爲承，第七句爲轉，第八句爲合，如杜詩之《江村》是也。八比前後虛實一定，七律不然。

又《答萬季埜詩問》　問：「古詩如何？」答曰：「以文譬之，脱盡時文，方可入古文門庭。鄙人未嘗於此有苦心，焉敢妄對？」

葉矯然《龍性堂詩話初集》　暇日嘗與客論樂府，客曰：「樂府長短言不一，章無定句，句無定字，可任意而爲之歟？」予曰：「是何言之易而規規字句之間也，請悉言之可乎？昔者后夔典樂，曰：『詩言志，歌永言，聲依永，律和聲。』子曰：『吾自衛反魯，然後樂正，《雅》、《頌》各得其所。』《頌》奏於廟，《雅》賡於朝，太史採風獻於王，王命被之管絃，是詩與樂合所由來矣。周東《詩》亡，《樂經》散失。漢孝武創爲樂府，命官掌之，於是始有《郊祀》、《房中》、《鐃歌》、《横吹》諸曲，燕享軍興兼用。一時興懷感觸，上好下甚，凡街陌謳謠，節奏鏗鏘，皆中宮羽焉。至如七言《柏梁》體，蘇、李、《十九首》等篇，或名爲古詩，古詩與樂府判然分矣。顧六代依倣，皆有樂府，文詞不刊，而節拍高下，律呂短長，自非專家，鮮合劉度。馬貴與所謂『義布方冊，聲久易湮』。朱晦翁亦云：『聲音道微，不可得而傳也。』故崔豹、吳兢之徒，以事解目，以義說名。樂府之行於世者，或就題賦形，或斷題取義，或與題渺不相涉而各出臆解，或另造新題而點綴今事，種種不一，然猶未變其調也。至唐虞世南《從軍行》，高適《飛龍曲》，五言排也。楊炯《梅花落》，盧照鄰《隴頭水》，五言律也。沈佺期『盧家少婦』，王摩詰『居延城外』，七言律也。如此者不可悉數。是樂府也，直詩之而已，豈非詩與樂府分而仍合之驗與？高廷禮《品彙》，於樂府不另標目，概附之古今體詩，豈無見哉！要之，漢、唐迄今，幾二千年，樂府與詩，其分也以聲而分，其合也以義而合，分合盛衰之際，正變源委具在，非深心此道者，鮮可與微言也。」樂府，漢、魏以質勝，齊、梁以文勝，王仲初句質而實巧，李長吉文奇而調合，皆樂府妙手也。李于鱗點竄字句，以近而失之。李西涯讀史作樂府，倣退之《十操》體，不知者以爲創調耳。

又《續集》　絶句體裁不一，或截半律，或截兩聯，或云關扼在第三句，信俱有之。但絶句亦有古今體，自漢已有，如「藁砧今何在」四首是也。六代甚夥，不可殫述。至唐絶則平仄鏗然，上下黏合，一如律體。李、杜多失黏處，實倣古絶，非唐調也。論者謂絶句當法盛唐，不可落中晚，以開、寶興象玲瓏，語意渾婉，大曆後漸多雕刻故也。此論信然，然不可執。蓋詩非無故而作，忽一感觸，偶拈四語，機到神流，有含蓄爲工者，亦有透徹爲快者；有寄托遙深者，亦有刻畫目前者。總欲調高意遠，初未問其字謫仙而句少陵也。卽以宋、元人論，路舒云：「庭樹鳥頻啄，山房人未眠。寒叢落桂子，野水過茶煙。」永叔云：「夜涼吹笛千山月，路暗迷人百種花。棋罷不知人換世，酒闌無奈客思家。」此二絶卽摩詰、少陵亦不能遠過也。

趙士喆《石室談詩》卷上《總論》 或問余：「詩中各體何者爲難？」余曰：「此未可以偏見執也。據愚所見，四言詩第一最難。故從來詩人，不敢多作。樂府、五言古次之，七言歌行、五七律、排律次之，五、七絶句又次之。然必求其精則皆不易。卽五言絶一小技，且非老手不能辨，而况乎其他。嚴滄浪謂七言律難於五言律，五言絶難於七言絶，此言良是。謂近體之難於古體，則非近體之難，難於才情及法度。古詩之難，難於學識及胸襟，故人有爲近體則精工，而爲古詩則卑弱，亦有古詩則奇奧，而爲近體則支離者。天分各殊，難以相強。必謂律之難於古，此正如掾吏之徒謂楷書之難於篆草，科名之士謂八股難於論策及章疏也。」

又卷下《論各體》 五言律三四句，有走馬對者，「我尋高士傳，君與古人齊」是也；有三四句全不對者，「江山留勝跡，我輩復登臨」是也；有八句到底不對者，孟之「掛席東南望」、李之「牛渚西江夜」是也。襄陽律雖不拘，而自然合法，秀麗精工者不少，太白則多率筆矣。伯敬云：「伯玉律中有古，卻深厚。太白以古爲律，卻輕淺。」識者辨之。

又 元美言，五言律易得雄渾，加二字便覺費力，雖曼聲可聽，而古色漸衰。此定論也。是以五言律，初唐佳者甚多。中晚名流得意之作，亦不減於初唐。七言律，初唐則嫩，中唐則衰，晚唐則壞矣。先君子嘗曰：七言律如今之制藝，首二句卽破承起提也，次二句卽中股也，又次二句則後股，結則小結及大結也。須有虛實有炤應，結更有不盡之意乃佳。以此言之，此種乃近體之最難者，今之初爲，偏多作此，而又不肯學盛唐，可惑也。

又 吾友滿龍隱，強力任性，而善於詩。嘗見其所閱《詩歸》，塗抹大半。於沈佺期曰：「此公絶無性靈，難以言詩」，則龍隱以性靈爲最重矣。然未嘗不精於法律，嘗云：「律詩之對，當極嚴整，又當極變化。所謂整者，虛實死活也；所謂變者，或意對而字不對，或字對而意不對，或遙對，或假對，或走對，或人所思擬不到之對，乃爲高手。卽如老杜，其對法之變化甚多，種種可喜，獨至於『岸容待臘將舒柳，天氣衝寒欲放梅』，句法既重，而舒柳放梅，又入小學生門類，此可以爲戒，而不可以爲法者也。」蓋龍隱之刻於論詩，有如此者。

宋徵璧《抱眞堂詩話》 七言初唐、盛唐雖各一體，然極七言之變，則元、白、温、李皆在所不廢。元、白體至卑，廼《琵琶行》、《連昌宮詞》、《長恨歌》未嘗不可讀。但子由所云「元、白紀事，尺寸不遺」，所以拙耳。【略】聯句若昌黎《石鼎》，自佳。元、白動必數百韻，有類乘舟泛溟海，星辰不辨，但覺身熱頭痛之煩。

賀貽孫《詩筏》 五言古以不盡爲妙，七言古則不嫌於盡。若夫盡而不盡，非天下之至神，孰能與於斯？唐人五言律之妙，或有近於五言古者，然欲增二字作七言律則不可。七言律之奇，或有近於七言古者，然欲減二字作五言律則不能。其近古者，神與氣也。作詩文者，以氣以神，一涉增減，神與氣索然矣。

又 七言絶所以難於七言律者，以四句中起承轉結如八句，而一氣渾成又如一句耳。若只作四句詩，易耳易耳。五言絶尤難於七言絶，蓋字句愈少，則巧力愈有所不及，此千里馬所以難於盤蟻封也。

又 古詩之妙，在首尾一意而轉折處多，前後一氣而變換處多。或意轉而句不轉，或句轉而意不轉；或氣換而句不換，或句換而氣不換。不轉而轉，故愈轉而意愈不窮；不換而換，故愈換而氣愈不竭。善作詩者，能留不窮之意，蓄不竭之氣，則幾於化。

又 長篇難矣，短篇尤難。長篇易冗，短篇易盡，此其所以尤難也。數句之中，已具數十句不了之勢；數十句之後，尚留數十句不了之味。他人以數十句難了者，我能以數句便了；他人以數句易了者，我能以數十句不了。固由才情，亦關學力。

又 五言詩爲澹穆易，爲奇峭難。四言詩爲奇峭易，爲澹穆難。陶公四言詩如其五言詩，所以獨妙。七言詩作澹穆尤難，惟摩詰能之，然而稍加深秀矣。

又 嚴儀卿謂「律詩難於古詩」。彼以律詩斂才就法爲難耳，而不知古詩中無法之法更難。且律詩工者能之，古詩非工者所能，所謂「其中非爾力」，則古詩難於律詩也。又謂「七言律難於五言律」。彼謂七言律格調易弱耳，而不知五言律音韻易促也。五字之中，鏗然悠然，無懈可擊，有味可尋，一氣渾成，波瀾獨老，名爲堅城，實則化境，則五言律難於七言律也。若「絶句難於八句，五言絶難於七言絶」，二語甚當。惜未言五言古難於七言古耳。

又 七言古須具轟雷掣電之才，排山倒海之氣，乃克爲之。張司業籍以樂府古風合爲一體，深秀古質，獨成一家，自是中唐七言古别調，但可惜邊幅稍狹耳。若元、白二公，才情有餘，邊幅甚賒，然時有拖沓之累。蓋司業所病者節短，而元、白所病者氣緩，截長補短，庶幾可與李、杜諸人方駕耳。

賀裳《載酒園詩話》卷一《樂府古詩不宜並列》 凡編詩者，切不宜以樂府編入七言古。如柳詩：「楊白花，風吹渡江水。坐令宮樹無顔色，搖蕩春光千萬里。茫茫曉日下長秋，哀歌未斷城鴉起。」眞可謂微而顯，宛肖胸中所欲言。然不先知胡太后事，安知此詩之妙。

施閏章《蠖齋詩話・七言古歌》 往見何大復《昔遊篇》五百五十五字，凡十轉，皆平。近時龔中丞孝升《老蕩子行》四百七十字，凡八轉，皆仄。古今相望，各自一體。然宋禮部員外裴悦《寄邊衣詩》二十句，凡五换，皆仄韻，情致淒緊。此體不自大復始矣。

又《五言排律》 有謂排律無單韻，如老杜集中止有十韻、十二、十四、二十、二十四、三十、四十、五十韻之類，並無十一、十三、十五韻者。考之杜集，良然。按此體唐人以沈、宋爲宗，及考盛唐諸家，沈佺期諸君用五韻、七韻者頗多；駱丞「樓觀滄海日，門對浙江潮」亦七韻，不害爲名作。其餘九韻、十一、十三韻、二十五韻各有之，具摘于後。大抵以對仗精嚴、聲格流麗爲長，未嘗數韻限字，勒定雙韻。其雙韻者，十八、二十二、二十八、三十二皆有之，未嘗取盈於三十、四十也。初、盛惟沈佺期《答魑魅》四十八韻爲最長，中腹四韻殊少警句。杜審言排律皆雙韻，《和李大夫嗣眞》四十韻，沈雄老健，開闔排蕩，壁壘與諸家不同，子美承之，遂爾旌旗整肅，開疆拓土，故是家法。然往往五十韻、百韻中，韻重意複，瑕瑜互見，似可稍省。鄭□□云：「長篇沉着頓挫，指事陳情，有根節骨格，此老杜獨擅之長；宋人每每學之，遂以詩當文，冗濫不已，詩遂大壞，皆老杜啓之。」此言雖激，亦自有見。近見才人不百韻則以爲儉腹短才，不知沈、宋、王、孟，大抵皆貴精不貴多也。吾讀方密之《述懷》二百韻，歎爲奇觀，已如讀《三都賦》；至關中李大青有三百韻詩，便當盡焚古今經史子集，單看此一篇排律矣。

又《排律單韻》 五韻：宋之問《始安秋日》，楊炯《途中》，盧照鄰《至望喜矚目》，駱賓王《過張平子墓》、《海曲書情》、《和李明府》，王維《沈拾遺新竹》、《山中示弟》、《青龍寺送熊九》。七韻：沈佺期《登瀛州南樓》，宋之問《酬李丹徒》，盧照鄰《宿晋安寺》、《贈左丞》、《哭韋郎中》、《春晚從李長史》、《冬日野望》、《夏夜憶張二》、《靈隱寺》、《寒夜獨坐》，王維《田家》，《過盧員外》。九韻：駱賓王《四月八日題七級》，王維《贈焦錬師》。十一韻：沈佺期《扈從出長安》，宋之問《雲門寺》、《早入清遠峽》，盧照鄰《結客少年場》，駱賓王《咏懷》。十三韻：宋之問《入瀧洲江》。二十五韻：楊炯《和劉長史》。

王夫之《薑齋詩話》卷二《夕堂永日緒論》 古詩無定體，似可信筆爲之，不知自有天然不可越之榘矱。故李于鱗謂唐無五古詩，言亦近是；無即不無，但百不得一二而已。所謂榘矱者，意不枝，詞不蕩，曲折而無痕，戌削而不競之謂。若于鱗所云無古詩，又唯無其形埒字句與其粗豪之氣耳。不爾，則「子房未虎嘯」及《玉華宫》二詩，乃李、杜集中霸氣滅盡和平温厚之意者，何以獨入其選中？古詩及歌行换韻者，必須韻意不雙轉。自《三百篇》以至庾、鮑七言，皆不待鈎鎖，自然蟬連不絶。此法可通於時文，使股法相承，股中换氣。近有顧夢麟者，作《詩經塾講》，以轉韻立界限，劃斷意旨。劣經生桎梏古人，可惡孰甚焉！晉《清商》、《三洲》曲及唐人所作，有長篇拆開可作數絶句者，皆蠚蟲相續成一青蛇之陋習也。

又 太白胸中浩渺之致，漢人皆有之，特以微言點出，包舉自宏。太白樂府歌行，則傾囊而出耳。如射者引弓極滿，或即發矢，或遲審久之，能忍不能忍，其力之大小可知已。要至於太白止矣。一失而爲白樂天，本無浩渺之才，如決池水，旋踵而涸。再失而爲蘇子瞻，萎花敗葉，隨流而漾，胸次局促，亂節狂興，所必然也。

又 近體，梁、陳已有，至杜審言而始叶於度。歌行，鮑、庾初製，至李太白而後極其致。蓋創作猶魚之初漾於洲渚，繼起者乃泳游自恣，情舒而鱗鬐始展也。七言絕句，初盛唐既饒有之，稍以鄭重，故損其風神。至劉夢得而後宏放出於天然，於以揚扢性情，馺娑景物，無不宛爾成章，誠小詩之聖證矣。此體一以才情爲主，言簡者最忌局促，局促則必有滯累；苟無滯累，又蕭索無餘。非有紅鑪點雪之襟宇，則方欲馳騁，忽爾蹇躓；意在矜莊，祇成疲苶。以此求之，知率筆口占之難，倍於按律合轍也。夢得而後，唯天分高朗者，能步其芳塵，白樂天、蘇子瞻皆有合作，近則湯義仍、徐文長、袁中郎往往能居勝地，無不以夢得爲活譜。才與無才，情與無情，唯此體可以驗之。不能作五言古詩，不足入風雅之室；不能作七言絕句，直是不當作詩。區區近體中覓好對語，一四六幕客而已。

又 七言絕句，唯王江寧能無疵纇；儲光羲、崔國輔其次者。至若「秦時明月漢時關」，句非不鍊，格非不高，但可作律詩起句，施之小詩，未免有頭重之病。若「水盡南天不見雲」、「永和三日盪輕舟」、「囊無一物獻尊親」、「玉帳分弓射虜營」，皆所謂滯累，以有襯字故也。其免於滯累者，如「只今唯有西江月，曾照吳王宮裏人」、「黃鶴樓中吹玉笛，江城五月落梅花」、「此夜曲中聞《折柳》，何人不起故園情」，則又疲苶無生氣，似欲匆匆結煞。

又 作詩但求好句，已落下乘。況絕句只此數語，拆開作一俊語，豈復成詩？「百戰方夷項，三章且易秦；功歸蕭相國，氣盡戚夫人。」恰似一漢高帝謎子；擲開成四片，全不相關通。如此作詩，所謂「佛出世也救不得」也。

又 論畫者曰：「咫尺有萬里之勢。」一「勢」字宜着眼。若不論勢，則縮萬里於咫尺，直是《廣輿記》前一天下圖耳。五言絕句，以此爲落想時第一義。唯盛唐人能得其妙，如「君家住何處？妾住在橫塘。停船暫借問，或恐是同鄉」，墨氣所射，四表無窮，無字處皆其意也。李獻吉詩：「浩浩長江水，黃州若箇邊？岸回山一轉，船到堞樓前。」固自不失此風味。

又 五言絕句自五言古詩來，七言絕句自歌行來，此二體本在律詩之前；律詩從此出，演令充暢耳。有云絕句者，截取律詩一半，或絕前四句，或絕後四句，或絕首尾各二句，或絕中兩聯。審爾，斷頭刖足，爲刑人而已。不知誰作此說，戕人生理！自五言古詩來者，就一意中圓淨成章，字外含遠神，以使人思。自歌行來者，就一氣中駘宕靈通，句中有餘韻，以感人情。脩短雖殊，而不可雜冗滯累則一也。五言絕句有平鋪兩聯者，亦陰鏗、何遜古詩之支裔。七言絕句有對偶，如「故鄉今夜思千里，霜鬢明朝又一年」，亦流動不羈，終不可作「江間波浪兼天湧，塞上風雲接地陰」平實語。足知絕律四句之說，牙行賺客語，皮下有血人不受他和哄。

又 門庭之外，更有數種惡詩：有似婦人者，有似衲子者，有似鄉塾師者，有似游食客者。婦人、衲子，非無小慧。塾師、游客，亦侈高談。但其識量不出鍼線、蔬筍、數米、量鹽、抽豐、告貸之中，古今上下，哀樂了不相關；卽令揣度言之，亦粤人咏雪，但言白冷而已。然此數者，亦有所自來，以爲依據。似婦人者，做《國風》而失其不淫之度；晉、宋以後，柔曼移於壯夫；近則王辰玉、譚友夏中之。似衲子者，其源自東晉來。鍾嶸謂陶令爲隱逸詩人之宗，亦以其量不弘而氣不勝，下此者可知已。自是而賈島固其本色；陳無己刻意冥搜，止墮虀鹽窠臼；近則鍾伯敬通身陷入；陳仲醇縱饒綺語，亦宋初九僧之流亞耳。似塾師、游客者，《衛風·北門》實爲作俑。彼所謂政散民流，誣上行私，而不可止者，夫子錄之，以著衛爲狄滅之因耳。陶公「飢來驅我去」，誤墮其中。杜陵不審，鼓其餘波；嗣後啼飢號寒，望門求索之子，奉爲羔雉，至陳昂、宋登春而醜穢極矣。學詩者一染此數家之習，白練受污，終不可復白，尙戒之哉！

又 豔詩有述歡好者，有述怨情者，《三百篇》亦所不廢。顧皆流覽而達其定情，非沈迷不反，以身爲妖冶之媒也。嗣是作者，如「荷葉羅裙一色裁」、「昨夜風開露井桃」，皆豔極而有所止。至如太白《烏棲曲》諸篇，則又寓意高遠，尤爲雅奏。其述怨情者，在漢人則有「青青河畔草，鬱鬱園中柳」，唐人則「閨中少婦不知愁」、「西宮夜靜百花香」，婉孌中自矜風軌。迨元、白起，而後將身化作妖冶女子，備述衾裯中醜態；杜牧之惡其蠱人心，敗風俗，欲施以典刑，非已甚也。近則湯義仍屢爲泚筆，而固不失雅步。唯譚友夏渾作青樓淫咬，鬚眉盡喪；潘之恒輩又無論已。《清商曲》起自晉、宋，蓋里巷淫哇，初非文人所作；猶今之《劈破玉》、《銀紐絲》耳。操觚者卽不惜廉隅，亦何至作《懊儂歌》、《子夜》、《讀曲》？

又 前所列諸惡詩，極矣；更有猥賤於此者，則詩傭者也。詩傭者，衰腐廣文，應上官之徵索，望門幕客，受主人之僱託也。彼皆不得已而爲之；而宗子相一流，得已不已，閑則翻書以求之，迫則傾腹以出之，攢眉叉手，自苦何爲？其法，姓氏、官爵、邑里、山川、寒暄、慶弔，各以類從；移易故實，就其腔殼；千篇一律，代人悲歡；迎頭便喝，結煞無餘；一起一伏，一虛一實，自詑全體無瑕，不知透心全死；風雅下游，至此而濁穢無加矣。宋以上未嘗有也。高廷禮作俑於先，宗子相承其衣鉢。凡爲傭者，得此以擿埴而行，而天下之言詩者，車載斗量矣。此可爲風雅痛哭者也。

又 咏物詩，齊、梁始多有之。其標格高下，猶畫之有匠作，有士氣。徵故實，寫色澤，廣比譬，雖極鏤繪之工，皆匠氣也。又其卑者，飣湊成篇，謎也，非詩也。李嶠稱「大手筆」，詠物尤其屬意之作，裁剪整齊，而生意索然，亦匠筆耳。至盛唐以後，始有即物達情之作。「自是寢園春薦後，非關御苑鳥銜殘」，貼切櫻桃，而句皆有意，所謂「正在阿堵中」也。「黄鶯弄不足，含入未央宮」，斷不可移咏梅、桃、李、杏，而超然玄遠，如九轉還丹，仙胎自孕矣。宋人於此茫然，愈工愈拙，非但「認桃無緑葉，道杏有青枝」爲可姍笑已也。嗣是作者，益趨匠畫。里耳喧傳，非俗不賞。袁凱以《白燕》得名，而「月明漢水初無影，雪滿梁園尚未歸」，按字求之，總成窒礙。高季廸《梅花》，非無雅韻，世所傳誦者，偏在「雪滿山中」、「月明林下」之句。徐文長、袁中郎皆以此衒巧。要之，文心不屬，何巧之有哉？杜陵《白小》諸篇，踸踔自尋別路，雖風韻不足，而如黄大癡寫景，蒼莽不羣。作者去彼取此，不猶善乎？禪家有三量，唯現量發光，爲依佛性；比量稍有不審，便入非量；况直從非量中施朱而赤，施粉而白，勺水洗之，無盬之色，敗露無餘，明眼人豈爲所欺邪？

又卷三《南窗漫記》 僧詩本不足拊於檜，曹之末。唐宋諸名髡，技止此耳，况今日哉？識量止於其域，大無能攝，微無能入也。余所見者僧法智一絶有云：「一步一花無別意，香來熏透破袈裟。」差爲蔬筍之雄。

黄生《詩麈》卷一 詩有古今諸體，初學未能遍攻，當先自近體始。近體有五、七言律，五、七言絶四種。元周伯弜《三體詩法》一書，差是津梁後學。顧第舉其大綱，而唐人字法、句法、對法、起法、收法，極盡變化，前人間亦拈及，惜未備未詳。予常遍加搜摘，列爲句圖，類聚而門分之，倘好事者爲一梓行，亦是補前賢所未逮也。

又 近代作七言律，亦有專主氣格，宗尚盛唐者。見非不卓，第矯枉過正，又如笨伯不能行動。大抵氣格固不可廢，風神亦不宜減，此在虛實之間，善自消息。氣格以主之，風神以運之，斯七言之上乘已。

又 絶句之起承轉合一如律詩，但絶八句爲四句而已。雖曰絶句，而律之性情規度自在，是故字句加少，含藴倍深。其體或對起，或對收，或兩對，或兩不對，格局既殊，法度亦變。對起者，其意必盡後二句。結收者，其意必作流水呼應。不然，則是不完之律。亦有不作流水者，必前二句已盡題意，此特涵詠以足之。兩對者後亦用流水，或前暗對而押韻使之不覺。亦有板對四句者，此多是漫興寫景而已。兩不對者，大抵以一句爲骨，餘三句盡顧此句；或在第一，或在第二，或在第三、四。亦有以兩句爲骨者。又有兩呼兩應者，亦分應，或各應，或錯綜應。又有前後兩截者，有一意直叙者，有前二句開説、後二句綰合者，有以倒叙爲章法者，有以錯綜爲章法者。惟此體最多變局，在人消息而善用之。

又 對起，如杜甫：「岐王宅裏尋常見，崔九堂前幾度聞。正是江南好風景，落花時節又逢君」（以後二句見意）。對收，如杜審言：「知君書記本翩翩，爲許從戎赴朔邊。紅粉樓中應計日，燕支山下莫經年」（流水呼應）。劉長卿：「昨日承恩宿未央，羅衣猶帶玉爐香。芙蓉帳小雲屏暗，楊柳風多水殿涼」（涵泳）。兩對，如長孫佐輔：「愁多不忍醒時別，想極還應靜處行。誰遣同衾又分手，不如行路本無情」（呼應）。押韻對起，如杜審言：「遲日園林悲昔遊，今春花鳥作邊愁。獨憐京國人南竄，不及湘江水北流」（呼應）。板對四句，如朱長文：「白雲深處見明月，黄葉落時聞搗衣。龍向洞中銜雨出，鳥從花裏帶香歸。」兩不對，如賈至：「紅粉當壚弱柳垂，金花臘酒解酴醾。笙歌日暮能留客，醉殺長安輕薄兒」（首句作骨）。李白：「楊花落盡子規啼，聞道龍標過五溪。我寄愁心與明月，隨風直到夜郎西」（次句作骨）。王昌齡：「昨夜風開露井桃，未央前殿月輪高。平陽歌舞新承寵，簾外春寒賜錦袍」（三句作骨）。杜牧：「銀燭秋光冷畫屏，輕羅小扇撲流螢。天街夜色涼如水，卧看牽牛織女星」（四句作骨）。韓翃：「春城無處不飛花，寒食東風御柳斜。日暮漢宮傳蠟燭，輕煙散入五侯家」（三、四作骨）。白居易：「帝子吹簫逐鳳凰，空餘仙洞號華陽。落花何處堪惆悵，頭白宮人掃影堂」（一、二作骨）。兩呼兩應，如李白：「故人西辭黄鶴樓，煙花三月下揚州。孤帆遠影碧空盡，惟見長江天際流」（一呼二應，三呼四應，此各應法）。王昌齡：「故園今在灞陵西，江畔逢君醉不迷。小弟鄰莊尚漁獵，一封書寄數行啼」（一呼三應，二呼四應，此分應法）。劉禹錫：「江南江北望煙波，入夜行人相應歌。桃葉傳情竹枝怨，水流無限月明多」（一呼四應，二呼三應，此錯綜應法）。前後兩截，如王昌齡：「寒雨連江夜入吳，平明送客楚山孤。洛陽親友如相問，一片冰心在玉壺」(前送客，後寄訊，分兩截)。一意直叙，如薛維翰：「白玉堂前一樹梅，今朝忽見數花開。兒家門戶重重閉，春色因何得入來。」前開後合，如王維：「新豐美酒斗十千，咸陽遊俠多少年。相逢意氣爲君飲，繫馬高樓垂柳邊」(一言酒，二言人，三、四始合說)。倒序，如楊貴妃：「羅袖動香香不已，紅蕖嫋嫋秋煙裏(此二句在後)。輕雲嶺上乍搖風，嫩柳池邊初拂水(此二句在前)。」(此詠舞也。舞者先緩拍，後催滾，故必作倒叙看始合。)錯叙，如白居易：「人道中秋明月好，欲邀同賞意如何。華陽洞中秋壇上，今夜清光此最多」(第二句當在後)。又如王昌齡：「眞成薄命久尋思，夢見君王覺後疑。火照西宮知夜飲(覺後)，分明復道承恩時(夢中)。」(此代言望幸之情也。「分明復道」云云，既而「火照」云云，夢中情事宛然。覺後猶疑非夢，展轉尋思，君思徒在夢中，豈非眞成薄命乎？此詩以四、三、二、一爲一、二、三、四，錯叙到底，是以千年來無人解此。)

又　嚴滄浪謂：「七律難於五律，五絕難於七絕。」近體四種，判若白黑，即唐人復起，不易其言。蓋七絕本七律而來，第主風神，不主氣格，故曰易。五絕則字句愈促，含蘊欲深，故曰難。然七絕主風神，是矣，或風神太露，意中言外無復餘地，則又失盛唐家法。故此體中、晚人多有妙者，直是風神太露，得在此，失亦在此。至如五絕，人多以小詩目之，故不求致工。然作家于此，務從小中見大，納須彌於芥子，現國土於毫端，以少許勝人多許。謂五絕難於七絕，豈欺我哉！

又　五言絕有兩種，有意盡而言止者，有言止而意不盡者。言止意不盡，深得味外之味。此從五言律而來，故爲五絕正格。意盡言止，則突然而起，斬然而住，中間更無委屈。此實樂府之遺音，故爲變調。

又　意盡言止，如：「打起黃鶯兒，莫敎枝上啼。啼時驚妾夢，不得到遼西。」(金昌緒)「那年離別日，只道往桐廬。桐廬人不見，今得廣州書。」(劉采春)「嫁得瞿唐賈，朝朝誤妾期。早知潮有信，嫁與弄潮兒。」(李益)此樂府之遺音也。言止意不盡，如：「玉籠薰繡裳，著罷眠洞房。不能春風裏，吹卻蘭麝香。」(崔國輔)如：「十年勞遠別，一笑喜相逢。又上青山去，青山千萬重。」(楊衡)「流水何太急，深宮盡日閑。殷勤謝紅葉，好去到人間。」(韓氏)此五絕之正格也。

又　律詩有規矩可循，有門徑可指。古詩則無規矩也，無門徑也。不過直陳其意之所以欲言而已。是故古人未嘗含毫吮墨，學焉而後能之也。緣其中有如是躍躍欲吐之意，可歌可舞可泣可涕之懷，然後發之於詩，期於能達其意而止。且有言止而意不盡者，蓋言之所陳有限，意之所蓄無窮，以有限之詞，寫無窮之意，故其爲詩淵以深，幽然以渺，使人遇之言詞之外，而不得索解於文字之中。且古之作者，其源皆自《三百篇》而來。雖規制有殊，而興比賦之義則無或異，是故假物見端，依類托寓，言在此而義在彼。原夫詩之爲道，感人以聲不以辭，喻人以志不以事，是故婉約而多風，優遊而不迫，非熟讀深思，固不能測其旨之所在也。漢魏尙已。江左以後，始事修辭，加之粉繪，以性情之事，爲文章之能，詩道所以日盛，即其所以日衰也歟！顔、謝興而事排偶，休文出而談聲病。唐人律體，始此濫觴。於是有句可摘，有字可賞，而規矩門徑亦由此而生焉。獨陳拾遺深病偶麗，毅然以復古爲倡，於是王、孟、儲、常、王(昌齡)、李(頎)、韋、柳諸賢繼起，而李、杜二公復大振厥聲。唐人復存古詩一派者，子昂之力也。

又　欲學古詩，當盡探古今作者源流，得其風概。取材於《選》，博趣于唐，主之以理，匠之以意，運之以機，會之以神，然後能出入變化，自成一家。初學之士，未易言此。第當約取古詩之佳者，錄成一帙，朝吟夕諷，耽玩既久，心手自能密移，如朱晦翁所謂：「方寸之中，無一字俗言語意思，則其爲詩，不期高遠而自高遠矣。」

又　古辭不知作者，用以合樂，謂之樂府。詞人所制，名氏著聞，謂之古詩。其聲情規度，故爾不同。然自六朝以後，詞人多有擬古樂府之作，則已混而爲一，莫可致辨矣。又有所謂騷體者，琴操者，皆樂府之別派。今但總命古體，以別於律詩云。

又　五言古，詩之根本也。其餘諸體，詩之枝葉也。蓋溯所從來，自《風》、《騷》而漢、魏，自漢、魏而盛唐，唐雖創爲近體，實奄有前代之規。屈指當時，宗工巨匠，古有兼工，律無獨勝。惟唐之士，才力寡薄，棄古不務，始專以近體鳴。由此觀之，則其難易之數可知，其本末之辨亦可知。後人畏難就易，故多攻律體，少制古風，非所謂知本者也。

又　大約五言古，句法不宜尖巧，須平實穩重；音節不宜近律詩，須切而響。七言古，高者易涉粗豪，卑者易流纖弱；須斟酌骨肉勻停，聲調和暢，始稱合作。

又卷二 古詩如渾金璞玉，雕鏤無煩，律詩如美錦珍裘，裁制匪易。古詩如老、莊之道貴自然，律詩如申、韓之治尚名法。古詩如李將軍刁斗不擊，律詩如程衛尉斥堠必嚴。古詩如青緑銅器，款識模糊，土花繡蝕，辨之有奇理，嗅之有古香；律詩如螺甸合子，底蓋周正，采飾陸離，合之則均匀，捫之則無迹。

又 古詩不可使肉勝骨，肉多而無骨，則古詩亡，齊、梁是也。律詩不可使骨勝肉，骨立而無肉，則律詩亡，宋是也。唐之古詩，反齊、梁而幹以風骨，故古詩復存。明之律詩，鑒宋而加以色澤，故律詩復振。

又 竊謂古詩之要在格，律詩之要在調，亦如遏雲社中所謂北力在絃，南力在板耳。絃可操縱於手，板不可遊移於腔。調可默運於手，格不能模範于古。唐人古詩，無有不從前代入者。子昂從阮入，王、孟、韋、柳從陶入，李頎、常建、王昌齡諸人從晉、宋入，太白從齊、梁入。獨老杜從漢、魏入，取法乎上，所以卓絕衆家。中唐諸子，其變斯極。長吉學《楚騷》不得而趨於詭僻，退之追《風》《雅》不及而逃於生峭。孟郊之苦吟，盧仝之狂囂，創不成創，因無所因。張、王樂府，時有遺聲。元、白唱酬，了無深致。要之皆彼善於此也。晚唐變無所復之，不得不專於近體，才力所限，豈可強哉！

又 晦翁《感興》詩，其源出陳子昂《感遇》。子昂《感遇》詩，其源出阮籍《詠懷》，自六朝詩道陵夷，競尚浮靡，至子昂一變，斂華就實，崇雅黜浮，古道振興，故獨爲晦翁所取。其《感興》諸詩，實擬《感遇》而作，在宋人固稱鐵中錚錚者。詩學與理學，固當別論，此非一語所能了。但晦翁實以理學兼詩學耳。就詩論詩，謂《感興》嗣響《感遇》則可，謂《三百》以後無詩，惟朱子《感興》可繼，非但言詩家不服，卽晦翁亦未必以爲然。使晦翁果以《風》《雅》自任，漢魏而後概從抹殺，何不徑學《三百》，乃推服近代之子昂，區區取其詩而擬之哉！蓋詩之爲道，不論古今諸體，但能比興深微，寄託高遠，有得於性情，有裨於世教，卽是《風》《雅》遺音。其合者固在工字琢句之外，而不工字琢句亦未必能合也。若不講淵源，不諳體制，率意吟諷，而曰「吾以歌詠性情而已」，惡其雕繪粉飾，喪其天眞爲？此近世道學先生所藉口，晦翁之詩正不如是。試取《感興》諸篇讀之，惟其力摹子昂，字矜句琢，氣度逼肖，故正學得而稱之。在正學已非通論，況執正學之一言，妄欲箝工詩者之口，非惟不知詩，亦並不知晦翁之詩，此道聽途說之士，何足與之深辯哉！

又 近體如馬之駕車，必六轡在手，而後能不失其弛。古體如風之使帆，朝發白帝，暮到江陵矣。蓋近體主格，古體主氣故也。然善御者，二十四蹄，投之所向，無不如意。舟憑風力，而水道之曲折，不致差錯，亦恃有舵。則主格而氣未嘗不存，主氣而格未嘗可廢也。

又 律詩貴立格局，古詩貴審音節。或疑二語似相反者。不知律詩有一定之矩，卽屬對，小兒稍知平仄者，音節亦能強諧。獨古詩既無八句之限，又無四聲之拘，非熟讀古人之詩，默會其宮商消息之妙而出之，則一篇之中，俄而漢、魏，俄而晉、宋，俄而齊、梁，且有非漢、非魏、非晉、非宋、非齊、非梁之音，雜厠其間，入口自能辨識。此學古詩者，不徒審其格局，而音節尤在所重也。

又 近體以琢對，故有句法。古體可以惟所欲言，然亦未嘗無句法也。古體句法，雖不用雕琢，然必揣摩其聲響，使呼應愜順。蓋謂不拘平仄，則多隨筆成句，句雖無病，調則有病。不知古詩雖無平仄，未嘗無聲響；聲響不應，則宜平而仄，宜仄而平，誦之自覺不合調矣。近體繩墨所拘，故病易見，亦易避。古詩反是，故病難見，非惟難見，亦難言，惟揣摩熟者自知之。今之爲古詩者，以爲不拘平仄，不用對偶，卽古詩矣。雖云古詩，仍是近體聲口。此未嘗著意揣摩故也。

又 擬古樂府，當相其題之時代，而以意消息之。雖不可太摹，亦不宜太遠。優孟衣冠，故非俊物；張公李帽，亦豈當行！

又 嘗語時流，律詩之體，兼古文、時文而有之。蓋五言八句，猶之乎四股八比也。今秀才爲詩，易有時文氣，而反不知學時文之起承轉合，可發一笑。至其拘於聲律，不得不生倒叙、省文、縮脈、映帶諸法，並與古文通一關捩。是故不知時文者，不可與言詩，不知古文者，尤不可與言詩。

毛先舒《詩辯坻》卷一 詩學流派，各有顓家，要其鼻祖，歸源《風》、《雅》。《風》、《雅》所衍，流別已夥，舉其巨族，厥有三支：一曰詩，二曰騷辭，三曰樂府。《離騷》興于戰國，其聲純楚，哀誹淫泆，類出《小雅》；而詳其堂構，不近詩篇，雖瓜瓞于古經，蓋別子而稱祖者也。後遂寖變爲賦，又其流矣。樂府興于漢孝武皇帝，曲可弦歌，調諧笙磬，《練日》奏于郊禋，《鷺茄》詔于玉帳。蓋以商、周《雅》、《頌》歌法失傳，故遺嚴、馬之徒維新厥製，已而才人辭士，下逮于閭巷閨襜，咸各有作，颸流濫焉。「昔有霍家奴」，雅留曲闋，「相逢狹路間」，燕女溺志，稾酌四詩，情亡不有。魏、晉相承，體緒頗雜，而並隸樂府，莫之或變。然周、秦歌謠及《鴻鵠》、《騅逝》諸作，併采入樂苑者，以類相景附云耳。至于唐世樂府，絶句爲多，而章句排齊，稍同文侯恐臥之響，故塡詞出焉。爾時但有小令，聽者苦盡，故宋人之慢調出焉。慢調者，長調也。金人欲易南腔爲北唱，故小變詞法，而弦索調出焉。然弦索調在塡詞爲長，在曲又嫌其短，故元人之套數出焉。元曲偏北而不媚南唱，故明興，則引信宋詞，拗旋元嗓，參伍二製，折衷九宮，而今南曲出焉。故漢初已彰樂府，六朝稍演絶句，唐世肇詞，宋時未亡而金已度北曲，元未亡而已見南曲。要皆萌芽，各入其昭代而始極盛耳。斯則樂府之統系，是《三百篇》之支庶也。若夫古詩，大約以五言爲準。何者？後代四言，率多窘縛，附庸三古，難起一宗。五言，西漢則《十九》、《河梁》，東京則伯喈、平子，建安則子建、仲宣，魏、晉則阮、陸、陶、謝，六代翩翩儁儷之風，四唐英英律絶之製。又既趨近體，則七言兼著。故其物章比興，辭班麗則，調務淵雅，旨放清穆，蕩樂府之詼褻，閑騷人之怨亂者，其惟詩乎？若乃詩有變風雅，而端木氏又別小大正續傳。予謂騷辭樂府，大約得于變傳爲多，而詩人有作，必貴緣夫《二南》、《正雅》、《三頌》之遺風，無邪精義，美萃于斯。是則六義之冢嫡，元音之大宗也。（《原系篇》）

又 樂府、古詩，相去不遠。然大抵古詩以和婉爲旨，以詳雅爲緒，以典則爲其辭。樂府以淫泆悽戾爲旨，以變亂爲緒，以俳諧詰屈爲其詞。古詩色尚清腴，其調尚優。樂府色尚穠，其調尚迅。古詩近于《三百篇》，樂府近于《楚騷》，所由蓋異矣。

又卷二 情語肇允，故原《三百》。大抵雍、岐篤貞，淇、洧煽淫，二者之中，仍判悰苦。《氓蚩》啓「唾井」之源，《綠衣》開宮詞之始，此哀之緒也。漢宮蹋臂，徵于「荇菜」，楊方《同聲》，亦本「弋雁」，此愉之端也。就玆二情，復有二體。其一專模情至，不假粉澤，搖魂洞魄，句短情多，始于「東薪」、「芍藥」，衍于《九歌》，暢于《清商》，至塡詞而極，此一派也。其一則鋪張衣被，刻畫眉頰，藻文雕句，寓志于辭，則始于《碩人》、《偕老》，靡于《二招》，流于《白紵》，至元曲而極，此一派也。李唐作者，不一其途，最者右丞聯會眞之韻，協律奏《惱公》之曲，檢校開西崑之製，承旨發無題之咏。颸流符會，餘弄未湮，故格有穠纖，旨有正變。識乖揚搉，概云擯于大雅，則無乃拙目之嗤歟！（《情語篇》）

又卷三 七言歌行，雖主氣勢，然須間出秀語，不得全豪；敘述情事，勿太明直，當使參差，更附景物，乃佳耳。唐代盧、駱組壯，沈、宋軒華，高、岑豪激而近質，李、杜紆佚而好變，元、白迤邐而詳盡，溫、李朦朧而綺密。陳其格律，校其高下，各有耑詣，不容斑雜。唯張、王樂府，最爲俚近，舉止釾露，不足效也。

又 詩至七言律，已底極變，既難空騁，又畏事累，大抵溫麗爲正，間令流逸，讀之表裏姸整，而風骨隱然。頗惡驅駕才勢，有心章彩；至于隸古事，寓評議，斯爲下風。唐初意盡句中，正用氣格爲高。盛唐境地稍流，而興溢章外，不妨媲美。作者取裁，舍是奚適？中葉翩翩，亦曲暢情興，必欲瓿覆大曆以下，似屬元美過差之談。至于李商隱而下，予不敢道之。七言絶起忌矜勢，太白多直抒旨啚，兩言後只用溢思作波掉，唱歎有餘響。拙手往往安排起法，欲留佳思在後作好，首既嚼蠟，後十四字中，地窄而舞拙，意滿而詞滯。古亦多用景物唱起，然須正意着景中令足，後來神韻自不匱耳。

又 次韻非古，今人每好作之；重字不妨古，而今每酷忌。蓋次韻始於元、白，微之《上令狐文公書》中自敘其故；而重字唐多有之，不止李藩之舉錢起也。沈存中云：「唐人雖小詩，莫不揉埏極工而後已。崔護詩『去年今日此門中，人面桃花相映紅。人面不知何處去，桃花依舊笑春風。』後以語未工，故第三句云『人面祇今何處去』，雖有兩『今』字，不惜也。」斯言得之。

李鄴嗣《杲堂文鈔》卷二《徐霜皐唱和詩序》 凡物之有聲，無不相和，而于人則爲詩。自《尚書》載君與臣相和，《詩》二《雅》述周中興諸將相相和，以至列國之風，陌夫巷婦，其聲俱若相和。然詩亡，屈大夫變爲騷經，宋玉諸人和之。漢初更立樂府，於是定爲相和曲。凡街陌謳謠，竝得採被絲竹，最爲近古，人遂因其所立曲名和之。及永嘉之亂，中朝舊音散佚，至流爲傖歌，而樂府亡。唐興，于詩爲極盛，一時大家以相和齊名甚多，而余所重若秦山人結廬高士峰，與劉文房相和；甫里陸先生與皮逸少爲文會之友，風雨翳薈，兩人未嘗不作詩，此尤和之佳者。至宋人更善和詩，子瞻高懷軼世，獨追和淵明于千載之上，其詩遂竝傳。由是知古今詩家，固未有單行者也。

又《萬季埜新樂府序》 詩之敎，以言志述事，陳美刺而驗時政得失，觀四方土俗異同，則雖言志之詩，無非述事也。《三百篇》而後，西漢尙爲近古，孝武皇帝時，始立樂府，命有司采詩夜誦，謂采取秦楚趙代間百姓謳謠，以考政教得失；其言未可卽宣露，故夜誦之，是則其所采之詩，多諷切時事可知矣；復極一時文士之選數十人，以司馬相如舉首，造爲詩賦，以饗天地宗廟，而班《志》所載，其篇可名者，惟《安世樂》十七章，《郊祀歌》十九章；其人可名者，惟唐山夫人、司馬長卿、匡丞相；其事可名者，惟獲宛馬、得鼎、芝生齋房，獲白麟赤雁，此俱侈揚功德，比于三頌，與風雅諷諫之義無與也。若他所載樂府，如鐃歌、奏愷之樂，而其詞翻云：轉鬬野死，若招國殤，與本題不合，其餘名篇，亦多不端不倫，莫測其義，至所采夜誦一時諷切之詩，絕不得見。始知西京制作，遭新莽蕩廢，在東漢已闕然，誠可嘆也！晉以後古意益亡，至唐杜工部以詩名世，于五言始有《出塞》、《留花門》、《垂老別》諸詩，七言始有《記麗人》、《王孫》、《悲陳陶》諸詩，其詞既工于古人諷切之義，復合獨出冠時，于是李公垂、元微之諸人，遂創爲新樂府，譏刺當時之事，而白太傅所撰五十篇最善，自《七德舞》《法曲》至《採詩官》，俱以諷諭爲體，可播于樂章，以至近世楊廉夫、李西涯諸公，亦有所作，爛然可觀，要皆變風雅之遺也。余閒居嘗與吾友萬季埜言，謂謝皐羽生于宋末，尙能追撰鐃歌騎吹之曲，意在揚厲國威，其義可取，因亦補作《鐃歌》十八曲，以竊附正雅，而文義膚薄，深愧古人；季埜則獨取三百年間朝事及士大夫品目，片言隻句，可撮爲題，俱系樂府一章，意存諷刺，以合于變風雅之義，雖其詞未卽方駕工部，而以前睎元、白，後當楊、李，則幾過之矣。或謂以季埜史學蓋世之才，不使纂成一朝之史，而徒取單文里句，造爲韻語，以寄諷當世，似近于識小，殊爲季埜惜之！余獨謂不然。詩以述事，其詩卽其史也。詩亡而史作，義本相貫，但有簡繁之分耳。季埜卽未及纂成一朝之史，而且以新樂府先之，是亦史之前驅也。先詩而後史，與祭先河而後海同。詩，其源也；史，則其委也。誦其詩者，卽可知季埜之史學矣。

汪琬《堯峰文鈔》卷二八《吳道賢詩小序》 毘陵吳生善畫而能詩，其畫山水宗北宋，而五言詩則出入中盛唐間。旣以其稿示予，予告之曰：鄧氏有言，有爲人也多文，雖有不曉畫者寡矣；其爲人也無文，雖有曉畫者寡矣。予於是知詩道之通於畫也。試以繪山水者論之，李思訓、王摩詰猶詩之有正宗也；荆浩、關仝、董源、李成猶李、杜諸大家也；范寬、郭熙猶唐大曆以後諸接武者也；郭恕先、米元章之流，往往於繩墨之外，自出胷臆，是爲逸品，其在韋、柳之間乎？唐詩之衰也，自長慶始；北宋之畫之衰也，自宣和始。長慶之言詩也，率皆巧於命意，工於措辭，愈工愈巧以趨一時之風尙，而詩於是乎始變矣。惟畫亦然。予雖不知生之畫，顧猶能知其詩，其立言也簡，其託興也長，澹泊雋永，庶幾乎韋、柳之苗裔者也。微逸品殆不足以命之。

又卷二九《張青琱詩集序》 昔賢論文有二體，有臺閣之體，有山林之體，惟詩亦然。鋪揚德伐，磊落而華贍者，臺閣之詩也；裵回景光，雕琢而纖巧者，山林之詩也。春容翺翔，澤於大雅者，臺閣之詩也；悲啍憤嘅，鄰於怨誹者，山林之詩也。是故王公大人之所賦，讀之如伐鼉鼓，如考鯨鏞，如撫琴瑟之和平，臺閣之詩也；騷人思婦之所吟，讀之如擊土壤，如叩瓦缶，如聞蝯鸁蟲鳴之淒淸，山林之詩也。有唐諸名家，若燕、許之巨麗，李、王、錢、劉之新逸，皆臺閣之詩之屬也；至於盧仝之怪奇，李長吉之刻削，孟郊、賈島之寒瘦，則山林之詩之屬也。爲臺閣諸體者，宜貴，宜壽考，宜大其設施於世；爲山林諸體者，宜不偶，宜不永年，宜無所表見而自放廢於寂莫之濵、浩蕩之墟。以此相士，大率皆然，獨於吾友張君青琱失之。青琱起家中翰，洊登曹郎，駸駸乎向用，其平生歷臺閣之日居多，舉凡見聞所經，興會所觸，無不寓之於詩，大章短什，傳頌士大夫之口。祭酒吳梅邨先生最善歌行，每推青琱長歌數千言，太息其不可幾及。所居與予比鄰，數用文字相角逐，青琱間出一篇，予未嘗不瞠目而擊節也。蓋其體實有合於所謂臺閣者，然而官不越郎署，年不及耄期，最後遂轗軻困頓以歿，何其宜壽而弗壽，宜貴而弗克大其設施與？

又卷三一《洞庭詩稾序》 釋氏之爲詩也，有詩人之詩焉，有禪人之詩焉。唐之皎然、靈徹，詩人之詩也；貫休、齊己，禪人之詩也。詩人之詩，所長盡於詩，而其詩皆工；禪人之詩，不必其皆工也，而所長亦不盡於詩。所長盡於詩者，以其詩傳；不盡於詩者，則以其道與其詩並傳。故皎然、靈徹、貫休、齊己之作，聲聞相頡頏於後世，莫之能優劣也。

又《姚氏長短句序》 詞與詩類乎？曰不類。詩本於《三百篇》，以溫柔敦厚爲教者也，其後雖不盡然，然上之可以徵治忽，次之可以示勸懲，猶有風雅頌之遺焉。若詞則不足與於此矣。然則能詩與能詞者有異乎？曰否。李太白，詩人之正宗也，而工於詞；歐陽永叔、蘇子瞻，數百年以來所推文章大家也，而工於詞；至於黄魯直、秦少游、周美成之屬，亦無不詩詞兼擅者。古之名公鉅卿，下訖騷人墨士，既以其遠且大者舒而見之於詩矣，顧又出其餘力，組織纖艷之文，流連閨房之境，倚聲而發之，用以侑杯酌，佐笙簫，號爲詩餘。未有能詩而不能其餘者也。

又卷三八《題楊柳枝詞後》 楊柳枝詞，七言絶句體，雖權輿於白尚書樂天，而實原本《風雅》。後之人既相與師承其意，又從而變易其體，而推廣言之，是故有言離别者，即《詩》「昔我往矣，楊柳依依」之意也；有言閨房男女者，即《詩》「東門之楊，其葉牂牂」之意也；有感身世之仳離，上借之以示諷刺，次借之以自鳴其不偶者，即《詩》「折柳樊圃，狂夫瞿瞿」、「菀彼柳斯，鳴蜩嘒嘒」、「有菀者柳，不尚息焉」之類之意也。其間或興或比，所以師承風雅，而寄意於楊柳者，其旨趣固顯然明白，讀者可以吟諷紬繹，而怳然遇之於不言之表者也。特其體與《風雅》異爾，若其意則未嘗異也。近世後生淺學不能詩者，往往敢爲大言，鄙此詞近於兒女子之語，而傲睨以爲不屑爲。果如此也，則《三百篇》之内諸詩咏楊柳者具在，孔子何故不删？而自漢以來，諸儒之傳箋訓詁者，亦何故尊之爲經，使得廁於風雅之列，而又相與師承之乎？

陳維崧《迦陵文集》卷四《與宋尚木論詩書》 夫詩，一貴於境地，二貴於音節。音節圓亮，七律便屬長城；境地縹緲，七古乃爲合作。昔者仲嘿明月一叙，深慨長歌一道，杜陵不如四子；僕初守此議，竊效季路終身，既而思之，終有未盡必也。静如玉潔，動若璣馳，徘徊要眇，便娟依遲。譬之大海安瀾，澄瑩皎徹，明鏡如拭，千里一色；繼則魚龍夭矯，珊瑚絡驛，鮫人怪物，波委雲屬於其際；卒之江妃一笑，萬象杳冥，老子猶龍，成連移我矣。若夫七律起伏安頓，承接照應，八句之中，情事互宣；七字之中，波瀾莫貳。忽然而始，不知所自；卒然而止，不知所往。抑揚濃淡，反覆悠長，要而論之，七律之佳者，必其可歌者也。其不可歌者，必其音節有不安也。游魚出聽，牧馬仰秣，又何爲哉？是以僕於七律，一忌拗韻，恐傷氣也；一忌和韻，恐傷格也；一忌七言排律，恐傷篇法也。凡此數者，格守高曾，奉爲禘祫，足下聞之，頗以爲然否？

邵長蘅《青門簏稿》卷七《古樂府鈔序》 古者太史陳詩，太師肄之，而被之鐘磬筦絃，故《詩》三百五篇，大抵皆古樂章也。漢承秦亂，雅樂失傳，詩與樂分矣。于是始立樂府，高祖唐山夫人作《房中樂》十六章，夏侯寬備其簫管，更名《安世樂》；而平調、清調、瑟調，本皆房中曲遺聲，謂之相和，是南之變也。漢樂有簫笳者，爲鼓吹，用之朝會；道路有鼓角者，爲横吹，用之軍中馬上；又有梁鼓角横吹，有隋四部鼓吹，而舞曲則有雅舞雜舞，皆雅之變也。武帝祀甘泉，祭汾陰，以李延年爲協律都尉，舉司馬相如等數十人略定律吕，作十九章之歌，以正月上辛用事。晋宋以還，並撰詩章，登歌郊廟，是頌之變也。其它有引、有行、有吟、有歎、有怨，皆詩人六義之餘，江左，中原既殊謠俗，吳歌、西曲遞有新聲，樂府沿流于兹極已。故《三百篇》一變爲樂府，然樂府盛而《三百篇》亡，非《三百篇》亡也，其音亡也；樂府再變爲詞曲，然詞曲盛而古樂府又亡，非古樂府亡也，其音亡也。自兹以降，摹古者襲其體，掞藻者擒其辭，博雅者資其事；太白仍古題而創調，子美緣時事而創題；張、王之質，長吉之奇，廉夫之詠史，以至獻吉、元美諸公遞相規摹，然皆文人學士鉛槧之業，留連篇什之助，而聲音之道微已。故唐人之擬樂府，離也，并音與調與辭而離之者也；明人之擬樂府，合而離也，并音與調而離之，其合者，辭而已，猶之乎離也。

郎廷極《集唐要法·集唐總要》 詩必宗唐，故集詩亦必集唐。若合歷代之詩集之，不惟太易，且人名句子，人不能盡知，或有疑其假僞，亦難以致辨也。集唐又必以七律爲尚。以句子長則屬對難，可以見人心巧耳。若唐之五言，句短詩繁，亦似乎太易，可以不集。若專集一家之詩，則莫如集杜矣。全首須每一人湊集而成，若一人用其兩句，雖各自一首，亦宜避之。集詩之家每患字面犯重，或句法不對，遂將古人原句改换一二字，此自欺以欺人，斷宜深戒。集詩往往難於作詩，然亦須敏捷爲主，若太費心力，良久而始成篇，反不如作詩之簡便矣。

又《分句總要》 集唐既以七律爲尚矣。然唐詩豈能盡讀，縱讀亦不能熟記字句，間稍有涉疑，即不敢用，故特設一簡便易尋之法：每句拆散，錄成二篇，平句則分韻，仄句則分類，斯眞集句之金針也。七律詞格務須整齊和洽。故凡古詩、詩餘以及單詞隻句，有可入律者，皆所不遺。惟古律拗句及詞中纖豔之句，皆置不錄。感時傷事之句，本屬無用，然或憑弔古跡，亦所必需，特略加刪汰，蓋亦存而不論也。神仙鬼怪之詩，雖多不經，然亦大概文人所造，未可盡棄，其有唐時人降乩于後代者，斯無取焉。有一句而兩三人互見者，恐致混合，仍註明一作某某字樣。凡句中有一字、二三字並寫者，皆別集互異之句，得此更可通融。小註節錄全題，庶句子易解，其有詠一事一物者，雖題所無，亦必酌入。

又《平句分韻法》 詩家法度全在第二字平仄，故每韻以此分作兩起，仄句分類亦然。庶集者易於尋覓。韻句第七字有一作某，必另錄一句，分入別韻。

又《仄句分類法》 仄句分類，以第一字爲主，列爲十門：曰「方位」、曰「數目」、曰「珍采」、曰「名號」、曰「實字」、曰「活字」、曰「虛字」、曰「駢字」、曰「截分」、曰「重疊」。每類亦以第二字平仄分作兩起。自「方位」至「虛字」七門，皆分「頓住」、「側落」三類。第二字連上謂之「頓住」，第二字趨下謂之「側落」。聯上之字俱以類編排，趨下之字無分先後，總以第一字爲主。方位字甚少，古人於「上」、「中」等字已皆通用。數目近似之字甚多，如「聯」「疊」「獨」「孤」「層」「並」「多」「列」「叢」「累」之屬皆是。然與本門終屬不稱，今略存一二，臨用自可以別門酌取也。珍寶字本與采色互用，故以「珍采」二字統爲一門。名號對句原可不拘字面，然古人亦尚工整，今皆依類附入各門，非故於本門缺略也。如干支、卦名、星宿名(角、亢、氐、房之屬)、五行、八音，皆名號也，皆可爲對。實字統類甚廣，如倫類(神、仙、鬼、怪、魂、魄等附)、身體(羽、鬣、鱗、甲等附)、天象(烟、火、烽、燧等附)、歲時(今、昔、頃、曩等附)、地輿(塵、埃、泥、沙等附)、宮室(宸御之御，概叙於宮室之首)、服食、器用、藝習(如耕、織、漁、釣之屬)、文詞、事迹(如聲、色、氣、味、情、事、影、光、功、德之屬，此類字系半虛半實)暨草木(先叙總，如草、木、花、葉之屬，後叙名，如蘭、菊、松、竹之屬)鳥獸蟲魚之類皆是。今此皆依次排類。實字頓住分上、中、下三類者，上以實字接，中以方位字接，下以虛活字接。此除駢字以下三門盡然。但以實字繁多，特爲分晰，非有異同也。活字亦最雜，系首二字相爲鎖合，如雲曰觀雲，水曰挹水是也。亦有似鎖合而非鎖合者，如行雲流水，落花飛鳥亦附焉。此一門已介在虛實間。如杜詩「寒(實字)沙蒙薄霧，落(活字)月去清波」，「情(實字)人來石上，鮮(虛字)繪出江中」，「晚(實字)涼看洗馬，森(虛字)木亂鳴蟬」，「瘦(虛字)地翻宜粟(粟)，陽(實字)坡可種瓜」，「繫(活字)舟今夜遠，清(虛字)漏往時同」，「至今(活字)勞聖主，何以(虛字)報皇天」，「別(活字)筵花欲暮，春(實字)日鬢俱蒼」，皆可互參。虛字先叙摹擬之字，如靜、閑、高、秀之屬爲上，次叙助詞及一切不甚著力者，如不、莫、亦、將、他、何、敢、可之屬爲下。各門頓住之第二字，皆依實字門第一字排次，而以活、虛二門字終之。其間亦有接方位、數目、珍采、名號字者，槩列於身體之後，天象之前，或小有互異，亦祇酌量於多寡輕重間，非有矛盾也。駢字統首二字而言，此與上各門單主第一字者不同。蓋謂兩字自相爲對者，字義有實，有虛，有雙開(實如風雪、草木，虛如高華、濃麗)，有兩反(實如霄壤、古今，虛如早晚、得失)，有同體(實如蓬萊、闔閭，虛如窈窕、逶迤)，今總一類，分先後。如杜詩「四十明朝是，飛騰暮影斜」，「芳菲緣岸圃，樵爨倚灘舟」，本不論虛實也。截分係上四字兩截平分者，雖有數類屬對，正自不拘。重疊字先叙接聯，次叙間隔，每一小類平仄並叙，以其爲板定之句，覓對時此類既無不用，更求他類也。難少謂難對、少對之句。其不附入前各門者，總欲省尋對目力。若第七句仍可用之，故附於末(截分重疊，不入難少)。句首二字有一作某某者，若非本類，亦必另錄，分入別門。集唐正如將兵，多多益善也。仄句十門，分類甚板，須知通用之法，如杜詩：「永(虛字)夜角聲悲自語，中(方位)天月色好誰看」，「竟日(活字)淹留佳客坐，百(數目)年粗糲腐儒餐」，「扁(虛字)舟不獨如張翰，皂(珍采)帽應兼似管寧」，「青(珍采)松恨不高千尺，惡(虛字)竹應須斬萬竿」，「宛馬(名號)總肥春苜蓿，將軍(入活字)只數霍嫖姚」，「春(實字)風自信牙檣動，遲(虛字)日徐看錦纜牽」，「此(虛字)時對雪遙相憶，送客(活字)逢春可自由」，「信宿(本駢字)漁人還泛泛，清(虛字)秋燕子故飛飛」，「古(虛字，亦可作實)廟松杉巢水鶴，歲(駢字)時伏臘走村翁」，「晚(實字)節漸於詩律細，誰(虛字)家數去酒杯寬」，「棋局(實字貫)動隨幽澗竹，袈裟(駢字)憶上泛湖船」，此皆各門互對，神而明之，無庸刻舟求劍也。頓住以兩字聯或第一字不對，尚可以第二字類合，若側落止以第一字爲主，雖各門亦可互對，然稍緊嚴矣。熟讀唐詩，自能明曉。杜詩：「晨鐘雲外濕，勝地石堂偏。」(第一字、第四字)「不返青絲鞚，虛燒夜燭花。」(第三字)「談笑無河北，心肝奉至尊。」(下二字)「歸羨遼東鶴，吟同楚執珪」(下三字)此皆不拘字面，在作詩者亦自偶然。今既集唐，對仗仍須工整，不得援此爲例也。

又《成詩要略》 集唐先將起二句定局，隨卽選用四、六二句，依類覓對，自無不遇。六句完好，然後先定第七句，而於韻中覓第八。或卽先定第八句，而於類中覓第七句，總可隨意也。集唐重字概不能免，虛字或可不論，若實字犯重，必須更換。仄句分類，原爲中聯對句，得此不難，然律詩第七句概有蹊徑，如「今日」、「明朝」、「借問」、「寄言」、「共道」、「誰知」、「應憐」、「遙想」之屬，今皆聚於一處，六句集完，應以何者爲接亦轉卷卽是矣。覓對句時，常有天然配偶，偏於現在所拈之題不切者，此未可委棄。當另存之，久而成帙，是亦枕中之秘也。是編人但知分韻分仄句是矣。今每韻以第二字分平仄兩起，則定句最爲簡便。至仄句，以第一字分爲十門，又以第二字分頓住、側落、兩起、就中，仍依類排次，尋求尤易。集唐肯綮，約略盡之矣。每見好爲誇衒者，必曰：「熟讀唐詩，不必對本尋覓，心思所及，成句自來，惟吾驅使。」此事理之所必無而斷乎不能者，蓋空中構運，或可成截句，若律詩必如此法，乃爲省力，且免差訛牽率之病。予願從事集唐者切勿爲大言所惑。

葉燮《原詩·外篇》 應酬詩有時亦不得不作。雖是客料生活，然須見是我去應酬他，不是人人可將去應酬他者。如此，便於客中見主，不失自家體段，自然有性有情，非幕下客及捉刀人所得代爲也。每見時人，一部集中，應酬居什九有餘，他作居什一不足。以題張集，以詩張題，而我喪我久矣。不知是其人之詩乎？抑他人之詩乎？若懲噎而廢食，盡去應酬詩不作，而卒不可去也。須知題是應酬，詩自我作，思過半矣。

又 遊覽詩切不可作應酬山水語。如一幅畫圖，名手各各自有筆法，不可錯雜；又名山五岳，亦各各自有性情氣象，不可移換。作詩者以此二種心法，默契神會，又須步步不可忘我是遊山人，然後山水之性情氣象，種種狀貌、變態、影響，皆從我目所見、耳所聽、足所履而出，是之謂遊覽。且天地之生是山水也，其幽遠奇險，天地亦不能自剖其妙；自有此人之耳目手足一歷之，而山水之妙始洩，如此方無愧於遊覽，方無愧乎遊覽之詩。

又 何景明與李夢陽書，縱論歷代之詩而上下是非之。其規夢陽也，則曰：「近詩以盛唐爲尙。宋人似蒼老而實疎鹵，元人似秀俊而實淺俗。今僕詩不免元習，而空同近作，間入於宋。」夫尊初、盛唐而嚴斥宋元者，何李之壇坫也，自當無一字一句入宋元界分上；乃景明之言如此，豈陽斥之而陰竊之，陽尊之而陰離之邪？且李不讀唐以後書，何得有宋詩入其目中而似之邪？將未嘗寓目，自爲遙契脗合，則此心此理之同，其又可盡非邪？既已似宋，則自知之明且不有，何妄進退前人邪？其故不可解也。竊以爲李之斥唐以後之作者，非能深入其人之心，而洞伐其髓也；亦僅髣髴皮毛形似之間，但欲高自位置，以立門戶，壓倒唐以後作者。而不知已飲食之，而役隸於其家矣！李與何彼唱予和，互相標榜，而其言如此，亦見誠之不可揜也。由是言之，則凡好爲高論大言，故作欺人之語，而終不可以自欺也夫！

又 從來論詩者，大約伸唐而絀宋。有謂「唐人以詩爲詩，主性情，於《三百篇》爲近；宋人以文爲詩，主議論，於《三百篇》爲遠」。何言之謬也！唐人詩有議論者，杜甫是也，杜五言古，議論尤多。長篇如《赴奉先縣詠懷》、《北征》及《八哀》等作，何首無議論！而以議論歸宋人，何歟？彼先不知何者是議論，何者爲非議論，而妄分時代邪！且《三百篇》中，《二雅》爲議論者，正自不少。彼先不知《三百篇》，安能知後人之詩也！如言宋人以文爲詩，則李白樂府長短句，何嘗非文！杜甫前、後《出塞》及《潼關吏》等篇，其中豈無似文之句！爲此言者，不但未見宋詩，並未見唐詩。村學究道聽耳食，竊一言以詫新奇，此等之論是也。

又 五古漢魏無轉韻者，至晉以後漸多。唐時五古長篇，大都轉韻矣；惟杜甫五古，終集無轉韻者。畢竟以不轉韻者爲得。韓愈亦然。如杜《北征》等篇，若一轉韻，首尾便覺索然無味。且轉韻便似另爲一首，而氣不屬矣。五言樂府，或數句一轉韻，或四句一轉韻，此又不可泥。樂府被管絃，自有音節，於轉韻見宛轉相生層次之妙。若寫懷、投贈之作，自宜一韻，方見首尾聯屬。宋人五古，不轉韻者多，爲得之。

又 七古終篇一韻，唐初絕少，盛唐間有之，杜則十有二三，韓則十居八九。逮於宋，七古不轉韻者益多。初唐四句一轉韻，轉必蟬聯雙承而下，此猶是古樂府體。何景明稱其「音韻可歌」，此言得之而實非。七古卽景卽物，正格也。盛唐七古，始能變化錯綜。蓋七古：直叙則無生動波瀾，如平蕪一望；縱橫則錯亂無條貫，如一屋散錢；有意作起伏照應，仍失之板；無意信手出之，又苦無章法矣。此七古之難，難尤在轉韻也。若終篇一韻，全在筆力能舉之，藏直敘於縱橫中，既不患錯亂，又不覺其平蕪，似較轉韻差易。韓之才無所不可，而爲此者，避虛而走實，任力而不任巧，實啓其易也。至如杜之《哀王孫》，終篇一韻，變化波瀾，層層掉換，竟似逐段換韻者。七古能事，至斯已極，非學者所易步趨耳。

又《燕歌行》學「柏梁體」。七言句句叶韻不轉，此樂府體則可耳。後人作七古，亦間用此體，節促而意短，通篇竟似湊句，毫無意味，可勿傚也。二句一轉韻，亦覺局促。大約七古轉韻，多寡長短，須行所不得不行，轉所不得不轉，方是匠心經營處。若曰：「柏梁體」並非樂府，何不可效爲之？「柏梁體」是衆手攢爲之耳，出於一手，豈亦如各人之自寫一句乎？必以爲古而效之，是以虞廷「喜」「起」之歌，律今日詩也。

又杜甫七言長篇，變化神妙，極慘淡經營之奇。就《贈曹將軍丹青引》一篇論之：起手「將軍魏武之子孫」四句，如天半奇峰，拔地陡起。他人於此下便欲接「丹青」等語，用轉韻矣。忽接「學書」二句，又接「老至」「浮雲」二句，卻不轉韻，誦之殊覺緩而無謂。然一起奇峰高插，使又連一峰，將來如何撒手？故即跌下陂陀，沙礫石确，使人褰裳委步，無可盤桓。故作畫蛇添足，拖沓迤邐，是遙望中峰地步。接「開元引見」二句，方轉入曹將軍正面。他人於此下，又便寫御馬「玉花驄」矣。接「淩烟」「下筆」二句，蓋將軍丹青是主，先以學書作賓；轉韻畫馬是主，又先以畫功臣作賓。章法經營，極奇而整。此下似宜急轉韻入畫馬。又不轉韻，接「良相」「猛士」四句，賓中之賓，益覺無謂。不知其層次養局，故紆折其途，以漸升極高極峻處，令人目前忽劃然天開也。至此方入畫馬正面，一韻八句，連峰互映，萬笏淩霄，是中峰絕頂處。轉韻接「玉花」「御榻」四句，峰勢稍平，蜿蟺遊衍出之。忽接「弟子韓幹」四句。他人於此必轉韻，更將韓幹作排場。仍不轉韻，以韓幹作找足語。蓋此處不當更以賓作排場，重複掩主，便失體段。然後永歎將軍善畫，包羅收拾，以感慨係之篇終焉。章法如此，極森嚴，極整暇。余論作詩者不必言法，而言此篇之法如是，何也？不知杜此等篇，得之於心，應之於手，有化工而無人力，如夫子從心不踰之矩，可得以教人否乎！使學者首首印此篇以操觚，則窒板拘牽，不成章矣。決非章句之儒，人功所能授受也。

又蘇轍云：「《大雅・綿》之八九章，事文不相屬，而脈絡自一，最得爲文高致。」轍此言譏白居易長篇拙於叙事，寸步不遺，不得詩人法。然此不獨切於白也；大凡七古必須事文不相屬，而脈絡自一。唐人合此者，亦未能概得。惟杜則無所不可。亦有事文相屬，而變化縱橫，略無痕迹，竟似不相屬者。非高、岑、王所能幾及也。

又七言絕句，古今推李白、王昌齡。李俊爽，王含蓄。兩人辭、調、意俱不同，各有至處。李商隱七絕，寄托深而措辭婉，實可空百代無其匹也。王世貞曰：「七言絕句，盛唐主氣，氣完而意不盡；中、晚唐主意，意工而氣不甚完，然各有至者。」斯言爲能持平。然盛唐主氣之說，謂李則可耳，他人不盡然也。宋人七絕，種族各別，然出奇入幽，不可端倪處，竟有軼駕唐人者。若必曰唐，曰供奉，曰龍標以律之，則失之矣。

又杜七絕輪囷奇矯，不可名狀。在杜集中，另是一格。宋人大概學之。宋人七絕，大約學杜者什六七，學李商隱者什三四。

又七言律詩，是第一棘手難入法門。融各體之法、各種之意，括而包之於八句。是八句者，詩家總持三昧之門也。乃初學者往往以之爲入門，而不知其難。三家村中稱詩人，出其稿，必有律詩數十首。故近來詩之亡也，先亡乎律。律之亡也，在易視之而不知其難。難易不知，安知是與非乎？故於一部大集中，信手拈其七言八句一首觀之，便可以知其詩之存與亡矣。

又五言律句，裝上兩字即七言；七言律句，或截去頭上兩字，或抉去中間兩字，即五言：此近來詩人通行之妙法也！又七言一句，其辭意算來只得六字。六字不可以句也，不拘於上下中間嵌入一字，而句成矣。句成而詩成，居然膾炙人口矣！又凡詩中活套，如「剩有」「無那」「試看」「莫教」「空使」「還令」等救急字眼，不可屈指數，無處不可扯來，安頭找脚。無怪乎七言律詩，漫天徧地也！夫「剩有」「無那」等字眼，古人用之，未嘗不是玉尺金針，無如點金成鐵手用之，反不如牛溲馬勃之可奏效。噫，亦可歎已！

又五言排律，近時作者動必數十韻，大約用之稱功頌德者居多。其稱頌處，必極冠冕闊大，多取之當事公卿大人先生高閎扁額上四字句，不拘上下中間，添足一字，便是五言彈丸佳句矣！排律如前半頌揚，後半自謙，杜集中亦有一二。今人守此法，而決不敢變。善於學杜者，其在斯乎？

又《己畦文集》卷八《赤霞樓詩集序》理一而已，而天地之事與物有萬，持一理以行乎其中，宜若有格而不通者，而實無不可通，則事與物之情狀，不能外乎理也。昔者聖人既教人志乎道矣，而又推之以游藝，夫射御書數，似乎技術之末，然其理無不爲道所該，故卽一可以見其全。如庖丁之解牛，郢匠之斲輪，以至承蜩弄丸之末技，皆有此理之極致，以運乎其中，道無二也。吾嘗謂凡藝之類多端，而能盡天地萬事萬物之情狀者，莫如畫。彼其山水雲霞，林木鳥獸，城郭宮室，以及人士男女，老少妍媸，器具服玩，甚至狀貌之憂離歡樂，凡遇於目，感於心，傳之於手而爲象，惟畫則然，大可籠萬有，小可析毫末，而爲有形者所不能遁。吾又以謂盡天地萬事萬物之情狀者，又莫如詩。彼其山水雲霞，人士男女，憂離歡樂等類而外，更有雷鳴風動，鳥啼蟲吟，歌哭言笑，凡觸於目，入於耳，會於心，宣之於口而爲言，惟詩則然，其籠萬有，析毫末，而爲有情者所不能遁。昔人評王維之畫曰：「畫中有詩。」又評王維之詩曰：「詩中有畫。」由是言之，則畫與詩，初無二道也。然吾以爲何不云摩詰之詩卽畫，摩詰之畫卽詩，又何必論其中之有無哉？故畫者，天地無聲之詩；詩者，天地無色之畫。

王士禛《帶經堂詩話》卷一　夫古詩，難言也。《詩》三百篇中「何不日鼓瑟」，「誰謂雀無角」，「老馬反爲駒」之類，始爲五言權輿。至蘇李、《十九首》，體製大備。自後作者日衆，唯曹子建、阮嗣宗、左太沖、郭景純數公，最爲挺出。江左以降，淵明獨爲近古，康樂以下其變也。唐則陳拾遺、李翰林、韋左司、柳柳州獨稱復古，少陵以下又其變也。綜而論之，則劉勰所謂「結體散文，直而不野」，「漢人之作，夐不可追」，「慷慨磊落，清峻遙深」，魏晉作者，抑其次也；「極貌寫物，窮力追新」，宋初以還，文勝而質衰矣。

又　盛唐諸公五言之妙，多本阮籍、郭璞、陶潛、謝靈運、謝朓、江淹、何遜；邊塞之作則出鮑照、吳筠也。唐人於六朝，率攬其菁華，汰其蕪蔓，可爲學古者之法。

又　《炙轂錄》云：「歌、行、引本一曲爾，一曲中有此三節：凡始發聲謂之引；引者，導引也。既引矣，其聲稍放，故謂之行；行者，其聲行也。既行矣，於是聲音遂縱，所謂歌也。唯一曲備三節，故引自引，行自行，歌自歌，其音節有緩急，而文義有終始，故不同也。正如大曲有入破、滾煞之類。今詩家分之，各自成曲，故謂之樂府，無復異製矣。」又姜白石《詩說》云：「載始末曰引，體如行書曰行，放情曰歌，兼之曰歌行，悲如蛩螿曰吟，通乎俚俗曰謠，委曲盡情曰曲。」

又　《捫蝨新話》云：「琴有古人之雅琴，頌琴。蓋古之爲琴，皆以歌乎詩，古之雅頌，卽今之琴操耳。舜《南風歌》，楚《白雪辭》本合歌舞。漢高帝《大風歌》，項王《垓下歌》亦入琴曲。今琴家遂有《大風起》、《力拔山》操。文中子與楊素、蘇瓊、李德林語，歸而援琴鼓《蕩之什》，乃知其聲至隋末猶存。」予嘗不解雅琴、頌琴之義，見此了然，然不知何以獨不言風耳。

又　《西京雜記》：「戚夫人善鼓瑟擊筑，歌《出塞》、《入塞》、《望歸》之曲。」此遠在《十九首》、蘇李之前，漢詩最古者，唯此及《安世房中歌》耳。《晉樂志》以爲李延年造，不知何據。今在樂府横吹。郭茂倩《樂府詩》所載，則始六朝劉孝標、王褒諸人，而古辭不傳，可惜也。

又　《玉堂嘉話》：「《柘枝舞》本《拓拔舞》，金人以名不佳，改之。」按：《樂府雜錄》，健舞曲有《柘枝》，軟舞曲有《屈柘》。《樂苑》，羽調有《柘枝曲》，商調有《屈柘枝》，舞因曲爲名。又雜見《教坊記》、《羯鼓錄》。唐沈亞之《柘枝賦》云：「《柘枝》信其多妍。」其本曲首句七字，第二、第三句皆五字，第四句復七字。薛能有三首，止是五言六句。溫庭筠《屈柘詞》，所謂「楊柳縈橋綠，玫瑰拂地紅」，則五言律詩也。《柘枝》自唐世已盛傳，烏得云自金人始耶？

又　《玉堂嘉話》頗多舛謬，如云：「《柘枝舞》本《拓拔舞》，金人以名不佳，改之。」按：《樂府雜錄》：「健舞曲有《柘枝》，軟舞曲有《屈柘》。」《樂苑》：「羽調有《柘枝曲》，商調有《屈柘枝》。」又雜見《教坊記》諸書。唐沈亞之賦云：「《柘枝》信其多妍。」薛能有《柘枝詩》，溫岐有《屈柘詞》。《柘枝》自唐世已盛傳，烏得云金人改名耶？

又　《容齋隨筆》載樂府有《白鴿鹽》、《神雀鹽》，卽《昔昔鹽》、《刮骨鹽》之類。

又　《琵琶錄》云：「羽調《綠腰》。」注云：「卽《錄要》也。本自樂工進曲，上令錄出要者，以爲名，誤爲《綠腰》也。」白樂天詩注又譌爲《六幺》。乃其曲又有高平仙呂，非羽調。吳楚材《彊識略》云然。

又　沈約云：「樂人以音聲相傳，訓詁不復可解。凡古樂錄，大字是辭，細字是聲，聲辭合寫，故致然爾。」此言甚明白。故今人強儗漢《鐃歌》等篇，必不可也。

又　漢樂府鼓吹二十二曲，今所存《朱鷺》已下是也。魏繆襲、吳韋昭、晉傅玄皆儗之，率淺俗無復古意，其詞尤多狂詩。如昭之《關背德》，襲之《平南荆》，玄之《宣受命》、《唯庸蜀》等篇，猖猖狂吠，讀之髮指。而左克明、郭茂倩皆取以附漢曲之後，何其謬也！無已，寧取柳宗元、謝翺耳。樂府古詩不必輕擬。滄溟諸賢病正坐此。前人擬古，莫妙於陸機、江淹。馮班云：「江、陸擬古詩，如搏猛虎，捉生龍，急與之角，力不暇，氣格悉敵。今人擬古，如牀上安牀，但覺怯處，種種不逮。」此論良是。若傅玄《豔歌行》云：「一顧傾朝市，再顧國爲墟。」呆拙之甚，所謂點金成鐵手也。王弇州云：「平子《四愁》，千古絶唱。傅玄擬之，致不足言，是笑資耳。」玄又有《日出東南隅》一篇，汰去菁英，竊其常語。尤可厭者，本詞『使君自有婦，羅敷自有夫』，綽有餘味，乃益以『天地正位』之語，正如低措大記舊文不全，時以己意續貂，罰飲墨水一斗可也。」諒哉！

又　鄭漁仲曰：「繼三代之作者，樂府也。樂府之作，宛同風雅。今之行於世者，章句雖存，聲樂無用。崔豹之徒，以義説名；吴兢之徒，以事解目。蓋聲失則義起，樂府之道幾乎熄矣。」此言樂府原爲詩樂之用，而事義則必有所由起，均不可廢也。愚謂風雅之後有樂府，如唐詩之後有詞曲。聲聽之變，有所必趨；情辭之遷，有所必至。古樂之不可復久矣，後人之不能漢魏，猶漢魏之不能風雅，勢使然也。如漢《朱鷺》、《翁離》之作，魏晋諸臣擬之，以鳴其一代之事，易名别調，各極其長，豈以古今同異爲病哉？後世文士如李太白，則沿其目而革其詞，杜子美、白樂天之倫，則創爲意而不襲其目，皆卓然作者，後世有述焉。近乃有擬古樂府者，遂顯以擬名。其説但取漢魏所傳之詞，句橅而字合之。中間豈無「陶」「陰」之誤，「夏五」之脱？悉所不較。或假借以附益，或因文而增損，跼蹐牀屋之下，探胠縢篋之間，乃藝林之根蝨，學人之路阱矣。以此語於作者之門，不亦愿乎！夫才有長短，學有通塞，古今之人一一强同，則千里之謬，不容秋毫，肖貌之形，難爲覿面。若曰樂府，則樂府矣，盡人而能爲樂府也。若曰必此爲古樂府，使與古人同曹而竝奏之，其何以自容哉？李于鱗曰：「擬議以成其變化。」噫！擬議將以變化也，不能變化而擬議，奚取焉？予知其不可而不能不爲也，第命曰古樂府，而不敢以「擬」稱云。右蒙陰公文介公孝與（肅）樂府自序也。虞山錢牧翁嘗亟取東阿于文定公論樂府之説，不知文介此論與文定若合符節。予嘗見一江南士人擬古樂府，有「妃來呼豨豨知之」之句。蓋樂府「妃呼豨」皆聲而無字，今誤以妃爲女，呼爲喚，豨爲豕，湊泊成句，是何文理？因於《論詩絶句》著其説云：「草堂樂府擅驚奇，杜老哀時託興微。元白張王皆古意，不曾辛苦學妃豨。」亦于公二公之緒論也。（宗柟附識：于公《穀山筆塵》：「短簫鐃歌，漢之黄門鼓吹也。漢曲二十有二，存者十八，《務成》、《玄雲》、《黄雀》、《釣竿》四篇，其辭已亡。魏吴以下，準其曲數，各制鐃歌一部。漢曲多不可解。蓋樂府傳寫，大字爲辭，細字爲聲，聲辭合寫，故致錯迕。魏晋所制，如以某曲當某曲，皆各叙其開創功德，與漢曲本辭絶不相蒙，體制亦復不類。而謂之『當』者，想祖其音節，或準其次第然耳。宋何承天私造鐃歌十五篇，皆即漢曲舊名之義，而以己意詠之，與其曲之音節不復相準，謂之擬題。自是以後，江左、隋、唐，皆相繼模倣，唯取其名義，而樂府之法蕩然盡矣。近代一二名家，嗜古好奇，往往采掇古詞，曲加模擬。詞旨典奥，豈不彬彬。第其律吕音節，已不可考；又不辨其聲詞之謬，而横以爲奇僻。如楚人學齊語，可詫楚，不可欺齊，令古人有知，當爲絶倒耳。」又云：「近世王李諸公，好古鈎奇，各模擬鐃歌十八曲。歷下之詞旨頗近，而不能自爲一詞。婁東稍脱落，即不甚似。然其舊曲之名，與其詞不可解者，即二公亦不知也。」）

又　樂府之名，其來尚矣。世謂始於漢武，非也。按《史記》高祖過沛詩《三侯之章》，又令唐山夫人爲《房中之歌》，《西京雜記》又謂戚夫人善歌《出塞》、《入塞》、《望歸》曲，則樂府始於漢初。武帝時，增《天馬》、《赤蛟》、《白麟》等十九章，以李延年爲協律都尉，集五經之士，相與次第其聲，通知其意，而樂府始盛。其云始武帝者，託始焉爾。東漢之末，曹氏父子兄弟雅擅文藻，所爲樂府，悲壯奥崛，頗有漢之遺風。降及江左，古意寖微，而清商繼作，於是楚調、吴聲、西曲、南弄雜然興焉。逮於有唐，李、杜、韓、柳、元、白、張、王、李賀、孟郊之輩，皆有冠古之才，不沿齊梁，不襲漢魏，因事立題，號稱樂府之變。若考開元、天寶已來，宮掖所傳，梨園弟子所歌，旗亭所唱，邊將所進，率當時名士所爲絶句耳。故王之渙「黄河遠上」，王昌齡「昭陽日影」之句，至今豔稱之。而右丞「渭城朝雨」，流傳尤衆，好事者至譜爲《陽關三疊》。他如劉禹錫、張祜諸篇，尤難指數。由是言之，唐三百年以絶句擅場，即唐三百年之樂府也。

又　唐人所歌樂府詞曲，率是絶句。然又多剪截律詩，别立名字，殊不可曉。如王右丞「風勁角弓鳴」一首，截取前四句名《戎渾》；「揚子談經處」一首，截取前四句名《崑崙子》；旗亭伶人所歌高常侍「開篋淚霑臆」一首，本是長篇，截取前四句名《涼州歌》是也。又考《教坊記》諸曲名如《胡渭州》、《穆護子》、《涼州》、《伊州》、《甘州》之類皆載，而無《戎渾》、《崑崙子》之名。

又 唐樂府往往節取當時詩人之作，率緣情切事，可以意會理解。然亦有不可解者，如《陸州歌》第一「分野中峰變」，乃節王右丞《終南山》詩後四句；《涼州歌》第三「開篋淚沾臆」，乃節高常侍歌詩前四句也。不知與邊塞閨情何涉而取之？

又 唐張祜詩：「內人已唱《春鶯囀》，花下傞傞軟舞來。」按《教坊記》：伎女入宜春院，謂之內人，亦曰前頭人。凡出戲日，所司先進曲名，上以墨點者，即舞，謂之進點。教坊人唯得舞《伊州》，餘悉讓內人。如《垂手羅》、《回波樂》、《蘭陵王》、《春鶯囀》、《烏夜啼》之屬，謂之軟舞。又有《綠腰》、《蘇合香》、《屈柘》、《涼州》、《甘州》、《柘枝》、《黃麞》、《拂林》、《胡渭州》、《達摩支》之屬，謂之健舞。又有《劍器》、《胡旋》、《胡騰》等。按記中所列曲名，如《小秦王》、《武媚娘》，皆李唐本朝事，與《呂太后》竝列不避忌。《竹枝》本名《竹枝子》，與《采蓮子》、《漁歌子》、《山花子》、《水仙子》、《南鄉子》、《赤棗子》、《生查子》等竝列。今獨去「子」字，但云《竹枝》。若《楊柳枝》則其本名(又有字舞、花舞、馬舞)。

又 古樂府詩云：「百金買寶刀，懸著中梁柱，一日三摩娑，劇于十五女。」等是快語，語有令人骨騰肉飛者，此類是也。

又 徐巨源(世溥)云：「『江陵去揚州，三千三(原誤作「二」。)百里；已行一千三，所有二千在。』此有何情何景，而古雅雋永，味之不盡。」凡作六朝樂府，當識此意，故錄其語。

又 樂府：「江陵去揚州，三千三百里；已行一千三，所有二千在。」愈俚愈妙，然讀之未有不失笑者。余因憶再使西蜀時，北歸次新都夜宿，聞諸僕偶語曰：「今日歸家，所餘道路無幾矣。當酌酒相賀也。」一人問所餘幾何。答曰：「已行四十里，所餘不過五千九百六十里耳。」余不覺失笑，而復悵然有越鄉之悲。此語雖謔，乃得樂府之意。

又 羅明仲嘗語李賓之，三言詩亦可自爲一體，以扇命作。李援筆題云：「揚風帆，出江樹；家遙遙，在何處？」其意致頗近古。予邑高士徐(夜)字東癡，少時作樂府云：「轆轤鳴，井深淺，樓高高，去何遠。」長白黃山人者，善琵琶，嘗爲譜之，視西涯作尤高古矣。《詩談》云：「三言起于散騎常侍夏侯湛。」

又 方勺引劉中壘謂：泥中、中露，衛二邑名，《式微》之詩，蓋二人所作，是爲聯句所起。此說甚新，然不知有據依否。(宗枏附識：南豐曾氏《列女傳目錄序》云：「向號博極羣書，而此傳稱《詩・芣苢》、《柏舟》、《大車》之類，與今序詩者之說尤乖異，蓋不可考。至於《式微》之一篇，又以謂二人之作，豈其所取者博，故不能無失歟？」今案諸家詩解皆不取其說，殆與曾氏所見同。然以泥中、中露爲二邑，實本于毛氏萇云。)

又 作古詩須先辨體。無論兩漢難至，苦心摹倣，時隔一塵。即爲建安，不可墮落六朝一語；爲三謝，不可雜入唐音。小詩欲作王韋，長篇欲作老杜，便應全用其體，不可虎頭蛇尾。此王敬美論五言古詩法。予向語同人，譬如衣服，錦則全體皆錦，布則全體皆布，無半錦半布之理，即敬美此意。又嘗論五言，感興宜阮、陳，山水閒適宜王、韋，亂離行役、鋪張敘述宜老杜，未可限以一格，亦與敬美旨同。

又 坡公送蘇伯固五言詩云：「三度別君來，此別眞遲暮。白盡老髭鬚，明日淮南去。酒罷月隨人，淚濕花如霧。後夜逐君還，夢繞江南路。」公自注：「效韋蘇州。」予云：此《生查子》詞耳。(宗枏附識：予弟芷齋述許蒿廬先生云：按此詩今見《東坡續集》，題云《古離別》；又見《東坡詞》中，調寄《生查子》。漁洋云云，洵具慧眼矣。然坡公自注云云，亦戲語耳。)

又 聯句有人各賦四句，分之自成絕句，合之仍爲一篇。謝朓、范雲、何遜、江革輩多有此體。頃見朱太史《騰笑集》中有《古藤書塢》、《送吳徵君魏上舍聯句》，甚得齊梁之意，今錄於此：「握手古藤下，秋深旅愁積；歸來西溪旁，猶及種春麥(吳雯)。我亦袖輕鞭，明發辭紫陌，倦鳥不同飛，各自張旅翮(魏坤)。二子澹雅才，肯爲時俗役；英詞迭相應，如以桐扣石(陸嘉淑)。柳塘水濛濛，蒲坂山驛驛，改歲君到時，古藤花滿格(查嗣璉)。大房一斗泉，釀酒冰雪白；酒熟君不來，落花良可惜(朱彝尊)。」益都董楠字孟才，工部尙書可威之叔也，嘗撰《古今聯句詩集》六卷，與張之象《回文類聚》皆不可少之書。

又 謝公問王子猷：「云何七言詩？」答曰：「昂昂若千里之駒，汎汎若水中之鳧。」二語已盡歌行之妙。是時七言作者未盛，子猷又不以詩名，而其言如此！

又　唐人省試應制排律率六韻，載諸《英華》者可考。至杜子美、元、白諸人，始增益至數十韻，或百韻。近日詞林進詩，動至百韻，誇多鬭靡，失古意矣。（宗柟附識：芷齋云：《蠖齋詩話》有謂排律無單韻，如老杜集中止有十韻、十二、十四、二十、二十四、三十、四十、五十韻之類，竝無十一、十三、十五者。考之杜集良然。然考盛唐諸家，用五韻、七韻者頗多。駱丞「樓觀滄海日，門對浙江潮」，亦七韻，不害爲名作。其餘九韻、十一韻、十三韻、二十五韻者各有之。）

又　金翰林學士趙秉文嘗述党承旨懷英論詩云：「律詩最難工。五十六字，皆如聖賢；中有一字不經鑪錘，便如一屠沽兒廁其間也。」按此五代人劉昭禹語，党述之耳。

又　同年劉吏部公戩云：「七律較五律多二字耳，其難什倍。譬開硬弩，祇到七分，若到十分滿，古今亦罕矣。」予最喜其語。因思唐宋以來，爲此體者，何翅千百人，求其十分滿者，唯杜甫、李頎、李商隱、陸游，及明之空同、滄溟二李數家耳。

又　唐人拗體律詩有二種：其一，蒼莽歷落中自成音節，如老杜「城尖徑仄旌旆愁，獨立縹緲之飛樓」諸篇是也；其一，單句拗第幾字，則偶句亦拗第幾字，抑揚抗墜，讀之如一片宮商，如許渾之「溪雲初起日沉閣，山雨欲來風滿樓」，趙嘏之「湘潭雲盡暮山出，巴蜀雪消春水來」是也。（宗柟附識：予弟詠川述蒿廬先生云：按前一種卽老杜集中所謂「吳體」，大抵八句皆拗。至後一體，唐人尤多，然每首中不過一聯拗耳。又安溪李文貞云：近體詩句字平仄固有律令，然五言倡句第三字、七言倡句第五字皆用平聲者，正也；間用仄字，則下字仄聲必易以平。若適當兩平疊之倡句，卽此體不可用，又當變而通之，于和句用平聲爲對可也。然此體在唐初亦不拘，杜、韓、柳則極嚴。唯五言和句首兩字，七言和句第三、第四字，遇下字應用平者，上字必不可用仄。安溪所論倡句，謂不用韻之句也。皆用平聲者，謂或用平平仄，或用平仄仄也。下字仄聲必易以平者，如張文昌「長因送人處」，老杜「西望瑤池降王母」之類是也。又老杜「驍騰有如此」，摩詰「迴看射鵰處」，亦此例。用平聲爲對，則如老杜「帶甲滿天地」一聯，「鴻雁幾時到」一聯，「谷口舊相傳」一聯，「映階碧草自春色」一聯，及晚唐「殘星幾點雁橫塞」一聯，「溪雲初起日沉閣」一聯皆是。然此體當屬拗體，特五言與七言微有分耳。又按：五言和句第二字應用平者，其下三四兩字例應用仄，七言和句第四字應用平者，其下五六兩字例應用仄，故上兩字亦須用兩平，音節方諧。此例詩家無不知之，然近日輇材末學，則竟有不知者矣。又云：查初白先生嘗論古詩有二種：一種莽莽蒼蒼，音節自然入古，如老杜《兵車行》之類是也；文成法立，意到筆隨，殆不可以平仄求之。一種追琢推敲，循音按節，讀之抑揚高下，鏗鏘如出金石，杜、韓、蘇集中難以枚舉。古詩雖繁，要不越此二種矣。與此條語意，彷彿相類。）

又　古人贈答，有通篇用事，切其人姓氏者，雖非詩家所貴，亦不易也。憶昔毘陵鄒訏士（祗謨）、吳興沈鳳于（爾燝）有贈余長律及長短句，皆通篇用王氏事，組織甚工，惜不能記憶矣。（宗柟按：《江湖載酒集·六幺令》一闋壽劉宣人編修，用劉氏事，語意自然。然此或長短句偶一爲之可耳，專工此類，殊損詩格。）

又　余嘗謂柳子厚「漁翁夜傍西岩宿」一首，末二句蛇足，刪作絶句乃佳。東坡論此詩亦云：「末二句可不必。」

又　坡公《吳興飛英寺》詩起句云：「微雨止還作，小牕幽更妍。盆山不見日，草木自蒼然。」古今妙絶語。然不若截取四句作絶句，尤雋永。如柳子厚「漁翁夜傍西巖宿」，只以「欸乃一聲山水綠」作結，當爲絶唱，添二句反蛇足。而聾者顧深贊之，可一笑也。予嘗定故友程職方周量詩，愛其一首云：「朝行青山頭，暮歇青山曲；青山不見人，猿聲相斷續。」云云。刪作絶句，其妙什倍。此可爲知者道耳。

又　南海程周量（可則）有詩云：「朝行青山頭，暮歇青山曲；青山不見人，猿聲聽相續。」本是古詩，余直刪作絶句，以爲有不盡之意，程深服之。又常言柳子厚「漁翁夜傍西巖宿」一首，如作絶句，以「欸乃一聲山水綠」結之，便成高作。下二句眞蛇足耳。而盲者顧稱之，何耶？（宗柟按：「猿聲」句兩本不同，今俱從原本較錄，後皆放此。）

又　昔人謂《竹枝》歌詞雖鄙俚，尚有三緯遺意。山谷聞人歌劉夢得《竹枝》，歎曰：「此奔軼絶塵，不可追也。」夢得後工此體者，無如楊廉夫、虞伯生。他如「黃土作牆茅蓋屋，庭前一樹紫荆花」，「黃魚上得青松樹，阿儂始是棄郎時」等句，皆入妙。近見彭羡門（孫遹）《嶺南竹枝》，深得古意。詩云：

「木棉花上鷓鴣啼，木棉花下牽郎衣；欲行未行不忍別，落紅沒盡郎馬蹄。」「妾家溪口小迴塘，茅屋藤扉蠣粉牆；記取榕陰最深處，閑時來過喫檳榔。」「半年水宿半山居，冬採香根夏採珠；珠好須從蚌中覓，香燒還仗博山鑪。」又山陰徐緘《竹枝》云：「句踐城南春水生，水中鬬鴨自呼名；伯勞飛遲燕飛疾，郎入城時儂出城。」亦本色語也。

又 《竹枝》古稱劉夢得、楊廉夫，近彭羨門尤工此體，如《廣州竹枝》云：「木棉花上鷓鴣啼，木棉花下牽郎衣；欲行未行不忍別，落紅沒盡郎馬蹄。」「半年水宿半山居，冬采香根夏采珠；珠好須從蚌中覓，香燒還仗博山鑪。」山陰徐緘伯調《越中竹枝》云：「勾踐城南春水生，水中鬬鴨自呼名；伯勞飛遲燕飛疾，郎進城時儂出城。」皆本色語也。汪鈍翁又擬葉水心作《洞庭橘枝詞》。

又 唐人《柳枝詞》專詠柳，《竹枝詞》則汎言風土，如楊廉夫《西湖竹枝》之類；前人亦有一二專詠竹者，殊無意致。宋葉水心又創爲《橘枝詞》。亡友汪鈍翁（琬）編修亦擬作二首，其一云：「郎行時節橘花零，南風吹來香滿庭；今年橘實大如斗，勸郎莫羨楚江萍。」

又 予撰五言詩，於魏獨取阮籍爲一卷，而別於鄴中諸子；晉取左思、郭璞、劉琨爲一卷，而別於三張、二陸之屬，陶淵明自爲一卷；宋取謝靈運爲一卷，附以諸謝，鮑照爲一卷，附以顔延之之屬：蓋予之獨見如此。偶讀嚴滄浪《詩話》云：「黄初之後，唯阮公《詠懷》極爲高古，有建安風骨。晉人舍阮嗣宗、陶淵明外，唯左太沖高出一時。陸士衡獨在諸人之下。」又云：「顔不如鮑，鮑不如謝。」與予意略同。又晉人張陸輩，唯景陽殊勝，在太沖之下，諸家之上。傅玄篇什最多，而可錄極少；如《擬北方有佳人》云：「一顧亂人國，再顧亂人家。」千古笑柄，較諸嘉隆七子剿襲古樂府，尤紕謬也。

又 古人山水之作，莫如康樂、宣城，盛唐王、孟、李、杜及王昌齡、劉昚虛、常建、盧象、陶翰、韋應物諸公，搜抉靈奧，可謂至矣。然總不如曹操「水何澹澹，山島竦峙」二語，此老殆不易及。

又 唐五言詩，開元、天寶間大匠同時竝出。王右丞而下，如孟浩然、王昌齡、岑參、常建、劉昚虛、李頎、綦毋潛、祖詠、盧象、陶翰之數公者，皆與摩詰相頡頏。獨儲光羲詩，多龍虎鉛汞之氣，田園樵牧諸篇，又迂闊不切事情，而古今稱「儲王」何也？高適質樸，不免笨伯。杜甫沉鬱，多出變調。李白、韋應物超然復古。然李詩有古調，有唐調，要須分別觀之。

又 七言古詩，諸公一調。唯杜甫横絶古今，同時大匠，無敢抗行。李白、岑參二家，別出機杼，語羞雷同，亦稱奇特。

又 余偶論唐宋大家七言歌行，譬之宗門，李、杜如來禪，蘇、黄祖師禪也。

又 七言歌行，杜子美似《史記》，李太白、蘇子瞻似《莊子》，黄魯直似《維摩詰經》。七言歌行，至子美、子瞻二公，無以加矣。而子美同時，又有李供奉、岑嘉州之創闢經奇；子瞻同時，又有黄太史之奇特，正如太華之有少華，太室之有少室。

又卷三 唐人五言絶句，往往入禪，有得意忘言之妙，與淨名默然，達磨得髓，同一關捩。觀王裴《輞川集》及祖詠《終南殘雪》詩，雖鈍根初機，亦能頓悟。程石臞有絶句云：「朝過青山頭，暮歇青山曲；青山不見人，猿聲聽相續。」予每歎絶，以爲天然不可湊泊。予少時在揚州，亦有數作，如：「微雨過青山，漠漠寒煙織；不見秣陵城，坐愛秋江色。」（《青山》）「蕭條秋雨夕，蒼茫楚江晦；時見一舟行，濛濛水雲外。」（《江上》）「雨後明月來，照見下山路；人語隔溪煙，借問停舟處。」（《惠山下鄒流綺過訪》）「山堂振法鼓，江月掛寒樹；遙送江南人，鷄鳴峭帆去。」（《焦山曉起送崑崙還京口》）又在京師有詩云：「凌晨出西郭，招提過微雨；日出不逢人，滿院風鈴語。」（《早至天寧寺》）皆一時佇興之言，知味外味者當自得之。

又 張道濟手題王灣「海日生殘夜，江春入舊年」一聯于政事堂。王元長賞柳文暢「亭皐木葉下，隴首秋雲飛」，書之齋壁。皇甫子安、子循兄弟論五言，推馬戴「猿啼洞庭樹，人在木蘭舟」，以爲極則。又若王籍「蟬噪林逾靜，鳥鳴山更幽」，當時稱爲文外獨絶。孟浩然「微雲澹河漢，疏雨滴梧桐」，羣公咸閣筆，不復爲繼。司空表聖自標舉其詩曰：「回塘春盡雨，方響夜深船。」玩此數條，可悟五言三昧。

又 七言律聯句神韻天然，古人亦不多見。如高季迪：「白下有山皆遶郭，清明無客不思家。」楊用修：「江山平遠難爲畫，雲物高寒易得秋。」曹能始：「春光白下無多日，夜月黄河第幾灣。」近人：「節過白露猶餘熱，秋到黄州始解涼。」「瓜步江空微有樹，秣陵天遠不宜秋。」釋讀徹：「一夜花開湖上路，半春家在雪中山。」皆神到不可湊泊。

又　律句有神韻天然，不可湊泊者，如高季迪：「白下有山皆繞郭，清明無客不思家。」曹能始：「春光白下無多日，夜月黄河第幾灣。」李太虛：「節過白露猶餘熱，秋到黄州始解涼。」程孟陽：「瓜步江空微有樹，秣陵天遠不宜秋。」是也。余昔登燕子磯有句云：「吴楚青蒼分極浦，江山平遠入新秋。」或亦庶幾爾。（宗柟附識：虞山王應奎東溆《柳南隨筆》：程松圓「秣陵天遠不宜秋」句，王新城極賞之。按此句本戴叔倫作，但以「天遠」易「凋敝」二字耳。）

又　三十年前，予初出交當世名輩，見夫稱詩者無一人不爲樂府，樂府必漢《鐃歌》，非是者弗屑也；無一人不爲古選，古選必《十九首》、公讌，非是者弗屑也。予竊惑之：是何能爲漢、魏者之多也？歷六朝、唐、宋，以詩名其家者甚衆，豈其才盡不今若耶，是必不然。故嘗著論，以爲唐有詩，不必建安、黄初也；元和以後有詩，不必神龍、開元也；北宋有詩，不必李、杜、高、岑也。二十年來，海内賢知之流，矯枉過正，或乃欲祖宋而祧唐，至於漢魏樂府古選之遺音，蕩然無復存者。江河日下，滔滔不返，有識者懼焉。

又　予題華子潛《巖居稿》曰：向嘗與學子論詩云：工于五言，不必工于七言；工于古體，不必工于近體。觀鴻山及唐孟襄陽集可悟。今人自古樂府、《古詩十九首》已下無不擬者，乃妄人也。

又　曹頌嘉（禾）祭酒常語余曰：杜、李、韓、蘇四家歌行，千古絶調，然語句時有利鈍。先生長句，乃句句用意，無瑕可攻，擬之前人，殆無不及。余曰：唯句句作意，此其所以不及前人也。四公之詩，如萬斛泉源，不擇地而出，行乎其所不得不行，止乎其所不得不止。余詩如鑑湖一曲，若放翁、遺山已下，或庶幾耳。（宗柟附識：芷齋述蒿廬先生云：「唯句句作意，故不及前人。」眞詩中三昧語也。老杜云：「得失寸心知。」諒哉！然先生此言，正所謂以魯男子之不可，學柳下惠之可者；不然，鮮不流于畫虎之誚矣。）

又卷四　昔荀綽撰《五言詩美文》，其書不傳。而昭明之選所錄五言詩，自漢迄齊梁甚具，學詩者宗焉。然其中頗雜四言，又公讌、應教諸篇，率多蕪雜。予撰漢、魏、六朝五言詩，視蕭選微有異同，至其菁英，鮮闕略矣。樂府別是聲調體裁，與古詩迥別。然漢人《廬江小吏》、《羽林郎》、《陌上桑》之類，叙事措語之妙，愛不能割。班姬《怨歌行》、卓氏《白頭吟》，被之樂府，何非詩耶？至曹氏父子兄弟，往往以樂府題叙漢末事，雖謂之古詩亦可；予間多采摭。若六朝《子夜》、《讀曲》等歌悉不載。齊梁以後短句，已是唐律唐絶，楊用修《五言律祖》既有專書，兹頗取其警策，絶句亦然。《十九首》之妙，如無縫天衣。後之作者，顧求之鍼縷襞績之間，非愚則妄。此後作者代興，鍾記室之評覈矣。愚嘗論之：當塗之世，思王爲宗，應劉以不羣附和之，唯阮公別爲一派。司馬氏之初，茂先、休奕、二陸、三張之屬，概乏風骨。太沖挺拔，崛起臨菑，越石清剛，景純豪儁，不減于左，三公鼎足，此典午之盛也。過江而後，篤生淵明，卓絶後先，不可以時代拘墟矣。宋代詞人，康樂爲冠；諸謝奕奕，迭相映蔚。明遠篇體驚奇，在延年之上。謝之與鮑，可謂分路楊鑣。仲偉之《品》，于明遠多微詞，愚所未解。齊有玄暉，獨步一代，元長輔之。自兹之外，未見其人。梁代右文，作者尤衆。繩以風雅，略其名位，則江淹、何遜，足爲兩雄；沈約、范雲、吴均、柳惲，差堪羽翼。固知此道眞賞，論定不誣，非可以東陽、零陵身參佐命，遂堪切持一代文柄也。陳朝寥寥，孝穆稱首；揔持流品，視徐未宜竝論，然華實兼美，殆欲過之。子堅蕪累，愧其名矣。北朝魏齊之間，顔介最爲高唱。高敖曹短章，不減斛律金，二君可敵南朝沈慶之、曹景宗。至于邢魏之流，未強人意。劉昶、蕭愨，踰淮不化，亦未易才。北周寥寥，厪得子淵、子山，二人之才，一時瑜亮；而鍾儀之悲，開府爲至矣。隋混一南北，煬帝之才，實高羣下，《長城》、《白馬》二篇，殊不類陳隋間人。楊處道沉雄華贍，風骨甚遒，已闢唐人陳、杜、沈、宋之軌，餘子莫及。唐五言古詩凡數變，約而舉之：奪魏、晉之風骨，變梁、陳之俳優，陳伯玉之力最大，曲江公繼之，太白又繼之；《感寓》、《古風》諸篇，可追嗣宗《詠懷》、景陽《雜詩》。貞元、元和間，韋蘇州古澹，柳柳州峻潔。今輒取五家之作，附于漢、魏、六代作者之後。李詩篇目浩繁，厪取《古風》，未遑悉錄。然四唐古詩之變，可以略覩焉。右略論五言升降之變如此。卷之繁簡次第，雖視當時作者輩行，篇什多寡，然風氣轉移，頗示疆畛。如阮籍別于鄴下諸子，左思別于壯武諸家，叔原列于諸謝，何遜、江淹冠于沈、范，諸如此類，具存微旨，覽者遇于意言之外可焉。明五言詩極爲揔雜。西涯之流，源本宋賢；李何以來，具體漢魏；平心論之，互有得失，未造古人。獨高季迪、皇甫子安兄弟、薛君采、高子業、徐昌國、華子潛寥數公，竊見六代、三唐作者之意。余別有綜論，偶于此書發大凡云爾。愚撰《五言詩》竟，復鈔古逸、漢、魏，迄唐、宋、金、元諸家長句，爲《七言詩》若干卷。謝太傅問王子猷曰：「云何七言詩？」對曰：「昂昂若千里之駒，汎汎若水中之鳧。」此命名所自也。七言始于《擊壤歌》。《雅》、《頌》之「維昔之富不如時」，「予其懲而毖後患」，「學有緝熙于光明」，至《臨河歌》、《南山歌》以下，其辭匪一，皆七言之權輿也。鈔古歌一卷。若《皇娥》、《白帝》二歌，屬王嘉僞撰，則附錄卷末。《大風》、《垓下》，肇自漢音。至武帝《秋風》、《柏梁》，其體大具。曹子桓《燕歌行》、陳孔璋《飲馬長城窟行》，皆唐作者之所本也。六朝唯鮑明遠最爲遒宕，七言法備矣。鈔漢、魏、六朝詩一卷。梁、陳、隋長篇頗多，而氣不足以舉其辭，沿及唐初，益崇繁縟，愚均無取焉。明何大復《明月篇序》謂初唐四子之作，往往可歌，反在少陵之上，說者以爲有功于風雅，蹖矣。然遂以此槩七言之正變，則非也。二十年來，學詩者束書不觀，但取王、楊、盧、駱數篇，轉相倣傚，膚詞剩語，一唱百和，豈何氏之旨哉？今略取李嶠以下氣格頗高者，得四篇，以見六朝入唐源流之槩。鈔初唐詩一卷。開元、大曆諸作者，七言始盛。王、李、高、岑四家，篇什尤多。李太白馳騁筆力，自成一家。大抵嘉州之奇峭，供奉之豪放，更爲創獲。今鈔盛唐五家之作爲一卷。王龍標、崔司勳間取一二附之。詩至工部，集古今之大成，百代而下無異詞者；七言大篇，尤爲前所未有，後所莫及。蓋天地元氣之奧，至杜而始發之。今別于盛唐諸家，鈔杜詩一卷。杜七言千古標準，自錢、劉、元、白以來，無能步趨者。貞元、元和間，學杜者唯韓文公一人耳。鈔韓詩一卷。李義山《韓碑》一篇，直追昌黎，今附卷末。宋承唐季衰陋之後，至歐陽文忠公始拔流俗，七言長句高處直追昌黎，自王介甫輩皆不及也。《廬山高》一篇，公所自負，然殊非其至者。鈔歐詩一卷。竟公之後，學杜韓者，王文公爲巨擘；七言長句，蓋歐陽公後勁，蘇黃前茅，特其妙處微不逮數公耳。鈔王詩一卷。歐陽公見蘇文忠公，自謂「老夫當放此人出一頭地」，蓋非獨古文也，唯詩亦然。文忠公七言長句之妙，自子美、退之後，一人而已。鈔蘇詩一卷。文定視文忠，郛莒矣，今略採十餘篇附之，以備眉山之派。蘇文忠公凌踔千古，獨心折山谷之詩，數效其體。前人之虛懷如此。後世腐儒乃謂山谷與東坡爭名，何其陋耶！山谷雖脫胎于杜，顧其天姿之高，筆力之雄，自闢庭戶。宋人作《江西宗派圖》，極尊之，配食子美，要亦非山谷意也。鈔黃詩一卷。元祐文章之盛，推蘇門六君子。黃嘗自負其詩在鼂張之上。顧無咎七言佳處，頗得文忠之逸。叔用《具茨集》寥寥無多，一鱗片甲，殆高出無咎之上，議者以爲唯陸務觀能髣髴之，非過論也。鈔二鼂詩一卷。南渡氣格，下東都遠甚，唯陸務觀爲大宗。七言遜杜、韓、蘇、黃諸大家，正坐沉鬱頓挫少耳，要非餘人所及。鈔陸詩一卷。南渡以後，程學盛于南，蘇學盛于北；金、元之間，元裕之其職志也。七言妙處，或追東坡而軼放翁。鈔元詩一卷。《中州集》載劉迎無黨長句數篇，風格獨高，今附錄。元詩稱虞、楊、范、揭。道園自負如漢廷老吏。愚數觀《學古錄》，其詩誠非三家所及，恨篇什稍寡耳。鈔虞詩一卷。劉靜修刻畫山水，間有可采，略取數篇附之。元詩靡弱。自虞伯生而外，唯吳立夫長句瑰瑋有奇氣，雖踈宕或遜前人，視楊廉夫之學飛卿、長吉，區以別矣。《淵潁集》，宋文憲公所編，愚幼而好之（集本無此句），今略其全作，鈔吳詩一卷。有明一代，作者衆多。七言長句，在明初則高季廸、張志道、劉子高爲最，後則李賓之。至何李學杜，厭諸家之坦迤，獨於沉鬱頓挫處用意。雖一變前人，號稱復古，而同源異派，實皆以杜氏爲崑崙墟。近日錢受之七言學韓蘇，其筆力學問足以赴之。愚于明詩別有論次，故此鈔不及。愚鈔諸家七言長句，大旨以杜爲宗，唐宋以來善學杜者則取之。非謂古今七言之變盡于此鈔，觀唐人元、白、張、王諸公悉不錄，正以鈔不求備故也。舉一隅以三隅反，其在同志之君子。（宗柟按：山人選詩大旨，具此凡例中，其於五、七言分界處，不啻開鑰以示矣。顧耳食者羣怵于盛名，而漫不加省；腹誹者致疑于創論，而靡所適從。不知源流派別，唐宋諸賢特未盡言，至遺山微引其端，山人乃從而大暢其旨耳。曩時蒿廬先生跋所鈔遺山詩曰：陵川郝伯常作元氏墓誌云：先生以五言雅爲工，而出奇于長句雜言。余觀集中有《東坡詩雅引》云：「五言以來，六朝之謝陶，唐之陳子昂、韋應物、柳子厚，最爲近風雅。自餘多以雜體爲之。雜體愈備，則去風雅愈遠，其理然也。」又有《別李周卿》詩云：「《古詩十九首》，建安六七子，中間陶與謝，下逮韋柳止。」乃知王漁洋《五言詩凡例》，其論實本於此。讀書如吾友，方許具隻眼。若歌行大篇，杜、韓、蘇三家卓絕千古。後學筆力苦孱，又未識其波瀾意度所在，因而束身中、晚，或則哆口初唐，摹擬徒工，意境愈狹矣。益嘆山人所鈔與元氏脗合，固至當歸一之論也。）

又　五言，初唐王勃獨爲擅場；盛唐王裴輞川唱和，工力悉敵，劉須溪有意抑裴，謬論也；李白氣體高妙；崔國輔源本齊梁；韋應物本出右丞，加以古澹：後之爲五言者，於此數家求之，有餘師矣。七言，初唐風調未諧，開元、天寶諸名家，無美不備，李白、王昌齡尤爲擅場。昔李滄溟推「秦時明月漢時關」一首壓卷，余以爲未允。必求壓卷，則王維之「渭城」、李白之「白帝」、王昌齡之「奉帚平明」、王之渙之「黄河遠上」，其庶幾乎！而終唐之世，絶句亦無出四章之右者矣。中唐之李益、劉禹錫，晚唐之杜牧、李商隱四家，亦不減盛唐作者云。（宗柟附識：予兄寒坪云：初唐風調未諧，誠然。盛唐以氣體勝，中晚以神韻勝。即其至者而論，盛唐不乏神韻，而中晚之氣體稍別矣。此漁洋之論壓卷而不及中晚也。又云：四首壓卷無疑，若韓翃之《寒食》、張繼之《楓橋夜泊》，即次之矣。又評摩詰云：「渭城朝雨」妙絶古今，卻不能言其妙在何處；辟如右軍《蘭亭》，一時興會所至，偶然得之，欲復作一首便難。評太白云：景與意會，振筆疾書，極宇宙之奇觀，爲古今之絶調。評龍標云：太白氣體高妙，全以神行；少伯文采風流，無微不入：皆七絶中之登峰造極者。評幷州云：發端高絶，用意入微，旗亭一畫，已足千秋，樂府流傳，何以多爲？兄爲予點定《萬首絶句選》本最爲精審，略其數語如右，亦可識其評次之大凡矣。）王弇州云：「七言絶句，少伯與太白爭勝毫釐，俱是神品。」又云：「七言絶，盛唐主氣，氣完而意不甚工；中、晚唐主意，意工而氣不甚完。然各有至者，未可以時代優劣也。」此論甚確。【略】唐絶句有最可笑者，如「人主人臣是親家」，如「蜜蜂爲主各磨牙」，如「若教過客都來喫，采盡商山枳殼花」，如「兩人對坐無言語，盡日唯聞落子聲」，如「今朝有酒今朝醉，明日愁來明日愁」，當日如何下筆，後世如何竟傳，殆不可曉。

又卷五 《詩》三百五篇，於興觀羣怨之旨，下逮鳥獸草木之名，無弗備矣，獨無刻畫山水者；間亦有之，亦不過數篇，篇不過數語，如「漢之廣矣」、「終南何有」之類而止。漢魏間詩人之作，亦與山水了不相及。迨元嘉間，謝康樂出，始創爲刻畫山水之詞，務窮幽極渺，抉山谷水泉之情狀，昔人所云「莊老告退，而山水方滋」者也。宋齊以下，率以康樂爲宗。至唐王摩詰、孟浩然、杜子美、韓退之、皮日休、陸龜蒙之流，正變互出，而山水之奇怪靈閟，刻露殆盡；若其濫觴於康樂，則一而已矣。宋君牧仲視榷虔州，放衙無事，時時與客登高望遠，形爲歌詩。今讀《雙江倡和集》，山水之奇秀，康樂以還諸家之體製，綜括無遺，非西江山水之厚幸哉？予既爲評次之，而述其梗概如此。

又 古詩之傳於後世者，大約有二：登臨之作，易爲幽奇；懷古之作，易爲悲壯。故高人達士往往於此抒其懷抱，而寄其無聊不平之思，此其所以工而傳也。太原兄弟以詩名江左，順治中予與端士同舉禮部，繼又識異公、懌民，諸子與予談藝悉合，獨未識虹友以爲憾。康熙丙辰夏，相遇京師，握手極歡，出其《據青集》一卷，所謂幽奇悲壯，二者兼之。予昔在江南，嘗數至金陵，一至吳郡，獨虞山未至。虹友《虞山詩》云：「吾聞蜀道有劍門，江山形勝極險壯。」又云：「方今蜀道多兵戈，萬壑千巖氣悽愴。」其感深矣。

又卷一一 《夢溪筆談》亟稱王介甫集句「風定花猶落，鳥鳴山更幽」，以爲上句静中有動，下句動中有静；且云公始爲集句詩，有多至百韻者。黄震曰：「荆公集句諸作，其巧其博皆不可及。」近代頗有之，然無如泗上施端教匪莪，平生集句詩數千首，屬對精切，縱横曲折無不如意。偶舉一章如《贈鸚鵡》長律云：「莫恨雕籠翠羽孤（劉憲），主人情義自辛劬（王初）。人憐巧語情雖重（白居易），鳥憶高飛意正殊（李正平）。三舍鄭牛徒識字（李山甫），千年丁鶴任歌呼（羅隱）。多言應伴高吟客（嚴郊），學語還稱問字徒（崔璞）。始覺琵琶絃鹵莽（白居易），終憐吉了舌糢糊（孫繁）。文章辨慧皆如此（白居易），事業紛呶亦大都（魏朴）。歸去不煩詞客賦（羅鄴），夢來還記隴頭無（張謂）？勸君不必分明語（羅隱），且自三緘問世途（胡曾）。」格律、寄託兩詣妙境，奇作也。

又 予平生爲詩不喜次韻，不喜集句，不喜數疊前韻，唯少時有集黄山谷詩一絶云（《謝人送梅》）：「榨頭夜雨排簷滴，誰與愁眉唱一杯。瘦盡腰圍怯風景，城南名士遣春來。」如此集句恐非李西涯所知，西涯有集句詩一卷。

又卷一二 詠物之作，須如禪家所謂不黏不脱、不即不離，乃爲上乘。古今詠梅花者多矣，林和靖「暗香」、「疎影」之句，獨有千古，山谷謂不如「雪後園林才半樹，水邊籬落忽横枝」，而坡公「竹外一枝斜更好」，識者以爲文外獨絶，此其故可爲解人道耳。（宗柟附識：查田太史云：「雪後」一聯不但格高，正以意味勝耳。）

又 梅詩無過坡公「竹外一枝斜更好」七字及「雪後園林才半樹，水邊籬落忽横枝」。高季迪「雪滿山中高士卧，月明林下美人來」，亦是俗格。若晚唐「認桃無緑葉，辨杏有青枝」，直足噴飯。

又 趙子固梅詩云：「黄昏時候朦朧月，清淺溪山長短橋。忽覺坐來春盎盎，因思行過雨瀟瀟。」雖不及和靖，亦甚得梅花之神韻。（宗枏附識：「神韻」二字尤詠物家三昧，自非天機清妙，含毫邈然，縱隸事極工，繪形唯肖，只似畫苑中一派，去徐黄寫生之筆遠矣。王尙書弇州云：「詠物詩至難得佳，花鳥尤費手，大抵拈則滯，切則俗，惜格則遠，惜情則卑。」數語入妙，非其人不知。如青邱「雪滿山中」一聯，至今膾炙人口，《藝苑卮言》亦采之，山人獨斥爲俗格，具眼若斯，可空古今作者。又案：梅詩殊少全璧，逋翁兩聯猶有此憾，後來如放翁「孤城小驛初飛雪，斷角殘鐘半掩門」，妙絶之聯，前後亦復不稱。「倚竹眞成絶代人」，幷難乎爲對矣。至方虚谷所選梅花一類，及郭梅巖《梅花字字香》、僧中峰《梅花百詠》，所謂詩愈多而神愈遠爾。今之調鉛吮粉者，奈何令梅花笑人也。）

又 詠物詩最難超脱，超脱而復精切則尤難也，宋人詠猩毛筆云：「生前幾兩屐，身後五車書。」超脱而精切，一字不可移易。（宗枏按：《山谷内集》詠猩毛筆凡三詩，此其和答錢穆父五律也，虛谷選此，查田太史云：三四屬物邪，屬人邪？終覺去題太遠，使老杜爲之必別有斡排之法。竊謂此聯借物感人，其興寄乃在離卽之間。太史於詩律極細，意境稍有未融，雖論前賢，不少寛假如此。嘗見太史手閲《律髓》一書，評次圈點，一字不輕放過，與外間傳本絶異，因亟錄一副，時加玩味，眞覺接引無方也。）

又卷二二 宋淳熙間，孫紹遠稽仲纂古今人題畫詩八卷，爲《聲畫集》。因念六朝已來題畫詩絶罕見，盛唐如李太白輩，間一爲之，拙劣不工，王季友一篇雖小有致，不能佳也。杜子美始創爲畫松、畫馬、畫鷹、畫山水諸大篇，搜奇抉奧，筆補造化。嗣是蘇黄二公，極妍盡態，物無遁形。虞伯生尤專工於此，《學古錄》中歌行佳者，皆題畫之作也。入明，劉槎軒、李西涯、沈石田輩，以迨空同、大復，皆擬少陵。子美創始之功偉矣。如有好事廣而續之，亦佳事也。

又卷二七 詩集句起于宋，石曼卿、王介甫皆爲之，李龏至作《剪綃集》，然非大雅所尙。近士大夫競以詩牌集字，牽湊無理，或至刻之集中，尤可笑。（宗枏案：集句集字妙如己出，亦屬難能。至如廻文、離合、建除、字謎，以及人名、卦名、數名、藥名、州名、六甲、十屬之類，滄浪所云只成戲謔，不足爲法。吾嘗讀前賢懷古之什，興寄無端，今則分列數朝，專詠一事矣；登覽之篇，妙遠不測，今則或分八景，或十二景矣。又向見《三家詠物詩》，纖題巧句，取悦兒童，亟宜屏置，乃有珍爲枕秘者，何也？朱太史竹垞謂明人詩開卷卽是七律，其集多不佳。有激之言，自成篤論。矧卑靡嵬瑣，如俗下所陳，殆不堪爲識者發粲爾。）

又卷二九 問：樂府之體與古歌謡髣髴，必具有懸解，另有風神，無蹊徑之可尋，方入其室。若但尋章摘句，摹擬形似，終落第二義。如《穆天子傳》之《白雲謡》，《湘中記》之「帆隨湘轉」，古樂府之「獨漉獨漉，水清泥濁」之類，神妙天然，全無刻畫，始可以稱樂府。魏晉擬作已非其長。至唐益遠矣。夏蟲語冰，殊覺妄誕，乞指示之。樂府之名，始於漢初，如高帝之《三侯》、唐山夫人之《房中》是也。《郊祀》類《頌》，《鐃歌》、《鼓吹》類《雅》，《琴曲》、《雜詩》類《國風》，故樂府者繼《三百篇》而起者也。唐人唯韓之《琴操》最爲高古，李之《遠别離》、《蜀道難》、《烏夜啼》，杜之《新婚》、《無家》諸別，《石壕》、《新安》諸吏，《哀江頭》、《兵車行》諸篇，皆樂府之變也；降而元、白、張、王，變極矣。元次山、皮襲美補古樂章，志則高矣，顧其離合未可知也。唐人絶句如「渭城朝雨」、「黄河遠上」諸作，多被樂府，正得風之一體耳。元楊廉夫、明李賓之各成一家，又變之變也。李滄溟詩名冠代，祇以樂府摹擬割裂，遂生後人詆毁，則樂府寧爲其變，而不可以字句比擬也，明矣。來敎必具懸解，另有風神，無蹊徑之可尋，乃入其室，數語盡之。（歷友云：樂府自樂府，歌謡自歌謡，不相蒙也。樂府不特另具風神，而亦具有體格，古今之擬樂府者，皆東家施捧心伎倆也。《雅》、《頌》爲樂府之原，西漢以來如《安世房中歌》、《郊祀》十九章、《鐃歌》十八曲，不唯音節不傳，而字句亦多魯魚失眞，然其辭之古穆精奇，迥乎神筆，豈操觚家效顰所可施。無論近代，卽魏晉而降，如繆襲《鼓歌曲》、陳思王《鼙舞歌》、晉之《白紵》、《拂翔》等歌，亦豈髣髴其萬一乎！至唐世法部，如《伊》、《涼》、《甘州》之屬，多采名輩絶句，其中音節今亦不傳。然而歌謡者古逸也，樂府者正樂也，不祇神妙天然，而叶應律吕，非可以騁辭縱臆爲之者。觀漢之大樂，其初皆掌之協律都尉李延年，非苟然也。固知古詩可擬，而樂府必不可擬，此錢虞山所以譏歷下爲古官錦也。蕭亭云：古之名篇，如出水芙蓉，天然艷麗，不假雕飾，皆偶然得之，猶書家所謂偶然欲書者也。當其觸物興懷，情來神會，機括躍如，如兔起鶻落，稍縱則逝矣。有先一刻後一刻不能之妙，況他人乎！故《十九首》擬者千百家，終不能追蹤者，由於著力也。一著力便失自然，此詩之不可強做也。許蒿廬云：《大風歌》一名《三侯之章》。）

又 問：李滄溟先生嘗稱唐人無古詩，蓋言唐人之五古與漢魏六朝自別也。唐人七言古詩誠掩前絕後，奇妙難蹤，若五古似不能相頡頏，滄溟之言果爲定論歟？ 滄溟先生論五言，謂唐無五言古詩，而有其古詩，此定論也。錢牧翁宗伯但截取上一句，以爲滄溟罪案，滄溟不受也。要之唐五言古固多妙緒，較諸《十九首》、陳思、陶、謝，自然區別。七言古若李太白、杜子美、韓退之三家，橫絕萬古，後之追風躡景，唯蘇長公一人耳。（歷友云：世無印板詩格，前與後原不必其盡相襲也。歷下之詩，五古全倣《選》體，不肯規摹唐人，七古則專學初唐，不涉工部，所以有唐無五言古詩之說也。究竟唐人五言古，皆各成一家，正以不依傍古人爲妙，亦何嘗無五言古詩也。初唐七古轉韻流麗，動合風雅，固正體也；工部以下，一氣奔放，宏肆絕塵，乃變體也； 至如昌谷、溫、李、盧仝、馬異則純乎鬼魅世界矣。若以絕句言，則中晚正不減盛唐，又非可一槩論。蕭亭云：五言之興源於漢，注於魏，汪洋乎兩晉，混濁乎梁陳，風斯下矣。唐興而文運丕振，虞魏諸公已離舊習，王楊四子因加美麗，陳子昂古風雅正，李巨山文章宿老，沈宋之新聲，蘇張之手筆，此初唐之傑也；開元、天寶間則有李翰林之飄逸，杜工部之沉鬱，孟襄陽之清雅，王右丞之精緻，儲光羲之眞率，王昌齡之聲俊，高適、岑參之悲壯，李頎、常建之超凡；大曆、貞元則有韋蘇州之雅澹，劉隨州之閒曠，錢郎之清贍，皇甫之沖秀；下及元和，雖晚唐之變，猶有柳愚溪之超然復古，韓昌黎之博大其辭：是皆名家擅場，馳騁當世，詩人冠冕，海內文宗，安得謂唐無古詩？至於七言，前代雖有，唐人獨盛，他人勿論，如李太白之《蜀道難》、《遠別離》、《長相思》、《烏棲曲》、《鳴皋歌》、《梁園吟》、《天姥吟》、《廬山謠》等篇，杜子美《哀江頭》、《哀王孫》、《古栢行》、《劍器行》、《渼陂行》、《兵車行》、《洗兵馬行》、《短歌行》、《同谷歌》等篇，皆前無古而後無今，安得謂唐無古詩乎？試取漢、魏、六朝絜量比較，氣象終是不同，謂之唐人之古詩則可。滄溟先生其知言哉！）

又 問：七言律詩而外，如古詩歌、行、詞、曲、引、篇、章、吟、詠、歎、謠、風、騷、哀、怨、擬、弄諸體，其體格、音律、字句何以分別，始不混雜？ 姜白石《詩說》云：載始末曰引，體如行書曰行，放情曰歌，悲如蛩螿曰吟，通乎俚俗曰謠，委曲盡情曰曲。大略如此，可以意會耳。（蕭亭云：《談藝錄》云：詩家名號，區別種種，原其大義，固自同歸。夫情既異其形，故辭當因其勢。譬如寫物繪色，倩盼各以其狀；隨規逐矩，員方故獲其舊，則此乃因情立格，持守圜環之大略也。若夫神工哲匠，顛倒經樞，思若聯絲，應之杼軸，文如鑄冶，逐手而遷，縱橫參互，恆度自若，此心之伏機，不可強也。嗚呼，盡之矣！）

又 問：樂府五、七言與五、七言古何以分別？學樂府宜宗何人？ 古樂府五言如「孔雀東南飛」、「皚如山上雪」之屬；七言如《大風》、《垓下》、《飲馬長城窟》、《河中之水歌》之屬，自與五、七言古音情逈別，于此悟入，思過半矣。

又 問：七律，三唐、宋、元體格何以別優劣？ 唐人七言律，以李東川、王右丞爲正宗，杜工部爲大家，劉文房爲接武，高廷禮之論確不可易；宋初學西崑，于唐卻近，歐、蘇、豫章始變西崑，去唐卻遠；元如趙松雪，雅意復古，而有俗氣，餘可類推。（蕭亭云：七言律詩，五言八句之變也。唐初始專此體，沈宋精巧相尚，然六朝餘氣猶存；至盛唐聲調始遠，品格始高，如賈至、王維、岑參《早朝》倡和諸作，各臻其妙，李頎、高適，皆足爲萬世法程，杜甫渾雄富麗，克集大成，天寶以還，錢劉並鳴；中唐作者尤多，韋應物、皇甫伯仲以及大曆才子，接跡而起，敷詞益工，而氣或不逮；元和以後律體屢變，其造意幽深，律切精密，有出常情之外，雖不足鳴大雅之林，亦可爲一倡三歎。至宋律則又晚唐之濫觴矣，雖歐、梅、蘇、黃卓然名家，較之唐人，氣象終別。至于元人，品格愈下，雖有虞、楊、揭、范，亦不能力挽頹波，蓋風氣使然，不可強也。況詩家此體最難，求其神合氣完，代不數人，人不數首，雖不敢妄分優劣，而優劣自見矣。）

又 問：五古句法宜宗何人？從何人入手簡易？ 《古詩十九首》如天衣無縫，不可學已。陶淵明純任眞率，自寫胸臆，亦不易學。六朝則二謝、鮑照、何遜，唐人則張曲江、韋蘇州數家，庶可宗法。（蕭亭云：漢魏古詩如無縫天衣，未易摹擬；六朝綺靡，實鮮佳篇，故昔人謂當取材於《選》，取法於唐。朱文公謂學詩當從韋柳入門，愚謂不盡然。盛唐詩或高，或古，或深、或遠、或長、或雄渾、或飄逸、或悲壯、或淒婉，皆可師法，當就筆性所近，又學之方易於見長。嚴滄浪云：入門須正，立志須高。行有未至，可加工力；路頭一差，愈騖愈遠，由入門之不正也。）

又 問：《竹枝》、《柳枝》自與絶句不同，而《竹枝》、《柳枝》亦有分別否？請問其詳。《竹枝》泛詠風土，《柳枝》專詠楊柳，此其異也。南宋葉水心又創爲《橘枝詞》，而和者尚少。（歷友云：《竹枝》本出巴渝，唐貞元中，劉夢得在沅湘，以其地俚歌鄙陋，乃作新詞九章，教里中兒歌之，其詞稍以文語緣諸俚俗，若太加文藻，則非本色矣。世所傳「白帝城頭」以下九章是也。後人一切譜風土者，皆沿其體。若《柳枝詞》始于白香山《楊柳枝》一曲，蓋本六朝之《折楊柳》歌辭也，其聲情之儇利輕雋，與《竹枝》大同小異，與七絶微分，亦歌謠之一體也。）

又 問：七古長短句，波瀾卷舒，何以得合法？ 七言長短句唐人唯李太白多有之，滄溟謂其英雄欺人是也，或有句雜騷體者。總不必學，乃爲大雅。（歷友云：案長短句本無定法，唯以浩落感槩之致，卷舒其間，行乎不得不行，止乎不得不止，因自然之波瀾以爲波瀾。昔人云法在心頭，泥古則失，是已。然而起伏頓挫，亦有自然之節奏在。蕭亭云：七言長篇宜富麗，宜峭絶，而言不悉；波瀾要宏闊，陡起陡止，一層不了，又起一層；卷舒要如意，警拔而無鋪叙之跡；又要徘徊回顧，不失題面：此其大略也。如《柏梁詩》人各言一事，全不相屬，讀之而氣實貫串，此自然之妙，得此可以爲法。若短篇，詞短而氣欲長，聲急而意欲有餘，斯爲得之。長篇如王摩詰《老將行》，短篇如王子安《滕王閣》，最有法度。）

又 問：五古亦可換韻否？如可換韻，其法何如？ 五言古亦可換韻，如古《西洲曲》之類，唐李太白頗有之。（歷友云：五古換韻《十九首》中已有，然四句一換韻者，當以《西洲曲》爲宗，此曲係梁祖蕭衍所作，而《詩歸》誤入晉無名氏，不知何據也。蕭亭云：《十九首》「行行重行行」、「冉冉孤生竹」、「生年不滿百」皆換韻，魏文帝《雜詩》「棄置勿復陳」、「客子常畏人」，曹子建「去去莫復道」、「沈憂令人老」，皆末二句換韻，不勝屈指。一韻氣雖矯健，換韻意方委曲，有轉句即換者，有承句方換者，水到渠成，無定法也。要之，用過韻不宜重用，嫌韻不宜聯用也。蒿廬云：胡遯叟云：一韻五言正體，轉韻五言變體也。）

又 問：七古平韻、仄韻句法同否？ 七言古平仄相間換韻者，多用對仗，間似律句無妨；若平韻到底者，斷不可雜以律句。大抵通篇平韻貴飛揚，通篇仄韻貴矯健，皆貴頓挫，切忌平衍。（歷友云：七古平韻，上句第五字宜用仄字，以抑之也；下句第五字宜用平字，以揚之也。仄韻，上句第五字宜用平字，以揚之也；下句第五字宜用仄字，以抑之也。七言古大約以第五字爲關捩，猶五言古大約以第三字爲關捩。彼俗所云一三五不論，不唯不可以言近體，而亦不可以言古體也。安可謂古詩不拘平仄，而任意用字乎？故愚謂古詩尤不可一字輕下也。 蕭亭云：詩須篇中鍊句，句中鍊字，此所謂句法也。以氣韻清高深渺者絶，以格力雅健雄豪者勝，故寧律不諧，而不得使句弱，寧用字不工，而不可使語俗。七言第五字要響，所謂響者，致力處也。愚竊以爲字字當活，活則字字皆響，又何分平仄哉！）

又 問：七古換韻法？ 此法起於陳、隋，初唐四傑輩沿之，盛唐王右丞、高常侍、李東川尚然，李、杜始大變其格，大約首尾腰腹須銖兩勻稱，勿頭重腳輕、腳重頭輕乃善。（歷友云：初唐或用八句一換韻，或用四句一換韻，然四句換韻其正也，此自從《三百篇》來，亦非始于唐人。若一韻到底，則盛唐以後駸多矣。四句換韻，更以四平四仄相間爲正，平韻換平，仄韻換仄，必不叶也。 蕭亭云：或八句一韻，或四句一韻，或兩句一韻，必多寡勻停，平仄遞用，方爲得體，亦有平仍換平，仄仍換仄者，古人實不盡拘。亦有通篇一韻，末二句獨換一韻者，雖是古法，宋人尤多。）

又 問：律古五七言中，最不宜用字句若何？ 凡粗字、纖字、俗字，皆不可用，詞曲字面尤忌，卽如杜子美詩「紅綻雨肥梅」，一句中便有三字纖俗，不可以其大家而槩法之。（蕭亭云：王敬美先生曰：律詩句有不可入古者，古詩字有必不可爲律者。詞曲家非當家本色，雖麗語博學無用，唯詩亦然，況鄙俗之言、不典之語乎！）

又 問：七言五句古、六句古，其法若何？ 七言五句起於杜子美之「曲江蕭條秋氣高」也，昔人謂貴詞明意盡，愚謂貴矯健，有短兵相接之勢乃佳。（蕭亭云：七言五句，或第四句旣合之後，復拖一句掉轉，使餘韻悠然；或二、三句雙承，第四句方轉，以取第五句之勢。六句似當如律法，前後起結，三、四兩句如律中兩聯。總之，宜孤峭中有悠揚之致。）

又 問：五言六句古作法？五言亦有五句古否？ 五言短古詩，昔人謂貴詞簡味長，不可明白說盡，楊仲宏曰：五言短古，只是《選》詩首尾四句，所以含蓄無限。（歷友云：五言六句古，齊梁間多用之。唐人劉文房《龍門八詠》亦善此體，然幾於半律矣，特以其參用仄韻，故亦仍爲古體。大約中聯用對句，前後作起結，平韻、仄韻皆可用也。五言古五句體，唯劉宋《前溪歌》爲然，其詞曰：「黄葛結蒙籠，生在洛溪邊。花落逐水去，何當順流還。還亦不復鮮。」此詩頗爲創格，妙有餘韻，或以爲車騎將軍沈充所作舞曲也。）

又 問：《唐賢三昧集序》「羚羊掛角」云云，卽音流絃外之旨，不閒有議論痛快，或以序事體爲詩者與？此相妨否？（嚴儀卿所謂「如鏡中花，如水中月，如水中鹽味，如羚羊掛角，無跡可求」，皆以禪喻詩，內典所云「不卽不離，不粘不脫」，曹洞宗所云「參活句」是也，熟看拙選《唐賢三昧集》自知之矣。至於議論、叙事，自別是一體，故僕嘗云：五、七言詩有二體，田園邱壑當學陶韋，鋪叙感慨當學杜子美《北征》等篇也。（蒿廬云：似專論五言，詳見先生《池北偶談》。）

又卷二九 問：五言古、七言古章法不同如何？（章法未有不同者。但五言著議論不得，用才氣馳騁不得；七言則須波瀾壯闊，頓挫激昂，大開大闔耳。

又 問：律詩論起承轉合之法否？（勿論古文、今文、古今體詩，皆離此四字不可。

又 問：律詩中二聯必應分情與景耶？抑可不拘耶？（不論者非，拘泥者亦非，大槩二聯中須有次第，有開闔。

又 問：律中起句易涉於平，宜用何法？（古人謂玄暉工於發端，如《宣城集》中「大江流日夜，客心悲未央」，是何等氣魄！唐人起句尤多警策，如王摩詰「風勁角弓鳴，將軍獵渭城」之類，未易枚舉，杜子美尤多。

又 問：謝茂秦論絕句之法，首句當如爆竹，斬然而斷，古人之作亦有不盡然者，何也？（《四溟詩說》多學究氣，愚所不喜，此段亦不謂然。

又 問：七言絕、五言絕作法不同如何？（五言絕近於樂府，七言絕近於歌行；五言難於七言，五言最難於渾成故也。要皆有一倡三歎之意乃佳。

又 問：樂府何以別於古詩？（如《白頭吟》、《日出東南隅》、《孔雀東南飛》等篇是樂府，非古詩；如《十九首》、蘇李錄別是古詩，非樂府，可以例推。

又 問：唐人樂府何以別於漢魏？（漢魏樂府高古渾奥，不可擬議。唐人樂府不一，初唐人擬《梅花落》、《關山月》等古題，大概五律耳；盛唐如杜子美之《新婚》、《無家》諸別，《潼關》、《石壕》諸吏，李太白之《遠別離》、《蜀道難》，則樂府之變也；中唐如韓退之《琴操》，直遡兩周，白居易、元稹、張籍、王建創爲新樂府，亦復自成一體。若元楊維楨、明李東陽各爲新樂府，古意寖遠，然皆不相蹈襲。至於唐人王昌齡、王之渙，下逮張祜諸絕句，《楊柳枝》、《水調》、《伊州》、《石州》等詞，皆可歌也。

又 問：昔人論七言長古作法，曰分段，曰過段，曰突兀，曰用字貫，曰讚歎，曰再起，曰歸題，曰送尾，此不易之式否？（此等語皆教初學之法，要令知章法耳。神龍行空，雲霧滅沒，鱗鬣隱現，豈令人測其首尾哉！

又 問：太白《送羽林陶將軍》詩，蕭亭先生謂古有六句律體，疑此卽是，而諸選皆入七言古中何也？（六句律體於古有之，升庵先生撰《六朝律祖記》曾載之，今記憶不眞矣。（蒿廬云：案杜牧之集有七言半律，許丁卯集中亦有五言小律，皆止六句。檢升庵先生《五言律祖》並無此體。芷齋謂昌黎集亦有五言小律一首，題是《李員外寄紙筆》，查田先生評云：五言半律，唐人集中僅見。）

又 問：六朝《清平調》本是樂府，而諸選皆入七言絕句何也？（如右丞「渭城朝雨」亦絕句也，當時名士之詩，多取作樂府歌之，中、晚間如《伊州》、《石州》、《涼州》、《楊柳枝》、《蓋羅縫》、《穆護砂》等，亦皆絕句耳。

又 問：短歌行、長歌行，似非以句之多寡論？又有《滿歌行》、《艷歌行》、《何嘗行》之屬，當時命名之旨，卽吳兢《解題》亦不能盡通曉，更有《長歌續短歌》之名，皆非以詞之繁簡也。三曹樂府多以起句首二字命題，如「唯漢十四世，所任誠不良」，卽名《唯漢行》是也。

又 問：七言古用仄韻、用平韻，其法度不同何如？（七言古凡一韻到底者，其法度悉同，唯仄韻詩，單句末一字可平仄間用；平韻詩單句末一字忌用平聲。若換韻者，則當別論。

又 問：古詩換韻之法應何如？（五言換韻，如「折梅下西洲」一篇可以爲法，李太白最長於此；七古則初唐王、楊、盧、駱是一體，杜子美又是一體，若倣初唐體，則用排偶律句不妨也。

又 問：古詩忌頭重腳輕之病，其詳何如？ 此似爲換韻者立說，或四句一換，或六句一換，須首尾腰腹勻稱，無他秘也。

又 問：五言忌著議論，然則題目有應用議論者，只可以七言古行之，便不宜用五言體耶？（蒿廬云：問語甚是，余亦嘗持此論。）亦自看題目何如。但五言以蘊藉爲主，若七言則發揚蹈厲，無所不可。

又 問：或論絕句之法，謂絕者，截也，須一句一斷，特藕斷絲連耳。然唐人絕句如「打起黃鶯兒」「松下問童子」諸作，皆順流而下，前說似不盡然？ 所謂截句，謂或截律詩前四句，如後二句對偶者是也；或截律詩後四句，如起二句對偶者是也。非一句一截之謂然。此等迂拘之說，總無足取，今人或竟以絕句爲截句，尤鄙俗可笑。

又 問：排律之法何如？ 唐人省試皆用排律，本只六韻而止，至杜始爲長律，中唐元、白又蔓延至百韻，非古也。其法則「首尾開闔，波瀾頓挫」八字，約略盡之。

又 問：五言排律、七言排律作法何如？ 七言排律卽唐人作者亦少，近人唯見彭少宰羨門曾賦至百韻。

又 問：排律有多至幾十韻者，與短篇作法同否？ 章法一也，特短篇波瀾少耳。

又 問：《竹枝詞》何以別於絕句？ 《竹枝》詠風土，瑣細詼諧皆可入，大抵以風趣爲主，與絕句迥別。

又 問：《竹枝》與《柳枝》相類否？ 《柳枝》專詠柳，《竹枝》泛詠風土，《竹枝詞》古人間有專詠竹者，乃引《柳枝》之例，然不過偶一見耳，非原旨也。

又 問：五言短古，似與五言絕相類，但中多二句，然則中二句或如律中頷聯、頸聯，應實寫耶？ 此不必拘。

又 問：有一字至七字，或一字至九字詩，此舊格耶？抑俗體耶？ 格則於昔有之，終近游戲，不必措意。他如地名、人名、藥名、五音、建除等體，總無關於風雅，一笑置之可矣。

又 問：樂府是就其題直賦其事耶？抑借以發己意耶？ 古樂府立題必因一事，如《琴操》亦然，後人擬作者衆，則多借發己意。

又 問：今人作樂府有用其題，而絕不與題相照顧者，何也？ 古如《董逃行》與漢末事實更無關涉，《雁門太守行》乃頌洛陽令王稚子耳。不始今人。

又 問：《天馬引》、《天馬行》之辨？ 《天馬引》是琴曲。

宋犖《漫堂說詩》 古樂府音節久亡，不可摹擬。王（世貞）、李（攀龍）及雲間陳（子龍）、李（雯）諸子，數十年墮入雲霧，如禹碑石鼓，妄欲執筆效之，良可軒渠。少陵樂府以時事創新題，如《無家別》、《新婚別》、《留花門》諸作，便成千古絕調。後來張（籍）、王（建）樂府，樂天之《秦中吟》，皆有可採。楊鐵厓《詠史》，音節頗具頓挫；李西涯倣之便劣。要當作古詩讀，無煩規規學步也。亡友顧赤方（景星）擅長此體，余最好之。

又 五言古，漢、魏、晉、宋，名篇甚夥。獨蘇、李、《十九首》另爲一派。阮亭云：「如無縫天衣，後之作者，求之鍼縷襞積之間，非愚則妄。」誠哉知言。阮嗣宗《咏懷》，陳子昂《感遇》，李太白《古風》，韋蘇州《擬古》，皆得《十九首》遺意。于鱗云：「唐無古詩而有其古詩。」彼僅以蘇、李、《十九首》爲古詩耳，然則子昂、太白諸公，非古詩乎？余意歷代五古，各有擅場，不第唐之王、孟、韋、柳，卽宋之蘇（軾）、黃（庭堅）、梅（堯臣）、陸（游），要是斐然；而必以少陵爲歸墟。昔人詩評：杜工部如周公制作，後世莫能擬議。蓋篤論也。至杜之《北征》、《詠懷》，韓之《南山》諸大篇，尤宜熟誦，以開拓其心胸。

又 七言古詩，上下千百年定當推少陵爲第一。蓋天地元氣之奧，至少陵而盡發之，允爲集大成之聖。子美自許沈鬱頓挫，掣鯨碧海；退之稱其光燄萬丈；介甫稱其疾徐縱橫，無施不可；孫僅亦稱其馳驟怪駭，開闔雷電。合諸家之論，施之七古，尤屬定評。後來學杜者，昌黎、子瞻、魯直、放翁、裕之（元好問）各自成家，而余於子瞻彌覺神契，豈所謂來自華嚴境中者，余亦有少夙緣耶？初唐之《長安古意》、《帝京篇》，已屬陳言，無須效矉。何大復序《明月》篇，謂初唐四子之作，往往可歌，反在少陵之上。此未嘗槩七言之正變而言之，不足爲典要也。

又 律詩盛於唐，而五言律爲尤盛。神龍以後，陳（子昂）、杜（審言）、沈、宋開其先，李、杜、高、岑、王、孟諸家繼起，卓然名家；子美變化尤高，在牝牡驪黃之外；降而錢、劉、韋（應物）、郎（士元），清辭妙句，令人一唱三歎；卽晚唐刻畫景物之作，亦足怡閒情而發幽思。始信四十字爲唐人絕調，宋、元、明非無佳作，莫能出此範圍矣。

又 初唐王、楊、盧、駱倡爲排律，陳、杜、沈、宋繼之，大約侍從遊宴應制之篇居多，所稱「臺閣體」也。雖風容色澤，競相誇勝，未免數見不鮮。《品彙》以太白、摩詰揭爲正宗，錢起、劉長卿錄爲接武，均之不愧當家。晚唐李義山刻意學杜，亦是精麗。若夫渾涵汪茫，千彙萬狀，惟少陵一人而已。《上韋左相》、《贈哥舒翰》、《謁先主廟》等篇，雄渾悲壯，譬諸泰岱滄溟，高深無際。《品彙》推爲大家，諒哉。後來元、白儘多長篇，去之霄壤。

又 世之稱詩者，易言律，尤易言七言律。每見投贈行卷，七律居半。不知此體在諸體中最難工。《品彙》推尊盛唐，未嘗不當，至王、李七子而濫矣。鍾、譚起而闢之，然鍾、譚無詩也。自後雲間（陳、李諸子）闢鍾、譚，虞山（錢牧齋）又闢雲間，出奴入主，迄無定評。平心而論：初唐如花始苞，英華未鬯；盛唐王維、李頎、岑參諸公，聲調氣格，種種超越，允爲正宗；中、晚之錢、劉、李（義山）、劉（滄）亦悠揚婉麗，渢渢乎雅人之致，義山造意幽邃，感人尤深，學者皆宜尋味。獨少陵包三唐，該正變，爲廣大教化主，生平瓣香，實在此公，惜未能闚其閫閾。東坡云：「天下幾人學杜甫，誰得其皮與其骨？」然不敢以難而謝之；學杜有得，卽學蘇學陸無乎不可。

又 五言絕句起自古樂府，至唐而盛。李白、崔國輔號爲擅場；王維、裴迪輞川倡和，開後來門逕不少。錢、劉、韋、柳，古淡清逸，多神來之句。所謂好詩必是拾得也。歷代佳什，往往而有。要之，詞簡而味長，正難率意措手。六言作者寥寥，摩詰、文房偶一爲之，不過詩人之餘技耳。

又 詩至唐人七言絕句，盡善盡美。自帝王公卿名流方外以及婦人女子，佳作纍纍；取而諷之，往往令人情移，迴環含咀，不能自已；此眞《風》、《騷》之遺響也。洪容齋《萬首唐人絕句》編輯最廣，足資吟詠。大抵各體有初盛、中、晚之別，而三唐七絕，並堪不朽。太白、龍標，絕倫逸羣，龍標更有「詩天子」之號。楊升庵云：「龍標絕句無一篇不佳。」良然。少陵別是一體，殊不易學。宋、元以後，頗有名篇；較之唐人，總隔一塵在。

田雯《古歡堂集・雜著》卷二《論五言古詩》 五言古詩正派，未有不權輿於《十九首》與蘇、李者。建安之盛，思王爲宗；鄴下之末，阮籍爲最。至於典午之朝，左思、郭璞、劉琨稱鼎立焉。淵明一出，空前絕後，學者誰敢輕加位置？由其詩高、其人異也。自是而後，宋有謝靈運、鮑照，齊有謝朓，梁有何遜、江淹，陳有徐陵、江總，以暨北魏劉昶，北齊顏之推，北周王褒、庾信，無不摩壘堂堂，雄壓當代。譬如列國然，諸公晉、楚也，他家邾、莒、曹、鄶也。又如畫然，淵明秋山平遠，煙樹寒林，野水斜陽，天光雲影，翛然於篇幅之外。若鮑、謝以下各家，則著色點染，取董、巨神理而兼熙、筌藻繪者矣。總而論之，大約高曾於蘇、李，根柢於漢、魏，神明於彭澤，規摹於鮑、謝、何、庾，所謂正派，其在茲乎？迨乎初唐之陳子昂，盛唐之李白、王維、孟浩然，中唐之柳宗元、韋應物，亦復如是。好學深思者，溯源尋流，當自得之。

又《論七言古詩》 昔人謂七言沿起昉於《擊壤》。予於《擊壤篇》另作句讀，非七言之祖明矣。《三百篇》已露其端，《離騷》實闢其境。至於《飯牛》、《臨河》、《易水》、《皇娥》、《白帝》、《子產誦》、《采葛婦》諸篇，聲長字縱，皆歌行之祖。

又 七言古詩，至唐末式微甚矣！歐陽文忠公崛起宋代，直接杜、韓之派而光大之，詩之幸也。

又 總而論之，七言古詩肇於《離騷》、《毛詩》，而漢、魏已來，遂備其體。《大風》、《垓下》、《秋風》、《柏梁》、《四愁》、《燕歌》等篇，古音錯落，皆成奇觀。唐人體凡數變。王、楊、盧、駱別是一格，何大復極言其工，固不必深議。太白曠世逸才，自成一家。少陵、昌黎，空前絕後。宋則歐、王、蘇、黃、陸諸君子，根抵於杜、韓，而變化出之。元則裕之、道園輩，頗有法則。其餘間有可採，而非歌行大觀矣。大約作七古與他體不同，以縱橫豪宕之氣，逞夭矯馳驟之才，選材豪勁，命意沉遠；其發端必奇，其收處無盡，音節琅琅，可歌可聽。如老將用兵，漫山瀰谷，結率然之陣，中擊不斷，而壁壘一新，旌旗改色，乃稱無敵。

又 七言絕句起自古樂府，盛唐遂踞其巔。太白、龍標，無以加矣。他如旗亭雪夜，畫壁鬮奇，非其自信者深乎？「工夫轉換之妙，全在第三句，若第三句用力，則末句易工」。滄溟之言韙矣。然實二十八字俱有關合，乃成一首，學者細玩「黃河遠上」之篇，思過半矣。

又卷二四《艷體詩序》 艷體詩原於《毛詩》，《國風》之有鄭衛，《小戎》之章曰：「在其板屋，亂我心曲。」《東山》之什曰：「其新孔嘉，其舊如之何！」此艷之至者，故紫陽以鄭衛爲淫風，後之學者多非之。漢唐已來，張衡有《同聲》之作，繁欽著《定情》之句，下暨《子夜》《清商》《西崑》《香奩》諸篇，溫李段韓諸人，亦云艷矣。假使尼山而在，亦必不刪之，則以鄭衛爲淫風，誠非也。謂艷體詩可以弗作，皆未讀《毛詩》者也。從來有老、莊之玄言，即有徐、庾之麗句，亦文章之不可闕者。

錢良擇《唐音審體・古題樂府論》 漢惠帝時，夏侯寬爲樂府令，始以名官。至武帝以李延年爲協律都尉，詔司馬相如等賦詩合樂，因有樂府之名。自漢以迄唐、五代，凡樂皆詩也。唐史臣吳兢作《樂府古題要解》二卷，傳其解，不傳其詩。宋太原郭茂倩作《樂府詩集》一百卷，刪訂詳明，集古今樂府之大成。然所載郊廟燕射歌辭，乃朝廷承祭祀饗賓客所用，非詩人可無故擬作，其題皆吳氏所不載也。所載古題樂府詩，有鼓吹、鐃歌、橫吹、鼓角、相和、平調、清調、瑟調、楚調、清商、吳聲、舞曲、琴曲、雜曲之分，或爲軍中之樂，或爲房中之樂，所用不同，音節亦異。又分隋、唐雜曲爲近代曲辭，以別於古而不列之新樂府，以其皆有所本，皆被於樂，與古不異也。唐世樂皆用詩，然已稍變其格，如今體二韻四韻詩，皆叶宮商，此前代所未有也。至於擬古之作，其文往往與古辭異同；意當時詩人即未必能歌，而皆諳音節，故但用其題，諧其聲，而不必倣其式。五代以後，樂不用詩，樂府音節，舉世失傳，其名僅存，其聲蓋不可考。自宋迄今，詩人所爲樂府，但以章句體裁髣髴古人，未敢信其可被管絃也。有明之世，李茶陵以詠史詩爲樂府，文極奇而體則謬。李于鱗以割截字句爲擬樂府，幾於有辭而無義。鍾伯敬謂樂府某篇似詩，詩某句似樂府。判然分而爲二，自誤誤人，使後學茫然莫知所嚮，良可慨也。

又《新樂府論》 太原郭氏曰：「新樂府者，皆唐世之新歌也。以其辭實樂府，而未嘗被於聲，故曰新樂府也。元微之病後人沿襲古題，唱和重複，謂不如寓意古題，刺美見事，猶有詩人引古以諷之義。近代唯杜甫《哀江頭》、《悲陳陶》、《兵車》、《麗人行》等，率皆即事名篇，無復倚傍。乃與白樂天、李公垂輩謂是爲當，不復更擬古題矣。」愚按：少陵《麗人行》及前、後《出塞》，郭氏列之古題中；其《哀江頭》等篇，元相略舉一二，他詩類此者正多，少陵新樂府或不止是，不知《樂府詩集》何以止載五首？然杜集不標樂府之名，郭氏去唐未遠，當必有考。《文苑英華》分樂府、歌行爲二，以少陵《兵車行》、白傅《七德舞》等列之歌行中。《英華》分類，恐不如郭氏分體之精也。

又《古詩四言五言論》 太白謂詩五言不如四言，以其近古也。然唐人四言詩絕少，錄之僅得三首。五言詩始於漢元封，盛於魏建安，陳思王其弁冕也。張、陸學子建者也，顏、謝學張、陸者也，徐、庾學顏、謝者也。其先本無排偶，晉，排偶之始也，齊、梁，排偶之盛也，陳、隋，排偶之極也。齊永明中，沈約、謝朓、王融創爲聲病，一時文體驟變。謝玄暉、王元長皆沒於當代，沈休文與是時作手何仲言、吳叔庠、劉孝綽等並入梁朝，故通謂之齊梁體。自永明以迄唐之神龍、景雲，有齊梁體，無古詩也。雖其氣格近古者，其文皆有聲病。陳子昂崛起，始創闢爲古詩，至李、杜益張而大之，於是永明之格漸微。今人弗考，遂概以爲古詩，誤也。

又《齊梁體論》 陳拾遺與沈、宋、王、楊、盧、駱時代相同，諸家皆有律詩，蓋沈、宋倡之。古詩止拾遺獨擅，餘皆齊、梁格也。

又《古詩七言論》 七言始於漢歌行，盛於梁。梁元帝爲《燕歌行》，羣下和之，自是作者迭出，唐初諸家皆效之。陳拾遺創五言古詩，變齊、梁之格，未及七言也。開元中，其體漸變，然王右丞尚有通篇用偶句者。旋乾轉坤，斷以李、杜爲歌行之祖。李、杜出，而後之作者不復以駢儷爲能事矣。歌行本出於樂府，然指事詠物，凡七言及長短句不用古題者，通謂之歌行，故《文苑英華》分樂府、歌行爲二。

又《律詩五言論》 律詩始於初唐，至沈、宋而其格始備。律者，六律也，謂其聲之協律也；如用兵之紀律，用刑之法律，嚴不可犯也。齊梁體二句一聯，四句一絕，律詩因之加以平仄相儷，用韻必雙，不用單韻。唐人律詩，間有三韻、五韻、七韻、九韻者，偶然變格，不過百之一耳。上下句相黏綴，以第二字爲準，仄、平、平、仄爲正格，平、仄、仄、平爲偏格，自二韻以至百韻，皆律詩也。二韻謂之絕句，六韻以上謂之長韻。（見《杜牧集》。）馮班曰：「律詩多是四韻。」古無明說。嘗推而論之：一聯絕黏綴，至於八句，首尾胸腹，俱已具足；如正格二聯，平平相黏也，中二聯仄仄相黏也，至二轉而變有所窮，則已成篇矣。自高棅《唐詩品彙》出，人遂不知絕句是律詩，棅又創排律之名，益爲不典。古人所謂排比聲律者，排偶櫛比，聲和律整也。乃於四字中摘取二字，呼爲排律，於義何居？古人初無此名，今人竟以爲定格而不知怪，可歎也！

又《律詩五言應制論》 唐人自沈、宋而後，應制皆律詩也。五言七言，用韻多少，雖無定格，未有以古調歌行應制者，蓋取其莊重也。較之尋常言志之作，律雖同而辭不同。應太子曰應令，應諸王曰應教，其體亦相類。今分應制詩別爲一體。至於唐初所用齊梁體，後世應制不復用，可不具論。

又《律詩五言長韻論》 初唐諸家長律詩，對偶或不甚整齊，第二字或不相黏綴。如胡、鍾正書，猶略帶八分體；至右軍而楷法大備，遂爲千古立極。詩家之少陵，猶書家之右軍也。少陵作而沈、宋諸家可祧矣。故五言長韻，七言四韻律詩，斷以少陵爲宗。

又《律詩五言聯句論》 漢武帝《柏梁》詩，人賦七字，聯句之祖也。唐人聯句多五言，有人賦一韻者，有人賦幾韻長短不齊者，唯韓、孟《城南》作，自起句後，先對一句，次出一句，彼此交互，工力悉敵，極聯句之能事矣。

又《律詩五言絶句論》 二韻律詩，謂之絶句，所謂四句一絶也。《玉臺新詠》有古絶句，古詩也。唐人絶句多是二韻律詩，亦不論用韻平仄，其辨在於聲韻，古今人語音譌變，遂不能了了。其第二字或用平、仄、平、仄，或用仄、平、仄、平，不相黏綴者，謂之折腰體。五言、七言皆然。宋人有謂絶句是截律詩之半者，非也。

又《律詩六言論》 六言詩聲促調板，絶少佳什。

又《律詩七言四韻論》 七言律詩始於初唐咸亨、上元間，至開、寶而作者日出。少陵崛起，集漢、魏、六朝之大成，而融爲今體，實千古律詩之極則。同時諸家所作，既不甚多，或對偶不能整齊，或平仄不相黏綴，上下百餘年，止少陵一人獨步而已。中唐律詩始盛。然元、白號稱大家，皆以長篇擅勝，其於七言八句，竟似無意求工。錢、劉諸公，以韻致自標，多作偏枯，格中二聯，或二句直下，或四句直下，漸失莊重之體。義山繼起，入少陵之室，而運以穠麗，盡態極妍，故昔人謂七言律詩莫工於晚唐。然自此作者愈多，詩道日壞。大抵組織工巧，風韻流麗，滑熟輕艷，千手雷同，若以義求之，其中竟無所有。世遂有「開口便是七言律詩，其人可知矣」之誚。非七言律詩不可作，亦作者不能挺拔自異也。以命意爲主，命意不凡，雖氣格不高，亦所不廢。意無可採，雖工弗尚。所謂甯爲有瑕玉，勿爲無瑕石，蓋必深知戒此，而後可言詩。願與未來學者共勉之。

又《律詩七言長韻論》 七言長律詩，唐人作者不多，以句長則調弱，韻長則體散，故傑作尤難。

又《律詩七言絶句論》 絶句之體，五言、七言略同，唐人謂之小律詩。或四句皆對，或四句皆不對，或二句對，二句不對，無所不可。所稍異者，五言用韻不拘平仄，七言則以平韻爲正，然仄韻亦非不可用也。其作法則與四韻律詩迥別，四韻氣局舒展，以整嚴爲先；絶句氣局單促，以警拔爲上。唐人名作，家絃戶誦者，絶句尤多。其「離合」、「疊字」諸體，近於兒戲，然古人業有此格，不可不知。

張謙宜《絸齋詩談》卷二 古四言之難，學其艱奮，既失其和平；學其平雅，又傷於繁蕪。求其字峭句蒼，眞氣浮動，未見其人。　四言詩不必作，即嘔出心來，也難到漢人境，何況向上。　詩學《三百篇》，凡有數難：性情不調適，一也；氣骨不堅定，二也；吐詞欠蘊藉，三也；斲鍊欠精密，四也；體製難恰好，五也。幸而得句，未必通章似之；幸而成章，未必連篇勻稱。設色則浮艷，用意則淺薄。艱深必拚意，平易必庸膚。故問津者千百中無一二焉。　漢之樂章，如《房中》、《天馬》諸詩，無祖宗積累之實，仁漸義摩之功，而徒爲博麗閎詞，何益乎？　雅、頌之不可及，豈獨其文盛哉！凡不可唱，非樂府也。如唐人絶句，今已無能唱者，況漢詞乎！無其實，何必擬作。後人摹倣他聲調，如照《內則》做八珍，作料火候俱不是，未必可食。　擬樂府甚難，須令音調節奏用古人之遺法，情事委曲寫自己之悃愫，方妙。　孫月峰云：「樂府貴俚。」亦不盡然。如漢代《房中》諸曲，博奧爾雅，豈得云「俚」？惟民謠里唱時有之，然亦須鍊到。　里語不妨入樂府，但要鍊得雅，李大村秧鼓歌是如此。　樂府主於痛快淋漓，若以悶木不盡言爲上，先不知古今之變已。　古詩與樂府分界，只是動氣靜氣之交。　唐人如昌谷樂府，眞是當家。若李于鱗之樂府，則是造贋鼎手，不足多珍。　《騷》學不深者，莫惹昌谷派，恐學他一片墨暈耳。　《樂府題解》已有崖刻，須買一本常看，方不會錯。　《選》體如盛世士夫，精神肅穆，衣冠都雅，詞令典則，所以望之起敬。後來者各換粧束，各打鄉談，不妨自成一家，全無太平寬裕之象。雖韓、杜諸公，亦望而卻步。　《選》體凝而不流，全在精神收歛，意思深沉，不然亦是死胚。　《選》體詩全要典重深厚，須以學力勝，枵腹掉筆者，遇此必不支。　古詩如廚人作清湯，重料濃汁，以香蕈滲其膩，鯉魚血助其鮮，其清如水，滋味深長。　古詩寫景如寫意，山水林木水石，不須細細鈎勒，屋宇人物，不須瑣瑣描畫。然須一氣磅礴中蒼厚渾成，當於此等處會心。

詠古體，取古事，而諷喻己懷，不露聲色議論爲妙，然亦有用議論而妙者。

七言古，須如獅子出入山中，行常不發怒也。須有千斤氣力在。

七言古，須有峰嵐離奇，烟雲斷續之妙。

古人長篇，勿徒學其敷演，須於轉折接落處求其換手法，又須求某處凝聚，某處盤旋，某處關鎖攔截，此上乘法。長篇布置之妙，正以錯綜變化爲上。

戩夏先生云：「《孔雀東南飛》極長，『龍洲無木奴』極短，須看成一副機軸，方可談詩。」此話至今不向人說，若要知，只去熟讀了再想，一一說破，便厭鈍了人。

歌行亦論品格，不得耑以豪壯括之。

換韻不接韻，自唐人以來多有之，畢竟先接一句是。換韻處須令陡健。

換韻不頂韻，古多有，氣味卻要灌注，界劃尤須分明。

句句下韻，太陡不得，太漫不得，陡則暴，漫則弱。

隔句用韻，三句一韻，碑誌中用之爲宜，詩則不必。

通首五言，著七字一兩句收，便是七言古詩。自唐已定此例，再申之。

楊戩夏先生最不喜人效長短句，恐其碎且軟，久則近於塡詞也。

七言六句古詩，妙在上四句說盡題意，更添不得。

五言律，須字字如渾鐵打就，力大於身。

五律一團筋力，又須有絃外傳音之妙。

以客問結撰之祕，答曰：「一篇全在起結著力，起欲如俊鶻摩天，結欲如盤弓勒馬。」起法之陡健者，其勢自紆徐，足以函蓋通章。

凡起句領韻，須令寬裕流行，下意可接。

凡詩起得突直，須用婉秀語承之，卽月峰所謂節奏也。

結句今人往往離根，蓋自五六轉處，不曾豫留七八地也。此訣要細心玩味。

好詩只在布置處見本領，不然便成四副春聯。

做詩無別法，但令虛實顧盼，首尾蟠結，中間行吾意處不漏不浮而已。

氣纔高，便以粗豪爲壯偉；心太低，或以卑弱爲清眞，當細辨之。

七言律，鋌欲韜藏，巧須貫串，造勢固費經營，相機尤當詳審。大約以古爲律，俗豔方得脫落。

七言律，全要眞體內充，大用外腓。

七言拗格，越要煅煉足，精力勻。

五言第三字、七言第五字要響，此宋人口訣也。

詠物貼切固佳，亦須超脫變化。宋人《猩毛筆》詩：「平生幾兩屐，身後五車書。」《芭蕉》詩：「葉如斜界紙，心似倒抽書。」非不恰肖，但刻劃太細，全無象外追神本領，終落小家。證諸杜陵詠物，方信予言不謬。

杜詩詠物，俱有自家意思，所以不可及。如《苦竹》，便畫出箇孤介人；《除架》，便畫出箇飄零人；《蕃劍》、《宛馬》，又居然是英雄磊落氣概。如劉鑾塑東岳位下一丞相，見魏徵遺照而後就，皆是一種道理。

仇滄柱云：「不離詠物，卻不徒詠物，此之謂大手筆。」此言極當，凡託物以自況處，皆作如是觀。

和韻之法，須用自己意思管領，首尾一氣，勿帶應酬俗套。

押韻貴渾成妥確，開闔點綴務與本章機扣相通，又要與和人之情暗暗關會。非熟後不能，非由絢爛歸於平淡者不知。

平仄勾帶爲正格，前錯後合爲拗格，相間到底爲流水格。字調全拗爲仄體，唐止有此四派。論仄體王不如杜之健，然少陵粗處，王卻能淘汰。

唐人詩格不一，有平分者，有遞接者，有上二句下六句者，有上六句下二句者，論文已言之。

少陵五言律，或上三字下二字成句，或下三字上二字成句，上一字下四字者時有之；又有上下平分二字以中間字貫下者，尤妙。七律，或上四下三成句，或上三下四成句；又有上二字下五字者，有上二字下三字以中間二字貫串，皆不害其爲一氣。章中必錯落互用，所以無幷肩之病。

原排律立名之意，自取排宕排闥之義，一物一事，必換意分層以盡其致，塡砌典故，點綴浮豔，非詩也。排律之有應制應試，又自一派，謂足以盡詩之用，誤矣。以格律過嚴，繩檢太拘，雖三唐高手爲之，未能淋漓滿志。說者謂詞取頌揚，體取駢儷，以餖飣目之，亦未得其本旨者。

揭其大法，不離乎起承轉合。卽以十二句言之：二句起，四句承，四句轉，二句合，此一例也。或用四句起，二句承，二句轉，四句合，此一例也。或通體鋪敘，自以淺深次第湊泊成篇，無起承轉合之痕，而法自行乎中，又一例也。

應制體未必獻箴，古人多如此，蓋本之《雅》、《頌》。

作排律，局要闊大，思要綿密，次第中有總分串遞之法，方爲當家。

凡百韻或數十韻長篇，必有過脈。大約一句挽上，一句生下，此文之筋也。無此便聯絡不上，但用之有明暗、曲直、斷續、飛黏之不同耳。

排者，開也。一意分數層，一事分數段，須依法逐節說去，方飽滿流動。若沒頭沒眼，堆砌字句，便不成章。後學戒之。

五言排律，當以少陵爲法，有層次，有轉接，有渡脈，有盤旋，有閃落收繳，又妙在一氣。

七言排律，杜陵集止有三首，其難可知。一是句長髓不滿，一是調緩骨易酥。

絕句不要三句說盡，亦不許四句說不盡。

七言四句，總要一意一氣，而起承轉合之界，各自井然。

絕句一句一轉，卻是四句只成一事，著重尤在第三句一轉，方好收合。雖只四句，與律法無異，意不透不妙，意已竭亦不妙。上二句太平，振不起下二句。下二句勢高，恐接不入上二句。用力要勻，如善射者之撒放，左右手齊分，始平耳。法莫備於唐人，中晚尤妙。但不當學少陵絕句，彼是變格，太白則聖手矣。

絶句之有宮體，大約皆文人憂忿，託之於女子，貴乎婉而善怨，悽斷傷心，溢於楮墨之外。其用古事古器，用服飾、宮殿、樂器，當以類合。清廟之鼎鐘，不可置於房闥；帝后之冠服，不可施於婢妾，慎之慎之！漢、唐事類略相似，然不可雜用。且如舞馬登牀，此唐明皇事。若上句用漢武駁娑宮，下句不得言宮中舞馬，以有此宮時無此戲也。又如同一宮殿，有聽政、燕閒之不同，即不可混用，以宮嬪不得至外庭也。《竹枝詞》，此樂府之一部，又與宮詞不同。意取諧俗，調宜鮮脆，然但有媚趣，質帶潤色爲佳。唐人尚有矜貴意，元、宋則街談矣。此中分際，非當家莫辨也。五言絶句，短而味長，入妙尤難。惟師唐人之上乘者，庶幾得解。或問詞曲源流，予告以《離騷》爲祖，漢樂府爲宗。逮晚唐之綺麗，已至末流。宋人以淺語寫情，巧思鬭捷，加以金、元之踵事增華，一變爲套數，再變爲院本，三變爲南曲，而香豔柔脆之致極矣。但其措詞，必以男女失時抑鬱哀怨爲主，雖可以悦耳，實足以蕩心，學者勿效爲是。

又卷三 後生學詩，急宜講者，氣骨耳。譬之人，氣秉自先天，骨成於壯歲，勿容强也。而學者有移氣移體之説，則涵養宜豫也。今進農夫於前，脱其蓑笠，攝以衣冠，則卑弱不能稱；進書生於前，加之袞冕紳珮，必忸怩汗出，而不免失措，其氣骨不足以充之也。古之人，如杜子美之雄渾博大，其在山林與朝廷無以異，其在樂土與兵戈險厄無以異，所不同者山川風土之變，而不改者忠厚直諒之志。志定，則氣浩然，則骨挺然，孟子所謂「至大至剛塞乎天地」者，實有其物。而光怪熊熊，自然溢發，少陵獨步千古，豈騷人香草，高士清操而已哉！其時，元次山高古渾穆，有三代之遺風；韋蘇州沖融樸茂，得陳子昂之精神。此二子者，並駕互參，非太白，浩然拘於清態逸韻者所能頡頏也。讀書不奮臂大呼，單刀直入，見血吸髓，徒狥詩家一定之評，未有能得力者也。故吾之論詩，與他人不同。吾嘗與高大將軍語，囑曰：「君輩慎勿談兵，非身歷行伍，九死一生，豈知此中消息。」噫！吾十三學詩，今五十五稔矣。刀痕箭瘢，徧體鱗皴，然後敢爲後生言。若夫小巧細步，沾沾自喜，以笑傲烟霞爲仙都，放浪跌宕爲蟬蛻，此虎丘歌酒之場，烏睹夫泰、華之峻，江海之深哉！有志者其勉乎哉。

趙執信《談龍録》 聲病興而詩有町畦。然古今體之分，成於沈、宋。開元、天寶間，或未之尊也。大曆以還，其途判然不復相入。由宋迄元，相承無改。勝國士大夫浸多不知者。不知者多，則知者貴矣。今則悍然不信，其不信也，由不明於分之之時。又見齊梁體與古今體相亂，而不知其別爲一格也。常熟錢木庵(良擇)推本馮氏，著《唐音審體》一書，原委頗具，可觀采。

又 長篇鋪張必有體裁，非徒事拉雜堆垛。余昔在都下，與德州馮舍人大木(廷櫆)並得名，日事唱和。會有得諸葛銅鼓者，大木先成長句二十韻，余繼作四十韻，盛傳於時，皆爲閣筆。江都汪主事蛟門(懋麟)，王門高足也，内崛强，阮翁適得浯溪磨厓碑，蛟門亟爲四十韻以呈，阮翁贊之不容口，以示余。余覽其起句曰「楊家姊妹顔妖狐」，遽擲之地，曰：「詠中興而推原天寶致亂之由，雖百韻可矣，更堪作爾語乎！」阮翁爲之失色者久之。

又 强爲七言長古詩者，如瞽者入市，唱叫不休。强爲五言短古詩者，如貧士乞憐，有言不盡。皆足以資笑噱。若近體詩之塗朱傅白，搔頭弄姿者，勿與知可也。

姚培謙《松桂讀書堂詩話》 《三百篇》詩皆四言，間逗五言句。七言雖始于《柏梁》，實則四言二語合之。如「枹鼓不鳴董少平」，「解經不窮戴侍中」，一切歌謠止一句者，必用兩韻相協可見。若八言、九言，則不復可用之吟咏也。至歌行，長短句出自樂府，長句間有至十餘字以上者。要之，長句中實包短句，不過其用韻有疏密耳。

又 五爲中數，故音止于五，加以變宮變徵而有七，皆自然之數也。詩始于四言，優柔平和，涵蘊無盡，然時露五言。漢魏承之，遂爲百代繩尺。五言之外，豈復有詩乎？至七言之興，雖創自《柏梁》，實胚胎于《楚辭》中《大招》、《小招》，蓋豁四言兩句之意而出之，非取五言而益以二字也。顧聲長字縱，雖曰易以成文，而渾樸之氣已散。詩之止于七言，其義正與七音等。故詩家不工五言，必無獨工七言之理。漢魏尚矣，六朝諸名家，七言雖間作，其致精全在五言。至唐而七言始盛，七律尤擅長。然大家如《太白集》、《蘇州集》，七律亦僅見，中晚人始以此體爲酬應之先資耳。余謂攻詩者，必以五言爲宗，或不致悖于古人也。

又 《三百篇》皆四言，字不多而有含蘊，或疊至三四章，皆反復咏嘆，無取煩言也。漢人增至五言，則語放而易駛，開長篇之端矣。若七言，則合二句爲一句，仍本四言，非從五言擴之也。

沈德潛《説詩晬語》卷上 《三百篇》中，四言自是正體。然《詩》有一言，如《緇衣》篇「敝」字、「還」字，可頓住作句是也；有二言，如「鱨鯊」、「祈父」、「肇禋」是也；有三言，如「螽斯羽」、「振振鷺」是也；有五言，如「誰謂雀無角」、「胡爲乎泥中」是也；有六言，如「我姑酌彼金罍」、「嘉賓式燕以敖」是也；至「父曰嗟予子行役」、「以燕樂嘉賓之心」，則爲七言；「我不敢傚我友自逸」，則爲八言。短以取勁，長以取妍，疏密錯綜，最是文章妙境。

又　美盛德之形容，故曰「頌」。其詞渾渾爾、穆穆爾，不同「雅」音之切響也。《記》曰：「《清廟》之瑟，朱絃而疏越，一唱而三歎，有遺音者矣。」故可以感格鬼神。《周頌》和厚，《魯頌》誇張，《商頌》古質，此頌體之别。

又　《騷》體有「少歌」、有「倡」、有「亂」。歌詞未申發其意爲「倡」，獨倡無和，總篇終爲「亂」。蓋言之不足，故長言之，長言之不足，故反覆咏歎之也。漢人五言興而音節漸亡，至唐人律體興，第用意於對偶平仄間，而意言同盡矣。求其餘情動人，何有哉？　《詩》三百篇，可以被諸管絃，皆古樂章也。漢時詩樂始分，乃立樂府。《安世房中歌》，係唐山夫人所製，而清調、平調，瑟調，皆其遺音，此「南」與「風」之變也。朝會道路所用，謂之鼓吹曲，軍中馬上所用，謂之橫吹曲，此「雅」之變也。武帝以李延年爲協律都尉，與司馬相如諸人略定律呂，作十九章之歌，以正月上辛用事，此「頌」之變也。漢以後因之，而節奏漸失。

又　樂府之妙，全在繁音促節，其來于于，其去徐徐，往往於迴翔屈折處感人，是卽「依永」「和聲」之遺意也。齊梁以來，多以對偶行之，而又限以八句，豈復有詠歌嗟歎之意耶？

又　樂府寧樸毋巧，寧疎毋鍊。張籍《短歌行》云「菖蒲花開月常滿」，傷於巧也。無名氏《木蘭詩》云：「朔氣傳金柝，寒光照鐵衣。」後人疑爲韋元甫假託，傷於鍊也。古樂府聲律，唐人已失。試看李太白所擬篇幅之短長，音節之高下，無一與古人合者，然自是樂府神理，非古詩也。明李于鱗句摹字倣，并其不可句讀者追從之，那得不受人譏彈？

又　四言詩締造良難，於《三百篇》太離不得，太肖不得。太離則失其源，太肖祗襲其貌也。韋孟《諷諫》、《在鄒》之作，肅肅穆穆，未離雅正。劉琨《答盧諶》篇，拙重之中，感激豪蕩，準之「變雅」，似離而合。張華、二陸、潘岳輩，僶俛欲息矣。淵明《停雲》、《時運》等篇，清腴簡遠，别成一格。

又　《風》《騷》既息，漢人代興，五言爲標準矣。就五言中較然兩體：蘇李贈答、無名氏《十九首》，是古詩體；《廬江小吏妻》、《羽林郎》、《陌上桑》之類，是樂府體。

又　五言古，長篇難於鋪叙，鋪叙中有峰巒起伏，則長而不漫；短篇難於收歛，收歛中能含藴無窮，則短而不促。又長篇必倫次整齊，起結完備，方爲合格；短篇超然而起，悠然而止，不必另綴起結。苟反其位，兩者俱傎。　漢五言一韻到底者多，而《青青河邊草》一章，一路換韻，聯折而下，節拍甚急；而「枯桑知天風」二語，忽用排偶承接，急者緩之，是神化不可到境界。

又　五言長篇，固須節次分明，一氣連屬。然有意本連屬，而轉似不相連屬者：叙事未了，忽然頓斷，插入旁議，忽然聯續，轉接無象，莫測端倪，此運《左》、《史》法於韻語中，不以常格拘也。千古以來，且讓少陵獨步。　《大風》、《柏梁》，七言權輿也。自時厥後，如魏文《燕歌行》、陳琳《飲馬長城窟》、鮑照《行路難》，皆稱傑搆。唐人起而不相沿襲，變態備焉。學七言古詩者，當以唐代爲楷式。班史《東方朔傳》云「八言、七言上下」，然東方詩不傳，而八言體後人亦無繼之者。　歌行起步，宜高唱而入，有「黃河落天走東海」之勢。以下隨手波折，隨步換形，蒼蒼莽莽中，自有灰線蛇踪，蛛絲馬跡，使人眩其奇變，仍服其警嚴。至收結處，紆徐而來者，防其平衍，須作斗健語以止之；一往峭折者，防其氣促，不妨作悠揚搖曳語以送之，不可以一格論。　五言律，陰鏗、何遜、庾信、徐陵已開其體。唐初人研揣聲音，穩順體勢，其製乃備。神龍之世，陳、杜、沈、宋，渾金璞玉，不須追琢，自然名貴。開、寶以來，李太白之明麗，王摩詰、孟浩然之自得，分道揚鑣，並推極勝。杜子美獨闢畦徑，寓縱横排奡於整密中，故應包涵一切。終唐之世，變態雖多，無有越諸家之範圍者矣。以此求之，有餘師焉。　七言律平叙易于徑遂，雕鏤失之佻巧，比五言爲尤難，貴屬對穩，貴遣事切，貴捶字老，貴結響高，而總歸於血脈動盪，首尾渾成。後人祗於全篇中爭一聯警拔，取青妃白，有句無章，所以去古日遠。　長律所尚，在氣局嚴整，屬對工切，段落分明，而其要在開闔相生，不露鋪叙、轉折、過接之迹，使語排而忘其爲排，斯能事矣。唐初應制、贈送諸篇，王、楊、盧、駱，陳、杜、沈、宋、燕、許、曲江，並皆佳妙。少陵出而瑰奇鴻麗，一變故方，後此無能爲役。元白滔滔百韻，俱能工穩，但流易有餘，鎔裁未足，每爲淺率家效顰。溫、李以下，又無論已。七言長律，少陵開出，然《清明》等篇，已不能佳，何況學步餘子？

又 絶句，唐樂府也。篇止四語，而倚聲爲歌，能使聽者低徊不倦。旗亭伎女，猶能賞之，非以揚音抗節，有出於天籟者乎？著意求之，殊非宗旨。又五言絶句，右丞之自然，太白之高妙，蘇州之古澹，並入化機。而三家中，太白近樂府，右丞、蘇州近古詩，又各擅勝場也。他如崔顥《長干曲》、金昌緒《春怨》、王建《新嫁娘》、張祜《宫詞》等篇，雖非專家，亦稱絶調。

又 七言絶句，以語近情遥，含吐不露爲主。只眼前景，口頭語，而有絃外音、味外味，使人神遠，太白有焉。

又卷下 擬古詠懷，斷不宜入近世事與近世字面，錦葛同裘，嫌不稱也。若本叙述近事，即方言謠諺，不妨引入，顧用之何如耳。

又 樂府中不宜雜古詩體，恐散樸也；作古詩正須得樂府意。古詩中不宜雜律詩體，恐凝滯也；作律詩正須得古風格。與寫篆、八分不得入楷法，寫楷書宜入篆、八分法同意。

又 詠古詩未經闡發者，宜援據本傳，見微顯闡幽之意；若前人久經論定，不須人云亦云。王摩詰《西施詠》、李東川《謁夷齊廟》，或别寓興意，或淡淡寫景，以避雷同勦說，此别行一路法也。

又 太沖《詠史》，不必專詠一人，專詠一事，己有懷抱，借古人事以抒寫之，斯爲千秋絶唱。後人粘着一事，明白斷案，此史論，非詩格也。至胡曾絶句百篇，尤爲墮入惡道。

又 懷古必切時地，老杜《公安縣懷古》中云：「灑落君臣契，飛騰戰伐名。」簡而能該，眞史筆也。劉滄《咸陽》、《鄴都》、《長洲》諸詠，設色寫景，可互相統易，是以酬應爲懷古矣。許渾稍可觀，然落句往往入套。

又 遊山詩：永嘉山水主靈秀，謝康樂稱之；蜀中山水主險隘，杜工部稱之；永州山水主幽峭，柳儀曹稱之。略一轉移，失卻山川眞面。

又 詠物，小小體也。而老杜詠《房兵曹胡馬》則云：「所向無空闊，眞堪託死生。」德性之調良，俱爲傳出。鄭都官詠《鷓鴣》則云：「雨昏青草湖邊過，花落黄陵廟裏啼。」此又以神韻勝也。彼胸無寄託，筆無遠情，如謝宗可、瞿佑之流，直猜謎語耳。

又 唐以前未見題畫詩，開此體者，老杜也。其法全在不粘畫上發論。如題畫馬、畫鷹，必說到眞馬、眞鷹，復從眞馬、眞鷹開出議論，後人可以爲式。又如題畫山水，有地名可按者，必寫出登臨憑吊之意；題畫人物，有事實可拈者，必發出知人論世之意。本老杜法推廣之，才是作手。

又 古人詠雪，多偶然及之。漢人「前日風雪中，故人從此去」，謝康樂「明月照積雪」，王龍標「空山多雨雪，獨立君始悟」，何天眞絶俗也。鄭都官「亂飄僧舍茶烟濕，密灑歌樓酒力微」，已落坑塹矣。昌黎之「凹中初蓋底，凸處盡成堆」，張承吉之「戰退玉龍三百萬，敗鱗殘甲滿天飛」，是成底語？東坡尖叉韻詩，偶然遊戲，學之恐入於魔。

又 詠梅詩應以庾子山之「枝高出手寒」，蘇東坡之「竹外一枝斜更好」爲上。林和靖之「雪後園林纔半樹，水邊籬落忽横枝」，高季迪之「流水空山見一枝」，亦能象外孤寄；餘皆刻畫矣。杜少陵之「幸不折來傷歲暮，若爲看去亂鄉愁」，此純乎寫情，以事外賞之可也。東坡詩「幽尋盡處見桃花」，又云「竹外桃花三兩枝」，自是桃花名句。

又 雜體有大言、小言、兩頭纖纖、五雜俎、離合、姓名、五平、五仄、十二辰、回文等項，近於戲弄，古人偶爲之，然而大雅弗取。

又 錢、郎贈送之作，當時引以爲重。應酬詩，前人亦不盡廢也。然必所贈之人何人，所往之地何地，一一按切，而復以己之情性流露於中，自然可詠可歌，非幕下張君房輩所能代作。

又《歸愚文鈔》卷一三《盛庭堅青嶁詩集序》 詩人之詩，異乎文人之詩。文人之詩，意在文而兼及焉者也；詩人之詩，意在詩而專及焉者也。且不見夫津人之操舟者乎？善游者數能忘乎水也，忘乎水唯其習乎水也，假而擅郵良造父之技者，而偶操舟楫以泛乎江湖，彼第能防車之敗，而不能持舟之覆，其不爲津人竊笑者幾何矣。

方貞觀《輟鍛錄》 詩人體物入微，眞能筆通造化。喬知之《長信宫樹》云：「餘花鳥弄盡，敗葉蟲書遍。」沈佺期《芳樹》云：「啼鳥弄花疎，遊蜂飲香遍。」偶一歌詠，一則秋氣蕭條，一則春光明媚，即此可悟用字法。詠物詩不宜多作，用意用筆俱從雕刻尖巧處着想，久之筆仗纖碎，求一二高視闊步之語，昭彰跌宕之文，不可得矣。詠物題極難，初唐如李巨山多至數百首，但有賦體，絶無比興，癡肥重濁，止增厭惡。惟子美詠物絶佳，如咏鷹咏馬諸作，有寫生家所不到。貞元、大曆諸名家，咏物絶少。唯李君虞《早燕》云「梁空繞復息，簷寒窺欲遍」，直是追魂攝魄之語。餘無所見。元和以後，下逮晚唐，詠物詩極多，縱極巧妙，總不免描眉畫角，小家舉止，不獨求如杜之咏馬咏鷹不可得見，即求如李之《早燕》大方而自然者，亦難之難矣。

又　體製惟七律最難，須五十六字無一牽湊，平近而不庸熟，清老而不俚直，高響而不叫號，排宕而不輕佻，尤忌删去兩字便可作五言詩讀。欲除諸病，惟熟讀少陵及大曆諸名家，則得之矣。

金之俊《金文通公集・丁飛濤行稿序》　昔人謂韓退之以文爲詩，杜少陵以詩爲文。然文中要自有詩，詩中要自有文，亦相生法也。謝元暉曰：「好詩圓美流暢如彈丸。」此所謂詩中有文也。唐子西曰：「古人雖不用偶儷，而散句之中暗有聲調，步驟馳騁，自諧節奏。」此所謂文中有詩也。

閻爾梅《白耷山人文集・朱玄洲詩選序》　古詩先性情而後詩，律詩先詩而後性情。協歸風雅，其旨一也。

薛雪《一瓢詩話》　樂府最得《風》、《騷》神理。學者於古今樂府，不可不澄心靜慮，玩索窮研，以求必得。唐人樂府，首推李、杜，而李奉禮、温助教，尤宜另炷瓣香。

又　近體意旨，雖在章句字法之間，卻不印定。故唐人有通首不對者，有通首全對者，非有意爲之。

又　人言應制、早朝等詩從無佳作，非也。此等詩竟將堂皇冠冕之字，纍成善頌善禱之辭，獻諛呈媚，豈有佳作？若以堂皇冠冕之字，寓箴規，陳利弊，達萬方之情于九重之上，雖求其不佳，亦不可得也。余選《唐詩正雅集》中，頗有此等詩，未嘗不佳。但後人作此，措辭鍊句，切須顧慮周詳，毋致與璧俱碎，則盡善矣。杜浣花「五夜漏聲催曉箭」一篇，眞言者無過，聞者足戒，安得不尊爲詩家之大成耶？

又　風、雅、頌、賦、比、興，詩之經緯也。有此經緯，乃有體裁，爲有體裁，則有正變。達事情，通諷諭，謂之風。純乎美者，謂之正風；兼美刺，謂之變風。述先德，通下情，謂之雅。專于美者，謂之正雅；兼美刺，謂之變雅。用之宗廟，享於神明，美盛德，告成功，謂之頌。當作者謂之正；不當作者，比於風雅，亦謂之變。如後世有法律曰詩，放情曰歌，流走曰行，兼曰歌行，述事本末曰引，悲鳴如蛩曰吟，通俗曰謠，委曲曰曲。觀此體裁，則知所宗矣。

又　郎梅谿問張蕭亭：「《竹枝》、《柳枝》自與絶句不同，音節亦有分別否？」蕭亭曰：「語度無異，末語加『竹枝』、『柳枝』等語，即其語以名其詞，音節無分別也。」余謂亦有不加「竹枝」、「柳枝」者，何以爲語度無異，音節不分？若果如此，則仍是絶句，何必别其名曰「竹枝」、「柳枝」耶？要知全在語度音節間分别耳。

又　排律止可六韻至十二韻足矣；多至幾十韻以及百韻，即是長詩也，不可爲訓。

又　雜體詩昔亦有之，原屬游戲。前人有餘力，不妨拈弄；若今人作正體詩尚未必盡善，何暇及此？

又　樂府凡用「引」、「操」等名，皆是琴曲。

又　漢、魏之詩，辭理意興，無迹可求。唐人尚意興而理在其中。宋人純以理用事，故去本漸遠。

又　五字詩，其點化在一字間，而好惡不同。

又　長篇定有解數，古詩亦然。故有一韻重押或三押者不礙，學者不可不知。

又　詠史以不著議論爲工，詠物以託物寄興爲上，一經刻畫，遂落蹊徑。

又　李西涯說詩極正，謂「律可涉古，古不可涉律」是也。自叙律中涉古句云：「幽人不到處，茅屋自成村」固佳，而「欲往愁無路，山高谿水深」則拙矣。

又　古歌辭語短意長，有一句兩句者，含意何止十韻百韻？後世作者，愈長愈淺。麓堂《題竹》曰：「莫將畫竹論難易，剛道繁難簡更難。君看蕭蕭祇數葉，滿堂風雨不勝寒。」以畫法通詩法，論古之作者也。余爲友人寫蘭，止數葉一花一蕊而已，覺渠不甚愜意，因題幀首云：「逢場爭說所南翁，向後人文半已空。不是故將花葉減，怕多筆墨惱春風。」亦以畫法通詩法，論今之作者也。

又　少年輩酷愛情詞豔體，蓋未諳詩道故也。張伯起有詩云：「而今老去春情薄，漠漠寒江水自流。」亦是引人入道語。一少年索余畫，因題其上云：「悲歌回首舊同游，老大空餘兩鬢秋。酒語詩情和别恨，一時多向筆端收。」其少年漫不加省。

又 今人詩稟，必首先樂府、次古詩長詩、擬古詠史、五七律、五七絕、歌行銘頌，無一不有，冠以大老之序，名手所書，何其穢也！人各有能有不能，豈可強作，以體備爲榮？試觀一稟之中，可是篇篇佳句，體體傳作？

李重華《貞一齋詩說》 《風》、《騷》而後，古詩嗣興，自漢氏迄六朝，《選》體果正宗與？曰：尼父刪詩，錄《國風》、二《雅》、三《頌》，其體井然別矣。三體各具興比賦，其旨瞭然備矣。今觀漢氏詩，若《十九首》、蘇李贈答諸什，《風》之遺也；若班掾《東京》五篇及平子《四愁》、韋孟《諷諫》等作，《雅》之亞也；其《郊祀》、《天馬》、《房中》等章，《頌》之流也。凡皆眞意流露，氣厚詞樸，使尼父刪正，各取其體無疑矣。魏以後，若曹、劉、左、陸、阮、陶、顏、謝諸公，各競所長，要三體尚有合者，何者？風骨遒逸，自具情性，尼父諒猶取焉。今《文選》不衷六義，而因事分類裁別，固已陋矣。又樂府郊廟，不取漢取宋；子建樂府最優，而佳者顧闕之；淵明高古特出，取其近於謝者；漢五言，詩之權輿，反列卷末。其他繁靡既多，遺逸不少，謬戾未可殫述，以備文翰一斑可耳，奚以言正宗耶？曰：或言唐無五言古詩而有其律詩，且近體莫盛於唐，而論者有「初」「盛」「中」「晚」之分。宋、元以來，並有作者，而尊唐者劣宋，祖宋者祧唐，其折衷可得聞與？曰：漢、魏以來未知律，自然流出，所謂空中天籟是已。陳、隋欲爲律而未悟其法，非古非律，詞多淫哇，不足效也。自唐沈、宋創律，其法漸精，又別作古詩，是有意爲之，不使稍涉於律，即古近迥然二途；猶度曲者，南北兩調矣。究之，朝華夕秀，善之者自詣其極，何嘗無五古耶？且七言成於鮑照；而李、杜才力廓而大之，終爲正宗；厥後韓愈、蘇軾稍變之。然論七古無逾此四家者矣。「初」「盛」「中」「晚」特評者約略之詞，以觀風氣大概可耳，未足定才力高下；猶唐、宋時代之異，未可一概優劣也。何則？唐以聲律取士，宜其工者固多於宋。然公道論之，唐之中，拙者什四三，宋之中，工者亦什四三，原不可時代限矣。金、元詩法，宗唐者衆，而氣力總弱，亦風會使然。明之能詩者，孰不追唐？然得其貌似頗多，取其精華特鮮，蓋唐法不傳久矣。要而論之：非漢氏無以學古，非唐代無以學律，人知之也；豈知天地眞才所發，日出日新，欲自爲一家，非直如此而已。必卓然爲本朝誰氏之詩，必昭然爲若人某時某地之詩，使人望其氣色，聆其音響，知非他人可僞託者，此爲嚌其胾，入其奧耳。曰：作詩先從五古入，信與？曰：由古生律，未聞律變爲古也。由三、四言得五言，由五言得七言，未聞七變爲五也。今不探其原，但事其流，材力何以深厚？凡唐人之有律無古者，淺深可具見也。曰：讀《三百》、《楚詞》及漢、魏詩，未盡其妙，何也？曰：如食味然，須由薄以得厚焉。試取唐賢古詩熟復之，逆觀於魏、晉，有餘味矣；又逆至漢代，覺其味浸厚；如是再誦《楚詞》、《三百篇》，將有踴躍舞蹈，歎其彌旨者，覺後人一字句未許道也，準此可以得讀詩之法矣。

又 凡古詩有一定音節，先要分別出體製高下來。五古自漢、魏至晉、宋俱可學，齊、梁以下不必學，唐代五古，則自陳伯玉、張曲江至韋、柳俱可學，自後亦不必學。所謂取法乎上，僅得乎中也。

又 五古從選體入手，不致雜村野氣；以有規矩準繩，且漢、魏以來源流具在也。

七古自晉世樂府以後，成於鮑參軍，盛於李、杜，暢於韓、蘇，凡此俱屬正鋒。唐初王、楊、盧、駱體，爲元、白所宗，可間一爲之，不得專意取法，恐落卑靡一派。何仲默《明月篇序》，未可奉爲確論。李長吉從《楚詞》發源，天才獨出，後人何得效顰？如溫、李七古，步步規橅長吉，其弊俱失之俗；與元、白得失正相等，緣未折衷於六義故也。至初學入手，求其筆勢穩稱，則王摩詰、高達夫二家，乃正善學唐初者；少陵如《洗兵馬》、《古柏行》亦然，但更加雄渾耳。

又 五言律杜老固屬聖境，而王、孟確是正鋒。向後諸名家，竭盡心力，不能外此三家。前此則陳子昂、李太白亦佳。餘俱旁門小竅爾。

又 七言律古今所尚，李滄溟專取王摩詰、李東川，宗其說，豈能窮極變態？余謂七律法至於子美而備，筆力亦至子美而極。後此如楊巨源、劉夢得甚有工夫，義山學杜最佳，法亦至細，善學人可借作梯級。末後陸魯望自出變態，覺蒼翠逼人。至宋代獨蘇子瞻雄邁絕倫，次韻過多，去其濫觴可耳。

又 五言絕發源《子夜歌》，別無謬巧，取其天然，二十字如彈丸脫手爲妙。李白、王維、崔國輔各擅其勝，工者俱脗合乎此。

又 七絕乃唐人樂章，工者最多。朱竹垞云：七絕至境，須要詩中有魂，入神二字，未足形容其妙。李白、王昌齡後，當以劉夢得爲最，緣落筆朦朧縹緲，其來無端，其去無際故也。杜老七絕欲與諸家分道揚鑣，故爾別開異徑，獨其情懷，最得詩人雅趣。黃山谷專學此種，遂獨成一家，此正得杜之一體。西江人取配杜老，亦僻見也。

又 五言排律，至《杜集》觀止；若多至百韻，杜老止存一首，末亦未免鋪綴完局，緣險韻留剩後幅故也。白香山窺破此法，將險韻參錯前後，略無痕跡，遂得綽有餘裕。故百韻叙事，當以香山爲法。但此亦不必多作，恐涉誇多鬭靡之習。

又 七言排律，唐人斷不多作，《杜集》止三四首。緣七字詩得四韻，於律法更無遺憾；增至幾十韻，勢須流走和軟，方成片段。似此最易流入唱本腔調，縱復精工，有乖風雅。杜老云：「何劉沈謝力未工，才兼鮑照愁絕倒。」足知七字長篇，專尚沈雄排宕。所以古人見長，都在古調；若律體非不能工，不屑爲耳。

又 《文選》所錄四言，多膚廓板滯之作，此是昭明淺見處，索性不錄可也。余嘗謂《三百篇》後，不應輕擬四言，必欲擬者，陶公庶得近之。屈、宋《楚詞》而後，不應輕擬《騷》體；必欲擬者，曹植庶得近之。

又 樂府體裁，歷代不同。唐以前每借舊題發揮己意，太白亦復如是，其短長篇什，各自成調，原非一定音節。杜老知其然，乃竟自創名目，更不借徑前人。如《洗兵馬》、《新婚別》等皆是也。其合律與否，無從得知，取其筆力過人可矣。白傅《秦中吟》等篇，立意與杜無異。但古稱元、白詩都入樂章者，不係此種。蓋唐時入樂，專用七言絕句，詩家亦往往由此得名。

又 樂府題有吟，有歌，有行，有詞，有謠，有引，有曲，分類既多，其餘就事命題，如《巫山高》、《折楊柳》者，不可枚舉。總之不離歌謠體製，遂得指名樂府。余謂今人作詩，何必另列樂府？緣未曾譜入樂章，縱有歌吟等篇，第指作五言、七言、長短雜言可矣。

又 人學漢樂府，喜作詭怪不可解之詞，不知此種係樂人汎聲如此，魏世曹氏父子，早已不曾摹倣。

又 樂府「妃呼豨」等句，正是《尙書》「弔由靈」之類，假如作古文雅意學之，豈不供人大噱。「妃呼豨」是摹寫風聲。

又 古人於古近諸體，各有所長。如太白七律至少，昌谷七律全無，其餘名集缺一二體者，不可勝數。此皆遺其所短，用其所長，得失擧在寸心中也。然有專攻律體，竟不見古詩者，如許渾、方干一流，此則不應慕效。蓋止見古體，仍然無愧高手；若止存律調，即古詩從未窺見，其爲薄殖無疑矣。

又 趙子昂論七律不可多用虛字，專爲句易軟弱；然亦看筆意若何。阮亭選《三昧集》，謂五言有入禪妙境，七言則句法要健，不得以禪求之。余謂王摩詰七言何嘗無入禪處，此係性所近耳。况五言至境，亦不得專以入禪爲妙。

又 拗體律詩亦有古近之別。如杜老「玉山草堂」一派，黃山谷純用此體，竟是古體音節，但式樣仍是律耳。如義山「二月二日」等類，許丁卯最善此種，每首有一定章法，每句有一定字法，乃拗體中另自成律，不許凌亂下筆。余謂學詩與學書同揆，到得眞行草法規矩一一精能，爾後任意下筆，縱使欹斜牽掣，粗服亂頭，各有神妙；若臨習尙未成家，妄意造爲拙筆，未有不見笑大方。

又 唐人試帖，六韻爲率，皆兢兢守定繩尺，絕少排奡生動者；其八韻律賦亦然。可知古人應試，無不斂才就法，不如此，亦不能入彀。

又 次韻一道，唐代極盛時殊未及之。至元、白、皮、陸始因難見巧，然亦多勉強湊合處。宋則眉山最擅其能，至有七古長篇押至數十韻者，特以示才氣過人可耳。若李、杜二公當此，縱才氣綽能爲之，亦不屑以百萬鋭師，置之無用之地。蓋次韻隨人起倒，其遣詞運意，終非一一自然，較平時自出機軸者，工拙正自判然也。近世胸中元未有詩，藉以藏拙，故離卻次韻，不復能爲倡和。

又 聯句，《柏梁》爲之造端；但《柏梁》各自成章，非必一一聯屬。至何、范有作，始合成篇法。李、杜間亦有之，不過數韻止耳。韓、孟二公，製爲大篇，誇示奇麗。余意韓、孟固自敵手，似出兩人所爲，他如《石鼎聯句》，應是昌黎一人所搆。向見吳中聯句長篇，俱竹垞老人製成，因而分屬諸子者。必欲衆人合作，斷不能章法渾成，首尾一線矣。

又 詠物詩有兩法：一是將自身放頓在裏面，一是將自身站立在旁邊。詠物一體，就題言之，則賦也；就所以作詩言之，即興也比也。詠史詩不必鑿鑿指事實，看古人名作可見。詠史記實事者，即史中贊論體。

酬贈往復詩須辨別儕類。至親不得用文飾語，尊者不得用評論語，亦不得輕易用誇獎語。反此者失之。

又 或謂：詩既忌豔體，何以《三百篇》卻多淫奔？余謂：《三百篇》所存淫奔，都屬詩人刺譏，代爲口吻。朱子從正面説詩，始云男女自言之。究竟此等人安得有此筆墨？孔子謂「思無邪」者，正爲穢跡昭章，使人猛省也。今既自言己志，必欲以淫媟見長，自何等面目！

又 文章有臺閣體，當於古文大家外另列一品，不可偏廢。唐詩如杜審言、蘇味道、李嶠、張説，亦屬臺閣體裁，翰院清華者宜宗之。

黄子雲《野鴻詩的》 七古歌行，別有音節。音節非平仄之謂，又非語言可曉。如撾鼓者，輕重疾徐，得之心而自應之手耳。其法若何，熟讀自明。余有《題鍾馗脱帽騎牛吹笛圖》一篇云：「寒禽多苦音，畫師多苦心。志士坎壈不遇時，能以粉墨鉤其深。西河高堂縣古幛，中有一人偉顔狀。面深墨，肩相望。瞪目作氣，神光惝怳。壁黯黯兮風蕭蕭，魑魅魍魎來相招。烏衣束縛紅錦絛，倒跨牛背吹橫簫。脱我帽，與爾曹。丈夫生無所成成皓首，儒冠空戴復何有。名不貴挂童稚口，貌不重肖丹青手。春風春雨長蒼苔，閒隨黄犢去復來，落花飛絮相徘徊。青天茫茫歌一闋，君不知此老胸中未堪説。」

又 絶句字無多，意縱佳而讀之易索，當從《三百篇》中化出，便有韻味。龍標、供奉，擅場一時，美則美矣，微嫌有窠臼。其餘亦互有甲乙。總之，未能脱調，往往至第三句意欲取新，作一勢喝起，末或順流瀉下，或回波倒捲。初誦時殊覺醒目，三徧後便同嚼蠟。浣花深悉此弊，一掃而新之；既不以句勝，并不以意勝，直以風韻動人，洋洋乎愈歌愈妙。如尋花也，有曰：「詩酒尚堪驅使在，未須料理白頭人。」又曰：「桃花一簇開無主，可愛深紅更淺紅。」余童子時聞一二老宿嘗云：少陵五律各體盡善，七絶獨非所長。及年二十，於少陵五律稍有得；越數年從海外歸，七古歌行亦有得；迨三十七八時，奔走嶺外，五古、七律始窺堂户；明年於新安道上，方悟少陵七絶實從《三百篇》來，高駕王、李諸公多矣。因作《江行漫興》，於截句中有云：「野燒燃來風作意，沙鷗飛起水無紋。」又：「短鬢寒燈孤照影，江山千里爲誰來？」又：「黄山脱有青精飯，身世商量歸不歸？」及《還家後題壁》云：「詩句不忘前代體，酒罏無恙舊家風。」頗亦以爲有獲；然僅可與知者道也。

又 客曰：「詩之最難者何體？」曰：「七律。」曰：「今之名家各體少而七律多，反去易而就難者，何也？」曰：「未知甘苦耳，知其甘苦，則不輕作矣。」曰：「如子之言，知甘苦矣，試吟一律可乎？」余遂出《采石磯題太白樓》詩：「文章睥睨世無敵，湖海飄零氣不伸。六代騷場餘此席，一江春色獨登樓。爲君天特開青幛，題壁人今亦白頭。猶有浣花祠屋在，懷鉛直欲錦城游。」客茫然而退。

又 游仙詩本之《離騷》，蓋靈均處穢亂之朝，蹈危疑之際，聊爲烏有之詞以寄興焉耳。建安以下，競相祖述；景純、太白，亦恣意描摹；至義山專求有娀、皇英之喻而推廣之，倡爲妖淫靡曼之詞，動以美人香草爲護身符帖。末學無知，又因之而變爲香奩體，世道人心，欲以復古，難矣！夫詩者，心之樂也。濂溪云：「樂聲淡則聽心平，樂詞善則歌者慕。」「西崑」之音，不唯不能平其心，適足以助欲而長怨耳。噫！如義山者，謂之爲《三百篇》之罪人可也。

又 凡題贈、送別、賀慶、哀輓之題，無一非詩，人皆目爲酬應，不過捃摭套語以塞責。試問有唐各家集中，此等題十有七八，而偏有拔萃絶羣之什者何也？其法要如昌黎作文，尋題之間隙而入於中，自有至理存焉。近來求詩者雅好鋪張，意必欲首先門閥，次述文章操行，末乃歸之於頌禱，則喜矣。詩家藉博名譽，爲之曲意，而周、孔之風氣遂敗壞而不可收拾。若然，將題贈、送別、賀慶、哀輓之題各擬一篇，不唯可以流轉寰區，一生亦用之不竭矣。

又 宋、元後題圖畫者，撇去畫字，只呆狀景物兩端，有天工人工之別，不應茫昧若是。蓋因眞景祇摹一面，易於下筆；畫景勢必並寫，難以構詞。故皆相習成風，去難而就易，雖題猶不題也。即或有作者，中間將畫工丹青等字略帶一語，究未能得畫字神髓。此等題全要作意擒定畫字發揮，方見手眼。浣花題畫詩古今體不下百篇，無一首脱卻題旨。余向作題畫五排中有「海月何年有，沙鳧盡日安。莫江元似練，霜樹不知丹。地借三湘闊，天然九月寒。疏鐘時欲動，零露料應團」數語，雖乏佳致，於題義未相背也。近題《畫鷹》一首，請質之大雅：「軒軒摩空翮，忽入堂楹內。四壁黯光晶，蕭瑟若野外。委形是何年？畫師阿爾粺。苟非大匠手，筆力何超邁！至今天風入，如聞縧鏇帶。金眸左右動，煇燿練光碎。亦知邊秋至，毛骨癢生疥。燕雀聲啾啾，思其轉睛快。聳身欲著人，座客悄懷退。猛氣奔崢嶸，颯與雲霄會。恭唯丹山鳥，大聖自仁愛。緜邈煙霧際，不乏梟獍輩。何由厲霜飆，搏擊清草昧。顧眄粉墨姿，陡覺雄心在。但免弋人篡，卷舒在千載。」

又　樂府題義，有不必宗者，有不可不宗者。不必宗者，如《行路難》、《獨漉篇》、《梁父吟》、《有所思》、《古別離》等篇是也；不可不宗者如《陌上桑》、《公無渡河》、《明妃曲》、《祖龍行》、《山中孺子歌》等篇是也。

又　應制詩不徒避忌諱、取工麗而已也；體裁題義，不可不講。魏、晉以還，作者未能悉中規矩，至初、盛唐法律始謹嚴。近觀宏博科《山雞舞鏡》應詔諸詩，均未能領其旨趣。此題吃緊處在一「舞」字，不從「舞」字發揮，則題之眞意眞神不出。余謹依韻賦擬一篇云：「錦禽毛羽由來美，珍重年年不下山。明鏡忽如珠出蚌，清煇何異月臨關。回翔無那雄心動，表裏遙憐彩翮殷。栩栩有同夢勾引，盈盈曾識水灣環。分明玉殿來飛燕，彷彿雲屏出小蠻。疾如風急花光碎，罷若天清電影還。丹瞥眼華裾飄上下，約身雕珮鬭斕斒。距乍拳齊鵠立，繡翎旋整共鵷班。究誰凌亂空明裏？似我文章掩映間。禁苑肯容烏遶樹，山梁敢忘雀投環？彤廷干羽車書大，阿閣簫韶日月閒。三嗅免教賢者拱，九重長覲聖人顏。」

又　後之不如少陵七律者，病有多端：起無氣，句無調，字不堅牢，意不排盪，對偶不靈活，情景不眞新，當句自解，歸結無致，句中不見作者氣象，使事不免筆端拘滯，此數條所當猛省。

熊榮《譚詩管見》　古詩必以漢魏爲宗，蘇、李贈答，黃初七子，《三百篇》後，此爲權輿。六朝失之富麗，唐人失之卑靡，唯少陵前、後《出塞》、《無家別》、《石壕吏》等篇，差可與古爲徒。

又　學律詩者必以唐爲宗。主于唐又必以盛唐爲師法。初唐如張曲江、陳拾遺、魏鄭公，以及王、楊、盧、駱，氣象喬皇，規模壯闊，實開一代之風氣。然以律體衡之，不無亂頭粗服之譏。盛唐則春容大雅，細意熨貼，不獨李太白、杜工部、孟襄陽、岑嘉州、王摩詰、高達夫等卓然千古，其餘亦俱有溫潤和平，晶融嚴密之致，蓋一時之氣運使之然也。中唐錢、劉、韓、柳、元、白，整贍高華，不亞盛唐，但其氣味微嫌薄弱，不能如李、杜、高、岑、王、孟之深厚。晚唐如李義山、杜牧之，力追工部，非不樹詞壇之幟，登大雅之堂，然餖飣末學，雖極繁富，終乏骨力，自檜以下更無譏焉。

喬億《劍谿說詩》卷上　古樂府無傳久矣，其音亡也，後人樂府皆古詩。　樂府古辭不可不讀，亦正不易讀。其中無句讀文義者，或聲詞相雜，與夫夏五、郭公之訛落，自魏氏來已難辨證。《談藝錄》論古樂府，於神理、格韻、辭調間辨析甚微，其音亦終不可得而詳。　漢武帝立樂府，以李延年爲協律都尉，世儒遂謂樂府之名自武帝始，不知孝惠時夏侯寬已爲樂府令矣。　少宗伯沈先生(歸愚)謂「樂府自齊、梁以來，多以對偶行之，而又限以八句，豈復有詠歌嗟歎之意」。謂「李太白所擬，篇幅之短長，音節之高下，無一與古人合者，然自是樂府神理」。　吳淵穎論樂府諸篇，反覆詳盡，令讀者爽然自失(《與黃明遠書》、《太樂玄機論賦後》、《題黃隱君哀頌》、《古琴操九曲引》、《古詩考錄後序》、《樂府類編後序》，凡六篇)。　楊鐵崖樂府，亦元、白、張、王末派。　李西涯論古樂府，謂「李太白才調雖高，而題與義多仍其舊；張籍、王建以下無譏焉」。及觀所自爲樂府，祇堪樂天後塵耳。　樂府與古詩迥別。如《漢十八曲》及《雞鳴》、《烏生》、《陌上桑》、《相逢》、《狹路》等篇，樂府體也；晉以下擬作，古詩體也。《秋胡行》，如曹氏父子，樂府體也；傅休奕、顏延年，古詩體也。　古歌謠樂章長短句，固七言體製所自出，遂名爲七言古詩，似於格未合也。至如漢武之《栢梁詩》、《瓠子歌》、《秋風辭》，曹丕之《燕歌行》，陳琳之《飲馬長城窟》，鮑照之《白紵舞歌辭》、《擬行路難》，無名氏之《木蘭詩》，雖詞意高古，而波瀾漸潤，肇有唐風矣。

南北朝短章，《敕勒歌》斷爲第一，蒼勁高古，不減《大風》、《垓下》。《楊白華》、《咸陽王歌》事眞情眞，詞調亦委婉逼眞，惜不傳誰氏子作。　七言歌行欲氣勝易，欲氣古難，氣古而兼氣勝更難。　詩文有不相蒙者，律詩也，古詩則與之近。如作碑誌，末係以銘辭，擬《雅》、《頌》、《騷》體及古歌謠，雖非詩，亦有韻之文也。使放筆爲古詩，不必合拍，自然越俗。

又卷下　古體嚴於今體，五古嚴於七古，以其去《風》、《雅》愈近也。

太白謂「寄興深微，五言不如四言」。然四言極難，故自漢迄晉，能者祇落落數公，唐自韓、柳外，亦未見其人。方宜田曰：「漢、魏鮮四言佳境，宋、元鮮五言佳境，三代以下其言長，氣使然也。」　七言中有單句，有長短句，五言亦間有之。古辭《陌上桑》云「羅敷年幾何？二十尚不足，十五頗有餘」，單句也。曹孟德《秋胡行》云「歌以永志」，謝客《相逢行》云「憂來傷人」，短句也。陸士衡《猛虎行》云「渴不飲盜泉水，熱不息惡木陰」，長句也。古人文章無定式，不可不知，不可輕學，正此類也。　轉韻無定句，或意轉、氣轉、調轉，而韻轉亦隨之。　長篇貴有操縱，忌章法散漫，而筋骨或懈。有一二字之向背，通篇脈絡攸關。　長篇固通體有大提挈、大結束、大轉換，逐段中又自有小提挈、小結束、小轉換，間有不提挈、不結束，而未有不轉換者。當折落不折落，不當折落忽然折落，李、杜小詩且然，何況大篇？若元、白諸公，但穩順聲勢而已。讀古人長篇，當先分段落，再觀其次第詳略，首尾呼應，順逆隱見，疎密疾徐，乍離乍合，忽斷忽連，與夫不可顛倒一聯，增減一韻也。五言律肇自齊、梁，由前以觀，風斯降矣，繩以唐律卻古。律詩而有古意，此盛唐諸公獨絕，後人極力摹擬便着跡。方宜田曰：「鍾、王楷法帶篆隸，後人不習篆隸，惟於楷法中求之，故難能也。」拗體尤貴自然。陳、杜、沈、宋、二張（燕公、曲江）、王、孟、高、岑、李、杜及劉、韋、錢、郎諸家五律，雖氣有厚薄，骨有重輕，併入高品，後來惟張文昌稍步趨大曆。唐季五律，嚴滄浪獨取馬戴，亦自有見。按《全唐詩話》：「戴佐大同軍幕，許棠往謁之，一見如舊識。留連數月，詩酒而已，未嘗問所欲。一旦大會賓友，命使者以棠家書授之，啓緘，乃知戴潛遣一介卹其家矣。」行誼如此，其詩益爲可貴。宋之後山、簡齋五律宗杜，語皆粗硬，乏溫醇之氣。七言律詩有古意更難。氣格之古，無過沈雲卿之《龍池篇》，崔顥之《黄鶴樓》，老杜之「城尖徑仄」諸篇。詞意之古，無過沈雲卿之「盧家少婦」一首。然效杜拗體者多，「盧家少婦」無嗣響矣。開、寶七律，王右丞之格韻，李東川之音調，並皆高妙。高常侍五言質樸，七律別有風味。岑嘉州微傷於巧，而體氣自厚。七律至於杜子美，古今變態盡矣。試舉十數首觀之，章法無一同者。七言律古人所難，試觀大曆前，唯老杜下筆五首八首，餘子率皆矜貴。及後人逞博，擇焉不精，有多至三二十首者。然三二十首細看祇是一首，無淺深層次變化也。長律較古體長篇，鎔鑄最精，音韻更切，不容一字不入格也。唐初及開、寶諸公，渾雄富麗，出以整暇。至杜子美，更縱橫於排比中，斯爲至矣。元、白篇幅雖長，波瀾未濶。五言絕句，工古體者自工，謝朓、何遜尚矣，唐之李白、王維、韋應物可證也。惟崔國輔自齊、梁樂府中來，不當以此論列。七言絕句，李供奉、王龍標神化至矣！王翰、王之渙一首兩首，冠絕古今。右丞氣韻，嘉州氣骨，非大曆諸公可到。李君虞、劉夢得具有樂府意，亦邈焉寡儔。至如樊川之風調，義山之筆力，又豈易言哉！「《竹枝詞》與七絕音韻各殊，大率似謠似諺，有連臂踏歌之致」。先仲兄（敬哉）云。七絕似易而實難，《竹枝詞》更難。

又　詠史詩須別有懷抱。劉向睹成帝及趙、衛之屬，爲《列女傳》。荀悅以政移曹氏，作《申鑒》。習鑿齒因桓溫跋扈，著《漢晉春秋》。胡致堂《管見》，專爲秦檜設。朱子釋《楚辭》，有感於趙忠定。古人著書，皆有故也。作詠史詩，尚師其意。詠史詩當如龍門諸贊，抑揚頓挫，使人一唱三歎。詠古人卽採摭古人事蹟，定非高手。試看老杜咏昭烈、武侯詩極多，何嘗實塡一事，而俯仰傷懷，將五百餘年精神，如相契合，是何等胸次也？漁洋先生詩，如《謁少陵祠》、《題三閭大夫廟》等作，幷組織極工，才思極贍，而讀罷茫然無所感發。後來作手，必有短長之者。然余非知之深，愛之至，亦何敢遽發此言哉！賈誼弔屈原，以謫長沙也。史遷以屈、賈合傳，從其類以見志也。自漢以來，感其事作爲文詞者，亦何非拓落人耶？而漁洋先生以郎官主試西川，歸塗過三閭大夫廟，有何鬱抑而賦此詩？宜其歔欷無涕，讀者必不爲之興哀也。後人賦物每苦於太切，不及古人高渾。如柳吳興《擣衣詩》五首，直至第三首末方到題，第四首言擣衣。其前後數首，多言秋閨愁思之態，豈語皆泛設，蓋正寫擣衣時情景也。從來空中用力，遠處傳神，多類此。《仕學規範》曰：「古人作詩，正以風調高古爲主，雖意遠語疎，皆爲佳作。後人有切近的當氣格凡下者，終使人可憎。」詠物詩原於盤盂戶席諸古銘辭，而漸失其旨，由過於黏着也。咏物詩，齊、梁及唐初爲一格，衆唐人爲一格，老杜自爲一格，宋、元又各自一格。宋詩粗而大，元詩細而小，當分別觀之以盡其變，而奉老杜爲宗。大率老杜着題詩幷感物興懷，即小喻大，何嘗刻意肖題，卻自然移他處不得。新城公《分甘餘話》曰：「咏物詩最難超脫，超脫而復精切則尤難也。」余謂後人咏物詩，佳者未嘗不精切，但精切不從超脫中來耳。昔人謂畫花，趙昌意在似，徐熙意不在似。意在似，晚唐及宋、元人咏物詩也；意不在似，老杜咏物詩也。然意在似未必盡似，意不在似又何嘗不似。題畫詩，三唐間見，入宋寖多，要惟老杜橫絕古今，蘇文忠次之，黄文節又次之。金源則元裕之一人，可下視南渡諸公。至有元作者尤衆，而虞邵庵、吳淵穎，又一時兩大也。古今題畫之作，大率古體及絕句，律則五言，以七言律者，未數數然也。次韻非古。古詩次韻非也。次韻始於元、白，盛於皮、陸，再盛於坡、谷，後來記醜而博者，專用此擅場。按戴叔倫詩有次韻者，此又在元、白前，然祇小詩偶次己韻耳。次韻不難，不次韻難（長篇自當別論）。凡韻疊至數四，直兒戲耳，豈足效尤？吳(子華)韓(致堯)次韻，復倒次前韻，此又一格也，亦不難。固有險韻，亦有因題而韻險者。

又《又編》 四言自魏、晉以來，郊祀之作擬《頌》，餘皆擬《國風》、《小雅》。唐李青蓮不爲形似，杜拾遺初無此體，蓋難之也。至韓、柳二公，全法宣王《大雅》，所紀載之事使然也。大抵四言擬《雅》、《頌》難似而易好，擬《國風》易似而難工，果能肅穆其氣，簡古其辭，雖不逮《三百五篇》，庶幾哉漢京之遺音與！昌黎云：「師其意不師其辭。」在擬古者尤爲要訣。

趙知希《涇川詩話》卷中 竹枝小詩，最難得音節入古，風味移人，使人詠其詩如歷其地。

汪師韓《詩學纂聞·雜擬雜詩之別》 《選詩》以《雜詩》、《雜擬》分爲二類。雜詩者，《十九首》、蘇、李詩及諸家雜詩是也(李善注曰：「雜者，不拘流例，遇物卽言，故云雜也」)。雜擬者，凡《擬古》、《傚古》諸詩是也。擬古類取往古名篇，規摹其意調，其止一二首者，既直題曰擬某篇，而其擬作多者則雖概題曰擬古，仍於每篇之前，一一標題所擬者爲何篇，此所以別於《詠懷》、《詠史》、《七哀》、《百一》、《感遇》、《遊仙》、《招隱》雜詩也。《文選》所載陸士衡《擬古詩》十二首(所擬者：「行行重行行」、「今日良宴會」、「迢迢牽牛星」、「涉江采芙蓉」、「青青河畔草」、「明月何皎皎」、「蘭若生朝陽」、「青青陵上柏」、「東城一何高」、「西北有高樓」、「庭中有奇樹」、「明月皎夜光」十二篇)，謝康樂《擬魏太子鄴中集詩》八首(所擬者：魏太子、王粲、陳琳、徐幹、劉楨、應瑒、阮瑀、平原侯植八篇)，劉休元《擬古詩》二首(所擬者：「行行重行行」、「明月何皎皎」二篇)，江文通《雜體詩》三十首(所擬者：《古別離》、李都尉《從軍》、班婕妤《詠扇》、魏文帝《遊宴》、陳思王《贈友》、劉文學《感遇》、王侍中《懷德》、嵇中散《言志》、阮步兵《詠懷》、張司空《離情》、潘黃門《述哀》、陸平原《羇宦》、左記室《詠史》、張黃門《苦雨》、劉太尉《傷亂》、盧中郎《感交》、郭宏農《遊仙》、孫廷尉《雜述》、許徵君《自序》、殷東陽《興矚》、謝僕射《游覽》、陶徵君《田居》、謝臨川《遊山》、顔特進《侍宴》、謝法曹《贈別》、王徵君《養疾》、袁太尉《從駕》、謝光祿《交遊》、鮑參軍《戎行》、休上人《怨別》三十篇)，無不顯然示人，是以謂之擬，此意後人不識也。今觀唐以後詩，凡所謂古風、古意、古興、古詩與夫覽古、詠古、感古、傚古、紹古、依古、諷古、續古、述古者，都不知其所分別。古人名作，惟鮑明遠《擬古》八首，陶靖節《擬古》九首(靖節「東方有一士」一首，《容齋三筆》云：「此篇當另爲一題，不在《擬古》之例」)，未嘗明言所擬何詩。然題曰《擬古》，必非若後人漫然爲之者矣(《鮑集》別有《紹古辭》七首，《學古》一首，《古詞》一首。又有《擬阮公夜中不能寐》、《擬青青陵上柏》各一首，《學劉公幹體》五首，《學陶彭澤體》一首)。李、杜之集，李有《擬古》，杜有《述古》(韓文公有《古意》、《古風》二首，俱是七言)，雖俱不言所擬；然李之《擬古》，乃在《古風》二卷之外，而杜稱「李陵蘇武是吾師」，夫豈率爾操觚者耶？有唐一代，惟韋蘇州《擬古》八首，古意獨存，如「辭君遠行邁」(擬「行行重行行」)，「黃鳥何關關」(擬「青青河畔草」)，「綺樓何氛氳」(擬「西北有高樓」)，「嘉樹靄初綠」(擬「庭前有奇樹」)，「月滿秋夜長」(擬「明月皎夜光」)，「春至林木變」(擬「凜凜歲云暮」)，「有客天一方」(擬「客從遠方來」)，「白日淇上沒」(擬「明月何皎皎」)，後人刻韋詩者，但存《擬古》之題，而於每首所擬篇名概從刪削，後人遂不知其旨趣所在。後人所作，其謂之擬古，謂之雜詩，一而已。豈知《擬古》與《雜詩》原自有別？《雜詩》從其異，故六子皆有雜詩，而義各不同；《雜擬》從其同，故謝、陸諸人皆依古以爲式也。宋洪文惠適《擬古詩》，每篇首句直用古詩，如「明月皎夜光」、「冉冉孤生竹」、「迢迢牽牛星」、「青青河畔草」等作，詞未爲工，而古意不失。錢希白作擬唐詩百篇，自序曰：「今之所擬，不獨其詞；至於題目，豈欲拋離本集；或有事疏，斯亦見之本傳。」然僅於許顗《詩話》見其《擬張籍上裴晉公》及《擬盧仝》二詩，顗謂：「擬古當如此相似方可傳。」餘詩未之見也。明薛蕙亦有《擬古詩》，王弇州《四部稿》又倣江、薛作《擬古》七十首，自李都尉至休上人凡二十九，廣自蘇屬國至韋左司凡四十一，而闕《古別離》一章，欲另爲《後十九首》，故不更擬。至如高彥恢擬唐諸作，雖云得聲調而遺神明，不可謂非古人之用心矣。乃若永樂間慈谿張楷式之有《和唐集》，竹垞《詩話》謂：「不獨律詩踵韻，至歌行古風幷上句亦和之。」同時餘姚陳贄維誠亦然，其集未見。然觀竹垞謂：「人雖至愚，不愚於此。」則夫塵容俗狀，又不可不知所戒也。

又《樂府》 七言律詩，卽樂府也。《舊唐書·音樂志》載《享龍池樂章》十首：一、姚崇，二、蔡孚(《唐文粹》亦作姚崇)，三、沈佺期，四、盧懷慎(《唐文粹》亦作沈佺期)，五、姜皎，六、崔日用(《唐文粹》作姜皎)，七、蘇頲，八、李乂，九、姜晞，十、裴璀(《唐文粹》作姜晞)。十人之作，皆七言律詩也。沈佺期「盧家少婦」一詩，即樂府之「獨不見」。陳標《飲馬長城窟》，亦是七言律詩。謝偃《新曲》，崔融《從軍行》，蔡孚《打毬篇》俱直是七言長律。楊升庵《草堂詞選序》曰：唐人之七言律，即填詞之《瑞鷓鴣》也（宋陳文僖彭年《送申國長公主爲尼》七律，《湘山野錄》云：「都下好事者以《鷓鴣天》曲聲歌之」）。七言之仄韻，即填詞之《玉樓春》也（仄韻七言絶句三首）。嘗考《三百篇》之聲歌，亡於東漢（曹操平劉表，獲漢雅樂郎杜夔，能識舊樂，惟得《鹿鳴》、《騶虞》、《伐檀》、《文王》四篇），而絶於晉（魏太和中，左延年改《騶虞》、《伐檀》、《文王》三曲，更自作聲節，其名雖存，而聲實異。只《鹿鳴》篇常作。至晉泰始五年，荀勗更作《行禮詩》，而《鹿鳴》亦絶）。漢、魏之樂府，亡於東晉（賀循云：「自漢氏以來，依倣此樂，自造新詩而已，今既散亡，音韻曲折，又無識者，難以意言」），變於唐、宋之長短句（《日知錄》云：「至唐而舞亡，至宋而聲亡。」按：《宋史·外國傳》云：「夏之樂器與曲則唐也。」然則宋之聲亡，蓋亡於中原而不亡於外國矣），而亂於金、元之南北曲。前此《文心雕龍》雖分詩與樂府爲二（曰：「昔子政品文，詩與歌別，故略具樂篇，以標區界」），然其論元、成以後之樂章，辭雖典文，而律非夔、曠。又論子建、士衡之篇，俗稱乖調，奈何後之擬樂府者，妄用填詞之法以求合？而如賀裳黄公《載酒園詩話》中有「樂府、古詩不宜並列」一條云：「凡編詩者，切不宜以樂府編入七言古。」豈知所謂樂府者，古詩亦是，律詩亦是，既不知其音，何從議其體乎？且七言古固從樂府出者也，漢代所傳《大風歌》，謂之《三侯之章》；《垓下歌》謂之《力拔山操》，其他曰歌、曰行、曰操、曰辭，未有不可被之絃管者，至唐始有徒詩者耳。竊謂今人於詩，不妨以古樂府之題寫我胸臆（劉彦和曰：「樂心在詩」），而不必兢兢句字間也。不知爲不知，是知也。

又《四韻長歌》 杜集《行次鹽亭縣題四韻奉簡嚴遂州蓬州兩使君》云：「長歌意無極，好爲老夫聽。」此詩四韻耳，而謂之長歌。解者以爲節短韻長。按：樂府有《長歌行》、《短歌行》，言人壽命長短，初非辭句多少之謂也。公詩當是用此。

又《柏梁體》 《文心雕龍》云：「聯句共韻，《柏梁》餘製。」按：《困學紀聞》曰：「《列女傳》：『《式微》，二人之作。』聯句始此。」然則聯句自《三百篇》已有矣。今人以七言每句用韻者爲「柏梁體」，豈知每句用韻，創於虞廷之賡歌，而盛於詩。若《風》之《卷耳》（後三章）、《考槃》、《溱人》、《還》、《著》、《十畝之間》、《月出》、《素冠》；《雅》之《車攻》（前三章及七章）；《頌》之《長發》（前五章）皆是，特非七言耳。七言如《吳越春秋》所載樂師「扈子窮劫」之曲十八句（楚昭王反國），「采葛婦何苦」之詩十三句（句踐歸國），「越軍河梁」之詞十句（句踐伐吳）。雖似趙長君擬作，亦後漢人也。漢高祖《大風歌》在《柏梁》前，魏文帝《燕歌行》在《柏梁》後，至如《拾遺記·皇娥》、《白帝子》兩歌，遠在少昊時，明是王子年僞撰，晉人筆耳。

又《回文、集句、賦得、限韻、次韻》 《文心雕龍》云：「回文所興，則道原爲始。」又傅咸有《回文反覆詩》（咸字長虞，休奕之子），溫嶠有《回文詩》。《詩苑類格》謂回文出於竇滔妻，非也（《困學紀聞》）。元陳繹曾《詩譜》謂傅咸作《七經》詩，其《毛詩》一篇，皆集《詩經》語，或謂集句起於王安石，非也。明馮惟訥《詩紀統論》云：「劉琨有『胡姬年十五』，沈約有『江蘺生幽渚』，謂古詩爲題自梁元帝始者，非也」（按元帝有《賦得涉江采芙蓉》及《蘭澤生芳草》、《蒲生我池中》等作）。北齊劉晝緝綴一賦，名爲《六合》，魏收譏其愚，集句之賦，後世所無。康熙間有僧中洲京口人，住黄山三十年，集成語爲《黄山賦》，凡八千七十三言；毛西河極歎賞之，爲序以傳。至若《詩家直說》謂梁武帝同王筠和太子《懺悔詩》，始爲押韻（太子謂簡文帝）。按：當時和詩祇是同所用十韻，非若後人之次韻也；次韻創自元、白，元微之《上令狐相公詩啓》云：「某與同門生白居易友善，居易雅能爲詩，或爲千言，或爲五百言律詩，以相投寄，小生自審不能有以過之，往往戲排舊韻，別創新詞，名爲次韻，蓋欲以難相挑耳。」觀此，可知次韻之名由此起矣。若限韻爲詩，古人謂之賦韻，亦曰成韻。如曹景宗之「競」「病」二字，及《容齋續筆》所稱《後主文集》內之得某某幾字，凡數十篇，是也。

又《詩句》 詩不以句之多寡論也。然《三百篇》之詩，章八句者爲多，外此則十二句而止耳。唐律限以八句，雖體格非古，不可謂非天地自然之節奏也。《風》、《雅》之詩，獨《賓之初筵》一詩有多至章十四句者。至若《烈文》、《有瞽》（俱十三句）、《執競》、《載見》（俱十四句）、《時邁》、《臣工》（俱十五句）、《雝》（十六句）、《閟宮》（十七句）、《那》、《烈祖》、《玄鳥》（俱二十二句）、《良耜》（二十三句）、《載芟》（三十一句），句之多者，皆《頌》也。《頌》故以鋪張揚厲爲體，孔《疏》所謂直言寫志，不必殷勤者也。近有作詩話者，謂齊、梁以來樂府，限以八句，不復有詠歌嗟歎之意。夫齊、梁以來樂府，固是不如漢、魏，然其所以不如者，豈八句之謂？且亦何嘗限以八句哉？未之考耳。

吴雷發《説詩菅蒯》 咏物詩要不即不離，工細中須具縹緲之致。若今人所謂必不可不寓意者，無論其爲老生常談，試問古人以咏物見稱者，如鄭鷓鴣、謝蝴蝶、高梅花、袁白燕諸人，彼其詩中寓意何處，君輩能一一言之否？夫詩豈不貴寓意乎？但以爲偶然寄託則可，如必以此意強入詩中，詩豈肯爲俗子所驅遣哉？總之：詩須論其工拙，若寓意與否，不必屑屑計較也。大塊中景物何限，會心之際，偶爾觸目成吟，自有靈機異趣。倘必拘以寓意之説，是錮人聰明矣。此其説在今一唱百和，遂奉爲科律。吾謂巧者用之，則有益無害；拙者守之，愈甚其拙而已。近見咏物詩，時時欲以自命不凡之意寓乎其中。且無論其詩之工拙，即其爲人，腥穢之氣，已使人難近；縱詩中作大話，誰則信之？又其甚者，必以己之境遇強入詩中，塵容俗狀，令人欲嘔。論詩者，或以二者皆能寓意而取之耶？古人咏物詩，體物工細，摹其形容，兼能寫其性情，而未嘗旁及他意，將以其不寓意而棄之耶？彼其以此繩人者，蓋爲見人有好句，以此抹煞之耳。即不然，亦自欺以欺人耳。試取咏物數題，令彼成詩，方求肖乎是物之不暇，尚敢言寓意否？

馬位《秋窗隨筆》 《文心雕龍》云：「《召南·行露》，始肇半章；孺子《滄浪》，亦有全曲。「暇豫」優歌，遠見春秋；「邪徑」童謡，近在成世，閲時取證，則五言久矣。」鍾嶸《詩品》云：「夏歌曰：『鬱陶乎予心。』楚謡曰：『名余曰正則。』雖詩體未全，然是五言之濫觴也。」以此而推，聲律雖起於沈約，而以前粗已具之；陸雲相謔之辭，所謂「日下荀鳴鶴」、「雲間陸士龍」，是五言律聯；江淹《別賦》：「春宫閟此青苔色，秋帳含兹明月光」，是七言律聯。此亦近體之發端乎？

袁枚《隨園詩話》卷一 「樂府」二字，是官監之名，見霍光、張放兩傳。其《君馬黄》、《臨高臺》等樂章，久矣失傳。蓋因樂府傳寫，大字爲辭，細字爲聲，聲詞合寫，易至舛悮。是以曹魏改《將進酒》爲《平關中》、《上之回》爲《克官渡》，共十二曲，並不襲漢。晉人改《思悲翁》爲《宣受命》、《朱鷺》爲《靈之祥》，共十二曲，亦不襲魏。唐太白、長吉知之，故仍其本名，而自作己詩。少陵、張、王、元、白知之，故自作己詩，而創爲新樂府。元稹序杜詩，言之甚詳。鄭樵亦言：「今之樂府，崔豹以義説名，吴兢以事解目，與詩之失傳一也。《將進酒》而李餘乃序烈女；《出門行》而劉猛不言別離；《秋胡行》而武帝云『晨上散關山，此道當何難』：皆與題無涉。」今人猶貿貿然抱《樂府解題》爲秘本，而字摹句倣之，如畫鬼魅，鑿空無據；且必置之卷首，以撑門面。猶之自標門閥，稱乃祖乃宗絶大官銜，而不知其與己無干也。

又卷二 咏物詩無寄托，便是兒童猜謎。讀史詩無新義，便成廿一史彈詞。雖着議論，無雋永之味，又似史贊一派，俱非詩也。余最愛常州劉大猷《岳墓》云：「地下若逢于少保，南朝天子竟生還。」羅兩峰《咏始皇》云：「焚書早種阿房火，收鐵還留博浪椎。」周欽來《咏始皇》云：「蓬萊覓得長生藥，眼見諸侯盡入關。」松江徐氏女《咏岳墓》云：「青山有幸埋忠骨，白鐵無辜鑄佞臣。」皆妙。尤雋者，嚴海珊《咏張魏公》云：「傳中功過如何序？爲有南軒下筆難。」冷峭蘊藉，恐朱子在九原，亦當乾笑。

又卷五 作古體詩，極遲不過兩日，可得佳搆；作近體詩，或竟十日不成一首。何也？蓋古體地位寬餘，可使才氣卷軸；而近體之妙，須不着一字，自得風流；天籟不來，人力亦無如何。今人動輕近體，而重古風，蓋於此道，未得甘苦者也。葉庶子書山曰：「子言固然。然人功未極，則天籟亦無因而至。雖云天籟，亦須從人功求之。」知言哉！

又卷六 七律始於盛唐，如國家締造之初，宫室粗備，故不過樹立架子，創建規模；而其中之洞房曲室，網戶罘罳，尚未齊備。至中、晚而始備，至宋、元而愈出愈奇。明七子不知此理，空想挾天子以臨諸侯，於是空架雖立，而諸妙盡捐。《淮南子》曰：「鸚鵡能言，而不能得其所以言。」懷古詩，乃一時興會所觸，不比山經地志，以詳核爲佳。近見某太史《洛陽懷古》四首，將洛下故事，搜括無遺，竟有一首中使事至七八者。編湊拖沓，茫然不知作者意在何處。因告之曰：「古人懷古，只指一人一事而言，如少陵之《咏懷古迹》：一首武侯，一首昭君，兩不相羼也。劉夢得《金陵懷古》，只咏王濬樓船一事，而後四句，全是空描。當時白太傅謂其『已探驪珠，所餘鱗甲無用』。眞知言哉！不然，金陵典故，豈王濬一事？而劉公胸中，豈止曉此一典耶？」

又卷七 聯句，始《式微》。劉向《烈女傳》謂：「毛詩『泥中』、『中露』，衛二邑名。《式微》之詩，二人同作。」是聯句之始。《文心雕龍》云：「聯句共韻，《柏梁》餘製。」集句，始傳咸。傳咸有《回文反覆詩》，又作《七經詩》，其《毛詩》一篇，皆集經語。是集句所由始矣。無題之詩，天籟也；有題之詩，人籟也。天籟易工，人籟難工。《三百篇》、《古詩十九首》，皆無題之作，後人取其詩中首面之一二字爲題，遂獨絶千古。漢、魏以下，有題方有詩，性情漸漓。至唐人有五言八韻之試帖，限以格律，而性情愈遠。且有「賦得」等名目，以詩爲詩，猶之以水洗水，更無意味。從此，詩之道每況愈下矣。余幼有句云：「花如有子非眞色，詩到無題是化工。」略見大意。余嘗教人：古風，須學李、杜、韓、蘇四大家；近體，須學中、晚、宋、元諸名家。或問其故。曰：「李、杜、韓、蘇才力太大，不屑抽筋入細，播入管絃，音節亦多未協。中、晚名家，便清脆可歌。」

又卷八　諷世語最蘊藉者，某《遊春》云：「地濕莎青雨後天，桃花紅近竹林邊。遊人本是農桑客，記得春深要種田。」《咏桑》云：「采采東風葉滿籃，禦寒功已在春蠶。世間多少閒花草，無補生民亦自慙。」《雨中作》云：「布被裝棉夢黯然，曉看遙岫鎖輕烟。蹇驢盡避當風馬，也有香泥濕錦韉。」

又卷一二　吳冠山先生言：「散體文如圍棋，易學而難工；駢體文如象棋，難學而易工。」余謂古詩如象棋，近體如圍棋。

又卷一四　咏史有三體：一借古人往事，抒自己之懷抱，左太沖之《咏史》是也。一爲隱括其事，而以咏嘆出之，張景陽之《咏二疏》，盧子諒之《咏藺生》是也。一取對仗之巧，義山之「牽牛」對「駐馬」，韋莊之「無忌」對「莫愁」是也。余常勸作詩者，莫輕作七古。何也？恐力小而任重，如秦武王舉鼎，有絶臏之患故也。七古中，長短句尤不可輕作。何也？古樂府音節無定而恰有定，恐康昆侖彈琴，三分琵琶，七分箏絃，全無琴韵故也。初學詩，當先學古風，次學近體，則其勢易。倘先學近體，再學古風，則其勢難。猶之學字者，先學楷書，後學行艸，亦是一定之法。杭堇浦先生教人多作五排，曰：「五排要對仗，不得不用心思。要典雅，不得不觀書史。但專作五言八韻之賦得體，則終身無進境矣。」詩人筆太豪健，往往短于言情，好徵典者，病亦相同。卽如悼亡詩，必纏綿婉轉，方稱合作。東坡之哭朝雲，味同嚼蠟，筆能剛而不能柔故也。阮亭之《悼亡妻》，浮言滿紙，詞太文而意轉隱故也。近時杭堇浦太史《悼亡妾》詩，遠不如樊榭先生，今摘數首爲比例。厲《哭月上》云：「一場短夢七年過，往事分明觸緒多。搦管自稱詩弟子，散花相伴病維摩。半屏涼影頽低髻，三徑春風曳薄羅。今日書堂覓行跡，不禁雙鬢爲伊皤。」「無端風信到梅邊，誰道蛾眉不復全。雙槳來時人似玉，一奩去後月如烟。第三自比清溪妹，最小相逢白石仙。十二碧欄重倚徧，那堪腸斷數華年！」「病來倚枕坐秋宵，聽徹江城漏點遙。薄命已知因藥誤，殘粧不惜帶愁描。悶憑盲女彈詞話，危托尼姑祝夢妖。幾度氣絲先訣別，淚痕兼雨灑芭蕉。」「郎主年年耐薄游，片帆望盡海西頭。將歸預想迎門笑，欲別俄成滿鏡愁。消渴頻煩供茗椀，怕寒重與理薰篝。春來憔悴看如此，一卧楓根尚憶否？」廖古檀《悼亡》云：「合懽花瓣委輕塵，風雨邊城不見春。苦憶小牕扶病起，脂殘粉褪寫遺眞。」商寶意《哭環娘》云：「待年略住娉婷市，卻聘曾嫌富貴家。」「還余清凈三生體，欠汝滂沱淚數行。」寶山黃夔鼎《悼亡》云：「無多奠酒諳卿量，未就埋香諒我貧。」皆言情絶調。堇浦先生詩，以《嶺南集》爲生平極盛之作。《題陳元孝遺像》云：「南村晉處士，汐社宋遺民。湖海歸來客，乾坤定後身。竹堂吟莫雨，山鬼哭蕭晨。莫向厓門去，霜風正撲人。」「秋井苔花漬，荒廬蜃氣蒸。飛潛兩難問，憂患況相仍。拄策非關老，裁衣祇學僧。凄涼懷古意，豈是屈、梁能。」「巢覆仍完卵，皇天本至公。《蓼莪》篇久廢，薇蕨採應空。劫已歸龍漢，家猶祭鬼雄。等身遺著在，泉下告而翁。」「袁粲能無傳，嵇康亦有兒。古人誰汝匹，信史豈吾欺？寂寞徒看畫，蒼涼祇益詩。懷賢兼論世，凄絶卷還時。」此種詩，悲涼雄壯，恐又非樊榭、寶意所能矣。

又《隨園詩話補遺》卷一〇　每見今人知集中詩缺某體，故晚年必補作此體，以補其數，往往喫力而不討好。不知唐人五言工，不必再工七言也；古體工，不必再工近體也；是以得情性之眞，而成一家之盛。試觀李、杜、韓、蘇全集，便見大概。唐人最重五律，所以劉長卿有「長城」之號。近日吳門何豈匏(錦)專工此體。《聽鐵師彈琴》云：「抱琴來幾年，孤寺夕陽天。往往輟殘課，泠泠調古弦。未秋先落葉，無壑忽鳴泉。自覺疎慵甚，來聽輸鶴先。」通首一氣呵成，殊難得也。其他佳句，如「衣著舊棉重，牕糊新紙明」，「呈詩多越坐，避酒或憑欄」，皆是作詩，不是描詩。

錢思敏等《增訂詩法》卷一《排律説》　五言排律，唐初應制及場屋試士多用此體。多限六韻七言。排律雖創於唐，而作者頗少，亦未盡合律。其體自五韻至百韻，篇幅不拘長短，其對偶、平仄與律詩同。其起止照應，與古風同。其式，前有破題，中有頷聯、頸聯、腹聯、後聯，末有結穴，收束其題。

類多典故而少情景。大約排律雖屬長篇，須要鋪叙明白，前後照應，一氣呵成。雖屬板體，須要血脈通融，轉折過接，泯然痕跡。至于風雲月露，不可重複，儉用爲佳。數目、古人不可疊見，確引爲貴，此排律之旨歸也。

又卷二《絶句說》（絶與截同，古通用） 絶句者，截律詩半首而爲詩也。或截律詩前四句，則前散後對。或截律詩後四句，則前對後散。或截律詩中四句，則皆對。或截律詩起結各二句，則皆散。此正體也。絶句之法，以第三句爲主。第三句用實事，接前二句，是爲實接。用虛語接前二句，是爲虛接。此正格也。其他變體、變格不一。神而明之，存乎學者。但絶句字數最少，而含蓄無窮，用筆須如斬釘截鐵，不可增減用意。須如水月鏡花，不可執著。使言絶而意不絶。齒頰之外，別有餘甘，斯得之矣。

又《律詩說》 律詩者，調平仄，拘對偶，嚴如法律也。或起結不對，惟中二聯對。或起及中二聯對，惟結不對。或起不對，惟中二聯及結對。或八句皆對。此正體也。律詩之法，有四實者，有四虛者，有前虛後實者，有前實後虛者，此正格也。其他變體、變格不一，神而明之，存乎學者。但律詩貴謹守詩律，尤貴超脱詩裁，用粘處間用拗體，更加森挺。用對處間用流水，更加融洽。切不可儷青偶綠，如村塾學課，一味呆板。用古處，僻事顯用，熟事隱用，貴於巧切。若能化腐爲奇，尤屬鑪錘妙手。

又卷四《六言詩說》 六言詩以第六字押韻。雖平仄不整，亦無礙也。此蓋詩外之體，但以二、四、六三字定平仄，不必拘粘，非律詩可比。

又《迴文詩說》 自蘇氏若蘭撰織錦迴文，讀得去，迴得來，循環有致，變化無方，能旋機中之錦，足生舌上之花。

又《短古風說》 短古風與散體五言絶句相似。須使言盡而意不盡。玆以五七言及長短句，或一韻，或換韻諸體爲式。因其篇短，謂之短古風。

又《長古風說》 長古風與排律相似。但散多對少，其用韻或一句一韻，或二句一韻，或三句一韻，須錯綜而見。其轉韻亦然，或多句轉，或少句轉。大約古風多四句一轉韻，至末當兩句一轉韻。連轉兩韻，或三韻，或每句同押一韻，連押四五句。繁音促節，有曲終而亂之致。此但七言古也。五言古多一韻到底，或亦四句一轉。二者俱忌重複錯亂。

又《樂府說》 唐人以來，雖有樂府，而古樂府之音調失傳久矣。但其氣格可摹，須以質古簡奥，聲光穆然爲妙。

楊際昌《國朝詩話》卷一 樂府以古質爲最高，然高處全在命意，意高格自高矣。吳南邨（宗漢）《東門行》一首絶佳：「出東門，意欲前，欲前未及得前。遠聞兒啼女泣，使我僕馬爲流連。君但行，勿流連。堂上有兩親，機中有絲日一縑。賤妾餔糟糠，終不令君親饑且寒。道旁之水泥濁濁，長安馬，多食粟，一車覆，一車續。願君爲臣忠，爲吏廉，吹風到茅屋，結駟歸來非我欲。」

又 懷古詩，唐人推劉滄、許渾，然求其波瀾切、評斷確，終須宗杜，若《咏懷古跡》諸首，可按也。後人不論何地，略切一二語，即倚殘山剩水、蔓草荒烟爲活計，其實不作可也。王墨舟《金陵懷古》第二作：「連江烽火亂如麻，猶自笙歌擁麗華。絳蠟不知天已曙，鳳帷初起月將斜。詔催江令翻新曲，書止隋軍奏暮笳。千古君臣渾不悟，依然高唱《後庭花》。」借陳以刺福王也。魄力雖難擬杜，要非無爲而作者。

又 《竹枝》體宜拗中順，淺中深，俚中雅，太刻劃則失之，入科諢更謬矣。劉夢得創調可按也。國朝大家，竹垞、阮亭外，作者林立。王碩園（昊）：「青油畫舫木蘭橈，猶趁吳王送女潮。郎心未識分離苦，容易行過寶帶橋。」吾鄉徐伯調（緘）《鏡湖詞》：「勾踐城南春水生，水中鬭鴨自呼名。楊花飛遲雁飛急，郎進城時儂出城。」在此體中非豔稱者，格韻卻甚穩。伯調蚤歲曾見重於虞山，有「《越絶》新書徵宛委」之句。後交宋荔裳、施愚山，皆序其集。

又 咏物詩有刻劃惟肖者，有淡遠傳神者，總以情寄爲主，風格佐之，乃不失比興之義。咏花一體，最易涉蕩子女郎聲口，試舉所見以立標準：如「初疑皎潔同身珮，細嗅氛氳是國香」，龔半千（賢）賦玉蘭句也。「節後有佳色，歲寒留晚香」，吳鱗潭（苑）賦冬菊句也。「香色自能回造化，清高原不近時人」，沈華璧（文璋）賦梅句也。「小院飄時香未歇，春泥點去子纔生」，孔東塘賦落梅句也。「暗風吹不落，寒月獨相侵」，陳靖共（寅）賦臘梅句也。「長夜應難叫，危冠空自雄」，錢飲光（澄之）賦雞冠句也。「村落猶分樹，江天但見霞」，卓鹿墟（爾堪）賦桃花句也。「微月步遙夜，輕風生素波」，釋海岳賦水仙句也。「猶然心未老，卻早鬢如霜」，吳丹步（雯爔）賦蘆花句也。「照日乍疑珠珮冷，臨風如見玉山頹」，劉古巖(弘道)賦雪毬句也。「半夜月明人不見，秋風吹動一池香」，洪去蕪(嘉植)賦白蓮句也。「清白一心應自賞，玲瓏八面任人看」，程千仭(集)賦繡毬句也。「一枝能獨秀，數樹自成林」，程克庵(用昌)賦桂花句也。「傾國仙姿如欲語，可人幽韻不須香」，賦海棠句也。「獨犯炎威出，泠然冰雪姿」，汪舟次(楫)賦茉莉句也。托物寫懷，皆屬高格。他如宋荔裳賦梨花：「豔曲還聞歌《玉樹》，故宮久已罷《霓裳》。」吳菌次(綺)賦西湖宋時三桂：「西湖風月誰爲主，南宋山川獨此花。」另是一格。周櫟園《雨後看牡丹》：「細雨難催孤棹去，繁花苦約老人看。」直似少陵「幸不折來傷歲暮，若爲看去亂鄉愁」矣。

又卷二　漢、魏迄盛唐投贈詩題，祇書姓名兼及職銜行輩，自元、白交書字，後之書名者寡矣。朱竹垞《曝書亭集》，獨遵古法。

又　開、寶以前，和詩只和其題，詩中見和意而已；韻則分拈，絕無次用者。此派濫觴於元、白，浸淫於皮、陸，自蘇、黃而降，非是不見才之長，情之重矣。善歌繼聲，固勢所必至，未嘗無流弊滋其間也。作者惟自見身分，自出機杼則可。多玉巖(時珍)《滕王閣》詩，宋漫堂次韻和之。多落「快」韻：「座中年少有王郎，一賦纔成衆稱快。」宋云：「竭來持節繼閻公，天畔褰裳意良快。」多落「薤」韻：「遙峰隱隱淡於烟，遠樹濛濛紛若薤。」宋云：「臨風惆悵覓遺篇，斷碣銷沉失倒薤。」多落「怪」韻：「落霞孤鶩景依然，筆有化工吁可怪。」宋云：「逢逢鼉鼓何處鳴？震起魚龍驚百怪。」多落「疥」韻：「莫將駢語薄前人，我欲題詩羞壁疥。」宋云：「新詩題壁得未曾，讀罷眞成爪爬疥。」句意皆別，仍出自然。潘稼堂(耒)《南雄旅次》律詩：「輿卒能言驛傳苦，館人偏記禁林名。」關中劉省庵(名俟考)云：「消魂再聽流鶯語，勸去重驚杜宇名。」錫山嚴蓀友(繩孫)云：「萬里青山俱作客，十年丹禁不成名。」雲間董二川(名俟考)云：「懷香惜別多詩句，掃壁挑燈記姓名。」「名」雖平韻，諸公各各造意。

又　集句之端，啓自石曼卿、王半山，後人由句而首，由近體而古，以化去痕迹，仍見精采爲工。

又　聯句之格，縱于《鬭雞》、《石鼎》，以工力悉敵，氣脈不斷爲工。竹垞集中，俱擅其勝。

又　題畫詩沉鬱淋漓，少陵獨步，自後作者，凡遇珍玩碑碣，多師其意，用全力出奇。牧齋《華山廟碑》、《松談閣印史》、《太清樓二王法帖》三歌，心摹韓、蘇《石鼓》。漁洋一生歌行，尤沉着於此，幾欲凌轢遺山、道園，追攀東坡、山谷。其徒張桐峰(琴)《子昂六馬圖歌》，不愧火傳。歌云：「子昂畫馬能畫骨，軒軒紙上眞龍出。六匹神駿不一態，骨相權奇形滅沒。相傳子昂善唐馬，韓幹之上曹霸下。至今人識宋王孫，筆勢飛騰意瀟灑。此馬神肖昭陵圖，想見眞主來天都。煌煌拳毛騧，炎炎什伐赤。黑闥既擒滅，支胡亦褫魄。更有青騅特勒驃，騰空飛練驚波濤。又見紫燕白啼鳥，追風越塊秋天杳。竇氏薛氏無一生，六馬橫行四海平。太宗功成駿骨靈，陵前勒石垂丹青。向非乘運附聖主，長鳴伏櫪悲荒坰。我展此圖推案起，房公魏公亦幸耳。牝壯驪黃誰辨此，未遇其人則已矣。」

謝鳴盛《範金詩話》卷上　陶靖節四言詩頗多，其《時運》、《停雲》諸作，取法《國風》，束晳之《補亡》，韋孟之《諷諫》，皆本諸《小雅》，意味甚肖，而神與韻則猶未洽。惟魏武《短歌行》彷彿於《風》《雅》之間。唐之平淮夷，柳州有雅，昌黎有碑，體則類雅而規頌，王褒之得賢臣頌，范蔚宗之史贊，又體爲頌而近雅，其他如陸機之「我靜如鏡，民動如烟」佳語亦不可多覯。蓋溫柔敦厚之說，言詩者皆知之，而雍容綿緲之趣，紆徐醞釀之音，終不能隨心而應手，斯四言所以不古若歟。

又　宋景文云「蕭蕭馬鳴，悠悠旆旌」，顏之推愛之。「昔我往矣，楊柳依依；今我來思，雨雪霏霏」，謝幼度愛之。「訏謨定命，遠猶辰告」，安石以爲有雅人深致。《東山》之三章「我自東，零雨其濛，鸛鳴于垤，婦嘆于室」，四章之「其新孔嘉，其舊如之何」，王漁洋愛之。鳴盛則謂《東山》四章必合讀之，方極其璀璨譎變之妙。生平又最愛《芣苢》章，通篇不著一思議，亦不著一詠嘆之辭，而深永無際，正如一掬清泉到口，心骨都清，欲名其味，終不可得，眞化工也，是《三百篇》中有一無二之作。前人提與《殷其雷》並論，不知《殷其雷》體貌雖同，而猶著有思議詠嘆迹象，《芣苢》章直不知著到何處而詠諷難舍。吾亦不自解也。

又　漢人文氣古茂，由其風會自然而然。故其紹《風》、《騷》而創爲樂府，盎然堅栗，如千年蒼藤著於懸崖翠柏，磊砢盤節，可玩而不可得而名也。其清調、平調、瑟調之屬，尤縝密難測，曹氏父子力爲追摹，似猶兼鼓吹、橫吹渾而一之。蓋鼓吹、橫吹諸曲如銅鼓風角，音響振爽，差易會心。唐惟李太白得其節奏。其體爲之一變而振迅低昂，節亮音調，杜工部諸别、諸吏亦多有合者。宋謝皐羽、元楊廉夫、明劉青田、王元美諸人，于不能盡合之中仍復存其合者。李西涯借史事創爲新題，不襲其貌而傳其節，别爲一格，視李滄溟之摹擬不更爲善變歟？

又 《子夜》等歌亦是樂府之餘，王阮亭《小樂府》似得其意。至謂唐人諸絶句，可被之管弦即是樂府，則非也。予昔館萍鄉，門人有竊予《蒙泉精舍諸絶句》，就老黎園吹彈，其可入譜者十得七八，然予終不自信爲樂府也。阮亭又以尤悔庵讀《離騷》諸傳奇爲樂府，然則宋詞、元曲皆樂府乎？蓋今之笙笛弦板非古之鐘磬柷敔也，安得以入於彈索之絶句、詞曲混名以樂府？阮亭沿習宋人語以爲典故，特戲爲誇美之稱耳。

又 或問今樂既不足定樂府，然則樂府將安所準乎？鳴盛竊謂漢魏以來作者衆矣，觀其體之正變，音之高下，節之疏密，意之古質，辭之樸茂，參證以古詩之所由别，則自得矣。

又 《詩所》一書，古樂府之升降離合悉備。晉之陸機、傅咸輩便已不能全合，唐人或作爲律絶，不過借其題耳，于樂府何涉。漁洋謂樂府寧爲其變，不可以字句比擬，又謂樂府非不可作，惡今人無所寄託也。此二語殊可深味。

又 詩必遇物窮理以廣其意，猶建屋之必預儲木石基礎也。詩必按節諧聲以合其度，猶匠作之必資規矩準繩也。五言古與七言古之體格迥别，則如苑囿樓閣之與宫殿堂廡，其爲屋則一，而布置規模殊焉。宋人之理非不足也，其如匠作弗善何？元人之調非不工也，其如材地弗稱何？唐人之格非不高也，其如高堂大廡之混諸苑囿何？明李于鱗謂「唐人無五古而有其五古」，自非深于漢魏之旨者，鮮不大詫。不知其弊實由于學者溺愛唐人，遂不明於五古之正體。漁洋山人於唐五古獨選陳射洪、張曲江、李謫仙、韋左司、柳儀曹五家，可謂明眼巨識，眞知唐人，亦眞知五古者矣。學五古而不明於此，卽倖能成其章句，亦如衆匠之只堪操刀運斧，欲主持繩墨則工師終弗許也。

又 漢詩《十九首》、蘇李别詩肇開五言古體之祖，曹魏繼興，而陳思實爲大宗，阮嗣宗承之，靖節、靈運均祖之而各成一支派。然學者言五古終不能外三家而别出：嗣宗雋永，靖節醇潔，靈運藴蓄，進之以陳思之高華，斯亦極五古之能事矣。

又 五古才必斂，氣必煉，一縱肆卽失之。故陳思之八斗，嗣宗之狷狂，謫仙之不群，皆大才也，而恬韜深醇乃爾。謫仙每低首宣城，而咏其《古風》數十首，直是兼三家以溯建安，亦步亦趨，中規中矩。古人之善自用其才如此，宜乎其不可幾及也。

又 五古體格固用不得高堂大廡、魁嵬雄杰之狀。而要之長篇必有曲檻幽房之參差，水窮雲起之聯屬。短篇雖一亭一榭，亦必有入兒荒我闥之意象，一徑通幽之分位。此非參會于三家之法，讀破萬卷書，領略于物理人情之至深，識力品量超出群倫，未易言也。銖積寸蓄，工候既到，復加以邃養之功，庶自信有得，而自然之妙可幾矣。

又 尊敬古人須知古人眞正佳處，方與己有益。若隨聲附和，空口贊嘆，何異村婦日念千聲彌陀，俗子過叢祠見土木卽下拜乞靈，同一可笑。家伯兄愧屋嘗與鄒半谷書論知己，謂：「天下患不知其長，而僕謂知己者，患於不知其短，短而中，於所長乃眞知也。」鳴盛則謂不獨朋友之道宜然，卽尚論古人亦必如此，方可眞知古人。浣花翁自是詩中之聖，卽不能五古何害，而必以其「憂黎元」、「希稷契」之什，遂震怖誇贊，則宋儒諸詩之陳道德慕孔顔，又何獨笑其膚淺。蓋論詩必先論體格，猶劇場之有生旦丑浄，以生旦而雜唱丑浄腔調，亦將以其名子弟而贊賞乎？就杜公五言而論，如《新婚》、《無家别》，自是五言樂府一派，其《夢李白》二首，嗚咽頓挫，吞吐蓄洩，不離正始，是其冠集之作，其他純以七古筆法出之，氣粗句硬，且無論其章之過于馳騁，卽句法如《奉贈韋左丞丈》之「朝扣富兒門，暮隨肥馬塵」數語，《九成宫》之「荒哉隋家帝，製此今頹朽。向使國不亡，焉爲巨唐有？」《奉先縣咏懷》之「取笑同學翁，浩歌彌激烈」，及「朱門酒肉臭，路有凍死骨」，《慈恩寺塔》之「仰穿龍蛇窟，始出枝撑幽」，及「秦山忽破碎，涇渭不可求」，粗陋已甚。如此類者皆出選本，爲世所佩誦，其全集尚多鹵莽。若必以聖不敢議，則五古之道豈不因之而亡，是又豈爲浣花知己耶？魏晉遠矣，卽就其同時太白比例觀之，其歧正截然有不可諱者。鳴盛非敢妄議前人，實欲明五古之正體，而亦正尊杜之至。蘇李别詩及《十九首》意在筆先，韻留筆後，恬神静哦，自領其味，不必強解也。譬之制器尚象，未有規矩，先有方圓。及乎規矩既立，合之方圓，翻訝其何以微茫弗爽。不知前之規矩由方圓而來，后之方圓由規矩而成，此天地自然之妙運，建安諸子所由繼興以爲五古法則也。

又　五言古最忌鋪張徑直，其法宜得風人比興之意，當氣急欲洩之際，則宜思蓄之法，如太白《蟾蜍薄太清》一章，團激至「蕭蕭長門宮，昔是今已非」，已急欲洩矣，在庸手必直接「沈嘆終永夕，感我涕沾衣」，豈不通首敗于薄弱。太白則用「桂蠹花不實，天霜下嚴威」二句以蓄之，然後以「沉嘆」句洩之，氣乃固矣。又如：「莊周夢蝴蝶，蝴蝶夢莊周。一體更變易，萬世良悠悠。」筆至此已急欲伸矣，若下卽接「青門種瓜人，舊日東陵侯，福貴固如此，營營何所求」，一直伸去，豈不淺率之甚！太白又用「乃知蓬萊水，復作清淺流」作一縮筆，于是上下意境蕩漾，深永無際矣。在太白固是自然行乎其所不得不行，然學者初入門卽欲聽其自然，是何異嬰兒未能行而驅之使走也，則顛且蹶矣。惟以伸縮蓄洩之法爲步趨，久之，神通變化，其妙無方。然要之不離此四字，猶之人雖健步捷于猿猱，終不能舍脚力而鼓翼以飛也。予嘗聞其略於武寧盛水賓，今偶舉太白以爲例，以衆人所易曉，而實自漢、魏以來已無不然。

又　或問：五古轉韻之法，《三百篇》具有之，漢《十九首》中「青青河畔草」亦自蟬聯换韻。然嗚盛觀漢魏以來，大都以終始一韻爲正格，轉韻爲變格，而轉韻之中復有正變，如太白「蟾蜍薄太清，蝕此瑤臺月」，前四句用兩仄韻，後十句轉用六平韻，「蝃蝀入紫薇，大明夸朝暉」疊一韻，下仍間句一韻，此正法也。又如陳正字《感遇詩》末一章十韻，前十八句一韻，後二句「大運自古來，旅人胡嘆哉」疊一韻，轉卽結。而太白《短歌行》「白日何短短，百年苦易滿」，疊一韻起，以下十二句轉作一韻，已是變中之變，至太白「天津三月時」起四句用四紙韻，後轉十一尤韻，徑用「前水覆後水，古今相續流。新人非舊人，年年橋上遊。」不用疊韻，然蟬聯對仗而下，勢不能疊，猶是古法。若其《妾薄命》、《懷張子房》之類及韓退之《瀧吏》一首中轉十八韻，又俱不疊韻而轉，則變之極矣。學者寧守其正，卽不得已而用變，尤宜守變中之正。至于叶韻之法，邵子湘云：「古體詩須參用古韻，譬之宗廟必用敦彝豆俎。」此言甚高，但詩中用叶韻，固須有本，亦須有法，若開口卽用叶與中間叶之過多，亦非正格，毋漫以《三百篇》爲口實也。詩中著理語最難，至說到聖人尤難，須渣滓澄淨，恰到好處，如淵明「汲汲魯中叟，彌逢使其淳」，千秋萬世更誰道得到。

又　大約五言古句法，庸不得，奇亦不得；俗不得，文亦不得。字法粗硬不得，纖媚不得。章法不可徑直，不可粘滯，不可脫離，不可委靡放縱。三者與其濃也，寧淡；與其艷也，寧質；與其巧也，寧拙而眞。蓋不露不晦，不亢不墜，寓名理于埃塵之表，養浩氣于音譜之中，庶乎穆如清風之旨歟！然其候正不易至也。可以見才炫奇，肆其展布者，無過七言古體。然而駑馬離繮，一趨卽蹶，醯鷄舞甕，微響易消。雖有迅奮馳騁之地，而偏苦力不從心，自非具江海之才，未易乘長風，鼓巨浪，逍遙於蓬萊島上。故長篇才必雄健，氣必壯闊，舌鋒唇劍，議論縱橫，蛟市蜃樓，起伏怪變，雖有不矜雄辨如傳記體者，其力量尤須堅厚。短篇如匕首刺人，刀刀見血，一語稍怠，全局俱敗；亦有一種飄然而來，灑然而往者。其法可兼樂府，而樂府不可兼古詩，大抵名家必講法度，卽其不稱意之作，步伐終是不亂。若聰穎涉獵之士，豈乏穿楊中鵠之會，然翻弓墮馬，顛蹶立見，如瓶中之花，終不能與園圃相較，故觀作手必就全局以驗其功候。各體皆然，要須一體成一體，與其兼擅而不精，不如專工一體之爲得也。

又　七古雖可騁才，而弩張非也；雖可闢博，而填砌非也；雖可闢奇，而怪誕非也。熟讀《杜工部集》自得矩法。

又　漢武《柏梁》始賦七言，初唐作者浸多。然譬之暴興富人，創造猶是簡陋。李、杜、韓三公則素封子弟，揮擢自然，一擲千萬，視《兩京》、《三都》如同家室。殿唐巨篇，惟義山《韓碑》一首，餘雖間有片綃零錦，恐終未可與石家步障相提并論。然李、杜二家同爲萬世詩宗，而究有仙聖之別。世人艷慕神仙者，多仙家縹緲絕塵，逍遙無際，誠想望之而心開意朗，第海上三山以秦皇漢武力求之，而猶一遇爲難，其他服食丹鉛，修煉方術，止見自速其生耳。故縱觀宋、元、明以來，人人自負有仙骨，瞻望青蓮，低頭膜拜，而終未聞賀監之重睹謫仙也。少陵雖爲大化之聖，然其功候由學而漸進，泰山巖巖，尚不乏級引之階，學者由之，得寸卽寸，得尺卽尺，而二中四下，有志者自可幾及。卽甚不似，亦可爲鄉黨自好之士，决不致誤于藥石而發狂立斃。昌黎之於杜，如孟子之於孔子，雖不盡醇，要亦是詩家一大賢人。至于博觀衆妙，讀聖賢書者，何妨綜覽仙經釋諦。況太白本是詩壇正宗，吾所以爲是說者，蓋老馬曾經顛躓，談之而有懼色耳。千里駒其躡雲逐電而姑試之。太白集如李廣軍不擊刁斗自衛，而能令士卒爲之死，匈奴畏其略而不敢犯。少陵如程不識正部曲，行伍營陣，擊刁斗，士吏治軍簿至明，軍不得休息，虜亦不得而犯。程、李二人同爲漢名將，而所操勝算迥然各殊，當時士卒多樂從廣而苦不識，殆亦如近世學者喜學太白而殫師少陵乎？然史稱李廣猨臂，其善射出天性，見敵急，非在數十步內度不中不發，發與人居則畫地爲陣射。太白之七古亦如是，其所講求於法者，已神化無方矣。是豈無法哉！顧後人天資不及，徒學其闊達馳騁，鹵莽滅裂，而於縱控駕御之法，一無所得，幾何其不與棘門霸上等也，則又何如細柳營之不可得而搖撼者之爲眞將軍乎！

又　平韻句必拗峭振厲，仄韻必沉著堅重，大要如生鐵出冶在生熟之間，若純棉裹針，猶是五古句法，必如工部所謂「語不驚人死不休」者，方是七古眞正如句。至于長短句法，尤須胸有繩尺，按緩急以施其節，非力不足則短之，氣有餘則長之。李于鱗謂太白歌行縱橫，不無弩末之慨，間以長語，未免英雄欺人。此由併其僞作而議之。太白眞本其長短之節，得之漢樂府，固非無法也。然一二敗缺亦誠有之，第非盡然耳。學者不明其節，則自欺耳，人可欺乎！又七古中間有前半首用五言者，其法須使人開口讀之即知其是七古中五字句方得。學者明乎此，則五言七言，了然于胸中矣。《漁洋詩話》論七言古，以第五字爲關捩，五言古以第三字爲關捩，平韻于上句，關捩用仄聲，下句用平聲，仄韻反之。古人雖未盡拘，亦教人用音節抑揚之捷徑。且平韻最易犯律句，押韻用三平，則拗健堅峭矣。初唐所以多律句者，由不明此法耳。試看杜、韓詩，便知漁洋非無本之談，或謂「平聲多揚，仄聲多抑」，鳴盛細味之，亦有仄字聲揚而平字聲不揚者。五音不明，惟作者自領悟之。

又　七古一韻到底者少，有轉一韻及數韻者，有兩句一轉、四句一轉者，亦有三句一轉者。參差轉者，有平仄相間轉者，亦有平轉平、仄轉仄者。轉韻以疊一韻爲正格，而亦間有不疊者，其法本自《木蘭詞》，然非不得已不應爾也。又有非轉韻而起止中腰，時或疊數韻，仍不全疊者，其一韻中句句用疊到底者，本《柏梁》體爲正格。而老杜《大食刀歌》則又一首中兩韻，而仍句句疊韻；又其《短歌行贈王郎》一首十句兩韻，而上下五句各用單句疊一韻，又有通章整齊，起處獨用單句與第三句爲韻，如郎士元《塞下曲》；又有中間忽用單句疊一韻，如高適《還山吟》；又有結處用單句疊一韻，如老杜之《曲江》及《簡薛華醉歌》、《冬狩行》，太白之《烏棲曲》，昌黎之《贈張功曹》者甚多；又少陵《桃竹杖引》俱交互用韻，四、六兩句同韻，三、五兩句與起兩句同一韻，十三、十五兩句同韻，十四、十六與十八句同韻，又《嶧山碑》句句用韻，三句一轉，岑參倣之作《走馬川行》。七古用韻，變怪不齊，舉其大略已繁如此，要其中之宜緩宜急宜疏宜促，所謂氣盛則言之短長，聲之高下皆宜，而究之作者胸中自有一定之節，如樂師操扳按拍，非聽笙笛爲游移也。

又　五言律體由陳隋偶句積漸而成，唐之諸大家尚存古意，如孟浩然《萬山潭》、《晚泊潯陽》，王昌齡《潞府客亭寄崔鳳童》，李白《送楊山人歸嵩山》、《夜泊牛渚》、《懷古》、《沙坵城懷杜甫》、《聽蜀僧彈琴》、《送張舍人之江東》，儲光羲《題陸山人樓》，李頎《寄鏡湖朱處士》，邱爲《題農廬舍》，常建《宿王昌齡隱居》，李嶷《林園秋夜作》，柳宗元《且攜謝山人至愚池》，釋齊己《秋夜聽業上人彈琴》、《劍客》，釋皎然《尋陸鴻漸不遇》之類，皆一時佇興，化去律詩痕迹，而實則律體也。選家或入諸五古，由不明於古近體之分位也。然此種之妙，非學深候至，觸機而發，強擬之，則效顰醜矣。又有一種顯然律體而微帶古意者，如劉眘虛《寄江滔求孟六遺文》、又闕題一首，張九齡《望月懷遠》，李白《秋思》、《口號贈盧鴻送友人》，孟浩然《尋梅道士》、《送友東歸》、《與諸子登峴山》，王維《酬張少府》、《送賀遂員外》、《終南別業》，儲光羲《題虬上人房》，杜甫《天末懷李白》、《送友人從軍》、《又示兩兒》，常建《破山寺后禪院》，嚴武《班婕妤》一首，殷遙《送友人下第歸省》，韋應物《送別覃孝廉》、《淮上喜會梁州故人》，韓翃《梅花落》，王貞白《題嚴陵釣臺》，韓愈《祖席》，郎士元《送賈奚歸吳》諸作多通首一氣貫注，或十字爲句，瀟灑自如，如此可學而及之。然筆不超健，意不深勁，則幾于不成章句。惟規模正格，步伐止齊，久之，自所如必合。

又卷下　七言之有律體，如畫家之有寫眞，鳴盛嘗即其品格而論之，亦約有三等。沈佺期之《龍池篇》，崔灝之《黄鶴樓》，杜甫之《白帝城》，皆彷彿吳道子畫天官寺壁，眞是得裴將軍舞劍之神，意境出筆墨之外，其品爲最上，古今不數見也。唐之初盛及前明諸大家，其工力所到，如曹霸之畫褒公鄂公，英姿颯爽，又如顧長康寫裴叔則，頰上益以三毫，儁朗獨著。七律非到此境界不得稱爲正軌。晚唐、宋初專以態色爲工，施朱敷綠，濃艷妖冶，俗競悅之，而品則愈況而下矣。若較其工力之難易，則塗澤之工，豈不更難於淡著丹青者乎？然試謂晚唐更難於初盛，人未有不啞然笑者，此詩所以以品爲貴也。然則昔人謂七律較難於諸古體者，是亦但知形迹之難，而不知意境之難乃在形迹之外。觀畫家以逸品爲極上可知矣。

又 七律與五律格法亦約相倣，大要貴莊重而忌佻薄，貴婉和而忌粗硬，貴鮮麗而忌濃砌纖靡，貴壯闊而忌拘滯放蕩。平忌熟，新忌怪。煉句須上下相生，不可斷離，下字須左右煊映，不可湊雜。情與景侔，骨與肉稱，有聲有色，而意厚力堅，斯道之能事盡矣。

又 言律必宗唐，言唐必宗杜，此自正論。第學杜常失之粗，學初唐常失之薄，學中、晚常失之淺白與纖媚，宋、元以來七律至多，體調俱失其正。前明高啓、劉基、林鴻、楊基、高棅、李東陽、石珤、何景明、李夢陽、徐昌穀、邊貢、楊慎、高叔嗣、華察、王元美、謝榛、李攀龍、徐中行、梁有譽、四皇甫、陳子龍諸人，雖溫醇綿邈之音稍遜于唐，而英偉挺拔，自成爲明人之詩。國初宋荔裳、施愚山、周櫟園、王漁洋、杜茶邨、潘次耕、彭羨門、朱竹垞諸作手，雖不專以七律見長，而百餘年來運會日隆，風雅所就，實兼有唐明之盛，眞斯道之慶也。康熙間，査初白七律最爲可觀，成名後浸欲以宋派標新，近時後進遂專襲東坡體貌，輒欲別樹一幟，不知東坡七古猶存杜韓規矩，其七律佳者，僅與中、晚人彷彿，餘則淺白甚矣。語曰：「見與師齊，減師半德。」又曰「取法乎中，必流于下」，彼欲別樹一幟者，高賢固能辨之，第恐初學昧於所向，一惑其說，則終身墮入棘叢，爲可悲耳。王弇州云「奇過則凡」，然則學者欲七律之無逾於閑，其惟守唐正風而勿變，庶標新立異之談無由得以蠱我乎！

又 說詩則言七律爲極難，而作詩則動輒多篇，唐之元、白、皮、陸，宋之黄山谷、楊誠齋、陸放翁、周益公諸集尤多，或一題而數首、數十首，一韻而唱和成帙，春興秋懷踵之以三十平韻，賦梅花又且百首矣。覺老杜一大詩人，《諸將》、《秋興》、《古迹》寥寥數首，豈不遠遜其富乎？阮亭所摘梅花佳句，如東坡之「竹外一枝斜更好」已僅得七字耳，其他較桃比柳，幾同啞謎，踏雪策驢，總屬雷同。至于離合回文枝幹草木，鬬險矜奇，描頭畫角，非僅捧心效顰，直是魍魎畫現。予也半生閱歷，每恨世無成連子？爲置斯人於海濱，然學者亦誰能如康崑崙肯聽段師洗其邪雜。十年不近樂器，此人才所爲可惜也。

又 排律以鋪揚典切爲工，層次分明，波瀾壯闊，卻自神氣聯貫，無重複斷離之弊，方成章法，造句固宜莊重，而運筆絕須流轉，暗相呼吸。長篇忌委頓，尤忌版砌。短篇貴簡勁，尤貴舂容。初唐登眺懷詠之作，有用五韻七韻者，興盡即止，初不計韻之奇偶，後人專以偶韻爲正格，誇多鬬靡，有長至四五十韻、百韻者，要不過拖沓砌疊，賣菜翁求多耳。魏叔子云：「物之取精多而用之少者，其發必醇；取精少而用之多者，其發必薄。」詩道亦如是，故倚馬才尙鮮十韻之作，浣花翁間有長篇，兩簡煉精醇猶不能數見，蓋詩道無一體可易言也，然此中甘苦非深心此事者，又豈能遽解乎？

又 諸體中五言絕句最簡，而最難工，非學深養醇，豈易窺其窔奧，漁洋山人抉其秘，以一時佇興得意忘言而有味外味者爲極則，然不求神理而但襲皮毛，則外貌空靈，中且無物。雖不與粘滯者同病，究于味外之味，未有所存。嚴滄浪以味外味如水中著鹽，飲水始知鹽味，此語於五言絕句形容盡致，又司空表聖云「不著一字，盡得風流」，予謂他體不能到此境地，惟五言絕句不可不懸此境象，以待其俟。

又 五言絕句含糊不吐，刻畫過盡俱非也。惟語意恰是二十字，而神韻飄渺無際，音調靜細，不剛不柔，斯爲正體。王摩詰《輞川雜咏》有著向題中者，有超出題外者，而均之有不即不離之妙，虞世南《詠蟬》、王勃《寒夜思》、李白《敬亭獨坐》、劉方平《春雪》、祖咏《望終南殘雪》、王昌齡《題僧房》、韋應物《秋夜寄邱員外》、崔興宗《留別王維》、許渾《塞下曲》、耿湋《秋日》、李商隱《登游樂原》、柳宗元《江雪》、李頻《渡漢江》諸什，亦彷彿及之，裴迪尙應讓一頭地也。張九齡《自君之出矣》、李白《玉階怨》、盧照鄰《曲池荷》、張說《蜀道後期》、王適《江上梅》、崔國輔《怨詞》、崔灝《長干曲》、邱爲《左掖梨花》、張仲素《閨思》、劉方平《長信宮》《采蓮曲》、李益《鷓鴣詞》、施肩吾《幼女詞》、崔道融《班婕妤》、劉采春《囉嗊曲》諸作，又是《子夜歌》一派，音亮而不躁，思巧而不纖。若其操樂府鐃吹音響以爲絕句，惟王建《新嫁娘》一首：「三日入廚下，洗手作羹湯，未諳姑食性，先遣小姑嘗。」質樸深醇，何異讀「有齊季女」之什。又無名氏《伊州詞》「打起黃鶯兒，莫教枝上啼，啼時驚妾夢，不得到遼西」，與太白「床前明月光，疑是地上霜，舉頭望明月，低頭思故鄉」同一種高格，句中明明說出，卻又似未曾說出，眞鏡花水月景象，他人鈎深索隱，何能坦然有餘如此。

又　七言絶句以第三句爲主，而第四句發之。前人之論極當。蓋第三句是一篇關紐，若擴不開，掣不轉，柁心不應，通船俱無把握，雖有檣帆，何能駕駛！卽僅如半截律詩，亦祇是畫裏舟航，任有好風，豈能動搖，此予夙昔之説也。近季弟絜原與人論絶句，譬之於射，起二句彎弓搭箭，立定架格，第三句必弓絃滿扣，左手掬定箭頭，右手抽送，肱開臂直，而精力已直注鵠心，則第四句應絃而中矣。否則強弩之末，未有不失諸征鵠者。其比擬更爲透徹。學者能近取譬，斯道寧遠乎哉？

又　絶句詞調雖以丰姿搖曳取勝，究須如大家女子舉止幽閑淡雅，笑不露齒，怒不揚眉，巧倩美盼，我見猶憐，而凜然不可犯，方爲色骨俱妍。倘一涉妖冶，則娼妓賤婢相矣。宋曾蒼山謂：「局婉媚而薄高古，執偉豪而棄淵深，此選家之偏。」竊疑「高古」二字他體皆宜，惟説向七言絶句，只是靦面話耳，不如淵深而神雋爲不亢不媚。

又　《竹枝詞》本巴渝之意，託韻語以寫方言土俗，白樂天《竹枝詞》則云：「唱到竹枝聲咽處，斷猿晴鳥一時啼。」與詠楊枝橘枝諸詞無異，殊失本意。此體端宜就人情物態中寫以本色之語，俚而不俗，質而有文，而又能婉曲規諷，不流輕佻，情致婀娜，不同嘲謔，方足存風人之旨。

又　嚴滄浪《詩體》一篇，古今制作名目悉備，然詩究以四言、《離騷》、樂府、五言、七言古爲古體正格，五言律、七言律、五言排律、五言絶句、七言絶句爲近體正格，名家選詩及編詩，次第總不外此，其歌謠、歌行、吟、詠、篇、詞、曲、引、愁、嘆、哀、怨、思、樂等類，不過制題之名，五古、七古、絶句中皆有之，其句法長短，參差變換，又樂府七古中之常調，若如俗本，別立歌行一格，是振衣而不知挈領也。七言排律、六言律詩、絶句，雖無妨于正體，然作手難工，工亦不足見奇，至于東坡之雙聲疊韻，天隨子之全篇平聲，梅聖俞之全篇仄聲及轆轤韻、進退韻、盤中體、建除體，人名、卦名、數名、藥名、州名、六甲十屬，藏頭、歇後，字謎、雜俎之流，俱是旁門外道，與風雅之意何涉？聰明之士每見此種卽欣慕之，一涉其籬，如墮陷阱，雖有仁人，難爲從井之救，亦徒付諸浩嘆而已，所貴入路毋歧，則鬼魅自不能惑我矣。

趙翼《甌北詩話》卷二《杜少陵詩》　自初唐沈、宋諸人創爲律體，於是五字、七字中爭爲雄麗之語，及盛唐而益出。如賈至《早朝大明宮》之作，少陵、王維、岑參等皆有和詩，詩中皆有傑句是也。杜詩五律，究以「江山有巴蜀，棟宇自齊梁」一聯爲最。東西數千里，上下數百年，盡納入兩個虛字中，此何等神力！其次則「星臨萬戶動，月傍九霄多」，亦有氣勢。至《岳陽樓》之「吳楚東南坼，乾坤日夜浮」，古今無不推爲絶唱。然春秋時洞庭左右皆楚地，無吳地也；若以孫吳與蜀分湘水爲界，則當云「吳蜀東南坼」，且以天下地勢而論，洞庭尚在西南，亦難指爲東南。少陵從蜀東下，但覺其在東南故耳。又七律中「五更鼓角聲悲壯，三峽星河影動搖」，「錦江春色來天地，玉壘浮雲變古今」，亦是絶唱；然換卻「三峽」、「錦江」、「玉壘」等字，何地不可移用？則此數聯亦不無可議，祇以此等氣魄從前未有，獨創自少陵，故羣相尊奉爲劈山開道之始祖，而無異詞耳。自後亦竟莫有能嗣響者。東坡舉歐陽公「蒼波萬古流不極，白鳥雙飛意自閒」、「萬馬不嘶聽號令，諸蕃無事樂耕耘」，及坡自作「令嚴鐘鼓三更月，野宿貔貅萬竈烟」、「露布朝馳玉關塞，捷書夜到甘泉宮」，謂可以繼之，然聲調已稍減。元人《月夜登樓》一聯「大地山河微有影，九天風露寂無聲」，近時朱竹垞「絶頂蛟龍晴有氣，虛堂神鬼晝無聲」，似較勝宋人也。鄙作《觀西廠烟火》云：「九邊塵靜平安火，上苑春開頃刻花。」亦頗近之。他如《滇南從軍》云：「一軍皆甲晨聽令，萬馬無聲夜踏邊。」《宿馬山祥符寺》云：「半夜月明鴉鵲警，九霄風急斗星搖。」似亦有力，然不能切定何地。若切定地里，又能聲出金石，則惟陳恭尹《廣州鎮海樓》一聯：「五嶺北來山到地，九州南盡水連天。」雖少陵亦當視爲畏友也。

又卷三《韓昌黎詩》　聯句詩，王伯大以爲古無此體，實創自昌黎。沈括則謂：「虞廷《賡歌》，漢武《柏梁》，已肇其端。晉賈充與妻李氏遂有連句（六朝以前謂之『連句』，見《梁書》及《南史》），其後陶、謝諸公，亦偶一爲之。《何遜集》中最多，然皆寥寥短篇，且文義不相連屬，仍是各人之製而已。」是古來原有此體，特長篇則始自昌黎耳。今觀韓集中《會合聯句》，則昌黎及孟郊、張籍、張徹四人所作；《石鼎聯句》，則軒轅彌明、侯喜、劉師命所作，獨無昌黎名，或謂彌明卽昌黎托名也；《郾城夜會聯句》，則昌黎與李正封所作；其他如《同宿》一首、《納涼》一首、《秋雨》一首、《雨中寄孟幾道》一首、《征蜀》一首、《城南》一首、《遠遊》一首、《鬬雞》一首，皆韓、孟二人所作。大概韓、孟俱好奇，故兩人如出一手，其他則險易不同。然卽二人聯句中，亦自有利鈍。惟《鬬雞》一首，通篇警策。《遠遊》一首，亦尚不至散漫。《征蜀》一首，至一千餘字，已覺太冗，而段落尚覺分明。至《城南》一首，則一千五六百字，自古聯句，未有如此之冗者。以《城南》爲題，景物繁富，本易填寫，則必逐段勾勒清楚，方醒眉目。乃游覽郊墟，憑吊園宅，侈都會之壯麗；寫人物之殷阜，入林麓而思遊獵之娱，過郊壇而述禋祀之肅，層叠鋪叙，段落不分。則雖更增千百字，亦非難事，何必以多爲貴哉！近時朱竹垞、查初白有《水碓》及《觀造竹紙》聯句，層次清澈，而體物之工，抒詞之雅，絲絲入扣，幾無一字虚設。恐韓、孟復生，亦嘆以爲不及也。

又卷四《白香山詩》 中唐以後，詩人皆求工於七律，而古體不甚精詣，故閲者多喜律體，不喜古體。惟香山詩，則七律不甚動人，古體則令人心賞意愜，得一篇輒愛一篇，幾於不忍釋手。蓋香山主於用意。用意，則屬對排偶，轉不能縱横如意，而出之以古詩，則惟意所之，辨才無礙。且其筆快如并剪，鋭如昆刀，無不達之隱，無稍晦之詞，工夫又鍛鍊至潔，看是平易，其實精純，劉夢得所謂「郢人斤斲無痕迹，仙人衣裳棄刀尺」者，此古體所以獨絶也。然近體中五言排律，或百韻、或數十韻，皆研鍊精切，語工而詞贍，氣勁而神完，雖千百言亦沛然有餘，無一懈筆。當時元、白唱和，雄視百代者正在此。後世卒無有能繼之，此又不徒以古體見長也。

又 大凡才人好名，必創前古所未有，而後可以傳世。古來但有和詩，無和韻。唐人有和韻，尚無次韻；次韻實自元、白始。依次押韻，前後不差，此古所未有也。而且長篇累幅，多至百韻，少亦數十韻，争能鬬巧，層出不窮。此又古所未有也。他人和韻，不過一二首，元、白則多至十六卷，凡一千餘篇，此又古所未有也。以此另成一格，推倒一世，自不能不傳。蓋元、白覷此一體，爲歷代所無，可從此出奇，自量才力，又爲之而有餘。故一往一來，彼此角勝，遂以之擅場。微之《上令狐相公書》，謂：「同門生白居易，愛驅駕文字，窮極聲韻，或千言、或五百言。小生自揣，不能有以過之，往往戲排舊韻，別創新詞，名爲次韻，蓋欲以難相挑耳。」白與元書，亦謂：「敵則氣作，急則計生。以足下來章，惟求相困，故老僕報語，不覺太誇。」觀此可以見二公才力之大矣。今兩家次韻詩具在，五言排律，實屬工力悉敵，不分勝負；惟古詩往往和不及唱。蓋唱先有意而後有詞，和者，或不能別有新意，則不免稍形支絀也。然二人創此體後，次韻者固習以爲常，而篇幅之長且多，終莫有及之者，至今猶推獨步也。又如聯句一種，韓、孟多用古體；惟香山與裴度、李絳、李紳、楊嗣復、劉禹錫、王起、張籍，皆用五言排律。此亦創體。

又 五言排律，長篇亦莫有如香山之多者。《渭上退居一百韻》；謫江州有《東南行一百韻》；微之以《夢遊春七十韻》見寄，廣爲一百韻報之；又《代書詩寄微之一百韻》、《赴忠州舟中示弟行簡五十韻》、《和微之投簡陽明洞五十韻》、《想東遊五十韻》、《逢蕭徹話長安舊遊五十韻》、《叙德抒情上宣城崔相公四十韻》、《新昌新居四十韻》，此外如三十、二十韻者，更不可勝計。此亦古來所未有也。

又卷八《元遺山詩》 拗體七律，如「鄭縣亭子澗之濱」、「獨立縹緲之飛樓」之類，《杜少陵集》最多，乃專用古體，不諧平仄。中唐以後，則李商隱、趙嘏輩，創爲一種以第三、第五字平仄互易，如「溪雲初起日沉閣，山雨欲來風滿樓」、「殘星幾點雁横塞，長笛一聲人倚樓」之類，別有擊撞波折之致。至元遺山，又創一種拗在第五六字，如「來時珥筆誇健訟，去日攀車餘淚痕」、「太行秀發眉宇見，老阮亡來樽俎閑」、「雞豚鄉社相勞苦，花木禪房時往還」、「肺腸未潰猶可活，灰土已寒寧復燃」、「市聲浩浩如欲沸，世路悠悠殊未涯」、「冷猿挂夢山月暝，老雁叫羣江渚深」、「春波淡淡沙鳥没，野色荒荒烟樹平」、「青山兩岸多古木，平地數峰如畫屏」、「長虹夜飲海欲竭，老雁叫羣秋更哀」、「東門太傅多祖道，北闕詩人休上書」之類，集中不可枚舉，然後人習用者少。

又卷一二《七言律》 心之聲爲言，言之中理者爲文，文之有節者爲詩。故《三百篇》以來，篇無定章，章無定句，句無定字，雖小夫室女之謳吟，亦與聖賢歌詠並傳，凡以各言其志而已。屈、宋變而爲騷，馬、班變而爲賦。蓋有才者以《三百篇》舊格不足以盡其才，故溢而爲此，其實皆詩也。自《古詩十九首》以五言傳，《柏梁》以七言傳，於是才士專以五七言爲詩。然漢、魏以來，尚多散行，不尚對偶。自謝靈運輩始以對屬爲工，已爲律詩開端；沈約輩又分別四聲，創爲蜂腰、鶴膝諸説，而律體始備。至唐初沈、宋諸人，益講求聲病，於是五七律遂成一定格式，如圓之有規，方之有矩，雖聖賢復起，不能改易矣。蓋事之出於人爲者，大概日趨於新，精益求精，密益加密，本風會使然。故雖出於人爲，其實即天運也。就有唐而論：其始也，尚多習用古詩，不樂束縛於規行矩步中。即用律，亦多五言，而七言猶少；七言亦多絕句，而律詩猶少。故《李太白集》七律僅三首，《孟浩然集》七律僅二首，尚不專以此見長也。自高、岑、王、杜等《早朝》諸作，敲金戛玉，研練精切。杜寄高、岑詩，所謂「遙知對屬忙」，可見是時求工律體也。格式既定，更如一朝令甲，莫不就其範圍。然猶多寫景，而未及於指事言情，引用典故。少陵以窮愁寂寞之身，藉詩遣日，於是七律益盡其變，不惟寫景，兼復言情，不惟言情，兼復使典。七律之蹊徑，至是益大開。其後劉長卿、李義山、溫飛卿諸人，愈工雕琢，盡其才於五十六字中，而七律遂爲高下通行之具，如日用飲食之不可離矣。「西崑體」行，益務數典，然未免傷於僻澀。東坡出，又參以議論，縱橫變化，不可捉摸，此又開南宋人法門，然聲調風格，則去唐日遠也。

吳騫《拜經樓詩話》卷一　蔣山傭《詩律蒙告》云：律詩如岑嘉州「嬌歌急管雜清絲」，止是不拈，不可謂之拗。如子美云「去年登高郪縣北」，乃是拗也。拗非律之正體，中唐始有之。拗須拗到底。古詩尤忌湊韻，有一句湊韻，卽是懈處，通篇格律都減。律詩中八句，其流動處，轉一句，深一層，乃爲合格。若上深下淺，上紆下直，便是不稱。上兩句對立，若上比下賦，上賦下比，皆詩格所無。是知作近體者，亦不可不知六義。　詩家於叙事之中，有一句二句用譬喻或故事，俗謂之襯貼，則古人未嘗不用，但或在叙事前，或在轉折處，或正意已足，須得引證。若於賦中突出一句，此便是湊句。凡律中二聯，用字稍有雕刻不妨；首末二聯，須老成渾脫。首聯如春，中聯如夏秋，末聯如冬，八句中具四時之氣，方爲合格。　詩避三巧：巧句，巧意，巧對。三者大家所忌也。　律詩中有活對者，有不對者，必其用意處也。意活則詩亦從之，小有參差，不害。然其上下文必有整齊之句，無通篇活對者。　律詩中二聯，往往一聯寫情，一聯卽景。情聯多活，活則神氣生動；景聯多板，板則格法端詳。此一定之法，亦自然之文也。　律詩下四字押韻，大率半虛半實。其有四虛四實，四板四活，最難用，惟有大筆力者能之。　啞韻能響者，其人必貴；險韻能穩者，其人必安。子曰：「知者樂，仁者壽。」吾於詩見之。　學詩不可但學句法，須以一氣渾成爲上。若逐句作去者，不足言詩。　學詩不可先學律詩。

又　明侯官曾弗人先生（異撰），所著《紡授堂集》詩，立意求新，未免稍流於詭。其《與趙十五論詩書》云：「嘗謂古詩難於律詩，五言律難於七言律。杜詩七律，罕不奇妙者，至五言，平率高古，遂已參半。惟王、孟五律妙於七言，殆有天授。譬則陶令爲五言古神品，然時固未有七言之體，卽有，而陶爲之，亦未必不亞於五言。要未可謂五言之較易也。七言律渾堅沈鷙中，易暢易動。纔縮二字，暢則不堅，動斯未沈，不動不暢，又涉平板。今使縮長句爲短句難，展短句爲長句易，是以從後人而觀，則歐、蘇流暢於韓、柳，韓、柳流暢於《史》、《漢》，《史》、《漢》流暢於《左氏》，《左氏》流暢於《尚書》。然而《尚書》、《左傳》，短節中未嘗不暢不動，秦、漢而後，遂以漸加，斯則句從古短，字以世增，以此思五、七言難易，便自了然。且作詩者從古體入手，雖律詩亦有空曠之妙，王、孟之五言，杜之七言，皆以古詩爲律詩者也。少陵五律，王、孟七律，則以律詩爲律詩矣。今之學詩者，從律詩入，以其有占有儷，易於取偶成篇，其律又從五言入。正如里塾小兒學作對句，以字多者爲能，盲師矜喝，瞽子哃疑，宜其謂七言最難合作，甚於五律也。至謂律詩難於古體，則又護短欺人，譬之習應制義者，謂時義難於古文，爲左、馬、韓、蘇易，爲王、唐、瞿、薛難，更無是理，可以無辨者。」弗人之論，多中時病，蓋亦未嘗無心得者。

又卷四　陽羨汪宇珍（玉珩）嘗輯《朱梅舫詩話》，大都本其師史蒙溪（承豫）之説，所采近時人作爲多。其論律詩云：「律詩必先得句，一句之中，意欲醒露，色欲鮮華，又須有情有韻。意逕露而無情，如大堤諸女，捲幔邀郎，非不茜袖低徊，終屬憐錢故態。有色而無韻，如新婦廟見，豔服凝妝，而舉止矜持，卻少倩盼宜人之致。頃見近人詩：『斜陽千古色，芳草一春情。』又：『水連鐵甕無邊白，山到金陵不斷青。』人競賞之，余謂空滑之調，了無情寄，不可謂之詩也。又一友吟卷中：『覓路險於登蜀棧，千人難似借荆州。』感喟頗眞，然絕無韻致，又減色澤，亦不得謂之佳也。此當與二三吟友，對牀風雨，細細辯之。所論亦時有中肯。至極賞黃唐堂集唐詩，摘錄五七言凡百餘聯，除「卻嫌脂粉污顔色，何必珍珠慰寂寥」外，其餘都乏精警。」

翁方綱《石洲詩話》卷一　詩有可以不必分古今體者，如《劉生》、《驄馬》、《芳樹》、《上之回》等題，後人卽以平仄粘聯之體爲之，豈應別作律詩乎？在初唐人，則平仄又未盡粘聯者，尤可以不必分也。

又　齊、梁遺音，在唐初者，長篇則煩而易濫，短篇則婉而多風，如崔國輔五言《小樂府》是也。

又 古人唱和，自生感激，若《早朝大明宫》之作，並出壯麗；慈恩寺塔之詠，並見雄宕。率由興象互相感發。至於裴蜀州之才詣，未遽齊武右丞，而輞川唱和之作，超詣不減于王。此亦可見。

又 漁洋先生云：「李詩有古調，有唐調，當分别觀之。」所録止古風二十八首，蓋以爲此皆古調也。然此内如「秦皇掃六合」、「天津三月時」、「鄭客西入關」諸篇，皆出没縱横，非斤斤於踐迹者。即此可悟古調不在規摹字句，如後人之貌爲選體，拘拘如臨帖者。所謂古者，乃不古耳。

又卷二 皮、陸聯句詩，勝其自作。蓋兩賢相當，節短勢偪，則反掩其孱弱之狀也。

又 聯句體，自以韓、孟爲極致，然韓、孟太險。皮、陸一種，固是韓、孟後所不可少。

又 晚唐人七律，只于聲調求變，而又實無可變，故不得不轉出三、五拗用之調。此亦是熟極求生之理，但苦其詞太淺俚耳。然大約出句拗第幾字，則對句亦拗第幾字，阮亭先生已言之。至方幹「每見北辰思故園」，則單句三、五自拗。此又一格，蓋必在結句而後可耳。

又 釋子之詩，閨秀之詩，各自一種。隨其所到，皆可成名。獨于應制之作，非其所宜。此體自應求諸文學侍從之彦，豈可以此等當之！若唐詩内所載上官婉兒與貝州宋氏姊娣詩，皆是也。近日顧俠君撰《詩林韶濩》，多録釋子之詩，殊令人生厭。

又卷五 五言詩，自蘇、黄而後，放翁已不能腳踏實地。居此後者，欲復以平正自然，上追古人，其誰信之？雖以遺山秀筆，而執柯睨視，未之審也。甚矣，取逕之難也。

又 禽言，亦樂府、竹枝之一類也。然廉夫《禽言》，亦自不能出奇。蓋禽言達意，元不能出奇。即都官《泥滑滑》一首，亦只神韻佳耳。

又 七言歌行，以極長之句，雜以騷體，中插三言、四言，皆所不難。獨中間插入七言整句一聯，則頗難合拍。雖以歐公《廬山高》，尚未免以氣勝壓人也。求於此等處拍出正調之七言，而從容中節，毫無強拗，蓋洵所罕見。所以漁洋極不勸人爲此。

又 《宫詞》多紀元時故事，蓋皆其親承典禮恩澤，不比王仲初閑説内邊事。所以當時推爲得體也。

又 《宫詞》内如世祖建大内，命移沙漠莎草于丹墀，示子孫毋忘草地，及陳祖宗大札撒以爲訓，諸條皆關史事，可誦可傳。至其後十首内，亦有説宫女事，蓋亦沿「宫詞」之體，偶及之耳。至其和人宫詞，又當别論。

李調元《雨村詩話》卷上 今人易言近體，難言古詩，眞乃不知甘苦者。殊不知古詩可長可短，近體限定字數，若非具大手眼，便如印板，何足言詩！故唐律之聖者，間于八句之中，别有五花八門之妙，自成黄鐘大吕之音。

方薰《山靜居詩話》 詠史詩今人皆雜議論，前人多有案無斷之作，其諷刺勸意在言外，讀者自得之耳。桐鄉沈愚夫梧堂氏《讀漢書絶句》，作法似之。其詩云：「雞鳴佩玉復登朝，戰馬嘶聲入紫霄。草昧英雄誅已盡，獨留非種亂良苗。」「肅靜龍衣夜上臺，虚堂風雨倩魂來。誰知牛腹書中字，不種神機種禍胎。」「新頒負扆畫圖中，堯母魂歸下碧空。欲問前朝諸吕事，女陵哀雁唳秋風。」「離宫冷落晚妝寒，永别君王事可汗。一曲琵琶數行淚，幾曾寫入畫圖看。」「不著黄貂新室中，渭陵麥飯冷春風。漢家老婦甘心死，誰遣將軍作漢公？」「竺國朝回天使車，伊蒲盛饌滿庭除。他年龜鶴消沈處，好讀桑門萬卷書。」

管世銘《讀雪山房唐詩凡例·五古凡例》 以禪喻詩，昔人所詆。然詩境究貴在悟，五言尤然。王維、孟浩然逸才妙悟，笙磬同音。並時劉昚虚、常建、李頎、王昌齡、丘爲、綦毋潛、儲光羲之徒，遙相應和，共一宗風，正始之音，于兹爲盛。

又 昔人爲詩，未有用力於韻者。自韓昌黎横空盤硬，妥貼排奡，韻寬者轉更出入旁通，韻狹者則界畫謹嚴，險阻不避。歐陽永叔所謂「退之一生倔強」，見於此也。然韻愈齟齬，詩愈精神，腕中固宜獨有神力。

又 不讀《南山詩》，那識五言材力，放之可以至於如是，猶賦中之《兩京》、《三都》乎？彼以囊括苞符，此以鐫鑱造化。

又 五言肇興至唐，將及千載，故其境象尤博。即以有唐一代論之：陳、張爲先聲，王、孟爲正響。常建、劉昚虚幾於蘇，李天成，李頎、王昌齡不減曹、劉自得。陶翰慷慨，喜言邊塞；儲光羲眞樸，善説田家。岑嘉州峭壁懸崖，峻不得上；元次山松風澗雪，凜不可留。李供奉襟情倜儻，集建安、六代之成；杜員外氣韻沉雄，盡樂府古詞之變。韋、柳以澄澹爲宗，錢、李以風標相尚。韓、孟皆戛戛獨造，而塗畛又分；樂天若平平無奇，而裨益自遠。其他一吟一詠，各自成家，不可枚舉。於戲，其極天下之大觀乎！

又《七古凡例》 唐七言古詩，整齊於高、岑、王、李，飄灑於太白，沉雄於少陵，崛強於昌黎，蓋猶七雄之並峙也。前之王、楊、盧、駱，後之元、白、張、王，則宋、衛、中山之君也。韓翃、盧綸、王、李之附庸；昌谷、樊南，退之之屬國也。惟李、杜，則昌黎而外，蓋莫敢問津焉。

又《五律凡例》 昔人論五言律詩：「如聚四十賢人，更著一屠沽不得。」解此自不敢苟於下筆。

又 五言用虛字易弱，獨工部「江山有巴蜀，棟宇自齊梁」、「古牆猶竹色，虛閣自松聲」，轉從虛字出力。七言用疊字近湊，獨工部「無邊落木蕭蕭下，不盡長江滾滾來」、「江天漠漠鳥雙去，風雨時時龍一吟」，轉就疊字生色。

又《七律凡例》 五言律詩，有性靈人可以頓悟，七言則非積學攻苦，不能至也。論者謂「如挽百石之弓，非腕中有神力者，止到八九分地位」，斯言最善名狀。七言律詩出於樂府，故以沈雲卿《龍池》、《古意》冠篇。初唐之作，皆當以是求之。張燕公《舞馬千秋萬歲詞》，崔司勳《雁門胡人歌》，尤顯然樂府也。王摩詰「秦川一半夕陽開」，爲樂府高調，見樂天集。

又 七言律詩，至杜工部而曲盡其變。蓋昔人多以自在流行出之，作者獨加以沉鬱頓挫。其氣盛，其言昌，格法、句法、字法、章法，無美不備，無奇不臻，橫絕古今，莫能兩大。

又 凡律詩最重起結，七言尤然。起句之工于發端，如賈曾「銅龍曉闢問安迴，金輅春游博望開」，岑參「相國臨戎別帝京，擁麾持節遠橫行」，王維「無才不敢累明時，思向東溪守故籬」，杜甫「花近高樓傷客心，萬方多難此登臨」、「羣山萬壑赴荆門，生長明妃尚有村」，劉長卿「送君巵酒不成歡，幼女辭家事伯鸞」，韓翃「江城五馬楚雲邊，不羨雍容畫省年」，劉禹錫「王濬樓船下益州，金陵王氣黯然收」、「將星夜落使星來，三省清臣集外臺」，柳宗元「十年憔悴到秦京，誰料翻爲嶺外行」，張籍「聖朝特重大司空，人詠元和第一功」，楊巨源「晴明紫閣最高峰，仙掖開簾范彥龍」、「天眷君陳久在東，歸朝人看大司空」，李商隱「玉帳牙旗得上游，安危須共主君憂」、「清時無事奏明光，不遺當關報早霜」、「七國三邊未到憂，十三身襲富平侯」，溫飛卿「十年分散劍關秋，萬事皆隨錦水流」，羅隱「爪牙柱石兩俱銷，一點渝塵九土搖」。落句以語盡意不盡爲貴，如王維「飽食不須愁內熱，大官還有蔗漿寒」，李白「此處別離同落葉，明朝分散敬亭秋」、「總爲浮雲能蔽日，長安不見使人愁」，杜甫「王師未報收東郡，城闕秋深畫角哀」、「同學少年多不賤，五陵裘馬自輕肥」、「一卧滄江驚歲晚，幾回青瑣點朝班」、「庾信平生最蕭瑟，暮年詩賦動江關」、「最是楚宮俱泯滅，舟人指點到今疑」、「三年奔走空皮骨，信有人間行路難」，劉禹錫「若問舊人劉子政，如今白首在南徐」，柳宗元「今朝不用臨河別，垂淚千行便濯纓」，張籍「賓筵戲樂年年別，已得三迴對御看」，白居易「共看明月應垂淚，一夜鄉心五處同」、「曾經爛漫三年著，欲棄空箱似少恩」，楊巨源「滿筵舊府笙歌在，惟有羊曇最淚流」，李商隱「日晚鷫鷞泉畔獵，路人猶識郅都鷹」，薛逢「中原駿馬搜求盡，沙苑年來草又芳」，韓偓「莫怪天涯棲不穩，托身須是萬年枝」，羅隱「跪望峻山重啓告，可能餘烈不勝妖」，皆足爲一代楷式。

又 頷頸兩聯，如二句一意，無異車前騶仗，有何生氣？唐賢之可法者，如王維「愁看北渚三湘遠，惡說南風五兩輕」，岑參「愁窺白髮羞微祿，悔別青山憶舊谿」，杜甫「豈有文章驚海內，漫勞車馬駐江干」、「憶昨賜霑門下省，退朝擊出大明宮」、「萬里秋風吹錦水，誰家別淚濕羅衣」、「路經灩澦雙蓬鬢，天入滄浪一釣舟」、「時危兵甲黃塵裏，日短江湖白髮前」、「萬里悲秋常作客，百年多病獨登臺」，錢起「且貪原獸輕黃屋，寧畏漁人犯白龍」，韓翃「落日澄江烏榜外，秋風疎柳白門前」，劉禹錫「黃河一曲當城下，緹騎千重照路傍」、「懷舊空吟聞笛賦，到鄉翻似爛柯人」，白居易「當君白首同歸日，是我青山獨往時」、「曾犯龍鱗容不死，欲騎鶴背覓長生」，楊汝士「文章舊價留鸞掖，桃李新陰在鯉庭」，李商隱「此日六軍同駐馬，當時七夕笑牽牛」、「永憶江湖歸白髮，欲迴天地入扁舟」，溫庭筠「石麟埋沒藏秋草，銅雀荒涼對暮雲」、「回日樓臺非甲帳，去時冠劍是丁年」、「百二關山扶玉座，五千文字閟瑤緘」，薛逢「一自犬戎生薊北，便從征戰老汾陽」，唐彥謙「耳聞明主提三尺，眼見愚民盜一抔」，韓偓「謀身拙爲安蛇足，報國危曾捋虎鬚」、「左牽犬馬誠難測，右袒簪纓最負恩」，譚用之「鸚鵡語中分百里，鳳凰聲裏住三年」，皆神韻天成，變化不測。宋、元以後，此法不講，故日近凡庸。

又《五排凡例》試帖一體，特便於場屋，大手筆多不屑爲，昌黎所謂類於俳優者之詞也。即唐賢佳製，與諸體詩並列，幾于無可位置。茲選概不之及，惟存錢起《湘靈鼓瑟》一篇，亦以其結句入神而存之，非以其爲試帖也。且吾見能爲試帖而終身無與于詩者矣，安有能爲詩而顧不能爲試帖者哉！

又《五絶凡例》八音之內，磬最難和，以其促數而無餘韻也。可悟五言絶句之妙。

又《七絶凡例》初唐七絶，味在酸鹹之外。「人情已厭南中苦，鴻雁那從北地來」，「獨憐京國人南竄，不似湘江水北流」，「即今河畔冰開日，正是長安花落時」，讀之初似常語，久而自知其妙。

又《論文雜言四十一則》七言律詩，最要五六句得力，如「憶昨賜霑門下省，退朝擎出大明宮」、「萬里秋風吹錦水，誰家別淚濕羅衣」是也。宋、元以後，只是三四句好耳。

又 七律對結，七古複收，此是明人學杜最可厭處。

又 五言古詩，琴聲也，醇至澹泊，如空山之獨往。七言歌行，鼓聲也，屈蟠頓挫，若漁陽之怒撾。五言律詩，笙聲也，雲霞縹緲，疑鶴背之初傳。七言律詩，鐘聲也，震越渾鍠，似蒲牢之乍吼。五言絶句，磬聲也，清深促數，想鸝館之朝擊。七言絶句，笛聲也，曲折繚亮，類羌城之暮吹。

洪亮吉《北江詩話》卷一 詠古詩，雖許翻新，然亦須略諳時勢，方不貽後人口實。如唐末李昌符《綠珠詠》曰：「誰遺當年墮樓死，無人巧笑破孫家。」意極新穎。然按《晉書》紀傳，石崇被殺未久，趙王倫即敗，秀亦同誅，不待綠珠之入而家已破矣。若崇肯遺綠珠，綠珠即從命以往，亦徒喪名節耳。詩人作詩，自當成人之美，如「一代紅顔爲君盡」，何等氣色！而昌符顧爲此語，吾卜其非端人也。

又 雕蟲小技，壯夫不爲。余於詩家詠物亦然。然亦有不可盡廢者。丹徒李明經御，性孤潔，嘗詠佛手柑云「自從散罷天花後，空手而今也是香」；如皋吳布衣，性簡傲，嘗詠風箏云「直到九霄方駐足，更無一刻肯低頭」，讀之而二君之性情畢露。誰謂詩不可以見人品耶！

又 杜工部詩：「近來海內爲長句，汝與山東李白好。」足見長句最難，非有十分力量、十分學問者，不能作也。即以唐而論，以長句擅長者，李、杜、韓而外，亦惟高、岑、王、李四家耳。

又卷二 賦物詩，貴在小中見大。前人詠簷馬詩，五律下半云：「當世正多事，吾曹方苦兵；那堪簷漏下，又作戰場聲！」余近游天台，自嵊縣陸行，坐竹兜，甚適，亦有一律，下半云：「半世皋比座，前塵使者軺。老夫雙繭足，曾走萬程遙。」亦或庶幾耳。應制、應試，皆例用八韻詩。八韻詩於諸體中，又若別成一格。有作家而不能作八韻詩者，有八韻詩工而實非作家者。如項郎中家達、貴主事徵，雖不以詩名家，而八韻則極工。項壬子年考差題爲《王道如龍首》得「龍」字，五、六云：「詎必全身見，能令衆體從。」貴己酉年朝考題爲《草色遙看近卻無》得「無」字，五、六云：「綠歸行馬外，青入濯龍無。」可云工矣。吳祭酒錫麒，諸作外，復工此體，然庚戌考差題爲《林表明霽色得寒字》，吳頸聯下句云「照破萬家寒」，時閱者爲大學士伯和珅，忽大驚曰：「此卷有破家字，斷不可取！」吳卷由此斥落。足見場屋中詩文，即字句亦須檢點。

又卷四 贈人詩，能確切不移，則雖應世之篇，亦即可以傳世。乾隆中，宜興湯侍御先甲，以建言爲上所知，旋即擢鴻臚卿。王太守嵩高，時在揚州安定書院代山長，劉侍講星煒贈詩云：「海內共傳眞御史，殿中新拜大鴻臚。」人以爲稱題。乾隆末葉，蒙古伍彌泰以西安將軍入爲協辦大學士，旋即正揆席，孫兵備星衍乞萬進士應馨代作一詩賀之，內云：「唐代中書多節度，漢家丞相即將軍。」伍讀之，亦擊節。憶乙卯冬，余以黔中使竣入都，時畢尙書沅在辰陽籌餉，邀留數日，出其所定《靈巖山館集》屬題，官移一嶽，即編一集，蓋尙書自陝西、河南擢督湖廣，旋降撫山東，不久仍復舊尙書，一生愛才如命，使節所歷，五嶽又皆在部中，故余詩中一聯云：「諸生並致層霄上，五嶽分標各卷中。」前客河南撫署，亦有贈尙書詩曰：「管下名山皆有嶽，座中奇士盡談經。」時邵學士晉涵、孫兵備星衍、錢州判坫及余皆在幕中耳。詩各有所長，即唐、宋大家，亦不能諸體並美。每見今之工律詩者，必強爲歌行古詩以掩其短；其工古體者，亦然。是謂舍其所長，用其所短。心未嘗不欲突過名家、大家，而卒至於不能成家者，此也。遊山詩，能以一二句檃括一山者最寡。孟東野《南山》詩云：「南山塞天地，日月石上生。」可云善狀終南山矣。近日畢尙書沅《登華山》云：「三峰三霄通，一嶽一石作。」余丙午歲《遊嵩高山》云：「四面各萬里，茲山天當中。」或庶幾可步武東野。詠物詩有實賦者，近人《詠臙脂》云「南朝有井君王入，北地無山婦女愁」等是也。有虛摩者，全椒張明經龍光應試《詠艾人》云「抱病七年嘗憶爾，多情五日又逢君」等皆是。

又卷五　體物之工，後人有未及前人者。即如漢、唐以來，詠蘭詩亦至多矣，而《楚辭·九歌》以二語括之，曰：「綠葉兮素枝，芳菲菲兮襲予。」祇八字而色、香、味並到。詠橘詩亦多矣，而《九章》之《橘頌》，以十四字括之，曰：「曾枝剡棘，圓果摶兮！青黄雜糅，文章爛兮！」祇四語而枝、葉、蒂、幹、花、實、形狀、采色並出。後人從何處著筆耶？

又卷六　七律至唐末造，惟羅昭諫最感慨蒼涼，沈鬱頓挫，實可以遠紹浣花，近儷玉溪。蓋由其人品之高，見地之卓，迥非他人所及。次則韓致堯之沈麗，司空表聖之超脱，眞有念念不忘君國之思。孰云吟詠不以性情爲主哉！若吳子華之悲壯，韋端己之淒豔，則又其次也。

法式善《梧門詩話》卷一　賦物詩不脱不離最難。全椒張明經龍光院試《艾人詩》曰：「抱病七年尙憶爾，多情五日又逢君。」昭文王秀才介祉《牡丹詩》曰：「相公自進姚黄種，妃子偏吟李白詩。」可謂工矣。又有《詠胭脂》者云：「南朝有井君王辱，北地無山婦女愁。」隸事亦工。

又卷七　七言絶句最忌衰颯，以神韻綿長爲極則。如李勉伯(繩)：「愁心怕見無城柳，一路煙絲繫夕陽。」李麗農(蟠根)：「至今燕子無歸處，只向秦淮貼水飛。」惲壽平(格)：「寒禽未醒巢間夢，落月無聲煙樹西。」廖古檀(景文)：「獨倚危欄望秋色，半巖黄葉下斜陽。」施竹田：「歸來更唱銅鞮曲，燈火荒街曳履行。」周幔亭(榘)：「可憐葉葉隨風起，一葉一聲吟六朝。」皆有不盡之致。吾友何蘭士亦有《西風》絶句云：「西風昨夜到軒楹，無賴寒螿策策鳴。一樹能添幾黄葉，不堪一葉一秋聲。」頗不愧諸公。

又卷一四　紀事之詩，委曲詳盡，究以長慶一體爲宜，不得議其格之卑也。然元白合作亦少，至梅村而始臻極盛，則此體自當以婁東爲大宗。

熊璉《澹仙詩話》卷三　詠物詩寄托爲佳，次則略點正面，餘用借映，如畫家白描。若專事刻畫，雖極精工，便似着色牡丹，非不悦目，求之神味則索然矣。

又卷四　一題連作數首，詞意重複，又無層次，雖多無益，不若以少爲貴。

陸坊問、徐熊飛答《修竹廬談詩問答》　問：「近體自有繩墨，古詩信口而出，非有繩墨之可循。故尙格調者，動言近體難於古詩，然行乎其所不得不行，止乎其所不得不止，此中要有繩墨在否？則洋洋纚纚，倚馬千言，求之古人，吾見亦罕，豈今人之才，果遠勝古人歟？抑別有説歟？」答：「無論近體古體，皆有一定之繩墨，特不可爲繩墨所縛，反至夭閼性情耳。古體繩墨如草蛇灰線，看似無迹，其實離合頓挫，皆有天然湊泊之妙。譬如李貳師、郭汾陽士卒遊行自在中，未嘗不隊伍森嚴也。若捨棄繩墨，以跅弛馳突自詡，其與任華、劉叉相去幾何矣！才力雖強，不足法也。」

又　問：「唐人五言絶句，如『三日入廚下』、『打起黄鶯兒』、『自君之出矣』諸作，俱膾炙人口。然兒女聲情，喃喃可厭，令人不耐多讀。終當以王、裴《雜詠》及祖詠《終南殘雪》，孟浩然《建德舟次》等詩爲大雅正宗。然乎否乎？」答：「五絶有二體，其一原本樂府，其一出於古詩。《新嫁娘》、《遼西曲》樂府之變也。裴、王雜詠，古詩之流也。各臻其妙，未可軒輊。」

又　問：「七律之上者，曰渾厚，曰雄健；其次曰綿遠，曰倜儻；又其次曰清新，曰風趣，曰生辣。東坡之律詩，足下所極口稱道者，果居何等乎？」答：「四唐詩如朝廟，衣冠舉動，皆中儀節。東坡仙風道骨，雖葛巾野服，意度自爾不凡。東坡不能爲唐人之莊嚴，唐人亦不能爲東坡之瀟灑也。然七律正軌，究以唐人爲宗，參之東坡，以窮其變可耳。」

延君壽《老生常談》　五律限於字句，雖有才氣，無從施展，極縱横變化之能，仍不許溢於繩墨之外。如工部之《岳陽樓》第五句「親朋無一字」，與上文全不相連。然人於異鄉登臨，每有此種情懷。下接「老病有孤舟」，倘無「舟」字，則去題遠矣。「戎馬關山北」，所以「親朋無一字」也。以此句醒隔句「憑軒涕泗流」。親朋音乖，戎馬阻絶，所以「涕泗流」。「憑軒」者，樓之軒也。以工部之才爲律詩，其細鍼密綫有如此，他可類推。

又　七律當以工部爲宗，附以劉夢得、李義山兩家。杜詩選讀甚難，當看其對句變化不測處。如「春水船如天上坐」，豈料對句爲「老年花似霧中看」哉！其妙處不可講説，正要出人意表。若只讀其「信宿漁人還汎汎，清秋燕子故飛飛」，又震此爲《秋興八首》句也，便不可與言詩。

又　古體詩要讀得爛熟，如讀墨卷法，方能得其音節氣味，於不論平仄中，卻有一自然之平仄。若七古詩泥定一韻到底，必該三平押腳，工部、昌黎即有不然處。《聲調譜》等書，可看可不看，不必執死法以繩活詩。惟平韻一韻到底，律句當避，不可不知。七古無不轉韻者，至韓、蘇始多一韻，工部偶有之耳。蓋一韻易失於平，轉韻則多峭折之致，要各隨其才力，若強宗韓、蘇而爲疥駱駝，反不如瘦驊騮之爲愈也。至韻轉而氣行，韻不轉而波湧，才也而有學焉。入手當師高、岑，岑之詩氣盛而筆健，不在李、杜下。工部七古，選本頗盡其精華，餘則啓韓、歐一派，可以緩讀。前人學前人，亦只能得其中等之作，再加以自家心胸學問以變化之。如《哀王孫》等作，雖韓亦不能得其妙，所謂各人有各人獨至處。

又 五古常有整句是正格，七古用整句亦是正格。蘇、黄五古多不用整句。李、杜歌行，風雲變態，不可測其出沒。能效則效，可量力爲之，不可勉強，亦不可畫地自界，到實在知難而退，人事盡矣，庶乎無憾。

又 七古，高、岑、王、李是一種，李、杜各一種，李長吉一種，張、王樂府一種，韓一種，元、白又一種，後人幾不能變化矣。東坡雖是學前人，其橫說豎說，喜笑怒駡，跌宕自豪，又自成一種。此下更無變法。山谷、遺山皆好到極處，然不能變前人也。六一、介甫學韓。張文潛、晁無咎輩是學韓、歐、東坡。陸放翁、虞伯生此體亦佳。楊鐵崖、謝皋羽、張玉笥是學張、王樂府，楊、謝奇闢處，尤能上追長吉。若任華、盧仝，則又不當去學。前明當推何、李。本朝此體，人各有能處，無專門名家也。

又 古歌謠七古之源，其中多不可解處，諸解亦難盡信。我讀書從來疎節闊目，不能穿鑿，要惟熟其音節、用韻、神味可耳，何必強解！即如《木蘭詩》，賞其佳焉可也，何用考證是某人作，究實誰見其人秉筆？近來考據家太多，曠日持久，考出一條來，如獲至寶，隔不多時，見一種書，人家已有了，白費工夫。

又 學五古詩，才質平鈍者當先從曹植、鮑照入手，超拔者當先從陶、謝入手。彼既超拔，於謝令其鍊才就法，於陶令其去華就實，猶之平鈍者，非陳思、明遠之精鋭開脱，不能啓其懦而發其警也。然後讀杜參其變，讀李疎其氣，讀韓肆其志，讀蘇宏其聲而博其趣。猶懼不能刻入也，讀東野、山谷以堅其表裏；再汎覽諸家，勢如破竹矣。王、孟、韋、柳當另鈔一冊，於讀諸家之餘，然後讀之，不可憑仗爲安身立命之處。七古前已論列，先讀嘉州，次李、杜，次韓、蘇，餘皆可略。至於用工之法，當如飢鷹攫食，如壯士砍陣，以必得必破爲功；種種作俑象人，翦綵爲花，皆所弗尚，久久自到是處。古人謂「文無難易，惟求其是」，「是」字正不容易。

又 五律，學唐人不抉其髓，則失於熟，學宋人但襲其皮，則失於生。惟濃不染唐之蹊徑，淡不落宋之窠臼，經營於意象之間，咀嚼於神味之外，午亭五律，剛到好處。《登普照寺》云：「樹杪水潺潺，羣峰矗碧天。松門留曉月，板屋過流泉。谷口山城遠，窗中鳥道懸。前林人迹少，寒磬下溪煙。」此首似是從太白「犬吠水聲中」化出，卻無迹象可求，尤佳是後半不弱。

錢泳《履園譚詩》 唐人五古凡數變，約而舉之，奪魏、晉之風骨，換梁、陳之俳優，譬諸書法，歐、虞、褚、薛，俱步兩晉、六朝後塵而整齊之耳。若李、杜兩家，又當別論。然李之《古風》五十九首，儼然阮公《詠懷》；杜之前、後《出塞》、《無家別》、《垂老別》諸篇，亦曹孟德之《苦寒行》，王仲宣之《七哀》等作也。

又 七古以氣格爲主，非有天姿之高妙，筆力之雄健，音節之鏗鏘，未易言也。尤須沈鬱頓挫以出之，細讀杜、韓詩便見。若無天姿、筆力、音節三者而強爲七古，是猶秦庭之舉鼎，而絶其臏矣。余每勸子弟勿輕易動筆作七古，正爲此。如以張、王、元、白爲宗，梅村爲體，雖著作盈尺，終是旁門。

又 詠物詩最難工，太切題則黏皮帶骨，不切題則捕風捉影，須在不即不離之間。汪春亭《詠燈花》云：「影搖素壁夢初回，一朵花從靜夜開。想到春光終易謝，攬殘心事欲成灰。青生孤館愁同結，紅到三更喜亂猜。頗覺窗前風露冷，斯時那有蝶飛來？」吳野渡《詠紅蓼花》云：「如此紅顔爭奈秋，年年風雨歷滄洲。一生辛苦誰相問？只共蘆花到白頭。」吳信辰《詠虞美人花》云：「怨粉愁香繞砌多，大風一起奈卿何？」高桐邨《詠牽牛花》云：「莫向西風怨零落，穿針人在小紅樓。」皆妙。

袁潔《蠡莊詩話》卷四 近體近《風》，宜少年。古體近《雅》、《頌》，宜晚年。此陸湄君之言也。余謂少年之詩易放，須去其浮靡，格律乃能嚴肅。晚年之詩易率，須戒其淺陋，波瀾乃見老成。

宋咸熙《耐冷譚》卷一 前輩計甫草先生之言曰：「學詩必先從古體入，能古體矣，然後學近體。若先從近體入者，骨必單薄，氣必寒弱，材必儉愜，調必卑靡，其後必不能成家。縱成家，亦灑削小家而已。許渾、方幹之集是也。學古詩必先從五古入，次七言，次古樂府、樂府。資其材料，博且典耳。至《郊廟》、《鐃歌》之類，似不必擬，不如自爲七言長篇，若屑屑摹古人格調，又一李滄溟矣，不如不作。」僕謂古詩中七言長篇，其起伏頓挫之法，皆從古文出，若不熟讀古大家之文，長篇正未易爲也。

又卷二 竹枝詞原從樂府出，須俚而古，質而艷。先代工此體者，惟有明二楊，一廉夫，一升庵也。近人以晚唐之筆爲之，稍具丰致，已稱佳構，至閒以粗俗之詞僨矣。

又 作五律通首以散句直下，此體開自襄陽。石丈遠梅云：「作此等詩，須格高妙，意高妙，自然高妙。」「自然高妙」四字，非深于詩者不能言之。

又卷四 咏物詩，貴乎寄託緜渺，不粘不脫，得言外遠神，斯爲能手。蕭雨香《鐵馬詩》云：「海宇久銷兵，茅檐樂太平。東風吹八律，不作斷腸聲。」可稱合作。又石門吳蓉齋《咏十姊妹花》云：「孃孃停停倚粉牆，花花葉葉映斜陽。誰家姊妹天生就，嫁得東風一樣妝。」

又卷六 竹枝一體，盛于元明，其他復有《柳枝》、《橘枝》等詞。大抵異曲同工。吾鄉顧涑園太守，又作《桃枝詞》，蓋創格也。

又卷一〇 五、七言古今體，自新城主張王、孟，浣花幾于從祧，惟施愚山少參，獨存俎豆。百餘年來，卒無有宗法之者。蓋學王、孟詩，得其皮面，便可勝人。學杜不成，易啓粗疎平鈍之弊，此亦新城之善於藏拙，而吾謂愚山之高於漁洋者此也。

黃承吉《夢陔堂詩集》卷三二《異製篇》 以《窮神篇》示客，客曰：「躓矣。然音亦有別者乎？神亦有異者乎？」曰：「音不一音，多等差矣；神不一神，極畛域矣。抑體此音者，必如其音而音；屬此神者，必於其神而神。毋逸拂也，毋侵越也。」作《異製篇》：「金石咸宣暢，豈能石爲金？魚鳥皆躍游，焉得魚爲禽？固知各一體，逐物自可尋。在己忌虧戾，於他戒移侵。置此弗辨析，消息何古今？當高而忽庳，謂浮而反沈。采炫而錯素，律陽以溷陰。潰決鮮克悟，粥粥如聾瘖。所以千古事，賴此方寸心。一身盡百藝，豈云聊淺深？裁縫別刀尺，逐孔穿纖針。閱盡江海流，截然分渚潯。兩間出萬派，宣泄非夸淫，達者會其旨，遇佳輒登臨。即此踐平地，非以趨嶔崟。繩墨在目前，奈何流不禁。文章態百變，動涉成差參。君子貴不器，琴麗施斟斟。無定實有則，執柯憑自任。所冀懷珍士，表途煥璆琳。亮非紿世說，勿謂元渺音。」

又卷四〇《戲和友人五側體》 詩者以道爲藝，非可爲戲也。後世如建除、數名等作，近戲猶詩。至宋人五側體之類，其何謂哉？小友中有效之，而索予和者。用塞其意，藉以規之：「落落望大雅，白雪和者寡。領悟與契合，不在體僞假。若欲炫苟異，累牘亦可寫。未解玉在璞，所以缶作瓦。論議日益雜，志趣日益下。蕙草不入握，艾葛動滿把。往矣勿蹈轍，庶以緬作者。」

方東樹《昭昧詹言》卷二 五言詩以漢、魏爲宗，用意古厚，氣體高渾，蓋去《三百篇》未遠；雖不必盡賢人君子之詞，而措意立言，未乖《風》、《雅》。惟其興寄遙深，文法高妙，後人不能盡識，往往昧其本解，而徒摭其句格面目，遞相倣效，遂成熟濫可厭。李空同、何大復輩且蔽於此，況其他乎？雖然，嘗欲通其蔽。以爲捧心學步者誠失矣，而並西子、邯鄲絕之非徒使正色絕響，亦恐無以待天下豪傑之士。即如李、杜之於漢、魏，豈不升其堂，嚌其胾，而又發揮旁達，益拓其疆宇乎？古今作者之心原本流，通萬世而無閒，亦在好學者之立志苦研耳。方今且溯源於《六經》、《三百篇》、屈原、宋玉之所爲，而顧謂漢、魏如天之絕人以升躋也，不幾於因噎廢食歟？

又卷一一《總論七古》 詩莫難於七古。七古以才氣爲主，縱橫變化，雄奇渾顥，亦由天授，不可彊能。杜公、太白，天地元氣，直與《史記》相埒，二千年來，只此二人。其次，則須解古文者，而後能爲之。觀韓、歐、蘇三家，章法翦裁，純以古文之法行之，所以獨步千古。南宋以後，古文之傳絕，七言古詩，遂無大宗。阮亭號知詩，然不解古文，故其論亦不及此。

又 七言古之妙，樸、拙、瑣、曲、硬、淡，缺一不可；總歸於一字，曰老。

又 凡歌行，要曼，不要警。

又卷一四《通論七律》 世之文士，無人不作詩，無詩不七律，誠有如林子羽所譏者。不知詩之諸體，七律爲最難，尚在七言古詩之上。何則？七古以才氣爲主，而馳驟疾徐，短長高下，任我之意以爲起訖。七律束於八句之中，以短篇而須具縱橫奇恣開闔陰陽之勢，而又必起結轉折章法規矩井然，所以爲難。古人至配之書中小楷。古今止七家能工於此，可知非易也。

林聯桂《見星廬館閣詩話》卷一 沈歸愚尚書謂五言長律貴嚴整，貴勻稱，貴屬對工切，貴血脈動盪。唐初應制諸篇，王、楊、盧、駱、陳、杜、沈、宋、燕、許、曲江，並皆佳妙。少陵出而瑰奇宏麗、變動開合，後此無能爲役。元、白長律，滔滔百韻，使事亦復工穩。館閣體裁，權輿於此，帖括家所當窮流溯源也。

又 毛西河檢討謂，試帖八韻之法當以制藝八比之法律之。此實爲作試帖者不易之定則。金雨叔殿撰《今雨堂詩墨》常引伸其論，紀文達公《庚辰集》每首評論，原本此意闡發，而《我法集》所論更爲推廣盡致。帖括先從事於此，不患無入頭處也。《同館詩補鈔》自辛未以後之作，王藝齋、邱蓮舫兩侍御續輯之，蓋補法梧門祭酒所未備者也。藝齋之言曰：「《同館》之詩，其宏麗典博，則開織室而遊策府也；其幽氣豔逸，則翔孔雀而集鸞鳳也。其振采負聲，則走帨篚而拍夔牙也；其鉤心鬥角，則樞璿璣而織雲裳也。含咀英華，鏗鏘金石，盡有昔人之所有，兼有昔人之所未有。」誠哉斯言也。學者誠從是鈔而擇覽焉，亦可以知風氣之所尚已。《瀛海探驪集》爲朱椒雨所選，實可爲應制模式。其弟虹舫少司成嘗述其說曰：「襏襫之野，不可以陟廊宁；黻冕之飾，不可以遨曠林。緌纓虯髯，非粉綠所施；苦竹哀匏，非笑歌所節。體各有宜，詎容淩雜。《三百篇》若《鴛鴦》、《魚藻》諸什，即今應制之祖也。」學者苟能從是說而引申之，則凡瑰奇隱廋、飣餖瑣屑、纖巧嬛薄，有睽揚對之體者，皆宜汰除殆盡，不可令其稍犯筆端耳。《恭則壽》，題本《武王帶銘》，此題名作甚夥，余尤愛蔣生陔殿撰立鏞之作，中多典切巧合之句。其詩云：「銘帶征周武，陳書正爾容。論符仁者壽，《易》葉《禮》言工。鑄鼎傳二命，呼嵩近九重。和衷寅位協，見象丙方逢。慶衍乾坤策，儀崇大小共。垂裳瞻舜陛，擊壤頌堯封。臣悃觥稱兕，宸躬袞繪龍。箕疇征作肅，拜手祝如松。」此作典重矞皇，可法也。然又不如吳穀人侍講錫麒《山呼萬歲》一首，尤爲渾雄健舉。其詩云：「作鎭嵩高重，登封禮數殊。聖王千萬壽，靈岳再三呼。海上仙籌應，人間華祝俱。遙通鸞鶴奏，如見冕旒趨。餘響彌山谷，眞形入畫圖。無疆綿日月，此地即蓬壺。瑞煥泥金字，光延赤伏符。堯天寧計歲，長願拜康衢。」似此響切光堅，遂爲此題絕唱。此題出《漢武帝紀》，唐張仲素、韓鎡俱有賦。《慈儉爲寶》，題本出《宋史》及《舊唐書·文宗紀》，拈此種題者，按切本事固可，即不跟出處，句句作頌揚體，亦屬應制正格。吳菊人榜眼毓英、陶太史梁兩作，皆頌揚體也。吳詩云：「在宥慈恩溥，還淳儉德施。良箴陳大寶，郅治本無爲。野網眞宜祝，航琛勿貢奇。愼刑詳棘木，寡欲鑑茅茨。吏有鞭蒲化，人歌辮葛詩。陽和深醞釀，風俗異澆漓。金鑑前型式，珠囊法象垂。名言稽《宋史》，瑞拱慶昌期。」陶詩云：「寶祚綿區夏，幹符鞏帝基。止慈民有父，示儉道兼師。子愛流膏雨，辛勤重粟絲。面三湯網解，阿四禹宮卑。鴻澤勞綏輯，鳩工愼度支。租蠲丁力緩，貢卻亥珍奇。修德行仁意，持盈寶泰思。君臨軒鏡握，郅治頌無爲。」觀此二作，凡應制之題，可以類推；凡兩扇之題，亦可類推。《無逸圖》，本《書經·無逸篇》，唐宋璟手寫爲圖以獻帝者也。蔣太史曰綸詩云：「一代艱難業，千秋座右圖。田遊箴主德，稼穡軫農夫。介弟綢繆計，今王法守模。虔恭朝政肅，眷顧帝心孚。戊甲征元鳥，丁壬溯赤烏。錫齡陳祖烈，負扆裕孫謨。袞舄流風遠，丹青舊跡摹。御屏書玉殿，勤政握幹符。」此作皆按切周公事洗髮，宋璟事只一句帶及。此審題輕重之法，與吳穀人《豳風圖》詩全在《豳》詩點綴，歷代繪圖只輕輕帶過同一作法也。吳詩云：「萬古田蠶計，《豳》詩一卷傳。丹青重點綴，場圃接雲煙。春酒羔羊地，秋風蟋蟀天。農夫謀瑣屑，公子致纏綿。桑柘人家外，瓜壺耳目前。授衣懷九月，破斧感三年。極寫艱難業，能兼《雅》《頌》篇。太平歌聖世，意在畫圖先。」《因地制流》，題本《孫子》；《經明禹貢》，題本《漢書》；《禹平水土》，題本《呂刑》。遇此種題，根據出處固可，按切時務亦可。羅寶田太史家彥《因地制流》詩云：「河策欽宸授，平安報速郵。地須因赤縣，汛已制黃流。石堰環前浦，金堤築上游。輿圖煩指畫，濤勢費心籌。尋紐通盤計，宣防底柱留。埭隨山腳轉，浪到水門收。東野先分界，挑波穩送舟。細思《孫子》語，大知仰神謀。」又《經明禹貢》詩云：「都尉宣防使，經生治策良。是誰明《禹貢》，維漢有平當。導水胸中熟，之官足下強。讀能通《夏紀》，計不費商量。大知行無事，名儒學有方。勤猶三過記，《書》豈十年忘。根柢資經訓，源頭溯濫觴。安瀾符聖念，更喜出榮光。」吳穀人《禹平水土》詩云：「洪流方降割，下土失攸居。平地爰咨汝，滔天實警予。龍蛇觀變化，神鬼効驅除。癸甲勞心日，庚辰佐命初。距川先畎澮，通道及青徐。金鑄昆吾鼎，銀編宛委書。萬方欣乃粒，百姓免其魚。懷古思明德，艱難櫛沐餘。」三詩或粘或脫，在人運化之耳。《金鏡舉要》、《保三鑑》二題俱唐太宗事，然一重「要」事，一重「保」事，名手都從此處著筆也。如喻萊峰太史元準《金鏡舉要》詩云：「理國垂金鏡，書偕《帝範》傳。令狐能舉要，貞觀憶招賢。愼保同三鑑，詒謀付一編。片言如絜領，餘意欲忘筌。旨合千秋獻，明從四目宣。求珍憑朗照，側席會眞詮。治術參今古，才臣拔後先。宸章昭日月，擢秀正茹連。」又宮魯齋太史煥《保三鑑》詩云：「立鑑懷貞觀，當時治化覃。乘幹方抱一，保泰欲兼三。對我清輝滿，因他法矩諳。鞠謀居並奠，上下位中參。慧業多多證，圓光面面含。克知心有宅，又用德無慚。朗若珠懸樹，澄如月印潭。重離欽睿照，太極理虛涵。」「勸農祈穀」一類題必須摹景逼眞，訓詞深厚，如譜《豳風》、如讀漢詔乃佳。

余梧岡太史鳳喈《勞農勸民》詩云：「聖主勤民事，農官競課農。勞詩賡《小雅》，勸詔邁元封。冒卯扶犁出，諏辰載耒從。煙疇紛叱犢，星野正占龍。桑土先時徹，秧歌到處逢。豐年符甲紀，巽命葉申重。麥獻莖雙穗，禾登畝一鍾。親耕隆盛典，綏屢慶時雍。」又元眉庵太史在功《南熏觀稼》詩云：「教稼征前宋，祈年重省觀。南熏聞啟蹕，北闕快迎鑾。翠仗風初動，芳塍露未乾。天門開詄蕩，民力憫艱難。緺綠秧針茁，鋪黃麥穗寬。犁鋤千耦集，慶賞萬家歡。辛苦紓農父，丁甯列從官。熙朝恩更渥，蠲緩聖心殫。」又周酉山太史有章《南熏觀稼》詩云：「門以南熏記，勤民試省觀。稼功同趣鳸，法駕聽鳴鑾。令甲周千耦，郵庚擁百官。開軒雲半亞，盈畝露全乾。餅餌聞香遠，菑畬畫罫寬。豐綏來壤擊，解阜葉彈琴。不藉時巡及，焉知力穡艱。大田還報稔，泳澤徧騰歡。」三詩皆楚楚有致，然究不若陳少宗伯荔峰師《農輿輅木》一首更爲鮮新典麗。其詩云：「南畝親耕日，東京作賦初。制侔殷木輅，禮重漢農輿。不假金根飾，仍同玉輦徐。杏花扶翠蓋，楊柳映華旗。陪乘先常伯，淸塵命野廬。屬車聞燕燕，仙仗望魚魚。黛耜三推畢，神倉九穀儲。聖心民事切，觀稼問春畬。」此題出張衡《東京賦》。凡題中有干支字，詩中亦須用干支字面渲染乃云稱題。如黃小舟侍御玉衡《日練吉亥》詩云：「吉日諏維亥，先農祀典揚。順時觀帝耤，垂象應天倉。脈起中央土，占殊外事剛。詎緣三豕誤，細向六身詳。酉熟遙欣慶，辛祈夙敬將。義參丁釋萊，禮視己親桑。列獻青壇肅，羣推黛耜忙。皇誠欽格享，民氣樂豐穰。」又蔣霞軒太史超曾《辭必己出》詩云：「雪亮胸無滯，雷同嚮不馳。受辛防剿說，出己茁新辭。鳳藻庚庚管，蠶聲乙乙絲。珍黃金可擲，戰白鐵休持。杼柚予懷獨，葫蘆舊樣嗤。道謀非室築，匠意漫牆倚。理窟探根後，心源倒峽時。御箴垂翰苑，研鍊侍丹墀。」二作皆可法也。《春風鼓俗》、《葉氣流春》二題同而不同，蓋一重「鼓」字，一重「流」字也。許萊山學使邦光《春風鼓俗》詩云：「鼓俗觀隆化，敷施驗作新。試看風以動，不覺物皆春。善也能不應，贇乎已盡神。休征疇曰聖，從欲帝之民。偃草思君子，登臺樂衆人。熏兮同解慍，慰彼正揚仁。吹萬機緘葉，中參宰製均。調元旌至德，庶類荷陶甄。」又端木俊民太史傑《葉氣流春》詩云：「鳴和傳雅樂，協氣正充周。能夏聲方大，如春化自流。媧皇揚駿德，舜管譜鴻猷。調泰三陽順，歌豐九叙修。爾音來藹藹，我澤布油油。甘雨繽紛注，祥風澹蕩浮。律從姑洗正，吹聽女夷柔。聖世咸英奏，歡聯《擊壤》謳。」近科鄉、會兩場，《四書》題固多理境，即詩題亦尚理致；風雲月露浮薄之辭，概不貴也。仰見聖天子黜華崇實，至意制科之士宜知所向方矣。即如「天德王道」一類題固須精深博大，而題中正意字面，要從題中喻意字面層層映帶而出，乃云藻思綺合耳。如《度己以繩》，要著意「繩」字，朱虹舫學士方增詩云：「荀卿工設喻，度己理堪征。視履宜循矩，批根貴引繩。直原絲可比，朽恐索難勝。橫玉天垂象，披金聖擅能。操符前哲未，結想古皇曾。繫日陰長惜，糾愆念倍兢。維駒賢敢並，立鵠志先凝。從木臣心切，恩邀鳳綍承。」又馬元伯太史端辰詩云：「惟木從繩正，荀卿喻愼修。材原工則度，福自己之求。大匠誠陳處，醇儒特立秋。閑邪恒爾室，審曲豈人謀。義比書紳切，功同絜矩周。直躬虞綆短，枉道鑑輪揉。檃括新硎發，楩柟巨任投。日躋昭聖敬，模範仰垂旒。」二作俱著眼「繩」字，異曲同工。「智燭信符」，出揚子《法言》，要著眼「符」「燭」字。梁太史昌運詩云：「自修兼智信，妙喻試稽揚。擬燭光常被，如符契自彰。照臨微悉到，要約久無忘。半券先操左，餘輝更徹旁。燎來宜暗夜，剖處達殊方。舜揆征能合，燕書過不妨。印塗皇道暢，調玉帝期昌。聖德誠明擅，欽承遍八荒。」又裘春洲傳臚元善詩云：「智信修兼美，名言試記揚。燭然輝自遠，符合用斯臧。朗照華檠舉，操持左券償。目存瞻有赫，心契印無方。調玉嘉猷顯，封泥瑞彩彰。洞如觀火易，治豈改弦張。咫尺龍光近，葳蕤虎節揚。咸臨欽睿聖，率被遍要荒。」《執兩用中》、《中參成位》，二題爲理境之最精深者，然須典切巧合，不許有語錄氣乃佳。端木俊民《執兩用中》詩云：「允執皇衷一，權衡用不窮。端雖開以兩，理必協於中。觀象儀先判，占星候總同。省愆常對闕，應律恰調宮。階舞分干羽，衢尊會雨風。叩原殊黑守，居已卜黃通。掌運璿樞密，心裁玉尺公。無偏宸極建，敷錫仰神功。」又蔣霞軒太史《中參成位》詩云：「疇載乾坤定，惟皇德與參。執中千聖紹，成位兩儀函。抱式辰居北，當陽午向南。會歸疇衍五，闡握統兼三。左右星樞應，高卑卦象探。降衷規子姒，贊化育丁男。大寶金甌鞏，元模玉瓚含。鶡冠垂治理，帝澤萬方覃。」《循名責實》，題本《淮南子》，自來名作如林。兹謹摘其句之最佳者，如陳皐蘭太史傳均作中有句云：「循之無贋跡，責乃不騂顏。市骨珍龍種，留皮重豹斑。」元眉庵作中有句云：「有棱觚乃貴，無當玉還輕。迥異風塵賞，鹹歸月旦評。」又陸少盧太史堯松《綜核名實》詩，中有句云：「未遺蒲輪召，先憑藻鑑瑩。玉巵須有當，瓦釜敢爭鳴。」又佘太史文銓《練跡校名》詩，中有句云：「縱須追召杜，譽或副包韓。仕途無取捷，浮論並須刊。」皆鮮妍警鍊可誦也。《受孔子戒》、《聖言如水火》，凡拈此等題，必須正喻夾寫，乃能盡題之妙。如瞿麗江會元溶《受孔子戒》詩云：「恪奉宣尼戒，醇儒共仰廉。昭昭忠孝則，凜凜子臣砭。獨守麟經訓，渾同象教瞻。眞如三德達，上乘五常兼。缽付顏曾的，燈傳閔冉嚴。尊親恒稟法，愛敬總持謙。闕里祥風洽，緇帷化雨沾。心傳欽聖學，釋奠教遐宣。」又祁叔穎太史嶲藻《聖言如水火》詩云：「水火詳疇範，《詩》《書》載聖言。直將區蓋教，微抉坎離源。有本符泉湧，惟明象日暄。鑄人胥在冶，觀海共遊門。瓶守三緘慎，薪傳一字尊。懸河空好辨，炙輠不須論。槖籥天機運，籲謨古訓存。熙朝論綍煥，揚子漫辭煩。」《言在區蓋之間》，題本《荀子》，作法與《聖言如水火》同。黃小舟詩云：「可信如藏器，蘭陵善喻言。區分辭有物，蓋合理逢原。戛戛陳惟去，炎炎要不煩。括囊无咎似，盈缶有孚存。智比甌臾止，精同水火論。巵流防日出，瓶守異瀾翻。祇覺心相印，甯虞舌莫捫。溫綸宏啟牖，羣仰聖謨尊。」又潘醇甫學使錫恩詩云：「敦信征《荀子》，惟教稱量言。機緘原待發，區蓋恰宜存。義取流丸止，情期翕舌捫。司喉憑斗揭，守口借瓶論。定慮傾如盎，何嫌覆似盆。喧騰嗤瓦缶，斟酌配犧尊。盂戒原居要，巵言本不煩。金人垂示切，剿說戒瀾翻。」《性禾善米》、《性比於禾》，二題本董仲舒《春秋繁露》。作此題者，詮性善處亦須向禾米上映合，不得膚衍性理話頭也。姚學使元之《性禾善米》詩云：「性善征《繁露》，微言妙若何。始知成聖米，一端不是凡禾。種自開仁域，澆應灌愛河。寸田千頃熟，福地一稃多。世界藏金粟，光明想玉科。亦同香子穮，可有壤童歌。天使除稂秀，人誰荷笠蓑。有恆欽帝德，綏屢樂時和。」又黃小舟《性比於禾》詩云：「善乃由於性，精言理不磨。始知人樹德，可擬土生禾。擢秀良知貴，抽萌夜氣過。情田堪共作，心種本無多。禮以爲耕也，仁如不熟何。經畬新有訓，學耨漸相摩。合穎將騰實，培根在養和。儒林勤播植，帝力起謳歌。」《味道之腴》，題重「味」「腴」字，亦不空衍道學話頭也。如陳萸坪太守俊千詩云：「共說書三味，寧知道有腴。雜陳原類俎，淺入笑同膚。理既深含咀，情如悅豢芻。精華干蹠具，窾卻一牛屠。疏水無窮意，糟醨那更需。心眞能自饜，食豈或嫌臞。盎背羣看睟，支腸未慮枯。堯羹欽聖學，多士酌康衢。」羅寶田《化人似馴鷗》詩處處從「馴鷗」寫出「化人」來，手法絕勝。其詩云：「治曾聞馬馭，民亦似鷗馴。可以人如鳥，纔知化入神。國中尋舊約，海上證前因。夢憶芳洲暖，花明遠岸春。翔仁欣溥博，浴德更深淳。時雨頻翹足，恩波穩寄身。鴻泥思境界，鳧藻慰和親。聲教知洋溢，羣黎共葆眞。」又《耕道獵德》詩亦處處巧切「耕」「獵」字，最爲得法。其詩云：「志道還依德，勤修語溯揚。定知耕有穫，畢竟獵無荒。千耦情田闊，三驅藝圃忙。鋤應非種去，括乃若機張。灌溉經畬久，調馴意馬良。芸人曾示戒，範我詎乖方。畎畝懷莘野，龍彪卜渭陽。逢年欣盛世，作賦陋《長楊》。」又《斲梓染絲》詩亦語語藻思綺合，可謂因難見巧。其詩云：「雕龍工設喻，矢志慎初基。抱璞同文梓，含章比色絲。斲輪行我法，染采即吾師。作誥材原好，程功素竟移。三年嗤刻楮，七入便爲緇。手段輿人巧，心思墨子知。神斤須善運，意緒貴先持。隆棟兼明錦，輪恍及盛時。」《拊本引綱》、《辟宇啟鑰》、《剖毫析芒》、《本衍末度》、《裒多益寡》等題，皆時務之最切者。館閣諸公以此爲課題，其最佳者如陳石士司業用光《拊本引綱》詩云：「治道微韓子，安民在馭官。本須循本絜，網豈舉綱難。雨拂煙搖翠，霞擎浪激丹。良材回匠顧，芳餌起淵蟠。音矢梧棲鳳，賢求玉釣磻。幹章憑我植，九罭許人看。樹穫參微旨，雲羅證巨觀。栽培歸聖德，鏡海佇呈珊。」黃範亭侍御中模《辟宇啟鑰》詩云：「秘宇兼嚴鑰，清時辟啟先。論材張瞻美，薦士陸雲賢。鳳闥光爭覩，雞籌令早宣。彤軒晴日朗，金管曉風傳。詄蕩開雙闕，葳蕤下九天。棟桴浮斗極，扃鍵拓星躔。聰已璿庭達，英方玉署延。聖朝降籲俊，揚拜慶班聯。」陸小雅太史以烜《剖毫析芒》詩云：「『抱璞』名言在，探辭溯法曹。剖原兼以析，芒亦擬以毫。神妙搜能到，微茫隱莫逃。十分情畢露，三刺法曾操。疵豈吹毛索，形如在背搔。繭絲參杪忽，雀角解紛撓。察理誰能挫，鉤心轉笑勞。讞刑欽睿論，寬大聖恩叨。」馮菊人侍御清聘《本衍末度》詩云：「制法稽程木，謨猷本末陳。衍疇宏象教，度矩暢鴻鈞。資始幹綱大，推行渙號新。璿源支派順，玉尺短長勻。朝野機相引，懷來效自因。函三歸有極，執兩用能神。恭已經綸煥，由庚雨露均。皇躬昭律度，萬類荷陶甄。」趙樹三太史植庭《裒多益寡》詩云：「皇極持平準，經權飭謹嚴。裒多流自節，益寡象符謙。關石和鈞協，吹銅稱玉兼。重輕分燕雀，盈昃配烏蟾。卦策三三扐，疇圖一一添。辰猷衡獨秉，子惠澤均沾。執兩鴻謨允，調元鳳律占。有無原不計，大利溥閭閻。」五詩皆典雅有法。《地寧天澄》，馮菊人作，氣勢宏敞，尙與題稱。其詩云：「聖德周天地，休嘉信有征。中和隆位育，參兩契寧澄。止止符山艮，昭昭應日升。道平看似砥，河直驗如繩。亥步金甌拓，辰居玉燭憑。鴻波融鏡面，象緯澈觚稜。得一黃裳葉，函三紫極凝。鶡冠陳治術，寰宇頌咸登。」裘春洲《丁亥萬用入學》詩典重如題，不徒渲染干支字面而已也。其詩云：「諏吉逢丁亥，隆儀釋萊殷。三篇詩肄雅，萬舞典修文。濟濟衣冠肅，堂堂綴兆分。辰斿開梐枑，甲仗麗星雲。樂奏金陔夏，鳴征鼓大昕。禮殊庚日拜，業向西山勤。酒醴尊浮秬，馨香几薦芹。聖人崇正學，元化被氤氳。」「登高能賦」，語本《漢書・藝文志》，此題名作如林，而渾雄老健，莫如陳編修梅修師之作。其詩云：「秋色來千里，煙情落九皋。登臨餘蒼莽，咳唾入風騷。鳥路排空回，鸞吟結興豪。層霞供咀嚼，萬木寫欃槮。墨掃丹崖合，詞鐫碧落高。問天誰入想，搖嶽欲揮毫。懷抱青雲上，歌音白雪操。大夫能事富，蓬觀和仙曹。」

又卷二 聶蓉峰學使銑敏謂天地之物無獨必有對，作詩者苟細心求之，自有天然對偶。然不可太熟，須是在人意中卻又出人意外方爲入妙。第相沿既久，厭故喜新，僅工穩尙不能出色，必取巧以勝人矣。但巧不可傷雅，不可入纖。此誠滄煉揣摩之論。近今試帖對偶之巧不傷雅而不入纖者，如吳稷堂太史省欽《雞鳴度關》詩云：「學成雞口利，穩度虎牙尖。」蔣丹林太常祥墀《求馬唐肆》詩云：「物已成烏有，人還與馬謀。」蔣笙陔殿撰立鏞《仁人居左》詩云：「姬旦襄猷日，萊朱作相年。」曾觀軒太史秩《紅杏尙書》詩云：「下風桃李拜，《湛露》《蓼蕭》詩。」王霞九編修贈芳《舉筆不忘規》詩云：「畫傳前日荻，心切向陽葵。」又《宣德以詩》詩云：「時夏求惟懿，陽春妙入腔。」許萊山學使《庾信小園》詩云：「井梧憐半死，鄰笛感平生。」《東坡赤壁後遊》詩云：「鴻飛曾指爪，狼藉又杯盤。」黃小舟侍御《夢呑丹篆》詩云：「有人且篆授，此日黑甜交。」喻萊峰太史《餘糧棲畝》詩云：「社因田祖賽，樓爲稻孫題。」王厚田太史培《甘雨滿缶》詩云：「膏流唐甕滿，潤浥魯壺多。」王聽濤太史茂松《班生投筆》詩云：「燕頷威名著，蝇頭事業閑。」潘醇甫學使《音聲木》詩云：「爲啟商巖兆，疑從魯壁聞。」邱蓮舫侍御家煒《舉筆不忘規》詩云：「建白何須草，輸丹恰類葵。」吳藹人殿撰信中《壚煙添柳重》詩云：「鵲尾熏時逗，鶯身壓處偏。」馬元伯太史《輕羅小扇撲流螢》詩云：「團團搖碧月，點點綴繁星。」陳潼溪太史《百花生日》詩云：「騰歡敲蝶板，作賀鬧蜂衙。」翟雲莊咸史錦觀《先雨芸耨》詩云：「鳩聲驚暖樹，鴉嘴荷晴天。」《收華采實》詩云：「往事蘇蓮撤，新枝郤桂稠。」元眉庵太史《奉揚仁風》詩云：「探懷疑滿月，揮手卽仁風。」王蘭谷太史道行《銅雀臺瓦》詩云：「春風深鎖閉，明月認飛來。」周西山太史有章《大山宮小山》詩云：「兒孫皆布列，天地此牢籠。」孫昴堂侍御貫一《二十四番花信風》詩云：「考應符郭令，詩恰品司空。」龍子嘉殿撰汝言《枕中琴・築落階泉》詩云：「箏琶憑洗耳，星月正當頭。」伍實生榜眼長華《高宗夢得說》詩云：「理參漁父呂，占異客星嚴。」《見善如不及》詩云：「能無荒己百，擇必愼人三。」裘春洲傳臚《人情以爲田》詩云：「牧應除馬害，蹊或戒牛牽。」《四月秀葽》詩云：「踏青凫舄健，迭綠馬蹄驕。」瞿麗江會元《日中星鳥》詩云：「翼聯鶉羽麗，柳拂鳦巢新。」祁叔穎太史《橫槊賦詩》詩云：「天老幽燕將，人多漢魏腔。」陳臯蘭太史《家書抵萬金》詩云：「枕恬今夕夢，燈憶昨宵花。」《解慍阜財》詩云：「消夏炎忘九，登秋慶兆三。」《咸與維新》詩云：「鼎卦從觀象，盤銘爲發凡。」《綠陰生晝靜》詩云：「風疏間蝶夢，花謝息蜂喧。」陸小雅太史《人淸可用》詩云：「頭銜冰署借，心跡玉壺明。」《烏鵲同巢》詩云：「燕睇如相賀，鳩居莫謾嘲。」楊疊雲太史殿邦《神祠疊鼓正祈蠶》云：「靈占雞骨兆，祠祭馬頭神。」《春來偏是桃花水》云：「魚磯分四面，鷗國認三叉。」《菊殘猶有傲霜枝》云：「天應憐晚節，人更憶重陽。」奎伯沖侍郎照《抱葉寒蟬靜》云：「庭樹無情碧，秋風著意酸。」《春草秋更綠》云：「細雨遲歸燕，斜陽穩臥牛。」《一一吹竽》云：「雷同名枉托，星散客旋逋。」《年少不廉》云：「我方知不足，人乃笑無厭。」吳梅梁太史傑《春來偏是桃花水》云：「鱖鱗肥細雨，歐夢醉晨霞。」《竹室生虛白》云：「案無塵馬到，人與籜龍居。」《修辭立誠》云：「佩銜秋實舉，渾噩夏書成。」王松廬太史協夢《二十四番花信風》云：「簫聲橋宛轉，《詩品》玉玲瓏。」《百川赴巨海》云：「到眞天上落，行自地中由。」徐臨川太史錦《紙窗竹屋》云：「白兼餘地淨，綠覆半天陰。」以上諸作皆對仗工巧，不入纖、不傷雅者，可法也。試律有空中一聯傳神者，情景在有意無意之間，神韻在不即不離之際，此境最爲超妙。如戴蓮士相國《漁舟唱晚》云：「月白人歸浦，山青客倚樓。」英煦齋相國《遠看原上村》云：「幾家深樹繞，一帶夕陽殘。」石琢堂殿撰《瀟湘夜雨》云：「雁飛秋在水，人語夜生潮。」葉毅堂太史《疏雨滴梧桐》云：「數行斜點處，一葉始凋初。」王霞九太史《鑑不辭形》云：「天空雲靄靄，水淨月如如。」許萊山學使《人淡如菊》云：「繁華皆落後，富貴獨輕時。」馬元伯太史《水鏡無私》云：「海涵天自碧，江鑄日初紅。」《繞屋樹扶疏》云：「柳巷成陰處，柴門返照餘。」陳萸坪太史《風遲山尚響》云：「鳥聲深澗隔，人語夕陽移。」羅寶田太史《遊子身上衣》云：「指工雙縷密，心事一燈知。」趙樹三太史《白雲無心》云：「流水隨朝暮，空山自古今。」元眉庵太史《奉揚仁風》云：「澤布吹噓裏，春生掌握中。」程芝圃太史鍾靈《學校如林》云：「薪傳千古意，人樹百年心。」裘春洲傳臚《春星帶草堂》云：「燈燒雙穗紫，天壓四圍青。」祁叔穎太史《幾歲寄我空中書》云：「兩地浮沉裏，千言問訊餘。」端木俊民太史《拔十得五》云：「民獻登聞日，經生獲雋年。」王松廬太史《輕燕受風斜》云：「夕陽深巷裏，細雨小樓中。」《水仙花》云：「小閣挑燈夜，清齋釀雪天。」佘梧岡太史《禹平水土》云：「山川終古績，風雨八年情。」諸如此類，皆空際傳神者。端莊雜流麗，自是試帖正軌。近人詩喜用虛字，欲其流動也；然多用則薄，閑用則靈，必須用古如己出，入妙成自然，乃云上乘。如吳雲巖學使《帆隨湘轉》云：「人兮常若有，逝者竟如斯。」曹儷笙相國《鴻毛遇順風》云：「時者方舉矣，善也正泠然。」姚秋農侍郎《吉人辭寡》云：「吉哉彰九德，寡矣愼三緘。」許萊山《文以載道》云：「苟達斯而已，雖多曷以云。」趙樹三《如登春臺》云：「鼓鍾思樂只，雲物望佳哉。」蔣霞軒《儀正景正》云：「寅承旒儼若，午卓臬從之。」張潤夫太史玕《士伸知己》云：「肺肝相示也，熏沐以登之。」端木俊民《以虛爲德》云：「泰宇鴻調矣，離宮象取諸。」《安於覆盆》云：「甲戒曾匡乃，辰凝在撫於。」陽鑑堂太史宗城《政如農功》云：「辰告心如此，寅清道在斯。」王松廬《風泉滿清聽》云：「從知流不息，豈或激之鳴。」外此可類推得之。溫庭筠《蘇武》詩云：「回日樓臺非甲帳，去時冠劍是丁年。」此干支巧對法也，近人試帖多喜用之。如黃小舟《調水符》云：「貯滿煩丁運，登高諾癸呼。」《生魚懸庭》云：「出穴知從丙，充庖莫付丁。」邱蓮舫《舉筆不忘規》云：「辰告猷同遠，辛箴事可師。」陳萸坪《臨燈披五典》云：「殷勤然乙後，鄭重拜庚初。」羅寶田《聖賢爲杖》云：「生甲憑嶽降，太乙記藜然。」趙樹三《規矩成方圓》云：「周迴圈一一，橫理絜庚庚。」宮魯齋《石上泉聲帶雨秋》云：「瀑似龍門未，寒生草閣辰。」《衡正階平》云：「近光環太乙，前路逌由庚。」劉心農太史煒《膏澤多豐年》云：「德並壬公頌，期寧甲子訛。」伍實生《鏡清砥平》云：「洗甲光千服，由庚暢九垓。」《民生在勤》云：「生生垂甲令，在在惕辛勤。」瞿麗江《日中星鳥》云：「斗杓方建卯，月令尚賓寅。」《蓄蘭》云：「采剛逢午月，貯合等辛盤。」《麥具四時之氣》云：「巳生嫌黍早，酉熟校禾遲。」陳臯蘭《爲世規矩》云：「已謝丁庸取，還聞午饌裁。」陸小雅《牧民揆官》云：「辛苦求芻喻，宣清削簡彈。」《咸與維新》云：「詩樂由庚補，人知令甲嚴。」陽鑑堂《寰海鏡清》云：「甲庭修候尉，亥市列山城。」楊疊雲《神祠疊鼓正祈蠶》云：「蛹眠纔起乙，鼉應恰逢辰。」《寒菜一畦》云：「雪甲紅留町，霜晨綠到門。」《萬寶成》云：「酉熟占盈缶，辛勤祝滿篝。」《政如農功》云：「如將辰告意，共切卯耕期。」徐臨川《月傍九霄多》云：「漏正丁冬聽，燈還午夜挑。」之類是也。試帖有兩句作一句讀，以醒題者，氣格更爲流宕。如彭芸楣尚書《風不鳴條》云：「有時花自落，應是鳥頻驚。」紀曉嵐尚書《殘月如新月》云：「有時斜映水，定亦誤驚魚。」王鐵夫廣文《風泉韻繞幽林竹》云：「卻將千個綠，併作一庭秋。」王霞九《集思廣益》云：「予求予取廣，汝翼汝明兼。」陸少盧《齊民情正》云：「不須三約法，自鮮拾遺民。」陳萸坪《人情爲田》云：「望君如望歲，時雨復時晴。」伍實生《斷帶續燈》云：「有餘垂可用，不足繼猶能。」王松廬《水仙花》云：「葉葉花花意，空空色色詮。」葉兩坨太史維庚《易俗是張琴》云：「斯民殊皞皞，其德自愔愔。」皆兩句一氣者也。律詩得勢，全在首句，而第二韻拍題之處，務使題中字字落紙有聲，或襯托、或開合、或流水，均要落題警醒乃佳。如馬元伯《水鏡無私》云：「水原稱混混，鏡乃悟空空。」《麥天晨氣潤》云：「恢台時屆夏，溫潤氣如春。」郭接三太史承恩《春兼三月閏》云：「斗指辰兼兩，春留月又三。」羅寶田《民得四生》云：「至誠周物物，大德慶生生。」王蘭谷《呂尚釣玉璜》云：「瑞待頒周玉，符先兆夏璜。」周酉山《甘雨滿缶》云：「隨車欣雨我，滿缶吉從他。」蔣笙陔《春浪白於鵝》云：「綠浪剛浮鴨，銀濤乍浴鵝。」吳叔琦探花廷珍《蠶三化》云：「綿貢宜登八，毛吹擬伐三。」張晴沜太史敦頤《陳言務去》云：「文豈陳陳襲，言眞戛戛難。」王聽濤《枕善而居》云：「枕須元者善，宅是大哉居。」潘醇甫《大法小廉》云：「布象惟遵法，懸魚共表廉。」龍子嘉《下水船》云：「急灘曾況泊，下水獨推裴。」伍實生《見善如不及》云：「每切如登戒，而懷不及慚。」裘春洲《春來偏是桃花水》云：「春流添竹箭，舊境偏桃花。」陳臯蘭《循名責實》云：「孰是名爲貴，而忘實可患。」陸小雅《咸與維新》云：「難新歡洽比，觀感象符咸。」皆點題清警有法者也。假對句法，近人多喜用之，如翟雲莊《欲問東坡學種松》云：「養龍憑指點，想像費心摩。」《收華采實》云：「雅望周楨蔚，殷情傅野求。」陳萸坪《桃笙象簟》云：「越席吳言異，陳庭鄭重鋪。」宮魯齋《律明法一》云：「達窮昭肺石，持準妙心衡。」周西山《萬流仰鏡》云：「環橋頻集鳳，比戶已能鳩。」劉心農《儀正表正》云：「愼戒箴銘帶，無偏範訪箕。」

卦名作對，其制非古，而今人亦多喜用之。今謹擇其巧不入纖者錄之，以備貪新好奇者之一覽耳。如王聽濤《甘雨滿缶》云：「震盂高處瀉，坤釜挹來多。」《佩刀出飛泉》云：「定許占師吉，何煩掘井勞。」趙樹三《敦俗勸農桑》云：「井井青疇畫，離離綠蔭繁。」馮菊人《彈琴歌南風》云：「鳴豫攄懷早，乘離解愠堪。」劉心農《所寶惟賢》云：「逢時當泰運，論價重豐年。」陳臯蘭《王道如龍首》云：「象協干行際，功昭震動初。」端木俊民《政如農功》云：「爾疆開井井，我黍藝離離。」《安於覆盆》云：「泰平基早定，震仰勢全殊。」陽鑑堂《寰海鏡清》云：「豫順覘民氣，咸亨驗物情。」諸如此類，以意推之可也。

結句有宜頌聖者，亦須頌揚得體，不可庸俗相因。如蔣笙陔《官無留事》云：「勤箴宵旰切，庶職勵鵷鸞。」《雨後郊原麥》云：「聖衷廑望歲，豐稔兆維魚。」曾觀軒《春風柳上歸》云：「願偕溫室樹，譜入舜弦揮。」《夾竹桃》云：「倘能持獻壽，垓億算頻加。」《風馬雲車》云：「雩壇停玉輅，羽葆氣煙熅。」王霞九《集思廣益》云：「睿慮周蕃賾，詢謀衆議僉。」許萊山《剖毫析芒》云：「虛堂心鏡握，抱樸語閑評。」黃小舟《言在區蓋之間》云：「溫綸宏啟牖，羣仰聖謨尊。」《夢呑丹篆》云：「韓潮誰解溯，染翰侍螭坳。」邱蓮舫《一之日觱發》云「聖時箕好協，雷鼓奏郊壇」之類，皆莊雅可法。

題有難於頌結者，須善於持論。如紀曉嵐尚書《指佞草》云：「盛世原無佞，孤芳自效忠。」戈蘧園《繞屋樹扶疏》云：「倘令生盛世，肯許樂匏懸。」羅寶田《橘中弈叟》云：「揚州原錫貢，楓陛五雲團。」宮魯齋《更籌》云「會須藏海屋，壽算紀瀛洲」，皆善於持論者。

題有不必頌結者，亦須自見身分，不可走入衰弱，乃稱完璧。如王晉川太史《披沙揀金》云：「莫教同翠羽，旖旎飾華簪。」金雨叔太史《河鯉登龍門》云：「多士天衢近，無煩慕李膺。」孫晶堂《二十四番花信風》云：「吹噓桃李徧，爛漫五雲東。」陸小雅《綠陰生晝靜》云「詩懷禪味悅，合倩左司論」之類，皆可法也。

黃培芳《香石詩話》卷一 五律有不矜才氣，寫來恰好，非深得唐賢三昧者不能。余最愛曾賓谷先生（燠）《上方寺看梅》云：「山門掩修竹，殘雪在庭陰。此地罕人到，梅花香獨深。春生前代土，客感去年心。小飲竟成醉，徘徊月滿林。」

又 陳獨漉《坐雨詩》云：「蕭瑟北林聲，雲如萬馬行。坐中高閣雨，天外數峰晴。向浦帆光濕，依人燕羽輕。羅浮開一半，悽惻未歸情。」此五律最高之境，法律極細者，翁覃谿先生曾向張南山稱說。可見前輩鑒賞別具心眼如此。

又 宋人七絕每少風韻，惟姜白石能以韻勝。如《過垂虹》云：「自作新詞韻最嬌，小紅低唱我吹簫。曲終過盡松陵路，回首煙波十四橋。」漁洋亦瓣香此種。

又 錢籜石先生（載）論七律之法，三、四起處宜用實字接，方不虛弱。此處間用虛字接，則五、六務必用實字接矣。若四句俱虛接，每至靡弱不振。又最要在第七句得力，在提振得起。嘗拈老杜《秋興》「魚龍寂寞秋江冷」句爲法，謂其沉頓而出，收攝而揮斥也。

又 高常侍（適）「聖代即今多雨露」亦第七句之振起者。魚山先生謂老杜「西蜀地形天下險」則更不止此矣。

又 七律有三頓句法，又有加倍寫法。三頓如老杜「風急天高猿嘯哀」二句是也。加倍寫如「無邊落木」一聯是也。「落木」、「長江」，既以「蕭蕭」、「滾滾」形之矣。更加「無邊」、「不盡」於上，非加倍寫法乎？要之只是疊，三頓是實疊之妙，倍寫是虛疊之妙。

又 劉隨州《長沙過賈誼宅》云：「三年謫宦此棲遲，萬古惟留楚客悲。秋草獨尋人去後，寒林空見日斜時。漢文有道恩猶薄，湘水無情弔豈知。寂寂江山搖落處，憐君何事到天涯。」此詩頗膾炙人口。籜石評其都是虛字，薄弱不可耐。蓋以篇中所用「此」、「惟」、「獨」、「空」、「猶」、「豈」、「處」等虛字，甚輕弱，全靠此等字周旋故也，作七律者不可不知此病。

又 對疊、銜接，是作七古之法，古大家未有出此四字之外者。

又　七古以多作對仗爲妙，讀老杜、韓、蘇諸公作自見。

又　七古有不可不對之處。老杜《短歌行贈王郎司直》云「我能拔爾抑塞磊落之奇才」，下即對云「豫章翻風白日動，鯨魚跋浪滄溟開」，蓋上句正提「奇才」，下二句接寫「奇才」必對，方見宏整。若此處用散體，搖筆數行便渙散不凝矣。又如《渼陂行》中幅云：「宛在中流渤海清，下歸無極終南黑。」得此二語對仗作停頓，精神百倍，亦如中流砥柱也。少陵七古最凝鍊，他家未免抖散矣。即青蓮亦然。惟《江上吟》一首，則極似杜，中間純用對仗，每兩句一意，在他人可衍作四段。

又　七古銜接之法有緊有緩，又貴用立筆、挺筆。如少陵《高都護驄馬行》云：「安西都護胡青驄」，此是直起，下句接云「聲價歘然來向東」，非此則不緊妙，不緊則敷衍而散漫矣。下云「此馬臨陣久無敵」是立筆，接上中幅「雄姿」、「五花」二聯是對入，後「長安兒不敢騎」又是挺上去。末云「青絲絡頭爲君老，何由卻出橫門道」，則放緩收以取聲，此皆自然之音節。

又（張南山）又論七律云：「今人作詩只求清詞麗句，其味不深厚，只是未解『沉頓』二字。」

又卷二　七律有以翻空對彌見神力者。老杜「三分割據紆籌策」，對以「萬古雲霄一羽毛」是也。吳梅村《蜀鵑啼》有云「失計未能全愛子」，是就本事言矣，下句忽翻空云「端居何用覓封侯」，便覺八面玲瓏，深得三昧。

顧鶚《紫琅詩話》卷五　詠史詩忌呆疏。海門崔家杜茂才《讀荆軻傳》云：「天教六國入西秦，函首操圖志未伸。競說荆卿疏劍術，挾椎博浪豈無人。」從後設想。《與陳剛中題博浪沙》云：「如何十二金人外，尚有民間鐵未銷。」從前設想，同一筆，妙。

張清標《楚天樵話》卷上　絕句之工，推三唐人爲最，可謂極妍盡態矣。不知有開自六朝者，如襄陽范彥龍云：「自君之出矣，羅帷咽秋風。思君如蔓草，連延不可窮。」襄陽王台卿：「空庭高樓月，非復三五圓，何須照林裏，終是一人眠。」荆州庾子慎肩吾《長信宮中草》云：「委翠似知節，含芳如有情。全由履迹少，並欲上階生。」庾子山信《寄王琳》云：「玉關道路遠，金陵信使疏。獨下千行淚，開君萬里書。」《和侃法師》云：「客遊經歲月，羈旅故情多。近學衡陽雁，秋分俱渡河。」《別周尚書》云：「陽關萬里道，不見一人歸。惟有河邊雁，秋來南向飛。」《望渭水》云：「樹似新亭岸，沙如龍尾灣。猶言吟暝浦，應有落帆還。」《塵鏡》云：「明鏡如明月，恒常置匣中。何須照兩鬢，終是一秋蓬。」皆爲三唐人嚆矢。

厲志《白華山人詩說》卷二　凡人學詩，往往先作七律，到工夫進時，一首都不得佳。七律大難，不如從五律入手，其錯處還容易周防，且五律，衆詩之基也。

又　五、七律結語兜得駐，統首皆振拔矣。

潘德輿《養一齋詩話》卷二　陳勾山先生云：「學詩宜先學七古。」僕云：「七古之後，即當繼學五律。」蓋七古詞瀾筆陣，排宕縱橫，枵腹短才，萬難施手，故宜從事於此，以覘學力。五律章法變化，對仗精工，結搆之嚴，一字不苟，復宜從事於此，以定準繩。此即「可與適道」、「可與立」之義例也。二體既工，詩思過半。至七律尤健于五律，五古尤高於七古，非具眞氣大力者，往往難之。精義行權，深造之士，勉焉可也。七言絕句，易作難精，盛唐之興象，中唐之情致，晚唐之議論，塗有遠近，皆可循行。然必有弦外之音，乃得環中之妙。利其短篇，輕遽命筆，名手亦將顚躓，初學愈騰笑聲。五言絕句，古雋尤難，搦管半生，望之生畏。長篇波瀾，貴層叠尤貴陡變，貴陡變尤貴自在，總須能見其大，不得瑣屑鋪陳。短篇卻要有千岩萬壑之勢，此古風之大略也。樂府字面節拍，全異古風，須俟諷誦既多，沛然心口，始可偶一爲之。不然神韻音節，齟齬安排，初則短長任我，必來鳧脛鶴頸之嫌，繼則面目摹人，亦有優孟衣冠之誚。

又卷三　楊仲弘論七言絕句，以第三句爲主，而第四句發之。沈確士謂「盛唐人多與此合」。此皆臆說也。絕句四語耳，自當一氣直下，兜裏完密。三句爲主，四句發之，豈首二句便成無用邪？此徒愛晚唐小巧議論，止在末二句動人，而於盛唐大家元氣渾淪之作，未曾究心，始有此等曲說。確士轉謂「盛唐多與此合」，既不識盛唐，而七絕之體，亦將由此而破矣。

又　凡作譏諷詩，尤要蘊藉；發露尖穎，皆非詩人敦厚之敎。如元人《博浪沙》云：「如何十二金人外，猶有民間鐵未銷？」《陳橋驛》云：「路人遙指降王道，好似周家七歲兒。」皆機警有餘，深厚不足。予獨愛袁凱《蘇李泣別圖》云：「猶有交情兩行淚，西風吹上漢臣衣。」斧鉞寓於纏綿，極耐尋諷，高出《白燕》詩百倍。

又　前謂刺譏詩貴含蓄，論異代事猶當如此。臣子於其本朝，直可絕口不作詩耳。張祜《虢國夫人》詩：「卻嫌脂粉污顏色，淡掃蛾眉朝至尊。」李商隱《驪山》詩：「平明每幸長生殿，不從金輿惟壽王。」唐人多犯此惡習。商隱愛學杜詩，杜詩中豈有此等猖獗處！或以祜此詩編入杜集中，亦不識黑白者。

又卷五　或問六言詩法，予曰：王右丞「花落家童未掃，鳥啼山客猶眠」，康伯可「啼鳥一聲村晚，落花滿地人歸」，此六言之式也。必如此自在諧協方妙，若稍有安排，只是減字七言絶耳，不如無作也。

又卷七　四言如潘安仁《關中詩》，陸士衡《皇太子宴玄圃》詩，陸士龍《大將軍宴會》詩，應吉甫《華林園集》詩，顏延年《應詔讌曲水》詩、《皇太子釋奠》詩，體製聲色，都如一轍。顏雖琢鏤較甚，然亦無甚高下。蓋皆《雅》、《頌》之皮毛，阿諛之圭臬，而四言之奴隸也。漢、魏以來，四言自以韋孟《諷諫》爲第一，魏武帝《短歌行》、《觀滄海》、《龜雖壽》，曹子建《應詔》、《責躬》、《朔風》等詩次之，皆在晉、宋人上。然晉人如淵明《停雲》、《時運》等作，又不可以風會論。其次如束晳《補亡》，古樸不足，安雅有餘，同時大手亦無出其右者，況後人哉！朱竹垞乃謂「嘉靖時鄭世子載堉所著《補亡詩》廿餘首，檃括古訓，比之束晳，似爲過之」。予觀之直似集經語時文耳，何足當晉人一盼也！

梅曾亮《柏梘山房詩集自序》　樂府所被，實錄斯存。太傅《長慶》之集，深規乎比上。水部《怨女》之風，不失爲自鳴。若夫名沿技錄，情同《子虛》。採扶疏之春華，便列《子夜》之曲；拾參差之香草，已登《房中》之歌。此又一蔽也。

陳僅《竹林答問》　問：《文章緣始》謂五七言皆起於漢。然《毛詩》「伴奐爾游矣」三章，「惟昔之富不如時」二句，已見胚胎，是同出於西周之時矣。此語誠然。五言古詩起於蘇、李，七言古詩起於《柏梁》。若五言歌行，漢人之樂府也。七言歌行，肇始於禹《玉牒辭》（《拾遺記》所載《白帝》、《皇娥》二歌，不足信）。後來《飯牛》、《臨河》、《采葛》、《易水》、《垓下》、《大風》皆是，亦樂府也。古詩及歌行自是兩種，論古詩之源，則五七言同時，論歌行之源，則七言先於五言。滄浪於此，頗似倒置。至謂四言起於漢韋孟，則大謬。此齊、梁詩體之所以卑也。

又　問：學詩次第何先何後？　詩之次第，五古爲最先，七古次之，五絶次之，五律次之，七絶又次之，七律最後。學詩者亦因之爲次第。有以絶句爲截句，謂截律體之半以爲詩者，不知絶之先於律也。

又　問：古與律用功致力，是一路抑是兩路？　武進管韞山先生曰：「開、寶詩人工爲五言古者，無不工爲五言律，各選所載，殆無一篇不佳。然古人亦惟作五古多，作五律少，此其所以能工也。」此論精確，爲前人所未發。七律功夫亦然，學者可以隅反矣。

又　問：七絶貴神韻，五絶似純乎天籟，別有致力處否？　絶句本出於樂府，最近變風。古今詩人，亦未有不工古詩而能工於絶句者，熟讀古樂府及唐賢諸家詩自知。

又　問：嚴滄浪有云：「律詩難於古詩，七律難於五律。」此語頗似駭俗。滄浪此語，深得詩中三昧，學者自昧昧耳。管韞山曰：「五律人可頓悟，七言則非積學攻苦不能致也。」論者謂「如挽百石弓，非腕中有神力者，止到八九分地位」，此言最善於名狀。吾鄉先輩薛千仞先生曰：「七言律法度貴嚴，紀律貴整，音調貴響，不易染指。余見初學後生無不爲七言律，似反以此爲入門之路，宜其欲入而自閉其門，終身不得窺此道藩籬，無怪也。」兩先生之言旨哉！

又　問：古詩與樂府，異流而同源。然考唐、宋人集中，往往有古詩而無樂府，前明以來，此體方盛，豈後人轉勝於前人邪？　古詩、樂府之分，自漢、魏已然。故潘勝於陸，而安仁之樂府無聞；謝勝於鮑，而康樂之樂府殊遜，後人不以此爲優劣也。今之刊行集者，必取樂府數章，爲開卷利市，適彰其陋耳。

又　問：唐人新樂府何如？　樂府音節不傳，唐人每借舊題自標新義。至少陵，并不襲舊題，如《三吏》、《三別》等詩，乃眞樂府也。其他如元道州之《系樂府》，元微之之《樂府新題》，香山、張、王之《新樂府》，溫飛卿之《樂府倚曲》，皮日休之《正樂府》皆是。微之以下，雖以古詩之體爲樂府，而樂府之眞存。不似明人字摹句倣，鉤輈詰屈，而杳不知其命意之所在也。

又　問：如叔父言，則樂府必不可擬乎？　非特樂府不必擬，即古詩亦不可擬。詩者，性情也。性情可擬乎？古人但借其題而不擬其體，自謝康樂、江文通擬古之體興，而詩道衰矣。

又　問：六言詩古樂府有之，至唐而有六言律絶，何獨無八言詩邪？

詩至八言，冗長嘽緩，不可以成句矣，又最忌折腰。東方朔八言詩不傳，古人無繼之者。即古詩中八字句法亦不多見，不比九字、十一字奇數之句，猶可見長也。有唐一代，惟太白仙才，有此力量。如《戰城南》「匈奴以殺戮爲耕作」、「聖人不得已而用之」，《蜀道難》「黄鶴之飛尚不得過」，《北風行》「日月照之何不及此」，《久别離》「爲我吹行雲使西來」，《公無渡河》「有長鯨白齒若雪山」等句，惟其逸氣足以舉之也。李昌谷「酒不到劉伶墳上土」亦是，大抵皆在樂府中也。十字成句，則太白《飛龍引》「黄帝鑄鼎於荆山煉丹砂，丹砂成騎龍飛上太清家」二句，亦樂府也。

又問：十一字句，句法如何？　如太白「紫皇乃賜白兔所搗之上藥」，「人非元氣安能與之久徘徊」，老杜「慎勿見水踴躍學變化爲龍」，韋蘇州「一百二十鳳凰羅列含明珠」，皆是。後人於古風長短句間亦效之，過是則句法不易振竦矣。

又問：唐人有六句律詩，此何體也？　此體盛於陳、隋之間，蓋由古入律之交際也。唐人偶一爲之，亦意盡而止耳，未嘗拘拘取備一體，後人儘可不學。

又問：五句詩何如？　古五句詩惟樂府有之，如《前溪歌》「逍遥獨桑頭」、「前溪滄浪映」、「黄葛結蒙龍」、「當曙與未曙」數章而已。唐永淳中童謡亦五句。七古五句如漢昭帝《淋池歌》，太白《荆州樂》，老杜《曲江三首》是已，皆見郭茂倩《樂府詩集》中。滄浪臚列詩品，無此一體。

又問：三句詩何如？　古樂府《華山畿》、《讀曲歌》、《長樂佳》等詩多有之，皆五言也。七言如《大風歌》是也。後人不多見。唐則岑之敬之「明月二八照花新，當壚十五晚留賓，回眸百萬横自陳」，無名氏之「楊柳裊裊隨風急，西樓美人春夢中，繡簾斜捲千條入」一首。宋人則謝皋羽之「杜鵑花開桑葉齊，戴勝竽生藥草肥，九鎖山人歸未歸」一首。元、明人亦有數首，均見《升庵詩話》中，今不復記憶矣。

又問：七句古詩之體如何？　鮑照《代白紵舞歌》，李太白《烏棲曲》，郎士元《塞下曲》，結體用韻各異，可以爲法。

又問：長律之法何如？　漁洋「首尾開闔，波瀾頓挫」八字，得其大概。其詳則余嘗書示單生士林，試取參之。

又《附長律淺説示單生士林》　凡作長排，前有來路，後有去路，中間鋪張排比，則以清分段落爲第一義。蓋既分段落，不能不講究層次，而諸法從此生矣。點叙有景，寄托有情。寫景者每以情爲精神，言情者或借景爲色澤。細叙處碎而彌雅，渾舉處簡而悉包。一意相生，發波瀾於興會；兩端並重，分詳略於主賓。鑄局處有提貫，有合應，而草蛇灰綫之中，渾成尤妙；過段處有銜承，有遙接，而叠嶂層巒之内，突峙更奇。縹緲遠神，全在篇始篇終數語；翕張大氣，每於段首、段末兩聯。排聯多，則不能句句皆奇，惟當於淪漣中時逢警策；選韻窄，則難於聯聯悉穩，不如於寬坦力内講精工。慘澹經營，落筆之先，已定全局；轉旋離合，含毫之際，純任自然。字不妨重，亦須檢點；意尤惡複，更忌支離。勿雜湊而無章，勿窘步而自縛，勿前懈而後促，勿直叙而平鋪。起首貴突兀，進路貴紆徐，層折貴分明，音節貴瀏亮，血脈貴團聚，步驟貴舂容，藻采貴停勻，氣機貴磅礴，收束貴謹密，結尾貴混茫。神明變化，存乎其人。噫！豈易言哉！熟玩唐賢諸長律，道在斯矣。有志之士，當不以鄙言爲河漢也。

又問：滄浪所列詩體已備否？　大略已備。然中如杜荀鶴不足列一體，而皮、陸《松陵》一體似須增入。他如元次山《篋中集》，韋縠《才調集》亦另是一種。雜體中尚應補吳體（即俳諧體）、《竹枝》兩體。宋詩無歐、梅、陸三家體，亦不可解。

又問：《竹枝詞》爲歌詠風土之作，而中間雜以男女猥褻之語，何也？　此體本起於巴、濮間男女相悦之詞，劉禹錫始取以入詠，詼諧嘲謔，是其本體。楊升庵引王彪之《竹賦》，謂《防露》爲《竹枝》所緣始，亦屬有見。

又問：詠物詩起於何代？　詠史詩起於晉，詠物詩起於梁。

又問：班婕妤《團扇》，非詠物乎？　古人之詠物，興也；後人之詠物，賦也。興者借以抒其性情，詩非徒作，故不得謂之詠物也。自擬古詩興而性情僞，自詠物詩興而性情亡，其能於擬古、詠物見眞性情者，杜老一人而已。

又問：詠物詩以何道爲貴？　詠物詩寓興爲上，傳神次之。寓興者，取照在流連感慨之中，《三百篇》之比興也。傳神者，相賞在牝牡驪黄之外，《三百篇》之賦也。若模形範質，藻繪丹青，直死物耳，斯爲下矣。予嘗評友人詩云：「詩中當有我在，即一題畫，必移我以入畫，方有妙題；一詠物，必因物以見我，方有佳詠。小者且然，况其大乎？」此語試參之。

又問：題畫詩何如？題畫詩起於老杜，人人皆讀之。故凡題畫山水，必說到眞山水，此法稍知詩理者皆能言之。然此中須有人在，否則雖水有聲，山有色，其如盲聾何！試觀老杜題山水必曰：「若邪谿，雲門寺，青鞋布襪從此始。」題畫松必曰：「我有一匹好東絹，重之不減錦繡段，請君放筆爲直幹。」題畫馬必曰：「眞堪託死生。」題畫鷹必曰：「吾今意何傷，顧步獨紆鬱。」厥後東坡、放翁亦均如此，可悟矣。

又　問：游覽之詩以何爲法？　游山水者，秦、蜀詩學杜老，江、浙詩學康樂，滇、粵詩學儀曹，邊塞詩學嘉州。往見袁子才過贛州十八灘絕句，大似游西湖詩，眞足供一笑。

王壽昌《小清華園詩談》卷上　古體欲無句，近體欲無字。古體有句則體弱，近體有字則氣薄。古體何以無句？曰：《十九首》，詩之祖也。吾見其詩矣，未見其句也。爾後惟陶堪嗣響，至謝乃有句可摘，而格斯降已。近體何以無字？曰「江流天地外，山色有無中」(王維《漢江》)，較諸「樹點千家小，天圍萬嶺低」(岑參《西亭觀眺》)，奚啻天道人道之殊哉！唐人七古氣勢縱橫，文情變幻，如神龍翔空，離奇夭矯，不可方物，誠爲詩境奇觀。然只可謂之唐體，不可謂之古體。何也？以古氣皆已發洩無遺也。作字者，可以篆隸入楷書，不可以楷法入篆隸。作詩者，可以古體入律詩，不可以律詩入古體。以古體作律詩，則有唐初氣味；以律詩入古體，便落六朝陋習矣。然於轉韻長篇，則又可不拘。

又卷下　頌美當如應吉甫(禎)之《華林園》，沈休文之《樂遊苑》。近體則當如張曲江之「宗臣事有征，廟算在休兵」，李太白之「君王多樂事，還與萬方同」，暨右丞之「渭水自縈秦塞曲，黃山舊繞漢宮斜。鑾輿迥出千門柳，閣道迴看上苑花。雲裏帝城雙鳳闕，雨中春樹萬人家。爲乘陽氣行時令，不是宸遊玩物華。」(《奉和聖製從蓬萊向興慶閣道中留春雨中春望之作》)與少陵之「得歸茅屋赴成都，直爲文翁再剖符。但使閭閻還揖讓，敢論松菊久荒蕪？魚知丙穴由來美，酒憶郫筒不用沽。五馬舊曾諳小徑，幾回書札待潛夫。」(《將赴成都草堂途中先寄嚴鄭公》)皆美不忘規，最爲得體。若李巨山(嶠)之「承恩咸已醉，戀賞未還鑣」，及「遽惜歡情歌吹晚，揮戈更却曜靈迴」，暨宋延清之「不愁明月盡，自有夜珠來」，皆導君以樂而忘返，殊非「臣卜其晝，未卜其夜」之心也。至若「麗藻飛來自相庭，五文對錯八音清。初瞻綺色連霞色，又聽金聲繼玉聲。才出山西文共武，歡從塞北弟兼兄。白頭老尹三川上，雙和陽春喜復驚。」(令狐楚《奉和僕射相公酬忠武李相公見寄之作》)則太近諛矣。

韋孟之《諷諫詩》，辭嚴義正，眞所謂法語之言，然惟保傅之尊乃可。其餘當如曹子建之「煮豆然豆萁」，章懷太子之「種瓜黃臺下」，意雖迫切而辭甚悽惋，聞者無不惻然動心。近體則當如太白之「宮中誰第一？飛燕在昭陽」，右丞之「明珠歸合浦，應逐使臣星」，及張正言之「銅柱朱崖道路難，伏波橫海舊登壇。越人自貢珊瑚樹，漢使何勞獬豸冠？疲馬山中愁日晚，孤舟江上畏春寒。由來此貨稱難得，多恐君王不忍看。」(《杜侍御送貢物戲贈》)皆能寓嚴厲於和平，乃所謂婉而多風者。至李義山「鈞天雖許人間聽，閶闔門多夢自迷」，則更婉矣。若沈雲卿之「金榜扶丹掖，銀河屬紫閽。那堪將鳳女，還以嫁烏孫？玉就歌中怨，珠辭掌上恩。西戎非我匹，明主至公存。」(《送金城公主適吐蕃應制》)已欠含蓄。至「左遷凡二紀，重見帝城春。老大歸朝客，平安出嶺人。每行經舊處，卻想似前身。不改南山色，其餘事事新。」(劉禹錫《初至長安》)則似痛詆矣。若夫劉公幹之《贈五官中郎將》也，曰：「勉哉修令德，北面自寵珍。」則規之以正。少陵之《送嚴公入朝》也，曰：「公若登臺輔，臨危莫愛身。」則責之以忠。張祕書之《寄蘇州白使君》也，曰：「此處吟詩向山寺，知君忘卻曲江春。」則曉之以義。他如魏鄭公(徵)之賦《西漢》，太宗謂其每言必約我以禮；李景伯之詠《迴波》，至忠稱爲此直諫之臣。此又非尋常諷諭之可比矣。

刺惡之詩，貴字挾風霜，庶幾聞者足戒。如阮嗣宗之「黃鵠遊四海，中路將安歸」(《詠懷》)，顏延年之「君子失明德，誰與偕沒齒」(《秋胡詩》)，語雖含蓄而義實凜然。他如太白《古別離》，於父子君臣之際，不勝忿激悲痛之情；少陵《麗人行》，於戚里嬖倖之間，無限迫切隱憂之意，亦可謂淋漓盡致矣。近體如李義山之「東征日調萬黃金，幾竭中原買鬥心。軍令未聞誅馬謖，捷書惟是報孫歆。但須鸑鷟巢阿閣，豈假鴟鴞在泮林？可惜前朝玄菟郡，積骸成莽陣雲深。」(《隨師東》)又「七國三邊未到憂，十三身襲富平侯。不收金彈拋林外，卻惜銀床在井頭。綵樹轉燈珠錯落，繡檀迴枕玉雕鎪。當關不報侵晨客，新得佳人字莫愁。」(《富平少侯》)此外如柳子厚「射工」、「颶母」之辭，李德裕「毒霧」、「沙蟲」之句，雖甚切直而終不失爲《風》《雅》之遺。若「破卻千家作一池，不栽桃李種薔薇。薔薇花落秋風起，荆棘滿庭君始知。」(賈島《下第題壁》)則無怪乎其犯衆怒已。怨詩如「冉冉孤生竹」，比之《綠衣》，似不減其敦厚；「悲與親友別」，較諸《谷風》，實倍覺其和平。他如婕妤之《紈扇》，子建之《佳人》，皆怨而不怒，尚有詩人之遺焉。近體如宋員外之「度嶺方辭國，停軺一望家。魂隨南翥鳥，淚盡北枝花。山雨初含霽，江雲欲變霞。但令歸有日，不敢怨長沙。」《度大庾嶺》李義山之「曾共山翁把酒時，霜天白菊繞階墀。十年泉下無人問，九日尊前有所思。不學漢臣栽苜蓿，空教楚客詠江蘺。郎君官貴施行馬，東閣無因再得窺。」《九日》皆能寓悲涼于蘊藉。然不如韓昌黎之「一封朝奏九重天，夕貶潮陽路八千。欲爲聖朝除弊事，肯將衰朽惜殘年！雲橫秦嶺家何在？雪擁藍關馬不前。知汝遠來應有意，好收吾骨瘴江邊。」《左遷至藍關示姪孫湘》雖不無怨意而終無怨辭，所以爲有德之言也。若「日高猶掩水窗眠，枕簟清涼八月天。泊處或依沽酒店，宿時多傍釣魚船。退身江海應無用，憂國朝廷自有賢。且向錢塘湖上去，冷吟閑醉二三年。」（白居易《舟中晚起》）語雖近《衛風》之《簡兮》，而心實似賭氣。他如「迢遞高城百尺樓，綠楊枝外盡汀洲。賈生年少虛垂涕，王粲春來更遠遊。永憶江湖歸白髮，欲迴天地入扁舟。不知腐鼠成滋味，猜意鵷雛竟未休。」（李商隱《安定城樓》）宜不免令狐氏之切齒也。至若李益之「感恩知有地，不上望京樓」，則竟成亂臣賊子語矣。

又　從來詠物之詩，能切者未必能工，能工者未必能精，能精者未必能妙。李建勳「惜花無計又花殘，獨繞芳叢不忍看。暖豔動隨鶯翅落，冷香愁雜燕泥乾。綠珠倚檻魂初散，巫峽歸雲夢又闌。忍把一尊重命樂，送春招客亦何歡。」《落花》切矣而未工也。羅隱「似共東風別有因，絳羅高捲不勝春。若教解語應傾國，任是無情亦動人。芍藥與君爲近侍，芙蓉何處避芳塵？可憐韓令功成後，孤負穠華過此身。」《牡丹》又「暖觸衣襟漠漠香，間梅遮柳不勝芳。數枝豔拂文君酒，半里紅依宋玉牆。盡日無人疑悵望，有時經雨自淒涼。舊山山下還如此，回首東風一斷腸。」《杏花》暨李中之「森森移得自山莊，植向空庭野興長。便有好風來枕簟，更無閑夢到瀟湘。蔭來砌蘚經疎雨，引下溪禽帶夕陽。閒約羽人同賞處，安排棋局就清涼。」《竹》工矣而未精也。雍陶之「雙鷺應憐水滿池，風飄不動頂絲垂。立當青草人先見，行傍白蓮魚未知。一足獨拳寒雨裏，數聲相叫早秋時。林塘得爾須增價，況與詩人物色宜。」《詠雙白鷺》精矣而未妙也。鄭谷之「暖戲烟蕪錦翼齊，品流應得近山雞。雨昏青草湖邊過，花落黃陵廟裏啼。遊子乍聞征袖濕，佳人纔唱翠眉低。相呼相喚湘江濶，苦竹叢深春日西。」《鷓鴣》暨杜牧之「金河秋半虜弦開，雲外驚飛四散哀。仙掌月明孤影過，長門燈暗數聲來。須知胡騎紛紛在，豈逐春風一一迴？莫厭瀟湘少人處，水多菰米岸莓苔。」《早雁》如此等作，斯爲能盡其妙耳。擬古貴得其神，而後求之氣韻，而後求之趣味，而後求之格調，而後乃求諸語意之間。太白擬古而不似古，蘇州效陶而不似陶。謝康樂《鄴中八首》，如「排霧屬聖明，披雲對清朗」等辭，終不改生平本色。江文通《雜擬三十》，如「涼風盪芳氣，碧樹先秋落」諸句，究不似漢、魏古音。其《田居》一篇，可謂得其神似，然雜諸陶集中，後人猶辨其爲江詩者，神韻不同也。自是以還，代相倣效，優孟衣冠，聊存彷彿耳。惟陶徵君「榮榮窗下蘭，密密堂前柳。初與君別時，不謂行當久。出門萬里客，中道逢嘉友。未言心先醉，不在接杯酒。蘭枯柳亦衰，遂令此言負。多謝諸少年，相知不忠厚。意氣傾人命，離隔復何有。」《擬古》雖不規規揣稱，而神韻自不減於古人。其後則李義山之「勝概殊江右，佳名逼渭川。虹收青嶂雨，鳥沒夕陽天。客鬢行如此，滄波坐渺然。此中真得地，漂蕩釣魚船。」《河清與趙氏昆季燕集擬杜工部》暨「人生何處不離羣，世路干戈惜暫分。雪嶺未歸天外使，松州猶駐殿前軍。坐中醉客延醒客，江上晴雲雜雨雲。美酒成都堪送老，當壚仍是卓文君。」《杜工部蜀中離席》如此等篇，神情雖不能全肖，然已得其八九矣。弔古之詩，須褒貶森嚴，具有《春秋》之義，使善者足以動後人之景仰，惡者足以垂千秋之炯戒。如左太沖之《詠史》，則曰「何世無奇才，遺之在草澤」，不勝動人以遺賢之憂；李太白之《懷禰衡》，則曰「才高竟何施？寡識冒天刑」，不禁深人以恃才之惕；謝宣城之《孫權城》，感盛衰於倏忽，知書軌之薦必同；杜少陵之《九成宮》，慨遺蹟於雕牆，見夏、殷之鑒不遠。他如「溪迴松風長，蒼鼠竄古瓦。不知何王殿，遺構絕壁下。陰房鬼火青，壞道哀湍瀉。萬籟眞笙竽，秋色正瀟灑。美人爲黃土，況乃粉黛假。當時侍金輿，故物獨石馬。憂來藉草坐，浩歌淚盈把。冉冉征途間，誰是長年者！」（杜甫《玉華宮》）近體如少陵之「丞相祠堂何處尋？錦官城外柏森森。映階碧草自春色，隔葉黃鸝空好音。三顧頻煩天下計，兩朝開濟老臣心。出師未捷身先死，長使英雄淚滿襟。」《蜀相》錢員外之「漢家無事樂時雍，羽騎年年出九重。玉帛不朝金闕路，旌旗常繞綵霞峰。且貪原獸輕黃屋，豈畏漁人犯白龍？薄暮方歸長樂觀，垂楊幾處綠烟濃。」《漢武出獵》李義山之「紫泉宮殿鎖烟霞，欲取蕪城作帝家。玉璽不緣歸日角，錦帆應是到天涯。於今腐草無螢火，終古垂楊有暮鴉。地下若逢陳後主，豈宜重問《後庭花》！」《隋宮》「玄武湖中玉漏催，雞鳴埭口繡襦迴。誰言瓊樹朝朝見，不及金蓮步步來？敵國軍營漂木柹，前朝神廟鎖烟煤。滿宮學士皆顔色，江令當年只費才。」《南朝》溫飛卿之「蘇武魂銷漢使前，古祠高樹兩茫然。雲邊雁斷胡天月，隴上羊歸塞草烟。回日樓臺非甲帳，去時冠劍是丁年。茂陵不見封侯印，空向秋波哭逝川。」《蘇武廟》如此諸作，其悽惻既足以動人，其抑揚復足以懲勸，猶有詩人之遺意也。至若劉夢得之「王濬樓船下益州，金陵王氣黯然收。千尋鐵鎖沉江底，一片降幡出石頭。人世幾回傷往事？山形依舊枕寒流。從今四海爲家日，故壘蕭蕭蘆荻秋。」《西塞山懷古》讀前半篇暨義山「敵國軍營」二句，令人凛然知憂來之無方，禍至之無日，而思患預防之心，不可不加惕也。吁，至矣。

梁紹壬《兩般秋雨盦隨筆》卷五《無題詩》 無題詩與香奩詩，界若鴻溝。李義山之詩，無題詩也；韓冬郎之詩，香奩詩也。蓋無題之什，不必盡寫情懷，而香奩之篇，則竟專作膩語。至閑情風懷，則指實事矣。

沈濤《匏廬詩話》卷上 《竹枝》初不言竹，《柳枝》則專詠柳，自唐已然，頗不可解。今柳枝詞又或兼言風土，比附尤難。近見南城曾賓谷中丞（燠）《漢陽柳枝詞》，眞有「園客獨繭，天衣無縫」之妙，詩云：「楊花滾滾復濛濛，生與桃花命略同。妾在桃花葬畔住，年年寒食雨兼風。」「樓下煙波綠一彎，樓中少婦損春顔。生憎此樹關離別，那更當頭大別山。」

又卷下 詩至九言而止，然亦有十言詩。《懷麓堂詩話》引太白詩：「黃帝鑄鼎荆山煉丹砂，丹砂成，騎龍飛上太清家。」余謂長孫無忌《新曲》云：「阿儂家住朝歌下早傳名，結伴來遊淇水上舊長情。」又云：「迴雪淩波遊洛浦遇陳王，婉約娉婷工語笑倚蘭房。」是初唐已有十言詩矣，惟通首仍是七言。

何曰愈《退庵詩話》卷一 或謂絶句之法須一句一斷，此論大是紕繆。絶者，截也，謂截律而成詩也。有截上律而爲詩者，有截下律而爲詩者，有截起、結而爲詩者，有截中二聯而爲詩者，總以一氣旋折爲高，如「松下問童子」、「打起黃鶯兒」之類是也。又須含蓄藴藉，言短意長，如「思君如滿月，夜夜減清輝」、「此曲只應天上有，人間能得幾回聞」之類是也。

又卷五 四言詩，《三百篇》後可稱繼響者，束晳《南陔》而外，惟王仲宣《贈孫文始》、《贈文叔良》二作而已。陸士衡、嵇中散、潘安仁、潘正叔、劉越石、盧子諒諸子未能及也。

周昌基《春陵館詩話》卷中 五古長篇，難於鋪叙，鋪叙中有錯綜，則長而不失之漫；短篇難於收斂，收斂中有含蘊，則短而不失之粗。

又 詠物詩能不著色相，固爲高格；然本領未造其極，故意空描，以矜高妙，究之胸中無有。無異乞兒凍死街巷，口稱我學袁老雪中僵卧，此種違心之語，今之作詩者往往類是。予故深服趙雲崧觀察，每於詠物詩必著意揮霍，十分透露。熟典使之生，俗意使之雅，雖古名家不能及也。

又卷下 樂府中不宜雜古詩體，作古體詩，正須得樂府意。古詩中不宜雜律詩體，作近體詩，正須得古風格，是猶寫篆、八分，不得入楷法。寫楷書，正妙在有篆、八分意。詠古詩未經人闡發者，宜援據本事，切實發明。若前人久有定論，不得人云亦云，須分外尋問，或別寓興意，庶免雷同勦説之弊。

又 擬古詠懷，斷不宜入近世事與近世字面，錦葛同裘，嫌不類也。若本叙近世事，即方言俗諺，不妨引入。

嚴挺中《藥欄詩話》甲集 七絶難於雄放。張船山先生（問陶）《送楊荔裳之任川北道》詩可謂雄放矣。

又乙集 作七絶當如雪藕冰梨，鮮脆利齒。

又 遊仙詩以寄託爲佳，其次則能出新意耳。

又 落花詩，詠者多矣，要不過傷紅悼紫，以新巧見長耳。惟袁子才太史之「清華曾荷東皇寵，飄泊原非上帝心」，顧秋碧之「爲有聰明才墜劫，已償恩怨合升天」二聯別有寄託。

林昌彝《射鷹樓詩話》卷七 唐人《才調集》題云「古律雜歌詩」。案：《文選》王仲宣、劉公幹、魏文帝、陳思王、嵇叔夜、傅休奕、張茂先、棗道彥、左太沖、張季鷹、張景陽、陶淵明、王景玄皆有雜詩，李善云：「雜者，不拘流例，遇物即言，故云雜也。」

又 諸體詩以七律爲最難，如開強弓勁弩。劉吏部公甗謂古今開到十分滿者無幾人，所論極是。余於國初得六人焉：顧亭林也，吳梅邨也，吳漢槎也，朱竹垞也，陳元孝也，陳其年也。於吾閩得五人焉：許鐵堂也，謝甸男也，薩檀河也，陳恭甫先生也，林暢園也。

又　五言長排，非才力雄大者不能作。元微之最服膺少陵長篇排律，元遺山論詩議之云：「排比鋪張特一途，藩籬如此亦區區。少陵自有連城璧，怎奈微之識碔砆。」余謂少陵長排獨步古今，盛唐以後，幾成逸響。前明薛君采亦喜爲之，雅鍊有餘，而雄浩不足。宋、元、明而後，惟本朝顧亭林、朱竹垞二家，可以直接少陵，他人不足多也。

又　咏物詩妙在離貌取神，眞取弗奪。閩縣薩檀河先生《春燕》詩云：「草長鶯啼客路遙，故鄉何處獨飄蕭。江村細雨吟三楚，門巷斜陽話六朝。桑椹人家迎社鼓，杏花時節賣餳簫。天涯牢落誰知己？形影相依總寂寥。」此詩不即不離，可稱超脱矣。

又卷一一　絶句二十八字耳，貴在神味淵永，情韻不匱。國初翁山、漁洋而後，惟厲樊榭及吳蘭雪二家爲勝。

又卷一四　作七言律詩，如開強弓勁弩，唐自少陵而外，作者寥寥。宋、元後體格又變，金元遺山《金詩選》載平原李長源講議汾七言律詩，沈雄高壯，直接少陵。非前明前後七子所能及，識者辨之。《汴梁雜詩》云：「樓外風烟隔紫垣，樓頭客子動歸魂。飄蕭蓬鬢驚秋色，狼藉麻衣涴酒痕。天塹波光搖落日，太行山色照中原。誰知滄海橫流意，獨倚牛車哭孝孫！」「寥落關山對月明，客窗遙夜夢魂驚。二年岐下音書絶，八月河南風露清。冉冉暮愁生草色，迢迢秋思入蟲聲。誰知廣武英雄嘆，老卻窮途阮步兵！」《避亂陳倉南山回望三秦追懷淮陰侯信漫賦長句》云：「憑高四顧戰塵昏，鶉野山川自吐吞。渭水波濤喧隴阪，散關形勢軋興元。旌旗日落黃雲戍，弓劍霜寒白草原。一飯悠悠從漂母，誰憐國士未酬恩。」《雪中過虎牢》云：「蕭蕭行李戛弓刀，踏雪行人過虎牢。廣武山川哀阮籍，黃河襟帶控成皋。身經戎馬心逾壯，天入風霜氣更豪。橫槊賦詩男子事，征西誰爲謝諸曹？」《柳塘》云：「長安西望少城隈，楊柳陂塘手自栽。渭水波光搖草樹，終南山色入樓臺。平生事業書千卷，浮世功名酒一盃。我亦陸渾山下去，擬尋佳處劚莓苔。」

又　諸體詩以七律爲最難，次則爲七古，七古句過長不可，句過排亦不可；句過長則驅邁不疾，句過排則筋脈不遒。近楚南張陶園九鉞、湯海秋鵬二君爲七古，好爲馳驟，陶園七古病在句過於長，海秋七古病在句過於排。二君均能去其詩病，則可以上接王、李、高、岑而不可一世矣。

又　排句最爲歌行所忌，爲此體者，當於騰驤變化求之，不可以舉鼎絶臏爲勇也。

又　後人爲七古詩，動學太白長短句，此何異刻雲端之木雁，琢箭上之銅仙耶？試看東坡畢生何嘗不私淑太白，所爲七古，爲長短句者有幾首耶！此東坡詩所以獨步北宋爲一大家也。

又　勵志詩最難下筆，作者宜古、宜沖、宜懇，忌腐、忌露、忌色莊，覺張茂先詩風骨尚未能遒上。

又卷一五　諸體詩以七言律爲最難。國初顧亭林、朱竹垞、吳梅村、宋玉叔而後，作者實無幾人。吾閩近今能爲七言律詩者，首推謝甸男先生震，蓋其氣魄沈雄，風格高壯，足以雄視一代，今專錄其七言律若干首，俾讀者知甸男七律，視前明前後七子，有仙凡之別耳。其《贈汪十舜安》詩云：「傾蓋江城縞紵投，十年同調歎沈浮。句傳潭水桃花渡，家説仙人黃鶴樓（君歙人，移居楚）。去國虞翻還入海（時赴崇沙幕），傷春王粲尚依劉。憑君莫唱鄉關曲，芳草晴川無限愁（時裏郎遺孽猶在）。」

又　咏物詩須不著色相，近見浙人張亦篪炳《白荷花》詩云：「紵羅浣盡舊時衣，回首繁華景物非。窺水自憐眞色在，出塵何惜賞音稀？照來浦月空無影，綰定湖雲冷不飛。洗伐終期丹九轉，前生太乙豈相違。」可謂得神。又浙人李節貽念孫《咏新柳》句云：「二月風尖裁葉易，六橋雲嫩漏春多。」又：「眉細已能臨水繪，眼嬌未解逐波橫。」皆刻劃盡致。浙人陳訊湖幹《咏菊影》句云：「繞徑有人迷舊夢，隔屏無語倚黃昏。」朱敏生智句云：「半榻疎燈秋暮後，一籬明月夜深時。」皆神韻兼到。

又卷一六　七言古最忌長短句，太白以氣運之，後人實難於學步，以其易於空滑也。若竟篇以七言行之，入末間以長短句結之，較爲生動。

又卷二三　七古詩縱橫馳驟中，貴有沈鬱之氣；磊落軒昂中，貴有頓挫之筆，方爲大家。曾亦廬大令所著《養拙齋未定草》，已錄別卷，其七古詩，有絶似吳淵穎者，其《過清流關》及《謁岳墳》二作，爲期門羽林之師，非隴上行間之卒也。

又卷二四　凡詩可以被之管絃者，名曰「樂府」。自漢以後，其法已忘，後人率多擬作，以爲詩家門面，不知漢人樂府皆襲秦舊，又雜以曼聲，麗而不經，靡而非典，去古樂府之法律音節遠矣。少陵無擬古之什，而前、後《出塞》、三《別》、三《吏》等篇，得風人之旨。香山《新樂府》亦稱是，蓋其識卓越千古矣。余友臨桂朱伯韓侍御，深於詩，謹於行，忠孝之氣鬱於至性，其《新鐃歌》四十九章，篇什之短長，音節之高下，各自成調，不必貌似古人，而可與少陵、香山比肩接踵。其平日立朝之節，忠愛之忱，亦於茲可見，然則四十九章作「車攻馬同」之詩讀焉可也。

鍾秀《觀我生齋詩話》卷二《詩體·四言古》 四言古爲之甚難，要以渾全堅樸爲主，《三百篇》尚矣。後如越臣《祝詞》、韋孟《諷諫》、傅毅《廸志》，雖變其體，而氣息實爲相近。至於陶潛《停雲》等作，照分章段，其氣寖漓，外此更無譏矣。學詩者當知此體太似《三百篇》不得，太不似《三百篇》又不得。

又《琴操》 琴操，古詩最多，或四言、或雜言，或短，或長，初無定式。上古聖賢無不達音，故自作而自奏之。後如韓昌黎所擬，其意旨自同，至於可奏與否，則未敢知也。

又《樂府》 古之《風》、《雅》、《頌》皆可入樂，故夫子正樂，而《雅》、《頌》各得其所。後世詩不盡可以入樂，故有古詩、樂府之分。漢代樂府名立，而古樂大變。昔傳杜夔惟習《鹿鳴》、《騶虞》、《伐檀》、《文王》四章，太和末復失其三，僅存《鹿鳴》。入晉則並此而失之矣。歷溯漢、魏以迄三唐，樂府愈變愈多，而其類有三種：依古題擬古作，一也，如歷代《戰城南》必言兵陣是矣。用古題寫時事，二也，如曹操之《薤露》乃述董卓是矣。不依古題自作樂府，如少陵之《無家别》等作及元、白新樂府是矣。至其中四言、五言、七言、雜言，紛然並出。《枯魚》等作，則五言絶句也；《挾瑟》等作，則七言絶句也；《梅花落》、《盧家少婦》，則五言律、七言律也。樂府既無定式，安必音調之悉合乎？歷代論詩家或以多叙事者爲樂府，不知古詩如《焦仲卿》何嘗不多叙事乎？又或以繁音促節爲樂府，及細按諸樂府，有沈有放，有疾有徐，繁音促節，固是一調，然不足以盡之也。張蔚宗曰：「樂府中『妃呼豨』、『伊那何』、『收中吾』等字，皆有音無義，蓋其調亦不傳矣。」後之學者不能上稽古樂，惟漢、魏樂府雖未必盡合古樂，而猶與古音相近，其調不傳，其詩固在也。細心求之，須得其抑揚頓挫之音節，爲之自當於古詩有別。否則終不過古詩之流亞也。若逐句摹擬，如明李于鱗之所爲，又不免爲大雅所笑矣。

又《歌行》 歌行之來也舊矣，自上古春秋戰國以來，代皆有作。至漢而《大風》、《垓下》實開風氣之先。厥後其作愈多，大約皆渾浩條暢，牢籠萬象。迨入三唐，每多平衍而古意難復。故近日徐伯魯《詩體明辨》一書，遂列歌行爲近體。然細按三唐諸家歌行，終與近體不肖，若以爲與古作氣味懸殊，則世運之升降爲之，又不特歌行一體也。即如唐之五言古，其眞同於漢、魏之五言古乎？乃不並列於近體，而獨列歌行，何也？且其中如李、杜二公縱横變化，較之漢、魏雖去古稍遠，然究不失漢、魏遺意，顧可列之近體乎？夫樂府其音已不可知，至若歌行，則自漢、魏迄唐皆可得而求也。渾浩條暢，歌行是矣。曰吟，曰引，則取於悠長；曰怨，曰哀，則取於悽切；曰詞者文麗，曰謠者質俚，曰弄、曰操，則疾徐兼用，以肖樂音。名作如林，其體雖多，大約與數者相近。惟沈潛而三復之，以漸得其神味，勿徒襲其皮毛，斯得之矣。歌行末句有重呼者，如少陵之《東狩行》，末云：「朝廷雖無幽王禍，能不哀痛塵再蒙。嗚呼！能不哀痛塵再蒙！」元元裕之、明李昆陵皆效之。古詩亦二句一韻，李、杜、韓歌行中常雜出一句一韻，或三句一韻，氣之所至，自然而然，愈覺抑揚頓挫之妙。

又《古風》 五言古，語要眞摯，氣要古宕，體要嚴謹，音響要沈著。短古神韻無窮，又開陶、韋一派。長篇之中必流連頓挫，顧盼非常，斯長而不至於蔓；短篇之中必蘊蓄包涵，從容自在，斯短而不至於促。學者於此求之，乃盡得五古妙秘。此體去古最近，要能直追風人，不可稍雜時蹊。七言古，唐人歌行最多，然亦有不名歌行者。此體忌平衍、忌滯礙，須有風馳電掣、水立山行之觀。起處黄河天上，莫測其來，中間收縱排宕，奇態萬千。轉關、轉韻之處，兔起鶻落，如一波未平，一波復起；結處或如神龍掉尾，斗健凌空，或如水後餘波，微紋蕩漾；亦有竟結一七言絶句者。要必因其自然，不可勉強。古人歌行古詩多雜以長短句，所謂緩脈急受、急脈緩受，以求合乎音節也。然必有浩氣鼓盪其間，長乎其不得不長，短乎其不得不短，乃稱變化極致。七言古有句句叶韻者，是漢時柏梁體。後如《燕歌行》之類，皆祖此。古詩最忌裝點，如起處必用渾籠四句，名曰「裝頭」，唐人中已每每有之。至中間用排偶，六朝及初唐不可勝數，即少陵亦間爲之，此爲古中帶律，又别爲一格也。一韻到底最易平衍，當縱横盡致以活之，不但稍參律句不得，即稍涉鋪排亦不得。換韻則不必拘定幾句一換，要在自然而然，使人直忘其爲換韻乃佳。短古八句爲一首，四句一換韻，王勃實開其體。後人多效之。五古四句一換韻，本之《西洲曲》，合之一古詩，分之數絕句也。

又《律詩》 律詩肇於梁、陳，而法備於唐。曰「律」者，一爲法律之律，言必極其嚴也；一爲音律之律，言必極其諧也。詭於律固不可，拘於律亦不得，惟忘乎律而合乎律，斯爲入化。趙雲崧論詩曰：「句中有意，句外有氣，句後有味。」可謂得其三昧矣。五律以厚重安閒爲主，通篇結構嚴整，無一閒字弱句乃佳。蓋起二句或破空而來，則三、四二句必須堅卓鎮定；若起二句係堅卓鎮定，則三、四句必須用虛字呌應流動爲佳。至流水句寧用之三、四，勿輕用之五、六。蓋五、六之外，乃是落句，此二句若按得不住，則下半一直瀉去，便不成格局。七律亦然。五律有起二句對，而三、四不對者，謂之「偷春」體。或起四句皆不對，或末四句皆不對，或通首皆不對，古人亦偶一爲之。七律太刻則纖，太圓則率，太板則滯，太靈則佻。要之，立格宜大，揚聲宜高，使事無痕，通篇悉稱，而血脈流貫、無一懈筆乃佳。詩有起承轉合，然法皆無一定，如少陵《曲江》，二句起、二句承、二句轉、二句合是矣。如昌黎之「知爾遠來應有意」，則第七句乃轉也；曹鄴之「玉簪恩重獨生愁」，則第四句已轉也。要之，法以意成，意可通則法自立。唐五、七律有骨氣沈雄、風裁靜穆二種，後人學焉，各得其性之所近。務必生中求熟，熟中求生，斯能神韻獨絕，沈雄而不失於粗，骨格堅蒼，靜穆而不失於薄，乃爲完善。平頭、截腰，律詩所忌。四句皆用一類字起，謂之四平頭。如高適之「巫峽啼猿」、「衡陽歸雁」、「青楓江上」、「白帝城邊」，用四地名也。又四句皆用一字起，四句皆用二字起，亦謂之四平頭。如唐彥謙之「淚隨紅蠟」、「腸比朱絲」、「柳向好風」、「梅因微雨」，竇叔向之「遠書珍重」、「舊事凄涼」、「去日兒童」、「昔年親友」是也。五言第三字、七言第五字皆用一單字，謂之截腰。如王勃之「乘石磴」、「俯春泉」、「薰山酌」，「韻野絃」，沈佺期之「分黃道」、「入紫微」、「多氣色」、「有光輝」，均不可爲法。必如少陵之「詩無敵」、「思不羣」，「詩」字、「思」字各一字單用也。「庾開府」、「鮑參軍」各三字相連也。「春天樹」、「日暮雲」，「春天」、「日暮」又各二字相連。斯各善於變化，即不然，或如杜審言之「花徒發」、「葉漫新」、「應盡興」、「幾留賓」，虛、實字相間猶可。此法推之排律，似難禁其相犯，然亦必錯綜間用，乃爲合法之作。爲律詩者皆並力於中四句而忽略起結，其有能留意起結者，又徒慎重於首句、末句，而忽略第二句、第七句。不知第二句乃全篇提綱，以下六句皆從此植根，包涵全題。不盡不得，太盡又不得。不盡，則下六句無根；太盡，則下六句苦無地步。故凡首句固不可以忽略，若到第二句亦不可凑便，一凑便則全篇皆劣矣。至第七句正末句之本命元神，此句必放不了語，俟末句足成之。此句放得妙，則末句足得妙，此句放得不妙，末句如何得妙？即絕句亦然。唐人律絕，落句多以閒物點綴全意，如劉長卿之「飛鳥不知陵谷變」，王昌齡之「玉顏不及寒鴉色」，皆是此秘。唐人律詩有就本題收結者，如盧綸之《長安春望》落句云：「誰念爲儒逢世難，獨將衰鬢客秦關。」仍結到本題也。有宕出餘意者，如劉禹錫《西塞山懷古》落句云：「今逢四海爲家日，故壘蕭蕭蘆荻秋。」因懷古而撫今也。法各不同。律詩二句寫情，二句寫景。四句寫情猶可，四句寫景則斷不可矣。至於絕妙法門，則有寄情於景、融景入情二種。如少陵之「永夜角聲悲自語，中天月色好誰看」，寄情於景也。「近淚無乾土，低空有斷雲」，融景入情也。即四句寫景，亦必先巨後細。如少陵之「浮雲連海岱，平野入青徐。孤嶂秦碑在，荒城魯殿餘」，蘇頲之「宮中下見南山盡，城上平臨北斗懸。細草偏承迴輦處，飛花故落舞觴前」，皆是。至於二句寫景又嫌巨細不敵，或先遙後邇，或先邇後遙，隨便用之。律詩對法不可太近，如常建之「山光悅鳥性，潭影空人心」，便似合掌。又不可太遠，如譚用之之「鄉思不堪悲桔柚，旅游誰肯憶王孫」，殊爲不倫。律詩流水，五言謂之十字格，七言謂之十四字格，極流動宜人。然用虛字之流水猶易，不用虛字之流水更難。如無可之「聽雨寒更盡，開門落葉深」，言落葉之似雨聲也。少陵之「雲移雉尾開宮扇，日繞龍鱗識聖顏」，言雉尾開而聖顏見也。律詩有虛實強對者，如李商隱之「此日六軍同駐馬，當時七夕笑牽牛」，「駐馬」二字屬虛、「牽牛」二字屬實。有本句自爲封者，如少陵之「江流天地外，山色有無中」，「天、地」自對、「有、無」自對也。「小院迴廊春寂寂，浴鳧飛鷺晚悠悠」，「小院、迴廊」自對、「浴鳧、飛鷺」自對也。有二句交股對者，如王介甫之「春深葉密花枝少，睡起茶多酒盞疎」，以「多」對「少」、以「密」對「疎」也。有兩扇對亦名隔句者，如鄭谷之「昔年共照松溪影，松折碑荒僧已無。今日還思錦城事，雪消花謝夢何如」，以下二句對上二句也。有假借對者，如孟浩然之「故人具雞黍，稚子摘楊梅」，借「楊」爲「羊」，以對「雞」也。岑參之「雞鳴紫陌曙光寒，鶯囀皇州春色闌」，借「皇」爲

「黃」，以對「紫」也。律詩最忌五言可增爲七言，七言可刪爲五言。如李嘉祐之「水田飛白鷺，夏木囀黃鸝」，王維增二字，則爲七言。劉禹錫之「千尋鐵鎖沈江底，一片降幡出石頭」，《圍爐詩話》以爲刪去上二字則又成五言矣。此法推之古詩絕句，皆然。句法，五言有上一下四者，如賈島之「鳥宿池邊樹，僧敲月下門」；有上四下一者，如杜審言之「雲霞出海曙，梅柳渡江春」；有上二下三者，如常建之「古木無人徑，深山何處鐘」；有上三下二者，如鄭谷之「兩廊僧不厭，一箇俗嫌多」。七言有上一下六者，如劉禹錫之「朝驅旌旆行時令，夜見星辰憶舊官」；有上六下一者，如李嶠之「羽騎參差花外轉，霓旌搖曳日邊迴」；有上二下五者，如少陵之「五更鼓角聲悲壯，三峽星河影動搖」；有上五下二者，如少陵之「不貪夜識金銀氣，遠害朝看麋鹿游」；有上三下四者，如柳宗元之「嶺樹重遮千里目，江流曲似九迴腸」；有上四下三者，如許渾之「楸梧遠近千官塚，禾黍高低六代宮」。凡此之類，皆可相間用之。又有顛倒、呼應句法，如鄭谷之「林下聽經秋苑鹿，溪邊掃葉夕陽僧」，此顛倒句法也。古詩之「丈夫何在西擊胡」，李義山之「君問歸期未有期」，此呼應句法也。又有疊字連珠句法，如少陵之「野日荒荒白，江流泯泯清」，疊字也。「落花游絲白日靜，鳴鳩乳燕青春深」，連珠也。又有一句兩字句法，如鄭谷之「那堪流落逢搖落，可得潛然是偶然」，一句兩字也。又有上下申明句法，如少陵之「林花着雨胭脂濕，水荇牽風翠帶長」，上申下也。「花妥鶯捎蝶，溪喧獺趁魚」，下申上也。又有句中子母法，如「竹疎烟補密，梅瘦雪添肥」，句中子母也。鍊字是詩中小乘禪，然近體詩不鍊，多散漫不可觀。惟舊字鍊之使新，呆字鍊之使活。若用奇澀之字，反爲目中金屑矣。五言有鍊第一字者，如王維之「有弟皆分散，無家問死生」；有鍊第二字者，如孟浩然之「氣蒸雲夢澤，波撼岳陽城」；有鍊第三字者，如「雲霞交暮色，草樹喜春容」；有鍊第四字者，如少陵之「感時花濺淚，恨別鳥驚心」；有鍊第五字者，如少陵之「飛星過水白，落月動簾虛」。七言有鍊第一字者，如少陵之「苦遭白髮不相放，羞見黃花無數新」；有鍊第二字者，如劉長卿之「帆帶夕陽千里沒，天連秋水一人歸」；有鍊第三字者，如許渾之「溪雲初起日沈閣，山雨欲來風滿樓」；有鍊第四字者，如崔塗之「故園書動經年絕，華髮春惟兩鬢生」；有鍊第五字者，如少陵之「返照入江翻石壁，歸雲擁樹失山村」；有鍊第六字者，如杜荀鶴之「就船買得魚偏美，踏雪沽來酒倍香」；有鍊第七字者，如錢起之「長樂鐘聲花外盡，龍池柳色雨中深」。大約每句祇可鍊一字，或鍊二字。若鍊三字，則又失之太鍊，未免傷氣矣。

又《絕句》 昔之論絕句者曰：絕者，截也。四句皆對，截律詩中也，上二句不對，下二句對，截律詩上也；上二句對，下二句不對，截律詩下也。其說人皆信之，然宋、齊已多五絕，隋代兼有七絕，當時無所謂律，何從截之？故知絕句同發源於六朝也。況二句爲一聯，四句爲一絕，王僧孺論之甚明，乃明人不得其旨而妄謂截律詩，殊可一笑也。故對可，不對亦可，然對反嫌太板，如少陵絕句是也。唐人絕句多不對。五絕，二十字中最難著力，有以韻促而妙者，有以神長而妙者，要之，卽五古之支流餘裔也。惟照五古結處爲之，斯得之矣。故五絕有押仄韻者，唐人最多。亦有不論平仄黏承者。此體無味不得，太尖更不得。無味何以爲詩？太尖則又《采蓮曲》、《子夜歌》一派也。《采蓮》、《子夜》俱男女慕悅之詞，而體卽五絕。七絕須有氣有神，而其入妙尤在於聲。觀夫伎人唱之當時，琴曲傳之後世，《樂府詩集》，宮調皆一一可考。要以平常語寫出深情，而音節鏗然，讀之有絃外之音，斯爲合作。《竹枝詞》泛詠風土人情，詞不嫌俚，語須留樸，類古歌謠，乃爲正式。《柳枝》詠柳，《橘枝》詠橘，便非其比。

又《排律》 排律不拘長短，總分作四層看：第一層，律詩之起二句也；第二層，律詩之三、四句也；第三層，律詩之五、六句也；第四層，律詩之七、八句也。因之以分別淺深次第，要以意不複、氣不衰、局不散爲妙。歷代以來，五言多而七言少，蓋七言更難於五言也。古人多以下二句承上二句，如張說之「鸞鳳調歌曲，虹霓動舞衣。合聲雲上住，連步月中歸」是也。太白、少陵，多用此法。排律，古人有爲五韻者，亦有爲七韻者，然終以雙韻爲正式。

又《雜體》 以上皆正體也，外此皆爲雜體。雜體可不作，然亦不可不知。兼採而併存之，亦博覽者之一助與。六言古起於漢谷永，魏、晉人多效之者。六言律，王維有詩云：「清川永路何極，落日孤舟解攜。鳥向平蕪遠近，人隨流水東西。白雲千里萬里，明月前溪後溪。惆悵長沙謫去，江潭芳草萋萋。」六言絕句，顧況有詩云：「心事數莖白髮，生涯一片青山。空林有客相待，古道無人獨還。」三言詩，漢樂府多有之，後如蘇伯玉妻《盤中詩》亦是，但中間七言四句耳。此體須堅鍊幽奧，頗不易作。有一字至十字詩，起二句一字句，次二句二字句，通篇皆對，以直至十字也。此外又有一句七言，一句五言者；有二句三言，二句五言，二句七言者；有一三五七九者，有一至七、一至九者。惟一句七言、一句五言者不對，每二句一換韻。其餘則通篇皆對，通篇一韻，或平、或仄不等。有三韻五言律詩，有三韻七言律詩，有三韻六言律詩，韓昌黎、白香山皆有之。有三句七言古，首一句用韻，第二句無韻，第三句用韻。亦有三句皆用韻者。然多用仄韻。有五句七言古，起三句用韻，第五句用韻，第四句不用韻。其韻平仄皆可。有七言古句句皆韻，三句一換韻者。亦平仄不等。首尾吟體，元陳舜道七律詩起句云「春來非是愛吟詩」，末句亦曰「春來非是愛吟詩」。然宋時邵堯夫已有之。連珠體，白居易有詩云：「一山門作兩山門，兩寺原從一寺分。東澗水流西澗水，南山雲起北山雲。前臺花發後臺見，上界鐘聲下界聞。遙想吾師行道處，天香桂子落紛紛。」廻文詩，如竇滔妻一篇共八百餘言，縱橫讀之，得三千二百五十二首。後之作者不過一順一逆，皆成文協韻，便是廻文。律絕不等。有顛倒韻詩，如梁文帝之「鹽飛亂蝶舞，花落飄粉奩。奩粉飄落花，舞蝶亂飛鹽」，以二句順逆成四句。有鉤連體，宋蘇妹詩云：「野鳥啼時春已歸，春歸樓上梅花落。」以下皆如此疊接成篇，然韋莊先已有之。有疊字詩，每句皆用一疊字。宋王十朋有五律詩。有重字詩，每句皆用此字。如梁元帝《春日詩》每句有一「春」字，或二「春」字，其源發於淵明《止酒》詩。有全平、全仄詩，全首皆平、皆仄也。有平上、平去、平入詩。平上者，一句全平，一句全上也。平去，平入倣此。有隔句叶韻詩，如李建勳詩云：「不喜長亭柳，枝枝擬送君。惟憐北窗影，樹樹解留人。圓缺都如月，東西只似雲。愁眉離席散，歸蓋動行塵。」蓋「君」與「雲」爲韻，「人」與「塵」又爲韻也。有雙聲詩，通首皆出一聲也。有疊韻詩，通首皆出一韻也。有葫蘆體，先二句一韻，後四句一韻。有轆轤體，每隔二句用韻。有平仄兩韻詩，章碣七言律四出句共叶仄韻，四對句共叶平韻。有四時詩，五言四句，一句春，一句夏，一句秋，一句冬。推之四氣、四色皆同。有十干詩，五言每干二句。如「甲坼開衆果，萬物俱敷榮」之類。然亦有一干一句者。推之六府、八音、建除、數目、地名、人名、卦名、宮殿名、將軍名、十二屬、二十八宿，及草木、鳥獸、藥材、曲調等名，或二句一用、或一句一用，或用在句首、或用在句中，各不同，皆借用其字以成文也。有雜合體，或數句雜成一字，或數句合成一字，通首雜合成文。如坼字、燈謎，兩句一韻，四言、五言、七言俱可。有上句末一字與下句首一字合成一物者，如張籍之藥名雜合，上句末一字用「地」字，下句首一字用「黃」字，合爲「地黃」是也。有諸意體，一句暗藏一意。亦有暗藏古人名及各種名目者，又與會意、燈謎相似。七言一句一韻。有風人體。皮日休詩云：「刻石書離恨，因成別後悲。莫言春蠒薄，猶有萬重思。」蓋假「悲」爲「碑」，假「思」爲「絲」，此亦近於假借法也。有禽言詩，如梅聖俞之「不如歸去春山暮，萬木兮參雲，蜀天兮何處。人言有翼可歸飛，安用空啼向高樹。」蓋「不如歸去」，子規聲也。推之凡禽言之略似文理者，皆可借之以寄意。有兩頭纖纖。古詞曰：「兩頭纖纖月初生，半黑半白眼中睛。膈膊膊雞初鳴，磊磊落落向曙星。」有三婦豔。齊王融詩云：「大婦織綺羅，中婦織流黃。小婦獨無事，挾瑟上高堂。丈人且安坐，調絃詎未央。」有四愁詩。漢張衡詩曰：「我所思兮在泰山，欲往從之梁父艱。側身東望涕霑翰。美人贈我金錯刀，何以報之英瓊瑤。路遠莫致倚逍遙，何爲懷憂心煩勞。」以下西、北、南三章皆同。有五雜俎。古詞曰：「五雜俎，岡頭草。往復還，車馬道。不獲已，人裝老。」後有代五雜俎，直倣其調。有《五噫詩》。漢梁鴻詩曰：「步彼北邙兮，噫！顧瞻帝京兮，噫！宮闕崔巍兮，噫！民之劬勞兮，噫！遼遼未央兮，噫！」有六憶詩。梁沈約詩曰：「憶來時，灼灼上階墀。勤勤叙別離，慊慊道相思。相看嘗不足，相見乃忘機。」以下憶坐、憶食等，調同。有十索詩。隋丁娘詩曰：「裙裁孔雀羅，紅綠相參對。映以蛟龍錦，分明奇可愛。麤細君自知，從郎索衣帶。」以下索花燭、紅粉等，調同。有十離詩，與近日之十可憎、十無用，每首皆舉一物爲題。五、七律絕不論。宋武帝有《自君之出矣》，首句曰「自君之出矣」，下續三句爲絕句，平仄韻皆可。晉詞有《休洗紅》，下續五言三句，首句第三句用仄韻，第二句不用韻，復續七言二句，皆叶平韻。有問答體。皮日休問陸龜蒙曰：「寒夜清。」答曰：「簾外迢迢星斗明。」況有蕭閒洞中客，吟爲紫鳳呼鸞聲。」以下數首調同。有賦物贈人體。高適《送劉評事賦得征馬嘶》是也。然梁元帝已有《賦得蘭澤多芳草》詩，後人用古人詩句爲題者本此。有禁體，或禁故實，或禁字面。如雨字頭、草字頭、木旁、水旁，及數目、顏色字之類。有集句詩，或集古、或集唐，或集一人之句，皆可。又有集字詩，如集右軍《蘭亭叙》字及淵明《歸去來辭》是也。

佚名《不敢居詩話》 七古之奇險者，王蘭泉《舁輿短歌》云：「下山走阪丸，下山逆水船。下用四人夾，上用四人牽。長繩繫板當胸穿，舁者二耦趨而前。二十四足相後先，如魚逐隊螘附羶，如羊倒掛禽齊騫。我身托輿輿托肩，肩上尺木絙以緣。莫怪侁侁走不前，腳底千峰方刺天。」

又 古歌古語今人從事者鮮，然質厚婉至，尋常片語俱使人吟諷不厭，如《越人歌》云：「山有木兮木有枝，心說君兮君不知。」杞梁妻《琴歌》云：「樂莫樂兮心相知，悲莫悲兮生別離。」

林鈞《樵隱詩話》卷六 《竹枝詞》於詩中別爲一體，未可以七言絕法作之。其法宜樸而不俗，淺而不粗，巧而不纖。前人論之詳矣。乍見似易，其實較七絕爲尤難。不善作者則成油滑傖野矣。予謂首貴聲調，調諧則化俗爲雅，而無諸弊。然此關於天籟，未可學而能也。予嘗教人作詩，先以七絕試之，其有韻口者則易學，且一學而能。無韻口者則勸其不必學，雖學無益。此實天生，非由人力。嘗見翰苑大儒不能爲詩者，武夫市井有不能作字而能作詩者，良不誣也。【略】且試帖與律詩又判若兩途。科甲中無不工試帖者，一作律詩遂腐拙可笑，求其能兼工者，百無一二。而士子輒目律詩爲應酬詩，尤可笑。不知作詩之旨而以應酬目之，宜其不工也。

又卷一二 詠物、懷古不可不具議論厲己志。若繁稱博引及刻劃盡致，語句雖工，味同嚼蠟。

劉熙載《藝概·詩概》 五言如《三百篇》，七言如《騷》。《騷》雖出於《三百篇》，而境界一新，蓋醇實瓌奇，分數較有多寡也。

又 五言質，七言文；五言親，七言尊。幾見田家詩而多作七言者乎？幾見骨肉間而多作七言者乎？

又 五言與七言因乎情境，如《孺子歌》「滄浪之水清兮」，平澹天眞，於五言宜；寧戚歌「滄浪之水白石粲」，豪蕩感激，於七言宜。

又 五言尚安恬，七言尚揮霍。安恬者，前莫如陶靖節，後莫如韋左司；揮霍者，前莫如鮑明遠，後莫如李太白。

又 五言要如山立時行，七言要如鼙鼓軒舞。

又 五言無閒字易，有餘味難；七言有餘味易，無閒字難。

又 七言於五言，或較易，亦或較難，或較便，亦或較累。蓋善爲者如多兩人任事，不善爲者如多兩人坐食也。

又 或謂七言如挽強用長。余謂更當挽強如弱，用長如短，方見能事。

又 潘邠老謂七言詩第五字要響，如「返照入江翻石壁，歸雲擁樹失山村」，「翻」字、「失」字；五言詩第三字要響，如「圓荷浮小葉，細麥落輕花」，「浮」字、「落」字。余謂此例何可盡拘，但論句中自然之節奏，則七言可以上四字作一頓，五言可以上二字作一頓耳。

又 五言上二字下三字，足當四言兩句，如「終日不成章」之於「終日七襄，不成報章」是也。七言上四字下三字，足當五言兩句，如「明月皎皎照我牀」之於「明月何皎皎，照我羅牀幃」是也。是則五言乃四言之約，七言乃五言之約矣。太白嘗有「寄興深微，五言不如四言，七言又其靡也」之說。此特意在尊古耳，豈可不達其意而誤增閒字以爲五、七哉！

又 詩有合兩句成七言者，如「君子有酒，旨且多」，「夜如何其，夜未央」是也；有合兩句成五言者，如「祈父，亶不聰」是也。後世七言每四字作一頓，五言每兩字作一頓，而五言亦或第三字屬上，上下間皆可以「兮」字界之。

又 七言講音節者，出於漢《郊祀》諸樂府；羅事實者，出於《柏梁詩》。

又 七言爲五言之慢聲，而長短句互用者，則以長句爲慢聲，以短句爲急節。此固不當與句句七言者並論也。

又 五言第二字與第四字、第三字與第五字，七言第二字與第四字、第四字與第六字、第五字與第七字，平仄相同則音拗，異則音諧。講古詩聲調者，類多避諧而取拗。然其間蓋有天籟，不當止以能拗爲古。

又 善古詩必屬雅材。俗意、俗字、俗調，苟犯其一，皆古之棄也。

又 凡詩不可以助長，五古尤甚。故詩不善於五古，他體雖工弗尚也。《書譜》云：「思慮通審，志氣和平，不激不厲，而風規自遠。」爲五古者，宜亦有取於斯言。

又 七古可命爲古、近二體：近體曰駢、曰諧、曰麗、曰緜；古體曰單、曰拗、曰瘦、曰勁。一尚風容，一尚筋骨。此齊梁、漢魏之分，即初、盛唐之所以別也。

又 論詩者謂唐初七古氣格雖卑，猶有樂府之意，亦思樂府非此體所能盡乎？豪傑之士，焉得不更思進取！

又 唐初七古，節次多而情韻婉，詠歎取之；盛唐七古，節次少而魄力雄，鋪陳尚之。

又　伏應轉接，夾敘夾議，開闔盡變，古詩之法。近體亦俱有之，惟古詩波瀾較爲壯闊耳。

又　律與絶句，行間字裏須有曖曖之致。古體較可發揮盡意，然亦須有不盡者存。

又　律詩取律吕之義，爲其和也；取律令之義，爲其嚴也。

又　律詩要處處打得通，又要處處跳得起。草蛇灰綫，生龍活虎，兩般能事，當以一手兼之。

又　律詩主意拿得定，則開闔變化，惟我所爲。少陵得力在此。

又　律詩主句或在起，或在結，或在中，而以在中爲較難。蓋限於對偶，非高手爲之，必至物而不化矣。

又　律詩聲諧語儷，故往往易工而難化。能求之章法，不惟於字句爭長，則體雖近而氣脈入古矣。

又　起有分合緩急，收有虚實順逆，對有反正平串，接有遠近曲直。欲窮律法之變，必先於是求之。

又　律詩既患旁生枝節，又患如琴瑟之專壹。融貫變化，兼之斯善。

又　律詩篇法，有上半篇開下半篇合，有上半篇合下半篇開。所謂半篇者，非但上四句與下四句之謂，即二句與六句，六句與二句，亦各爲半篇也。

又　律詩一聯中有以上下句論開合者，一句中有以上下半句論開合者，惟在相篇法而知所避就焉。

又　律詩手寫此聯，眼注彼聯，自覺減少不得，增多不得。若可增可減，則於律字名義失之遠矣。

又　律詩之妙，全在無字處。每上句與下句轉關接縫，皆機竅所在也。

又　律有似乎無起無收者。要知無起者後必補起，無收者前必豫收。

又　律詩中二聯必分寬緊遠近，人皆知之。惟不省其來龍去脈，則寬緊遠近爲妄施矣。

又　律體中對句用開合、流水、倒挽三法，不如用遮表法爲最多。或前遮後表，或前表後遮。表謂如此，遮謂不如彼，二字本出禪家。昔人詩中有用「是」「非」、「有」「無」等字作對者，「是」、「有」即表，「非」、「無」即遮。惟有其法而無其名，故爲拈出。

又　律詩不難於凝重，亦不難於流動，難在又凝重又流動耳。

又　律體可喻以僧家之律：狂禪破律，所宜深戒；小禪縛律，亦無取焉。

又　絶句取徑貴深曲，蓋意不可盡，以不盡盡之。正面不寫寫反面，本面不寫寫對面、旁面，須如覩影知竿乃妙。

又　絶句於六義多取風、興，故視他體尤以委曲、含蓄、自然爲尚。

又　以鳥鳴春，以蟲鳴秋，此造物之借端託寓也。絶句之小中見大似之。

又　絶句意法，無論先寬後緊，先緊後寬，總須首尾相銜，開闔盡變。至其妙用，惟在借端託寓而已。

又　詩以律絶爲近體，此就聲音言之也。其實古體與律絶，俱有古近體之分，此當於氣質辨之。

又　古體勁而質，近體婉而妍，詩之常也。論其變，則古婉近勁，古妍近質，亦多有之。

又　論古近體詩，參用陸機《文賦》，曰：絶「博約而溫潤」，律「頓挫而清壯」，五古「平徹而閑雅」，七古「煒煜而譎誑」。

又　樂之所起，雷出地，風過簫，發於天籟，無容心焉。而樂府之所尚可知。

又　文辭志合而爲詩，而樂則重聲。《風》、《雅》、《頌》之入樂者，姑不具論，即漢樂府《飲馬長城窟》之「青青河畔草」，與《古詩十九首》之「青青河畔草」，其音節可微辨矣。

又　樂府聲律居最要，而意境即次之，尤須意境與聲律相稱，乃爲當行。

又　樂府之出於《頌》者，最重形容。《楚辭・九歌》狀所祀之神，幾於恍惚有物矣。後此如《漢書》所載《郊祀》諸歌，其中亦若有肸蠁之氣，蒸蒸欲出。

又　樂府有陳善納誨之意者，《雅》之屬也，如《君子行》便是。

又　《漢書・藝文志》云：「自孝武立樂府而采歌謠，於是有代、趙之謳，秦、楚之風，皆感於哀樂，緣事而發。」由是觀之，後世樂府近《風》之體多於《雅》、《頌》，其由來亦已久矣。

又　樂府是代字訣，故須先得古人本意。然使不能自寓懷抱，又未免爲無病而呻吟。

又　樂府易不得，難不得。深於此事者，能使豪傑起舞，愚夫愚婦解頤，其神妙不可思議。**又** 樂府調有疾徐，韻有疏數。大抵徐疏在前，疾數在後者，常也；若變者，又當心知其意焉。

又 古題樂府要超，新題樂府要穩。如太白可謂超，香山可謂穩。

又 雜言歌行，音節似乎無定，而實有不可易者存。蓋歌行皆樂府支流，樂不離乎本宮，本宮之中又有自然先後也。

又 賦不歌而誦，樂府歌而不誦，詩兼歌誦，而以時出之。

又 《詩》，一種是歌，「君子作歌」是也；一種是誦，「吉甫作誦」是也。《楚辭》有《九歌》與《惜誦》，其音節可辨而知。

又 《九歌》，歌也；《九章》，誦也。詩如少陵近《九章》，太白近《九歌》。

又 誦顯而歌微。故長篇誦，短篇歌；敘事誦，抒情歌。

又 詩以意法勝者宜誦，以聲情勝者宜歌。古人之詩，疑若千支萬派，然曾有出於歌誦外者乎？

又 文有文律，陸機《文賦》所謂「普辭條與文律」是也。杜詩云：「晚節漸於詩律細。」使將詩律「律」字解作五律、七律之律，則文律又何解乎？大抵只是以法爲律耳。

又 問短篇所尚，曰：「咫尺應須論萬里。」問長篇所尚，曰：「萬斛之舟行若風。」二句皆杜詩，而杜之長短篇卽如之。杜詩又云：「大城鐵不如，小城萬丈餘。」其意亦可相通相足。

又 長篇宜橫鋪，不然則力單；短篇宜紆折，不然則味薄。

又 大起大落，大開大合，用之長篇，此如黄河之百里一曲，千里一曲一直也。然卽短至絕句，亦未嘗無尺水興波之法。

又 長篇以敘事，短篇以寫意，七言以浩歌，五言以穆誦。此皆題實司之，非人所能與。

方濬頤《二知軒文存》卷一五《蘭茗館文品論詩合鈔序》 詩古文辭，皆文也。文以載道，而詩則有韻之文，要惟發乎性情，根乎學問，援筆立就，燦然成章，格調既殊，門徑各別，於是有能文不能詩者，有能詩不能文者，有能爲散體文，不能爲駢體文者，亦有能爲近體詩，不能爲古體詩者。而論文者，或專學一派，遂以爲談經說理，判然兩途，不可強之使同也。論詩者，或專宗一家，遂以爲漢魏唐宋殽然萬變，斷難容之使合也。吁！此特一偏之見耳，豈足爲定評哉！

何栻《悔餘庵文稿》卷四《江風集自序》 詩亡而後樂府作。古者閭巷之語登之朝廷，閨房之詞薦之郊廟，采以輶軒，被以絃管，《三百篇》其著也。自觀風之使廢，太師不復陳詩，太常無由合樂，於是漢、魏之朝，使文學之臣作爲詞章，創立題目，儗於雅、頌，肄於樂官，以之燕天神，格祖考，饗軍娛賓，莫不陳奏，若史所載樂章是也。至於閭右之民，非箴誦之職，章甫之士，無著作之權，耳目所觸，手口相應，乃舉可歌、可哭、可法、可戒之事，永以情文，諧以音韻，使聞者感焉，若世所傳樂府皆是也。惟自詩而騷，而五言，而七言皆詩之流也。自漢、魏以後，爲古詞豔詩，爲歌行，爲長短句，爲南北曲，皆樂府之流也。於是詩與樂府離而爲二，而其源則一也。第以屈原、宋玉、司馬相如、揚雄之儔，力追《三百篇》而不能至；且以鮑照、李白、杜甫、張籍之徒，力追漢、魏而亦不能至；則不獨詩亡，而樂府亦亡矣。然亡其辭而不能亡其聲也。夫天地之聲悉於人備，陰陽之聲亦以人分，八音大小之器因人而鳴，六律清濁之宮待人而析，是當以器物之聲從人聲而高下疾徐長短之，不當以人聲徇器物從而爲高下疾徐長短也。由唐以來，爲樂府者莫不求合於漢、魏。其才之高者，鄙新聲，製古調，聱牙詰曲，而不可以倚歌；其下者則且句之摹，字之倣，形似而神離。降而至於塡詞按曲，以求合於樂府，而去漢、魏日遠矣。夫偃師之傀儡，肖其形不能肖其神；優孟之衣冠，傳其神不能傳其情。若樂府則固因其人其事之情而達之者也。古人之聲與今人同，其情亦無不同。詩可以歌，樂府可以合樂，作者不必皆伶倫也。卽至旗亭之歌，沈香亭之合樂，不必先按伶人之譜而後爲詞也。聲極其和而情極其至，卽起古人爲之，而亦不能爲異。然有自異而不能強同者，則時爲之也。今日之與漢、魏，日月猶是也，而歷數不同；山川猶是也，而形勢不同；鳥獸草木猶是也，而種產不同。同一衣服而制度不同，同一飲食而嗜好不同。蓋同者其眞，而不同者其飾眞者也。眞者樂府之情與聲，而飾眞者寄情於聲而衍之爲樂府也。必去飾以求眞，將詞之不存，而聲情焉附？漢、魏以還無樂府矣。漢、魏不能爲《三百篇》，晉、唐不能爲漢、魏，宋、元不能爲晉、唐，而各自成爲一代之聲，然聞其聲而如見其情，緣其情而如見其人，與其事則仍樂府之所同也。

王德馨《雪蕉齋詩話》卷一 梁紹壬《秋雨庵隨筆》載有某公云：「閨秀之詩，其尋常者無論矣，即使卓然可傳，而今後之操選政者列其名于娼妓之前、僧道之後，吾不知其自命居何等也。」謂此言雖刻酷，而亦有理。余謂此言畢竟近迂。須知人至身後，無論貴賤，但論傳不傳。彼娼妓僧道，亦有詩可傳，如其閨秀，竟無詩傳，恐又骨化形銷，草木同腐，反不若娼妓僧道之尚得廁其姓氏于詩流。如其有詩，不但閨秀，即王侯將相，亦不能禁千秋萬世人之録其詩者，必不與娼妓僧道同列。然則爲是説者，豈非迂而無當？

又 詩本性情，彼閨秀之能詩，亦性情之近。性情既近，一旦或感于事物，或觸于境遇，此時即未能成咏，已不禁有其詩中之意，亹亹而達之于意，稍有一指點，便斐然成章矣。彼《三百篇》中，勞人思婦之作，類皆如此。故余謂閨秀不必教之詩，而恰不能禁之不詩。

又 咏雪詩柳子厚「千山鳥飛絶」一首，東坡早推爲詩格清超（見《洪駒父詩話》）。而《漁洋詩話》，轉以爲俗格。漁洋專取右丞「灑空深巷静」一聯及「門對寒流雪滿山」二絶。又，沈歸愚《國朝别裁》録張實居一絶云：「斗室香添小篆烟，一燈静對似枯禪。忽驚夜半寒侵骨，流水無聲山浩然。」謂其不明點雪字，是神于賦雪。余謂諸作寫雪之神固佳，但賦雪似以寫景爲先，柳作上二句雖似俗，而恰是眞景，并帶出下「獨」字；下二句寫景雅，堪入畫。故論雪詩還當以東坡爲確。

又卷二 《竹枝》之體，起于巴蜀，前人論之詳矣。效之者唐有劉禹錫，元有楊廉夫，其體與七絶相近，聲調卻與七絶迥别，近人多誤以《竹枝》即爲七絶者，兹爲拈出數首以别其體，與深于詩者參之。伍瑞隆（鐵山）云：「蝴蝶花開蝴蝶飛，鷓鴣草長鷓鴣啼。庭前種得相思樹，落盡相思人未歸。」又彭羡門《廣州》云：「木棉花上鷓鴣啼，木棉花下牽郎衣。欲行不行不忍别，落紅没盡郎馬蹄。」又魏際《江頭别》用此體云：「白石山過紫石山，鸕鷀灘下鯉魚灘。山山相接灘灘續，游子南還何日還。」三詩是逼眞《竹枝》體。

又卷三 余按《漢書·禮樂志》，武帝定郊祀之祀，乃設樂府，立采詩之官，凡詩之有關勸誡可被管弦者，遂爲采入樂府。後人用其題，因以有古樂府，并非古樂府别爲詩體也。但用樂府題必氣味音節皆與之訢合斯可矣。今其題具在，試細參之。又或自制新題爲新樂府，如少陵、香山及諸名家所作皆是。大都其詩或寫民風而中含美刺，或論時事而默寓勸懲，題雖新，總以不失古意爲合作。

又卷四 昔人謂五律詩四十字如四十賢人，其中着一屠沽兒不得。其律法之嚴可知。乃蘅塘選《唐詩三百首》，其五律第一首是唐玄宗《過魯夫子廟》，起二句之「夫子何爲者，棲棲一代中」，就章法而論，下宜接以嘆鳳傷麟等語，乃突出「地猶鄹氏邑，宅即魯王宫」，下轉接以鳳麟句，結又説兩楹奠，仍從廟字着筆。章法淩亂極矣。

又 集句詩始于宋傅咸，咸作《七經詩》，其《毛詩》一篇，皆集經語，是即集句所由始。後如王荆公、石曼卿諸人皆有作，而卻不多作。近惟台州太平戚學標（鶴皋）集句最多，著有《集李詩》二卷，又集杜詩多至七百餘首，可謂難矣。録其《自題集杜》七古云：「腐儒衰晚謬通籍，自怪一日聲烜赫。老去新詩孰與傳，每語見許文章伯。世上兒子徒紛紛，名家莫出杜陵人。酒酣耳熱忘頭白，但覺高歌有鬼神。偶然擢秀非難取，開新合故置何許。意匠慘淡經營中，更覺良工心獨苦。裁縫滅盡針綫迹，滿堂賓客皆嘆息。浣花溪里花饒笑，忍能對面爲盜賊。」

又 古詩音節，無定而有定，有定而無定。如李青蓮《蜀道難》，忽十餘字一句，忽五言，忽七言，忽三字四字一句。蘇東坡《臘日游孤山》詩，忽三言，忽七言，忽連句韻，忽隔句韻。筆意如神龍變化，不可思議。而讀來音節又極和諧，更無一字聱口。余謂此等章法，直是淩空結撰，無古法可襲，無成迹可循，此其所以爲古今絶唱。彼矮巷小家子，必拘拘然依聲調譜、圈平點仄者，遇此等大才人，眞不値一唾耳。

又 咏物必寄託者，不獨詩中有我，可自見身份，并爲題别開生面。如瞿宗吉《咏雪》云：「夜静有舟來剡曲，時平無馬入淮西。」運典雖工，要不如劉改之云「功名有分平吳易，貧賤無交訪戴難」二語，同用此二典，自覺日月嶄新。

又卷五 詩無論古風近體，總以抒寫自家性情，獨惟帖體不能。故詩之有貼體，猶文之有時文，均是爲人立言也。余每臨場即苦之，嘗有句云：「斟章酌句苦難安，製體爲詩嘔血肝。比擬盤花太拘束，雕紅刻翠不禁看。」

李慈銘《越縵堂文集》卷二《釋澈凡幕梅精舍詩序》 浮屠氏之于詩其難工乎？蓋彼之爲教者，一以清淨虚無爲宗，舉人世憂樂忈惡之竟掃而空之，以歸于至寂。而詩之爲道，非得于憂樂忈惡之深，則所作必不工。兩者既格不相入，無怪彼中人之傳詩者，率荒忽鄙俚，入于宗門語錄而不知反也。

王闓運《爲陳完夫論七言歌行》 古之詩，今之會典奏議之類；今之詩歌，古之樂也。四言如琴，五言如笙簫，歌行七言如羌笛琵琶，繁弦雜管，故太白以爲靡。然人不能無哀樂，哀樂不能無偏激感宕，故自五言興而即有七言，而樂府琴曲，希以贈答，至唐而大盛，凡四言、五言所施，皆有以七言代之者，而體制殊焉。初唐猶沿六朝，多宮觀閨情之作，未久而用以贈答、送別分題，或拈一物一事爲興，篇末乃致其意，高、岑、王維諸篇其式也。李白始爲叙情長篇，杜甫亟稱之，而更擴之，然猶不入議論。韓愈入議論矣，若無才思，不足運動，又往往湊韻，取姸鉤奇，其品益卑，駸駸乎蘇、黃矣。元、白歌行，全是彈詞；微之頗能開合，樂天不如也。今有一壯夫，擊缶喧呼，口言忠孝，有一盲女，調弦曼聲，搬演傳奇，人將喜喧叫而屏弦索耶？抑姑退壯夫而進盲女也？韓、白之分，亦猶此矣。張籍、王建，因元、白之諷諫之意，而述民風。盧仝、李賀，去韓之粗獷，而加恢詭。鄭嵎、陸龜蒙等爲之，而木訥纖俗。李商隱之流，又嫌晦澀，其中如叙事攄情諸篇，不免辭費，猶不及元、白自然也。李東川歌行十數篇，實兼諸家之長，而無其短，參之以高、岑、王、李之澤，通之以杜、元之意，則幾之矣。元次山亦自一派，亦小而雅。

施補華《峴傭說詩》 學詩須從五律起，進之可爲五古，充之可爲七律，截之可爲五絕，充而截之可爲七絕。今人作律詩，往往先作中二聯，然後裝成首尾。故即有名句可摘，而首尾平弱草率，劣不成章。必須一氣渾成，神完力足，方爲合作。五律尤要，所謂「四十賢人」也。起處須有峻嶒之勢，收處須有完固之力，則中二聯愈形警策。如摩詰「風勁角弓鳴，將軍獵渭城」，倒戟而入，筆勢軒昂。「草枯」二聯，正寫獵字，愈有精神。「忽過」二句，寫獵後光景，題分已足。收處作回顧之筆，兜裹全篇，恰與起筆倒入者相照應，最爲整密可法。又如「萬壑樹參天，千山響杜鵑」、「天官動將星，漢地柳條青」，皆起勢之峻嶒者，舉此可以類推。五律須講鍊字法，荆公所謂詩眼也。「泉聲咽危石，日色冷青松」、「遠水兼天淨，孤城隱霧深」，此鍊實字。「古牆猶竹色，虛閣自松聲」、「蟻浮仍蠟味，鷗泛已春聲」、「江山有巴蜀，棟宇自齊梁」、「入天猶石色，穿水忽雲根」，此鍊虛字。鍊實字有力易，鍊虛字有力難。

又 五律有清空一氣不可以鍊句鍊字求者，最爲高格。如太白「牛渚西江夜」、「蜀僧抱綠綺」，襄陽「掛席幾千里」，摩詰「中歲頗好道」，劉昚虛「道由白雲盡」諸首，所謂「羚羊挂角，無迹可求」。詩猶文也，忌直貴曲。少陵「今夜鄜州月，閨中只獨看」，是身在長安，憶其妻在鄜州看月也。下云「遙憐小兒女，未解憶長安」，用旁襯之筆；兒女不解憶，則解憶者獨其妻矣。「香霧雲鬟」、「清輝玉臂」，又從對面寫，由長安遙想其妻在鄜州看月光景。收處作期望之詞，恰好去路，「雙照」緊對「獨看」，可謂無筆不曲。「星臨萬戶動，月傍九霄多」，是華貴語；「星垂平野闊，月湧大江流」，是雄壯語；「行到水窮處，坐看雲起時」，是自然語；「微雲淡河漢，疏雨滴梧桐」，是清淡語；「生還今日事，間道暫時人」，是沈痛語；「山鬼迷春竹，湘娥倚暮花」，是惝怳語；「怪禽啼曠野，落日恐行人」，是奇警語。皆律詩中必有之境，姑舉一端。《三百篇》比興爲多，唐人猶得此意。同一《詠蟬》，虞世南「居高聲自遠，端不藉秋風」，是清華人語；駱賓王「露重飛難進，風多響易沈」，是患難人語；李商隱「本以高難飽，徒勞恨費聲」，是牢騷人語，比興不同如此。

又 「感時花濺淚，恨別鳥驚心」、「無風雲出塞，不夜月臨關」，是律句中加一倍寫法。五言律有中二語不對者，如「倚杖柴門外，臨風聽暮蟬」是也；有全首不對者，如「挂席幾千里」、「牛渚西江夜」是也。須一氣揮灑，妙極自然。初學人當講究對仗，不能臻此化境。景中有情，如「柳塘春水漫，花塢夕陽遲」；情中有景，如「勳業頻看鏡，行藏獨倚樓」；情景兼到，如「水流心不競，雲在意俱遲」。譏刺語須含蓄，如少陵「落日留王母，微風倚少兒」，太白「漢宮誰第一？飛燕在昭陽」、「只愁歌舞散，化作彩雲飛」，皆刺明皇、楊妃事，何等婉曲！若香山《長恨歌》、微之《連昌宮詞》，直是訕謗君父矣。詩品人品，均分高下。義山「如何四紀爲天子，不及盧家有莫愁」，尤爲輕薄壞心術。詩不廢言男女，然是言情，不是導淫。五言體尊，尤宜愼重。唐人詩：「小膽空房怯，長眉滿鏡愁」、「寒盡鴛鴦被，春生玳瑁牀」，如是卽止，最爲得體。

又 「聖朝無闕事，自覺諫書稀」，頌揚得體；「明朝有封事，數問夜如何」，忠愛切心，皆得《三百篇》意。

又 「聖朝無棄物，衰病已成翁」，怨而不怒；「一病緣明主，三年獨此心」，諷而不刺，皆見詩人忠厚。

又 「海日生殘夜，江春入舊年」，倒裝法也。死典活用，古人所貴。少陵《禹廟》詩：「空庭垂橘柚，古屋畫龍蛇」，「橘柚」、「龍蛇」用禹事，如此點化成即景語，甚妙。寫景須曲肖此景，「渡頭餘落日，墟裏上孤煙」，確是晚村光景。「兩邊山木合，終日子規啼」，確是深山光景。「黄雲斷春色，畫角起邊愁」，確是窮邊光景。「山光悦鳥性，潭影空人心」，確是古寺光景。「野徑雲俱黑，江船火獨明」，確是暮江光景。可以類推。小巧是詩人所戒，如「仰蜂黏落絮，行蟻上枯梨」，「紅入桃花嫩，青歸柳葉新」。俳優是詩人所戒，如「家家養烏鬼，頓頓食黄魚」。粗俗是詩人所戒，如「仰面貪看鳥，回頭錯認人」之類。雖出自少陵，不可學也。詠物詩必須有寄託，無寄託而詠物，試帖體也。少陵《促織》諸篇，可以爲法。五言律亦可施議論斷制，如少陵「胡馬大宛名」一首，前四句寫馬之形狀，是叙事也；「所向」二句，寫出性情，是議論也；「驍騰」一句勒，「萬里」一句斷。此眞大手筆，雖不易學，然須知有此境界。明人《鐵馬》詩得此意。「緑垂風折筍，紅綻雨肥梅」，鍊字著色，至此而止；稍過一步，如「石壓筍斜出，巖垂花倒開」，即近纖小矣。不可不辨。拗體不可輕作，此是已成功夫，初學時須律協聲穩，不惟五律爲然也。兩字同解，有用此字而聲亮，用彼字而聲啞者，既云律詩，當講聲韻，擇其亮者用之。又有兩字同解，用此字而甚穩，用彼字而不安者。此故在作詩時自辨之。

又 五言古詩，厥體甚尊，《三百篇》後，此其繼起，以簡質渾厚爲正宗。蘇、李贈答，《古詩十九首》後，唯陳思諸作及阮公《詠懷》、子昂《感遇》等篇，不踰分寸。餘皆或出或入，不能一致也。

又 凡作清淡古詩，須有沈至之語，樸實之理，以爲之骨，乃可不朽。非然，則山水清音，易流於薄，且白腹人可以襲取。讀陶公詩知之。五言古詩，不廢排比對偶。然如陸士衡則傷氣，如顔延之則窒機，蓋整密中不可無疏宕也。

又 少陵五言古千變萬化，盡有漢、魏以來之長而改其面目。叙述身世，眷念友朋，議論古今，刻劃山水，深心寄託，眞氣坌涌。《頌》之典則，《雅》之正大，《小雅》之哀傷，《國風》之情深文明長於諷喻，息息相通，未嘗不簡質渾厚，而此例不足以盡之。故於唐以前爲變體，於唐以後爲大宗，於《三百篇》爲嫡支正派。

又 《八哀》詩洋洋大篇，然中多拙滯之語，蓋極意經營而失之者也。「文章本天成，妙手偶得之」，刻意求工，必至拙矣。古詩有先叙事後點題法，最易得勢。如《送表姪王砯》詩「次問最少年」一段，不知説誰，及至「秦王時在座，眞氣驚戶牖」，方知言太宗；《麗人行》「後來鞍馬」一段，亦不知説誰，及至「愼莫近前丞相嗔」，方知言楊國忠，章法甚奇。《王砯詩》前後分兩大段，換兩韻，同《大食寶刀歌》一例，亦用韻之奇者。《王砯詩》後半叙避亂時事，「自下所騎馬，右持腰間刀。左牽紫遊韁，飛走使我高」，左右不作對句，筆勢參差錯綜，最宜學。

又 詩忌拙直，然如元次山《春陵行》、《賊退示官吏》諸詩，愈拙直愈可愛，蓋以仁心結爲眞氣，發爲憤詞，字字悲痛，《小雅》之哀音也。作五言古，寧拙毋巧，寧樸毋華，寧生毋熟，次山《篋中集》實得此意。

又 七言古雖肇自《柏梁》，在唐以前，具體而已。魏文《燕歌行》已見音節，鮑明遠諸篇已見魄力。然開合變化，波瀾壯闊，必至盛唐而後大昌。

又 七言古詩必有一段氣足神王之處，方足聳目。如《醉歌行》「春光澹沱」一段，寫送別光景，使前半叙述處皆靈；忽句句用韻，忽夾句用韻，亦以音節動人。

又 七律以元氣渾成爲上，以神韻悠遠爲次，以名句可摘爲又次，以小巧粗獷爲下。

又 唐初七律有平仄一順者。至摩詰、少陵猶未改。如摩詰「酌酒與君」一首，第三聯「草色全經」平仄一順；少陵「天門日射」一首，第三聯「雲近蓬萊」平仄一順，此類甚多，要是當時初創此體，格調未嚴，今人不必學也。

又 七律有全首拗調如古詩者，少陵「主家陰洞」一首、「城尖徑仄」一首之類是也，初學不可輕效。

又 七律下字鍊句，須解「高」、「亮」二字；不高不亮，詩雖好，亦減成色。講求高亮，尤須辨虛響實響。凡聲有餘，意不足，或意雖是，氣不沈，光太露者，皆謂之虛響。明七子學盛唐，每犯此病。昔人謂「水田飛白鷺，夏木囀黄鸝」本是舊詩，摩詰祇加「漠漠」、「陰陰」四字。不知無此四字，便成死語；有此四字，乃現活相。此理可思，非但摩詰也。

又 少陵七律有最拙者，如「桃花細逐楊花落，黄鳥時兼白鳥飛」之類是也；有最纖者，如「春水船如天上坐，老年花似霧中看」之類是也。皆開後人習氣，學者不必震於少陵之名，隨聲附和。又如「百年」、「萬里」、「日月」、「乾坤」，少陵慣用之字，學之易近膚廓，亦宜慎擇。七律至中唐而極秀，亦至中唐而漸薄。盛唐之渾厚，至中唐日散；晚唐之纖小，自中唐日開。故大曆十子七律，在盛衰關頭，氣運使然也。

又 用剛筆則見魄力，用柔筆則出神韻。柔而含蓄之爲神韻，柔而搖曳之爲風致。讀大曆人七律，須辨此界。

又 五言絶句，截五言律詩之半也。有截前四句者，如「移舟泊煙渚，日暮客愁新。野曠天低樹，江清月近人」是也；有截後四句者，如「功蓋三分國，名成八陣圖。江流石不轉，遺恨失吞吳」是也；有截中四句者，如「白日依山盡，黄河入海流。欲窮千里目，更上一層樓」是也；有截前後四句者，如「山中相送罷，日暮掩柴扉。春草年年緑，王孫歸不歸」是也。七絶亦然。謝朓以來即有五言四句一體，然是小樂府，不是絶句。絶句斷自唐始。五絶只二十字，最爲難工，必語短意長而聲不促，方爲佳唱。若意盡言中，景盡句中，皆不善也。

又 五絶、七絶，作法略同，而七絶言情，出韻較五絶爲易。蓋每句多兩字，則轉折不迫促也。

又 七絶亦切忌用剛筆，剛則不韻。即邊塞之作，亦須斂剛於柔，使雄健之章，亦饒頓挫，乃不落粗豪。退之「荆山已去華山來」一絶，是剛筆之最佳者。然退之亦不能爲第二首，他人亦不能效退之再作一首，可見此非善道。

又 七絶固可將七律隨意截，然截後半首，一二對、三四散易出風韻；截前半首，一二散、三四對易致板滯；截中二聯更板；截前後通首不對易虚。此在學者會心耳。

又 七絶用意宜在第三句，第四句只作推宕，或作指點，則神韻自出。若用意在第四句，便易盡矣。若一二句用意，三四句全作推宕作指點，又易空滑。故第三句是轉柁處；求之古人，雖不盡合，然法莫善於此也。

又 唐人七絶每借樂府題，其實不皆可入樂，故只作絶句論。

又 五言長排必以少陵爲大宗，岑參、王維篇幅尚窘，後來元、白滔滔不絶，失之平滑，不足倣效也。五排篇幅短者，起筆可以突兀；篇幅長者，必將全篇通括總攬，以完整之筆出之。岑參「亭高出鳥外，客到與雲齊」，王維「積水不可極，安知滄海東」，皆起筆之突兀者也。要是篇幅短故耳，長者嫌頭小矣。少陵《投贈哥舒開府》之「今代麒麟閣，何人第一功？君王自神武，駕馭必英雄」，《行次昭陵》之「舊俗疲庸主，羣雄問獨夫。讖歸龍鳳質，威定虎狼都」，《重經昭陵》之「草昧英雄起，謳歌歷數歸。風塵三尺劍，社稷一戎衣」，《謁先主廟》之「慘澹風雲會，乘時各有人。力侔分社稷，志屈偃經綸」，皆包攬全篇，完整足法，一隅可反矣。長篇必分段落，每段必用提頓以見起，用結束以見止；提頓結束，有明有暗，有重有輕；段落有長有短，參差錯落，以救方板。少陵無法不備，學者可細揣摩也。洋洋大篇，收場尤須完整。如《投贈哥舒》篇之「軍事留孫楚，行間識呂蒙。防身一長劍，將欲倚崆峒」，結出投贈之意。《謁先主》之「遲暮堪帷幄，飄零且釣緡。向來憂國淚，寂寞灑衣巾」，結出懷古抒忱之意。皆精神飽滿可法。他篇如此者甚多，可以類推。

葉煒《煮藥漫抄》卷上 凡作近體詩，誦之流水行雲，聽之金聲玉振，觀之朝霞散綺，講之異繭繅絲，能事畢矣。

又卷下 五律發端甚難，結句尤不易。黄香石先生《贈李蓬萊道士》詩云：「昔者蓬萊子，羊城一見之。相思傍江水，問訊到龍祠。忽漫開清酌，飄然醉不辭。青天雲散後，明月共題詩。」八句蟬聯而下，一氣揮灑，置《太白集》中幾不能辨。岑鐵泉嘗謂此詩最難結，非此便不妙。余曾與陳曼壽商榷累日，竟不得一字，舉此可以爲法。

朱庭珍《筱園詩話》卷一 嚴滄浪云：「學詩入門須正，立志須高。若入門一誤，即有下劣詩魔中之，不可救矣。」古人謂「取法乎上，僅得其中」，亦言宗法之不可不正也。五古以神骨氣味爲主，愈古淡則愈高渾，火色俱純，金丹始就，故不可染盛唐以後習徑，戒其雜也。七古以才氣筆力爲主，愈變化則愈神明，樓閣彈指，即現虚空，故不妨兼唐、宋諸家衆長，示其大也。蓋五古須法漢、魏及阮步兵、陶淵明、謝康樂、鮑明遠、李、杜諸公，而參以太沖、宣城及王、孟、韋、柳四家，則高古清遠，雄厚沈鬱，均造其極，正變備於是矣。七古以杜、韓、蘇三公爲法，而參以太白、達夫、嘉州、東川、長吉，及宋之六一、半山、山谷、劍南，金之遺山，明之青丘，皆有可採。揮灑凝鍊，整齊變化，備於以上各家，善取兼師，集衆妙以自成一家可也。五律以杜爲法，參以太白、襄陽、右丞、嘉州，已備其旨。七律以工部、右丞、義山爲法，參以東川、嘉州、中山、牧之，須求高壯雄厚，不涉空腔，乃是方家正宗。中晚風調，放翁秀句，不宜貪學，恐易於諧俗，轉難近古故也。惟拗體、吳體，宗杜須兼山谷，取其生造，於高老中，時出瘦勁，以助姿峭。五排專宗老杜，參以義山，此外無可津涉。絶句則中、盛、晚唐及宋人皆可兼學，但須以情韻爲歸宿耳。總之近體易於入時，不可涉平調，爲靡靡之音。明七子浮聲空響，西江派、南宋人槎枒枯槁、生硬粗率惡習，及元、白派之淺直頹唐句法，皆宜懸爲厲禁，不可偶墮其藩籬。一切近代廓膚語，小有風致語，及詩話中聰明語，尖媚諧謔語，並宜洗滌淨盡。如此則趨向正大，造詣精進，不患不成家數矣。作五古大篇，離不得規矩法度，所謂神明變化者，正從規矩法度中出，故能變化不離其宗。然用法須水到渠成，文成法立，自然合符，毫無痕迹，始入妙境。少陵大篇，最長於此。往往叙事未終，忽插論斷，論斷未盡，又接叙事。寫情正迫，忽入寫景，寫景欲轉，遙接生情。大開大闔，忽斷忽連，參差錯綜，端倪莫測。如神龍出沒雲中，隱現明滅，頃刻數變，使人迷離。此運《左》、《史》文筆爲詩法也，千古獨步，勿庸他求矣。七古起處宜破空斗起，高唱入雲，有黃河落天之勢，而一篇大旨，如帷燈匣劍，光影已攝於毫端。中間具縱橫排盪之勢，宜兼有抑揚頓挫之奇，雄放之氣，鎮以淵靜之神，故往而能迴，疾而不剽也。於密處疊造警句，石破天驚；於疏處軒起層波，山曲水折。如名將臨大敵，彌見整暇也。至接筆，則或挺接、反接、遙接，無平接者，故愈顯嶒崚。轉筆，則或疾轉、逆轉、突轉，無順轉者，故倍形生動。其關鍵勒束處，無不呼吸相生，打成一片，故筋節緊貫，血脈靈通，外極雄闊，而內極細密也。結處宜層層綰合，面面周到，而勢則懸崖勒馬，突然而止，斷不使詞盡意盡，一瀉無餘。此作七古之筆法也。若再能不以詞接而以神接，不以句轉而以氣轉，或不接之接，不轉之轉，尤爲大家不傳之祕，入無上上乘禪矣。老、莊告退，山水方滋。康樂善遊，精於獨造，其寫山水諸作，千秋絶調。歸愚謂謝公能於山水閒適之中，時時愜洽理趣，故詩品高不可攀。又謂永嘉山水奇麗，康樂詩境肖之；西蜀山川雄險，工部詩境肖之；永、柳山川幽峭，柳州文筆詩境肖之。略一轉移，失卻山川眞面。所以山水詩，以大謝、老杜爲宗，參以柳州，可盡其變矣。此論雖正，是知其當然，而未悉其所以然之妙也。夫詩貴相題，尤貴切題，人人知之。作山水詩，何獨不然。相山水雄險，則詩亦出以雄險；山水奇麗，則詩亦還以奇麗；山水幽峭，則詩亦與爲幽峭；山水清遠，則詩亦肖其清遠。凡詩家莫不能之，猶是外面工夫，非內心也。卽於寫山水中，由景生情立意，以求造語合符理境，又由情起一波瀾，以求語有風趣，亦非難事。詩家有工候才力者，皆所優爲，係由外達裏，上階工夫，尚未登堂，遑問入室，亦非內心也。夫文貴有內心，詩家亦然，而於山水詩尤要。蓋有內心，則不惟寫山水之形勝，並傳山水之性情，兼得山水之精神，探天根而入月窟，冥契眞詮，立躋聖域矣。夫山容水色，丘壑林泉，天下山水同有之景也。琳宮梵宇，月榭風亭，人工點綴，以助名勝，亦天下山水同有之景也。而或雄奇，或深險，或高厚，或平遠，或濃秀，或澹雅，氣象各殊，得失不一，則同之中又有異焉。況山者天地之筋骨，水者天地之血脈，而結搆山水，則天地之靈心秀氣，造物之智慧神巧也。山水秉五行之精，合兩儀之撰以成形。其山情水意，天所以結搆之理，與山水所得於天，以獨成其奇勝者，則絶無相同重複之處。歷一山水，見一山水之妙，矧陰晴朝暮，春秋寒暑，變態百出。游者領悟當前，會心不遠，或心曠神怡而志爲之超，或心靜神肅而氣爲之斂，或探奇選勝而神契物外，或目擊道存而心與天游。是遊山水之情，與心所得於山水者，又各不同矣。作山水詩者，以人所心得，與山水所得於天者互證，而潛會默悟，凝神於無朕之宇，研慮於非想之天，以心體天地之心，以變窮造化之變。揚其異而表其奇，略其同而取其獨，造其奧以洩其祕，披其根以證其理，深入顯出以盡其神，肖陰相陽以全其天。必使山情水性，因繪聲繪色而曲得其眞，務期天巧地靈，借人工天籟而畢傳其妙，則以人之性情通山水之性情，以人之精神合山水之精神，並與天地之性情、精神相通相合矣。以其靈思，結爲純意，撰爲名理，發爲精詞，自然異香繽紛，奇彩光豔，雖寫景而情生於文，理溢成趣也。使讀者因吾詩而如接山水之精神，恍得山水之情性，不惟勝畫眞形之圖，直可移情臥遊，若目覩焉。造詣至此，是爲人與天合，技也進於道矣。此之謂詩有內心也。康樂、工部二公以後，《廣陵散》絶已久，柳州望門而未深入，不足嗣音。歸愚翁所論，祇能模範山水，未能爲作表章，以附山水知己也。沈歸愚先生云：「作古詩不可入律，作律詩卻須得古詩意。正如作書者，寫隸篆八分，不可入行草楷書法；作行草楷書，卻須得篆隸八分法，同此意也。」人以爲妙喻妙論，予獨不以爲然。夫古詩律詩，體格不同，氣象亦異，各有法度，各有境界分寸。卽以使事選材，用意運筆而論，有宜於古者，有宜於律者，有古律皆宜、古律皆不宜者。是所宜之中，且爭毫釐，分寸略差，失等千里。作者相題行事，各還其本來，各成其當然之詣，不亦善乎！何必以五古平淡之味，施之五律，以求高瘦；以七古蒼莽之氣，行之七律，以破謹嚴，致犯枯槁頹唐之病耶！蓋離則兩美，合則兩傷。近代名家，五律慣作帶對不對流水之格，七律動作拗體吳體，以求高求峭，皆此種見解議論誤之也。

又卷三 凡懷古詩，須上下千古，包羅渾含，出新奇以正大之域，融議論於神韻之中，則氣韻雄壯，情文相生，有我有人，意不竭而識自見，始非史論一派。唐、宋名篇，選本林立，今略摘近代數首爲法。明人高青丘《岳王墓》云：「大樹無枝向北風，十年遺恨泣英雄。班師詔已來三殿，射虜書猶說兩宮。每憶上方誰請劍，空嗟高廟自藏弓。棲霞嶺上今回首，不見諸陵白露中。」楊升庵《武侯祠》云：「劍江春水綠沄沄，五丈原頭日又曛。舊業未能歸後主，大星先已落前軍。南陽祠宇空秋草，西蜀關山隔暮雲。正統不慚傳萬古，莫將成敗論三分。」邊華亭《文丞相祠》云：「丞相英靈迥未消，絳帷燈火颯寒飈。黃冠天地牽羊禮，碧血山河飲馬謠。花外子規燕市月，水邊精衛浙江潮。祠堂亦有西湖樹，不遣南枝向北朝。」國朝呂履恆《金川門》云：「金川北望日黃昏，聞道燕師入此門。不見古公傳季歷，祇知太甲是湯孫。風雷豈爲《鵾鵶》變，江漢難招杜宇魂。南渡降旗何面目，西山省恨舊乾坤。」宋聚業《南陽懷古》云：「眞人白水生文叔，名士青山臥武侯。水自奔騰趨漢口，山猶層疊枕城頭。時來一夕收銅馬，事去經年運木牛。歎息興亡千載上，荒村野廟兩悠悠。」黃子雲《太白酒樓》曰：「文章睥睨世無敵，湖海飄零氣轉遒。六代騷壇餘此席，一江春色獨登樓。爲君天特開青嶂，題壁人今亦白頭。猶有浣花草堂在，懷鉛直欲錦城遊。」嚴遂成《三垂岡》云：「英雄立馬起沙陀，奈此朱梁跋扈何！赤手難扶唐社稷，連城猶擁晉山河。風雲帳下奇兒在，鼓角燈前老淚多。蕭瑟三垂岡畔路，至今人唱《百年歌》。」蔣士銓《題南史》云：「半壁銷沈霸業荒，髑髏腥帶粉脂香。皇天好殺非無故，亂世多才定不祥。六代文章藏虎豹，百年花月化鴛鴦。南朝幾片風流地，酒色乾坤戰馬場。」袁枚《睢陽廟》云：「刀上蛾眉喚奈何，將軍鄰境尙笙歌。殘兵獨障全淮水，壯士同揮落日戈。六射鬚眉渾不動，一城人肉已無多。而今鳥鼠空啼竄，暮雨靈旗冷薜蘿。」家叔方伯公丹木先生《甲馬營》云：「天心厭亂眞人出，甲馬營同石紐村。五季腥風污日月，一兒香氣蕩乾坤。黃袍開國君臣義，金匱傳家母子恩。南渡文孫承大統，可憐引領望中原。」家兄次民觀察《紫柏山留侯祠》云：「少時任俠老求仙，龍虎風雲壯盛年。天眷漢家成帝業，人從秦季得師傳。五湖臣節開先路，三顧君恩讓後賢。豈有赤松遊世外，空餘紫柏滿祠前。」以上諸作，或高渾沈雄，或生辣蒼涼，或清麗超妙，均屬蓋代名篇，懷古詩中卓然可傳之筆，學者所當熟玩而以爲法者也。詠古七絕尤難，以詞意既須新警，而篇終復須深情遠韻，令人玩味不窮，方爲上乘。若言盡意盡，索然無餘味可尋，則薄且直矣。陳元孝《題秦紀》云：「謗聲易弭怨難除，秦法雖嚴亦甚疏。夜半橋邊呼孺子，人間猶有未燒書。」較元人陳剛中《詠博浪椎》之「如何十二金人外，尙有民間鐵未銷」，更覺生色。鄧孝威《咏息夫人》云：「楚宮慵掃黛眉新，只自無言對暮春。千古艱難惟一死，傷心豈獨息夫人！」包羅廣遠，意在言外。較唐人小杜之「至竟息亡緣底事？可憐金谷墜樓人」，更覺含蓄有味。所謂微詞勝於直斥，不著議論，轉深於議論也。錢牧齋《讀漢書》詩云：「漢家爭道孝文明，左右臨朝問亦輕。絳灌但知讒賈誼，可思流汗愧陳平！」頗有玉溪生筆意，則又著議論之佳者。詩固不可執一格論也。

又 五言長篇，始於樂府《孔雀東南飛》一章，而蔡文姬《悲憤詩》繼之。唐代則工部之《北征》、《奉先述懷》二篇，玉溪《行次西郊》一篇，足以抗衡。退之《南山》，稍次一格，然古香古色，並峙詞壇，皆文章家冠冕也。香山《悟眞寺詩》，多至百三十韻，在集中亦是鉅製。然雅秀清圓而乏渾厚高古之詣，用筆用法又鮮變化，所以不能與杜、韓、李諸詩並立。宋人五古，薄於有唐，古格古意，浸以淪喪，又好以文爲詩，品逾趨下。終宋之世，短章五古，各大家尙有可與唐賢抗衡者，而長篇則無一出色大文，可配前哲矣。元人好作長篇，而才力薄弱，詞旨敷衍淺率，竟難求一完璧。其品格較宋尤劣，不堪爲古人役，況敢望肩隨耶！前明如鄧遠游《哀武定》，楊文襄公《聞人道漢中事》諸作，篇幅雖長，而不免牽強，且率句稚句笨句，時見敗筆，皆未完善，亦不足道。惟王元美《袁江流》一篇，篇幅大而才力沛然，差足爲一代巨擘。而歸愚議其倣古痕迹未化，有心苛求，論殊過當。《將軍行》亦有古致，均爲傳作。若本朝，則吳梅村之《臨江參軍》、《吳門遇劉雪舫》、《南園叟》三篇，陳元孝之《王將軍輓歌》一篇，胡稚威之《烈女李三行》一篇，皆淋漓沈鬱，神骨色澤，氣味意旨，皆逼古人。而《王將軍歌》，神骨尤古健絶倫，足爲《孔雀東南飛》及《北征》、《西郊》嗣音，較王元美《袁江流》，有過之無不及也。古今大篇，佳者舉列於此。各詩皆長，不能録入詩話，學者當於選本及各專集中細心玩之。

又 七古以長短句爲最難，其伸縮長短，參差錯綜，本無一定之法。及其成篇，一歸自然，不啻天造地設，又若有定法焉。非天才神力，不能入妙。太白最長於此。後人學太白者，專務馳騁豪放，而不得其天然合拍之音節，與其豪放中別有清蒼俊逸之神氣，故貌似而實非也。凡作長短句，先須氣足意足，筆到興到，以全力舉之，而行所無事，爲第一義，不待言矣。至長短相間處，音節既貴自然，又貴清脆鏗鏘，可歌可誦。箇中自有眞訣，須相通篇之機神氣勢出之。凡三言、四言、五六言皆短句也，九言、十言、十餘言皆長句也。短以取勁，如短兵相接，徑欲其險，勢欲其緊。故用斂筆，抑筆，擒筆，糾筆，以收束筋骨，拍合節奏。而後局勢急，魄力遒，寓小陣於大陣中，氣彌精厲，法彌謹嚴也。長以取妍，局欲其寬，勢欲其壯。故用提筆，揚筆，縱筆及飛舞靈變之筆，以舒展筋絡，振盪局勢，作姿態而鼓氣機，掀波瀾以生變化。而後音節氣勢，如風馳雨驟，急管繁絃，湧洪濤疊浪於長江，出五花八門於方陣，神力以放而見奇肆，氣味由雄而入生辣，龍騰虎躍，莫可端倪也。一篇前後，奇正相生，長短相間，呼吸相應，斷續相聯。法極奇極變，而逾形完密；局極壯極濶，而倍覺精整。氣則鍊之又鍊，務使渾淪沈潛，隨筆勢之抑揚高下，參伍錯綜，無不曲折奔赴，洋溢蓬勃，如意所指，而大氣飛動之中，常伏有淵然寂然深靜淡定之道氣，隱爲之根，以鎮攝於神骨之間，駕馭於理法之内，俾之層出不竭。故往而能迴，雄而能清，厚而能靈，高而能渾，急而不促，暢而不剽，所謂剛柔相調也，所謂醇而後肆也。蓋以人聲合天地元音，幾於化工矣。此七古長短句之極則神功，李、杜二大家後，鮮有造詣及者。遺山時一問津，而未能純入此境，嗣後竟絶響矣。作七古者，未具絶人之才力學識，勿輕作長短句大篇也。作樂府須音節古，詞意古，神味氣骨無一不古，方許問鼎。使才力不得，逞書卷不得，鬬筆鋒，矜巧思，一幷不得。太襲古人，是滄溟輩之優孟衣冠；太離古人，是禪家辟支外道矣。必也能如哪吒之拆肉還母，拆骨還父，另由蓮花化身，始是眞正法身，非色身也。如此則上契佛心，立躋聖域，其庶幾乎！

又卷四 短章貴醖釀精深，淵涵廣博，色聲香味俱淨，始造微妙之詣。大篇則當如天馬騰空，神龍行雨，縱横跌盪，變化神明，莫可端倪，始見才力之奇。故五、七古各有界限，而長篇短幅，造詣取境，又各不同。相題行事，各還其眞，則兩得其勝。苟拘彼以例此，一有所偏，易位而施，則兩美俱失矣。孟山人、王右丞均工於短章五古，擅美一時，而王阮翁選《三昧集》，竟標爲正宗，揭以立教。其選不取李、杜。又所選五、七古詩鈔，李僅取其《古風》，杜仍不録。視杜爲五古變體，惟叙述時事，當效法杜耳。此外凡作五古，皆宜宗王、孟、韋、柳一派，以爲復古而神韻無窮也。固哉王叟之論詩，廢晋、楚而尊魯、衛，竟欲舉一格以繩古今天下，豈通論耶！宜其詩洮洮易盡，自以爲味淡聲稀，已造高古之詣，而不知反啓平庸之弊，如禪家誤守頑空，並非眞空澈悟也。後人才力弱者，腹笥孤陋者，羣借口以文過飾非，自相神聖，不復可以正理詰矣。始作俑者，非阮翁乎？

又 詠物詩最難見長，處處描寫物色，便是晚唐小家門徑，縱刻劃極工，形容極肖，終非上乘，以其不能超脱也。處處用意，又入論宗，仍是南宋人習氣，非微妙境界。則宛轉相關，寄託無迹，不黏滯於景物，不著力於論斷，遺形取神，超相入理，固別有道在矣。少陵《畫鷹》、《宛馬》之篇，《孤雁》、《螢火》之什，《蕃劍》、《搗衣》之作，皆小題詠物詩也。而不廢議論，不廢體貼，形容仍超超玄著，刻劃亦落落大方，神理俱足，情韻遙深，視晚唐、南宋詩人體物，迨如草根蟲吟耳。是以知具大手筆，並小詩亦妙絶時人，學者可知所取法矣。

吳汝綸《吳摯甫全集・文集四・詩樂論》 古者學樂而後誦詩，樂以詩爲本，詩以樂爲用，詩與樂相爲表裏者也。《三百篇》詩皆播於樂，故凡領在樂官者皆可歌。季札觀樂，遍歌《風》、《雅》、《頌》；漢初瞽史，例能歌《三百篇》是也。而不皆入樂之用，其入樂之用者，燕饗祀之樂章耳。蓋凡詩雖皆播於樂，而燕饗祀之樂章獨爲雅音。雅者，常也，正也。燕饗祀常用之正樂，故謂之雅。非是不名。古樂不可復考。荀子云：「詩者中聲之所止。」又《史記》云：「孔子絃歌三百五篇，以求合於韶武雅頌之音。」朱子皆深不然其説，蓋止於中聲者，雅樂耳，餘詩則貞淫美惡，各從其類，安得一以中聲律之？且如《雅》《頌》之詩，自是雅頌之音；鄭衛之詩，自是鄭衛之音。又安能歌鄭以合雅乎？說者又謂詩與聲有辨，聲淫非詩淫，詩則《三百篇》皆雅音也。不知詩者樂之章，而聲則歌其詩而被於樂之名也。惟其詩淫，故被之於樂而聲亦淫。記曰：「詩言其志也，歌詠其聲也。」又《詩大序》曰：「情發於聲，聲成文謂之音。」由此觀之，聲非即詩之聲乎？朱子謂深絕其聲於樂以爲法，而嚴立其詞於詩以爲戒，聲與詩之辨，如是而已。若必別聲於詩，則所謂聲者，何聲也？然則鄭聲之放，特謂不以其詩被之於樂耳。放其聲者，聖人惡亂雅樂之意；存其詩者，太師陳詩觀風之舊也。而謂《三百篇》皆中聲皆雅音，誤矣。至《大戴禮》投壺雅歌及杜夔雅樂四曲，皆有《白駒》、《伐檀》。二詩不用於燕饗祀，而亦謂之雅。《白駒》猶《小雅》篇，《伐檀》則變風矣。蓋不用於燕饗祀，而用於投壺之禮，是亦入樂之用者。所謂止於中聲合於雅音者，或是類歟？然不可考矣。

蔣學堅《懷亭詩話》卷二 唐人論詩，謂五律最難，如四十賢人，容一屠沽兒不得，學者須從此入手。余謂作詩宜先學七古，能筆力健舉、天骨開張，則其餘諸體自易易矣。譬如人能挽六鈞之弓，扛百斛之鼎，使舉他物，有不輕於鴻毛哉？

范啓瑋《蠡園詩話》 詩體自《三百篇》而後，始有《離騷》。《離騷》而後有七子、六朝。六朝而後有初、中、晚三唐。王、楊、盧、駱，緊接六朝。李白天姿最高，風骨華秀，倣六朝而神韻過之。杜甫遂變其體，句調鏗鏘，結體嚴正。其餘大曆十子而劉、白爲雄。晚唐各家，義山、樊川爲最。至宋、元、明，雖代有傳人，皆不及唐人之意味深長，詞旨腴厚。而詩純而人品不純，亦爲憾事。如揚雄受職於新莽，劉禹錫、柳宗元依附于王叔文，未免明珠暗投，遺譏後世。余詩每直道而行，自鳴天籟，吾表侄婿王辰進士蕭元怡有詩云：「茂陵他日求遺稿，猶喜曾無封禪書。」乃曰：「公爲詩以『思無邪』爲宗旨，爲文不喜附會、逢迎之說，以取媚於當道。獨伸正論，千古不磨，此二句可以爲我公詠之矣。」立言顧可苟焉哉！

鄒弢《三借廬贅談》卷九《徐而庵論詩》 歌行最重頓挫，下句及接上之處，尤要警策，用意尤要整密，收縱得宜，調度合拍。譬如跳獅子，鑼也好，鼓也好，毬也好，而後三回九轉跳出來，方見全副精神。

張翼廷《塞愚詩話》卷二 詩覘抱負，惟古體爲然，應制體裁不過聲韻對偶而已。亦有不盡然者，《隨園》載莊容可《賦春蠶》詩，有「經綸猶有待，吐屬已非凡」之句。又《湯圓詩》云「甘白俱能受，升沈總不驚」，皆有寄託。近今俞曲園太史樾應朝詩考有「花落春仍在」之句，河南學政被議後，著作等身，名滿天下，則直無心之讖矣。

袁祖光《綠天香雪簃詩話》卷一 古詩多四言，後沿爲五、七言，間亦有六言體，稍近詞句，大家集中亦不多見。明羅明仲有三言絕句《詠扇》云：「揚風帆，出江樹，家遙遙，在何處。」《詠圍棋》云：「勝與負，相爲端，我因君，得大觀。」已屬創見。又有人作九言詩，如「昨夜西風擺落千林稍，渡頭小舟捲入寒塘坳」之句，多至百十首，大都拗體，健筆似七言古中長句，雖曰創體，究不軌於正也。

狄葆賢《平等閣詩話》卷二 絕句如須彌藏芥子，自古爲難。其要旨則在一氣廻旋，蘊含無盡。有以議論勝者，有以神韻勝者。議論，則譚復生《題宋徽宗畫鷹》云：「落日平原拍手呼，畫中神俊世非無。當年狐兔縱橫甚，祇少臺臣似郅都。」神韻，則李蓴客《鑑湖柳枝詞》云：「家家門巷正啼鶯，取次輕陰間嫩晴。滿院楊花人不到，鞦韆撩亂作清明。」

風格

劉勰《文心雕龍·定勢》 夫情致異區，文變殊術，莫不因情立體，即體成勢也。勢者，乘利而爲制也。如機發矢直，澗曲湍回，自然之趣也。圓者規體，其勢也自轉；方者矩形，其勢也自安。文章體勢，如斯而已。是以模經爲式者，自入典雅之懿；效《騷》命篇者，必歸豔逸之華；綜意淺切者，類乏醞藉；斷辭辨約者，率乖繁縟。譬激水不漪，槁木無陰，自然之勢也。是以繪事圖色，文辭盡情，色糅而犬馬殊形，情交而雅俗異勢，鎔範所擬，各有司匠，雖無嚴郛，難得踰越。然淵乎文者，並總羣勢；奇正雖反，必兼解以俱通；剛柔雖殊，必隨時而適用。若愛典而惡華，則兼通之理偏，似夏人爭弓矢，執一不可以獨射也；若《雅》《鄭》而共篇，則總一之勢離，是楚人鬻矛譽楯，兩難得而俱售也。是以括囊雜體，功在銓別，宮商朱紫，隨勢各配。章表奏議，則準的乎典雅；賦頌歌詩，則羽儀乎清麗；符檄書移，則楷式於明斷；史論序注，則師範於覈要；箴銘碑誄，則體制於弘深；連珠七辭，則從事於巧豔。此循體而成勢，隨變而立功者也。雖復契會相參，節文互雜，譬五色之錦，各以本采爲地矣。桓譚稱文家各有所慕，或好浮華而不知實覈，或美衆多而不見要約。陳思亦云：「世之作者，或好煩文博採，深沈其旨者；或好離言辨白，分毫析氂者。所習不同，所務各異，言勢殊也。」劉楨云：「文之體勢實有強弱，使其辭已盡而勢有餘，天下一人耳，不可得也。」公幹所談，頗亦兼氣。然文之任勢，勢有剛柔，不必壯言慷慨，乃稱勢也。又陸雲自稱往日論文，先辭而後情，尙勢而不取悅澤，及張公論文，則欲宗其言。夫情固先辭，勢實須澤，可謂先迷後能從善矣。自近代辭人，率好詭巧，原其爲體，訛勢所變，厭黷舊式，故穿鑿取新，察其訛意，似難而實無他術也，反正而已。故文反正爲乏，辭反正爲奇。效奇之法，必顚倒文句，上字而抑下，中辭而出外，回互不常，則新色耳。夫通衢夷坦，而多行捷徑者，趨近故也；正文明白，而常務反言者，適俗故也。然密會者以意新得巧，苟異者以失體成怪。舊練之才，則執正以馭奇；新學之鋭，則逐奇而失正；勢流不反，則文體遂弊。秉茲情術，可無思耶！

又《體性》　夫情動而言形，理發而文見，蓋沿隱以至顯，因內而符外者也。然才有庸儁，氣有剛柔，學有淺深，習有《雅》《鄭》，並情性所鑠，陶染所凝，是以筆區雲譎，文苑波詭者矣。故辭理庸儁，莫能翻其才；風趣剛柔，寧或改其氣；事義淺深，未聞乖其學；體式《雅》《鄭》，鮮有反其習；各師成心，其異如面。若總其歸塗，則數窮八體：一曰典雅，二曰遠奧，三曰精約，四曰顯附，五曰繁縟，六曰壯麗，七曰新奇，八曰輕靡。典雅者，鎔式經誥，方軌儒門者也；遠奧者，馥采典文，經理玄宗者也；精約者，覈字省句，剖析毫氂者也；顯附者，辭直義暢，切理厭心者也；繁縟者，博喻釀采，煒燁枝派者也；壯麗者，高論宏裁，卓爍異采者也；新奇者，擯古競今，危側趣詭者也；輕靡者，浮文弱植，縹緲附俗者也。故雅與奇反，奥與顯殊，繁與約舛，壯與輕乖，文辭根葉，苑囿其中矣。若夫八體屢遷，功以學成，才力居中，肇自血氣；氣以實志，志以定言，吐納英華，莫非情性。是以賈生俊發，故文潔而體清；長卿傲誕，故理侈而辭溢；子雲沈寂，故志隱而味深；子政簡易，故趣昭而事博；孟堅雅懿，故裁密而思靡；平子淹通，故慮周而藻密；仲宣躁鋭，故穎出而才果；公幹氣褊，故言壯而情駭；嗣宗俶儻，故響逸而調遠；叔夜儁俠，故興高而采烈；安仁輕敏，故鋒發而韻流；士衡矜重，故情繁而辭隱；觸類以推，表裏必符。豈非自然之恆資，才氣之大略哉！夫才由天資，學愼始習，斲梓染絲，功在初化，器成綵定，難可翻移。故童子雕琢，必先雅製，沿根討葉，思轉自圓，八體雖殊，會通合數，得其環中，則輻輳相成。故宜摹體以定習，因性以練才，文之司南，用此道也。贊曰：才性異區，文辭繁詭。辭爲肌膚，志實骨髓。雅麗黼黻，淫巧朱紫。習亦凝眞，功沿漸靡。

駱賓王《和道士閨情詩啓》　竊惟詩之興作，兆基邃古。唐歌虞詠，始載典謨；商《頌》周《雅》，方陳金石。其後言志緣情，二京斯甚；含毫瀝思，魏、晉彌繁。布在縑簡，差可商略。李都尉鴛鴦之詞，纏綿巧妙；班婕妤霜雪之句，發越清回。平子桂林，理在文外；伯喈翠鳥，意盡行間。河朔詞人，王、劉爲稱首；洛陽才子，潘、左爲先覺。若乃子建之牢籠羣彥，士衡之籍甚一時，並文苑之羽儀，詩人之龜鏡。爰逮江左，謳謠不輟，非有神骨仙才，專事玄風道意。顏、謝特挺，戕辭典麗。自茲已降，聲律稍精。其間沿改，莫能正本。

佚名《文筆式·論體》　凡製作之士，祖述多門，人心不同，文體各異。較而言之，有博雅焉，有清典焉，有綺艷焉，有宏壯焉，有要約焉，有切至焉。夫模範經誥，褒述功業，淵乎不測，洋哉有閑，博雅之裁也。敷演情志，宣照德音，植義必明，結言唯正，清典之致也。體其淑姿，因其壯觀，文章交映，光彩傍發，綺艷之則也。魁張奇偉，闡耀威靈，縱氣凌人，揚聲駭物，宏壯之道也。指事述心，斷辭趣理，微而能顯，少而斯洽，要約之旨也。舒陳哀憤，獻納約戒，言唯折中，情必曲盡，切至之功也。至如稱博雅，則頌、論爲其標（頌明功業，論陳名理。體貴於弘，故事宜博；理歸於正，故言必雅也）。語清典，則銘、讚居其極（銘題器物，讚述功德，皆限以四言，分有定準。言不沉逭，故聲必清；體不詭雜，故辭必典也）。陳綺艷，則詩、賦表其華（詩兼聲色，賦敘物象，故言資綺靡，而文極華艷）。敘宏壯，則詔、檄振其響（詔陳王命，檄敘軍容，宏則可以及遠，壯則可以威物）。論要約，則表、啓擅其能（表以陳事，啓以述心，皆施之尊重，須加肅敬，故言在於要，而理歸於約）。言切至，則箴、誄得其實（箴陳戒約，誄述哀情，故義資感動，言重切至也）。凡斯六事，文章之通義焉。苟非其宜，失之遠矣。博雅之失也緩，清典之失也輕，綺艷之失也淫，宏壯之失也誕，要約之失也闌，切至之失也直。體大義疎，辭引聲滯，緩之致焉（文體既大，而義不周密，故云疎；辭雖引長，而聲不通利，故云滯也）。理入於浮，言失於淺，輕之起焉（敘事爲文，須得其理，理不甚會，則覺其浮；言須典正，涉於流俗，則覺其淺）。體貌違方，逞欲過度，淫以興焉（文雖綺艷，猶須準其事類相當，比擬敘述，不得體物之貌，而違於道；逞己之心，而過於制也）。制傷迂闊，辭多詭異，誕則成焉（宏壯者，亦須準量事類可得施言，不可漫爲迂闊，虛陳詭異也）。情不申明，事有遺漏，闕因見焉（謂論心意不能盡申，敘事理又有所闕焉也）。體尚專直，文好指斥，直乃行焉（謂文體不經營，專爲直置，言無比附，好相指斥也）。故詞人之作也，先看文之大體，隨而用心（謂上所陳文章六種，是其本體也）。遵其所宜，防其所失（博雅、清典、綺艷、宏壯、要約、切至等，是其所宜也；緩、輕、淫、闕、誕、直等，是其所失也）。故能辭成鍊覈，動合規矩。而近代作者，好尚互舛，苟見一塗，守而不易，至令摛章綴翰，罕有兼善。豈才思之不足，抑由體製之未該也。

釋皎然《詩議·論文意》 論人，則康樂公秉獨善之資，振頹靡之俗。沈建昌評：「自靈均已來，一人而已。」此後，江寧侯溫而朗，鮑參軍麗而氣多，《雜體》、《從軍》，殆凌前古。恨其縱捨盤薄，體貌猶少。宣城公情致蕭散，詞澤義精，至於雅句殊章，往往驚絕。何水部雖謂格柔，而多清勁，或常態未翦，有逸對可嘉，風範波瀾，去謝遠矣。柳惲、王融、江總三子，江則理而清，王則清而麗，柳則雅而高。予知柳吳興名屈於何，格居何上。中間諸子，時有片言隻句，縱敵於古人，而體不足齒。或者隨流，風雅泯絕。「八病」、「雙拈」，載發文蠹，遂有古律之別（古詩三等，正、偏、俗，律詩三等，古、正、俗）。頃作古詩者，不達其旨，效得庸音，競壯其詞，俾令虛大。或有所至，已在古人之後，意熟語舊，但見詩皮，淡而無味。予實不誣，唯知音者知耳。

又《詩式·跌宕格二品》 越俗。評曰：其道如黃鶴臨風，貌逸神王，杳不可羈。郭景純《游仙詩》：「左挹浮丘袂，右拍洪崖肩。」鮑明遠《擬行路難》：「舉頭四顧望，但見松柏園，荊棘鬱蹲蹲。中有一鳥名杜鵑，言是古時蜀帝魂。聲音哀苦鳴不息，羽毛憔悴似人髡。飛走樹間啄蟲蟻，豈憶往日天子尊。念茲死生變化非常理，中心惻愴不能言。」駭俗。評曰：其道如楚有接輿，魯有原壤。外示驚俗之貌，內藏達人之度。郭景純《遊仙詩》：「姮娥揚妙音，洪崖頷其頤。」王梵志《道情詩》：「我昔未生時，冥冥無所知。天公強生我，生我復何爲？無衣使我寒，無食使我饑。還你天公我，還我未生時。」賀知章《放達詩》：「落花眞好些，一醉一回顚。」盧照鄰《勞作》云：「城狐尾獨倲，山鬼面蒼覃。」

又《淈沒格一品》 淡俗。評曰：此道如夏姬當壚，似蕩而貞。采吳楚之風，雖俗而正。古歌曰：「華陰山頭百尺井，下有流泉徹骨冷。可憐女子來照影，不照其餘照斜領。」

又《調笑格一品》 戲俗。評曰：《漢書》云：「匡鼎來（音梨），解人頤。」蓋說詩也。此一品非雅作，足以爲談笑之資矣。李白《上雲樂》：「女媧弄黃土，摶作愚下人。散在六合間，濛濛若沙塵。」

又《品藻》 評曰：古來詩集，多有不公，或雖公而不鑒。今則不然。與二三作者縣衡於衆製之表，覽而鑒之，庶無遺矣。其華艷，如百葉芙蓉，菡萏照水。其體裁，如龍行虎步，氣逸情高。脫若思來景遏，其勢中斷，亦有如寒松病枝，風擺半折。 百葉芙蓉菡萏照水例：如曹子建詩：「明月照高樓，流光正徘徊。」宣城公詩：「金波麗鳷鵲，玉繩低建章。」江文通詩：「露彩方汎灩，月華始徘徊。」此類是也。 龍行虎步氣逸情高例：如左思《詠史》詩：「吾希段干木，偃息藩魏君。吾慕魯仲連，談笑卻秦軍。」又詩：「被褐出閶闔，高步追許由。振衣千仞崗，濯足萬里流。」此類是也。 寒松病枝風擺半折例，如康樂公詩：「明月照積雪，朔風勁且哀。」范灑心詩：「喬木聳田園，青山亂商鄧。」此類是也。

又《辯體有一十九字》 評曰：夫詩人之思初發，取境偏高，則一首舉體便高；取境偏逸，則一首舉體便逸。才性等字亦然。體有所長，故各功歸一字。偏高、偏逸之例，直於詩體、篇目、風貌不妨。一字之下，風律外彰，體德內蘊，如車之有轂，衆輻歸焉。其一十九字，括文章德體，風味盡矣，如《易》之有《彖辭》焉。今但注於前卷中，後卷不復備舉。其比興等六義，本乎情思，亦蘊乎十九字中，無復別出矣。高（風韻朗暢曰高）。逸（體格閒放曰逸）。貞（放詞正直曰貞）。忠（臨危不變曰忠）。節（持操不改曰節）。志（立性不改曰志）。氣（風情耿介曰氣）。情（緣景不盡曰情）。思（氣多含蓄曰思）。德（詞溫而正曰德）。誡（檢束防閑曰誡）。閑（情性疏野曰閑）。達（心跡曠誕曰達)。悲(傷甚曰悲)。怨(詞調悽切曰怨)。意(立言盤泊曰意)。力(體裁勁健曰力)。靜(非如松風不動，林狖未鳴，乃謂意中之靜)。遠(非如渺渺望水，杳杳看山，乃謂意中之遠)。

何汶《竹莊詩話》卷一引釋皎然《詩式》 蘇、李之製，意深體閒，詞多怨思。音韻激切，其象瑟也。曹、王之製，思逸義婉，詞多頓挫，音韻低昂，其象鼓也。嗣宗、孟陽、太沖之製，興殊增麗，風骨雅淡，音韻閒暢，其象箎也。宋、齊、吳、楚之製，務精尚巧，氣質華美，音韻鏗鏘，其象箏也。唯古詩之製，麗而不華，直而不野。如諷刺之作，雅得和平之資，深遠精密，音律和緩，其象琴也。

釋齊己《風騷旨格·詩有十體》 一曰高古。詩曰：「千般貴在無過達，一片心閒不奈高。」二曰清奇。詩曰：「未曾將一字，容易謁諸侯。」三曰遠近。詩曰：「已知前古事，更結後人看。」四曰雙分。詩曰：「船中江上景，晚泊早行時。」五曰背非。詩曰：「山河終決勝，楚漢且橫行。」六曰虛無。詩曰：「山寺鐘樓月，江城鼓角風。」七曰是非。詩曰：「須知項籍劍，不及魯陽戈。」八曰清潔。詩曰：「大雪路亦宿，深山水也齋。」九曰覆粧。詩曰：「疊巘供秋望，無雲到夕陽。」十曰闔門。詩曰：「卷簾黃葉落，鎖印子規啼。」

司空圖《詩品·雄渾》 大用外腓，眞體內充。返虛入渾，積健爲雄。具備萬物，橫絶太空。荒荒油雲，寥寥長風。超以象外，得其環中。持之非強，來之無窮。

又《冲淡》 素處以默，妙機其微。飲之太和，獨鶴與飛。猶之惠風，荏苒在衣。閲音修篁，美曰載歸。遇之匪深，卽之愈希。脱有形似，握手已違。

又《纖穠》 采采流水，蓬蓬遠春。窈窕深谷，時見美人。碧桃滿樹，風日水濱。柳陰路曲，流鶯比鄰。乘之愈往，識之愈眞。如其不盡，與古爲新。

又《沈著》 綠林野屋，落日氣清。脱巾獨步，時聞鳥聲。鴻雁不來，之子遠行。所思不遠，若爲平生。海風碧雲，夜渚月明。如有佳語，大河前橫。

又《高古》 畸人乘眞，手把芙蓉。汎彼浩劫，窅然空蹤。月出東斗，好風相從。太華夜碧，人聞清鐘。虛佇神素，脱然畦封。黃唐在獨，落落玄宗。

又《典雅》 玉壺買春，賞雨茆屋。坐中佳士，左右修竹。白雲初晴，幽鳥相逐。眠琴綠陰，上有飛瀑。落花無言，人淡如菊。書之歲華，其曰可讀。

又《洗鍊》 如鑛出金，如鉛出銀。超心鍊冶，絶愛緇磷。空潭瀉春，古鏡照神。體素儲潔，乘月反眞。載瞻星氣，載歌幽人。流水今日，明月前身。

又《勁健》 行神如空，行氣如虹。巫峽千尋，走雲連風。飲眞茹強，蓄素守中。喻彼行健，是謂存雄。天地與立，神化攸同。期之以實，御之以終。

又《綺麗》 神存富貴，始輕黃金。濃盡必枯，淡者屢深。霧餘水畔，紅杏在林。月明華屋，畫橋碧陰。金尊酒滿，伴客彈琴。取之自足，良殫美襟。

又《自然》 俯拾卽是，不取諸鄰。俱道適往，著手成春。如逢花開，如瞻歲新。眞與不奪，強得易貧。幽人空山，過雨採蘋。薄言情語，悠悠天鈞。

又《含蓄》 不著一字，盡得風流。語不涉己，若不堪憂。是有眞宰，與之沉浮。如綠滿酒，花時返秋。悠悠空塵，忽忽海漚。淺深聚散，萬取一收。

又《豪放》 觀花匪禁，吞吐大荒。由道返氣，處得以狂。天風浪浪，海山蒼蒼。眞力彌滿，萬象在旁。前招三辰，後引鳳凰。曉策六鼇，濯足扶桑。

又《精神》 欲返不盡，相期與來。明漪絶底，奇花初胎。青春鸚鵡，楊柳樓臺。碧山人來，清酒深杯。生氣遠出，不著死灰。妙造自然，伊誰與裁？

又《縝密》 是有眞跡，如不可知。意象欲出，造化已奇。水流花開，清露未晞。要路愈遠，幽行爲遲。語不欲犯，思不欲癡。猶春於綠，明月雪時。

又《疏野》 惟性所宅，眞取弗羈。控物自富，與率爲期。築室松下，脱帽看詩。但知旦暮，不辨何時。倘然適意，豈必有爲。若其天放，如是得之。

又《清奇》 娟娟羣松，下有漪流。晴雪滿汀，隔溪漁舟。可人如玉，步屧尋幽。載行載止，空碧悠悠。神出古異，澹不可收。如月之曙，如氣之秋。

又《委曲》 登彼太行，翠遶羊腸。杳靄流玉，悠悠花香。力之於時，聲之於羌。似往已迴，如幽匪藏。水理漩洑，鵬風翱翔。道不自器，與之圓方。

又《實境》 取語甚直，計思匪深。忽逢幽人，如見道心。晴澗之曲，碧松之陰。一客荷樵，一客聽琴。情性所至，妙不自尋。遇之自天，泠然希音。

又《悲慨》 大風捲水，林木爲摧。適苦欲死，招憩不來。百歲如流，富貴冷灰。大道日喪，若爲雄才。壯士拂劍，浩然彌哀。蕭蕭落葉，漏雨蒼苔。

又《形容》 絶佇靈素，少迴清眞。如覓水影，如寫陽春。風雲變態，花草精神。海之波瀾，山之嶙峋。俱似大道，妙契同塵。離形得似，庶幾斯人。

又《超詣》：匪神之靈，匪機之微。如將白雲，清風與歸。遠引若至，臨之已非。少有道氣，終與俗違。亂山高木，碧苔芳暉。誦之思之，其聲愈希。

又《飄逸》：落落欲往，矯矯不羣。緱山之鶴，華頂之雲。高人惠中，令色絪縕。御風蓬葉，汎彼無垠。如不可執，如將有聞。識者期之，欲得愈分。

又《曠達》：生者百歲，相去幾何。歡樂苦短，憂愁實多。何如尊酒，日往烟蘿。花覆茆簷，疏雨相過。倒酒既盡，杖藜行歌。孰不有古，南山峨峨。

又《流動》：若納水輨，如轉丸珠。夫豈可道，假體如愚。荒荒坤軸，悠悠天樞。載要其端，載聞其符。超超神明，返返冥無。來往千載，是之謂乎。

徐夤《雅道機要·明體裁變通》：體者詩之象，如人之體象，須使形神豐備，不露風骨，斯爲妙手矣。　高古體。詩曰：「千般貴盛無過達，一片心閑不奈何。」清奇體。詩曰：「未曾將一字，容易謁諸侯。」遠近體。詩曰：「已知前事往，更結後人看。」雙分體。詩曰：「船中江上景，晚泊曉行時。」背分體。詩曰：「山河終決勝，楚漢且橫行。」無虛體。詩曰：「山寺樓臺月，江城鼓角風。」覆粧體。詩曰：「疊巘供秋望，無雲到夕陽。」開闔體。詩曰：「捲簾黃葉落，鏁印子規啼。」是時體。詩曰：「須知項籍劍，不及魯陽戈。」貞潔體。詩曰：「大雪路亦出，深山水也齋。」

王玄《詩中旨格·擬皎然十九字體》：風韻朗暢曰高。廖融《寄天台逸人》：「又聞乘桂楫，載月十洲行。」此高字體也。　體格閑放曰逸。齊己《寄陸龜蒙》：「閑欹太湖石，醉聽洞庭秋。」此逸字體也。　放辭正直曰貞。王貞白《題狄梁公廟》：「惟公仗高節，爲國立儲皇。」此貞字體也。　臨危不變曰忠。齊己《送遷客》：「天涯即象州，謫去莫多愁。」此忠字格也。　持操不改曰節。賈島《贈孟山人》：「衣褐惟麤帛，筐箱只素書。」此節字格也。　確乎不拔曰志。賈島《老將》：「旌旗猶入夢，歌舞不關懷。」此志字格也。　立性耿介曰氣。杜牧《鶴》：「終日無羣伴，溪邊弔影孤。」此氣字格也。　緣景不盡曰情。孟賓于《柳》：「去年曾折處，今日又垂條。」此情字格也。　含蓄曰思。《夏日曲江有作》：「遠寺連沙靜，閒舟入浦遲。」此思字格也。　辭溫而正曰德。《贈徐明府》：「簾垂羣吏散，苔長訟庭閒。」此德字格也。　防患曰誡。賈島《送杜秀才東遊》：「匣有青銅鏡，時時照鬢看。」此誡字格也。　性情疎野曰閑。《贈隱者》：「靜是延年本，閒爲好道基。」此閑字格也。　心跡曠誕曰達。詩曰：「冷笑忘淳者，抄方染鬢髭。」此達字格也。　堪傷曰悲。劉得仁《哭賈島》：「白日只如哭，黃泉免恨無。」此悲字格也。　辭理凄切曰怨。齊己《聞吳拾遺與鄭谷下世》：「國猶多聚盜，天似不容賢。」此怨字格也。　立言盤泊曰意。鄭谷《送曹郎中赴漢州》：「開懷江稻熟，悅性露花香。」此意字體也。　體裁勁健曰力。朱慶餘《早梅》：「自古承春早，嚴冬鬪雪開。」此力字體也。　情中之靜曰靜。修睦《閑居》：「野鶴眠松上，秋苔長雨間。」此靜字體也。　意中之遠曰遠。賈島《姚氏林亭》：「窗含明月樹，沙起白雲鷗。」此遠字體也。

梅堯臣《宛陵先生集》卷四六《讀邵不疑學士詩卷杜挺之忽來因出示之且伏高致輒書一時之語以奉呈》　作詩無古今，唯造平淡難。譬身有兩目，了然瞻視端。《召南》有遺風，源流應未殫。所得六十章，大小珠落盤。光彩若明月，射我枕席寒。含香視草郎，下馬一借觀。既觀坐長歎，復想李杜韓。願執戈與戟，生死事將壇。

吳處厚《青箱雜記》卷五　文章雖皆出於心術，而實有兩等：有山林草野之文，有朝廷臺閣之文。山林草野之文，則其氣枯槁憔悴，乃道不得行，著書立言者之所尚也。朝廷臺閣之文，則其氣溫潤豐縟，乃得位於時，演綸視草者之所尚也。

蔡絛《西清詩話》卷中　詩家情致，人自一種風氣。山林鍾鼎與夫道釋流語，有不可易者。如事帶方外，俗謂有蔬筍氣，辭旨凡拙，則謂學究體。

慕容彥逢《摛堂文集》卷一三《論文書》　夫文章自古爲難，非爲之難也，知之難矣；非知之難也，得之難矣；非得之難，自得之難矣。古之人無意於文，或以明道，或以叙事，以爲默則不足以自達，則宣之以言，言必有紀則述之以文，故古人之文渾然天成，罔有凝滯，猶渾金璞玉，不見有追琢之跡。後世不然。務華者以侈靡爲麗，務巧者以雕刻爲工，務怪者以險僻爲高，務豪者以馳騁爲壯，各揣所好，互相標目，其不淪於俗者蓋無幾也。故斯文陵夷，無復古人之盛。

姚勉《雪坡舍人集》卷三七《汪古淡詩集序》　「張籍學古淡，軒昂避雞羣」，退之語也。【略】詩有道味，有世味。世味今而甘，道味古而淡。今而甘不若古而淡者之味之悠長也。食大羹飲元酒端冕而聽琴瑟，雖不如烹龍炰鳳之可口，俳優鄭衛之適耳，而飫則厭，久則倦矣，淡之味則有餘而無窮也。爲今之人甘，可也；欲爲古之人，其淡乎！惟古則淡，惟淡則古。周子曰：「淡，則欲心平。子欲追古人之淡夫？苟無欲，則於道庶幾矣！」

史秉直《莊靖集序》 史稱唐文三變，至韓昌黎而後稍稍可述，誠確論也。以其當世文士類皆流於一偏，如白樂天之平易，李長吉之放逸，孟東野之酸寒，賈浪仙之窮苦，是豈不欲去其偏而就全乎？蓋以平日所賦之性，所養之氣，所守之學，迂踈局促，執之而不能變之耳。唯韓昌黎則不然，中正之學發爲文章，粹然一出於正，其於觴詠之間，給談笑，助諧謔，叙人情，狀物態，鈎玄提要，據古論今，左右逢原，意各有寓，爲時人之宗師，豈一偏之所能囿哉！

方回《桐江集》卷一《馮伯田詩集序》 而詩人之詩亦有所謂清焉，清矣，又有所謂新焉。【略】然則詩人之詩，清而後能新也，卽新而後能清耶。老杜謂「清新庾開府」，并言之，未嘗別言之也。非清不新，非新不清，同出而異名，此非可以體用言也。【略】或謂老杜之寄太白也，以清新對俊逸，而予於馮君之詩，獨以清新許之，無乃於俊逸不足乎？曰：不然。才力之使然者，爲俊逸；意味之自然者，爲清新。可無彼，不可無此，故不同也。或又問清新之所自來，得之學乎？得之思乎？世未嘗無苦學精思之士，而或不能爲詩，或能爲之而不能清新。

牟巘《陵陽集》卷一四《高景仁詩藁序》 《商頌》曰：「既和且平，依我磬聲。」又曰：「亦有和羹，既戒既平。」予讀書至此，然後知和平者，物之極致。不但聲之與味爲然，雖詩亦然。夫和平之詞，恬淡而難工。非用力之深，孰能知聲外之聲，味外之味，而造夫《詩·頌》之所謂「和且平」者乎？故精能之至，及造和平，此乃《詩》之極致也。

劉辰翁《須溪集》卷六《胡仁叔詩序》 舊常評某人詩清嫩，其人不滿。【略】凡諱嫩，欲稱老，不知清嫩與淺嫩異，政未可少也。如輕風淡日，時花美女，小兒晛晥初語，別能令人賞愛。有味亦不在多，固未可與彼老者同年而語也。杜子美「轉添愁伴客，更覺老隨人」，儻無起語十字，坐盡情事曲折，更接以「紅入」、「青歸」、「桃柳」之句，豈不誠媿其嫩耶？

姚燧《牧庵集》卷三《檽庵集序》 夫讀其書，必知其人，質者拘窘，掞者游誇，近者膚卑，豪者峻宕，剛者麤厲，而弱者氣乏，與夫徇今者陳茶，戾古者無法，葩豔者遠實，喜異者艱崎，失志者詆訕，躁淺者迫切，而挾數者詖傾，其失非盡乎此也。惟所性中正宏厚者，故能優柔而明炳，洞暢而溫醇。斯大雅君子，言符其德者也。

張之翰《西巖集》卷一八《題資山集》 詩固多體，有館閣，有山林，有神仙，有英雄。蓋人之不齊，所作亦不齊。

又《題山雞自愛詩集》 非文錦絢爛，不足以造皮毛脫落之地。

吳澄《吳文正公文集》卷一八《王實翁詩序》 黃太史必於奇，蘇學士必於新，荊國丞相必於工，此宋詩之所以不能及唐也。王實翁爲詩，奇不必如谷，新不必如坡，工不必如半山，性情流出，自然而然。充其所到，雖唐元、白不過如是。前永州教授何君周佐評其詩曰「興寄閑婉，得詩天趣」，當矣。又評其人曰：「神情曠夷，光霽被面。」噫！非此人，安得有此詩？

程鉅夫《雪樓集》卷二五《題晴川樂府》 蘇詞如詩，秦詩如詞。此蓋意習所遣，自不覺耳。要之情吾情，味吾味，雖不必同人，亦不必彊人之同。然一往無留，如戴晉人之吷，則亦安在其爲寫中腸也哉？

范梈《木天禁語·氣象》 翰苑、輦轂、山林、出世、偈頌、神仙、儒先（石屏之類，宋賢也）、江湖、閭閻、末學（末學者，道聽途說，得一二字面，便雜揉用去，不成一家，又在江湖、閭閻之下）。已上氣象，各隨人之資稟高下而發，學者以變化氣質，須仗師友，所習所讀，以開導佐助，然後能脫去俗近，以游高明。謹之愼之。又詩之氣象，猶字畫然，長短肥瘦，清濁雅俗，皆在人性中流出。得八法便成妙染，而洗吾舊態也。此趙松雪翁與中峰和尚侍者道良之語也。謾錄於此耳。儲泳曰：「性情褊隘者，其詞躁；寬裕者，其詞平；端靖者，其詞雅；疏曠者，其詞逸；雄偉者，其詞壯；醞藉者，其詞婉。涵養情性發於氣，形於言。此詩之本原也。」

又《家數》

《三百篇》	思無邪	學者不察，失於	意見
《離騷》	激烈憤怨		哀傷
《選》詩	婉曲委順		柔弱
太白	雄豪空曠		狂誕
韓、杜	沉雄厚壯		麤硬
陶、韋	含蓄優游		迂闊
孟郊	奇險斬截		怪短
王維	典麗靚深		容冶
李商隱	微密閑艷		細碎

陳繹曾《詩譜》五甲等。玄：境極清虛，了無影跡。圓：八面中間，透徹明瑩。沉：神力所載，天地秋毫。雄：神氣自然，胸蟠八表。欝：精力造微，窮深極遠。五乙等。清：冷然至清，微似有跡。明：明白洞達，正面瑩然。深：運思至清，杳冥不測。壯：志氣宏大，手斡乾坤。密：精力造微，周密無罅。五丙等。逸：飄然凌雲，想在塵外。溫：溫其如玉，正而有文。重：氣質凝重，山岳不搖。健：老氣蒼然，筆力有餘。婉：意思從容，辭旨委婉。五丁等。淡：脱落浮華，唯有眞實。奇：驚天動地，迴出常情。俊：才思風流，舉措可愛。怪：神出鬼入，險絶常理。麗：文華綺麗，燁然精妙。

又 古體。《周南》：不離日用間，有福天下萬世意。《召南》：至誠惇恪，秋毫不犯。《邶風》：君子處變，淵靜自守。《齊風》：翩翩有俠氣。《唐風》：憂思深遠。《秦風》：秋聲朝氣。《邠風》：深眞民情，而眞體之。《小雅》：忠厚。宣王小雅，振刷精神。《大雅》：深遠。宣王大雅，鋪張事業。《周頌》：天心希聲。《魯頌》：謹守禮法。《商頌》：天威大聲。凡讀《三百篇》，要會其情不足、性有餘處。情不足，故寓之景；性有餘，故見乎情。《離騷》：倚於至情，愈深愈厚。凡讀《離騷》，要見情有餘處。漢樂府：眞情自然，但不能中節耳。累處乃是好處。《安世歌》：質古文雅。《郊祀歌》：煆思刻酷，煉字神奇。《十九首》：景眞，情眞，事眞，意眞。澄至清，發至精。張平子：寄興高遠，遣辭自妙。蔡琰：眞精極切，自然成文。凡讀漢詩，先眞實，後文章。魏武帝：自然沈雄。魏文帝：自然浮俊。王仲宣：眞實有餘，澄濾不足。曹子建：斲削精潔，自然沉健。劉公幹：思健功圓。凡讀建安詩，於文章中取眞實。三國六朝樂府：猶有眞意，勝於當時文人之詩。嵇康：人品胸次高，自然流出。阮籍：天識清虛，禮法疏短。傅玄：思絶清古，失之太工。張華：氣清虛，思頗率。陸機：才思有餘，但胸中書太多所礙，能痛割捨乃佳。束皙：全篇煆煉，首尾有法。潘岳：質勝於文，有古意，但澄汰未精耳。左思：全篇煆煉，首尾有法。張協：逐句煆煉，辭工制率。劉琨：忠義之氣，自然形見，非有意於詩也。杜子美以此爲根本。郭璞：構思險怪，而造語精圓，三謝皆出於此。李、杜精奇處皆取此，本出自淮南小山。謝瞻：境至清虛，其有古風。謝靈運：以險恠爲主，以自然爲工，李、杜深處多取此。謝惠連：酌取險怪自然之中，而句句爲之。陶淵明：心存忠義，身處閒逸，情眞景眞，意眞事眞，幾於《十九首》矣。但氣差緩耳。至其工夫精密，而天然無斧鑿痕跡，又有出於《十九首》之表者。盛唐諸家風韻皆出此。謝朓：藏險怪於意外，發自然於句中，齊、梁以下造語皆出此。鮑照：六朝文氣雖緩，唯劉越石、鮑明遠佳處有西漢氣骨。李骨杜筋取此。顔延年：辭氣重厚，有館閣之體，盛唐諸家應制多取此。江淹：善觀古作，曲盡心手之妙，其自作乃不能爾。故君子貴自立，不可隨流俗也。沈約：佳處斲削，清瘦可愛，自拘聲病，氣骨薾然。唐諸家聲律出此。凡讀《文選》詩，分三節。東都以上主情，建安以下主意，三謝以下主辭。齊梁諸家，五言未成律體，七言乃多古製，韻度尤出盛唐諸人上一等。但理不勝情，氣不勝辭耳。陳子昂：初變齊、梁之弊，以理勝情，以氣勝辭，祖《十九首》，宗郭景純、陶淵明，故立意玄而造語精圓。崔顥、宋之問、沈佺期、李嶠、劉希夷、王昌齡：皆齊餘風氣與高下者也。李太白：風度氣魄，高出塵表，善播弄造化，與鬼神競奔，變化極妙，乃詩中之仙，詩家之聖者也。其雄才大略，亘古尊之，無出右者。杜子美：體制格式，自成一家。祖《雅》、《頌》之作，故詩人尙之，以爲詩家之賢者也。孟浩然：祖建安，宗淵明，沖淡中有壯逸之氣。韋應物：學謝靈運，略其險恠，深取自然。高適：尙質主理。岑參：尙秀主景。劉長卿：最得騷人之興，專主情景。常建、郎士元、崔曙、錢起、李益、李頎、李端、戎昱、盧綸：皆宗陳子昂，以古意變齊、梁。已上爲盛唐。柳子厚：斟酌陶、謝之中，用意極工，造語極深。韓退之：祖《風》、《騷》，宗漢樂府，不入詩境，其實有韻之文也。杜牧：主才，意俊，思活。張籍：祖《國風》，宗漢樂府，思艱辭易。王建：似張籍，古少新多。李賀：祖《騷》宗謝，展萬物而覆取之。李商隱：以古語入新意，宋諸家皆陰祖之。白居易：祖《國風》、漢、六朝樂府，務欲爲風俗之用。劉禹錫：以意爲主，有氣骨。元稹：與白同意，白意古辭俗，元辭古意俗。孟郊：祖《國風》，宗謝，主理。賈島：煉景清眞，太拘聲病。已上爲中唐。唐詩分三節：盛唐主辭情，中唐主辭意，晚唐主辭律。

王沂《伊濱集》卷一六《鮑仲華詩序》 詩造於平淡，非工之至不能也。昔之業是者，齒壯氣盛，挾其英鋭，其探遠取絢爛爲綺繡，明潔爲珠璧，高之爲顛崖峭壑，浩乎爲長江巨河，引而躍之爲驤龍舞鳳，及其年至而功積，華斂而實食，嚮之英且銳刮落，則平淡可造矣。是蓋功力之至而然，不以血氣盛衰而言也。苟微志以基之，微學以成之，恃夫才驅氣駕，則歲邁月逝，顛禿齒缺，其見於言辭者，若寒蛩之聲，槁椔之色，且求與盛年比，不可得尚，何平淡之敢言？噫，獨詩乎哉？

張以寧《翠屏集》卷二《論詩》 富貴辭誇奈俗何，清虛趣勝亦詩魔。白雲瑤草紅塵外，終勝黃鶯綠柳多。

宋濂《宋學士文集·鑾坡前集》卷七《汪右丞詩集序》 昔人之論文者曰，有山林之文，有臺閣之文。山林之文，其氣枯以槁；臺閣之文，其氣麗以雄。豈惟天之降才爾殊也，亦以所居之地不同，故其發於言辭之或異耳。濂嘗以此而求諸家之詩，其見於山林者，無非風雲月露之形、花木蟲魚之玩、山川原隰之勝而已。然其情也曲以暢，故其音也眇以幽。若夫處臺閣則不然。覽乎城觀宮闕之壯，典章文物之懿，甲兵卒乘之雄，華夷會同之盛，所以恢廓其心胸，踔厲其志氣者，無不厚也，無不碩也。故不發則已，發則其音淳龐而雍容，鏗鍧而鏜鞳。甚矣哉，所居之移人乎！

又《清嘯後稿序》 正音寂寥久矣，誕者流於荒忽而無據，弱者過於纖靡而不振，俗者溺於陳腐而不新，麄者流於觕犖而不潤，其音節體裁之乖方，文藻襟靈之弗暢，具有之矣。詩之爲道，某果如是乎哉！

又《翰苑別集》卷三《林伯恭詩集序》 詩，心之聲也；聲因於氣，皆隨其人而著形焉。是故凝重之人，其詩典以則；俊逸之人，其詩藻而麗；躁易之人，其詩浮以靡；苛刻之人，其詩峭厲而不平；嚴壯溫雅之人，其詩自然從容而超乎事物之表：如斯者蓋不能盡數之也。嗚呼，風霆流形而神化運行於上，河嶽融峙而物變滋殖於下，千態萬狀，沉冥發舒，皆一氣貫通使然。必有穎悟絕特之資，而濟以該博宏偉之學，察乎古今天人之變，而通其洪纖動植之情，然後足以憑藉是氣之靈。彼局乎一才，滯乎一藝，雖欲捷騁橫騖以追於古人，前之而愈卻，培之而愈低，幾何不墮於鄙陋之歸！

朱右《白雲稿》卷五《諤軒詩集序》 詩以言志也，志之所向，言亦隨之，古今不易也。《三百篇》自刪定以後，體裁屢變，而導揚規諷，猶有三代遺意，俚嘐誕謾之辭不與焉。是故屈、宋之貞，其言也懇；李、蘇之別，其言也恨；楊、馬多材，其言也雄；曹、劉多思，其言也麗。六朝志靡，則言蕩而去古遠矣。唐人以詩名家不下千數，其間憂喜懷思、放情感興，或清而婉，或麗而葩，或跌宕而瓌奇、艱深而刻苦，亦皆各極其志而致其辭焉。姑未可以世之嗜好論優劣也。

王禕《王忠文公文集》卷七《盛修齡詩集》 詩至於唐盛矣，然其能自名家者，其爲辭各不同。蓋發於情以爲詩，情之所發，人人不同，則見於詩，固亦不得而苟同也。是故王維之幽雅，杜牧之俊邁，張籍之古淡，孟郊之悲苦，賈島之清邃，溫庭筠之富艷，李長吉之奇詭，元、白之平易典則，韋、柳之溫麗靖深，蓋其所以爲辭者，即其情之寓也。而今世之爲詩者，大抵習乎其辭，而不本於其情，故辭雖工，而情則非有。【略】嗟乎！讀其詩必也論其人，有不知其人，觀其詩可知也；不知其詩者，苟徵予言，其亦可知也夫。

林弼《林登州集》卷二三《書靖上人隨住吟稿後》 古人之詩，作者不少，而僧詩率多工緻清逸。竊意方外之士，其居其游，雲巖風壑之間，烟簑雨棹之外。景之所接者，多情之所發者。正其匠意幽深，鍊辭精切，有非泛然留連光景者所易及也。

蘇伯衡《蘇平仲文集》卷一一《澹遊集題辭》 至於賦詠，體格、詞氣雖別，狀情、敘事不殊。垂紳正笏，雍容廊廟，此其典則也；秋水澄空，星月交映，此其光輝也；清廟朱絲，一唱三歎，此其幽深也；玉瓚黃流，土型大美，此其沖澹也。

李時勉《古廉文集》卷四《戴古愚詩集序》 詩，本乎人情，關乎世運，未易言也。雄渾清麗、雅澹俊逸、放曠綺靡、刻苦怪險之作，隨其人才性之所得，高下厚薄，有以爲之也。苦夫其溫淳敦厚、乖戾蹙迫、安樂怨怒、長短緩急之音，則因其時世之所遭盛衰治忽之不同，有以致然也。

魏驥《魏文靖公摘稿》卷五《講餘集序》 夫詩人之詩，貴易而不貴奇怪。必在本之以性情，文之以問學，發之以士氣，擴之以思致，此謂之詩。觀之《三百篇》與漢、魏而下諸大家之作可見已！惟人之才力有高下，故其所作有純駁。

朱權《西江詩法》卷三《詩家模範》 唐人律詩，只是眼前景物眼前說話，即事起興，寫將出來，便自有高下。有清新富麗者，有雄渾飄逸者，有纖巧刻削寒陋者。體製不一，音節亦異。大抵學者要分別得初唐、盛唐、中唐、晚唐及宋、元人詩，某也如何，某也如是。看得多，識得破，吟詠得到，審其音聲，則而象之，下筆自然高古。若拘拘法度，得其形而不得其神，無超脱變化，千章一律，抑又次焉。

又 大凡臺閣之作，氣象要光明正大；山林之作，要古淡閑雅；江湖之作，要豪放沉着；風月之作，要醞藉秀麗；方外之作，要夷曠清楚；征戍之作，要奮迅淒涼；懷古之作，要慷慨悲惋；宫壼閨房之作，要不淫不怨；民俗歌謠之作，要切而不怒，微而婉。雖寓情寫景不同，而止於忠愛則一。故溫柔敦厚，詩教也。

又卷一〇《律詩要法》 五言：沉靜、沈遠、細嫩；七言：聲響、雄渾、鏗鏘、偉健、高遠。

劉績《霏雪錄》卷下 或問余唐宋人詩之別。余答之曰：唐人詩純，宋人詩駁。唐人詩活，宋人詩滯。唐詩自在，宋詩費力。唐詩渾成，宋詩餖飣。唐詩縝密，宋詩漏逗。唐詩溫潤，宋詩枯燥。唐詩鏗鏘，宋詩散緩。唐人詩如貴介公子，舉止風流。宋人詩如三家村乍富人，盛服揖賓，辭容鄙俗。

黄溥《詩學權輿》卷六《格調》 詩，主達性情，而格律聲調不能不隨時升降。以唐論之，唐初是一樣，盛唐是一樣，中唐是一樣，晚唐是一樣。以人論之，陶、韋是一樣，蘇、李是一樣，韓、柳是一樣，李、杜是一樣，蘇、黄是一樣，程、朱是一樣。蓋由其時之古今相遠，人之才德高下不同也。

又 古人作詩，正以風調高下爲古，若然，雖意遠語疏，皆爲佳作。後人有切近的當之語，然氣凡下者，終使人可憎。

又 詩以道志。風調，詩之格律也。山谷黄先生尤謹於此，嘗曰：「寧律不和，不可使句弱；寧用字不工，而不可使語俗。」蓋當用平聲字處，反用仄字，欲其格軒挺不凡。故曰：風調高古也。

又 「黄鶴高樓已槌碎，黄鶴仙人無所依。」此太白氣格也。「指揮能事回天地，訓練強兵動鬼神。」此子美氣格也。「春風搖江天漠漠，暮雲捲雨山娟娟。」此子瞻氣格也。「風光錯綜天經緯，草木文章帝機杼。」此魯直氣格也。唐、宋詩之大家數，在此四公之氣格不凡下如此，是其本色，非他詩人可及。

又 程子詩有云：「道通天地有形外，思入風雲變態中。」有云：「陋巷一生顔子樂，清風千古伯夷貧。」古詩云：「夕陽無限好，只是近黄昏。」蓋不能無傷時之意。程子《禊飲》詩用其意而翻之，曰：「未須愁日暮，天際乍輕陰。」又《泛舟》云：「只恐風花一片飛。」是其氣韻風調何其溫柔敦厚也哉！

又 龜山楊中立云：君子之所養，要令暴慢、邪僻之氣不設於身體。若陶淵明之詩，所不可及者，以其風韻沖澹，出於自然。若曾用功學詩，然後知淵明詩非着力之所能成。私意去盡，然後可以應世。

又《興趣》 詩有五法，必以興趣爲主。興趣淺近，則體格、音節雖工，亦末矣。故興欲高，趣欲清，則思致高妙，而體格音節不求工而自工矣。

又 陶、柳詩之佳處，在蕭散平淡也。朱子云：「作詩須從陶、柳門庭中來，乃佳。不如是，無以發其蕭散沖澹之趣，不免於局促塵埃，無由到古人佳處也。」

又 歐陽文忠公作詩，蓋欲自出胸臆，不事蹈襲，亦由其才思高遠。如《飛蓋橋玩月》詩云：「天形積輕清，水德本虚靜。雲收風波止，始見天水性。」云云，自然成趣，不見牽強之蹟。

又 王摩詰《山中》詩曰：「荆溪白石出，天寒紅葉稀。山路元無雨，空翠濕人衣。」又詩云：「相看不忍發，慘淡暮潮平。語罷更攜手，月明洲渚生。」此得天趣。或問曰：「何以識其天趣？」曰：「能知蕭何所以識韓信，則天趣可解。」余竟不能詰。

又 詩人各有自得之趣，若「清水出芙蓉，天然去雕飾」，此太白所得也；「或看翡翠蘭苕上，未掣鯨魚碧海中」，此子美所得也；「採菊東籬下，悠然見南山」，此淵明自得之趣；「落葉滿空山，何處尋行蹟」，此韋應物自得之趣。

又《思意》 韓愈《寄孟刑部聯句》云：「美君知道腴，逸步謝天械。」或問曰：「道果有味乎？」曰：「如介甫『午鷄聲不到禪林，柏子煙中坐擁衾。』『鷄呼我出華胥，起滅篝燈擁燎爐。』『各據槁梧同不寐。偶然聞雨落階除。』澹薄中味，非造此境，不能形容也。」

又 一家詩有一家詩氣象。若石曼卿詩云：「仁者雖無敵，王者固有征。無私乃時雨，不殺是天聲。」此豪放自得也。邵堯夫詩云：「月到天心處，風來水面時。一般清意味，料得少人知。」此蕭散自得也。二家氣味不同，而自得則一耳。

又卷七《雜態》 謝朓嘗語沈約曰：「好詩圓美流轉如彈丸及地。」歐陽弼云：「中有清圓句，銅丸飛柘彈。」蓋謂詩貴圓熟也。然圓熟多失之平易，老硬多失之乾枯，能不失於二者之間，可與古之作者並驅。

又 世俗喜綺麗，知文者能輕之。後生好風花，老大卽厭之。然文章論當理不當理耳，苟當於理，則綺麗風花同入於妙；苟不當理，則一切皆爲常語。上自齊、梁諸公，下至劉夢得、溫庭筠卿輩，往往以綺麗風花累其正氣，其過在於理不勝而詞有餘也。杜甫云：「綠垂風折笋，紅綻雨肥梅。」「岸花飛送客，牆燕語留人。」亦極其綺麗，其模寫景物意自親切，所以絕妙古今。至於言春容閑適，則有「穿花蛺蝶深深見，點水蜻蜓款款飛」、「落花游絲白日靜，鳴鳩乳燕青春深」。言秋景悲壯，則有「藍水遠從千澗落，玉山高並兩峰寒」、「無邊落木蕭蕭下，不盡長江滾滾來」。其富貴之詞，則有「香飄合殿春風轉，花覆千官淑景移」、「麒麟不動爐煙上，孔雀係開扇影遠」。其吊古，則有「映階碧草自春色，隔葉黃鸝空好音」、「竹送清溪月，苔移玉座春」。皆出於風花，然窮盡性理，移奪造化。又云：「絕壁過雲開錦繡，疏松隔水奏笙竽。」古詩人巧卽不壯，壯卽不巧；巧而能壯，乃如是耳。非誇巧門靡者比也。

又卷九《學詩要訣》 諸家所當法者：爲詩欲詞格清美，當看鮑照、謝靈運，有正始以來風氣。欲典雅瀟散，當看淵明。欲清深閑淡，當看韋蘇州、柳子厚、孟浩然、王摩詰、賈浪仙。欲氣格豪逸，當看退之、李白。欲法度備足，當看杜子美。欲知詩源流，當看《三百篇》及《楚詞》、漢魏等詩。

李東陽《麓堂詩話》 質而不俚，是詩家難事。樂府歌辭所載《木蘭辭》，前首最近古。唐詩，張文昌善用俚語，劉夢得《竹枝》亦入妙。至白樂天令老嫗解之，遂失之淺俗。其意豈不以李義山輩爲澀僻而反之，而弊一至是。豈古人之作端使然哉？

又 詩太拙則近於文，太巧則近於詞。宋之拙者，皆文也。元之巧者，皆詞也。

又 秀才作詩不脫俗，謂之頭巾氣。和尚作詩不脫俗，謂之餕餡氣。詠閨閣過於華艷，謂之脂粉氣。能脫此三氣，則不俗矣。至於朝廷典則之詩，謂之臺閣氣。隱逸恬澹之詩，謂之山林氣。此二氣者，必有其一，卻不可少。

又 作山林詩易，作臺閣詩難。山林詩或失之野，臺閣詩或失之俗。野可犯，俗不可犯也。蓋惟李杜能兼二者之妙。若賈浪仙之山林，則野矣；白樂天之臺閣，則近乎俗矣，况其下者乎。

又 詩中有僧，但取其幽寂雅澹，可以裝點景致。有仙，但取其瀟灑超脫，可以擺落塵滓。若言僧而泥於空幻，言仙而惑於怪誕，遂以爲必不可無者，乃癡人前說夢耳。

又 漢、魏、六朝、唐、宋、元詩，各自爲體。譬之方言，秦、晉、吳、越、閩、楚之類，分疆畫地，音殊調別，彼此不相入。此可見天地間氣機所動，發爲音聲，隨時與地，無俟區別，而不相侵奪。然則人囿於氣化之中，而欲超乎時代土壤之外，不亦難乎。

安磐《頤山詩話》 詩豈易言哉？奇者詭而不法，興者僻而不遂，麗者綺而不合，賦者直而不深，淡者枯而不振，比者泛而不揆，苦者澀而不入，達者肆而不制，巧者藻而不壯，質者俚而不華，豐者奢而不節，約者陋而不變，循者失之剽，新者失之怪，振者失之誇，徑者失之淺，速者失之率，奥者失之沉。詩之難如此，《三百篇》尚矣。

陸深《儼山集》卷八九《跋絕句詩選》 右詩離爲四類，曰暢快，曰婉約，曰風調，曰壯浪。本以聲選也，而主於唐，其有音節近之者，亦兼取焉。而辭義則斷自山林，諸合作者不與焉，雖謂詩之一節可也。

徐禎卿《談藝錄》 夫任用無方，故情文異尙：譬如錢體爲圓，鈎形爲曲，箸則尙直，屏則成方。大匠之家，器飾雜出。要其格度，不過總心機之妙應，假刀鋸以成功耳。至於衆工小技，擅巧分門，亦自力限有涯，不可彊也。姑陳其目，第而爲言。郊廟之詞莊以嚴，戎兵之詞壯以肅，朝會之詞大以雝，公讌之詞樂而則。夫其大義固如斯已。深瑕重纍，可得而言。崇功盛德，易誇而乏雅；華疏彩繪，易淫而去質；干戈車革，易勇而亡警；靈節韶光，易采而成靡。蓋觀於大者，神越而心遊，中無植幹，鮮不眩移，此宏詞之極軌也。若夫款款贈言，盡平生之好；執手送遠，慰此戀戀之情。勗勵規箴，婉而不直；臨喪挽死，痛旨深長。雜懷因感以詠言，覽古隨方而結論。行旅迢遙，苦辛各異；遨遊晤賞，哀樂難常；孤孽怨思，達人齊物；忠臣幽憤，貧士鬱伊。此詩家之錯變，而規格之縱横也。然思或朽腐而未精，情或零落而未備，詞或罅缺而未博，氣或柔獷而未調，格或莠亂而未叶，咸爲病焉。故知驅蹤靡常，城門一軌，揮斤污鼻，能者得之。若乃訪之於遠，不下帶衽；索之以近，則在千里。此詩之所以未易言也。

又 詩之詞氣，雖由政教，然支分條佈，略有逕庭。良由人士品殊，藝隨遷易。故宗工鉅匠，辭淳氣平，豪賢碩俠，辭雄氣武；遷臣孽子，辭厲氣促；逸民遺老，辭玄氣沉；賢良文學，辭雅氣俊；輔臣弼士，辭尊氣嚴；閹僮壼女，辭弱氣柔；媚夫倖士，辭靡氣蕩；荒才嬌麗，辭淫氣傷。

又 氣本尚壯，亦忌銳逸。魏祖云：「老驥伏櫪，志在千里。烈士暮年，壯心不已。」猶曖曖也。思王《野田黃雀行》，譬如錐出囊中，大索露矣。

孫承恩《文簡集》卷三四《書朱文公〈感興〉詩後》 詩自《三百篇》後有儒者、詩人之分。儒者之詩主于明理，詩人之詩專于適情。然世之人多右彼而抑此，故雲烟風月動經品題，而性命道德之言，爲詩家大禁，少有及者。即曰：「涉經生學究氣。」噫，有是哉。論詩者當以《三百篇》爲準，然如《天命》一詩之贊聖德，《敬止》一詩之言聖學，以至《烝民》一詩萬世言性者所不能外。而後之爲詩者乃少之，甚者又有託仙佛誕幻之說以爲高者。蓋道學不明，沿襲相承之弊也，而詩之義豈固然哉？

楊慎《升庵詩話》卷八 唐人詩主情，去《三百篇》近，宋人詩主理，去《三百篇》卻遠矣。匪惟作詩也，其解詩亦然。且舉唐人閨情詩云：「裊裊庭前柳，青青陌上桑。提籠忘採葉，昨夜夢漁陽。」卽《卷耳》詩首章之意也。又曰：「鶯啼綠樹深，燕語雕梁晚。不省出門行，沙場知近遠。」又曰：「漁陽千里道，近于中門限。中門踰有時，漁陽常在眼。」又云：「夢里分明見關塞，不知何路向金微。」又云：「妾夢不離江上水，人傳郎在鳳凰山。」卽《卷耳》詩後章之意也。若如今《詩傳》解爲「託言」，而不以爲寄望之詞，則《卷耳》之詩，乃不若唐人作閨情詩之正矣。若知其爲思望之詞，則詩之寄興深，而唐人淺矣。若使詩人九原可作，必蒙印可此說耳。

邵經邦《藝苑玄機》 詩之格，貴清不貴奇，近常不近怪，厭文不厭理，求新不求鑿，渢渢乎大矣，莪莪乎美矣，宴宴乎閑矣，由由乎蓄矣。舍是而論，則吾不知也。

謝榛《詩家直說》卷一 作詩雖貴古淡，而富麗不可無。譬如松篁之於桃李，布帛之於錦繡也。

又 陸機《文賦》曰：「詩緣情而綺靡，賦體物而瀏亮。」夫「綺靡」重六朝之弊，「瀏亮」非兩漢之體。徐昌穀曰：「『詩緣情而綺靡』，則陸生之所知，固魏詩之查穢耳。」

又卷二 李靖曰：「正而無奇，則守將也；奇而無正，則鬬將也；奇正皆得，國之輔也。」譬諸詩，發言平易而循乎繩墨，法之正也；發言雋偉而不拘乎繩墨，法之奇也；平易而不執泥，雋偉而不險怪，此奇正參伍之法也。白樂天正而不奇，李長吉奇而不正，奇正參伍，李、杜是也。

《李開先集·閒居集》卷五《海岱詩集序》 世之爲詩有二，尚六朝者，失之纖靡；尚李、杜者，失之豪放。然亦以時代南北分焉：成化以前，及南人纖靡之失也；弘治以後，及北人豪放之失也。譬之畫家，工忌俗軟，大筆忌粗蕩，古有以禪喻詩者，而畫亦有詩理焉。移生動質，變態無窮，蘊彩含滋，隨心寫象，縱橫神妙，烘染虛明，此畫之大致也。詩則尤未易言者，感物造端，因聲附氣，調逸詞雄，情幽興遠，風神氣骨，超脫塵凡，非胸中備萬物者，不能爲詩之方家，而筆端有造化者，始可稱畫之國工矣。

姜南《蓉塘詩話》卷七《唐宋詩》 唐人詩主於性情聲律，宋人詩主於義理用事，故唐人詩雖不至於用事，而卒未嘗不用事也；宋人詩汲汲於用事以爲工，其於聲律遠矣。

何良俊《四友齋叢說》卷二四《詩一》 「婉暢」二字，亦是詩家切要語。蓋暢而不婉，則近於麁；婉而不暢，則入於晦。

譚浚《說詩》卷上《總辨·興趣》 世代不同，風度或異。有古里巷所云，非今翰苑能及。此謂盛唐多妙悟，景致成詞；宋儒主議論，文字爲詩，乃涉理路，或落言筌是也。嚴氏又曰：「興趣妙處，玲瓏透徹，不可湊泊。如空中之音，相中之色，水中之月，鏡中之象，言盡而意無窮也。」劉氏云：「環譬寄情爲『興』。」蘇公云：「反常合道爲『趣』。」故謂：「退之學力遠過浩然，浩然詩作高出韓上者。詩有別趣，非關理也，詩有別興，非關書也。」舊說王維句「荆溪白石出」，「天趣」也；淵明句「採菊東籬下，悠然見南山」，「奇趣」也；錢起句「曲中人不見，江上數峰青」，「異趣」也。

又《體格》 心志由中，英華發外，形於話言，徵於文獻，必有式。式必有宗。純而不雜，雜而不越。或《經》或《騷》或樂府，或漢，或魏，或唐，古詞不可雜以近體，漢風不可雜以唐律，律絕不可雜以《經》、《騷》也。李空同於晉魏，則曰：「有意者比詞而屬義也。」於《騷》則曰：「有蹊者異其志而襲其言也。」然不糟粕，其似古必入《風》而出《雅》焉。故曰取式乎上，僅得乎中。爲上而未極，猶勝其下者。若失始於下而圖上，難矣。朱子曰：「取漢、魏古詞（如蘇、李《十九首》、及曹、劉七才子選）以附楚《騷》。又次等近古者（如阮、陶、李、杜選）各爲一編，羽翼輿衛。其不合者，悉去之。不使接吾耳目，入吾胸次，使方寸無一世俗語。意則不期高遠而自高遠矣。」宋潛溪云：「爲詩當自名家，若體規畫圓，而準方作矩，終爲人之臣僕，尙烏得謂之詩哉？」王氏曰：「藉格襲詞，猶畫臨粉本，書模法帖，求一毛之似，幸半體之同，未若蛻棄陳骸，自標形神也。」

又《得式·溫厚》曰：「溫柔敦厚，《詩》之教也。」無失於愚。諷言以戒，聞之者有補；毀謗以聞，怒之者何益？如《長門》及《自悼》之賦，怨而不亂；《柏梁》、《郊祀》之詩，樂而不淫；李紳《憫農》詩，稱其有宰相器。楊龜山曰：「東坡諸作，譏誚朝廷，非詩教也。若伯淳詩：『未須愁日暮，天際是輕陰。』何溫厚也！」

又《含蓄》事有餘而詞不盡，古人之用心；言有盡而意無窮，天下之至言。漫齋曰：「用意十分，下語三分，可幾《風》、《雅》；下語六分，可追李杜；下語十分，晚唐及宋也。」如杜之「勛業頻看鏡，行藏獨倚樓」，近於含意也。何氏謂「以艱詰晦塞爲含蓄，失矣」。

又《高古》模式舊典，方軌前修。雖意遠語疏，而風高調古，自脫去乎凡態，闇合乎曩篇。吳氏曰：「魏晉以來，詩凡幾度。字以鍊而精，句以鍊而巧。識者舍旃而尙陶，韋者，不以字句新奇，而以性情眞率，近於古耳，況《風》、《雅》乎！」

又《超詣》詩有恆裁，變無方體。貴在脫灑，不可滯泥。或超遙雅俗不群，詣極文質至當。蘇氏曰：「大王遷豳，八章、九章，事文不屬，氣象自聯。如杜甫《哀江頭》，亦遺法也。白樂天拙於記事，寸步不遺，猶恐失之，所以望杜遠矣。」

又《自然》木體實而華蔓，水性虛而淪漪，自然之文也。情與景相會，物與理相宜，自然之志也。不苦艱思，吐言成咏，不假繩削，備句成章，自然之詩也，曾子固曰：「大巧自然，人力何施。」臨川吳氏曰：「《國風》田夫、閨婦，而後文士不及者，發於自然也。」

又《本色》至寶不雕，尙生成之質；衣錦尙褧，惡文章之著。貴扶質以立幹，無垂條以結繁。其詞直而切於至理，其事核而不假於虛文。嚴氏曰：「韓愈《琴操》本色，唐人莫及。」喻凫求謁不遇曰：「我詩無鉛粉綺羅，宜不見售也。」

又《平澹》水不動而淸澈，火不亂而光輝。率意而情暢，委和而理融。司空圖云：「梅止於酸，鹽止於鹹，味在酸鹹之外，是謂之詩。」《韻語陽秋》曰：「平澹本於組麗，落其紛華。今人以拙易爲平澹，乃絕倒也。」陸放翁曰：「詩到無人愛處工。」

又《飄逸》平易得之，其詞飄；閑澹得之，其詞逸。色象欲其平澹，其失也拙；韻度欲其飄忽，其失也輕。皎然曰：「欲高遠而離疏闊，欲飛揚而離輕浮。」嚴氏曰：「太白詩飄逸，如《天姥吟》、《遠別離》，子美不能也。」

又《邃永》文自淵含，理惟遠燭。深造以詣其極，修詞以立其誠。稱文小而指意大，舉類邇而見義遠。魏武之詩：「老驥伏櫪，志在千里。」言用不言名也。杜甫之詩：「乾坤萬里眼，時序百年心。」言近而指遠也。

又《沉蔚》沉者，隱也，文外之重旨。隱以複意爲工。蔚者，秀也，篇中之獨拔。秀以卓絕爲巧。若刻鏤爲巧，非蔚；隱僻爲工，非沉。嚴氏曰「子美詩沉蔚，《兵車行》、《垂老別》也」，范氏曰「優游不迫，沉著痛快」，是也。

又《雄健》雄，辨而言端；健，羨而意駿。吞吐山川之象，俯仰古今之懷。氣高而不怒，力勁而不犯，詞豪而不放，字堅而難移，音響而不滯。如杜之《王兵馬角鷹》之詩，趙卿大《食刀歌》是也。

又《壯麗》高論宏裁，正宗炳蔚。詞豐而義貫串，文采而意周密。模式經典，洞達權變。體故而孔碩，用新而肆好。猶充實光輝之謂大，經天緯地之謂文。如楊、馬之賦，李白《天姥吟》、杜甫《洗兵馬》之詩。

又《變化》動而變，變而化，化而裁之，變而通之。執正以馭奇，勢雖反而相成；剉剛以製柔，體雖殊而相濟。如《詩》云「牛不服箱，女不報章，斗更柄揭，箕更翕舌」之類，《騷》之「佹僪天門，歌舞祀神」，杜之千彙萬狀也。

又《圓通》淸圓快速，發之流通，盡寫便利，動無違礙。謝朓云：「好詩圓美流轉如彈丸。」王直方曰：「圓熟失之平易，老礙失之乾枯，不失於二者之間，得矣。」韓子蒼曰：「古詩不太熟，自好；近作忌語生，更不佳。」

又《充贍》氣充者善舒，則理融而情暢。思贍者善積，則詞殊而義顯。義制而微，則隱晦而非充。詞布而重，則蕪穢而非贍。如蔡琰《悲憤》詩開其源，子美《北征詩》繼其後。李空同曰：「元、白、韓、孟、皮、陸之輩，連聯鬭押數千百言，何異入市攫金，登場角戲也哉？」

又《清穆》富貴風流，見乎所處。性情陶染，原乎其心。善於形容者，至貴非軒冕，至富非金玉。拙於誇飾者，以錦繡爲富麗，以勢位爲貴盛。碧溪云：「香飄合殿春風轉，花覆千官淑景移。」在朝富貴之詞也。「梨花院落溶溶月，柳絮池塘淡淡風。」在野富貴之詞也。

又《失格·躁戾》哀而得之，其詞傷。怒而得之，其詞憤。失之太哀，其詞戾。失之太怒，其詞躁。丁謂詩云：「天門九重關，終當掉臂入。」王禹曰：「此人必不忠。」竟如其言。孟郊詩云：「食薺思亦苦，強歌聲無歡。出門卽有礙，誰謂天地寬。」蘇子曰：「苦於爲詩，陋於聞道。」

又《淺露》理侈情直，詞輕韻流。欲其直置，其失也淺。欲其敷演，其失也露。綜詞諭者，類乏蘊藉。眩情演者，拙無委曲。朱子云：「『旁人不識予心樂，將謂偸閑學少年。』眩露無含蓄也。」王氏云：「《風》、《騷》引喻，不露本情。水中之月，鏡中之影，可以自覩，難以實求也。」

又《新奇》詞變舊爲新，意反正爲奇。詞既新奇，法乃顚倒。唐詩「鳥鳴山更幽」，荆公變爲「一鳥不鳴山更幽」。如程孔傾蓋，孫侔詩：「與君蓋亦不須傾。」如劉寬蒲鞭，蘇詩云：「有鞭不使安用蒲。」此新奇也。

又《鄙近》鄉閭而魏闕，城市而山林。心之高遠，誇富耀貴。悼屈嗟卑，詞之下流。故曰：「人所多言，我寡言之，不鄙。人所易言，我難言之，不近。」樂天作詩，令嫗解之則錄，未解，復易之，故淺俗。唐人《劍詩》：「青天拔出鯨鯢泣，白日潛驚魑魅愁。」嚴氏云：「此巫咒耳。」

又《枯槁》思緒艱則義脈不流，才氣乏則調色不潤，臭味亂則文體偏枯，故遺勢鬱湮而餘風不暢矣。貴樸而不華，質而不俚，外枯而內腴，似槁而實秀，阮、陶、韋、柳是也。朱子曰：「梅聖俞是枯槁。」

又《放蕩》變通有術，乃旣從而復横。區分在茲，亦禁邪而制放。樂天云：「失之太喜，其詞放。『春風得意馬蹄疾，一日看盡長安花』是也。失之太樂，其詞蕩。『驟然始散東城外，倏忽還逢南陌頭』是也。」

又《隱僻》求異而逐荒唐，好奇而語歇後，藏文義以爲深，尙邪說以爲遠。《離騷》托詞隱僻，班固謂「非經傳」；曹詩自用「凶呶」，劉勰謂「庇美篇」。歐陽修云：「目前景物，古今無盡。世之索隱語、目耽僻者，昧矣。」

又《怪誕》構語聯篇，欲明心志於外，佹詞索怪，文理反翳於中。《騷》之「木天九首」、「土伯三足」，乃怪誕之言，而人以爲琦瑋。《經》云：「鳥翼覆稷於塞水，玄鳥遺卵而生契。」似妄誕之說，而傳者以爲異常。

又《卑弱》競今棄古者，風味爽。忘遠趨近者，體式劣。樂天云：「好吟而不工，才卑；好奇而不工，格卑。」山谷云：「寧律不諧，不使句弱；寧字不工，不使語弱。」是謂篆刻者，骨萎；象繪者，氣索；景會者，情遺；華繁者，核衰；末流者，原竭矣。

又《輕靡》《玉臺》、《香奩》、《西崑》，乃輕盈之類；《梨園法曲》、《樂府新聲》，有靡慢之音。縹緲以附俗，艷麗以衒時。碧溪云：「俗尙綺繡，儒雅鄙之。少年風花，老大厭之。詞工而理副於情，盛唐律體得焉。詞勝而意脫於影，齊梁、晚唐失矣。」

又《乖匿》文同求異，則名實兩乖；事邇泥遠，則心聲返匿。陳後山云：「子雲好奇而不能奇，故思苦而詞艱。」謂用奇難句字，時人載酒而問焉。後靈光《江海賦》中旁搜遍索，讀者苦之。《書》曰：「詞尙體要，勿爲好異。」

又《繁悲》《風》、《雅》綜音清切，《離騷》錯韻繁悲。圓和者，宛轉無滯。悲憤者，慷慨激烈。故張華論陸機詩：「啣屈、宋之餘聲，乃失黃鐘之正響。」朱子謂：「項羽《垓下》之歌，有千載不平之憤。」

又《直置》直詞暢義，切理厭心，謂顯附之語，非抑揚之義。直賦常情而無宛轉比興，切近俚語而無變態文詞。薛許譏人曰：「百首如一首，卷初如卷終。」范氏曰：「痛巧尙直，而神思不得直。」

又《陳腐》景寫陳章，誤爲博古。涉濫腐語，謬以通今。舊染污俗，時用爽經。如陳隋唐初，承徐、庾之浮華，晚唐及宋，益沈、宋之靡麗。若此謂之翰林陶學士，依樣畫葫蘆耳。陸云「怵他人之我先」，韓云「惟陳言之務去」是也。

李贄《騷壇千金訣》明學士解縉曰：「作詩有一聯平淡，便要有一聯味參差，湊合而成。若一概平常，漫無意味可咏，殊令觀者厭目。」又曰：「詩在相體，不可一律而論。有宜含蓄者，則意常厚；有宜豪放者，則意當發露；有宜莊重者，則語當痛快；有宜輕逸者，則語當流麗。」

又《李氏焚書》卷三《讀律膚說》淡則無味，直則無情。宛轉有態，則容冶而不雅；沉着可思，則神傷而易弱。欲淺不得，欲深不得。拘於律則爲律所制，是詩奴也，其失也卑，而五音不克諧。不受律則不成律，是詩魔也，其失也亢，而五音相奪倫。不克諧則無色，相奪倫則無聲。蓋聲色之來，發于情性，由乎自然，是可以牽合矯強而致乎？故自然發于情性，則自然止乎禮義，又非情性之外復有禮義可止也。惟矯強乃失之，故以自然之爲美耳。又非于情性之外復有所謂自然而然也。故性格清徹者音調自然宣暢，性格舒徐者音調自然疏緩，曠達者自然浩蕩，雄邁者自然壯烈，沉鬱者自然悲酸，古怪者自然奇絶。有是格，便有是調，皆情性自然之謂也。莫不有情，莫不有性，而可以一律求之哉！然則所謂自然者，非有意爲自然而遂以爲自然也。若有意爲自然，則與矯強何異？故自然之道，未易言也。

茅一相《欣賞詩法》《三百篇》：思無邪。學者不察，失于意見。《離騷》：激烈憤怒。學者不察，失于哀傷。《選》詩：婉曲委順。學者不察，失于柔弱。李白：雄豪空曠。學者不察，失于狂誕。杜甫：沉雄厚壯。學者不察，失于麤硬。陶、韋：含蓄優游。學者不察，失于迂闊。孟郊：奇險斬截。學者不察，失于怪短。王維：典麗靚深。學者不察，失于容冶。李商隱：微密閑豔。學者不察，失于細碎。以上略舉數家，一隅三反之道也。大抵求于古者必法于今，求于今者必失于古，故學者欲踈鑿情塵，陶汰氣質，力驅迷妄，獨反清眞，必須明徹古人意格、聲律，而神境事物、邂逅鬱折，無不了了于胸中，隨意唱出，自然超絶。不然苟且經營，必墮凡陋；刻意創造，終乏天成，妙在著述之多而涵養之深耳。

呂坤《呻吟語》卷六《詞章》疏狂之人多豪興，其詩雄，讀之令人灑落，有起懦之功；清逸之人多芳興，其詩俊，讀之令人自愛，脱麤鄙之態；沈潛之人多幽興，其詩澹，讀之令人寂靜，動深遠之思；冲淡之人多雅興，其詩老，讀之令人平易，消童稚之氣。

又 愁紅怨緑是兒女語，對白抽黄是騷墨語，嘆老嗟卑是寒酸語，慕羶附腥是乞丐語。

屠隆《白榆集》卷三《王茂大修竹亭稿序》夫詩者神來，故詩可以窺神。士之寥廓者語遠，端亮者語莊，寬舒者語和，褊急者語峭，浮華者語綺，清枯者語幽，疏朗者語暢，沉著者語深，譎蕩者語荒，陰鷙者語險。讀其詩，千載而下，如見其人。士不務養神而務工詩，刻畫斧藻，肌理粗具，氣骨索然，終不詣化境。古之名家哲匠，懸諸通都白日，與天壤俱，非其詩傳，神傳也。

周履靖《騷壇秘語》卷下《氣象》儲咏曰：性情褊隘者，其詞躁；寬裕者，其詞平；端靖者，其詞雅；疏曠者，其詞逸；雄偉者，其詞壯；醞藉者，其詞婉。涵養性情，發于氣，形于言，此詩之本源。

梁橋《冰川詩式》卷九《學詩要法上》詩貴雄渾悲壯。

又 詩有體，如作一題，須自斟酌，或《騷》、或《選》、或唐。《騷》不可雜以《選》，《選》不可雜以唐，首尾渾全。不可一句似《騷》，一句似《選》，一句似唐。

胡應麟《詩藪·内編》卷一 優柔敦厚，周也；樸茂雄深，漢也；風華秀發，唐也。三代政事俗習，亦略如之。魏繼漢後，故漢風猶存；六代居唐前，故唐風先兆；文章關世運，詎謂不然！

又 周漢之交，實古今氣運一大際會。周尚文，故《國風》、《雅》、《頌》皆文。然自是三代之文，非後世之文。漢尚質，故古詩樂府多質。然自是兩漢之質，非後世之質。

又 文質彬彬，周也。兩漢以質勝，六朝以文勝。魏稍文，所以遜兩漢也。唐稍質，所以過六朝也。

又 文章自有體裁，凡爲某體，務須尋其本色，庶幾當行。柴桑《歸去來辭》，説者謂雖本楚聲，而無其哀怨切蹙之病。不知不類《楚辭》，正坐阿堵中。如《停雲》、《采菊》諸篇，非不夷猶恬曠，然第陶一家語，律以建安，面目頓自懸殊，況《三百篇》、《十九首》耶！

又卷二 古詩軌轍殊多，大要不過二格：以和平、渾厚、悲愴、婉麗爲宗者，即前所列諸家。有以高閑、曠逸、清遠、玄妙爲宗者，六朝則陶，唐則王、孟、常、儲、韋、柳。但其格本一偏，體靡兼備，宜短章，不宜鉅什；宜古選，不宜歌行；宜五言律，不宜七言律。歷考前人遺集，靡不然者。中惟右丞才高，時能旁及。至於本調，反劣諸子。餘雖深造自得，然皆株守一隅，才之所趨，力故難強。

又卷四 宏大，則「昔聞洞庭水」；富麗，則「花隱掖垣暮」；感慨，則「東郡趨庭日」；幽野，則「風林纖月落」；餞送，則「冠冕通南極」；投贈，則「斧鉞下青冥」；追憶，則「洞房環佩冷」；吊哭，則「他鄉復行役」等，皆神化所至，不似人間來者。

又 盛唐句，如：「海日生殘夜，江春入舊年。」中唐句，如：「風兼殘雪起，河帶斷冰流。」晚唐句，如：「雞聲茅店月，人跡板橋霜。」皆形容景物，妙絶千古，而盛、中、晚界限斬然。故知文章關氣運，非人力。

又《外編》卷四　清新、秀逸、冲遠、和平、流麗、精工、莊嚴、奇峭，名家所擅，大家之所兼也。浩瀚、汪洋、錯綜、變幻、渾雄、豪宕、閎廓、沉深，大家所長，名家之所短也。

又　詩最可貴者清。然有格清，有調清，有思清，有才清。才清者，王、孟、儲、韋之類是也。若格不清則凡，調不清則冗，思不清則俗。王、楊之流麗，沈、宋之豐蔚，高、岑之悲壯，李、杜之雄大，其才不可概以清言，其格與調與思，則無不清者。

又　絶澗孤峰，長松怪石，竹籬茅舍，老鶴疏梅，一種清氣，固自迥絶塵囂。至於龍宮海藏，萬寶具陳，鈞天帝廷，百樂偕奏，金關玉樓，群眞畢集；入其中，使人神骨泠然，臟腑變易，不謂之清可乎！故才大者格未嘗不清，才清者格未必能大。

又　清者，超凡絶俗之謂，非專於枯寂閒淡之謂也。婉者，深厚雋永之謂，非一於軟媚纖靡之謂也。子建、太白，人知其華藻，而不知其神骨之清；枯寂閒淡，則曲江、浩然矣。杜陵，人知其老蒼，而不知其意致之婉；軟媚纖靡，則六代、晚唐矣。

江盈科《雪濤詩評》　詩本性情。若係眞詩，則一讀其詩，而其人性情入眼便見。大都其詩瀟灑者，其人必鬯快；其詩莊重者，其人必敦厚；其詩飄逸者，其人必風流；其詩流麗者，其人必疏爽；其詩枯瘠者，其人必寒澀；其詩豐腴者，其人必華贍；其詩淒怨者，其人必拂鬱；其詩悲壯者，其人必磊落；其詩不羈者，其人必豪宕；其詩峻潔者，其人必清修；其詩森整者，其人必謹嚴。譬如桃、梅、李、杏，望其華便知其樹。惟勦襲掇拾者，麋蒙虎皮，莫可方物。假如未老言老，不貧言貧，無病言病，此是杜子美家竊盜也。不飲一盞而言一日三百盃，不捨一文而言一揮數萬錢，此是李太白家掏摸也。舉其一二，餘可類推。如是而曰詩本性情，何啻千里。

郝敬《藝圃傖談》卷一《古詩》　詩須論時境，如帝王英雄詩，不主嫵媚可也。謂一切詩嫵媚皆非，何爲其然？既謂之詩，雖帝王英雄，亦須有溫柔意思。如《大風歌》，壯浪中自委婉。曹瞞詩太樸直，只可作曹瞞看。

又卷三《唐體》　說者取唐詩分初、盛、中、晚。晚不如中，中不如初。隨世運爲汙隆，其實不然。蓋性情之理，不縕鬱則不厚，不磨練則不柔。是以富貴者少幽貞，困頓者多委蛇。昔人謂「詩窮始工」。《三百篇》大抵遭亂憤時而作。以世運初、盛、中、晚分詩高下，倒見矣。唐詩晚工於中，中妙於盛，盛鬯於初。初唐莊整而板；盛唐博大而放；中唐平雅清粹，有順成和動之意焉；晚唐纖麗，雕極還樸，無以復加。今謂唐不如古則可，謂中、晚不如初、盛，論氣格，較骨力，豈溫柔敦厚之本義乎？

許學夷《詩源辯體》卷二三　律詩易曉，古詩難知，古詩崢嶸豪蕩者猶易知，蕭散沖淡者更不易知也。

趙宧光《彈雅·雅俗一》　詩之趣清避俗，故矣。音清爲上，意清爲中，句清爲下。至于事物清濁，政不必也，但去惡俗可耳。若事事物物非清不出，反成俗調。小言之，兒女子閨閤氣味；大言之，駔儈家店面鋪張耳。

又　凡詩中談禪殊不覺者方是詩，若開口便講道說法，謂之偈則可，詩則不可。寧以詩作偈，無寧以偈作詩。凡儒生之頭巾氣，道人之香火氣，以及詞家之婢兒調，一字着落不得。最低者閨閤氣，最淺者鄙俚匡，反有相宜，取其眞耳。

又　司勳云：有雅體、野體、鄙體、俗體，又有今之臺閣體、翰林體云云。余謂詩只一體，雅是也。野人之合于雅者，方采入詩，野尚不成體，而謂鄙俗可厠乎？至于臺閣翰林，濫觴于隋唐之宮體，後世應制之作，不妨以之大去詩道，何乃概而論之，司勳其失言哉！恐誤後生，爲之痛辨。

又　篇章有格，音聲有調。格求古，調求高，格調皆合謂之雅。格奪調，不失爲古；調奪格不失爲唐，兩無所取，即使錦心繡口，不成其爲詩。

又《聲調二》　凡才能成調，學能成格。而劉氏云「才爲主盟，學爲輔佐」。此右文左質，蓋六代習染，非通常之論也。遂啓初唐名公惟才是務，延及全朝。而韋莊選詩，題曰《才調集》，雖若偏好，其名不誣，或以此自表云。

又　詩以聲調爲主，而《彈雅》之次雅俗一、聲調二。何也？雅俗，詩之全；聲調，詩之偏也。聲調者，詩之容貌，日用而不知者也。詩以聲爲體，故曰風骨。一方之氣自是不能改移也，十五國麗而不錯，謂之采風，采以佐治，謂之觀風，故可移者非風也。風失而詩亡矣。後世采風之政不行，風人無以自獻，故曰王者之迹熄而詩亡。

又《格制三下》　一代有一代之調。上達則高，下達則卑。古調一，《風》《雅》高二，漢魏調三，六朝調四，唐調五，五而止矣。四唐總之一調，但有雅俗之殊，雅謂律及擬古，俗謂歌謡及詞。唐雖分四代，然初、中、晚，上下皆不成調，總皆盛唐之餘。過此則效顰之作，不須置論。

又 何謂唐調？以古人之言蘊釀胸中，調和而出，謂之雅調；以方俗之言措之文字，裁酌而用，謂之新聲。此皆成就之作，詩成則調亦成。中晚而下，無有作用，不過隨前人指縱，未始自出一體也。體格不成，聲調烏得空設。即稍爲厓異之作，視前人不啻天壤。上達下達，何人不解，而必苟就其下乎！既不必下達。即有煩聲，直謂之不成調，非過論也。

李日華《恬致堂集》卷一六《孟鳴姪淡言序》 老子曰：「道之出口，淡乎其無味。」非無味也，衆味之原。將瀹然蒸變，方且託於空玄，而不與根境相涉，故淺嘗之而不得，細咀之而亦不得，以其不得也，名之曰「無味」，字之曰「淡」。若夫語言文字，腴物也。謂之談何居？將毋蒸變之宗獨握而空玄之趣在酸醎外乎？坡公曰：「漸老漸熟，漸歸平淡。」歸淡於既熟之後，其淡可想矣。

孫愼行《詩雜論》 諸家山林詩，多宜在高山遠水之間，而不合歌之廟堂，乃浪仙詩更宜在幽居閉戶之中，而不合吟之壥市，調最精，格最狹矣。然云：「十年磨一劍，霜刃未曾試。今日把似君，誰有不平事。」亦志士之思也。其不愜于人也，宜如「數息樹邊身」，數年而成一句，豈易解會。

鄧雲霄《冷邸小言》 詩雖貴瘦勁，然必如珊瑚枝，瘦勁中自饒圓滑豔瑩之態，始稱寶物。不則惡木枯楂耳，又何取焉！

朱之瑜《舜水文集》卷二二《答安東守約雜問》 問：「唐詩李、杜爲最，未知二公有優劣否？」答：「李、杜齊名，究竟李不如杜。李秀而杜老，李奇險而杜平淡。李用成仙等，語更不經；煉丹等，殊不雅。不若杜家常茶飯，飯有味也。然不奇奧之極，造不得平淡。有意學平淡，便水煎豆腐湯矣。」又曰：「詩貴秀貴逸，著理學語須要脱得頭巾氣，不然便老學究可厭可唾矣。前日佳作多有用此等，然不十分犯手。」

陸時雍《詩鏡總論》 深情淺趣，深則情，淺則趣矣。杜子美云：「桃花一簇開無主，不愛深紅愛淺紅。」余以爲深淺俱佳，惟是天然者可愛。

馮時可《雨航雜録》 永叔侃然而文溫穆，子固介然而文典則，蘇長公達而文遒暢，次公恬而文澄蓄，介甫矯厲而文簡勁。文如其人哉！

黄廷鵠《詩冶・凡例》 凡以天韻勝、以情勝、以醞味勝者，詩人詩也。凡以豪勝、以議論勝、以故實勝者，文人詩也。詩人詩，女倡也，妍聲秀質，嫣然自香；文人詩，裝旦也，極意婉約，美而不芳。

方以智《浮山集》文集後編卷二《耐庵李昌谷詩解序》 奇才間出，吐吞古今，造耑引觸。蓋寂有所感而發不及知。後百世之心相見者，游息深深，亦必有發前人所未發，于是乎奇□然。【略】天之道，無奇無平；人之道，初得其不知以爲奇，久而忘其奇，教者欲其拔俗也，嘆其奇，奇矣，又抑其奇。達士快語，不惜綻漏，率吾眞而已。率吾眞也，何奇之有。

盧世㴶《讀杜私言》 據尋常之論，若專以爽塏歸高、岑者，子美獨曰：「高、岑殊緩步，沈、鮑得同行。」看得又別。詩之道溫柔敦厚，旁見側出，一言以蔽之曰「緩」。緩則曲，緩則閑，緩則寧，緩則靜，緩則可以運完神，緩則可以蓄餘力。緩之一義，誠衆妙之門也。非子美拈出，誰識高、岑，誰知沈、鮑，又誰解詩之所以爲詩乎？

又《刻書序・劉隨州詩鈔》 近覽鍾伯敬《詩歸》，内選隨州詩五十餘首，其言曰：「中晚之異于初盛，以其俊耳。劉文房猶從樸入。」然盛唐俊處皆樸，中晚人樸處皆俊。文房氣有極厚者，語有極眞者，眞到極透快處，便不免妨其厚。又曰：「漢魏詩至齊梁而衰，衰在豔，豔至極妙而漢魏之詩始亡；唐詩至中晚而衰，衰在澹，澹至極妙而初盛之詩始亡，不衰不亡。不妙不衰。」又曰：「豔之害詩易見，澹之害詩難知。」嗚呼！其持論微矣。余乃言曰：「隨州之詩之所以能行遠者，以其眞也。特其藏眞于澹，令人無迹可尋耳。隨州之詩之所以不厭眞者，以其澹也。惟其澹處皆眞，所以不盡耳。」

賀貽孫《詩筏》 詩亦有英分雄分之別。英分常輕，輕者不在骨而在腕。腕輕故宕，宕故逸，逸故靈，靈故變，變故化，至於化而英之分始全。太白是也。雄分常重，重者不在肉而在骨。骨重故沉，沉故渾，渾故老，老故變，變故化，至於化而雄之分始全。少陵是也。若夫骨輕者佻，肉重則板。輕與重不能至於變化，總是英雄之分未全耳。

又 枯瘦寒儉，非詩之至。然就彼法中，亦自有至者：枯者有神，瘦者有力，寒者有骨，儉者有品。

又 杜子美以「清新」、「俊逸」分稱庾子山、鮑明遠二人，可謂定評矣。但六朝人爲清新易，爲俊逸難。詩家清境最難，六朝雖有清才，未免字字求新，則清新尚兼人巧。而俊逸純是天分，清新而不俊逸者有矣，未有俊逸而不清新者也。子美雖兩人並稱，然大半爲明遠左袒耳。及取兩人詩讀之，明遠既有逸氣，又饒清骨；子山雖多清聲，不乏遺響。且俊逸易涉於佻，而明遠則厚；清新易涉於浮，而子山則警。明遠與顔、謝同時，而能獨運靈腕，盡脱顔、謝板滯之習。子山當陳、隋靡靡之日，而時有骨氣，不爲膚立。六朝人多不能爲七言，而明遠獨以七言擅長。若子山五言詩，竟是唐人近體佳手矣。雖所就不同，要皆一時出類之才也。

又 詩家化境，如風雨馳驟，神鬼出沒，滿眼空幻，滿耳飄忽，突然而來，倏然而去，不得以字句詮，不可以迹相求。如岑參《歸白閣草堂》起句云：「雷聲傍太白，雨在八九峰。東望白閣雲，半入紫閣松。」又《登慈恩寺》詩中間云：「秋色從西來，蒼然滿關中。五陵北原上，萬古青濛濛。」不惟作者至此，奇氣一往，即諷者亦把捉不住，安得刻舟求劍，認影作眞乎？近見註詩者，將「雨在八九」、「雲入紫閣」、「秋從西來」、「五陵萬古」語，強爲分解，何異癡人說夢！

又 詩文中「潔」字最難。柳子厚云：「本之太史以著其潔。」惟太史能潔，惟柳子能著其潔，潔可易言哉！詩如摩詰，可謂之潔。惟悟生潔，潔斯幽，幽斯靈，靈斯化矣。摩詰之潔，原從悟生，而摩詰之潔，亦能生悟，潔而能化，悟迹乃融。嗟呼！悟、潔二者，今人棄如土矣！王元美云：「摩詰才不逮沈、宋。」豈以其潔減價耶！

又 詩文之厚，得之內養，非可襲而取也。博綜者謂之富，不謂之厚。穠縟者謂之肥，不謂之厚。粗僿者謂之蠻，不謂之厚。「厚」之一言，可蔽《風》、《雅》。《古十九首》，人知其澹，不知其厚。所謂厚者，以其神厚也，氣厚也，味厚也。即如李太白詩歌，其神氣與味皆厚，不獨少陵也。他人學少陵者，形狀龐然，自謂厚矣，及細測之，其神浮，其氣囂，其味短。畫孟賁之目，大而無威；塑項籍之貌，猛而無氣，安在其能厚哉！《莊子》云：「彼節者有間，而刀刃者無厚。」所謂「無厚」者，金之至精，鍊之至熟，刃之至神，而厚之至變至化者也。夫惟能厚，斯能無厚。古今詩文能厚者有之，能無厚者未易覯也。無厚之厚，文惟孟、莊，詩惟蘇、李、《十九首》與淵明。後來太白之詩，子瞻之文，庶幾近之。雖然，無厚與薄，毫釐千里，不可不辨。詩文有神，方可行遠。神者，吾身之生氣也。老杜云：「讀書破萬卷，下筆如有神。」吾身之神，與神相通，吾神既來，如有神助，豈必湘靈鼓瑟，乃爲神助乎？老杜之詩，所以傳者，其神傳也。田横謂漢使者云：「斬吾頭，馳四十里，吾神尚未變也。」後人摹杜，如印板水紙，全無生氣，老杜之神已變，安能久存！神者，靈變惝怳，妙萬物而爲言。讀破萬卷而胸無一字，則神來矣，一落滓穢，神已索然。

又 所謂蘊藉風流者，惟風流乃見蘊藉耳。詩文不能風流，畢竟蘊藉不深。

又 陳無己云：「寧樸毋華，寧拙毋巧，寧粗毋弱，寧僻毋俗。」嚴儀卿亦有是語。然余謂樸實勝華，拙實勝巧，粗實勝弱，僻實勝俗。樸拙粗僻，非大家不能用。每見後人有意爲樸，反不如華；有意爲拙，反不如巧；有意爲粗，反不如弱；有意爲僻，反不如俗。大抵以自然者爲勝，如美人亂頭粗服俱好，不可遂以亂頭粗服爲美人也。

黃生《詩麈》卷二 詩家貴先辨雅俗。雅者，常也。李文饒曰：「文章如日月，雖終古長見，而光景常新。」此雅之說也。不新則腐，腐則不雅；不常則怪，怪則不雅；斯二者一言以蔽，則曰俗而已矣。是故雅可訓常，而常人不足以盡雅；新似於雅，而雅則久而愈新。文章既久而愈新，而後雅道歸之。持此以論詩，則辨雅俗如別黑白矣。《三百篇》，雅之源也。《楚辭》，變雅之祖也。雖變而不失其正，故在不祧之位。漢、魏古詩出《三百篇》，樂府出《楚辭》，故千古爲雅宗。自晉以下，漸趨浮靡，而雅道遂衰。如繪者之務絢其采以悅人目，而不知浮金耀碧之必渝也。如歌者之務繁其聲以媚人耳，而不知哀絲急管之厭聽也。唐監於六代，色汰其絢，聲去其繁，雖與太白不飾朱弦疏越者不可同年而語乎，然崇雅黜浮之功於是乎在。由中迨晚，競爲變調，不怪則腐，斯道之勿絶如線。弱宋猥陋，無力起衰，而大雅遂墜地矣。

又 詩欲高華，然不得以浮冒爲高華。詩欲沈鬱，然不得以晦澀爲沈鬱。詩欲雄壯，然不得以粗豪爲雄壯。詩欲冲淡，然不得以寡薄爲冲淡。詩欲奇矯，然不得以詭僻爲奇矯。詩欲典則，然不得以庸腐爲典則。詩欲蒼勁，然不得以老硬爲蒼勁。詩欲秀潤，然不得以嫩弱爲秀潤。詩欲飄逸，然不得以佻達爲飄逸。詩欲質厚，然不得以板滯爲質厚。詩欲精采，然不得以雕績爲精采。詩欲清眞，然不得以鄙俚爲清眞。詩家雅俗之辨，略盡於此。宋、元、明諸名手，皆不能無議，噫，難言矣。

又 張思光有言：「文無常體，但以有體爲常。」此千古操觚家第一義也。

夫文之有體，猶人一身四支九竅五藏六府百骸，有一不具，不可以爲人。寖假而適市，紛紛總總者人也，然而面目無有同者。豈非其體則同，而其所以爲體者，固未嘗一乎？是故文必有體，而但不可襲其體以爲體。《離騷》不襲《三百》，《離騷》自有《離騷》之體也。漢魏不襲《楚辭》，漢魏自有漢魏之體也。李唐不襲漢魏，李唐自有李唐之體也。後世之士，謂文必有常體也，則以模範爲工，規規而矩矩，步步而趨趨，面目則似，神奇索然，此優孟之抵掌耳。或謂文無常體也，則以矯造爲能，視古若讎，鑿空爲字，恃其悍才而矜獨智，此刑天之舞戚耳。二家各執一是，此罵彼爲人奴，彼號此爲怪魁。試取思光之言折衷之，深造而自得，窮神以幾化，則兩家皆廢然而退矣。

費經虞《雅倫》卷二《體調》 詩體有時代不同，如漢魏不同於齊梁，初盛不同於中晚，唐不同於宋，此時代不同也。有宗派不同，如梁陳好爲宮體，晚唐好爲西崑，江西流涪翁之派，宋初喜才調之詩，此宗派不同也。有家數不同，如曹、劉備質文之麗，靖節爲冲淡之宗，太白飄逸，少陵沈雄，昌黎奇拔，子瞻靈雋，此家數不同也。詩之不同如人之面，學者能辨別其體調，分其高下，始能追步前人。

又卷一六《品衡上・古奧》 古者，其色澤幽澹；奧者，其意致邃遠。商彝周鼎，絕代靈殊；楛矢專車，人所不識。非難字僻辭，刻澀聱牙，便謂隔絕時流，追崇先代也。

又《典雅》 典者，用古無痕；雅者，出辭有度。博贍而卻橫筋露骨，只謂之編事，而不謂之典；樸茂而無靈脱渾化，只謂之癡重，而不謂之雅。典而雅，甚難也。

又《雄渾》 雄者，項王以八千人破秦軍十萬；渾者，郭令公未常有驕色。雄者，其氣不可屈抑；渾者，其美不徒字句。雄而不渾，易流於粗放；渾而不雄，多入於沉滯。

又《高老》 獨踞萬仞，高不可攀。氣橫九州，老境無敵。然如蒼松翠柏中含生新之色，始稱上乘。若枯枝斷梗，則非所貴矣。

又《深厚》 魯國規模，先秦冠服。不露鋒芒，夷然安簡。於此而思深厚焉，庶幾矣。深而不厚，恐晦傲難通；厚而不深，易寬淡少味。

又《俊逸》 鶴立鷄群，别開一番毛羽；仙來雲霧，更具一段風神。冉冉欲飛，悠悠自遠。有神逸、有氣逸、有調逸、有格逸、句逸、音節逸。不可以輕浮當之。

又《清新》 何以謂之清？百泉沉似鏡，松露冷如冰；何以謂之新？寶刀初出匣，珠色未成釵。無一雜字、陳字；無一雜言、陳言；無一雜意、陳意。然欲清者多寒儉，欲新者多妄誕。眞能清新者，非古人，其誰與歸？

又卷一七《品衡中・富麗》 金谷園中是物皆美，平泉墅内無草不香。然須於富麗中看其才情，看其布置，看其脱化。若止對待精工字句華艷，此兒曹之所謂富麗也。

又《纖巧》 掌中試舞，此之謂纖；棘端刻猴，此之謂巧。恐有傷於大雅，故不爲風人所貴。

又《自然》 天然去雕飾，謂之自然。出語圓活，下字平貼，對法流動。若不曾用一毫意，然而對法亦精工，下字亦超別，成句亦獨詣。孟襄陽而外，罕見其匹矣。

又《淡遠》 修竹千竿，無人月出；幽蘭滿谷，山翁獨行。此淡遠之極致也。然學淡遠者，多失音節，失音節則面牆擊石矣。

又《穠郁》 「櫻桃樊素口，楊柳小蠻腰」，此穠郁之狀也；「國色朝含酒，天香夜染衣」，「隔簾花影動，疑是玉人來」，此穠郁之致也。肉而少骨，柔而少氣，此摹穠郁而失之者也。

又卷一八《品衡下・峻潔》 海中孤嶼，無客問津，峻也；竹盂蒲墩，塵埃俱遠，潔也。蓋有高韻而無古色，似典雅實清新。

又《疎放》 山水貯其胸中，魚鳥近其天性。故落筆無拘束之態，灑墨有豪宕之懷。脱略禮數，長揖三公，具此胸襟，自當迥異時流。

又《峭别》 乍入桃源，見秦時服器；初開橘内，聞太古龍宮，無一人間常境。

又《刻琢》 刻琢是不好爲太露痕跡者言也。然世間自少此一種不得。李賀、盧仝輩足以當之。蓋其格調、字句皆磨鍊而成，無自然蕭散之致。倘類符、讖與道中歌謠，便堪捧腹。

又卷二二《瑣語》 頌如對官長之言，簡直而正大；雅如朋友之言，入情而文；風如家人婦子之言，無文無體而自然中節也。

又 詩家數甚多。清新也可，雄渾也可，古奧也可，幽細也可，只要是到家句。

又 雄健之句須兼腴潤蘊藉。

又 雄渾中貴靜細，否則失之浮；淡雅中要嫣潤，否則失之槁。

又 氣格高老，不是用硬字眼便是。

又 格力高老而有徘徊曲折之勢，此謂蘊藉。

又 沉鬱與雄渾相似而氣不同，飄逸與雋永相似而致不同，幽細與閒靜相似而句不同。

又 人好以其粗莽未曾洗鍊之辭，謂之雄渾，又或以其孱弱不振之氣，謂爲秀細，失之遠矣。

又 詩出語須鄭重雄渾。高老之鄭重易識，而潤秀清空之鄭重難識。「猿啼洞庭樹，人在木蘭舟」，「燕子家家入，楊花處處飛」，「松風吹解帶，山月照彈琴」，此皆千錘百煉而出，何等鄭重！

趙士喆《石室談詩》卷下《論各體》 宿石巢嘗語予曰：「詩之所貴者雄渾，雄猶可指，渾實難言。所謂渾者，卽溫厚也。溫則渾，渾則雄，非外強中乾者之所可假。」予於是恍然有悟。因憶石巢《登濟南城樓》詩云：「獨上高樓意黯然，亂山回合接蒼煙。干戈未息潢池盜，搖落偏驚犬馬年。萬頃殘荷隱白鷺，兩行衰柳映寒蟬。離愁滿目悲難遇，慘淡風塵老仲宣。」如此詩者，眞可以不愧其言。樊桐《漫興》有云：「積雨空林白鳥飛，晨光暮色轉唏微。荒城近海魚蝦賤，野店連山稼穡稀。長吏已聞征夏稅，村農猶復歎無衣。老翁何事關心淚，痛哭東園獨掩扉。」若樊桐者，亦可稱難弟矣。其力厚而味長，卽殘荷衰柳，痛哭無衣，亦不妨其渾厚。如力薄而味尖，卽滿篇金玉鳳麟，亦梨園之蟒玉耳。

葉燮《己畦文集》卷八《南疑詩集序》 語有之：絢爛之極，乃歸平淡。予則以爲絢爛平淡，初非二事也。眞絢爛則必平淡，至平淡則必絢爛。是何也？譬之天，無一毫雲氣，盡青之一色，至平至淡矣，而絢爛孰有過於蒼蒼者乎？譬之雪，極望無際，山川陵谷，盡白之一色，至平至淡矣，而絢爛孰有過於太素者乎？天下事物皆然，而於詩之一道，尤有可得而言者。凡人無不稱詩爲風雅。不知詩也者，風雅之總名；風雅者，詩之實德也。世之言詩者，固不一家，多有少年高才之士，不知風雅之義爲詩之實德，將永言一唱三歎之旨，略而不道；好爲新奇瑰譎，索隱秘，趨僻徑，取世人聞見所不至者，以駭世人之耳目，使見之者無弗眩，聞之者無弗驚，如登賈胡之肆，衆寶溢目；如遊華林之園，千花競發，令人應接不暇，徒有嘖嘖然，而觀之者，初則歎，既則疑，又久之而不覺稍稍厭去矣。是何也？衆寶溢目，寶去則空；千花競發，花謝則萎。既萎與空，則詩亡，詩亡則辭句意無不亡，求其言外一唱三歎，有餘不盡之旨，邈不可得，彼既與平淡相違，至此則并絢爛而失之，則亦付之索然無味而已矣。

又卷九《汪秋原浪齋二集詩序》 詩道之不能不變於古今而日趨於異也，日趨於異，而變之中有不變者存。請得一言以蔽之曰：雅。雅也者，作詩之原，而可以盡乎詩之流者也。自《三百篇》以溫厚和平之旨肇其端，其流遞變而遞降，溫厚流而爲激亢，和平流而爲刻削；過剛則有桀奡詰聱之音，過柔則有靡曼浮豔之響，乃至爲寒爲瘦，爲襲爲貌，其流之變，厥有百千，然皆各得詩人之一體。一體者，不失其命意措辭之雅而已。所以平奇濃淡巧拙清濁，無不可爲詩，而無不可以爲雅。詩無一格，而雅亦無一格。惟不可涉於俗。俗則與雅爲對，其病淪於髓，而不可救，去此病，乃可以言詩。

陳玉璂《學文堂文集》卷三《宣城沈方鄴詩序》 昔歐陽文忠未嘗輕許人以詩，獨于梅聖俞則誇尙不容口，其言曰：「聖俞初喜爲清麗閑肆平澹，久則涵演深遠，閒亦琢刻以出怪巧，然氣完力餘，益老以勁。」是數語者，雖以稱聖俞，而爲詩之道亦盡矣。詩本人性所近，五聲八音之氣，薄于人心，或得其愉佚，或得其靡眇，或得其沈黝澹莫，或得其堙鬱巉寒，其出之也，或爲清麗平澹，涵演深遠，或爲琢刻怪巧，無不可自名其家，然必氣完力餘，始可至于老勁。是非然者，其爲清麗也必流于涼，閑肆也必流于曼，平澹也必流于疏且促，涵演深遠也必流于譎且晦，琢刻怪巧也必流于結轖，流于頹唐，莫可窮詰，以是而求所爲老以勁也，豈不難哉？

王士禛《帶經堂詩話》卷二 或問「不著一字，盡得風流」之說。答曰：太白詩：「牛渚西江夜，青天無片雲。登高望秋月，空憶謝將軍。余亦能高詠，斯人不可聞。明朝挂帆去，楓葉落紛紛。」襄陽詩：「挂席幾千里，名山都未逢。泊舟潯陽郭，始見香爐峰。嘗讀遠公傳，永懷塵外蹤。東林不可見，日暮空聞鐘。」詩至此，色相俱空，政如羚羊挂角，無跡可求，畫家所謂逸品是也。

又卷三 司空表聖作《詩品》，凡二十四，有謂「沖澹」者，曰：「遇之匪深，卽之愈稀。」有謂「自然」者，曰：「俯拾卽是，不取諸鄰。」有謂「清奇」

者，曰：「神出古異，澹不可收。」是品之最上者。表聖論詩，有二十四品，予最喜「不著一字，盡得風流」八字。又云：「采采流水，蓬蓬遠春。」二語形容詩境亦絕妙，正與戴容州「藍田日暖，良玉生煙」八字同旨。汾陽孔文谷（天允）云：詩以達性，然須清遠爲尚。薛西原論詩，獨取謝康樂、王摩詰、孟浩然、韋應物，言「白雲抱幽石，綠篠媚清漣」，清也；「表靈物莫賞，蘊眞誰爲傳」，遠也；「何必絲與竹，山水有清音」，「景昃鳴禽集，水木湛清華」，清遠兼之也。總其妙在神韻矣。「神韻」二字，予向論詩，首爲學人拈出，不知先見於此。

又卷五　論詩當先觀本色。《碩人》之詩曰：「巧笑倩兮，美目盼兮。」而尼父有「繪事後素」之說，即此可悟本色之旨。彼黃眉黑妝，折腰齲齒，非以增姸，祇益醜耳；矧效西子之顰，學壽陵之步者哉？怡齋從吾學詩數年矣，風氣日上，遂能自名一家。大抵植基於阮陳，取裁於二謝，沿溯於高岑，而近體多近放翁。綜而論之，妙在本色，如邢夫人亂頭粗服，能令尹夫人望而泣下，自慚弗如。

又卷六　自昔稱詩者，尙雄渾則鮮風調，擅神韻則乏豪健，二者交譏；唯今太宰說巖先生之詩，能去其二短，而兼其兩長。吾推先生詩三十餘年，世之談士皆以爲定論而無異辭者以此。《丁丑詩》一卷公所自書，蓋漸老漸熟之候，而書法圓美蒼勁，姿態橫生，適與其詩相稱，眞兩絕也。

又卷二九　問：秦、漢風味與三唐何如？　秦詩具於《詩》之《秦風》，漢人蘇武、李陵、枚乘、傅毅之作，去《國風》未遠；六代唯陶彭澤，三唐唯韋蘇州二公可以企及。（蕭亭云：高廷禮曰：詩自《三百篇》以降，漢魏質過於文，六朝華浮于實，得二者之中，備風人之體，唯唐爲然。李本寧曰：譬之水，《三百篇》，崑崙也；漢魏六朝，龍門積石也；唐則溟渤尾閭矣，將安所益乎！由二公之言觀之，時代不同風氣自變，苟法嚴而辭諧，意貫而語秀，皆爲絕倡，未可先後論也。）

張謙宜《絸齋詩談》卷一　詩貴和平者何也？凄厲陡險，一瀉而盡，覽之可喜，咀嚼索然。故學者必須涵養渟蓄，令其深厚。然深非叵測，厚豈包皮，審之審之，以古爲則可也。人多謂詩貴和平，只要不傷觸人。其實《三百篇》中有駡人極狠者，如「胡不遄死」、「豺虎不食」等句，謂之乖戾可乎。蓋駡其所當駡，如敲撲加諸盜賊，正是人情中節處，故謂之「和」。又如人有痛心，便須著哭，人有冤枉，須容其訴，如此心下才鬆頹，故謂之「平」。只這兩字，人先懂不得，又講甚詩！詩要老辣，卻要味道，正如美酒好醋，於本味中嚴烈而有餘力。然苦者自苦，酸者自酸，不相假借處，各有本等。大約「老」字對「嫩」字看，凡下字造句堅緻穩當，即老也。「辣」字對「糖」字看，凡字句中不油滑、不猥瑣、不卑靡、不甜熟，即辣也。惟灑落最近辣，逆鼻，傷人，螫口不可近者，正不得援辣以自解。「老」字頭項甚多，如悲壯有悲壯之老，平淡有平淡之老，穠豔有穠豔之老。今匠人以竹木之成就者謂之老，以此思之可也。

又　詩貴蘊藉，正欲使味無窮耳。二字之義亦當知。古人衣中着綿謂之蘊，言其中有物也。圭有繅以承之，形如木板，以五綵絲纏之，言其外加飾也。人以蘊藉稱，謂其儒雅風流也。詩尙平淡，因平淡正其絢爛處。如丹砂白玉，本色自不可掩。詩要溫雅，卻不可一晌偏墮窠臼，連筋骨都浸得酥軟，便不是眞溫雅矣。詩要脫俗，須於學問之外，仍留天趣爲佳。如美桃熟至八分，微帶青脆甘酸，此爲上品。若至十月中旬，肉如爛醬，一味甜俗，不足當知味者品題矣。詩得性情之正者，亦須有冷味乃妙。如《三百篇》清廟明堂之作，其嚴肅堅凝處皆冷也。【略】詩有以澀爲妙者，少陵詩中有此味，宜進此一解。澀對滑看，如碾玉爲山，終不如天然英石之妙。沉著非一路，有因境而得，有緣思而成，及其得手，未有不浩瀚淸明者。河身衝刷泥沙，便是沉著之象。佶屈鼇牙，晦澀支離，非高古也。韻趣天然，從容飄緲，脫盡皮毛，直溯本根，此之謂高古耳。眞見其故，能發得出，不拘常格，此是豪放。若作怪支離，夾雜不倫，此是放肆，非豪放也。杜陵《渼陂》、《麗人》諸篇，是好樣。

又　意渾則味長，意露則透快而味短。珠砂之未破者，謂之渾寶，以其精力凝結也。又如果之皮肉、核仁、汁水、香味尙在一個時，亦謂之渾。含蓄二字，詩文第一妙處。如少陵前、後《出塞》、《三吏》、《三別》，不直刺主者，便是含蓄。機到神流，乃造斯境。所謂疎野，天然率眞，才用意便是假。如山間林下人，自與朝市衣冠別。此隨人地步看，不必摹倣。飄逸者，如鶴之飛，如雲之行，如蓬葉之隨風，皆有大力斡轉于中。若徒於字句摹擬，其似是而非處，多生弊病。古人胸中道理雪亮，更無障蔽滯礙處，不沾沾俗情，所謂曠達。若一味頹墮，便是沒打煞人，豈得謂之曠達！流動者，生機不息，自然運動。大而天地，小如文章，未有不流動而能久者。流動之根，卻在心神秘妙中轉掉，非人力所及也。所謂沖淡，此性情心術上事，不洗自凈，不學而能。若勉強作沖淡語，似亦是僞，何況不似。

趙執信《談龍録》「清新」、「俊逸」，杜老所重，要是氣味神采，非可塗飾而至。然亦非以此立詩之標準。觀其他日稱李，又云「筆落驚風雨，詩成泣鬼神」；其自詡，亦云「語不驚人死不休」，則其於庾、鮑諸賢，咸有分寸在。

又 司空表聖云：「味在酸鹹之外。」蓋概而論之，豈有無味之詩乎哉！觀其所第二十四品，設格甚寬，後人得以各從其所近，非第以「不著一字，盡得風流」爲極則也。嚴氏之言，寧堪並舉？馮先生糾之盡矣。

沈德潛《歸愚文鈔》卷一三《喬慕韓詩序》 《風》、《騷》以後，五言代興。漢如蘇、李贈答，《古詩十九首》，句不必奇詭，調不必鏗鏘，而纏綿和厚，令讀者油然興起，是爲雅音。後如阮、如陶，如陳正字、張曲江，如王右丞、韋左司、柳儀曹諸家，雖塗軌各殊，而宗法自合，無他，唯其發源於古澹也。古澹者，蘇、李、《十九首》之遺也，然愚嘗以此求今人之詩，得此意者蓋寡。白田喬子慕韓，向聞其能詩，及來京師會合，出詩稿相示，味則泊乎不覺其甘也，格則渾乎不覺其奇也，音則泠泠乎不覺其傾耳動聽也。然平心易氣以求之，始貴其氣體，漸親其神韻，既浹其性靈；近體在王、孟、錢、劉間，而五言古體，欲攀典午當塗而上窺其原，是可爲今人之古澹者已。雖然，稱詩於今日，知慕韓者或難，蓋時人所趨者，鮮穠佻巧，多志微滌濫之音，而慕韓以聲色臭味之不露者當之，此如秦箏羌笛競響繁會，而以太常雅樂與于其間，宜聽之者欲卧也，然試奏諸清廟，升歌堂筵，其可以感鬼神而和性情者，果在秦箏羌笛類耶？且夫少陵之言詩曰「語必驚人」，昌黎之言詩曰「橫空硬語」，取乎奇情鬱起也，而贈孟雲卿則云「李陵蘇武是吾師」，贈張文昌則云「張籍學古澹」，杜、韓旨歸仍在聲希采伏者矣。慕韓得所宗法，而深以忠厚悱惻之思、和平溫厚之氣，將所云師蘇、李學古澹者，於是乎在，而豈獨表異於今人之志微滌濫者耶？慕韓爲介夫徵君令嗣。徵君遺榮守道，與古爲徒。慕韓其稟承家學者也，詩品之高，蓋有所自云。

薛雪《一瓢詩話》 火候未到，徒擬平淡，何啻威喜丸？費盡咀嚼，斐然滿口，終無氣味。

又 古人作詩，到平澹處，令人吟繹不盡，是陶鎔氣質，消盡渣滓，純是清眞蘊藉，造峰極頂事也。今人作平澹詩，乃才短思澀，格卑調啞，無以見長，借之藏拙；如三家村裏兒郎，見衣冠人物，其所欲言，格格不吐，與深沈寡默者，截然兩途。故軒轅彌明云：「時於蚯蚓竅，常作蒼蠅聲。」若果才力雄厚，筆氣老勁，正不妨如快劍斲陣，駿馬下阪；又不妨如回風舞絮，落花縈絲。何必喬妝貞靜，縞素迎人？及至春心一般蕩漾，識者見之，畢竟作惡數日。

又 有人論詩云，詩體有六：曰雄渾，曰悲壯，曰平澹，曰蒼古，曰沈著痛快，曰優游不迫。以此六者爲體，不知者則將拗筆就體，落荒從事矣。可知此六者，乃詩之氣魄。若無此氣魄，雖有佳篇，亦如廟堂中人耳。

又 「寧拙毋巧，寧樸毋華，寧麤毋弱，寧僻毋俗，詩文皆然」，雖是矯枉過正語，亦是救病良藥。「以意爲主，以氣爲輔，以詞爲衛」，又是和盤托出也。

又 文貴清眞，詩貴平澹；若誤認疏淺爲清眞，何怪以拙易爲平澹？傷千古文士之心，破四海詩人之頰，惟此爲最。

又 鬯快人詩必瀟灑，敦厚人詩必莊重，倜儻人詩必飄逸，疏爽人詩必流麗，寒澀人詩必枯瘠，豐腴人詩必華贍，拂鬱人詩必悽怨，磊落人詩必悲壯，豪邁人詩必不羈，清修人詩必峻潔，謹勑人詩必嚴整，猥鄙人詩必委靡：此天之所賦，氣之所稟，非學之所至也。

黄子雲《野鴻詩的》 理明句順，氣斂神藏，是謂平淡。如《十九首》豈非平淡乎？苟非絢爛之極，未易到此。竊見詩家誤以淺近爲平淡，畢世作不經意、不費力，皮殼數語，便栩栩自以爲歷陶、韋之奧，可慨也已。

又 纖巧乃詩餘、小說之漸，少年不覺，同聲附和，自謂得計，淪溺頹波，莫有一人援而出之，哀哉！

邊連寶《病餘長語》卷一 王右丞淡而雋，孟襄陽淡而逸，柳柳州淡而峭，韋蘇州淡而玄。余向論如此，夫雋之與逸，則必有間矣。近閲《香祖筆記》云：「汪鈍翁嘗問余王、孟齊名，何以孟不及王。余曰：正以襄陽未能脱俗耳。汪深然之。」此論與余直是冰炭。襄陽未能脱俗，尤駭人聽。竊恐未能脱俗者，不在孟，轉在王耳。王詩略帶甘意，惟雋故甘，惟甘故俗也。如「下馬飲君酒」篇，裊娜作態，只此便俗。至孟詩中兩「挂席」篇，直是一片奇氣，噴薄而成，雖太白亦當斂手。未能脱俗者，百劫不能到也。

吴雷發《說詩管蒯》 古風貴樸老，長篇尤要曲折如意，觸處生波。近體務以工鍊爲先。詩之妙處，非可言罄。大要在「潔厚新超」四字。試觀前人勝處，都不出此。然不得以寂寞爲潔，龐弁爲厚，尖纖爲新，詭僻爲超。蓋得其近似，未有不背馳者。

又 詩境貴幽，意貴閒冷，辭貴刻削。閒冷便雋永，刻削便古峭。若此者，皆善於避俗、善於避熟者也。且不但避俗與熟而已，即登峰造極，豈有加於此乎？以食物比詩，則人大率愛餳而惡橄欖。夫橄欖固不及荔枝，然其回味則可以補荔枝所不逮。故不能爲荔枝，亦當爲橄欖，斷不可以愛餳者衆，而學爲餳也。

又 詩以山林氣爲上。若臺閣氣者，務使清新拔俗，不然，則格便低。前人早朝、應制諸詩，其拔俗者不過十之一二。大抵此等題極易入俗，雖有能者，無所施其技也。余幼時侍先君子，猶記《論詩》一節云：畫山水者宜竹籬茅舍，不宜朱閣華堂；宜布袍藜杖之老翁，不宜垂紳縉笏之朝貴；宜抱琴負囊之童子，披簑撥棹之野人，不宜輕裘駿馬之公子，及旗旄導前，騶卒擁後之從人。雖有好俗之人，不能使畫家頓易其轍。蓋山水有眞趣，俗自不能勝雅。以此推之，於詩則山林氣者爲貴矣。先君子所訓，洵是不易之言。

又 有極平淡而難及者，人或以爲警鍊少，不知其駕警鍊而上之也。但學者未造警鍊，不可先學平淡；且亦斷學不來。

又 入手時須講一「清」字，成功則不外一「老」字，詩之初終略盡矣。即古文辭何獨不然？問：詩之所宜，已見其槩矣。問：詩之所忌云何？曰：當忌者不少，而其尤甚者則曰「凡」。

袁枚《隨園詩話》卷二 爲人不可不辨者：柔之與弱也，剛之與暴也，儉之與嗇也，厚之與昏也，明之與刻也，自重之與自大也，自謙之與自賤也，似是而非。作詩不可不辨者：淡之與枯也，新之與纖也，樸之與拙也，健之與粗也，華之與浮也，清之與薄也，厚重之與笨滯也，縱横之與雜亂也，亦似是而非，差之毫釐，失以千里。

又卷三 詩雖奇偉，而不能揉磨入細，未免粗才。詩雖幽俊，而不能展拓開張，終窘邊幅。有作用人，放之則彌六合，收之則斂方寸，巨刃摩天，金針刺繡，一以貫之者也。諸葛躬耕草廬，忽然統師六出；蘄王中興首將，竟能跨驢西湖。聖人用行舍藏，可伸可屈，于詩亦可一貫。書家北海如象，不及右軍如龍，亦此意耳。余嘗規蔣心餘云：「子氣壓九州矣；然能大而不能小，能放而不能斂，能剛而不能柔。」心餘折服曰：「吾今日始得眞師。」其虚心如此。

又卷四 詩雖貴淡雅，亦不可有鄉野氣。何也？古之應、劉、鮑、謝、李、杜、韓、蘇，皆有官職，非村野之人。蓋士君子讀破萬卷，又必須登廟堂，覽山川，結交海内名流，然後氣局見解，自然闊大；良友琢磨，自然精進。否則，鳥啼蟲吟，沾沾自喜，雖有佳處，而邊幅固已狹矣。人有鄉黨自好之士，詩亦有鄉黨自好之詩。桓寬《鹽鐵論》曰：「鄙儒不如都士。」信矣。今人論詩，動言貴厚而賤薄，此亦耳食之言。不知宜厚宜薄，惟以妙爲主。以兩物論：狐貉貴厚，鮫綃貴薄。以一物論：刀背貴厚，刀鋒貴薄。安見厚者定貴薄者定賤耶？古人之詩，少陵似厚，太白似薄；義山似厚，飛卿似薄：俱爲名家。猶之論交，謂深人難交，不知淺人亦正難交。

又卷五 詩宜樸不宜巧，然必須大巧之樸；詩宜澹不宜濃，然必須濃後之澹。譬如大貴人，功成宦就，散髮解簪，便是名士風流。若少年紈袴，遽爲此態，便當笞責。富家雕金琢玉，別有規模；然後竹几籐床，非村夫貧相。

又《小倉山房外集》卷四《與楊蓉裳兄弟書》 夫竅啓者窘於篇，縷獵者嗇於典，醞喑者弱於氣，僂息者殫於力，多文爲富，邃古惟艱。【略】言少則理顯；詞費則耳聒。【略】才惟放也，而後收之不枯，氣惟雄也，而後攝之愈密。能取淡於濃，則清泉皆沆瀣矣；果得平於險，則拳石亦華嵩矣！

又《隨園尺牘》卷一〇《答祝芷唐太史》 聖賢之學，剛柔並用，然而柔克之功，較勝於剛克。以物論，太阿純鉤可以屈而彎之，故曰神劍；南山之石不能屈彎，故曰頑石。其他金銀銅鐵縞紵絲羅，一切硬者價賤，柔者價貴；以人論，則孔子柔於孟子，顏子柔於子路。人活則柔，人死則硬，閣下之詩能剛而不能柔。

楊際昌《國朝詩話》卷二 詩不拘何派，情韻總不可離，離則非纖人即傖父也。姑舉所見近體句，如孫子長（永祚）「一身多病猶爲客，二月連陰不見春」。丁野鶴（耀亢）「異域相逢俱萬里，名山小別即千年」。韓石耕（畾）「井簾細雨仍飛燕，幾日殘花又送春」。周子俶（肇）「十年世事全淬梗，四海交情半鬢絲」。黄庭表（與堅）「王宮滅沒餘抔土，霸業消沉付夕陽」。許九日（旭）「白門柳色千條雨，皖口山形二月春」。顧伊人（湄）「一櫂鐘聲殘照裏，六橋山色暮寒中」。王巽公（撰）「謝公屐冷山無恙，白傅船空水自流」。徐存永（延壽）「千里別情芳草外，五更殘夢落花前」。崔不雕（華）「丹楓江冷人初去，黄葉聲多酒不辭」。楊聖企（通俊）「三楚江濤環建業，六朝風物吊臺城」。李大村（國宋）「閒身日向江湖老，人事空悲水旱餘」。許天玉（珌）「大江春老人横槊，故國天高弩射潮」。曹澹餘（申吉）「三春雪影留吳舫，臘月鴻聲憶楚吟」。孫笠山（蕙）「官廨閒雲遺碣在，人琴往迹大江流」。王幼輿（維坤）「風雨愁連小寒食，鄉關淚濺閏花朝」。李丹壑（孚青）「南國荒雞中夜夢，秣陵殘日六朝山」。此種情韻，堪鼓吹諸巨公。

趙翼《甌北詩話》卷四　中唐詩以韓、孟、元、白爲最。韓、孟尚奇警，務言人所不敢言；元、白尚坦易，務言人所共欲言。試平心論之，詩本性情，當以性情爲主。奇警者，猶第在詞句間爭難鬬險，使人蕩心駭目，不敢逼視，而意味或少焉。坦易者多觸景生情，因事起意，眼前景、口頭語，自能沁人心脾，耐人咀嚼。此元、白較勝於韓、孟。世徒以輕俗訾之，此不知詩者也。元、白二人才力本相敵；然香山自歸洛以後，益覺老幹無枝，稱心而出，隨筆抒寫，並無求工見好之意，而風趣横生，一噴一醒，視少年時與微之各以才情工力競勝者，更進一籌矣。故白自成大家，而元稍次。

姚鼐《惜抱軒文集》卷四《海愚詩鈔序》　吾嘗以謂文章之原，本乎天地；天地之道，陰陽剛柔而已。苟有得乎陰陽剛柔之精，皆可以爲文章之美。陰陽剛柔，並行而不容偏廢，有其一端，而絶亡其一；剛者至於僨強而拂戾，柔者至於頽廢而闇幽，則必無與於文者矣。然古君子稱爲文章之至，雖兼具二者之用，亦不能無所偏優于其間，其故何哉？天地之道，協合以爲體，而時發奇出以爲用者，理固然也。其在天地之用也，尚陽而下陰，伸剛而絀柔，故人得之亦然。文之雄偉而勁直者，必貴於溫深而徐婉。溫深徐婉之才，不易得也；然其尤難得者，必在乎天下之雄才也。夫古今爲詩人者多矣，爲詩而善者亦多矣，而卓然足稱爲雄才者，千餘年中，數人焉耳。甚矣其得之難也！

翁方綱《石洲詩話》卷一　儲侍御《張谷田舍》詩：「碓喧春澗滿，梯倚綠桑斜。」雖只小小格致，然此等詩，卻是儲詩本色。竊謂一人自有一人神理，須略存其本相，不必盡以一概論也。阮亭《三昧》之旨，則以盛唐諸家，全入一片空澄澹濘中，而諸家各指其所之之處，轉有不暇深究者。學人固當善會先生之意，而亦要細觀古人之分寸，乃爲兩得耳。

又卷四　宋人精詣，全在刻抉入裏。而皆從各自讀書學古中來，所以不蹈襲唐人也。然此外亦更無留與後人再刻抉者。以故元人祇剩得一段丰致而已。明人則直從格調爲之。然而元人之丰致，非復唐人之丰致也。明人之格調，依然唐人之格調也。孰是孰非，自有能辨之者。又不消痛貶何、李始見眞際矣。漁洋先生所講「神韻」，則合丰致、格調爲一而渾化之。此道至于先生，謂之集大成可也。

又　唐詩妙境在虛處，宋詩妙境在實處。初唐之高者，如陳射洪、張曲江，皆開啓盛唐者也。中、晚之高者，如韋蘇州、柳柳州、韓文公、白香山、杜樊川，皆接武盛唐、變化盛唐者也。是有唐之作者，總歸盛唐。而盛唐諸公，全在境象超詣。所以司空表聖二十四品，及嚴儀卿以禪喻詩之説，誠爲後人讀唐詩之準的。若夫宋詩，則遲更二三百年，天地之精英，風月之態度，山川之氣象，物類之神致，俱已爲唐賢占盡。即有能者，不過次第翻新，無中生有。而其精詣，則固别有在者。宋人之學，全在研理日精，觀書日富，因而論事日密。如熙寧、元祐一切用人行政，往往有史傳所不及載，而于諸公贈答議論之章，略見其概。至如茶馬、鹽法、河渠、市貨，一一皆可推析。南渡而後，如武林之遺事，汴土之舊聞，故老名臣之言行學術，師承之緒論淵源，莫不借詩以資考據。而其言之是非得失，與其聲之貞淫正變，亦從可互按焉。今論者不察，而或以鋪寫實境者爲唐詩，吟咏性靈、掉弄虛機者爲宋詩。所以吳孟舉之《宋詩鈔》，舍其知人論世、闡幽表微之處，略不加省，而惟是早起晚坐、風花雪月、懷人對景之作，陳陳相因。如是以爲讀宋賢之詩，宋賢之精神，其有存焉者乎？

又　戴昺，石屏之從孫也。其《答妄論宋唐詩體》云：「性情元自無今古，格調何須辨宋唐。」語意自是，而直率逞快者，未必不因乎此。

又《復初齋文集》卷三《坳堂詩集序》　神韻者，非風致情韻之謂也。今人不知，妄謂漁洋詩，近於風致情韻，此大誤也。神韻乃詩中自具之本，然自古作家皆有之，豈自漁洋始乎？古人蓋皆未言之，至漁洋乃明著之耳。漁洋所以拈舉神韻者，特爲明朝李、何一輩之貌襲者言之，此特亦偶舉其一端，而非神韻之全旨也。詩有於高古渾樸見神韻者，亦有於風致見神韻者，不能執一以論也。

李調元《童山集》卷六《嶺雲詩集序》 詩以唐爲主。今人言詩，多趨于新，然新矣而失之巧；多好爲異，然異矣而失之尖。尖與新，蘊于胷，思以追唐，而去唐愈遠，則皆詩之歧路，而非詩之正渠也。

張英《文端集》卷四五《聰訓齋語》 圃翁曰：唐詩如緞如錦，質厚而體重，文麗而絲密，溫醇爾雅，朝堂之所服也；宋詩如紗如葛，輕疎纖朗，便娟適體，田野之所服也。中年作詩，斷當宗唐律，若老年吟咏適意，闌入於宋，勢所必至。立意學宋將來益流而不可返矣。五律斷無勝於唐人者，如王孟五言，兩句便成一幅畫。今試作五字，其寫難言之景，盡難狀之情，高妙自然，起結超遠，能如唐人否？蘇詩五律不多見，陸詩五律大率非其所長，參唐宋人氣味，當於五律見之。

黃培芳《香石詩話》卷二 前人論詩曰「溫柔敦厚」，曰「博大昌明」，曰「清新俊逸」，曰「沉鬱頓挫」。雖非一說所能窮，要皆貴醞釀於胸，淋漓於手，不徒推敲句調之間。雨村云：「詩有三字訣曰：響、朗、爽。」此亦未盡，詩發乎聲，結響貴高，響字固不可少，然專向此三字索解，但得句調爽朗即以爲工，未有不淺薄者。古之爽朗孰如青蓮，何嘗不由醞釀深厚而出耶！

孫原湘《天眞閣集》卷四〇《徐芝仙詩集序》 詩有奇正，而奇爲難，奇而不詭於正尤難。才不大，不能奇；學不博，不敢奇；無山川雲物之異以疏瀹而啓闢之，雖奇而非自然之奇。才大矣，學博矣，聞見廣矣，不能守屯耐困以馴養其奇氣，則奇而或戾於正。太白奇而元者也，少陵、昌黎奇而渾者也。昌谷奇而隱，東野奇而僻，玉川奇而肆者也。以有唐詩教之盛，此數家而已。後此如廉夫之品之學，嫣雌子猶目之爲妖，則甚矣，奇之難也。

袁潔《蠡莊詩話》卷二 作詩貴含蘊，耐人諷詠，不可說煞。貴渾厚深入，咀嚼不可過刻。此病雖名家大家難免，如趙秋谷《田横寨》云：「食客三千兩雞狗，島人五百一頭顱。」失之鑿。陳宮尹《江都懷古》云：「十年士女河邊骨，一笑君王鏡裡頭。」失之纖。卽李義山「小憐玉體横陳夜，已報周師入晉陽」、「薛王沉醉壽王醒」等句，俱失之刻。必如王龍標《宮詞》云：「昨夜風開露井桃，未央前殿月輪高。平陽歌舞新承寵，簾外春寒賜錦袍。」又《春閨》詞云：「行到中庭數花朵，蜻蜓飛上玉搔頭。」乃爲溫柔敦厚，含蓄蘊藉。

吳嵩梁《石溪舫詩話·曾燠》 夢樓翁嘗與論詩，以簡齋爲奇才，予爲艷才，君爲清才。予謂「清」字似易實難，當爲詩家第一妙諦。詩不能清，則山無峰巒，水無波瀾，槎枒漫衍不得爲奇；剪綵爲花，畫紙成月，粉飾規摹不得爲艷。清則眞矣，清則逸矣，清則雄矣，清則麗矣，清則和矣，清則遠矣，清則新矣，清則妙矣。世之爲僞體者，皆不從清出者也。故元遺山曰「乾坤清氣得來難」，有味哉其言乎！

又《洪亮吉》 君與予論詩：「詩必有珠光劍氣，始爲不可磨滅。」自謂其詩有劍氣七分，珠光三分；予詩有珠光七分，劍氣三分。持論奇妙，惜予未足以當此耳。

宋咸熙《耐冷譚》卷三 詩以清爲主，「吉甫作誦，穆如清風」，《三百篇》言詩之旨，亦如是而已。清非一無采色之謂也。昔人評《離騷》者，曰清絕滔滔；讀陶詩者，曰香艷入骨。會得此旨，可以追蹤《風》《雅》矣。

陳文述《頤道堂文集鈔》卷一《顧竹嶠詩叙》 有詩人之詩，有才人之詩，有學人之詩。漢魏以來，陶之沖淡，鮑之俊逸，小謝之清華，王、孟、韋、柳之雋永澄澹，詩人之詩也。陳思之沉鬱，康樂之生新，太白、東坡之曠逸朗秀，才人之詩也。韋孟之《諷諫》，張華之《勵志》，少陵之時事，香山之諷諭，邵堯夫之溫厚，陸放翁之忠愛，元遺山之睠懷故國，學人之詩也。國朝詩人輩出，踵武前代，亭林、桴亭爲學人，愚山、漁洋爲詩人，梅村、迦陵爲才人。乾嘉以來，於斯爲盛，並世諸賢，略可屈指。爲詩人之詩者，則有我師儀徵阮雲臺先生，無錫秦小峴司寇，蒙古法梧門祭酒，山左李石桐、少鶴兄弟，萊陽趙北嵐，山陰邵夢餘，嘉興吳澹川，長洲王惕甫、彭秋士，吳枚庵，太倉彭甘亭，華亭姚春木，江西樂蓮裳、吳蘭雪，吳江郭頻伽，海昌查梅史，錢塘厲樊榭、袁簡齋、吳穀人、朱青湖、馬秋藥、錢謝庵、東生、叔美兄弟，屠琴隝從兄曼生。爲才人之詩者，則有武進黃仲則，陽湖趙甌北、洪稚存，湘潭張紫峴，會稽商寶意，大興舒鐵雲，嘉興王仲瞿，揚州汪劍潭、竹素、竹海父子，遂寧張問陶，金匱楊蓉裳、荔裳兄弟，金華周銆雲，丹徒嚴麗生，常熟孫子瀟，吳江趙艮夫。爲學人之詩者，婁東蕭樊村一人而已。

何曰愈《退庵詩話》卷一 人之性情不同，故詩品亦各殊。《二十四詩品》中各有造詣，亦各有佳處。

陸鎣《問花樓詩話》 詩宜含蓄，唐人不露論鋒，所以可貴。庚子山本梁臣，後入東、西魏，又事後周，歷四朝十主。唐人盧中《讀子山集》云：「四朝十帝盡風流，建業長安兩醉遊。惟有一篇《楊柳曲》，江南江北爲君愁。」按庾信《楊柳曲》：「君言丈夫無意氣，試問燕山那得碑？」蓋欲自比孟堅從竇憲立功塞外，究亦書生大言耳。盧詩隸事精切，風刺之意，都在言外。

顧䴖《紫琅詩話》卷四　詩有極淺淡而意味深長者，程庶咸茂才績《柳枝詞》云：「隋苑千枝與萬枝，枝枝今日動人思。長條可記西宮裏，歌舞樓頭挂月時。」

又卷六　學晚唐者，風格不高而韻致卻自可人。劉湘雲有句云：「薔薇深院雨，蛺蜨畫欄人。」凌罔文有句云：「倒瀉池塘敎月住，半欹楊柳倩風扶。」

又　詩每取荒冷之境。汪樸莊云：「屋塌憑蘿補，松欹仗石扶。」胡松門云：「壞壁通鄰語，疏鍾斷梵聲。」姜文載云：「塞雲垂地黑，鬼火照人青。」

王壽昌《小清華園詩談》卷上　詩以古爲主，以高爲上，自然者次之，渾然者次之，純粹精鍊者次之，清新秀逸者壯健者次之，奇麗瘦淡者次之。

又　何謂忠厚？曰：平子《四愁》，悲路遠之莫致；子建《七哀》，願爲風以入懷。《塘上行》（陸機擬作）之「願君廣末光，照妾薄暮年」，被棄而猶懷顧戀；《石首城》（謝靈運作）之「皎皎明發心，不爲歲寒欺」，遭讒而素心不渝，可謂厚矣。然此非徒「臣罪當誅，天王聖明」，爲是善則歸親，過則歸己之語而已也。必其至誠惻怛之意充溢于中，隨其所發，無非慈祥豈弟之音，如元次山（結）之「追呼尙不忍，況乃鞭撻之」（《舂陵行》），杜少陵之「彤廷所分帛，本自寒女出」（《自京赴奉先縣詠懷》），乃爲眞忠厚耳。他如岑嘉州（參）之「不擇南州尉，高堂有老親。樓臺重蜃氣，邑里雜鮫人。海暗三山雨，花明五嶺春。此鄉多寶玉，愼莫厭清貧」（《送張子尉南海》），雖不必爲忠厚之語，而忠厚之意自盎然於楮墨之間，乃所謂「仁義之人，其言藹如」者。餘如王右丞之「執政方持法，明君無此心」，劉隨州（長卿）之「得罪風霜苦，全生天地仁」，錢員外之「窮達戀明主，耕桑亦近郊」，裴僕射（度）之「道直身還在，恩深命轉輕」之類，亦猶有詩人溫厚之遺云。

又　何謂纏綿？曰：如古之「客從遠方來，遺我一端綺」，及少陵之「暫往比鄰去，空聞二妙歸。幽棲誠簡略，衰白已光輝。野外貧家遠，材中好客稀。論文或不愧，重肯款柴扉」（《范二員外邈吳十侍御鬱特枉駕闕展待聊寄此作》）；白香山之「平生心迹最相親，欲隱牆東不爲身。明月好同三徑夜，綠楊宜作兩家春。每因暫出猶思伴，豈得安居不擇鄰？何獨終身數相見，子孫還作隔牆人」（《欲與元八卜鄰先有此寄》）是也。

又　何謂語要含蓄，義要分明？曰：張曲江（九齡）之「孤鴻海上來，池潢不敢顧。側見雙翠鳥，巢在三珠樹。矯矯珍木巔，得無金丸懼？美服患人指，高明逼神惡。今我游冥冥，弋者何所慕」（《感遇》），及少陵之「錦城絲管日紛紛，半入江風半入雲。此曲只應天上有，人間能得幾回聞」（《贈花卿》）是也。

又　何謂和雅？曰：晉《白紵舞歌》，及淵明之「孟夏草木長，繞屋樹扶疎。衆鳥欣有託，吾亦愛吾廬。既耕亦已種，時還讀我書。窮巷隔深轍，頗迴故人車。歡言酌春酒，摘我園中蔬。微雨從東來，好風與之俱。汎覽《周王傳》，流觀《山海圖》。俯仰終宇宙，不樂復何如」（《讀山海經》）是也。近體如賈舍人（至）之「銀燭朝天紫陌長，禁城春色曉蒼蒼。千條弱柳垂青瑣，百囀流鶯繞建章。劍珮聲隨玉墀步，衣冠身惹御鑪香。共沐恩波鳳池上，朝朝染翰侍君王」（《早朝大明宮呈兩省僚友》），暨楊司業（巨源）之「晴明紫閣最高峰，仙掖開簾范彥龍。五色天書辭煥爛，九重春殿語從容。綵毫應染鑪烟細，清珮仍含玉漏重。二十年前同日喜，碧霄何路得相逢」（《寄中書同年舍人》）。如此等作，皆雍容和雅，盛世之音也。

又　何謂廣大？曰：顏延年之《郊祀》、《曲水》、《釋奠》以及《侍遊》諸作，氣體崇閎，頗堪嗣響《雅》、《頌》。近體則沈、宋、燕、許、右丞輩，亦時有宏壯之觀。然終不如少陵之「安得壯士挽天河，盡洗甲兵長不用」，暨「舜舉十六相，身尊道何高。秦時任商鞅，法令如牛毛」，及「洛陽宮殿化爲烽，休道秦關百二重。滄海未全歸《禹貢》，薊門何處盡堯封？朝廷袞職雖多預，天下軍儲不自供。稍喜臨邊王相國，肯銷金甲事春農」（《諸將》）。此眞禹、稷己飢己溺之心，《三百篇》後，無此度量矣。

又　何謂氣象？曰：「絳幘雞人報曉籌，尙衣初進翠雲裘。九天閶闔開宮殿，萬國衣冠拜冕旒。日色纔臨仙掌動，香烟欲傍袞龍浮。朝罷須裁五色詔，珮聲歸到鳳池頭。」（王維《和賈至舍人早朝大明宮之作》）不謂之「詩中天子」不可也（昔人評王摩詰爲「詩中天子」）。「訟堂寂寂對烟霞，五柳門前聚曉鴉。流水聲中視公事，寒山影裏見人家。觀風競美新爲政，計日還知舊觸邪。

可惜陶潛無限酒，不逢籬菊正開花。」（崔峒《題桐廬李明府官舍》）不謂之窮陬縣令不可也。何謂眞？曰：自來言情之眞者，無如靖節；寫景之眞者，無如康樂、玄暉；紀事之眞者，無如潘安仁、左太沖、顏延年。少陵皆兼而有之，故往往有生字拙句，人皆不解其故，不知乃直書所見，初不假乎雕飾者，但嫌其發洩太盡耳。如言情，陶但云：「銜戢知何謝，冥報以相貽。」杜則曰：「誓將與夫子，永結爲弟昆。」又曰：「過門更相呼，有酒斟酌之。」杜則云：「高聲索果栗，欲起還被肘。」又曰：「脫有經過便，念來存故人。」杜則曰：「何時一尊酒，重與細論文？」寫景，康樂但云：「昏旦變氣候，山水含清暉。」杜則曰：「岱宗夫如何？齊魯青未了。」玄暉但云：「天際識歸舟，雲中辨江樹。」杜乃曰：「吳楚東南坼，乾坤日夜浮。」又云：「白日麗飛甍，參差皆可見。」杜則曰：「俯視但一氣，焉能辨皇州？」又云：「餘霞散成綺，澄江淨如練。」杜則曰：「錦江春色來天地，玉壘浮雲變古今。」其氣韻非不超越前人，而格則變矣。獨其《彭衙》、《北征》諸作，叙事抒情，曲折如繪，誠有非潘、顏諸子所能者，謂之「詩史」，豈不信然。此外如李君虞（益）之「問姓驚初見，稱名憶舊容」，盧郎中之「少孤爲客早，多難識君遲」，司空文明（曙）之「乍見翻疑夢，相悲各問年」；又如太白之「秋色無遠近，出門盡寒山」，摩詰之「遠樹帶行客，孤城當落暉」，岑嘉州之「秋色從西來，蒼然滿關中。五陵北原上，萬古青濛濛」，錢員外之「返照亂流明，寒空千嶂淨」；又如韓吏部之《元和聖德詩》，柳柳州之《平淮夷雅》，李義山之《韓碑》、《西郊百韻》等作，皆切實締當之至者。

又 何謂古？曰「君子防未然，不處嫌疑間。瓜田不納履，李下不整冠。嫂叔不親授，長幼不比肩。勞謙得其柄，和光甚獨難。周公下白屋，吐哺不及餐。一沐三握髮，後世稱聖賢」（《古君子行》）是也。他如少陵之《飲中八仙歌》，猶有古意存焉。近體則「東皐薄暮望，徙倚欲何依？樹樹皆秋色，山山惟落暉。牧童驅犢返，獵馬帶禽歸。相顧無相識，長歌懷採薇」（王績《野望》），曁沈雲卿（佺期）之「龍池躍龍龍已飛，龍德先天天不違。池開霄漢分黃道，龍向天門入紫微。邸第樓臺多氣色，君王鳧雁有光輝。爲報寰中百川水，來朝此地莫東歸」（《龍池篇》），此等詩乃太羹玄酒之味，《咸》、《英》、《韶》、《濩》之音，非世俗所能知者，但學者不可不本源於此。

又 何謂高？曰：《古詩十九首》尚矣，其次則陳思之《白馬》七篇，彭澤之《飲酒》六首，左太沖之《詠史》，顏延年之《五君》，亦皆邈不可追者。近體則宋員外（之問）之「歸來物外情，負杖閱巖耕。源水看花入，幽林採藥行。野人相問姓，山鳥自呼名。去去獨吾樂，無能愧此生」（《陸渾山莊》），王右丞之「晚年惟好靜，萬事不關心。自顧無長策，空知返舊林。松風吹解帶，山月照彈琴。君問窮通理，漁歌入浦深」（《酬張少府》），曁沈雲卿之「盧家少婦鬱金堂，海燕雙棲玳瑁梁。九月寒砧催木葉，十年征戍憶遼陽。白狼河北音書斷，丹鳳城南秋夜長。誰爲含愁獨不見，更教明月照流黃」（《古意》），崔司勳（顥）之「昔人已乘黃鶴去，此地空餘黃鶴樓。黃鶴一去不復返，白雲千載空悠悠。晴川歷歷漢陽樹，芳草萋萋鸚鵡洲。日暮鄉關何處是？烟波江上使人愁」（《黃鶴樓》）是也。

又 謂自然？曰：古詩如「今日良宴會」、「庭中有奇樹」是也。其次則子建之《公讌》、《美女》二篇，曁淵明之「少無適俗韻，性本愛丘山。誤落塵網中，一去三十年。羈鳥戀舊林，池魚思故淵。開荒南野際，守拙歸園田。方宅十餘畝，草屋八九間。榆柳蔭後簷，桃李羅堂前。曖曖遠人村，依依墟里烟。狗吠深巷中，雞鳴桑樹顛。庭戶無塵雜，虛室有餘閑。久在樊籠裏，復得返自然」（《歸園田居》），周弘讓之「行行訪名嶽，處處必流連。遂至一巖裏，灌木上參天。忽見茅茨屋，曖曖有人烟。一士開門出，一士呼我前。相看不道姓，焉知隱與仙」（《留贈山中隱士》），亦庶幾焉。近體則王子安之「城闕輔三秦，風烟望五津。與君離別意，同是宦遊人。海內存知已，天涯若比鄰。無爲在歧路，兒女共沾巾」（《送杜少府之任蜀州》），太白之「青山橫北郭，白水繞東城。此地一爲別，孤蓬萬里征。浮雲遊子意，落日故人情。揮手自茲去，蕭蕭班馬鳴」（《送友人》），又「見說蠶叢路，崎嶇不易行。山從人面起，雲傍馬頭生。芳樹籠秦棧，春流繞蜀城。升沈應已定，不必問君平」（《送友人入蜀》），右丞之「杜門不復出，久與世情疎。以此爲長策，勸君歸舊廬。醉歌田舍酒，笑讀古人書。好是一生事，無勞獻《子虛》」（《送孟六歸襄陽》），少陵之「細草微風岸，危檣獨夜舟。星垂平野闊，月湧大江流。名豈文章著，官應老病休。飄飄何所似，天地一沙鷗」（《旅夜書懷》），張正言之「八月洞庭秋，瀟湘水北流。還家萬里夢，爲客五更愁。不用開書帙，偏宜上酒樓。故人京洛滿，何日復同遊」（《同王徵君湘中有懷》）等篇是也。

又 何謂渾然？曰：「上山採蘼蕪」及「憶梅下西洲」是也。太沖之「鬱鬱澗底松」，淵明之「昔欲居南村」，亦其次也。近體則杜員外之「獨有宦遊人，偏驚物候新。雲霞出海曙，梅柳渡江春。淑氣催黃鳥，晴光轉綠蘋。忽聞歌古調，歸思欲沾巾」（《和晉陵陸丞早春遊望》），沈雲卿之「長歌遊寶地，徙倚對珠林。雁塔風霜古，龍池歲月深。紺園澄夕霽，碧殿下秋陰。歸路烟霞晚，山蟬處處吟」（《遊少林寺》），孟山人（浩然）之「八月湖水平，涵虛混太清。氣蒸雲夢澤，波撼岳陽城。欲濟無舟楫，端居恥聖明。坐觀垂釣者，徒有羨魚情」（《臨洞庭上張丞相》），岑嘉州之「詔出未央宮，登壇近總戎。上公周太保，副相漢司空。弓抱關西月，旗翻渭北風。弟兄皆許國，天地荷成功」（《奉送李太保兼御史大夫充渭北節度使即太尉光弼弟》），及「聯步趨丹陛，分曹限紫微曉隨天仗入，暮惹御香歸。白髮悲花落，青雲羨鳥飛。聖朝無闕事，自覺諫書稀」（《寄左省杜拾遺》），杜少陵之「帶甲滿天地，胡爲君遠行？親朋盡一哭，鞍馬去孤城。草木歲月晚，關河霜雪清。別離已昨日，因見古人情」（《送遠》），張正言之「楚地勞行役，秦城罷鼓鼙。舟移洞庭岸，路入武陵溪。江月隨人影，山花趁馬蹄。離魂將別夢，先已到關西」（《送裴侍御歸上都》）。七言則杜少陵之「蓬萊宮闕對南山，承露金莖霄漢間。西望瑤池降王母，東來紫氣滿函關。雲移雉尾開宮扇，日繞龍鱗識聖顏。一卧滄江驚歲晚，幾回青瑣點朝班」（《秋興》），「羣山萬壑赴荊門，生長明妃尚有村。一去紫臺連朔漠，獨留青塚向黃昏。畫圖省識春風面，環珮空歸月夜魂。千載琵琶作胡語，分明怨恨曲中論」（《詠懷古蹟》），高常侍（適）之「黃鳥翩翩楊柳垂，春風送客使人悲。怨別自驚千里外，論交卻憶十年時。雲開汶水孤帆遠，路繞梁山匹馬遲。此地從來可乘興，留君不住益淒其」（《送前衛縣李寀少府》），皇甫曾之「長安雪後見歸鴻，紫禁朝天拜舞同。曙色漸分雙闕下，漏聲遥在百花中。鑪烟乍起開仙仗，玉珮成行引上公。共荷發生同雨露，不應黃葉久從風」（《早朝日寄所知》）等作是也。

又 何謂超然？曰：古之「迢迢牽牛星」，司馬紹統（彪）之「百草應節生」，及淵明之「結廬在人境，而無車馬喧。問君何能爾？心遠地自偏。采菊東籬下，悠然見南山。山氣日夕佳，飛鳥相與還。此中有眞意，欲辨已忘言」（《飲酒》）是也。其次則王右丞之「下馬飲君酒，問君何所之？君言不得意，歸卧南山陲。但去莫復問，白雲無盡時」（《送別》），亦庶幾焉。近體則杜員外之「行止皆無地，招尋獨有君。酒中堪累月，身外即浮雲。露白宵鐘徹，風清曉漏聞。坐攜餘興往，還似未離羣」（《秋夜宴臨津鄭明府宅》），沈雲卿之「聞道黃龍戍，頻年不解兵。可憐閨裏月，長在漢家營。少婦今春意，良人昨夜情。誰能將旗鼓，一爲取龍城」（《雜詩》），太白之「陶令辭彭澤，梁鴻入會稽。我尋《高士傳》，君與古人齊。雲卧留丹壑，天書降紫泥。不知楊伯起，早晚向關西」（《口號贈徵君盧鴻》），又「牛渚西江夜，青天無片雲。登舟望秋月，空憶謝將軍。余亦能高詠，斯人不可聞。明朝挂帆去，楓葉落紛紛」（《夜宿牛渚懷古》），右丞之「清川帶長薄，車馬去閑閑。流水如有意，暮禽相與還。荒城臨古渡，落日滿秋山。迢遞嵩高下，歸來且閉關」（《歸嵩山作》），又「中歲頗好道，晚家南山陲。興來每獨往，勝事空自知。行到水窮處，坐看雲起時。偶然值鄰叟，談笑無還期」（《終南別業》），岑嘉州之「正月今欲半，陸渾花未開。出關見青草，春色正東來。夫子且歸去，明時方愛才。還須及秋賦，莫即隱蒿萊」（《送杜佐下第歸陸渾別業》），郎士元之「暮蟬不可聽，落葉豈堪聞？共是悲秋客，那知此路分。荒城背流水，遠雁入寒雲。陶令東籬菊，餘花可贈君」（《送錢大》），馬戴之「孤雲與飛鳥，千里片時間。念我何留滯，辭家久未還。微陽下喬木，遠色隱秋山。臨水不敢照，恐驚平昔顏」（《落日悵望》）。七言則張燕公（說）之「去歲荊南梅似雪，今年薊北雪如梅。共知人事何常定，且喜年華去復來。邊鎮戍歌連日動，京城燎火徹明開。遥遥西向長安日，願上南山壽一杯」（《幽州新歲作》），賈閬仙（島）之「此心曾與木蘭舟，直到天南潮水頭。隔嶺篇章來華嶽，出關書信過瀧流。峰懸驛路殘雲斷，海浸城根老樹秋。一夕瘴烟風捲盡，月明初上浪西樓」（《寄韓潮州愈》），周朴之「東南一境清心目，有此千峰插翠微。人在下方衝月上，鶴從高處破烟飛。巖深水落寒侵骨，門靜花開色照衣。欲識蓬萊今便是，更於何處學忘機」（《桐柏觀》），僧齊己之「麓山南面橘洲西，聞道新齋與竹齊。野客可曾將鶴贈？山僧未説有詩題。窗中罨靄雲千嶂，枕上潺湲月一溪。此處正安吟楊好，松陰冷濕壁新泥」（《聞尚顏上人創新居有寄》）等作是也。

又 七言之自然者，如「漢文皇帝有高臺，此日登臨曙色開。三晉雲山皆北向，二陵風雨自東來。關門令尹誰能識？河上仙翁去不回。且欲近尋彭澤宰，陶然共醉菊花杯」（崔曙《九日登望仙臺呈劉明府》），少陵之「一片花飛減卻春，風飄萬點正愁人。且看欲盡花經眼，莫厭傷多酒入脣。江上小堂巢翡翠，苑邊高塚卧麒麟。細推物理須行樂，何用浮名絆此身」（《曲江》），李東川

(頎)之「朝聞遊子唱離歌，昨夜微霜初渡河。鴻雁不堪愁裏聽，雲山況是客中過。關城曙色催寒近，御苑砧聲向晚多。莫見長安行樂地，空令歲月易蹉跎」(《送魏萬之京》)，岑嘉州之「迴風度雨渭城西，細草新花踏作泥。秦女峰頭雪未盡，胡公陂上日初低。愁窺白髮羞微祿，悔別青山憶舊溪。聞道輞川多勝事，玉壺春酒正堪攜」(《首春渭西郊行呈藍田張二主簿》)，滄洲子(朱灣)之「尋得仙源訪隱淪，漸來深處漸無塵。初行竹裏惟通馬，直到花間始見人。四面雲山誰作主，數家烟火自爲鄰。路逢樵客何須問，朝市如今不是秦」(《尋隱者朱九山人草堂》)等作是也。

又 詩之慷慨悲歌者，易見精神；其富貴頌揚及有所希冀者，往往委靡不振。少陵所以特出流輩，良由是耳。他如許郢州(渾)《金陵懷古》云：「《玉樹》歌殘王氣終，景陽兵合戍樓空。楸梧遠近千官塚，禾黍高低六代宮。石燕拂雲晴亦雨，江豚吹浪夜還風。英雄一去豪華盡，惟有青山似洛中。」何啻精神百倍。然而錢員外(起)《登樂遊原晴望上中書李侍郎》云：「爽氣朝來萬里清，憑高一望九愁輕。不知鳳沼霖初霽，但覺堯天日轉明。四野山河通遠色，千家砧杵動秋聲。遙想青雲丞相府，何時開閤引諸生？」(結句失粘)亦未嘗不字字精神也。

又 何謂氣韻？曰：如張睢陽(巡)之「岧嶤試一臨，虜騎附城陰。不辨風塵色，安知天地心。門開邊月近，戰苦陣雲深。旦夕更樓上，惟聞橫笛音」(《聞笛》)，及祖員外(詠)之「燕臺一去客心驚，笳鼓喧喧漢將營。萬里寒光生積雪，三邊曙色動危旌。沙場烽火侵胡月，海畔雲山擁薊城。少小雖非投筆吏，論功還欲請長纓」(《望薊門》)是也。

又 何謂格調？曰：如張燕公之「涼風吹夜雨，蕭瑟動寒林。正有高堂宴，能忘遲暮心。軍中宜劍舞，塞上重笳音。不作邊城將，誰知恩遇深」(《幽州夜飲》)，暨李東川之「新加大邑綬仍黃，近與單車去洛陽。顧眄一過丞相府，風流三接令公香。南川秔稻花侵縣，西嶺雲霞色滿堂。共道進賢蒙上賞，看君幾歲作臺郎」(《送綦毋三》)是也。

又 何謂精？曰：如王右軍之「仰視碧天際，俯瞰淥水濱。寥闃無涯觀，寓目理自陳。大矣造化工，萬殊莫不均。羣籟雖參差，適我無非新」(《蘭亭集》)，暨常少府(建)之「清晨入古寺，初日照高林。曲徑通幽處，禪房花木深。山光悅鳥性，潭影空人心。萬籟此俱寂，惟聞鐘磬音」(《破山寺後禪院》)，杜少陵之「花近高樓傷客心，萬方多難此登臨。錦江春色來天地，玉壘浮雲變古今。北極朝廷終不改，西山寇盜莫相侵。可憐後主還祠廟，日暮聊爲《梁父吟》」(《登樓》)是也。若「衆香天上梵仙宮，鐘磬寥寥半碧空。清景乍開松嶺月，亂流常響石樓風。山河杳映春雲外，城闕參差曉樹中。欲盡出尋那可得，三千世界本無窮」(武元衡《春題龍門香山寺》)，非不著意求精，而未免太覺費力，便乏自然之趣。

又 何謂壯？曰：如曹孟德之《短歌》、《碣石》，陸士衡之《猛虎行》等篇是也。近體則杜工部之「玉露凋傷楓樹林，巫山巫峽氣蕭森。江間波浪兼天湧，塞上風雲接地陰。叢菊兩開他日淚，孤舟一繫故園心。寒衣處處催刀尺，白帝城高急暮砧」(《秋興》)是也。若「擬膾樓蘭肉，蓄怒時未揚。秋鼙無退聲，夜劍不隱光。虎隊手驅出，《豹篇》心卷藏。古今皆有言，猛將出北方」(孟郊《猛將吟》)，便不免粗豪矣(因自笑曾有《偶興》一律云：「於今尚作仲宣哀，顛倒英雄有是哉！虎氣怒搖山月墮，龍文斜射塞雲開。天留一劍酬知己，士肯終身老不才？擊築歌殘還痛哭，悲風獵獵起吹臺。」其叫嘷亦已甚矣)。

又 何謂健？曰：「廣武原西北，華夷此浩然。地盤山入海，河繞國連天。遠樹千門色，高檣萬里船。鄉心日云暮，猶在楚城邊」(張祜《登廣武原》)，暨少陵之「風急天高猿嘯哀，渚清沙白鳥飛迴。無邊落木蕭蕭下，不盡長江滾滾來。萬里悲秋常作客，百年多病獨登臺。艱難苦恨繁霜鬢，潦倒新停濁酒杯」(《登高》)是也。

又 何謂清？曰：如謝希逸(莊)之「夕天霽晚氣，輕霞澄暮陰。微風清幽幌，餘日照青林。收光漸窗歇，窮園自荒深。綠池翻素景，秋槐響寒音。伊人倘同愛，絃酒共棲尋」(《北宅祕園》)，暨沈雲卿之「獨遊千里外，高臥七盤西。山月臨窗近，天河入戶低。芳春平仲綠，清夜子規啼。浮客空留聽，褒城聞曙雞」(《夜宿七盤嶺》)，任翻之「楚國多春雨，柴門喜晚晴。幽人臨水坐，好鳥隔花鳴。野色連空闊，江流接海平。門前向溪路，今夜月分明」(《春晴》)，張燕公之「空山寂歷道心生，虛谷迢遙野鳥聲。禪室從來塵外賞，香臺豈是世中情。雲間東嶺千重出，樹裏南湖一片明。若使巢由同此意，不將蘿薜易簪纓」(《浥湖山寺》)，楊司業(巨源)之「白鳥閒棲庭樹枝，綠尊仍對菊花籬。許詢本愛交禪侶，陳寔人傳有好兒。明月出雲秋館思，遠泉經雨夜窗知。

門前長者無虛轍，一片寒光動水池」(《題賈巡官林亭》)是也。

又 何謂新？曰：如太白之「江城如畫裏，山曉望晴空。兩水夾明鏡，雙橋落彩虹。人烟寒橘柚，秋色老梧桐。誰念北樓上，臨風懷謝公」(《秋登宣城謝朓北樓》)，于良史之「春山多勝事，賞玩夜忘歸。掬水月在手，弄花香滿衣。興來無遠近，欲去惜芳菲。南望鐘鳴處，樓臺深翠微」(《春山月夜》)，暨蘇許公(頲)之「東望望春春可憐，更逢晴日柳含烟。宮中下見南山盡，城上平臨北斗懸。細草偏承迴輦處，飛花故落舞觴前。宸遊對此歡無極，鳥弄歌聲雜管絃」(《奉和春日幸望春宮應制》)，劉夢得之「長愛街西風景閒，到君居處便開顏。清光門外一渠水，秋色牆頭數點山。疎種碧松過月朗，多栽紅藥待春還。莫言堆案無餘地，認得詩人在此間」(《秋日題竇員外崇德里新居》)是也。

又 何謂秀？曰：如郭景純(璞)之「翡翠戲蘭苕，容色更相鮮。綠蘿結高林，蒙蘢蓋一山。中有冥寂士，靜嘯撫清絃。放情凌霄外，嚼蕊挹飛泉。赤松臨上游，駕鴻乘紫烟。左挹浮丘袂，右拍洪崖肩。借問蜉蝣輩，寧知龜鶴年」(《遊仙》)，近體如孟襄陽之「義公習禪寂，結宇依空林。戶外一峰秀，階前衆壑深。夕陽連雨足，空翠落庭陰。看取蓮花淨，方知不染心」(《題義公禪房》)，岑嘉州之「雞鳴紫陌曙光寒，鶯囀皇州春色闌。金闕曉鐘開萬戶，玉階仙仗擁千官。花迎劍佩星初落，柳拂旌旗露未乾。獨有鳳凰池上客，《陽春》一曲和皆難」(《和賈至舍人早朝大明宮之作》)是也。

又 何謂逸？曰：古之逸調，不可枚舉。略指其概，如左太沖之「皓天舒白日，靈景耀神州。列宅紫宮裏，飛宇若雲浮。峩峩高門內，藹藹皆王侯。自非攀龍客，何爲欻來遊？被褐去閶闔，高步追許由。振衣千仞岡，濯足萬里流」(《詠史》)是也。近體則如劉昚虛之「道由白雲盡，春與青溪長。時有落花至，遠隨流水香。閒門向山路，深柳讀書堂。幽映每白日，清輝照衣裳」(《闕題》)，李太白之「燕支黃葉落，妾望白登臺。海上碧雲斷，單于秋色來。胡兵沙塞合，漢使玉關回。征客無歸日，空悲蕙草摧」(《秋思》)，王右丞之「褭斜不容幰，之子去何之？鳥道一千里，猿聲十二時。官橋祭酒客，山木女郎祠。別後同明月，君應聽子規」(《送楊長史赴果州》)，儲太祝(光羲)之「縣官清且儉，深谷有人家。一徑入寒竹，小橋穿野花。碓喧春澗滿，梯倚綠桑斜。自說年來稔，前村酒可賒」(《張谷田舍》)，少陵之「江上愁多雨，蕭蕭荊楚秋。高風下木葉，永夜攬貂裘。勳業頻看鏡，行藏獨倚樓。時危思報主，衰謝不能休」(《江上》)，陳羽之「水隔羣物遠，夜深風起頻。霜中千樹橘，月下五湖人。聽鶴忽忘寢，見山如得鄰。明年還至此，共看洞庭春」(《春園即事》)，賈浪仙之「半夜長安雨，燈前越客吟。孤舟行一月，萬水與千岑。島嶼夏雲起，汀洲芳草深。何當折松葉，拂石剡溪陰」(《憶吳處士》)，暨太白之「鳳凰臺上鳳凰遊，鳳去臺空江自流。吳宮花草埋幽徑，晉代衣冠成古丘。三山半落青天外，二水中分白鷺洲。總爲浮雲能蔽日，長安不見使人愁」(《登金陵鳳凰臺》)，少陵之「春山無伴獨相求，伐木丁丁山更幽。澗道餘寒歷冰雪，石門斜日到林丘。不貪夜識金銀氣，遠害朝看麋鹿遊。乘興杳然迷出處，對君疑是泛虛舟」(《題張氏隱居》)是也。

又 何謂奇？曰：語之奇者，如右丞之「仙官欲住九龍潭，毛節朱旛倚石龕。山壓天中半天上，洞穿江底出江南。瀑布杉松常帶雨，夕陽彩翠忽成嵐。借問迎來雙白鶴，已曾衡嶽送蘇耽」(《送方尊師歸嵩山》)，意之奇者，如元微之之「霆轟電焱數聲頻，不奈狂夫不藉身。縱使被雷燒作燼，寧殊埋骨颺爲塵？得成蝴蝶尋花樹，倘化江魚掉錦鱗。必若乖龍在諸處，何須驚動自來人」(《放言》)，格之奇者，如少陵之「城尖徑仄旌旆愁，獨立縹緲之飛樓。峽坼雲霾龍虎臥，江清日抱黿鼉遊。扶桑西枝對斷石，弱水東影隨長流。杖藜歎世者誰子？泣血迸空回白頭」(《白帝城最高樓》)是也。然奚必爾哉！但如右丞之「日落江湖白，潮來天地青」，少陵之「路危行木杪，身遠宿雲端」，張祜之「地盤山入海，河繞國連天」，曹松之「汲水疑山動，揚帆覺岸行」，柳子厚之「山腹雨晴添象跡，潭心日暖長蛟涎」，可矣。子美之「白摧朽骨龍虎死，黑入太陰雷雨垂」，已不免於駭人。至玉川子《月蝕》等篇，則甃矣。

又 何謂麗？曰：美人香草，古人原有託而云，後人不究其旨，遂至流爲鄭衛之音，如西崑、香奩之類，可謂流蕩忘返矣。不知延年之《羽林郎》，子建之《美女篇》，宋子侯之《董嬌饒》，繁欽之《定情篇》之類，皆非漫爲婉媚以搖動人心，其大旨實有在耳。要之情有所寄，則思婦怨女之辭，可以悟君親於頃刻；意無所指，則男女贈答之語，徒以啓蕩子之邪淫。所以同一情詩，張茂先不及陳思王之可貴者，其所指異也。然不必爾也。古體如康樂、玄暉諸作，近體杜員外之「年光陌上發，香輦禁中遊。草綠鴛鴦殿，花紅翡翠樓。天杯承露酌，仙管雜風流。今日陪歡宴，皇恩不可酬」(《梨園亭侍宴應制》），暨少陵之「城上春雲覆苑牆，江亭晚色靜年芳。林花著雨胭脂濕，水荇牽風翠帶長。龍武新軍深駐輦，芙蓉別殿漫焚香。何時詔此金錢會？暫醉佳人錦瑟傍」（《曲江對雨》）。如此等作，不必皆綺羅蘭麝，而亦何嘗不麗。若王容之「寶髻耀明璫，香羅鳴玉珮。大隄諸女兒，一一皆春態。入花花不見，穿柳柳陰碎。東風拂面來，由來亦相愛」（《大隄女》），雖樂府之體，不嫌其豔，然已太冶矣。至若「繡衣公子宴池塘，淑景融融萬卉芳。珠翠照天春未老，管絃臨水日初長。風飄柳線金成穗，雨洗梨花玉有香。醉後不能離綺席，擬憑青帝繫斜陽」（劉兼《貴遊》），則不惟冶，而且蕩矣。「殷紅淺碧舊衣裳，取次梳頭闇淡妝。夜合帶烟籠曉日，牡丹經雨泣殘陽。低迷隱笑原非笑，散漫清香不似香。頻動橫波瞋阿母，等閒教見小兒郎」（元稹《鶯鶯詩》），則不惟蕩，而且淫矣。

又　昔人謂獅子搏象用全力，搏兎亦用全力。余以爲杜詩亦然。故有時似淺而實不淺，似淡而實不淡，似粗而實不粗，似易而實不易。此境最難，然其秘祇在「深入淺出」四字耳。如「舍南舍北皆春水，但見羣鷗日日來。花徑不曾緣客掃，蓬門今始爲君開。盤飧市遠無兼味，樽酒家貧只舊醅。肯與鄰翁相對飲，隔籬呼取盡餘杯」（《客至》），淺矣而不可謂之淺。「清江一曲抱村流，長夏江村事事幽。自去自來梁上燕，相親相近水中鷗。老妻畫紙爲棋局，稚子敲鍼作釣鉤。多病所須惟藥物，微軀此外復何求」（《江村》），淡矣而不可謂之淡。若「去年花裏逢君別，今日花開又一年。世事茫茫難自料，春愁黯黯獨成眠。身多疾病思田里，邑有流亡愧俸錢。聞道欲來相問訊，西樓望月幾回圓」（韋應物《寄李儋元錫》），便不禁咀嚼矣。

又　何謂瘦？曰：如劉隨州之「相思楚天外，夢寐楚猿吟。更落淮南葉，難爲江上心。衡陽問人遠，湘水向君深。欲逐征帆去，茫茫何處尋」（《逢郴州使因寄鄭協律》），及右丞之「積雨空林烟火遲，蒸藜炊黍餉東菑。漠漠水田飛白鷺，陰陰夏木囀黃鸝。山中習靜觀朝槿，松下清齋折露葵。野老與人爭席罷，海鷗何事更相疑」（《積雨輞川莊作》），少陵之「露下天高秋氣清，空山獨夜旅魂驚。疎燈自照孤帆宿，新月猶懸雙杵鳴。南菊再逢人卧病，北書不至雁無情。步檐倚杖看牛斗，銀漢遙應接鳳城」（《夜》）是也。若「閒看秋水心無事，坐對寒松手自栽。廬嶽高僧留偈別，茅山道士寄書來。燕知社日辭巢去，菊爲重陽冒雨開。淺薄將何稱獻納？臨岐終日獨遲迴」（皇甫冉《秋日東郊》），則似近枯矣。

又　何謂深？曰：少陵之「夜闌更秉燭，相對如夢寐」，暨「喜心翻倒極，嗚咽淚沾巾」，情之深也；「不爲困窮寧有此，祇緣恐懼轉須親」，意之深也；「天明登前途，獨與老翁別」，味之深也。又情之深者，白樂天之「銀臺金闕夕沉沉，獨宿相思在翰林。三五夜中新月色，二千里外故人心。渚宮東面烟波冷，浴殿西頭鐘漏深。猶恐清光不同見，江陵卑濕足秋陰」（《八月十五日夜禁中獨直對月憶元九》）是也；意之深者，杜子美之「瞿唐峽口曲江頭，萬里風烟接素秋。花萼夾城通御氣，芙蓉小苑入邊愁。珠簾繡柱圍黃鵠，錦纜牙檣起白鷗。回首可憐歌舞地，秦中自古帝王州」（《秋興》）是也；味之深者，李義山之「井絡天彭一掌中，漫誇天設劍爲峰。陣圖東聚燕江石，邊柝西懸雪嶺松。堪歎故君成杜宇，可能先主是眞龍？將來爲報姦雄輩，莫向金牛訪舊蹤」（《井絡》）是也。

又　何謂曲？曰：「有心許斧子，言當采五芝。芝草不可得，汝亦不能來。汝來當可得，芝草與汝食。」（《右英夫人吟》）勢曲矣，而語未曲也。「不爲憐同病，何人到白雲。」（劉長卿）語曲矣，而意未曲也。若高常侍之「謫去君無恨，閩中我舊過。大都秋雁少，只是夜猿多。東路雲山合，南天瘴癘和。自當逢雨露，行矣愼風波」（《送鄭侍御謫閩中》），暨王右丞之「明到衡山與洞庭，若爲秋月聽猿聲？愁看北渚三湘遠，惡說南風五兩輕。青草瘴時過夏口，白頭浪裏出湓城。長沙不久留才子，賈誼何須吊屈平」（《送楊少府貶郴州》），如此深婉，乃爲眞曲耳（憶幼時曾有《宮怨》一絶云：「聞道君恩重，果然勝太山。遙遙纔一望，壓損翠眉彎。」似亦得曲字之意者）。

又　何謂嚴？曰：如右丞之「揚子談經處，淮王載酒過。興闌啼鳥緩，坐久落花多。徑轉迴銀燭，林開散玉珂。嚴城時未啓，前路擁笙歌」（《從岐王過楊氏別業應教》），及賈員外（曾）之「銅龍曉闢問安回，金輅春遊博望開。渭水晴光搖草樹，終南佳氣入樓臺。招賢已從商山老，託乘還徵鄴下才。臣在東周獨留滯，欣逢睿藻日邊來」（《奉和春日出苑矚目應令》），韓吏部之「天仗宵嚴建羽旄，春雲送色曉雞號。金鑪香動螭頭暗，玉珮聲來雉尾高。戎服上趨承北極，儒冠列侍映東曹。太平時節身難遇，郎署何須歎二毛」（《奉和盧四兄曹長元日朝回》）是也。

又　何謂沈雄？曰：如宋員外之「帳殿鬱崔嵬，仙遊實壯哉！曉雲連幕捲，夜火雜星迴。谷暗千騎出，山鳴萬乘來。扈從良可賦，終乏掞天才」（《扈從登封途中作》），暨少陵之「昆明池水漢時功，武帝旌旗在眼中。織女機絲虛夜月，石鯨鱗甲動秋風。波漂菰米沈雲黑，露冷蓮房墜粉紅。關塞極天惟鳥道，江湖滿地一漁翁」（《秋興》）是也。

又 何謂豪宕？曰：「昔聞洞庭水，今上岳陽樓。吳楚東南坼，乾坤日夜浮。親朋無一字，老病有孤舟。戎馬關山北，憑軒涕泗流」（杜甫《登岳陽樓》），及柳州之「城上高樓接大荒，海天愁思正茫茫。驚風亂颭芙蓉水，密雨斜侵薜荔牆。嶺樹重遮千里目，江流曲似九迴腸。共來百粵文身地，猶自音書滯一方」（《登柳州城樓寄漳汀封連四州刺史》）是也。

又 何謂典重？曰：如張燕公之「東壁圖書府，西園翰墨林。誦《詩》聞國政，講《易》見天心。位竊和羹重，恩叨醉酒深。載歌春興曲，情竭爲知音」（《恩勅麗正殿書院宴應制》），暨韓昌黎之「南伐旋師太華東，天書夜到冊元功。將軍舊壓三司貴，相國新兼五等崇。鴛鷺欲歸仙仗裏，熊羆還入禁營中。長慙典午非材職，得就閒官即至公」（《晉公破賊回重拜臺司奉和》）是也。

又 何謂俊爽？曰：如右丞之「風勁角弓鳴，將軍獵渭城。草枯鷹眼疾，雪盡馬蹄輕。忽過新豐市，還歸細柳營。回看射鵰處，千里暮雲平」（《觀獵》），劉夢得之「相門才子稱華簪，持節東行捧德音。身帶霜威辭鳳闕，口傳天語到雞林。烟開鼇背千尋碧，日浴鯨波萬頃金。想見扶桑受恩處，一時西拜盡傾心」（《送源中丞充新羅冊立使》）是也。

又 何謂明淨？曰：如少陵之「落日放船好，輕風生浪遲。竹深留客處，荷淨納涼時。公子調冰水，佳人雪藕絲。片雲頭上黑，應是雨催詩」（《陪諸貴公子丈八溝攜妓納涼晚際風雨》），暨盧郎中（綸）之「半夜中峰有磬聲，偶逢樵者問山名。上方月曉聞僧語，下界林疏見客行。野鶴巢邊松最老，毒龍潛處水偏清。願得遠公知姓字，焚香洗鉢過浮生」（《夜投豐德寺謁液上人》）是也。

又 詩貴有神，如「雲龍出水風聲急，海鶴鳴臯日色清」，誦之覺有一片天籟，悠然於耳目之間。他如同一「翻」字，而「返照入江翻石壁」，終不如「孤月浪中翻」之活者，返照之翻尚在石壁，孤月之翻卽在浪中也。至若「五更鼓角聲悲壯，三峽星河影動搖」，讀之令人心神惕然，此是何等神氣！記幼時先祖鐵庵公（諱極，字建中）每於花間小酌，輒呼壽昌至前，口授唐詩數首。一日，誦「星斗疎明禁漏殘，紫泥封後獨憑欄。露和玉屑金盤冷，月射珠光貝闕寒。天襯樓臺籠苑外，風吹歌管下雲端。長卿祇爲《長門賦》，未識君臣際會難」（韓偓《中秋禁直》）。誦至前六句，忽覺無限晶光異彩，陸離于眉睫之間，一片金石清音，琳瑯於檐隙之際。此蓋有自然之神韻，溢乎楮墨之外，初非人力所能與也（此條語意雖含而不露，然學者誠於前數語内細玩之，則知「翻」字之神卽在「浪」字上托出，「風聲」之神卽在「雲龍出水」四字上托出，「鶴鳴」之神卽在「日色清」三字上托出。其餘皆可觸類而求之也。受業曹倉謹識）。

周昌基《春陵館詩話》卷上 詩有寒儉富健之別。司空表聖「碁聲花院閉，幡影石壇高」，詩非不佳，但不免有寒儉氣。若杜子美「暗飛螢自照，水宿鳥相呼」、「四更山吐月，殘夜水明樓」，便何等力量。此則存乎其人之骨，非學力師承所能移也。

嚴挺中《藥欄詩話》甲集 予論詩以柔爲主。盤空硬語，皆矯揉造作爲之，非正格也，故於唐之昌黎，宋之東坡、山谷，皆不甚好。

又 詩以含蓄不盡爲妙。若「漢恩自淺胡自深」，「這回休更怨楊妃」之類，則說盡矣。予絕愛明袁海叟（凱）《蘇武泣別圖》云：「猶有交情兩行淚，西風吹上漢臣衣。」

又乙集 詩以直勝。有時隨口說出亦足動人者，眞故也。勞小山（長齡）《客中示妾》云：「白傅青衫今濕盡，累他蠻素對沾衣。」予每吟此，不覺增感。

林昌彝《射鷹樓詩話》卷一六 潘四農論詩專取「質實」二字，亦有偏見。蓋詩之品格多門，如雄渾、古逸、悲壯、幽雅、沖淡、清折、生辣、沈著、古樸、典雅、婉麗、清新、豪放、俊逸、清奇、妙悟諸品，皆各有所主，豈得以「質實」二字遂足以概乎詩，而其餘可不必問耶？不知質實易流於枯，質實易流於腐，質實易流於拙。蓋質實爲諸品之一品則可，謂質實用以概諸品則不可。蓋質實爲諸品中之一品，則無流弊，若專言質實，流於枯，流於腐，流於拙，則其弊有不可勝言者！

又卷二三 詩有極平澹而寫景入畫者，余友黄肖農鹺尹《小雨過常思嶺》云：「常思嶺上雲，下作溟濛雨。邀雲度前山，溼氣潤衣履。雲飛我亦行，我去雲無語。默默兩相關，出岫情何許。」如讀王輞川、孟山人集。

林鈞《樵隱詩話》卷一 詩貴典雅者，蓋恐其浮滑也。然運典須出自然，以不現堆砌斧鑿痕爲佳。尤宜平時手不釋卷，不期而得。若有心羅搜，反澀詩思。隨園誚漁洋喜怒哀樂之不眞，信然。

又卷八　詩之爲教，極乎天地，非可以一端而論也。李則以雄邁勝，杜以悲壯勝，王、孟以清幽勝，盧、李以險怪勝，元、白以清淺勝。他如韋、儲瀟逸，高、岑蒼老，有唐名家各擅其長，各造其極，未可以有其一而輕餘子也。近見一名公論七律，專主沈著雄壯，且謂宋元以來，工於七律者，僅一二人焉。眞英雄欺人語也。律之宜沈著雄壯，固也，然此特一端而已，舍是卽謂不合，何見之偏耶？且亦須相題而爲之也。如懷古、詠史則爲合作。若應制侍宴諸題，則宜冠冕堂皇，若沈著轉不相稱矣。

又卷一二　觀詩知人。斯言也，予初未敢深信，今而後知古人之不我欺也。凡詩帶蔬筍氣者，其人必吝；帶脂粉氣者，其人必淫；帶塵土氣者，其人必俗。不檢點字面者，其人多疏；愛修飾者，其人多詐。無警句者，其人必庸；工鍊句者，其人蘊藉。粗豪者詩亦粗率，沈潛者詩亦沈重。氣吐長虹者，抱負不凡；骨淩秋隼者，志節邁衆。含華佩實，純瑜無疵者，氣節高超；博帶峨冠，周視規矩者，品學端正。講道學者多俚，矜才學者多誇。奮筆峻嶒，含情悽惋者，必早達而夭；清穩有致，餘韻悠然者，必晚亨而壽。無病呻吟者，一生落寞含愁；瀟灑者，畢世平安。押險韻能穩者，履險如夷；押平韻而澀者，處泰而窘。少年坎壈，大都起不高超，晚歲屯邅，皆由結無餘韻。居心險詐，每以險語冷字欺人；作事驕奢，多摭僻典群書騙世。趨炎附熱，往往抱杜尊韓；令色巧言，句句勻黃鋪白。桀驁不馴之氣，定是奸雄；怪誕不經之言，必非佳士。忠臣孝子，語必平正，情必纏綿；烈士奇男，志自恢宏，言自慷慨。如此類不可枚舉。持此衡人，百不一失。今而後知《詩》、《禮》、《易》三者皆有藏往知來之妙。深入其中，其於持身涉世所益非淺。夫子學《易》可以無過，《左氏傳》中往往以言語儀節斷人生死，毫釐不爽。今而後始知不誣也，而世人乃以雕蟲小技視之，蓋未窺其底蘊也。

張燮承《小滄浪詩話》卷二　不深厚不得爲古，不悠遠不足爲澹。

王柏心《百柱堂全集》卷三四《李竹洤虛盅齋詩序》　詩家從入與得力不一境。以柏心論之，則眞樸其最善矣乎！眞者，省其中之憂樂喜怒，引而達之毫素，勁者，可以摧金石；深者，可以感鬼神。充其所蟠際至於入荒之表，千百世之下，皆若披肺腑而接謦欬，則眞之爲也。樸者，去華而存實，昭然呈露，絕無矯揉淆雜，以汩其初，則樸之爲也。古之詩人多主眞樸，若兩漢樂府，若淵明陶氏，樂天白氏，其最顯然者。卽沈雄飛動，汪洋萬態如子美，然其氣體亦不離眞樸，前、後《出塞》、《新安》、《石壕》等篇及《北征》、《詠懷》，皆可見也。故曰眞樸其最善矣乎！

朱琦《怡志堂文初編》卷四《李竹朋詩序》　詩者，性情所爲，雖技之小者，人不能彊也。吾與子趨尙合矣，而所詣則異，子之詩縱橫奇宕，不名一格，而或軼法度之外，吾詩守繩尺，不輕下一字，亦時有入微妙處。余笑曰：「然人所稟有剛有柔者，天生也；其資乎學，以救偏而增美者，人也。人事極，則天機自與之相應；其不相應者，必毗於剛與柔，卽美矣而非其美之至。且吾聞性情，本也；文字，末也。古人爲詩文多自道性情，而不徒以文字。雖在千百世上，而吾讀其書若接階席而與之語。故曰：其爲人伉直者，詞勁以達；爲人和雅者，詞溫以平；爲人沈深者，詞鬱以厚。推類而言，詞雖百變，雖技之小者，各肖其人以出，惟天與人一，藝與道合，而後不毗於所偏，而爲美之至。」姚子姬傳有言：「古今文字陰陽剛柔而已。其得陽與剛之美者，如霆如電，如崇山巨壑，如決大川，其於人，如憑高視遠，如君而朝萬衆，如鼓萬勇士而戰之；其得陰與柔之美者，漻乎其如歎，邈乎其如有思，暝乎其如喜，愀乎其如悲。觀其詞，審其音，則其人性情舉以殊焉。」

王德馨《雪蕉齋詩話》卷三　今人論詩，每謂唐詩含蓄，宋詩發露，不知此亦其大概也，不可泥說。卽如唐白居易《鬻薪女》云：「亂蓬爲鬢布爲巾，晚踏寒山自負薪。一種錢塘江上女，着紅騎馬是何人。」較之宋謝枋得《蠶婦吟》「子規啼徹四更時」一首，已覺淺露多矣。又，國朝熊淡仙女士《村婦》云：「柔桑枝上聽鳴鳩，曉起提筐過翠疇。借問誰家春夢好，半窗紅日未梳頭。」亦較白作爲蘊藉。

王韜《跋湫村詩集後》　余謂詩之奇者不在格奇句奇，而在意奇。此亦專從性情中出，必先見我之所獨見，而後乃能言人之所未言。夫尊韓推杜，則不離于摹擬；模山範水，則不脫于蹊徑；儷青妃白，則不出乎詞藻：皆未足以奇也。盡以山川風月花木蟲魚，盡人所同見，君臣父子夫婦朋友，盡人所同具，而能以一己之神明入乎其中，則歷千古而常新，而後始得稱之爲奇。

朱庭珍《筱園詩話》卷一　詩有六義，賦僅一體，比興二義，蓋爲一種難題立法。固有不可直言，不敢顯言，不便明言，不忍斥言之情之境。或借譬喻，以比擬出之；或取義於物，以連類引起之。反覆迴環，以致唱歎，曲折搖曳，愈耐尋求。此詩品所以貴溫柔敦厚，深婉和平也，詩情所以重纏綿悱惻，醞釀含蓄也，詩義所以尚文外曲致、思表纖旨也。一味直陳其事，何能感人？後代詩家，多賦而少比興，宜其造詣不深，去古日遠也。孔子曰：「過猶不及。」又曰：「中庸不可能也。」《尚書》亦曰：「允執厥中。」釋氏鍊妙明心，歸於一乘妙法；道家九轉功成，內結聖胎，同是一「中」字至理。蓋超凡入聖，自有此神化境界。詩家造詣，何獨不然！人力既盡，天工合符，所作之詩，自然如「初寫《黃庭》，恰到好處」，從心所欲，縱筆所之，無不水到渠成，若天造地設，一定而不可易矣。此方是得心應手之技，故出人意外者，仍在人意中也。若夫不及者，固不足道，即過者，其病亦歷歷可指。是以太奇則凡，太巧則纖，太刻則拙，太新則庸，太濃則俗，太切則卑，太清則薄，太深則晦，太高則枯，太厚則滯，太雄則粗，太快則剽，太放則冗，太收則蹙，皆詩家大病也，學者不可不知。必造到適中之境，恰好地步，始無遺憾也。陶詩獨絕千古，在「自然」二字。《十九首》、蘇、李五言亦然。元氣渾淪，天然入妙，似非可以人力及者。後人慕之，往往有心欲求自然，欲矜神妙，誤此一關，遂成流連光景之習，如禪家之頑空，不惟不能眞空，反添空障，有何益哉！蓋自然者，自然而然，本不期然而適然得之，非有心求其必然也。此中妙諦，實費功夫。蓋根底深厚，性情眞摯，理愈積而愈精，氣彌鍊而彌粹。醞釀之熟，火色俱融；涵養之純，痕迹迸化。天機洋溢，意趣活潑，誠中形外，有觸即發，自在流出，毫不費力。故能興象玲瓏，氣體超妙，高渾古淡，妙合自然，所謂絢爛之極，歸於平淡是也。此可以漸臻，而不可以強求。學者以爲詩之進境，不得以爲詩之初步，當於鎔鍊求之，經百鍊而漸歸自然，庶不致蹈空耳。若躐等效顰，襲其腔調字句，皮毛略似，神理全非，不啻雙鉤塡廓，則病入膏肓，無藥可救矣。

蔣學堅《懷亭詩話》卷一 元遺山《論詩》：「『有情芍藥含春淚，無力薔薇卧晚枝。』拈出退之《山石》句，始知渠是女郎詩。」不知昌黎詩若「銀燭未銷窗送曙，金釵半醉座添春」，亦甚旖旎。蓋各有所宜，不得以《雅》、《頌》而廢《國風》。

袁祖光《綠天香雪簃詩話》卷一 劉樸石編修（彬華）云：「沈歸愚論詩貴含蓄不盡，袁簡齋頗不然其說。余謂和風之蘊藉，流雲之駘宕，回波之沖容，其妙在含蓄不盡。驚飆溯滂，駭浪潰瀑，震動心目，其妙又在無含蓄而盡。管弦奔煜，金石鏗鍧，嘎然忽止，又妙在盡而不盡。岡巒縈紆，澗谷幽邃，豁然忽開，又妙在不盡而盡。詩人之言似之，非可以一端竟也。」愛其言之雋爽，可以爲作詩之法，備志之。

又卷二 山谷好奇，詩走生僻一路。李西涯謂如能躡雞跖，雖屬佳品，未能使人饜飫。袁簡齋則謂如果中百合，蔬中刀豆，畢竟乏味。近來詩家以平正一途難於出色，率假學山谷爲名，以致枯淡隱晦，毫無是處，猶詡爲家法森嚴，山谷甘爲此輩逋逃主乎？

又 詩貴自然，過求拗折，殊乖天籟。近人有句云：「佛法本無礙，春花多自然。」日本人有句云：「禽蟲各有天然語，草木本無人造枝。」皆見理之言。

謝章鋌《自怡山館偶存詩序》 閩詩萌芽於唐名家，於宋成派，於明而謝古。梅閣學《小蘭陔樂府》乃曰：「閩無詩。」吾度閣學之意，殆以爲非無詩也，夫人而能爲詩也，惟夫人而能爲詩，而閩乃幾幾乎無詩矣。磨礲聲律，千潭一水，論者謂之閩派雖不比江西派之粗獷，江湖派之委瑣，然而萬花皆豔，或不知有孤芳之賞也；八音和奏，或不知有移情之趣也，故派成而閩詩盛，亦派成而閩詩衰。

王國維《屈子文學之精神》 我國春秋以前，道德政治上之思想，可分之爲二派：一帝王派，一非帝王派。前者稱道堯、舜、禹、湯、文、武，後者則稱其學出于上古之隱君子（如莊周所稱廣成子之類），或托之于上古之帝王。前者近古學派，後者遠古學派也。前者貴族派，後者平民派也。前者入世派，後者遁世派也（非眞遁世派，知其主義之終不能行于世，而遁焉者也）。前者熱性派，後者冷性派也；前者國家派，後者個人派也；前者大成于孔子、墨子，而後者大成于老子（老子楚人，在孔子後，與孔子問禮之老聃，係二人。說見汪容甫《述學·老子考異》）。故前者北方派，後者南方派也。此二派者，其主義常相反對，而不能相調和。觀孔子與接輿、長沮、桀溺、荷蓧丈人之關係，可知之矣。戰國後之諸學派，無不直接出于此二派，或出于混合此二派。故雖謂吾國固有之思想，不外此二者可也。夫然，故吾國之文學，亦不外發表二種之思想。然南方學派則僅有散文的文學，如老子、莊列是已。至詩歌的文學，則爲北方學派之所專有。《詩》三百篇，大抵表北方學派之思想者也。雖其中如《考槃》、《衡門》等篇，略近南方之思想。然北方學者所謂「用之則行，舍之則藏」、「有道則見，無道則隱」者，亦豈有異于是哉？故此等謂之南北公共之思想則可，必非南方思想之特質也。然則詩歌的文學，所以獨出于北方之學派中者，又何故乎？詩歌者，描寫人生者也（用德國大詩人希爾列爾之定義）。此定義未免太狹，今更廣之曰：描寫自然及人生。可乎？然人類之興味，實先人生，而後自然。故純粹之模山範水，流連光景之作，自建安以前，殆未之見。而詩歌之題目，皆以描寫自己之感情爲主。其寫景物也，亦必以自己深邃之感情爲之素地，而始得于特別之境遇中，用特別之眼觀之。故古代之詩，所描寫者，特人生之主觀的方面；而對人生之客觀的方面，及純處于客觀界之自然，斷不能以全力注之也。故對古代之詩，前之定義，寧苦其廣，而不苦其隘也。詩之爲道，既以描寫人生爲事，而人生者，非孤立之生活，而在家族、國家及社會中之生活也。北方派之理想，置于當日之社會中；南方派之理想，則樹于當日之社會外。易言以明之，北方派之理想，在改作舊社會；南方派之理想，在創造新社會。然改作與創造，皆當日社會之所不許也。南方之人，以長于思辯，而短于實行，故知實踐之不可能，而即于其理想中求其安慰之地，故有遁世無悶，囂然自得以没齒者矣。若北方之人，則往往以堅忍之志，強毅之氣，持其改作之理想，以與當日之社會爭；而社會之仇視之也，亦與其仇視南方學者無異，或有甚焉。故彼之視社會也，一時以爲寇，一時以爲親，如此循環，而遂生歐穆亞之人生觀。《小雅》中之傑作，皆此種競爭之產物也。且北方之人，不爲離世絶俗之舉，而日周旋于君臣、父子、夫婦之間，此等在在畀以詩歌之題目，與以作詩之動機。此詩歌的文學，所以獨產于北方學派中，而無與于南方學派者也。然南方文學中，又非無詩歌的原質也。南人想像力之偉大豐富，勝于北人遠甚。彼等巧于比類，而善于滑稽：故言大則有若北溟之魚，語小則有若蝸角之國，語久則大椿冥靈，語短則蟪蛄朝菌；至于襄城之野，七聖皆迷；汾水之陽，四子獨往。此種想像，決不能于北方文學中發見之。故莊、列書中之某部分，即謂之散文詩，無不可也。夫兒童想像力之活潑，此人人公認之事實也。國民文化發達之初期亦然。古代印度及希臘之壯麗之神話，皆此等想像之產物。以我中國論，則南方之文化發達較後于北方，則南人之富于想像亦自然之勢也。此南方文學中之詩歌的特質之優于北方文學者也。由此觀之，北方人之感情，詩歌的也，以不得想像之助，故其所作遂止于小篇。南方人之想像，亦詩歌的也，以無深邃之感情之後援，故其想像亦散漫而無所麗，是以無純粹之詩歌。而大詩歌之出，必須俟北方人之感情，與南方人之想像合而爲一，即必通南北之驛騎而後可，斯即屈子其人也。屈子，南人而學北方之學者也。南方學派之思想，本與當時封建貴族之制度不能相容，故雖南方之貴族，亦常奉北方之思想焉。觀屈子之文可以徵之。其所稱之聖王，則有若高辛、堯、舜、禹、湯、少康、武丁、文、武；賢人則有若皋陶、摯說、彭、咸（謂彭祖、巫咸，商之賢臣也。與「巫咸將夕降兮」之巫咸自是二人。《列子》所謂鄭有神巫，名季咸者也）、比干、伯夷、呂望、寧戚、百里、介推、子胥，暴君則有若夏啓、羿、浞、桀、紂，皆北方學者之所常稱道，而于南方學者所稱黃帝、廣成等不一及焉。雖《遠游》一篇，似專述南方之思想，然此實屈子憤激之詞，如孔子之居夷浮海，非其志也。《離騷》之卒章，其旨亦與《遠游》同。然卒曰：「陟升皇之赫戲兮，忽臨睨夫舊鄉。僕夫悲余馬懷兮，蜷局顧而不行。」《九章》中之《懷沙》，乃其絶筆，然猶稱重華、湯、禹，足知屈子固徹頭徹尾抱北方之思想，雖欲爲南方之學者，而終有所不慊者也。屈子之自贊曰「廉貞」。余謂屈子之性格，此二字盡之矣。其廉固南方學者之所優爲，其貞則其所不屑爲，亦不能爲者也。女嬃之詈，巫咸之占，漁父之歌，皆代表南方學者之思想，然皆不足以動屈子，而知屈子者，唯詹尹一人。蓋屈子之于楚，親則肺腑，尊則大夫，又嘗管內政外交上之大事矣。其于國家，既同累世之休戚，其于懷王，又有一日之知遇，一疏再放，而終不能易其志，于是其性格與境遇相待，而使之成一種之歐穆亞。《離騷》以下諸作，實此歐穆亞所發表者也。使南方之學者處此，則賈誼（《弔屈原文》）、揚雄（《反離騷》）是，而屈子非矣。此屈子之文學，所負于北方學派者也。然就屈子文學之形式言之，則所負于南方學派者，抑又不少。彼之豐富之想像力，實與莊、列爲近。《天問》、《遠游》鑿空之談，求女謬悠之語，莊語之不足，而繼之以諧，于是思想之游戲更爲自由矣。變《三百篇》之體，而爲長句，變短什而爲長篇，于是感情之發表，更爲宛轉矣。此皆古代北方文學之所未有，而其端自屈子開之。然所以驅使想像而成此大文學者，實由其北方之肫摯的性格。此莊周等之所以僅爲哲學家，而周、秦間之大詩人，不能不獨數屈子也。要之，詩歌者，感情的產物也，雖其中之想像的原質（即知力的原質），亦須有肫摯之感情爲之素地，而後此原質乃顯。故詩歌者，實北方文學之產物，而非儇薄冷淡之夫所能托也。觀後世之詩人，若淵明，若子美，無非受北方學派之影響者。豈獨一屈子然哉！豈獨一屈子然哉！

劉師培《南北文學不同論》 夫聲律之始，本乎聲音。發喉引聲，和言中宮，危言中商，疾言中角，微言中徵、羽；商、角響高，宮、羽聲下，高下既區，清濁旋別。善乎《呂覽》之溯聲音也，謂「塗山歌於候人，始爲南音；有娀謠乎飛燕，始爲北音」。則南聲之始，起於淮、漢之間；北聲之始，起於河、渭之間。故神州語言，雖隨境而區；而考厥指歸，皆析分南北爲二種（大抵北方語言，河西爲一種，則陝、甘是也；河北爲一種，則山西、直隸以及山東、河南之北境是也；河南爲一種，則山東、河南及江蘇、安徽北境是也；界乎南北之間者，則淮南爲一種，則江蘇、安徽之中部及湖北東境是也；漢南爲一種，則湖北中部西部，及四川東部是也。南方語言，則分五種：金陵以東爲一種，則江蘇南境、浙江東北境是也；金陵以西爲一種，則安徽南部及江西北部是也；湘、贛之間爲一種，則湖南全省及江西南境是也；推之閩、廣各爲一種；廣西、雲、貴爲一種。然論其大旨，則南音、北音二種，其大綱也）。陸法言有言：「吳、楚之音，時傷清淺；燕、趙之音，多傷重濁。」此則言分南北之確證也（大抵時愈古則音愈濁，時愈後則音愈清，地愈北則音愈重，地愈南則音亦愈輕）。聲能成章者謂之言，言之成章者爲之文。古代音分南北（如《說苑·修文篇》言舜以《南風》，紂以北鄙之音，互相不同。又《家語》言：「子路鼓瑟，有北鄙殺伐之聲。」而《左傳》又言：楚鍾儀鼓琴操南音。亦古代音分南北之證），河、濟之間，古稱中夏；故北音謂之夏聲（《左傳襄·二十九年》），又謂之雅言（《論語》言：「子所雅言。」雅，即夏也）。江、漢之間，古稱荆、楚；故南音謂之楚聲，或斥爲「南蠻鴃舌」（《孟子》）。荀子有言：「君子居楚而楚，居夏而夏。」夏爲北音，楚爲南音，音分南北，此爲明徵（餘杭章氏謂：「夏音即楚音。」不知夏音乃華夏之音；漢族由西方入中國，以黃河附近爲根據，故稱北方曰華夏。而南方之地，則古爲荒服，安得被以華夏之稱？不得以楚有夏水，而夏、楚音近，遂以夏音即楚音也。章說非是）。聲音既殊，故南方之文，亦與北方迥別。大抵北方之地，土厚水深，民生其間，多尚實際；南方之地，水勢浩洋，民生其際，多尚虛無。民崇實際，故所著之文，不外記事、析理二端；民尚虛無，故所作之文，或爲言志、抒情之體。中國古籍，以六藝爲最先：而《尚書》、《春秋》，記動記言，謹嚴簡直；《禮》、《樂》二經，例嚴辭約，平易不誣；記事之文，此其嚆矢。《大易》一書，索遠鈎深，精義曲隱，析理之作，此其權輿。若夫兵農標目，醫曆垂書，炎、黃以降，著述浩繁（如兵家始於黃帝、鬼容區，農家始於神農，醫家始於神農、黃帝及岐伯諸人，曆學亦始於容成，皆見於《漢志》，實爲上古之書）；然繩以著書之律，則記事析理，實兼二長，此皆古代北方之文也（因古帝皆都北方，而南方則爲苗族之地）。惟《詩》篇三百，則區判北南：《雅》、《頌》之詩，起於岐、豐，而《國風》十五，太師所采，亦得之河、濟之間。故諷詠遺篇，大抵治世之詩，從容揄揚（如《周頌》及《大雅》、《小雅》前半，及《魯頌》、《商頌》是）；衰世之詩，悲哀剛勁（如《小雅》中《出車》、《采芑》、《六月》以及《秦風》篇，皆剛勁之詩也；而《小雅》、《大雅》之後半，則爲悲哀之詩）；記事之詩，雅近典謨（如《七月》篇歷敘風土人情，而《篤公劉》諸篇，皆不愧詩史）；北方之文，莫之或先矣。惟周、召之地，在南陽、南郡之間（此《韓詩》說，予案《周南》言「漢廣」，言「汝墳」，則周南之地，當在南陽、南郡之東；《召南》言「汝沱」，則召南之地，當在南陽、南郡之西。蓋文王兼牧荆、梁二州，故《國風》始於周、召），故《二南》之詩，感物興懷，引辭表旨，譬物連類，比興二體，厥製益繁；構造虛詞，不標實跡，與《二雅》迥殊。至於哀窈窕而思賢才，詠漢廣而思游女，屈、宋之作，於此起源。《鼓鐘》篇曰：「以雅以南。」非詩分南北之證與（《毛傳》云：「言爲雅爲南也。」舞四夷之樂，大德廣所及。」又言：「南夷之樂曰南。」蓋以雅爲中國之樂，以南爲四夷之樂也。不知北方之詩謂之雅，雅者，北方之音也；南方之詩謂之南，南者，南方之音也。此音分南北之證，非以南夷之樂該四夷之樂也）。春秋以降，諸子並興。然荀卿、呂不韋之書，最爲平實，剛志決理，輐斷以爲紀，其原出於古禮經（孔、孟之言，亦最平易近人），則秦、趙之文也。故河北、關西，無復縱橫之士。韓、魏、陳、宋，地界南北之間，故蘇、張之横放（蘇秦爲東周人，張儀爲魏人），韓非之宕跌（非爲韓人），起於其間。惟荆楚之地，僻處南方，故老子之書，其說杳冥而深遠（老子爲楚國苦縣人）；及莊、列之徒承之（莊爲宋人，列爲鄭人，皆地近荆楚者也），其旨遠，其義隱，其爲文也，縱而後反，寓實於虛，肆以荒唐譎怪之詞，淵乎其有思，茫乎其不可測矣。屈平之文，音涉哀思，矢耿介，慕靈修、芳草美人，託詞喻物，志潔行芳，符於《二南》之比興（觀《離騷經》、《九章》諸篇，皆以虚詞喻實義，與《二雅》殊）；而叙事紀游，遺塵超物，荒唐譎怪，復與莊、列相同（故《史記》之論《楚詞》也，謂蟬蛻穢濁之中，浮游塵埃之外，皭然涅而不污，推此志也，雖與日月爭光可也）。南方之文，此其選矣。又縱横之文，亦起於南（如陳軫、黄歇之流是也），故士生其間，喜騰口説，甚至操兩可之説，設無窮之詞，以詭辯相高，故南方墨者，以堅白異同之論相訾（見《莊子》）。雖其學失傳，然淺察以衒詞，纖巧以弄思，習爲背實擊虚之法，與莊、列、屈、宋之荒唐譎怪者，殆亦殊途而同歸乎！觀班固之志藝文也，分析詩賦：屈原賦以下二十五家爲一種，陸賈賦以下二十一家爲一種，荀卿賦以下二十五家爲一種。蓋屈原、陸賈，籍隸荆南（賈亦楚人），所作之賦，一主抒情，一主騁辭，皆爲南人之作；荀卿生長趙土，所作之賦，偏於析理，則爲北方之文。蘭臺史冊，固可按也。西漢之時，文人輩出：賈誼之文，剛健篤實，出於《韓非》；鼂錯之文，辨析疏通，出於《呂覽》；而董仲舒、劉向之文，咸平敞通洞，章約句制，出於荀卿。蓋西漢北方之文，實分三體：或鎔式經誥，褒德顯容，其源出於《雅》、《頌》，頌讚之體本之；或探事獻説，重言申明，其源出於《尚書》，書疏之體本之；或文樸語飾，不斷而節，其源出於《禮經》，古賦之體本之（如孔臧、司馬遷、韓安國之賦是）。又《淮南》之旨，雖近莊、列，然衡其文體，仍在《荀》、《呂》之間，亦非南方之文也（惟小山《招隱士》篇出於屈、宋）。若夫史遷之作，排奡雄奇，書爲記事，文則騁詞；而枚乘、司馬相如，咸以詞賦垂名，然恢廓聲勢，開拓窔突，殆縱横之流歟（如枚乘《七發》、相如《子虚賦》、《上林賦》是也）。至於寫物附意，觸興致情（如相如《長門賦》、《思大人》，枚乘《菟園賦》是也），則導源《楚騷》，語多虚設。子雲繼作，亦兼二長（如《羽獵賦》、《河東賦》出於縱横家者也；若《反離騷》諸作，則出於《楚騷》者也），例以文體，遠北近南。東京文士，彪炳史編，然章奏書牘之文，咸通暢明達，雖屬詞枝繁，然銓貫有序，論辨之文亦然（如班彪《王命論》、朱穆《崇厚論》是）。若詞賦一體，則孟堅之作，雖近揚、馬，然徵材聚事，取精用弘，《呂覽》類輯之義也，蔡邕之作似之；平子之作，傑格拮撥，俶佹可觀，荀卿《成相》之遺也，王延壽之作似之。即有自成一家言者，亦辭直義暢，雅懿深醇（如荀悦《申鑒》、王符《潛夫論》是）。蓋東漢文人，咸生北土，且當此之時，士崇儒術，縱横之學，屏絶不觀，《騷經》之文，治者亦鮮，故所作之文，偏於記事析理（如《幽通》、《思玄》各賦，以及《申鑒》、《潛夫論》之文，皆析理之文也。若夫《兩都》、《魯靈光》各賦，則記事之文）。而騁辭抒情之作，嗣響無人。惟王逸之文，取法《騷經》（王爲南郡人）；而應劭、王充，南方之彦（劭爲汝南人，充爲會稽人），故《風俗通》、《論衡》二書，近於詭辯，殆南方墨者之支派與！於兩漢之文，别爲一體。蓋三代之時，文與語分，排偶爲文，直言爲語。東漢北方之文，詞多駢儷，句嚴語重，乃古代之文也；南方之文，多屬單行，語詞淺顯，乃古代之語也。建安之初，詩尚五言。七子之作，雖酬酢之章，然慷慨任氣，磊落使才，造懷指事，不求纖密，隱義蓄含，餘味曲包，而悲哀剛勁，洵乎北土之音（氣度淵雅遜東漢，而魄力則過之；孔融、曹操之詩尤爲悲壯）。魏、晉之際，文體變遷，而北方之士，侈效南文。曹植詞賦，塗澤律切，憂遠思深，其旨開於宋玉；及其弊也，則採摘豔辭，纖冶傷雅。嵇、阮詩歌，飄忽峻佚，言無端涯，其旨開於莊周；及其弊也，則宅心虚闊，失所旨歸。左思詩賦，廣博沈雄，慨慷卓越，其旨開於蘇、張；及其弊也，則浮囂粗獷，昧厥修辭。北方文體，至此始淆。又建安以還，文崇偶體；西晉以降，由簡趨繁（凡晉人奏議之文，論述之文，皆日趨於偶，日趨於繁，與東漢殊）。然晉初之文，羹元尚存，雕幾未極。如杜預、荀勖、傅玄，咸吐詞簡直；若張華、潘岳、摯虞，始漸尚鋪張；三張二陸，文雖遒勁，亦稍入輕綺矣。詩歌亦然。故力柔於建安，句工於正始，此亦文體由北趨南之漸也。江左詩文，溺於玄風，辭謝彫采，旨寄玄虚，以平淡之詞，寓精微之理。故孫（孫綽）、許（許詢）、二王（王羲之、王獻之）語咸平典，由嵇、阮而上溯莊周，此南文之别一派也。惟劉琨之作，善爲悽戾之音，而出以清剛（孫楚、盧諶之作亦然）；郭璞之作，佐以彪炳之詞，而出以挺拔；北方之文，賴以不墮。晉、宋以降，文體復更。淵明之詩，仍沿晉派。至若慧業文人，咸崇文藻，鑱雕雲風，模範山水，自顔、謝詩文，舍奇用偶，鬼斧默運，奇情畢呈，句爭一字之奇，文采片言之貴，情必極貌以寫物，辭必窮力以追新（謝玄暉亦然）。齊、梁以降，益尚艷辭，以情爲裏，以物爲表，賦始於謝莊，詩昉於梁武（簡文及元帝之詩亦然）。陰、何、吴、柳（陰鏗、何遜、吴均、柳惲）厥製益工，研鍊則隱師顔、謝，妍麗則近則齊、梁。子山繼作，掩抑沈怨，出以哀艷之詞，由曹植而上師宋玉，此又南文之一派也（惟范雲、任昉，文詩淵懿；江總、沈約，亦無輕靡之辭；乃齊、梁文士之傑出者）。鮑照詩文，義尚光大，工於騁勢，然語乏清剛，哀而不壯，大抵由左思而上效蘇、張，此亦南文之一派也。梁、陳以降，文體日靡（至陳後主而極矣。即劉孝標、劉彥和、陸佐文之文，亦多清新之句）。惟北朝文舍文尚質，崔浩、高允之文，咸磽確自雄；溫子昇長於碑版，叙事簡直，得張、蔡之遺規；盧思道長於歌詞，發音剛勁，嗣建安之佚響（如《薊北歌詞》諸作是也）；子才、伯起（邢卲、魏收）亦工記事之文。豈非北方文體，固與南方文體不同哉？自子山、總持（江總）身旅北方，而南方輕綺之文，漸爲北人所崇尚。又初明（沈炯）、子淵（王褒）身居北土，恥操南音，詩歌勁直，習爲北鄙之聲，而六朝文體，亦自是而稍更矣。隋煬詩文，遠宗潘、陸，一洗浮蕩之言；惟隸事研詞，尚近南方之體。楊、薛之作，間符隋煬，吐音近北，摛藻師南。故隋、唐文體，力剛于顔、謝，采縟於潘、張，折衷南體、北體之間，而別成一派。唐初詩文，與隋代同，制句切響，言務纖密，雖雅法六朝，然卑靡之音，於焉盡革。四傑繼興，文體益恢，詩音益諧。自是以降，雖文有工拙，然俳四儷六，益趨淺弱。惟李、杜古賦，詞句質素，張、陸奏章，析理通明，唐代文人，瞠乎後矣。昌黎崛起北陲，易偶爲奇，語重句奇，閎中肆外，其魄力之雄，直追秦、漢；雖模擬之習未除，然起衰之功不可沒也，習之持正可之，咸奉韓文爲圭臬，古質渾雄，唐代罕倫。子厚與昌黎齊名，然棲身湘、粵，偶有所作，咸則《莊》、《騷》，謂非土地使然與？若貞觀以後，詩律日嚴，然宋、沈之詩，以嚴凝之骨，飾流麗之詞，頌揚休明，淵乎盛世之音。中唐以降，詩分南北，少陵、昌黎，體峻詞雄，有黃鐘大呂之音。若夫高（適）、常（建）、崔（顥）、李（頎），詩帶邊音，粗厲猛起；張（籍）、孟（郊）、賈（島）、盧（仝），思苦語奇，縋幽鑿險：皆北方之詩也。太白之詩，才思橫溢，旨近蘇、張（樂府則出《楚詞》）；溫、李之詩，緣情託興，誼符《楚騷》；儲、孟之詩，清言霏屑，源出道家：皆南方之詩也。晚唐以還，詩趨纖巧，拾六代之唾餘，自鄶以下，無足觀矣。宋代文人，惟老蘇之作，間近昌黎；歐、曾之文，雖沈詳整靜，茂美淵懿，訓詞深厚，然平弱之譏，曷云克免？豈非昌黎之文固非南人所能效哉？（小蘇之文，愈傷平弱；介甫文雖挺拔，然渾厚之氣，亦遜昌黎。）若東坡之文，出入蘇、張、莊、老間，亦爲南體。蘇門四子，更無論矣。北宋詩體，初重西崑，派沿溫、李。蘇詩精言名理，有東晉之風（此出於道家，若歐、王之詩，於北宋亦爲特出）。西江一體，雖逋峭堅凝，一洗凡艷；然雄厚之氣，遠遜杜、韓；豈非杜、韓之詩亦非南人所克效歟？南宋詩文，多沿古製；惟同甫、水心，文體縱橫，放翁、石湖，詩詞淡雅（一近張、蘇，一近莊、列），然咸屬南人。若眞、魏之文，縝密端慤，誠哉中流之砥柱矣（若夫東萊之文，稼軒之詞，亦近縱橫；朱子之文，雅近眞、魏）。金、元宅夏，文藻黯然。惟遺山之詩，則法少陵，存中州之正聲；子昂卑卑，非其匹也。自元以降，惟劇曲一端，區分南北；若詩文諸體，咸依草附木，未能自闢塗轍，故無派別之可言。大抵北人之文，猥瑣鋪叙，以爲平通，故樸而不文；南人之文，詰屈彫琢，以爲奇麗，故華而不實。當明代中葉，七子之詩，雄而不沈；歸、茅之文，密而不茂。至於明季，幾社、復社之英，發爲文章，咸感憤淋漓，悲壯蒼涼，傷時念亂，音哀於子山，氣剛於同甫；雖間失豪放，然南人之文，兼擅蘇、張、屈、宋之長者，自此始也。明社既墟，遺民佚士，睠懷故都，或發綿渺之文（如吳梅村之詩，毛西河之文是），或效軼蕩之體（如侯、魏之文，閻、萬之詩是），咸有可觀（大抵梨洲之文冗長，惟亭林詩文爲最佳，船山之文，則又明文之傑出者矣）。清代中葉，北方之士，咸樸僿蹇冗，質略無文。南方文人，則區駢散爲二體：治散文者，工於離合激射之法，以神韻爲主，則便於空疏，以子居、皐聞爲差勝（此所謂桐城派也，餘咸薄弱）；治駢文者，一以摘句尋章爲主，以蔓衍炫俗，或流爲詼諧，以稚威、容甫爲最精（稚威之文以力勝，容甫之文以韻勝，非若王、袁之矜小慧也）。若夫詩歌一體，或崇聲律（如趙執信及後世揚州詩派是），或尚修詞（如宋琬之流是），或矜風調（前有施、王，後有袁枚，皆宗此派），派別迴殊；然雄健之作，概乎其未聞也。故觀乎人文，亦可以察時變矣。

詞論部

主編：張伯偉

目次

本原

王灼《碧雞漫志》卷一　古人初不定聲律，因所感發爲歌，而聲律從之，唐虞禪代以來是也，餘波至西漢末始絕。西漢時，今之所謂古樂府者漸興，晉魏爲盛。隋氏取漢以來樂器歌章古調，並入清樂，餘波至李唐始絕。唐中葉雖有古樂府，而播在聲律則尠矣。士大夫作者不過以詩一體自名耳。蓋隋以來，今之所謂曲子者漸興，至唐稍盛。今則繁聲淫奏，殆不可數。古歌變爲古樂府，古樂府變爲今曲子，其本一也。後世風俗益不及古，故相懸耳。而世之士大夫，亦多不知歌詞之變。

胡仔《苕溪漁隱叢話後集》卷三九　唐初歌辭，多是五言詩，或七言詩，初無長短句。自中葉以後，至五代，漸變成長短句。及本朝，則盡爲此體。今所存止《瑞鷓鴣》、《小秦王》二闋，是七言八句詩，並七言絕句詩而已。《瑞鷓鴣》猶依字易歌，若《小秦王》必須雜以虛聲，乃可歌耳。

胡寅《斐然集》卷一九《向薌林酒邊集後序》　詞曲者，古樂府之末造也。古樂府者，詩之旁行也。詩出於《離騷》、《楚詞》。而《離騷》者，變風、變雅之意，怨而迫、哀而傷者也。其發乎情則同，而止乎禮義則異，名之曰曲，以其曲盡人情耳。

陸游《渭南文集》卷一四《長短句序》　雅正之樂微，乃有鄭、衛之音。鄭、衛雖變，然琴、瑟、笙、磬猶在也。及變而爲燕之筑、秦之缶、胡部之琵琶、箜篌，則又鄭衛之變矣。《風》、《雅》、《頌》之後，爲騷、爲賦、爲曲、爲引、爲行、爲謠、爲歌。千餘年後，乃有倚聲製辭，起于唐之季世。則其變愈薄，可勝歎哉！

王炎《雙溪類稿》卷一〇《雙溪詩餘自序》　古詩自《風》、《雅》以降，漢、魏間乃有樂府，而曲居其一。今之長短句，蓋樂府曲之苗裔也。

張鎡《梅溪詞序》　《關雎》而下《三百篇》，當時之歌詞也。聖師刪以爲經。後世播詩章於樂府，被之金石管弦，屈宋班馬，由是乎出。而自變體以來，司花傍輦之嘲，沈香亭北之詠，至與人主相友善，則世之文人才士，游戲筆墨於長短句間，有能瓌奇警邁，清新閑婉，不流於詑蕩汙淫者，未易以小伎言也。

范開《稼軒詞序》　器大者聲必閎，志高者意必遠。知夫聲與意之本原，則知歌詞之所自出。是蓋不容有意于作爲，而其發越著見於聲音。言意之表者，則亦隨其所蓄之淺深，有不能不爾者存焉耳。

張侃《拙軒詞話》　陸務觀自製近體樂府，叙云：「倚聲起于唐之季世。」後見周文忠題譚該樂府云：「世謂樂府起于漢魏，蓋由惠帝有樂府令，武帝立樂府，采詩夜誦也。」唐元稹則以仲尼《文王操》、伯牙《水仙操》、齊牧犢《雉朝飛》、衛女《思歸引》爲樂府之始。以予考之，乃賡載歌，薰兮解愠，在虞舜時，此體固已萌芽，豈止三代遺韻而已。二公之言盡矣。

張炎《詞源序》　古之樂章、樂府、樂歌、樂曲，皆出於雅正。粵自隋唐以來，聲詩間爲長短句。

葉曾《東坡樂府叙》　今之長短句，古《三百篇》之遺旨也。

林景熙《霽山文集》卷五《胡汲古樂府序》　唐人《花間集》不過香奩組織之辭，詞家爭慕傚之，粉澤相高，不知其靡，謂樂府體固然也。一見鐵心石腸之士，譁然非笑，以爲是不足涉吾地。其習而爲者，亦必毀剛毀直，然後宛轉合宮商，嫵媚中繩尺，樂府反爲情性害矣！樂府，詩之變也。詩發乎情，止乎禮義，美化厚俗，胥此焉寄，豈一變爲樂府，乃遽與詩異哉？宋秦、晁、周、柳輩各據其壘，風流醖藉，固亦一洗唐陋而猶未也。荆公《金陵懷古》末語「後庭遺曲」，有詩人之諷；裕陵覽東坡《月詞》至「瓊樓玉宇，高處不勝寒」，謂「蘇軾終是愛君」。由此觀之，二公樂府根情性而作者，初不異詩也。嚴陵胡君汲古以詩名，觀其樂府，詩之法度在焉。清而腴，麗而則，逸而斂，婉而莊。悲涼於殘山剩水，豪放於明月清風，酒酣耳熱，往往自爲而歌之。所謂樂而不淫，哀而不傷，一出於詩人禮義之正，然則先王遺澤其猶寄於變風者，獨詩也哉！

劉辰翁《須溪集》卷六《劉次莊考樂府序》　嗚呼！吾讀《文王》、《清廟》，何其往來反覆，愈簡而愈有餘地，雖不能知其聲，而洋洋者如倡而復歎之不足也，故可歌也。故知依聲鑄字，出於述者之過，中無所見，則如市人濫吹，聞而從之者也。【略】古詩皆弦誦，如今巷歌，樂之始也，三侯之章出於烏烏，沛中兒童和習之，豈必被弦歌而後爲樂府哉？解題外集古今作，或題樂府而詩近律，用見賦詩者不必本古題古意，而意之所到，亦不必求之四聲響切，而暢此於解題，又最有助。

劉將孫《養吾齋集》卷九《新城饒克明集詞序》 古之人未有不歌也，歌非他，有所謂辭也，詩是已。登高能賦，可以爲大夫，雖床笫之言不踰閾，乃誦之會同不爲慚。抑揚高下，隨其長短而音節之，由是習於聲者裁之以律呂而中，而房中之樂或異於公庭。然有其調，不必皆有其辭，絲竹之所調，或不待於賦。降及《竹枝》、《金縷》，始各爲之辭，以媲樂與舞，而有能歌不能歌者矣。然猶未離乎詩也，如七言絶句止耳，未至一長一短而有譜與調也。今曲行而參差不齊，不復可以充口而發，隨聲而協矣。然猶未至於大曲也。及柳耆卿輩以音律造新聲，少游、美成以才情暢製作，而歌非朱唇皓齒，如負之矣。自是以來，體亦屢變，長篇極於《哨遍》、《大酺》、《六醜》、《蘭陵》，無不可以反覆浩蕩，而豪於氣者，以爲馮陵大叫之資。風情才子，乃復宛轉作屏幃呢呢以勝之，而詞亦多術矣。

又卷一一《胡以實詩詞序》 文章之初惟詩耳，詩之變，爲樂府。嘗笑談文者鄙詩，爲文章之小技，以詞爲巷陌之風流，概不知本末至此。

元好問《遺山集》卷三六《新軒樂府引》 唐歌詞多宫體，又皆極力爲之。自東坡一出，性情之外不知有文字，眞有「一洗萬古凡馬空」氣象。雖時作宫體，亦豈可以宫體概之？人有言：「樂府本不難作，從東坡放筆後便難作。」此殆以工拙論，非知坡者。所以然者，《詩》三百所載小夫賤婦幽憂無聊賴之語，特猝爲外物感觸，滿心而發，肆口而成者爾，其初果欲被管弦、諧金石、經聖人手、以與《六經》並傳乎？小夫賤婦且然，而謂東坡翰墨游戲，乃求與前人角勝負，誤矣！自今觀之，東坡聖處，非有意於文字之爲工，不得不然之爲工也。坡以來，山谷、晁無咎、陳去非、辛幼安諸公俱以歌詞取稱，吟詠情性，留連光景，清壯頓挫，能起人妙思，亦有語意拙直、不自緣飾、因病成妍者，皆自坡發之。

劉敏中《中庵集》卷九《江湖長短句引》 聲本於言，言本於性情，吟詠性情莫若詩，是以《詩》三百，皆被之弦歌。沿襲歷久，而樂府之製出焉，則又詩之遺音餘韻也。逮宋而大盛，其最擅名者東坡蘇氏，辛稼軒次之，近世元遺山又次之。三家體裁各殊，然並傳而不相悖，殆猶四時之氣律不同，而其元化之所以斡旋，未始不同也。至於有得，惟能者能之。

又卷一三《張御史牡丹唱和詞卷序》 嘻！草木，物之微也，有華焉，類夫冶容矣，君子亟稱而道之，或者不可乎！然人之一身，萬物備焉，接於外故或感於中，感於中故必形於言。言之形也，寓諸物而已，此風、賦、比、興之義所從而出也。屈原以美人香草登於騷雅，宋廣平以梅花見於詞賦，孰謂二公之賢而有不可乎？故君子之言也，惟其趣向寄寓何如耳，豈繫物哉？然則唱而和之，集而題之者，無所不可矣。

王博文《白蘭谷天籟集序》 樂府始於漢，著於唐，盛於宋，大概以情志爲主。秦、晁、賀、晏雖得其體，然哇淫靡曼之聲勝，東坡、稼軒矯之以雄詞英氣，天下之趨向始明。近時元遺山每遊戲於此，掇古詩之精英，備諸家之體製，而以林下風度，消融其膏粉之氣。

趙文《青山集》卷二《吴山房樂府序》 觀歐、晏詞，知是慶曆、嘉祐間人語；觀周美成詞，其爲宣和、靖康也無疑矣。聲音之爲世道邪？世道之爲聲音邪？有不自知其然而然者矣。悲夫！美成號知音律者，宣和之爲靖康也，美成其知之乎？「綠蕪凋盡臺城路，渭水西風，長安亂葉」，非佳語也。憑高眺遠之餘，蟹螯玉液以自陶寫，而終之曰：「醉翁山翁，但愁斜照斂。」觀此詞，國欲緩亡得乎？渡江後，康伯可未離宣和間一種風氣，君子以是知宋之不能復中原也。近世辛幼安，跌蕩磊落，猶有中原豪傑之氣。而江南言詞者，宗美成；中州言詞者，宗元遺山，詞之優劣未暇論，而風氣之異，遂爲南北、强弱之占，可感已。《玉樹後庭花》盛，陳亡；《花間》麗情盛，唐亡；《清眞》盛，宋亡，可畏哉！

《武寧縣志》卷三四甘楚材《存中詞稿序》 詞者詩之餘，作詩難，作詞尤難。詞欲媚而正，艷而不淫。高宗南渡以來，辛稼軒爲詞人第一，正而不淫也。余讀存中詞，諸詞意深遠，媚而正者，《南鄉子·詠春閨》有態度，艷而不淫者。使雜諸稼軒詞中，孰知其爲存中哉？

陸文圭《牆東類稿》卷五《玉田詞源稿序》 「詞」與「辭」字通用。《釋文》云：「意内而言外也。」意生言，言生聲，聲生律，律生調，故曲生焉。《花間》以前無雜譜，秦、周以後無雅聲，源遠而派别也。

戴表元《剡源集》卷一九《題陳強甫樂府》 少時閲唐人樂府《花間集》等作，其體去五、七言律詩不遠。遇情愫不可直致，輒略加檃括以通之，故亦謂之曲。然而繁聲碎句，一無有焉。近世作者，幾類散語，甚者竟不可讀。

陸輔之《詞旨序》 夫詞亦難言矣，正取近雅，而又不遠俗。

王世貞《藝苑卮言・附錄》 詞者，樂府之變也。昔人謂李太白《菩薩蠻》、《憶秦娥》，楊用修又傳其《清平樂》二首，以謂調祖。不知隋煬帝已有《望江南》詞。蓋六朝諸君臣，頌酒賡色，務裁豔語，默啓詞端，實爲濫觴之始。故詞須宛轉綿麗，淺至儇俏，挾春月煙花於閨幨内奏之，一語之豔，令人魂絕，一字之工，令人色飛，乃爲貴耳。至於慷慨磊落，縱横豪爽，抑亦其次，不作可耳。作則寧爲大雅罪人，勿儒冠而戎服也。

俞彦《爰園詞話》 詩詞，末技也，而名樂府。古人凡歌，必被之鐘鼓管弦，詩詞皆所以歌，故曰樂府。不獨古人然，今人但解絲竹，率能譯一切聲爲譜，甚至隨聲應和，如素習然。故盈天地間，無非聲，無非音，則無非樂。

又 詞於不朽之業，最爲小乘。然溯其源流，咸自鴻濛上古而來。如億兆黔首，固皆神聖裔矣。惟閭巷歌謠，即古歌謠。古可入樂府，而今不可入詩餘者，古拙而今佻，古樸而今俚，古渾涵而今率露也。然今世之便俗耳者，止于南北曲。即以詩餘，被之管弦，聽者端冕臥矣。其得與詩並存天壤，則文人學士賞識欣豔之力也。

又 詞何以名詩餘，詩亡然後詞作，故曰餘也，非詩亡，所以歌詠詩者亡也。詞亡然後南北曲作，非詞亡，所以歌詠詞者亡也。謂詩餘興而樂府亡，南北曲興而詩餘亡者，否也。

楊慎《詞品序》 詩詞同工而異曲，共源而分派。在六朝，若陶弘景之《寒夜怨》，梁武帝之《江南弄》，陸瓊之《飲酒樂》，隋煬帝之《望江南》，塡詞之體已具矣。若唐人之七言律，即塡詞之《瑞鷓鴣》也。七言律之仄韻，即塡詞之《玉樓春》也。若韋應物之《三臺曲》、《調笑令》，劉禹錫之《竹枝詞》、《浪淘沙》，新聲疊出。孟蜀之《花間》，南唐之《蘭畹》，則其體大備矣。豈非共源同工乎？

湯顯祖《花間集叙》 自《三百篇》降而騷賦，騷賦不便入樂；降而古樂府，古樂府不入俗；降而以絕句爲樂府，絕句少宛轉；則又降而爲詞。故宋人遂以爲詞者詩之餘也。

陳子龍《三子詩餘序》 詩與樂府同源，而其概也，每迭爲盛衰。豔辭麗曲，莫盛于梁陳之季，而古詩遂亡。詩餘始于唐末，而婉暢穠逸，極於北宋，然斯時也，並律詩亦亡。是則詩餘者，非獨莊士之所當疾，抑亦風人之所宜戒也。

徐喈鳳《詞證》 詞名詩餘，以其近於詩也。然去《雅》、《頌》遠甚，擬于《國風》，庶幾近之。然《二南》之詩，雖多屬閨襜，其詞正，其音和，又非詞家所及。蓋詩餘之作，其變風之遺乎。惟作者變而不失其正，斯爲上乘。

江順詒《詞學集成》卷二引毛奇齡《西河詞話》 白樂天《花非花》詩，唐人《醉公子》詞，長孫無忌《新曲》，楊太眞《阿那曲》，自是詞格。若《回鶻》、《石洲》、《阿彈迴》、《迴波樂》、《烏鹽角》、《鷓濫堆》、《水調歌頭》，俱是樂府。然其辭有近詞者，亦可以詞名之。如隋帝《望江南》、徐陵《長相思》，初何嘗是詞，而句調可塡，即爲塡詞。由是推之，武帝《江南弄》諸樂，及鮑照《梅花落》、陶弘景《寒夜怨》、徐勉《迎客》《送客》、王筠《楚妃吟》、梁簡文《春情》、隋煬《夜飲朝眠曲》，皆謂之詞，何不可哉？

王又華《古今詞論》 徐伯魯曰：自樂府亡而聲律乖，謫仙始作《清平調》、《憶秦娥》、《菩薩蠻》諸詞，時因效之。厥後行衛尉少卿趙崇祚輯爲《花間集》，凡五百闋，此近代倚聲塡詞之祖也。放翁云：「詩至晚唐五季，氣格卑陋，千人一律，而長短句獨精巧高麗，後世莫及，此事之不可曉者。」蓋傷之也。然詩餘謂之塡詞，則調有定格，字有定數，韻有定聲。至於句之長短，雖可損益，然亦不當率意爲之。譬如醫家加減古方，不過因其大局而稍更之，一或太過，則失製方之本意矣。

厲鶚《群雅詞集序》 詞源于樂府，樂府源於《詩》，四詩大小雅之材，合三百有五。材之雅者，風之所由美，頌之所由成。

王昶《琴畫樓詞鈔序》 文章之變，日出不窮，詩四言變而之五言，又變而之七言，古詩繼又變而爲五、七言律體及於絕句。唐之末造，詩人間以其餘音綺語，變爲塡詞。

先著《詞潔發凡》 詞源于五代，體備于宋人，極盛于宋之末，元沿其流，猶能嗣響。五代十國之詞，略具《花間》，惜乎他本不存，僅有名見。唐人之作，有可指爲詞者，有不可執爲詞者，若張志和之《漁歌子》、韓君平之《章臺柳》，雖語句聲響居然詞令，仍是風人之別體，後人因其製，以加之名耳。夫詞之托始，未嘗不如此。但其間亦微有分別，苟流傳已盛，遂成一體，即不得不謂之詞。其或古人偶爲之，而後無繼者，則莫若各仍其故之爲得矣。倘追原不已，是太白「落葉聚還散」之詩，不免被以《秋風淸》之名爲一調。最後若倪元鎭之《江南春》，本非詞也，只當依其韻，同其體，而時賢擬之，並入倚聲。此皆求多喜新之過也。

玄燁《歷代詩餘序》 詩餘之作，蓋自昔樂府之遺音，而後人之審聲選調所由以緣起也。而要皆昉於詩，則其本末源流之故有可言者。古帝舜之命夔典樂曰：「詩言志，歌永言，聲依永，律和聲。」可見唐虞時卽有詩，而詩必諧於聲，是近代倚聲之詞，其理固已寓焉。降而殷周，孔子刪而爲三百五篇，樂正而《雅》《頌》得所。考其時郊廟明堂升歌宴饗，以及鄉飲報賽，莫不有詩，以叶於笙、簫、琴、瑟之間。自《詩》變爲騷，騷衍爲賦，雖旨兼出乎六義，而聲弗拘於八音。至漢，而郊祀、房中、鐃歌、鼓吹、琴曲、雜詩，皆領于樂官，於是始有樂府名。迄於六代，操觚之家，按調屬題，徵辭赴節，日趨婉麗，以導宮商。唐興，古詩而外，創爲近體，而五、七言絕句或傳於伶人，顧他詩不盡協于樂部。其間如李白之《清平調》、《憶秦娥》、《菩薩蠻》，劉禹錫之《浪淘沙》、《竹枝詞》，洎溫庭筠、韋莊之徒，相繼有作，而新聲迭出，時皆被諸管弦。是詩之流而爲詞，已權輿于唐矣。

李調元《雨村詞話序》 詞非詩之餘，乃詩之源也。周之《頌》三十一篇，長短句居十八。漢郊祀歌十九篇，長短句居五。至短簫鐃歌十八篇，篇皆長短句。自唐開元盛日，王之渙、高適、王昌齡絕句流播旗亭，而李白《菩薩蠻》等詞亦被之管弦，實皆古樂府也。詩先有樂府而後有古體，有古體而後有近體。樂府卽長短句，長短句卽古詞也。故曰詞非詩之餘，乃詩之源也。

許宗彥《蓮子居詞話序》 文章體製，惟詞溯至李唐而止，似爲不古。然自周樂亡，一易而爲漢之樂章，再易而爲魏晉之歌行，三易而爲唐之長短句。要皆隨音律遞變，而作者本旨，無不濫觴楚騷，導源風雅，其趣一也。

宋翔鳳《樂府餘論》 謂之詩餘者，以詞起于唐人絕句，如太白之《清平調》，卽以被之樂府。太白《憶秦娥》、《菩薩蠻》，皆絕句之變格，爲小令之權輿。旗亭畫壁賭唱，皆七言斷句。後至十國時，遂競爲長短句。自一字、兩字至七字，以抑揚高下其聲，而樂府之體一變。則詞實詩之餘，遂名曰詩餘。

謝元淮《塡詞淺說》 詞爲詩餘，樂之支也。樂府之名，始於西漢，有鼓吹、橫吹、清商、雜調諸名。六朝沿其聲調，更增藻豔，與詞漸近。唐人《清平樂》、《鬱輪袍》、《涼州》、《水調》之類，皆以絕句被笙簧。於是太白、飛卿輩創立《憶秦娥》、《菩薩蠻》等曲，而詞與詩遂分。至宋而其體益備，設大晟樂府，領以專門名家，比切宮商，不爽銖黍，於依永和聲之道，洵爲盛矣。

陸鎣《問花樓詞話》 王阮亭云：唐無詞，所歌皆詩也。宋無曲，所歌皆詞也。余聞之先廣文曰：梁武帝《江南弄》云。【略】此眞絕妙好辭。又曰：陶隱居《寒夜怨》，後世塡詞《梅花引》格調似之。簡文帝《春情曲》，唐詞《瑞鷓鴣》格調似之。李太白應製《清平樂》詞，呂鵬《遏雲集》載四首，或以爲贋作，非太白筆。愚見詞雖小道，濫觴樂府，具體齊、梁，歷三唐、五季，至宋乃集其大成。

俞樾《徐誠庵荔園詞序》 古人之詩，無不可歌者。《三百篇》以至漢魏，無論矣。至唐人而「永豐楊柳」之篇，禁中奏御；「黃河遠上」之章，旗亭傳唱，蓋詩與樂猶未分也。其後以五言、七言限於字句，不能暢達其意，乃爲長短之句，抑揚頓挫，以寄流連往復之思，而詞興焉。詞興而詩於是不盡可歌矣。

陳廷焯《詞壇叢話》 唐以前無詞名，然詞之源，肇於賡歌，成於樂府。漢《郊祀歌》、《短簫鐃歌》諸篇，成短句不一，是詞之祖也。迄於六代，《江南》、《采蓮》諸曲，去倚聲不遠。其不卽變爲詞者，律詩未興，古風猶未遠也。自古體變爲近體，五、七言各分古、律、絕，傳於伶官樂部。長短句無所依，而詞於是作焉。

又《詞則序》 風騷既息，樂府代興。自五、七言盛行于唐，長短句無所依，詞於是作焉。詞也者，樂府之變調，風騷之流派也。

又《白雨齋詞話》卷七 風騷爲詩詞之原。然學騷易，學詩難。風詩只可取其意，楚詞則並可擷其華。

胡薇元《歲寒居詞話》 《三百篇》餘音，變爲樂府歌辭，及唐中晚，詞亦萌芽，而歌詩之法絕，詞乃大盛，然猶播爲管弦。

沈祥龍《論詞隨筆》 詞導源於詩，詩言志，詞亦貴乎言志。淫蕩之志可言乎哉？「瓊樓玉宇」，識其忠愛；「缺月疏桐」，歎其高妙，由於志之正也。若綺羅香澤之態，所在多有，則其志可知矣。

又 詞出於古樂府，得樂府遺意，則抑揚高下，自中乎節，纏綿沈鬱，胥洽乎情。徒襲《花間》、《草堂》之膚貌，縱極富麗，古意微矣。

又 屈宋之作亦曰詞，香草美人，驚采絕豔，後世倚聲家所由祖也。故詞不得楚騷之意，非淫靡卽粗淺。

又 詞有托於閨情者，本諸古樂府，須實有寄託，言外自含高妙，始合古意。否則，綺羅香澤之態，適以掩風骨，汨心性耳。

張德瀛《詞徵》卷一　屈子《楚辭》，本謂之《楚詞》，所謂軒翥詩人之後者也。《東皇太一》、《遠游》諸篇，宋人製詞，遂多倣效。沿波得奇，豈特馬、揚已哉？

又　鄭夾漈曰：「古之詩，今之詞曲也。」胡明仲曰：「詞曲者，古樂府之末造也。」張功甫曰：「《關雎》而下三百篇，當時之歌詞也。」宋人品藻如是，則知詞之所自出矣。

又　小令本於七言絶句夥矣。晚唐人與詩並而爲一，無所判別。若皇甫子奇《怨回紇》，乃五言律詩一體。劉隨州撰《謫仙怨》，竇宏餘、康駢又廣之，乃六言律詩一體。馮正中《陽春錄》《瑞鷓鴣》題爲《舞春風》，乃七言律詩一體。詞之名詩餘，蓋以此。

況周頤《蕙風詞話》卷一　人靜簾垂。燈昏香直。窗外芙蓉殘葉，颯颯作秋聲，與砌蟲相和答。據梧暝坐，湛懷息機。每一念起，輒設理想排遣之。乃至萬緣俱寂，吾心忽瑩然開朗如滿月，肌骨清涼，不知斯世何世也。斯時若有無端哀怨，棖觸於萬不得已，即而察之，一切鏡像全失，唯有小窗虛幌、筆牀硯匣，一一在吾目前。此詞境也。

又　吾聽風雨，吾覽江山，常覺風雨江山外有萬不得已者在。此萬不得已者，即詞心也。而能以吾言寫吾心，即吾詞也。此萬不得已者，由吾心醞釀而出，即吾詞之眞也，非可彊爲，亦無庸彊求。視吾心之醞釀何如耳。吾心爲主，而書卷其輔也。書卷多，吾言尤易出耳。

又　重者，沈著之謂。在氣格，不在字句。

又卷四　意內言外，詞家之恒言也。《韻會舉要》引《說文》作「音內言外」，當是所見宋本如是。以訓詩詞之詞，於誼殊優。凡物在內者恆先，在外者恆後。詞必先有調，而後以詞塡之。調即音也。亦有自度腔者，先隨意爲長短句，後勰以律。然律不外正宮、側商等名，則亦先有而在內者也。凡人聞歌詞，接於耳，即知其言。至其調或宮或商，則必審辨而始知。是其在內之徵也。唯其在內而難知，故古云知音者希也。

又卷五　問哀感頑豔，「頑」字云何詮？釋曰：「拙不可及，融重與大於拙之中，鬱勃久之，有不得已者出乎其中，而不自知，乃至不可解，其殆庶幾乎。猶有一言蔽之，若赤子之笑啼然，看似至易，而實至難者也。」

法　則

總　説

歐陽炯《花間集序》　鏤玉雕瓊，擬化工而迥巧；裁花剪葉，奪春豔以爭鮮。是以唱雲謠則金母詞清，挹霞醴則穆王心醉。名高白雪，聲聲而自合鸞歌；響遏青雲，字字而便諧鳳律。楊柳大堤之句，樂府相傳；芙蓉曲渚之篇，豪家自製。莫不爭高門下，三千玳瑁之簪；競富樽前，數十珊瑚之樹。則有綺筵公子，繡幌佳人，遞葉葉之花箋，文抽麗錦；舉纖纖之玉指，拍按香檀。不無清絶之辭，用助嬌嬈之態。自南朝之宮體，扇北里之倡風。何止言之不文，所謂秀而不實。

黃裳《演山集》卷二〇《演山居士新詞序》　風雅頌，詩之體；賦比興，詩之用。古之詩人，志趨之所向，情理之所感，含思則有賦，觸類則有比，對景則有興，以言乎德則有風，以言乎政則有雅，以言乎功則有頌。採詩之官收之於樂府，薦之於郊廟，其誠可以動天地、感鬼神；其理可以經夫婦、移風俗。有天下者得之以正乎下，而下或以爲嘉。有一國者得之以化乎下，而下或以爲美。以其主文而譎諫，故言之者無罪，聞之者足以誡。然則古之歌詞，固有本哉！六序以風爲首，終於雅頌，而賦比興存乎其中，亦有義乎？以其志趣之所向，情理之所感，有諸中以爲德，見於外以爲風，然後賦比興本乎此以成其體，以給其用。六者聖人特統以義而爲之名，苟非義之所在，聖人之所刪焉。

李之儀《姑溪居士前集》卷四〇《跋吳思道小詞》　長短句於遺詞中最爲難工，自有一種風格，稍不如格，便覺齟齬。唐人但以詩句，而下用和聲抑揚以就之，若今之歌《陽關》是也。至唐末，遂因其詩之長短句，而以意塡之，始一變以成音律。

王灼《碧雞漫志》卷二　長短句雖至本朝盛，而前人自立與眞情衰矣。

朱翌《猗覺寮雜記》卷上　古無長短句，但歌詩爾，今《毛詩》是也。唐此風猶在，明皇時李太白進木芍藥《清平調》，亦是七言四句詩。臨幸蜀，登樓聽歌李嶠詞「山川滿目淚沾衣」，亦止是一絕句詩。今不復有歌詩者，淫聲日盛，閭巷猥褻之談，肆言於內，集公燕之上，士大夫不以爲非，可怪也。

陸游《渭南文集》卷三〇《跋花間集》 唐自大中後，詩家日趣淺薄，其間傑出者，亦不復有前輩閎妙渾厚之作，久而自厭，然梏于俗，尙不能拔出。會有倚聲作詞者，本欲酒間易曉，頗擺落故態，適與六朝跌宕意氣差近，此集所載是也。故歷唐季五代，詩愈卑而倚聲者輒簡古可愛。蓋天寶以後，詩人常恨文不迨；大中以後，詩衰而倚聲作，使諸人以其所長格力施於所短，則後世孰得而議？筆墨馳騁則一，能此不能彼，未易以理推也。

曾豐《緣督集》卷一七《知稼翁詞序》 樂始有聲，次有音，最後有詞，商《那》、周《清廟》等頌，漢郊祀等歌是也。夫頌類選有道德者爲之，發乎情性，歸乎禮義，故商周之樂感人深。歌則雜出於無賴不羈之士，率情性而發耳。禮義之歸歟否耶，不計也，故漢之樂感人淺。本朝太平二百年，樂章名家紛如也。文忠蘇公，文章妙天下，長短句特緒餘耳，猶有與道德合者。「缺月疏桐」一章，觸興於驚鴻，發乎情性也；收思于洲冷，歸乎禮義也。黃太史相多大以爲非口食煙火人語，余恐不食煙火之人口所出僅塵外語，於禮義遑計歟。考功所立不在文字，余于樂章窺之，文字之中所立寓焉。泉幙之解，非所欲去，而寓意於「鄰雞不管離情」之句。秘館之除，非所欲就，而寓意於「殘春已負歸約」之句。凡感發而輸寫，大抵清而不激，和而不流，要其情性則適，揆之禮義而安，非欲爲詞也，道德之美，腴於根而盎于華，不能不爲詞也。

王炎《雙溪類稿》卷一〇《長短句序》 古律詩至晚唐衰矣，而長短句尤爲清脆，如幺弦孤韻，使人屬耳不厭也。予于詩文本不能工，而長短句不工尤甚。蓋長短句宜歌而不宜誦，非朱唇皓齒無以發其要妙之聲。【略】今之爲長短句者，字字言閨閤事，故語陋而意卑。或者又爲豪壯語以矯之，夫古律詩且不以爲豪壯爲貴，長短句命名曰曲，取其曲盡人情，惟婉轉嫵媚爲善，豪壯語何貴焉？不溺於情欲，不蕩而無法，可以言曲矣。

尹覺《題坦庵詞》 詞，古詩流也，吟詠情性，莫工於詞。

汪莘《方壺詩餘自序》 唐宋以來，詞人多矣。其詞主乎淫，謂不淫非詞也。余謂詞何必淫，顧所寓何如爾！余於詞，所愛喜者三人焉。蓋至東坡而一變，其豪妙之氣，隱隱然流出言外，天然絕世，不假振作。二變而爲朱希眞，多塵外之想，雖雜以微塵，而其清氣自不可沒。三變而爲辛稼軒，乃寫其胸中事，尤好稱淵明。此詞之三變也。

楊纘《作詞五要》 作詞之要有五：第一要擇腔。腔不韻則勿作。如《塞翁吟》之衰颯，《帝臺春》之不順，《隔浦蓮》之寄煞，《鬥百花》之無味是也。第二要擇律。律不應月，則不美。如十一月調須用正宮，元宵詞必用仙呂宮爲宜也。第三要塡詞按譜。自古作詞，能依句者已少，依譜用字者，百無一二。詞若歌韻不協，奚取焉？或謂善歌者，融化其字，則無疵。殊不知詳製轉折，用或不當，則失律，正旁偏側，淩犯他宮，非復本調矣。第四要隨律押韻。如越調《水龍吟》、商調《二郎神》，皆合用平入聲韻。古詞俱押去聲，所以轉摺怪異，成不祥之音，昧律者反稱賞之，是眞可解頤而啓齒也。第五要立新意。若用前人詞意爲之，則蹈襲無足奇者。須自作不經人道語，或翻前人意，便覺出奇。或只能鍊字，誦纔數過，便無精神，不可不知也。更須忌三重四同，始爲具美。

柴望《柴氏四隱集》卷一《梁州鼓吹詩餘自序》 大抵詞以雋永委婉爲尙，組織塗澤次之，呼嗥叫嘯，抑末也。

張炎《詞源》卷下 詞要清空，不要質實。清空則古雅峭拔，質實則凝澀晦昧。姜白石詞如野雲孤飛，去留無迹。吳夢窗詞如七寶樓臺，眩人眼目，碎拆下來，不成片段。此清空質實之說。

沈義父《樂府指迷》 然後知詞之作難於詩。蓋音律欲其協，不協則成長短之詩。下字欲其雅，不雅則近乎纏令之體。用字不可太露，露則直突而無深長之味。發意不可太高，高則狂怪而失柔婉之意。思此，則知其所以難。

陸輔之《詞旨》卷上 命意貴遠。用字貴便。造語貴新。煉字貴響。古人詩有翻案法，詞亦然。詞不用雕刻，刻則傷氣，務在自然。周清眞之典麗，姜白石之騷雅，史梅溪之句法，吳夢窗之字面，取四家之所長，去四家之所短，此翁之要訣。對句好可得，起句好難得。收拾全藉出場。凡觀詞須先識古今體製雅俗。脫出宿生塵腐氣，然後知此語，咀嚼有味。【略】製詞須布置停勻，血脈貫穿。過片不可斷曲意，如常山之蛇，救首救尾。

王若虛《滹南詩話》卷二 陳後山謂子瞻以詩爲詞，大是妄論，而世皆信之，獨茅荆產辨其不然，謂公詞爲古今第一。今翰林趙公亦云此，與人意暗同。蓋詩詞只是一理，不容異觀。自世之末作習爲纖豔柔脆，以投流俗之好，高人勝士，亦或以是相勝，而日趨於委靡。遂謂其體當然，而不知流弊之至此也。

王世貞《藝苑卮言·附錄》《花間》以小語致巧，《世說》靡也。《草堂》以麗字取妍，六朝隃也。即詞號稱詩餘，然而詩人不爲也。何者？其婉孌而近情也，足以移情而奪嗜。其柔靡而近俗也，詩嘽緩而就之，而不知其下也。之詩而詞，非詞也。之詞而詩，非詩也。言其業，李氏、晏氏父子、耆卿、子野、美成、少游、易安至矣，詞之正宗也。溫、韋豔而促，黄九精而刻，長公麗而壯，幼安辨而奇，又其次也，詞之變體也。詞興而樂府亡矣，曲興而詞亡矣，非樂府與詞之亡，其調亡也。

又 何元朗云：樂府以皦逕揚厲爲工，詩餘以婉麗流暢爲美。

沈際飛《草堂詩餘四集序》 情生文，文生情，何文非情？而以參差不齊之句，寫鬱勃難狀之情，則尤至也。彼瓊玉高寒，量移有地；花鈿殘醉，釋褐自天；甚而桂子荷香，流播金人，動念投鞭，一時治忽因之。甚而遠方女子，讀《淮海詞》，亦解膾炙，繼之以死，非針石芥珀之投，曷由致是？雖其鐫鏤脂粉，意專閨襜，安在乎好色而不淫，而我師尼氏刪《國風》，逮《仲子》、《狡童》之作，則不忍抹去，曰：人之情，至男女乃極。未有不篤於男女之情而君臣、父子、兄弟、朋友間，反有鍾吾情者。况借美人以喻君、借佳人以喻友，其旨遠，其諷微；豈僅如歐陽舍人所云「葉葉花箋，文抽麗錦；纖纖玉指，拍按香檀。不無清絶之詞，用助嬌嬈之態」而已哉！

潘游龍《古今詩餘醉自序》 詞則自極其意之所之，凡道學之所會通，方外之所靜悟，閨幃之所體察，理爲眞理，情爲至情。語不必蕪而單言雙句，餘於清遠者有焉，餘於摯刺者有焉，餘於莊麗者有焉，餘於凄婉悲壯、沈痛慷慨者有焉。令人撫一調，讀一章，忠孝之思，離合之況，山川草木，鬱勃難壯之境，莫不躍躍於言後言先，則詩餘之興起人，豈在《三百篇》之下乎？

徐士俊《蔭綠軒詞序》 詞與詩雖體格不同，其爲抒寫性情，標舉景物，一也。若夫性情不露，景物不眞，而徒然綴枯樹以新花，被偶人以衮服，飾淫靡爲周、柳，假豪放爲蘇、辛，號曰詩餘，生趣盡矣，亦何異詩家之活剝工部，生吞義山也哉？余故謂詞至今日而已臻其盛，正恐自今日而漸底于衰，寧無砥柱中流，蟬聯韻事，合南唐北宋而爲一家者。

陳子龍《三子詩餘序》 夫風騷之旨，皆本言情。言情之作，必托於閨襜之際。代有新聲，而想窮擬議，於是以溫厚之篇，含蓄之旨，未足以寫哀而宣志也，思極於追琢而纖刻之辭來，情深於柔靡而婉孌之趣合，志溺于燕婧而妍綺之境出，態趨於蕩逸而流暢之調生。是以鏤裁至巧，而若出自然，警露已深，而意含未盡。雖曰小道，工之實難。

又《王介人詩餘序》 宋人不知詩而強作詩，其爲詩也，言理而不言情，故終宋之世無詩焉。然宋人亦不免於有情也，故凡其歡愉愁怨之致，動於中而不能抑者，類發于詩餘，故其所造獨工，非後世可及。蓋以沉至之思而出之必淺近，使讀之者驟遇如在耳目之表，久誦而得沉永之趣，則用意難也。以嫚利之詞，而製之實工煉，使篇無累句，句無累字，圓潤明密，言如貫珠，則鑄調難也。其爲體也纖弱，所謂明珠翠羽，尙嫌其重，何況龍鸞。必有鮮妍之資，而不藉粉澤，則設色難也。其爲境也婉媚，雖以警露取妍，實貴含蓄，有餘不盡，時在低回唱歎之際，則命篇難也。惟宋人專力事之，篇什既多，觸景皆會，天機所啓，若出自然，雖高談大雅，而亦覺其不可廢。何則？物有獨至，小道可觀也。

李漁《窺詞管見》 作詞之難，難於上不似詩，下不類曲，不淄不磷，立於二者之中。大約空疏者作詞，無意肖曲，而不覺彷彿乎曲。有學問人作詞，儘力避詩，而究竟不離於詩。一則苦於習久難變，一則迫於舍此實無也。欲爲天下詞人去此二弊，當令淺者深之，高者下之，一俛一仰，而處於才不才之間，詞之三昧得矣。

又 詞之關鍵，首在有別於詩固已。但有名則爲詞，而考其體段，按其聲律，則又儼然一詩，覓相去之垠而不得者。【略】凡作此等詞，更難下筆，肖詩既不可，欲不肖詩又不能，則將何自而可？曰：不難，有摹腔鍊吻之法在。詩有詩之腔調，曲有曲之腔調，詩之腔調宜古雅，曲之腔調宜近俗，詞之腔調，則在雅俗相和之間。如畏摹腔鍊吻之法難，請從字句入手。取曲中常用之字，習見之句，去其甚俗，而存其稍雅，又不數見於詩者，入于諸調之中，則是儼然一詞，而非詩矣。是詞皆然，不獨以上諸調。人問以上諸調，明明是詩，必欲強命爲詞者，何故？予曰：此中根據，未嘗深考，然以意逆之，當有不出範圍者。昔日詩變爲詞，定由此數調始，取詩之協律便歌者，被諸管弦，得此數首，因其可詞而詞之，則今日之詞名，仍是昔日之詩題耳。

又 詞既求別於詩，又務肖曲中腔調，是曲不招我，而我自往就，求爲不類，其可得乎？曰：不然，當其摹腔鍊吻之時，原未嘗撇卻詞字，求其相似，又防其太似，所謂存稍雅，而去甚俗，正謂此也。有同一字義，而可詞可曲者。有止宜在曲，斷斷不可混用於詞者。【略】一字一句之微，即是詞曲分歧之界，此就淺者而言。至論神情氣度，則紙上之憂樂笑啼，與場上之悲歡離合，亦有似同而實別，可意會而不可言詮者。慧業之人，自能默探其秘。

又 詞之最忌者：有道學氣，有書本氣，有禪和子氣。

張星耀《詞論》 凡作詞第一須論體裁。如調自十四字起，至二百三十餘字止。短調須取意，如一丘一壑，安置得宜。其間烟雲變幻，令人尋繹無窮。長調須取勢，如長江大河，安流千里，遇風生瀾，隨勢轉折，而不失自然之妙，斯得之矣。

又 一須論句。句自一字起，至九字止，其中有如四言詩句，五言詩句，六言詩句，七言詩句，九言詩句。四言有一三句，五言有一四句，六言有三三句，七言有一六句、三四句，八言有三五句，九言有三六句、六三句。凡此俱宜細辨，不得混用。有順句，有拗句。一調之中，通首皆拗者，遇順句必須精警；通首皆順者，遇拗句必須極熟。此句法之要也。

又 作詞下字，前人詞中所未經見者，不可妄着一字。

又 詞必用對。起者如《滿庭芳》之「鳳老鶯雛，雨肥梅子」，《祝英臺近》之「寶釵分，桃葉渡」之類。中聯之必對者，如《鷓鴣天》之「山才好處行還倦，詩未成時雨早催」，《意難忘》之「低鬟蟬影動，私語口脂香」之類，斷不可參差失體。凡遇對句，必須斤兩悉稱，不可似對非對。

又 詞之押韻，日久日雜。晚唐五代無失韻者，北宋之失韻者不過十分之一，南宋十有二三，金元不相叶者半，至明而失韻者八九矣。不知詞韻自有一定不可移易，前人偶爾一誤，后人即以藉口。近日名人悉究心詞學，漸將反正，然必以沈氏《詞韻》爲宗。

又 詞之前後兩結，最是要緊。通首命脈，全在于此。前結如奔馬收繮，要勒得住，還存後面餘地，仍有住而不住之勢。後結如衆流歸海，要收得盡足完，通首脈絡，仍有盡而不盡之意。

又 詞有重句，是其中最緊要處。如《憶秦娥》之「秦樓月」，《醉東風》之「悶，悶，悶」，是承上接下語，須一氣轉下，其中仍有留連之意。《如夢令》之「如夢，如夢」，《轉應曲》之「腸斷，腸斷」，是轉語，其語意必須重說爲佳。《釵頭鳳》之「莫，莫，莫」，《惜分釵》之「悠悠」之類，是結上語，結語要接得着，結得住；不然，或承上而不接下，有不必重說而重說。接不着，結不住，眞嚼蠟矣。

又 詞貴蘊藉，如留人之詞云：「馬滑霜濃，不如休去，直是少人行。」何等蘊藉，而相留之意正在個中。如作挽手牽衣，便同村婦矣。

曹溶《古今詞話序》 塡詞于摛文最爲末藝，而染翰若有神工。蓋以偷聲減字，惟摭流景於目前，而換羽移宮，不留妙理於言外。雖極天分之殊優，加人工之雅縟，究非當行種草，本色眞乘也。所貴旨取花明，語能蟬脫，議論便入鬼趣，淹博終成骨董。在儷玉駢金者，向稱笨伯。而矜蟲鬥鶴者，未免傖父。用寫曲衷，亟參活句。有若國色天香，生機欲躍。如彼山光潭影，深造匪艱。務令味之者一唱三歎，聆之者動魄驚心。所云意致相詭，無理入妙者，代不數人，人不數句。其有造詞過壯，則與情相戾。辯言過理，又與景相違。剽擬者靡而短於思，臆創者俳而淺於法。剪採雜而顯古者卑之，操作易而深研者病之。即工力悉敵，意態紛陳，要旨糠粃，墮彼雲霧。不知文餘妙諦，解出旁觀。

田同之《西圃詞說》 詞以神氣爲主，取韻者次也，鏤金錯采，其末耳。

高珩《珂雪詞序》 至於縱橫入妙，能轉法華，則本來寂滅，不礙鶯花。文字性靈，無非般若。頻呼小玉，亦可證入圓通，有餘矣。

劉體仁《七頌堂詞繹》 一直說去，了無風味，此詞家最忌。

又 詞須上脫《香奩》，下不落元曲，乃稱作手。

又 詞中境界，有非詩之所能至者，體限之也。

沈謙《塡詞雜說》 承詩啓曲者，詞也，上不可似詩，下不可似曲。然詩曲又俱可入詞，貴人自運。

又 詞不在大小淺深，貴於移情。「曉風殘月」、「大江東去」，體製雖殊，讀之皆若身歷其境，惝怳迷離，不能自主，文之至也。

又 詞要不亢不卑，不觸不悖，蓦然而來，悠然而逝。立意貴新，設色貴雅，構局貴變，言情貴含蓄，如驕馬弄銜而欲行，粲女窺簾而未出，得之矣。

徐喈鳳《詞證》從來詩詞並稱，余謂詩人之詞，假多而眞少。如《邶風·燕燕》、《日月》、《終風》等篇，實有其別離，實有其擯棄，所謂文生於情也。若詞則男子而作閨音，寫景也，忽發離別之悲。詠物也，全寓棄捐之恨。無其事，有其情，令讀者魂絶色飛，所謂情生於文也。此亦詩詞之辨。

又 魏塘曹學士作《峽流詞序》云：「詞之爲體如美人，而詩則壯士也。如春華，而詩則秋實也。如夭桃繁杏，而詩則勁松貞柏也。」罕譬最爲明快。然詞中亦有壯士，蘇、辛也。亦有秋實，黄、陸也。亦有勁松貞柏，岳鵬舉、文文山也。選詞者兼收並采，斯爲大觀。若專尚柔媚，豈勁松貞柏，反不如夭桃繁杏乎。

又 蓋詩貴莊而詞不嫌佻，詩貴厚而詞不嫌薄，詩貴含蓄而詞不嫌流露。今日風氣與詞相近，余是以知其必勝也。

又《樂府指迷》云：「詞要清空，不要質實。」此八字是塡詞家金科玉律。清空則靈，質實則滯，張玉田所以揚白石而抑夢窗也。

朱彝尊《靜惕堂詞序》倚聲雖小道，當其爲之，必崇爾雅，斥淫哇。極其能事，則亦足以宣昭六義，鼓吹元音。

董以寧《蓉渡詞話》嚴給事與僕論詞云：近日詩餘，好亦似曲。僕謂詞與詩曲，界限甚分，似曲不可，似詩仍復不佳，譬如擬六朝文，落唐音固卑，上侵漢調亦覺傖父。

鄒祗謨《遠志齋詞衷》阮亭嘗云：有詩人之詞，有詞人之詞。詩人之詞，自然勝引，托寄高曠，如虞山、曲周、吉水、蘭陽、新建、蓋都諸公是也。詞人之詞，纏綿蕩往，窮纖極隱，則凝父、遐周、蕁僧、去矜諸君而外，此理正難簡會。

王士禛《花草蒙拾》或問詩詞曲分界，予曰「無可奈何花落去，似曾相識燕歸來」，定非《香奩詩》。「良辰美景奈何天，賞心樂事誰家院」，定非《草堂詞》也。

又《阮亭詩餘自序》 夫詩之必有餘，與經之必有騷，騷之必有古詩、樂府，古詩、樂府之必有歌行、近體、絶句，其致一也。凡人有所感於中，而不可得達，則思言之，言之不足，則長言之，長言之不足，則反復流連、詠歎淫佚，以盡其悲鬱愉快之致，亦人情也。

賀裳《皺水軒詞筌》小詞須風流蘊藉，作者當知三忌，一不可入漁鼓中語言，二不可涉演義家腔調，三不可像優伶開場時敘述。偶類一端，即成俗劣。

彭孫遹《金粟詞話》詞以自然爲宗，但自然不從追琢中來，便率易無味。如所云絢爛之極乃造平澹耳。若使語義澹遠者，稍加刻畫，鏤金錯繡者，漸近天然，則駸駸乎絶唱矣。

又 詞以豔麗爲本色，要是體製使然。

又 詞雖小道，然非多讀書則不能工。

田同之《西圃詞說·自序》 咄咄塡詞，豈小技哉？况詞有四聲、五音、清濁、重輕之別，較詩律倍難，且有詩所難言者，委曲倚之於聲，其旨愈遠。所謂假閨房之語，通《風》《騷》之義，匪惟不得志于時者之所宜爲，而通儒鉅公，亦往往爲之。不然張文潛以屈、宋、蘇、李譬方回，黄山谷以高唐、洛神方晏氏，亦從無疑三家之言爲過情者。咄咄塡詞，又豈小技哉。

又引袁籜庵曰 詞有三法：章法、句法、字法。有此三者，方可稱詞。噫！難言矣。

先著《詞潔序》詩之道廣，而詞之體輕。道廣則窮天際地，體物狀變，歷古今作者而猶未窮。體輕則轉喉應拍，傾耳賞心而足矣。詩自三言、四言，多至九字、十二字，一韻而止，未有數不齊、體不純者。詞則字數長短參錯，比合而成之。

又《詞潔》卷二 詞之初起，事不出於閨帷、時序。其後有贈送，有寫懷，有詠物，其途遂寬。卽宋人亦各競所長，不主一轍。而今之治詞者，惟以鄙穢褻媟爲極，抑何謬與。

厲鶚《群雅詞集序》詞之爲體，委曲嘽緩，非緯之以雅，鮮有不與波俱靡，而失其正者矣。

郭麐《靈芬館詞話》卷一 詞之爲體，大略有四：風流華美，渾然天成，如美人臨妝，卻扇一顧，《花間》諸人是也。晏元獻、歐陽永叔諸人繼之。施朱傅粉，學步習容，如宮女題紅，含情幽豔，秦、周、賀、晁諸人是也。柳七則靡曼近俗矣。姜、張諸子，一洗華靡，獨標清綺，如瘦石孤花，清笙幽磬，入其境者，疑有仙靈，聞其聲音，人人自遠。夢窗、竹屋，或揚或沿，皆有新雋，詞之能事備矣。至東坡以橫絕一代之才，淩厲一世之氣，間作倚聲，意若不屑，雄詞高唱，別爲一宗。辛、劉則粗豪太甚矣。其餘幺弦孤韻，時亦可喜。溯其派別，不出四者。

張惠言《詞選序》 詞者，蓋出於唐之詩人，採樂府之音以製新律，因繫其詞，故曰詞。傳曰：意内而言外者謂之詞。其緣情造端，興於微言，以相感動。極命風謡里巷男女哀樂，以道賢人君子幽約怨誹不能自言之情。低徊要眇以喻其致。蓋詩之比興，變風之義，騷人之歌，則近之矣。然以其文小，其聲哀，放者爲之，或淫蕩靡曼，雜以昌狂俳優。然要其至者，莫不惻隱盱愉，感物而發，觸類條鬯，各有所歸，不徒雕琢曼辭而已。

周濟《介存齋論詞雜著》 感慨所寄，不過盛衰，或綢繆未雨，或太息厝薪，或已溺已饑，或獨清獨醒，隨其人之性情學問境地，莫不有由衷之言。見事多，識理透，可爲後人論世之資。詩有史，詞亦有史，庶乎自樹一幟矣。若乃離別懷思，感士不遇，陳陳相因，唾瀋互拾，便思高揖温、韋，不亦恥乎！

又《詞辨自序》 夫人感物而動，興之所托，未必皆本莊雅。要在諷誦紬繹，歸諸中正，辭不害志，人不廢言。雖乖繆庸劣，纖微委瑣，苟可馳喻比類，翼聲究實，吾皆樂取，無苛責焉。後世之樂去詩遠矣，詞最近之。是故入人爲深，感人爲遠。往往流連反覆，有平矜釋躁、懲忿窒欲、敦薄寬鄙之功。南唐後主以下，雖駿快馳騖，豪宕感激，稍稍瀉矣。然猶皆委曲以致其情，未有亢厲剽悍之習，抑亦正聲之次也。若乃世俗傳習，而或辭不逮意，意不尊體，與夫淺陋淫褻之篇，亦遞取而論斷之。庶以愛厚古人，而袪學者之惑。

又《宋四家詞選目錄序論》 夫詞，非寄託不入，專寄託不出。一物一事，引而伸之，觸類多通。驅心若游絲之罥飛英，含毫如郢斤之斲蠅翼，以無厚入有間。既習已，意感偶生，假類畢達，閲載千百，謦欬弗違，斯入矣。賦情獨深，逐境必寤，醖釀日久，冥發妄中。雖鋪叙平淡，摹繢淺近，而萬感橫集，五中無主。讀其篇者，臨淵窺魚，意爲魴鯉，中宵驚電，罔識東西。赤子隨母笑啼，鄉人緣劇喜怒，抑可謂能出矣。

吳衡照《蓮子居詞話》卷一 詞忌堆積，堆積近縟，縟則傷意。詞忌雕琢，雕琢近澀，澀則傷氣。

又卷四 王少司寇昶云：世以填詞爲小道，此門籥扣槃之見，非眞知詞者。詞至碧山、玉田，傷時感事，上與《風》《騷》合旨，小道云乎哉。通人之言，識解自卓。徵歌度曲，蓋猶近《風》《雅》。腰鼓三百副，終勝於牧豬奴戲耳。

又 詞愈淡愈妙。頻伽《翠樓吟》云：「似儂曾到。只三兩人家，看來都好。柴門小。芙蓉無數，一時紅了。」惟其不着色，所以爲高。張淥卿詡尤能作苦語，眞詞中獨闢之境。

宋翔鳳《香草詞自序》 凡情與事委折，抑塞於五、七字詩，不能盡見者，詞能長短以陳之，抑揚以究之。蓋窮居則氣鬱，氣鬱則志衰，志衰而慮亂，慮亂而詞碎。而能歸之節輳之微，道以聲音之變，各使就理，靡不開暢，又能包含蘊蓄，不盡其聲，俾皆平其氣以和其疾。是以填詞之道，補詩境之窮，亦風會之所必至也。

孫麟趾《詞逕》 近人作詞，尙端莊者如詩，尙流利者如曲。不知詞自有界限，越其界限，即非詞。蔗鄉云：無才固不可作詞，然逞才作詞，詞亦不佳。須斂才鍊意，而以句調運之。詞中四字對句，最要凝練。如史梅溪云：「做冷欺花，將煙困柳。」只八個字，已將春雨畫出。七字對貴流走。如夢窗《倦尋芳》云：「珠珞香消空念往，紗窗人老羞相見。」令人讀去，忘其爲對乃妙。

又 包愼伯明府云：感人之速莫如聲，故詞別名倚聲。倚聲得者又有三：曰清，曰脆，曰澀。不脆則聲不成，脆矣而不清則膩，脆矣清矣而不澀則浮。

又 作詞十六要訣：清、輕、新、雅、靈、脆、婉、轉、留、托、澹、空、皺、韻、超、渾。

又 天之氣清，人之品格高者，出筆必清。五采陸離，不知命意所在者，氣未清也。清則眉目顯，如水之鑑物無遁影，故貴清。

又 重則板，輕則圓。重則滯，輕則活。萬鈞之鼎，隨手移去，豈不大妙。

又 陳言滿紙，人云亦云，有何趣味。若目中未曾見者，忽焉睹之，則不覺拍案起舞矣，故貴新。

又 座中多市井之夫，語言面目，接之欲嘔，以其欠雅也。街談巷語，入文人之筆，便成絕妙文章。一句不雅，一字不雅，一韻不雅，皆足以累句，故貴雅。

又 惟靈能變，惟靈能通。反是則笨，則木，故貴靈。

又 鶯語花間，動人聽者，以其脆也。音如敗鼓，人欲掩耳矣。故貴脆。

又 恐其平直，以曲折出之，謂之婉。如清眞「低聲問」數句，深得「婉」字之妙。

又 路已盡而復開出之，謂之轉。如「誰得似長亭樹，樹若有情時，不會得青青如此」，「當時送行，共約雁歸時。人賦歸歟。雁歸也，問人歸如雁也無」，「甚近來翻致無書。書縱遠，如何夢也都無」，皆用轉筆，以見其妙者也。

又 何謂留？意欲暢達，詞不能住，有一瀉無餘之病。貴能留住，如懸崖勒馬，用於收處最宜。

又 何謂托？泥煞本題，詞家最忌。托開說去，便不窘迫，即縱送之法也。

又 花之淡者其香清，友之淡者其情厚。耐人尋繹，正在於此，故貴淡。

又 天以空而高，水以空而明，性以空而悟。空則超，實則滯。

又 石以皺爲貴，詞亦然。能皺必無滑易之病，夢窗最善此。

又 韻即態也，美人之行動，能令人銷魂者，以其韻致勝也。作詞能攝取古人神韻必傳矣。

又 識見低，則出句不超。超者出乎尋常意計之外，白石多清超之句，宜學之。

又 何謂渾？如「淚眼問花花不語。亂紅飛過鞦韆去」、「江上柳如煙。雁飛殘月天」、「西風殘照，漢家陵闕」，皆以渾厚見長者也。詞至渾，功候十分矣。

又 深而晦，不如淺而明也。惟有淺處，乃見深處之妙。譬如畫家有密處，必有疏處。能深入不能顯出，則晦。能流利不能蘊藉，則滑。能尖新不能渾成，則纖。能刻畫不能超脫，則滯。一句一轉，忽離忽合，使閱者眼光搖晃不定，技乃神矣。

謝元淮《塡詞淺說》 是知詞之爲體，上不可入詩，下不可入曲。要于詩與曲之間，自成一境。守定詞場疆界，方稱本色當行。至其宮調、格律、平仄、陰陽，猶當逐一講求，以期完美。

丁紹儀《聽秋聲館詞話》卷一 自來詩家，或主性靈，或矜才學，或講格調，往往是丹非素。詞則三者缺一不可。蓋不曰賦、曰吟，而曰塡，則格調最宜講究。否則去上不分，平仄任意，可以娛俗目，不能欺識者。至性靈才學，設有所偏，非剪綵爲花，絕無生氣，即楊花滿紙，有類瞽詞。

杜文瀾《憩園詞話》卷一 詞以纖秀爲佳，凡使氣使才，矜奇矜僻，皆不可一犯筆端。

錢裴仲《雨華盦詞話》 言情之作易於褻，其實情與褻，判然兩途，而人每流情入褻。余以爲好爲褻語者，不足與言情。

又 迷離惝怳，若近若遠，若隱若見，此善言情者也。若忒煞頭頭尾尾說來，不爲合作。

李佳《左庵詞話》卷上 張茗柯論詞，謂取意內言外之旨。謝枚如內翰論之甚詳。予乃一言以蔽之曰：「詞達而已矣。」

又 宋人詞體尙澀，國朝宗之，謂爲浙派，多以典麗幽澀爭勝。予不謂然。以爲詞貴曲而不直，而又不可失之晦，令人讀之悶悶，不知其意何在。

又 詩詞之界，迥乎不同。意有詞所應有而不宜用之詩。字有詞所應用而亦不可用之詩。漁洋山人詩，用「雨絲風片」，爲人所疵，即是此義。故有能詩而不能詞者，且有能詞猶是詩人之詞，非詞人之詞，其間固自有辨。

又 詞最忌板，須用虛字轉折方活。如任、看、正、待、乍、怕、總、向、愛、奈、似、但、料、想、更、算、況、悵、快、早、儘、憑、歎、方、將、未、已、應、若、莫、念、甚、倘、便、怎、恁等類皆是。學者不曉音律，但譜一詞，自唱數遍，覺有生硬，啞而不響，平側不順之字，屢屢易之，以求其諧。久之亦暗與音律自合。

又 詞有發于天籟，自然佳妙，不假工力強爲。如說部中載有樵夫哭母詞云：「哭一聲，叫一聲。兒的聲音娘慣聽，如何娘不應？」所謂文章本天成，妙手偶得之。又謂信手拈來，都成妙諦。又謂「清晨登隴首」，羌無故實。此詞之旨，可以通于詩文。

又卷下 人有欲爲古今體詩以爲名者，往往作七言律以爲庶異於試帖。實則法律毫無領會，不值識者一哂。不解倚聲者，強欲作詞，亦不過亂拈詩文中字，塡作長短句，輒自負爲能詞。而詞家法律，亦毫無領會。然果屬通品，能文章，自必能爲詞賦，何致夏蟲語冰之誚。文有體裁，詩詞亦有體裁，不容少紊，而筆致固自不同。清奇濃淡，各視性情所近。爲學詣所造，正不必強不同以爲同，亦惟求其是而已。

又　凡前人名作，無論詠古詠物，既經膾炙人口，便不宜作和韻，適落窠臼。必須用翻案法，獨出新意，方足以爭奇製勝。否則縱極工穩，亦不過拾人牙慧。

又　人多謂詞賦爲雕蟲小技，意不屑爲。非不屑爲，乃不易爲也。微論音律奧妙，未易索解，即求諸字句之工，非精心深詣，何能造到恰好地步。彼高談道學者，固難語此，即謬托風雅者，亦豈足知此。

又　詞曰詩餘，曲曰詞餘，詩與詞不同，詞與曲境界亦難強合。然工詩者未必工詞，工詞者自可工曲，詞曲之間，究相近也。

又　詞貴音調鏗鏘，尤貴豐神蘊藉。不諧不可爲詞，不雅亦不可爲詞，固應曲子相公，方稱通品。

又　詞意貴遠，用字貴便，造語貴新，鍊字貴響。古人詩有翻案法，詞亦然。詞不用雕刻，刻則傷氣。務在自然。詞旨之說如是，操觚染翰家，宜深味也。

謝章鋌《賭棋山莊詞話》卷二　或曰：「詞者詩之餘。」然自有詩，即有長短句，特全體未備耳。後人不究其源，輒復易視，而道錄佛偈巷說街談，開卷每有《如夢令》、《西江月》諸調，此誠風雅之蟊賊，聲律之狐鬼也。乃近日詞壇哲匠，亦復不嫌鄙倍，唱《道情》、《鼓子詞》之類，張皇楮墨。夫古人樂府，專重典雅，竹坨操選，以此爲準。試觀小山、夢符二家小令，抑何宛轉多風。況詞又非曲比者，而必以釘鉸爲瓣香哉？

又卷一一　詞宜雅矣，而尤貴得趣。雅而不趣，是古樂府。趣而不雅，是南北曲。李唐、五代多雅趣並擅之作。雅如美人之貌，趣是美人之態。有貌無態，如皐不笑，終覺寡情。有態無貌，東施效顰，亦將卻步。

又《續編》卷五　有通套語、門面語，流傳習用，且若奉爲指南，而不知其與本義不相酬者。如近人論詞，輒曰：「詞者，意內言外。」按此語本于《說文》。然此特大徐本耳，若小徐本，則作「意內音外」。音外者，古之所謂語助，今之所謂虛字也。故經傳於助句之字，輒訓曰詞。若，幾詞也。於，歎詞也。云，語已詞也。其，問詞之助也。此類多矣。夫「意內言外」，何文不然，不能專屬之長短句。苟爲「意內音外」，則倚聲者將專求虛義，專講餘腔，若古樂府之「淪涬」、「妃呼豨」之類，令人不可解乎。且今之稱爲能手者，不以作意見奇，而以知音自詡，是直「音內意外」矣，更與古義不合。是蓋乾嘉以來，考據盛行，無事不敷以古訓，塡詞者遂竊取《說文》，以高其聲價。殊不知許叔重之時，安得有減偷之學，而預立此一字爲晏、秦、姜、史作導師乎。郢書燕說，衆口一辭，何爲也。

又《雙鄰詞鈔序》　詞也者，意內而言外者也。言勝意，剪綵之花也。意勝言，道情之曲也。顧與其言勝，無寧意勝，意勝則情深。

又《葉辰溪我聞室詞叙》　詞雖小道，難言矣。與詩同志而竟詩焉，則亢。與曲同音而竟曲焉，則狎。其文綺靡，其情柔曼，其稱物近，而托興遠且微。驟聆之，若惝怳纏綿不自持，而敦摯不得已之思隱焉。是則所謂意內言外者歟？

又《抱山樓詞叙》　夫詞欲清空，忌塡實。清空生於靜，靜則心妙。其寄意也微，其託興也孤。

趙函《納蘭詞序》　詩之爲道，非具湛深通博之學、雄駿絕特之才，不足以神明其事。詞則不然，發乎性情，合乎《騷》、《雅》，刻畫乎律呂分寸，一毫矜才使氣不得。故有詩才淩轢一代，而詞則瞠乎莫陟藩籬者。

張預《許刻山中白雲詞跋》　詞之爲體，幽深繚曲，主於言情。至於憂思鬱怫，別存懷抱，其旨遠者其風彌正，非夫淫靡浮窳之響所得羼矣。

徐鼒《水雲樓詞序》　原夫詩餘之作，蓋亦樂府之遺。孤臣孽子，勞人思歸，吁閶闔而不聽，繼以歌哭；懼正容之莫悟，矢以曼音。其體卑，其思苦，其寄託幽隱，其節奏嘽緩。故爲之者必中句中矩，端如貫珠；宜宮宜商，較之累黍。

黄燮清《寒松閣詞題評》　詞宜細不宜粗，宜曲不宜直，宜幽不宜淺，宜沈不宜浮，宜蓄不宜滑，宜豔不宜枯，宜韻不宜俗，宜遠不宜近，宜言外有意，不宜意盡於言，宜寓情于景，不宜舍景言情。以上數條，合之則是，離之則非，合之則爲雅音，通於《風》、《騷》，離之則入於曲調，甚或流爲插科打諢、村歌里唱矣。此中界限，切宜細辨。

劉熙載《詞概》　樂歌，古以詩，近代以詞。如《關雎》、《鹿鳴》，皆聲出於言也。詞則言出於聲矣，故詞，聲學也。

又《說文》解「詞」字曰：「意內而言外也。」徐鍇《通論》曰：「音內而言外，在音之內，在言之外也。」故知詞也者，言有盡而音意無窮也。

又 詞有創調，倚聲，本諸倡和。倡和莫先于虞廷。觀「乃歌曰」以下三句調，卽「乃賡載歌」及「又歌」之調所出也。《風》、《雅》篇必數章，後章亦多用前調，其或前後小異者，殆猶詞同調之又一體耳。

又 詞導源於古詩，故亦兼具六義。六義之取，各有所當，不得以一時一境盡之。

又 樂，中正爲《雅》，多哇爲《鄭》。詞，樂章也，《雅》、《鄭》不辨，更何論焉？

又 詞以煉章法爲隱，煉字句爲秀。秀而不隱，是猶百琲明珠，而無一線穿也。

又 詞之妙，全在襯跌，如文文山《滿江紅·和王夫人》云：「世態便如翻覆雨，妾身元是分明月。」《酹江月·和友人驛中言別》云：「鏡裏朱顏都變盡，只有丹心難滅。」每二句若非上句，則下句之聲情不出矣。

又 詞深於興，則覺事異而情同，事淺而情深。故沒要緊語，正是極要緊語，亂道語，正是極不亂道語。固知「吹皺一池春水，干卿甚事」，原是戲言。

又 詞之爲物，色香味宜無所不具。以色論之，有借色，有眞色，借色每爲俗情所豔。不知必先將借色洗盡，而後眞色見也。

又 昔人論詞，要如嬌女步春。余謂更當有以益之曰：如異軍特起，如天際眞人。

又 詞尚清空妥溜，昔人已言之矣。惟須妥溜中有奇創，清空中有沈厚，才見本領。

又 詞要恰好，粗不得，纖不得，硬不得，軟不得。不然，非傖父卽兒女矣。

又 黃魯直跋東坡《卜算子》「缺月掛疏桐」一闋云：「語意高妙，似非吃煙火食人語，非胸中有萬卷書，筆下無一點塵俗氣，孰能至此。」余案：詞之大要，不外厚而清。厚，包諸所有。清，空諸所有也。

又 詞要清新，切忌拾古人牙慧。蓋在古人爲清新者，襲之卽腐爛也，拾得珠玉，化爲灰塵，豈不重可鄙笑。

又 描頭畫角，是詞之低品。蓋詞有全體，宜無失其全，詞有內蘊，宜無失其蘊。

又 詞之妙，莫妙於以不言言之，非不言也，寄言也。如寄深於淺，寄厚於輕，寄勁於婉，寄直於曲，寄實於虛，寄正於餘，皆是。

又 詞以不犯本位爲高，東坡《滿庭芳》：「老去君恩未報，空回首，彈鋏悲歌。」語誠慷慨。然不若《水調歌頭》：「我欲乘風歸去，又恐瓊樓玉宇，高處不勝寒。」尤覺空靈蘊藉。

又 司空表聖云：「梅止於酸，鹽止於鹹，而美在酸鹹之外。」嚴滄浪云：「妙處透徹玲瓏，不可湊泊，如水中之月，鏡中之象。」此皆論詩也。詞亦以得此境爲超詣。

又 詞莫要於有關係，張元幹仲宗因胡邦衡謫新州，作《賀新郎》送之，坐是除名，然身雖黜而義不可沒也。張孝祥安國于建康留守席上，賦《六州歌頭》，致感重臣罷席。然則詞之興觀群怨，豈下於詩哉？

又 詞尚風流儒雅，以塵言爲儒雅，以綺語爲風流，此風流儒雅之所以亡也。

又 詞家先要辨得情字，《詩序》言「發乎情」，《文賦》言「詩緣情」，所貴於情者，爲得其正也。忠臣、孝子、義夫、節婦，皆世間極有情之人，流俗誤以欲爲情。欲長情消，患在世道。倚聲一事，其小焉者也。

又 詞進而人亦進，其詞可爲也。詞進而人退，其詞不可爲也。詞家彀到名教之中，自有樂地，儒雅之內，自有風流，斯不患其人之退也夫。

兪樾《玉可庵詞存序》 詞之正宗則貴清空，不貴餖飣，貴微婉，不貴豪放。

譚獻《復堂詞錄叙》 詞爲詩餘，非徒詩之餘，而樂府之餘也。律呂廢墜，則聲音衰息，聲音衰息，則風俗遷改，《樂經》亡而六義不完，樂府之官廢而四始六義之遺蕩焉泯焉。夫音有抗墜，故句有長短，聲有抑揚，故韻有緩促，生今日而求樂之似，不得不有取於詞矣。唐人樂府多采五、七言絕句。自李太白創詞調，比至宋初，慢詞尚少，至大晟之署，《應天長》、《瑞鶴仙》之屬，上薦郊廟，拓大厥宇，正變日備。愚謂詞不必無頌，而大旨近雅，於雅不能大，然亦非小，殆雅之變者歟？其感人也尤捷，無有遠近幽深，風之使來，是故比興之義，升降之故，視詩較著。夫亦在於爲之者矣，上之言志，永言次之，志潔行芳，而後洋洋乎會于《風》《雅》。雕琢曼辭，蕩而不反，文焉而不物者，過矣靡矣，又豈詞之本然也哉。

王耕心《白雨齋詞話序》 所謂詞者，意內而言外，格淺而韻深，其發攄性情之微，尤不可掩。而世乃欲以鍥薄求之，藻繪揉之，抑末已。

陳廷焯《詞壇叢話》 詞與詩不同，詩有五言，有七言，讀者易知。詞則句調參差，短長不一，初覽者難於辨識。

又《白雨齋詞話・自叙》 倚聲之學，千有餘年，作者代出。顧能上溯《風》《騷》，與爲表裏，自唐迄今，合者無幾。竊以聲音之道，關乎性情，通乎造化。小其文者不能達其義，竟其委者未獲泝其源。揆厥所由，其失有六。飄風驟雨，不可終朝，促管繁弦，絕無餘蘊，失之一也。美人香草，貌托靈修，蝶雨梨雪，指陳瑣屑，失之二也。雕鎪物類，探討蟲魚，穿鑿愈工，風雅愈遠，失之三也。慘慽憯悽，寂寥蕭索，感寓不當，慮歎徒勞，失之四也。交際未深，謬稱契合，頌揚失實，遑恤譏評，失之五也。情非蘇、竇，亦感回文，慧拾孟、韓，轉相鬥韻，失之六也。作者愈漓，議者益左，竹垞《詞綜》，可備覽觀，未嘗爲探本之論。紅友《詞律》，僅求諧適，不足語正始之原。下此則務取穠麗，矜言該博。大雅日非，繁聲競作，性情散失，莫可究極。夫人心不能無所感，有感不能無所寄，寄託不厚，感人不深，厚而不鬱，感其所感，不能感其所不感。伊古詞章，不外比興。《谷風》陰雨，猶自期以同心，攘詢忍尤，卒不改乎此度。爲一室之悲歌，下千年之血淚，所感者深且遠也。後人之感，感于文不若感於詩，感於詩不若感於詞。詩有韻，文無韻。詞可按節尋聲，詩不能盡被弦管。

又卷一 學古人詞，貴得其本原，捨本求末，終無是處。其年學稼軒，非稼軒也。竹垞學玉田，非玉田也。樊榭取徑于《楚騷》，非《楚騷》也。均不容不辨。

又 作詞之法，首貴沈鬱，沈則不浮，鬱則不薄。顧沈鬱未易強求，不根柢于《風》、《騷》，烏能沈鬱？十三國變風、二十五篇《楚詞》，忠厚之至，亦沈鬱之至，詞之源也。不究心於此，率爾操觚，烏有是處？

又 詩詞一理，然亦有不盡同者。詩之高境，亦在沈鬱，然或以古樸勝，或以沖淡勝，或以鉅麗勝，或以雄蒼勝。納沈鬱於四者之中，固是化境，即不盡沈鬱，如五、七言大篇，暢所欲言者，亦別有可觀。若詞則舍沈鬱之外，更無以爲詞。蓋篇幅狹小，倘一直說去，不留餘地，雖極工巧之致，識者終笑其淺矣。

又 所謂沈鬱者，意在筆先，神餘言外，寫怨夫思婦之懷，寓孽子孤臣之感。凡交情之冷淡，身世之飄零，皆可於一草一木發之。而發之又必若隱若見，欲露不露，反覆纏綿，終不許一語道破，匪獨體格之高，亦見性情之厚。飛卿詞，如「懶起畫蛾眉，弄妝梳洗遲」，無限傷心，溢於言表。又「春夢正關情，鏡中蟬鬢輕」，悽涼哀怨，真有欲言難言之苦。又「花落子規啼，綠窗殘夢迷」，又「鸞鏡與花枝，此情誰得知」，皆含深意。此種詞，弟自寫性情，不必求勝人，已成絕響。後人刻意爭奇，愈趨愈下，安得一二豪傑之士，與之挽回風氣哉。

又卷五 古之爲詞者，志有所屬，而故鬱其辭，情有所感，而或隱其義。而要皆本諸《風》、《騷》，歸於忠厚。自新聲競作，懷才之士，皆不免爲風氣所囿，務取悅人，不復求本原所在。

又卷六 或問比與興之別。余曰：「宋德祐太學生《百字令》、《祝英臺近》兩篇，字字譬喻，然不得謂之比也。以詞太淺露，未合風人之旨。如王碧山詠螢、詠蟬諸篇，低回深婉，托諷於有意無意之間，可謂精於比義。若興則難言之矣。托喻不深，樹義不厚，不足以言興。深矣厚矣，而喻可專指，義可強附，亦不足以言興。所謂興者，意在筆先，神餘言外，極虛極活，極沈極鬱，若遠若近，可喻不可喻，反覆纏綿，都歸忠厚。求之兩宋，如東坡《水調歌頭》、《卜算子》，白石《暗香》、《疏影》，碧山《眉嫵》、《慶清朝》、《高陽臺》等篇，亦庶乎近之矣。」

又 詞貴渾涵，刻摯不渾涵，終屬下乘。晁無咎詠梅云：【略】費盡氣力，終是不好看。宋末蕭泰來《霜天曉角》一闋，亦犯此病。

又 迦陵雄勁之氣，竹垞清雋之思，樊榭幽豔之筆，得其一節，亦足自豪。若兼有衆長，加以沈鬱，本諸忠厚，便是詞中聖境。

又 作詞貴求其本原，而文藻亦不可不講。求之《詞選》，以探其本。博之《詞綜》，以廣其才。按之《詞律》，以合其法。詞之道幾盡於是。惟本之所在，未易驟探。第求諸《詞選》，尚不足臻無上妙諦。

又卷七 溫厚和平，詩教之正，亦詞之根本也。然必須沈鬱頓挫出之，方是佳境。否則不失之淺露，即難免乎庸。

又　入門之始，先辨雅俗。雅俗既分，歸諸忠厚。既得忠厚，再求沈鬱。沈鬱之中，運以頓挫，方是詞中最上乘。

又　作詞氣體要渾厚，而血脈貴貫通。血脈要貫通，而發揮忌刻露。居心忠厚，托體高渾，雅而不腐，逸而不流，可以爲詞矣。

又　雄闊非難，深厚爲難。刻摯非難，幽鬱爲難。疏逸非難，冲淡爲難。工麗非難，雅正爲難。奇警非難，頓挫爲難。纖巧非難，渾融爲難。古今不乏名家，兼有衆長鮮矣。詞豈易言哉？

又卷八　詩之高境在沈鬱，其次即直截痛快，亦不失爲次乘。詞則舍沈鬱之外，即金氏所謂俚詞、鄙詞、游詞，更無次乘也。

又　溫厚和平，詩詞一本也。然爲詩者，既得其本，而措詞則以平遠雍穆爲正，沈鬱頓挫爲變。特變而不失其正，即于平遠雍穆中，亦不可無沈鬱頓挫也。詞則以溫厚和平爲本，而措語即以沈鬱頓挫爲正，更不必以平遠雍穆爲貴。詩與詞同體異用者在此。

又　詩詞同體而異用，曲與詞則用不同，而體亦漸異。此不可不辨。

又　文采可也，浮豔不可也。樸實可也，鄙陋不可也。差以毫釐，謬以千里矣。

又　情以鬱而後深，詞以婉而善諷。故樸實而施於詩。施於詞者，百中獲一耳。樸實尚未必盡合，况鄙陋乎！

又　詩有詩境，詞有詞境。詩詞一理也。然有詩人所闢之境，詞人尚未見者，則以時代先後遠近不同之故。一則如淵明之詩，淡而彌永，樸而愈厚，極疏極冷，極平極正之中，自有一片熱腸，纏綿往復。此陶公所以獨有千古，無能爲繼也。求之於詞，未見有造此境者。一則如杜陵之詩，包括萬有，空諸倚傍，縱橫博大，千變萬化之中，卻極沈鬱頓挫，忠厚和平。此子美所以横絶古今，無與爲敵也。求之於詞，亦未見有造此境者。若子建之詩，飛卿詞固已幾之。太白之詩，東坡詞可以敵之。子昂高古，摩詰名貴，則子野、碧山，正不多讓。退之生鑿，柳州幽峭，則稼軒、玉田，時或過之。至謂白石似淵明，大晟似子美，則吾尚不謂然。然則詞中未造之境，以待後賢者尚多也。

沈祥龍《論詞隨筆》　詞得屈子之纏綿悱惻，又須得莊子之超曠空靈。蓋莊子之文，純是寄言，詞能寄言，則如鏡中花，如水中月，有神無迹，色相俱空，此惟在妙悟而已。嚴滄浪云：惟悟乃爲當行，乃爲本色。

又　詞之體格如詩。小令，詩之五言也；長調，詩之七言也。小令貴工整，貴超脱。長調貴動宕，貴沈鬱。然亦貴相通相濟。

又　詩有賦比興，詞則比興多於賦。或借景以引其情，興也。或借物以寓其意，比也。蓋心中幽約怨悱，不能直言，必低徊要眇以出之，而後可感動人。

又　詞之體，各有所宜，如弔古宜悲慨蒼涼，紀事宜條暢滉漾，言愁宜嗚咽悠揚，述樂宜淋漓和暢，賦閨房宜旖旎嫵媚，詠關河宜豪放雄壯。得其宜則聲情合矣，若琴瑟專一，便非作家。

又　詞有三法：章法、句法、字法也。章法貴渾成，又貴變化；句法貴精鍊，又貴灑脱；字法貴新隽，又貴自然。

又　詞有三要：曰情、曰韻、曰氣。情欲其纏綿，其失也靡；韻欲其飄逸，其失也輕；氣欲其動宕，其失也放。

又　古詩云：「識曲聽其眞。」眞者，性情也，性情不可强。觀稼軒詞知爲豪傑，觀白石詞知爲才人，其眞處有自然流出者。詞品之高低，當於此辨之。

又　詞之言情，貴得其眞。勞人、思婦、孝子、忠臣，各有其情。古無無情之詞，亦無假託其情之詞。柳、秦之妍婉，蘇、辛之豪放，皆自言其情者也。必專言《懊儂》、《子夜》之情，情之爲用，亦隘矣哉。

又　詞以自然爲尚。自然者，不雕琢、不假借、不著色相、不落言詮也。古人名句，如「梅子黄時雨」、「雲破月來花弄影」，不外自然而已。

又　詞宜清空，然須才華富，藻采縟，而能清空一氣者爲貴。清者不染塵埃之謂，空者不著色相之謂。清則麗，空則靈，如月之曙，如氣之秋，表聖品詩，可移之詞。

又　詞不宜過於設色，亦不宜過於白描。設色則無骨，白描則無采，如粲女試妝，不假珠翠而自然濃麗，不洗鉛華而自然淡雅，得之矣。

又　詞不尚鋪叙，而事理自明，不尚議論，而情理自見，其間全賴一「清」字。骨理清，體格清，辭意清，更出以風流蘊藉之筆，則善矣。

又　詞當於空處起步，閑處著想，空則不佔實位，而實意自寵住。閑則不犯正位，而正意自顯出。若開口便實便正，神味索然矣。

又 詞韶麗處，不在塗脂抹粉也。誦東坡「冰肌玉骨，自清涼無汗，水殿風來暗香滿」句，自覺口吻俱香。悲慨處不在歎逝傷離也，誦耆卿「漸風霜淒緊，關河冷落，殘照當樓」句，自覺神魂欲斷。蓋皆在神不在迹也。

又 含蓄無窮，詞之要訣。含蓄者意不淺露，語不窮盡，句中有餘味，篇中有餘意，其妙不外寄言而已。

又 宋人選詞，多以雅名，俗俚固非雅，即過於穠豔，亦與雅遠。雅者其意正大，其氣和平，其趣淵深也。

又 詞能幽澀，則無淺滑之病，能皺瘦，則免癡肥之誚。觀周美成、張子野兩家詞自見。

又 詞于清麗圓轉中，間以壯闊之句，力量始大，玉田詞往往如此。

又 詞雖濃麗而乏趣味者，以其但知作情景兩分語，不知作景中有情，情中有景語耳。「雨打梨花深閉門」、「落紅萬點愁如海」，皆情景雙繪，故稱好句，而趣味無窮。

又 詞不能推垛書卷，以誇典博，然須有書卷之氣味。胸無書卷，襟懷必不高妙，意趣必不古雅，其詞非俗卽腐，非粗卽纖。故山谷稱東坡《卜算子》詞，非胸中有萬卷書，孰能至此。

又 詞於古文詩賦，體製各異。然不明古文法度，體格不大，不具詩人旨趣，吐屬不雅，不備賦家才華，文采不富。王元美《藝苑卮言》云：「塡詞雖小技，尤爲謹嚴。」賀黃公《詞筌》云：「塡詞亦兼辭令議論敘事之妙。」然則詞家於古文詩賦，亦貴兼通矣。

又 以詞爲小技，此非深知詞者。詞至南宋，如稼軒、同甫之慷慨悲涼，碧山、玉田之微婉頓挫，皆傷時感事，上與《風》、《騷》同旨，可薄爲小技乎？若徒作側豔之體，淫哇之音，則謂之小也亦宜。

又 詞調有生熟，有諧拗，熟者多諧，生者多拗。熟而諧者，貴逐字錘鍊，求其新警。生而拗者，貴一氣旋轉，求其渾成。新警則熟者不熟，渾成則生者不生矣。

張德瀛《詞徵》卷一 詞與辭通，亦作詞。《周易》孟氏章句曰，意內而言外也。《釋文》沿之。小徐《說文系傳》曰，音內而言外也。《韻會》沿之。言發於意，意爲之主，故曰意內。言宜於音，音爲之倡，故曰音內。其旨同矣。

又 詞有毗于陽，有毗于陰。毗于陽，則陂聲散，厚聲石矣。毗于陰，則回聲衍，薄聲甄矣。準的無主，二者交譏之。

又 詞有與風詩意義相近者，自唐迄宋，前人鉅製，多寓微旨。【略】其它觸物牽緒，抽思入冥，漢魏齊梁，托體而成。揆諸樂章，喁於瓠聲，信淒心而咽魄，固難得而遍名矣。

又 釋皎然《詩式》謂詩有六至：至險而不僻，至奇而不差，至麗而自然，至苦而無迹，至近而意遠，至放而不迂。以詞衡之，至險而不僻者，美成也。至奇而不差者，稼軒也。至麗而自然者，少游也。至苦而無迹者，碧山也。至近而意遠者，玉田也。至放而不迂者，子瞻也。

又 詞有內抱、外抱二法：內抱如姜堯章《齊天樂》「曲曲屏山，夜涼獨自甚情緒」是也；外抱如史梅溪《東風第一枝》「恐鳳鞾挑菜歸來，萬一灞橋相見」是也。元代以後，鮮有通此理者。

陳銳《褒碧齋詞話》 詞如詩，可模擬得也。南唐諸家，回腸蕩氣，絕類建安。柳屯田不着筆墨，似古樂府。辛稼軒俊逸似鮑明遠。周美成渾厚擬陸士衡。白石得淵明之性情。夢窗有康樂之標軌。皆苦心孤造，是以被弦管而格幽明，學者但于面貌求之，抑末矣。

又 姜白石《長亭怨慢》云：「樹若有情時，不會得青青如此。」王碧山云：「水遠，怎知流水外，卻是亂山尤遠。」似覺輕俏可喜，細讀之毫無理由。所以詞貴清空，尤貴質實。

張祥齡《詞論》 詞，詩家之賊，差以毫釐，失之千里。作詩，則詞意詞字不容出入。片玉人稱善融唐詩，稼軒或用《楚辭》，此亦偶然，長處固不在是。如謂詩佳，何不誦唐詩。非謂詩之道大，詞之道小，體格然也。

又 詞主譎諫，與詩同流。稼軒《摸魚兒》、酒邊《阮郎歸》、鹿虔扆之「金鎖重門」、謝克家之「依依宮柳」之屬，所謂「《國風》好色而不淫，《小雅》怨悱而不亂」，此固有之。但不必如張皐文膠柱鼓瑟耳。

又 龍川《水調歌頭》云：「堯之都，舜之壤，禹之封。於今應有一個半個恥和戎。」《念奴嬌》云：「因笑王謝諸人，登高懷遠，也學英雄涕。」世謂此等爲洗金釵鈿盒之塵，不知洗之者在氣骨，非在選字。周姜綺語，不患大家。若以叫囂粗獷爲正雅，則末之聞。

又 尚密麗者失於雕鑿。竹山之鷺曰「瓊絲」，鴛曰「繡羽」。又「霞鑠簾珠」，「雲蒸翔龍」，「金樅躍鳳」之屬，過於澀鍊，若整疋綾羅，剪成寸寸。七寶樓臺，蓋薄之之辭。吳中七子，流弊如此。反是者又復鄙俚，山谷之村野，屯田之脱放，則傷雅矣。作者自酌其才，與何派相近，一篇之中，又不可雜合，不配色。意鍊則辭警闢，自無淺俗之患。若夫興往情來，召吕命律，吐納山川，牢籠百代，又非飣餖所知矣。

王國維《人間詞話》 詞以境界爲最上。有境界則自成高格，自有名句。五代北宋之詞所以獨絶者在此。

又 有造境，有寫境，此理想與寫實二派之所由分。然二者頗難分别。因大詩人所造之境，必合乎自然，所寫之境，亦必鄰於理想故也。

又 有有我之境，有無我之境。「淚眼問花花不語，亂紅飛過鞦韆去」、「可堪孤館閉春寒，杜鵑聲裏斜陽暮」，有我之境也。「采菊東籬下，悠然見南山」、「寒波澹澹起，白鳥悠悠下」，無我之境也。有我之境，以我觀物，故物皆著我之色彩；無我之境，以物觀物，故不知何者爲我，何者爲物。古人爲詞，寫有我之境者爲多，然未始不能寫無我之境，此在豪傑之士能自樹立耳。

又 無我之境，人唯於靜中得之；有我之境，於由動之靜時得之。故一優美，一宏壯也。

又 自然中之物，互相關係，互相限制。然其寫之于文學及美術中也，必遺其關係、限制之處。故雖寫實家，亦理想家也。又雖如何虚構之境，其材料必求之于自然，而其構造，亦必從自然之法則，故雖理想家，亦寫實家也。

又 境非獨謂景物也。喜怒哀樂，亦人心中之一境界。故能寫眞景物、眞感情者，謂之有境界。否則謂之無境界。

又 境界有大小，不以是而分優劣。「細雨魚兒出，微風燕子斜」，何遽不若「落日照大旗，馬鳴風蕭蕭」？「寶簾閑挂小銀鈎」，何遽不若「霧失樓臺，月迷津渡」也？

又 嚴滄浪《詩話》謂：「盛唐諸公，唯在興趣。羚羊掛角，無迹可求。故其妙處，透澈玲瓏，不可湊拍。如空中之音，相中之色，水中之影，鏡中之象，言有盡而意無窮。」余謂：北宋以前之詞，亦復如是。然滄浪所謂興趣，阮亭所謂神韻，猶不過道其面目。不若鄙人拈出「境界」二字，爲探其本也。

又 問「隔」與「不隔」之别，曰：陶謝之詩不隔，延年則稍隔矣。東坡之詩不隔，山谷則稍隔矣。「池塘生春草」、「空梁落燕泥」等二句，妙處唯在不隔。詞亦如是。即以一人一詞論，如歐陽公《少年游·詠春草》上半闋云：「闌干十二獨憑春。晴碧遠連雲。千里萬里，二月三月，行色苦愁人。」語語都在目前，便是不隔。至云「謝家池上，江淹浦畔」，則隔矣。白石《翠樓吟》：「此地。宜有詞仙，擁素雲黄鶴，與君游戲。玉梯凝望久，歎芳草萋萋千里。」便是不隔。至「酒祓清愁，花消英氣」，則隔矣。然南宋詞雖不隔處，比之前人，自有淺深厚薄之别。

又 詞之雅鄭，在神不在貌。永叔、少游雖作豔語，終有品格。方之美成，便有淑女與倡伎之别。

又 陸放翁《跋花間集》謂：「唐季五代，詩愈卑，而倚聲者輒簡古可愛。能此不能彼，未易以理推也。」《提要》駁之謂：「猶能舉七十斤者，舉百斤則蹶，舉五十斤則運掉自如。」其言甚辨。然謂詞必易於詩，余未敢信。善乎陳臥子之言曰：「宋人不知詩而強作詩，故終宋之世無詩。然其歡愉愁怨之致，動於中而不能抑者，類發于詩餘，故其所造獨工。」五代詞之所以獨勝，亦以此也。

又 詩之《三百篇》、《十九首》，詞之五代、北宋，皆無題也。非無題也。詩詞中之意，不能以題盡之也。自《花庵》、《草堂》，每調立題，並古人無題之詞亦爲之作題。如觀一幅佳山水，而即曰此某山某河，可乎？詩有題而詩亡，詞有題而詞亡。然中材之士，鮮能知此而自振拔者矣。

又 人能於詩詞中不爲美刺投贈之篇，不使隸事之句，不用粉飾之字，則於此道已過半矣。

又 近體詩體製，以五、七言絶句爲最尊，律詩次之，排律最下。蓋此體於寄興言情，兩無所當，殆有均之駢體文耳。詞中小令如絶句，長調似律詩，若長調之《百字令》、《沁園春》等，則近於排律矣。

又 散文易學而難工，駢文難學而易工。近體詩易學而難工。古體詩難學而易工。小令易學而難工，長調難學而易工。

又 古詩云：「誰能思不歌？誰能饑不食？」詩詞者，物之不得其平而鳴者也。故歡愉之辭難工，愁苦之言易巧。

又 詞之爲體，要眇宜修。能言詩之所不能言，而不能盡言詩之所能言。詩之境闊，詞之言長。

又 言氣質，言神韻，不如言境界。有境界，本也。氣質、神韻，末也。有境界而二者隨之矣。「西風吹渭水，落葉滿長安」，美成以之入詞，白仁甫以之入曲，此借古人之境界爲我之境界者也。然非自有境界，古人亦不爲我用。

又 「紛吾既有此內美兮，又重之以修能。」文字之事，於此二者，不能缺一。然詞乃抒情之作，故尤重內美。無內美而但有修能，則白石耳。

鄭文焯《四印齋本花間集跋》 詞者，意內而言外，理隱而文貴，其原出於變《風》、《小雅》，而流濫于漢魏樂府、歌謠。皐文所謂「不敢同詩賦而並誦之」者，亦以《風》《雅》之馨遺，文章之流變；其體微，其道尊也。

況周頤《蕙風詞話》卷一 沈約《宋書》曰：「吳歌雜曲，始皆徒歌。既而被之弦管。又有因弦管金石作歌以被之。」按前一法卽虞廷依永之遺，後一法當起于周末宋玉《對楚王問》。首言客有歌於郢中者，下云其爲《陽阿》、《薤露》，其爲《陽春》、《白雪》，皆曲名。是先有曲而後有歌也。塡詞家自度曲，率意爲長短句，而後協之以律，此前一法也。前人本有此調，後人按腔塡詞，此後一法也。沿流溯源，與休文之説相應。歌曲之作，若枝葉始敷。乃至於詞，則芳華益茂。詞之爲道，智者之事。酌劑乎陰陽，陶寫乎性情。自由元音，上通雅樂。別黑白而定一尊，亘古今而不敝矣。唐宋以還，大雅鴻達，篤好而專精之，謂之詞學。獨造之詣，非有所附麗，若爲駢枝也。曲士以詩餘名詞，豈通論哉？

又 詩餘之「餘」，作「贏餘」之「餘」解。唐人朝成一詩，夕付管弦，往往聲希節促，則加入和聲。凡和聲皆以實字塡之，遂成爲詞。詞之情文節奏，並皆有餘於詩，故曰「詩餘」。世俗之説，若以詞爲詩之勝義，則誤解此「餘」字矣。

又 作詞有三要：曰重、拙、大。南渡諸賢不可及處在是。

又 詞中求詞，不如詞外求詞。詞外求詞之道，一曰多讀書，二曰謹避俗。俗者，詞之賊也。

又 塡詞要有天資，要學力。平日之閲歷，目前之境界，亦與有關係。無詞境，卽無詞心。矯揉而彊爲之，非合作也。境之窮達，天也，無可如何者也。雅俗，人也，可擇而處者也。

又 詞筆固不宜直率，尤切忌刻意爲曲折。以曲折藥直率，卽已落下乘。昔賢樸厚醇至之作，由性情學養中出，何至蹈直率之失。若錯認眞率爲直率，則尤大不可耳。

又 詞能直，固大佳。顧所謂直，誠至不易。不能直，分也。當於無字處爲曲折，切忌有字處爲曲折。

又 詞中轉折宜圓。筆圓，下乘也；意圓，中乘也；神圓，上乘也。

又 詞不嫌方。能圓，見學力；能方，見天分。但須一落筆圓，通首皆圓。一落筆方，通首皆方。圓中不見方，易；方中不見圓，難。

又 詞過經意，其蔽也斧琢。過不經意，其蔽也褦襶。不經意而經意，易；經意而不經意，難。

又 「恰到好處，恰夠消息。毋不及，毋太過。」半塘老人論詞之言也。

又 詞太做，嫌琢。太不做，嫌率。欲求恰如分際，此中消息，正復難言。但看夢窗何嘗琢，稼軒何嘗率，可以悟矣。

又 「眞」字是詞骨。情眞，景眞，所作爲佳，且易脱稿。

又 詞人愁而愈工。眞正作手，不愁亦工，不俗故也。不俗之道，第一不纖。

又 作詞最忌一「矜」字。「矜」之在迹者，吾庶幾免矣。其在神者，容猶在所難免。兹事未遽自足也。

又 凡人學詞，功候有淺深，卽淺亦非疵，功力未到而已。不安於淺而致飾焉，不恤顰眉，齲齒，楚楚作態，乃是大疵，最宜切忌。

又 塡詞先求凝重。凝重中有神韻，去成就不遠矣。所謂神韻，卽事外遠致也。卽神韻未佳而過存之，其足爲疵病者亦僅，蓋氣格較勝矣。若從輕倩入手，至於有神韻，亦自成就，特降於出自凝重者一格。若並無神韻而過存之，則不爲疵病者亦僅矣。或中年以後，讀書多，學力日進，所作漸近凝重，猶不免時露輕倩本色，則凡輕倩處，卽是傷格處，卽爲疵病矣。天分聰明人最宜學凝重一路，卻最易趨輕倩一路。苦於不自知，又無師友指導之耳。

又 詞學程式，先求妥帖、停勻，再求和雅、深（此「深」字只是「不淺」之謂）秀，乃至精穩、沈著。精穩則能品矣。沈著更進於能品矣。精穩之「穩」，與妥帖迥乎不同。沈著尤難於精穩。平昔求詞詞外，於性情得所養，於書卷觀其通。優而游之，饜而飫之，積而流焉。所謂滿心而發，肆口而成，擲地作金石聲矣。情眞理足，筆力能包舉之。純任自然，不假錘煉，則「沈著」二字之詮釋也。

又 吾蒼茫獨立于寂寞無人之區，忽有匪夷所思之一念，自沈冥杳靄中來，吾於是乎有詞。洎吾詞成，則於頃者之一念若相屬若不相屬也。而此一念，方綿邈引演於吾詞之外，而吾詞不能殫陳，斯爲不盡之妙。非有意爲是不盡，如書家所云無垂不縮，無往不復也。

又 問：塡詞如何乃有風度？答：由養出，非由學出。問：如何乃爲有養？答：自善葆吾本有之清氣始。問：清氣如何善葆？答：花中疏梅，文杏。亦復托根塵世，甚且斷井、頹垣，乃至摧殘爲紅雨，猶香。

又 作詞至於成就，良非易言。卽成就之中，亦猶有辨。其或絕少襟抱，無當高格，而又自滿足，不善變。不知門徑之非，何論堂奥？然而從事于斯，歷年多，功候到，成就其所成就，不得謂非專家。凡成就者，非必較優於未成就者。若納蘭容若，未成就者也，年齡限之矣。若厲太鴻，何止成就而已，且浙派之先河矣。

又卷五 澀之中有味、有韻、有境界，雖至澀之調，有眞氣貫注其間。其至者，可使疏宕，次亦不失凝重，難與貌澀者道耳。

命 意

晏幾道《小山詞序》 作五、七字語，期以自娛，不獨叙其所懷，兼寫一時杯酒間聞見及同游者意中事。

張炎《詞源》卷下 作慢詞，看是甚題目，先擇曲名，然後命意。命意既了，思量頭如何起，尾如何結，方始選韻，而後述曲。最是過片，不要斷了曲意，須要承上接下。如姜白石詞云：「曲曲屏山，夜涼獨自甚情緒。」於過片則云：「西窗又吹暗雨。」此則曲之意脈不斷矣。詞既成，試思前後之意不相應，或有重疊句意，又恐字面粗疏，卽爲修改。

又 詞以意爲主，不要蹈襲前人語意。如東坡中秋《水調歌》云：【略】夏夜《洞仙歌》云：【略】王荆公金陵懷古《桂枝香》云：【略】姜白石《暗香》賦梅云：【略】《疏影》云：【略】此數詞皆清空中有意趣，無筆力者未易到。

又 大詞之料，可以斂爲小詞，小詞之料，不可展爲大詞。若爲大詞，必是一句之意，引而爲兩三句，或引他意入來，捏合成章，必無一唱三歎。

又 詞欲雅而正，志之所之，一爲情所役，則失其雅正之音。

沈義父《樂府指迷》 作大詞，先須立間架，將事與意分定了。【略】作小詞只要些新意，不可太高遠。

俞彦《爰園詞話》 遇事命意，意忌庸、忌陋、忌襲。立意命句，句忌腐、忌澀、忌晦。意卓矣，而束之以音。屈意以就音，而意能自達者，鮮矣。【略】此詞之所以難也。

李漁《窺詞管見》 文字莫不貴新，而詞爲尤甚。不新可以不作，意新爲上，語新次之，字句之新又次之。所謂意新者，非於尋常聞見之外，別有所聞所見，而後謂之新也。卽在飲食居處之內，布帛菽粟之間，儘有事之極奇，情之極豔，詢諸耳目，則爲習見習聞，考諸詩詞，實爲罕聽罕睹，以此爲新，方是詞内之新，非《齊諧》志怪、《南華》志誕之所謂新也。

又 詩詞未論美惡，先要使人可解，白香山一言，破盡千古詞人魔障。爨嫗尙使能解，況稍稍知書識字者乎。嘗有意極精深，詞涉隱晦，翻繹數過，而不得其意之所在。此等詩詞，詢之作者，自有妙論，不能日叩玄亭，問此累帙盈篇之奇字也。

徐喈鳳《詞證》 詞自隋煬、李白創調之後，作者多以閨詞見長。合諸名家計之，不下數千萬首，深情婉至，摹寫殆盡。今人可以不作矣。卽或變調爲之，終是拾人牙後。

賀裳《皺水軒詞筌》 詞家用意極淺，然愈翻則愈妙。【略】然總此一意也，正如剝蕉者，轉入轉深耳。

又 詞莫病於淺直。

許宗彦《蓮子居詞話序》 要皆隨音律遞變，而作者本旨，無不濫觴楚騷，導源《風》《雅》，其趣一也。故覽一篇之詞，而品之純駁，學之淺深，如或貢之。命意幽遠，用情溫厚，上也。辭旨儇薄，冶蕩而忘反，斵其性命之理，則大雅君子弗爲也。

吳衡照《蓮子居詞話》卷一 張玉田云：詞貴雅正，如周美成「最苦今宵，夢魂不到伊行。天便教人，霎時廝見何妨」，「許多煩惱，只爲當時一晌留情」，所謂變淳泊爲澆漓矣。韙哉是言。雅俗正變之殊，學者誠不可不變。「銷魂當此際」，東坡所以誚于少游也。

又卷二 言情以雅爲宗，語豐則意尙巧，意褻則語貴曲。

周濟《介存齋論詞雜著》學詞先以用心爲主，遇一事，見一物，即能沈思獨往，冥然終日，出手自然不平。次則講片段，次則講離合，成片段而無離合，一覽索然矣。次則講色澤、音節。

孫麟趾《詞逕》用意須出人意外，出句如在人口頭，便是佳作。

李佳《左庵詞話》卷上　詞以意趣爲主，意趣不高不雅，雖字句工穎，無足尚也。意能迥不猶人最佳。東坡詞最有新意，白石詞最有雅意。

又卷下　作詞，字警不如句警，句警不如意警。令人閲之，不禁加圈叫好。彼平平之作，雖通首無不妥處，細玩之，竟欲加一圈而不能。

又　詞貴有意，首尾一線穿成，非枝枝節節爲之。其間再參以虛實、反正、開合、抑揚，自成合作。

劉熙載《詞概》一轉一深，一深一妙，此騷人三昧，倚聲家得之，便自超出常境。

又　空中蕩漾，最是詞家妙訣。上意本可接入下意，卻偏不入，而於其間傳神寫照，乃愈使下意栩栩欲動。《楚辭》所謂「君不行兮夷猶，蹇誰留兮中洲」也。

又　詞要放得開，最忌步步相連。又要收得回，最忌行行愈遠。必如天上人間，去來無迹，斯爲入妙。

陳廷焯《白雨齋詞話》卷四　作詞貴于悲鬱中見忠厚，悲怨而激烈，其人非窮則夭。漢舒詞如：「浮生皆夢，可憐此夢偏惡。」又云：「看取西去斜陽，也如客意，不肯多耽擱。」沈痛迫烈，便成詞讖，香雪所以不永年也。

又卷五　激昂慷慨，原非正聲。然果能精神團聚，辟易萬夫，亦非強有力者未易臻此。國朝爲此調者，迦陵尚矣。後來之儁，必不得已，仍推板橋。若蔣心餘、黃仲則輩，醜態百出矣。

又卷八　詩詞所以寄感，非以殉情也。不得旨歸，而徒騁才力，復何足重。唐賢云：「枉抛心力作詞人。」不宜更蹈此弊。

沈祥龍《論詞隨筆》詞者詩之餘，當發乎情，止乎禮義。《國風》好色而不淫，《小雅》怨悱而不亂，《離騷》之旨，即詞旨也。

又　《說文》：意內而言外曰詞。詞貴意藏於內，而迷離其言以出之，令讀者鬱伊愴快。於言外有所感觸。

又　詞當意餘於辭，不可辭餘於意。東坡謂少游「小樓連苑橫空，下窺繡轂雕鞍驟」二句，只說得車馬樓下過耳，以其辭餘於意也。若意餘於辭，如東坡「燕子樓空，佳人何在，空鎖樓中燕」，用張建封事。白石「猶記深宮舊事，那人正睡裏，飛近蛾綠」，用壽陽事，皆爲玉田所稱。蓋辭簡而餘意悠然不盡也。

又　詞不顯言直言，而隱然能感動人心，乃有關係，所謂「言者無罪，聞者足戒」也。南唐李後主游宴，潘佑進詞云：「樓上春寒山四面，桃李不須誇爛熳。已失了春風一半。」蓋謂外多敵國，地日侵削也。後主爲之罷宴。詞能如此，何減諫章。

況周頤《蕙風詞話》卷一　初學作詞，只能道第一義，後漸深入。意不晦，語不琢，始稱合作。至不求深而自深，信手拈來，令人神味俱厚。規橅兩宋，庶乎近焉。

又　詞貴意多。一句之中，意亦忌複。如七字一句，上四是形容月，下三勿再說月。或另作推宕，或旁面襯托，或轉進一層，皆可。若帶寫它景，僅免犯複，尤爲易易。

又　作詞不拘說何物事，但能句中有意即佳。意必己出，出之太易或太難，皆非妙造。難易之中，消息存焉矣。唯易之一境，由於情景眞，書卷足，所謂滿心而發，肆口而成者，不在此例。

又卷五　詞貴有寄託。所貴者流露於不自知，觸發於弗克自已。身世之感，通于性靈。即性靈，即寄託，非二物相比附也。横亘一寄託于搦管之先，此物此志，千首一律，則是門面語耳，略無變化之陳言耳。於無變化中求變化，而其所謂寄託，乃益非眞。昔賢論靈均書辭，或流於跌宕怪神，怨懟激發，而不可以爲訓。必非求變化者之變化矣。夫詞如唐之《金荃》，宋之《珠玉》，何嘗有寄託，何嘗不卓絕千古，何庸爲是非眞之寄託耶？

韻律

沈括《夢溪筆談》卷五　古詩皆詠之，然後以聲依詠以成曲，謂之協律。其志安和，則以安和之聲詠之。其志怨思，則以怨思之聲詠之。故治世之音安以樂，則詩與志，聲與曲，莫不安且樂；亂世之音怨以怒，則詩與志，聲與曲，莫不怨以怒。此所以審音而知政也。詩之外又有和聲，則所謂曲也。

古樂府皆有聲有詞，連屬書之，如曰「賀賀賀」、「何何何」之類，皆和聲也，今管弦之「中纏聲」亦其遺法也。唐人乃以詞填入曲中，不復用和聲。此格雖云自王涯始，然貞元、元和之間爲之者已多，亦有在涯之前者。又小曲有「咸陽沽酒寶釵空」之句，云是李白所製，然《李白集》中有《清平樂》詞四首，獨欠是詩，而《花間集》所載「咸陽沽酒寶釵空」，乃云是張泌所爲，莫知孰是也。今聲詞相從，唯里巷間歌謠及《陽關》、《擣練》之類稍類舊俗。然唐人塡曲，多詠其曲名，所以哀樂與聲尚相諧會。今人則不復知其聲矣，哀聲而歌樂詞，樂聲而歌怨詞，故語雖切而不能感動人情，由聲與意不相諧故也。

胡仔《苕溪漁隱叢話後集》卷三三　至晏元獻、歐陽永叔、蘇子瞻，學際天人，作爲小歌詞，直如酌蠡水于大海，然皆句讀不葺之詩爾，又往往不協音律者，何邪？蓋詩文分平側，而歌詞分五音，又分五聲，又分六律，又分清濁輕重。且如近世所謂《聲聲慢》、《雨中花》、《喜遷鶯》，既押平聲韻，又押入聲韻；《玉樓春》本押平聲韻，又押上去聲，又押入聲。本押仄聲韻，如押上聲則協，如押入聲則不可歌矣。王介甫、曾子固文章似西漢，若作一小歌詞，則人必絶倒，不可讀也。乃知別是一家，知之者少。

姜夔《長亭怨慢小序》　予頗喜自製曲，初率意爲長短句，然後協以律，故前後闋多不同。

張侃《拙軒詞話》　郭沔云：詞中仄字上、去二聲，可用平聲。惟入聲不可用上三聲，用之則不協律。近體如《好事近》、《醉落魄》，只許押入聲韻。

張炎《詞源》卷下　詞以協音爲先。音者何？譜是也。古人按律製譜，以詞定聲，此正聲依永律和聲之遺意。有法曲，有五十四大曲，有慢曲。若曰法曲，則以倍四頭管品之，其聲清越。大曲則以倍六頭管品之，其聲流美。卽歌者所謂曲破，如《望瀛》，如《獻仙音》，乃法曲，其源自唐來。如《六幺》，如《降黃龍》，乃大曲，唐時鮮有聞。法曲有散序、歌頭，音聲近古，大曲有所不及。若大曲亦有歌者，有譜而無曲，片數與法曲相上下。其說亦在歌者稱停緊慢，調停音節，方爲絶唱。惟慢曲引近則不同。名曰小唱，須得聲字清圓，以啞篳篥合之，其音甚正，簫則弗及也。慢曲不過百餘字，中間抑揚高下，丁抗掣拽，有大頓、小頓、大住、小住、打、掯等字。眞所謂上如抗，下如墜，曲如折，止如槁木，倨中矩，句中鈎，累累乎端如貫珠之語，斯爲難矣。

又　詞之作必須合律，然律非易學，得之指授方可。若詞人方始作詞，必欲合律，恐無是理，所謂千里之程，起於足下，當漸而進可也。正如方得離俗爲僧，便要坐禪守律。未曾見道，而病已至，豈能進於道哉？音律所當參究，詞章先宜精思，俟語句妥溜，然後正之音譜，二者得兼，則可造極玄之域。今詞人纔說音律，便以爲難，正合前說，所以望望然而去之。苟以此論製曲，音亦易諧，將于于然而來矣。

又　詞不宜強和人韻，若倡者之曲韻寬平，庶可賡歌。倘韻險又爲人所先，則必牽強賡和，句意安能融貫，徒費苦思，未見有全章妥溜者。東坡次章質夫楊花《水龍吟》韻，機鋒相摩，起句便合讓東坡出一頭地，後片愈出愈奇，眞是壓倒今古。我輩倘遇險韻，不若祖其元韻，隨意換易，或易韻答之，是亦古人三不和之說。

沈義父《樂府指迷》　押韻不必盡有出處，但不可杜撰。若只用出處押韻，卻恐窒塞。

又　腔律豈必人人皆能按簫塡譜，但看句中用去聲字最爲緊要。然後更將古知音人曲，一腔三兩隻參訂，如都用去聲，亦必用去聲。其次如平聲，卻用得入聲字替。上聲字最不可用去聲字替。不可以上去入，盡道是側聲，便用得，更須調停參訂用之。古曲亦有拗音，蓋被句法中字面所拘牽，今歌者亦以爲礙。如《尾犯》之用「金玉珠珍博」，「金」字當用去聲字。如《絳都春》之用「游人月下歸來」，「游」字合用去聲字之類是也。

又　詞中多有句中韻，人多不曉。不惟讀之可聽，而歌時最要叶韻應拍，不可以爲閑字而不押。【略】有人隨意押入他韻，尤可笑。

俞彥《爰園詞話》　詞全以調爲主，調全以字之音爲主。音有平仄，多必不可移者，間有可移者。仄有上去入，多可移者，間有必不可移者。儻必不可移者，任意出入，則歌時有棘喉澀舌之病。故宋時一調，作者多至數十人，如出一吻。今人既不解歌，而詞家染指，不過小令中調，尚多以律詩手爲之，不知孰爲音，孰爲調，何怪乎詞之亡已。

楊愼《詞品》卷一　塡詞平仄及斷句皆定數，而詞人語意所到，時有參差。【略】然句法雖不同，而字數不少。妙在歌者上下縱橫取協爾。

又　沈約之韻，未必悉和聲律，而今詩人守之，如金科玉條。此無他，今之詩學李杜，李、杜學六朝，往往用沈韻，故相襲不能革也。若作塡詞，自可通變。如「朋」字與「蒸」同押，「打」字與「等」同押，「卦」字、「畫」字，與「怪」、「壞」同押，乃是駃舌之病，豈可以爲法耶？元人周德清著《中原音韻》，一以中原之音爲正，偉矣。然予觀宋人塡詞，亦已有開先者。蓋眞見在人心目，有不約而同者。俗見之膠固，豈能眯豪傑之目哉！

李漁《窺詞管見》 塡詞之難，難於拗句。拗句之難，只爲一句之中，或仄多平少，平多仄少，或當平反仄，當仄反平，利於口者叛乎格，雖有警句，無所用之，此詞人之厄也。予向有一法，以濟其窮，已悉之《閑情偶寄》。恐有未盡閱者，不妨再見於此書。四聲之內，平止得一，而仄居其三。人但知上去入三聲，皆麗乎仄。而不知上之爲聲，雖與去入無異，而實可介乎平仄之間。以其另有一種聲音，雜之去入之中，大有涇渭，且若平聲未遠者。古人造字審音，使居平仄之介，明明是一過文，由平至仄，從此始也。譬之四方鄉音，隨地各別，吳有吳音，越有越語，相去不啻河漢。而一到接壤之處，則吳越之音相半，吳人聽之覺其同，越人聽之亦不覺其異。九州八極，無一不然，此卽聲音之過文，猶上聲介乎平去入之間也。詞家當明是理，凡遇一句之中，當連用數仄者，須以上聲字間之，則似可以代平，拗而不覺其拗矣。若連用數平字，雖不可以之代平，亦於此句仄聲字內，用一上聲字間之，卽與純用去入者有別，亦似可以代平。最忌連用數去聲，或入聲，並去入亦不相同，則是期期艾艾之文，讀其詞者，與聽口吃之人說話無異矣。

又 不用韻之句，還其不用韻，切勿過於騁才，反得求全之毁。蓋不用韻爲放，用韻爲收，譬之養鷹縱犬，全於放處逞能。常有數句不用韻，卻似散漫無歸，而忽以一韻收住者，此當日造詞人顯手段處。彼則以爲奇險莫測，在我視之，亦常技耳。不過以不用韻之數句，聯其意爲一句，一直趕下，趕到用韻處而止。其爲氣也貴乎長，其爲勢也利於捷。若不知其意之所在，東奔西馳，直待臨崖勒馬，韻雖收而意不收。

毛奇齡《西河詞話》 詞本無韻，故宋人不製韻，任意取押，雖與詩韻相通不遠，然要是無限度者。【略】況詞盛于宋，盛時不作，則毋論今不必作，萬一作之，而與古未同，則揣度之胸，多所兀臬，從之者不安，而刺之者有間，亦何必然。至若北曲有韻，南曲無韻，皆以意出入，而近亦遂以北曲之例限之。至好爲臆撰如《西樓記》者，公然以《中原音韻》明注曲下，且引曲至尾，皆限一韻。而附和之徒，反以古曲之出入爲謬，而引曲、過曲、前腔、尾聲之換韻，反謂非體。何今人之好自用，而不好按古，一至是也。

又 李于鱗以塡詞法作樂府，謂樂府有聲調，倘語句稍異，則於聲調便不合爾。不知塡詞原有語句平仄正同，而聲調反異者，如《玉樓春》與《木蘭花》同，而以大石調歌之，則爲《木蘭花》類。然則聲調何嘗在語句耶？樂有調同而字句異者，清調、平調，殊于楚歌。有調異而字句同者，《豳雅》、《豳風》，只一《七月》。于鱗坐不解耳。

王又華《古今詞論》 王阮亭曰：【略】宋諸名家要皆妙解絲肉，精於抑揚抗墜之間，故能意在筆先，聲叶字表。今人不解音律，毋論不能創調，卽按譜徵詞，亦格格有心手不相赴之病。欲與古人較工拙於毫釐，難矣。

劉體仁《七頌堂詞繹》 古詞佳處，全在聲律見之。今止作文字觀，正所謂徐六擔板。

沈謙《塡詞雜說》 小令、中調有排蕩之勢者，吳彥高之「南朝千古傷心事」、范希文之「塞下秋來風景異」是也。長調極狎昵之情者，周美成之「衣染鶯黃」、柳耆卿之「晚晴初」是也。於此足悟偸聲變律之妙。

又 小調要言短意長，忌尖弱。中調要骨肉停勻，忌平板。長調要操縱自如，忌粗率。能於豪爽中著一二精緻語，綿婉中著一二激厲語，尤見錯綜。

鄒祗謨《遠志齋詞衷》 阮亭常與余論韻，謂周挺齋《中原音韻》爲曲韻，則范善溱《中州全韻》當爲詞韻。至《洪武正韻》，斟酌諸書而成。其于詩韻，有獨用並爲通用者（東冬、清青之屬），有一韻析爲二韻者（虞模、麻遮之屬），如冬鍾並入東韻，江並入陽韻，挑出元字等入先韻，翻字殘字等入刪韻，俱與宋詞暗合。塡詞者所當援據，議極簡賅。但愚按《中州》之比《中原》，止省陰陽之別，及所收字微寬耳。其減入聲作三聲，及分車遮等韻，則一本《中原》，尙與詞韻有辨。卽阮亭舊作如《南鄉子》、《卜算子》、《念奴嬌》、《賀新郎》諸闋，所用魚模仄韻，有將入聲轉叶者，俱用《中州韻》故耳。揆諸宋人韻腳所拘，借用一二，亦轉本音，竟而通叶，昔人少覯。至毛氏南曲韻十九則，乃全依《正韻》分部。而又云：沈氏詞韻，《中原音韻》，可以參用。大約詞韻寬于詩韻，合諸書參伍以盡變，則瞭如指掌矣。

又 宋人詞韻有通用至數韻者，有忽然出一韻者，有數人如一轍者，有一首而僅見者。後人不察，利爲輕便，一韻偶侵，遂延他部，數字相引，竟及全文，此毛氏一人通譜，全族通譜之喻爲不易也。學者但遵成法，並舉習見者於繩尺，自鮮蹉跌。無遽以魯男子之不可，學柳下惠之可耳。

又　宋詞多上去通用，其來已久。考《樂府雜録》云：平聲羽七調，上聲角七調，去聲宮七調，入聲商七調。又《元和韻譜》云：平聲者哀而安，上聲者厲而舉，去聲者清而遠，入聲者直而促。則昔人歌筵舞袖間，何以使紅牙畢協，其理固不可強解。

又　入聲最難分别，即宋人亦錯綜不齊，沈氏詞韻當已。【略】其於入聲辨析益嚴。中間子母離合，嫡裔判承，證古之外，以按文尋聲得之。窮源别支，轉換反叶，兼及陰陽首尾之故，鈎貫探索，爲説甚辯。

又　嘗觀方子謙《韻會小補》所載，有一字而數音者，有一字而古讀與古叶各殊者。古人用韻參錯，必有援據。今人孟浪引用，借以自文，惑已。如辛稼軒歌、麻通用，鮮不疑之。毛馳黄云：古六麻一部，入魚虞歌三部。蓋車讀如居，邪讀如徐，花讀如敷，家瓜讀如姑，麻讀如磨，他讀如拖之類是也。塡詞與騷賦異體，自當斷以近韻爲法。

又　沈休文四聲韻中，如朋與蒸，鞵與戈，車與麻，打與等，卦劃與怪壞之類，挺齋、升庵俱駁爲鴂舌。而宋詞中至張仲宗呼否爲府，以叶主舞。林外呼瑣爲掃，以叶老。俞克成呼我爲襖，以叶好。《詞品》皆指爲閩音，其説甚當。而毛馳黄謂沈韻本屬同文，非江淮間偏音，挺齋詆之，謬已。蓋自《三百篇》、《楚詞》，以迄南曲，一系相承，俱屬爲韻統。而北曲偏音，四聲不備爲别統。故金元人作詩，亦用沈韻。作詞亦不專用周韻，從無以入聲分叶平上去者。又安得以曲韻廢詞韻，且上格詩韻乎。

先著《詞潔發凡》　韻，小乘也。豔，下駟也。詞之工絶處，乃不主此。今人多以是二者言詞，未免失之淺矣。蓋韻則近于佻薄，豔則流於褻媟，往而不返，其去吴騷市曲無幾。必先洗粉澤，後除琱繢，靈氣勃發，古色黯然，而以情興經緯其間。雖豪宕震激，而不失於粗，纏綿輕婉，而不入於靡。即宋名家固不一種，亦不能操一律，以求美成之集自標清眞，白石之詞無一凡近，況塵土垢穢乎。

又　詞走腔，詩落韻，皆不得爲善。豈惟詩詞，雖古文亦必有音節。音節諧從，誦之始能感人。然凝習之久，大抵自得之，不待告語而知，實非繭絲牛毛之謂也。今之爲詞者，規摹韻度，命意範辭，無失其爲詞可矣。若絲銖毫芒之違合，則孰從而辨之，而言譜著紛鑿鑿，起而相繩，亦安能質宋人於異代，而信其必然也？蓋宋人之詞，可以言音律，而今人之詞，只可以言辭章。宋之詞兼尚耳，而今之詞惟寓目，似可不必過爲抨擊也。即宋人長短句，用韻之出入，今亦不得其故。今人有以詩韻爲詞者，雖詩通用之韻，亦不敢假借，此亦求其説而不得，自爲之程或可耳。設取以律他人，則非也。偶見茅氏、毛氏之論，有當於心。茅氏論曲也，可通於詞。毛氏則專論韻。茅氏之言曰：「此徒因末矩本，非洞本照末。」毛氏之言曰：「揣度之胸，多所臬兀。」有取乎二家之言，非爲淩躐不守者。出脱其意，似寬而實嚴，因取而載之，而爲今之治詞而眩於譜與韻之説者，聊藉此以通一難云。

又　詞本無韻，故宋人不製韻，任意取押，雖與詩韻相通不遠，然要是無限度者。

淩廷堪《書孫平叔雕雲詞後》　夫句分長短，號曰詩餘。音有抑揚，胎於樂府。檀槽乍按，六幺爲最小之弦，鐵撥輕籠，七宮乃夾鐘之律；由濁而清者，四旦元闕徵音，自高而下者，九階奚須勾字。燕樂廿八調，久則失傳；律准六十聲，誣而非實。

田同之《西圃詞説》　倚聲之道，抑揚抗墜，促節繁音，較之詩篇，協律有倍難者。上而三代無論，彼漢歌樂府，具倣《三百》遺意，製有黄門、郊祀、鐃歌、房中諸樂章。延至六朝，以暨開元、天寶、五代十國，尤工豔製。洎宋崇寧間，立大晟樂府，有一十二律、六十家、八十四調，調愈多，流派因之以别，短長互見。迨金、元接踵，遂增至一百餘曲。相沿既久，換羽移商，宮調失傳，詞學亦漸紊矣。

又　詞韻上去之分，判若黑白，其不可假借處，關係一調，不得草草。古詞之妙，全在於此。若總置不顧，而任便塡之，則作詞何難，而必推知音者哉。

又　仄聲中兩上兩去，最所當避。蓋上聲舒徐和軟，其腔低。去聲激厲勁遠，其腔高。相配用之，方能抑揚有致。

又　古人名詞中轉折跌宕處，多用去聲。蓋三聲之中，上、入二者，可以作平。去則獨異。故論聲雖以一平對三仄，論歌則當以去對平上入也。其中當用去者，非去則激不起。用入且不可，斷斷乎勿用平上也。

焦循《雕菰樓詞話》　詞調愈平熟，則其音急，愈生拗，則其音緩。急則繁，其聲易淫，緩則庶乎雅耳。如蘇長公之《大江東去》，及吴夢窗、史梅溪等調，往往用長句。同一調而句或可斷若此，亦可斷若彼者，皆不可斷。而其音以緩爲頓挫，字字可頓挫而實不必斷。倚聲者易於爲平熟調，而艱于爲生拗調。明乎緩急之理，而何生拗之有。

又 毛大可稱詞本無韻，是也。偶檢唐宋人詞，【略】按唐人應試用官韻，其非應試，如韓昌黎《贈張籍》詩，以城堂江庭童窮一韻，則庚青江陽東通協，不拘拘如律詩也。至於詞，更寬可知矣。【略】凡此皆用當時鄉談里語，又何韻之有？

周濟《宋四家詞選目録序論》 東、真韻寬平，支、先韻細膩，魚、歌韻纏綿，蕭、尤韻感慨，各有聲響，莫草草亂用。陽聲字多則沈頓，陰聲字多則激昂。重陽間一陰，則柔而不靡。重陰間一陽，則高而不危。韻上一字最要相發，或竟相貼，相其上下而調之，則鏗鏘諧暢矣。紅友極辨上去，是已。上入亦宜辨，入可代去，上不可代去。入之作平者無論矣。其作上者可代平，作去者斷不可以代平。平去是兩端，上由平而之去，入由去而之平。上聲韻，韻上應用仄字者，去爲妙，去入韻則上爲妙。平聲韻，韻上應用仄字者，去爲妙，入次之。疊則聱牙，鄰則無力。雙聲疊韻字，要著意布置，有宜雙不宜疊，宜疊不宜雙處。重字則既雙且疊，尤宜斟酌，如李易安之「悽悽慘慘戚戚」三疊韻六雙聲，是鍛煉出來，非偶然拈得也。硬字軟字宜相間，如《水龍吟》等俳句尤重。

吴衡照《蓮子居詞話》卷一 詞之興也，先有文字，從而宛轉其聲，以腔就辭者也。洎乎傳播通久，音律確然，繼起諸詞人，不得不以辭就腔。於是必遵前詞字脚之多寡，字面之平仄，號曰填詞。或變易前詞仄字而平，或變易前詞平字而仄，要於音律無礙。或前詞字少而今多之，則融洽其多字於腔中。或前詞字多而今少之，則引伸其少字於腔外，亦仍與音律無礙。蓋當時作者述者皆善歌，故製辭度腔，而字之多寡平仄參焉。今則歌法已失其傳，音律之故不明，變易融洽，引伸之技，何由而施。操觚家控腔運辭，兢兢尺寸，不易之道也。此論極韙。所謂融洽引伸之旨，實發宜興萬氏樹所未發。

又 《戴東原集》：《詩》「有瀰濟盈」、「有鷕雉鳴」。《釋文》：「鷕，以水反。」鷕從唯得聲，與瀰爲句中韻。下復舉「濟盈雉鳴」，亦句中韻。後因水譌小，遂有「以小反」之音。《廣韻》入三十小，改小作沼，並其所由致譌，幾莫可考。按句中韻，《毛詩》有此例，東原之言是也。今詩餘如《點絳唇》次句，東坡云：「今年身健還高晏。」吴琚云：「故人相遇情如故。」舒亶云：「翠華風轉花隨輦。」本七字句，而中間「健」字、「遇」字、「轉」字用韻，亦句中韻。元應次蘧、蕭允之作皆然。此例倣《毛詩》。

又 詞有借叶。借叶有二：否讀府，北讀卜，從方言也，唐及兩宋多有之；若辛幼安歌麻合用，篠有合用，則用古韻。大抵前人韻有不合處，以二者通之，靡不合也。

又 借叶之説興而韻益紊。任取兩宋人所借之韻，因而旁通遞轉，縱逸無歸，古響方音，錯雜並奏，詞又何貴乎韻。所以爲是言者，蓋以著兩宋詞，亦有此例，不獨古經騷賦詩也。家數既殊，體裁斯判，且又止此數字庶幾進之。而有才者，本韻自足，何必然也。

又 《詩・野有蔓草》首章漙、婉、願叶。《民勞》末章，安、殘、綣、反、諫叶。《江漢》末章，首休、壽叶。此詞家三聲互叶所祖。

又卷二 以方言合韻，不獨林外詞。韓玉《賀新郎》、《卜算子》，程珌《滿庭芳》、《減字木蘭花》，趙長卿《水龍吟》，與黄魯直「老子平生，江南江北，最愛臨風笛」，借叶瀘邛間音均，詞家用韻變例。

謝元淮《填詞淺説》 詞始于唐，原無所謂南北。及元盛北曲，明尚南詞，而宫調始分。宫有六，調有十一，總之爲十七宫調，專爲歌詞而設。其歷代詩餘亦間有採入南北曲者。既已分隸各宫調下，即不能不類從南北，另爲一體。

又 古詞既可叶律，今詞何獨不然？吾嘗欲廣徵曲師，將歷代名詞，盡被弦管。其原有宫調者，即照原注，補填工尺。其無宫調可考者，則聆音按拍，先就詞字以譜工尺，再因工尺以合宫調。工尺既協，斯宫調無訛。必使古人之詞，皆可入歌，歌皆合律。其偶有一二字隔礙不叶者，酌量改易。其全不入律者删之。彙成一代雅音，作爲後學程式。至於自製各詞，雖照依古人格調，句讀、四聲、陰陽而填，然字面既異，既工尺難同。亦令善謳者，逐字逐句以笛板合之。遇有拗嗓不順處，即時指出其字應换某聲字方協，隨手更正。縱使詞乏清新，而律無舛錯矣。

又 平仄者，沈休文四聲也。平聲謂之平，上去入總謂之仄。平有陰陽，仄有上去入。倘用乖其法，則爲失調，俗稱拗嗓。蓋平聲尚含蓄，上聲促而未舒，去聲往而不反，入聲逼側而調難自轉。北曲入聲無正音，是以派入平、上、去三聲中。南曲不然，入聲自有入聲正音，不容含混。

又 天地自然之理，輕清上浮者爲陽，重濁下凝者爲陰。乃《中原音韻》反以清爲陰，濁爲陽。陰陽倒置者何歟？蓋周氏之韻，專爲北曲而設。北音重濁，凡唱重濁字皆揭起，唱輕清字皆抑下，正與南音相反。南音唱輕，清字皆高唱，重濁字皆低。其仍以清聲名陰，濁聲名陽者，亦緣周氏之書，遵用已久，驟難更正。如沈約韻，後人雖明知其謬，而千餘年來遵爲功令，竟成不刊之典，因沿錯誤如此。其實南曲自有南方之音，若遵周氏北方音叶，不爲而歌龍字爲驢東切，歌玉爲禦，綠爲慮，宅爲柴，落爲潦，責爲哉，不爲補，角爲敎，鶴爲號，聽者有不掩耳而走哉？詞曲既播管弦，必高下抑揚，參差相錯，引如貫珠，而後可入律呂。倘宜揭也，而或用陽字，則聲必欺字。宜抑也，而或用陰字，則字必欺聲。陰陽一欺，則調必不和。欲詘調以就字，則聲非其聲。欲易字以就調，則字非其字。窘矣。故凡塡詞者，先辨宮調南北，再遵南北音聲，斟酌下字，庶不爲知音齒冷。

又 詞韻與詩韻不同，曲韻又與詞韻有別。古詩用古韻，有通叶轉注等法。近體用今韻，不許稍有出入。詞韻則三聲互叶，上去並押，已較詩韻爲寬。

又 詞韻寬于曲，而曲韻反嚴於詩，殊爲失當。詩賦均以韻爲限，雖誦疾徐隨人，然至押韻處，必須頓斷，故不許出韻。取上下諧叶，令讀者聽者，咸有鏗鏘和洽之美。詞付歌喉，抑揚頓挫，其板眼不必定在押韻處，是以三聲通押。

又 詞有聲調，歌有腔調，必塡詞之聲調，字字精切，然後歌詞之腔調，聲聲輕圓。調其清濁，叶其高下，首當責之握管者。其用字法宜平不得用仄，宜仄不得用平，宜上不得用去，宜去不得用上。一調中有數句連用仄聲住腳者，宜一上一去間用。韻腳不得用入聲代平上去字。王伯良有《曲禁》四十條，今摘其與詞同禁者十一條列後：平頭(第二句第二字，不得與第一句第一字同音)。合腳(第二句末一字，不得與第一句末字同音)。上去疊用(上去字須間用，不得連用兩上兩去，兩上字連用，尤爲棘喉)。上去去上倒用(宜上去不得用去上，宜去上不得用上去)。入聲三用(不得疊用三入聲字)。一聲四用(不論平上去入，不得疊用四字)。陰陽錯用(宜陰不得用陽字，宜陽不得用陰字)。閉口疊用(如用侵，不得又用尋，或又用監咸、纖廉等字。其現成雙字，如深深、毵毵、懨懨類不禁)。疊用雙聲(字母相同，如玲瓏、皎潔類，止許用二字，不許連用至四字)。疊用疊韻(二字同音，如逍遙、燦爛類，亦止許二字連用，不得連用至四字)。開口閉口字同押(凡閉口字如侵尋、監咸、纖廉三韻類，不可與開口韻同押)。

又 四聲平仄呼吸抑揚，均有自然之妙。即平素不習工尺者，能於照譜塡成之後，反覆吟哦，自有會心愜意處。大略陰平宜搭上聲，陽平宜搭去聲，不必拘泥死法。昔人謂孟浩然詩，諷詠之久，有金石宮商之聲。詩尙如此，詞可忽乎哉。

陸鎣《問花樓詞話》 韻書非古也，漢魏以來，韻無專書，韻以通而甚寬，宋元以下，韻有成例，韻以繁而易舛。楊升庵謂沈韻爲鴂舌之書，誠有激乎其言之也。沈韻未必盡合，以李杜嘗用之，故至今沿襲不改。詞家自可變通，如朋字與蒸同押，打字與等同押，卦畫與怪壞同押，豈可爲法耶？東坡《一斛珠》、蔣捷《女冠子》、呂聖求《惜分釵》、高季迪《石州慢》諸詞，用韻酌古准今，以正沈韻之失，學者所當隅反。

孫麟趾《詞逕》 作詞尤須擇韻，如一調應十二個字作韻腳者，須有十四字方可擇用。若僅有十一個字可用，必至一韻牽強。詞中一字未妥，通體且爲之減色，況押韻不妥乎。是以作詞先貴擇韻。

又 閱詞者不獨賞其詞意，尤須審其節奏。節奏與詞意俱佳，是爲上品。

杜文瀾《憩園詞話》卷一 詞調中宜平宜仄，及可仄可平，《詞譜》、《詞律》均已旁注詳明，自可遵守。惟仄聲中有分別，萬紅友《詞律》但於各調附注去聲之妙，尙未知用去上有定律也。今之歌曲工尺，於上聲字則由高而低，去聲字則由低而高，卽是此理。詞用去上，取其一揚一抑，得頓挫之音。凡屬慢詞，必有用去上處，小令亦間有之，是須留意省察。第取宋人名詞同調數闋互觀之，如數詞同用去上，卽是定律。閑嘗體認，凡上下句有韻，而中一句四字亦協韻者，必用去上，如《齊天樂》前後段皆有之。又後結者用兩仄聲住，而非入聲韻者，亦必用去上。蓋詞之韻卽曲之拍，三句連協，中爲短拍，非抑揚不能起調。末拍爲曲終，以去上作煞，則誦之自悠然有餘韻矣。雖宋詞未必全如是，而名詞則無不如是。作者宜從其同，勿沿其誤。

又 凡協韻原可任人擇揀，第勿用啞音及庸俗生澀之字而已。然韻上一字，亦有定律。如調中有應用去上處，自須協上聲。而如《醉太平》、《戀繡衾》、《八六子》等平調，韻上之仄聲字，必須用去聲，方是此調聲響。即周止庵先生所謂「平聲韻上仄聲字，去爲妙」也。但取本調名詞多讀數過，自能體會，蓋有天籟存焉。仄聲調之韻，原可上去入三聲通用。亦有宜分別者，如《秋宵吟》、《清商怨》、《魚游春水》等調，宜用上聲韻。《玉樓春》、《菊花新》、《翠樓吟》等調，宜用去聲韻。《壺中天》、《琵琶仙》、《惜紅衣》、《淡黄柳》、《淒涼犯》、《暗香》、《疏影》、《蘭陵王》等調，宜用入聲韻。乃其宮調如是，入聲韻尤嚴不可紊也。又如《齊天樂》、《花犯》等調，用去上者多，不可協入聲韻。雖可以入代上，而音節究不諧鬯。昔陳西麓好以仄韻改平韻，而所作入聲韻，蓋必宮調相同，寓以入作平之意。大約仄調宜用入聲韻者，十居五六。白石自度曲十七闋，協入聲者過半，其故可知。

又 平上入三聲，間有可以互代。惟去聲則獨用。其聲激厲勁遠，轉折跌蕩，全繫乎此，故領調亦必用之。又宋人所用去上聲，與現行官韻頗有同異。如酒、靜、水、杜，似等是上聲字，宋人可作去聲用，易致誤認。更有素嫻四聲，而各習方音，間有上去互誤者，是宜隨時考正也。

又 宋詞暗藏短韻，最易忽略。如《惜紅衣》換韻二字，《木蘭花慢》前後段第六、七句平平二字，《霜葉飛》起句第四字，皆應藏暗韻。此外似此者尚不少，換頭二字尤多。雖宋詞未必盡同，然精律者所製，則必用暗韻。

夏秉衡《清綺軒詞選發凡》 詞全以調爲主，調全以字之音爲主。有平仄可以通融者，有必不可以通融者。一字偶乖，便不合拍。

李佳《左庵詞話》卷上 詞必通音律而後精，然宮商角徵羽，平上去入一字之判，微乎其微。能於音律之學確有所解者，百無二三，此境未易言也。

又 《詞源》有云：先人曉暢音律，有《瑞鶴仙》一詞云：「粉蝶兒撲定花心不去。」按之歌譜，「撲」字稍不協，改爲「守」字乃協。又作《惜花春·起早》云「瑣窗深」，「深」字不協，改「幽」字又不協，再改「明」字，歌之始協。按此中微秒，可以意會，不可言傳。

又 《詞林正韻》有云：入聲作三聲，詞家多承用。【略】此皆以入聲作三聲，而押韻也。又有作三聲而在句中者，【略】如此類不可悉數，故用其以入作三聲之例，而末仍列入聲五部，則入聲既不缺，而入作三聲者皆有切音，人亦知有限度，不能濫施以自便。

又 詞之爲道，最忌落腔，落腔卽所謂落韻也。姜白石云：十二宮住字不同，不容相犯。沈存中《補筆談》，載燕樂二十八調煞聲。張玉田《詞源》，論結聲正訛，不可轉入別腔住字，煞聲結尾，名雖異而實不殊，全賴乎韻以歸之，然此第言收音也。而用韻之吃緊處在乎起調畢曲。蓋一調有一調之起，有一調之畢，某調當用何字起，何字畢，起是始韻，畢是末韻，有一定不易之則。而住字煞聲結聲卽由是以別焉。詞之諧不諧，恃乎韻之合不合。韻各有其類，亦各有其音，用之不紊，始能融入本調，收入本音耳。韻有四呼七音三十一等，呼分開合，音辨宮商，等叙清濁。而其要則有六條：一曰穿鼻，二曰展輔，三曰斂脣，四曰抵齶，五曰直喉，六曰開口。穿鼻之韻，東冬鐘、江陽唐庚耕、清青蒸登三部是也。其字必從喉間反入，穿鼻而出作收韻，謂之穿鼻。展輔之韻，支脂之、微齊灰佳皆咍二部是也。其字出口之後，必展兩輔如笑狀，作收韻，謂之展輔。斂脣之韻，魚虞模、蕭宵爻豪、尤侯幽三部是也。其字在口半啓半閉，斂其脣以作收韻，謂之斂韻。抵齶之韻，眞諄臻文欣魂痕、元寒桓刪山先仙二部是也。其字將終之際，以舌抵著上齶作收韻，謂之抵齶。直喉之韻，歌戈、佳麻二部是也。其字直出本音，以作收韻，謂之直喉。閉口之韻，侵覃談、鹽沾嚴咸銜凡二部是也。其字閉其口以作收韻，謂之閉口。凡平聲十四部，已盡於此，上去卽隨之，惟入聲有異耳。入聲之本體，後有論四聲表在，亦可類推。至其叶三聲者，則入某部，卽從某音，總不外此六條也。明此六者，庶幾韻不假借而起畢住字，無不合矣，又何慮其落韻乎。

又 楊纘有《作詞五要》，第四云：「要隨律押韻。如越調《水龍吟》、商調《二郎神》，皆合用平入聲韻。古詞俱押去聲，所以轉摺怪異，成不祥之音。」詞之用韻，平仄兩途，而有可以押平韻，又可以押仄韻者，正自不少。其所謂仄乃入聲也。如越調又有《霜天曉角》、《慶春宮》，商調又有《憶秦娥》。其餘則雙調之《慶佳節》，高平調之《江城子》，中呂宮之《柳梢青》，仙呂宮之《望梅花》、《聲聲慢》，大石調之《看花回》、《兩同心》，小石調之《南歌子》。用仄韻者，皆宜入聲。《滿江紅》有入南呂宮，有入仙呂宮。入南呂宮者，卽白石所改平韻之體，而要其本用入聲，故可改也。此外又有用仄韻而必須入聲者，則如越調之《丹鳳吟》、《大酺》，越調犯正宮之《蘭陵王》，商調之《鳳凰閣》、《三部樂》、《霓裳中序第一》、《應天長慢》、《西湖月》、《解連環》，黄鐘宮之《侍香金童》、《曲江秋》，黄鐘商之《琵琶仙》，雙調之《雨霖鈴》，仙呂宮之《好事近》、《蕙蘭引》、《六幺令》、《暗香》、《疏影》，仙呂犯商調之《淒涼犯》，正平調近之《淡黃柳》，無射宮之《惜紅衣》，正宮中呂宮之《尾犯》，中宮商之《白苧》，夾鐘羽之《玉京秋》，林鐘商之《一寸金》，南宮商之《浪淘沙慢》，此皆宜用入聲韻者，勿概之曰仄，而用上去也。其用上去之調，自是通叶，而亦稍有差別。如黃鐘商之《秋宵吟》，林鐘商之《清商怨》，無射商之《魚游春水》，宜單押上聲。仙呂調之《玉樓春》，中呂調之《菊花新》，雙調之《翠樓吟》，宜單押去聲。復有一調中，必須押上，必須押去之處，有起韻結韻，宜皆押上，宜皆押去之處，不能一一臚列。唐段安節《樂府雜錄》，有五音二十八調之圖，平聲羽七調，上聲角七調，去聲宮七調，入聲商七調，上平聲調爲徵聲，以五音之徵，有其聲無其調，故止二十八調也。所論皆塡腔叶韻之法，更有商角同用，宮逐羽音之說，可與紫霞翁之言相發明。

又 宋人詞有以方音爲叶者，如黃魯直《惜餘歡》，閣合同押。林外《洞仙歌》，鎖考同押。曾覿《釵頭鳳》，照透同押。劉過《轆轤金井》，淄倒同押。吳文英《法曲獻仙音》，冷向同押。陳允平《水龍吟》，草驟同押，皆以土音叶韻，不可爲法。

又 有借音數位，宋人習用之。如柳永《鵲橋仙》：「算密意幽歡，盡成孤負。」負字叶方佈切。辛稼軒《永遇樂》：「憑誰問，廉頗老矣，尙能飯否？」「否」字叶方古切。趙長卿《南鄉子》：「要底圓兒糖上浮。」「浮」字叶房逋切。周邦彥《大酺》：「況蕭素青蕪國。」「國」字叶古六切。潘元質《倦尋芳》：「待歸來碎揉花打。」「打」字叶當雅切。姜白石《疏影》：「但暗憶江南江北。」「北」字叶逋沃切。韓玉《曲江秋》，亦用國、北，叶屋沃韻。吳文英《端正好》：「夜寒重，長安紫陌。」「陌」字叶末各切。《燭影搖紅》：「相間金茸翠畝。」「畝」字叶忙補切。蔣捷《女冠子》：「羞與鬧娥兒爭耍。」「耍」字叶霜馬切。此類略舉數家，已見一斑。

又 韻中平聲之陰陽，一定之法，稍習四聲者，卽能辨之。惟上與去，其音迥殊。《元和韻譜》云：上聲厲而舉，去聲淸而遠，相配用之，方能抑揚有致。故詞中之宜用上，宜用去，宜用上去，宜用去上，有不可假借處。至字有去上兩見者，爲體爲用，大有區別，不可不審。

又卷下 俗謂作詞爲塡詞，此語便謬。塡之云者，只視其句之長短，字之多寡，如數塡足耳。音律之叶，平上去之調，懵然不講，安有好詞。

又 古詞人製腔造譜，各調多自由創，固非洞曉音律不能。今人倘自製一調，世罔不笑其妄者。雖解音理，亦不過依樣畫葫盧耳。故近日倚聲一事，僅以陶淪靈性，寄興牢騷。風雅場中，尙遑云協於歌喉，播諸弦管，自度腔所由罕也。

謝章鋌《賭棋山莊詞話》卷三 詩有句中韻法，如「籥舞笙鼓」，舞與鼓韻。「采茶薪樗」，茶與樗韻。「日居月諸」，居與諸韻。「有壬有林」，壬與林韻。顧其法詩家頗不講，而時見於詞。如《河傳》、《醉太平》等調，句中多有用韻者。塡之應節，極可吟諷。

又《續編》卷一 詞之三聲互叶，非創自詞也。虞廷《賡歌》，已以熙韻喜起矣。至詩中此例尤多，又詞有疊句法，亦本於詩，卽如「之子歸，不我過，不我過」等類是也。蓋必疊一句其意方顯。若無意強疊，則亦無貴乎疊矣。

沈曾植《菌閣瑣談》 顧仲瑛《製曲十六觀》，全抄玉田《詞源》下卷，略加點竄，以供曲家之用。于此見元人於詞曲之界，尙未顯分，蓋曲固慢詞之顯分者也。其第十五觀云，曲中用字有陰陽法，人聲自然音節，到音當輕淸處，必用陰字，當重濁處，必用陽字，方合腔調。用陰字法，如《點絳唇》首句，韻腳必用陰字。試以「天地玄黃」爲句歌之，則歌「黃」字爲「荒」字，非也。若以「宇宙洪荒」爲句，協矣。蓋「荒」字屬陰，「黃」字屬陽也。用「陽」字者，如《寄生草》末句，七字內五字，必用「陽」字。以「歸來飽飯黃昏後」爲句歌之，協矣。若以「黃昏後」歌之，則歌「昏」字爲「渾」字，非也。蓋「黃」字屬陽，「昏」字屬陰也。此一則爲《詞源》所無，然可與彼先人曉暢音律條相證。陰字配輕淸，陽字配重濁，此當是樂家相傳舊法，乃與《樂府雜錄》段安節所謂上平聲爲徵聲者隱相符會。向嘗疑上平聲爲徵聲，語不可解，若易之曰，陰平聲爲徵聲，則可解矣。

劉熙載《詞概》 詞家用韻，在先觀其韻之通別，別者必不可通，通者乃須知別。如江之於陽，眞之於庚，古韻既別，雖今吻相通，要不得而通也。東冬於江，歌於麻，古韻雖通，然今吻既別，便不可以無別也。至一韻之中，如十三元韻，今吻讀之，其音約分三類，亦當擇而取之，餘韻准此。

又 詞中平仄，體有一定，古人或有平作仄，仄作平者，必合句上、句下、句內之字，權其律之所宜，互爲更換斯得，如銅山靈鐘，東西相應。故效古者，當專效一體，不可挹彼注茲，致譏聲病。

又 平聲可爲上入，語本張玉田《詞源》。則平去之不可相代，審矣。然平可代以上入，而上入或轉有不可互代者。玉田稱其父寄閑老人《瑞鶴仙》詞「粉蝶兒撲定花心不去，閑了尋香兩翅」，「撲」字不協，遂改爲「守」字，此於聲音之道，不其嚴乎。

又 上入雖可代平，然亦有必不可代之處。使以宛轉遷就之聲，亂一定不易之律，則代之一説，轉以不知爲愈矣。

又 上去不宜相替，宋沈伯時義甫之説也。「去聲當高唱，上聲當低唱」，明沈璟詞隱之説也。兩説爲後人論詞者所本，爰爲表而出之。

又 詞家既審平仄，當辨收音之口法，取聲取音以能協爲尚。玉田稱其父《惜花春·起早》詞「瑣窗深」句，「深」字不協，改爲「幽」字，又不協，再改爲「明」字，始協，此非審於陰陽者乎。又「深」爲閉口音，「幽」爲斂唇音，「明」爲穿鼻音，消息亦別。

又 古人原詞用入聲韻，效其詞者，仍宜用入。餘則否。至如句中用入，解人慎之。

又 詞家辨句兼辨讀，讀在句中，如《楚辭·九歌》，每句中間皆有「兮」字，「兮」者無辭而有聲，即其讀也。更以古樂府觀之，篇終有聲，如《臨高臺》之「收中吾」是也。句下有聲，如《有所思》之「妃呼豨」是也。何獨於句中之聲而疑之？

又 詞句中用雙聲疊韻之字，自兩字之外，不可多用。惟犯疊韻者少，犯雙聲者多，蓋同一雙聲，而開口、齊齒、合口、撮口，呼法不同，便易忘其爲雙聲也。解人正須於不同而同者，去其隱疾。且不惟雙聲也，凡喉舌齒牙唇五音，俱忌單從一音連下多字。

又 詞固必期合律，然《雅》、《頌》合律，《桑間》《濮上》亦未嘗不合律也。「律和聲」，本於「詩言志」，可爲專講律者，進一格焉。

又 詞有陰陽，陰者采而匿，陽者疏而亮，本此以等諸家之詞，莫之能外。

陳廷焯《白雨齋詞話》卷五 回文集句疊韻之類，皆是詞中下乘。有志于古者，斷不可以此眩奇。一染其習，終身不可語于大雅矣。若友朋唱和，各言性情，各出機杼可也，亦不必以疊韻爲能事（就中疊韻尚可偶一爲之。次則集句。最下莫如回文，斷不可效尤也）。古人爲詞，興寄無端。行止開合，實有自然而然。一經做作，便失古意。世人好爲疊韻，強己就人，必競出工巧以求勝，爭奇鬥巧，乃詞中下品，余所深惡者也。作詩亦然。

又卷七 詞有平仄可以通融者，有必不可以通融者。一字偶乖，便不合拍。究心於《詞律》，自無不協之弊。

又 詞之音律，先在分別去聲。不知去聲之爲重，雖觀《詞律》，亦知其然而不知其所以然。知猶不知也。

胡薇元《歲寒居詞話》 詞韻與詩韻異，以三聲並入入聲，可合可分有定也。以切音分類，各有界限，不可妄爲刪並。

又 詞韻多南方唇音，如晏幾道《梁州令》「莫唱陽關曲」，「曲」作邱雨切，叶魚虞，柳永《女冠子》「樓臺悄似玉」，「玉」作于句切；《黃鶯兒》「兩兩三三修竹」，「竹」字張汝切，辛稼軒《醜奴兒慢》「過者一霎」，「霎」作雙鮓切是也。

又 詞忌落腔，姜堯章云：「十二律住字不同。」沈存中《筆談》，燕樂二十八調，殺聲住字，起調畢曲，有一定不易之則。楊守齋《作詞五要》，如越調《水龍吟》、商調《二郎神》，皆合用平入韻。守齋名纘，即白石所稱紫霞翁，洞曉音律，與草窗論五凡工尺義理之妙，未按管色，已知其誤。唐段安節《樂府雜錄》，五音二十八調，平聲羽七調，上聲角七調，去聲宮七調，入聲商七調，上平調爲徵，有聲無調，故止二十八調。如越調之《霜天曉角》、商調《憶秦娥》，高平調之《江城子》，中呂宮之《柳梢青》，仙呂宮之《聲聲慢》，大石調之《看花回》，小石調之《南歌子》，用仄皆宜入聲。《滿江紅》平入南呂，入則仙呂。越調犯正宮之《蘭陵王》，仙呂犯商調之《淒涼犯》，林鐘商之《一寸金》，南呂商之《浪淘沙慢》，皆宜用入聲，而不可用上去也。

沈祥龍《論詞隨筆》 詞貴協律與審韻。律欲細，依其平仄，守其上去，毋強改也。韻欲純，限以古通，諧以今吻，毋混叶也。律不協則聲音乖，韻不審則宮商亂，雖有佳詞，奚取哉？

又 詞韻，凡古韻不通者，本不可叶。古韻通者，亦有可叶不可叶之別。即一韻亦然，如元韻中袁、煩、暄、鴛，阮韻中遠、蹇、晚、反之類，音既不諧，萬難通叶，餘可類推。

又 張玉田《詞源》，謂平聲可代以上入。沈伯時謂入聲可代平聲。案《詞林韻釋》入聲有作平聲者，有作上去者。知入作平者可代平，作上去者不可代平也。上代平，亦必就音審擇。

又　沈伯時謂上去不宜相替，故萬氏《詞律》於仄聲辨上去最嚴。其曰上聲舒徐和軟，其腔低。去聲激厲勁遠，其腔高。此說本諸明沈璟去聲當高唱，上聲當低唱也。詞必用上去者，如白石「哀音似訴」句之「似訴」字。必用去上者，如「西窗又吹暗雨」句之「暗雨」字。

張德瀛《詞徵》卷三　《樂記》曰：「聲成文謂之音。」聲出而音定焉，音繁而韻興焉。論其秩序，則音居先，韻居後。若舍音韻以言詞，匪特戾于古，詞亦不能工矣。

又　劉彥和《聲律篇》云：「夫音律所始，本於人聲者也。聲含宮商，肇自血氣。」惟詞亦然，高下洪細，輕重遲疾，各有一定之響。解人正當於喉吻間得之。

又　韻書云：合口爲宮，開口爲商，捲舌爲角，齊齒爲徵，撮口爲羽。又云：喉音爲宮，齒音爲商，牙音爲角，舌音爲徵，脣音爲羽。如上所云，蓋即沙門神珙《五音聲論》及所分五音之法。

又　神珙《四聲五音九弄反紐圖序》曰：譜曰，平聲者哀而安，上聲者厲而舉，去聲者清而遠，入聲者直而促。數語若爲倚聲家言之。其所謂譜，疑即沈氏之《四聲譜》也。

又　蕭山毛氏言四聲之中有兩通法，平、上、去三聲自爲一通，去、入二聲自爲一通。三聲自通，必不雜入聲一字。二聲自通，必不雜平、上一字。然覈之於詞，則固不然。詞韻上去自爲一通，入聲則或通于平，或通於上、去二聲。若平與上、去，當嚴立畛域，乃無遷就之弊。

又　詞稱詩餘，故製詞者多借用詩韻。【略】而世遂有以詩韻爲詞韻者矣。

又　否，一音方矩切，一音方久切。五代時韋端己《應天長》以否叶語，馮正中《蝶戀花》以否叶去，張泌《菩薩蠻》以否叶暮。宋詞則從上韻者十之九，從下韻者僅十之一，故周美成《垂絲釣》以否叶羽，黃魯直《漁家傲》以否叶土，黃幾仲《摸魚兒》以否叶雨，徐師川《摸魚兒》以否叶處，李端叔《驀山溪》以否叶戶，趙秋曉《宴清都》以否叶鼓。至南渡以後諸家，亦莫不然。又可爲製詞宜用宋人韻之一證。

又　周美成《齊天樂》詞，或病其複韻，非也。上句「佳時又逢重午」，指節序言，下句「喚風綾扇小窗午」，指氣候言。大抵文辭用韻，其異義者，原不必以複出爲禁。

又　詞有可用平韻亦可用側韻者，《閒中好》、《如夢令》、《憶秦娥》、《霜天曉角》、《豆葉黃》、《南歌子》、《虞美人》、《浣溪沙》、《絳都春》、《步月聲聲慢》、《慶清朝》、《滿庭芳》、《百字令》、《蠟梅香》、《滿江紅》、《慶佳節》、《祝英臺近》、《永遇樂》、《玉樓春》、《雨中花》、《喜遷鶯》，是也。側韻三聲皆可，惟《憶秦娥》、《虞美人》、《南歌子》則宜用入。至《漁歌子》、《南浦》等曲，亦平仄二調，然音響迥不侔矣。

又　詞之平側通叶者，《西江月》、《換巢鸞鳳》、《少年心》、《渡江雲》、《戚氏》、《大聖樂》、《哨遍》、《玉硤蓴》、《兩同心》、《江城梅花引》、《古陽關》，凡十一調。它詞如賀方回《水調歌頭》、杜壽域《漁家傲》、周公謹《露華》，亦有通叶，然皆借韻爲之，非若數詞有定格也。

又　唐人詩所用四聲，每有變，不盡依本音者。李昌谷詩「請上琵琶絃」，「琵」字以平作入。杜少陵詩「恰是春風相欺得」，「欺」字以平作入。白香山詩「歸來無淚可霑巾」，「可」字以上作入。元微之詩「三省詎行怪」，「怪」字以去作平。李義山詩「簟冰將飄枕」，「冰」字以平作去。王仲初詩「綠窗紅燈酒初醒」，「燈」字以平作去。杜牧之詩「南朝四百八十寺」，「十」字以入作平，繩知切。又香山詩「當時綺季不請錢」，「請」字以上作平。自是而宋詞沿其例矣。

又　詞上入皆可作平，而入聲最夥。獨、一、寂、不、碧，亦等字固爲數見。

又　詞用上入可代平矣，然亦有以平而代側者。樓梅麓《沁園春》「此番登高」、張伯雨《滿江紅》「又一番元都春色」，兩「番」字皆作去。案唐人詩「先後花分幾番開，十番紅桐一行死」，讀法正同。

又　詞亦有用入，而叶平、上、去三聲者，杜壽域《惜春令》「悶無緒玉簫拋擲」，「擲」字作平叶。晁無咎《黃鶯兒》「兩兩三三修竹」，「竹」字作上叶。韓東浦《賀新郎》「綽約人如玉」，「玉」字作去叶。此類在宋人中正復不少。

又　詞用韻可借叶，姜堯章《長亭怨慢》以此叶戶。宋人原有此體，惟不可藉口以寬其途。

陳銳《褎碧齋詞話》　詞中四聲句，最爲着眼。如《掃花游》之起句，《渡江雲》之第二句，《解連環》、《暗香》之收句是也。又如《瑣窗寒》之「小唇秀靨」、「冷薰沁骨」，《月下調》之「品高調側」，美成、君特無不用上平去入，乃詞中之玉律金科。今人隨手亂填，又何也。

又 詞中側協，如夢窗《西平樂》「歎廢綠平煙帶苑。幽渚塵香蕩晚」，「苑」、「晚」爲韻。美成云：「歎事逐孤鴻盡去，身與塘蒲共晚。」「去」，當是「遠」之脫文。若淮海《八六子》詞之「斷」「晚」與「滅」，本不同部，必非韻協。淩次仲效之，則又強解事耳。

又 詞調分上、去、入，用字則只知平、仄，此大誤也。一詞中有少數入聲字，如《高陽臺》、《掃花游》之類。有多數入聲字，如《秋思耗》、《浪淘沙慢》之類。又如《鶯啼序》中有少數上聲字，千萬不可通融者。今人不知上、去，況入聲乎。

張祥齡《詞論》 詞有定律，不能細越，宋賢莫不確守成法。祥齡不解音律，然於上去字，未嘗不謹。

王國維《人間詞話》 雙聲疊韻之論，盛于六朝，唐人猶多用之。至宋以後，則漸不講，並不知二者爲何物。【略】自李淑《詩苑》僞造沈約之說，以雙聲疊韻爲詩中八病之二。後世詩家多廢而不講，亦不復用之於詞。余謂苟於詞之蕩漾處多用疊韻，促節處用雙聲，則其鏗鏘可誦，必有過於前人者。惜世之專講音律者，尚未悟此也。

又 世人但知雙聲之不拘四聲，不知疊韻亦不拘平、上、去三聲。凡字之同母者，雖平仄有殊，皆疊韻也。

鄭文焯《鄭大鶴先生論詞手簡》 聲調從律呂而生，依永和聲，聲文諧會，乃爲佳製。然詞原于燕樂，非專于樂府中求生活者。

況周頤《蕙風詞話》卷一 畏守律之難，輒自放於律外，或託前人不專家、未盡善之作以自解，此詞家大病也。守律誠至苦，然亦有至樂之一境。常有一詞作成，自己亦既愜心，似乎不必再改。唯據律細勘，僅有某某數字，於四聲未合，即姑置而過存之，亦孰爲責備求全者。乃精益求精，不肯放鬆一字，循聲以求，忽然得至雋之字。或因一字改一句，因此句改彼句，忽然得絕警之句。此時曼聲微吟，拍案而起，其樂何如。雖剝珉出璞，選薏得珠，不逮也。彼窮於一字者，皆苟完苟美之一念誤之耳。

又 上去聲字，近人往往誤讀。如「動靜」之「靜」，上聲，誤讀去聲。「暝色」之「暝」，去聲，誤讀上聲。作詞既守四聲，則于宋人用「靜」字者用上聲，用「暝」字者用去聲，斯爲不誤矣。顧審之聲調，或反蹈聱牙𪘂喉之失。意者宋人亦誤讀誤用耶？遇此等處，唯有檢本人它詞及它人詞證之，庶幾決定所從。特非精擘宮律者之作，不足爲據耳。

又 宋人名作，于字之應用入聲者，間用上聲，用去聲者絕少。檢《夢窗詞》知之。

又 入聲字於填詞最爲適用。付之歌喉，上去不可通作，唯入聲可融入上去聲。凡句中去聲字能遵用去聲固佳，若誤用上聲，不如用入聲之爲得也。上聲字亦然。入聲字用得好，尤覺峭勁娟雋。

結構

胡仔《苕溪漁隱叢話後集》卷三九 凡作詩詞，要當如常山之蛇，救首救尾，不可偏也。如晁無咎作中秋《洞仙歌》辭，其首云：「青煙冪處，碧海飛金鏡，永夜閑階臥桂影。」固已佳矣，其後云：「待都將許多明付與金樽，投曉共流霞傾盡。更攜取胡床上南樓，看玉做人間，素秋千頃。」若此可謂善救首尾者也。至朱希真作中秋《念奴嬌》，則不知出此，其首云：「插天翠柳，被何人推上一輪明月，照我藤床涼似水，飛入瑤臺銀闕。」亦已佳矣，其後云：「洗盡凡心，滿身清露，冷浸蕭蕭髮，明朝塵世，記取休向人說。」此兩句全無意味，收拾得不佳，遂並全篇氣索然矣。

沈義父《樂府指迷》 作大詞，先須立間架，將事與意分定了。第一要起得好，中間只鋪敘，過處要清新。最緊是末句，須是有一好出場方妙。大抵起句便見所詠之意，不可泛入閑事，方入主意。詠物尤不可泛。

又 過處多是自叙，若才高者方能發起別意。然不可太野，走了原意。

王禮《麟原前集》卷五《胡澗翁樂府序》 文語不可以入詩，而詞語又自與詩別。曾蒼山嘗謂詞曲必詞語婉變曲折，乃與名體稱。世欲暢意者，氣使豪放語，直俳伶輩飾婦衣，作社舞耳。其不苟句者，刻鏤綴簇求字工，殆宮粧木偶人，形存而神不運。余深以爲知言。

李漁《窺詞管見》 「一氣如話」四字，前輩以之贊詩，予謂各種之詞，無一不當如是。如是即爲好文詞，不則好到絕頂處，亦是散金碎玉，此爲一氣而言也。如話之說，即謂使人易解，是以白香山之妙論，約爲二字而出之者。千古好文章，總是說話，只多者也之乎數字耳。作詞之家，當以一氣如話一語，認爲四字金丹。一氣則少隔絶之痕，如話則無隱晦之弊。大約言情易得貫穿，説景難逃瑣碎，小令易於條達，長調難免湊補。【略】總是認定開首一句爲主，爲二句之材料，不用別尋，卽在開首一句中想出。如此相因而下，直至結尾，則不求一氣，而自成一氣，且省卻幾許淘摸工夫，此求一氣之方也。如話則勿作文字做，並勿作塡詞做，竟作與人面談。又勿作與文人面談，而與妻孥臧獲輩面談。有一字難解者，卽爲易去，恐因此一字模糊，使説話之本意全失，此求如話之方也。

又　詩詞之內，好句原難，如不能字字皆工，語語盡善，須擇其菁華所萃處，留備後半幅之用。甯爲處女于前，勿作強弩之末。大約選詞之家，遇前工後拙者，欲收不能。有前不甚佳而能善其後者，卽釋手不得。

又　詞要住得恰好，小令不能續之使長，長調不能縮之使短。調之單者，欲增之使雙而不得；調之雙者，欲去半調而使單亦不能。如此方是好詞。其不可斷續增減處，全在善於煞尾。無論説盡之話，使人不能再贅一詞。卽有有意蘊藉，不吐而吞，若爲歇後語者，亦不能爲蛇添足，纔是善於煞尾。蓋詞之段落，與詩不同。詩之結句有定體，如五七言律詩，中四句對，末二句收，讀到此處，誰不知其是尾。詞則長短無定格，單雙無定體，有望其歇而不歇，不知其歇而竟歇者，故較詩體爲難。

又　有以淡語收濃詞者，別是一法。內有一片深心，若草草看過，必視爲強弩之末。又恐人不得其解，謬謂前人煞尾，原不知盡用全力，亦不必盡顧上文，儘可隨拈隨得，任我張弛，效而爲之，必犯鋭始懈終之病。亦爲饒舌數語。大約此種結法，用之憂怨處居多，如懷人、送客、寫憂、寄慨之詞，自首至終，皆訴淒怨。其結句獨不言情，而反述眼前所見者，皆自狀無可奈何之情，謂思之無益，留之不得，不若且顧目前。而目前無人，止有此物，如「心事竟誰知，月明花滿枝」、「曲終人不見，江上數峰青」之類是也。此等結法最難，非負雄才，具大力者不能，卽前人亦偶一爲之，學塡詞者愼勿輕效。

又　雙調雖分二股，前後意思，必須聯屬，若判然兩截，則是兩首單調，非一首雙調矣。大約前段布景，後半説情者居多，卽《毛詩》之興比二體。若首尾皆述情事，則賦體也。卽使判然兩事，亦必於頭尾相續處，用一二語或一二字作過文，與作帖括中搭題文字，同是一法。

王又華《古今詞論》　徐天池曰：作詞對句好易得，起句好難得，收拾全藉出場。凡觀詞當先辨古今體製雅俗，脱盡宿生塵腐氣者，方取咀味。

又　陳眉公曰：製詞貴於布置停勻，氣脈貫串。其過疊處，有當如常山之蛇，顧首顧尾。

又　張砥中曰：凡詞前後兩結，最爲緊要。前結如奔馬收韁，須勒得住，尚存後面地步，有住而不住之勢。後結如衆流歸海，要收得盡，回環通首源流，有盡而不盡之意。

又　毛稚黄曰：【略】前半泛寫，後半專叙，蓋宋詞人多此法。

劉體仁《七頌堂詞繹》　詞起結最難，而結尤難於起，蓋不欲轉入別調也。「呼翠袖，爲君舞」、「倩盈盈翠袖，搵英雄淚」，正是一法。然又須結得有「不愁明月盡，自有夜珠來」之妙乃得。美成元宵云「任舞休歌罷」，則何以稱焉？

又　古人多於過變乃言情。然其意已全于上段，若另作頭緒，不成章矣。

沈謙《塡詞雜説》　塡詞結句，或以動蕩見奇，或以迷離稱雋，著一實語，敗矣。

沈雄《古今詞話・詞品》卷上　法曲之起，多用絶句，或皆單調，《教訪記》所載是也。樂府所製，有用疊者。今按詞則云換頭，或云過變，猶夫曲調之爲過宮也。宋人三換頭者，美成之《西河》、《瑞龍吟》，耆卿之《十二時》、《戚氏》，稼軒之《六州歌頭》、《醜奴兒近》，伯可之《寶鼎現》也。四換頭者，夢窗之《鶯啼序》也。

又　起句言景者多，言情者少，叙事者更少。大約質實則苦生澀，清空則流寬易。換頭起句更難，又斷斷不可犯此。所以從頭起句，照管全章及下文，換頭起句，聯合上文及下段也。

又　結句如《水龍吟》之「作霜天曉」、「繫斜陽纜」，亦是一法。如《憶少年》之「況桃花顔色」，《好事近》之「放眞珠簾隔」，緊要處前結，如奔馬收韁，須勒得住，又似住而未住。後結如衆流歸海，要收得盡，又似盡而不盡者。

先著《詞潔輯評》卷六　意轉而句自轉，虛字皆揉入字內。一詞之中，如具問答，抑之沈，揚之浮，玉軫漸調，朱弦應指，不能形容其妙。

周濟《宋四家詞選目録序論》　領句單字，一調數用，宜令變化渾成，勿相犯。一領四、五、六字句，上二下三，上三下二句，上三下四，上四下三句，四字平句，五、七字渾成句，要合調無痕。重頭疊腳、蜂腰鶴膝、大小韻，詩中所忌，皆宜忌之。積字成句，積句成段，最是見筋節處。如《金縷曲》中第四韻，煞上則妙，頷下則減色矣。呑吐之妙，全在換頭煞尾。古人名換頭爲過變，或藕斷絲連，或異軍突起，皆須令讀者耳目振動，方成佳製。換頭多偸聲，須和婉，和婉則句長節短，可容攢簇。煞尾多減字，須峭勁，峭勁則字過音留，可供搖曳。

李佳《左庵詞話》卷上　作詞結處，須有悠然不盡之意，最忌說煞，便直白無趣。古人集中講究結束者不少，求之自見。

又卷下　製一詞，須佈置停勻，血脈貫穿。過片不可斷意，如常山蛇，首尾相應爲佳。

劉熙載《詞概》　詞之章法，不外相摩相蕩，如奇正、空實、抑揚、開合、工易、寬緊之類是已。

又　詞中承接轉換，大抵不外紆徐鬥健，交相爲用。所貴融會章法，按脈理節拍而出之。

又　元陸輔之《詞旨》云：「對句好可得，起句好難得，收拾全藉出場。」此蓋尤重起句也。余謂起收對三者，皆不可忽。大抵起句非漸引卽頓入，其妙在筆未到，而氣已呑。收句非繞回卽宕開，其妙在言雖止，而意無盡。對句非四字、六字，卽五字、七字，其妙在不類於賦與詩。

又　詞有過變，隱本於詩。《宋書·謝靈運傳論》云：「前有浮聲，則後須切響。」蓋言詩當前後變化也，而雙調換頭之消息，卽此已寓。

又　「升歌笙入，閒歌合樂」，《楚辭·招魂》所謂「四上競氣」也。詞之過變處，節次淺深，准此辨之。

沈祥龍《論詞隨筆》　詞換頭處謂之過變，須辭意斷而仍續，合而仍分。前虛則後實，前實則後虛，過變乃虛實轉捩處。

又　詞起結最難，而結尤難於起。結有數法，或拍合，或宕開，或醒明本旨，或轉出別意，或就眼前指點，或於題外借形，不外《白石詩說》所云「辭意俱盡，辭盡意不盡，意盡辭不盡」三者而已。

又　詩重發端，惟詞亦然，長調尤重。有單起之調，貴突兀籠罩，如東坡「大江東去」是。有對起之調，貴從容整鍊，如少游「山抹微雲，天黏衰草」是。

陳銳《褒碧齋詞話》　換頭處六字句有挺接者，如「南去」、「北來」、「何事」之類。有添字承接者，如「因甚」、「回想」之類，亦各有所宜。若美成之《塞翁吟》換頭「忡忡」二字，賦此者亦只能疊韻以和琴聲。學者試熟思之，卽得矣。

況周頤《蕙風詞話》卷一　近人作詞，起處多用景語虛引，往往第二韻方約略到題，此非法也。起處不宜泛寫景，宜實不宜虛，便當籠罩全闋，它題便挪移不得。唐李程作《日五色賦》，首云：「德動天鑒，祥開日華。」雖篇幅較長於詞，亦以二句檃括之，尤有弁冕端凝氣象。此旨可通於詞矣。

又　曲有煞尾，有度尾。煞尾如戰馬收韁，度尾如水窮雲起。【略】煞尾猶詞之歇拍也。度尾猶詞之過拍也。如水窮雲起，帶起下意也。塡詞則不然，過拍只須結束上段，筆宜沈著。換頭另意另起，筆宜挺勁。稍涉曲法，卽嫌傷格。此詞與曲之不同也。

又卷二　詞亦文之一體。昔人名作，亦有理脈可尋，所謂蛇灰蚓線之妙。如范石湖《眼兒媚·萍鄉道中》云【略】。「春慵」緊接「困」字、「醉」字來，細極。

技巧

胡仔《苕溪漁隱叢話前集》卷五五　詞句欲全篇皆好，極爲難得。

張炎《詞源》卷下　詞中句法，要平妥精粹。一曲之中，安能句句高妙，只要拍搭襯副得去，於好發揮筆力處，極要用功，不可輕易放過，讀之使人擊節可也。

又　句法中有字面，蓋詞中一個生硬字用不得。須是深加鍛煉，字字敲打得響，歌誦妥溜，方爲本色語。如賀方回、吳夢窗，皆善於煉字面，多於溫庭筠、李長吉詩中來。字面亦詞中之起眼處，不可不留意也。

又　詞與詩不同，詞之句語，有二字、三字、四字，至六字、七、八字者，若堆疊實字，讀且不通，況付之雪兒乎。合用虛字呼喚，單字如「正」、「但」、「任」、「甚」之類，兩字如「莫是」、「還又」、「那堪」之類，三字如「更能消」、「最無端」、「又卻是」之類，此等虛字，卻要用之得其所。若使盡用虛字，句語又俗，雖不質實，恐不無掩卷之誚。

又　詞之語句，太寬則容易，太工則苦澀。如起頭八字相對，中間八字相對，卻須用功著一字眼，如詩眼亦同。若八字旣工，下句便合稍寬，庶不窒塞。約莫寬易，又著一句工緻者，便覺精粹。此詞中之關鍵也。

又　詞用事最難，要體認著題，融化不澀。【略】此皆用事，不爲事所使。

沈義父《樂府指迷》　結句須要放開，含有餘不盡之意，以景結尾最好。如清眞之「斷腸院落，一簾風絮」，又「掩重關，遍城鐘鼓」之類是也。或以情結尾亦好。往往輕而露，如清眞之「天便教人，霎時廝見何妨」，又「夢魂凝想鴛侶」之類，便無意思，亦是詞家病，卻不可學也。

又　如詠物，須時時提調，覺不可曉，須用一兩件事印證方可。

又　要求字面，當看溫飛卿、李長吉、李商隱及唐人諸家詩句中字面好而不俗者，採摘用之。即如《花間集》小詞，亦多好句。

又　遇兩句可作對，便須對。短句須剪裁齊整。遇長句須放婉曲，不可生硬。

又　腔子多有句上合用虛字，【略】如一詞中兩三次用之，便不好，謂之空頭字。不若徑用一靜字，頂上道下來，句法又健，然不可多用。

又　詞中用事使人姓名，須委曲得不用出最好。清眞詞多要兩人名對使，亦不可學也。

劉辰翁《須溪集》卷六《辛稼軒詞序》　詞至東坡，傾蕩磊落，如詩，如文，如天地奇觀，豈與羣兒雌聲學語較工拙？然猶未至用經、用史，牽《雅》、《頌》入《鄭》、《衛》也。自辛稼軒前，用一語如此者必且掩口，及稼軒橫豎爛漫，乃如禪宗棒喝頭頭皆是。又如悲笳萬鼓，平生不平事并巵酒，但覺賓主酣暢，誤不暇顧，詞至此亦足矣。然陳同父效之，則與左太沖入羣嫗相似，亦無面而返。嗟乎！以稼軒爲坡公少子，豈不痛快靈傑可愛哉？而愁髻齲齒作折腰步者，闖然笑之，《敕勒之歌》拙矣，「風吹草低」之句與「大風起」語高下相應，知音者少。顧稼軒胸中今古止用資爲詞，非不能詩，不事此耳。斯人北來，喑嗚鷙悍，欲何爲者，而讒擯銷沮，白髮橫生，亦如劉越石陷絕失望，花時中酒，託之陶寫，淋漓慷慨，此意何可復道？而或者以流連光景，志業之終恨之，豈可向癡人說夢哉？「爲我楚舞，吾爲若楚歌」，英雄感愴，有在常情之外，其難言者未必區區婦人孺子間也。世儒不知哀樂，善刺人，及其自爲，乃與陳後山等。嗟哉偉然二大夫無異。

俞彥《爰園詞話》　詞中對句，須是難處，莫認爲襯句。正唯五言對句、七言對句，使讀者不作對疑，尤妙，此卽重疊對也。

楊慎《詞品》卷一　塡詞平仄及斷句皆定數，而詞人語意所到，時有參差。【略】然句法雖不同，而字數不少。妙在歌者上下縱橫取協爾。

沈際飛《古香岑草堂詩餘四集發凡》　調有定名，卽有定格，其字數多寡、平仄、韻腳較然。中有參差不同者，一曰襯字，文義偶不聯暢，用一二襯之，密按其音節虛實間，正文自在。如南北劇「這」字、「那」字、「正」字、「個」字、「卻」字之類，從來詞本，卽無分別，不可不知。

李漁《窺詞管見》　意新語新，而又字句皆新，是謂諸美皆備，由《武》而進於《韶》矣。然具八斗才者，亦不能在在如是。以鄙見論之，意之極新，反不妨詞語稍舊，尤物衣敝衣，愈覺美好。且新奇未睹之語，務使一目瞭然，不煩思繹。若復追琢字句，而後出之，恐稍稍不近自然，反使玉宇瓊樓，墮入雲霧，非勝算也。如其意不能新，仍是本等情事，則全以琢句鍊字爲工。然又須琢得句成，鍊得字就。雖然極新極奇，卻似詞中原有之句，讀來不覺生澀，有如數十年後，重遇古人，此詞中化境，卽詩賦古文之化境也。

又　琢句鍊字，雖貴新奇，亦須新而妥，奇而確。妥與確，總不越一理字，欲望句之驚人，先求理之服衆。

王又華《古今詞論》　董文友曰：金粟謂近人詩餘能作景語，不能作情語。僕則謂情語多，景語少，同是一病。但言情至色飛魂動時，乃能于無景中着景，此理亦近人未解。

又　毛稚黃曰：詞家刻意俊語濃色，此三者皆作者神明，然須有淺深處，平處，忽着一二乃佳。如美成《秋思》，平叙景物已足，乃出「醉頭扶起寒怯」，便動人工妙。李易安《春情》「清露晨流，新桐初引」，用《世說》，全句渾妙。嘗論詞貴開宕，不欲沾滯，忽悲忽喜，乍遠乍近，斯爲妙耳。如遊樂詞，須微着愁思方不癡肥。李《春情》詞本閨怨，結云：「多少遊春意，更看今日晴未。」忽爾拓開，不但不爲題束，並不爲本意所苦，直如行雲舒卷自如，人不覺耳。

又　劉公勇曰：【略】長調無累與癡重同忌，襯字又不可少，然忌淺熟。

又　張砥中曰：【略】一調中通首皆拗者，遇順句必須精警。通首皆順者，遇拗句必須純熟。此爲句法之要。

劉體仁《七頌堂詞繹》　詞字字有眼，一字輕下不得。如詠美人足，前云「微褪細跟」，下云「不覺微尖點拍頻」，二「微」字殊草草。

又 重字良不易，「錯錯錯」與「忡忡忡」之類也。然須另出，不是上句意，乃妙。

又 文字總要生動，鏤金錯采，所以爲笨伯也。詞尤不可參一死句，辛稼軒非不自立門戶，但是散仙入聖，非正法眼藏。改之處處吹影，乃博刀圭之譏，宜矣。

又 惟片言而居要，乃一篇之警策，詞有警句，則全首俱動。

又 詞中對句，正是難處，莫認作襯句。至五言對句、七言對句，使觀者不作對疑，尤妙。

沈謙《塡詞雜說》 詞不在大小淺深，貴於移情。「曉風殘月」、「大江東去」，體製雖殊，讀之皆若身歷其境，惝怳迷離，不能自主，文之至也。

又 白描不可近俗，修飾不得太文，生香眞色，在離即之間，不特難知，亦難言。

鄒祗謨《遠志齋詞衷》 詩語入詞，詞語入曲，善用之即是出處，襲而愈工。

又 《詞品》云：塡詞于文爲末，而非自《選》詩、《樂府》來，不能入妙。李易安詞「清露晨流，新桐初引」，乃全用《世說》語。愚按，詞至稼軒，經子百家，行間筆下，驅斥如意。近則婁東善用《南、北史》，江左風流，惟有安石，詞家妙境，重見桃源矣。

賀裳《皺水軒詞筌》 凡寫迷離之況者，止須述景，如「小窗斜日到芭蕉，半牀斜月疏鐘後」，不言愁而愁自見。

又 作詞不待用事，用之妥切，則語始有情。

徐喈鳳《詞證》 弇州謂美成能作景語，不能作情語。愚謂詞中情景，不可太分，深於言情者，正在善於寫景。

王士禛《花草蒙拾》 《花間》字法，最著意設色，異紋細豔，非後人纂組所及。

《四庫全書總目・蘆川詞提要》 詞曲以本色爲最難，不尙新僻之字，亦不尙典重之字。

彭孫遹《金粟詞話》 作詞必先選料，大約用古人之事，則取其新穎，而去其陳因。用古人之語，則取其清雋，而去其平實。用古人之字，則取其鮮麗，而去其淺俗。不可不知也。

又《詞統源流》 詞要清空，不要質實。清空則古雅峭拔，質實則凝澀晦昧。姜白石如野云孤飛，去留無迹；吳夢窗如七寶樓臺，眩人耳目，拆碎下來，不成片段。此清空質實之說。又如《聲聲慢》云：「檀欒金碧，婀娜蓬萊，浮云不蘸芳洲。」前八字恐亦太澀。如《唐多令》云：「何處合成愁，離人心上秋，縱芭蕉不雨也颼颼。」此詞便不質實。白石如《疏影》、《暗香》、《揚州慢》、《一萼紅》、《琵琶仙》、《探春慢》、《淡黃柳》等曲，不惟清虛，又且騷雅，讀之使人神魂飛越。

又 小調要言短意長，忌尖弱；中調要骨肉停勻，忌平板；長調要操縱自如，忌粗率。能于豪爽中著一二精緻語，綿婉中著一二激厲語，尤見錯綜。

又 小令、中調，有排蕩之勢者，吳彥高之「南朝千古傷心事」、范希文之「塞下秋來風景異」是也。長調極狎昵之情者，周美成之「衣染鶯黃」、柳耆卿之「晚晴初」是也。于此足悟偷聲變律之妙。

又 塡詞結句，或以動蕩見奇，或以迷離稱雋，著一實語，敗矣。康伯可「正是銷魂時候也，撩亂花飛」，晏叔原「紫騮認得舊游踪，嘶過畫橋東畔路」，秦少游「落花無語對斜暉，此恨誰知」，深得此法。

又 詞家多翻詩意入詞，雖名流不免。吾常愛李後主《一斛珠》末句云：「繡牀斜憑嬌無那，爛嚼紅絨，笑向檀郎唾。」楊孟載《春繡》絕句云：「閑情正在停針處，笑嚼紅絨唾碧窗。」此卻翻詞入詩，彌子瑕竟效顰于南子。

又 詞雖以險麗爲工，實不及本色語之妙。如李易安「眼波才動被人猜」，蕭淑蘭「去也不教知，怕人留戀伊」，魏夫人「爲報歸期須及早，休誤妾、一春閑」，孫光憲「留不得，留得也應無益」，嚴次山「一春不忍上高樓，爲怕見，分攜處」。觀此種句，覺「紅杏枝頭春意鬧」尙書安排一個字，費許大氣力。

又 寫景之工者，如尹鶚「盡日醉尋春，歸來月滿身」，李重光「酒惡時拈花蕊嗅」，李易安「獨抱濃愁無好夢，夜闌猶剪燈花弄」，劉潛夫「貪與蕭郎眉語，不知舞錯伊州」，皆入神之句。

又 詞中用事最難，要緊著題，融化不澀。如東坡《永遇樂》云：「燕子樓空，佳人何在，空鎖樓中燕。」用張建封事。白石《疏影》云：「猶記深宮舊事，那人正睡里，飛近蛾綠。」用壽陽事。又云：「昭君不慣胡沙遠，但暗憶江南江北。想佩環、月下歸來，化作此花幽獨。」用少陵詩。此皆用事不爲所使。

沈雄《古今詞話·詞品》卷上 兩句一樣爲疊句，一促拍，一曼聲。《瀟湘神》、《法駕導引》，一氣流注者，促拍也。《東坡引》「雄心消一半，雄心消一半」，不爲申明上意，而兩意全該者，曼聲也。體如是也。若呂居仁之「恨君不似江樓月，南北東西，南北東西，只有相隨無別離」，是承上接下，偶然戲爲之耳。

又 對句易於言景，難於言情。且開放則中多迂濫，收整則結無意緒，對句要非死句也。

徐釚《詞苑叢談》 詞雖以險麗爲工，實不及本色語之妙。

李調元《雨村詞話》卷一 顧敻《獻衷情》詞「繡鴛鴦帳暖，畫孔雀屏欹」，此詞中折腰句法也，今作譜並斷爲句，非。

焦循《雕菰樓詞話》 詞不難於長調，而難於長句。詞不難於短令，而難於短句。短至一、二字，長至九字、十字，長須不可界斷，短須不致牽連。短不牽連尚易，長不界斷，雖名家有難之者矣。

許昂霄《詞綜偶評》 題前一層，即爲題中鋪叙，手法最高。

又 融情景於一家，固是詞中三昧。若論豔詞，則與其多作情語，無甯多作景語，蓋情語尤易流入鄙褻也。

又 作詞之法貴倒裝，貴借用，貴翻案。

陸鎣《問花樓詞話》 疊字之法最古，義山尤喜用之。然如《菊》詩：「暗暗淡淡紫，融融冶冶黃。」轉成笑柄。宋人中易安居士，善用此法。其《聲聲慢》一詞，頓挫淒絕。詞曰：「尋尋覓覓，冷冷清清，悽悽慘慘戚戚。乍暖還寒時候，最難將息。」又云：「梧桐更兼細雨，到黃昏、點點滴滴。」二闋共十餘個疊字，而氣機流動，前無古人，後無來者，可爲詞家疊字之法。

吳衡照《蓮子居詞話》卷一 唐七言絶歌法，必有襯字以取便於歌。五言、六言皆然，不獨七言也。後並格外字入正格，凡虛聲處，悉塡成辭，不別用襯字，此詞所繇興已。

又卷二 言情之詞，必藉景色映托，乃具深宛流美之致。

又卷三 頻伽《詞話》云：詞有拗調拗句，須渾然脫口，若不可不用此平仄聲字者，方爲作手。如未能極工，無難取成語之合者以副之，斯不覺其聱牙耳。茲言最得拗體之訣。推之，如《江城梅花引》、《喝火令》、《歸田樂》各體，雖未爲盡拗，然必極精融妥溜而出之。

又 詞有疊字，三字者易，兩字者難，要安頓生動。詞有對句，四字者易，七字者難，要流轉圓愜。

周濟《介存齋論詞雜著》 初學詞求空，空則靈氣往來。既成格調求實，實則精力彌滿。初學詞求有寄託，有寄託則表裏相宣，斐然成章。既成格調，求無寄託，無寄託，則指事類情，仁者見仁，知者見知。

又 北宋詞多就景叙情，故珠圓玉潤，四照玲瓏。至稼軒、白石，一變而爲即事叙景，使深者反淺，曲者反直。

又《宋四家詞選目錄序論》 詞以思筆爲入門階陛。

又 詞筆不外順逆反正，尤妙在復在脫。復處無垂不縮，故脫處如望海上三山妙發。

孫麟趾《詞逕》 牛鬼蛇神，詩中不忌，詞則大忌。運用典故須活潑。

又 余嘗取古人之拗句誦之，始上口似拗，久之覺非拗不可。蓋陰陽清濁之間，自有一定之理。妄易之，則於音律不順矣。

李佳《左庵詞話》卷上 詞最忌板，須用虛字轉折方活。如「任、看、正、待、乍、怕、總、向、愛、奈、似、但、料、想、更、算、況、悵、快、早、儘、憑、歎、方、將、未、已、應、若、莫、念、甚、倘、便、怎、恁」等類皆是。學者不曉音律，但譜一詞，自唱數遍，覺有生硬，啞而不響，平側不順之字，屢屢易之，以求其諧。久之亦暗與音律自合。

又 作詞結處，須有悠然不盡之意，最忌說煞，便直白無趣。古人集中講究結束者不少，求之自見。

又 詠物最爭托意隸事處，以意貫串，渾化無痕。《碧山集》中，以此擅場。讀之自見家國身世之感，每流露於言外。

又 詞中五言、七言句，最宜淆亂。七言有上四下三，如《鷓鴣天》「小窗愁黛淡秋山」，《玉樓春》「棹沈雲去情千里」之類。有上三下四者，若《唐多令》「燕辭歸客尚淹留」，《爪茉莉》「金風動冷清清地」之類。五言有上二下三，若《一路索》「暑氣昏池館」，《錦堂春》「腸斷欲棲鴉」之類。有一字領句，下則四字者，若《桂華明》「遇廣寒宮女」，《燕歸梁》「記一笑千金」之類。誤塡便失調，不可不審。

又卷下 作詞，字警不如句警，句警不如意警。令人閱之，不禁加圈叫好。彼平平之作，雖通首無不妥處，細玩之，竟欲加一圈而不能。

又 作詞全在用筆，筆能立得起，不爲調所縛。故善用筆者靈而活，不善用筆者滯而板。

又 風前人名作，無論詠古詠物，既經膾炙人口，便不宜作和韻，適落窠臼。必須用翻案法，獨出新意，方足以爭奇制勝。否則縱極工穩，亦不過拾人牙慧。

又 李義山《詠蟬》、《落花》二律詩，均遺貌取神，益見其品格之高。推此意以作詞，自以白描爲妙手，豈徒事堆砌者所能見長。

又 詞貴有意，首尾一線穿成，非枝枝節節爲之。其間再參以虛實、反正、開合、抑揚，自成合作。

又 作詞須用詞眼，如潘元質之「燕嬌鶯姹」，李易安之「綠肥紅瘦」、「寵柳嬌花」，夢窗之「醉雲醒月」，碧山之「桃雲研雪」，梅溪之「柳昏花暝」，竹屋之「玉嬌香怨」，西林之「柳腴花瘦」，秋岑之「燕昏鶯曉」、「漁煙鷗雨」，可竹之「翠嬌紅妒」、「愁煙恨粉」，樓君亮之「月約星期」，玉田之「雨今雲古」，東澤之「恨煙愁雨」，梅心之「燕窺鶯認」，皆是。

又 製一詞，須佈置停勻，血脈貫穿。過片不可斷意，如常山蛇，首尾聲相應爲佳。

又 詞中屬對，亦有求工者。如田不伐「小雨分山，斷雲籠月」、「煙橫山腹，雁點秋容」，徐淵「問竹平安，點花番次」，美成「稚柳蘇晴，故溪歇雨」，白石「虛閣籠寒，小簾通月」，丁夢庵「蟬碧句花，雁紅攢月」，夢窗「碎葉霞飄，敗窗風咽」，翁處靜「種石生雲，移花帶月」，梅溪「斷浦沈雲，空山挂雨」、「畫裏移舟，詩邊就夢」，丁夢庵「疏綺籠寒，淺雲棲月」，施梅川「竹深水遠，臺高石出」，梅溪「做冷欺花，將煙困柳」，白石「池面冰膠，牆腰雪老」，李賓房「紫曲迷香，綠窗夢月」，夢窗「霜杵敲寒，風燈搖夢」，丁湖南「向月賒晴，憑春買夜」，樂笑翁「斷碧分山，空簾賸月」、「晴光轉樹，晚氣分嵐」、「鶴響天高，水流花淨」、「開簾過雨，隔水呼燈」、「浪捲天浮，山邀雲去」、「岸角衝波，籬根受葉」、「淺草猶霜，融泥未燕」，皆經鍛煉而出，然亦不可十分吃力。

又 詞中用事最難，要體認箸題，融化不澀。如東坡《定風波》云：「破帽多情卻戀頭。」用龍山落帽事。《永遇樂》云：「燕子樓空，佳人何在，空鎖樓中燕。」用張建封事。白石《疏影》云：「昭君不慣胡沙遠，但暗憶、江南江北。想佩環月夜歸來，化作此花幽獨。」用少陵詩。皆用事不爲事所使，自不落呆相。

又 詞中語句，太寬則率易，太工則苦澀。如起頭八字相對，中間八字相對，卻須用工夫着一字眼。如詩眼亦同。若八字既工，下句便合稍寬，庶不窒塞。約莫寬易，又著一句工致者，便精粹。此詞中之關鍵，不可不講。

劉熙載《藝概·詞概》 詞或前景後情，或前情後景，或情景齊到，相間相融，各有其妙。

又 一轉一深，一深一妙，此騷人三昧，倚聲家得之，便自超出常境。

又 空中蕩漾，最是詞家妙訣。上意本可接入下意，卻偏不入。而於其間傳神寫照，乃愈使下意栩栩欲動。《楚辭》所謂「君不行兮夷猶，蹇誰留兮中洲」也。

又 詞要放得開，最忌步步相連。又要收得回，最忌行行愈遠。必如天上人間，去來無迹，斯爲入妙。

又 小令難得變化，長調難得融貫，其實變化融貫，在在相須，不以長短別也。

又 詞以煉章法爲隱，煉字句爲秀。秀而不隱，是猶百琲明珠，而無一線穿也。

又 煉字，數字爲煉，一字亦爲煉。句則合句首、句中、句尾以見意，多者三四層，少亦不下兩層。詞家或遂謂字易而句難，不知煉句固取相足相形，煉字亦須遙管遙應也。

又 玉田謂：「詞與詩不同，合用虛字呼喚。」余謂用虛字正樂家歌詩之法也。朱子云：「古樂府只是詩，中間卻添出許多泛聲，後人怕失了那泛聲，逐一聲添個實字，遂成長短句，今曲子便是。」案：朱子所謂實字，謂實有個字，雖虛字亦是有也。

又 詞之好處，有在句中者，有在句之前後際者。陳去非《虞美人》：「杏花疏影裏，吹笛到天明。」此因抑承「憶昔」，俯注「一夢」，故此二句不覺豪酣，轉成悵惘，所謂好在句外者也。倘謂現在如此，則呆甚矣。

又 賀方回《青玉案》詞，收四句云：「試問閑愁都幾許，一川煙草，滿城風絮，梅子黄時雨。」其末句好處，全在「試問」句呼起，及與上「一川」二句並用耳。或以方回有「賀梅子」之稱，專賞此句，誤矣。且此句原本寇萊公「梅子黄時雨如霧」詩句，然則何不目萊公爲寇梅子耶？

又 詞之妙，全在襯跌，如文文山《滿江紅·和王夫人》云：「世態便如翻覆雨，妾身元是分明月。」《酹江月·和友人驛中言別》云：「鏡裏朱顔都變盡，只有丹心難滅。」每二句若非上句，則下句之聲情不出矣。

又 「詞眼」二字，見陸輔之《詞旨》。其實輔之所謂眼者，仍不過某字工，某句警耳。余謂眼乃神光所聚，故有通體之眼，有數句之眼，前前後後，無不待眼光照映。若舍章法而專求字句，縱爭奇競巧，豈能開闔變化，一動萬隨耶？

又 詞深於興，則覺事異而情同，事淺而情深。故沒要緊語正是極要緊語，亂道語正是極不亂道語。固知「吹皺一池春水，干卿甚事」，原是戲言。

又 詞中用事，貴無事障。晦也，膚也，多也，板也，此類皆障也。姜白石詞用事入妙，其要訣所在，可於其《詩説》見之。曰「僻事實用，熟事虚用」，「學有餘而約以用之，善用事者也」，「乍叙事而間以理言，得活法者也」。

又 詞有點有染，柳耆卿《雨淋鈴》云：「多情自古傷離別，更那堪，冷落清秋節。今宵酒醒何處，楊柳岸，曉風殘月。」上二句點出離别冷落。「今宵」二句，乃就上二句意染之。點染之間，不得有他語相隔。隔則警句亦成死灰矣。

又 詞之爲物，色香味宜無所不具。以色論之，有借色，有眞色，借色每爲俗情所豔。不知必先將借色洗盡，而後眞色見也。

又 昔人論詞，要如嬌女步春。余謂更當有以益之，曰：如異軍特起，如天際眞人。

又 詞尚清空妥溜，昔人已言之矣。惟須妥溜中有奇創，清空中有沈厚，才見本領。

又 詞要恰好，粗不得，纖不得，硬不得，軟不得。不然非傖父即兒女矣。

又 黄魯直跋東坡《卜算子》「缺月掛疏桐」一闋云：「語意高妙，似非吃煙火食人語，非胸中有萬卷書，筆下無一點塵俗氣，孰能至此。」余案：詞之大要，不外厚而清。厚，包諸所有。清，空諸所有也。

又 詞淡語要有味，壯語要有韻，秀語要有骨。

又 古樂府中，至語本只是常語，一經道出，便成獨得。詞得此意，則極煉如不煉，出色而本色，人籟悉歸天籟矣。

又 詞中句與字，有似觸著者，所謂極煉如不煉也。晏元獻「無可奈何花落去」二句，觸著之句也。宋景文「紅杏枝頭春意鬧」，「鬧」字，觸著之字也。

陳廷焯《白雨齋詞話》卷五 鍊字琢句，原屬詞中末技。然擇言貴雅，亦不可不慎。古人詞有竟體高妙，而一句小疵，致令通篇減色者。如柳耆卿「對瀟瀟暮雨灑江天」一章，情景兼到，骨韻俱高，而有「想佳人妝樓長望」之句。「佳人妝樓」四字，連用俗極，亦不檢點之過。又如王君玉《望江南》云：「碧瓦煙昏沈柳岸，紅綃香潤入梅天。」可謂精於造句。而接語云：「飄灑正蕭然。」殊病空滑，與上不稱。又如姜白石《石湖仙》一闋，自是高境。而「玉友金蕉、玉人金縷」八字纖俗，固不能爲白石諱。又如高竹屋「月冷霜袍擁」一篇，旁面取勢，亦可謂思深意遠。惟「想見那」三字，不免粗鄙。此類皆失之不檢，致使敲金戛玉之詞，忽與瓦缶競奏。白璧微瑕，固是恨事。

又 昔人謂詩中不可著一詞語，詞中亦不可作一詩語，其間界若鴻溝。余謂詩中不可作詞語，信然。若詞中偶作詩語，亦何害其爲大雅。且如「似曾相識燕歸來」等句，詩詞互見，各有佳處。彼執一而論者，眞井蛙之見也。

又 詩中不可作詞語，詞中不妨有詩語，而斷不可作一曲語。溫、韋、姜、史復起，不能易吾言也。

又卷六 詞中如「佳人、夫人、那人、檀郎、伊家、香腮、心兒、蓮瓣、雙翹、鞵鉤、斷腸天、可憐宵、莽乾坤、哥、奴、姐、要」等字面，俗劣已極，斷不可用。即「老子、玉人、則個、好個、那個、拌個、元是、嬌瞋、兜鞵、恁、些、他、兒」等字，亦以愼用爲是。蓋措詞不雅，命意雖佳，終不足貴。

又 遣詞貴典雅。然亦有典雅之事，數見不鮮，亦宜愼用。如「蓮子空房」、「人面桃花」等字，久已習爲套語，不必再拾人唾餘。

又卷七 詞中連用疊字，或句句用「春」字，或句句用「愁」字，句句用「聲」字、「兒」字、「秋」字、「間」字之類，皆非正道。有志于古者，必不屑爲。

又卷八 彭駿孫《金粟詞話》云：「詞人用語助入詞者甚多，入豔詞者絕少。惟秦少遊『悶則和衣擁』，新奇之甚。用『則』字亦僅見此詞。」按：此乃少遊惡劣語，何新奇之有。至用「則」字入詞，宋人中屢見。如「拌則而今已拌了，忘則怎生便忘得」。又「憶則如何不憶」之類，亦豈謂之僅見。董文友詞云：「暗笑那人知未，薄倖從前既。」押「既」字穩而有味，似此方可謂善用語助入豔詞者。

沈祥龍《論詞隨筆》 詞有三法：章法、句法、字法也。章法貴渾成，又貴變化；句法貴精鍊，又貴灑脱；字法貴新雋，又貴自然。

又 詞有三要：曰情、曰韻、曰氣。情欲其纏綿，其失也靡；韻欲其飄逸，其失也輕；氣欲其動宕，其失也放。

又 作詞須擇題，題有不宜於詞者，如陳腐也、莊重也、事繁而詞不能叙也、意奥而詞不能達也。幾見論學問、述功德而可施諸詞乎？幾見如少陵之賦《北征》、昌黎之詠《石鼓》而可以詞行之乎？

又 小令須突然而來，悠然而去，數語曲折含蓄，有言外不盡之致。著一直語、粗語、鋪排語、説盡語，便索然矣。此當求諸五代宋初諸家。

又 長調須前後貫串，神來氣來，而中有山重水複、柳暗花明之致。句不可過於雕琢，雕琢則失自然。采不可過於塗澤，塗澤則無本色。濃句中間以淡語，疏句後接以密語，不冗不碎，神韻天然，斯盡長調之能事。

又 詞中對句，貴整鍊工巧，流動脱化，而不類於詩賦。史梅溪之「做冷欺花，將煙困柳」，非賦句也。晏叔原之「落花人獨立，微雨燕雙飛」，晏元獻之「無可奈何花落去，似曾相識燕歸來」，非詩句也。然不工詩賦，亦不能爲絶妙好詞。

又 詞換頭處謂之過變，須辭意斷而仍續，合而仍分。前虛則後實，前實則後虛，過變乃虛實轉捩處。

又 詞起結最難，而結尤難於起。結有數法，或拍合，或宕開，或醒明本旨，或轉出別意，或就眼前指點，或於題外借形，不外白石《詩説》所云「辭意俱盡，辭盡意不盡，意盡辭不盡」三者而已。

又 詩重發端，惟詞亦然，長調尤重。有單起之調，貴突兀籠罩，如東坡「大江東去」是。有對起之調，貴從容整鍊，如少遊「山抹微雲，天黏衰草」是。

又 詞中虛字，猶曲中襯字，前呼後應，仰承俯注，全賴虛字靈活，其詞始妥溜而不板實。不特句首虛字宜講，句中虛字亦當留意，如白石詞云「庾郎先自吟愁賦，淒淒更聞私語」，「先自」、「更聞」互相呼應，餘可類推。

又 詞之用字，務在精擇。腐者、啞者、笨者、弱者、粗俗者、生硬者，詞中所未經見者，皆不可用。而叶韻字尤宜留意，古人名句，末字必新雋響亮，如「人比黄花瘦」之「瘦」字，「紅杏枝頭春意鬧」之「鬧」字皆是。然有同此字，而用之善不善，則存乎其人之意與筆。

又 鍊字貴堅凝，又貴妥溜。句中有鍊一字者，如「雁風吹裂雲痕」是；有鍊兩三字者，如「看足柳昏花暝」是，皆極鍊如不鍊也。

又 詞以自然爲尚，自然者，不雕琢、不假借、不著色相、不落言詮也。古人名句，如「梅子黄時雨」、「雲破月來花弄影」，不外自然而已。

又 詞宜清空，然須才華富，藻采縟，而能清空一氣者爲貴。清者不染塵埃之謂，空者不著色相之謂。清則麗，空則靈，如月之曙，如氣之秋，表聖品詩，可移之詞。

又 詞不宜過於設色，亦不宜過於白描。設色則無骨，白描則無采，如粲女試妝，不假珠翠而自然濃麗，不洗鉛華而自然淡雅，得之矣。

又 詞不尚鋪叙，而事理自明，不尚議論，而情理自見，其間全賴一「清」字。骨理清，體格清，辭意清，更出以風流藴藉之筆，則善矣。

又 詞當於空處起步，閑處著想，空則不占實位，而實意自籠住。閑則不犯正位，而正意自顯出。若開口便實便正，神味索然矣。

又 詞韶麗處，不在塗脂抹粉也。誦東坡「冰肌玉骨，自清涼無汗，水殿風來暗香滿」句，自覺口吻俱香。悲慨處不在歎逝傷離也，誦耆卿「漸霜風淒緊，關河冷落，殘照當樓」句，自覺神魂欲斷。蓋皆在神不在迹也。

又 含蓄無窮，詞之要訣。含蓄者意不淺露，語不窮盡，句中有餘味，篇中有餘意，其妙不外寄言而已。

又 宋人選詞，多以雅名，俗俚固非雅，即過於穠豔，亦與雅遠。雅者其意正大，其氣和平，其趣淵深也。

又 詞能幽澀，則無淺滑之病，能皺瘦，則免癡肥之誚。觀周美成、張子野兩家詞自見。

又 詞於清麗圓轉中，間以壯闊之句，力量始大，玉田詞往往如此。四言如「浪挾天浮，山邀雲去」，五言如「月在萬松頂」，七言如「衰草淒迷秋更綠」等句，皆氣象壯闊，不作纖纖之態，但可付女郎低唱也。

又　詞雖濃麗而乏趣味者，以其但知作情景兩分語，不知作景中有情、情中有景語耳。「雨打梨花深閉門」、「落紅萬點愁如海」，皆情景雙繪，故稱好句，而趣味無窮。

又　白石詩云：「自製新詞韻最嬌」，嬌者如出水芙蓉，亭亭可愛也。徒以嫣媚爲嬌，則其韻近俗矣。試觀白石詞，何嘗有一語涉於嫣媚。

又　坡公《赤壁賦》云：「如怨如慕，如泣如訴，餘音嫋嫋，不絶如縷。」詞之音節意旨能合乎此，庶可吹洞簫以和之。

又　詞之妙，在透過，在翻轉，在折進。「自是春心撩亂，非關春夢無憑」，透過也。「若說愁隨春至，可憐冤煞東風」，翻轉也。「山映斜陽天接水，芳草無情，更在斜陽外」，折進也。三者不外用意深，而用筆曲。

又　詞貴愈轉愈深。稼軒云：「是他春帶愁來，春歸何處，卻不解帶將愁去。」玉田云：「東風且伴薔薇住，到薔薇春已堪憐。」下句卽從上句轉出，而意更深遠。

又　寫景貴淡遠有神，勿墮而奇險。言情貴蘊藉有致，勿浸而淫褻。曉風殘月，衰草微雲，寫景之善者也。紅雨飛愁，黃花比瘦，言情之善者也。

又　運用書卷，詞難於詩。稼軒《永遇樂》，岳倦翁尙謂其用事太實。然亦有法，材富則約以用之，語陳則新以用之，事熟則生以用之，意晦則顯以用之，實處間以虛意，死處參以活語，如禪家轉法華，弗爲法華轉，斯爲善於運用。

又　詞不能堆垛書卷，以誇典博，然須有書卷之氣味。胸無書卷，襟懷必不高妙，意趣必不古雅，其詞非俗卽腐，非粗卽纖。故山谷稱東坡《卜算子》詞，非胸中有萬卷書，孰能至此。

又　用成語，貴渾成，脫化如出諸己。賀方回「舊遊夢挂碧雲邊，人歸落雁後，思發在花前」，用薛道衡句；歐陽永叔「平山欄檻倚晴空，山色有無中」，用王摩詰句，均妙。李易安「清露晨流，新桐初引」，用《世說新語》，更覺自然。稼軒能合經史子而用之，自其才力絶人處，他人不宜輕效。

又　詞於古文詩賦，體制各異。然不明古文法度，體格不大，不具詩人旨趣，吐屬不雅，不備賦家才華，文采不富。王元美《藝苑卮言》云：「塡詞雖小技，尤爲謹嚴。」賀黃公《詞筌》云：「塡詞亦兼辭令議論敘事之妙。」然則詞家於古文詩賦，亦貴兼通矣。

張德瀛《詞徵》卷一　鄉先輩謂詞之句法，皆本於詩，兩字成句者本於「鱠鯊」、「祈父」。其三字以下句法，不一而足。愚按：詞有一字成句者，小令如《蒼梧謠》、慢聲如《哨遍》皆然。唐時令狐楚賦山（同作者凡八九，此概舉其一耳），張南史賦雪（詠物六首之一），皆從一字起。文與可《丹淵集》亦具兹體。顧徵君謂《緇衣》章「敝」字爲句，「還」字亦爲句，是詞之有一字，實本於《三百篇》也。

又　詞有內抱、外抱二法。內抱如姜堯章《齊天樂》「曲曲屏山，夜涼獨自甚情緒」是也；外抱如史梅谿《東風第一枝》「恐鳳靴挑菜歸來，萬一灞橋相見」是也。元代以後，鮮有通此理者。

又　詞之訣曰情景交鍊。宋詞如李世英「一寸相思千萬緒，人間沒個安排處」，情語也。梅堯臣「落盡梨花春又了，滿地斜陽，翠色和煙老」，景語也。姜堯章「舊時月色，算幾番照我，梅邊吹笛」，景寓於情也。寇平叔「倚樓無語欲銷魂，長空黯淡連芳草」，情繫于景也。詞之爲道，其大旨固不出此。

又　詩有扇對，詞亦有扇對。鄭都官詩云：「昔年共照松溪影，松折碑荒僧已無。今日還思錦城事，雪消花謝夢何如。」此詩之扇對也。趙元鎭詞云：「欲往鄉關何處是，水雲浩蕩連南北。」後闋云：「欲借忘憂須是酒，奈酒行欲盡愁無極。」此詞之扇對也。

又卷三　詞之用字，凡同在一紐一弄者，忌相連用之，宋人於此最爲矜愼。如柳耆卿《雨淋鈴》詞，今（見母牙音，角屬純清）、宵（心母齒頭音，商屬次清）、酒（照母正齒音，商屬次清）、醒（心母齒頭音，商屬次清）、何（匣母喉音，羽屬半濁）、處（清母齒頭音，商屬次清）、楊（喻母喉音，羽屬平。宋人所分四等聲，其不清不濁者統謂之平，無所謂全濁聲者。若四聲等子所列，則以「疑、泥、孃、明、微、喻、來、日」八母爲不清不濁，卽宋人所謂平也。其「邪、禪」二母，不清不濁亦平也。其以「群、定、澄、並、奉、從、牀、匣」八母爲全濁者，婺源江氏亦從其說，乃宋人所謂半濁也）、柳（來母半舌音，徵屬半濁）、岸（疑母牙音，角屬平）、曉（匣母喉音，羽屬純清）、風（非母輕唇音，宮屬純清）、殘（從母齒頭音，商屬半濁）、月（疑母牙音，角屬平），其用字之法，洵可爲軌範矣。詞必分清濁輕重，李易安作《詞論》亦云：

然周德清撰《中原音韻》，判爲陰陽二聲，陰陽者，清濁之謂也。賈子明以輕清爲陰，重濁爲陽，宋張世南已有其說。陰陽四聲俱備，它音易明。惟上聲每難剖晰，如董陰動陽，子陰矣陽，皆製詞者所宜知。

又 吴夢窗《唐多令》詞「縱芭蕉不雨也颼颼」，卓人月以「縱」字爲襯字，萬氏《詞律》卷九已駁正之。蓋謂曲有襯字，詞無襯字，二者不可相混也。朱子云：「古樂府只是詩中間，卻添許多泛聲，後來人怕失了那泛聲，逐一添個實字，遂成長短句，今曲子便是。」朱子所謂曲子，指詞言之。胡元任云：「唐人調俱失傳，今可歌者，《小秦王》、《瑞鷓鴣》耳。《瑞鷓鴣》依字易歌，若《小秦王》必雜以虛聲，乃可歌也。」據此，則詞雖無襯字，而曲之肇源於詞者，概可識矣。

王國維《人間詞話》 詞忌用替代字。美成《解語花》之「桂華流瓦」，境界極妙，惜以「桂華」二字代月耳。夢窗以下，則用代字更多。其所以然者，非意不足，則語不妙也。蓋意足則不暇代，語妙則不必代。此少遊之「小樓連苑」、「繡轂雕鞍」所以爲東坡所譏也。

又 沈伯時《樂府指迷》云：「說桃不可直說破桃，須用『紅雨』、『劉郎』等字。詠柳不可直說破柳，須用『章臺』、『灞岸』等字。」若惟恐人不用代字者。果以是爲工，則古今類書具在，又安用詞爲耶？宜其爲《提要》所譏也。

又 讀《會眞記》者，惡張生之薄倖而恕其奸非。讀《水滸傳》者，恕宋江之横暴而責其深險。此人人之所同也。故豔詞可作，唯萬不可作儇薄語。龔定庵詩云：「偶賦凌雲偶倦飛。偶然閑慕遂初衣。偶逢錦瑟佳人問，便說尋春爲汝歸。」其人之涼薄無行，躍然紙墨間。余輩讀耆卿、伯可詞，亦有此感。視永叔、希文小詞何如耶。

鄭文焯《夢窗詞跋》 詞意固宜清空，而舉典尤忌冷僻。夢窗詞高雋處固足矯一時放浪通脫之弊，而晦澀終不免焉。至其隸事，雖亦淵雅可觀，然鍛煉之工，驟難索解，淺人或以意改竄，轉不能通。【略】此類尚不止此，誠務博之過，亦字意用晦之所致也。

況周頤《蕙風詞話》卷一 寒酸語不可作，即愁苦之音，亦以華貴出之。飲水詞人所以爲重光後身也。

又 塡詞之難，造句要自然，又要未經前人說過。自唐五代已還，名作如林，那有天然好語，留待我輩驅遣。必欲得之，其道有二：曰性靈流露，曰書卷醞釀。性靈關天分，書卷關學力。學力果充，雖天分少遜，必有資深逢源之一日。書卷不負人也。中年以後，天分便不可恃。苟無學力，日見其衰退而已。江淹才盡，豈眞夢中人索還囊錦耶？

又 吾詞中之意，唯恐人不知，於是乎勾勒。夫其人必待吾勾勒而後能知吾詞之意，即亦何妨任其不知矣。曩余詞成，於每句下注所用典。半塘輒曰：「無庸。」余曰：「奈人不知何？」半塘曰：「儻注矣，而人仍不知，又將奈何？矧塡詞固以可解不可解，所謂煙水迷離之致，爲無上乘耶。」

又 作詞須知「暗」字訣。凡暗轉、暗接、暗提、暗頓，必須有大氣眞力，斡運其間，非時流小惠之筆能勝任也。駢體文亦有暗轉法，稍可通於詞。

又 佳詞作成，便不可改。但可改便是未佳。改詞之法，如一句之中有兩字未協，試改兩字，仍不愜意，便須換意，通改全句。牽連上下，常有改至四五句者。不可守住元來句意，愈改愈滯也。

又 改詞須知挪移法。常有一兩句語意未協，或嫌淺率，試將上下互易，便有韻致。或兩意縮成一意，再添一意，更顯厚。此等倚聲淺訣，若名手意筆兼到，愈平易，愈渾成，無庸臨時掉弄也。

又 詞中對偶，實字不求甚工。草木可對禽蟲也，服用可對飲饌也。實勿對虛，生勿對熟，平擧字勿對側串字，深淺濃淡，大小重輕之間，務要侔色揣稱。昔賢未有不如是精整也。

又卷二 元人製曲，幾於每句皆有襯字，取其能達句中之意，而付之歌喉，又抑揚頓挫，悅人聽聞。所謂遲其聲以媚之也。兩宋人詞間亦有用襯字者。王晉卿云：「燭影搖紅向夜闌，乍酒醒、心情懶。」「向」字、「乍」字是襯字。據《詞譜》，《燭影搖紅》第二句七字，應仄平仄仄平平仄。周美成云：「黛眉巧畫宮妝淺」，不用襯字，與換頭第二句同。

又卷五 信是慧業詞人，其少作未能入格，卻有不可思議，不可方物之性靈語，流露於不自知。斯語也，即使其人中年深造，晚歲成就以後，刻意爲之，不復克辦。蓋純乎天事也。苟無斯語，以謂若而人者之作，蒙竊未敢信也。

類別

王灼《碧雞漫志》卷二　雅言初自集分兩體，曰雅詞，曰側豔，目之曰《勝萱麗藻》。後召試入官，以側豔體無賴太甚，削去之。再編成集，分五體，曰應制、曰風月脂粉、曰雪月風花、曰脂粉才情、曰雜類。

張炎《詞源》卷下　詩難於詠物，詞爲尤難。體認稍眞，則拘而不暢，模寫差遠，則晦而不明。要須收縱聯密，用事合題。一段意思，全在結句，斯爲絶妙。【略】此皆全章精粹，所詠瞭然在目，且不留滯於物。

又　昔人詠節序，不惟不多，附之歌喉者，類是率俗，不過爲應時納祜之聲耳。所謂清明「拆桐花爛漫」、端午「梅霖初歇」、七夕「炎光謝」，若律以詞家調度，則皆未然。豈如美成《解語花·賦元夕》云：【略】史邦卿《東風第一枝·賦立春》云：【略】黄鍾《喜遷鶯·賦元夕》云：【略】如此等妙詞頗多，不獨措辭精粹，又且見時序風物之盛，人家宴樂之同。則絶無歌者。至如李易安《永遇樂》云：「不如向簾兒底下，聽人笑語。」此詞亦自不惡。而以俚詞歌於坐花醉月之際，似乎擊缶韶外，良可歎也。

又　簸弄風月，陶寫性情，詞婉於詩。蓋聲出鶯吭燕舌間，稍近乎情可也。若鄰乎鄭衛，與纏令何異也。如陸雪溪《瑞鶴仙》云：【略】辛稼軒《祝英台近》云：【略】皆景中帶情，而存騷雅。故其燕酣之樂，別離之愁，回文題葉之思，峴首西州之淚，一寓於詞。若能屏去浮豔，樂而不淫，是亦漢魏樂府之遺意。

又　「春草碧色，春水綠波，送君南浦，傷如之何。」矧情至於離，則哀怨必至。苟能調感愴于融會中，斯爲得矣。白石《琵琶仙》云：【略】秦少游《八六子》云：【略】離情當如此作，全在情景交煉，得言外意。有如「勸君更盡一杯酒，西出陽關無故人」，乃爲絶唱。

又　詞之難於令曲，如詩之難於絶句，不過十數句，一句一字閑不得。末句最當留意，有有餘不盡之意始佳。當以唐《花間集》中韋莊、温飛卿爲則。又如馮延巳、賀方回、吳夢窗亦有妙處。至若陳簡齋「杏花疏影裏，吹笛到天明」之句，眞是自然而然。大抵前輩不留意于此，有一兩曲膾炙人口，餘多鄰乎率意。近代詞人，卻有用力於此者。倘以爲專門之學，亦詞家射雕手。

又　難莫難於壽詞，倘盡言富貴則塵俗，盡言功名則諛佞，盡言神仙則迂闊虛誕。當總此三者而爲之，無俗忌之辭，不失其壽可也。松椿龜鶴，有所不免，卻要融化字面，語意新奇。

沈義父《樂府指迷》　壽曲最難作，切宜戒壽酒、壽香、老人星、千春百歲之類。須打破舊曲規模，只形容當人事業才能，隱然有祝頌之意方好。

徐師曾《文體明辨序說》　按詩餘者，古樂府之流別，而後世歌曲之濫觴也。蓋自樂府散亡，聲律乖闕，唐李白氏始作《清平調》、《憶秦娥》、《菩薩蠻》諸詞，時因效之。厥後行衛尉少卿趙崇祚輯爲《花間集》，凡五百闋，此近代倚聲塡詞之祖也。宋初創製漸多，至周待制(邦彥)領大晟府樂，比切聲調，十二律各有篇目。柳屯田(永)增至二百餘調。一時文士，復相擬作，富至六十餘種，可謂極盛，然去樂府遠矣。故陸游云：「詩至晚唐五季，氣格卑陋，千人一律，而長短句獨精巧高麗，後世莫及，此事之不可曉者。」蓋傷之也。然觀秦少游(觀)之詞，傳播人間，雖遠方女子，亦知膾炙，至有好而至死者，則其感人，因可想見，殆不可謂俗體而廢之也。第作者既多，中間不無昧于音節，如蘇長公(軾)者，人猶以「鐵綽板唱大江東去」譏之，他復何言哉！由是詩餘復不行，而金元人始爲套數。曲有南北二體，九宮三調，其去樂府，抑又遠矣。近時何良俊以謂詩亡而後有樂府，樂府闕而後有詩餘，詩餘廢而後有歌曲，眞知言哉！要之，樂府詩餘，同被管弦，特樂府以皦逕揚厲爲工，詩餘以婉麗流暢爲美，以其不同耳。然詩餘謂之塡詞，則調有定格，字有定數，韻有定聲。至于句之長短，雖可損益，然亦不當率意而爲之。此譬諸醫家加減古方，不過因其方而稍更之，一或太過，則本方之意失矣。此《太和正音》及今《圖譜》之所爲也。然《正音》定擬四聲，失之拘泥；《圖譜》圈別黑白，又易謬誤。故今採諸調，直以平仄作譜，列之于前，而錄詞其後。若句有長短，復以各體別之，其可平、可仄，亦通三句。但所錄僅三百二十餘調，似爲未盡；然以備考，則庶幾矣。至論其詞，則有婉約者，有豪放者。婉約者欲其辭情醞藉，豪放者欲其氣象恢弘，蓋雖各因其質，而詞貴感人，要當以婉約爲正。否則雖極精工，終乖本色，非有識之所取也。學者詳之。

兪彥《爰園詞話》　小令佳者，最爲警策，令人動褰裳涉足之想。第好語往往前人說盡，當從何處生活。長調尤爲亹亹，染指較難。蓋意窘於侈，字貧於復，氣竭於鼓，鮮不納敗。比於兵法，知難可焉。

劉體仁《七頌堂詞繹》 長調最難工，無累與癡重同忌，襯字不可少，又忌淺熟。

又 詠物至詞，更難於詩。即「昭君不慣風沙遠，但暗憶江南江北」，亦費解。放翁「一個飄零身世，十分冷淡心腸」，全首比興，乃更遒逸。

又 山谷全首用聲字爲韻，注云「效福唐獨木橋體」，不知何體也，然猶上句不用韻。至元美道場山，則句句皆用「山」字，謂之戲作可也。詞中如效醉翁「也」字，效《楚辭》「些」字、「兮」字，皆不可無一，不可有二。

又 檃括體不可作也，不獨醉翁如嚼蠟，即子瞻改琴詩，琵琶字不見，畢竟是全首說夢。

鄒祗謨《遠志齋詞衷》 朱承爵《存餘堂詩話》云：詩詞雖同一機杼，而詞家意象，與詩略有不同。句欲敏，字欲捷，長篇須曲折三致意，而氣自流貫，乃得。此語可爲作長調者法，蓋詞至長調而變已極。南宋諸家凡以偏師取勝者無不以此見長。而梅溪、白石、竹山、夢窗諸家，麗情密藻，盡態極妍。要其瑰琢處，無不有蛇灰蚓線之妙，則所云一氣流貫也。

又 小調換韻，長調多不換韻。間如《小梅花》、《江南春》諸調，凡換韻者，多非正體，不足取法。

又 詠物固不可不似，尤忌刻意太似。取形不如取神，用事不若用意。宋詞至白石、梅溪，始得個中妙諦。今則短調，必推雲間。長調則阮亭贈雁，金粟詠螢、詠蓮諸篇，可謂神似矣。僕于銷夏時，亦詠僻題數十闋，雖選料鍊句處，謬爲諸公所歎，然形神飄緲之間，固不無望三神山之恨。

又 詞至詠古，非惟著不得宋詩腐論，並著不得晚唐人翻案法。反覆流連，別有寄託，如楊文公讀義山「珠箔輕明」一絕句，能得其措辭寓意處，便令人感慨不已。

又 詞有檃括體，有回文體。回文之就句回者，自東坡、晦庵始也。其通體回者，自義仍始也。近來吾友公阮、文友，有一首回作兩調者。文人慧筆，曲生狡獪，此中故有三昧，匪徒乙靈竇家餘巧也。

王士禎《花草蒙拾》 「疏影橫斜」、「月白風清」等作，爲詩人詠物極致。若「認桃無綠葉，辨杏有青枝」，及李筠翁之「勝如茉莉，賽得荼蘼」，劉叔擬「看來畢竟此花強，只是欠些香」，豈非詩詞一劫？程村嘗云：「詠物不取形而取神，不用事而用意。」二語可謂簡近。

彭孫遹《詞說源流》 小調換韻，長調多不換韻，間如《小梅花》、《江南春》諸調。凡換韻者，多非正體，不足取法。

又 張玉田謂詞不宜和韻，蓋詞語句參錯，復格以成韻。文分驅染，欲合得離。能如李長沙所謂善用韻者，雖和猶如自作，乃妙。近則龔中丞《綺讖》諸集，半用宋韻，阮亭稱其與和杜諸作，同爲天才，不可學。其餘名手，多喜爲此，如和坡公楊花諸闋，各出新意，篇篇可誦。但不可如方千里之和《片玉》，張杞之和《花間》，首首強叶，縱極肖，能如新豐鷄犬，盡得故處乎？

又 詞之《紇那曲》、《長相思》，五言絶句也（俱載《尊前集》中）。《柳枝》、《竹枝》、《清平調引》、《小秦王》、《陽關曲》、《八拍蠻》、《浪淘沙》，七言絶句也。《阿那曲》、《鷄叫子》，仄韻七言絶句也（《花間集》多收諸體）。《瑞鷓鴣》，七言律詩也（載《草堂集》中）。《款殘紅》，五言古詩也（楊用修體）。體裁易混，徵選實繁，故當稍別之，以存詩詞之辨。

又 詞有定名，即有定格。其字數多寡，平仄韻腳較然。中有參差不同者，一曰襯字，文義偶不連暢，用一二字襯之，密按其音節，虛實間正文自在。如南北劇「這」字、「那」字、「正」字、「個」字、「卻」字之類，從來詞本即無分別，不可不知。一曰宮調，所謂黃鐘宮、仙呂宮、無射宮、中呂宮、正宮、仙宮調、歇拍調、高平調、大石調、小石調、正平調、越調、商調也。詞有同名而所入之宮調異，字數多寡亦因之異者。如北劇黃鐘《水仙子》與雙調《水仙子》異，南劇越調《過曲小桃紅》與正宮《過曲小桃紅》異之類。一曰體制，唐人長短句，皆小令耳，後演爲中調、長調。一名而有小令，復有中調，有長調，或繫之以犯、以近、以慢別之，如南北劇名犯、名賺、名破之類。又有字數多寡同，而所入之宮調異，名亦因之異者，如《玉樓春》與《木蘭花》同，而以《木蘭花》歌之，即入大石調之類。又有名異而字數多寡則同，如《蝶戀花》一名《鳳栖梧》、《鵲踏枝》，如《念奴嬌》一名《百字令》、《酹江月》、《大江東去》之類，不能殫述矣。

又《金粟詞話》 長調之難於小調者，難於語氣貫串，不冗不複，徘徊宛轉，自然成文。

又　詠物詞，極不易工，要須字字刻畫，字字天然，方爲上乘。即間一使事，亦必脱化無迹乃妙。

賀裳《皺水軒詞筌》　小詞以含蓄爲佳，亦有作決絶語而妙者。如韋莊「誰家年少足風流。妾擬將身嫁與，一生休。縱被無情棄，不能羞」之類是也。牛嶠「須作一生拚，盡君今日歡」，抑亦其次。柳耆卿「衣帶漸寬終不悔，爲伊消得人憔悴」，亦即韋意，而氣加婉矣。

又　作長詞最忌演奏，如蘇養直「獸鐶半揜」，前半皆景語也。至「漸池邐」，【略】則觸景生情，復緣情佈景，節節轉換，穠麗周密，譬之織錦家，眞竇氏回文梭也。

先著《詞潔發凡》　詞無長調、中調之名，不過曰「令」、曰「慢」而已。前人有言曰：鉛汞交鍊而丹成，情景交鍊而詞成。苟情景融洽則披文得貌，可探其蘊，亦不必一一有題。且本一調也，務爲新奇，多寓名目，反滋惑亂。

又《詞潔》卷一　輕而不浮，淺而不露。美而不豔，動而不流。字外盤旋，句中含吐。小詞能事備矣。

又　着筆惟恐傷題，總不欲涉痕迹。詠物一派，高不能及。

《蘭皋明辭彙選》卷一引顧璟芳語　詞之小令，猶詩之絶句，字句雖少，音節雖短，而風情神韻，正自悠長。作者須有一唱三歎之致，淡而豔，淺而深，近而遠，方是勝場。且詞體中，長調每一韻到底，而小令反用轉韻，故層折多端，姿態百出，索解正自不易。

李調元《雨村詞話》卷一　詩有游仙，詞亦有游仙，人皆謂柳三變《樂章集》工於闈帳淫媟之語、羈旅悲怨之辭。然集中《巫山一段雲》詞，工于游仙，又飄飄有淩雲之意，人所未知。

周濟《介存齋論詞雜著》　詞有高下之別，有輕重之別，飛卿下語鎮紙，端己揭響入雲，可謂極兩者之能事。

吳衡照《蓮子居詞話》卷一　詠物雖小題，然極難作，貴有不粘不脱之妙，此體南宋諸老尤擅長。

又卷四　小令之難，難於中長。

又　詠物如畫家寫意，要得生動之趣，方爲逸品。

宋翔鳳《樂府餘論》　其分小令、中調、長調者，以當筵作伎，以字之多少分調之長短，以應時刻之久暫。

又《草堂》一集，蓋以徵歌而設，故别題春景、夏景等名，使隨時即景，歌以娛客。題吉席慶壽，更是此意。其中詞語，間與集本不同。其不同者，恒平俗，亦以便歌。以文人觀之，適當一笑，而當時歌伎，則必需此也。詩之餘先有小令。其後以小令微引而長之，於是有《陽關引》、《千秋歲引》、《江城梅花引》之類。又謂之近，如《訴衷情近》、《祝英臺近》之類，以音調相近，從而引之也。引而愈長者則爲慢。慢與曼通，曼之訓引也，長也，如《木蘭花慢》、《長亭怨慢》、《拜新月慢》之類，其始皆令也。亦有以小令曲度無存，遂去慢字。亦有别製名目者，則令者，樂家所謂小令也。曰引、曰近者，樂家所謂中調也。曰慢者，樂家所謂長調也。不曰令、曰引、曰近、曰慢，而曰小令、中調、長調者，取流俗易解，又能包括衆題也。

陸鎣《問花樓詞話》　詩有絶句，詞有小令，二者視之若易，爲之甚難。絶句之工，唐則供奉龍標爲冠。雖杜陵不能兼美也。小令之工，詞家推唐莊宗、李後主、周晴川爲巨擘。

又　詞有長調，猶詩有歌行。昔人狀歌行之妙云：昂昂若千里之駒，泛泛若水中之凫，是眞善言歌行之妙者矣。余謂歌行以馳騁變化爲奇，若施之長調，終非正格。王元美云：歌行如駿馬驀坡，一往稱快。長調如嬌女弄花，百媚横生。二語眞詞家秘密藏。

孫麟趾《詞逕》　高澹婉約，豔麗蒼莽，各分門戶。欲高澹學太白、白石。欲婉約學清眞、玉田。欲豔麗學飛卿、夢窗。欲蒼莽學蘋洲、花外。至於融情入景，因此起興，千變萬化，則由於神悟，非言語所能傳也。

謝章鋌《賭棋山莊詞話》卷二　長調要轉折矯變，短調要詞意惝怳。

又　詠物詞雖不作可也，别有寄託如東坡之詠雁，獨寫哀怨如白石之詠蟋蟀，斯最善矣。至如史邦卿之詠燕，劉龍洲之詠指足，縱工摹繪，已落言詮。今日則雖欲爲劉、史奴隸，恐二公亦不屑也。彼演膚辭，此徵僻典，誇富矜多，味同嚼蠟。夫詠物之詩，古來汗牛充棟，然佳者亦甚寥寥，況詞之體又微與詩異乎。作之不已，多者百篇，少亦不下廿卅篇，此如詠梅花者，累代不能得數語。而逐臭之夫，或百詠，或五十詠，是徒使開府汗顔，逋仙冷齒矣。且竹垞詠貓，武曾詠筍，輒臚故實，亦載鄙諺，偶一爲之，亦才人忍俊不禁之故態。究之，靜志居、秋錦山房之聯蹤二宋、弁冕六家者，區區在此，諒不其然，顧奈何以侔色揣稱爲能事乎？

又卷九　宋詞三派，曰婉麗，曰豪宕，曰醇雅，今則又益一派曰餖飣。宋人詠物，高者摹神，次者賦形，而題中有寄託，題外有感慨，雖詞實無愧於六義焉。至國朝小長蘆出，始創爲徵典之作，繼之者樊榭山房。長蘆腹笥浩博，樊榭又熟於說部，無處展布，借此以抒其叢雜。然實一時游戲，不足爲標準也。乃後人必群然效之。卽如詠貓一事，自葆酚、竹垞、太鴻、繡谷而外，和作不下十數家。予少日曾爲集錄，亡友張任如見之笑曰：「弄月嘲風之筆，乃爲有苗氏作世譜哉？」予失笑，投筆而起。是言雖虐，然實詠物家針砭也。或曰：「多識之學，風詩不廢，子何獨於詞而訾謷之，一言不已，而至再至三乎？」予曰：「《詩》三百篇開卷第一言，卽是詠物，然使第曰『關關雎鳩，在河之洲』，第曰『參差荇菜，左右流之』，而盡去其下文，則此詩何以爲風化之原乎？而當日尼山秉筆，吾知必從刪棄矣。且今之爲此者，動曰吾瓣香姜、史也。然《暗香》、《疏影》之篇，軟語商量之句，豈二公搜索枯腸，獨無一二冷典，乃賦空而不爲徵實哉？蓋詞貴淸空，宋賢明訓也。」

又卷一一　詞之回文體，有一句者，有通闋者，有一調回作兩調者，雖極巧思，終鮮美製。魏善伯（祥）曰：「詩之有回文，猶梅之有臘梅，種類不入品格。」（《伯子文集》）詩猶然已，而況詞乎。

又卷一二　塡詞有卽集詞句者，且有通闋只集一人之句者。然他人寥寥數篇，至竹垞則專集詩句，既工且多。第考之《臨川集》，荆公已啓其端。詠梅《甘露歌》三首，草堂《菩薩蠻》一首，皆是集句。【略】蓋集句長調比短調尤難也。【略】集句別有機杼，佳處眞令才人擱筆。

蔣敦復《芬陀利室詞話》卷三　詞原於詩，卽小小詠物，亦貴得風人比興之旨。唐五代北宋人詞，不甚詠物，南渡諸公有之，皆有寄託。白石、石湖詠梅，暗指南北議和事。及碧山、草窗、玉潛、仁近諸遺民，《樂府補遺》中，龍涎香、白蓮、蓴、蟹、蟬諸詠，皆寓其家國無窮之感，非區區賦物而已。知乎此，則《齊天樂·詠蟬》、《摸魚兒·詠蓴》，皆可不續貂。卽間有詠物，未有無所寄託而可成名作者。余于近年諸君子詠物之作，縱極繪聲繪影之妙，多所不取。善乎保緒先生之言曰：「凡詞後段，須拓開說去。」此可爲詠物指南。

劉熙載《詞概》　小令難得變化，長調難得融貫，其實變化融貫，在在相須，不以長短別也。

又　詞有尙風，有尙骨，歐公《朝中措》云：「手種堂前楊柳，別來幾度春風。」東坡《雨中花慢》云：「高會聊追短景，淸商不假餘妍。」孰風孰骨可辨。

又　詩有西江、西崑兩派，惟詞亦然。戴石屏《望江南》云：「誰解學西崑？」是學西江派人語，吳夢窗一流，當不喜聞。

陳廷焯《白雨齋詞話》卷五　閑情之作，雖屬詞中下乘，然亦不易工。蓋摹色繪聲，礙難著筆。第言姚冶，易近纖佻。兼寫幽貞，又病迂腐。

又　息深達亹，悱惻纏綿，學人之詞也。若瑰奇磊落之士，鬱鬱不得志，情有所激，不能一軌於正，而胥於詞發之。風雷之在天，虎豹之在山，蛟龍之在淵，恣其意之所向，而不可以繩尺求。酒酣耳熱，臨風浩歌，亦人生肆志之一端也。杜詩云：「放歌破愁絕。」誠慨乎其言矣。

又卷八　石孝友《浣溪沙》集句云：【略】集成語尙能自寫其意。【略】諸篇皆脫口而出，運用自如，無湊泊之痕，有生動之趣，出古人之右矣。

又　玉田《樂府指迷》云：「詩難於詠物，詞爲尤難。體認稍眞，則拘而不暢，摹寫差遠，則晦而不明。要須收縱聯密，用事合題。一段意思，全在結尾，斯爲高妙。」此論亦確當。然如碧山詠物諸篇，則大矣化矣。又不僅在結尾寓意也。讀白石、梅溪、碧山、玉田詞，如飲醇醪，淸而不薄，厚而不滯。元以後詞，則淸者失眞味，濃者似火酒矣。言近旨遠，其味乃厚。節短韻長，其情乃深。遣詞雅而用意渾，其品乃高，其氣乃靜。

沈祥龍《論詞隨筆》　詞有婉約，有豪放，二者不可偏廢，在施之各當耳。房中之奏，出以豪放，則情致絕少纏綿。塞下之曲，行以婉約，則氣象何能恢拓？蘇、辛與秦、柳，貴集其長也。

又　小令須突然而來，悠然而去，數語曲折含蓄，有言外不盡之致。著一直語、粗語、鋪排語、說盡語，便索然矣。此當求諸五代宋初諸家。

又　長調須前後貫串，神來氣來，而中有山重水複、柳暗花明之致。句不可過於雕琢，雕琢則失自然。采不可過於塗澤，塗澤則無本色。濃句中間以淡語，疏句後接以密語，不冗不碎，神韻天然，斯盡長調之能事。

張德瀛《詞徵》卷一　詞有櫽括體。賀方回長於度曲，掇拾人所棄遺，少加櫽括，皆爲新奇。常言吾筆端驅使李商隱、溫庭筠，常奔命不暇，後遂承用焉。米友仁《念奴嬌》，裁成淵明《歸去來辭》，晁無咎有塡盧仝詩，蓋卽此體。

又 福唐體者，即獨木橋體也，創自北宋。黄魯直《阮郎歸》用「山」字，辛稼軒《柳梢青》用「難」字，趙惜香《瑞鶴仙》用「也」字，均然。朱錫鬯《長相思》用「西」字（紅橋尋歌者沈西），《柳梢青》用「耶」字（馬上望瑯琊山），《行香子》用「孃」字（伎席）。此闋見《曝書亭外集》。陳其年《醉太平》用「錢」字（詠錢）、「瓢」字（題孫無言半瓢居），本效宋人。此亦如今體詩之轆轤格、壺盧格，乃偶然托興者，必躡其轍，則爲惡境矣。

又 回文有二體：有逐句回環者，晁次膺《菩薩蠻》是也。有通體回環者，吴禮之《西江月》是也。毛大可《浣溪沙·和任二王倩回環韻》，以下一首回前，未詳所本。

陳鋭《褒碧齋詞話》 詞有天籟，小令是已。本朝詞人，盛稱納蘭成德，余讀之，但覺千篇一律，無所取裁。鹿虔扆、馮正中之流，不如是也。余學詞，不敢作小令，學詩不敢作五言截句，心知其意而已。

王國維《人間詞話》 「昔爲倡家女，今爲蕩子婦。蕩子行不歸，空牀難獨守。」「何不策高足，先據要路津。無爲守窮賤，轗軻長苦辛。」可謂淫鄙之尤。然無視爲淫詞、鄙詞者，以其眞也。五代北宋之大詞人亦然。非無淫詞，讀之者但覺其親切動人。非無鄙詞，但覺其精力彌滿。可知淫詞與鄙詞之病，非淫與鄙之病，而游詞之病也。「豈不爾思？室是遠而。」而子曰：「未之思也，夫何遠之有？」惡其游也。

況周頤《蕙風詞話》卷五 問：詠物如何始佳？答：未易言佳，先勿涉獃。一獃典故，二獃寄託，三獃刻畫，獃襯托。去斯三者，能成詞不易，矧復能佳，是眞佳矣。題中之精蘊佳，題外之遠致尤佳。自性靈中出佳，從追琢中來亦佳。

又 以性靈語詠物，以沈著之筆達出，斯爲無上上乘。

又 凡題詠之作，遣詞當有分寸。譬如題某女士所畫牡丹，某女士係守貞不字者，詞中説牡丹之句，必須按切女士身份，不可稍涉輕佻。後段説到女士，亦宜映合牡丹，即畫即人，融成一片。如此作來，不但並不見難，而且必有佳句。從侔色揣稱中出，它題並挪用不得。

風格

蘇軾《與陳季常》 又惠新詞，句句警拔，詩人之雄，非小詞也。但豪放太過，恐造物者不容人如此快活。

王又華《古今詞論》 張世文曰：詞體大略有二：一婉約，一豪放。蓋詞情藴藉，氣象恢弘之謂耳。然亦在乎其人，如少游多婉約，東坡多豪放，東坡稱少游爲今之詞手，大抵以婉約爲正也。所以後山評東坡，如教坊雷大使舞，雖極天下之工，要非本色。

又 卓珂月曰：昔人論詞曲必以委曲爲體，雄肆其下乎。然晏同叔云：「先君生平不作婦人語。」夫委曲之弊，入於婦人，與雄肆之弊，入於村漢等耳。

沈謙《填詞雜説》 秦少游「一向沈吟久」，大類山谷《歸田樂引》，鏟盡浮詞，直抒本色。而淺人常以雕繪傲之。此等詞極難作，然亦不可多作。

徐喈鳳《詞證》 詞雖小道，亦各見其性情，性情豪放者，强作婉約語，畢竟豪氣未除；性情婉約者，强作豪放語，不覺婉態自露。故婉約自是本色，豪放亦未嘗非本色也。

張星耀《詞論》 詞之韶麗，不在香奩寶鑒，翠幌銀屏。嘗讀「文君未寢，相對小妝殘，起來紅日在花梢」諸語，眞香艷絶倫。其悲慨處，不在心傷腸斷，泣柳啼花。如耆卿「霜風凄緊，關河冷落，殘照當樓」，每當客途念此數語，令人凄然欲絶。此中消息，唯會心者自得之。

又 詞有四種：曰風流藴藉，曰綿婉眞致，曰高凉雄爽，曰自然流暢。風流藴藉而不入于淫褻，綿婉眞致而不失之鄙俚，高凉雄爽而不近于激怒，自然流暢而不流于淺易，斯皆詞之上乘也。塵黠者，堆積者，纖巧者，議論者，詭譎者，皆非詞也，皆詞之厄也。

又 風流藴藉者，少游、美成乎？綿婉眞致者，易安、耆卿乎？高凉雄爽者，其辛、陸乎？自然流暢者，其後主乎？然而諸君皆不免四者之流弊，是在節取其長而已。

又 考詞于明，誠意其辛、陸之儔乎？大樽其周、秦之匹乎？

又　昭代詞人之盛，不特淩鑠元明，直可幷肩唐、宋。如香岩之雄瞻，棠村之韶令，容齋之新秀，衍波之大雅，延露之俊逸，麗農之宏富，東江之綿緲，彈指之幽艷，烏絲之悲壯，藝香之濃鮮，玉鳧之清潤，蘭思之眞致，玉蕤之周密，餘爲秋岳、錫鬯、容若、雲士、舒鳧、夏珠、昉思諸公，未窺全豹，微露一斑，而二鄉、遠山、雲涌、扶荔、鸞情、南溪、炊聞、百末、含影、支機、蓉渡、錦瑟、柳村、遏雲、當樓、青城、蝶庵、秋水、峽流、吹香、椒峰、蘿村、菊莊、移春、山曉、梨莊、紅蕉、柯亭諸集，可謂家操和璧，人握隋珠，一時群聚。噫，盛矣！

鄒祗謨《遠志齋詞衷》　稼軒雄深雅健，自是本色，俱從《南華》、《沖虛》得來。然作詞之多，亦無如稼軒者。中調短令亦間作嫵媚語，觀其得意處，眞有壓倒古人之意。爾來如展成《反止酒》、弈先《偶然間》、敦五《焚筆硯》、紫曜《夢醒》諸作，駸駸爭先，無夏公謹宣武學司空之恨。至阮亭、金粟、艾庵唱和，偶興數闋，以筆墨牢騷，寫胸中塊壘，無意摹古，而提劉攀陸，予能無續貂之愧耶？

又　詩家有王、孟、儲、韋一派，詞流惟務觀、仙倫、次山、少魯諸家近似，與辛、劉徒作壯語者有別。近惟顧庵學士情景相生，縱筆便合，酷似渭南老人。言遠方伯，洮洮清迴，與葛理問震父瑜亮。更如岸初、文夏、耕隖、昆侖諸公，俱以閒澹秀脫爲宗，不作濃情致語。求之近代，其文待詔、陳徵君之間乎？

王士禛《花草蒙拾》　名家當行，固有二派。蘇公自云：「吾醉後作草書，覺酒氣拂拂，從十指間出。」黃魯亦云：「東坡書挾海上風濤之氣。」讀坡詞當作如是觀。瑣瑣與柳七較錙銖，無乃爲髯公所笑。

郭麐《詞品》　余少耽倚聲，爲之未暇工也。中年憂患交迫，廓落尠歡，間復以此陶寫，入之稍深，遂習玩百家，博涉衆趣，雖曰小道，居然非粗鄙可了。因弄墨餘閑，倣表聖《詩品》，爲之標舉風華，發明逸態，以其塗較隘，止得表聖之半；用以軒翥六義之後，奮蜚四聲之餘，亦猶賢乎博奕。

又《幽秀》　千巖巉巉，一壑深美。路轉峰回，忽見流水。幽鳥不鳴，白雲時起。此去人間，不知幾里。路逢疏花，娟若處子。嫣然一笑，目成而已。

又《高超》　行雲在空，明月在中。瀟瀟秋雨，泠泠好風。即之愈遠，尋之無踪。孤鶴獨唳，其聲清雄。衆首俯視，莫窮其通。回顧藪澤，翩哉蜚鴻。

又《雄放》　海潮東來，氣吞江湖。快馬斲陣，登高一呼。如波軒然，蛟龍牙鬚。如怒鶻起，下盤浮圖。千里萬里，山奔雷驅。元氣不死，乃與之俱。

又《委曲》　芙蓉初花，秋水一半。欲往從之，細石淩亂。美人有言，玉齒將粲。徐拂寶瑟，一唱三嘆。非無寸心，纏綿自獻。若往若還，豈曰能見。

又《清脆》　美人滿堂，金石絲簧。忽擊玉磬，遠聞清揚。韻不在短，亦不在長。哀家一梨，口爲芳香。芭蕉灑雨，芙蓉拒霜。如氣之秋，如冰之光。

又《神韻》　雜花欲放，細柳初絲。上有好鳥，微風拂之。明月未上，美人來遲。卻扇一顧，群妍皆媸。其秀在骨，非鉛非脂。眇眇若愁，依依相思。

又《感慨》　人生一世，能無感焉。哀來樂往，雲浮鳥仙。銅駝巷陌，金人歲年。鉛水迸淚，鶤鷄裂弦。如有萬古，入其肺肝。夫子何嘆，唯唯不然。

又《奇麗》　鮫人織綃，海水不波。珊瑚觸網，蛟龍騰梭。明月欲墮，群星皆趨。淒然掩泣，散爲明珠。織女下視，雲霞交鋪。如將卷舒，貢之太虛。

又《含蓄》　好風東來，幽鳥始哢。陽春在中，萬象皆動。一花未開，衆綠入夢。口多微詞，如怨如諷。如聞玉管，快作數弄。望之邈然，鶴背雲重。

又《逋峭》　清霜警秋，微月白夜。其上孤峰，流水在下。幽尋欲窮，乃見圖畫。愜心動目，喜極而怕。跌宕容與，以觀其罅。翩然將飛，倘復可跨。

又《穠艷》　雜組成錦，萬花爲春。五醖酒釅，九華帳新。異彩初結，名香始薰。莊嚴七寶，其中天人。飲芳食菲，摘星抉雲。偶然咳唾，明珠如塵。

又《名雋》　名士揮麈，羽人禮壇。微聞一語，氣如幽蘭。荷雨夜歇，松風夏寒。之子何處，秋山槃槃。萬籟俱寂，惟鳴幽湍。千漱百嚥，奉君一丸。

楊夔生《續詞品》　余少作《詞品》十二則，以倣司空《詩品》之意，頗爲識曲者所賞。後見楊伯夔續作十二首，語皆名雋。余作已刻入雜著中，爰錄伯夔所作于此，以爲詞場鼓吹。

又《輕逸》　悠悠長林，蒙蒙曉暉。天風徐來，一葉獨飛。望之彌遠，識之自微。疑蝶入夢，如花墮衣。幽弦再終，白雲愈稀。千里飄忽，鶴翅不肥。

又《綿邈》　秋水樓臺，澹不可畫。時逢幽人，載歌其下。明星未稀，美此良夜。惝怳久之，夢與烟借。荷香沈浮，若出雲罅。油油太虛，一碧俱化。

又《獨造》　萬山巑巑，回風蕩寒。決眥千仞，飲雲聞湍。龍之不馴，虹之無端。畸士羽衣，露言雷喧。洞庭隱鱗，蒼梧逸猿。元氣紛變，創斯奇觀。

又《淒緊》　送君長往，懷君思深。白日欲墮，池臺氣陰。百年寸暉，徘徊短吟。松篁幽語，獨客泛琴。聆彼七弦，瀟湘雨音。落花辭枝，凄入燕心。

又《微婉》 之子曉行，細路香送。時聞春聲，百鳥含哢。林花初開，鑑鬟欲動。美人何許，短琴潛弄。明明無言，泠泠如諷。捲簾綠陰，微雨思夢。

又《閑雅》 疏雨未歇，輕寒獨知。茶烟晝青，煮藤一枝。秋老茅屋，檐蟲挂絲。葉丹苔碧，酒眠悟詩。飲眞抱和，仙人與期。其曰偶然，薄言可思。

又《高寒》 俯視苔石，行歌長松。千葉萬吹，凛然噓冬。返風乘虛，餐烟太蒙。矯矯獨往，落落希踪。夜開元關，蕩聞天鐘。光滿眉宇，與斗相逢。

又《澄澹》 空波粼天，鳴篴叩舷。鷺鷥立雨，浪花一肩。采采白蘋，江南曉烟。覓鏡照春，逢潭寫蓮。漁舟還往，相忘歲年。佳語無心，得之自然。

又《疏俊》 卓卓野鶴，超超出群。田家敗籬，幽蘭逾芬。意必求遠，酒不在醇。玉山上行，疏花角巾。短笛快弄，長嘯入雲。軒軒霞舉，鬚眉勝人。

又《孤瘦》 悵焉獨邁，憀予隱憂。悟出繫表，天地可求。亭亭危峰，倒影碧流。空山冱寒，老梅古愁。味之無腴，揖之寡儔。遙指木末，一僧一樓。

又《精鍊》 如莫邪劍，如百鍊鋼。金石在中，匪曰永藏。鉥心掐胃，韜神斂光。水爲沈流，星無散芒。離離九疑，鬱然深蒼。萬棄一取，駏驉錦囊。

又《靈活》 天孫弄梭，腕無暫停。麻姑擲米，走珠跳星。荷露入握，菊香到瓶。如泉過山，如屋建瓴。虛籟集響，流影幻形。四無人語，佛閣一鈴。

江順詒《補詞品》 昔隨園《補詩品》三十二首，謂前人只標妙境，未寫苦心，特爲續之。詒于《詞品》亦同此論，因倣其意得二十首。

又《崇意》 詩尚諷諭，詞貴含蓄。綺麗單辭，支離全局。七寶樓臺，炫人耳目。叩厥本源，毫無歸宿。其貌如花，其味如木。一覽無餘，奚容三復。

又《用筆》 無波不回，無露不垂。得縮字訣，是謂之詞。弩張劍拔，雨驟風馳。雄而且健，竊恐非宜。用我五色，組彼千絲。但求羚角，莫畫燕支。

又《布局》 名園之樹，國手之棋。起復相應，疏密得宜。峰腰雲斷，水面風移。千巖萬壑，尺幅見之。求方必矩，刓圓必規。刻舟無劍，趁韻非詩。

又《斂氣》 游絲初起，微風縈絆。輕烟裊空，浮雲瀲灩。吹之蘭芳，凝之露泫。雲龍盤旋，倏隱倏現。若決江河，如掣雷電。一往無前，神豈能鍊。

又《考譜》 宮商莫辨，喉齒不分。競競上去，是韻非音。天籟人籟，長吟短吟。自在流出，杳不可尋。勿以箏琵，而廢瑟琴。樂府之遺，窺古人心。

又《尚識》 《風》《雅》之調，《離騷》之篇。美人香草，十九寓言。塗抹脂粉，綴拾釵鈿。深情往復，密意纏綿。誤爲綺語，已落言筌。刻劃微物，均無取焉。

又《押韻》 千鈞之重，一髮繫之。萬人之衆，一將馭之。句有長短，韻無參差。一字未穩，全篇皆疵。曲之有板，師之有旗。位置自然，雖巧何爲？

又《言情》 是桓子野，是王伯輿。不知所起，人孰能無？如飲篤耨，如醉醍醐。樓頭柳遠，海上琴初。綿綿有恨，渺渺維余。蠶絲難割，春水何如。

又《戒褻》 郎居城北，妾在牆東。眉語通翠，心曲傳紅。是爲淫哇，見屏宗工。裝來翡翠，薰透芙蓉。秦七黃九，情之所鍾。泥犁未墮，亦可憐蟲。

又《辨微》 是清非矯，是新非巧，是淡非枯，是空非佻。辨之幾希，得之窈渺。一息紛緼，一絲裊嫋。體判才華，句矜豐調。吹影鏤塵，是爲恰好。

又《取徑》 小舟沿溪，岸夾桃花。石梁飛渡，飯飽胡麻。別有天地，是耶非耶？峰之九曲，路之三叉。可以獨往，可以移家。津如許問，請泛仙槎。

又《振采》 珊瑚鏡檻，翡翠釵梁。中有仙人，霞佩雲裳。剝膚存液，刮垢磨光。千狐之腋，百和之香。明珠的皪，寶玉輝煌。餘霞成黛，寒星射芒。

又《結響》 觀廬山瀑，聽廣陵濤。可以駭俗，未足含毫。春之嬌鳥，秋之寒蜩。碎玉清脆，落葉刁騷。曲終笛裂，風過瓊敲。孤猿三峽，一鶴九皋。

又《善改》 機忌其滯，筆貴乎靈。已安一字，仍捻數莖。金樽滿滿，檀板輕輕。漫拋紅豆，淺畫銀屏。九轉丹成，百鍊金精。鸚鵡作賦，未免餖飣。

又《著我》 玉田公子，白石神仙。已有千古，豈無後賢？空谷之蘭，綠水之蓮。各占其候，各擅其妍。冰魂濯月，瘦影含烟。寒香冷翠，跂脚高眠。

又《聚材》 群芳之英，釀而爲蜜。郵亭之椽，截而爲笛。白璧十雙，黄金萬鎰。儲之貴多，棄之不惜。一年皆驚，萬花無色。落實已秋，制錦成匹。

又《去瑕》 維鐵可點，維玷可磨。伐毛洗髓，玉律金科。淄澠必辨，銖兩無訛。體著其潔，法不嫌苛。千金不易，殊重吟哦。著一屠沽，奈賢人何？

又《行空》 芙蓉之城，忽爾凌虛。白雲橫腰，遠峰欲無。吹笙跨鶴，躡履飛鳧。不著迹象，豈有步趨。仙人五夜，金闕傳呼。騎白鳳凰，態何紆徐。

又《妙悟》 對鏡忘言，拈花微笑。色本是空，影無遺照。畫理自深，仙心獨抱。參之以禪，常觀其妙。忽然而通，必由深造。一轉秋波，十分春到。

陳廷焯《白雨齋詞話》卷一 作詞之法，首貴沈鬱，沈則不浮，鬱則不薄。顧沈鬱未易强求，不根柢于《風》《騷》，烏能沈鬱？十三國變《風》、二十五篇《楚詞》，忠厚之至，亦沈鬱之至，詞之源也。不究心於此，率爾操觚，烏有是處？

況周頤《蕙風詞話》卷二 詞有穆之一境，靜而兼厚、重、大也。淡而穆不易，濃而穆更難。

戲曲論部

主　編：朱恒夫

目次

本原

耐得翁《都城紀勝・瓦舍衆伎》 雜劇中末泥爲長，每四人或五人爲一場。先做尋常熟事一段，名曰「艷段」；次做「正雜劇」，通名爲「兩段」。末泥色主張，引戲色分付，副淨色發喬，副末色打諢，又或添一人裝孤。【略】凡影戲，乃京師人初以素紙雕鏃，後用彩色裝皮爲之。其話本與講史書者頗同，大抵眞假相半。公忠者雕以正貌，奸邪者與之醜貌，蓋亦寓褒貶於世俗之眼戲也。

王應麟《困學紀聞》卷一八《評詩》 古樂府，詩之旁行也。詞曲者，古樂府之末造也。

周密《齊東野語》卷一三《優語》 女官吳知古用事，人皆側目。內宴日，參軍四筵作樂，胥輩請簽文書，參軍怒曰：「我方聽觱栗，可少緩。」請至三四，其答如前，胥擊其首曰：「甚事不被觱栗壞了！」

夏庭芝《青樓集誌》 唐時有「傳奇」，皆文人所編，猶野史也，但資諧笑耳。宋之「戲文」，乃有唱念，有諢。金則「院本」、「雜劇」合而爲一。至我朝乃分「院本」、「雜劇」而爲二。「院本」始作，凡五人：一曰副淨，古謂參軍；一曰副末，古謂之蒼鶻，以末可撲淨，如鶻能擊禽鳥也；一曰引戲；一曰末泥；一曰孤。又謂之「五花爨弄」。或曰，宋徽宗見爨國來朝，衣裝鞋履巾裹，傅粉墨，舉動如此，使人優之效之，以爲戲，因名曰「爨弄」。國初教坊色長魏、武、劉三人，魏長於念誦，武長於筋斗，劉長於科泛，至今行之。又有「燄段」，類「院本」而差簡，蓋取其如火燄之易明滅也。「雜劇」則有旦、末。旦本女人爲之，名粧旦色；末本男子爲之，名末泥。其餘供觀者，悉爲之外腳。有駕頭、閨怨、鴇兒、花旦、披秉、破衫兒、綠林、公吏、神仙道化、家長裏短之類。內而京師，外而郡邑，皆有所謂構欄者，辟優萃而隸樂，觀者揮金與之。「院本」大率不過謔浪調笑，「雜劇」則不然，君臣如《伊尹扶湯》、《比干剖腹》，母子如《伯瑜泣杖》、《剪髮待賓》，夫婦如《殺狗勸夫》、《磨刀諫婦》，兄弟如《田眞泣樹》、《趙禮讓肥》，朋友如《管鮑分金》、《范張雞黍》，皆可以厚人倫，美風化。又非唐之「傳奇」、宋之「戲文」、金之「院本」，所可同日語矣。

楊維禎《東維子文集》卷一一《朱明優戲序》 百戲有魚龍、角抵、高絙、鳳凰、都盧、尋橦、戲車、走丸、吞刀、吐火、扛鼎、象人、怪獸、舍利、潑寒、蘇木等伎，而皆不如俳優侏儒之戲，或有關于諷諫，而非徒爲一時耳目之玩也。傀儡家起于偃師獻穆王之伎，漢戶牖侯祖之以解平城之圍，運機關舞陣間，閼氏以爲生人，後翻爲伶者戲具。其引歌舞，亦不過借吻角吣喞聲，未有引以人音至於嬉笑怒駡，備五方之音，演爲諧諢嘸咂而成劇者也。

陶宗儀《南村輟耕錄》卷二七《雜劇曲名》 稗官廢而傳奇作，傳奇作而戲曲繼。金季、國初，樂府猶宋詞之流，傳奇猶宋戲曲之變，世傳謂之雜劇。金章宗時，董解元所編《西廂記》，世代未遠，尙罕有人能解之者，況今雜劇中曲調之冗乎？因取諸曲名，分調類編，以備後來好事稽古者之一覽云。

姚桐壽《樂郊私語》 （海鹽）州少年多善歌樂府，其傳皆出於澉川楊氏。當康惠公存時，節俠風流，善音律，與武林阿爾哈雅之子雲石交善。雲石翩翩公子，無論所製樂府、散套，駿逸爲當行之冠。即歌聲高引，可徹雲漢，而康惠獨得其傳。今雜劇中有《豫讓吞炭》、《霍光鬼諫》、《敬德不伏老》，皆康惠自製以寓祖父之意，第玄其著作姓名耳。其後長公國材，次公少中，復與鮮于去矜交好。去矜亦樂府擅場，以故楊氏家僮千指，無有不善南北歌調者，由是川人往往得其家法，以能歌名於浙右云。

朱有燉《誠齋樂府・〈白鶴子〉詠秋景有引》 予觀古詩，若「呦呦鹿鳴」等篇，皆古人之佐樽歌曲，但以聲依永，所以無分長短句，皆可以爲歌曲。自漢魏以來，古風猶存。漸以字句短長分而爲二，詩自詩，樂府自樂府。其句法肖同，而序事體制頗有分別，及李唐猶如此。若白樂天之「永豐西角荒園裏，盡日無人屬阿誰」。樂工歌此曲，宣宗聞之，問誰作者，永豐在何處，左右具以對，遂令中史取二株植於苑中。可見唐時尙以詩可歌唱也。其時已有李太白之《憶秦娥》、《菩薩蠻》等詞，漸流入腔調律呂，漸違於聲依永之傳。後遂全革古體，專以律呂音調格定聲句之長短緩急，反以吟咏情性求之于音聲詞句，非要之爲樂府。歌曲古不若今之清越精妙也。故唐末宋初以來，歌曲則全以詞譜爲主，今日則呼爲南曲者是也。自金、元以胡俗行乎中國，乃有女眞體之作，又有董解元、關漢卿輩知音之士，體南曲而更以北腔，然後歌曲出自北方，中原盛行之，今呼爲北曲者是也。因此分而爲二，南人歌南曲，北人唱北曲。若其吟咏情性，宣暢湮鬱，和樂實友，與古之詩又何異焉？或曰，古詩爲正音，今曲乃鄭衛之聲，何可同日而語耶？予曰：不然。鄭衛之聲，乃其立意不正，聲句淫佚，非其體格音響比之雅頌有不同也。今時但見詞曲中有《西廂記》、《黑旋風》等戲謔之編爲褻狎，遂一概以鄭衛之聲目之，豈不冤哉！

石韞玉《沈氏四種序》 蓋古詩《三百》皆可被之管弦，乃一變而爲楚人之騷，再變而爲漢人之樂府，三變而爲唐人之詩，四變而爲宋人之詞，五變而爲元人之曲，其體屢變而不窮，其實皆古詩之流也。

無名氏《眉山秀題詞》 自《三百篇》亡而後騷賦繼之。然以之入樂，則節奏未諧。於是《白苧》、《子夜》始爲濫觴。然樂府不入俗，而後以唐絕句爲樂府；絕句少宛轉，而後有詞；詞不快北耳，因有北曲；北曲不諧南耳，又有南曲。遞沿遞變，於是宋元諸君子遂于此道自辟蠶叢，幾與西京大曆詩文互雄一代。

敬一子《鴛鴦絛記叙》 詞曲非小道也，溯所由來，賡歌五子實爲鼻祖，漸變而之《三百》，之《騷辯》，之《河西》，之《十九首》，之《郊祀》、《鐃歌》諸曲。又變而之唐之近體、《竹枝》、《楊枝》、《清平》諸詞。夫凡此猶詩也，而業已曰曲、曰詞矣。于是又變而之宋之塡詞，元之劇曲。至于今，而操觚之士，舉漢魏以降，勝國以往，諸歌詩詞曲之可以被弦索者，而總謂之樂府。蓋誠有于上下數千年間，同一人物，同一性情，同一音聲，而其變也，調變而體不變，體變而意未始變也。而世有詈詞曲爲風雅罪人，聞曼聲而掩耳，望俳場而卻步者。吁！可悲已。

于若瀛《陽春奏序》 自伏羲畫卦而文字肇興，宇宙景色翕然煥矣。《六經》森布，炳如日星，此聖人立言垂訓之大法也。降至《三百篇》，率皆采閭巷歌謠而播之聲詩。宣尼父所謂可興、可觀，良有旨矣。《離騷》，則楚之變也；五言，則漢之變也；律，則唐之變也；至宋詞、元曲又其變也。時代既殊，風氣亦異，元曲興，而其無極矣。蓋金、元以外夷據我中華，所用胡樂嘈嘈雜雜，凄緊緩急，詞不能按，乃復更爲新聲，其抑揚高下，足媚人耳。一時名士如馬東籬輩，咸富有才情，兼善聲律，以故遂擅一代之長，要而言之，實所以宣其牢騷不平之氣也者。彼腥膻當國，凡秉權要，悉任醜虜；而中原懷才抱藝之夫，僅僅辱在僚佐，此其所以慷慨悲歌于仙呂諸宮、南呂諸調，悉詣其至極也。

何氏皇華子《太和正音南九宮詞總序》 上古《雲和》、《韶護》、《大武》作於雍、冀、豫洛間，相去不遐阻乎？而太和之氣宣泄于依永合聲中，若雌雄牝牡之應求也，若橘柚柤梨之和味也。三代而下，古音一變爲樂府，再變爲詩餘，三變爲歌曲。唐興，若嫵媚條枝之歌，慆心佚志，李祚幾爲寒灰。南唐《玉樹》、《後庭》、《念家》、《山破》諸曲，靡曼已極，識微君子爲賦畫江之謠，憂深哉，其園桃、彼黍之流乎？至有宋歐、蘇、黃、宋、秦、柳諸公，非不振起，而其間疾徐短長多舛音節，雖蘇長公「大江東去」且不免遺議焉。嗣是而傳奇濫觴矣。懿文之士，既桎轡而摛藻；博雅之儔，復逞麗而結采：宇宙太和之氣日漓無怪也。

康海《沜東樂府序》 世恆言詩情不似曲情多，非也。古曲與詩同。自樂府作，詩與曲始歧而二矣，其實詩之變也。宋、元以來，益變益異，遂有南詞北曲之分。然南詞主激越，其變也爲流麗；北曲主慷慨，其變也爲樸實。惟樸實，故聲有矩度而難借；惟流麗，故唱得宛轉而易調。此二者，詞曲之定分也。

周祈《名義考》卷五《生旦淨丑》 今角戲有生、旦、淨、丑之名，嘗求其義而不得。偶思《樂記》「及優侏儒獶雜子女」注，謂俳優雜戲如獮猴之狀，乃知「生」，狌也，猩猩也。《山海經》：「猩猩人面，豕身，聲似小兒啼。」「旦」，狚也，猵狚也。《莊子》：「猨猵狚以爲雌。」「淨」，猙也。《廣韻》：「似豹，一角五尾。」又云：「似狐，有翼。」「丑」，狃也。《廣韻》：「犬性，驕。」又：「狐狸等獸迹。」謂俳優之人，如四獸也，所謂獶雜子女也。「末」猶末，猶末厥之末。「外」，猶「員外」之外，其意亦相通。

祝允明《猥談》 生、淨、丑、末等名，有謂反其事而稱，又或托之唐莊宗，皆謬也。此本金、元闤闠談吐，所謂「鶻伶聲嗽」，今所謂「市語」也。生即男子，旦曰「裝旦色」，淨曰「淨兒」，末曰「末尼」，孤乃官人：即其土音，何義理之有！南戲出於宣和之後，南渡之際，謂之「溫州雜劇」。余見舊牒，其時有趙閎夫榜禁，頗述名目，如《趙貞女蔡二郎》等，亦不甚多。以後日增，今遂遍滿四方。輾轉改益，蓋已略無音律腔調。愚人蠢工，徇意更變，妄名如「餘姚腔」、「弋陽腔」、「崑山腔」之類，趁逐悠揚，杜撰百端，眞胡說耳。若以被之管絃，必至失笑。

蔣孝《南九宮譜序》 九宮十三調者，南詞譜也。國風、鄭、衛之變，而南宮北里競爲靡曼。開元、天寶之間，妙選梨園法曲，溫、李之徒始著《金筌》等集。至宋則歐、蘇大儒每每留意聲律，而行家所推詞手，獨云黃九、秦七，是則聲樂之難久矣。完顏之世有董解元者，以北曲擅場，騷人墨客一時宗尚，頗能抒思發聲，下至矇瞍賤工，亦皆通曉其義。於是樂府之家有門戶，有體式，有格勢，有劇科，有聲調，有引序。作者非是不取，以故音韻之學行於中州。南人善爲艷詞，如〔花底黃鸝〕等曲，皆與古昔媲美，然崇尚源流不如北詞之盛，故人各以耳目所見妄有述作，遂使宮徵乖誤，不能比諸管絃，而諧聲依永之義遠矣。余當鉛槧之暇，因思大雅不作，而樂之所生皆由人心，古之聲詩卽今之歌曲也。昔《二南》、《國風》出于民俗歌謠，而《南風》、《擊壤》之詠，實彰《韶濩》之治，是烏可以下里淫艷廢哉！

張羽《古本〈西廂記〉序》《西廂記》者，金董解元所著也，辭最古雅，爲後世北曲之祖。迨元關漢卿、王實甫諸名家作者，莫不宗焉。蓋金元立國，幷在幽燕之區，去河洛不遙，而音韻近之。故當此之時，北曲大行於世，猶唐之有詩，宋之有詞，各擅一時之聖，其勢使然也。國初詞人仍尚北曲，累朝習用，無所改更，至正德之間特盛。毅皇帝御製樂府，率皆此調，京師長老尚能咏歌之。近時吳越間，士人乃棄古格，翻改新聲，若《南西廂記》及《公餘漫興》等作，鄙俚特甚，而作者之意微矣。

徐渭《南詞叙錄》 南戲始於宋光宗朝，永嘉人所作《趙貞女》、《王魁》二種實首之，故劉後村有「死後是非誰管得，滿村聽唱蔡中郎」之句。或云：「宣和間已濫觴，其盛行則自南渡，號曰『永嘉雜劇』，又曰『鶻伶聲嗽』。」其曲，則宋人詞而益以里巷歌謠，不叶宮調，故士夫罕有留意者。元初，北方雜劇流入南徼，一時靡然向風，宋詞遂絕，而南戲亦衰。順帝朝，忽又親南而疎北，作者蝟興，語多鄙下，不若北之有名人題詠也。永嘉高經歷明，避亂四明之櫟社，惜伯喈之被謗，乃作《琵琶記》雪之，用清麗之詞，一洗作者之陋，於是村坊小伎，進與古法部相參，卓乎不可及已。【略】今南九宮不知出於何人，意亦國初教坊人所爲，最爲無稽可笑。夫古之樂府，皆叶宮調；唐之律詩、絕句，悉可絃詠，如「渭城朝雨」演爲三疊是也。至唐末，患其間有虛聲難尋，遂實之以字，號長短句，如李太白《憶秦娥》、《清平樂》，白樂天《長相思》，已開其端矣；五代轉繁，考之《尊前》、《花間》諸集可見；逮宋，則又引而伸之，至一腔數十百字，而古意頗微。徽宗朝，周、柳諸子，以此貫彼，號曰「側犯」、「二犯」、「三犯」、「四犯」，轉輾波蕩，非復唐人之舊。晚宋，而時文叫吼，盡入宮調，益爲可厭。「永嘉雜劇」興，則又卽村坊小曲而爲之，本無宮調，亦罕節奏，徒取其畸農、市女順口可歌而已，諺所謂「隨心令」者，卽其技歟？間有一二叶音律，終不可以例其餘，烏有所謂九宮？必欲窮其宮調，則當自唐、宋詞中別出十二律、二十一調，方合古意。是九宮者，亦烏足以盡之？多見其無知妄作也。今之北曲，蓋遼、金北鄙殺伐之音，壯偉狠戾，武夫馬上之歌，流入中原，遂爲民間之日用。宋詞既不可被絃管，南人亦遂尚此，上下風靡，淺俗可嗤。然其間九宮、二十一調，猶唐、宋之遺也，特其止於三聲，而四聲亡滅耳。至南曲，又出北曲下一等，彼以宮調限之，吾不知其何取也。或以則誠「也不尋宮數調」之句爲不知律，非也，此正見高公之識。夫南曲本市里之談，卽如今吳下《山歌》、北方《山坡羊》，何處求取宮調？必欲宮調，則當取宋之《絕妙詞選》，逐一按出宮商，乃是高見。彼既不能，盍亦姑安於淺近。大家胡說可也，奚必南九宮爲？【略】中原自金、元二虜猾亂之後，胡曲盛行，今惟琴譜僅存古曲。餘若琵琶、箏、笛、阮咸、響䤴之屬，其曲但有《迎仙客》、《朝天子》之類，無一器能存其舊者。至於喇叭、嗩吶之流，幷其器皆金、元遺物矣。樂之不講至是哉！

又 「生」卽男子之稱。史有董生、魯生，樂府有劉生之屬。「旦」，宋伎上場，皆以樂器之類置籃中，擔之以出，號曰「花擔」。今陝西猶然。然省文爲「旦」。或曰：「小獸能殺虎，如伎以小物害人也。」未必然。「外」，生之外又一生也，或謂之小生。外旦、小外，後人益之。「貼」，旦之外貼一旦也。「丑」，以墨粉塗面，其形甚醜，今省文作「丑」。「淨」，此字不可解。或曰：「其面不淨，故反言之。」予意：卽古「參軍」二字，合而訛之耳。優中最尊。其手皮帽有兩手形，因明皇奉黃幡綽首而起。末，優中之少者爲之，故居其末。手執搕爪，起於後唐莊宗。古謂之蒼鶻，言能擊物也。北劇不然：生曰「末泥」，亦曰「正末」；外曰「孛老」；末曰「外」；淨曰「倈」，亦曰「淨」，亦曰「邦老」；老旦曰「卜兒」。其他或直稱名。

王陽明《王文成公全書》卷三《傳習錄下》 先生曰：「古樂不作久矣。今之戲子，尚與古樂意思相近。」未達，請問。先生曰：「《韶》之九成，便是舜的一本戲子。《武》之九變，便是武王的一本戲子。聖人一生實事，俱播在樂中。所以有德者聞之，便知他盡善盡美，與盡美未盡善處。若後世作樂，只是做些詞調，於民俗風化絶無干涉，何以化民善俗？今要民俗返樸還淳，取今之戲子，將妖淫詞調俱去了，只取忠臣孝子故事，使愚俗百姓人人易曉，無意中感激他良知起來，卻於風化有益，然後古樂漸次可復矣。」

魏良輔《南詞引正》 腔有數樣，紛紜不類。各方風氣所限，有崑山、海鹽、餘姚、杭州、弋陽。自徽州、江西、福建，俱作弋陽腔，永樂間，雲貴兩省皆作之，會唱者頗入耳。惟崑山爲正聲，乃唐玄宗時黄幡綽所傳。元朝有顧堅者，雖離崑山三十里，居千墩，精于南辭，善作古賦。擴廓帖木兒聞其善歌，屢招不屈。與楊鐵笛、顧阿瑛、倪元鎮爲友。自號風月散人。其著有《陶真野集》十卷、《風月散人樂府》八卷行于世。善發南曲之奥，故國初有崑山腔之稱。

李開先《西野春游詞序》 詞與詩，意同而體異，詩宜悠遠而有餘味，詞宜明白而不難知。以詞爲詩，詩斯劣矣；以詩爲詞，詞斯乖矣。其法備於《中原韻》，其人詳於《録鬼簿》，其略載於《正音譜》，至于務頭、《瓊林》、《燕山》等集，與夫《天機餘錦》、《陽春白雪》、《太平樂府》、《樂府群玉》、《群珠》等詞，是皆韻之通用，而詞之上選者也。傳奇戲文，難分南北，套詞小令，雖有短長，其微妙則一而已。悟入之功，存乎作者之天資學力耳。然俱以金、元爲準，猶之詩以唐爲極也。何也？詞肇於金，而盛於元。元不戍邊，賦税輕而衣食足，衣食足而歌詠作，樂於心而生于口。長之爲套，短之爲令。傳奇戲文，于是乎侈而可準矣。穆玄庵謂：「不可以胡政而少之。」亦天下之公言也。國初如劉東生、王子一、李直夫諸名家，尚有金元風格，廼後分而兩之，用本色者爲詞人之詞，否則爲文人之詞矣。自陳大聲丁卯年沒後，惟有王渼陂爲最。陳乃元詞之下者，而王乃文詞之高者也，可爲等儕，有未易以軒輊者。若兼而有之，其元哉，其猶詩之唐而不可上者哉。【略】音多字少爲南詞，音字相半爲北詞，字多音少爲院本；詩餘簡於院本，唐詩簡於詩餘，漢樂府視詩餘則又簡而質矣，《三百篇》皆中聲，而無文可被管弦者也。由南詞而北，由北而詩餘，由詩餘而唐詩，而漢樂府，而《三百篇》，古樂庶幾乎可興。故曰：今之樂，猶古之樂也。嗚呼，擴今詞之真傳，而復古樂之絶響，其在文明之世乎！

何良俊《四友齋叢説》卷三七 古樂之亡久矣，雖音律亦不傳。今所存者惟詞曲，亦只是淫哇之聲，但不可廢耳。蓋當天地剖判之初，氣機一動，即有元聲，凡宣八風，鼓萬籟，皆是物也。故樂九變而天神降，地祇出，則亦豈細故哉。故曰：「聲音之道，與政通矣。」佛經亦曰：「以我所證，音聲爲上。」今佛家梵唄，如念真言之類，必和其音者，蓋以和召和，用通靈氣也。正聲之亡，今已無可奈何，但詞家所謂九宫、十二則以統諸曲者，存之以待審音者出，或者爲告朔之餼羊歟？

葉子奇《草木子》卷四《雜俎篇》 俳優戲文始於王魁，永嘉人作之。識者曰：「永嘉人作相，宋當亡。」及宋將亡，乃永嘉陳宜中作相。其後元朝南戲尚盛行，及當亂，北院本特盛，南戲遂絶。

王世貞《曲藻序》 曲者，詞之變。自金、元入主中國，所用胡樂，嘈雜淒緊，緩急之間，詞不能按，乃更爲新聲以媚之。而諸君如貫酸齋、馬東籬、王實甫、關漢卿、張可久、喬夢符、鄭德輝、宫大用、白仁甫輩，咸富有才情，兼喜聲律，以故遂擅一代之長。所謂「宋詞」、「元曲」，殆不虚也。但大江以北，漸染胡語，時時採入，而沈約四聲遂闕其一。東南之士未盡顧曲之周郎，逢掖之間，又稀辨撾之王應。稍稍復變新體，號爲「南曲」。高拭則成，遂掩前後。大抵北主勁切雄麗，南主清峭柔遠，雖本才情，務諧俚俗。譬之同一師承，而頓、漸分教；俱爲國臣，而文、武異科。今談曲者往往合而舉之，良可笑也。

又《曲藻》 《三百篇》亡而後有騷、賦，騷、賦難入樂而後有古樂府，古樂府不入俗而後以唐絶句爲樂府，絶句少宛轉而後有詞，詞不快北耳而後有北曲，北曲不諧南耳而後有南曲。

胡應麟《少室山房筆叢·辛部·莊嶽委談下》 今世俗搬演戲文，蓋元人雜劇之變。而元人雜劇之類戲文者，又金人詞説之變也。雜劇自唐、宋、金、元迄明皆有之，獨戲文《西廂》作祖。《西廂》出金董解元，然實弦唱小説之類。至元王、關所撰，乃可登場搬演。高氏一變而爲南曲。承平日久，作者迭興，古昔所謂雜劇、院本，幾於盡廢，僅教坊中存什二三耳。【略】優伶戲文，自優孟抵掌孫叔，實始濫觴。漢宦者傳脂粉侍中，亦後世裝旦之漸也。魏陳思傅粉墨，椎髻胡舞，誦俳優小説，雖假以逞其豪俊爽邁之氣，然當時優家者流，妝束因可概見。而後世所爲副淨等色，有自來矣。唐制如《霓裳》

等舞，度數至多，而名號妝束，不可深考。《樂府雜錄》：「開元中，黃幡綽、張野狐善弄參軍。」參軍卽後世副淨也（見《輟耕錄》）。「范傳康、上官唐卿、呂敬遷三人弄假婦人。」假婦人卽後世裝旦也。至後唐莊宗，自傅粉墨，稱李天下，大率與近世同，特所搬演，多是雜劇短套，非必如近日戲文也。（觀安節《樂府雜錄》稱假婦人，則知唐時無旦名也。）

又《莊嶽委談下》 宋詞、元曲，咸以昉于唐末，然實陳、隋始之。蓋齊、梁月露之體，矜華角麗，固已兆端。至陳、隋二主，幷富才情，俱湎聲色，叔寶之《後庭花》、煬帝之《春江玉樹》，宋、元人沿襲濫觴也。

沈德符《顧曲雜言・時尚小令》 元人小令行於燕、趙後，浸淫日盛。自宣、正至化、治後，中原又行《瑣南枝》、《傍妝臺》、《山坡羊》之屬。李崆峒先生初自慶陽徙居汴梁，聞之，以爲可繼《國風》之後。何大復繼至，亦酷愛之。今所傳「泥捏人」及「鞋打卦」、「熬鬏髻」三闋，爲三牌名之冠，故不虛也。自茲以後，又有《耍孩兒》、《駐雲飛》、《醉太平》諸曲，然不如三曲之盛。嘉、隆間乃興《鬧五更》、《寄生草》、《羅江怨》、《哭皇天》、《乾荷葉》、《粉紅蓮》、《桐城歌》、《銀絞絲》之屬，自兩淮以至江南，漸與詞曲相遠，不過寫淫媟情態，略具抑揚而已。比年以來，又有《打棗竿》、《挂枝兒》二曲，其腔調約略相似，則不問南、北，不問男、女，不問老、幼、良、賤，人人習之，亦人人喜聽之，以至刊布成帙，舉世傳誦，沁人心腑，其譜不知從何來，眞可駭歎！又《山坡羊》者，李、何二公所喜。今南、北詞俱有此名。但北方惟盛愛《數落山坡羊》。其曲自宣、大、遼東三鎭傳來。今京師妓女，慣以此充絃索北調。其語穢褻鄙賤，並桑、濮之音亦離去已遠。而羈人游壻，嗜之獨深，丙夜開尊，爭先招致；而教坊所隸箏、蓁等色，及九宮十二則，皆不知爲何物矣！俗樂中之雅樂，尚不諧里耳如此，況眞雅樂乎？

又《顧曲雜言・俗樂有所本》 都下貴璫家作劇，所用童子名「倒刺小廝」者，先有敲水盞一戲，其爲無謂。然唐李琬已造此，但用九甌盛水擊之，合五聲四清之音，謂之水盞，與今稍不同耳。又吳下向來有婦人打三棒鼓乞錢者，余幼時尚見之，亦起唐咸通中。王文通好用三枝打撩，萬不失一。但其器有三等：一曰頭鼓，形類鼗；二曰聒鼓；三曰和鼓。今則一鼓三槌耳。卽今串板，亦古之拍板，大者九板，小者六板，以韋編之；本北地樂，蓋以代抃，因古人以抃節舞，而此用板代之。唐人謂之樂句。宋朝止用六板，余向亦曾見，今則四板。又有所謂《十樣錦》者，鼓、笛、螺、板、大小鈸、鉦之屬，齊聲振響，亦起近年，吳人尤尚之，然不知亦沿正德之舊。武宗南巡，自造《靖邊樂》，有笙，有笛，有鼓，有歇、落、吹、打諸雜樂，傳授南教坊，今吳兒遂引而伸之，眞所謂「今之樂猶古之樂」。

王驥德《曲律・論曲原第一》 曲，樂之支也。自《康衢》、《擊壤》、《黃澤》、《白雲》以降，於是《越人》、《易水》、《大風》、《瓠子》之歌繼作，聲漸靡矣。「樂府」之名，昉於西漢，其屬有「鼓吹」、「橫吹」、「相和」、「清商」、「雜調」諸曲。六代沿其聲調，稍加藻豔，於今曲略近。入唐而以絕句爲曲，如《清平》、《鬱輪》、《涼州》、《水調》之類；然不盡其變，而於是始創爲《憶秦娥》、《菩薩蠻》等曲，蓋太白、飛卿輩，實其作俑。入宋而詞始大振，署曰「詩餘」，於今曲益近，周待制、柳屯田其最也。然單詞隻韻，歌止一闋，又不盡其變。而金章宗時，漸更爲北詞，如世所傳董解元《西廂記》者，其聲猶未純也。入元而益漫衍其製，櫛調比聲，北曲遂擅盛一代；顧未免滯於絃索，且多染胡語，其聲近噍以殺，南人不習也。迨季世入我明，又變而爲南曲，婉麗嫵媚，一唱三嘆，於是美善兼至，極聲調之致。始猶南北畫地相角，邇年以來，燕、趙之歌童、舞女，咸棄其捍撥，盡效南聲，而北詞幾廢。何元朗謂：「更數世後，北曲必且失傳。」宇宙氣數，於此可覘。至北之濫流而爲《粉紅蓮》、《銀紐絲》、《打棗竿》，南之濫流而爲吳之《山歌》、越之《採茶》諸小曲，不啻鄭聲，然各有其致。繇茲而往，吾不知其所終矣。

李贄《焚書・雜述・童心說》 詩何必古選，文何必先秦。降而爲六朝，變而爲近體，又變而爲傳奇，變而爲院本，爲雜劇，爲《西廂》曲，爲《水滸傳》，爲今之舉子業，皆古今至文，不可得而時勢先後論也。故吾因是而有感于童心者之自文也。更說甚麼《六經》，更說甚麼《語》、《孟》乎？

鄒式金《雜劇三集小引》 詩亡而後有騷，騷亡而後有樂府，樂府亡而後有詞，詞亡則後有曲，其體雖變，其音則一也。聲音之道，本諸性情，所以協幽明，和上下，在治忽，格鳥獸。故《卿雲》歌而鳳凰儀，《淋鈴》作而馬嵬走。夫子刪《詩》曰：雅頌得所，然後樂正。未嘗分詩、樂爲二。其後士大夫高談詩學，不復稽古永言和聲之旨，遂專以抑揚、抗墜、清濁、長短責之優伶。淫哇相襲，大雅淪亡，而五音、六律、九宮、十三調漸作《廣陵散》。

張琦《衡曲麈譚・作家偶評》 騷賦者，《三百篇》之變也。騷賦難入樂而後有古樂府，古樂府不入俗而後以唐絕句爲樂府，絕句少宛轉而後有詞。自金、元入中國，所用胡樂，嘈雜緩急之間，詞不能按，乃更爲新聲以媚之，作家如貫酸齋、馬東籬輩，咸富於學，兼喜聲律，擅一代之長，昔稱「宋詞」、「元曲」，非虛語也。大江以北，漸染胡語，而東南之士，稍稍變體，別爲南曲，高則誠氏赤幟一時，以後南詞漸廣，二家鼎峙。大抵北主勁切雄壯，南主清峭柔脆。北字多而調促，促處見筋；南字少而調緩，緩處見眼。各有三昧，難以淺窺，譬之同一師承，而頓、漸分受，不可同日語也，乃製曲者往往南襲北辭，殊爲可笑。

卓人月《盛明雜劇二集序》 夫人生於情，乃其忽焉而壯，忽焉而老，忽焉而盡，忽焉而又生，罔不受變于時。當其變，似乎非情之所能主，不知時也者，亦情之爲也。情之爲物，固有此宛轉幻化之態焉，而非一端而已也。《三百篇》亡，而後有騷賦；騷賦難入樂，而後有古樂府；古樂府不入俗，而後以唐絕句爲樂府；絕句少委蛇，而後有詞；詞不快北耳，而後有北曲；北曲不諧南耳，而後有南曲，凡皆同工而異制，共源而分流，其同焉共焉者情，而其異焉分焉者時。自有文字以來，前不可通於後，後不可通于前，譬五行統于一元，而春夏秋冬中央土遞司其令，人於其間，斷不能當寒而飲冰，當燠而圍爐也。間有一二異才，或生於前而能創變調以開後日之端，或生於後而能操古音以追昔日之格，此則能自爲時，而不爲時所囿，正未可易得耳。語云楚騷、漢賦、晉字、唐詩、宋詞、元曲，皆言其一時獨絕也。然則我明之可以超軼往代者，庶幾其南曲乎？臧晉叔刻《元劇百種》，蒙古一代之鉅章，已備其大凡。馮猶龍復擬刻《明曲百種》以敵之，誠可謂旗鼓相當矣。乃北曲亦有長本如《西廂》、《西游》之類，而南曲又不乏短本，元人亦有南曲如《拜月》、《荆釵》之類，而我明又不乏北曲，此所謂一二異才，前可以開後，後可以追前者，而皆爲臧、馮二選所不及收，則猶出其常調以相誇，而未窮其變格以相鬬也。余是以將取元人南本之長本，并其短本之散逸者，合爲一刻以續臧，而余友沈林宗業已取本朝南北短劇合刻之，以補馮。夫元劇短者多而長者少，明劇短者少而長者多，且元歷不滿百，而國朝千年無疆，作者雲興未艾，是則腥膻之文彩固不足以敵盛世之才華。乃若篇章字句之間，節奏風神之際，元、明各騁其能，南、北兩極其致，則有非世代所能限者。

毛奇齡《連廂詞》 古歌舞不相合。歌者不舞，舞者不歌。即舞曲中詞，亦不必與舞者搬演照應。自唐人作《柘枝詞》、《蓮花旋歌》，則舞者所執，與歌者所措詞，稍稍相應，然無事實也。宋末，有安定郡王趙令畤者，始作商調鼓子詞譜《西廂》傳奇，則純以事實譜詞曲間，然猶無演白也。至金章宗朝董解元，不知何人，實作《西廂搊彈詞》，則有白有曲，專以一人搊彈，并念唱之。嗣後，金作清樂，倣遼時大樂之制，有所謂「連廂詞」者，則帶唱帶演：以司唱一人，琵琶一人，笙一人，笛一人，列坐唱詞；而復以男名末泥，女名旦兒者，并雜色人等，入勾欄扮演，隨唱詞作舉止。如「參了菩薩」，則末泥祗揖；「祗將花笑撚」，則旦兒撚花類。北人至今謂之「連廂」，曰「打連廂」、「唱連廂」，又曰「連廂搬演」。大抵連四廂舞人而演其曲，故云。然猶舞者不唱，唱者不舞，與古人舞法無以異也。至元人造曲，則歌者、舞者合作一人，使勾欄舞者自司歌唱，而第設笙、笛、琵琶，以和其曲。每入場，以四折爲度，謂之「雜劇」。其有連數雜劇而通譜一事，或一劇，或二劇，或三、四、五劇，名爲「院本」。《西廂》者，合五劇而譜一事者也。然其時司唱猶屬一人，倣連廂之法，不能遽變。

李玉《南音三籟序言》 原夫詞者詩之餘；曲者詞之餘也。自太白《憶秦娥》一闋，遂開百代詩餘之祖。趙宋時，黃九、秦七輩競作新詞，字戛金玉。東坡雖有「鐵綽板」之誚，而豪爽之致，時溢筆端。南渡後，爭講理學，間爲風雲月露之句，遂遜前哲。迨至金、元，詞變爲曲。實甫、漢卿、東籬諸君子，以灝瀚天才，寄情律呂，即事爲曲，即曲命名，開五音六律之秘藏，考九宮十三調之正始，或爲全本，或爲雜劇，各立赤幟，旗鼓相當，盡是騷壇飛將。然皆北也，而猶未南。於是高則誠、施解元輩，易北爲南，構《琵琶》、《拜月》諸劇。沉雄豪勁之語，更爲清新綿邈之音。唇尖舌底，娓娓動人，絲竹管弦，裊裊可聽。然此皆傳奇也，非散曲也。即偶爲咏物紀勝，隻詞單曲。然此猶小令也，非全套也。南曲之傳，尚未浩衍。至明初，亦有作南曲者，大都傖父之談，樸而不韻。延及嘉隆間，枝山、伯虎、虛舟、伯龍諸大才人，吟咏連篇，演成長套。或一宮而自始至終，或各宮而湊成合錦。其間慢緊之節奏，轉度之機關，試一歌之，恍若天然巧合，并無拗嗓棘耳之病。全套渾如一曲，一曲渾如一句。況復寫景描情，鏤風刻月，借宮商爲雲錦，諧音節於珠璣，亦如詩際盛唐，於斯立極。時曲一道，無以復加矣。

徐大椿《樂府傳聲·源流》 曲之變，上古不可考。自唐虞之《賡歌》、《擊壤》以降，凡朝廷草野之間，其歌詩謠諺不可勝窮，茲不盡述。若今日之聲存而可考者，南曲、北曲二端而已。北曲之始，金之董解元《西廂記》，元之馬致遠《岳陽樓》之類。南曲之傳，如元人高則誠《琵琶記》、施君美《拜月亭》之類。宮調既殊，排場亦異，然當時之唱法，非今日之唱法也。北曲如董之《西廂記》，僅可以入弦索，而不可以協簫管。其曲以頓挫節奏勝，詞疾而板促。至王實甫之《西廂記》，及元人諸雜劇，方可協之簫管，近世之所宗者是也。若北曲之西腔、高腔、梆子、亂彈等腔，此乃其別派，不在北曲之列。南曲之異，則有海鹽、義烏、弋陽、四平、樂平、太平等腔。至明之中葉，崑腔盛行，至今守之不失。其偶唱北曲一二調，亦改爲崑腔之北曲，非當時之北曲矣。此乃風氣自然之變，不可勉強者也。如必字字句句，皆求同於古人，一則莫可考究，二則難於傳授，況古人之聲，已不可追，自吾作之，安知不有杜撰不合調之處？即使自成一家，亦仍非眞古調也。故風氣之遞變，相仍無害，但不可依樣葫蘆，盡失聲音之本，並失後來改調者之意，則流蕩不知所窮矣。故可變者腔板也，不可變者口法與宮調也。苟口法宮調得其眞，雖今樂猶古樂也。蓋天地之元聲，未嘗一日息於天下，《記》云：禮樂不可斯須去身。人生而有此形，卽有此聲，亦卽有此履中蹈和之具，但無人以發之，則汩沒而不能自振。後世之所以治不遵古者，樂先亡也。樂之亡，先王之教失也。我謂欲求樂之本者，先從人聲始。

李調元《劇話》卷上 唐杜牧《西江懷古》詩：「魏帝縫囊眞戲劇。」「劇」，卽「戲」也。「戲劇」二字入詩，始見此。《後山詩話》：「范文正《岳陽樓記》用對語說時景，世以爲奇。尹師魯讀之，曰：『此傳奇體耳。』《傳奇》，唐裴鉶所著小說也。」胡應麟云：「唐所謂《傳奇》，自是書名，雖事藻繢，而氣體俳弱，然其中絕無歌曲。若今所謂戲劇者，何得以爲唐時？或以中事跡相類，後人取爲戲劇張本，因展轉爲此稱耳。」【略】《樂府雜錄》：「開元中黃幡綽、張野狐善弄參軍。」卽後世副淨矣。又「范傳康、上官唐卿、呂敬遷三人弄假婦人」。卽裝旦矣。至後唐莊宗自敷粉墨稱「李天下」，而盛其搬演，大率與近世同；特所演多是雜劇，非近日戲文也。雜劇自唐、宋、金、元迄明皆有之。唐所謂優伶雜劇，裝服套數，觀蘇中郎、踏搖娘二事可見。宋雜劇亦然。元世曲調大興，凡諸雜劇，皆名曲寓焉。教坊名妓多習之。淸歌妙舞，悉隸是中。一變而贈縟，遂爲戲文。《西廂》，戲文之祖也。《西廂》雖出金董解元，然猶絃唱、小說之類；至元王、關所撰，乃可登場搬演。高氏又一變而爲南曲。嗣是作者迭興，古昔所謂雜劇、院本，幾于盡廢。沈德符《顧曲雜言》：「元曲總只四折。自北有《西廂》，南有《拜月》，雜劇變爲戲文，以致《琵琶》遂演爲四十餘折，幾十倍於雜劇矣。」涵虛子論元雜劇有十二科：「一曰神仙道化，二曰隱居樂道，三曰被袍秉笏，四曰忠臣烈士，五曰孝義廉節，六曰斥奸罵讒，七曰逐臣孤子，八曰撥刀捍棒卽脫膊雜劇，九曰風花雪月，十曰離合悲歡，十一曰烟花粉黛卽花旦雜劇，十二曰神頭鬼面卽神佛雜劇。」其科猶可考也。【略】《莊嶽委談》：「今《王魁》本不傳而傳《琵琶》。《琵琶》亦永嘉人作，遂爲今南曲首。然葉當國初著書，而云「南戲絕」，豈《琵琶》尚未行世耶？」按：南戲肇始，實在北戲之先，而《王魁》不傳，胡氏王實甫、關漢卿《西廂》爲戲文祖耳。今戲曲合用南北腔調又始於杭人沈和甫，見鍾氏《點鬼簿》。《雲麓漫鈔》：「金源官制，有文班、武班。若醫、卜、倡優，謂之『雜班』。每宴集，伶人進，曰『雜班上』。」按：此優伶呼「班」之始。《武林舊事》載宋雜劇每一甲有八人者，有五人者。「甲」，猶「班」也。五人，蓋院本之製。八人爲班，明湯顯祖撰《牡丹亭》猶然，多至十人，乃近時所增益。青籐山人《路史》：「高則誠《琵琶》有第一齣、第二齣。考諸韻書，並無此字，必「齝」之誤也。牛食呑而復吐曰『齝』，似優人入而復出也。」按：『齣』音『笞』，又音『師』，無讀作『折』音者，豈其字形旣誤，而音讀亦因之誤耶？」

尤侗《西堂雜俎》 蓋詞之爲道，予嘗於《倚聲集》極論之。詩與詞合，詞與曲合。《詩》三百篇，皆可歌也。漢唐樂府，被之管弦，奏之宮廟，古風長短句，已爲詞之權輿。至《生查子》之爲五言古，《玉樓春》之爲七言古，《瑞鷓鴣》之爲律，《紇那曲》、《竹枝》、《柳枝》等之爲絕，皆以詞具詩之一體。故曰：詞者，詩之餘也。詞之近調，卽爲曲之引子。慢詞卽爲過曲。間有名同而調異者，後人增損，使合拍耳。偸聲減字，攤破哨令，不隱然爲犯曲之祖乎？太白之「簫聲咽」，樂天之「汴水流」，此以詩塡詞者也。柳七之「曉風殘月」，坡公之「大江東去」，此以詞度曲者也。由詩入詞，由詞入曲，正如風起青蘋，必盛於土囊；水發濫觴，必極於覆舟，勢使然也。而說者斷欲剖而三之，不亦固乎！且今之人，往往高談詩而卑視曲，詞在季孟之間。予獨謂能爲曲者，方能爲詞；能爲詞者，方能爲詩。何者？音與韻，莫嚴於曲。陰陽開閉，一字不叶，則肉聲抗墜，而絲竹隨之。詞雖稍寬於曲，然每見作者平側失銜，庚侵雜用，是徒綴其文，未諧其聲，猶然古風長短句耳。故以詩爲詞，合者十一。以曲爲詞，合者十九。若以詞曲之道，進而爲詩，則宫商相宣，金石相和，颯颯乎皆《三百篇》矣。

王德暉、徐沅澂《顧誤録・南北曲總説》 曲源肇自《三百篇》，《國風》、《雅》、《頌》，變爲五言、七言，詩詞樂章，化爲南歌北劇。自元以填詞制科，詞章既夥，演唱尤工，往代未之踰也。迨至世換聲移，風氣所變，北化爲南。蓋詞章既南，則凡腔調與字面皆南，韻則遵《洪武》，而兼祖《中州》。腔則有海鹽、義烏、弋陽、青陽，四平、樂平、太平之分派。嘉隆間，有豫章魏良輔，憤南曲之陋，別開堂奧，謂之「水磨腔」、「冷板曲」，絶非戲場聲口；腔名「崑腔」，曲名「時曲」，歌者宗之，於今爲烈。至北曲之被絃索，始於金人完顔，勝於婁東，然巧於彈頭，未是疎於字面，而又弦繁調促，向來絶鮮名家。邇來詞人顔懲紕謬，釐聲析調，務本《中原》各韻，於是絃索之曲，始得於南曲並稱盛軌。於今爲初學淺言之：南曲務遵《洪武正韻》，北曲須遵《中原音韻》，字面庶無遺憾。唱法：北曲以遒勁爲主，南曲以圓湛爲主。北曲字多而調促，促處見筋，詞情多而聲情少；南曲字少而調緩，緩處見眼，詞情少而聲情多，故有磨腔絃索之分焉。至於南曲用五音，北曲多變宫變徵；南曲多連，北曲多斷；南曲有定板，北曲多底板；南曲多於正字落板，而襯字亦少，北曲襯字甚多，皆可一望而知者也。

梁廷枏《曲話》卷四 樂府興而古樂廢，唐絶興而樂府廢，宋人謌詞興而唐之謌詩又廢，元人曲調興而宋人謌詞之法又漸積於廢。詩詞空其聲音，元曲則描寫實事，其體例固別爲一種，然《毛詩》「氓之蚩蚩」篇綜一事之始末而具言之，《木蘭詩》事蹟首尾分明，皆已開曲伎之先聲矣。作曲之始，不過止被之管絃，後且飾以優孟。元人院本，至今傳者寥寥數種，其實雜劇爲多。明以後則傳奇盛行，下筆動至數十折，一人多至數本、十數本、數十本。其始大旨亦不過歸於勸善，懲惡而已，及其末流，淫侈競尚。蓋自明中葉以後，作者按譜填字，各逞新詞，此道遂變爲文章之事，不復知爲律呂之舊矣。推此以論，則雖謂「今曲盛而元曲之聲韻廢」，亦無不可也。

焦循《劇説》卷一 《樂記》云：「新樂進府退府，姦聲以濫，溺而不止，及優侏儒，獶雜子女，不知父子，樂終不可以語，不可以道古。」注云：「獶，獼猴也，言舞者如獼猴戲也，亂男女之尊卑。『獶』或爲『優』。」疏云：「《漢書》檀長卿爲獼猴舞，是狀如獼猴。」《左傳》襄公二十八年：「慶氏以其甲環公宫。陳氏、鮑氏之圉人爲優。慶氏之馬善驚，士皆釋甲束馬而飲酒，且觀優，至於魚里。」《正義》云：「優者，戲名也。」史游《急就篇》云：「倡優俳笑。」是優俳一物而二名。今之散樂，戲爲可笑之語而令人笑是也。《史記・滑稽列傳》：「優孟者，故楚之樂人也，爲孫叔敖衣冠，抵掌談語，歲餘，像孫叔敖，楚王及左右不能別也。莊王置酒，優孟前爲壽，莊王大驚，以爲孫叔敖復生也，欲以爲相。」又：「優旃者，秦倡朱儒也，善爲笑言，然合於大道。」然則優之爲技也，善肖人之形容，動人之歡笑，與今無異耳。【略】《道聽録》云：「元人院本，打者：一副淨，一副末，一引戲，一末泥，一孤裝，猶梨園之有生、旦、外、末、淨、丑、貼。七字之義，或云：反語。生爲『熟』，丑爲『好』，旦爲『夜』，貼爲『幫』，淨爲『鬧』，末爲『始』，可也；若外爲『内』，則牽強矣。」《莊嶽委談》云：「凡傳奇以戲文爲稱也，無往而非戲也，故其事欲謬悠而無根也，其名欲顛倒而無實也，反是而求其當焉，非戲也。故曲欲熟而命以生也，婦宜夜而命以旦也，開場始事而命以末也，塗汙不潔而命以淨也。凡此，咸以顛倒其名也。中郎之耳順而婿卓也，相國之絶交而娶崔也，《荆釵》之詭而夫也，《香囊》之幻而弟也，凡此，皆以謬悠其事也。近爲傳奇者，若良史焉，古意微矣。古無外與丑，丑即副淨，外即副末也。」又云：「今優伶輩呼『子弟』，大率八人爲朋，生、旦、淨、丑，副亦如之。元院本止五人，故有『五花』之目：一曰副淨，古之參軍也；一曰副末，又名蒼鶻，可擊羣鳥，猶副末可打副淨；一曰末泥；一曰孤裝；而無所謂生、旦者，蓋院本與雜劇不同也。元雜劇旦有數色：所謂『裝旦』，即正旦也；『小旦』，即今副旦也；以墨點破其面，謂之『花旦』，今惟淨、丑爲之。」【略】《復齋漫録》云：「張景交通曹人趙諫，斥爲房州參軍。景爲《屋壁記》，略曰：近制，州縣參軍無員數，無職守，悉以曠官敗守、違戾政教者爲之。凡朔望饗宴，使與焉。人一見之，必指曰：『此參軍也。』當爲其罪矣。至於倡優爲戲，亦假爲之以資玩笑，況眞爲者乎？」于慎行《穀城山房筆麈》云：「優人爲優，以一人幞頭衣綠，謂之『參軍』；以一人髽角敝衣，如僮僕狀，謂之『蒼鶻』。參軍之法，至宋猶然，似院本及戲文裝淨之狀，第不知其節奏耳。」皇甫録《近峰聞略》云：「參軍至唐，爲故事，名『副淨』。」【略】《應庵隨錄》云：「古之優人，於御前嘲笑，不但不避貴戚大臣，雖天子后妃亦無所諱，如唐中宗時內宴唱《回波詞》是也。」徐光《暖姝由筆》云：「有白有唱者，名『雜劇』；用弦索者，名『套數』；扮演戲文，跳而不唱，名『院本』。」《國初事蹟》云：「洪武時，令樂人張良才說評話，良才因做場擅寫『省委教坊司』招子，貼市門柱上。有近侍言之，太祖曰：『賤人小輩，不宜寵用！』令小先鋒張煥縛投於水。」《莊嶽委談》云：「古教坊有雜劇而無戲文者，每公家開宴，則百樂具陳，兩京六代，不可備知。唐、宋小說，如《樂府雜錄》、《教坊記》、《東京夢華錄》、《武林舊事》等編，錄頗詳。唐制，自歌人之外，特重舞隊；歌舞之外，又有精樂器者，若琵琶、羯鼓之屬；此外俳優雜劇，不過以供一笑，其用蓋與傀儡不甚相遠，非雅士所留意也。宋世亦然。南渡稍見淨、丑之目，其用無以大異。前朝浸淫勝國，《崔》、《蔡》二傳奇迭出，才情既富，節奏彌工，演習梨園幾半天下，雖有衆樂，無暇雜陳矣。」《紫桃軒雜綴》云：「張鎡，字功甫，循王之孫，豪侈而有淸尚。嘗來吾郡海鹽，作園亭自恣。令歌兒衍曲，務爲新聲，所謂『海鹽腔』也。」《菽園雜記》云：「嘉興之海鹽，紹興之餘姚，寧波之慈谿，台州之黃巖，溫州之永嘉，皆有習爲倡優者，名曰『戲文子弟』。」《宋史新編》云：「理宗在位久，董宋臣、盧允升作夫容閣、蘭香亭，宮中進倡優、傀儡，以奉帝遊宴。」《宋史・樂志》云：「女弟子隊，六曰『採蓮隊』，衣紅羅生色綽子，繫裙，戴雲鬟髻，乘彩船，執蓮花。」《塵史》云：「衣冠之制，上下混一。嘗聞杜祁公欲令人吏、技術等官，少爲差別。後韓康公又議改制，如人吏公袍倍加襈，俗所謂『黃義襴』者是也。幞頭合帶牛耳者，今之優人多爲此服。」《霏雪錄》云：「宋高宗時，饔人淪餛飩不熟，下大理寺。優人扮兩士人相貌，各問其年。一曰：『甲子生。』一曰：『丙子生。』優人曰：『此二人皆合下大理。』高宗問故，對曰：『鋏子、餅子皆生，與餛飩不熟者同罪耳。』上大笑，赦原饔人。」《四朝聞見錄》云：「韓用兵既敗，鬚髯皆白，莫知所爲。伶優因上賜宴，設樊遲、樊噲，旁一人曰『樊惱』。問樊遲：『誰與取名？』對以『孔子所取』。又揖問樊噲曰：『爾誰取？』曰：『漢高所命。』又揖樊惱，曰：『誰名汝？』對曰：『樊惱自取。』」《說圃識餘》云：「一伶人作不識字官，稱：『難做！』吏曰：『官不過判耳。每判日，當先書案上，但依畫判之。』從。一日至三日，皆依畫判去；至四日，不能；至五六日，擲筆下走，曰：『做不成！一日難似一日矣。』」【略】

《癸辛雜志》云：「嘗聞梨園舊樂工云：『凡大燕集，樂初作，必先奏引子。如大石調引子，則自始至終，凡絲竹歌舞，皆爲大石調。直至別奏引子，方隨以改爲耳。』又云：『凡燕集初作，或用上字，或用工字，然必須衆樂皆然，是謂『諧和』；或有一時煞尾參差不齊，則謂之『不和』，必有口舌不樂等事；前後驗之，無不然者。』以此推之，則樂之關乎治亂，爲不誣矣。」【略】《筆塵》云：「杜佑曰：『窟儡子，亦曰傀磊子，本喪雅也，漢末始用之於嘉會。北齊高緯尤好之。』今俗懸絲而戲，謂之『偶人』，亦傀儡之屬也。又有以手持其末，出之幃帳之上，則正謂之『窟儡子』矣。」又云：「『漢有魚龍百戲。齊、梁以來，謂之『散樂』。樂有舞盤伎、舞輪伎、長蹻伎、跳劍伎、吞劍伎、擲倒伎，今教坊百戲，大率有之，惟擲倒不知何法，疑卽『翻金斗』。『翻金斗』字義，起於趙簡子之殺中山王，以頭委地，而翻身跳過，謂之『金斗』。」按：今之演劇者，以頭委地，用手代足，憑虛而行，或縱或跳，旋起旋側，其捷如猿，其疾如鳥，令見者目炫心驚，蓋卽古人擲倒伎也。【略】《谿山餘話》云：「歌詞代各不同，而聲亦易亡。元人變爲曲子，今世踵襲，大抵分爲二調：曰南曲，曰北曲。胡致堂所謂『綺羅香澤之態，綢繆宛轉之度』，正今日之南詞也；『登高望遠，舉首高歌，而逸懷浩氣超乎塵垢之表』者，近於今日之北詞也。」《彙苑詳注》云：「曲者，詞之變。金、元所用北樂，緩急之間，詞不能按，乃更爲新聲以媚之。而諸君如貫酸齋、馬東籬輩，咸富有才情，兼善音律，遂擅一代之長。但大江以北，漸染北語，時時採入，而沈約四聲，遂闕其一。東南之士，未盡顧曲之周郎，逢掖之間，又稀辨撾之王應，稍稍復變新體，號爲『南曲』，高拭則誠，遂掩前後。大抵北主勁切雄麗，南主淸峭柔遠，雖本才華，務諧音律。譬之同一師承，頓、漸分教；俱爲國臣，文、武異科。今談曲者往往合而舉之，良可笑也。」【略】《西河詞話》云：「古歌舞不相合，歌者不舞，舞者不歌；卽舞曲中詞，亦不必與舞者搬演照應。自唐人作《柘枝詞》、《蓮花鏇歌》，則舞者所執，與歌者所措詞，稍稍相應，然無事實也。宋末有安定郡王趙令畤者，始作商調鼓子詞，譜《西廂傳奇》，則純以事實譜詞曲間，然猶無演白也。至金章宗朝，董解元，不知何人，實作《西廂》搊彈詞，則有白有曲，專以一人搊彈並念唱之。嗣後金作淸樂，倣遼時大樂之製，有所謂『連廂詞』者，則帶唱帶演，以司唱一人、琵琶一人、笙一人、笛一人，列坐唱詞，而復以男名末泥、女名旦兒者，並雜色人等，入勾欄扮演，隨唱詞作舉止，如『參了菩薩』，則末泥祗揖，『只將花笑撚』，則旦兒撚花類。北人至今謂之『連廂』，曰『打連廂』、『唱連廂』，又曰『連廂搬演』。大抵連四廂舞人而演其曲，故云。然猶舞者不唱，唱者不舞，與古人舞法無以異也。至元人造曲，則歌舞合作一人，使勾欄舞者自司歌唱，而第設笙、笛、琵琶以和其曲，每入場，以四折爲度，謂之『雜劇』。其有連數雜劇而通譜一事，或一劇，或二劇，或三、四、五劇，名爲『院本』。《西廂》者，合五劇而譜一事者也，然其時司唱猶屬一人，倣連廂之法，不能遽變。往先司馬從寧庶人處得《連廂詞例》，謂：『司唱一人，代勾欄舞人執唱。』其曰『代唱』，即已逗勾欄舞人自唱之意，但唱者止二人，末泥主男唱，旦兒主女唱也。若雜色入場，第有白無唱，謂之『賓白』。『賓』與『主』對，以說白在賓，而唱者自有主也。至元末明初，改北曲爲南曲，則雜色人皆唱，不分賓主矣。少時觀《西廂記》，見一劇末必有《絡絲娘》煞尾一曲，於演扮人下場後復唱，且復念正名四句，此是誰唱，誰念？至末劇扮演人唱《清江引》曲齊下場後，復有《隨煞》一曲，正名四句，總目四句，俱不能解唱者、念者之人。及得《連廂詞例》，則司唱者在坐間，不在場上，故雖變雜劇，猶存坐間代唱之意。」

黃旛綽《梨園原·謝阿蠻論戲始末》 戲者，以虛中生戈。漢陳平刻木人禦城退白登事，後爲之效，名曰『傀儡』。至唐明皇選良家子弟，於梨園中演習戲文，分爲『生』、『旦』、『淨』、『末』、『丑』、『外』、『小旦』、『小生』，此八名爲正，而後增『副淨』、『作旦』、『貼旦』、『老旦』，共十二人爲全角，餘皆供侍從者。現身說法，表揚忠、孝、節、義，才子、佳人，離、合、悲、歡，揚善，懲惡，此亦大美事也。至宋、元則尤盛矣。董解元有曰：「扮演古人事，出入鬼門道。」以四方之音傳戲，各從土語所傳，不可訛錯。習者擇之而取焉。

劉熙載《藝概·詞曲概》 南北成套之曲，遠本古樂府，近本詞之過變。遠如漢《焦仲卿妻》詩，敘述備首尾，情事言狀，無一不肖。梁《木蘭辭》亦變然。近如詞之三疊、四疊，有《戚氏》、《鶯啼序》之類。曲之套數，殆即本此意法而廣之；所別者，不過次第其牌名，以爲記目耳。

平步青《霞外攟屑》卷九《小棲霞說稗·樊噲排君難戲》 戲劇扮演古事，唐時已有。《南部新書》辛云：「光化四年正月，宴於保寧殿。上自製曲，名曰《讚成功》。時鹽州雄毅軍使孫德昭等，殺劉季述，帝反正，乃製曲以褒之，仍作《樊噲排君難》戲以樂焉。」庸按：此即《千金記鴻門宴》一齣之濫觴。若《蜀志·許慈傳》云：「先主愍其若斯，羣僚大會，使倡家假爲二子之容，倣其訟鬩之狀，酒酣樂作，以爲嬉戲。」則仍《左傳》魚里觀優、《史記》夾谷侏儒之舊，非扮演故事，並不得以「倡家」二字，謂今女戲之緣起也。《東坡志林》卷二：「蠟，三代之戲禮也。貓虎之尸，誰當爲之？置鹿與女，誰當爲之？非倡優而誰？」《茶香室叢鈔》卷十八引《述異記》「蚩尤戲」，又引《淥水亭雜識》云：「梁時《大雲》之樂，作一老翁演述西域神仙變化之事。」謂優戲之始。

楊恩壽《詞餘叢話》卷一《原律》 昔人謂：「詩變爲詞，詞變爲曲，體愈變則愈卑。」是說謬甚。不知詩、詞、曲，固三而一也，何高卑之有？風琴雅管，《三百篇》爲正樂之宗，固已芝房寶鼎，奏響明堂。唐賢律、絕，多入樂府，不獨宋、元諸詞，喝唱則用關西大漢，低唱則用二八女郎也。後人不溯源流，強分支派。《大雅》不作，古樂云亡。自度成腔，固不合拍；即古人遺製，循塗守轍，亦多聱牙。人援「知其當然，不知其所以然」之說以解嘲，今竝當然者亦不知矣。詩、詞、曲界限愈嚴，本眞愈失。【略】張度西先生嘗謂：「詞曲之源，出自樂府。雖世代升降，體格趨下，亦是天地間一種文字。曲譜中大石調之《念奴嬌》、《長空萬里》，般涉調之《哨徧》、《睡起草堂》，皆宋詞，可見是時已開元曲先聲，如青蓮《憶秦娥》爲詞祖，妍麗流美，而聲之變隨之，有莫知其然而然者。然如實甫、東籬、漢卿，猶存宋人體格；自院本、雜劇出，多至百餘種，歌紅拍綠，變爲牛鬼蛇神，淫哇俚俗，遂爲大雅所憎。前明邱文莊《十孝記》何嘗不以宮商爨演，寓垂世立教之意？在文人學士，勿爲男女媟褻之辭，埽其蕪雜，歸於正音，庶見綺語眞面目耳。」先生此論，與藏園《題忠愍記》「安肯輕提南、董筆，替人兒女寫相思」之句，相脗合云。【略】院本乃宋徽宗時五花爨弄之遺，有散說，有道念，有筋斗，有科汎。初與雜劇本一種，至元世始分爲兩，明則院本不傳久矣。今尙稱院本，猶沿宋、金之舊。

又卷二《原文》 劉念臺先生《人譜類記》曰：「梨園唱劇，至今日而濫觴極矣。然而敬神宴客，世俗必不能廢。但其中所演傳奇，有邪正之不同。主持世道者，正宜從此設法立教。雖無益之事，未必非轉移風俗之一端也。先輩陶石梁曰：『今之院本，卽古之樂章也。每演戲時，見有孝子、悌弟、忠臣、義士，激烈悲苦，流離患難，雖婦人、牧豎，往往涕泗橫流，不能自已。旁觀左右，莫不皆然。此其動人最懇切，最神速，較之老生擁臯比講經義，老衲登上座說佛法，功效百倍。至於《渡蟻》、《還帶》等劇，更能使人知因果報應，秋毫不爽。盜、殺、淫、妄，不覺自化；而好生樂善之念，油然生矣。此則雖戲而有益者也。』」

梁紹壬《兩般秋雨盦隨筆》卷三　相傳元人以詞曲取士，而考《選舉志》及典章皆無之。或另設一門，如今考天文、算學，一律，特以備梨園供奉耳。惟試錄中一條云：「軍、民、僧、尼、道、客、官、儒、回回、醫、匠、陰陽、寫、算、門、廚、典、雇、未完等戶，願試者以本戶籍貫赴試。僧道應試，已屬可笑，尼亦赴考，更怪誕矣，此不可解。」

方還《崑曲粹存初集序》　元尙詞曲，明承其後，流風益暢，文人學子往往自撰院本。而吾鄉魏氏良輔，遂以崑曲得名，正始元音，雍容揄揚，此一時也。降明季以迨國朝，海內靡然樂其詞而歌演之，幾於家吳歈而戶南音。而吾鄉玉山之麓，廣不逾數里，梨園五六部甲于東南，其風肆好，輝雲而麗日，此又一時也。下迨吾世，國家當極熾而豐之後，民生其間，物力不繼，而又承粵寇之敝，海內彫殘陵夷，舊時聲律遂闕焉，未遑董理。然歲時鄉里報賽所歌演者，猶率皆鄉音。距今數十年寖衰寖微，四方好尙日超於北音，而吾鄉亦復罕有能歌崑曲者，此又一時也。夫風尙之異，原于政教。世之崑曲已非三代古音。然氣和而節舒，宅中而履雅，聞其音可以宣湮道鬱，調燥劑暴，而無放恣之心。故當其盛也，士大夫皆崇節義，敦禮教，民氣安和，雖有變亂，率不渝常度。迄乎今日，南風不競，四方之人率皆肆口而歌，爲燕趙秦隴間音，柔之則姚冶，剛之則忿鷙。而朝野間大夫士庶，亦皆囂敖善動，已非向日數百年之風尙。吾崑山以百里下邑，亦與乎盛衰得失之數，覘世變者觀乎政教，非第雅樂淪亡之感焉。

姚燮《今樂考證·緣起》　汪汲云：「《綱目》：唐明皇開元二年甲寅，置左右教坊。舊制：雅、俗之樂，皆隸太常。明皇以太常禮樂之司，不應典倡優雜伎，乃更置左、右教坊，以教俗樂。又選樂工、宮女數百人自教之，謂之『皇帝梨園子弟』。」又云：「唐崔令《教坊記》：『凡欲出戲，所司先進曲名。上以墨點者卽舞，不點者卽否，謂之點戲。』」【略】翟灝云：「南戲肇始，實在北戲之先，而《王魁》不傳，胡氏乃以王、關《西廂》爲戲文祖耳。今戲曲合用南北腔調，又始於杭人沈和甫，見鍾氏《錄鬼簿》。」【略】越東人呼弋陽腔曰「調腔」，二字不見所出。及讀《陶庵夢憶》，云：「甲戌十月，攜楚生住不繫園。集者八人：南京曾波臣、東川趙純卿、金壇彭天錫、諸暨陳章侯、杭州楊與民、陸九、羅三、女伶陳素芝。余留飲。章侯爲純卿畫古佛，波臣爲純卿寫照，楊與民彈三弦子，羅三唱曲，陸九吹簫。與民復出寸許界尺，據小梧用北調說《金瓶梅》一劇，使人絕倒。是夜，彭天錫與羅三、與民串本腔戲，與楚生、素芝串調腔戲。章侯唱村落小歌，余取琴和之，牙牙如話。純卿跳身起，取其竹節鞭（重三十斤）作胡旋舞數纏，大噱而去。」「調腔」二字始見此。又云：「京班多『高腔』。自魏三變『梆子腔』，盡爲靡靡之音矣。」又云：「蜀伶新出『秦腔』，卽『甘肅調』，名『西秦腔』。其器不用笙、笛，以胡琴爲主，月琴副之，工尺咿唔如語。旦色之無歌喉者，每借以藏拙。」《金臺殘淚記》云：「蜀伶『西秦腔』，始乾隆末歲，後徽伶盡習之。道光三年，御史奏禁。」又云：「亂彈，卽『弋陽腔』，南方又謂之『下江調』。謂『甘肅腔』曰『西皮調』。」李斗云：「句容以『梆子腔』，安慶以『二簧調』，弋陽以『高腔』，湖廣以『羅羅腔』。京腔用湯鑼不用金鑼，秦腔用月琴不用琵琶。」又云：「揚州『亂彈』以旦爲正色，丑爲閒色。正色必聯閒色爲侶，謂之『搭夥』。跳蟲，又丑淨之最貴者也。」

又　柯九思云：「雜劇有正末、副末、狚、狐、靚、鴇、猱、捷譏、引戲九色之名。正末者，當場男子能指事者也，俗謂之『末泥』。副末執磕瓜以撲靚，卽古所謂『蒼鶻』是也。當場之妓曰『狚』，狚，猨之雌者也，其性好淫，今俗訛爲『旦』。狐，當場粧官者是也，今俗訛爲『孤』。靚，傅粉墨獻笑供諂者也，粉白黛綠，古稱『靚粧』，故謂之『粧靚色』，今俗訛爲『淨』。妓女之老者曰『鴇』，鴇似雁而大，無後趾，虎文，喜淫而無厭，諸鳥求之卽就，世呼『獨豹』者是也。凡妓女總稱曰『猱』，猱亦猨屬，喜食虎肝腦，虎見而愛之，輒負於背，猱乃取蝨遺虎首，虎卽死，取其肝腦食焉，以喻少年愛色者亦如遇猱然，不至喪生不止也。捷譏，古謂之『滑稽』，雜劇中取其便捷譏諢，故云。引戲，卽院本中之狚。」【略】王棠云：「《懷鉛錄》云：『古梨園傳粉墨者，謂之「參軍」，亦謂之「靚」。靚，音「靜」。《廣韻》：靘，粧飾也。今傅粉墨謂之「淨」，蓋「靚」之訛也。扮婦人謂之「狚」，音「旦」，又音「達」，又與「獺」通。《南華經》云：「猨徧狚以爲妻。」東廣微云：「猨以獺爲婦。」蓋喻婦人意，遂省作「旦」也。蒼鶻謂之「末」者，末，北方國名。《周禮》「四夷之樂有靺」，《東都賦》云：「傑佅兜離，罔不畢集。」蓋優人作外國粧束者也。一曰「末泥」，蓋倡家隱語，如爆炭、崖公之類，省作末。」又云：「『末泥色主張，引戲分付，副末色打諢。』又《都城紀勝》：『雜扮或名「雜旺」，又名「鈕元子」，又名「拔和」，乃雜劇之散段，多是借裝爲山東、河北村人，以資笑，今之「打和鼓」、「撚梢子」、「散耍」，皆是也。』今之丑腳，蓋鈕元子之省文。《古杭夢遊錄》作『雜班』、『鈕元子』、『拔和』。」又云：「白水潛夫《武林舊事》：宋雜劇三甲內，有戲頭，有引戲，有次淨，有副末，有裝旦。少不過五人，多不過八人。按：今世有生，有外，有丑。宋時末，則今日之丑也。」【略】王棠云：「演戲而以班名，自宋『雲韶班』起。考宋教坊外，又有『鈞容直』、『雲韶班』二樂。宋太祖平嶺表，得劉氏閹官聰慧者八十人，使學於教坊，初賜名『簫韶部』，後改名『雲韶班』。『鈞容直』，軍樂也，在軍中善樂者。初名『引龍直』，以備行幸騎導。淳化初，改爲『鈞容直』。後世總稱爲班也。」（按：宋開寶中平嶺南，擇廣州內臣教坊習樂，賜名「簫韶部」。雍熙改「雲韶部」。）

葉德輝《重刊〈秦云擷英小譜〉序》 蓋自明萬曆中魏良輔、梁伯龍，改北曲爲南詞，臧晉叔復元人百種曲肆行點竄，移就吳音，於是崑曲代興，遂纘北統；弋陽幷起，亦復旗鼓中原。自明季逮國朝嘉、道間三百年來，京師吳越皆崑曲流行，弋陽則與湖廣調幷行于江西、湖南、河北、廣西。然仍以湖廣、陝西兩腔爲兩大宗派，湖廣行於南方，陝西偏於北地。由其戲文淺俚，聞者易知，士大夫樂其俳優社會間，便于習慣，故聆音之君子亦有取焉。咸、同之交，徽人程長庚，楚人余三勝，於湖廣調中精求，所以調聲用氣之法，一唱三嘆，聽之使人蕩氣娛神，世稱京二黃。二黃者，黃岡、黃陂，在荆湘亦稱爲漢調。二黃既熾，崑曲遂微，獨秦聲以甘涼之雄猶稱勁敵。許者謂聲音之道與世運相轉移，漢調之奪崑腔，爲文化將退之漸；秦聲之勝漢調，爲人心不靜之機。當乾隆盛時，兩川用兵，秦中地當孔道，兵徭之困苦，將士之喪亡，西北一隅，皆殺氣所蒙冪。而其時南人宦游斯土者，相率金迷紙醉，沈溺於北鄙之音。是殆氣機所感動，莫知其然而然。光、宣季年，京朝官酷喜秦聲，幾如侍讀之阿好，不數年革除事起，九鼎遂遷。季札觀樂而嘆德衰，師曠歌風而知聲死。世運之隆者，胥於聲樂兆其端。侍讀此書比之稗官小說，猶有可觀，錄而存之，亦足見人情好尙異同，於國家治亂興衰，實有隱相維繫之道矣。

俞樾《余蓮村勸善雜劇序》 今之雜劇，古之優也。《左傳》有觀優魚里之事，《樂記》有優猱侏儒之語，其從來遠矣。弄參軍之戲，始於漢和帝，梨園子弟，始于唐明皇；他如《踏謠娘》、《蘇中郎》之類，無非今戲劇之權輿。而唐咸通以來，有范傳康、上官唐卿、呂敬遷等弄假婦人爲戲，見於段安節《樂府雜錄》，則俳優不已，至於淫媟，亦勢使然乎？夫牀笫之言不逾閾，而今人每喜於賓朋高會，衣冠盛集，演諸淫褻之戲，是猶伯有之賦「鶉之賁賁」也。

姚華《曲海一勺·述旨》 文章起於歌謠，至便口耳，往往感人出於不覺。是以古今作者，前後相紹，體雖屢變，其歸則一。有文以來，詩歌尙已。戰國既降，詩分爲三：騷、賦、樂府，幷成鼎足。然騷、賦別行，而樂府獨隸詩系。自漢及唐，古近體詩，猶未歧視。五代、兩宋，長短句作，命之曰詞；別子爲祖，支派始分。然以樂府名者，比比而有。金、元起於北方，音律異聲，詞弗能叶，新聲以創，而曲遂作。尋其淵源，一本諸詞，遠祖南唐，近宗北宋諸家小令，痕迹分明，不獨大曲爲散套、雜劇、傳奇之濫觴已也。是以詞曲界劃，雖極謹嚴，然多蒙舊語，曲亦名詞，或曰樂府，少示區別，則曰詞餘，曰今樂府。茂倩而後，詩集不續，若繼爲之，源流朗然，不可誣也。自時厥後，曲又爲二，南北分歧，雁行相抗，昔爲附庸，今成大國。古今變遷，有如此者。夫文章體制，與時因革，時世既殊，物象卽變，心隨物轉，新裁斯出。自今以往，又不知變遷如何也。【略】曲起金、元，逮於明、清，時歷四代，著作實繁，雖才有長短，誼有高下，欲加評斷，不少瑕疵，然非曲之過也。曲之托體，美矣茂矣！夫其文、情相生，比、賦幷用，語似淺而實深，意若隱而常顯，情沿俗而歸雅，義雖莊而必諧，謝群言以標新，離六籍以隸事。小令數語，常若豐澤；套詞連章，自成機杼；雜劇傳奇，更兼衆妙。意無不協之句，辭無不白之懷；雖甚參差，仍嚴格律，遇字須酌，逢音必審，平務分乎陰陽，仄尤謹於上去。人質實以清空，去文飾以藻麗；犯古今之所難，獨雜沓而有倫。其易若彼，其難若此，豈非境之至勝，而體之最優者哉！文章諸體，名篇千萬，凡有佳勝，古人居先；曲之興起，纔五百年，世不之重，作者較稀，鴻寶所藏，玢秘未闡，及今發揚，未爲晚也。

胡彥穎《樂府傳聲序》 夫古樂之亡久矣，然有不得而亡者存，則聲是也。故謂今樂，非即古樂則可，謂今樂之聲，非即古樂之聲則大不可。何也？樂有今古之異，聲無異也，無異而古樂亡，請謂其故：昔賓牟賈以致右憲左，爲非武坐，聲淫及商，爲非武音，曰：有司失其傳也。夫古聖王之樂，列於四術六教，成均習之，庠序習之，非僅掌之有司而已，然猶不免於失傳，又況其徒寄之伶工之口者乎？周之既衰，孔子正樂。沿及漢初，五經皆存，而樂一經竟亡，制氏記鏗鏘鼓舞之節，樂之遺音也，而時則病其不能言義。《七略》載周歌詩曲折若干篇，樂之遺譜也，而時莫能歌。若漢高帝喜楚聲，且播之於《安世房中樂》。武帝更好新聲，度曲用李延年之屬，是皆不以古樂爲事。魏時猶有杜夔能歌《鹿鳴》、《文王》、《伐檀》、《騶虞》四篇。洎永嘉之末，蕩然無復遺矣。雖然，古樂之所亡者，其曲折耳，其節奏耳，聲則未有亡也。漢、魏之樂府，唐不能歌而歌詩；唐之詩，宋不能歌而歌詞；宋之詞，元不能歌而歌曲。然歌曲之聲，固即歌詞、歌詩、歌樂府之聲也，又獨非即歌《南》、《豳》、《雅》、《頌》之歌歟？而安得云亡歟？故以樂而論，則《三百篇》存，樂府存，詩存，詞存，而其曲折節奏則盡亡；以聲而論，則歌南北曲者此聲，即進而歌詞、歌詩、歌樂府、歌《三百篇》，要亦無非此聲，故曰亡者其曲折耳，其節奏耳，聲則自在天壤間也。自元以來，有北曲，有南曲，而善歌者首推三吳，南曲習於南耳，故視北曲尤爲盛行。然明之中葉以後，於南曲刻意求工，別爲「清曲」，漸非元人之舊。又作傳奇之人，喜集數曲爲之，以致宮調難分，音拍盡失，訛且傳訛，盲復引盲，幾何而不盡變元人之歌法哉？徐子蓋有憫焉，《傳聲》之所爲作也。曰天地之元聲，未嘗一日息於天下；一語已探聲律之本，而於宮調字音口法，尤必三致意焉。夫聲出於口，非審口法，則開合發收混矣。聲本於字，非正字音，則陰陽平仄淆矣。聲寄於調，非別宮調，則字句雖符，腔板全失，而曲不可問矣。

梅花谿上老人《題曲目新編後》 余嘗聞之隨園先生云：「自虞、夏、商、周以來，即有詩、文。詩當始於《三百》，一變而爲騷、賦，再變而爲五、七言古，三變而爲五、七言律。詩之餘變爲詞，詞之餘又變爲曲。詩而至於詞曲，不復能再變矣。文當始於二《典》，一變而爲《左》、《國》，再變而爲《史》、《漢》，三變而爲六朝駢體以及唐宋八家。八家之文，又變而爲時藝。文而至於時藝，亦不復能再變矣。」嗚呼！圖刑畫地之法廢而傳奇作，以戲示人，演爲詞曲，此泰平之有象也。鄉舉里選之法廢而科舉興，以文取士，設爲範程，此治世之良規也。然則時藝者，實《典》、《謨》、《訓》、《誥》之遺風，而詞曲者，亦《國風》、《雅》、《頌》之餘韻也。昔金壇王罕皆太史，選時藝以訓士子，謂之「八集」。八集者何？啓蒙、式法、行機、精詣、參變、大觀、老境、別情之謂也。試以傳奇、雜劇證之：如《佳期》、《學堂》，啓蒙也；《規奴》、《盤夫》，式法也；《青門》、《瑤台》，行機也；《尋夢》、《叫畫》，精詣也；《掃秦》、《走雨》，參變也；《十面》、《單刀》，大觀也；《開眼》、《上路》、《花婆》，老境也；《番兒》、《慘覩》、《長亭》，別情也。余以爲成宏、正嘉搭題，割裂可廢也，而傳奇不可廢也；淫詞、艷曲、小調、新腔可廢也，而雜劇不可廢也。

《新民叢報》第三年第十七期蔣觀雲無題文 夫今之戲劇，於古亦當屬于樂之中。雖古之樂以淪亡既久，無可考證，經數千年變更以來，決不得以今之戲劇，謂正與古書之所謂樂相當。然今之演劇，要由古之所謂樂之一係統而出；則雖謂今無樂，演劇即可謂爲一種社會之樂，亦不得議其言爲過當。夫樂，古人蓋甚重之。孔子之門，樂與禮併稱，而告爲邦，則曰：「樂則《韶舞》。」在齊聞《韶》，三月忘味。其餘論樂之言尤多。蓋孔子與墨子異，墨子持非樂主義，而孔子持禮樂全能主義，故推尊樂若是其至也。而古之樂官，若太師摯、師曠等，亦皆屬當世人材之選，昭昭然著聲望于一時，而其人咸有關係于國家興亡之故。夫果以今之演劇當古時樂之一種，則古之樂官，以今語言之，即戲子也。嗚呼！我中國萬事皆今不如古，古之樂變而爲今之戲，古之樂官變而爲今之戲子，其間數千年間，升降消長，退化之感，曷禁其棖觸于懷抱也！抑我古樂之盛，事屬既往，姑不必言。方今各國之劇界，皆日益進步，務造其極而盡其神。而我國之劇，乃獨後人而爲他國之所笑，事稍小，亦可恥也。

王國維《宋元戲曲考・上古至五代之戲劇》 歌舞之興，其始于古之巫乎？巫之興也，蓋在上古之世。《楚語》：「古者民神不雜，民之精爽不攜貳者，而又能齊肅衷正。【略】如此，則明神降之。在男曰覡，在女曰巫。【略】

及少皞之衰，九黎亂德，民神雜糅，不可方物。夫人作享，家爲巫史。」然則巫覡之興，在少皞之前，蓋此事與文化俱古矣。巫之事神，必用歌舞，《說文解字》(五)：「巫，祝也。女能事無形以舞降神者也。象人兩褎舞形，與工同意。」故《商書》言：「恆舞於宮，酣歌於室，時謂巫風。」《漢書·地理志》言：「陳太姬婦人尊貴，好祭祀，用史巫，故其俗巫鬼。」《陳詩》曰：「坎其擊鼓，宛邱之下，無冬無夏，治其鷺羽。」又曰：「東門之枌，宛邱之栩，子仲之子，婆娑其下。」此其風也。鄭氏《詩譜》亦云：「是古代之巫，實以歌舞爲職，以樂神人者也。」商人好鬼，故伊尹獨有巫風之戒。及周公制禮，禮秩百神，而定其祀典。官有常職，禮有常數，樂有常節，古之巫風稍殺。然其餘習，猶有存者：方相氏之驅疫也，大蜡之索萬物也，皆是物也。故子貢觀于蜡，而曰一國之人皆若狂，孔子告以張而不弛，文武不能。後人以八蜡爲三代之戲禮(《東坡志林》)，非過言也。周禮既廢，巫風大興；楚、越之間，其風尤盛。王逸《楚辭章句》謂：「楚國南部之邑，沅湘之間，其俗信鬼而好祠，其祠必作歌樂鼓舞，以樂諸神。屈原見俗人祭祀之禮，歌舞之樂，其詞鄙俚，因爲作《九歌》之曲。」古之所謂巫，楚人謂之曰靈。《東皇太一》曰：「靈偃蹇兮姣服，芳菲菲兮滿堂。」《雲中君》曰：「靈連蜷兮既留，爛昭昭兮未央。」此二者，王逸皆訓爲巫，而他「靈」字則訓爲神。案《說文》(一上)：「靈，巫也。」古雖言巫，而不言靈，觀於屈巫之字子靈，則楚人謂巫爲靈，不自戰國始矣。古之祭也必有尸。宗廟之尸，以子弟爲之。至天地百神之祀，用尸與否，雖不可考，然《晉語》載：「晉祀夏郊，以董伯爲尸。」則非宗廟之祀，固亦用之。《楚辭》之靈，殆以巫而兼尸之用者也。其詞謂巫曰靈，謂神亦曰靈。蓋群巫之中，必有象神之衣服形貌動作者，而視爲神之所馮依，故謂之曰靈，或謂之靈保。《東君》曰：「思靈保兮賢姱。」王逸《章句》，訓靈爲神，訓保爲安。余疑《楚辭》之靈保，與《詩》之神保，皆尸之異名。《詩·楚茨》云：「神保是饗。」又云：「神保是格。」又云：「鼓鐘送尸，神保聿歸。」《毛傳》云：「保，安也。」《鄭箋》亦云：「神安而饗其祭祀。」又云：「神安歸者，歸於天也。」然如毛、鄭之說，則謂神安是饗、神安是格、神安聿歸者，於辭爲不文。《楚茨》一詩，鄭、孔二君皆以爲述繹祭賓尸之事，其禮亦與古禮《有司徹》一篇相合，則所謂神保，殆謂尸也。其曰：「鼓鐘送尸，神保聿歸。」蓋參互言之，以避復耳。知《詩》之神保爲尸，則《楚辭》之靈保可知矣。至於浴蘭沐芳，華衣若英，衣服之麗也；緩節安歌，竽瑟浩倡，歌舞之盛也；乘風載雲之詞，生別新知之語，荒淫之意也。是則靈之爲職，或偃蹇以象神，或婆娑以樂神，蓋後世戲劇之萌芽，已有存焉者矣。巫覡之興，雖在上皇之世，然俳優則遠在其後。《列女傳》云：「夏桀既棄禮義，求倡優侏儒狎徒，爲奇偉之戲。」此漢人所紀，或不足信。其可信者，則晉之優施，楚之優孟，皆在春秋之世。案《說文》(八)：「優，饒也；一曰倡也。」又曰倡樂也。」古代之優，本以樂爲職，故優施假歌舞以說里克。《史記》稱優孟亦云楚之樂人。又優之爲言戲也，《左傳》：「宋華弱與樂轡少相狎，長相優。」杜注：「優，調戲也。」故優人之言，無不以調戲爲主，優施鳥鳥之歌，優孟愛馬之對，皆以微詞託意，甚有謔而爲虐者。《穀梁傳》：「頰谷之會，齊人使優施舞於魯君之幕下。」孔子曰：「笑君者罪當死，使司馬行法焉。」厥後秦之優旃，漢之幸倡郭舍人，其言無不以調戲爲事。要之，巫與優之別：巫以樂神，而優以樂人；巫以歌舞爲主，而優以調謔爲主；巫以女爲之，而優以男爲之。至若優孟之爲孫叔敖衣冠，而楚王欲以爲相；優施一舞，而孔子謂其笑君，則於言語之外，其調戲亦以動作行之，與後世之優，頗復相類。後世戲劇，當自巫、優二者出。而此二者，固未可以後世戲劇視之也。(附考：古之優人，其始皆以侏儒爲之，《樂記》稱「優侏儒」。頰谷之會，孔子所誅者，《穀梁傳》謂之優，而《孔子家語》、何休《公羊解詁》，均謂之侏儒。《史記·李斯列傳》：「侏儒倡優之好，不列於前。」《滑稽列傳》亦云：「優旃者，秦倡侏儒也。」故其自言曰：「我雖短也，幸休居。」此實以侏儒爲優之一確證也。《晉語》：「侏儒扶盧。」韋昭注：「扶，緣也；盧，矛戟之柲，緣之以爲戲。」此卽漢尋橦之戲所由起。而優人于歌舞調戲外，且兼以竟技爲事矣。漢之俳優，亦用以樂人，而非以樂神。《鹽鐵論·散不足》篇雖云「富者祈名嶽，望山川，椎牛擊鼓，戲倡舞像」，然《漢書·禮樂志》載郊祭樂人員，初無優人，惟朝賀置酒陳前殿房中，有常從倡三十人，常從象人(孟康曰：象人，若今戲魚蝦獅子者也。韋昭曰：著假面者也。)四人，詔隨常從倡十六人，秦倡員二十九人，秦倡象人員三人，詔隨秦倡一人，此外尚有黃門倡。此種倡人，以郭舍人例之，亦當以歌舞調謔爲事。以倡而兼象人，則又兼以競技爲事，蓋自漢初已有之，《賈子新書·匈奴篇》所陳者是也。至武帝元封三年，而角抵戲始興。《史記·大宛傳》：「安息以黎軒善眩人獻於漢。」是時上方巡狩海上，乃悉從外國客，大角抵，出奇戲諸怪物，及加其眩者之工。而角抵奇戲歲增變甚盛，益興，自此始。」按：角抵者，應劭曰：「角者，角技也。抵者，相抵觸也。」文穎曰：「名此樂爲角抵者，兩兩相當，角力角技藝射御，故名角抵，蓋雜技樂也。」是角抵以角技爲義，故所包頗廣，後世所謂百戲者是也。角抵之地，漢時在平樂觀。觀張衡《西京賦》所賦平樂事，殆兼諸技而有之。「烏獲扛鼎，都盧尋橦，冲狹燕濯，胸突銛鋒，跳丸劍之揮霍，走索上而相逢。」則角力角技之本事也。「巨獸之爲曼延，舍利之化仙車，吞刀吐火，雲霧杳冥」，所謂加眩者之工而增變者也。「總會仙倡，戲豹舞羆，白虎鼓瑟，蒼龍吹篪」，則假面之戲也。「女媧坐而長歌，聲清暢而委蛇，洪厓立而指揮，被毛羽之襳襹，度曲未終，雲起雪飛」，則歌舞之人，又作古人之形象矣。「東海黃公，赤刀粵祝，冀厭百虎，卒不能救」，則且敷衍故事矣。至李尤《平樂觀賦》(《藝文類聚》六十三)亦云：「有仙駕雀，其形蚴虯，騎驢馳射，狐兔驚走，侏儒巨人，戲謔爲偶。」則明明有俳優在其間矣。及元帝初元五年，始罷角抵，然其支流之流傳於後世者尚多，故張衡、李尤在後漢時，猶得取而賦之也。至魏明帝時，復修漢平樂故事。《魏略》(《魏志・明帝紀》裴注所引)：「帝引穀水過九龍殿前，水轉百戲。歲首，建巨獸，魚龍曼延，弄馬倒騎，備如漢西京之制。」故魏時優人，乃復著聞。《魏志・齊王紀》注引《世語》及《魏氏春秋》云：「司馬文王鎮許昌，征還擊姜維，至京師，帝於平樂觀，以臨軍過中領軍許允，與左右小臣謀，因文王辭，殺之，勒其衆以退大將軍，已書詔於前。文王入，帝方食粟，優人雲午等唱曰：『青頭鷄，青頭鷄。』青頭鷄者，鴨也(謂押詔書)，帝懼，不敢發。」又《魏書》(裴注引)載：司馬師等《廢帝奏》亦云：「使小優郭懷、袁信于廣望觀下，作遼東妖婦，嬉褻過度，道路行人掩目。」太后廢帝令亦云：「日延倡優，恣其丑謔。」則此時倡優亦以歌舞戲謔爲事；其作遼東妖婦，或演故事，蓋猶漢世角抵之餘風也。晉時優戲，殊無可考。惟《趙書》(《太平御覽》卷五百六十九引)云：「石勒參軍周延爲館陶令，斷官絹數萬匹，下獄，以八議宥之。後每大會，使俳優著介幘，黃絹，單衣。優問：『汝何官，在我輩中？』曰：『我本爲館陶令。』斗數單衣，曰：『正坐取是，入汝輩中。』以爲笑。」唐段安節《樂府雜錄》，亦載此事云：「參軍始自後漢館陶令石耽。」然後漢之世，尚無參軍之官，則《趙書》之說殆是。此事雖非演故事而演時事，又專以調謔爲主，然唐宋以後，腳色中有名之參軍，實出於此。自此以後迄南朝，亦有俗樂。梁時設樂，有曲、有舞、有技；然六朝之季，恩幸雖盛，而俳優罕聞，蓋視魏晉之優，殆未有以大異也。由是觀之，則古之俳優，但以歌舞及戲謔爲事。自漢以後，則間演故事；而合歌舞以演一事者，實始於北齊。顧其事至簡，與其謂之戲，不若謂之舞之爲當也。然後世戲劇之源，實自此始。《舊唐書・音樂志》云：「代面出于北齊。北齊蘭陵王長恭，才武而面美，常著假面以對敵。嘗擊周師金墉城下，勇冠三軍，齊人壯之，爲此舞以效其指揮擊刺之容，謂之《蘭陵王入陣曲》。」《樂府雜錄》與崔令欽《教坊記》所載略同。又《教坊記》云：「《踏搖娘》：北齊有人姓蘇，皰鼻，實不仕，而自號爲郎中。嗜飲酗酒，每醉，輒毆其妻。妻銜悲訴于鄰里。時人弄之：丈夫著婦人衣，徐步入場，行歌。每一疊，旁人齊聲和之云：『踏搖和來，踏搖娘苦和來。』以其且步且歌，故謂之踏搖；以其稱冤，故言苦；及其夫至，則作毆鬬之狀，以爲笑樂。」此事《舊唐書・音樂志》及《樂府雜錄》亦紀之。但一以蘇爲隋末河內人，一以爲後周士人。齊、周、隋相距，歷年無幾，而《教坊記》所紀獨詳，以爲齊人，或當不謬。此二者皆有歌有舞，以演一事。而前此雖有歌舞，未用之以演故事；雖演故事，未嘗合以歌舞，不可謂非優戲之創例也。蓋魏、齊、周三朝，皆以外族入主中國，其與西域諸國，交通頻繁，龜兹、天竺、康國、安國等樂，皆於此時入中國。而龜兹樂則自隋唐以來，相承用之，以迄於今。此時外國戲劇，當與之俱入中國。如《舊唐書・音樂志》所載《撥頭》一戲，其最著之例也。案：《蘭陵王》、《踏搖娘》二舞，《舊志》列之歌舞戲中，其間尚有《撥頭》一戲。《志》云：「《撥頭》者，出西域。胡人爲猛獸所噬，其子求獸殺之，爲此舞以象之也。」《樂府雜錄》謂之「鉢頭」，此語之爲外國語之譯音，固不待言；且于國名、地名、人名三者中，必居其一焉。其入中國，不審在何時。按《北史・西域傳》有拔豆國，去代五萬一千里，(按：五萬一千里，必有誤字，《北史・西域傳》諸國，雖大秦之遠，亦僅去代三萬九千四百里，拔豆上之南天竺國去代三萬一千五百里，疊伏羅國去代三萬一千里，此五萬一千里，疑亦三萬一千里之誤也。)隋、唐二《志》，卽無此國，蓋於後魏之初一通中國，後或亡或隔絶，已不可知。如使「撥頭」與「拔豆」爲同音異譯，而此戲出于拔豆國，或由龜兹等國而入中國，則其時自不應在隋唐以後，或北齊時已有此戲。而《蘭陵王》、《踏搖娘》等戲，皆模倣而爲之者歟。

此種歌舞戲，當時尚未盛行，實不過爲百戲之一種。蓋漢、魏以來之角抵奇戲，尚行于南北朝，而北朝尤盛。《魏書・樂志》言：「太宗增修百戲，撰合大曲。」《隋書・音樂志》亦云：「齊武平中，有魚龍爛漫，俳優侏儒，【略】奇怪異端，百有餘物，名爲百戲。周明帝武成間，朔旦會群臣，亦用百戲。及宣帝時，征齊散樂人并會京師爲之。至隋煬帝大業二年，突厥染干來朝，煬帝欲誇之，總追四方散樂，大集東都。自是每歲正月，萬國來朝，留至十五日，於端門外建國門內，綿亘八里，列爲戲場。百官起棚夾路，從昏至旦，以縱觀，至晦而罷。伎人皆衣綿繡繒彩，其歌舞者多爲婦人服，鳴環珮，飾以花毦者，殆三萬人。」故柳彧上書謂「鳴鼓聒天，燎炬照地，人戴獸面，男爲女服，倡優雜技，詭狀異形」（《隋書・柳彧傳》），薛道衡《和許給事善心戲場轉韻詩》（《初學記》卷十五），所咏亦略同。雖侈靡跨于漢代，然視張衡之賦西京，李尤之賦平樂觀，其言固未有大異也。至唐而所謂歌舞戲者，始多概見。有本於前代者，有出新撰者，今備舉之。

又《代面》（《大面》） 《舊唐書・音樂志》一則（見前）。《樂府雜錄》鼓架部條有：「代面，始自北齊。神武弟，有膽勇，善戰鬭，以其顏貌無威，每入陣卽著面具，後乃百戰百勝。戲者，衣紫腰金執鞭也。」《教坊記》：「大面，出北齊。蘭陵王長恭，性膽勇，而貌婦人，自嫌不足以威敵，乃刻爲假面，臨陣著之，因爲此戲，亦入歌曲。」

又《撥頭》（《鉢頭》） 《舊唐書・音樂志》一則（見前）。《樂府雜錄》鼓架部條：「鉢頭：昔有人父，爲虎所傷，遂上山尋其父尸。山有八折，故曲八疊。戲者被髮素衣，面作啼，蓋遭喪之狀也。」

又《踏搖娘》（《蘇中郎》、《蘇郎中》） 《舊唐書・音樂志》：「踏搖娘生於隋末河內。河內有人，貌惡而嗜酒，常自號郎中。醉歸，必毆其妻。其妻美色善歌，爲怨苦之辭。河朔演其聲，而被之弦管，因寫其夫之容。妻悲訴，每搖頓其身，故號『踏搖娘』。近代優人改其制度，非舊旨也。」《樂府雜錄》鼓架部條：「《蘇中郎》：後周士人蘇葩，嗜酒落魄，自號中郎，每有歌場，輒入獨舞。今爲戲者，著緋，帶帽，面正赤，蓋狀其醉也。卽有踏搖娘。」《教坊記》一則（見前）。

又《參軍戲》 《樂府雜錄》俳優條：「開元中，黃幡綽、張野狐弄參軍。始自漢館陶令石耽。耽有贓犯，和帝惜其才，免罪。每宴樂，卽令衣白夾衫，命俳優弄辱之，經年乃放，後爲參軍，誤也。開元中，有李仙鶴善此戲，明皇特授韶州同正參軍，以食其祿。是以陸鴻漸撰詞，言韶州參軍，蓋由此也。」趙璘《因話錄》（卷一）：「肅宗宴于宮中，女優有弄假官戲，其綠衣秉簡者，謂之參軍樁。」范攄《雲溪友議》（卷九）：「元稹廉問浙東，有俳優周季南、季崇，及妻劉采春，自淮甸而來，善弄《陸參軍》，歌聲徹雲。」（附：《五代史・吳世家》：「徐氏之專政也，楊隆演幼懦，不能自持，而知訓尤凌侮之。嘗飲酒樓上，命優人高貴卿侍酒，知訓爲參軍，隆演鶉衣髽髻爲蒼鶻。」附：姚寬《西溪叢語》（下）引《吳史》：「徐知訓怙威驕淫，調謔王，無敬長之心。嘗登樓狎戲，荷衣木簡，自稱參軍，令王髽髻鶉衣，爲蒼頭以從。」）

又《樊噲排君難》（戲《樊噲排闥》劇） 《唐會要》（卷三十三）：「光化四年正月，宴于保寧殿，上制曲，名曰《贊成功》。時鹽州雄毅軍使孫德昭等，殺劉季述反正，帝乃製曲以褒之，仍作《樊噲排君難》戲以樂焉。」宋敏求《長安志》（卷六）：「昭宗宴李繼昭等將于保寧殿，親製《贊成功》曲以褒之，仍命伶官作《樊噲排君難》戲以樂之。」陳暘《樂書》（卷一百八十六）：「昭宗光化中，孫德昭之徒刃劉季述，始作《樊噲排闥》劇。」

又 此五劇中其出於後趙者一（《參軍》），出於北齊或周隋者二（《大面》、《踏搖娘》），出于西域者一（《撥頭》），惟《樊噲排君難》戲乃唐代所自製，且其布置甚簡，而動作有節，固與《破陣樂》、《樂善樂》諸舞，相去不遠。其所異者，在演故事一事耳。顧唐代歌舞戲之發達，雖止于此，而滑稽戲則殊進步。此種戲劇，優人恆隨時地而自由爲之；雖不必有故事，而恆托爲故事之形；惟不容合以歌舞，故與前者稍異耳。其見于載籍者，茲復彙舉之，其可資比較之助者，頗不少也。《資治通鑑》（卷二百十二）：「侍中宋璟疾負罪而妄訴不已者，悉付御史臺治之。謂中丞李謹度曰：『服不更訴者，出之，尚訴未已者，且繫。』由是人多怨者。會天旱，優人作魃狀，戲于上前。問：『魃何爲出？』對曰：『奉相公處分。』又問：『何故？』對曰：『負罪者三百餘人，相公悉以繫獄抑之，故魃不得不出。』上心以爲然。」《舊唐書・文宗紀》：「太和六年二月己丑寒食節，上宴群臣於麟德殿。是日雜戲人弄孔子。帝曰：『孔子古今之師，安得侮黷。』亟命驅出。」高彥休《唐闕史》（卷下）：「咸通中，優人李可及者，滑稽諧戲，獨出輩流。雖不能托諷匡正，然智巧敏捷，亦不可多得。嘗因延慶節，緇黃講論畢，次及倡優爲戲，可及乃儒服險巾，褒衣博帶，攝齊以昇講座，自稱三教論衡。其隅坐者問曰：『卽言博通三教，釋迦如來是何人？』對曰：『是婦人。』問者驚曰：『何也？』對曰：『《金剛經》云：敷座而坐。或非婦人，何煩夫坐，然後兒坐也。』上爲之啓齒。又問曰：『太上老君，何人也？』對曰：『亦婦人也。』問者益所不喻。乃曰：『《道德經》云：吾有大患，是吾有身，及吾無身，吾復何患。倘非婦人，何患乎有娠乎？』上大悅。又問：『文宣王何人也？』對曰：『婦人也。』問者曰：『何以知之？』對曰：『《論語》云：沽之哉！沽之哉！吾待賈者也。向非婦人，待嫁奚爲？』上意極歡，寵錫甚厚。翌日，授環衛之員外職。」唐無名氏《玉泉子眞錄》（《說郛》卷四十六）：「崔公鉉之在淮南，嘗俾樂工集其家僮，敎以諸戲。一日，其樂工告以成就，且請試焉。鉉命閱於堂下，與妻李坐觀之。僮以李氏妒忌，卽以數僮衣婦人衣，曰妻曰妾，列於旁側。一僮則執簡束帶，旋辟唯諾其間。張樂命酒，不能無屬意者，李氏未之悟也。久之，戲愈甚，悉類李氏平昔所嘗爲。李氏雖少悟，以其戲偶合，私謂不敢而然，且觀之。僮志在發悟，愈益戲之，李果怒，罵之曰：『奴敢無禮，吾何嘗如此？』僮指之，且出，曰：『咄咄！赤眼而作白眼，諱乎？』鉉大笑，幾至絕倒。」孫光憲《北夢瑣言》（卷六）：「光化中，朱樸自《毛詩》博士登庸，恃其口辯，可以立致太平。由藩邸引導，聞于昭宗，遂有此拜。對敭之日，面陳時事數條，每言：『臣爲陛下致之。』洎操大柄，無以施展，自是恩澤日衰，中外騰沸。內宴日，俳優穆刀陵作念經行者，至御前曰：『若是朱相，卽是非相。』翌日出官。」附五代。《北夢瑣言》（卷十四）：「劉仁恭之軍，爲汴帥敗於內黃。爾後汴帥攻燕，亦敗於唐河。他日命使聘汴，汴帥開宴，俳優戲醫病人以譏之。且問：『病狀內黃，以何藥可瘥？』其聘使謂汴帥曰：『內黃，可以唐河水浸之，必愈。』賓主大笑。」錢易《南部新書》（卷癸）：「王延彬獨據建州，稱僞號，一旦大設，伶官作戲，辭云：『只聞有泗州和尚，不見有五縣天子。』」鄭文寶《江南餘載》（卷上）：「徐知訓在宣州，聚斂苛暴，百姓苦之。入覲侍宴，令人戲，作綠衣大面若鬼神者。旁一人問：『誰？』對曰：『我宣州土地神也，吾主人入覲，和地皮掘來，故得至此。』」又（卷上）：「張崇帥廬州，人苦其不法。因其入覲，相謂曰：『渠伊必不來矣。』崇聞之，計口征渠伊錢。明年又入覲，人不敢交語，唯道路相目，捋鬚爲慶而已。崇歸，又徵捋鬚錢。其在建康，伶人戲爲死而獲譴者，曰：『焦湖百里，一任作獺。』」觀上文之所彙集，知此各滑稽戲，始於開元，而盛於晚唐。以此與歌舞戲相比較：則一以歌舞爲主，一以言語爲主；一則演故事，一則諷時事；一爲應節之舞蹈，一爲隨意之動作；一可永久演之，一則除一時一地外，不容施于他處。此其相異者也。而此二者之關紐，實在參軍一戲。參軍之戲，本演石耽或周延故事。又《雲溪友議》謂周季南等「弄《陸參軍》，歌聲徹雲」，則似爲歌舞劇。然至唐中葉以後，所謂參軍者，不必演石耽或周延。凡一切假官，皆謂之參軍。《因話錄》所謂「女優有弄假官戲，其綠衣秉簡者，謂之參軍椿」是也。由是參軍一色，遂爲腳色之主。其與之相對者，謂之蒼鶻。李義山《驕兒詩》：「忽復學參軍，按聲喚蒼鶻。」《五代史·吳世家》所紀，足以證之。上所載滑稽劇中，無在不可見此二色之對立。如李可及之儒服險巾，褒衣博帶；崔鉉家童之執簡束帶，旋辟唯諾；南唐伶人之綠衣大面，作宣州土地神，皆所謂參軍者爲之；而與之對待者，則爲蒼鶻。此說觀下章所載宋代戲劇，自可了然，此非想象之說也。要之：唐五代戲劇，或以歌舞爲主，而失其自由；或演一事，而不能被以歌舞。其視南宋、金、元之戲劇，尙未可同日而語也。

又《宋之滑稽戲》 今日流傳之古劇，其最古者出於金、元之間。觀其結構，實綜合前此所有之滑稽戲及雜戲、小說爲之。又宋、元之際，始有南曲、北曲之分，此二者，亦皆綜合宋代各種樂曲而爲之者也。今欲溯其發達之迹，當分爲三章論之：一、宋之滑稽戲；二、宋之雜戲小說；三、宋之樂曲是也。宋之滑稽戲，大略與唐滑稽戲同，當時亦謂之雜劇。【略】宋、遼、金三朝之滑稽劇，其見于載籍者略具于此。此種滑稽劇，宋人亦謂之雜劇，或謂之雜戲。呂本中《童蒙訓》曰：「作雜劇者，打猛諢入，卻打猛諢出。」吳自牧《夢粱錄》亦云：「雜劇全用故事，務在滑稽。」孟元老《東京夢華錄》云：「聖節內殿雜戲，爲有使人預宴，不敢深作諧謔。」則無使人時可知。是宋人雜劇，固純以詼諧爲主，與唐之滑稽劇無異。但其中腳色，較爲著明，而布置亦稍複雜。然不能被以歌舞，其去眞正戲劇尙遠。然謂宋人戲劇，遂止於此，則大不然。雖明之中葉，尙有此種滑稽劇，觀文林《琅邪漫鈔》、徐咸《西園雜記》、沈德符《萬曆野獲編》所載者，全與宋滑稽劇無異。若以此概明之戲劇，未有不笑者也。宋劇亦然。故欲知宋元戲劇之淵源，不可不兼于他方面求之也。

又《宋之小說雜戲》宋之滑稽戲，雖托故事以諷時事，然不以演事實爲主，而以所含之意義爲主。至其變爲演事實之戲劇，則當時之小說，實有力焉。小說之名起于漢。《西京賦》云：「小說九百，本自虞初。」《漢書·藝文志》：「有虞初周說九百四十四篇。」其書之體例如何，今無由知。唯《魏略》（《魏志·王粲傳》注引）言：「臨淄侯植，誦俳優小說數千言。」則似與後世小說，已不相遠。六朝時，干寶、任昉、劉義慶諸人，咸有著述，至唐而大盛。今《太平廣記》所載，實集其成。然但爲著述上之事，與宋之小說無與焉。宋之小說，則不以著述爲事，而以講演爲事。灌園耐得翁《都城紀勝》謂：說話有四種：一小說，一說經，一說參請，一說史書。《夢粱錄》（卷二十）所紀略同。《武林舊事》（卷六）所載諸色伎藝人中，有書會（謂說書會），有演史，有說經諢經，有小說。而《都城紀勝》、《夢粱錄》均謂小說人能以一朝一代故事，頃刻間提破。則演史與小說，自爲一類。此三書所記，皆南渡以後之事。而其源則發於宋初。高承《事物紀原》（卷九）：「仁宗時，市人有能談三國事者，或采其說，加緣飾，作影人。」《東坡志林》（卷六）：「王彭嘗云：『塗巷中小兒薄劣，爲其家所厭苦，輒與錢令聚坐，聽說古話，至說三國事』云云。」《東京夢華錄》（卷五）所載京瓦伎藝，有霍四究說三分，尹常賣《五代史》。至南渡以後，有敷衍《復華篇》及《中興名將傳》者，見于《夢粱錄》，此皆演史之類也。其無關史事者，則謂之小說。《夢粱錄》云：「小說一名銀字兒，如烟粉、靈怪、傳奇、公案、朴刀、杆棒、發發、踪參等事。」則其體例，亦當與演史大略相同。今日所傳之《五代平話》，實演史之遺；《宣和遺事》，殆小說之遺也。此種說話，以叙事爲主，與滑稽劇之但托故事者迥異。其發達之迹，雖略與戲曲平行。而後世戲劇之題目，多取諸此，其結構亦多依倣爲之，所以資戲劇之發達者，實不少也。至與戲劇更相近者，則爲傀儡。傀儡起于周季，《列子》以偃師刻木人事，爲在周穆王時，或係寓言。然謂列子時已有此事，當不誣也。《樂府雜錄》以爲起于漢祖平城之圍，其說無稽。《通典》則云：「《窟礧子》作偶人以戲，善歌舞，本喪家樂也。漢末始用之于嘉會。」其說本于應劭《風俗通》，則漢時固確有此戲矣。漢時此戲結構如何，雖不可考，然六朝之際，此戲已演故事。《顏氏家訓·書證》篇：「或問：『俗名傀儡子爲郭禿，有故實乎？』答曰：『《風俗通》云：諸郭皆諱禿，當是前世有姓郭而病禿者，滑稽調戲，故後人爲其像，呼爲郭禿。』」唐時傀儡戲中之郭郎實出于此，至宋猶有此名。唐之傀儡，亦演故事。《封氏聞見記》（卷六）：「大曆中，太原節度辛景雲葬日，諸道節度使使人修祭。范陽祭盤，最爲高大，刻木爲尉遲鄂公突厥鬥將之像，機關動作，不異于生。祭訖，靈車欲過，使者請曰：『對數未盡。』又停車，設項羽與漢高祖會鴻門之像，良久乃畢。」至宋而傀儡最盛，種類亦最繁：有懸絲傀儡、走綫傀儡、杖頭傀儡、藥發傀儡、肉傀儡、水傀儡各種（見《東京夢華錄》、《武林舊事》、《夢粱錄》）。《夢粱錄》云：「凡傀儡敷衍烟粉、靈怪、鐵騎、公案、史書，歷代君臣將相故事。話本或講史，或作雜劇，或如崖詞，【略】大抵弄此，多虛少實，如《巨靈神》、《朱姬大僊》等也。」則宋時此戲，實與戲劇同時發達，其以敷衍故事爲主，且較勝于滑稽劇。此于戲劇之進步上，不能不注意者也。傀儡之外，似戲劇而非眞戲劇者，尚有影戲。此則自宋始有之。《事物紀原》（卷九）：「宋朝仁宗時，市人有能談三國事者，或采其說加緣飾，作影人，始爲魏、吳、蜀三分戰爭之象。」《東京夢華錄》所載京瓦伎藝，有影戲，有喬影戲。南宋尤盛。《夢粱錄》云：「有弄影戲者，元汴京初以素紙雕簇，自後人巧工精，以羊皮雕形，以彩色裝飾，不致損壞。【略】其話本與講史書者頗同，大抵眞假相半。公忠者雕以正貌，奸邪者刻以醜形，蓋亦寓褒貶于其間耳。」然則影戲之爲物，專以演故事爲事，與傀儡同。此亦有助于戲劇之進步者也。以上三者，皆以演故事爲事。小說但以口演，傀儡、影戲則爲其形像矣。然而非以人演也。其以人演者，戲劇之外，尚有種種，亦戲劇之支流，而不可不一注意也。三教。《東京夢華錄》（卷十）：「十二月，即有貧者三教人，爲一火，裝婦人神鬼，敲鑼擊鼓，巡門乞錢，俗呼爲打夜胡。」訝鼓。《續墨客揮犀》（卷七）：「王子醇初平熙河，邊陲寧靜，講武之暇，因教軍士爲訝鼓戲，數年間遂盛行于世。其舉動舞裝之狀，與優人之詞，皆子醇初製也。或云：『子醇初與西人對陣，兵未交，子醇命軍士百餘人，裝爲訝鼓隊，繞出軍前，虜見皆愕眙，進兵奮擊，大破之。』」《朱子語類》（卷一百三十九）亦云：「如舞訝鼓，其間男子、婦人、僧道、雜色，無所不有，但都是假的。」舞隊。《武林舊事》（卷二）所紀舞隊，全與前二者相似。今列其目：《查查鬼》（《查大》）、《李大口》（《一字口》）、《賀豐年》、《長瓠斂》（《長頭》）、《兔吉》（《兔毛大伯》）、《吃遂》、《大憨兒》、《粗妲》、《麻婆子》、《快活三郎》、《黃金杏》、《瞎判官》、《快活三娘》、《沈承務》、《一臉膜》、《貓兒相公》、《洞公嘴》、《細妲》、《河東子》、《黑遂》、《王鐵兒》、《交椅》、《夾棒》、《屏風》、《男女竹馬》、《男女杵歌》、《大小斲刀鮑老》、《交衮鮑老》、《子弟清音》、《女童清音》、《諸國獻寶》、《穿心國入貢》、《孫武子教女兵》、《六國朝》、《四國期》、《遏雲社》、《緋綠社》、《胡安女》、《鳳阮稽琴》、《撲蝴蝶》、《回陽丹》、《火藥》、《瓦盆鼓》、《焦錘架兒》、《喬三教》、《喬迎酒》、《喬親事》、《喬樂神》（《馬明王》）、《喬捉蛇》、《喬學堂》、《喬宅眷》、《喬像生》、《喬師娘》、《獨自喬》、《地仙》、《旱劃船》、《教象》、《裝態》、《村田樂》、《鼓板》、《踏撬》（一作《踏蹺》）、《撲旗》、《抱鑼裝鬼》、《獅豹蠻牌》、《十齋郎》、《耍和尚》、《劉衮》、《散錢行貨郎》、《打嬌惜》。其中裝作種種人物，或有故事。其所以異于戲劇者，則演劇有定所，此則巡回演之。然後來戲名曲名中，多用其名目，可知其與戲劇非毫無關係也。

又《宋之樂曲》　前二章既述宋代之滑稽戲及小說雜戲，後世戲劇之淵源，略可于此窺之。然後代之戲劇，必合言語、動作、歌唱，以演一故事，而後戲劇之意義始全。故眞戲劇必與戲曲相表裏。然則戲曲之爲物，果如何發達乎？此不可不先研究宋代之樂曲也。宋之歌曲，其最通行而爲人人所知者，是爲詞。亦謂之近體樂府，亦謂之長短句。其體始于唐之中葉，至晚唐五代，而作者漸多，及宋而大盛。宋人宴集，無不歌以侑觴。然大率徒歌而不舞，其歌亦以一闋爲率。其有連續歌此一曲者，如歐陽公之《采桑子》，凡十一首；趙德麟之《商調·蝶戀花》，凡十首。一述西湖之勝，一咏《會眞》之事，皆徒歌而不舞，其所以異于普通之詞者，不過重疊此曲，以咏一事而已。其歌舞相兼者，則謂之傳踏（曾慥《樂府雅詞》卷上），亦謂之轉踏（王灼《碧鷄漫志》卷三），亦謂之纏達（《夢粱錄》卷二十）。北宋之轉踏，恆以一曲連續歌之。每一首咏一事，共若干首則咏若干事。然亦有合若干首而咏一事者。《碧鷄漫志》（卷三）謂石曼卿作《拂霓裳轉踏》，述開元、天寶遺事是也。其曲調唯《調笑》一調用之最多。【略】放隊。「新詞宛轉遞相傳，振袖傾鬟風露前，月落烏啼雲雨散，游人陌上拾花鈿。」此種詞前有勾隊詞，後以一詩一曲相間，終以放隊詞，則亦用七絕，此宋初體格如此。然至汴宋之末，則其體漸變。《夢粱錄》（卷二十）：「在京時，只有纏令纏達，有引子尾聲爲纏令，引子後祇有兩腔迎互循環，間有纏達。」此纏達之音，與傳踏同，其爲一物無疑也。吳《錄》所云，與上文之傳踏相比較，其變化之迹顯然。蓋勾隊之詞，變而爲引子；放隊之詞，變而爲尾聲；曲前之詩，後亦變而用他曲，故云引子後祇有兩腔迎互循環也。今纏達之詞皆亡，唯元劇中正宮套曲，其體例全自此出，觀第七章所引例，自可了然矣。傳踏之制，以歌者爲一隊，且歌且舞，以侑賓客。宋時有與此相似，或同實異名者，是爲隊舞。《宋史·樂志》：隊舞之制，其名各十。小兒隊凡七十二人：一曰柘枝隊，二曰劍器隊，三曰婆羅門隊，四曰醉胡騰隊，五曰諢臣萬歲樂隊，六曰兒童感聖樂隊，七曰玉兔渾脫隊，八曰異域朝天隊，九曰兒童解紅隊，十曰射雕回鶻隊。女弟子隊凡一百五十三人：一曰菩薩蠻隊，二曰感化樂隊，三曰抛球樂隊，四曰佳人剪牡丹隊，五曰拂霓裳隊，六曰采蓮隊，七曰鳳迎樂隊，八曰菩薩獻香花隊，九曰彩雲仙隊，十曰打球樂隊。其裝飾各由其隊名而異，如佳人剪牡丹隊，則衣紅生色砌衣，戴金冠，剪牡丹花；采蓮隊則執蓮花；菩薩獻香隊則執香花盤。其舞未詳，其曲宋人或取以塡詞。其中有拂霓裳隊，而《碧鷄漫志》謂石曼卿作《拂霓裳傳踏》，恐與傳踏爲一，或爲傳踏之所自出也。宋時舞曲，尙有曲破。《宋史·樂志》：「太宗洞曉音律，製曲破二十九。」此在唐五代已有之，至宋時又藉以演故事。史浩《鄮峰眞隱漫錄》之《劍舞》卽是也。【略】由此觀之，其樂有聲無詞，且于舞踏之中，寓以故事，頗與唐之歌舞戲相似。而其曲中有「破」有「徹」，蓋截大曲入破以後用之也。此外兼歌舞之伎，則爲大曲。大曲自南北朝已有此名。南朝大曲，則清商三調中之大曲，《宋書·樂志》所載者是也。北朝大曲，則《魏書·樂志》言之而不詳。至唐而雅樂、清樂、燕樂、西涼、龜兹、安國、天竺、疏勒、高昌，樂中均有大曲（見《大唐六典》卷十四《協律郎》條注）。然傳于後世者，唯胡樂大曲耳。其名悉載于《教坊記》，而其詞尙略存于《樂府詩集·近代曲辭》中。宋之大曲，卽自此出。教坊所奏，凡十八調四十大曲，《文獻通考》及《宋史·樂志》具載其目。此外亦尙有之，故又有五十大曲，及五十四大曲之稱（詳見予《唐宋大曲考》，茲略之）。其曲辭之存于今日者，有董穎《薄媚》（《樂府雅詞》卷上）、曾布《水調歌頭》（王明清《玉照新志》卷二）、史浩《采蓮》（《鄮峰眞隱漫錄》卷四十五）三曲稍長，然亦非其全遍。其中間一二遍，則于宋詞中間遇之。大曲遍數，多至一二十。其各遍之名，則唐時有排遍、入破、徹（《樂府詩集》卷七十九）。而排遍、入破，又各有數遍。徹者，入破之末一遍也。宋大曲，則王灼謂：「凡大曲有散序、靸、排遍、攧、正攧、入破、虛催、實催、衮遍、歇拍、殺袞，始成一曲，謂之大遍。」(《碧鷄漫志》卷三)沈括亦云：「所謂大遍者，有序、引、歌、歙、嗺、哨、催、攧、袞、破、行、中腔、踏歌之類，凡數十解。」(《夢溪筆談》卷五)沈氏所列各名，與現存大曲不合。王説近之。惟攧後尚有延遍，實催前尚有袞遍(卽張炎《詞源》所謂中袞)。而散序與排遍，均不止一遍，排遍且多至八九，故大曲遍數，往往至于數十，唯宋人多裁截用之。卽其所用者，亦以聲與舞爲主，而不以詞爲主，故多有聲無詞者。自北宋時，葛守誠撰四十大曲，而教坊大曲，始全有詞。然南宋修內司所編《樂府混成集》，大曲一項，凡數百解，有譜無詞者居半(周密《齊東野語》卷十)。則亦不以詞重矣。其攧、破、催、袞，以舞之節名之。此種大曲，遍數既多，自于叙事爲便，故宋人咏事多用之。今錄董穎《薄媚》，以示其一例。宋人大曲之存者，以此爲最長矣。【略】此曲自《排遍第八》至《煞袞》，共十遍，而截去《排遍第七》以上不用。此種大曲，遍數既多，雖便于叙事，然其動作皆有定則，欲以完全演一故事，固非易易。且現存大曲，皆爲叙事體，而非代言體。卽有故事，要亦爲歌舞戲之一種，未足以當戲曲之名也。由上所述宋樂曲觀之，則傳踏僅以一曲反覆歌之。曲破與大曲，則曲之遍數雖多，然仍限于一曲。至合數曲而成一樂者，唯宋鼓吹曲中有之。宋大駕鼓吹，恆用《導引》、《六州》、《十二時》三曲。梓宮發引，則加《祔陵歌》，虞主回京，則加《虞主歌》，各爲四曲。南渡後郊祀，則于《導引》、《六州》、《十二時》三曲外，又加《奉禋歌》、《降仙臺》二曲，共爲五曲。合曲之體例，始于鼓吹見之。若求之于通常樂曲中，則合諸曲以成全體者，實自諸宮調始。諸宮調者，小説之支流，而被之以樂曲者也。《碧鷄漫志》(卷二)：「熙寧元豐間，澤州孔三傳始創諸宮調，古傳士大夫皆能誦之。」《夢粱錄》(卷二十)云：「説唱諸宮調，昨汴京有孔三傳，編成傳奇靈怪，入曲説唱。」《東京夢華錄》(卷五)紀崇觀以來瓦舍伎藝，有孔三傳《耍秀才諸宮調》。《武林舊事》(卷六)所載諸色伎藝人，諸宮調傳奇，有高郎婦等四人。則南北宋均有之。今其詞尚存者，唯金董解元之《西廂》耳。董解元《西廂》，胡元瑞、焦理堂、施北研筆記中，均有考訂，訖不知爲何體。沈德符《野獲編》(卷二十五)且妄以爲金人院本模範。以余考之，確爲諸宮調無疑。觀陶南村《輟耕錄》謂：「金章宗時董解元所編《西廂記》，時代未遠，猶罕有人能解之。」則後人不識此體，固不足怪也。此編之爲諸宮調有三證：本書卷一《太平賺》詞云：「俺平生情性好疏狂，疏狂的情性難拘束。一回家想麽，詩魔多，愛選多情曲。比前賢樂府不中聽，在諸宮調裏卻著數。」此開卷自叙作詞緣起，而自云「在諸宮調裏」，其證一也。元凌雲翰《柘軒詞》有《定風波》詞賦《崔鶯鶯傳》云：「翻殘金舊日諸宮調本，纔入時人聽」，則金人所賦《西廂》詞，自爲諸宮調，其證二也。此書體例，求之古曲，無一相似。獨元王伯成《天寶遺事》，見于《雍熙樂府》、《九宮大成》所選者，大致相同。而元鍾嗣成《錄鬼簿》(卷上)于王伯成條下注云：「有《天寶遺事》諸宮調行于世。」王詞既爲諸宮調，則董詞之爲諸宮調無疑，其證三也。其所以名諸宮調者，則由宋人所用大曲傳踏，不過一曲，其爲同一宮調中甚明。唯此編每宮調中，多或十餘曲，少或一二曲，卽易他宮調，合若干宮調以咏一事，故謂之諸宮調。今錄二三調以示其例：【略】此上八曲，已易三調，全書體例皆如是。此于叙事最爲便利，蓋大曲等先有曲，而後人借以咏事。此則製曲之始，本爲叙事而設，故宋金雜劇院本中，後亦用之(見後二章)，非徒供説唱之用而已。宋人樂曲之不限一曲者，諸宮調之外，又有賺詞。賺詞者，取一宮調之曲若干，合之以成一全體。此體久爲世人所不知，案《夢粱錄》(卷二十)「紹興年間，有張五牛大夫，因聽動鼓板中有《太平令》或賺鼓板，卽今拍板大節抑揚處是也，遂撰爲賺。賺者，誤賺之之義，正堪美聽中，不覺已至尾聲，是不宜爲片序也。又有覆賺，其中變花前月下之情，及鐵騎之類」云云。是唱賺之中，亦有敷演故事者，今已不傳。其常用賺詞，余始于《事林廣記》(日本翻元泰定本戊集卷二)中發現之。其前且有唱賺規例，今具錄如下：【略】《事林廣記》雖載此詞，然不著其爲何時人所作。以余考之，則當出南渡之後。詞前有「遏雲要訣」，遏云者，南宋歌社之名。《武林舊事》(卷三)「二月八日，爲相川張王生辰，霍山行宮朝拜極盛，百戲競集。如緋綠社(雜劇)、齊雲社(蹴球)、遏雲社(唱賺)等」云云。《夢粱錄》(卷十九)《社會》條下亦載之。今此詞之首，有遏雲要訣、遏雲致語，又云「唱賺」「道賺」，而詞中又有賺詞，則爲宋遏雲社所唱賺詞無疑也。所唱之曲，題爲「圓社市語」。圓社，謂蹴球，《事林廣記》戊集(卷二)《圓社摸場》條，起四句云：「四海齊雲社，當場蹴氣球，作家偏著所，圓社最風流。」今曲題如此，而曲中所使，皆蹴球家語，則圓社爲齊雲社無疑。以遏雲社之人，唱齊雲社之事，謂非南宋人所作不可也。此詞自其結構觀之，則似北曲；自其曲名，則疑爲南曲。蓋其用一宮調之曲，頗似北曲套數。其曲名則

《縷縷金》、《好孩兒》、《越恁好》三曲，均在南曲中呂宮，《紫蘇丸》則在南曲仙呂宮，北曲中無此數調。《鵪打兔》則南北曲皆有，唯皆無《大夫娘》一曲。蓋南北曲之形式及材料，在南宋已全具矣。

又《宋官本雜劇段數》 由前三章研究之所得，而後宋之戲曲，可得而論焉。戲曲之作，不能言其始于何時。宋《崇文總目》(卷一)已有周優人《曲辭》二卷。原釋云：「周吏部侍郎趙上交，翰林學士李昉，諫議大夫劉陶，司勳郎中馮古，纂錄燕優人曲辭。」此燕爲劉守光之燕，或契丹之燕，其曲辭爲樂曲或戲曲，均不可考。《宋史・樂志》亦言：「眞宗不喜鄭聲，而或爲雜劇詞，未嘗宣布于外。」《夢粱錄》(卷二十)亦云：「向者汴京教坊大使孟角球，曾做雜劇本子，葛守誠撰四十大曲。」則北宋固確有戲曲。然其體裁如何，則不可知。惟《武林舊事》(卷十)所載官本雜劇段數，多至二百八十本。今雖僅存其目，可以窺兩宋戲曲之大概焉。就此二百八十本精密考之，則其用大曲者一百有三，用法曲者四，用諸宮調者二，用普通詞調者三十有五。【略】由此觀之，則此二百八十本中，其用大曲、法曲、諸宮調、詞曲調者，共一百五十餘本，已過全數之半，則南宋雜劇，殆多以歌曲演之。與第二章所載滑稽戲迥異。其用大曲、法曲、諸宮調者，則曲之片數頗多，以敷衍一故事，自覺不難，其單用詞調及曲調者，祇有一曲，當以此曲循環敷演，如上章「傳踏」之例，此在元明南曲中，尙得發見其例也。且此二百八十本，不皆純正之戲劇。如《打調薄媚》、《大打調中和樂》、《大打調道人歡》三本，則劉昌詩《蘆浦筆記》(卷三)謂街市戲謔，有打砌打調之類，實滑稽戲之支流，而佐以歌曲者也。如《門子打三教爨》、《雙三教》、《三教安公子》、《三教鬧著棋》、《打三教庵宇》、《普天樂打三教》、《滿皇州打三教》、《領三教》，則演前章所述三教人者也。《迓鼓兒熙州》、《迓鼓孤》則前章所云訝鼓之戲也。《天下太平爨》及《百花爨》，則《樂府雜錄》所謂字舞花舞也。案《齊東野語》(卷十)云：「州郡遇聖節賜宴，率命猥伎數十，群舞于庭，作天下太平字，殊爲不經。而唐王建宮詞云：『每過舞頭分兩向，太平萬歲字當中。』則此事由來久矣」，云云。可知宋代戲劇，實綜合種種之雜戲；而其戲曲亦綜合種種之樂曲，此事觀後數章自益明也。此項官本雜劇，雖著錄于宋末，然其中實有北宋之戲曲，不可不知也。如《王子高六幺》一本，實神宗元豐以前之作。趙彥衛《雲麓漫鈔》(卷十)：「王迥字子高，舊有周瓊姬事，胡徽之爲作傳，或用其傳作《六幺》。」朱彧《萍洲可談》(卷一)：「王迥美姿容，有才思，少年時不甚持重，間爲狎邪輩所誣，播入樂府。今《六幺》所歌奇俊王家郎者，乃迥也。元豐初，蔡持正舉之，可任監司，神宗忽云：『此乃奇俊王家郎乎？』持正叩頭請罪。」(又見一宋人小說云：或薦子高于王荆公，公舉此語。今不能舉其書名。案子高嘗從荆公游，則語或近是。)則此曲實作于神宗時，然至南宋末尙存。吳文英《夢窗乙稿》中，〔惜秋華〕詞自注，尙及之。然其爲北宋之作，無可疑也。又如《三爺老大明樂》、《病爺老劍器》二本，「爺老」二字，中國夙未聞有此，疑是契丹語。《唐書・房琯傳》：「彼曳落河雖多，豈能當我劉鐵等。」愚謂曳落河卽《遼史》屢見之拽剌，《遼史・百官志》云「走卒謂之拽剌」，元馬致遠《薦福碑》雜劇，尙有曳剌，爲傔從之屬。「爺老」二字，當亦曳剌之同音異譯，此必北宋與遼盟聘時輸入之語。則此二本，當亦爲北宋之作。以此推之，恐尙不止此數本。然則此二百八十本，與其視爲南宋之作，不若視爲兩宋之作爲妥也。

又《金院本名目》 兩宋戲劇，均謂之「雜劇」，至金而始有「院本」之名。院本者，《太和正音譜》云：「行院之本也。」初不知行院爲何語，後讀元刊《張千替殺妻》雜劇云：「你是良人良人宅眷，不是小末小末行院。」則行院者，大抵金元人謂倡伎所居，其所演唱之本，卽謂之院本云爾。院本名目六千九十種，見于陶九成《輟耕錄》(卷二十五)者，不言其爲何代之作。而院本之名，金元皆有之，故但就其名，頗難區別。以余考之，其爲金人所作，殆無可疑者也(見下)。自此目觀之，甚與宋官本雜劇段數相似，而複雜過之。其中又分子目若干。曰「和曲院本」者，十有四本。其所著曲名，皆大曲法曲，則和曲殆大曲法曲之總名也。曰「上皇院本」者十有四本。其中如《金明池》、《萬歲山》、《錯入內》、《斷上皇》等，皆明示宋徽宗時事，他可類推，則上皇者，謂徽宗也。曰「題目院本」者二十本。按題目，卽唐以來「合生」之別名。高承《事物紀原》(卷九)《合生》條言：「《唐書・武平一傳》：『平一上書，比來妖伎胡人于御座之前，或言妃主情貌，或列王公名質，咏歌舞踏，名曰合生。始自王公，稍及閭巷。』卽合生之原，起于唐中宗時也。今人亦謂之唱題目」云云。此云題目，卽唱題目之略也。曰「霸王院本」者六本，疑演項羽之事。曰「諸雜大小院本」者一百八十有九，曰「院幺」者二十有一，曰「諸雜院爨」者一百有七。陶氏云：「院本又謂之五花爨弄。」則爨亦院本之異名也。曰「冲撞引首」

者一百有九，曰「拴搐艷段」者九十有二。案《夢粱錄》(卷二十)云：「雜劇先做尋常熟事一段，名曰艷段，次做正雜劇。」則引首與艷段，疑各相類。艷段，《輟耕錄》又謂之焰段。曰：「焰段，亦院本之意，但差簡耳。取其如火焰，易明而易滅也。」其所以不得爲正雜劇者，當以此。但不知所謂衝撞、拴搐，作何解耳。曰「打略拴搐」者八十有八，曰「諸雜砌」者三十。案《蘆浦筆記》謂「街市戲謔，有打砌、打調之類」，疑雜砌，亦滑稽戲之流。然其目則頗多故事，則又似與打砌無涉。《雲麓漫鈔》(卷八)：「近日優人作雜班，似雜劇而稍簡略。金虜官制，有文班武班，若醫卜倡優，謂之雜班。每宴集，伶人進，曰雜班上，故流傳作此。」然《東京夢華錄》已有「雜扮」之名。《夢粱錄》亦云：「雜扮或曰雜班，又名經(當作紐)元子，又謂之拔和，卽雜劇之後散段也。頃在汴京時，村落野夫，罕得入城，遂撰此端，多是借裝爲山東河北村叟，以資笑端。」則自北宋已有之。今「打略拴搐」中，有《和尚家門》、《先生家門》、《秀才家門》、《列良家門》、《禾下家門》各種，每種各有數本，疑皆裝此種人物以資笑劇，或爲雜扮之類。而所謂雜砌者，或亦類是也。更就其所著曲名分之，則爲大曲者十六：《上墳伊州》、《燒花新水》、《熙州駱駝》、《列良瀛府》、《賀貼萬年歡》、《探廩降黃龍》、《列女降黃龍》(以上和曲院本)，《進奉伊州》(諸雜大小院本)，《鬧夾棒六幺》、《送宣道人歡》、《扯彩延壽樂》、《諱老長壽僊》、《背箱伊州》、《酒樓伊州》、《抹面長壽仙》、《羹湯六幺》(以上諸雜院爨)。爲法曲者七：《月明法曲》、《鄆王法曲》、《燒香法曲》、《送香法曲》(以上和曲院本)，《鬧夾棒法曲》、《望瀛法曲》、《分拐法曲》(以上諸雜院爨)。爲詞曲調者三十有七：《病鄭逍遙樂》、《四皓逍遙樂》、《四酸逍遙樂》(以上和曲院本)，《春從天上來》(上皇院本)，《楊柳枝》(題目院本)，《似娘兒》、《醜奴兒》、《馬明王》、《鬭鵪鶉》、《滿朝歡》、《花前飲》、《賣花聲》、《隔簾聽》、《擊梧桐》、《海棠春》、《更漏子》(以上諸雜大小院本)，《逍遙樂打馬鋪》、《夜半樂打明皇》、《集賢賓打三敎》、《喜遷鶯剁草鞋》、《上小樓袞頭子》、《單兜望梅花》、《雙聲疊韻》、《河轉迓鼓》、《和燕歸梁》、《謁金門爨》(以上諸雜院爨)，《憨郭郎》、《喬捉蛇》、《天下樂》、《山麻秸》、《搗練子》、《淨瓶兒》、《調笑令》、《鬭鼓笛》、《柳青娘》(以上衝撞引首)，《歸塞北》、《少年游》(以上拴搐艷段)。《春從天上來》、《水龍吟》(以上打略拴搐)。又「拴搐艷段」中，有一本名《諸宮調》，殆以諸宮調敷演之；則其體裁，全與宋官本雜劇段數相似。唯著曲名者，不及全體十分之一；而官本雜劇則過十分之五，此其相異者也。此院本名目中，不但有簡易之劇，且有說唱雜戲在其間。如：《講來年好》、《講聖州序》、《講樂章序》、《講道德經》、《講蒙求爨》、《講心字爨》。此卽推說經諢經之例而廣之。他如：《訂注論語》、《論語謁食》、《擂鼓孝經》、《唐韻六帖》，疑亦此類。又有：《背鼓千字文》、《變龍千字文》、《摔盒千字文》、《錯打千字文》、《木驢千字文》、《埋頭千字文》。此當取周興嗣《千字文》中語，以演一事，以悅俗耳，在後世南曲賓白中猶時遇之，蓋其由來已古，此亦說唱之類也。又如：《神農大說藥》、《講百果爨》、《講百花爨》、《講百禽爨》。案《武林舊事》(卷六)載：說藥有楊郎中、徐郎中、喬七官人，則南宋亦有之。其說或借藥名以製曲，或說而不唱，則不可知。至講百果、百花、百禽，亦其類也。「打略拴搐」中，有《星象名》、《果子名》、《草名》等。以名字終者二十六種，當亦說藥之類。又有：《和尚家門》四本，《先生家門》四本(自其子目觀之，先生謂道士也)，《秀才家門》十本，《列良家門》六本(列良謂日者)，《禾下家門》五本(禾下謂農夫)，《大夫家門》八本(大夫謂醫士)，《卒子家門》四本，《良頭家門》二本(良頭未詳)，《邦老家門》五本(邦老謂盜賊)，《都子家門》三本(都子謂乞丐)，《孤下家門》三本(孤下謂官吏)，《司吏家門》二本，《仵作行家門》一本，《擫倈家門》一本(擫倈未詳)。此五十五本，殆摹寫社會上種種人物職業，與三敎、迓鼓等戲相似。此外如「拴搐艷段」中之《遮截架解》、《三打步》、《穿百倬》，「打略拴搐」中之《難字兒》、《猜謎》等，則幷競技游戲等事而有之。此種或占演劇之一部分，或用爲戲劇中之材料，雖不可知，然可見此種戲劇，實綜合當時所有之游戲技藝，尙非純粹之戲劇也。此院本名目之爲金人所用，蓋無可疑。《輟耕錄》云：「金有雜劇、院本、諸宮調。院本、雜劇，其實一也。國朝院本雜劇，始釐而二之。」今此目之與官本雜劇段數同名者十餘種，而一謂之雜劇，一謂之院本，足明其爲金之院本，而非元之院本，一證也。中有《金皇聖德》一本，明爲金人之作，而非宋元人之作，二證也。如《水龍吟》、《雙聲疊韻》等之以曲調名者，其曲僅見于《董西廂》，而不見于元曲，三證也。且其中關係開封者頗多，與宋官本雜劇名例相同，足證其爲同時之作，四證也。宋之東都，金之南都，而宣宗貞祐後遷居于此者也，故多演宋汴京時事。「上皇院本」且勿論，他如鄆王、蔡奴，汴京之人也，金明池、陳橋，汴京之地也，其中與宋官本雜劇同名者，或猶是北宋之作，亦未可知。然宋、金之間，戲劇之交通頗易。如雜班之名，由北而入南，唱賺之作，由南而入北（唱賺始于紹興間，然《董西廂》中亦多用之）。又如演蔡中郎事者，則南有負鼓盲翁之唱，而院本名目中亦有《蔡伯喈》一本：可知當時戲曲流傳，不以國土限也。

又《元雜劇之淵源》 由前數章之說，則宋、金之所謂雜劇院本者，其中有滑稽戲，有正雜劇，有艷段，有雜班，又有種種技藝游戲。其所用之曲，有大曲，有法曲，有諸宮調，有詞，其名雖同，而其實頗異。至成一定之體段，用一定之曲調，而百餘年間無敢逾越者，則元雜劇是也。元雜劇之視前代戲曲之進步，約而言之，則有二焉。宋雜劇中用大曲者幾半。大曲之爲物，遍數雖多，然通前後爲一曲，其次序不容顚倒，而字句不容增減，格律至嚴，故其運用亦頗不便。其用諸宮調者，則不拘于一曲。凡同在一宮調中之曲，皆可用之。顧一宮調中，雖或有聯至十餘曲者，然大抵用二三曲而止。移宮換韻，轉變至多，故于雄肆之處，稍有欠焉。元雜劇則不然，每劇皆用四折，每折易一宮調，每調中之曲，必在十曲以上。其視大曲爲自由，而較諸宮調爲雄肆。且于正宮之《端正好》、《貨郎兒》、《煞尾》，仙呂宮之《混江龍》、《後庭花》、《青哥兒》，南呂宮之《草池春》、《鵪鶉兒》、《黄鐘尾》，中呂宮之《道和》，雙調之《□□□》、《折桂令》、《梅花酒》、《尾聲》，共十四曲，皆字句不拘，可以增損，此樂曲上之進步也。其二則由叙事體而變爲代言體也。宋人大曲，就其現存者觀之，皆爲叙事體。金之諸宮調，雖有代言之處，而其大體祇可謂之叙事。獨元雜劇于科白中叙事，而曲文全爲代言。雖宋、金時或當已有代言戲曲，而就現存者言之，則斷自元劇始，不可謂非戲曲上之一大進步也。此二者之進步，一屬形式，一屬材質，二者兼備，而後我中國之眞戲曲出焉。

又《元劇之時地》 元雜劇之體，創自何人，不見于紀載。鍾嗣成《錄鬼簿》所著錄，以關漢卿爲首。寧獻王《太和正音譜》以馬致遠爲首。然《正音譜》之評曲也，于關漢卿則云：「觀其詞語，乃可上可下之才；蓋所以取者，初爲雜劇之始，故卓以前列。」蓋《正音譜》之次第，以詞之甲乙論，而非以時代之先後。其以漢卿爲雜劇之始，固與《錄鬼簿》同也。漢卿時代，頗多異說。楊鐵崖《元宮詞》云：「開國遺音樂府傳，白翎飛上十三弦，大金優諫關卿在，《伊尹扶湯》進劇編。」此關卿當指漢卿而言。雖《錄鬼簿》所錄漢卿雜劇六十本中，無《伊尹扶湯》，而鄭光祖所作雜劇目中有之。然馬致遠《漢宮秋》雜劇中，有云：「不說它《伊尹扶湯》，則說那《武王伐紂》。」案《武王伐紂》乃趙文殷所作雜劇，則《伊尹扶湯》亦必爲雜劇之名。馬致遠時代，在漢卿之後，鄭光祖之前，則其所云《伊尹扶湯》劇，自當爲關氏之作，而非鄭氏之作。其不見于《錄鬼簿》者，亦猶其所作《竇娥冤》、《續西廂》等，亦未爲鍾氏所著錄也。楊詩云云，正指漢卿，則漢卿固逮事金源矣。《錄鬼簿》云：「漢卿，大都人，太醫院尹。」明蔣仲舒《堯山堂外紀》（卷六十八）則云：「金末爲太醫院尹，金亡不仕。」則不知所據。據《輟耕錄》（卷二十三）則漢卿至中統初尚存。案自金亡至元中統元年，凡二十六年。果使金亡不仕，則似無于元代進雜劇之理。寧視漢卿生于金代，仕元，爲大醫院尹，爲稍當也。又《鬼董》五卷末，有元泰定丙寅臨安錢孚跋，云「關解元之所傳」，後人皆以解元爲卽漢卿。《堯山堂外紀》遂誤以此書爲漢卿所作。錢氏《元史·藝文志》仍之。案解元之稱，始于唐，而其見于正史也，始于《金史·選舉志》。金人亦喜稱人爲解元，如董解元是已。則漢卿得解，自當在金末。若元則唯太宗九年（金亡後三年）秋八月一行科舉，後廢而不舉者七十八年。至仁宗延祐元年八月，始復以科目取士，遂爲定制。故漢卿得解，卽非在金世，亦必在蒙古太宗九年。至世祖中統之初，固已垂老矣。雜劇苟爲漢卿所創，則其創作之時，必在金天興與元中統間二三十年之中，此可略得而推測者也。《正音譜》雖云漢卿爲雜劇之始，然漢卿同時，雜劇家業已輩出，此未必由新體流行之速，抑由元劇之創作諸家亦各有所盡力也。據《錄鬼簿》所載，于楊顯之，則云「與漢卿莫逆交，凡有珠玉，與公較之」；于費君祥則云「與漢卿交，有《愛女論》行于世」；于梁進之則云「與漢卿世交」。又如紅字李二、花李郎二人，皆注教坊劉要和婿。按《輟耕錄》所載院本名目，前章既定爲金人之作，而云教坊魏、武、劉三人鼎新編輯，劉疑卽劉要和。金李治《敬齋古今黈》（卷一）云：「近者伶官劉子才，蓄才人隱語數十卷。」疑亦此人，則其人自當在金末，而其婿之時代，當與漢卿不甚相遠也。他如石子章，則《元遺山詩集》（卷九）有答石子璋兼送其行七律一首；李庭《寓庵集》（卷二）亦有送石子章北上七律一首。按：寓庵生于金承安三年，卒于元至元十三年，其年代與遺山略同。如雜劇家之石子章，卽《遺山》、《寓庵集》中之人，則亦當與漢卿同時矣。此外與漢卿同時者，尚有王實父（按：卽王實甫）。《西廂記》五劇，《錄鬼簿》屬之實父。後世或謂王作，而關續之（都穆《南濠居士詩話》，王世貞《藝苑卮言》）；或謂關作，而王續之者（《雍熙樂府》卷十九，載無名氏《西廂十咏》）。然元人一劇，如《黃粱夢》、《驌驦裘》等，恆以數人合作，況五劇之多乎？且合作者，皆同時代，自不能以作者與續者定時代之先後也。則實父生年，固不後于漢卿。又漢卿有《閨怨佳人拜月亭》一劇，實父亦有《才子佳人拜月亭》劇，其所譜者乃金南遷時事，事在宣宗貞祐之初，距金亡二十年。或二人均及見此事，故各有此本歟？此外元初雜劇家，其時代確可考者，則有白仁甫樸。據元王博文《天籟集·序》謂：「仁甫年甫七歲，遭壬辰之難。」又謂：「中統初，開府史公，將以所業薦之于朝。」按：壬辰爲金哀宗天興元年，時仁甫年七歲，則至中統元年庚辰，年正三十五歲，故于至元一統後，尚游金陵。蓋視漢卿爲後輩矣。由是觀之，則元劇創造之時代，可得而略定矣。至有元一代之雜劇，可分爲三期：一、蒙古時代：此自太宗取中原以後，至至元一統之初。《錄鬼簿》卷上所錄之作者五十七人，大都在此期中。（中如馬致遠、尚仲賢、戴善甫，均爲江浙行省務官，姚守中爲平江路吏，李文蔚爲江州路瑞昌縣尹，趙天錫爲鎮江府判，張壽卿爲浙江省掾史，皆在至元一統之後。侯正卿亦曾游杭州，然《錄鬼簿》均謂之前輩名公才人，與漢卿無別，或其游宦江浙，爲晚年之事矣。）其人皆北方人也。二、一統時代：則自至元後至至順後至元間，《錄鬼薄》所謂「已亡名公才人，與余相知或不相知者」是也。其人則南方爲多；否則北人而僑寓南方者也。三、至正時代：《錄鬼簿》所謂「方今才人」是也。此三期，以第一期之作者爲最盛，其著作存者亦多，元劇之傑作大抵出于此期中。至第二期，則除宮天挺、鄭光祖、喬吉三家外，殆無足觀；而其劇存者亦罕。第三期則存者更罕，僅有秦簡夫、蕭德祥、朱凱、王曄五劇，其去蒙古時代之劇遠矣。就諸家之時代，今取其有雜劇存于今者，著之。第一期：關漢卿、楊顯之、張國寶（一作國賓）、石子章、王實父、高文秀、鄭廷玉、白樸、馬致遠、李文蔚、李直夫、吳昌齡、武漢臣、王仲文、李壽卿、尚仲賢、石君寶、紀君祥、戴善甫、李好古、孟漢卿、李行道、孫仲章、岳伯川、康進之、孔文卿、張壽卿；第二期：楊梓、宮天挺、鄭光祖、范康、金仁傑、曾瑞、喬吉；第三期：秦簡夫、蕭德祥、朱凱、王曄。此外如王子一、劉東生、谷子敬、賈仲名、楊文奎、楊景言、湯式，其名均不見《錄鬼簿》。《元曲選》于谷子敬、賈仲名諸劇，皆云元人，《太和正音譜》則直以爲明人。案：王劉諸人不見他書，唯賈仲名則元人有同姓名者。《元史·賈居貞傳》：「居貞字仲明，眞定獲鹿人，官至江西行省參知政事。卒于至元十七年，年六十三。」則尙爲元初人，似非作曲之賈仲名。且《正音譜》寧獻王所作，紀其同時之人，當無大謬。又谷、賈二人之曲，雖氣骨頗高，而傷于綺麗，頗于元曲不類，則視爲明初人，當無大誤也。更就雜劇家之里居研究之，則六十二人中，北人四十九，而南人十三。而北人之中，中書省所屬之地，卽今直隸、山東西產者，又得四十六人。而其中大都產者，十九人。且此四十六人中，其十分之九，爲第一期之雜劇家，則雜劇之淵源地，自不難推測也。又北人之中，大都之外，以平陽爲最多。其數當大都之五分之二。按《元史·太宗紀》：「太宗二七年，耶律楚材請立編修所于燕京，經籍所于平陽，編集經史，至世祖至元二年，始徙平門經籍所于京師。」則元初除大都外，此爲文化最盛之地，宜雜劇家之多也。至中葉以後，則劇家悉爲杭州人，中如宮天挺、鄭光祖、曾瑞、喬吉、秦簡夫、鍾嗣成等，雖爲北籍，亦均久居浙江。蓋雜劇之根本地，已移而至南方，豈非以南宋舊都，文化頗盛之故歟？元初名臣中有作小令套數者；唯雜劇之作者，大抵布衣，否則爲省掾令史之屬。蒙古色目人中，亦有作小令套數者，而作雜劇者，則唯漢人（其中唯李直夫爲女眞人）。蓋自金末重吏，自掾史出身者，其任用反優于科目。至蒙古滅金，而科目之廢，垂八十年，爲自有科目來未有之事。故文章之士，非刀筆吏無以進身，則雜劇家之多爲掾史，固自不足怪也。沈德符《萬曆野獲編》（卷二十五）及臧懋循《元曲選序》，均謂蒙古時代，曾以詞曲取士，其說固誕妄不足道。余則謂元初之廢科目，卻爲雜劇發達之因。蓋自唐宋以來，士之競于科目者，已非一朝一夕之事，一旦廢之，彼其才力無所用，而一于詞曲發之。且金時科目之學，最爲淺陋（觀劉祁《歸潛志》卷七、八、九數卷可知）。此種人士，一旦失所業，固不能爲學術上之事。而高文典冊，又非其所素習也。適雜劇之新體出，遂多從事于此；而又有一二天才出于其間，充其才力，而元劇之作，遂爲千古獨絕之文字。然則由雜劇家之時代爵里，以推元劇創造之時代，及其發達之原因，如上所推論，固非想像之說也。（附考：案金以律賦策論取士。逮金亡後，科目雖廢，民間猶有爲此學者。如王博文《白仁甫天籟集序》謂：「律賦爲專門之學，而太素有能聲（太素，仁甫字），號後進之翹楚。」案：仁甫金亡時不及十歲，則其作律賦，必在科目已廢之後。當時人士之熱中科目如此。又元代士人不平之氣，讀宮天挺《范張鷄黍》劇第一、二折，可見一斑也。）

又《元劇之存亡》 元人所作雜劇，共若干種，今不可考。明李開先作《張小山樂府序》云：「洪武初年，親王之國，必以詞曲千七百本賜之。」然寧獻王權亦當時親王之一，其所作《太和正音譜》卷首，著錄元人雜劇，僅五百三十五本，加以明初人所作，亦僅五百六十六本。則李氏之言或過矣。元鍾嗣成《錄鬼簿·序》，作于至順元年，而書中紀事，訖于至正五年。其所著錄者，亦僅四百五十八本。雖此二書所未著錄而見于他書，或尚傳于今者，亦尚有之。然現今傳本出于二書外者，不及百分之五，則李氏所云千七百本，或兼小令套數言之。而其中雜劇，至多當亦不出千種。又其煊赫有名者，大都盡于二書所錄，良可信也。至明隆、萬間而流傳漸少，長興臧懋循之刻《元曲選》也，從黃州劉延伯借元人雜劇二百五十種。然其所刻百種內，已有明初人作六種（《兒女團圓》、《金安壽》、《城南柳》、《誤入桃源》、《對玉梳》、《蕭淑蘭》）；則二百五十種中，亦非盡元人作矣。與臧氏同時刊行雜劇者，有無名氏之《元人雜劇選》，海寧陳與郊之《古名家雜劇》，而金陵唐氏世德堂亦有彙刊之本。唐氏所刊，僅見殘本三種：一爲明王九思作，餘二種皆《元曲選》所已刊。至《元人雜劇選》與《古名家雜劇》二書，至爲罕觀，存佚已不可知。第就其目觀之，則《元人雜劇選》之出《元曲選》外者，僅馬致遠《踏雪尋梅》、羅貫中《龍虎風雲會》、無名氏《九世同居》、《符金錠》四種耳。《古名家雜劇》正、續二集，雖多至六十種。然并刻明人之作，內同于《元曲選》者三十九種，同于《元人雜劇選》者一種。此外則除明周憲王、徐文長、汪南溟各四種外，所餘唯八種，且爲元爲明尚不可知。可知隆、萬間人所見元曲，當以臧氏爲富矣。姚士麟《見祇編》謂：「湯海若先生妙于音律，酷嗜元人院本。自言篋中所藏，多世不常有，已至千種。」朱竹垞《靜志居詩話》謂：「山陰祁氏澹生堂所藏元明傳奇，多至八百餘部。」湯氏自言未免過于誇大。若祁氏所藏，有明人作在內，則其中元劇，當亦不過二三百種。何元朗《四友齋叢說》（卷三十七）謂其家所藏雜劇本，幾三百種，則當時元劇存者，其數略可知矣。惟錢遵王也是園藏曲，則目錄具存。其中確爲元人作者一百四十一種；而注元明間人，及古今無名氏雜劇者，凡二百有二種，共三百四十三種。其後錢書歸泰興季氏，《季滄葦書目》載鈔本元曲三百種一百本，當卽此書。則季氏之元曲三百種，當亦含明人作在內也。自是以後，藏書家罕注意元劇。唯黃氏丕烈於題跋中時時誇其所藏詞曲之富，而其所跋元曲，僅《太平樂府》數種。向頗疑其誇大，然其所藏《元刊雜劇三十種》，今藏乃顯於世。此書木函上，刊黃氏手書題字有云：「《元刻古今雜劇乙編》。士禮居藏。」不知當時共有幾編。而其前尚有甲編，則固無疑。如甲編種數與乙編同，則其所藏元刊雜劇，當有六十種，可謂最大之秘笈矣。今甲編存佚不可知，但就其乙編言之，則三十種中爲《元曲選》所無者，已有十七種。合以《元曲選》中眞元劇九十四種，與《西廂》五劇，則今日確存之元劇，而爲吾輩所能見者，實得一百十六種。今從《錄鬼簿》之次序，并補其所未載者，敘錄之如下【略】。

又《南戲之淵源及時代》 元劇進步之二大端，既於第八章述之矣。然元劇大都限於四折，且每折限一宮調，又限一人唱，其律至嚴，不容踰越。故莊嚴雄肆，是其所長；而於曲折詳盡，猶其所短也。至除此限制，而一劇無一定之折數，一折（南戲中謂之一齣）無一定之宮調；且不獨以數色合唱一折，并有以數色合唱一曲，而各色皆有白有唱者，此則南戲之一大進步，而不得不大書特書以表之者也。南戲之淵源於宋，殆無可疑。至何時進步至此，則無可考。吾輩所知，但元季既有此種南戲耳。然其淵源所自，或反古於元雜劇。今試就其曲名分析之，則其出於古曲者，更較元北曲爲多。今南曲譜錄之存者，皆屬明代之作。以吾人所見，則其最古者，唯沈璟之《南九宮譜》二十二卷耳。此書前有李維楨序，謂出於陳、白二譜；然其注新增者不少。今除其中之犯曲（即集曲）不計，則仙呂宮曲凡六十九章，羽調九章，正宮四十六章，大石調十五章，中呂宮六十五章，般涉調一章，南呂宮八十四章，黃鐘宮四十章，越調五十章，商調三十六章，雙調八十八章，附錄三十九章，都五百四十三章。而其中出於古曲者如下。出於大曲者二十四：《劍器令》（仙呂引子），《八聲甘州》（仙呂慢詞），《梁州令》、《齊天樂》（以上正宮引子），《普天樂》（正宮過曲），《催拍》、《長壽仙》（以上大石調過曲）【略】必南宋所作也。《中都俏》（附錄過曲），案金以燕京爲中都。元世祖至元元年，又改燕京爲中都，九年改大都，則此爲金人或元初遺曲也。以上十八章，其爲古曲或自古曲出，蓋無可疑。此外想尚不少。總而計之，則南曲五百四十三章中，出於古曲者凡二百六十章，幾當全數之半；而北曲之出於古曲者，不過能舉其三分之一，可知南曲淵源之古也。南戲之曲名，出於古曲者其多如此。至其配置之法，一齣中不以一宮調之曲爲限，頗似諸宮調。其有一出首尾，祇用一曲，終而復始者，又頗似北宋之「傳踏」。又《琵琶記》中第十六齣，有大曲一段，凡七遍。雖失其曲名，且其各遍之次序，與宋大曲不盡合，要必有所出。可知南戲之曲，亦綜合舊曲而成，并非出於一時之創造也。更以南戲之材質言之，則本於古者更多。今日所存最古之南戲，僅《荆》、《劉》、《拜》、《殺》與《琵琶記》五種耳。《荆》謂《荆釵》，《劉》謂《白兔》，《拜》、《殺》則謂《拜月》、《殺狗》二記。此四本與《琵琶》均出於元、明之間（見下），然其源頗古。施愚山《矩齋雜記》云：「傳奇《荆釵記》，醜詆孫汝權。按汝權宋名進士，有文集，尙氣誼，王梅溪先生好友也。梅溪劾史浩八罪，汝權慫恿之，史氏切齒，故入傳奇，謬其事以污之。溫州周天錫字懋寵，嘗辨其誣。見《竹懶新著》。」施氏之說，信否不可知，要足備參考也。《白兔記》演李三娘事，然元劉唐卿已有《李三娘麻地捧印》雜劇，則亦非創作矣。《殺狗》則元蕭德祥有《王翛然斷殺狗勸夫》雜劇。《拜月》之先，已有關漢卿《閨怨佳人拜月亭》、王實甫《才子佳人拜月亭》二劇。《琵琶》則陸放翁既有「滿村聽唱蔡中郎」之句；而金人院本名目，亦有《蔡伯喈》唱本，又祝允明《猥談》謂：「南戲，余見舊牒，其時有趙閎夫榜禁，頗述名目，如《趙眞女蔡二郎》等，亦不甚多。」余案元岳伯川《呂洞賓度鐵拐李岳》雜劇，第二折（煞尾）云：「你學那守三貞趙眞女，羅裙包土將墳臺建」，則其事正與《琵琶記》中之趙五娘同。岳伯川元初人，則元初確有此南戲矣。且今日《琵琶記》傳本第一齣末，有四語，末二語云：「有貞有烈趙眞女，全忠全孝蔡伯喈。」此四語實與北劇之題目正名相同。則雖今本《琵琶記》其初亦當名《趙眞女》或《蔡伯喈》，而《琵琶》之名，乃由後人追改，則不徒用其事，且襲其名矣。然則今日所傳最古之南戲，其故事關目，皆有所由來，視元雜劇對古劇之關係，更爲親密也。南戲始於何時，未有定說。明祝允明《猥談》（《續說郛》卷四十六）云：「南戲出於宣和之後，南渡之際，謂之溫州雜劇。予見舊牒，其時有趙閎夫榜禁，頗述名目，如《趙眞女蔡二郎》等，亦不甚多」云云。其言出於宣和之後，不知何據。以余所考，則南戲當出於南宋之戲文，與宋雜劇無涉；唯其與溫州相關係，則不可誣也。「戲文」二字，未見於宋人書中，然其源則出於宋季。元周德清《中原音韻》云：「南宋都杭，吳興與切鄰，故其戲文如《樂昌分鏡》等，唱念呼吸，皆如約韻。」（謂沈約韻）此但渾言南宋，不著其爲何時。劉一清《錢唐遺事》則云：「賈似道少時，佻撻尤甚。自入相後，猶微服間行，或飲于伎家。至戊辰、己巳間，《王煥》戲文盛行於都下，始自太學，有黃可道者爲之。」則戲文于度宗咸淳四、五年間，既已盛行，尙不言其始於何時也。葉子奇《草木子》則云：「俳優戲文，始於王魁，永嘉人作之。識者曰：若見永嘉人作相，國當亡。及宋將亡，乃永嘉陳宜中作相。其後元朝南戲盛行，及當亂，北院本特盛，南戲遂絕。」案：宋官本雜劇中，有《王魁三鄉題》，其翻爲戲文，不知始於何時，要在宋亡前百數十年間，至以戲文爲永嘉人所作，亦非無據。案：周密《癸辛雜志·別集》上，紀溫州樂清縣僧祖傑、楊髡之黨，【略】旁觀不平，乃撰爲戲文以廣其事。又撰《琵琶記》之高則誠亦溫州永嘉人。葉盛《菉竹堂書目》，有《東嘉韞玉傳奇》。則宋元戲文大都出於溫州。然則葉氏永嘉始作之言，祝氏「溫州雜劇」之說，其或信矣。元一統後，南戲與北雜劇並行。《青樓集》云：「龍樓景、丹墀秀，皆金門高之女，俱有姿色，專工南戲。」《錄鬼簿》謂：「南北調合腔，自沈和甫始。」又云：「蕭德祥，凡古文俱隱括爲南曲，街市盛行，又有南曲戲文等。」以「南曲戲文」四字連稱，則南戲出於宋末之戲文，固昭昭矣。然就現存之南戲言之，則時代稍後。後人稱《荆》、《劉》、《拜》、《殺》爲元四大家。明無名氏亦以《荆釵記》爲柯丹邱撰，世亦傳有元刊本（貴池劉氏有之，余未見。然聞繆藝風秘監言，中有制義數篇，則爲洪武後刊本明矣）。然柯敬仲未聞以製曲稱，想舊本當題丹邱子或丹邱先生撰。丹邱子者，明寧獻王道號也（《千頃堂書目》，有丹邱子《太和正音譜》二卷，譜中亦自稱丹邱先生。其實此書，乃寧獻王撰，故書中著錄，訖於明初人也）。後人不知，見「丹邱」二字，卽以爲敬仲耳。《白兔記》不知撰人。《殺狗記》據《靜志居詩話》（卷四）則爲徐畛所作，畛字仲由，淳安人，洪武初征秀才，至藩省辭歸。則其人至明初尙存，其製作之時，在元在明已不可考矣。《拜月亭》（其刻于《六十種曲》中者，易名《幽閨記》）則明王元美、何元朗、臧晋叔等皆以爲元施君美（惠）所撰。君美杭人，卒于至順、至正間。然《錄鬼簿》謂君美詩酒之暇，唯以塡詞和曲爲事，有《古今砌話》編成一集，而無一語及《拜月亭》。雖《錄鬼簿》但錄雜劇，不錄南戲，然其人苟有南戲或院本，亦必及之。如范居中、屈彥英、蕭德祥等是也。則《拜月》是否出君美手，尙屬疑問，唯就曲文觀之，定爲元人之作，當無大謬。而其撰人與時代，確乎可知者，唯《琵琶》一記耳。作《琵琶》者，人人皆知其爲高則誠。然其名則或以爲高拭，或以爲高明；其字則或以爲則誠，或以爲則成。蔣仲舒《堯山堂外記》(卷七十六)：「高拭字則成，作《琵琶記》者。或謂方國眞據慶元時，有高明者，避地鄞之櫟社，以詞曲自娛。【略】案：高明，溫州瑞安人，以《春秋》中至正乙酉第，其字則誠非則成也。或曰二人同時同郡，字又同音，遂誤耳。」以上皆蔣氏說。王元美《藝苑卮言》亦云：「南曲高拭則誠遂掩前後。」朱竹垞《靜志居詩話》，於高明條下，引《外紀》之說，復云：「涵虛子曲譜，有高拭而無高明，則蔣氏之言，或有所據」云云。余案：元刊本張小山《北曲聯樂府》，前有海粟馮子振、燕山高拭題詞，此卽涵虛子曲譜中之高拭。《琵琶》乃南曲戲文，則其作者自當爲永嘉之高明，而非燕山之高拭。況明人中如姚福《青溪暇筆》、田藝蘅《留青日札》，皆以作《琵琶》者爲高明，當不謬也。既爲高明，則其字自當爲則誠，而非則成。至其作《琵琶記》之時代，則據《青溪暇筆》及《留青日札》，均謂在寓居櫟社之後。其寓居櫟社，據《留青日札》及《列朝詩集》，又在方國珍降元之後。按國珍降元者再，其初降時，尚未據慶元，其再降則在至正十六年；則此記之作，亦在至正十六年以後矣。然《留青日札》又謂高皇帝微時，嘗奇此戲。案：明太祖起兵在至正十二年閏三月，若微時已有此戲，則當成於十二年以前。又《日札》引一說謂：「初東嘉以伯喈爲不忠不孝，夢伯喈謂之曰：『公能易我爲全忠全孝，當有以報公。』遂以全忠全孝易之，東嘉後果發解。」案：則誠中進士第，在至正五年；則成書又當在五年以前。然明人小說所載，大抵無稽之說，寧從《青溪暇筆》及《留青日札》前說，謂成書於避地櫟社之後，爲較妥也。由是觀之，則現存南戲，其最古者，大抵作於元、明之間。而《草木子》反謂「元朝南戲盛行，及當亂，北院本(此謂元人雜劇)特盛，南戲遂絕」者，果何說歟？曰：葉氏所記，或金華一地之事。然元代南戲之盛，與其至明初而衰息，此亦事實，不可誣也。沈氏《南九宮譜》所選古傳奇，如《劉盼盼》、《王煥》、《韓壽》、《朱買臣》、《古西廂》、《王魁》、《孟姜女》、《冤家債主》、《玩江樓》、《李勉》、《燕子樓》、《鄭孔目》、《牆頭馬上》、《司馬相如》、《進海諫》、《詐妮子》、《復落倡》、《崔護》等，其名各以宋雜劇段數、金院本名目、元人雜劇相同，復與明代傳奇不類，疑皆元人所作南戲。此外命名相類者，亦尚有二十餘種，亦當爲同時之作也。而自明洪武至成、弘間，則南戲反少。沈德符《萬曆野獲編》(卷二十五)原明之南曲，謂「《四節》、《連環》、《繡襦》之屬，出於成、弘間，始爲時所稱。」，則元、明之間，南曲一時衰熄，事或然也。觀明初曲家所作，雜劇多而傳奇絕少，或足證此事歟。

劉師培《劉申叔先生遺書·左盦外集·原戲》 戲爲小道，然發源則甚古。遐稽史籍，歌舞並言(如《商書》言有「恆舞於宮，酣歌於室」，爲歌舞並文之證。又如「前歌後舞，歌舞昇平」，皆其證也)。歌以傳聲，舞以象容。歌舞本於詩，故歌詩以節舞(黃氏以周《禮書通故》云：「《詩》序《維清》，奏古人作詩象舞。」謂歌此詩以節其舞也)。以歌傳聲(如風、雅是)，復以舞象容(如三頌是)。孔子刪詩，列《周頌》、《魯頌》、《商頌》於篇末。頌列於詩，猶戲曲列於詩詞中也。頌，卽形容之容(《詩譜》云：「頌之言容也。」《釋名》云：「頌，容也。」《漢書·儒林傳序》云：「徐生以頌爲禮官大夫。」注云：「頌，讀爲容。」阮芸臺云：「頌，正字。容，借字」)，籀文作額，而《說文》訓兒。(《說文》：「頌，容兒也。從頁，公聲。籀文作額。」「兒」字下亦云：「頌也。」)儀徵阮氏謂：「《詩》有三頌，頌與樣同。」《詩大序》云：「頌者，美盛德之形容，以其成功告於神明者也。」蓋上古之時，最崇祀祖之典(卽祖先教也)。欲尊祖敬宗，不得不追溯往跡故《周頌》三十一篇所載之詩，上自郊社明堂，下至藉田祈穀，旁及嶽瀆星辰之祀(卽《烈文》《有客》諸篇，亦因諸侯助祭而作。《閔予小子》，則朝廟之詩也)，悉與祭禮相同(卽《魯頌·閟宮篇》亦爲追祀先公而作，《商頌·常發》諸詩，則皆祭祀之詩矣)。是爲頌也者，祭禮之樂章也，非惟用之樂歌，亦且用之樂舞。古代惟饗用舞，大司樂言舞《雲門》以祀天神，舞《咸池》以祭地祇，舞《大磬》以祀四望，舞《大夏》以祭山川，舞《大濩》以享先妣，舞《大武》以享先祖。又言冬日至圜丘，奏樂三變，用《雲門》之舞；夏日至方丘，奏樂六變，用《咸池》之舞；宗廟奏樂九變，用《九聲》之舞。在古爲夏，在周爲頌(商亦有之)。「夏、頌」字並從頁，有首之象(「夏」字從文，並象手足)。夏樂有九(卽《周禮》所謂《王夏》、《肆夏》、《昭夏》、《納夏》、《章夏》、《齊夏》、《族夏》、《頌夏》、《驁夏》也)，至周猶存，宗禮賓禮皆用之(杜子春《周禮注》云：「王出入，奏《王夏》；尸出入，奏《肆夏》；牲出入，奏《昭夏》；四方賓客來，奏《納夏》；臣有功，奏《章夏》；夫人祭，奏《齊夏》；族人侍，奏《族夏》；客醉而出，奏《頌夏》；公出入，奏《驁夏》。以金奏爲之節。」《周禮》鐘云：「以鐘鼓爲之節」)。蓋以歌節舞，復以舞節音

《左傳》云：「夫舞所以節八音，以行八風」。猶之今日戲曲，以樂器與歌者舞者相應也(阮氏曰：「古人非後舞不稱奏」)。後世變夏爲頌。《周禮》鄭注云：「夏，頌之族類也。」而頌之作用，並主形容。《維清》者，象舞也(《墨子》云：「武王因先王之樂而自作樂，名曰象」)。酌桓賚般(小序云：「酌，告成大武也。」《内則》：「十三，舞勺。勺爲武舞，故隨武子。」以勺武並言。勺、酌古字通)，爲大武之舞也(又《祭統》云：「舞莫重於武宿夜。」熊氏謂：「武宿夜是大武樂章之名。」皇氏謂：「武王伐紂，至於商郊，士卒皆歡樂，歌以待旦，因名焉。」卽武王伐紂之事)。周代之時，以夏樂與大武並重，頒之諸侯(如諸侯舞大削是也。並以之教民)，象武爲武舞，器用干戚。夏籥爲文舞，器用羽籥(《禮記・内則》云：「十三，舞勺。成童舞象。二十，舞大夏。」注云：「先學勺，後學象，文武之次。大夏，樂之文武備者也。」《文王世子》云：「春夏教干戈，秋冬教羽籥，皆於東序。」注：「干戈，萬舞，象武也。羽籥，文舞，象文也。」《公羊傳》云：「萬者何？干舞也。籥者何？籥舞也。」是舞分文武之證)。此皆因詩而呈爲舞容者也。象武，陳武王伐紂之功(《禮記・文王世子》：「下管象，舞大武。」注云：「象管，武王伐紂之樂也。以管播其聲，又爲之舞。」《明堂位》云：「下管象。」《祭統》云：「下而管象。」《詩・維清》箋云：「象舞，象用兵時刺伐之舞。武王制焉。」《武》篇箋云：「大武，周公作樂所爲舞也」)。猶之後人戲曲，侈陳古人戰跡耳。《仲尼燕居》篇云：「下而管象，示事也。」示事者，有容可象之謂也。此卽古代戲曲之始。觀《樂記》之言大武也，謂先鼓警戒，三步見方。再始著往，復亂飭歸。奮疾不拔，極幽不隱。至推之君子好善，小人取過。《樂記》又云：「執其干戚，習其俯仰屈伸，容貌得莊焉。行其綴兆，要其節奏，行列得正，進退得齊焉。」非卽戲曲持器操械之始乎(《記》言：「朱干玉戚冕而舞大武，皮弁素積而舞大夏」)。又《樂記》載孔子告賓牟賈云：「夫舞者，象成者也。總干山立，武王之事也。發揚蹈厲，大公之志也。武亂皆坐，周召之治也。」又考之《尚書大傳》，則古製樂歌，皆假設賓主(《尚書大傳》云：「惟五祀奏鐘石，論人聲招樂，興于大麓之野，談然乃作大唐之歌。招爲賓客，雍爲主人。始奏《肆夏》，納以考成。亦舜爲賓客，而禹爲主人」)。而武王克殷，亦雜演夏廷故事(《佚書》：「周武王克商，告廟萬獻，明明三終，籥人奏崇禹生開。」三終，卽演夏代故事也)。非卽戲曲妝扮人物之始乎？是則戲曲者，導源於古代樂舞者也。古代之詩，雅頌可入樂舞，此頌字所由訓爲貌也。樂舞之制，始於古初(《呂氏春秋》云：「葛天氏之樂，三人搖牛尾，投足以歌八闋。」而《經書》「簫韶九成」，亦指舞言。是樂舞甚古)。至春秋之際，其制猶存(《左傳》襄公二十九年：「季札請觀國樂，見舞象箾南籥，見舞大武，見舞韶夏，見舞大夏，見舞韶箾。」皆樂舞存於周末之證)。由帝王祭禮，以推行於民庶，惟行綴佾列，數以位差(如天子八佾，諸侯六，大夫四，士二是也)，形以時異(如《春秋繁露》云：「法商而王，舞溢員；法夏而王，舞溢方；法質而王，舞溢橢；法文而王，舞溢衡」)。然以歌節舞，以舞節音，則固與後世戲曲相近者也。況考之《周禮》，樂師爲旄禮(毛爲犛牛尾，餘姚章氏謂卽葛天氏之製)，舞師教皇舞(前篇云：「皇舞者，以羽冒覆頭上，衣飾翡翠之羽，四方以皇」)。而宋以《桑林》享晉侯，題以旌夏，懼而發疾(餘姚章氏云：「謂舞者卽以旌夏戴頭也」)。蓋舞者殊形詭象(與方相氏熊皮金目類)，致睹者生恐怖之心，猶之後世伶官面施朱墨也。在國則有舞容，在鄉則有儺禮(儺雖古禮，然近於戲)，後世鄉曲偏隅，每當歲暮，亦必賽會酬神，其遺制也。蓋樂舞之制，其利實蕃，大之可以振尚武之風(如武舞是)，小之可以爲養生之助(如升降疾徐，可以勞筋骨，宣血氣是)，而徵引往跡，雜陳古事，則又抒懷舊之蓄念，發思古之幽情，爲勸戒人民之一助，其用顧不大哉！故用之偏隅，則有昧任侏儒之樂(《周禮》言：「祭祀則舞四夷之樂」)。傳之後世，猶有魚龍舍利之名(後漢以此戲示四夷)。此皆古籍之彰彰可考者也，故推原其終始而論之如此。

法則

總説

徐渭《南詞叙録》南易製，罕妙曲；北難製，乃有佳者。何也？宋時，名家未肯留心；入元又尚北，如馬、貫、王、白、虞、宋諸公，皆北詞手；國朝雖尚南，而學者方陋，是以南不逮北。然南戲要是國初得體。南曲固是末技，然作者未易臻其妙。《琵琶》尙矣，其次則《翫江樓》、《江流兒》、《鶯燕爭春》、《荆釵》、《拜月》數種，稍有可觀，其餘皆俚俗語也；然有一高處：句句是本色語，無今人時文氣。

臧懋循《元曲選序》 世稱宋詞元曲。夫詞在唐，李白、陳後主皆以優爲之，何必稱宋？惟曲自元始有。南北各十七宫調，而《北西廂》諸雜劇亡慮數百種，南則《幽閨》、《琵琶》二記已耳。或謂元取士有塡詞科，若今括帖然，取給風檐寸晷之下，故一時名士雖馬致遠、喬(孟)〔夢〕符輩，至第四折往往强弩之末矣。或又謂主司所定題目外，止曲名及韻耳，其賓白則演劇時伶人自爲之，故多鄙俚蹈襲之語。或又謂《西廂》亦五雜劇，皆出詞人手裁，不可增減一字，故爲諸曲之冠。此皆予所不辯。獨怪今之爲曲者，南與北聲調雖異，而過宫下韻一也。自高則誠《琵琶》首爲不尋宫數調之説，以掩覆其短，今遂借口謂曲嚴于北而疏於南，豈不謬乎？大抵元曲妙在不工而工，其精者采之樂府，而粗者雜以方言。至鄭若庸《玉玦》，始用類書爲之；而張伯起之徒，轉相祖述爲《紅拂》等記，則濫觴極矣。曲白不欲多，唯雜劇以四折寫傳奇故事，其白有累千言者。觀《西廂》二十一折，則白少可見，尤不欲多駢偶。如《琵琶》「黄門」諸篇，業且厭之；而屠長卿《曇花》，白終折無一曲；梁伯龍《浣紗》、梅禹金《玉合》，白終本無一散語，其謬彌甚。湯義仍《紫釵》四記，中間北曲，駸駸乎涉其藩矣，獨音韻少諧，不無鐵綽板唱大江東去之病。南曲絶無才情，若出兩手，何也？何元朗評施君美《幽閨》遠出《琵琶》上，而王元美目爲好奇之過。夫《幽閨》大半已雜贋本，不知元朗能辨此否？元美千秋士也，予嘗於酒次論及《琵琶·梁州序》、《念奴嬌序》二曲，不類永嘉口吻，當是後人竄入，元美尙津津稱許不置，又惡知所謂《幽閨》者哉？

呂天成《曲品》卷上 自昔伶人傳習，樂府遞興。爨段初翻，院本繼出；金、元創名雜劇，國初演作傳奇。雜劇北音，傳奇南調。雜劇折惟四，唱止一人；傳奇折數多，唱必匀派。雜劇但摭一事顛末，其境促；傳奇備述一人始終，其味長。無雜劇則孰開傳奇之門？非傳奇則未暢雜劇之趣也。傳奇既盛，雜劇寖衰，北里之管絃播而不遠，南方之鼓吹簇而彌喧。國初名流，曲識甚高，作手獨異，造曲腔之名目，不下數百；定曲板之長短，不淆二三。乍見寧不駭疑，習久自當遵服。所謂「規矩設矣，方員因之」。數其人，有大家、名家之別；按其帙，有極老、半舊之分。賞其絶技，則描畫世情，或悲或笑；存其古風，則湊泊常語，易曉易聞。有意駕虚，不必與實事合；有意近俗，不必作綺麗觀。不尋宫數調，而自解其弢；不就拍選聲，而自鳴其籟。質樸而不以爲俚，膚淺而不以爲疎。商彝、周鼎，古色照人；玄酒、太羹，眞味沁齒。先輩鉅公，多能諷詠；吳下俳優，尤喜掇串。予雖不遵古而卑今，然須溯源而得委，倣之《詩品》，略加詮次，作《舊傳奇品》。古帙雖多，作者泯沒，略舉三四，以槩其餘。【略】博觀傳奇，近時爲盛。大江左右，騷、雅沸騰；吳、浙之間，風流掩映。第當行之手不多遇，本色之義未講明。當行兼論作法，本色只指塡詞。當行不在組織餖飣學問，此中自有關節局概，一毫增損不得；若組織，正以蠹當行。本色不在摹勒家常語言，此中別有機神情趣，一毫妝點不來；若摹勒，正以蝕本色。今人不能融會此旨，傳奇之派，遂判而爲二：一則工藻繢少擬當行，一則襲樸澹以充本色。甲鄙乙爲寡文，此嗤彼爲喪質。殊不知果屬當行，則句調必多本色；果其本色，則境態必是當行。今人竊其似而相敵也，而吾則兩收之。即不當行，其華可擷；即不本色，其樸可風。進而有宫調之學。類以相從，聲中緩急之節；紛以錯出，詞多礙戾之音。難欺師曠之聽，莫招公瑾之顧。按譜取給，故自無難；逐套注明，方爲有緒。又進而音韻平仄之學。句必一韻而始協，聲必迭置而後諧。響落梁塵，歌翻扇底。昧者不少，解者漸多。又進而有八聲陰陽之學。吹以天籟，協乎元聲。律呂所以相宜，神人用以允翕。抑揚高下，發調俱圓；清濁宫商，辨音最妙。此韻學之鉅典，曲部之秘傳，柳城啓其端，方諸闡其教。必究斯義，厥道乃精；考之今人，褎如充耳。《廣陵散》已落人間，《霓裳曲》重翻天上。後有作者，不易吾言矣。

又卷下 傳奇定品，頗費籌量，不無褒貶。蓋總出一人之手，時有工拙；統觀一帙之中，間有長短。故律以一法，則吐棄者多；收以歧途，則闌入者雜。其難其愼，此道亦然。我舅祖孫司馬公謂予曰：「凡南劇，第一要事佳，第二要關目好，第三要搬出來好，第四要按宫調、協音律，第五要使人易曉，第六要詞采，第七要善敷衍，淡處做得濃，閑處做得熱鬧，第八要各角色派得匀妥，第九要脱套，第十要合世情、關風化。持此十要以衡傳奇，靡不當矣。」但今作者輩起，能無集乎大成，十得六者，便爲璣璧；十得四五者，亦稱翹楚；十得二三者，即非碔砆。

王驥德《曲律·論須讀書第十三》 詞曲雖小道哉，然非多讀書，以博其見聞，發其旨趣，終非大雅。須自《國風》、《離騷》，古樂府及漢、魏、六朝三唐諸詩，下迨《花間》、《草堂》諸詞，金、元雜劇諸曲，又至古今諸部類書，俱博蒐精採，蓄之胸中，於抽毫時，掇取其神情標韻，寫之律呂，令聲樂自肥腸滿腦中流出，自然縱橫該洽，與勦襲口耳者不同。勝國諸賢，及實甫、則誠輩，皆讀書人，其下筆有許多典故，許多好語襯副，所以其製作千古不磨；至賣弄學問，堆垛陳腐，以嚇三家村人，又是種種惡道！古云：「作詩原是讀書人，不用書中一個字。」吾於詞曲亦云。

又《論劇戲第三十》 劇之與戲，南北故自異體。北劇僅一人唱，南戲則各唱。一人唱則意可舒展，而有才者得盡其舂容之致；各人唱則格有所拘，律有所限，即有才者，不能恣肆於三尺之外也。於是：貴剪裁，貴鍛鍊，以全帙爲大間架，以每折爲折落，以曲白爲粉堊、爲丹雘；勿落套，勿不經，勿太蔓，蔓則局懈，而優人多刪削；勿太促，促則氣迫，而節奏不暢達；毋令一人無著落，毋令一折不照應。傳中緊要處，須重著精神，極力發揮使透。如《浣紗》遺了越王嘗膽及夫人採葛事，紅拂私奔，如姬竊符，皆本傳大頭腦，如何草草放過！若無緊要處，只管敷演，又多惹人厭憎：皆不審輕重之故也。又用宮調，須稱事之悲歡苦樂。如遊賞則用仙呂、雙調等類，哀怨則用商調、越調等類，以調合情，容易感動得人。其詞格俱妙，大雅與當行參間，可演可傳，上之上也；詞藻工，句意妙，如不諧里耳，爲案頭之書，已落第二義；既非雅調，又非本色，掇拾陳言，湊插俚語，爲學究、爲張打油，勿作可也！

又《雜論第三十九上》 作散套較傳奇更難。傳奇各有本等事頭鋪襯，散套鑿空爲之。散套中登臨、遊賞之詞較易，閨情尤難。蓋閨情古之作者甚多，好意、好語，皆爲前人所道，不易脫此窠臼故也。白樂天作詩，必令老嫗聽之，問曰：「解否？」曰「解」，則錄之；「不解」，則易。作劇戲，亦須令老嫗解得，方入衆耳，此即本色之說也。劇戲之道，出之貴實，而用之貴虛。《明珠》、《浣紗》、《紅拂》、《玉合》，以實而用實者也；《還魂》、「二夢」，以虛而用實者也。以實而用實也易，以虛而用實也難。

馮夢龍《太霞新奏序》 文之善達性情者無如詩，《三百篇》之可以興人者，唯其發於中情，自然而然故也。自唐人用以取士，而詩入於套；六朝用以見才，而詩入於艱；宋人用以講學，而詩入於腐。而從來性情之鬱，不得不變而之詞曲。勝國尙北，皇明專尙南，蓋易弦索而簫管，陶激烈於和柔，令聽者解煩釋滯，油然覺化日之悠長，此亦太平鳴豫之一徵矣。先輩巨儒文匠，無不兼通詞學者。而法門大啓，實始於沈銓部《九宮譜》之一修。于是海內才人，思聯臂而游宮商之林。然傳奇就事敷演，易於轉換，散套推陳致新，戛戛乎難之。當行也，語或近於學究；本色也，腔或近於打油。又或運筆不靈，而故事填塞，侈多聞以示博，章法不講，而飣餖拾湊，摘片語以誇工，此皆世俗之通病也。作者不能歌，每襲前人之舛謬，而莫察其腔之忤合。歌者不能作，但尊世俗之流傳，而孰辨其詞之美醜。自非知音人，亟爲提其耳而開其矇，則今日之曲，又將爲昔日之詩，詞膚調亂，而不足以達人之性情，勢必再變而之《粉紅蓮》、《打棗竿》矣。不亦傷乎！

沈德符《顧曲雜言・雜劇院本》 涵虛子所記雜劇名家凡五百餘本，通行人間者，不及百種。然更不止此。今教坊雜劇約有千本，然率多俚淺，其可閱者十之三耳。元人未滅南宋時，以此定士子優劣，每出一題，任人塡曲，如宋宣和畫學，出唐詩一句，恣其渲染，選其能得畫外趣者登高第，以故宋畫、元曲，千古無匹。元曲有一題而傳至四五本者，余皆見之。總只四折。蓋才情有限，北調又無多，且登場雖數人而唱曲祇一人，作者與扮者力量俱盡現矣。自北有《西廂》，南有《拜月》，雜劇變爲戲文，以至《琵琶》遂演爲四十餘折，幾十倍雜劇。然《西廂》到底不過描寫情感。余觀北劇，儘有高出其上者，世人未曾遍觀，逐隊吠聲，吒爲絶唱，眞井蛙之見耳。本朝能雜劇者不數人，自周憲王以至關中康、王諸公，稍稱當行。其後則山東馮、李亦近之，然如《小尼下山》、《園林午夢》、《皮匠參禪》等劇，俱太單薄，僅可供笑謔，亦教坊耍樂院本之類耳。雜劇如《王粲登樓》、《韓信胯下》、《關大王單刀會》、《趙太祖風雲會》之屬，不特命詞之高秀，而意象悲壯，自足籠蓋一時；至若《㑳梅香》、《倩女離魂》、《牆頭馬上》等曲，非不輕俊，然不出房幃窠臼，以《西廂》例之可也；他如《千里送荆娘》、《元夜鬧東京》之屬，則近粗莽；《華光顯聖》、《目蓮入冥》、《大聖收魔》之屬，則太妖誕。以至《三星下界》、《天官賜福》種種喜慶傳奇，皆係供奉御前，呼嵩獻壽，但宜教坊及鐘鼓司肄習之，並勛戚、貴璫輩贊賞之耳。若所謂院本者，本北宋徽宗時五花爨弄之遺，有散說，有道念，有筋斗，有科汎。初與雜劇本一種，至元始分爲兩。迨本朝，則院本不傳久矣；今尙稱院本，猶沿宋、金之舊也。金章宗時，董解元《西廂》，尚是院本模範，在元末已無人能按譜唱演者，況後世乎？

又《雜劇》 北雜劇已爲金、元大手擅勝場，今人不復能措手。曾見汪太函四作，爲《宋玉高唐夢》、《唐明皇七夕長生殿》、《范少伯西子五湖》、《陳思王遇洛神》，都非當行。惟徐文長渭《四聲猿》盛行，然以詞家三尺律之，猶河漢也。梁伯龍有《紅線》、《紅綃》二雜劇，頗稱諧穩，今被俗優合爲一大本南曲，遂成惡趣。近年獨王辰玉太史衡所作《眞傀儡》、《沒奈何》諸劇，大得金、元本色，可稱一時獨步。然此劇但四折，用四人各唱一折，或一人共唱四折，故作者得逞其長，歌者亦盡其技。王初作《鬱輪袍》，乃多至七折，其《眞傀儡》諸劇，又只以一大折了之，似尚隔一塵。頃黃貞甫汝亨以進賢令內召還，貽湯義仍新作《牡丹亭記》，眞是一種奇文。未知於王實甫、施君美如何，恐斷非近日諸賢所辦也。湯詞係南曲，因論北詞，附及之。

凌濛初《譚曲雜劄》 曲始於胡元，大略貴當行不貴藻麗。其當行者曰「本色」。蓋自有此一番材料，其修飾詞章，填塞學問，了無干涉也。故《荆》、《劉》、《拜》、《殺》爲四大家，而長材如《琵琶》猶不得與，以《琵琶》間有刻意求工之境，亦開琢句修詞之端，雖曲家本色故饒，而詩餘弩末亦不少耳。國朝如湯菊莊、馮海浮、陳秋碧輩，直闖其籓，雖無耑本戲曲，而製作亦富，元派不絕也。自梁伯龍出，而始爲工麗之濫觴，一時詞名赫然。蓋其生嘉、隆間，正七子雄長之會，崇尚華靡；弇州公以維桑之誼，盛爲吹噓，且其實於此道不深，以爲詞如是觀止矣，而不知其非當行也。以故吳音一派，競爲勦襲。靡詞如繡閣羅幃、銅壺銀箭、黃鶯紫燕、浪蝶狂蜂之類，啓口即是，千篇一律。甚者使僻事，繪隱語，詞須累詮，意如商謎，不惟曲家一種本色語抹盡無餘，即人間一種眞情話，埋沒不露已。至今胡元之竅，塞而未開，間以語人，如錮疾不解，亦此道之一大劫哉！

又 元曲源流古樂府之體，故方言、常語，沓而成章，着不得一毫故實；即有用者，亦其本色事，如藍橋、祆廟、陽臺、巫山之類。以拗出之爲警俊之句，決不直用詩句，非他典故塡實者也。一變而爲詩餘集句，非當行矣，而未可厭也。再變而爲詩學大成，羣書摘錦，可厭矣，而未村煞也。忽又變而文詞說唱，胡謅蓮花落，村婦惡聲，俗夫褻謔無一不備矣。今之時行曲，求一語如唱本《山坡羊》、《刮地風》、《打棗竿》、《吳歌》等中一妙句，所必無也。故以藻繢爲曲，譬如以排律諸聯入《陌上桑》、《董妖嬈》樂府諸題下，多見其不類；以鄙俚爲曲，譬如以三家村學究口號、歪詩，擬《康衢》《擊壤》，謂「自我作祖，出口成章」，豈不可笑！而又攘臂自命，日新不已，直是有靦面目。

張琦《衡曲麈譚·塡詞訓》 古士大夫聽琴瑟之音，弗離於前，性情之通絃歌而治，吟詠可已歟？客曰：「詞餘之興也，多以情癖，大抵皆深閨永巷、春傷秋怨之語，豈鬚眉學士所宜有！況文辭之貴，期於渾涵，若夫雕心琢句，柔脆纖巧，披靡淫蕩，非鼓吹之盛事，曲固可廢也。」騷隱生曰：「噫，子陋矣！尼山說《詩》，不廢《鄭》、《衞》；聖世采風，必及下里。古之亂天下者，必起於情種先壞，而慘刻不衷之氣興。使人而有情，則士愛其緣，女守其介，而天下治矣。且子亦知夫曲之道乎？心之精微，人不可知，靈竅隱深，忽忽欲動，名曰心曲。曲也者，達其心而爲言者也，思致貴於綿渺，辭語貴於迫切。長門之詠，宜於宮樣而帶岑寂；香閨之語，宜於閨藏而饒綺麗。倚門嚬笑之聲，務求纖媚而顧盼生姿；學士騷人之賦，須期慷慨而嘯歌不俗。故詠春花勿牽秋月，吟朝雨莫溷夜潮。瑤臺、玉砌，要知雪部之套辭；芳草、輕烟，總是郊原之泛句。又如命題雜詠，而直道本色，則何取於寓言？觸物興懷，而雜景揣摹，則安在其即事！甚且士女之吻無辨，睽合之意多乖，人情斷續而忽入俚言，筆致拗違而生吞成語，又曲之最病者也。乃若傳奇之曲，與散套異。傳奇有答白，可以轉換，而淸曲則一線到底。傳奇有介頭，可以變調，而淸曲則一韻到底。人第知傳奇中有嬉、笑、怒、罵，而不知散曲中亦有離、合、悲、歡。古傷逝、惜別之詞，一披咏之，愀然欲涙者，其情眞也。故曲不貴摭實而貴流麗，不貴尖酸而貴博雅，不貴剽襲而貴冶創，不貴熟爛而貴新生，不貴文飾而貴眞率肖吻，不貴平敷而選句走險。有作者起，必首肯吾言矣。」客曰：「子之爲辭，未必其無弊也，乃執月旦以平章曲府，司三寸管而低昂之，得無過當乎？」居士曰：「人之妍媸，人也，不必其己之妍也。雙眸具在，存其論而已矣。今日者之評次，雖謂作家之多史，亦誰曰不可！」

又《吳騷合編小序》 曲之爲義也，緣于心曲之微，蕩漾盤折，而幽情躍然，故其言語文章別是一色。從來稱擅場者，引商刻羽，嫵媚天成，每好句入人夢思，咀之愈多，味之不盡。旨哉！其爲曲也。然而曲有遇焉，作家者流，昔以長言單詞，舒一時怨訴。幸而後來人士起焉，玄賞詠其曲，恍見其人，都雅雍容，盈諸口角，悠揚欸乃，應於肺腑。

沈寵綏《度曲須知·曲運隆衰》 粵徵往代，各有專至之事以傳世，文章矜秦漢，詩詞美宋唐，曲劇侈胡元。至我明則八股文字姑無置喙，而名公所製南曲傳奇，方今無慮充棟，將來未可窮量，是眞雄絕一代，堪傳不朽者也。顧曲肇自《三百篇》耳。《風》、《雅》變爲五言、七言，詩體化爲南詞、北劇。自元人以填詞制科，而科設十二，命題惟是韻脚以及平平仄仄譜式，又隱厥牌名，俾舉子以意揣合，而敷平配仄，填滿詞章。折凡有四，如試牘然。合式則標甲榜，否則外孫山矣。夫當年磨穿鐵硯，斧削螢窗，不減今時帖括，而南詞惟寥寥幾曲，所云院本北劇者，果堪紀量乎哉？且詞章既夥，演唱尤工，凡偷吹、待拍諸節奏，頂疊、躲換，以及縈紆、牽繞諸調格，推敲罔不備至，而優伶有戾家把戲，子弟有一家風月，歌風之勝，往代未之有踰也。明興，樂惟式古，不祖夷風，程士則《四書》、《五經》爲式，選舉則七義三場是較，而僞代填詞往習，一掃去之。雖詞人間踵其轍，然世換聲移，作者漸寡，歌者寥寥，風聲所變，北化爲南，名人才子，踵《琵琶》、《拜月》之武，競以傳奇鳴；曲海詞山，於今爲烈。而詞既南，凡腔調與字面俱南，字則宗《洪武》而兼祖《中州》；腔則有「海鹽」、「義烏」、「弋陽」、「青陽」、「四平」、「樂平」、「太平」之殊派。雖口法不等，而北氣總已消亡矣。嘉、隆間有豫章魏良輔者，流寓婁東、鹿城之間，生而審音，憤南曲之訛陋也，盡洗乖聲，別開堂奧，調用水磨，拍捱冷板，聲則平上去入之婉協，字則頭腹尾音之畢匀，功深鎔琢，氣無煙火，啓口輕圓，收音純細。所度之曲，則皆《折梅逢使》、《昨夜春歸》諸名筆；採之傳奇，則有「拜星月」、「花陰夜靜」等詞。要皆別有唱法，絕非戲場聲口。腔曰「崑腔」，曲名「時曲」，聲場稟爲曲聖，後世依爲鼻祖。蓋自有良輔，而南詞音理，已極抽秘逞妍矣。惟是北曲元音，則沉閣既久，古律彌湮，有牌名而譜或莫考，有曲譜而板或無徵，抑或有板有譜，而原來腔格，若務頭、顚落，種種關捩子，應作如何擺放，絕無理會其說者。試以南詞喻之，如《集賢賓》中，則有「伊行短」與「休笑恥」，兩曲皆是低腔；《步步嬌》中，則有「仔細端詳」與「愁病無情」，兩詞同揭高調，而此等一成格律，獨於北詞爲缺典。祝枝山，博雅君子也，猶歎四十年來接賓友，鮮及古律者。何元朗亦憂更數世後，北曲必且失傳，而音隨澤斬，可慨也夫！至如「絃索」曲者，俗固呼爲「北調」，然腔嫌嬝娜，字涉土音，則名北而曲不眞北也。年來業經釐剔，顧亦以字清腔逕之故，漸近水磨，轉無北氣，則字北而曲豈盡北哉？試觀同一「恨漫漫」曲也，而彈者僅習彈音，反不如演者別成演調；同一《端正好》牌名也，而絃索之「碧雲天」，與優場之「不念法華經」，聲情迥判，雖淨旦之脣吻不等，而格律固已逕庭矣！夫然，則北劇遺音，有未盡消亡者，疑尚留於優者之口。蓋南詞中每帶北調一折，如《林冲投泊》、《蕭相追賢》、《虯髯下海》、《子胥自刎》之類，其詞皆北，當時新聲初改，古格猶存，南曲則演南腔，北曲固仍北調，口口相傳，燈燈遞續，勝國元聲，依然嫡派。雖或精華已鑠，顧雄勁悲壯之氣，猶令人毛骨蕭然。特恨詞家欲便優伶演唱，止《新水令》、《端正好》幾曲，彼此約略扶同，而未慣牌名，如原譜所列，則騷人絕筆，伶人亦絕口焉。予猶疑南土未諳北調，失之江以南，當留之河以北，乃歷稽彼俗，所傳大名之《木魚兒》、彰德之《木斛沙》、陝右之《陽關三叠》、東平之《木蘭花慢》，若調若腔，已莫可得而問矣。惟是散種如《羅江怨》、《山坡羊》等曲，彼之篥、箏、渾不似（卽今之琥珀）諸器者，彼俗尚存一二。其悲悽慨慕，調近於商，惆悵雄激，調近正宮，抑且絲揚則肉乃低應，調揭則彈音愈渺，全是子母聲巧相鳴和；而江左所習《山坡羊》，聲情指法，罕有及焉。雖非正音，僅名「侉調」，然其愴怨之致，所堪舞潛蛟而泣嫠婦者，猶是當年逸響云。還憶十七宮調之劇本，如漢卿所謂「我家生活，當行本事」，其音理超越，寧僅僅梨園口吻已哉。惜乎舞長袖者，靡於唐，至宋而幾絕；工短劇者，磨於元，入我明而幾絕。律殘聲冷，亘古無徵，當亦騷人長恨也夫！

高奕《新傳奇品序》 傳奇至於今，亦盛矣。作者以不羈之才，寫當場之景，惟欲新人耳目，不拘文理，不知格局，不按宮商，不循聲韻，但能便於搬演，發人歌泣，啓人豔慕，近情動俗，描寫活現，逞奇爭巧，卽可演行，不一而足。其於前賢關風化勸懲之旨，悖焉相左；欲求合於今，亦已寥寥矣。

程羽文《盛明雜劇序》 曲者歌之變，樂聲也；戲者舞之變，樂容也。皆樂也，何以不言樂？蓋才人韻士，其牢騷、抑鬱、啼號、憤激之情，與夫慷慨、流連、談諧、笑謔之態，拂拂於指尖而津津於筆底，不能直寫而曲摹之，不能莊語而戲喻之者也。上古有歌舞而無戲曲，戰國秦漢始創優伶，唐作梨園教坊，王右丞以此得解頭，而莊宗自號「李天下」。厥後流風大暢，變歌之五音以成聲，變舞之八佾以成數，而曰外，曰末，曰淨，曰丑，曰生，曰旦，六人者出焉。凡天地間知愚、賢否、貴賤、壽夭、男女、華夷，有一事可傳，有一節可錄，新陳言於牘中，活死迹於場上。誰眞誰假，是夜是年，總不出六人搬弄。狀忠孝而神欽，狀奸佞而色駭，狀困窶而心如灰，狀榮顯而腸似火，狀蟬脱羽化飄飄有凌雲之思，狀玉竊香偷逐逐若隨波之蕩，可興，可觀，可懲，可勸。此皆才人韻士以游戲作佛事，現身而爲説法者也。至於詞白之工，科介之趣，熱腸罵世，冷板敲人，才各成才，韻各成韻。

孟稱舜《古今名劇合選序》 邇來塡辭家更分爲二，沈寧庵專尚諧律，而湯義仍專尚工辭，二者俱爲偏見。然工詞者不失才人之勝，而專尚諧律者則與伶人教師登場演唱者何異？予此選去取頗嚴，然以辭足達情者爲最，而協律者次之，可演之臺上，亦可置之案頭，賞觀者其以此作《文選》諸書讀可矣。

卓人月《孟子塞殘唐再創雜劇小引》 作近體難於古詩，作詩餘難於近體，作南曲難於詩餘，作北曲難於南曲，總之音調法律之間，愈嚴則愈苦耳。北如馬、白、關、鄭，南如《荆》、《劉》、《拜》、《殺》，無論矣。入我明來，塡詞者比比大才大情之人，則大愆大謬之所集也。湯若士、徐文長兩君子其不免乎，減一分才情，則減一分衍謬。張伯起、梁伯龍、梅禹金，斯誠第二流之佳者，乃若彈駁愆謬，不遺錙銖，而無才無情諸醜畢見。如臧、顧諸者，可勝笑哉。必也具十分才情，無一分愆謬，可與馬、白、關、鄭，《荆》、《劉》、《拜》、《殺》頡之頏之者，而後可以言曲，夫豈不大難乎？

許道承《綴白裘十一集序》 且夫戲也者，戲也，固言乎其非眞也。而世之好爲崑腔者，率以搬演故實爲事，其間忠臣孝子、義夫節婦、奸讒佞惡、悲歡欣戚，無一不備。然設或遇亂頭粗服之太甚，豺聲蠭目之叵耐，過目遇之，輒令人作數日惡。無他，以古人之陳迹，觸一己之塊壘，雖明知是昔人云「吹縐一池春水，干卿何事」，而憤懣交迫，亦有不自持者焉。若夫弋陽梆子、秧腔則不然，事不必皆有徵，人不必盡可考，有時以鄙俚之俗情，入當場之科白，一上氍毹，即堪捧腹。此殆如東坡相對正襟捉肘，正爾昏昏欲睡，忽得一詼諧訕笑之人，爲我持羯鼓解醒，其快當何如哉！此錢君《綴白裘》外集之刻所不容已也。抑吾更有喻者，《詩》之爲風也，有正有變；史之爲體也，有正有逸，戲亦何獨不然？然則戲之有弋陽梆子秧腔，即謂戲中之變，戲中之逸也，亦無不可。

黄周星《製曲枝語》 詩降而詞，詞降而曲，名爲愈趨愈下，實則愈趨愈難。何也？詩律寬而詞律嚴，若曲，則倍嚴矣。按格塡詞，通身束縛，蓋無一字不由湊泊，無一語不由扭捏而能成者。故愚謂曲之難有三：叶律一也，合調二也，字句天然三也。嘗爲之語曰：「三仄更須分上去，兩平還要辨陰陽。」詩與詞曾有是乎？詞壇之推服魁奇者，必曰神童、才子。夫神童之奇，奇在出口成章；才子之奇，奇在立掃千言也。然僅可施之於詩文耳，設或命之製曲，出口可以成章乎？千言可以立掃乎？故才者至此無所騁其才，學者至此無所用其學，此所謂最下之文字，實最上之工力也。以此思難，難可知矣。愚謂：曲有三難，亦有三易。三易者：可用襯字襯語，一也；一折之中，韻可重押，二也；方言、俚語，皆可驅使，三也。是三者，皆詩文所無，而曲所有也。然亦顧其用之何如，未可草草。即如賓白，何嘗不易？亦須順理成章，方可動聽，豈皆市井游談乎？【略】有一老友語余云：「製曲之難，無才學者不能爲，然才學卻又用不着。」旨哉斯言！余見新舊傳奇中，多有塡砌彙書，堆垛典故，及琢鍊四六句，以示博麗精工者，望之如餖飣牲筵，觸目可憎。夫文各有體，曲雖小技，亦復有曲之體。若典彙、四六，原自各成一家，何必活剝生呑，強施之於曲乎？若此者，余甚不取。

李調元《劇話序》 劇者何？戲也。古今一戲場也。開闢以來，其爲戲也，多矣。巢、由以天下戲，逢、比以軀命戲，蘇、張以口舌戲，孫、吳以戰陣戲，蕭、曹以功名戲，班、馬以筆墨戲，至若偃師之戲也以魚龍，陳平之戲也以傀儡，優孟之戲也以衣冠，戲之爲用大矣哉。孔子曰：「《詩》可以興，可以觀，可以羣，可以怨。」今舉賢奸忠佞，理亂興亡，搬演於笙歌鼓吹之場，男男婦婦，善善惡惡，使人觸目而懲戒生焉，豈不亦可興、可觀、可羣、可怨乎？夫人生，無日不在戲中，富貴、貧賤、夭壽、窮通，攘攘百年，電光石火，離合悲歡，轉眼而畢，此亦如戲之傾刻而散場也。故夫達而在上，衣冠之君子戲也；窮而在下，負販之小人戲也。今日爲古人寫照，他年看我輩登場。戲也，非戲也；非戲也，戲也。尤西堂之言曰：「《二十一史》，一部大傳奇也。」豈不信哉！夫百間之屋，非一木之材也；五侯之鯖，非一鷄之跖也。書不多不足以考古，學不博不足以知今，此亦讀書者之事也。予恐觀者徒以戲目之，而不知有其事遂疑之也，故以《劇話》實之；又恐人不徒以戲目之，因有其事遂信之也，故仍以《劇話》處之。故曰：古今一戲場也。

焦循《劇說》卷四　劇之有所原本，名手所不禁也。王實甫之本董解元，尚矣。他如本《竇娥冤》而作《金鎖》，本《翠鸞女》而作《桃符》，本《曲江池》而作《繡襦》，本《合汗衫》而作《破羅衫》，本《張生煮海》、《柳毅傳書》而作《蜃中樓》，本《劉晨阮肇》而作《長生樂》；他如本元人而故變化出之者，則如《黃粱夢》之呂巖化爲盧生，《麗春堂》之四丞相化爲尉遲敬德。或有用其一節者，若龐居士之羅和，《長生殿》之唐明皇，雖不能青勝於藍，然亦各有所見。惟《夢釵緣》一劇，直襲《西廂》、《西樓》而合之，已爲傖父可笑。又有《玉劍緣》者，亦有《彈詞》一齣。夫洪昉思襲元人《貨郎旦》之《九轉貨郎兒》，其末云「名喚春郎身姓李」，洪云「名喚龜年身姓李」，至《玉劍緣》又云「名喚珠娘身姓李」，生吞活剝，可稱笑柄。近則有爲《富貴神仙》者，竟至襲《玉劍緣》與《夢釵緣》之襲《西廂》、《西樓》同，若此，又何必爲之？聊舉一二於此，爲之戒。

劉熙載《藝概・詞曲概》　曲止小令、雜劇、套數三種。小令、套數不用代字訣，雜劇全是代字訣。不代者品欲高，代者才欲富。此亦如詩言志、賦體物之別也。又套數視雜劇尤宜貫串，以雜劇可借白爲聯絡耳。

聲隱道人《玄雪譜序》　天地戲場，世人傀儡，自古迄今，任賢愚貴賤，未有不着一片啼笑精神，而吃緊作悲愉離合者也。予猶然傀儡，獨覺悲不痛，愉不暢，離合不奇，徒令一片啼笑精神無處安頓。縱抹粉塗朱，日日搬演，不過一庸爛子弟，倩誰擊節。卽有一二新腔別調可悦於世，又奈司筵者屬題偏左，方其旦而命之生，既習生又使之醜、淨，猶顏駟之遇景文武。而老少醜不相及也。半生優孟，淹忽以老，更向何處大哭一場，大笑一場，以了此悲愉離合之局也。因思窮愁著書，古人好戲，大半在紙筆中，固不妨插身矮人之列。乃於罷場之暇，盡聚臨川、次粳，以及王實甫、關漢卿諸老師範，而汰其腐，去其陋，刪其不痛不癢，而細擇其聲容笑貌無媚入時者，而彙成一帙。當花香柳綠時，風清月朗時，烟雨瀟瀟時，酒酣耳熱、拔劍斲地時，放聲向天。或作丈二將軍，或作十七八女郎；狂歌嬌唱，非銷魂巧倩，則得意看花；不斷首酬恩，則刳心雪憤，字字熱血，聲聲情淚。有不笑，笑則破口；有不啼，啼則傷心。甜如蜜，酸如醋，辣如桂薑。每一入耳，冷風颸颸，令人遍體蘇麻，滿心鬆快。固不必口嘗身試，而悲愉離合之味咀嚼欲盡，恐黃粱佳境，亦無此之爽然醒脾也。豈非一折好戲，何必定假叔敖衣冠，向世場中着眞精神哉！雖認世太眞，人必不肯謂是。而用情匪幻，予則終不謂非。是耶非耶，有天下之耳在，敢繡而問焉。

吳孝緒《美蓉碣跋》　古歙方仰松云：工尺卽律呂，樂器無古今。誠哉言也。盈天下之間，凡有聲者，莫不有其中聲焉。聖人造律，以律閑音，此時卽有工尺，無待後人吹灰累黍之紛紜也。降而至于近世之度曲，雖與古樂有雅俗清濁之分，而某宮某調仍不外古之六律五音。惟世之言律呂者，病在求之太深，無異談龍。而俗伶度曲，又習於江湖惡派，牢不可破，雖摩摩悦耳，而宮商奸亂，甚有改辭就腔，不成文理者。卽有老曲師，亦能先定板眼，次塡工尺，知其當然，仍不知其所以然。近時京師度曲，除葉懷庭《納書楹》一書外，無他曲也。詞場至此，不絕如綫。余謂文字至於傳奇，其品雖卑，而爲之則甚難，法律波瀾，音韻文藻，不可偏廢。

袁祖光《瞿園雜劇續編叙》　今之世無地非戲也，無人非戲也，無時非戲也，無事非戲也。戲場未有如今之遼廓也，戲態未有如今之奇幻也，戲中之色目未有如今之風雲會合、雷霆奮迅、與人以不可測也。余亦戲局中之一蝨耳。不敢議登場者之孰主孰客、孰是孰非、孰黑孰白。若某則合戲之排場，若某則舛戲之體例也者。第於每場戲結局時，取其事之可歌可泣，可恨可恥，可感可興者，一一陰識之。故傳東家顰也，譏戲之不得其似也；傳《鈞天樂》也，惜戲之有始而無卒也；傳《一綫天》、《望夫石》、《三割股》也，痛戲中之人之不達時務，悠悠抱其志以終古也。均之皆處無可如何之時，而後有此戲也。人以爲眞也，吾戲視之；人亦以爲戲也，吾以戲中之戲視之；至於無戲非戲，而戲乃眞焉。吾惡知夫非戲之謂戲者，非卽非，眞之謂眞耶，吾又惡知夫人之戲，吾之眞有以異乎？吾之戲人之戲耶，戲也眞也，吾不得而辨之，人亦無從而詰之。向猶冀有樂戲吾戲者，與之伏游乎戲之中，傲睨乎戲之外，於絕無聊賴之處，籌一消遣之法也。今則閱戲愈多，而戲之途亦愈窮。人各有戲，吾不敢強同人之戲。人亦不屑俯就吾之戲。於是吾之戲，乃戲中之極迂極腐，盡人唾之、罵之、訕之、笑之，至於千萬世後而終莫之一顧矣。然吾亦自戲吾之戲云爾。

命意

朱有燉《豹子和尚自還俗傳奇引》文章之在世，有關於風教者，有不關於風教者。其關於風教者，若《原道》、《原鬼》、《進學》、《種樹》、《送窮》、《乞巧》等文，皆合乎理性，精妙抑揚，無非開悟後學，使知性命之道，故有補於世也。其或有文章而無補於世，不關於風教者，若《毛穎》、《執華》、《天問》、《河間》等編，此乃鴻儒碩士問學有餘，以文爲戲，但欲馳騁於筆端之英華，發泄於胸中之藻思耳，未可求夫至理，而與《原道》等文同日而語也。昔法雲道人勸黄山谷勿作小辭，魯直云：「空中語耳。不致坐此便墮惡道。」予亦云然。

陸采《西廂記序》李日華取實甫之語翻爲南曲，而措詞命意之妙，幾失之矣。予自退休之日，時綴此編，固不敢媲美前哲，然較之生吞活剝者，自謂差見一斑。若夫正人君子責我以桑間濮上之音，燕女弱志者，予則不敢辭。

張鳳翼《新刻合并西廂記序》詞家之有傳奇也，詩之流委也；而傳奇之有《西廂》也，變風之濫觴也。吾夫子與顔氏子斟酌禮樂，既矢口曰放鄭聲。而鄭衛之淫風如所謂男悦女、女惑男之辭，較然布諸方策，與《三百篇》共著。余嘗睹逸詩之散見於雜帙中者，多微言警句，彼之是删，而顧此之久存，何無倫耶？自古載籍極博，皆爲君子之畏聖言者設，不爲小人之侮聖言者爲宣淫導欲之資也。蓋善者感發善心，惡者懲創逸志。然惟君子爲能感發，亦惟君子爲能懲創。如《易》之咸，初咸拇，二咸腓，三咸股，伍咸脢，上六乃「咸其輔頰舌」。咸之言皆也，以人身取象。又少男少女，兩體相悦相應，自足至首無不與，皆明示人以交感之象。然惟君子能觀象玩辭，知其如此則往吝，如此則居貞，如此則悔止。若小人則想象其形容，而求與之皆焉耳。惡知悔，惡知吝，又惡知有吉而居之哉！知此道者，可與口《西廂》，目《西廂》，雖日日而口之，而目之，亦何害已。

王驥德《曲律·雜論第三十九上》古戲不論事實，亦不論理之有無可否，於古人事多損益緣飾爲之，然尚存梗槩。後稍就實，多本古史傳雜説略施丹堊，不欲脱空杜撰。邇始有捏造無影響之事以欺婦人、小兒者，然類皆優人及里巷小人所爲，大雅之士亦不屑也。元人作劇，曲中用事，每不拘時代先後。馬東籬《三醉岳陽樓》，賦呂純陽事也。《寄生草》曲：「這的是燒猪佛印待東坡，抵多少騎驢魏野逢潘閬。」俗子見之，有不訾以爲傳唐人用宋事耶？畫家謂王摩詰以牡丹、芙蓉、蓮花同畫一景，畫《袁安高卧圖》有雪裏芭蕉，此不可易與人道也。

雪蓑漁者《寶劍記序》天之生才，及才之在人，各有所適。夫既不得顯施，譬之千里之馬，而困槽櫪之下，其志常在奮報也，不得不嚙足而悲鳴。是以古之豪賢俊偉之士，往往有所托焉，以發其悲涕慷慨抑鬱不平之衷。或隱於釣，或乞于市，或困于鼓刀，或歌，或嘯，或擊節，或喑啞，或醫卜，或詼諧駁雜，之數者，非其故爲與時浮湛者歟？而其中之所持，則故有溷於世之耳目，而非其所見與聞者矣。

孟稱舜《鴛鴦冢嬌紅記題辭》天下義夫節婦所爲至死而不悔者，豈以是爲理所當然而爲之邪？篤於其性，發於其情，無意於世之稱之，并有不知非笑之爲非笑者而然焉。自昔忠臣孝子，世不恒有，而義夫節婦時有之。即義夫猶不多見，而所稱節婦，則十室之邑必有之。何者？性情所鍾，莫深於男女，而女子之情，則更無藉詩書理義之文以諷諭之，而不自知其所至，故所至者若此也。【略】且世所難得者，知我者耳，語曰「士爲知己者死，女爲悦己者容」。太史公傳晏嬰，則甘爲之執鞭，而虞仲翔願以青蠅爲吊客，曰「後世有一人知我，死不恨」。然則世之知我，有如此兩人者乎？嗚呼！是亦我之所樂爲死者矣。

沈德符《顧曲雜言·塡詞有他意》塡詞出才人餘技，本游戲筆墨間耳，然亦有寓意譏訕者。如王渼陂之《杜甫游春》，則指李西涯及楊石齋、賈南塢三相；康對山之《中山狼》，則指李崆峒；李中麓之《寶劍記》，則指分宜父子；近日王辰玉之《哭倒長安街》，則指建言諸公是也。又聞湯義仍之《紫簫》，亦指當時秉國首揆，纔成其半，即爲人所議，因改爲《紫釵》；而屠長卿之《彩毫記》，則竟以李青蓮自命，第未知果愜物情否耳。

張岱《瑯環文集》卷三《答袁籜庵》傳奇至今日，怪幻極矣。生甫登場，即思易姓；旦方出色，便要改妝。兼以非想非因，無頭無緒，只求熱鬧，不論根由，但要出奇，不顧文理。近日作手，要如阮圓海之靈奇，李笠翁之冷雋，蓋不可多得者矣。吾兄近作《合浦珠》，亦犯此病。蓋鄭生關目，亦甚尋常，而狠求奇怪，故使文昌武曲、雷公電母，奔走趨蹌，熱鬧之極，反見淒涼。兄看《琵琶》、《西廂》，有何怪異？布帛菽粟之中，自有許多滋味，咀嚼不盡，傳之永遠，愈久愈新，愈淡愈遠。東坡云：凡人文字，務使和平知足，餘溢爲奇怪，蓋出於不得已耳。今人於開場一齣，便欲異人，乃裝神扮鬼，作怪興妖。至一翻熱鬧之後，及至正生冲場，引子稍長，便覺可厭矣。兄作《西樓》，只一「情」字。《講技》、《錯夢》、《搶姬》、《泣試》，皆是情理所有，何嘗不熱鬧，何嘗不出奇？何取於節外生枝、屋上起屋耶？總之，兄作《西樓》，正是文章入妙處，過此則便思游戲三昧，信手拈來，自亦不覺其熟滑耳。湯海若初作《紫釵》，尚多痕迹，及作《還魂》，靈奇高妙，已到極處。「蟻夢」、「邯鄲」，比之前劇，更能脱化一番，學問較前更進，而詞學較前反爲削色。蓋《紫釵》則不及，而「二夢」則太過，過猶不及，故總於《還魂》遜美也。今《合浦珠》是兄之「二夢」，而《西樓記》爲兄之《還魂》。「二夢」雖佳，而《還魂》爲終不可及也。

吳偉業《北詞廣正譜序》 今之傳奇，即古者歌舞之變也，然其感動人心，較昔之歌舞更顯而暢矣。蓋士之不遇者，鬱積其無聊不平之慨於胸中，無所發抒，因借古人之歌呼笑駡，以陶寫我之抑鬱牢騷，而我之性情，爰借古人之性情而盤旋於紙上，宛轉於當場。於是乎熱腔駡世，冷板敲人，令閱者不自覺其喜怒悲歡之隨所觸而生，而亦於是乎歌呼笑駡之不自已。則感人之深，與樂之歌舞所以陶淑斯人而歸於中正和平者，其致一也。而元人傳奇，又其最善者也。蓋當時固嘗以此取士，士皆傳粉墨而踐排場，一代之人文皆從此描眉畫頰、詼諧調笑而出之，固宜其擅絶千古。而士之困窮不得志，無以奮發於事業功名者，往往循於山巔水湄，亦恒借他人之酒杯澆自己之塊壘，其馳騁千古，才情跌宕，幾不減屈子離憂、子長感憤，眞可與漢文、唐詩、宋詞連鑣并轡。而其中屬詞比事，引宮刻羽，不爽尺寸，渾然天成，仍自雕畫衆形，細若毫髮。而意象豪邁，不爲法律拘縛者，又多以北調擅場。第所傳諸劇，人握隋珠，家操卞璧，美等碎金，罕窺全豹。

洪昇《長生殿自序》 從來傳奇家非言情之文不能擅場，而近乃子虚烏有，動寫情詞贈答，數見不鮮，兼乖典則。因斷章取義，借《天寶遺事》，綴成此劇。凡史家穢語，概削不書，非曰匿瑕，亦要諸詩人忠厚之旨云爾。然而樂極哀來，垂戒來世，意即寓焉。且古今來逞侈心而窮人欲，禍敗隨之，未有不悔者也。玉環傾國，卒至隕身，死而有知，情悔何極！苟非怨艾之深，尙何證仙之與有？孔子删《書》而録《秦誓》，嘉其敗而能悔，殆若是歟？第曲終難於奏雅，稍借月宫足成之。要之廣寒聽曲之時，即游仙上昇之日。雙星作合，生忉利天，情緣總歸虚幻，清夜聞鐘，夫亦可以蘧然夢覺矣。

尤侗《葉九來樂府序》 古之人不得志於時，往往發爲詩歌，以鳴其不平。顧詩人之旨，怨而不怒，哀而不傷，抑揚含吐，言不盡意，則憂愁抑鬱之思，終無自而申焉。既又變爲詞曲，假託故事，翻弄新聲，奪人酒杯，澆己塊壘。於是嘻笑怒駡，縱横肆出，淋漓極致而後已。小序所云：言之不足，故嗟嘆之；嗟嘆之不足，故永歌之；永歌之不足，不知手之舞之、足之蹈之也。至於手舞足蹈，則秦聲趙瑟，鄭衛遞代。觀者目搖神愕，而作者幽愁抑鬱之思爲之一快。然千載而下，讀其書，想其無聊寄寓之懷，愾然有餘悲焉。而一二俗人，乃以俳優小技目之，不亦異乎？

李漁《閒情偶寄》卷一《立主腦》 古人作文一篇，定有一篇之主腦。主腦非他，即作者立言之本意也。傳奇亦然。一本戲中，有無數人名，究竟俱屬陪賓。原其初心，止爲一人而設。即此一人之身，自始至終，離、合、悲、歡，中具無限情由，無窮關目，究竟俱屬衍文。原其初心，又止爲一事而設。此一人一事，即作傳奇之主腦也。然必此一人一事，果然奇特，實在可傳，而後傳之，則不媿傳奇之目，而其人、其事與作者姓名，皆千古矣。如一部《琵琶》，止爲蔡伯喈一人；而蔡伯喈一人，又止爲重婚牛府一事。其餘枝節，皆從此一事而生，二親之遭凶，五娘之盡孝，拐兒之騙財、匿書，張大公之疎財、仗義，皆由於此。是「重婚牛府」四字，即作《琵琶記》之主腦也。一部《西廂》，止爲張君瑞一人；而張君瑞一人，又止爲白馬解圍一事。其餘枝節，皆從此一事而生，夫人之許婚，張生之望配，紅娘之勇於作合，鶯鶯之敢於失身，與鄭恒之力爭原配而不得，皆由於此。是「白馬解圍」四字，即作《西廂記》之主腦也。餘劇皆然，不能悉指。後人作傳奇，但知爲一人而作，不知爲一事而作，盡此一人所行之事，逐節鋪陳，有如散金碎玉，以作零齣則可，謂之全本，則爲斷線之珠，無梁之屋，作者茫然無緒，觀者寂然無聲，無怪乎有識梨園望之而卻走也。此語未經提破，故犯者孔多。而今而後，吾知鮮矣。

又卷三《意取尖新》 「纖巧」二字，行文之大忌也，處處皆然，而獨不戒於傳奇一種。傳奇之爲道也，愈纖愈密，愈巧愈精。詞人忌在「老實」，「老實」二字，即「纖巧」之瞥家、敵國也。然「纖巧」二字，爲文人鄙賤，已久言之，似不中聽。易以「尖新」二字，則似變瑕成瑜。其實「尖新」即是「纖巧」，有猶之暮四朝三，未嘗稍異，同一話也。以「尖新」出之，則令人眉揚目展，有如聞所未聞；以「老實」出之，則令人意懶心灰，有如聽所不必聽。白有「尖新」之文，文有「尖新」之句，句有「尖新」之字，則列之案頭，不觀則已，觀則欲罷不能；奏之場上，不聽則已，聽則求歸不得，尤物足以移人。「尖新」二字，即文中之尤物也。

平步青《霞外攟屑・小棲霞說稗・觀劇詩》 《持雅堂詩集》(卷一)有《觀劇》五古一篇，中云：「《莊》、《列》愛荒唐，寓言著十九。傳奇祖其意，顛到賢與否。蔡邕孝廉人，《琵琶》遭擊掊；借以諷王四，於義猶有取。俗人不知書，逞肊造烏有。桓桓張士貴，功出仁貴右，無端目爲奸，毅魄遂含垢；楊業雖健將，潘美亦其偶，不制王侁兵，天馬變家狗；勸懲義何在？妖言惑黔首！」可爲正人吐氣。

余治《庶幾堂今樂自序》 古樂衰而梨園之曲興，原以傳忠孝節義之奇，使人觀感激發於不自覺，善以勸，惡以懲，殆與《詩》之美刺、《春秋》之筆削無以異，故君子有取焉。賢士大夫主持風教者，固宜默握其權，時與釐定，以爲警瞶覺聾之助。初非徒娛心適志已也，無如沿習既久，本旨漸失。賢士大夫既不暇留心及此，一任優伶子弟顛倒錯雜於其間，所演者遂多不甚切於懲勸。近世輕狂佻達之徒，又作爲誨淫誨盜諸劇，以悅時流之耳目：演《水滸傳》則以盜賊爲英雄，而奸民共生豔羨；演《西廂記》則以狹邪爲韻事，而少年羣效風流。其他一切導欲增悲不可爲訓者，且紛然雜出，使觀之者蕩心失魄，以假爲眞，而古人立教之意遂蕩焉無存，風教亦因以大壞。甚矣，樂章之興廢，實人心風化轉移向背之機，亦國家治亂安危之所係也。《周子通書》有云：「移風易俗，莫善於樂。」又云：「不復古禮，不變今樂，而欲至於治者遠矣！」竊以爲周子名世大儒，所見必非世故。古禮之復，誠非易易；若變今樂，則祗在賢士大夫一反手之間耳。當有宋之初，樂章之敗壞，未有甚於今日也；誨淫誨盜之風，亦未有如今日之極也，周子已重慮及此。則今日今樂之當變更何可緩耶？余不揣淺陋，擬善惡果報新戲數十種，一以王法天理爲主，而通之以俗情。意取勸懲，無當聲律，事期徵信，不涉荒唐。以之化導鄉愚，頗覺親切有味。自知下里巴人，不足當周郎一顧，而彰善癉惡，歷歷分明，觸目驚心，此爲最捷。於以佐聖天子維新之化，賢有司教育之窮，當亦不無小補也。孟子云：「王之好樂甚，則齊其庶幾乎！」天下之禍亟矣，師儒之化導既不見爲功，鄉約之奉行又歷久生厭。惟茲新戲，最洽人情，易移風俗，於是乎在，即以是爲蕩平之左券焉，亦何不可也？名曰《庶幾堂今樂》。庶幾哉，一唱百和，大聲疾呼，其於治也，殆庶幾乎！

又《庶幾堂今樂題辭》 嘆世人積習深非一朝，問狂瀾孰迴既倒？古文詞汗牛充棟，半多覆瓿蠹魚銷。學時髦自詡風流，見幾多豔曲淫辭，災梨禍棗，美少年習輕佻，傷風敗俗人心蠱毒此中包。所以俺近年來編幾本勸世文，帶病醫人，也不過是管中窺豹，只求他愚蒙易曉，初何敢效文人結習感憤更牢騷？《兔園冊》訓童蒙信手揮毫，猢猻王頭腦冬烘自吟自嘯，化愚民作歌唱聊自比候蟲時鳥，無暇細推敲。【略】再回想沒路跑，百折千迴，而今只得翻新調。老着臉粗着話，竊自願從梨園子弟一例混漁樵。遂演出新戲文，矢口成吟，把許多白雪陽春都變做常言道。【略】演一回唱一回，任他顧曲周郎批評我南腔北調。【略】悔當初瞎奔跑，經幾度秋風毰毸，科名何物催人老，把有限光陰、把有精神消磨多少！古樂淪亡，鞠部新腔多半是誨淫誨盜，致愚民觀而感教升猱防閑潰裂作奸悖亂此根苗。(自註：咸豐七年，山東東平州知府吳公獲盜，供稱結義兄弟已有一百零五人，照梁山水滸天罡地煞之數，各有混名，尚少三名，待一百零八人數滿，即將起事云云。始此夥謀反，都爲《水滸》所誤。幸早破案，得免大患。又有揚州某好點淫戲。一日看戲回，其女已隨廚夫逃逸，中途被獲解官，某立時氣死。)干天怒，壞人心，流毒貽殃釀成大劫何人曉？如洪水、如猛獸亂紛紛，誰司樂正尼山，不料有今朝。【略】(我)一腔心事託歌謠，安得遇有心人，題倡登高，主張風教領袖，我潤色隆平長言舞蹈。【略】並願得播絃管叶笙匏，轉瞬間默化潛移同風一道，即是我區區志與人同善，書生報國此勤勞。每日裏禱祀求願亂民聾瞶齊開，卜得他悔過投誠、改頭換面貌。庶幾乎化暴爲良，風移俗易，依舊是清平世界，普天率土頌簫韶。

徐珂《清稗類鈔・李笠翁曲部誓詞》 李笠翁家蓄伶人，嘗撰《曲部誓詞》，文曰：「竊聞諸子皆屬寓言，稗官好爲曲喻。《齊諧》、《志怪》，有其事豈必盡有其人；博望鑿空，詭其名焉得不詭其實。矧不肖硯言餬口，原非發憤而著書；筆蕊生心，匪託微言以諷世。不過借三寸枯管，爲聖天子粉飾太平；揭一片婆心，效老道人木鐸里巷。既有悲歡離合，難辭謔浪詼諧。加生旦以美名，既非市恩於有託；抹淨丑以花臉，亦屬調笑於無心。凡此點綴劇場，使不岑寂而已。但慮七情以內，無境不生；六合之中，何所不有。幻設一事，即有一事之假同；喬命一名，即有一名之巧合。焉知不以無基之樓閣，認爲有樣之胡盧。是以瀝血鳴神，剖心告世，稍有一辜所指，甘爲三世之瘖。即漏顯誅，難逋陰罰。作者自干於有赫，觀者幸諒其無他。

姚燮《今樂考證·著錄七》楊復吉云：「《春燈迷》末折收句曰：『認眞的請把這部傳奇仔細想。』蓋言己之附逆，不過錯認耳。因作四絕句題其後云：『窮途心事付紅牙，鬼蜮偏工舌粲花。世事何堪經幾錯，金甌撞破自君家。』『就錯曾封合算章，犬籬貝錦媚貂璫。不知悔過眞耶假，贏得金陵又破亡。』『蒼生貽誤衒邊才，誰把《春燈》啞謎猜？傀儡燈場淆鹿馬，南朝狎客一于鬛。』『舊事重提漫主臣，六州鑄鐵曲翻新。請公入甕《桃花扇》，粉墨還塗賣國人。』」【略】延陵姜紹書《韻石齋筆談》云：「崇禎末年，不惟文氣無弱，即新聲詞曲，亦皆靡靡亡國之音。阮圓海所度《春燈謎》、《雙金榜》、《牟尼合》、《燕子箋》諸樂府，音調旖旎，情文宛轉，而憑虛鑿空，半是無根之謊，殊鮮博大雄豪之致。」

楊悌《洞天玄記前序》《三百篇》之作，有益於風教，尚矣。世降俗末，今不古，若冬葛夏裘，不無恐泥。是以古詩之體，一變而爲歌吟律曲，再變而爲詩餘樂府，體雖不同，其感人則一也。世之好事者，因樂府之感，又捃摭故事，若忠臣烈士、義夫節婦、孝子順孫，編作戲文，被之聲容，悅其耳目，雖曰俳優末技，而亦有感人之道焉。波及瞿曇氏，亦有《西游記》之作，其言荒誕，智者斥其非，愚者信其眞。予常審思其說：其曰唐三藏者，謂己眞性是也；其曰豬八界者玄珠，謂目也；其曰孫行者猿精，謂心也；其曰白馬者，謂意白，即言其清靜也；其曰九度至流沙河，七度被沙和尚呑噉，沙和尚者，嗔怒之氣也；其曰常得觀世音救護，觀世音者，智慧是也；其曰「一陣香風，運歸本國」者，言成道之易也。人能先以眼力，看破世事，繼能鎖心猿，拴意馬，又以智慧而制嗔怒，伏群魔，即成道有何難哉？吁，什氏之用意密矣！惟夫道家者流，雖有韓湘子《藍關記》、《呂洞賓修仙》等記，雖足以化愚起懦，然於闡道則末也。吾師伯兄太史升庵，居滇一十七載，游神物外，遂倣道書作《洞天玄記》，與所謂《西游記》者同一意。其曰形山者身也，崑崙者頭也，六賊者心、意、眼、耳、口、鼻也，降龍伏虎者降伏身心也。人能如此，即仙道可冀矣。

夢夢生《櫻桃夢題詞》醇儒云：自古詞場狡獪，偏要在眞人前弄假，卻能使人認假成眞；在癡人前說夢，卻能使人因夢得覺。《櫻桃記》也，假也，眞也，夢也，覺也。然無眞不即假，無覺不由夢。夢因假而覺亦假，假因夢而眞亦夢也。

孫鍾齡《東郭記引》峨眉子曰：樂府之傳，其間節義廉耻，不過十之一耳，盡爲富貴利達者傳耳。既盡爲富貴利達者傳，則齊人老先生又安可不傳乎？况其二夫人更超超賢甚者乎！然予傳之，而中庭訕泣以後，多增益之者，何也？皆鄙夫子意也。蓋乞墦者必登壟，而妻妾之奉，宮室之美，所識窮乏者之得我，總皆大人所必至者耳。然而卒托之附於陵以終者，何也？則以齊人丈固猶可附于於陵也。蓋乞矣，而尙欲蓋之；爲之妻妾者知矣，而尙復羞之。如齊人生者，反可謂之陳仲子，而其妻其妾亦貴婦人中之辟纑人矣。又安可以不傳乎？嗟夫！假令吾孟老觀之，又不知嘆息何如矣。

削仙□《鸚鵡洲小序》傳奇，傳奇也，不過演奇事，暢奇情。而近世賢豪乃欲泄己之蓄抑，亦鼓人之艷慕，至推墮滉瀁中，則太奇爾。

洪九疇《三社記題辭》夫傳記之作，蓋以信今而傳後也。其間或以人傳，或以事傳。而宮調之叶，律音之諧，則在作者之明腔識譜，以爲傳播之淺深。金人以旋，多稱引往事，托寓昔人，借他酒杯，澆我壘塊，自可隨意上下，任筆揮灑，以故劇曲勘諸史傳往往不合。若今時用當事手筆譜當前情事，正如布帛菽粟隨人辨識，稍一語非是，一毫非眞，便與其人其事相遠，群起而攻其僞且謏，宜矣。故傳近事與傳昔人，其難易相去，正不只十倍也。

沈默《〈桃花扇〉跋》《桃花扇》一書，全由國家興亡大處感慨結想而成，非正爲兒女細事作也。大凡傳奇旨主意於風月，而起波於軍兵離亂。唯《桃花扇》乃先痛恨於山河遷變，而借波折於侯、李，讀者不可錯會，以致目迷於賓中之賓、主中之主。山人胸中有一段極大感慨，適然而遇侯、李之事，又適然而逢蘇、柳之輩，是以奇奇幻幻撰出全冊，當在野史之列，不應作戲曲觀。

浚儀散人《四名家傳奇摘出序》傳奇一道，世人每以香艷爲佳，而清新流麗，究不過閨中怨婦，佻達子矜，綺語柔腸而已。求其借管風弦月之詞，發胸中之磊落，如徐文長《四聲猿》、尤展成《西堂樂府》之作，殊不可多得。

【略】夫文章之道，援經據史，元借古人之行事，以抒一己之性情，况繪形設象，搜腔檢拍，而僅以束喉細語，打諢花唇，博紈綺當場之一笑，不亦陋哉。

福持齋主人《樂府新聲自序》 曲部自元迄今，無慮數十百種，雖洪纖異響，雅鄭殊科，而命意遣詞，要無非福善禍淫，揚清激濁。寫忠貞之冤苦，婦孺酸心；狀奸佞之陰私，頑愚切齒。修士反觀內省，即可作夜半鐘聲；英雄遭際無聊，借以澆胸中磊塊，偶爾微吟朗誦，大可悦性怡情。若快心媟嫚之淫辭，得意詼諧之虐謔，此讀曲者之誤會，非製曲者之初心也。

韻律

虞集《葉宋英自度曲譜序》 詩《三百篇》，皆可被之弦歌。或曰：《雅》、《頌》施之宗廟朝廷，《關雎》、《麟趾》爲房中之樂則是矣，桑間濮上之音，將何所用之哉？噫！歌永言，聲依永，律和聲，蓋未有出乎六律五音七均而可以成聲者。古者子生師出皆吹律以占之，蓋其進反之間、疏數之節、細微之辨，君子審之。是故鄭衛之音特其發於情、措諸詞有不善爾，聲必依律而後和，則無以異也。後世雅樂黄鐘之寸，卒無定説。今之俗樂，視夫以夾鐘爲律本者，其聲之哀怨淫蕩，又當何如哉？近世士大夫號稱能樂府者，皆依約舊譜，倣其平仄，綴緝成章，徒諧里耳則可。乃若文章之高者，又皆率意爲之，不可叶諸律不顧也。太常樂工，知以管定譜而撰詞，實腔又皆鄙俚，亦無足取。求如《三百篇》之皆可弦歌，其可得乎？

楊維禎《東維子文集·沈氏今樂府序》 或問：騷可以被弦乎？曰：騷，詩之流，詩可以弦，則騷其不可乎？或有曰：騷無古今，而樂府有古今，何也？曰：騷之下爲樂府，則亦騷之今矣；然樂府出於漢可以言古，六朝而下皆今矣，又况今之今乎？吁！樂府曰今，則樂府之去漢也遠矣。士之操觚於是者，文墨之游耳。其以聲文綴於君臣、夫婦、仙釋氏之典故，以驚人視聽，使癡兒女知有古今美惡成敗之勸懲，則出於關、庾氏傳奇之變。或者以爲治世之音，則辱國甚矣。吁！《關雎》、《麟趾》之化，漸漬於聲樂者，固若是其班乎？故曰今樂府者，文墨之士之游也。然而，媟邪、雅正、豪俊、鄙野，則亦隨其人品而得之。楊、盧、滕、李、馮、貫、馬、白，皆一代詞伯，而不能不游於是，雖依比聲調，而其格力雄渾正大，有足傳者。邇年以來，小叶俳輩類以今樂府自鳴，往往流於街談市諺之陋，有漁樵欸乃之不如者。吾不知又十年二十年後，其變爲何如也。

又《周月湖今樂府序》 士大夫以今樂成鳴者，奇巧莫如關漢卿、庾吉甫、楊淡齋、盧蘇齋，豪爽則有如馮海粟、滕玉霄，醞藉則有如貫酸齋、馬昂父。其體裁各異，而宫商相宣，皆可被於弦竹者也。繼起者不可枚舉，往往泥文采者失音節，諧音節者虧文采，兼之者實難也。夫詞曲本古詩之流，既以樂府名編，則宜有風雅餘韻在焉。苟專逐時變，競俗賤不自知，其流於街談市諺之陋，而不見夫錦臟繡腑之爲懿也，則亦何取於今之樂府可被於弦竹者哉？

朱權《太和正音譜》卷上 凡歌之所忌：子弟不唱作家歌，浪子不唱及時曲。男不唱艶詞，女不唱雄曲。南人不曲，北人不歌。凡人聲音不等，各有所長：有川嗓，有堂聲，背合簫管。有唱得雄壯的，失之村沙。唱得蘊拭的，失之乜斜。唱得輕巧的，失之閑賤。唱得本分的，失之老實。唱得用意的，失之穿鑿。唱得打掐的，失之本調。凡歌節病：有唱得困的，灰的，涎的，叫的，大的。有樂府聲，撒錢聲，拽鋸聲，猫叫聲，不入耳，不着人，不徹腔，不入調，工夫少，遍數少，步力少，官場少，字樣訛，文理差，無叢林，無傳授。嗓拗，劣調，落架，漏氣。有唱聲病：散散，焦焦，乾乾冽冽，啞啞，嗄嗄，尖尖，低低，雌雌，雄雄，短短，憨憨，濁濁，赸赸，有：落嗓，囊鼻，搖頭，歪口，合眼，張口，撮唇，撇口，昂頭，咳嗽。凡添字節病：則他，兀那，是他家，俺子道，我不見，兀的，不呢，一條了，唇撒了，一片了，團圞了，破孩了，茄子了。

又 大槩作樂府切忌有傷於音律，乃作者之大病也。且如女眞《風流體》等樂章，皆以女眞人音聲歌之，雖字有舛訛，不傷於音律者，不爲害也。大抵先要明腔，後要識譜。審其音而作之，庶不有忝於先輩焉。且如詞中有字多難唱處，橫放傑出者，皆是才人拴縛不住的豪氣。然此若非老於文學者，則爲劣調矣。【略】凡唱最要穩當，不可做作，如：咂唇、搖頭、彈指、頓足之態；高低、輕重、添減太過之音，皆是市井狂悖之徒，輕薄淫蕩之聲，聞者能亂人之耳目，切忌不可。優伶以之，唱若遊雲之飛太空，上下無礙，悠悠揚揚，出其自然，使人聽之，可以頓釋煩悶，和悦性情，通暢血氣，此皆天生正音，是以能合人之性情，得者以之故曰：「一聲雖到融神處，毛骨蕭然六月寒。」【略】秦青、薛譚、韓秦娥、沈古之、石存符，此五人，歌聲一遏，行雲不流，木葉皆墜，得其五音之正，故能感物化氣故也。古有兩家之唱，芝庵增入「喪門」之歌爲三家。道家所唱者，飛馭天表，游覽太虛，俯視八紘，志在沖漠之上，寄傲宇宙之間，慨古感今，有樂道徜徉之情，故曰「道情」。儒家所唱者性理，衡門樂道，隱居以曠其志，泉石之興。僧家所唱者，自梁方有「喪門」之歌，初謂之「頌偈」，「急急修來急急修」之語是也，不過乞食抄化之語，以天堂地獄之說，愚化世俗故也。至宋末，亦唱樂府之曲，笛內皆用之。元初，讚佛亦用之。【略】歌之格調：抑揚頓挫，頂疊垛換，縈紆牽結，敦拖嗚咽，推題丸轉，搖欠遏透。歌之節奏：停聲，待拍，偷吹，拽棒，字真，句篤，依腔，貼調。凡歌一聲，聲有四節：起末，過度，搵簪，攧落。凡歌一句，聲自有一聲平，一聲背，一聲圓。聲要圓熟，腔要徹滿。凡一曲中，各有其聲：變聲，敦聲，杌聲，啀聲，困聲。三過聲：有偷氣，取氣，換氣，歇氣，就氣，愛者有一口氣。歌聲變件，有：衮，序，引，三臺，破子，遍子，攧落，實催，全篇。尾聲，有：賺煞，隨煞，隔煞，羯煞，本調煞，拐子煞，三煞，七煞。

何良俊《四友齋叢說》卷三七　《西廂記》越調「彩筆題詩」用侵尋韻，本閉口，而「眉帶遠山鋪翠，眼横秋水無塵」誤入真文韻。如朱仲誼辭寫《鴛鴦塚》黄鐘「羞對鶯花綠窗掩」，通篇俱閉口，用韻甚好。樂府辭，伎人傳習，皆不曉文義。中間固有刻本原差，因而承謬者；亦有刻本原不差，而文義稍深，伎人不解，擅自改易者。如《兩世姻緣・金菊香》云：「眼皮眉黛不分明。」今人都作「眼皮」。一日小鬟唱此曲，金在衡聞唱「波」字，撫掌樂甚，云：「吾每對伎人說此字，俱不肯聽。公能正之，殊快人意。」二十換頭《尾聲》臨了一句「煞强似應底關河路兒遠」，余疑「應」字文義不通，思欲正之，終不得其字。一日偶看《太和正音譜》，觀關漢卿《侍香金童》內有「雁底關河，馬頭明月」之句，蓋雁飛無不到，其底下之關河，言甚遠也。二十換頭亦關漢卿詞，蓋漢卿慣用此語，其爲「雁底」無疑。老頓於《中原音韻》、《瓊林雅韻》終年不去手，故開口、閉口與四聲陰、陽字，八九分皆是。文義欠明，時有差處，如馬東籬《孤雁漢宮秋》，其雙調《尾聲》云：「載離恨的氈車半坡裏響。」氈字，他教作閉口。余言：「氈字當開口。」他說：「頓仁於韻上考索極詳，此字從『占』，當作閉口。」余曰：「若是從占，果當作閉口；但此是寫書人從省耳，此字原從『亶』，亶是開口，汝試檢『氈』字正文，無從占者。」渠始信，教作開口。老頓云：「南曲中如『雨歇梅天』，《呂蒙正》內『紅粧豔質』，《王祥》內『夏日炎炎』，《殺狗》內『千紅百翠』，此等謂之慢詞，教坊不隸琵琶箏色，乃歌章色所肄習者。南京教坊歌章色久無人，此曲都不傳矣。」余令老頓教《伯喈》一二曲，渠云：「《伯喈》曲某都唱得，但此等皆是後人依腔按字打將出來，正如善吹笛管者，聽人唱曲，依腔吹出，謂之『唱調』，然不按譜，終不入律。況絃索九宮之曲，或用滾絃、花和、大和釤絃，皆有定則，故新曲要度入亦易。若南九宮原不入調，間有之，只是小令。苟大套數，既無定則可依，而以意彈出，如何得是？且笛管稍長短其聲，便可就板；絃索若多一彈，或少一彈，則仐板矣，其可率意爲之哉！」【略】南戲自《拜月亭》之外，如《呂蒙正》「紅粧豔質，喜得功名遂」，《王祥》內「夏日炎炎，今日個最關情處，路遠迢遥」，《殺狗》內「千紅百翠」，《江流兒》內「崎嶇去路賒」，《南西廂》內「團團皎皎」、「巴到西廂」，《翫江樓》內「花底黄鸝」，《子母冤家》內「東野翠烟消」，《詐妮子》內「春來麗日長」，皆上絃索。此九種，即所謂戲文，金、元人之筆也，詞雖不能盡工，然皆入律，正以其聲之和也。夫既謂之辭，寧聲叶而辭不工，無寧辭工而聲不叶。曲至緊板，即古樂府所謂「趨」。趨者，促也。絃索中大和絃是慢板，至花和絃則緊板矣。北曲如中呂至《快活三》臨了一句，放慢來接唱《朝天子》；正宮至《呆骨都》，雙調至《甜水令》，仙呂至《後庭花》，越調至《小桃紅》，商調至《梧葉兒》，皆大和，又是慢板矣，緊慢相錯，何等節奏！南曲如《錦堂月》後《僥僥令》，《念奴嬌》後《古輪臺》，《梁州序》後《節節高》，一緊而不復收矣。

徐復祚《曲論》　詩有詩韻，曲有曲韻。詩韻則沈隱侯之四聲，自唐至今，學人韻士兢兢守如三尺，罔敢踰越；曲韻則周德清之《中原音韻》，元人無不宗之。曲之不可用詩韻，亦猶詩之不敢用曲韻也。假如今有詩人於此，取上平十三元一韻，以「元、軒、冕」等字與「先」韻叶，以「昆、溫、門、孫」等字與「真」韻叶，以「煩、幡、潘、藩」等字與「寒」、「删」二韻叶，不幾咲破人口乎？何至於曲，而獨可通融假借也？且不用韻，又奚難作焉？今以東嘉《瑞鶴仙》一闋言之：首句「火」字，又下「和」字，歌麻韻也；中間「馬、化、下」三字，家麻韻也；「日」字，齊微韻也；「旨」字，支思韻也；「也」字，車遮韻也；一闋通止八句，而用五韻。假如今人作一律詩而用此五韻，成何格律乎？吟咀在口，堪聽乎？不堪聽乎？通本不出韻乎，寂寂不可多得，「飛絮沾衣」外，「簾幕風柔」止出一韻（末句「謀」字），「綠成陰」，「玳筵開處」，「思量那日」，四五套而已矣。若其使事，大有謬處，《叨叨令》末句云「好一似小秦王三跳澗」，《鮑老催》句「畫堂中富貴如金谷」，不應伯喈時已有唐文皇、石季倫也。《賞荷》齣內《燒夜香》末句云「卷起簾兒，明月正上」，明明是夜景矣，何以下《梁州序》云「晝長人靜好清閑，忽被棋聲驚晝眠」？又第四闋內「柳陰中忽噪新蟬，見流螢飛來庭院」，蟬聲不應與螢火並出。或人曲護其短，乃曰：「此通一日而言。」此大不通之論。一日之間，自有定序，從早而午，從午而暮，未有早而倏暮，暮又午也。或又以《賞荷》、《賞月》俱非東嘉作，乃朱教諭增入。【略】何元朗（良俊）謂施君美《拜月亭》勝於《琵琶》，未爲無見。《拜月亭》宮調極明，平仄極叶，自始至終，無一板一折非當行本色語，此非深於是道者不能解也。弇州乃以「無大學問」爲一短，不知聲律家正不取于弘詞博學也；又以「無風情、無裨風教」爲二短，不知《拜月》風情本自不乏，而風教當就道學先生講求，不當責之騷人墨士也。用修之錦心繡腸，果不如白沙鳶飛魚躍乎？又以「歌演終場不能使人墮淚」爲三短，不知酒以合歡，歌演以佐酒，必墮淚以爲佳，將《薤歌》、《蒿里》盡侑觴具乎？【略】我吳音宜幼女清歌按拍，故南曲委宛清揚。北音宜將軍鐵板歌「大江東去」，故北曲硬挺直截。今學士大夫凡爲文章，騷、賦、銘、誄、詩、詞，所斤斤奉若三尺，不敢一字相假者，非沈約《四聲韻》乎？其金、元詞曲、傳奇、樂府，始宗周德清《中原音韻》，特作詞人與歌工集之耳，學士大夫不知也。然二公之韻，大有可商。【略】大率吾輩爲唐律、絕句，自應用唐韻；爲古體，自應用古韻；若夫作曲，則斷當從《中原音韻》，一入沈約四聲，如前所拈出數處，不但歌者棘喉，聽者亦自逆耳。試觀元人馬、關、王、鄭諸公雜劇，有是病否？或曰：「若然，則『新篁池閣』，當作『池果』唱乎？恐笑破人口也。」曰：「不然。以『閣』字輕出，而後收之以果。此在凡入聲皆然，不但一『閣』字，觸類可通。此唯吾友秦季公知之，近唯松陵沈平輿；若張伯起，則純是庚青零丁齒音矣。」

魏良輔《曲律》　擇具最難，聲色豈能兼備？但得沙喉響潤，發于丹田者，自能耐久。若發口拗劣，尖齆沉鬱，自非質料，勿枉費力。初學，先從引發其聲響，次辨別其字面，又次理正其腔調，不可混雜強記，以亂規格。如學《集賢賓》，只唱《集賢賓》；學《桂枝香》，只唱《桂枝香》，久久成熟，移宮換呂，自然貫串。五音以四聲爲主，四聲不得其宜，則五音廢矣。平上去入，逐一考究，務得中正，如或苟且舛誤，聲調自乖，雖具繞梁，終不足取。其或上聲扭做平聲，去聲混作入聲，交付不明，皆做腔賣弄之故，知者辨之。生曲貴虛心玩味，如長腔要圓活流動，不可太長；短腔要簡徑找絕，不可太短。至如過腔接字，乃關鎖之地，有遲速不同，要穩重嚴肅，如見大賓之狀。拍，迺曲之餘，全在板眼分明。如迎頭板，隨字而下；徹板，隨腔而下；絕板，腔盡而下。有迎頭慣打徹板，絕板，混連下一字迎頭者，此皆不能調平仄之故也。曲須要唱出各樣曲名理趣，宋元人自有體式。如：《玉芙蓉》、《玉交枝》、《玉山供》、《不是路》要馳驟。《針線箱》、《黃鶯兒》、《江頭金桂》要規矩。《二郎神》、《集賢賓》、《月雲高》、《念奴嬌序》、《刷子序》要抑揚。《撲燈蛾》、《紅繡鞋》、《麻婆子》雖疾而無腔，然而板眼自在，妙在下得勻淨。雙疊字，上兩字接上腔，下兩字稍離下腔。如《字字錦》「思思想想，心心念念」，又如《素帶兒》「他生得齊齊整整，裊裊停停」之類。至單疊字，比雙疊字不同，全在頓挫輕便。如《尾犯序》「一旦冷清清」之類，要抑揚。於此演繹，方得意味。清唱，俗語謂之「冷板櫈」，不比戲場藉鑼鼓之勢。全要閒雅整肅，清俊溫潤。其有專于磨擬腔調，而不顧板眼；又有專主板眼而不審腔調，二者病則一般。惟腔與板兩工者，乃爲上乘。至如面上發紅，喉問筋露，搖頭擺足，起立不常，此自關人器品，雖無與于曲之工拙，然能成此，方爲盡善。【略】北曲以遒勁爲主，南曲以宛轉爲主，各有不同。至於北曲之絃索，南曲之鼓板，猶方圓之必資於規矩，其歸重一也。故唱北曲而精于《呆骨朵》、《村里迓鼓》、《胡十八》，南曲而精于《二郎神》、《香偏滿》、《集賢賓》、《鶯啼序》；如打破兩重禪關，餘皆迎刃而解矣。北曲與南曲，大相懸絕，有磨調、絃索調之分。北曲字多而調促，促處見筋，故詞情多而聲情少。南曲字少而調緩，緩處見眼，故詞情少而聲情多。北力在絃索，宜和歌，故氣易粗。南力在磨調，宜獨奏，故氣易弱。近有絃索唱作磨調，又有南曲配入絃索，誠爲方底圓蓋，亦以坐中無周郎耳。曲有三絕：字清爲一絕，腔純爲二絕，板正爲三絕。曲有兩不難：南曲不可雜北腔；北曲不可雜南字。曲有五不可：不可高，不可低，不可重，不可輕，不可自做主張。曲有五難：開口難，出字難，過腔難，低難，轉收入鼻音難。曲有兩不辨：不知音者不可與之辨，不好者不可與之辨。聽曲不可喧嘩，聽其吐字、板眼、過腔得宜，方可辨其工拙。不可以喉音清亮，便爲擊節稱賞。大抵矩度既正，巧由熟生，非假師傳，實關天授。絲竹管絃，與人聲本自諧合，故其音律自有正調，簫管以尺工儷詞曲，猶琴之勾剔，以度詩歌也。今人不知探討其中義理，強相應和，以音之高而湊曲之高，以音之低而湊曲之低，反足淆亂正聲，殊爲聒耳。陳可琴云：「簫有九不吹：不入調，非作家，唱不定，音不正，常換調，腔不滿，字不足，成羣唱，人不靜，皆不可吹。」正有鑒于此也。

程明善《嘯餘譜序》 人有嘯而後有聲，有聲而後有律、有樂，流而爲樂府、爲詞曲，皆其聲之緒餘也。故邵子謂：物理無窮，而聲音之道亦無窮，以聲起數，御天地古今萬物之變。黃冠符呪，亦有其聲，而無其字。梵門密語，雖有其字，而難其聲。往往宗司馬等韻，吾儒反鮮有及者，幾希一脈不絕如綫。吾甚惜之。【略】聲音之道神矣哉。鐸聲振而黃鐘應，溫氣至而寒谷生，登樓清嘯，胡騎解圍，池上聲調，蕤賓躍出。至於走電奔雷，興雲致雨，閉泄陰陽，役使鬼神，孰非聲爲之耶？師曠歌南風而知楚師之不競，寶常聞新樂而識隋祚之不長。大抵盛世之聲安以樂，其氣和，其風平；衰世之聲哀以厲，其情佚，其志淫。聲自可知，而人自不知之，安能望其通天地、質鬼神哉？《易》曰：「同聲相應，同氣相求。」良有以也。

徐渭《南詞叙錄》 南曲固無宮調，然曲之次第，須用聲相隣以爲一套，其間亦自有類輩，不可亂也，如《黃鶯兒》則繼之以《簇御林》，《畫眉序》則繼之以《滴溜子》之類，自有一定之序，作者觀於舊曲而遵之可也。南之不如北有宮調，固也；然南有高處，四聲是也。北雖合律，而止於三聲，非復中原先代之正。周德清區區詳訂，不過爲胡人傳譜，乃曰「中原音韻」，夏蟲、井蛙之見耳！【略】今昆山以笛、管、笙、琵按節而唱南曲者，字雖不應，頗相諧和，殊爲可聽，亦吳俗敏妙之事。或者非之，以爲妄作，請問《點絳唇》、《新水令》，是何聖人著作？【略】散套中佳者尤少，如「燕翅南飛」（此一套相傳爲鐵布政作）、「爲人莫作」、「弓弓鳳鞋」之類，俗而可厭。惟「窺青眼」、「簫聲喚起」、「羣芳綻錦」四五套可觀，然大歇占尾，用事重沓，亦太滯。凡唱，最忌鄉音。吳人不辨清、親、侵三韻，松江支、朱、知，金陵街、該、生、僧，揚州百、卜，常州卓、作、中、宗，皆先正之而後唱可也。曲有本平韻者亦可作入韻，《高陽臺》、《黃鶯兒》、《畫眉序》、《蝦蟆序》之類是也；有本入韻不可作平者，《四邊靜》是也，其他平韻不可作入者甚多。【略】凡曲引子，皆自有腔，今世失其傳授，往往作一腔直唱，非也。若《晝錦堂》與《好事近》，引子同，何以爲清、濁、高、下？然不復可考，惜哉！

安肅《雍熙樂府序》 夫樂府之名起於漢，是後代有作者，體制漸嚴，至於今日獨益精，斯乃文詞之最工，聲律之大備也。其體制有十七宮調，曰仙呂調，曰南呂宮，曰中呂宮，曰黃鐘宮，曰正宮，曰道宮，曰大石，曰小石，曰高平，曰般涉，曰揭指，曰商角，曰雙調，曰商調，曰角調，曰宮調，曰越調，皆因天地自然之音，定腔命名，各從其屬。一句之內，不可亂下一字；一調之中，不可混施一曲。自非高才博學妙解音律者，不能按腔塡詞，使情明語暢，穩諧樂府。何者？蓋前人閱歷既多，腔譜已定，聲分平仄，字別陰陽，至精至備，本不可易。故於措詞之間，其字其音一有出入，即非家法，弗愜人心，何以傳久遠、被弦管哉？故此爲詞林之絕技，藝苑之至難也。文人才士，往往難言之，求其究心精專、獨臻其妙者，代不數人而已。由是傳授既寡，樂教遂微。

《湯顯祖詩文集》卷四七《答呂姜山》 凡文以意趣神色爲主。四者到時，或有麗詞俊音可用，爾時能一一顧九宮四聲否？如必按字模聲，卽有窒滯迸拽之苦，恐不能成句矣。

又《答凌初成》 上自葛天，下至胡元，皆是歌曲。曲者，句字轉聲而已。葛天短而胡元長，時勢使然。總之，偶方奇圓，節數隨矣。四六之言，二字而節，五言三，七言四，歌詩者自然而成。乃至唱曲，三言四言，一字一節，故爲緩音，以舒上下長句，使然而自然也。獨想休文聲病浮切，發乎曠聰，伯琦四聲無入，通乎朔響。安詩塡詞，率履無越。不佞少而時習之，衰而未融。乃辱足下流賞，重以大制五種，緩隱濃淡，大合家門。至於才情爛熳陸離，嘆時道古，可笑可悲，定時名手。不佞《牡丹亭記》，大受呂玉繩改竄，云便吳歌。不佞啞然笑曰：昔有人嫌摩詰之冬景芭蕉，割蕉加梅，冬則冬矣，然非摩詰冬景也。其中駘蕩淫夷，轉在筆墨之外耳。

茅暎《題牡丹亭記》 說者曰：詩《三百篇》，變而爲樂府，樂府變而爲詞，詞又變而爲曲，逮至曲而詩亡矣。不知詩之亡也，亦音不叶律，辭不該洽，情不極至，而徒爲嘽緩靡曼之響耳。余幼讀季札之觀樂，子野之覘楚，與夫開皇大業《房中》、《清夜》諸曲，識者每於此窺治忽，心竊領之。繼而進秦七，揖柳郎，而登清照，心又竊艷之。因彙《金荃》、《蘭畹》諸集，遴較諸名家合作，爲《詞的》一刻。爰考九宮十三調，以旁及於曲，使曲不掩詞，詞不掩樂府，去《三百篇》又豈遠也？但南音北調，不啻充棟，而獨有取於《牡丹亭》一記，何耶？吾以家弦而戶習，聲遏行雲，響流淇水者，往哲已具論。第曰傳奇者，事不奇幻不傳，辭不奇艷不傳。其間情之所在，自有而無，自無而有，不磈奇愕眙者亦不傳，而斯記有焉。夢而死也，能雪有情之涕；死而生也，頓破沉痛之顔；雅麗幽艷，燦如霞之紛披而花之旖旎矣。論者乃以其生不踏吳門，學未窺音律，局故鄉之聞見，按無節之弦歌，幾爲元人所笑，不大難爲作者乎！大都有音卽有律，律者法也，必合四聲，中七始，而法始盡。有志則有辭，曲者志也，必藻繪如生，顰笑悲涕，而曲始工。二者固合則幷美，離則兩傷。但以其稍不諧叶而遂訾之，是以折腰齲齒者攻於音，則謂夷光、南威不足妍也，吾弗信矣。試考元以曲取士，猶分十二科，豈非兼才難，而作者之精神難昧乎？

沈璟《博笑記·二郎神套曲》 《二郎神》何元朗，一言兒啓詞宗寶藏，道欲度新聲休走樣，名爲樂府，須教合律依腔。寧使時人不鑒賞，無使人撓喉捩嗓。說不得才長，越有才越當着意斟量。《前腔》參詳，含宮泛徵，延聲促響，把仄韻平音分幾項。倘平音窘處，須巧將入韻埋藏。這是詞隱先生獨秘方，與自古詞人不爽。若是調飛揚，把去聲兒塡他幾字相當。《囀林鶯》詞中上聲還細講，比平聲更覺微茫。去聲正與分天壤，休混把仄聲字塡腔。析陰辨陽，卻只有那平聲分黨，細商量，陰與陽還須趁調低昂。《前腔》用律詩句法須審詳，不可廝混詞場。《步步嬌》首句堪爲樣，又須將《懶畫眉》推詳，休教鹵莽，試一比類，當知趨向。豈荒唐，請細閱《琵琶》，字字平章。《啄木鸝》《中州韻》，分類詳，《正韻》也因他爲草創。今不守《正韻》塡詞，又不遵中土宮商，製詞不將《琵琶》倣，卻駕言韻依東嘉樣。這病膏肓，東嘉已誤，安可襲爲常！《前腔》北詞譜，精且詳，恨殺南詞偏費講，今始信舊譜多訛，是鯫生稍爲更張，改弦又非翻新樣，按腔自然成絕唱。語非狂，從教顧曲，端不怕周郎。《金衣公子》奈獨力怎提防，講得口唇干，空鬧攘。當筵幾度添惆悵，怎得詞人當行，歌客守腔，大家細把音律講。自心傷，蕭蕭白髮，誰與共雌黃？《前腔》曾記少陵狂，道細論詩晚節詳。論詞亦豈容疏放？縱使詞出繡腸，歌稱繞梁，倘不諧律呂也難褒獎。耳邊廂，訛音俗調，羞問短和長。《尾聲》吾言料沒知音賞，這流水高山逸響，直待後世鍾期也不妨。

臧懋循《元曲選序二》 北曲有十七宮調，而南止九宮，已少其半。至於一曲中有突增數十句者，一句有襯貼數十字者，尤南所絕無，而北多以是見才，自非精審於字之陰陽、韻之平仄，鮮不劣調。而況以吳儂強效傖父喉吻，焉得不至河漢？此則音律諧叶之難。總之，曲有名家，有行家。名家者，出入樂府，文彩爛然，在淹通閎博之士，皆優爲之。行家者，隨所妝演，無不摹擬曲盡，宛若身當其處，而幾忘其事之烏有，能使人快者掀髯，憤者扼腕，悲者掩泣，羨者色飛，是惟優孟衣冠，然後可與於此。故稱曲上乘首曰當行。不然，元何必以十二科限天下士，而天下士亦何必各占一科以應之，豈非兼才之難得而行家之不易工哉？予嘗見王元美《藝苑卮言》之論曲，有曰：「北曲字多而聲調緩，其筋在弦；南曲字少而聲調繁，其力在板。」夫北之被弦索，猶南之合簫管，摧藏掩抑，頗足動人，而音亦裊裊與之俱流，反使歌者不能自主，是曲之別調，非其正也。若板以節曲，則南北皆有力焉。如謂北筋在弦，亦謂南力在管可乎？惜哉元美之未知曲也！繇斯以評，新安汪伯玉《高唐》、《洛川》四南曲，非不藻麗矣，然純作綺語，其失也靡。山陰徐文長「禰衡」、「玉通」四北曲非不伉爽矣，然雜出鄉語，其失也鄙。豫章湯義仍，庶幾近之，而識乏通方之見，學罕協律之功，所下句字，往往乖謬，其失也疏。他雖窮極才情，而面目愈離，按拍者既無繞梁遏雲之奇，顧曲者復無輟味忘倦之好，此乃元人所唾棄而戾家畜之者也。予故選雜劇百種，以盡元曲之妙，且使今之爲南者，知有所取則云爾。

王驥德《曲律自序》 曲何以言律也？以律譜音，六樂之成文不亂；以律繩曲，七均之從調不姦。方伶倫吹竹之初，迨後夔拊石之始，爲聲僅五，爲律僅十有二，何約也？至房中肇於唐山，水尺奏於寶常，於是布法益密，演數愈繁，調至八十有四，律至百四十有四，聲至一千有八，其變不勝窮焉。變極必反之元，數窮必趨於約，於是唐之孝孫、宋之劉几以暨完顔之金、蒙古之元漸省之，以止於六宮十一調。是六宮十一調者，第語被絃應索之詞，非槩宮懸廟假之奏也。然《康衢》之歌，興自野老，《關雎》之咏，采之《國風》，不曰「今之曲卽古之樂」哉。粵自北詞變爲南曲，易忼慨爲風流，更雄勁爲柔曼，所謂「地氣自北而南」，亦云「人聲繇健而順」。吹萬之衡，握之造化；狎主之勢，成之賢豪。惟是元周高安氏有《中原音韻》之創，明涵虛子有

《太和詞譜》之編，北士恃爲指南，北詞稟爲令甲，厥功偉矣。至於南曲，鵾鶤之陳久廢，刁斗之設不閑。綵筆如林，盡是嗚嗚之調；紅牙迭響，秖爲靡靡之音。俾太古之典刑，斬於一旦；舊法之澌滅，悵在千秋。猥當齠齔之年，輒有絲肉之嗜。蕭齋讀罷，或辨吹緹；芸館文閒，時供擊節。浸淫歲月，稍窺涓埃，詎敢謂苟勗之多諧，庶幾徼周郎之一顧。

又《曲律·論調名第三》 曲之調名，今俗曰「牌名」，始於漢之《朱鷺》、《石流》、《艾如張》、《巫山高》，梁、陳之《折楊柳》、《梅花落》、《雞鳴高樹巔》、《玉樹後庭花》等篇，於是詞而爲《金荃》、《蘭畹》、《花間》、《草堂》諸調，曲而爲金、元劇戲諸調。北調載天台陶九成《輟耕錄》及國朝涵虚子《太和正音譜》，南調載毘陵蔣維忠(名孝，嘉靖中進士)《南九宮十三調詞譜》，今吳江詞隱先生(姓沈，名璟。萬曆中進士)又釐正而增益之者，諸書臚列甚備。然詞之與曲，實分兩途。間有采入南、北二曲者：北則於金而小令如《醉落魄》、《點絳唇》類，長調如《滿江紅》、《沁園春》類，皆仍其調而易其聲，於元而小令如《青玉案》、《搗練子》類，長調如《瑞鶴仙》、《賀新郎》、《滿庭芳》、《念奴嬌》類，或稍易字句，或止用其名而盡變其調；南則小令如《卜算子》、《生查子》、《憶秦娥》、《臨江仙》類，長調如《鵲橋仙》、《喜遷鶯》、《稱人心》、《意難忘》類，止用作引曲，過曲如《八聲甘州》、《桂枝香》類，亦止用其名而盡變其調。至南之於北，則如金《玉抱肚》、《豆葉黃》、《剔銀燈》、《繡帶兒》類，如元《普天樂》、《石榴花》、《醉太平》、《節節高》類，名同而調與聲皆絶不同。其名則自宋之詩餘，及金之變宋而爲曲，元又變金而一爲北曲，一爲南曲，皆各立一種名色，視古樂府，不知更幾滄桑矣(以下專論南曲)。其義則有取古人詩詞句中語而名者，如《滿庭芳》則取吳融「滿庭芳草易黃昏」，《點絳唇》則取江淹「明珠點絳唇」，《鷓鴣天》則取鄭嵎「家在鷓鴣天」，《西江月》則取衛萬「只今惟有西江月，曾照吳王宮裏人」，《浣溪沙》則取少陵詩意，《青玉案》則取《四愁》詩語，《粉蝶兒》則取毛澤民「粉蝶兒共花同活」，《人月圓》則用王晉卿「年年此夜，華燈盛照，人月圓時」之類。有以地而名者，如《梁州序》、《八聲甘州》、《伊州令》之類。有以音節而名者，如《步步嬌》、《急板令》、《節節高》、《滴溜子》、《雙聲子》之類。其他無所取義，或以時序，或以人物，或以花鳥，或以寄托，或偶觸所見而名者，紛錯不可勝紀。而又有雜犯諸調而名者，如兩調合成而爲《錦堂月》，三調合成而爲《醉羅歌》，四、五調合成而爲《金絡索》，四、五調全調連用而爲《雁魚錦》；或明曰《二犯江兒水》、《四犯黃鶯兒》、《六犯清音》、《七犯玉玲瓏》；又有八犯而爲《八寶粧》，九犯而爲《九疑山》，十犯而爲《十樣錦》，十二犯而爲《十二紅》，十六犯而爲《一秤金》，三十犯而爲《三十腔》類。又有取字義而二三調合爲一調，如《皂袍罩黃鶯》、《鶯集御林春》類；有每調只取一字，合爲一調，如《醉歸花月渡》、《浣沙劉月蓮》類(見《新譜》，詞隱自製)。又有一調，分屬二宮，而聲各不同，如《小桃紅》一在正宮，一在越調。《紅芍藥》一在南呂宮，一在中呂宮類；有一調二名，如《素帶兒》又名《白練序》，《黃鶯兒》又名《金衣公子》類；有初本一調，後各傳而致句字增減不同，如《普天樂》、《錦纏道》類；有古體無考，俗傳增減句字，至繁聲過多，不可遵守，如《越恁好》、《雌雄畫眉》類；有其調存而宮調無可考，如《三仙橋》、《勝如花》類；有調名傳訛，字義不通，無可考正，如《奉時春》、《十破四》類；有其名存而本調無可考，如《小秀才》、《大夫娘》類；有其名存而腔久不傳，如《四塊金》、《嬌鶯兒》類；有二調句字相似，無可分別，如《青衲襖》、《紅衲襖》類；有各宮調有《賺》，而僅存一二，餘無可考類；有字面差訛，致失本意，如《生查子》，查，古「槎」字，用張騫乘槎事；《玉抱肚》，唐人呼帶爲抱肚，宋真宗賜王安石有玉抱肚，今訛爲《玉胞肚》；《醉公子》，唐人以咏公子，今訛爲《醉翁子》；《朝天紫》，本牡丹名，見陸游《牡丹譜》，今訛爲《朝天子》類。至古有所謂《纏令》、《入破》、《出破》之類，則按沈括《筆談》謂：「古樂府皆有聲有詞，連屬書之，如曰『賀賀賀』、『何何何』之類，皆和聲也。今絃管纏聲，亦其遺法。」則董解元古《西廂記》中所謂《醉落魄纏令》、《點絳唇纏令》正此法，紘索有和聲故也。《明皇雜錄》載：「天寶中多以邊地名曲，如《涼州》、《甘州》、《伊州》之類，其曲遍繁聲，名『入破』，後其地皆爲西番破沒。」則今曲所謂《入破》、《出破》，蓋以調有繁聲故也。又古曲有「豔」、有「趨」，豔在曲之前，趨在曲之後。楊用脩謂豔在曲前，即今之「引子」；趨在曲後，即今之「尾聲」是也。沈括又言：「曲有犯聲、側聲、正殺、寄殺、偏字、傍字、雙字、半字之法。」《樂典》言：「相應謂之『犯』，歸宿謂之『煞』。」今十三調譜中，每調有賺犯、攤犯、二犯、三犯、四犯、五犯、六犯、七犯、賺、道和、傍拍，凡十一則，係六攝，每調皆有因，其法今盡不傳，無可考索，蓋正括所謂「犯聲」以下諸法。然此所謂「犯」，皆以聲言，非如今以此調犯他調之謂也。至有一調名而兩用，以此引曲，卽以此爲過曲，如《琵琶記》之《念奴嬌》引曲「楚天過雨」云云，而下過曲「長空萬里」，則省曰《本序》，言本上曲之《念奴嬌》也；《拜月亭》之《惜奴嬌》引曲「禍不單行」云云，而下過曲「自與相别」，亦省曰《本序》；又《夜行船》引曲「六曲闌干」云云，而下過曲「春思懨懨」，亦省曰《本序》，亦言本上之《惜奴嬌》與《夜行船》也。然則《琵琶記》之《祝英臺》、《尾犯》、《高陽臺》三曲，皆以此引，以此過，皆可謂之《本序》。今卻不然，而或於「新篁池閣」一曲，則亦署曰《本序》，不知前有《梁州令》引，則此可曰《本序》，今前引係他曲，而亦以《本序》名之，則非也。又登場首曲，北曰「楔子」，南曰「引子」；引子曰「慢詞」，過曲曰「近詞」。曲之第二調，北曰「幺」，南曰「前腔」，曰「换頭」。「前腔」者，連用二首，或四、五首，一字不易者是也。「换頭」者，换其前曲之頭，而稍增減其字，如《錦堂月》、《念奴嬌序》，則换首句，《鎖南枝》、《二郎神》則並换其腹之第四、第五句（「人别後」散套，第二調「爭奈話别匆匆，雨散雲收」，與首調「夕陽影裏，見一簇寒蟬衰柳」，下句六字不同），《朝元令》則第一、第二、第三、第四，通調各自全换，只「合前」兩句與首調相同，《梁州序》則至第三、第四調而始换首二句之類是也。煞曲曰「尾聲」，或曰「餘文」，或曰「意不盡」，或曰「十二時」（以凡尾聲皆十二板，故名），其實一也。爲格句字，稍有不同，當各隨上用宫調；今多混用，非是，詳見後《論尾聲》條中。大略南調之創，稍次北調。《拜月》之作，稍先《琵琶》。今二記調絶不同，《拜月》諸調又絶不見他戲，是知創調之始，當不止如今譜中所載者，特時代久遠，多致湮沒，卽其存者，而又腔調多不可考，惜哉！又世多以南之《點絳唇》、《粉蝶兒》、《二犯江兒水》作北調唱者，詞隱辯之甚詳，見譜中。然《大迓鼓》之「迓」改作「呀」，《撼亭秋》之「撼」仍誤作「感」，殊未當也。北詞各調，載《輟耕錄》、《中原音韻》、《太和正音譜》三書，迄今藉可考見。南詞舊有蔣氏《九宫十三調》二譜，《九宫譜》有詞，《十三調》無詞。詞隱於《九宫譜》參補新調，又並署平仄，考定訛謬，重刻以傳；卻削去《十三調》一譜，間取有曲可查者，附入《九宫譜》後。今其書秘不大行，錄載於此，以便觀者。

又《論宫調第四》 宫調之説，蓋微眇矣，周德清習矣而不察，詞隱語焉而不詳。或問曲何以謂宫調？何以有宫又復有調？何以宫之爲六，調之爲十一？既總之有十七宫調矣，何以今之用者，北僅十三，南僅十一？又何以别有十三調之名也？曰：宫調之立，蓋本之十二律、五聲，古極詳備，而今多散亡也。其説雜見歷代樂書，杜佑《通典》、鄭樵《樂略》、沈括《筆談》、蔡元定《律呂新書》、歐陽之秀《律通》、陳暘《樂考》、朱子《語類》、馬端臨《文獻通考》，及唐、宋諸賢樂論，近閩人李文利《律呂元聲》、嶺南黄泰泉《樂典》、吾鄉季長沙《樂律纂要》、《律呂别書》諸書，宏博浩繁，無暇殫述，第撮其要：則律之自黄鐘以下，凡十二也；聲之自宫、商、角、徵、羽而外，有變宫、變徵，凡七也。古有旋相爲宫之法，以律爲經，復以聲爲緯，乘之每律得十二調，合十二律得八十四調。此古法也，然不勝其繁，而後世省之爲四十八宫調。四十八宫調者，以律爲經，以聲爲緯，七聲之中，去徵聲及變宫、變徵，僅省爲四；以聲之四，乘律之十二，於是每律得五調，而合之爲四十八調。四十八調者，凡以宫聲乘律，皆呼曰宫，以商、角、羽三聲乘律，皆呼曰調。今列其目：黄鐘：宫，俗呼正宫；商，俗呼大石調；角，俗呼大石角調；羽，俗呼般涉調。大呂：宫，俗呼高宫；商，俗呼高大石調；角，俗呼高大石角；羽，俗呼高般涉。太簇：宫，俗呼中管高宫；商，俗呼中管高大石；角，俗呼中管高大石角；羽，俗呼中管高般涉。夾鍾：宫，俗呼中呂宫；商，俗呼變調；角，俗呼雙角調；羽，俗呼中呂調。姑洗：宫，俗呼中管中呂宫；商，俗呼雙調；角，俗呼中管雙角調；羽，俗呼中呂調。仲呂：宫，俗呼道宫調；商，俗呼小石調；角，俗呼小石角調；羽，俗呼正平調。蕤賓：宫，俗呼中管道宫調；商，俗呼中管小石調；角，俗呼中管小石角調；羽，俗呼中管正平調。林鍾：宫，俗呼南呂宫；商，俗呼歇指調；角，俗呼歇指角調；羽，俗呼高平調。夷則：宫，俗呼仙呂宫；商，俗呼商調；角，俗呼商角調；羽，俗呼仙呂調。南呂：宫，俗呼中管仙呂宫；商，俗呼中管商調；角，俗呼中管商角調；羽，俗呼中管仙呂調。無射：宫，俗呼黄鐘宫；商，俗呼越調；角，俗呼越角調；羽，俗呼羽調。應鐘：宫，俗呼中管黄鐘宫；商，俗呼中管越調；角，俗呼中管越角調；羽，俗呼中管羽調。此所謂四十八調也。自宋以來，四十八調者不能具存，而僅存《中原音韻》所載六宫十一調，其所屬曲聲調，各自不同。仙呂宫，清新綿邈。南呂宫，感歎悲傷。中呂宫，高下閃賺。黄鐘宫，富貴纏綿。正宫，惆悵雄壯。道宫，飄逸清幽（以上皆屬宫）。大石調，風流蘊藉。小石調，旖旎嫵媚。高平調，條拗滉漾。

般涉調，拾掇坑塹。歇指調，急併虛歇。商角調，悲傷宛轉。雙調，健捷激裊。商調，悽愴怨慕。角調，嗚咽悠揚。宮調，典雅沈重。越調，陶寫冷笑（以上皆屬調）。此總之所謂十七宮調也。自元以來，北又亡其四（道宮、歇指調、角調、宮調），而南又亡其五（商角調並前北之四）。自十七宮調而外，又變爲十三調。十三調者，蓋盡去宮聲不用，其中所列仙呂、黃鐘、正宮、中呂、南呂、道宮，但可呼之爲調，而不可呼之爲宮（如曰仙呂調、正宮調之類）。然惟南曲有之，變之最晚，調有出入，詞則略同，而不妨與十七宮調並用者也。其宮調之中，有從古所不能解者：宮聲於黃鐘起宮，不曰黃鐘宮，而曰正宮；於林鐘起宮，不曰林鐘宮，而曰南呂宮；於無射起宮，不曰無射宮，而曰黃鐘宮；其餘諸宮，又各立名色。蓋今正宮，實黃鐘也，而黃鐘實無射也。沈括亦以爲今樂聲音出入，不全應古法，但略可配合，雖國工亦莫知其所因者，此也。又古調聲之法，黃鐘之管最長，長則極濁；無射之管最短（應鐘又短於無射，以無調，故不論），短則極清。又五音宮，商宜濁，徵、羽用清。今正宮曰惆悵雄壯，近濁；越調曰陶寫冷笑，近清，似矣。獨無射之黃鐘，是清律也，而曰富貴纏綿，又近濁聲，殊不可解。問各曲之分屬各宮調也，亦有說乎？曰：此其法本之古歌詩者，而今不得悖也。蓋古譜曲之法，一均七聲（旋宮以七聲爲均。均，言韻也。古無「韻」字，猶言一韻聲也）。其五正聲（除去變宮、變徵而言也），皆可謂調，如叶之樂章，則止以起調一聲爲首、尾。其七聲（兼變宮、變徵而言），則考其篇中上下之和，而以七律參錯用之，初無定位，非曰某句必用某律，某字必用某聲，但所用止於本均，而他宮不與焉耳。唐、宋所遺樂譜，如《鹿鳴》三章，皆以黃鐘清宮起音、畢曲，而總謂之正宮；《關雎》三章，皆以無射清商起音、畢曲，而總謂之越調。今譜曲者，於北黃鐘《醉花陰》首一字，亦以黃鐘清（六）譜之（六，樂家譜字。如凡、工、尺、合之類。凡清黃，皆曰六），下卻每字隨調以叶，而卽爲黃鐘宮曲，沈括所謂「凡曲止是一聲，清濁高下，如縈縷然」，正此意也。然古樂先有詩而後有律，而今樂則先有律而後有詞，故各曲句之長短，字之多寡，聲之平仄，又各準其所謂仙呂則清新綿邈、越調則陶寫冷笑者以分叶之。各宮各調，部署甚嚴，如卒徒之各有主帥，不得陵越，正所謂聲止一均，他宮不與者也。宋之詩餘，亦自有宮調，姜堯章輩皆能自譜而自製之。其法相傳，至元益密，其時作者踵起，家擅專門，今亡不可考矣。所沿而可守，以不墜古樂之一線者，僅今日《九宮十三調》之一譜耳。南、北之律一轍。北之歌也，必和以絃索，曲不入律，則與絃索相戾，故作北曲者，每凜凜遵其型範，至今不廢；南曲無問宮調，只按之一拍足矣，故作者多孟浪其調，至混淆錯亂，不可救藥。不知南曲未嘗不可被管絃，實與北曲一律，而奈何離之？夫作法之始，定自毖眘，離之蓋自《琵琶》、《拜月》始。以兩君之才，何所不可，而猥自貰於不尋宮數調之一語，以開千古厲端，不無遺恨。吳人祝希哲謂：數十年前接賓客，尙有語及宮調者，今絕無之。由希哲而今，又不止數十年矣。或問：子言各宮調譜不出一均，而柰何有云與某宮某調出入而並用者也？曰：此所謂一均七聲，皆可爲調，第易其首一字之律，而不必限之一隅者，故北曲中呂、越調皆有《鬭鵪鶉》，中呂、雙調皆有《醉春風》，南曲雙調多與仙呂出入，蓋其變也。此宮調之大略也。

又《論平仄第五》 今之平仄，韻書所謂四聲也，而實本始反切。古無定韻，詩樂者以叶成，觀《三百篇》可見。自西域梵教入，而始有反切。自沈約《類譜》作，而始有平仄。欲語曲者，先須識字，識字先須反切。反切之法，經緯七音，旋轉六律，釋氏謂：七音一呼而聚，四聲不召自來，言相通也。今無暇論切，第論四聲。四聲者，平、上、去、入也。平謂之平，上、去、入總謂之仄。曲有宜於平者，而平有陰、陽（陰、陽說，見下條）；有宜於仄者，而仄有上、去、入。乖其法，則曰拗嗓。蓋平聲聲尙含蓄，上聲促而未舒，去聲往而不返，入聲則逼側而調不得自轉矣。故均一仄也，上自爲上，去自爲去，獨入聲可出入互用。北音重濁，故北曲無入聲，轉派入平、上、去之三聲，而南曲不然。詞隱謂入可代平，爲獨洩造化之秘。又欲令作南曲者，悉遵《中原音韻》，入聲亦止許代平，餘以上去相間，不知南曲與北曲正自不同，北則入無正音，故派入平、上、去三聲，且各有所屬，不得假借；南則入聲自有正音，又施於平、上、去之三聲，無所不可。大抵詞曲之有入聲，正如藥中甘草，一遇缺乏，或平、上、去三聲字而不妥，無可柰何之際，得一入聲，便可通融打諢過去，是故可作平，可作上，可作去，而其作平也，可作陰，又可作陽，不得以北音爲拘；此則世之唱者由而不知，而論者又未敢拈而筆之紙上故耳。其用法，則宜平不得用仄，宜仄不得用平（此仄兼上去），宜上不得用去，宜去不得用上，宜上去不得用去上，宜去上不得用上去（「去、上」二字尤重。如《琵琶・三學士》首句「謝得公公意甚美」，《玉玦・集賢賓》首句「青歸柳葉顰尙小」，末二字皆須去上，一用上去，則不可唱。若他曲有無關繫，不妨通用者，則上去亦可，去上亦可，不必泥此）。上上、去去，不得疊用（「上、上」二字尤重。蓋去去卽不美聽，然唱出尙是本音；上上疊用，則第一字便似平聲。如《玉玦・泣顏回》第九句「想何如季布難歸」，「季布」兩去聲，雖帶勉強，仍是「季布」；《雁來紅》第五句「柰李廣未侯眞數奇」，「李廣」兩上聲，李字稍不調停，則開口便是「離廣」矣。故遇連綿現成字，如宛轉、酩酊、嬝嬝、整整之類，不能盡避；凡一應生造字，只宜避之爲妙），單句不得連用四平、四上、四去、四入（《琵琶・念奴嬌序》「月下歸來飛瓊」，用四平聲字，此以中有截板間之故也，然終不可爲法，觀上「珠箔銀屛」、「吾廬三徑」，可見。若第四折《繡帶兒》「難道是庭前森森丹桂」，「庭前森森丹」五字，連用平聲，眞不可唱矣），雙句合一不合二，合三不合四。押韻有宜平而亦可用仄者，有宜仄而亦可用平者，有宜平不得已而以上聲代之者。韻腳不宜多用入聲代平、上、去字。一調中有數句連用仄聲者，宜一上、一去間用。詞隱謂：遇去聲當高唱，遇上聲當低唱，平聲、入聲，又當斟酌其高低，不可令混。或又謂：平有提音，上有頓音，去有送音，蓋大略平、去、入啓口便是其字，而獨上聲字，須從平聲起音，漸揭而重以轉入，此自然之理。至調其清濁，叶其高下，使律呂相宜，金石錯應，此握管者之責，故作詞第一喫緊義也。

又《論陰陽第六》 古之論曲者曰：聲分平、仄，字別陰、陽。陰、陽之說，北曲《中原音韻》論之甚詳；南曲則久廢不講，其法亦淹沒不傳矣。近孫比部始發其義，蓋得之其諸父大司馬月峰先生者。夫自五聲之有清、濁也，清則輕揚，濁則沈鬱。周氏以清者爲陰，濁者爲陽，故於北曲中，凡揭起字皆曰陽，抑下字皆曰陰；而南曲正爾相反。南曲凡清聲字皆揭而起，凡濁聲字皆抑而下。今借其所謂「陰、陽」二字而言，則曲之篇章句字，既播之聲音，必高下抑揚，參差相錯，引如貫珠，而後可入律呂，可和管絃。倘宜揭也而或用陰字，則聲必欺字；宜抑也而或用陽字，則字必欺聲。陰陽一欺，則調必不和。欲詘調以就字，則聲非其聲；欲易字以就調，則字非其字矣！毋論聽者迕耳，抑亦歌者棘喉。《中原音韻》載歌北曲《四塊玉》者，原是「綵扇歌青樓飮」，而歌者歌「青」爲「晴」，謂此一字欲揚其音，而「青」乃抑之，於是改作「買笑金纏頭錦」而始叶，正聲非其聲之謂也（此上陰、陽，皆就北曲以揭爲陽，以抑爲陰論。下文南曲陰陽反此，以揭者爲陰，以抑者爲陽論）。南調反此，如《琵琶記・尾犯序》首調末「公婆沒主一旦冷清清」句，「冷」字是掣板，唱須抑下，宜上聲，「清」字須揭起，宜用陰字清聲，今幷下第二、第三調末句，一曰「眼睜睜」，一曰「語惺惺」，「冷」、「眼」、「語」三字皆上聲，「清清」、「睜睜」、「惺惺」皆陰字，叶矣；末調末句，卻曰「相思兩處一樣淚盈盈」，「淚」字去聲，既啓口便氣盡，不可宛轉，下「盈盈」又屬陽字，不便於揭，須唱作「英」字音乃叶；《玉芙蓉》末三字，正與此「冷清清」三字相同。《南九宮》用《拜月》「聖明天子詔賢書」作譜，詞隱評云：「子」、「詔」上、去妙，殊誤，蓋「詔賢」二字，法用上、陰，而「詔賢」是去、陽，唱來卻似「沼軒」故也；兩平聲，則如《高陽臺》「宦海沈身」句，「沈」字是陽，「身」字是陰，此句當作仄、仄、陰、陽（仄、仄，或作平、仄，亦可），今曰「沈身」，則「海」字之上聲，與「沈」之陽字相戾，須作「身沈」乃叶之類（此句用前引子「夢遶親闈」四字，則正叶）。以此推之，他調可互而見。大略陰字宜搭上聲，陽字宜搭去聲，如「長空萬里」《換頭》「孤影」、「光瑩」、「愁聽」，「孤」字以陰搭上，「愁」字以陽搭去，唱來俱妙，獨「光」字唱來似「狂」字，則以陰搭去之故；若易「光」爲陽字，或易「瑩」爲上聲字，則又叶矣。《祝英臺・換頭》「春晝」、「知否」、「今後」，上三字皆陰，而獨「知否」好聽，「春」字則似「唇」，「今」字則似「禽」，正以下去上二聲不同之故；若易「春」、「今」爲陽，或易「晝」、「後」爲上，則又無不叶矣。此下字活法也。又平聲陰則揭起，而陽則抑下，固也，然亦有揭起處，特以陽字爲妙者，如《二郎神》第四句第一字亦是揭調，《琵琶》「誰知別後」、《連環》「繁華庭院」、《浣紗》「蹉跎到此」、《明珠》「徘徊燈側」，「誰」字、「繁」字、「徘」字，揭來俱妙；而「蹉」字揭來卻似「矬」字，蓋此字之揭，其聲吸而入，其揭向內，所以陽字特妙，而陰字之揭，其聲吐而出，如去聲之一往而不返故也。又《梁州序》第三句第三字，亦似揭起，而亦以陽爲妙，如「日永紅塵」與「一點風來」，「風」不如「紅」妙；《勝如花》第三句第三字，亦然；《荆釵》之「登山驀嶺」與《浣紗》之「登山涉水」，兩「登」字俱欠妙；餘可類推。此天地自然之妙，呼吸抑揚，宛轉在幾微間，又不可盡謂揭處決不可用陽也。然古曲陰陽皆合者，亦自無幾，卽《西廂》音律之祖，開卷第一句「遊藝中原」之「原」，法當用陰字，今「原」卻是陽，須作「淵」字唱乃叶，他可知已。周氏以爲陰、陽字惟平聲有之，上、去俱無。

夫「東」之爲陰，而上則爲「董」，去則爲「凍」，「籠」之爲陽，而上則爲「隴」，去則爲「弄」，清、濁甚別。又以爲入作平聲，皆陽。夫平之陽字，欲揭起甚難，而用一入聲，反圓美而好聽者，何也？以入之有陰也。蓋字有四聲，以清出者，亦以清收；以濁始者，亦以濁歛，以亦自然之理，惡得謂上、去之無陰、陽，而入之作平者皆陽也！又言：凡字不屬陰則屬陽，無陰、陽兼屬者。余家藏得元燕山卓從之《中原音韻類編》，與周韻凡類皆同，獨每韻有陰，有陽，又有陰、陽通用之三類。如東鐘韻中，東之類爲陰，戎之類爲陽，而通、同之類并屬陰、陽，或五音中有半清、半濁之故耶？夫理輕清上浮爲陽，重濁下凝爲陰，周氏以清爲陰，以濁爲陽，所不可解。或以陰之字音屬清，陽之字音屬濁之故，然分析倒置，殊自不妥。序《琵琶記》者爲河間長君，至謂陽宜於男，陰宜於女，益杜撰可嗤矣！宋鄱陽張世南《游宦紀聞》云：「字聲有清濁，非強爲差別。蓋輕清爲陽，陽主生物，形用未著，故字音常輕；重濁爲陰，陰主成物，形用既著，故字音必重。」此亦以清爲陽，以濁爲陰之一證也。

又《論韻第七》 韻書之夥也，作辭賦騷選則用古韻，有通韻，有叶韻，有轉注；作近體則用今韻，始沈約《類譜》，今裁於唐而爲《禮部韻略》；作曲，則用元周德清《中原音韻》。古樂府悉係古韻；宋詞尚沿用詩韻，入金未能盡變；至元人譜曲，用韻始嚴。德清生最晚，始輯爲此韻，作北曲者守之，兢兢無敢出入。獨南曲類多旁入他韻，如支思之於齊微、魚模，魚模之於家麻、歌戈、車遮，眞文之於庚青、侵尋，或又之於寒山、桓歡、先天，寒山之於桓歡、先天、監咸、廉纖，或又甚而東鐘之於庚青，混無分別，不啻亂麻，令曲之道盡亡，而識者每爲掩口。北劇每折只用一韻。南戲更韻，已非古法，至每韻復出入數韻，而恬不知怪，抑何窘也！古詞惟王實甫《西廂記》，終帙不出入一字，今之偶有一二字失韻，皆後人傳訛。至「眼横秋水無塵」數語，原不用韻，元人故有此體，以其偶與侵尋本韻相近，何元朗遂訾爲失韻，世遂羣然和之，實甫抱抑良久。余新刻考正《西廂記》注中，辯之甚詳，不特爲實甫洗冤，亦以爲世之庸瞽而妄肆譏評者下一鍼砭耳。南曲自《玉玦記》出，而宮調之飭，與押韻之嚴，始爲反正之祖。邇詞隱大揚其瀾，世之赴的以趨者比比矣。然《中原》之韻，亦大有說。古之爲韻，如周顒、沈約、毛晃、劉淵、夏竦、吳棫輩，皆博綜典籍，富有才情，一書之成，不知更幾許歲月，費幾許考索，猶不能盡愜後世之口。德清淺士，韻中略疏數語，輒已文理不通，其所謂韻，不過雜採元前賢詞曲，掇拾成編，非眞有晰於五聲七音之旨，辨於諸子百氏之奥也。又周江右人，率多土音，去中原甚遠，未必字字訂過，是欲憑影響之見，以著爲不刊之典，安保其無離而不叶於正者哉！蓋周之爲韻，其功不在於合而在於分；而分之中猶有未盡然者。如江陽之於邦王，齊微之於歸回，魚居之於模吳，眞親之於文門，先天之於鵑元，試細呼之，殊自逕庭，皆所宜更析。而其合之不經者，平聲如肱、轟、兄、崩、烹、盲、弘、鵬，舊屬庚、青、蒸三韻。而今兩收東鐘韻中；浮與蜉蝣之蜉同音，在《說文》亦作縛牟切，今卻收入魚模韻中，音之爲扶，而於尤侯本韻，竟并其字削去。夫浮之讀作扶，此方言也。呼字須本之《六經》，卽《詩·菁莪》曰「載沈載浮」，下文以「我心則休」叶；《角弓》曰「雨雪浮浮」，下文以「我是用憂」叶；《生民》曰「烝之浮浮」，上文以「或簸或蹂」叶。夫《三百篇》，吾宣尼氏所刪而存者，不此之從，而欲區區以方言變亂雅音，何也？且周之韻，故爲北詞設也；今爲南曲，則益有不可從者。蓋南曲自有南方之音，從其地也，如遵其所爲音且叶者，而歌龍爲驢東切，歌玉爲御，歌綠爲慮，歌宅爲柴，歌落爲潦，歌握爲杳，聽者不啻羣起而唾矣！至每一聲之字，亦漫併太多，如《菽園雜記》所譏者，各韻而是。吳興王文璧，嘗字爲釐別，近檇李卜氏，復增校以行於世，於是南音漸正，惜不能更定其類，而入聲之鴂舌，尚仍其舊耳。涵虛子有《瓊林雅韻》一編，又與周韻略似，則亦五十步之走也。或謂周韻行之已久，今不宜易更；則漁模一韻，《正韻》業已離之爲二矣。德清可更沈約以下諸賢之詩韻，而今不可更一山人之詞韻哉？且今之歌者，爲德清所誤，抑復不淺，如横之爲紅，鵬之爲蓬，止可於韻脚偶押在東鐘韻中者，作如是歌可耳，若在句中，卻當仍作庚青韻之本音；今歌者槩作紅蓬之音，而遇有作庚青本音歌者，輒笑以爲不識中州之音矣，敝至此哉！卽就其所謂「東、鐘」二字，立作韻目，亦又自不通。夫詩韻之一東、二冬，止取一字；今取二字作目，非以聲有陰、陽二字之故耶？則惟是取一於陰，取一於陽可也，乃東鐘、支思、先天、歌戈、車遮、庚青則兩陰字，齊微、漁模、尤侯則兩「陽」字，寒山、桓歡、廉纖則陰、陽兩倒；僅江陽、皆來、眞文、蕭豪、家麻、侵尋、監咸七韻不誤，要亦其偶合，而非眞有涇渭於其間也。既兩取而曰江陽，則陰字當卽首「江」字，而今首「姜」字；

又眞文而首分鄰，侵尋而首鍼林，監咸而首庵南，則其所謂偶合者，而目與韻，又自相矛盾也，亦何取而以二字目之也。至謂平聲之有上、下，皆以字有陰、陽之故，遂以陰字屬下平，陽字屬上平，尤爲可笑。詞隱先生欲別創一韻書，未就而卒。余之反周，蓋爲南詞設也。而中多取聲《洪武正韻》，遂盡更其舊，命曰《南詞正韻》。

又《論閉口字第八》 字之有開、閉口也，猶陽之有陰，男之有女。古之製韻者，以侵、覃、鹽、咸，次諸韻之後，詩家謂之「啞韻」，言須閉口呼之，聲不得展也。詞曲禁之尤嚴，不許開、閉并押。閉口者，非啓口卽閉；從開口收入本字，卻徐展其音於鼻中，則歌不費力，而其音自閉，所謂「鼻音」是也。詞隱於此，尤多喫緊，至每字加圈。蓋吳人無閉口字，每以侵爲親，以監爲奸，以廉爲連，至十九韻中，遂缺其三。此弊相沿，牢不可破，爲害非淺。惟入聲之緝，若合、若葉、若洽等字，閉其口則聲不可出，散叶於齊微、歌戈、家麻、車遮四韻中，其勢不得不然。若平聲，則侵尋之與監咸、廉纖，自可轉闢其聲，以還本韻，惟歌者調停其音，似開而實閉，似閉而未嘗不開。此天地之元聲，自然之至理也，乃欲槩無分別，混以鄉音，俾五聲中無一閉口之字，不亦冤哉！

又《論務頭第九》 務頭之說，《中原音韻》於北曲臚列甚詳，南曲則絕無人語及之者。然南、北一法。係是調中最緊要句字，凡曲遇揭起其音，而宛轉其調，如俗之所謂「做腔」處。每調或一句，或二三句；每句或一字，或二三字，卽是務頭。《墨娥小錄》載務頭調侃曰「喝采」。又詞隱先生嘗爲余言：吳中有「唱了這高務」語，意可想矣。舊傳《黃鶯兒》第一、七字句是務頭，以此類推，餘可想見。古人凡遇務頭，輒施俊語，或古人成語一句其上，否則詆爲不分務頭，非曲所貴。周氏所謂如衆星中顯一月之孤明也。涵虛子有《務頭集韻》三卷，全摘古人好語輯以成之者。弇州嗤楊用脩謂務頭爲「部頭」，蓋其時已絕此法。余嘗謂詞隱南譜中，不斟酌此一項事，故是缺典。今大略令善歌者，取人間合律腔好曲，反覆歌唱，諦其曲折，以詳定其句字，此取務頭一法也。

又《論腔調第十》 樂之框格在曲，而色澤在唱。古四方之音不同，而爲聲亦異，於是有秦聲，有趙曲，有燕歌，有吳歈，有越唱，有楚調，有蜀音，有蔡謳。在南曲，則但當以吳音爲正。古之語唱者曰：「當使聲中無字。」謂字則喉、唇、齒、舌等音不同，當使字字輕圓，悉融入聲中，令轉換處無磊塊，古人謂之「如貫珠」，今謂之「善過度」是也。又曰：「當使字中有聲。」謂如宮聲字，而曲合用商聲，則能轉宮爲商歌之也。又曰：「有聲多字少。」謂唱一聲而高下、抑揚、宛轉其音，若包裹數字其間也。「有字多聲少」，謂搶帶、頓挫得好，字雖多，如一聲也。又云：「善歌者謂之『內裏聲』；不善歌者聲無抑揚，謂之『念曲聲』；無含韞，謂之『叫曲』。」【略】夫南曲之始，不知作何腔調。沿至於今，可三百年。世之腔調，每三十年一變，由元迄今，不知經幾變更矣！大都創始之音，初變腔調，定自渾樸；漸變而之婉媚，而今之婉媚極矣！舊凡唱南調者，皆曰「海鹽」。今「海鹽」不振，而曰「崑山」。「崑山」之派，以太倉魏良輔爲祖。今自蘇州而太倉松江，以及浙之杭、嘉、湖，聲各小變，腔調略同，惟字泥土音，開、閉不辨，反譏越人呼字明確者爲「浙氣」，大爲詞隱所疵！詳見其所著《正吳編》中。甚如唱火作呵上聲，唱過爲箇，尤爲可笑！過之不得爲箇，已載編中；而火之不可爲呵上聲，詞隱猶未之及也。然其腔調，故是南曲正聲。數十年來，又有「弋陽」、「義烏」、「青陽」、「徽州」、「樂平」諸腔之出。今則「石臺」、「太平」梨園，幾遍天下，蘇州不能與角什之二三。其聲淫哇妖靡，不分調名，亦無板眼；又有錯出其間，流而爲「兩頭蠻」者，皆《鄭》聲之最，而世爭羶趨痂好，靡然和之，甘爲大雅罪人，世道江河，不知變之所極矣！

又《論板眼第十一》 古無拍。魏、晉之代，有宋纖者，善擊節，始製爲拍。古用九板，今六板，或五板。古拍板無譜，唐明皇命黃番綽始造爲之。牛僧孺目拍板爲「樂句」，言以句樂也。蓋凡曲，句有長短，字有多寡，調有緊慢，一視板以爲節制，故謂之「板」、「眼」。初啓聲卽下者爲「實板」，又曰「劈頭板」（遇緊調，隨字卽下，細調亦俟聲出，徐徐而下）；字半下者爲「掣板」，亦曰「枵板」（蓋「腰板」之誤）；聲盡而下者爲「截板」，亦曰「底板」；場上前一人唱前調末一板，與後一人唱次調初一板齊下爲「合板」。其板先於曲者，病曰「促板」；板後於曲者，病曰「滯板」，古皆謂之「[illegible]（音祈）拍」，言不中拍也。唐《霓裳羽衣曲》，初散聲六遍無拍，至中序始有拍，今引曲無板，過曲始有板，蓋其遺法。古今之腔調既變，板亦不同，於是有「古板」、「新板」之說。詞隱於板眼，一以反古爲事。其言謂淸唱則板之長、短，任意按之，試以鼓板夾定，則錙銖可辨。又言：古腔古板，必不可增損。歌之善否，正不在增損腔板間。又言：板必依清唱，而後爲可守；至於搬演，或稍損益之，不可爲法。具屬名言。其所點板《南詞韻選》及《唱曲當知》、《南九宮譜》，皆古人程法所在，當慎遵守。聞之先輩，有傳腔遞板之法，以數人暗中圜坐，將舊曲每人歌一字，卽以板輪流遞按，令數人歌之如一聲，按之如一板，稍有緊緩（腔）、先後（板）之誤，輒記字以罰，如此庶不致腔調參差，卽古所謂纍纍如貫珠者。今至「弋陽」、「太平」之「衮唱」，而謂之「流水板」，此又拍板之一大厄也。

又《論須識字第十二》 識字之法，須先習反切。蓋四方土音不同，其呼字亦異，故須本之中州，而中州之音，復以土音呼之，字仍不正。惟反切能該天下正音，只以類韻中同音第一字，切得不差，其下類從諸字，自無一字不正矣。至於字義，尤須考究。作曲者往往誤用，致爲識者訕笑。如梁伯龍《浣紗記·金井水紅花》曲「波冷濺芹芽，溼裙靸」，「靸」字，法用平聲。然靸，箭袋也。若衣衩之衩，屬去聲。唐李義山《無題詩》「八歲偷照鏡，長眉已能畫，十歲去踏青，芙蓉作裙衩」，足爲明證。此其失亦自陳大聲散套《節節高》之「蓮舟戲女娃，露裙衩」始。然伯龍不獨《浣紗》，散套《歸仙洞》「荆棘抓裙衩」又爾。近日湯海若《還魂記·懶畫眉》「睡荼蘼抓住裙衩線」，亦以「衩」字作平音，皆誤。僅陳玉陽《詅癡符記·玉抱肚》曲「打毬回，紛紛衩衣」，獨是。又《浣紗·劉潑帽》曲：「娘行聽俊還嬌倩，勝江南萬馬千兵。」不知倩有二音，一雇倩之倩，作「清」字去聲讀，一音茜，卽「巧笑倩兮」之倩，言美也。此曲字義，當作茜音，今卻押庚青韻中，卽童習時《論語》亦不記憶，何淺陋至此！又「車」字之有二音也，蓋此字本音尺遮切，隸《正韻》十六遮類中，至漢以後，始有作「居」字音者。《莊子》「惠施多方，其書五車」，此自當作尺遮切。《拜月·玉芙蓉》曲：「胸中書富五車，筆下句高千古。」此調法，當兩句各押一韻，下曰「高千古」，則上作居音乃叶，而世無呼作「五車書」之理。今歌者皆從尺遮切，寧韻不叶，而不唱作居音，是歌者不誤，而作者誤也。「歎」字之亦有二音也，一平聲作灘音，一去聲作炭音。《琵琶記·赴選》折，末白：「仗劍對尊酒，恥爲遊子顔，所志在功名，離別何足歎。」此「歎」字當作平音，與上「顔」字叶。後《玉芙蓉》曲「別離休歎」，此「歎」字當作去音，與下「輕拆散」之「散」字叶。今優人於「何足歎」之「歎」，皆作去聲白，是作者不誤，而習者誤也。他若瘿之音爲穎，頸瘤也。鄭虚舟《玉玦記》「卻教愧殺瘿瘤婦」，是認作平聲矣。又《莊子》「藐姑射山」之射音亦，「巾櫛」之櫛音卒，而汪南溟《高唐記》與雪、滅同押；至以「纖、殲、鹽」三字并押車遮韻中，是徽州土音也。又云：「招魂未得，空歌楚些。」「些」字本宋玉《大招》，見《楚辭》，音蘇箇切，作「梭」字去聲讀，惟此少之些，乃作平聲，今亦作平，以與車遮同押，何也？伯龍又以「盡道輕盈略作胖些」，與「三尺小脚走如飛」同押，蓋認「些」字作西字音，又蘇州土音矣！至「婦」字，世皆作「負」字音，惟詩韻作「阜」字音。《玉玦》「瘿瘤婦」、「秋胡婦」押在尤侯韻中，音幾不可辨矣！又有舉世皆誤而爲不可解之字。今列戲目而曰第一齣、第二齣，問何字，則曰摺字，或曰悔字；問從何來？則默不能對也。蓋字書從無此字，惟近《詅癡符傳》言：牛食已，復出嚼，曰齝，音笞。傳寫者誤台爲句，以齝作齣，遂終帙作第幾齝、第幾齝，殊不知齝原作齣，通作齝，以齣作齣，在屈筆毫釐之間，遂致轉展傳誤；然古劇，亦絕無作第幾齣者，只作第幾折可也。影響之誤如此，則作曲與唱曲者，可不以考文爲首務耶！

又《論聲調第十五》 夫曲之不美聽者，以不識聲調故也。蓋曲之調，猶詩之調。詩惟初盛之唐，其音響宏麗圓轉，稱大雅之聲。中、晚以後，降及宋、元，漸萎薾偏詖。以施於曲，便索然卑下不振。故凡曲調，欲其清，不欲其濁；欲其圓，不欲其滯；欲其響，不欲其沈；欲其俊，不欲其癡；欲其雅，不欲其麤；欲其和，不欲其殺；欲其流利輕滑而易歌，不欲其乖刺艱澀而難吐。其法須先熟讀唐詩，諷其句字，繹其節拍，使長灌注融液於心胸口吻之間，機括既熟，音律自諧，出之詞曲，必無沾唇拗嗓之病，昔人謂孟浩然詩，諷詠之久，有金石宫商之聲，秦少游詩，人謂其可入大石調，惟聲調之美，故也。惟詩尙爾，而矧於曲？是故詩人之曲，與書生之曲、俗子之曲，可望而知其槩也。

又《論襯字第十九》 古詩餘無襯字，襯字自南、北二曲始。北曲配絃索，雖繁聲稍多，不妨引帶。南曲取按拍板，板眼緊慢有數，襯字太多，搶帶不及，則調中正字，反不分明。大凡對口曲，不能不用襯字；各大曲及散套，只是不用爲佳。細調板緩，多用二三字，尙不妨；緊調板急，若用多字，便躲閃不迭。凡曲自一字句起，至二字、三字、四字、五字、六字、七字句止。惟《虞美人》調有九字句，然是引曲。又非上二下七，則上四下五，若八字、十字以外，皆是襯字。今人不解，將襯字多處，亦下實板，致主客不分。如《古荆釵記·錦纏道》「說甚麼晉陶潛認作阮郎」，「說甚麼」三字，襯字也，《紅拂記》卻作「我有屠龍劍釣鼇鉤射雕寶弓」，增了「屠龍劍」三字，是以「說甚麼」三字作實字也。《拜月亭·玉芙蓉》末句「望當今聖明天子詔賢書」，本七字句，「望當今」三字係襯字，後人連襯字入句，如「我爲你數歸期畫損掠兒梢」，遂成十一字句。至「金爐寶篆消」曲末句，「算人心不比往來潮」，此是正格，「心」字當疊。詞隱謂「心」字下缺去聲、平聲二字，以爲此死腔活板，故是大誤。又《琵琶記·三換頭》，原無正腔可對，前調「這其間只是我不合來長安看花」，後調「這其間只得把那壁廂且都拚捨」，每句有十三字，以爲是本腔耶？不應有此長句；以爲有襯字耶？不應於襯字上著板。《浣紗》卻字字效之，亦是無可柰何。殊不知「這其間只是我」與「這其間只得把」是兩正句，以「我」字、「把」字叶韻。蓋東嘉此曲，原以歌戈、家麻二韻同用，他原音作拖，上「我」字與調中「鎖、挫、他、墮、何」五字相叶，下「把」字與調中「駕、挂」二字相叶。歷查遠而《香囊》、《明珠》、《雙珠》，近而《竊符》、《紫釵》、《南柯》，凡此二句皆韻，皆可爲《琵琶》用韻之證，故知《浣紗》之不韻，殊謬也。又如散套《越恁好》「鬧花深處」一曲，純是襯字，無異《纏令》。今皆著板，至不可句讀。凡此類，皆襯字太多之故，訛以傳訛，無所底止。周氏論樂府，以不重韻，無襯字，韻險、語俊爲上。世間惡曲，必拖泥帶水，難辨正腔，文人自寡此等病也。

又《論過搭第二十二》 過搭之法，雜見古人詞曲中，須各宫各調，自相爲次。又須看其腔之粗細，板之緊慢；前調尾與後調首要相配叶，前調板與後調板要相連屬。古每宫調皆有《賺》，取作過度而用。緣慢詞（卽引子）止著底板，驟接過曲，血脈不貫，故《賺》曲前段，皆是底板，至末二句始下實板。戲曲中已間賓白，故多不用。諸宫調惟仙吕許與雙調相出入，其餘界限甚嚴，不得陵犯。惟《十三調譜》類多出入，中商黄調以商調、黄鐘二調合成，高平調與諸調皆可出入。其餘各調出入，詳見《十三調譜》中。或謂南曲原不配絃索，不必拘于宫調，不知南人第取按板，然未嘗不可取配絃索。又譬置目眉上，置鼻口下，亦何妨視嗅，但不成人面部位，終非造化生人意耳。凡一調中，有取各調一二句合成，如《六犯清音》、《七犯瓏瓏》等曲，雖各調自有唱法，然既合爲一，須唱得接貼融化，令不見痕迹，乃妙。何元朗謂：北曲大和絃是慢板，花和絃是緊板。如中吕《快活三》臨了來一句放慢來，接唱《朝天子》，皆大和，又是慢板。緊慢相錯，何等節奏。南曲如《錦堂月》後《僥僥令》，《念奴嬌》後《古輪臺》，《梁州序》後《節節高》，一緊而不復收矣，然戲曲亦有中段卻放緩唱者，不可一律論也。

又《論曲禁第二十三》 曲律，以律曲也。律則有禁，具列以當約法：重韻（一字二三押，長套及戲曲不拘），借韻（雜押傍韻，如支思，又押齊微類），犯韻（有正犯，句中字，不得與押韻同音，如冬犯東類。有傍犯，句中卽上去聲不得與平聲相犯，如「董、凍」犯東類），犯聲（卽非韻腳，凡句中字同聲，俱不得犯，如上例），平頭（第二句第一字，不得與第一句第一字同音），合腳（第二句末一字，不得與第一句末一字同音），上上疊用（上去字須間用，不得用兩上、兩去），上去、去上倒用（宜上去，不得用去上；宜去上，不得用上去。活法，見前論平仄條中），入聲三用（疊用三入聲），一聲四用（不論平上去入，不得疊用四字），陰陽錯用（宜陰用陽字，宜陽用陰字），閉口疊用（凡閉口字，只許單用。如用侵，不得又用尋，或又用「監咸」、「廉纖」等字。雙字如「深深、毿毿、懨懨」類，不禁），韻腳多以入代平（此類不免，但不許多用。如純用入聲韻，及用在句中者，俱不禁），疊用雙聲（字母相同，如「瓏瓏、皎潔」類，止許用二字，不許連用至四字），疊用疊韻（二字同韻，如「逍遙、燦爛」，亦止許用二字，不許連用至四字）。開閉口韻同押（凡閉口，如侵尋等韻，不許與開口韻同押），陳腐（不新采），生造（不現成），俚俗（不文雅），蹇澀（不順溜），粗鄙（不細膩），錯亂（無次序），蹈襲（忌用舊曲語意。若成語，不妨），沾唇（不脫口），拗嗓（平仄不順），方言（他方人不曉），語病（聲不雅，如《中原音韻》所謂「『達不著主母機』，或曰『燒公鴨亦可』」類），請客（如咏春而及夏，題柳而及花類），太文語（不當行），太晦語（費解說），經史語（如《西厢》「靡不有初，鮮克有終」類），學究語（頭巾氣），書生語（時文氣），重字多（不論全套單隻，凡重字俱用檢去），襯字多（襯至五六字）。堆積學問，錯用故事，宫調亂用，緊慢失次，對偶不整。右諸禁，凡四十條。在知音高手，自然不犯。如不能盡免，須檢點去其甚者，令不礙眼；不爾終難爲識者，非法家曲也。

又《論套數第二十四》 套數之曲，元人謂之「樂府」，與古之辭賦，今之時義，同一機軸。有起有止，有開有闔。須先定下間架，立下主意，排下曲調，然後遣句，然後成章。切忌湊插，切忌將就。務如常山之蛇，首尾相應；又如鮫人之錦，不著一絲紕類。意新語俊，字響調圓，增減一調不得，顛倒一調不得，有規有矩，有色有聲，衆美具矣！而其妙處，政不在聲調之中，而在句字之外。又須煙波渺漫，姿態橫逸，攬之不得，挹之不盡。摹歡則令人神蕩，寫怨則令人斷腸，不在快人，而在動人。此所謂「風神」，所謂「標韻」，所謂「動吾天機」。不知所以然而然，方是神品，方是絕技。即求之古人，亦不易得。金在衡謂古散套無佳者，僅北調「萬種閒愁」一曲。何元朗以爲秖得「馬上抱雞三市鬬，袖中攜劍五陵遊」二句差勝，乃用晚唐羅隱詩。其餘蕪淺，殊不足觀。余謂北曲尚有佳者，惟南曲最不易得。弇州謂「暗想當年羅帕上把新詩寫」，是元人作，學問、才情足冠諸本。是大不然。此曲首調第一、七字句，便下五襯字，既已非法；第三句多了一字，語亦無謂；第四、五句「軟玉溫香，嫩枝柔葉」，空無著落，末工句「琴瑟正和協，不覺花影轉過梧桐月」，意復不接；第二調《沉醉東風》又起一頭。特此後語意頗佳。至末段，詞亦爛熳奔湧，然只是一意敷演，又不當與前《忒忒令》「燕山絕，湘江竭，斷魚封雁帖」三語相妨，無足取也。無已，則陳大聲「因他消瘦」一曲，又首調「差問花時還問柳」數語只是請客，次調《懶畫眉》「繡戶輕寒透，十二珠簾不上鈎」二句湊插，第三調《金索挂梧桐》「黃鶯似喚儔」四句又是請客。只《浣溪沙》以下數調，語意流麗，頗自可人，前段終非完璧。才難之歎，於斯益信。大略作長套曲，只是打成一片，將各調臚列，待他來湊我機軸；不可做了一調，又尋一調意思。《西廂記》每套只是一個頭腦，有前調末句牽搭後調做者，有後調首句補足前調做者，單槍匹馬，橫衝直撞，無不可人，他調殊未能知此竅竅也。

又《論小令第二十五》 作小令與五、七言絕句同法，要醞藉，要無襯字，要言簡而趣味無窮。昔人謂：五言律詩，如四十個賢人，著一個屠沽不得。小令亦須字字看得精細，著一戾句不得，著一草率字不得。弇州論詞，所謂宛轉綿麗，淺至儇俏，正作小令至語。周氏謂樂府小令兩途，樂府語可入小令，小令語不可入樂府，未必其然。渠所謂小令，蓋市井所唱小曲也。

又《論險韻第二十八》 作曲好用險韻，亦是一僻。須韻險而語則極俊，又極穩妥，方妙。《西廂》之「不念《法華經》，不禮《梁王懺》」，及「彩筆題詩，迴文織錦」，何語不俊，何韻不妥！又國初人《蕭淑蘭》劇，全押廉纖、監咸、侵尋、桓歡四韻，亦字字穩俏。近見押此等韻者，全無奇怪峭絕處，只是湊得韻來，便以爲難事。夫欲借險韻以見難，而止是平通趁韻，無以異於人也，亦何取此等韻爲耶！故知百尺竿頭逞技，非古所謂「肉飛仙」手段不可，庸衆人故當以此爲戒。

又《論過曲第三十二》 過曲體有兩途：大曲宜施文藻，然忌太深；小曲宜用本色，然忌太俚。須奏之場上，不論士人閨婦，以及村童野老，無不通曉，始稱通方。最要落韻穩當。如《琵琶》「手指上血痕尚在衣麻」，「衣麻」是何話說？《紅拂》「髩雲撩」下無「亂」字，是歇後語矣！皆謂趁韻。又不可令有敗筆語。《琵琶·僥僥令》，即云「但願歲歲年年人長在，父母共夫妻相勸酬」，下卻又云「夫妻長廝守，父母願長久」，說過又說；至「兩山排闥」二句，與上何干？大是請客！尾聲「惟有快活是良謀」，直張打油語矣。用韻，須是一韻到底方妙；屢屢換韻，畢竟才短之故，不得以《琵琶》、《拜月》藉口。若重韻，則正不必拘，古劇皆然。避而牽強，不若重而穩俏之爲愈也。

又《論尾聲第三十三》 尾聲以結束一篇之曲，須是愈著精神，末句更得一極俊語收之，方妙。凡北曲煞尾，定佳。作南曲者，只是潦草收場，徒取完局，所以戲曲中絕無佳者，以不知此竅故耳。各宮調尾聲，或平煞，或仄煞，各有定格。詞隱雖臚列譜中，然祇是檢舊曲訂出。舊曲實未必皆是。必如《十三調譜》中舊定諸格，方是不差，惜原曲有不能盡見者耳。今錄於後：情未斷煞（仙呂、羽調同此尾），「衷腸悶損」尾文是也。三句兒煞（黃鐘尾），「春容漸老」尾文是也。尚輕圓煞（正宮、大石同尾），「祝融南度」尾文是也。尚遶梁煞（商調尾），「那日忽覩多情」尾文是也。尚如縷煞（中呂有二樣，此係低一格尾），「料峭東風」尾文是也（般涉同）。喜無窮煞（中呂高一格尾），「子規聲裏」尾文是也。尚按節拍煞（道宮尾），「新篁池閣」尾文是也。不絕令煞（南呂尾），「明月雙溪」尾文是也。有餘情煞（越調尾），「炎光謝了」尾文是也。收好姻煞（小石尾），「花底黃鸝」尾文是也。有結果煞（雙調尾），「簫聲喚起」尾文是也。又有本音就煞，謂之隨煞。又有雙煞。又有借音煞。又有和煞。凡一調作二曲，或四曲、六曲、八曲，及兩調各止一二曲者，俱不用尾聲。

又《雜論第三十九上》 上去、去上之間，用有其字必不可易而強爲避忌，如易「地」爲「土」，改「宇」作「廈」，至與上下文生拗不協，甚至文理不通，不若順其自然之爲貴耳。南曲之有陰陽也，其竅今日始闢。然此義微之又微，所不易辨，不能字字研其至當。當亦如前取務頭法，將舊曲子令優人唱過，但有其字是而唱來卻非其字本音者，即是宜陰用陽、宜陽用陰之故，較可尋繹而得之也。【略】凡曲之調，聲各不同，已備載前十七宮調下。至各韻爲聲，亦各不同。如東鐘之洪，江陽、皆來、蕭豪之響，歌戈、家麻之和，韻之最美聽者。寒山、桓歡、先天之雅，庚青之清，尤侯之幽，次之。齊微之弱，魚模之混，眞文之緩，車遮之用雜入聲，又次之。支思之萎而不振，聽之令人不爽。至侵尋、監咸、廉纖，開之則非其字，閉之則不宜口吻，勿多用可也。

又《雜論第三十九下》 曲以婉麗俏俊爲上。詞隱譜曲，於平仄合調處，曰「某句上去妙甚」，「某句去上妙甚」，是取其聲，而不論其義可耳。至庸拙俚俗之曲，如《卧冰記·古皂羅袍》「理合敬我哥哥」一曲，而曰「質古之極，可愛可愛」。《王煥》傳奇《黃薔薇》「三十哥央你不來」一引，而曰「大有元人遺意，可愛」。此皆打油之最者，而極口贊美，其認路頭一差，所以已作諸曲，略墮此一劫，爲後來之誤甚矣，不得不爲拈出。【略】各調有宜遵古以正今之訛者，有不妨從俗以就今之便者。《九宫新譜》所載《步步嬌》之第一句、《玉交枝》之第五句、《好姐姐》之第五句、《江兒水》之第四句、《啄木兒》之第六句、《懶畫眉》之第一句、《醉扶歸》之第三句，其所署平仄，正今失調，斷所宜遵。至《皂羅袍》第三句之平仄平平，《解三酲》之第四六字句與第五七字句下三字之平仄平，《一江風》之第五六重用四字句，《瑣窗寒》之第八七字句，《山坡羊》之第七七字句，《步步嬌》之第五句第二字用仄聲，從古可也；即從俗，亦不害其爲失調也。若《玉芙蓉》之第六句用平平仄平，《白練序》之首句作四字，《畫眉序》之首句作三字，《石榴花》之首四句盡作七字，《梁州序犯》之第九句作七字，《劉潑帽》之第四句作四字，《駐雲飛》之第六句作三字，《綿搭絮》首句七字與第三句之六字，《鎖南枝》之第三句六字，與《换頭》第一二句之五字，第三句下之多六字一句，則世俗之以新調相沿舊矣，一旦盡返之古，必羣駭不從。又《水底魚兒》之八句，即剖爲二人唱，似亦無妨。《風入松》之每調繼以兩《急三槍》，與末調之單用本調，雖古有此格，然《琵琶》後八折耳，安在其必當而拘拘以此爲法也，拈出與秉筆者商之。詞隱論北詞，謂《朝天子》一調，自《龍泉記》出，而此曲失眞。《浣紗》「往江干水鄉」盛行，而此曲盡晦。卻取《太和正音譜》所收張小山「瘦杯玉醅」一首爲譜。其詞「飽似伯夷」一句係失調，不如《中原音韻》所收「早霞晚霞」一首爲確。蓋《浣紗》實倣《龍泉》，較原調多著襯字，其聲尚可考見也。今並列於此。元人《題廬山·朝天子》云：「早霞晚霞，妝點廬山畫。仙翁何處鍊丹砂？一縷白雲下。客去齋餘，人來茶罷。歎浮生，指落花。楚家，漢家，做了漁樵話。」《浣紗·朝天子》云：「往江干水鄉，過花溪柳塘，看齊齊綵鷁波心放。鼕鼕疊鼓起鴛鴦，一雙戲清波浮輕浪。青山兒幾行，綠波兒千狀，渺茫渺茫渺渺茫。趁東風蘭橈畫槳，蘭橈畫槳，採蓮歌齊聲唱。」南人爲北詞，而失其本調者，即此曲可類見矣。余頃與孫比部談及此調，比部指摘《浣紗》陰陽之舛。余因字字分別陰陽，並盡用律中諸禁，作《春遊詞》一闋。鬱藍生序刻以傳好事者，今存別本。然爲法苛刻，益難中之難。要以遊三尺之中，而不見一毫勉強，乃佳；若一爲界限所拘，讀去礙口，便非高手也。【略】臨川之於吳江，故自冰炭。吳江守法，斤斤三尺，不欲令一字乖律，而毫鋒殊拙；臨川尚趣，直是橫行，組織之工，幾與天孫爭巧，而屈曲聱牙，多令歌者齚舌。吳江嘗謂：「寧協律而不工。讀之不成句，而謳之始協，是爲中之之巧。」曾爲臨川改易《還魂》字句之不協者，呂吏部玉繩（鬱藍生尊人）以致臨川，臨川不懌，復書吏部曰：「彼惡知曲意哉！余意所至，不妨拗折天下人嗓子。」其志趣不同如此。鬱藍生謂臨川近狂，而吳江近狷，信然哉！自詞隱作詞譜，而海內斐然向風。衣鉢相承，尺尺寸寸守其矩矱者二人：曰吾越鬱藍生，曰檇李大荒逋客。鬱藍《神劍》、《二媱》等記，並其科段轉折似之；而大荒《乞麾》至終帙不用上去疊字，然其境益苦而不甘矣。【略】南九宫蔣氏舊譜，每調各輯一曲，功不可誣。然似集時義，只是遇一題，便檢一文備數，不問其佳否何如，故率多鄙俚及失調之曲。詞隱又多仍其舊，便注了平仄，作譜其間，是者固多，而亦有不能盡合處。故作詞者遇有杌陧，須別尋數調，仔細參酌，務求字字合律，方可下手，不宜盡泥舊文。余非敢以翹先生之過，蓋先生雅意，原欲世人共守畫一，以成雅道，余稍參一隙，亦爲先生作忠臣意也。作譜，余實慫恿先生爲之，其時恨不曾請於先生，將各宫調曲，分細、中、緊三等，類置卷中，似更有次第，今無及矣。【略】南曲之必用南韻也，猶北曲之必用北韻也，亦由丈夫之必冠幘而婦人之必笄珥也。作南曲而仍紐北韻，幾何不以丈夫而婦人飾哉！吾之爲南韻，自有南曲以來，未之或省也。吾之分姜、光、堅、涓諸韻，自有聲韻以來，未之敢倡也。吾又嘗作聲韻分合之圖，蓋以洩天地元聲之秘。聖人復起，不能易吾言矣。

沈德符《顧曲雜言・絃索入曲》 老樂工云：「凡學唱從絃索入者，遇清唱則字窒而喉劣。」此亦至言。今學南曲者亦然，初按板時，即以簫、管爲輔，則其正音反爲所遏，久而習成，遂如蛩、蚷相倚，不可暫撇，若單喉獨唱，非音律長知而不諧，則腔調矜持而走板。蓋由初入門時不能盡其才也。曾見一二大家歌姬輩，甫啓朱唇，即有簫、管夾其左右，好腔妙囀，反被拖帶，不能施展，此乃以邯鄲細步行荆榛泥濘中，欲如古所云「高不揭，低不咽」，難矣！若吾輩知音者，稍待學唱將成，即取其中一二人教以簫、管，既諳疾徐之節，且助傳換之勞，宛轉高低，無不如意矣。今有以吹、唱兩師並教者，尤舛。

又《填詞名手》 近年則梁伯龍、張伯起，俱吳人，所作盛行於世，若以《中原音韻》律之，俱門外漢也。惟沈寧庵吏部後起，獨恪守詞家三尺，如庚清、眞文、桓歡、寒山、先天諸韻，最易互用者，斤斤力持，不少假借，可稱度曲申、韓，然詞之堪入選者殊尠。梅雨金《玉合記》最爲時所尚，然賓白盡用駢語，餖飣太繁，其曲半使故事及成語，正如設色骷髏，粉捏化生，欲博人寵愛，難矣！湯義仍《牡丹亭夢》一出，家傳戶誦，幾令《西廂》減價；奈不諳曲譜，用韻多任意處，乃才情自足不朽也。年來俚儒之稍通音律者，伶人之稍習文墨者，動輒編一傳奇，自謂得沈吏部九宮正音之秘；然悠謬粗淺，登場聞之，穢溢廣坐，亦傳奇之一厄也。

又《笛曲》 今按樂者，必先學笛曲，如五、凡、工、尺、上、一之屬，世以爲俗工俚習，不知其來舊矣。宋《樂書》云：「黃鐘用合字，太呂、太簇用四字，夾鐘、姑洗用一字，夷則、南呂用工字，無射、應鐘用凡字，中呂用上字，蕤賓用勾字，林鐘用尺字，黃鐘清用六字，大呂、夾鐘清用五字。又有陰、陽及半陰、半陽之分。」而遼世大樂，各調之中，度曲協律，其聲凡十，曰五、凡、工、尺、上、一、四、六、勾、合，近十二雅律，於律呂各缺其一，以爲猶之雅音之不及商也。可見宋、遼以來，此調已爲之祖。今樂家傳習數字，如律詩之有四韻、八句，時藝之有四股、八比，普天下不能越，獨昧其本始耳。

馮夢龍《太霞新奏發凡》 詞學三法，曰調，曰韻，曰詞。不協調，則歌必捩嗓，雖爛然詞藻，無爲矣。自東嘉沿詩餘之濫觴，而效顰者遂籍口不韻。不知東嘉寬于南，未嘗不嚴于北。謂北詞必韻，而南詞不必韻，即東嘉亦不能自爲解也。是選以調協韻嚴爲主，二法既備，然後責其詞之新麗，若其無穢庸淡，則又不得以調韻濫竽。調韻之病，如方諸館所禁，曰重韻（一字兩押），曰借韻（雜押傍韻），曰犯韻（有正犯，句中不得與押韻同音，如東犯冬，類有傍犯；句中即上去字，不得與平聲相犯，如董凍犯東類），曰平頭（次句首字與首句首字同音），曰合腳（次句末字與首句末字同音），曰上去疊用（上上去去），曰上去去上倒用（宜上去用去上，宜去上用上去），曰入聲三用（疊用三入聲字），曰陰陽雜用（宜陽用陰，宜陰用陽），曰閉口疊用（歌之不雅然，如心心、念念等，見成者亦自不妨，但須擇可而用），曰韻腳以入代平押（車遮等窄韻往往有之，然亦萬不得已，終非正體）。其法甚密，操此程詞，酷于商君矣。今于調，則唯取句字相配，平仄和諧。偶未盡善，即爲標出，曰某句未妥，某字不叶。其有塡腔恰好者，亦標曰：某句妙，某字平上去妙。使後學知所法戒。韻或戒或重，則先標本韻，而次之曰重幾韻、借某韻幾字。要之，重祇貽字貧之誚，借則比越境之誅。與其借也，寧重即不借，而牽強未安，吾亦寧重也。《中原音韻》原爲北曲而設，若南韻又當與北稍異。如龍之驢東切，娘之尼姜切，此平韻之不可同于北也。白之爲排，客之爲楷，此入韻之不可廢于南也。詞隱先生發明韻學，尚未及此，故守韻之士猶謂南曲亦可以入韻，代上去之押，而南北聲自茲混矣。《墨憨齋新譜》謂入聲在句中可代平，亦可代仄，若用之押韻，仍是入聲，此可謂精微之論。故選中有偶以入聲代上去押者，必標曰：借北韻幾字。

又《墨憨齋定本傳奇・雙雄記敘》 詞家于今日，僉謂南音盛，北音衰，蓋時尚則然。余獨以爲不然：北音幸而衰，南音不幸而盛也。夫北詞暢于金、元，雜劇本勾欄之戲，後稍推廣爲傳奇，而南詞代興，天下便之。《荆》、《劉》、《蔡》、《殺》而後，坊本彗出，日益濫觴。高者濃染牡丹之色，遺卻精神；卑者學畫葫蘆之樣，不尋根本。甚至村學究手摭一二椿故事，思漫筆以消閑；老優施腹爛數十種傳奇，亦效顰而奏技。中州韻不問，但取口內連羅；九宮譜何知，只用本頭活套。作者逾亂，歌者逾輕。調罔別乎宮商，惟憑口授；音不分乎清濁，只取耳盈。或因句長而板妄增（如《荆釵記》「小梅香」之類），或認調差而腔并失（如《琵琶記》「把泥土獨抱」之類）。弄聲隨意，平上去入之不精（如讀「忿」爲上聲，「滕」爲去聲之類）；識字未眞，唇舌齒喉之無辨（如「娘」「你」爲舌尖音，宜北不宜南）。語云：「童而習之，白首不解。」南詞之謂與！而世多耳食，謬謂南詞易，北詞難。嗚呼！南詞豈獨易哉！時尚在南，而爲南者多；時尚不在北，而爲北者少。爲南者多，則易之；爲北者少，則難之。易南，而南之法已壞；難北，則北之體猶存。由此言之，南非盛，北非衰也，孰幸孰不幸，亦可知也已。説者又謂：北調入于弦索，南調便于簫管，吳人賤弦索而貴簫管，以故南詞最盛。是又不然。吳人直不知弦索耳，寧賤之耶？若簫管是何足貴？夫塡詞之法，謂先有其音，而以字肖之。故聲與音戾，謂之不協。不協者絀。今簫管之曲，反以歌者之字爲主，而以音肖之，隨聲作響，共曲傳訛，雖曰無簫管可也。然則簫管之在今日，是又南詞之一大不幸矣。

凌濛初《譚曲雜劄》　尾聲，元人尤加之意。而末句最緊要。北曲尚矣，南曲如《拜月》，可見一斑。大都以詞意俱若不盡者爲上，詞盡而意不盡者次之。若詞意俱盡，則平平耳，猶未舛也；而今時度曲者，詞未盡而意先盡，亦有詞既盡而句未盡，則復強綴一語以完腔，未必「貂不足」，眞所謂「狗尾續」也。【略】本曲調有不用尾聲，則煞句卽是尾，唱法亦然，故舊曲亦必於此用老句、妙句煞之。如《琵琶》「下絲綸不愁無處，笑伊村煞」，《拜月》「知他喚愁是甚的，總不解愁滋味」，《金印》「男兒好和歹，都是這番命裏」之類是也。今人於尾聲且漫然塗塞，況於煞句，尤不通此竅矣。大凡過曲至末，緊板緊腔調不可舒者，則以尾聲漸舒其調以收之；若過曲有四曲二曲，而末處調可舒者，卽不可用尾，唯唱時略舒末句以作尾而已。此自一定之法。今塡曲者不知，以爲凡曲必宜有尾矣，而唱曲者見無尾舊曲，卽造一尾以添之，以至《琵琶》、《拜月》紛紛多有續貂，良可笑也。

又《南音三籟敘》　自樂不傳于今之世，而聲音之道流行于天地間者，惟詞曲一種而已。曲有自然之音，音有自然之節，非關作者，亦非關謳者，莫知其所以然而然。通其音者可以不設宮調，解其節者可以不立文字，而學者不得不從宮調、文字入，所謂師曠之聰不廢六律，與匠人之規矩埒也。今之傳者置此道于不講，作者襲其失步，率意廓塡，謳者沿其師承，隨口啽囈，卽有周郎之顧，誰肯信其誤而正之耶！而自然之元聲，本有不可泯滅者。譬如拙匠自舛，越于規矩，終不能使方圓易象，則譜不可不設。【略】知者從宮調、文字中準之，復從不設宮調、不立文字中會之，而自然之音節自出耳。夫籟者，自然之音節也。蒙莊分別之爲三，要皆以自然爲宗。故凡詞曲，字有平仄，句有短長，調有合離，拍有緩急。其所謂宜不宜者，正以自然與不自然之異在芒忽之間也。操一自然之見于胸中，以律作者、謳者，當兩無所逃，作者安于位置，謳者約于規程矣。

又《南音三籟凡例》　曲每誤于襯字，蓋曲限于調，而文義有不屬不暢者，不得不用一二字襯之，然大抵虛字耳（如「這、那、怎、着、的、個」之類）。不知者以爲句當如此，遂有用實字者。唱者不能搶過，而腔戾矣。又有認襯字爲實字，而襯外加襯者，唱者不能搶多字，而腔又戾矣。固由度曲者懵于律，亦從來刻曲無分別者，遂使後學誤認，徒按舊曲句之長短，字之多寡，而倣以塡詞，意謂可以不差，而不知虛實音節之實非也。相沿之誤，反見有本調正格，疑其不合者，其弊難以悉數。此刻凡襯字，俱以細書別之，間有本調虛字（句上無板者是），可兩可三者則不復分。【略】曲又易誤于犯調，蓋古來舊曲有犯他調者，或易其名（如《玉山供》、《錦庭樂》之類），或止于本名下增一犯字，相沿之久，認爲本調者多矣。度曲者懵然不知，按字句而塡之，唱曲者習熟既久，反執此以改彼，其弊亦煩。此刻俱細查分出，間有未明，或已明而尚在疑似者，則志之上方以闕疑，蓋愼之也。近刻惟《吳歈萃雅》有分注，而未能盡得，承訛亦多，悉爲訂定（如《五供養》末句，本七字句。《琵琶記》用「骨肉分離寸腸割斷」八字，則犯《月上海棠》者，舊本刻《五供養犯》是也。今人以此爲本調，而唱「青山頓老」末句者，將「北風吹面利如刀」用「寸腸割斷」之板而求強合，既已可笑，及見他曲有七字末句者，便謂犯《玉山頹》，不知曲無《玉山頹》名。時人所謂《玉山穨》者，如《琵琶記》「公公尊賜」，實名《玉山供》，乃《玉抱肚》、《五供養》合成者，下半，正卽《五供養》本調，故七字句也，何嘗別犯乎？此皆犯調不別誤之也，其詳皆在後本調中，偶舉一則以例其餘）。曲依宮分調，倣譜例也。但向來之曲，多帶諸宮之調以成套者，則止因其首曲之宮以次列焉。牌名板眼，字句增損，坊刻承訛襲舛，誤人多矣。毘陵蔣氏全譜，本調俱在，可據以訂各詞。松陵沈伯英采新補舊，亦是功臣。間有臆見未確者，則斟酌而定之。然必確證，必實譜，斷不妄爲傳會，猶恨無周郎之識，盡顧其誤，百不失一而後快耳。字之閉口者，止侵尋、監咸、廉纖三韻，人所易誤忘者，則加「○」以別之，從沈譜例也。其宜撮口者，《萃雅》偶及殊略，然其類甚繁，字字而注，而又太瑣，今作小「△」于左方。至鼻音則止庚青一韻，原無別讀，無論識字與否，不慮其不入鼻者，止姑蘇城中土音，則以庚爲根，青爲親耳。天下之正音皆不然也，故不必復標識之。曲分三籟，其古質自然，行家本色爲天；其俊逸有思，時露質地者爲地；若但粉飾藻績，沿襲靡詞者，雖名重詞流，聲傳里耳，槩謂之人籟而已。擬每籟各爲一集，恐閱者嫌雜，仍以詞照宮調收之，而分注其目下，復略加圈於佳句，以示指歸云。曲之有中原韻，猶詩之有沈約韻也。而詩韻不可入曲，猶曲韻不可入詩也。今人如梁、張輩，往往以詩韻爲之，其下又隨心隨口而押，其爲非韻則一。然自《琵琶》作俑，舊曲亦不能盡無此病。兹刻每曲必注用某韻于後，其犯別韻，或借韻者，亦字字注明。至有雜用數韻不可以一韻爲正者，則書雜用某某韻，庶無誤後學耳。曲自有正調正腔，襯字雖多，音節故在，一隨板眼，毫不可動。而近來吳中教師，止欲弄喉取態，便于本句添出多字，或重叠其音以見簸弄之妙，搶墇之捷，而不知已戾本腔矣。況增添既多，便須增板。增板既久，便亂正板。後學因之，率爾塡詞，其病有不可救藥者，偶一正之，即云本之王問琴所傳，而不知作俑之爲罪人。沈伯英所謂聞今日吳中清唱，即欲掩耳而避者也。

袁園客《南音三籟題詞》 曲之要領皆挈于板。板之于曲，猶尺也。腔調之疾徐，聲音之長短，咸以板爲範圍者也。亦猶路也，一人由之，而不失其步趨，百千萬人由之，而無歧途者也。不特是也，猶有不易之數，數之中理亦存焉。板多則腔繁，板少則音宕。苟一縱其銜轡，因而斷其句讀，斷其頓挫，有不見嗤于大方者，鮮矣。板之不可增損也如此。

張琦《衡曲麈譚·曲譜辨》 心感物而成聲，聲逐方而生變，音之所以分南北也。君子審聲以知音，而律呂辨矣。古律數九九八十一以爲宮，三分而損益之以爲徵、商、羽、角，此律呂之大較也。復之一陽始生，律應黃鐘，遞而推之爲大呂、太簇、夾鐘、姑洗、仲呂、蕤賓、林鐘、夷則、南呂、無射、應鐘，凡十有二律，所謂氣始於長至，周而復生，聖人合符節，調鐘律，造度數，繇此其選也。樂府之制，字辨陰、陽，調協平、仄，然未有舍十二律而自爲神明者。今按之曲譜，大抵譸張附會者什之八九，夷考其調，僅有黃鐘、南呂二家，諸如仙呂、大石、越調、雙調之名，不知從何根據。如謂舍十二律別有流暢，則此黃鐘、南呂猶然十二律中之名義也，而曲譜竟別創爲仙呂諸調，又何説耶？如仍出諸十二律，則宮調之首，當叙自黃鐘始，今南曲譜獨首仙呂，又何説耶？且也，黃鐘爲宮，不必更有正宮之名矣；夾鐘、姑洗、無射、應鐘爲羽，不必更有羽調之名矣；夷則爲商，不必更有商調之名矣。今譜之有宮、商、羽三調，而又無角、徵二聲，獨何歟？説者曰：「軒轅之法，及今淼矣，此流傳者之殘闕也。但不知仙呂、大石、越調、雙調，究竟自誰伊始。」余竊揣之，意者十二律之仲呂，或因「仲」字與「中」字、「仙」字相肖，遂誤傳爲中呂、仙呂乎？又或「呂」字與「石」字相似，遂誤傳大呂爲大石乎？善讀書者，盡信不如其無，則九宮譜之謂矣。「然則何以處曲乎？」曰：「曲者，末世之音也，必執古以泥今，迂矣！曲者，俳優之事也，因戲以爲戲，得矣。」「然則譜可廢乎？」曰：「因其道而治之，適於自然，亦已無憾，何必不譜也？蓋九九者，天地自然之數也，律呂因此諧，腔調繇此出，譬如今日，此曲之腔唱爲彼曲，聽者笑之，謂其失於僅如其字數逐句櫛比，而所以平仄之故卒置弗講，似此者，如土偶人，止還自然也。然則按譜而作之，亦按譜而唱和之，期暢血氣心知之性，而發喜、怒、哀、樂之常，斯已矣。況譜法之妙，專在平仄間究心，乃學之而陋焉者。其頭面手足而心靈變動毫弗之有，於譜奚當焉？及學之而失焉者，每一套中以此調之過曲，忽接他調，譬諸冬行夏令，南走北轅，即名家大手，往往有之，於譜又奚裨焉？昔人歌蕤賓之聲而景風至，震易水之響而白虹貫，所云動已而天地應焉，聲音之感，豈其微哉！古之譚曲者曰『曲如折，止如槀木』，曲之道思過半矣。」客曰：「今子伯仲之選本，其於譜書固兢兢矣，而重翻此義，可謂世行世法，我行我法者夫？」余然其言，遂併識之。

沈寵綏《度曲須知·序言》 六律五聲八音何昉乎？昉天地之自然也。自然者，爲於莫爲，行所不得行，古聖因而律呂之，聲歌之，格帝感神，宣風導化，象德昭功，非此無藉。故季子觀魯，十五國之風歷然；尼父聞齊，千餘年之盛如睹。非夫神妙無方，其能爾乎？漢、魏以降，道喪樂崩，聲音之道荒矣。然《房中》之曲，郊廟之樂，猶存十一於千百。樂府諸篇，蓋其遺音乎？自時厥後，變聲代作，繁響競臻。帝王稱知音者，唐玄宗、南唐後主、宋道君、金章宗，其班班也。於時伶人樂工，無不極意盡妍，播爲新聲，然按之鮮不協律者。聲之有律，其諸刑法之金科玉條乎？陳、隋以前，肇名爲曲，王令言聽翻調《安公子》曲，驚其往而不返；王右丞見度曲圖，知爲《霓裳羽衣》第二拍，固繇神解，亦豈非曲有常均耶？特古調不傳，今可考者，《清平》三調，旗亭四絕，大都即詩爲曲，才人一章脫手，樂部即登管絃，居然風雅獨絕。嗣乃短長其體，號爲詩餘，亦稱塡詞，有宋最盛。沿及勝國，遂以制科取士，格律惟嚴，情才咸集，用以笙簧一代，鼓吹千載，安得不於今爲烈哉？院本有南北二種，六宮十一調，初無異格，特南無唱，北無歌，不得不分胡越。吾吳魏良輔，審音而知清濁，引聲而得陰陽，爰是引商刻羽，循變合節，判毫杪於翕張，別玄微於高下，海內翕然宗之。顧鴛鴦繡出，金針未度，學者見爲然，不知其所以然；習舌擬聲，沿流忘初，或聲乖於字，或調乖於義，刻意求工者，以過泥失眞；師心作解者，以臆斷遺理，予有慨焉。小窗多暇，聊一拈出，一字有一字之安全，一聲有一聲之美好，頓挫起伏，俱軌自然，天壤元音，一綫未絕，其在斯乎？其在斯乎！

又《四聲批窾》 昔詞隱先生曰：「凡曲去聲當高唱，上聲當低唱，平入聲又當酌其高低，不可令混。」其說良然。然去聲高唱，此在「翠」字、「再」字、「世」字等類，其聲屬陰者，則可耳；若去聲陽字，如「被」字、「淚」字、「動」字等類，初出不嫌稍平，轉腔乃始高唱，則平出去收，字方圓穩；不然，出口便高揭，將被涉貝音，動涉凍音，陽去幾訛陰去矣。上聲固宜低出，第前文間遇揭字高腔，及緊板時，曲情促急，勢有拘礙，不能過低，則初出稍高，轉腔低唱，而平出上收，亦肖上聲字面。古人謂去有送音，上有頓音。送音者，出口即高唱，其音直送不返也；而頓音，則所落低腔，欲其短，不欲其長，與丟腔相倣，一出即頓住。夫上聲不皆頓音，而音之頓者，誠警俏也。又先賢沈伯時有曰：「按譜塡詞，上去不宜相替，而入固可以代平，則以上去高低迥異，而入聲長吟，便肖平聲；讀則有入，唱即非入。」如一字、六字，讀之入聲也，唱之稍長，一即爲衣，六即爲羅矣。故入聲爲仄，反可代平。」然予謂善審音者，又可使入不肖平而還歸入唱，則凡遇入聲字面，毋長吟，毋連腔（連腔者，所出之字，與所接之腔，口中一氣唱下，連而不斷是也），出口即須唱斷。至唱緊板之曲，更如丟腔之一吐便放，略無絲毫粘帶，則婉肖入聲字眼，而愈顯過度顛落之妙；不然，入聲唱長，則似平矣。抑或唱高，則似去；唱低則似上矣。是惟平出可以不犯去上，短出可以不犯平聲，乃絕好唱訣也。至於北曲無入聲，派叶平上去三聲，此廣其押韻，爲作詞而設耳。然呼吸吞吐之間，還有入聲之別，度北曲者須當理會，若夫平聲自應平唱，不忌連腔，但腔連而轉得重濁，且即隨腔音之高低，而肖上去二聲之字，故出字後，轉腔時，須要唱得純細，亦或唱斷而後起腔，斯得之矣。又陰平字面，必須直唱，若字端低出而轉聲唱高，便肖陽平字面。陽平出口，雖繇低轉高，字面乃肖，但輪着高徵揭調處，則其字頭低出之聲，簫管無此音響，合（叶葛）和不着，俗謂之「拿」，亦謂之「賣」（若陽平遇唱平調，而其字頭低抑之音，原絲竹中所有，又原謂之拿矣），最爲時忌。然唱揭而更不「拿」不「賣」，則又與陰平字眼相像。此在陽喉聲闊者，辜肖猶不甚難，惟輕細陰喉，能揭唱，能直出不「拿」，仍合陽平音響，則口中觔節，誠非易易。其他陰出陽收字面，更能簡點一番，則平聲唱法，當無餘蘊矣。凡此，名曰「四聲批窾」，并後「收音問答」搜剔曲理，思且過半。然施之南曲，則腔舒板緩，儘堪搖擺推敲，非如「絃索」之調促絃繁，綁縛太緊，雖有能者，忙中多錯；若於見長，必一一按呂相規，則安得人皆李龜年而責之乎？惟鮮其人，不得不存其說。

又《絃索題評》 我吳自魏良輔爲「崑腔」之祖，而南詞之布調收音，既經創闢，所謂「水磨腔」、「冷板曲」，數十年來，遐邇遜爲獨步。至北詞之被絃索，向來盛自婁東，其口中熳娜，指下圓熟，固令聽者色飛，然未免巧於彈頭，而或疎於字面，如「碧雲天」曲中「狀元」之「狀」字，與「望蒲東」曲中「侍妾」之「侍」字，「梵王宮」曲中「金磬」之「磬」字，及「多愁多病」之「病」字，「晚風寒峭」曲中「花枝低亞」之「亞」字，本皆去聲，反以上聲收之。此等訛音，未遑枚舉，而又煩絃促調，往往不及收音，早已過字交腔，所爲完好字面，十鮮二三。此則前無開山名手，如良輔之於南詞者，故向來絕少到家，而衣鉢所延，遂多乖舛。邇年聲歌家頗懲紕繆，競效改絃，謂口隨手轉，字面多訛，必絲和其肉，音調乃協。於是舉向來腔之促者舒之，煩者寡之，彈頭之雜者清之，運徽之上下，婉符字面之高低，而釐聲析調，務本《中原》各韻，皆以「磨腔」規律爲準，一時風氣所移，遠邇羣然鳴和，蓋吳中「絃索」，自今而後始得與南詞並推隆盛矣。雖然，今之北曲，非古北曲也；古曲聲情，雄勁悲激，今則盡是靡靡之響。今之絃索，非古絃索也；古人彈格，有一成定譜，今則指法游移，而鮮可捉摸。誠使度曲者，能以邇來磨琢精神，分用之討究古律，則其於絃索曲理，不庶稱美備也哉。

又《中秋品曲》 從來詞家只管得上半字面，而下半字面，須關唱家收拾得好。蓋以騷人墨士，雖甚嫻律品，不過譜釐平仄，調析宮商，俾徵歌度曲者，抑揚諧節，無至沾脣拗嗓，此上半字面，塡詞者所得糾正者也。若乃下半字面，工夫全在收音，音路稍譌，便成別字。如魚模之魚，當收于音，倘以噫音收，遂訛夷字矣。庚青之庚，本收鼻音，若舐腭收，遂訛巾字矣。其理維何？在熟曉《中原》各韻之音，斯爲得之。蓋極塡詞家通用字眼，惟《中原》十九韻可該其概，而極十九韻字尾，惟噫嗚數音可筦其全。故東鐘、江陽、庚青三韻，音收於鼻。眞文、寒山、桓歡、先天四韻，音收於舐腭。廉纖、尋侵、監咸三韻，音收於閉口。齊微、皆來二韻，以噫音收。蕭豪、歌戈、尤侯與模，三韻有半，以嗚音收。魚之半韻，以于音收。其餘車遮、支思、家痳三韻，亦三收其音。但有音無字，未能繪之筆端耳。唱者誠舉各音涇渭，收得清楚，而鼻舌不相侵，噫於不相紊，則下半字面，方稱完好。猶憶客歲中秋，有從千人石畔，度「花陰夜靜」之曲，吐字極圓淨，度腔儘觔節，高高下下，恰中平上去入之竅要，閉口撮口，與庚青字眼之收鼻者，無不合呂。但細察字尾，殊欠收拾。凡東鐘、江陽字面，一概少收鼻音，瓏字半近於羅，桐字半溷於徒，廣或疑於寡，王或疑於華。此其人但知庚青之字出於口，音便收鼻，而不知東鐘、江陽之字尾，固自有天然鼻音在也。又有唱「拜星月」典者，聽之亦犯此病，其忙字尾似痳，則音不收鼻也；其軍字尾似居，親字尾似妻，先字尾似些，此音不收舐腭也；拜止以愛音收，腮止以哀音收，海止以靄音收，並無有噫音結局，此皆字面之沒了當者也。其他絃索之音，亦能收者什一，不收者什九。方駭聲場勝會，何以敗筆偏多。未幾，有皤然老翁，危坐啓調，聽之亦「拜星月」曲也。其排腔則古樸而無媚巧，其運喉則頹澁而少清脆，然出口精確，良爲絕勝。至下半字面，則無音不收，亦無誤收別韻之音；倘所稱曹崐崙之流乎？越宵，復有女郎唱「瑤琴鎭日」之曲，見其發調高華，出口雅麗，吐字歸音，各各絕頂，堪勝鬚眉百倍。設使中秋無是老翁女子，寧有完音哉！予因是而思平上去入之交付明白，向來詞家譜規，語焉旣詳，而唱家曲律，論之亦悉；至下半字面，不論南詞北調，全係收音，乃概未有講及者，無怪今人徒工出口，偏拙字尾也。予故特著收音譜訣，舉各音門路，徹底釐清，用使唱家知噫音之收齊微者，并收於皆來；鼻音之收庚青者，并收於東鐘、江陽；嗚音之收歌戈、模韻者并收於蕭豪、尤侯。其他眞文各韻，亦復音音歸正，字字了結。夫乃當今對症良劑乎？彼尾音欠收者，能受一砭否？

又《收音問答》 客有問余者曰：「東鐘、江陽兩韻，自來曲譜，不記鼻音，吾子收鼻之說，毋乃誕與？」余應曰：「唯唯否否。夫《詞腴》諸集，獨於庚青字眼，旁記鼻音者，緣吳俗庚青皆犯眞文，鼻音並收舐腭，所謂兵、清諸字，每溷賓、親之訛，自來莫有救正，於是字旁記點以別之。此作譜者，正音之津筏也。若以東鐘、江陽，其音天然歸鼻，無煩矯正，但有不收之慮，卻鮮別犯之憂，故字旁無復記點，豈眞不須收鼻哉？惟是庚青之收鼻略早，兩韻之收鼻較遲，是則微有異耳。總之，皆鼻者也。」客曰：「兩韻之歸鼻固矣。所慮不收之說，可得聞與？」余曰：「凡敷演一字，各有字頭、字腹、字尾之音。頭尾姑未釐指，而字腹則出字後，勢難遽收尾音，中間另有一音，爲之過氣接脈，如東鐘之腹，厥音爲翁紅（陰腹爲翁，陽腹爲紅。下倣此）；先天之腹，厥音爲煙言；皆來之腹，厥音爲哀孩；尤侯之腹，厥音卽侯歐；寒山、桓歡之腹，厥音爲安寒；餘卽有音無字，未便描寫，皆所謂字腹也。由腹轉尾，方有歸束，今人誤認腹音爲尾音，唱到其間，皆無了結，以故東字有翁音之腹，無鼻音之尾，則似乎多；先字有煙音之腹，無舐腭音之尾，則似乎些。種種訛舛，鮮可救藥。至於支思、齊微、魚模、歌戈、家痳、車遮數韻，則首尾總是一音，更無腹音轉換，是又極徑極捷，勿慮不收者也。若夫江陽諸韻之不收尾音，有兩種人犯之：一種自負喉音嘹喨，縱情使去，往而莫返，如是者不收；又梨園子弟當場，務欲四筵聳聽，一味浩歌闊唱，如是者不收。乃若月下花陰，名山勝會，賞音畢集，自宜輕謳緩按，緊收細吐，眞如袁石公所云：「千人石畔，度一字，揑一刻者，方爲入彀。安得任卻喉音，放情賣弄，致同優者之音闊鮮收哉？」客又曰：「今人既犯認腹爲尾之病，則將去其腹音，亦如齊微等韻早收尾音，不亦可乎？」曰：「不可。聲調明爽，全係腹音，且如『蕭豪』二字，何等高華，若不用字腹，出口便收嗚音，則幽晦不揚，而字欠圓整，故尾音收早，亦是病痛，而閉口韻尤忌犯之，是字腹誠不可廢也！」客曰：「字腹字尾，拈說既明；所云字頭之音，亦有說歟？」曰：「凡字音始出，各有幾微之端，似有如無，俄呈忽隱，於蕭字則似西音，於江字則似幾音，於尤字則似奚音；此一點鋒鋩，乃字頭也。繇字頭輕輕吐出，漸轉字腹，徐歸字尾，其間從微達著，鶴膝蜂腰，顚落擺宕，眞如明珠走盤，晶瑩圓轉，絕無頹濁偏歪之疵矣。然字頭尤自有辨：今人每唱離字、樓字、陵字等類，恆有一兒音冒於其前。又如唱一那字，則字先預贅一舐腭之音，俗云『裝柄』，又云『摘鈎頭』，極欠乾淨，此又可名曰『字疣』，不可誤認爲字頭也。諸凡論説，及已前歌訣，可與明者道，難與俗人言，必能心中體會，口內呷嗚，逐字逐音，細細試演，其理自得。若粗心浮氣，見此話頭，不病爲幽渺，卽笑爲支離，就中玄奧，孰從喻之，則知我罪我，其惟此書乎？」客又問曰：「上半字與下半字，總是一字，其理當非懸絶，乃今人業能出字，復昧尾音，其故何歟？」曰：「世之樂工歌客，字且不識，奚能審音？間有從字面中着意稽研者，不過於聲之平上去入，調得洽妥，腔之頓挫悠揚，吐得觔節，更於開口、撮口、鼻音之旁註曲譜者，記得淸楚，則遂儼然曲師自命，而王孫公子，爭先延聘，試問其某字應歸某韻，某韻應收某音，彼固茫然也。若乃文人墨士，則工於塡詞，而拙於度曲，亦且卑其事而不屑究討，間有稍稍涉獵者，其聰明問學所及，亦但使叶切無訛，平仄無舛，而韻脚雖嫺，音理未熟，試問其字頭何音，字腹何音，字尾何音，彼又茫然也。世鮮收音，職此故歟？嘗思今之曲譜，卽古之樂章，故塡詞一事，勝國以之制科取士，而放榜之後，卽以中式詞章，賜之樂府，演之伶官，勷厥瓊林佳宴，何等鄭重其事，今人乃卑之不肯習也，是不可解矣。」

又《字母堪删》 今人盡攻舉子業，而字學一脈，幾乎息矣。彼其音關脣、舌、齒、喉，理寓陰、陽、淸、濁，儒紳土苴弗講，猶賴度曲者僅留一緒於聲歌之中，則以儒者工章句，謳者推音聲，而呫嗶則忙不細討，嘯歌則音堪徐度耳。予嘗考字於頭腹尾音，乃恍然知與切字之理相通也。蓋切法，卽唱法也。曷言之？切者，以兩字貼切一字之音，而此兩字中，上邊一字，卽可以字頭爲之，下邊一字，卽可以字腹、字尾爲之。如東字之頭爲多音，腹爲翁音，而「多、翁」兩字，非卽東字之切乎？簫字之頭爲西音，腹爲鏖音，而「西、鏖」兩字，非卽簫字之切乎？翁本收鼻，鏖本收嗚，則舉一腹音，尾音自寓，然恐淺人猶有未察，不若以頭、腹、尾三音共切一字，更爲圓穩找捷。試以「西、鏖、嗚」三字連誦口中，則聽者但聞徐吟一簫字；又以「幾、哀、噫」三字連誦口中，則聽者但聞徐吟一皆字，初不覺其有三音之連誦也。夫儒家翻切，釋家等韻，皆於本切之外，更用轉音二字（卽因、煙、人、然之類），總是以四切一，則今之三音合切，奚不可哉？至若家麻諸韻之本無字腹者，只須首尾兩音爲切。然又有首尾無異音者，但可以本字入聲當字首，如齊字之頭，止有疾音，疾卽齊之入聲也，故齊字可以疾、噫兩音唱之，亦可疾、噫兩音切之。他如支思、魚模、歌戈，其理總不外是。惟是腹尾之音，一韻之所同也，而字頭之音，則逐字之所換也。如哉、腮等字，出皆來韻中，而其腹共一哀音，其尾共一噫音，與皆來無異，至審其字頭，則哉字似玆，腮字似思，初不與皆字之幾音同也。又如操、腰等字，出蕭豪韻中，而其腹共一鏖音，其尾共一嗚音，與蕭豪無異，至考其字頭，則操字似雌，腰字似衣，初不與蕭字之西音同也。惟字頭有推移之妙，亦惟字頭有涇渭之分，哉腮不溷皆來，操腰細别蕭豪，非此一點鋒鋩爲之釐判也乎？顧其間，有同音也而淸濁殊，則亦並字也而陰陽異。如尤本陽字，而頭腹尾爲奚侯胡之音，則皆陽音矣；以尤調憂，乃陰字也，而頭腹尾爲衣歐嗚之音，則又皆陰音矣。字頭難以枚舉，而腹音之在東鐘者，陰則翁而陽則紅；在皆來者，陰則哀而陽則孩；在眞文者，陰則恩而陽則痕；在先天者，陰則煙而陽則言，推之各韻，其腹皆然。更稽其尾，亦何獨不然？有嗚卽有胡，有噫卽有奚，有於卽有于，而至於鼻音、閉口音、舐腭音，與夫車遮等韻之有音無字者，曾有不具一陰一陽之理者乎？又況各韻之頭腹尾，何一不分平上去？而其平上去，又何一不分陰與陽者乎？故凡陽字，則當以陽音之頭腹尾唱之；凡陰字，則當以陰音之頭腹尾唱之。轉腔之後，又勿論矣。守此唱法，便是切法，而精於切字，卽妙於審音，勿謂曲理不與字學相關也。嘗思當年集韻者，誠能以頭腹尾之音，詳切各字，而造成一韻書，則不煩字母，一誦了然，豈非直捷快事；特中多有音無字，礙於落筆，則不能不追慨倉頡諸人之造字不備也已。抑篇中字頭名相，擬議頗煩，則以三字切法，其腹尾之音，一定不改，而丸轉變化全在字頭，與度曲之音出微渺者迥異，蓋云切非云唱也，第恐將來不審，而愚流之信字頭者，泥作着情之唱，高明之疑字頭者，横加着相之譏，則誤人處在此，訾我處亦在此，於是特作字頭辨解于後，以示疑信之兩非云。篇中三字切法，上一字卽字頭，中一字卽字腹，下一字卽字尾。每韻摘出幾字，以備觀覽。他韻之無字腹者，不録。

又《字頭辨解》 予嘗刻算磨腔時候，尾音十居五六，腹音十有二三，若字頭之音，則十且不能及一。蓋以腔之悠揚轉折，全用尾音，故其爲候較多；顯出字面，僅用腹音，故其爲時少促；至字端一點鋒鋩，見乎隱，顯乎微，爲時曾不容瞬，使心浮氣滿者聽之，幾莫辨其有無，則字頭者，寧與字疣同語哉？予向恐世人之認字疣爲字頭也，特舉離字、那字之着疵者，拈出示之，俾字先無贅音之冒雜，乃又有慕托淘洗，過求乾淨，反認字頭爲字疣者，則其審音察字，猶鮮精到也。蓋字疣之音，添出字外，而字頭之音，隱伏字中，勢必不可去，且理亦不宜去。凡夫出聲圓細，字頭爲之也；粘帶不清，字疣爲之也。若其頹濁多而蘊藉少，則又強去字頭之故也。試聽字音乍出，其齒舌間一點微風，略帶音響，原天然隱躍字端，雖善淘洗，能去之哉？客有病予字頭之説，謂所云字腹，可當字頭，而所云字頭，乃直字疣。予請其試謳一曲，將逐一字端，細細察審，無不另成聲響，有絶與腹尾音各別者。客蓋專於歌，而略於聽，故音出口中而習焉不察也。此亦字頭不能去之一證也。雖然，蛇足之患，夫豈無之。今日既立一字頭之名，他日便泥一字頭之唱，着情賣弄，作態長吟，舌端不免牽帶，開口便多齷齪，大叛立言之旨，將貽作俑之尤，客之慮，非淺鮮也。夫惟十分滌洗字疣，乃存眞正字頭，而一意描寫字頭，反成眞正字疣。音本生成，非關做作，有心去之卽非，有心存之亦非；善唱則口角輕圓，而字頭爲功不少，不善唱則吐音龐雜，字疣着累偏多，吾故作此辨解，以喚醒夫認字疣爲字頭者，更以喚醒夫認字頭爲字疣者。

又《鼻音抉隱》　雲間某客，工於「絃索」，審於字面，其字尾收音，雖則未解厥故，然皆自然合式，不犯錯收。聞練川一巨室主人，豪華好士，通曉音律。客心慕之，挾技往謁，爲奏曲一闋。主人不甚嘗鑒，而私於他客曰：「雲間兄誠佳，惜未得其全耳。」某客聞之，未審致疵之繇。翌日，倩友往詢。主人曰：「此君出字良勝，閉口、撮口亦復合竅，但按《吳歈萃雅》諸譜，惟庚青一韻，應收鼻音，今則東鐘、江陽字面，一概混收。技雖佳，惜此竿頭未進。」客聞，忽忽自失，歸而語余曰：「細按曲譜，東鐘、江陽，果然不記鼻音，但無奈唱到轉腔過氣處，不覺暗收於鼻，然亦竟以收鼻故，覺得字面完整；而練川主人云云，此何説歟？」余聞其説，捧腹者久之，因歎曰：「曲譜之設，原以照盲，不謂因譜受盲有如此主人翁者，然譜亦何罪哉？」緣夫吳俗承訛既久，庚青皆犯眞文，鼻音誤收舐腭，故譜旁乃有記認。彼東鐘、江陽，本無他犯，曷爲仍記鼻音以添蛇足？且《中原》十九韻，厥音凡九，曷爲不記他音乃獨於收鼻，撮口、閉口三音而記之？曷爲不記他韻，而獨於庚青、廉纖四韻而記之？蓋閉口三韻，海虞字字合竅，鼻音、撮口，松陵約略無乖，惟郡城於三等口法，大都偏與韻戾，故作譜者急懲時弊，創此文旁鈐記耳。卽如閉口字面，設非記認譜旁，則廉纖必犯先天，監咸必犯寒山，尋侵必犯眞文，訛謬糾牽，將無底止，夫安得不記？若云東鐘兩韻，譜無鼻音，不應收鼻，則他如魚模等韻，譜中不記嗚音，曷爲唱者收嗚？不記于音，曷爲唱者收于？不記噫音，曷爲唱者收噫？不記舐腭音，曷爲唱者收舐腭哉？甚矣主人翁之盲於閲譜也。又余嘗按十九韻之音，不特東鐘兩韻，應收於鼻，卽閉口、舐腭，其音亦非與鼻無關。試於閉口、舐腭時，忽然按塞鼻孔，無有不氣閉而聲絶者；則雖謂廉纖、眞文等七韻，總是音從鼻出，奚不可哉？但其中猶自有辨。蓋舐腭，閉口，唱者無心收鼻，而聲情原向口達，無奈脣閉舌舐，氣難直走，於是回轉其聲，徐從鼻孔而出，故音乃滯濁，婉肖「無你」兩字土音（吳俗呼「無」字不作巫音，另有土音與閉口音相似。又有我儂、你儂之稱，其「你」字不作泥音，另有土音，與舐腭音相似）。至庚青三韻，則是開口收鼻，用意爲之，聲響直透腦門而出。故其音較清，又肖吳字土音（吳俗呼「吳」字不作胡音，另有土音與鼻音相似）。試於庚青開口收鼻時，忽然閉口，亦不全肖閉口之音，蓋緣聲情不向口出，盡納鼻孔，故雖閉口，不甚鬱塞，第覺半似吳字土音，半似無你兩字土音。又試於閉口舐腭之收鼻時，忽然開口舒舌，則又絶非庚青收鼻之音，蓋緣音之收鼻，非其本情，故脣關一啓，其音原向口出，不從鼻轉，而細察聲響，全不似吳字土音，亦全不似無你兩字土音，同中有異，異中有同，總皆借徑於鼻，則夫閉口舐腭七韻，尙算收鼻之例，曷云東鐘兩韻，反非鼻音哉？甚矣主人翁之盲於閲譜也！抑今人庚青鼻音，每犯驟收之病，夫庚青，非齊微諸韻比也，齊微諸韻，天然無腹，一出口便轉尾音，卽欲緩收，無聲可度，乃若庚青之腹，明明有一恆音則必首腹尾攏得調勻，字方丸轉，今人急急早收，口中便多痕跡，此亦太泥曲譜之故也。夫庚青之有記認而收鼻太早，與東鐘兩韻之無記認而終於不收，豈非病則一般哉？余因是不免有憂焉。前收音口訣中，謂「曲度庚青，急轉鼻音」，亦不過較東鐘之緩收者，略促其候耳。若覽者以辭害意，則又是主人翁識見矣。岳侯運用之妙，存乎一心，趙括徒讀父書，敗乃公事，則曲譜何罪？吾子亦何罪哉？客於是欣然頤解，大悟而去。篇內東鐘、江陽，與庚青並例，已驚俗耳，乃舐腭、閉口，概派收鼻，語益不經。不知閉口之收鼻，非余創説，伯良王氏，已先言之。但口閉矣而無竅可通，不得不從鼻轉，此亦理所易曉者。至舌舐上腭，口固開也，而聲出脣間，夫復何疑？然其舌腭緊牢貼，外雖啓，內實閉，舍是鼻孔，他無出路，試令幷掩其鼻，有不聲頓響絕也哉？唱者不信，請細演之。有客謂：「曲譜流行甚廣，若云三等鈐記，特爲姑蘇而設，將無坐井觀天歟？」予曰：從來「磨調」曲，惟姑蘇絕盛，而詞譜亦姑蘇編較者多。以蘇人之譜，砭蘇音之病，故閉口始記《詞腴》，鼻音則廣于《吳歈萃雅》，撮口則添自《詞林逸響》，繇來漸矣。子疑鼻音之說，請以撮口證之。夫裙、許、淵、娟等字，理應撮口呼唱，乃歷稽譜傍，何以書、住、朱、除，則記撮口，而裙、許、淵、娟，絕少鈐認乎？蓋有記有不記，因蘇城人之有撮有不撮耳。試觀松陵玉峰等處，于書、住、朱、除四字，天然撮口，譜傍似可無記，而必記無遺者，豈非以蘇城之呼書爲詩，呼住爲治，呼朱爲支，呼除爲池之故乎？吳興土俗以勤讀裙，以喜讀許，以煙讀淵，以堅讀娟，似乎譜傍不應無記，乃竟無一記者，又豈非以蘇城於此四字天然撮口，無須更添蛇足也乎？然則庚青之記收鼻，既如朱、住、書、除之不可不記撮口也。東江兩韻之本鼻音而不記鼻音者，卽如裙、許、淵、娟之本撮口而不記撮口也。若謂東江兩韻譜無一記不應收鼻，將淵、娟等字之不記撮口者，必撮口呼唱，一如吳興之煙、堅土語，乃爲帖切耶？惟閉口韻，姑蘇全犯開口，故譜中無字不記。撮口則僅乖其半，故亦什記其伍。至所記鼻音爲第三之一者，則以庚青獨犯舐腭，而東鐘、江陽，乃仍字字收鼻故耳。曲譜鈐認，不爲姑蘇，而爲誰哉？近有聲場名宿，所唱「雲雨阻巫峽」曲中傷字，竟不敢收鼻而硬收舐腭之音，後學習響師聲，深苦嗓子拗窒，則以天然音韻審之傷字，初無舐腭音耳。試考「不做周方」與「雲斂晴空」兩曲韻腳，一江陽，一東鐘；彼其方、倘、房、香，以及空、湧、紅、桐等字，今之絃索家，果收舐腭乎？抑收鼻音乎？蓋此人深拘曲譜之無記，故驚疑不敢收鼻，若使《吳歈萃雅》至今未出，則此人庚青字眼不幾終無收鼻之時也哉。客不覺撫掌大笑曰：「君勿言，予悉之矣！」

又《俗訛因革》 越稽《正吳編》載，娘字爲女良切，女字爲尼呂切，尼字爲年題切，年字爲寧田切，寧字爲奴經切，奴字爲農都切。蓋詞隱先生（沈寧庵別號）本之《洪武韻》也。要終原始，遞考貼切，數字皆舌舐上腭而出，此在「弋陽」優者，口氣誠然不爽，而按之時唱，大不其然。及考《中原音韻》，則娘爲尼姜切，女爲尼矩切，年爲尼堅切，寧爲尼經切；至於尼字，乃是濃雞切，濃字又是尼容切，濃尼交相反切，莫窮字母源流。但《正韻》濃爲女容切，亦是舐舌出口，則兩韻書大約不相違謬。他如你、磜、念、紐、甯、溺等字，口法皆然，聽之不協俗耳，似應姑隨時唱，以俟俗換時移，徐徐返正，今則或未可強也。又《中原韻》熬字爲訛高切，訛字爲吳哥切，傲字爲昂告切，昂字爲吳岡切，乃考吳字竟是王姑切，則昂乃叶杭，傲乃叶浩，訛乃叶和，熬乃叶豪無疑矣（杭、和、豪、浩，俱陰出陽收。昂、訛、熬、傲，俱陽出陽收。雖口法略異，因係同音，姑借叶之）。正韻叶切，仍復相倣。他如梧、娥、誤、臥等類，亦與吳音相近，絕非時俗口法，此則確應遵韻，不可狥時。況北曲口氣撇嚎（叶太上聲），尤與韻音相宜者乎？惟是我爲昂哿切，唱之頗不協聽，似又暫應通俗者也。夫昂哿、寧田諸切，雖合韻音，反似諸方土音，故於俗耳不入。乃「絃索」曲中，又有萬字唱患，望字唱旺，問字唱溷，文字唱魂，武字唱五，微字唱圍之類，北方認爲正音，江南疑爲土音，其間孰非孰是，斷案別詳甌說，玆姑不贅。獨維遺兩字之呼作圍音，韻《中原》與圍字同收一處，何今人曾不細考，乃概以他方土音目之也哉？

又《宗韻商疑》 昔方諸生（王伯良別號）有曰：「周氏作《中州音韻》，其功不在於合而在於分，乃分之中猶有未盡然者，如江陽之於邦王，齊微之於歸回，魚居之於模吳，眞親之於文門，先天之於鶻元，試細呼之，殊自逕庭，皆宜更析。至其合之不經者，如肱、轟、兄、崩、烹、盲、弘、鵬等字，舊屬庚、青、蒸三韻，而今且兼收之東鐘韻中。又浮字本縛牟切，俗讀爲扶，方言也；周則反收魚模韻中，而於尤侯本韻，竟並其字削去，抑何謬至此哉！余故別創《南詞正韻》，盡更德清之舊，而多取聲於《洪武正韻》焉。」是伯良所遵者惟《正韻》，而周韻則其所甚加訾議者也。又聞之詞隱生曰：「國家《洪武正韻》，惟進御者規其結構，絕不爲塡詞而作。至詞曲之於《中州韻》，猶方圓之必資規矩，雖甚明巧，誠莫可叛焉者。」是詞隱所遵惟周韻，而《正韻》則其所不樂步趨者也。然而兩先生雖各持其說，而意則何嘗矛盾哉？伯良謂：江陽各韻中，邦、王、歸、回等字，德清析之猶未精審。至於浮之叶扶，與崩、橫諸字之收入東鐘韻者，皆北音也。北音不可入南詞，惟有《正韻》字音，與南音諧合，故宜遵用，初不謂北詞亦可廢卻周韻也。詞隱謂：周韻惟魚居與模吳，尾音各別；齊微與歸回，腹音較異；餘如邦、王諸字之腹尾音，原無不各與本韻諧合。至《洪武韻》雖合南音，而中間音路未清，比之周韻，尤特甚焉。且其他別無南韻可遵，是以作南詞者，從來俱借押北韻，初不謂句中字面，並應遵倣《中州》也。予故折中論之：凡南北詞韻脚，當共押周韻；若句中字面，則南曲以《正韻》爲宗，而朋、横等字，當以庚青音唱之。北曲以周韻爲宗，而朋、横等字，不妨以東鍾音唱之。但周韻爲北詞而設，世所共曉，亦所共式，惟南詞所宗之韻，按之時唱，似難捉模，以言乎宗《正韻》也。乃自來唱「太山崩裂」、「晚渡横塘」、「猛然心地熱」、「羨鵬摶何年化鵾」、「可知道朋友中間爭是非」，諸凡朋、横字音，合東鍾者什九，合庚青者什一，則未嘗不以周韻爲指南矣。以言乎宗周韻也，乃入聲原作入唱，予原不唱繆，謀原不唱謨，彼原不唱比，皮原不唱培，避原不唱被，披原不唱丕，袖原不唱叶囚去聲，龍原不唱驢東切之音，則又未嘗不以《正韻》爲模楷矣。且韻脚既祖《中州》，乃所押入聲，如「拜星月」曲中熱、拽、怯、說諸韻脚，並不依《中州韻》借叶平上去三聲，而一一原作入唱，是又以周韻之字，而唱《正韻》之音矣。《正韻》、周韻，何適何從，諺云「兩頭蠻」者，正此之謂。予不敏，未敢遽出畫一之論，以約時趨，於後之執牛耳者，不能無望焉。抑余於「兄」字、「浮」字，竊有疑於伯良之言也。伯良謂兄本蒸青字眼，收之東鍾者爲不經。夫然，則兄不叶胸，必應叶熏而收鼻音者爲是，此惟用之韻脚則可，若句中字面作如是唱，殊不雅聽。又謂浮之叶扶，乃德清雜用方言，變亂雅音。夫誠以方言爲病，則今之所唱「詳」字、「辭」字，以及「繩、尋、徐、緒、蛇、謝、像、旋」等字，其音皆與方言絕肖。如或詳唱牆音，辭唱慈音，寧不反成別字，則方言奚拘？且扶爲方言，在吳下誠然，安必《中州》之亦以扶音爲土音哉？余則謂南唱蜉音，北唱扶音，自兩無違礙。至兄之不可作熏唱，豈惟北曲，卽南詞亦有然者。況《洪武》東庚兩韻，原並收兄字，又安得獨詆周氏之非也乎？是則前人立論偶偏，不得不一置喙云爾。按：《洪武韻》玉字爲魚欲切，叶獄，着爲職略切，叶灼，止讀入聲。今南曲多有玉唱預音，着唱潮音者，此尚祖《中原》音叶耳。至查廝字，則兩韻以及《海篇》、《篇海》、《玉篇》、《廣韻》、《直音》、《集成》等書，皆叶平聲，乃詞隱《正吳編》載廝役、廝養、小廝之類，當叶思；廝守、廝見、廝打、廝纏之類，當叶畬，則平聲之外，仍有應唱入聲者，在詞隱必有所本，但從來詞曲，止祖《洪武》、《中州》兩韻，而他書不與焉。且《正吳》一編，明謂謹照《洪武》叶切，而以遵制爲名，今相悖如此，其故云何，姑存其疑，以俟釐訂之者。又考《洪武韻》閒暇之閒，何艱切，叶閑；中間之間，居顏切，叶奸，俱從月不從日，俗作間非，寫法則同，字音各別，乃《正吳編》卽以中間之間作何艱切，則將「畫屏間」，與「朋友中間爭是非」，並作閑音唱可乎？又簪，本尋侵字眼，《正吳編》兼列眞文韻，與尊字同音，是閉口字混入開口韻矣。珊，本寒山字眼，《正吳編》謂《闌珊》之珊則叶三，是開口字反混入閉口韻矣。細查《正韻》，初無此等音切，而詞隱云爾，豈其有錯謬者乎？抑豈災木者之誤筆歟？予之集是編也，自揣頗覺精當，乃詞隱尚以正訛致訛，則予失簡處，或亦不少，惟後之君子正之。

又《字釐南北》 北曲肇自金人，盛於勝國。當時所遵字音之典型，惟《中原韻》一書已爾，入明猶踵其舊。迨後塡詞家，競工南曲，而登歌者亦尚南音，入聲仍歸入唱，卽平聲中如龍、如皮等字，且盡反《中原》之音，而一祖《洪武正韻》焉。其或祖之未徹，如朋唱蓬音，玉唱預音，着唱潮音，此則猶帶《中原》音響，而翻案不盡者也。邇年來，沈寧庵、王伯良諸公，恪遵王制，釐整字音，而《正韻》愈爲南字指南。奈時俗趨承之過，甚或以南音溷投北調者有之，如醿字，《中原》叶梅，《洪武》叶迷；彼字，《中原》叶妣，《洪武》叶卑，上聲；謀字，《中原》叶謨，《洪武》叶茂，平聲；棼字、《中原》叶焚，《洪武》叶分；袖字，《中原》叶囚，去聲，《洪武》似救切；倫字，《中原》驢敦切，《洪武》龍春切；犬字，《中原》虛遠切，叶萱上聲，《洪武》苦遠切，叶勸，上聲；鳳字，《中原》夫貢切，叶諷，屬陰，《洪武》馮貢切，屬陽；話字，《中原》叶化，屬陰，《洪武》胡挂切，屬陽；幼字，《中原》叶右，屬陽，《洪武》伊謬切，屬陰；向字，《中原》奚降切，屬陽，《洪武》許亮切，屬陰；愛字，《中原》昂蓋切，屬陽，《洪武》於蓋切，屬陰；待字，《中原》叶帶，屬陰，《洪武》度耐切，屬陽；誓字，《中原》申智切，屬陰，《洪武》時智切，屬陽；按字，《中原》昂幹切，屬陽，《洪武》於幹切，屬陰；擋字，《中原》徒浪切，屬陽，《洪武》丁浪切，屬陰；甚字，《中原》叶深，去聲，屬陰，《洪武》時鴆切，屬陽。歷，稽叶切，音響逕庭，確當北準《中原》，南遵《洪武》。乃今度北曲者，遇此等字面，往往涉《洪武》南音，乖謬不已甚乎？又考避字，《中原》叶庳，亦叶備，《洪武》叶庳；袂字，《中原》叶謎，亦叶昧，《洪武》叶謎，是南北俱可唱庳唱謎，而備昧二音，則宜北不宜南矣。悔字，《中原》叶毀，《洪武》叶毀，亦叶晦；劘字，《中原》叶摩，《洪武》叶摩，亦叶迷；貓字，《中原》叶毛，《洪武》叶毛，亦叶苗；檻字，《中原》叶陷，《洪武》叶陷，亦叶陷，上聲；脣字，《中原》池論切，叶陳，撮口，《洪武》殊倫切，叶人，撮口；是叶晦、叶迷、叶苗，與叶陷上聲，叶人，撮口，又宜南不宜北矣。至如皮字，《中原》叶培，《洪武》叶琵；披字，《中原》叶丕，《洪武》叶批；浮字，《中原》叶扶，《洪武》房鳩切；龍字，《中原》驢東切，《洪武》盧容切；眸字，《洪武》叶謀，《中原》叶謬平聲；兩韻殊音，南北迥異。此則唱家亦既熟曉，不必更防淆溷。惟是湮本叶因，俗唱煙；緡本叶民，俗唱綿；擋本叶蕩，俗唱黨；睹本叶朵，俗唱妬；妄本叶望，俗唱罔；睽本叶奎，俗唱葵；逵本叶葵，俗唱癯；輦本叶璉，俗唱撚；項本叶向，俗唱杭字去聲；勁本叶敬，俗唱檠字去聲；馴本叶旬，俗唱閏字，平聲；誦本詞縱切，俗唱慈縱切；蕤本兒追切，俗唱難；綰本叶彎上聲，俗唱叶官上聲；婉本於捲切，叶遠，俗唱椀；患本黃慣切，以本銀紀切，也本叶爺，上聲，夜本叶爺，去聲，俱屬陽，俗並作陰唱。此又韻兩同音，南北匪異，所當概矯俗訛者也。嘗思詞曲先有北，後有南，韻書先有《中州》，後有《洪武》，南字之間涉中原，雖不當竅，然相仍已非一日。又《正韻》字音，如着字，職略切；是字，時吏切；似字，相吏切等類，俱覺不諧時唱，姑借用中原音叶，亦未爲不妥。至北曲字面，所爲自勝國以來，久奉《中原韻》爲典型，一旦以南音攙入，此爲別字，可勝言哉！志釐剔者，其留意焉。

又《絃律存亡》 昔王元美評曲，謂北筋在絃，南力在板。而吳興臧晉叔譏爲不知曲理，且謂北之被絃索，猶南之合(叶葛)簫管，不過隨聲附和，非有成律可憑，若云北筋在絃，將謂南力在管可乎？至板以節曲，則北亦有力，奚獨稱南？此論出而元美要當齒冷矣。粵稽北曲，肇自完顏，於時董解元《西廂記》，亦但一人倚絃索以唱，故何元朗謂北詞有大和花和之絃，王伯良謂邇年燕趙歌童舞女，咸棄桿撥，盡效南聲，又謂南詞無問宮調只按一拍，故作者多孟浪其詞，北必和入絃索，曲文少不協律，則與絃音相左，故詞人凜凜遵其型範。然則當時北曲，固非絃弗度，而當時曲律實賴絃以存也。請得而詳言之：古之被絃應索者，於今較異。今非有協應之宮商，與抑揚之定譜，惟是歌高則彈者亦以高和，曲低則指下亦以低承，眞如簫管合(叶葛)南詞，初無主張於其際，故晉叔以今泥古，遂訾爲曲之別調耳。若乃古之絃索，則但以曲配絃，絕不以絃和曲。凡種種牌名，皆從未有曲文之先，預定工尺之譜，夫其以工尺譜詞曲，即如琴之以鈎剔度詩歌，又如唱家簫譜，所爲《浪淘沙》、《沽美酒》之類，則皆有音無文，立爲譜式者也。而其間宮調不等，則分屬牌名亦不等，抑揚高下之彈情亦不等，如仙呂牌名，則彈得新清綿邈；商調牌名，則彈得悽愴悲慕；派調釐宮，涇渭楚楚，指下彈頭既定，然後文人按式塡詞，歌者準徽度曲，口中聲響，必倣絃上彈音。每一牌名，製曲不知凡幾，而曲文雖有不一，手中彈法，自來無兩，即如今之以吳歌配絃索，非不疊換歌章，而千篇一律，總此四句指法概之。又如簫管之孔，數僅五六，而百千其曲，且合(叶葛)和無有遺聲，豈非曲文雖夥，而曲音無幾，曲文雖改，而曲音不變也哉？惟是絃徽位置，其近鼓者，亦猶上半截簫孔，音皆漸揭而高，近軫者，亦猶下半截簫孔，音並轉低而下，而欲以作者之平仄陰陽，叶彈者之抑揚高下，則高徽須配去聲字眼，平亦間用，至上聲固枘鑿不投者也。低徽宜配上聲字眼，平亦間用，至去聲又枘鑿不投者也。且平聲中仍有涇渭，陽平則徽必微低乃叶，陰平則徽必微高乃應，倘陰陽奸用，將陽唱陰而陰唱陽，上去錯排，必去肖上而上肖去，以故作者歌者，兢兢共稟三尺，而口必應手，詞必諧絃。凡夫字櫛句比，安腔布調，一準所爲仙呂之清新綿邈，商調之悽愴悲慕者，以分叶之，而格律部署之嚴，總此彈徽把定，平仄所以恆調，陰陽用是無慝，則筋之一字，元美良有深情，乃區區簫管例之，豈不謬哉！慨自南調繁興，以清謳爲彈撥，不異匠氏之棄準繩，況詞人率意揮毫，曲文非盡合矩，唱家又不按譜相稽，反就平仄例塡之曲，刻意推敲，不知關頭錯認，曲詞先已離軌，則字雖正而律且失矣。故同此字面，昔正之而仍合譜，今則夢中認醒而惟格是叛；同此絃索，昔彈之確有成式，今則依聲附和而爲曲子之奴；總是牌名，此套唱法，不施彼套；總是前腔，首曲腔規，非同後曲，以變化爲新奇，以合掌爲卑拙，符者不及二三，異者十常八九，即使以今式今，且毫無把捉，欲一一古律繩之，不逕庭哉！雖然，古律湮矣，而還按詞譜之仄仄平平，原即是彈格之高高下下，亦即是歌法之宜抑宜揚。今優子當場，何以合譜之曲，演唱非難，而平仄稍乖，便覺沾脣拗嗓，且板寬曲慢，聲格尚有游移，至收板緊套，何以一牌名，止一唱法，初無走樣腔情，豈非優伶之口，猶留古意哉？至其間有得力關捩子，則全在一板之牢束，蓋曲音高下，本無涉於板，而曲候緊舒，實腔定於拍，板拍相延，初無今古，謂原來曲候，雖至今存可也。又況緩促業經準量，則高下聲情，亦不至浸淫無紀，而古腔古調，庶猶有合，故元美謂南力在板，卽晉叔亦未嘗不以爲然，惟是晉叔之評北曲，謂力不在絃，則於絃索曲理，尙有一斑未睹。夫北詞絃索，何異南詞鼓板，板則其正，鼓則其贈，若絃索則兼正贈合鼓板而備之者也。姑以今時絃索喻，彼歌聲每度一板，而指法之最清者，彈數約之凡四，雖其間或彈密而爲滾，又或滾密而爲促，似乎簡煩懸異，然總之節節排勻，彈彈有準，稍着乘除，拍不入眼矣。試觀南詞之板，緊曲則正一而贈亦一，慢曲則正一而贈乃三，斯卽一板四彈之榜樣也。更加以滾促之多彈，隱然常拍之外，倍添贈拍，豈非贈且復贈，較之鼓板，尤密尤均乎？故魏良輔有北絃索南鼓板之喻，何元朗有慢板大和絃，與緊板花和絃之評。絃板相提而較，正元美之深於知曲，乃晉叔反致譏彈。不能不爲洗冤矣。嘗思疾徐高下之節，曲理大凡也。而南有拍，北有絃，非不可因板眼慢緊以逆求古調疾舒之候；北有《太和正音》，南有《九宮曲譜》，又非不可因譜上平仄，以逆考古音高下之宜。奈何哉，今之獨步聲場者，但正目前字眼，不審詞譜爲何事；徒喜淫聲聒聽，不知宮調爲何物，踵舛承訛，音理消敗，則良輔者流，固時調功魁，亦叛古戎首矣。按：良輔「水磨調」，其排腔配拍，榷字釐音，皆屬上乘，卽予編中諸作，亦就良輔來派，聊一描繪，無能跳出圈子。惟是向來衣鉢相傳，止從喉間舌底度來，鮮有筆之紙上者，姑特拈出耳。偶因推原古律，覺梨園脣吻，彷彿一二，而時調則以翻新盡變之故，廢卻當年聲口，故篇中偶齒及之，要以引商刻羽，居然絕調，况生今不能反古，夫亦氣運使然乎？覽者謂予卑磨腔而賞優調，則失之矣。

又《律曲前言》 凡曲須要唱出各樣曲名理趣，宋、元人自有體式。如《玉芙蓉》、《玉交枝》、《玉山供》、《不是路》，要馳驟；《鍼線箱》、《黃鶯兒》、《江頭金桂》，要規矩；《二郎神》、《集賢賓》、《月兒高》、《念奴嬌序》、《刷子序》，要抑揚；《撲燈蛾》、《紅繡鞋》、《麻婆子》，雖疾而無腔，然而板眼自在，妙在下得勻淨。生曲貴虛心玩味，如長腔雖要流活，不可太長。短腔雖要簡捷，卻忌太短。至如過腔接字，乃關鎖之地，有遲速不同，要穩重嚴肅，方無佻軼之病。五音以四聲爲主，四聲不得其宜，則五音廢矣。平上去入，逐一考究，務得中正，如或苟且舛誤，雖具遶梁，終不足取。其或上聲扭做平，去聲混作入，交付不明，皆做腔賣弄之故，知者辨之。凡人聲音不等，各有所長。有川嗓，有堂喉（皆合簫管）。有唱得雄壯的，失之村沙；唱得蘊拭的，失之乜斜；唱得輕巧的，失之寒賤；唱得本分的，失之老實；唱得用意的，失之穿鑿。清唱俗謂之「冷板櫈」，不比登場演劇，藉金鼓以藏拙，全要閒雅整肅，清俊溫潤。其有專於磨擬腔調而不顧板眼，又有專主板眼而不審腔調，二者病則一般。惟腔與板兩工者，乃爲上乘。北曲以遒勁爲主，南曲以宛轉爲主。北曲字多而調促，促處見筋，詞情多而聲情少；南曲字少而調緩，緩處見眼，詞情少而聲情多，故有磨調、絃索調之分焉。曲有格調：抑揚頓挫，頂疊垛換，縈紆牽結，敦拖嗚咽，推題丸轉。曲有節奏：停聲，待拍，字眞，句篤，依腔，貼調，偸氣，取氣，換氣，歇氣，就氣。曲有三絕：字清爲一絕，腔純爲二絕，板正爲三絕。曲有五難：開口難，出字難，過腔難，低難，轉收入鼻音難。曲有兩不辨：不知音者不可與之辨，不好者不可與之辨。聽曲不可喧譁，聽其吐字板眼過腔得宜，方可辨其工拙，不可以喉音清亮，便爲擊節稱賞。初學曲，先須引發其聲響，次辨別其字面，又次理正其腔調，不可混雜強記，以亂規格。如學《集賢賓》，只唱《集賢賓》；學《桂枝香》，只唱《桂枝香》，久久成熟，移宮換呂，自然貫串。曲品尤宜端重，不可合眼、搖頭、咂脣、歪口、囊鼻、昂首、咳嗽。又或高低輕重，添減太過，所謂撒錢聲，拽鋸聲，貓叫聲，種種惡態，切須避之。必出口若游雲之飛太空，悠悠揚揚，發於自然，此皆天生正音，總之可以解煩釋悶，和悅情性，故曰「一聲唱到融神處，毛骨蕭然六月寒」。是前人涉論，學者須要識得。

沈標《度曲須知續序》 聲音之學，不由師傅，則獨悟惟艱哉。然而有口者任歌，有耳者任節，雖吳札、晉曠之能事，胥此萃焉。古者登歌在上，匏竹在下，貴人聲焉耳，非是則無以召休祥而感靈祇。後世雅閴淩澌，工師徒記其鏗鏘鼓舞，而不能明其義，儒者又深求之殘編遺器，而未始審其音。嘗考《皇極音韻》之說，其原委不猶哲哉。蓋聲以律天而主陽，音以呂地而主陰，聲有平、上、去、入之辨而翕辟因之，音有開、發、收、閉之辨而清濁分之，總之爲十二圖，縱三、橫四，以字記數，而變不可勝窮。

吳亮中《南曲九宮正始序》 夫詞爲詩之變，曲又爲詞之變，屢變而終非始義矣。所以令變而還正，終而復始者，則有律在。苟徒騁其花上盈盈，桑中嫋嫋，而律不隨焉。或亦播之桔槔牛背間可耳，何至辱我桃花扇底、楊柳樓頭耶？況乎信史不傳而情史傳，雅音不永而騷音永，溉莽、操以風雪之劍，贈張、韓以楊、郭之姬，英靈可以黃泉，義魄欲凌青漢。韻侵蕭瑟，則脾沁辛酸；調入泓崢，則神登霽朗。現笑啼于八角壇中，醒醉夢于六幺聲里，非曲爲之，律爲之也。律不明，其無曲矣。

徐翽《盛明雜劇序》 余俯仰詞壇，大約元人傳十之七，明人傳十之三。元人歌寡而曲繁，明人歌存而曲佚。歌、曲者，南與北之辨也。氣陽，則出于嘽諧，慢易、寬裕肉好而爲南；氣陰，則流于噍殺、猛起、奮末、廣賁而爲北。聲音之道接于隱微，信哉！今之所謂南者，皆風流自賞者之所爲也；今之所謂北者，皆牢騷、骯髒，不得于時者之所爲也。

龍洞山農《題北宮詞紀》 今樂府近體，北以九宮統之，九宮外則有道宮、高平、般涉三調。南人之歌，亦有九宮，被之管弦，間多未叶。昔人所云：士氣偏限，不諧鐘律者也。然自金、元以後，競尚南音，而中原之聲調日微。祝希哲嘗嘆：「今惟樂爲大壞，無論雅俗，止日用十七宮調，知其美劣是非者幾人？數十年前尚有之，今殆絕矣，豈非惜哉！」

陳藎卿《北宮詞紀・凡例》 《中原音韻》，元高安周德清氏爲北曲設也。北人無入聲，入聲派入平、上、去三聲，而平聲中又分陰陽。勝國作者，毫不假借。今人或以詩韻爲曲韻，或以其聲之相近者任意爲韻，故出入甚多，合作者十不得一。【略】北曲音節要矣，遣詞命意，貴在雅俗并陳。元人摹繪神理，殫極才情，足抉宇宙之秘。近代文士，務爲雕琢，殊失本色。而里巷歌曲，又類不雅訓，刻者汗牛，徒供掩耳。予所選，大都事與情諧，神隨景會，質不俚，文不支，闋雖短而咏周，章若斷而意屬，眞可以陶鎔心性，鼓吹詞場者。

陳藎卿《南宮詞紀凡例》 北曲盛于金元，南曲盛于國朝，南曲實北曲之變也。【略】《中原音韻》，周德清雖爲北曲而設，南曲實不出此，特四聲并用。今人非以意爲韻，則以詩韻韻之。夫灰回之于臺來也，元喧之于尊門也，佳之于齋，斜之于麻也，無難分別，而不知支思、齊微、魚模，三韻易混；眞文、庚清、侵尋三韻易混；寒山、桓歡、先天、監咸、廉纖五韻易混。【略】凡曲忌陳腐，尤忌深晦，忌率易，尤忌牽澀。下里之歌，殊不馴雅。文士爭奇炫博，益非當行。大都詞欲藻，意欲纖，用事欲典，豐腴綿密，流麗清圓，令歌者不噎于喉，聽者大快于耳，斯爲上乘。

毛聲山《第七才子書琵琶記總論》 《琵琶》出神入妙處，不特其運意只就本題一字播弄，不必別處請客，即其運曲亦嘗就本調一腔播弄，更不多換別腔。近日填詞家，每喜換腔，此皆因才短手拙。前曲只此一意，後曲亦只此一意，意無轉變，故不得已而借換腔，以爲轉變。且不但前曲與後曲不敢不換腔，只一曲中而依本腔轉接不來，便思犯入別腔，甚至有二犯、三犯者。此非其腔之多，正其筆之窘耳。若東嘉之慣用前腔，而腔同而意不同，愈轉愈妙，愈出愈奇，斯其才大手敏，誠有不可及者。【略】作文不難以艷語爲渲染，而難以淡語爲渲染；填詞不難以麗句入宮商，而難以平句入宮商。何也？蓋曲之體與詩不同。詩體直，直則貴其曲，能運曲于直中，乃爲妙詩。曲體本曲，曲則又貴其直，能運直于曲中，乃爲妙曲。不然而謳者循腔按板，抑揚頓挫，每至有一字數叠者，若更以雕琢堆砌之詞入之，幾令聽者不知其作何語矣。《琵琶》歌曲之妙，妙在看去直是說話，唱之則協律呂，平澹之中有至文焉。然《琵琶》之平淡則佳，後人學《琵琶》之平淡則不佳。夫唯執筆學之而不能佳，斯不得不以雕琢堆砌掩其短耳。

黃圖珌《看山閣集閑筆・文學部・詞曲》 余自小性好填詞，時窮音律。所編諸劇，未嘗不取古法，亦未嘗全取古法。每于審音、煉字之間，出神入化，超塵脫俗，和混元自然之氣，吐先天自然之聲，浩浩蕩蕩，悠悠冥冥，直使高山、巨源、蒼松、修竹，皆成異響，而調亦覺自協，頗有空靈杳渺之思，幸無浮華鄙陋之習。毋失古法，而不爲古法所拘；欲求古法，而不期古法自備。竊恐才思漸窮，情瀾益涌，雖不能自出機杼，亦聊免竊人餘唾。不抹東村本色，何必效顰而反增其醜也！【略】曲調宜高。《陽春》、《白雪》，言其調之高，有不可及者也。然亦不過在審音辨字之間。如字有五音：爲唇，爲舌，爲齒，爲鼻，爲喉，又爲撮口，爲滿口，爲開口，爲閉口，爲穿牙、縮舌，爲半滿，半撮是也。窮工極思，纖毫不爽，即平讀去，亦即清響超越，又何讓其《陽春》、《白雪》之獨高妙哉！

毛先舒《南曲入聲客問》 客問：「子著《南曲正韻》，凡入聲俱單押，不雜平、上、去三聲韻中，是已。然單押仍是作三聲唱之。如《畫眉序》單押入聲者，首句韻便應作平聲唱，末句韻例應作去聲唱；《絳都春序》單押入聲者，首句韻便應作上聲唱，豈非仍以入作平、上、去耶？則又何不仍隸入三聲中邪？」余曰：「此論極妙，然卻又有說：北曲之以入隸於三聲也，音變腔不變；南曲之以入唱作三聲也，腔變音不變。何謂音變腔不變？如元人《張天師》劇《一枝花》「老老實實」，「實」字《中原音韻》作平聲，繩知切，是變音也；《一枝花》第五句，譜原應用平聲，而此處恰塡平字，平聲字以平聲腔唱，是不須變腔也。《東堂老·醉春風》「倘來之物」，「物」字《中原》作務，是變音也；《醉春風》末句韻，譜應去聲，而此處恰塡去字，去聲字以去聲腔唱，是不須變腔者也。若南曲《畫眉序·明珠記》「金卮泛蒲綠」，「綠」字直作綠音，不必如北之作慮，此不變音也；《畫眉序》首句韻，應是平聲，歌者雖以入聲吐字，而仍須微以平聲作腔也，此變腔也。其《尾聲》云「可惜明朝又初六」，「六」字竟作六音，不必如北之作溜，此不變音也；然《畫眉序·尾聲》末句韻，應是平聲，則歌者雖以入聲吐字，而仍須微以平聲作腔者也。此北之與南，雖均有入作三聲之法，而實殊者也。又北曲之以入隸三聲，派有定法，如某入聲字作平聲，某入作上，某入作去，一定而不移；若南之以入唱作三聲也，無一定法，凡入聲字俱可以作平、作上、作去，但隨譜耳。如用「轂」字，而此字譜當是平聲，則吐字唱「轂」，而作腔便可唱如「窩」；譜當上聲，則吐字唱「轂」，而作腔便可唱如「窩」之上聲，譜當去聲，則吐字唱「轂」，而作腔便可唱如「窩」之去聲；非如北曲「轂」字之定作「古」也，餘皆可推，此又與北曲殊者也。故混入三聲，則與北無別，且亦難於分派；如北曲法，竟廢卻入聲，又四聲不完，所以別出單押之法，而隨譜變腔爲定論也。又南曲係本塡詞而來，詞家原備有四聲，而平、上、去韻可以通用，入聲韻則獨用，不溷三聲，今南曲亦通三聲，而單押入聲，正與塡詞家法脗合，益明源流之有自也已。」客曰：「子之《說韻》，微哉工已，抑何不更設一法，令歌者入作入唱，不變三聲，詎不善邪？」曰：「斯固事理之不得已者也。夫入之爲聲，詘然以止，一出口後，無復餘音，而歌必窮裊而作長聲，勢必流入於三聲而後始成腔，是固自然而然，不可遏也。今試口中念一入字，而稍遲其聲，則已非復入音矣，況歌者必爲曼聲也哉？」客問：「北曲既可派入聲入三聲，南曲何故又難派入聲入三聲？」曰：「北之入作平、上、去也，方音也。北人口語無入聲，凡入聲皆作平、上、去呼之。卽如『轂』字，北人云呼爲『古』，北曲自應從北音，故《中原音韻》『轂』字當以入作上而音『古』。凡入聲皆然。此周挺齋氏之以入派歸於三聲，非任臆強造也。若南曲，自應從南音。南人呼『轂』與『穀』、『谷』等音同，原不呼『古』，凡入聲皆然，原未嘗作平、上、去呼也，則南曲安得強派之入三聲也！既難強派，別無歸著，則自應更爲標部而單押矣。歌須曼聲，入便難唱，則自應隨譜之三聲作腔矣。客詳斯理，夫復何疑。」客問：「南曲入聲，既可隨通三聲，則凡應用三聲者，皆可用入聲邪？」曰：「否。音有四聲，而大段尤重平仄。上、去、入，皆仄聲。凡用入聲，在曲頭、腹者，止可於通上、去二聲，若平聲則不可以入聲代之；若以入聲押韻尾者，方可以平、上、去隨叶耳。然亦須相牌名，不可浪施，亦仍須用入聲部單押，不可與三聲通押如北曲法。《幽閨記》『胸中書富五車』、『山徑路幽僻』、『拜新月』諸曲，皆入與三聲通押，是施君美作南曲，亦沿襲北曲之法，他家如此者亦多，然皆非也。君美『春風紫陌』齣，引子、過曲，俱單押入聲，此得之耳。且余謂南曲入可通三聲，亦謂作腔耳，若吐字，亦自須分明，豈可竟溷唱邪！」客曰：「子著《南曲正韻譜》，以爲四聲咸備，今平、上、去皆有閉口音，而入聲獨無，何也？」余曰：「勢不可也。入之爲聲，詘然而止。凡曲出字之後，必須作腔，若入聲而又閉口，則竟無腔矣。故三聲可用閉口，而入聲無之也。卽據詩韻緝、合、葉、洽四部爲閉口入聲，而塡詞則已雜通他韻，不耑於閉口中互通與獨用；至元周德淸皆隸入支思、齊微、歌戈、家麻、車遮諸韻，而不隸於侵尋、監咸、廉纖三韻者，亦此意耳。」客曰：「南曲入聲既可以唱作平、上、去，而此三聲原有閉口，則唱入聲者，又何不可依三聲而收閉口歟？」余曰：「覈哉斯駁！然又有兩截、三截之分焉。唱入聲不閉口，止是兩截；唱入聲閉口，便是三截。如『質』字，入之不閉口者也，唱者以入聲吐字，仍須照譜以三聲作腔，已是兩截，兩截猶可也；若『緝』字，是入之閉口者也，唱者以入聲吐字，而仍須以三聲作腔，作腔後又要收歸閉口，便是三截，唇舌既已遽難轉折，而亦甚不中於聽矣！則廢之誠是，而又符塡詞與北曲之例，當何疑焉。」客曰：「三聲既可三截唱，而乃謂唱入聲者三截卽不便，何也？」曰：「又覈哉！然凡入聲之唱也，無穿鼻、展輔、斂唇、抵齶、閉口，而止有直喉。直喉，不收韻者也。都無收韻，故止兩截也。三聲有穿鼻諸條，是收韻也。收韻，故三截也。有收韻而三截，所以曰便；無收韻而收韻，是強爲之也。強爲之，故不便也。且三聲作腔，止就其本聲，故自然相屬，而不費力；入聲之作腔，必轉而之三聲，則費力，若更收韻，則益以不便。」客曰：「然子著《韻學通指》、《唐人韻四聲表》，何以但曰『入聲無穿鼻、抵齶韻』，不曰『無展輔、斂脣、閉口』也？」曰：「詩與曲，不同也。」曰：「然則柴氏《古韻通》，何以標十四緝爲獨用，而合、葉、洽祇自相通，無別通邪？」曰：「余固云詩與曲不同。柴氏亦爲詩、辭言之，而余爲曲言之。蓋聲音之道，古與今自不無間殊云。」

李漁《閒情偶寄·恪守詞韻》 一齣用一韻到底，半字不容出入，此爲定格。舊曲韻雜，出入無常者，因其法制未備，原無成格可守，不足怪也。既有《中原音韻》一書，則猶畛域畫定，寸步不容越矣。常見文人製曲，一折之中，定有一二出韻之字。非曰明知故犯，以偶得好句，不在韻中，而又不肯割愛，故勉強入之，以快一時之目者也。【略】夫作詩、塡詞，同一理也。未有沈休文詩韻以前，大同小異之韻，或可叶入詩中，既有此書，即《三百篇》之風人復作，亦當俯就範圍。李白詩仙，杜甫詩聖，其才豈出沈約下？未聞以才思縱橫而躍出韻外，況其他乎？設有一詩於此，言言中的，字字驚人，而以一東、二冬並叶，或三江、七陽互施，吾知司選政者，必加擯黜，豈有以才高句美而破格收之者乎？詞家繩墨，只在譜、韻二書。合譜，合韻，方可言才。不則入斗難克升合，五車不敵片紙，雖多雖富，亦奚以爲！

又《凜遵曲譜》 曲譜者，塡詞之粉本，猶婦人刺繡之花樣也。描一朵，刺一朵；畫一葉，繡一葉。拙者不可稍減，巧者亦不能略增。然花樣無定式，儘可日異月新，曲譜則愈舊愈佳，稍稍趨新，則以毫釐之差，而成千里之謬。情事新奇百出，文章變化無窮，總不出譜內刊成之定格。是束縛文人，而使有才不得自展者，曲譜是也；私厚詞人，而使有才得以獨展者，亦曲譜是也。使曲無定譜，亦可日異月新，則凡屬淹通文藝者，皆可塡詞，何元人我輩之足重哉！「依樣畫葫蘆」一語，竟似爲塡詞而發。妙在依樣之中，別出好歹。稍有一線之出入，則葫蘆體樣不圓，非近於方則類乎匾矣。葫蘆豈易畫者哉？明朝三百年，善畫葫蘆者，止有湯臨川一人，而猶有病其聲韻偶乖，字句多寡之不合者，甚矣畫葫蘆之難，而一定之成樣不可擅改也。曲譜無新，曲牌名有新。蓋詞人好奇、嗜巧，而又不得展其技倆，無可奈何，故以二曲、三曲合爲一曲，鎔鑄成名，如《金索掛梧桐》、《傾盃賞芙蓉》、《倚馬待風雲》之類是也。此皆老於詞學文人善歌者能之，不則上調不接下調，徒受歌者揶揄。然音調雖協，亦須文理貫通，始可串離使合。如《金絡索》、《梧桐樹》是兩曲，串爲一曲，而名曰《金索掛梧桐》，以金索掛樹，是情理所有之事也；《傾盃序》、《玉芙蓉》是兩曲，串爲一曲，而名曰《傾盃賞芙蓉》，傾盃酒而賞芙蓉，雖係捏成，猶口頭語也；《駐馬聽》、《一江風》、《駐雲飛》是三曲，串爲一曲，而名曰《倚馬待風雲》，倚馬而待風雲之會，此語即入詩文中，亦自成句。凡此，皆係有倫、有脊之言，雖巧而不厭其巧。竟有只顧串合，不詢文義之通塞、事理之有無，生扭數字作曲名者，殊失顧名思義之體，反不若前人不列名目，只以「犯」字加之。如本曲《江兒水》而串入二別曲，則曰《二犯江兒水》？本曲《集賢賓》而串入三別曲，則曰《三犯集賢賓》。又有以「攤破」二字概之者，如本曲《簇御林》、本曲《錦地花》而串入別曲，則曰《攤破簇御林》、《攤破錦地花》之類，何等渾然，何等藏拙。更有以十數曲串爲一曲，而標以總名，如《六犯淸音》、《七賢過關》、《九迴腸》、《十二峰》之類，更覺渾雅。予謂串舊作新，終是塡詞末着。只求文字好，音律正，即牌名舊殺，終覺新奇可喜。如以極新極美之名，而塡以庸腐乖張之曲，誰其好之？善惡在實，不在名也。

又《魚模當分》 詞曲韻書，止靠《中原音韻》一種。此係北韻，非南韻也。十年之前，武林陳次升先生欲補此缺陷，作《南詞音韻》一書，工垂成而復輟，殊爲可惜。予謂南韻深渺，卒難成書，塡詞之家即將《中原音韻》一書，就平、上、去三音之中，抽出入聲字另爲一聲，私置案頭，亦可暫備南詞之用。然此猶可緩。更有急於此者，則魚模一韻，斷宜分別爲二。魚之與模，相去甚遠，不知周德淸當日何故比而同之，豈倣沈休文詩韻之例，以元、繁、孫三韻合爲十三元之一韻，必欲於純中示雜，以存大音希聲之一線耶？無論一曲數音，聽到歇腳處覺其散漫無歸，即我輩置之案頭，自作文字讀，亦覺字句整牙，聲韻逆耳。倘有詞學專家，欲其文字與聲音媲美者，當令魚自魚而模自模，兩不相混，斯爲極妥。即不能全齣皆分，或每曲各爲一韻，如前曲用魚，則用魚韻到底，後曲用模，則用模韻到底，猶之一詩一韻，後不同前，亦簡便可行之法也。自愚見推之，作詩用韻，亦當倣此，另鈔元字一韻，區別爲三。拈得十三元者，首句用元，則用元韻到底，凡涉繁、孫二韻者勿用；拈得繁、孫者，亦然。出韻則犯詩家之忌，未有以用韻太嚴，而反來指謫者也。

又《音律第三》 作文之最樂者，莫如塡詞；其最苦者，亦莫如塡詞。塡詞之樂，詳復實白之第二幅：上天入地，作佛成仙，無一不隨意到，較之南面，百城，洵有過焉者矣。至説其苦，亦有千態萬狀，擬之悲傷、疾痛、桎梏、幽囚諸逆境，殆有甚焉者。請詳言之。他種文字，隨人長短，聽我張弛，總無限定之資格。今置散體弗論，而論其分股、限字與調聲叶律者。分股，則帖括時文是已。先破後承，始開終結，內分八股，股股相對，繩墨不爲不嚴矣。然其股法、句法，長短由人，未嘗限之以數，雖嚴而不謂之嚴也。限字，則四六排偶之文是已。語有一定之字，字有一定之聲，對必同心，意難合掌，矩度不爲不肅矣。然止限以數，未定以位；止限以聲，未拘以格。上四下六可，上六下四亦未嘗不可。仄平平仄可，平仄仄平亦未嘗不可。雖肅而實未嘗肅也。調聲叶律，又兼分股、限字之文，則詩中之近體是已。起句五言，則句句五言；起句七言，則句句七言；起句用某韻，則以下俱用某韻；起句第二字用平聲，則下句第二字定用仄聲，第三、第四又復顛倒用之。前人立法，亦云苛且密矣。然起句五言，句句五言；起句七言，句句七言：便有成法可守。想入五言一路，則七言之句不來矣；起句用某韻，以下俱用某韻；起句第二字用平聲，下句第二字定用仄聲：則拈得平聲之韻，上、去、入三聲之韻皆可置之不問矣。守定平仄、仄平二語，再無變更，自一首以至千百首，皆出一轍，保無朝更夕改之令阻人適從矣。是其苛猶未甚，密猶未至也。至於塡詞一道，則句之長短，字之多寡，聲之平、上、去、入，韻之清濁、陰陽，皆有一定不移之格。長者短一綫不能，少者增一字不得，又復忽長忽短，時少時多，令人把握不定。當平者平，用一仄字不得；當陰者陰，換一陽字不能。調得平仄成文，又慮陰陽反覆；分得陰陽清楚，又與聲韻乖張。令人攪斷肺腸，煩苦欲絕。此等苛法，儘勾磨人。作者處此，但能布置得宜，安頓極妥，便是千幸萬幸之事，尙能計其詞品之低昂，文情之工拙乎？予襁褓識字，總角成篇，於詩、書六藝之文，雖未精窮其義，然皆淺涉一過。總諸體百家而論之，覺文字之難，未有過於塡詞者。予童而習之，於今老矣，尙未窺見一斑。祇以管窺、蛙見之識，謬語同心；虛赤幟於詞壇，以待將來作者。能於此種艱難文字，顯出奇能，字字在聲音律法之中，言言無資格拘攣之苦，如蓮花生在火上，仙叟奕於橘中，始爲盤根錯節之才，八面玲瓏之筆，壽名千古，衾影何慚。而千古上下之題品文藝者，看到傳奇一種，當易心換眼，別置典刑。要知此種文字，作之可憐，出之不易。其楮、墨、筆、硯，非同己物，有如假自他人；耳、目、心、思，效用不能，到處爲人製肘。非若詩、賦、古文，容其得意疾書，不受神牽鬼制者。七分佳處，便可許作十分；若到十分，即可敵他種文字之二十分矣。予非左袒詞家，實欲主持公道。如其不信，但請作者同拈一題，先作文一篇，或詩一首，再作塡詞一曲，試其孰難、孰易，誰拙、誰工，即知予言之不謬矣。然難、易自知，工、拙必須人辨。詞曲中音律之壞，壞於《南西廂》。凡有作者，當以之爲戒，不當取之爲法。非止音律，文藝亦然。請詳言之。

塡詞除雜劇不論，止論全本，其文字之佳、音律之妙，未有過於《北西廂》者。自南本一齣，遂變極佳者爲極不佳，極妙者爲極不妙。推其初意，亦有可原，不過因北本爲詞曲之豪，人人贊羨，但可被之管絃，不便奏諸場上，但宜於弋陽、四平等俗優，不便強施於崑調，以係北曲而非南曲也。茲請先言其故。北曲一折，止隷一人。雖有數人在場，其曲止出一口，從無互歌、迭詠之事。弋陽、四平等腔，字多音少，一洩而盡。又有一人啓口，數人接腔者，名爲一人，實出衆口。故演《北西廂》甚易。崑調悠長，一字可抵數字。每唱一曲，又必一人始之，一人終之，無可助一臂者。以長江、大河之全曲，而專責一人，即有銅喉、鐵齒，其能勝此重任乎？此北本雖佳，吳音不能奏也。作《南西廂》者，意在補此缺陷，遂割裂其詞，增添其白，易北爲南，撰成此劇，亦可謂善用古人、喜傳佳事者矣。然自予論之，此人之於作者，可謂功之首而罪之魁矣。所謂功之首者，非得此人，則俗優競演，雅調無聞，作者苦心，雖傳實沒。所謂罪之魁者，千金狐腋，剪作鴻毛，一片精金，點成頑鐵，若是者，何以其有用古之心而無其具也？今之觀演此劇者，但知關目動人，詞曲悅耳，亦曾細嘗其味，深繹其詞乎？使讀書作古之人，取《西廂》南本一閱，句櫛字比，未有不廢卷掩鼻而怪穢氣薰人者也。若曰詞曲情文不浹，以其就北本增刪，割彼湊此，自難貼合，雖有才力無所施也，然則賓白之文，皆由己作，並未依傍原本，何以有才不用，有力不施，而爲俗口鄙惡之談以穢聽者之耳乎？且曲文之中，儘有不就原本增刪，或自塡一折以補原本之缺略，自撰一曲以作諸曲之過文者，此則束縛無人，操縱由我，何以有才不用，有力不施，亦作勉強支吾之句以混觀者之目乎？使王實甫復生，看演此劇，非狂叫怒罵，索改本而付之祝融，即痛哭流涕，對原本而悲其不幸矣！嘻，續《西廂》者之才，去作《西廂》者止爭一間，觀者羣加非議，謂《驚夢》以後諸曲，有如狗尾續貂。以彼之才，較之作《南西廂》者，豈特奴婢之於郎主，直帝王之視乞丐。乃今之觀者，彼施責備，而此獨包容，已不可解；且令家尸戶祝，居然配饗《琵琶》，非特實甫呼冤，且使則誠號屈矣。予生平最惡弋陽、四平等劇，見則趨而避之，但聞其搬演《西廂》，則樂觀恐後。何也？以其腔調雖惡，而曲文未改，仍是完全不破之《西廂》，非改頭、換面、折手、跛足之《西廂》也。南本則聾瞽、喑啞、馱背、折腰諸惡狀，無一不備於身矣。此但責其文詞，未究音律。從來詞曲之旨，首嚴宮調，次及聲音，次及字格。九宮十三調，南曲之門戶也。小齣可以不拘其成套，大曲則分門別戶，各有依歸，非但彼此不可通融，次第亦難紊亂。此劇只因改北成南，遂變盡詞場格局。或因前曲與前曲字句相同，後曲與後曲體段不合，遂向別宮別調，隨取一曲以聯絡之，此宮調之不能盡合也。或彼曲與此曲牌名巧湊，其中但有一二句字數不符，如其可增可減，即增減就之，否則任其多寡，以解補湊不來之厄，此字格之不能盡符也。至於平仄、陰陽，與逐句所叶之韻，較此二者，其難十倍，誅之將不勝誅，此聲音之不能盡叶也。詞家所重在此三者，而三者之弊，未嘗缺一，能使天下相傳，久而不廢，豈非咄咄怪事乎！更可異者，近日詞人因其熟於梨園之口，習於觀者之目，謂此曲第一當行，可以取法，用作曲譜。所塡之詞，凡有不合成律者，他人執而訊之，則曰：「我用《南西廂》某折作對子，如何得錯！」噫！玷《西廂》名目者，此人；壞詞場矩度者，此人；誤天下後世之蒼生者，亦此人也。此等情弊，予不急爲拈出，則《南西廂》之流毒，皆至何年何代而已乎？向在都門，魏貞庵相國取崔、鄭合葬墓誌銘示予，命予作《北西廂》翻本，以正從前之謬。予謝不敏，謂：天下已傳之書，無論是非可否，悉宜聽之，不當奮其死力，與較短長。較之而非，舉世起而非我；即較之而是，舉世亦起而非我。何也？貴遠賤近，慕古薄今，天下之通情也。誰肯以千古不朽之名人，抑之使出時流下？彼文足以傳世，業有明徵；我力足以降人，尚無實據。以無據敵有徵，其敗可立見也。時龔芝麓先生亦在座，與貞庵相國均以予言爲然。向有一人欲改《北西廂》，又有一人欲續《水滸傳》，同商於余。余曰：「《西廂》非不可改，《水滸》非不可續。然無奈二書已傳，萬口交贊，其高踞詞壇之座位，業如泰山之穩，磐石之固，欲遽叱之使起，而讓席於余，此萬不可得之數也。無論所改之《西廂》、所續之《水滸》未必可繼後塵，即使高出前人數倍，吾知舉世之人，不約而同，皆以『續貂、蛇足』四字爲新作之定評矣。」二人唯唯而去。此余由衷之言，向以誡人，而今不以之繩己，動數前人之過者，其意何居？曰：「存其是也。放鄭聲者，非讐鄭聲，存雅樂也。辟異端者，非讐異端，存正道也。予之力斥《南西廂》，非讐《南西廂》，欲存《北西廂》之本來面目也。若謂前人盡不可議，前書盡不可毀，則楊朱、墨翟亦是前人，鄭聲未必無底本，有之，亦是前書，何以古聖賢放之、辟之不遺餘力哉！」予又謂：《北西廂》不可改，《南西廂》則不可不翻。何也？世人喜觀此劇，非故嗜癡。因此劇之外，別無善本，欲覩崔、張舊事，舍此無由。地乏硃砂，赤土爲佳，《南西廂》之得以浪傳，職是故也。使得一人焉，起而痛反其失，別出新裁，創爲南本，師實甫之意而不必更襲其詞，祖漢卿之心而不獨僅續其後，若與《北西廂》角勝爭雄，則可謂難之又難；若止與《南西廂》賭長較短，則猶恐屑而不屑。予雖乏才，請當斯任。救饑有暇，當即拈毫。《南西廂》翻本既不可無，予又因此及彼，而有志於《北琵琶》一劇。蔡中郎夫婦之傳，既以《琵琶》得名，則「琵琶」二字，乃一篇之主。而當年作者，何以僅標其名，不見拈弄其實？使趙五娘描容之後，果然身背琵琶，往別張大公，彈出北曲哀聲一大套，使觀者聽者涕泗橫流，豈非《琵琶記》中一大暢事？而當年見不及此者，豈元人各有所長，工南詞者不善製北曲耶？使王實甫作《琵琶》，吾知與千載後之李笠翁必有同心矣。予雖乏才，亦不敢不當斯任。向塡一折付優人，補則誠原本之不逮，茲已附入四卷之末。尚思擴爲全本，以備詞人採擇。如其可用，譜爲絃索新聲。若是，則《南西廂》、《北琵琶》二書，可以並行。雖不敢望追踪前哲，並轡時賢，但能保與自手所塡諸曲，如已經行世之前後八種，及已塡未刻之內外八種，合而較之，必有淺深疏密之分矣。然著此二書，必須杜門累月。竊恐饑來驅人，勢不由我，安得雨珠雨粟之天，爲數十口家人籌生計乎？傷哉貧也！

又《廉監宜避》 侵尋、監咸、廉纖三韻，同屬閉口之音。而侵尋一韻，較之監咸、廉纖，獨覺稍異。每至收音處，侵尋閉口，而其音猶帶清亮。至監咸、廉纖二韻，則微有不同。此二韻者，以作急板小曲則可，若塡悠揚大套之詞，則宜避之。《西廂》「不念《法華經》、不理《梁王懺》」一折用之者，以出惠明口中，聲口恰相合耳。此二韻宜避者，不止單爲聲音，以其一韻之中，可用者不過數字，餘皆險僻艱生，備而不用者也。若惠明曲中之「撍」

字、「攙」字、「燀」字、「饡」字、「餡」字、「蘸」字、「颩」字，惟惠明可用，亦惟才大如天之王實甫能用。以第二人作《西厢》，卽不敢用此險韻矣。初學塡詞者不知，每於一折開手處誤用此韻，致累全篇無好句。又有作不終篇，棄去此韻而另作者。失計妨時，故用韻不可不擇。

又《拗句難好》 音律之難，不難於鏗鏘順口之文，而難於倔彊聱牙之句。鏗鏘順口者，如此字聲韻不合，隨取一字换之，縱横順逆，皆可成文，何難一時數曲。至於倔彊聱牙之句，卽不拘音律，任意揮寫，尚難見才，况有清濁、陰陽及明用韻、暗用韻，又斷斷不宜用韻之成格，死死限在其中乎？詞名之最易塡者，如《皂羅袍》、《醉扶歸》、《解三酲》、《步步嬌》、《園林好》、《江兒水》等曲，韻脚雖多，字句雖有長短，然讀者順口，作者自能隨筆。卽有一二句宜作拗體，亦如詩内之古風，無才者處此，亦能勉力見才。至如《小桃紅》、《下山虎》等曲，則有最難下筆之句矣。《幽閨記·小桃紅》之中段云：「輕輕將袖兒掀，露春纖，盞兒拈，低矯面也。」每句只三字，末句叶韻，而每句之第二字，又斷該用平，不可犯仄。此等處似難，而尚未盡難。其《下山虎》云：「大人家體面，委實多般。有眼何曾見？懶能向前，弄盞傳杯，恁般腼腆。這裏新人忒殺虔，待推怎地展？主婚人不見憐，配合夫妻，事事非偶然。好惡姻緣總在天。」只須「懶能向前」、「待推怎地展」、「事非偶然」之三句，便能攪斷詞腸。「懶能向前」、「事非偶然」二句，每句四字，兩平兩仄，末字叶韻。「待推怎地展」一句，五字，末字叶韻；五字之中，平居其一，仄居其四。此等拗句，如何措手！南曲中此類極多，其難有十倍於此者，若逐個牌名援引，則不勝其繁，而觀者厭矣。不引一二處定其難易，人又未必盡曉。兹只隨拈舊詩一句，顛倒聲韻以喻之。如「雲淡風輕近午天」，此等句法，自然容易見好；若變爲「風輕雲淡近午天」，則雖有好句，不奪目矣。况「風輕雲淡近午天」七字之中，未必言言合律，或是陰陽相左，或是平仄尚乖，必須再易數字始能合拍，或改爲「風輕雲淡午近天」，或又改爲「風輕午近雲淡天」，此等句法，揆之音律則或諧矣，若以文理繩之，尚得名爲詞曲乎？海内觀者肯曰此句爲音律所限，自難求工，姑爲體貼人情之善念而恕之乎？曰：不能也。既曰不能，則作者將删去此句而不作乎？抑自創一格而暢我所欲言乎？曰：亦不能也。然則攻此道者，亦甚難矣。變難成易，其道何居？曰：有一方便法門，詞人或有行之者，未必盡有知之者。行之者偶然合拍，如路逢故人，出之不意，非我知其在路而往投之也。凡作倔彊聱牙之句，不合自造新言，只當引用成語。成語在人口頭，卽稍更數字，略變聲音，念來亦覺順口。新造之句，一字聱牙，非止念不順口，且令人不解其意。今亦隨拈一二句試之。如「柴米油鹽醬醋茶」，口頭語也，試變爲「油鹽柴米醬醋茶」，或再變爲「醬醋油鹽柴米茶」，未有不明其義，不辨其聲者。「東邊日出西邊雨，道是無情卻有情」，口頭語也。試將上句變爲「日出東邊西邊雨」，下句變爲「道是有情卻無情」，亦未有不明其義，不辨其聲者。若使新造之言而作此等拗句，則幾與海外方言無别，必經重譯而後知之矣。卽取前引《幽閨》之二句，定其工拙。「懶能向前」、「事非偶然」二句，皆拗體也。「懶能向前」一句，係作者新構，此句便覺生澁，讀不順口；「事非偶然」一句，係家常俗語，此句便覺自然，讀之溜亮：豈非用成語易工，作新句難好之驗乎？予作傳奇數十種，所謂「三折肱爲良醫」，此折肱語也。因覓知音，盡傾肝膈。孔子云：「益者三友：友直，友諒，友多聞。」「多聞」吾不敢居，請自呼爲「直」、「諒」。

又《合韻易重》 句末一字之當叶者，名爲韻脚。一曲之中，有幾韻脚，前後各别，不可犯重。此理誰不知之？誰其犯之？所不盡知而易犯者，惟有「合前」數句。兹請先言「合前」之故。同一牌名而爲數曲者，止於首隻列名。其後在南曲則曰「前腔」，在北曲則曰「幺篇」，猶詩題之有其二、其三、其四也。末後數語，有前後各别者，有前後相同，不復另作，名爲「合前」者。此雖詞人躲懶法，然付之優人，實有二便：初學之時，少讀數句新詞，省費幾番記憶，一便也；登場之際，前曲各人分唱，「合前」之曲必通場合唱，既省精神，又不寂寞，二便也。然「合前」之韻脚，最易犯重。何也？大凡做首曲，則知查韻。用過之字，不肯復用。迨做到第二、三曲，則止圖省力，但做前詞，不顧後語，置「合前」數句於度外，謂前曲已有，不必費心，而烏知此數句之韻脚，在前曲則語語各别，湊入此曲，焉知不有偶合者乎？故作前腔之曲，而有「合前」之句者，必將末後數句之韻脚，緊記在心，不可復用，作完之後，又必再查，始能不犯此病。此就韻脚而言也。韻脚犯重，猶是小病。更有大於此者，則在詞意與人不相合。何也？「合前」之曲，既使同唱，則此數句之詞意，必有同情。如生、旦、淨、丑四人在場，生、旦之意如是，淨、丑之意亦如是，卽可謂之同情，卽可使之同唱。若生、旦如是，淨、丑未盡如是，則兩情不一，已無同唱之理，況有生、且如是，淨、丑必不如是，則豈有相反之曲而同唱者乎？此等關竅，若不經人道破，則塡詞之家，旣顧陰陽、平仄，又調角、徵、宮、商，心緒萬端，豈能復籌及此。予作是編，其於詞學之精微，則萬不得一；如此等麄淺之論，則可謂知無不言，言無不盡者矣。後來作者，當錫予一字，命曰「詞奴」，以其爲千古詞人嘗效紀綱奔走之力也。

又《愼用上聲》 平、上、去、入四聲，惟上聲一音最別。用之詞曲，又較他音獨低；用之賓白，較他音獨高。塡詞者每用此聲，最宜斟酌。此聲利於幽靜之詞，不利於發揚之曲。卽幽靜之詞，亦宜偶用、間用，切忌一句之中連用二、三、四字。蓋曲到上聲，字不求低而自低；不低，則此字唱不出口。如十數字高，而忽有一字之低，亦覺抑揚有致。若重複數字皆低，則不特無音，且無曲矣。至於發揚之曲，每到喫緊關頭，卽當用陰字而易以陽字，尚不發調，況爲上聲之極細者乎？予嘗謂：物有雌雄，字亦有雌雄。平、去、入三聲以及陰字，乃字與聲之雄飛者也。上聲及陽字，乃字與聲之雌伏者也。此理不明，難於製曲。初學塡詞者，每犯抑、揚倒置之病。其故何居？正爲上聲之字，入曲低而入白反高耳。詞人之能度曲者，世間頗少。其握管撚髭之際，大約口內吟哦，皆同說話。每逢此字，卽作高聲。且上聲之字，出口最亮，入耳極淸。因其高而且淸，淸而且亮，自然得意疾書，孰知唱曲之道與此相反，念來高者唱出反低，此文人妙曲利於案頭而不利於場上之通病也。非笠翁爲千古癡人，不分一毫人我，不留一點渣滓者，孰肯盡出家私底蘊，以博慷慨好義之虛名乎？

又《少塡入韻》 入聲韻腳，宜於北而不宜於南。以韻腳一字之音，較他字更須明亮，北曲止有三聲，有平、上、去而無入，用入聲字作韻腳，與用他聲無異也；南曲四聲俱備，遇入聲之字，定宜唱作入聲，稍類三音，卽同北調矣，以北音唱南曲可乎？予每以入韻作南詞，隨口念來，皆似北調，是以知之。若塡北曲，則莫妙於此，一用入聲，卽是天然北調。然入聲韻腳最易見才，而又最難藏拙。工于入韻，卽是詞壇祭酒。以入韻之字，雅馴自然者少，麄俗倔彊者多。塡詞老手，用慣此等字樣，始能點鐵成金；淺乎此者，運用不來，鎔鑄不出，非失之太生，則失之太鄙。但以《西廂》、《琵琶》二劇，較其短長。作《西廂》者，工於北調，用入韻是其所長，如《鬧會》曲中「二月春雷響殿角」、「早成就幽期密約」、「內性兒聰明，冠世才學，扭捏着身子百般做作」，「角」字、「約」字、「學」字、「作」字，何等馴雅，何等自然；《琵琶》工於南曲，用入韻是其所短，如《描容》曲中「兩處堪悲，萬愁怎摸」，愁是何物，而可摸乎？入聲韻腳宜北不宜南之論，蓋爲初學者設。久於此道而得三昧者，則左之右之，無不宜之矣。

又卷三《聲務鏗鏘》 賓白之學，首務鏗鏘。一句聱牙，俾聽者耳中生棘；數言淸亮，使觀者倦處生神。世人但以「音韻」二字，用之曲中，不知賓白之交，更宜調聲協律。世人但知四六之句，平間仄、仄間平，非可混施叠用，不知散體之文，亦復如是。「平仄仄平平仄仄，仄平平仄仄平平」，二語乃千古作文之通訣，無一語、一字可廢聲音者也。如上句末一字用平，則下句末一字定宜用仄；連用二平，則聲帶喑啞，不能聳聽。下句末一字用仄，則接此一句之上句，其末一字定宜用平；連用二仄，則音類咆哮，不能悅耳。此言通篇之大較，非逐句、逐字皆然也。能以作四六平仄之法，用於賓白之中，則字字鏗鏘，人人樂聽，有「金聲擲地」之評矣。聲務鏗鏘之法，不出平仄、仄平二語是已。然有時連用數平，或連用數仄，明知聲欠鏗鏘，而限於情事，欲改平爲仄、改仄爲平而決無平聲、仄聲之字可代者，此則千古詞人未窮其秘。予以探驪覓珠之苦，入萬丈深潭者旣久而後得之。以告同心，雖示無私，然未免可惜。字有四聲，平、上、去、入是也。平居其一，仄居其三。是上、去、入三聲，皆麗於仄。而不知上之爲聲，雖與去、入無異，而實可介於平、仄之間，以其別有一種聲音，較之於平則略高，比之去、入則又略低。古人造字審音，使居平、仄之介，明明是一過文，由平至仄，從此始也。譬如四方聲音，到處各別，吳有吳音，越有越語，相去不啻天淵。而一至接壤之處，則吳、越之音相半，吳人聽之覺其同，越人聽之亦不覺其異。晉、楚、燕、秦以至黔、蜀，在在皆然。此卽聲音之過文，猶上聲介於平、去、入之間也。作賓白者，欲求聲韻鏗鏘，而限於情事，求一可代之字而不得者，卽當用此法以濟其窮。如兩句、三句皆平，或兩句、三句皆仄，求一可代之字而不得，卽用一上聲之字介乎其間，以之代平可，以之代去入亦可。如兩句、三句皆平，間一上聲之字，則其聲是仄不必言矣；卽兩句、三句皆去聲、入聲，而間一上聲之字，則其字明明是仄，而卻似平，令人聽之不知其爲連用數仄者。此理可解而不可解，此法可傳而實不當傳。

一傳之後，則遍地金聲，求一瓦缶之鳴而不可得矣。

又卷四《變調第二》 變調者，變古調爲新調也。此事甚難，非其人不行，存此說以俟作者。才人所撰詩、賦、古文，與佳人所製錦繡花樣，無不隨時更變。變則新，不變則腐；變則活，不變則板。至於傳奇一道，尤是新人耳目之事，與玩花、賞月，同一致也。使今日看此花，明日復看此花，昨夜對此月，今夜復對此月，則不特我厭其舊，而花與月亦自媿其不新矣。故桃陳則李代，月滿卽哉生。花、月無知，亦能自變其調，矧詞曲出生人之口，獨不能稍變其音，而百歲登場，乃爲三萬六千日雷同合掌之事乎？吾每觀舊劇，一則以喜，一則以懼。喜則喜其音節不乖，耳中免生芒刺；懼則懼其情事太熟，眼角如懸贅疣。學書、學畫者，貴在彷彿大都，而細微曲折之間，正不妨增減出入。若止爲依樣葫蘆，則是以紙印紙，雖云一綫不差，少天然生動之趣矣。因創二法，以告世之執郢斤者。

又卷五《授曲・調熟字者》 調平仄，別陰陽，學歌之首務也。然世上歌童，解此二事者，百不得一。不過口傳心授，依樣葫蘆，求其師不甚謬，則習而不察，亦可以混過一生。獨有必不可少之一事，較陰陽、平仄爲稍難，又不得因其難而忽視者，則爲出口、收音二訣竅。世間有一字，卽爲一字之頭，所謂「出口」者是也；有一字，卽有一字之尾，所謂「收音」者是也。尾後又有餘音收煞此字，方能了局。譬如吹簫、姓蕭諸「簫」字，本音爲「蕭」，其出口之字頭，與收音之字尾，並不是「簫」。若出口作「簫」，收音作「簫」，其中間一段正音，並不是「簫」，而反爲別一字之音矣。且出口作「簫」，其音一洩而盡，曲之緩者，如何接得下板？故必有一字爲之頭，以備出口之用；有一字爲之尾，以備收音之用；又有一字爲餘音，以備煞板之用。字頭爲何？「西」字是也；字尾爲何？「夭」字是也；尾後餘音爲何？「烏」字是也。字字皆然，不能枚紀。《絃索辨訛》等書，載此頗詳，閱之自得。要知此等字頭、字尾及餘音，乃天造地設，自然而然，非後人扭捏而成者也。但觀切字之法，卽知之矣。《篇海》、《字彙》等書，逐字載有註腳，以兩字切成一字。其兩字者，上一字卽爲字頭，出口者也，下一字卽爲字尾，收音者也，但不及餘音之一字耳。無此上下二字，切不出中間一字，其爲天造地設可知。此理不明，如何唱曲！出口一錯，卽差謬到底。唱此字而訛爲彼字，可使知音者聽乎？故教曲必先審音。卽使不能盡解，亦須講明此義，使知字有頭、尾以及餘音，則不敢輕易開口。每字必詢，久之自能慣熟。曲有誤，周郎顧，苟明此道，卽遇最刻之周郎，亦不能拂情而左顧矣。字頭、字尾及餘音，皆爲慢曲而設。一字一板，或一字數板者，皆不可無。其快板曲，止有正音，不及頭尾。緩音長曲之字，若無頭尾，非止不合韻，唱者亦大費精神。但看青衿贊禮之法，卽知之矣。「拜」、「興」二字，皆屬長音。「拜」字出口以至收音，必俟其人揖畢而跪，跪畢而拜，爲時甚久。若止唱一「拜」字到底，則其音一洩而盡，不當歇而不得不歇，失儐相之體矣。得其竅者，以「不愛」二字代之。「不」乃「拜」之頭，「愛」乃「拜」之尾，中間恰好是一「拜」字。以一字而延數晷，則氣力不足，分爲三字，卽有餘矣。「興」字亦然，以「希」、「因」二字代之。贊禮且然，況於唱曲！婉譬曲喻，以至於此，總出一片苦心。審樂諸公，定須憐我。字頭、字尾及餘音，皆須隱而不現。使聽者聞之，但有其音，並無其字，始稱善用頭、尾者。一有字迹，則沾泥帶水，有不如無矣。

又《授曲・曲嚴分合》 同場之曲，定宜同場；獨唱之曲，還須獨唱。詞意分明，不可犯也。常有數人登場，每人一隻之曲，而衆口同聲以出之者，在授曲之人，原有淺、深二意：淺者慮其冷靜，故以發越見長；深者示不參差，欲以翕如見好。嘗見《琵琶》之《賞月》一折，自「長空萬里」以至「幾處寒衣織未成」，俱作合唱之曲。諦聽其聲，如出一口，無高低、斷續之痕者。雖曰良工心苦，然作者深心，於茲埋沒。此折之妙，全在共對月光，各談心事。曲既分唱，身段卽可分做，是清淡之內，原有波瀾；若混作同場，則無所見其情，亦無可施其態矣。惟「峭寒生」二曲，可以同唱。首四曲，定該分唱，況有合前數句，振起神情，原不慮其太冷。他劇類此者甚多，舉一可以概百。戲場之曲，雖屬一人而可以同唱者，惟行路出師等劇，不問詞理異同，皆可使衆聲合一。場面似鬧，曲聲亦宜鬧，靜之則相反矣。

又《吹合宜低》 絲、竹、肉三音，向皆孤行獨立，未有合用之者。合之自近年始。三籟齊鳴，天人合一，亦金聲玉振之遺意也，未嘗不佳。但須以肉爲主，而絲竹副之，使不出自然者亦漸近自然，始有主行客隨之妙。邇來戲房吹合之聲，皆高於場上之曲，反以絲、竹爲主，而曲聲和之，是座客非爲聽歌而來，乃聽鼓樂而至矣。從來名優教曲，總使聲與樂齊，簫、笛高一字，曲亦高一字；簫、笛低一字，曲亦低一字。然相同之中，卽有高低、輕重之別，以其教曲之初，即以簫、笛代口，引之使唱，原係聲隨簫、笛，非以簫、笛隨聲，習久成性，一到場上，不知不覺而以曲隨簫、笛矣。正之當用何法？曰：家常理曲，不用吹合，止於場上用之，則有吹合亦唱，無吹合亦唱，不靠吹合爲主。譬之小兒學行，終日倚牆靠壁，舍此不能舉步，一旦去其牆壁，偏使獨行，行過一次兩次，則雖見牆壁而不靠矣。以予見論之，和簫、和笛之時，當比曲低一字。曲聲高於吹合，則絲竹之聲亦變爲肉，尋其附和之痕而不得矣。正音之法，有過此者乎？然此法不宜概行，當視唱曲之人之本領。如一班之中，有一二喉音最亮者，以此法行之。其餘中人以下之材，俱照常格。倘不分高下，一例舉行，則良法不終，而怪予立言之誤矣。吹合之聲，場上可少；教曲學唱之時，必不可少，以其能代師口而司鎔鑄變化之權也。何則？不用簫笛，止憑口授，則師唱一遍徒亦唱一遍，師住口則徒亦住口，聰慧者數遍即熟，資質稍鈍者非數十百遍不能，以師徒之間，無一轉相授受之人也。自有此物，只須師教數遍，齒牙稍利，即用簫笛引之。隨簫隨笛之際，若曰無師，則輕重疾徐之間，原有法脈準繩，引人歸於勝地；若曰有師，則師口並無一字，已將此曲交付其徒。先則人隨簫笛，後則簫笛隨人，是金蟬脫殼之法也。庾公之斯學射於尹公之他，尹公之他學射於我，簫、笛二物，即曲中之尹公他也。但庾公之斯與子濯孺子，昔未見面，而今同在一堂耳。若是，則吹合之力，詎可少哉？予恐此書一出，好事者過聽予言，謬視簫笛爲可棄，故復補論及此。

尤侗《倚聲詞話序》 蓋聲音之運，以時而遷。漢有鐃歌橫吹，而《三百篇》廢矣；六朝有吳聲楚調，而漢樂府廢矣；唐有梨園教坊，而齊梁雜曲廢矣。詩變爲詞，詞變爲曲，北曲之又變爲南也。譬服夏葛者已忘其冬裘，操吳舟者難強以越車也，時則然矣。然舊譜具存，疾徐高下，可以吾意揣度分寸而得之。若徒綴其文而未諧其聲，非詞人之極則也。每見時流填詞，平側(仄)誤銜，增減任意，一字之謬便乖。本宮如《菩薩蠻》回文，臨川未免爲拗俑，遑責其他！以是知詞曲二道相去亦不甚遠也。惟曲韻中原只有三聲，而詞韻必守隱侯，三尺去矜，分而爲半。大是解人詞韻，雖少寬于曲，不過陰陽去上間耳。稼軒歌麻雜用，猶爲白璧微瑕，惡有開閉不辨者乎？大抵吾輩有作，當使情文交暢，聲色雙美，既妃青白，兼協宮商，風前月下，令十七八女郎按紅牙板緩歌一曲，回視花鳥，嫣然欲笑，亦足以樂而忘死矣。

盧明鸞《新定十二律京腔譜序》 《三百篇》後，因而有詩，詩餘有詞，詞又變而爲曲。詩盛于唐，詞行于宋，而曲始興于明，排場既具，昆弋遂分，是爲南曲。由此觀之，則曲分南北，相去宵壤，未可同日語也。按即元人宮調，仙呂等宮，是爲六宮；大石等調，是爲十一調。即今《百種》諸書，其所彰明較著者，如是而已。然而考其所本則甚謬也。嘗觀律呂相合河圖洛書之數，無非陰陽相配之義，無關論樂取裁。至于五音律呂之論，考其宮聲七調，乃有正宮、高宮、中呂宮、道宮、南呂宮、仙呂宮、黃鐘宮，皆生于黃鐘者也。商聲七調，乃有大石調、高大石調、雙調、小石調、揭指調、商調、越調，皆生于太簇者也。羽聲七調，乃有般涉調、高般涉調、中呂調、平正調、南呂調、仙呂調、黃鐘調，皆生于南呂者也。角聲七調，乃有大石角、高大石角、雙角、小石角、揭指角、商角、越角，皆生于應鐘者也。而惟獨徵音七調則缺之。或以其變徵而無其調，似也；而宮音爲變宮，何獨仍有其調乎？是可疑也。更可異者，既名七調，何以宮聲之調皆謂之宮商，羽聲之調乃謂之調，角聲之調則又謂之角？夫此等宮調，皆北曲所取法者，已混淆如是。更觀其以黃鐘爲宮，太簇爲商，姑洗爲角，蕤賓爲變徵，林鐘爲徵，南呂爲羽，應鐘爲變宮，其所見如是者，蓋不過君臣民事物一歲之事也，無關于樂也。及閱蔡氏新書，其說又復不同。其五調皆用外轉，黃鐘爲宮，則無射爲商，夷則爲角，中呂爲徵，夾鐘爲羽，大呂爲變宮，蕤賓爲變徵，以其在宮調之內，故俱謂之宮。惟夷則爲正角不用，而用南呂爲宮，餘則依其本律。黃鐘宮一也，無射爲高宮二也，南呂宮三也，蕤賓爲道宮四也，中呂宮五也，夾鐘爲正宮六也，大呂爲仙呂宮七也，其商角羽調皆倣此，其說如是。夫以在天之五行，配乎言樂之五音，秩然羅列，猶有難解。而蔡氏之言，又從而紛更倒置之，是其臆見，忘爲贅解。予甚不滿焉。且其言宮而非專屬乎宮，言調而非專屬乎調，甚無謂也。及查宮調總論，旋相爲宮，以律爲經，復以律爲緯，每律得十二調，合之十二律，共得八十四調。蓋其時未有牌名，因調而爲之歌章，故有諸宮、諸調之稱謂，即如古歌行、少年行等類，存其名以便于歌者。自盛唐以來，始有牌名，後復甚繁。而北曲所唱者，較之八十四調，與牌名迥異。唱頭原以牌名，當是時也，及至欲去其宮調之名，而奈因優伶之輩，借正樂而爲糊口之計，豈可舍其宮調之名歟？因而于中生巧，言宮調太繁，省其八十四爲四十八，可見愚蠢之至也。

按其數八十四、四十八，幷無成數關礙，無非「四」字挪上，「八」字移下，文人可不哂哉！大抵既有牌名，則斷乎不可更以宮調稱謂之矣。乃元人所分六宮十一調，雜亂無章，已非後學典則；至若曲分南北，聲名迥異，又不啻秦越人人之相去遠也。大抵北曲宗派，乃係樂府歌章，以及院本源流，故隋謂之「康衢戲」，唐謂之「梨園樂」，宋謂之「華林戲」，元謂之「升平樂」，又有行家生活、戾家把戲之别。其有煞尾者，謂之套數。時行小令，謂之叶兒套數。當是時也，傅粉墨而登場者亦有之，而搬演之輩，寥寥無幾，若狚若靚，若狐若鴇，若猱若捷譏，若引戲，若正末，又謂之末泥，若執磕瓜以撲靚之副末，皆與南曲劇場宗派大相逕庭，是南北曲各别之故，大略可見矣。明時雖有南曲，而其所尚，猶有弦索宮腔，至嘉隆間乃漸改舊習。玉步既更，始備衆樂器，而劇場乃爲大成。以此論之，則南北曲大不相侔者，夫人而知之矣，何以詞隱所定九宮亦以北曲宮調而彷彿之乎？夫南曲通行幾三百年矣，而曲譜之行于世者，則無不競宗九宮，此則予之所不可解者也。夫北曲所取宮調，已屬大謬，况乎南北異音，豈可又宗其謬，而究不得指歸。蓋既欲另定南曲之譜，自當探索本源，另分曲部，何得亦拾北曲宮調之唾餘，而爲南曲之條目乎？查其仙呂、正宮、黄鐘、南呂、中呂，乃五宮也。彼若欲以北宮爲宮，予則不解其缺其一也。又查其商調、越調、羽調、大石調、小石調、般涉調、雙調、仙呂入雙調，乃八調也。彼若欲以北調爲調，則不解其既缺其四，而又謬添一仙呂入雙調也。不特此也。彼名曰九宮，而僅有其五；附十三調，而僅有其八，此皆更不可解者也。或曰：彼欲以月令爲宮也，而揆之月令則忘其九，蓋止有黄鐘、中呂、南呂也。欲以五音爲調也，而按以五音則失其三，蓋止有商與羽也。此予不可解之中，而恨不能起詞隱而質其故也。况其曲體不一，每存又一體之名，注解支離，常有姑闕之等語。至于不叙聯套，不辨緊慢，或稱過曲者有之，或稱慢詞近詞者有之。卽使詞隱自思及此，恐亦不可解也。其他如犯調之考核，未協牌名之整犯交錯，襯字混入正文，平仄彼此各異。其不可解處指不勝屈。而欲居然爲詞曲之儀型也，不亦難乎？若夫《南音三籟》，雖能博采聯套，而其不可宗者在乎兼存歧路。《南詞新譜》雖能較查犯調，而其不足取者在乎偏論旁枝。皆非所以爲九宮補過，而適足爲九宮滋弊者也。然則九宮之固陋如是，而通行已久，亦獨何歟？蓋幸也譜中有崑板存焉，所以填詞之士，奉爲章程，歌曲之儔，遵爲模範耳。殊不知雖定其板，未辨其腔，其于審聲以知音之説，亦已不可問矣。協律之謂，何忍令其紊雜如斯乎？乃若弋曲之與崑曲幷行也，實行于未有崑腔之先，于今爲盛。詞隱自藏其拙，竟不能定板核腔，而後人亦無有能著弋譜者，無怪乎世俗之弋曲，以信手之板爲板，而以信口之腔爲腔者也。頹波泛濫之下，不有砥柱于中流，詎不爲詞壇欠事耶？予不自遜，因欲成一弋腔譜，蓋以從前之所未有而亟爲指南也。但詞曲一道，雖非古樂矣，而不得不以五音十二律定之。蓋五音各異，其于分貼十二律最爲詳確。如春行木令，而太簇、夾鐘、姑洗，皆宜屬角焉。夏行火令，而中呂、蕤賓、林鐘，皆宜屬徵焉。秋行金令，而夷則、南呂、無射皆宜屬商焉。冬行水令，而應鐘、黄鐘、大呂，皆宜屬羽焉。惟土令分旺于四時之季月，是則姑洗、林鐘、無射、大呂，俱有宮音也。然而應鐘爲陰將盡而陽生之始，故其律實爲變宮；蕤賓爲陽已盡，而陰生之始，是徵也，而實爲變徵矣。黄鐘乃一陽始動，本屬于羽，而旺于四季，故又得宮音之名也。予今所定新譜，惟以曲腔之低昂揚抑，而細爲審度之，分其門，别其類，若者爲陽生之曲，則宜歸于黄鐘也；若者爲陰生之曲，則宜歸于蕤賓也。其他如由一陽而至于過盛，由少陰而至于當復，皆以曲情之若何而體認精明以分析之，使歌聲者領會于其間，自不致出入乖違也。曲類既别，後正曲體，定其一定之板，分其各異之腔，不襲夫古法，不狃于偏見，較核精詳，名曰《十二律京腔譜》。蓋卽子輿氏所謂不以六律不能正五音之微意也。至如音韻大會，則切音精晰，分合得宜也。問奇一覽，則注釋詳明，曲故兼備也。是亦有心詞學之一助也。

呂士雄《新定南詞定律叙》 予聞鳳凰鳴而律呂諧，詩頌作而詞曲生，皆所以調陰陽宣敎化也。樂府關乎世道，豈淺鮮哉？自宋元迄今，詞曲尤盛。然或文雖藻麗，而演之于氍毹，則淡無生色；或敷演似佳，展之于案頭，而文多俚鄙。是以曲盛于元，如《荆》、《劉》、《拜》、《殺》等曲，人皆稱曰當行，故後之填詞者，莫不以元曲爲模範也。但歲月既久，不無好奇穿鑿之弊，或以正字外多加襯字，正體作爲犯體，九宮之譜迭興，各出臆見，不能畫一。填詞家正襯既爾淆訛，度曲者板拍豈無舛錯耶？今于古今之劇，諸家之曲，靡不深搜極考，彙諸詞曲，斟酌損益，分其正襯，定其板式，集而成帙，使填詞度曲者開卷瞭然，雖不敢以管窺愚見爲固是，俟世之同志者，或可爲千慮一得之所裨云耳。

穀旦主人《新定南詞定律序》 觀夫六義者，詩之本也。六律者，樂之源也。黄鍾起于一陽，三分損益，隔八相生，變而爲十二律呂，陰陽合配，五音互生，自然而然，少無造作。故千百世之下，無能出其範圍，此學者所共知也。三代以下，止有古詩，自梁沈約用韻，至唐而聲律始嚴，近體排律，樂府截句，駸駸乎盛矣。迨後宋、金、元、明詩餘詞曲，格範愈多，總皆不出詩言志、歌咏言之意。然皆文詞簡素，用意純樸。有不得其門而入者，未免視爲汎汎，不肯鑽研，蓋因其有聲無色，非所以快心志悦耳目也。至于傳奇，則聲色俱備，實足動人，一咏一歌間，雖婦人女子、山童牧豎，無不欣然于忠孝奸佞善惡之間，或爲贊揚，或爲唾駡，面目雖假，啼笑若真，未嘗不可以感激人心，助宣教化焉。今操觚之士，各以意見創爲新詞，傳爲譜曲，自元迄今，不下數千百本矣。若九宫譜，則有沈伯英、馮猶龍、張心其、蔣惟忠、楊升庵、紐少雅、譚儒卿諸家，所作不一，大意皆同，而板式、正襯，字眼多致舛誤。其所病者何也？蓋歌唱必出於梨園，方能抑揚宛轉。以曲肖其喜怒哀樂之情，此其所長也。至于文章句讀，不能諳其文義，則未免于刺謬者有之，此梨園之所以爲病也。詞曲必出於文人，方能搜奇擷藻，以闡發其人情物理之正，此其所長也。至於按曲點板不能諧其律呂，則未免於牽強者有之，此又操觚者之所以爲病也。至九宫之過曲犯調，多采諸傳奇，散曲引子多采諸詩餘，其中有精有粗，有俚有文，總因操觚者不屑與梨園共議，而梨園中又無能捉筆成文，遽自著作，是以苟延至今，終不能令人開卷一快。

黄周星《製曲枝語》 余最恨今之製曲者，每折之中，一調或雜數調，一韻或雜數韻，不問而陋劣可知。即東嘉《琵琶》，正自不免。至於次曲换頭，無端增減數字，亦復何奇？余於此類，皆一槩禁絶之。余尤恨今之割湊曲名以求新異者，或割二爲一，或湊三爲一，如《朱奴插芙蓉》、《梁溪劉大娘》之類。夫曲名雖不等於聖經賢傳，然既已相沿數百年，即遵之可矣。所貴乎才人者，於規矩準繩之中，未始不可見長，何必以跳越穿鑿爲奇乎？且曲之優劣，豈係於曲名之新舊乎？故余於此類，皆深惡而痛絶之。至於二犯、三犯、六犯、七犯諸調，雖從來有之，亦皆不取。

徐大椿《樂府傳聲序》 樂之成，其大端有七：一曰定律呂，二曰造歌詩，三曰正典禮，四曰辨八音，五曰分宫調，六曰正字音，七曰審口法。七者不備，不能成樂。何謂定律呂？考黄鐘大呂之本，窮宫商徵羽之變是也。何謂歌詩？上極《雅頌》，下至謠諺，與凡詞曲有韻之文皆是也。何謂典禮？郊天祭地，宴饗贈答，房中軍中之所宜用是也。何謂八音？金石絲竹匏土革木，古今樂器是也。何謂宫調？旋宫之六十調，與今所存北曲之六宫十一調，南曲之九宫十三調是也。何謂字音？一字有一字之正音，不可雜以土音；又北曲有北曲之音，南曲有南曲之音是也。何謂口法？每唱一字，則必有出聲、轉聲、收聲，及承上接下諸法是也。七者不盡通，不得名專精之士。然七音之學，非一人所能兼，則亦有可分習者。律呂、歌詩、典禮，此學士大夫之事也。其八音之器，各精一技，此樂工之事也。惟宫調、字音、口法，則唱曲者不可不知。然宫調大端難越，既有失傳，而一爲更换，即能循板歸腔，至字音亦一改即能正其讀，惟口法則字句各别，長唱有長唱之法，短唱有短唱之法，在此調爲一法，在彼調又爲一法，接此字一法，接彼字又一法，千變萬殊，此非若律呂、歌詩、典禮之可以書傳，八音之可以譜定，宫調之可以類分，字音之可以反切别，全在發聲吐字之際，理融神悟，口到音隨。顧昔人之聲已去，誰得而聞之？即一堂相對，旋唱而聲旋息，欲追其已往之聲，而已不復在耳矣。此口法之所以日變而日亡也。上古之口法，三代不傳；三代之口法，漢魏六朝不傳；漢魏六朝之口法，唐宋不傳；唐宋之口法，元明不傳。若今日之南北曲，皆元明之舊，而其口法亦屢變。南曲之變，變爲「崑腔」，去古浸遠，自成一家。其法盛行，故腔調尚不甚失，但其立法之初，靡慢糢糊，聽者不能辨其爲何語，此曲之最遠古法者。至北曲則自南曲甚行之後，不甚講習，即有唱者，又即以南曲聲口唱之，遂使宫調不分，陰陽無别，去上不清，全失元人本意。又數十年來，學士大夫全不究心，將來不知何所底止。嗟夫！樂之道久已喪失，猶存一線於唱曲之中，而又日即消亡。余用憫焉，爰作傳聲法若干篇，借北曲以立論，從其近也；而南曲之口法，亦不外是焉。古人作樂，皆以人聲爲本。書曰：「詩言志，歌詠言，聲依詠，律和聲。」人聲不可辨，雖律呂何以和之，故人聲存而樂之本自不沒於天下。傳聲者，所以傳人聲也。其事若微而可緩，然古之帝王聖哲，所以象功昭德，陶情養性之本，實不外是。此學問之大端，而盛世之所必講者也。

又《樂府傳聲·出聲口訣》 天下有有形之聲，有無形之聲。無形之聲，風雷之類是也，其聲不可爲而無定。有形之聲，絲竹金鼓之類是也，其聲可爲而有定。其形何等，則其聲亦從而變矣。欲改其聲，先改其形，形改而聲無弗改也。惟人之聲亦然。喉、舌、齒、牙、唇，謂之五音，開、齊、撮、合，謂之四呼。欲正五音，而不於喉、舌、齒、牙、唇處著力，則其音必不真；欲準四呼，而不習開、齊、撮、合之勢，則其呼必不清。所以欲辨真音，先學口法。口法真，則其字無不真矣。譬之簫管，欲吹「尺」字，必放「尺」字之眼；欲吹「工」字，必放「工」字之眼。若放「工」而欲吹「尺」，放「尺」而欲吹「工」，雖神瞽不能也。所謂其聲可爲而有定者也。今則口法皆不能知，而欲其聲之真，得乎？又喉、舌、齒、牙、唇，雖分五層，然吐聲之法，不僅五也。有喉底之喉，有喉中之喉，有近舌之喉。餘四音亦然。更不僅此也，即喉底之喉，亦有淺、深、輕、重，其餘皆有淺深輕重。千絲萬縷，層層扣住，方爲入細。其開、齊、撮、合之中，亦有半開、全開、半合、全合之不同。其外又有鼻音、半鼻、抵腭、抵齒等法。其形亦皆有定。總之，呼字十分真，則其形自從；其形十分真，則其字自協，此自然之理。若不知其形，而求其聲，則終身不能呼準一字也。

又《聲各有形》　凡物有氣必有形，惟聲無形。然聲亦必有氣以出之，故聲亦有聲之形。其形惟何？大、小、闊、狹、長、短、尖、鈍、粗、細、圓、扁、斜、正之類是也。古聖作字諧聲，皆由天籟，絶無一毫勉強，其義精微奇妙，不可思議。如「大」字之形大，「小」字之形小，「闊」字之形闊，「狹」字之形狹，餘數字無不皆然。惟口訣得傳，則字形宛肖。不得口訣，則大非大，而小非小，出聲之際已偏，引長其音，遂不知何字矣。能將上數字鍊準口訣，則餘字盡可類推。如東鐘韻，「東」字之聲長，「終」字之聲短；「風」字之聲扁，「宮」字之聲圓；「蹤」字之聲尖，「翁」字之聲鈍。江陽韻，「江」字之聲闊，「臧」字之聲狹；「堂」字之聲粗，「將」字之聲細。潛心分別，其形顯然。其口訣大端，雖不外開、齊、撮、合、喉、舌、齒、牙、唇，而細分之則無盡。有張口者，有半張者，有閉口者，有半閉者，有先張後閉者，有先閉後張者，有喉出唇收者，有喉出舌收者，有全喉全舌者，有半喉半舌者。以上諸條，互相出入，不可勝計。其外又有落腮、穿齒、穿牙、覆唇、挺舌、透鼻、過鼻，種種諸法，不可枚舉。總在將此字識真念準，審其字聲從口中何處着力，則知此字必如何念法方確，即知其形於長短闊狹之內居何等矣。然後人之聽之，無不知其爲何字，雖絲竹雜和，不能奪而亂之矣。此千古未發之微義也。

又《四聲各有陰陽》　字之分陰陽，從古知之。宋人填詞極重，只散見於諸家論説，而無全書。惟《中原音韻》將每韻分出，最爲詳盡；但只平聲有陰陽，而餘三聲皆不分陰陽，不知以三聲本無分乎？抑難分乎？抑可以不分乎？或又以爲去入有陰陽，而上聲獨無陰陽，此更悖理之極者。蓋四聲之陰陽，皆從平聲起。平聲一出，則四呼皆來，一貫到底，不容勉強，亦不可移易。豈有平聲有陰陽，而三聲無陰陽者？亦豈有平去入有陰陽，而上聲獨無陰陽者？此等皆極荒唐之説，後人竟不深求，不得不急爲拈出，使天下後世作曲與唱曲之人，確然有所執持，而審音不惑。如「宗」字爲陰，「宗、總、縱、足」，皆陰也；「戎」字爲陽，「戎、冗、誦、族」，皆陽也。上八字豈可删去一字，亦豈可互易一字，亦豈可宗戎有陰陽，而下六字無陰陽，更豈可縱足與誦族有陰陽，而總與冗無陰陽？此有耳者之所共察，不必明於度曲者而後知之也。余常欲以《中原音韻》四聲之陰陽，每字皆爲分定，以息千古紛紛之説，尚未遑而有待。但作曲者能別平聲之陰陽，已屬難事，若併三聲而分之，則尤艱於措筆，不必字字苛求，然不可以作曲之難而併字之陰陽亦泯之也。

又《北字》　凡唱北曲者，其字皆從北聲，方爲合度。若唱南音，即爲別字矣。然「北」字之異乎南者，十居四五；若必字字從北，則南方之人，竟有全不解者，此亦不必盡泥也。蓋當時之北曲，以北人造之，北人唱之，彼自唱彼之音，自然皆從北讀；若南人唱之，南人聽之，則即唱南人之音，似亦無害於理。但以「北」字改作南音，則聲必不和。何則？當時原以「北」字配調故也。況南人以土音雜之，只可施之一方，不能通之天下；同此一曲而一鄉有一鄉之唱法，其弊不勝窮矣。愚有説焉：凡北曲之字，有天下盡通之正音，唱又不失此調之音節者，不必盡從北字也。如「崇」字本音戎，而北讀爲蟲；「重」字本音蟲去聲，北讀爲中去聲；「事」字本時至切，北讀爲世；「杜」本音渡，北讀爲妒之類。如此者不一而足，若必盡從北者，則唱者與聽者，俱不相洽，反爲無味。譬之南北兩人，相遇談心，各操土音，則兩不相通，必各遵相通之正音，方能理會，此人情之常，何不可通於度曲耶？但不可以土音改北音耳。至於「北」字中，人人能曉，或此宮此調，必如此方合者，則必不可以南曲之字易之也。

又《平聲唱法》四聲之中，平聲最長，入聲最短。何以驗之？凡三聲拖長之後，皆似平聲，而入聲則一頓之外，全無入象，故長者平聲之本象也。但上去皆可唱長，即入聲派入三聲，亦可唱長，則平聲之長，何以別於三聲耶？蓋平聲之音，自緩、自舒、自周、自正、自和、自靜，若上聲必有挑起之象，去聲必有轉送之象，入聲之派入三聲，則各隨所派成音。故唱平聲，其尤重在出聲之際，得舒緩周正和靜之法，自與上去迥別，乃爲平聲之正音，則聽者不論高低輕重，一聆而知其爲平聲之字矣。

又《上聲唱法》上聲亦只在出字之時分別。方開口時，須略似平聲，字頭半吐，即向上一挑，方是上聲正位。蓋上聲本從平聲來，故上聲之字頭，必從平聲起。若竟從上起，則其聲一響已竭，不能引而長之，若聲端而復拖下，則反似平聲字矣。故唱上聲極難，一吐即挑，挑後不復落下，雖其聲長唱，微近平聲，而口氣總皆向上，不落平腔，乃爲上聲之正法。雖數轉而聽者仍知爲上聲，斯得唱上聲之法矣。

又《去聲唱法》今北曲之最失傳者，其唱去聲盡若平聲。蓋北曲本無入聲，若併去聲而無之，則只有兩聲矣。夫兩聲豈能成調耶？況北曲之所以別於南者，全在去聲。南之唱去，以揭高爲主，北之唱去，不必盡高，惟還其字面十分透足而已。笛中出一凡字合曲者，惟去聲爲多。如唱「凍」字，則曰凍、紅、翁；唱「問」字，則曰問、恆、恩；唱「秀」字，則曰秀、喉、漚。長腔則如此三腔，短腔則去第三腔，再短則念完本字即收，總不可先帶平腔。蓋去聲本從上聲轉來，一著平腔，便不能復振，始終如平聲矣。非若上聲之本從平聲轉出，可以先似平聲，轉到上聲也。譬如四時從春轉夏則可，從春轉秋則不可，此自然之理也。況去聲最有力，北音尙勁，去聲眞確，則曲聲亦勁而有力，此最大關係也。今之所以唱去聲似平聲者，何也？自南曲盛行，曲尙柔靡，聲口已慣，不能轉勁，又去聲唱法，頗須用力，不若平讀之可以隨口念過，一則循習使然，一則偷氣就易，又久無審音者爲之整頓，遂使去聲盡亡，北音絕響，最可慨也！

又《入聲派三聲法》北曲無入聲，將入聲派入三聲，蓋以北人言語，本無入聲，故唱曲亦無入聲也。然必分派入三聲者，何也？北曲之妙，全在於此。蓋入聲本不可唱，唱而引長其聲，即是平聲，南曲唱入聲無長腔，出字即止，其間有引長其聲者，皆平聲也。何也？南曲唱法，以和順爲主，出聲拖腔之後，皆近平聲，不必四聲鑿鑿，故可稍爲假借。惟北曲則平自平，上自上，去自去，字字清眞，出聲、過聲、收聲，分毫不可寬假，故唱入聲，亦必審其字勢，該近何聲，及可讀何聲，派定唱法，出聲之際，歷歷分明，亦如三聲之本音不可移易，然後唱者有所執持，聽者分明辨別，非若南曲之皆似平聲，無相徑庭也。故觀派入三聲之法，則北曲之出字清眞，益可徵據，此探微之論也。

又《入聲讀法》北曲皆遵《中州音韻》，其平、上、去三聲，皆與《唐韻》及《洪武正韻》等相同；其有異者，百中之一耳。其五音四呼，亦不相遠，若入聲之字皆派入三聲，竟有大相徑庭，全非其字者。何也？蓋三聲多連合一貫，獨至入聲而別，有有三聲而無入聲之字，亦有有入聲而無三聲之字。今北曲無入聲之唱，盡將入聲唱作三聲，而三聲中無此字，則不得不另作一聲矣。如「曲」字，本邱六切，若本音之平聲，則邱都切，是有聲無字矣，故變而作「區」。「樂」字，本盧各切，若本音之平聲，則盧沙切，亦有聲無字矣，故變而作勞。其餘如：削之爲宵，鶴之爲浩，不一而足。自六經子史皆同，不獨《中州音韻》爲然也。惟古韻從無此讀法，而五音四呼又不通者，此乃當時之土音，則不妨或從古音，或從今音，不必悉遵其讀也。又其派入三聲，有一定之法，與古音亦稍殊。如「鹿」字，《中州韻》作去聲音露，古音露，亦音盧；「出」字《中州韻》作上聲音杵，古音作平聲，則赤知切，作去聲，則赤至切，三聲多有通融之處。蓋入之讀作三聲者，緣古人有韻之文，皆以長言咏嘆出之。其聲一張，則入聲之字自然歸入三聲。此聲音之理，非人所能強也。故古人有此讀法者，三聲原可通用，不必盡從《中州韻》；如從無此音者，則不可自我亂之，恐人之難辨也。試從古音，一一考之，則入聲派入三聲之故可明，而三代已前之歌法，亦可推測而知矣。

又《歸韻》唱曲能令人字字可辨，不但平上去入四聲準，開齊撮合四呼淸而已。四聲四呼，止能於出聲之時，分別字頭，使人明曉，至出字之後，引長其聲，即屬公共之響，況有絲竹一和，尤易混入。譬如簫管之音，雖極天下之良工，吹得音調明亮者，祇能分別工尺，令聽者一聆而知其爲何調，斷不能吹出字面，使聽者知其何字也。蓋簫管止有工尺，無字面，此人聲之所以可貴也。四聲四呼清，則出口之字面已正，而不知歸韻之法，則引長之字面，仍與簫管同，故尤以歸韻爲第一。歸韻之法如何？如東鐘字，則使其聲出喉中，氣從上腭鼻竅中過，令其聲半入鼻中，半出口外，則東鐘歸韻矣。江陽，則聲從兩頭中出，舌根用力，漸開其口，使其聲朗朗如叩金器，則江陽歸韻矣。支思，則聲從齒縫中出，而收細其喉，徐放其氣，切勿令上下齒牙相遠，則支思歸韻矣。能歸韻，則雖十轉百轉，而本音始終一線，聽者卽從出字之後，驟聆其音，亦鑿鑿然知爲某字也。況字眞則義理切實，所談何事，所説何人，悲歡喜怒，神情畢出；若字不清，則音調雖和，而動人不易，譬如禽獸之悲鳴喜舞，雖情有可相通，終與人類不能親切相感也。但人之喉嚨，靈頑不一，靈者則各韻自能分出各韻之音。頑者一味響亮，不能鑿鑿分別，卽字面不差，而一放則不甚相遠，又有幾韻能分，幾韻不能分，各因其聲之所近，以爲優劣。若十九韻，俱能分者絶少。此又得之天分，非人力所能強也。

又《收聲》 天下知出聲之法爲最重，而不知收聲之法爲尤重。蓋出一字，而四呼四聲五音無誤，則其字已的確可辨，猶人所易知而易能也。惟收聲之法，則不但當審之極清，尤必守之有力。自出聲之後，其口法一定，則過腔、轉腔，音雖數折，而口之形與聲所從出之氣，俱不可分毫移動。蓋聲雖同出於喉，而所着力之處，在口中各有地位，字字不同。如開口之喉音，其聲始終從喉着力，其口始終開而不閤；閉口之舌音，其聲始終從舌着力，其口始終閉而不開。其餘字字皆然，斯已難矣。至收足之時尤難，蓋方聲之放時，氣足而聲縱，尚可把定，至收末之時，則本字之氣將盡，而他字之音將發，勢必再換口訣，略一放鬆，而咿啞嗚叱之聲隨之，不知收入何宮矣。故收聲之時，尤必加意扣住，如寫字之法，每筆必有結束，越到結束之處，越有精神，越有頓挫，則不但本字清眞，卽下字之頭，亦得另起峰巒，益覺分明透露，此古法之所極重，而唱家之所易忽，不得不力爲剖明者也。然亦有二等焉：一則當重頓，一則當輕勒。重頓者，煞字煞句，到此嶄然劃斷，此易曉也；輕勒者，過文連句，到此委宛脱卸，此難曉也。蓋重者其聲濁而方，輕者其聲清而圓，其界限之分明則一，能知此，則收聲之法，思過半矣。

又《交待》 凡曲以清朗爲主，欲令人人知所唱之爲何曲，必須字字響亮。然有聲極響亮，而人仍不能知爲何語者，何也？此交代不明也。何爲交代？一字之音，必有首腹尾，必首腹尾音已盡，然後再出一字，則字字清楚。若一字之音未盡，或已盡而未收足，或收足而於交界之處未能劃斷，或劃斷而下字之頭未能矯然，皆爲交代不清。況聲音愈響，則聲盡而音未盡，猶之叩百石之鐘，一叩後之，卽鳴他器，則鐘聲方震，他器必若無聲，故聲愈響，則音愈長，必尾音盡而後起下字，而下字之頭，尤須用力，方能字字清澈，否則反不如聲低者之出口清楚也。凡響亮之喉，宜自省焉。不得恃聲高字眞，必謂人人能曉也。

又《陰調陽調》 古人唱法，所謂陰陽者，乃字之陰陽，非人聲之陰陽也。字之陰陽者，如東爲陰，同爲陽，二字自有清濁輕重之別。至人聲之陰陽，則逼緊其喉，而作雌聲者，謂之陰調；放開其喉，而作雄聲者，謂之陽調。遇高字則唱陰，遇低字則唱陽，此大謬也。夫堂堂男子，唱正大雄豪之曲，而逼緊其喉，不但與其人不相稱，卽字面斷不能眞。蓋喉間逼緊，則字面皆從喉中出，而舌齒牙唇，俱不能着力，開齊撮合，亦大半不能收準，卽使出聲之後，作意分清，終不若卽從舌、齒、牙、唇者之親切分明也。惟優人之作旦者，欲効女聲，則不得不逼緊其喉，此則純用陰調者。然卽陰調之中，亦有陰陽之別，非一味逼緊也。若陽調中之陰陽，放開直出者爲陽之陽。將喉收細揭高，世之所謂小堂調者，爲陽之陰。此則一起一倒，無曲不有，而逼緊之陰不與焉。今之逼緊喉嚨者，乃欲唱高調而不能，故用力夾住吊起，不覺犯逼緊之病，一則喉本不佳，一則不善用喉之故者。然逼緊之字，亦間有之，高調之曲，連轉幾字幾腔，層層泛起，愈轉愈高，則音必愈細，陽聲已竭，喉底之眞氣出而接之，自然聲出至深，與逼緊相似，此乃自然而然，非有意爲之，若世俗之所謂陰調也。至近日之所謂時曲清曲者，則字字逼緊，俱從喉中一絲吐出，依然講五音四呼之法，實則五音四呼何處着力，以至聽者一字不能分辨，此曲之下賤，風流掃地矣。

又《字句不拘之調亦有一定格法》 北曲中，有不拘句字多少，可以增損之格，如黄鐘之《黄鐘尾》、仙呂之《混江龍》、南呂之《草池春》之類。世之作此調者，遂隨筆寫去，絶無格式，眞乃笑談。要知果可隨意長短，何以仍謂之《黄鐘尾》，而不名之爲《混江龍》，又不謂之《草池春》；且何以《黄鐘尾》不可入仙呂，《混江龍》不可入南呂耶？此眞不思之甚。而訂譜者，亦僅以不拘字概之，全無格式，令後人易誤也。蓋不拘字句者，謂此一調字句不妨多寡，原謂在此一調中增減，並不謂可增減在他調也。然則一調自有一調章法、句法及音節，森然不可移易，不過謂同此句法，而此句不妨多增，同此音節，而此音不妨疊唱耳。然亦只中間發揮之處，因上文文勢趨下，才高思湧，一瀉難收，依調循聲，鋪敘滿意，既不踰格，亦不失調。至若起調之一二句，及收調之一二句，則陰陽平仄，一字不可移易增減，如此，則聽者方能確然審其爲何調，否則竟爲無調之曲，荒謬極矣！

又《高腔輕過》 腔之高低，不係聲之響不響也。蓋所謂高者，音高，非聲高也。音與聲大不同。用力呼字，使人遠聞，謂之聲高；揚起字聲，使之向上，謂之音高。即如同是一曲，唱上字尺字調，則聲雖用力而音總低；唱正調乙字調，則聲雖不用力而音總高，此在喉中之氣向上向下之別耳。凡高音之響，必狹，必細，必銳，必深；低音之響，必闊，必粗，必鈍，必淺。如此字要高唱，不必用力儘呼，惟將此字做狹，做細，做銳，做深，則音自高矣。今人不會此意，凡遇高腔，往往將細狹深銳之法，變成陰調，此又似是而非也。蓋陽調有陽調之高低，陰調有陰調之高低，若改陽爲陰謂之高，則陰之當高者，又何改耶？且調有斷不可陰者，若改陽爲陰，又失本調之體矣。能知唱高音之法，則下等之喉，亦可進於中等，中等可進於上等。凡遇當高揭之字，照上法將氣提起透出，吹者按譜順從，則聽者已清晳明亮，唱者又全不費力。蓋字之高下一定，而人之聲音各別，能知此，則人人可唱高音之曲，各如其人之分量，而無脱調之慮，否則唱高調之曲，必極響之喉方可，而喉之稍次者，只宜唱低調之曲，是調以人分，而一人之聲，只可限以一調，略高即屬勉強矣。此不知高腔輕過之法也。

又《句韻必清》 牌調之別，全在字句及限韻。某調當幾句，某句當幾字，及當韻不當韻，調之分別，全在乎此。唱者遵此不失，自然事理明曉，神情畢出，宮調井然。今乃只顧腔板，句韻蕩然，當連不連，當斷不斷，遇何調則依工尺之高低，唱完而止，則古之鑿鑿分別幾句幾字幾韻，全然可以不必也。蓋言語不斷，雖室人不解其情，文章無句，雖通人不曉其義，況於唱曲耶？如《琵琶・辭朝》折《啄木兒》「事親事君一般道，人生怎全忠和孝？卻不道母死王陵歸漢朝」。近時唱者，「道」字拖腔，連下「人」字、「孝」字急疾，並接「卻」字，是句韻皆失矣！如此者十之四五。試令今之登場者，依崑腔之唱法，聽者能辨其幾句幾韻，百不能得一也。句韻之法，不幾盡喪耶？惟北曲尚有句可尋，有韻可辨，然亦不能收清收足，此亦漸染於崑腔所致。崑腔作法之始，原不至如此之極，而流弊不可不亟拯也。

又《宮調》 古人分立宮調，各有鑿鑿不可移易之處。其淵源不可得而尋，而其大旨，猶可按詞而求之者，如黃鐘調，唱得富貴纏綿；南呂調，唱得感歎悲傷之類。其聲之變，雖係人之唱法不同，實由此調之平仄陰陽配合成格，適成其富貴纏綿、感歎悲傷，而詞語事實，又與之合，則宮調與唱法須得矣。故古人塡詞，遇富貴纏綿之事，則用黃鐘宮，遇感歎悲傷之事，則用南呂宮，此一定之法也。後世塡詞家，不明此理，將富貴纏綿之事，亦用南呂調；遇感歎悲傷之事，亦用黃鐘調，使唱者從調則與事違，從事則與調違，此作調者之過也。若詞調相合，而唱者不能尋宮別調，則咎在唱者矣。近來傳奇，合法者雖少，而不甚相反者尚多，仍宜依本調如何音節，唱出神理，方不失古人配合宮調之本，否則盡忘其所以然，而宮調爲虛名矣。

又《定板》 板之調，所以節字句，排腔調，齊人聲也。南曲之板，分毫不可假借，惟北曲之板，竟有不相同者。蓋南曲惟引子無板，餘皆有板，北曲則祇有底板，無實板之曲極多。又南曲之字句，無一調無定格，而北曲則不拘字句之調極多。又南曲襯字極少，少則一字幾腔，板在何字何腔，千首一律；若北曲則襯字極多，板必有不能承接之處，中間不能不增出一板，此南之所以有定，北之所以無定也。且元人之曲，不但以虛字爲襯，且有以實字爲襯者，如本調當用「天、地、人」三實字爲句，若祇襯一二虛字在三字上，仍是三字句，乃竟用春夏秋冬四實字爲句，則將以何字作襯字耶？則不但襯多難簇，且正襯不分，此板之所以尤無定也。然無定之中，又有一定者，蓋板殊則腔殊，腔殊則調殊，板一失，則宮調將不可考矣。故惟過文轉接之間，板可略爲增損，所以便歌也。至緊要之處，板不可少有移易，所以存調也。此北曲之板雖寬而實未嘗不嚴也。

胡彥穎《樂府傳聲序》 夫古樂之亡久矣，然有不得而亡者存，則聲是也。故謂今樂非即古樂則可，謂今樂之聲，非即古樂之聲則大不可，何也？樂有今古之異，聲無異也，無異而古樂亡。請謂其故：昔賓牟賈以致右憲左，爲非武坐，聲淫及商，爲非武音，曰：有司失其傳也。夫古聖王之樂，列于四術六教，成均習之，庠序習之，非僅掌之有司而已，然猶不免于失傳，又況其徒寄之伶工之口者乎？周之既衰，孔子正樂。沿及漢初，五經皆存，而樂一經竟亡。制氏記鏗鏘鼓舞之節，樂之遺音也，而時則病其不能言義。《七略》載周歌詩曲折若干篇，樂之遺譜也，而時莫能歌。若漢高帝喜楚聲，且播之于《安世房中樂》。武帝更好新聲，度曲用李延年之屬，是皆不以古樂爲能事。儒者若京房、鄐歆輩，則惟詳求鐘律，不復致考遺聲，宜古樂之終亡也。魏時猶有杜夔能歌《鹿鳴》、《文王》、《伐檀》、《騶虞》四篇。洎永嘉之末，蕩然無復遺矣。雖然古樂之所亡者，其曲折耳，其節奏耳，聲音則未有亡也。漢、魏之樂府，唐不能歌而歌詩；唐之詩，宋不能歌而歌詞；宋之詞，元不能歌而歌曲。然歌曲之聲，固即歌詞歌詩歌樂府之聲也，又獨非即歌《南》、《豳》、《雅》、《頌》之歌歟？而安得云亡歟？故以樂而論，《三百篇》存，樂府存，詩存，詞存，而其曲折節奏則盡亡；以聲而論，則歌南北曲者此聲，即進而歌詞、歌詩、歌樂府、歌《三百篇》，要亦無非此聲，故曰亡者其曲折耳，其節奏耳，聲則自在天壤間也。自元以來，有北曲，有南曲，而善歌者首推三吳，南曲習于南耳，故視北曲尤爲盛行。然明之中葉以後，于南曲刻意求工，別爲「清曲」，漸非元人之舊。又作傳奇之人，喜集數曲爲一，以致宮調難分，音拍盡失，訛且傳訛，盲復引盲，幾何而不盡變元人之歌法哉！

李調元《雨村曲話》卷下 《洞天元紀》、《陶情樂府》、《續陶情樂府》，俱新都楊昇菴撰。流膾人口，北曲爲多，而頗不爲當行所許。王元美譏爲「蜀人多用川調，不諳南北本腔」，妄也。蜀何嘗有「川調」之名？南、北《九宮譜》、《中原音韻》，世所通行之譜，豈獨吳人許用而蜀人不許乎？各分町畦，互相攻擊，雖文人相輕，亦小人黨習也。其佳句如「費長房縮不就相思地，女媧氏補不完離恨天。別淚銅人共滴，悉腸蘭焰同煎。和愁和悶，經歲經年」；又「傲霜雪鏡中紫髯，任光陰眼前赤電，仗平安頭上青天」：皆生別不拾人牙慧。乃元美摭拾其「嫩寒生花底」數語，以爲「抄錄元人秘本」，掩爲己有」。噫，是何腑腸！必不容升庵出一頭地也？亦褊之至矣。

笠閣漁翁《笠閣批評舊戲目》 北音爲曲，南音爲歌。北人不歌，南人不曲。北力在弦，南力在板。南便獨奏，北便和歌。北氣易粗，南氣易弱。「北」字多而調促，促處見筋；「南」字少而調緩，緩處見眼。北舞情多而聲情少，南舞情少而聲情多。故造語忌硬、忌澁、忌嫩、忌粗、忌文，調聲則必辨去上，審音則必析陰陽。前人因曲諡名，後人按名造曲，以腔板既定，不敢創易也。如《河套》一折賓白宏詼，曲乃淺鄙；桓歡窄韻，實甫避之；《入破》一套，以《辭朝》爲高，曾而用韻龐雜；《玉茗情禪》，而曲調則多聱牙，吳中老伶師加以減裁垛疊之功，方可按拍；既《花判》之《混江龍》與原調全不相合，才雖茂美，音律徑庭；《邯鄲》、《打番》，亦名《混江》，尤風馬牛，又時流竟以爲定格，依而填之，大可噴飯，覺地下亂音諸老，竟爲魔國津梁矣。能文而毀裂宮調，與好音而束殺文章，皆誤也。然腔板不換，而其中或增字或減字，亦隨人詞意筆勢所到，聯絡成文。近時歌人，或數字咯口，則謬爲裁補，甚至代爲刪芟，文闕理荒，爲禍非細。不知曲聖板師，自有兩借之法，上作去唱尤易。且場上雜白混唱之俚詞膚曲，聊以代言，老餘姚雖有德色，固不足齒；吳人清唱，亦因其腔板熟落，窮力吟詠，至奉爲終身首調；須合白即戲，拆白即詞，縱使簫板閉綴，亦皆雅俗首肯方妙。又謂：他書不或尚可曉；一入清唱，如啖木屑，即使龍陽、襄成歌之，亦濕鼓啞缶而已。若抽絲獨繭，綺語神行，即疵爲太繁，不合時蹊。余謂：代話之曲，雜白唱可借人名，惟傳奇家不嫌。或鉅公恐以輕狎損賢，不妨托無名子；或孤特恐無以動俗眼，不妨托老詞翁。以此等文章，重在售意，不重沽名也。他書不可易人面，惟曲與白無拘，或人名事境同，而更換串頭，頓祛庸雜，或人名事境異，而借用舊曲，順溜優喉，以此等事業，得失既小，人己何分也。況事本陋，而思路一新，曲白俱隨生色；曲本凡，而入境一妙，臭腐且化神奇，豈向沈約集中作賊者比！顧可爲解事道，不必與俗人言耳。

焦循《劇說》卷五 《南音三籟》云：「作曲須先識字，否則往往誤用。如梁伯龍《浣紗·金井水紅花》云：「波冷濺芹芽，濕裙靫。」「靫」字法用平聲。然靫，箭袋也；若衣釵之「衩」，屬去聲。李義山詩：「十歲去踏青，芙容作裙衩。」是爲明證。此其失自陳大聲散套《節節高》之「蓮舟戲女娃，露裙衩」始耳。湯臨川《懶畫眉》「荼蘼抓住裙衩線」，亦誤。僅陳玉陽《玉抱肚》云「打毬回，紛紛衩衣」，獨是。又《浣紗·劉潑帽》云：「娘行聽俊還嬌倩，勝江南萬馬千兵。」不知倩有二音：一「顧倩」之「倩」，作去聲讀；一作「茜」，即「巧笑倩兮」之「倩」，言美也。此曲字義，當作「茜」音，今卻押庚青韻中。他若瘿之爲「穎」音，頸瘤也，鄭虛舟《玉玦記》「卻教愧煞瘿瘤婦」，是認作平聲矣。又《莊子》「藐姑射之山」，射音「亦」；巾櫛之「櫛」，音「率」；而汪南溟《高唐記》與雪、滅同押，至以「纖、殲、鹽」三字並押車、遮，是徽州土音也。又云「《招魂》未得，空歌楚些」，此音「蘇箇」切，惟「些少」之「些」乃作平聲，今以「楚些」作平聲，何也？伯龍以「些」與「飛」同押，又認「些」字作「西」字音，爲蘇州土音也。又有舉世皆誤而爲不可解之字者：今列戲目，而曰第一齣，字或作「折」，或作「出」，問從何來，則默不能對也。蓋字書從無此字，惟牛食已復出曰「齝」，音「笞」，傳寫者誤寫「台」爲「句」，以「齣」作「齝」。「齝」原作「齨」，以「齨」作「齣」，在屈筆毫釐之間，以致展轉傳誤，不若古劇第幾折爲妥也。【略】務頭者，南北同法。苟遇緊要字句，須揭起其音而宛轉其調，如俗所謂「做腔」處，每曲或一句或二三句，每句或一字或二三字，即是務頭。宜施俊語，否則便爲「不分務頭」，非曲所貴。

梁廷枏《曲話》卷二 《百種》中，第一折必用仙呂《點絳唇》套曲，第二折多用南呂《一枝花》套曲，餘則多用正宮《端正好》、商調《集賢賓》等調。蓋一時風氣所尚，人人習慣其聲律之高下，句調之平仄，先已熟記於胸中，臨文時或長或短，隨筆而赴，自無不暢所欲言；不然，何以元代才人輩出，心思才力，日趨新異，獨於選調一事不厭黨同也？

又 今人每一曲中疊用一字爲韻脚，其法亦本元人。《揚州夢·那吒令》云：「倒金餅鳳頭，捧瓊漿玉甌；蹴金蓮鳳頭，並凌波玉鈎；整金釵鳳頭，露春纖玉手。」《氣英布·那吒令》云：「喒道你這三對面先生來瞰我，那裏是八拜交仁兄來訪我，多應是兩賴子隨何來說我。」《薦福碑·叨叨令》云：「往常我青燈黃卷學王道，剗地來紅塵紫陌尋東道，如今十個九個人都道，都道是七月八月長安道。」

又卷四 北曲有名同詞異者，如：黃鍾宮有《古水仙子》，而商調及雙調皆有《水仙子》；有《古神仗兒》，而仙呂亦有《神仗兒》；有《古寨兒令》，而越調亦有《寨兒令》；有《柳葉兒》，而仙呂及商調皆有《柳葉兒》；有《侍香金童》，而商調亦有《侍香金童》；有《賀聖朝》，而中呂及商調皆有《賀聖朝》；有《女冠子》，而大石亦有《女冠子》；正宮有《端正好》，而仙呂亦有《端正好》；仙呂有《上京馬》，而商調亦有《上京馬》；有《祆神急》，而雙調亦有《祆神急》；中呂有《鬬鵪鶉》，而越調亦有《鬬鵪鶉》；有《紅芍藥》，而南呂亦有《紅芍藥》；有《思三臺》，而越調亦有《思三臺》。工、尺、四、上，樂之聲也，而不知其字已見於《楚詞》。《大招》云工尺字譜「四上競氣」，則來歷已久矣。樂以詩爲本，詩以聲爲用。隋、唐以來，三百篇中僅傳《鹿鳴》、《關雎》十二章。宋趙彥肅將句子配協律呂，因垂作譜，於《鹿鳴》等六詩爲黃鐘清宮，注云：「俗稱正宮」；《關雎》等六詩爲無射清商，注云：「俗稱越調」。人但知南、北曲有正宮、越調，而不知實麗於《風》、《雅》也。說本虞山周祥鈺。四聲二十八調者，宮聲七調，曰正宮、高宮、中呂宮、道宮、南呂宮、仙呂宮、黃鐘宮；商聲七調，曰大石調、高大石調、雙調、小石調、歇指調、商調、越調；羽聲七調，曰般涉調、高般涉調、中呂調、平調、南呂調、仙呂調、黃鐘調；角聲七調，曰大石角、高大石角、雙角、小石角、歇指角、商角、越角。此二十八調之分，統於四聲也。按《宋志》：「以夾鐘收宮、商、角、閏四聲。閏爲角，其正角、變徵、正徵皆不收，而獨用夾鐘爲律本。」曲譜長短句法，自一字至十餘字，其源皆起於古之歌詞，可取而證。賡歌「都」、「俞」，一字之始也；《風》之「祈父」、《雅》之「肇禋」，二字之始也；「江有汜」、「思無繹」，三字之始也；五、六、七字爲句，所在多有，姑不具論；「我不敢效我友自逸」爲八字之始；唐堯山垤之戒曰：「人莫躓於山而躓於垤。」爲九字之始；《孔氏銘》曰：「饘於是粥於是以餬予口。」爲十字之始。七字而外，句法雖長，皆可讀矣。調有大石，大石本外國名；有般涉，般涉即般瞻，譯言般瞻，華言「曲」也。語見《續文獻通考》(按《顧曲雜言》謂：「《遼史·樂志》大食調，曲譜誤作大石，因有小石以配之。」不知小石之名，自宋已有，王珪詩號「至寶丹」，秦觀詩號「小石調」，不由曲譜之譌也)。四時聲律，其分配各有所宜。如：春季屬木，其氣疎達，則聲宜嘽緩而駘宕，若仙呂之《醉扶歸》、《桂枝香》，中呂之《石榴花》、《漁家傲》，大石之《長壽仙》、《芙蓉花》、《人月圓》之類是也；夏季屬火，其氣恢宏，則聲宜洪亮震動，若越調之《小桃紅》、《亭前柳》，正宮之《錦纏道》、《玉芙蓉》、《普天樂》之類是也；秋之氣，颯爽而清越，若南呂之《一江風》、《浣溪紗》，商調之《山坡羊》、《集賢賓》之類爲宜；冬之氣，嚴凝而靜止，若雙調之《朝元令》、《柳搖金》，黃鐘之《絳都春》、《畫眉序》，羽調之《四季花》、《勝如花》之類爲宜。合南北曲所存燕樂二十三宮調諸牌名，審其聲音以配十二月。正月用仙呂宮、仙呂調，二月用中呂宮、中呂調，三月用大石調、大石角，四月用越調、越角，五月用正宮、高宮，六月用小石調、小石角，七月用高大石調、高大石角，八月用南呂宮、南呂調，九月用商調、商角，十月用雙調、雙角，十一月用黃鐘宮、黃鐘調，十二月用羽調、平調(按：羽調，即黃鐘調。蓋調缺其一，故兩用之。而十一月爲子，子當夜半，介兩日之間，於義亦宜）。閏月則用仙呂入雙角（按：仙呂，卽正月所用；雙角，十月所用。合而一之，履端於始，歸餘於終之義也）。如此，則聲音、氣象，自與四序相合矣。【略】曲有句譜短促，又爲平仄所限，最難諧叶者。李笠翁謂：「遇此等處，當以成語了之。」是固一說。但強押亦難巧合。如《還魂記》之「煙波畫船」，何嘗不是絶妙好詞，何嘗不平仄諧叶，較《春蕪》之「心愁意慵」等語，豈止上、下床，直是天淵之隔矣。

又卷五 周德清《中原音韻》，全爲北曲而設。以入聲叶入三聲，亦有所本。《檀弓》：「子辱與彌牟之弟游。」注謂：「文子名木，緩讀之則爲彌牟。」古樂府《江南曲》，以「魚戲蓮葉北」韻「魚戲蓮葉西」，注亦稱：「北讀爲悲。」是以入叶平也。《春秋》「盟于蔑」，《穀梁傳》作「盟于昧」；「定姒卒」，《公羊傳》作「定弋卒」。是方言相近，上、去、入可以轉通也。蓋北方之音，舒長遲重，不能作收藏短促之聲，凡入聲皆讀入三聲，自是風土使然。作北曲自宜歌以北音，德清之書，亦因其節之自然而爲之耳。詞曲本里巷之樂，初無正聲。其體雖創自唐代，然唐無詞韻。初唐《回波》諸篇、唐末《花間集》所用韻，皆與詩同。至宋，始有以入代平，以上代平之例，然三百年來，絶無《詞韻》一書，不過稍叶以方音而已。蓋唐時去古尚未遠，方言猶與韻合；宋雖去古已遠，而諸方各隨其土語，不能定爲一格，故兩代均無專書。元則北曲立爲專門，勢不得不定爲韻譜。義各有當，時使之然也。周韻以上支、紙、寘分作支思韻，下支、紙、寘分作齊微韻，上痲、馬、禡分作家痲韻，下痲、馬、禡分作車遮韻，而入聲隸之平、上、去三聲，則曲韻不可與詞韻混也。乃胡文煥《文會堂詞韻》，平、上、去三聲用曲韻，入聲用詩韻。是韻行而作曲者或捨周韻而就之，而此道漸有歧途之惑。沈去矜著《詞韻》，以正當世誤用曲韻之病，如肱、轟、崩、烹、盲、弘、鵬等字，沈韻收入庚梗韻而周韻收入東鐘韻；浮字沈韻收入尤有韻，而周韻收入魚模韻。《詞韻》平聲獨用，上、去通用，有三聲通押者而入聲不與，周韻則四聲通用。是周韻之斷不可通於詞韻明矣，而近時詞家間以周韻爲詞韻。夫作詞可用周韻，作曲何不可用胡韻乎？此中界限原易明悉，而誤者紛出，所不解也。

王德暉、徐沅澂《顧誤錄·十二律宮調論》 古昔遵用雅樂，詳考載籍，久已失傳。至宋時已用燕樂行世。查《宋史·樂志》，乃以夾鐘爲律本，以律爲經，以音爲緯。七音之中，不收徵音，不列二變，僅省爲四，曰宮、商、閏、羽，閏卽角音。以音之四，乘律之十二，合而爲四十八調。凡以宮聲乘律者，皆呼曰宮，以商、角、羽乘律者，皆呼曰調。除去中管五律，僅用黃鐘、大呂、夾鐘、中呂、林鐘、夷則、無射七律，而成二十八調矣。宮聲者，生於黃鐘；商聲者，生於太簇；羽聲者，生於南呂；角聲者，生於應鐘。今其調已多散失。查《續通考》云：大石本外國名，與道宮、歇指，俱不多概見。般涉調卽般瞻，譯言般瞻，華言曲也，亦祇寥寥數曲而已。

又《音節所宜》 正宮，宜惆悵雄壯。大石調，宜風流醞藉。高大石調，宜拾掇坑塹。中呂宮，宜高下閃賺。雙調，宜健捷激裊。道宮，宜飄逸清幽。小石調，宜旖旎嫵媚。南呂宮，宜感歎傷惋。歇指調，宜急併虛歇。仙呂宮，宜清新緜邈。商調，宜悽愴怨慕。商角調，宜悲傷宛轉。黃鐘宮，宜富貴纏緜。越調，宜陶寫冷笑。以上音節，與曲情吻合，方不失詞人意旨，否則宮調雖叶，而對景全非矣。此製譜與登歌者，所亟宜審究而體玩者也。今人常有將就喉嚨，將曲矮一調唱，是歡樂曲痛哭而歌，悲戚曲嬉笑而唱也。切宜戒之。

又《度曲得失》 凡人聲音不等，見解亦不同，或於此有所長，於彼卽不能無所短。如唱得雄壯的，往往失之村沙。唱得醞藉的，失之乜斜。唱得纖巧的，失之寒賤。唱得本分的，失之老實。唱得用意的，失之穿鑿。又有專於磨擬腔調，而不顧板眼。或又專主板眼，而不審腔調，均係一偏之病。惟腔與板兩工，唱得出字眞，行腔圓，歸韻清，收音準，節奏細體乎曲情，清濁立判於字面，久之嫺熟，則四聲不召而自來，七音啓口而卽是，洗盡世俗之陋，傳出古人之神，方爲上乘。

又《度曲十病》 方音：天下之大，百里殊音，絶少無病之方，往往此笑彼爲方言，彼嗤此爲土語，實因方音乃其天成，苦於不自知耳。入門須先正其所犯之土音，然後可與言曲。西北方音之陋，犯字固不可更僕數；南方吳音，所稱犯字最少，而庚青盡犯眞文。其餘各處土音，亦難枚舉。愚竊謂中原實五方之所宗，使之悉歸《中原音韻》，當無僻陋之誚矣。犯韻：同一方音，又有各人單犯某韻。如北人多犯支思，南人多犯江陽，只須較正數字，其餘盡可隅反。未經道破時，更正似難，一經指明，易如反掌也。截字：一字出口，無論幾許工尺，必得唱完，口不改樣，至尾方收本字之韻，方是此字音節。若中間略一張合，已將字截爲兩處，單字唱成叠字矣。或工尺未完，收口太早，下餘工尺，僅有餘腔，並無字面，此病最易忽略，亟宜審究。破句：句法乃文理所關，切忌誤連誤斷，割裂詞旨，稍不經意，識者笑之。誤收：某字收某韻，乃一定之理，人所盡知。常有出字並不舛誤，及至行腔，自恃喉音清亮，縱情使去，遂至往而莫返，收音時信口所之，不知念成何字。此爲曲中第一大病，雖名優老伶，皆所不免。不收：一字唱完，須交代清楚，再唱下字，方是本字之音。如出而不收，張而不閉，是僅有上半字，無下半字，欲其入聽，不亦難乎？此病與上誤收，犯者極多。然最易治，一經道破，即可立改，稍爲留意，即不再犯。爛腔：字到口中，須要留頓，落腔須要簡凈。曲之剛勁處，要有稜角；柔軟處，要能圓湛。細細體會，方成絕唱，否則稜角近乎硬，圓湛近乎緜，反受二者之病。如細曲中圓軟之處，最易成爛腔，俗名「緜花腔」是也。又如字前有疣，字後有贅，字中有信口帶腔，皆是口病，都要去凈。包音：即音包字是也。出字不清，腔又太重，故字爲音所包。旁人聽去，有聲無辭，竟至唱完，不知何曲。此係僅能用喉，不能用口之病。喉音到口，須用舌齒唇鼻，別其四聲，判其陰陽，全在口上用勁，方能字清腔正。若聽喉發音，不用齒頰，雖具繞梁，終成笑柄。尖團：北人純用團音，絕鮮穿齒之字，少成習慣，不能自知。如讀湘爲香，讀清爲輕，讀前爲乾，讀焦爲交之類，實難備舉。入門不爲更正，終身不能辨別。然而不難，要知有風即尖，無風即團，分之亦甚易易。陰陽：四聲皆有陰陽，惟平聲陰陽，人多辨之。上聲陰陽，判之甚微，全在字母別之，曲家多未議及。入聲陰陽，《中州全韻》分之甚細，可以逐類旁通。至於去聲陰陽，最爲要緊，輕清爲陰，重濁爲陽，如凍、洞，壯、狀，意、義，帝、地，到、道之類，不可不審。

又《度曲八法》審題：曲有曲情，即曲中之情節也。解明情節，知其中爲何如人，其詞爲何等語，設身處地，體會神情而發於聲，自然悲者黯然魂銷，歡者怡然自得，口吻齒頰之間，自有分别矣。觀今之度曲者，大抵背誦居多，有一生唱此曲，而不知所言何事，所指何人者，是口中有曲，心內無曲，此謂無情之曲，與童蒙背書無異。縱令字正音和，終未能登峰造極，此題之不可不審也。叫板：曲牌不同，故起板各異。如《集賢賓》、《二郎神》、《傾盃序》、《繡帶兒》、《小桃紅》等曲，起板在一二句之後。如《桂枝香》、《解三醒》、《鎖南枝》、《駐馬聽》等曲，一二字即起板。其未起板之前，無論幾字，萬不可拖長，務須連唱、快唱，使之一氣呵成，緩則節奏散漫，上板處不能扼要矣。須於上板之前一字，蓄勢叫板，庶緩急可以自操，不受管弦束縛，否則爲和我者所制，緩急焉能自主？出字：每字到口，須用力從其字母發音，然後收到本韻，字面自無不準。如天字則從梯字出，收到焉字；巡字則從徐字出，收到雲字；小字則從西字出，收到咬字；東字則從都字出，收到翁字之類。可以逐字旁通，尋繹而得，久之純熟，自能啓口即合，不待思索，但觀反切之法，即知之矣。若出口即是此字，一洩而盡，如何接得以下工尺？此乃天籟自然，非能扭捏而成者也。做腔：出字之後，再有工尺則做腔。闊口曲腔須簡凈，字要留頓，轉彎處要有稜角，收放處要有安排，自然入聽，最忌粗率村野。小口曲腔要細膩，字要清真。南曲腔多調緩，須於靜處見長。北曲字多調促，須於巧處討好。最忌方板，更忌乜斜。大都字爲主，腔爲賓；字宜重，腔宜輕；字宜剛，腔宜柔。反之，則喧客奪主矣。至於同一工尺，有宜大宜小，宜連宜斷，宜申宜縮之處，則在歌者之自爲變通，隨時理會。收韻：何字歸何韻，乃一定之理，往往一不經意，信口開合，則歸入别韻，不成此字，實爲笑談。此條最易忽略，犯者十居八九，差之毫釐，失之千里，歌者盲心，聽者棘耳。常有名優老伶，以此貽羞而不自覺者，皆苦於無人道破也。換板：曲之三眼一眼，本係一體，原可無須頭末眼，如《納書楹》僅載中眼，已足爲法。蓋緣頭末眼本無定處，可以聽人自用，今譜爲初學立法，故增之爲容易地步。至換板之説，乃配宮調者。此牌板數不足，須加板方合格局，或板數已足，須撤板以符定數，度曲到此，須將氣勢撥足，順其自然節奏，褪成一板，方無拗折之患。凡尾聲疊板之下，接唱處皆然。散板：曲之有板者易，無板者難。有板者，聽命於板眼，尺寸自然合度。無板者，須自己斟酌緩急，體會收放，過緩則散慢無律，過急則短促無情，須用梅花體格，錯綜有致；有停頓，有連貫，有抑有揚，有伸有縮，方能合拍。擻聲：曲之擻處，最易討好。須起得有勢，做得圓轉，收得飄逸，自然入聽。最忌不合尺寸，並含混不清，似有如無，令人莫辨。即善於用擻者，亦不可太多，多則數見不鮮矣。

又《學曲六戒》不就所長：人聲不同，須取其與何曲相近，就而學之，既易得口氣，又省氣力。往往有絕細喉嚨，而喜闊口曲冠冕，嫌生旦曲扭捏者。又有極洪聲音，而喜生旦曲細膩，嫌闊口粗率者。舍其所長，而用其所短，焉能盡善？是首戒也。手口不應：初學入門，必宜手拍板眼，口隨音節，方易純熟。且板路一順，日後不致有舛。若自負口有尺寸，竟不拍板，或信手亂拍花點，是爲誤事，經久必有板眼糢糊之病。又有手雖拍板點眼，而與口中不合，不能手口如一者。須先令其將手習準，不至爲口之累，然後再爲授曲。貪多不純：此人之通病，穎悟者爲尤甚。曲詞並未成誦，板眼亦未記清，即要看譜上笛。略能記憶，即想再排二支，此套未完，又想新曲。如此學法，焉能盡善？且轉眼即忘，必至一生之曲，並無一套完全者，切宜戒之。按譜自讀：此穎悟者之病。略解工尺之高下，即謂無須口授，自己持曲按讀，於細膩小腔，纖巧唱頭，不知理會，縱能合拍，不過背誦而已。甚至有左腔別字，缺工少尺之處，罔不自覺。而於曲情字眼，節奏口氣，全然未講，不知有何意味？不求盡善：今人聲歌，雖屬陶情之事，然既性躭於此，爲何不求甚解？苟能曲盡其妙，亦人生快事也。何以半生所好，猶不解四聲，莫辨陰陽；甚至油口爛腔，俗伶別字，俱不更正，同流合汙，有何樂趣？識者告之，反覺多事，吾不解其何心也。自命不凡，亦人之通病：恃自己聲音稍勝於人，加以門外漢贊揚，箇中人事故，遂眞覺此中之能事畢矣，其實並未入門。此等人，於人之長處，必漠不關心，己之短處，更茫不自解。又復逢人技癢，不肯藏拙，從此學盡詞山曲海，永無進境，實爲可惜！

又《南北宮調說》 宮調之說微渺矣。周德清習焉而不察，沈詞隱語焉而不詳，其雜見於歷代韻書者，筆難殫述。第撮其要：蓋古以十二律乘七音，得八十四調，復以律自爲經緯乘之，得百四十有四聲。後世不勝其繁，減去徵音及二變，省爲四音，乘十二律而爲四十八宮調。自宋以後，仍不能具存，而僅存《中原音韻》所載六宮十一調，曰仙呂宮、南呂宮、中呂宮、黄鐘宮、正宮、道宮、大石調、小石調、高平調、般涉調、歇指調、商角調、雙調、商調、角調、宮調、越調，總之所謂十七宮調也。自元以來，北亡去道宮、歇指調、角調、宮調，南亡去商角調，僅存十二宮調，惟北曲用之。南曲又變爲九宮十三調，盡去宮聲不用。其中所列仙呂等六宮，皆呼爲調。蓋以仙呂爲一宮，羽調附之，正宮爲一宮，大石調附之，中呂爲一宮，般涉調附之，南呂爲一宮，黄鐘爲一宮，越調爲一宮，商調爲一宮，小石調附之，雙調爲一宮，仙呂入雙角爲一宮，共十三宮調，變之最晚。調有出入，詞則略同，而與十七宮調，不妨並用者也。

又《聲調論》 古制律呂，陰陽各六。其生聲之理，陽律六音而繼以半律，陰呂六音而繼以半呂，各得七聲，至八而原聲復，是律呂雖有十二，而用之於七也。五聲二變，合爲七音。近代用工尺等字以名聲調，四字調乃爲正調，即宮音也。是調皆從正調而翻。七調之中，乙字調最下，上字調次之，五字調最高，六字調次之。今度曲者，用工字調最多，以其便於高下。惟遇曲音過抗，則用尺字調，或上字調。曲音過哀，則用凡字調，或六字調。今譜中仙呂調爲首調。工尺調法，七調俱備，高不過五，下不過乙，旋宮轉調，自可相通。

又《工尺即反切論》 反切始於魏孫炎，其實出於西域梵僧。以兩字相合而成一聲，上字爲母，取其反母，故謂之反；下字爲韻，取其切韻，故謂之切。《禮部韻略》云：音韻展轉相協謂之反，亦作翻，兩字相摩以成聲謂之切，其實一也。蓋取反覆切摩以成音之義也。愚謂曲之工尺以度其音，猶字之反切以得其韻，如曲中有二工尺之字，乃天然反切，絶無纖毫假借。即字用一工尺者，亦出口之字，與收音之字，與反切脗合，不殊此理。至工尺多者，無論幾字，試去其中間工尺，只取首字之音，與末字之音，合而讀之，即本字之反切也。出乎天籟，毫髮不差。如明晳其理，倘有未準之字音乎？

又《頭腹尾論》 字各有頭腹尾，謂之聲音韻。聲者出聲也，是字之頭；音者度音也，是字之腹；韻者收韻也，是字之尾。三者之中，韻居其殿，最爲重要。計算磨腔時刻，尾音十居五六，腹音十有二三，若字頭之音，則十且不能及一。蓋以腔之悠揚，全用尾音，故爲候較多，顯出字面，僅用腹音，故爲時稍促。至於字頭，乃幾微之端，發於字母，爲時曾不容瞬，於蕭字則似西音，於江字則似幾音，於尤字則似衣音，即字頭也。由字頭輕輕發音，漸轉字腹，徐歸字尾。其間運化，既貴輕圓，猶須熨貼。腔裏字則肉多，字矯腔則骨勝，務期停勻適聽爲妙。

又《紅黑板論》 板，即古之拍也。魏晉之代，有宋纖者善擊節，始製爲拍，唐黄蕃綽造爲之。蓋凡曲句有長短，字有多寡，調有緊慢，一視板以爲節制，故謂之板眼。初啓口即下者爲實板，亦曰劈頭板。字半下者爲掣板，亦曰腰板。聲盡而下者爲截板，亦曰底板。場上前人唱前調末一板，與後人接唱次調頭一板，齊下爲合板。此古法也。後人分板爲五： 爲頭板，一爲腰板；一爲底板：三者皆爲正板。×爲頭贈板，|×爲腰贈板。葉廣明《納書

楹》分之最細，俗稱紅黑板。是以正板爲紅板，贈板爲黑板也。惟南曲用之。大抵紅黑間用，無論何樣板起，末字必須紅板住也。次曲抽去贈板，取其便易，如首次曲牌名俱同，再次曲可以抽板矣。有贈板中唱散板一句者，或贈板中忽唱無贈板者，又或末二句唱無贈板者，此皆演家取其便處，並非正格。至於浪板，原爲跌宕曲情而設，雖清唱亦不可少，如《活捉》、《思凡》、《撈月》、《羅夢》之類，被弦索者，皆宜用之；但要審度音節，不可濫用耳。

又《襯字論》古詩餘無襯字。曲之有襯字，猶語助也。凡對口曲，不能不用襯字，以暢達文理，而不可當作正文。俗譜不能辨別，將襯字亦下實板，致主客不分，體格錯亂，句法參差，後人認作實字，襲謬承訛，伊於胡底。

又《尾聲論》尾聲乃經緯十二律，故定十二板。式律中積零者爲閏，故亦有十三板者。句僅三句，字自十九字至二十一字止，多卽不合式矣。如《四夢》傳奇之尾聲，多不入格局，至有三十餘字者。度曲不顧文義，删落字句，遵依尾聲格式，則兩失之矣。

又《煞尾論》北調煞尾，最爲緊要，以之收拾一套之音節，結束一篇之文情。宮調既分，體裁各判，在仙呂調曰賺煞，在中呂調曰賣花聲煞，在大石角曰催拍煞，在越角曰收尾。諸如此類，皆秩然不紊。至於慶餘，乃諸調煞尾之别名，用者尋其本而自得之。

又《沈衣仲養氣論》度曲者得四聲之是，雖拙亦佳，非徒取媚於聽者之耳也。如陽平拖音稍長卽類陰，陰平發音稍重卽類陽矣。去聲亢矣，過文宜抑而復揚；入聲促矣，出字貴斷而後續。雖有一定之腔，亦有鏗鏘以就韻，雖有不移之板，亦宜辨别以成文。而其要領，在於養氣。譚子《化書》云：氣由聲也，聲由氣也。氣動則聲發，聲發則氣振。如陽音以單氣送之則薄，陰音以雙氣送之則滯。將收鼻音，先以一絲之氣引入，而以音繼之，則悠然無跡矣。

劉熙載《藝概・詞曲概》曲有借宮，然但有例借而無意借。既須考得某宮調中可借某牌名，更須考得部位宜置何處，乃得節律有常，而無破裂之病。曲套中牌名，有名同而體異者，有體同而名異者。名同體異，以其宮異也；體同名異，亦以其宮異也。輕重雄婉之宜，當各由其宮體貼出之。牌名亦各具神理。昔人論歌曲之善，謂《玉芙蓉》、《玉交枝》、《玉山供》、《不是路》要馳騁，《鍼線箱》、《黄鶯兒》、《江頭金桂》要規矩，《二郎神》、《集賢賓》、《月兒高》、《念奴嬌》、《本序》、《刷子序》要抑揚。蓋若已兼爲製曲言矣。【略】曲辨平、仄，兼辨仄之上、去。蓋曲家以去爲送音，以上爲頓音；送高而頓低也。辨上、去，尤以煞尾句爲重；煞尾句，尤以末一字爲重。玉田《詞源》最重結聲。蓋十二宮所住之字不同者，必不容相犯也。此雖以六、凡、工、尺、上、一、四、勾、合、五言之，而平、上、去可推矣。北曲楔子先於隻曲，南曲引子先於正曲，語意既忌占實，又忌落空；既怕罣漏，又怕夾雜：此爲大要。【略】昔人言正清、次清之入聲，北音俱作上聲，次濁作去，正濁作平。此特舉其大略而已。檢《中原》韻部，入作上者，雖皆清聲，要其清聲之作去者，不下十之三四，作平者亦十之二三，焉得不别而識之！北曲用《中原音韻》，南曲用《洪武正韻》，明人有其説矣。然南曲祇可從《正韻》分平、上、去之部，不可用其入聲爲韻腳。案《正韻》二十二韻，入聲凡十，自東之入屋，以至鹽之入叶，其入聲徑讀入聲，三聲皆不能與之相叶，卽句中各字於《中原》之入作平者，並以勿用爲妥。蓋南曲本脱始於北，亦須無使北人棘口也。曲家之所謂陰聲，卽等韻家之所謂清聲；曲家之所謂陽聲，卽等韻家之所謂濁聲。自《切韻指掌》、《切韻指南》、《四聲等子》於三十六字母已標清、濁，明陳藎謨獻可之《轉音經緯》尤明白易曉。是以沈君徵《度曲須知》列入之。《轉音經緯》見、端、知、幫、非、精、影、照八母爲純清，溪、透、徹、滂、敷、曉、清、心、穿、審十母次清，羣、定、澄、竝、奉、匣、從、邪、牀、禪十母純濁，疑、泥、孃、明、微、喻、來、日八母次濁，總無所謂半清、半濁、不清、不濁者，故可尚也。曲韻自《中原音韻》始分陰、陽平，明范善溱《中州全韻》始分陰、陽去，後人又分陰、陽上，且於入聲之作平、上、去者，均以陰、陽分之。其實陰、陽之説未興，清、濁之名早立矣。曲辨聲，亦辨音。音之難知，過於聲。聲不過如平仄、頓送、陰陽而已，音則有出字、收音、圓音、尖音之别，其理頗微，未易悉言。姑舉其槩曰：「蕭」出「西」，「江」出「幾」，「尤」出「移」，「魚」收「于」，「模」收「嗚」，「齊」收「噫」，「麻」收「哀巴切」之音，圓如「其」、「孝」，尖如「齊」、「笑」。《度曲須知》謂：「字之頭、腹、尾音，與切字之理相通。」切法卽唱法。余以爲唱法所用，乃係合聲。合聲者，切法之尤精者也。切字上一字爲母，辨聲之清濁，不論口法開合，合聲則兼辨開合矣；切字下一字爲韻，辨口法開合，不論聲之清濁，合聲則兼辨清濁矣。且合聲法，收聲不出影、喻二母，如哀、噫、嗚、于，皆是。

楊恩壽《詞餘叢話·原律》 乾隆六年開律呂正義館，莊親王董其事。王撰《分配十二月令宮調論》，最爲精核。因備錄之：《宋史·燕樂志》：「以夾鐘收四聲：曰宮，曰商，曰羽，曰閏。閏爲角。其正角聲、變徵聲、徵聲皆不收，而獨用夾鐘爲律本。宮聲七調，曰正宮、高宮、中呂宮、道宮、南呂宮、仙呂宮、黃鐘宮。商聲七調，曰大石調、高大石調、雙調、小石調、歇指調、商調、越調。羽聲七調，曰般涉調、高般涉調、中呂調、平調、南呂調、仙呂調、黃鐘調。角聲七調，曰大石角、高大石角、雙角、小石角、歇指角、商角、越角。」此其四聲二十八調之略也。顧世傳曲譜，北曲宮調凡十有七，南曲宮調凡十有三，其名大抵祖二十八調之舊，而其義多不可考。又其所謂宮調者，非如雅樂之某律起宮、某聲起調，往往一曲可以數宮，一宮可以數調。其宮調名義既不可泥，且燕樂以夾鐘爲黃鐘、變徵爲宮、變宮爲閏，其宮調聲字亦未可據。按騷隱居士曰：「宮調當首黃鐘，而今譜乃首仙呂。且既曰黃鐘爲宮矣，何以又有正宮？既曰夾鐘、姑洗、無射、應鐘爲羽矣，何以又有羽調？既曰夷則爲商矣，何以又有商調？且宮、商、羽各有調矣，而角、徵獨無之。此皆不可曉者。或疑仙呂之『仙』，乃『仲』字之譌；大石之『石』，乃『呂』字之譌，亦尋聲揣影之論耳。」《續通考》謂：「大石本外國名。般涉卽般贍，譯言般贍，華言曲也。」夫南北風氣固殊，曲律亦異，然宮調則皆以五聲旋轉於十二律之中。廖道南曰：「五音者，天地自然之聲也。在天爲五星之精，在地爲五行之氣，在人爲五藏之聲。」由是言之，南北之音節雖有不同，而其本之天地之自然者，不可易也。且如春月盛德在木，其氣疏達，故其聲宜嘽緩而駘宕，始足以象發舒之理，若仙呂之《醉扶歸》、《桂枝香》，中呂之《石榴花》、《漁家傲》，大石之《長壽仙》、《芙蓉花》、《人月圓》等曲是也。夏月盛德在火，其氣恢臺，其聲宜洪亮震動，始足以肖茂對之懷，若越調之《小桃紅》、《亭前柳》，正宮之《錦纏道》、《玉芙蓉》、《普天樂》等曲是也。秋之氣颯爽而清越，若南呂之《一江風》、《浣溪沙》，商調之《山坡羊》、《集賢賓》等曲是也。冬之氣嚴凝而靜正，若雙調之《朝元令》、《柳搖金》，黃鐘之《絳都春》、《畫眉序》，羽調之《四季花》、《勝如花》等曲是也。以蓋聲氣之自然，本於血氣心知之性而適當於喜怒哀樂之節，有非人之智力所能與者。我聖祖仁皇帝考定元音，審度制器，黃鐘正而十二律皆正，則五音皆中聲、八風皆元氣也。今合南北曲所存燕樂二十三宮調諸牌名，審其聲音，以配十有二月：正月用仙呂宮、仙呂調，二月用中呂宮、中呂調，三月用大石調、大石角，四月用越調、越角，五月用正宮、高宮，六月用小石調、小石角，七月用高大石調、高大石角，八月用南呂宮、南呂調，九月用商調、商角，十月用雙調、雙角，十一月用黃鐘宮、黃鐘調，十二月用羽調、平調。如此，則不必拘拘於宮調之名，而聲音意象，自與四序相合。羽調卽黃鐘調，蓋調闕其一，故兩用之；而子當夜半，介乎兩日之間，於義亦宜也。閏月，則用仙呂入雙角；仙呂卽正月所用，雙角卽十月所用，合而用之，『履端於始，歸餘於終』之義也。」

又《續詞餘叢話·原律續》 朱子曰：「古樂之亡久矣。吾友建陽蔡君元定季通，著書兩卷，凡若干言，雖多出於近世之所未講，而實無一字不本於古人已試之成法。」其於蔡氏《律呂新書》，可謂推許之至矣。其《六十調圖說》，尤爲「因聲起調」探源之論。審音者稍識古人正變本旨，實於此開其基，因備錄之：「十二律旋相爲宮，各有七聲，合八十四聲。宮聲十二，商聲十二，角聲十二，徵聲十二，羽聲十二：凡六十聲，爲六十調。其變宮十二，在羽聲之後、宮聲之前；變徵十二，在角聲之後、徵聲之前；宮不成宮，徵不成徵，凡二十四聲，不可爲調。黃鐘宮至夾鐘羽，並用黃鐘起調，黃鐘畢曲。大呂宮至姑洗羽，並用大呂起調，大呂畢曲。太簇宮至仲呂羽，並用太簇起調，太簇畢曲。夾鐘宮至蕤賓羽，並用夾鐘起調，夾鐘畢曲。姑洗宮至林鐘羽，並用姑洗起調，姑洗畢曲。仲呂宮至夷則羽，並用仲呂起調，仲呂畢曲。蕤賓宮至南宮羽，並用蕤賓起調，蕤賓畢曲。林鐘宮至無射羽，並用林鐘起調，林鐘畢曲。夷則宮至應鐘羽，並用夷則起調，夷則畢曲。南呂宮至黃鐘羽，並用南呂起調，南呂畢曲。無射宮至大呂羽，並用無射起調，無射畢曲。應鐘宮至太簇羽，並用應鐘起調，應鐘畢曲：是爲六十調。六十調，卽十二律也。十二律，卽一黃鐘也。黃鐘生十二律，十二律生五聲、二變，五聲各爲綱紀以成六十調，六十調皆黃鐘損益之變也。」按：此圖雖全列七聲，然取以名調者，止一聲耳。如首行黃鐘居宮位，故以黃鐘宮名調；次行黃鐘居商位，故以無射商名調，餘可類推。所謂起調者，曲之起聲一字也；所謂畢曲者，曲之收聲一字也。《經世聲音圖》以平、上、去、入定聲，以開、發、收、閉定音。鍾氏遇曰：「天之體數四十，地之體數四十八。天數以日、月、星、辰相因爲一百六十，地數以水、火、土、石相因爲一百九十二。於天數內去地之體數四十八，得一百一十二，是謂天之用聲；於地數內去天之體數四十，得一百五十二，是謂地之用音。凡日、月、星、辰四象爲聲，水、火、土、石四象爲音。聲有清、濁，音有闢、翕。遇奇數則聲爲清，音爲闢；遇偶數則聲爲濁，音爲翕。聲皆爲律，音皆爲呂。以律倡呂，以呂和律。天之用聲，別以平、上、去、入者一百一十二，皆以開、發、收、閉之音和之；地之用音，別以開、發、收、閉者一百五十二，皆以平、上、去、入之聲倡之。」謹案《御纂性理精義》：以經世四音分開、發、收、閉，意亦《等韻》開口、齊齒、合口、撮齒之呼。然以類求之，多不合者，當以《等韻》爲正。張子曰：「古樂不可見，蓋爲今人求古樂太深，始以古樂爲不可知。只以《虞書》『詩言志，歌永言，聲依永，律和聲』求之，得樂之意，蓋盡於是。詩只是言志，歌只是永其言而已，只要轉其聲令人可聽。今日歌者亦以轉聲而不變字爲善歌。長言後卻要入於律。律則知音者知之，知此聲入得何律。古樂所以養人德性中和之氣；後之言樂者，只以求哀。故晉平公曰：『音無哀於此乎？』哀則止以感人不善之心。歌亦不可以太高，亦不可以太下；太高則入於噍殺，太下則入於嘽緩。蓋窮本知變，樂之情也。」朱子曰：「古樂亦難遽復。且如今樂中，去其噍殺促數之音，並考其律呂，令得其正，更令掌辭命之官，製撰樂章，其間略述教化訓戒，及賓主相得之情，人主待臣下恩意之類，令人歌之，亦足以養人心之和平。」詞曲韻書，止有《中原音韻》可從；然此係北韻，非南韻也。南曲《洪武韻》後，國初武林陳次升嘗輯《南詞音韻》以補其缺。功垂成而復輟，殊爲可惜。李笠翁欲就《中原音韻》平、上、去三聲之中，抽出入聲字另爲一聲，亦可備南詞之用，未爲無見。至於辨魚、模二韻宜分不宜合，其論甚精。蓋魚、模二音，相去甚遠，不知周德清何故合而爲一，豈亦倣沈休文詩韻之例，以元、繁、孫三韻合爲十三元，必欲於純中示雜耶？無論一曲數音，聽到歇腳處散漫無歸，即我輩置之案頭，自作文字讀，亦覺字句聱牙，聲韻逆耳也。塡詞用此韻，縱不能全套皆分，亦宜曲各一韻。如此曲用魚，則用魚韻到底；彼曲用模，則用模韻到底。雖合實分，亦簡便之一法。侵尋、監咸、廉纖，同是閉口之音，其實各異。侵尋一韻，每至收音處，雖閉口而音猶清亮。若監咸、廉纖，則沉鬱而澀；作急板小曲則可，若塡悠揚大套之詞，甚不相宜。《西廂》「不唸《法華經》，不禮《梁王懺》」一折用之者，以出自淨腳口中，聲口相合耳。曲中之「揝」字、「攙」字、「燂」字、「臢」字、「餡」字、「蘸」字、「颭」字，惟淨腳可用，亦惟才大如海之王實甫可用。使生、旦口中用此等字，驅鶯燕與鷹隼齊飛，強桃李與松柏競秀，不倫甚矣。韓昌黎之詩，蘇東坡之詞，王實甫之曲，俱善用險韻，要皆相題行文，偶一爲之，不可無一，不能有二也。萬紅友論詞「愼用去聲」，以其聲獨脆於上、入也。李笠翁論曲「愼用上聲」，以其聲獨低於去、入也。上聲之字，宜於幽靜之詞，不宜於發揚之曲。卽幽靜之詞，只可偶用、間用，不可連用、多用。蓋上聲字不求低而自低也，低則此字唱不出。如十數字高，而忽有一字之低，亦覺抑揚有致；若連用數字皆低，不獨無音，亦無曲矣。至於發揚之曲，每到喫緊之處，卽當用險字以傾吐之；倘用陽字，尚且不能發調，況極低之上聲字乎？「務頭」二字，千古難明，《嘯餘譜》辨論萬言，都爲一卷，非不詳晰，究竟莫定指歸。尾卷援引舊曲，言某曲中第幾句、第幾字是務頭，其間陰、陽不可混用，上去、去上不可亂施，似乎是一定之體矣；而或同此曲也，亦有不必盡然者，豈施於此套中則此句第幾字爲務頭，施於彼套中則此句第幾字卽非務頭耶？誠然，則有定，仍無定也。笠翁謂：「曲中有務頭，猶棋中有眼。」此論最確。有眼則活，無眼則死，稍知布子者，無不知之。然必拘拘何著是眼，當下子之初，雖國手不知也；必待數著數十著，不必有心作眼，而自然有眼矣。塡詞者非不知「看不動情，唱不發調。無務頭之死曲，亦猶無眼之死棋」。使必欲於某句安務頭，其去甫下子卽定何著是眼者幾希。須知一曲有一曲之務頭，一句有一句之務頭。一曲中，得此一句使全曲皆活者，卽一曲之務頭也；一句中，得此數字使一句皆活者，卽一句之務頭也。由是推之，不獨曲有務頭，凡詩、詞、歌、賦以及時文、古文，莫不有務頭，可意會不可言傳也。余嘗謂：曲之定格，人籟也；曲之務頭，天籟也。陶令不求甚解，神於解矣。

曲譜無新，曲牌名有新。狡獪文人，好奇鬬巧，以二曲、三曲串爲一曲，別立新名，以炫耳目。然其名非無文義可尋也，如《金絡索》、《梧桐樹》，本兩名也，串而爲一，名曰「金索掛梧桐」，以金索掛樹，亦事之所或有；《傾盃序》、《玉芙蓉》本兩曲也，串而爲一，名曰「傾盃賞芙蓉」，傾盃酒而賞芙蓉，固是韻事；《駐馬聽》、《一江風》、《駐雲飛》本三曲也，串而爲一，名曰《倚馬待風雲》，倚馬而待風雲之會，功名中人語也。此皆巧思綺合，非強爲之解者，要不若前人並不列名，僅加「犯」字，最爲簡便，如本曲《江兒水》，串入二別曲，則曰《二犯江兒水》；本曲《集賢賓》，串入三別曲，則曰《三犯集賢賓》。又有以「攤破」二字概之者，如本曲《簇御林》、本曲《錦地花》而串入別曲，則曰《攤破簇御林》、《攤破錦地花》之類，較更渾脱。至於以十數曲串爲一曲，如《六犯清音》、《七賢過關》、《九迴腸》、《十二峰》，則視串合之曲，計數立名，尤指不勝僂矣。貴筑傅青餘先生【略】著有《古音類表》，以天、地、人三統定聲，其説甚微。余尤愛其《韻分五聲説》，深得要眇。因備錄之：「太極元氣備於五六，天地之中數也。相倡相和，聲生焉。其爲物也，氣禦以行，空虛處也，渾實處也，觸卽發。萬有一千五百二十不能備，於是乎紀之於九千三百五十有三之文。文賾也，於是乎齊之以二百有六之韻。韻賾也，於是乎歸之以二十有五之部。部也，韻也，猶賾也，於是乎貫之以宮、商、角、徵、羽之五聲。班固曰：「宮，中也，居中央，暢四方。唱始施，爲四聲綱也。」其於字也，爲反喉入鼻之音；其於韻也，爲東、冬、鍾、江，爲陽、唐、庚，爲耕、清、青三部。「商之爲言，章也。物成孰可章度也。」其於字也，爲舌抵上咢之音；其於韻也，爲眞、臻、先，爲諄、文、欣、魂、痕，爲元、寒、桓、刪、山、仙三部。「角，觸也。觸地而出，戴芒角也。」其於字也，爲懸舌向咢之音；其於韻也，爲歌、戈、麻，爲魚、模，爲虞三部。「徵，祉也。物盛大而繁祉也。」其於字也，爲銜唇接齒之音；其於韻也，爲脂、微、齊、皆、灰，爲之、咍，爲支、佳三部。「羽，宇也。物繁聚，宇覆之也。」其於字也，爲闔唇之音；其於韻也，爲侯，爲尤、幽，爲宵、蕭、肴、豪三部。音律之難，不難於鏗鏘順口之句，而難於倔強聱牙之句。鏗鏘順口者，如此字聲韻不合，隨取一字換之，縱橫順逆，皆可成文；至於倔強聱牙之句，卽不拘音律，任意揮寫，尚難妥貼，況有清濁、陰陽及明用韻、暗用韻又斷不可用韻之成格，一定而不可移乎？詞牌之最易塡者，如《皂羅袍》、《醉扶歸》、《解三酲》、《步步嬌》、《園林好》、《江兒水》等曲，韻腳雖多，字句雖有長短，然讀之順口，作者自能隨筆而成，卽有一二句作拗體，亦如詩之古風，無才者亦可勉強成章，稍有才思卽動目矣。如《小桃紅》、《下山虎》等曲，則有最難下筆之句。《幽閨記·小桃紅》之中段云：「輕輕將袖兒掀，露春纖，盞兒拈，低嬌面也。」每句只三字，末句叶韻，而每句之第二字又應用平，不可用仄。此等處似難，猶未甚難也；至《下山虎》云：「大人家體面，委實多般。有眼何曾見？懶能向前。弄盞傳杯，恁般靦腆。這裏新人忒煞虔，待推怎地展？主婚人不見憐。配合夫妻，事事非偶然。好惡姻緣總在天！」只須「懶能向前」、「待推怎地展」、「事非偶然」之三句，平仄拗口，撚斷吟髭，方能成句。若「懶能向前」雖勉諧平仄，而文義甚不可解。南曲中若此類者，指不勝僂。避難就易，惟有引用成語，便覺順口。卽如此折「懶能向前」與「事非偶然」，同一仄平仄平之句，「事非偶然」成語也，試與「懶能向前」相較，孰順孰拗，一啓口便知矣。設或所引成語，平仄未能相協，卽顛倒更換數字，仍較自造之句，大不相同。笠翁嘗教人引用成語之法：「拈一口頭語試之，如『柴米油鹽醬醋茶』，因平仄不協，或改用『油鹽柴米醬醋茶』，或改爲『油鹽柴米茶醬醋』，未有不解其文義者，不辨其聲音者。」此説雖淺，實此中三折肱語也。余嘗製曲，偶未翻覽韻書，有句云：「不知是愛烏，不知是愛屋。」平仄兩協，又引用經書，甚爲得意。亡友黃幼吾選拔工於倚聲，抹以出韻，悚然改去。後見顧亭林氏論近代入聲之語，屋、烏實可並協，悔改此妙句之速。其論甚爲精確，因備錄之：「韻書之序，平聲一東二冬，入聲一屋二沃，若將以屋承東，以沃承冬者，久仍其誤而莫察也。『屋』之平聲爲『烏』，故《小戎》以韻『驅』、『馵』，不協於東、董、送，可知也；『沃』之平聲爲『夭』，故《揚之水》以韻『鑿』、『襮』、『樂』，不協於冬、腫、宋，可知也。『術』轉去而音『遂』，故《月令》有『審端徑術』之文；『曷』轉去而音『害』，故《孟子》有『時日害喪』之引。『質』爲『傳質爲臣』之『質』，『覺』爲『尚寐無覺』之『覺』，『沒』音『妹』也，見於子產之書；『燭』音『主』也，著於孝武之紀。此皆載之經傳，章章著明者。至其韻中之字，隨部而誤者，十之八；以古人兩韻混併爲一而誤者，十之二。是以審音之士，談及入聲，便茫然不解，而以意爲之，遂不勝其舛互矣。茲既本之五經，參之傳説，而亦略取《説文》形聲之指，不惟通其本音，而又可轉之於平、上、去。三代之音久絶而復存，其必自今日始乎？」顧氏之學，貫徹天人，豈屑爲詞章末技，等而下之至於詞曲乎？然其論四聲一貫也，實足補《中原音韻》之闕，含商嚼徵者，不可不知。逐章錄之，以代針指。四聲之論，雖起於江左，然古人之詩，已自有遲疾輕重之分，故平多韻平，仄多韻仄。亦有不盡然者，而上或轉爲平，去或轉爲平、上，入或轉爲平、上、去，則在歌者之抑揚高下而已。

故四聲可以並用。「騏騮是中，騧驪是驂。龍盾之合，鋈以觼軜。言念君子，溫其在邑。方何爲期？胡然我念？」之「合」、「軜」、「邑」、「念」四字，皆平而韻「驂」。「一之日觱發，二之日栗烈。無衣無褐，何以卒歲？」「發」、「烈」、「褐」三字皆去而韻「歲」。今之學者，必曰此字原有三音，有兩音，故可通用（吳才老《韻補》實始此說），不知古人何嘗屑屑於此哉。一字之中，自有平、上、去、入，今一一取而注之，字愈多，音愈雜，而學者愈迷不識其本，此所謂「大道以多歧亡羊」者也。陳氏之書，蓋多此病。至其末卷，乃曰：「四聲之辨，古人未有《中原音韻》，此類實多。舊說必以平叶平、仄叶仄也，無亦以今而泥古乎？」斯言切中肯綮。（原註：「季立《毛詩古音考》、《邶谷風》『怒』字下註曰：『四聲之說，起於後世。古人之詩，取其可歌可詠，豈屑屑毫釐，著經生爲耶？且上、去二音，亦輕、重之間耳。』《綢繆》『隅』字下註曰：『或問：「二平而接以去聲，可乎？」《中原音韻》聲多此類，其音節未嘗不和暢也。』二條所論至當。但全書之中，隔閡四聲，多爲註釋，瑣碎殊甚。」）不知季立既發此論，而何以猶扞格於四聲，一一爲之引證，亦所謂勞唇吻而費簡冊者也。方子謙（原註：「名日升」）之《小補》，抑又甚焉。今之爲書，取前人一字而叶兩三聲者，盡併之，使學者之視聽，一而不亂，其庶乎守約之旨也夫？五方之音，有遲疾、輕重之不同。《淮南子》云：「輕土多利，重土多遲。淸水音小，濁水音大。」陸法言《切韻序》曰：「吳、楚則時傷輕淺，燕、趙則多傷重濁，秦、隴則去聲爲入，益、梁則平聲爲去。」約而言之，卽一人之身，而出辭、吐氣、先後之間，已有不能齊者。其重、其疾，則爲去、爲入、爲上；其輕、其遲，則爲平；遲之又久，則一字而爲二字，「茨」爲「蒺藜」、「椎」爲「終葵」是也。（原註：「亦有二字併爲一字者。《舊唐書》云：『吐谷渾，俗多謂之「退渾」。』蓋語急而然。恩壽按：『吐』本有去聲，『谷』音『肉』，『肉好』之『肉』亦去聲，皆與『退』近，故併之。」）故註家多有疾言、徐言之解。而劉勰《文心雕龍》謂：「疾呼中宮，徐呼中徵。」（原註：「《韓非子·外儲說·右上篇》有此語。」）夫一字而可以疾呼、徐呼，此一字二音、三音之所由昉已。平、上、去、入之名，漢時未有。然《公羊》莊二十八年傳曰：「春秋，伐人者爲客，伐者爲主。」何休註於「伐人者爲客」下曰：「『伐人者爲客』，讀『伐』，長言之，齊人語也。」於「伐者爲主」下曰：「『見伐者爲主』，讀『伐』，短言之，齊人語也。」長言，則今之平、上、去聲也；短言，則今之入聲也（恩壽按：長言則今之南曲也，短言則今之北曲也。此條尤與曲相近）。平、上、去三聲，因多通貫，惟入聲似覺差殊。然而「祝」之爲「州」，見於《穀梁》；「蒲」之爲「亳」，見於《公羊》；「趨」之爲「促」，見於《周禮》；「提（是支反）」之爲「折（常列反）」，見於《檀弓》：若此之類，不可悉數。迨至六朝，詩律漸工，韻分已密，而唐人功令，猶許通用，故《廣韻》中有一字而收之三聲、四聲者。非謂一字而有此多音，乃以示天下作詩之人，使隨其遲疾、輕重而用之也。後之陋儒，未究厥旨，乃謂四聲之設，考諸五行、四序，如東西之易向，晝夜之異位，而不相合也，豈不謬哉！且夫古之爲詩，主乎音者也；江左諸公之爲詩，主乎文者也。文者，一定而難移；音者，無方而易轉。夫不過喉、舌之間，疾、徐之頃，而已諧於音，順於耳矣，故或平，或仄，時措之宜，而無所窒礙。《角弓》之「反」上，《賓筵》之「反」平；《桃夭》之「室」入，《東山》之「室」去：惟其時也。《大東》一篇兩言「來」，而前韻「疚」，後韻「服」；《離騷》一篇兩言「索」，而前韻「妬」，後韻「迫」：惟其當也。有定之四聲，以同天下之文；無定之四聲，以協天下之律。聖人之所以和順於道德而理於義，非達天德者，其孰能知之？余嘗謂：「入聲無音，以平、上、去之音爲音。北曲多用入韻，反之卽平韻也。」頗與顧氏入爲閏聲之論相合。顧氏之言曰：「平聲音長，入聲音短。（恩壽按：惟其音短，故宜北曲。）平聲字多，入聲字少。長者多，短者少，此天地自然之理也，故入聲之部，合之三聲，但有其四（原註：『見《古音表》』）。而五方之音，或有或無，尚不能齊，必欲以配三聲，或以其無是聲也而削之（原註：『元周德淸《中原音韻》併作三聲』），則均之不遠矣。《詩》三百篇中，亦往往用入聲之字。其入與入爲韻者，什之七八；入與平、上、去爲韻者，什之三（恩壽按：曲之四聲併協者，實權輿是）。以其什之七，而知古人未嘗無入聲也；以其什之三，而知入聲可轉爲三聲也（恩壽按：詞中入可作平，已成定例，曲則可作三聲，此詞、曲分寬、嚴處）。故入聲，聲之閏也，猶五音之有變宮、變徵而爲七也。」李笠翁發明北曲宜用入韻，其說甚辨，蓋爲初學而言，若久於此道而得三昧者，則左之右之皆宜矣。然稍不經心，亦不無聱牙結舌之弊。試以《西廂》、《琵琶》兩記較之：作《西廂》者，工於北曲，則入韻是其所長，如《鬧齋》曲中「二月春雷響殿角」、「早成就幽期密約」、「內性兒聰明，冠世才學」、「扭捏著身子百般做作」，「角」字、「約」字、「學」字、「作」

字，何等雅馴，何等自然！《琵琶》工於南曲，用入韻是其所短，如《描容》曲中「兩處堪悲，萬愁怎摸」，愁是何物，而可摸乎？

張潮《南曲入聲問題辭》 往古之天下，偏於西北，故其爲音，有平、上、去而無入。後世之天下，既有東南，以補宇宙之全，則亦必多入聲之一部以補之，而後天地之元音，始無缺而不全之憾。獨是南方之人，其於入聲也，不能如平、上、去之畫一。愚謂：欲調入聲，必先定其爲平聲何部之所隸。其無所隸者，亦不妨聽其孤行，而不必強讀之於平、上、去之餘；而平、上、去之無入聲者，亦不必以不相協之入聲強爲之配。而無如言人人殊，迄無一定之部位，如「役」之爲音，或讀爲「於」之入，或讀爲「衣」之入；如「菊」之爲音，或讀爲「鳩」之入，或讀爲「居」之入；如「合」之爲音，或讀爲「黑」，或讀爲「蒿」之入，或讀爲「呵」之入；如「綠」之爲音，或讀爲「羅」之入，或讀爲「盧」之入。姑舉數字，以例其餘。吾不知其將何音之從，乃爲得其正也。周德清以入聲派入三聲，爲北曲者，自應奉爲繩尺。今南方既有入聲，而編南曲者必欲廢之，何歟？毛君稚黃，以入聲單押，隨調之所宜而唱之，雖曰自我作古，然其論則極正當而可行也。

孫郁《天寶曲史凡例》 塡詞之貴遵譜也，夫人而知之矣。但陽舒陰斂不叶，則音節乖和，上去去上不明，遂并至于失調。求其依聲協律，誠戛戛乎難之。玆作矩矱先民，不敢旁溢一字異，存古典型萬一也。塡詞之必守韻也，亦夫人而知之矣。及觀古曲，每多借韻，甚有一曲雜用數韻者，殊乖前人編韻本意。玆作自引至尾，止用一韻，不輕借韻，不重押韻，蓋凜凜乎三尺之是守矣。

孫鵬《太古傳宗原序》 蓋惟律呂之道，協天地自然之氣，合之人聲，宣之于器數，而後可以得其中和之則。苟天時與地氣不審，人聲與樂音不比，雖以古之詩章，用古之器數，亦徒見其乖戾而不合，侵替而不倫，手擊之而不得于心，口歌之而非出于志，是人與樂判然而爲二矣。欲其動天地，感鬼神，洽人情，不亦難乎？夫古之知音者，聞聲可以知其人之性情，辨其事之得失，識其所感之邪正，論其所存之是非，而操縵安絃，音旨之相觸，或至於游魚出聽，六馬仰秣，此豈非聞者之能盡其精微，作者之有以得其旨要哉？蓋樂之爲用，音聲動靜，感人性情之變甚速。先王慎樂之感，擇其正者以布化於生民。故聖人有云：興於詩，立於禮，成於樂。樂之爲道，顧云重矣。苟有毫髮之不善，又烏能造其理窟而得神融之至也歟？

周少霞《韻學驪珠序》 余謂郁君：詞曲雖小道，然審音最重用韻，殊不容魯莽。宋詞人于平上去韵甚嚴，而于入聲字頗病其雜。東坡《念奴嬌》千秋絕調，而韻用「物」、「壁」、「髮」、「滅」等字；稼軒《滿江紅》詞，角藥韻中亦雜曲字，此其證也。曲韻明以前極寬，如支思、齊微、魚模互叶，先天、千寒、桓歡互叶，歌羅、家麻、車遮互叶，眞文、庚亭、侵尋互叶。入國朝來，其例始嚴，然眞文、庚亭三韻之通，猶沿而未易。夫不知音不可以言韻。言曲韻始于周德清，而實不自德清始，昉之杜牧之《八六詞》也。角藥之叶蕭豪，于何昉之？昉之柳耆卿《尾犯詞》也。特自德清始爲成書。可德清《中原音韻》初以墨本流傳，迨後所爲高安本者，已犯其舊。范氏因德清平聲分陰陽，而于去聲亦判而爲之，其音切大半依正韻，與《中原》似同而實異。北音入作平、上、去，南詞如《琵琶・別墳》內四曲，《女狀元》第一齣，全用入聲字者，自依本音。若與平、上、去間用，即不得不叶北音。且南北詞之通以北音，演唱者甚多，人自不察耳。亦有不可施于南，并不可施于北者，如「自」之爲「恣」、「病」之爲「柄」，「出」之似重舌音念「渥」，「年」之似舌抵腭音，使曲白中若是，鮮有不駭且怪者。

何墉《韻學驪珠序》 《書》曰：「聲依永，律和聲。八音克諧，無相奪倫。」諧之爲義，大矣哉！古人作樂，惟恐其不諧，故制爲五聲八音十二律，以定其音，音定而韻從焉。自韻學失傳，而人乃無由知音之所本，宮商錯亂，音以不諧，度曲家無所適從，相沿多誤識者，憾之。夫宮、商、角、徵、羽即上、尺、工、六、五，爲仲呂韻正音。由此類推，宮生徵，徵生商，商生羽，羽生角，子母相生，無失其次，循聲按律，而調以成。所謂無相奪倫也，所謂諧也。還相爲宮，循境無端，正調變調，千態萬狀，而不外乎尋韻求音之法。韻學顧不重乎哉！度曲家最重收音，而往往誤于牽強。

情園主人《極樂世界傳奇自序》 戲至二簧陋矣，而□謂非二簧陋，作之者陋也。使執筆者得《西廂記》之王實甫，《離魂記》之湯若士，《長生殿》之洪昉思，吾知天下錦繡才子，必有拍案叫絕者，戶戶銀箏，家家檀板，安在遜南北九宮哉？或曰：二簧之陋非其詞陋也，音節陋也。是又不然。自元迄今爲南北曲者，不只數千家，而傳者不過數十，每家傳者又不過數折。其湮沒不彰者，音節非不諧也，特以詞不雅馴爲識者所擯耳，不然，則空歌工尺，不更超元箸乎？且聲音之道，隨時變遷，自雅頌而樂府，而倚聲，而雜劇，作者必不是古非今者，唯欲投時好叶里耳。使吾可歌可泣之情家喻而戶曉，必求音節之正，則《關雎》、《鹿鳴》，宮商具在，胡不規而撫之？南北九宮已陋，而必陋二簧，是真五十步笑百步矣。

碧桃花館主人《六也曲譜序》 戲曲一道，文章末伎，而其難若登天。然蓋字句音韻間之長短多寡、清濁陰陽，有一定不移而不可差以累黍者。顧以膾炙人口爲《玉簪記》，而真、庚、青、侵合用；以精心結撰如《綰春園》，而寒山、桓歡相混；以專研詞律之周氏《中原音韻》，而魚、模并爲一韻，則音律之不考訂亦已久矣。誰其具正法眼藏，乃獨耗心血以裁正之？葉氏《納書楹》特遺賓白，則機趣不生。錢氏《綴白裘》不載宮譜，則研求無據。

吴梅《與丁琇甫》 夫雜劇之名，濫觴宋志；傳奇之作，發軔金源。顧當時管器，專力弦索，所陳樂色，間以胡聲，嘈雜緩急之間，南人至不能按。迨及元季，永嘉乃興，揚關、馬之流風，創爲院本。而伶官舊格，不能饜一時士夫之心，于是君美、菊莊之徒，斐然有作。樂府聲調之遺，戶工嘌唱之法，規模略具，堂奧斯成。然而對山募國工以正音，天池拜德明而按拍，齦齦刌忝，非故爲其難也，蓋鄭重之也。足下麗藻天授，敢不心傾！弟所樂與足下商榷者，宮調與音韻之際耳。宮調者，六宮十一調也；音韻者，五音十九部也。凡所謂曲，必隸屬于一宮一調；而聲之抑揚高下，又各祖其所隸之宮調以爲衡。而此一宮一調之中，所隸諸曲，雖多至百數，其聲之抑揚高下，能者早辨之于無聲，初不必製譜而知之也。惟此宮調之意，尤各有所歸。黄鐘宜富貴纏綿也，則詞之富麗者屬之。仙呂宜清新綿邈也，則詞之雋逸者屬之。是故爲詞者，必先審其情勢之哀樂，而定之于一宮，復酌其牌名之繁簡，而歸之于一套，然後晰其陰陽，辨其清濁，審其板之疏密，量其氣之小大，稱其詞之美惡，要歸諸自然而已矣。能如是，則神而明之，存乎其人，即小德出入，明者亦無所吹求。此凌次仲所謂傳奇無定法，而清遠「四夢」，所以終難見諸場上也。至于音韻，要守《中州》，周德清之說，惟供北詞；范昆白之書，僅利南曲。真文庚清之分，齊微魚模之辨，運用變化，惟在一心，深甫大典，不足法焉。雖然，猶有難至者在也。引子過曲，人所盡知，而引有長短剛柔之殊，曲有近慢緩導之別，鼓色板格，又有正贈疾徐之不同。則志乎斯者，惟因時制宜，操縱合度，不囿于勢，不逸于範，竭吾力焉已耳。局促之與覂駕，安得謂之良馬哉？

又《顧曲麈談·原曲》 填詞一道，世人皆以爲難，顧亦有極樂之處。今請先言其難。詩古文辭，專在氣韻風骨。世之治此者，求其工穩，與漢、魏、唐、宋作家爭衡，因非易事。若論入手之始，僅在平仄妥協而已。況高論漢魏者，有時平仄亦可不拘，是其難在胎息，不在格律之間也。曲則不然，平仄四聲而外，須注意于清濁高下。字之宜陰者，不可填作陽聲；字之宜陽者，又不可填作陰聲。況曲牌之名，多至數百，各隸屬于各宮調之下，而宮調之性，又有悲歡喜怒之不同，則曲牌之聲，亦分苦樂哀悅之致。作者須就劇中之離合憂樂，而定諸一宮，然後再取一宮中曲牌，聯爲一套。是入手之始，分宮配角，已煞費苦心矣。乃套數既定，則須論字格。所謂字格者，一曲中必有一定字數，必有一定陰陽清濁，某句須用上聲韻，某句須用去聲韻，某字須陰，某字須陽，一毫不可通借。如仙呂調之《長拍》，其第六句共四字，而此四字，又必須全用上聲。故吴石渠用「我有斗酒」，萬紅友用「只我與爾」，洪昉思用「兩載寡侶」，蔣心餘用「睍睆好鳥」，蓋不如是則不合也。又如商調之《集賢賓》，其第一句必須用「平平去上平去平」。故陳大聲用「西風桂子香正幽」，李玄玉用「三春夜短花睡濃」，袁于令用「愁魔病鬼朝露捐」，吴駿公用「晴窗憑几傾細茶」。諸如此類，謂之字格。至于用韻，尤宜謹嚴。蓋曲中之韻，既非詩韻，又非詞韻，其間去取分合，大抵以入聲分派三聲，而各將一韻分清陰陽，以便初學之檢取。如世傳之《中原音韻》與《中州音韻》皆是也。惟作者必須恪守韻律，不可彼此通借。《琵琶記》之《廊會》，合歌羅、家麻爲一；《玉簪記》之《琴挑》，合真文、庚青、侵尋爲一，在古人猶有此失，可不慎諸？是故作曲者爲音律所拘縛，左支右拙，求一套之中，無支離拙澀之語，已是十分難事，而欲文字之工，足以與古作者相頡頏，不且難之又難哉！今之曲家，往往以典雅凝煉之語，施諸曲中，雖覺易動人目，究非此道之正宗。曲之勝場，在于本色，試遍看元人雜劇，有一種塗金錯彩，令人不可句讀否？惟明之屠赤水所作《曇花》、《彩毫》諸記，喜搬用類書，至今藉爲口實。黄韻珊至比爲房科墨卷，確是至言。然則配調填字協韻而外，尤須出以本色，何其難也。調得平仄成文，又恐陰陽錯亂，配得宮調合律，更虞字格難諧，及諸般妥貼，而出語苟有晦澀，又非出色當行之作。黄九煙云：「三仄應須分上去，兩平還要辨陰陽。」豈知所論猶未盡乎？故論其難，幾令人無從下筆。論其樂事，則亦有不可勝言者。自來帝王卿相，神仙鬼怪，皆不可隨意而爲之。古今富貴壽考，如郭令公者，能有幾人？惟塡詞家能以一身兼之。我欲爲帝王，則垂衣端冕，儼然綸綍之音；我欲爲神仙，則霞帔雲裾，如帶朝眞之駕。推之萬事萬物，莫不稱心所願，屠門大嚼，聊且快意。士大夫伏處蓬廬，送窮無術，惟此一種文字，足泄其抑塞磊落不平之氣，借彼筆底之烟霞，吐我胸中之雲夢，不亦荒唐可樂乎？且詞曲之間，亦有較他種文字略寬者。例如作一賦，通篇不能重韻，而曲則不妨。如《仙呂點絳唇》、《混江龍》一套，其間所用之曲，不過十八支，前曲所押之韻，後曲不妨重押。又詩古文辭，一篇中總須一意到底。而曲則祇全出之關目，以爲變化。白中如何說法，則曲亦如何做法，往往前曲與後曲，未必可以連屬者，此亦無害。是曲律雖嚴，亦有可以通融之處也。第就愚見論之，凡作曲切不可畏其難，且愈難愈容易好。

又《論宮調》 宮調之理，詞家往往僅守舊譜中分類之體，固未嘗不是。但宮調究竟是何物件，舉世且莫名其妙，豈非一絶大難解之事？余以一言定之曰：宮調者，所以限定樂器管色之高低也。何也？即以笛論，笛共六孔，計有七音，今人按第一孔作工，第二孔作尺，第三孔作上，第四孔作乙，第五孔作四，第六孔作合，而別將第二、第三兩孔按住作凡，此世所通行者，曲家謂之小工調。笛色之調有七：曰小工調（即上文所言者），曰凡字調，曰六字調，曰正工調，曰乙字調，曰尺字調，曰上字調。此七調之分別，以小工調作準。所謂凡字調者，以小工調之凡字作工字也，凡作工字，工作尺字，尺作上字，上作乙字，乙作四字，四作合字，合作凡字是也。所謂六字調者，以小工調之六字作工字也，六作工，凡作尺，工作上，尺作乙，上作四，乙作合，四作凡是也。所謂正工調者，以小工調之五字作工字也，五作工，六作尺，凡作上，工作乙，尺作四，上作合，乙作凡是也。所謂乙字調者，以小工調之乙字作工字也，乙作工，五作尺，六作上，凡作乙，工作四，尺作合，上作凡是也。所謂尺字調者，以小工調之尺字作工字也，尺作工，上作尺，乙作上，四作乙，合作四，凡作合，工作凡是也。所謂上字調者，以小工調之上字作工字也，上作工，乙作尺，四作上，合作乙，凡作四，工作合，尺作凡是也。笛共六孔，而所有用七調，是每字皆可作工，此卽古人還相爲宮之遺意。今曲中所言宮調，卽限定某曲當用某管色。凡爲一曲，必屬于某宮或某調，每一套中，又必須同是一宮或一調。若一套中前後曲不是同宮，卽謂出宮，亦謂犯調，曲律所不許也（顧亦有所變化，詳後）。今且將六宮十一調之名備列之。（一）六宮：仙呂宮、南呂宮、黃鐘宮、中呂宮、正宮、道宮是也。（二）十一調：大石、小石、般涉、商角、高平、歇指、宮調、商調、角調、越調、雙調是也。今再將笛中管色分配之，則覽者可知其運用矣。（三）小工調：仙呂宮、中呂宮、正宮、道宮、大石調、小石調、高平調、般涉調屬之（中有彼此互見者，卽兩調可通用也）。（四）凡調：南呂宮、黃鐘宮、商角調、仙呂宮屬之。（五）六調：南呂宮、黃鐘宮、商角調、商調、越調（亦可小工）屬之。（六）正工調：雙調屬之。（七）乙字調：雙調屬之。（八）尺調：仙呂宮、中呂宮、正宮、道宮、大石調、小石調、高平調、般涉調屬之。（九）上調：南呂宮、商調、越調屬之。就上所述論之，則各宮各調之管色，可一覽知之矣。或曰：古言律呂，皆指陽律（太簇、姑洗、蕤賓、夷則、無射、黃鐘）、陰呂（大呂、應鐘、南呂、林鐘、中呂、夾鐘）而言，如子之說，僅有黃鐘、南呂、中呂，其他一概不及者，何也？且僅以笛色分配各宮，而不言隔八相生之理，又何也？曰：子所言者，律學也。余所論者曲中應用之理，就其所存者言之，不敢以艱深文淺陋也。古今論律者，不知凡幾，求一明白曉暢者，十不獲一。余于律呂之道，從未問津，苟以一知半解，而謬謂洞明古今之絶學，自欺欺人。吾不能，非不爲也，故止就曲中之理言明之。蓋曲與律，是二事，曲中之律，與吾子所言之律，又是二事。混而爲一，此古今論者，文字愈多，而其理愈晦也。南北曲名，多至千餘，舊譜分隸各宮，亦有出入。詞家不明分宮合套之道，出宮犯調，不一而作，曲文雖佳，不能被入管弦者，職是故也。南詞自沈寧庵《九宮譜》出，度曲家始有準繩，北曲則直至《大成譜》出，尚無確切之規矩。余爲近日詞家立一準的，爰取各曲所屬之宮調，詳列于下（合套諸法，見後第三、第四兩節）：（一）仙呂宮所屬諸曲：北曲則爲《端正好》（正宮內不同）、《賞花時》、《點絳唇》、《混江龍》、《油葫蘆》、《天下樂》、《村里迓鼓》（亦入商調）、《元和令》（亦入商調）、《上馬嬌》、《游四門》、《勝葫蘆》、《後庭花》（亦入中呂調）、《河西後庭花》、《柳葉兒》（與黃鐘不同）、《寄生草》、《青哥兒》、《哪吒令》、《鵲踏枝》、《六幺序》、《醉扶歸》、《金盞兒》（與《雙調金盞子》不同）、《醉中天》、《雁兒落》、《一半兒》、《憶王孫》、《玉花秋》、《四季花》(亦入商調)、《穿窗月》、《八聲甘州》、《大安樂》、《雙燕子》(即《商調雙雁兒》)、《翠裙腰》、《六幺遍》(亦入中呂)、《上京馬》、《綠窗怨》、《瑞鶴仙》、《憶帝京》、《襖神兒》(與雙調不同)、《六幺令》、《錦橙梅》、《三番玉樓人》、《柳外樓》、《太常引》、《尾聲》、《隨煞》、《賺煞》、《賺尾》、《上馬嬌煞》、《後庭花煞》。南曲則引子爲《卜算子》、《番卜算》、《劍器令》、《小蓬萊》、《探春令》、《醉落魄》、《天下樂》、《鵲橋仙》、《金鷄叫》、《奉時春》、《紫蘇凡》、《唐多令》、《黃梅雨》、《似娘兒》、《望遠行》、《鷓鴣天》(引子者，出場時所用之引子，或用笛和，或不用笛和，與曲子大異)。過曲爲《光光乍》、《鐵騎兒》、《碧牡丹》、《大齋郎》、《勝葫蘆》、《青歌兒》、《胡女怨》、《五方鬼》、《望梅花》、《上馬踢》、《月兒高》、《二犯月兒高》、《月雲高》、《月照山》、《月上五更》、《蠻江令》、《涼草蟲》、《蠟梅花》、《感亭秋》、《望吾鄉》、《喜還京》、《美中美》、《油核桃》、《木丫牙》、《長拍》、《短拍》、《醉扶歸》、《皂羅袍》、《皂袍罩黃鶯》、《醉羅袍》、《醉羅歌》、《醉花陰》、《醉歸花月渡》、《羅袍歌》、《排歌》、《三叠排歌》、《傍妝臺》、《二犯傍妝臺》、《八聲甘州》、《甘州解酲》、《甘州歌》、《十五郎》、《一盆花》、《桂枝香》、《二犯桂枝香》、《天香滿羅袖》、《河傳序》、《拗芝麻》、《一封書》、《一封歌》、《一封羅》、《安樂神犯》、《香歸羅袖》、《解三酲》、《解酲帶甘州》、《解酲歌》、《解袍歌》、《解酲望鄉》、《掉角兒序》、《掉角望鄉》、《番鼓兒》、《惜黃花》、《西河柳》、《春從天上來》、《古皂羅袍》、《甘州八犯》、《尾聲》。(二)南呂宮所屬諸曲：北曲則爲《一枝花》、《梁州第七》、《隔尾》、《牧羊關》、《罵玉郎》(亦名《瑤華令》，入中呂)、《感皇恩》、《採茶歌》、《玄鶴鳴》(即《哭皇天》)、《烏夜啼》、《賀新郎》、《草池春》、《紅芍藥》(與中呂不同)、《菩薩梁州》、《四塊玉》、《梧桐樹》、《玉嬌枝》、《鵪鶉兒》、《乾荷葉》、《金字經》、《尾聲》、《收尾》、《煞尾》、《隨尾》、《隨煞》、《黃鐘尾》、《隔尾隨煞》、《隔尾黃鐘煞》、《神仗兒煞》，外附《九轉貨郎兒》。南曲則引子爲《大勝樂》、《金蓮子》、《戀芳春》、《女冠子》、《臨江仙》、《一剪梅》、《一枝花》、《薄媚》、《虞美人》、《意難忘》、《稱人心》、《三登樂》、《轉山子》、《薄倖》、《生查子》、《哭相思》、《于飛樂》、《步蟾宮》、《滿江紅》、《上林春》、《滿園春》、《挂眞兒》。過曲爲《梁州序》、《梁州新郎》、《賀新郎》、《纏枝花》、《節節高》、《大聖樂》、《奈子花》、《奈子落瑣窗》、《奈子宜春》、《青衲襖》、《紅衲襖》、《一江風》、《單調風雲會》、《梅花塘》、《香柳娘》、《孤雁飛》、《石竹花》、《解連環》、《風檢才》、《呼喚子》、《大研鼓》、《引駕行》、《薄媚袞》、《竹馬兒》、《番竹馬》、《繡帶兒》、《繡太平》、《繡帶宜春》、《宜春樂》、《太師引》、《醉太師》、《太師垂繡帶》、《瑣窗寒》、《瑣窗郎》、《阮郎歸》、《繡衣郎》、《宜春令》、《三學士》、《學士解酲》、《刮鼓令》、《羅鼓令》、《癡冤家》、《金蓮子》、《金蓮帶東甌》、《香羅帶》、《羅帶兒》、《二犯香羅帶》、《羅江怨》、《五樣錦》、《三換頭》、《香遍滿》、《懶畫眉》、《浣溪沙》、《秋夜月》、《東甌令》、《劉潑帽》、《金錢花》、《五更轉》、《劉袞》、《紅衫兒》、《本宮賺》、《梁州賺》、《紅芍藥》、《錢綫箱》、《滿園春》、《八寶妝》、《九嶷山》、《木蘭花》、《烏夜啼》、《春色滿皇州》、《恨蕭郎》。(三)黃鐘宮所屬諸曲：北曲則爲《醉花陰》、《喜遷鶯》、《出隊子》、《刮地風》、《四門子》、《古水仙子》、《塞雁兒》、《神仗兒》、《節節高》、《者刺古》、《柳葉兒》、《古寨兒令》、《六幺令》(與仙呂不同)、《九條龍》、《興隆引》、《侍香金童》、《降黃龍袞》、《文如錦》、《女冠子》(與大石不同)、《願成雙》、《傾杯序》、《彩樓春》、《晝夜樂》、《人月圓》、《紅衲襖》、《賀聖朝》、《尾聲》、《隨尾》、《隨煞》、《黃鐘尾》、《神仗兒煞》。南曲則引子爲《絳都春》、《疏影》、《瑞雲濃》、《女冠子》(與南呂異)、《點絳唇》(與北曲大異)、《傳言玉女》、《玩仙燈》、《西地錦》、《玉漏遲》。過曲爲《絳都春序》、《出隊子》、《鬧樊樓》、《下小樓》、《畫眉序》、《滴滴金》、《滴溜子》、《神仗兒》、《鮑老催》、《雙聲子》、《啄木兒》、《三段子》、《歸朝歡》、《水仙子》、《刮地風》(與北曲不同)、《春雲怨》、《三春柳》、《降黃龍》、《袞遍》、《獅子序》、《太平歌》、《賞宮序》、《玉漏遲序》、《恨蕭郎》(與南呂不同)、《燈月交輝》、《恨更長》、《侍香金童》(亦入仙呂)、《傳言玉女》、《月里嫦娥》、《天仙子》(自此宮起，凡南曲中集曲，不錄)。(四)中呂宮所屬諸曲：北曲則爲《粉蝶兒》、《醉春風》、《迎仙客》、《石榴花》、《鬭鵪鶉》(與越調不同)、《上小樓》、《快活三》、《朝天子》、《四邊靜》、《滿庭芳》、《賀聖朝》、《叫聲》、《紅繡鞋》、《鮑老兒》、《紅芍藥》(與南呂不同)、《剔銀燈》、《蔓青菜》、《普天樂》、《柳青娘》、《道和》、《醉高歌》、《十二月》、《堯民歌》、《喜春來》、《鬼三臺》(與越調不同)、《播梅令》、《古竹馬》(與越調不同)、《賣花聲》(亦入雙調)、《酥棗兒》、《齊天樂》、《紅衫兒》(亦入正宮)、《山坡羊》、《四換頭》、《喬捉蛇》、《骨打兔》、《尾聲》、《煞尾》、《賣花聲煞》、《啄木兒煞》。南曲則引子爲《粉蝶兒》(與北曲異)、《四園春》、《醉中歸》、《滿庭芳》、《行香子》、《菊花新》、《青玉案》、《尾犯》、《繞紅樓》、《剔銀燈引》、《金菊對芙蓉》。過曲爲《泣顔回》、《石榴花》、《駐馬聽》(與北曲異)、《馬蹄花》、《番馬舞秋風》、《駐雲飛》、《古輪臺》、《撲燈蛾》、《念佛子》、《大和佛》、《鵲打兔》、《大影戲》、《兩休休》、《好孩兒》、《粉孩兒》、《紅芍藥》(與南呂不同)、《耍孩兒》、《會河陽》、《縷縷金》、《越恁好》、《漁家傲》、《剔銀燈》、《攤破地錦花》、《麻婆子》、《尾犯序》、《丹鳳吟》、《十破四》、《冰車歌》、《永團圓》、《瓦盆兒》、《喜漁燈》、《舞霓裳》、《山花子》、《千秋歲》、《紅繡鞋》、《馱環着》、《合生》、《風蟬兒》、《醉春風》、《賀聖朝》、《沁園春》、《柳梢青》、《迎仙客》、《杵歌》、《阿好悶》、《呼喚子》(與北曲不同)、《太平令》、《德勝序》、《宮娥泣》。(五)正宮所屬諸曲：北曲則爲《端正好》、《滾繡球》、《叨叨令》、《倘秀才》、《白鶴子》、《塞鴻秋》、《脱布衫》、《小梁州》、《醉太平》、《呆骨朵》、《貨郎兒》、《九轉貨郎兒》、《伴讀書》、《笑和尚》、《芙蓉花》、《鴛鴦雙》、《蠻姑兒》、《窮河西》、《梅梅雨》、《菩薩蠻》、《月照庭》、《六幺遍》、《黑漆弩》、《甘草子》、《漢東山》、《金殿喜重重》、《怕春歸》、《普天樂》、《錦庭芳》、《尾聲》、《收尾》、《啄木兒煞》。南曲則引子爲《燕歸梁》、《七娘子》、《梁州令》、《破陣子》、《瑞鶴仙》、《喜遷鶯》、《緱山月》、《新荷葉》。過曲爲《玉芙蓉》、《刷子序》、《錦纏道》、《朱奴兒》、《普天樂》、《錦庭樂》、《雁過聲》、《風淘沙》、《四邊靜》、《福馬郎》、《小桃紅》(與越調不同)、《綠欄衫》、《三字令》、《一撮棹》、《泣秦娥》、《傾杯序》、《長生道引》、《彩旗兒》、《白練序》、《醉太平》(亦入南呂)、《雙鸂鶒》、《洞仙歌》、《雁來紅》、《花藥欄》、《本宮賺》、《怕春歸》、《薔薇花》、《醜奴兒近》、《安公子》、《劃鍬令》、《湘浦雲》。(六)道宮所屬諸曲：北曲則爲《憑欄人》(與越調不同)、《美中美》、《大聖樂》、《解紅賺》、《尾聲》。南曲無。道調宮向無專曲，故舊譜皆付闕如。茲從董解元《西廂記》，有《憑欄人》全套，故錄補之。惟此套《大成譜》載入黃鐘宮內，是亦有異同也。南曲則仍缺之。(七)大石調所屬諸曲：北曲則爲《念奴嬌》、《百字令》(與詞同，惟僅有散板)、《六國朝》、《卜金錢》、《歸塞北》、《雁過南樓》、《喜秋風》、《怨別離》、《凈瓶兒》、《好觀音》、《催花樂》、《常相會》、《青杏子》(亦入小石調)、《憨郭郎》、《還京樂》、《催拍子》、《荼蘼香》、《驀山溪》、《女冠子》、《玉翼蟬》、《鷓鴣天》、《燈月交輝》、《喜梧桐》、《初生月兒》、《隨煞》、《帶賺煞》、《雁過南樓煞》、《凈瓶兒煞》、《好觀音煞》、《玉翼蟬煞》。南曲則引子爲《東風第一枝》、《碧玉令》、《少年游》、《念奴嬌》、《燭影搖紅》。過曲爲《沙塞子》、《本宮賺》、《念奴嬌序》、《催拍》、《賽觀音》、《人月圓》、《長壽仙》、《驀山溪》、《烏夜啼》、《插花三臺》、《醜奴兒令》。(八)小石調所屬諸曲：北曲則爲《惱殺人》、《伊州遍》、《青杏兒》(亦入大石)、《天上謠》、《尾聲》。南曲則爲《驟雨打新荷》(與北曲同，即元遺山作)。(九)般涉調所屬諸曲：北曲則爲《哨遍》(與詞不同)、《臉兒紅》、《牆頭花》、《耍孩兒煞》、《促拍令》、《瑤臺月》、《三煞》、《尾聲》。南曲則爲《哨遍》(與詞同)。(十)商角調所屬諸曲：北曲則爲《黃鶯兒》(與南曲不同)、《踏莎行》、《蓋天旗》、《應天長》、《垂絲釣》、《尾聲》。南曲則爲《永遇樂》、《熙州三臺》、《解連環》、《秋夜雨》、《漁父》。(十一)高平調所屬諸曲：北曲則爲《木蘭花》、《唐多令》、《于飛樂》、《青玉案》、《尾聲》(皆與詞不同)。南曲無。(十二)歇指調所屬諸曲：南北皆無。(十三)宮調所屬諸曲：南北皆無。(十四)商調所屬諸曲：北曲則爲《集賢賓》、《逍遙樂》、《金菊香》、《醋葫蘆》、《梧葉兒》、《浪裏來》、《賢聖吉》、《望遠行》、《賀聖朝》、《鳳凰吟》、《涼亭樂》、《上京馬》、《酒旗兒》、《八寶妝》、《二郎神》、《水紅花》、《定風波》、《玉胞肚》、《秦樓月》、《桃花浪》、《滿堂紅》、《芭蕉延壽》、《水仙子》、《尾聲》、《浪里來煞》、《隨調煞》、《商平煞》、《商平隨調煞》。南曲則引子爲《鳳凰閣》、《風馬兒》、《高陽臺》、《憶秦娥》、《逍遙樂》、《繞池游》、《三臺令》、《二郎神慢》、《十二時》。過曲爲《字字錦》、《滿園春》、《高陽臺》、《山坡羊》、《水紅花》、《梧葉兒》、《梧桐花》、《金梧桐》、《梧桐樹》、《二郎神》、《集賢賓》、《鶯啼序》、《黃鶯兒》、《簇御林》、《攤破簇御林》、《琥珀貓兒墜》、《五團花》、《吳小四》。(十五)角調所屬諸曲：南北皆無。(十六)越調所屬諸曲：北曲則爲《鬭鵪鶉》、《紫花兒序》、《金蕉葉》、《調笑令》、《小桃紅》、《禿廝兒》、《聖藥王》、《麻郎兒》、《絡絲娘》、《小絡絲娘》、《東原樂》、《棉搭絮》、《拙魯速》、《天凈沙》、《鬼三臺》、《耍三臺》、《雪里梅》、《眉兒彎》、《送遠行》、《柳營曲》、《黃薔薇》、《慶元貞》、《古竹馬》、《踏陣馬》、《青山口》、《鄆州春》、《看花回》、《南鄉子》、《梅花引》、《尾聲》、《隨煞》、《天凈沙煞》、《眉兒彎煞》。南曲則引子爲《浪淘沙》、《霜天曉角》、《金蕉葉》、《杏花天》、《祝英臺近》、《桃柳爭春》。過曲爲《小桃紅》、《下山虎》、

《蠻牌令》、《二犯排歌》、《五般宜》、《本宮賺》、《斗蝦蟆》、《五韻美》、《羅帳裏坐》、《江頭送別》、《章臺柳》、《醉娘子》、《雁過南樓》、《山麻秸》、《花兒》、《鏵鍬兒》、《繫人心》、《包子令》、《梅花酒》、《亭前柳》、《一匹布》、《梨花兒》、《水底魚兒》、《吒精令》、《引軍旗》、《丞相賢》、《趙皮鞋》、《禿廝兒》、《喬八分》、《繡停針》、《祝英臺》、《望歌兒》、《鬬寶蟾》、《憶多嬌》、《江神子》、《園林杵歌》、《養花天》、《入賺》、《綿搭絮》、《入破》、《出破》。(北曲越調，多用六字調。南曲越調，多用小工調。)(十七)雙調所屬諸曲：北曲則爲《新水令》、《駐馬聽》、《沉醉東風》、《雁兒落》、《得勝令》、《喬牌兒》、《甜水令》、《折桂令》、《蟾宮曲》、《錦上花》、《河西錦上花》、《碧玉簫》、《攪箏琶》、《清江引》、《步步嬌》、《落梅風》、《喬木查》、《慶宣和》、《湘妃怨》、《慶東原》、《沽美酒》、《太平令》、《夜行船》、《挂玉鈎》、《荆山玉》、《竹枝歌》、《春閨怨》、《牡丹春》、《對玉環》、《五供養》、《月上海棠》、《殿前歡》、《鳳引雛》、《月兒彎》、《行香子》、《天仙子》、《蝶戀花》、《金娥神曲》、《醉春風》、《四塊玉》、《快活年》、《朝元樂》、《沙子兒》、《海天晴》、《一機錦》、《好精神》、《農樂歌》、《動相思》、《二犯白苧歌》、《新時令》、《十棒鼓》、《秋江送》、《祆神急》、《楚天遙》、《枳郎兒》、《川撥棹》、《七弟兄》、《梅花酒》、《收江南》、《小將軍》、《撥不斷》、《太清歌》、《楚江秋》、《鎮江回》、《阿納忽》、《風入松》、《一錠銀》、《胡十八》、《亂柳葉》、《豆葉黃》、《胡搗練》、《萬花方三疊》、《小陽關》、《棗鄉詞》、《石竹子》、《山石榴》、《醉娘子》、《醉也摩沙》、《相公愛》、《小拜門》、《金盞子》、《大拜門》、《也不羅》、《喜人心》、《風流體》、《忽都白》、《倘兀歹》、《青天歌》、《大德歌》、《華嚴贊》、《山丹花》、《魚游春水》、《慶農年》、《秋蓮曲》、《尾聲》、《本調煞》、《鴛鴦煞》、《離亭宴煞》、《歇指煞》、《離亭燕帶歇指煞》。南曲則引子爲《眞珠簾》、《花心動》、《謁金門》、《惜奴嬌》、《寶鼎現》、《金瓏璁》、《搗練子》、《海棠春》、《夜行船》、《四國朝》、《玉井蓮》、《新水令》、《賀聖朝》、《秋蕊香》、《梅花引》。過曲爲《晝錦堂》、《紅林擒》、《錦堂月》、《醉公子》、《僥僥令》、《孝順歌》、《鎖南枝》、《柳搖金》、《四塊金》、《淘金令》、《金風曲》、《攤破金字令》、《夜雨打梧桐》、《金水令》、《朝天歌》、《嬌鶯兒》、《朝元令》、《柳梢青》、《錦金帳》、《錦法經》、《灞陵橋》、《疊字錦》、《山東劉袞》、《雌雄畫眉》、《夜行船序》、《曉行序》。(北曲雙調有多用小工者，南曲雙調，則正工、乙字多。)又南曲中有所謂仙呂入雙調者，所屬諸曲頗多，此北曲中所無也。余按名爲仙呂入雙調，實則亦仙呂宮耳。且犯調集曲至夥，是亦不可缺也。因附于後：《惜奴嬌》、《黑麻序》、《錦衣香》、《漿水令》、《嘉慶子》、《尹令》、《品令》、《豆葉黃》、《六幺令》、《福青歌》、《窣地錦襠》、《哭歧婆》、《雙勸酒》、《字字雙》、《三棒歌》、《破金歌》、《柳絮飛》、《普賢歌》、《雁兒舞》、《打球場》、《倒拖船》、《風入松》、《好姐姐》、《金娥神曲》、《桃紅菊》、《一機錦》、《錦上花》、《步步嬌》、《忒忒令》、《沉醉東風》、《園林好》、《江兒水》、《五供養》、《玉交枝》、《玉胞肚》、《川撥棹》、《玉雁子》、《絮婆婆》、《十二嬌》、《玉札子》、《流拍》、《松下樂》、《武陵花》。如上所列，則六宮十一調所屬諸曲，粲若列眉，只須就本宮調聯絡所套，就古人所固有者排列之，則自無出宮犯調之病。惟文人好作狡獪，老于音律者，往往別出心裁，爭奇好勝，于是北曲有借宮之法，南曲有集曲之法。所謂借宮者，就本調聯絡數牌後，不用古人舊套，別就他宮翦取數曲(但必須管色相同者)，按續成套是也。如王實甫《西廂記》，用《正宮端正好》、《滾繡球》、《叨叨令》、《倘秀才》、《滾繡球》後，忽借用《般涉調耍孩兒》，以聯成套數，此惟神于曲律者能之。元人中似此者正多，但可用其成法，切不可自行聯套，致貽畫虎之譏也。所謂集曲者，其法亦相似，取一宮中數牌，各截數句而別立一新名是也。南曲中如張伯起之《九回腸》，梁伯龍之《巫山十二峰》，皆集曲也。《九回腸》合《解三醒》、《三學士》、《急三槍》而成，三三成九，故曰《九回腸》。《十二峰》，合《三仙橋》、《白練序》、《醉太平》、《普天樂》、《犯胡兵》、《香遍滿》、《瑣窗寒》、《劉潑帽》、《三換頭》、《賀新郎》、《節節高》、《東甌令》而成，故曰《十二峰》。諸如此類，不可勝數。余謂但求詞工，不在牌名之新舊，惟既有此格，則亦不可不一言之。總之，借宮集曲，統名犯調，若用別宮別調，總須用管色相同者。例如仙呂宮與中呂宮，同用小工調，則或于仙呂曲中犯中呂，或于中呂曲中犯仙呂，皆無妨也。據此類推，庶無歧誤矣(古曲間亦有誤者，亦不可從也)。餘集曲不備載者，以無甚深意故也。

又《論音韻》 曲中之要，在于音韻。何謂音？即喉舌唇齒間之清濁是也。何謂韻？即十九部之陰陽是也。音有清濁，韻有陰陽，塡詞者必須辨別清楚，斯無拗折嗓子之誚，否則縱有佳詞，終不入歌者之口也。天下之字，不出五音，五音爲宮、商、角、徵、羽，分屬人口，爲喉、顎、舌、齒、唇。

凡喉音皆屬宮，顎音皆屬商，舌音皆屬角，齒音皆屬徵，唇音皆屬羽，此其大較也。宮音最濁，羽音最清，苟一分晰，異同立見。惟韻之陰陽，在平聲入聲，至易辨別，所難者上、去二聲耳。上聲之陽，類乎去聲，而去聲之陰，又類乎上聲，此周挺齋《中原音韻》但分平聲陰陽，不及上去者，蓋亦畏其難也。迨後明范善溱撰《中州全韻》，清初王鵕撰《音韻輯要》，始將上、去二聲，分別陰陽，而度曲家乃有所準繩矣。大凡曲韻與詞韻相異者，詞中支思與齊微，合并爲一，寒山、桓歡、先天三韻，家麻、車遮二韻，監咸、廉纖二韻，亦合而爲一。又詞中所用入韻，有協入三聲者，有獨用入聲者，故萬不可守入派三聲之例。則入聲一調斷不能缺，此塡曲家所以萬萬不可用詞韻也。愚意曲韻之與詩韻，雖截然不同，顧其源卽出于詩韻，特以詩韻分合之耳（所謂詩韻者，指《唐韻》、《廣韻》、《集韻》而言，非近時通行之詩韻也。通行詩韻不足守）。詩韻自南齊永明時，謝朓、王融、劉繪、范雲之徒，盛爲文章，始分平、上、去、入爲四聲。汝南周子乃作《四聲切韻》，梁沈約繼之爲《四聲譜》，此四聲之始，而其書久已失傳。隋仁壽初，陸法言與劉臻、顔之推、魏淵等八人，論定南北是非，古今通塞，撰《切韻》五卷。唐儀鳳時，郭知元等，又附益之。天寶中，孫愐諸人，復加增補，更名曰《唐韻》。宋祥符初，陳彭年、邱雝重修，易名曰《廣韻》。景德四年，戚綸等承詔詳定考試聲韻，別名曰《韻略》。景祐初，宋祁、鄭戩建言，以《廣韻》爲繁簡失當，乞別刊定，卽命祁、戩與賈昌朝同修，而丁度、李淑典領之。寶元二年書成，詔名曰《集韻》。是自《切韻》爲始，而《唐韻》，而《廣韻》，而《韻略》，而《集韻》，名雖屢易，而其書之體例，未嘗更易，總分爲二百六部，獨用通用，所注了然，非特可用之于詩，卽就其所通用各韻押之，亦無所不可，況曲韻中之分配，本以此爲據乎（如曲韻中第一部之東同韻，卽合《集韻》平聲之一東、二冬、三鍾，上聲之一董、二腫，去聲之一送、二宋、三用而成者，餘皆如此）。是故塡曲者，苟曲韻一時不能置辨，不妨就《集韻》中獨用通用之例而謹守之，較愈于杜撰者多多也。若用詞韻，則未有不偭規越矩者矣。曲韻分合，諸家亦各不同，而要以昭文周少霞（昂），分「知、如」別作一韻爲最謬。「知」音爲展輔，「如」音爲撮唇，二音絕不相類，如何可作一韻？且自來曲韻，從未有如此分配者，此正萬萬不可從也。今取各家之説，彙集考訂，以王鵕《音韻輯要》爲主，分別部居，勒成一種曲韻，庶塡曲家得有遵守。【略】

統以上諸韻而論之，較詩詞韻有寬處，有嚴處。所爲寬者，詩則東與冬不能混，蕭與豪又不能相合。詞雖略寬，顧如魂元之類有時亦稍當區別，此則江陽一致，庚亭不分，且合平上去三聲而共用之，固詩與詞所萬萬不能者也。至其嚴緊之處，亦有較詩詞縝密者。詩姑勿論，今專論詞。詞韻如支時、機微、歸回三韻，素所不分，而此則各判畛域，不可假借。居魚、蘇模二韻，詞家通用，而曲則又不可混（居魚、蘇模二韻，曲中向亦不分，分之自李笠翁始）。他若寒山、歡桓之與天田，監咸之與纖廉，詞中有時亦幷而爲一，而曲則更不能稍爲通融。凡此之類，皆曲中最細之處。以開口與閉口，出音各殊，鼻音與顎音，吐字宜細（曲中眞文爲抵顎音，庚亭爲鼻音，侵尋爲閉口音，此三音分立至嚴）。蓋不分晰則發音不純，起調畢，曲無所歸束矣。惟塡曲較他種文字爲易者，謂一曲中平仄韻間用，無一曲純是平韻，亦無一曲純是仄韻，此中選擇韻脚，稍覺寬耳。顧古今曲家，往往用韻有不協者，如高深甫（濂）所作之《玉簪記》，舉世所稱道者也。其中《琴挑》一折，尤爲膾炙人口，而《朝元歌》四支，所用諸韻，竟是荒謬絕倫。其詞云：「長清短清，那管人離恨。雲心水心，有甚閑愁悶。一度春來，一番花褪，怎生上我眉痕。雲掩柴門，鐘兒磬兒在枕上聽。柏子座中焚，梅花帳絕塵。你是個慈悲方寸。長長短短，有誰評論。」詞中「清」字韻是庚亭，「恨」字韻是眞文，「心」字韻是侵尋，「悶」字、「褪」字、「痕」字、「門」字純是眞文，「聽」字韻又是庚亭，「焚」字、「塵」字、「寸」字、「論」字又是眞文。一首詞中，犯韻若此，令人究不知所押何韻。忽而閉口，忽而抵顎，忽而鼻音，歌者輒宛轉叶之，而此曲遂無一人能唱得到家矣（此曲唱者雖多，顧無一人佳者）。又如高則誠之《琵琶記》，亦有錯誤，支時與魚模不分，歌羅與家麻幷用，自謂不屑尋宮數調，其實貽誤後學者至鉅。在古人猶可推諉也。其時詞家，大抵神于音律，且既無曲韻之可遵，又乏曲律之可守，空拳赤手，儼然成此七寶之樓臺，卽有舛誤，亦當平心寬恕。至于今日，則情形不同，《大成宮譜》出，而律度有所準繩矣。《欽定詞韻》出，而韻律亦有依據矣。所難者，中秘典籤，寒士未必能有，顧如沈寧庵之《南詞譜》，范昆白之《中州韻》，尚可訪求而得之，乃誤以傳訛，曾不一爲考訂，致使雲門大樂，既如廣陵之琴，韶濩鈞天，不入秦王之夢。余故謂當今之世，正黃鐘毀棄，瓦釜雷鳴之日也。因訂此韻，爲文人暗室之燈，覽者當知余之苦心，則幸甚矣。

又《論南曲作法》舊譜中最知名者，曰《南音三籟》，曰《骷髏格》，曰《九宮譜》，俱不盛傳于世。惟沈寧庵之《南九宮譜》，鈕少雅之《南曲範》，藏書家間有儲弆者，顧亦不多見矣。余謂諸譜論詞句之格式雖詳，而于塡詞時按譜尋聲之道，尙未深論，是猶有可議也。康熙時《南詞定律》一書，考訂最精，且係殿板，購求尙易，塡曲者當以此爲樣本（今人塡曲，率取舊本傳奇，如《西廂記》、《牡丹亭》、《桃花扇》數部作樣本，或取《長生殿》與《倚殅七種》者亦有之。余謂《牡丹亭》襯字太多，《桃花扇》平仄欠合，皆未便效法。必不得已，但學《長生殿》，尙無紕繆耳），則有所依據，不誤歧途也。惟詞家尙有數事，爲不可不明者，余爲備論之。（一）詞牌之體式宜別也。詞牌諸名，備載第一節宮調論內。茲所謂體式者，蓋自來沿誤之處，自應辨別而已。每一牌必有一定之聲，移動不得些微。往往有標名某宮某牌，而所作句法，全非本調者，令人無從制譜。此不得以「不知音」三字諉罪也（此誤《牡丹亭》最多，多一句，少一句，觸目皆是，故葉懷庭改作集曲也）。又傳奇情節，某處宜悲戚，某處宜歡樂，某處宜用急曲，某處宜用慢曲，皆各視戲情而酌用之。今一切不論，任取一曲塡之，以致丑腳或唱《懶畫眉》，生旦反用《普賢歌》，張冠李戴，實爲笑柄，故體式不可不知也。余略舉數例，以爲詞家之隅反可乎？如《點絳唇》，引子也，南曲中屬于黃鐘宮者也。《琵琶記·陳情》（俗名《辭朝》）折內云：「月淡星稀，建章宮裏，千門曉。御爐烟裊，隱隱鳴梢杳。」此眞黃鐘引子之正格，故「建章宮裏」之「裏」字，幷不押韻，顯與北曲之《仙呂點絳唇》大異也。顧今之歌者，皆用六凡工度之，則南詞之黃鐘《點絳唇》，盡變爲北曲之仙呂《點絳唇》矣。南詞引子，乃少其一，有此理乎？又如《正宮傾杯序》，其第一句爲四字叶韻者，元人所作，無不如是也。至明景泰時，邱瓊山所作之《綱常記》，所用《傾杯序》第一句，爲「步躡雲霄（句），際聖朝（讀），叨沐恩波浩（句）」，此正元調體式。不知何人，妄以此二句改作「步躡雲霄際聖朝（句）。叨沐恩波浩（句）」，既不顧其文理，又不顧其句法，直至今日，牢不可破，卽淹雅如楊升庵亦承其訛。升庵《陶情樂府》內，《傾杯序》云：「隔牆新月上梅花（句）。繡閣吹燈罷」，可知此誤由來舊矣。又如《針綫箱》與《解三酲》，其實一牌也。《針綫箱》八句二十八板，《解三酲》亦八句二十八板，其所以名《針綫箱》者，實始于古曲之《東牆記》。記中云：「爲薄情使人縈繫，終日把圍屏悶倚。懨懨頓覺貪春睡，一日瘦如一日。有時重整殘針指，拈起東來忘卻西。香閨里，無言空對，針錢箱兒。」（旁有點畫處爲板。爲頭板，爲腰板，一爲截板，當細檢。）因末句有「針綫箱兒」四字，遂以爲名，其實與《解三酲》有何區別？昧者于是以《解三酲》屬仙呂，以《針綫箱》屬南呂，殊不知笛色同用六調（見宮調論），如何能入仙呂？此大憒憒也。又如《西廂》之《佳期》折，所用《十二紅》（卽「小姐小姐多丰采」一支），係仙呂集曲，非商調集曲，其第一牌名《醉扶歸》，是仙呂宮也（凡集曲總以第一牌爲標準，第一牌爲某宮，則以下諸曲，宜均在此宮，若犯別調之曲，亦須取笛色相同者）。既是仙呂，則笛色當用小工，今律以所犯牌名，雜出不倫，紕繆甚多，且笛色又用凡字調，則一若南呂宮矣。葉懷庭云：「《佳期》曲刺謬不少，今驟然訂正，恐有郢客寡和之憾，姑仍舊貫，識者無譏。」則此曲之誤，懷庭固知之焉。李笠翁譏此曲爲鄙俗，猶從文字着想，實則豈僅鄙俗二字足蔽之哉（《南詞定律》以此曲屬仙呂犯調，確當不易，幷分注各牌，以《醉扶歸》、《惜黃花》、《皂羅袍》、《傍妝臺》、《耍鮑老》、《羅帳裏坐》、《江兒水》、《玉嬌枝》、《山坡羊》、《東甌令》、《排歌》、《太平歌》諸名，逐句配合，尤爲允愜）。諸如此類，不勝枚舉，取其最著者言之，已如此繁夥矣。是故塡詞者謹守宮譜而外，第一當明體式。（二）曲音之卑亢宜調也。南曲之聲，最易辨析，而亦最不易辨析，何也？以宮調論，則每宮有每宮之聲，至易分辨。以每支論，則同屬一宮之曲，其聲有不能分辨者，要在句法長短之間，尋其異同之處而已。如《忒忒令》之與《園林好》、《鶯啼序》之與《集賢賓》、《好事近》之與《泣顏回》，乍聽其聲，幾難分別，直至察其板式（詳論見後），乃能淸晰。故塡詞家凡遇聲音易于混淆之曲，其四聲陰陽，寧守定舊譜，或可免舛錯耳。大抵字音與曲調，戾然相反，四聲中字音，以上聲爲最高，而在曲調中，則上聲諸字，反處極低之度。又去聲之音，讀之似覺最低，不知在曲調中，則去聲最易發調，最易動聽。故逢去、上兩字連用之處（謂一句中相連處），用去、上者必佳，用上去者次之，所謂卑亢之間最難聯貫也。凡事自上而下較易，自下而上較難。自去聲至上聲，由上而下也。自上聲至去聲，由下而上也。所以去、上之聲，必優美于上、去。總之就曲調之高低，以律字音之卑亢，調之低者，宜用上聲字；調之高者，宜用去聲字。而總要一語，必須文字優美，能上聲字少用，則所塡諸詞，無不可被弦管矣。雖然，此特爲不知音者塡詞而發也，若詞林宗匠，盡有出奇操勝之妙，局促于短轅之下，有才者反多一束縛。要之此理卻是不可不知而已。余今略舉一曲爲例。如《皂羅袍》，仙呂宮曲也，共九句二十五板。古詞云：「暗想朱門俊女，豈無俊傑，肯配寒儒。漫自無言意躊躇，無情卻被多情誤。藍橋何處？夢兒又無。陽臺何處？路兒怎疏。朝雲暮雨難憑據。」詞中所用「暗想」、「俊女」、「暮雨」諸字，皆是極妙之處，凡遇此等處，宜恪守之。又「漫自無言意躊躇」句，必須用仄仄平平仄平平，一字不可更動也。余姑填一曲，以爲程式。「漫剪銀釭細語，此時夜短，好卸珠襦。夢影微茫艷情紆，春纖記取檀霞注。釵頭花氣，嫩香乍舒，衣韝芳澤，羅巾尚餘。柔魂待繞梨雲去。」此曲于原詞妙處，一絲不走，填詞家須如此遵譜，方能合律。非敢謂舉世皆非，而我獨是也。更有一事當注意者，前曲與後曲聯綴之處，不獨與別宮曲聯絡，有卑亢不相入之理，卽同宮同調，亦有高低不同者。同一商調也，《金梧桐》之高亢，與《二郎神》之低抑，相去不可以道里計也，故自來曲家，卒未有以此二曲聯爲一套者。《牡丹亭·冥誓》折，所用諸曲，有仙呂者，有黃鐘宮者，強聯一處，雜出無序。《納書楹》節去數曲，始合管弦。以若士之才，而疏于曲律如是，甚矣，填詞之難也！往在汴京時，見一時賢，示我新曲，其第一折第一支，卽用《桂枝香》，第二支用《宜春令》，第三支用《麻婆子》，亂次以濟，音調怪異，且使笛工每吹一曲，須換一調，唱者吹者，皆屬苦事。彼時以初交，未便指點，且反稱譽之，遂大喜而去。豈知《桂枝香》用小工調，《宜春令》用六字調，一高一低，格不相入，況《麻婆子》爲中呂急曲，有板無腔（俗名干板，又名流水板），如何與《桂枝香》、《宜春令》等慢曲，聯得下去？此理不明，并填詞亦可免勞矣。故填詞家謹守宮譜而外，第二須明曲調之高卑，庶免扣槃捫燭之誚。（三）曲中之板式宜檢也。板拍所以爲曲中之節奏，北曲無定式，視文中襯字之多少以爲衡，所謂死腔活板是也。南曲則每宮每支，除引子及《本宮賺》、《不是路》外，無一不立有定式。如仙呂宮之《河傳序》，其三十二板，《桂枝香》二十三板，其下板處各有一定不可移動之處，謂之板式（每曲第幾字下板，毫無假借）。文人善歌者少，往往不明板式之理，或任意多加襯字（襯字謂曲中不應有之字，如《八陽》第一曲第一句，應用七字韻句，今云「（收拾起）大地山河一擔裝」，此「收拾起」三字，卽襯字也）。照譜填詞，或于句首句中多加二三字者是也），以至上一板與下一板相隔太遠，遂令唱者趕板不及，甚則落腔出調者，皆填詞時不檢板式之病也。欲免此病，只有在未填詞之先，先將欲填之曲檢出，細察此曲之板式，其疏密若何。若板式至簡，或上句之末一板，與下句之第一板，中間間隔多字者，則下句之首，萬不可再加襯字矣。今姑舉一例以明之，如《仙呂桂枝香》，共十一句二十三板，《琵琶記》原詞云：「書生愚見，忒不通變。不肯坦腹東床，漫自去哀求金殿。（想）他們就里，他們就里，將人輕賤。非爹胡纏，（怕）被人傳。相府公侯女，不能嫁狀元。」第一句「書生愚見」與第二句「忒不通變」，下板處同在第一字、第四字上，而「見」字一板，與「忒」字一板，恰好相聯，故《桂枝香》第二句上，不妨加幾個襯字，歌時兩板相去甚近，盡趕得上板也。「將人輕賤」、「非爹胡纏」二句，亦然。而「被人傳」之「被」字一板，與上句「纏」字一板，又是相聯，故亦可加入襯字。「相府公侯女，不能嫁狀元」二句，其「女」字一板，與「不」字一板，又是相聯，亦可加入襯字。再以《紅梨記·桂枝香》證之，自然豁然貫通矣。《紅梨記·亭會》折云：「月圓如鏡，（好笑我）貪杯酩酊。忽聽窗外喁喁，似喚我玉人名姓。（我）魂飛魄驚，魂飛魄驚。（便欲）私窺動靜，（爭奈我）酒魂難省。（到今日）睡懵騰，（只落得）細數三更漏，（沒奈何）長吁千百聲。」詞中所用「好笑我」、「便欲」、「爭奈我」、「到今日」、「只落得」、「沒奈何」皆襯字也，而皆就板式緊密處加入之，歌者全不費力，且反有疏密清逸之致，此眞詞林老手也（《紅梨》爲明徐復祚筆，頗多俊語）。總之，板式緊密處，皆可加襯字；板式疏宕處，則萬萬不可。湯臨川作《牡丹亭》，不知此理，任意添加襯字，令歌者無從句讀。當時凌初成、馮猶龍、臧晉叔諸子，爲之改竄，雖入歌場，而文字遂遜原本十倍，此由于不知板也。故填詞家謹守宮譜而外，當知板式之疏密。（四）曲牌之套數宜酌也。南曲套數，至無一定，然自梁伯龍《江東白苧》詞後，其聯絡貫串處，又似有一定不可更改之處。大抵小齣可以不拘（所謂小齣者，爲丑淨過脈戲，俗謂之饒戲，或用《駐雲飛》數支，每支換韻者，如《長生殿·看襪》之類；或用《水底魚》數支，有換韻有不換韻，如《長生殿·陷關》之類是也），大出則全套曲牌，各有定次，前後聯串，不能倒置（若用集曲，則亦可不拘。如《獨占》之《十二紅》，散曲之《巫山十二峰》，《思鄉》之《雁魚錦》是也），作者順其次序按譜填之，不可自作聰明，致有冠履倒易之誚。惟用同牌曲四支，與《換頭》并用者，則《尾聲》可以不用矣。《琵琶》中如《規奴》之《祝英臺》四支，《梳妝》之《風雲會四朝元》四支，《登程》之《甘州歌》四支，及《紫釵》中《插釵》之《綿搭絮》四支皆是也。顧間亦有用《尾聲》者，文人筆墨歌舞之際，一時收束不來，明知破例爲之而已。蓋南曲套數之收束，全在《尾聲》之得宜。沈寧庵作《南曲譜》，其于《尾聲》，再三注意。詞人塡詞時，直至《尾聲》處，已是強弩之末，其能興會淋漓，如前所云，收束不來者，十中難見一二也。故塡詞家若欲套數得宜，牌名匀稱者，宜取元明以來傳奇、散曲效法之。所謂效法者，當擇傳奇、散曲中之佳者，如《琵琶》、《幽閨》、《浣紗》諸記，皆可效法。先將所塡曲中情節，悲歡喜怒之異，辨析清楚，然後擇定用某宮某套（如仙呂宮之《忒忒令》一套，宜清新綿邈，越調之《小桃紅》一套，宜淘寫冷笑，皆詳《南曲譜》）。再將《南詞定律》檢出所用各曲，依譜塡之，則自無位置舛錯之病矣。雖然，此特爲守定舊譜成套而言也。若欲自立新套，則《尾聲》不可不注重矣。卽如仙呂一宮，其舊套所存者尚多，如《步步嬌》、《醉扶歸》、《皂羅袍》、《好姐姐》、《尾聲》一套，或《忒忒令》一套，或《疊字錦》一套，普通所用者，不下六七套，按成例而譜之，只須畫依樣之葫蘆，不必別出心裁，但求四聲陰陽之穩愜，文字能造優美之地，則譽之者衆矣。至于自聯套數，則前後位置，頗宜斟酌，而《尾聲》平仄，尤須因時制宜，不可拘定舊式焉。余略爲聯貫數套，以宮調次之，爲學者之一助，則事逸而功倍，于詞家稍省腦力耳（學者卽就舊本套數用之，已是有餘。苟于宮調犯換之理，不甚明瞭，正不必標新立異也）。如仙呂宮，若用《八聲甘州》（聯第二換頭）、《賺》二支、《解三酲》二支，則《尾聲》應用「仄平平，平平仄，平平仄仄平平，仄仄平平平仄平」（凡《尾聲》總用十二板，無論句法若何，統計總不出此數，故又謂《十二時》又謂《意不盡》）。若用《八聲甘州》二曲、《解三酲》二曲，或單用《八聲甘州》四曲，俱不用《尾聲》。若用《河傳序》二曲、《賺》一曲、《解三酲》二曲，則《尾聲》應用「仄平平，平平仄，平平仄仄平平，仄仄平平仄仄平」。若用《木丫牙》一曲、《美中美》一曲、《油核桃》一曲，不用《尾聲》。若用《上馬踢》、《攤破月兒高》、《蠻江令》、《涼草蟲》、《蠟梅花》各一曲，不用《尾聲》。如正宮若用《傾杯序》二曲、《賺》一曲、《朱奴兒》二曲，則《尾聲》應用「平平仄仄平平仄，仄仄仄平平平仄，仄平仄平平去上」。若用《白練序》二曲、《紅芍藥》二曲，《尾聲》同前。若用《金殿喜重重》二曲、《賺》二曲、《醜奴兒》二曲，則《尾聲》應用「平平仄仄平平仄，平仄平平平仄平，仄仄平平仄仄平」。如《大石調》，若用《催拍》，以《一撮棹》收之，或用《三字令》，亦以《一撮棹》收之，俱不用《尾聲》。若用《催拍》二曲、《亭前柳》二曲、《犯越調下山虎》二曲，亦不用《尾聲》。若用《賽觀音》二曲、《人月圓》二曲，亦不用《尾聲》。如中呂調，若用《尾犯序》四曲、《鮑老催》二曲，則《尾聲》應用「平平仄，平仄平，仄仄平平仄仄，仄仄平平平仄平」。若用《尾犯序》四曲、《賺》一曲、《玉芙蓉》二曲、《刷子序》二曲，《尾聲》同前。若用《山花子》二曲、《大和佛》一曲、《舞霓裳》一曲、《紅繡鞋》一曲，《尾聲》同前。若用《駄環着》一曲、《合生》一曲、《瓦盆兒》一曲、《越恁好》一曲，《尾聲》亦同前。若用《合生》二曲、《包子令》二曲、《梅花酒》二曲，不用《尾聲》。如南呂調，若用《瑣窗寒》二曲、《太師引》二曲，不用《尾聲》。若用《石竹花》二曲、《紅衫兒》四曲，亦不用《尾聲》。如黃鐘宮，若用《漁父第一》、《刮地風》各一曲，不用《尾聲》。若《刮地風》後，再用《滴溜子》者，則《尾聲》應用「平平仄仄平平仄，仄平仄，仄仄平平，仄仄平平平仄平」。若用《燈月交輝》二曲、《賺》一曲、《鮑老催》二曲，則《尾聲》應用「平平仄仄平平仄，仄平平仄平平仄，仄仄仄平平仄」。略舉數宮爲例，蓋以見《尾聲》之不可忽也。故塡詞家謹守宮譜而外，第四當知套數之不宜隨意。以上四條，爲南曲家必須留意處，非謂以此範天下之才人也。套式之最不可遵守者，莫如李日華之《南西廂》及湯若士之玉茗「四夢」。何也？《西廂》之所以改爲南曲者，以王實甫北詞，止便于弦索，而不利于笙笛；止便于弋陽俗腔，而不利于崑調雅奏。日華卽以北詞之句讀，改作南詞之音律，可謂煞費苦心。顧以字句之勉強，本宮套中，不能聯絡者，往往借別宮調中，與北詞原文句法相類之曲（如《寄生草》改爲《江兒水》之類），任塡一曲，乃至套式前后，高亢不倫。李笠翁謂日華爲功首罪魁，至爲允當。若如玉茗「四夢」，其文字之佳，直是趙璧隋珠，一語一字，皆耐人尋味。唯其宮調舛錯，音韻乖方，動輒皆是。一折之中，出宮犯調，至少終有一二處。學者苟照此塡詞，未有不聲律怪異者。在若士家藏元曲至多，但取腕下之文章，不顧場中之點拍。若士自言曰：「吾不顧捩盡天下人嗓子。」噫！是何言也！故讀「四夢」者，但當學其文，不可效其法，此爲金玉之語。余恐《西廂》、「四夢」之貽誤人也（尤西堂目「四夢」爲南曲之野狐禪，洵然），用特表而出之。

又《論北曲作法》 南詞重板眼，北詞重弦索，此世所通知者也。惟北詞調促而辭繁，下詞至難穩愜，且襯字無定法，板式無定律，初學塡詞幾于無從入手。又不尙詞藻，專重白描，胡元方言，尤須熟悉（湯若士于胡元方言極熟，故北詞直入元人堂奧，諸家皆不能及）。句法字法，別有一種蹊徑，與南曲之溫柔典雅，大相懸絕。【略】故作南曲，詞章佳者，尚易動筆，若作北曲，則語語不可夾入詞賦話頭，以俚俗爲文雅，雖詞章才子，對此無所措手矣。試遍檢明清傳奇，南曲佳者至多，北詞佳者絕少，皆坐此病（《長生殿》中北曲，間有佳者，顧亦不多。若如《桃花扇》之《寄扇》《哀江南》，直是秦柳小詞，非北詞正格也）。非寖饋于元曲者深，則不能純任自然也（元曲有二種，一爲雜劇，一爲散套。散套尚文雅，雜劇尚本色）。【略】夫不能化俗爲雅，而僅以涂澤爲工，此《曇花》、《彩毫》諸記之所以盛行于世也。余姑將北詞中應知之理，條論如下：（一）要識曲譜。北曲之譜，較南曲爲難識，何也？南曲襯字不多，且有一定格式，一檢《南詞定律》，正襯分明，卽與他譜小有出入，而以板式較之，自無同異之可疑。雖辨體略難，固猶未甚至也。若北曲則諸家所定之譜，頗有出入，偶一校對，何去何從？清初如《大成宮譜》、《欽定曲譜》之類，雖多所發明，而按諸各家之說，其間尚費斟酌。且《嘯餘譜》、《吳騷合編》等書，其于北詞，往往不點板式，而以襯作正，以正誤襯，不一而足，令人無從遵守，故《嘯餘譜》之北曲譜，則斷斷不可從也。李玄玉之《北詞廣正譜》，徵引頗多（今坊間尚易購取），且《大成宮譜》，采擇此譜者，幾如全襲其書，學者苟無《大成譜》，則此書可作範本焉。唯識譜之法，顧亦甚難，于無可遵守之中，而思一法，則取近來時伶所熟悉諸套用之，切忌生套（謂不常見之套數也）。此其間有數便也：腔格既熟，滯齒棘喉之音，自然可免，一便也；若者爲襯，若者爲正，譜中所聚訟之處，可就腳本中工尺旁譜中決之，二便也（凡襯字，歌者必速速帶去，俗謂之搶，此南北曲皆然，唯北曲中，間有加一二板者）；板之疏密處，既可檢得，而于塡詞用襯字時，何處可增，何處可減，亦可以自行去取，三便也；工尺旁譜，既有成例，將來脫稿塡譜，卽可將此作對本子，而依字配聲，其出入變動處，得所依傍（凡塡譜必依曲文之四聲清濁陰陽，而後定工尺。詳見後第三章），四便也。雖然，此特畫依樣之葫蘆耳。至于自辨譜體，則須多看多較，纔有把握。

（二）要明務頭。務頭之說，解者紛紛。周德清《中原音韻》簡末，附論務頭一卷，洋洋數千言，而其理愈晦，究不知于意云何。周氏之言曰：「要知某調某句某字是務頭，可施俊語于其上。」據此則每一調之務頭，皆有一定之字格矣。顧周氏書中，所列之定格四十首，則又不盡然，往往注明務頭在第幾句上，似乎可以隨意爲之。且既云某調某句是務頭，要施俊語，然則凡不是務頭處，皆可放筆塡詞，潦草塞責乎？此必不然者也。李笠翁別解務頭曰：「凡一曲中最易動聽之處，是爲務頭。」此論尤難辨別。試問以笛管度曲，高低抑揚，焉有不動人聽者乎？況北詞閃賺抗墜，更較南詞易于入耳，則所謂「最易動聽」四字，亦殊無據。蓋爲此「務頭」二字，正不知絞盡多少才人心血，而迄無有渙然冰釋之一日，可謂奇矣。余尋繹再三，竭十餘年之功，始有豁然之境，乃爲之說曰：務頭者，曲中平、上、去三音聯串之處也。如七字句，則第三、第四、第五之三字，不可用同一之音。大抵陽去與陰上相連，陰上與陽平相連，或陰去與陽上相連，陽上與陰平相連亦可。每一曲中，必須有三音相連之一二語，或二音（或去、上，或去、平，或上、平，看牌名以定之），相連之一二語，此卽爲務頭處。今卽以《嘯餘譜》中所列定格四十首證之。白仁甫《寄生草》云：「長醉後方何礙，不醒時有甚思。糟腌兩個功名字，醅渰千古朝廷事，曲埋萬丈虹霓志。不達時皆笑屈原非，但知音盡說陶潛是。」詞中用「醒」、「時」二字爲陰上與陽平相連，「古朝」與「屈（作上）原」四字亦然。「有甚」二字爲陰上與陽去，「盡說陶」三字，爲陽去陰上陽平相連，皆是務頭也。又白仁甫《醉中天》云：「疑是楊妃在，怎脫馬嵬災。曾與明皇捧硯來，美臉風流殺。叵奈揮毫李白，覷着嬌態，灑松烟點破桃腮。」此詞詠佳人黑痣，文極佳妙。「馬嵬」、「與明」四字，爲陰上與陽平相連，「捧硯」爲陰上與陽去相連，「點破桃」三字，爲陰上陽去陽平相連，皆是務頭也。又宮大用《醉扶歸》云：「十指如枯笋，和袖捧金尊。搊殺銀箏字不眞，揉癢天生鈍。縱有相思淚痕，索把拳頭搵。」詞中「指如」、「殺銀」、「把拳」六字，皆爲陽上與陰平相連，「字不眞」爲陽去、陰上、陰平相連，皆是務頭也。《嘯餘譜》共有定格四十首，而取其第一、第二、第三首論之，已明晰如彼矣。以下三十七首，學者可用我說求之，則無所不合也。余故復爲之細說曰：《嘯餘譜》謂要知某調某句某字是務頭者，蓋塡詞家宜知某調某句某字是務頭也。換言之，謂當先自定以某句某字爲務頭，而爲之定去上，析陰陽也。又譜中謂可施俊語于其上者，蓋務頭上須用俊語實之，不可拘牽四聲陰陽之故，遂至文理不順也。非謂務頭上可用俊語，以外可不必用俊語也。自此理不明，學者遂各執一詞，以逞其臆說，紛紛議論，幾如聚訟，而其理愈不能明晰，洊至今日，暗室久已無燈矣。嗚呼！瞽人語日，難以指形；夏蟲語冰，焉能徵實，此所以卒無啓明之人歟？（三）要聯套數。北曲之套數，前後聯串之處，最爲謹嚴，較南曲之律爲密。南曲長套，其增減之處，苟在同宮，間可自行去取，北詞則須有依據。所謂依據，不外元人之詞，大抵排場之繁簡冷熱，悉依曲牌之多寡以爲差。（元劇中每一種劇，大半以一角色任之，蓋北詞一套，須以一人獨唱，非如南詞之不拘何人，皆可分唱也。且元劇率以四折爲斷，而此四折之曲，不可使他角色分勞。如《漢宮秋》四折，生唱到底；《玉簫女》四折，旦唱到底；其餘各種，無不如是者。故牌名之聯貫，總宜布置停匀，不致太多太少，否則少則謂之閃撒，多則謂之絮叨（閃撒，絮叨，元人方言），一則唱不夠，座客不及細聽，而已畢曲矣；一則唱不動，所謂鐵喉鋼舌，纔能蒇事是也。二者交譏，則套數要宜留意矣。元人散曲，往往有長至二十支者，此因歌者可以稍事休息，雖長不致費力。若劇中則至多不過十二三支而已。余今爲之立一定式，每宮各列二套，第一爲最多最長者，第二爲至少至短者。學者即就此二套中擇用之，而依其句法，順其四聲，自無畸重畸輕之病矣。

又《製曲·論作清曲法》 清曲作法，與作劇曲大同小異，惟格律較謹嚴而已。明中葉以後，士大夫度曲者，往往去其科白，僅歌曲詞，名曰清唱。魏良輔《曲律》中，已載之矣。元人套數，有詞無聲，遂有南曲散套之作，蓋駸駸乎如詩餘之歌法也。其作法有三：第一少借宮。傳奇中往往有本宮牌中，不能聯絡一套，而向別宮別調摘取一二曲者，如南呂借商調，中呂借般涉之類是也，清曲則不能焉。第二少重韻。傳奇中前曲與後曲，所押之韻，可以重用，名人諸作，亦不避忌也，清曲則不能也。如馬東籬《秋思》詞，張小山《春游》詞（俱見前），通套無一重韻，其嚴可知矣。第三少襯字。傳奇中無論南北諸曲，其襯貼字頗多。如臨川「四夢」，且以襯字之多，覺得愈險愈妙者，而清曲則不能也。自來名家散套，專集不可多見，其散見各家總集，若騷隱之《吳騷合編》、陳所聞之《南北宮詞紀》，不下數百家，其佳者盡多，自當以爲揣摩誦習之具，則涉筆便汩汩乎其來矣。《納書楹》所選散曲，亦有十餘套，如《烹茶》、「兀的不」、「歸來樂」諸曲，佳妙特甚，且一洗脂粉之習，至可寶也。愚嘗謂作清曲盡可發抒性靈，不必定作兒女語。明施子野《花影集》，頗合作家。若多作艷語，如王次回詩，改七薌畫，終傷大雅，故詞藻中能避去淫褻語最妙。

又《度曲》（一）五音。喉、舌、齒、牙、唇，謂之五音，此審字之法也（詳見《等韻》、《切韻》諸書）。最深者爲喉音，稍出者爲舌音，再出在兩旁牝齒間爲齒音，再出在前牡齒間爲牙音，再出在唇上爲唇音。雖分五層，其實萬殊。喉音之淺深不一，舌音之淺深亦不一，餘三音皆然。故五音之正聲皆易辨，而于交界之處則甚難。顧其界限則又井然不紊，一口之中，并無此疆彼界之別，而絲毫不可相混也。每字之聲，必有一定之格，而字形又有大小闊狹長短尖鈍之分，故每字皆有口訣，不得口訣，則大非大而小非小，出聲之際已偏，引長其音，遂不知所歌何字，而五音紊亂矣。鍊準口訣，則字字皆有歸束，如東鐘韻，東字之聲長，鐘字之聲短，蹤字之聲尖，翁字之聲鈍。又如江陽韻，江字之聲闊，臧字之聲狹，堂字之聲大，將字之聲小。細心分別，其形顯然，要在口訣不差。口訣雖不外喉、舌、齒、牙、唇，而細分之則無盡。有喉出唇收者，有喉出齒收者，不可勝計。此外又有落腮、穿牙、覆唇、挺舌、透鼻諸法。總要將此字識眞念準，審其字音在口中何處着力，則知此字必如何念法方確，而于大小、闊狹、長短、尖鈍之內，犁然居爲何等矣。人之聽此字者，無不知其爲何字，雖絲竹嗷嘈，仍復一絲不走也。（二）四呼。開、齊、撮、合，謂之四呼，此讀字之法也。開口謂之開，其用力在喉；齊齒謂之齊，其用力在齒；撮口謂之撮，其用力在唇；合口謂之合，其用力在滿口。欲讀此字，必得此字之讀法，則其字音始眞，否則終不能合度。顧此非喉、舌、齒、牙、唇之謂也？蓋喉、舌、齒、牙、唇者，字之所從生；開、齊、撮、合者，字之所從出。喉、舌、齒、牙、唇五音，各有開、齊、撮、合。故五音爲經，四呼爲緯，經緯既明，斯綱舉目張，音正調合矣。【略】每一曲中，必須如此分析明白，纔無別字。蓋工尺旁譜，僅分四聲陰陽，而出字讀字之法，全在度曲之人。五音四呼，一有紊亂，則所歌非其字矣。願世之學者，勿畏其難，一任俗工之零落夾雜，而奉爲金科玉律也。（三）四聲。平、上、去、入，謂之四聲，每聲各有陰陽，共有八聲。此八聲唱法各異，偶有不慎，往往毫釐千里之誤。聽曲者當在此注意，不可以喉音清亮，而遂擊節嘆賞也。四聲之中，平聲最長，入聲最短，故長者平聲之本象也。惟上去皆可唱長，即入聲派入三聲，亦可唱長。然則平聲之長，何以別于三聲乎？蓋平聲之音，自緩、自舒、自周、自正、自和、自靜。若上聲必有挑起之象，去聲必有轉送之象，入聲之派入三聲者，各隨所派成音。

故唱平聲，其訣尤重在出聲之際，得舒、緩、周、正、和、静之法，自與上去迥別，乃爲平聲之正音耳。至于陰陽之分，全由自行辨別。大抵陰平之腔必連續而清，歌時須一氣呵成；陽平之腔，其工譜必有二音，其第一腔須略斷，切不可連下第二腔，若既至第二腔，則又須一氣接下，直至腔格交代清楚爲止，此平聲唱法之道也。上聲唱法，亦只在出字時分別。方開口時，須略似平聲，字頭半吐，即須向上一挑，方是上聲正位。蓋上聲本從平聲來，故上聲之字頭，必從平起，若竟從上聲起，則其聲一響已竭，不能引長，迨聲竭而復拖下，則反似平聲矣。故唱上聲甚難，一吐即挑，挑後不復落下，雖其聲長唱，微近平聲，而口氣總皆向上，不落平腔，乃爲上聲之正法，此言陰上聲也。若陽上則出聲宜稍重耳。去聲唱法，總以有轉送爲主。何謂轉送？蓋出聲時不即向高，漸漸泛上而回轉本音，如橢圓之式是也。以北曲論，則用凡字音者，大半皆在去聲。以南曲論，則凡屬去聲字，總皆于收音處略高一字，俗謂之豁，凡豁之一法，必在去聲上用之。故北曲于去聲上，有六五六凡工，或五伬仩乙五者，南曲則用四尺上，或上工尺上四者，皆是也。故唱去聲，須沉着，無論陰陽，總當以轉送爲主也。入聲唱法，以斷爲最宜。所謂斷者，于字之第一腔，即鑿斷勿連，所以別于三聲也。惟陰入宜輕，陽入宜重，此須辨別而已。但北曲無入聲，而以入聲諸字，俱派入三聲，蓋以北人言語，本無入聲，故唱曲亦無入聲也。然必分派入三聲者，何也？北曲之妙，全在于此。蓋入聲本不可唱，唱而引長其聲，即是平聲。南曲唱入聲無長腔，出字即止，其間有引長其聲者，皆平聲也。何則？南曲唱法，以和順爲主，出聲拖腔之後，皆近平聲，不必四聲鑿鑿，故可稍爲假借。至北曲則平自平，上自上，去自去，字字清眞，出聲、過聲、收聲，分毫不可假借。故唱入聲，亦必審其字勢，該近何聲，及可讀何聲，派定唱法，出聲之際，歷歷分明，亦如三聲之本音不可移易，然後唱者有所執持，聽者分明辨別，此眞探微之論也。欲求字音之準，而一時或認不明晰者，則用范昆白《中州韻》，或周少霞《中州全韻》，王鵕之《音韻輯要》，皆可檢查而知。周韻又每字有出口之法，更易尋討者也。（四）出字。出字之法，分爲頭、腹、尾三種。世間有一字，即有一字之音，其音初出口時謂之頭；音既延長，而不走其聲者，謂之腹；及後收整本音，歸入原韻之音，謂之尾。例如「簫」、「蕭」二字，本音爲「蕭」，然其出口之字頭，與收音之字尾，并不是「蕭」，若出口作「蕭」，收音作「蕭」，其中間一段正音，并不是「蕭」，而反爲別一字之音矣。且出口作「蕭」，其音一泄而盡，曲之緩者，如何接得下板？故必有一字爲之頭，以備出口之用；有一字爲之尾，以備收音之用；又有一字居其中間，爲聯絡頭尾之音，即所謂腹音也。字頭爲何？「西」字是也。字尾爲何？「夭」字是也。字腹爲何？「兮」字是也。合「西、兮、夭」三字，而「蕭」字之音出矣。字字皆然，不能枚舉。《弦索辨訛》等書，載此頗詳，閱之自得。要知此等字頭、字尾及腹音，乃天造地設，自然而然，非由扭揑而成者也。其實即是反切之法，而多一腹音而已。《篇海》、《字彙》等書，逐字載有注腳，以兩字切成一字，其兩字之上一字，即爲字頭，下一字即爲字尾，惟不及腹音者，以切音爲識字之用，非如歌曲之必延長其聲，故不必及此也。無此上下二字，切不出中間一字，其爲天造地設可知。此理不明，如何唱曲？出字一錯，則一曲之中，所歌皆別字矣。語云：「曲有誤，周郎顧。」苟明此道，即遇最刻之周郎，亦不能拂情而左顧焉。又頭、腹、尾三音，皆須隱而不露，使聽者聞之，但有其音，并無其字，方爲上乘。若一有痕迹，反鈎輈格磔矣。（五）收聲。世皆知出字之法爲重，而不知收聲之法爲尤重。蓋出一字而四呼、五音、四聲無誤，則其字已的確可辨，此猶人所易知也。惟收聲之法，則不但當審之極清，尤必守之有力。自出聲之後，其口法一定，則過腔轉腔，音雖數折，而口之形與聲，所從出之氣，俱不可分毫移動。蓋聲雖同出于喉，而所着力之處，在口中各有地位，字字不同。如開口之喉音，其聲始終從喉着力，其口始終開而不合；閉口之舌音，其聲始終從舌着力，其口始終閉而不開，其餘字字皆然，斯已難矣。至收足之時則尤難。蓋放吭出聲之時，氣足而聲縱，尚可把定，至收末之時，則本字之氣將盡，而他字之音將發，勢必再換口訣，略一放松，而咿啞嗚吃之聲隨之，不知收入何宫矣。故收聲之時，必須將此字交代清楚。何謂交代？一字之音，必有頭、腹、尾三音，必將此三音洗發已盡，然後再出下一字，則字字清楚。若一字之音未盡，或已盡而未收足，或收足而于交界之處，未能劃斷，或劃斷而下字之頭，未能矯然，皆爲交代不清。況聲音愈響，則聲盡而音未盡，猶之叩百石之鐘，一叩之後，即鳴它器，則鐘聲方震，它器必若無聲。故聲愈響，則音愈長，必尾音盡而後起下字，而下字之頭，尤須用力，方能字字清澈，否則反不如聲低者之出口清楚也。凡響亮之喉宜省焉。（六）歸韻。唱曲能令人字字可辨，不但平、上、去、入四聲準，開、齊、撮、合四呼清而已也。四聲四呼，止能于出聲之時，分別字頭，使人明曉，至出字之後，引長其聲，即屬公共之響，況有絲竹一和，尤易混人。譬如簫管之音，雖極天下之良工，吹得音調明亮者，只能分別工尺，令聽者一聆而知其爲何調，斷不能吹出字面，使聽者知其爲何字也。蓋簫管止有工尺無字面，此人聲之所以可貴也。四聲四呼清，則出口之字面已正，苟不知歸韻之法，則引長之字面，仍與簫管同，故尤以歸韻爲第一。歸韻之法如何？如東鐘字，則使其聲出喉中，氣從上腭鼻竅中過，令其聲半入鼻中，半出口外，則東鐘歸韻矣。江陽則聲從兩頤中出，舌根用力，漸開其口，使其聲朗朗如叩金器，則江陽歸韻矣。支思則聲從齒縫中出，而收細其喉，徐放其氣，勿令上下齒牙相遠，則支思歸韻矣。能歸韻則雖十轉百轉，而本音始終一綫，聽者即從出字之後，驟聆其音，亦確然知爲某字也。四聲四呼者，出字之時用之；歸韻者，收字之時用之，度曲者不可不遵也。（七）曲情。唱曲之法，不但聲之宜講，而得曲之情爲尤重。蓋聲者，衆曲之所盡同，而情者一曲之所獨異。不但生旦丑净，口氣各殊，凡忠義奸邪、風流鄙俗、悲歡思慕，事各不同，使詞雖工妙，而唱者不得其情，則邪正不分，悲喜無別，即聲色絕妙，而與曲文相背，不但不能動人，反令聽者索然無味矣。然此不僅于口訣中求之也。《樂記》曰：「凡音之起，由人心生也。」必唱者設身處地，摹倣其人之性情氣象，宛若其人之自述其語，然後形容逼眞，使聽者心會神怡，若親對其人，而忘其爲度曲矣。故必先明曲中之意義曲折，則啓口之時，自不求似而自合。若世之止能尋腔依調者，雖極工亦不過樂工之末技，而不足語以感人動神之微義也。以上諸條，度曲之大旨如此矣。若妙契筌魚，而尋味于酸鹹之外，則神而明之，存乎其人，要亦不外乎此也。惟尙有一事，爲度曲家所不及知，及知之而未能盡通其症結者，則製譜之法是矣。學者唱曲之際，若遇牌名相同之曲，其上一支工尺，與下一支工尺，往往有絕然不同之處，亦嘗深知其故乎？（如《琴挑》之《懶畫眉》四支，《朝元歌》四支、又《折柳陽關》之《寄生草》四支、《解三酲》四支之類。）此即製譜之法也。每一曲牌，必有一定之腔格。而每曲所塡詞曲，僅平仄相同，而四聲、清濁、陰陽，又萬萬不能一律。故製譜者審其詞曲中每字之陰陽，而後酌定工尺，又必依本牌之腔格而斟酌之，此所以十曲十樣，而卒無一同焉者也。文人不知此理，輒以舊曲某出，作爲藍本，即用某出之工尺，以歌新詞，此眞大謬不然也。【略】別正贈。南曲之板，有正有贈。何謂正板？即每一牌中一定不易之板。如《嘯餘》、《大成》、《南詞定律》諸譜，每曲之旁有點畫者是也。其類有三：、爲頭板，乚爲腰板，一爲截板，檢舊譜即可知之。何謂贈板？即曲中句上，本可不用板，歌者欲其和緩美聽，而加贈板式，使其聲之緩弛者是也。其類亦有三：×爲頭贈板，⋉爲腰贈板，□爲浪板。頭贈、腰贈，曲中常用之，惟浪板不常用，須于曲情急促中加入之，以爲歌者換氣之地而已。南曲每曲之正板，各有定式，不可移易，雖襯字至多，而板式終不可亂也。大抵南曲一套中，其第一、第二、第三數支曲，必有贈板，入後戲情愈緊，則贈板可以不用矣。【略】製譜者須審明戲情之緩急，何曲用贈板，何曲不用贈板，然後依曲詞之字音，分別陰陽，酌定工尺，自無差謬矣。【略】分陰陽。四聲之陰陽，已見第一卷曲韻中。苟一翻檢，便易明瞭。獨曲中字音，編入工尺，須就其陰陽而定之。大抵陰聲宜先高後低，陽聲宜先低後高，無論南北諸曲，皆如是也。四聲之中，讀時以上聲爲最高，唱時以上聲爲最低。陰上尤宜遏抑，而唱時又須向上一挑，故譜陰上聲字爲尤難。去聲之陰聲，宜斟酌，要上不類陽上，下不類陽去，方爲得當。至若平、入二聲，最易辨晰。入聲宜斷，平聲宜和，此其大較也。製譜之法，最不易說明，緣細微曲折之處，非口授不明。自來文人，但知塡詞，不知訂譜，往往脫稿後，付優人樂師，爲之點拍，而已反就樂師學歌，于是自己新詞，轉向他人敎授，不亦可笑之極乎？故陰陽不分，總不能與語訂譜之道也。余既論其例，復舉二詞以爲式，以爲知音者細較焉（字旁丨爲平聲，卜爲上聲，厶爲去聲，入爲入聲。其陽聲則字上加圈，襯字則用小字）。【略】余思度曲之道，總以魏良輔《曲律》爲主，而世之未見者正多，今附錄于此。惟節取數則，不能全也。擇具最難，聲色豈能兼備？但得沙喉響潤，發于丹田者，自能耐久。若啓口拗劣，尖粗沉鬱，自非質料，勿枉費力。初學先引發其聲響，次辨別其字面，又次理正其腔調，不可混雜強記，以亂規格。如學《集賢賓》只唱《集賢賓》，學《桂枝香》只唱《桂枝香》，久久成熟，移宮換呂，自然貫串。五音以四聲爲主，四聲不得其宜，則五音廢矣。平、上、去、入，逐一考究，務得中正，如苟且舛誤，聲調自乖，雖具繞梁，終不足取。其或上聲扭做平聲，去聲混作入聲，交付不明，皆做腔賣弄之故，知者辨之。生曲貴虛心玩味，如長腔要圓活流動，不可太長，短腔要簡徑找絶，不可太短。至如過腔接字，乃關鎖之地，有遲速不同，要穩重嚴肅，如見大賓之狀。拍乃曲之餘，全在板眼分明。如迎頭板隨字而下，徹板（即腰板）隨腔而下，絶板腔盡而下。有迎頭慣打徹板，絶板混連下一字迎頭者，此皆不能調平仄之故也。曲須要唱出各樣曲名理趣，宋、元人自有體式。如《玉芙蓉》、《玉交枝》、《玉山供》、《不是路》要馳驟，《針綫箱》、《黄鶯兒》、《江頭金桂》要規矩，《二郎神》、《集賢賓》、《月雲高》、《念奴嬌序》、《刷子序》要抑揚，《撲燈蛾》、《紅繡鞋》、《麻婆子》雖疾而無腔，然而板眼自在，妙在下得匀净。北曲以遒勁爲主，南曲以宛轉爲主，各有不同。至于北曲之弦索，南曲之鼓板，猶方圓之必資于規矩，其歸重一也。故唱北曲而精于《呆骨朵》、《村里迓鼓》、《胡十八》，南曲而精于《二郎神》、《香遍滿》、《集賢賓》、《鶯啼序》，如打破兩重禪關，餘皆迎刃而解矣。如上所述，度曲製譜之法略備矣。所以論製譜之理者，以此道衰息已久，文人新詞，其被諸管弦者至少，有詞而無聲，實則不知譜也。往余少時，猶得見俞蔭甫先生。先生年八十時，曾作北曲一套，詩集中所謂「自製人間可哀曲，嗚嗚唱向草堂前」者是也。其曲全倣洪昉思《長生殿》中之《彈詞》一折，雖襯貼字面，亦多依之。既成，令優人中有名阿掌者歌之，即用昉思之譜，一字不易也。天下寧有是理乎？先生學術，爲一代泰斗，詞曲之道，本非所長。余之所以言此者，蓋以見製譜識曲之人，世不可得，苟得其人，則先生此曲，盡可另訂一譜，而惜乎當日余尚不足語于斯也。近世度曲之家，計吴門海上，不下百人，而能訂譜者，實十不得一，故于此帙，略示門徑而已。惟閉門造車，出門未必合轍，海内知音，有以匡正之，幸甚。

結　構

馮夢龍《風流夢總評》　凡傳奇最忌支離。一貼旦而又翻小姑姑，不贅甚乎？今改春香出家，即以代小姑姑，且爲認眞容張本，省卻葛藤幾許。又李全原非正戲，借作綫索，又添金主，不更贅乎？去之良是。

又《灑雪堂總評》　是記情節關鎖，緊密無痕，插科亦俱雅致，惟腳色似偏累生、旦。然古傳奇如《琵琶》、《〔金〕〔荆〕釵》，無不如此。他腳雖稀，亦自不妨見長也。

王驥德《曲律·論章法第十六》　作曲，猶造宫室者然。工師之作室也，必先定規式，自前門而廳、而堂、而樓，或三進，或五進，或七進，又自兩廂而及軒寮，以至廩庾、庖湢、藩垣、苑榭之類，前後、左右、高低、遠近，尺寸無不了然胸中，而後可施斤斲。作曲者，亦必先分段數，以何意起，何意接，何意作中段敷衍，何意作後段收煞，整整在目，而後可施結撰。此法，從古之爲文、爲辭賦、爲歌詩者皆然；於曲，則在劇戲，其事頭原有步驟；作套數曲，遂絶不聞有知此竅者，只漫然隨調，逐句湊拍，掇拾爲之，非不間得一二好語，顛倒零碎，終是不成格局。古曲如《題柳》「窺青眼」，久膾炙人口，然弇州亦訾爲牽强而寡次序，他可知矣。至閨怨、麗情等曲，益紛錯乖迕，如理亂絲，不見頭緒，無一可當合作者。是故修辭，當自鍊格始。

凌濛初《譚曲雜劄》　戲曲搭架，亦是要事，不妥則全傳可憎矣。舊戲無扭捏巧造之弊，稍有牽强，略附神鬼作用而已，故都大雅可觀。今世愈造愈幻，假托寓言，明明看破無論，即眞實一事，翻弄作烏有子虚。總之，人情所不近，人理所必無，世法既自不通，鬼謀亦所不料，兼以照管不來，動犯駁議，演者手忙腳亂，觀者眼暗頭昏，大可笑也。沈伯英構造極多，最喜以奇事舊聞，不論數種，扭合一家，更名易姓，改頭换面，而又才不足以運棹布置，掣衿露肘，茫無頭緒，尤爲可怪。環翠堂好道自命，本本有無無居士一折，堪爲齒冷，裒集故實，編造亦多，草草苟完，鼠樸自貴，總未成家，亦不足道。

毛聲山《第七才子書琵琶記總論》　最可怪者，人以《西廂》之十六折爲少，而欲續之；以《琵琶》之四十二齣爲多，而欲删之。夫誠知《西廂》之不必續，則知《琵琶》之不可删矣。鳧脛雖短，續之則傷；鶴頸雖長，斷之則悲。文之妙者，一句包得數篇，則短亦非短；數篇只如一句，則長亦非長。湯若士先生《牡丹亭》傳奇，長至五十餘折，至今膾炙人口，讀之不厭其多。近日吾友悔庵先生，有《讀離騷》、《吊琵琶》、《桃花源》、《黑白衛》等樂府數種，每種止三四折，亦復膾炙人口，讀之不覺其少，又何獨疑于《琵琶》？

李漁《閒情偶寄·結構第一》　塡詞首重音律。而予獨先結構者，以音律有書可考，其理彰明較著。【略】前人呼製曲爲「塡詞」。塡者，「布」也，猶棋枰之中，畫有定格，見一格布一子，止有黑白之分，從無出入之弊。彼用韻而我叶之，彼不用韻而我縱橫流蕩之。至于引商、刻羽，戛玉、敲金，雖曰神而明之，匪可言喻，亦由勉強而臻自然，蓋遵守成法之化境也。至于「結構」二字，則在引商刻羽之先，拈韻抽毫之始，如造物之賦形，當其精血初凝，胞胎未就，先爲制定全形，使點血而具五官百骸之勢。倘先無成局，而由頂及踵，逐段滋生，則人之一身，當有無數斷續之痕，而血氣爲之中阻矣。工師之建宅亦然，基址初平，間架未立，先籌何處建廳，何方開戶，棟需何木，梁用何材，必俟成局了然，始可揮斤運斧。倘造成一架，而後再籌一架，則便於前者不便於後，勢必改而就之，未成先毀，猶之築舍道旁，兼數宅之匠資，不足供一廳一堂之用矣。故作傳奇者，不宜卒急拈毫。袖手於前，始能疾書於後。有奇事，方有奇文。未有命題不佳，而能出其錦心，揚爲繡口者也。嘗讀時髦所撰，惜其慘澹經營，用心良苦，而不得被管絃，副優孟者，非審音協律之難，而結構全部規模之未善也。「詞采」似屬可緩，而亦置音律之前者，以有才、技之分也。文詞稍勝者，即號「才人」，音律極精者，終爲「藝士」。師曠止能審樂，不能作樂；龜年但能度詞，不能製詞。使與作樂、製詞者同堂，吾知必居末席矣。事有極細，而亦不可不嚴者，此類是也。

又《密鍼線》編戲有如縫衣，其初則以完全者剪碎，其後又以剪碎者湊成。剪碎易，湊成難。湊成之工，全在針線緊密；一節偶疎，全篇之破綻出矣。每編一折，必須前顧數折，後顧數折。顧前者，欲其照映；顧後者，便於埋伏。照映、埋伏，不止照映一人，埋伏一事，凡是此劇中有名之人，關涉之事，與前此、後此所說之話，節節俱要想到。寧使想到而不用，勿使有用而忽之。吾觀今日之傳奇，事事皆遜元人，獨於埋伏照映處，勝彼一籌。非今人之太工，以元人所長，全不在此也。若以針線論，元曲之最疎者，莫過於《琵琶》。無論大關節目，背謬甚多：如子中狀元三載，而家人不知；身贅相府，享盡榮華，不能自遣一僕，而附家報於路人；趙五娘千里尋夫，隻身無伴，未審果能全節與否，其誰證之。諸如此類，皆背理妨倫之甚者。再取小節論之。如五娘之剪髮，乃作者自爲之，當日必無其事。以有疎財仗義之張大公在，受人之託，必能忠人之事，未有坐視不顧，而致其剪髮者也。然不剪髮不足以見五娘之孝，以我作《琵琶》，《剪髮》一折亦必不能少，但須回護張大公，使之自留地步。吾讀《剪髮》之曲，並無一字照管大公，且若有心譏刺者。據五娘云：「前日婆婆沒了，虧大公周濟。如今公公又死，無錢資送，不好再去求他，只得剪髮」云云，若是，則剪髮一事，乃自願爲之，非時勢迫之使然也，奈何曲中云「非奴苦要孝名傳，只爲上山擒虎易，開口告人難」。此二語雖屬恆言，人人可道，獨不宜出五娘之口。彼自不肯告人，何以言其難也？觀此二語，不似懟怨大公之詞乎？然此猶屬背後私言，或可免於照顧；迨其哭倒在地，大公見之，許送錢米相資，以備衣衾棺槨，則感之、頌之，當有不啻口出者矣，奈何曲中又云：「只恐奴身死也兀自沒人埋，誰還你恩債？」試問：公死而埋者何人？姑死而埋者何人？對埋殮公、姑之人而自言暴露，將置大公於何地乎？且大公之相資，尚義也，非圖利也，「誰還恩債」一語，不幾抹倒大公，將一片熱腸付之冷水乎？【略】此等詞曲，幸而出自元人；若出我輩，則羣口訕之，不識置身何地矣。予非敢於譬古。既爲詞曲，立言必使人知取法，若扭於世俗之見，謂事事當法元人，吾恐未得其瑜，先有其瑕。人或非之，即舉「元人」藉口。烏知聖人千慮，必有一失；聖人之事猶有不可盡法者，況其他乎？《琵琶》之可法者原多，請舉所長以蓋短：如《中秋賞月》一折，同一月也，出於牛氏之口者，言言歡悅；出於伯喈之口者，字字凄涼。一座兩情，兩情一事，此其針線之最密者。瑕不掩瑜，何妨並舉其略。然傳奇，一事也，其中義理，分爲三項：曲也，白也，穿插聯絡之關目也。元人所長者，止居其一，曲是也；白與關目，皆其所短。吾於元人，但守其詞中繩墨而已矣。

又《減頭緒》頭緒繁多，傳奇之大病也。《荆》、《劉》、《拜》、《殺》之得傳於後，止爲一線到底，並無旁見側出之情。三尺童子，觀演此劇，皆能了了於心，便便於口，以其始終無二事，貫串只一人也。後來作者，不講根源，單籌枝節，謂多一人可增一人之事。事多則關目亦多，令觀場者如入山陰道中，人人應接不暇。殊不知戲場腳色，止此數人，使換千百箇姓名，也只此數人裝扮。止在上場之勤不勤，不在姓名之換不換。與其忽張、忽李，令人莫識從來，何如只扮數人，使之頻上、頻下，易其事而不易其人，使觀者各暢懷來，如逢故物之爲愈乎？作傳奇者，能以「頭緒忌繁」四字刻刻關心，則思路不分，文情專一，其爲詞也，如孤桐勁竹，直上無枝，雖難保其必傳，然已有《荆》、《劉》、《拜》、《殺》之勢矣。

又《變調・縮長爲短》觀場之事，宜晦不宜明。其說有二：優孟衣冠，原非實事，妙在隱隱躍躍之間。若於日間搬弄，則太覺分明，演者難施幻巧。十分音容，止作得五分。觀聽以耳目，聲音散而不聚故也。且人無論富、貴、貧、賤，日間盡有當行之事，閱之未免妨工；抵暮登場，則主客心安，無妨時失事之慮。古人秉燭夜遊，正爲此也。然戲之好者必長，又不宜草草完事，勢必闡揚志趣，摹擬神情，非達旦不能告闋。然求其可以達旦之人，十中不得一二，非迫於來朝之有事，即限於此際之欲眠，往往半部即行，使佳話截然而止。予嘗謂：好戲若逢貴客，必受腰斬之刑。雖屬謔言，然實事也。與其長而不終，無寧短而有尾，故作傳奇付優人，必先示以可長可短之法。取其情節可省之數折，另作暗號記之，遇情閑無事之人，則增入全演，否則拔而去之，此法是人皆知，在梨園亦樂於爲此。但不知減省之中，又有增益之法，使所省數折雖去若存，而無斷文截角之患者，則在秉筆之人，略加之意而已。法於所刪之下折，另增數語，點出中間一段情節，如云昨日某人來，說某話，我如何答應之類是也。或於所刪之前一折，預爲吸起，如云我明日當差某人去幹某事之類是也。如此，則數語可當一折，觀者雖未及看，實與看過無異。此一法也。予又謂：多冗之客，併此最約者亦難終場，是刪與不刪等耳。嘗見貴介命題，止索雜單，不用全本，皆爲可行卽行，不受戲文牽制計也。予謂：全本太長，零齣太短。酌乎二者之間，當倣《元人百種》之意，而稍稍擴充之，另編十折一本，或十二折一本之新劇，以備應付忙人之用。或卽將古本舊戲，用長房妙手，縮而成之。但能沙汰得宜，一可當百，則寸金丈鐵，貴賤攸分，識者重其簡貴，未必不棄長取短，另開一種風氣，亦未可知也。此等傳奇，可以一席兩本。如佳客並坐，勢不低昂，皆當在命題之列者，則一後一先，皆可爲政。是一舉兩得之法也。有暇卽當屬草，請以下里巴人爲《白雪》《陽春》之倡。

周亮工《因樹屋書影》卷一　元人作劇，專尚規格，長短既有定數，牌名亦有次第。今人任意增加，前後互換，多則連篇，少爲數闋，古法蕩然矣。惟予門人邗江王漢恭名光魯所作《想當然》，猶有元人體裁。其曲分視之則小令，合視之則大套，插入賓白則成劇，離賓白亦成雅曲，不似今人全賴賓白敷衍也。

樸齋主人《風箏誤總評》　是劇結構離奇，熔鑄工煉，掃除一切窠臼，向從來作者搜尋不到處，另辟一境，可謂奇之極，新之至矣。然其所謂奇者，皆理之極平；新者，皆事之常有。近來牛鬼蛇神之劇充塞宇內，使慶賀燕集之家，終日見鬼遇怪，謂非不足悚人觀聽，詎知家常事中，盡有絕好戲文，未經做到耶？是劇一齣，鬼怪遁形矣。

孔尚任《桃花扇小識》　傳奇者，傳其事之奇焉者也。事不奇則不傳。《桃花扇》何奇乎？妓女之扇也，蕩子之題也，游客之畫也，皆事之鄙焉者也；爲悅己容，甘剺面以誓志，亦事之細焉者也。伊其相謔，借血點而染花，亦事之輕焉者也。私物表情，密緘寄信，又事之猥褻而不足道者也。《桃花扇》何奇乎？其不奇而奇者，扇面之桃花也。桃花者，美人之血痕也。血痕者，守貞待字，碎首淋漓不肯辱于權奸者也。權奸者，魏閹之餘孽也。餘孽者，進聲色，羅貨利，結黨復仇，隳三百年之帝基者也。帝基不存，權奸安在？唯美人之血痕，扇面之桃花，嘖嘖在口，歷歷在目。此則事之不奇而奇，不必傳而可傳者也。人面耶？桃花耶？雖歷千百春，艷紅相映，問種桃之道士，且不知歸何處矣。

梁廷枏《曲話》卷二　《灰闌記》、《留鞋記》、《蝴蝶夢》、《神奴兒》、《生金閣》等劇，皆演包待制開封府公案故事，賓白大半從同；而《神奴兒》、《生金閣》兩種，第四折魂子上場，依樣葫蘆，略無差別。相傳謂扮演者臨時添造，信然。《漁樵記》劇劉二公之於朱買臣，《王粲登樓》劇蔡邕之於王粲，《舉案齊眉》劇孟從叔之於梁鴻，《凍蘇秦》劇張儀之於蘇秦，皆先故待以不情，而暗中假手他人以資助之，使其銳意進取。及至貴顯，不肯相認，然後旁觀者爲說明就裏。不特劇中賓白同一板印，卽曲文命意遣詞，亦幾如合掌。此又作曲者之故尚雷同，而非獨扮演者之臨時取辦也。《傷梅香》如一本《小西廂》，前後關目、插科打諢，皆一一照本模擬：張生以白馬解圍而訂婚姻，白生亦因挺身赴戰而預聯姻好，一同也；鄭夫人使鶯鶯拜張生爲兄，裴亦使小蠻見白而改稱兄妹，二同也；張生假館於崔而白亦借寓於裴，三同也；鶯鶯動春心不使紅娘知而紅娘自知，樊素亦逆揣主意而勸使遊園，四同也；張生琴訴衷曲，白亦琴心挑逗，五同也；張生積思成病，白亦病眠孤館，六同也；張生向紅娘訴情，白亦於樊素前盡傾肺腑，七同也；張生跪求紅娘，白亦向樊素折腰，八同也；張生倩紅傳寄錦字，素亦與白密遞情詞，九同也；鶯鶯窺簡佯怒，小蠻亦見詞罪婢，十同也；紅娘佯以不識字自解，樊素亦反問詞中所語云何，十一同也；紅見責而戲言將告夫人，樊亦被詰而詐爲出首，十二同也；鶯鶯答詩自訂佳期，小蠻亦答詩私約夜會，十三同也；張生誤以紅娘爲鶯鶯，白亦誤將樊素作小蠻，十四同也；鶯鶯燒香，小蠻亦燒香，十五同也；崔夫人拷紅，裴亦打問樊素，十六同也；紅娘堂前巧辯而歸罪於崔，樊素亦據理直權而諉過於裴，十七同也；崔夫人促張應試，裴亦使白赴京，十八同也；鶯鶯私以汗衫、裹肚寄張，小蠻亦有玉簪、金鳳贈白，十九同也；張衣錦還鄉，白亦狀元及第，二十同也。不得謂無心之偶合矣。

又卷三 《梧桐雨》與《長生殿》亦互有工拙處。《長生殿》按《長恨歌傳》爲之，刪去幾許穢跡，《梧桐雨》竟公然出自祿山之口。《長生殿・驚變》折，於深宮歡燕之時，突作國忠直入，草草數語，便爾啓行，事雖急遽，斷不至是；《梧桐雨》則中間用一李林甫得報、轉奏，始而議戰，戰既不能而後定計幸蜀，層次井然不紊。【略】紅友關目，於極細極碎處皆能穿插照應，一字不肯虛下，有匣劍帷燈之妙也。曲調於極閒極冷處，皆能細斟密酌，一句不輕放過，有大含細入之妙也。非龍梭、鳳杼，能令天衣無縫乎？紅友之論曰：「曲有音，有情，有理。不通乎音，弗能歌；不通乎情，弗能作。理則貫乎音與情之間，可以意領不可以言宣。悟此，則如破竹、建瓴，否則終隔一膜也。」今觀所著，莊而不腐，奇而不詭，艷而不淫，戲而不虐，而且宮律諧協，字義明晰，尤爲慣家能事。情、理、音三字，亦惟紅友庶乎盡之。

黃旛綽《梨園原・論戲統》 古時戲，始一出鬼門道，必先唱《紅芍藥》一詞。何也？因傳奇內必有神、佛、仙、賢、君王、臣宰及說法、宣咒等事，故先持一咒，以釋其罪；兼利諸己，隔宿昧爽，因喉音閉塞，故齊聲而揚。古製云：「太子《千秋歲》，春園《晝錦堂》。一株《紅芍藥》，開遍《滿庭芳》。」取其曲牌名爲引口詞。後人因其單薄，添《倒垂蓮》，套其體也。

楊恩壽《詞餘叢話・原文》 各本傳奇，每一長齣例用十曲，短齣例用八曲。優人刪繁就簡，只用五六曲。去留弗當，孤負作者苦心。《牡丹亭》初出，被人刪削。湯若士題刪本詩云：「醉漢瓊筵風味殊，通仙鐵笛海雲孤。總饒割就時人景，卻媿王維舊《雪圖》。」俗人慕雅，強作解人，固應醜詆也。自《桃花扇》、《長生殿》出，長折不過八支。不令再刪，庶存眞面。

又《續詞餘叢話・原文續》 《琵琶記》自毛聲山批點，推爲「七才子」，名重詞壇。凡從事倚聲者，幾奉爲不祧之祖。以余觀之，元人中如此文章，尚非無上上品。臧晉叔《元人百種》之刻，大率雜劇，多塡北曲，例止四折。獨此乃院本，衍成四十齣，耳目一新，故不覺揄揚過當。無論其詞之工拙也，即排場關目，亦多疏漏荒唐，如子中狀元三載，而家人不知；身贅相府，享盡榮華，不能自遣一僕，而附家報於路人；趙五娘千里尋夫，隻身無伴，果能全節與否，誰能證之？此外如五娘之剪髮，青蔥一握，所值幾何，而欲售去以營祭葬？不能寫其孝，徒以狀其愚。張太公，疏財仗義者也，受人之託，必能終人之事，焉有坐視不顧，致其剪髮者？即或孝婦迫切爲之，亦當回護張太公，使之自留餘地。《剪髮》之曲，並無一字照管太公。且云：「婆婆沒了，虧太公周濟。于今公公又死，無錢資送，不好再去求他，只得剪髮」云云，似此，則剪髮一事，乃自願爲之，並非求張公不允，時勢迫之使然，何以曲中又云「非奴苦要孝名傳，只爲入山擒虎易，開口告人難」也？觀此二語，似有怨懟太公之意。然猶可諉爲背後私言也。迨其哭倒在地，太公見之，許送錢米相助，以情理而論，必當感激不遑，何以曲中又云：「只恐奴身死也，兀自沒人埋，誰還你恩債？」試問翁姑死而埋者何人？對埋葬翁姑之人而自言暴露，將置太公於何地？且太公之相助，尚義也，非圖利也，「誰還恩債」一語，幾乎將太公一片熱腸，付之冰冷。此等詞曲，若近人爲之，必羣相譏諷也。李笠翁嘗謂：「《琵琶記》罅漏太多，姑舉一事概之：趙五娘于歸兩月，即別蔡邕，算至別墓、尋夫之日，不及數年，猶少婦也，身背琵琶，獨行千里，縱能守身似玉，能免旁人疑議乎？張太公重諾輕財，亦賢者也，豈不知餓死事小、失節事大，竟任少婦冒不韙之名，犯瓜李之戒？揆諸情理，俱不相宜，若欲保全其聲名，惟有遣人伴送同行，最爲周妥；但劈空添出一人，頗費筆墨。《剪髮》白云：『你先回去，我少頃就著小二送來。』是小二即太公之僕也，何不遣之伴送入京，並非節外生枝，毫無痕迹？」余向以笠翁此論最爲得體。後見笠翁改正此齣，其詞筆直欲突過東嘉。

梁啓超《小說叢話》 論曲本當首音律。余不嫻音律，但以結構之精嚴，文藻之壯麗，寄托之遙深論之，竊謂孔雲亭之《桃花扇》，冠絕前古矣。其事迹本爲數千年歷史上最大關係之事迹，惟此時代乃能產此文章。雖然，同時代之文家亦多矣，而此蟠天際地之傑構獨讓雲亭，雲亭亦可謂時代之驕兒哉！《桃花扇》卷首之《先聲》一齣，卷末之《餘韻》一齣，皆雲亭創格，前此所未有，亦後人所不能學也。一部極凄慘、極哀艷、極忙亂之書，而以極太平起，以極閑靜、極空曠結，眞有華嚴鏡影之觀。非有道之士，不能作此結構。《桃花扇》之老贊禮，雲亭自謂也。處處點綴入場，寄無限感慨。卷首之試一齣《先聲》，卷中之加二十一齣《孤吟》，卷末之續四十齣《餘韻》，皆以老贊禮作正腳色。蓋此諸出者，全書之脈絡也。其《先聲》一齣演白云：「更可喜把老夫衰態也拉上了排場，做了一個副末腳色，惹的俺哭一回，笑一回，怒一回，駡一回。那滿座賓客，怎曉得我老夫就是戲中之人！」此一語，所謂文家之畫龍點睛也。全書得此，精神便活現數倍，且使讀者加無限感動，可謂妙文。《孤吟》一齣，結詩云：「當年眞是戲，今日戲如眞；兩度旁觀者，天留冷眼人。」《餘韻》一齣演白云：「江山江山，一忙一閑；誰贏誰輸，兩鬢皆斑。」凡此皆托老贊禮之口，皆作極達觀之語。然其外愈達觀者，實其內愈哀痛、愈辛酸之表徵也。雲亭人格，于斯可見。

王國維《宋元戲曲考・古劇之結構》 宋金以前雜劇院本，今無一存。又自其目觀之，其結構與後世戲劇迥異，故謂之古劇。古劇者，非盡純正之劇，而兼有競技游戲在其中，既如前二章所述矣。蓋古人雜劇，非瓦舍所演，則于宴集用之。瓦舍之所演者，技藝甚多，不止雜劇一種；而宴集時所以娛耳目者，雜劇之外，亦尚有種種技藝。觀《宋史・樂志》、《東京夢華錄》、《夢粱錄》、《武林舊事》所載天子大宴禮節可知。即以雜劇言，其種類亦不一。正雜劇之前，有艷段，其後散段謂之雜扮（見第六章），二者皆較正雜劇爲簡易。此種簡易之劇，當以滑稽戲競技游戲充之，故此等亦時冒雜劇之名，此在後世猶然。明顧起元《客座贅語》謂：「南都萬曆以前，大席則用教坊打院本，乃北曲四大套者，中間錯以撮墊圈、舞觀音，或百丈旗，或跳隊。」明代且然，則宋金固不足怪。但其相異者，則明代競技等，錯在正劇之中間，而宋金則在其前後耳。至正雜劇之數，每次所演，亦復不多。《東京夢華錄》謂：「雜劇入場，一場兩段。」《夢粱錄》亦云：「次做正雜劇，通名兩段。」《武林舊事》（卷一）所載「天基聖節排當樂次」，亦皇帝初坐，進雜劇二段，再坐，復進二段。此可以例其餘矣。腳色之名，在唐時只有參軍、蒼鶻，至宋而其名稍繁。《夢粱錄》（卷十二）云：「雜劇中末泥爲長，每一場四人或五人。【略】末泥色主張，引戲色分付，副淨色發喬，副末色打諢。或添一人，名曰裝孤。」《輟耕錄》（卷二十五）所述略同。唯《武林舊事》（卷一）所載「乾淳教坊樂部」中，雜劇三甲，一甲或八人或五人。其所列腳色五，則有戲頭而無末泥，有裝旦而無裝孤，而引戲、副淨、副末三色則同，唯副淨則謂之次淨耳。《夢粱錄》云：「雜劇中末泥爲長。」則末泥或即戲頭；然戲頭、引戲，實出古舞中之舞頭、引舞，（唐王建宮詞：「舞頭先拍第三聲」，又：「每過舞頭分兩向」，則舞頭唐時已有之。《宋史・樂志》有引舞，亦謂之引舞頭。《樂府雜錄・傀儡》條有引歌舞者郭郎，則引舞亦始于唐也。）則末泥亦當出于古舞中之舞末。《東京夢華錄》（卷九）云：「舞旋多是雷中慶，舞曲破擷前一遍，舞者入場，至歇拍，一人入場，對舞數拍，前舞者退，獨後舞者終其曲，謂之舞末。」末之名當出于此。又長言之則爲末泥也。淨者，參軍之促音。宋代演劇時，參軍色手執竹竿子以勾之（見《東京夢華錄》卷九），亦如唐代協律郎之舉麾樂作，偃麾樂止相似，故參軍亦謂之竹竿子。由是觀之，則末泥色以主張爲職，參軍色以指麾爲職，不親在搬演之列。故宋戲劇中淨、末二色，反不如副淨、副末之著也。唐之參軍、蒼鶻，至宋而爲副淨、副末二色。夫上既言淨爲參軍促音，兹何故復以副淨爲參軍也？曰：副淨本淨之副，故宋人亦謂之參軍。《夢華錄》中執竹竿子之參軍，當爲淨；而第二章滑稽劇中所屢見之參軍，則副淨也。此說有徵乎？曰：《輟耕錄》云：「副淨古謂之參軍，副末古謂之蒼鶻，鶻能擊禽鳥，末可打副淨。」此說以第二章所引《夷堅志》（丁集卷四）、《程史》（卷七）、《齊東野語》（卷十三）諸事證之，無乎不合；則參軍之爲副淨，當可信也。故淨與副末，始見于宋末諸書；而副淨與副末，則北宋人著述中已見之。黃山谷《鼓笛令》詞云：「副靖傳語木大，鼓兒裏且打一和。」王直方《詩話》（《苕溪漁隱叢話》前集卷二十引）載：「歐陽公致梅聖俞簡云：『正如雜劇人，上名下韵不來，須副末接續。』」凡宋滑稽劇中，與參軍相對待者，雖不言其爲何色，其實皆爲副末。此出于唐代參軍與蒼鶻之關係，其來已古。而《夢粱錄》所謂末泥色主張，引戲色分付，副淨色發喬，副末色打諢，此四語實能道盡宋代腳色之職分也。主張、分付，皆編排命令之事，故其自身不復演劇。發喬者，蓋喬作愚謬之態，以供嘲諷；而打諢，則益發揮之以成一笑柄也。試細玩第二章所載滑稽劇，無在不可見發喬打諢二者之關係。至他種雜劇，雖不知如何，然謂副淨、副末二色，爲古劇中最重之腳色，無不可也。至裝孤、裝旦二語，亦有可尋味者。元人腳色中有孤有旦，其實二者非腳色之名。孤者，當時官吏之稱。旦者，婦女之稱。其假作官吏婦女者，謂之裝孤、裝旦則可；若徑謂之孤之與旦，則已過矣。孤者，當以帝王官吏自稱孤寡，故謂之孤；且與妲不知其義。然《青樓集》謂張奔兒爲風流旦，李嬌兒爲溫柔旦，則旦疑爲宋元倡伎之稱。優伶本非官吏，又非婦人，故其假作官吏婦人者，謂之裝孤、裝旦也。要之，宋雜劇、金院本二目所現之人物，若妲，若旦，若徠，則示其男女及年齒；若孤，若酸，若爺老，若邦老，則示其職業及位置；若厥，若偌，則示其性情舉止(其解均見拙著《古劇角色考》)；若哮，若鄭，若和，雖不解其義，亦當有所指示。然此等皆有某腳色以扮之，而其自身非腳色之名，則可信也。宋雜劇、金院本二目中，多被以歌曲。當時歌者與演者，果一人否，亦所當考也。滑稽劇之言語，必由演者自言之。至自唱歌曲與否，則當視此時已有代言體之戲曲否以爲斷。若僅有叙事體之曲，則當如第四章所載史浩《劍舞》，歌唱與動作，分爲二事也。綜上所述者觀之，則唐代僅有歌舞劇及滑稽劇，至宋、金二代而始有純粹演故事之劇。故雖謂眞正之戲劇，起于宋代無不可也。然宋金演劇之結構，雖略如上，而其本則無一存。故當日已有代言體之戲曲否，已不可知。而論眞正之戲曲，不能不從元雜劇始也。

又《元劇之結構》 元劇以一宮調之曲一套爲一折。普通雜劇，大抵四折，或加楔子。案《說文》(六)：「楔，櫼也。」今木工于兩木間有不固處，則斲木札入之，謂之楔子，亦謂之櫼。雜劇之楔子亦然。四折之外，意有未盡，則以楔子足之。昔人謂北曲之楔子，卽南曲之引子，其實不然。元劇楔子，或在前，或在各折之間，大抵用《仙呂·賞花時》或《端正好》二曲。唯《西廂記》第二劇中之楔子，則用《正宮·端正好》全套，與一折等，其實亦楔子也。除楔子計之，仍爲四折。唯紀君祥之《趙氏孤兒》，則有五折，又有楔子，此爲元劇變例。又張時起之《賽花月鞦韆記》，今雖不存，然據《錄鬼簿》所紀，則有六折。此外無聞焉。若《西廂記》之二十折，則自五劇構成，合之爲一，分之則仍爲五。此在元劇中亦非僅見之作。如吳昌齡之《西游記》，其書至國初尚存，其著錄于《也是園書目》者云四卷，見于曹寅《楝亭書目》者云六卷，明淩濛初《西廂序》云「吳昌齡《西游記》有六本」，則每本爲一卷矣。淩氏又云：「王實甫《破窰記》、《麗春園》、《販茶船》、《進梅諫》、《于公高門》，各有兩本。關漢卿《破窰記》、《澆花旦》，亦有二本。」此必與《西廂記》同一體例。此外《錄鬼簿》所載：如李文蔚有《謝安東山高卧》，下注云：「趙公輔次本」，而于趙公輔之《晉謝安東山高卧》下，則注云：「次本」。武漢臣有《虎牢關三戰呂布》，下注云：「鄭德輝次本」，而于鄭德輝此劇下，則注云：「次本」。蓋李、武二人作前本，而趙、鄭續之，以成一全體者也。餘如武漢臣之《曹伯明錯勘贓》，尙仲賢之《崔護謁漿》，趙子祥之《太祖夜斬石守信》、《風月害夫人》，趙文殷之《宦門子弟錯立身》，金仁傑之《蔡琰還朝》，皆注「次本」。雖不言所續何人，當亦續《西廂記》之類。然此不過增多劇數，而每劇之以四折爲率，則固無甚出入也。雜劇之爲物，合動作、言語、歌唱三者而成。故元劇對此三者，各有其相當之物。其紀動作者，曰科；紀言語者，曰賓，曰白；紀所歌唱者，曰曲。元劇中所紀動作，皆以科字終。後人與白并舉，謂之科白，其實自爲二事。《輟耕錄》紀金人院本，謂教坊魏、武、劉三人，鼎新編輯，魏長于念誦，武長于筋斗，劉長于科泛。科泛或卽指動作而言也。賓白，則余所見周憲王自刊雜劇，每劇題目下，卽有全賓字樣。明姜南《抱璞簡記》(《續說郛》卷十九)曰：「北曲中有全賓全白。兩人相說曰賓，一人自說曰白。」則賓白又有別矣。臧氏《元曲選序》云：「或謂元取士有塡詞科，【略】主司所定題目外，止曲名及韵耳。其賓白，則演劇時伶人自爲之，故多鄙俚蹈襲之語。」塡詞取士說之妄，今不必辨。至謂賓白爲伶人自爲，其說亦頗難通。元劇之詞，大抵曲白相生；苟不兼作白，則曲亦無從作，此最易明之理也。今就其存者言之，則《元曲選》中百種，無不有白，此猶可諉爲明人之作也。然白中所用之語，如馬致遠《薦福碑》劇中之「曳剌」，鄭光祖《王粲登樓》劇中「點湯」，一爲遼金人語，一爲宋人語，明人已無此語，必爲當時之作無疑。至《元刊雜劇三十種》，則有曲無白者誠多；然其與《元曲選》復出者，字句亦略相同，而有曲白相生之妙，恐坊間刊刻時，删去其白，如今日坊刊腳本然。蓋白則人人皆知，而曲則聽者不能盡解。此種刊本，當爲供觀劇者之便故也。且元劇中賓白，鄙俚蹈襲者固多；然其傑作如《老生兒》等，其妙處全在于白。苟去其白，則其曲全無意味。欲強分爲二人之作，安可得也？且周憲王時代，去元未遠，觀其所自刊雜劇，曲白俱全；則元劇亦當如此。愈以知臧說之不足信矣。元劇每折唱者，止限一人，若末，若旦；他色則有白無唱。若唱，則限于楔子中；至四折中之唱者，則非末若旦不可。而末若旦所扮者，不必皆爲劇中主要人物；苟劇中主要人物，于此折不唱，則亦退居他色；而以末若旦扮唱者，此一定之例也。然亦有出于例外者，如關漢卿之《蝴蝶夢》第三折，則旦之外，徠兒亦唱；尙仲賢之《氣英布》第四折，則正末扮探子唱，又扮英布唱；張國賓之《薛仁貴》第三折，則丑扮禾旦上唱，正末復扮伴哥唱；范子安之《竹葉舟》第三折，則首列御寇唱，次正末唱。然《氣英布》劇探子所唱，已至《尾聲》，故元刊本及《雍熙樂府》所選，皆至《尾聲》而止，後三曲或後人所加。《蝴蝶夢》、《薛仁貴》中，徠及丑所唱者，既非本宮之曲，且刊本中皆低一格，明非曲。《竹葉舟》中，列御寇所唱，明曰道情，至下《端正好》曲，乃入正劇。蓋但以供點綴之用，不足破元劇之例也。唯《西廂記》第一、第四、第五劇之第四折，皆以二人唱。今《西廂》只有明人所刊，其爲原本如此，抑由後人竄入，則不可考矣。元劇角色中，除末、旦主唱，爲當場正色外，則有淨有丑。而末、旦二色，支派彌繁。今舉其見于元劇者，則末，有外末、冲末、二末、小末；旦，有老旦、大旦、小旦、旦徠、色旦、搽旦、外旦、貼旦等。《青樓集》云：「凡妓以墨點破其面爲花旦」，元劇中之色旦、搽旦，殆卽是也。元劇有外旦、外末，而又有外；外則或扮男，或扮女，當爲外末、外旦之省。外末，外旦之省爲外，猶貼旦之後省爲貼也。案《宋史・職官志》：「凡直館院則謂之館職，以他官兼者謂之貼職。」又《武林舊事》（卷四）「乾淳教坊樂部」，有衙前，有和顧，而和顧人中，如朱和、蔣寧、王原全下，皆注云「次貼衙前」，意當與貼職之貼同，卽謂非衙前而充衙前（衙前謂臨安府樂人）也。然則曰冲、曰外、曰貼，均係一義，謂于正色之外，又加某色，以充之也。此外見于元劇者，以年齡言，則有若孛老、卜兒、徠兒；以地位職業言，則有若孤、細酸、伴哥、禾旦、曳刺、邦老，皆有某色以扮之；而其身則非腳色之名，與宋金之腳色無異也。元劇中歌者與演者之爲一人，固不待言。毛西河《詞話》，獨創異說，以爲演者不唱，唱者不演。然《元曲選》各劇，明云末唱、旦唱，《元刊雜劇》亦云「正末開」、「正末放」，則爲旦、末自唱可知。且毛氏連廂之說，元明人著述中從未見之，疑其言猶蹈明人杜撰之習。卽有此事，亦不過演劇中之一派，而不足以概元劇也。演劇時所用之物，謂之砌末。焦理堂《易餘籥錄》（卷十七）曰：「《輟耕錄》有諸雜砌之目，不知所謂。按元曲《殺狗勸夫》，只從取砌末上，謂所埋之死狗也。《貨郎旦》外旦取砌末付淨科，謂金銀財寶也。《梧桐雨》正末引宮娥挑燈拿砌末上，謂七夕乞巧筵所設物也。《陳摶高卧》外扮使臣引卒子捧砌末上，謂詔書纁帛也。《冤家債主》和尚交砌末科，謂銀也。《誤入桃源》正末扮劉晨，外扮阮肇帶砌末上，謂行李包裹或採藥器具也。又淨扮劉德引沙三、王留等將砌末上，謂春社中羊酒紙錢之屬也。」余謂焦氏之解砌末是也。然以之與雜砌相牽合，則頗不然。雜砌之解，已見上文，似與砌末無涉。砌末之語，雖始見元劇，必爲古語。案宋無名氏《續墨客揮犀》（卷七）云：「問今州郡有公宴，將作曲，伶人呼細末將來，此是何義？對曰：凡御宴進樂，先以弦聲發之，然後衆樂和之，故號絲抹將來。今所在起曲，遂先之以竹聲，不唯訛其名，亦失其實矣。」又張表臣《珊瑚鉤詩話》（卷二）亦云：「始作樂必曰絲末將來，亦唐以來如是。」余疑砌末或爲細末之訛，蓋絲抹一語，既訛爲細末，其義已亡，而其語獨存，遂誤視爲將某物來之意，因以指演劇時所用之物耳。

吳梅《顧曲麈談・製曲・論作戲法》結構宜謹嚴。塡詞之道，如行文然，必須規矩局度，整齊不紊，則一部大文，始終潔淨，讀之者雖覺山重水複，而岡巒起伏，自有回顧紆徐之致。數十齣中，一齣不能删，一齣不可加，關目雖多，綫索自晰，斯爲美也。故塡詞者，在引商刻羽之先，拈韻抽毫之始，須將全部綱領，布置妥帖，何處可加饒折，何處可設節目，角色分配，如何可以勻稱，排場冷熱，如何可以調劑，通盤籌算，總以脈絡分明，事實離奇爲要。譬如造物之賦形，當其精血初凝，胞胎未就，先爲制定全形，使點血而具五官百骸之勢。倘先無成局，而由頂及踵，逐段滋生，則人之一身，當有無數斷續之痕，而血氣爲之中阻矣。【略】有奇事方有奇文，未有命題不佳，而能出其錦心，揚爲繡口者也。嘗讀近人傳奇，惜其慘澹經營，用心良苦，而終不能被管弦付優孟者，非審音協律之難，而結構全部規模之未盡善耳。【略】立主腦。傳奇主腦，總在生旦，一切他色，止爲此一生一旦之供給。一部劇中，有無數人名，究竟都是陪客。原其初心，止爲一人而設；卽其一人之身，自始至終，又有無限情由，無窮關目，究竟都是衍文。原其初心，又止爲一事而設。此一人一事，卽所謂傳奇之主腦也。然必此一人一事，果然奇特，確有可傳，則不愧傳奇之目，而其人其事與作者姓名，皆堪千古矣。【略】試觀《桃花扇》，全部記明季時事，頭緒雖多，而繫年記月，通本無一折可删，且所紀皆是實錄，尤可作南都信史觀，所謂六轡在手，一塵不驚也。余嘗謂《桃花扇》爲曲中異軍，亡友黃摩西，以爲至言。後人作劇，但知爲一人而作，不知爲一事而作，又不知敷設許多他事，卽爲此一事而作。于是假托神怪，或糅雜鬼魅，若《雙珠》之投淵遇神，《獅吼》之遍游地獄。六尺氍毹，人鬼參半，皆由好奇之心太過，山窮水盡，不得不設一幻境，以便生旦當場團圓，實則綫索未清，補救不來而已。余謂與其作傳奇，而捉襟露肘，毋寧作雜劇，而點筆成金。若徐天池之《四聲猿》，楊笠湖之《吟風閣》，何嘗不膾炙人口，必欲勉成四十齣，東塗西抹，如不繫之舟，無梁之屋，亦甚無謂也。【略】密針綫。傳奇全本，統計不下數十折，此數十折中，關目孔多，事實頗煩，而于起伏照應之處，須如草蛇灰綫，令人無罅隙之可尋，無縫天衣，不着一針綫痕迹，方是妙文。昔人謂作劇如作衣，其初則以完全者剪碎，其後則以剪碎者，使之合成，此眞至理名言也。即如《西廂》，不先將鄭恆安置妥帖，直至憤爭婚姻，觸階而死，殊于情理不合。《琵琶記》尤甚：子中狀頭，三載而家人不知；身贅相府，享盡繁華，不能自遣一僕，而附家書于路人；陳留至洛陽，僅有數百里，而輒云萬里家山，此尤背謬之至者也。古人尚有此失，今人可勿留意！是以作傳奇者，須將全部關目，通身布置周到，其起伏照應，一如作一篇文字然，骨肉停勻，情理周到，而後施以詞藻，則華實交茂矣。減頭緒。頭緒繁多，曲之大病也。試思觀劇者，于一日半日之間，而欲明此劇中情節，全在一綫到底，無旁見側出之情，則孰主孰賓，一覽而知矣。若喜設關目，多添角色，則通部前後，或有照應不及之處，而綫索紊矣。綫索既紊，將使觀場者茫然不知其事之始末。且劇中止有生、旦、淨、丑諸角目，苟關目一多，則人數亦不能少，而場上脚色止此數人，上場下場，又易與主任脚色(即一劇中之主人翁)相混，而通本反覺模糊不清矣。

無名氏《謝金蓮詩酒紅梨花評語》 沒照應，沒關合，擘頭說起，驀地結煞，似不宜于時目也。然一種雋永之味，如太羹玄酒，如布帛菽粟，令人于沖淡中愈咀嚼，愈覺有味，則非元人伎倆不能。

金兆燕《旗亭記凡例》 有奇可傳，乃爲塡詞，雖不妨于傅會，最忌出情理之外。《西樓記》于撮合不來之時，突出一須長公，殺無罪之妾，以劫人之妾，而贈淬水之友以爲妻，結構至此，不謂之苦海得乎！傳奇之難，不難于塡詞，而難于結構。生旦必無雙之選，波瀾有自然之妙，串插要無痕迹，前後須有照應，脚色幷令擅長場面，毋過冷淡將圓，更生文情收煞，毫毛剩義。具玆數美，乃克雅俗共賞。若夫淸詞麗句，宛轉關生，當世固不乏雋才，而別裁僞體，以親風雅，亦未易數之覯也。

技巧

周德清《中原音韻》 作詞十法：一、造語。可作樂府語、經史語、天下通語。未造其語，先立其意；語意俱高爲上。短章辭既簡，意欲盡；長篇要腰腹飽滿，首尾相救。造語必俊，用字必熟，太文則迂，不文則俗；文而不文，俗而不俗，要聳觀，又聳聽，格調高，音律好，襯字無，平仄穩。不可作俗語、蠻語、謔語、嗑語、市語、方語、全句語、拘肆語、張打油語、雙聲疊韻語、六字三韻語，又語病、語澀、語粗、語嫩，皆所當避。二、用事。明事隱使，隱事明使。三、用字。生硬字、太文字、太俗字及襯墊字太長者，皆所當避。四、陰陽。如同一東韻也，輕如東、鐘、松、沖之類爲陰，重如同、戎、龍、窮之類爲陽。喚押轉點，各有宜用。五、務頭。要知某調、某句、某字是務頭，可施俊語于其上，後注于定格各調內。六、對偶。有扇面對、重疊對、救尾對。七、末句。詩頭曲尾是也。如得好句，其句意盡，可爲末句。八、去上。去平屬第二着，切不可上平。九、定格。如仙呂、中呂、南呂、正宮、商調、越調、雙調。十、套數。

陶宗儀《南村輟耕錄·作今樂府法》 喬孟符(吉)博學多能，以樂府稱。嘗云：「作樂府亦有法，曰『鳳頭、豬肚、豹尾』六字是也。大概起要美麗，中要浩蕩，結要響亮；尤貴在首尾貫穿，意思淸新。苟能若是，斯可以言樂府矣。」此所謂樂府，乃今樂府，如《折桂令》、《水仙子》之類。

楊維禎《周月湖今樂府序》 士大夫以今樂成鳴者，奇巧莫如關漢卿、庾吉甫、楊淡齋、盧蘇齋，豪爽則有如馮海粟、滕玉霄，蘊藉則有如貫酸齋、馬昂父。其體裁各異，而宮商相喧，皆可被于絲竹者也。繼起者不可枚舉，往往泥文采者失音節，諧音節者虧文采，兼之者實難也。夫詞曲本古詩之流，既以樂府名編，則宜有風雅餘韻在焉。苟專逐時變、競俗餞，不自知其流于街談市諺之陋，而不見夫錦臟繡腑之爲懿也，則亦何取于今之樂府可被于弦竹者哉？

徐渭《南詞叙錄》 以時文爲南曲，元末、國初未有也，其弊起於《香囊記》。《香囊》乃宜興老生員邵文明作，習《詩經》，專學杜詩，遂以二書語句勻入曲中，賓白亦是文語，又好用故事作對子，最爲害事。夫曲本取於感發人心，歌之使奴童婦女皆喻，乃爲得體；經、子之談，以之爲詩且不可，況此等耶？直以才情欠少，未免輳補成篇。吾意與其文而晦，曷若俗而鄙之易曉也？《香囊》如教坊雷大使舞，終非本色，然有一二套可取者，以其人博記，又得錢西清、杭道卿諸子幫貼，未至瀾倒。至於效顰《香囊》而作者，一味孜孜汲汲，無一句非前場語，無一處無故事，無復毛髮宋、元之舊。三吳俗子，以爲文雅，翕然以教其奴婢，遂至盛行。南戲之厄，莫甚於今。塡詞如作唐詩，文既不可俗，又不可(不)自有一種妙處，要在人領解妙悟，未可言傳。名士中有作者，爲予誦之。予曰：「齊、梁長短句詩，非曲子何也？」其詞麗而晦。【略】最喜用事當家，最忌用事重沓及不著題。枝山《燕曲》云：「蘇小道：『伊不管流年，把春色銜將去了，卻飛入昭陽姓趙。』」兩事相聯，殊不覺其重複，此豈尋常所及？末「趙」字，非靈丹在握，未易鎔液。予竊愛而效之，《宮詞》云「羅浮少個人兒趙」，恨不及也。晚唐、五代，塡詞最高，宋人不及。何也？詞須淺近，晚唐詩文最淺，鄰于詞調，故臻上品；宋人開口便學杜詩，格高氣粗，出語便自生硬，終是不合格，其間若淮海、耆卿、叔原輩，一二語入唐者有之，通篇則無有。無人學唐詩，亦淺近婉媚，去詞不甚遠，故曲子絕妙。《四朝元》、《祝英臺》之在《琵琶》者，唐人語也，使杜子撰一句曲，不可用，況用其語乎？

又《崑崙奴題辭》 此本于詞家可占立一腳矣，殊爲難得。但散白太整，未免秀才家文字語及引傳中語，都覺未入家常自然。至于曲中引用成句，白中集古句，俱切當，可謂挐風搶雨手段。閩南北本以百計，無處着老僧棒喝。得梅叔此本，欲折磨成一菩薩。倘梅叔聞之，不知許我作一渡彼岸梢公否？王方平有云：「吾鞭不可妄得也。」一笑，一笑。梅叔《崑》劇已到鵲竿尖頭，直是弄把喜戲一好漢，倘可攛掇者直撒手一着耳。語入要緊處，不可着一毫脂粉，越俗越家常越警醒，此纔是好水碓，不雜一毫糖衣，眞本色。若于此一恧縮打扮，便涉分該婆婆猶作新婦少年哄趨所在，正不入老眼也。至散白與整白不同，尤宜俗宜眞，不可着一文字，與扭捏一典故事，及截多補少，促作整句。錦糊燈籠，玉鑲刀口，非不好看，討一毫明快，不知落在何處矣！此皆本色不足，仗此小做作以媚人，而不知誤入野狐，作嬌冶也。凡語入緊要處，略着文采，自謂動人，不知減卻多少悲歡，此是本色不足者，乃有此病。乃如梅叔造詣，不宜隨衆趨逐也。點鐵成金者，越俗、越雅、越淡薄、越滋味，越不扭捏動人，越自動人。務濃鬱者，如爨雜牲，而炙以蔗漿，非不甘旨，卻頭頭不切當，不痛快，便須報一食單。散白尤忌文字文句及扭捏，使句整齊，以爲脫舊套，此因小失大也，令人不知痛癢如痲痹然，且妨照應□韻險處語，尤要天然。

又《西廂記題辭》 世事莫不有本色，有折(相)色。本色猶俗言正身也，折(相)色替身也。替身者，卽書評中婢作夫人，終覺羞澀之謂也。婢作夫人者，欲塗抹成主母而多插帶，及掩其素之謂也。故余于此本中賤折(相)色，貴本色。衆人嘖嘖者，我悠悠也，豈惟劇哉！凡作者莫不如此。嗟哉！吾誰與語？衆人所忽余獨詳，衆人所旨余獨唾。嗟哉！吾誰與語？

李贄《焚書·雜說》 《拜月》、《西廂》，化工也；《琵琶》，畫工也。夫所謂畫工者，以其能奪天地之化工，而其孰知天地之無工乎？今夫天之所生，地之所長，百卉具在，人見而愛之矣，至覓其工，了不可得，豈其智固不能得之歟！要知造化無工，雖有神聖，亦不能識知化工之所在，而其誰能得之？由此觀之，畫工雖巧，已落二義矣。文章之事，寸心千古，可悲也夫！且吾聞之，追風逐電之足，決不在于牝牡驪黃之間；聲應氣求之夫，決不在于尋行數墨之士；風行水上之文，決不在于一字一句之奇。若夫結構之密，偶對之切，依于理道，合乎法度，首尾相應，虛實相生，種種禪病皆所以語文，而皆不可以語于天下之至文也。雜劇院本，游戲之上乘也。《西廂》、《拜月》，何工之有？蓋工莫工于《琵琶》矣。彼高生者，固已殫其力之所能工，而極吾才于旣竭。惟作者窮巧極工，不遺餘力，是故語盡而意亦盡，詞竭而味索然亦隨以竭。吾嘗攬琵琶而彈之矣，一彈而嘆，再彈而怨，三彈而向之怨嘆無復存者。此其故何耶？豈其似眞非眞，所以入人之心者不深耶！蓋雖工巧之極，其氣力限量只可達于皮膚骨血之間，則其感人僅僅如是，何足怪哉！《西廂》、《拜月》乃不如是。意者宇宙之內，本自有如此可喜之人，如化工之于物，其工巧自不可思議爾。且夫世之眞能文者，比其初皆非有意于爲文也。其胸中有如許無狀可怪之事，其喉間有如許欲吐而不敢吐之物，其口頭又時時有許多欲語而莫可所以告語之處，蓄極積久，勢不能遏。一旦見景生情，觸目興嘆，奪他人之酒杯，澆自己之壘塊，訴心中之不平，感數奇于千載。既已噴玉唾珠，昭回雲漢，爲章于天矣。遂亦自負，發狂大叫，流涕慟哭，不能自止。寧使見者聞者切齒咬牙，欲殺欲割，而終不忍藏於名山，投之於水火。余覽斯記，想見其爲人，當其時必有大不得意于君臣朋友之間者，故借夫婦離合因緣以發其端。于是焉喜佳人之難得，羨張生之奇遇，比雲雨之翻覆，嘆今人之如土。其尤可笑者，小小風流一事耳，至比之張旭、張顛、羲之、獻之而又過之。堯夫云：「唐虞揖讓三杯酒，湯武征誅一局棋。」夫征誅揖讓何等也，而以一杯一局覷之，至渺小矣！嗚呼！今古豪傑，大抵皆然。小中見大，大中見小，「舉一毛端建寶王刹，坐微塵裏轉大法輪」。此自至理，非干戲論。倘爾不信，中庭月下，木落秋空，寂寞書齋，獨自無賴，試取琴心一彈再鼓，其無盡藏不可思議，工巧固可思也。嗚呼！若彼作者，吾安能見之歟！

無名氏《紫釵記總評》 一部《紫釵》，都無關目，實實塡詞，呆呆度曲，有何波瀾，有何趣味。臨川判《紫簫》云：此案頭之書，非臺上之曲。余謂《紫釵》，猶然案頭之書也，可爲臺上之曲乎。傳奇自有曲白介諢，《紫釵》止有曲耳，白殊可厭也。諢間有之，不能開人笑口。若所謂介，作者尚未夢見在，可恨可恨。凡樂府家，詞是肉，介是筋骨，白諢是顏色。如《紫釵》者，第有肉耳，如何轉動？卻不是一塊肉尸而何？此詞家所大忌也。不意臨川，乃亦犯此。【略】或曰：子謂《紫釵》，有曲白而無介諢，大非元人妙技。向嘗見董解元《西廂》，亦有曲白而無介諢者也，此又何說？曰：臨川序中，已言之矣，是案頭之書，非臺上之曲也。雖然，亦不可概論，如董解元《西廂》，姿態橫生，風情迭出。試檢《紫釵》，亦復有此否？不過詩詞富麗，俗眼遂爲其所瞞耳。曾讀過江曲子，如辨臨川，與董解元天淵處也。

王思任《王季重十種・雜序・王實甫西廂序》 《西廂》譜元微之事，凡數本，俱可觀，而王實甫獨登峰造極。凡曲皆生首，《西廂》獨首鄭及鶯，以爲有天姥之教，而後發塗山之歌，誨子夜之造也。不從老陰少陰生耦，則無以起奇也。兒女之情，千曲萬曲，非厭襲可嘔，卽暝幻不情，間有文章綜錯，不過山異海肴，斷不能出粱肉之上。蓋味至粱肉，所謂無以尚之，是造物者設味之極思也，此書何以異此！思起于佛殿，終于草橋。既至草橋，亦可罷得，而無已之求，實甫實有以侈之。然觀其詞章變化高妙，入聖通神，上至九天，下至九淵，而終不出其位。或者實甫身有此事，而借微之以極其思，未可知也。雖然，思之既得，又不如其未得就歡，而後賴有夢思。善讀《西廂》者，把臂入林，只當以酒澆之，躍起三尺曰：天壤之間，乃有實甫。

又《批點玉茗堂牡丹亭詞敍》 火可畫，風不可描；冰可鏤，空不可斡。蓋神君氣母，別有追似之手，庸工不與耳。古今高才，莫高于《易》。「易者，象也；象也者，像也。」其次則五經遞廣之，此外能言其所像人亦不多，左丘明、宋玉、蒙莊、司馬子長、陶淵明、老杜、大蘇、羅貫中、王實甫，我明王元美、徐文長、湯若士而已。若士時文既絕，古文詞、詩歌、尺牘，元貴浩鮮，妙處夥頤。然稟胎江右，開乳六朝，頳糟粉肉，響屧板袍之意，時或有之。至其傳奇，靈洞，散活，尖酸，史因子用，元以古行，筆筆風來，層層空到。卽若士自謂一生「四夢」，得意處惟在《牡丹》。情深一敍，讀未三行，人已魂銷肌栗。而安頓齣字，亦自確妙不易。其款置數人，笑者眞笑，笑卽有聲；啼者眞啼，啼卽有淚；嘆者眞嘆，嘆卽有氣。杜麗娘之妖也，柳夢梅之癡也，老夫人之軟也，杜安撫之古執也，陳最良之霧也，春香之賊牢也，無不從筋節竅髓，以探其七情生動之微也。杜麗娘雋過言鳥，觸似羚羊，月可沉，天可瘦，泉臺可瞑，獠牙判發可狎而處，而「梅」、「柳」二字，一靈咬住，必不肯使劫灰燒失。柳生見鬼見神，痛叫頑紙，滿心滿意，只要插花。老夫人習是血描，腸鄰斷草，拾得珠還，蔗不陪檗。杜安撫搖頭山屹，強笑河清，一味做官，半言難入。陳教授滿口塾書，一身襶氣，小要便益，大經險怪。春香眨眼卽知，錐心必盡，亦文亦史，亦敗亦成。如此等人，皆若士元空中增減朽塑，而以毫風吹氣生活之者也。然此猶若士之形似也。而其立言神指，《邯鄲》仙也，《南柯》佛也，《紫釵》俠也，《牡丹亭》情也。若士以爲情不可以論理，死不足以盡情。百千情事，一死而止，則情莫有深于阿麗者矣。況其感應相與，得《易》之咸；從一而終，得《易》之恆。則不第情之深，而又爲情之至正者。今有形一接而卽殉夫以死，骨香名永，用表千秋，安在其無知之性不本于一時之情也？則杜麗娘之情，正所同也，而深所獨也，宜乎若士有取爾也。至其文冶丹融，詞珠露合，古今雅俗，泚筆皆佳。沛公殆天授，非人力乎！若夫綽影布橋，食肉帶刺，冷哨打世，邊鼓撾人，不疼不癢處，皆文人空四海，墳五岳，習氣所在，不足爲若士病也。往見吾鄉文長批其卷首曰：「此牛有萬夫之稟。」雖爲妒語，大覺頫心。而若士曾語盧氏李恆嶠云：「《四聲猿》乃詞場飛將，輒爲之唱演數通。安得生致文長，自拔其舌！」其相引重如此。予不知音律，第粗以文義測之，雖不能爲周公瑾，而猶不至如馬子侯。僭加評校，以復兩張新湯之請，便卽交付一語。若士見改竄《牡丹》詞者，失笑一絶：「醉漢瓊筵風味殊，通仙鐵笛海雲孤。總饒割就時人景，卻愧王維舊雪圖。」持此作偈，乞韋馱尊者永鎮此亭。天下之寶當爲天下護之也。

王世貞《曲藻》 馬致遠「百歲光陰」，放逸宏麗，而不離本色，押韻尤妙。長句如：「紅塵不向門前惹，綠樹偏宜屋角遮，青山正補牆東缺。」又如：「和露摘黄花，帶霜烹紫蟹，煮酒燒紅葉。」俱入妙境。小語如：「上牀與鞋履相别。」大是名言。結尤疎俊可詠。元人稱爲第一，眞不虚也。北曲故當以《西廂》壓卷。如曲中語：「雪浪拍長空，天際秋雲捲，竹索纜浮橋，水上蒼龍偃。」「滋洛陽千種花，潤梁園萬頃田。」「東風搖曳垂楊線，游絲牽惹桃花片，珠簾掩映芙蓉面。」「法鼓金鐃，二月春雷響殿角；鐘聲佛號，半天風雨灑松梢。」「不近喧譁，嫩綠池塘藏睡鴨；自然幽雅，淡黄楊柳帶棲鴉。」是駢儷中景語。「手掌兒裏奇擎，心坎兒裏溫存，眼皮兒上供養。」「哭聲兒似鶯囀喬林，淚珠兒似露滴花梢。」「繫春心情短柳絲長，隔花陰人遠天涯近。」「香消了六朝金粉，瘦減了三楚精神。」「玉容寂寞梨花朵，胭脂淺淡櫻桃顆。」是駢儷中情語。「他做了影兒裏情郎，我做了畫兒裏愛寵。」「挂著拐幫閑鑽懶，縫合脣送暖偷寒。」「昨夜箇熱臉兒對面搶白，今日箇冷句兒將人廝侵。」「半推半就，又驚又愛。」是駢儷中諢語。「落紅滿地胭脂冷，夢裏成雙覺後單。」是單語中佳語。只此數條，他傳奇不能及。元人曲，如「紅塵不向門前惹，綠樹偏宜屋角遮，青山正補牆東缺。」「枯藤老樹昏鴉，小橋流水人家，古道西風瘦馬，夕陽西下，斷腸人在天涯。」景中雅語也。「池中星玉盤亂灑水晶丸，松梢月蒼龍捧出軒轅鏡。」「紅葉落火龍褪甲，蒼松蟠怪蟒張牙。」「水面雲山，山上樓臺。山水相連，樓臺上下，天地安排。」景中壯語也。「仙翁何處煉丹砂？一縷白雲下。客去齋餘，人來茶罷，歎浮生，數落花。楚家？漢家？做了漁樵話。」「黄蘆岸白蘋渡口，綠楊堤紅蓼灘頭。雖無刎頸交，頗有忘機友。點秋江白鷺沙鷗，傲殺人間萬户侯，不識字烟波釣叟。」意中爽語也。「十二玉欄天外倚，望中原，思故國。感慨傷悲，一片鄉心碎。」情中快語也。「笑撚花枝比較春，輸與海棠三四分。再偷勻，一半兒胭脂一半兒粉。」情中冶語也。「參旗動，斗柄挪，爲多情攬下風流禍。眉攢翠蛾，裙拖絳羅，襪冷淩波。耽驚怕萬千般，得受用些兒個。」「側耳聽門前去馬，和淚看簾外飛花。」「怕黄昏不覺又黄昏，不銷魂怎地不銷魂？新啼痕間舊啼痕，斷腸人送斷腸人。」「春將去，人未還，這其間，殃及殺愁眉淚眼。」「把團圓夢兒生喚起。誰，不做美？呸，卻是你！」情中悄語也。「怨青春，捱白晝，怕黄昏。」「一聲梧葉一聲秋，一點芭蕉一點愁，三更歸夢三更後。」情中緊語也。「五眼雞丹山鳴鳳，兩頭蛇南陽臥龍，三腳貓渭水非熊。」「糟醃兩個功名字，醅淹千古興亡事，麯埋萬丈虹霓志。不達時皆笑屈原非，但知音便説陶潛是。」諢中奇語也。「搊殺銀箏韻不眞，揉癢天生鈍。縱有相思淚痕，索把拳頭搵。」諢中巧語也。元人歸隱詞《沉醉東風》云：「問天公許我閑身，結草爲標，編竹爲門。鹿、豕成羣，魚、蝦作伴，鵝、鴨比鄰。不遠游堂上有親，莫居官朝裏無人。黜陟休云，進退休論。買斷青山，隔斷紅塵。」頗有味而佳。【略】則成所以冠絶諸劇者，不唯其琢句之工、使事之美而已。其體貼人情，委曲必盡；描寫物態，彷彿如生；問答之際，了不見扭造；所以佳耳。至于腔調微有未諧，譬如見鍾、王跡，不得其合處，當精思以求詣，不當執末以議本也。偶見歌《伯喈》者云：「浪暖桃香欲化魚，期逼春闈，詔赴春闈。郡中空有辟賢書，心戀親闈，難捨親闈。」頗疑兩下句意各重，而不知其故。又曰「詔」、曰「書」，都無輕重。後得一善本，其下句乃：「浪暖桃香欲化魚，期逼春闈，難捨親闈。郡中空有辟賢書，心戀親闈，難赴春闈。」意既不重，而「期逼」與上「欲化魚」字應，「難赴」與「空有」字應，益見作者之工。南曲之美者，無過於《題柳》「窺青眼」，而中亦有牽強寡次序處。《題月》「長空萬里」，可謂完麗，而苦多蹈襲。「人别後」是元人作，不免難以凡語。祝希哲「玉盤金餅」，是初學人得一二佳句耳。大抵宋詞無累篇，而南北曲少完璧，則以繁簡之故也。《琵琶記》之下，《拜月亭》是元人施君美撰，亦佳。元朗謂勝《琵琶》，則大謬也。中間雖有一二佳曲，然無詞家大學問，一短也；既無風情，又無裨風教，二短也；歌演終場，不能使人墮淚，三短也。《拜月亭》之下，《荆釵》近俗而時動人，《香囊》近雅而不動人，《五倫全備》是文莊元老大儒之作，不免腐爛。何元朗極稱鄭德輝《傷梅香》、《倩女離魂》、《王粲登樓》，以爲出《西廂》之上。《傷梅香》雖有佳處，而中多陳腐措大語，且套數、出沒、賓白，全剽《西廂》。《王粲登樓》事實可笑，毋亦厭常喜新之病歟？「暗想當年羅帕上把新詩寫」南北大散套，是元人作。學問才情，足冠諸本。

潘之恒《鸞嘯小品·神合》 神何以觀也？蓋由劇而進于觀也，合于化矣！然則劇之合也有次乎？曰：有。技先聲，技先神。神之合也，劇斯進已。會之者固難，而善觀者尤鮮。余觀劇數十年，而後發此論也。其少也，以技觀，進退步武，俯仰揖讓，具其質爾，非得嘹亮之音、飛揚之氣，不足以振之。及其壯也，知審音，而後中節合度者可以觀也。然質以格囿，聲以調拘，不得其神，則色動者形離，目挑者情沮。微乎！微乎！生于千古之下，而游于千古之上，顯陳迹于乍見，幻滅影于重光，非旃、孟之精通乎造化，安能悟世主而警凡夫？所謂以神求者，以神告，不在聲音笑貌之間。今垂老，乃以神遇。然神之所詣，亦有二途：以摹古者遠志，以寫生者近情。要之，知遠者降而之近，知近者溯而之遠，非神不能合也。

又《情癡》 古稱優孟、優施能寫人之貌，尚能動主，而況以情寫情，有不合文人之思致者哉！【略】夫情之所之，不知其所始，不知其所終，不知其所離，不知其所合，在若有若無、若遠若近、若存若亡之間。其斯爲情之所必至，而不知其所以然；不知其所以然，而後情有所不可盡，而死生、生死之無足怪也。故能癡者而后能情，能情者而後能寫其情。

又《與楊超超評劇五則》 西施之捧心也，思也，非病也。仙度得之，字字皆出于思。雖有善病者，亦莫能彷彿其捧心之妍。嗟乎！西施之顰于里也，里人顰乎哉？步之有關于劇也，尚矣。邯鄲之學步，不盡其長，而反失之。孫壽之妖艷也，亦以折腰步稱。而吳中名旦，其舉步輕揚，宜于男而慊于女，以纏束爲矜持，神斯窘矣！若仙度之利趾便捷也，其進若翔鴻，其轉若翻燕，其止若立鵠，無不合規矩應節奏。其艷場尤稱獨擅，令巧者見之，無所施其技矣！曲引之有呼韻，呼發于思，自趙五娘之呼蔡伯喈始也。而無雙之呼王家哥哥，西施之呼范大夫，皆有凄然之韻，仙度能得其微矣！白語之寓嘆聲，法自吳始傳。緩辭勁節，其韻悠然，若怨若訴。申班之小管，鄒班之小潘，雖工一唱三嘆，不及仙度之近自然也。呼嘆之能警場也，深矣哉！

徐復祚《曲論》 《琵琶》、《拜月》而下，《荆釵》以情節關目勝，然純是倭巷俚語，粗鄙之極；而用韻卻嚴，本色當行，時離時合。《香囊》以詩語作曲，處處如煙花風柳。如「花邊柳邊」、「黄昏古驛」、「殘星破暝」、「紅入仙桃」等大套，麗語藻句，刺眼奪魄。然愈藻麗，愈遠本色。《龍泉記》、《五倫全備》，純是措大書袋子語，陳腐臭爛，令人嘔穢，一蟹不如一蟹矣。

又 傳奇之體，要在使田畯紅女聞之而趯然喜，悚然懼；若徒逞其博洽，使聞者不解爲何語，何異對驢而彈琴乎？昔翟資政巽喜作才語，雖對使令亦然。有庖者藝頗精，翟每向同官稱之。後稍懈，衆以嘲翟，翟呼使數之曰：「汝以刀匕微能，數見稱賞，而敢疎嫚若此，使衆人以責膳夫之罪，還責汝主，於汝安乎？」左右皆匿笑，而庖者竟不解作何語。余謂：若歌《玉合》於筵前臺畔，無論田畯紅女，即學士大夫，能解作何語者幾人哉！徐彥伯爲文，以鳳閣爲「鵷閣」，龍門爲「虯戶」，當時號「澀體」。樊宗師《絳州記》，至不可句讀。文章且不可澀，況樂府出於優伶之口，入於當筵之耳，不遑使反，何暇思維，而可澀乎哉！濫觴於虛舟，決堤於禹金，至近日之《箜篌》而滔滔極矣。禹金旋亦自悔，作《長命縷》，自謂：「調歸宮矣，韻諧音矣，意不必使老嫗都解，而亦不必傲士大夫以所不知。」余尤以爲未盡然也。《玉合記・榴花泣》第二闋内有句云：「離腸棖觸斷無些。」自音云：「棖，音橙。」不知所出，亦不能解。一日觀山谷詩云：「莫若囂號驚四鄰，推床破面掁觸人。」然後知棖當作「掁」，從手，不從木，音撐。掁觸，見《涅盤經》，山谷用之詩，已自僻澀，禹金乃用之作曲。然則三藐三菩提，盡曲料耶？此體最易驚俗眼，亦最壞曲體，必不可學。【略】梁伯龍（辰魚）作《浣紗記》，無論其關目散緩，無骨無筋，全無收攝，即其詞亦出口便俗，一過後便不耐再咀；然其所長，亦自有在：不用春秋以後事，不裝八寶，不多出韻，平仄甚諧，宮調不失，亦近來詞家所難。獨一最可笑，而人不知：吳、越之在當時，稱王久矣，王則車馬、服御、位號、稱呼儼然一天子矣，故有郊臺。有柴望，夫差、勾踐亦偃然不復知有周天王矣，而胥、嚭、種、蠡稱曰「主公」，何也？孟子在梁，稱惠王曰「王好戰」，不聞主公惠王也，在齊稱宣王曰「今王發政施仁」，不聞主公宣王也。此何異三家村童子不知厥父稱呼，而曰「我家老子」也，陋甚矣！

茅一相《題詞評曲藻後》 夫一代之興，必生妙才；一代之才，必有絶藝。春秋之辭命，戰國之縱橫，以至漢之文，晉之字，唐之詩，宋之詞，元之曲，是皆獨擅其美而不得相兼，垂之千古而不可泯滅者。雖然，即是數者，惟詞曲之品稍劣。而風月烟花之間，一語一調，能令人酸鼻而刺心，神飛而魄絶，亦惟詞曲爲然耳。大都二氏之學，貴情語不貴雅歌，貴婉聲不貴勁氣，夫各有其至焉。覽是編者，可以參二氏之三昧矣。

臧懋循《元曲選序二》 今南曲盛行于世，無不人人自謂作者，而不知其去元人遠也。元以曲取士，設十有二科。而關漢卿輩爭挾長技自見，至躬踐排場，面傅粉墨，以爲「我家生活」，偶倡優而不辭者，或西晉竹林諸賢托杯酒自放之意，予不敢知。所論詩變而詞，詞變而曲，其源本出于一，而變益下，工益難，何也？詞本詩而亦取材于詩，大都妙在奪胎而止矣。曲本詞而不盡取材焉，如六經語，子史語，二藏語，稗官野乘語，無所不供其采掇，而要歸斷章取義，雅俗兼收，串合無痕，乃悅人耳，此則情詞穩稱之難。宇內貴賤、妍媸、幽明、離合之故，奚啻千百其狀，而塡詞者必須人習其方言，事肖其本色，境無旁溢，語無外假，此則關目緊湊之難。

《湯顯祖評西廂記卷首・西廂序》 文章自正體、四六外，有詩、賦、歌行、律、絶諸體，曲特一剩技耳。然人不數作，作不數工，其描寫神情不露斧斤筆墨痕，莫如《西廂記》。以君瑞之俊俏，割不下崔氏女；以鶯鶯之嬌媚，豈獨鍾一張生，第琴可挑，簡可傳，圍可解，隔牆之花未動也，叙其所以遇合甚有奇數焉。若不會描寫，則鶯鶯一宣淫婦耳，君瑞一放蕩子耳，其于崔、張佳趣不望若河漢哉！予嘗取而讀之，其文反反覆覆，重重疊疊，見精神而不見文字，卽所稱千古第一神物，亶其然乎。間以膚意評題之，期與好事者同賞鑒，得可與水月景色天然妙致也。

《湯顯祖集・詩文集》卷四七《答凌初成》 不佞生非吳越通，智意短陋，加以舉業之耗，道學之牽，不得一意橫絶流暢於文賦律呂之事。獨以單慧涉獵，妄意誦記操作。層纘有窺，如暗中索路，闖入堂序，忽然靁光得自轉折，始知上自葛天，下至胡元，皆是歌曲。曲者，句字轉聲而已。葛天短而胡元長，時勢使然。總之，偶方奇圓，節數隨異。四六之言，二字而節，五言三，七言四，歌詩者自然而然。乃至唱曲，三言四言，一字一節，故爲緩音，以舒上下長句，使然而自然也。獨想休文聲病浮切，發乎曠聰，伯琦四聲無入，通乎朔響。安詩塡詞，率履無越。不佞少而習之，衰而未融。乃辱足下流賞，重以大製五種，緩隱濃淡，大合家門。至於才情，爛熳陸離，嘆時道古，可笑可悲，定時名手。不佞《牡丹亭》記，大受呂玉繩改竄，云便吳歌。不佞啞然笑曰：昔有人嫌摩詰之冬景芭蕉，割蕉加梅，冬則冬矣，然非王摩詰冬景也。其中駘蕩淫夷，轉在筆墨之外耳。若夫北地之於文，猶新都之於曲。餘子何道哉。

王驥德《曲律・論句法第十七》 句法，宜婉曲不宜直致，宜藻豔不宜枯瘁，宜溜亮不宜艱澀，宜輕俊不宜重滯，宜新采不宜陳腐，宜擺脫不宜堆垛，宜溫雅不宜激烈，宜細膩不宜粗率，宜芳潤不宜噍殺。又總之，宜自然不宜生造。意常則造語貴新，語常則倒換須奇。他人所道，我則引避；他人用拙，我獨用巧。平仄調停，陰陽諧叶。上下引帶，減一句不得，增一句不得。我本新語，而使人聞之，若是舊句，言機熟也；我本生曲，而使人歌之，容易上口，言音調也。一調之中，句句琢鍊，毋令有敗筆語，毋令有欺嗓音，積以成章，無遺恨矣。

又《論字法第十八》 字爲句中之眼，古謂百鍊成字，千鍊成句，又謂前有浮聲，後須切響。要極新，又要極熟；要極奇，又要極穩。虛句用實字鋪襯，實句用虛字點綴。務頭須下響字，勿令提挈不起。押韻處，要妥貼天成，換不得他韻。照管上下文，恐有重字，須逐一點勘換去。又閉口字少用，恐唱時費力。今人好奇，將劇戲標目，一一用經、史隱晦字代之。夫列標目，欲令人開卷一覽，便見傳中大義，亦且便繙閱，卻用隱晦字樣，彼庸衆人何以易解！此等奇字，何不用作古文？而施之劇戲，可付一笑也！

又《論對偶第二十》 凡曲遇有對偶處，得對方見整齊，方見富麗。有兩句對（如「簾幙風柔，庭闈晝永」，及「惟願取百歲椿萱，長似他三春花柳」類），有三句對（如《蝶戀花》「鳳棲梧鶯停竹」類），有四句對（如「亂荒不豐稔的年歲」四段相對類），有隔句對（如「郎多福」及「娘介福」兩段相對類），有疊對（如「翠減祥鸞羅幌」二句一對，下「楚館雲閑」二句又一對，下「目斷天涯雲山遠」二句又一對類），有兩韻對（如「春花明綵袖，春酒滿金甌」類），有隔調對（如「書生愚見」二調，各末二句相對類）。當對不對，謂之草率；不當對而對，謂之矯強。對句須要字字的確，斤兩相稱方好。上句工寧下句工，一句好一句不好，謂之「偏枯」，須棄了另尋。借對得天成妙語方好，不然反見才窘，不可用也。

又《論用事第二十一》 曲之佳處，不在用事，亦不在不用事。好用事，失之堆積；無事可用，失之枯寂。要在多讀書，多識故實，引得的確，用得恰好，明事暗使，隱事顯使，務使唱去人人都曉，不須解說。又有一等事，用在句中，令人不覺，如禪家所謂撮鹽水中，飲水乃知鹹味，方是妙手。《西廂》、《琵琶》用事甚富，然無不恰好，所以動人。《玉玦》句句用事，如盛書櫃子，翻使人厭惡，故不如《拜月》一味淸空，自成一家之爲愈也。又用得古人成語恰好，亦是快事；然只許單用一句，要雙句，須別處另尋一句對之。如《琵琶·月雲高》曲末二句，第一調「正是西出陽關無故人，須信家貧不是貧」，第二調「他須記一夜夫妻百夜恩，怎做得區區陌路人」，第三調「他不到得非親卻是親，我自須防人不仁」，如此方不堆積，方不蹈襲，故知此老胸中，別具一副爐錘也。

又《論咏物第二十六》 咏物毋得點題，卻要開口便見是何物。不貴說體，只貴說用。佛家所謂不即不離，是相非相，只於牝牡驪黃之外，約略寫其風韻，令人髣髴中如燈鏡傳影，了然目中，卻摸捉不得，方是妙手。元人王和卿《咏大蝴蝶》：「掙破莊周夢，兩翅駕東風。三百座名園，一採一箇空。誰道風流種？謊殺尋芳的蜜蜂。輕輕飛動，把賣花人搧過橋東。」只起一句，便知是大蝴蝶。下文勢如破竹，卻無一句不是俊語。古詞《咏柳》「窺青眼」，開口便知是柳，下「偏宜向朱門羽戟，畫橋游舫」，又「倚闌凝望，消得幾番暮雨斜陽」等，皆從柳外做去，所以渺茫多趣。他如祝京兆《咏月》、陶陶區咏雁、梁伯龍《咏蛺蝶》等，非無一二佳語，只夾雜凡俗，便是不成片段。小令北調，王西樓最佳，如《咏浴裙》、《睡鞋》等曲，首首尖新。王渼陂、馮海浮《咏鞋杯》諸曲，亦多巧句。海浮「月兒芽彎環在腮上，筍兒尖穿破了鼻梁」，及「環兒腳一彎，花兒瓣兩邊」，又「心坎兒裏踢蹬，肚囊兒裏款行，腸襀兒裏穿芳徑」等，尤稱妙絕，亦未免間以粗豪語，不無遺恨耳。問：如何是說體？如昔人《咏柳絮》「一似半天飄粉，遶樹疑酥，平地飛瓊堵」是也。如何是說用？如《咏草》「斜陽外，幾家斷橋村塢」，又「池塘雨歇，夢回南浦」，又「王孫何事在長途，好歸去，又驚春暮」是也。

又《論俳諧第二十七》 俳諧之曲，東方滑稽之流也，非絕穎之姿，絕俊之筆，又運以絕圓之機，不得易作。著不得一箇太文字，又著不得一句張打油語。須以俗爲雅，而一語之出，輒令人絕倒，乃妙。元人嘲《禿指甲》詞云：「十指如枯筍，和袖棒金尊。搊殺銀箏字不眞。揉癢天生鈍。縱有相思淚痕，索把拳頭揾。」《中原音韻》及弇州皆極賞之，然首語及「揉癢天生鈍」句，尚覺著相。此體亦是西樓最佳，如《失雞》、《轉五方》等曲，皆極當行。吾鄉徐天池先生，生平諧謔小令極多，如《嘲少髮大腳妓·黃鶯兒》中二句「妝臺上省油，廝打處省揪，未下妝樓，金蓮一步，佔着兩塊大磚頭」，《嘲瘦妓》「四兩麪條搓，抹胸膛三寸羅，俏郎君一手撟(平聲)三箇」，《嘲歪嘴妓》「一箇海螺兒在腮邊不住吹，面前說話倒與傍人對，未抹胭脂，櫻桃一點搓(去聲)過鼻梁西」等曲，大爲士林傳誦，今未見其人也。

又《論巧體第二十九》 古詩有離合、建除、人名、藥名、州名、數目、集句等體。元人以數目入曲，作者甚多，句首自一至十，有順去逆回者。《輟耕錄》載《折桂令》起句「博山銅細裊香風」，一句兩韻，名曰「短柱」，爲極難作；虞邵庵作「鑾輿三顧茅廬」一曲擬之，則二字一韻，蓋尤難矣。喬夢符有「當時處士山祠」一曲，亦用此體。嘉靖間，北都有劉憲副效祖者用此體，凡平聲每韻各賦一首，可稱一癖。《詞林摘豔》有《粉蝶兒》「從東隴風動松呼」長套，句句兩字一韻，然不見佳。藥名詩，須字則正用，意卻假借，讀去不覺，詳看始見，方得作法，如所謂「四海無遠志，一溪甘遂心」是也。陳大聲有《藥名》散套，首句「今年牡丹開較遲」，便是直用其名，更無別意。又後多借同音字爲用，如借「霜梅」爲「雙眉」，「茴香」爲「回鄉」，其語猶俏；至借「白芨」爲「北極」，「滑石」爲「化石」，政可發一胡盧矣。今《紅蕖》用藥名、牌名、五色、五聲、八音及瀟湘八景、離合、集句等體，種種皆備，然不甚合作。倘不能窮極妙境，不如毋添蛇足之爲愈也。

又《論引子第三十一》 引子，須以自己之腎腸，代他人之口吻。蓋一人登場，必有幾句緊要說話，我設以身處其地，模寫其似，卻調停句法，點檢字面，使一折之事頭，先以數語該括盡之，勿晦勿泛，此是上諦。《琵琶》引子，首首皆佳，所謂開門見山手段。《浣紗》如范蠡而曰「尊王定霸，不在桓、文下」，施之越王則可。越夫人而曰「金井轆轤鳴，上苑笙歌度，簾外忽聞宣召聲，忙蹙金蓮步」，是一宮人語耳！只苧羅山下一引頗佳，中「春風無那」，卻不可解；餘俱非腐則漫。《玉玦》諸引，雖傷過文，然語俊調雅，不失爲才士之作。近惟《還魂》二夢之引，時有最俏而最當行者，以從元人劇中打勘出來故也。《明珠》引子，時用詩餘；《寶劍》引子，多出己創，皆不足爲法。自來唱引子，皆於句盡處用一底板；詞隱於用韻句下板，其不韻句止以鼓點之，譜中只加小圈讀斷，此是定論。

又《論賓白第三十四》 賓白，亦曰「說白」。有「定場白」，初出場時，以四六飾句者是也。有「對口白」，各人散語是也。定場白稍露才華，然不可深晦。《紫簫》諸白，皆絕好四六，惜人不能識；《琵琶》黃門白，只是尋常話頭，略加貫串，人人曉得，所以至今不廢。對口白須明白簡質，用不得太文字；凡用之、乎、者、也，俱非當家。《浣紗》純是四六，寧不厭人！又凡「者」字，惟北劇有之，今人用在南曲白中，大非體也。句字長短平仄，須調停得好，令情意宛轉，音調鏗鏘，雖不是曲，卻要美聽。諸戲曲之工者，白未必佳，其難不下於曲。《玉玦》諸白，潔淨文雅，又不深晦，與曲不同，只稍欠波瀾。大要多則取厭，少則不達，蘇長公有言：「行乎其所當行，止乎其所不得不止。」則作白之法也。

又《論插科第三十五》 插科打諢，須作得極巧，又下得恰好。如善說笑話者，不動聲色，而令人絕倒，方妙。大略曲冷不鬧場處，得淨、丑間插一科，可博人哄堂，亦是劇戲眼目。若略涉安排勉強，使人肌上生粟，不如安靜過去。古戲科諢，皆優人穿插，傳授爲之，本子上無甚佳者。惟近顧學憲《青衫記》，有一二語咄咄動人，以出之輕俏，不費一毫做造力耳。黄山谷謂：「作詩似作雜劇，臨了須打諢，方是出場。」蓋在宋時已然矣。

又《論落詩第三十六》 落詩，亦惟《琵琶》得體。每折先定下古語二句，卻湊二語其前，不惟場下人易曉，亦令優人易記。自《玉玦》易詩語爲之，於是爭趨於文。邇有集唐句以逞新奇者，不知喃喃作何語矣。用得親切，較可。如《浣紗》范蠡遇西施折，用「芙蓉脂肉綠雲鬟」一詩，所謂「風乍起，吹皺一池春水，干卿何事？」

又《雜論第三十九上》 南、北二曲，用字不得相混。今南曲中有用「者」字、「兀」字、「您」字、「喒」字，及南曲而用北韻，以「白」爲「排」，以「壑」爲「好」之類，皆大非體也。元人諸劇，爲曲皆佳，而白則猥鄙俚褻，不似文人口吻。蓋由當時皆教坊樂工先撰成間架說白，卻命供奉詞臣作曲，謂之「塡詞」。凡樂工所撰，士流恥爲更改，故事款多悖理，辭句多不通。不似今作南曲者盡出一手，要不得爲諸君子疵也。北曲方言時用，而南曲不得用者，以北語所被者廣，大略相通，而南則土音各省、郡不同，入曲則不能通曉故也。【略】《琵琶》工處甚多，然時有語病，如第二折引「風雲太平日」，第三折引「春事已無有」，三十一折引「也只爲我門楣」，皆不成語。又蔡別後，趙氏寂寥可想矣，而曰「翠減祥鸞羅幌，香消寶鴨金爐，楚館雲閒，秦樓月冷」，後又曰「寶瑟塵埋，錦被羞鋪，寂寞瓊牕，蕭條朱戶」等語，皆過富貴，非趙所宜。二十六折《駐馬聽》「書寄鄉關」二曲，皆本色語，中「著啼痕緘處翠綃斑」二語，及「銀鉤飛動綵雲牋」二語，皆不搭色，不得爲之護短。至後八折，眞傖父語。或以爲朱教諭所續，頭巾之筆，當不誣也。【略】曲之尙法固矣，若僅如下算子、畫格眼、垜死屍，則趙括之讀父書，故不如飛將軍之横行匈奴也。當行本色之說，非始於元，亦非始於曲，蓋本宋嚴滄浪之說詩。滄浪以禪喻詩，其言：「禪道在妙悟，詩道亦然。惟悟乃爲當行，乃爲本色。有透徹之悟，有一知半解之悟。」又云：「行有未至，可加工力；路頭一差，愈騖愈遠。」又云：「須以大乘正法眼爲宗，不可令墮入聲聞辟支之果。」知此說者，可與語詞道矣。作詞守成法，尺尺寸寸，句叚字研，俾無累功令，易耳。然其至爾力，其中非爾力，故入曲三昧，在「巧」之一字。唱曲欲其無字，卽作曲者用綺麗字面，亦須下得恰好，全不見痕迹礙眼，方爲合作。若讀去而煙雲花鳥、金碧丹翠、横垜直堆，如攤賣古董，鋪綴百家衣，使人種種可厭，此小家生活，大雅之士所深鄙也。【略】世有不可解之詩，而不可令有不可解之曲。曲之不可解，非入方言，則用僻事之故也。「胡廝啞」、「兩喬才」，此方言也。「韓景陽」、「大來頭」，此僻事也。作南戲，而兩語皆南人所不識，皆曲之病也。【略】作曲如生人耳目口鼻，非不犂然各具，然西施、嫫母，妍醜殊觀，王公、廝養，貴賤異等，墮地以來，根器區別，欲勉強一分，幾而及之，必不可得也。

又《雜論第三十九下》 作閨情曲，而多及景語，吾知其窘矣。此在高手，持一「情」字，摸索洗發，方挹之不盡，寫之不窮，淋漓滲漫，自有餘力，何暇及眼前與我相二之花鳥煙雲，俾掩我眞性，混我寸管哉？世之曲，咏情者強半，持此律之，品力可立見矣。【略】一日席間，柳元穀舉王西樓《走失雞·滿庭芳》「平生淡薄(叶袍)，雞兒不見，童子休焦。家家都有閒鍋竈，任意烹庖。煮湯的貼他三枚火燒，穿炒的助他一把胡椒，倒省得我們東道。免終朝報曉，直睡到日頭高。」《瓶中杏花爲鼠嚙倒·朝天子》「斜插(句)，杏花，當一幅横披畫。《毛詩》中誰道鼠無牙，卻怎生咬倒了金瓶架？水流向床頭，春拖在牆下。這情理寧甘罷！那裏去告他？何處去訴他？也只索細數著貓兒罵。」二曲，以爲妙絕。余謂：良然。然吾嘗欲爲此君更易數字。元穀曰：「何謂？」余曰：前一曲穿炒而用胡椒，毋太熱乎？欲更作「花椒」。後一曲插花瓶中，而曰當一幅横披畫，毋太矮而闊乎？欲更作「單條下」。「《毛詩》中誰道鼠無牙」，使村人聽之，不以爲「茅司中杏花」乎？是爲病語，欲更作「笑詩人浪說鼠無牙」，乃妥耳。元穀鼓掌大快，曰：「恨不令西樓聞之，定當俯首稱服。」舉座爲之哄堂。作曲如美人，須自眉目齒髮，以至十笱雙鈎，色色姸麗，又自笄黛衣履，以至語笑行動，事事襯副，始可言曲。是故以是繩曲，而世遂無曲也。詞曲不尙雄勁險峻，只一味嫵媚閒豔，便稱合作，是故蘇長公、辛幼安並寘兩廡，不得入室。曲之道，廣矣！大矣！自王公士人，以迨山林閨秀，人人許作，而特不許僧人插手。余昔譜《男后》劇，曲用北調，而白不純用北體，爲南人設也。已爲《離魂》，並用南調。鬱藍生謂：自爾作祖，當一變劇體。既遂有相繼以南詞作劇者。後爲穆考功作《救友》，又於燕中作《雙鬟》及《招魂》二劇，悉用南體，知北劇之不復行於今日也。

東山釣史《九宮譜定・總論・套數論》 套數之曲，元人謂之樂府，與古之辭賦，今之時義，同一機局，有起有止，有開有闔。須先定下間架，立下主意，排下曲調，然後造句，然後成章。切忌湊泊，切忌將就。如常山之蛇，首尾相應，又如鮫人之錦，不着一絲紕纇。務要意新語俊，字響調圓，有規有矩，有色有聲。所謂動吾天機，不知所以然而然，方是神品。下此雖循途守轍，極意敷衍，終非全璧。

又《用曲合情論》 凡聲情既以宮分，而一宮又有悲歡文武緩急等，各異其致。如燕飲陳訴，道路車馬，酸凄調笑，往往有專曲，約略分記第一過曲之下。然通徹曲義，勿以爲拘也。

顧曲散人《太霞曲語》 然傳奇就事敷演，易於轉換。散套推陳致新，戛戛乎難之。當行也，語或近於學究。本色也，腔或近於打油。又或運筆不靈，而故事塡塞，侈多聞以示博；章法不講，而飽飣拾湊，摘片語以誇工。此皆世俗之通病也。作者不能歌，每襲前人之舛謬，而莫察其腔之忤合。歌者不能作，但尊世俗之流傳，而孰辨其詞之美醜。自非知音人亟爲提其耳而開其矇，則今日之曲，又將爲昔日之詩。詞膚調亂，而不足以達人之性情，勢必再變而之《粉紅蓮》、《打棗竿》矣，不亦傷乎！

馮夢龍《曲律序》 凡物，以少整，以多亂，故橫議繁而一炬至，卷弜雜而五厄乘，人事濫則天槩之，必然之勢也。近代之最濫者，詩文是已。性不必近，學未有窺，犬吠驢鳴，貽笑寒山之石；病譫夢囈，爭投苦海之箱。獨詞曲一途，竄足者少，豈非以道疑小而不爭，竅未鑿而幸免乎？數十年來，此風忽熾，人翻窠臼，家畫葫蘆，傳奇不奇，散套成套。訛非關舊，誣曰從先；格喜創新，不思乖體。飽飣自矜其設色，齊東妄附於當行。乃若配調安腔，選聲酌韻，或略焉而弗論，或涉焉而未通。令上帝下清問於周郎，則今日之聲歌，其先詩文而受槩也必矣。

凌濛初《譚曲雜劄》 改北調爲南曲者，有李日華《西廂》。增損句字以就腔，已覺截鶴續鳧，如「秀才們聞道請」下增「先生」二字等是也。更有不能改者，亂其腔以就字句，如「來回顧影，文魔秀士欠酸丁」是也。無論原曲爲「風欠」而刪其「風」字爲不通，即《玉抱肚》首二句而強欲以句字平仄叶，亦須去「來回顧影，秀文魔風酸欠丁」。蓋第二句乃三字一節、四字一節，而四字又須平平仄平者；今四字一節、三字一節如一句七言詩，豈本調耶？今唱者恬不知怪，亦可笑也。至《西廂》尾聲，無一不妙，首折煞尾，豈無情語、佳句可採，以檃括南尾，使之悠然有餘韻，而直取「東風搖曳垂楊線，游絲牽惹桃花片」，兩詞語塡入耶？眞是點金成鐵手！乃《西廂》爲情詞之宗，而不便吳人清唱，欲歌南音，不得不取之李本，亦無可柰何耳。陸天池亦作《南西廂》，悉以己意自創，不襲北劇一語，志可謂悍矣，然元詞在前，豈易角勝，況本不及？其所爲《明珠記》，今亦不行。

薌室主人《想當然傳奇成書雜記》 前人因曲謚名，後人按名造曲者，以腔板既定，人不敢創易故也。然腔板不換，則其中或增字或減字，皆隨人詞意筆勢所到聯絡成文而已。近時歌人或數字咯口，則謬爲裁補，甚至代爲刪芟，文闕理荒，不知曲聖板師自有那(挪)借之法。先生間有增減，幸恕筆削。俚詞膚曲，因場上雜白混唱，猶謂以曲代言。老餘姚雖有德色，不足齒也。吳人清唱，因其腔板熟落，窮力吟咏，或至奉爲終身首調，不知里巷鄙語，雖使二八好女歌之，終亦濕鼓啞缶而已。又有塡詞集事雜白唱，倘或可曉，一入清唱，如啖木屑者。是本合白卽記，拆白卽詞。縱使胥板間綴高唱低咏于虎丘石上，千人叢中，當亦雅俗首肯，不至爲解人嘲也。作曲俱依古調名色標列極楚，又有如六犯宮調、九回腸，俱係眼前熟調，首尾過接，自有一定師傳，點板注名所重，似不在此。

卓人月《盛明雜劇二集序》 先民有言曰：南音爲歌，北音爲曲；南人不曲，北人不歌；北力在弦，南力在板，北協絲宜唧嘈，南協竹宜清越；北便于和歌，南便于獨奏；北氣易粗，南氣易弱；北字多而調促，促處見筋；南字少而調緩，緩處見眼；北辭情多而聲情少，南辭情少而聲情多。

苟審此者，在元而雄于元，在明又而顯于明，在元而可以後無明人，在明而可以前無元手矣。抑又聞之，神仙道化者之宜飄逸滉漾也，隱居樂道者之宜陶寫冷笑也，被袍秉笏者之宜富貴纏綿也，忠臣烈士者之宜惆悵雄壯也，孝義廉節者之宜典雅沈重也，棄婦逐子者之宜嗚咽悠揚也，狹斜粉黛者之宜風流蘊藉也，神頭鬼面者之宜高下閃賺也，風花雪月者之宜旖旎嫵媚也，諧謔譏訶者之宜健捷激梟也，以至于造語則忌硬、忌澀、忌嫩、忌粗、忌太俗、忌太文，使事則明者隱之，隱者明之，調聲則必辨去上，審音則必析陰陽，襯墊則不可冗長，科介則不可剽襲，宮調則不可錯混，意旨則必有裨風教，選詞則必有辭家大學問，感人則必能使喜擊節而悲墮淚，此則南北之所共譜，元明之所同擅，非若前不可通之後，後不可通之前者也。

俞彥《題南宮詞紀》 南詞摹寫人情，妝點物態，大都吳儂子夜之聲，清圓潤麗，語忌深而意忌淺也。邇來作者，眞晦于文，情掩于藻，餖飣工而章法亂，殊爲譜曲之蠹。及藉口本色者，以鄙穢爲蒜酪，以蹀躞爲務頭，詞林兩譏之。

凌延喜《琵琶記跋》 曲有當行之體，有自然之節，自元迄今僅二百餘年，而此脈幾斬。蓋一壞于不識本色者，徒取藻詞，致編摹者，以故實詞華堆砌成篇，千章一律。諺所謂八寸三分帽子，人人可戴者也。一壞于不識法律者，止欲供聽，不辨襯墊。至于字句增損，平仄錯置，相沿不悟，不知古典有必不可動移處，遵守恪然。而可一一按者竟蔑之若無，不一考索。

胡祇遹《黃氏詩卷序》 女樂之百伎，惟唱詳焉。一、姿質濃粹，光彩動人；二、舉止閑雅，無塵俗態；三、心思聰慧，洞達事物之情狀；四、語言辨利，字眞句明；五、歌喉清和圓轉，累累然如貫珠；六、分付顧盼，使人解悟；七、一唱一語，輕重疾徐，中節合度，雖記誦嫻熟，非如老僧之誦經；八、發明古人喜怒哀樂，憂悲愉快，言行功業，使觀聽者如在目前，諦聽忘倦，惟恐不得聞；九、溫故知新，關鍵詞藻時出新奇，使人不能測度，爲之限量。九美既俱，當獨步同流。

沈際飛《牡丹亭題詞》 數百載以下筆墨，摹數百載以上之人之事，不必有，而有則必然之景之情而能令信疑，疑信，生死，死生，環解錐畫。後數百載而下，猶恍惚有所謂懷女、思士、陳人、迂叟，從楮間眉眼生動，此非臨川不擅也。臨川作《牡丹亭》詞，非詞也，畫也；不丹青，而丹青不能繪也；非畫也，眞也；不啼笑而啼笑，即有聲也。以爲追琢唐音乎？鞭箠宋調乎？抽翻元劇乎？當其意得，一往追之，快意而止，非唐，非宋，非元也。柳生騃絕，杜女妖絕，杜翁方絕，陳老迂絕，甄母愁絕，春香韻絕，石姑之妥，老駝之勩，小癩之密，使君之識，牝賊之機，非臨川飛神吹氣爲之，而其人遁矣。若乃眞中覓假，呆處藏黠，繹其指歸，□□則柳生未嘗癡也，陳老未嘗腐也，杜翁未嘗忍也，杜女未嘗怪也。理于此確，道于此玄，爲臨川下一轉語。

孟稱舜《古今名劇合選序》 詩變爲辭，辭變爲曲。其變愈下，其工益難。吳興臧晉叔之論備矣：一曰「情辭穩稱之難」，一曰「關目緊湊之難」，又一曰「音律諧叶之難」；然未若所稱當行家之爲尤難也。蓋詩辭之妙，歸之乎傳情寫景。顧其所謂情與景者，不過烟雲花鳥之變態，悲喜憤樂之異致而已。境盡于目前，而感觸于偶爾，工辭者皆能道之。迨夫曲之爲妙，極古今好醜、貴賤、離合、死生，因事以造形，隨物而賦象。時而莊言，時而諧諢，狐末靚狚，合傀儡于一場，而徵事類于千載。笑則有聲，啼則有淚，喜則有神，嘆則有氣。非作者身處于百物云爲之際，而心通乎七情生動之竅，曲則惡能工哉！吾嘗爲詩與詞矣，率吾意之所到而言之，言之盡吾意而止矣。至于曲，則忽爲之男女焉，忽爲之苦樂焉，忽爲之君主、僕妾、僉夫、端士焉。其說如畫者之畫馬也，當其畫馬也，所見無非馬者，人視其學爲馬之狀，筋骸骨節，宛然馬也，而後所畫爲馬者，乃眞馬也。學戲者不置身于場上，則不能爲戲。而撰曲者不化其身爲曲中之人，則不能爲曲。此曲之所以難于詩與辭也。

毛奇齡《連廂詞》 往先司馬從寧庶人處得《連廂詞例》，謂司唱一人，代勾欄舞人執唱。其曰「代唱」，即已逗勾欄舞人自唱之意。但唱者只二人：末泥主男唱，且兒主女唱。他若雜色入場，第有白無唱，謂之「賓白」：賓與主對，以說白在賓，而唱者自有主也。至元末明初，改北曲爲南曲，則雜色人皆唱，不分賓主矣。

毛聲山《第七才子書自序》 元人詞曲之佳者，雖《西廂》與《琵琶》并傳，而《琵琶》之勝《西廂》也有二：一曰情勝，一曰文勝。所謂情勝者何也？曰：《西廂》言情，《琵琶》亦言情。然《西廂》之情，則佳人才子花前月下私期密約之情也。《琵琶》之情，則孝子賢妻敦倫重誼纏綿悱惻之情也。亦有似乎風之爲風，多采蘭贈芍之詞，而雅之爲雅，則唯忠孝廉貞之旨。是以同一情也，而《西廂》之情者，不善讀之，而情或累性；《琵琶》之情而性者，善讀之，而性見乎情，夫是之謂情勝也。所謂文勝者何也？曰：《西廂》爲妙文，《琵琶》亦爲妙文。然《西廂》文中往往雜用方言土語，如呼美人爲顛不剌，呼僧人爲老潔郎之類，而《琵琶》無之。亦有似乎采風，則言不遺乎里巷，而歌雅則語多出于薦紳。是以同一文也，而《西廂》之文艷，乃艷不離野者，讀之反覺其文不勝質；《琵琶》之文真，乃真而能典者，讀之自覺其質極而文，夫是之謂文勝也。有此二勝，而今之人但取《西廂》而批之刻之，而《琵琶》獨置而不論，然則《詩》三百篇，竟可登風而廢雅，有是理與？予既樂此書之有裨風化，且復文情交至如此。

又《第七才子書琵琶記總論》 才子之文，有着筆在此而注意在彼者。譬之畫家，花可畫，而花之香不可畫，于是捨花而畫花傍之蝶；非畫蝶也，仍是畫花也。雪可畫，而雪之寒不可畫，于是捨雪而畫雪中擁爐之人；非畫爐也，仍是畫雪也。月可畫，而月之明不可畫，于是捨月而畫月下看書之人；非畫書也，仍是畫月也。高東嘉作《琵琶記》，多用此法。而彼傖父者，不知其慘淡經營，于畫花、畫雪、畫月之妙，乃漫然以爲畫蝶、畫爐、畫書而已也，則深沒作者之工良心苦也。【略】文章緊要處，只須一手抓住，一口噙住，斯固然矣。然使才子爲文，但一手抓住，一口噙住，則一語便了，其又安能洋洋纚纚，著成一部大書，而使讀者流連諷咏于其間乎？夫作者下筆著書之時，必須出十分文致，然後書成而人讀之，領得十分文情。是故才子之爲文也，既一眼覷定緊要處，卻不便一手抓住，一口噙住，卻于此處之上下四旁千回百折，左盤右旋，極縱横排宕之致，使觀者眼光霍霍不定，斯稱真正絶世妙文。今觀《琵琶》文中，每有一語將逼攏來，一筆忽漾開去，漾至無可攏處，又復一逼，乃逼到無可漾處，又復一開，如是者幾番方纔了結一篇文章。正如獅子弄毬，貓狸戲鼠，偏不便抓住噙住，偏有無數往來撲跌，然後獅子意樂，貓之意滿，而人觀之之意亦大快也。【略】《琵琶》文中，有疑合忽離、疑離忽合者。即如《兒言諫父》一篇，偏不寫其從諫，偏寫其語言觸忤，卻不料有《聽女迎親》一篇，徒然一悔。又如《寺中遺像》一篇，偏不寫其相會，偏寫其當面錯過，卻不料有《兩賢相會》一篇，突如其來。大約文章之妙，妙在人急而我緩之，人緩而我急之。人急而我不故示之以緩，則文瀾不曲；人緩而我不故示之以急，則文勢不奇。今觀《琵琶》，其緩處如回廊渡月，其急處如疾雷破山。其緩處如王丞相營建康，多其紆折；其急處如亞夫將軍從天而降，出人意料，豈非希有妙文！《琵琶》文中，有隨筆生來、隨手抹倒者。如正寫春花，便接説春事已無有；正寫夏景，便接説西風又驚秋；正寫嫦娥，卻云此事果無憑；正寫囑别，卻云空自語惺惺；正寫感嘆，卻云也不索氣苦；正寫遺囑，卻云與甚生人做主；正寫才俊無書不讀，卻云沒有一字；正寫御苑名馬無數，卻云沒有一匹；正寫杏園春宴，卻云今宵已醒繁華夢；正寫黄門待漏，卻云算來名利不如閑。至于寫彈琴，卻是不曾彈；寫寄書，卻是不曾寄；寫賣髮，卻是不曾賣；寫築墳，卻是不曾築；寫山鬼，卻云沒有鬼；寫松樹，卻云沒有樹；寫請官糧，偏失了官糧；寫負真容，偏失了真容；寫諫父，而諫時偏諫不聽；寫迎親，而迎時偏迎不着；寫抱琵琶，而牛趙鬭筍偏不用琵琶；寫入佛寺，而夫婦相會偏不在佛寺，此皆隨筆生來，隨手抹倒者也。隨筆生來，本無忽有；隨手抹倒，是有卻無。此中饒有禪意，何必《西廂》「臨去秋波」之句，始可以悟禪耶？予嘗聞善弈者之言矣。其言曰：凡下第一着時，先算到三着四着，未足爲善弈也。下第一着時，不但算到三着四着，更能算到五六七八着，亦稱高手矣。然而猶未足爲盡善也。善弈者必算到十數着，乃至數十百着，直到收局而後已。如王積薪夜半聽姑婦談弈，不過十數着而全局已竟。然則當其下此十數着時，其心力眼力不止在此十數着而已，在數十百着之後也。人若不能算到全局，而但看此十數着，則無一着不是閑着；若能算到全局，而後看此十數着，則無一着是閑着。《琵琶》之爲文，亦猶是已。嘗見其《閑閑》一篇，淡淡數筆，由前而觀，似乎極冷、極緩、極沒要緊，乃由後而觀，竟爲全部收局中極緊、極要、極不可少之處。知此者，庶幾可與縱讀古今才子之文。文章有步驟不可失，秩序不可闕者。如《牛氏規奴》爲《金閨愁配》張本，《金閨愁配》爲《兒言諫父》張本，《臨妝感嘆》爲《勉食姑嫜》張本，《勉食姑嫜》爲《糟糠自厭》張本。若無《才俊登程》，則杏園之思家爲單薄；若無《激怒當朝》，則陳情之不許爲突然；若無《再報佳期》，則强效鸞凰爲無序；若無《丞相教女》，則《聽女迎親》爲無根；若無《路途勞頓》，則《寺中遺像》爲急遽；若無《孝婦題真》，則《書館悲逢》爲無本。總之，才子作文，一氣貫注，增之不成文字，減之亦不成文字。韓昌黎之《雜説》、《獲麟解》、《送董邵母》，次寫牛丞相，次寫張大公，既極情盡致，而更閑筆寫花，寫月，寫雪，寫琴，寫酒，寫寒門，寫閥閱，寫旅次，寫考場，寫瓊林，寫早朝，寫花燭，寫義倉，寫墳墓，寫寺院，寫道場，寫書館，寫院子，寫梅香，寫老嫗，寫媒婆，寫里正，寫社長，寫糧官，寫試官，寫赴試秀才，寫陪宴官，寫黄門官，寫山神，寫鬼使，寫拐兒，寫和尚，寫馬，無不描頭畫角，色色入妙，眞所謂搏兔搏象，俱用全力者也。雖云搏兔搏象，俱用全力，而正筆閑筆又有輕重詳略之分。正筆宜重宜詳，閑筆宜輕宜略。畫家之法，遠水無波，遠山無皴，遠人無目，遠樹無枝，非輕之略之，其理應如是也。蓋其注意者，只在最遠之一山、一水、一人、一樹，而其餘則止淡淡着墨而已。今人作傳奇，往往手忙腳亂，不知輕重詳略之理，遂至賓主莫辨，其與《琵琶》何啻天淵。《琵琶》用筆之難，難于《西厢》。何也？《西厢》寫才子佳人之事，則風月之詞易好；《琵琶》寫孝子義烈之事，則菽粟之詞難工也。不特此也，《西厢》純用北曲，每折自始至末，止是一人所唱，則其章法次第，井然不亂，猶易易耳。若《琵琶》則純用南曲，每套必用衆人分唱，而其章法次第，亦自井然不亂，若出一口，眞大難事。試看李日華改《西厢》曲爲南調，雖便于梨園之唱演，然將原曲顛倒前後，畢竟不免支離錯亂，然後嘆《琵琶》之妙爲不可及。

洪昇《長生殿例言》 是書義取崇雅，愼在寫眞。近唱演家改換，有必不可從者，如增虢國承寵，楊妃忿爭一段，作三家村婦醜態，既失蘊藉，尤不耐觀。其《哭像》折，以「哭」題名，如禮之凶奠，非吉祭也。今滿場皆用紅衣，則情事乖違，不但明皇鍾情不能寫出，而阿監、宮娥泣涕皆不稱矣。至于舞盤及末折演舞，原名《霓裳羽衣》，只須白襖、紅裙，便自當行本色。細繹曲中舞節，當一二自具。今有貴妃舞盤學浣紗舞，而末折仙女或舞燈、舞汗巾者，俱屬荒唐，全無是處。

黄圖珌《看山閣集閑筆・文學部・詞曲》 有情有景：心靜力雄，意淺言深，景隨情至，情由景生，吐人所不能吐之情，描人所不能描之景，華而不浮，麗而不淫，誠爲化工之筆也。詞宜化俗：元人白描，純是口頭言語，化俗爲雅，亦不宜過于高遠，恐失詞旨，又不可過于鄙陋，恐類乎俚下之談也。其所貴乎清眞，有元人白描本色之妙也。贈字：詞無贈字，而曲有贈字。如曲無贈字，則調不變，唱者亦無處生活。但不宜太多，使人棘口。犯調：割此曲而合彼曲，採集一名命之，爲犯調。知音者往往爲之。然只宜犯本宮，若犯別宮，音調未免稍異。即犯本宮，亦不甚安者，均宜斟酌。曲有合情：落筆務在得情，擇詞必須合意。如燕飲、陳訴、道路、軍馬、酸凄、調笑，自有專曲。用之不得其宜，雖才情生色，亦不足取也。南北宜別：南有南調，北有北音，不可混雜。如四聲中上作去，去作上，入作去，上又作平，去上作平更作入等類，借音叶調，元爲北曲地步，南曲斷乎不宜。若南曲倣此，則聲不清圓，音無閃賺，其腔裏字、字矯腔，肉多骨勝之處，又何從得而知也？所以南北宜別。北曲妙在雄勁悲激；南曲工于秀婉芳妍，不出詞壇老手。情不斷：情不斷者，《尾聲》之別名也，又曰《餘音》、曰《餘文》，似文字之大結束也。須包括全套，有廣大清明之氣象，出其淵衷靜旨，欲吞而又吐者，誠所謂言有盡而意無窮也。

李斗《揚州畫舫錄》卷五 凡花部腳色，以旦、丑、跳蟲爲重，武小生、大花面次之。若外、末不分門，統謂之男腳色；老旦、正旦不分門，統謂之女腳色。丑以科諢見長，所扮備極局騙俗態，拙婦騃男，商賈刁賴，楚咻齊語，聞者絶倒。然各囿于土音鄉談，故亂彈致遠不及崑腔。惟京師科諢皆官話，故丑以京腔爲最。如凌雲浦本世家子，工詩善書，而一經傅粉登場，喝采不絶。廣東劉八，工文詞，好馳馬，因赴京兆試，流落京（腔）〔師〕，成小丑絶技。此皆余親見其極盛，而非土班花面之流亞也。吾鄉本地亂彈小丑，始于吳朝、萬打岔，其後張破頭、張三網、痘張二、鄭士倫輩皆效之。然終止于土音鄉談，取悅于鄉人而已，終不能通官話。近今春臺聘劉八入班，本班小丑效之，風氣漸改。劉八之妙，如演《廣舉》一齣：嶺外舉子赴禮部試，中途遇一腐儒，同宿旅店，爲群妓所誘，始則演論理學，以舉人自負；繼則爲聲色所惑，衣巾盡爲騙去，曲盡迂態。又有《毛把總到任》一齣：爲把總以守汛之功，開府作副將，當其見經略，爲畏縮狀；臨兵丁，作傲倨狀；見屬兵陞總兵，作欣羨狀、妒狀、愧恥狀；自得開府，作謝恩感激狀；歸晤同僚，作滿足狀；述前事，作勞苦狀；敎兵丁槍箭，作發怒狀；揖讓時，作失儀狀；聞經略呼，作驚愕錯落狀。曲曲如繪。惟勝春班某丑效之能彷彿其五六。至《廣舉》一齣，竟成《廣陵散》矣。

陳棟《北涇草堂曲論》 曲與詩餘，相近也而實遠。明人滯于學識，往往以塡詞筆意作之，故雖極意雕飾，而「錦糊燈籠、玉相刀口」，終不免天池生所譏。間有矯枉之士，去繁就簡，則又滿紙打油，與街談巷語無異。夫曲者，曲而有直體，本色語不可離趣，矜麗語不可入深。元人以曲爲曲，明人以詞爲曲，國初介于詞曲之間，近人幷有以賦爲曲者。賞音可覯，定不河漢余言。

李漁《閒情偶寄》卷一《詞曲部·結構第一·脫窠臼》人惟求舊，物惟求新。新也者，天下事物之美稱也。而文章一道，較之他物，尤加倍焉。戛戛乎陳言務去，求新之謂也。至於塡詞一道，較之詩、賦、古文，又加倍焉，非特前人所作，於今爲舊，卽出我一人之手，今之視昨，亦有間焉。昨已見而今未見也，知未見之爲新，卽知已見之爲舊矣。古人呼劇本爲「傳奇」者，因其事甚奇特，未經人見而傳之，是以得名。可見非奇不傳。新，卽奇之別名也。若此等情節，業已見之戲場，則千人共見，萬人共見，絕無奇矣，焉用傳之！是以塡詞之家，務解「傳奇」二字。欲爲此劇，先問古今院本中曾有此等情節與否。如其未有，則急急傳之。否則枉費辛勤，徒作效顰之婦。東施之貌，未必醜於西施，止爲效顰於人，遂蒙千古之誚。使當日逆料至此，卽勸之捧心，知不屑矣。吾謂：塡詞之難，莫難於洗滌窠臼；而塡詞之陋，亦莫陋於盜襲窠臼。吾觀近日之新劇，非新劇也，皆老僧碎補之衲衣，醫士合成之湯藥，取衆劇之所有，彼割一段，此割一段，合而成之，卽是一種傳奇，但有耳所未聞之姓名，從無目不經見之事實。語云：「千金之裘，非一孤之腋。」以此贊時人新劇，可謂定評。但不知前人所作，又從何處集來！豈《西廂》以前，別有跳牆之張珙；《琵琶》以上，另有剪髮之趙五娘乎？若是，則何以原本不傳，而傳其抄本也！窠臼不脫，難語塡詞。凡我同心，急宜參酌。

又《審虛實》傳奇所用之事，或古、或今，有虛、有實，隨人拈取。古者，書籍所載，古人現成之事也；今者，耳目傳聞，當時僅見之事也；實者就事敷陳，不假造作，有根有據之謂也；虛者，空中樓閣，隨意構成，無影無形之謂也。人謂：「古事多實，近事多虛。」予曰：「不然。傳奇無實，大半皆寓言耳。欲勸人爲孝，則舉一孝子出名，但有一行可紀，則不必盡有其事，凡屬孝親所應有者，悉取而加之，亦猶紂之不善不如是之甚也。一居下流，天下之惡皆歸焉。其餘表忠、表節，與種種勸人爲善之劇，率同於此。若謂古事皆實，則《西廂》、《琵琶》，推爲曲中之祖，鶯鶯果嫁君瑞乎？蔡邕之餓莩其親，五娘之幹蠱其夫，見於何書？果有實據乎？孟子云『盡信書不如無書』，蓋指武成而言也。經史且然，矧雜劇乎？凡閱傳奇而必考其事從何來，人居何地者，皆說夢之癡，人可以不答者也。然作者秉筆，又不宜盡作是觀。若紀目前之事，無所考究，則非特事跡可以幻生，並其人之姓名，亦可以憑空捏造，是謂虛則虛到底也。若用往事爲題，以一古人出名，則滿場腳色，皆用古人，捏一姓名不得；其人所行之事，又必本於載籍，班班可考，創一事實不得。非用古人姓字爲難，使與滿場腳色同時共事之爲難也；非查古人事實爲難，使與本等情由貫串合一之爲難也。予既謂『傳奇無實，大半寓言』，何以又云『姓名事實，必須有本』？要知古人塡古事易，今人塡古事難。古人塡古事，猶之今人塡今事，非其不慮人，考無可考也；傳至於今，則其人其事，觀者爛熟於胸中，欺之不得，罔之不能，所以必求可據，是謂實則實到底也。若用一二古人作主，因無陪客，幻設姓名以代之，則虛不似虛，實不成實，詞家之醜態也，切忌犯之。」

又《貴顯淺》曲文之詞采，與詩文之詞采非但不同，且要判然相反。何也？詩文之詞采貴典雅而賤麤俗，宜蘊藉而忌分明。詞曲不然，話則本之街談巷議，事則取其直說明言。凡讀傳奇而有令人費解，或初閱不見其佳、深思而後得其意之所在者，便非絕妙好詞；不問而知，爲今曲，非元曲也。元人非不讀書，而所製之曲，絕無一毫書本氣，以其有書而不用，非當用而無書也；後人之曲，則滿紙皆書矣。元人非不深心，而所塡之詞，皆覺過于淺近，以其深而出之以淺，非借淺以文其不深也；後人之詞，則心口皆深矣。無論其他，卽湯若士《還魂》一劇，世以配饗元人，宜也。問其精華所在，則以《驚夢》、《尋夢》二折對。予謂：二折雖佳，猶是今曲，非元曲也。《驚夢》首句云：「裊晴絲吹來閒庭院，搖漾春如線。」以遊絲一縷，逗起情絲。發端一語，卽費如許深心，可謂慘澹經營矣。然聽歌《牡丹亭》者，百人之中有一二人解出此意否？若謂製曲初心，並不在此，不過因所見以起興，則瞥見遊絲，不妨直說，何須曲而又曲，由晴絲而說及春，由春與晴絲而悟其如線也？若云作此原有深心，則恐索解人不易得矣。索解人既不易得，又何必奏之歌筵，俾雅人俗子同聞而共見乎？其餘「停半晌，整花鈿，沒揣菱花，偸人半面」及「良辰美景奈何天，賞心樂事誰家院」、「遍青山啼紅了杜鵑」等語，字字俱費經營，字字皆欠明爽。此等妙語，止可作文字觀，不得作傳奇觀。至如末幅「似蟲兒般蠢動把風情搧」，與「恨不得肉兒般團成片也，逗的箇日下胭脂雨上鮮」,《尋夢》曲云「明放着白日青天,猛教人抓不到夢魂前,是這答兒壓黃金釧匾」,此等曲則去元人不遠矣。而予最賞心者,不專在《驚夢》、《尋夢》二折,謂其心花、筆蕋,散見于前後各折之中。《診祟》曲云:「看你春歸何處歸?春睡何曾睡!氣絲兒怎度的長天日!夢去知他實實誰?病來只送得箇虛虛的你。做行雲,先渴倒在巫陽會。又不是困人天氣,中酒心期,魆魆的常如醉。承尊覷,何時何日來看這女顏回?」《憶女》曲云:「地老天昏,沒處把老娘安頓。你怎撇得下萬里無兒白髮親!賞春香還是你舊羅裙。」《玩真》曲云:「如愁欲語,只少口氣兒呵。叫的你噴嚏似天花唾。動凌波,盈盈欲下,不見影兒那。」此等曲則純乎元人。置之《百種》前後,幾不能辨。以其意深詞淺,全無一毫書本氣也。若論塡詞家宜用之書,則無論經、傳、子、史,以及詩、賦、古文,無一不當熟讀,即道家、佛氏、九流、百工之書,下至孩童所習《千字文》、《百家姓》,無一不在所用之中。至於形之筆端,落于紙上,則宜洗濯殆盡。亦偶有用着成語之處,點出舊事之時,妙在信手拈來,無心巧合,竟似古人尋我,並非我覓古人。此等造詣,非可言傳,只宜多購元曲,寢食其中,自能爲其所化。而元曲之最佳者,不單在《西廂》、《琵琶》二劇,而在《元人百種》之中。《百種》亦不能盡佳,十有一二可列高、王之上,其不致家絃戶誦,出與二劇爭雄者,以其是雜劇而非全本,多北曲而少南音,又止可被諸管絃,不便奏之場上。今時所重皆在彼而不在此,即欲不爲紈扇之捐,其可得乎?

又《重機趣》「機趣」二字,塡詞家必不可少。機者,傳奇之精神;趣者,傳奇之風致。少此二物,則如泥人、土馬,有生形而無生氣。因作者逐句湊成,遂使觀場者逐段記憶,稍不留心,則看到第二曲不記頭一曲是何等情形,看到第二折不知第三折要作何勾當,是心口徒勞,耳目俱澁,何必以此自苦而復苦百千萬億之人哉!故塡詞之中,勿使有斷續痕,勿使有道學氣。所謂無斷續痕者,非止一齣接一齣,一人頂一人,務使承上接下,血脈相連,即於情事截然絕不相關之處,亦有連環細筍,伏于其中,看到後來方知其妙,如藕於未切之時,先長暗絲以待,絲於絡成之後,纔知作繭之精,此言機之不可少也。所謂無道學氣者,非但風流跌宕之曲、花前月下之情當以板腐爲戒,即談忠孝節義與說悲苦哀怨之情,亦當抑聖爲狂,寓哭於笑,如王陽明之講道學,則得詞中三昧矣。陽明登壇講學,反覆辨說「良知」二字,一愚人訊之曰:「請問『良知』這件東西,還是白的?還是黑的?」陽明曰:「也不白,也不黑。只是一點帶赤的,便是良知了。」照此法塡詞,則離、合、悲、歡、嘻、笑、怒、罵,無一語一字不帶機趣而行矣。予又謂:塡詞種子,要在性中帶來。性中無此,做殺不佳。人問性之有無,何從辨識?予曰:「不難,觀其說話、行文即知之矣。說話不迂腐,十句之中定有一二句超脫;行文不板實,一篇之內但有一二段空靈,此即可以塡詞之人也。不則另尋別計,不當以有用精神,費之無益之地。」噫!性中帶來一語,事事皆然,不獨塡詞一節,凡作詩、文、書、畫、飲酒、鬬棋與百工技藝之事,無一不具夙根,無一不本天授。強而後能者,畢竟是半路出家,止可冒齋飯喫,不能成佛作祖也。

又《戒浮泛》詞貴顯淺之說,前已道之詳矣。然一味顯淺,而不知分別,則將日流粗俗,求爲文人之筆而不可得矣。元曲多犯此病,乃矯艱深隱晦之弊而過焉者也。極粗極俗之語,未嘗不入塡詞,但宜從腳色起見。如在花面口中,則惟恐不粗不俗;一涉生、旦之曲,便宜斟酌其詞。無論生爲衣冠、仕宦,旦爲小姐、夫人,出言吐詞,當有雋雅舂容之度;即使生爲僕從,旦作梅香,亦須擇言而發,不與淨、丑同聲。以生、旦有生、旦之體,淨、丑有淨、丑之腔故也。元人不察,多混用之。觀《幽閨記》之陀滿興福,乃小生腳色,初屈後伸之人也,其《避兵》曲云:「遙觀巡捕卒,都是棒和鎗。」此花面口吻,非小生曲也。均是常談俗語,有當用於此者,有當用於彼者。又有極粗,極俗之語,止更一二字,或增減一二字,便成絕新絕雅之文者。神而明之,只在一熟。當存其說,以俟其人。塡詞義理無窮,說何人肖何人,議某事切某事,文章頭緒之最繁者,莫塡詞若矣。予謂總其大綱,則不出「情」、「景」二字。景書所睹,情發欲言。情自中生,景由外得。二者難易之分,判如霄壤。以情乃一人之情,說張三要像張三,難通融于李四。景乃衆人之景,寫春、夏盡是春、夏,止分別於秋、冬。善塡詞者,當爲所難,勿趨其易。批點傳奇者,每遇遊山、玩水、賞月、觀花等曲,見其止書所見不及中情者,有十分佳處,只好算得五分,以風、雲、月、露之詞,工者儘多,不從此劇始也。善詠物者,妙在即景生情。如前所云《琵琶·賞月》四曲,同一月也,牛氏有牛氏之月,伯喈有伯喈之月。所言者月,所寓者心。牛氏所說之月可移一句于伯喈,伯喈所說之月可挪一字于牛氏乎?夫妻二人之語，猶不可挪移混用，況他人乎？人謂：此等妙曲，工者有幾？強人以所不能，是塞塡詞之路也。予曰：「不然。作文之事，貴於專一。專則生巧，散乃入愚。專則易於奏工，散者難於責效。百工居肆，欲其專也。衆楚羣咻，喻其散也。捨情言景，不過圖其省力，殊不知眼前景物繁多，當從何處說起？詠花既愁遺鳥，賦月又想兼風。若使逐件鋪張，則慮事多曲少；欲以數言包括，又防事短情長。展轉推敲，已費心思幾許，何如只就本人生發，自有欲爲之事，自有待說之情，念不旁分，妙理自出。如發科發甲之人，聰下作文，每日止能一篇、二篇，場中遂至七篇。聰下之一篇、二篇，未必盡好，而場中之七篇，反能盡發所長而奪千人之幟者，以其念不旁分，捨本題之外，並無別題可做，只得走此一條路也。吾欲塡詞家舍景言情，非責人以難，正欲其捨難就易耳。」

又《忌塡塞》 塡塞之病有三：多引古事，疊用人名，直書成句。其所以致病之由，亦有三：借典核以明博雅，假脂粉以見風姿，取現成以免思索。而總此三病，與致病之由之故，則在一語。一語維何？曰：「從未經人道破。」一經道破，則俗語云「說破不值半文錢」，再犯此病者鮮矣。古來塡詞之家，未嘗不引古事，未嘗不用人名，未嘗不書現成之句，而所引、所用，與所書者則有別焉。其事不取幽深，其人不搜隱僻，其句則採街談巷議。卽有時偶涉詩、書，亦係耳根聽熟之語，舌端調慣之文，雖出詩、書，實與街談巷議無別者。總而言之，傳奇不比文章。文章做與讀書人看，故不怪其深；戲文做與讀書人與不讀書人同看，又與不讀書之婦人小兒同看，故貴淺不貴深。使文章之設，亦爲與讀書人、不讀書人及婦人小兒同看，則古來聖賢所作之經、傳，亦只淺而不深，如今世之爲小說矣。人曰：文士之作傳奇，與著書無別，假此以見其才也，淺則才於何見？予曰：「能於淺處見才，方是文章高手。施耐庵之《水滸》、王實甫之《西廂》，世人盡作戲文、小說看，金聖歎特標其名曰『五才子書』、『六才子書』者，其意何居？蓋憤天下之小視其道，不知爲古今來絕大文章，故作此等驚人語以標其目。」噫！知言哉！

又《詞采第二》 曲與詩餘，同是一種文字。古今刻本中，詩餘能佳而曲不能盡佳者，詩餘可選而曲不可選也。詩餘最短，每篇不過數十字，作者雖多，入選者不多，棄短取長，是以但見其美。曲文最長，每折必須數曲，每部必須數十折，非八斗長才，不能始終如一。微疵偶見者有之，瑕瑜並陳者有之，尚有踴躍於前，懈弛於後，不得已而爲狗尾貂續者亦有之。演者、觀者，既存此曲，只得取其所長，恕其所短，首尾並錄，無一部而删去數折，止存數折，一齣而抹去數曲，止存數曲之理。此戲曲不能盡佳，有爲數折可取而挈帶全篇，一曲可取而挈帶全折，使瓦缶與金石齊鳴者，職是故也。予謂：既工此道，當如畫士之傳眞，閨女之刺繡，一筆稍差，便慮神情不似，一針偶缺，卽防花鳥變形。使全部傳奇之曲，得似詩餘選本，如《花間》、《草堂》諸集，首首有可珍之句，句句有可寶之字，則不媿塡詞之名，無論必傳，卽傳之千萬年，亦非徼倖而得者矣。吾於古曲之中，取其全本不懈，多瑜鮮瑕者，惟《西廂》能之。《琵琶》則如漢高用兵，勝敗不一；其得一勝而王者，命也，非戰之力也。《荆》、《劉》、《拜》、《殺》之傳，則全賴音律；文章一道，置之不論可矣。

又卷三《賓白第四》 自來作傳奇者，止重塡詞，視賓白爲末着。常有《白雪》、《陽春》其調而巴人下里其言者，予竊怪之。原其所以輕此之故，殆有說焉。元以塡詞擅長，名人所作，北曲多而南曲少。北曲之介白者，每折不過數言。卽抹去賓白而止閱塡詞，亦皆一氣呵成，無有斷續，似併此數言亦可略而不備者。由是觀之，則初時止有塡詞，其介白之文，未必不係後來添設。在元人，則以當時所重不在於此，是以輕之。後來之人又謂：元人尚在不重，我輩工此何爲！遂不覺日輕一日，而竟置此道於不講也。予則不然，嘗謂：曲之有白，就文字論之，則猶經文之於傳、註，就物理論之，則如棟、梁之於榱、桷，就人身論之，則如肢體之於血、脈，非但不可相無，且覺稍有不稱，卽因此賤彼，竟作無用觀者。故知賓白一道，當與曲文等視。有最得意之曲文，卽當有最得意之賓白。但使筆酣、墨飽，其勢自能相生。常有因得一句好白而引起無限曲情，又有因塡一首好詞而生出無窮話柄者，是文與文自相觸發，我止樂觀厥成，無所容其思議。此係作文恆情，不得幽渺其說而作化境觀也。

又《語求肖似》 文字之最豪宕，最風雅，作之最健人脾胃者，莫過塡詞一種。若無此種，幾於悶殺才人，困死豪傑。予生憂患之中，處落魄之境，自幼至長，自長至老，總無一刻舒眉。惟於製曲塡詞之頃，非但鬱藉以舒慍爲之解，且嘗僭作兩間最樂之人，覺富貴榮華，其受用不過如此，未有眞境之爲所欲爲，能出幻境縱橫之上者。我欲做官，則頃刻之間便臻榮貴；我欲致仕，則轉盼之際又入山林；我欲作人間才子，卽爲杜甫、李白之後身；我欲娶絕代佳人，卽作王嬙、西施之元配；我欲成仙、作佛，則西天、蓬島，卽在硯池筆架之前；我欲盡孝、輸忠，則君治、親年，可躋堯、舜、彭籛之上。非若他種文字，欲作寓言，必須遠引曲譬，醞藉包含。十分牢騷，還須留住六七分；八斗才學，止可使出二三升。稍欠和平，略施縱送，卽謂失風人之旨，犯佻達之嫌。求爲家絃戶誦者，難矣。塡詞一家，則惟恐其蓄而不言，言之不盡。是則是矣，須知暢所欲言，亦非易事。言者，心之聲也，欲代此一人立言，先宜代此一人立心。若非夢往神遊，何謂設身處地。無論立心端正者，我當設身處地，代生端正之想，卽遇立心邪辟者，我亦當舍經從權，暫爲邪辟之思。務使心曲隱微，隨口唾出，說一人肖一人，勿使雷同，弗使浮泛，若《水滸傳》之叙事，吳道子之寫生，斯稱此道中之絕技。果能若此，卽欲不傳，其可得乎？

又《詞別繁減》 傳奇中賓白之繁，實自予始。海內知我者與罪我者半。知我者曰：「從來賓白，作說話觀，隨口出之卽是；笠翁賓白，當文章做，字字俱費推敲。從來賓白，只要紙上分明，不顧口中順逆。常有觀刻本極其透徹，奏之場上便覺糊塗者。豈一人之耳目，有聰明、聾聵之分乎？因作者只顧揮毫，並未設身處地，既以口代優人，復以耳當聽者，心口相維，詢其好說不好說，中聽不中聽，此其所以判然之故也。笠翁手則握筆，口卻登場。全以身代梨園，復以神魂四繞，考其關目，試其聲音，好則直書，否則擱筆，此其所以觀、聽咸宜也。」罪我者曰：「塡詞既曰『塡詞』，卽當以詞爲主。賓白既名『賓白』，明言白乃其賓，奈何反主作客，而犯樹大於根之弊乎？」笠翁曰：「始作俑者，實實爲予，責之誠是也。但其敢於若是，與其不得不若是者，則均有說焉。請先白其不得不若是者。前人賓白之少，非有一定當少之成格。蓋彼只以塡詞自任，留餘地以待優人，謂：引商刻羽我爲政，飾聽美觀彼爲政。我以約略數言，示之以意，彼自能增益成文。如今世之演《琵琶》、《西廂》、《荆》、《劉》、《拜》、《殺》等曲，曲則仍之，其間賓白、科諢等事，有幾處合於原本，以寥寥數言塞責者乎？且作新與演舊有別。《琵琶》、《西廂》、《荆》、《劉》、《拜》、《殺》等曲，家絃戶誦已久，童叟男婦，皆能備悉情由。卽使一句賓白不道，止唱曲文，觀者亦能默會。是其賓白繁減，可不問也。至於新演一劇，其間情事，觀者茫然。詞曲一道，止能傳聲，不能傳情。欲觀者悉其顚末，洞其幽微，單靠賓白一着。予非不圖省力，亦留餘地以待優人。但優人之中，智愚不等，能保其增益成文者，悉如作者之意，毫無贅疣、蛇足於其間乎？與其留餘地以待增，不若留餘地以待減。減之不當，猶存作者深心之半，猶病不服藥之得中醫也。此予不得不若是之故也。至其敢於若是者，則謂：千古文章，總無定格，有創始之人，卽有守成不變之人；有守成不變之人，卽有大仍其意，小變其形，自成一家而不顧天下非笑之人。古來文字之正變爲奇，奇翻爲正者，不知凡幾，吾不具論，止以多寡、增益之數論之。《左傳》、《國語》，紀事之書也，每一事不過數行，每一語不過數字，初時未病其少。殆班固之作《漢書》，司馬遷之爲《史記》，亦紀事之書也，遂益數行爲數十百行，數字爲數十百字，豈有病其過多而廢《史記》、《漢書》於不讀者乎？此言少之可變爲多也。詩之爲道，當日但有古風。古風之體，多則數十百句，少亦十數句，初時亦未病其多。殆近體一出，則約數十百句爲八句，絕句一出又斂八句爲四句，豈有病其漸少，而選詩之家，止載古風，刪近體、絕句於不錄者乎？此言多之可變爲少也。總之，文字短長，視其人之筆性。筆性遒勁者，不能強之使長；筆性縱肆者，不能縮之使短。文患不能長，又患其可以不長而必欲使之長。如其能長而又使人不可刪逸，則雖爲賓白中之古風、《史》、《漢》，亦何患哉！予則烏能當此，但爲糠粃之導，以俟後來居上之人。」予之賓白，雖有微長，然初作之時，竿頭未進，常有當儉不儉，因留餘幅以俟剪裁，遂不覺流爲散漫者。自今觀之，皆吳下阿蒙手筆也。如其天假以年，得於所傳十種之外，別有新詞，則能保爲犬夜、鷄晨。嗚乎！其所當鳴，默乎其所不得不默者矣。

又《字分南北》 北曲有北音之字，南曲有南音之字，如南音自呼爲「我」，呼人爲「你」；北音呼人爲「您」，自呼爲「俺」、爲「咱」之類是也。世人但知曲內宜分，烏知白隨曲轉，不應兩截。此一折之曲爲南，則此一折之白，悉用南音之字；此一折之曲爲北，則此一折之白，悉用北音之字。時人傳奇，多有混用者。卽能間施於淨、丑，不知加嚴於生、旦；止能分用於男子，不知區別於婦人。以北字近於巓豪，易入剛勁之口；南音悉多嬌媚，便施窈窕之人。殊不知聲音駁雜，俗語呼爲「兩頭蠻」。說話且然，況登場演劇乎？此論爲全套南曲、全套北曲者言之。南北相間如《新水令》、《步步嬌》之類，則在所不拘。

又《文貴潔淨》　白不厭多之說，前論極詳，而此復言潔淨。潔淨者，簡省之別名也。潔則忌多，減始能淨，二說不無相悖乎？曰：不然。多而不覺其多者，多即是潔；少而尚病其多者，少亦近蕪。予所謂多，謂不可刪逸之多，非唱沙作米、强鳧變鶴之多也。作賓白者，意則期多，字惟求少，愛雖難割，嗜亦宜專。每作一段，即自刪一段，萬不可刪者始存，稍有可削者即去。此言逐齣初填之際，全稿未脱之先，所謂慎之於始也。然我輩作文，常有人以爲非，而自認作是者；又有初信爲是，而後悔其非者。文章出自己手，無一非佳；詩賦論其初成，無語不妙。迨易日經時之後，取而觀之，則妍媸、好醜之間，非特人能辨別，我亦自解雌黄矣。此論雖說填詞，實各種詩文之通病，古今才士之恒情也。凡作傳奇，當於開筆之初，以至脱稿之後，隔日一刪，逾月一改，始能淘沙得金，無瑕瑜互見之失矣。此說予能言之，不能行之者。則人與我中分其咎。予終歲饑驅，杜門日少。每有所作，率多草草成篇。章名急就，非不欲刪，非不欲改，無可刪、可改之時也。每成一劇，纔落毫端，即爲坊人攫去。下半猶未脱稿，上半業已災梨。非止災梨，彼伶工之捷足者，又復災其肺腸，災其唇舌，遂使一成不改，終爲錮疾難醫。予非不務潔淨，天實使之，謂之何哉。

又《少用方言》　填詞中方言之多，莫過於《西廂》一種。其餘今詞、古曲，在在有之。非止詞曲，即《四書》之中，《孟子》一書，亦有方言。【略】《四書》之文，猶不可盡法，况《西廂》之爲詞曲乎？凡作傳奇，不宜頻用方言，令人不解。近日填詞家見花面登場，悉作姑蘇口吻，遂以此爲成律，每作淨、丑之白，即用方言。不知此等聲音，止能通于吳、越，過此以往，則聽者茫然。傳奇，天下之書，豈僅爲吳、越而設？至於他處方言，雖云入曲者少，亦視填詞者所生之地。如湯若士生於江右，即當規避江右之方言；粲花主人吳石渠生於陽羨，即當規避陽羨之方言。蓋生此一方，未免爲一方所囿，有明是方言，而我不知其爲方言，及入他境，對人言之而人不解，始知其爲方言者，諸如此類，易地皆然。欲作傳奇，不可不存桑弧蓬矢之志。

又《時防漏孔》　一部傳奇之賓白，自始至終，奚啻千言萬語。多言多失，保無前是後非，有呼不應，自相矛盾之病乎？如《玉簪記》之陳妙常，道姑也，非尼僧也，其白云「姑娘在禪堂打坐」，其曲云「從今孽債染緇衣」。禪堂，緇衣，皆尼僧字面，而用入道家，有是理乎？諸如此類者，不能枚舉。總之，文字短少者易爲檢點，長大者難於照顧。吾於古今文字中，取其最長、最大，而尋不出纖毫滲漏者，惟《水滸傳》一書。設以他人爲此，幾同笊籬貯水，珠箔遮風，出者多而進者少，豈止三十六個漏孔而已哉？

又《科諢第五》　插科打諢，填詞之末技也。然欲雅、俗同歡，智、愚共賞，則當全在此處留神。文字佳，情節佳，而科諢不佳，非特俗人怕看，即雅人韻士，亦有瞌睡之時。作傳奇者，全要善驅睡魔。睡魔一至，則後乎此者，雖有《鈞天》之樂，《霓裳羽衣》之舞，皆付之不見不聞，如對泥人作揖，土佛談經矣。予嘗以此告優人，謂：戲文好處，全在下半本。只消三兩個瞌睡，便隔斷一部神情。瞌睡醒時，上文下文已不接續，即使抖起精神再看，只好斷章取義作零齣觀。若是，則科諢非科諢，乃看戲之人參湯也。養精益神，使人不倦，全在於此，可作小道觀乎？

又《科諢・戒淫褻》　戲文中花面插科，動及淫邪之事，有房中道不出口之話，公然道之戲場者。無論雅人塞耳、正士低頭，惟恐惡聲之污聽，且防男女同觀，共聞褻語，未必不開窺竊之門。鄭聲宜放，正爲此也。不知科諢之設，止爲發笑。人間戲語儘多，何必專談慾事？即談慾事，亦有「善戲謔兮，不爲虐兮」之法，何必以口代筆，畫出一幅春意圖，始爲善談慾事者哉？人問善談慾事，當用何法？請言一二以概之。予曰：「如說口頭俗語，人盡知之者，則說半句，留半句，或說一句，留一句，令人自思，則慾事不掛齒頰，而與說出相同，此一法也。如講最褻之話，慮人觸耳者，則借他事喻之，言雖在此，意實在彼，人盡了然，則慾事未入耳中，實與聽見無異，此又一法也。得此二法，則無處不可類推矣。」

又《忌俗惡》　科諢之妙，在於近俗，而所忌者又在於太俗。不俗則類腐儒之談，太俗即非文人之筆。吾於近劇中取其俗而不俗者，《還魂》而外，則有《粲花五種》，皆文人最妙之筆也。《粲花五種》之長，不僅在此。才鋒筆藻，可繼《還魂》；其稍遜一籌者，則在氣與力之間耳。《還魂》氣長，《粲花》稍促。《還魂》力足，《粲花》略虧。雖然，湯若士之《四夢》，求其氣長力足者，惟《還魂》一種；其餘三劇，則與《粲花》比肩。使粲花主人及今猶在，奮其全力，另製一種新詞，則詞壇赤幟，豈僅爲若士一人所攫哉？所恨予生也晚，不及與二老同時。他日追及泉臺，定有一番傾倒，必不作「妒而欲殺」之狀，向閻羅天子掉舌，排擠後來人也。

又《重關係》「科諢」二字，不止爲花面而設，通場腳色皆不可少。生、旦有生、旦之科諢，外、末有外、末之科諢。淨、丑之科諢，則其分内事也。然爲淨、丑之科諢易，爲生、旦、外、末之科諢難。雅中帶俗，又於俗中見雅。活處寓板，即於板處證活。此等雖難，猶是詞客優爲之事。所難者，要有關係。關係維何？曰：於嘻笑詼諧之處，包含絶大文章，使忠孝節義之心，得此愈顯。如老萊子之舞斑衣，簡雍之説淫具，東方朔之笑彭祖面長，此皆古人中之善於插科打諢者也。作傳奇者苟能取法於此，則科諢非科諢，乃引人入道之方便法門耳。

又《貴自然》科諢雖不可少，然非有意爲之。如必欲於某折之中，插入某科諢一段，或預設某科諢一段，插入某折之中，則是覓妓追歡，尋人賣笑，其爲笑也不眞，其爲樂也，亦甚苦矣。妙在水到渠成，天機自露。我本無心説笑話，誰知笑話逼人來，斯爲科諢之妙境耳。如前所云簡雍説淫具，東方朔笑彭祖，即取二事論之。蜀先主時，天旱禁酒。有吏向一人家索出釀酒之具，論者欲置之法。雍與先主游，見男女各行道上，雍謂先主曰：「彼欲行淫，請縛之。」先主曰：「何以知其行淫？」雍曰：「各有其具，與欲釀未釀者同，是以知之。」先主大笑而釋蓄釀具者。漢武帝時，有善相者，謂人中長一寸，壽當百歲。東方朔大笑。有司奏以不敬。帝責之，朔曰：「臣非笑陛下，乃笑彭祖耳。人中一寸則壽百歲，彭祖歲八百，其人中不幾八寸乎？人中八寸，則面幾長一丈矣，是以笑之。」此二事，可謂絶妙之詼諧。戲場有此，豈非絶妙之科諢？然當時必親見男女同行，因而説及淫具，必親聽人中一寸壽當百歲之説，始及彭祖面長，是以可笑，是以能悟人主。如其未見，未聞，突然引此爲喻，則怒之不暇，笑從何來？笑既不得，悟從何有？此即貴自然、不貴勉強之明證也。吾看演《南西廂》，見法聰口中所説科諢，迂奇誕妄，不知何處生來，眞令人欲逃、欲嘔，而觀者、聽者絶無厭倦之色，豈文章一道，俗則爭取，雅則共棄乎？

又《格局第六》傳奇格局，有一定而不可移者，有可仍、可改，聽人自爲政者。開場用末沖場，用生開場，數語包括通篇。沖場一齣，蘊釀全部，此一定不可移者。開手宜靜不宜喧，終場忌冷不忌熱，生、旦合爲夫婦，外與老旦，非充父母，即作翁姑，此常格也。然遇情事變更，勢難仍舊，不得不通融兑換而用之，諸如此類，皆其可仍、可改聽人爲政者也。近日傳奇，一味趨新，無論可變者變，即斷斷當仍者，亦加改竄以示新奇。予謂：文字之新奇，在中藏不在外貌，在精液不在渣滓，猶之詩、賦、古文以及時藝，其中人才輩出，一人勝似一人，一作奇於一作，然止别其詞華，未聞異其資格，有以古風之局而爲近律者乎？有以時藝之體而作古文者乎？繩墨不改，斧斤自若，而工師之奇巧出焉。行文之道，亦若是也。

又《格局·家門》開場數語，謂之「家門」。雖云爲字不多，然非結構已完，胸有成竹者，不能措手。即使規模已定，猶慮做到其間，勢有阻撓，不得順流而下，未免小有更張。是以此折最難下筆。如機鋒鋭利，一往而前，所謂信手拈來，頭頭是道，則從此折做起，不則姑缺首篇，以俟終場補入。猶塑佛者不即開光，畫龍者點睛有待，非故遲之，欲俟全像告成，其身向左，則目宜左視，其身向右，則目宜右觀，俯仰低徊，皆從身轉，非可預爲計也。此是詞家討便宜法，開手即以告人，使後來作者，未經捉筆，先省一番無益之勞，知笠翁爲此道功臣，凡其所言，皆眞切可行之事，非大言欺世者比也。未説「家門」，先有一上場小曲。如《西江月》、《蝶戀花》之類，總無成格，聽人拈取。此曲向來不切本題，止是勸人對酒忘憂、逢場作戲諸套語。予謂詞曲中開場一折，即古文之冒頭、時文之破題，務使開門見山，不當借帽覆頂。即將本傳中立言大意，包括成文，與後所説「家門」一詞，相爲表裏。前是暗説，後是明説。暗説似破題，明説似承題。如此立格，始爲有根有據之文。場中閲卷，看至第二、三行而始覺其好者，即是可取可棄之文。開卷之初，能將試官眼睛一把拏住，不放轉移，始爲必售之技。吾願才人舉筆盡作是觀，不止塡詞而已也。元詞開場，止有冒頭數語，謂之「正名」，又曰「楔子」，多則四句，少則二句，似爲簡捷。然不登場則已，既用副末上場，腳纔點地，遂爾抽身，亦覺張皇失次。增出「家門」一段，甚爲有理。然「家門」之前，另有一詞。今之梨園，皆略去前詞，只就「家門」説起，止圖省力，埋沒作者一段深心。大凡説話、作文，同是一理：入手之初，不宜太遠，亦正不宜太近。文章所忌者，開口罵題。便説幾句閒文，纔歸正傳，亦未嘗不可，胡遽惜字如金，而作此鹵莽滅裂之狀也！作者萬勿因其不讀而作省文。至於末後四句，非止全該，又宜别俗。元人楔子，太近老實，不足法也。

又《沖場》開場第二折，謂之「沖場」。「沖場」者，人未上而我先上也，必用一悠長引子。引子唱完，繼以詩詞及四六排語，謂之「定場白」，言其未說之先，人不知所演何劇，耳目搖搖；得此數語，方知下落，始未定而今方定也。此折之一引、一詞，較之前折「家門」一曲，猶難措手。務以寥寥數言，道盡本人一腔心事，又且蘊釀全部精神，猶「家門」之括盡無遺也。同屬包括之詞，而分難易於其間者，以「家門」可以明說，而「沖場」引子及定場詩、詞，全用暗射，無一字可以明言故也。非特一本戲文之節目，全於此處埋伏，而作此一本戲文之好歹，亦即於此時定價。何也？開手筆機飛舞，墨勢淋漓，有自由自得之妙，則把握在手，破竹之勢已成，不憂此後不成完璧。如此時此際文情艱澀，勉強支吾，則朝氣昏昏，到晚終無晴色，不如不作之爲愈也。然則開手鋭利者，寧有幾人，不幾阻抑後輩而塞填詞之路乎？曰：不然，有養機使動之法在。如入手艱澀，姑置勿塡，以避煩苦之勢。自尋樂境，養動生機，俟襟懷略展之後，仍復拈毫。有興即塡，否則又置。如是者數四，未有不忽撞天機者。若因好句不來，遂以俚詞塞責，則走入荒蕪一路，求闢草昧而致文明，不可得矣。

又《出脚色》 本傳中有名脚色，不宜出之太遲。如生爲一家，旦爲一家，生之父母隨生而出，旦之父母隨旦而出，以其爲一部之主，餘皆客也。雖不定在一齣、二齣，然不得出四、五折之後。太遲則先有他脚色上場，觀者反認爲主，及見後來人，勢必反認爲客矣。即淨、丑脚色之關乎全部者，亦不宜出之太遲。善觀場者，止於前數齣所見，記其人之姓名。十齣以後，皆是枝外生枝，節中長節，如遇行路之人，非止不問姓字，並形體面目，皆可不必認矣。

又《小收煞》 上半部之末齣，暫攝情形，略收鑼鼓，名爲「小收煞」。宜緊，忌寬。宜熱，忌冷。宜作鄭五歇後，令人揣摩下文，不知此事如何結果。如做把戲者，暗藏一物於盆、盎、衣、禛之中，做定而令人射覆，此正做定之際，衆人射覆之時也。戲法無眞假，戲文無工拙，只是使人想不到，猜不着，便是好戲法、好戲文。猜破而後出之，則觀者索然，作者赧然，不如藏拙之爲妙矣。

又《大收煞》 今本收場，名爲「大收煞」。此折之難，在無包括之痕，而有團圓之趣。如一部之內，要緊脚色共有五人，其先東、西、南、北，各自分開，到此必須會合。此理誰不知之？但其會合之故，須要自然而然，水到渠成，非由車戽。最忌無因而至，突如其來，與勉強生情，拉成一處，令觀者識其有心如此，與恕其無可奈何者，皆非此道中絶技，因有包括之痕也。骨肉團聚，不過歡笑一場，以此收鑼罷鼓，有何趣味？水窮山盡之處，偏宜突起波瀾，或先驚而後喜，或始疑而終信，或喜極、信極而反致驚疑，務使一折之中，七情俱備，始爲到底不懈之筆，愈遠愈大之才，所謂有團圓之趣者也。予訓兒輩，嘗云：「場中作文，有倒騙主司入彀之法。開卷之初，當以奇句奪目，使之一見而驚，不敢棄去，此一法也。終篇之際，當以媚語攝魂，使之執卷留連，若難遽別，此一法也。收場一齣，即勾魂、攝魄之具，使人看過數日而猶覺聲音在耳、情形在目者，全虧此齣撒嬌，作臨去秋波那一轉也。」

又卷四《選劇第一·劑冷熱》 今人之所尚，時優之所習，皆在「熱鬧」二字。冷靜之詞，文雅之曲，皆其深惡而痛絶者也。然戲文太冷，詞曲太雅，原足令人生倦。此作者自取厭棄，非人有心置之也。然儘有外貌似冷，而中藏極熱，文章極雅，而情事近俗者。何難稍加潤色，播入管絃，乃不問短長，一概以冷落棄之，則難服才人之心矣。予謂：傳奇無冷、熱，只怕不合人情。如其離、合、悲、歡，皆爲人情所必至，能使人哭，能使人笑，能使人怒髮沖冠，能使人驚魂欲絶，即使鼓板不動，場上寂然，而觀者叫絶之聲，反能震天動地。是以人口代鼓樂，贊歎爲戰爭，較之滿場殺伐，鉦鼓雷鳴，而人心不動，反欲掩耳避喧者爲何如？豈非冷中之熱，勝於熱中之冷；俗中之雅，遜於雅中之俗乎哉？

又《變調·變舊成新》 演新劇如看時文，妙在聞所未聞，見所未見。演舊劇如看古董，妙在身生後世，眼對前朝。然而古董之可愛者，以其體質愈陳愈古，色相愈變愈奇。如銅器、玉器之在當年，不過一刮磨光瑩之物耳。迨其歷年既久，刮磨者渾全無跡，光瑩者斑駁成文，是以人人相寶。非寶其本質如常，寶其能新而善變也。使其不異當年，猶然是一刮磨光瑩之物，則與今時旋造者無別，何事什佰其價，而購之哉？舊劇之可珍，亦若是也。今之梨園，購得一新本，則因其新而愈新之，飾怪粧奇，不遺餘力。演到舊劇，則千人一轍，萬人一轍，不求稍異，觀者如聽蒙童背書，但賞其熟，求一換耳換目之字而不得；則是古董便爲古董，卻未嘗易色生斑，依然是一刮磨光瑩之物。我何不取旋造者觀之，猶覺耳目一新，何必定爲村學究聽蒙童背書之爲樂哉？然則生斑易色，其理甚難，當用何法以處此？曰：有道焉。仍其體質，變其丰姿。如同一美人，而稍更衣飾，便足令人改觀，不俟變形易貌而始知別一神情也。體質維何？曲文與大段關目是已。丰姿維何？科諢與細微說白是已。曲文與大段關目不可改者，古人既費一片心血，自合當留天地之間，我與何讎而必欲使之埋沒？且時人是古非今，改之徒來訕笑，仍其大體，既慰作者之心，且杜時人之口。科諢與細微說白不可不變者，凡人作事，貴於見景生情。世道遷移，人心非舊，當日有當日之情態，今日有今日之情態。傳奇妙在入情，即使作者至今未死，亦當與世遷移，自囀其舌，必不爲膠柱鼓瑟之談，以拂聽者之耳。況古人脫稿之初，便覺其新，一經傳播，演過數番，即覺聽熟之言，難於複聽，即在當年，亦未必不自厭其繁而思陳言之務去也。我能易以新詞，透入世情三昧，雖觀舊劇，如閱新篇，豈非作者功臣！使得爲鷄皮三少之女，前魚不泣之男，地下有靈，方頌德歌功之不暇，而忍以矯制責之哉！但須點鐵成金，勿令畫虎類狗；又須擇其可增者增，當改者改。萬勿故作知音，強爲解事，令觀者當場噴飯，而羣罪作俑之人，則湖上笠翁不任咎也。此言潤澤枯槁，變易陳腐之事。予嘗痛改《南西廂》，如《游殿》、《問齋》、《踰牆》、《驚夢》等科諢，及《玉簪·偷詞》、《幽閨》、《旅婚》諸賓白，付伶工搬演，以試舊新，業經詞人謬賞，不以點竄爲非矣。尚有拾遺補缺之法，未語同人，兹請並新其說。舊本傳奇，每多缺略不全之事，刺謬難解之情，非前人故爲破綻，留話柄以貽後人，若唐詩所謂「欲得周郎顧，時時誤拂絃」，乃一時照管不到，致生漏孔。所謂「至人千慮，必有一失」。此等空隙，全靠後人泥補，不得聽其缺陷而使千古無全文也。女媧氏煉石補天，天尚可補，況其他乎？但恐不得五色石耳。姑舉二事以概之。趙五娘於歸兩月，即別蔡邕，是一桃夭新婦。算至公姑已死，別墓尋夫之日，不及數年，是猶然一冶容誨淫之少婦也。身背琵琶，獨行千里，即能自保無他，能免當時物議乎？張大公重諾輕財，資其困乏，仁人也，義士也。試問衣食、名節，二者孰重？衣食不繼則周之，名節所關則聽之，義士仁人曾若是乎？此等缺陷，就詞人論之，幾與天傾西北，地陷東南無異矣，可少補天塞地之人乎？若欲於本傳之外，劈空添出一人，送趙五娘入京，與之隨身作伴，妥則妥矣，猶覺傷筋動骨，太涉更張。不想本傳內現有一人，儘可用之而不用，竟似張大公止圖卸肩，不顧趙五娘之去後者。其人爲誰？着送錢米助喪之小二是也。《剪髮》白云：「你先回去，我少頃就着小二送來。」則是大公非無僕從之人，何以吝而不使？予爲略增數語，補此缺略，附刻於後，以政同心。此一事也。《明珠記》之《煎茶》，所用爲傳消遞息之人者，塞鴻是也。塞鴻一男子，何以得事嬪妃？使宮禁之內可用男子煎茶，又得密談私語，則此事可爲，何事不可爲乎？此等破綻，婦人小兒皆能指出，而作者絕不經心，觀者亦聽其疎漏。然明眼人遇之，未嘗不啞然一笑而作無是公看者也。若欲於本家之外，鑿空構一婦人，與無雙小姐從不謀面，而送進驛內煎茶，使之先通姓名，後說情事，便則便矣，猶覺生枝長節，難免贅瘤。不知眼前現有一婦，理合使之而不使，非特王仙客至愚，亦覺彼婦太忍。彼婦爲誰？無雙自幼跟隨之婢，仙客現在作妾之人，名爲采蘋是也。無論仙客覓人將意，計當出此，即就采蘋論之，豈有主人一別數年，無由把臂，今在咫尺不圖一見，普天之下有若是之忍人乎？予亦爲正此迷謬，止換賓白，不易填詞，與《琵琶》改本並刊於後，以政同心。又一事也。其餘改本尚多，以篇帙浩繁，不能盡附。總之，凡予所改者，皆出萬不得已，眼看不過，耳聽不過，故爲劃削不平，以歸至當，非勉強出頭，與前人爲難者比也。凡屬高明，自能諒其心曲。插科打諢之語，若欲變舊爲新，其難易較此奚止百倍！無論劇劇可增，齣齣可改，即欲隔日一新，逾月一換，亦誠易事。可惜當世貴人，家蓄名優數輩，不得一詼諧弄筆之人，爲種詞林萱草，使之刻刻忘憂。若天假笠翁以年，授以黃金一斗，使得自買歌童，自編詞曲，口授而身導之，則戲場關目，日日更新，毡上詼諧，時時變相。此種技藝，非特自能，誇之天下，人亦共信之。然謀生不給，遑問其他？只好作貧女縫衣，爲他人助嬌，看他人出閣而已矣。

又卷五《授曲·解明曲意》　唱曲宜有曲情。曲情者，曲中之情節也。解明情節，知其意之所在，則唱出口時，儼然此種神情。問者是問，答者是答，悲者黯然魂消而不致反有喜色，歡者怡然自得而不見稍有瘁容，且其聲音齒頰之間，各種俱有分別，此所謂曲情是也。吾觀今世學曲者，始則誦讀，繼則歌詠，歌詠既成而事畢矣。至於「講解」二字，非特廢而不行，亦且從無此例。有終日唱此曲，終年唱此曲，甚至一生唱此曲，而不知此曲所言何事，所指何人，口唱而心不唱，口中有曲而面上、身上無曲，此所謂無情之曲，與蒙童背書，同一勉強而非自然者也。雖腔板極正，喉、舌、齒、牙極清，終是第二、第三等詞曲，非登峰造極之技也。欲唱好曲者，必先求明師講明曲義。師或不解，不妨轉詢文人。得其義而後唱，唱時以精神貫串其中，務求酷肖。若是，則同一唱也，同一曲也，其轉腔、換字之間，別有一種聲口，舉目回頭之際，另是一副神情。較之時優，自然迥別。變死音爲活曲，化歌者爲文人，只在「能解」二字。解之時義大矣哉。

又《教白第四》 教習歌舞之家，演習聲容之輩，咸謂：唱曲難，説白易。賓白念熟即是。曲文念熟而後唱，唱必數十遍而始熟，是唱曲與説白之工，難易判如霄壤。時論皆然。予獨怪其非是。唱曲難而易，説白易而難。知其難者始易，視爲易者必難。蓋詞曲中之高低、抑揚、緩急、頓挫，皆有一定不移之格，譜載分明，師傳嚴切，習之既慣，自然不出範圍。至賓白中之高低、抑揚、緩急、頓挫，則無腔板可按、譜籍可查，止靠曲師口授。而曲師入門之初，亦係暗中摸索。彼既無傳於人，何從轉授於我？訛以傳訛，此説白之理，日晦一日而人不知；人既不知，無怪乎念熟即以爲是，而且以爲易也。吾觀梨園之中，善唱曲者，十中必有二三；工説白者，百中僅可一二。此二人之工説白，若非本人自通文理，則其所傳之師，乃一讀書明理之人也。故曲師不可不擇。教者通文識字，則學者之受益，東君之省力，非止一端。苟得其人，必破優伶之格以待之，不則鶴困鷄羣，與儕衆無異，孰肯抑而就之乎？然於此中索全人，頗不易得。不如仍苦立言者，再費幾升心血，創爲成格以示人，自製曲、選詞以至登場、演習，無一不作功臣，庶於爲人爲徹之義，無少缺陷。雖然，成格即設，亦止可爲通文達理者道，不識字者聞之，未有不噴飯胡盧，而怪迂人之多事者也。

又《教白・高低抑揚》 賓白雖係常談，其中悉具至理。請以尋常講話喻之。明理人講話，一句可當十句；不明理人講話，十句抵不過一句，以其不中肯綮也。賓白雖係編就之言，説之不得法，其不中肯綮等也。猶之倩人傳語，教之使説，亦與念白相同。善傳者以之成事，不善傳者以之僨事，即此理也。此理甚難，亦甚易。得其孔竅則易，不得孔竅則難。此等孔竅，天下人不知，予獨知之。天下人即能知之，不能言之，而予復能言之。請揭出以示歌者。白有高低抑揚。何者當高而揚？何者當低而抑？曰：若唱曲然。曲文之中，有正字，有襯字。每遇正字，必聲高而氣長；若遇襯字，則聲低氣短而疾忙帶過：此分別主客之法也。説白之中，亦有正字，亦有襯字。其理同，則其法亦同。一段有一段之主客，一句有一句之主客。主高而揚，客低而抑，此至當不易之理，即最簡極便之法也。凡人説話，其理亦然。譬如呼人取茶、取酒，其聲云：「取茶來！」「取酒來！」此二句既爲「茶」、「酒」而發，則「茶」、「酒」二字爲正字，其聲必高而長；「取」字、「來」字爲襯字，其音必低而短。再取舊曲中賓白一段論之。《琵琶》分別白云：「雲情雨意，雖可拋兩月之夫妻；雪鬢霜鬟，竟不念八旬之父母。功名之念一起，甘旨之心頓忘，是何道理？」首四句之中，前二句是客，宜略輕而稍快；後二句是主，宜略重而稍遲。「功名」、「甘旨」二句亦然。此句中之主客也。「雖可拋」、「竟不念」六個字，較之「兩月夫妻」、「八旬父母」，雖非襯字，卻與襯字相同，其爲輕快，又當稍別。至於「夫妻」、「父母」之上二「之」字，又爲襯中之襯，其爲輕快，更宜倍之。是白皆然。此字中之主客也。常見不解事梨園，每於四六句中之「之」字，與上下正文同其輕重疾徐，是謂菽、麥不辨，尚可謂之能説白乎？此等皆言賓白，蓋場上所説之話也。至於上場詩、定場白，以及長篇大幅敘事之文，定宜高低相錯，緩急得宜，切勿作一片高聲，或一派細語，俗言「水平調」是也。上場詩四句之中，三句皆高而緩，一句宜低而快。低而快者，大率宜在第三句。至第四句之高而緩，較首二句更宜倍之。如《浣紗記》定場詩云：「少小豪雄俠氣聞，飄零仗劍學從軍。何年事了拂衣去？歸臥荊南夢澤雲。」「少小」二句，宜高而緩，不待言矣。「何年」一句，必須輕輕帶過，若與前二句相同，則煞尾一句，不求低而自低矣。末句一低，則懈而無勢，況其下接着通名道姓之語，如「下官姓范，名蠡，字少伯」，「下官」二字，例應稍低，若末句低而接者又低，則神氣索然不振矣。故第三句之稍低而快，勢有不得不然者。此理此法，誰能窮究至此，然不如此則是尋常應付之戲，非孤標特出之戲也。高低抑揚之法，盡乎此矣。優師既明此理，則授徒之際，又有一簡便可行之法：索性取而予之，但於點脚本時，將宜高宜長之字，用硃筆圈之；凡類襯字者，不圈，至於襯中之襯，與當急趕下、斷斷不宜沾滯者，亦用硃筆抹以細紋，如流水狀。使一一皆能識認，則於念劇之初，便有高低抑揚，不俟登場摹擬。如此教曲，有不妙絶天下，而使百千萬億之人贊美者，吾不信也。

又《緩急頓挫》 緩急頓挫之法，較之高低抑揚，其理愈精。非數言可了，然了之必須數言。辯者愈繁，則聽者愈惑，終身不能解矣。優師點脚本，授歌童，不過一句一點。求其點不刺謬，一句還一句，不致斷者聯而聯者斷，亦云幸矣，尚能詢及其他？即以脚本授文人，倩其畫文斷句，亦不過每句一點，無他法也。而不知場上說白，儘有當斷處不斷，反至不當斷處而忽斷；當聯處不聯，忽至不當聯處而反聯者：此之謂緩、急、頓、挫。此中微渺，但可意會，不可言傳；但能口授，不能以筆舌喻者。不能言而強之使言，只有一法：大約兩句三句而止言一事者，當一氣趕下。中間斷句處，當稍斷，不可竟連下句。是亦簡便可行之法也。此言其麤，非論其精；此言其略，未及其詳。精而詳之理，則終不可言也。當斷當聯之處，亦照前法，勿太遲緩。或一句止言一事，而下句又言別事，或同一事而另分一意者，則分別於脚本之中當斷聯處，用硃筆一畫，使至此稍頓，餘俱連讀，則無緩急相左之患矣。婦人之態，不可明言；賓白中之緩、急、頓、挫，亦不可明言：是二事一致。輕盈嬝娜，婦人身上之態也；緩、急、頓、挫，優人口中之態也。予欲使優人之口，變爲美人之身，故爲講究至此。欲爲戲場尤物者，請從事予言，不則仍其故步。

又《脫套・聲音惡習》花面口中，聲音宜雜，如作各處鄉語，及一切可憎、可厭之聲，無非爲發笑計耳。然亦必須有故而然。如所演之劇，人係吳人，則作吳音，人係越人，則作越音，此從人起見者也。如演劇之地在吳，則作吳音，在越則作越音，此從地起見者也。可怪近日之梨園，無論在南在北，在西在東，亦無論劇中之人生於何地，長於何方，凡係花面脚色，即作吳音。豈吳人盡屬花面乎？此與淨、丑着藍衫同一覆盆之事也。使范文正、韓襄毅諸公有靈，聞此劇，觀此劇，未有不抱恨九原，而思痛革其弊者也。今三吳縉紳之居要路者，欲易此俗，不過啓吻之勞，從未有計及此者，度量優容，眞不可及。且梨園盡屬吳人，凡事皆能自顧，獨此一着，不惟不自爭氣，偏欲故形其醜，豈非天下古今一絕大怪事乎？且三吳之音，止能通於三吳；出境言之，人多不解，求其發笑，而反使聽者茫然，亦失計甚矣。吾請爲詞場易之，花面聲音，亦如生、旦、外、末，悉作官音，止以話頭惹笑，不必故作方言，即作方言亦隨地轉，如在杭州，即學杭人之話，在徽州，即學徽人之話，使婦人小兒，皆能識辨。識者多，則笑者衆矣。

又《語言惡習》白中有「呀」字，驚駭之聲也。如意中並無此事而猝然遇之，一向未見其人而偶爾逢之，則用此字開口，以示異也。近日梨園，不明此義，凡見一人，凡遇一事，不論意中、意外，久逢、乍逢，即用此字開口。甚有差人請客而客至，亦以「呀」字爲接見之聲者。此等迷謬，尚可言乎？故爲揭出，使知斟酌用之。戲場慣用者，又有「且住」二字。此二字，有兩種用法：一則相反之事，用作過文，如正說此事，忽然想及彼事。彼事與此事勢難並行，纔想及而未曾出口，先以此二字截斷前言，「且住」者，住此說以聽彼說也。一則心上猶豫，假此以待沉吟，如此說自以爲善，恐未盡善。務期必妥，當於是處尋非，故以此代心口相商，「且住」者，稍遲以待不可竟行之意也。而今之梨園，不問是非、好歹，開口說話，即用此二字作助語詞。常有一段賓白之中，連說數十個「且住」者，此皆不詳字義之故。一經點破，犯此病者鮮矣。上場引子下場詩，此一齣戲文之首尾。尾後不可增尾，猶頭上不可加頭也。可怪近時新例，下場詩念畢，仍不落臺，定增幾句淡話。以極緊凑之文，翻成極寬緩之局。此義何居？令人不解。曲有尾聲及下場詩者，以曲音散漫，不得幾句緊腔，如何截得板住；白文冗雜，不得幾句約語，如何結得話成。若使結過之後，又復說起，何如不收竟下之爲愈乎？且首尾一理。詩後既可添話，則何不於引子之先，亦加幾句說白，說完而後唱乎？此積習之最無理，最可厭者，急宜改革。然又不可盡革。如兩人三人在場，二人先下，一人說話未了，必宜稍停以盡其說（亦有下場不及更衣者，故借此爲緩兵計），此謂「吊場」，原係古格。然須萬不得已，少此數句，必添以後一齣戲文，或少此數句，即埋沒從前說話之意者，方可如此。是龍足，非蛇足也。然只可偶一爲之。若齣齣皆然，則是貂皆可續矣，何世間狗尾之多乎？

朱祿建《綴白裘七集序》原夫今人之詞曲有二：有案頭，有場上。案頭多務曲，博矜綺麗，而於節奏之高下不盡叶也，鬬筍之緩急未必調也，脚色之勞逸弗之顧也。若場上則異是，雅俗兼收，濃淡相配，音韻諧暢，非深於劇者不能也。流水高山，知音安在？陽春白雪，顧曲伊誰？其所由來久矣。

郝鑒《鴛鴦帕弁言》製曲一道，殆未易輕談哉！自《元人百種》而外，能以全璧名家者，戛戛乎其難之矣。夫元曲北調也。北調之例，每折止用一人，直演到底，非力大才雄者不克勝任。若夫南曲則異是，一折之中一二人亦可，三四人亦無不可，似云易矣。然製曲之道，字有陰陽，句有長短，四聲不容以假借，九宮不可以易移，詎不難哉？然猶有或可摹難而未甚難也。至如布局貴新警，吐詞貴淺顯，率以白描爲高手，正如白香山之琢句，必使老嫗皆知，始稱合作，眞有嘔出心血，而不能爽然於口者。比之詩文之可以雄渾高古，幽邃曲折以自快足於己者，未可同年語矣。

黃周星《製曲枝語》 愚嘗謂：曲之體無他，不過八字盡之，曰「少引聖籍，多發天然」而已。製曲之訣無他，不過四字盡之，曰「雅俗共賞」而已。論曲之妙無他，不過三字盡之，曰「能感人」而已。感人者，喜則欲歌、欲舞，悲則欲泣、欲訴，怒則欲殺、欲割，生趣勃勃，生氣凜凜之謂也。噫，興觀羣怨，盡在於斯，豈獨詞曲爲然耶！製曲之訣，雖盡於「雅俗共賞」四字，仍可以一字括之，曰：「趣。」古云：「詩有別趣。」曲爲詩之流派，且被之絃歌，自當專以趣勝。今人遇情境之可喜者，輒曰：「有趣！有趣！」則一切語言文字，未有無趣而可以感人者。趣非獨於詩酒花月中見之，凡屬有情，如聖賢、豪傑之人，無非趣人；忠、孝、廉、節之事，無非趣事。知此者，可與論曲。

樗道人《巧團圓序》 古來文章不貴因而貴創。自六經以至《南華》、《離騷》、盲《傳》、腐《史》，無不由創而傳，從前無是格也。若僅依樣沿襲，陳陳相因，作者乏心嘔雕腎之功，讀者亦無驚心動魄之趣，覆瓿之外，烏所用之。今日詩文之病坐是也。故生面忽開，即院本徘徊，盡堪膾炙，臼窠再見，即寫文典冊，亦屬唾餘。知此而後，可讀古人之書矣；知此而後，可讀笠翁之傳奇矣。然世有盡好爲新奇，無奈牛鬼蛇神，幻而不根，鑿空羽化，妄而鮮實，自爲捧心之妍，而徒令觀者掩鼻。非不務創，以其有創之心，無創之具也。笠翁則誠有其具也。錦心爛焉，繡口燦焉，生花之筆又復滋而漫焉。不必陳言之務去，而鮮葩競發，秀萼怒生，一切籜殘苞望而卻走，是天固縱之使創，彼腐般迂倕，烏得而繩墨之。是劇於倫常日用之間，忽現變化離奇之相，無後者鬻身爲父，失慈者購姬作母，鑿空至此，可謂牛鬼蛇神之至矣。及其看到收場，悉是至性使然。人情必有，初非奇幻，特飲食日用之波瀾耳。至觀其結想摛詞，段段出人意表，又語語仍在人意中。陳者出之而新，腐者經之而艷，平者遇之而險，板者觸之而活。不獨此也，事之眞者，能變之使僞，僞者又能反而使之眞，即眞情之信者，能聳之使疑，疑者又能使之貼然而歸於信。神乎，神乎，文章三昧，遽至此乎！由爛漫以造帖雅，自爐錘而臻渾化，上搴元人之旗，下奪臨川之席。吾不意天壤間竟有此等異人，著此等異書，供人快讀。今而後吾不敢復以煌九文人目笠翁。

冷西梅客《鳳求凰總評》 張繡虎曰：吾少時讀傳奇數十本耳。今則家翻新譜，曲換新聲，驟增數百十本，其實不脫古人窠臼。《琵琶》、《荊釵》、《西廂》、《幽閨》等名曲，或竊其文辭，或偷其情節，改頭換面，別是一班傀儡登場，不得已牛鬼蛇神炫奇飾怪，按實求之，了無意味。譬之傖父擬古詩，一則曰李、杜，一則曰元、白。即使字字酷肖，李、杜、元、白已死，那得腐尸復生！夫在天爲雲，今日之雲必不同昨日之雲；在樹爲花，今日之花或即是舊年之花，卻不竟是舊年之花。文心百變，那得倒戌？甲板乾坤，都被一二措大，咬文嚼字，完得個依樣葫蘆，便號絕世才子，當代大家。

黃宗羲《胡子藏院本序》 詩降而爲詞，詞降而爲曲，非曲易於詞，詞易於詩也，其間各有本色，假借不得。近見爲詩者，襲詞之嫵媚，爲詞者，侵曲之輕佻，徒爲作家之所俘剪耳。余外舅葉六桐先生，工於塡詞，嘗言語入要緊處，不可着一毫脂粉。越俗，越家常，越警醒。若於此一恧縮打扮，便涉分該婆婆猶作新婦少年，正不入老眼也。至散白與整白不同，尤宜俗宜眞，不可着一文字，與扭捏一典故事，及截多補少作整句。錦糊燈籠，玉鑲刀口，非不好看，討一毫明快，不知落在何處矣。

李調元《雨村曲話》卷下 曲不欲多白，尤不欲多駢偶。如《琵琶》黃門諸篇，業且厭之；而屠長卿《曇花》白終折無一曲，梁伯龍《浣紗》、梅禹金《玉盒》終本無一散語，其謬彌甚。湯義仍《紫釵》四記中間，北曲駸駸乎涉其藩矣。獨音韻少諧，不無鐵綽板唱大江東去之病；南曲絕無才情，若出兩手，何也？

王懋昭《三星圓凡例》 凡傳奇家，主情者麗而易，主理者樸而難。故《西廂》之月下，《牡丹亭》之香夢，千古稱爲艷曲。近世《長生殿》之摹繪太眞，《桃花扇》之借香君以寫南都泡影，亦并有哀艷，推爲絕唱。惟高東嘉《琵琶記》，意在「忠孝節義」四字，畢竟難於出色，然其有裨於世道人心，迥非諸家所及也。是書倣其意，而以敬老憐貧，矜孤恤寡爲主。縱其間虬鬚鏖兵，鳳眉棄鴆，秀蓮賣主，種種點綴春風，而總不離乎四者近是。詞之工拙，不暇計也。自來傳奇，不取書卷之氣，然一味空衍則旣滑，全用俚語則又粗。集中詞白使事頗多，要皆典而且切，以歸大雅，非關書生搦筆，結習未忘也。名手所製，原在意緒，不肯如《目蓮》、《西游》，有《搜神記》、《窮怪錄》之誚。然畢竟傳奇是戲耳，戲則何嫌鬧熱，以炫時人之觀？玆集間以意緒運用鬼神，非以鬼神滅裂意緒也。故雖怪怪奇奇，多所搬演，而不詭於正。上場落場等詩句，前人多以集唐了事，故雖冠冕雅秀，而皆浮光掠影之談。茲書體貼前後語氣，自出心裁，陳言務去，統部止集數句，以備格式耳。然材多可剽竊，意多可剿襲，梨園熟此，已可以泛應不窮矣。【略】人有正扮，有借扮。如生，既扮陳祖功，又借扮馬燧等；小旦既扮郭蘭英，又借扮虬鸞哆是也。蓋脚色不過十餘人，而戲中不下數十人，一人必兼數人之戲，方可□層出不窮。茲於正扮之外，凡應借扮者，雖屬一劇暫見之人，俱爲派定，使梨園演習之時，各有顯緒，且毋得推諉故也。

梁廷枏《曲話》卷二 《漢宫秋·混江龍》云：「料必他珠簾不掛，望昭陽一步一天涯。疑了些無風竹影，恨了些有月窗紗。他每見絃管聲中巡玉輦，恰便似斗牛星畔盼浮槎。是誰人偸彈一曲，寫出嗟呀。莫便要忙傳聖旨，報與他家，我則怕乍蒙恩把不定心兒怕。驚起宫槐宿鳥，庭樹棲鴉。」又《賺煞》云：「你是必悄聲兒接駕，我則怕六宫人攀例撥琵琶。」寫景，寫情，當行出色，元曲中第一義也。中有可議者：尚書勸元帝以昭君和番，駕唱云：「怎下的教他環珮影搖青塚月，琵琶聲斷黑江秋？」明妃死於北漠，其葬地生草，後人因以「青塚」名之。未出塞時，安得有此二字？且其第三折昭君跳死黑龍江，番王明云：「就葬此江邊，號爲『青塚』者。」此白又與曲自相矛盾矣。以白引起曲文，曲所未盡，以白補之，此作曲圓密處，《元人百種》多未見及。《金錢記》第三折韓飛卿占卦白中，連篇累牘，接下《紅繡鞋》一曲，並未照應一字。後人每事勝前人，即此一節已然矣。《還魂記》云：「轉過這芍藥欄前，緊靠着這湖山石邊。」通曲已膾炙人口，而不知實以喬夢符《金錢記》「我見他恰行這牡丹亭，又轉過芍藥圃薔薇後」數語爲藍本也。【略】鄭廷玉作《楚昭公》雜劇，第一、二折，曲詞平易，尚無大出色處，至昭公送申包胥乞師秦國，云：「你去後，我夜夢到明，明憂到晚。若是那秦公子將卿傲慢，你則索將火性兒全然都放坦，是必休便冒瀆容顔。」數語已暗逗起七日哭庭之意。第三折以下，則字字珠璣，言言玉屑。自尾倒嘗，漸入佳境。論者謂「元人雜劇至第四折爲强弩之末」，未盡然也。言情之作，貴在含蓄不露，意到即止。其立言，尤貴雅而忌俗。然所謂雅者，固非浮詞取厭之謂。此中原有語妙，非深入堂奥者不知也。元人每作傷春語，必極情極態而出。白仁甫《牆頭馬上》云：「誰管我衾單枕獨數更長？則這半牀錦褥枉呼做鴛鴦被。流落的男游別郡，耽閣的女怨深閨。」偶爾思春，出語那便如許淺露。況此時尚未兩相期遇，不過春情偶動相思之意，並未實着誰人，則「男游別郡」語，究竟一無所指。至云：「休道是轉星眸上下窺，恨不的倚香腮左右偎，便錦被翻紅浪，羅裙作地席。既待要暗偸期，咱先有意。愛別人可捨了自己。」此時四目相覷，閨女子公然作此種語，更屬無狀。大抵如此等類，確爲元曲通病，不能止摘一人一曲而索其瑕也。其《鵲踏枝》一曲云：「怎肯道負花期，惜芳菲，粉悴胭憔也綠暗紅稀。九十春光如過隙，怕春歸又早春歸。」如此，則情在意中，意在言外，含蓄不盡，斯爲妙諦。惜其全篇不稱也。元人雜劇多演呂仙度世事，疊見重出，頭面强半雷同。馬致遠之《岳陽樓》，谷子敬之《城南柳》，不惟事蹟相似，即其中關目、線索，亦大同小異，彼此可以移換。其第四折，必於省悟之後，作列仙出場，現身指點，因將羣仙名籍，數說一過，此岳伯川之《鐵拐李》、范子安之《竹葉舟》諸劇皆然，非獨《岳陽樓》、《城南柳》兩種也。《岳陽樓·水仙子》云：「這一箇是漢鍾離現掌着羣仙籙，這一箇是鐵拐李髮亂梳，這一箇是藍采和板撒雲陽木，這一箇是張果老趙州橋倒騎驢，這一箇是徐神翁身背着葫蘆，這一箇是韓湘子、韓愈的親姪，這一箇是曹國舅、宋朝的眷屬，則我是呂純陽，愛打的簡子、愚鼓。」《城南柳·水仙子》云：「這箇是攜一條鐵拐入仙鄉，這箇是袖三卷金書出建章，這箇是敲數聲檀板游方丈，這箇是倒騎驢登上蒼，這箇是提笊籬不認椒房，這箇是背葫蘆的神通大，這箇是種牡丹的名姓香；貧道因度柳呵，道號純陽。」《鐵拐李·二煞》云：「漢鍾離有正一心，呂洞賓有貫世才，張四郎、曹國舅神通大，藍采和拍板雲端裏響，韓湘子仙花臘月裏開，張果老驢兒快；我訪七眞、游海島，隨八仙、赴蓬萊。」《竹葉舟·十二月》云：「這一箇倒騎驢疾如下坡，這一箇吹鐵笛韻美聲和，這一箇貌娉婷笊籬手把，這一箇髩蓬鬆鐵拐橫拖，這一箇藍關前將文公度脱，這一箇綠羅衫拍板高歌。」又《堯民歌》云：「這一箇是雙丫髻，常喫的醉顔酡；則俺曾夢黃粱一晌滾湯鍋，覺來時蚤五十載闇消磨，纔知道呂純陽是俺正非他。」湯若士《邯鄲夢》末折《合仙》，俗呼爲「八仙度盧」，爲一部之總匯，排場大有可觀，而不知實從元曲學步，一經指摘，則數見者不鮮矣。《混江龍》云：「一箇漢鍾離雙丫髻蒼顔道扮，一箇曹國舅八采眉象簡朝紳，一箇韓湘子棄舉業儒門子弟，一箇藍采和他是箇打院本樂戶官身，一箇拄鐵拐的李孔目又帶些殘疾，一箇荷飯笊何仙姑挫過了殘春，眼睜着張果老把眉毛褪。」通曲與元人雜劇相似。然以元人作曲，尚且轉相沿襲，則若士之偶爾從同者，抑無足詆譏矣。【略】元曲多有以本人名姓直入句中，讀之愈覺情文眞切者。然亦止可一部中偶爾一用，多則易傷俚俗。如武漢臣之《玉壺春》云：「願你個李素蘭常風韻，則這個玉壺生永結緣。」又云：「則這個玉壺生更和這素蘭女，則索告你個柳青娘。」又云：「這的是玉壺生小詞章。」又云：「玉壺生拜辭了素蘭香。」一劇中凡數見，固不如其已也。《四書》語入曲，最難巧切，最難自然，惟元人每喜爲之。《西厢》「仁者能仁」等語，固屬大謬不倫，馬致遠《薦福碑》云：「我猶自不改其樂，後來便爲官也富而無驕。」又云：「誰似晏平仲善與人交。」又云：「誰肯學有朋自遠方來。」又云：「想吾豈匏瓜也哉。」又云：「無錢的子張學干祿。」又云：「又不會巧言令色。」鄭德輝《㑳梅香》云：「他文質彬彬才有餘，和俺這相府潭潭德不孤，更怕甚文不在茲乎。」又云：「留心在九大經，吾日三省。」又云：「早掙個束帶立於朝。」尙仲賢《單鞭奪槊》云：「尉遲恭威而不猛。」以上等語，幾成笨伯矣。【略】《㑳梅香・混江龍》云：「孔安國傳《中庸》、《語》、《孟》，馬融集《春秋》祖述着左丘明，演《周易》關西夫子，治《尙書》魯國伏生，校《禮記》舛譌揚子雲，作《毛詩箋注》鄭康成：無過是闡大道發揚中正，紀善言答問詳明。」元人曲詞，每多腐語，如此等類，直是一幅策論，豈復成聲律耶！又況其出自閨閣兒女之口也？

又卷三 《桃花扇》筆意疎爽，寫南朝人物，字字繪影繪聲。至文詞之妙，其艷處似臨風桃蕊，其哀處似着雨梨花，固是一時傑搆。然就中亦有未愜人意者：福王三大罪、五不可之議，倡自周鑣、雷演祚，今《阻奸》折竟出自史閣部，則與《設朝》折大相逕庭，使觀者直疑閣部之首鼠兩端矣。且既以《媚座》爲二十一折矣，復加入《孤吟》一折，其詞義猶之「家門大意」，是爲蛇足，總屬閒文。至若曲中詞調，伶人任意刪改，亦斯文一大恨事。然未有先慮其刪改，而特於作曲時爲俗伶豫留地步者。今《桃花扇》長者七八曲，其少者四五曲，未免故走易路；又以左右部分正、間、合、潤四色，以奇偶部分中、戾、餘、煞四氣，以總部分經、緯二星，毋論有曲以來，萬無此例，即謂自我作古，亦殊覺淡然無味，不知何所見而云也（然琴川瞿頡《鶴歸來》曲首折《發端》、末折《收場》，似倣《桃花扇》爲之，不特從來院本所未有，亦院本所不必有也）。《桃花扇》以《餘韻》折作結，曲終人杳，江上峰青，留有餘不盡之意於煙波縹緲間，脫盡團圓俗套。乃顧天石改作《南桃花扇》，使生旦當場團圓，雖其排場可快一時之耳目，然較之原作，孰劣孰優，識者自能辨之。

【略】《鳴鳳記・河套》一折，膾炙人口；然白内多用駢儷之體，頗礙優伶搬演。上場純用小詞，亦新耳目，但多改用古人名作爲之，大雅所弗尙也。至《爭寵》一折，赤肚子不上場，只用道童答應，省卻許多頭緒。在俗手必於末折作神仙示現報應，又多一番結束矣。集牌名成曲，最難自然。《明珠記・煎茶》折《長相思》云：「念奴嬌，歸國遙，爲憶王孫心轉焦，楚江秋色饒。月兒高，燭影搖，爲憶秦娥夢轉迢，漢宮春信悄。」運用自然情致。《春蕪記・阻遇》折偶一爲之，頗覺新異。至《鳴鳳》之狀子、《精忠》之頌，雖皆集曲名而成，然支離牽扯，不足數矣。

又卷五 金聖嘆強作解事，取《西厢記》而割裂之，《西厢》至此爲一大厄。又以意爲更改，尤屬鹵莽。《驚艷》云：「你道是河中開府相公家，我道是南海水月觀音院。」改爲：「這邊是河中開府相公家，那邊是南海觀音院。」《借廂》云：「我若共你多情小姐同鴛帳，怎捨得你疊被鋪床。」改爲：「我若與你多情小姐同鴛帳，我不教你疊被鋪床。」又：「你撇下半天風韻，我捨得萬種思量。」改爲：「你也掉下半天風韻，我也颩去萬種思量。」《酬韻》云：「隔牆兒酬和到天明，方信道惺惺自古惜惺惺。」改爲：「便是惺惺惜惺惺。」又：「便是鐵石人，鐵石人也動情。」刪去疊「鐵石人」三字。《寺警》云：「便將蘭麝熏盡，只索自溫存。」改爲：「我不解自溫存。」又：「果若有出師的表文，嚇蠻的書信，但願你筆尖兒橫掃了五千人。」改爲：「他眞有出師的表文、下燕的書信，只他這筆尖兒敢橫掃五千人。」《請宴》云：「受用些寶鼎香濃，繡簾風細，綠窗人靜。」改爲：「你好寶鼎香濃。」又：「請字兒不曾出聲，去字兒連忙答應。」改爲：「我不曾出聲，他連忙答應。」《賴婚》云：「誰承望你即即世世老婆婆，教鶯鶯做妹妹拜哥哥。」改爲：「眞是即世老婆婆，甚妹妹拜哥哥。」《前候》云：「一納頭安排着憔悴死。」改爲：「一納頭只去憔悴死。」《鬧簡》云：「我也回頭看，看你個離魂倩女，怎發付擲果潘安。」改爲：「今日爲頭看，看你那離魂倩女，怎生的擲果潘安。」《拷艷》云：「我只神鍼法灸，誰承望燕侶鶯儔。」改爲：「定然是神鍼法灸，難道是燕侶鶯儔？」「猛凝眸，只見你鞋底尖兒瘦。」改云：「怎凝眸。」又：「那時間可怎生不害半星兒羞。」改爲：「那時間不曾害半星兒羞。」《哭宴》云：「兩意徘徊，落日山橫翠。」改爲：「兩處徘徊，大家是落日山橫翠。」《驚夢》云：「愁得陡峻，瘦得嘽嘫，却早掩過翠裙三四褶。」改爲：「愁得陡峻，瘦得唓嗻，半個日頭早掩過翠裙三四褶。」此類皆以意爲更易。又有過爲删減者。《借廂》云：「過了主廂，引入洞房，你好事從天降。」删爲：「曲廂洞房。」又：「軟玉溫香，休道是相偎傍。」删爲：「休言偎傍。」《請宴》云：「聘財斷不爭，婚姻立便成。」删爲：「聘不見爭，親立便成。」《琴心》云：「靡不有初，鮮克有終。」删爲：「靡不初，鮮有終。」《驚夢》云：「瞧一瞧着你化爲醯醬，指一指教你變做醬血，騎着一匹白馬來也。」删去三「一」字。近日嘉應吳石華學博，以六十家本、《六幻》本、《琵琶》本、葉氏本與金本重勘之，科白多用金本，曲多用舊本（原序以六十家以下爲舊本）。取金本所改，錄其佳者。如《借廂》云：「若今生難得有情人，則除是前世燒了斷頭香。」改爲：「若今生不做並頭蓮，難道前世燒了斷頭香。」《寺警》云：「學得來一天星斗煥文章，不枉了十年窗下無人問。」改爲：「我便知你一天星斗煥文章，誰可憐你十年窗下無人問。」又：「你那裏問小僧敢也那不敢，我這裏啓大師用僧那不用僧。」改爲：「你問小僧敢去也那不敢，我要問大師眞個用僧也不用僧。」又：「劣性子人皆慘，捨着命提刀仗劍，更怕我勒馬停驂。」改爲：「就死也無憾，我便提刀仗劍，誰還勒馬停驂。」又：「我將不志誠的言詞賺，倘或紕繆，倒大羞慚。」改爲：「便是言詞賺，一時紕繆，半世羞慚。」《琴心》云：「則爲那兄妹排連，因此上魚水難同。」改爲：「將我雁字排連，着他魚水難同。」《賴簡》云：「恁的般受怕擔驚，又不圖甚浪酒閒茶。」改爲：「我也不去受怕擔驚，我也不圖浪酒閒茶。」又：「從今悔非波卓文君，你與我學去波漢司馬。」改爲：「小姐你息怒回波俊文君，張生你遊學去波渴司馬。」《後候》云：「將人的義海恩山，都做了遠水遙岑。」改爲：「甚麼義海恩山，無非遠水遙岑。」又：「雖不會法灸神鍼，猶勝似救苦難觀世音。」改爲：「他不用法灸神鍼，他是一尊救苦觀世音。」《哭宴》云：「留戀別無意，見據鞍上馬，閣不住淚眼愁眉。」改爲：「留戀應無計，一個據鞍上馬，兩個淚眼愁眉。」其實聖嘆以文律曲，故每於襯字删繁就簡，而不知其腔拍之不協。至一牌畫分數節，拘腐最爲可厭。所改縱有妥適，存而不論可也。李笠翁從而稱之，過矣。

又 曲白不欲多。《西廂》二十一折，原白本自寥寥也。白無駢偶則直，駢偶多則詞意又晦。《琵琶》之黃門諸篇，已覺取厭，而《曇花記》終折竟無一曲，《浣紗》、《玉盒》終折無一散白，更無謂矣。但非所論於雜劇。雜劇以四折叙傳奇故事，其白不得不密，不得不多。然亦有至累千百言者，則作者之妄也。

黃旛綽《梨園原·白火》 說白固須字字清楚，不可含混，然而要分出陰陽、輕重、急徐，按其文之緩急，查當時之情形，應念急則急，應緩念則緩，方爲上乘。若一意急念，用力過猛，必致不合乎戲文，日久習慣，則成過火之病也。

又《口齒浮》 唱曲、說白，凡必須口齒用力，一字重千斤，方能達到聽者之耳；不然，廣園曠地，人數衆多，未必能人人聽清。

又《句讀》 句者，一整句也；讀（音逗）者，半句也。唱曲時不分句、讀，尚有腔調以繩之；惟說白必須句、讀分明，方能達出本意。如「豈不知聖人云」，「豈不知」三字爲讀，至「聖人云」始爲一句。說白至讀時，略微一頓，不可過久；至一句，則稍久亦無妨也。

又《身段八要》 辨八形，分四狀。眼先引，頭微掜。步宜穩，手爲勢，鏡中影，無虛日。辨八形：身段中有八形，須細心分清。貴者：威容，正視，聲沉，步重。富者：歡容，笑眼，彈指，聲緩。貧者：病容，直眼，抱肩，鼻涕。賤者：冶容，邪視，聳肩，行快。癡者：呆容，吊眼，口張，搖頭。瘋者：怒容，定眼，啼笑，亂行。病者：倦容，淚眼，口喘，身顫。醉者：困容，糢眼，身軟，脚硬。分四狀，四狀爲：喜、怒、哀、驚。喜者：搖頭爲要，俊眼，笑容，聲歡。怒者：怒目爲要，皺鼻，挺胸，聲恨。哀者：淚眼爲要，頓足，呆容，聲悲。驚者：開口爲要，顔赤，身戰，聲竭。但看兒童有事物觸心，則面發其狀，口發其聲；喜、怒、哀、驚現於面，歡、恨、悲、竭發於聲。眼先引：凡作各種狀態，必須用眼先引。故昔人有曰：「眼靈睛用力，面狀心中生。」頭微掜：頭須微掜，方顯活潑；然只能微掜，不可大掜及亂掜也。步宜穩：臺步不可大，盡人皆知矣，然而亦不可過小。總之，須求其適中，以穩爲要；雖於極快、極忙時，亦要清楚。手爲勢：凡形容各種情狀，全賴以手指示。鏡中影：學者宜對大鏡演習，自觀其得失，自然日有進益也。無虛日：言其日日用功，不可間斷；間斷一日，則三日不能復原。學者切記之。

楊恩壽《詞餘叢話·原文》 或問：「曲本中多用『哎喲』、『哎也』、『哎呀』、『咳呀』、『咳也』、『咳咽』諸字，同乎？異也？」曰：「字異，而義略同，字同，而呼之有輕重、疾徐，則義各異。凡重呼之爲厭辭、爲惡辭、爲不然之辭，輕呼之爲幸辭、爲嬌羞之辭，疾呼之爲惜辭、爲驚訝之辭，徐呼之爲怯辭、爲悲痛辭、爲不能自支之辭。以此類推，神理畢見。」

又 凡詞曲皆非浪塡。胸中情不可說、眼前景不可見者，則借詞曲以咏之。若叙事，非賓白不能醒目也。使僅以詞曲叙事，不插賓白，匪獨事之眉目不清，卽曲之口吻亦不合。卽如《牡丹亭》寫杜麗娘游園之時，便道「不到園林，怎知春色如許也」，緊接「原來姹紫嫣紅開遍，似這般都付與斷井頹垣」，若不用賓白呼起，則「原來」二字不見精神。此下叙亭館之勝，於陸則「朝飛暮捲，雲霞翠軒」，於水則「雨絲風片，烟波畫船」。而此調尚有三字兩句。若再寫園景，便嫌蛇足。故插賓白云：「好景致，老奶奶怎不提起也？」結便以「錦屛人忒看韶光賤」反詰之筆足之。卽景抒情，不見呆相。究竟此支詞曲之妙，皆由賓白之妙也。

又《續詞餘叢話》卷二《原文續》 塡詞誠足樂矣，而其搜索枯腸，撚斷吟髭，其苦其萬倍於詩文者。曲詞一道，句之長短，字之多寡，聲之平、上、去、入，韻之清濁、陰陽，皆有一定不移之格。長者短一句不能，少者增一字不可。又復忽長忽短，時少時多，當平者用仄則不諧，當陰者換陽則不協。儘有新奇之句，因一字不合，便當毅然去之；非無捏凑之詞，爲格律所拘，亦必隱忍留之。調得平仄成文，又慮陰陽反覆；分得陰陽清楚，又與聲韻乖張。作者處此，但能布置得宜，安頓極妥，已是萬幸之事，尚能計詞品之低昂，文情之工拙乎？能於此種艱難文字，顯出奇能，字字在聲音律法之中，言言無資格拘攣之苦，如蓮花生在火上，仙叟奕於橘中，始爲盤根鑿節之才，八面玲瓏之筆，壽名千古，夫復何慚。

又卷三《原事續》 古今塡詞家，動謂美人、才子。所謂美者，姿色在其次，第一則在風致也。風致，非姿色可比，可意會不可言傳。雖以實甫之才，僅能寫雙文之姿，不能寫雙文之致。觀其「嫋嫋婷婷」，差有致矣，又加以「齊齊整整」。夫以齊整贊美人，不過虎丘山泥美人耳，尚何致之有！余謂善寫美人之致者，惟《長生殿》耳。《驚變》一齣，醉楊妃以酒，以觀其致，明皇眞是風流欲絕。至曲之一語一呼，聲情宛轉，宛然一幅「醉楊妃畫圖」也。《北鬬鵪鶉》：「暢好是喜孜孜駐馬聽歌，喜孜孜駐馬聽歌，笑吟吟傳杯送盞。不須他絮煩煩射覆藏鉤，鬧紛紛彈絲弄板。我這裏無語持觴仔細看，早只見花一朵上腮間。一會價軟哈哈柳嚲花欹，軟哈哈柳嚲花欹，困騰騰鶯嬌燕嬾。」《南撲燈蛾》：「態懨懨輕雲軟四肢，影濛濛空花亂雙眼，嬌怯怯柳腰扶難起，困沉沉強擡嬌腕，軟設設金蓮倒褪，亂鬆鬆香肩嚲雲鬟，美甘甘思尋鳳枕，步遲遲倩宮娥攙入繡幃間。」此二折將醉中風致曲曲寫來，雖仇十洲妙筆，不能得其髣髴也。

王國維《宋元戲曲考・元劇之文章》 元曲之佳處何在？一言以蔽之，曰：自然而已矣。古今之大文學，無不以自然勝，而莫著於元曲。蓋元劇之作者，其人均非有名位學問也；其作劇也，非有藏之名山，傳之其人之意也。彼以意興之所至爲之，以自娛娛人。關目之拙劣，所不問也；思想之卑陋，所不諱也；人物之矛盾，所不顧也；彼但摹寫其胸中之感情，與時代之情狀，而眞摯之理，與秀傑之氣，時流露於其間。故謂元曲爲中國最自然之文學，無不可也。若其文字之自然，則又爲其必然之結果，抑其次也。明以後，傳奇無非喜劇，而元則有悲劇在其中。就其存者言之：如《漢宮秋》、《梧桐雨》、《西蜀夢》、《火燒介子推》、《張千替殺妻》等，初無所謂先離後合，始困終亨之事也。其最有悲劇之性質者，則如關漢卿之《竇娥冤》、紀君祥之《趙氏孤兒》。劇中雖有惡人交構其間，而其赴湯蹈火者，仍出於其主人翁之意志，卽列之於世界大悲劇中，亦無愧色也。元劇關目之拙，固不待言。此由當日未嘗重視此事，故往往互相蹈襲，或草草爲之。然如武漢臣之《老生兒》、關漢卿之《救風塵》，其布置結構，亦極意匠慘淡之致，寧較後世之傳奇，有優無劣也。然元劇最佳之處，不在其思想結構，而在其文章。其文章之妙，亦一言以蔽之，曰：有意境而已矣。何以謂之有意境？曰：寫情則沁人心脾，寫景則在人耳目，述事則如其口出是也。古詩詞之佳者，無不如是。元曲亦然。明以後其思想結構，盡有勝於前者，唯意境則爲元人所獨擅。

【略】古代文學之形容事物也，率用古語，其用俗語者絕無。又所用之字數亦不甚多。獨元曲以許用襯字故，故輒以許多俗語或以自然之聲音形容之。此自古文學上所未有也。

吳梅《顧曲麈談・原曲・論北曲作法》 南詞重板眼，北詞重弦索，此世所通知者也。惟北詞調促而辭繁，下詞至難穩愜，且襯字無定法，板式無定律，初學塡詞幾於無從入手。又不尙詞藻，專重白描，胡元方言，尤須熟悉（湯若士於胡元方言極熟，故北詞直入元人堂奧，諸家皆不能及）。句法字法，别有一種蹊徑，與南曲之溫柔典雅，大相懸絶。【略】故作南曲，詞章佳者，尚易動筆。若作北曲，則語語不可夾入詞賦話頭，以俚俗爲文雅，雖詞章才子，對此無所措手矣。

又《製曲·論作劇法》 塡詞一道，本是詞章家事，詞采一層，無不優爲之，顧亦有所難言者。詞之與詩，其所用典雅之語，尚有可以通用之處，試閲五季兩宋之詞，雖有工拙之殊，一言以蔽之曰，雅而已矣。曲則不然，有雅有俗，雅非若詩餘之雅也，書卷典故，無一不可運用，而無一可以堆垛。卽如清眞詞《瑞龍吟》之「斷腸院落，一簾風絮」，《鎖窗寒》之「風燈零亂，少年羈旅」，此絶妙好辭也，試入之曲中，則反嫌不稱矣。以曲中所長，在乎超脱，正不必以情韻含蓄勝人也。至於俗則非一味俚俗已也，俗中尤須帶雅。蓋淨丑口吻，最難摹寫，非若生旦之可以文言見長。身不讀書，何必以才語相向乎？惟出語十分粗鄙，又不登大雅之堂。若《西廂》中之《游殿鬧齋》，若《紅梨》之《皂隸請宴》，但顧坐客之哄堂，不顧雅人之唾棄，則又不然也。昔人論詩餘之道，上不類詩，下不類曲，然則曲與詞，固截然不同者矣。今人不知詞曲之分，專以風雲月露之語，點綴成套。自謂絶世佳文，眞是南轅北轍。起手走錯了路頭，後來越弄越壞，終身不知歸宿，比比然也。猶記少時，歌《水滸記·活捉》，友人云：此等妙曲，須如君之妙音歌之。當時但顧按拍，未暇細讀其文。由今觀之，實搬運類書而已，何妙之有？【略】余非好與古人爲難也，既爲詞人立一準的，自當舉一正宗。雅則宜淺顯，俗則宜蘊藉，此曲家之必要者也。一部傳奇，短者十數折，長者數十折，每折必須數曲，若如許先生之語語用典，亦太費力矣。此塡詞貴淺顯之說也。傳奇爲警世之文，固宜彰善癉惡，俾社會上有所裨益。顧注全力於勸善果報，則又未免有頭巾腐氣，傳奇而有腐氣，尚何文字之足論？欲免腐氣，全在「機趣」二字。機者傳奇之精神，趣者傳奇之風致。少此二物，則如泥人土馬，有生形而無生氣。作者逐出湊成，觀者逐段記憶，此病犯者孔多。由於下筆之先，未將全部情迹布置，而復貪作曲之故也。局機不整，通本減色矣。至於趣之一事，最難形容。無論花前月下，密約幽歡之曲，不可帶道學氣。卽如談忠說孝，或摹寫節烈之事，所作曲白，亦不可走入呆板一路。要使其人鬚眉如生，而又風趣悠然，方是出色當行之作。《桃花扇·沉江》一折，譜史可法死節事，何等可慘！而其曲云：「撇下俺斷篷船，丟下俺無家犬。」又云：「看空江雪浪拍天，流不盡湘累怨。累死英雄到此日，看江山換主，無可留戀。」又《尾》云：「云山變，江岸遷。一霎時忠魂不見，寒食何人知墓田？」讀之令人慷慨泣下，無一憔悴可憐之語，如見閣部從容就死之狀。末云「寒食墓田」，則又凄涼欲絶，感人心脾。無他，機趣流利也。若通首作名教中語，則反成一種不規則之格言，安能激動觀場者之心乎？故塡詞者須有跌宕風流之致，雖存扶持名教之旨，切不可爲迂腐可鄙之詞。元陳剛中論人品云：「抑聖爲狂，寓哭於笑。」作傳奇者，亦須如是。此塡詞重機趣之說也。且一本傳奇，至少須有七八人，說何人宜肖何人，議某事宜切某事，賦風不宜說月，賞花不宜賦草。使所塡詞曲賓白，確爲此人此事，爲他人他事所不能移動，方爲切實妙文。詩古文辭，總宜貼切，塡詞何獨不然？各人有各人之情景，就本人身上，揮發出來，悲歡有主，啼笑有根，張三之冠，李四萬萬戴不上去，此卽貼切之謂也。同場大曲，如《念奴嬌序》、《梁州新郎》之類，一部中盡有一二公共語。若合婚慶賞諸作，可不具論。其它雖一小引，或一過脈小曲，亦不可草草塡去。【略】曰淺顯，曰機趣，曰貼切，詞家所首重者。而要其指歸，則在於入情入理而已。情發一人之思，理窮萬事之變，人倫日用之間，至多可記者在，正不必索諸聞見之外，以荒唐文其淺陋也。惟尚有一事，詞采上更當注意者，拗句是也。何謂拗句？卽曲中偶有一二語，讀之平仄拗戾，棘棘不能上口者。凡遇此等句，塡詞時尤宜用意。余前曾言《集賢賓》之第一句，須平平去上平去平。《長拍》之第六句，須四個上聲字。諸如此類正多。南曲譜中皆注釋詳明，易檢其法。不過作曲時，若做此等拗句，更宜加倍烹煉，而復出之以自然。余於辛亥年題西泠悲秋圖，有《下山虎》一曲，愈難愈要做得好，卽用此烹煉自然法耳。或曰：既須烹煉，又云自然，二事不相類，何能並用爲一法乎？曰：君嘗讀「四夢」乎？《紫釵記》通本皆用此法也。第一折之「椒花媚早春，屠蘇偏讓少年人，和東風吹綻了袍花襯」，又云：「眉黄喜入春多分，酒冷香銷少個人。」字字烹煉，字字自然也。蓋烹煉者筆意，自然者筆機，意機交美，斯爲妙句。若只顧烹煉，乃至語意晦塞，是違塡詞淺顯之道矣，又安足取哉！

又 均勞逸。傳奇中脚色，總言之曰生、旦、淨、丑。自明中葉，海鹽派盛行，繼之以崑腔，而脚色遂繁。生有老生、官生、巾生、二生之名；旦有老旦、正旦、搽旦、小旦、貼旦之名；淨有大、小、中之區別；惟丑則一耳。統計有十三門，今世人謂十門脚色，舉其成數言之也。未有崑腔以前，每本傳奇，所用脚色，大率以一人終始之。自開場至結尾，無論多至數十折，總以一色任之，從無有數人分任其勞者也。崑劇既盛，角目之分析亦細，而每一部中，所蓄伶人，各色均不下七八人，故凡演一劇，先將劇中所定角目，逐折細檢。同一生脚也，第幾折宜用官生，第幾折宜用巾生；同一旦角也，某幾折宜用正旦，某幾折宜用小旦，各視曲中文字與事迹之何若，而後定爲某脚某脚也。是則崑劇中之角目，已較弋陽腔稍逸矣。惟崑曲悠揚綿邈，每終一曲，其難比他曲不啻數倍，故角目雖分析至細，而其所負之責，曾不少輕焉。是以塡詞者，當知優伶之勞逸。如上一折以生爲主脚，則下一折再不可用生脚矣；上一折以旦爲主脚，則下一折亦不可用旦脚矣，他脚色亦然。此其故有二也：一則優伶更番執役，不致十分過勞；二則衣飾裙釵，更換頗費時間。設使前後二折同是一角色任之，衣飾服御，無一更換，猶可勉強而行，倘若必須更換，則萬萬來不及者。前折之下場，與後折之上場，爲時不過三五分，以極短促之時間，而更換此最難穿戴之服飾，雖十手猶不能爲也。文人塡詞，能歌者已少，能知此理者，非曾經串演不能，故尤少也。往讀名家傳奇，此失獨多。湯若士之《紫釵記》，徐楡村之《鏡光緣》，更多是病，此所以不能通常開演也。

酌事實。傳奇家門，副末開場，必云演那朝故事，那本傳奇。明人院本，無不如是也。其云故事，必係取古人事實而譜之，非憑空結撰可知矣。顧文人好奇，多喜作狡獪伎倆，於是有臆造一事，怪幻百出，以恣肆其文字者。蓋古人往事，未便改易，塡詞者須以文就是，不可自行增損，不如臆造之可以舉動自由也。惟有一言，須當注意者，用故事則不可一事蹈虛，用臆造則一事不可徵實，此則詞家當奉爲科律也。所謂不可一事蹈虛者，蓋既用前人故事，是實有其人實有其事矣，則凡時代、朋舊、輿地、水火、盜賊、刀兵、衣服及關涉其人一切諸事，皆當鑿鑿可據，確確可徵，雖在科諢之間，亦不可杜撰一語。此卽實則實到底之謂也。所謂不可一事徵實者，蓋全本既純是臆說，是其人其事，已在子虛烏有之列，卽使確考時地，終難取信於人，不若鼓我筆機，使通本可泣可歌，足以爲社會之警鐘，觀場者亦眉飛色舞，不自知心之何以若此之爲愈也。此卽虛則虛到底之謂也。虛實二義，塡詞者於未下筆時，必先認定，切莫自亂其例。古今傳奇，用故事之最勝者，莫如《桃花扇》，用臆說之最勝者，莫如《牡丹亭》。《桃花扇》所用事實，俱見明季人野史，卷首有考據數十條，東塘已自計明晰矣。抑知記中所有纖小科諢，亦皆有所本乎？香君諱名香扇墜，見《板橋雜記》。王鐸楷書燕子箋，今藏無錫某臣家。卽如阮大鋮之路斃仙霞嶺，藍田叔之寄居媚香樓，亦見《冥報錄》、《南都雜事記》。蓋幾幾乎無語不徵實矣。《牡丹亭》之杜麗娘，以一夢感情，生死不渝，亦已動人情致，而又寫道院幽媾之凄艷，野店合婚之潦草，無一不出乎人情之外，卻無一不合乎人情之中。惟《虜諜》之立馬吴山，李全之鬧兵淮潁，則是確有其事，但此爲本書之輔佐，故不能指爲全書之瑕疵也。二書一實一虛，各極其妙，余每讀其文，輒有季札觀止之嘆，此亦天下之公論也。【略】是以詞家所譜事實，宜合於情理之中，最妙以前人說部中可感可泣，有關風化之事，揆情度理而飾之以文藻，則感動人心，改易社會，其功可券也。且以愚意論之，用故事較臆造爲易。何也？故事已有古人成作在前，其篇幅結構，不必自我用心，但就原文編次，自無前後不接、頭脚不稱之病。至若自造一事，必須先將事實布置妥貼，其有挂漏之處，尤宜隨時補凑，以較用故事編次者，其勞逸爲何如？事半功倍，文人亦何樂而不爲哉！余觀名人說部中，盡有慷慨激昂，爲前此詞家所未及者，世之錦繡才子，何不起而爲之？【略】

賓白宜優美。自來塡詞，止重曲詞，置賓白於不問，往往隨筆雜凑成文，不能引起人優美之觀念者。以爲既云賓白，明言白文處於賓位，可以稍省心力也。且元人雜劇中，以賓白叙事，以詞曲寫情，故每折之首，先將一折中人，出場齊備，說明事迹何若，而後作大套長曲，是賓白僅供點清眉目之用，似乎不必求工也。噫！爲此說者，眞可謂誤盡天下才人也。亦思元雜劇之演法，與今時傳奇演法大異乎？歌者自歌，白者自白，一人居中司歌，其餘賓白諸人，環侍左右。先令司賓白者出場，兩旁分立，待此一折中人齊集以後，然後正末登場，引吭而歌，衆人或和歌，或介白。其有邦老、孛兒（邦老卽南詞中之副净，孛兒卽南詞中之大净），與正末爲難事者，方出位演串，而旁侍者依然也。非若今日演戲之狀也（毛大可論之至詳）。是故賓白在元劇，確乎爲點清眉目而設，誠不必求工。卽每折抹去賓白，單讀曲詞，亦皆一氣呵成。雖不用賓白，亦無不可。惟在今日，則情形不同。傳奇一折，唱者多人，白曲既不分司，步立亦無定位；主戲固屬費力，搭頭亦要傳神（俗以每折重要脚色謂主戲，不重要諸人謂搭頭）。若賓白不工，則唱時可聽，演時難看，且場面一冷，亦引不起曲情。此賓白不可不工者一也。元詞用弦索，字多腔簡，一人司唱，雖曲文甚長，亦可一泄而盡。崑調悠揚，一字可數轉，雖數人分唱，而仍苦其勞。故曲中賓白，萬不可少。一則節唱者之勞，二則宣曲文之意，非若元劇止供和聲介曲之用也。此賓白之不可不工者二也。元人各曲，善用騰挪之法，每一套中，其開手數曲，輒盡力裝點飽滿，而於本事上，入手時不即擒題，須四五曲後，方才說到。是一套之曲，不啻一篇文字，不必換一曲牌，更另換一意思也，故視賓白爲無足輕重。南詞則一套之中，唱者既係多人，意境勢難合一，不獨生丑同場，必須分清口角，即同是一生，同是一旦，措詞亦各有分寸，名爲一套，實則一曲一意，而於關捩轉折之際，能顯其優美之趣者，則全在乎賓白。設陽春白雪之詞，而下里巴人之語，不幾令人失笑乎？且曲中詞句，歌時絲竹嗷嘈，一時未必即能領會，十分佳妙，只顯七分。賓白則一字一語，人人皆知，不分雅俗。使翰苑衣冠，而市井吐屬，聽者有不顧而嘔吐者乎？況當筆酣墨飽之時，常有因得一二句好白，而使詞曲亦十分暢達，加倍生色者。是曲之佳否，亦且係於賓白也(如《牡丹亭·驚夢》折白云「好天氣也」，以下便接《步步嬌》「裊晴絲吹來閑庭院」一曲，可謂妙矣。試思若無「好天氣」三字，此曲如何接得上？又云「不到園林，怎知春色如許」，以下便接《皂羅袍》「原來姹紫嫣紅開遍」一曲。試思若無「不到園林」二語，曲中「原來」云云，如何接得上？此皆顯而易見者也)。此賓白之不可不工者三也。有此三意，故賓白之作，斷斷不可忽略。惟賓白須如何而工，則確乎有所難言者。曲有譜韻可守，白則無之。曲有平仄可遵，白則有時要分平仄，有時盡可不分。即偶用小詞小詩，又不妨襲用古人成作，或改易一二字。似乎做賓白較詞曲爲易矣。顧往往文人作傳奇，曲則仍舊本歌唱，而賓白則全行移易。如《殺狗》、《尋親》、《白兔》諸古本，其中賓白，幾無一字相同者，何哉？豈利於文人之筆者，未必便於歌者之口歟？且優伶所改，大率庸俗陋劣，遠不如原本十倍，抑果文人之雅，眞不敵伶工之俗歟？此眞不可解矣。曰：蓋由卑視賓白而不知其法，以輕心出之者耳。賓白雖不論平仄，顧亦須協律調聲。一部傳奇，第一折長引子下，必有一段長白，俗名定場白。白中必有三、四聯四六句，語語須調平仄，此凡能作曲者，無不知之矣。抑知賓白中，調聲協律之處，不獨每折之定場白乎？如上句末一字用平，則下句末一字必須用仄，連用二平，則聲音壅塞，不能動聽矣。謂余不信，請擇一幼稚生，令讀一篇四六文，必且對仗不整，平仄不協，上下倒置也。夫平仄調協之四六文，使不明文理者讀之，猶且動輒乖方，況伶人本無文理，而以平仄不合之賓白，責諸以委宛動人，不幾如卻行而求前哉！歌舞之佳與不佳，爲伶人之責，文字之合用不合用，是文人之責，不能全委諸優人也。或曰：子言賓白，亦須協平仄，敬聞命矣。何以又言有時盡可不分也？曰：皆是也。傳奇情節錯雜，往往限於事實，不盡可繩以平仄，而此亦應變從權之道。又丑、淨花面口吻，亦有以諧合平仄，反覺斯文不稱其狀者。此中變換之妙，操縱在於一心，不可以言傳者也。總之生、旦之白宜諧，淨、丑之白略寬，會心人自然領悟耳。此賓白須諧平仄之說也。傳奇中之有生、旦、淨、丑，所以分別君子小人，使人一望而知賢不肖也。故作生、旦之曲白，務求其雅，作淨、丑之曲白，務求其俗。諺云「做那等人說那等話」，此語竟似專爲傳奇而設。無論立心端正者，我當設身處地，代生端正之思；即遇立心邪僻者，我亦當捨經從權，暫爲邪僻之想。要須心曲隱微，隨口唾出，如吳道子之寫生，鬚眉畢現，斯爲得之。顧近世詞家，摹寫生旦，則敻乎莫尚，規模淨、丑，則戛乎其難。此無他，因填詞者係文人，只能就風雅一方面着想。至於淨、丑則齷齪瑣碎，頗難下筆，非惟書卷氣息，一些不能闌入筆端，即如詩頭曲尾市井猥談，下至籤訣、星曆、卜筮、《千字文》、《百家姓》、八股、尺牘等，一切無謂之口頭語，無一不當熟悉。故淨、丑曲文，已倍難於生、旦，而其賓白，則可謂難之又難。此所以淨、丑曲白工之者少也。雖然淨、丑曲白，不作則已，作則勿畏其難，務求其肖。余之所望於天下才人者如此也。此賓白須要肖似之說也。又傳奇中南北曲統用，則賓白中字音，亦須依曲之南北，而分定其聲音。何也？北曲有北音之字，南曲有南音之字。今世之人，但知曲內宜分，又抑知白隨曲轉，不應兩截乎？此折爲南曲，則賓白悉用南音；此折爲北曲，則賓白悉用北音。今人歌北曲之賓白，輒以南音就之，歌場中頗有聞焉者，殊堪發一大噱。余寓滬上，聞有人歌《邯鄲·度世》俗名《掃花三醉》，此北曲也。開場呂祖一段定場白，字字應作北音(北音非今日北京話)，其在入聲，尤須謹嚴。白中自「蓬島何曾見一人」起，至「何姑笑舞而來」云云，不下四百餘字。如此長白，原是費力。乃坐聽良久，竟不能明白一字，無論字分南北，即尋常四聲，尚且滿口胡柴，此眞無可言喻矣。余之此說，爲全套南曲、全套北曲言之。若南北合套，則可以不拘也（南北合套，爲元末沈和所創，其法極妙。余別論一篇，備論其理，茲不贅）。是賓白之字音宜慎也。我國幅員廣大，言語頗難一致。吳越方言，不通於秦晉。燕齊土語，又不通於關隴。塡詞家局故鄉之聞見，肆梓里之科諢，乃至聽者茫然，不能一解人頤者，多用方言之過也。余以爲塡詞聲韻，既一本《中州》，則賓白亦當以《中州》爲斷。院本中淨、丑口角，往往以蘇州土語出之，此其故以塡詞者南人居多，而南人之中，又以蘇人爲多。生此一方，未免爲一方所囿，故搖筆即來也（一也）。淨、丑角出語，總以可發人笑爲主。塡詞者即係南人，自當取悦於鄉人之耳。若用《中州音韻》，恐聽者未必雅俗俱解，二也。余謂此知有二五而不知有一十也。曲中韻律，既不用鄉音，則白中字眼，亦當一律，曲白兩音，終非所宜。顧文人局鄉土之聞見，往往不能洗除盡淨，其法於賓白科介之際，將鄉土之語，逐一檢點，逐一刪削，則自無此病矣。此賓白之方言宜少也。以上數則，皆塡詞者應守之律，既備述如上。尚有一事，必須注意者，則劇中之科諢處也。科諢之道，雖不可雅，雅則令人難解，然亦不可俗，俗則令人欲嘔。前人院本，遇科諢處，輒書「隨意作諢」四字，令伶工自作，俾得即景言情，可以一新耳目。而伶工輒不能文，於作者之旨，不能領會，點金成鐵，所在而是。惟孔岸堂《桃花扇》科諢，出自己作，不許伶人增損一字，然通本殊少解頤語。此以知科諢雖小道，而其難且過塡詞也。今人逢科諢，往往作淫褻語，以便引人發笑。有房中所説不出口之語，公然出諸大庭廣衆之前者，此亦有關風化也。夫名教中自有樂地，談言中盡可解紛，何必説出欲事，纔可引人一粲乎？故科諢中能避去淫褻語最妙。

《俗話報》第十一期三愛《論戲曲》 一、宜多新編有益風化之戲。以吾儕中國昔時荊軻、聶政、張良、南霽雲、岳飛、文天祥、陸秀夫、方孝孺、王陽明、史可法、袁崇煥、黄道周、李定國、瞿式耜等大英雄之事迹，排成新戲，做得忠孝義烈，唱得激昂慷慨，於世道人心極有益。舊戲中之《吃人肉》、《長坂坡》、《九更天》、《換子》、《替死》、《刺梁》、《魚藏劍》等類，亦可以發生人忠義之心。二、采用西法。戲中有演説，最可長人之見識；或演光學、電學各種戲法，則又可練習格致之學。三、不可演神仙鬼怪之戲。鬼神一語，原屬渺茫，煽惑愚民，爲害不淺。庚子之義和拳，即是學戲中天兵、天將。例如《泗州城》、《五雷陣》、《南天門》之類，荒唐可笑已極。其尤可惡者，《武松殺嫂》原爲報仇主義之善戲，而又施以鬼神。武松才藝過人，本非西門慶所能敵，又何必使鬼助而始免於敗？則武二之神威一文不值。此等鬼怪事，大不合情理，宜急改良。四、不可演淫戲。如《月華緣》、《蕩湖船》、《小上墳》、《雙搖會》、《海潮珠》、《打櫻桃》、《下情書》、《送銀燈》、《翠屏山》、《烏龍院》、《縫褡膊》、《廟會》、《拾玉鐲》、《珍珠衫》等戲，傷風敗俗，莫此爲盛。有謂戲曲爲淫靡，優俳爲賤業，職是之故。青年婦女觀男優演淫戲，已不能堪；何況女優亦現身説法，演其醜態，不知羞恥，而易人入其腦，使其情欲不能自禁。故是等戲決宜禁止。五、除富貴功名之俗套。吾儕國人，自生至死，只知己之富貴功名，至於國家之治亂，有用之科學，皆勿知之。此所以人才缺乏，而國家衰弱。若改去《封龍圖》、《回龍閣》、《紅鸞禧》、《天開榜》、《雙官誥》等戲曲，必有益於風俗。我國戲曲，若能依上五項改良，則演戲決非爲游蕩無益事也。現今國勢危急，内地風氣不開，慨時之士，遂創學校，然教人少而功緩。編小説，開報館，然不能開通不識字人，益亦罕矣。惟戲曲改良，則可感動全社會，雖聾得見，雖盲可聞，誠改良社會之不二法門也。

類別

《周禮·夏官·方相氏》 方相氏掌蒙熊皮，黄金四目，玄衣朱裳，執戈揚盾，帥百隸而時儺，以索室毆疫。大喪，先柩；及墓，入壙，以戈擊四隅，毆方良。

班固《漢書·西域傳贊》 設酒池肉林以饗四夷之客，作巴渝、都盧、海中碭極、漫衍魚龍、角抵之戲以觀視之。

段安節《樂府雜錄·傀儡子》 自昔傳云：起於漢祖，在平城，爲冒頓所圍，其城一面，即冒頓妻閼氏，兵強於三面。壘中絶食。陳平訪知閼氏妒忌，即造木偶人，運機關，舞於陣間。閼氏望見，謂是生人，慮下其城，冒頓必納妓女，遂退軍。史家但云陳平以秘計免，蓋鄙其策下爾。後樂家翻爲戲。

又《俳優》 開元中，黄幡綽、張野狐弄參軍。【略】開元中有李仙鶴擅此戲，明皇特授韶州同正參軍，以食其祿。是以陸鴻漸撰詞云「韶州參軍」，蓋由此也。

蘇軾《東坡志林·祭禮》 八蠟，三代之戲禮也。歲終聚戲，此人情之所不免也。因附以禮義，亦曰不徒戲而已矣。祭必有尸。無尸曰「奠」，始死之奠與釋奠是也。今蠟謂之「祭」，蓋有尸也。貓虎之尸，誰當爲之？置鹿與女，誰當爲之？非倡優而誰？葛帶榛杖，以喪老物；黄冠草笠，以尊野服：皆戲之道也。子貢觀蠟不悅，孔子譬之曰：「一弛一張，文武之道。」蓋爲是也。

高承《事物紀原·影戲》 故老相承，言影戲之原，出於漢武帝李夫人之亡。齊人少翁言能致其魂，上念李夫人無已，乃使致之。少翁夜爲方帷，張燈燭，帝坐他帳，自帳中望見之，彷彿夫人像也，蓋不得就視之。由是世間有影戲。歷代無所見。

耐得翁《都城紀勝·瓦舍衆伎》 雜劇中末泥爲長，每四人或五人爲一場。先做尋常熟事一段，名曰「艷段」；次做「正雜劇」，通名爲「兩段」。末泥色主張，引戲色分付，副凈色發喬，副末色打諢，又或添一人裝孤。

孟元老《東京夢華錄·中元節》 七月十五日中元節。先數日市井賣冥器、靴鞋、幞頭、帽子、金犀假帶、五彩衣服，以紙糊架子盤游出賣。【略】耍鬧處亦賣果食種生花果之類，及印賣《尊勝目連經》。又以竹竿斲成三脚，高三五尺，上織燈窩之狀，謂之盂蘭盆，掛搭衣服冥錢在上焚之。構肆樂人自過七夕，便搬《目連救母》雜劇，直至十五日止，觀者增倍。

又《宰執親王宗室百官入內上壽》 第五盞【略】小兒班首入進致語，勾雜劇入場，一場兩段。是時教坊雜劇色鱉膨、劉喬、侯伯朝、孟景初、王顔喜而下，皆使副也。內殿雜戲，爲有使人預宴，不敢深作諧謔，惟用群隊裝其似像，市語謂之「拽串」。雜戲畢，參軍色作語，放小兒隊。第七盞酒【略】女童進致語，勾雜劇入場，亦一場兩段訖。

郭茂倩《樂府詩集》卷五六 秦漢以來，又有雜伎，其變非一，名爲百戲，亦總謂之散樂。

吴自牧《夢粱錄·伎樂》 散樂傳學教坊十三部，唯以雜劇爲正色。【略】向者汴京教坊大使孟角毬曾做雜劇本子，葛守誠撰四十大曲，丁仙現捷才知音。南渡以後，教坊有丁漢弼、楊國祥等。景定年間至咸淳歲，衙前樂撥充教樂所都管，部頭，色長等人員，如陸恩顯、時和、王見喜、何雁喜、王吉、趙和、金寶、范宗茂、傅昌祖、張文貴、侯端、朱堯卿、周國保、王榮顯等。且謂雜劇中末泥爲長，每一場四人或五人。先做尋常熟事一段，名曰「艷段」。次做正雜劇，通名「兩段」。末泥色主張，引戲色分付，副凈色發喬，副末色打諢。或添一人，名曰「裝孤」。先吹曲破斷送，謂之「把色」。大抵全以故事，務在滑稽唱念，應對通遍。此本是鑒戒，又隱於諫諍，故從便跣露，謂之「無過蟲」耳。若欲駕前承應，亦無責罰，一時取聖顔笑。凡有諫諍，或諫官陳事，上不從，則此輩妝做故事，隱其情而諫之，於上顔亦無怒也。又有雜扮，或曰「雜班」，又名「經元子」，又謂之「拔和」，即雜劇之後散段也。頃在汴京時，村落野夫罕得入城，遂撰此端。多是借裝爲山東、河北村叟，以資笑端。今士庶多以從省，筵會或社會，皆用融和坊、新街及下瓦子等處散樂家，女童裝末，加以弦索賺曲，祗應而已。

又《百戲伎樂》 凡傀儡，敷演烟粉、靈怪、鐵騎、公案、史書歷代君臣將相故事話本，或講史，或作雜劇，或如崖詞。如懸綫傀儡者，起於陳平六奇解圍故事也。今有金綫盧大夫、陳中喜等，弄得如眞無二，兼之走綫者尤佳。更有杖頭傀儡，最是劉小僕射家數果奇。大抵弄此多虚少實，如巨靈神、姬大仙等也。其水傀儡者，有姚遇仙、賽寶哥、王吉、金時好等，弄得百憐百悼。兼之水百戲，往來出入之勢，規模舞走，魚龍變化奪眞，功藝如神。更有弄影戲者，元汴京初以素紙雕簇，自後人巧工精，以羊皮雕形，用以彩色裝飾，不致損壞。杭城有賈四郎、王昇、王閏卿等，熟於擺布，立講無差。其話本與講史書者頗同，大抵眞假相半，公忠者雕以正貌，奸邪者刻以醜形，蓋亦寓褒貶於其間耳。

朱翌《猗覺寮雜記》卷下 彈曲起於唐懿宗時，《曹確傳》云：「優人李可及能新聲，自度曲，號爲拍彈。」優伶打諢，亦起於唐。李栖筠爲御史大夫，故事曲江賜宴，教坊倡顛雜侍，栖筠從任風憲不往，臺遂以爲法。顛，力困切，弄言也。

陶宗儀《南村輟耕錄》卷二五 院本、雜劇其實一也。國朝院本、雜劇始釐而二之。

朱權《太和正音譜》卷上 凡作樂府，古人云：「有文章者謂之『樂府』；如無文飾者，謂之「俚歌」，不可與樂府共論也。【略】雜劇十二科：一曰「神仙道化」，二曰「隱居樂道」（又曰「林泉丘壑」），三曰「披袍秉笏」（即「君臣」雜劇），四曰「忠臣烈士」，五曰「孝義廉節」，六曰「叱奸罵讒」，七曰「逐臣孤子」，八曰「鏺刀趕棒」（即「脱膊」雜劇），九曰「風花雪月」，十曰「悲歡離合」，十一曰「烟花粉黛」（即「花旦」雜劇），十二曰「神頭鬼面」（即「神佛」雜劇）。

《李開先集》上冊《閑居集》之六 詞與詩，意同而體異，詩宜悠遠而有餘味，詞宜明白而不難知。以詞爲詩，詩斯劣矣；以詩爲詞，詞斯乖矣。其法備於《中原韻》，其人詳於《錄鬼簿》，其略載於《正音譜》。至於《務頭》、《瓊林》、《燕山》等集，與夫《天機餘錦》、《陽春白雪》、《太平樂府》、《樂府群玉》、《群珠》等詞，是皆韻之通用，而詞之上選者也。傳奇、戲文雖分南北，套詞、小令雖有短長，其微妙則一而已，悟入之功，存乎作者天資學力耳。然俱以金、元爲準，猶之詩以唐爲極也。何也？詞肇於金，而盛於元。元不成邊，賦稅輕而衣食足，衣食足而歌咏作，樂於心而聲於口，長之爲套，短之爲令，傳奇戲文，於是乎涉而可準矣。穆玄庵謂「不可以胡政而少之」，亦天下之公言也。國初如劉東生、王子一、李直夫諸名家，尚有金、元風格。乃後分而兩之，用本色者爲詞人之詞，否則爲文人之詞矣。自陳大聲正德丁卯年沒後，惟有王渼陂爲最。陳乃元詞之下者，而王乃文詞之高者也，可爲等儕，有未易以軒輊者；若兼而有之，其元哉？其猶詩之唐而不可上者哉！【略】音多字少爲南詞，音字相半爲北詞，字多音少爲院本。詩餘簡於院本，唐詩簡於詩餘，漢樂府視詩餘則又簡而質矣，《三百篇》皆中聲而無文，可被管弦者也。由南詞而北，由北而詩餘，由詩餘而唐詩，而漢樂府，而《三百篇》，古樂庶幾乎可興，故曰「今之樂，猶古之樂也」。嗚呼！擴今詞之眞傳，而復古樂之絶響，其在文明之世乎！

何良俊《四友齋叢說》卷三七 金、元人呼北戲爲雜劇，南戲爲戲文。近代人雜劇以王實甫之《西廂記》，戲文以高則誠之《琵琶記》爲絶唱，大不然。夫詩變而爲詞，詞變而爲歌曲，則歌曲乃詩之流別。今二家之辭，即譬之李、杜，若謂李、杜之詩爲不工，固不可；苟以爲詩必以李、杜爲極致，亦豈然哉？祖宗開國，尊崇儒術，士大夫恥留心辭曲，雜劇與舊戲文本皆不傳，世人不得盡見，雖教坊有能搬演者，然古調既不諧於俗耳，南人又不知北音，聽者即不喜，則習者亦漸少，而《西廂》、《琵琶記》傳刻偶多，世皆快靚，故其所知者，獨此二家。余所藏雜劇本幾三百種，舊戲本雖無刻本，然每見於詞家之書，乃知今元人之詞，往往有出於二家之上者。蓋《西廂》全帶脂粉，《琵琶》專弄學問，其本色語少。蓋填詞須用本色語，方是作家，苟詩家獨取李、杜，則沈、宋、王、孟、韋、柳、元、白，將盡廢之耶？元人樂府稱馬東籬、鄭德輝、關漢卿、白仁甫爲四大家。馬之詞老健而乏姿媚，關之詞激厲而少蘊藉，白頗簡淡，所欠者俊語，當以鄭爲第一。鄭德輝雜劇《太和正音譜》所載總十八本，然入絃索者惟《㑳梅香》、《倩女離魂》、《王粲登樓》三本。今教坊所唱，率多時曲，此等雜劇古詞，皆不傳習，三本中獨《㑳梅香》頭一折《點絳唇》尚有人會唱，至第二折「驚飛幽鳥」，與《倩女離魂》內「人去陽臺」、《王粲登樓》內「塵滿征衣」，人久不聞，不知絃索中有此曲矣。

祝允明《猥談》 南戲出於宣和之後，南渡之際，謂之「溫州雜劇」。余見舊牒，其時有趙閎夫榜禁，頗述名目，如《趙貞女蔡二郎》等，亦不甚多。【略】今遍滿四方，輾轉改易，又不如舊，蓋已略無音律、腔調。愚人蠢工，徇意更變，妄名餘姚腔、海鹽腔、弋陽腔、崑山腔之類，變易喉舌，趁逐抑揚，杜撰百端，眞胡說也。若以被之管弦，必至失笑。

王驥德《曲律·總論南北曲第二》 曲之有南、北，非始今日也。關西胡鴻臚侍《珍珠船》（其所著書名）引劉勰《文心雕龍》，謂：塗山歌於「候人」，始爲南音；《有娀》謠於「飛燕」，始爲北聲。及夏甲爲東，殷整爲西。古四方皆有音，而今歌曲但統爲南、北。如《擊壤》、《康衢》、《卿雲》、《南風》，《詩》之《二南》，漢之樂府，下逮關、鄭、白、馬之撰，詞有雅、鄭，皆北音也；《孺子》、《接輿》、《越人》、《紫玉》，吳歈楚豔，以及今之戲文，皆南音也。豫章左克明《古樂府》載：晉馬南渡，音樂散亡，僅存江南吳歌，荆、楚西聲。自陳及隋，皆以《子夜》、《歡聞》、《前溪》、《阿子》等曲屬吳，以《石城》、《烏棲》、《估客》、《莫愁》等曲屬西。蓋吳音故統東南；而西曲則後之，人概目爲北音矣。以辭而論，則宋胡翰所謂：晉之東，其辭變爲南、北；南音多豔曲，北俗雜胡戎。以地而論，則吳萊氏所謂：晉、宋、六代以降，南朝之樂，多用吳音；北國之樂，僅襲夷虜。以聲而論，則關中康德涵所謂：南詞主激越，其變也爲流麗；北曲主忼慨，其變也爲朴實。惟朴實故聲有矩度而難借，惟流麗故唱得宛轉而易調。吳郡王元美謂：南、北二曲，譬之同一師承，而頓、漸分教；俱爲國臣，而文、武異科。北主勁切雄麗，南主清峭柔遠。北字多而調促，促處見筋；南字少而調緩，緩處見眼。

北辭情少而聲情多，南聲情少而辭情多。北力在絃，南力在板。北宜和歌，南宜獨奏。北氣易粗，南氣易弱。此其大較。康北人，故差易南調，似不如王論爲確；然陰陽、平仄之用，南、北故絶不同，詳見後説（北曲，《中原音韻》論最詳備。此後多論南曲）。

又《雜論第三十九下》 詞之異於詩也，曲之異於詞也，道迥不侔也。詩人而以詩爲曲也，文人而以詞爲曲也，誤矣，必不可言曲也。北劇之於南戲，故自不同。北詞連篇，南詞獨限。北詞如沙場走馬，馳騁自由；南詞如揖遜賓筵，折旋有度。連篇而蕪蔓，獨限而跼蹐，均非高手。韓淮陰之多多益善，岳武穆之五百騎破兀朮十萬衆，存乎其人而已。夫詩之限於律與絶也，卽不盡於意，欲爲一字之益，不可得也。詞之限於調也，卽不盡於吻，欲爲一語之益，不可得也。若曲，則調可累用，字可襯增。詩與詞，不得以諧語方言入，而曲則惟吾意之欲至，口之欲宣，縱横出入，無之而無不可也。故吾謂：快人情者，要毋過於曲也。【略】曲與詩原是兩腸，故近時才士輩出，而一搦管作曲，便非當家。汪司馬曲，是下膠漆詞耳。弇州曲不多見，特《四部稿》中有一《寒鴻秋》、兩《畫眉序》，用韻既雜，亦詞家語，非當行曲。《畫眉序》和頭第一字，法用去聲，卻云「濃霜畫角遼陽道，知他夢裏何如」。濃字平聲，不可唱也。

《湯顯祖詩文集》卷三四《宜黄縣戲神清源師廟記》 此道有南北。南則崑山之次爲海鹽，吴浙音也，其體局靜好，以拍爲之節。江以西弋陽，其節以鼓，其調喧。至嘉靖而弋陽之調絶，變爲樂平，爲徽青陽。

袁于令《盛明雜劇二集序》 善采菌者，於其含苞如卵，取味全也。至擘張如蓋，昧者以爲形成，識士知其神散。全部傳奇，如蓋之蕈也，雜劇小記，在苞之蕈也。繪事亦然，文章以無盡爲神，以似盡爲形。袁中郎詩有「小石含山意」二語，予甚嘉之。如畫石竟而可旁添片墨，非畫矣，天柱地首之嵯峨，惟卷石能奴之，雜劇之謂也。兵仗亦然，長鎩大戟，非不雄逞，至渾而木棍，命曰「械王」，又約而尺八短劍，又約而飛丸，又約而魚腸，其器益小，力益全，爲伎益難。雜劇，詞場之短兵也。或以寄悲憤，寫跅睺，紀妖冶，書忠孝，無窮心事，無窮感觸，借四折爲寓言，減之不得，增之不可，作者情之所含，辭之所盡，音之所合，卽具大法程焉。不知者輒欲化爲全部，不惟失其指歸，且蒙以蕪穢。易一字，卽爲點金成鐵；增多字，則又狗尾爲主而貂失其處，羔皮爲君而狐反爲緣，禍雜劇者多矣。

沈德符《萬曆野獲編》卷二四 （京師）若套子宴會，但憑小唱，云請麵卽麵，請酒卽酒，請湯卽湯。弋陽戲數折之後，各拱揖別去。

陸容《菽園雜記》卷一 吴中鄉村唱山歌，大率多道男女情致而已，惟一歌云：「南山脚下一缸油，姊妹兩個合梳頭。大個梳做盤龍髻，小個梳做楊籃頭。」不知何意。朱廷評樹之嘗以問予，予思之，翌日報云：「此歌得非言人之所業本同厥初，惟其心之趣向稍異，則其成就遂有大不同者？作如是觀可乎？」樹之云：「君之穎悟過我矣。作如是觀。」此山歌第一曲也。

葉盛《水東日記》卷二 吴人耕作，或舟行之勞，多作謳歌以自譴。名唱山歌中亦多可爲警勸者，謾記一二：「月子彎彎照幾州，幾家歡樂幾家愁。幾家夫婦同羅帳，多少漂零在外頭。」「南山頭上鵓鴣啼，見説親爺娶晚妻。爺娶晚妻爺心喜，前娘兒女好孤悽。」

黄圖珌《看山閣集閑筆・文學部・詞曲》 宋尚以詞，元尚以曲，春蘭秋菊，各茂一時。其有所不同者，曲貴乎口頭言語，化俗爲雅；詞難於景外生情，出人意表。字字清新，筆筆芳韻，方爲絶妙好辭。其聲諧法嚴處，不過取平仄二聲，較曲而有平上去入，有開發收閉，有陰陽清濁，有呼吸吐茹，審五音之精微，協六律於調暢，務在窮工辨別，刻意探求，稍有錯誤，致不叶調。如玉茗之《牡丹亭》，詞雖靈化，而調甚不工，令歌者低眉蹙目，有礙於喉舌間也。蓋曲之難，實有與詞倍焉。

李斗《揚州畫舫錄》卷五 兩淮鹽務例蓄花、雅兩部以備大戲，雅部卽崑山腔，花部爲京腔、秦腔、弋陽腔、梆子腔、羅羅腔、二簧調，統謂之亂彈。【略】郡城花部，皆係土人，謂之本地亂彈，此土班也。至城外邵伯、宜陵、馬家橋、僧道橋、月來集、陳家集人，自集成班，戲文亦間用《元人百種》，而音節服飾極俚，謂之「草臺戲」，此又土班之甚者也。若郡城演唱，皆重崑腔，謂之「堂戲」。本地亂彈祇行之禱祀，謂之「臺戲」。迨五月，崑腔散班，亂彈不散，謂之「火班」。後句容有以梆子腔來者，安慶有以二簧調來者，弋陽有以高腔來者，湖廣有以羅羅腔來者，始行之城外四鄉，繼或於暑月入城，謂之「趕火班」。而安慶色藝最優，蓋於本地亂彈，故本地亂彈間有聘之入班者。京腔用湯鑼不用金鑼，秦腔用月琴不用琵琶。京腔本以宜慶、萃慶、集慶爲上，自四川魏長生以秦腔入京師，色藝蓋於宜慶、萃慶、集慶之上，於是京腔效之，京、秦不分。迨長生還四川，高朗亭入京師，以安慶花部，合京、秦兩腔，名其班曰「三慶」，而曩之宜慶、萃慶、集慶遂湮沒不彰。郡城自江鶴亭徵本地亂彈，名「春臺」，爲外江班。不能自立門戶，乃徵聘四方名旦，如蘇州楊八官、安慶郝天秀之類。而楊、郝復採長生之秦腔，並京腔中之尤者，如《滚樓》、《抱孩子》、《賣餑餑》、《送枕頭》之類，於是春臺班合京、秦二腔矣。熊肥子演《大夫小妻打門吃醋》，曲盡閨房兒女之態。

姚旅《露書·風俗上》 今惟唱海鹽曲者似之，音如細髮，響徹雲際，每度一字，幾盡一刻，不背於永言之義。

焦循《花部農譚》 梨園共尚吳音。「花部」者，其曲文俚質，共稱爲「亂彈」者也，乃余獨好之。蓋吳音繁縟，其曲雖極諧於律，而聽者使未覩本文，無不茫然不知所謂。其《琵琶》、《殺狗》、《邯鄲夢》、《一捧雪》十數本外，多男女猥褻，如《西樓》、《紅梨》之類，殊無足觀。花部原本於元劇，其事多忠、孝、節、義，足以動人；其詞直質，雖婦孺亦能解；其音慷慨，血氣爲之動盪。郭外各村，於二、八月間，遞相演唱，農叟、漁父，聚以爲歡，由來久矣。自西蜀魏三兒倡爲淫哇鄙謔之詞，市井中如樊八、郝天秀之輩，轉相效法，染及鄉隅。近年漸反於舊。余特喜之，每攜老婦、幼孫，乘駕小舟，沿湖觀閱。天既炎暑，田事餘閒，羣坐柳陰豆棚之下，侈譚故事，多不出花部所演，余因略爲解說，莫不鼓掌解頤。有村夫子者筆之於冊，用以示余。余曰：「此農譚耳，不足以辱大雅之目。」爲芟之，存數則云爾。

梁廷枏《曲話》卷四 北人有所謂「打連廂」、「唱連廂」者，蓋連廂詞作於元曲未作之先。其例：專設司唱者一，雜設諸執器色者，笙、笛、琵琶各一人，排坐場端，吹彈數曲。而後敷白道唱，男名末尼，女名旦兒，並雜色人等，上場扮演，依唱詞而作舉止。毛西河有擬連廂詞，曰《賣嫁》，曰《放偷》，古法猶存。今人不復能也。古人歌者、舞者各自爲一，兩不照應。至唐人《柘枝詞》、《蓮花鏇歌》，則舞者所執與歌人所歌之詞稍有相應矣，猶羌無故實也；至宋趙令時作商調鼓子詞，譜《西廂》傳奇，始有事實矣，然尚無演白也。至董解元作《西廂》搊彈詞，曲中夾白，搊彈、念、唱統屬一人，然尚未以人扮演也；金人倣遼大樂之制而作清樂，中有連廂詞，則扮演有人矣，猶然司舞者不唱，司唱者不舞也；至元曲則歌舞合於一人，然一折自首至末皆以其人專唱，非正末則正旦，唱者爲主而白者爲賓，則連廂之法未盡變也；今之雜色上場，無不可唱，此實起於元末、明初，其由來亦已久矣。

又卷五 毛西河作《韻學要指》，謂：「古今無二韻，自上古至今，經史載籍，以至矢口所誦，俱無有二；所歸然特出，別成一例者，祇元人北曲韻耳。若詩餘、南曲，卽無一不與五部、三聲、兩界、兩合、四門相符，故宋人亦並無有造詞曲韻者。今人妄作詞韻以律宋、元人爲詩餘者，且有以南曲無韻，強將《中原音韻》北曲之韻責之南曲（如《西樓記》以《中原音韻》註每折下，《南詞新譜》反判古曲爲失韻之類），是欲冠夏人以幧頭、衣周嬪以窮袴也。」又云：「詩餘、南曲，亦俱有支、魚一界。嘗誦元人曲詞：『迢迢路不知是那裏，前途去未審安身在何處。』此界韻也。後在白門聽伎，有歌『何處』爲『何地』者，此又近論韻家所改竄字。」按：南曲固無專韻，然如西河言，則南曲韻究無定主，故《九宮大成》選古詞以補南曲所無。其南詞凡例謂：「詞韻與曲韻不同，度曲者仍用《中原韻》填之。夫南曲既可用《中原韻》，是仍以四聲通用爲正矣。《梅嶺記》之《傾杯序》云：『霧鎖烟林映峭壁，巖壑峰巒翠。』散曲之《傾杯賺》云：『紅裝素態擎清露，景堪錄。繫百索，衫裁艾虎。』此皆南曲以入聲與三聲並押之證。」順治末，武林陳次升作《南曲詞韻》，欲與周韻並行，緣事中輟。李笠翁謂：「南韻深渺，卒難成書。塡詞家卽將周韻就平、上、去三音中，抽出入聲字另爲一聲，備南曲之用。」是又一說。南北曲聲調雖異，而過宮、下韻則一。自高則誠作《琵琶》，創爲「不尋宮數調」之說以掩己所短，後人遂藉口謂「北曲嚴而南曲疎」。臧晉叔譏之，是也。

阮葵生《茶餘客話》卷一二 盲女、琵琶，明時已有之。至今江淮尤甚。京師近年亦多。少年游閑者，藉以佐酒消遣，不異青樓。吾鄉楊幼堯廣文，年七十，致仕回里，饑餓不能出門戶，後群盲日造其門，資其飲饌，筠籠蠻榼，窮極豐腆，人不解其故。久之，知廣文以歌曲擅長，多取耳聞目見之事，演爲彈詞，新聲綺調，盲女、瞽男以先得者聲價頓高，廣文遂藉以娛老焉。瞿存齋《過汴梁》詩：「陌頭盲女無愁恨，能撥琵琶說趙家。」又陸放翁詩：「斜陽古柳趙家莊，負鼓盲翁正作場。」盲女瞽男，由來舊矣。

楊恩壽《續詞餘叢話·原事續》 湘中歲首有所謂「燈戲」者，初出兩伶，各執骨牌燈二面，對立而舞，各盡其態。以次遞增，至十六人，牌亦增至三十二面。迨齊上時，始擺成字，如「天子萬年」、「太平天下」之類。每擺成一字，則唱時令小曲一折，誠美觀也。

潘耒《醉高歌序》 文詞詩賦，其體各異。古今才子往往不能兼善者，以爲其法不同，未可以合一也。况塡詞之與制藝，尤爲迥異者哉！我友張子簡庵，天資穎悟，文心巧妙，謂可以一之。其論作文之法，謂莫備於傳奇，有聞而疑之者。張子曰：天下之理一而已矣。苟得其一，則凡事可通，况制藝之與塡詞，均文類乎？予閑居林下，時相往還，因得讀其塡詞四種，才情直踞元人之上，斯已奇矣。復自評之點之，以暢通之，其章法變化，宛然與八股吻合。其論奇而正，新而確。問舉業者，讀其書而究其法，其於制藝也何有，果能神而明之。則凡文詞詩賦，皆可通而爲一，又何患乎才之不能兼善哉！謂予不信，試取其書而讀之。

劉熙載《藝概·詞曲概》 曲之名古矣。近世所謂曲者，乃金、元之北曲，及後復溢爲南曲者也。未有曲時，詞即是曲；既有曲時，曲可悟詞。苟曲理未明，詞亦恐難獨善矣。【略】詞如詩，曲如賦。賦可補詩之不足者也。昔人謂金、元所用之樂，嘈雜凄緊，緩急之間，詞不能按，乃更爲新聲。是曲亦可補詞之不足也。

姚燮《今樂考證·緣起·雜劇院本傳奇之稱》 豐山王棠云：「唐有傳奇，宋有戲曲、諢、詞說。金有院本、雜劇，其實一也。元朝院本、雜劇始分爲二之。院本則五人，又謂之『五花爨弄』。或曰：『宋徽宗見爨國人來朝，衣裝、鞵履、巾裹，傅粉墨，舉動如此，使優人效之以爲戲。』又有燄段，亦院本之意，但差簡耳，取其如火燄，易明而易滅也。其間副凈有散說，有道念，有筋斗，有科汎。今世有『爨段』二字，疑起於此。」本陶宗儀說。

又《傀儡》 王棠云：「魁櫑本喪家樂，漢時嘉會用之。唐時窟儡子（一作窟櫑子），唐戲之首舞也，即傀儡是也。漢高困平城，陳平秘計造木偶人，用機關舞於陣間，樂家翻爲戲。《顏氏家訓》曰：『古有禿人名郭，好詼諧戲謔，今云傀儡郭郎。』」汪汲云：「傀儡，北齊後主高緯尤所好。」翟灝云：「《顏氏家訓》云：『俗名傀儡爲「郭禿」。《風俗通》謂諸郭皆諱禿，當是前代有姓郭而病禿者，滑稽調戲，故後人爲其像耳。』《西河詞話》云：『宮戲本水傀儡，其製用偶人立板上，浮大池面，用屏障其下，而以機運之。杖頭傀儡，以人持其足，俗謂之「捏脚摳」。懸絲傀儡，俗謂之「提線摳」。』」大小全棚傀儡（《武林舊事》）：

查查鬼（查大） 李大口（一字口） 賀豐年 最瓠斂（長頭）

兎吉（兎毛大伯） 吃遂 大憨兒 麤妲

麻婆子 快活三郎 黃金杏 瞎判官

快活三娘 沈承務 一臉膜 貓兒相公

洞公觜（細妲） 河東子 黑遂

王鐵兒（宋刻「王缺兒」） 交椅 夾棒（宋刻「捧」）

屏風 男女竹馬 男女杵歌 大小斲刀鮑老

交袞鮑老 子弟清音 女童清音 諸國獻寶

穿心國入貢 孫武子教女兵 六國朝 四國朝

遏雲社 緋綠社 胡安女（宋刻無「安」字）

鳳阮嵇琴 撲胡蝶 回陽丹 火藥（宋刻「大藥」）

瓦盆鼓（宋刻無「盆」字） 焦鎚架兒 喬三敎

喬迎酒 喬親事 喬樂神（馬明王） 喬捉蛇

喬學堂 喬宅眷 喬象生 喬師孃

獨自喬 地仙 旱劃船 敎象

裝態 村用樂 鼓板 踏橇（宋刻「踏蹺」）

撲旗 抱鑼裝鬼 獅豹蠻牌 十齋郎

耍和尚 劉袞 散錢行 貨郎 打嬌惜

其品甚夥，不可悉數。首飾、衣裝，相矜侈靡；珠翠、錦綺，眩耀華麗。如傀儡、杵歌、竹馬之類，多至十餘隊。十二、十三兩日，國忌禁樂，則有裝宅眷，籠燈前引，珠翠盛飾，少年尾其後，訶殿而來，卒然遇之，不辨其僞。及爲喬經紀人以資一笑者，尤多也。（按：《武林舊事》「天基聖節樂次」有傀儡羣仙會、傀儡舞鮑老、踢架兒盧逢春等六人。又諸色伎藝人，有懸絲傀儡、杖頭傀儡、藥發傀儡、肉傀儡、水傀儡。）

又《舞》 沈括《筆談》云：「《柘枝舞》遍數極多，如《羯鼓錄》所謂『渾脫解』之類，舞必盡日。寇萊公好之。今遇一萊公舊妓，云：『當時尙有數十遍，今日所舞十不得二三，惜無傳之者。』」周密《癸辛雜識》云：「予嘗得故都德壽宮《舞譜》二大帙，其中皆新製曲，多妃嬪諸閤所分進者。所謂譜者，其間有所謂：

左右垂手

雙拂 抱肘 合蟬 小轉 虛影 橫影 稱裏

大小轉攛
盤轉　叉腰　捧心　叉手　打場　攙手　鼓兒
打妃央場
分頸　回頭　海眼　收尾　豁頭　舒手　布過
飽老掇
對窠　方勝　齊收　舞頭　舞尾　呈手　鬭賣
掉袖兒
拂　蹬　綽　覷　掇　蹬　焌
五花兒
踢　掩　刺　攧　繫　搠　捽
雁翅兒
靠　挨　拽　捺　閃　纏　提
龜背兒
踏　儹　木　摺　促　當　前
勤出蹄
擺　磨　捧　拋　奔　擡　攧。」

沈德符云：「頃在梁溪鄒彥吉家觀舞，因論：『此婦人盤中、掌上之道耳。乃古人之舞，不傳久矣。古有《鞞舞》、《盤舞》、《鐸舞》、《笛舞》，固絕不知何狀；即最後如唐太宗《七德舞》、明皇之《龍池舞》及《霓裳羽衣》之舞，在宋已亡。然古人酒歡起舞多男子。如唐楊再思之《高麗舞》、祝欽明之《八風舞》，則大臣亦爲之；安祿山之《胡旋舞》、僕固懷恩爲宦官駱奉仙舞，則邊帥亦爲之；若和哥起舞與張存業求纏頭，則儲君亦爲之矣。唐開成間樂人崇胡子能軟舞，其舞容有大垂手、小垂手、驚鴻、飛燕、婆娑之屬，其腰支不異女郎，則知唐末已全重婦人；而唐時教坊樂又有《垂手羅》、《迴波樂》、《蘭陵王》、《春鶯囀》、《半社渠》、《借席》、《烏夜啼》之屬謂之「軟舞」，《阿遼》、《柘枝》、《黃麞》、《拂菻》、《大渭州》、《達摩支》之屬謂之「健舞」，又不專用女郎也。宋時宗廟朝享之外，亦用婦人，其所謂女童隊、小兒隊、教坊隊者，已彷彿今世；至金、元，益不可問。今之學舞者，俱作汴梁與金陵，大抵俱軟舞，雖有南舞、北舞之異，然皆女妓爲之，即不然亦男子女裝以悅客，古法澌滅，非始本朝也。至若舞用婦人，實勝男子。彼劉、項何等帝王，尚戀戚、虞之舞。唐人謂教坊雷大使舞極盡工巧，終非本色，蓋本色者，婦人態也。』鄒深是余言。」翟灝云：「字舞，《舊唐書・音樂志》：『《上元聖壽樂》，武后作也，舞者百四十人，行列必成字，十六變而畢。有「聖超千古」、「道泰百王」、「皇帝萬年」、「寶祚彌昌」字。』《樂錄》：『舞人亞身於地而成字，謂之「字舞」。』王建《宮詞》：『每遇舞頭分兩向，「太平萬歲」字當中。』按：今劇場中擺列爲『天下太平』等字，乃其具體。」王棠云：「嘗聞孔廟祭丁時，奏樂舞『大哉孔子』四字，初謂事不經，以爲近于兒戲。後讀王建《宮詞》，知舞字之制，由來已久。」《武林舊事》「天基聖節排當樂次」有舞頭、舞尾，舞綰壽星。其祇應人色有舞旋色。舞燈唱《喜遷鶯》「人間歡樂」詞，每人花燈二，上場一十二人，應節盤旋，頗怵心目。其法有三十六變，今列其目云：第一、雙龍交會。第二、紗帽翅。第三、倒連環。第四、錦卍字。第五、四象生八卦。第六、四營圍纛。第七、陰陽偶。第八、步步上天梯。第九、三臺案。第十、玉交枝。第十一、雁行斜。第十二、錦屏風。第十三、太極混元。第十四、銀鉸絲。第十五、三仙臺。第十六、孔雀南飛。第十七、鞓紅滾。第十八、鴛鴦陣。第十九、尹邢避面。第二十、雙帶圍。第二十一、水晶簾。第二十二、喜重重。第二十三、野兒滾。第二十四、琉璃輪。第二十五、四照花。第二十六、握奇營。第二十七、步步金蓮。第二十八、戟門開。第二十九、香毬滾。第三十、錦纏道。第三十一、五色祥雲。第三十二、方勝。第三十三、兩樣一氣。第三十四、三合圖。第三十五、火龍戲海。第三十六、滿地金錢。

又《山歌》　翟灝云：「《湘山野錄》：『吳越王大陳鄉飲，高揭呈喉，唱山歌以見意。』《水東日記》云：『吳人耕作或舟行之勞苦，多作謳歌以自遣，皆名山歌。其中亦有可爲警勸者。』按今又有秧歌，本饁婦所唱也。《武林舊事》元夕舞隊之《村田樂》即此。江、浙間雜扮諸色人跳舞，失其意，江北猶存舊風。」翟灝云：「《堯山堂外紀》：『杭州瞽女唱古今小說、評話，謂之「陶眞」。』」

又《陶眞》　《七修類稿》作「淘眞」，起處每曰「太祖、太宗、眞宗帝，四祖仁宗有道君」，蓋始宋時也。姜南《洗硯雜錄》：「翟存齋詩：『陌頭盲女無窮恨，能撥琵琶唱趙家。』今瞽者彈琵琶演說小說以覓衣食，蓋自昔如是。」《夢粱錄》有女荒鼓板，想亦其屬）。

又《著錄四》：金陵許苞云：「弋陽梆子秧腔，事不皆有其微，人不盡屬可考，有時以鄙俚俗情，入當場科白，一上氍毹，即堪捧腹，如詩中之變，史中之逸，聊助詼諧。」

方外畸人《相思鏡彈詞序例》　彈詞始於北宋安定郡王趙德麟，按唐元微之《會眞記》，撰商調《蝶戀花》十二章，號「鼓子詞」，俾歌工彈唱，已倡其端；至金章宗朝，董解元變詞爲曲，亦按《會眞》作《西廂記》，科白互施，厥體乃備；元王伯成有《開元天寶遺事》，皆搊彈本也。自後南北曲盛行，斯道遂廢。近世沈元英工此，遣詞命韻，能備取長短句體。茲詞惟取《鷓鴣天》爲式，取便歌口；韻，必以中原爲式。

王國維《宋元戲曲考·元劇之文章》　元曲分三種：雜劇之外，尚有小令、套數。小令只用一曲，與宋詞略同。套數則合一宮調中諸曲爲一套，與雜劇之一折略同。但雜劇以代言爲事，而套數則自敘爲事，此其所以異也。元人小令套數之佳，亦不讓於其雜劇。茲各錄其最佳者一篇，以示其例，略可以見元人之能事也。

風格

朱權《太和正音譜》卷上　馬東籬之詞，如朝陽鳴鳳。其詞典雅清麗，可與《靈光景福》而相頡頏。有振鬣長鳴，萬馬皆瘖之意。又若神鳳飛鳴于九霄，豈可與凡鳥共語哉？宜列羣英之上。張小山之詞，如瑤天笙鶴。其詞清而且麗，華而不艷，有不喫烟火食氣，眞可謂不羈之材；若被太華之仙風，招蓬萊之海月，誠詞林之宗匠也。當以九方皋之眼相之。白仁甫之詞，如鵬搏九霄。風骨磊魄，詞源滂沛，若大鵬之起北溟，奮翼凌乎九霄，有一舉萬里之志，宜冠于首。李壽卿之詞，如洞天春曉。其詞雍容典雅，變化幽玄，造語不凡，非神仙中人，孰能致此？喬夢符之詞，如神鰲鼓浪。若天吳跨神鰲，噀沫於大洋，波濤洶涌，截斷衆流之勢。費唐臣之詞，如三峽波濤。神風聳秀，氣勢縱橫，放則驚濤拍天，斂則山河倒影，自是一軼氣象，前列何疑？宮大用之詞，如西風鵰鶚。其詞鋒穎犀利，神彩燁然，若揵翮摩空，下視林藪，使狐兔縮頸於蓬棘之勢。王實甫之詞，如花間美人。鋪敘委婉，深得騷人之趣。極有佳句，若玉環之出浴華清，綠珠之採蓮洛浦。張鳴善之詞，如彩鳳刷羽。藻思富贍，爛若春葩，郁郁焰焰，光彩萬丈，可以爲羽儀詞林者也。誠一代之作手，宜爲前列。關漢卿之詞，如瓊筵醉客。觀其詞語，乃可上可下之才，蓋所以取者，初爲雜劇之始，故卓以前列。鄭德輝之詞，如九天珠玉。其詞出語不凡，若咳唾落乎九天，臨風而生珠玉，誠傑作也。白無咎之詞，如太華孤峰。孑然獨立，巋然挺出，若孤峰之插晴昊，使人莫不仰視也，宜乎高薦。貫酸齋之詞，如天馬脫羈。鄧玉賓之詞，如幽谷芳蘭。滕玉霄之詞，如碧漢閑雲。鮮于去矜之詞，如奎璧騰輝（伯機子）。商政叔之詞，如朝霞散綵。范子安之詞，如竹裏鳴泉。徐甜齋之詞，如桂林秋月。楊澹齋之詞，如碧海珊瑚。李致遠之詞，如玉匣昆吾。鄭庭玉之詞，如珮玉鳴鑾。劉庭信之詞，如摩雲老鶻。吳西逸之詞，如空谷流泉。秦竹村之詞，如孤雲野鶴。馬九皋之詞，如松陰鳴鶴。石子章之詞，如蓬萊瑤草。盍西村之詞，如清風爽籟。朱庭玉之詞，如百卉爭芳。庾吉甫之詞，如奇峰散綺。楊立齋之詞，如風烟花柳。楊西庵之詞，如花柳芳妍。胡紫山之詞，如秋潭孤月。張雲莊之詞，如玉樹臨風。元遺山之詞，如窮崖孤松。高文秀之詞，如金瓶牡丹。阿魯威之詞，如鶴唳青霄。呂止庵之詞，如晴霞結綺。荆幹臣之詞，如珠簾鸚鵡。薩天錫之詞，如天風環珮。薛昂夫之詞，如雪窗翠竹。顧均澤之詞，如雪中喬木。周德清之詞，如玉笛橫秋。不忽麻之詞，如閑雲出岫。杜善夫之詞，如鳳池春色。鍾繼先之詞，如騰空寶氣。王仲文之詞，如劍氣騰空。李文蔚之詞，如雪壓蒼松。楊顯之之詞，如瑤臺夜月。顧仲清之詞，如鵬鶚冲霄。趙文寶之詞，如藍田美玉。趙明遠之詞，如太華晴雲。李子中之詞，如清廟朱瑟。李取進之詞，如壯士舞劍。吳昌齡之詞，如庭草交翠。武漢臣之詞，如遠山疊翠。李直夫之詞，如梅邊月影。馬昂夫之詞，如秋蘭獨茂。梁進之之詞，如花裏啼鶯。紀君祥之詞，如雪裏梅花。于伯淵之詞，如翠柳黃鸝。王庭秀之詞，如月印寒潭。姚守中之詞，如秋月揚輝。金志甫之詞，如西山爽氣。沈和甫之詞，如翠屏孔雀。睢景臣之詞，如鳳管秋聲。周仲彬之詞，如平原孤隼。吳仁卿之詞，如山間明月。秦簡夫之詞，如峭壁孤松。石君寶之詞，如羅浮梅雪。趙公輔之詞，如空山清嘯。孫仲章之詞，如秋風鐵笛。岳伯川之詞，如雲林樵響。趙子祥之詞，如馬嘶芳草。李好古之詞，如孤松掛月。陳存甫之詞，如湘江雪竹。鮑吉甫之詞，如山蛟泣珠。戴善甫之詞，如荷花映水。張時起之詞，如雁陣驚寒。趙天錫之詞，如秋水芙蕖。尙仲賢之詞，如山花獻咲。王伯成之詞，如紅鴛戲波。

【略】王子一之詞，如長鯨飲海(風神蒼古，才思奇瑰，如漢庭老吏判辭，不容一字增減，老作老作！其高處，如披琅玕而叫閶闔者也)。劉東生之詞，如海嶠雲霞(鎔意鑄詞，無纖翳塵俗之氣，迥出人一頭地，可與王實甫輩並驅，藹然見於言意之表，非苟作者，宜列高選)。王文昌之詞，如滄海明珠(遼東指揮，詞源泛灩，凌長空而赴滄海；語音清麗，若玉撞而金春。眞樂府中之錚錚者也)。谷子敬之詞，如崑山片玉(其詞理溫潤，如璆琳琅玕，可薦爲郊廟之用，誠美物也)。藍楚芳之詞，如秋風桂子。陳克明之詞，如九畹芳蘭。李唐賓之詞，如孤鶴鳴皋。穆仲義之詞，如洛神凌波。湯舜民之詞，如錦屏春風。賈仲名之詞，如錦帷瓊筵。楊景言之詞，如雨中之花。蘇復之詞，如雲林文豹。(指揮)楊彥華之詞，如春風飛花。楊文奎之詞，如匡廬疊翠。夏均政之詞，如南山秋色。唐以初之詞，如仙女散花。

又 丹丘體(豪放不羈)、宗匠體(詞林老作之詞)、黃冠體(神遊廣漠，寄情太虛，有飡霞服日之思，名曰「道情」)、承安體(華觀偉麗，過於泆樂。承安、金章宗正朔)、盛元體(快然有雍熙之治，字句皆無忌憚。又曰「不諱體」)、江東體(端堇嚴密)、西江體(文采煥然，風流儒雅)、東吳體(清麗華巧，浮而且豔)、淮南體(氣勁趣高)、玉堂體(公平正大)、草堂體(志在泉石)、楚江體(屈抑不伸，攄衷訴志)、香奩體(裙裾脂粉)、騷人體(嘲譏戲謔)、俳優體(詭喻婬虐。卽「婬詞」)。【略】大凡聲音，各應於律呂，分於六宮十一調，共計十七宮調：仙呂調唱，清新綿邈。南呂宮唱，感嘆傷悲。中呂宮唱，高下閃賺。黃鐘宮唱，富貴纏綿。正宮唱，惆悵雄壯。道宮唱，飄逸清幽。大石唱，風流醞藉。小石唱，旖旎嫵媚。高平唱，條物滉漾。般涉唱，拾掇坑塹。歇指唱，急併虛歇。商角唱，悲傷宛轉。雙調唱，健棲激裊。商調唱，悽愴怨慕。角調唱，嗚咽悠揚。宮調唱，典雅沉重。越調唱，陶寫冷笑。

王世貞《曲藻》 仙呂調宜清新緜邈，南呂宮宜感歎傷惋，中呂宮宜高下閃賺，黃鍾宮宜富貴纏綿，正宮宜惆悵雄壯，道宮宜飄逸清幽，大石宜風流醞藉，小石宜旖旎嫵媚，高平宜條蕩滉漾，般涉宜拾掇坑塹，歇指宜急併虛歇，商角宜悲傷宛轉，雙調宜健捷激裊，商調宜悽愴慕怨，角調宜典雅沈重，越調宜陶寫冷笑。

潘之恆《鸞嘯小品・神合》 評曰：諸子名家彥士，溷於濁世，頗多豔冶之情。浪迹微波，標於清流，亦舒慷慨之節。以行不以字，識者自得之耳。彭大，氣概雄毅，規模宏遠，足以蓋世。雖捉刀搊泉，其自托非淺。徐孟，激揚蹈厲，聲躁而志昂。古來英雄，以暴自錮，一徹而昭，在此觀矣。張大，敷陳應拍，綱領同流，驚四座之雄談，擅一時之高韻。周氏父子，一莊以直，一婉以恬，居然方正之風，雍熙之典。小徐，能游戲三昧，時以冷語淡情飲人，爲之心醉。陸三，勁節高韻，登場自喜，千人俱廢，似以度勝者，白蘋騁望，殊覺青山撩人。王四，發音振林，乍見雖潛，其光怪亦足驚座，夭矯如游龍。陳九，沉默韞奇，令人自溺，其善爲決絕者，非深於情者也，不免令琅玡笑人。顧四，奮迹淮陰，登壇樹幟，侯度率眞，便足令喑嗚喪氣，酷似其宗兄攜未決游秦淮時，直火攻伯仁耳。楊四，情鍾故耦，感慨仳離，敝貂蘇季，獨不念繡被鄂君耶！吳已，婉媚翛然，有出群之韻。與王小四頡頏林間，一勁而清，一疏而亮，皆後來之俊，在娣姒之間，亦稱雙美。王小四，整潔楚楚，有閨閣風。愛其駿者，不愛其妾，所遇既殊，所染亦有漸矣。朱伏，亭亭濯濯，瀟散自如。三珠樹爲三青鳥所栖，無復有殊音之誚。丁大，金陵白眉。其北調得眞傳，而南音亦協和，觀者神悚，聽者魂消，并有所長矣。陸四，從鑾江飛艇而來。烏江不渡，遂令千古氣盡，而偉度俠骨，猶足與要離、專諸爲鄰。沈二，翩而有度，媚而不淫。青女可群，蛾眉易妒，亦善自超者。韓二，嬉笑怒駡，無不中人。惟善說乃知說難，其縱體逞態，足鼓簧舌，通乎慧矣。謝、顧兩大，能弱能柔，足以勝剛，強其應節，合於《桑林》。

王驥德《曲律・論家數第十四》 曲之始，止本色一家，觀元劇及《琵琶》、《拜月》二記可見。自《香囊記》以儒門手脚爲之，遂濫觴而有文詞家一體。近鄭若庸《玉玦記》作，而益工修詞，質幾盡掩。夫曲以模寫物情，體貼人理，所取委曲宛轉，以代說詞，一涉藻繢，便蔽本來。然文人學士，積習未忘，不勝其靡，此體遂不能廢，猶古文六朝之於秦、漢也。大抵純用本色，易覺寂寥；純用文調，復傷琱鏤。《拜月》質之尤者，《琵琶》兼而用之，如小曲語語本色，大曲引子如「翠減祥鸞羅幌」、「夢遶春闈」，過曲如「新篁池閣」、「長空萬里」等調，未嘗不綺繡滿眼，故是正體。《玉玦》大曲，非無佳處；至小曲亦復塡塖學問，則第令聽者憒憒矣！故作曲者須先認其路頭，然後可徐議工拙。至本色之弊，易流俚腐；文詞之病，每苦太文。雅俗淺深之辨，介在微茫，又在善用才者酌之而已。

又《雜論第三十九下》 嘗戲以傳奇配部色，則《西廂》如正旦，色聲俱絶，不可思議；《琵琶》如正生，或峨冠博帶，或敝巾敗衫，俱嘖嘖動人；《拜月》如小丑，時得一二調笑語，令人絶倒；《還魂》「二夢」如新出小旦，妖冶風流，令人魂銷腸斷，第未免有誤字錯步；《荆釵》、《破窰》等如淨，不繫物色，然不可廢；吳江諸傳如老教師登場，板眼場步，略無破綻，然不能使人喝采。《浣紗》、《紅拂》等如老旦、貼生，看人原不苛責；其餘卑下諸戲，如雜脚備員，第可供把盞執旗而已。【略】吾越故有詞派，古則越人《鄂君》，越夫人《烏鳶》，越婦《采葛》，西施《采蓮》，夏統《慕歌》，小海《河女》尚已。迨宋，而有《青梅》之歌，志稱其聲調宛轉，有《巴峽》、《竹枝》之麗。陸放翁小詞閒豔，與秦、黄並驅。元之季有楊鐵崖者，風流爲後進之冠，今「伯業艱危」一曲，猶膾炙人口。近則謝泰興海門之《四喜》，陳山人鳴野之《息柯餘韻》，皆入逸品。至吾師徐天池先生所爲《四聲猿》，而高華爽俊，穠麗奇偉，無所不有，稱詞人極則，追躅元人。今則自縉紳、青襟，以迨山人、墨客，染翰爲新聲者，不可勝紀。以余所善，史叔考撰《合紗》、《櫻桃》、《鶼釵》、《雙鴛》、《孿甌》、《瓊花》、《青蟬》、《雙梅》、《夢磊》、《檀扇》、《梵書》，又散曲曰《齒雪餘香》，凡十二種；王澹翁撰《雙合》、《金椀》、《紫袍》、《蘭佩》、《櫻桃園》，散曲曰《欸乃編》，凡六種。二君皆自能度品登場，體調流麗，優人便之，一出而搬演幾遍國中。姚江有葉美度進士者，工雋摹古，撰《玉麟》、《雙卿》、《鸞鎞》、《四豔》、《金鎖》，以及諸雜劇，共十餘種。同舍有呂公子勤之，曰鬱藍生者，從髫年便解摛掞，如《神女》、《金合》、《戒珠》、《神鏡》、《三星》、《雙棲》、《雙閣》、《四相》、《四元》、《二媱》、《神劍》，以迨小劇，共二三十種。惜玉樹早摧，齎志未竟。自餘獨本單行，如錢海屋輩，不下一二十人。一時風尚，槩可見已。

祁彪佳《遠山堂曲品·凡例》 文人善變，要不能設一格以待之。有自濃而歸淡，自俗而趨雅，自奔逸而就規矩。如湯清遠他作入「妙」，《紫釵》獨以「豔」稱；沈詞隱他作入「雅」，《四異》獨以「逸」稱。必使作者之神情，與評者之藻鑑，相遇而成莫遁之面目耳。

胡應麟《少室山房筆叢·辛部·莊嶽委談下》 近時左祖《琵琶》者，或至品王、關上。余以《琵琶》雖極天工人巧，終是傳奇一家語，當今家喻戶習，故易於動人。異時俗尚懸殊，戲劇一變，後世徒據紙上，以文義摸索之，不幾於齊東、下里乎？《西廂》雖饒本色，然才情逸發處，自是盧、駱豔歌，溫、韋麗句，恐將來永傳，竟在彼不在此。金董解元世幾不聞，而《花間》、《草堂》人口膾炙，是其驗也。《西廂》主韻度風神，太白之詩也。《琵琶》主名理倫教，少陵之作也。《西廂》本金、元世習，而《琵琶》特創規矱，無古無今，似尤難。至才情，雖《琵琶》大備，故當讓彼一籌也。

孟稱舜《古今名劇合選序》 若夫曲之與詞，分途不同，大要則宋伶人之論柳屯田、蘇學士者盡之。一主婉麗，一主雄爽。婉麗者，如十七八女娘唱「楊柳岸，曉風殘月」；而雄爽者，如銅將軍鐵綽板唱「大江東去」詞也。後之論詞者，以詞之源出於古樂府，要須以宛轉綿麗、淺至儇俏爲上，挾春華烟月於閨幨內奏之，一語之豔，令人魂絶，一字之工，令人色飛，乃爲貴耳；慷慨磊落，縱横豪健，抑亦其次。故蘇、柳二家，軒輊攸分。曲之與詞，約亦相類。而吾謂此固非定論也。曲本於詞，詞本於詩。《詩》三百篇，國風、雅、頌，其端正、靜好與姸麗、逸宕，興之各有其人，奏之各有其地，安可以優劣分乎？今曲之分南北也，或謂「北主勁切，南主柔遠」，「辟之同一師承而頓漸分教，俱爲國臣而文武殊科」。是謂北之詞專似蘇，而南之詞專似柳。柳可爲勝蘇，則北遂不如南歟？夫南之與北，氣骨雖異，然雄爽婉麗二者之中亦皆有之。即如曲一也，而宮調不同，有爲清新綿邈者，有爲感嘆傷悲者，有爲富貴纏綿者，有爲惆悵雄壯者，有爲飄逸清幽者，有爲旖旎嫵媚者，有爲悽愴怨慕者，有爲典雅沉重者。諸如此類，各有攸當，豈得以勁切、柔遠畫南北而分之邪？曲莫盛於元，而元曲之南而工者，《幽閨》、《琵琶》止爾。其他雜劇無慮千百種，其類皆出於北。而北之內，妙處種種不一，未可以一律概也。

鄒式金《雜劇三集小引》 自憲府先賡，王、康嗣和，士大夫始知章甫端冠外，別有此一種風流教化。於是有詞隱先生起而主持風雅，明陰洞陽，引商刻羽，爭衡於調之全半，較辨於板之寸分，窮工極巧，究竟自然。嗣後作者波委雲屬：司馬標秀於新安，玉茗稱雄於江右，山陰以瑰奇自異，荀令以尖冷鳴新，婁水王、吳，痛快與穠麗爭驅，吳江沈、孟，雋永與縱横競爽，究其所得，各擅專長。邇來世變滄桑，人多懷感。或抑鬱幽憂，抒其禾黍銅駝之怨；或憤懣激烈，寫其擊壺彈鋏之思；或月露風雲，寄其飲醇近婦之情；或蛇神牛鬼，發其問天游仙之夢。雲枏疊奏，玉屑紛飛，以至字忌重押，韻黜互犯，固足踵元人之音，奪前輩之席矣。然而北曲南詞，如車舟各有所習。北曲調長而節促，組織易工，終乖紅豆；南詞調短而節緩，柔靡傾聽，難協絲弦。

徐大椿《樂府傳聲·元曲家門》 元曲爲曲之一變。自元以前，歌已有南北之分，其法不傳，而聲調大略亦可想見。至元曲則分宮別調，獨成一家，清濁陰陽，以別其聲，長短徐疾，以定其節，宏細幽顯，以分其調。其體例如出一手，其音節如出一口，雖文之高下各殊，而音調無有不合者，歌法至此而大備，亦至此而盡顯。能審其節，隨口歌之，無不合格調，可播管弦者，今人特不知深思耳。若其體則全與詩詞各別，取直而不取曲，取俚而不取文，取顯而不取隱，蓋此乃述古人之言語，使愚夫愚婦共見共聞，非文人學士自吟自咏之作也。若必鋪叙故事，點染詞華，何不竟作詩文，而立此體耶？譬之朝服遊山，艷妝玩月，不但不雅，反傷俗矣。但直必有至味，俚必有實情，顯必有深義，隨聽者之智愚高下，而各與其所能知，斯爲至境。又必觀其所演何事，如演朝廷文墨之輩，則詞語仍不妨稍近藻繪，乃不失口氣；若演街巷村野之事，則鋪述竟作方言可也。總之，因人而施，口吻極似，正所謂本色之至也。此元人作曲之家門也。知此，則元曲用筆之法曉然矣。

王國維《宋元戲曲考·元劇之文章》 《天凈沙》小令，純是天籟，彷彿唐人絶句。馬東籬《秋思》一套，周德清評之以爲萬中無一，明王元美等亦推爲套數中第一，誠定論也。此二體雖與元雜劇無涉，可知元人之於曲，天實縱之，非後世所能望其項背也。元代曲家，自明以來，稱關馬鄭白。然以其年代造詣論之，寧稱關白馬鄭爲妥也。關漢卿一空倚傍，自鑄偉詞，而其言曲盡人情，字字本色，故當爲元人第一。白仁甫、馬東籬，高華雄渾，情深文明。鄭德輝清麗芊綿，自成馨逸，均不失爲第一流。其餘曲家，均在四家範圍內。唯宮大用瘦硬通神，獨樹一幟。以唐詩喻之：則關漢卿似白樂天，仁甫似劉夢得，東籬似李義山，德輝似溫飛卿，而大用則似韓昌黎。以宋詞喻之：則漢卿似柳耆卿，仁甫似蘇東坡，東籬似歐陽永叔，德輝似秦少游，大用似張子野。雖地位不必同，而品格則略相似也。

小説論部

主編：朱恒夫

目次

本　原

班固《漢書・藝文志》　小說家者流，蓋出于稗官，街談巷語，道聽途說者之所造也。孔子曰：「雖小道，必有可觀者焉，致遠恐泥。是以君子弗爲也。」然亦弗滅也。閭里小知者之所及，亦使綴而不忘。如或一言可采，此亦芻蕘狂夫之議也。

《隋書・經籍志三・子部・小說家類》　小說者，街談巷語之說也。《傳》載輿人之誦，《詩》美詢於芻蕘。古者聖人在上，史爲書，瞽爲詩，工誦箴諫，大夫規誨，士傳言而庶人謗。孟春，徇木鐸以求歌謠，巡省觀人詩，以知風俗。過則正之，失則改之，道聽途說，靡不畢紀。《周官》誦訓「掌道方志以詔觀事，道方慝以詔辟忌，以知地俗」；而訓方氏「掌道四方之政事，與其上下之志，誦四方之傳道而觀衣物」是也。孔子曰：「雖小道，必有可觀者焉，致遠恐泥。」

天都外臣《水滸傳敘》　小說之興，始于宋仁宗。于時天下小康，邊釁未動。人主垂衣之暇，命教坊樂部，纂取野記，按以歌詞，與秘戲優工，相雜而奏。是後盛行，遍于朝野。蓋雖不經，亦太平樂事，含哺擊壤之遺也。

胡應麟《少室山房筆叢・丙部・九流緒論上》　余所更定九流：一曰儒，二曰雜（總名、法諸家爲一，故曰雜。古雜家亦附焉），三曰兵，四曰農，五曰術，六曰藝，七曰說，八曰道，九曰釋。【略】說主風刺箴規，而浮誕怪迂之錄附之。【略】說出稗官，其言淫詭而失實，至時用以洽見聞，有足采也。

又《九流緒論下》　《漢・藝文志》所謂小說，雖曰街談巷語，實與後世博物、志怪等書迥別。【略】小說，唐人以前，紀述多虛，而藻繪可觀。宋人以後，論次多實，而彩艷殊乏。蓋唐以前出文人才士之手，而宋以後率俚儒野老之談故也。

又《巳部・二酉綴遺中》　凡變異之談，盛於六朝，然多是傳錄舛訛，未必盡幻設語。至唐人乃作意好奇，假小說以寄筆端，如《毛穎》、《南柯》之類尚可，若《東陽夜怪錄》稱成自虛，《玄怪錄・元無有》，皆但可付之一笑，其文氣亦卑下亡足論。宋人所記，乃多有近實者，而文彩無足觀。本朝《新》、《餘》等話，本出名流，以皆幻設，而時益以俚俗，又在前數家下。惟《廣記》所錄唐人閨閣事，咸綽有情致，詩詞亦大率可喜。

謝肇淛《五雜俎》卷一三　《夷堅》、《齊諧》，小說之祖也，雖莊生之寓言，不盡誣也。《虞初》九百，僅存其名，桓譚《新論》，世無全書。至于《鴻烈》、《論衡》，其言具在。則兩漢之筆，大略可睹已。晉之《世說》、唐之《酉陽》，卓然爲諸家之冠，其叙事文采，足見一代典刑，非徒備遺忘而已也。自宋以後，日新月盛，至于近代，不勝充棟矣，其間文筆之高下，既與世變，而筆力之醇雜，又以人分。然多識畜德之助，君子不廢焉。

綠天館主人《古今小說序》　史統散而小說興。始乎周季，盛於唐，而寖淫於宋。韓非、列御寇諸人，小說之祖也。《吳越春秋》等書，雖出炎漢，然秦火之後，著述猶希。迨開元以降，而文人之筆橫矣。若通俗演義，不知何昉。按南宋供奉局，有說話人，如今說書之流，其文必通俗，其作者莫可考。泥馬倦勤，以太上享天下之養。仁壽清暇，喜閱話本，命內璫日進一帙，當意，則以金錢厚酬。於是內璫輩廣求先代奇迹及閭里新聞，倩人敷演進御，以怡天顏。然一覽輒置，卒多浮沈內庭，其傳布民間者，什不一二耳。然如《翫江樓》、《雙魚墜記》等類，又皆鄙俚淺薄，齒牙弗馨焉。暨施、羅兩公，鼓吹胡元，而《三國志》、《水滸》、《平妖》諸傳，遂成巨觀。要以韞玉違時，銷鎔歲月，非龍見之日所暇也。皇明文治既鬱，靡流不波。即演義一斑，往往有遠過宋人者。而或以爲恨乏唐人風致，謬矣。食桃者不費杏，絺縠毳錦，惟時所適。以唐說律宋，將有以漢說律唐，以春秋戰國說律漢，不至于盡掃羲聖之一畫不止，可若何！大抵唐人選言，入于文心；宋人通俗，諧于里耳。天下之文心少而里耳多，則小說之資于選言者少，而資于通俗者多。

桃源居士《唐人小說序》　唐三百年，文章鼎盛，獨詩律與小說，稱絕代之奇，何也？蓋詩多賦事，唐人于歌律以興以情，在有意無意之間。文多徵實，唐人于小說摛詞布景，有翻空造微之趣。至纖若錦機，怪同鬼斧，即李、杜之跌宕，韓、柳之爾雅，有時不得與孟東野、陸魯望、沈亞之、段成式輩爭奇競爽，猶耆卿、易安之於詞，漢卿、東籬之於曲，所謂厥體當行，別成奇致，良有以也。洪容齋謂：「唐人小說，不可不熟。小小情事，悽惋欲絕。」劉貢父謂：「小說至唐，鳥花猿子，紛紛蕩漾。」二公儒宗博雅，豈偏嗜怪奇者，無亦以《杜陽》、《鼓吹》、《摭言》、《傳信》諸編，足以存故實，見典刑，如司馬《通鑒》所借資。他若《茶經》、《嘯旨》、《畫訣》、《詩品》又未嘗不情眞蕭灑，遠軼晉宋，豈盡作宋玉、欒大之專托夢幻諷諭乎？《楚辭》、漢史而後自應有此一段奇宕不常之氣，鍾而爲詩律、爲小說，唐人第神遇而不自知其至耳。

笑花主人《今古奇觀序》 小說者，正史之餘也。《莊》、《列》所載化人、傴僂丈人，昔事不列於史。《穆天子》、《四公傳》、《吳越春秋》皆小說之類也。《開元遺事》、《紅綫》、《無雙》、《香丸》、《隱娘》諸傳，《睽車》、《夷堅》各志，名爲小說，而其文雅馴，閭閻罕能道之。優人黃繙綽、敬新磨等，搬演雜劇，隱諷時事，事屬烏有。雖通於俗，其本不傳。至有宋孝皇以天下養太上，命侍從訪民間奇事，日進一回，謂之說話人。而通俗演義一種，乃始盛行。然事多鄙俚，加以忌諱，讀之嚼蠟，殊不足觀。元施、羅二公，大暢斯道，《水滸》、《三國》，奇奇正正，河漢無極。論者以二集配伯喈、《西廂》傳奇，號四大書，厥觀偉矣。迄於皇明，文治聿新，作者競爽。勿論廊廟鴻編，卽稗官野史，卓然夐絕千古。說書一家，亦有耑門。然《金瓶》書麗，貽譏於誨淫，《西遊》、《西洋》，逞臆於畫鬼，無關風化，奚取連篇。墨憨齋增補《平妖》，窮工極變，不失本末，其技在《水滸》、《三國》之間。至所纂《喩世》、《警世》、《醒世》三言，極摹人情世態之歧，備寫悲歡離合之致，可謂欽異拔新，洞心駴目。而曲終奏雅，歸於厚俗。

梁章鉅《歸田瑣記》卷七《小說》 小說九百，本自虞初，此子部之支流也。據《七修類稿》云起于宋時。宋仁宗朝，太平盛久，國家閑暇，日欲進一奇怪之事以娛之，故小說興。如云話說趙宋某年，又云太祖、太宗、眞宗帝四帝，仁宗有道君。而吾鄉村里輒將故事編成七言，可彈可唱者，通謂之小說。

楊恩壽《詞餘叢話·原事》 小說起於宋仁宗時，承平已久，國家閒暇，日進一奇怪之事以娛之，名曰「小說」；今之小說，則記載矣。裴鉶著小說，多奇異可以傳示，故號「傳奇」；今之傳奇，則曲本矣。元人科目最多，試錄中一條云：「軍、民、僧、尼、道、客、官、儒、回回、醫、匠、陰陽、寫、算、門、廚、典、僱、未完等戶願試者，以本戶籍貫赴試。」僧、道應試，已屬可笑；尼亦赴考，更怪誕矣。相傳元以詞曲取士，考《選舉志》及《典章》皆無之。或另設一門以備梨園供奉，乃特試，非制科也。瞿存齋詩所謂「陌頭盲女無愁恨，能撥琵琶說趙家」，則其來亦古矣。

何彤文《注聊齋志異序》 《聊齋》胎息《史》、《漢》，浸淫晉魏六朝，下及唐宋，無不薰其香而摘其艷。其運筆可謂古峭矣，序事可謂簡潔矣，鑄語可謂典贍矣。其志異也，大而雷龍湖海，細而蟲鳥花卉，無不鏡其原而點綴之，曲繪之。且言狐鬼，言仙佛，言貪淫，言盜邪，言豪俠節烈，重見疊出，愈出愈奇，此其才又豈在耐庵之下哉！至其每篇後「異史氏曰」一段，則直與太史公列傳神與古會，登其堂而入其室。

《瀛寰瑣記》第三期蠡勺居士《昕夕閒談小序》 小說之起，由來久矣。《虞初》九百，雜說之權輿；《唐代叢書》，瑣記之濫觴。降及元、明，聿有平話。無稽之語，演之以神奇；淺近之言，出之以情理。于是人競樂聞，趨之若鶩焉。推原其意，本以取快人之耳目而已，本以存昔日之遺聞瑣事，以附于稗官野史，使避世者亦可考見世事而已。

《新小說》第七號飲冰《小說叢話》 文學之進化有一大關鍵，卽由古語之文學，變爲俗語之文學是也。各國文學史之開展，靡不循此軌道。中國先秦之文，殆皆用俗語，觀《公羊傳》、《楚辭》、《墨子》、《莊子》，其間各國方言錯出者不少，可爲(左)〔佐〕證。故先秦文界之光明，數千年稱最焉。尋常論者，多謂宋、元以降，爲中國文學退化時代。余曰不然。夫六朝之文，靡靡不足道矣。卽如唐代，韓、柳諸賢，自謂起八代之衰，要其文能在文學史上有價値者幾何？昌黎謂非三代、兩漢之書不敢觀，余以爲此卽其受病之源也。自宋以後，實爲祖國文學之大進化。何以故？俗語文學大發達故。宋後俗語文學有兩大派，其一則儒家、禪家之語錄，其二則小說也。小說者，決非以古語之文體而能工者也。本朝以來，考據學盛，俗語文體，生一頓挫，第一派又中絕矣。苟欲思想之普及，則此體非徒小說家當採用而已，凡百文章，莫不有然。雖然，自語言文字，相去愈遠，今欲爲此，誠非易易。吾曾試驗，吾最知之。

《新世界小說社報》第二期佚名《論科學之發達可以闢舊小說之荒謬思想》 聞古之王者，欲知里巷風俗，則立稗官以稱說之。是小說者，紀實也。自文人好奇，喜借荒唐之事，顯幽怪之情，子虛烏有，概屬寓言，是以東方朔之《十洲記》、郭憲之《洞冥記》、魏伯陽之《參同契》、葛洪之《神仙傳》、干寶之《搜神記》、王嘉之《拾遺記》，類皆縋幽鑿險，多不經人道之語，以驚世而駭俗。唐、宋以後，著作益多，搜奇錄怪者，更不一而足。

《月月小説》第一年第三號陸紹明《月月小説發刊詞》：往古小説之發達，分五時代（見《畫墁瑣記》）：一曰口耳小説之時代，虚飾之言，人各相傳；二曰竹簡小説之時代，各執異説，刻于竹簡；三曰布帛小説之時代，書于紳帶，以資悦目；四曰謄寫小説之時代，奇異新語，謄寫相傳；五曰梨棗小説之時代，付梓問世，博價沽譽。今也説部車載斗量，汗牛充棟，似于博價沽譽時代，實爲小説改良社會、開通民智之時代也。【略】夫往古小説，以文言爲宗，考其體例，學原諸子。謂予不信，請申言之。有所謂儒家之小説、道家之小説、法家之小説、名家之小説、陰陽家之小説、雜家之小説、農家之小説，縱横家之小説，墨家之小説，兵家之小説，五音家之小説。偉哉小説，天下人何可輕視夫小説！唐代小説不一而足，李德〔裕〕之《次柳氏舊聞》，少涉神怪，且資勸戒。鄭處誨之《明皇雜録》，其言盧懷慎好儉，家無珠玉錦繡之飾，津津不厭。張固之《幽閑鼓吹》，篇帙寥寥，而所言多開法戒，非造作虚詞，無裨考證者。比下至于宋，則有錢易之《南部新書》，所記皆唐時故實，兼及五代，多採軼聞瑣語，而朝章國典之因革損益，雜載其間。田況之《儒林公議》，所記建隆以迄慶曆，朝廷政令，士夫言行，無不詳載，亦間及五代十國時事，持論平允，不以恩怨親疏爲是非，公議之名，卓然不忝。司馬光之《涑水紀聞》，雜記宋代舊事，起于太祖，迄于神宗，雖亦偶涉瑣事，而國家大政爲多。歐陽修之《歸田録》，朝廷舊事，士夫諧謔，多所記載，自序謂以李肇《國史補》爲法，而小異于肇者，不書人之過惡也。范鎮之《東齋記事》，當時新法方行，而所述多祖宗美政，有魚藻之意。劉延世之《孫公〔談〕圃》，皆記聞于孫升之語，升雖列元祐黨籍，而觀其所論，既不滿王安石，又不滿蘇軾，又不滿程子，蓋于洛、蜀二黨之外，自行其意，無所偏附，則是書當爲公議矣。趙令畤之《侯鯖録》，所記前輩遺事，及詩話文評，皆斐然可觀。高晦叟之《珍席放談》，于朝廷制度沿革，士夫言行得失，言之頗詳。彭乘之《墨客揮犀》，皆記宋代軼事，及詩話文評。王讜之《唐語林》，所記故實，嘉言懿行，多與正史相發明。曾慥之《高齋漫録》，所述朝廷典制，及士夫言行，往往可資法戒，其品詩文供諧戲者，亦皆有理致可觀。施得操之《北窗炙（輠）録》，所記皆前輩盛德，可爲世法者。陳長方之《步里客談》，所記多嘉祐以來，名臣言行，于熙寧、元豐之間，邪正是非，尤三致意焉。其論元祐黨人，不偕君子，其見迴在宋人以上，其評論文章，亦多可采。葉紹翁之《四朝聞見録》，記高、孝、光、寧四朝事迹，紹翁之學，一以朱子爲宗。至于元代，此類小説，亦爲不乏。蔣子正之《山房隨筆》，所記多宋末元初事，而叙賈似道誤國始末尤詳。楊瑀之《山居新語》，所記多有關政典，有裨勸戒。鄭元祐之《遂昌雜録》，多記宋代軼聞，亦多憂時感事之言。逮至明代，耿定向之《先進遺風》，所録皆明代名臣言行，嚴操守，礪品行，端正者在所不遺，又多居家行己之事，而朝政不及焉，其意似爲當時士夫諷也。由唐至明，小説近于此種者，相繼相承。此爲儒家之小説也。東方朔之《神異經》，文采縟麗，又其所著《海内十洲記》，好言神仙，字字脈望。道家之小説，曼倩爲圭臬，而莊周爲嚆矢。《南華》寄寓，實爲野史之宗；東方詼諧，足辟稗官之學。一則感言身世，夢中胡蝶頻來；一則隱諷奢淫，天上蟠桃可採。于是懷奇之客，繼其緒餘；語怪之家，效其體例。郭憲之《漢武洞冥記》，其言荒誕不可詰，其詞華艷麗，亦迥異東京。秦王嘉之《拾遺記》，詞條艷發，摛華掞藻。晉干寶之《搜神記》，多引古書。陶潛之《搜神後記》，文詞古雅，體例嚴整。宋劉敬叔之《異苑》，所記皆神怪事，遣詞簡古，意態俱足。梁吴均之《續齊諧記》，所記異聞，恆爲唐人所引用。任昉之《述異記》，好言神怪。唐薛用弱之《集異記》，涉于靈異，序述頗有文采。段成式之《酉陽雜俎》，爲神怪小説之翹楚。宋徐鉉之《稽神録》，所記皆唐末五代異聞。馬純之《陶朱新録》，所載皆宋時瑣事，語怪者十之七八。洪邁之《夷堅支志》，所記皆神怪之説。此爲道家之小説也。有近于道家而實非道家，道家言神仙奇異，若言鬼物而又涉于因果者，則爲墨家之小説（墨子明鬼，又言法律，專主因果之説）。隋顔之推之《還冤志》，精信因果。唐谷神子之《博異記》，所記皆鬼神靈迹，叙述雅瞻。宋郭彖之《睽車志》，所記皆奇異之事，取《易·睽卦》上爻載鬼一車之義爲名，其書可以知矣，此墨家之小説也。唐鄭棨之《三尺噓》，好言法律，往往譏古人妄行法者。宋僧文瑩之《紂刑曼録》，言紂之虐政甚詳，爲他書所不見。此爲法家之小説也。法家小説以外，又有所謂名家之小説。名與法相似。名家辨物定名，其又辨名定法。唐李肇所著《國史補》，自序謂言報應、叙鬼神、徵夢卜、近帷箔則去之，紀事實、探物理、辨疑惑、示勸戒、采風俗則書之。此爲名家之小説也。唐李涪之《渾儀管窺》，談天好辨，放言陰陽。五代邱光庭之《日月球戲》，所言虚渺，非夷所思。此爲陰陽家之小説也。漢劉歆之《西京雜記》，唐鄭處誨之《明皇雜録》，宋王鞏之

《甲申雜記》、《隨手雜錄》，元鄭元祐之《遂昌雜錄》，皆博引雜採，搜羅宏富。若《太平廣記》五百卷，《分門古今類事》二十卷，則爲雜記小説之巨觀者也。《太平廣記》分五十五部，所採書三百四十五種，古來奇文秘笈，搜采無遺。《分門古今類事》，書分十二門，亦爲採掇淵博。此爲雜家之小説也。宋陶穀之《耕稼笑柄》，侈談神農時耕稼之事。此爲農家之小説也。宋彭乘所珍視的《漢武鑿空》，文采偉麗，此爲兵家之小説也。宋高晦叟《珍席放談》、陳師道之《後山談叢》、劉延世之《孫公談圃》、孔平仲之《孔氏談苑》、蔡絛之《鐵圍（山）叢談》、王君玉之《國老談苑》、王暐之《道山清話》，皆雄辯高談，洵有可觀。此爲縱横家之小説也。唐崔令欽之《教坊記》，所言多絲竹歌唱之事。此爲音樂家之小説也。由是觀之，小説非無謂也。迨後由文言小説而流爲白話小説，則不足觀者多矣。非白話小説之體爲不足觀，中國白話小説内容足觀者，蓋絶無僅有也。【略】文言小説原于諸子之學，白話小説亦有諸家之學。白話小説分數家：説近考據，則爲考據家之小説；言涉虚空，則爲理想家之小説；好用詩詞，則爲詞章家之小説；言近道德，則爲理學家之小説；好言典故，則爲文獻家之小説；好言險要，則爲地理家之小説；點綴寫情，則爲美術家之小説。白話小説亦有可觀者。嗚呼！爲白話小説者，往往蟻視小説，而率爾爲之，此白話小説之所以不足觀也。

《月月小説》第一年第十一號天僇生《中國歷代小説史論》　仲尼因百二十國寶書而作《春秋》，其旨隱，其詞微，其大要歸于懲惡而勸善。仲尼歿而微言絶，《春秋》之旨，不襮白于天下，才士惆焉憂之，而小説出。蓋小説者，所以濟《詩》與《春秋》之窮者也。薦紳先生，視小説若洪水猛獸，屏子弟不使觀。至近世新學家，又不知前哲用心之所在，日以迻譯異邦小説爲事，其志非不善，而收效寡者，風俗時勢有不同也。吾以爲欲振興吾國小説，不可不先知吾國小説之歷史。自黄帝藏書小酉之山，是爲小説之起點。此後數千年，作者代興，其體亦屢變。晰而言之，則記事之體盛于唐。記事體者，爲史家之支流，其源出于《穆天子傳》、《漢武帝内傳》、《張皇后外傳》等書，至唐而後大盛。雜記之體興于宋。宋人所著雜記小説，予生也晚，所及見者，已不下二百餘種，其言皆錯雜無倫序，其源出于《青史子》。于古有作者，則有若《十洲記》、《拾遺記》、《洞冥記》及晉之《搜神記》，皆宋人之濫觴也。戲劇之體昌于元。詩之宫譜失而後有詞，詞不能盡作者之意，而後有曲。元人以戲曲名者，若馬致遠，若賈仲明，若王實甫，若高則誠，皆江湖不得志之士，恫心于種族之禍，既無所發抒，乃不得不托浮靡之文以自見。後世誦其言，未嘗不悲其志也。章回、彈詞之體行于明、清。章回體以施耐庵之《水滸傳》爲先聲，彈詞體以楊升庵之《廿一史彈詞》爲最古。數百年來，厥體大盛，以《紅樓夢》、《天雨花》二書爲代表。其餘作者，無慮數百家，亦頗有名著云。

《越社叢刊》第一集周作人《古小説鉤沉序》　小説者，班固以爲「出于稗官」，「閭里小知者之所及，亦使綴而不忘，如或一言可采，此亦芻蕘狂夫之議」。是則稗官職志，將同古「采詩之官」，王者所以觀風俗知得失」矣。顧其條撮諸子，判列十家，復以爲「可觀者九」，而小説不與，所録十五家，今又散失。惟《大戴禮》引有青史氏之記，《莊子》舉宋鈃之言，孤文斷句，更不能推見其旨。去古既遠，流裔彌繁，然論者尚墨守故言，此其持萌芽以度柯葉乎！

《小説月報》第六卷第六號吴曰法《小説家言》　卮言日出，和以天倪。卮言者，隨器摹寫，如水在卮；和以天倪，謂隨天理普博所有，因物寫形，不以己喻也。古今紀事之文，群推遷史，而《史記》百三十篇中，以《項羽本紀》爲最；《項羽本紀》中，又以鉅鹿之戰、鴻門之宴、垓下之會爲最。此數節皆以摹寫入神，獨有千古。小説家之神品，大都得力于讀《史記》者爲多。如摹寫兒女之情，則問暖量寒，舉動都牽情思；摹寫英雄之概，則頭顱杯酒，行間字挾風霜。至于悲歡之態，離合之境，皆以傳神之筆出之，如禹鼎象物，如秦鏡留影。昔施耐庵之作《水滸》，先繪百八人之像于壁，朝夕對之，久之而百八人之面目如生，久之而百八人之性情乃見，因摹寫以成書。卮言之體，造其極者，非耐庵誰與歸？其他雖未能奪席，然亦窮年曼衍，自依附于卮言。小説之流派，衍自三言，而小説之體裁，則尤有別。短篇之小説，取法于《史記》之列傳；長篇之小説，取法于《通鑒》之編年。短篇之體，斷章取義，則所謂筆記是也；長篇之體，探原竟委，則所謂演義是也。至于傳奇一種，亦小説之家數，而異曲同工。昔阮芸臺《揅經室文集》，有《文言説》一篇，其言曰：「古人以簡策治事者少，以口舌傳事者多；以目治事者少，以口舌治事者多。故同爲一言，轉相告語，必致愆誤，是必寡其辭，協其音，以文其言，易于記誦，無能增改。」此詩詞之淵源。而傳奇之托始，借古人面目，移天下性情，于風俗人情，較之讜論正言，尤覺易于興起。蓋天籟發之人心，凡在含齒戴髮之倫，有自然感觸于不覺者。降而至彈詞等派，乃曲高和寡，致教雅樂淪胥，而于文言之體，尙未甚遠。

法　則

總　說

桓譚《新論》　若其小說家，合叢殘小語，近取譬論，以作短書，治身理家，有可觀之辭。

李肇《唐國史補序》　《公羊傳》曰：「所見異辭，所聞異辭。」未有不因見聞而備故實者。昔劉餗集小說，涉南北朝至開元，著爲《傳記》。予自開元至長慶撰《國史補》，慮史氏或缺則補之意，續《傳記》而有不爲。言報應，叙鬼神，徵夢卜，近帷箔，悉去之；紀事實，探物理，辨疑惑，示勸戒，采風俗，助談笑，則書之。

洪邁《夷堅支癸序》　劉向父子彙群書《七略》，班孟堅採以爲《藝文志》，其小說類，定著十五家，自《黄帝》、《天乙》、《伊尹》、《鬻子說》、《青史》、《務成子》咸在。蓋以迂誕淺薄，假托聖賢，故卑其書。最後《虞初周說》九百四十五篇，出于稗官街談巷語道聽途說者之所造。當武帝世，以方士侍郎稱黄車使者，張平子實書之《西京賦》中。噫！今亡矣。《唐史》所標百餘家，六百三十五卷，班班其傳，整齊可玩者，若牛奇章、李復言之《玄怪》，陳翰之《異聞》，胡璩之《談賓》，溫庭筠之《乾膜》，段成式之《酉陽雜俎》，張讀之《宣室志》，盧子之《逸史》，薛漁思之《河東記》耳，餘多不足讀。然探賾幽隱，可資談暇，《太平廣記》率取之不棄也。惟柳祥《瀟湘錄》，大謬極陋，污人耳目，與李隱《大唐奇事》只一書而妄名兩人作。《唐志》隨而兼列之，則失矣。予既畢《夷堅》十志，又支而廣之，通《三百篇》，凡四千事，不能滿者纔十有一，遂半《唐志》所云。

無礙居士《警世通言叙》　野史盡眞乎？曰：不必也。盡贋乎？曰：不必也。然則，去其贋而存其眞乎？曰：不必也。《六經》、《語》、《孟》，譚者紛如，歸於令人爲忠臣，爲孝子，爲賢牧，爲良友，爲義夫，爲節婦，爲樹德之士，爲積善之家，如是而已矣。經書著其理，史傳述其事，其揆一也。理著而世不皆切磋之彥，事述而世不皆博雅之儒。於是乎村夫稚子，里婦估兒，以甲是乙非爲喜怒，以前因後果爲勸懲，以道聽途說爲學問，而通俗演義一種，遂足以佐經書史傳之窮。而或者曰：村醪市脯，不入賓筵，烏用是齊東娓娓者爲？嗚乎，《大人》、《子虛》，曲終奏雅，顧其旨何如耳！人不必有其事，事不必麗其人。其眞者可以補金匱石室之遺，而贋者亦必有一番激揚勸誘，悲歌感慨之意。事眞而理不贋，即事贋而理亦眞，不害于風化，不謬于聖賢，不戾於詩書經史，若此者其可廢乎！

張無咎《批評北宋三遂新平妖傳叙》　小說家以眞爲正，以幻爲奇。然語有之：「畫鬼易，畫人難。」《西游》幻極矣，鬼而不人，第可資齒牙，不可動肝肺。《三國志》人矣，描寫亦工，所不足者幻耳。然勢不得幻，非才不能幻，其季孟之間乎？嘗辟諸傳奇：《水滸》，《西廂》也；《三國志》，《琵琶記》也；《西游》，則近日《牡丹亭》之類矣。他如《玉嬌麗》、《金瓶梅》另辟幽蹊，曲終奏雅，然一方之言，一家之政，可謂奇書，無當巨覽，其《水滸》之亞乎。他如《七國》、《兩漢》、兩《唐》、《宋》，如弋陽劣戲，一味鑼鼓了事，效《三國志》而卑者也。《西洋記》如王巷金家神說謊乞布施，效《西游》而愚者也。至于《續三國志》、《封神演義》等，如病人囈語，一味胡談。《浪史》、《野史》等，如老淫土娼，見之欲嘔，又出諸雜刻之下。

《四庫全書總目・小說家類》　張衡《西京賦》曰：「小說九百，本自《虞初》。」《漢書・藝文志》載：「《虞初周說》九百四十三篇」，注稱：「武帝時方士。」則小說興于武帝時矣。故《伊尹說》以下九家，班固多注「依托也」。《漢書・藝文志》注凡不著姓名者，皆班固自注。然屈原《天問》，雜陳神怪，多莫知所出，意即小說家言。而《漢志》所載《青史子》五十七篇，賈誼《新書・何傳篇》中先引之，則其來已久，特盛于《虞初》耳。迹其流別，凡有三派：其一叙述雜事，其一記錄異聞，其一綴緝瑣語也。唐宋而後，作者彌繁。中間誣謾失眞，妖妄熒聽者，固爲不少，然寓勸戒，廣見聞，資考證者，亦錯出其中。班固稱：「小說家流，蓋出于稗官。」如淳注謂：「王者欲知閭巷風俗，故立稗官，使稱說之。」然則博采旁搜，是亦古制，固不必以冗雜廢矣。今甄錄其近雅馴者，以廣見聞。惟猥鄙荒誕，徒亂耳目者，則黜不載焉。

煙水散人《珍珠舶序》 客有遠方來者，其舶中所載，凡珊瑚玳瑁夜光木難之珍，璀璨陸離，靡不畢備，故以寶之多者稱爲上客。至于小説家蒐羅閭巷異聞，一切可驚可愕可欣可怖之事，罔不曲描細叙，點綴成帙，俾觀者娱目，聞者快心，則與遠客販寶何異？此予《珍珠舶》之所以作也。乃論者猶謂俚談瑣語，文不雅馴；鑿空架奇，事無確據。嗚呼！則亦未知斯編實有針世砭俗之意矣。是何異于黄鵠雲飛，而弋者猶盱衡于林藪，徽弦響變，而聽者徒擊節于宫商。殊不知天下有正史，亦必有野史。正史者紀千古政治之得失，野史者述一時民風之盛衰。譬之于《詩》，正史爲雅頌，而野史則國風也。故夫翻雲覆雨，年老寂寥，則訂交烏可不慎？十載埋頭，一朝釋褐，則際遇各自有時。他如鬼附人船，生諧死偶，實鬼神之變幻；夜晤洞庭，詩傳燕翼，乃伉儷之奇緣；至若遇魅影于花前，則端己者豈不生疑？敲木魚于月下，則佞僧者可以爲鑒。凡此種種，皆出于耳目見聞，鑿鑿可據，豈徒效空中樓閣而爲子虚烏有先生者哉！

劉廷璣《在園雜志・歷朝小説》 予曰：此卽古之所謂小説也。小説至今日，濫觴極矣，幾于《六經》史函相埒，但鄙穢不堪寓目者居多。蓋小説之名雖同，而古今之别，則相去天淵。自漢、魏、晋、唐、宋、元、明以來，不下數百家，皆文辭典雅有紀，其各代之帝略、官制、朝政、宫幃，上而天文，下而輿土、人物、歲時、禽魚、花卉、邊塞、外國、釋道、神鬼、仙妖、怪異，或合或分，或詳或略，或列傳，或行紀，或舉大綱，或陳瑣細，或短章數語，或連篇成帙，用佐正史之未備，統曰歷朝小説，讀之可以索幽隱，考正誤，助詞藻之麗華，資談鋒之鋭利，更可以暢行文之奇正，而得叙事之法焉。降而至于「四大奇書」，則專事稗官，取一人一事爲主宰，旁及支引，累百卷或數十卷者，如《水滸》本施耐庵所著，一百八人，人各一傳，性情面貌，裝束舉止，儼有一人跳躍紙上。天下最難寫者英雄，而各傳則各色英雄也；天下更難寫者英雄美人，而其中一二三傳，則别樣英雄别樣美人也。串插連貫，各具機杼，眞是寫生妙手。金聖嘆加以句讀字斷，分評總批，覺成異樣花團錦簇文字，以梁山泊一夢結局，不添蛇足，深得剪裁之妙。雖才大如海，然所尊尚者賊盗，未免與史遷《游俠列傳》之意相同。再則《三國演義》。演義者，本有其事而添設敷演，非無中生有者比也。蜀、吴、魏三分鼎足，依年次序，雖不能體《春秋》正統之義，亦不肯效陳壽之循私偏側，中間叙述曲折不乖正史，但桃園結義、戰陣回合不脱稗官窠臼。杭永年一倣聖嘆筆意批之，似屬效顰，然亦有開生面處，較之《西游》，實處多于虚處。蓋《西游》爲證道之書，邱長春借説金丹奥旨，以心猿意馬爲根本，而五衆以配五行，平空結構，是一蜃樓海市耳。此中妙理可意會不可言傳，所謂語言文字僅得其形似者也。乃汪憺漪從而刻畫美人、唐突西子，其批注處大半摸索皮毛，卽《通書》之太極無極，何能一語道破耶？若深切人情世務，無如《金瓶梅》，眞稱奇書。欲要止淫，以淫説法；欲要破迷，引迷入悟。其中家常日用，應酬世務，奸詐貪狡，諸惡皆作，果報昭然，而文心細如牛毛繭絲。凡寫一人，始終口吻酷肖到底。掩卷讀之，但道數語，便能默會爲何人。結構鋪張，針綫縝密，一字不漏，又豈尋常筆墨可到者！彭城張竹坡爲之先總大綱，次則逐卷逐段分注批點，可以繼武聖嘆，是懲是勸，一目了然。惜其年不永，歿後將刊板抵償夙逋于汪蒼孚。蒼孚舉火焚之，故海内傳者甚少。嗟乎，四書也，以言文字，誠哉奇觀，然亦在乎人之善讀與不善讀耳。不善讀《水滸》者，狠戾悖逆之心生矣。不善讀《三國》者，權謀狙詐之心生矣。不善讀《西游》者，詭怪幻妄之心生矣。欲讀《金瓶梅》，先須體認前序内云：「讀此書而生憐憫心者，菩薩也；讀此書而生效法心者，禽獸也。」然今讀者多肯讀七十九回以前，少肯讀七十九回以後，豈非禽獸哉！近日之小説，若《平山冷燕》、《情夢柝》、《風流配》、《春柳鶯》、《玉嬌梨》等類，佳人才子，慕色慕才，已出之非正，猶不至于大傷風俗。若《玉樓春》、《宫花報》稍近淫佚，與《平妖傳》之野，《封神傳》之幻，《破夢史》之僻，皆堪捧腹。至《燈月緣》、《肉蒲團》、《野史》、《浪史》、《快史》、《媚史》、《河間傳》、《癡婆子傳》則流毒無盡。更甚而下者，《宜春香質》、《弁而釵》、《龍陽逸史》，悉當斧碎棗梨，遍取已印行世者盡付祖龍一炬，庶快人心。

又《續書》 近來詞客稗官家，每見前人有書盛行于世，卽襲其名，著爲後書副之，取其易行，竟成習套。有後以續前者，有後以證前者，甚有後與前絶不相類者，亦有狗尾續貂者。「四大奇書」如《三國演義》名《三國志》，竊取陳壽史書之名，《東西晋演義》亦名《續三國志》，更有《後三國志》，與前絶不相侔。如《西游記》乃有《後西游記》、《續西游記》。《後西游》雖不能媲美于前，然嬉笑怒駡，皆成文章；若《續西游》則誠狗尾矣。更有《東游記》、《南游記》、《北游記》，眞堪噴飯耳。如前《水滸》一書，《後水滸》則二書：一爲李俊立國海島，花榮、徐寧之子共佐成業，應高宗「卻上金鰲背上行」之讖，猶不失忠君愛國之旨；一爲宋江轉世楊幺，盧俊義轉世王魔，一片邪污之談，文詞乖謬，尚狗尾之不若也。《金瓶梅》亦有續書，每回首載《太上感應篇》，道學不成道學，稗官不成稗官，且多背謬妄語，顛倒失倫，大傷風化；況有前本奇書壓卷，而妄思續之，亦不自揣之甚矣。外而《禪眞逸史》一書，《禪眞後史》二書：一爲三教覺世，一爲薛舉托生瞿家，皆大部文字，各有各趣，但終不脫稗官口吻耳。再有《前七國》、《後七國》。而傳奇各種，《西廂》有《後西廂》，《尋親》有《後尋親》，《浣紗》有《後浣紗》，《白兔》有《後白兔》，《千金》有《翻千金》，《精忠》有《翻精忠》，亦名《如是觀》。凡此不勝枚舉，姑以人所習見習聞者，筆而志之。總之，作書命意，創始者倍極精神，後此縱佳，自有崖岸，不獨不能加于其上，卽求媲美并觀，亦不可得；何況續以狗尾，自出下下耶！演義，小說之別名，非出正道，自當凜遵兪旨，永行禁絕。

何昌森《水石緣序》 從來小說家言，要皆文人學士心有所觸，意有所指，借端發揮，以寫其磊落光明之概；其事不奇，其人不奇，其遇不奇，不足以傳；卽事奇、人奇、遇奇矣，而無幽雋典麗之筆以叙其事，則與盲人所唱七字經無異，又何能供賞鑒？是小說雖小道，其旨趣義蘊原可羽翼賢卷聖經，用筆行文要當合諸腐遷盲左，何可以小說目之哉！

羅浮居士《蜃樓志序》 小說者何，別乎大言言之也。一言乎小，則凡天經地義，治國化民，與夫漢儒之羽翼經傳，宋儒之誠正心意，概勿講焉。一言乎說，則凡遷、固之瑰瑋博麗，子云、相如之異曲同工，與夫艷富、辨裁、清婉之殊科，宗經、原道、辨騷之異制，概勿道焉。其事爲家人父子日用飲食往來酬酢之細故，是以謂之小，其辭爲一方一隅男女瑣碎之閑談，是以謂之說。然則，最淺易，最明白者，乃小說正宗也。世之小說家多矣。談神仙者荒渺無稽，談鬼神者杳冥罔據，言兵者動關國體，言情者污穢閨房，言果報者落于窠臼。枝生格外，多有意于刺譏；筆難轉關，半乞靈於仙佛。《大雅》猶多隙漏，復何譏於自《鄶》以下乎！

何炳麟《紅樓夢論贊跋》 情生於才，才大則情摯；識長於學，學博則識高。二者不可偏廢。唐人云：「有學無才，如良賈操金，不能置貨；有才無學，如大匠無木，持斧斤無所用之。」眞善喻也。蓋無才則無情，無情者不可與讀天地間妙文；無學則無識，無識者不可與論古今來妙事。《紅樓夢》之文，天地間之妙文也；《紅樓夢》之事，古今來之妙事也。妙文妙事，必得妙人妙筆以論贊之，斯其妙愈出，然而難矣。

邱煒萲《菽園贅談·金聖嘆批小說說》 《東周列國演義》，薈萃《左傳》、《國策》、《史記》原文而成，故詞華古茂，足供儉腹之掇拾。《三國志演義》多本陳壽志書、裴松之補注、習鑿齒《春秋》而出，故書法微顯，頗與世道爲關係。《三國志演義》尤好縱談兵略，不厭權謀，筆致雪亮，引針伏綫，起落分明，以視《東周列國演義》文尚繁縟奇倔，宜于學子，不宜于武夫、商人之披尋者，迥不侔矣。

公奴《金陵賣書記》 以小說開民智，巧術也，奇巧也，要其筆墨決不同尋常。常法以莊，小說以諧；常法以正，小說以奇；常法以直，小說以曲。常法則正襟危坐，直指是非；小說則變幻百出，令人得言外之意。常法如嚴父明師之訓，小說如密友賢妻之勸。得此旨，始可以言小說。今之爲小說者，俗語所謂開口便見喉嚨，又安能動人？

《新民叢刊》第二十號《新小說》第一號佚名佚題 小說爲文學之最上乘，近世學于域外者，多能言之。但我中國此風未盛，大雅君子猶吐棄不屑厝意。此編實可稱空前之作也。蓋今日提倡小說之目的，務以振國民精神，開國民智識，非前此誨盜誨淫諸作可比。必須具一副熱腸，一副淨眼，然後其言有裨于用。名爲小說，實則當以藏山之文、經世之筆行之。其難一也。小說之作，以感人爲主，若用著書演說窠臼，則雖有精理名言，使人厭厭欲睡，曾何足貴？故新小說之意境，與舊小說之體裁，往往不能相容。其難二也。一部小說數十回，其全體結構，首尾相應，煞費苦心，故前此作者，往往幾經易稿，始得一稱意之作。今依報章體例，月出一回，無從顚倒損益，艱于出色。其難三也。尋常小說一部中，最爲精采者，亦不過十數回，其餘雖稍間以懈筆，讀者亦無暇苛責。此編既按月續出，雖一回不能苟簡，稍有弱點，卽全書皆爲減色。其難四也。尋常小說，篇首數回，每用淡筆晦筆，爲下文作勢。此編若用此例，側令讀者彷徨于五里霧中，毫無趣味，故不得不于發端處，刻意求工。其難五也。此五難非親歷其中甘苦者，殆難共喻。

《繡像小說》第三期別士《小說原理》 人之處事，有有所爲而爲之事，有無所爲而爲之事。有所爲而爲之事，非其所樂爲也，特非此不足以致其樂爲者，不得不勉强而爲之；無所爲而爲之事，則本之于天性，不待告教而爲者也。故有明知某事之當爲，而因循不果，明知其事之不可爲，而陷溺不返者，多矣。讀書爲萬事中之一，亦有有所爲而讀者，有無所爲而讀者。有所爲而讀者，如宗教、道德、科學諸書是。其書讀之不足以自娱，其所以讀之者，爲其于生平之品行、智慧、名譽、利養，大有關係，有志之士，乃不得不爲此嚼蠟集蓼之事（注：亦有成嗜好者，殆習慣使然，非天性也），無所爲而讀者，如一切章回、散段、院本、傳奇諸小說是。其書往往爲長吏之所毁禁，父兄之所呵責，道學先生之所指斥，讀之絶無可圖，而適可以得謗，而千方百計以覓得之，山程水驛，茶餘飯罷，亦幾幾非此不足以自遣。寖假而毁禁、呵責、指斥人之長吏、父兄、道學先生，亦無不對人則斥之，獨處則玩之。是眞于飲食、男女、聲色、狗馬之外，一可嗜好之物也。然而此習則無人不然，其理則無人能解。今爲條析其理，未能盡也，以爲解人嗜小說之故之發軔云爾。人生既具靈明，其心中常有意念，展轉相生，如畫如話，自寤徹寐，未曾暫止。內材如此，而又常樂有外境焉，以讐對之。其讐對之法，粗者爲游，精者爲談，較游與談更精者爲讀。今將陳于紙上之物，爲人所樂玩者，第其可樂之甲乙：看畫最樂，看小說其次，讀史又次，讀科學書更次，讀古奥之經文最苦。此除別具特性、苦樂異人者外，常情莫不皆然。試觀其所以不同之故，卽可知人心之公理。蓋人心之所樂者有二：甲曰：不費心思。乙曰：時刻變換。人所樂者肉身之實事，而非樂此縹渺之空談也。惟有時不得實事，使聽其空談而如見實事焉，人亦樂于就之。惟人生所歷之境，至實亦至瑣。如舉一書房言之，有種種玩好，種種書籍，種種文具，以及几案毯罽等等，其瑣甚矣。若一廚房，則瑣更甚。故舉似者必與之相副，而後能使聞者如在目前。如在目前之事，以畫爲最，去親歷一等耳，其次莫如小說。且世間有不能畫之事，而無不能言之事，故小說雖稍晦于畫，而其廣過之。史亦與小說同體，所以覺其不若小說可愛者，因實有之事常平淡，誑設之事常穠艷，人心去平淡而卽穠艷，亦其公理，此史之處于不能不負者也。且史文簡素，萬難詳盡，必讀者設身處地，以意歷之，始得其狀，尤費心思。如《水滸》武大郎一傳，叙西門慶、潘金蓮等事，初非有奇事新理，不過就尋常日用瑣屑叙來，與人人胸中之情理相印合，故自來言文章者推爲絶作。若以武大入《唐書》、《宋史》列傳中叙之，只有「妻潘通于西門慶，同謀殺大」三句耳，觀者之孰樂孰不樂，可知也。科學書與經典，更無此事，所以爲下。總而言之，除畫爲不思而得外，小說者，以詳盡之筆，寫已知之理者也（如說某人插翅上天，其翅也、天也、飛也，皆其已知者也；而相綴連者，則新事也），故最逸。史者，以簡略之筆，寫已知之理者也，故次之。科學書者，以詳盡之筆，寫未知之理者也，故難焉。經文者，以簡略之筆，寫未知之理者也，故最難。而讀書之勞逸釐然矣（解甲款）。人使終日常爲一事，則無論如何可樂之事，亦生厭苦，故必求刻刻轉換之境以娱之。然人自幼至老，生平所歷，亦何非刻刻轉換之境哉？徒以其境之轉換也，常有切身之大利害，事前事後，常有無限之恐懼憂患以隨之，其樂遂爲其苦所掩也。故不得不求不切于身之刻刻轉換之境以娱之，打牌、觀劇、談天、游山，皆是矣。然此四者必身與境適相湊合，始能有之；若外境不副，則事中止焉。于是乎小說遂爲獨一無二可娱之具。一榻之上，一燈之下，茶具前陳，杯酒未罄，而天地間之君子、小人、鬼神、花鳥雜遝而過吾之目，眞可謂取之不費，用之不匱者矣。故畫，有所窮者也；史，平直者也；科學頗新奇，而非盡人所解者也；經文皆憂患之言，謀樂更無取焉者也。而小說之爲人所樂，遂可與飲食、男女鼎足而三（解乙款）。人所以樂觀小說之故既明，則作小說當如何下筆亦可識。蓋作小說有五難：一、寫小人易，寫君子難。人之用意，必就己所住之本位以爲推，人多中材，仰而測之，以度君子，未必卽得君子之品性；俯而察之，以燭小人，未有不見小人之肺腑也。試觀《三國志演義》，竭力寫一關羽，乃適成一驕矜滅裂之人；又欲竭力寫一諸葛亮，乃適成一刻薄輕狡之人。《儒林外史》，竭力寫一虞博士，乃適成一迂闊枯寂之人。而各書之寫小人，無不栩栩欲活。此君子難寫、小人易寫之徵也。是以作《金瓶梅》、《紅樓夢》與《海上花》之前三十回者，皆立意不寫君子。若必欲寫，則寫野蠻之君子尚易，如《水滸》之寫武松、魯達是，而文明之君子，則無寫法矣。二、寫小事易，寫大事難。小事如吃酒、旅行、奸盗之類，大事如廢立、打仗之類。大抵吾人于小事之經歷多，而于大事之經歷少。《金瓶梅》、《紅樓夢》均不寫大事，《水滸》後半部寫之，惟（二）（三）打祝家莊事，能使數十百人，一時并見于紙上，幾非《左傳》、《史記》所能及，餘無足觀。《三國演義》、《列國演義》，專寫大事，遂令人不可嚮邇矣。三、寫貧賤易，寫富貴難。此因發憤著書者，以貧士爲多，非過來人不能道也。觀《石頭記》自明。四、寫實事易，寫假事難。金聖嘆云：最難寫打虎、偷漢。今觀《水滸》寫潘金蓮、潘巧雲之偷漢，均極工；而武松、李逵之打虎，均不甚工。李逵打虎，只是持刀蠻殺，固無足論；武松打虎，以一手按虎之頭于地，一手握拳擊殺之。夫虎爲食肉類動物，腰長而軟，若人力按其頭，彼之四爪，均可上攫，與牛不同也。若不信，可以一貓爲虎之代表，以武松打虎之方法打之，則其事之能不能自見矣。蓋虎本無可打之理，故無論如何寫之，皆不工也。打虎如此，鬼神可知(注：《水滸》寫宋江遇玄女事，實是宋江說謊，均極工)。五、叙實事易，叙議論難。以大段議論羼入叙事之中，最爲討厭。讀正史紀傳者，無不知之矣。若以此習加之小說，尤爲不宜。有時不得不作，則必設法將議論之痕迹滅去始可。如《水滸》吳用說三阮撞籌，《海上花》黃二姐說羅子富，均有大段議論者。然三阮傳中，必時時插入吃酒、烹魚、撑船等事；黃二姐傳中，必時時插入點烟燈、吃水烟、叫管家等事。其法是將實景點入，則議論均成畫意矣。不然，刺刺不休，竟成一《經世文編》面目，豈不令人噴飯？作小說者，不可不知此五難而先避之。吾謂今日欲作小說，莫如將此生數十年所親見、親聞之實事，略加點化，即可成一絶妙小說。然可以牟利而不可以導世。若欲爲社會起見則甚難。蓋不能不寫一第一流之君子，是犯第一忌；此君子必與國家之大事有關係，是犯第二忌；謀大事者必牽涉富貴人，是犯第三忌；其事必爲虛構，是犯第四忌；又不能無議論，是犯第五忌。五忌俱犯，而欲求其工，是猶航斷港絶潢而至于海也。曲本、彈詞之類，亦攝于小說之中，其實與小說之淵源甚異。小說始見于《漢書·藝文志》，書雖散佚，以魏、晉間之小說例之，想亦收拾遺文，隱喻托諷，不指一人一事言之，皆子史之支流也。唐人《霍小玉傳》、《劉無雙傳》、《步非烟傳》等篇，始就一人一事，紆徐委備，詳其始末，然未有章回也。章回始見于《宣和遺事》，由《宣和遺事》而衍出者爲《水滸傳》(注：元人曲有《水滸記》二卷，未知與傳孰先)，由《水滸傳》而衍出者爲《金瓶梅》，由《金瓶梅》而衍出者爲《石頭記》，于是六藝附庸，蔚爲大國，小說遂爲國文之一大支矣。彈詞原于樂章，由樂章而有詞曲，由詞曲而有元、明人諸雜劇，如《元人百種曲》、汲古閣所刊《六十種曲》之類。此種專爲演劇而設，然猶病其文理太深，不能普及。至本朝乃有一種，雖用生、旦、淨、丑之號，而曲無牌名，僅求順口，如《珍珠塔》、《雙珠鳳》之類，此等專爲唱書而設。再後則略去生、旦、淨、丑之名，而其唱專用七字爲句，如《玉釧緣》、《再生緣》之類。此種因脫去演劇、唱書之範圍，可以逍遙不制，故常有數十萬言之作，而其用則專以備閨人之潛玩。樂章至此，遂與小說合流，所分者一有韻、一無韻而已。此種小說，流布深遠，無乎不至，其力殆出六藝九流上。而其爲書，則盡蹈前所云小說五弊：所寫主書之生、旦，必爲至好之人，是寫君子也；必有平番、救主等事，是寫大事也；必中狀元、拜相封王，是寫富貴也；必有驪山老母、太白金星，是寫虛無也；惟議論可無耳。犯此諸病，而仍能如此之普及，非上文所設之例，有時不信也；因此輩文理不深，閱歷甚淺，若觀佳制，往往難喻，費心則厭，此讀書之公例，故遂棄彼而就此。作此等書之人，既欲適神經最簡者之目，而又須多其轉換，則書中升沈離合之迹，皆成無因之果，不造驪山老母、太白金星以關鍵之不能，此皆事之不得不然者也。使以粗淺之筆，寫眞實之理，漸漸引人入勝，彼婦人與下等人，必更愛于平日所讀誕妄之書矣。綜而觀之，中國人之思想嗜好，本爲二派：一則學士大夫，一則婦女與粗人。故中國之小說，亦分二派：一以應學士大夫之用，一以應婦女與粗人之用。體裁各異，而原理則同。今値學界展寬(注：西學流入)，士夫正日不暇給之時，不必再以小說耗其目力。惟婦女與粗人，無書可讀，欲求輸入文化，除小說更無他途。其窮鄉僻壤之酬神演劇，北方之打鼓書，江南之唱文書，均與小說同科者。先使小說改良，而后此諸物，一例均改。必使深閨之戲謔，勞侶之耶禺，均與作者之心，入而俱化。而後有婦人以爲男子之後勁，有苦力者以助士君子之實力，而不撥亂世致太平者，無是理也。至于小說與社會之關係，諸賢言之詳矣，不著于篇。

《新小說》第七號狄葆賢《論文學上小說之位置》 吾昔見東西各國之論文學家者，必以小說家居第一，吾駭焉。吾昔見日人有著《世界百傑傳》者，以施耐庵與釋迦、孔子、華盛頓、拿破侖并列，吾駭焉。吾昔見日本諸學校之文學科，有所謂《水滸傳》講義、《西廂記》講義者，吾益駭焉。繼而思之，何駭之與有？小說者，實文學之最上乘也。世界而無文學則已耳，國民而無文學思想則已耳，苟其有之，則小說家之位置，顧可等閑視哉！小說爲文學之最上乘，亦有說乎？曰：彼其二種德、四種力，足以支配人道左右群治者，時賢既言之矣，至以文學之眼觀察之，則其妙諦，猶不止此。凡文章常有兩種對待之性質，苟得其一而善用之，則皆可以成佳文。何謂對待之性質？一曰簡與繁對待，二曰古與今對待，三曰蓄與泄對待，四曰雅與俗對待，五曰實與虛對待。而兩者往往不可得兼。於前五端既用其一，則不可不兼用其餘四，於後五端亦然。而所謂良小説者，即稟後五端之菁英以鳴于文壇者也。故取天下古今種種文體而中分之，小説占其位置之一半，自餘諸種，僅合占其位置之一半。偉哉小説！請言繁簡：尋常文字以十語可了者，自能文者爲之，則或括而短之至一語焉，或引而長之至千百語焉，二者皆妙文，而一以應于所適爲能事。昔歐陽盧陵嘗偕數友行市中，見有馬馳擲於路，沖突行人，至有死者，全市鼎沸。盧陵與友歸，相約同記其事。諸友記者，或累數十言，或累數百言，視盧陵所記，則僅有「逸馬殺人於道」六字。此括十語爲一語之説也。佛經説法，每一陳設，每一結集，動輒瑰瑋連犿，綿亘數卷，言大必極之須彌、鐵圍、五大部洲、三千（小千、中千、大千）世界，言小必極之芥子、牛塵、羊塵、兔塵、微塵，言數必極之恆河（沙）數、阿僧祇、無量數、不可思議不可識、不可極。既暢以正文，復申以頌偈。此衍十語爲千百語之説也。二者皆文章之極軌也。然在傳世之文，則與其繁也，毋寧其簡；在覺世之文，則與其簡也，毋寧其繁。同一義也，而縱説之，橫説之，推波而助瀾之，窮其形焉，盡其神焉，則有令讀者目駭神奪、魂醉魄迷，歷歷然，沉沉然，與之相引，與之相移者矣。是則小説之能事也。請言古今：凡人情每樂其所近，讀二十四史者，好《史》、《漢》不如其好《明史》也；讀泰西史者，好希臘、羅馬史不如其好十九世紀史也：近使然也。時有三界，曰過去，曰現在，曰未來。人之能游魂想于未來界者，必其腦力至敏者也；能游魂想于過去界者，亦必其腦力甚強者也。故有第一等悟性乃樂未來，有第一等記性乃樂過去。若夫尋常人，則皆住現在、受現在、感現在、識現在、想現在、行現在、樂現在者也。故以過去、未來導人，不如以現在導人。佛之所以現種種身説法，爲此而已。小説者，專取目前人人共解之理，人人習聞之事，而挑剔之、指點之者也。惟其爲習聞之事也故易記，惟其爲共解之理也故易悟。故讀他書如戰，讀小説如游；讀他書如算，讀小説如語；讀他書如書，讀小説如畫；讀他書如作客，讀小説如家居；讀他書如訪新知，讀小説如逢故人。人之好戰、好算、好書、好作客、好新知者，固有之矣，然總不如彼更端者之爲甚也。故好戰、算、書、作客、新知之人，未有不兼好游、語、畫、家居、故人者；而好游、好語、好畫、好家居、好故人之人，容有不好戰、不好算、不好書、不好作客、不好新知者。古文之不如今文，亦以其普及之性質，一有限一無限而已。請言蓄泄：觀陂塘與觀瀑布孰樂？觀冬樹與觀春花孰樂？觀入定之僧衲與觀歌舞之美人孰樂？彼其中雖亦或有甚美者存，而會心固已在遠矣。何也？淋漓則盡致，局促則寡悰，常人之情也。文學之中，詩詞等韻文，最以蓄爲貴者也。然真能解詩詞之趣味者，能有幾人？小説則與詩詞正成反比例者也。抑蓄泄與繁簡每相待，然繁簡以客觀言，蓄泄以主觀言，故有敘述累千萬言而仍含蓄不盡者，亦有點逗僅一二語而已發泄無遺者。泄之爲用，如扁鵲所謂見垣一方人，洞悉五臟症結；如溫渚燃犀，魍魎魑魅，無復遁形。而此術惟小説家最優占之。小説者，社會之X光綫也。請言雅俗：飲冰室主人常語余，俗語文體之流行，實文學進步之最大關鍵也。各國皆爾，吾中國亦應有然。近今歐美各國學校，倡議廢希臘、羅馬文者日盛，即如日本，近今著述，亦以言文一致體爲能事，誠以文之作用，非以爲玩器，以爲菽粟也。昔有金石家宴客，出其商彝、夏鼎、周敦、漢爵以盛酒食，卒乃主客皆患河魚疾者浹旬，美則美也，如不適何？故俗語文體之嬗進，實淘汰、優勝之勢所不能避也。中國文字衍形不衍聲，故言文分離，此俗語文體進步之一障礙，而即社會進步之一障礙也。爲今之計，能造出最適之新字，使言文一致者上也；即未能，亦必言文參半焉。此類之文，捨小説外無有也。且中國今日，各省方言不同，於民族統一之精神，亦一阻力，而因其勢以利導之，尤不能不用各省之方言，以開各省之民智。如今者《海上花》之用吳語，《粵謳》之用粵語，特惜其內容之勸百諷一耳。苟能反其術而用之，則其助社會改良者，功豈淺鮮也？十年以來，前此所謂古文、駢文家數者，既已屏息於文界矣，若能百尺竿頭，更進一步，剗去鉛華，專以俗語提倡一世，則後此祖國思想言論之突飛，殆未可量。而此大業必自小説家成之。請言虛實：文之至實者莫如小説，文之至虛者亦莫如小説。而小説之能事，即于是乎在。夫人之恆情，常不以現歷有限之境界自滿足，而欲游于他界，此公例也。欲游他界，其自動者有二：曰想、曰夢。其他動者有四：曰聽講，曰觀劇，曰看畫，曰讀書。然想也者，非盡人而能者也；夢者也，無自主之權者也；聽講與觀劇，又必有所待于人，可以樂群，不可以娛獨也。其可以自隨者，莫如書、畫。然徑尺之影，一覽無餘，畫之缺點一；但有形式，而無精神，畫之缺點二。故能有書焉，導人于他境界，以其至虛，行其至實，則感人之深，豈有過此？小說者，實舉想也、夢也、講也、劇也、畫也，合一爐而冶之者也。由此觀之，文學上小說之位置，可以見矣。吾以爲今日中國之文界，得百司馬子長、班孟堅，不如得一施耐庵、金聖嘆；得百李太白、杜少陵，不如得一湯臨川、孔雲亭。吾言雖過，吾願無盡。

俞佩蘭《女獄花敘》 中國舊時之小說，有章回體，有傳奇體，有彈詞體，有志傳體，朋興焱起，雲蔚霞蒸，可謂盛矣。若論其思想，則狀元宰相也，牛鬼蛇神也，而譏彈時事、闡明哲理者蓋鮮矣。至于創女權、勸女學者，好比六月之霜、三秋之燕焉。近時之小說，思想可謂有進步矣，然議論多而事實少，不合小說體裁，文人學士鄙之夷之。且講女權、女學之小說，亦有碩果晨星之嘆。甚矣作小說之難也，作女界小說之尤難也。

王國維《紅樓夢評論·餘論》 自我朝考證之學盛行，而讀小說者，亦以考證之眼讀之。于是評《紅樓夢》者，紛然索此書中之主人公之爲誰，此又甚不可解者也。夫美術之所寫者，非個人之性質，而人類全體之性質也。惟美術之特質，貴具體而不貴抽象。于是舉人類全體之性質，置諸個人之名字之下，譬諸「副墨之子」、「洛誦之孫」，亦隨吾人之所好名之而已。善于觀物者，能就個人之事實，而發見人類全體之性質；今對人類之全體，而必規規焉求個人以實之，人之知力相越，豈不遠哉！故《紅樓夢》之主人公，謂之賈寶玉可，謂之「子虛」「烏有先生」可，即謂之納蘭容若，謂之曹雪芹，亦無不可也。

《廣益叢報》第六十五號姚鵬圖《論白話小說》 《四庫》著錄各書，說部所載甚夥，從來遺聞逸事，正史所不載者，往往賴小說而存。蓋體非嚴整，則著書者易于爲功；言雜莊諧，則讀書者樂于終卷。此即今通俗史之權輿也。《唐代叢書》，皆唐人小說；《說郛》，多宋、元人小說；《昭代叢書》、別集，多國朝人小說。文人學士，茶畔酒餘，手執一編，憑几披閱，既徵故事，復資談(啍)〔噱〕，流被甚廣，家有一編，由來久矣。至如《三國(衍)〔演〕義》，則意在尊王；《東周列國志》，則隱括史事；其餘作者如《儒林外史》之描寫文人，《鏡花緣》則頗傳經術，皆各有所長，藝林久重。然則小說一門，除誨盗誨淫諸書，必宜禁絕，餘固人世間大有益之文字，士君子之所當研究者也。今者變易其體而爲報，長篇短簡，隨著隨刊，既省筆墨之勞，又節刊印之資，而閱者又無不易終篇之憾，其法最善，其效易著。蓋小說至今日，雖不能與西國頡頏，然就中國而論，果已漸放光明，爲前人所不及料者也。今日之白話報，即所謂通俗文，而小說家之流也，其爲啓迪之關鍵，果已爲國人所公認。

《月月小說》第一號吳沃堯《月月小說序》 吾執吾筆，將編爲小說，即就小說以言小說焉，可也，奈之何舉社會如是種種之醜態而先表暴之？吾蓋有所感焉。吾感乎飲冰子《小說與羣治之關係》之說出，提倡改良小說，不數年而吾國之新著新譯之小說，幾于汗萬牛充萬棟，猶復日出不已而未有窮期也。求其所以然之故，曰：隨聲附和。或曰：是不足爲病也。美之獨立，法之革命，非一二人倡于前，無數人附和于後，以成此偉大之事業耶？曰：是又不然。認定其宗旨而附和之，以求公衆之利益者，何可以無此附和？憑藉其宗旨以附和之，詭謀一己之私利而不顧其羣者，又何可以有此附和？今夫汗萬牛充萬棟之新著新譯之小說，其能體關係羣治之意者，吾不敢謂必無，然而怪誕支離之著作，詰曲聱牙之譯本，吾蓋數見不鮮矣。凡如是者，他人讀之不知謂之何，以吾觀之，殊未足以動吾之感情也。於所謂羣治之關係，杳乎其不相涉也，然而彼且囂囂然自鳴曰：「吾將改良社會也，吾將佐羣治之進化也。」隨聲附和而自忘其眞，抑何可笑也！小說之與羣治之關係，時彥既言之詳矣。吾于羣治之關係之外，復索得其特別之能力焉。一曰足以補助記憶力也。吾國昔尙記誦，學童讀書，咿唔終日，不能上口。而于俚詞劇本，一讀而輒能背誦之。其故何也？深奧難解之文，不如粗淺趣味之易入也。學童聽講，聽經書不如聽《左傳》之易入也，聽《左傳》又不如聽鼓詞之易入也。無他，趣味爲之也。是故中外前史，浩如煙海，號稱學子者，未必都能記憶之，獨至于三國史，則幾于盡識字之人皆能言其大略，則《三國演義》之功不可泯也。雖間不免有爲附會所惑者，然既能憶其梗概，無難指點而匡正之也。此其助記憶力之能力也。一曰易輸入知識也。凡人於平常待人接物間，所聞所見，必有無量之事物言論，足以爲我之新知識者，然而境過輒忘，甚或有當前不覺者。惟於小說中得之，則深入腦筋而不可去。其故何也？當前之事物言論，無趣味以贊佐之也。無趣味以贊佐之，故每當前而不覺。讀小説者，其專注在尋繹趣味，而新知識實卽暗寓于趣味之中，故隨趣味而輸入之而不自覺也。小説能具此二大能力，則凡著小説者、譯小説者，當如何其審慎耶？夫使讀吾之小説者記一善事焉，吾使之也；記一惡事焉，亦吾使之也。抑讀吾小説者得一善知識焉，得一惡知識焉，何莫非吾使之也。吾人丁此道德淪亡之時會，亦思所以挽此澆風耶？則當自小説始。是故吾發大誓願，將遍撰譯歷史小説，以爲教科之助。歷史云者，非徒記其事實之謂也，旌善懲惡之意實寓焉。舊史之繁重，讀之固不易矣，而新輯教科書，又適嫌其略。吾於是欲持此小説，竊分教員一席焉。他日吾窮十年累百月而幸得殺青也，讀者不終歲而可以畢業；卽吾今日之月出如干頁也，讀者亦收月有記憶之功。是則吾不敢以雕蟲小技妄自菲薄者也。善教育者，德育與智育本相輔；不善教育者，德育與智育轉相妨。此無他，譎與正之别而已。吾既欲持此小説以分教員之一席，則不敢不審慎以出之。歷史小説而外，如社會小説、家庭小説，及科學、冒險等，或奇言之，或正言之，務使導之以入于道德範圍之内。卽艷情小説一種，亦必軌于正道乃入選焉（後之投稿本社者其注意之）。庶幾借小説之趣味之感情，爲德育之一助云爾。嗚呼！吾有涯之生，已過半矣。負此歲月，負此精神，不能爲社會盡一分之義務，徒播弄此墨床筆架，爲嘻笑怒駡之文章，以共談笑之資料，毋亦攬鬚眉而一慟也夫！

吴沃堯《説小説》 輕議古人固非是，動輒牽引古人之理想，以闌入今日之理想，亦非是也。吾於今人之論小説，每一見之。如《水滸傳》，誌盜之書也，而今人每每稱其提倡平等主義。吾恐施耐庵當日，斷斷不能作此理想。不過彼叙此一百八人，聚義梁山泊，恰似一平等社會之現狀耳。吾曾反覆讀之，意其爲憤世之作。吾國素無言論自由之説，文字每易賈禍，故憂時憤世之心，不得不託之小説。且託之小説，亦不敢明寫其事也，必委曲譬喻以爲寓言，此古人著書之苦況也。《水滸傳》者，一部貪官污吏傳之别裁也。梁山泊一百八人，强半爲在官人役，如都頭也，教師也，里正也，書吏也，而一一都歸結於爲盜，則著者之視在官人役之爲何如可知矣。而如是等等之人之所以都歸結於爲盜者，無非官逼之使然，則著者之視官爲何如亦可知矣。吾雖雅不欲援古人之理想，以闌入今日之理想，然持此意以讀《水滸傳》，則謂《水滸傳》爲今日官吏之龜鑑也亦宜。《鏡花緣》一書，可謂之理想小説，亦可謂之科學小説。其所叙海外各國，皆依據《山海經》，無異爲《山海經》加注疏；而其諷世、理想、科學等，遂借以寓於其中。吾最喜其女兒國王强迫林之洋爲妃與之纏足一段。其意若曰：汝等男子，每以女子之小足爲玩具，盍一返躬爲之，而親嘗其痛苦哉！全書所載，各種藝術，又皆分配於各人，尤爲得體。不似《野叟曝言》，獨以一文素臣爲通天本事之人，荒誕不經也。《金瓶梅》、《肉蒲團》，此著名之淫書也，然其實皆懲淫之作。此非獨著者之自負如此，卽善讀者亦能知此意，固非余一人之私言也。顧世人每每指爲淫書，官府且從而禁之，亦可見善讀書者之難其人矣。推是意也，吾敢謂今之譯本偵探小説，皆誨盜之書。夫偵探小説，明明爲懲盜之書也，顧何以謂之誨盜？夫仁者見之謂之仁，智者見之謂之智。若《金瓶梅》、《肉蒲團》淫者見之謂之淫，偵探小説，則盜者見之謂之盜耳。嗚呼！是豈獨不善讀書而已耶？毋亦道德缺乏之過矣。社會如是，捉筆爲小説者，當如何其慎之又慎也。作小説令人喜易，令人悲難，令人笑易，令人哭難。吾前著《恨海》僅十日而脱稿，未嘗自審一過，卽持以付廣智書局。出版後偶取閲之，至悲慘處，輒自墮淚，亦不解當時何以下筆也。能爲其難，竊用自喜。然其中之言論理想，大都皆陳腐常談，殊無新趣，良用自歉。所幸全書雖是寫情，猶未脱道德範圍，或不致爲大君子所唾棄耳。

《月月小説》第二卷第二期王鍾麒《中國三大小説家論贊》 茫茫宇宙，哀哀衆生，其生也烏，其死也貉。於此世界中，無端而有皇王帝霸、興亡成敗之業，生老病死、悲歡離合之跡，智愚賢否、忠佞邪正之殊，爲存爲歿，剎那剎那，憂苦畏怖，陷頂投踵於此五濁世界之苦海中。嗚呼！生至促也，化至速也。當乎此時，其思想有能高出社會水平綫以外者，厥惟小説家。是以天僇生生平雖好讀書，然不若讀小説；讀小説數十百種，有好有不好，其好而能至者，厥惟施耐庵、王弇州、曹雪芹三氏所著之小説。特達之士，喆嶷之才，知人命之至速也，束身砥行，思樹功伐，垂令名，勞思焦慮以赴之。其卒也，則或求之而得，則或求之而不得。至於求之而不得，見夫邪曲之害公也，頑嚚之蔽明也，憂讒畏譏，懼終其身無可表襮，乃不得已，遁而爲小説。吾國數千年來，爲小説者，不下數百，求其與斯旨合者，時則有若施氏之《水滸傳》。施氏少負異才，自少迄老，未獲一伸其志。痛社會之黑暗，而政府之專横也，乃以一己之理想，搆成此書。設言壯武慷慨之士，與俗有所迕，憤而爲盜。其人類皆有非常之材，敢於復大仇，犯大難，獨行其志無所於悔。生民以來，未有以百八人組織政府，而人人平等者，有之惟《水滸傳》。使耐庵而生於歐、美也，則其人之著作，當與柏拉圖、巴枯寧、托爾斯太、迭蓋司諸氏相抗衡。觀其平等級，均財產，則社會主義之小說也；其復仇怨，賊汚吏，則虛無黨之小說也；其一切組織，無不完備，則政治小說也。阮小五之言曰：「若有人識得俺時，水裏水裏去，火裏火裏去。」又曰：「英雄儘有，只是俺不曾遇着。」觀乎此，則知耐庵者，不惟千古之思想家，亦千古之傷心人也。時則有若王氏之《金瓶梅》。元美生長華閥，抱奇才，不可一世，乃因與楊仲芳結納之故，至爲嚴嵩所忌，戮及其親，深極哀痛，無所發其憤。彼以爲中國之人物、之社會，皆至汚極賤，貪鄙淫穢，靡所不至其極，於是而作是書。蓋其心目中固無一人能少有價値者。彼其記西門慶，則言富人之淫惡也；記潘金蓮，則傷女界之穢亂也；記花子虛、李瓶兒，則悲友道之衰微也；記宋蕙蓮，則哀讒佞之爲禍也；記蔡太師，則痛仕途黑暗，賄賂公行也。嗟乎！嗟乎！天下有過人之才人，遭際濁世，抱彌天之怨，不得不流而爲厭世主義，又從而摹繪之，使並世者之惡德，不能少自諱匿者，是則王氏著書之苦心也。輕薄小兒，以其善寫淫媟也寶之，而此書遂爲老師宿儒所詬病，亦不察之甚矣。時則有若曹氏之《紅樓夢》。曹氏向居明相國珠邸中。時本朝甫定鼎，其不肖者，往往憑藉貴族，因緣以奸利，貪侈之端，乃不可僂指數。曹氏心傷之，有所不敢言，不屑言，而又不忍不一言者，則姑詭譎游戲以言之，若有意，若無意。聞滿洲某巨公，當嘉慶間，其爲江西學政也，嘗嚴禁賈人，不得售是書，犯者罰無赦；又語人曰：《紅樓夢》一書，譏刺吾滿人，至於極地，吾恨之刺骨。則此書之宗旨可知。海寧王生，常言此書爲悲劇中之悲劇。於歐西而有作者，則有如仲馬父子、謝來、雨苟諸人，皆以善爲悲劇，聲聞當世；至於頭緒之繁，篇幅之富，文章之美，恐尙有未迨此書者。蓋此書非苟焉所能讀也。必富於厭世觀者，始能讀此書；必深通一切學問者，始能讀此書；必富於哲理思想、種族思想者，始能讀此書。世人讀之而不解，解矣而不能盡作者之意，則亦猶之乎不讀也。由是以觀小說，至此三書，眞有觀止之歎矣。吾國小說，非無膾炙人口，在此三書外者。然如《三國演義》，非不竭力聯貫也，而文詞鄙陋不足稱。如《野叟曝言》，如《西遊記》，其篇幅非不富，其思想非不高也。然《野叟曝言》事事在人意外，而此三書，則語語在人意中。至《西遊記》之記事，更如於輪舟中觀山水，頃刻卽逝，更無復來之時。餘子自鄶，更不足道。

《小說月報》第三卷第五、七、十一號管達如《說小說・小說在文學上之位置》

文學者，美術之一種也。小說者，又文學之一種也。人莫不有愛美之性質，故莫不愛文學，卽莫不愛小說。斯言是矣。然文學之美者亦多矣，而何必斤斤焉惟小說之是好也？夫物之不可偏廢者，必其具有一種之特別性質者也。惟然，則小說在文學上之位置，可以研究矣。今請列舉小說與他種文學之異點：一、小說者，通俗的而非文言的也。一國之文字，大抵可分爲三種：一古文，如三代兩漢之書、唐宋八家之文是也。其句法字法，與今日之語言，全不相同。故非有甚深之學力者，不能曉解。一普通文，如社會上通行之公牘信札之類是已。其句法字法，雖不能必盡符乎古，而亦不能盡合乎今，故亦非普通人所能知。一通俗文，如向來通行之白話小說，及近人所演之白話書報是已。其語法字法，全與今日之語言相同，直不啻舉今日之語言，記載之以一種符號而已，故了解之甚爲容易。讀此等書籍者，較之聽人談話者，不過多一識字之勞而已。夫社會上不能盡人而爲文學家，亦不能盡人皆通知文學，而文學之思想，則人人有之。人未有不欲擴其見聞，且未有絕無愛美之感者，此卽文學思想也。今吾國能通上古文與普通文之人，不過一小部分而已，其一大部分之人，皆僅用通俗文者也。而各種書籍，殆無不用上古文與普通文者，試問此一大部分之人，何由而滿足其文學之欲望乎？其競趨而讀通俗文之小說，蓋勢使然矣。且古文與通俗文，各有所長，不能相掩：句法高簡，字法古雅，能導人以美妙高尙之感情，此古文之所長也；叙述眼前事物，曲折詳盡，纖悉不遺，此通俗文之所長也。文字之用，不外說理、叙事、表情三者。古文所說之理，所叙之事，所表之情，固非通俗文所能有；通俗文所叙之事，所說之理，所表之情，又豈古文所能有乎？惟如是也，故雖文人學士，深通古文者，而其好讀小說，亦與常人無異矣。一、小說者，事實的而非空言的也。凡事空談玄理則難明，舉例以示之則易曉。此讀哲學書者所以難于讀歷史也。孔子曰：「我欲垂之空言，不如見之行事之深切著明。」亦謂此也。凡著小說者，固各有其所主張。然使爲空言以發表之，則一篇論說文字耳，必不能爲社會所歡迎。今設爲事實以明之，而其所假設者，又係眼前事物，則不特淺近易明，抑且饒有趣味，其足以引人入勝宜矣。且法語難從，巽言易入。爲空言以發表意見者，侃侃直陳，排斥他人之所主張，以伸張我之所主張，法語之類也。借實事以動人者，初不必直陳其是非，但叙述事實，使讀者之喜怒哀樂，自然隨之爲轉移，巽語之類也。其在文學上占一特別位置，不亦宜乎？一、小說者，理想的而非事實的也。小說雖爲事實的，然其事實，乃理想的事實，而非事實的事實。此其所以易于恢奇也。夫人情于眼前習見之事物，恆不樂道；獨至罕見之物，難逢之事，則津津樂道之。晝夜寒暑，更代迭推，水火陰陽，相生相滅，莫或措意；妖異災祥，歷數百數千年而一見，則農夫野老，傳之口碑，學士文人，筆之載籍，皆是道矣。他種書籍，多記載事實界之事實者，故不能十分恢奇。小說則記載理想界之事實者。理想界之事實，無奇不有，斯小說亦無奇不有。其所以易擅勝場者，非著者才力使然，實材料使然也。一、小說者，抽象的而非具體的也。理想界之事實，皆抽象的而非具體的，此其所以美于天然之事實也。夫觀自然之景物者，有時轉不如讀圖書之樂。實際之事物，斷不能如戲劇之足以動人，一抽象的，一具體的也。小說所述之事實，皆爲抽象的，故其意味，較之自然之事，常加一倍之濃深。叙善人則愈覺其善，叙惡人則愈覺其惡；叙可愛之物，則愈覺其可愛；狀可憎之態，則愈覺其可憎。其使讀者悲喜無端，涕流交集，宜矣。一、小說者，複雜的而非簡單的也。凡事詳切言之則易曉，渾括述之則難明。老僧談禪，聽者欲卧。偶過村閒茶肆，有執鼓板，踞高座，說故事者，則流連忘返矣。社會上人之心理，大抵簡單者多，複雜者少。對思想簡單之人，而以渾括之詞，說高尚之理，其不掩耳疾走者鮮矣。他種文字，無論如何委婉曲折，終不能如小說之詳明，此一般思想簡單之人所以歡迎小說也。若謂他種書籍，所以不爲一般社會所歡迎者，徒以文字艱深故，則試以四子五經譯成白話，又試以小說上之事實，仍用白話，而以簡括之史筆出之，人之歡迎之，能與小說等乎？凡此五者，皆小說與他種文學之異點，其所以能在文學界中獨樹一幟者，卽以此也。嗚乎，美哉！

《中華小說界》第一年第三至八期成之《小說叢話》　小說之勢力，所以能若是其盛者，其故何歟？曰：小說者，近世的文學，而非古代的文學也。此小說所以有勢力之總原因，而其他皆其分原因也。何謂近世文學？近世文學者，近世人之美術思想，而又以近世之語言達之者也。凡人類莫不有愛美之思想，卽莫不有愛文學之思想。然古今人之好尚不同，古人所以爲美者，未必今人皆以爲美也。卽以爲美矣，而因所操之言語不同，古人所懷抱之美感，無由傳之今人，則不得不以今文學承其乏。今文學則小說其代表也，且其位置之全部，幾爲小說所獨占（吾國向以白話著書者，小說外，殆無之。卽有之，亦非美術，性質不得稱爲文學）。全國之中，有能通小說而不能讀他種書籍者，無能讀他種書籍而不能讀小說者。其大多數不識字不能讀書之人，則其性質亦與近世文學爲近，語之以小說則易入，語之以他種書籍則難明，此小說勢力彌漫社會之所由也。近世文學之特質有三：一曰切近。古代文學之所述，多古人之感想，與今人之感想，或格格不相入。近世文學，則所述者多今人之感想，切近而易明。傳所謂法後王，爲其近古而俗變相類，論卑而易行也。一曰詳悉。凡言語愈進化則愈詳明，故古文必簡，今文必繁。小說者，極端之近世文學也，故其叙事之精詳，議論之明爽，迥非他種書籍所及。一曰皆事實而非空言。此非謂近世文學不可以載理想也，特習慣上，凡空漠之理想，均以古文達之耳（以今文載理想，誠有不如古文之處。此由古文爲思想高尚之人所使用，今文則爲一般普通人所使用也。此其理甚長，當別論）。凡讀書者，求事實則易明，論空理則難曉，此又盡人之所同矣。凡此三者，皆近世文學之特質，而惟小說實備具之。此其所以風行社會，其勢力殆如水銀瀉地，無孔不入也。小說勢力之盛大，既如此矣。其與社會之關係果若何？近今論之者甚多，吾以爲亦皆枝葉之談，而非根本之論也。欲知小說與社會之關係，必先審小說之性質。明于小說之性質，然後其所謂與社會之關係，乃眞爲小說之所獨，而非小說與他種文學之所同也。小說之性質，果何如邪？爲之說者曰「小說者，社會現象之反映也」，曰「人間生活狀態之描寫也」，此其說固未嘗不含一面之眞理；然一考諸文學之性質，而有以知其說之不完也。何則？凡號稱美術者，決無專以摹擬爲能事者也。專以摹擬爲能事者，極其技，不過能與實物等耳。世界上亦既有實物矣，而何取乎更造爲？卽眞能肖之，尚不足取，況摹造者之決不能果肖原物乎（如蠟人之于人是已。亦有一種美術專以摹擬肖物爲能者，如宋人之刻楮葉是也。此別是一理）？夫美術者，人類之美的性質之表現于實際者也。美的性質之表現于實際者，謂之美的製作。凡一美的製作，必經四種階級而後成。所謂四種階級者，一曰模倣。模倣者，見物之美而思效其美之謂也。凡人皆能有辨美惡之性。物接于我，而以吾之感情辨其妍媸。其所謂美者，則思效之；其所謂不美者，則思去之（美不美爲相對之現象，效其美卽所以去其不美也）。醜若無鹽，亦欲效西施之顰笑；生居僻陋，偏好襲上國之衣冠，其適例也。二曰選擇。選擇者，去物之不美之點而存其美點之謂也。接于目者不止一色，接于耳者不止一音。色與色相較而優劣見焉，音與音相較而高下殊焉。美者存之，惡者去之，此選擇之說也。能模倣矣，能選擇矣，則能進而爲想化。想化者不必與實物相觸接，而吾腦海中自能浮現一美的現象之謂也。艷質云遙，閉目猶存遐想；八音既歇，傾耳若有餘音：皆離乎實物之想像也。人既能離乎實物而爲想像，則亦能綜錯增刪實物而爲想像。姝麗當前，四支百體，盡態極妍。惟稍嫌其長，則吾能減之一分；稍病其短，則吾能增之一寸。凡此既經增減之美人，浮現于腦海之際者，已非復原有之美人，而爲吾所綜錯增刪之美人矣。此所謂想化也。能想化矣，而又能以吾腦海中之所想象者，表現之于實際，則所謂創造也。合是四者，而美的製作乃成。故美的製作者，非摹擬外物之謂，而表現吾人所想像之美之謂也。吾人所想像之美的現象之表現，則吾人之美的性質之表現也。蓋人之欲無窮，而又生而有能辨別妍媸之性。惟生而有能辨別妍媸之性也，故遇物輒有一美不美之觀念存乎其間；惟其欲無窮也，故遇一美的現象，輒思求其更美者，而想化之力生焉。想化既極，而創造之能出焉。如徒以摹擬而已，則是人類能想像物之美，而不能離乎物而爲想像也，非人之性也。美術之性質既明，則小說之性質，亦于焉可識已。小說者，第二人間之創造也。第二人間之創造者，人類能離乎現社會之外而爲想像，因能以想化之力，造出第二之社會之謂也。明乎此，而小說與社會之關係，亦從可知矣。凡人類之所爲營營逐逐者，其果以現社會爲滿足邪？抑將于現社會之外，別求一更上之境邪？此不待言而可知也。夫人類既不能以現社會爲滿足，而將別求一更上之境，則其所作爲，必有超出乎現社會之外而爲活動者，此社會變動不居之所由也。此等作爲，必非無意識之舉動，必有其所蘄向之目的。而其所蘄向之目的，必有爲之左右者，則感情是。能左右感情者，則文學是。夫人類之所謂善惡者，果以何標準而定之？曰：感情而已矣。感情之好者善也，感情之所惡者惡也。雖或有時指感情之所惡者爲善，好者爲惡，此特一時之所好，有害將來之所好，或個體之所好，有害于群體之所好，因而名之。究其極，仍不外以好惡爲善惡之標準也。然則人類之活動，亦就其所好、違其所惡而已矣。人類之好惡，不能一成而不變。其變也，導之以情易，喻之以理難。能感人之情者，文學者。小說者，文學之一種，以其具備近世文學之特質，故在中國社會中，最爲廣行者也。則其有誘導社會，使之改變之力，使中國今日之社會，幾若爲小說所鑄造也，不亦宜乎！

命意

瞿佑《剪燈新話序》《詩》、《書》、《易》、《春秋》，皆聖筆之所述作，以爲萬世大經大法者也。然而《易》言「龍戰于野」，《書》載「雉雊于鼎」，《國風》取淫奔之詩，《春秋》紀亂賊之事，是又不可執一論也。今余此編，雖于世教民彝，莫之或補，而勸善懲惡，哀窮悼屈，其亦庶乎言者無罪，聞者足以戒之一義云爾。

凌雲翰《剪燈新話序》是編雖稗官之流，而勸善懲惡，動存鑒戒，不可謂無補于世。矧夫造意之奇，措詞之妙，粲然自成一家言，讀之使人喜而手舞足蹈，悲而掩卷墮淚者，蓋亦有之。自非好古博雅，工于文而審于事，曷能臻此哉！

庸愚子《三國志通俗演義序》夫史，非獨紀歷代之事，蓋欲昭往昔之盛衰，鑒君臣之善惡，載政事之得失，觀人才之吉凶，知邦家之休戚，以至寒暑、災祥、褒貶、予奪，無一而不筆之者，有義存焉。吾夫子因獲麟而作《春秋》。《春秋》，魯史也。孔子修之，至一字予者，褒之；否者，貶之。然一字之中，以見當時君臣父子之道，垂鑒後世，俾識某之善，某之惡，欲其勸懲警懼，不致有前車之覆。此孔子立萬萬世至公至正之大法，合天理，正彝倫，而亂臣賊子懼。故曰：知我者其惟《春秋》乎！罪我者其惟《春秋》乎！亦不得已也。孟子見梁惠王，言仁義而不言利，告時君，必稱堯、舜、禹、湯；答時臣，必及伊、傅、周、召。至朱子《綱目》，亦由是也。豈徒紀歷代之事而已乎？然史之文，理微義奥，不如此，烏可以昭後世？《語》云：「質勝文則野，文勝質則史。」此則史家秉筆之法，其於衆人觀之，亦嘗病焉。故往往捨而不之顧者，由其不通乎衆人；而歷代之事，愈久愈失其傳。前代嘗以野史，作爲評話，令瞽者演說。其間言辭鄙謬又失之於野，士君子多厭之。若東原羅貫中，以平陽陳壽傳，考諸國史，自漢靈帝中平元年，終于晉太康元年之事。留心損益，目之曰《三國志通俗演義》。文不甚深，言不甚俗，事紀其實，亦庶幾乎史。蓋欲讀誦者，人人得而知之，若詩所謂里巷歌謠之義也。書成，士君子之好事者，爭相謄錄，以便觀覽。則三國之盛衰治亂，人物之出處臧否，一開卷，千百載之事，豁然於心胸矣。其間亦未免一二過與不及，俯而就之，欲觀者有所進益焉。予謂誦其詩，讀其書，不識其人，可乎？讀書例曰，若讀到古人忠處，便思自己忠與不忠；孝處，便思自己孝與不孝。至於善惡可否，皆當如此，方是有益。若只讀過，而不身體力行，又未爲讀書也。予嘗讀《三國志》，求其所以，殆由陳蕃、竇武立朝未久，而不得行其志，卒爲姦宄謀之，權柄日竊，漸浸熾盛，君子去之，小人附之，姦人乘之。當時國家紀綱法度，壞亂極矣。噫！可不痛惜乎？矧何進識見不遠，致董卓乘釁而入，權移人主，流毒中外，自取滅亡，理所當然。曹瞞雖有遠圖，而志不在社稷，假忠欺世，卒爲身謀。雖得之，必失之。萬古姦賊，僅能逃其不殺而已，固不足論。孫權父子，虎視江東，固有取天下之志，而所用得人，又非老瞞可議。惟昭烈漢室之胄，結義桃園，三顧草廬，君臣契合，輔成大業，亦理所當然。其最尚者，孔明之忠，昭如日星，古今仰之。而關、張之義，尤宜尚也。其他得失，彰彰可考。遺芳遺臭，在人賢與不賢。君子小人，義與利之間而已。觀演義之君子，宜致思焉。

修髯子《三國志通俗演義引》 史氏所志，事詳而文古，義微而旨深，非通儒夙學，展卷間，鮮不便思囤睡。故好事者以俗近語，檃括成編，欲天下之人，入耳而通其事，因事而悟其義，因義而興乎感，不待研精覃思，知正統必當扶，竊位必當誅，忠孝節義必當師，奸貪諛佞必當去，是是非非，了然于心目之下，裨益風教，廣且大焉，何病其贅耶？

謝肇淛《五雜俎》卷一五 小說野俚諸書，稗官所不載者，雖極幻妄無當，然亦有至理存焉。如《水滸傳》無論已，《西游記》曼衍虛誕，而其縱橫變化，以猿爲心之神，以豬爲意之馳，其始之放縱，上天下地，莫能禁制，而歸于緊箍一咒，能使心猿馴伏，至死靡他，蓋亦求放心之喻，非浪作也。《華光》小說，則皆五行生克之理，火之熾也，亦上天下地莫之撲滅，而眞武以水制之，始歸正道。其他諸傳記之寓言者，亦皆有可採。惟《三國演義》與《錢塘記》、《宣和遺事》、《楊六郎》等書，俚而無味矣。何者？事太實則近腐，可以悅里巷小兒，而不足爲士君子道也。

李贄《忠義水滸傳序》 太史公曰：「《說難》、《孤憤》，賢聖發憤之所作也。」由此觀之，古之賢聖，不憤則不作矣。不憤而作，譬如不寒而顫，不病而呻吟也，雖作何觀乎？《水滸傳》者，發憤之所作也。蓋自宋室不競，冠屨倒施，大賢處下，不肖處上。馴致夷狄處上，中原處下，一時君相猶然處堂燕鵲，納幣稱臣，甘心屈膝於犬羊已矣。施、羅二公身在元，心在宋；雖生元日，實憤宋事。是故憤二帝之北狩，則稱大破遼以洩其憤；憤南渡之苟安，則稱滅方臘以洩其憤。敢問洩憤者誰乎？則前日嘯聚水滸之強人也，欲不謂之忠義不可也。是故施、羅二公傳《水滸》而復以忠義名其傳焉。夫忠義何以歸於水滸也？其故可知也。夫水滸之衆何以一一皆忠義也？所以致之者可知也。今夫小德役大德，小賢役大賢，理也。若以小賢役人，而以大賢役於人，其肯甘心服役而不恥乎？是猶以小力縛人，而使大力者縛於人，其肯束手就縛而不辭乎？其勢必至驅天下大力大賢而盡納之水滸矣。則謂水滸之衆，皆大力大賢有忠有義之人可也，然未有忠義如宋公明者也。今觀一百單八人者，同功同過，同死同生，其忠義之心，猶之乎宋公明也。獨宋公明者身居水滸之中，心在朝廷之上，一意招安，專圖報國，卒至於犯大難，成大功，服毒自縊，同死而不辭，則忠義之烈也！眞足以服一百單八人者之心，故能結義梁山，爲一百單八人之主。最後南征方臘，一百單八人者陣亡已過半矣，又智深坐化於六和，燕青涕泣而辭主，二童就計於「混江」。宋公明非不知也，以爲見幾明哲，不過小丈夫自完之計，決非忠於君義於友者所忍屑矣。是之謂宋公明也，是以謂之忠義也。傳其可無作歟！傳其可不讀歟！故有國者不可以不讀，一讀此傳，則忠義不在水滸，而皆在於君側矣。賢宰相不可以不讀，一讀此傳，則忠義不在水滸，而皆在於朝廷矣。兵部掌軍國之樞，督府專閫外之寄，是又不可以不讀也，苟一日而讀此傳，則忠義不在水滸，而皆爲干城心腹之選矣。否則不在朝廷，不在君側，不在干城腹心，烏乎在？在水滸。此傳之所爲發憤矣。若夫好事者資其談柄，用兵者藉其謀畫，要以各見所長，烏睹所謂忠義者哉！

又《出像評點忠義水滸全書發凡》 一、傳始于左氏，論者猶謂其失之誣，況稗說乎！顧意主勸懲，雖誣而不爲罪。今世小說家雜出，多離經叛道，不可爲訓。間有借題說法，以殺盜淫妄，行警醒之意者，或飣拾而非全書，或捏飾而非習見，雖動喜新之目，實傷雅道之亡，何若此書之爲正耶？昔賢比於班馬，余謂進於丘明，殆有《春秋》之遺意焉，故允宜稱傳。一、忠義者，事君處友之善物也。不忠不義，其人雖生已朽，而其言雖美弗傳。此一百八人者，忠義之聚於山林者也；此百廿回者，忠義之見於筆墨者也。失之於正史，求之於稗官；失之於衣冠，求之於草野。蓋欲以動君子，而使小人亦不得借以行其私，故李氏復加「忠義」二字，有以也夫。

欣欣子《金瓶梅詞話序》 《關雎》之作，「樂而不淫，哀而不傷」。富與貴，人之所慕也，鮮有不至于淫者。哀與怨，人之所惡也，鮮有不至于傷者。吾嘗觀前代騷人，如盧景暉之《剪燈新話》、元微之之《鶯鶯傳》、趙君弼之《效顰集》、羅貫中之《水滸傳》、丘瓊山之《鍾情麗集》、盧梅湖之《懷春雅集》、周靜軒之《秉燭清談》，其後《如意傳》、《于湖記》，其間語句文確，讀者往往不能暢懷，不至終篇而掩棄之矣。此一傳者，雖市井之常談，閨房之碎語，使三尺童子聞之，如飫天漿而拔鯨牙，洞洞然易曉。雖不比古之集理趣，文墨綽有可觀。其他關係世道風化，懲戒善惡，滌慮洗心，無不小補。

詹詹外史《情史叙》 《六經》皆以情教也。《易》尊夫婦，《詩》首《關雎》，《書》序嬪虞之文，《禮》謹聘奔之別，《春秋》於姬姜之際詳然言之，豈非以情始於男女？凡民之所必開者，聖人亦因而導之，俾勿作於涼，於是流注於君臣父子兄弟朋友之間，而汪然有餘乎！異端之學，欲人鰥曠，以求清淨，其究不至無君父，不止情之功效亦可知已。是編也，始乎貞，令人慕義；繼乎緣，令人知命。私愛以暢其悅，仇憾以伸其氣，豪俠以大其胸，靈感以神其事，癡幻以開其悟，穢累以窒其淫，通化以達其類，芽非以誣聖賢，而疑亦不敢以誣鬼神。辟諸《詩》云興、觀、群、怨、多識，種種具足。或亦有情者之朗鑒，而無情者之磁石乎？

可一居士《醒世恆言序》 《六經》國史而外，凡著述皆小說也。而尙理或病於艱深，修詞或傷於藻繪，則不足以觸里耳而振恆心。此《醒世恆言》四十種所以繼《明言》、《通言》而刻也。明者，取其可以導愚也。通者，取其可以適俗也。恆則習之而不厭，傳之而可久。三刻殊名，其義一耳。夫人居恆動作言語不甚相懸，一旦弄酒，則叫號躑躅，視塹如溝，度城如檻。何則？酒濁其神也。然而斟酌有時，雖畢吏部、劉太常，未有時時如濫泥者。豈非醒者恆而醉者暫乎？繇此推之，惕孺爲醒，下石爲醉；卻嘑爲醒，食嗟爲醉；剖玉爲醒，題石爲醉。又推之，忠孝爲醒，而悖逆爲醉；節檢爲醒，而淫蕩爲醉；耳和目章，口順心貞爲醒，而即聾從昧，與頑用嚚爲醉。人之恆心，亦可思已。從恆者吉，背恆者凶。心恆心，言恆言，行恆行，入夫婦而不驚，質天地而無怍。下之巫醫可作，而上之善人君子聖人亦可見。恆之時義大矣哉。自昔濁亂之世，謂之天醉。天不自醉人醉之，則天不自醒人醒之。以醒天之權與人，而以醒人之權與言。言恆而人恆，人恆而天亦得其恆。萬世太平之福，其可量乎！則茲刻者，雖與《康衢》、《擊壤》之歌並傳不朽可矣。崇儒之代，不廢二教，亦謂導愚適俗，或有藉焉。以二教爲儒之輔可也。以《明言》、《通言》、《恆言》爲《六經》國史之輔不亦可乎？若夫淫譚褻語，取快一時，貽穢百世。夫先自醉也，而又以狂藥飲人，吾不知視此三言者得失何如也？

佩蘅子《吳中雪》第九回 原來小說有三等。其一，賢人懷着匡君濟世之才，其所作都是驚天動地，流傳天下，傳訓千古。其次英雄失志，狂歌當泣，嬉笑怒罵，不過借來抒寫自己這一腔磈磊不平之氣，這是中等的了。還有一等的，無非說牝說牡，動人春興的。這樣小說世間極多，買者亦復不少。書賈借以覓利，觀者借以破愁，這是壞人心術的。

澹園主人《後三國石珠演義序》 歷觀古今傳奇樂府，未有不從死生榮辱悲歡離合中脫出者也。或爲忠孝所感，或爲風月所牽，或爲炎涼所發，或爲聲氣所生，皆翰墨游戲，隨興所之，使讀者既喜既憐而欲歌欲哭者比比然矣。

張竹坡《批評第一奇書金瓶梅讀法》 作小說者，概不留名，以其各有寓意，或暗指某人而作。夫作者既用隱惡揚善之筆，不存其人之姓名，并不露自己之姓名，乃後人必欲爲之尋端竟委，說出名姓，何哉？何其刻薄爲懷也！且傳聞之說，大都穿鑿，不可深信。總之，作者無感慨亦必不著書，一言盡之矣。其所欲說之人，即現在其書內。彼有感慨者，反不忍明言；我沒感慨者，反必欲指出，眞沒搭撒，沒要緊也。故別號東樓，小名慶兒之說概置不問，即作書之人，亦止以作者稱之，彼既不著名於書，予何多贅哉？

劉廷璣《女仙外史》卷首《在園品題》 常讀《明史》至遜國靖難之際，不禁泫然流涕。故夫忠臣義士與孝子烈媛，湮滅無聞者，思所以表彰之；其奸邪叛道者，想所以黜罰之，以自釋其胸懷之哽噎。

孟芥舟等《女仙外史回評》 在園曰：余嘗觀歷代衍義諸書，凡攻城拔國，覆軍破壘，皆出於定算之中，而不能變易於定算之外，勢固有所不能也。《外史》不然，偏於定算垂成之際，別又變出一局，駭人心眼。成功則同，而始之方略，有大相殊異者，文心至此，卽鬼神亦莫測其幾微矣。碩人曰：攻城用內應之策，諸書皆有之，《外史》則一變而奇，而奇且幻焉【略】如此變化奇幻之事，謂出於兩軍師之意外乎，蓋作者之文心，特出於天下才子之意外爾。

陳忱《水滸後傳原序》　蘇端明云「我文如萬斛泉」，是也。《水滸》更似之。其序英雄，舉事實，有排山倒海之勢；曲畫細微，亦見安瀾文漪之容。故垂四百餘年，耳目常新，流覽不廢。若近世之稗官野乘，黃茅白草，一覽而盡，不可咀嚼。豈意復有後傳，機局更翻，章句不襲，大而圖王定霸，小而巷事里談，文人之舌，慧而不窮；世道之隆替，人心之險易，靡不各極其致；繪雲漢覺熱，圖峨嵋則寒，非一味銅將軍、鐵綽板，提唱梁山泊人物已也！嗟呼！我知古宋遺民之心矣。窮愁潦倒，滿腹牢騷，胸中塊磊，無酒可澆，故藉此殘局而著成之也。然肝腸如雪，意氣如雲，秉志忠貞，不甘阿附；傲嫚寓謙和，隱諷兼規正，名言成串，觸處爲奇，又非漫然如許伯哭世，劉四罵人而已。昔人云：《南華》是一部怒書，《西廂》是一部想書，《楞嚴》是一部悟書，《離騷》是一部哀書。今觀後傳之羣雄激變而起，是得《南華》之怒；婦女之含愁斂怨，是得《西廂》之想；中原陸沉，海外流放，是得《離騷》之哀；牡蠣灘、丹霞宮之警喻，是得《楞嚴》之悟。不謂是傳而兼四大奇書之長也！

又《水滸後傳論略》　《水滸》，憤書也。宋鼎既遷，高賢遺老，實切於中，假宋江之縱橫，而成此書，蓋多寓言也。憤大臣之覆餗，而許宋江之忠；憤羣工之陰狡，而許宋江之義；憤世風之貪，而許宋江之疏財；憤人情之悍，而許宋江之謙和；憤強鄰之啓疆，而許宋江之征遼；憤潢池之弄兵，而許宋江之滅方臘也。後傳爲泄憤之書：憤宋江之忠義，而見鴆于奸黨，故復聚餘人，而救駕立功，開基創業；憤六賊之誤國，而加之以流貶誅戮；憤諸貴幸之全身遠害，而特表草野孤臣，重圍冒險；憤宦官之嚼民飽壑，而故使其傾倒宦囊，倍償民利；憤釋道之淫奢誑誕，而有萬慶寺之燒，還道村之斬也。

蔡元放《評刻水滸後傳序》　太上立德，其次立功，其次立言。斯三者，皆亘古而不朽者也。夫立德者，聖賢之事也；立功者，英雄豪傑之事也，其爲難能而所貴固無量矣。至于立言，則不過文人學士之事，何以與德、功並立而爲三耶？苟非以德之與功，惠澤在于一時。橫而論之，近則數里數十里，遠亦不過數百里數千里；縱而論之，近則在數年數十年，遠亦不過數百年而止耳。若夫橫則天下之大，數萬里之遙，縱則數世數十世數百世之久，非言其曷能不朽耶？卽立德立功，非藉言以傳之，後人亦曷從而知之志之耶？則立言者，誠爲重大之所寄，非僅文字之長也。【略】故以太史公之才，爲史家之祖，而爲游俠貨殖立傳，後之人猶且訾之，獨奈何而取綠林暴客御人奪貨之行而傳之耶！如《水滸》前傳之述宋江等一百八人之事，已不可測；今玆之《水滸後傳》，獨奈何又取其殘剩諸人而鋪張揚厲之，不亦效尤而罪又甚焉者乎？而抑知其殊不然也。善讀書者，必有以深窺乎作者之用心，而後不負乎其立言之本趣。

曹雪芹《紅樓夢凡例》　此書不敢干涉朝廷，凡有不得不用朝政者，只略用一筆帶出，蓋實不敢以寫兒女之筆墨，唐突朝廷之上也。也不得謂其不備。此書開卷第一回也，作者自云，因曾歷過一番夢幻之後，故將眞事隱去，而撰此《石頭記》一書也，故曰「甄士隱夢幻識通靈」。但書中所記何事，又因何而撰是書哉？自云：今風塵碌碌，一事無成，忽念及當日所有之女子，一一細推了去，覺其行止見識，皆出于我之上，何堂堂之鬚眉，誠不若彼一干裙釵，實愧則有餘，悔則無益之大無可奈何之日也。當此時則自欲將已往所賴，上賴天恩，下承祖德，錦衣紈袴之時，飫甘饜美之日，背父母教育之恩，負師兄規訓之德，已致今日一事無成，半生潦倒之罪，編述一記，以告普天下人。雖我之罪，固不能免，然閨閣中本自歷歷有人，萬不可因我不肖，則一併使其泯滅也。雖今日之茆椽蓬牖，瓦竈繩床，其風晨月夕，堦柳庭花，亦未有傷于我之襟懷筆墨者，何爲不用假語村言，敷演出一段故事來，以悅人之耳目哉？故曰「風塵懷閨秀」，乃是第一回題綱正義也。開卷卽云「風塵懷閨秀」，則知作者本意，原爲記述當日閨友閨情，並非怨世罵時之書矣。雖一時有涉于世態，然亦不得不敘者，但非其本旨耳。

余集《聊齋誌異序》　乙酉三月，山左趙公奉命守睦州，余假館於郡齋。太守公出淄川蒲柳泉先生《聊齋誌異》，請予審定而付之梓。嚴陵環郡皆崇山，郡齋又多古木奇石。時當秋飆怒號，景物睄霏，狐鼠晝跳，梟獍夜嗥，把卷坐斗室中，青燈睒睒，已不待展讀，而陰森之氣，逼人毛髮。嗚呼，同在光天化日之中，而胡乃沉冥抑塞，託志幽遐，至于此極！余蓋卒讀之而悄然有以悲先生之志矣。按縣誌稱先生少負異才，以氣節自矜，落落不偶，卒困于經生以終。平生奇氣，無所宣洩，悉寄之於書。故所載多涉諔詭荒忽不經之事，至于驚世駭俗，而卒不顧。嗟夫！世固有服聲被色，儼然人類；叩其所藏，有鬼蜮之不足比，而豺虎之難與方者。下堂見蠆，出門觸蠭，紛紛沓沓，莫可窮詰。惜無禹鼎鑄其情狀，鐲鏤決其陰霾，不得已而涉想於杳冥荒怪之域，以爲異類有情，或者尚堪晤對；鬼謀雖遠，庶其警彼貪淫。嗚呼！先生之志荒，而先生之心苦矣！昔者三閭被放，彷徨山澤，經歷陵廟，呵壁問天，神靈怪物，琦瑋僪佹，以洩憤懣，抒寫愁思。釋氏憫衆生之顚倒，借因果爲筏喻，刀山劍樹，牛鬼蛇神，罔非說法，開覺有情。然則是書之恍惚幻妄，光怪陸離，皆其微旨所存，殆以三閭侘傺之思，寓化人解脱之意歟？使第以媲美《齊諧》，希蹤述異相詫嫩，此井蠡之見，固大盭於作者；亦豈太守公傳刻之深心哉！夫易筮載鬼，傳紀降神，妖祥災異，炳于經籍。天地至大，無所不有；小儒視不越几席之外，履不出里巷之中，非以情揣，即以理格，是沾沾者又甚於井蠡之見也。太守公曰：「子之說，可以傳先生矣。」

閒齋老人《儒林外史序》 稗官爲史之支流，善讀稗官者，可進于史，故其爲書，亦必善善惡惡，俾讀者有所觀感戒懼，而風俗人心，庶以維持不壞也。《西游》元虛荒渺，論者謂爲談道之書，所云意馬心猿，金公木母，大抵心即是佛之旨，予弗敢知；《三國》不盡合正史，而就中魏晉代禪，依樣葫蘆，天道循環，可爲纂弑者鑒。其他蜀與吳所以廢興存亡之故，亦具可發人深省，予何敢厚非？至《水滸》、《金瓶梅》，誨盜誨淫，久干例禁，乃言者津津夸其章法之奇，用筆之妙，且謂其摹寫人物事故，即家常日用米鹽瑣屑，皆各窮神盡相，畫工化工合爲一手，從來稗官無有出其右者。嗚呼！其未見《儒林外史》一書乎？夫曰「外史」，原不自居正史之列也；曰「儒林」，迥異元虛荒渺之談也。其書以功名富貴爲一篇之骨：有心艷功名富貴而媚人下人者；有倚仗功名富貴而驕人傲人者；有假托無意功名富貴自以爲高被人看破耻笑者，終乃以辭卻功名富貴、品地最上一層，爲中流砥柱。篇中所載之人不可枚舉，而其人之性情心術，一一活現紙上。讀之者，無論是何人品，無不可取以自鏡。傳云：「善者，感發人之善心；惡者，懲創人之逸志。」是書有焉。甚矣！有《水滸》、《金瓶梅》之筆之才，而非若《水滸》、《金瓶梅》之致爲風俗人心之害也！則與其讀《水滸》、《金瓶梅》，無寧讀《儒林外史》。世有善讀稗官者，當不河漢予言也夫！

無名氏《卧閒草堂本儒林外史回評》（第二回） 「功名富貴」四字，是此書之大主腦，作者不惜千變萬化以寫之。起首不寫王侯將相，卻先寫一夏總甲。夫總甲是何功名？是何富貴？而彼意氣揚揚，欣然自得，頗有「官到尚書吏到都」的景象。牟尼之所謂「三千大千世界」，莊子所謂「朝菌不知晦朔，蟪蛄不知春秋也」。文筆之妙乃至于此。

盛時彦《姑妄聽之跋》 時彦嘗謂先生之書，雖托之小說，而義存勸戒，無一非典型之言，此天下之所知也。至于辨析名理，妙極精微，引據古義，具有根柢，則學問見焉。叙述剪裁，貫穿映帶，如雲容水態，迥出天機，則文章亦見焉。讀者或未必盡知也，第曰：「先生出其餘技，以筆墨游戲耳。」然則視先生之書，去小說幾何哉？夫著書必取鎔經義，而後宗旨正；必參酌史裁，而後條理明；必博涉諸子百家，而後變化盡。譬大匠之造宮室，千楹廣廈，與數椽小築，其結構一也。故不明著書之理者，雖詁經評史，不雜則陋；明著書之理者，雖稗官脞記，亦具有體例。先生嘗曰：「《聊齋志異》盛行一時，然才子之筆，非著書者之筆也。虞初以下，干寶以上，古書多佚矣。其可見完帙者，劉敬叔《異苑》、陶潛《續搜神記》，小說類也；《飛燕外傳》、《會眞記》，傳記類也。《太平廣記》，事以類聚，故可并收。今一書而兼二體，所未解也。小說既述見聞，即屬叙事，不比戲場關目，隨意裝點。伶元之傳，得諸樊懋，故猥瑣具詳；元稹之記，出于自述，故約略梗概。楊升庵僞撰《秘辛》，尚知此意，升庵多見古書故也。今燕昵之詞，媟狎之態，細微曲折，摹繪如生，使出自言，似無此理；使出作者代言，則何從而聞見之？又所未解也。留仙之才，余誠莫逮其萬一，惟此二事，則夏蟲不免疑冰。劉舍人云：『滔滔前世，既洗予聞；渺渺來修，諒塵彼觀。』心知其意，儻有人乎？」

王希濂《紅樓夢批序》 《南華經》曰：「大言炎炎，小言詹詹。」仁義道德，羽翼經史，言之大者也；詩賦歌詞，藝術稗官，言之小者也。言而至於小說，其小之尤小者乎？士君子上不能立德，次不能立功立言，以共垂不朽，而戔戔焉小說之是講，不亦鄙且陋哉！雖然，物從其類，嗜有不同，麋鹿食薦，蝍蛆甘帶；其視薦、帶之味，固不異於粱肉也。余菽、麥不分，之、無僅識，人之小而尤小者也。以最小之人，見至小之書，猶麋鹿、蝍蛆適與薦、帶相值也。則余之於《紅樓夢》，愛而讀之，讀之而批之，固有情不自禁者矣。客有笑於側者曰：「子以《紅樓夢》爲小說耶？夫福善禍淫，神之司也，勸善懲惡，聖人之教也。《紅樓夢》雖小說，而善惡報施，勸懲垂誡，通其說者，且與神聖同功，而子以其言爲小，何徇其名，而不究其實也？」余曰：「客亦知夫天與海乎？以管窺天，管內之天，卽管外之天也；以蠡測海，蠡中之海，卽蠡外之海也。謂之無所見，可乎？謂所見之非天、海可乎？並不得謂管、蠡內之天、海，別一小天、海，而管、蠡外之天、海，又一大天、海也。道一而已，語小莫破，卽語大莫載；語有大小，非道有大小也。《紅樓夢》作者既自命爲小說，吾亦小之云爾。若夫禍福自召，勸懲示儆，余於批本中已反覆言之矣。」客無以難，曰：「子言是也。」卽取副本藏之而去。

惺園退士《儒林外史序》 士人束髮受書，經史子集，浩如烟海，博觀約取，曾有幾人？惟稗官野乘，往往愛不釋手。其結構之佳者，忠孝節義，聲情激越，可師可敬，可歌可泣，頗足興起百世觀感之心；而描寫奸佞，人人吐駡，視經籍牖人爲尤捷焉；至或命意荒謬，用筆散漫，街談巷語，不善點化，斯亦不足觀也已！

夢覺主人《紅樓夢序》 今夫《紅樓夢》之書，立意以賈氏爲主，甄姓爲賓，明矣，眞少而假多也。假多卽幻，幻卽是夢。書之奚究其眞假，惟取乎事之近理，詞無妄誕，說夢豈無荒誕，乃幻中有情，情中有幻是也。

邱登《紅樓夢論贊序》 天地是一情氣結成，日月星辰山川動植是一情象孕成，古今上下是一情界合成。豎儒罔識情之爲用，徒以經濟文章爲眞，而以風花雪月爲假，庸詎知天地之風花雪月卽天地之經濟文章，人世之經濟文章卽人世之風花雪月，一而二，二而一，認眞認假，人自豐其蔀耳！然情不可滯，亦情不可流，作書者亦憂之不得已，於情界中設一上天下地未有之人，撰一上天下地未有之文，而欲於情字極其奇，遂不嫌於情字幻其想，而《紅樓夢》以作。乃讀是書者遍天下矣，而其用情之微，卒無人窺焉者。

張書紳《新說西游記自序》 此書由來已久，讀者茫然不知其旨。雖有數家批評，或以爲講禪，或以爲談道，更又以爲金丹採煉，多捕風捉影，究非《西遊》之正旨。將古人如許之奇文，無邊之妙旨，有根有據之學，更目爲荒唐無益之談，良可嘆也。予欲以數月之暇，注明旨趣，破其迷罔，喚醒將來之學者，此亦往者不可惜，來者猶可追也，不知有當否？

王韜《新說西游記圖像序》 《西遊記》一書，出悟一子乎？專在養性修眞，煉成內丹，以證大道而登仙籍。所歷三災八難，無非外魔。其足以召外魔者，由於六賊；其足以制六賊者，一心而已。一切魔劫由心生，卽由心滅，此其全書之大旨也。唐三藏玄奘法師取經西域，實有其事。此貞觀三年仲秋朔旦，褰裳遵路，杖錫遙征，既得經象，薄言旋軔。以十九年春正月，達於京邑，謁帝洛陽，曾譯《大唐西域記》十二卷，經歷一百三十八國，多述佛典因果之事。今以新、舊《唐書》核之，所序諸國皆所不載。蓋史所錄者，朝貢之邦。記所言者，經行之地也。記中於俗尙土風民情物產，概在所略。惟是侈陳靈怪，誕漫無稽，儒者病之。後世《西遊記》之作，並不以此爲藍本。所歷諸國，亦無一同者。卽山川道里，亦復各異。誠以作者惟憑意造，自有心得。其所述神仙鬼怪，變幻奇詭，光怪陸離，殊出於見見聞聞之外，伯益所不能窮，夷堅所不能志，能於山經海錄中，別樹一幟，一若宇宙間，自有此種異事。俗語不實，流爲丹青，至今膾炙人口。演說者又爲之推波助瀾，於是人人心中皆有孫悟空在，世俗無知至有爲之立廟者。而鬬戰勝佛，固明明載於佛經也。不知齊諧志怪，多屬寓言。洞冥述奇，半皆臆創。莊周昔日以荒唐之詞鳴於楚，鯤鵬變化，椿靈老壽此等皆是也，《虞初》九百因之益廣已。

王國維《紅樓夢評論・紅樓夢之美學上之價值》 吾國人之精神，世間的也，樂天的也，故代表其精神之戲曲小說，無往而不著此樂天之色彩：始於悲者終於歡，始於離者終於合，始於困者終於亨。非是而欲饜閱者之心，難矣。若《牡丹亭》之返魂，《長生殿》之重圓，其最著之一例也。《西廂記》之以驚夢終也，未成之作也，此書若成，吾烏知其不爲《續西廂》之淺陋也？有《水滸傳》矣，曷爲而又有《蕩寇志》？有《桃花扇》矣，曷爲而又有《南桃花扇》？有《紅樓夢》矣，彼《紅樓復夢》、《補紅樓夢》、《續紅樓夢》者，曷爲而作也？又曷爲而有反對《紅樓夢》之《兒女英雄傳》？故吾國之文學中，其具厭世解脫之精神者，僅有《桃花扇》與《紅樓夢》耳。而《桃花扇》之解脫，非眞解脫也：滄桑之變，目擊之而身歷之，不能自悟，而悟於張道士之一言；且以歷數千里，冒不測之險，投縲紲之中，所索之女子，才得一面，而以道士之言，一朝而捨之，自非三尺童子，其誰信之哉？故《桃花扇》之解脫，他律的也；而《紅樓夢》之解脫，自律的也。且《桃花扇》之作者，但借侯、李之事，以寫故國之戚，而非以描寫人生爲事。故《桃花扇》，政治的也，國民的也，歷史的也；《紅樓夢》，哲學的也，宇宙的也，文學的也。此《紅樓夢》之所以大背於吾國人之精神，而其價值亦即存乎此。彼《南桃花扇》、《紅樓復夢》等，正代表吾國人樂天之精神者也。

邱煒萲《菽園贅談·小說》 小說家言，必以紀實研理，足資考核爲正宗。其餘談狐說鬼，言情道俗，不過取備消閑，猶賢博弈而已，固未可與紀實研理者絜長而較短也。

卧虎浪士《女媧石叙》 我國山河秀麗，富於柔美之觀，人民思想，多以婦女爲中心。故社會改革，以男子難，而以婦女易。婦女一變，而全國皆變矣。雖然，欲求婦女之改革，則不得不輸其武俠之思想，增其最新之智識。此二者皆小說操其能事，而以戲曲歌本爲之後殿，庶幾其普及乎？今我之小說，對於我國之婦女者有二，對于世界者有二：一、我國婦女富於想像力、富於感化力。一、我國上等社會女權最重。是二者皆於國民有絕大之關係。今我國女學未興，家庭腐敗，凡百男子，皆爲之鉗制，爲之束縛。即其顯者言之，今之梗阻廢科舉，必欲復八股者，皆強半婦女之感念也。此等波及於政治界者，何可勝數？外則如改易服制，我國所萬不能。其不能之故，則又婦女握其權也。況乎家庭教育不興，未來之腐敗國民，又製造於婦女之手。此其間非蕩掃而廓清之，我國進化之前途可想像乎？對於世界者何？曰：今世界之教育經濟，皆女子占其優勢。各國婦女勢力，方膨脹於政治界，而我國之太太小姐，此時亦不可不出現於世。各國革命變法，皆有婦女一席。我國今日，亦不可不有陰性之干預。是二者，則以世界之觀感，而密接于我國家。我國今日之國民，方爲幼稚時代；則我國今日之國女，亦不得不爲誕生時代。誕生之，阿保之，壯大而成立之，則又女教育家、小說家操其能事也。

漱石生《苦社會序》 小說之作，不難於詳叙事實，難於感發人心；不難於感發人心，難於使感發之人讀其書不啻身歷其境，親見夫抑鬱不平之事，流離無告之人，而爲之掩卷長思，廢書浩嘆者也。

《新小說》第十三號曼殊《小說論叢》 小說者「今社會」之見本也。無論何種小說，其思想總不能出當時社會之範圍，此殆如形之於模，影之於物矣。雖證諸他邦，亦罔不如是。即如所謂某某未來記、某星想游記之類，在外國近時之小說界中，此等書殆不少。驟見之，莫不以爲此中所言，乃世界外之世界也，脫離今時社會之範圍者也。及細讀之，只見其所持以別善惡、決是非者，皆今人之思想也。豈今人之思想，遂可以爲善惡是非之繩墨乎？遂可以爲世界進步之極軌乎？毋亦以作者爲今人已耳。如《聊齋》之□□，以醜者占全社會之上流，而美者下之。觀其表面，似出乎今社會之範圍矣。雖然，該作者并未嘗表同情於彼族也，其意只有代某生抱不平，且借此，以譏小人在位之意而已，總不能出乎世俗之思想也。近來新學界中之小說家，每見其所以歌頌其前輩之功德者，輒曰：「有導人游於他境界之能力。」然不知其先輩從未有一人能自游於他界者也。豈吾人之根性太綿薄，嘗爲今社會所囿，而不能解脫乎？雖然，苟著者非如此，則其所著亦必不能得社會之歡迎也。今之痛祖國社會之腐敗者，每歸罪於吾國無佳小說，其果今之惡社會爲劣小說之果乎？抑劣社會爲惡小說之因乎？欲覘一國之風俗，及國民之程度，與夫社會風潮之所趨，莫確於小說。蓋小說者，乃民族最精確、最公平之調查錄也。吾嘗讀吾國之小說，吾每見其寫婦人眼裏之美男兒，必曰「面如冠玉，唇若塗脂」，此殆小說家之萬口同聲者也。吾國民之以文弱聞，於此可見矣。吾嘗讀德國之小說，吾每見其寫婦人眼裏之美男兒，輒曰「鬚髮蒙茸，金鈕閃爍」。蓋金鈕云者，乃軍人之服式也。觀於此，則其國民之尙武精神可見矣。此非徒德國爲然也，凡歐洲各國，「金鈕」兩字，幾成爲美少年之代名詞矣。蓋彼族婦女之所最愛而以爲最美觀者，乃服金鈕之男兒也。噫！民族之強弱，豈無因歟！寄語同胞中之欲改良社會之有心人，苟能於婦人之愛憎處以轉移之，其力量之大，較於每日下一明詔，且以富貴導其前，鼎鑊隨其後，殆尤過之。「天下無無婦人之小說」，此乃小說家之格言，然亦小說之公例也。故雖粗豪如《水滸》，作者猶不能不斜插潘金蓮、潘巧雲之兩大段以符此公例。即一百零八人之團體中，亦不能無扈、顧、孫之三人。吾初不信此公例，吾以爲此不過作者迎合時流，欲其書之廣銷而已，決非無婦人必不能得佳構也。其後聞偵探家之言曰：「凡奇案必與婦人有關涉。」乃始知小說之不能離婦人，實公例也。蓋偵探所查之案情，實事也；才子所作之小說，理想也。實事者，天演也；理想者，人演也。理想常在實事之範圍內，是則理想亦等於實事也。故案之奇者卽小說之佳本也，不奇者卽凡本也。以論理學演之，則天下之小說，有有婦人之凡本，然必無無婦人之佳本也。

《新小說》第十五號定一《小說論叢》 中國無科學小說，惟《鏡花緣》一書足以當之。其中所載醫方，皆發人之所未發，屢試屢效，浙人沈氏所刊《經驗方》一書，多採之。以吾度之，著者欲以之傳於後世，不作俗醫爲秘方之舉，故列入小說。小說有醫方，自《鏡花緣》始。以小說之醫方施人而足見效，尤爲亘古所未有也。雖然，著者豈僅精於醫理而已耳，且能除誨盜誨淫之習慣性，則又不啻足爲中國之科學小說，且實中國一切小說之錚錚者也。至其叙唐敖、林之洋、多九公周游列國，則多以《山海經》爲本。中國人世界主義之智識素淺，固不足責。其述當時才女，字字飛躍紙上，使後世女子，可以聞鷄起舞，提倡女權，不遺餘力。若嘲世罵俗之快文，可爲社會一切之圭臬者，更指不勝屈。由是言之，著者實一非常人也，用心之苦，可慨已，惜其名不彰。或問於予曰：「有說部書名《水滸》者，人以爲萑苻宵小傳奇之作，吾以爲此卽獨立自強而倡民主、民權之萌芽也。何以言之？其書中云，旗上書『替天行道』，又書於其堂曰『忠義堂』，以是言之耳。雖然，欲倡民主，何以不言『替民行道』也？」不知「民，天之子也」，故《書》曰：「天聽自我民聽，天視自我民視。」《水滸》諸豪，其亦知此理乎！或又曰：「替天行道，則吾既得聞命矣；叛宋而自立，豈得謂之忠乎？不忠矣，豈得謂之義乎？」雖然，君知其一，不知其二。有忠君者，有忠民者。忠君者據亂之時代也，忠民者大同之時代也。忠其君而不忠其民，又豈得謂之忠乎？吾觀《水滸》諸豪，尚不拘於世俗，而獨倡民主、民權之萌芽，使後世倡其說者，可援《水滸》以爲證，豈不謂之智乎？吾特悲世之不明斯義，污爲大逆不道。噫！誠草澤之不若也(是段系辛丑作)。施耐庵之著《水滸》，實具有二種主義。一卽上所言者，一因外族闖入中原，痛切陸沉之禍，借宋江之事，而演爲一百零八人。以雄大筆，作壯偉文，鼓吹武德，提振俠風，以爲排外之起點。叙之過激，故不悟者，誤用爲作強盜之雛形，使世人謂爲誨盜之書，實《水滸》之不幸耳。晚近士人皆知小說爲改良社會之不二法門，自《新小說》出，而復有《新新小說》踵起，今復有《小說林》之設。故滬濱所發行者，前後不下數百種。然譯述者又占多數，若出自著撰者，則以《自由結婚》及《女媧石》二書，吾尤好之。前者以嘲世爲主義，固多趣味；而後者以暗殺爲目的，尤有精神。中國之小說皆能如是，則中國之社會必日益進步矣。其書均未竟，使閱者未能窺全豹。吾願二書續編早出現，吾尤願中國之小說家早出現。吾將拭目以俟，翹足以待焉。中國小說，起於宋朝，因太平無事，日進一佳話，其性質原爲娛樂計，故致爲君子所輕視，良有以也。今日改良小說，必先更其目的，以爲社會圭臬，爲旨方妙。抑又思之，中國小說之不發達，猶有一因，卽喜錄陳言，故看一二部，其他可類推，以至終無進步，可慨可慨！然補救之方，必自輸入政治小說、偵探小說、科學小說始。蓋中國小說中，全無此三者性質，而此三者，尤爲小說全體之關鍵也。若以西例律我國小說，實僅可謂有歷史小說而已。卽或有之，然其性質多不完全。寫情小說，中國雖多，乏點亦多。至若哲理小說，我國尤罕。吾意以爲哲理小說實與科學小說相轉移，互有關係：科學明，哲理必明；科學小說多，哲理小說亦隨之而夥。故中國小說界，僅有《水滸》、《西廂》、《紅樓》、《桃花扇》等一二書執牛耳，實小說界之大不幸也。自今以往，必須以普及一法，始可以去人人輕視小說之心(中國小說，非單簡的，所長實在此處)。

《新小說》第十七號浴血生《小說論叢》 中國女子，卑弱至極，志士痛之。近頃著書以提倡女權爲言者充棟，顧前數十年，誰敢先此發難？而《鏡花緣》獨能決突藩籬，爲女子一吐鬱勃，滔滔狂瀾，屹立孤柱，我不知作者當具何等魄力。惟其思想，則仍根於狀元宰相之陳腐舊套，未免憾事。然必執此以咎前數十年之作者，固苛論也。社會小說，愈含蓄而愈有味。讀《儒林外史》者，蓋無不嘆其用筆之妙，如神禹鑄鼎，魑魅魍魎，莫遁其形，然而作者固未嘗落一字褒貶也。今之社會小說夥矣，有同病焉，病在於盡。中國人之好鬼神，殆其天性，故語怪小說，勢力每居優勝。如荒誕無稽之《封神榜》，語其文，無足取也；徵其義，又無足取也。彼果以何價値，以何魔力，而能於此數百年之小說中，占一位置耶？

儒冠和尚《讀閨中劍書後》 爲是書也，將藉爲開發民智、挽救時弊、保存國粹之具，不欲資爲漁利之餌。而其用筆之靈捷，制局之細密，寫生之工緻，所謂妙手偶得，非其意之所在也。而不知者，猶以爲破佛欲以此區區小說自雄也，悲夫！

《中外小說林》第一年第十七期光翟《淫詞惑世與艷情感人之界綫》吾見今之所謂文人學士，其以文詞售世，而希望一般社會之歡迎者，大都揣摩時尚，以求合於庸耳俗目者爲多。其上者，則駢四儷六、嫣紅姹紫，不惜以閨房穢語，爲取媚見長之具；而其下焉者，則甚而講嫖經，譜俚曲，以求快一時之筆趣。傷風敗俗，識者誚焉。及閑披稗史，搜考詞章，見夫群奉爲才人得意之書說者，其運筆寄意，或寫名士之風流，或繪美人之婉攣；時而歡懷雅遇，性眞流露於無形；時而哀感濃艷，心事發揚於不覺。夫非猶是香奩之神韻哉？而後之讀者，不惟不以傷風敗俗誚之，且又從而神聖之、圭璧之，尊之曰某才子，重之曰某奇傳。是非後人之故顛倒其識見，雌黄其品題也，夫亦曰淫詞之與艷情，如工商之異曲，涇渭之殊流耳。是烏可不辨別其界綫？淫詞淫畫，爲各國文明法律之所厲禁，蓋防微杜漸之要義，當亦稍解文律者之所公認。要究其所以圍範之本旨，誠懼乎淫泆之諧謔，初亦不過含沙射影，海市蜃樓，引爲酒談茶話之資柄，而其人之程度未足者，勢必視空中結構，偎紅傍紫，爲莫大之賞心樂事，炫暈其眼簾，驚動其耳鼓，而人心之患，風俗之憂，遂大惑而不可解。嗚呼！由此以往，將有誤會淫詞之色相，而信爲艷情之極韻者。彼又烏知所謂艷情云者？無論其爲國家之大事也，個人之私情也，即極之愷切其情緣，柔妮其情態，備人間不可思議之密切關係，究莫不範以用情之道，而迴非無意識之舉動，可得而倫比。《詩》首《關雎》，樂而不淫，即是之謂。準此，則知淫詞之與艷情，差之毫釐，謬以千里，界綫之所由判也。質而言之，同一事也，穿鑿其附會，與因緣其寄托，而用意爲不同矣；同一書也，蕩泆其文藻，與婉肖其機致，而立論又不同矣。斯二者，其表面猶是也，其精神則各有所屬也，抑亦類而不類之概則矣。吾且即斯二者，分而析之，渾而言之，以爲天下之調弄其文墨者告。《肉蒲團》也，《桃花影》也，固吾國人之無男無女，無長無幼，而衆口一辭，斥爲淫書者也，然細審其中佈局之條理，報應之結局，如西門慶、封悅生等等人格，何嘗不各如其人之末路蹉跎，隱示戒懲之意？是殆不能以淫字爲唯一之譏評也，亦可明矣。雖然，以淫導世，固非著書者之本心，第其書詞之所鋪叙，於每回中繪寫妖艷之淫態，所謂無遮大會戲叔種種怪狀，口所弗能道者，偏假諸筆墨，盡態極妍，使後生小子，情竇初辟之人，一寓目于其間，眉飛而色舞，心醉而神炫。以是爲風情之跌宕，而不知閱者腦部中，已飽受淫孽之浸灌矣。求其神經淡定，讀是書而不爲所惑者，能有幾人哉？故吾謂《肉蒲團》、《桃花影》諸書，非不可讀，而要不可決其非淫書，而信爲盡人之皆可讀也。舉一《肉蒲團》、《桃花影》，而凡比例於《肉蒲團》、《桃花影》者，當莫不如是矣。此其所以異於艷情也。至如《西廂記》者，吾國舊社會稱爲「六才子書」也。其内容也，張君瑞之奇遇，崔鶯鶯之多情，紅娘之機警，可稱三絶矣。然其詞筆之柔媚，每一歌曲，令人魂夢欲倒，故不善讀《西廂》者，亦必以淫書目之；而文人慧眼，反不以爲淫書者，蓋詞主媚而不主莊。即其愛情之輸灌，非深植情根者，固未足以體認而入微也。金人瑞批《西廂》之言曰：「淫者見之謂之淫，貞者見之謂之貞。」是《西廂》者，誠貞而不淫者也。吾聞日本小學，有以《西廂記》爲教科講義者，夫豈惟其艷詞華麗可愛哉？則亦以其艷情肫摯，而足以鑰人之性靈耳。此又艷情之迴與淫詞相反者也。淫詞也，艷情也，其界綫如此，則讀書者對於斯二者之界綫，亦可大白矣。然執此目的，以顯示二者之區別，論理所在，既不能混淫詞而以艷情珍之，亦弗能混艷情而以淫詞毁之也。井蛙不可語晦，夏蟲不可語冰，其界綫使然也。雖然，事界疑似之間，讀小說者，苟未能剖白其命意之所在，不無種種之疑團。秉蘭贈芍，孔子何以不删其詩？是不以爲淫詞，而直以艷情視之矣。本此問題，引而作一反比例：則凡有涉於艷情，如上文所言《西廂》等等演義傳記，又何不可以淫詞視之耶？此無他，其詞之過於褻瀆者，固人所共見，而亦必視其注意之主腦，而自見其果淫果艷之與否也，斯其作書之大義哉。讀者愈可了然矣。

《小說月報》第三卷第五、第七至十一號管達如《說小說》耳有聞，目有見，身有所觸，則心有所知；有所知，則有所同異，有所欣厭，是之謂世界。世界者，事實界也。有所同異，則有所謂是非；有所欣厭，則有所欲去就，是之謂法界。法界者，理想界也。理想界之理想，其後恆成爲事實界之事實。且自廣義言之，理想者，亦事實界中之一種事實；事實者，亦理想界中之一種理想耳。故理想與事實不可分。今欲問所謂世界者，果存在於吾人理想中之一物，除卻吾人之理想，實際遂無所謂世界耶？抑所謂世界者，實有其物，而吾人之理想，曾不能出於此世界之外者邪？此則非吾人之所能知。吾人之所能知者，謂就吾人認識力之所及，確有所謂世界，而吾人之思想又確有時能超出於此世界之外而已。人類之活動，有時受支配於天然者；

又有時能以自主之力，自營活動，支配天然者。此等能支配天然之活動，謂之自由活動。自廣義言之，則自由活動，亦一種受支配於天然之活動而已。然其以受支配於天然故而活動，及其以支配天然爲目的故而活動，其活動終不能不謂之有別也。動物之所以高於植物，人類之所以高於他種動物者，即以此等活動之有無多寡爲斷。蓋植物無自由活動，而動物有之；動物之自由活動，其範圍狹，人類之自由活動，其範圍廣也。夫同一運動也，何以區別其爲自由與否？則以其有無自由思想爲斷。所謂自由思想者，則謂吾人於認識現世界以外，更能超出於現世界而爲思想之精神之力也，若是則自由思想者，乃自由活動之前驅，而亦即人類高於他動物之根本的原因矣。何謂超出於現世界之外而爲思想？如人類之形質，不能離地心吸力也，而理想界則有所謂仙，居於空虛之中；人類之耳目除實物有形質者外，不能有所聞見也，而理想界則有所謂鬼神，界於若有形質若無形質之間。事物界不能有絕對之快樂也，而理想界可以有之；事實界不能有絕對之苦痛也，而理想界亦可以有之。要之，凡有一事實，即有一超乎事實之外之理想與之俱存，如響隨聲，如形有影，常相伴隨，無或差忒。夫事實之所以能成爲事實者，以其存於衆人意識區域內者皆同故也。而理想之爲理想，其存於衆人意識區域內者亦皆同。然則雖欲指理想爲空虛無據之物焉，不可得已。人類既有此理想，則必有所以發表之者，其所以發表之之具，則小説是已。蓋如前所云，則自然界之事實有二：一事實界之事實，一理想界之事實。事實界之事實，人類形體之所觸接者是已；理想界之事實，人類精神之所構造者是已。一切書籍皆所以記載事實界之事實，小説則所以記載理想界之事實者也。

結　構

金聖歎《讀第五才子書法》《西游》又太無脚地了，只是逐段捏捏撮撮，譬如大年夜放烟火，一陣一陣過，中間全沒貫串，便使人讀之，處處可住。凡人讀一部書，須要把眼光放得長。如《水滸傳》七十回，只用一目俱下，便知其二千餘紙，只是一篇文字。中間許多事體，便是文字起承轉合之法。若是拖長看去，卻都不見。某嘗道《水滸》勝似《史記》，人都不肯信。殊不知某卻不是亂説。其實《史記》是以文運事，《水滸》是因文生事。以文運事是先有事生成如此如此，卻要算計出一篇文字來，雖是史公高才，也畢竟是吃苦事。因文生事卻不然，只是順着筆性去，削高補低都繇我。《水滸傳》一個人出來，分明便是一篇列傳，至於中間事迹，又逐段逐段自成文字。亦有兩三卷成一篇者，亦有五六句成一篇者。《水滸傳》章有章法，句有句法，字有字法。人家子弟稍識字，便當教令反覆細看。看得《水滸傳》出時，他書便如破竹。

又《第五才子書施耐庵水滸傳回評》古人著書，每每若干年布想，若干年儲才，又復若干年經營點竄，而後得脱於稿，裒然成爲一書也。今人不會看書，往往將書容易混帳看過，於是古人書中所有得意處，不得意處，轉筆處，難轉筆處，趁水生波處，翻空出奇處，不得不補處，不得不省處，順添在後處，倒插在前處，無數方法，無數筋節，悉付之於茫然不知，而僅僅粗記前後事迹，是否成敗，以助其酒前茶後雄譚快笑之旗鼓。嗚呼！《史記》稱五帝之文尚不雅馴，而爲薦紳之所難言，奈何乎今忽取綠林豪滑之事，而爲士君子之所雅言乎！吾特悲讀者之精神不生，將作者之意思盡沒，不知心苦，實負良工，故不辭不敏而有此批也。（楔子）【略】一部大書七十回，將寫一百八人也。乃開書未寫一百八人而先寫高俅者，蓋不寫高俅便寫一百八人，則是亂自下生也；不寫一百八人先寫高俅，則是亂自上作也。亂自下生不可訓也，作者之所必避也；亂自上作不可長也，作者之所深懼也。一部大書七十回而開書先寫高俅，有以也。（第一回）【略】一部書共計七十回，前後凡叙一百八人，而晁蓋則其提綱挈領之人也。晁蓋提綱挈領之人，則應下筆第一回便與先叙，先叙晁蓋已得停當，然後從而因事造景，次第叙出一百八個人來，此必然之事也。乃今上文已放去一十二回，到得晁蓋出名，書已在第十三回。我因是而想：有有全書在胸而始下筆著書者，有無全書在胸而姑涉筆成書者。如以晁蓋爲一部提綱挈領之人，而欲第一回便先叙起，此所謂無全書在胸而姑涉筆成書者也。若既已以晁蓋爲一部提綱挈領之人，而又不得不先放去一十二回，直至第十三回方與出名，此所謂有全書在胸而後下筆著書者也。夫欲有全書在胸而後下筆著書，此其以一部七十回一百有八人輪回擱疊於眉間心上，夫豈一朝一夕而已哉！觀鴛鴦而知金針，讀古今之書而能識其經營，予日欲得見斯人矣。（第十三回）【略】文章家有過枝接葉處，每每不得與前後大篇一樣出色，然其叙事潔淨，用筆明雅，亦殊未可忽也。譬諸游山者，游過一山又問一山，當斯之時，不無借徑於小橋、曲岸、淺水、平沙，然而前山未遠，魂魄方收，後山又來，耳目又費，則雖中間少有不稱，然正不致遂敗人意，又況其一橋一岸一水一沙，乃殊非七十回後一望荒屯絕徼之比，想復晚涼新浴，豈花棚下，搖蕉扇，說曲折，興復不淺也。（第三十二回）

毛宗崗《讀三國志法》《三國》一書乃文章之最妙者，叙三國不自三國始也。三國必有所自始，則始之以漢帝。叙三國不自三國終也，三國必有所自終，則終之以晉國，而不但此也。劉備以帝胄而纘統，則有宗室如劉表、劉璋、劉繇、劉辟等以陪之；曹操以強臣而專制，則有廢立如董卓，亂國如李傕、郭汜以陪之；孫權以方侯而分鼎，則有僭號如袁術，稱雄如袁紹，割據如呂布、公孫瓚、張揚、張邈、張魯、張繡等以陪之。劉備、曹操於第一回出名，而孫權則於第七回方出名；曹氏之定許都在第十一回，孫氏之定江東在第十二回，而劉氏之取西川，則在第六十回後。假令今人作稗官，欲平空擬一三國之事，勢必劈頭便叙三人，三人便各據一國，有能如是之繞乎其前、出乎其後，多方盤旋乎其左右者哉！古事所傳，天然有此等波瀾，天然有此等層折，以成絕世妙文，然則讀《三國志》一書，誠勝讀稗官萬萬耳。【略】《三國》一書，總起總結之中，又有六起六結。其叙獻帝，則以董卓廢立爲一起，以曹丕篡奪爲一結；其叙西蜀，則以成都稱帝爲一起，而以綿竹出降爲一結；其叙劉、關、張三人，則以桃園結義爲一起，而以白帝托孤爲一結；其叙諸葛亮，則以三顧草廬爲一起，而以六出祁山爲一結；其叙魏國，則以黃初改元爲一起，而以司馬受禪爲一結；其叙東吳，則以孫堅匿璽爲一起，而以孫皓銜璧爲一結。凡此數段文字，聯絡交互於其間，或此方起而彼已結，或此未結而彼又起，讀之不見其斷續之迹，而按之則自有章法之可知也。【略】《三國》一書，有首尾大照應，中間大關鎖處。如首卷以十常侍爲起，而末卷有劉禪之寵中貴以結之，又有孫皓之寵中貴以雙結之，此一大照應也。又如首卷以黃巾妖術爲起，而末卷有劉禪之信師婆以結之，又有孫皓之信術士以雙結之，此又一大照應也。照應既在首尾，而中間百餘回之內，若有無與前相後相關合者則不成章法矣。於是有伏完之托黃門寄書、孫亮之察黃門盜密以關合前後；又有李傕之喜女巫、張魯之用左道以關合前後；凡若此者，皆天造地設，以成全篇之結構者也。然猶不止此也。作者之意，自宦官妖術而外，尤重在嚴誅亂臣賊子以自附於春秋之義。故書中多錄討賊之忠，紀弑君之惡，而首篇之末，則終之以張飛之勃然欲殺董卓，末篇之末，則終之以孫皓之隱然欲殺賈充。由此觀之，雖曰演義，直可繼麟經而無愧耳。

孟芥舟等《女仙外史回評》第二十二回漁村曰：成祖屠戮忠臣，人多事繁，難分倫次。若爲逐一作傳，則事以人叙而明；或編年分書，則事以時叙而亦明；紀事本末，則彙集而分列之，茫不知其爲先爲後，只以備夫採擇耳。余觀《外史》，以如許之人如許之事，條分縷析，合成一局，若梭之貫絲，有緯有經，與之輳輻，有枘有鑿，此能脫化於《史記》之外，而陶熔於《史記》之內者。更將鐵、景二公另作一卷，尤爲手眼卓越，嘆服嘆服。【略】第二十七回王竹村曰：小說家亦偶有叙及兩處同日事發者，多不能措手，只以止有一枝筆，卻無兩張口，文飾完局，到相接處，顯然露出笋痕來。余看《外史》取青取萊，卽同一日，而刹魔與鬼尊下降，又與兩軍接戰同時。如此紛紜，偏能堂堂叙去，另起頭腦，至其綰合，則有靈脈貫通，出自天然，始知才之相越，豈僅什伯已哉！【略】第四十二回又航曰：余觀小說家，一回止叙一事，如獨繭抽絲，便自容易。若一回而兩三事，或三四事，則頭緒繁多，如集錦刺繡，非靈心巧手，不能萃而成文，然究竟難掩千金針之迹，此則一回而連及數事，渾然如無縫天衣，余安能量作者之才乎！

無名氏《卧閒草堂本儒林外史回評》祭泰伯祠是書中第一個大結束。凡作一部大書，如匠石之營宮室，必先具結構於胸中，孰爲廳堂，孰爲卧室，孰爲書齋竈廄，一一布置停當，然後可以興工。此書之祭泰伯祠，是宮室中之廳堂也。從開卷歷歷落落寫諸名士，寫到虞博士，是其結穴處，故祭泰伯祠亦是其結穴處，譬如珉山導江，至敷淺原是大總匯處，以下，又迤邐而入於海。書中之有泰伯祠，猶之乎江漢之有敷淺原也。（第三十三回）

月岩《孝義雪月梅傳回評》此一回叙弟妹相逢，各訴所歷，看來原可平鋪直叙，殊不知其中頭路紛繁，問答不一，雖易實難。今看他歷叙各人情節，先後貫通，絲毫不漏，洵是妙筆。末後雪姐到家一段，更覺婉麗鮮新。至於開吊行殯，事事細緻，筆筆周到，總緣作者胸中自有別才，故能諸事詳悉。鏡湖眞是第一通人。（第二十二回）【略】此回是《雪月梅》大結局，正如萬水朝宗，千絲成錦，人鬼一齊收拾，其中追叙往事，至封贈團圓，心細如髮，無一筆滲漏，慘淡經營，至此極矣。吾輩按頭當各陳一部題曰《鏡湖才子

書》，方可爲此書知己。（第五十回）

花也憐儂《海上花列傳例言》全書筆法自謂從《儒林外史》脱化出來，惟穿插藏閃之法則爲從來説部所未有。一波未平，一波又起，或竟接連起十餘波。忽東忽西，忽南忽北，隨手叙來，並無一事完全，并無一絲挂漏。閲之覺其背面無文字處尚有許多文字，雖未明明叙出，而可以意會得之。此穿插之法也。劈空而來，使閲者茫然不解其如何緣故，急欲觀後文，而後文又捨而叙他事矣；及他事叙畢，再叙明其緣故，而其緣故仍未盡明，直至全體盡露，乃知前文所叙并無半個閑字。此藏閃之法也。此書正面文章如是如是，尚有一半反面文章，藏在字句之間，令人意會，直須閲至數十回後方能明白。恐閲者急不及得，特先指出一二。如寫王阿二時，處處有一張小村在内；寫沈小紅時，處處有一小柳兒在内；寫黄翠鳳時，處處有一錢子剛在内。此外每出一人，即核定其生平事實，句句照應，並無落空。閲者細會自知。【略】或謂書中專叙妓家，不及他事，未免令閲者生厭否？僕謂不然。小説作法與制藝同，連章題要包括。如《三國》演説漢、魏間事，興亡掌故瞭如指掌，而不嫌其簡略枯窘。題要生發，如《水滸》之強盜，《儒林》之文士，《紅樓》之閨娃，一意到底，顛倒敷陳，而不嫌其瑣碎。彼有以忠孝、神仙、英雄、兒女、贓官、劇盜、惡鬼、妖狐，以至琴棋書畫、醫卜星相，萃於一書，自謂五花八門，貫通淹博，不知正見其才之窘耳！合傳之體有三難：一曰無雷同：一書百十人，其性情言語面目行爲，此與彼稍有相倣，即是雷同。一曰無矛盾：一人而前後數見，前與後稍有不符，即是矛盾。一曰無挂漏：寫一人而無結局，挂漏也；叙一事而無收場，亦挂漏也。知是三者而後可與言説部。

《新小説》第十五號二我《黄繡球評語》凡結撰理想小説，與專就一人已有之事迹演成者不同。已有之事迹，或以簡括勝，必須開頭一二回便寫正文。憑空結撰者，則須曲折而赴，取勢於前，不可入手發泄盡淨。且即叙已有之事迹，入手便説盡者，亦無意味，非必上乘之法也。作小説以一人代數人説話，得神最難，接縫斗筍尤難。必處處起一開頭，則斷續不成法，即不然，處處費力着迹，亦不成文。此作鋪叙之間，要皆脈接筋連，一無（嬌）〔矯〕強。（第二回）【略】長篇中每着一二筋節語，即是關合全書大旨，與全書所注點者。其餘關合上文、涵蓄下文之處，亦當於筋節求之，勿草草看過。（第四回）【略】作文不喜平，作演義何莫不然？然使支節太多，便苦頭緒繁重，顧此失彼，罣一漏萬，非脱笋，即斷氣。此則回巒叠峰，邱壑環生，不露峥嶸之形，而自盡曲折之妙。故書至第十一回，尚未入正文蹊徑，卻處處蓄有正文形勢。此豈亂堆石子者所能？（第十一回）

《新世界小説社報》第一期佚名《新世界小説社報發刊辭》其爲不正之男女，則必有果報；其爲雖不正而可以附會今日自由結婚之男女，則必有團圓。最奇者，尚有非男非女，而亦居然有男女之事；蓋以男女爲其因，而萬事皆從此一因而起。誇説功名，則平蠻封王，而爲駙馬也，艶稱富貴，則考試及第，而爲鸞婿也。其先則無不貧困之極，其後則無不豪華之極。由是驕奢淫佚，而爲紈袴，爲劣紳，爲勢惡土豪，爲敗家子，皆從此派而生。使觀其書者，如天花之亂墜，而目爲之迷，神爲之炫。此小説中普通之體例，然實即代表民俗普通之心理也。

鬘紅女史《鶯湖潮評語》著書以結構爲第一要着，次則布置一切人物。如一室然，先建築，後裝飾。然建築不佳，裝飾雖美，譬如鄉下婆涂脂抹粉，適見其醜。反之，只究建築，不問裝飾，亦足損其美觀。必也二者兼到，乃臻完備。尋常小説體裁，除譯本而外，大都從叙述身世開端。以序次論，自然不錯，特平鋪直叙，千篇一律之文字，易使讀者生厭。此書從吳彤瑛一絶命書起始，實爲驚人奪目之筆。彤瑛身世，後來從劍廬口裏輕輕帶出，便省卻許多閑廢筆墨。

技巧

趙彦衛《雲麓漫鈔》卷八 唐之舉人，先藉當世顯人，以姓名達之主司，然後以所業投獻，逾數日又投，謂之「温卷」，如《幽怪録》、《傳奇》等皆是也。蓋此等文備衆體，可見史才、詩筆、議論。至進士則多以詩爲贄，今有唐詩數百種行於世者，是也。

羅燁《醉翁談録・舌耕叙引・小説開闢》夫小説者，雖爲末學，尤務多聞。非庸常淺識之流，有博覽該通之理。幼習《太平廣記》，長攻歷代史書。烟粉奇傳，素藴胸次之間；風月須知，只在唇吻之上。《夷堅志》無有不覽，《琇瑩集》所載皆通。動哨、中哨，莫非《東山笑林》；引倬、底倬，須還《綠窗新話》。論才詞有歐、蘇、黃、陳佳句；說古詩是李、杜、韓、柳篇章。舉斷模按，師表規模，靠敷演令看官清耳。只憑三寸舌，褒貶是非；略咽萬餘言，講論古今。說收拾尋常有百萬套，談話頭動輒是數千回。說重門不掩底相思，談閨閣難藏底密恨。辨草木山川之物類，分州軍縣鎮之程途。講歷代年載廢興，記歲月英雄文武。有靈怪、烟粉、傳奇、公案，兼樸刀、捍棒、妖術、神仙。自然使席上風生，不枉教座間星拱。【略】詩曰：小說紛紛皆有之，須憑實學是根基。開天闢地通經史，博古明今歷傳奇。藏蘊滿懷風與月，吐談萬卷曲和詩。辨論妖怪精靈話，分別神仙達士機。涉案槍刀並鐵騎，閨情雲雨共偷期。世間多少無窮事，歷歷從頭說細微。

虞集《道園學古錄·寫韻軒記》 蓋唐之才人，於經藝道學有見者少，徒知好爲文辭，閑暇無所用心，輒想像幽怪遇合、才情恍惚之事，作爲詩章答問之意，傅會以爲說。盍簪之次，各出行卷以相娛玩，非必眞有是事，謂之傳奇。

謝肇淛《五雜俎》卷一五 凡爲小說及雜劇戲文，須是虛實相半，方爲游戲三昧之筆。亦要情景造極而止，不必問其有無也。古今小說家，如《西京雜記》、《飛燕外傳》、《天寶遺事》諸書，《虬髯》、《紅綫》、《隱娘》、《白猿》諸傳，雜劇家如《琵琶》、《西廂》、《荆釵》、《蒙正》等詞，豈必眞有是事哉？近來作小說，稍涉怪誕，人便笑其不經，而新出雜劇，若《浣紗》、《青衫》、《義乳》、《孤兒》等作，必事事考之正史，年月不合，姓字不同，不敢作也。如此，則看史傳足矣，何名爲戲？

楊愼《丹鉛續錄·小說》 說者云：宋人小說不及唐人，是也，殊不知唐人小說不及漢人，如華嶠《明妃傳》云：豐容靚飾，光明漢宮，顧影徘徊，聳動左右。伶玄《飛燕外傳》云：以輔屬體，無所不靡。郭子橫《麗娟傳》云：玉膚柔軟，吹氣勝蘭，不欲衣纓拂之，恐體痕也。此豈唐人可及？《晉書·荀勖傳》云：汲郡人不準發冢，得古文數百篇。中載楚事一段尤妙，亦小說也。惜不傳耳。

湯顯祖《點校虞初志序》 《虞初》一書，羅唐人傳記百十家，中略引梁沈約十數則，以奇僻荒誕、若滅若沒、可喜可愕之事，讀之使人心開神釋、骨飛眉舞。雖雄高不如《史》、《漢》，簡澹不如《世說》，而婉縟流麗，洵小說家之珍珠船也。其述飛仙盜賊，則曼倩之滑稽；志佳冶窈窕，則季長之絳紗；一切花妖木魅，牛鬼蛇神，則曼卿之野飲。意有所蕩激，語有所托歸，律之風流之罪人，彼固歉然不辭矣。使咄咄讀古，而不知此味，即日垂衣執笏，陳寶列俎，終是三館畫手，一堂木偶耳，何所討眞趣哉！余暇日特爲點校之，以供世之奇雋沈麗者。

李贄《容與堂本李卓吾先生批評忠義水滸傳回評》 李贄曰：《水滸傳》事節都是假的，說來卻似逼眞，所以爲妙。常見近來文集，乃有眞事說做假者，眞鈍漢也，何堪與施耐庵、羅貫中作奴！（第一回）【略】李和尚曰：描畫魯智深，千古若活，眞是傳神寫照妙手。且《水滸傳》文字妙絕千古，全在同而不同處有辨，如魯智深、李逵、武松、阮小七、石秀、呼延灼、劉唐等衆人，都是急性的，渠形容刻畫來各有派頭，各有光景，各有家數，各有身份，一毫不差，半些不混。讀者自有分辨，不必見其姓名，一睹事實就知某人某人也，讀者亦以爲然乎？讀者即不以爲然，李卓老自以爲然，不易也。（第三回）【略】李卓吾曰：施耐庵、羅貫中眞神手也。摩寫魯智深處，便是個烈丈夫模樣；摩寫洪教頭處，便是忌嫉小人底身份。至差撥處，一怒一喜，倏忽轉移，咄咄逼眞，令人絕倒，異哉！（第九回）【略】禿翁曰：《水滸傳》文字原是假的，只爲他描寫得眞情出，所以便可與天地相終始。即此回中李小二夫妻兩人情事，咄咄如畫。若到後來，混天陣處，都假了，費盡苦心亦不好看。（第十回）【略】李贄曰：《水滸傳》文字形容既妙，轉換又神。如此回文字形容刻畫周謹、楊志、索超處已勝太史公一籌；至其轉換到劉唐處來，眞有出神入化手段，此豈人力可到，定是化工文字，可先天地始，後天地終也。不妄不妄！（第十三回）【略】卓老曰：刻畫三阮處各各不同，請自着眼。（第十五回）【略】卓吾曰：此回文字逼眞，化工肖物。摩寫宋江、閻婆惜並閻婆處，不惟能畫眼前，且畫心上；不惟能畫心上，且並畫意外。顧虎頭、吳道子安得到此！至其中轉轉關目，恐施、羅二君亦不自料到此。余謂斷有鬼神助之也。（第二十一回）【略】李卓吾曰：人以武松打虎，到底有些怯在，不如李逵勇猛也。此村學究見識，如何讀得《水滸傳》？不知此正施、羅二公傳神處。李是爲母報仇不顧性命者，武乃出於一時不得不如此耳。俗人何足言此！俗人何足言此！（第二十三回）【略】李生曰，說淫婦便像個淫婦，說烈漢便像個烈漢，說呆子便像個呆子，說馬泊六便像個馬泊六，說小猴子便像個小猴子，但覺讀一過，分明淫婦、烈漢、呆子、馬泊六、小猴子光景在眼，淫婦、烈漢、呆子、馬泊六、小猴子聲音在耳，不知有所謂語言文字也何物。文人有此肺腸，有此手眼，若令天地間無此等文字，天地亦寂寞了也。不知太史公堪作此衙官否？（第二十四回）【略】卓吾曰：此回文字不可及處只在石勇寄書一節。若無此段，一同到梁山泊來只是做強盜耳！有何波瀾？有何變幻？眞是不可思議文字。（第三十五回）【略】李和尚曰：有一村學究道：李逵太凶狠，不該殺羅眞人；羅眞人亦無道氣，不該磨難李逵。此言眞如放屁。不知《水滸傳》文字當以此回爲第一。試看種種摩寫處，那一事不趣？那一言不趣？天下文章當以趣爲第一。既是趣了，何必實有是事并實有是人！若一一推究如何如何，豈不令人笑殺。（第五十三回）【略】卓吾曰：此回文字極不濟。那里張旺便到李巧奴家，就到巧奴家，緣何就殺死他四命？不是，不是。即王定六父子過江亦不合便撞着張順，張順卻緣何不渡江南來接王定六父子？都少關目。（第六十五回）【略】卓吾曰：描畫瓊妖納延、史進、花榮、寇鎭遠、孫立弓馬刀劍處，委曲次第，變化玲瓏，是丹青上手。若斗陣法處，則村俗不可言矣。（第八十七回）【略】李卓吾曰：混天陣處竟同兒戲，至玄女娘娘相生相克之說，此三家村里死學究見識。施耐庵、羅貫中盡是史筆，此等處便不成材矣。此其所以爲（水）〔小〕說也與！（第八十八回）【略】李和尚曰：《水滸傳》文字不好處只在說夢、說怪、說陣處。其妙處都在人情物理上，人亦知之否？（第九十七回）

天都外臣《水滸傳序》 載觀此書，其地則秦、晉、燕、趙、齊、楚、吳、越，名都荒落，絕塞遐方，無所不通；其人則王侯將相，官師士農，工賈方技，吏胥廝養，駔儈輿臺，粉黛緇黃，赭衣左衽，無所不有；其事則天地時令，山川草木，鳥獸蟲魚，刑名法律，韜略甲兵，支干風角，圖書珍玩，市語方言，無所不解；其情則上下同異，欣戚合離，捭闔縱橫，揣摩揮霍，寒暄嚬笑，謔浪排調，行役獻酬，歌舞譎怪，以至大乘之偈，《眞誥》之文，少年之場，宵人之態，無所不該。紀載有章，煩簡有則。發凡起例，不雜易於。如良史善繪，濃淡遠近，點染盡工；又如百尺之錦，玄黃經緯，一絲不紕。此可與雅士道，不可與俗士談也。視之《三國演義》，雅俗相牽，有妨正史，固大不侔。而俗士偏賞之，坐闇無識耳。雅士之賞此書者，甚以爲太史公演義。夫《史記》上國武庫，甲仗森然，安可枚舉。而其所最稱犀利者，則無如鉅鹿破秦，鴻門張楚，高祖還沛，長卿如邛，范蔡之傾，儀秦之辯，張陳之隙，田竇之爭，衛霍之勳，朱郭之俠，與夫四豪之交，三傑之算，十吏之酷，諸呂七國之亂亡，貨殖滑稽之瑣屑，眞千秋絕調矣！傳中警策，往往似之。《藝苑》以高則誠「蔡中郎傳奇」比杜文貞，關漢卿「崔張雜劇」比李長庚，甚者以施君美《幽閨記》比漢魏詩。蓋非敢以婢作夫人，政許其中作大家婢耳。然則，即謂此書乃牛馬走之下走，亦奚不可！

懷林《水滸傳一百回文字優劣》 世上先有《水滸傳》一部，然後施耐庵、羅貫中借筆墨拈出。若夫姓某名某，不過劈空捏造，以實其事耳。如世上先有淫婦人，然後以楊雄之妻、武松之嫂實之；世上先有馬泊六，然後以王婆實之；世上先有家奴與主母通奸，然後以盧俊義之賈氏、李固實之。若管營、若差撥、若董超、若薛霸、若富安、若陸謙，情狀逼眞，笑語欲活，非世上先有是事，即令文人面壁九年，嘔血十石，亦何能至此哉？此《水滸傳》之所以與天地相終始也。與其中照應謹密，曲盡苦心，亦覺瑣碎，反爲可厭。至於披挂戰鬭、陣法兵機，都剩技耳，傳神處，不在此也。更可惡者，是九天玄女、石碣天文兩節，難道天地故生強盜而又遣鬼神以相之耶？決不然矣。讀者毋爲說夢癡人前其可。

幔亭過客《西游記題辭》 文不幻不文，幻不極不幻。是知天下極幻之事，乃極眞之事；極幻之理，乃極眞之理。故言眞不如言幻，言佛不如言魔。魔非他，即我也。我化爲佛，未佛皆魔。魔與佛力齊而位逼，絲髮之微，關頭匪細。摧挫之極，心性不驚。此《西游》之所以作也。

綠天館主人《古今小說序》 皇明文治既鬱，靡流不波。即演義一斑，往往有遠過宋人者。而或以爲恨乏唐人風致，謬矣。食桃者不費杏，絺縠毳錦，惟時所適。以唐說律宋，將有以漢說律唐，以春秋、戰國說律漢，不至於盡掃羲聖之一畫不止！可若何？大抵唐人選言，入於文心；宋人通俗，諧於里耳。天下之文心少而里耳多，則小說之資於選言者少，而資於通俗者多。試令說話人當場描寫，可喜可愕，可悲可涕，可歌可舞；再欲捉刀，再欲下拜，再欲決脰，再欲捐金；怯者勇，淫者貞，薄者敦，頑鈍者汗下。雖小誦《孝經》、《論語》，其感人未必如是之捷且深也。噫，不通俗而能之乎？

睡鄉居士《二刻拍案驚奇序》 今小說之行世者，無慮百種，然而失眞之病，起於好奇。知奇之爲奇，而不知無奇之所以爲奇。捨目前可紀之事，而馳騖於不論不議之鄉，如畫家之不圖犬馬而圖鬼魅者，曰：吾以駭聽而止耳。夫劉越石清嘯吹笳，尚能使羣胡流涕，解圍而去。今舉物態人情，恣其點染，而不能使人欲歌欲泣於其間，此其奇與非奇，固不待智者而後知之也。則爲之解曰：文自《南華》、《沖虛》，已多寓言，下至非有先生、馮虛公子，安所得其眞者而尋之？不知此以文勝，非以事勝也。至演義一家，幻易而眞難，固不可相衡而論矣。有如《西遊》一記，怪誕不經，讀者皆知其謬。然據其所載，師弟四人，各一性情，各一動止，試摘取其一言一事，遂使暗中摹索，亦知其出自何人，則正以幻中有眞，乃爲傳神阿堵，而已有不如《水滸》之譏，豈非眞不眞之關，固奇不奇之大較也哉？即空觀主人者，其人奇，其文奇，其遇亦奇，因取其抑塞磊落之才，出緒餘以爲傳奇，又降而爲演義。此《拍案驚奇》之所以兩刻也。其所捃摭，大都眞切可據，而間及神天鬼怪。故如史遷紀事，摹寫逼眞，而龍之踞腹，蛇之當道，鬼神之理，遠而非無，不妨點綴域外之觀，以破俗儒之隅見耳。若夫妖豔風流一種，集中亦所必存。唯污衊世界之談，則戛戛乎其務去。鹿門子常怪宋廣平之爲人，言其鐵心石腸，而爲《梅花賦》則清便豔發，得南朝徐、庾體。繇此觀之，凡託於椎陋以眩世，殆有不足信者。夫主人之言固曰：使世有能得吾說者，以爲忠臣孝子無難，而不能者，不至爲宣淫而已矣。此則作者之苦心，又出於平平奇奇之外者也。

夏履先《禪眞逸史凡例》 一、是書雖逸史，而大異小說稗編，事有據，言有倫，主持風教，範圍人心。兩朝隆替興亡，昭如指掌；而一代輿圖土宇，燦若列眉。乃史氏之董狐，允詞家之班馬。一、書稱通俗演義，非故諧謔，以傷雅道。理奧則難解，辭葩則不眞。欲期警世，奚取艱深？舊本意晦詞古，不入里耳。茲演爲四十回，回分八卷，卷臚八卦，刊落陳詮，獨標新異。一、史中聖主賢臣、庸君媚子、義夫節婦、惡棍淫娼、清廉婞直、貪鄙奸邪、蓋世英雄、幺麽小丑、眞機將略、詐力陰謀、釋道儒風、幽期密約，以至世運轉移，人情翻覆，天文地理之徵符，牛鬼蛇神之變幻，靡不畢具而描寫精工，形容婉切，處處咸伏勸懲，在在都寓因果，實堪砭世，非止解頤。一、史中吟咏謳歌，笑譚科諢，頗頗嘲盡人情，摹窮世態，雖千頭百緒，出色爭奇，而針綫密縫，血脈流貫，首尾呼吸，聯絡尖巧，無纖毫遺漏，洵爲先朝名筆，非晚世效顰可到，縷析條分，總成就澹然三子，禪眞一事。

金聖歎《三國志演義序》 今覽此書之奇，足以使學士讀之而快，委巷不學之人讀之而亦快；英雄豪傑讀之而快，凡夫俗子讀之而亦快也。昔者蒯通之說韓信，已有鼎足三分之說。其時信已臣漢，義不可背。項羽粗暴無謀，有一范增而不能用，勢不得不一統于羣策羣力之漢。三分之機，雖兆于漢室方興之時，而卒成于漢室衰微之際。且高祖以王漢興，而先主以王漢亡，一能還定三秦，一不能取中原尺寸。若彼蒼之造漢，以如是起，以如是亡，早有其成局于冥冥之中。遂致當世之人之事，才謀各別，境界獨殊，以迥異于千古，此非天事之最奇者歟！作演義者，以文章之奇，而傳其事之奇。而且無所事于穿鑿，第貫穿其事實，錯綜其始末，而已無之不奇，此又人事之未經見者也。獨是事奇矣，書奇矣，而無有人焉起而評之；即或有人，而使心非錦心，口非繡口，不能一一代古人傳其胸臆，則是書亦終于周、秦而上，漢、唐而下諸演義等，人亦烏乎知其奇，而信其奇哉！

又《讀第五才子書法》 《水滸傳》寫一百八個人性格，眞是一百八樣。若別一部書，任他寫一千個人，也只是一樣，便只寫得兩個人，也只是一樣。【略】《宣和遺事》具載三十六人姓名，可見三十六人是實有。只是七十回中許多事迹，須知都是作書人憑空造謊出來。如今卻因讀此七十回，反把三十六個人物都認得了，任憑提起一個，都似舊時熟識，文字有氣力如此。【略】《水滸傳》只是寫人粗鹵處，便有許多寫法：如魯達粗鹵是性急，史進粗鹵是少年任氣，李逵粗鹵是蠻，武松粗鹵是豪傑不受羈靮，阮小七粗鹵是悲憤無說處，焦挺粗鹵是氣質不好。【略】李逵是上上人物，寫得眞是一片天眞爛漫到底。看他意思，便是山泊中一百七人，無一個入得他眼。《孟子》「富貴不能淫，貧賤不能移，威武不能屈」，正是他好批語。看來作文，全要胸中先有緣故。若有緣故時，便隨手所觸，都成妙筆；若無緣故時，直是無動手處，便作得來，也是嚼蠟。【略】只如寫李逵，豈不段段都是妙絕文字，卻不知正爲段段都在宋江事後，故便妙不可言。蓋作者只是痛恨宋江奸詐，故處處緊接出一段李逵樸誠來，做個形擊。其意思自在顯宋江之惡，卻不料反成李逵之妙也。此譬如刺槍，本要殺人，反使出一身家數。【略】《水滸傳》有許多文法，非他書所曾有，略點幾則於後：有倒插法，謂將後邊要緊字，驀地先插放前邊。如五臺山下鐵匠間壁父子客店，又大相國寺岳廟間壁菜園，又武大娘子要同王乾娘去看虎，又李逵去買棗糕，收得湯隆等是也。有夾叙法，謂急切裏兩個人一齊說話，須不是一個說完了，又一個說，必要一筆夾寫出來。

如瓦官寺崔道成説「師兄息怒，聽小僧説」，魯智深説「你説你説」等是也。有草蛇灰綫法，如景陽岡連叙許多哨棒字，柴石街連寫若干簾子字等是也。驟看之，有如無物，及至細尋，其中便有一條綫索，拽之通體俱動。有大落墨法，如吴用説三阮，楊志北京鬥武，王婆説風情，武松打虎，還道村捉宋江，三打祝家莊等是也。有綿針泥刺法，如花榮要宋江開枷，宋江不肯；又晁蓋番番要下山，宋江番番勸住，至最後一次便不勸是也。筆墨外，便有利刃直戳進來。有背面鋪粉法，如要襯宋江奸詐，不覺寫作李逵眞率；要襯石秀尖利，不覺寫作楊雄糊涂是也。有弄引法，謂有一段大文字，不好突然便起，且先作一段小文字在前引之。如索超前，先寫周謹；十分光前，先説五事等是也。《莊子》云：「始於青萍之末，盛於土囊之口。」《禮》云：「魯人有事於泰山，必先有事於配林。」有獺尾法，謂一段大文字後，不好寂然便住，更作餘波演漾之。如梁中書東郭演武歸去後，知縣時文彬升堂；武松打虎下岡來，遇著兩個獵戶；血濺鴛鴦樓後，寫城壕邊月色等是也。有正犯法，如武松打虎後，又寫李逵殺虎，又寫二解爭虎；潘金蓮偷漢後，又寫潘巧雲偷漢；江州城劫法場後，又寫大名府劫法場；何濤捕盜後，又寫黄安捕盜；林冲起解後，又寫盧俊義起解；朱仝雷横放晁蓋後，又寫朱仝雷横放宋江等。正是要故意把題目犯了，卻有本事出落得無一點一畫相借，以爲快樂是也，眞是渾身都是方法。有略犯法，如林冲買刀與楊志賣刀；唐牛兒與鄆哥；鄭屠肉鋪與蔣門神「快活林」；瓦官寺試禪杖與蜈蚣嶺試戒刀等是也。有極不省法，如要寫宋江犯罪，卻先寫招文袋金子，卻又先寫閻婆惜與張三有事，卻又先寫宋江討閻婆惜，卻又先寫宋江捨棺材等。凡有若干文字，都非正文是也。有極省法，如武松迎入陽谷縣，恰遇武大也搬來，正好撞著；又如宋江琵琶亭吃魚湯後，連日破腹等是也。有欲合放縱法，如白龍廟前李俊、二張、二童、二穆等救船已到，卻寫李逵重要殺入城去；還道村玄女廟中，趙能趙得都已出去，卻有樹根絆跌士兵叫喊等，令人到臨了，又加倍吃嚇是也。有横雲斷山法，如兩打祝家莊後，忽插出解珍、解寶爭虎越獄事；又正打大名府時，忽插出截江鬼油裏鰍謀財傾命事等是也。只爲文字太長了，便恐累墜，故從半腰間暫時閃出，以間隔之。有鸞膠續弦法，如燕青往梁山泊報信，路遇楊雄、石秀，彼此須互不相識，且繇梁山泊到大名府，彼此既同取小徑，又豈有止一小徑之理？看他便順手借如意子打鵲求卦，先鬭出巧來，然後用一拳打倒石秀，逗出姓名來等是也，都是刻苦算得出來。

又《第五才子書施耐庵水滸傳回評》 吾觀今之文章之家每云「我有避之一訣」。固也，然而吾知其必非才子之文也。夫才子之文，則豈惟不避而已，又必於本不相犯之處，特特故自犯之，而後從而避之，此無他，亦以文章家之有避之一訣，非以教人避也，正以教人犯也。犯之而後避之，故避有所避也。若不能犯之，而但欲避之，然則避何所避乎哉？是故行文非能避之難，實能犯之難也。譬諸弈棋者，非救劫之難，實留劫之難也。將欲避之，必先犯之。夫犯之，而至於必不可避，而後天下之讀吾文者，於是乎而觀吾之才之筆矣。犯之而至於必不可避，而吾之才之筆爲之躊躇，爲之四顧，砉然中窾，如土委地，則號於天下之人曰「吾才子也，吾文才子之文也」。彼天下之人亦誰復敢爭之乎哉？故此書於林冲買刀後緊接楊志賣刀，是正所謂才子之文必先犯之者，而吾於是始樂得而徐觀其避也。（第十一回）

又 前書寫魯達已極丈夫之致也，不意其又寫來林冲又極丈夫之致也。寫魯達又寫出林冲，斯已大奇矣，不意其又寫出楊志又極丈夫之致也。是三丈夫也者，各自有其胸襟，各自有其心地，各自有其形狀，各自有其裝束，譬諸閻、吴二子斗畫殿壁，星宫水府，萬神咸在，慈卽眞慈，怒卽眞怒，麗卽眞麗，醜卽眞醜。技至此，技已止；觀至此，觀已止。然而二子之胸中固別藏分外之絶筆，又有所謂雲質龍章，日姿月彩，杳非世工心之所構，目之所遇，手之所掄，筆之所觸也者。今耐庵《水滸》正猶是矣。寫魯、林、楊三丈夫以來，技至此，技已止，觀至此，觀已止，乃忽然磬控，忽然縱送，便又騰筆涌墨，憑空撰出武都頭一個人來。我得而讀其文，想見其爲人，其胸襟則又非如魯、如林、如楊者之胸襟也，其心事則又非如魯、如林、如楊者之心事也，其形狀結束則又非如魯、如林、如楊者之形狀與如魯、如林、如楊者之結束也。我既得以想見其人，因更回讀其文，爲之徐讀之、疾讀之，翺翔讀之，歇續讀之，爲楚聲讀之，爲豺聲讀之，嗚呼，是其一篇一節一句一字實杳非儒生心之所構，目之所遇，手之所掄，筆之所觸矣，是眞所謂雲質龍章，日姿月彩，分外之絶筆矣。如是而尚欲量才子之才爲斗爲石，嗚呼，多見其爲不知量者也。（第二十五回）

又 一部書中，寫一百七人最易，寫宋江最難，故讀此一部書者，亦讀一百七人傳最易，讀宋江傳最難也。蓋此書寫一百七人處皆直筆也。好卽眞好，劣卽眞劣。若寫宋江則不然。驟讀之而全好，再讀之而好劣相半，又再讀之而好不勝劣，又卒讀之而全劣無好矣。夫讀宋江一傳而至於再，而至於又再，而至於又卒，而誠有以知其全劣無好，可不謂之善讀書人哉！然吾又謂：緜全好之宋江而讀至於全劣也，猶易；緜全劣之宋江而寫至於全好也，實難。乃今讀其傳，迹其言行，抑何寸寸而求之，莫不宛然忠信篤敬君子也。篇則無累於篇耳，節則無累於節耳，句則無累於句耳，字則無累於字耳。雖然，誠如是者，豈將以宋江眞遂爲仁人孝子之徒哉？史不然乎，記漢武初未嘗有一字累漢武也；然而後之讀者莫不洞然明漢武之非是，則是褒貶固在筆墨之外也。嗚呼，稗官亦與正史同法，豈易作哉！豈易作哉！（第三十五回）

又 此篇純以科諢成文，是傳中另有一樣筆墨，然在讀者則必須略其科諢而觀其意思，何則？蓋科諢，文章之惡道也。此傳之間一爲之者，非其未能免俗而聊復爾爾，亦其意思眞有甚異於人者也。何也？蓋傳中旣有公孫，自不得不又有高廉。夫特生高廉以襯出公孫也。乃今不向此時盛顯其法術，不且虛此一番周折乎哉！然而盛顯法術，固甚難矣。不張皇高廉，斯無以張皇公孫也。顧張皇高廉以張皇公孫，而斯兩人者爭奇斗異至於牛蛇鬼神，且將無所不有，斯則與彼《西游》諸書又何以異，此耐庵先生所義不爲也。吾聞文章之家則有所謂避實取虛之法矣。今玆略於破高廉而詳于取公孫，意者其用此法與？然業已略於高廉而詳於公孫，則何不并略公孫而特詳於公孫之師？蓋所謂避實取虛之法，至是乃爲極盡其變，而李大哥特以妙人見借助成局段者也。是故凡李大哥插科打諢，皆所以襯出眞人，襯出眞人正所以襯出公孫也。若不知作者意思如此，而徒李大哥科諢之是求，此眞東坡所謂「士俗不可醫」，吾末如之何也。（第五十二回）

又 蓋耐庵當時之才，吾直無以知其際也。其忽然寫一豪傑，卽居然豪傑也；其忽然寫一奸雄，卽又居然奸雄也；甚至忽然寫一淫婦，卽居然淫婦。今此篇寫一偷兒，卽又居然偷兒也。人亦有言，非聖人不知聖人。然則非豪傑不知豪傑，非奸雄不知奸雄也。耐庵寫豪傑居然豪傑，然則耐庵之爲豪傑可無疑也。獨怪耐庵寫奸雄又居然奸雄，則是耐庵之爲奸雄又無疑也。雖然，吾疑之矣。夫豪傑必有奸雄之才，奸雄必有豪傑之氣，以豪傑兼奸雄，以奸雄兼豪傑，以擬耐庵，容當有之。若夫耐庵之非淫婦偷兒，斷斷然也。今觀其寫淫婦居然淫婦，寫偷兒居然偷兒，則又何也？噫嘻，吾知之矣。非淫婦定不知淫婦，非偷兒定不知偷兒也。謂耐庵非淫婦非偷兒者，此是自未臨文之耐庵耳。夫當其未也，則豈惟耐庵非淫婦，卽彼淫婦亦實非淫婦；豈惟耐庵非偷兒，卽彼偷兒亦實非偷兒。《經》曰：「不見可欲，其心不亂。」群天下之族，莫非王者之民也。若夫旣動心而爲淫婦，旣動心而爲偷兒，則豈惟淫婦偷兒而已！惟耐庵於三寸之筆，一幅之紙之間，實親動心而爲淫婦，親動心而爲偷兒。旣已動心則均矣，又安辯泚筆點墨之非入馬通奸，泚筆點墨之非飛檐走壁耶？《經》曰：「因緣和合，無法不有。」自古淫婦無印板偷漢法，偷兒無印板做賊法，才子亦無印板做文字法也。因緣生法，一切具足，是故龍樹著書以《破因緣品》而弁其篇，蓋深惡因緣。而耐庵做《水滸》一傳，直以因緣生法爲其文字總持，是深達因緣也。夫深達因緣之人，則豈惟非淫婦也，非偷兒也，亦復非奸雄也，非豪傑也。何也？寫豪傑奸雄之時，其文亦隨因緣而起，則是耐庵固無與也。或問曰：然則耐庵何如人也？曰：才子也。何以謂之才子也？曰：彼固宿講於龍樹之學者也。講於龍樹之學則菩薩也，菩薩也者，眞能格物致知者也。【略】寫時遷一夜所聽說話，是家常語，是恩愛語，是主人語，是使女語，是樓上語，是寒夜語，是當家語，是貪睡語，句句中間有眼，兩頭有棱，不只死寫幾句而已。（第五十五回）

毛宗崗《讀三國志法》 古史甚多，而人獨貪看《三國志》者，以古今人才之衆，未有盛于三國者也。觀才與不才敵，不奇；觀才與才敵，則奇。觀才與才敵，而一才又遇衆才之匹，不奇；觀才與才敵，而衆才尤讓一才之勝，則更奇。吾以爲三國有三奇，可稱三絕。諸葛孔明一絕也，關雲長一絕也，曹操亦一絕也。歷稽載籍，賢相林立，而名高萬古者，莫如孔明。其處而彈琴抱膝，居然隱士風流；出而羽扇綸巾，不改雅人深致。在草廬之中而識三分天下，則達乎天時；承顧命之重，而至六出祁山，則盡乎人事。七擒八陣，木牛流馬，旣已疑鬼疑神之不測；鞠躬盡瘁，志決身殲，仍是爲臣爲子之用心。比管樂則過之，比伊呂則兼之，是古今來賢相中第一奇人。歷稽載籍，名將如雲，而絕倫超群者，莫如雲長。青史對青燈，則極其儒雅；赤心如赤面，則極其英靈。秉燭達旦，人傳其大節；單刀赴會，世服其神威。獨行千里，報主之志堅；義釋華容，酬恩之誼重。作事如青天白日，待人如霽月光風。心則趙抃焚香告帝之心，而磊落過之；意則阮籍白眼傲物之意，而嚴正過之，是古今來名將中第一奇人。歷稽載籍，奸雄接踵，而智足以攬人才而欺天下者，莫如曹操。聽荀彧勤王之説，而自比周文，則有似乎忠；黜袁術僭號之非，而願爲曹侯，則有似乎順；不殺陳琳而愛其才，則有似乎寬；不追關公以全其志，則有似乎義。王敦不能用郭璞，而操之得士過之；桓溫不能識王猛，而操之知人過之。李林甫不能制祿山，不如操之擊烏桓于塞外；韓侂胄不能貶秦檜，不若操之討董卓于生前。竊國家之柄而姑存其號，異于王莽之顯然弑君；留改革之事以俟其兒，勝于劉裕之急欲篡晉，是古今來奸雄中第一奇人。有此三奇，乃前後史之所絶無者，故讀遍諸史，而愈不得不喜讀《三國志演義》也。《三國》一書，有以賓襯主之妙，如將叙桃園兄弟三人，先叙黄巾兄弟三人，桃園其主也，黄巾其賓也；將叙中山靖王之後，先叙魯恭王之後，中山靖王其主也，魯恭王其賓也；將叙何進，先叙陳蕃、竇武，何進其主也，陳蕃、竇武其賓也。叙劉、關、張及曹操、孫堅之出色，并叙各鎮諸侯之無用，劉備、曹操、孫堅其主也，各鎮諸侯其賓也；劉備將遇諸葛亮而先遇司馬徽、崔州平、石廣元、孟公威等諸人，諸葛亮其主也，司馬徽諸人其賓也；諸葛亮歷事兩朝，乃又有先來即去之徐庶，晚來先死之龐統，諸葛亮其主也，而徐庶、龐統又其賓也；趙雲先事公孫瓚，黄忠先事韓玄，馬超先事張魯，法正、嚴顏先事劉璋，而後皆歸劉備，備其主也，公孫瓚、韓玄、張魯、劉璋其賓也；太史慈先事劉繇，後歸孫策，甘寧先事黄祖，後歸孫權，張遼先事呂布，徐晃先事楊奉，張郃先事袁紹，賈詡先事李傕、張繡，而後皆歸曹操，孫、曹其主也，劉繇、黄祖、呂布、楊奉等諸人其賓也；代漢當涂之讖，本應在魏，而袁公路謬以自許，魏其主也，袁公路其賓也；三馬同槽之夢，本應在司馬氏，而曹操誤以爲馬騰父子，司馬氏其主也，馬騰父子其賓也；受禪臺之説，李肅以賺董卓，而曹丕即眞焉，司馬炎又即眞焉，曹丕、司馬炎其主也，董卓其賓也。且不獨人有賓主也，地亦有之，獻帝自洛陽遷長安，又自長安遷洛陽，而終乃遷于許昌，許昌其主也，長安、洛陽皆賓也；劉備失徐州而得荆州，荆州其主也，徐州其賓也；及得兩川而復失荆州，兩川其主也，而荆州又其賓也；孔明將北伐中原，而先南定蠻方，意不在蠻方，而在中原，中原其主也，蠻方其賓也。抑不獨地有賓主也，物亦有之。李儒持鴆酒短刀白練以貽帝辨，鴆酒其主也，短刀白練其賓也；許田打圍，將叙曹操射鹿，先叙玄德射兔，鹿其主也，兔其賓也；赤壁鏖兵，將叙孔明借風，先叙孔明借箭，風其主也，箭其賓也；董承受玉帶，陪之以錦袍，帶其主也，袍其賓也；關公拜受赤兔馬，而陪之以金印紅袍諸賜，馬其主也，金印等其賓也；曹操掘地得銅雀，而陪之以玉龍金鳳，雀其主也，龍鳳其賓也。諸如此類，不可悉數，善讀是書者，可于此悟文章賓主之法。《三國》一書，有同樹異枝、同枝異葉、同葉異花、同花異果之妙。作文者以善避爲能，又以善犯爲能，不犯之而求避之，無所見其避也；唯犯之而後避之，乃見其能避也。如紀宮掖，則寫一何太后，又寫一董太后；寫一伏皇后，又寫一曹皇后；寫一唐貴妃，又寫一董貴人；寫甘、糜二夫人，又寫一孫夫人，又寫一北地王妃；寫魏之甄后、毛后，又寫一張后，而其間無一字相同。紀戚畹，則何進之後，寫一董承；董承之後，又寫一伏完；寫一魏之張緝，又寫一吳之錢尚，而其間則無一字相同。寫權臣，則董卓之後，又寫李傕、郭汜；傕、汜之後，又寫曹操；曹操之後，又寫一曹丕；曹丕之後，又寫一司馬懿；司馬懿之後，又并寫一師、昭兄弟；師、昭之後，又繼寫一司馬炎，又旁寫一吳之孫綝，而其間亦無一字相同。其他叙兄弟之事，則袁譚與袁尚不睦，劉琦與劉琮不睦，曹丕與曹植亦不睦，而譚與尚皆死，琦與琮一死一不死，丕與植皆不死，不大異乎？叙婚姻之事，則如董卓求婚于孫堅，袁術約婚于呂布，曹操約婚于袁譚，孫權結婚于劉備，又求婚于雲長，而或絶而不許，或許而復絶，或僞約而反成，或眞約而不就，不大異乎？至于王允用美人計，周瑜亦用美人計，而一效一不效則互異，卓、布相惡，傕、汜亦相惡，而一靖一不靖則互異；獻帝有兩番密詔，則前隱而後彰；馬騰亦有兩番討賊，則前彰而後隱，此其不同者矣。呂布有兩番弑父，而前動于財，後動于色；前則以私滅公，後則假公濟私，此又其不同者矣。【略】若夫寫水，不止一番，寫火亦不止一番。曹操有下邳之水，又有冀州之水；關公有白河之水，又有罾口川之水。呂布有濮陽之火，曹操有烏巢之火，周郎有赤壁之火，陸遜有猇亭之火，徐盛有南徐之火，武侯博望新野之火，又有盤蛇谷、上方谷之火。前後曾有絲毫相犯否？甚者孟獲之擒有七，祁山之出有六，中原之伐有九，求其一字之相犯而不可得，妙哉文乎！譬猶樹同是樹，枝同是枝，葉同是葉，花同是花，而其植根安蒂，吐芳結子，五色紛披，各成異彩。讀者于此，可悟文章有避之一法，又有犯之一法也。《三國》一書，有星移斗轉、雨覆風翻之妙。杜少陵詩曰：「天上浮雲如白衣，斯須改變成蒼狗。」此言世事之不可測也。《三國》之文亦猶是爾。本是何進謀誅宦官，卻弄出宦官殺何進，則一變；本是呂布助丁原，卻弄出呂布殺丁原，則一變；本是董卓結呂布，卻弄出呂布殺董卓，則一變；本是陳宮釋曹操，卻弄出陳宮欲殺曹操，則一變；陳宮未殺曹操，反弄出曹操殺陳宮，則一變；本是王允不赦傕、汜，卻弄出傕、汜殺王允，則一變；本是孫堅與袁術不睦，卻弄出袁術致書于孫堅，則一變；本是劉表求救于袁紹，卻弄出劉表殺孫堅，則一變；本是昭烈從袁紹以討董卓，卻弄出助公孫瓚以攻袁紹，則一變；本是昭烈救徐州，卻弄出昭烈取徐州，則一變；本是呂布投徐州，卻弄出呂布奪徐州，則一變；本是呂布攻昭烈，卻弄出呂布迎昭烈，則一變；本是呂布絕袁術，又弄出呂布求袁術，則一變；本是昭烈助呂布以討袁術，又弄出助曹操以殺呂布，則一變；本是昭烈助曹操，又弄出昭烈討曹操，則一變；本是昭烈攻袁紹，又弄出昭烈投袁紹，則一變；本是昭烈助袁紹以攻曹操，又弄出關公助曹操以攻袁紹，則一變；本是關公尋昭烈，又弄出張飛欲殺關公，則一變；本是關公許田欲殺曹操，又弄出華容道放曹操，則一變；本是曹操追昭烈，又弄出昭烈投東吳以破曹操，則一變；本是孫權仇劉表，又弄出魯肅吊劉表，又吊劉琦，則一變；本是孔明助周郎，卻弄出周郎欲殺孔明，則一變；本是周郎欲害昭烈，卻弄出孫權結婚昭烈，則一變；本是用孫夫人牽連昭烈，卻弄出孫夫人助照烈，則一變；本是孔明氣死周郎，卻弄出孔明哭周郎，則一變；本是昭烈不受劉表荆州，卻弄出昭烈借荆州，則一變；本是劉璋欲結曹操，卻弄出迎昭烈，則一變；本是劉璋迎昭烈，卻弄出昭烈奪劉璋，則一變；本是昭烈分荆州，又弄出呂蒙襲荆州，則一變；本是昭烈破東吳，又弄出陸遜敗昭烈，則一變；本是孫權求救于曹丕，卻弄出曹丕欲襲孫權，則一變；本是昭烈仇東吳，又弄出孔明結好東吳，則一變；本是劉封聽孟達，卻弄出劉封攻孟達，則一變；本是孟達背昭烈，又弄出孟達欲歸孔明，則一變；本是馬騰與昭烈同事，又弄出馬超攻昭烈，則一變；本是馬超救劉璋，卻弄出馬超投昭烈，則一變；本是姜維敵孔明，卻弄出姜維助孔明，則一變；本是夏侯霸助司馬懿，卻弄出夏侯霸助姜維，則一變；本是鍾會忌鄧艾，卻弄出衛瓘殺鄧艾，則一變；本是姜維賺鍾會，卻弄出諸將殺鍾會，則一變；本是羊祜和陸抗，卻弄出羊祜請伐孫皓，則一變；本是羊祜請伐吳，卻弄出一杜預，又弄出一王濬，則一變。論其呼應有法，則讀前卷定知其有後卷；論其變化無方，則讀前文，更不料其有後文。于其可知見《三國》之文之精于其不可料，更見《三國》之文之幻矣。《三國》一書，有橫雲斷嶺、橫橋鎖溪之妙。文有宜于連者，有宜于斷者。如五關斬將、三顧草廬、七擒孟獲，此文之妙于連者也；如三氣周瑜、六出祁山、九伐中原，此文之妙于斷者也。蓋文之短者，不連叙則不貫串；文之長者，連叙則懼其累墜。故必叙別事以間之，而後文勢乃錯綜盡變。後世稗官家，鮮能及此。

《三國》一書，有將雪見霰、將雨聞雷之妙。將有一段正文在後，必先有一段閑文以爲之引；將有一段大文在後，必先有一段小文以爲之端。如將叙曹操濮陽之火，先寫糜竺家中之火一段閑文以啓之；將叙孔融求救于照烈，先寫孔融通刺于李弘一段閑文以啓之；將叙赤壁縱火一段大文，先寫博望新野兩段小文以啓之；將叙六出祁山一段大文，先寫七擒孟獲一段小文以啓之是也。「魯人將有事于上帝，必先有事于泮宮」，文章之妙，正復類是。《三國》一書，有浪後波紋、雨後霢霂之妙。凡文之奇者，文前必有先聲，文後亦必有餘勢。如董卓之後，又有從賊以繼之；黄巾之後，又有餘黨以衍之；昭烈三顧草廬之後，又有劉琦三請諸葛一段文字以映帶之；武侯出師一段大文之後，又有姜維伐魏一段文字以蕩漾之是也。諸如此類，皆他書中所未有。

《三國》一書，有寒冰破熱、涼風掃塵之妙。如關公五關斬將之時，忽有鎭國寺內遇普靜長老一段文字；昭烈躍馬檀溪之時，忽有水鏡莊上遇司馬先生一段文字；孫策虎踞江東之時，忽有遇于吉一段文字；曹操進爵魏王之時，忽有遇左慈一段文字；昭烈三顧草廬之時，忽有遇崔州平席地閑談一段文字；關公水渰七軍之後，忽有玉泉山月下點化一段文字。至於武侯征蠻，而忽逢孟節；陸遜追蜀，而忽遇黄承彦；張任臨敵，而忽問紫虛丈人；昭烈伐吳，而忽問靑城老叟。或僧或道，或隱士，或高人，俱于極喧鬧中求之，眞足令人燥思頓清、煩襟盡滌。《三國》一書，有笙簫夾鼓、琴瑟間鐘之妙。如正叙黄巾擾亂，忽有何后、董后兩宮爭論一段文字；正叙董卓縱橫，忽有貂蟬鳳儀亭一段文字；正叙傕、汜猖狂，忽有楊彪夫人與郭汜之妻來往一段文字；正叙下邳交戰，忽有呂布送女、嚴氏戀夫一段文字；正叙冀州廝殺，忽有袁譚失妻、曹丕納婦一段文字；正叙荆州事變，忽有蔡夫人商議一段文字；正叙赤壁鏖兵，忽有曹操欲取二喬一段文字；正叙宛城交攻，忽有張濟妻與曹操相遇一段文字；正叙趙雲取桂陽，忽有趙範寡嫂敬酒一段文字；正叙昭烈爭荆州，忽有孫權親妹洞房花燭一段文字；正叙孫權戰黄祖，忽有孫翊妻爲夫報仇一段文字；正叙司馬懿殺曹爽，忽有辛憲英爲弟畫策一段文字。至于袁紹討曹操之時，忽帶叙鄭康成之婢；曹操救漢中之日，忽帶叙蔡中郎之女，諸如此類，不一而足。人但知《三國》之文是叙龍爭虎鬭之事，而不知爲鳳、爲鸞、爲鶯、爲燕，篇中有應接不暇者，令人於干戈隊裏時見紅裙、旌旗影中常睹粉黛，殆以豪士傳與美人傳合爲一書矣。《三國》一書，有隔年下種先時伏著之妙。善圃者投種於地，待時而發；善奕者下一閑着于數十着之前，而其應在數十着之後。文章叙事之法亦猶是已。如西蜀劉璋乃劉焉之子，而首卷將叙劉備，先叙劉焉，早爲取西川伏下一筆；又於玄德破黄巾時，并叙曹操，帶叙董卓，早爲董卓亂國曹操專權伏下一筆；趙雲歸昭烈，在古城聚義，而昭烈之遇趙雲，早於磐河戰公孫時伏下一筆；馬超歸昭烈，在葭萌戰張飛之後，而昭烈之與馬騰同事，早於受衣帶詔時伏下一筆；龐統歸昭烈，在周郎既死之後，而童子述龐統姓名早於水鏡莊前伏下一筆；武侯嘆謀事在人、成事在天，在上方谷火滅之後，而司馬徽未遇其時之語，崔州平天不可強之言，早於三顧草廬前伏下一筆；劉禪帝蜀四十餘年而終，在一百十回之後，而鶴鳴之兆早於新野初生時伏下一筆；姜維九伐中原，在一百五回之後，而武侯之收姜維，早於初出祁山時伏下一筆；姜維與鄧艾相遇在三伐中原之後，姜維與鍾會相遇在九伐中原之後，而夏侯霸述兩人姓名早於未伐中原時伏下一筆；曹丕篡漢在八十回中，而青雲紫雲之祥，早於三十三回之前伏下一筆；孫權僭號在八十五回後，而吳夫人夢日之兆，早於三十八回中伏下一筆；司馬篡魏在一百十九回，而曹操夢馬之兆早于五十七回中伏下一筆。自此而外，凡伏筆之處，指不勝屈。每見近日稗官家一到扭捏不來之時，便平空生出一人，無端造出一事，覺後文與前文隔斷，更不相涉。試令讀《三國》之文，能不汗顔？《三國》一書，有添絲補錦、移針勻繡之妙。凡叙事之法，此篇所闕者補之於彼篇，上卷所多者勻之於下卷，不但使前文不沓拖，而亦使後文不寂寞，不但使前事無遺漏，而又使後事增渲染，此史家妙品也。如呂布取曹豹之女，本在未奪徐州之前，卻于困下邳時叙之；曹操望梅止渴，本在擊張繡之日，卻於青梅煮酒時叙之；管寧割席分坐，本在華歆未仕之前，卻於破壁取后時叙之；吳夫人夢月，本在將生孫策之前，卻于臨終遺命時叙之；武侯求黄氏爲配，本在未出草廬之前，卻于諸葛瞻死難時叙之。諸如此類，亦指不勝屈。前能留步以應後，後能回照以應前，令人讀之眞一篇如一句。《三國》一書，有近山濃抹、遠樹輕描之妙。畫家之法，於山與樹之近者，則濃之重之；於山與樹之遠者，則輕之淡之。不然，林麓迢遙，峰嵐層叠，豈能於尺幅之中，一一而詳繪之乎？作文亦猶是已。如皇甫嵩破黄巾，只在朱雋一邊打聽得來【略】趙雲襲南郡，關、張襲兩郡，只在周郎眼中耳中得來；昭烈殺楊奉、韓暹，只在昭烈口中叙來；張飛奪古城，在關公耳中聽來；簡雍投袁紹，在昭烈口中說來。至若曹丕三路伐吳而皆敗，一路用實寫，兩路用虛寫；武侯退曹丕五路之兵，唯遣使入吳用實寫，其餘四路皆虛寫。諸如此類，又指不勝屈，只一句兩句，正不知包卻幾許事情、省卻幾許筆墨。《三國》一書，有奇峰對插、錦屏對峙之妙。其對之法，有正對者，有反對者，有一卷之中自爲對者，有隔數十卷而遥爲對者。如昭烈則自幼便大，曹操則自幼便奸；張飛則一味性急，何進則一味性慢；議溫明是董卓無君，殺丁原是呂布無父；袁紹磐河之戰勝敗無常，孫堅峴山之役生死不測；馬騰勤王室而無功不失爲忠，曹操報父仇而不果不得爲孝；袁紹起馬步三軍而復回，是力可戰而不斷，昭烈擒王、劉二將而復縱，是勢不敵而從權；孔融薦禰衡是緇衣之好，禰衡罵曹操是巷伯之心；昭烈遇曹操是無意相遭，單福過新野是有心來謁；曹丕苦逼生曹植是同氣戈矛，昭烈痛哭死關公是異姓骨肉；火熄上方谷，是司馬之數當生，燈滅五丈原，是諸葛之命當死。諸如此類，或正對或反對，皆一回之中而自爲對者也。如以國戚害國戚，則有何進；以國戚薦國戚，則有伏完。李肅說呂布，則以智濟其惡；王允說呂布，則以巧行其忠。張飛失徐州，則以飲酒誤事；呂布陷下邳，則以禁酒受殃。關公飲魯肅之酒是一片神威，羊祜飲陸抗之酒是一團和氣。孔明不殺孟獲是仁者之寬，司馬懿必殺公孫淵是奸雄之刻。關公義釋曹操是報其德于前，翼德義釋嚴顔是收其用于後。武侯不用子午谷之計，是慎謀以圖全；鄧艾不懼陰平嶺之危，是行險以僥倖。曹操有病，陳琳一罵便好；王朗無病，孔明一罵便亡。孫夫人好甲兵是女中丈夫，司馬懿受巾幗是男中女子。八日而取上庸，則以速而神；百日而取襄平，則以遲而勝。孔明屯田渭濱，是進取之謀；姜維屯田沓中，是退避之計。曹操受漢之九錫，是操之不臣；孫權受魏之九錫，是權之不君。曹操射鹿，義乖于君臣；曹丕射鹿，情動于母子。楊儀、魏延相爭於班師之日，鄧艾鍾會相忌在用兵之時。姜維欲繼孔明之志，人事逆乎天心，杜預能承羊祜之謀，天時應乎人力。諸如此類，或正對或反對，皆不在一回之中，而遙相爲對者也。誠于此較量而比觀焉，豈不足快讀古之胸，而長尙論之識！

清溪居士《重刊三國志演義序》 昔陳承祚有良史才，所撰《魏蜀吳三國志》，凡六十五篇，已入正史。范頵稱其詞多勸戒，明乎得失，有益風化。裴松之亦謂詮叙可觀，事多審正，而惜其失在於略。復上披舊聞，旁摭遺逸，凡志所不載，事宜存錄者，畢取以爲之注，而三國事跡略備。演義之作，濫觴於元人，以供村老談說故事。然悉本陳志裴注，絕不架空杜撰，意主忠義而旨歸勸懲。閱者參觀正史，始知語皆有本，而不與一切小說等量而齊觀矣。

李漁《閒情偶寄・詞曲部・賓白第四・語求肖似》 言者，心之聲也。欲代此一人立言，先宜代此一人立心。若非夢往神游，何謂設身處地。無論立心端正者，我當設身處地，代生端正之想；即遇立心邪辟者，我亦當捨經從權，暫爲邪辟之思。務使心曲隱微，隨口唾出，說一人肖一人，勿使雷同，弗使浮泛，若《水滸傳》之叙事，吳道子之寫生，斯稱此道中之絕技。果能若此，即欲不傳，其可得乎？

金豐《新鐫精忠演義說本岳王全傳序》 從來創說者不宜盡出于虛，而亦不必盡由于實，苟事事皆虛則過于誕妄，而無以服考古之心，事事皆實則失于平庸，而無以動一時之聽。如宋徽宗朝有岳武穆之忠、秦檜之奸、兀朮之橫，其事固實而詳焉。更有不聞於史策，不著於紀載者，則自上帝降災而始有赤鬚龍、虬龍變幻之說也，有女土蝠化身之說也，有大鵬臨凡之說也。其間波瀾不測，枝節紛繁，冤仇幷結，忠佞俱亡，以及父喪子興，英雄復起，此誠忠臣之後，不失爲忠；而大奸之報，不恕其奸，良可慨矣。若夫兀朮一戰朱仙而以武穆敗之，再戰朱仙而以岳雷驅之。雖云奔北而竟以一人兼敵父子之勇，不亦難乎！至于假手仙魔之說，信其有也固可，信其無也亦可。總之，自始及終，皆歸於天，故以言乎實，則有忠有奸有橫之可考，以言乎虛，則有起有復有變之足觀，實者虛之，虛者實之，娓娓乎有令人聽之而忘倦矣。予亦樂是說之可以公諸同好，因序數語以弁諸首而付之梓。

張竹坡《批評第一奇書金瓶梅讀法》 作《金瓶梅》者，必曾于患難窮愁，人情世故，一一經歷過，入世最深，方能爲衆腳色摹神也。作《金瓶梅》者，若果必待色色歷遍，纔有此書，則《金瓶梅》又必做不成也。何則？即如諸淫婦偷漢，種種不同，若必待身親歷而後知之，將何以經歷哉？故知才子無所不通，專在一心也。一心所通，實又眞個現身一番，方說得一番，然則其寫諸淫婦，眞乃各現淫婦人身，爲人說法者也。其書凡有描寫，莫不各盡人情。然則眞千百化身，現各色人等，爲之說法者也。其各盡人情，莫不各得天道，即千古算來，天之禍淫福善，顚倒權奸處，確乎如此。讀之，似有一人親曾執筆在清河縣前西門家裏，大大小小，前前後後，碟兒碗兒，一一記之，似眞有其事，不敢謂爲操筆伸紙做出來的。吾故曰：得天道也。

孟芥舟等《女仙外史回評》 八大山人曰：子昂畫馬，以一身而能作數十馬變動之狀；耐庵作文，以一心而能作百許人之語言氣象。噫嘻，不亦難乎！如《外史》諸公子，個個有一種性情，人人有一種氣概，竟在紙上毫端，呼之欲出。第《水滸》諸人，出自草莽屠沽，各用方言，其聲音氣象，容易逼肖。若諸公子則詩禮之家，冠裳之裔，勢不得不用官話而達以文辭，略覺不顯。若細心以求，則是龍眠之淡墨羅漢，不假顏色，而鬚眉面目迥乎各別者。此二回，程、葉、楊、曾彬彬四公子，一路同行，心事無二，尤爲難以區分，乃能寫出毫釐之辨、錙銖之爽，比耐庵爲較勝矣。（第五十三回）

西泠散人《熙朝快史序》 嗚呼，小說豈易言者哉！其爲文也俚，一話也必如其人初脫諸口，摹繪以得其神；其爲事也瑣，一境也必如吾身親歷其中，曲折以達其見。夫天下之人不同也，則天下之事不同也。以一人之筆寫一人之事易，以一人之筆寫衆人之事難；以一人之筆寫一人之事之不同者易，以一人之筆寫衆人之事之不同者難。况乎以事之不可同者而從同寫之，以人之本可同者而不同寫之，則是書之爲難能而可貴也。試觀是書所論時文三弊不可同也，自作者寫之而不可同者竟同矣。所演之康、林二人本可同也，自作者寫之而可同者竟不同矣。吾益知著書之難，非胸羅數百輩之人譜，身歷數十年之世故，則嬉笑怒駡一事有一事之情形，貞淫正邪一人有一人之體段，安能薈萃于一人之書一人之筆而唯妙唯肖邪！

蔡元放《水滸後傳讀法》 傳中所有各種文法甚多，如相間成文法、跳身書外法、犯而不犯法，俱有前則說過；其餘仍有數種，皆是野雲主人偶然看出，今略爲點出以公世賞，其不盡者，散見各回總評細評內。本傳與前傳有明點法，有暗照法。如阮小七登山祭奠，將山寨舊事指示衆人；到登雲山下失母，說李鐵牛失母；顧大嫂說孫立前日樣子，打登州時寫孫立打扮；登雲山用替天行道旗；蔣敬舟中吃酒，說張順被劫；中國衆人，船到清水澳，阮小七要泗水取魚，李應說張順、李逵潯陽舊事，賦詩回說柴進曾做方臘駙馬之類，是明點也。穆春之在雙峰廟幾個轉身，與武松在鴛鴦樓相似；牛都監拿解黃信，與清風寨黃信拿解花榮相似；公孫勝破薩頭陀，寫掣出松紋古定劍，以照前傳之破高濂；六和塔下，武松見了衆人，叫聲「阿呀」，以照前傳景陽岡遇虎之類是也。至于本傳前後，自作明照暗照之處甚多，俱見各回細評下。有忙裏偸閑法，于百忙叙事中，忽寫景物時序。如阮小七、扈成初到孫新酒店，李應兵并龍角山，郭京、張雄兵到二仙山，樂和到雨花臺，李俊在清水澳賞中秋，蔡京愛妾房中，燕青村居，呼延鈺在楊劉村之類，都是于極忙中寫出許多清幽景致，而且點出時序，令人耳目爽然一快。至于明珠峽說暹羅風水，臨安說錢塘風水，愈忙愈閑，另是一樣文情，以顯其筆妙也。有借樹開花法，如要寫孫氏弟兄與扈成上登雲山，便寫一毛豸是毛仲義之子，與山泊舊仇，要借鄒潤來生事陷害，以逼成之；要寫收宋清上山，便借一曾世雄是曾涂之子，與山泊舊仇，生事陷害以逼成之；要寫救呂小姐，便寫一百足蟲是趙能之子，與山泊舊仇，來山上尋事以湊合之之類。不須另起一頭，另撰一事，只借前傳所有之人事生來，卻又隨手了結，文字何等省力。有烘雲托月法，燕青之與盧俊義是主僕而骨肉者也，俊義既死，燕青既欲竭忠圖報，已無其由；今寫一盧俊德，是俊義嫡親瓜葛，燕青不辭勞瘁，不避艱險，盡力以救其妻女，則俊義若在，其報稱又當何如耶！此是借旁形，正如烘雲托月一般。不然，請問看官，傳中必寫此一事者，豈專爲要他女兒爲妻，乃費如許筆墨耶！有加一倍寫法，如虎峪寨鬭法，另外寫出三座高臺。郭京兒戲演神術，先寫在錢老家捉怪，又寫其黃河渡口叫化，又寫與汪五狗偸鷄；寫馬國主游春，先寫在宮中商量，又寫沿路看景，又寫祭墓，又寫流觴曲水之類：總要寫得十分滿足，熱鬧便熱鬧之極，出醜便出醜之極，快活便快活之極，使文字有瓊花滿瑤樹，海水泛洪濤之妙也。有火裏生蓮法，如蔣敬江中被劫後，寫遇茅庵老僧一段；金人擒二帝後，寫燕青獻青子一段，姚平仲兵敗後，寫入蜀遇仙一段之類，使人如在煩惱火坑之中，忽現清涼世界，令人煩心頓息也。有水中吐焰法，如公孫、朱武之重陽賞菊，何等幽閑自在！二人一段議論，已是脫網忘機，卻頃刻便有張雄、郭京兵馬來捉；戴宗之在泰安山與安道全一段說話，與公孫、朱武一般，誰知頃刻便有童貫來取去軍前效用，使他推辭不得；又如李應、黃信等，都是安分自守，卻遭人連累，以致被拿入獄，皆是陡起風波，出于意料之外：此等處使人不敢作消受清福之想。有欲擒故縱法，如龍角山之畢豐本可殺卻，卻放他走脫，以爲後來借金兵，飲馬之地；鐵羅漢等三人本可同倭兵一齊了卻，卻放他逃回本島，以爲後來征三島之地；既獲共濤，本可將薩頭陀一齊擒獲，卻放他逃去躲在塔上，以爲共濤女兒立功救死之地：如此安放，眞是七穿八透之文。有移花接木法，前傳說燕青能通各路鄉談，是贊他心地聰明，口舌利便耳；然其所通，不過中國諸鄉語耳！至于金人，乃外番之國，中間又隔了大遼，從未與中國通問，燕青何由而能通其番語乎？然要寫他扮作金人，用木夾去救關勝夫婦，與入金營獻青子，及黃河渡口賺烏祿，若不能通其番語，何以能建功耶？故就他能通各路鄉談而推廣之，作移花接木之用，庶不棘手耳。

曹雪芹《紅樓夢》第一回　但我想歷來野史，皆蹈一轍，莫如我這不借此套者，反到新奇別致，不過只取其事體情理罷了，又何必拘拘於朝代年紀哉？再者市井俗人，喜看理治之書者甚少，愛看適趣閑文者特多。歷代野史，或訕謗君相，或貶人妻女，姦淫兇惡，不可勝數；更有一種風月筆墨，其淫穢污臭，塗毒筆墨，壞人子弟，又不可勝數。至若佳人才子等書，則又千部共出一套，且其中終不能不涉于淫濫，以致滿紙潘安、子建、西子、文君，不過作者要寫出自己的那兩首情詩豔賦來，故假擬出男女二人名姓，又必傍出一小人，其間撥亂，亦如劇中之小丑然，且環婢開口，卽者也之乎，非文卽理，故逐一看去，悉皆自相矛盾，大不近情理之話。竟不如我半世親覩親聞的這幾個女子，雖不敢說強似前代書中所有之人，但事跡原委，亦可以消愁破悶也。有幾首歪詩熟話，可以噴飯供酒。至若離合悲歡，興衰際遇，則又追踪攝跡，不敢稍加穿鑿，徒爲供人之目，而反失其眞傳者。今之人，貧者日爲衣食所累，富者又懷不足之心，總一時稍閑，又有貪淫戀色、好(貸)〔貨〕尋愁之事，那里去有工夫看那理治之書。所以我這一段事也不願世人稱奇道妙，也不定要世人喜悅檢讀，只願他們當那醉餘飽卧之時，或避世去愁之際，把此一玩，豈不省了(此)〔些〕壽命筋力，就比那謀虛逐妄，卻也省了口舌是非之害，腿腳奔忙之苦。再者，亦令世人換新眼目，不比那些胡牽亂扯，忽離忽遇，滿紙才人淑女、子建、文君、紅娘、小玉等，通共熟套之舊稿。

《脂硯齋重評石頭記批語》 最可笑世之小説中，凡寫奸人則用鼠耳鷹腮等語。(「猛擡頭見窗內有人【略】生得腰圓背厚，面闊口方，更兼劍眉星眼，直鼻權腮」等句眉批。脂銓本。)(第一回)

又 渾寫一筆，更妙。必個個寫去則板矣。可笑近之小説中有一百個女子，皆是如花似玉一副臉面。(「【略】第三個身量未足，形容尚小」等句眉批。脂銓本。)(第三回)

又 畫神鬼易，畫人物難，寫寶卿正是寫人之筆，若與黛玉并寫更難。今作者寫得一毫難處不見，且得二人眞體實傳，非神助而何。(同上，眉批。)(第八回)

又 按此書中寫一寶玉，其寶玉之爲人，是我輩于書中見而知有此人，實未目曾親睹者。又寫寶玉之發言，每每令人不解，定玉之生性，件件令人可笑，不獨于世上親見這樣的人不曾，卽閱今古所有之小説奇傳中，亦未見這樣的文字，于顰兒處爲更甚。其囫圇不解之中實可解，可解之中又説不出理路。合目思之，卻如眞見一寶玉，眞聞此言者，移之第二人萬不可，亦不成文字矣。余閲《石頭記》中至奇至妙之文，全在寶玉顰兒至癡至呆囫圇不解之語中。其詩詞、雅謎、酒令、奇衣、奇食、奇玩等類，固他書中未能，然在此書中評之，猶爲二著。(「可憐，可憐」句下夾批。脂京本。)(第十九回)

又 可笑近之野史中，滿紙羞花閉月、鶯啼燕語，(除)(殊)不知眞正美人方有一陋處，如太眞之肥，飛燕之瘦，西子之病，若施于別個不美矣。今見「咬舌」二字加以湘雲，是何大法手眼，敢用此二字哉。不獨見陋，且更覺輕俏嬌媚，儼然一嬌憨湘雲立于紙上，掩卷合目思之，其愛厄嬌音如入耳內。然後將滿紙鶯啼燕語之字樣，塡糞窖可也。(「明兒連你還咬起來呢」句下夾批。脂京本。)(第二十回)

無名氏《卧閒草堂本儒林外史回評》 此篇純用正筆直筆，不用一旁筆曲筆，是以文字無峭拔凌駕處。然細想此篇最難措筆，虞博士是書中第一人，純正無疵，如太羹元酒，雖有易牙無從施其烹飪之巧，故古人云：畫鬼易，畫人物難。蓋人物乃人所共見，不容絲毫假借于其間，非如鬼怪，可以任意增減也。嘗謂太史公一生好奇，如程嬰立趙孤諸事，不知見自何書，極力點綴，句句欲活，及作《夏本紀》，亦不得不恭恭敬敬，將《尚書》錄入，非子長之才長于寫秦漢短于寫三代，正是其量體裁衣，相題立格，有不得不如此者耳。(第三十六回)

陶家鶴《綠野仙踪序》 至言行文之妙，眞是百法俱備，必須留神省察，始能驗其通部旨歸。試觀其起伏也，如天際神龍。其交割也，如驚弦脱兔。其緊溜也，如鼓聲爆豆。其散去也，如長空風雨。其艷麗也，如美女簪花。其冷淡也，如狐猿嘯月。其收結也，如群玉歸笥。其插串也，如千珠貫綫。而立局命意，遣字措詞，無不曲盡情理，又非破空搗虛輩所能比擬萬一。使余竟日夜把玩，目蕩心怡，不由不嘆賞爲説部中極大山水也。世之讀説部者，動曰「謊耳，謊耳」，彼所謂謊者固謊矣，彼所謂眞者，果能盡書而讀之否？左邱明卽千秋謊祖也。而世之讀左邱明文字，方且童而習之，至齒搖髮禿而不已者，爲其文字謊到家也。夫文至於謊到家，雖謊亦不可不讀矣。願善讀説部者，宜急取《水滸》、《金瓶梅》、《綠野仙踪》三書讀之，彼皆謊到家之文字也，謂之爲大山水大奇書，不亦宜乎！

戚蓼生《紅樓夢序》 夫敷華掞藻，立意遣詞，無一落前人窠臼，此固有目共賞，姑不具論。第觀其蘊於心而抒於手也，注彼而寫此，目送而手揮，似譎而正，似則而淫，如《春秋》之有微詞，史家之多曲筆，試一一讀而繹之：寫閨房則極其雍肅也，而艷冶已滿紙矣；狀閥閲則極其豐整也，而式微已盈睫矣；寫寶玉之淫而癡也，而多情善悟不減歷下、琅琊；寫黛玉之妬而尖也，而篤愛深憐不啻桑娥、石女。他如摹繪玉釵金屋，刻畫薌澤羅襦，靡靡焉幾令讀者心蕩神怡矣，而欲求其一字一句之粗鄙猥褻不可得也。蓋聲止一聲，手止一手，而淫佚貞靜悲戚歡愉，不啻雙管之齊下也。噫，異矣！其殆稗官野史中之盲左、腐遷乎！

月岩《孝義雪月梅傳回評》 戛戛乎陳言之務去，文公所以起八代之衰。可見作文最忌陳腐。篇中成語，寫來極其新穎，如未經人道者，眞是君身有仙骨，世人那得知其故。看他發家之時，生出許多議論。開棺之際，畫出衆人形情，摠不肯作一直筆，筆筆頓住，筆筆轉換，讀此奇文，當滿飲一大白。(第十三回)【略】文章之妙，通乎鬼神，總緣心細，故不可方物。寫蔣公筆筆愷摯，筆筆細膩，筆筆豪爽，不如此幾不成爲蔣公，何以使劉、岑敬服。寫尙義村男婦看雪姐一段，見得還魂是件奇事，眞鏡花水月之文。蘇劉結姻一段，若出俗筆，必先提出劉封君作主，大家都以鬼話爲憑，豈不笑煞。且亦無此印板文字。看他全用蔣公做主，絕不說起劉公囑托之語。只是劉電一問，蔣公一答，岑秀一表，俱是輕輕帶過。筆法高妙，食烟火人何處揣摩？（第十五回）【略】善人善到底，惡人惡到底，如王知縣、侯公子便是樣子。看他寫發粟賑饑，純是一片愛民心腸不已，幷非沽名釣譽，只做自己份內事，直不愧爲民父母。看他寫設法劫財，卻因一片好色念頭不遂，雖非積匪滑賊，亦只做自己意中事，卻是更勝劫人強盜。作者極力寫出善惡兩種樣子與人看，直有關于世道人心不淺，寧可以小說目之耶？（第四十二回）

杜陵男子《蟫史序》 昔媧石補天，五色孰窺其迹？羿弓射日，九烏竟墜何方？大抵傳聞，不無附會。蓋有可爲無，無可爲有者，人心之幻也。有不盡有，無不盡無者，文辭之誕也。幻設不測事，孰察其端倪？誕故不窮言，孰究其涯際？蜃樓海市，景現須臾，牛鬼蛇神，情生萬變，詎可據史載之實錄，例野乘之紀聞乎！且子獨不見夫蟫乎？墜粉殘編之內者，蚋魚也。含靈積卷之中者，脈望也。常則覓生活于故紙，變則化臭腐爲神奇。子安得執其常，以疑其變乎哉！

馮鎭巒《讀聊齋雜說》 昔人謂：莫易于說鬼，莫難于說虎。鬼無倫次，虎有性情也。說鬼到說不來處，可以意爲補接；若說虎到說不來處，大段著力不得。予謂不然。說鬼亦要有倫次，說鬼亦要得性情。諺語有之：「說謊亦須說得圓。」此卽性情倫次之謂也。試觀《聊齋》說鬼狐，卽以人事之倫次、百物之性情說之。說得極圓，不出情理之外；說來極巧，恰在人人意願之中。雖其間亦有意爲補接，憑空揑造處，亦有大段吃力處，然卻喜其不甚露痕迹牽強之形，故所以能令人人首肯也。

又 《聊齋》之妙，同于化工賦物，人各面目，每篇各具局面，排場不一，意境翻新，令讀者每至一篇，另長一番精神。如福地洞天，別開世界；如太池未央，萬戶千門；如武陵桃源，自闢村落。不似他手，黃茅白葦，令人一覽而盡。

又 描寫刻畫，似幻似眞，實一一如乎人人意中所欲出。諸法俱備，無妙不臻，寫景則如在目前，叙事則節次分明，鋪排安放，變化不測，字法句法，典雅古峭，而議論純正，實不謬於聖賢一代傑作也。《聊齋》短篇，文字不似大篇出色，然其叙事簡凈，用筆明雅，譬諸游山者，纔過一山，又問一山，當此之時，不無借徑於小橋曲岸，淺水平沙，然而前山未遠，魂魄方收，後山又來，耳目又費。雖不大爲着意，然正不致遂敗人意。又況其一橋、一岸、一水、一沙，幷非一望荒屯絕徼之比。晚涼新浴，豆花棚下，搖蕉尾，說曲折，興復不淺也。近來說部，往往好以詞勝，搬衍麗藻，以表風華，塗繪古事，以炫博雅。《聊齋》於粗服亂頭中，略入一二古句，略裝一二古字，如《史記》諸傳中偶引古諺時語，及秦、漢以前故書，斑剝陸離，蒼翠欲滴，彌見大方，無一點小家子強作貧兒賣富醜態，所以可貴。

諸聯《紅樓評夢》 所引俗語，一經運用，罔不入妙，胸中自有鑪錘。【略】凡稗官小說，于人之名字、居處、年歲、履歷，無不鑿鑿記出，其究歸于子虛烏有。是書半屬含糊，以彼實者之皆虛，知此虛者之必實。【略】書中無一正筆，無一呆筆，無一復筆，無一閑筆，皆在旁面、反面、前面、後面渲染出來。中有點綴，有剪裁，有安放，或後回之事先爲提挈，或前回之事閑中補點，筆臻靈妙，使人莫測。總須領其筆外之神情，言時之景狀。【略】人至于死，無不一矣。如可卿之死也使人思，金釧之死也使人惜，晴雯之死也使人慘，尤三姐之死也使人憤，二姐之死也使人恨，司棋之死也使人駭，黛玉之死也使人傷，金桂之死也使人爽，迎春之死也使人惱，賈母之死也使人羨，鴛鴦之死也使人敬，趙姨娘之死也使人快，鳳姐之死也使人嘆，妙玉之死也使人疑，竟無一同者。非死者之不同，乃生者之筆不同也。

剩齋氏《英雲夢傳弁言》 一日檢渠案頭，見有抄錄一帙，題曰《英雲夢傳》，隨坐閱之。閱未半，不禁目眩心驚，拍案叫絕，思何物才人筆端吐舌，使當日一種情癡，三生佳偶，離而合，合而離，怪怪奇奇，生生死死，活現紙上。卽艱難百出，事變千端，而情堅意篤，終始一轍。其中之曲折變幻，直如行山陰道上，千岩競秀，萬壑爭流，幾令人應接不暇。因笑而問之曰：「當時果有是人乎？抑子之匠心獨出乎？」松雲應曰：「唯唯否否，當時未必果有是人，亦未必竟無是人，子弟觀所設之境，所傳之事，可使人移情悅目否？爲有爲無不任觀者之自會？此不過客窗寄興，漫爲叙次，以傳諸好事者之口，他非所計也。」

許喬林《鏡花緣序》 是書無一字拾他人牙慧，無一處落前人窠臼。枕經葄史，子秀集華，兼貫九流，旁涉百戲，聰明絕世，異境天開，卽飲程鄉千里之酒，而手此一編，定能驅遣睡魔，雖包孝肅笑比河清，讀之必當噴飯。綜其體要，語近滑稽，而意主勸善，而津逮淵富，足裨見聞。昔人稱其正不入腐，奇不入幻，另具一副手眼，另出一種筆墨，爲虞初九百中獨開生面，雅俗共賞之作，知言哉！輒述此語，以質之天下眞才子、喜讀是書者。

洪棣元《鏡花緣序》 凡人胸中無物，必不能立說著書，目中有物，又必至拘文牽義。此作家之所以難也。從古說部，無慮數千百種，其用意選辭，非失之虛無入幻，卽失之奥折難明，非失之孤陋寡聞，卽失之膚庸迂闊，令人不耐尋味，一覽無餘。

《新評繡像紅樓夢全傳》王希廉《紅樓夢總評》 一部書中，翰墨則詩詞歌賦、制藝尺牘、爰書戲曲，以及對聯匾額、酒令燈謎、說書笑話，無不精善；技藝則琴棋書畫、醫卜星相，及匠作構造、栽種花果、畜養禽魚、針黹烹調，巨細無遺；人物則方正陰邪、貞淫頑善、節烈豪俠、剛强懦弱，及前代女將、外洋詩女、仙佛鬼怪、尼僧女道、娼妓優伶、黠奴豪僕、盜賊邪魔、醉漢無賴，色色俱有；事迹則繁華筵宴、奢縱宣淫、操守貪廉、宮闈儀制、慶弔盛衰、判獄靖寇，以及諷經設壇、貿易鑽營，事事皆全；甚至壽終夭折、暴病亡故、丹戕藥誤，及自刎被殺、投河跳井、懸梁受逼、吞金服毒、撞階脫精等事，亦件件俱有。可謂包羅萬象，囊括無遺，豈別部小說所能望見項背！書中多有說話衝口而出，或幾句說話止說一二句，或一句說話止說兩三字，便咽住不說。其中或有忌諱，不忍出口；或有隱情，不便明說，故用縮句法咽住，最是描神之筆。

太仙《太仙漫稿例言》 昔人謂畫鬼怪易，畫人物難，是矣。然鬼怪有難於人物者，何也？畫鬼怪初時憑心生象，揮灑自如；迨至千百幅後，則變態窮而思路窘矣。若人物，則有此人，斯有此畫，非若鬼怪之全須捏造也。

邱煒萲《菽園贅談·梁山泊》 詩文雖小道，小說蓋小之又小者也。然自有章法，有主腦在。否則，滿屋散錢，從何串起，讀者亦覺茫無頭緒，未終卷而思睡矣。卽如《紅樓夢》以絳珠還淚爲主腦，故黛玉之死，寶玉一癡而不醒，從此出家收場，無事《紅樓夢》後夢也。《西廂記》以白馬解圍爲主腦，故夫人拷艷，紅娘直認而不諱，從此名義已定，無事再續《西廂》也。《水滸》主腦在于收結三十六人，故以梁山泊驚惡夢，戛然而止，意在于著書，故可止而止，不在于群盜。故憑空而起者，亦無端而息，所謂以不了了之也。此是著書體例，非示人以破綻。後人不察，紛紛蛇足，幾何不令讀者齒冷！

天目山樵《儒林外史新評》 《外史》用筆，實不離《水滸》、《金瓶梅》，魄力則遠不及。然描寫世事，實情實理，不必確指其人，而遺貌取神，皆酬接中所頻見，可以鏡人，可以自鏡。【略】是書特爲名士鍼砭，卽其寫官場、僧道、隸役、娼優及王太太輩，皆是烘雲托月，旁敲側擊。

洪興全《中東大戰演義自序》 從來創說者，事貴出乎實，不宜盡出于虛，然實之中虛亦不可無者也。苟事事皆實，則必出于平庸，無以動詼諧者一時之聽；苟事事皆虛，則必過于誕妄，無以服稽古者之心。是以余之創說也，虛實而兼用焉。至于中日之戰，天妝臺畏敵之羞，劉公島獻船之醜，馬關訂約，臺澎割地，種種實事，若盡將其詳而遍載之，則國人必以我爲受敵人之賄，以揚中國之耻；若明知其實，竟捨而不登，則人又或以我爲畏官吏之勢，而效金人之緘口。嗚呼！然則創說之實，亦戛戛乎難之矣！至若劉大帥之威，鄧管帶之忠，左夫人之節，宋宮保之勇，生番主之横，及其餘所載劉將軍用智取勝，樺山氏遣使詐降等事，余亦不保其必無齊東野人之言。既知其爲齊東野人之言，又何必連番細寫？蓋知其爲齊東野人之言者，余也，非讀者也。然事既有聞于前，凡有一點能爲中國掩羞者，無論事之是否出于虛，猶欲刊載留存于後，此我國臣民之常情也。故事有時雖出于虛，亦不容不載。余之創是說，實無謬妄之言，唯有聞一件記一件，得一說載一說，虛則作實之，實則作虛之，虛虛實實，任教稽古者詼諧者互相執博，余亦不問也。謹志數言，以白吾志。

《新小說》第七號平子《小說叢話》 《金瓶梅》一書，作者抱無窮冤抑，無限深痛，而又處黑暗之時代，無可與言，無從發泄，不得已藉小說以鳴之。其描寫當時之社會情狀，略見一斑。然與《水滸傳》不同：《水滸》多正筆，《金瓶》多側筆；《水滸》多明寫，《金瓶》多暗刺；《水滸》多快語，《金瓶》多痛語；《水滸》明白暢快，《金瓶》隱抑悽惻；《水滸》抱奇憤，《金瓶》抱奇冤。處境不同，故下筆亦不同。且其中短簡小曲，往往雋韻絶倫，有非宋詞、元曲所能及者，又可徵當時小人女子之情狀、人心思想之程度，眞正一社會小說，不得以淫書目之。《聊齋》文筆，多摹倣古人，其體裁多取法《唐代叢書》中諸傳記，誠爲精品，然雖膾炙一時，究不得謂之才子書，以其非別開生面者也。

《新小說》第八號曼殊《小說叢話》 《水滸》、《紅樓》兩書，其在我國小說界中，位置當在第一級，殆爲世人所同認矣。然于二者之中評先後，吾固甲《水滸》而乙《紅樓》也。凡小說之最忌者曰重複，而最難者曰不重複，兩書皆無此病矣。唯《紅樓》所叙之人物甚複雜，有男女老少貴賤媸妍之别，流品既異，則其言語、舉動、事業，自有不同，故不重複也尚易。若《水滸》，則一百零八條好漢，有一百零五條乃男子也，其身份同是莽男兒，等也；其事業同是強盜，等也；其年紀同是壯年，等也，故不重複也最難。凡著小說者，于作回目時，不宜草率。回目之工拙，于全書之價值，與讀者之感情，最有關係。若《二勇少年》之目錄，則內容雖佳極，亦失色矣。吾見小說中，其回目之最佳者，莫如《金瓶梅》。《金瓶梅》之聲價，當不下于《水滸》、《紅樓》，此論小說者所評爲淫書之祖宗者也。余昔讀之，盡數卷猶覺毫無趣味，心竊惑之。後乃改其法，認爲一種社會之書以讀之，始知盛名之下，必無虛也。凡讀淫書者，莫不全副精神，貫注于寫淫之處，此外則隨手披閱，不大留意，此殆讀者之普通性矣。至于《金瓶梅》，吾固不能謂爲非淫書，然其奧妙，絕非在寫淫之筆。蓋此書的是描寫下等婦人社會之書也。試觀書中之人物，一啓口，則下等婦人之言論也；一舉足，則下等婦人之行動也。雖裝束模倣上流，其下等如故也；供給擬于貴族，其下等如故也。若作者之宗旨在于寫淫，又何必取此粗賤之材料哉？論者謂《紅樓夢》全脫胎于《金瓶梅》，乃《金瓶梅》之倒影云，當是的論。若其回目與題詞，眞佳絕矣。中國小說，欲選其貫徹始終，絕無懈筆者，殆不可多得。然有時全部結構雖不甚佳，而書中之一部分，眞能邁前哲而法後世者，當亦不可誣也。吾見《兒女英雄傳》，其下半部之腐弊，讀者多恨之，若前半部，其結構眞佳絕矣。其書中主人翁之名，至第八回乃出，已難極矣；然所出者猶是其假名也，其眞名直至第二十回始發現焉。若此數回中，所叙之事不及主人之身份焉，則無論矣；或偶及之，然不過如曇花一現，轉瞬復藏而不露焉，則無論矣；然《兒女英雄傳》之前八回，乃書中主人之正傳也，且以彼一人而貫徹八回者也。作了一番驚天動地之大事業，而姓名不露，非神筆其能若是乎？

《新小說》第八號浴血生《小說叢話》 小說能導人游于他境界，固也；然我以爲能導人游于他境界者，必著者之先自游于他境界者也。昔趙松雪畫馬，常閉户不令人見。一日其夫人竊窺之，則松雪兩手距地，昂頭四顧，儼然一馬矣，故能以畫馬名于世。作小說者亦猶是。有人焉悄思冥索，設身處地，想像其身段，描摹其口吻，淋漓盡致，務使畢肖，則吾敢斷言曰：「若而人者，亦必以小說名于世。」

《香艷雜志》第十一期弁山樵子《紅樓夢發微緒言》 一書之作，必有其所以作是書之原因。欲知其原因所在，勢必於書中人物之事實，研究之而推測之。顧作書者，書中之人物之事實與意中之人物之事實，往往相似而又相歧，若故以眩閱者之目而淆閱者之心者。則生乎作書者之後，第就其書中之人物之事實，以臆斷其意中之人物之事實，縱極研究之力，推測之思，適成爲我意中人物之事實而已，而於作書者意中之人物之事實，則猶茫然未達，判然未合也。甚矣讀書得間之難，而讀小說之得間爲尤難。

《小說林》第一期蠻《小說小話》 小說之描寫人物，當如鏡中取影，妍媸好醜，令觀者自知，最忌攙入作者論斷。或如戲劇中一腳色出場，横加一段定場白，預言某某若何之善，某某若何之劣，而其人之實事，未必盡肖其言；即先後絕不矛盾，已覺叠床架屋，毫無餘味。故小說雖小道，亦不容着一我之見。如《水滸》之寫俠，《金瓶梅》之寫淫，《紅樓夢》之寫艷，《儒林外史》之寫社會中種種人物，并不下一前提語，而其人之性質、身份，若優若劣，雖婦孺亦能辨之，眞如對鏡者之無遁形也。夫鏡，無我者也。小說與時文爲反比例。講究時文者，一切書籍，皆不得觀覽；一切世務，皆不容預聞。至其目小說也，一若蛇蝎魔鬼之不可邇。而小說中非但不拒時文，即一切謠俗之猥瑣，閨房之詬誶，樵夫牧竪之歌諺，亦與四部三藏鴻文秘典，同收筆端，以供饌箸之資料。而宇宙萬有之運用于爐錘者（施耐庵《水滸記》自序，可爲作小說者之標準），更無論矣。故作時文與學時文者，幾于一無所知；而作小說與讀小說者，幾于無一不知。其不同也如此。【略】古來無眞正完全之人格，小說雖屬理想，亦自有分際，若過求完善，便屬拙筆。《水滸記》之宋江、《石頭記》之賈寶玉，人格雖不純，自能生觀者崇拜之心。若《野叟曝言》之文素臣，幾于全知全能，正令觀者味同嚼蠟，尚不如神怪小說之楊戬、孫悟空，騰拏變化，雖無理而尚有趣焉。其思想之下劣，與天花藏才子書，及各種盲辭中王孫公子名士佳人之十足裝點者何異？彼《金瓶梅》主人翁之人格，可謂極下矣，而其書歷今數百年，輒令人嘆賞不置。此中消息，惟熟于盲、腐二史者心知之，固不能爲賦六合、嘆三恨者之徒言也。

《小說林》第十一期觚庵《觚庵漫筆》　歷史小說最難作，過于翔實，無以異于正史。讀《東周列國志》，覺索然無味者，正以全書隨事隨時，摘錄排比，絕無匠心經營于其間，遂不足刺激讀者精神，鼓舞讀者興趣。若《三國演義》，則起伏開合，縈拂映帶，雖無一事不本史乘，實無一語未經陶冶，宜其風行數百年，而婦孺皆耳熟能詳也。《三國演義》一書，其能普及于社會者，不僅文字之力。余謂得力于毛氏之批評，能使讀者，不致如豬八戒之吃人參果，囫圇吞下，絕未注意于篇法、章法、句法，一也。得力于梨園子弟，如《鳳儀亭》、《空城計》、《定軍山》、《火燒連營》、《七擒孟獲》等，著名之劇，何止數十，袍笏登場，粉墨雜演，描寫忠奸，足使當場數百十人，同時感觸，而增記憶，二也。得力于評話家，柳敬亭一流人，善揣摩社會心理，就書中記載，爲之窮形極相，描頭添足，令聽者眉色飛舞，不肯間斷，三也。有是三者，宜乎婦孺皆耳熟能詳矣。戲劇與評話，二者之有功小說，各有所長。有聲有色，衣冠面目，排場節拍，皆能輔助正文，動人感情，則戲劇有特色，而嘻笑怒駡，語語松快，異于曲文聲調之未盡會解，費時費錢，均極短少，茶餘酒罷，偷此一刻空閑，已能自樂其樂，則評話有特色也。

李友琴《新上海評語》　《新上海》分前後二編，都六十卷，二十餘萬言，士謂先生得意之作也。間架雄闊，結構精嚴，思致絕卓，而筆墨尤靈動飛舞不可方物。文勢突兀，起伏有峰巒之形，奔放洄沿，有波濤之勢，其渲染點綴處，亦歷落有致。小說至是，嘆觀止矣。大抵文章能以骨力爲主，而副之氣勢，靡有弗佳。縱筆灝瀚，一瀉千里，如長江大河，浩浩湯湯，然其細流末節，或有淤塞不通，至令觀者得可攻之罅，則氣勢足而骨力弱也。是書寓意至深，伏脈至細，手寫是間，目注彼處，雖至一語之微，一事之細，無不回環呼應，首尾靈通，尋繹根源，有草蛇灰綫之妙。是眞聖嘆所謂能以一筆作數筆者也。至其分疏諸人，又各有其聲音笑貌，如施耐庵《水滸傳》一百八人，乃有一百八人聲口。嗚呼！其骨力氣勢爲何如，而又烏可以尋常小說目之哉！夫是書所叙，特海上瑣屑無奇之事，非若豪傑盜俠神奸魁蠹之足以動人心目。使不善操筆者爲之，且足生人睡魔。而士謂乃能以如椽之筆，化朽腐爲神奇，使人把閱不忍釋手，是其魄力眞有大過人者，而豈近世小說家所可同日語哉！書中描摹上海各社會種種狀態，無不唯妙唯肖。鑄鼎象奸，燃犀燭怪，使五蟲萬怪，無所遁影。平淡無奇之事，一運以妙筆，率足令人捧腹。是眞文字之光芒，而世道之功臣也。若夫詞隱而意彰，言簡而味永，按而不斷，弦外有聲，《儒林外史》外，鮮足匹矣。

《中國小說界》第一年第三至第八期成之《小說叢話》　小說所描寫之社會，校之實際之社會，其差有二：一曰小，一曰深。何謂小？謂凡描寫一種人物，必取其淺而易見者爲代表；描寫一種事實，必取其小而易明者爲代表也。如寫壯健俠烈之氣，則寫三軍之帥可也，寫匹夫之勇亦可也。而在小說，則寧取匹夫之勇。寫纏綿悱惻之情，則寫忠臣義士、憂國愛君如屈靈均、賈長沙之徒可也，寫兒女生死相戀愛，如賈寶玉、林黛玉亦可也。而在小說，則寧寫一賈寶玉或林黛玉。何者？前者事大而難見，後者事小而易明；前者或令人難于想像，後者則多屬于直觀的故也。何謂深？凡寫一事實，描一人物，必較實際加重數層是也。如寫善人，則必極其善，寫惡人，則必極其惡；寫壯健俠烈之英雄，則必一于壯健俠烈，而無復絲毫之柔情焉；寫纏綿悱惻之兒女，則必極其纏綿悱惻，而無復他念以爲之雜焉。要之小說所寫之人物恆單純，實際社會之人物恆復雜。惟單純也，對于他種事項皆一不錯意，然後對于其特所注意之事項，其力量乃宏。如釀酒然，水分愈少，則力愈厚。此則社會上之人物，本來如是，而小說特其尤甚焉者也，特能使此種人物現于實焉者也。嘗謂天下事惟不平者可以描寫，平者必不能寫。英雄、兒女，皆情有所偏至者也，不平者也，故可描寫之而成妙文。聖人，情之至中正者也，最平者也，故無論如何善作小說之人，必不能以小說體裁，爲聖人作傳記，亦必不能于小說中臆撰一聖人也。此猶山川可畫，而絕無草木之平原不可畫；日月雲雨皆可畫，而單繪一幅無片雲之靑天，必不成其爲畫也。夫何以不平者可爲文，而平者不能成文？此則人之心理使然。蓋至平則純爲一物，與他物無以爲別，而人之心思，亦無從想像矣。古人云：錯畫謂之文。夫必交錯而後成文，不交錯則不成文，此卽不平者成文，平者卽不成文之說也。不平者成文，而平者不成文，此卽復雜者成文，單純者不成文之說也。蓋有無生于同異，人之能知天下之物也，以其異也。若盈天下之物而皆同，則其所以爲別者亡，而人亦無從知其有矣。此則凡事皆如此，而文學亦不能外也。小說亦文學之一，故亦不能外此公例也。小說所描寫之人物，有以複雜而愈見其單純者。如寫一赤心愛國之人，彼其心惟知有國耳，固不必雜以兒女之情也。然設此人因愛國故，備嘗艱苦，而忽有一女子，憐而撫之，則此人之柔情，必爲所牽引矣。終之則此兩人者，或相將盡力國事，國事既定，此二人亦結婚爲夫婦焉；或遭運迍蹇，國終不可得救，而此二人者，亦憔悴困阨以死焉；或國雖遇救，而此二人者，竟喪其一，公私不能兩盡，爲人間世留一缺憾焉。凡此皆小說中所數見不鮮之事實也。又如寫情小說，寫一纏綿悱惻之兒女，則一于纏綿悱惻可矣，似無所用其武健俠烈之風矣。然或有勇俠少年，慷慨仗義，冒萬苦，排萬難，拯救一弱女子，而出之于險焉。或貞姬烈女，矢節不移，百死不顧，卒全其貞，其慷慨俠烈，雖烈丈夫視之，猶有媿色焉。此又小說中所數見不鮮之事實也。夫此似與單純之主義相背矣，然惟其複雜，正所以成其爲單純也。蓋男女因互相敬爲愛國之人故而相愛，則其愛國之深可知。貞姬烈女，以抗強暴怫逆故而寧殺其身，則其于所親愛者，其情之深可知。事以反觀而益明。無培塿，不知太山之高；無溝澮，不知江河之廣。寫燈之明，愈見夜之黑；寫虹之見，卽知雨之霽。凡此皆畫家所謂烘托法也。若專從正面寫之，則天下尚有何事可寫者乎？凡文學，必經選擇及想化二階段。小說所舉之代表人物，必縮小其範圍者，以小則便于想像，大則不便于想像，作者讀者，皆如此也。所以必加重幾層者，則基于選擇之作用。蓋有所加重于此，必有所割棄于彼，正所謂去其不美之點，而存其美點也。觀此益知吾前說之確矣。小說所描寫之事實在小；非小也，欲人之卽小以見大也。小說之描寫之事實貴深，非故甚其詞也，以深則易入，欲人之觀念先明確于一事，而因以例其餘也。然則小說所假設之事實，所描寫之人物，可謂之代表主義而已，其本意固不徒在此也。【略】今請略論作小說之法，以結此小說叢話之局。第一，理想要高尚。小說者，以理想造出第二之人間者也。惟其然也，故作者之理想，必不可以不高尚。使作者之理想而不高尚，則其所造出之第二人間，必無足觀，而人亦不樂觀之矣。《蕩寇志》組織之精密，材料之豐富，何遂遜于《水滸》？或且過之；然其價直終不逮者，理想之高尚不逮也。中國舊小說，汗牛充棟，然除著名之十數種外，率無足觀者，缺于此條件故也。理想者，小說之質也。質不立，猶人而無骨干，全體皆無所附麗矣。然則理想如何而能高尚乎？曰是則視人之道德爲進退。凡人之道德心富者，理想亦必高；道德心缺乏者，理想亦必低。所謂善與美相一致也。稽古說《詩》，曰「不得已」，豈必雅頌，皆由窮愁。不得已者，有其悲天閔人之衷，自有其移易天下之志；有其移易天下之志，自有其芳芬悱惻不能自言之情，發之咏歌，遂能獨絕千古。惟其眞也，惟其善也，惟其美也，作小說亦猶是也。無悲天閔人之衷，決不能作《紅樓夢》；無憤世嫉俗之心，決不能作《水滸傳》。胸無所有，而漫然爲之，無論形式如何佳妙，而精神不存焉。猶泥塑之神，決不足以威人；木雕之美女，終不能以動人之情也。此作小說之根本條件也。第二，材料要豐富。理想高尚矣，然無材料以敷佐之，猶無益也。蓋小說者，以其體例之特殊故，凡理想皆須以事實達之，故不能作一空語。又以其爲近世的文學故，其書中所述之事物，皆須爲現社會之所有。而非如作古文者，以嚴潔不用三代兩漢以後語爲貴；又非如作駢文者，但臚列典故，以爲證佐，可求之于類書而已矣。故作者于現社會之情形必不可以不知，而其知之又不可不極廣。蓋小說爲美的製作，貴乎複雜，而不貴乎簡單；既貴乎複雜，則其所描寫之事實，當兼賅乎各方面，而決不能偏乎一方面故也（如作《紅樓夢》者，但能描寫賈母、賈政而不能描寫劉老老、焦大，卽無味矣）。然則他種文學，其材料皆可于紙上求之，獨小說，則其材料當于空間求之（如《水滸》爲元人所作，其時社會之情形卽多與今日不同，設作一小說以描寫今日之社會，而其所述之情形多與《水滸》相類，卽成笑柄矣）。此作者之閱歷，所以不可不極廣也。此亦作小說最要之條件也。第三，組織要精密。所謂組織精密者有二義；第一事實要聯貫。組織許多複雜之事實而成一大事實，其中須有一綫索，不能有互相冲突之處。如兩人在書中初見時爲同年，至後文決不能其一尚在中年，其一已迫暮景也。此等處看似極易，然其實極難。作長篇複雜小說者，往往有束濕不及之處，遂爲全體之累。如《蕩寇志》與《水滸》相銜接者也，書中之事實，卽不能有與《水滸》相冲突之處。然扈三娘在《水滸傳》中，僅與林冲戰二十合，卽爲冲所擒；至《蕩寇志》中，陳麗卿之武藝，與林冲相等，而扈三娘忽能與之大戰至數百合無勝負。又如《三國演義》，關公斬顏良時，徐晃與顏良戰二十合，卽敗回本陣，及關公敗走麥城之時，徐晃忽能與關公戰八十合，無勝負。諸如此類，雖云小節，究之自相矛盾，未免有欠精密矣。一主從要分明。書中之人物，孰爲主人翁，代表作者之理想，孰爲副人物，代表四周之境遇，不可不極爲明確，使人一望而知，然後讀者知作者主意之所在，乃能讀之，而有所感動。若模糊影響，無當也。《儒林外史》所描寫之人物，極爲複雜，而組織上不能指出孰爲主人翁，事實亦首尾不完具，不能合衆小事爲一大事，究屬欠點。如右所述，寥寥三項，然小說之佳否，自理論上判決之，不過此三者而已。三者兼具，未有不爲良小說者；具其一二項，則美猶有憾。若三者皆不具，未有不爲惡小說者也。中國向者視小說爲無足重輕之業，皆毫無學識之人爲之，於此三條件，往往皆付闕如，故小說雖多，而惡者殆居百分之九十九。今風氣一變，知小說爲文學上最高等之製作，且爲輔世長民之利器，文人學士，皆將殫精竭慮而爲之，自茲以往，良小說或日出不窮，惡小說將居于天然淘汰之列乎？予日望之已。

徐天嘯《雪鴻淚史序》 言情小說者，情種之寫眞也。天生情種固不易，而爲此情種之寫眞更大難。而世之自命爲小說家者有言曰：「小說爲文人遣興之作，非歷史也，非紀傳也。有其文不必有其事，憑虛構造之可也；有其事不必求其實，穿鑿附會之可也。」噫！此大謬也。此小說之所以僅成其爲小說也。今之世小說多矣，言情小說尤汗牛充棟。後生小子，讀得幾冊書，識得幾個字，遽東塗西抹，搖筆弄唇，詡詡然號于人曰：「吾能爲情種寫眞也。」實則情種之所以爲情種，彼固何嘗夢見之。蓋情種有情種之眞相，情種有情種之特性。此眞相，此特性，惟情種能知之，惟情種能自知之，斷非彼東塗西抹、搖筆弄唇之小說家，所得而憑虛構造、穿鑿附會者也。余嘗謂作言情小說爲情種寫眞，欲求其于情種之眞相，能惟妙惟肖，于情種之特性，能繪聲繪影，無假飾，無虛僞，非以情種現身說法自道之不能。否則，必其人之亦爲情種，斯能設身處地，以己身作影，爲他人寫照也。

類別

劉知幾《史通・內篇・雜述》 在昔三墳五典，《春秋》、《檮杌》，即上代帝王之書，中古諸侯之記，行諸歷代，以爲格言。其餘外傳，則神農嘗藥，厥有《本草》；夏禹敷土，實著《山經》；《世本》辨姓，著自周室；《家語》載言，傳諸孔氏。是知偏記小說，自成一家，而能與正史參行，其所由來尚矣。爰及近古，斯道漸煩，史氏流別，殊途并騖，榷而爲論，其流有十焉：一曰偏紀，二曰小錄，三曰逸事，四曰瑣言，五曰郡書，六曰家史，七曰別傳，八曰雜記，九曰地理書，十曰都邑簿。夫皇王受命，有始有卒，作者著述，詳略難均，有權記當時，不終一代，若陸賈《楚漢春秋》、樂資《山陽載記》、王韶《晉安陸記》、姚最《梁昭後略》，此之謂偏紀者也。普天率土，人物弘多，求其行事，罕能周悉，則有獨舉所知，編爲短部，若戴逵《竹林名士》、王粲《漢末英雄》、蕭世誠《懷舊志》、盧子行《知己傳》，此之謂小錄者也。國史之行，記事記言，視聽不該，必有遺逸，于是好奇之士，補其所亡，若和嶠《汲冢紀年》、葛洪《西京雜記》、顧協《瑣語》、謝綽《拾遺》，此之謂逸事者也。街談巷議，時有可觀，小說卮言，猶賢于已，故好事君子，無所棄諸，若劉義慶《世說》，裴榮期《語林》、孔思尚《語錄》、陽玠松《談藪》，此之謂瑣言者也。汝潁奇士，江漢英靈，人物所生，載光郡國，故鄉人學者，編而記之，若圈稱《陳留耆舊》、周斐《汝南先賢》、陳壽《益部耆舊》、虞預《會稽典錄》，此之謂郡書也。高門華胄，弈世載德，才子承家，思顯父母，由是紀其先烈，貽厥後來，若揚雄《家牒》、殷敬《世傳》、孫氏《譜記》、陸宗《繫歷》，此之謂家史者也。賢士貞女，類聚區分，雖百行殊途，而同歸于善，則有取其所好，各爲之錄，若劉向《列女》、梁鴻《逸民》、趙采《忠臣》、徐廣《孝子》，此之謂別傳者也。陰陽爲炭，造化爲工，流形賦象，于何不育，求其怪物，有廣異聞，若祖臺《志怪》、干寶《搜神》、劉義慶《幽明》、劉敬叔《異苑》，此之謂雜記者也。九州土宇，萬國山川，物產殊宜，風化異俗，如各志其本國，足以明此一方，若盛弘之《荊州記》、常璩《華陽國志》、辛氏《三秦》、羅含《湘中》，此之謂地理書者也。帝王桑梓，列聖遺塵，經始之制，不恆厥所，苟能書其軌，則可以龜鏡將來，若潘岳《關中》、陸機《洛陽》、《三輔黃圖》、《建康宮殿》，此之謂都邑簿者也。大抵偏紀、小錄之書，皆記即日當時之事，求諸國史，最爲實錄，然皆言多鄙樸，事罕圓備，終不能成其不刊，永播來葉，徒爲後生作者，削稿之資焉。逸事者，皆前史所遺，後人所記，求諸異說，爲益實多，及妄者爲之，則苟載傳聞，而無銓擇，由是眞僞不別，是非相亂，如郭子橫之《洞冥》、王子年之《拾遺》，全構虛辭，用驚愚俗，此其爲弊之甚者也。瑣言者，多載當時辨對，流俗嘲謔，俾夫樞機者借爲舌端，談話者將爲口實，及蔽者爲之，則有詆訐相戲，施諸祖宗，褻狎鄙言，出自牀第，莫不升之紀錄，用爲雅言，固以無益風規，有傷名教者矣。郡書者，矜其鄉賢，美其邦族，施于本國，頗得流行，置于他方，罕聞愛異，其有如常璩之詳審，劉昞之賅博，而能傳諸不朽，見美來裔者，蓋無幾焉。家史者，事惟三族，言止一門，正可行于室家，難以播于邦國，且箕裘不墮，則其錄猶存，苟薪構已亡，則斯文亦喪者矣。別傳者，不出胸臆，非由機杼，徒以博采前史，聚而成書，其有足以新言加之別說者，蓋不過十一而已，如寡聞末學之流，則深所嘉尚，至于探幽索隱之士，則無所取材。雜記者，若論神仙之道，則服食煉氣，可以益壽延年，語魑魅之途，則福善禍淫，可以懲惡勸善，斯則可矣，及謬者爲之，則苟談怪異，務述妖邪，求諸弘益，其義無取。地理書者，若《朱贛》所採，浹于九州，闞駰所書，殫于四國，斯則言皆雅正，事無偏黨者矣，其有異于此者，則人自以爲樂土，家自以爲名都，競美所居，談過其實，又城池舊迹，山水得名，皆傳諸委巷，用爲故實，鄙哉！都邑簿者，如宫闕陵廟，街廛郭邑，辨其規模，明其制度，斯則可矣，及愚者爲之，則煩而且濫，博而無限，論榱棟則尺寸皆書，記草木則根株必數，務求詳審，持此爲能，遂使學者觀之，瞀亂而難紀也。于是考兹十品，徵彼百家，則史之雜名，其流盡于此矣。至于其間得失紛糅，善惡相兼，既難爲覼縷，故粗陳梗概，且同自鄶，無足譏焉。

吴自牧《夢粱錄》卷二〇《小說・講經史》 說話者，謂之舌辯。雖有四家數，各有門庭。且小說名銀字兒，如烟粉、靈怪、傳奇、公案、朴刀、桿棒，發發踪參之事：有譚淡子、翁二郎、雍燕、王保義、陳良甫、陳郎婦、棗兒、徐二郎等，談論古今，如水之流。談經者，謂演說佛書。說參請者，謂賓主參禪悟道等事：有寶庵、管庵、喜然和尚等。又有說諢經者戴忻庵。講史書者，謂講說《通鑒》、漢、唐歷代書史文傳興廢爭戰之事：有戴書生、周進士、張小娘子、宋小娘子、邱機山、徐宣教。又有王六大夫，元係御前供話，爲幕士請給，講諸史俱通，于咸淳年間，敷演《復華篇》及《中興名將傳》，聽者紛紛。蓋講得字眞不俗，記問淵源甚廣耳。但最畏小說人。蓋小說者，能講一朝一代故事，頃刻間捏合。(合生)與起令隨令相似，各占一事也。

羅燁《醉翁談錄・甲集・舌耕叙引・小說引子》 小說者流，出于機戒之官，遂分百官記錄之司。由是有說者縱横四海，馳騁百家。以上古隱奧之文章，爲今日分明之議論。或名演史，或謂合生，或稱舌耕，或作挑閃，皆有所據，不敢謬言。言其上世之賢者可爲師，排其近世之愚者可爲戒。言非無根，聽之有益。

又《小說開闢》 說《楊元子》、《汀州記》、《崔智韜》、《李達道》、《紅蜘蛛》、《鐵甕兒》、《水月仙》、《大槐王》、《妮子記》、《鐵車記》、《葫蘆兒》、《人虎傳》、《太平錢》、《巴蕉扇》、《八怪國》、《無鬼論》，此乃是靈怪之門庭。言《推車鬼》、《灰骨匣》、《呼猿洞》、《鬧室錄》、《燕子樓》、《賀小師》、《楊舜俞》、《青腳狼》、《錯還魂》、《側金盞》、《刁六十》、《鬬車兵》、《錢塘佳夢》、《錦莊春游》、《柳參軍》、《牛渚亭》，此乃爲烟粉之總龜。論《鶯鶯傳》、《愛愛詞》、《張康題壁》、《錢榆罵海》、《鴛鴦燈》、《夜游湖》、《紫香囊》、《徐都尉》、《惠娘魄偶》、《王魁負心》、《桃葉渡》、《牡丹記》、《花萼樓》、《章臺柳》、《卓文君》、《李亞仙》、《崔護覓水》、《唐輔採蓮》，此乃爲之傳奇。言《石頭孫立》、《姜女尋夫》、《憂小十》、《驢垛兒》、《大燒燈》、《商氏兒》、《三現身》、《火杴籠》、《八角井》、《藥巴子》、《獨行虎》、《鐵秤槌》、《河沙院》、《戴嗣宗》、《大相國寺》、《聖手二郎》，此乃謂之公案。論這《大虎頭》、《李從吉》、《楊令公》、《十條龍》、《青面獸》、《季鐵鈴》、《陶鐵僧》、《賴五郎》、《聖人虎》、《王沙馬海》、《燕四馬八》，此乃爲朴刀局段。言這《花和尚》、《武行者》、《飛龍記》、《梅大郎》、《鬬刀樓》、《攔路虎》、《高拔釘》、《徐京落章》、《五郎爲僧》、《王溫上邊》、《狄昭認父》，此爲桿棒之序頭。論《種叟神記》、《月井文》、《金光洞》、《竹葉舟》、《黃糧夢》、《粉合兒》、《馬諫議》、《許岩》、《四仙鬬聖》、《謝溏落海》，此是神仙之套數。言《西山聶隱娘》、《村鄰親》、《嚴師道》、《千聖姑》、《皮篋袋》、《驪山老母》、《貝州王則》、《紅綫盜印》、《醜女報恩》，此爲妖術之事端。也說黃巢撥亂天下，也說趙正激惱京師。說征戰有劉項爭雄，論機謀有孫龐斗智。新話說張、韓、劉、岳；史書講晉、宋、齊、梁。《三國志》諸葛亮雄材；收西夏說狄青大略。說國賊懷奸從佞，遣愚夫等輩生嗔；說忠臣負屈啣冤，鐵心腸也須下淚。講鬼怪令羽士心寒膽戰；論閨怨遣佳人綠慘紅愁。說人頭廝挺，令羽士快心；言兩陣對圓，使雄夫壯志。談呂相青雲得路，遣才人着意群書；演霜林白日昇天，教隱士如初學道。噇發迹話，使寒門發憤；講負心底，令奸漢包羞。講論處不儈搭，不絮煩；敷演處有規模、有收拾。冷淡處提掇得有家數，熱鬧處敷演得越久長。曰得詞，念得詩，說得話，使得砌。言無訛舛，遣高士善口贊揚；事有源流，使才人怡神嗟訝。

馬端臨《文獻通考》卷一九五 夾漈鄭氏曰：「古今編書所不能分者五：

一曰傳記，二曰雜家，三曰小說，四曰雜史，五曰故事。凡此五類之書，足相紊亂。又如文史與詩話，亦能相濫，編書之家多是苟且，有見名不見書者，有看前不看後者。《尉繚子》，兵書也，班固以爲諸子類，置于雜家，此之謂見名不見書。隋唐因之。至《崇文目》，始入兵書類。顔師古作《刊謬正俗》，乃雜記經史，惟第一篇說論語，而《崇文目》以爲《論語》類，此之謂看前不看後。應知《崇文》所釋不看全書，多只看帙前數行，率意以釋之耳。」按《刊謬正俗》當入經解類。

胡應麟《少室山房筆叢・丙部・九流緒論下》 子之爲類，略有十家。昔人所取凡九，而其一小說弗與焉。然古今著述，小說家特盛。而古今書籍，小說家獨傳。何以故哉？怪力亂神，俗流喜道，而亦博物所珍也；玄虛廣莫，好事偏攻，而亦洽聞所昵也。談虎者矜誇以示劇，而雕龍者閑掇之以爲奇；辯鼠者證據以成名，而捫蝨者類資之以送日。至于大雅君子，心知其妄，而口競傳之，且斥其非，而暮引用之，猶之淫聲麗色，惡之而弗能弗好也。夫好者彌多，傳者彌衆；傳者日衆，則作者日繁。夫何怪焉？【略】小說家一類，又自分數種。一曰志怪：《搜神》、《述異》、《宣室》、《酉陽》之類是也。一曰傳奇：《飛燕》、《太眞》、《崔鶯》、《霍玉》之類是也。一曰雜錄：《世說》、《語林》、《瑣言》、《因話》之類是也。一曰叢談：《容齋》、《夢溪》、《東谷》、《道山》之類是也。一曰辨訂：《鼠璞》、《鷄肋》、《資暇》、《辨疑》之類是也。一曰箴規：《家訓》、《世範》、《勸善》、《省心》之類是也。談叢、雜錄二類最易相紊，又往往兼有四家，而四家類多獨行，不可攙入二類者。至於志怪、傳奇，尤易出入，或一書之中，二事并載；一事之內，兩端具存。姑舉其重而已。小說，子書流也。然談說理道，或近於經，又有類注疏者。紀述事迹，或通于史，又有類志傳者。他如孟棨《本事》、盧(瓌)〔褱〕《抒情》，例以詩話文評，附見集類，究其體制，實小說者流也。至於子類雜家，尤相出入。鄭氏謂古今書家所不能分有九，而不知最易混淆者小說也。必備見簡編，窮究底裏，庶幾得之。而冗碎迂誕，讀者往往涉獵，優伶遇之，故不能精。《飛燕》，傳奇之首也。《洞冥》，雜俎之源也。《搜神》，《玄怪》之先也。《博物》，《杜陽》之祖也。魏晉好長生，故多靈變之說。齊梁弘釋典，故多因果之談。

邱煒萲《菽園贅談・小說》 本朝小說，何止數百家。紀實研理者，當以馮班《鈍吟雜錄》、王士禎《居易錄》、阮葵生《茶餘客話》、王應奎《柳南隨筆》、法式善《槐廳載筆》、《清秘述聞》、童翼駒《墨海人名錄》、梁紹壬《兩般秋雨盦隨筆》爲優。談狐說鬼者，自以紀昀《閱微草堂五種》爲第一，蒲松齡《聊齋志異》次之，沈起鳳《諧鐸》又次之。言情道俗者，則以《紅樓夢》爲最，此外若《兒女英雄傳》、《花月痕》等作，皆能自出機杼，不依傍他人籬下。

《清議報》第一冊任公《譯印政治小說序》 政治小說之體，自泰西人始也。凡人之情，莫不憚莊嚴而喜諧謔，故聽古樂，則惟恐臥，聽鄭、衛之音，則靡靡而忘倦焉。此實有生之大例，雖聖人無可如何者也。善爲教者，則因人之情而利導之，故或出之以滑稽，或托之于寓言。孟子有好貨好色之喻，屈平有美人芳草之辭，寓譎諫于詼諧，發忠愛于馨艷，其移人之深，視莊言危論，往往有過，殊未可以勸百諷一而輕薄之也。中土小說，雖列之于九流，然自《虞初》以來，佳製蓋鮮，述英雄則規畫《水滸》，道男女則步武《紅樓》，綜其大較，不出誨盜誨淫兩端。陳陳相因，塗塗遞附，故大方之家，每不屑道焉。雖然，人情厭莊喜諧之大例，既已如彼矣。彼夫綴學之子，黌塾之暇，其手《紅樓》而口《水滸》，終不可禁。且從而禁之，孰若從而導之？善夫南海先生之言也，曰：「僅識字之人，有不讀經，無有不讀小說者。故《六經》不能教，當以小說教之；正史不能入，當以小說入之；語錄不能諭，當以小說諭之；律例不能治，當以小說治之。天下通人少而愚人多，深于文學之人少，而粗識之無之人多。六經雖美，不通其義，不識其字，則如明珠夜投，按劍而怒矣。孔子失馬，子貢求之不得，圉人求之而得。豈子貢之智，不若圉人哉？物各有群，人各有等，以龍伯大人與僬僥語，則不聞也。今中國識字人寡，深通文學之人尤寡。」然則小說學之在中國，殆「可增七略而爲八，蔚四部而爲五」者矣。在昔歐洲各國變革之始，其魁儒碩學，仁人志士，往往以其身之所經歷，及胸中所懷，政治之議論，一寄之于小說。于是彼中綴學之子，黌塾之暇，手之口之，下而兵丁、而市儈、而農氓、而工匠、而車夫馬卒、而婦女、而童孺，靡不手之口之。往往每一書出，而全國之議論爲之一變。彼美、英、德、法、奧、意、日本各國政界之日進，則政治小說，爲功最高焉。英名士某君曰：「小說爲國民之魂。」豈不然哉！豈不然哉！今特採外國名儒所撰述，而有關切于今日中國時局者，次第譯之，附于報末，愛國之士，或庶覽焉。

《新民叢刊》第十四號新小說報社《中國唯一之文學報新小說》一、歷史小說：歷史小說者，專以歷史上事實爲材料，而用演義體叙述之。蓋讀正史則易生厭，讀演義則易生感。徵諸陳壽之《三國志》與坊間通行之《三國演義》，其比較釐然矣。【略】二、政治小說：政治小說者，著者欲借以吐露其所懷抱之政治思想也。其立論皆以中國爲主，事實全由于幻想。【略】三、哲理科學小說：專借小說以發明哲學及格致學。【略】四、軍事小說：專以養成國民尚武精神爲主。【略】五、冒險小說：如《魯敏遜漂流記》之流，以激厲國民遠游冒險精神爲主（題未定）。六、探偵小說：探偵小說，其奇情怪想，往往出人意表。前《時務報》曾譯數段，不過嘗鼎一臠耳。本報更博采西國最新奇之本而譯之（題未定）。七、寫情小說：人類有公性情二：一曰英雄，二曰男女。情之爲物，固天地間一要素矣。本報竊附《國風》之義，不廢《關雎》之亂，但意必蘊藉，言必雅馴（題未定）。八、語怪小說：妖怪學爲哲理之一科，好學深思之士，喜研究焉。西人談空說有之書，汗牛充棟，幾等中國，取其尤新奇可詫者譯之，亦研究魂學之一助也。九、劄記體小說：如《聊齋》、《閱微草堂》之類，隨意雜錄。十、傳奇體小說：本社員有深通此道、酷嗜此業者一二人，欲繼索士比亞、福祿特爾之風，爲中國劇壇起革命軍，其結構詞藻決不在《新羅馬傳奇》下也（題未定）。十一、世界名人逸事：體例略如《世說新語》，但常有長篇巨製。大率刺取古今中外豪傑之軼事，足以廉頑立懦者最而錄之，于青年立志最有裨助。

小說林社《謹告小說林社最近之趣意》歷史小說（志已往之事迹，作未來之模型，見智見仁，是在讀者（書目從略，下同））；地理小說（北亞荒寒，南非沙漠，《廣輿》所略，爲廣見聞）；科學小說（啓智秘鑰，闡理玄燈）；軍事小說（尚武精神，愛國汗血，觀海陸戰史，奕然有生氣）；偵探小說（變形易相，偵察鈎稽，爲小說界新輸入者）；言情小說（疾風勁草，滄海巫山，世態寫眞，人心活劇）；國民小說（三色之旗，獨立之門，洛鐘其應，是在銅山之崩）；家庭小說（家庭教育，首重幼稚，盧叟柏氏，咸以小說著名教育界）；社會小說（有種種現象，成色色世界，具大魔力，超無上乘）；冒險小說（偉大國民，冒險精神，魯敏孫歟？仭樸頓歟？雁行鼎足）；神怪小說（希臘神話，埃及聖迹，歐西古俗，以資博覽）；滑稽小說（曼倩、淳于，著名昔史，詼諧談笑，繼武後塵）。

《新小說》第十三號俠人《小說論叢》余不通西文，未能讀西人所著小說，僅據一二譯出之本讀之。竊謂西人所著小說若更有佳者，爲吾譯界所未傳播，則吾不敢言。若其所謂最佳者，亦不過類此，則吾國小說之價值，眞過于西洋萬萬也。試比較其短長如下：一、西洋小說分類甚精，中國則不然，僅可約舉爲英雄、兒女、鬼神三大派，然一書中仍相混雜。此中國之所短一。一、中國小說每一書中所列之人，所叙之事，其種類必甚多，而能合爲一爐而冶之。除一二主人翁外，其餘諸人，仍各有特色。其實所謂主人翁者，不過自章法上云之而已。西洋則不然，一書僅叙一事，一綫到底。凡一種小說，僅叙一種人物，寫情則叙癡兒女，軍事則叙大軍人，冒險則叙探險家，其餘雖有陪襯，幾無顔色矣。此中國小說之所長一。一、中國小說，卷帙必繁重，讀之使人愈味愈厚，愈入愈深。西洋小說則不然，名著如《魯敏孫漂流記》、《茶花女遺事》等，亦僅一小册子，視中國小說不及十分之一。故讀慣中國小說者，使之讀西洋小說，無論如何奇妙，終覺其索然易盡。吾謂小說具有一最大神力，曰迷。讀之使人化身入其中，悲愉喜樂，則書中人之悲愉喜樂也；云爲動作，則書中人之云爲動作也。而此力之大小，于卷帙之繁簡，實重有關係焉。此中國小說之所長二。一、中國小說起局必平正，而其後則愈出愈奇。西洋小說起局必奇突，而以後則漸行漸弛。大抵中國小說，不徒以局勢疑陣見長，其深味在事之始末，人之風采，文筆之生動也。西洋小說專取中國之所棄，亦未始非文學中一特別境界，而已低一着矣。此中國小說之所長者三。唯偵探一門，爲西洋小說家專長。中國叙此等事，往往鑿空不近人情，且亦無此層出不窮境界，眞瞠乎其後矣。或曰：西洋小說尚有一特色，則科學小說是也。中國向無此種，安得謂其勝于西洋乎？應之曰：此乃中國科學不興之咎，不當在小說界中論勝負。若以中國大小說家之筆叙科學，吾知其佳必遠過于西洋。且小說者一種之文學也。文學之性，宜于凌虛，不宜于徵實，故科學小說，終不得在小說界中占第一席。且中國如《鏡花緣》、《蕩寇志》之備載異聞，《西游記》之暗證醫理，亦不可謂非科學小說也。特惜《鏡花緣》、《蕩寇志》去實用太遠，而《西游記》又太蒙頭蓋面而已。然謂我先民之無此思想，固重誣也。準是以談，而西洋之所長一，中國之所長三。然中國之所以有三長，正以其有此一短。故合觀之，而西洋之所長，終不足以贖其所短；中國之所短，終不足以病其所長。吾祖國之文學，在五洲萬國中，眞可以自豪也。

《小說林》第七期觚庵《觚庵漫筆》：軍事小說與言情小說，適成一反比例：一使人氣旺，一使人氣短；一使人具丈夫態度，一使人深兒女心腸；一使人易怒，一使人易戚。一合于北方性質，北人固剛毅；一合于南人形狀，南人本柔弱。此爲二種書分優劣處。然今日讀小說者，喜軍事小說，遠不如喜言情小說，社會趨向，于此可見。我國小說，雖列專家，然其門類，太形狹隘。卽如滑稽一種，除《太平廣記》、《笑林廣記》、《一夕話》等雜載瑣事笑話外，殊少洋洋成巨冊者。且其道，僅以諷刺語妙，博人解頤而止。其影響所及，亦只造就鸚鵡名士一流人耳。近今所刊，有《啞旅行》、《大除夕》、《滑稽旅行》、《女學生旅行記》、《新法螺》五種。然《新法螺》，屬于理想的科學；《大除夕》，描寫歐洲政界腐敗，各有趣意。惟《啞旅行》一書，實可爲滑稽小說中之泰斗。隱先生之一舉一動，一言一語，處處令人噴飯，處處可補游歷日記之不足，不必言其所以然，而自能鏤人心版，此眞得小說之三昧、之神髓者。近日又有《滑稽外史》之刊，共六冊，爲譯本中成帙最巨者，窮形盡相，惡人、善人、僞善人、貧人、富人，一一爲之鑄鼎象物，使魑魅魍魎，不復有遁形。歐西此等小說，風行一世，有裨于社會處不少。如《孤星淚》、《旅行述異》，皆同一宗旨者，但不可指爲滑稽小說耳。余謂小說可分兩大派：一爲記叙派，綜其事實而記之，開合起伏，映帶點綴，使人目不暇給，凡歷史、軍事、偵探、科學等小說，皆歸此派。我國以《三國志》爲獨絕，而《秘密使者》、《無名之英雄》諸書，亦會得此旨者。一爲描寫派，本其性情，而記其居處行止談笑態度，使人生可敬、可愛、可憐、可憎、可惡諸感情，凡言情、社會、家庭、教育等小說，皆入此派。我國以《紅樓夢》、《儒林外史》爲最，而《小公子》之寫兒童心理，亦一特別者也。

《小說林》第十期覺我《余之小說觀·文言小說與白話小說》之二者，就今日實際上觀之，則文言小說之銷行，較之白話小說爲優。果國民國文程度之日高乎？吾知其言之不確也。吾國文字，號稱難通，深明文理者，百不得一；語言風俗，百里小異，千里大異，文言白話，交受其困。若以臆說斷之，似白話小說，當超過文言小說之流行。其言語則曉暢，無艱澀之聯字；其意義則明白，無幽奧之隱語，宜乎不脛而走矣。而社會之現象，轉出于意料外者，何哉？余約計今之購小說者，其百分之九十，出于舊學界而輸入新學說者，其百分之九，出于普通之人物，而有思想、有才力、歡迎新小說者，未知滿百分之一否也？所以林琴南先生，今世小說界之泰斗也，問何以崇拜之者衆？則以遣詞綴句，胎息史漢，其筆墨古樸頑艷，足占文學界一席而無愧色。然試問此等知音，可責諸高等小學卒業諸君乎？遑論初等。可責諸章句帖括冬烘頭腦乎？遑論新學（余非謂研究新學諸君概不若冬烘頭腦也，若斟酌字義、考訂篇法，往往今不逮昔。卽有文學彪炳者，試問果自學校中得來者否）。宜乎以中國疆土之廣袤，衣冠之蹌濟，而所推爲傑作者，其印數亦不足萬，較之他國庸碌之作家，亦瞠乎後也。夫文言小說，所謂通行者既如彼，而白話小說，其不甚通行者又若是，此發行者與著譯者，所均宜注意者也。

《小說月報》第三卷第五、七至十一號管達如《說小說·小說之分類》

（甲）文學上之分類：一、文言體：此體道源最古。周秦諸子，卽時有之；漢魏六朝，綿延勿絕；迄唐而大盛。蓋唐代科舉，尙無糊名易書之法。主司鑒衡，得于文字之外，兼采譽望。其時公車士子，旅食京華，往往因寄意寓言之作，名噪都下。轉相倣效，述作遂多。凡意有所托，或于時事有所知而不敢顯言者，往往借小說以達之矣。故此體可謂萌芽于周秦，發達于漢魏六朝之間，而大成于唐代者也。此體之中，又分爲二派：一唐小說，主詞華；一宋小說，主說理。近世著述中，若《聊齋志異》，則唐小說之代表也；若《閱微草堂筆記》，則宋小說之代表也。此體雖無逯下之功，而亦無誨盜誨淫之習，由其托體高故也。故于社會無大勢力，而亦無大害。一、白話體：此體可謂小說之正宗。蓋小說固以通俗逯下爲功，而欲通俗逯下，則非白話不能也。且小說之妙，在于描寫入微，形容盡致；而欲描寫入微，形容盡致，則有韻之文，恆不如無韻之文爲便。故雖如傳奇之優美，彈詞之淺顯，亦不能居小說文體正宗之名，而不得不讓之白話體矣。此派多用章回體，猶之文言派多用筆記體也。用此種文字之小說，于中國社會上勢力最大。中國普通社會，所以人人腦筋中有一種小說思想者，皆此種小說爲之也。故中國社會而受小說之福也，此種小說實尸其功；中國社會而蒙小說之禍也，此種小說實尸其咎。三、韻文體：此體中復可分爲兩種：一、傳奇體；一彈詞體是也。傳奇體者，蓋沿唐宋時之倚聲，而變爲元代之南北曲，自元迄清，于戲劇界中，占重要之位置者也。此體所長，在文學優美，感情高尙，足以引起社會上愛美之性質。惜文人所塡詞，不盡可歌，而經伶工删改，用以演劇者，又往往詞句惡劣，甚至不通，爲可憾耳。彈詞體者，其初蓋亦用以資彈唱。及于今日，則亦不復用爲歌詞，而僅以之供閱覽矣。近今京調秦腔，日盛一日，其劇本，初多鄙俚不通，近則亦有倩文人爲之，從順可讀者。然其文字，既不能如崑曲之高尚優美，又不能如彈詞之純以七字成句，音調圓熟，便于吟誦。故此等戲劇，縱使日盛，而欲求此等劇本，以蔚小說界中一大國，則戛戛乎其難之矣（傳奇在詩歌中，最適于叙事之用。西人叙事詩，往往有長至數百千言者，在中國惟傳奇可以當之。故傳奇之體制，雖沿詞而變，而其性質，實與詞不同。崑劇雖衰，傳奇必不能廢也）。（乙）體制上之分類：一、筆記體：此體之特質，在于據事直書，各事自爲起訖。有一書僅述一事者，亦有合數十數百事而成一書者，多寡初無一定也。此體之所長，在其文字甚自由，不必構思組織，搜集多數之材料。意有所得，縱筆疾書，即可成篇，合刻單行，均無不可。雖其趣味之濃深，不及章回體，然在著作上，實有無限之便利也。二、章回體：此體之所以異于筆記體者，以其篇幅甚長，書中所叙之事實極多，亦極複雜，而均須首尾聯貫，合成一事，故其著作之難，實倍蓰于筆記體。然其趣味之濃深，感人之力之偉大，亦倍蓰之而未有已焉。蓋小說之所以感人者在詳，必于纖悉細故，描繪靡遺，然後能使其所叙之事，躍然紙上，而讀者且身入其中而與之俱化。而描寫之能否入微，則于其所用之體制，重有關係焉。此章回體之小說，所以在小說界中占主要之位置也。凡用白話及彈詞體之小說，多屬此種。即傳奇，實亦屬于此類。（丙）性質上之分類：一、武力的：亦可名爲英雄的，若《水滸傳》其代表也。此派所長，在能描寫武健俠烈之人物，以振作社會尚武之精神。然爲之者或不知正義與法律爲何物，專描寫一粗鹵武健之人，其極遂變爲強盜主義，則其流弊亦不免矣。一、寫情的：亦可名爲兒女的，若《紅樓夢》其代表也。夫世界本由愛情而成。男女之愛情，實爲愛情之最眞摯者。由此描繪，詔人以家庭壓制之流毒，告人以社會制裁之非正義，且導人以貞信純潔之死不相背棄之美風，亦未始于風俗無益。但爲之者多不知道德爲何物，且亦絕無高尚之感情，非描寫一佻撻無行之人，號爲才子，則提倡淫樂主義，描寫富貴之家，一夫多妻之惡習，使社會風俗，日趨卑污，罪不可勝誅矣。一、神怪的：此派小說，以迎合社會好奇心爲主義，專揑造荒誕支離不可究詰之事實，若《封神傳》其代表也。于社會無絲毫之益，而有丘山之損，蓋習俗迷信之深，此派小說與有力焉矣（如關羽有何價値，而舉世奉爲明神，非《三國演義》使之然乎）。而其撰述亦最易，蓋可隨筆揑造，不必根于事實也。英雄、兒女、鬼神，爲中國小說三大元素。凡作小說者，其思想大抵不能外乎此。且有一篇之中，三者錯見，不能判別其性質者。又有其宗旨雖注重于一端，而亦不能偏廢其他之二種者。此由社會心理使然，不能以此衡作者之短長也。一、社會的：此派小說，以描寫社會惡濁風俗，使人讀之而知所警爲主義，若《儒林外史》其代表也。最爲有利無弊，但佳作不數覯。不善者爲之，往往口角筆鋒，流于尖薄，無當懲勸，只成笑談，爲可惜耳。故欲作此種小說者，道德心必不可缺。道德心缺乏，而能爲良好之社會小說者，未之前聞也。斯言似迂，其理實信，願爲小說者一深思之。一、歷史的：此派小說，其所叙述事實之大體，以歷史爲根據，而又以己意，揑造種種之事實，以輔佐其趣味者也。其所述之事實，大抵眞者一而僞者九，若《三國演義》其代表也。小說之作，所以發表理想。叙述歷史，本非正旨。然一事實之詳細情形，史家往往以格于文體故，不能備載，即載之亦終不能如小說之詳，苟得身歷其事者，本所聞見，著爲一書，則不特情景逼眞，在文學上易成佳構，并可作野史讀矣。又歷代正史，多有僅據官書，反不如私家記載之得實者；苟得好讀雜史之人，剌取一時代之遺聞軼事，經緯組織，著成一書，使覽者讀此一編，如畢讀多種之野史，則于學問亦未始無益。而惜乎能符此兩種宗旨者，絕不可得見，而徒造爲荒誕不經之言，以淆亂史實，是則有損而無益也。一、科學的：此種小說，中國舊時無之，近來譯事勃興，始出見于社會，蓋由吾國科學思想不發達故也。夫小說之性質，貴于凌虛；科學之性質，貴于徵實。二者似不相容。然近來科學進步，一日千里，其事雖庸，其理則奇。事奇斯文奇。苟有深通科學兼長文學之士，覃精著述，未始不足于小說界中，別開一生面矣。一、偵探的：此種小說，亦中國所無，近來譯事盛行，始出見于社會者也。中國人之作小說也，有一大病焉，曰不合情理。不獨其書中所叙之事，讀之未嘗不新奇可喜，而按之實際，則無一能合者。不獨說鬼談神處爲然，即叙述人事處，亦強半如是也。偵探小說，爲心思最細密，又須處處按切實際之作，其不能出現于中國，無足怪矣。一、冒險的：此種小說，亦得之迻譯，若《魯濱孫飄流記》之類是也，最足激發人民冒險進取之思想。中國近日，民之委靡，尤須以此種小説藥之。一、軍事的：中國舊時之小説，叙述戰事者甚多。歷史小説，尤大半屬于此類。然與實際絶不相合，故不能冒軍事小説之名。近來國際競爭，日益激烈，非提倡軍國民主義，不足自存。若得深通軍學之士，多著此等小説，於社會必大有裨益也。

中華大典·文學典

文學理論分典　引用書目

説明

一、本書目著録《文學理論分典》引用的主要典籍。
二、本書目參照傳統的四部分類法分類編排，各類别之間不標目，空一行以示區分。同類目的典籍，略依編著者的時代先後排列。
三、書目著録順序依次爲書名、編著者、刊刻年代或出版社及出版時間。各書均不著録卷數。

十三經注疏　阮元校刻　中華書局一九八〇年影印世界書局縮印本
經典釋文　陸德明　中華書局一九八三年版

史記　司馬遷　中華書局一九八二年版
漢書　班固　中華書局一九六二年版
後漢書　范曄　中華書局一九六五年版
晉書　房玄齡等　中華書局一九七四年版
宋書　沈約　中華書局一九七四年版
南齊書　蕭子顯　中華書局一九七二年版
梁書　姚思廉　中華書局一九七三年版
魏書　魏收　中華書局一九七四年版
北齊書　李百藥　中華書局一九七四年版
周書　令狐德棻等　中華書局一九七一年版
隋書　魏徵　中華書局一九七三年版
南史　李延壽　中華書局一九七五年版
北史　李延壽　中華書局一九七四年版
舊唐書　劉昫　中華書局一九七五年版
宋史　脱脱等　中華書局一九七七年版
通志　鄭樵　商務印書館一九三五年十通影印本
續後漢書　郝經　商務印書館一九三七年版
國語　韋昭注　四部叢刊影印明翻刻公序本
唐才子傳校箋　傅璇琮主編　中華書局二〇〇二年版
弇山堂别集　王世貞　中華書局一九八五年版
武寧縣志(同治)　何慶明修　清同治九年刻本
都城紀勝　灌園耐得翁　楝亭藏書十二種本
東京夢華録(外四種)　孟元老　上海古籍出版社一九五七年版
明會典　李東陽　臺灣商務印書館影印文淵閣《四庫全書》本

四庫全書總目　紀昀等　中華書局一九六五年影印校勘本
歷代名賢確論　佚名　臺灣商務印書館影印文淵閣《四庫全書》本
史通通釋　劉知幾撰，浦起龍釋　上海古籍出版社一九七八年版
校讎通義　章學誠　上海古籍出版社一九八七年版
文史通義校註　章學誠著，葉瑛校註　中華書局一九八五年版

老子校釋　朱謙之校釋　中華書局一九八四年新編諸子集成本
管子校釋　顏昌嶢校釋　岳麓書社一九九六年版
墨子閒詁　孫詒讓詁　中華書局一九八六年新編諸子集成本

列子集釋　楊伯峻集釋　中華書局一九七九年版
莊子集釋　郭慶藩輯　中華書局一九六一年版
商君書校注　高亨注譯　中華書局一九七四年版
荀子集解　王先謙集解　中華書局一九八八年新編諸子集成本
韓非子集釋　陳奇猷集釋　中華書局一九五八年版
呂氏春秋注疏　王利器注疏　巴蜀書社二〇〇二年版
新語校注　陸賈撰，王利器校注　中華書局一九八六年版
新書校注　賈誼撰，閻振益、鍾夏校注　中華書局二〇〇〇年版
淮南子集釋　劉安撰，何寧集釋　中華書局一九九八年新編諸子集成本
新序校釋　劉向撰，石光瑛校釋　中華書局二〇〇一年版
新論　桓　譚　上海人民出版社一九七七年版
法言　揚雄撰　四部叢刊影印明嘉靖間江都秦氏石研齋影宋本
白虎通疏證　班固撰，陳立疏證　中華書局一九九七年版
潛夫論箋校證　王符撰，汪繼培箋，彭鐸校證　中華書局一九八五年版
風俗通義　應　劭　上海古籍出版社一九九〇年版
獨斷　蔡　邕　上海古籍出版社一九九〇年版
申鑒　荀　悦　四部叢刊影印明嘉靖四年文始堂刊本
論衡校釋　王充撰，黄暉校釋　中華書局一九九六年版
中論　徐　幹　四部叢刊影印明嘉靖四年刊本
人物志　劉　劭　四部叢刊影印明正德間刊本
抱朴子校箋　葛洪撰，楊明照校箋　中華書局一九九一年新編諸子集成本
顔氏家訓集解　顔之推撰，王利器集解　中華書局一九九三年新編諸子集成本
中説　王　通　四部叢刊影印宋刊本
藝文類聚　歐陽詢　上海古籍出版社一九八三年版
初學記　徐　堅　中華書局一九六二年版
大唐新語　劉　肅　中華書局一九八四年版
東齋記事　范　鎮　臺灣商務印書館影印文淵閣《四庫全書》本
東原錄　龔鼎臣　上海書店一九九〇年版
夢溪筆談　沈　括　江蘇古籍出版社一九九九年版
東坡志林　蘇東坡　臺灣商務印書館影印文淵閣《四庫全書》本
麈史　王得臣　臺灣商務印書館影印文淵閣《四庫全書》本
師友談記　李　廌　中華書局二〇〇二年版
青箱雜記　吴處厚　臺灣商務印書館影印文淵閣《四庫全書》本
二程粹言　楊　時　臺灣商務印書館影印文淵閣《四庫全書》本
巖下放言　葉夢得　臺灣商務印書館影印文淵閣《四庫全書》本
續骫骳説　朱　弁　涵芬樓《説郛》本
猗覺寮雜記　朱　翌　清順治三年李際期宛委山房《説郛》本
容齋隨筆　洪　邁　中華書局二〇〇五年版
清波雜志　周　煇　臺灣商務印書館影印文淵閣《四庫全書》本
項氏家説　項安世　臺灣商務印書館影印文淵閣《四庫全書》本
二程遺書　朱　熹　商務印書館一九三五年版
近思錄　朱熹、呂祖謙　江蘇古籍出版社二〇〇一年版
朱子語類　黎靖德　中華書局一九八六年版
能改齋漫錄　吴　曾　上海古籍出版社一九七九年版
習學記言　葉　適　上海古籍出版社一九九二年版
野客叢書　王　楙　中華書局一九八七年版
寓簡　沈作喆　臺灣商務印書館影印文淵閣《四庫全書》本
仕學規範　張　鎡　臺灣商務印書館影印文淵閣《四庫全書》本
示兒編　孫　奕　臺灣商務印書館影印文淵閣《四庫全書》本
耆舊續聞　陳　鵠　臺灣商務印書館影印文淵閣《四庫全書》本
密齋筆記　謝采伯　臺灣商務印書館影印文淵閣《四庫全書》本
鶴林玉露　羅大經　臺灣商務印書館影印文淵閣《四庫全書》本
樂菴語錄　龔昱編　臺灣商務印書館影印文淵閣《四庫全書》本
穎川語小　陳叔方　臺灣商務印書館影印文淵閣《四庫全書》本
困學紀聞　王應麟　商務印書館一九五九年版
牧萊脞語　陳仁子　續修《四庫全書》本
隱居通議　劉　壎　臺灣商務印書館影印文淵閣《四庫全書》本
玉堂嘉話　王　惲　臺灣商務印書館影印文淵閣《四庫全書》本
勤有堂隨錄　陳　櫟　臺灣商務印書館影印文淵閣《四庫全書》本
讀書分年日程　程端禮　臺灣商務印書館影印文淵閣《四庫全書》本

輟耕錄　陶宗儀　臺灣商務印書館影印文淵閣《四庫全書》本
青樓集　夏庭芝　續修《四庫全書》本
性理大全書　胡　廣　臺灣商務印書館影印文淵閣《四庫全書》本
少室山房筆叢　胡應麟　中華書局一九五八年版
丹鉛雜錄　楊　慎　《叢書集成》初編本
丹鉛續錄　楊　慎　臺灣商務印書館影印文淵閣《四庫全書》本
譚苑醍醐　楊　慎　臺灣商務印書館影印文淵閣《四庫全書》本
讕言長語　曹　安　臺灣商務印書館影印文淵閣《四庫全書》本
畫禪室隨筆　董其昌　臺灣商務印書館影印文淵閣《四庫全書》本
呻吟語摘　呂　坤　臺灣商務印書館影印文淵閣《四庫全書》本
東溪日談錄　周　琦　臺灣商務印書館影印文淵閣《四庫全書》本
四友齋叢話　何良俊　《古代匯刊》第二集，上海國粹學報社，一九一二年版
五雜俎　謝肇淛　中華書局一九五九年版
鈍吟雜錄　馮　班　臺灣商務印書館影印文淵閣《四庫全書》本
思辨錄輯要　陸世儀　臺灣商務印書館影印文淵閣《四庫全書》本
日知錄　顧炎武　清道光十四年刻集釋本
池北偶談　王士禛　中華書局一九八二年版
香祖筆記　王士禛　臺灣商務印書館影印文淵閣《四庫全書》本
閒情偶寄　李　漁　清雍正八年芥子園刻《笠翁一家言全集》本
揚州畫舫錄　李　斗　中華書局二〇〇一年版
因樹屋書影　周亮工　中華書局一九五八年版
榕村語錄　李光地　中華書局一九九五年版
越縵堂讀書記　李慈銘　商務印書館一九五九年版
義門讀書記　何　焯　中華書局一九八七年版
霞外攟屑　平步青　清光緒山陰平氏《香雪崦叢書》本
輶軒語　張之洞　清光緒四年泉唐汪氏振綺堂刻本
策學備纂　沈祖燕、吳潁炎　天津古籍出版社一九八七年版
清稗類鈔　徐　珂　中華書局二〇〇三年版
楚辭集注　朱　熹　上海古籍出版社一九七九年版
離騷草木疏　吳仁傑　叢書集成初編本
楚詞箋注　李陳玉　清康熙十一年刻本
楚辭疏　陸時雍　明緝柳齋刻本
楚辭聽直　黃文煥　臺灣商務印書館影印文淵閣《四庫全書》本
欽定補繪離騷圖　蕭雲從　上海書店出版社一九九四年版
楚辭通釋　王夫之　中華書局一九五九年版
離騷中正　林仲懿　清乾隆十年世錦堂刻本
讀騷管見　林仲懿　清乾隆十年世錦堂刻本
山帶閣注楚辭　蔣　驥　臺灣商務印書館影印文淵閣《四庫全書》本
離騷彙訂　王邦采　清康熙六十一年刻本
楚辭達　魯　筆　清嘉慶九年甲子趙州師範編
楚辭新注求確　胡濬源　清嘉慶二十五年務本堂刻本
宋玉集　吳廣平編注　岳麓書社二〇〇一年版
沈佺期宋之問集校注　陶敏等校注　中華書局二〇〇一年版
楊盈川集　楊　炯　四部叢刊影印明萬曆間童佩編次刻本
王子安集注　劉汝霖注　上海古籍出版社一九九五年版
盧照鄰集校注　李雲逸校注　中華書局一九九八年版
張燕公集　張　說　商務印書館民國二十六年版
曲江集　張九齡　臺灣商務印書館影印文淵閣《四庫全書》本
李太白集注　王琦注　上海古籍出版社一九九二年版
顏魯公文集　顏眞卿　明嘉靖二年錫山安氏館刊本
元次山集　元　結　中華書局一九六〇年版
李元賓文集　李　觀　《叢書集成》初編本
韓昌黎文集校注　馬通伯校注　上海古籍出版社一九八七年版
柳宗元集　柳宗元　中華書局一九七九年版
劉禹錫集　劉禹錫　中華書局一九九〇年版
白居易集　白居易　中華書局一九七九年版
樊川文集　杜　牧　上海古籍出版社一九八七年版
文莊集　李德裕　臺灣商務印書館影印文淵閣《四庫全書》本

樊南文集　李商隱　上海古籍出版社一九八八年版
文藪　皮日休　上海古籍出版社一九八一年版
騎省集　徐鉉　臺灣商務印書館影印文淵閣《四庫全書》本
咸平集　田錫　臺灣商務印書館影印文淵閣《四庫全書》本
乖崖集　張詠　臺灣商務印書館影印文淵閣《四庫全書》本
河東集　柳開　臺灣商務印書館影印文淵閣《四庫全書》本
王黄州小畜集　王禹偁　四部叢刊影印宋刊本配抄本
南陽集　趙湘　臺灣商務印書館影印文淵閣《四庫全書》本
閑居編　智圓　臺灣商務印書館影印文淵閣《四庫全書》本
文正集　范仲淹　臺灣商務印書館影印文淵閣《四庫全書》本
范文正别集　范仲淹　臺灣商務印書館影印文淵閣《四庫全書》本
孫明復小集　孫復　臺灣商務印書館影印文淵閣《四庫全書》本
文莊集　夏竦　臺灣商務印書館影印文淵閣《四庫全書》本
武溪集　余靖　臺灣商務印書館影印文淵閣《四庫全書》本
徂徠集　石介　中華書局一九八四年版
歐陽文忠公集　歐陽修　臺灣商務印書館影印文淵閣《四庫全書》本
鐔津集　釋契嵩　臺灣商務印書館影印文淵閣《四庫全書》本
張方平集　張方平　中州古籍出版社一九九二年版
盱江集　李覯　臺灣商務印書館影印文淵閣《四庫全書》本
龍學文集　祖無擇　臺灣商務印書館影印文淵閣《四庫全書》本
蔡襄集　蔡襄　上海古籍出版社一九九六年版
古靈先生文集　陳襄　臺灣商務印書館影印文淵閣《四庫全書》本
周敦頤集　周敦頤　中華書局一九九六年版
曾鞏集　曾鞏　中華書局一九八四年版
司馬溫公傳家集　司馬光　商務印書館一九三七年版
臨川先生文集　王安石　中華書局一九五九年版
彭城集　劉攽　文淵閣《四庫全書》本
都官集　陳舜俞　臺灣商務印書館影印文淵閣《四庫全書》本
浮德集　呂陶　臺灣商務印書館影印文淵閣《四庫全書》本
錢塘集　韋驤　臺灣商務印書館影印文淵閣《四庫全書》本
姑溪居士前集　李之儀　臺灣商務印書館影印文淵閣《四庫全書》本
東坡全集　蘇軾　臺灣商務印書館影印文淵閣《四庫全書》本
蘇轍集　蘇轍　中華書局一九九〇年版
西塘集　鄭俠　臺灣商務印書館影印文淵閣《四庫全書》本
清江三孔集　孔武仲　臺灣商務印書館影印文淵閣《四庫全書》本
山谷集　黄庭堅　臺灣商務印書館影印文淵閣《四庫全書》本
演山集　黄裳　臺灣商務印書館影印文淵閣《四庫全書》本
西臺集　畢仲游　臺灣商務印書館影印文淵閣《四庫全書》本
灌園集　呂南公　臺灣商務印書館影印文淵閣《四庫全書》本
龍雲集　劉弇　浙江鮑士恭家藏本
淮海集　秦觀　四部叢刊本
雞肋集　晁補之　四部叢刊影印明本
後山居士文集　陳師道　上海古籍出版社一九八二年影印宋刻本
張耒集　張耒　中華書局一九九〇年版
濟南集　李廌　臺灣商務印書館影印文淵閣《四庫全書》本
東堂集　毛滂　臺灣商務印書館影印文淵閣《四庫全書》本
雲溪居士集　華鎮　臺灣商務印書館影印文淵閣《四庫全書》本
眉山文集　唐庚　臺灣商務印書館影印文淵閣《四庫全書》本
潏水集　李復　臺灣商務印書館影印文淵閣《四庫全書》本
學易集　劉跂　臺灣商務印書館影印文淵閣《四庫全書》本
竹隱畸士集　趙鼎臣　臺灣商務印書館影印文淵閣《四庫全書》本
摛文堂集　慕容彥逢　臺灣商務印書館影印文淵閣《四庫全書》本
北山集　程俱　臺灣商務印書館影印文淵閣《四庫全書》本
苕溪集　劉一止　臺灣商務印書館影印文淵閣《四庫全書》本
浮溪集　汪藻　臺灣商務印書館影印文淵閣《四庫全書》本
北湖集　吳則禮　臺灣商務印書館影印文淵閣《四庫全書》本
鴻慶居士集　孫覿　臺灣商務印書館影印文淵閣《四庫全書》本
太倉稊米集　周紫芝　臺灣商務印書館影印文淵閣《四庫全書》本
蘆川歸來集　張元干　臺灣商務印書館影印文淵閣《四庫全書》本
栟櫚集　鄧肅　臺灣商務印書館影印文淵閣《四庫全書》本

斐然集　胡　寅　臺灣商務印書館影印文淵閣《四庫全書》本
梁谿集　李　綱　臺灣商務印書館影印文淵閣《四庫全書》本
毘陵集　張　守　臺灣商務印書館影印文淵閣《四庫全書》本
崧庵集　李處權　臺灣商務印書館影印文淵閣《四庫全書》本
唯室集　陳長方　臺灣商務印書館影印文淵閣《四庫全書》本
方舟集　李　石　臺灣商務印書館影印文淵閣《四庫全書》本
王十朋全集　王十朋　上海古籍出版社一九九八年版
大隱集　李正民　臺灣商務印書館影印文淵閣《四庫全書》本
艾軒集　林光朝　臺灣商務印書館影印文淵閣《四庫全書》本
南澗甲乙集　韓元吉　臺灣商務印書館影印文淵閣《四庫全書》本
海陵集　周麟之　臺灣商務印書館影印文淵閣《四庫全書》本
蓮峯集　史堯弼　臺灣商務印書館影印文淵閣《四庫全書》本
文定集　汪應辰　臺灣商務印書館影印文淵閣《四庫全書》本
澹軒集　李　呂　臺灣商務印書館影印文淵閣《四庫全書》本
文忠集　周必大　臺灣商務印書館影印文淵閣《四庫全書》本
竹洲集　吳　儆　臺灣商務印書館影印文淵閣《四庫全書》本
澹軒集　李　呂　臺灣商務印書館影印文淵閣《四庫全書》本
陸游集　陸　游　中華書局一九七六年版
誠齋集　楊萬里　臺灣商務印書館影印文淵閣《四庫全書》本
晦庵先生文集　朱　熹　北京圖書館出版社二〇〇四年版
嵩山集　晁公溯　臺灣商務印書館影印文淵閣《四庫全書》本
澹齋集　李流謙　臺灣商務印書館影印文淵閣《四庫全書》本
拙齋文集　林之奇　臺灣商務印書館影印文淵閣《四庫全書》本
于湖居士文集　張孝祥　四部叢刊影印宋本
浪語集　薛季宣　臺灣商務印書館影印文淵閣《四庫全書》本
江湖長翁集　陳　造　臺灣商務印書館影印文淵閣《四庫全書》本
東萊外集　呂祖謙　臺灣商務印書館影印文淵閣《四庫全書》本
象山先生全集　陸九淵　商務印書館一九三五年版
客亭類稿　楊冠卿　臺灣商務印書館影印文淵閣《四庫全書》本
雪山集　王　質　臺灣商務印書館影印文淵閣《四庫全書》本
網山集　林亦之　臺灣商務印書館影印文淵閣《四庫全書》本
止齋集　陳傅良　臺灣商務印書館影印文淵閣《四庫全書》本
宮教集　崔敦禮　臺灣商務印書館影印文淵閣《四庫全書》本
攻媿集　樓　鑰　臺灣商務印書館影印文淵閣《四庫全書》本
雙溪類稾　王　炎　臺灣商務印書館影印文淵閣《四庫全書》本
東塘集　袁說友　臺灣商務印書館影印文淵閣《四庫全書》本
雲莊集　劉　爚　臺灣商務印書館影印文淵閣《四庫全書》本
九華集　員興宗　臺灣商務印書館影印文淵閣《四庫全書》本
慈湖遺書　楊　簡　臺灣商務印書館影印文淵閣《四庫全書》本
緣督集　曾　豐　臺灣商務印書館影印文淵閣《四庫全書》本
陳亮集　陳　亮　中華書局一九八七年版
絜齋集　袁　燮　臺灣商務印書館影印文淵閣《四庫全書》本
葉適集　葉　適　中華書局一九六一年版
北溪大全集　陳　淳　臺灣商務印書館影印文淵閣《四庫全書》本
昌谷集　曹彥約　臺灣商務印書館影印文淵閣《四庫全書》本
洺水集　程　珌　臺灣商務印書館影印文淵閣《四庫全書》本
復齋先生龍圖陳公文集　陳　宓　清鈔本
東澗集　許應龍　臺灣商務印書館影印文淵閣《四庫全書》本
鶴山集　魏了翁　臺灣商務印書館影印文淵閣《四庫全書》本
西山文集　眞德秀　臺灣商務印書館影印文淵閣《四庫全書》本
鶴林集　吳　泳　臺灣商務印書館影印文淵閣《四庫全書》本
篔窗(續)集　陳耆卿　臺灣商務印書館影印文淵閣《四庫全書》本
後村先生大全集　劉克莊　四部叢刊本
魯齋集　王　柏　臺灣商務印書館影印文淵閣《四庫全書》本
定齋集　蔡　戡　臺灣商務印書館影印文淵閣《四庫全書》本
彝齋文編　趙孟堅　臺灣商務印書館影印文淵閣《四庫全書》本
可齋續藁　李曾伯　臺灣商務印書館影印文淵閣《四庫全書》本
秋崖集　方　岳　臺灣商務印書館影印文淵閣《四庫全書》本
靈岩集　唐士恥　臺灣商務印書館影印文淵閣《四庫全書》本
柳塘外集　釋道璨　臺灣商務印書館影印文淵閣《四庫全書》本

文溪集　李昴英　臺灣商務印書館影印文淵閣《四庫全書》本
巽齋文集　歐陽守道　臺灣商務印書館影印文淵閣《四庫全書》本
雪坡集　姚勉　臺灣商務印書館影印文淵閣《四庫全書》本
蛟峰文集　方逢辰　臺灣商務印書館影印文淵閣《四庫全書》本
浣川集　戴栩　臺灣商務印書館影印文淵閣《四庫全書》本
四如集　黄仲元　臺灣商務印書館影印文淵閣《四庫全書》本
潛齋集　何夢桂　臺灣商務印書館影印文淵閣《四庫全書》本
竹溪鬳齋十一稿續集　林希逸　臺灣商務印書館影印文淵閣《四庫全書》本
須溪集　劉辰翁　臺灣商務印書館影印文淵閣《四庫全書》本
石堂先生遺稿　陳普　《續修四庫全書》本
桐江集　方回　臺灣商務印書館影印文淵閣《四庫全書》本
文天祥全集　文天祥　中國書店一九八五年版
林霽山集　林景熙　臺灣商務印書館影印文淵閣《四庫全書》本
勿軒集　熊禾　臺灣商務印書館影印文淵閣《四庫全書》本
秋聲集　衛宗武　臺灣商務印書館影印文淵閣《四庫全書》本
鷄肋集　何希之　臺灣商務印書館影印文淵閣《四庫全書》本
滏水集　趙秉文　臺灣商務印書館影印文淵閣《四庫全書》本
滹南集　王若虛　臺灣商務印書館影印文淵閣《四庫全書》本
莊靖集　李俊民　臺灣商務印書館影印文淵閣《四庫全書》本
遺山集　元好問　臺灣商務印書館影印文淵閣《四庫全書》本
青崖集　魏初　臺灣商務印書館影印文淵閣《四庫全書》本
養吾齋集　劉將孫　臺灣商務印書館影印文淵閣《四庫全書》本
趙寶峰先生文集　趙偕　明嘉靖二十二年趙文華刻本
藏春集　劉秉忠　臺灣商務印書館影印文淵閣《四庫全書》本
陵川集　郝經　臺灣商務印書館影印文淵閣《四庫全書》本
陵陽集　牟巘　臺灣商務印書館影印文淵閣《四庫全書》本
秋澗集　王惲　臺灣商務印書館影印文淵閣《四庫全書》本
水雲村稾　劉壎　臺灣商務印書館影印文淵閣《四庫全書》本
剡源文集　戴表元　臺灣商務印書館影印文淵閣《四庫全書》本
靜修續集　劉因　臺灣商務印書館影印文淵閣《四庫全書》本
牆東類稿　陸文圭　臺灣商務印書館影印文淵閣《四庫全書》本
趙孟頫集　趙孟頫　浙江古籍出版社一九八六年版
定宇集　陳櫟　臺灣商務印書館影印文淵閣《四庫全書》本
清容居士集　袁桷　臺灣商務印書館影印文淵閣《四庫全書》本
知非堂稿　何中　臺灣商務印書館影印文淵閣《四庫全書》本
歸田類稿　張養浩　臺灣商務印書館影印文淵閣《四庫全書》本
吳文正集　吳澄　臺灣商務印書館影印文淵閣《四庫全書》本
虞集全集　虞集　天津古籍出版社二〇〇七年版
中庵集　劉敏中　臺灣商務印書館影印文淵閣《四庫全書》本
中庵先生劉文簡公文集　劉敏中　清鈔本
魯齋遺書　許衡　清乾隆五十五年布顔刊本
石田文集　馬祖常　臺灣商務印書館影印文淵閣《四庫全書》本
惟實集　劉鶚　臺灣商務印書館影印文淵閣《四庫全書》本
申齋集　劉岳申　臺灣商務印書館影印文淵閣《四庫全書》本
勤齋集　蕭斢　臺灣商務印書館影印文淵閣《四庫全書》本
伊濱集　王沂　臺灣商務印書館影印文淵閣《四庫全書》本
圭齋文集　歐陽玄　臺灣商務印書館影印文淵閣《四庫全書》本
文獻集　黄溍　臺灣商務印書館影印文淵閣《四庫全書》本
傳與礪文集　傳若金　臺灣商務印書館影印文淵閣《四庫全書》本
育陽集　余闕　臺灣商務印書館影印文淵閣《四庫全書》本
野處集　邵亨貞　臺灣商務印書館影印文淵閣《四庫全書》本
玩齋集　貢師泰　臺灣商務印書館影印文淵閣《四庫全書》本
待制集　柳貫　臺灣商務印書館影印文淵閣《四庫全書》本
安雅堂集　陳旅　臺灣商務印書館影印文淵閣《四庫全書》本
不繫舟漁集　陳高　臺灣商務印書館影印文淵閣《四庫全書》本
師山集　鄭玉　臺灣商務印書館影印文淵閣《四庫全書》本
桐山老農集　魯貞　臺灣商務印書館影印文淵閣《四庫全書》本
夷白齋稿　陳斟　臺灣商務印書館影印文淵閣《四庫全書》本
養蒙文集　張伯淳　臺灣商務印書館影印文淵閣《四庫全書》本
桂隱文集　劉銑　臺灣商務印書館影印文淵閣《四庫全書》本

紫山大全集　胡祇遹　臺灣商務印書館影印文淵閣《四庫全書》本
牧潛集　釋圓至　臺灣商務印書館影印文淵閣《四庫全書》本
牧庵集　姚燧　臺灣商務印書館影印文淵閣《四庫全書》本
禮部集　吳師道　臺灣商務印書館影印文淵閣《四庫全書》本
至正集　許有壬　臺灣商務印書館影印文淵閣《四庫全書》本
圭塘小稿　許有壬　臺灣商務印書館影印文淵閣《四庫全書》本
雪樓集　程文海　臺灣商務印書館影印文淵閣《四庫全書》本
滋溪文稿　蘇天爵　臺灣商務印書館影印文淵閣《四庫全書》本
芳谷集　徐明善　臺灣商務印書館影印文淵閣《四庫全書》本
東維子集　楊維楨　臺灣商務印書館影印文淵閣《四庫全書》本
聞過齋集　吳海　臺灣商務印書館影印文淵閣《四庫全書》本
貞素齋集　舒頔　臺灣商務印書館影印文淵閣《四庫全書》本
一山文集　李繼本　臺灣商務印書館影印文淵閣《四庫全書》本
山窗餘稿　甘復　臺灣商務印書館影印文淵閣《四庫全書》本
東山存稿　趙汸　臺灣商務印書館影印文淵閣《四庫全書》本
九靈山房集　戴良　臺灣商務印書館影印文淵閣《四庫全書》本
雲陽集　李祁　臺灣商務印書館影印文淵閣《四庫全書》本
麟原文集　王禮　臺灣商務印書館影印文淵閣《四庫全書》本
東維子文集　楊維楨　四部叢刊本
宋文憲公全集　宋濂　清嘉慶十五年吳嚴榮刊本
誠意伯文集　劉基　臺灣商務印書館影印文淵閣《四庫全書》本
西隱集　宋訥　臺灣商務印書館影印文淵閣《四庫全書》本
危學士全集　危素　清乾隆二十三年芳樹園刻本
白雲集　唐桂芳　臺灣商務印書館影印文淵閣《四庫全書》本
玉笥集　鄧雅　臺灣商務印書館影印文淵閣《四庫全書》本
陶學士集　陶安　臺灣商務印書館影印文淵閣《四庫全書》本
白雲稿　朱右　臺灣商務印書館影印文淵閣《四庫全書》本
王忠文集　王禕　臺灣商務印書館影印文淵閣《四庫全書》本
翠屏集　張以寧　臺灣商務印書館影印文淵閣《四庫全書》本
密菴文集　謝肅　臺灣商務印書館影印文淵閣《四庫全書》本
清江文集　貝瓊　臺灣商務印書館影印文淵閣《四庫全書》本
蘇平仲文集　蘇伯衡　臺灣商務印書館影印文淵閣《四庫全書》本
胡仲子集　胡翰　臺灣商務印書館影印文淵閣《四庫全書》本
始豐稿　徐一夔　臺灣商務印書館影印文淵閣《四庫全書》本
臨安集　錢宰　臺灣商務印書館影印文淵閣《四庫全書》本
半軒集　王行　臺灣商務印書館影印文淵閣《四庫全書》本
滎陽外史集　鄭眞　臺灣商務印書館影印文淵閣《四庫全書》本
遜志齋集　方孝孺　臺灣商務印書館影印文淵閣《四庫全書》本
峴泉集　張宇初　臺灣商務印書館影印文淵閣《四庫全書》本
毅齋集　王洪　臺灣商務印書館影印文淵閣《四庫全書》本
金忠潔集　金鉉　《叢書集成》初編本
東裏續集　楊士奇　臺灣商務印書館影印文淵閣《四庫全書》本
文敏集　楊榮　臺灣商務印書館影印文淵閣《四庫全書》本
梧岡集　唐文鳳　臺灣商務印書館影印文淵閣《四庫全書》本
文毅集　解縉　臺灣商務印書館影印文淵閣《四庫全書》本
古廉文集　李時勉　臺灣商務印書館影印文淵閣《四庫全書》本
兩谿文集　劉球　臺灣商務印書館影印文淵閣《四庫全書》本
古穰集　李賢　臺灣商務印書館影印文淵閣《四庫全書》本
倪文僖集　倪謙　臺灣商務印書館影印文淵閣《四庫全書》本
襄毅文集　韓雍　臺灣商務印書館影印文淵閣《四庫全書》本
類博稿　岳正　臺灣商務印書館影印文淵閣《四庫全書》本
方洲集　張寧　臺灣商務印書館影印文淵閣《四庫全書》本
重編瓊臺稿　邱濬　臺灣商務印書館影印文淵閣《四庫全書》本
懷麓堂集　李東陽　臺灣商務印書館影印文淵閣《四庫全書》本
一峯文集　羅倫　臺灣商務印書館影印文淵閣《四庫全書》本
篁墩文集　程敏政　臺灣商務印書館影印文淵閣《四庫全書》本
東田文集　馬中錫　《叢書集成》初編本
未軒文集　黃仲昭　臺灣商務印書館影印文淵閣《四庫全書》本
震澤集　王鏊　臺灣商務印書館影印文淵閣《四庫全書》本
醫閭集　賀士諮　臺灣商務印書館影印文淵閣《四庫全書》本

見素集　林俊　臺灣商務印書館影印文淵閣《四庫全書》本
容春堂後集　邵寶　臺灣商務印書館影印文淵閣《四庫全書》本
古城集補遺　張吉　臺灣商務印書館影印文淵閣《四庫全書》本
整菴存稿　羅欽順　臺灣商務印書館影印文淵閣《四庫全書》本
東江家藏集　顧清　臺灣商務印書館影印文淵閣《四庫全書》本
王文成全書　王守仁　臺灣商務印書館影印文淵閣《四庫全書》本
山齋文集　鄭嶽　臺灣商務印書館影印文淵閣《四庫全書》本
息園存稿　顧璘　臺灣商務印書館影印文淵閣《四庫全書》本
劉練江先生文集　劉永澄　清乾隆劉穎刻本
王氏家藏集　王廷相　明嘉靖刻清順治十二年修補本
空同集　李夢陽　臺灣商務印書館影印文淵閣《四庫全書》本
對山集　康海　臺灣商務印書館影印文淵閣《四庫全書》本
華泉集　邊貢　臺灣商務印書館影印文淵閣《四庫全書》本
迪功集　徐禎卿　臺灣商務印書館影印文淵閣《四庫全書》本
洹詞　崔銑　臺灣商務印書館影印文淵閣《四庫全書》本
升庵集　楊慎　清乾隆六十年刊本
儼山集　陸深　臺灣商務印書館影印文淵閣《四庫全書》本
少谷集　鄭善夫　臺灣商務印書館影印文淵閣《四庫全書》本
苑洛集　韓邦奇　臺灣商務印書館影印文淵閣《四庫全書》本
方齋存稿　林文俊　臺灣商務印書館影印文淵閣《四庫全書》本
雲村集　許相卿　臺灣商務印書館影印文淵閣《四庫全書》本
小山類稿　張岳　臺灣商務印書館影印文淵閣《四庫全書》本
馬山房遺稿　朱淛　臺灣商務印書館影印文淵閣《四庫全書》本
震川集　歸有光　臺灣商務印書館影印文淵閣《四庫全書》本
遵嚴集　王慎中　臺灣商務印書館影印文淵閣《四庫全書》本
皇甫司勳集　皇甫汸　臺灣商務印書館影印文淵閣《四庫全書》本
楊忠介集　楊爵　臺灣商務印書館影印文淵閣《四庫全書》本
荊川集　唐順之　臺灣商務印書館影印文淵閣《四庫全書》本
洞麓堂集　尹臺　臺灣商務印書館影印文淵閣《四庫全書》本
具茨文集　王立道　臺灣商務印書館影印文淵閣《四庫全書》本
茅鹿門先生文集　茅坤　明萬曆刻本
青藤書屋文集　徐渭　《叢書集成》初編本
漁石集　唐龍　《叢書集成》初編本
子相文選　宗臣　明末刻本
青霞集　沈鍊　臺灣商務印書館影印文淵閣《四庫全書》本
弇州四部稿　王世貞　臺灣商務印書館影印文淵閣《四庫全書》本
孫山甫督學文集　孫應鰲　《叢書集成》續編本
焚書　李贄　中華書局一九六一年管玉林校點本
李氏續焚書　李贄　明萬曆四十六年汪本鈳原刻本
方麓集　王樵　臺灣商務印書館影印文淵閣《四庫全書》本
衡廬精舍藏稿　胡直　臺灣商務印書館影印文淵閣《四庫全書》本
亦玉堂稿　沈鯉　臺灣商務印書館影印文淵閣《四庫全書》本
溫恭毅集　溫純　臺灣商務印書館影印文淵閣《四庫全書》本
少室山房集　胡應麟　臺灣商務印書館影印文淵閣《四庫全書》本
少墟集　馮從吾　臺灣商務印書館影印文淵閣《四庫全書》本
學古緒言　婁堅　臺灣商務印書館影印文淵閣《四庫全書》本
古直先生文集　周用　明嘉靖三年劉鈗刻本
周恭肅公集　周用　明嘉靖二十八年刻本
涂子類稿　呂柟　明嘉靖十五年黃漳刻本
鳥鼠山人小集　胡纘宗　明嘉靖刻本
嵩渚文集　李濂　明嘉靖刻本
黎陽王太傅詩文集　王越　明嘉靖九年刻本
戒菴文集　靳貴　明嘉靖十九年靳懋仁刻本
東泉文集　姚鏌　明嘉靖刻清修本
黃忠宣公文集　黃福　明嘉靖馮時雍刻本
渭厓文集　霍韜　明萬曆四年霍與瑕刻本
天目先生集　徐中行　明刻本
湖上集　徐師曾　明萬曆刻本
檀園集　李流芳　臺灣商務印書館影印文淵閣《四庫全書》本
范文忠集　范景文　臺灣商務印書館影印文淵閣《四庫全書》本

石文齋集　葛應秋　清刻本
長水先生文鈔　沈懋孝　明萬曆刻本
焦氏澹園集　焦　竑　明萬曆三十四年刻本
白榆集　屠　隆　明萬曆龔堯惠刻本
此觀堂集　羅萬藻　清乾隆二十一年躍齋刻本
四素山房集　劉鴻訓　清雍正印本
垂楊館集　郭孔建　清光緒七年祁于仁刻本
思勉齋集　徐允祿　清順治刻本
即山集　沈　承　明天啓六年刻本
溉園初集　萬時華　明末刻本
胡維霖集　胡維霖　明崇禎刻本
居業次編　孫　鑛　明萬曆四十年呂胤筠刻本
炳燭齋稿　顧大韶　清道光二十年鈔本
文直行書　熊明遇　清順治十七年熊人霖刻本
漉籬集　卓發之　明崇禎傳經堂刻本
石民四十集　茅元儀　明崇禎刻本
范勳卿文集　范鳳翼　明崇禎刻本
無夢園集　陳仁錫　明崇禎六年馬一鳴刻本
雪廬焚餘稿　趙維寰　明崇禎刻本
郭文簡公文集　郭　朴　清康熙十三年思齋軒刻增修本
涇皐藏稿　顧憲成　臺灣商務印書館影印文淵閣《四庫全書》本
味檗齋文集　趙南星　《叢書集成》初編本
趙忠毅公詩文集　趙南星　四庫禁毀本
陶文簡公集　陶望齡　明天啓七年陶履中刻本
賜餘堂集　錢士昇　清乾隆四年錢佳刻本
天問閣文集　李長祥　民國吳興劉氏求恕齋叢書
宗伯集　孫繼皐　明萬曆刻本
豐草庵前集　董　説　民國吳興劉氏嘉業堂刻吳興叢書本
卧龍山人集　葛　芝　清康熙九年自刻本
青來閣初集　方應祥　明萬曆四十五年自刻本
青來閣二集　方應祥　四庫禁毀本
白蘇齋集　袁宗道　明刻本
瀟碧堂集　袁宏道　明萬曆刻本
珂雪齋前集　袁中道　明萬曆刻本
寓林集　黄汝亨　明天啓四年吳敬等刻本
落落齋遺集　李應昇　明崇禎刻本
睡庵稿　湯賓尹　明萬曆刻本
從野堂存稿　繆昌期　明崇禎十年繆虚白刻本
謔庵文飯小品　王思任　清順治十五年王鼎起刻本
姜鳳阿文集　姜　寶　明萬曆刻本
敬所王先生文集　王宗沐　明萬曆元年劉良弼刻本
浚谷先生集　趙時春　明萬曆八年周監刻本
周叔夜先生集　周思兼　明萬曆十年刻本
崇蘭館集　莫如忠　明萬曆十四年馮大受董其昌等刻本
石泉山房文集　郭汝霖　明萬曆二十五年郭氏家刻本
潛學編　鄧元錫　明萬曆三十五年左宗郢刻本
大泌山房集　李維楨　明萬曆三十九年刻本
冲谿先生集　彭　輅　明萬曆三十九年彭澗宏刻本
塘南五先生友慶堂合稿　王時槐　清光緒三十三年重刻本
孔文谷集　孔天胤　明隆慶五年刻萬曆增刻本
駱兩溪集　駱文盛　明萬曆四十一年張時震刻，合刻武康四先生集本
同安林次崖先生文集　林希元　清乾隆十八年陳臚聲詒燕堂刻本
章介庵文集　章　衮　清乾隆十八年章文先刻本
汪仁峰先生文集　汪　循　清康熙刻本
石齋先生文略　張　琦　明正德八年自刻嘉靖二年續刻本
天臺林公輔先生文集　林　右　清康熙查慎行家鈔本
澹然先生文集　陳敬宗　清鈔本
姚文敏公遺稿　姚　夔　明弘治姚璽刻本
菉竹堂稿　葉　盛　清鈔本
彭文憲公集　彭　時　清康熙五年彭志楨刻本

王文肅公集　王　與　明正德刻本
思玄集　桑　悅　明萬曆二年桑大協活字印本
夏赤城先生文集　夏　鍭　清乾隆三十七年映南軒活字印本
桃溪淨稿　謝　鐸　明正德十六年台州知府顧璘刻本
隅園集　陳與郊　賜緋堂刻本
御龍子集　范守己　明萬曆十八年侯廷佩刻本
詹養貞先生文集　詹事講　明萬曆二十六年詹德象刻本
九籥集文集　宋懋澄　明萬曆刻本
翠娛閣近言文　陸雲龍　明崇禎刻本
方初庵先生文集　方　揚　明萬曆四十年方時化刻本
賜餘堂集　吳中行　明萬曆二十八年吳亮、吳變等刻本
交翠館集　萬道光　清乾隆四年志學軒重刻本
調象庵稿　鄒迪光　明萬曆刻本
朱太復文集　朱長春　明萬曆刻本
劉尙賓文集　劉迪簡　明永樂劉拙刻成化劉衢增修本
覺非齋文集　金　實　明成化元年唐不瑜刻本
東川劉文簡公集　劉　春　明嘉靖三十三年劉起宗刻本
楊文恪公文集　楊　廉　明刻本
改亭存稿　方　鳳　明崇禎十七年方士驤刻本
蓮須閣文鈔　黎遂球　《叢書集成》續編本
陶庵全集　黃淳耀　臺灣商務印書館影印文淵閣《四庫全書》本
方山薛先生文集　薛應旂　明嘉靖刻本
巽峰集　尹　襄　清光緒七年永錫堂刻本
水田居文集　賀貽孫　清道光至同治間賜書樓刻本
湯顯祖詩文集　湯顯祖　上海古籍出版社一九八二年版
思軒文集　王　與　續修《四庫全書》本
宗伯集　馮　琦　四庫禁毀本
升庵集　楊　愼　臺灣商務印書館影印文淵閣《四庫全書》本
弇州堂別集　王世貞　中華書局一九八五年版
穀城山館集　于愼行　臺灣商務印書館影印文淵閣《四庫全書》本

椒邱文集　何喬新　臺灣商務印書館影印文淵閣《四庫全書》本
己吾集　陳際泰　清順治李來泰刻本
馮夢龍全集　馮夢龍　江蘇鳳凰出版社二〇〇七年版
張岱詩文集　張　岱　上海古籍出版社一九九一年夏咸淳校點本
李開先集　李開先　中華書局一九五九年版
孟稱舜集　孟稱舜　中華書局二〇〇五年朱穎輝輯校本
錢牧齋全集　錢謙益撰，錢曾箋注　上海古籍出版社二〇〇三年版
燕山草堂集　陳　僖　清康熙刻本
燕香齋文集　劉餘祐　清康熙刻本
金文通公集　金之俊　清康熙二十五年懷天堂刻本
四照堂集　王猷定　清康熙二十二年刻本
逸德軒文集　田蘭芳　清康熙二十六年劉榛等刻本
彭燕又先生文集　彭　賓　清康熙六十一年彭士超刻本
青箱堂文集　王崇簡　清康熙二十八年王燕刻本
霜紅龕集　傅　山　清宣統三年丁氏刻本
讀史亭文集　彭而述　清康熙四十七年彭始摶刻本
內省齋文集　湯來賀　清康熙書林五車樓刻本
愚庵小集　朱鶴齡　臺灣商務印書館影印文淵閣《四庫全書》本
姑山遺集　沈壽民　清康熙有本堂本
安雅堂稿　陳子龍　明末刻本
吳梅村全集　吳偉業　上海古籍出版社一九九〇年版
妃思堂文集　劉子壯　清康熙刻本
南雷文定　黃宗羲　清康熙二十三年刊本
桴亭先生文集　陸世儀　清光緒二十五年唐受祺刻本
變雅堂遺集　杜　濬　清光緒二年黃岡沈氏刻本
田間文集　錢澄之　清康熙二十九年斟雉堂刻本
歸玄恭遺著　歸　莊　民國十二年上海中華書局鉛印本
偏行堂集　金　堡　清乾隆五年刻本
五公山人集　王餘祐　清康熙三十四年枕釣齋刻本
柴省軒先生文鈔　柴紹炳　清康熙刻本二餘堂叢書本

兼濟堂文集　魏裔介　臺灣商務印書館影印文淵閣《四庫全書》本
寒松堂全集　魏象樞　清康熙刻本
退庵文集　李　敬　清康熙刻本
光啓堂文集　方孝標　清刻本
壯悔堂文集　侯方域　清順治刻增修本
學餘堂文集　施閏章　臺灣商務印書館影印文淵閣《四庫全書》本
西堂雜俎　尤　侗　清康熙刻本
潠書　毛先舒　清康熙刻思古堂十四種書本
榆墩集　徐世溥　清康熙舫齋刻本
聰山集　申涵光　清康熙刻本
了菴文集　王　岱　清康熙四年刻本
詔清堂集　張習禮　清康熙刻本
白茅堂集　顧景星　清刻本
砥齋集　王弘撰　清康熙十四年刻本
西河集　毛奇齡　臺灣商務印書館影印文淵閣《四庫全書》本
堯峯文鈔　汪　琬　臺灣商務印書館影印文淵閣《四庫全書》本
寧都三魏文集·魏伯子文集　魏際瑞　清道光二十五年重刻本
寧都三魏文集·魏叔子文集　魏　禧　清道光二十五年重刻本
寧都三魏文集·魏季子文集　魏　禮　清道光二十五年重刻本
寧都三魏文集·魏昭士文集　魏世傚　清道光二十五年重刻本
寧都三魏文集·魏敬士文集　魏世儼　清道光二十五年重刻本
陳檢討四六　陳維崧　臺灣商務印書館影印文淵閣《四庫全書》本
曝書亭集　朱彝尊　商務印書館民國二十四年版
湯子遺書　湯　斌　臺灣商務印書館影印文淵閣《四庫全書》本
湛園集　姜宸英　臺灣商務印書館影印文淵閣《四庫全書》本
玉磑集　安致遠　清康熙刻本
翁山文外　屈大均　清康熙刻本
獨漉堂集　陳恭尹　清道光五年陳量平刻本
松桂堂全集　彭孫遹　臺灣商務印書館影印文淵閣《四庫全書》本
憺園文集　徐乾學　清康熙刻冠山堂印本
古歡堂集　田　雯　臺灣商務印書館影印文淵閣《四庫全書》本
帶經堂集　王士禛　清康熙五十年程哲七略書堂刻本
咸陟堂文集　釋成鷲　清康熙刻本
石園文集　萬斯同　民國二十五年張氏約明刻四明叢書本
犀崖文集　易學實　清康熙刻本
蓮龕集　李來泰　清雍正李轍等刻本
午亭文編　陳廷敬　臺灣商務印書館影印文淵閣《四庫全書》本
江辰六文集　江　闓　清康熙刻本
遂初堂文集　潘　耒　清康熙刻本
欣然堂集　陶孚尹　清康熙五十一年陶士銓刻本
戴名世集　戴名世　中華書局二〇〇〇年版
蔣慎齋遇集　蔣永修　清康熙天黎閣刻本
文端集　張　英　臺灣商務印書館影印文淵閣《四庫全書》本
鐵廬集　潘天成　臺灣商務印書館影印文淵閣《四庫全書》本
世恩堂集　龐　塏　清康熙刻本
存研樓文集　儲大文　臺灣商務印書館影印文淵閣《四庫全書》本
望溪集　方　苞　臺灣商務印書館影印文淵閣《四庫全書》本
穆堂初稿別稿　李　紱　清道光十一年奉國堂刻本
鹿洲初集　藍鼎元　臺灣商務印書館影印文淵閣《四庫全書》本
二希堂文集　蔡世遠　臺灣商務印書館影印文淵閣《四庫全書》本
菀青集　陳至言　清康熙芝泉堂刻本
若菴集　李　驎　清康熙刻本
東山草堂全集　邱嘉穗　清刻本
師經堂集　徐文駒　清刻本
聽嚶堂四六新書　黃　始　清康熙刻本
式馨堂文集　魯之裕　清康熙乾隆間刻本
退穀文集　黃　越　清雍正五年刻本
雙池文集　汪　紱　清道光十四年一經堂刻本
松泉集　汪由敦　臺灣商務印書館影印文淵閣《四庫全書》本
鄭板橋集　鄭　燮　上海古籍出版社一九七九年版

看山閣集　黃圖珌　清乾隆十年刻本
袁枚全集　袁　枚　江蘇古籍出版社一九九三年版
西莊始存稿　王鳴盛　清乾隆三十年刻本
紀文達公遺集　紀　昀　清嘉慶十七年紀樹馨刻本
甌北集　趙　翼　《續修四庫全書》本
劍舟律賦　沈叔埏　《續修四庫全書》本
香雪文鈔　曹學詩　清乾隆刻本
白樺前稿　吳省欽　清乾隆刻本
在亭叢稿　李　果　清乾隆刻本
隱拙齋集　沈廷芳　清乾隆刻本
圭美堂集　徐用錫　清乾隆十五年刻本
藕灣文集　張仁熙　清乾隆十六年刻本
藍戶部集　藍千秋　清乾隆十二年藍士奇刻本
棲雲閣文集　高　珩　清乾隆四十四年刻本
香亭文集　吳玉綸　清乾隆六十年滋德堂刻本
半舫齋古文　夏之蓉　清乾隆刻本
青溪集　程廷祚　《金陵叢書》本
午風堂集叢談　鄒炳泰　清嘉慶刻本
潛研堂文集　錢大昕　上海古籍出版社一九八九年版
惜抱軒文集　姚　鼐　上海古籍出版社一九九二年版
晚學齋文鈔　姚　椿　清刻本
校禮堂文集　淩廷堪　中華書局一九九八年二月排印本
竹初文鈔　錢維喬　清嘉慶刻本
二林居集　彭紹昇　清嘉慶四年刻本
鶴泉文鈔　黃河清　清嘉慶五年刻本
春融堂集　王　昶　清嘉慶十二年塾南書舍刻本
祗平居士集　王元啓　清嘉慶十七年王尙綗恭壽堂刻本
清芬樓退稿　任啓運　清嘉慶二十二年刻本
小峴山人文集　秦　瀛　清嘉慶刻增修本
亦有生齋集　趙懷玉　清道光元年刻本
汪子文錄　汪　縉　清道光三年張杓等刻本
雕菰集　焦　循　清道光四年阮福嶺南節署刻本
無聞集　崔　述　清道光四年陳履和刻崔東壁遺書本
劉孟塗集　劉　開　清道光六年姚氏檗山草堂刻本
蘊愫閣文集　盛大士　清道光六年刻本
崇百藥齋集　陸繼輅　清道光八年安徽臬署刻本
因寄軒文集　管　同　清道光十三年管氏刻本
儀衛軒文集　方東樹　清光緒刻本
考盤集文錄　方東樹　《續修四庫全書》本
劉熙載文集　劉熙載　江蘇古籍出版社二〇〇〇年版
聞妙香室詩文集　李宗昉　清嘉慶二十四年刻本
柏堂集　方宗誠　清光緒刻本
獨學廬初稿　石蘊玉　清寫刻獨學廬全稿本
芙蓉山館文鈔　楊芳燦　清光緒十七年活字印本
澹靜齋文鈔　龔景瀚　清道光二十年恩錫堂刻澹靜齋全集本
太乙舟文集　陳用光　清道光二十三年孝友堂刻本
養一齋文集　李兆洛　清道光二十三年活字印二十四年增修本
齊物論齋文集　董士錫　清道光二十年江陰暨陰書院刻本
石雲山人文集　吳榮光　清道光二十一年吳氏筠清館刻本
思遠齋集　顧廣圻　清道光二十九年徐渭仁刻本
養一齋集　潘德輿　清道光二十九年刻本
揅經室集　阮　元　清道光阮氏文選樓刻本
王文簡公文集　王引之　民國十四年羅氏鉛印高郵王氏遺書本
實事求是齋遺稿　汪廷珍　清刻本
大雲山房文稿　惲　敬　商務印書館四部叢刊影印清同治八年刻本
茗柯文編　張惠言　商務印書館四部叢刊影印清同治八年刻本
南村草堂文鈔　鄧顯鶴　清咸豐元年刻本
衍石齋記事續稿　錢儀吉　清道光刻咸豐四年蔣光焴增修光緒六年錢彝甫印本
存吾文稿　余廷燦　清咸豐五年雲香書屋刻本

柏梘山房全集　梅曾亮　清咸豐六年刻民國七年補修本
月齋文集　張穆　清咸豐八年刻本
通甫類稿　魯一同　清咸豐九年刻本
東溟文集　姚瑩　清同治六年刻中復堂全集本
傳經室文集　朱駿聲　民國劉氏記得求恕齋叢書本
龔自珍全集　龔自珍　上海人民出版社一九七五年版
魏源集　魏源　中華書局一九七六年版
七經樓文鈔　蔣湘南　清同治八年馬氏家塾刻本
遜學齋文鈔　孫衣言　清同治十二年刻增修本
冠悔堂賦鈔　楊浚　清光緒十九年刻本
小石渠閣文集　林昌彝　清光緒福州刻本
顯志堂稿　馮桂芬　清光緒二年馮氏校分廬刻本
曾國藩全集　曾國藩　岳麓書社一九八七年版
二知軒文存　方濬頤　清光緒四年刻本
柔橋文鈔　王棻　清刻本
弢園文錄外編　王韜　中華書局一九五九年版
隨山館尺牘　汪瑔　清光緒刻本
晚學齋文集　鄭由熙　清光緒刻本
拙尊園叢稿　黎庶昌　東洋刊本
經德堂文集　龍啓瑞　清光緒四年京師刻本
天岳山館文鈔　李元度　清光緒六年刻本
坦園賦錄　楊恩壽　長沙楊氏坦園藏版
庸庵全集　薛福成　清光緒刻本
檉華館全集　路德　清光緒七年解梁刻本
綠漪草堂文集　羅汝懷　清光緒九年刻本
濂亭文集　張裕釗　清光緒八年海寧查氏木漸齋刻本
邃懷堂全集　袁翼　清光緒十四年刻本
嚴逸山先生文集　嚴開書　清寧德堂刻本
百柱堂全集　王柏心　清光緒十九年刻本
柈湖文集　吳敏樹　清光緒十九年思賢講舍刻本

東塾集　陳澧　清光緒十八年菊坡精舍刻本
賭棋山莊所著書　謝章鋌　清光緒刻本
求益齋文集　強汝詢　清光緒二十四年江蘇書局
澤雅堂文集　施補華　清光緒十九年陸心源刻本
桐城吳先生文集　吳汝綸　清光緒三十年刻本
桐城吳先生尺牘　吳汝綸　清光緒刻本
賀先生文集　賀濤　民國三年徐世昌刻本
唐才常集　唐才常　中華書局一九八〇年版
退補齋詩賦合刻　胡鳳丹　清同治刻本
子笙賦鈔　江璧撰　清光緒四年刻本
蒙香室賦錄　馮煦　清光緒十一年夏五月刊本
讀騷閣賦存　李恩綬　清光緒十六年刻本
食舊德齋賦鈔　劉嶽雲　清光緒二十二年秋九月成都尊經書局刊
味閒堂賦鈔　陶藜青　清光緒刻本
然松閣賦略　顧櫰三　《金陵叢書》本
湘綺樓全集　王闓運　清光緒三十三年墨莊劉氏長沙刻本
可園文存　陳作霖　清宣統元年刻增修本
希古堂文　譚宗浚　《續修四庫全書》本
賭棋山莊文集　謝章鋌　光緒十年陳寶琛江西學政署刻本
散原精舍文集　陳三立　上海古籍出版社二〇〇三年版
范伯子詩文集　范當世　上海古籍出版社二〇〇三年版
蛻和軒論文　姚永朴　商務印書館一九三三年版
慎宜軒文集　姚永概　清末刻本
抱潤軒文集　馬其昶　清末刻本
石遺室文集　陳衍　福建人民出版社二〇〇一年版
譚嗣同全集　譚嗣同　中華書局一九六二年版
太炎文錄　章太炎　民國浙江圖書館刻章氏叢書本
飲冰室合集　梁啓超　中華書局一九八九年版
劉申叔先生遺書　劉師培　甯武南桂馨校印本，一九二六年版
浣花廬賦鈔　唐受祺　民國十七年俞世德戊辰校印本

磨劍室文錄　柳亞子　上海人民出版社一九九三年版
文選　蕭統編　中華書局一九七七年版
文選補遺　陳仁子　臺灣商務印書館影印文淵閣《四庫全書》本
全上古三代秦漢三國六朝文　嚴可均輯，許振生審訂　商務印書館一九九九年版
全唐文　董　誥　中華書局一九八三年版
全漢賦　費振剛、胡雙寶、宗明華輯校　北京大學出版社一九九三年版
樂府詩集　郭茂倩　上海文學古籍刊行社一九五五年版
唐文粹　姚　鉉　浙江人民出版社一九八六年版
柴氏四隱集　柴　望　臺灣商務印書館影印文淵閣《四庫全書》本
國朝二百家名賢文粹　佚　名　影印國家圖書館藏宋慶元三年書隱齋刻本
全宋文　曾棗莊、劉琳主編　巴蜀書社一九九三年版
古文關鍵　呂祖謙　臺灣商務印書館影印文淵閣《四庫全書》本
文章正宗　眞德秀　臺灣商務印書館影印文淵閣《四庫全書》本
山右石刻叢編　胡聘之　臺北新文豐出版公司一九八六年版
大學新編黼藻文章百段錦　方頤孫　《續修四庫全書》本
妙絶古今　湯　漢　臺灣商務印書館影印文淵閣《四庫全書》本
瀛奎律髓　方　回　上海古籍出版社一九八六年版
天下同文集　周南瑞　臺灣商務印書館影印文淵閣《四庫全書》本
全元文　李修生主編　江蘇古籍出版社一九九九年版
元文類　蘇天爵　臺灣商務印書館影印文淵閣《四庫全書》本
古賦辯體　祝　堯　臺灣商務印書館影印文淵閣《四庫全書》本
明文衡　程敏政　《四部叢刊》本
文編　唐順之　臺灣商務印書館影印文淵閣《四庫全書》本
皇明文範　張時徹　四庫存目本
唐宋元名表　胡　松　臺灣商務印書館影印文淵閣《四庫全書》本
宋文紀　梅鼎祚　臺灣商務印書館影印文淵閣《四庫全書》本
北齊文紀　梅鼎祚　臺灣商務印書館影印文淵閣《四庫全書》本
四六法海　王志堅　臺灣商務印書館影印文淵閣《四庫全書》本
中州名賢文表　劉　昌　臺灣商務印書館影印文淵閣《四庫全書》本
八代文鈔　李　賓　明末刻本
古文國瑋集　方嶽貢　明刻本
文章辯體彙選　賀復徵　臺灣商務印書館影印文淵閣《四庫全書》本
明文海　黄宗羲　中華書局一九八七年版
青錦園賦草　葉憲祖　藜照廬叢書十五種　鄞林集虛心齋編輯
賦苑　李鴻輯　明萬曆刻本
皇明策衡　茅　維　明萬曆刻本
賦珍　施重光　明刻本
賦略　陳山毓　明崇禎七年陳舒、陳臯等刻本
明文在　薛　熙　《續修四庫全書》本
四六初徵　李　漁　四庫禁毁本
四六纂組　胡吉豫　清康熙刻本
文瀫初編　錢肅潤　北圖康熙錢氏十峰堂刻本
元明八大家古文　劉肇虞　清乾隆二十九年刻本
國朝八家四六文鈔　吳　鼒　清刻本
國朝十家四六文鈔　王先謙　《續修四庫全書》本
國朝文彙　黄　人　上海國學扶輪社宣統元年版
彊村叢書　朱孝臧輯校　廣陵書社二〇〇五年影印本
歷朝賦格　陸　棻　清康熙二十五年刻本
歷朝賦楷　王修玉　清康熙尙德堂刻本
律賦揀金錄　朱一飛　清乾隆五十七年刻本
本朝館閣賦　葉方宣、程奐若同編　清乾隆二十九年冬新鐫，困學齋藏板
國朝賦楷　沈德潛　清乾隆刻本
歷代賦鈔　趙維烈　清乾隆三十年然藜閣藏板
歷朝賦鈔　沈鈞德　清乾隆三十年然藜閣藏板
味蘭軒百篇賦鈔　張世燾、彭克惠　清乾隆三十八年刻本
同館賦抄　法式善　清嘉慶刻本
律賦衡裁　周嘉猷　清乾隆五十三年黄金書屋本
古賦識小錄　王芑孫　清嘉慶二十一年彭蘊章校刻本

賦鈔箋略　王治堂《國朝名人著述叢編》本清嘉慶二十二年重刊本
律賦正宗　潘世恩　清道光元年抄本
律賦經畬集　阮　亨　清道光十九年秋月新鐫揚州二西堂藏板
瀛奎玉律賦鈔　記　敏　清道光刻本
賦則　鮑桂星評選，余炳堃、李儒郊、陳憲曾同校刊清道光刻本
同館律賦精華　蔣攸銛　清道光年間刻本
同館賦鈔　朱九山輯　清道光十七年夏鐫京都郁郁堂藏板
江國霖館課詩賦檢存　江國霖　清咸豐十年鐫
竹笑軒賦鈔　孫清達　清咸豐三年春鐫，聚盛堂藏板
四家賦抄　景其濬　清咸豐間刊本，誦芬堂藏板
資中賦鈔　姜學漸　清同治六年新鐫
玭珠賦鈔　王琛輯　清同治五年刻巾箱本
師竹齋賦鈔　鄭德璜　清同治十年孟冬月刊本
律賦新編箋注　趙楫、趙霖同輯　清同治九年新刊，金閣小西山房藏板
律賦選青　任聘三　清同治八年鐫金陵敬書堂藏板
唐律賦鈔　潘遵祁　清光緒二年刊增補加本樨香室藏板
賦學正鵠　李元度　清光緒十一年春月文昌書局校刊本
唐律賦鈔　楊泗孫　清光緒二年刊增補加選據香室藏板
律賦必以集　顧　莼　清光緒二十二年秋四川尊經書院刊
選注六朝唐賦　馬傳庚選　清光緒二年初春本
閩南唐賦　楊　浚　清光緒重鐫本
國朝駢體正宗　曾　燠　清刻本
沅湘通藝錄　江　標　《叢書集成初編》本
律賦芓新　顧　鶲　清刻本
賦彙錄要箋略　吳光昭箋略　汲古齋藏板
文心雕龍注　劉勰撰　范文瀾注　人民文學出版社一九五八年本
文章緣起　任　昉　臺灣商務印書館影印文淵閣《四庫全書》本
全唐五代詩格彙考　張伯偉　江蘇古籍出版社二〇〇二年版
詩品集解　郭紹虞集解　人民文學出版社一九六三年版
歷代詩話　何文煥　中華書局一九八一年版
歷代詩話續編　丁福保　中華書局一九八三年版
文錄　唐　庚　《叢書集成》初編本
四六話　王　銍　臺灣商務印書館影印文淵閣《四庫全書》本
容齋題跋　洪　邁　《叢書集成》初編本
四六談麈　謝　伋　臺灣商務印書館影印文淵閣《四庫全書》本
雲莊四六餘話　楊囦道　臺灣商務印書館影印文淵閣《四庫全書》本
荆溪林下偶談　吳子良　臺灣商務印書館影印文淵閣《四庫全書》本
皖人詩話八種　朱弁等撰　黃山書社一九九五年版
苕溪漁隱叢話　胡　仔　人民文學出版社一九八四年版
詩話總龜　阮　閱　人民文學出版社一九八七年版
詩人玉屑　魏慶之　上海古籍出版社一九五九年版
文則　陳　騤　人民文學出版社一九六〇年版
崇古文訣　樓　昉　臺灣商務印書館影印文淵閣《四庫全書》本
論學繩尺　魏天應編選，林子長箋解　臺灣商務印書館影印文淵閣《四庫全書》本
文章軌范　謝枋得　臺灣商務印書館影印文淵閣《四庫全書》本
文章精義　李耆卿　臺灣商務印書館影印文淵閣《四庫全書》本
餘師錄　王正德　臺灣商務印書館影印文淵閣《四庫全書》本
聲律關鍵　鄭起潛　宛委別藏本
白石道人詩說　姜　夔　人民文學出版社一九八三年版
懷古錄　陳模、鄭必俊校注　中華書局一九九三年版
宋詩話輯佚　郭紹虞編　中華書局一九八〇年版
修辭鑑衡　王　構編　臺灣商務印書館影印文淵閣《四庫全書》本
文說　陳繹曾　臺灣商務印書館影印文淵閣《四庫全書》本
文筌　陳繹曾　《續修四庫全書》本
文式　陳繹曾　《續修四庫全書》本
金石例　潘昂霄　臺灣商務印書館影印文淵閣《四庫全書》本
作義要訣　倪士毅　臺灣商務印書館影印文淵閣《四庫全書》本
元代詩法校考　張　健　北京大學出版社二〇〇一年版
全明詩話　周維德集校　齊魯書社二〇〇五年版

詩源辯體　許學夷　人民出版社一九八七年版
文章辯體序說　吳訥　人民文學出版社一九六二年版
文章指南　歸有光　四庫存目本
文評　王世貞《叢書集成》初編本
藝苑卮言　王世貞　臺灣商務印書館影印文淵閣《四庫全書》本
詩藪　胡應麟　上海古籍出版社一九五八年版
詩法大成　謝天瑞《續修四庫全書》本
詩話類編　王昌會《四庫全書存目叢書》本
文體明辨序說　徐師曾　人民文學出版社一九六二年版
文章正論　劉祐　明萬曆十九年刻本
翠娛評選鍾伯敬先生合集文集　鍾惺　明崇禎七年陸元龍刻本
文脈　王文祿《叢書集成初編》本
續文章緣起　陳懋仁《叢書集成》續編本
文通　朱荃宰《續修四庫全書》本
游藝塾續文規　袁黃輯《續修四庫全書》本
雅倫　費經虞撰，費密補　清康熙四十九年刻本
六義流別　黄佐　明嘉靖四十一年刻本
騷筏　賀貽孫《續修四庫全書》本
彈雅　趙宧光　明天啟三年刻本
清詩話　王夫之等撰　上海古籍出版社一九七八年新一版
清詩話續編　郭紹虞　上海古籍出版社一九八三年版
金石要例　黄宗羲　臺灣商務印書館影印文淵閣《四庫全書》本
文章薪火　方以智《叢書集成續編》本
歷代詩話　吳景旭　臺灣商務印書館影印文淵閣《四庫全書》本
春暉園賦苑卮言　孫奎　清道光十六年書有堂刊本
萬青閣文訓　趙吉士《續修四庫全書》本
四六金針　陳維崧《叢書集成續編》本
西圃文說　田同之　清刻本
北墅緒言　陸次雲　清康熙二十三年宛羽齋刻增修本
帶經堂詩話　王士禛　人民文學出版社一九八二年版
論文四則　楊繩武《叢書集成續編》本
文章鼻祖　楊繩武　乾隆二十八年刻本
硯齋論文　張謙宜《續修四庫全書》本
詩義固說　龐塏《四庫全書存目叢書》補編
復小齋賦話　浦銑　清光緒四年秀水朱氏雲仙館所刊《檇李遺書》本
談龍錄　趙執信　人民文學出版社一九八一年版
松桂讀書堂詩話　姚培謙《四庫全書存目叢書》
說詩晬語　沈德潛　人民文學出版社一九七九年版
一瓢詩話　薛雪　人民文學出版社一九七九年版
增訂詩法　錢思敏等　清刻本
文頌　馬榮祖《叢書集成續編》本
論文偶記　劉大櫆　人民文學出版社一九五九年版
隨園詩話　袁枚　人民文學出版社一九八二年版
續詩品注　袁枚撰，郭紹虞注　人民文學出版社一九六三年版
甌北詩話　趙翼　人民文學出版社一九六三年版
石洲詩話　翁方綱　人民文學出版社一九八一年版
宋四六話　彭元瑞　清刻本
賦話　李調元《叢書集成初編》本
論律賦　吳錫麒《續修四庫全書》本
讀賦卮言　王芑孫　清光緒五年上海淞隱園排印本
作賦例言　汪廷珍　清《遜敏堂叢書》本
四六叢話　孫梅　清嘉慶三年刻本
耐冷譚　宋咸熙　清道光九年吳應和序刻巾箱本
初月樓古文緒論　吳德旋、呂璜　人民文學出版社一九五九年版
鐵立文起　王之績《續修四庫全書》本
夢陔堂文說　黄承吉　清道光刻本
見星廬賦話　林聯桂　清光緒十八年刊本
制義文談　梁章鉅　清刻本
退庵論文　梁章鉅　清刻本
藝舟雙楫　包世臣　清刻本

春秋詩話・退庵詩話　何曰愈　廣東高等教育出版社一九九六年版
藝概　劉熙載　上海古籍出版社一九七八年版
睿吾樓文話　葉元塏　清道光間刻本
賦品　魏謙升　香港三聯書店一九八二年何沛雄《賦話六種》本
藻川堂譚藝　鄧　繹　清光緒刻本
射鷹樓詩話　林昌彝　上海古籍出版社一九八八年版
不敢居詩話　佚　名　臺北廣文書局一九七三年版
雪蕉齋詩話　王德馨　自印本
蠡園詩話　范啓璋　清光緒三十三年刻本
春覺齋論文　林　紓　人民文學出版社一九五九年版
綠天香雪簃詩話　袁祖光《晨風閣叢書》甲集，益森公司排印本
操觚十六觀　陳　鑒　清刻本
讀書作文譜　唐　彪　偉文圖書出版社一九七七年版
原學三種　陳澹然《原學三種叢書》本
律賦效顰　王寶庸　臺灣聯經出版事業公司一九七六年《明清未刊稿匯編初集》本
楞園賦說　江含春　清刻本
增注賦學指南　余丙照　清光緒十九年刻本
律賦約言　侯心齋　東湖草堂本
文談　徐　昂《叢書集成續編》本
中國歷代小說論著選　黃霖、韓同文選注　江西人民出版社一九八二年版
古典文學研究資料金瓶梅資料匯編　黃　霖　中華書局一九八七年版
儒林外史研究資料　李漢秋　上海古籍出版社一九八四年版
三言兩拍資料　譚正璧　上海古籍出版社一九八五年版
三國演義資料匯編　朱一玄、劉毓忱　百花文藝出版社一九八三年版
古典文學研究資料紅樓夢卷　一　粟　中華書局一九八五年版
蘇軾詞編年校注　蘇　軾　中華書局二〇〇二年鄒同慶校注本
稼軒詞編年箋注　辛棄疾　上海古籍出版社一九九三年鄧廣銘箋注本
梅溪詞　史達祖　上海古籍出版社一九八八年雷履平等校注本
納蘭詞箋注　納蘭性德　上海古籍出版社二〇〇三年張草紉箋注本
寒松閣詞　張鳴珂　清光緒十年江西書局刻本
古香岑草堂詩餘四集　沈際飛　明末翁少麓刻本
蘭皋明詞彙選　顧景芳等　遼寧教育出版社一九九八年版
御選歷代詩餘　沈辰垣等　清康熙四十六年內府刻本
詞話叢編　唐圭璋　中華書局一九八六年版
碧雞漫志校正　王灼、岳珍校正　巴蜀書社二〇〇〇年版
拙軒詞話　張　侃　臺灣商務印書館影印文淵閣《四庫全書》本
浩然齋雅談　周　密　清乾隆刻本
詞源注　張炎撰，夏承燾校注　人民文學出版社一九六三年版
樂府指迷箋釋　沈義父撰，蔡嵩雲箋釋　人民文學出版社一九六三年版
渚山堂詞話　陳　霆　人民文學出版社一九六〇年版
詞品　楊　慎　人民文學出版社一九六〇年版
古今詞論　王又華　書目文獻出版社一九八六年版
介存齋論詞雜著　周　濟　人民文學出版社一九五九年版
清人選評詞集三種　黃蘇、周濟、譚獻　齊魯書社一九八八年版
賭棋山莊詞話　謝章鋌　清光緒十年陳寶琛江西學政署刻本
白雨齋詞話　陳廷焯　人民文學出版社一九五九年版
詞則　陳廷焯　上海古籍出版社一九八四年版
蕙風詞話　況周頤　人民文學出版社一九六〇年版
人間詞話　王國維　人民文學出版社一九六〇年版
唐宋詞集序跋匯編　金啟華等　江蘇教育出版社一九九〇年版
宋代詞學資料匯編　張惠民　汕頭大學出版社一九九三年版
詞籍序跋萃編　施蟄存　中國社會科學出版社一九九四年版
誠齋樂府　朱有燉　上海古籍出版社一九八九年版
西野春游詞　李開先　影印陸貽典鈔《一笑散》本
元曲選　臧懋循　涵芬樓印本一九一八年版
盛明雜劇　沈　泰　中國戲劇出版社據董康誦芬室刻本影印一九五八年版
綴白裘　錢德蒼　中華書局二〇〇五年版
昆曲粹存初集　昆山國樂保存社輯　昆山本，一九一九年版
中原音韻　周德清　中國戲劇出版社一九五九年版

南詞叙録 徐 渭 壺隱居黑格抄本
曲藻 王世貞《新曲苑》本
曲品 吕天成 暖紅室刻本,上海來青閣一九三五年重印本
潘之恒曲話 潘之恒 中國戲劇出版社一九九八年版
顧曲雜言 沈德符《增補曲苑》本
譚曲雜劄 凌濛初 清康熙七年袁園客增訂重刻本
度曲須知 沈寵綏 上海商務印書館影印明崇禎本一九二二年版
製曲枝語 黄周星 清康熙張潮輯《昭代叢書》本
樂府傳聲 徐大椿 清咸豐九年眞州吴桂重刻本
新傳奇品 高 奕 暖紅室刻本,上海青來閣重印本一九三五年版
衡曲麈譚 張 綺《吴騷合編》附刻本
雨村曲話 李調元《增補曲苑》本
劇話 李調元《新曲苑》本
劇説 焦 循 上海商務印書館一九三九年《國學基本叢書》本
笠閣批評舊戲目 笠閣漁翁 清乾隆二十七年《笠閣漁翁箋注牡丹亭》附刻本
顧誤録 王德暉、徐沅澂 清咸豐元年北京篆雲齋刻本
曲話 梁廷楠 清道光十年籐花亭十種本
庶幾堂今樂 余 治 清咸豐十年刊本
詞餘叢話 楊恩壽《增補曲苑》本
宋元戲曲考 王國維 上海商務印書館一九一五年版
湯顯祖研究資料匯編 毛效同 上海古籍出版社一九八六年版
奢摩他室曲叢(初集、二集) 吴 梅 上海商務印書館一九二八年版
吴梅戲曲論文集 吴 梅 中國戲劇出版社一九八三年版
顧曲麈談 吴 梅 上海商務印書館一九一六年版
中國戲曲概論 吴 梅 上海大東書局一九二六年版
古本戲曲叢刊初集《古本戲曲叢刊》編輯委員會,上海商務印書館影印本,一九五四年版
古本戲曲叢刊二集《古本戲曲叢刊》編輯委員會,上海商務印書館影印本,一九五五年版
古本戲曲叢刊三集《古本戲曲叢刊》編輯委員會,上海文學古籍刊行社影印本,一九五七年版
古本戲曲叢刊四集《古本戲曲叢刊》編輯委員會,上海商務印書館影印本,一九五八年版
古本戲曲叢刊五集《古本戲曲叢刊》編輯委員會,上海古籍出版社影印本,一九八六年版
古本戲曲叢刊九集《古本戲曲叢刊》編輯委員會,上海商務印書館影印本,一九六四年版
中國古典戲曲論著集成 中國戲曲研究院編 中國戲劇出版社一九八〇年版
水滸傳 施耐庵 明萬曆十七年刊本
五朝小説 佚 名 臺北新興書局一九六〇年版
今古奇觀 抱甕老人 清初吴郡寶翰樓刊本
三遂平妖傳 羅貫中 北京大學出版社一九八三年版
三國志通俗演義 羅貫中 明萬曆十九年金陵周日校刊本、清康熙毛宗崗評本
西游記 吴承恩 華陽洞天主人校本、清文盛堂刻本
金瓶梅詞話 蘭陵笑笑生 古佚小説刊行社一九三三年版
批評第一奇書金瓶梅 皋鶴堂 清康熙三十四年刊本
全像古今小説 馮夢龍 福建人民出版社一九八〇年版
情史 馮夢龍 春風文藝出版社一九八六年版
醒世恆言 馮夢龍 明天啓七年衍慶堂刊本
警世通言 馮夢龍 清衍慶堂刊本
二刻拍案驚奇 凌濛初 上海古籍出版社據日本藏尙友堂本影印出版,一九八五年版
禪眞逸史 清溪道人 上海古籍出版社一九九〇年版
水滸後傳 陳 忱 清康熙甲辰刊本
新鐫精忠演義説本岳王全傳 錢 彩 清康熙間金氏余慶堂刻本
儒林外史 吴敬梓 清同治十三年上海申報館活字印刷本
紅樓夢 曹雪芹 人民文學出版社一九八〇年版
妙復軒評石頭記 張新之評 光緒七年刻本

#《中華大典·文學典·文學理論分典》

主要編纂人員

郭　醒　卞東波　王奎光　涂　波　劉重喜　汪群紅　張　暉

曹　虹　張　鵬　童　嶺　徐　毅　高　平　陳昌强　蔡德龍

田瑞文　苗　民　張志强　王　斌　沈　麗　趙會平　章　舒

許　莉　章子英　周　青　禹　玲　潘務正　祁國宏　楊許波

金生奎　李新宇　于　兵　傅建忠　劉小兵　黄卓穎　王思豪

王海波　王　婷　肖瀟雨　黄正國　蔡少青　金胤秋　戎麗娟

孫瑩瑩　黄躍躍

《中華大典》辦公室

主　任：于永湛

副主任：伍　杰

姜學中

工作人員：趙含坤

崔望雲

宋　陽

王雪飛

王　霞

裝幀設計：章耀達

江蘇省《中華大典·文學典》

工作小組

組長：吴小平

張佩清

組員：朱賽玉

佘江濤

姜小青

欽雪珍

左玉梅

吴　迪

《中華大典·文學典》

編輯部負責人：高紀言

工作人員：黄希堅

饒欽珩

《文學理論分典》

特邀責任編輯：卞孝萱

責任校對：王　行

楊惠義

圖書在版編目(CIP)數據

中華大典·文學典·文學理論分典/《中華大典》工作委員會，《中華大典》編纂委員會編纂. —南京：鳳凰出版社，2008.12

ISBN 978—7—80729—280—7

Ⅰ. 中… Ⅱ. ① 中… ② 中… Ⅲ. ① 百科全書—中國—現代 ② 文學理論—中國 Ⅳ. Z 227 Ⅰ206

中國版本圖書館 CIP 數據核字(2008)第 214258 號

ISBN 978-7-80729-280-7

江蘇省哲學社會科學研究"十五"規劃基金項目

中華大典·文學典

文學理論分典

編纂：《中華大典》工作委員會
《中華大典》編纂委員會
出版：鳳凰出版社（原江蘇古籍出版社）
（南京市中央路一六五號　郵政編碼　二一〇〇〇九）
排版：江蘇新華印刷廠
（南京市張王廟八八號　郵政編碼　二一〇〇三七）
印刷：江蘇淮陰新華印刷廠
（淮安市淮海北路四四號　郵政編碼　二二三〇〇一）
發行：江蘇省新華書店
（南京市百子亭三四號　郵政編碼　二一〇〇〇九）
開本：七八七×一〇九二毫米　十六開
印張：一二二　字數：五〇〇〇千字
二〇〇八年十二月第一版　二〇〇八年十二月第一次印刷
印數：一——一二〇〇
定價（全二册）：一四六〇圓

aikongqu

ongcheng Jiegou Kangcaidong Sheji Lilun

Jiagu Xinjishu

hina University of Mining and Technology Press

任编辑 褚建萍 封面设计 肖新生

ISBN 978-7-5646-0082-2

9 787564 600822 >